ecologico, -a [...ˈlɔdʒiko] *adj* **1.** *(relativo all'ecologia)* ökologisch; **2.** *(non inquinante)* umweltfreundlich, umweltschonend; **3.** *(macchina)* abgasarm.
ecologo, -a [eˈkɔːlogo] ⟨-gi, -ghe⟩ *m, f* Ökologe *m*, -login *f*.

Femininformen der Substantive und Adjektive sind angegeben.

ruga [ˈruːga] ⟨-ghe⟩ *f* Falte *f*, Runzel *f*.
rossiccio, -a [rosˈsittʃo] ⟨-cci, -cce⟩ *adj* rötlich.

Bei italienischen Substantiven und Adjektiven werden die **Pluralendungen** in spitzen Klammern nach dem Stichwort bzw. nach der Ausspracheangabe angegeben.

bue [ˈbuːe] ⟨buoi⟩ *m* Ochse *m*; ~ **muschiato** Moschusochse *m*.
buoi [ˈbu̯ɔːi] *pl di* **bue.**
avere [aˈveːre] ⟨ho, ebbi, avuto⟩ **I.** *tr* haben …
ho [ɔ] *pr di* **avere.**

Unregelmäßige Formen sind beim Grundwort angegeben und in der Regel an entsprechender Stelle in der alphabetischen Reihenfolge mit einem Verweis zur Grundform zusätzlich als Stichwort aufgenommen.

Es werden zahlreiche Hinweise zur Verwendung gegeben, z. B.

fissare [fisˈsaːre] **I.** *tr* **1.** *(applicare)* befestigen, festmachen; *(chiodo)* einschlagen; **2.** *fig* *(sguardo, attenzione)* richten auf +*akk*; **3.** *(guardare in modo fisso)* starren, fixieren; **4.** *(stabilire)* festsetzen; *(pattuire: prezzo)* vereinbaren; *(domicilio)* legen, aufschlagen; **5.** *(prenotare)* reservieren; *(viaggio)* buchen; **II.** *rfl:* **-arsi 1.** *(tenersi fermo)* sich richten (*su* auf +*akk*); **2.** *(stabilirsi in un luogo)* sich niederlassen; **3.** *fig* *(intestarsi)* sich *(dat)* in den Kopf setzen (*su qc* etw.), sich versteifen (*di* auf +*akk*).

- **Zusätze** für Definitionen und Synonyme, typische Subjekte und Objekte und andere Erklärungen,

interprete [inˈtɛrprete] *mf* **1.** *(traduttore)* Dolmetscher(in) *m(f)*; **2.** *film, TV, teat* Darsteller(in) *m(f)*; *(a. mus)* Interpret(in) *m(f)*; **3.** *(espositore di volontà altrui)* Vermittler(in) *m(f)*; **4.** *inform* Interpreter *m*; ~ **simultaneo** Simultandolmetscher *m*; ~ **tascabile** Übersetzungscomputer *m* (im Taschenformat).

- **Fachgebietsangaben,**

ca' [ka] ⟨-⟩ *f* *venez* *(casa)* Haus *n*.

- Angaben zur **regionalen Verbreitung,**

sgraffignare [zgraffiɲˈɲaːre] *t*…
klauen *fam*.

mirare [miˈraːre] *itr* **1.** *(puntare* …
(*a* auf +*akk*), anvisieren (*a q*…
2. *fig* *(tendere)* abzielen (*a* auf …
trachten (*a* nach), streben (*a n*…
in alto ein hohes Ziel anstrebe…

PONS

Kompaktwörterbuch
für alle Fälle

Italienisch – Deutsch
Deutsch – Italienisch

Teil 1: Italienisch – Deutsch

Ernst Klett Verlag
Stuttgart · Düsseldorf · Leipzig

PONS - Kompaktwörterbuch für alle Fälle Italienisch - Deutsch

von Birgit Klausmann-Molter und Claudia Poglayen-Zweig †

Unter Mitarbeit von: Patrizia de Bernardo Stempel, Waldemar Eistermeier, Siegfried Glas, Jeannette Neumann, Lucio Sacher, Reinhard Stempel, Margherita Zander.

Phonetik: Arthur Wagner †

Grammatischer Anhang: Wolfgang Rettig

Neuwörter: Chiara de Manzini Himmrich

Koordination: Kornelia Kuhle

Neubearbeitung 1995:

Bearbeitet von: Maria Grazia Chiaro, Karin Friemel, Susanne Godon, Angela Giuliano

Neuwörter: Federica Campregher, Karin Friemel

unter Mitwirkung und Leitung der Redaktion PONS Wörterbücher

Die Deutsche Bibliothek - CIP-Einheitsaufnahme

PONS-Kompaktwörterbuch für alle Fälle.

- Stuttgart ; Düsseldorf ; Leipzig : Klett

Italienisch-deutsch, deutsch-italienisch / von Birgit Klausmann-Molter ...

- 2. vollst. neubearb. Aufl., 4. Nachdr. [bearb. von:

Maria Grazia Chiaro ...]. - 1998

ISBN 3-12-517370-1

2. vollständig neubearbeitete Auflage 1995 - Nachdruck 1998

Redaktion: Edgar Braun

Einbandgestaltung: Erwin Poell, Heidelberg; Ira Häußler, Stuttgart

Fotosatz: Fotosatz Kaufmann, Stuttgart

Druck: C.H. Beck'sche Druckerei, Nördlingen

Printed in Germany

ISBN 3-12-517370-1

INHALT

SOMMARIO

Hinweise zur Benutzung des Wörterbuches Italienisch – Deutsch	IV	Guida all'uso del dizionario italiano – tedesco	IV
Rechtschreibung	XIV	Ortografia	XIV
Italienische Silbentrennung	XIV	Divisione in sillabe in italiano	XIV
Anmerkungen zur italienischen Aussprache	XV	Osservazioni sulla pronuncia italiana	XV
Liste der Lautschriftzeichen	XVI	Segni usati per la trascrizione fonetica	XVI
Abkürzungen	XVII	Abbreviazioni	XVII
Italienisch – deutsches Wörterverzeichnis	1–558	Vocabolario Italiano – Tedesco	1–558

Anhang

Appendice

Unregelmäßige italienische Verben	559	Verbi irregolari italiani	559
Formenlehre der italienischen Sprache	565	Morfologia della lingua italiana	565
Zahlwörter	580	Numerali	580
Maße und Gewichte	582	Misure e pesi	582
Geläufige italienische Vornamen	583	Nomi propri italiani più frequenti	583
Italienische Regionen und Hauptstädte	588	Regioni italiane e loro capoluoghi	588
Italienische Kraftfahrzeugkennzeichen	589	Targhe automobilistiche italiane	589
Italienisches Alphabet	590	Alfabeto italiano	590

Hinweise zur Benutzung des Wörterbuchs Italienisch – Deutsch

1. Schriftarten

Fettdruck
für Stichwörter und direkte Verweise auf ein anderes Stichwort

Halbfettdruck
für italienische Anwendungsbeispiele und Redewendungen sowie für Ziffern

Grundschrift
für die deutschen Übersetzungen

Kursivschrift
für grammatische Angaben wie Wortart, Genus usw.
für Erklärungen und Definitionen, Markierungen, Synonyme und andere Zusätze
für indirekte Verweise am Ende eines Eintrags.

Guida all'uso del dizionario italiano – tedesco

1. Caratteri usati

nero
per il lemma e per rimandi diretti ad un altro lemma

neretto
per gli esempi e modi di dire in italiano e per le cifre

tondo
per le traduzioni in tedesco

corsivo
per le categori grammaticali, i generi ecc.
per spiegazioni e definizioni, marcature, sinonimi ed altre aggiunte
per rimandi indiretti alla fine della voce

Beispiele *Esempi:*

due ['du:e] **I.** *num* zwei; *fig fam* ein paar; **non poter dividersi in** ~ *fig* sich nicht zweiteilen können; **scambiare** ~ **chiacchiere** *fam* einen (kleinen) Schwatz halten *fam;* **a** ~ **a** ~ zu zweien (nebeneinander), paarweise; **II.** ⟨-⟩ *m* **1.** *(numero)* Zwei *f;* **2.** *(nelle date)* Zweite(r) *m;* **3.** *(voto scolastico)* ≃ Mangelhaft *n,* Ungenügend *n;* ~ **alberi** Zweimaster *m;* ~ **pezzi** Zweiteiler *m;* ~ **volumi** *mot* Steilheck *n;* **lavorare/mangiare per** ~ für zwei arbeiten/essen; **III.** *f pl* zwei Uhr; *v. a. cinque.*

risoluto, -a [-so'lu:to] **I.** *pp di* **risolvere; II.** *agg* resolut.

2. Satzzeichen und Symbole

, trennt gleichwertige, alphabetisch aufeinanderfolgende Stichwortvarianten
trennt maskuline und feminine Form eines Wortes
trennt gleichwertige Übersetzungen

; zwischen Übersetzungen zeigt einen Bedeutungsunterschied an, der in der Regel durch einen erklärenden Zusatz erläutert ist:

2. Interpunzione e simboli

, divide diverse varianti di ugual valore, ordinate alfabeticamente
divide la forma maschile di una parola da quella femminile
divide traduzioni di ugual valore

; tra traduzioni, evidenzia una differenza di significato, che, di regola, viene ulteriormente commentata da un' aggiunta esplicativa

. steht am Ende eines Artikels

: vor einer Wendung zeigt an, daß das Stichwort in der Regel nur in dieser Wendung gebraucht wird

/ zeigt analoge Strukturen an

~ ersetzt in Anwendungsbeispielen und Redewendungen das vorhergehende Stichwort. Bei Wechsel von Groß- und Kleinschreibung wird zusätzlich der Anfangsbuchstabe wiederholt.

- ersetzt einen Teil des Stichwortes

– unterscheidet in Anwendungsbeispielen zwischen zwei Sprechern

≃ steht bei einer ungefähren Entsprechung aufgrund kultureller Unterschiede

( ) in runden Klammern stehen
– Elemente, durch deren Weglassen sich die Bedeutung nicht ändert. Dabei sind

. sta alla fine di un articolo

: quando precede una locuzione, segnala che la voce, di regola, viene usata solo in quella locuzione

/ indica strutture analoghe

~ sostituisce, negli esempi per l'uso ed in espressioni idiomatiche, la voce che precede. Nel caso che ci siano dei cambiamenti dalla grafia maiuscola a quella minuscola o viceversa, la lettera iniziale viene ulteriormente ripetuta.

- sostituisce una parte del lemma

– negli esempi per l'uso, distingue tra due parlanti

≃ segnala una traduzione approssimativa in caso di mancanza di una perfetta equivalenza culturale.

( ) in parentesi tonde vengono posti
– elementi la cui omissione non cambia il significato. In questi casi si legga

(Fahr)rad *n:* Fahrrad *n,* Rad *n*
Wirsing(kohl) *m:* Wirsingkohl *m,* Wirsing *m*
Abend(stunde *f*) *m:* Abendstunde *f,* Abend *m*
(ab-, ver)kürzen: abkürzen, verkürzen, kürzen

zu lesen.
In Verbindung mit *o* zeigen runde Klammern den Ersatz eines oder mehrerer Elemente durch andere an.

– kursive Zusätze und Erklärungen

⟨ ⟩ in spitzen Klammern stehen grammatische und morphologische Angaben

[ ] in eckigen Klammern stehen phonetische Angaben

In concomitanza con *o* le parentesi tonde indicano la sostituzione di uno o più elementi mediante altri.

– aggiunte e chiarificazioni in corsivo

⟨ ⟩ le parentesi uncinate racchiudono indicazioni grammaticali e morfologiche

[ ] le parentesi quadre vengono usate per le indicazioni fonetiche

3. Stichwortanordnung – Makrostruktur

Alle Stichwörter sind **alphabetisch angeordnet**. Wortzwischenräume bei mehrgliedrigen Stichwörtern bleiben dabei unberücksichtigt.

Stichwörter, bei denen nach dem Komma eine zweite Endung angegeben ist, folgen denen mit nur einer Endung:

3. Ordine dei lemmi – Macrostruttura

Tutti i lemmi sono **ordinati alfabeticamente.** Nell'ordine alfabetico, per i lemmi a più elementi, non si è tenuto conto degli spazi tra gli elementi stessi.

Lemmi nei quali alla virgola segue una seconda desinenza vengono ordinati dopo quelli con una desinenza sola:

vano *m* vor/prima di
vano, -a *agg*

Wo zwei **orthographische Varianten** eines Wortes alphabetisch nicht unmittelbar aufeinanderfolgen, wird jede als eigenes Stichwort behandelt. Es erfolgt in der Regel ein **Verweis** zu der ausführlich dargestellten Variante.

Se due **varianti ortografiche** di una stessa parola non si susseguono in ordine alfabetico, ciascuna viene presentata come lemma a sé. Di regola segue un **rimando** alla variante trattata con maggiore ampiezza.

Komposita und **mehrgliedrige Stichwörter** wie *personal computer* und *mass media* stehen an ihrer Stelle im Alphabet. **Feste Syntagmen** und **mehrgliedrige Ausdrücke** wie *cavallo vapore, divano letto, bambino in provetta* oder *crema da scarpe* sind im allgemeinen unter dem ersten wichtigen bedeutungstragenden Element in der Phraseologie des entsprechenden Stichworts eingeordnet.

I **sostantivi composti** ed i **lemmi a più elementi,** come *personal computer* e *mass media* mantengono la loro posizione in ordine alfabetico. **Sintagmi fissi e locuzioni,** come *cavallo vapore, divano letto, bambino in provetta* o *crema da scarpe* vengono in genere registrati alla voce del primo elemento fraseologico più significativo.

Bei Personenbezeichnungen ist die **feminine Form** in der Regel bei der maskulinen abgehandelt und wird nur dann noch einmal als eigenes Stichwort mit **Verweis** aufgenommen, wenn sie alphabetisch mehr als zwei Einträge von der maskulinen Form entfernt stehen würde:

Nelle indicazioni di persona **la forma femminile** viene trattata di regola sotto quella maschile e viene poi ripresa nuovamente come lemma a sé e con un **rimando,** nel caso in cui essa disti più di due voci da quella maschile:

autore, -trice *m, f* ...
autorete *f* ...
⋮
autorità *f* ...
⋮
autovettura *f* ...
autrice *f v.* **autore.**

Unregelmäßige Formen (unregelmäßige Plurale der Substantive, Steigerungsformen der Adjektive und Adverbien, unregelmäßige Verbformen, Zusammenziehungen von Präposition und Artikel und andere Unregelmäßigkeiten), die in voller Form in der spitzen Klammer angegeben sind, werden in der Regel dann noch einmal an entsprechender Stelle als Stichwort mit einem **Verweis** auf ihre Grundform aufgenommen, wenn sie alphabetisch nicht unmittelbar neben dieser Form stehen würden:

Le **forme irregolari** (forme irregolari del plurale del sostantivo, forme di comparazione dell'aggettivo e dell'avverbio, forme irregolari del verbo, contrazioni di preposizione più articolo ed altre irregolarità) che vengono riportate per esteso nelle parentesi uncinate, vengono riprese di regola ancora una volta, secondo l'ordine alfabetico, come lemma a sé, con un **rimando** alla forma di base, nel caso in cui non si trovino in posizione immediatamente vicina alla forma di base stessa:

buoi ['bu̯ɔːi] *pl di* **bue**
esco ['ɛsko] *pr di* **uscire**
del [del] *prp* **di** *con art il.*

Kurzwörter, Abkürzungen, Eigennamen und **geographische Bezeichnungen** sind an alphabetischer Stelle als Stichwörter im Wörterverzeichnis zu finden. Hier werden Vornamen und geographische Bezeichnungen, die unübersetzbar (z.B. *Italo, Marcella, Palermo)* bzw. in beiden Sprachen gleich sind (z.B. *Maria),* nicht berücksichtigt. Eine Liste geläufiger Vornamen befindet sich im Anhang.

Le **forme abbreviate,** le **abbreviazioni,** i **nomi propri** e le **denominazioni geografiche** vengono riportati come lemmi nel corpo del dizionario in ordine alfabetico. Nomi propri e denominazioni geografiche che sono intraducibili (p.es. *Italo, Marcella, Palermo)* o uguali in entrambe le lingue (p.es. *Maria),* non vengono qui riportati. Un elenco dei nomi propri più frequenti si trova nell'appendice.

Bei den **geographischen Bezeichnungen** sind Städtebewohner nicht gesondert aufgeführt, es sei denn, es handelt sich um bestimmte Besonderheiten, wie z. B bei *veneziana, napoletana* oder *bolognese.*

Sprachen sind in der Regel nicht gesondert aufgeführt, da sie sich vom entsprechenden Adjektiv ableiten lassen. Ausnahmen sind bestimmte Besonderheiten, wie z. B *arabo.* Ausführlichere Anwendungsbeispiele mit Sprachennamen sind exemplarisch bei **italiano** und **tedesco** dargestellt.

Ausführlichere Anwendungsbeispiele von **Monaten, Wochentagen** und **Zahlen** sind exemplarisch bei **settembre, lunedi** und **cinque, cinquanta, quinto** dargestellt, worauf in den entsprechenden analogen Einträgen verwiesen wird.

Substantiverte Adjektive und Verben, sowie Adjektive, die sich leicht aus einer Partizipform des Verbs oder mit einem Suffix wie *-bile* ableiten lassen, und leicht abzuleitende Adverbien auf *-mente* sind oft nicht als eigenes Suchwort aufgeführt. Wo ein solches Wort nicht als selbständiger Eintrag erscheint, kann auf die beim jeweiligen Adjektiv- oder Verbeintrag angegebene Übersetzung zurückgegriffen werden.

Homographen (verschiedene Wörter gleicher Schreibung) werden durch hochgestellte arabische Ziffern unterschieden:

Nelle denominazioni geografiche non vengono esplicitamente riportate le indicazioni degli abitanti delle singole città, a meno che non si tratti di certe particolarità, come p.es. nel caso di *veneziana, napoletana* o *bolognese.*

Le **lingue** di regola non vengono registrate separatamente, poiché esse sono derivabili dall'aggettivo corrispondente. Fanno eccezione certe particolarità come p.es. *arabo.* Alle voci **italiano** e **tedesco** vengono riportati esempi per l'uso generale dei nomi delle lingue.

Alle voci **settembre, lunedì** e **cinque, cinquanta, quinto** vengono riportati esempi per l'uso generale di determinazioni di **mesi, giorni della settimana** e **numeri.** Nelle altre voci analoghe è poi introdotto un rinvio.

Aggettivi e verbi sostantivati ed aggettivi facilmente derivabili da una forma del participio del verbo o per mezzo di un suffisso come *-bile* spesso non vengono riportati come voci a sé stanti. Lo stesso avviene in genere per gli avverbi in *-mente.* In questi casi è possibile risalire alla traduzione per mezzo dell'aggettivo o verbo corrispondenti.

Gli **omografi** (parole diverse con la stessa grafia) vengono contrassegnati da un esponente in cifre arabe:

merlo^1 ['mɛrlo] *m arch* Zinne *f.*
merlo^2 ['mɛrlo] *m zoo* Amsel *f,* Schwarzdrossel *f.*
ancora^1 [aŋko:ra] *adv* ... noch ...
ancora^2 ['aŋkora] *f* Anker *m* ...

4. Aufbau der Wörterbuchartikel – Mikrostruktur

Die einzelnen Artikel können durch Zahlen weiter untergliedert sein.
Dabei kennzeichnen **römische Ziffern** verschiedene Wortarten, verschiedene grammatische Kategorien und verschiedene Konstruktionsmöglichkeiten eines Verbs *(tr, itr, rfl):*

4. Sviluppo delle voci – Microstruttura

Le singole voci possono esser ulteriormente suddivise in capitoli, contrassegnati da numeri.
Le **cifre romane** contrassegnano diverse parti del discorso, diverse categorie grammaticali e diverse possibilità di costruzione di un verbo *(tr, itr, rfl):*

radicale [radi'ka:le] **I.** *agg* **1.** *fig* radikal, tiefgreifend; **2.** *pol* radikal; **3.** *ling* Wurzel-, Stamm; **II.** *mf* **1.** *pol* Radikale(r) *mf;* **2.** *fig* Hardliner(in) *m(f);* **III.** *m* **1.** *ling* Wurzel *f* Stamm *m;* **2.** *mat, chim* Radikal *n.*

schermire [sker'mi:re] ⟨schermisco⟩ **I.** *tr* schützen; (*da qu/qc* vor jdm/etw.); **II.** *itr* fechten; **III.** *rfl:* **-irsi 1.** *fig* abwehren (*da qc* etw.); sich wehren (*da qu/qc* vor jdm/etw.) **2.** *(ripararsi)* sich schützen (*da* vor *+dat*).

Arabische Ziffern kennzeichnen verschiedene Bedeutungen des Stichworts:

Le **cifre arabe** contrassegnano significati diversi del lemma:

creazione [...t'tsi̯o:ne] *f* **1.** (*atto del creare*) (Er)schaffung *f; rel* Schöpfung *f;* **2.** *(fondazione)* Gründung *f;* **3.** *(nella moda)* Kreation *f;* **4.** *tec* Konstruktion *f;* **5.** *(invenzione)* Erfindung *f.*

Der grammatischen und semantischen Beschreibung jeder durch römische Ziffern gegliederten grammatischen Kategorie folgt ihre phraseologische Beschreibung. Hier sind die für die Kategorie relevanten **festen Syntagmen** und **mehrgliedrigen Ausdrücke, Anwendungsbeispiele, Redewendungen** und **Sprichwörter** aufgeführt.

In der Regel sind sie unter dem Stichwort eingeordnet, das als erstes wichtiges bedeutungstragendes Element fungiert, im Zweifelsfall sollte aber auch unter den anderen möglichen Suchwörtern nachgeschlagen werden.

Alla descrizione grammaticale e semantica di ogni categoria grammaticale, suddivisa in parti contrassegnate da cifre romane, segue la rispettiva descrizione fraseologica. Qui vengono riportati i **sintagmi fissi**, le **locuzioni,** gli **esempi**, i **modi di dire** ed i proverbi rilevanti per la categoria.

Di regola essi vengono registrati alla voce del primo elemento fraseologico più significativo. In casi dubbi si dovrebbe comunque cercare sotto le altre voci in questione.

5. Erklärende Zusätze – Kommentierungen

Sowohl in Ausgangs- als auch in Zielsprache können erklärende Zusätze Bedeutung und Anwendung eines Wortes näher bestimmen:

In Klammern stehende Zusätze für Synonyme und Definitionen, für typische Subjekte und Objekte und andere Erklärungen

Fachgebietsangaben, wenn verschiedene Bedeutungen unterschieden werden

Angaben zur regionalen Verbreitung zur Markierung aller Wörter, Bedeutungen und Wendungen, die einem regionalen Gebrauch unterliegen. Läßt sich dieser nicht genau abgrenzen (z. B. *mer, tosc, A, CH* etc), steht die allgemeine Markierung *dial.* Die Angaben stehen in Ausgangs- und Zielsprache.

5. Aggiunte esplicative – Commenti

Sia nella lingua di partenza che in quella d'arrivo, il significato e l'uso di una parola possono venir chiariti ulteriormente da aggiunte esplicative:

aggiunte in parentesi per sinonimi e definizioni, per soggetti ed oggetti tipici e per altre spiegazioni integrative

indicazioni sui linguaggi specialistici quando si voglia distinguere tra diversi significati

indicazioni sulla diffusione regionale per evidenziare tutte le parole, significati e locuzioni di uso regionale. Se tale uso non può essere esattamente circoscritto (p.es. *mer, tosc, A, CH* ecc.) viene riportata l'indicazione più generale *dial.* Tali indicazioni sono presenti sia nella lingua di partenza che in quella d'arrivo.

Stilangaben zur Markierung aller Wörter, Bedeutungen und Wendungen, die keiner neutralen Stilebene angehören: *fam, sl, vulg, adm, geh, lit, poet, obs.* Die Angaben stehen in Ausgangs- und Zielsprache. Stilangaben zu Beginn eines Eintrags oder einer Kategorie beziehen sich auf alle Bedeutungen und Wendungen innerhalb dieses Eintrags oder dieser Kategorie.

Rhetorische Angaben, wenn eine besondere Sprechhaltung markiert wird: *iron, pej, scherz.* Die Angaben stehen nur auf der Ausgangssprachenseite, beziehen sich aber auch auf die Übersetzung.

Die vollständige Liste der Markierungen ist dem Abkürzungsverzeichnis zu entnehmen.

indicazioni di stile per evidenziare tutte le parole, tutti i significati e le locuzioni che non appartengono ad un livello di stile neutro: *fam, sl, volg, amm, lett, letter, poet, obs.* Le indicazioni sono presenti sia nella lingua di partenza che in quella d'arrivo. Le indicazioni di stile all'inizio di ogni registrazione o categoria si riferiscono a tutti i significati e locuzioni all'interno di esse.

indicazioni retoriche se viene marcato un particolare atteggiamento linguistico: *iron, peg, scherz.* Le indicazioni sono riportate solamente per la lingua di partenza, ma si riferiscono anche alla traduzione.

Nella lista delle abbreviazioni sono ampiamente riportate tutte le marcature.

6. Morphologische Angaben

Substantive

Alle Substantive sind mit einer **Genusangabe** versehen. Die Bezeichnung des grammatischen Geschlechts als *m* (Maskulinum), *f* (Femininum) oder *n* (Neutrum) bzw. deren Kombination kennzeichnet ein Wort als Substantiv.

Nach dem Stichwort bzw. der Phonetikangabe wird in spitzen Klammern die **Pluralendung** angegeben, wenn sie nicht diesem Schema folgt:

6. Indicazioni morfologiche

Sostantivi

Per tutti i sostantivi viene fornita un'**indicazione di genere.** L'attribuzione del genere grammaticale con *m* (maschile), *f* (femminile) o *n* (neutro) o la loro combinazione indica che si tratta di un sostantivo.

Dopo il lemma o la sua trascrizione fonetica, in parentesi uncinate vengono riportate le **desinenze del plurale,** nel caso che non rientrino nello schema:

	sing	*pl*
m	tren**o**	tren**i**
f	strad**a**	strad**e**
m / f	padr**e**/madr**e**	padr**i**/madr**i**

Auch bei den Substantiven auf *-co, -ca, -go, -ga, -io, -ia* steht die Pluralangabe.
Fehlen bei zusammengesetzten und präfigierten Substantiven diese Angabe, so gelten auch hier die des Grundworts:

Anche per i sostantivi in *-co, -ca, -go, -ga, -io, -ia* si riportano indicazioni sul plurale.
Nel caso che per i sostantivi composti e quelli con prefisso tali indicazioni manchino, valgono anche qui le indicazioni grammaticali della voce semplice:

bue ⟨buoi⟩ *m*
cassaforte ⟨casseforti⟩ *f*
programma ⟨-i⟩ *m*
banco ⟨-chi⟩ *m*
denuncia ⟨-ce *o* cie⟩ *f*
gioco ⟨-chi⟩ *m*
videogioco *m*

Ein ⟨-⟩ bedeutet, daß das Substantiv einen unveränderlichen, mit der Grundform identischen Plural hat:

Un ⟨-⟩ significa che il sostantivo ha una forma plurale invariata, identica alla forma singolare:

film ⟨-⟩ *m*
città ⟨-⟩ *f*
specie ⟨-⟩ *f*

Substantive oder einzelne Bedeutungen eines Substantivs mit der Angabe ⟨*sing*⟩ werden nur im Singular gebraucht:

Sostantivi o singoli significati di un sostantivo con l'indicazione ⟨*sing*⟩ vengono usati solo al singolare:

frutta *f* ⟨*sing*⟩

Einzelne Bedeutungen eines Substantivs mit der Angabe ⟨*pl*⟩ werden nur im Plural gebraucht:

Singoli significati di un sostantivo con l'indicazione ⟨*pl*⟩ vengono usati solo al plurale:

faccenda [fat'tʃɛnda] *f* Angelegenheit *f*, Sache *f*; **~e domestiche/di casa** Hausarbeit *f*.

Für alle italienischen Substantive, die ein natürliches Geschlecht haben und Personen bezeichnen, wird die **feminine** neben der **maskulinen Form** angegeben:

Per tutti i sostantivi italiani che abbiano un genere naturale e che designino persone, la **forma femminile** viene registrata accanto a quella **maschile:**

amico, -a ⟨ci, -che⟩ *m, f*
autore, -trice *m, f*
conte, -essa *m, f*
agente *mf*
artista ⟨-i *m*, -e *f*⟩ *mf*

In der Regel sind beide Formen unter der maskulinen Form abgehandelt. Wo die feminine Form in der alphabetischen Reihenfolge mehr als zwei Einträge von der maskulinen entfernt stehen würde, wird sie zusätzlich als eigenes Stichwort mit einem Verweis auf die maskuline Form angegeben.

Di regola ambedue le forme vengono trattate sotto quella maschile. Nel caso in cui la forma femminile disti più di due voci da quella maschile nell'ordine alfabetico, essa viene registrata come lemma a sé con un rimando alla forma maschile.

Bei italienischen Substantiven, die in der maskulinen Form auch das natürliche feminine Geschlecht bezeichnen, wird in der Übersetzung auch die feminine Form berücksichtigt:

Per i sostantivi italiani di genere grammaticale maschile che designano anche il genere naturale femminile, nella traduzione viene considerata anche la forma femminile:

ministro [mi'nistro] *m* **1.** *pol* Minister(in) *m(f)*; **2.** *rel* Obere(r) *mf*; **~ degli affari esteri/degli interni/della pubblica istruzione** Außen-/Innen-/Kultusminister(in) *m(f)*; …

Deutsche Substantive in der Übersetzung, die wie Adjektive dekliniert werden, werden so dargestellt:

I sostantivi tedeschi che appaiono come traduzione di un lemma e vengono declinati come aggettivi, sono registrati come segue:

Gute(s) *n* (das Gute, ein Gutes)
Beamte(r) *m* (der Beamte, ein Beamter)
Angestellte(r) *mf* (der Angestellte, ein Angestellter, die/eine Angestellte)

Bei Substantiven, die mit bestimmten **Präpositionen** verbunden werden, sind die zugehörige präpositionale Ergänzung und ihre Entsprechung nach der deutschen Übersetzung angegeben:

Per i sostantivi che reggono determinate **preposizioni,** la preposizione in questione ed il suo corrispondente vengono riportati dopo la traduzione tedesca:

odore … Geruch *m* (*di* nach, von) …

Adjektive und Adverbien

Bei den italienischen Adjektiven auf *-o* werden **maskuline und feminine Form** angegeben und alphabetisch unter der maskulinen Form eingeordnet.

Die **Pluralangabe** in spitzen Klammern erfolgt nach denselben Regeln wie die der Substantive:

Aggettivi ed avverbi

Per gli aggettivi italiani in *-o* vengono date la **forma maschile e femminile,** ambedue alfabeticamente ordinate sotto la forma maschile.

Le indicazioni del plurale vengono date in parentesi uncinate, secono le stesse regole usate per i sostantivi:

ricco, -a ⟨-cchi, -cche⟩
lungo, -a ⟨-ghi, -ghe⟩
proprio, -a ⟨-i, -ie⟩
logico, - a ⟨-ci, -che⟩
biologico, -a

Unveränderliche Adjektive werden mit ⟨*inv*⟩ gekennzeichnet:

Gli aggettivi invariati vengono registrati con ⟨*inv*⟩:

chic ⟨*inv*⟩

Unregelmäßige Steigerungsformen werden in spitzen Klammern angegeben, wobei die erste der Formen den Komparativ, die zweite den Superlativ bezeichnet:

Le **forme irregolari del comparativo e del superlativo** sono riportate in parentesi uncinate. La forma del comparativo precede quella del superlativo:

cattivo ⟨più cattivo *o* peggiore, cattivissimo *o* pessimo⟩

bene ⟨meglio, benissimo *o* ottimamente⟩

Deutsche Adjektive in der Übersetzung werden in ihrer unflektierten Form angegeben. Adjektive, die keine unflektierte Form haben, werden nach dem Muster *erste(r,s)* aufgeführt.

Bei Adjektiven, die mit bestimmten **Präpositionen** verbunden werden, sind die zugehörige präpositionale Ergänzung und ihre Entsprechung nach der deutschen Übersetzung angegeben:

Aggettivi tedeschi che appaiono come traduzione di un lemma vengono dati nella forma indeclinata. Quelli che non presentano una forma indeclinata, vengono registrati secondo il modello *erste(r,s).*

Per gli aggettivi che reggono determinate **preposizioni,** la preposizione in questione ed il suo corrispondente vengono riportati dopo la traduzione tedesca:

addetto, -a [ad'detto] **I.** *agg* zuständig (*a* für); *(occupato)* tätig (*o* beschäftigt) (*a* bei); …

Verben

Die grammatische Angabe *tr, itr* oder *rfl* kennzeichnet ein Stichwort als Verb. Wird ein Verb in mehreren dieser Konstruktionsmöglichkeiten gebraucht, ist der Eintrag entsprechend gegliedert:

Verbi

L'indicazione grammaticale *tr, itr* o *rfl* è caratteristica per il verbo. Se un verbo presenta diverse possibilità di costruzione, la voce risulta articolata in modo corrispondente:

rompere … **I.** *tr* **1.** *(pane)* brechen; … **II.** *itr* **1.** *(scoppiare)* ausbrechen *(in* in *+akk);* **2.** *(troncare)* brechen (*con* mit); **III.** *rfl:* **-ersi** (zer-)brechen, kaputtgehen; …

Auf das Stichwort bzw. die Phonetikangabe folgen in spitzen Klammern die Angaben zu **unregelmäßigen Verbformen** und zu solchen mit morphologischen Besonderheiten.

Dopo il lemma o la sua trascrizione fonetica seguono in parentesi uncinate le indicazioni sulle **forme irregolari del verbo** e su quelle con particolarità morfologiche.

Bei den unregelmäßigen Verben werden die 1. Person Singular Präsens, das Passato Remoto und das Partizip Perfekt angegeben:

Per le forme irregolari vengono date la prima persona singolare del presente e del passato remoto e la forma del participio passato:

andare ⟨vado, andai, andato⟩
chiedere ⟨chiedo, chiesi, chiesto⟩
essere ⟨sono, fui, stato⟩
fare ⟨faccio, feci, fatto⟩

In der Regel werden diese Formen noch einmal an alphabetischer Stelle als **Verweis** auf den Infinitiv aufgenommen, wenn sie nicht unmittelbar neben dieser Form stehen würden. Das gilt auch für andere nicht ohne weiteres aus diesen zu erschließende unregelmäßige Formen wie *sarà, muoio, possa* etc.
Semantische Informationen zu diesen Formen sind beim verwiesenen Stichwort, grammatische in der italienischen Formenlehre bzw. in der Liste unregelmäßiger Verben im Anhang zu finden.

Di regola queste forme vengono nuovamente riportate nell'ordine alfabetico, come **rimando** alla forma dell'infinito, nel caso in cui con si trovino immediatamente vicine alla forma stessa dell'infinito. Alla stessa stregua vengono trattate altre forme irregolari, non automaticamente deducibili, come p. es. *sarà, muoio, possa* ecc.
Informazioni semantiche su queste forme vengono date nella lemma di rimando. Quelle grammaticali si trovano invece nella morfologia italiana e nella lista dei verbi irregolari, tutte e due in appendice al vocabolario.

Bei den Verben auf *-iare, -care, -cere, -gare, -gere,* die morphologische Besonderheiten in der Bildung der Stammformen aufweisen, werden 1. und 2. Person Singular Präsens angegeben; bei den Verben auf *-ire* wird die 1. Person Singular Präsens angegeben. Sind diese Verben auch unregelmäßig, so werden zusätzlich Passato Remoto und Partizip Perfekt angegeben:

Per i verbi in *-iare, -care, -cere, -gare, -gere* che presentano particolarità morfologiche nella formazione delle forme fondamentali, vengono date la prima e la seconda persona singolare del presente. Per i verbi in *-ire* viene data la prima persona singolare del presente. Se questi verbi poi sono anche irregolari, vengono aggiunte anche le forme del passato remoto e del participio passato:

inviare ⟨invio, invii⟩
cercare ⟨cerco, cerchi⟩
finire ⟨finisco⟩
uscire ⟨esco, esci, uscii, uscito⟩
fingere ⟨fingo, fingi, finsi, finto⟩

Wenn es sich um unpersönlich gebrauchte Verben handelt, wird die 3. Person Singular angegeben:

Se si tratta di verbi usati impersonalmente è la terza persona singolare che viene data:

albeggiare ⟨albeggia⟩
piovere ⟨piove, piovve, piovuto⟩

Die Angabe der Stammformen fehlt bei zusammengesetzten und präfigierten Verben, die in ihrer einfachen Form als selbständiger Eintrag erscheinen. Unregelmäßige Verben werden dann mit ⟨*irr*⟩ gekennzeichnet:

L'indicazione delle forme fondamentali manca nei verbi composti e in quelli con prefisso che già compaiano nel dizionario nella loro forma semplice. I verbi irregolari vengono segnalati con ⟨*irr*⟩:

rinviare …
ricercare …
riuscire ⟨*irr*⟩ …
richiedere ⟨*irr*⟩ …
soddisfare ⟨soddisfo *o* soddisfaccio, *irr*⟩

Eine Liste der häufigsten unregelmäßigen italienischen Verben befindet sich im Anhang. Konjugationstabellen zu Verben sind ebenfalls dort in der italienischen Formenlehre zu finden.

Nell'appendice si trova una lista dei verbi irregolari italiani più frequenti. Le tabelle di coniugazione dei verbi possono esser consultate, sempre in appendice, nella parte dedicata alla morfologia italiana.

Alle italienischen Verben, die die **zusamengesetzten Zeiten** nicht ausschließlich mit *avere* bilden, haben nach der Wortangabe den Zusatz ⟨*essere*⟩ oder ⟨*essere o avere*⟩. Gelegentlich ist die Bildung mit *essere* oder *avere* mit einem Unterschied in der Konstruktionsweise oder der Bedeutung verbunden. In diesem Fall steht die Angabe jeweils nach der entsprechenden Einteilung im Eintrag. Fehlt die Angabe, so erfolgt die Bildung mit *avere*. Reflexive Verben bilden die zusammengesetzten Zeiten regelmäßig mit *essere;* deshalb wird hier auf die Angabe verzichtet:

Tutti i verbi italiani che non formino tutti i **tempi composti** esclusivamente con *avere* presentano, dopo l'indicazione della voce, l'aggiunta ⟨*essere*⟩ o ⟨*essere o avere*⟩. Talvolta la scelta tra *essere* o *avere* è legata a una differenza nella costruzione o nel significato. In questo caso l'indicazione viene di volta in volta riportata nella voce, secondo la suddivisione corrispondente. Se tale indicazione manca, la formazione dei tempi composti avviene con *avere*. I verbi riflessivi formano di regola i tempi composti con *essere*. Per questa ragione nel lemma tale informazione non compare:

scolorare [skolo'ra:re] **I.** *tr* ⟨*avere*⟩ entfärben; **II.** *itr* ⟨*essere*⟩ abfärben; **III.** *rfl:* **-arsi** die Farbe verlieren, verbleichen.
appartenere [...'ne:re] ⟨*irr*⟩ *itr* ⟨*essere o avere*⟩ **1.** *(essere di proprietà)* gehören; **2.** *(far parte)* angehören, zugehören; **3.** *(spettare)* zustehen.

In der Übersetzung steht das deutsche **Reflexivpronomen** «sich» ohne Bezeichnung im Akkusativ, im Dativ wird es als *(dat)* gekennzeichnet.

Il **pronome riflessivo** tedesco «sich» che appaia come traduzione si intende in accusativo quando non venga ulteriormente caratterizzato; nel dativo esso viene segnalato con *(dat)*.

Die **Präpositionen,** mit denen Verben verbunden sein können, und ihre **Rektion** sind mit ihrer deutschen Entsprechung nach der Übersetzung dann angegeben, wenn der Gebrauch beider Sprachen voneinander abweicht:

Le **preposizioni** rette da verbi e la loro **reggenza** vengono registrate con i corrispondenti tedeschi dopo la traduzione, nel caso che l'uso nelle due lingue sia divergente:

tifare [ti'fa:re] *itr* schwärmen *(per* für), Fan sein *(per* von).
applaudire ... *tr, itr* applaudieren *(qu* jdm), Beifall spenden *(qu* jdm).

Präpositionen

Die Formen der Präpositionen, die mit dem bestimmten Artikel zu einem Wort verschmelzen, werden in spitzen Klammern angegeben:

Preposizioni

Le forme delle preposizioni articolate vengono date in parentesi uncinate:

in [in] ⟨nel, nello, nell', nella, nei, negli, nelle⟩ *prp* ...

Ist eine italienische Präposition Stichwort, wird bei der Übersetzung der von der deutsche Präposition regierte Kasus angegeben:

Se una preposizione italiana viene trattata come lemma a sé, nella traduzione viene anche registrato il caso retto dalla preposizione tedesca corrispondente:

sopra ['so:pra] **I.** *prp* **1.** *(con contatto: stato)* auf *dat; (moto a luogo)* auf *+akk;* **2.** *(senza contatto: stato in luogo)* über *+dat; (moto)* über *+akk;* **3.** *(oltre)* über *+dat,* oberhalb *+gen;* **4.** *(dopo)* über *+dat,* nach *+dat;* **5.** *(addosso)* auf *+akk;* **6.** *(intorno a, più di)* über *+akk;* ...

Rechtschreibung Ortografia

Grundlage für die italienische Rechtschreibung in diesem Wörterbuch ist die Schreibweise der gebräuchlichsten italienischen Wörterbücher, für die deutsche Rechtschreibung die Schreibweise des *Duden*.

Per l'ortografia italiana in questo dizionario ci si è attenuti ai principi seguiti dai dizionari italiani più usati; per l'ortografia tedesca, si è seguito il *Duden*.

Italienische Silbentrennung

1. Einfache Konsonanten gehören zur Silbe des folgenden Vokals: *re-go-la, a-to-mo, ca-ri-tà*
2. Doppelkonsonanten werden dem vorhergehenden und dem folgenden Vokal zugeordnet: *pez-zet-tino, ot-timo*
3. Gruppen von zwei oder drei Konsonanten gehören zur Silbe des nachfolgenden Vokals, wenn sie am Anfang eines Wortes stehen können. Dabei handelt es sich vor allem um Verbindungen von *s + Konsonant, Konsonant + l / + r, s + Konsonant + l / + r: po-stulato, mi-cro-scopio, arterio-sclerosi, na-stro*
4. Bei Gruppen von Konsonanten, die nicht am Wortanfang stehen können, wird ein Konsonant dem vorhergehenden Vokal zugeordnet: *dol-ce, con-tratto, raf-frescare, ag-glomerare*
5. Gelegentlich ist eine Trennung nach dem Kriterium der Wortbildung anzutreffen: *dis-u-gua-le* neben *di-su-gua-le, mal-a-ge-vo-le* neben *ma-la-ge-vo-le.*
6. Zwei (als Diphthong) zusammen gesprochene Vokale werden nicht getrennt: *pau-sa* ['pa:uza]
   Zwei (als Hiat) getrennt gesprochene Vokale können getrennt werden: *pa-u-ra* [pa'u:ra]
7. Der Apostroph kann am Zeilenende stehen: *sull'/albero;* es kann aber auch Trennung erfolgen: *sul-l'albero*

Anmerkungen zur italienischen Aussprache

Grundlage für die Umschrift ist die Norm der italienischen Aussprache, wie sie in folgenden Wörterbüchern angegeben wird: *Bruno Migliorini, Carlo Tagliavini, Piero Fiorelli, Dizionario d'ortografia e di pronunzia. Torino 1981* und *Il nuovo Zingarelli. Vocabolario della lingua italiana di Nicola Zingarelli. 11. Aufl. Bologna 1983.* Bei Fremdwörtern, für die keine italienische Aussprache belegt ist, wird die phonetische Umschrift der Sprache angegeben, aus der das Wort übernommen wurde. Es werden die Zeichen der Internationalen Lautschrift (*API*) verwendet (s. **Liste der Lautschriftzeichen**).

Alle Stichwörter, mit Ausnahme der mit Verweis versehenen Feminin- und Pluralformen, sind mit Lautschrift versehen. Abkürzungen werden nur dann umschrieben, wenn sie als Wörter gesprochen werden.

Stichwörter, die in Gruppen zusammengefaßt sind und deren Lautung teilweise übereinstimmt, können auch partielle Umschrift erhalten: wenn das ganze Wort zu ergänzen ist, wird es durch [-] ersetzt z. B. **mille** ['mille], **millecento** [-'tʃɛnto]; ist nur ein Teil des vorausgehenden voll umschriebenen Wortes zu ergänzen, wird er durch [...] ersetzt, z. B. **pittore** [pit'to:re], **pittoresco** [...to'resko].
In der Regel wird bei der partiellen Umschrift die betonte Silbe angegeben. Eine Ausnahme bilden die Wörter, bei denen sich lediglich der Vokal im Auslaut verändert, z. B. **pirotecnica** [piro'tɛknika], **pirotecnico** [...ko].
Bei Wörtern mit häufigen Vorsilben oder bei Wortzusammensetzungen, von denen für das erste Element bereits die Umschrift gegeben wurde, wird dieses erste Element in den nachfolgenden Wörtern durch [-] ersetzt, z. B. **policlinico** [-'kliniko], **lanciafiamme** [-'fi̯amme].

Feminin- und Pluralformen werden nur dann umschrieben, wenn sich eine wichtige Laut- oder Betonungsänderung ergibt, z. B. **oste, -essa** ['ɔste, os'tessa]. Auf die Umschrift der Femininendung **-trice, -drice** [-'tri:tʃe, -'dri:tʃe] und der mit einem Lautwechsel verbundenen Pluralendung, z. B. **monaco** ⟨-ci⟩ ['mɔ:nako, 'mɔ:natʃi], wurde verzichtet, da sie keine Betonungsverschiebung und keine anderen phonetischen Veränderungen im Stamm bedingen.

Bei **Varianten,** die beim Stichwort durch runde Klammern gekennzeichnet sind, wird auch in der Umschrift eine runde Klammer verwendet, z. B. **petro(l)chimica** [petro(l)'ki:mika], **pur(e)** [pur ('pu:re)].
Aussprachevarianten werden mit *o* gekennzeichnet, z. B. **ananas** ['a:nanas *o* ana'nas].

Für die Angabe der **Betonung** wird das Zeichen ['] verwendet. Es steht unmittelbar vor der betonten Silbe.

Die **Akzente in der Orthographie**, der Gravis (accento grave: *à, è, ì, ò, ù)* und der Akut (accento acuto: *é*), stehen bei mehrsilbigen Wörtern, wenn diese auf betonten Vokal enden. Bei *è* und *é* wird auch die Vokalqualität (offen – geschlossen) durch den Akzent unterschieden. *Beispiele:* **università** [universi'ta], **caffè** [kaf'fɛ], **perché** [per'ke], **tassì** [tas'si], **però** [pe'rɔ], **virtù** [vir'tu].
Einsilbige Wörter werden mit Akzent geschrieben, wenn *i* und *u* Halbvokale sind, z. B. **più** [pi̯u], **può** [pu̯ɔ]. Außerdem wird auch eine Reihe anderer einsilbiger Wörter mit Akzent geschrieben: **là, tè, dì, sì, ciò** u. a. Dadurch unterscheiden sie sich zum Teil von anderen gleichlautenden Wörtern. Der Akzent ist gleichzeitig ein Hinweis dafür, daß bei dem im Satz unmittelbar nachfolgenden Wort die syntaktische Verdopplung (raddoppiamento sintattico) eintritt: **è vero** ['ɛ 'vve:ro], **già fatto** ['dʒa 'ffatto].

Liste der Lautschriftzeichen

Segni usati per la trascrizione fonetica

Vokale/Vocali

[a]	fatto
[aː]	sano
[e]	stesso
[eː]	vero
[ɛ]	ecco
[ɛː]	gelo
[i]	zitto
[iː]	libro
[i̯]	piatto
[o]	mondo
[oː]	ora
[ɔ]	otto
[ɔː]	poco
[u]	burro
[uː]	nudo
[u̯]	questo

In Fremdwörtern vorkommende nicht-italienische Vokale und Diphthonge/Vocali e dittonghi non italiani presenti nelle parole di origine straniera

[ã]	collant
[ãː]	nuance
[ɑː]	part time
[æ]	match
[ʌ]	pick-up
[aɪ]	night-club
[aʊ]	know how
[ɛ̃]	satin
[ə]	partner
[əː]	windsurf
[eɪ]	play-back
[ɪ]	tilt
[ɔ̃]	pompon
[œː]	chauffeur
[oʊ]	motorscooter
[ɔɪ]	playboy
[ɔʏ]	Baireut
[y]	menu
[yː]	ouverture
[ʏ]	kümmel

Konsonanten/Consonanti

[b]	bello
[bb]	labbro
[d]	dare
[ddo]	addio
[dz]o	zero
[ddz]	azzurro, ozono
[dʒ]	gente, gioco
[ddʒ]	legge, maggio
[f]	fermo
[ff]	caffè
[g]	gatto, lunghezza
[gg]	mugghiare
[k]	fuoco, chiaro
[kk]	sacco, occhiali
[l]	lana
[ll]	palla
[ʎ]	gli
[ʎʎ]	foglia
[m]	magro
[mm]	nemmeno
[n]	cane
[nn]	canna
[ŋ]	rango
[ɲ]	gnocchi
[ɲɲ]	ogni
[p]	poco
[pp]	cappello
[r]	toro
[rr]	torre
[s]	casa
[ss]	cassa
[ʃ]	scendere, scienza
[ʃʃ]	pesce, lasciare
[t]	foto
[tt]	retto
[ts]	terzo
[tts]	pezzo, azione
[tʃ]	pace, cielo
[ttʃ]	faccetta, faccia
[v]	via
[vv]	avviare
[z]	viso

In Fremdwörtern vorkommende nicht-italienische Konsonanten/Consonanti non italiane presenti nelle parole di origine straniera

[h]	hobby
[j]	maquillage
[θ]	thrilling
[w]	week-end
[x]	kolchoz
[ʒ]	jacquard
[ɥ]	nuance

Sonstige Zeichen/Altri segni

[ː]	Längezeichen/segno della lunghezza vocale
[ˈ]	Betonungszeichen/accento tonico

Abkürzungen | Abbreviazioni

auch	*a.*	anche
Österreich, österreichisch	*A*	Austria, austriaco
Abkürzung	*abbr, abk*	abbreviazione
Akronym	*acr*	acronimo
Akkusativ	*acc*	accusativo
Adjektiv	*adj*	aggettivo
Verwaltung, bürokratisch	*admin*	amministrazione, linguaggio burocratico
Adverb	*adv*	avverbio
Luftfahrt	*aero*	aeronautica
Adjektiv	*agg*	aggettivo
Landwirtschaft	*agr*	agricoltura
Akkusativ	*akk*	accusativo
Akronym	*akr*	acronimo
allgemein	*allg*	generalmente
Verwaltung, bürokratisch	*amm*	amministrazione, linguaggio burocratico
Anatomie	*anat*	anatomia
Architektur	*arch*	architettura
Artikel	*art*	articolo
Astronomie, Astrologie	*astr*	astronomia, astrologia
attributiv	*attr*	attributivo, attributivamente
Adverb	*avv*	avverbio
besonders	*bes.*	specialmente
bestimmt	*best*	determinativo
Biologie	*biol*	biologia
Botanik	*bot*	botanica
Schweiz, schweizerisch	*CH*	Svizzera, svizzero
Chemie	*chem, chim*	chimica
Handel	*comm*	commercio
Komparativ	*comp*	comparativo
Konjunktion	*cong*	congiunzione
Konjunktiv	*congv*	congiuntivo
Dativ	*dat*	dativo
demonstrativ, Demonstrativ-	*dem*	dimostrativo
mundartlich	*dial*	dialettale
demonstrativ, Demonstrativ-	*dim*	dimostrativo
Recht (swissenschaft)	*dir*	diritto, giurisprudenza
Eisenbahn	*eisenb*	ferrovia
Elektronik	*el*	elettronica
et cetera, usw	*ecc.*, ecc., *etc.*, etc.	ecc., eccetera
Wirtschaft	*econ*	economia
ausrufend, Ausruf	*escl*	esclamativo, esclamazione
etwas	*etw*, etw	qualcosa
Femininum	*f*	femminile
umgangssprachlich, familiär	*fam*	familiare, familiarmente

Eisenbahn	*ferr*	ferrovia
figurativ, übertragen	*fig*	figurato, figurativamente
Film, Kino	*film*	film, cinematografia
Philosophie	*filos*	filosofia
Finanzwesen	*fin*	finanza
florentinisch	*fior*	fiorentino
Physik	*fis*	fisica
Fotografie	*fot*	fotografia
Gastronomie	*gastr*	gastronomia
gehobene Ausdrucksweise	*geh*	linguaggio elevato
Genitiv	*gen*	genitivo
allgemein	*gener.*	generalmente
genuesisch	*genov*	genovese
Geographie	*geog*	geografia
Geologie	*geol*	geologia
Grammatik	*gram*	grammatica
Geschichte, historisch	*hist*	storia, storico
Imperfekt	*imp*	imperfetto
unpersönlich	*impers*	impersonale
Indikativ	*ind*	indicativo
Indefinit-	*indef*	indefinito
unbestimmt	*indet*	indeterminativo
Infinitiv	*inf*	infinito
Datenverarbeitung, Informatik	*inform*	elaborazione di dati, informatica
Interjektion	*interi, interj*	interiezione
interrogativ, Interrogativ-	*interr*	interrogativo
unveränderlich	*inv*	invariabile
ironisch	*iron*	ironico, ironicamente
unregelmäßig	*irr*	irregolare
intransitiv	*itr*	intransitivo
jemand	*jd*, jd	qualcuno
jemandem	*jdm*, jdm	a qualcuno
jemanden	*jdn*, jdn	qualcuno
jemandes	*jds*, jds	di qualcuno
Recht(swissenschaft)	*jur*	diritto, giurisprudenza
Komparativ	*komp*	comparativo
Konjunktion	*konj*	congiunzione
Konjunktiv	*konjv*	congiuntivo
literarisch, gehobene Ausdrucksweise	*lett*	letterario
Literatur	*letter*	letteratura
Linguistik	*ling*	linguistica
Literatur	*lit*	letteratura
lombardisch	*lomb*	lombardo
Maskulinum	*m*	maschile
Mathematik	*mat*	matematica
Medizin	*med*	medicina
süditalienisch	*mer*	meridionale
Meteorologie	*meteo*	meteorologia

Militär(wesen)	*mil*	militare (scienza e tecnica)
Mineralogie	*min*	mineralogia
Motor-, Kraftfahrwesen	*mot*	motori, traffico
Musik	*mus*	musica
Neutrum	*n*	neutro
neapolitanisch	*napol*	napoletano
Schiffahrt, Nautik	*naut*	navigazione, nautica
Nominativ	*nom*	nominativo
Zahlwort	*num*	numerale
oder	*o*	o
obsolet	*obs*	obsoleto, poco usato
Wirtschaft	*ökon*	economia
Optik	*opt, ott*	ottica
Parlament	*parl*	parlamento
pejorativ	*peg, pej*	peggiorativo, peggiorativamente
Person, Personal-	*pers*	persona, personale
piemontesisch	*piem*	piemontese
Philosophie	*philos*	filosofia
Physik	*phys*	fisica
Plural	*pl*	plurale
poetisch	*poet*	poetico, letterario
Politik	*pol*	politica
possessiv, Possessiv-	*poss*	possessivo
Partizip Perfekt	*pp*	participio passato
Präsens	*pr*	presente
historisches Perfekt	*p rem*	passato remoto
Pronomen	*pron*	pronome
Sprichwort, sprichwörtlich	*prov*	proverbio, proverbiale
Präposition	*prp*	preposizione
Psychologie	*psic, psych*	psicologia
etwas	*qc*, qc	qualcosa
jemand	*qu*, qu	qualcuno
Rundfunk	*radio*	radiofonia
selten	*rar*	raro, raramente
regelmäßig	*reg*	regolare
Religion; relativ, Relativ-	*rel*	religione; relativo
reflexiv, Reflexiv-	*rfl*	riflessivo
siehe	*s.*	vedi
Sache	*S.*, S.	cosa
scherzhaft	*scherz*	scherzoso, scherzosamente
Wissenschaft, wissenschaftlich	*scient*	scienza, scientifico
norditalienisch	*sett*	settentrionale
sizilianisch	*sicil*	siciliano
Singular	*sing*	singolare
Slang, Jargon	*sl*	slang, gergo
Soziologie	*soc, soz*	sociologia
besonders	*spec.*	specialmente
Sport	*sport*	sport

Geschichte, historisch	*st*	storia, storico
Superlativ	*superl*	superlativo
Technik	*tec*	tecnica
Theater	*teat*	teatro
Telefon, Nachrichtenwesen	*tel*	telefonia, telegrafia
Theater	*theat*	teatro
Druckwesen	*tip*	stampa, tipografia
toskanisch	*tosc*	toscano
transitiv	*tr*	transitivo
Fernsehen	*TV*	televisione
Druckwesen	*typ*	stampa, tipografia
und	*u.*, u.	e
unbestimmt	*unbest*	indefinito
unpersönlich	*unpers*	impersonale
siehe	*v.*	vedi
venezianisch	*venez*	veneziano
vulgär	*volg*, *vulg*	volgare, volgarmente
Wissenschaft, wissenschaftlich	*wissensch.*	scienza, scientifico
zum Beispiel	*z. B.*	per esempio
Zoologie	*zoo*	zoologia
eingetragenes Warenzeichen	®	marchio registrato

A

A, a [a] ⟨-⟩ *f* A, a *n;* **a come Ancona** A wie Anton; **dall'a alla zeta** von A bis Z.
A [a] *f abbr di* **autostrada** A *f* (*abk* von Autobahn).
a [a] ⟨al, allo, all', alla, ai, agli, alle⟩ *prp* **1.** *(stato in luogo)* in *+dat,* auf *+dat;* *(vicino a)* an *+dat,* bei *+dat,* zu *+dat;* **2.** *(moto a luogo)* in *+akk,* auf *+akk,* an *+akk,* nach *+dat,* zu *+dat;* **3.** *(tempo)* in *+dat,* zu *+dat; (con riferimento all'ora)* um *+akk;* **4.** *(con prezzo)* zu *+dat;* **5.** *(complemento di termine) si traduce col dativo;* **sono ~ casa** ich bin zu Hause; **al mercato** auf dem/den Markt; **al mare** am/ans Meer; **~ Trieste** in/nach Triest; **~ 20 chilometri da Torino** 20 Kilometer von Turin entfernt; **~ domani** bis morgen; **dall'oggi al domani** von heute auf morgen; **~ marzo** im März; **~ mezzogiorno** am Mittag; **alle 7** um 7 (Uhr); **al venerdì** freitags; **~ vent'anni** mit zwanzig Jahren; **esco ~ mangiare** ich gehe zum Essen aus; **alla milanese** nach Mailänder Art; **battere/cucire ~ macchina** mit der Maschine schreiben/nähen; **correre ~ 120 chilometri l'ora** (mit) 120 Stundenkilometer(n) fahren; **~ cavallo/piedi** zu Pferd/zu Fuß; **2 al quadrato** 2 im (*o* zum) Quadrat, 2 hoch 2; **lo regalo ~ Giuseppe** ich schenke es Giuseppe *(dat);* **~ pagina 5** auf Seite 5; **automobile ~ due posti** zweisitziges Auto; **~ uno ~ uno** einzeln; **~ due ~ due** paarweise, zu zweit.
A.A.S.T. *f abbr di* **Azienda Autonoma di Soggiorno e Turismo** *italienischer Fremdenverkehrsverein.*
abate [a'ba:te] *m* Abt *m.*
abat-jour [aba'dʒu:r] ⟨-⟩ *m* Nachttischlampe *f.*
abbagliante [abbaʎ'ʎante] **I.** *agg (luce)* blendend; **II.** *m pl* Fernlicht *n.* **abbagliare** [...'ʎa:re] ⟨abbaglio, abbagli⟩ *tr ⟨avere⟩, itr ⟨essere⟩* **1.** *(luce)* blenden; **2.** *fig* verwirren, täuschen. **abbaglio** [ab'baʎʎo] ⟨-gli⟩ *m* Versehen *n,* Fehler *m;* **prendere un ~** einen Fehler machen, sich irren.
abbaiare [abba'ia:re] ⟨abbaio, abbai⟩ *itr* bellen; **~ alla luna** *fig* den Mond anbellen.
abbaino [abba'i:no] *m* Dachfenster *n;* *(soffitta)* Mansarde *f.*
abbandonare [abbando'na:re] **I.** *tr* **1.** *(lasciare)* verlassen; *(non aiutare)* im Stich lassen; **2.** *(per trascuratezza)* vernachlässigen; **3.** *(rinunciare a)* aufgeben; **4.** *(reclinare)* sinken lassen; **5.** *(allentare)* lockern, loslassen; **II.** *rfl:* **-arsi** *(a. fig)* sich hingeben; *peg (a un vizio)* sich ergeben (*a qc* einer S. *dat*). **abbandonato, -a** [...'na:to] **I.** *agg* verlassen; *(trascurato)* vernachlässigt; **~ a se stesso** sich *(dat)* selbst überlassen; **II.** *m, f* Findel-, Waisenkind *n.*
abbandono [abban'do:no] *m* **1.** *(l'abbandonare)* Verlassen *n;* **2.** *(trascuratezza)* Vernachlässigung *f;* **3.** *(rinuncia)* Aufgabe *f;* **4.** *(rilassamento)* Hingabe *f;* **in un momento di ~** in einem schwachen Augenblick.
abbassamento [abbassa'mento] *m (di prezzi)* Senkung *f; (di temperatura)* Sinken *n; (di voce)* Senken *n; (d'intensità)* Abschwächen *n.*
abbassare [abbas'sa:re] **I.** *tr* **1.** *(occhi, capo)* senken; *(saracinesca) herunterlassen; (muro)* niedriger machen; *(quadro)* tiefer hängen; **2.** *(prezzo, voce, temperatura)* senken; *(radio)* leiser stellen; *(tasto)* drücken; **~ la cresta** *fig fam* sich beugen *fig;* **~ i fari** abblenden; **II.** *rfl:* **-arsi 1.** *(chinarsi)* sich bücken; **2.** *fig (umiliarsi)* sich erniedrigen, sich demütigen; **3.** *(calare)* sinken; *(barometro, temperatura)* fallen; *(sole)* untergehen. **abbasso** [ab'basso] *avv (stato)* unten; *(moto)* herunter, hinunter; **~ ...!** nieder mit ...!
abbastanza [abbas'tantsa] *avv* **1.** *(a sufficienza)* genug; **2.** *(alquanto)* ziemlich; **averne ~ di qu/qc** von jdm/etw. genug haben.
abbattere [ab'battere] **I.** *tr* **1.** *(far cadere)* niederschlagen; *(alberi)* fällen; *(muri)* einreißen; **2.** *(uccidere)* töten; *(bestie al macello)* schlachten; *(selvaggina)* erlegen; **3.** *(aerei)* abschießen; **4.** *fig (indebolire)* niederwerfen *geh,* schwächen; **5.** *fig (rovesciare)* stürzen; **II.** *rfl:* **-ersi 1.** *(cadere di schianto)* (auf)prallen; **2.** *(piombare addosso)* prallen, prasseln; **3.** *fig (accasciarsi)* niedergeschlagen sein. **abbattimento** [...ti'mento] *m* **1.** *(l'abbattere)* Niederschlagen *n; (di alberi)* Fällen *n; (di case)* Einreißen *n;* **2.** *(di bestie al macello)* Schlachten *n;* *(di selvaggina)* Erlegen *n;* **3.** *(di aerei)* Abschuß *m;* **4.** *fig* Niedergeschlagenheit *f; (da malattia)* Schwächung *f;* **5.** *fig (rovesciamento)* Umsturz *m.*
abbazia [abbat'tsi:a] ⟨-ie⟩ *f* Abtei *f.*
abbecedario [abbetʃe'da:rio] ⟨-i⟩ *m* Fibel

f, Abc-Buch *n obs.*
abbellimento [abbelli'mento] *m* Verschönerung *f; (ornamento, a. mus)* Verzierung *f.* **abbellire** [...'li:re] ⟨abbellisco⟩ **I.** *tr* **1.** *(rendere più bello)* verschönern; **2.** *(ornare)* verzieren, schmücken; **3.** *fig (racconto)* ausschmücken; **II.** *rfl:* **-irsi** sich verschönern, sich schön machen.
abbeverare [abbeve'ra:re] **I.** *tr* tränken; **II.** *rfl:* **-arsi** seinen Durst stillen, trinken. **abbeveratoio** [...ra'to:i̯o] ⟨-oi⟩ *m* Tränke *f.*
abbi, abbia ['abbi, 'abbi̯a] *ecc. v.* **avere.**
abbiccì [abbit'tʃi] ⟨-⟩ *m* **1.** *(alfabeto, a. fig)* Abc *n;* **2.** *(sillabario)* Fibel *f.*
abbiente [ab'bi̯ɛnte] **I.** *agg* wohlhabend, begütert; **meno** ~ minderbemittelt; **II.** *mf* Begüterte(r) *mf;* **i non -i** die Mittellosen.
abbigliamento [abbiʎʎa'mento] *m* (Be)kleidung *f; (indumenti)* Kleidungsstükke *n pl.* **abbigliare** [...'ʎa:re] ⟨abbiglio, abbigli⟩ **I.** *tr* gut kleiden; **II.** *rfl:* **-arsi** sich gut kleiden, sich herausputzen.
abbinamento [abbina'mento] *m* Kopp(e)lung *f,* Verbindung *f; (di colori, abiti, a. sport)* Kombination *f;* **abbinare** [...'na:re] *tr* koppeln, verbinden; *(colori, abiti)* kombinieren; ~ **il rosso al nero** rot mit schwarz kombinieren.
abbindolare [abbindo'la:re] *tr* umgarnen, einwickeln, betrügen.
abboccamento [abbokka'mento] *m* Unterredung *f.* **abboccare** [...'ka:re] ⟨abbocco, abbocchi⟩ **I.** *tr* ⟨*avere*⟩ **1.** *(bottiglia)* vollfüllen; **2.** *tec* zusammenstekken, -fügen; **II.** *itr* ⟨*essere*⟩ **1.** *(pesce, a. fig)* anbeißen; **2.** *tec* zusammengesteckt sein, ineinanderpassen. **abboccato, -a** [...'ka:to] *agg (vino)* vollmundig, süffig *fam.*
abbonamento [abbona'mento] *m* **1.** *(a un giornale, teat, ecc.)* Abonnement *n;* **2.** *(ferroviario, tranviario)* Dauerkarte *f,* Zeitkarte *f;* **fare l'~ a qc** etw. abonnieren.
abbonare[1] [abbo'na:re] *tr* **1.** *(defalcare)* nachlassen, erlassen; **2.** *fig (perdonare)* vergeben (*qu* jdm).
abbonare[2] [abbo'na:re] **I.** *tr* abonnieren; ~ **qu a una rivista** für jdn eine Zeitschrift abonnieren; **II.** *rfl:* **-arsi** abonnieren; **-arsi a un giornale/alle radioaudizioni** eine Zeitung abonnieren/das Radio anmelden; **-arsi al tram** eine Dauerkarte für die Straßenbahn kaufen; **-arsi al teatro** ein Theaterabonnement abschließen. **abbonato, -a** [...'na:to] **I.** *agg* abonniert; **essere ~ a un giornale** eine Zeitung abonniert haben; **II.** *m, f* Abonnent(in) *m(f);* ~ **al teatro** Theaterabonnent *m;* ~ **al telefono/alla TV** Fernsprech-/Fernsehteilnehmer *m.*
abbondante [abbon'dante] *agg* reichlich, üppig; *(vestito)* weit; **tre metri -i** gut drei Meter.
abbondanza [abbon'dantsa] *f* Überfluß *m (di* an *+dat),* Fülle *f (di* von *+dat);* **in** ~ im Überfluß.
abbondare [abbon'da:re] *itr* ⟨*essere*⟩ **1.** *(essere in gran quantità)* reich sein (*di* an *+dat*), im Überfluß haben, im Überfluß (*o* reichlich) vorhanden sein; **2.** *(eccedere)* übertreiben (*in* mit); ~ **di** reichlich enthalten (*o* aufweisen).
abbordabile [abbor'da:bile] *agg* **1.** *(spesa)* tragbar; **2.** *(persona)* zugänglich.
abbordare [abbor'da:re] *tr* **1.** *naut* entern; **2.** *(persona)* ansprechen, anmachen *sl;* **3.** *fig* angehen, in Angriff nehmen.
abborracciare [abborrat'tʃa:re] ⟨abborraccio, abborracci⟩ *tr* pfuschen, schludern.
abbottonare [abbotto'na:re] *tr* zuknöpfen.
abbozzare [abbot'tsa:re] *tr* **1.** *(disegno, romanzo, ecc.)* skizzieren, entwerfen; **2.** *fig (accennare)* andeuten. **abbozzo** [ab'bɔttso] *m* Skizze *f,* Entwurf *m (di* für).
abbracciare [abbrat'tʃa:re] ⟨abbraccio, abbracci⟩ **I.** *tr* **1.** *(persona)* umarmen; **2.** *fig (contenere)* umfassen; **3.** *fig (causa)* eintreten für; *(professione)* ergreifen; *(fede)* sich bekennen zu; *(opinione, partito)* sich anschließen (*qc* einer S. *dat*); **II.** *rfl:* **-arsi** sich umarmen.
abbraccio [ab'brattʃo] ⟨-cci⟩ *m* Umarmung *f;* **dare un ~ a qu** jdn umarmen.
abbreviare [abbre'vi̯a:re] ⟨abbrevio, abbrevi⟩ *tr* abkürzen. **abbreviazione** [...vi̯at'tsi̯o:ne] *f* (Ab)kürzung *f.*
abbronzante [abbron'dzante] **I.** *agg* bräunend, Bräunungs-; **II.** *m* Bräunungsmittel *n.* **abbronzare** [...'dza:re] **I.** *tr* **1.** *(metalli)* bronzieren; **2.** *(pelle)* bräunen; **II.** *rfl:* **-arsi** braun werden. **abbronzatura** [...dza'tu:ra] *f* Bräune *f.*
abbrustolire [abbrusto'li:re] ⟨abbrustolisco⟩ **I.** *tr* rösten; **II.** *rfl:* **-irsi** *scherz (al sole)* sich rösten.
abbrutire [abbru'ti:re] ⟨abbrutisco⟩ *tr,* ⟨*avere*⟩, *itr* ⟨*essere*⟩, *rfl:* **-irsi** verrohen.
abbruttire [abbrut'ti:re] ⟨abbruttisco⟩ **I.** *tr* ⟨*avere*⟩ häßlich machen; **II.** *itr* ⟨*essere*⟩ häßlich werden.
abbuffarsi [abbuf'farsi] *rfl fam* reinhauen *fam;* ~ **di dolci** sich mit Süßigkeiten vollstopfen.
abbuiare [abbu'i̯a:re] ⟨abbuio, abbui⟩ **I.** *tr* ⟨*avere*⟩ ab-, verdunkeln; **II.** *itr* ⟨*essere*⟩ dunkel werden; **III.** *rfl:* **-arsi** **1.** *(oscurarsi)* sich verdunkeln; **2.** *fig (incupirsi)* sich verdüstern.
abbuono [ab'bu̯ɔ:no] *m* **1.** *(di prezzo)* Nachlaß *m,* Rabatt *m;* **2.** *sport (vantaggio)* Vorgabe *f; (nell'ippica)* Handikap *n.*
abdicare [abdi'ka:re] ⟨abdico, abdichi⟩ *itr* abdanken, zurücktreten; ~ **al trono**

auf den Thron verzichten. **abdicazione** [...kat'tsi̯o:ne] *f* Abdankung *f*, Rücktritt *m* (*a* von).

aberrazione [abberrat'tsi̯o:ne] *f* Abweichung *f*; ~ **morale** Fehltritt *m*.

abete [a'be:te] *m* Tanne *f*; ~ **bianco** Weiß-, Edeltanne *f*; ~ **rosso** Fichte *f*, Rottanne *f*.

abietto, -a [a'bi̯ɛtto] *agg* gemein, niederträchtig. **abiezione** [abi̯et'tsi̯o:ne] *f* Gemeinheit *f*, Niederträchtigkeit *f*.

abile ['a:bile] *agg (idoneo, a. mil)* tauglich (*a* für, zu); *(esperto)* fähig, tüchtig; *(accorto)* gewandt, geschickt; ~ **negli affari** geschäftstüchtig. **abilità** [abili'ta] ⟨-⟩ *f* Geschicklichkeit *f*, Gewandtheit *f*, Fähigkeit *f*.

abilitare [abili'ta:re] **I.** *tr* befähigen; **II.** *rfl:* **-arsi** sich qualifizieren (*a* für).

abilitato, -a [...'ta:to] **I.** *agg* geprüft, zugelassen; **II.** *m, f* Lehrberechtigte(r) *mf*.

abilitazione [...tat'tsi̯o:ne] *f* Befähigung *f*, Befugnis *f*; ~ **all'insegnamento** Lehrbefähigung *f*.

abisso [a'bisso] *m* **1.** *(baratro)* Abgrund *m*; **2.** *fig (inferno)* Abgrund *m*, Unterwelt *f*; **3.** *fig (grande differenza)* Abgrund *m*, Kluft *f*.

abitabile [abi'ta:bile] *agg* bewohnbar.

abitabilità [abitabili'ta] ⟨-⟩ *f* Bewohnbarkeit *f*; **permesso** (*o* **certificato**) **di** ~ Bauabnahme *f*.

abitacolo [abi'ta:kolo] *m mot* Fahrgastraum *m*; *aero* Kanzel *f*.

abitante [abi'tante] *mf* Einwohner(in) *m(f)*; *(di casa, appartamento)* Bewohner(in) *m(f)*.

abitare [abi'ta:re] **I.** *tr* bewohnen, wohnen in; **II.** *itr* wohnen; ~ **in campagna/ a Firenze** auf dem Land/in Florenz wohnen. **abitato, -a** [...'ta:to] **I.** *agg* bewohnt; *(popolato)* bevölkert; **II.** *m* bewohntes Gebiet; *(villaggio)* Ortschaft *f*.

abitazione [...tat'tsi̯o:ne] *f* Wohnung *f*; ~ **a fitto bloccato** (Altbau)wohnung *f* mit gesetzlich festgelegter Höchstmiete; ~ **popolare** Sozialwohnung *f*; ~ **di proprietà** Eigentumswohnung *f*; **penuria di -i** Wohnungsmangel *m*, Wohnungsknappheit *f*.

abito ['a:bito] *m* **1.** *(vestito)* Kleidung *f*; *(da cerimonia)* Gewand *n*; *(da donna)* Kleid *n*; *(da uomo)* Anzug *m*; **2.** *med, biol* Habitus *m*; **3.** *rel* Habit *m o n*, Ordenstracht *f*; ~ **borghese** Zivil *n*; **l'~ non fa il monaco** *prov* der (äußere) Schein trügt oft.

abituale [abitu'a:le] *agg* gewohnt, üblich; **cliente** ~ Stammkunde *m*, -kundin *f*.

abitualmente [...ual'mente] *avv* gewöhnlich.

abituare [abitu'a:re] **I.** *tr* gewöhnen (*a* an +*akk*); **II.** *rfl:* **-arsi** sich gewöhnen (*a* an +*akk*).

abitudinario, -a [abitudi'na:ri̯o] ⟨-i, -ie⟩ **I.** *agg* Gewohnheits-; **II.** *m, f* Gewohnheitsmensch *m*; *(cliente)* Stammkunde *m*, -kundin *f*.

abitudine [abi'tu:dine] *f* **1.** *(consuetudine)* Gewohnheit *f*; **2.** *(assuefazione)* Gewöhnung *f*; **fare l'~ a qc** sich an etw. *(akk)* gewöhnen; **d'~** gewöhnlich.

abiurare [abi̯u'ra:re] *tr* abschwören (*qc* einer S. *dat*).

ablativo [abla'ti:vo] *m* Ablativ *m*.

ABM *m pl abbr di* **Anti-Ballistic Missiles** *(missili antibalistici)* Raketenabwehrkörper *m*.

abnegazione [abnegat'tsi̯o:ne] *f* Entsagung *f*, Verzicht *m*.

abnorme [ab'nɔrme] *agg* abnorm.

abolire [abo'li:re] ⟨abolisco⟩ *tr* abschaffen *fam*, aufheben. **abolizione** [...lit'tsi̯o:ne] *f* Abschaffung *f fam*, Beseitigung *f*, Aufhebung *f*.

abominevole [abomi'ne:vole] *agg* verabscheuenswert, abscheulich.

aborigeno, -a [abo'ri:dʒeno] **I.** *agg* eingeboren; **II.** *m* Ureinwohner(in) *m(f)*.

aborrire [abor'ri:re] ⟨aborrisco *o* aborro⟩ *tr* verabscheuen, hassen.

abortire [abor'ti:re] ⟨abortisco⟩ *itr* **I.** ⟨*avere*⟩ *med* abtreiben; **II.** ⟨*essere*⟩ *fig* scheitern.

abortista [abor'tista] ⟨-i *m*, -e *f*⟩ *mf* Abtreibungsbefürworter(in) *m(f)*.

aborto [a'bɔrto] *m* **1.** *(spontaneo)* Fehlgeburt *f*; **2.** *(procurato)* Abtreibung *f*; **3.** *fig (persona)* Mißgeburt *f*.

abrasione [abra'zi̯o:ne] *f* **1.** *(raschiatura)* Abschaben *n*, Abkratzen *n*; *tec* Schmirgeln *n*, Abschleifen *n*; **2.** *(cancellatura)* Radieren *n*; *(traccia)* Radierspur *f*; **3.** *geol* Abrasion *f*; **4.** *med (lesione)* Schürfwunde *f*, Hautabschürfung *f*.

abrasivo, -a [...'zi:vo] **I.** *agg* Schleif-; **II.** *m* Schleifmittel *n*.

abrogare [abro'ga:re] ⟨abrogo, abroghi⟩ *tr* aufheben, abschaffen. **abrogazione** [...gat'tsi̯o:ne] *f* Aufhebung *f*, Abschaffung *f*.

Abruzzo [a'bruttso] *m*, **Abruzzi** [...tsi] *m pl* Abruzzen *pl*.

abside ['abside] *f* Apsis *f*.

abusare [abu'za:re] *itr:* ~ **di** mißbrauchen; *(approfittare)* ausnützen. **abusivismo** [...zi'vizmo] *m* **1.** *(gener.)* fortgesetztes illegales Handeln *n*; **2.** *(abuso di potere)* Machtmißbrauch *m*; ~ **edilizio** illegale Bautätigkeit. **abusivo, -a** [...'zi:vo] **I.** *agg* rechtswidrig, illegal; **commercio** ~ Schwarzhandel *m*; **lavoro** ~ Schwarzarbeit *f*; **uso** ~ Mißbrauch *m*; **II.** *m, f* ohne Genehmigung handelnde Person.

abuso [a'bu:zo] *m* Mißbrauch *m*; ~ **di autorità** Machtmißbrauch *m*; ~ **dell'alcol** Alkoholmißbrauch *m*; ~ **di sostanze stupefacenti** Drogenmißbrauch *m*; **fare ~ di un cibo** von etw. zuviel essen.

a.C. *abbr di* **avanti Cristo** v. Chr. (*abk von* vor Christus).

acacia [a'ka:tʃa] ⟨-cie⟩ *f* Akazie *f*.

acca ['akka] ⟨-⟩ *f* **1.** *(lettera)* H, h *n;* **2.** *fig fam:* **non capire un'~** überhaupt nichts (*o* nur Bahnhof *fam*) verstehen.

accademia [akka'dɛ:mi̯a] ⟨-ie⟩ *f* Akademie *f;* ~ **di Belle Arti/musicale** Kunst-/Musikakademie *f*. **accademico, -a** [...'dɛ:miko] ⟨-ci, -che⟩ **I.** *agg (a. fig)* akademisch; **II.** *m, f* Mitglied *n* einer Akademie.

accadere [akka'de:re] ⟨*irr*⟩ *itr* ⟨*essere*⟩ geschehen, passieren; **che accade?** was ist los?. **accaduto** [akka'du:to] *m* Ereignis *n,* Vorfall *m*.

accalappiacani [akkalappi̯a'ka:ni] ⟨-⟩ *m* Hundefänger(in) *m(f)*.

accalappiare [akkalap'pi̯a:re] ⟨accalappio, accalappi⟩ *tr* **1.** *(catturare)* einfangen; **2.** *fig (circuire)* umgarnen; *(ingannare)* hereinlegen.

accalcarsi [akkal'karsi] *rfl* sich (eng) zusammendrängen.

accaldarsi [akkal'darsi] *rfl* **1.** *(riscaldarsi)* sich erhitzen; **2.** *fig (eccitarsi)* sich erhitzen, sich ereifern.

accalorarsi [akkalo'rarsi] *rfl fig* sich erhitzen, sich ereifern.

accampamento [akkampa'mento] *m* Lager *n; mil* Feldlager *n*. **accampare** [...'pa:re] **I.** *tr* **1.** *(sotto tende)* lagern; **2.** *fig (scuse, ragioni)* anführen, vorbringen; *(diritti)* erheben (*su* auf +*akk*); **II.** *rfl:* **-arsi** lagern, zelten.

accanimento [akkani'mento] *m* Verbissenheit *f; (odio)* Erbitterung *f*. **accanirsi** [...'nirsi] ⟨mi accanisco⟩ *rfl* **1.** *(infierire)* sich erbittern (*contro* gegen +*akk*), sich erbosen (*contro* über +*akk*); **2.** *(ostinarsi)* sich verbohren (*in* in +*akk*), sich verbeißen (*in* in +*akk*). **accanito, -a** [...'ni:to] *agg* **1.** *(discussione)* verbissen; **2.** *(fumatore)* stark; *(lavoratore)* eifrig.

accanto [ak'kanto] **I.** *avv* daneben; *(casa, ecc.)* nebenan; **II.** *prp:* ~ **a** *(stato in luogo)* neben +*dat; (moto a luogo)* neben +*akk*.

accantonare [akkanto'na:re] *tr* **1.** *(merci)* einlagern; **2.** *econ (utili)* zurücklegen; **3.** *mil (truppe)* einquartieren; **4.** *fig (rimandare)* zurückstellen, aufschieben.

accaparramento [akkaparra'mento] *m* Aufkaufen *n; (di generi razionati)* Hamstern *n*. **accaparrare** [...'ra:re] **I.** *tr* aufkaufen; *(generi razionati)* hamstern; **II.** *rfl:* **-arsi** sich *(dat)* sichern, einheimsen. **accaparratore, -trice** [...ra'to:re] *m, f* Aufkäufer(in) *m(f); (di generi razionati)* Hamsterer *m,* Hamsterin *f*.

accapigliarsi [akkapiʎ'ʎarsi] *rfl* sich *(dat)* in die Haare geraten.

accappatoio [akkappa'to:i̯o] ⟨-oi⟩ *m* Bademantel *m*.

accapponare [akkappo'na:re] *tr fig* schaudern lassen; **mi si accappona la pelle** ich bekomme eine Gänsehaut.

accarezzare [akkaret'tsa:re] *tr* **1.** *(con la mano)* streicheln; *(vezzeggiare)* liebkosen; **2.** *fig (lusingare)* schmeicheln (*qc/qu* einer S./jdm); **3.** *fig (vagheggiare)* liebäugeln mit; *(speranza)* hegen; ~ **qu con lo sguardo** jdn zärtlich ansehen.

accartocciare [akkartot'tʃa:re] ⟨accartoccio, accartocci⟩ **I.** *tr* zusammenrollen; **II.** *rfl:* **-arsi** sich zusammenrollen, schrumpeln.

accasarsi [akka'sarsi] *rfl* heiraten, einen Hausstand gründen.

accasciare [akkaʃ'ʃa:re] ⟨accascio, accasci⟩ **I.** *tr* bedrücken, niederschlagen; **II.** *rfl:* **-arsi 1.** *(lasciarsi cadere)* zusammensinken, zusammenbrechen; **2.** *fig (avvilirsi)* verzagen, den Mut verlieren.

accasciato, -a [...'ʃa:to] *agg* **1.** *(spossato)* entkräftet; **2.** *fig (demoralizzato)* entmutigt, niedergeschlagen.

accatastare[1] [akkatas'ta:re] *tr* stapeln, aufschichten.

accatastare[2] [akkatas'ta:re] *tr amm, dir* ins Grundbuch eintragen.

accattonaggio [akkatto'naddʒo] ⟨-ggi⟩ *m* Schnorrerei *f fam,* Bettelei *f*. **accattone, -a** [...'to:ne] *m, f* Schnorrer(in) *m(f) fam,* Bettler(in) *m(f)*.

accavallare [akkaval'la:re] **I.** *tr (gambe)* übereinanderschlagen, kreuzen; *(maglie)* verschränken; **II.** *rfl:* **-arsi** sich aufhäufen, sich auftürmen; *fig* sich überstürzen.

accecare [attʃe'ka:re] ⟨acceco, accechi⟩ **I.** *tr* ⟨*avere*⟩ **1.** *(persone)* blenden, blind machen; **2.** *(abbagliare)* blenden; **3.** *fig (offuscare)* verblenden; **II.** *itr* ⟨*essere*⟩ erblinden, blind werden.

accedere [at'tʃɛ:dere] *itr* **1.** ⟨*essere*⟩ *(entrare)* eintreten (*a* in +*akk*), betreten (*a qc* etw.), kommen (*a* in +*akk*); **2.** ⟨*avere*⟩ *fig (entrare a far parte)* beitreten, eintreten (*a* in +*akk*); *(aderire)* zustimmen, einwilligen (*a* in +*akk*).

accelerare [attʃele'ra:re] *tr, itr* beschleunigen. **accelerata** [...'ra:ta] *f* Gasgeben *n*. **accelerato, -a** [...'ra:to] **I.** *agg (polso)* beschleunigt; **II.** *m* Personenzug *m*. **acceleratore** [...ra'to:re] *m mot* Gaspedal *n*. **accelerazione** [...rat'tsi̯o:ne] *f* Beschleunigung *f*.

accendere [at'tʃɛndere] ⟨accendo, accesi, acceso⟩ **I.** *tr* **1.** *(fuoco, sigaretta)* anzünden; **2.** *(conto)* eröffnen, einrichten; *(ipoteca)* aufnehmen; **3.** *(mettere in funzione)* einschalten, anmachen *fam; (motore a.)* anlassen; **4.** *fig (animo, cuore)* entflammen; *(sentimenti)* entfachen; **II.** *rfl:* **-ersi 1.** *(prender fuoco)* Feuer fangen, sich entzünden; **2.** *(luce, stufa, ecc.)* angehen *fam;* **3.** *fig (passione)* entbrennen, entflammen.

accendigas [attʃendi'gas] ⟨-⟩ *m* Gasanzünder *m.*

accendino, accendisigaro [...'di:no, ...di'si:garo] ⟨-⟩ *m* Feuerzeug *n; mot* Zigarettenanzünder *m.*

accennare [attʃen'na:re] **I.** *tr* andeuten, skizzieren; **II.** *itr* **1.** *(fare un cenno)* ein Zeichen geben; **2.** *(far atto di)* ankündigen (*a qc* etw.); *(minacciare)* drohen (*a* mit), androhen (*a qc* etw.); **3.** *(alludere)* anspielen (*a* auf *+akk*); ~ **di sì** ein zustimmendes Zeichen geben.

accenno [at'tʃenno] *m* **1.** *(cenno)* Wink *m;* **2.** *(indizio)* Hinweis *m* (*a* auf *+akk*), Anzeichen *n* (*a* für); **3.** *(allusione)* Anspielung *f* (*a* auf *+akk*).

accensione [attʃen'sjo:ne] *f* **1.** *(atto dell'accendere)* Anzünden *n; tec* Einschalten *n;* **2.** *(di motore)* Zündung *f;* **3.** *(di conto)* Eröffnung *f; (di ipoteca)* Aufnahme *f.*

accentare [attʃen'ta:re] *tr* akzentuieren; *(a. mus)* betonen; *(a. fig)* hervorheben.

accento [at'tʃɛnto] *m* **1.** *ling, mus* Akzent *m,* Betonung *f;* **2.** *(intonazione)* Tonfall *m; (tono)* Ton *m;* **3.** *(enfasi)* Nachdruck *m,* Gewicht *n;* **4.** *fig* Note *f,* Spur *f;* ~ **acuto/circonflesso/grave** Akut *m*/Zirkumflex *m*/Gravis *m;* **porre l'~ su qc** etw. hervorheben.

accentramento [attʃentra'mento] *m* Zentralisierung *f,* Konzentration *f.* **accentrare** [...'tra:re] *tr* **1.** *(riunire)* konzentrieren, zusammenziehen; *pol* zentralisieren; **2.** *fig (accumulare)* konzentrieren, vereinen; **3.** *fig (attirare)* auf sich ziehen (*o* lenken), anziehen.

accentuare [attʃentu'a:re] **I.** *tr* **1.** *(pronunciare con enfasi)* akzentuieren, betonen; **2.** *fig (rendere evidente)* hervorheben, deutlich machen; **II.** *rfl:* **-arsi** sich verstärken, sich ausweiten; *peg* sich verschlimmern.

accerchiare [attʃer'kja:re] *tr* umzingeln; *(a. fig)* einkreisen.

accertamento [attʃerta'mento] *m* Ermittlung *f,* Feststellung *f;* ~ **fiscale** Steuerermittlung *f.* **accertare** [...'ta:re] **I.** *tr* feststellen, ermitteln; **II.** *rfl:* **-arsi** sich vergewissern.

accesi [at'tʃe:si] *p rem di* **accendere.**

acceso, -a [at'tʃe:so] **I.** *pp di* **accendere; II.** *agg* **1.** *(che brucia)* brennend; **2.** *(in funzione)* eingeschaltet; *(motore a.)* laufend; **3.** *(colore)* lebhaft; **4.** *fig* erhitzt; *(d'ira, d'amore)* entbrannt; **rosso** ~ feuerrot.

accessibile [attʃes'si:bile] *agg* **1.** *(luogo)* erreichbar, zugänglich; **2.** *(concetto)* (leicht)verständlich; **3.** *(prezzo)* annehmbar; **4.** *(persona)* zugänglich. **accessibilità** [...sibili'ta] ⟨-⟩ *f* **1.** *(di luogo)* Erreichbarkeit *f,* Zugänglichkeit *f;* **2.** *(di concetto)* Verständlichkeit *f;* **3.** *fig (di persona)* Zugänglichkeit *f.*

accesso [at'tʃɛsso] *m* **1.** *(a un luogo)* Zugang *m,* Zutritt *m; (di veicoli)* Zufahrt *f;* **2.** *(a una professione)* Zugang *m,* Beitritt *m;* **3.** *med* Anfall *m;* **4.** *inform* Zugriff *m;* **5.** *fig (impulso improvviso)* Anfall *m,* Ausbruch *m;* ~ **di tosse/d'ira** Husten-/Wutanfall *m.*

accessoriato, -a [attʃesso'rja:to] *agg mot* mit allem Zubehör (ausgestattet); *(appartamento)* Komfort-, mit allem Komfort.

accessorio, -a [attʃes'sɔ:rjo] ⟨-i, -ie⟩ **I.** *agg* **1.** *(complementare)* zusätzlich; Begleit-, Neben-; **2.** *fig (secondario)* nebensächlich; **II.** *m pl* Zubehör *n; (dell'abbigliamento a.)* Accessoires *n pl.* **accessorista** [...so'rista] ⟨-i *m,* -e *f*⟩ *mf* **1.** *(fabbricante)* Hersteller(in) *m(f)* von Zubehör(teilen); **2.** *(venditore)* Verkäufer(in) *m(f)* von Zubehör(teilen).

accetta [at'tʃetta] *f* Beil *n;* **tagliato con l'~** *fig* grobschlächtig.

accettabile [attʃet'ta:bile] *agg* akzeptabel, annehmbar.

accettare [attʃet'ta:re] *tr* annehmen; *(persona)* aufnehmen; *fig, econ* akzeptieren. **accettazione** [...tat'tsjo:ne] *f* **1.** *(in consegna)* Annahme *f;* **2.** *(in una comunità)* Aufnahme *f;* **3.** *dir, econ* Akzept *n;* **4.** *(ufficio)* Empfang *m,* Rezeption *f;* ~ **bagagli/merci** Gepäck-/Warenannahme *f.* **accetto, -a** [at'tʃɛtto] *agg* willkommen; *(persona a.)* gerngesehen.

accezione [attʃet'tsjo:ne] *f* Bedeutung *f,* Sinn *m.*

acchiappare [akkjap'pa:re] *tr fam* fangen, erwischen.

acciaccare [attʃa'ka:re] *tr* **1.** *(parafango)* verbeulen; *(noci)* knacken; *(insetto)* zerdrücken; **2.** *fig fam (indebolire)* mitnehmen. **acciaccato, -a** [...'ka:to] *agg* **1.** *(ammaccato)* verbeult; **2.** *fam (indebolito)* zerschlagen, kaputt *fam.*

acciacco [at'tʃakko] ⟨-cchi⟩ *m* Beschwerden *f pl,* Gebrechen *n.*

acciaieria [attʃaje'ri:a] ⟨-ie⟩ *f* Stahlwerk *n.*

acciaio [at'tʃa:jo] ⟨-ai⟩ *m* Stahl *m;* **avere nervi d'~** Nerven wie Drahtseile haben; **una tempra d'~** *fig* eine eiserne Konstitution.

accidentale [attʃiden'ta:le] *agg* zufällig.

accidentato, -a [attʃiden'ta:to] *agg (terreno)* uneben.

accidente [attʃi'dɛnte] *m* **1.** *(evento fortuito)* Zufall *m;* **2.** *(disgrazia)* Unglücksfall *m;* **3.** *med* Schlaganfall *m;* **non valere un** ~ *fam* völlig wertlos sein; **non m'importa un** ~ *fam* ich scher' mich einen Teufel drum *fam;* **mandare un ~ a qu** *fam* jdm die Pest an den Hals wünschen; **gli venisse un ~!** *fam* der Schlag soll ihn treffen!

accidenti [attʃi'dɛnti] *interi fam* verflixt *fam,* Donnerwetter *fam.*

accidia [at'tʃi:dja] ⟨-ie⟩ *f* Trägheit *f,* Un-

lust *f*.
accigliato, -a [attʃiʎ'ʎa:to] *agg* finster.
accingersi [at'tʃindʒersi] ⟨*irr*⟩ *rfl* sich anschicken (*a fare qc* etw. zu tun).
acciottolato [attʃotto'la:to] *m* Kopfsteinpflaster *n*.
acciuffare [attʃuf'fa:re] *tr* erwischen.
acciuga [at'tʃu:ga] ⟨-ghe⟩ *f* **1.** *(alice)* Sardelle *f;* **2.** *fig (persona magra)* Hering *m;* **stare pigiati come -ghe** zusammengedrängt sein wie die Sardinen (*o* Heringe).
acclamare [akkla'ma:re] **I.** *tr* **1.** *(applaudire)* applaudieren (*qu* jdm), Beifall spenden (*qu* jdm); **2.** *(eleggere)* durch Zuruf (*o* Akklamation) wählen; **II.** *itr* (zu)jubeln. **acclamazione** [...mat'tsjo:ne] *f* Zuruf *m;* **per** ~ durch Zuruf, per Akklamation.
acclimatare [akklima'ta:re] **I.** *tr* akklimatisieren; **II.** *rfl:* **-arsi** sich akklimatisieren. **acclimatazione** [...tat'tsjo:ne] *f* Akklimatisierung *f*.
accludere [ak'klu:dere] ⟨accludo, acclusi, accluso⟩ *tr* beifügen, beilegen. **accluso, -a** [ak'klu:zo] *agg* beigefügt, beiliegend, anbei; ~ **alla lettera invio** ... anbei (*o* als Anlage) übersende ich ...
accoccolarsi [akkokko'larsi] *rfl* sich zusammenkauern.
accogliente [akkoʎ'ʎɛnte] *agg (casa, gesto)* einladend; *(persona)* gastfreundlich. **accoglienza** [...'ʎɛntsa] *f* Empfang *m,* Aufnahme *f*.
accogliere [ak'kɔʎʎere] ⟨*irr*⟩ *tr* **1.** *(persone)* aufnehmen, empfangen; **2.** *(proposta)* annehmen; **3.** *(contenere)* fassen.
accollare [akkol'la:re] **I.** *tr (caricare di impegni)* aufhalsen, aufbürden; **II.** *rfl:* **-arsi** auf sich nehmen, übernehmen, sich aufhalsen *fam*. **accollato, -a** [...'la:to] *agg* hochgeschlossen.
accoltellare [akkoltel'la:re] *tr* erstechen; *(ferire)* niederstechen, mit Messerstichen verletzen.
accomandita [akko'mandita] *f dir* Kommanditgesellschaft *f;* **società in** ~ **semplice** *(abbr SAS)* Kommanditgesellschaft (*abk* KG).
accomiatare [akkomja'ta:re] **I.** *tr* verabschieden; **II.** *rfl:* **-arsi** sich verabschieden.
accomodamento [akkomoda'mento] *m dir* Vergleich *m*.
accomodante [akkomo'dante] *agg* anpassungswillig; *(accondiscente)* entgegenkommend; **pagamento** ~ Kulanzzahlung.
accomodare [akkomo'da:re] **I.** *tr* **1.** *(aggiustare)* reparieren, ausbessern; *(guasto)* beheben; **2.** *(riordinare)* (her)richten, in Ordnung bringen, aufräumen; **3.** *fig (sistemare)* in Ordnung bringen, erledigen; *(lite)* beilegen; **II.** *rfl:* **-arsi 1.** *(adattarsi)* sich behelfen; **2.** *(mettersi a proprio agio)* es sich *(dat)* bequem machen; *(sedersi)* Platz nehmen; **3.** *(accordarsi)* sich einigen.
accompagnamento [akkompaɲɲa'mento] *m* Begleitung *f;* **lettera di** ~ Begleitbrief *m*.
accompagnare [akkompaɲ'ɲa:re] **I.** *tr* **1.** *(andare insieme, a. mus)* begleiten; **2.** *(unire)* beifügen; **3.** *fig* folgen; **II.** *rfl:* **-arsi** zusammenpassen; *mus* sich begleiten. **accompagnatore, -trice** [...ɲa'to:re] *m, f* Begleiter(in) *m(f)*. **accompagnatorio, -a** [...ɲa'tɔ:rjo] *agg* Begleit-; **lettera -a** Begleitschreiben *n*.
accomunare [akkomu'na:re] *tr* vereinen, verbinden.
acconciatura [akkontʃa'tu:ra] *f* **1.** *(pettinatura)* Frisur *f;* **2.** *(ornamento)* Haarschmuck *m*.
acconcio, -a [ak'kontʃo] *agg (idoneo)* geeignet; *(opportuno)* angebracht.
accondiscendere [akkondiʃ'ʃendere] ⟨*irr*⟩ *itr* eingehen (*a* auf +*akk*), einwilligen (*a* in +*akk*).
acconsentire [akkonsen'ti:re] *itr* zustimmen *(+dat),* einwilligen (*a* in +*akk*); *(a richiesta, ecc.)* eingehen (*a* auf +*akk*); **acconsento che lui parta** ich erlaube ihm zu gehen.
accontentare [akkonten'ta:re] **I.** *tr* zufriedenstellen; **II.** *rfl:* **-arsi** sich begnügen (*di* mit), sich zufriedengeben (*di* mit).
acconto [ak'konto] *m* Anzahlung *f;* **ritenuta d'**~ Akontozahlung *f,* Steuervorauszahlung *f;* **in** ~ als Anzahlung.
accoppare [akkop'pa:re] *tr* erschlagen; *fig* übel zurichten.
accoppiamento [akkoppja'mento] *m* **1.** *(accostamento)* Zusammenstellung *f,* Verbindung *f;* **2.** *tec* Kopp(e)lung *f;* **3.** *biol (tra animali)* Paarung *f*. **accoppiare** [...'pja:re] ⟨accoppio, accoppi⟩ **I.** *tr* **1.** *(accostare)* zusammenstellen; *(a. fig)* verbinden; **2.** *tec, fig* koppeln; **3.** *biol (animali)* paaren; **II.** *rfl:* **-arsi** *(animali)* sich paaren. **accoppiato, -a** [...'pja:to] *agg* verbunden; *tec* gekoppelt; **quei due sono bene -i** die beiden passen gut zusammen. **accoppiatore** [...pja'to:re] *m* **1.** *tec, ferr* Kupplung *f; mot* Anhängerkupplung *f;* **2.** *inform, el* Koppler *m;* ~ **acustico** Akustikkoppler *m*.
accorato, -a [akko'ra:to] *agg* betrübt.
accorciare [akkor'tʃa:re] ⟨accorcio, accorci⟩ **I.** *tr* **1.** *(abbreviare)* ab-, verkürzen; *(percorso)* abkürzen; *(distanza)* verringern; **2.** *(abito)* kürzen, kürzer machen; **II.** *rfl:* **-arsi** kürzer werden; *(distanza)* sich verringern.
accordare [akkor'da:re] **I.** *tr* **1.** *(concedere)* gewähren, zugestehen; *amm* bewilligen; **2.** *(conciliare)* versöhnen; **3.** *fig* (miteinander) in Einklang bringen; *(colori)* (aufeinander) abstimmen; **4.** *mus*

stimmen; **5.** *gram* in Übereinstimmung bringen; **II.** *rfl:* **-arsi 1.** *(persone)* sich einigen; **2.** *fig (colori, ecc.)* zusammenpassen.

accordo [ak'kɔrdo] *m* **1.** *(concordia)* Einigkeit *f; (in vertenze)* Übereinkunft *f,* Einigung *f;* **2.** *fig* Einklang *m,* Einverständnis *n;* **3.** *(patto)* Abkommen *n; dir* Vertrag *m;* **4.** *(di colori)* Abstimmung *f;* **5.** *mus* Akkord *m;* **6.** *gram* Übereinstimmung *f;* **trovarsi d'~** sich *(dat)* einig sein; **d'~!** einverstanden!; **come d'~** wie vereinbart; **come da -i verbali** absprachegemäß; **di comune ~** im Einvernehmen; **~ nucleare** Nuklearabkommen *n;* **~ cornice (***o* **quadro)** Rahmenabkommen *n;* **~ generale sulle tariffe doganali ed il commercio** Allgemeines Zoll- und Handelsabkommen *(akr* **GATT**).

accorgersi [ak'kɔrdʒersi] ⟨mi accorgo, ti accorgi, mi accorsi, mi sono accorto⟩ *rfl:* **~ di** merken, bemerken, wahrnehmen. **accorgimento** [akkordʒi'mento] *m* **1.** *(avvedutezza)* Umsicht *f,* Aufmerksamkeit *f;* **2.** *(espediente)* Trick *m,* Kniff *m.*

accorpamento [akkorpa'mento] *m* Zusammenlegung *f.* **accorpare** [...'pa:re] *tr (unificare)* zusammenlegen; *(enti, uffici)* eingliedern.

accorrere [ak'korrere] ⟨*irr*⟩ *itr* ⟨*essere*⟩ herbeieilen.

accorsi *p rem di* **accorgersi.**

accortezza [akkor'tettsa] *f* Umsicht *f,* Sorgfalt *f.*

accorto, -a [ak'kɔrto] **I.** *pp di* **accorgersi; II.** *agg* aufmerksam, vorsichtig, umsichtig; *(astuto)* klug, schlau.

accostare [akkos'ta:re] **I.** *tr* näher stellen (*o* legen, *etc.*); *(porta, imposte)* anlehnen; *(avvicinare)* nähern; **~ qu** jdm näher kommen; **~ la sedia alla parete** den Stuhl an die Wand rücken; **II.** *itr* den Kurs wechseln; **III.** *rfl:* **-arsi 1.** *(avvicinarsi)* sich nähern *(a dat);* **2.** *fig* sich annähern (*a* an *+akk*).

accovacciarsi [akkovat'tʃarsi] ⟨mi accovaccio, ti accovacci⟩ *rfl* sich kauern.

accozzaglia [akkot'tsaʎʎa] ⟨-glie⟩ *f* Haufen *m; (di cose a.)* Mischmasch *m fam.* **accozzamento** [...tsa'mento] *m* bunte Mischung.

accreditare [akkredi'ta:re] *tr* **1.** *(avvalorare)* glaubhaft machen; **2.** *econ* gutschreiben; **3.** *(diplomatico)* akkreditieren; **assegno da ~** Verrechnungsscheck *m.* **accredito** [ak'kre:dito] *m* Gutschrift *f.*

accrescere [ak'kreʃʃere] ⟨*irr*⟩ **I.** *tr* ⟨*avere*⟩ vermehren, anwachsen lassen; **II.** *itr* ⟨*essere*⟩, *rfl:* **-ersi** zunehmen, (an)wachsen; **la sua famiglia si accresce** seine/ihre Familie bekommt Zuwachs. **accrescimento** [...ʃi'mento] *m* **1.** *(aumento)* Anwachsen *n,* Zunahme *f,* Erhöhung *f;* **2.** *biol* Wachstum *n.* **accrescitivo, -a** [...ʃi'ti:vo] **I.** *agg* steigernd, wachstumsfördernd; **II.** *m gram* Vergrößerungsform *f.*

accucciarsi [akkut'tʃarsi] ⟨mi accuccio, ti accucci⟩ *rfl (aimali)* sich hinlegen, kuschen; *(persone)* sich zusammenkauern.

accudire [akku'di:re] ⟨accudisco⟩ **I.** *tr* pflegen, versorgen; *(bambino a.)* beaufsichtigen; **II.** *itr (lavori domestici)* sich widmen, besorgen (*a qc* etw.).

acculturare [akkultu'ra:re] **I.** *tr scient* akkulturieren; **II.** *rfl:* **-arsi** *soc, psic* sich kulturell anpassen. **acculturazione** [...tat'tsio:ne] *f scient.* Akkulturation *f; soc, psic* kulturelle Eingliederung *f.*

accumulare [akkumu'la:re] **I.** *tr* anhäufen; **II.** *rfl:* **-arsi** sich häufen. **accumulatore** [...la'to:re] *m* Akkumulator *m,* Akku *m.* **accumulazione** [...lat'tsio:ne] *f* Anhäufung *f,* Akkumulation *f geh.* **accumulo** [ak'ku:mulo] *m* **1.** *(accumulazione)* Anhäufung *f;* **2.** *geol* Akkumulation *f;* **~ di cariche** Ämterhäufung *f.*

accuratezza [akkura'tettsa] *f* Sorgfalt *f.*

accurato, -a [...'ra:to] *agg* akkurat, genau, sorgfältig.

accusa [ak'ku:za] *f* **1.** *(attribuzione di colpa)* Be-, Anschuldigung *f;* **2.** *dir* Anklage *f;* **pubblica ~** Staatsanwaltschaft *f.* **accusare** [...'za:re] *tr* **1.** *(incolpare)* beschuldigen; *dir* anklagen; **2.** *(palesare)* äußern, vorbringen; *(lasciar scorgere)* erkennen lassen, zeigen; **3.** *amm* bestätigen; **~ qu di qc** jdm etw. vorwerfen, jdn einer S. *(gen)* beschuldigen; **~ il colpo** seine Betroffenheit nicht verbergen können.

accusativo [akkuza'ti:vo] *m* Akkusativ *m,* Wenfall *m.*

accusato, -a [akku'za:to] **I.** *agg* angeklagt; **II.** *m, f* Angeklagte(r) *mf.* **accusatore, -trice** [...za'to:re] *m, f* **1.** *gener.* Ankläger(in) *m(f);* **2.** *dir* Kläger(in) *m(f); (magistrato)* Staatsanwalt *m,* -anwältin *f.*

acerbo, -a [a'tʃɛrbo] *agg* **1.** *(immaturo)* unreif; **2.** *(aspro)* sauer; **3.** *fig (dolore)* bitter, herb.

acero ['a:tʃero] *m* Ahorn *m.*

acetato [atʃe'ta:to] *m* Acetat *n.*

acetiera [atʃe'tiɛ:ra] *f* Essigflasche *f,* Essigkaraffe *f.*

acetilene [atʃeti'lɛ:ne] *m* Acetylen *n.*

aceto [a'tʃe:to] *m* Essig *m;* **cetriolini sott'~** Essiggurken *f pl;* **mettere sott'~** in Essig einlegen.

acetone [atʃe'to:ne] *m* Aceton *n.*

A.C.I. ['a:tʃi] *m* **1.** *acr di* **Automobile Club d'Italia** *italienischer Automobilclub;* **2.** *abbr di* **Azione Cattolica Italiana** *italienischer Katholikenverband.*

acidità [atʃidi'ta] ⟨-⟩ *f* **1.** *(asprezza)* Säure *f;* **2.** *fig (mordacità)* Bissigkeit *f;* **3.** *chim* Säuregrad *m,* Acidität *f;* **~ di stomaco** Sodbrennen *n.*

acido, -a ['a:tʃido] **I.** *agg* **1.** *(aspro)* sauer; **2.** *fig* bissig; *(critica a.)* beißend; **pioggia -a** saurer Regen *m;* **II.** *m* **1.** *chim* Säure *f;* **2.** *sl (stupefacente)* Stoff *m sl;* ~ **ascorbico** Ascorbinsäure *f;* **resistente agli -i** säurebeständig. **acidulo, -a** [a'tʃi:dulo] *agg* säuerlich.

acino ['a:tʃino] *m* (Wein)beere *f.*

acme ['akme] *f* Höhepunkt *m.*

acne ['akne] *f* Akne *f.*

acqua ['akkua] *f* **1.** *gener.* Wasser *n;* **2.** ⟨*pl*⟩ Gewässer *n pl; med* Thermalquellen *f pl,* (Thermal)bad *n;* ~ **da bere** Trinkwasser *n;* ~ **di Colonia** Kölnischwasser *n;* ~ **dolce/salata** Süß-/Salzwasser *n;* ~ **alta** Hochwasser *n;* ~ **benedetta** Weihwasser *n;* ~ **corrente/morta** fließendes Wasser/stehendes Gewässer; ~ **potabile/minerale** Trink-/Mineralwasser *n;* ~ **ossigenata** Wasserstoffsuperoxyd *n;* ~ **piovana** Regenwasser *n;* ~ **ragia** Terpentin *n;* ~ **tonica** Tonic(wasser) *n;* **-e bianche/nere** Regenwasser *n*/Abwässer *n pl;* **-e territoriali** Hoheitsgewässer *n pl;* **un buco nell'~** *fig* ein Schlag *m* ins Wasser; **cura delle -e** Trinkkur *f* (mit Heilwasser); **fare ~ da tutte le parti** überall undicht sein; *fig* hinken; **lavorare sott'~** *fig* im trüben fischen; **navigare in cattive -e** in der Klemme (*o* auf dem trockenen) sitzen *fam;* **sentirsi come un pesce fuor d'~** sich wie ein Fisch auf dem Trockenen fühlen; **tirare l'~ al proprio mulino** nur an den eigenen Vorteil denken; ~ **in bocca!** still!, kein Wort darüber!; **è ormai ~ passata** das ist Schnee von gestern; ~ **cheta rovina i ponti** *prov* stille Wasser sind tief *prov.*

acquaforte [-'fɔrte] ⟨acqueforti⟩ *f* Radierung *f.*

acquaio [ak'kua:io] ⟨-quai⟩ *m* Ausguß *m,* Spülstein *m.*

acquamarina [-ma'ri:na] ⟨acquemarine⟩ *f* Aquamarin *m.*

acquaplano [-'pla:no] *m* Wasserski *m.*

acquaragia [-'ra:dʒa] ⟨-ge⟩ *f* Terpentin *n.*

acquario [ak'kua:rio] ⟨-i⟩ *m* **1.** *(vasca, edificio)* Aquarium *n;* **2.** *astr:* **A~** Wassermann *m;* **sono (dell'** *o* **un) A~** ich bin (ein) Wassermann.

acquasanta [-'santa] *f* Weihwasser *n;* **essere come il diavolo e l'~** wie Hund und Katze sein. **acquasantiera** [...'tiɛ:ra] *f* Weihwasserbecken *n.*

acquatico, -a [ak'kua:tiko] ⟨-ci, -che⟩ *agg* Wasser-.

acquattarsi [akkuat'tarsi] *rfl* sich verbergen, sich ducken.

acquavite [akkua'vi:te] *f* Schnaps *m,* Branntwein *m;* ~ **di vino** ≃ Weinbrand *m;* ~ **di lamponi** Himbeergeist *m.*

acquazzone [akkuat'tso:ne] *m* Wolkenbruch *m.*

acquedotto [akkue'dotto] *m* Wasserleitung *f; st* Aquädukt *n.*

acqueforti *pl di* **acquaforte.**

acquemarine *pl di* **acquamarina.**

acquemoto [akkue'mɔ:to] *m* Seebeben *n.*

acqueo, -a ['akkueo] *agg* Wasser-; **vapore ~** Wasserdampf *m.*

acquerello [akkue'rɛllo] *m* **1.** *(tecnica)* Aquarellmalerei *f,* Aquarelltechnik *f;* **2.** *(quadro)* Aquarell *n.*

acquerugiola [akkue'ru:dʒola] *f* Nieselregen *m,* Sprühregen *m.*

acquietare [akkuie'ta:re] **I.** *tr* beruhigen; *(desiderio)* befriedigen; *(ira)* besänftigen; **II.** *rfl:* **-arsi** sich beruhigen.

acquifero, -a [ak'kui:fero] *agg* wasserführend; **falda -a** Wasserader *f.*

acquirente [akkui'rɛnte] *mf* Käufer(in) *m(f).*

acquisire [akkui'zi:re] ⟨acquisisco⟩ *tr* erwerben. **acquisito, -a** [...'zi:to] *agg* erworben, angenommen; *(parente)* angeheiratet. **acquisizione** [...zit'tsio:ne] *f* Erwerb *m,* Erwerbung *f.*

acquistare [akkuis'ta:re] **I.** *tr* **1.** *econ* erwerben, kaufen; **2.** *fig (meriti)* erwerben; *(tempo)* gewinnen; ~ **terreno** *fig* an Boden gewinnen; **II.** *itr* zunehmen (*in, di* an *+dat*), gewinnen (*in, di* an *+dat*).

acquisto [ak'kuisto] *m* **1.** *econ* Erwerb *m,* Kauf *m;* **2.** *fig (persona)* Neuzugang *m;* **potere d'~** Kaufkraft *f;* **bell'~ hai fatto!** *iron* da hast du dir ja was (Schönes) eingehandelt!

acquitrino [akkui'tri:no] *m* Sumpf *m.* **acquitrinoso, -a** [...tri'no:so] *agg* sumpfig.

acquolina [akkuo'li:na] *f:* **far venire a qu l'~ in bocca** jdm den Mund wäßrig machen; **mi viene l'~ in bocca** mir läuft das Wasser im Mund zusammen.

acquoso, -a [ak'kuo:so] *agg* wäßrig.

acre ['a:kre] *agg* **1.** *(sapore, odore)* herb, beißend, scharf; **2.** *fig* bissig; *(critica a.)* scharf. **acredine** [a'krɛ:dine] *f* **1.** *(asprezza)* Schärfe *f;* **2.** *fig (mordacità)* Bissigkeit *f.*

acrilico, -a [a'kri:liko] ⟨-ci, -che⟩ *agg* Acryl-; **vetro ~** Acrylglas *n.*

acriticità [akrititʃi'ta] *f* Kritiklosigkeit *f.*

acritico, -a [a'kri:tiko] *agg* unkritisch.

acrobata [a'krɔ:bata] ⟨-i *m,* -e *f*⟩ *mf* (Luft)akrobat(in) *m(f); (funambolo)* Seiltänzer(in) *m(f).* **acrobazia** [...bat'tsi:a] ⟨-ie⟩ *f* akrobatische Übung, Kunststück *n.*

acuire [aku'i:re] ⟨acuisco⟩ **I.** *tr* zuspitzen; *(a. fig: ingegno)* schärfen; **II.** *rfl:* **-irsi** sich verschärfen; *(situazione a.)* sich zuspitzen.

aculeo [a'ku:leo] *m* **1.** *zoo* Stachel *m;* **2.** *bot* Dorn *m,* Stachel *m.*

acume [a'ku:me] *m* Scharfsinn *m; (dell'intelletto)* Schärfe *f.*

acustica [a'kustika] ⟨-che⟩ *f* Akustik *f.* **acustico, -a** [...ko] ⟨-ci, -che⟩ *agg* **1.** *fis* akustisch; **2.** *anat* Gehör-, Hör-.

acuto, -a [a'ku:to] *agg* **1.** *(aguzzo, a. mat)* spitz; **2.** *(vista)* scharf; *(suono)* schrill; **3.** *med, ling, fig* akut; **4.** *(penetrante)* heftig, stark; *(freddo)* beißend; *(odore a.)* scharf; **5.** *(vivo, struggente)* brennend, heftig.

ad [ad] *prp* **a** *davanti a vocale.*

adagiare [ada'dʒa:re] ⟨adagio, adagi⟩ **I.** *tr* betten, legen; **II.** *rfl:* **-arsi 1.** *(distendersi)* sich betten, sich (hin)legen; **2.** *fig* sich hingeben, sich überlassen.

adagio [a'da:dʒo] **I.** *avv* **1.** *(lentamente)* langsam; **2.** *(con cautela)* behutsam; **3.** *mus* adagio; **II.** ⟨-gi⟩ *m mus* Adagio *n.*

Adamo [a'da:mo] *(nome proprio maschile)* Adam; **figli d'~** Menschenkinder *n pl.*

adattamento [adatta'mento] *m* **1.** *(accomodamento, a. biol)* Anpassung *f* (*a* an +*akk*); *tec* Anpassen *n; (di un immobile)* Umbau *m* (*a* zu); **2.** *(di un'opera)* Bearbeitung *f.* **adattare** [...'ta:re] **I.** *tr* **1.** *(conformare)* anpassen; **2.** *(cambiare)* umwandeln, herrichten; *(edificio)* umbauen; **3.** *(opera)* bearbeiten; **II.** *rfl:* **-arsi** passen (*a* zu); *(adeguarsi)* sich anpassen (*a* an +*akk*), sich richten (*a* nach). **adattatore** [...'to:re] *m* Adapter *m,* Zwischenstecker *m.* **adatto, -a** [a'datto] *agg* geeignet (*a* zu, *per* für); *(momento a.)* passend.

addebitare [addebi'ta:re] *tr* **1.** *econ* belasten (*qc a qu* jdn mit etw.); **2.** *fig (incolpare)* zuschreiben, zur Last legen. **addebito** [ad'de:bito] *m* **1.** *econ* Belastung *f;* **2.** *fig (accusa)* Beschuldigung *f* (*a* gegen).

addensamento [addensa'mento] *m* Verdichtung *f.* **addensante** [...'sante] *m* Verdickungsmittel *n.* **addensare** [...'sa:re] **I.** *tr* **1.** *(rendere denso)* verdichten; *(liquido)* eindicken (lassen); **2.** *(accumulare)* häufen; **II.** *rfl:* **-arsi** sich verdichten; *(folla)* zusammenströmen, dichter werden; *(nubi)* sich zusammenballen.

addentare [adden'ta:re] *tr* mit den Zähnen packen.

addentellato [addentel'la:to] *m* Anknüpfungspunkt *m.*

addentrarsi [adden'trarsi] *rfl* **1.** *(inoltrarsi)* eindringen; **2.** *fig* sich vertiefen, sich hineinknien *fam.*

addentro [ad'dentro] *avv* im Inneren; **essere ~ in qc** *fig* sich in etw. *(dat)* gut auskennen.

addestramento [addestra'mento] *m* **1.** *(di persone)* Ausbildung *f;* **2.** *(di animali)* Dressur *f; (di cani)* Abrichtung *f.* **addestrare** [...'tra:re] **I.** *tr* **1.** *(persone)* ausbilden; **2.** *(animali)* dressieren; *(cani)* abrichten; **II.** *rfl:* **-arsi** sich üben, sich schulen.

addetto, -a [ad'detto] **I.** *agg* zuständig (*a* für); *(occupato)* tätig (*o* beschäftigt) (*a* bei); **II.** *m, f* Zuständige(r) *mf; (impiegato)* Angehörige(r) *mf,* Angestellte(r) *mf; pol* Attaché *m;* **~ ai lavori** *fig iron* Fachmann *m,* Insider *m;* **~ stampa** Pressesprecher *m;* **vietato l'ingresso ai non -i ai lavori** Zutritt für Unbefugte verboten.

addì [ad'di] *avv amm* den, am; **Verona, 25 marzo 1995** Verona, den 25. März 1995.

addietro [ad'diɛ:tro] *avv* **1.** *(luogo)* zurück; **2.** *(tempo)* früher; **anni ~** vor Jahren; **tempo ~** früher.

addio [ad'di:o] **I.** *interi* ade, adieu, leb wohl; *fig* aus (mit), dahin; **sono stato bocciato e ~ regalo!** ich habe nicht bestanden, und jetzt kann ich das Geschenk vergessen; **II.** ⟨-ii⟩ *m* Abschied *m.*

addirittura [addirit'tu:ra] *avv* **1.** *(perfino)* sogar; **2.** *(veramente)* geradezu.

addirsi [ad'dirsi] ⟨*irr*⟩ *rfl impers* geeignet sein (*a* für), passen (*a* zu).

additare [addi'ta:re] *tr* (mit dem Finger) zeigen (auf).

additivo, -a [addi'ti:vo] **I.** *agg* additiv, Zusatz-; **II.** *m* Additiv *n,* Zusatz *m.*

addizionale [additsio'na:le] **I.** *agg* zusätzlich, Zusatz-; **imposta ~** Zusatzsteuer *f;* **spese -i** Mehrkosten *pl,* Nebenkosten *pl;* **II.** *m tel* Nebenanschluß *m.*

addizionare [addittsio'na:re] *tr* addieren, zusammenzählen. **addizione** [...'tsio:ne] *f* Addition *f.*

addobbare [addob'ba:re] *tr* dekorieren, schmücken. **addobbo** [ad'dɔbo] *m* **1.** *(atto)* Dekorieren *n,* Schmücken *n;* **2.** *(ornamenti)* Dekoration *f,* Schmuck *m.*

addolcire [addol'tʃi:re] ⟨addolcisco⟩ **I.** *tr* **1.** *(caffè)* süßen; **2.** *(acciaio, acqua)* enthärten; **3.** *fig* verfeinern; *(mitigare)* mildern; **II.** *rfl:* **-irsi** sanfter (*o* milder) werden. **addolcitore** [...tʃi'to:re] *m chim* (Wasser)enthärter *m.*

addolorare [addolo'ra:re] **I.** *tr* betrüben, Schmerz zufügen (*qu* jdm); **II.** *rfl:* **-arsi** sich grämen (*per* über +*akk*).

addome [ad'dɔ:me] *m* **1.** *(ventre)* Unterleib *m;* **2.** *zoo* Hinterleib *m,* Abdomen *n wissensch.*

addomesticare [addomesti'ka:re] ⟨addomestico, addomestichi⟩ *tr* zähmen. **addomesticato, -a** [...'ka:to] *agg* domestiziert, gezähmt.

addominale [addomi'na:le] *agg* Unterleib(s)-, Bauch-.

addormentare [addormen'ta:re] **I.** *tr* **1.** *(far dormire)* zum Schlafen bringen; *(medicina, musica, ecc.)* einschläfern; **2.** *med (con narcotico)* betäuben, narkotisieren; **3.** *fig (intorpidire)* einschläfern; **II.** *rfl:* **-arsi** einschlafen. **addormentato, -a** [...'ta:to] *agg* **1.** *(immerso nel sonno)* schlafend; **2.** *med (con narcotico)* narkotisiert, betäubt; **3.** *fig (son-*

nacchioso) schläfrig, verschlafen; **4.** *fig (fiacco)* lahm, schlaff.

addossare [addos'sa:re] **I.** *tr* **1.** *(porre addosso)* aufbürden, auflasten; **2.** *(accostare)* anrücken, heranschieben; *(appoggiare)* anlehnen; **3.** *fig (imputare)* aufbürden; *(colpa)* anlasten; **II.** *rfl:* **-arsi 1.** *(appoggiarsi)* sich anlehnen; *(accalcarsi)* sich drängen; **2.** *fig (accollarsi)* sich *(dat)* aufbürden, auf sich nehmen.

addosso [ad'dɔsso] **I.** *avv* am Leib; *fig* bei sich *(dat);* **avere ~** *(vestito)* anhaben; *(denaro, libro, ecc.)* bei sich *(dat)* haben; **mettere ~** anziehen; **parlarsi ~** ständig von sich selber reden; **piangersi ~** sich selbst bemitleiden; **avere il diavolo ~** den Teufel im Leib haben; **avere la rabbia ~** eine Wut im Bauch haben; **farsela ~** *vulg* sich *(dat)* ins Hemd machen *fam;* **II.** *prp:* **~ a** *(stato in luogo)* neben *+dat; (moto)* neben *+akk;* **andare ~ a due pedoni** zwei Fußgänger anfahren; **dare ~ a qu** *fig* jdm widersprechen, gegen jdn sein; **mettere le mani ~ a qu** Hand an jdn legen; *(molestare)* jdn (sexuell) belästigen; **stare ~ a qu** jdm keine Ruhe lassen.

addurre [ad'durre] ⟨adduco, addussi, addotto⟩ *tr* anführen, vorbringen.

adeguamento [adegua'mento] *m (adattamento)* Angleichung *f,* Anpassung *f; (aumento)* Erhöhung *f.*

adeguare [ade'gua:re] **I.** *tr* angleichen (*a* an *+akk*); **II.** *rfl:* **-arsi** sich anpassen (*a* an *+akk*). **adeguato, -a** [...'gua:to] *agg* angemessen, passend.

adempiere [a'dempiere] ⟨adempio *o* adempisco, adempii, adempiuto *o* adempito⟩ **I.** *tr (dovere, desiderio)* erfüllen; **II.** *rfl:* **-ersi** sich erfüllen, in Erfüllung gehen. **adempimento** [...pi'mento] *m* Erfüllung *f.*

adempire [adem'pi:re] ⟨*forme come adempiere*⟩ *v.* **adempiere.**

adepto, -a [a'dɛpto] *m, f* Anhänger(in) *m(f),* Mitglied *n.*

aderente [ade'rɛnte] **I.** *agg* haftend, klebend; *(vestito)* enganliegend; **II.** *mf* Mitglied *n (a* bei, in *+dat*), Anhänger(in) *m(f) (a +gen).* **aderenza** [...'rɛntsa] *f* **1.** *(qualità di ciò che è aderente)* Haftung *f,* Haftfähigkeit *f;* **2.** *fis* Reibung *f;* **3.** ⟨*di solito al pl*⟩ *fig (conoscenza)* Beziehungen *f pl.*

aderire [ade'ri:re] ⟨aderisco⟩ *itr* **1.** *(rimanere a contatto)* haften, kleben; *(vestito)* anliegen; **2.** *fig (a una proposta)* zustimmen; *(a una richiesta)* nachkommen; **3.** *fig (entrare a far parte)* beitreten.

adescare [ades'ka:re] ⟨adesco, adeschi⟩ *tr (a. fig)* ködern.

adesione [ade'zio:ne] *f* **1.** *(aderenza)* Haftung *f; fis* Adhäsion *f;* **2.** *fig (consenso)* Zustimmung *f,* Einwilligung *f; (a una richiesta)* Nachkommen *n;* **3.** *(a un partito, ecc.)* Beitritt *m.*

adesivo, -a [ade'zi:vo] **I.** *agg* klebend, Kleb(e)-; **nastro ~** Klebeband *n;* **II.** *m (collante)* Klebstoff *m; (etichetta autoadesiva)* Aufkleber *m.*

adesso [a'dɛsso] *avv* **1.** *(in questo momento)* jetzt, nun; **2.** *(poco fa)* gerade (eben); **3.** *(tra poco)* (jetzt) gleich.

adiacente [adia'tʃɛnte] *agg* anliegend, angrenzend. **adiacenza** [adia'tʃentsa] *f* Nähe *f;* **nelle ~e** in der Nähe.

adibire [adi'bi:re] ⟨adibisco⟩ *tr* **1.** *(usare)* benutzen (*a* als); **2.** *(destinare)* vorsehen (*a* für), bestimmen (*a* für, zu).

Adige ['a:didʒe] *m* Etsch *f.*

adiposo, -a [adi'po:so] *agg* Fett-, fetthaltig.

adirarsi [adi'rarsi] *rfl* zürnen (*con qu* jdm). **adirato, -a** [...'ra:to] *agg* erzürnt.

adire [a'di:re] ⟨adisco⟩ *tr* anrufen; **~ le vie legali** den Rechtsweg beschreiten.

adito ['a:dito] *m* **1.** *(accesso)* Eingang *m,* Zugang *m,* Zutritt *m;* **2.** *fig* Veranlassung *f,* Anlaß *m;* **dare ~ a qc** Anlaß zu (*o* für) etw. geben.

adocchiare [addok'kia:re] ⟨adocchio, adocchi⟩ *tr* erblicken; *(con compiacenza, desiderio)* liebäugeln mit.

adolescente [adoleʃ'ʃɛnte] **I.** *agg* jugendlich, halbwüchsig; **II.** *mf* Jugendliche(r) *mf,* Heranwachende(r) *mf.* **adolescenza** [...'ʃɛntsa] *f* Jugend(alter *n*) *f.* **adolescenziale** [...ʃʃen'tsia:le] jugendlich, Jugend-.

adombrarsi [adom'brarsi] *rfl* **1.** *(cavalli)* scheuen; **2.** *fig (persone)* gekränkt sein; *(insospettirsi)* argwöhnisch (*o* stutzig) werden.

adontarsi [adon'tarsi] *rfl* beleidigt sein.

adop(e)rare [ado'pra:re (...pe'ra:re)] **I.** *tr* benutzen, (ge)brauchen; **II.** *rfl:* **-arsi** sich einsetzen, sich verwenden.

adorabile [ado'ra:bile] *agg* bezaubernd.

adorare [ado'ra:re] *tr* **1.** *(divinità)* anbeten, verehren; *(persona)* vergöttern; **2.** *(arte, cibo)* lieben, mögen. **adorazione** [...rat'tsio:ne] *f* Anbetung *f,* Verehrung *f.*

adornare [ador'na:re] **I.** *tr* schmücken, verzieren; **II.** *rfl:* **-arsi** sich schmücken. **adorno, -a** [a'dorno] *agg* geschmückt.

adottare [adot'ta:re] *tr* **1.** *(figlio)* adoptieren; **2.** *(metodo)* anwenden; *(provvedimenti)* ergreifen, treffen. **adottivo, -a** [...'ti:vo] *agg* Adoptiv-. **adozione** [...t'tsio:ne] *f* **1.** *dir* Adoption *f;* **2.** *fig (scelta)* Wahl *f; (di provvedimento)* Ergreifen *n; (di metodo)* Anwendung *f;* **patria di ~** Wahlheimat *f.*

adrenalina [adrena'li:na] *f* Adrenalin *n.*

Adriana [adri'a:na] *(nome proprio femminile)* Adriane.

Adriano [adri'a:no] *(nome proprio maschile)* Hadrian.

adriatico, -a [adri'a:tiko] ⟨-ci, -che⟩ **I.** *agg*

adriatisch, Adria-; **il Mare A~** das Adriatische Meer, die Adria; **II.** *m* Adria *f.*
adulare [adu'la:re] *tr* schmeicheln (*qu* jdm). **adulatore, -trice** [...la'to:re] *m, f* Schmeichler(in) *m(f).* **adulazione** [...lat'tsio: ne] *f* Schmeichelei *f.*
adulta *f v.* **adulto.**
adulterare [adulte'ra:re] *tr* **1.** *(sofisticare)* verfälschen; *(vino)* panschen; **2.** *fig (corrompere)* verderben.
adulterio [adul'tɛ:rio] ⟨-i⟩ *m* Ehebruch *m;* **commettere** ~ Ehebruch begehen.
adultero, -a [a'dultero] **I.** *agg* ehebrecherisch; **II.** *m, f* Ehebrecher(in) *m(f).*
adulto, -a [a'dulto] **I.** *agg* **1.** *(persona)* erwachsen; **2.** *(animale)* ausgewachsen; **3.** *fig (maturo)* ausgereift, reif; **II.** *m, f* Erwachsene(r) *mf.*
adunanza [adu'nantsa] *f* Versammlung *f.*
adunare [...'na:re] **I.** *tr* versammeln, zusammenfassen; **II.** *rfl:* **-arsi** sich versammeln. **adunata** [...'na:ta] *f* **1.** *mil* Appell *m;* **2.** *(persone riunite)* Versammlung *f,* Zusammenkunft *f.*
adunco, -a [a'duŋko] ⟨-chi, -che⟩ *agg* gekrümmt, krumm; *(naso)* Haken-.
aerare [ae'ra:re] *tr* lüften. **aerazione** [aerat'tsio:ne] *f* Lüftung *f.*
aereo [a'ɛ:reo] *m* Flugzeug *n;* ~ **a reazione** Düsenflugzeug *n;* ~ **supersonico** Überschallflugzeug *n.*
aereo, -a [a'ɛ:reo] *agg* **1.** *(relativo all'aria)* Luft-; **2.** *fig (leggero)* luftig, duftig; **linea -a** Fluglinie *f; (compagnia)* Fluggesellschaft *f; el, tel* Freiluftleitung *f.*
aerobica [ae'rɔ:bika] ⟨-che⟩ *f* Aerobic *n.*
aerobico, -a [-o] ⟨-ci, -che⟩ *agg* Aerobic-; **ginnastica -a** Aerobic *n.*
aerobus ['a:erobus] ⟨-⟩ *m* Airbus *m.*
aerodinamico, -a [aerodi'na:miko] *agg* aerodynamisch; *(carrozzeria)* stromlinienförmig; **linea -a** Stromlinienform *f;* **resistenza -a** Luftwiderstand *m.*
aerofotografia [-fotogra'fi:a] *f* Luftaufnahme *f.* **aeromodello** [-mo'dɛllo] *m* Modellflugzeug *n.* **aeronautica** [-'na:utika] *f* Luftfahrt *f;* ~ **militare** Luftwaffe *f.* **aeronautico, -a** [...ko] *agg* Luftfahrt-.
aeroplano [-'pla:no] *m* Flugzeug *n;* ~ **da caccia/ricognizione/turismo** Jagd-/Aufklärungs-/Charterflugzeug *n.*
aeroporto [-'pɔrto] *m* Flughafen *m.* **aeroportuale** [-portu'ale] *agg* Flughafen-; **tassa** ~ Flughafengebühr *f.*
aeroscalo [-'ska:lo] *m* Flughafen *m,* Landeplatz *m.*
aerosol [-'sɔl] ⟨-⟩ *m* **1.** *(dispersione)* Aerosol *n;* **2.** *(contenitore)* Sprühdose *f.*
aerospaziale [-spat'tsiale] *agg* Raumfahrt-; **tecnica** ~ Weltraumtechnik *f.*
aerostatica [-s'ta:tika] *f* Aerostatik *f.* **aerostatico, -a** [...s'tatiko] *agg* aerostatisch; **pallone** ~ Fessel-, Heißluftballon *m.* **aerostato** [ae'rɔstato] *m* Heißluftballon *m; (dirigibile)* Luftschiff *n.* **aerostazione** [-stat'tsio:ne] *f* Terminal *n o m.*
aerotassì, aerotaxi [-tas'si, -'taksi] ⟨-⟩ *m* Lufttaxi *n.* **aerotrasporto** [-tras'pɔrto] *m* Lufttransport *m.*
afa ['a:fa] *f* Schwüle *f.;* **c'è** ~ es ist schwül.
affabile [af'fa:bile] *agg* liebenswürdig, freundlich. **affabilità** [affabili'ta] ⟨-⟩ *f* Liebenswürdigkeit *f.*
affaccendarsi [affattʃen'darsi] *rfl* sich (*+dat*) zu schaffen machen (*intorno a* an *+dat*), hantieren (*intorno a* mit, an *+dat*). **affaccendato, -a** [...'da:to] *agg* sehr beschäftigt.
affacciarsi [affat'tʃarsi] ⟨mi affaccio, ti affacci⟩ *rfl* sich (in der Tür *o* am Fenster) zeigen.
affamare [affa'ma:re] *tr* hungern lassen, aushungern. **affamato, -a** [...'ma:to] **I.** *agg* **1.** *(chi ha fame)* hungrig, ausgehungert; **2.** *fig (avido)* gierig (*di* nach); **II.** *m, f* Hungernde(r) *mf.*
affannare [affan'na:re] **I.** *tr* **1.** *(dare affanno)* keuchen lassen, Atemnot bereiten (*qu* jdm); **2.** *fig* beunruhigen, ängstigen; **II.** *rfl:* **-arsi 1.** *(provare affanno)* keuchen; **2.** *fig* sich abmühen. **affannato, -a** [...'na:to] *agg* atemlos. **affanno** [af'fanno] *m* **1.** *(difficoltà di respiro)* Atemnot *f,* Keuchen *n;* **2.** *fig (preoccupazione)* Sorge *f,* Angst *f.* **affannoso, -a** [...'no:so] *agg* **1.** *(oppresso da affanno)* keuchend; **2.** *fig* mühselig.
affare [af'fa:re] *m* **1.** *(faccenda)* Angelegenheit *f,* Sache *f;* **2.** *econ* Geschäft *n;* **3.** *dir* Prozeß *m,* Sache *f;* **4.** *fam (cosa, utensile)* Ding *n,* Dings(da) *n fam;* **5.** ⟨*pl*⟩ Angelegenheiten *f pl;* **-i di stato** Staatsangelegenheiten *f pl;* ~ **giudiziario** Rechtsangelegenheit *f,* Rechtssache *f;* **casa/donna di mal** ~ Freudenhaus *n*/ -mädchen *n;* **uomo d'-i** Geschäftsmann *m;* **non è** ~ **tuo!** das geht dich nichts an!; **bell'~ hai combinato!** da hast du was Schönes angerichtet!; **fare un** ~ **d'oro** ein Bombengeschäft machen. **affarismo** [affa'rizmo] *m* Geschäftstüchtigkeit *f.* **affarista** [...'rista] ⟨-i *m,* -e *f*⟩ *mf peg* Geschäftemacher(in) *m(f).* **affarone** [affa'ro:ne] *m fam* Bombengeschäft *n fam.*
affascinante [affaʃʃi'nante] *agg* faszinierend, bezaubernd.
affascinare [affaʃʃi'na:re] *tr* faszinieren, bezaubern.
affaticare [affati'ka:re] **I.** *tr* anstrengen, ermüden; **II.** *rfl:* **-arsi** sich anstrengen, sich ab-, bemühen.
affatto [af'fatto] *avv* ganz und gar, gänzlich, durchaus; **niente (*o* non...)** ~ (ganz und) gar nicht, überhaupt nicht.
affatturare [affattu'ra:re] *tr* **1.** *(stregare)* verhexen; **2.** *(vino)* panschen; *(alimenti)* verfälschen.
affermare [affer'ma:re] **I.** *tr* **1.** *(dire di sì)*

bejahen; **2.** *(confermare)* bestätigen; **3.** *(attestare)* bezeugen, bekräftigen; **4.** *(sostenere)* behaupten; **5.** *dir (innocenza)* beteuern; *(verità)* behaupten; **II.** *rfl:* **-arsi** sich behaupten, sich durchsetzen. **affermativo, -a** [...ma'ti:vo] *agg* zustimmend, bejahend; *(risposta a.)* positiv. **affermazione** [...mat'tsi̯o:ne] *f* **1.** *(asserzione)* Bejahung *f;* *(confermazione)* Bestätigung *f;* **2.** *(successo)* Bestätigung *f,* Erfolg *m.*

afferrare [affer'ra:re] **I.** *tr* **1.** *(prendere)* (er)greifen, fassen; **2.** *fig (occasione)* ergreifen; *(senso, idea)* begreifen, erfassen; **II.** *rfl:* **-arsi** *(a. fig)* sich klammern (*a* an).

affettare[1] [affet'ta:re] *tr (tagliare a fette)* in Scheiben schneiden.

affettare[2] [affet'ta:re] *tr (ostentare)* demonstrativ zeigen, zur Schau stellen.

affettato [affet'ta:to] *m* Aufschnitt *m.*

affettato, -a [affet'ta:to] *agg* affektiert, gekünstelt.

affettatrice [affetta'tri:tʃe] *f* Wurstschneidemaschine *f.*

affettazione [affettat'tsi̯o:ne] *f* Affektiertheit *f.*

affettivo, -a [affet'ti:vo] *agg* **1.** *(affettuoso)* warmherzig, gefühlsbetont; **2.** *psic* emotional, affektiv, Gefühls-.

affetto [af'fɛtto] *m* Zuneigung *f,* Liebe *f;* **bisogno d'**~ Anlehnungsbedürfnis *n;* **avere** ~ **per qu** jdn gern haben; **ti saluto con** ~ ich grüße dich herzlich.

affetto, -a [af'fɛtto] *agg* betroffen, befallen (*da* von +*dat*).

affettuoso, -a [affettu'o:so] *agg* liebevoll; *(cordiale)* herzlich; *(tenero)* zärtlich.

affezionarsi [affettsi̯o'narsi] *rfl* Zuneigung fassen (*a* zu), liebgewinnen (*a qc/qu* etw./jdn). **affezionato, -a** [...'na:to] *agg (fedele)* anhänglich; *(legato)* zugetan; *(appassionato)* ergeben. **affezione** [...'tsi̯o:ne] *f* **1.** *(sentimento)* Zuneigung *f,* Wohlwollen *n;* **2.** *med* Leiden *n.*

affiancare [affi̯aŋ'ka:re] ⟨affianco, affianchi⟩ **I.** *tr* **1.** *(mettere a lato)* zur Seite stellen; 2. *mil* flankieren; **3.** *fig (sostenere)* (unter)stützen; ~ **qc a qc** etw. neben etw. stellen; **II.** *rfl:* **-arsi a qu** sich an jds Seite begeben.

affiatamento [affi̯ata'mento] *m* Einvernehmen *n,* Übereinstimmung *f;* *mus, sport* Einklang *m,* Harmonie *f.* **affiatarsi** [...'tarsi] *rfl* sich vertraut machen; *mus, sport* sich aufeinander einspielen.

affibbiare [affib'bi̯a:re] ⟨affibbio, affibbi⟩ *tr* **1.** *(cintura)* zuschnallen, schnüren; **2.** *fig* anhängen, andrehen *fam,* unterjubeln *fam;* *(colpa)* in die Schuhe schieben; *(multa, nomignolo)* geben, verpassen *fam;* *(colpo)* versetzen.

affidabile [affi'da:bile] *agg (a. tec)* zuverlässig. **affidabilità** [...dabili'ta] *f tec* Zuverlässigkeit *f.*

affidamento [affida'mento] *m* **1.** *(l'affidare)* Anvertrauen *n;* **2.** *(assicurazione)* Versicherung *f;* **3.** *(fiducia)* Vertrauen *n,* Zuversicht *f;* **4.** *(garanzia)* Gewähr *f,* Sicherheit *f;* **dare** ~ Vertrauen erwecken; **fare** ~ **su qu** sich auf jdn verlassen. **affidare** [...'da:re] **I.** *tr* anvertrauen (*qc a qu* jdm etw.); *(incarico)* betrauen (*qc a qu* jdn mit etw.); **II.** *rfl:* **-arsi** sich anvertrauen; *(fidarsi)* sich verlassen (*a* auf +*akk*); *(abbandonarsi)* sich überlassen.

affievolirsi [affi̯evo'lirsi] ⟨mi affievolisco⟩ *rfl* schwächer werden.

affiggere [af'fiddʒere] ⟨affiggo, affiggi, affissi, affisso⟩ *tr* anschlagen, anheften.

affilare [affi'la:re] **I.** *tr* **1.** *(coltello)* schleifen, schärfen, wetzen; **2.** *(matita)* (an)spitzen; **3.** *fig (malattia)* auszehren, schmal (*o* dünn) werden lassen; **II.** *rfl:* **-arsi** *(dimagrire)* schmal werden. **affilato, -a** [...'la:to] *agg* **1.** *(lama)* geschärft; **2.** *(matita)* gespitzt; **3.** *fig (lingua)* spitz; *(naso, volto)* schmal.

affiliare [affi'li̯a:re] ⟨affilio, affili⟩ **I.** *tr* aufnehmen (*a* in); **II.** *rfl:* **-arsi** beitreten. **affiliata** [...li̯a:ta] *f* Tochtergesellschaft *f.* **affiliazione** [...li̯at'tsi̯o:ne] *f* Aufnahme *f.*

affinare [affi'na:re] **I.** *tr* **1.** *(render sottile)* dünn machen, verdünnen; *(punta)* (an)spitzen; **2.** *fig* verfeinern; *(vista, ingegno)* schärfen; **II.** *rfl:* **-arsi 1.** *(assottigliarsi)* dünn(er) werden, sich verdünnen; **2.** *fig (perfezionarsi)* sich verbessern, sich verfeinern.

affinché [affiŋ'ke] *cong* +*congv* damit.

affine [af'fi:ne] **I.** *agg* ähnlich, verwandt; **II.** *mf* angeheiratete(r) Verwandte(r) *mf;* **III.** *m pl* ähnliche Produkte *n pl;* **vendita di corde e -i** Verkauf *m* von Seilen und Seilwaren.

affinità [affini'ta] ⟨-⟩ *f* **1.** *(parentela)* Verschwägerung *f;* **2.** *(somiglianza)* Ähnlichkeit *f,* (Wesens)verwandtschaft *f,* Affinität *f geh;* **3.** *chim* Affinität *f;* ~ **elettiva** Wahlverwandtschaft *f.*

affiorare [affi̯o'ra:re] *itr* ⟨*essere*⟩ **1.** *(emergere)* auftauchen, an die Oberfläche kommen; **2.** *geol* zutage treten (*o* kommen); **3.** *fig* sich zeigen, auftauchen.

affissi [af'fissi] *p rem di* **affiggere.**

affissione [affis'si̯o:ne] *f* Anschlag *m;* **divieto d'**~ Plakate ankleben verboten; ~ **illecita** wildes Plakatieren *n.* **affisso, -a** [af'fisso] **I.** *pp di* **affiggere; II.** *m* **1.** *(manifesto)* Aushang *m,* Anschlag *m,* Plakat *n;* **2.** *arch* Trennwand *f;* **3.** *ling* Affix *n.*

affittacamere [affitta'ka:mere] ⟨-⟩ *mf* Zimmervermieter(in) *m(f).*

affittare [affit'ta:re] *tr* **1.** *(dare in affitto)* vermieten; *(terreno)* verpachten; **2.** *(prendere in affitto)* mieten; *(terreno)* pachten; **affittasi alloggio ammobiliato** möblierte Wohnung zu vermieten.

affitto [af'fitto] *m (di immobile)* Miete *f;*

(di terreno) Pacht *f;* **dare/prendere in ~** vermieten/mieten; *(terreno)* verpachten/pachten. **affittuario, -a** [...tu'a:ri̯o] ⟨-i, -ie⟩ *m, f (di immobile)* Mieter(in) *m(f); (di terreno)* Pächter(in) *m(f).*

affliggere [af'fliddʒere] ⟨affliggo, affliggi, afflissi, afflitto⟩ **I.** *tr* quälen, belasten; **II.** *rfl:* **-ersi** sich quälen, betrübt sein. **afflizione** [...it'tsi̯o:ne] *f* Betrübnis *f,* Kummer *m.*

afflosciarsi [afflɔʃ'ʃarsi] ⟨mi affloscio, ti afflosci⟩ *rfl* **1.** *(sgonfiarsi)* erschlaffen, zusammensinken; **2.** *fig (svenire)* zusammensinken.

affluente [afflu'ɛnte] *m* Nebenfluß *m.* **affluenza** [...'ɛntsa] *f* **1.** *(di liquidi)* Zufluß *m,* Zustrom *m; (a. di sangue, ecc.)* Andrang *m;* **2.** *(di merci)* Schwemme *f;* **3.** *(di persone)* Andrang *m,* Zulauf *m;* **~ alle urne** Wahlbeteiligung *f.*

affluire [afflu'i:re] *itr* ⟨*essere*⟩ **1.** *(liquidi)* zufließen, zuströmen; **2.** *econ (merci)* den Markt überschwemmen; **3.** *(persone)* zuströmen (*a* auf *+akk*), zusammenströmen. **afflusso** [af'flusso] *m* **1.** *(di liquidi)* Zufluß *m,* Zustrom *m; med (di sangue, ecc.)* Andrang *m;* **2.** *(di persone)* Zustrom *m;* **l'~ di capitali all'estero** Devisenabfluß *m.*

affogare [affo'ga:re] ⟨affogo, affoghi⟩ **I.** *tr* ⟨*avere*⟩ ertränken; **II.** *itr* ⟨*essere*⟩ ertrinken; **~ in un bicchier d'acqua** *fig* über einen Strohhalm stolpern *fig fam;* **~ nei debiti** bis zum Hals in Schulden stecken; **III.** *rfl:* **-arsi** ertrinken; *(deliberatamente)* sich ertränken. **affogato, -a** [...'ga:to] **I.** *agg* ertrunken; **morire ~** ertrinken; **II.** *m, f* Ertrunkene(r) *mf.*

affollamento [affolla'mento] *m* Gedränge *n,* Andrang *m.* **affollare** [...'la:re] **I.** *tr* **1.** *(gremire)* (mit Menschen) füllen, bevölkern; **2.** *fig (opprimere)* bedrängen; **II.** *rfl:* **-arsi 1.** *(accalcarsi)* zusammenströmen; **2.** *fig* einstürzen (*in* auf *+akk*), einstürmen (*in* auf *+akk*). **affollato, -a** [...'la:to] *agg* überfüllt.

affondare [affon'da:re] **I.** *tr* ⟨*avere*⟩ ver-, einsenken; *(nella terra a.)* ver-, eingraben; *(nave)* versenken; **II.** *itr* ⟨*essere*⟩ ver-, einsinken; *(nave)* untergehen.

affossamento [affossa'mento] *m* Vertiefung *f.*

affrancare [affraŋ'ka:re] ⟨affranco, affranchi⟩ **I.** *tr* **1.** *(liberare)* befreien; **2.** *(posta)* frankieren, freimachen; **II.** *rfl:* **-arsi** sich frei machen, sich befreien; *(fig a.)* sich lösen. **affrancatrice** [...ka'tri:tʃe] *f* Frankiermaschine *f.* **affrancatura** [...ka'tu:ra] *f* Frankierung *f; (tassa a.)* Porto *n.*

affranto, -a [af'franto] *agg* **1.** *(spossato)* abgekämpft, erschöpft; **2.** *(prostrato dal dolore)* gebrochen.

affrescare [affres'ka:re] ⟨affresco, affreschi⟩ *tr* mit Fresken bemalen.

affresco [af'fresko] ⟨-schi⟩ *m* Fresko *n.*

affrettare [affret'ta:re] **I.** *tr* beschleunigen; **II.** *rfl:* **-arsi** sich beeilen; **~ a rispondere** schnell antworten; **affrettato, -a** [...'ta:to] *agg* hastig, eilig; *peg* flüchtig; *(decisione)* voreilig.

affrontare [affron'ta:re] **I.** *tr* entgegentreten (*qu/qc* jdm/einer S. *dat*), gegenübertreten (*qu/qc* jdm/einer S. *dat*); **~ un pericolo** der Gefahr ins Auge blicken; **~ un problema** ein Problem in Angriff nehmen; **~ il pubblico** sich der Öffentlichkeit stellen; **~ le spese** die Kosten auf sich nehmen; **II.** *rfl:* **-arsi** aneinandergeraten, zusammenstoßen.

affronto [af'fronto] *m* Beleidigung *f,* Affront *m geh;* **fare un ~ a qu** jdn vor den Kopf stoßen.

affumicare [affumi'ka:re] ⟨affumico, affumichi⟩ *tr* **1.** *(riempire di fumo)* verräuchern; **2.** *(alimenti)* räuchern. **affumicato, -a** [...'ka:to] *agg* **1.** *(pieno di fumo)* verräuchert; **2.** *(alimenti)* geräuchert; **3.** *(colorato di bruno)* nachgedunkelt; *(occhiali)* getönt.

affusolato, -a [affuso'la:to *o* affuzo...] *agg* schmal, schlank; *(a forma di fuso)* spindelförmig.

Afganistan [afganis'tan] *m:* **l'~** Afghanistan *n.* **afgano, -a** [af'ga:no] **I.** *agg* afghanisch; **II.** *m, f* Afghane *m,* Afghanin *f.*

afoso, -a [a'fo:so] *agg* schwül, drückend.

Africa ['a:frika] *f* Afrika *n;* **~ del Sud** Südafrika *n.* **africano, -a** [afri'ka:no] **I.** *agg* afrikanisch; **II.** *m, f* Afrikaner(in) *m(f).*

afrodisiaco, -a [afrodi'zi:ako] ⟨-ci, -che⟩ **I.** *agg* aphrodisisch; **II.** *m* Aphrodisiakum *n.*

afta ['afta] *f med* Aphthe *f;* **~ epizootica** Maul- und Klauenseuche *f.*

aftershave ['ɑ:ftəʃeɪv] ⟨-⟩ *m* After-shave-Lotion *f,* Rasierwasser *n.*

agata ['a:gata] *f* Achat *m.*

agave ['a:gave] *f* Agave *f.*

agenda [a'dʒɛnda] *f* **1.** *(libretto)* Notizbuch *n;* **2.** *(elenco di argomenti)* Agenda *f.*

agente [a'dʒɛnte] **I.** *agg* wirkend, wirksam; **II.** *mf* **1.** *gener.* Agent(in) *m(f);* **2.** *(guardia)* Polizist(in) *m(f),* Polizeibeamte(r) *m,* -beamtin *f;* **3.** *econ* Agent(in) *m(f),* Vertreter(in) *m(f),* Makler(in) *m(f);* **~ di pubblica sicurezza** Polizeibeamte(r) *m,* -beamtin *f;* **~ di assicurazione** Versicherungsagent(in) *m(f);* **~ di cambio** Börsenmakler(in) *m(f);* **~ di commercio** Handelsvertreter(in) *m(f);* **~ finanziario** Finanzberater *m;* **~ immobiliare** Immobilienmakler(in) *m(f);* **~ investigativo** Detektiv *m,* Geheimpolizist *m;* **~ provocatore** Agent provocateur *m,* Lockspitzel *m;* **~ segreto** Geheimagent *m;* **III.** *m* **1.** *med, gram, chim* Agens *n;*

2. ⟨*pl*⟩ *meteo* Einflüsse *m pl; chim* Wirkstoffe *m pl;* ~ **inquinante** Schadstoff *m;* **-i cancerogeni** krebserregende Stoffe *m pl;* **-i chimici** Chemikalien *f pl;* **-i fisici** Naturkräfte *f pl.*

agenzia [adʒen'tsi:a] ⟨-ie⟩ *f* Agentur *f; (filiale)* Vertretung *f,* Filiale *f;* ~ **di cambio** Wechselstube *f;* ~ **matrimonale** Eheanbahnungsinstitut *n;* ~ **teatrale** Theateragentur *f;* ~ **d'investigazione** Detektei *f,* Detektivbüro *n;* ~ **stampa/viaggi** Presseagentur *f*/Reisebüro *n.*

agevolare [adʒevo'la:re] *tr* **1.** *(render facile)* erleichtern; **2.** *(aiutare)* unterstützen. **agevolato, -a** [...'lɑ:to] *agg* **1.** *(facilitato)* erleichtert; **2.** *(a basso tasso d'interesse)* zinsgünstig; *(mutuo)* zinsverbilligt. **agevolazione** [...lat'tsi̯o:ne] *f* Erleichterung *f.*

agevole [a'dʒe:vole] *agg* **1.** *(strada)* gut; **2.** *(compito)* leicht; **3.** *(prezzo)* angemessen.

agganciare [aggan'tʃa:re] ⟨aggancio, agganci⟩ *tr* **1.** *(vagoni)* anhängen, ankuppeln; **2.** *(vestiti)* zuhaken; *(cintura)* zuschnallen; *(appendere)* aufhängen; **3.** *fig (per parlare)* abfangen. **aggancio** [ag'gantʃo] ⟨-ci⟩ *m* **1.** *(collegamento)* Kopp(e)lung *f;* **2.** *fig (contatto)* Beziehung *f.*

aggeggio [ad'dʒeddʒo] ⟨-ggi⟩ *m* Ding *n.*

aggettivo [addʒet'ti:vo] *m* Adjektiv *n,* Eigenschaftswort *n.*

agghiacciante [aggi̯at'tʃante] *agg fig* grauenhaft, -voll.

agghindare [aggin'da:re] **I.** *tr* herausputzen, zurechtmachen; **II.** *rfl:* **-arsi** sich herausputzen, sich zurechtmachen.

aggio ['addʒo] ⟨-ggi⟩ *m* **1.** *fin* Agio *n,* Aufgeld *n;* **2.** *(di esattori)* Provision *f.*

aggiogare [addʒo'ga:re] ⟨aggiogo, aggioghi⟩ *tr* **1.** *(tori)* ins Joch spannen; **2.** *fig* einspannen; *(soggiogare)* unterjochen.

aggiornamento [addʒorna'mento] *m* **1.** *(perfezionamento)* Fortbildung *f;* **2.** *(rinvio)* Vertagung *f,* Aufschub *m;* **3.** *(appendice di un'enciclopedia)* Ergänzungsband *m;* **4.** *inform* Aktualisierung *f.* **aggiornare** **I.** *tr* [...'na:re] **1.** *(mettere a giorno)* aktualisieren, auf den neuesten Stand bringen, (neu) bearbeiten; **2.** *(rinviare)* vertagen; **II.** *rfl:* **-arsi** auf dem laufenden bleiben, sich fortbilden. **aggiornato, -a** [...'nɑ:to] *agg* **1.** *(manuale, trattato, ecc.)* auf dem neuesten Stand, aktualisiert; **2.** *(persona)* auf dem laufenden; **tenere** ~ *inform* pflegen.

aggirare [addʒi'ra:re] **I.** *tr* **1.** *(circondare)* einkreisen; *mil* umzingeln; **2.** *fig (evitare)* umgehen; **3.** *fig (ingannare)* betrügen, hintergehen; **II.** *rfl:* **-arsi** **1.** *(andare attorno)* sich herumtreiben; *fig* kreisen *(intorno a* um); **2.** *(approssimarsi)* in etwa betragen (*su qc* etw.), sich bewegen (*su* um).

aggiudicare [addʒudi'ka:re] **I.** *tr* vergeben (*a* an +*akk*); *dir* zuerkennen (*a qu* jdm); *(all'asta)* zuschlagen; **II.** *rfl:* **-arsi** erlangen.

aggiungere [ad'dʒundʒere] ⟨*irr*⟩ **I.** *tr* hinzufügen, beifügen; **II.** *rfl:* **-ersi** hinzukommen. **aggiunta** [ad'dʒunta] *f* Zusatz *m,* Zugabe *f; (in libri)* Ergänzung *f.* **aggiunto, -a** [...to] **I.** *agg* Hilfs-, beigeordnet; *(medico)* Assistenz-; **II.** *m, f* Assistent(in) *m(f),* Stellvertreter(in) *m(f).*

aggiustamento [addʒusta'mento] *m* **1.** *mil* Zielen *n,* Richten *n;* **2.** *fig (accomodamento)* Beilegung *f,* Vergleich *m;* **3.** *fig (pareggio)* Begleichen *n,* Ausgleich *m;* ~ **di conti** Abrechnung *f;* ~ **dei prezzi** Preisanpassung *f.* **aggiustare** [...'ta:re] **I.** *tr* **1.** *(riparare)* reparieren; *(vestito, ecc.)* ausbessern; *(mettere in ordine)* in Ordnung bringen; **2.** *mil (tiro, mira)* richten; **3.** *(diverbio, ecc.)* beilegen; **4.** *fin* be-, ausgleichen; **II.** *rfl:* **-arsi** **1.** *(venire ad un accomodamento)* sich einigen; **2.** *fam (adattarsi)* sich einrichten, sich behelfen.

agglomerato [agglome'ra:to] *m* **1.** *(centro abitato)* Siedlung *f;* **2.** *geol* Agglomerat *n;* ~ **urbano** Ballungszentrum *n.*

aggomitolare [aggomito'la:re] **I.** *tr* aufwickeln; **II.** *rfl:* **-arsi** sich zusammenrollen.

aggrapparsi [aggrap'parsi] *rfl (a. fig)* sich klammern (*a* an +*akk*).

aggravamento [aggrava'mento] *m* Verschärfung *f,* Verschlimmerung *f.* **aggravante** [...'vante] **I.** *agg* erschwerend; **II.** *f* erschwerender Umstand. **aggravare** [...'va:re] **I.** *tr* verschärfen, verschlimmern; **II.** *rfl:* **-arsi** sich verschlimmern.

aggravio [ag'grɑ:vi̯o] ⟨-i⟩ *m* Belastung *f;* ~ **fiscale** Steuerlast *f.*

aggraziato, -a [aggrat'tsi̯a:to] *agg* graziös, anmutig.

aggredire [aggre'di:re] ⟨aggredisco⟩ *tr* **1.** *(assalire)* angreifen, überfallen; **2.** *fig (persona)* anherrschen, anfahren.

aggreditrice *f v.* **aggressore.**

aggregare [aggre'ga:re] ⟨aggrego, aggreghi⟩ **I.** *tr* angliedern; **II.** *rfl:* **-arsi** sich angliedern, sich anschließen. **aggregato, -a** [...'ga:to] **I.** *agg* **1.** *(aggiunto)* zusätzlich; **2.** *mil, adm (distaccato provvisoriamente)* abgestellt, abgeordnet; **II.** *m* **1.** *gener* Aggregat *n;* **2.** *(complesso di persone)* Ansammlung *f; (di cose)* Komplex *m.* **aggregazione** [...gat'tsi̯o:ne] *f* Aggregation *f.*

aggressione [aggres'si̯o:ne] *f* Überfall *m;* **patto di non** ~ Nichtangriffspakt *m;* ~ **a mano armata** bewaffneter Überfall *m.*

aggressività [aggressivi'ta] ⟨-⟩ *f* Aggressivität *f.* **aggressivo, -a** [...'si:vo] *agg* ag-

gressiv.
aggressore, aggreditrice [aggres'so:re, ...edi'tri:tʃe] **I.** *agg* angreifend; **stato** ~ Aggressor *m;* **II.** *m, f* Angreifer(in) *m(f).*
aggrottare [aggrot'ta:re] *tr* runzeln.
aggrovigliare [aggroviʎ'ʎa:re] ⟨aggroviglio, aggrovigli⟩ **I.** *tr* verwickeln, verwirren; **II.** *rfl:* **-arsi** sich verwickeln, sich verwirren; **la situazione si è aggrovigliata** die Situation hat sich verkompliziert.
aggrumarsi [aggru'marsi] *rfl* gerinnen.
agguantare [agguan'ta:re] *tr* fassen, festhalten, ergreifen.
agguato [ag'gua:to] *m* Hinterhalt *m,* Falle *f;* **tendere un** ~ **a qu** jdm eine Falle stellen.
agguerrito, -a [agguer'ri:to] *agg (preparato alla lotta)* kampfeslustig, kämpferisch; *fig* beschlagen.
aghiforme [agi'forme] *agg* nadelförmig.
agiatezza [adʒa'tettsa] *f* Wohlstand *m.*
agiato, -a [a'dʒa:to] *agg* **1.** *(benestante)* wohlhabend; **2.** *(comodo)* bequem.
agibile [a'dʒi:bile] *agg* benutzbar.
agile ['a:dʒile] *agg* **1.** *(di movimento)* gewandt, behende, flink; **2.** *fig* wendig; *(ingegno a.)* wach. **agilità** [adʒili'ta] ⟨-⟩ *f* **1.** *(facilità di movimento)* Gelenkigkeit *f,* Gewandtheit *f,* Flinkheit *f;* **2.** *fig* Wendigkeit *f; (di ingegno a.)* Wachheit *f.*
agio ['a:dʒo] ⟨-gi⟩ *m* **1.** *(comodo)* Behaglichkeit *f,* Bequemlichkeit *f;* **2.** *(opportunità)* Möglichkeit *f,* Spielraum *m;* **3.** ⟨*pl*⟩ *(comodità del vivere)* Annehmlichkeiten *f pl;* **trovarsi a proprio** ~ sich wohl fühlen; **mettiti a tuo** ~! mach es dir bequem!
A.G.I.P. ['a:dʒip] *f acr di* **Azienda Generale Italiana Petroli** *italienische Mineralölverwaltung.*
agire [a'dʒi:re] ⟨agisco⟩ *itr* **1.** *(operare)* handeln, tun; **2.** *(veleno)* wirken; *tec* funktionieren; **3.** *(di comportamento)* sich verhalten; **4.** *dir* gerichtlich vorgehen (*contro* gegen).
agitare [adʒi'ta:re] **I.** *tr* **1.** *(scuotere)* schütteln; *(fazzoletto)* schwenken; **2.** *fig* erregen, in Aufruhr versetzen; ~ **prima dell'uso** vor Gebrauch schütteln; **II.** *rfl:* **-arsi 1.** *(rigirarsi)* sich hin- und herwerfen, sich wälzen; **2.** *fig* unruhig werden; *(mare)* aufgewühlt sein; *pol* sich erheben. **agitato, -a** [...'ta:to] **I.** *agg* **1.** *(mosso)* unruhig; *(a. mare, discussione)* bewegt; **2.** *fig (eccitato, turbato)* aufgeregt; **II.** *m mus* Agitato *n.* **agitazione** [...tat'tsio:ne] *f* **1.** *(turbamento)* Unruhe *f,* Aufregung *f;* **2.** *(di stomaco)* Verstimmung *f;* **3.** *pol* Unruhe *f,* Aufruhr *m.*
agli ['aʎʎi] *prp* **a** *con art gli.*
aglio ['aʎʎo] ⟨-gli⟩ *m* Knoblauch *m;* **testa d'**~ Knoblauchzwiebel *f.*
agnello [aɲ'ɲɛllo] *m* Lamm *n;* ~ **arrosto** Lammbraten *m.*
Agnese [aɲ'ɲɛ:ze] *(nome proprio femminile)* Agnes.
ago ['a:go] ⟨-ghi⟩ *m* Nadel *f; (di bilancia, apparecchi, strumenti)* Zeiger *m;* **cercare un** ~ **in un pagliaio** *fig* eine Stecknadel im Heuhaufen suchen. **agoinfissione** [-infis'sio:ne] *f* Nadeleinstich *m.* **agonia** [ago'ni:a] ⟨-ie⟩ *f* Todeskampf *m,* Agonie *f.*
agonismo [ago'nizmo] *m* Wetteifer *m,* Kampfgeist *m; (sport)* Leistungssport *m.*
agonistico, -a [...'nistiko] ⟨-ci, -che⟩ *agg* kämpferisch; **spirito** ~ Kampfgeist *m.*
agonizzare [agonid'dza:re] *itr* **1.** *(malato)* im Sterben liegen; **2.** *fig (civiltà)* (aus)sterben; *(commerci)* sich schleppen.
agopressione [agopres'sio:ne] *f* Akupressur *f.* **agopuntore, -trice** [-pun'to:re] *m, f* Akupunkteur(in) *m(f).* **agopuntura** [-pun'tu:ra] *f* Akupunktur *f.*
Agostino [agos'ti:no] *(nome proprio maschile)* Augustin.
agosto [a'gosto] *m* August *m; v. a. settembre.*
agraria [a'gra:ria] ⟨-ie⟩ *f* Agrarwissenschaft *f.* **agrario, -a** [...io] ⟨-i, -ie⟩ *agg* landwirtschaftlich, Agrar-.
agricolo, -a [a'gri:kolo] *agg* landwirtschaftlich, Land-; **eccedenze** ~**e** Agrarüberschüsse *m pl.*
agricoltore [agrikol'to:re] *m* Landwirt *m.* **agricoltura** [...'tu:ra] *f* Landwirtschaft *f.*
agrifoglio [agri'fɔʎʎo] *m* Stechpalme *f.*
agriturismo [agritu'rizmo] *m* Ferien *pl* auf dem Bauernhof.
agro, -a ['a:gro] **I.** *agg* **1.** *(sapore)* sauer; **2.** *fig (pungente)* herb; **II.** *m:* **all'**~ sauer eingelegt. **agrodolce** [agro'doltʃe] *agg* süß-sauer.
agroindustria [agroin'dustria] *f* Agrarindustrie *f.*
agronomia [agrono'mi:a] ⟨-ie⟩ *f* Agronomie *f,* Agrarwissenschaft *f.* **agronomo, -a** [a'grɔ:nomo] *m, f* Agronom(in) *m(f),* Diplomlandwirt(in) *m(f).*
agrume [a'gru:me] *m* **1.** *(frutto)* Zitrusfrucht *f;* **2.** *(pianta)* Zitruspflanze *f.*
agrumicoltura [agrumikol'tu:ra] *f* Anbau *m* von Zitrusfrüchten.
aguzzare [agut'tsa:re] *tr* **1.** *(rendere appuntito)* (zu)spitzen; **2.** *fig* wecken, anregen; *(ingegno, vista)* schärfen; *(orecchie)* spitzen.
aguzzino [agud'dzi:no] *m* Folterknecht *m.*
aguzzo, -a [a'guttso] *agg* **1.** *(acuminato)* spitz; **2.** *fig (intenso, penetrante)* scharf, stechend.
ah [a] *interi* ah, ach.
ahi ['a:i] *interi* au(a).
ahimè [ai'mɛ] *interi* oje, ojemine.
ai ['a:i] *prp* **a** *con art i.*
aia ['a:ia] ⟨aie⟩ *f* Tenne *f.*
AIDS, Aids [eɪdz] *f* (*acr di* **Acquired Immune Deficiency Syndrome**) Aids *n,*

Immunschwächekrankheit *f.*
aiola [a'i̯ɔ:la] *f* Beet *n.*
air-bag ['ɛəbæg] *m* Airbag *m.*
airbus ['ɛəbʊs] *m* Airbus *m.*
airone [ai'ro:ne] *m* Reiher *m.*
aitante [ai'tante] *agg* mannhaft, stattlich.
aiuola [a'i̯uɔ:la] *v.* **aiola.**
aiutante [ai̯u'tante] *mf* **1.** *(collaboratore)* Gehilfe *m,* Gehilfin *f,* Helfer(in) *m(f);* **2.** *mil* Adjutant *m,* Stabsoffizier *m.*
aiutare [ai̯u'ta:re] **I.** *tr* helfen (*qu* jdm); **II.** *rfl:* **-arsi** sich helfen; *(reciprocamente)* sich gegenseitig helfen; **aiutati che Dio (*o* il ciel) t'aiuta** *prov* hilf dir selbst, so hilft dir Gott *prov.*
aiuto [a'i̯u:to] *m* **1.** *(assistenza, soccorso)* Hilfe *f,* Beistand *m;* **2.** *(collaboratore)* Assistent *m,* Helfer *m;* **3.** ⟨*pl*⟩ Hilfsgüter *n pl;* ~ **medico** Assistenzarzt *m;* ~ **regista** Regieassistent *m;* ~ **allo sviluppo** Entwicklungshilfe *f;* **correre in** ~ zu Hilfe eilen (*o* kommen); **invocare** ~ um Hilfe rufen.
aizzare [ait'tsa:re] *tr* hetzen *(contro* auf *+akk); fig* aufhetzen, aufwiegeln.
al [al] *prp* **a** *con art* **il.**
ala ['a:la] ⟨-i⟩ *f* Flügel *m; aero* Tragfläche *f; (di cappello)* Krempe *f;* **fare** ~ Spalier stehen (*a* für); **mettere le -i ai piedi** *fig* die Beine in die Hand nehmen *fig;* **tarpare le -i a qu** *fig* jdm die Flügel stutzen *fig;* ~ **destra/sinistra** *sport* rechter/linker Flügel; *(persona)* Rechts-/Linksaußen *m.*
alabastro [ala'bastro] *m* Alabaster *m.*
à la coque [a la 'kɔk] ⟨*inv*⟩ *agg:* **uovo** ~ weich(gekocht)es Ei.
alacre ['a:lakre] *agg* **1.** *(persona)* eifrig; **2.** *fig (ingegno)* lebhaft, wach. **alacrità** [alakri'ta] ⟨-⟩ *f* **1.** *(di persona)* Eifer *m;* **2.** *fig* Lebhaftigkeit *f,* Wachheit *f.*
alano [a'la:no] *m* Dogge *f.*
alare[1] [a'la:re] *agg (relativo alle ali)* Flügel-; **apertura** ~ Flügelspannweite *f.*
alare[2] [a'la:re] *m (arnese per il focolare)* Feuerbock *m.*
Alasca [a'laska] *f* Alaska *n.*
alato, -a [a'la:to] *agg* **1.** *(fornito di ali)* geflügelt, beflügelt; **2.** *fig (sublime, elevato)* gehoben, erhaben.
alba ['alba] *f* Morgengrauen *n,* Morgendämmerung *f.*
albanese [alba'ne:se] **I.** *agg* albanisch, Albaner; **II.** *mf* Albaner(in) *m(f).* **Albania** [...'ni:a] *f* Albanien *n.*
albatro ['albatro] *m* Albatros *m.*
albeggiare [albed'dʒa:re] ⟨albeggia⟩ *itr* ⟨*essere*⟩ dämmern, tagen.
alberato, -a [albe'ra:to] *agg* baumbestanden.
alberatura [albera'tu:ra] *f* Takellage *f.*
albergare [alber'ga:re] ⟨albergo, alberghi⟩ **I.** *tr* **1.** *(alloggiare)* beherbergen, aufnehmen; **2.** *fig (sentimenti)* hegen; **II.** *itr* wohnen, unterkommen. **albergatore, -trice** [...ga'to:re] *m, f* Hotelkaufmann *m*/-frau *f,* Hotelier *m,* Hotelbesitzer(in) *m(f).* **alberghiero, -a** [...'gi̯ɛ:ro] *agg* Hotel-; **settore** ~ Hotelgewerbe *n,* Hotelfach *n.* **albergo** [al'bɛrgo] ⟨-ghi⟩ *m* Hotel *n,* Gasthof *m;* ~ **diurno** Tageshotel *n.*
albero ['albero] *m* **1.** *bot* Baum *m;* **2.** *naut* Mast *m;* **3.** *tec* Welle *f;* ~ **motore** Antriebswelle *f;* ~ **di Natale** Weihnachtsbaum *m;* ~ **della cuccagna** *Klettermast, an dessen oberem Ende Preise hängen;* ~ **genealogico** Stammbaum *m.*
Alberto [al'bɛrto] *(nome proprio maschile)* Albert.
albicocca [albi'kɔkka] ⟨-cche⟩ *f* Aprikose *f.* **albicocco** [...ko] ⟨-cchi⟩ *m* Aprikosenbaum *m.*
albino, -a [al'bi:no] **I.** *agg* albinotisch, Albino-; **II.** *m, f* Albino *m.*
albo ['albo] *m* **1.** *(tavola)* Anschlagbrett *n,* Schwarzes Brett; **2.** *(registro)* Register *n;* **3.** *(album)* Album *n;* **4.** *(libro illustrato)* Bilderbuch *n;* ~ **dei medici** Ärzteregister *n;* **l'**~ **d'oro (*o* d'onore)** das Goldene Buch.
album ['album] ⟨-⟩ *m* Album *n.*
albume [al'bu:me] *m* Eiweiß *n.*
alcalino, -a [alka'li:no] *agg* alkalisch.
alce ['altʃe] *f* Elch *m.*
alchimia [al'ki:mi̯a *o* alki'mi:a] ⟨-ie⟩ *f* Alchimie *f.* **alchimista** [alki'mista] ⟨-i *m,* -e *f*⟩ *mf* Alchimist(in) *m(f).*
alcol(e) ['alkol(e)] *v.* **alcool.**
alcolico, -a [al'kɔ:liko] ⟨-ci, -che⟩ **I.** *agg* alkoholisch; **II.** *m* Spirituose *f,* alkoholisches Getränk. **alcolismo** [alko'lizmo] *m* Alkoholismus *m.* **alcolizzare** [...lid'dza:re] **I.** *tr* alkoholisieren; **II.** *rfl:* **-arsi** sich betrinken. **alcolizzato, -a** [...lid'dza:to] **I.** *agg* alkoholisiert; **II.** *m, f* Alkoholiker(in) *m(f).* **alcoltest** [alkol'tɛst] ⟨-⟩ *m* Alcomat® *m.*
alcool ['alkool] ⟨-⟩ *m* Alkohol *m.*
alcova [al'kɔ:va] *f* Alkoven *m;* **segreti d'**~ Bettgeheimnisse *n pl.*
alcun, alcun', alcuno, -a [al'kun, al'ku:no] **I.** *agg* einige, etwas; **non ... alcuno** kein; **senza alcun riguardo** ohne jede Rücksicht; **II.** *pron* (manch) eine(r, s); **non ... alcuno** niemand, keiner; **senza che alcuno mi udisse** ohne daß mich jemand gehört hätte.
aldilà [aldi'la] ⟨-⟩ *m* Jenseits *n.*
alé [a'le] *interi* vorwärts, los.
alea ['a:lea] *f* Wagnis *n.* **aleatorio, -a** [alea'tɔ:ri̯o] ⟨-i, ie⟩ *agg* Zufalls-, ungewiß; *fin, mus* aleatorisch; **contratti -i** aleatorische Verträge *m pl,* Risikoverträge *m pl.*
alesaggio [ale'zaddʒo⟩ ⟨-i⟩ *m* Bohrung *f,* Bohrloch *n.*
Alessandra [ales'sandra] *(nome proprio femminile)* Alexandra.
Alessandro [ales'sandro] *(nome proprio*

maschile) Alexander.
aletta [a'letta] *f* Flügel *m,* Klappe *f.*
alfa ['alfa] ⟨-⟩ *f* Alpha *n.*
alfabetico, -a [alfa'bɛːtiko] ⟨-ci, -che⟩ *agg* alphabetisch.
alfabetizzazione [alfabetiddzat'tsi̯oːne] *f* Alphabetisierung *f.*
alfabeto [alfa'bɛːto] *m* Alphabet *n.*
alfanumerico, -a [alfanu'mɛːriko] ⟨-ci, -che⟩ *agg* alphanumerisch.
alfiere [al'fi̯ɛːre] *m* **1.** *(portabandiera)* Fahnen-, Bannerträger *m;* **2.** *mil* Fähnrich *m;* **3.** *(negli scacchi)* Läufer *m.*
alfine [al'fiːne] *avv* schließlich, endlich.
Alfonso [al'fɔnso] *(nome proprio maschile)* Alfons, Alphons.
alga ['alga] ⟨-ghe⟩ *f* Alge *f.*
algebra ['aldʒebra] *f* Algebra *f;* **per me questo è** ~ *fam* für mich ist das Chinesisch.
Algerìa [aldʒe'riːa] *f* Algerien *n.* **algerino, -a** [...'riːno] **I.** *agg* algerisch; **II.** *m, f* Algerier(in) *m(f).*
algoritmico, -a [algo'ritmiko] ⟨-ci, -che⟩ *agg* algorithmisch.
algoritmo [algo'ritmo⟩ *m* Algorithmus *m.*
Algovia [al'gɔːvi̯a] *f* Allgäu *n.*
aliante [a'li̯ante] *m* Segelflugzeug *n.*
alibi ['aːlibi] ⟨-⟩ *m* Alibi *n.*
alice [a'liːtʃe] *f* Sardelle *f.*
alienare [ali̯e'naːre] **I.** *tr* **1.** *dir (vendere)* veräußern; **2.** *(rendere ostile)* entfremden; **II.** *rfl:* **-arsi** sich entfremden; **-arsi qu** sich jdm entfremden; **-arsi qc** sich *(dat)* etw. verscherzen. **alienato, -a** [...'naːto] **I.** *agg* **1.** *dir* veräußert; **2.** *med* geistesgestört; **II.** *m, f* Geistesgestörte(r) *mf.* **alienazione** [...nat'tsi̯oːne] *f* **1.** *dir* Veräußerung *f;* **2.** *psic:* ~ **mentale** Geistesgestörtheit *f.* **alieno, -a** [a'li̯ɛːno] *agg* abgeneigt (*da qc* einer S. *dat*).
alimentare¹ [alimen'taːre] **I.** *agg* Lebensmittel-, Nahrungs(mittel)-; **generi -i** Lebensmittel *n pl,* Nahrungsmittel *n pl;* **II.** ⟨*pl*⟩ *m* Lebensmittel *n pl,* Nahrungsmittel *n pl.*
alimentare² [alimen'taːre] **I.** *tr* **1.** *(persone)* ernähren; *(animali)* füttern; **2.** *(rifornire di viveri)* versorgen; **3.** *(caldaia, fuoco)* speisen; **4.** *fig (mantenere vivo)* nähren; **II.** *rfl:* **-arsi** sich ernähren. **alimentazione** [...tat'tsi̯oːne] *f* **1.** *(con cibo)* Ernährung *f;* *(dieta)* Kost *f;* **2.** *tec* Beschickung *f,* Versorgung *f,* Zufuhr *f;* ~ **a base di cibi integrali** Vollwerternährung *f;* Vollwertkost *f;* ~ **vegetale** vegetarische Ernährung *f,* vegetarische Kost *f.*
alimento [ali'mento] *m* **1.** *(cibo)* Ernährung *f,* Nahrung *f;* **2.** *tec* Speisung *f,* Zufuhr *f;* **3.** ⟨*pl*⟩ *dir* Alimente *pl,* Unterhalt *m;* **passare gli -i** *dir* Unterhalt gewähren; **obbligo a passare gli -i** *dir* Unterhaltspflicht *f;* **persona avente diritto agli -i** *dir* Unterhaltsberechtigte(r) *mf.*
aliquota [a'liːku̯ota] *f* **1.** *(quota)* Anteil *m;* **2.** *(d'imposta)* Steuersatz *m.*
aliscafo [alis'kaːfo] *m* Tragflächenboot *n.*
alito ['aːlito] *m* **1.** *(fiato)* Atem *m;* **2.** *fig (lieve soffio)* Hauch *m;* **aver l'~ cattivo** Mundgeruch haben.
all. *abbr di* **allegato, -i** Anl. (*abk von* Anlagen).
all', alla [all, 'alla] *prp* **a** *con art l', la.*
allacciamento [allattʃa'mento] *m* **1.** *tec* Anschluß *m;* **2.** *ferr* Anschluß *m,* Verbindung *f;* **3.** *fig* (An)knüpfen *n.*
allacciare [...'tʃaːre] ⟨allaccio, allacci⟩ *tr* **1.** *gener.* zuschnüren, zubinden; *(cintura)* zuschnallen; **2.** *(collegare)* verknüpfen; *(località)* verbinden; *(amicizia)* (an)knüpfen; **3.** *tec* anschließen.
allagamento [allaga'mento] *m* Überschwemmung *f.* **allagare** [...'gaːre] ⟨allago, allaghi⟩ *tr* überschwemmen.
Allah [al'la] *m* Allah *m.*
allampanato, -a [allampa'naːto] *agg* hager.
allargare [allar'gaːre] ⟨allargo, allarghi⟩ **I.** *tr* **1.** *(rendere più largo)* erweitern; *(strade)* verbreitern; *(vestiti)* weiter machen; **2.** *(braccia)* ausbreiten; *(dita)* spreizen; **3.** *fig (estendere)* ausdehnen, erweitern; ~ **il cuore** *fig* das Herz erleichtern; **II.** *itr sport:* ~ **in curva** in der Kurve ausbrechen; **III.** *rfl:* **-arsi** sich erweitern.
allarmare [allar'maːre] **I.** *tr* **1.** *(dare l'allarme)* alarmieren; **2.** *fig* beunruhigen; **II.** *rfl:* **-arsi** sich beunruhigen. **allarme** [al'larme] *m* Alarm *m,* Warnung *f;* ~ **antifurto** Alarmanlage *f;* ~ **smog** Smogalarm *m;* **mettersi in** ~ in Besorgnis geraten; **dare l'~** Alarm schlagen. **allarmismo** [...'mizmo] *m* Panikmache *f;* *(stato di allarme)* Panikstimmung *f.* **allarmistico, -a** [...'mistiko] ⟨-ci, -che⟩ *agg* alarmierend, beunruhigend.
allattamento [allatta'mento] *m* *(di bambini)* Stillen *n;* *(di animali)* Säugen *n.* **allattare** [...'taːre] *tr* *(bambini)* stillen; *(animali)* säugen.
alle ['alle] *prp* **a** *con art le.*
alleanza [alle'antsa] *f* Allianz *f,* Bündnis *n;* **l'~ atlantica** das NATO-Bündnis *n;* **A~ Nazionale** *neofaschistische Partei in Italien.* **allearsi** [...'arsi] *rfl:* ~ **a** (*o* **con) qu** sich mit jdm verbünden. **alleato, -a** [...'aːto] **I.** *agg* verbündet; *st* alliiert, Alliierten-; **paesi non -i** blockfreie Länder; **II.** *m, f* Verbündete(r) *mf;* *pol* Koalitionspartner(in) *m(f);* **-i** *st* Alliierte(n) *pl.*
allegare [alle'gaːre] *tr* **1.** *(accludere)* beifügen, beilegen; **2.** *(addurre)* anführen, beibringen; **3.** *(denti)* stumpf machen.
allegato, -a [...'gaːto] **I.** *agg* beigefügt; **qui** ~ anbei, in der (*o* als) Anlage; **II.** *m* (*abbr* **all.**) Anlage *f;* **in** ~ anbei, beiliegend.

alleggerire [alleddʒe'ri:re] ⟨alleggerisco⟩ **I.** *tr* **1.** *(di peso)* leichter machen; **2.** *fig* erleichtern; *(pena)* mildern; *(dolore)* lindern; **II.** *rfl:* **-irsi** ablegen; *(indossare indumenti più leggeri)* sich leichter kleiden.

allegoria [allego'ri:a] ⟨-ie⟩ *f* Allegorie *f.*

allegria [alle'gri:a] *f* Fröhlichkeit *f.*

allegro, -a [al'le:gro] **I.** *agg* fröhlich, lustig, ausgelassen; *(colore)* lebhaft; **c'è poco da stare -i** da gibt es nichts zu lachen; **gente -a il ciel l'aiuta** *prov* dem Fröhlichen hilft Gott *prov;* **II.** *m* Allegro *n.*

alleluia [alle'lu:i̯a] ⟨-⟩ *m* Halleluja *n.*

allenamento [allena'mento] *m* Übung *f,* Training *n;* **esser fuori** ~ aus der Übung sein; **tenersi in** ~ im Training bleiben. **allenare** [...'na:re] **I.** *tr* trainieren; **II.** *rfl:* **-arsi** trainieren (*per, a* auf). **allenatore, -trice** [...na'to:re] *m, f* Trainer(in) *m(f).*

allentare [allen'ta:re] **I.** *tr* lockern, lösen; **II.** *rfl:* **-arsi** *(a. tec)* locker werden, sich lockern, sich lösen.

allergia [aller'dʒi:a] ⟨-gie⟩ *f* Allergie *f* (*a* gegen). **allergico, -a** [al'lɛrdʒiko] ⟨-ci, -che⟩ *agg* allergisch (*a* gegen). **allergologia** [allergolo'dʒi:a] ⟨-gie⟩ *f med* Allergologie *f.* **allergologo, -a** [...'gɔ:logo] ⟨-gi, -ghe⟩ *m, f* Allergologe *m,* -login *f.*

allestimento [allesti'mento] *m* **1.** *gener.* Herrichten *n,* Ausstatten *n;* **2.** *naut* Ausrüstung *f;* **3.** *teat* Bühnenausstattung *f; film* Szenerie *f.* **allestire** [...'ti:re] ⟨allestisco⟩ **1.** *gener* herrichten, ausstatten; **2.** *(vetrina)* dekorieren; **3.** *(festa)* organisieren; **4.** *teat* inszenieren; **5.** *mil, naut* ausrüsten. **allestitore, -trice** [allesti'to:re] *m, f* Fahrzeugausstatter(in) *m(f),* Tuner *m sl.*

allettamento [alletta'mento] *m* Verlokkung *f,* Verführung *f.* **allettare** [...'ta:re] *tr* (ver)locken, verführen, anziehen.

allevamento [alleva'mento] *m* **1.** *(di animali, piante)* Zucht *f,* Züchtung *f;* **2.** *(luogo)* Farm *f,* Zucht(stätte) *f;* **3.** *(di bambini)* Aufziehen *n.* **allevare** [...'va:re] *tr* **1.** *(animali)* züchten; *(piante)* ziehen; **2.** *(bambini)* aufziehen, großziehen; ~ **una serpe in seno** eine Schlange am Busen nähren. **allevatore, -trice** [...va'to:re] *m, f* Züchter(in) *m(f).*

alleviare [alle'vi̯a:re] ⟨allevio, allevii⟩ *tr* erleichtern; *(dolore)* lindern.

allibito, -a [alli'bi:to] *agg* verblüfft.

allibratore [allibra'to:re] *m* Buchmacher *m.*

allietare [alli̯e'ta:re] *tr* erfreuen, erheitern.

allievo, -a [al'li̯ɛ:vo] *m, f* Schüler(in) *m(f);* ~ **ufficiale** Offiziersanwärter *m.*

alligatore [alliga'to:re] *m* Alligator *m.*

allineamento [allinea'mento] *m* **1.** *(disposizione in linea)* Aufreihen *n; (di persone)* Aufstellung *f;* **2.** *naut* (Flotten)verband *m;* **3.** *(in economia)* Angleichung *f;* **4.** *fig* Anpassung *f,* Angleichung *f.* **allineare** [...'a:re] **I.** *tr* aufreihen, in einer Reihe aufstellen; *mil* formieren; **II.** *rfl:* **-arsi** **1.** *(mettersi in linea)* sich in einer Reihe aufstellen; **2.** *fig (conformarsi)* sich anpassen, sich angleichen. **allineato, -a** [...'a:to] *agg:* **paesi non -i** blockfreie (*o* neutrale) Länder *n pl.*

allo ['allo] *prp* **a** *con art lo.*

allocco [al'lɔkko] ⟨-cchi⟩ *m* **1.** *zoo* Waldkauz *m;* **2.** *fig* Tölpel *m.*

allocuzione [allokut'tsi̯o:ne] *f* Ansprache *f.*

allodola [al'lɔ:dola] *f* Lerche *f.*

allogeno, -a [al'lɔ:dʒeno] **I.** *agg* fremdstämmig; **II.** *m, f* Fremde(r) *mf;* **gli -i di lingua tedesca** die deutschsprachige Minderheit.

alloggiare [allod'dʒa:re] ⟨alloggio, alloggi⟩ **I.** *tr* ⟨*avere*⟩ **1.** *(dare ospitalità)* beherbergen, unterbringen; **2.** *mil* einquartieren; **II.** *itr* ⟨*essere*⟩ **1.** *(dimorare)* wohnen, untergebracht sein; **2.** *mil* einquartiert sein.

alloggio [al'lɔddʒo] ⟨-ggi⟩ *m* **1.** *(dimora)* Unterkunft *f;* **2.** *(appartamento)* Wohnung *f;* **3.** *mil* Quartier *n;* **vitto e** ~ Kost und Logis.

allontanamento [allontana'mento] *m* **1.** *(distacco, espulsione)* Entfernung *f;* **2.** *fig* Entfremdung *f.* **allontanare** [...'na:re] **I.** *tr* **1.** *(collocare lontano)* entfernen; **2.** *(licenziare)* entfernen; **3.** *(suscitare avversione)* abstoßen; **4.** *fig (pericolo)* abwenden; *(sospetto)* von sich *(dat)* weisen; **II.** *rfl:* **-arsi** sich entfernen; **-arsi dalla retta via** *fig* vom rechten Wege abkommen.

allopatia [allopa'ti:a] *f* Allopathie *f.* **allopatico, -a** [...'pa:tiko] ⟨-ci, -che⟩ **I.** *agg* allopathisch; **II.** *m, f* Allopath(in) *m(f).*

allora [al'lo:ra] **I.** *avv* da, damals; **da** ~ **in poi** von da an; **fino** ~ bis dahin; **II.** *cong* **1.** *(in questo caso)* (al)so, dann; **2.** *(ebbene)* nun.

allorché [allor'ke] *cong* als.

alloro [al'lɔ:ro] *m* Lorbeer *m;* **cogliere -i** Lorbeeren ernten; **dormire (***o* **riposare) sugli -i** sich auf seinen Lorbeeren ausruhen.

alluce ['allutʃe] *m* großer Zeh.

allucinante [allutʃi'nante] *agg* **1.** *(terribile)* furchtbar, schrecklich; **2.** *sl (straordinario)* außergewöhnlich, erstaunlich. **allucinazione** [...nat'tsi̯o:ne] *f* Halluzination *f.*

allucinogeno, -a [...'nɔ:dʒeno] **I.** *agg* halluzinogen; **II.** *m* Halluzinogen *n.*

alludere [al'lu:dere] ⟨alludo, allusi, alluso⟩ *itr* anspielen (*a* auf).

alluminio [allu'mi:ni̯o] *m* Alu(minium) *n;* **foglio d'**~ Alufolie *f.*

allunaggio [allu'naddʒo] ⟨-ggi⟩ *m* Mondlandung *f.* **allunare** [...'na:re] *itr* auf dem Mond landen.

allungamento [allunga'mento] *m* **1.** *gener.* Verlängerung *f; (di abito)* Verlängern *n; (di vino, brodo)* Verdünnen *n,* Verwässern *n;* **2.** *ling, tec* Dehnung *f.* **allungare** [...'ga:re] ⟨allungo, allunghi⟩ **I.** *tr* **1.** *(accrescere di lunghezza)* verlängern, länger machen; *(distendere)* (aus)strecken; *(tavolo)* ausziehen; **2.** *(accrescere di durata)* verlängern, ausdehnen; **3.** *(diluire)* verdünnen; *(brodo a.)* verlängern; *(vino a.)* verwässern; **4.** *ling, tec* dehnen; ~ **un ceffone** *fam* eine Ohrfeige verpassen *fam;* ~ **le mani** *fig (per rubare)* lange Finger machen; *(per molestare)* (sexuell) belästigen; ~ **le orecchie** *fig* die Ohren spitzen; ~ **la strada** *fig* einen Umweg machen; **II.** *rfl:* **-arsi 1.** *(farsi più lungo)* länger werden; **2.** *(sdraiarsi)* sich ausstrecken; **3.** *(crescere)* in die Länge wachsen.

allusi [al'lu:zi] *p rem di* **alludere.**

allusione [allu'zio:ne] *f* Anspielung *f,* Andeutung *f.* **allusivo, -a** [...'zi:vo] *agg* anspielend, zweideutig.

alluso [al'lu:zo] *pp di* **alludere.**

alluvionato, -a [alluvio'na:to] **I.** *agg* überschwemmt; **II.** *m, f* Überschwemmungsopfer *n.* **alluvione** [...'vio:ne] *f* Überschwemmung *f.*

almanacco [alma'nakko] ⟨-cchi⟩ *m* Almanach *m.*

almeno [al'me:no] **I.** *avv* wenigstens, zumindest; **II.** *cong +congv* wenn nur (*o* wenigstens).

aloe ['a:loe] ⟨-⟩ *f o m* Aloe *f.*

alogena [a'lɔ:dʒena] *f* Halogenlampe *f.*

alone [a'lo:ne] *m* **1.** *astr* Aureole *f,* Hof *m; fot* Lichthof *m;* **2.** *(di macchia)* (Schmutz)rand *m;* **3.** *fig (aureola)* Nimbus *m.*

alpacca [al'pakka] *f* Alpaka *n,* Neusilber *n.*

alpeggio [al'peddʒo] ⟨-ggi⟩ *m* Weiden *n* auf der Alm.

alpestre [al'pɛstre] *agg* Gebirgs-.

Alpi ['alpi] *f pl* Alpen *pl.*

alpinismo [alpi'nizmo] *m* Bergsteigen *n,* Alpinismus *m.* **alpinista** [...'nista] ⟨-i *m,* -e *f*⟩ *mf* Bergsteiger(in) *m(f),* Alpinist(in) *m(f).* **alpinistico, -a** [...'nistiko] ⟨-ci, -che⟩ *agg* alpinistisch.

alpino, -a [al'pi:no] **I.** *agg* alpin, Hochgebirgs-; **II.** *m* Gebirgsjäger *m.*

alquanto [al'kuanto] **I.** *agg* einige(r, s); **II.** *pron* einiges, manches; **III.** *avv* ziemlich, beträchtlich.

Alsazia [al'sattsia] *f* Elsaß *n;* ~**-Lorena** Elsaß-Lothringen *n.*

alt [alt] **I.** *interi* halt; **II.** ⟨-⟩ *m* Halt *m,* Unterbrechung *f;* **dare l'**~ Halt gebieten.

altalena [alta'le:na] *f* **1.** *(in bilico)* Wippe *f;* **2.** *(a funi)* Schaukel *f;* **3.** *fig* Hin und Her *n,* Schwanken *n.*

altamente [alta'mente] *avv* äußerst, erheblich.

altare [al'ta:re] *m* Altar *m;* ~ **maggiore** Hochaltar *m.*

alterare [alte'ra:re] **I.** *tr* **1.** *(modificare)* (ver)ändern; *(verità)* verdrehen; **2.** *(adulterare)* verfälschen; *(falsificare)* fälschen; **II.** *rfl:* **-arsi 1.** *(modificarsi)* sich verändern; **2.** *fig (turbarsi)* sich erregen, reizbar sein; **3.** *(guastarsi)* schlecht werden, verderben. **alterazione** [...rat'tsio:ne] *f* **1.** *(modificazione)* Veränderung *f;* **2.** *(falsificazione)* Fälschung *f;* **3.** *med, mus* Alteration *f;* **4.** *(turbamento)* Erregung *f.*

alterco [al'tɛrko] ⟨-chi⟩ *m* Auseinandersetzung *f,* Wortwechsel *m.*

alternanza [alter'nantsa] *f* Wechsel *m; ling* Alternation *f.* **alternare** [...'na:re] **I.** *tr* alternieren, wechseln; **II.** *rfl:* **-arsi** sich abwechseln. **alternarsi** [...'nɑ:rsi] ⟨-⟩ *m* Wechsel *m,* Abwechseln *n;* ~ **dei prezzi** Preisschwankungen *f pl;* ~ **della tendenza** Tendenzwende *f.*

alternativa [...na'ti:va] *f* Wechsel *m; (scelta)* Alternative *f.* **alternativo, -a** [...na'ti:vo] *agg* alternativ. **alternato, -a** [...'na:to] *agg* alternierend, wechselnd. **alternatore** [...na'to:re] *m* (Wechselstrom)generator *m.* **alterno, -a** [al'tɛrno] *agg* abwechselnd; **a giorni -i** jeden zweiten Tag.

altero, -a [al'tɛ:ro] *agg* würdevoll, selbstbewußt; *(fiero)* stolz; *(superbo)* hochmütig.

altezza [al'tettsa] *f* **1.** *gener., mus* Höhe *f;* **2.** *(statura)* Größe *f;* **3.** *(livello)* Stand *m;* **4.** *(profondità)* Tiefe *f;* **5.** *(larghezza di tessuti)* Breite *f;* **6.** *(titolo nobiliare)* Hoheit *f;* **all'**~ **di Trieste** auf der Höhe von Triest; **essere all'**~ **di fare qc** in der Lage sein, etw. zu tun.

altezzosità [altettsosi'ta] ⟨-⟩ *f* Hochmut *m.* **altezzoso, -a** [...'tso:so] *agg* hochmütig.

alticcio, -a [al'tittʃo] ⟨-cci, -cce⟩ *agg* angeheitert.

altiforni *pl di* **altoforno.**

altisonante [altiso'nante] *agg* **1.** *(sonoro)* wohlklingend; **2.** *(tronfio)* hochtrabend.

altitudine [alti'tu:dine] *f* Höhe *f.*

alto, -a ['alto] ⟨più alto *o* superiore, altissimo *o* supremo *o* sommo⟩ **I.** *agg* **1.** *(sviluppato in altezza)* hoch; **2.** *(statura)* groß; **3.** *(in luogo elevato)* hoch(-gelegen); *geog* Ober-; **4.** *(acqua, mare)* hoch; **5.** *(tessuti)* breit; **6.** *(suono)* hoch; *(voce)* laut; **7.** *fig (eminente, eccellente)* hervorragend; *(nobile)* edel; **notte -a** tiefe Nacht; **-a fedeltà** High-Fidelity *f* (*akr* **Hi-Fi**); **-a società** High Society *f;* **II.** *m* **1.** *(altezza)* Höhe *f;* **2.** *(parte più elevata)* oberer Teil; **in** ~ **i cuori!** nur Mut!; **mani in** ~**!** Hände hoch!

Alto Adige ['alto 'a:didʒe] *m* Südtirol *n.*

altoatesino, -a [altoate'zi:no] **I.** *agg* Südtiroler; **II.** *mf* Südtiroler(in) *m(f)*.

altoforno [-'forno] ⟨altiforni⟩ *m* Hochofen *m*.

altolocato, -a [-lo'ka:to] *agg* hochgestellt.

altoparlante [-par'lante] *m* Lautsprecher *m*.

altopiano [-'pia:no] *m* Hochebene *f*.

altrettanto, -a [altret'tanto] **I.** *agg* ebensoviel; **II.** *pron* dasselbe; **III.** *avv* genauso, gleich.

altri ['altri] ⟨*inv, solo al sing*⟩ *pron* **1.** *(qualcuno)* ein anderer, man; **2.** *(altra persona)* andere(r, s).

altrimenti [altri'menti] *avv* **1.** *(in caso contrario)* anderenfalls, sonst; **2.** *(in modo diverso)* anders.

altro, -a ['altro] **I.** *agg indef* andere(r, s); *(nuovo, aggiunto a.)* weitere(r, s), noch ein; **quest'~ mese** kommenden Monat; **l'~ giorno** neulich, kürzlich; **l'-a settimana** letzte Woche; **l'~ ieri** vorgestern; **domani l'~** übermorgen; **II.** *pron indef* andere(r, s); **un giorno o l'~** eines Tages, über kurz oder lang; **non avere ~ da fare** nichts anderes zu tun haben; **non far ~ che studiare** nichts (anderes) tun als lernen; **noi -i/voi -i** wir (unsererseits)/ihr (eurerseits); **III.** *m* (etwas) anderes; **non aggiungere ~** nichts hinzufügen; **ci mancherebbe ~!** das hätte gerade noch gefehlt!; **che ~ vuoi?** was willst du noch?; **ci vuol ben ~ per mettermi paura!** da ist etwas ganz anderes nötig (*o* es gehört viel mehr dazu), um mir Angst einzujagen; **dell'~** noch etwas; **per ~** im übrigen; **più che ~** vor allem; **se non ~** zumindest; **senz'~** ohne weiteres, ganz sicher; **tra l'~** unter anderem; **tutt'~** ganz im Gegenteil, durchaus nicht; **l'un l'~** einander, gegenseitig. **altroché** [altro'ke] *interi* und wie, und ob. **altronde** [al'tronde] *avv:* **d'~** im übrigen. **altrove** [al'tro:ve] *avv* anderswo, woanders.

altrui [al'tru:i] **I.** *agg* von anderen, anderer; **II.** *pron indef* andere, die anderen; **III.** ⟨-⟩ *m* fremdes Eigentum.

altruismo [altru'izmo] *m* Altruismus *m*.

altruista [...'ista] ⟨-i *m*, -e *f*⟩ *mf* Altruist(in) *m (f)*. **altruistico, -a** [...'istiko] ⟨-ci, -che⟩ *agg* altruistisch.

altura [al'tu:ra] *f* Anhöhe *f*.

alunno, -a [a'lunno] *m, f* Schüler(in) *m(f)*.

alveare [alve'a:re] *m* **1.** *(arnia)* Bienenstock *m;* **2.** *fig* Wohnsilo *m o n*.

alveo ['alveo] *m* (Fluß-, Bach)bett *n*.

alzabandiera [altsaban'diɛ:ra] ⟨-⟩ *m* Fahnenappell *m*.

alzacristalli [altsakris'talli] ⟨-⟩ *m* Fensterheber *m*.

alzare [al'tsa:re] **I.** *tr* **1.** *(sollevare)* heben; *(bandiera)* hissen; *(carte)* abheben; *(spalle)* zucken mit; *(voce)* (er)heben; **2.** *(muro)* errichten, hochziehen; **3.** *(prezzi)* erhöhen, anheben; *(volume)* lauter stellen; *(riscaldamento)* höher drehen; **non ~ un dito** *fig* keinen Finger rühren; **~ le mani (***o* **le braccia)** *fig* die Hände hoch nehmen; **stare alzato fino a tarda notte** noch bis spät in die Nacht (hinein) aufsein; **II.** *rfl:* **-arsi 1.** *(levarsi)* aufstehen; **2.** *(sorgere)* aufkommen; *(sole, luna)* aufgehen; **-arsi in volo** auffliegen, aufsteigen. **alzata** [al'tsa:ta] *f* Hebung *f*, Anhebung *f;* **~ di spalle** Achselzucken *n;* **~ di testa** Laune *f;* **voto per ~ di mano** Abstimmung *f* durch Handzeichen *n*.

amabile [a'ma:bile] *agg* **1.** *(persona)* liebenswert; **2.** *(vino)* lieblich; **3.** *mus* amabile. **amabilità** [amabili'ta] ⟨-⟩ *f* Liebenswürdigkeit *f*.

amaca [a'ma:ka] ⟨-che⟩ *f* Hängematte *f*.

amalgama [a'malgama] ⟨-i⟩ *m* Amalgam *n*. **amalgamare** [...'ma:re] **I.** *tr* **1.** *(unire in lega)* amalgamieren; **2.** *(per impasto)* vermengen; **II.** *rfl:* **-arsi** sich verbinden.

amante [a'mante] **I.** *agg* liebend; **II.** *mf* Liebhaber *m*, Geliebte *f; fig* Liebhaber(in) *m(f);* **~ della buona tavola** Feinschmecker(in) *m(f)*.

amare [a'ma:re] **I.** *tr* lieben; *(persone a.)* liebhaben; *(piacere)* mögen, gern haben; **farsi ~ da qu** jds Liebe gewinnen; **II.** *rfl:* **-arsi** sich lieben.

amareggiare [amared'dʒa:re] ⟨amareggio, amareggi⟩ **I.** *tr* verbittern; **II.** *rfl:* **-arsi** sich erbittern.

amareggiato, -a [amared'dʒa:to] *agg* verbittert.

amarena [ama'rɛ:na] *f* Sauerkirsche *f*.

amaretto [ama'retto] *m* **1.** *(biscottino)* Amaretto *m;* **2.** *(liquore)* Amaretto *m*, Mandellikör *m*.

amarezza [ama'rettsa] *f* **1.** *(sapore)* Bitterkeit *f;* **2.** *fig* Verbitterung *f*. **amaro, -a** [a'ma:ro] **I.** *agg (a. fig)* bitter; **II.** *m* **1.** *(sapore)* Bitterkeit *f;* **2.** *(liquore)* Magenbitter *m;* **3.** *fig (rancore)* Verbitterung *f*.

amatore, -trice [ama'to:re] *m, f* Liebhaber(in) *m(f); sport* Amateur(in) *m(f)*.

amazzone [a'maddzone] *f* Amazone *f*.

ambasceria [ambaʃʃe'ri:a] ⟨-ie⟩ *f* **1.** *(delegazione)* Abordnung *f*, Gesandtschaft *f;* **2.** *(incarico)* Botschaft *f*.

ambasciata [ambaʃ'ʃa:ta] *f* Botschaft *f;* **fare un'~** etw. ausrichten. **ambasciatore, -trice** [...ʃa'to:re] *m, f* **1.** *(diplomatico)* Botschafter(in) *m(f);* **2.** *(messaggero)* Bote *m*, Botin *f;* **ambasciator non porta pena** *prov* den Boten trifft keine Schuld.

ambedue [ambe'du:e] **I.** ⟨*inv*⟩ *agg* beide; **~ gli amici** beide Freunde; **II.** *pron* (alle) beide.

ambidestro, -a [ambi'dɛstro] *agg* beidhändig.

ambientale [ambi̯en'ta:le] *agg* Umwelt-. **ambientalista** [...ta'lista] ⟨-i *m*, -e *f*⟩ *mf* Umweltschützer(in) *m(f)*. **ambientalistico, -a** [...ta'listiko] ⟨-ci, -che⟩ *agg* Umweltschutz-.

ambientamento [ambi̯enta'mento] *m* Eingewöhnung *f*, Akklimatisierung *f*. **ambientare** [...'ta:re] **I.** *tr* **1.** *(adattare)* eingewöhnen, akklimatisieren; **2.** *letter, film, teat* spielen lassen; **II.** *rfl:* **-arsi** sich eingewöhnen, sich akklimatisieren.

ambiente [am'bi̯ɛnte] *m* **1.** *(spazio)* Raum *m*, Umgebung *f;* **2.** *biol* Lebensraum *m*, Umwelt *f;* **3.** *soc, fig* Milieu *n;* **4.** *(stanza)* Zimmer *n;* ~ **della droga** Drogenszene *f*, -milieu *n;* ~ **equivoco** zweifelhaftes Milieu; **temperatura** ~ Raumtemperatur *f;* **tutela dell'**~ Umweltschutz *m*.

ambiguità [ambigui'ta] ⟨-⟩ *f* **1.** *(equivocità)* Zweideutigkeit *f*, Doppeldeutigkeit *f;* **2.** *peg (falsità)* Scheinheiligkeit *f*. **ambiguo, -a** [am'bi:guo] *agg* **1.** *(equivoco)* zweideutig, doppeldeutig; **2.** *peg (falso)* scheinheilig; **persona -a** zweifelhafte Person *f*.

ambire [am'bi:re] ⟨ambisco⟩ **I.** *tr* an-, erstreben, streben nach; **II.** *itr* streben (*a* nach).

ambito ['ambito] *m* Bereich *m*.

ambivalente [ambiva'lɛnte] *agg* ambivalent. **ambivalenza** [...'lɛntsa] *f* Ambivalenz *f*.

ambizione [ambit'tsi̯o:ne] *f* Ehrgeiz *m;* *(aspirazione)* Ambition *f*, Bestreben *n*. **ambizioso, -a** [...'tsi̯o:so] *agg* ehrgeizig.

ambo, -a ['ambo] **I.** *agg* ⟨*inv o* -i, -e⟩ beide; ~ **i lati** beide Seiten *f pl;* **II.** *m* Ambo *m* Doppeltreffer *m*.

ambosessi [ambo'sɛssi] ⟨*inv*⟩ *agg* beiderlei Geschlechts.

ambra ['ambra] *f* **1.** *(pietra)* Bernstein *m;* **2.** *(profumo)* Amber *m*, Ambra *f*.

ambrosiano, -a [ambro'zi̯a:no] *agg* mailändisch, Mailänder *attr*.

ambulante [ambu'lante] **I.** *agg* fahrend, wandernd, Wander-; **biblioteca** ~ *fig* wandelndes Lexikon; **esposizione** ~ Wanderausstellung *f;* **II.** *mf* Straßenhändler(in) *m(f)*.

ambulanza [ambu'lantsa] *f* Ambulanz *f*.

ambulatorio, -a [ambula'tɔ:ri̯o] ⟨-i, -ie⟩ **I.** *agg* ambulant; **II.** *m* **1.** *(per consultazione)* Sprechzimmer *n;* **2.** *(per cura)* Ambulanz *f*.

Amburgo [am'burgo] *f* Hamburg *n*.

amenità [ameni'ta] ⟨-⟩ *f* **1.** *(dolcezza)* Lieblichkeit *f*, Anmut *f;* **2.** *(facezia)* Bonmot *n*, witzige Bemerkung. **ameno, -a** [a'mɛ:no] *agg* lieblich, anmutig; *(piacevole)* angenehm, wohltuend; *(spiritoso)* witzig; **letteratura -a** Belletristik *f*, Unterhaltungsliteratur *f;* **un tipo** ~ ein angenehmer Typ.

amenorrea [amenor'rɛa] *f* ⟨-ee⟩ *f* Amenorrhöe *f*.

America [a'mɛ:rika] *f* Amerika *n;* ~ **Latina** Lateinamerika *n;* ~ **Centrale** Mittelamerika *n;* ~ **del Nord/Sud** Nord-/Südamerika *n*. **americanizzazione** [amerikaniddzat'tsi̯o:ne] *f* Amerikanisierung *f*.

americano, -a [ameri'ka:no] **I.** *agg* amerikanisch; **II.** *m, f* Amerikaner(in) *m(f)*.

ametista [ame'tista] *f* Amethyst *m*.

amianto [a'mi̯anto] *m* Asbest *m*.

amichevole [ami'ke:vole] *agg* freundschaftlich; **incontro** ~ *sport* Freundschaftsspiel *n*.

amicizia [ami'tʃittsi̯a] ⟨-ie⟩ *f* **1.** *(affetto)* Freundschaft *f;* **2.** ⟨*pl*⟩ *fig* Beziehungen *f pl*.

amico, -a [a'mi:ko] ⟨-ci, -che⟩ **I.** *m, f* **1.** *(legato da sentimenti di amicizia)* Freund(in) *m(f);* **2.** *(amante)* Freund(in) *m(f)*, Geliebte(r) *mf;* ~ **intimo (*o* del cuore)** Busenfreund *m;* ~ **di famiglia** Freund *m* des Hauses; **essere -ci per la pelle** miteinander durch dick und dünn gehen; **II.** *agg* freundschaftlich; *(benevolo)* freundlich, gut.

amido ['a:mido] *m chim* Stärke *f*.

ammaccare [ammak'ka:re] ⟨ammacco, ammacchi⟩ *tr* verbeulen; *(parti del corpo)* quetschen. **ammaccatura** [...ka'tu:ra] *f (deformazione)* Beule *f;* *(contusione)* Quetschung *f;* *(di frutta)* Druckstelle *f*.

ammaestramento [ammaestra'mento] *m* Belehrung *f*, Unterweisung *f;* *(di animali)* Dressur *f*. **ammaestrare** [...'tra:re] *tr* belehren, unterweisen; *(animali)* dressieren, abrichten.

ammainare [ammai'na:re] *tr* einholen, einziehen; ~ **la vela** (*a. fig*) die Segel streichen.

ammalarsi [amma'larsi] *rfl* krank werden, erkranken (*di* an +*dat*). **ammalato, -a** [...'la:to] **I.** *agg* krank; **II.** *m, f* Kranke(r) *mf*.

ammanco [am'maŋko] ⟨-chi⟩ *m* Fehlbetrag *m*.

ammanettare [ammanet'ta:re] *tr* Handschellen anlegen (*qu* jdm).

ammansire [amman'si:re] ⟨ammansisco⟩ *tr* beschwichtigen, besänftigen.

ammantare [amman'ta:re] *tr* **1.** *(avvolgere)* einhüllen; **2.** *fig* hüllen (*di* in +*akk*); *(celare)* verhüllen.

ammassare [ammas'sa:re] **I.** *tr* aufhäufen, -schichten; *(raccogliere)* anhäufen, sammeln; **II.** *rfl:* **-arsi** sich häufen.

ammasso [am'masso] *m* **1.** *(mucchio)* Haufen *m;* *(congerie)* Anhäufung *f;* **2.** *(di prodotti agricoli)* Ablieferung *f;* *(deposito)* Sammelstelle *f;* **3.** *geol* Ablagerung *f*.

ammattire [ammat'ti:re] ⟨ammattisco⟩ *itr* ⟨*essere*⟩ verrückt (*o* wahnsinnig) werden.

ammazzare [ammat'tsa:re] **I.** *tr* **1.** *(ucci-*

dere) töten, umbringen; *(a colpi)* erschlagen; *(macellare)* schlachten; **2.** *fig* umbringen; *(tempo)* totschlagen; *(noia)* vertreiben; **II.** *rfl:* **-arsi 1.** *(darsi la morte)* sich umbringen; **2.** *(morire)* umkommen; **3.** *fig (affaticarsi)* sich umbringen, sich kaputtmachen *fam.*

ammenda [am'mεnda] *f* **1.** *(risarcimento)* Entschädigung *f;* **2.** *(multa)* Geldstrafe *f.*

ammendamento [ammenda'mento] *m agr* Melioration *f*, Bodenverbesserung *f.*

ammesso, -a [am'messo] **I.** *agg (accettato)* zugelassen; *(consentito)* zulässig; ~ **che** *+congv* angenommen, daß; ~ **alla quotazione** börsenfähig; **II.** *m, f* Zugelassene(r) *mf.*

ammettere [am'mettere] ⟨*irr*⟩ *tr* **1.** *(accettare, ricevere)* zulassen, annehmen; **2.** *(supporre)* voraussetzen, annehmen; **3.** *(riconoscere)* zugeben; **4.** *(accogliere)* zulassen, dulden; **ammettiamo che io me ne vada** (mal) angenommen, ich würde gehen.

ammiccare [ammik'ka:re] ⟨ammicco, ammicchi⟩ *itr* zwinkern, blinzeln; ~ **a qu** jdm zuzwinkern (*o* zublinzeln).

amministrare [amminis'tra:re] *tr* **1.** *amm* verwalten; **2.** *rel (sacramenti)* spenden; ~ **la giustizia** Recht sprechen. **amministrativo, -a** [...tra'ti:vo] *agg* administrativ, Verwaltungs-; **(elezioni) -e** Kommunalwahlen *f pl.* **amministrativista** [...trati'vista] ⟨-i *m*, -e *f*⟩ Verwaltungsrechtler(in) *m(f).* **amministratore, -trice** [...tra'to:re] *m, f* Verwalter(in) *m(f);* ~ **delegato** Geschäftsführer *m;* ~ **unico** alleiniger Geschäftsführer *m.*

amministrazione [amministrat'tsi̯o:ne] *f* Verwaltung *f;* **cose di ordinaria** ~ *fig* alltägliche Angelegenheiten *f pl.*

ammiraglia [ammi'raʎʎa] ⟨-glie⟩ *f* **1.** *naut* Flaggschiff *n;* **2.** *mot* Begleitwagen *m.* **ammiraglio** [...ʎo] ⟨-gli⟩ *m* Admiral *m.*

ammirare [ammi'ra:re] *tr* bewundern. **ammiratore, -trice** [...ra'to:re] *m, f* Bewunderer *m*, Bewund(r)erin *f.* **ammirazione** [...rat'tsi̯o:ne] *f* Bewunderung *f.*

ammissibile [ammis'si:bile] *agg* annehmbar, akzeptabel; **tolleranza** ~ zulässige Abweichung *f;* **velocità massima** ~ zulässige Höchstgeschwindigkeit *f.*

ammissione [ammis'si̯o:ne] *f* Annahme *f*, Zulassung *f; (approvazione)* Zustimmung *f.*

ammobiliare [ammobi'li̯a:re] ⟨ammobilio, ammobili⟩ *tr* möblieren, einrichten.

ammodernamento [ammoderna'mento] *m* Modernisierung *f.*

ammodo [am'mɔ:do] ⟨*inv*⟩ *agg, avv* anständig.

ammollare [amol'la:re] **I.** *tr* einweichen; **II.** *rfl:* **-arsi** weich (*o a. fig* durchweicht) werden.

ammollo [am'mɔllo] *m* Einweichen *n.*

ammoniaca [ammo'ni:aka] *f* Ammoniak *n.*

ammonimento [ammoni'mento] *m* **1.** *(rimprovero)* Vorwurf *m;* **2.** *(lezione)* Belehrung *f*, Lehre *f.*

ammonire [ammo'ni:re] ⟨ammonisco⟩ *tr* *(per avvertimento)* ermahnen; *(per rimprovero)* verweisen, rügen; *(per ammaestramento, a. dir)* belehren; *dir, amm (polizia)* verwarnen. **ammonizione** [...nit'tsi̯o:ne] *f* **1.** *(avvertimento)* Mahnung *f;* **2.** *(rimprovero)* Verweis *m*, Rüge *f;* **3.** *dir* Belehrung *f;* **4.** *(di polizia)* Verwarnung *f;* **5.** *sport* Verweis *m.*

ammontare [ammon'ta:re] **I.** *tr* ⟨*avere*⟩ aufhäufen; **II.** *itr* ⟨*essere*⟩ betragen (*a qc* etw.), sich belaufen (*a* auf *+akk*); **III.** *m* (Gesamt)betrag *m*, Summe *f.*

ammonticchiare [ammontik'ki̯a:re] ⟨ammonticchio, ammonticchi⟩ *tr* (auf)häufen.

ammorbare [ammor'ba:re] *tr* verpesten.

ammorbidente [ammorbi'dεnte] *m* Weichspüler *m*, Weichspülmittel *n.*

ammorbidire [ammorbi'di:re] ⟨ammorbidisco⟩ **I.** *tr* ⟨*avere*⟩ **1.** *(render morbido)* weich(er) machen, erweichen; **2.** *fig (sfumare)* mildern, abtönen; **II.** *itr* ⟨*essere*⟩ weich(er) werden; **III.** *rfl:* **-irsi** weich (*o fig* sanft) werden.

ammortamento [ammorta'mento] *m* **1.** *econ* Amortisierung *f;* **2.** *dir (estinzione)* Abschreibung *f*, Tilgung *f.* **ammortare** [...'ta:re] *tr* amortisieren; *(debito)* tilgen.

ammortizzare [ammortid'dza:re] *tr* **1.** *econ* amortisieren; *(debito)* tilgen; **2.** *tec* abschwächen, dämpfen.

ammortizzatore [ammortiddza'to:re] *m* Stoßdämpfer *m.*

ammucchiare [ammuk'ki̯a:re] ⟨ammucchio, ammucchi⟩ **I.** *tr* anhäufen; **II.** *rfl:* **-arsi** sich anhäufen.

ammuffire [ammuf'fi:re] ⟨ammuffisco⟩ *itr* **1.** *(prender la muffa)* (ver)schimmeln; **2.** *fig* versauern, verkümmern.

ammutinamento [ammutina'mento] *m* Meuterei *f.* **ammutinarsi** [...'narsi] *rfl* meutern.

ammutolire [ammuto'li:re] ⟨ammutolisco⟩ *itr* ⟨*essere*⟩ verstummen.

amnesia [amne'zi:a] ⟨-ie⟩ *f* Amnesie *f*, Gedächtnisschwund *m.*

amniocentesi [amni̯o'tʃεntezi] ⟨-⟩ *f* Fruchtwasseruntersuchung *f*, Amniozentese *f wissensch.* **amniotico, -a** [am'ni̯ɔ:tiko] ⟨-ci, -che⟩ *agg* amniotisch; **liquido** ~ Fruchtwasser *n.*

amnistia [amnis'ti:a] ⟨-ie⟩ *f* Amnestie *f*, Straferlaß *m.*

amo ['a:mo] *m* Angelhaken *m.*

amorale [amo'ra:le] *agg* unmoralisch.

amore [a'mo:re] *m* Liebe *f; (persona a.)* Liebste(r) *mf; fig* Schatz *m*, Engel *m;* ~

del prossimo Nächstenliebe *f;* ~ **materno** Mutterliebe *f;* **amor proprio** Eigenliebe *f;* ~ **per lo studio** Freude *f* am Lernen; **quella ragazza è un** ~ dieses Mädchen ist ein Schatz; **far l'**~ *(o* **all'**~*)* **con qu** jdn lieben, mit jdm schlafen; **lavorare con** ~ mit Hingabe arbeiten; **vivere d'**~ **e d'accordo** ein Herz und eine Seele sein; **per** ~ **di qu** aus Liebe zu jdm; *(favore)* jdm zuliebe; **per amor tuo** dir zuliebe; **per** ~ **o per forza** im Guten oder im Bösen; **per amor di Dio!** um Gottes willen!; **l'**~ **è cieco** *prov* Liebe macht blind *prov;* **il primo** ~ **non si scorda mai** *prov* alte Liebe rostet nicht *prov.* **amoreggiare** [amored'dʒa:re] ⟨amoreggio, amoreggi⟩ *itr* flirten. **amorevole** [...'re:vole] *agg* liebevoll.

amorfo, -a [a'mɔrfo] *agg* amorph, form-, gestaltlos.

amorino [amo'ri:no] *m* Putte *f.*

amoroso, -a [amo'ro:so] **I.** *agg* Liebes-; *(persona)* liebevoll; **II.** *m, f* Geliebte(r) *mf.*

amovibile [amo'vi:bile] *agg* **1.** *(oggetto)* beweglich, zu bewegen(d), entfernbar; **2.** *(persona)* versetzbar; absetzbar.

ampere [ã'pɛ:r] ⟨-⟩ *m* **(***abbr* **A)** Ampere *n.*

ampiezza [am'pi̯ettsa] *f* **1.** *(larghezza)* Weite *f;* **2.** *(estensione)* Ausdehnung *f; (spaziosità)* Geräumigkeit *f;* **3.** *fig (abbondanza)* Fülle *f,* Reichtum *m; (di spiegazione, ecc.)* Ausführlichkeit *f;* ~ **di vedute** Weitblick *m.*

ampio, -a ['ampi̯o] ⟨-i, -ie⟩ *agg* weit; *(spazioso)* geräumig; *(spiegazione)* ausführlich; *(garanzia)* weitreichend.

amplesso [am'plɛsso] *m* **1.** *(abbraccio)* Umarmung *f;* **2.** *(coito)* Beischlaf *m.*

ampliabile [ampli'a:bile] *agg inform* erweiterbar.

ampliare [ampli'a:re] ⟨amplio, amplii⟩ **I.** *tr* erweitern, ausdehnen; **II.** *rfl:* **-arsi** sich ausdehnen.

amplificare [amplifi'ka:re] ⟨amplifico, amplifichi⟩ *tr* erweitern; *tec (suono)* verstärken. **amplificatore, -trice** [...ka'to:re] **I.** *agg* verstärkend, Verstärker-; **II.** *m* Verstärker *m.*

ampolla [am'polla] *f* Fläschchen *n; med* Ampulle *f.*

ampolloso, -a [ampol'lo:so] *agg* geschwollen, schwülstig.

amputare [ampu'ta:re] *tr* amputieren. **amputazione** [...tat'tsi̯o:ne] *f* Amputation *f.*

amuleto [amu'lɛ:to *o* ...'le:to] *m* Amulett *n.*

anabbagliante [anabbaʎ'ʎante] **I.** *agg* blendfrei; **II.** *m pl* Abblendlicht *n.*

anabolizzante [anabolid'dzante] *m* Anabolikum *n.*

anacronistico, -a [anakro'nistiko] ⟨-ci, -che⟩ *agg* anachronistisch.

anagrafe [a'na:grafe] *f* **1.** *(registro)* Einwohnerverzeichnis *n; (di stato civile)* Personenstandsregister *n;* **2.** *(ufficio)* Einwohnermeldeamt *n; (di stato civile)* Standesamt *n.* **anagrafico, -a** [ana'grɑ:fiko] ⟨-ci, -che⟩ *agg* Einwohner-, Personenstands-; **registro** ~ Personenstandsregister *n;* **dati -i** Personalien *f pl.*

analcolico, -a [anal'kɔ:liko] **I.** *agg* alkoholfrei, antialkoholisch; **II.** *m* alkoholfreies Getränk.

anale [a'na:le] *agg* anal, Anal-.

analfabeta [analfa'bɛ:ta] ⟨-i *m,* -e *f*⟩ **I.** *mf* Analphabet(in) *m(f);* **II.** *agg* analphabetisch. **analfabetismo** [...be'tizmo] *m* Analphabetismus *m.*

analgesico [anal'dʒɛ:ziko] ⟨-ci⟩ *m* schmerzstillendes Mittel, Analgetikum *n.*

analisi [a'na:lizi] ⟨-⟩ *f* Analyse *f,* Untersuchung *f;* ~ **sintattica** *inform* Parsing *n;* ~ **dei sistemi** *inform* Systemanalyse *f;* **fare l'**~ **della situazione** die Situation analysieren; **essere in** ~ *psic* eine Analyse machen; **in ultima** ~ letztendlich. **analista** [ana'lista] ⟨-i *m,* -e *f*⟩ *mf* Analytiker(in) *m(f);* ~ **di mercato** Marktforscher(in) *m(f);* ~ **dei sistemi** Systemanalytiker(in) *m(f).*

analizzare [analid'dza:re] *tr* analysieren.

analogia [analo'dʒi:a] ⟨-gie⟩ *f* Analogie *f.* **analogico, -a** [...'lɔ:dʒiko] ⟨-ci, -che⟩ *agg inform* analog, Analog-; **calcolatore** ~ Analogrechner *m.* **analogo, -a** [a'na:logo] ⟨-ghi, -ghe⟩ *agg* analog.

ananas ['a:nanas *o* ana'nas] ⟨-⟩ *m* Ananas *f.*

anarchia [anar'ki:a] ⟨-chie⟩ *f* Anarchie *f.* **anarchico, -a** [a'narkiko] ⟨-ci, -che⟩ **I.** *agg* anarchisch, anarchistisch; **II.** *m, f* Anarchist(in) *m(f).*

ANAS ['a:nas] *f acr di* **Azienda Nazionale Autonoma delle Strade** *italienische Straßenaufsichtsbehörde.*

anatema [ana'tɛ:ma] ⟨-i⟩ *m* **1.** *(maledizione)* Fluch *m;* **2.** *(scomunica)* Kirchenbann *m,* Anathema *n.*

anatomia [anato'mi:a] ⟨-ie⟩ *f (a. fig)* Anatomie *f.* **anatomico, -a** [...'tɔ:miko] ⟨-ci, -che⟩ *agg* anatomisch.

anatra ['a:natra] *f* Ente *f,* Erpel *m.*

anca ['aŋka] ⟨-che⟩ *f* Hüfte *f.*

anche ['aŋke] *cong* **1.** *(pure)* auch; **2.** *(inoltre)* dazu, außerdem; **3.** *(perfino)* noch, sogar; **quand'**~ *+congv,* ~ **se** *+congv* auch *(o* selbst) wenn *+konjv;* ~ **a pregarlo non accetterebbe** selbst wenn man ihn bäte, würde er nicht einwilligen.

ancheggiare [aŋked'dʒa:re] ⟨ancheggio, ancheggi⟩ *itr* sich in den Hüften wiegen.

ancora[1] [aŋ'ko:ra] *avv* **1.** *(continuità di un'azione)* noch; **2.** *(fino ad ora)* bisher, noch; **3.** *(un'altra volta)* noch einmal;

4. *(aggiunta)* noch; **non** ~ noch nicht.
ancora² ['aŋkora] *f* Anker *m;* **essere all'~** vor Anker liegen; **gettare/levare l'~** den Anker auswerfen/lichten. **ancoraggio** [...'raddʒo] ⟨-ggi⟩ *m* **1.** *(azione)* Ankern *n;* **2.** *(luogo)* Ankerplatz *m;* **tassa d'~** Ankergeld *n.* **ancorare** [...'ra:re] **I.** *tr (a. fig)* verankern; **II.** *rfl:* **-arsi** ankern.
andamento [anda'mento] *m* **1.** *(svolgimento)* (Fort)gang *m; (a. di malattia)* Verlauf *m;* **2.** *mus* Tempo *n;* ~ **della borsa** Börsengeschehen *n,* Börsentendenz *f;* ~ **dei corsi** *fin* Kursentwicklung *f;* ~ **dei prezzi** Preistrend *m.*
andante [an'dante] **I.** *agg* **1.** *(ordinario)* gängig; *(di poco pregio)* von geringem Wert; **2.** *(corrente)* laufend; **3.** *mus* andante; **II.** *m* Andante *n.*
andare [an'da:re] ⟨vado, andai, andato⟩ **I.** *itr* ⟨*essere*⟩ **1.** *(a piedi)* gehen, laufen; **2.** *(in macchina, tram, treno, ecc.)* fahren; *(in aereo)* fliegen; **3.** *(strade)* führen; **4.** *(vestiario)* passen; **5.** *(essere di moda)* getragen werden; **6.** *(di comportamento)* vorgehen; **7.** *(funzionare)* gehen, laufen; **8.** *fig (svolgersi)* ablaufen, entwickeln; **9.** *(di gradimento)* passen, gefallen; ~ **a cavallo** reiten; ~ **all'aria** *fig* ins Wasser fallen, nicht stattfinden; ~ **a male** verderben; ~ **a mangiare** essen gehen; ~ **sul sicuro** sichergehen; ~ **su e giù** auf und ab gehen; **non ~ né su né giù** *(a. fig)* schwer im Magen liegen; ~ **a vuoto** fehlschlagen; **un giovane che andrà lontano** ein junger Mann, der es weit bringen wird; **questo libro andrà molto** dieses Buch wird sich gut verkaufen; **andiamo!** los!; **come va? - bene grazie!** wie geht es? – danke, gut!; *s. a. avanti;* **II.** *rfl:* **andarsene** weggehen, (fort)gehen; *(sparire)* verschwinden; **andarsene all'altro mondo** das Zeitliche segnen; **se ne sono andati tre milioni di lire** drei Millionen Lire sind dabei draufgegangen *fam;* **me ne vado subito** ich gehe sofort; **III.** *m* Gang *m;* **a lungo ~** auf die Dauer.
andata [an'da:ta] *f* **1.** *(atto dell'andare)* Gehen *n;* **2.** *(con mezzo di locomozione)* Hinreise *f,* -fahrt *f;* **3.** *(partenza)* Abfahrt *f;* **biglietto di (sola) andata/ di ~ e ritorno** einfache Fahrkarte/Rückfahrkarte *f;* **girone di ~** Hinrunde *f.* **andatura** [anda'tu:ra] *f* **1.** *(modo di andare)* Gang *m,* Gangart *f;* **2.** *(portamento)* Haltung *f;* **3.** *sport* Lauf *m,* Gangart *f.*
andazzo [an'dattso] *m* Unsitte *f.*
Ande ['ande] *f pl* Anden *pl.*
andirivieni [andiri'viɛ:ni] ⟨-⟩ *m* Hin und Her *n,* Kommen und Gehen *n.*
andito ['andito] *m* Flur *m,* Korridor *m,* Gang *m.*
Andorra [an'dɔrra] *f* Andorra *n.*
Andrea [an'drɛ:a] *(nome proprio maschile)* Andreas.
Andreina [andre'i:na] *(nome proprio femminile)* Andrea.
androgino, -a [an'drɔ:dʒino] *agg* androgyn.
andrologo, -a [an'drɔ:logo] ⟨-gi, -ghe⟩ *m, f* Androloge *m,* -login *f.*
androne [an'dro:ne] *m* Vorhalle *f,* Eingangshalle *f.*
aneddoto [a'nɛddoto] *m* Anekdote *f.*
anelare [ane'la:re] *itr poet fig:* ~ **a qc** etw. herbeisehnen, sich nach etw. sehnen. **anelito** [a'nɛ:lito] *m* Sehnsucht *f.*
anello [a'nɛllo] *m* Ring *m; (di catena)* Glied *n;* ~ **matrimoniale** Ehering *m;* ~ **stradale** Ring(straße *f*) *m,* Umgehungsstraße *f.*
anemia [ane'mi:a] ⟨-ie⟩ *f* Blutarmut *f,* Anämie *f.* **anemico, -a** [a'nɛ:miko] ⟨-ci, -che⟩ **I.** *agg* blutarm, anämisch; **II.** *m, f* anämischer Mensch.
anemone [a'nɛ:mone] *m* Anemone *f.*
anestesia [aneste'zi:a] ⟨-ie⟩ *f* Narkose *f,* Anästhesie *f;* ~ **generale/locale** Vollnarkose *f*/örtliche Betäubung. **anestesista** [...'zista] ⟨-i *m,* -e *f*⟩ *mf* Anästhesist(in) *m(f),* Narkosearzt *m,* -ärztin *f.* **anestetico, -a** [...'tɛ:tiko] ⟨-ci, -che⟩ **I.** *agg* anästhetisch, betäubend; **II.** *m* Betäubungsmittel *n,* Anästhetikum *n.* **anestetizzare** [...tetid'dza:re] *tr* betäuben, anästhetisieren.
aneto [a'nɛ:to *o* a'ne:to] *m* Dill *m.*
anfetamina [anfeta'mi:na] *f* Amphetamin *n.*
anfibio, -a [an'fi:bio] ⟨-i, -ie⟩ **I.** *agg* amphibisch, Amphibien-; **II.** *m* **1.** *mot* Amphibienfahrzeug *n;* **2.** *aero* Amphibienflugzeug *n;* **III.** ⟨*pl*⟩ Amphibien *f pl.*
anfiteatro [anfite'a:tro] *m* **1.** *(edificio)* Amphitheater *n;* **2.** *(aula)* Hörsaal *m.*
anfora ['anfora] *f* Amphore *f.*
anfratto [an'fratto] *m* Kluft *f,* Schlucht *f.*
angariare [aŋga'ria:re] ⟨angario, angarii⟩ *tr* unterdrücken, schinden.
angelico, -a [an'dʒɛ:liko] ⟨-ci, -che⟩ *agg* engelsgleich, Engels-.
angelo ['andʒelo] *m* Engel *m;* ~ **custode** Schutzengel *m.*
angheria [aŋge'ri:a] ⟨-ie⟩ *f* Unterdrükkung *f,* Schikane *f.*
angina [an'dʒi:na] *f* Angina *f.*
anglicano, -a [aŋgli'ka:no] **I.** *agg* anglikanisch; **II.** *m, f* Anglikaner(in) *m(f).*
angli(ci)smo [aŋ'glizmo (...i'tʃizmo)] *m* Anglizismus *m.* **anglista** [aŋ'glista] ⟨-i *m,* -e *f*⟩ *mf* Anglist(in) *m(f).* **anglistica** [aŋ'glistika] ⟨-che⟩ *f* Anglistik *f.*
anglosassone [aŋglo'sassone] **I.** *agg* angelsächsisch; **II.** *mf* Angelsachse *m,* -sächsin *f.*
angolare [aŋgo'la:re] *agg* Eck-, eckig; **pietra ~** *arch* Eckstein *m; fig* Grundstein *m.* **angolazione** [...lat'tsio:ne] *f* **1.** *film, fig* Blickwinkel *m;* **2.** *sport* Eckschuß *m.*

angoliera [ango'liɛ:ra] *f* Eckschrank *m*.

angolo ['aŋgolo] *m* **1.** *gener., sport* Ecke *f;* **2.** *(in geometria)* Winkel *m;* **3.** *(di mobile, ecc.)* Kante *f; (di fazzoletto)* Zipfel *m;* **4.** *(della bocca)* Winkel *m;* ~ **cottura** Kochnische *f;* ~ **pranzo** Eßecke *f;* **d'**~ Eck-; **calcio d'**~ Eckball *m;* **-i della bocca** Mundwinkel *m pl.* **angoloso, -a** [...'lo:so] *agg (a. fig)* eckig.

angora ['aŋgora] *f:* **d'**~ Angora-.

angoscia [aŋ'gɔʃʃa] ⟨-sce⟩ *f* **1.** *(stato di ansia)* Angst *f,* Beklemmung *f;* **2.** *med* Angstzustand *m;* **passare ore d'**~ bange Stunden verbringen. **angosciare** [aŋgoʃ-'ʃa:re] ⟨angoscio, angosci⟩ **I.** *tr* ängstigen, Angst machen *(qu* jdm); **II.** *rfl:* **-arsi** sich fürchten, sich bekümmern. **angoscioso, -a** [...'ʃo:so] *agg* beklemmend; *(attesa a.)* quälend; *(grido, ecc.)* angstvoll, angsterfüllt.

anguilla [aŋ'guilla] *f* Aal *m*.

anguria [aŋ'gu:ria] ⟨-ie⟩ *f sett* Wassermelone *f*.

angustia [aŋ'gustia] ⟨-ie⟩ *f* **1.** *(penuria)* Knappheit *f,* Enge *f;* **2.** *(preoccupazione)* Sorge *f.* **angustiare** [...'tia:re] ⟨angustio, angusti⟩ **I.** *tr* beängstigen; **II.** *rfl:* **-arsi** sich ängstigen *(per* um), bangen *(per* um).

angusto, -a [aŋ'gusto] *agg* **1.** *(stretto)* knapp, eng; **2.** *fig (meschino)* beschränkt.

anice ['a:nitʃe] *m* Anis *m*.

anima ['a:nima] *f (a. fig)* Seele *f; (nucleo centrale a.)* Innere(s) *n; tec* Kern *m;* **non c'era** ~ **viva** es war keine Menschenseele da; **render l'**~ **a Dio** seinen Geist aushauchen; **romper l'**~ **a qu** jdm auf die Nerven gehen; **la buon'**~ **di mia madre (***o* **mia madre, buon'**~**)** meine selige Mutter, meine Mutter selig.

animale [ani'ma:le] **I.** *m* **1.** *(essere animato)* Lebewesen *n;* **2.** *(bestia)* Tier *n (a. fig);* ~ **domestico** Haustier *n;* **II.** *agg* **1.** *(rel a corpo animato)* Tier-, Lebend-; **2.** *fig (corporeo)* tierisch, tierhaft. **animalesco, -a** [...ma'lesko] ⟨-schi, -sche⟩ *agg* animalisch.

animare [ani'ma:re] **I.** *tr* **1.** *(dare vita)* beleben; **2.** *fig (render più vivo)* beleben, in Schwung bringen; **3.** *fig (incoraggiare)* antreiben. **animato, -a** [...'ma:to] *agg* belebt; *fig* lebhaft; **cartoni -i** Zeichentrickfilm *m.* **animatore, -trice** [...ma'to:re] **I.** *agg* belebend; **II.** *m, f* **1.** *gener.* Initiator(in) *m(f); fig* treibende Kraft *f,* Seele *f;* **2.** *radio, TV (di giochi)* Spielleiter(in) *m(f); (di spettacolo)* Ansager(in) *m(f),* Conférencier *m; (moderatore)* Moderator(in) *m(f),* Diskussionsleiter(in) *m(f); (di villaggio turistico)* Animateur(in) *m(f);* **3.** *(di cartoni animati)* Trickfilmzeichner(in) *m(f).* **animazione** [...mat-'tsio:ne] *f* **1.** *(vivacità)* Lebhaftigkeit *f,* Leben *n;* **2.** *(folla)* Betrieb *m*.

animo ['a:nimo] *m* **1.** *(sede dei sentimenti e degli affetti)* Gemüt *n;* **2.** *(pensieri)* Gedanken *m pl,* Sinn *m;* **3.** *(coraggio)* Mut *m; (intendimento)* Absicht *f,* Wille; **stato d'**~ Gemütszustand *m,* Gemütsverfassung *f;* **di buon/mal** ~ gern/ungern; **avere in** ~ die Absicht haben; **farsi** ~ sich *(dat)* Mut machen, Mut fassen; **mettersi l'**~ **in pace** der lieben Seele Ruhe gönnen; **perdersi d'**~ den Mut verlieren; **star con l'**~ **sospeso** bangen; **toccare l'**~ ans Herz gehen.

animoso, -a [ani'mo:so] *agg* **1.** *(ostile)* feindselig; **2.** *(coraggioso)* beherzt, mutig.

anisetta [ani'zetta] *f* Anislikör *m*.

annacquare [annak'kua:re] *tr* **1.** *(diluire)* verwässern; **2.** *fig (mitigare)* (ab)mildern.

annaffiare [annaf'fia:re] ⟨annaffio, annaffi⟩ *tr* (be)wässern, (be)gießen. **annaffiatoio** [...ia'to:io] ⟨-oi⟩ *m* Gießkanne *f*.

annali [an'na:li] *m pl* Annalen *pl,* Jahrbuch *n*.

annaspare [annas'pa:re] *itr* gestikulieren, mit den Armen herumfuchteln; *fig* sich abmühen, sich abstrampeln *fam;* ~ **nel buio** *fig* im dunkeln tappen.

annata [an'na:ta] *f* **1.** *(durata)* Jahr *n,* Jahrgang *m;* **2.** *(di vino, giornale, rivista)* Jahrgang *m;* **3.** *(importo)* Jahresbeitrag *m*.

annebbiare [anneb'bia:re] ⟨annebbio, annebbi⟩ **I.** *tr* trüben; **II.** *rfl:* **-arsi 1.** *(riempirsi di nebbia)* neb(e)lig werden; **2.** *fig (offuscarsi)* sich trüben, unklar werden.

annegare [anne'ga:re] ⟨annego, anneghi⟩ **I.** *tr* ⟨*avere*⟩ ertränken, ersäufen; **II.** *itr* ⟨*essere*⟩ ertrinken; **III.** *rfl:* **-arsi** ertrinken; *(uccidersi)* sich ertränken.

annerire [anne'ri:re] ⟨annerisco⟩ **I.** *tr* ⟨*avere*⟩ schwärzen, schwarz machen; **II.** *itr* ⟨*essere*⟩ sich schwärzen, schwarz werden.

annessi [an'nɛssi] *p rem di* **annettere.**

annessione [annes'sio:ne] *f* Annexion *f*.

annesso, -a [an'nɛsso] **I.** *agg* **1.** *(adiacente)* anliegend, verbunden; **2.** *(allegato)* beigefügt, beiliegend; **3.** *pol* annektiert; **II.** *m pl* Anbauten *m pl,* Nebengebäude *n pl;* **gli -i e connessi** alles Drum und Dran *fam,* alles, was dazugehört.

annettere [an'nɛttere] ⟨annetto, annettei *o* annessi, annesso⟩ *tr* **1.** *(unire)* anbauen, anfügen; **2.** *pol* annektieren.

Annibale [an'ni:bale] *(nome proprio maschile)* Hannibal.

annichilare, annichilire [anniki'la:re, ...'li:re] ⟨annichilisco⟩ *tr* **1.** *(nullificare)* vernichten; **2.** *fig* niederschlagen; *(persona a.)* am Boden zerstören.

annidarsi [anni'darsi] *rfl* **1.** *(fare il nido)* nisten; **2.** *fig (nascondersi)* sich verbergen; **3.** *fig (albergare)* sich einnisten.

annientamento [anni̯enta'mento] *m (a. fig)* (völlige) Vernichtung *f,* Zerstörung *f.* **annientare** [...'ta:re] *tr (a. fig)* (völlig) vernichten, zerstören.

anniversario [anniver'sa:ri̯o] ⟨-i⟩ *m* Jahrestag *m,* Jubiläum *n; (compleanno)* Geburtstag *m;* ~ **di matrimonio** Hochzeitstag *m.*

anno ['anno] *m* Jahr *n;* ~ **accademico/ bisestile / civile / commerciale / fiscale /scolastico** Studien-/Schalt-/Kalender-/ Geschäfts-/Steuer-/Schuljahr *n;* **nel fior degli -i** in der Blüte des Lebens; **quanti -i hai? – ho vent'-i** wie alt bist du? – ich bin zwanzig (Jahre) (alt); **il primo/l'ultimo dell'**~ Neujahr *n*/Sylvester *m;* **per -i e -i** jahrelang; **-i fa** vor Jahren; **tre volte all'**~ dreimal im Jahr; **ogni tre -i** alle drei Jahre; **tre -i prima/dopo** drei Jahre zuvor/danach; **Buon** ~! *(augurio)* ein gutes neues Jahr!.

annodare [anno'da:re] *tr* **1.** *(stringere)* verknoten; *(cravatta)* binden; **2.** *fig* (an)knüpfen.

annoiare [anno'i̯a:re] ⟨annoio, annoi⟩ **I.** *tr* langweilen; **II.** *rfl:* **-arsi** sich langweilen.

annonario, -a [anno'na:ri̯o] ⟨-i, -ie⟩ *agg* Versorgungs-, Lebensmittel-; **tessera** (*o* **carta**) **-a** Lebensmittelkarte *f.*

annoso, -a [an'no:so] *agg* alt; *(questione, ecc. a.)* langjährig.

annotare [anno'ta:re] *tr* **1.** *(data, ecc.)* notieren, aufschreiben; **2.** *(testo, ecc.)* mit Anmerkungen versehen. **annotazione** [...tat'tsi̯o:ne] *f* **1.** *(registrazione)* Notiz *f,* Vermerk *m;* **2.** *(postilla)* Anmerkung *f.*

annottare [annot'ta:re] *itr* ⟨*essere*⟩ Nacht werden.

Annover [an'no:ver] *f* Hannover *n.*

annoverare [annove'ra:re] *tr* zählen (*tra* zu).

annuale [annu'a:le] **I.** *agg* **1.** *(di un anno)* Jahres-; *(che dura un anno)* (Ein)-jahres-, einjährig; **2.** *(di ogni anno)* jährlich; **II.** *m* Jahresfeier *f.*

annuario [annu'a:ri̯o] ⟨-i⟩ *m* Jahrbuch *n;* ~ **commerciale** Handelsadreßbuch *n.*

annuire [annu'i:re] ⟨annuisco⟩ *itr* (zustimmend) nicken, zustimmen.

annullamento [annulla'mento] *m* **1.** *(l'annullare)* Annullierung *f,* Aufhebung *f;* **2.** *amm* Entwertung *f;* **3.** *(revoca)* Zurücknahme *f,* Widerrufung *f;* **4.** *(disdetta)* Aufhebung *f;* ~ **del matrimonio** Annullierung *f* der Ehe; ~ **di un'ordinazione** Abbestellung *f.* **annullare** [...'la:re] **I.** *tr* annullieren, für nichtig erklären; *(francobolli, ecc.)* entwerten; *(revocare)* widerrufen, zurücknehmen; *(disdire)* aufheben; **II.** *rfl:* **-arsi** sich verflüchtigen.

annunciare [annun'tʃa:re] ⟨annuncio, annunci⟩ **I.** *tr* **1.** *(notizia)* bekanntgeben; **2.** *(persona in visita)* melden; **3.** *radio, TV* ansagen; **4.** *(predire)* voraussagen; **5.** *(far prevedere)* ankündigen; **II.** *rfl:* **-arsi** sich ankündigen. **annunciatore, -trice** [...tʃa'to:re] *m, f* Sprecher(in) *m(f),* Ansager(in) *m(f).* **Annunciazione** [...tʃat'tsi̯o:ne] *f* Mariä Verkündigung.

annuncio [an'nuntʃo] ⟨-ci⟩ *m* Mitteilung *f,* Meldung *f; (nel giornale)* Anzeige *f;* **mettere un** ~ **sul giornale** eine Anzeige in die Zeitung setzen; **-ci economici/ mortuari** Klein-/Todesanzeigen *f pl.*

annunziare [annun'tsi̯a:re] *ecc. v.* **annunciare** *ecc.*

annuo, -a ['annuo] *agg* Jahres-; *(pianta)* einjährig; *(che ricorre una volta all'anno)* jährlich.

annusare [annu'sa:re] *tr* **1.** *(fiutare)* schnuppern (an); *(a. animali)* beschnuppern; **2.** *fig* wittern; **3.** *sl (stupefacenti)* sniffen *sl.*

annuvolarsi [annuvo'larsi] *rfl* **1.** *(coprirsi di nuvole)* sich bewölken; **2.** *fig (in volto)* sich verdüstern.

ano ['a:no] *m* After *m,* Anus *m wissensch.*

anodino, -a [ano'di:no] *agg* **1.** *(calmante)* schmerzstillend; **2.** *fig* harmlos, unwirksam, unbedeutend.

anodizzare [anodid'dza:re] *tr chim* eloxieren.

anodo ['a:nodo] *m* Anode *f.*

anomalia [anoma'li:a] ⟨-ie⟩ *f* **1.** *med* Anomalie *f;* **2.** *(irregolarità)* Abweichung *f,* Unregelmäßigkeit *f.* **anomalo, -a** [a'nɔ:malo] *agg* **1.** *med* anomal; **2.** *(irregolare)* unregelmäßig, abweichend.

anonimo, -a [a'nɔ:nimo] **I.** *agg* anonym; **società -a** Aktiengesellschaft *f;* **Anonima sequestri** *Organisation, die Entführungen plant und durchführt,* Kidnapperbande *f;* **II.** *m* Anonymus *m,* Unbekannte(r) *mf.*

anoressia [anores'si:a] ⟨-ie⟩ *f* Appetitlosigkeit *f,* Anorexie *f wissensch.*; ~ **(nervosa)** Magersucht *f.*

anormale [anor'ma:le] **I.** *agg* **1.** *(irregolare)* abnorm, anormal, unnormal; **2.** *med* anomal, krankhaft; **II.** *mf* **1.** *med* Anormale(r) *mf;* **2.** *fig (omosessuale)* Homosexuelle(r) *mf.* **anormalità** [...mali'ta] *f* Normabweichung *f,* Abnormität *f.*

ansa ['ansa] *f* **1.** *(di vaso)* Henkel *m,* Griff *m;* **2.** *(di fiume)* Flußschleife *f.*

A.N.S.A. ['ansa] *f acr di* **Agenzia Nazionale Stampa Associata** *italienische Presseagentur.*

ansia ['ansi̯a] ⟨-ie⟩, **ansietà** [ansi̯e'ta] ⟨-⟩ *f* Beklemmung *f,* Furcht *f.*

ansimare [ansi'ma:re] *itr* keuchen, ächzen.

ansioso, -a [an'si̯o:so] *agg* begierig, ungeduldig.

anta ['anta] *f* Tür *f.*

antagonismo [antago'nizmo] *m* Antagonismus *m.* **antagonista** [...'nista] ⟨-i *m*, -e *f*⟩ *mf* Antagonist(in) *m(f)*, Gegner(in) *m(f)*.

antalgico, -a [an'taldʒiko] ⟨-ci, -che⟩ **I.** *agg* schmerzstillend, analgetisch; **II.** *m* schmerzstillendes Mittel, Analgetikum *n*.

antartico, -a [an'tartiko] **I.** *agg* antarktisch; **II.** *m* Antarktis *f*. **Antartide** [an'tartide] *f* Antarktis *f*.

antecedente [antetʃe'dɛnte] **I.** *agg* vorig, vorhergehend; **II.** *m* Vorhergehende(s) *n*; **-i** *fig* Vorgeschichte *f*.

antefatto [ante'fatto] *m* Vorgeschichte *f*.

anteguerra [-'gu̯ɛrra] **I.** ⟨*inv*⟩ *agg* Vorkriegs-; **II.** *m* Vorkriegszeit *f*.

antenato, -a [-'na:to] *m*, *f* Vorfahr(in) *m(f)*, Ahn *m*, Ahne *mf*.

antenna [an'tenna] *f* **1.** *radio* Antenne *f*; **2.** *zoo* Fühler *m*; **3.** *naut* Rahe *f*; ~ **direzionale** Richtantenne *f*; ~ **telescopica** Teleskopantenne *f*.

anteporre [-'porre] ⟨*irr*⟩ *tr* **1.** *gener.* vor(-aus)stellen; *(fig a.)* voranstellen; **2.** *(preferire)* vorziehen.

anteprima [-'pri:ma] *f* Voraufführung *f*.

anteriore [ante'ri̯o:re] *agg* **1.** *(davanti)* vordere(r, s), Vorder-; **2.** *(precedente)* vorhergehend.

anti- [anti-] *(in parole composte)* anti-, Anti-, gegen-, Gegen-; *(non . . .)* nicht(-), Nicht-. **antiabortista** [-abor'tista] ⟨-i *m*, -e *f*⟩ Abtreibungsgegner(in) *m(f)*. **antiaereo, -a** [-a'ɛ:reo] *agg* Flugabwehr-. **antiatomico, -a** [-a'tɔ:miko] *agg* atombombensicher; **rifugio** ~ Atom(schutz)-bunker *m*. **antiautoritario, -a** [-autori'ta:ri̯o] ⟨-i, -ie⟩ *agg* antiautoritär. **antibiotico, -a** [-bi'ɔ:tiko] ⟨-ci, -che⟩ **I.** *agg* antibiotisch; **II.** *m* Antibiotikum *n*. **antibloccaggio** [-blok'kaddʒo], **antiblocco** ⟨*inv*⟩ *agg*: **sistema** ~ Anti-Blockier-System *n* (*abk* ABS). **anticamera** [-'ka:mera] *f* Vorzimmer *n*; **fare** ~ (im Vorzimmer) warten; **non mi passa neppure per l'~ del cervello** *fam* daran denke ich nicht mal im Traum. **anticancro** [-'kaŋkro] ⟨*inv*⟩ *agg*: **centro** ~ Krebsforschungszentrum *n*. **anticarie** [-'ka:ri̯e] ⟨*inv*⟩ *agg* karieshemmend.

antichità [antiki'ta] ⟨-⟩ *f* **1.** *(qualità)* Altertümlichkeit *f*; **2.** *(età)* Altertum *n*, Antike *f*; **3.** *(oggetto)* Antiquität *f*.

anticiclone [-tʃi'klo:ne] *m* Antizyklone *f*, Hochdruckgebiet *n*.

anticipare [antitʃi'pa:re] *tr* **1.** *(azione)* vorziehen, vorverlegen; **2.** *(notizia)* im voraus bekanntgeben, vorwegnehmen; **3.** *(somma)* vorstrecken; **4.** *(fare in anticipo)* vorwegnehmen. **anticipatamente** [...pata'mente] *avv* im voraus. **anticipato ,-a** [...'pa:to] *agg* vorzeitig; **pagamento** ~ Vorauskasse *f*, Vorauszahlung *f*. **anticipazione** [...pat'tsi̯o:ne] *f* Vorwegnahme *f*; *(di azione)* Vorverlegung *f*; *fin* Voraus(be)zahlung *f*.

anticipo [an'ti:tʃipo] *m* **1.** *(somma)* Vorschuß *m*; **2.** *(caparra)* Vorauszahlung *f*, Anzahlung *f*; **in** ~ im voraus; *(troppo presto)* zu früh.

anticlericale [antikleri'ka:le] *agg* antiklerikal, kirchenfeindlich.

antico, -a [an'ti:ko] ⟨-chi, -che⟩ **I.** *agg* alt; *st* antik; **storia -a** Geschichte *f* des Altertums; **II.** *m* Alte(s) *n*, Antike(s) *n*; **III.** *m pl*: **gli -chi** die Alten *pl*, die Vorfahren *m pl*.

anticoncezionale [-kontʃettsi̯o'na:le] **I.** *agg* empfängnisverhütend, antikonzeptionell *wissensch*; **II.** *m* Verhütungsmittel *n*. **anticonformismo** [-konfor'mizmo] *m* Nonkonformismus *m*. **anticonformista** [...'mista] **I.** *agg* nonkonformistisch; **II.** *mf* Nonkonformist(in) *m(f)*. **anticongelante** [-kondʒe'lante] **I.** *agg* Gefrierschutz-; **II.** *m* Gefrierschutzmittel *n*. **anticongiunturale** [-kondʒuntu'ra:le] *agg* konjunkturdämpfend, konjunkturabschwächend. **anticorpo** [-'kɔrpo] *m* Antikörper *m*, Abwehrstoff *m*. **anticorrosivo, -a** [-korro'zi:vo] **I.** *agg* korrosionsfest, korrosionsbeständig; **II.** *m* Korrosionsschutz *m*. **anticostituzionale** [-kostituttsi̯o'na:le] *agg* verfassungswidrig. **anticrisi** [-'kri:zi] ⟨*inv*⟩ *agg*: **piano** ~ Antikrisenplan *m*. **anticristo** [-'kristo] *m* Antichrist *m*. **anticrittogamico, -a** [-kritto'ga:miko] ⟨-ci, -che⟩ **I.** *agg* Pflanzenschutz-; **II.** *m* Pflanzenschutzmittel *n*. **antideflagrante** [-defla'grante] *agg* explosionssicher, -geschützt; **protezione** ~ Explosionsschutz *m*. **antidepressivo** *m med* Antidepressivum *n*.

antidiluviano, -a [-dilu'vi̯a:no] *agg (a. fig)* vorsintflutlich.

antidoping [-'doupiŋ] ⟨*inv*⟩ *m* Dopingkontrolle *f*.

antidoto [an'ti:doto] *m* Gegengift *n*; *(a. fig)* Gegenmittel *n*.

antiestetico, -a *agg* unästhetisch, unschön.

antifascista [antifaʃ'ʃista] ⟨-i *m*, -e *f*⟩ **I.** *agg* antifaschistisch; **II.** *mf* Antifaschist(in) *m(f)*.

antifona [an'ti:fona] *f* Wechselgesang *m*, Antiphon *f*; **capire l'~** den Hinweis verstehen.

antiforfora ⟨*inv*⟩ *agg* gegen Schuppen, Antischuppen-.

antifumo [-'fu:mo] ⟨*inv*⟩ *agg*: **campagna** ~ Kampagne *f* gegen das Rauchen.

antifurto [-'furto] **I.** ⟨*inv*⟩ *agg* diebstahlsicher; **II.** ⟨-⟩ *m* Diebstahlsicherung *f*. **antigas** [-'gas] ⟨*inv*⟩ *agg* gegen Gas (schützend); **maschera** ~ Gasmaske *f*. **antigelo** [-'dʒɛ:lo] **I.** ⟨*inv*⟩ *agg* Frostschutz-; **II.** ⟨-⟩ *m* Frostschutzmittel *n*. **antigovernativo, -a** [-governa'ti:vo] *agg* regierungsfeindlich. **antigraffio** [-'graffi̯o] ⟨*inv*⟩ *agg* kratzfest.

Antille [an'tille] *f pl* Antillen *pl.*
antilope [an'ti:lope] *f* Antilope *f.*
antimafia [anti'mɑ:fi̯a] **I.** ⟨*inv*⟩ *agg* Antimafia-; **II.** ⟨-⟩ *f (commissione)* Mafia-Untersuchungsausschuß *m.*
antincendio [antin'tʃɛndi̯o] **I.** ⟨*inv*⟩ *agg* Feuerschutz-; **II.** ⟨-⟩ *m* Löschschaum *m.*
antinebbia [-'nebbi̯a] **I.** ⟨*inv*⟩ *agg* gegen den Nebel; **fari** ~ Nebelscheinwerfer *m pl;* **II.** ⟨-⟩ *m* Nebelscheinwerfer *m.* **antineve** [-'neve] ⟨*inv*⟩ *agg* gegen Schnee; **catene** ~ Schneeketten *f pl.* **antinfluenzale** [antinflu'ɛntsale] *agg* Grippeschutz-; **vaccinazione** ~ Grippeschutzimpfung *f.* **antinfortunistico, -a** [antinfortu'nistiko] ⟨-ci, -che⟩ *agg* Unfallverhütungs-. **antinquinamento** [antiŋku̯ina'mento] ⟨*inv*⟩ *agg* Umweltschutz-; **misure** ~ Umweltschutzmaßnahmen *f pl.* **antinucleare** [-nukle'ɑ:re] *agg* **1.** *(contro armi nucleari)* Anti-Atomwaffen-; **2.** *(contro centrali nucleari)* Anti-Atomkraft-. **antinuclearista** [-nuklea'rista] ⟨-i *m,* -e *f*⟩ *mf* **1.** *(contro armi nucleari)* Atomwaffengegner(in) *m(f);* **2.** *(contro centrali nucleari)* Kernkraftgegner(in) *m(f).* **antiorario, -a** [-o'ra:ri̯o] *agg* gegen den Uhrzeigersinn. **antipapa** [-'pa:pa] *m* Gegenpapst *m.*
antipasto [-'pasto] *m* Vorspeise *f.*
antipatia [-pa'ti:a] ⟨-ie⟩ *f* Antipathie *f,* Abneigung *f.* **antipatico, -a** [-'pa:tiko] ⟨-ci, -che⟩ **I.** *agg* unsympathisch; **II.** *m, f* unsympathischer Mensch.
antipodi [an'ti:podi] *m pl* Antipoden *m pl.*
antipolvere [anti'polvere] ⟨*inv*⟩ *agg* Staubschutz-. **antiproiettile** [-pro'i̯ɛttile] ⟨*inv*⟩ *agg* kugelsicher. **antiquariato** [antiku̯a'ri̯a:to] *m* **1.** *(commercio)* Antiquitätenhandel *m;* **2.** *(raccolta)* Antiquitätensammlung *f.* **antiquario, -a** [...'ku̯a:ri̯o] ⟨-i, -ie⟩ **I.** *agg* antiquarisch, Antiquitäten-; *(libreria)* Antiquariats-; **II.** *m, f* Antiquitätenhändler(in) *m(f).*
antiquato, -a [anti'ku̯a:to] *agg* antiquiert, veraltet.
antirazzista [antirat'tsista] ⟨-i *m,* -e *f*⟩ **I.** *agg* antirassistisch; **II.** *mf* Rassismusgegner(in) *m(f).* **antiriflesso** [-ri'flɛsso] ⟨*inv*⟩ *agg (antiriflettente)* entspiegelt, spiegelfrei; *(lente)* vergütet. **antiriformista** [-rifor'mista] ⟨-i *m,* -e *f*⟩ **I.** *agg* reformfeindlich; **II.** *mf* Reformgegner(in) *m(f).* **antiruggine** [-'ruddʒine] **I.** ⟨*inv*⟩ *agg* Rostschutz-; **II.** ⟨-⟩ *m* Rostschutzmittel *n.* **antirughe** [-'ru:ge] ⟨*inv*⟩ *agg* gegen Falten(bildung). **antiscasso** [-'skasso] ⟨*inv*⟩ *agg* einbruch(s)sicher. **antiscoppio** [-'skɔppi̯o] ⟨*inv*⟩ *agg* berstfest. **antisdrucciolevole** [-zdruttʃo'le:vole] *agg* rutschfest, Gleitschutz-; *(pneumatico)* griffig. **antisettico, -a** [-'sɛttiko] **I.** *agg* antiseptisch; **II.** *m* Antiseptikum *n.* **antisismico, -a** [-'sizmiko] ⟨-ci, -che⟩ *agg* erdbebensicher. **antislittamento** [-zlitta'mento] ⟨*inv*⟩ *agg mot, ferr:* **dispositivo** ~ Antiblockier-, Gleitschutzeinrichtung *f.* **antistaminico** [antista'mi:niko] ⟨-ci⟩ *m med* Antihistaminikum *n.* **antistatico, -a** [-s'tɑ:tiko] ⟨-ci, -che⟩ *agg* antistatisch. **antiterrorismo** [-terro'rizmo] ⟨*inv*⟩ *agg* Antiterror-.
antitesi [an'ti:tezi] *f* **1.** *filos* Antithese *f;* **2.** *(contrasto)* Gegensatz *m.*
antitetanica [antite'tɑ:nika] ⟨-che⟩ *f* Tetanusschutzimpfung *f.*
antiurto [-'urto] ⟨*inv*⟩ *agg* stoßfest.
antologia [antolo'dʒi:a] ⟨-gie⟩ *f* Anthologie *f.*
Antonino, Antonio [anto'ni:no, an'tɔ:ni̯o] *(nome proprio maschile)* Anton, Antonius.
antracite [antra'tʃi:te] **I.** ⟨*inv*⟩ *agg* anthrazit(farben); **II.** *f* Anthrazit *m.*
antro ['antro] *m* **1.** *(caverna)* Höhle *f;* **2.** *fig peg* Loch *n.*
antropofago, -a [antro'pɔ:fago] ⟨-gi, -ghe⟩ **I.** *agg* menschenfressend; **II.** *m, f* Menschenfresser(in) *m(f).* **antropologia** [...polo'dʒi:a] ⟨-gie⟩ *f* Anthropologie *f.* **antropologo, -a** [...'pɔ:logo] ⟨-gi, -ghe⟩ *m, f* Anthropologe *m,* -login *f.*
anulare [anu'la:re] **I.** *agg* ringförmig, Ring-; **II.** *m* Ringfinger *m.*
Anversa [an'vɛrsa] *f* Antwerpen *n.*
anzi ['antsi] *avv* **1.** *(invece)* im Gegenteil, sogar; **2.** *(ancor di più)* sogar, ja; **3.** *(o meglio)* besser noch.
anzianità [antsi̯ani'ta] ⟨-⟩ *f* Alter *n; amm* Dienstalter *n.* **anziano, -a** [an'tsi̯a:no] **I.** *agg* alt; *amm* dienstalt; **II.** *m, f* Alte(r) *mf.*
anziché, anzi che [antsi'ke] *cong* **1.** *(invece di)* statt zu; **2.** *(piuttosto che)* eher als, besser als, lieber als.
anzitempo [-'tɛmpo] *avv* vorzeitig.
anzitutto [-'tutto] *avv* vor allem, zunächst.
aorta [a'ɔrta] *f* Aorta *f,* Hauptschlagader *f.*
apartheid [a'parthɛit] ⟨-⟩ *f* Apartheid *f,* Rassentrennung *f.*
apartitico, -a [apar'ti:tiko] ⟨-ci, -che⟩ *agg* parteilos.
apatia [apa'ti:a] ⟨-ie⟩ *f* Apathie *f.* **apatico, -a** [a'pa:tiko] ⟨-ci, -che⟩ *agg* apathisch.
ape ['a:pe] *f* Biene *f.*
aperitivo [aperi'ti:vo] *m* Aperitif *m.*
apersi [a'pɛrsi] *p rem di* **aprire.**
aperto, -a [a'pɛrto] **I.** *pp di* **aprire; II.** *agg (a. fig)* offen; *(mentalità)* aufgeschlossen; **problema** ~ offene Frage, ungelöstes Problem; **in -a campagna** auf freiem Feld; **in mare** ~ auf offenem Meer; **III.** *m* Freie(s) *n;* **all'**~ im Freien.
apertura [aper'tu:ra] *f* **1.** *(azione)* Öffnen *n,* Öffnung *f; fig (di un conto, ecc.)* Eröffnung *f;* **2.** *(inizio)* Eröffnung *f,* Beginn *m;* **3.** *fig* Offenheit *f,* Aufgeschlossenheit

f; ~ **delle scuole** Schulbeginn *m;* ~ **d'ali** (*o* **alare)** Flügelspannweite *f.*

A.P.I. ['a:pi] *f acr di* **Anonima Petroli Italiana** *italienische Mineralölverwaltung.*

apice ['a:pitʃe] *m* **1.** *(culmine)* Gipfel *m; (fig a.)* Höhepunkt *m;* **2.** *anat, bot* Spitze *f.*

apicoltore, -trice [apikol'to:re] *m, f* Imker(in) *m(f).* **apicoltura** [...'tu:ra] *f* Bienenzucht *f.*

apnea [ap'nɛ:a] *f:* **in** ~ ohne Sauerstoffgerät.

apocalisse [apoka'lisse] *f* Apokalypse *f.* **apocalittico, -a** [...'littiko] ⟨-ci, -che⟩ *agg* apokalyptisch; **atmosfera -a** *fig* Weltuntergangsstimmung *f.*

apolide [a'pɔ:lide] **I.** *agg* staatenlos; **II.** *mf* Staatenlose(r) *mf.*

apolitico, -a [apo'li:tiko] *agg* unpolitisch.

Apollo [a'pɔllo] *m* Apoll *m.*

apoplettico, -a [apo'plɛttiko] ⟨-ci, -che⟩ **I.** *agg* apoplektisch; **colpo** ~ Schlaganfall *m;* **II.** *m, f* Apoplektiker(in) *m(f).*

apostolico, -a [apos'tɔ:liko] ⟨-ci, -che⟩ *agg* apostolisch.

apostolo [a'pɔstolo] *m* Apostel *m.*

apostrofare[1] [apostro'fa:re] **I.** *tr* anreden; *(con rigore)* anfahren, anherrschen; **II.** *itr* wettern.

apostrofare[2] [apostro'fa:re] *tr gram* apostrophieren.

apostrofo [a'pɔstrofo] *m* Apostroph *m.*

appagamento [appaga'mento] *m* Befriedigung *f.* **appagare** [...'ga:re] **I.** *tr* befriedigen; **II.** *rfl:* **-arsi** sich begnügen (*di* mit), sich zufriedengeben (*di* mit).

appaiare [appa'ja:re] ⟨appaio, appai⟩ **I.** *tr* paaren; **II.** *rfl:* **-arsi** sich paaren.

appaio [ap'pa:jo] *pr di* **apparire, appaiare.**

appallottolare [appallotto'la:re] **I.** *tr* zusammenballen; **II.** *rfl:* **-arsi 1.** *(che forma grumi)* klumpen; **2.** *(animali)* sich zusammenrollen.

appaltare [appal'ta:re] *tr* **1.** *(dare in appalto)* als Auftrag vergeben, eine Konzession geben für; **2.** *(prendere in appalto)* als Auftrag annehmen. **appalto** [ap'palto] *m* Auftragserteilung *f,* Konzession *f;* **dare/prendere in** ~ als Auftrag vergeben/annehmen.

appannaggio [appan'naddʒo] ⟨-ggi⟩ *m* **1.** *pol* Apanage *f;* **2.** *fig (prerogativa)* Vorzug *m,* Vergünstigung *f.*

appannare [appan'na:re] **I.** *tr* **1.** *(offuscare)* trüben, beschlagen lassen; **2.** *fig* trüben; **II.** *rfl:* **-arsi** sich trüben, beschlagen.

apparato [appa'ra:to] *m* **1.** *(per manifestazioni)* Aufmachung *f,* Ausstattung *f;* **2.** *fig, mil* Aufwand *m;* **3.** *tec, anat, letter, amm* Apparat *m;* ~ **circolatorio** Gefäßsystem *n;* ~ **scenico** Inszenierung *f.*

apparecchiare [apparek'kja:re] ⟨apparecchio, apparecchi⟩ *tr* (vor)bereiten, herrichten; *(tavola)* decken. **apparecchiatura** [...ja'tu:ra] *f* Apparatur *f,* Vorrichtung *f; (strumento)* Einrichtung *f.*

apparecchio [appa'rekkjo] ⟨-cchi⟩ *m* **1.** *tec* Apparat *m,* Gerät *n;* **2.** *aero* Flugzeug *n.*

apparente [appa'rɛnte] *agg* scheinbar, anscheinend. **apparenza** [...'rɛntsa] *f* (An)schein *m; (aspetto)* Äußere(s) *n,* Aussehen *n,* Erscheinung *f;* **salvare le -e** den Schein wahren; **l'**~ **inganna** der Schein trügt; **in** ~ dem Anschein nach.

apparire [...'ri:re] ⟨appaio *o* apparisco, apparvi *o* apparii *o* apparsi, apparso⟩ *itr* ⟨*essere*⟩ **1.** *(presentarsi)* erscheinen; **1.** *(risultare)* offenbar werden; **2.** *(sembrare)* scheinen. **appariscente** [...riʃ'ʃɛnte] *agg* auffallend, auffällig.

apparizione [...rit'tsjo:ne] *f* Erscheinen *n; (visione)* Erscheinung *f.*

apparsi [ap'parsi] *p rem di* **apparire.**

apparso [ap'parso] *pp di* **apparire.**

appartamento [apparta'mento] *m* (*abbr* **app.**) Wohnung *f.*

appartarsi [appar'tarsi] *rfl* sich zurückziehen, sich absondern.

appartenenza [apparte'nɛntsa] *f* Zugehörigkeit *f.* **appartenere** [...'ne:re] ⟨*irr*⟩ *itr* ⟨*essere o avere*⟩ **1.** *(essere di proprietà)* gehören; **2.** *(far parte)* angehören, zugehören; **3.** *(spettare)* zustehen.

apparvi [ap'parvi] *p rem di* **apparire.**

appassionare [appassjo'na:re] **I.** *tr* begeistern; *(commuovere)* rühren; **II.** *rfl:* **-arsi** sich begeistern (*a* für); *(commuoversi)* gerührt sein (*a* von). **appassionato, -a** [...'na:to] **I.** *agg* leidenschaftlich, begeistert; **II.** *m, f* Fan *m,* Liebhaber(in) *m(f).*

appassire [appas'si:re] ⟨appassisco⟩ *itr* ⟨*essere*⟩ (ver)welken.

appellare [appel'la:re] **I.** *tr* anreden; *dir* anfechten, Berufung einlegen (*contro* gegen); **II.** *rfl:* **-arsi** appellieren (*a* an +*akk*); *dir* in (die) Berufung gehen, Berufung einlegen (*contro* gegen). **appellativo** [...la'ti:vo] *m* Name *m,* Anrede *f.*

appello [ap'pɛllo] *m* **1.** *(chiamata)* Appell *m; (per nome)* Aufruf *m;* **2.** *(invocazione)* Appell *m,* Aufruf *m;* **3.** *(di esami universitari)* Examenstermin *m;* **4.** *dir* Appellation *f,* Berufung *f;* **ricorrere in** ~ in (die) Berufung gehen; **fare** ~ **a qc** an etw. *(akk)* appellieren.

appena [ap'pe:na] **I.** *avv* **1.** *(a stento)* gerade noch, kaum; **2.** *(soltanto, da poco)* gerade erst, kaum; **sono** ~ **le dieci** es ist gerade erst zehn Uhr; **II.** *cong* sobald, sowie.

appendere [ap'pɛndere] ⟨appendo, appesi, appeso⟩ **I.** *tr* aufhängen; **II.** *rfl:* **-ersi** sich festhalten; *(al braccio)* sich einhängen.

appendice [appen'di:tʃe] *f* **1.** *(aggiunta,*

abbr **app.**) Anhang *m,* Zusatz *m;* **2.** *(nei giornali)* Feuilleton *n;* **3.** *anat* Blinddarm *m.* **appendicectomia** [...ditʃekto'mi:a] *f* Blinddarmoperation *f.* **appendicite** [...di'tʃi:te] *f* Blinddarmentzündung *f;* **fare** ~ *fam* am Blinddarm operiert werden.

Appennino [appen'ni:no] *m* Apennin *m;* **gli -i** die Apenninen.

appesantire [appesan'ti:re] ⟨appesantisco⟩ **I.** *tr* beschweren, schwer machen; *fig* belasten; **II.** *rfl:* **-irsi** sich schwer machen, schwer werden.

appesi [ap'pe:si] *p rem di* **appendere.**

appeso [ap'pe:so] *pp di* **appendere.**

appetito [appe'ti:to] *m* **1.** *(di cibo)* Appetit *m;* **2.** *fig* Verlangen *n,* Durst *m,* Hunger *m;* **buon** ~! guten Appetit!; **l'**~ **vien mangiando** *prov* der Appetit kommt beim Essen *prov.* **appetitoso, -a** [...ti'to:so] *agg* appetitanregend; *(a. fig)* appetitlich.

appezzamento [appettsa'mento] *m* Grundstück *n.*

appianamento [appiana'mento] *m* Ausgleich *m; (di lite)* Beilegung *f.* **appianare** [...'na:re] *tr* **1.** *(terreno)* (ein)ebnen; **2.** *fig* ausgleichen; *(lite)* beilegen.

appiattarsi [appiat'tarsi] *rfl* sich verstekken.

appiattire [appiat'ti:re] ⟨appiattisco⟩ **I.** *tr* abflachen; **II.** *rfl:* **-irsi 1.** *(divenire piatto)* flach werden; **2.** *(farsi piatto)* sich ducken, sich flach machen.

appiccicare [appittʃi'ka:re] ⟨appiccico, appiccichi⟩ **I.** *tr* **1.** *(attaccare)* anheften, ankleben; **2.** *(attribuire)* anhängen; **II.** *rfl:* **-arsi** kleben; *(fig a.)* sich (an)hängen. **appiccicaticcio, -a** [...ka'tittʃo] ⟨-cci, -cce⟩, **appiccicoso, -a** [...'ko:so] *agg* **1.** *(cosa)* klebrig; **2.** *fig (persona)* lästig, aufdringlich.

appieno [ap'piɛ:no] *avv* völlig, vollkommen.

appigliarsi [appiʎ'ʎarsi] *rfl* **1.** *(afferrarsi)* sich festhalten; **2.** *fig* sich halten (*a* an +*akk*), sich klammern (*a* an +*akk*). **appiglio** [ap'piʎʎo] ⟨-gli⟩ *m* **1.** *(sostegno)* Halt *m,* Stützpunkt *m;* **2.** *fig (pretesto)* Vorwand *m,* Aufhänger *m.*

appiombo [ap'piombo] **I.** *m* Lot *n,* lotrechter Fall; **II.** *avv* lotrecht.

appioppare [appiop'pa:re] *tr* aufbrummen *fam,* andrehen *fam; (schiaffo)* versetzen, verpassen *fam;* ~ **una multa a qu** jdn zu einer Geldstrafe verdonnern *fam.*

appisolarsi [appizo'larsi] *rfl* einnicken.

applaudire [applau'di:re] ⟨applaudo *o* applaudisco⟩ *tr, itr* **1.** *(battere le mani)* applaudieren (*qu* jdm), Beifall spenden (*qu* jdm); **2.** *(approvare)* begrüßen (*a qc* etw.).

applauso [ap'pla:uzo] *m* Applaus *m,* Beifall *m.*

applicare [appli'ka:re] ⟨applico, applichi⟩ **I.** *tr* **1.** *(attaccare)* applizieren, anbringen; *(con colla)* aufkleben; **2.** *(far pagare)* auferlegen; **3.** *(mettere in atto)* anwenden; **II.** *rfl:* **-arsi** sich widmen. **applicativo, -a** [...ka'ti:vo] *agg* Anwendungs-; **programma** (*o* **software**) ~ Anwendungsprogramm *n.* **applicazione** [...kat'tsio:ne] *f* **1.** *(l'applicare)* Anbringung *f; (l'utilizzare)* Anwendung *f;* **2.** *(cura)* Eifer *m;* **-i tecniche** Werkunterricht *m.*

applique [a'plik] ⟨-⟩ *f* Wandleuchter *m.*

appoggiare [appod'dʒa:re] ⟨appoggio, appoggi⟩ **I.** *tr* **1.** *(posare)* (ab)stellen, (ab)legen; **2.** *(accostare)* anlehnen; **3.** *fig (sostenere)* unterstützen; **II.** *rfl:* **-arsi 1.** *(sostenersi)* sich anlehnen (*a* an), sich stützen (*a* auf); **2.** *fig (ricorrere)* sich stützen (*a* auf). **appoggiatesta** [...dʒa'tɛsta] ⟨-⟩ *m* Kopfstütze *f.*

appoggio [ap'pɔddʒo] ⟨-ggi⟩ *m* **1.** *(sostegno)* Stütze *f,* Halt *m;* **2.** *fig (aiuto)* Stütze *f,* Unterstützung *f.*

appollaiarsi [appolla'iarsi] ⟨mi appollaio, ti appollai⟩ *rfl* (nieder)kauern, hocken.

apporre [ap'porre] ⟨*irr*⟩ *tr* anbringen, hinzufügen.

apportare [appor'ta:re] *tr* **1.** *(portare)* beitragen, hinzufügen, bringen; **2.** *fig (causare)* mit sich *(dat)* bringen, verursachen. **apporto** [ap'pɔrto] *m* **1.** *(conferimento)* Zufuhr *f; (di persona)* Einführung *f;* **2.** *(contributo)* Beitrag *m.*

appositamente [appozita'mente] *avv* eigens. **apposito, -a** [ap'pɔ:zito] *agg* eigen, geeignet, besonders bestimmt.

apposizione [appozit'tsio:ne] *f* **1.** *dir:* ~ **della firma** Unterzeichnung *f;* **2.** *gram* Apposition *f.*

apposta [ap'pɔsta] **I.** *avv* mit Absicht, absichtlich; **II.** ⟨*inv*⟩ *agg* extra, eigen.

appostare [appos'ta:re] **I.** *tr* auflauern (*qu/qc* jdm/einer S. *dat*); **II.** *rfl:* **-arsi** Stellung beziehen, sich auf die Lauer legen.

apprendere [ap'prɛndere] ⟨*irr*⟩ *tr* **1.** *(imparare)* (er)lernen; **2.** *(venire a sapere)* erfahren. **apprendimento** [apprendi'mento] *m* Lernen *n;* Erfahren *n.*

apprendista [appren'dista] ⟨-i *m,* -e *f*⟩ *mf* Lehrling *m,* Auszubildende(r) *mf.* **apprendistato** [...'ta:to] *m* **1.** *(condizione)* Lehre *f;* **2.** *(periodo)* Lehrzeit *f.*

apprensione [appren'sio:ne] *f* Furcht *f,* Besorgnis *f.* **apprensivo, -a** [...'si:vo] *agg* ängstlich, furchtsam.

appresso [ap'prɛsso] **I.** *avv* **1.** *(vicino)* daneben, nahe bei; **2.** *(più tardi)* nachfolgend; **II.** *prp (stato)* neben +*dat,* bei +*dat; (moto)* neben +*akk;* **III.** ⟨*inv*⟩ *agg* folgend.

appretto [ap'prɛtto] *m* Appretur *f;* **dare l'**~ **a qc** etw. *(akk)* appretieren.

apprezzabile [appret'tsa:bile] *agg* bemerkenswert; *(somma, capitale a.)* nen-

nenswert, beträchtlich.
apprezzamento [apprettsa'mento] *m* Wertschätzung *f,* Ansehen *n.* **apprezzare** [...'tsa:re] *tr* würdigen, zu schätzen wissen.
approccio [ap'prɔttʃo] ⟨-cci⟩ *m* **1.** *(avvicinamento)* Annäherung(sversuch *m*) *f;* **2.** *(metodo)* Ansatz *m.*
approdare [appro'da:re] *itr* ⟨*essere o avere*⟩ anlegen, landen. **approdo** [ap'prɔ:do] *m* **1.** *(manovra)* Landung *f;* **2.** *(luogo)* Landungsplatz *m.*
approfittare [approfit'ta:re] *itr, rfl:* **-arsi** (aus)nutzen (*di qc* etw. *akk*).
approfondimento [approfondi'mento] *m* Vertiefung *f.* **approfondire** [...'di:re] ⟨approfondisco⟩ **I.** *tr* **1.** vertiefen, tiefer machen; **2.** *fig* genau prüfen, eingehend untersuchen; **II.** *rfl:* **-irsi** sich vertiefen.
approntare [appron'ta:re] *tr* bereitstellen; *mil* rüsten.
appropriarsi [appro'pri̯arsi] ⟨mi approprio, ti appropri⟩ *rfl:* ~ **(di) qc** sich *(dat)* etw. aneignen.
appropriato, -a [appro'pri̯a:to] *agg* geeignet; *(termine a.)* treffend.
appropriazione [appropri̯at'tsi̯o:ne] *f* Aneignung *f;* ~ **indebita** *dir* Unterschlagung *f.*
approssimarsi [approssi'marsi] *rfl* sich (an)nähern (*a* an). **approssimativo, -a** [...ma'ti:vo] *agg* annähernd, ungefähr. **approssimazione** [...mat'tsi̯o:ne] *f* Annäherung *f; mat* Näherungswert *m;* **per** ~ annähernd.
approvare [appro'va:re] *tr* **1.** *(giudicare buono)* billigen, gutheißen; **2.** *(candidato, ecc.)* bestehen lassen, annehmen; **3.** *(ratificare)* annehmen. **approvazione** [...vat'tsi̯o:ne] *f* Billigung *f,* Anerkennung *f.*
approvvigionamento [approvvidʒona'mento] *m* Versorgung *f,* Verpflegung *f,* Proviant *m; (provvista)* Vorrat *m;* **-i** *mil* Verproviantierung *f.* **approvvigionare** [...'na:re] *tr* versorgen; *mil* verproviantieren.
appuntamento [appunta'mento] *m* Verabredung *f,* Treffen *n; (d'affari, dal medico)* Termin *m;* **previo** ~ nach vorheriger Vereinbarung *f;* **darsi** ~ sich verabreden.
appuntare [appun'ta:re] *tr* **1.** *(lapis)* (an)spitzen; **2.** *(decorazione)* anheften; **3.** *(appunti)* notieren; **4.** *fig (sguardo)* richten.
appuntito, -a [appun'ti:to] *agg* spitz.
appunto[1] [ap'punto] *avv* **1.** *(esattamente)* genau; **2.** *(proprio)* gerade, genau; **per l'**~ ganz genau.
appunto[2] [ap'punto] *m* **1.** *(nota)* Notiz *f;* **2.** *(rimprovero)* Vorwurf *m,* Verweis *m.*
appurare [appu'ra:re] *tr* nachprüfen, überprüfen.
apribottiglie [apribot'tiʎʎe] ⟨-⟩ *m* Flaschenöffner *m.*
aprile [a'pri:le] *m* April *m; v. a. settembre.*
a priori [a pri'ɔ:ri] *avv* von vornherein, a priori.
apripista [apri'pista] ⟨-⟩ *m* **1.** *(trattore)* Planierraupe *f;* **2.** *(sciatore)* erster Läufer auf einer Skipiste.
aprire [a'pri:re] ⟨apro, apersi *o* aprii, aperto⟩ **I.** *tr* **1.** *(finestre, porte)* öffnen, aufmachen; *(ombrello)* aufspannen; *(libri)* aufschlagen; *(con chiave)* aufschließen; *inform* öffnen; **2.** *fig (iniziare)* einleiten; *(essere in prima fila)* anführen; *(fuoco, trattative, conto)* eröffnen; *(negozio)* aufmachen, eröffnen; **3.** *fam (luce)* anmachen; *fam (radio, ecc.)* anstellen, anmachen; *(rubinetto)* aufdrehen; **non** ~ **bocca** den Mund nicht aufmachen; *(mantenere un segreto)* den Mund halten; ~ **il cuore a qu** jdm sein Herz ausschütten; **II.** *itr* öffnen; **III.** *rfl:* **-irsi** sich öffnen; *(fiori)* aufbrechen; *(mostra, ecc.)* eröffnet werden; **-irsi con qu** *fig* sich jdm anvertrauen. **apriporta** [apri'pɔrta] *m* ⟨-⟩ Türöffner *m.* **apriscatole** [apris'ka:tole] ⟨-⟩ *m* Dosenöffner *m,* Büchsenöffner *m.*
aquaplaning ['æku̯əpleiniŋ] ⟨-⟩ *m mot* Aquaplaning *n.*
aquila ['a:ku̯ila] *f* Adler *m;* ~ **selvaggia** *fig* wilder Streik der Piloten; **essere un'**~ *fig* ein Genie sein. **aquilino, -a** [aku̯i'li:no] *agg* Adler-. **aquilone** [...'lo:ne] *m* Drachen *m.*
Aquisgrana [aku̯iz'gra:na] *f* Aachen *n.*
arabesco, -a [ara'besko] ⟨-schi, -sche⟩ **I.** *agg* arabesk; *(arabo)* arabisch; **II.** *m* Arabeske *f.*
Arabia [a'ra:bi̯a] *f* Arabien *n;* ~ **Saudita** Saudiarabien *n.* **arabo, -a** ['a:rabo] **I.** *agg* arabisch *m;* **II.** *m* Arabisch(e) *n;* **questo è** ~ **per me** *fig* das ist Chinesisch für mich, das sind für mich böhmische Dörfer; **III.** *m, f* Araber(in) *m(f).*
arachide [a'ra:kide] *f* Erdnuß *f.*
aragosta [ara'gosta] *f* Languste *f.*
araldica [a'raldika] ⟨-che⟩ *f* Heraldik *f,* Wappenkunde *f.*
aranceto [aran'tʃe:to] *m* Orangenhain *m.*
arancia [a'rantʃa] ⟨-ce⟩ *f* Orange *f,* Apfelsine *f.* **aranciata** [...'tʃa:ta] *f* Orangenlimonade *f,* Orangeade *f.* **arancio** [a'rantʃo] **I.** ⟨*inv*⟩ *agg* orange(farben); **II.** ⟨-ci⟩ *m* **1.** *(albero)* Apfelsinen-, Orangenbaum *m;* **2.** *(frutto)* Orange *f,* Apfelsine *f;* **3.** *(colore)* Orange *n.* **arancione** [...'tʃo:ne] **I.** ⟨*inv*⟩ *agg* dunkelorange; **II. 1.** *m (colore)* Dunkelorange *n;* **2.** *mf fam (aderente a comunità spirituale)* Bhagwananhänger(in) *m(f).*
arare [a'ra:re] *tr, itr* pflügen. **aratore, -trice** [ara'to:re] *m, f* Pflüger(in) *m(f).* **aratro** [a'ra:tro] *m* Pflug *m.*
arazzo [a'rattso] *m* Gobelin *m,* Wandtep-

pich *m.*

arbitraggio [arbi'traddʒo] ⟨-ggi⟩ *m* **1.** *dir, econ* Arbitrage *f;* **2.** *sport* Schiedsspruch *m.* **arbitrare** [...'tra:re] *tr* Schiedsrichter sein bei, schiedsrichterlich entscheiden.

arbitrario, -a [arbi'tra:rio] ⟨-i, -ie⟩ *agg* willkürlich.

arbitrio [ar'bi:trio] ⟨-i⟩ *m* **1.** *(facoltà di scelta)* Gutdünken *n,* Ermessen *n;* **2.** *(abuso)* Willkür *f;* **prendersi l'~ di fare qc** sich *(dat)* die Freiheit nehmen, etw. zu tun.

arbitro ['arbitro] *m* **1.** *(chi dispone a sua discrezione)* Herr *m;* **2.** *sport* Schiedsrichter *m; (nel pugilato)* Ringrichter *m;* **3.** *dir* Schiedsmann *m;* ~ **della moda** Modemacher *m.*

arbusto [ar'busto] *m* Strauch *m,* Staude *f.*

arca ['arka] ⟨-che⟩ *f* **1.** *(mobile)* Truhe *f;* **2.** *(sepolcro)* Sarkophag *m;* **3.** *(nella Bibbia)* Arche *f;* **l'~ di Noè** die Arche Noah.

arcaico, -a [ar'ka:iko] ⟨-ci, -che⟩ *agg* archaisch, altertümlich.

arcangelo [ar'kandʒelo] *m* Erzengel *m.*

arcano, -a [ar'ka:no] *agg* geheimnisvoll, mysteriös, unerklärlich.

arcata [ar'ka:ta] *f* **1.** *arch* Arkade *f,* Bogen *m;* **2.** *anat* Bogen *m;* **3.** *mus* Bogenstrich *m.*

archeologia [arkeolo'dʒi:a] ⟨-ie⟩ *f* Archäologie *f.* **archeologo, -a** [...'ɔ:logo] ⟨-gi, -ghe⟩ *m, f* Archäologe *m,* -login *f.*

archetto [ar'ketto] *m* Bogen *m.*

architettare [arkitet'ta:re] *tr* ausdenken, aushecken *fam.* **architetto, -a** [arki'tetto] *m, f* Architekt(in) *m(f).* **architettura** [...'tu:ra] *f* Architektur *f;* ~ **interna** Innenarchitektur *f;* ~ **parallela** *inform* Parallelarchitektur *f.*

architrave [arki'tra:ve] *m* Stützbalken *m,* Träger *m.*

archiviare [arki'via:re] ⟨archivio, archivi⟩ *tr* **1.** *amm* archivieren, ablegen; *inform* (ab)speichern; **2.** *fig* ad acta legen; ~ **una pratica** einen Vorgang zu den Akten legen; ~ **un procedimento** *dir* ein Verfahren einstellen. **archivio** [ar'ki:vio] ⟨-i⟩ *m* Archiv *n; inform:* ~ **(dati)** Datei *f.* **archivista** [arki'vista] ⟨-i *m,* -e *f*⟩ *mf* Archivar(in) *m(f).*

arci- [artʃi-] *(in parole composte)* Erz-.

arciere [ar'tʃɛ:re] *m* Bogenschütze *m.*

arcigno, -a [ar'tʃiɲɲo] *agg* mürrisch, finster.

arcipelago [artʃi'pɛ:lago] ⟨-ghi⟩ *m* Archipel *m.*

arcivescovo [-'veskovo] *m* Erzbischof *m.*

arco ['arko] ⟨-chi⟩ *m* Bogen *m;* ~ **a sesto acuto** Spitzbogen *m;* ~ **di tempo** Zeitspanne *f,* Zeitraum *m;* ~ **costituzionale** *pol* im Parlament vertretene Parteien; **strumento ad** ~ *mus* Streichinstrument; **archi** *mus* Streicher *m pl;* **ad** ~ bogenförmig.

arcobaleno [arkoba'le:no] *m* Regenbogen *m.*

arcuare [arku'a:re] *tr* krümmen, biegen.

ardente [ar'dɛnte] *agg* glühend, brennend; *(colore)* leuchtend; **camera** ~ Totenzimmer *n.*

ardere ['ardere] ⟨ardo, arsi, arso⟩ **I.** *tr* ⟨*avere*⟩ verbrennen; **II.** *itr* ⟨*essere o avere*⟩ brennen, glühen; ~ **dal desiderio di fare qc** den brennenden Wunsch haben, etw. zu tun; darauf brennen, etw. zu tun.

ardesia [ar'dɛ:zia] **I.** ⟨*inv*⟩ *agg* schiefergrau; **II.** ⟨-ie⟩ *f* Schiefer *m.*

ardimento [ardi'mento] *m* Kühnheit *f,* Wagemut *m.* **ardire** [ar'di:re] **I.** *itr* ⟨ardisco⟩ wagen; **II.** *m* **1.** *(audacia)* Kühnheit *f,* Verwegenheit *f;* **2.** *(impudenza)* Dreistigkeit *f.* **ardito, -a** [ar'di:to] **I.** *agg* kühn, mutig; *(insolente)* dreist; *(complimento, idea, ecc.)* gewagt; **farsi** ~ sich erkühnen; **II.** *m st* Einzelkämpfer *m.*

ardore [ar'do:re] *m* Hitze *f,* Glut *f;* **nell'~ della discussione** im Eifer des Gefechts.

arduo, -a ['arduo] *agg* steil; *fig (difficile)* schwierig.

area ['a:rea] *f* **1.** *(superficie)* Fläche *f;* **2.** *(zona)* Raum *m,* Zone *f;* **3.** *fig pol* Gruppierung *f;* ~ **fabbricabile** Bauland *n;* ~ **protetta** Schutzgebiet *n;* ~ **di porta/rigore** *sport* Tor-/Strafraum *m;* ~ **di servizio** Raststätte *f.*

arena[1] [a're:na] *f (sabbia)* Sand *m.*

arena[2] [a'rɛ:na] *f (stadio)* Arena *f.*

arenarsi [are'narsi] *rfl* **1.** *naut* stranden; **2.** *fig* versanden, im Sande verlaufen.

areo- [areo-] *ecc. v.* **aereo-** *ecc.*

argentare [ardʒen'ta:re] *tr* versilbern. **argenteo, -a** [ar'dʒɛnteo] *agg* silbrig, silbern. **argenteria** [ardʒente'ri:a] ⟨-ie⟩ *f* Silber(geschirr) *n;* ~ **da tavola** Tafelsilber *n.* **argentiere** [...'tiɛ:re] *m* **1.** *(lavorante)* Silberschmied(in) *m(f);* **2.** *(venditore)* Juwelier(in) *m(f).*

Argentina [ardʒen'ti:na] *f* Argentinien *n.*

argentino, -a[1] [ardʒen'ti:no] *agg (suono)* silberhell.

argentino, -a[2] [ardʒen'ti:no] *geog* **I.** *agg* argentinisch; **II.** *m, f* Argentinier(in) *m(f).*

argento [ar'dʒɛnto] *m* Silber *n;* ~ **vivo** Quecksilber *n;* **-i** Silberwaren *f pl;* **carta d'~** *ferr* Seniorenpaß *m* der italienischen Bahn; **nozze d'~** Silberhochzeit *f.*

argilla [ar'dʒilla] *f* Ton *m.* **argilloso, -a** [...'lo:so] *agg* tonhaltig.

arginare [ardʒi'na:re] *tr* eindämmen; *(fig a.)* Einhalt gebieten (*qc* einer S. *dat*).

argine ['ardʒine] *m* Damm *m,* Wall *m.*

argomentare [argomen'ta:re] *itr* argumentieren. **argomento** [...'mento] *m* **1.** *(tema)* Thema *n,* Gegenstand *m;* **2.** *(pretesto)* Vorwand *m,* Anlaß *m;* **3.** *(prova)* Argument *n,* Beweisgrund *m;* ~ **del giorno** Tagesgespräch *n;* **-i convincenti** überzeugende Gründe; **portare**

-i Gründe anführen; **uscire dall'~** vom Thema abkommen.

arguire [argu'i:re] ⟨arguisco⟩ *tr* entnehmen, schließen. **arguto, -a** [ar'gu:to] *agg* scharfsinnig; *(spiritoso)* geistvoll, witzig.

arguzia [ar'guttsi̯a] ⟨-ie⟩ *f* Geist *m*, Scharfsinn *m; (facezia)* Witz *m*, Findigkeit *f*.

aria ['a:ri̯a] ⟨-ie⟩ *f* **1.** *(atmosfera, clima)* Luft *f;* **2.** *(aspetto)* (An)schein *m; (espressione)* Ausdruck *m*, Miene *f;* **3.** *mus* Arie *f; (canzone)* Weise *f*, Lied *n;* **~ compressa** Preßluft *f*, Druckluft *f;* **~ condizionata** Klimaanlage *f;* **~ ricircolata** Umluft *f;* **filo d'~** Luftzug *m;* **inquinamento dell'~** Luftverschmutzung *f;* **pirata dell'~** Flugzeugentführer(in) *m(f)*; **all'~ aperta** im Freien, an der frischen Luft; **cambiare ~** lüften; *fig* für Luftveränderung sorgen; **darsi delle -ie** sich aufspielen; **prendere un colpo d'~** sich erkälten; **c'è qc nell'~** es liegt etw. in der Luft; **non tira ~ buona qui** *fig* hier ist dicke Luft; **~!** Platz da!, weg (da)!

aria-aria ['ɑ:ri̯a 'ɑ:ri̯a] ⟨*inv*⟩ *agg mil* luftgestützt.

ariano, -a [a'ri̯a:no] **I.** *agg* arisch; **II.** *m, f* Arier(in) *m(f)*.

aridità [aridi'ta] ⟨-⟩ *f* **1.** *(siccità)* Dürre *f*, Trockenheit *f;* **2.** *fig* Leere *f*, Gefühllosigkeit *f*. **arido, -a** ['a:rido] *agg* **1.** *(secco)* dürr, trocken; **2.** *fig* gefühllos; *(sterile)* karg, trocken.

arieggiare [ari̯ed'dʒa:re] ⟨arieggio, arieggi⟩ *tr* **1.** *(cambiare aria)* lüften; **2.** *(imitare)* nachahmen.

ariete [a'ri̯ɛ:te] *m* **1.** *zoo* Widder *m;* **2.** *mil* Sturmbock *m;* **3.** *astr:* **A~** Widder *m;* **sono (dell'** *o* **un) A~** ich bin (ein) Widder.

aringa [a'riŋga] ⟨-ghe⟩ *f* Hering *m*.

arioso, -a [a'ri̯o:so] *agg* **1.** *(ampio)* luftig, weit; **2.** *fig* großzügig, weitläufig; **3.** *mus* arioso, liedhaft.

arista ['a:rista] *f* Schweinerücken *m*.

aristocratico, -a [aristo'kra:tiko] ⟨-ci, -che⟩ **I.** *agg* **1.** *(nobile)* aristokratisch, ad(e)lig; **2.** *fig* vornehm, edel, fein; **II.** *m, f* Aristokrat(in) *m(f)*. **aristocrazia** [...rat'tsi:a] ⟨-ie⟩ *f* **1.** *(nobiltà)* Aristokratie *f*, Adel *m;* **2.** *fig* Vornehmheit *f*, Feinheit *f*.

aritmetica [arit'mɛ:tika] ⟨-che⟩ *f* Arithmetik *f*, Rechnen *n*. **aritmetico, -a** [...ko] ⟨-ci, -che⟩ *agg* arithmetisch.

aritmia [arit'mi:a] ⟨-ie⟩ *f med:* **~ cardiaca** Herzrhythmusstörungen *f pl;* **~ mestruale** unregelmäßige Menstruation *f*.

arlecchino [arle'ki:no] **I.** *m* Harlekin *m*, Hanswurst *m;* **II.** ⟨*inv*⟩ *agg* (bunt)gefleckt.

arma ['arma] ⟨-i⟩ *f* Waffe *f;* **-i atomiche, biologiche e chimiche** ABC-Waffen *f pl;* **-i nucleari** Atomwaffen *f pl*, Kernwaffen *f pl;* **-i a corto/medio raggio** Kurz-/Mittelstreckenwaffen *f pl;* **-i spaziali** Weltraumwaffen *f pl;* **~ da fuoco** Feuerwaffe *f;* **~ del reato** *dir* Tatwaffe *f;* **fatto d'-i** Gefecht *n;* **andare sotto le -i** einberufen werden; **chiamare alle -i** einberufen; **deporre le -i** die Waffen strecken; **all'-i!** zu den Waffen!; **~ a doppio taglio** *fig* zweischneidiges Schwert; **essere alle prime -i** *fig* ein (blutiger) Anfänger sein.

armadio [ar'ma:di̯o] ⟨-i⟩ *m* Schrank *m;* **~ guardaroba** Kleiderschrank *m;* **~-letto** Schrankbett *n;* **~ a muro** Wandschrank *m*.

armamentario [armamen'ta:ri̯o] ⟨-i⟩ *m* Handwerkszeug *n*.

armamento [arma'mento] *m* **1.** *mil* Bewaffnung *f;* **2.** *naut* Ausrüstung *f;* **3.** *ferr* Oberbau *m;* **4.** ⟨*pl*⟩ Rüsten *n;* **~ spaziale** *mil* Weltraumrüstung *f;* **corsa agli -i** Wettrüsten *n*. **armare** [ar'ma:re] **I.** *tr* **1.** *arch* armieren, stützen; *ferr* befestigen; **2.** *mil* bewaffnen; **3.** *naut* armieren, ausrüsten; **II.** *rfl:* **-arsi 1.** *(munirsi di armi)* sich bewaffnen (*di* mit); **2.** *fig* sich wappnen (*di* mit). **armata** [ar'ma:ta] *f* Armee *f*, Heer *n*. **armatore, -trice** [...'to:re] **I.** *agg* Reederei-; **II.** *m, f* Reeder(in) *m(f)*. **armatura** [...'tu:ra] *f* **1.** *st* Rüstung *f;* **2.** *(struttura)* Gerüst *n;* **3.** *(nel cemento armato)* Armierung *f*.

armeggiare [armed'dʒa:re] ⟨armeggio, armeggi⟩ *itr* (herum)fuchteln; **~ intorno a qc** sich an etw. *(dat)* zu schaffen machen.

Armenia [ar'me:ni̯a] *f* Armenien *n*.

armento [ar'mento] *m* Herde *f*.

armeria [arme'ri:a] ⟨-ie⟩ *f* **1.** *(magazzino)* Waffenkammer *f*, Zeughaus *n;* **2.** *(negozio)* Waffengeschäft *n;* **3.** *(collezione)* Waffensammlung *f*.

armistizio [armis'tittsi̯o] ⟨-i⟩ *m* Waffenstillstand *m*.

armonia [armo'ni:a] ⟨-ie⟩ *f (a. fig)* Harmonie *f;* **agire in ~ con le leggi** im Einklang mit dem Gesetz handeln; **essere in buona ~ con qu** mit jdm in gutem Einvernehmen sein.

armonica [ar'mɔ:nika] ⟨-che⟩ *f* Harmonika *f;* **~ a bocca/a mantice** Mund-/Ziehharmonika *f*.

armonico, -a [ar'mɔ:niko] ⟨-ci, -che⟩, **armonioso, -a** [armo'ni̯o:so] *agg* harmonisch.

armonium [ar'mɔ:nium] ⟨-⟩ *m* Harmonium *n*.

armonizzare [armonid'dza:re] **I.** *tr* harmonisieren, harmonieren lassen, in Einklang bringen; **II.** *itr* harmonieren.

arnese [ar'ne:se] *m* **1.** *(attrezzo)* Werkzeug *n*, Gerät *n;* **2.** *(oggetto)* Ding *n*, Gerät *n;* **-i del mestiere** Handwerkszeug *n;* **essere male in ~** *fig* in einem schlechten Zustand sein, heruntergekommen sein.

arnia ['arni̯a] ⟨-ie⟩ *f* Bienenstock *m*.

aroma [a'rɔ:ma] ⟨-i⟩ *m* Aroma *n.* **aromaterapia** [-tera'pi:a] ⟨-ie⟩ *f* Aromatherapie *f.* **aromatico, -a** [aro'ma:tiko] ⟨-ci, -che⟩ *agg* aromatisch, würzig; **erbe -che** Gewürzkräuter *n pl.* **aromatizzare** [...ma-tid'dza:re] *tr* aromatisieren, würzen.

arpa ['arpa] *f* Harfe *f.*

arpeggio [ar'peddʒo] ⟨-ggi⟩ *m mus* Arpeggio *n.*

arpia [ar'pi:a] ⟨-ie⟩ *f* **1.** *(in mitologia)* Harpyie *f;* **2.** *fig peg* Krähe *f.*

arpione [ar'pio:ne] *m* **1.** *(cardine)* (Tür-, Fenster)angel *f,* Zapfen *m;* **2.** *(gancio)* Haken *m;* **3.** *(da pesca)* Harpune *f.*

arrabattarsi [arrabat'tarsi] *rfl (affaticarsi)* sich abrackern, sich abmühen; *(tirare avanti)* sich durchschlagen.

arrabbiare [arrab'bia:re] ⟨arrabbio, arrabbi⟩ **I.** *itr ⟨essere⟩ (di animali)* tollwütig werden; *(di persone):* **fare ~ qu** jdn wütend machen, jdn ärgern; **II.** *rfl:* **-arsi** wütend werden (*con* auf *+akk*). **arrabbiato, -a** [...'bia:to] *agg* wütend, zornig; *(animali)* tollwütig; **all'-a** *gastr* sehr pikant, scharf. **arrabbiatura** [...ia'tu:ra] *f* Wutanfall *m.*

arraffare [arraf'fa:re] *tr* **1.** *(afferrare)* ergreifen; *(oggetto)* an sich reißen; **2.** *(rubare)* klauen *fam.*

arrampicarsi [arrampi'karsi] ⟨mi arrampico, ti arrampichi⟩ *rfl* klettern. **arrampicata** [...'ka:ta] *f (scalata)* Klettertour *f; (in bicicletta)* (Bewältigung *f* einer) Steigung *f.* **arrampicatore, -trice** [...ka-'to:re] *m, f* **1.** *(alpinista)* Kletterer *m,* Klett(r)erin *f;* **2.** *fig* Aufsteiger(in) *m(f);* ~ **sociale** Emporkömmling *m.*

arrancare [arraŋ'ka:re] ⟨arranco, arranchi⟩ *itr* sich hinschleppen.

arrangiamento [arran'dʒa'mento] *m* **1.** *(accordo)* Lösung *f;* **2.** *mus* Arrangement *n.*

arrangiare [arran'dʒare] ⟨mi arrangio, ti arrangi⟩ **I.** *tr* **1.** *(sistemare)* hinkriegen; **2.** *mus* arrangieren; **II.** *rfl:* **-arsi 1.** *(togliersi d'impaccio)* zurechtkommen; **2.** *(industriarsi)* sich *(dat)* zu helfen wissen, sich behelfen, sich durchwursteln *fam.*

arrecare [arre'ka:re] *tr* bringen; *(causare)* verursachen; *(dolore, ecc.)* bereiten; ~ **disturbo** stören.

arredamento [arreda'mento] *m* Einrichtung *f.* **arredare** [...'da:re] *tr* einrichten. **arredatore, -trice** [...da'to:re] *m, f* Innenarchitekt(in) *m(f).* **arredo** [ar'rɛ:do] *m* Einrichtung *f;* ⟨*pl*⟩ Ausstattung *f.*

arrendersi [ar'rɛndersi] ⟨*irr*⟩ *rfl* **1.** *(darsi vinto)* sich ergeben; **2.** *fig (desistere)* sich fügen (*a* in *+akk*), sich beugen, nachgeben. **arrendevole** [arren'de:vole] *agg* nachgiebig; *fig* geschmeidig.

arrestare [arres'ta:re] **I.** *tr* **1.** *(catturare)* verhaften, festnehmen; **2.** *(fermare)* zum Stillstand bringen, anhalten; **II.** *rfl:* **-arsi** stehenbleiben. **arresto** [ar'rɛsto] *m* **1.** *(cattura)* Verhaftung *f,* Festnahme *f;* **2.** *(interruzione)* Stillstand *m;* **3.** *tec* Sperrung *f;* **4.** ⟨*pl*⟩ *mil* Arrest *m;* ~ **domiciliare** *dir* Hausarrest *m;* **mandato d'~** Haftbefehl *m.*

arretrare [arre'tra:re] **I.** *itr ⟨essere⟩* sich zurückziehen; **II.** *tr ⟨avere⟩* zurückziehen. **arretratezza** [...tra'tettsa] *f* Rückständigkeit *f,* Unterentwicklung *f.* **arretrato, -a** [...'tra:to] **I.** *agg* alt, veraltet; *(paese)* rückständig; *(lavoro)* überfällig; *(pagamento)* nachträglich; **essere in ~ con il lavoro** mit der Arbeit im Rückstand sein; **II.** *m pl* Rückstände *m pl.*

arricchimento [arrikki'mento] *m* Bereicherung *f; tec, fig* Anreicherung *f.* **arricchire** [...'ki:re] ⟨arricchisco⟩ **I.** *tr ⟨avere⟩* **1.** *(rendere ricco)* bereichern; *tec, fig* anreichern; **2.** *fig (incrementare)* aufstokken, erweitern; **II.** *itr ⟨essere⟩, rfl:* **-irsi** sich bereichern, reich werden. **arricchito, -a** [...'ki:to] *m, f peg* Neureiche(r) *mf.*

arricciacapelli [arrittʃaka'pelli] ⟨-⟩ *m* Lokkenstab *m,* -schere *f.*

arricciare [arrit'tʃa:re] ⟨arriccio, arricci⟩ *tr* kräuseln; *(capelli a.)* locken; ~ **il naso** die Nase rümpfen.

arridere [ar'ri:dere] ⟨*irr*⟩ *itr* zulächeln; **la fortuna arride agli audaci** wer wagt, gewinnt *prov.*

arringa [ar'riŋga] ⟨-ghe⟩ *f* **1.** *dir* Plädoyer *n;* **2.** *(discorso)* Rede *f,* Ansprache *f.* **arringare** [...'ga:re] ⟨arringo, arringhi⟩ *tr* eine Ansprache halten an *+akk.*

arrischiare [arris'kia:re] **I.** *tr* riskieren, wagen; **II.** *rfl:* **-arsi** sich (ge)trauen, wagen. **arrischiato, -a** [...'kia:to] *agg* wagemutig.

arrivare [arri'va:re] *itr ⟨essere⟩* **1.** *(giungere)* ankommen; **2.** *fig* gelangen, kommen; *(raggiungere un limite)* erreichen (*a qc* etw. *akk*); *(somme)* sich belaufen (*a* auf *+akk*); **3.** *(riuscire)* (es) schaffen; **non ci arrivo** ich komme nicht dahin; *(non riesco)* ich schaffe es nicht; *(non capisco)* ich komme nicht dahinter; **l'acqua gli arriva al ginocchio** das Wasser reicht ihm bis zum Knie; ~ **secondo** *sport* Zweiter werden, sein. **arrivato, -a** [...'va:to] **I.** *agg* arriviert; **II.** *m, f* Arrivierte(r) *mf;* **nuovo ~** Neuankömmling *m.*

arrivederci, arrivederLa [arrive'dertʃi, ...'derla] *interi* auf Wiedersehen; ~ **(a) presto** bis bald.

arrivismo [arri'vizmo] *m* Ehrgeiz *m,* Strebertum *n.* **arrivista** [...'vista] ⟨-i *m,* -e *f*⟩ *mf* Ehrgeizling *m.*

arrivo [ar'ri:vo] *m* **1.** *(l'arrivare)* Ankunft *f,* Eintreffen *n;* **2.** *(di merce)* Eingang *m;* **3.** *(persona)* Ankömmling *m;* **4.** *sport* Ziel *n;* **punto d'~** Ziel(punkt *m*) *n;* **lettere in ~** eingehende Post; ~ **in volata** *sport* Endspurt *m;* **il treno è in ~ sul**

quarto binario der Zug fährt auf Gleis vier ein.

arrogante [arro'gante] *agg* arrogant. **arroganza** [...'gantsa] *f* Arroganz *f*. **arrogarsi** [...'garsi] *rfl* sich *(dat)* anmaßen.

arrossamento [arrossa'mento] *m* Rötung *f*. **arrossare** [...'sa:re] **I.** *tr* ⟨*avere*⟩ röten; **II.** *itr* ⟨*essere*⟩ sich röten, rot werden. **arrossire** [...'si:re] ⟨arrossisco⟩ *itr* ⟨*essere*⟩ erröten, rot werden.

arrostire [arros'ti:re] ⟨arrostisco⟩ **I.** *tr* braten; *(pane, castagne)* rösten; *(ai ferri)* grillen; **II.** *itr, rfl:* **-irsi** *fig (al sole)* braten, rösten.

arrosto [ar'rɔsto] *m* Braten *m*.

arrotare [arro'ta:re] *tr* **1.** *(affilare)* schleifen, wetzen; **2.** *(levigare)* abschleifen; **3.** *(investire)* an-, überfahren; ~ **i denti** *fig* mit den Zähnen knirschen; ~ **la lingua** *fig* mit spitzer Zunge reden. **arrotino** [...'ti:no] *m* Scherenschleifer(in) *m(f)*.

arrotolare [arroto'la:re] *tr* aufrollen, zusammenrollen.

arrotondare [arroton'da:re] *tr (numero)* aufrunden; *(stipendio)* aufbessern.

arrovellarsi [arrovel'larsi] *rfl* **1.** *(affannarsi)* sich abmühen; **2.** *(arrabbiarsi)* sich ärgern (*per* wegen *+gen*, über *+akk*).

arroventato, -a [arroven'ta:to] *agg* glühend.

arruffare [arruf'fa:re] *tr* verwirren; *(capelli)* zerzausen; ~ **la matassa** *fig* für Verwirrung sorgen.

arruffianarsi [arruffi̯a'narsi] *rfl fam* einen Klüngel aushandeln *fam* (*con* mit).

arrugginire [arruddʒi'ni:re] ⟨arrugginisco⟩ **I.** *tr* ⟨*avere*⟩ **1.** *(rendere rugginoso)* rosten lassen, rostig machen; **2.** *fig (indebolire)* einrosten lassen; **II.** *itr* ⟨*essere*⟩, *rfl:* **-irsi 1.** *(ricoprirsi di ruggine)* (ver)rosten; **2.** *fig* einrosten.

arruolamento [arru̯ola'mento] *m* Einberufung *f*. **arruolare** [...'la:re] **I.** *tr* einberufen, einziehen; **II.** *rfl:* **-arsi** sich freiwillig melden.

arsenale [arse'na:le] *m* **1.** *naut* Werft *f*; **2.** *mil (fabbrica)* Waffenschmiede *f*; *(deposito)* Arsenal *n*.

arsenico [ar'sɛ:niko] *m* Arsen *n*, Arsenik *n*.

arsi ['arsi] *p rem di* **ardere**.

arso, -a ['arso] **I.** *pp di* **ardere; II.** *agg* **1.** *(bruciato)* verbrannt; **2.** *(inaridito)* ausgedorrt, verdörrt. **arsura** [ar'su:ra] *f* **1.** *(calore)* (Glut)hitze *f*; **2.** *(aridità)* Dürre *f*, Trockenheit *f*; **3.** *(per sete)* Brand *m fam*; *(per febbre)* Hitze *f*, Glut *f*.

art. *abbr di* **articolo** Art. (*abk von* Artikel).

arte ['arte] *f* **1.** *gener.* Kunst *f*; **2.** *(mestiere)* Handwerk *n*; **3.** *(abilità)* Kunstfertigkeit *f*, Geschicklichkeit *f*; **4.** *(artificio)* Kunstgriff *m*, Kniff *m*; **nome d'**~ Künstlername *m*; ~ **poetica** Dichtkunst *f*; **le belle -i** die schönen Künste *f pl*; **le -i figurative** die darstellenden Künste *f pl*; **-i grafiche/meccaniche** Graphik *f*/Mechanik *f*; **ad** ~ absichtlich; *(con artificio)* mit List (und Tücke); **a regola d'**~ fachgerecht; **storia dell'**~ Kunstgeschichte *f*; **non avere né** ~ **né parte** *fig* nichts gelernt haben; **impara l'**~ **e mettila da parte** *prov* gelernt ist gelernt. **artefatto, -a** [-'fatto] *agg* gefälscht, künstlich. **artefice** [ar'te:fitʃe] *mf* **1.** *(artista)* Künstler(in) *m(f)*; **2.** *(autore)* Urheber(in) *m(f)*.

arteria [ar'tɛ:ri̯a] ⟨-ie⟩ *f* **1.** *anat* Arterie *f*, Schlagader *f*; **2.** *fig* Verkehrsader *f*. **arteriosclerosi** [arteri̯oskle'rɔ:zi] ⟨-⟩ *f* Arterienverkalkung *f*, Arteriosklerose *f*. **arterioso, -a** [...'ri̯o:so] *agg* Arterien-.

artico, -a ['artiko] ⟨-ci, -che⟩ *agg* arktisch.

articolare [artiko'la:re] **I.** *agg* Gelenk-, Glieder-; **II.** *tr* **1.** *(pronunciare)* artikulieren, aussprechen; **2.** *(suddividere)* gliedern, unterteilen. **articolazione** [...lat'tsi̯o:ne] *f* **1.** *anat, tec* Gelenk *n*; **2.** *ling* Artikulation *f*; **3.** *(suddivisione)* Gliederung *f*.

articolo [ar'ti:kolo] *m* (*abbr* **art.**) Artikel *m* (*abk* Art.); ~ **di fondo** Leitartikel *m*.

Artide ['artide] *f* Arktis *f*.

artificiale [artifi'tʃa:le] *agg* künstlich, Kunst-. **artificio** [...'fi:tʃo] ⟨-ci⟩ *m (espediente)* Kniff *m*; *(stratagemma)* Kunstgriff *m*; *(ricercatezza)* Finesse *f*, Feinheit *f*; ~ **scenico** Trick *m*. **artificioso, -a** [...fi'tʃo:so] *agg* künstlich, gesucht; *(non spontaneo)* gekünstelt.

artigianale [artidʒa'na:le] *agg* handwerklich. **artigianato** [...'na:to] *m* Handwerk *n*; ~ **artistico** Kunsthandwerk *n*. **artigiano, -a** [...'dʒa:no] **I.** *m, f* Handwerker(in) *m(f)*; **II.** *agg* handwerklich.

artigliere [artiʎ'ʎɛ:re] *m* Artillerist *m*. **artiglieria** [...ʎe'ri:a] ⟨-ie⟩ *f* Artillerie *f*.

artiglio [ar'tiʎʎo] ⟨-gli⟩ *m* Kralle *f*; *(a. fig)* Klaue *f*.

artista [ar'tista] ⟨-i *m*, -e *f*⟩ *mf* **1.** *(gener., a. fig)* Künstler(in) *m(f)*; **2.** *(di circo)* Artist(in) *m(f)*; ~ **cinematografico** Filmschauspieler *m*. **artistico, -a** [ar'tistiko] ⟨-ci, -che⟩ *agg* künstlerisch; *(da artista di circo)* artistisch.

arto ['arto] *m* Glied *n*, Gliedmaße *f*; ~ **fantasma** *med* Phantomschmerz *m*.

artrite [ar'tri:te] *f* Arthritis *f*.

artrosi [ar'trɔ:zi] ⟨-⟩ *f* Arthrose *f*.

arzillo, -a [ar'dzillo] *agg* lebhaft, munter; *(persona anziana)* rüstig.

asburgico, -a [az'burdʒiko] ⟨-ci, -che⟩ *agg* Habsburger.

asce ['aʃʃe] *pl di* **ascia**.

ascella [aʃ'ʃɛlla] *f* Achselhöhle *f*.

ascendente [aʃʃen'dɛnte] **I.** *agg* aufstrebend, aufsteigend; *mus* ansteigend; **in li-**

nea ~ *(parente)* in aufsteigender Linie; **II.** *m* **1.** *(parente)* direkter Vorfahr; **2.** *astr* Aszendent *m;* **3.** *fig* Einfluß *m.*
ascensione [aʃʃen'sio:ne] *f* Aufstieg *m;* **l'A~** (Christi) Himmelfahrt.
ascensore [aʃʃen'so:re] *m* Aufzug *m,* Fahrstuhl *m.*
ascesa [aʃ'ʃe:sa] *f* Besteigung *f,* Aufstieg *m;* ~ **economica** wirtschaftlicher Aufschwung *m;* ~ **al trono** Thronbesteigung *f;* ~ **dei prezzi** Preisanstieg *m,* -erhöhung *f.*
ascesso [aʃ'ʃɛsso] *m* Abszeß *m.*
asceta [aʃ'ʃɛ:ta] ⟨-i *m,* -e *f*⟩ *mf* Asket(in) *m(f).*
ascia ['aʃʃa] ⟨asce⟩ *f* Axt *f.*
A.S.C.I.I. ['aʃi] *acr di* **American Standard Code for Information Interchange; codice standard** ~ ASCII-Code *m.*
asciugabiancheria [aʃʃugabiaŋke'ri:a] ⟨-⟩ *m v.* **asciugatrice.**
asciugacapelli [aʃʃugaka'pelli] ⟨-⟩ *m* Haartrockner *m,* Fön® *m.*
asciugamano [-'ma:no] *m* Handtuch *n;* ~ **di spugna** Frottiertuch *n.*
asciugare [aʃʃu'ga:re] ⟨asciugo, asciughi⟩ **I.** *tr* **1.** *(rendere asciutto)* trocknen; *(stoviglie, mani)* abtrocknen; **2.** *(seccare)* austrocknen; **II.** *rfl:* **-arsi** trocknen. **asciugatrice** [...ga'tri:tʃe] *f* (Wäsche)-trockner *m.*
asciutto, -a [aʃ'ʃutto] **I.** *agg* **1.** *(secco)* trocken; *(asciugato)* getrocknet; *(arido)* ausgedorrt; **2.** *fig (magro)* hager, mager; **3.** *fig (brusco)* brüsk, kurz angebunden, trocken; **II.** *m* Trockene(s) *n;* **rimanere** (*o* **restare) all'~** *fig* abgebrannt (*o* blank) sein *fam.*
ascoltare [askol'ta:re] **I.** *tr* **1.** *(udire)* hören; **2.** *(esaudire)* erhören; **3.** *(dar retta)* folgen (*qu/qc* jdm/einer S. *dat*), hören auf; **4.** *med* abhorchen; **II.** *itr* zuhören; *(origliare)* horchen, lauschen. **ascoltatore, -trice** [...ta'to:re] *m, f* (Zu)hörer(in) *m(f).* **ascolto** [as'kolto] *m* Zuhören *n; (attenzione)* Gehör *n;* **indice di** ~ Einschaltquote *f;* **dare** (*o* **prestare)** ~ **a qu** auf jdn hören; **stare in** ~ *(ascoltare)* zuhören; *(origliare)* lauschen.
ascrivere [as'kri:vere] ⟨*irr*⟩ *tr* zuschreiben, anrechnen; ~ **a merito** als Verdienst anrechnen.
asessuato, -a [asessu'a:to] *agg* geschlechtslos.
asettico, -a [as'sɛttiko] *agg* keimfrei, aseptisch.
asfaltare [asfal'ta:re] *tr* asphaltieren.
asfalto [as'falto] *m* Asphalt *m.*
asfissia [asfis'si:a] ⟨-ie⟩ *f* Erstickung *f.* **asfissiare** [...'sia:re] ⟨asfissio, asfissi⟩ **I.** *tr* ⟨*avere*⟩ **1.** *med* ersticken; **2.** *fig fam* anöden *fam;* **II.** *itr* ⟨*essere*⟩ ersticken.
Asia ['a:zia] *f* Asien *n;* ~ **Minore** Kleinasien *n.* **asiatico, -a** [a'zia:tiko] ⟨-ci, -che⟩ **I.** *agg* asiatisch; **II.** *f med* asiatische Grippe; **III.** *m, f* Asiat(in) *m(f).*
asilo [a'zi:lo] *m* **1.** *(rifugio)* Asyl *n,* Zuflucht *f;* **2.** *pol* Asyl *n;* **3.** *(ospizio)* Asyl *n,* Heim *n;* ~ **infantile (***o* **d'infanzia)** Kindergarten *m;* ~ **nido** Kinderkrippe *f;* **diritto di** ~ Asylrecht *n;* **richiesta di** ~ **(politico)** Asylantrag *m.*
asimmetrico, -a [asim'mɛ:triko] *agg* asymmetrisch.
asinino, -a [asi'ni:no] *agg:* **tosse -a** Keuchhusten *m.*
asino ['a:sino] *m* Esel *m;* **a schiena d'~** *fig* gekrümmt; **qui casca l'~!** *fig* da liegt der Hund begraben!
asma ['azma] *f* Asthma *n.*
asociale [aso'tʃa:le] **I.** *agg* asozial; *(antisociale)* unsozial; **II.** *mf* Asoziale(r) *f(m).*
asola ['a:zola] *f* Knopfloch *n; (occhiello)* Öse *f.*
asparago [as'pa:rago] ⟨-gi⟩ *m* Spargel *m.*
aspettare [aspet'ta:re] **I.** *tr* warten auf, erwarten; *(bambino)* erwarten; **II.** *rfl:* **-arsi** rechnen mit, erwarten; **c'era da aspettarselo!** das war zu erwarten!
aspettativa [aspetta'ti:va] *f* **1.** *(attesa)* Erwartung *f;* **2.** *amm* Wartestand *m,* Sonderurlaub *m.*
aspetto[1] [as'pɛtto] *m:* **sala d'~** Wartesaal *m.*
aspetto[2] [as'pɛtto] *m* **1.** *(vista)* Sicht *f,* Betrachtungsweise *f;* **2.** *(apparenza)* Aussehen *n;* **3.** *(punto di vista)* Aspekt *m,* Blickwinkel *m;* **avere un bell'~** gut aussehen; **all'~** dem Aussehen nach.
aspirante [aspi'rante] *mf* Anwärter(in) *m(f)* (*a* auf *+akk*), Aspirant(in) *m(f).*
aspirapolvere [aspira'polvere] ⟨-⟩ *m* Staubsauger *m;* **passare l'~** staubsaugen.
aspirare [aspi'ra:re] **I.** *tr* **1.** *(respirare)* einatmen; **2.** *tec* (auf-, ein)saugen; **II.** *itr* streben (*a* nach), trachten (*a* nach). **aspiratore** [...ra'to:re] *m* Sauggerät *n.* **aspirazione** [...rat'tsio:ne] *f* **1.** *(respirazione)* Einatmen *n;* **2.** *fig (desiderio)* Streben *n* (*a* nach), Bestrebung *f;* **3.** *tec* (An-, Ab)saugen *n.*
aspirina® [aspi'ri:na] *f* Aspirin® *n.*
asportare [aspor'ta:re] *tr* entfernen. **asportazione** [...tat'tsio:ne] *f* Entfernung *f,* Entfernen *n.*
asporto [as'pɔrto] *m:* **pizza da** ~ Pizza zum Mitnehmen.
asprezza [as'prettsa] *f* **1.** *(al gusto)* Herbheit *f; (al tatto)* Rauheit *f; (all'udito)* Schrillheit *f;* **2.** *(di terreno)* Schroffheit *f;* **3.** *(rigore)* Rauheit *f;* **4.** *fig* Härte *f,* Strenge *f.*
asprigno, -a [as'priɲɲo] *agg* leicht herb.
aspro, -a ['aspro] *agg* **1.** *(sapore, odore)* sauer; *(suono)* schrill; **2.** *(ruvido)* rauh; **3.** *(paesaggio)* schroff, rauh; *(clima)* rauh; **4.** *ling* scharf; **5.** *fig* hart, streng.
assaggiare [assad'dʒa:re] ⟨assaggio, as-

saggi⟩ *tr* **1.** *(provare)* kosten, versuchen, probieren; **2.** *(mangiare pochissimo)* knabbern; *(bere)* nippen; **3.** *fig* prüfen. **assaggio** [as'saddʒo] ⟨-ggi⟩ *m* Probe *f*, Kostprobe *f*.

assai [as'sa:i] **I.** *avv* **1.** *(abbastanza)* genug; **2.** *(molto)* sehr, viel, reichlich; **II.** ⟨*inv*⟩ *agg* viel.

assalire [assa'li:re] ⟨assalgo *o* assalisco, assalii *o* assalsi, assalito⟩ *tr* **1.** *(aggredire)* angreifen, anfallen; **2.** *fig* befallen, überfallen, überkommen; ~ **qu alle spalle** jdn von hinten anfallen.

assaltare [assal'ta:re] *tr* überfallen. **assalto** [as'salto] *m* **1.** *mil* Angriff *m*, Überfall *m;* **2.** *sport* Gang *m;* **d'~** *fig* streitbar, engagiert; **prendere d'~ qc** im Sturm erobern; *fig* sich auf etw. *(akk)* stürzen.

assaporare [assapo'ra:re] *tr* genießen, auskosten.

assassinare [assassi'na:re] *tr* **1.** *(uccidere)* ermorden; **2.** *fig (rovinare)* ruinieren; **3.** *fig (sciupare)* verschandeln, verhunzen. **assassinio** [...'si:njo] ⟨-ii⟩ *m* **1.** *(omicidio)* Mord *m;* **2.** *fig* Verschandelung *f*. **assassino, -a** [...'si:no] **I.** *agg* mordend; *(a. fig)* mörderisch; **II.** *m, f* Mörder(in) *m(f)*.

asse[1] ['asse] *f (tavola di legno)* Brett *n;* ~ **di equilibrio** Schwebebalken *m;* ~ **da stiro** Bügelbrett *n*.

asse[2] ['asse] *m tec* Achse *f;* ~ **stradale** Verkehrsachse *f*.

assecondare [assekon'da:re] *tr* **1.** *(favorire)* unterstützen; **2.** *(soddisfare)* nachkommen (*qc* einer S. *dat*).

assediare [asse'dja:re] ⟨assedio, assedi⟩ *tr mil, fig* belagern; *(persona)* bedrängen, bestürmen. **assedio** [as'sɛ:djo] ⟨-i⟩ *m* Belagerung *f*.

assegnamento [asseɲɲa'mento] *m* Vertrauen *n*, Zuversicht *f;* **fare ~ su qu** auf jdn zählen (*o* bauen). **assegnare** [...'ɲa:re] *tr* **1.** *(dare)* zuweisen, zuteilen; **2.** *(compiti a scuola)* aufgeben; *(incarico)* erteilen; *(ufficio)* zuweisen; **3.** *(premio, rendita)* zuerkennen; **4.** *(termine)* festsetzen. **assegnazione** [...ɲat'tsjo:ne] *f* Zuweisung *f*, Vergabe *f*.

assegno [as'seɲɲo] *m* (*abbr* **Ass.**) Scheck *m;* ~ **in bianco/postale/sbarrato** Blanko-/Post-/Verrechnungsscheck *m;* ~ **scoperto (*o* a vuoto)** ungedeckter Scheck; **pagamento contro ~** Zahlung *f* per Nachnahme.

assemblaggio [assem'bladdʒo] ⟨-ggi⟩ *m* Zusammensetzen *n*, Montage *f*. **assemblatore** [...bla'to:re] *m inform* Assembler *m*.

assemblea [assem'blɛ:a] *f* Versammlung *f;* ~ **plenaria** Plenum *n*.

assembramento [assembra'mento] *m* Zusammenkunft *f*, Ansammlung *f*.

assennato, -a [assen'na:to] *agg* besonnen, vernünftig.

assenso [as'sɛnso] *m* Zustimmung *f*.

assentarsi [assen'tarsi] *rfl* sich entfernen. **assente** [as'sɛnte] **I.** *agg (a. fig)* abwesend; **è ~ da una settimana** *(a scuola)* er fehlt seit einer Woche; **II.** *mf* Abwesende(r) *mf*. **assenteismo** [assente'izmo] *m* Fehlen *n*, Fernbleiben *n; fig (disinteresse)* Interesselosigkeit *f;* ~ **politico** Politikverdrossenheit *f*. **assenteista** [...'ista] ⟨-i *m*, -e *f*⟩ *mf* Drückeberger(in) *m(f) fam*.

assentire [assen'ti:re] *itr* zustimmen.

assenza [as'sɛntsa] *f* **1.** *(da un luogo)* Abwesenheit *f*, Fehlen *n;* **2.** *(mancanza)* Mangel *m* (*di* an).

assenzio [as'sɛntsjo] ⟨-i⟩ *m* Absinth *m*.

asserire [asse'ri:re] ⟨asserisco⟩ *tr* behaupten, beteuern, versichern. **asserzione** [asser'tsjo:ne] *f* Behauptung *f*, Beteuerung *f*.

assessore [asses'so:re] *m* Assessor *m*, Beisitzer *m;* ~ **(comunale)** Stadtrat *m*, -rätin *f*.

assestamento [assesta'mento] *m* **1.** *arch* Setzung *f;* **2.** *(sistemazione)* Konsolidierung *f*, Regelung *f*, Ordnung *f*. **assestare** [...'ta:re] **I.** *tr* **1.** *(mettere in ordine)* in Ordnung bringen, regeln; **2.** *(regolare)* einstellen; **3.** *(ceffone, ecc.)* versetzen; **II.** *rfl:* **-arsi** sich einrichten, sich konsolidieren.

assetato, -a [asse'ta:to] *agg (a. fig)* durstig; *(terreno a.)* ausgetrocknet.

assetto [as'sɛtto] *m* **1.** *(sistemazione)* Ordnung *f;* **2.** *(equipaggiamento)* Ausrüstung *f;* *(tenuta)* Ausstattung *f;* **3.** *naut* Trimm *m*.

Assia ['assja] *f* Hessen *n*.

assicella [assi'tʃɛlla] *f* kleines Brett, Brettchen *n*.

assicurare [assiku'ra:re] **I.** *tr* **1.** *(garantire)* sicherstellen; **2.** *(affermare)* versichern; **3.** *(fissare)* befestigen, sichern; **4.** *dir (con contratto di assicurazione)* versichern (*contro* gegen); **5.** *(lettera)* als Wertsendung schicken; **II.** *rfl:* **-arsi** **1.** *(accertarsi)* sich versichern, sich überzeugen; **2.** *dir (con contratto)* sich versichern (*contro* gegen). **assicurato, -a** [...'ra:to] **I.** *m, f* Versicherte(r) *mf*, Versicherungsnehmer(in) *m(f);* **II.** *f* Wertbrief *m*. **assicuratore, -trice** [...ra'to:re] **I.** *agg* versichernd, Versicherungs-; **II.** *m, f* Versicherer *m*, Versicherin *f*. **assicurazione** [...rat'tsjo:ne] *f* (*abbr* **Ass.**) Versicherung *f;* ~ **casco/contro tutti i rischi** Kasko-/Vollkaskoversicherung *f;* ~ **contro i danni** Schadensversicherung *f;* ~ **contro la responsabilità civile** Haftpflichtversicherung *f;* ~ **sulla vita** Lebensversicherung *f*.

assideramento [assidera'mento] *m med* Erfrierung *f*. **assiderare** [...'ra:re] **I.** *tr* ⟨*avere*⟩ erfrieren lassen; **II.** *itr* ⟨*essere*⟩,

rfl: **-arsi** erfrieren.
assiduità [assidui'ta] ⟨-⟩ *f* **1.** *(perseveranza)* Ausdauer *f*, Beharrlichkeit *f;* **2.** *(frequenza abituale)* regelmäßiger Besuch.
assiduo, -a [as'siːduo] *agg* **1.** *(costante)* ausdauernd, beharrlich; **2.** *(regolare)* ständig, dauernd; *(cliente)* Stamm-.
assieme [as'sjɛːme] **I.** *avv* zusammen; **II.** *prp:* ~ **a** (zusammen) mit; **III.** ⟨-⟩ *m* Gesamtheit *f; mus, teat* Ensemble *n.*
assieparsi [assje'parsi] *rfl* sich drängen; ~ **intorno a qu** jdn umzingeln.
assillare [assil'laːre] *tr* bedrängen, quälen. **assillo** [as'sillo] *m* Druck *m,* Last *f,* Sorge *f.*
assimilare [assimi'laːre] *tr* **1.** *biol, ling* assimilieren; **2.** *fig* annehmen, sich *(dat)* aneignen. **assimilazione** [...lat'tsjoːne] *f* **1.** *biol, ling* Assimilierung *f;* **2.** *fig* Gleichstellung *f; (apprendimento)* Annahme *f,* Aneignung *f.*
assise [as'siːze] *f pl* **1.** *dir:* **Corte d'A~** Schwurgericht *n;* **2.** *fig* (Voll)versammlung *f.*
assistente [assis'tɛnte] **I.** *agg* Assistenz-; **II.** *mf* Assistent(in) *m(f);* ~ **alla regia** Regieassistent(in) *m(f);* ~ **sociale** Sozialarbeiter(in) *m(f);* ~ **universitario** Universitätsassistent(in) *m(f);* ~ **di vendita** Vertriebsassistent(in) *m(f);* ~ **di volo** Flugbegleiter(in) *m(f).* **assistenza** [...'tɛntsa] *f* **1.** *(presenza)* Anwesenheit *f;* **2.** *(aiuto, soccorso)* Hilfe *f,* Beistand *m;* **3.** *(beneficenza, a. fig, med)* Fürsorge *f,* Pflege *f,* Betreuung *f;* **4.** *(sorveglianza)* Aufsicht *f;* ~ **legale** Rechtsbeistand *m;* ~ **sociale** Sozialhilfe *f;* ~ **tecnica** Kundendienst *m;* ~ **alla clientela** Service *m;* ~ **ai disoccupati** Arbeitslosenhilfe *f.* **assistenziale** [...ten'tsjaːle] *agg* Hilfs-, Fürsorge-.
assistere [as'sistere] ⟨assisto, assistei *o* assistetti, assistito⟩ **I.** *itr* teilnehmen (*a* an *+dat*), anwesend sein (*a* bei); **II.** *tr* **1.** *(soccorrere)* beistehen (*qu* jdm), helfen (*qu* jdm); **2.** *(curare)* pflegen, betreuen; **3.** *econ (clientela)* betreuen; **4.** *(coadiuvare)* assistieren (*qu* jdm); **che Dio t'assista!** Gott steh dir bei!
asso ['asso] *m (a. fig)* As *n; (di dado)* Eins *f;* **un ~ dello sport/del volante** ein Sportas *n*/ein Könner *m* am Lenkrad; **avere l'~ nella manica** *fig* einen Trumpf im Ärmel haben; **piantare qu in ~** jdn im Stich lassen.
associare [asso'tʃaːre] ⟨associo, associ⟩ **I.** *tr* **1.** *(rendere partecipe)* als Mitglied (*o* Teilhaber) aufnehmen; **2.** *(mettere insieme)* vereinigen; **3.** *fig (idee, pensieri)* assoziieren; **II.** *rfl:* **-arsi 1.** *(unirsi)* sich vereinigen, sich verbinden; **2.** *(farsi socio)* Mitglied werden (*a* in *+dat*, bei).
associazione [assotʃat'tsjoːne] *f* **1.** *(unione)* Assoziation *f,* Bund *m,* Vereinigung *f; econ* Gesellschaft *f;* **2.** *psic, bot, mat* Assoziation *f;* ~ **a delinquere** kriminelle Vereinigung; ~ **per la difesa del consumatore** Verbraucherzentrale *f,* -verband *m;* **per** ~ assoziativ.
assoggettare [assoddʒet'taːre] **I.** *tr* **1.** *(sottomettere)* unterwerfen; **2.** *(domare)* bezwingen; **II.** *rfl:* **-arsi 1.** *(sottomettersi)* sich unterwerfen; **2.** *(sottoporsi)* sich unterziehen; **3.** *(adattarsi)* sich fügen (*a* in *+akk*).
assolato, -a [asso'laːto] *agg* sonnig.
assoldare [assol'daːre] *tr* anwerben.
assolo [as'soːlo] ⟨-⟩ *m* Solo *n.*
assolsi [as'sɔlsi] *p rem di* **assolvere.**
assolto [as'sɔlto] *pp di* **assolvere.**
assolutamente [assoluta'mente] *avv* **1.** *(senz'altro)* unbedingt; **2.** *(del tutto)* absolut, völlig.
assoluto, -a [asso'luːto] *agg* absolut.
assoluzione [assolut'tsjoːne] *f* **1.** *dir* Freispruch *m;* **2.** *rel* Absolution *f.*
assolvere [as'sɔlvere] ⟨assolvo, assolsi, assolto⟩ *tr* **1.** *dir* freisprechen; **2.** *rel* die Absolution erteilen (*qu* jdm); **3.** *(compiere)* erfüllen; **4.** *(da un obbligo)* entbinden (*da* von); **5.** *(pagare)* begleichen.
assomigliare [assomiʎ'ʎaːre] **I.** *itr* ähneln, gleichen; **II.** *rfl:* **-arsi** sich *(dat)* ähneln (*o* gleichen).
assonanza [asso'nantsa] *f* Assonanz *f,* Gleichklang *m.*
assonnato, -a [asso'naːto] *agg (a. fig)* verschlafen, schläfrig.
assopirsi [asso'pirsi] *rfl* einnicken.
assorbente [assor'bɛnte] **I.** *agg* absorbierend, (auf)saugend; **II.** *m:* ~ **con ali** Flügelbinde *f;* ~ **igienico** Damenbinde *f,* Monatsbinde *f;* ~ **interno** Tampon *m.*
assorbire [assor'biːre] ⟨assorbo⟩ *tr* **1.** *(impregnare)* aufsaugen; *fis* absorbieren; **2.** *fig (incorporare)* vereinnahmen; *(assimilare)* aufnehmen; *(impegnare)* beanspruchen, in Anspruch nehmen.
assordante [assor'dante] *agg* ohrenbetäubend. **assordare** [...'daːre] *tr* **1.** *(rendere sordo)* taub machen; **2.** *(stordire)* betäuben.
assortimento [assorti'mento] *m* Sortiment *n,* Auswahl *f.* **assortire** [...'tiːre] ⟨assortisco⟩ *tr* **1.** *(disporre)* sortieren, zusammenstellen; **2.** *econ (rifornire)* mit einem Sortiment versehen. **assortito, -a** [...'tiːto] *agg* sortiert, zusammengestellt; *(misto)* gemischt; *(adatto)* passend.
assorto, -a [as'sɔrto] *agg* versunken, vertieft.
assottigliare [assottiʎ'ʎaːre] ⟨assottiglio, assottigli⟩ **I.** *tr* **1.** *(render sottile)* dünner (*o* feiner) machen; **2.** *(ridurre)* verringern, mindern; **3.** *fig (mente)* schärfen; **II.** *rfl:* **-arsi 1.** *(diventar sottile)* dünner (*o* feiner) werden; **2.** *(ridursi)* sich verringern; **3.** *(dimagrire)* abnehmen, abmagern.
assuefare [assue'faːre] ⟨*irr*⟩ **I.** *tr* gewöh-

nen (*a* an *+akk*); **II.** *rfl:* **-arsi** sich gewöhnen (*a* an *+akk*). **assuefazione** [...fat'tsi̯o:ne] *f* Gewöhnung *f* (*a* an *+akk*).

assumere [as'su:mere] ⟨assumo, assunsi, assunto⟩ **I.** *tr* **1.** *(contegno, espressione)* annehmen; *(responsibilità)* übernehmen; **2.** *(procurarsi)* einholen; **3.** *(impiegato, ecc.)* an-, einstellen; **4.** *(elevare)* erheben, ernennen; **II.** *rfl:* **-ersi 1.** *(attribuirsi)* übernehmen, sich *(dat)* zuschreiben; **2.** *(addossarsi)* auf sich nehmen.

Assunta [as'sunta] *f* **1.** *(Maria Vergine)* Heilige Jungfrau; **2.** *(festa)* Mariä Himmelfahrt.

assunto [as'sunto] **I.** *pp di* **assumere; II.** *m* Annahme *f*, These *f*. **assunzione** [...n'tsi̯o:ne] *f* **1.** *(l'assumere)* An-, Übernahme *f; (di impiegato)* Einstellung *f;* **2.** *rel (elevazione)* Aufnahme *f;* **l'A~ della Vergine** Mariä Himmelfahrt.

assurdità [assurdi'ta] ⟨-⟩ *f* Absurdität *f*.

assurdo, -a [as'surdo] **I.** *agg* absurd; **II.** *m* Absurde(s) *n*.

asta ['asta] *f* **1.** *(bastone)* Stab *m*, Stange *f; (degli occhiali)* Bügel *m;* **2.** *sport* Stab *m;* **3.** *(lancia)* Speer *m*, Lanze *f;* **4.** *(nella scrittura)* Grundstrich *m;* **5.** *econ* Versteigerung *f*, Auktion *f;* **a mezz'~** auf halbmast; **mettere all'~** versteigern.

astemio, -a [as'tɛ:mi̯o] ⟨-i, -ie⟩ **I.** *agg* abstinent; **II.** *m, f* Abstinenzler(in) *m(f)*.

astenersi [aste'nersi] ⟨*irr*⟩ *rfl* sich enthalten (*da qc* einer S. *gen*). **astensione** [...n'si̯o:ne] *f* Enthaltung *f*, Verzicht *m*.

astensionismo [...nsi̯o'nizmo] *m pol* Wahlmüdigkeit *f*.

asterisco [aste'risko] ⟨-schi⟩ *m* Sternchen *n*, Asteriskus *m*.

astigmatico, -a [astig'ma:tiko] ⟨-ci, -che⟩ **I.** *agg* astigmatisch; **II.** *m, f* Astigmatiker(in) *m(f)*.

astinente [asti'nɛnte] *agg* abstinent, enthaltsam. **astinenza** [...'nɛntsa] *f* Abstinenz *f*, Enthaltsamkeit *f*.

astio ['asti̯o] ⟨-i⟩ *m* Groll *m*.

astrale [as'tra:le] *agg* astral, die Gestirne betreffend.

astrattezza [astrat'tettsa] *f* Abstraktheit *f*. **astrattismo** [...'tizmo] *m* abstrakte Kunst *f*.

astratto, -a [as'tratto] **I.** *agg* abstrakt; **II.** *m* Abstrakte(s) *n*.

astringente [astrin'dʒɛnte] **I.** *agg* adstringierend; **II.** *m* Adstringens *n*.

astro ['astro] *m* **1.** *astr* Stern *m*, Gestirn *n;* **2.** *fig* Star *m*, Stern *m*. **astrologia** [-lo'dʒi:a] ⟨-gie⟩ *f* Astrologie *f*. **astrologo, -a** [as'trɔ:logo] ⟨-gi, -ghe⟩ *m, f* Astrologe *m*, -login *f*. **astronauta** [-'na:uta] ⟨-i *m*, -e *f*⟩ *mf* Astronaut(in) *m(f)*. **astronautica** [-'na:utika] *f* Raumfahrt *f*. **astronave** [-'na:ve] *f* Raumschiff *n*. **astronomia** [-no'mi:a] ⟨-ie⟩ *f* Astronomie *f*. **astronomico, -a** [-'nɔ:miko] ⟨-ci, -che⟩ *agg (a. fig)* astronomisch. **astronomo, -a** [as'trɔ:nomo] *m, f* Astronom(in) *m(f)*.

astruso, -a [as'tru:zo] *agg* abstrus, verworren.

astuccio [as'tuttʃo] ⟨-cci⟩ *m* Etui *n*.

astuto, -a [as'tu:to] *agg* schlau, listig. **astuzia** [as'tuttsi̯a] ⟨-ie⟩ *f* Schlauheit *f*, List *f*.

A.T. *abbr di* **Antico Testamento** A.T. (*abk von* Altes Testament).

ateismo [ate'izmo] *m* Atheismus *m*.

Atene [a'tɛ:ne] *f* Athen *n*.

ateo, -a ['a:teo] **I.** *agg* atheistisch; **II.** *m, f* Atheist(in) *m(f)*.

atlante [a'tlante] *m* Atlas *m*.

atlantico, -a [a'tlantiko] ⟨-ci, -che⟩ *agg* atlantisch, Atlantik-; **l'A~** der Atlantik; **l'Oceano A~** der Atlantische Ozean; **patto ~** Nato *f*, Nordatlantikpakt *m;* **politica -a** Natopolitik *f*.

atleta [a'tlɛ:ta] ⟨-i *m*, -e *f*⟩ *mf* Athlet(in) *m(f)*. **atletica** [a'tlɛ:tika] ⟨-che⟩ *f* Athletik *f;* **~ leggera/pesante** Leicht-/Schwerathletik *f*.

atmosfera [atmos'fɛ:ra] *f (a. fig)* Atmosphäre *f*. **atmosferico, -a** [...'fɛ:riko] ⟨-ci, -che⟩ *agg* atmosphärisch; **condizioni -che** Wetterlage *f*.

atomico, -a [a'tɔ:miko] ⟨-ci, -che⟩ *agg* Atom-, atomar.

atomizzatore [atomiddza'to:re] *m* Zerstäuber *m*, Atomiseur *m*.

atomo ['a:tomo] *m (a. fig)* Atom *n*.

atonale [ato'na:le] *agg* atonal.

atrio ['a:tri̯o] ⟨-ii⟩ *m* (Vor)halle *f*, Vorraum *m*.

atroce [a'tro:tʃe] *agg* grausam; *(raccapricciante)* grauenhaft; *(angoscioso)* furchtbar, entsetzlich. **atrocità** [atrotʃi'ta] ⟨-⟩ *f* Grausamkeit *f*.

attaccabrighe [attakka'bri:ge] ⟨-⟩ *mf fam* Streithammel *m fam*.

attaccamento [attakka'mento] *m* Anhänglichkeit *f*.

attaccapanni [-'panni] ⟨-⟩ *m* Kleiderhaken *m; (a stelo)* Kleiderständer *m*.

attaccare [attak'ka:re] ⟨attacco, attacchi⟩ **I.** *tr* **1.** *(fissare)* befestigen; *(manifesto)* anschlagen; *(con colla)* ankleben; *(cucendo)* annähen; *(saldare)* zusammenheften; *(appendere)* aufhängen; *(animali ad un veicolo)* anspannen; **2.** *(iniziare)* anfangen, beginnen; *(discorso a.)* anknüpfen; **3.** *(assalire)* angreifen; **4.** *chim* angreifen; **5.** *med (contagiare)* anstekken (*qc a qu* jdn mit etw.); **6.** *fig (osteggiare)* angreifen, bekämpfen; **II.** *itr* **1.** *(avere azione adesiva)* kleben, haften; **2.** *(muovere all'assalto)* angreifen; **3.** *fig (attecchire)* Wurzeln schlagen; **4.** *impers* anfangen; **attacca a piovere** *fam* es fängt an zu regnen; **con me non attacca!** *fam* bei mir läuft da nichts!

fam; **III.** *rfl:* **-arsi 1.** *(restare aderente)* haften, kleben; **2.** *gastr* ansetzen, anbrennen; **3.** *med* übertragen werden; **4.** *fig (afferrarsi)* sich anklammern; **-arsi a qu** *fig (affezionarsi)* an jdm hängen, Zuneigung zu jdm fassen. **attaccato, -a** [...'ka:to] *agg* anhänglich; **essere ~ ai soldi/alla famiglia** am Geld/an der Familie hängen. **attaccatutto** [...ka'tutto] *m* Alleskleber *m.* **attaccatura** [...ka'tu:ra] *f* Ansatz *m.*

attacco [at'takko] ⟨-cchi⟩ *m* **1.** *(giunzione)* Ansatz *m,* Verbindungsstelle *f; (per sci)* Bindung *f;* **2.** *el, tel* Anschluß *m;* **3.** *(di bestie)* Gespann *n;* **4.** *mil, fig* Angriff *m;* **5.** *sport* Sturmspitze *f;* **6.** *med* Anfall *m;* **7.** *mus (inizio)* Einsatz *m;* **passare all'~** zum Angriff übergehen.

attardarsi [attar'darsi] *rfl* sich aufhalten; *(arrivare tardi)* sich verspäten.

attecchire [attek'ki:re] ⟨attecchisco⟩ *itr (a. fig)* Wurzeln schlagen.

atteggiamento [atteddʒa'mento] *m* Auftreten *n,* Verhalten *n; fig (attitudine)* Einstellung *f.* **atteggiarsi** [...'dʒarsi] ⟨mi atteggio, ti atteggi⟩ *rfl* sich gebärden (*a* als), sich verhalten (*a* als).

attempato, -a [attem'pa:to] *agg* bejahrt, alt.

attendarsi [atten'darsi] *rfl* die Zelte aufschlagen.

attendente [atten'dɛnte] *m* Offiziersbursche *m.*

attendere [at'tɛndere] ⟨*irr*⟩ **I.** *tr* erwarten, warten auf *+akk;* **II.** *itr* ver-, besorgen (*a qc* etw.), sich kümmern (*a* um).

attendibile [atten'di:bile] *agg* zuverlässig; *(notizia)* glaubwürdig.

attenersi [atte'nersi] ⟨*irr*⟩ *rfl* sich halten (*a* an *+akk*).

attentare [atten'ta:re] *itr* einen Anschlag (*o* ein Attentat) verüben (*a* auf *+akk*).

attentato [atten'ta:to] *m* Attentat *n,* Anschlag *m.* **attentatore, -trice** [...ta'to:re] *m, f* Attentäter(in) *m(f).*

attenti [at'tɛnti] **I.** *interi* **1.** *(attenzione)* Achtung; **2.** *mil* habt acht, stillgestanden; **~ al cane!** Vorsicht, bissiger Hund!; **II.** ⟨-⟩ *m* Stillgestanden *n,* Grundstellung *f.*

attento, -a [at'tɛnto] **I.** *agg* aufmerksam; *(diligente a.)* gewissenhaft; *(accurato a.)* sorgfältig; **II.** *interi* paß(t) auf, Achtung.

attenuante [attenu'ante] **I.** *agg* abschwächend, mildernd; **II.** *f* mildernder Umstand. **attenuare** [...u'a:re] **I.** *tr* abschwächen; *(rumore)* dämpfen; *(colpa)* mildern; **II.** *rfl:* **-arsi** schwächer werden.

attenzione [atten'tsio:ne] *f* **1.** *(concentrazione)* Aufmerksamkeit *f;* **2.** *econ* Beachtung *f;* **3.** ⟨*pl*⟩ Aufmerksamkeiten *f pl,* Liebenswürdigkeiten *f pl;* **4.** *interi* Achtung; **alla cortese ~ di ...** zu Händen von ...; ~! Achtung!

atterraggio [atter'raddʒo] ⟨-ggi⟩ *m* Landung *f; (sport a.)* Aufsprung *m;* **campo d'~** Landeplatz *m.*

atterrare [atter'ra:re] **I.** *tr* niederwerfen, zu Boden gehen lassen; **II.** *itr* landen; *(sport a.)* aufspringen.

atterrire [atter'ri:re] ⟨atterrisco⟩ **I.** *tr* erschrecken, Angst einjagen (*qu* jdm); **II.** *rfl:* **-irsi** sich erschrecken.

attesa [at'te:sa] *f* **1.** *(atto)* Warten *n;* **2.** *(periodo)* Wartezeit *f;* **3.** *(stato d'animo)* Erwartung *f;* **sala d'~** Wartesaal *m;* **essere in ~ di qu/qc** auf jdn/etw. warten; **in ~ della Sua risposta** in Erwartung Ihrer Antwort. **atteso, -a** [...so] *agg (aspettato)* erwartet; *(desiderato)* erwünscht.

attestare [attes'ta:re] *tr* **1.** *(testimoniare)* bezeugen; **2.** *(certificare)* bescheinigen, bestätigen; **3.** *fig (dimostrare)* beweisen, zeugen von.

attestato [attes'ta:to] *m* Attest *n,* Bescheinigung *f;* **rilasciare un ~** ein Attest ausstellen.

attico ['attiko] ⟨-ci⟩ *m* **1.** *arch* Attika *f;* **2.** *(appartamento)* Mansarde *f,* Dachwohnung *f.*

attiguo, -a [at'ti:guo] *agg* benachbart, angrenzend; *(stanza)* Neben-.

attillato, -a [attil'la:to] *agg* enganliegend.

attimo ['attimo] *m* Augenblick *m;* **in un ~** im Nu.

attinente [atti'nɛnte] *agg:* **~ a qc** zu etw. gehörend, etw. betreffend.

attingere [at'tindʒere] ⟨*irr*⟩ *tr* **1.** *(acqua)* schöpfen; **2.** *fig (ricavare)* entnehmen, (be)ziehen; *fin* abschöpfen.

attirare [atti'ra:re] *tr* **1.** *(attrarre)* anziehen; *(attenzione)* auf sich ziehen (*o* lenken); **2.** *fig* (ver)locken.

attitudinale [attitudi'na:le] *agg* Eignungs-, Begabungs-, Befähigungs-; **test ~** Eignungstest *m,* -prüfung *f.* **attitudine** [...'tu:dine] *f* **1.** *(capacità)* Eignung *f* (*a* zu), Begabung *f* (*per* für); **2.** *(atteggiamento)* Haltung *f,* Einstellung *f.*

attivare [atti'va:re] *tr* **1.** *(mettere in azione)* betätigen, in Gang setzen; **2.** *(riportare in efficienza, a. chim, fis)* aktivieren. **attivista** [...'vista] ⟨-i *m,* -e *f*⟩ *mf* Aktivist(in) *m(f).*

attività [attivi'ta] ⟨-⟩ *f* **1.** *(operosità)* Aktivität *f; fig (di vulcano)* Tätigkeit *f;* **2.** *(lavoro, occupazione)* Beschäftigung *f,* Tätigkeit *f;* **3.** ⟨*pl*⟩ *econ* Aktiva *pl;* **4.** *(funzionamento, azione)* Betrieb *m;* **5.** *(med, chim, ecc.)* Wirkung *f;* **~ primaria/secondaria/terziaria** *econ* landwirtschaftlicher Bereich/Industrie-/Dienstleistungsbereich *m.*

attivo, -a [at'ti:vo] **I.** *agg* **1.** *gener.* aktiv; *(operoso a.)* tätig, geschäftig; *(lavoratore, ecc.)* arbeitend, werktätig; **2.** *(determinante)* entscheidend; **3.** *(in funzione)* tätig; *tec* in Betrieb; **le partite -e di un bilancio** die Aktivposten *m pl* einer Bilanz; **II.** *m* **1.** *econ* Aktivum *n,* Aktivposten *m;* **2.** *gram* Aktiv *n;* **3.** ⟨*pl*⟩ *pol* Aktivisten *m pl;* **portare all'~ un'azienda** ein Unternehmen sanieren; **segnare una partita all'~** einen Posten als Aktivum verbuchen.

attizzare [attit'tsa:re] *tr* schüren, anfachen.

atto ['atto] *m* **1.** *(gesto, moto)* Geste *f,* Gebärde *f; (azione)* Handlung *f;* **2.** *(atteggiamento)* Haltung *f;* **3.** *(manifestazione, filos, theat)* Akt *m;* **4.** *(documento)* Urkunde *f,* Dokument *n;* **5.** ⟨*pl*⟩ *(documentazione)* Akten *f pl;* **6.** ⟨*pl*⟩ *(resoconti collegiali)* Berichte *m pl;* ~ **di dolore/fede** Sünden-/Glaubensbekenntnis *n;* ~ **di morte/nascita** Sterbe-/Geburtsurkunde *f;* ~ **unico** Einakter *m;* **Atti degli Apostoli** Apostelgeschichte *f;* **fare ~ di presenza** seine Aufwartung machen; **essere in ~** stattfinden; **prendere ~ di qc** etw. zur Kenntnis nehmen; **mettere in ~ qc** etw. in Gang setzen; **passare agli -i** zu den Akten legen; *fig* ad acta legen; **all'~ pratico** in der Praxis; **nell'~ di** +*inf* gerade bei(m) . . .

atto, -a ['atto] *agg* **1.** *(idoneo)* fähig *(a* zu), tauglich *(a* für), geeignet *(a* für); **2.** *(adatto)* geeignet *(a* zu), passend *(a* zu, für).

attonito, -a [at'tɔ:nito] *agg* erstaunt.

attorcigliare [attortʃiʎ'ʎa:re] ⟨attorciglio, attorcigli⟩ **I.** *tr* (auf)wickeln; **II.** *rfl:* **-arsi** sich (auf)wickeln.

attore, attrice [at'to:re] *m, f* **1.** *(in spettacoli)* Schauspieler(in) *m(f);* **2.** *dir* Kläger(in) *m(f);* ~ **cinematografico** Filmschauspieler *m;* ~ **comico** Komiker *m.*

attorniare [attor'nja:re] ⟨attornio, attorni⟩ **I.** *tr* umgeben; **II.** *rfl:* **-arsi** sich umgeben *(di* mit), um sich scharen *(di qu* jdn).

attorno [at'torno] **I.** *avv* (rund)herum; **II.** *prp:* ~ **a** um +*akk* (herum); **stare ~ a qu** *fig* hinter jdm her sein, jdm auf der Pelle liegen *fam.*

attraente [attra'ɛnte] *agg* anziehend; *(persona a.)* attraktiv; *(proposta a.)* verlockend.

attrarre [at'trarre] ⟨*irr*⟩ **1.** *(tirare a sé)* anziehen; **2.** *fig (allettare)* verlocken.

attrattiva [attrat'ti:va] *f* **1.** *(fascino)* Reiz *m,* Anziehungskraft *f;* **2.** ⟨*pl*⟩ Attraktionen *f pl.*

attraversamento [attraversa'mento] *m* Übergang *m;* ~ **pedonale** Fußgängerüberweg *m.* **attraversare** [...'sa:re] *tr* **1.** *(mare, strada)* überqueren; *(fiume, paese)* durchqueren; *(confine)* überschreiten; **2.** *fig (vivere)* durchmachen.

attraverso [attra'vɛrso] **I.** *avv* **1.** *(trasversalmente)* quer; **2.** *fig (di traverso)* schief, schlecht; **II.** *prp* durch +*akk* (hindurch); *(mediante)* mittels +*gen,* durch +*akk.*

attrazione [attrat'tsjo:ne] *f* **1.** *fis, fig* Anziehung *f,* Anziehungskraft *f;* **2.** *(numero sensazionale)* Attraktion *f;* **provare ~ per qu** von jdm angezogen sein.

attrezzare [attret'tsa:re] **I.** *tr* einrichten, ausstatten *(di* mit); *tec* ausrüsten *(di* mit); **II.** *rfl:* **-arsi** sich ausrüsten. **attrezzatura** [...tsa'tu:ra] *f* Ausstattung *f,* Einrichtung *f; tec* Ausrüstung *f.* **attrezzista** [...'tsista] ⟨-i *m,* -e *f*⟩ *mf* **1.** *sport* Geräteturner(in) *m(f);* **2.** *teat, film* Requisiteur(in) *m(f).* **attrezzo** [at'trettso] *m* Gerät *n,* Werkzeug *n;* **-i da ginnastica** Turngeräte *n pl.*

attribuire [attribu'i:re] ⟨attribuisco⟩ **I.** *tr* **1.** *(assegnare)* zuerkennen; **2.** *(rilevare)* zuschreiben; *(importanza)* beimessen; **3.** *(ascrivere)* zuschreiben, zurückführen *(a* auf +*akk*); **II.** *rfl:* **-irsi** sich *(dat)* zuerkennen, für sich in Anspruch nehmen. **attributo** [...'bu:to] *m* **1.** *gram* Attribut *n;* **2.** *(caratteristica)* Merkmal *n,* Attribut *n.* **attribuzione** [...but'tsjo:ne] *f* **1.** *(assegnazione)* Zuerkennung *f;* **2.** ⟨*pl*⟩ *(mansioni, funzioni)* Kompetenz-, Aufgabenbereich *m.*

attrice *f v.* **attore.**

attrito [at'tri:to] *m* **1.** *fis* Reibung *f;* **2.** *fig (contrasto)* Reiberei *f.*

attuale [attu'a:le] *agg* aktuell, zeitgemäß; *(presente)* derzeitig, jetzig, gegenwärtig.

attualità [attuali'ta] ⟨-⟩ *f* Aktualität *f;* **tornare di ~** wieder aktuell werden. **attualizzare** [...lid'dzɑ:re] *tr* aktualisieren.

attuare [attu'a:re] **I.** *tr* verwirklichen; **II.** *rfl:* **-arsi** sich verwirklichen. **attuazione** [...uat'tsjo:ne] *f* Verwirklichung *f.*

attutire [attu'ti:re] ⟨attutisco⟩ *tr* abmildern, abschwächen; *(suono, urto)* dämpfen.

audace [au'da:tʃe] *agg* **1.** *(coraggioso)* mutig; **2.** *(arrischiato)* riskant; **3.** *(provocante)* gewagt; **4.** *(insolente)* unverschämt. **audacia** [au'da:tʃa] ⟨-cie⟩ *f* **1.** *(coraggio)* Mut *m;* **2.** *(atto arrischiato)* Kühnheit *f;* **3.** *(provocazione)* Provokation *f;* **4.** *(insolenza)* Unverschämtheit *f.*

audio ['a:udjo] ⟨-⟩ *m* Audion *n,* Ton *m; fam* Lautstärke *f.* **audiocassetta** [-kas'setta] *f* (Audio-, Musik-)Kassette *f.* **audioleso, -a** [-'le:zo *o* -'lɛ:zo] **I.** *agg* hörgeschädigt, hörbehindert; **II.** *m, f* Hörgeschädigte(r) *f(m).* **audiovisivo, -a** [audjovi'zi:vo] *agg* audiovisuell.

auditivo, -a [audi'ti:vo] *agg* auditiv, Hör-.

auditor ['ɔ:ditə] ⟨-⟩ *mf* Wirtschaftsprüfer(in) *m(f).*

auditorio [...'tɔ:rjo] ⟨-i⟩ *m (per concerti, spettacoli)* Konzertsaal *m,* -halle *f; (per conferenze, congressi)* Kongreßsaal *m,* -halle *f.* **audizione** [...t'tsjo:ne] *f* **1.** *gener.* Hören *n;* **2.** *radio* Empfang *m;* ~ **di**

testimoni *dir* Zeugenanhörung *f*.
auge ['a:udʒe] *f* Gipfel *m*, Höhepunkt *m*; **essere in** ~ *fig* en vogue sein.
augurale [augu'ra:le] *agg* Glück(-wunsch)-.
augurare [augu'ra:re] **I.** *tr* wünschen; ~ **buon viaggio** eine gute Reise wünschen; **II.** *rfl*: **-arsi** (sich *dat*) wünschen, (sich *dat*) erhoffen.
augurio [au'gu:rio] ⟨-i⟩ *m* **1.** *(voto di felicità, benessere)* Glückwunsch *m*; **2.** *(desiderio)* Wunsch *m*; **fare (***o* **porgere) gli -i a qu** jdm Glück wünschen; **tanti -i!** herzlichen Glückwunsch!
Augusta [au'gusta] *f geog* Augsburg *n*.
Augusto [au'gusto] *(nome proprio maschile)* August.
aula ['a:ula] *f* Saal *n*; *(di scuola)* Klasse *f*, Klassenzimmer *n*; *(di università)* Hörsaal *m*; ~ **magna** Auditorium maximum *n*, Audimax *n fam*.
aumentare [aumen'ta:re] **I.** *tr* ⟨*avere*⟩ **1.** *gener*. vermehren, steigern; *(punti di maglia)* zunehmen; *(prezzo, salario)* erhöhen; **2.** *fig* verstärken; **II.** *itr* ⟨*essere*⟩ zunehmen; *(prezzi, salari)* steigen.
aumento [au'mento] *m* Erhöhung *f*; *(a. fig)* Zunahme *f*; ~ **di peso** Gewichtszunahme *f*; ~ **salariale** Gehaltserhöhung *f*; **essere in** ~ zunehmen.
aureo, -a ['a:ureo] *agg (a. fig)* golden, Gold-; **periodo** ~ Goldenes Zeitalter.
aureola [au'rɛ:ola] *f* Heiligenschein *m*, Aureole *f wissensch*.
auricolare [auriko'la:re] **I.** *agg* Ohr-, Ohren-; **testimone** ~ Ohrenzeuge *m*; **II.** *m* Kopfhörer *m*.
aurora [au'rɔ:ra] *f* Morgenrot *n*, Morgenröte *f*; ~ **australe/boreale/polare** Süd-/Nord-/Polarlicht *n*.
auscultare [auskul'ta:re] *tr med* auskultieren, abhorchen.
ausiliare [auzi'lia:re] **I.** *agg* Hilfs-; **II.** *m gram* Hilfsverb *n*; **III.** *mf* Aushilfe *f*, Helfer(in) *m(f)*. **ausiliario, -a** [...'lia:rio] ⟨-i, -ie⟩ **I.** *agg* (Aus)hilfs-; *mil* Reserve-; **spese -ie** Nebenkosten *pl*; **II.** *m, f* Helfer(in) *m(f)*.
auspicare [auspi'ka:re] ⟨auspico, auspichi⟩ *tr* wünschen, erhoffen. **auspicio** [...'pi:tʃo] ⟨-ci⟩ *m* **1.** *(pronostico)* Vorzeichen *n*; **2.** *(desiderio)* Wunsch *m*.
austerità [austeri'ta] ⟨-⟩ *f* **1.** *(qualità)* Strenge *f*, Härte *f*; **2.** *pol* Austerity *f*; **misure di** ~ *econ* Sparmaßnahmen *f pl*.
austero, -a [...'tɛ:ro] *agg* streng, hart.
australe [aus'tra:le] *agg* Süd-, südlich.
Australia [aus'tra:lia] *f* Australien *n*. **australiano, -a** [...ra'lia:no] **I.** *agg* australisch; **II.** *m, f* Australier(in) *m(f)*.
Austria ['a:ustria] *f* Österreich *n*; ~ **Alta/Bassa** Ober-/Niederösterreich *n*. **austriaco, -a** [aus'tri:ako] ⟨-ci, -che⟩ **I.** *agg* österreichisch; **II.** *m, f* Österreicher(in) *m(f)*.
autarchia [autar'ki:a] ⟨-chie⟩ *f* Autarkie *f*.
autarchico, -a [au'tarkiko] ⟨-ci, -che⟩ *agg* **1.** *pol* autark; **2.** *dir* autonom, unabhängig; **amministrazione -a** Selbstverwaltung *f*.
autenticare [autenti'ka:re] ⟨autentico, autentichi⟩ *tr* beglaubigen. **autenticazione** [...kat'tsio:ne] *f* Beglaubigung *f*.
autenticità [autentitʃi'ta] ⟨-⟩ *f* Echtheit *f*; *(veridicità)* Glaubwürdigkeit *f*.
autentico, -a [au'tɛntiko] ⟨-ci, -che⟩ *agg (vero)* wahr; *(regolare)* authentisch; *(non falsificato)* echt; *(reale)* wirklich; *(originale)* original; *(genuino)* rein.
autismo [au'tizmo] *m* Autismus *m*.
autista[1] [au'tista] ⟨-i *m*, -e *f*⟩ *mf* Fahrer(in) *m(f)*, Chauffeur(in) *m(f)*.
autista[2] [au'tista] ⟨-i *m*, -e *f*⟩ **I.** *agg psic* autistisch; **II.** ⟨-i *m*, -e *f*⟩ *mf psic* Autist(in) *m(f)*.
autistico, -a [au'tistiko] ⟨-ci, -che⟩ *agg* autistisch.
auto ['a:uto] ⟨-⟩ *f* Auto *n*; ~ **civetta** Zivilstreifenwagen *m*; ~ **pubblica** Taxi *n*.
autoabbronzante [autoabbron'dzante] **I.** *agg* selbstbräunend; **II.** *m* Selbstbräuner *m*. **autoadesivo, -a** [-ade'zi:vo] **I.** *agg* selbsthaftend, -klebend; **II.** *m* Aufkleber *m*. **autoaffermazione** [-affermat'tsio:ne] *f* Selbstbestätigung *f*.
autoambulanza [-ambu'lantsa] *f* Unfall-, Krankenwagen *m*.
autobiografia [-biogra'fi:a] *f* Autobiographie *f*. **autobiografico, -a** [...'gra:fiko] *agg* autobiographisch.
autoblinda, autoblindata [-'blinda, ...'da:ta] *f* Panzerwagen *m*. **autobomba, auto-bomba** ['-'bomba] *f* Autobombe *f*.
autobotte [-'botte] *f* Tank-, Kesselwagen *m*.
autobus ['a:utobus] ⟨-⟩ *m* Autobus *m*, Omnibus *m*. **autocaravan** [auto'karavan] ⟨-⟩ *f* Wohnmobil *n*. **autocarro** [-'karro] *m* Last(kraft)wagen *m*. **autocisterna** [-tʃis'tɛrna] *f* Tank-, Kesselwagen *m*.
autoclave [-'kla:ve] *f* Druckkessel *m*.
autocolonna [-ko'lonna] *f* Autokolonne *f*.
autocommiserazione [-kommizerat'tsio:ne] *f* Selbstmitleid *n*.
autoconservazione [-konserva'tsio:ne] *f* Selbsterhaltung *f*.
autocontrollo [-kon'trɔllo] *m* Selbstbeherrschung *f*. **autocoscienza** [-koʃ'ʃɛntsa] *f* Selbstbewußtsein *n*
autocritica [-'kri:tika] *f* Selbstkritik *f*.
autoctono, -a [au'tɔktono] **I.** *agg* autochthon; **II.** *m, f* Alteingesessene(r) *mf*.
autodeterminazione [autodeterminat'tsio:ne] *f* Selbstbestimmung *f*; ~ **dei popoli** Selbstbestimmungsrecht *n* der Völker.
autodidatta [-di'datta] ⟨-i *m*, -e *f*⟩ *mf* Autodidakt(in) *m(f)*.
autodisciplina [-diʃʃi'pli:na] *f* Selbstdiszi-

plin *f*. **autodistruzione** [-distrut'tsio:ne] *f* Selbstzerstörung *f*.

autodromo [au'tɔ:dromo] *m* Autorennbahn *f*. **autoferrotranviario, -a** [autoferrotran'via:rio] *agg* die öffentlichen Verkehrsbetriebe betreffend. **autofficina** [-offi'tʃi:na] *f* Auto(reparatur)werkstatt *f*.

autofinanziamento [-finantsia'mento] *m* Selbstfinanzierung *f*.

autogeno, -a [au'tɔ:dʒeno] *agg* autogen; **training** ~ autogenes Training *n*.

autogestione [autodʒes'tio:ne] *f* Selbstverwaltung *f*.

autogol [-'gɔl] *m* Eigentor *n*.

autogoverno [-go'vɛrno] *m pol* Selbstbestimmung *f*.

autografo, -a [au'tɔ:grafo] **I.** *agg* eigenhändig geschrieben; **II.** *m* **1.** *(manoscritto)* Autograph *n;* **2.** *(firma)* Autogramm *n*.

autogrill® [auto'gril] *m* Autobahnrestaurant *n,* Raststätte *f*. **autolavaggio** [-la'vaddʒo] ⟨-ggi⟩ *m* (Auto-)Waschanlage *f*.

autolinea [-'li:nea] *f* Buslinie *f*.

autolubrificante [-lubrifi'kante] *agg mot, tec* selbstschmierend.

automa [au'tɔ:ma] ⟨-i⟩ *m* Roboter *m*. **automatico, -a** [auto'ma:tiko] ⟨-ci, -che⟩ **I.** *agg* automatisch; **II.** *m* **1.** *(bottone)* Druckknopf *m;* **2.** *(fucile)* Repetiergewehr *n*. **automatizzare** [...matid'dza:re] *tr* automatisieren.

automezzo [-'mɛddzo] *m* Kraftfahrzeug *n*.

automobile [-'mɔ:bile] *f* Auto *n,* Automobil *n;* ~ **da corsa** Rennauto *n;* ~ **decappottabile** Kabriolett *n;* ~ **utilitaria** Kleinwagen *m;* **industria dell'**~ Automobilindustrie *f*. **automobilismo** [-mobi'lizmo] *m* Kraftfahrwesen *n; sport* Motorsport *m*. **automobilista** [...'lista] ⟨-i *m,* -e *f*⟩ *mf* Autofahrer(in) *m(f)*. **automobilistico, -a** [...'listiko] ⟨-ci, -che⟩ *agg* Auto(mobil)-; **patente -a** Führerschein *m*. **autonoleggio** [-no'leddʒo] *m* Autovermietung *f,* -verleih *m*.

autonomia [autono'mi:a] ⟨-ie⟩ *f* **1.** *gener., pol* Autonomie *f,* Unabhängigkeit *f;* **2.** *tec* Reichweite *f,* Aktionsradius *m*. **autonomo, -a** [au'tɔ:nomo] **I.** *agg* autonom, unabhängig; *(lavoro)* selbständig; **II.** *m, f pol* Autonome(r) *f(m)*.

autoparco [-'parko] *m* Fahrzeugpark *m;* **autopattuglia** [-pattuʎʎa] *f* Streifenwagen *m*.

autopilota [-pi'lɔ:ta] ⟨-i⟩ *m* Autopilot *m*.

autopsia [autop'si:a] ⟨-ie⟩ *f* Autopsie *f*.

autopulente [-pu'lɛnte] *agg* selbstreinigend; **potere (*o* capacità)** ~ Selbstreinigungskraft *f*. **autopullman** [-'pulman] *m* Reisebus *m*.

autoradio [-'ra:dio] *f* Autoradio *n*. **autoraduno** [-ra'du:no] *m* Autofahrertreffen *n*.

autore, -trice [au'to:re] *m, f* **1.** *(esecutore)* Urheber(in) *m(f); (di crimine)* Täter(in) *m(f);* **2.** *letter* Autor(in) *m(f),* Verfasser(in) *m(f);* **diritto d'**~ Urheberrecht *n*.

autorete [-'re:te] *f* Eigentor *n*.

autoreverse [ɔ:tərı'vɜ:s] ⟨-⟩ *m* Autoreverse *n,* Umschaltautomatik *f*.

autorevole [auto're:vole] *agg* gebieterisch, einflußreich; *(a. consiglio, ecc.)* maßgebend.

autorimessa [-ri'messa] *f* Garage *f,* Autowerkstatt *f*.

autorità [autori'ta] ⟨-⟩ *f* **1.** *dir* (Macht)befugnis *f,* Recht *n;* **2.** *(persona, potere)* Autorität *f;* **3.** *amm* Behörde *f;* **4.** ⟨*pl*⟩ *(titolari)* Würdenträger *m pl;* **5.** *(stima, credito)* Einfluß *m,* Ansehen *n;* **l'**~ **dello Stato** die Staatsgewalt. **autoritario, -a** [...'ta:rio] ⟨-i, -ie⟩ *agg* autoritär.

autoritratto [-ri'tratto] *m* Selbstbildnis *n*.

autorizzare [autorid'dza:re] *tr* **1.** *(permettere)* genehmigen, bewilligen; *(persona)* ermächtigen, autorisieren; **2.** *(giustificare)* rechtfertigen, berechtigen. **autorizzazione** [...dzat'tsio:ne] *f* Genehmigung *f,* Bewilligung *f; (di persona)* Ermächtigung *f*.

autosalone [-sa'lo:ne] *m* **1.** *(concessionario)* Autohaus *n*; **2.** *(esposizione)* Automobilausstellung *f,* Autosalon *m*. **autoscontro** [-s'kontro] *m* Autoskooter *m*.

autoscuola [-s'kuɔ:la] *f* Fahrschule *f*.

autosilo [-'si:lo] *m* Parkhaus *n*. **autosnodato** [-zno'da:to] *m* Gelenkbus *m*.

autostazione [-stat'tsio:ne] *f* **1.** *(stazione di servizio)* Tankstelle *f;* **2.** *(di autolinee)* Busbahnhof *m*.

autostop [-s'tɔp] *m* Trampen *n,* Autostop(p) *m;* **fare l'**~ **(*o* ~), viaggiare in** ~ per Anhalter fahren, trampen. **autostoppista** [-stop'pista] ⟨-i *m,* -e *f*⟩ *mf* Anhalter(in) *m(f),* Tramper(in) *m(f)*.

autostrada [-s'tra:da] *f* (*abbr* **A**) Autobahn *f;* ~ **a pedaggio** gebührenpflichtige Autobahn. **autostradale** [-stra'da:le] *agg* Autobahn-; **raccordo/svincolo** ~ Autobahnzubringer *m*/-dreieck *n;* **casello** ~ Autobahnposten *m,* Mautstelle *f A*.

autosufficiente [-suffi'tʃɛnte] *agg* selbstgenügsam; *(persona)* nicht auf Pflege angewiesen, kein Pflegefall.

autosuggestione [-suddʒes'tio:ne] *f* Autosuggestion *f*.

autotelaio [-te'la:io] ⟨-ai⟩ *m* Fahrgestell *n,* Chassis *n*. **autotelefono** [-te'lɛ:fono] *m* Autotelefon *n*. **autotrasportatore, -trice** [-trasporta'to:re] *m, f* Transportunternehmer(in) *m(f),* Fuhrunternehmer(in) *m(f)*. **autotrasporto** [-tras'pɔrto] *m* Kraftverkehr *m*. **autotreno** [-'trɛ:no] *m* Lastzug *m*. **autoveicolo** [-ve'i:kolo] *m* Kraftfahrzeug *n;* **immatricolazione di (un)** ~ Kfz-Zulassung *f;* **proprietario dell'**~ (Kraft-)Fahrzeughalter *m;* **tassa di circolazione degli -i** Kraftfahrzeugsteuer *f*, Kfz-Steuer *f*. **autovelox** [-vɛ'lɔks] ⟨-⟩ *m o f* Radargerät *n* zur Geschwindigkeitskontrolle. **autovettura** [-vet'tu:ra] *f* Personenkraftwagen *m*.

autrice *f v.* **autore.**

autunnale [autun'na:le] *agg* herbstlich.

autunno [au'tunno] *m* Herbst *m;* **d'~** im Herbst.

ava *f v.* **avo.**

avallare [aval'la:re] *tr* **1.** *econ* avalieren; **2.** *fig (confermare)* bestätigen. **avallo** [a'vallo] *m* **1.** *econ* Aval *m*, Bürgschaft *f;* **2.** *fig (conferma, garanzia)* Bestätigung *f;* **per ~** als Wechselbürge.

avambraccio [avam'brattʃo] ⟨-cci⟩ *m* Unterarm *m.* **avamposto** [...m'posto] *m* Vorposten *m.*

avanguardia [avaŋ'guardi̯a] *f* **1.** *mil* Vorhut *f;* **2.** *fig* Avantgarde *f;* **essere all'~** zur Avantgarde gehören.

avanti [a'vanti] **I.** *avv* **1.** *(stato in luogo)* vorn; **2.** *(avvicinamento)* näher, nach vorn; **3.** *(allontanamento)* voraus, weiter; **4.** *(prima)* vorher; **andare ~** *(camminare per primo)* vorgehen, vorausgehen; *fig (avanzare, fare progressi)* vorangehen; *fig (continuare)* weitergehen; *fig (continuare a fare)* weitermachen; **l'orologio va ~** die Uhr geht vor; **essere ~ negli anni** betagt sein; **essere ~ negli studi** im Studium fortgeschritten sein; **mettere le mani ~** sich absichern; **~ e indietro** hin und her; **d'ora in ~** von nun (*o* jetzt) an; **II.** *prp* **1.** *(stato in luogo)* vor *+dat; (moto a luogo)* vor *+akk;* **2.** *(di tempo)* vor *+dat;* **III.** ⟨*inv*⟩ *agg* **1.** *(di luogo)* Vorder-; **2.** *(di tempo)* vorhergehend, vorige(r, s); **il giorno ~** am Vortag, tags zuvor; **IV.** ⟨-⟩ *m sport* Stürmer *m;* **V.** *interi* **1.** *(avvicinamento)* bitte; *(entrate)* herein; **2.** *(allontanamento)* los; *mil* vorwärts; **3.** *(esortazione)* los; **~ il primo!** der Erste, bitte!. **avantieri, avant'ieri** [avan'ti̯ɛ:ri] *avv* vorgestern.

avantreno [avan'trɛ:no] *m* Vorderachse *f*, -gestell *n.*

avanzamento [avantsa'mento] *m* **1.** *(promozione)* Beförderung *f;* **2.** *(progresso)* Fortschritt *m; (dei lavori, ecc.)* Fortschreiten *n.*

avanzare[1] [avan'tsa:re] **I.** *itr* ⟨*essere*⟩ **1.** *(andare)* vorausgehen, vorausschreiten *geh;* **2.** *fig (progredire)* vorwärts-, vorankommen, Fortschritte machen; *(lavoro, ecc.)* vorangehen; **3.** *(essere promosso)* befördert werden; **4.** *(sporgere in fuori)* vorspringen, herausragen; **5.** ⟨*avere*⟩ *mil* vorrücken; **~ negli anni** in den Jahren fortschreiten; **II.** *tr* ⟨*avere*⟩ **1.** *(spostare in avanti)* vorrücken; **2.** *(promuovere)* befördern; **3.** *(domanda)* einreichen; *(proposta)* unterbreiten; **4.** *(superare)* übertreffen (*in* an *+dat*).

avanzare[2] [avan'tsa:re] **I.** *itr* ⟨*essere*⟩ **1.** *(rimanere come resto)* übrigbleiben; **2.** *(essere sovrabbondante)* reichlich vorhanden sein; **II.** *tr* ⟨*avere*⟩ **1.** *(essere creditore)* guthaben (*qc da qu* etw. bei jdm); **2.** *fig (guadagnare)* (ein)sparen.

avanzata [avan'tsa:ta] *f* Vorrücken *n; (a. fig, mil)* Vormarsch *m.*

avanzato, -a[1] [avan'tsa:to] *agg* **1.** *(spostato in avanti)* vorgeschoben; **2.** *(inoltrato)* vorgeschritten, fortgeschritten; **3.** *(innovatore, audace)* fortschrittlich.

avanzato, -a[2] [avan'tsa:to] *agg (residuo)* übriggeblieben; *(ancora disponibile)* verblieben.

avanzo [a'vantso] *m* **1.** *(resto, a. mat)* Rest *m;* **2.** *(eccedenza, a. econ)* Überschuß *m;* **3.** ⟨*pl*⟩ Überreste *m pl;* **il 4 nel 9 sta 2 volte con l'~ di 1** neun durch vier ist zwei, Rest eins.

avaria [ava'ri:a] ⟨-ie⟩ *f* Havarie *f.* **avariare** [...'ri̯a:re] **I.** *tr* beschädigen; **II.** *rfl:* **-arsi** verderben.

avarizia [ava'rittsi̯a] ⟨-ie⟩ *f* Geiz *m.*

avaro, -a [a'va:ro] **I.** *agg* **1.** *(persona)* geizig; **2.** *fig (terreno, ecc.)* karg; **~ di parole** wortkarg; **II.** *m, f* Geizige(r) *mf.*

avem(m)aria [avem(m)a'ri:a] ⟨-ie⟩ *f* Ave-Maria *n;* **sapere qc come l'~** etw. *(akk)* auswendig kennen.

avena [a've:na] *f* Hafer *m.*

avere [a've:re] ⟨ho, ebbi, avuto⟩ **I.** *tr* haben; **~ vent'anni** zwanzig Jahre alt sein; **~ da lavorare** zu arbeiten haben; **~ a che dire con qu** jdm etw. zu sagen haben; **~ a che fare con qu** mit jdm zu tun haben; **avercela con qu** sich mit jdm überworfen haben; *(prenderlo di mira)* jdn auf dem Kieker haben *fam;* **~ molto di qu** *fig (assomigliargli)* viel von jdm haben; **chi ha avuto, ha avuto** was man hat, das hat man; **II.** *itr impers* vorhanden sein, geben; **III.** *m* **1.** *(patrimonio)* Vermögen *n;* **2.** *(credito)* Guthaben *n;* **3.** *econ* Haben *n;* **il dare e l'~** Soll und Haben *n.*

aviatore, -trice [avi̯a'to:re] *m, f* Flieger(in) *m(f).* **aviazione** [...t'tsi̯o:ne] *f* Luftfahrt *f*, Fliegerei *f; mil* Luftwaffe *f.*

avidità [avidi'ta] ⟨-⟩ *f* Gier *f;* **~ di sapere** Wissensdurst *m.*

avido, -a ['a:vido] *agg* gierig; **~ di conoscere** wissensdurstig; **~ di guadagno/vendetta** profit-/rachsüchtig; **~ di denaro** habgierig.

aviere [a'vi̯ɛ:re] *m mil* Flieger *m.*

aviogetto [avi̯o'dʒɛtto] *m* Düsenflugzeug *n.* **avioturismo** [-tu'rizmo] *m* Flugtouristik *f.*

avo, -a ['a:vo] *m, f* **1.** *lett (nonno, nonna)* Ahn(frau) *m(f) obs;* **2.** ⟨*pl*⟩ *(antenati)* Ahnen *pl*, Vorfahren *pl.*

avocado [avo'ka:do] *m* Avocado *f.*

avorio [a'vɔ:ri̯o] ⟨-i⟩ *m* **1.** *(sostanza)* Elfenbein *n;* **2.** *(lavoro)* Elfenbeinarbeit *f;* **3.** *(colore)* Elfenbeinfarbe *f;* **Costa d'A~**

Elfenbeinküste *f.*
avvalersi [avva'lersi] ⟨*irr*⟩ *rfl* sich bedienen *(di gen),* Gebrauch machen (*di* von).
avvallamento [avvalla'mento] *m* Senkung *f,* Niederung *f.*
avvampare [avvam'pa:re] *itr* ⟨*essere*⟩ **1.** *(ardere divampando)* lodern; **2.** *(arrossire)* erröten; **3.** *fig (di rabbia)* aufbrausen.
avvantaggiare [avvantad'dʒa:re] ⟨avvantaggio, avvantaggi⟩ **I.** *tr* **1.** *(favorire)* bevorteilen, begünstigen; **2.** *(far progredire)* fördern; **II.** *rfl:* **-arsi 1.** *(avvalersi con profitto)* nutzen; **2.** *(guadagnar tempo)* einen Vorsprung gewinnen; **3.** *(prevalere)* voraus sein (*su qu* jdm), im Vorteil sein (*su qu* jdm gegenüber).
avvedersi [avve'dersi] ⟨*irr*⟩ *rfl* bemerken (*di qc* etw.).
avvedutezza [avvedu'tettsa] *f* Umsicht *f,* Schlauheit *f.* **avveduto, -a** [...'du:to] *agg* umsichtig, schlau.
avvelenamento [avvelena'mento] *m* Vergiftung *f.* **avvelenare** [...'na:re] **I.** *tr* **1.** *(con veleno)* vergiften; **2.** *(ammorbare)* verpesten; **3.** *fig (amareggiare)* vergällen; **II.** *rfl:* **-arsi** sich vergiften.
avvenente [avve'nɛnte] *agg* anmutig, gefällig. **avvenenza** [...'nɛntsa] *f* Anmut *f.*
avvenimento [avveni'mento] *m* Ereignis *n.*
avvenire[1] [avve'ni:re] ⟨-⟩ *m* Zukunft *f.*
avvenire[2] [avve'ni:re] ⟨*irr*⟩ *itr* ⟨*essere*⟩ geschehen, passieren, sich ereignen; **che è avvenuto di lui?** was ist aus ihm geworden?
avventarsi [avven'tarsi] *rfl* sich stürzen (*su, contro* auf *+akk*). **avventatezza** [...ta'tettsa] *f* Unbesonnenheit *f.* **avventato, -a** [...'ta:to] *a (giudizio, atto)* überstürzt, voreilig; *(persona)* unbesonnen, leichtsinnig.
avventizio, -a [avven'tittsio] ⟨-i, -ie⟩ **I.** *agg* **1.** *(provvisorio)* (Aus)hilfs-; **2.** *(occasionale)* Gelegenheits-; **II.** *m, f* Aushilfe *f,* Gelegenheitsarbeiter(in) *m(f).*
avvento [av'vɛnto] *m* **1.** *rel* Advent *m;* **2.** *fig* Ankunft *f,* Anbruch *m;* **domenica d'~** Adventssonntag *m;* ~ **al potere/trono** Machtergreifung *f*/Thronbesteigung *f.*
avventore, -a [avven'to:re] *m, f (di negozio)* Stammkunde *m,* -kundin *f; (di locale pubblico)* Stammgast *m.*
avventura [avven'tu:ra] *f* Abenteuer *n.* **avventurarsi** [...tu'rarsi] *rfl* sich wagen, sich trauen. **avventuriero, -a** [...tu'riɛ:ro] *m, f* Abenteurer *m,* Abenteu(r)erin *f.* **avventuroso, -a** [...tu'ro:so] *agg (a. fig)* abenteuerlich.
avverarsi [avve'rarsi] *rfl* eintreffen, sich bewahrheiten.
avverbio [av'vɛrbio] ⟨-i⟩ *m* Adverb *n,* Umstandswort *n.*
avversare [avver'sa:re] *tr* anfechten, bekämpfen. **avversario, -a** [...'sa:rio] ⟨-i, -ie⟩ **I.** *agg* gegnerisch; **II.** *m, f* Gegner(in) *m(f); mil (nemico)* Feind *m.*
avversione [avver'sio:ne] *f* **1.** *(ostilità, antipatia)* Aversion *f* (*per* gegen), Abneigung *f* (*per* gegen); **2.** *(ripugnanza)* Aversion *f* (*a* gegen), Widerwille *m* (*a* gegen).
avversità [avversi'ta] ⟨-⟩ *f* Unglücksfall *m,* Widrigkeiten *f pl.* **avverso, -a** [av'vɛrso] *agg* widrig, feindlich; *(fig, dir a.)* gegnerisch.
avvertenza [avver'tɛntsa] *f* **1.** *(cautela)* Umsicht *f,* Besonnenheit *f;* **2.** *(avviso)* Hinweis *m; (ammonimento)* Ermahnung *f;* **3.** *letter* Vorwort *n;* **4.** ⟨*pl*⟩ *(istruzioni per l'uso)* (Gebrauchs)anweisung *f.*
avvertimento [avverti'mento] *m* Benachrichtigung *f,* Hinweis *m; (diffida)* Warnung *f.* **avvertire** [...'ti:re] ⟨avverto⟩ *tr* **1.** *(avvisare)* benachrichtigen (*di* über *+akk*), Bescheid sagen (*qu di qc* jdn über *+akk*); **2.** *(ammonire, minacciare)* warnen; **3.** *(percepire)* empfinden, wahrnehmen.
avvezzo, -a [av'vettso] *agg* gewöhnt (*a* an *+akk*), gewohnt (*a +akk*).
avviamento [avvia'mento] *m* **1.** *(inizio)* Einführung *f* (*a* in *+akk*), Einleitung *f;* **2.** *econ* Eingeführtsein *n;* **3.** *tec (messa in moto)* Anlassen *n,* Starten *n; (il mettersi in moto)* Anspringen *n;* **scuola d'~** berufsvorbereitende Schule. **avviare** [...i'a:re] ⟨avvio, avvii⟩ **I.** *tr* **1.** *fig (indirizzare)* hinführen (*a* auf *+akk,* zu); **2.** *tec (mettere in moto)* anlassen; *inform* starten; **3.** *(dare inizio)* einleiten, in Gang bringen; **II.** *rfl:* **-arsi 1.** *(incamminarsi)* sich auf den Weg machen (*o* begeben); **2.** *fig (stare per)* im Begriff sein (*a* zu).
avvicendare [avvitʃen'da:re] **I.** *tr* abwechseln; **II.** *rfl:* **-arsi** sich abwechseln.
avvicinamento [avvitʃina'mento] *m* Annäherung *f.* **avvicinare** [...'na:re] **I.** *tr* **1.** *(mettere vicino)* nähern, heranrükken; **2.** *(trattare con qu)* nahekommen (*qu* jdm), herantreten (*qu* an jdn); **II.** *rfl:* **-arsi 1.** *(farsi vicino)* sich nähern, herankommen, nahen; **2.** *fig (essere simile)* nahekommen, gleichen; **-arsi ai sacramenti** die Sakramente empfangen.
avvilente [avvi'lɛnte] *agg (degradante)* demütigend, erniedrigend; *(disprezzabile)* schmählich; *(scoraggiante)* entmutigend.
avvilimento [avvili'mento] *m (degradazione morale)* Erniedrigung *f,* Demütigung *f; (abbattimento)* Entmutigung *f.* **avvilire** [...'li:re] ⟨avvilisco⟩ **I.** *tr (degradare)* erniedrigen; *(umiliare)* demütigen; *(scoraggiare)* entmutigen; **II.** *rfl:* **-irsi** verzagen, den Mut verlieren.

avviluppare [avvilup'pa:re] *tr* **1.** *(avvolgere)* einwickeln; **2.** *(aggrovigliare)* aufwickeln.

avvinazzato, -a [avvinat'tsa:to] **I.** *agg* beschwipst, angeheitert; **II.** *m, f* Angetrunkene(r) *mf.*

avvincente [avvin'tʃɛnte] *agg fig* fesselnd, anziehend. **avvincere** [av'vintʃere] ⟨*irr*⟩ *tr fig* fesseln.

avvinghiare [avviŋ'gia:re] ⟨avvinghio, avvinghi⟩ **I.** *tr* umschlingen, umklammern; **II.** *rfl:* **-arsi** sich klammern (*a* an +*akk*).

avvio [av'vi:o] ⟨-ii⟩ *m* Beginn *m,* Einleitung *f;* **dare l'~ a qc** etw. in Gang bringen.

avvisaglie [avvi'zaʎʎe] *f pl* Vorzeichen *n pl.*

avvisare [avvi'za:re] *tr* **1.** *(informare)* benachrichtigen; **2.** *(ammonire, mettere in guardia)* warnen. **avvisatore** [...za'to:re] *m* Warnanlage *f;* ~ **d'incendio** Feuermelder *m;* ~ **acustico** Hupe *f.* **avviso** [av'vi:zo] *m* **1.** *(informazione, notizia)* Meldung *f,* Nachricht *f; (comunicato)* Bekanntmachung *f;* **2.** *(sul giornale)* Anzeige *f;* **3.** *(consiglio, ammonimento)* Warnung *f,* Hinweis *m;* **4.** *dir (notificazione)* Mitteilung *f,* Anzeige *f;* **5.** *(parere, opinione)* Meinung *f;* ~ **di sfratto** Räumungsbefehl *m;* **dare** ~ Nachricht geben; **metter qu sull'~** jdn warnen; **a mio** ~ meiner Meinung nach.

avvistare [avvis'ta:re] *tr* sichten.

avvitare [avvi'ta:re] **I.** *tr* (an-, ein)schrauben; **II.** *rfl:* **-arsi** *aero* eine Rolle machen.

avvizzire [avvit'tsi:re] ⟨avvizzisco⟩ **I.** *itr* ⟨*essere*⟩ (ver)welken; **II.** *tr* ⟨*avere*⟩ welken lassen.

avvocato, -essa [avvo'ka:to, ...ka'tessa] *m, f* **1.** *(professionista)* Anwalt *m,* Anwältin *f;* **2.** *fig* Fürsprecher(in) *m(f);* ~ **difensore** Verteidiger *m;* ~ **penale** Strafverteidiger *m.*

avvolgere [av'vɔldʒere] ⟨*irr*⟩ **I.** *tr* **1.** *gener.* wickeln; *(volgere intorno)* umwickeln; *(arrotolare)* aufwickeln; **2.** *(avviluppare)* (ein)wickeln; **3.** *fig* einhüllen; **II.** *rfl:* **-ersi** sich wickeln.

avvolgibile [avvol'dʒi:bile] **I.** *m* Rollladen *m;* **II.** *agg* Roll-. **avvolgimento** [...dʒi'mento] *m* **1.** *(arrotolamento)* Um-, Aufwicklung *f;* **2.** *mil* Aufrollen *n;* **3.** *el* Wicklung *f.*

avvoltoio [avvol'to:io] ⟨-oi⟩ *m* **1.** *zoo* Geier *m;* **2.** *fig* Halsabschneider *m.*

ayatollah [aiatol'la] ⟨-⟩ *m* Ajatollah *m,* Ayatollah *m.*

azalea [addza'lɛ:a] *f* Azalee *f.*

azienda [ad'dziɛnda] *f* Betrieb *m,* Firma *f,* Unternehmen *n;* ~ **di credito** Kreditinstitut *n.* **aziendale** [...ien'da:le] *agg* Betriebs-.

azionamento [attsiona'mento] *m* Betätigung *f.* **azionare** [...'na:re] *tr* betätigen, in Gang setzen.

azionario, -a [attsio'na:rio] ⟨-i, -ie⟩ *agg* Aktien-.

azione [at'tsio:ne] *f* **1.** *(l'agire)* Tat *f,* Handlung *f;* **2.** *(attività)* Tätigkeit *f; (tec a.)* Betrieb *m;* **3.** *(funzionamento)* Wirkung *f;* **4.** *(insieme di iniziative)* Unternehmung *f;* **5.** *letter, film, teat (intreccio)* Handlung *f;* **6.** *dir* Klage *f,* Verfahren *n;* **7.** *mil* Kampfhandlung *f,* Gefecht *n;* **8.** *econ* Aktie *f;* ~ **lampo** Blitzaktion *f;* **uomo d'~** Mann *m* der Tat; **essere in** ~ in Betrieb sein; **entrare in** ~ in Aktion treten; **passare all'~** zur Tat schreiten; **~!** *film* Aufnahme!

azionista [attsio'nista] ⟨-i *m,* -e *f*⟩ *mf* Aktionär(in) *m(f).*

azoto [ad'dzɔ:to] *m* Stickstoff *m.*

azzardare [addzar'da:re] **I.** *tr* wagen; *(arrischiare a.)* riskieren; **II.** *rfl:* **-arsi** *(a fare qc)* wagen (etw zu tun). **azzardo** [ad'dzardo] *m* **1.** *(rischio)* Risiko *n;* **2.** *(atto temerario)* Wagnis *n;* **gioco d'~** Hasardspiel *n,* Glücksspiel *n.*

azzeccagarbugli [attsekkagar'buʎʎi] ⟨-⟩ *m* Winkeladvokat(in) *m(f).*

azzeccare [attsek'ka:re] ⟨azzecco, azzecchi⟩ *tr* **1.** *(colpire nel segno)* treffen; **2.** *fig (indovinare)* erraten. **azzeccato, -a** [...'ka:to] *agg* gut getroffen; *(risposta, ecc.)* passend.

azzeramento [addzera'mento] *m* **1.** *tec* Null(ein)stellung *f;* **2.** *pol* Aufhebung *f.* **azzerare** [addze'ra:re] *tr* **1.** *tec* auf Null stellen; *el* nullen; *(termometro)* herunterschlagen; **2.** *pol* aufheben.

azzoppare, azzoppire [attsop'pa:re, ...'pi:re] ⟨azzoppisco⟩ **I.** *tr* ⟨*avere*⟩ lahm machen; **II.** *itr* ⟨*essere*⟩, *rfl:* **-arsi, -irsi** lahm werden.

Azzorre [ad'dzɔrre] *f pl* Azoren *pl.*

azzuffarsi [attsuf'farsi] *rfl* sich raufen, aneinandergeraten.

azzurrino, -a [addzur'ri:no] **I.** *agg* bläulich; **II.** *m sport italienischer Nationalspieler der Juniorenklasse.* **azzurro, -a** [ad'dzurro] **I.** *agg* (himmel)blau, azurblau; **squadra -a** *italienische Nationalmannschaft;* **II.** *m* **1.** *(colore)* (Himmel)blau *n,* Azurblau *n;* **2.** *sport italienischer Nationalspieler.* **azzurrognolo, -a** [...'roɲɲolo] *agg* bläulich.

B

B, b [bi] ⟨-⟩ *f* B, b *n;* **b come Bologna** B wie Berta.
babbeo, -a [bab'bɛ:o] **I.** *agg* dumm, dusselig *fam;* **II.** *m, f* Dussel *m fam,* Pfeife *f fam.*
babbo ['babbo] *m fam* Papa *m,* Papi *m;* ~ **Natale** Weihnachtsmann *m.*
babbuccia [bab'buttʃa] ⟨-cce⟩ *f* Pantoffel *m.*
babbuino, -a [babbu'i:no] *m, f* Pavian *m.*
babele [ba'bɛ:le] *f* Durcheinander *n,* Trubel *m,* Chaos *n.*
babordo [ba'bordo] *m* Backbord *n;* **a** ~ backbord(s).
baby-sitter ['beıbısıtə] ⟨-⟩ *mf* Babysitter *m.*
bacato, -a [ba'ka:to] *agg* wurmstichig.
bacca ['bakka] ⟨-cche⟩ *f* Beere *f.*
baccalà [bakka'la] ⟨-⟩ *m* **1.** *gastr* Klipp-, Stockfisch *m;* **2.** *fig peg (persona stupida)* Stockfisch *m,* Trottel *m; (persona allampanata)* Hering *m,* Streichholz *n.*
baccano [bak'ka:no] *m* Heidenlärm *m fam.*
baccello [bat'tʃɛllo] *m* Hülse *f,* Schote *f.*
bacchetta [bak'ketta] *f* **1.** *gener.* Stab *m; (per battere)* Stock *m;* **2.** *(del direttore d'orchestra)* Taktstock *m; (per il tamburo)* Trommelschlegel *m;* ~ **magica** Zauberstab *m* ~ **da rabdomante** Wünschelrute *f;* **comandare qu a** ~ jdn herumkommandieren.
bacheca [ba'kɛ:ka] ⟨-che⟩ *f* **1.** *(per affissione)* schwarzes Brett; **2.** *(di negozio, museo)* Schaukasten *m,* Vitrine *f.*
bachelite [bake'li:te] *f* Bakelit® *n.*
bachicoltura [bakikol'tu:ra] *f* Seidenraupenzucht *f.*
baciamano [batʃa'ma:no] *m* Handkuß *m;* **fare il** ~ **a qu** jdm einen Handkuß geben.
baciare [ba'tʃa:re] ⟨bacio, baci⟩ **I.** *tr* küssen; **II.** *rfl:* **-arsi** sich küssen.
bacillo [ba'tʃillo] *m* Bazillus *m.*
bacinella [batʃi'nɛlla] *f* Schüssel *f.*
bacino [ba'tʃi:no] *m gener.* Becken *n; (min a.)* Revier *n; (recipiente a.)* Bottich *m,* Kübel *m;* ~ **idrografico/idroelettrico** Wassereinzugsgebiet *n*/Staubecken *n;* ~ **di carenaggio** Dock *n,* Dockbecken *n.*
bacio ['ba:tʃo] ⟨-ci⟩ *m* Kuß *m;* ~ **della buonanotte** Gutenachtkuß *m.*
backup ['bækʌp⟩ ⟨-⟩ *m* Backup *n,* Sicherheitskopie *f.*
background ['bækgraund] ⟨-⟩ *m* Hintergrund *m.*
baco ['ba:ko] ⟨-chi⟩ *m* Raupe *f; (verme)* Wurm *m; (di generi alimentari)* Made *f;* ~ **da seta** Seidenraupe *f.*
bada ['ba:da] *f:* **tenere a** ~ **qu** jdn hinhalten; *(bambino)* jdn hüten. **badare** [ba'da:re] *itr* **1.** *(accudire)* aufpassen (*a* auf +*akk*), sich kümmern (*a* um); **2.** *(stare attento)* aufpassen (*a* auf +*akk*), achtgeben (*a* auf +*akk*); ~ **alla casa/ai bambini** das Haus/die Kinder hüten; **non** ~ **a spese** keine Kosten scheuen; **bada a come parli!** paß auf (*o* überleg dir), was du sagst!; **bada ai fatti tuoi!** kümm(e)re dich um deine eigenen Angelegenheiten!
badessa [ba'dessa] *f* Äbtissin *f.*
badia [ba'di:a] ⟨-ie⟩ *f* Abtei *f.*
badile [ba'di:le] *m* Spaten *m.*
baffo ['baffo] *m* Schnurr-, Schnauzbart *m;* **mi fa un** ~ *fam* das juckt mich nicht *fam.* **baffuto, -a** [...'fu:to] *agg* schnurrbärtig, mit Schnurrbart.
bagagliaio [bagaʎ'ʎa:io] ⟨-ai⟩ *m* **1.** *mot* Kofferraum *m;* **2.** *ferr* Gepäckwagen *m.*
bagaglio [ba'gaʎʎo] ⟨-gli⟩ *m* **1.** *gener.* Gepäck *n;* **2.** *fig* Ausrüstung *f,* Ausstattung *f;* ~ **culturale** Bildungsgut *n;* **assicurazione (dei) -gli** Reisegepäckversicherung *f;* **fare/disfare i -gli** ein-/auspacken; **spedire come** ~ **appresso** als Reisegepäck aufgeben; **con armi e -gli** mit Sack und Pack.
bagarre [ba'garre] ⟨-⟩ *f* Tumult *m,* Aufruhr *m.*
bagattella [bagat'tɛlla] *f (a. mus)* Bagatelle *f.*
bagliore [baʎ'ʎo:re] *m (a. fig)* Schimmer *m.*
bagnante [baɲ'ɲante] *mf* Badende(r) *mf,* Badegast *m.*
bagnare [baɲ'ɲa:re] **I.** *tr* **1.** *gener.* naß machen; **2.** *(fiume)* fließen durch; **II.** *rfl:* **-arsi 1.** *(fare il bagno)* baden; **2.** *(di pioggia, acqua)* naß werden. **bagnato, -a** [...'ɲa:to] **I.** *agg* naß, durchnäßt; ~ **fradicio** klatschnaß; **II.** *m* nasser (*o* feuchter) Boden. **bagnino, -a** [...'ɲi:no] *m, f* Bademeister(in) *m(f).*
bagno ['baɲɲo] *m* **1.** *gener., fot, chim* Bad *n;* **2.** *(stanza)* Bad(ezimmer) *n;* **3.** ⟨*pl*⟩ *(stabilimento balneare e termale)* Heil-, Thermalbad *n; (stazione balneare)* Badeort *m;* ~ **penale** *obs* Zuchthaus *n;* **-i pubblici** öffentliche Badeanstalten *f pl;* **fare il** ~ baden; **fare la cura dei -i** eine (Bade)kur machen; **essere in un** ~ **di sudore** schweißgebadet (*o* in Schweiß gebadet) sein; **andare in** ~ auf

die Toilette gehen; **mettere qc a** ~ etw. einweichen. **bagnomaria** [-ma'ri:a] ⟨-⟩ *m:* **a** ~ im Wasserbad, im Bain-marie. **bagnoschiuma** *m* ⟨-⟩ Schaumbad *n.*

Bahama [ba'a:ma] *f pl:* **le** ~, **le isole delle** ~ die Bahamas *f pl,* die Bahamainseln *f pl.*

baia ['ba:i̯a] ⟨-aie⟩ *f* Bucht *f,* Meerbusen *m.*

baio, -a ['ba:i̯o] ⟨-ai, -aie⟩ *agg:* **cavallo** ~ (Rot)fuchs *m,* Braune(r) *m.*

baionetta [bai̯o'netta] *f* Bajonett *n.*

baita ['ba:ita] *f* Berg-, Almhütte *f.*

balaustra, balaustrata [bala'ustra, ...'tra:ta] *f* Balustrade *f,* Brüstung *f.*

balbettare [balbet'ta:re] **I.** *itr* stottern, stammeln; *(bambino)* lallen; **II.** *tr (scusa)* stammeln; *(lingua straniera)* radebrechen. **balbettio** [...'ti:o] ⟨-ii⟩ *m* Gestotter *n,* Gestammel *n.*

balbuzie [bal'buttsi̯e] ⟨-⟩ *f* Stottern *n.* **balbuziente** [...'tsi̯ɛnte] **I.** *agg* stotternd; **essere** ~ stottern; **II.** *mf* Stotterer *m,* Stott(r)erin *f.*

Balcani [bal'ka:ni] *m pl* Balkan *m.* **balcanico, -a** [...'ka:niko] ⟨-ci, -che⟩ *agg* balkanisch, Balkan-; **la penisola -a** die Balkanhalbinsel. **balcanizzazione** [balkaniddzat'tsi̯o:ne] *f pol* Balkanisierung *f.*

balcone [bal'ko:ne] *m* Balkon *m.*

baldacchino [baldak'ki:no] *m* Baldachin *m;* **letto a** ~ Himmelbett *n.*

baldanzoso, -a [baldan'tso:so] *agg* unverfroren, keck.

baldo, -a ['baldo] *agg* kühn, selbstsicher.

baldoria [bal'dɔ:ri̯a] ⟨-ie⟩ *f* Rummel *m,* Remmidemmi *m fam;* **fare** ~ Remmidemmi machen *fam.*

balena [ba'le:na] *f* **1.** *zoo* Wal(fisch) *m;* **2.** *fig* Tonne *f.*

balenare [bale'na:re] *itr* ⟨*essere*⟩ **1.** *meteo* blitzen; **2.** *(splendere improvvisamente)* aufblitzen; **mi è balenata un'eccellente idea** mir ist eine glänzende Idee gekommen. **baleno** [ba'le:no] *m* Blitz *m;* **in un** ~ *fig* blitzschnell, im Nu.

balera [ba'lɛ:ra] *f* Tanzlokal *n* (im Freien).

balestra [ba'lɛstra] *f* **1.** *mot* Blattfeder *f;* **2.** *mil* Armbrust *f.*

balia[1] ['ba:li̯a] ⟨-ie⟩ *f (donna)* Amme *f;* ~ **asciutta** *fam* Kinderfrau *f,* -mädchen *n;* Tagesmutter *f.*

balia[2] [ba'li:a] *f (potere)* Gewalt *f,* Macht *f;* **in** ~ **di** in der Gewalt *+gen,* ausgeliefert *+dat,* preisgegeben *+dat;* **essere in** ~ **della sorte** ein Spielball des Schicksals sein.

balla ['balla] *f* **1.** *com* Ballen *m;* **2.** *fig fam* (Lügen)märchen *n,* Stuß *m fam;* **non raccontare -e!** erzähl keine Märchen! *fam.*

ballabile [bal'la:bile] **I.** *agg* tanzbar; **II.** *m* Tanzstück *n.*

ballare [bal'la:re] **I.** *tr* tanzen; **II.** *itr* **1.** *mus* tanzen; **2.** *naut* schlingern; **3.** *(abiti)* schlottern; *(oggetti)* wackeln; **il cappotto mi balla addosso** der Mantel schlottert mir am Leib. **ballata** [...'la:ta] *f* Ballade *f.* **ballerina** [...le'ri:na] *f* **1.** *(danzatrice)* Tänzerin *f;* **2.** ⟨*pl*⟩ *(scarpa)* Ballerinas *f pl;* **3.** *zoo* Bachstelze *f.* **ballerino, -a** [...le'ri:no] **I.** *m, f* Balletttänzer(in) *m(f); (donna a.)* Ballerina *f; (danzatore)* Tänzer(in) *m(f);* **II.** *agg* tanzend; **terre -e** Erdbebengebiete *n pl.* **balletto** [...'letto] *m* Ballett *n.*

ballo ['ballo] *m* **1.** *(atto, arte di ballare)* Tanzen *n;* **2.** *(danza)* Tanz *m;* **(festa da)** ~ Ball *m,* Tanzfest *n;* **corpo di** ~ Ballett(gruppe *f*) *n,* Corps de ballet *n;* **essere in** ~ *fig* auf dem Spiel stehen; **tirare in** ~ **qu/qc** jdn/etw. ins Spiel bringen; **avere il** ~ **di San Vito** *fig scherz* Quecksilber im Leib haben; **mi permette questo** ~? darf ich um diesen Tanz bitten?; **quando si è in** ~, **bisogna ballare** *prov* wer A sagt, muß auch B sagen *prov.*

ballottaggio [ballot'taddʒo] ⟨-ggi⟩ *m* Stichwahl *f; sport* Titelentscheidungskampf *m.*

balneabile [balne'a:bile] *agg* für den Badebetrieb freigegeben (*o* geeignet).

balneare [balne'a:re] *agg* Bade-; **governo** ~ Übergangsregierung *f;* **stagione** ~ Badesaison *f.*

balneazione [balneat'tsi̯o:ne] *f* Badebetrieb *m; (nel mare)* Baden *n* im Meer.

baloccarsi [balok'karsi] ⟨mi balocco, ti balocchi⟩ *rfl* (herum)spielen; *(gingillarsi)* herumtrödeln. **balocco** [ba'lɔkko] ⟨-cchi⟩ *m* Spielzeug *n.*

balordo, -a [ba'lordo] **I.** *agg* blöde, blöd(-sinnig), dämlich; **II.** *m, f* Dumm-, Schafskopf *m.*

balsamico, -a [bal'sa:miko] ⟨-ci, -che⟩ *agg* balsamisch, Balsam-. **balsamo** ['balsamo] *m (a. fig)* Balsam *m.*

baltico, -a ['baltiko] ⟨-ci, -che⟩ **I.** *agg* baltisch; **il (Mar) B**~ die Ostsee; **II.** *m f* Balte *m,* Baltin *f.*

baluardo [balu'ardo] *m* Schutzwall *m; (a. fig)* Bollwerk *n.*

balza ['baltsa] *f* **1.** *(di vestito, tenda)* Volant *m;* **2.** *geog* Steilhang *m.*

balzano, -a [bal'tsa:no] *agg* eigentümlich.

balzare [bal'tsa:re] *itr* ⟨*essere*⟩ **1.** *(saltare di scatto)* (hoch)springen, hüpfen, (empor)schnellen; **2.** *fig* springen; ~ **in piedi** aufspringen, auf die Beine springen; **le balzò il cuore in gola** das Herz klopfte ihr bis zum Hals. **balzo** ['baltso] *m* Sprung *m,* Satz *m fam;* **fare un** ~ **in avanti (nella carriera)** (in der beruflichen Laufbahn) einen (großen) Sprung nach vorn machen.

bambagia [bam'ba:dʒa] ⟨-gie⟩ *f* Watte *f;* **tenere qu nella** ~ jdn in Watte packen.

bambinaia [bambi'naːja] ⟨-aie⟩ *f* Kindermädchen *n.*
bambino, -a [bam'biːno] **I.** *m, f* Kind *n;* Junge *m,* Mädchen *n;* **non fare il ~!** sei nicht kindisch! **buttare il ~ con l'acqua sporca** *fig fam* das Kind mit dem Bade ausschütten; **~ in provetta** Retortenbaby *n;* **II.** *agg* **1.** *(persona)* naiv, kindlich; **2.** *fig (disciplina, civiltà)* jung.
bamboccio [bam'bɔttʃo] ⟨-cci⟩ *m fam* **1.** *(bambino)* Pummelchen *n,* Dickerchen *n;* **2.** *(fantoccio)* Puppe *f;* **3.** *fig* Tölpel *m.*
bambola ['bambola] *f (a. fig)* Puppe *f.*
bambolotto [...'lɔtto] *m* Püppchen *n,* Puppe *f.*
bambù [bam'bu] ⟨-⟩ *m* Bambus *m; (canna)* Bambusrohr *n.*
banale [ba'naːle] *agg* banal. **banalità** [banali'ta] ⟨-⟩ *f* Banalität *f.* **banalizzare** [...lid'dzaːre] *tr* **1.** banalisieren; ins Alltägliche (*o* Gewöhnliche) ziehen; **2.** *ferr (di linea ferrariaria)* zwei-, mehrgleisig ausstatten.
banana [ba'naːna] *f* Banane *f.* **banano** [ba'naːno] *m* Bananenstaude *f.*
banca ['baŋka] ⟨-che⟩ *f* Bank *f;* **~ dati** Datenbank *f;* **~ del sangue** Blutbank *f;* **~ del seme** Samenbank *f;* **~ di appoggio** Hausbank *f; (nelle testate)* Bankverbindung *f;* **andare in (*o* alla) ~** auf die (*o* zur) Bank gehen.
bancarella [baŋka'rɛlla] *f* Markt-, Verkaufsstand *m.*
bancario, -a [baŋ'kaːrjo] ⟨-i, -ie⟩ **I.** *agg* Bank-; **II.** *m, f* Bankangestellte(r) *mf.*
bancarotta [baŋka'rotta] *f* Bankrott *m;* **~ fraudolenta** betrügerischer Bankrott.
banchetto [baŋ'ketto] *m* **1.** *(piccolo banco)* Bänkchen *n;* **2.** *(pranzo)* Bankett *n,* Festmahl *n.*
banchiere [baŋ'kjɛːre] *m* **1.** *fin* Bankier *m;* **2.** *(nei giochi d'azzardo)* Bankhalter *m.*
banchina [baŋ'kiːna] *f* **1.** *naut* Kai *m,* Mole *f;* **2.** *ferr* Bahnsteig *m;* **3.** *(per ciclisti)* Radweg *m; (per pedoni)* Fußgängerweg *m;* **~ spartitraffico** Mittelstreifen *m.*
banchisa [baŋ'kiːza] *f* Packeis *n.*
banco ['baŋko] ⟨-chi⟩ *m* **1.** *(sedile)* (Sitz)bank *f;* **2.** *(di bar)* Theke *f; (di negozio)* Ladentisch *m,* Theke *f;* **3.** *com* Stand *m;* **4.** *fin* Bank *f,* Geldinstitut *n;* **5.** *geol* Schicht *f;* **6.** *(ammasso di nebbia)* Nebelbank *f; (di corallo)* Riff *n; (di pesci)* Schwarm *m;* **7.** *tec* Werkbank *f;* **~ degli imputati (*o* accusati)/della giuria** Anklage-/Geschworenenbank *f;* **~ del lotto** Lottoannahmestelle *f;* **~ di prova** *tec* Prüfstand *m; fig* Bewährungsprobe *f;* **scaldare i -chi** *fig* die Schulbank drükken; **passare/vendere qc sotto ~** etw. unterderhand weitergeben/verkaufen.
bancogiro [-'dʒiːro] *m* Giroverkehr *m.*
bancomat ['bankomat] ⟨-⟩ *m (sportello)* Bank-, Geldautomat *m.*
banconota [-'nɔːta] *f* Banknote *f.*
banda ['banda] *f* **1.** *mus* (Musik)kapelle *f;* **2.** *(striscia)* Band *n;* **3.** *fam* Clique *f; (di malviventi)* Bande *f;* **4.** *fis* Band(breite *f*) *n;* **~ perforata** Lochstreifen *m.*
banderuola [bande'rwɔːla] *f* Wetterfahne *f; (piccola bandiera)* Wimpel *m,* Fähnchen *n.*
bandiera [ban'djɛːra] *f* Fahne *f,* Flagge *f;* **compagnia di ~** nationale Fluggesellschaft *f;* **voltare/cambiare (*o* mutare) ~** *fig* in ein anderes Lager/ins andere Lager überwechseln.
bandire [ban'diːre] ⟨bandisco⟩ *tr* **1.** *(concorso)* ausschreiben; **2.** *(esiliare)* verbannen, verstoßen.
bandita [ban'diːta] *f (di caccia)* Schongehege *n; (di pesca)* Schongewässer *n.*
bandito [ban'diːto] *m* Kriminelle(r) *m,* Bandit *m.*
banditore, -trice [bandi'toːre] *m, f (all'asta)* Versteigerer *m,* Versteig(r)erin *f,* Auktionator *m.*
bando ['bando] *m* **1.** *amm* (öffentliche) Bekanntmachung *f; (di concorso, ecc.)* Ausschreibung *f; mil* Verordnung *f;* **2.** *(esilio)* Verbannung *f,* Exil *n;* **mettere al ~** *(a. fig)* verbannen; **~ a ...** Schluß (*o* fort *o* weg) mit ..., ... beiseite.
baobab [bao'bab] ⟨-⟩ *m* Affenbrotbaum *m,* Baobab *m.*
bar [bar] ⟨-⟩ *m* **1.** *(locale)* (Steh)café *n,* Lokal *n;* **2.** *(mobile)* (Haus)bar *f.*
bara ['baːra] *f* Bahre *f,* Sarg *m.*
baracca [ba'rakka] ⟨-cche⟩ *f* **1.** *arch* Baracke *f,* Schuppen *m;* **2.** *fig fam* Laden *m,* Schuppen *m fam;* **mandare avanti la ~** *fam* den Laden schmeißen *fam;* **piantare ~ e burattini** den Bettel hinwerfen, alles hinschmeißen *fam.* **baraccato, -a** [...'kaːto] *m, f* Barackenbewohner(in) *m(f),* Barackler(in) *m(f) fam.* **baracchino** [...'kiːno] *m* Bude *f.* **baraccone** [...'koːne] *m* große Baracke; *(nelle fiere)* Jahrmarkt-, Kirmesbude *f.*
baraccopoli [...'kɔːpoli] ⟨-⟩ *f* Notlager *n.*
baraonda [bara'onda] *f* (großes) Durcheinander *n,* Zirkus *m fam.*
barare [ba'raːre] *itr* **1.** *(al gioco)* falschspielen; **2.** *(imbrogliare)* betrügen.
baratro ['baːratro] *m* Abgrund *m.*
barattare [barat'taːre] *tr* (ein)tauschen (*con* gegen), umtauschen (*con* gegen).
baratto [ba'ratto] *m* Tausch(handel) *m.*
barattolo [ba'rattolo] *m* Büchse *f,* Dose *f,* Glas *n.*
barba ['barba] *f* **1.** *anat* Bart *m;* **2.** *fig* Langeweile *f;* **farsi la ~** sich rasieren; **farla in ~ a qu** jdn hinters Licht führen; **far venire la ~** langweilig sein; **in ~ a qu/qc** jdm/einer S. *(dat)* zum Trotz; **che ~!** so etwas Langweiliges!
barbabietola [-'bjɛːtola] *f* rote Rübe, rote

Bete; ~ **da zucchero** Zuckerrübe *f.*

barbarico, -a [bar'ba:riko] ⟨-ci, -che⟩ *agg* barbarisch. **barbarie** [...'ba:rie] ⟨-⟩ *f* Barbarei *f.* **barbaro, -a** ['barbaro] **I.** *agg (a. fig)* barbarisch; **II.** *m (a. fig)* Barbar *m.*

barbecue ['ba:bɪkju:] ⟨-⟩ *m* Grillen *n,* Grillfest *n; (fornello)* (Garten)grill *m.*

barbiere [bar'biɛ:re] *m* Herrenfriseur *m.*

barbiturico [barbi'tu:riko] ⟨-ci⟩ *m* Barbiturat *n.*

barbone [bar'bo:ne] *m* **1.** *(lunga barba)* langer Bart, Vollbart *m;* **2.** *(persona con barba)* Bärtige(r) *m;* **3.** *peg (vagabondo)* Landstreicher *m,* Penner *m fam;* **4.** *zoo* Pudel *m.*

barboso, -a [bar'bo:so] *agg* langweilig, öde *fam.*

barbuto, -a [bar'bu:to] *agg* bärtig.

barca[1] ['barka] ⟨-che⟩ *f* **1.** *naut* Boot *n,* Kahn *m;* **2.** *fam* Laden *m fam;* ~ **a vela/ a remi** Segel-/Ruderboot *n;* **andare in** ~ mit dem Boot fahren; *fig* völlig durcheinander sein; **la ~ fa acqua da tutte le parti** *fig* eine schwere Krise durchmachen; **essere nella stessa** ~ *fig* im gleichen Boot sitzen.

barca[2] ['barka] *f fig* Menge *f,* Haufen *m fam.*

barcaiolo [barka'iɔ:lo] *m* Bootsführer *m; (noleggiatore)* Bootsverleiher *m.*

barcamenarsi [barkame'narsi] *rfl* sich durchschlängeln.

barcarola [barka'rɔ:la] *f* Barkarole *f.*

barcata [bar'ka:ta] *f v.* **barca**[2].

barcollare [barkol'la:re] *itr* **1.** *(vacillare)* wanken, taumeln; **2.** *fig* schwanken, hin- und hergerissen sein. **barcollio** [...'li:o] ⟨-ii⟩ *m* fortgesetztes Schwanken.

bardatura [barda'tu:ra] *f* **1.** *(del cavallo)* Geschirr *n,* Sattelzeug *n;* **2.** *scherz* Takelage *f,* Putz *m.*

bardo ['bardo] *m* Barde *m.*

barella [ba'rɛlla] *f* Tragbahre *f.*

barelliere, -a [barel'liɛre] *m, f* Krankenträger(in) *m(f).*

baricentro [bari'tʃɛntro] *m* Baryzentrum *n,* Schwerpunkt *m.*

barile [ba'ri:le] *m* **1.** *(recipiente)* Faß *n;* **2.** *(unità di misura)* Barrel *n.*

barista [ba'rista] ⟨-i *m,* -e *f*⟩ *mf* **1.** *(chi lavora in un bar)* Barkeeper *m,* Barfrau *f;* **2.** *(proprietario)* Wirt(in) *m(f),* Lokalbesitzer(in) *m(f).*

baritonale [barito'na:le] *agg* Bariton-.

baritono [ba'ri:tono] *m* Bariton *m.*

barlume [bar'lu:me] *m* fahler Lichtschein; *(a. fig)* Schimmer *m.*

barocco, -a [ba'rɔkko] ⟨-cchi, -cche⟩ **I.** *agg* barock, Barock-; **II.** *m* Barock *n o m.*

barometro [ba'rɔ:metro] *m* Barometer *n.*

barone, -essa [ba'ro:ne, baro'nessa] *m, f* **1.** *(titolo)* Baron(in) *m(f);* **2.** *fig* Boß *m,* Magnat *m;* **i -i dell'industria/della finanza** die Industrie-/Finanzbosse *m pl.*

barra ['barra] *f* **1.** *gener.* Stab *m; (tec, mot a.)* Stange *f;* **2.** *naut* (Ruder)pinne *f;* **3.** *zoo* Kandare *f,* Gebißstange *f;* **4.** *(segno grafico)* (Schräg)strich *m;* **5.** *(di metalli)* Barren *m;* ~ **combustibile** *fis* Brenn(stoff)stab *m,* Brennelement *n;* ~ **del menù** *inform* Menüleiste *f,* Menüzeile *f;* ~ **di sicurezza** *mot (roll-bar)* Überrollbügel *m;* ~ **spaziatrice** *(di macchina da serivere)* Leertaste *f.*

barricare [barri'ka:re] ⟨barrico, barrichi⟩ **I.** *tr* verbarrikadieren; **II.** *rfl:* **-arsi** sich verbarrikadieren, sich einschließen; **-arsi in casa** *fig* sich zu Hause verkriechen.

barricata [...'ka:ta] *f (a. fig)* Barrikade *f;* **andare sulle -e** auf die Barrikaden gehen.

barriera [bar'riɛ:ra] *f* **1.** *(sbarramento)* Barriere *f,* Schranke *f,* Sperre *f;* **2.** *fig* Hindernis *n,* Barriere *f;* **3.** *geog* Riff *n,* Bank *f;* **4.** *sport (nel calcio)* Mauer *f;* ~ **corallina** Korallenriff *n;* ~ **doganale** Zollschranke *f;* **le -e sociali** die sozialen Schranken; ~ **del suono** Schallmauer *f;* **abbattere le -e di classe** die Klassenschranken niederreißen.

barrire [bar'ri:re] ⟨barrisco⟩ *itr (elefante)* trompeten.

Bartolomeo [bartolo'mɛ:o] *(nome proprio maschile)* Bartholomäus.

baruffa [ba'ruffa] *f* (heftiger) Streit *m,* Zank *m; (zuffa)* Rauferei *f;* **far** ~ (heftig) streiten, zanken; *(in modo violento)* raufen.

barzelletta [bardzel'letta] *f* Witz *m;* **raccontare -e** Witze erzählen; *fig* schwindeln, Märchen erzählen; **pigliare in** ~ ins Lächerliche ziehen.

basalto [ba'zalto] *m* Basalt *m.*

basamento [baza'mento] *m* **1.** *arch* Fundament *n,* Grundmauern *f pl;* **2.** *mot* Motorlagerung *f;* **3.** *(di edificio, monumento, mobile)* Sockel *m.*

basare [ba'za:re] **I.** *tr* **1.** *fig* (be)gründen (*su* auf +*akk*), stützen (*su* auf +*akk*); **2.** *(statua)* stellen (*su* auf +*akk*); *(edificio)* bauen (*su* auf +*akk*); **II.** *rfl:* **-arsi** *(a. fig)* sich stützen (*su* auf +*akk*).

basco, -a ['basko] ⟨-schi, -sche⟩ **I.** *agg* baskisch; **II.** *m, f* Baske *m,* Baskin *f;* **III.** *m* Baskenmütze *f;* **baschi** *m pl* **rossi** Fallschirmjäger *m pl.*

base ['ba:ze] *f* **1.** *gener., fig* Basis *f,* Grundlage *f;* **2.** *mil* Basis *f,* Stützpunkt *m;* **3.** *astr* Station *f;* **4.** *mat* Basis *f,* Grundzahl *f;* **5.** *chim* Base *f;* **6.** *sport (baseball)* Base *n;* **7.** *pol* Basis *f;* ~ **dati** *inform* Datenbasis *f;* ~ **navale/aerea/ missilistica** Flotten-/Luftwaffen-/Raketenstützpunkt *m;* ~ **spaziale** Raumstation *f;* **stipendio** ~ Grundgehalt *n;* **a ~ di** auf der Grundlage von; **in ~ a** auf Grund (*o* aufgrund) +*gen* (*o* von *dat*), nach +*dat,* gemäß +*gen;* **mancare di -i** jeder Grundlage entbehren, unvorbereitet sein; **non far ritorno alla ~** *(a. fig scherz)* verschollen sein.

basetta [ba'zetta] *f* Koteletten *n pl.*

basico, -a ['ba:ziko] ⟨-ci, -che⟩ *agg* **1.** *(fondamentale)* Grund-, grundlegend; **2.** *chim* basisch.

basilare [bazi'la:re] *agg* grundlegend.

Basilea [bazi'lɛ:a] *f* Basel *n.*

basilica [ba'zi:lika] ⟨-che⟩ *f* Basilika *f.*

basilico [ba'zi:liko] ⟨-chi⟩ *m* Basilikum *n.*

basista [ba'zista] ⟨-i *m*, -e *f*⟩ *mf* Basispolitiker(in) *m(f).*

bassa ['bassa] *f* Tiefebene *f;* **la ~ padana** die (tiefe) Poebene.

bassezza [bas'settsa] *f* **1.** *fig (viltà)* Niederträchtigkeit *f,* Niedrigkeit *f; (pochezza)* Armseligkeit *f; (azione vile)* Gemeinheit *f;* **2.** *(di statura)* Kleinwuchs *m;* **~ d'animo** Verworfenheit *f.*

bassifondi [bassi'fondi] *m pl* Elendsviertel *n pl; peg* Unterwelt *f.*

bassipiani *pl di* **bassopiano.**

basso, -a ['basso] ⟨più basso *o* inferiore, bassissimo *o* infimo⟩ **I.** *agg* **1.** *gener.* niedrig; **2.** *(di statura)* klein(gewachsen); *(muro)* tief(gelegen), tief(liegend); *(tacco)* flach; *(acqua)* seicht, nicht tief; **3.** *(voce)* leise; *mus* tief; **4.** *st* spät, Spät-; **5.** *(ricorrenza)* früh; **6.** *soc (ceti, classi)* untere(r, s); **7.** *fig* niederträchtig; **B-a Italia** Unteritalien *n;* **i Paesi B-i** die Niederlande; **il ~ Medioevo** das späte Mittelalter; **avere il morale ~** niedergeschlagen (*o* traurig) sein, ein seelisches Tief haben; **tenere gli occhi -i** die Augen niederschlagen; **quest'anno la Pasqua è -a** dieses Jahr ist Ostern früh; **II.** *avv* **1.** *(in basso)* (nach) unten, zu Boden, tief; **2.** *(a bassa voce)* leise; **III.** *m* **1.** *(parte inferiore)* unterer Teil, tief gelegener Teil; **2.** *mus* Baß *m;* **~ continuo** Generalbaß *m;* **cadere in ~** *fig* tief sinken. **bassopiano** [-'pi̯a:no] ⟨-i *o* bassipiani⟩ *m* Tiefebene *f.* **bassorilievo** [-ri'li̯ɛ:vo] *m* Basrelief *n.*

bassotto, -a [bas'sɔtto] *m* Dackel *m.*

bassoventre [basso'vɛntre] *m* Unterleib *m.*

basta ['basta] *interi* Schluß, genug, es reicht; *v. a. bastare.*

bastardo, -a [bas'tardo] **I.** *agg* **1.** *zoo* nicht reinrassig; **2.** *bot* gekreuzt, hybrid; **3.** *(persona)* unehelich; **4.** *fig* falsch, unecht; *(corrotto)* schlecht, gemein; **II.** *m, f fam peg* Bastard *m.*

bastare [bas'ta:re] *itr* ⟨*essere*⟩ genügen, (aus)reichen; **~ a se stesso** sich *(dat)* selbst genügen; **basta poco per essere felici** man braucht wenig, um glücklich zu sein; **come se non bastasse** als reichte das nicht; **basta che** +*congv* wenn nur . . ., es reicht, wenn (*o* daß) . . .; **basta con . . .** Schluß mit +*dat,* genug +*gen;* **basta così** das reicht, so ist es gut; **punto e basta!** Punktum!, Schluß, aus!

bastimento [basti'mento] *m* Frachtschiff *n.*

bastione [bas'ti̯o:ne] *m* Bastion *f,* Bollwerk *n.*

bastonare [basto'na:re] **I.** *tr* (ver)prügeln, mit dem Stock schlagen; **II.** *rfl:* **-arsi** sich (ver)prügeln, sich (ver)hauen *fam.* **bastonata** [...'na:ta] *f* Stockschlag *m,* -hieb *m;* **gli dette un fracco di -e** *fam* er (*o* sie) hat ihm die Hucke vollgehauen *fam,* er (*o* sie) hat ihn windelweich geschlagen *fam.*

bastoncino [...n'tʃi:no] *m (piccolo bastone)* kleiner Stock, Stecken *m,* Stöckchen *n;* **~ di liquerizia** Lakritz(e)stange *f;* **~ di pesce** Fischstäbchen *n;* **~ di rossetto** Lippenstift *m.*

bastone [bas'to:ne] *m* **1.** *gener.* Stock *m;* **2.** *fig, mil* (Befehls)gewalt *f,* Kommando *n;* **3.** *sport* Schläger *m;* **4.** *fig* Stütze *f;* **~ da passeggio/montagna** Spazier-/Bergstock *m;* **avere il ~ del comando** das Kommando führen; **col ~ e la carota** *fig* mit Zuckerbrot und Peitsche; **essere il ~ della vecchiaia di qu** jds Stütze im Alter sein; **mettere il ~ tra le ruote a qu** jdm (einen) Knüppel zwischen die Beine werfen.

batacchio [ba'takki̯o] ⟨-cchi⟩ *m* **1.** *(di campana)* Glockenschwengel *m;* **2.** *di porta)* Türklopfer *m.*

batik [ba'tik] ⟨-⟩ *m* Batik *m o f.*

batista [ba'tista] ⟨-⟩ *f* Batist *m.*

batosta [ba'tɔsta] *f* **1.** *(colpo)* Schlag *m;* **2.** *fig* Schlappe *f,* (schwerer) Schlag *m.*

battaglia [bat'taʎʎa] ⟨-glie⟩ *f* **1.** *mil* Schlacht *f,* Feldzug *m;* **2.** *fig* Schlacht *m,* Kampf *f; (campagna)* Kampagne *f* (*per* für); **~ campale** Feldschlacht *f;* **dare ~ a qc/qu** einer S. *(dat)*/jdm eine Schlacht liefern. **battagliero, -a** [battaʎ'ʎɛ:ro] *agg* kämpferisch. **battaglione** [...'ʎo:ne] *m* Bataillon *n.*

battello [bat'tɛllo] *m* Boot *n;* **~ a vapore** Dampfschiff *n,* Dampfer *m.*

battente [bat'tɛnte] *m* **1.** *(di porta e finestra)* Flügel *m; (di mobile)* Tür *f;* **2.** *(battaglio)* Schwengel *m; (di porta)* (Tür)klopfer *m; (di orologio)* Uhrhammer *m,* Gong *m.*

battere ['battere] **I.** *tr* **1.** *gener.* schlagen, (aus)klopfen; **2.** *(grano)* dreschen; **3.** *mus (tempo)* schlagen; **4.** *sport* schlagen; *(primato)* brechen; **5.** *fin (moneta)* prägen; **6.** *(metallo, ferro)* hämmern, schlagen, treiben; **~ le ali** mit den Flügeln schlagen; **~ bandiera tedesca** unter deutscher Flagge fahren; **~ un colpo** einen Schlag geben (*o* tun); **~ la concorrenza** die Konkurrenz schlagen (*o* besiegen); **~ i denti** mit den Zähnen klappern (*da* vor +*dat*); **~ le mani** (in die Hände) klatschen; **~ il marciapiede (*o* la strada)** *fam* auf den Strich gehen; **~ i piedi** mit den Füßen stampfen; *fig* (vor

Wut) aufstampfen; ~ **una lettera a macchina** einen Brief auf der Maschine tippen; ~ **la testa nel muro** *fig* mit dem Kopf durch die Wand wollen; **far** ~ **il cuore a qu** jds Herz höher schlagen lassen; **in un** ~ **d'occhio** im Nu, in Null Komma nichts *fam;* ~ **il ferro finché è caldo** *fig* das Eisen schmieden, solange es heiß ist; **II.** *itr* **1.** *(pioggia)* prasseln; *(orologio, cuore)* schlagen; *(sole)* knallen; **2.** *(bussare)* klopfen, pochen; **3.** *mot, tec* klopfen; ~ **alla porta** an die Tür klopfen; ~ **sempre sullo stesso tasto** *fig* ständig auf etw. *(dat)* herumhakken; **all'orologio della torre battono le tre** die Turmuhr schlägt drei; **il motore batte in testa** der Motor klopft; **III.** *rfl:* **-ersi** *(a. fig)* sich schlagen, kämpfen *(per* um, für); **-ersi il petto** *fig* sich *(dat)* an die Brust schlagen; **battersela** *fam* sich verdrücken *fam.*

batteria [batte'riːa] ⟨-ie⟩ *f* **1.** *(insieme di cose)* Satz *m,* Serie *f; (di rubinetti)* Armaturen *f pl;* **2.** *mot, el, mil* Batterie *f; (di orologio)* Schlagwerk *n;* **3.** *mus* Schlagzeug *n;* **4.** *sport* Qualifikationsrunde *f;* **5.** *(per l'allevamento di polli)* (Lege)batterie *f;* ~ **da cucina** Küchengerät(e *pl*) *n.*

battericida [batteri'tʃiːda] ⟨-i⟩ *m* Bakterizid *n,* keimtötendes Mittel.

batterio [bat'tɛːrio] ⟨-i⟩ *m* Bakterie *f.*

batteriologia [batteriolo'dʒiːa] ⟨-gie⟩ *f* Bakteriologie *f.* **batteriologo, -a** [...'riɔːlogo] ⟨-gi, -ghe⟩ *m, f* Bakteriologe *m,* -login *f.*

batterista [batte'rista] ⟨-i *m,* -e *f*⟩ *mf* Schlagzeuger(in) *m(f).*

battesimale [battezi'maːle] *agg* Tauf-; **fonte** ~ Taufbecken *n.*

battesimo [bat'teːzimo] *m* Taufe *f;* ~ **del fuoco/dell'aria** Feuertaufe *f*/Jungfernflug *m;* **tenere a** ~ **qu** jds Pate (*o* Patin) sein.

battezzare [batted'dzaːre] *tr* taufen; **l'hanno battezzata Silvia** sie wurde auf den Namen Silvia getauft.

battibaleno [battiba'leːno] *m:* **in un** ~ im Nu.

battibeccarsi [-bek'karsi] *rfl* sich zanken. **battibecco** [-'bekko] *m* Gezänk *n.*

batticuore [-'kuɔːre] *m* Herzklopfen *n.*

battigia [bat'tiːdʒa] ⟨-gie⟩ *f* Strandlinie *f.*

battimano [batti'maːno] *m,* **battimani** [-'maːni] *m pl* Beifall *m.* **battipanni** [-'panni] ⟨-⟩ *m* Klopfer *m; (per tappeti)* Teppichklopfer *m.* **battipista** [-'pista] ⟨-⟩ *m* **1.** *sport* Vorläufer *m;* **2.** *tec* Planierraupe *f; (per la neve)* Schneeraupe *f.* **battiscopa** [-s'koːpa] ⟨-⟩ *m* Fuß(boden)leiste *f,* Scheuerleiste *f.*

battista [bat'tista] ⟨-i *m,* -e *f*⟩ **I.** *mf* Baptist(in) *m(f);* **San Giovanni B~** Johannes der Täufer; **II.** *agg* Tauf-; **chiesa** ~ Baptistenkirche *f.*

battistero [battis'tɛːro] *m* Taufkapelle *f,* Baptisterium *n.*

battistrada [battis'traːda] ⟨-⟩ *m* **1.** *mot* (Reifen)profil *n;* **2.** *sport* Schrittmacher *m.* **battitappeto** [...tap'peːto] *m* Klopfsauger *m.*

battito ['battito] *m* Schlag *m,* Schlagen *n.*

battitore, -trice [batti'toːre] *m, f* Schläger(in) *m(f); (tennis)* Aufschläger(in) *m(f).* **battitura** [...'tuːra] *f* **1.** *tip* Tippen *n;* **2.** *agr* Dreschen *n.*

battona [bat'toːna] *f dial volg* Prostituierte *f,* Nutte *f vulg.*

battuta [bat'tuːta] *f* **1.** *gener.* Schlag *m,* Stoß *m;* **2.** *scherz* Witz *m;* **3.** *mus* Takt *m;* **4.** *(di macchina da scrivere)* Anschlag *m;* **5.** *teat* Einsatz *m;* **6.** *sport* Abspiel *n;* **7.** *(caccia)* Treibjagd *f;* **8.** *(di polizia)* Razzia *f,* Einsatz *m;* ~ **d'arresto** Unterbrechung *f; mus* Taktpause *f; fin* Verschnaufpause *f,* Stillstand *m;* ~ **di spirito** geistreiche Bemerkung; **avere la** ~ **pronta** schlagfertig sein; **non perdere una** ~ keine Nuance überhören; **alle prime -e** am Anfang.

battuto, -a [bat'tuːto] *agg* **1.** *(rame, ferro)* gehämmert, geschmiedet; **2.** *(strada)* begangen; *(con veicolo)* befahren; **3.** *gastr (carne)* geklopft; **4.** *(sconfitto)* geschlagen; **a spron** ~ Hals über Kopf, in Windeseile.

batuffolo [ba'tuffolo] *m* Bausch *m;* ~ **di cotone** (*o* **ovatta**) Wattebausch *m.*

bau bau ['baːu 'baːu] *interi* wauwau.

baule [ba'uːle] *m* **1.** *(cassa)* Truhe *f;* **2.** *mot* Kofferraum *m;* ~ **armadio** Schrankkoffer *m.* **bauletto** [bau'letto] *m* **1.** *(per oggetti femminili)* Schmuck-, Kosmetikköfferchen *n;* **2.** *(borsetta)* Handköfferchen *n.*

bava ['baːva] *f* Schaum *m,* Schleim *m;* ~ **di vento** Windhauch *m;* **avere la** ~ **alla bocca** Schaum vor dem Mund haben; *fig* (vor Wut) schäumen.

bavaglio [ba'vaʎʎo] ⟨-gli⟩ *m* Knebel *m;* **mettere il** ~ **a qu** *fig* jdn nicht frei reden lassen, jdn knebeln.

bavagliolo [bavaʎ'ʎɔːlo] *m* Lätzchen *n.*

bavarese [bava'reːze] **1.** *agg* bay(e)risch; **I.** *mf* Bayer(in) *m(f).*

bavero ['baːvero] *m* Kragen *m.*

Baviera [ba'viɛːra] *f* Bayern *n.*

bazar [bad'dzar] ⟨-⟩ *m* Bazar *m; fig com* Warenhaus *n.*

bazzecola [bad'dzɛːkola] *f* Lappalie *f,* Kleinigkeit *f.*

bazzicare [battsi'kaːre] ⟨bazzico, bazzichi⟩ **I.** *itr* verkehren (*con* mit); *(in luoghi)* verkehren (*in* in *+dat*), ein und aus gehen (*in* in *+dat*); **II.** *tr* regelmäßig besuchen, verkehren in (*o* bei).

bazzotto, -a [bad'dzɔtto] *agg:* **uovo** ~ weichgekochtes Ei.

be' [bɛ] *v.* **beh.**

beat [biːt] **I.** ⟨-⟩ *mf* Beatnik *n; (letter a.)*

Angehörige(r) *mf* der Beatgeneration; **II.** ⟨*inv*⟩ *agg* Beat-.
beatificare [beatifi'ka:re] ⟨beatifico, beatifichi⟩ *tr* seligsprechen.
beatitudine [beati'tu:dine] *f* (Glück)seligkeit *f*.
beato, -a [be'a:to] **I.** *agg* **1.** *fig* glücklich, glückselig; **2.** *rel* selig; **il Beatissimo Padre** der Heilige Vater; ~ **te!** du Glücklicher!; **vivere ~ e contento** glücklich und zufrieden leben; **II.** *m, f* Selige(r) *mf*.
Beatrice [bea'tri:tʃe] *(nome proprio femminile)* Beatrix.
beauty-case ['bju:tɪkeɪs] ⟨-⟩ *m* Kosmetikkoffer *m*. **beautyfarm** ['...fa:rm] ⟨-⟩ *f* Schönheitsfarm *f*.
bebè [be'bɛ] ⟨-⟩ *m* Baby *n*.
beccaccia [bek'kattʃa] ⟨-cce⟩ *f* Waldschnepfe *f*.
beccare [bek'ka:re] ⟨becco, becchi⟩ **I.** *tr* **1.** *zoo* (auf)picken; *(colpire con il becco)* picken (nach); **2.** *scherz (mangiucchiare)* picken; **3.** *fig fam* kriegen *fam*, schnappen *fam*, erwischen; **4.** *fig teat* ausbuhen, auspfeifen; ~ **qu sul fatto** jdn auf frischer Tat ertappen; **-arsi un raffreddore** *fam* sich *(dat)* einen Schnupfen holen; **beccati questa!** *fam* da hast (*o* siehst) du's! *fam;* **II.** *rfl:* **-arsi** *fam* sich zanken.
beccheggiare [bekked'dʒa:re] ⟨beccheggio, beccheggi⟩ *itr naut, aero* (heftig) schaukeln. **beccheggio** [...'keddʒo] ⟨-ggi⟩ *m naut, aero* (heftiges) Schaukeln *n*.
becchettare [bekket'ta:re] **I.** *tr* picken; **II.** *rfl:* **-arsi** *fig* sich streiten.
becchime [bek'ki:me] *m* (Hühner-, Vogel)futter *n*.
becchino [bek'ki:no] *m* Totengräber *m*.
becco[1] ['bekko] ⟨-cchi⟩ *m* **1.** *zoo, fig fam* Schnabel *m;* **2.** *(di bricchi)* Tülle *f*, Schnabel *m;* **3.** *chim* Brenner *m;* ~ **di Bunsen** Bunsenbrenner *m;* **non avere il ~ d'un quattrino** *fam* keine müde Mark haben *fam;* **mettere il ~ dappertutto** *fam* sich in alles einmischen, zu allem seinen Senf dazugeben *fam;* **restare a ~ asciutto** *fam* leer ausgehen, in die Röhre gucken *fam;* **chiudi il ~!** *fam* halt den Schnabel (*o* die Klappe)! *fam*.
becco[2] ['bekko] ⟨-cchi⟩ *m* **1.** *zoo* (Ziegen)bock *m;* **2.** *fam* Hirsch *m scherz,* betrogener Ehemann.
becquerel ['bɛkɛrɛl] ⟨-⟩ *m fis* Becquerel *n*.
beeper ['bi:p(ɛr)] ⟨-⟩ *m* Piepser *m*.
befana [be'fa:na] *f* **1.** *(festa)* Dreikönig(sfest) *n; (donna vecchia)* Befana *f (Sagengestalt, die in der Dreikönigsnacht den braven Kindern Geschenke und den bösen Kohle bringt);* **2.** *fig fam* Schreckschraube *f fam,* Vettel *f fam,* alte Hexe *f fam.*
beffa ['bɛffa] *f* Streich *m; (scherno)* Spott *m;* **farsi -e di qu** über jdn spotten, jdn verspotten. **beffardo, -a** [bef'fardo] *agg* spöttisch, höhnisch. **beffare** [...'fa:re] **I.** *tr* verspotten, verhöhnen; **II.** *rfl:* **-arsi di qu/qc** sich über jdn/etw. lustig machen, über jdn/etw. spotten.
bega ['bɛ:ga] ⟨-ghe⟩ *f* **1.** *(fastiolio, noia)* Scherereien *f pl,* Ärger *m;* **2.** *(litigio)* Streit *m,* Zoff *m fam.*
begli ['bɛʎʎi] *v.* **bello.**
begonia [be'gɔ:nia] ⟨-ie⟩ *f* Begonie *f*.
beh [bɛ] *interi* nun, also, (also) gut.
bei ['bɛ:i] *v.* **bello.**
beige [bɛ:ʒ] **I.** ⟨*inv*⟩ *agg* beige(farben); **II.** ⟨-⟩ *m* Beige *n*.
bel [bɛl] *v.* **bello.**
belare [be'la:re] *itr* blöken, meckern. **belato** [be'la:to] *m* Blöken *n,* Meckern *n*.
belga ['bɛlga] ⟨-gi *m,* -ghe *f*⟩ **I.** *agg* belgisch; **II.** *mf* Belgier(in) *m(f)*. **Belgio** ['bɛldʒo] *m:* **il ~** Belgien *n*.
Belgrado [bel'gra:do] *f* Belgrad *n*.
bell' [bɛll] *v.* **bello.**
bella ['bɛlla] *f* **1.** *(donna bella)* Schöne *f,* Schönheit *f;* **2.** *(innamorata)* Freundin *f;* **3.** *(copia)* Reinschrift *f;* **4.** *sport* Entscheidungsspiel *n;* **la ~ addormentata nel bosco** Dornröschen *n;* **ricopiare in ~** ins reine schreiben; *v. a. bello.*
bellett(e)ristica [bellet'tristika (bellette'ristika)] ⟨-che⟩ *f* Trivialliteratur *f*.
bellezza [bel'lettsa] *f* **1.** *(qualità)* Schönheit *f; (splendore)* Pracht *f;* **2.** *(persona)* Schönheit *f; (cosa)* Prachtstück *n;* **prodotti di ~** Schönheitsmittel *n pl;* **la ~ di tre millioni** *fam iron* die Kleinigkeit von drei Millionen; **per ~** zur Verzierung; **che ~!** wie (wunder)schön!, klasse! *fam;* **che ~ di bambino!** was für ein Prachtkind!
bellico, -a ['bɛlliko] ⟨-ci, -che⟩ *agg* kriegerisch, Kriegs-; **industria -a** Rüstungsindustrie *f*. **bellicoso, -a** [belli'ko:so] *agg (popolo)* kriegerisch; *(carattere)* kampflustig.
belligerante [bellidʒe'rante] **I.** *agg* kriegführend; **II.** *mf* Kriegführende(r) *mf*. **belligeranza** [...'rantsa] *f* Kriegszustand *m*.
bello, -a ['bɛllo] **I.** *agg* schön; *(carino)* hübsch; *(persona a.)* gutaussehend; *(buono)* gut; *(occasione)* günstig; **il bel mondo** die elegante (*o* mondäne) Gesellschaft; **darsi alla -a vita** das süße Leben genießen; **non valere un bel niente** keinen Pfifferling wert sein; **l'ho fatta/detta -a!** da habe ich was angestellt/gesagt; **sei un bel cretino** du bist vielleicht ein Idiot *fam;* **una -a somma** ein hübsches Sümmchen; **nel bel mezzo** mitten, mittendrin; **bell'e fatto** schon erledigt (*o* fertig); **bell'e buono** echt, durch und durch; **ne hai fatte delle -e** du hast dir allerhand geleistet; **dirne delle -e** Schauermärchen erzählen, Stuß reden *fam;*

sentirne delle -e sul conto di qu tolle Geschichten über jdn hören; **questa è -a!** *fam* das ist ein Ding! *fam,* das gibt's ja nicht! *fam;* **II.** *m* **1.** *gener.* Schöne(s) *n,* Schönheit *f;* **2.** *meteo* schönes Wetter; **il tempo s'è rimesso al** ~ das Wetter ist wieder schön geworden; **il** ~ **è che ...** *iron* das Komische daran ist, daß ...; **questo è il** ~ das ist es ja gerade!; **sul più** ~ im schönsten Augenblick, als es gerade am schönsten war; **III.** *m, f* Schöne(r) *mf.*

belva ['belva] *f* **1.** *(animale)* wildes Tier; **2.** *fig (persona)* Bestie *f.*

belvedere [belve'de:re] ⟨-⟩ *m* Aussichtspunkt *m.*

benarrivato, -a [benarri'va:to] **I.** *agg* willkommen; **II.** *m* Willkommensgruß *m;* **dare il** ~ **a qu** jdn (bei seiner Ankunft) willkommen heißen.

benché [beŋ'ke] *cong +congv* obwohl.

benda ['bɛnda] *f* **1.** *med* Binde *f,* Verband *m;* **2.** *(ornamento)* (Stirn)band *n;* **avere la** ~ **agli occhi** *fig* mit Blindheit geschlagen sein. **bendaggio** [ben'daddʒo] ⟨-ggi⟩ *m* Verband *m; (sport a.)* Bandage *f.* **bendare** [...'da:re] *tr* **1.** *(gli occhi)* zubinden; **2.** *med* verbinden.

bendisposto, -a [bendis'posto] *agg* wohlgesinnt, wohlwollend.

bene ['bɛ:ne] **I.** ⟨meglio, benissimo *o* ottimamente⟩ *avv* gut, wohl; *(giusto, esatto)* genau, richtig; **essere vestito (per)** ~ gut (*o* ordentlich) gekleidet sein; **andare di** ~ **in meglio** *(a. iron)* immer besser werden; ~ **o male** gut oder schlecht; *(comunque sia)* wohl oder übel; **ben** ~ *fam* richtig, (ganz) genau; *(a fondo)* gründlich, ordentlich; **oggi non mi sento** ~ ich fühle mich heute nicht wohl; **ben tre milioni m'è costato!** *fam* das hat mich gut drei Millionen gekostet; **ben gli sta!, gli sta** ~ das geschieht ihm recht!; **ben detto!** richtig!, gut gesagt!; **va** ~**!** gut!, in Ordnung!, einverstanden!; **tutto è** ~ **quel che finisce** ~ *prov* Ende gut, alles gut *prov;* **II.** ⟨*inv*⟩ *agg* wohlhabend, reich; **III.** *interi* gut; ~**, basta così** gut, das reicht; ~**! bravo! bis!** wunderbar!, bravo!, Zugabe!; **IV.** *m* **1.** *(buono)* Gute(s) *n; (benessere)* Wohl *n;* **2.** ⟨-i⟩ *com, dir* Güter *n pl,* Vermögen *n* **3.** *(persona amata)* Schatz *m;* **-i di consumo** Konsumgüter *n pl,* Verbrauchsgüter *n pl;* **-i culturali** Kulturgüter *n pl;* **-i mobili/immobili** bewegliche/unbewegliche Güter *n pl,* Mobilien *f pl*/Immobilien *f pl;* **gente per** ~ anständige (*o* ehrbare) Leute; **fare qc a fin di** ~ etw. in guter Absicht tun, etw. gut meinen; *(a scopo caritativo)* etw. für einen guten Zweck tun; **lo dico per il tuo** ~ ich sage es zu deinem Besten; **ti auguro ogni** ~ ich wünsche dir alles Gute.

benedettino, -a [benedet'ti:no] **I.** *agg* benediktinisch, Benediktiner-; **II.** *m, f* Benediktiner(in) *m(f).*

Benedetto [bene'detto] *(nome proprio maschile)* Benedikt.

benedetto, -a [bene'detto] *agg* **1.** *rel* gesegnet; *(terra, oggetto)* geweiht; **2.** *fig (persona)* begnadet; **3.** *(fausto)* glücklich; **terra -a** *fig (fertilissima)* gesegnetes Land; **acqua** ~ Weihwasser *n.*

benedire [bene'di:re] ⟨benedico, benedici *o* benedii, benedetto⟩ *tr* segnen; **Dio ti benedica!** Gott segne dich!; **mandare qu a farsi** ~ *fam* jdn zum Teufel schikken *fam;* **la gita è andata a farsi** ~ *fam* der Ausflug ist ins Wasser gefallen. **benedizione** [...dit'tsio:ne] *f* **1.** *rel (atto)* Segnung *f; (effetto)* Segen *m;* **2.** *fig* Segen *m,* Wohltat *f.*

beneducato, -a, ben educato, -a [benedu'ka:to] *agg* wohlerzogen.

benefattore, -trice [benefat'to:re] *m, f* Wohltäter(in) *m(f).* **beneficare** [...fi'ka:re] ⟨benefico, benefichi⟩ *tr* beschenken; *(dare aiuti finanziari)* unterstützen. **beneficenza** [...fi'tʃɛntsa] *f* Wohltätigkeit *f.*

beneficiare [benefi'tʃa:re] ⟨beneficio, benefici⟩ *itr:* ~ **di qc** in den Genuß einer S. *(gen)* kommen; *(trarre vantaggi)* Vorteil aus etw. ziehen.

beneficiario, -a [benefi'tʃa:rio] ⟨-i, -ie⟩ *m, f com* Empfänger(in) *m(f),* Emfangsberechtigte(r) *m(f);* ~ **dell'assegno** Scheckempfänger(in) *m(f).*

beneficio [bene'fi:tʃo] ⟨-ci⟩ *m* **1.** *(bene)* Wohltat *f;* **2.** *(giovamento)* Nutzen *m,* Gewinn *m;* **3.** *dir* Rechtswohltat *f,* Vorteil *m;* **con** ~ **d'inventario** *fig* unter Vorbehalt(en). **benefico, -a** [be'nɛ:fiko] ⟨-ci, -che⟩ *agg* wohltuend, heilsam; *(persona)* wohltätig.

Benelux ['be:neluks] *m* Beneluxländer *f pl.*

benemerito, -a [bene'mɛ:rito] *agg* verdienstvoll, verdient.

beneplacito [bene'pla:tʃito] *m* **1.** Einwilligung *f,* Zustimmung *f;* **2.** *(arbitrio)* Belieben *n,* Gutdünken *n.*

benessere [be'nɛssere] *m* **1.** *(stato di salute)* Wohlbefinden *n,* Wohlsein *n;* **2.** *(ricchezza)* Wohlstand *m;* **società del** ~ Wohlstandsgesellschaft *f.* **benestante** [benes'tante] **I.** *agg* wohlhabend; **II.** *mf* wohlhabender Mensch.

benestare [benes'ta:re] ⟨-⟩ *m amm* Zustimmung *f,* Genehmigung *f.*

benevolenza [benevo'lɛntsa] *f* Wohlwollen *n.* **benevolo, -a** [be'nɛ:volo] *agg* wohlwollend (*con, verso* gegenüber), gütig (*con, verso* zu), nachsichtig (*con, verso* mit).

benfatto, -a, ben fatto, -a [ben'fatto] *agg* **1.** *(persona)* gut gewachsen (*o* gebaut); **2.** *(lavoro, cosa)* gut (gemacht), ordentlich, sauber.

bengodi [beŋ'gɔ:di] ⟨-⟩ *m* Schlaraffenland *n;* **il paese di** ~ das Schlaraffenland.

beniamino, -a [benia'mi:no] *m, f* Liebling *m.*

benigno, -a [be'niɲɲo] *agg* **1.** *(benevolo)* wohlwollend; *(giudice, critico)* gütig, mild; *(cortese)* liebenswürdig; **2.** *fig (sorte, astro)* gütig, günstig; **3.** *meteo (clima)* mild; **4.** *med (tumore)* gutartig.

benintenzionato, -a [benintentsio'na:to] *agg* wohlmeinend, wohlgesonnen (*verso qu* jdm), mit guten Absichten. **beninteso** [benin'te:so] *avv* natürlich, selbstverständlich; ~ **sei invitato anche tu** natürlich bist auch du eingeladen; ~ **che t'aspetto** natürlich warte ich auf dich.

benissimo [be'nissimo] *superl di* **bene.**

benpensante, ben pensante [bempen'sante] **I.** *mf* rechtschaffener Mensch; *peg, iron* Biedermann *m,* Spießer(in) *m(f) fam;* **II.** *agg* rechtschaffen; *peg* bieder, spießig *fam.*

benservito [benser'vi:to] *m* (Dienst)führungszeugnis *n,* Abgangszeugnis *n;* **dare il** ~ **a qu** *iron* jdm den Laufpaß geben.

bensì [ben'si] *cong* sondern.

bentornato, -a, ben tornato, -a [bentor'na:to] **I.** *agg, interi* willkommen (zu Hause); **II.** *m* Willkommensgruß *m,* Willkommen *n.* **benvenuto, -a, ben venuto, -a** [benve'nu:to] **I.** *agg, interi* willkommen; **II.** *m, f* Willkommene(r) *mf;* **essere il** ~ **in un luogo** an einem Ort willkommen sein; **III.** *m* Willkommen *n,* Willkommensgruß *m;* **dare (***o* **porgere) il** ~ **a qu** jdn willkommen heißen. **benvisto, -a, ben visto, -a** [ben'visto] *agg* gern gesehen, geschätzt.

benvolere, ben volere [benvo'le:re] **I.** ⟨*irr, solo inf e pp*⟩ *tr* schätzen, gern(e) mögen; **farsi** ~ **da qu** jds Zuneigung gewinnen; **prendere a** ~ **qu** jdm zugeneigt sein, jdn liebgewinnen; **II.** *m* Zuneigung *f.* **benvoluto, -a, ben voluto, -a** [benvo'lu:to] *agg* geschätzt, beliebt.

benzina [ben'dzi:na] *f* Benzin *n;* ~ **normale/super** Normal-/Superbenzin *n;* ~ **senza piombo/verde** bleifreies Benzin *n;* **serbatoio della** ~ Benzintank *m;* **fare** ~ tanken. **benzinaio, -a** [...dzi'na:io] ⟨-ai, -aie⟩, **benzinaro, -a** [...'na:ro] *m, f dial* Tankwart(in) *m(f).*

berciare [ber'tʃa:re] ⟨bercio, berci⟩ *itr tosc* schreien, brüllen, grölen.

bere ['be:re] ⟨bevo, bevvi *o* bevei *o* bevetti, bevuto⟩ **I.** *tr, itr* trinken; ~ **alla bottiglia** aus der Flasche trinken; ~ **alla salute di qu** auf jds Gesundheit (*o* Wohl) trinken; **darla a** ~ **a qu** *fam* jdm etw. weismachen; **la mia macchina beve benzina/olio** mein Auto schluckt viel Benzin/frißt viel Öl; **II.** *m* Trinken *n;* *(vizio a.)* Trunksucht *f;* **avere il vizio del** ~ trinken; **darsi al** ~ sich dem Alkohol ergeben, (gewohnheitsmäßig) trinken.

bergamotto [berga'mɔtto] *m* Bergamotte *f.*

berlina[1] [ber'li:na] *f st* Pranger *m;* **mettere alla** ~ an den Pranger stellen.

berlina[2] [ber'li:na] *f mot* Limousine *f.*

berlinese [berli'ne:ze] **I.** *agg* berlinerisch, Berliner *attr;* **II.** *mf* Berliner(in) *m(f).*

Berlino [ber'li:no] *f* Berlin *n.*

bermuda [ber'mu:da] *m pl* Bermudas *pl,* Bermudashorts *pl.*

bernese [ber'ne:ze] **I.** *agg* Berner *attr;* **II.** *m f* Berner(in) *m(f).*

Berna ['bɛrna] *f* Bern *n.*

bernoccolo [ber'nɔkkolo] *m* **1.** *(in testa)* Beule *f;* **2.** *fig* Veranlagung *f* (*di* für), Neigung *f* (*di* zu).

berretta [ber'retta] *f* Mütze *f,* Kappe *f;* ~ **da notte** *(per uomo)* Schlafmütze *f;* *(per donna)* Nachthaube *f.* **berretto** [...to] *m* Mütze *f,* Barett *f.*

berrò [bɛr'rɔ] *v.* **bere.**

bersagliare [bersaʎ'ʎa:re] ⟨bersaglio, bersagli⟩ *tr* **1.** *fig* überhäufen (*di* mit), bombardieren (*di* mit); *(perseguitare)* verfolgen, plagen; **2.** *mil* beschießen, unter Beschuß nehmen; **è bersagliato dalla sfortuna** er ist vom Unglück (*o* Pech) verfolgt.

bersagliere, -a [bersaʎ'ʎɛ:re] **I.** *m mil* Bersagliere *m (Scharfschütze der italienischen Infanterie);* **II.** *m, f fig (persona energica e decisa)* energische Person *f,* Draufgänger(in) *m(f).*

bersaglio [ber'saʎʎo] ⟨-gli⟩ *m* Ziel *n;* *(a. fig)* Zielscheibe *f;* **tiro al** ~ Scheibenschießen *n;* **colpire il** ~ **in pieno** *(a. fig)* ins Schwarze treffen.

bertuccia [ber'tuttʃa] ⟨-cce⟩ *f* **1.** *zoo* Magot *m,* Berberaffe *m;* **2.** *fam peg* (alte) Schachtel *f fam.*

besciamella [beʃʃa'mɛlla] *f* Béchamelsoße *f.*

bestemmia [bes'temmia] ⟨-ie⟩ *f* Fluch *m,* Gotteslästerung *f.* **bestemmiare** [...'mia:re] ⟨bestemmio, bestemmi⟩ **I.** *itr* fluchen; *(ingiuriare)* schimpfen; **II.** *tr* lästern; *(maledire)* verfluchen. **bestemmiatore, -trice** [...mia'to:re] *m, f* Lästermaul *n fam,* Flucher(in) *m(f).*

bestia ['bestia] ⟨-ie⟩ *f* Tier *n;* **una** ~ **rara** *fig* ein seltenes Exemplar; **brutta** ~ *fig* schlimme Sache; *(persona)* schrecklicher Mensch; **andare in** ~ *fam* wütend werden, aus der Haut fahren; **lavorare come una** ~ *fam* arbeiten wie ein Tier; **sudare come una** ~ *fam* schwitzen wie ein Bär. **bestiale** [...'tia:le] *agg* **1.** *fig* bestialisch; *fam (molto intenso)* tierisch, mörderisch; **2.** *sl (eccellente)* super, stark, geil *sl;* **3.** *zoo* tierisch. **bestialità** [...iali'ta] ⟨-⟩ *f* **1.** *fig* Dummheit *f,* Blödsinn *m,* Stuß *m fam;* **2.** *(brutalità)* Bestialität *f;* **ha detto una** ~ *fam* er (*o* sie) hat etwas ganz Dummes gesagt. **bestiame** [...'tia:me] *m* Vieh(bestand *m*) *n.*

bestseller ['bestselə] ⟨-⟩ *m* Bestseller *m*, Verkaufsschlager *m*. **bestsellerista** [-sele'rista] ⟨-i *m*, -e *f*⟩ *mf* Bestsellerautor(in) *m(f)*.

betabloccante [betablok'kante] *m* Betablocker *m*.

Betlemme [be'tlɛmme] *f* Bethlehem *n*.

bettola ['bettola] *f* Kaschemme *f*.

betulla [be'tulla] *f* Birke *f*.

bevanda [be'vanda] *f* Getränk *n*.

bevei [be've:i] *p rem di* **bere**.

beveraggio [beve'raddʒo] ⟨-ggi⟩ *m* **1.** *scherz* Trinkbare(s) *n*; **2.** *(per le bestie)* Viehtrank *m*; **3.** *(pozione)* Gebräu *n*.

bevetti [be'vɛtti] *p rem di* **bere**.

bevibile [be'vi:bile] *agg* trinkbar.

bevitore, -trice [bevi'to:re] *m, f* Trinker(in) *m(f)*.

bevo ['be:vo] *pr di* **bere**.

bevuta [be'vu:ta] *f* Trinken *n*, Umtrunk *m*.

bevuto [be'vu:to] *pp di* **bere**.

bevvi ['bevvi] *p rem di* **bere**.

biada ['bia:da] *f* Futtergetreide *n*.

bianca *f v.* **bianco**.

biancastro, -a [biaŋ'kastro] *agg* weißlich.

biancheria [biaŋke'ri:a] ⟨-ie⟩ *f* Wäsche *f*; ~ **intima** Unterwäsche *f*; ~ **sexy** Reizwäsche *f*; ~ **da tavola/da letto** Tisch-/Bettwäsche *f*.

bianchetto [biaŋ'ketto] *m* **1.** *(per colori)* Deckweiß *n*; *(per corregere testi)* Korrekturflüssigkeit *f*, Tipp-Ex® *n fam*; **2.** *(per scarpe)* Schuhweiß *n*; *(per biancheria)* Bleichmittel *n*. **bianchezza** [biaŋ'kettsa] *f* Weiß *n*.

bianco, -a ['biaŋko] ⟨-chi, -che⟩ **I.** *agg* weiß; **voce -a** Knabenstimme *f*; *(falsetto)* Falsett *n*, Fistelstimme *f*; **essere ~ come un cencio lavato** kreidebleich sein; **essere ~ e rosso** kerngesund aussehen; **II.** *m* **1.** *(colore)* Weiß *n*; **2.** *(parte bianca)* Weiße(s) *n*; **3.** *com:* **in ~** blanko, Blanko-; ~ **dell'uovo** Eiweiß *n*; **andare in ~** scheitern, versagen; **foglio in ~** unbeschriebenes Blatt; **vestirsi di ~** sich weiß kleiden, Weiß tragen; **in ~** *gastr nur in Öl oder Butter zubereitet;* **film in ~ e nero** Schwarzweißfilm *m*; **notte in ~** schlaflose Nacht; **dare il ~ a** weißen, tünchen; **III.** *m, f* Weiße(r) *mf*. **biancospino** [-s'pi:no] *m* Weißdorn *m*.

biascicare [biaʃʃi'ka:re] ⟨biascico, biascichi⟩ **I.** *itr* schmatzen, schmatzend kauen; **II.** *tr* nuscheln; *(lingua)* gebrochen sprechen.

biasimare [biazi'ma:re] *tr* tadeln, rügen. **biasimevole** [...'me:vole] *agg* tadelnswert. **biasimo** ['bia:zimo] *m* Tadel *m*, Rüge *f*; **incorrere nel ~ di qu** von jdm getadelt (*o* gerügt) werden.

biathlon ['biatlon] *m* Biathlon *n*.

Bibbia ['bibbia] ⟨-ie⟩ *f* Bibel *f*.

biberon [bibe'rɔn] ⟨-⟩ *m* (Milch)fläschchen *n*.

bibita ['bi:bita] *f* Getränk *n*.

biblico, -a ['bi:bliko] ⟨-ci, -che⟩ *agg* biblisch, Bibel-.

bibliografia [bibliogra'fi:a] *f* Bibliographie *f*. **bibliografico, -a** [...'gra:fiko] *agg* bibliographisch. **bibliografo, -a** [bi'bliɔ:grafo] *m, f* Bibliograph(in) *m(f)*.

biblioteca [biblio'tɛ:ka] *f* **1.** *(luogo)* Bibliothek *f*; **2.** *(mobile)* Bücherregal *n*; *(armadio)* Bücherschrank *m*; ~ **di programmi** Software *f*. **bibliotecario, -a** [...te'ka:rio] ⟨-i, -ie⟩ *m, f* Bibliothekar(in) *m(f)*.

bicamerale [bikame'ra:le] *agg pol* Zweikammer-. **bicameralismo** [...ra'li:zmo] *m* Zweikammersystem *n*.

bicarattere [bika'rattere] *m* Byte *n*.

bicarbonato [bikarbo'na:to] *m* Bikarbonat *n*; ~ **di sodio** doppeltkohlensaures Natrium, Natron *n*.

bicchierata [bikkie'ra:ta] *f* **1.** *(quantità)* Glas *n*; **2.** *(per fasteggiare)* Umtrunk *m*.

bicchiere [bik'kiɛ:re] *m* (Trink)glas *n*; ~ **da vino/acqua** Wein-/Wasserglas *n*; **un ~ di vino/d'acqua** ein Glas Wein/Wasser; **fondo di ~** *scherz* falscher Schmuckstein; **alzare il ~ (a)** das Glas erheben (auf), prosten (auf). **bicchierino** [...kie'ri:no] *m* Gläschen *n*.

bicentenario [bitʃente'na:rio] *m* zweihundertster Jahrestag.

bichini [bi'ki:ni] *v.* **bikini**.

bici ['bi:tʃi] ⟨-⟩ *f fam*, **bicicletta** [bitʃi'kletta] *f* (Fahr)rad *n*, Velo *n CH*; ~ **da camera** Heimtrainer *m*; ~ **da corsa** Rennrad *n*; ~ **da neve** Skibob *m*; ~ **da turismo** Tourenrad *n*; ~ **fuoristrada** Geländefahrrad *n*; **andare in ~** radfahren, mit dem Fahrrad fahren. **biciclettata** *f scherz* Fahrradtour *f*.

bicipite [bi'tʃi:pite] **I.** *agg* doppelköpfig; **II.** *m* Bizeps *m*.

bicolore [biko'lo:re] *agg* **1.** *gener.* zweifarbig; **2.** *fig pol* Zweiparteien-.

bidè [bi'dɛ] ⟨-⟩ *m* Bidet *n*.

bidello, -a [bi'dɛllo] *m, f* Schuldiener(in) *m(f)*.

bidimensionale [bidimensio'na:le] *agg* zweidimensional.

bidonare [bido'na:re] *tr fam* reinlegen *fam*, anschmieren *fam*. **bidonata** [...'na:ta] *f fam* Beschiß *m fam*, Schwindel *m fam*; **questo film è una ~** *fam* der Film ist ein Reinfall *fam*.

bidone [bi'do:ne] *m* **1.** *(recipiente)* Kanister *m*; **2.** *fam* Beschiß *m*, Verarschung *f vulg*; **3.** *fam peg (veicolo)* Schrotthaufen *m*; ~ **della spazzatura (*o* dei rifiuti)** Mülltonne *f*; **mi ha fatto il ~** *fam* er (*o* sie) hat mich beschissen (*o* verarscht) *vulg*; *(non essere venuto)* er (*o* sie) hat mich hängenlassen.

bidonville [bidõ'vil] ⟨-⟩ *f* Bidonville *n*, Elendsviertel *n*.

bieco, -a ['bi̯ɛ:ko] ⟨-chi, -che⟩ *agg* **1.** *(sguardo)* scheel, schräg, schief; **2.** *(proposito)* hinterlistig, faul.

biella ['bi̯ɛlla] *f* Pleuelstange *f.*

Bielorussia [bi̯elo'russi̯a] *f* Weißrußland *n.* **bielorusso, -a** [...'russo] *m, f* Weißrusse, -russin *m, f.*

biennale [bien'na:le] **I.** *agg* zweijährig, Zweijahres-; **II.** *f* Biennale *f.*

Bienne [bjɛn] *f* Biel *n.*

biennio [bi'ɛnni̯o] ⟨-i⟩ *m* **1.** *(periodo)* Zeitraum *m* von zwei Jahren, zwei Jahre *n pl,* Biennium *n;* **2.** *(corso universitario)* Zweijahreskurs *m.*

bierre [bi'ɛrre] ⟨-⟩ *mf* Mitglied *n* der B(rigate) R(osse).

bietola ['bi̯ɛ:tola] *f* Mangold *m.*

bifamiliare [bifami'li̯a:re] *agg* Zweifamilien-; **villetta** ~ Zweifamilienhaus *n.*

bifolco, -a [bi'folko] ⟨-chi, -che⟩ *m, f peg* Prolet(in) *m(f) fam.*

biforcarsi [bifor'karsi] ⟨mi biforco, ti biforchi⟩ *rfl* sich gabeln. **biforcazione** [...kat'tsi̯o:ne] *f* Gabelung *f,* Abzweigung *f.* **biforcuto, -a** [...'ku:to] *agg* zweispitzig; *(lingua)* gespalten; **avere una lingua -a** *fig* eine spitze (*o* böse) Zunge haben.

big [bɪg] ⟨-⟩ *m* berühmte Persönlichkeit *f,* großes (*o* hohes) Tier *fam.*

bigamia [biga'mi:a] ⟨-ie⟩ *f* Bigamie *f.* **bigamo, -a** ['bi:gamo] **I.** *agg* bigamisch; **II.** *m, f* Bigamist(in) *m(f).*

bighellonare [bigello'na:re] *itr* bummeln, umherschlendern.

bigio, -a ['bi:dʒo] ⟨-gi, -ge *o* -gie⟩ *agg* (asch)grau.

bigiotteria [bidʒotte'ri:a] ⟨-ie⟩ *f* **1.** *(articoli)* Modeschmuck *m;* **2.** *(negozio)* Geschäft *n* für Modeschmuck.

biglia ['biʎʎa] *v.* **bilia.**

bigliardino [biʎʎar'di:no] *ecc. v.* **biliardino** *ecc.*

bigliettaio, -a [biʎʎet'ta:i̯o] ⟨-ai, -aie⟩ *m, f* (Fahr)kartenverkäufer(in) *m(f).*

biglietteria [biʎʎette'ri:a] ⟨-ie⟩ *f ferr* Fahrkartenschalter *m; teat, film* Kasse *f.*

biglietto [biʎ'ʎetto] *m* **1.** *gener.* Karte *f;* **2.** *(di treno, tram, autobus)* Fahrkarte *f;* **3.** *teat, film* (Eintritts)karte *f;* **4.** *fin* Schein *m,* Note *f;* **5.** *(foglietto)* Zettel *m,* (schriftliche) Mitteilung *f;* ~ **da visita/d'auguri** Visiten-/Glückwunschkarte *f;* ~ **di andata e ritorno** Rückfahrkarte *f;* ~ **di banca** Banknote *f;* ~ **Inter-Rail** Interrail-Karte *f;* ~ **della lotteria** Lotterielos *n;* ~ **omaggio (*o* gratuito)** Freikarte *f;* **un** ~ **da diecimila** ein Zehntausendlireschein *m;* **fare il** ~ eine Fahrkarte lösen; **lasciare/trovare un** ~ eine Nachricht hinterlassen/vorfinden.

bignè [biɲ'ɲɛ] ⟨-⟩ *m* Windbeutel *m.*

bigodino [bigo'di:no] *m* Lockenwickler *m.*

bigotto, -a [bi'gɔtto] **I.** *agg* bigott, frömmelnd; *(ipocrita)* scheinheilig; **II.** *m, f* Frömmler(in) *m(f),* bigotte Person.

bikini [bi'ki:ni] ⟨-⟩ *m* Bikini *m.*

bilancia [bi'lantʃa] ⟨-ce⟩ *f* **1.** *tec, fig* Waage *f;* **2.** *astr:* **B**~ Waage *f;* **3.** *com* Bilanz *f;* ~ **automatica** Schnellwaage *f;* ~ **commerciale/dei pagamenti/valutaria** Handels-/Zahlungs-/Devisenbilanz *f;* ~ **pesapersone** Personenwaage *f;* **sono (della *o* una) B**~ ich bin (eine) Waage; **porre sul piatto della** ~ *fig* in die Waagschale werfen; *(parole)* auf die Goldwaage legen.

bilanciare [bilan'tʃa:re] ⟨bilancio, bilanci⟩ **I.** *tr* **1.** *(tenere in equilibrio)* balancieren mit; *(carico, fig)* ausgleichen, im Gleichgewicht halten; **2.** *fig* abwägen; **3.** *com* bilanzieren; **II.** *rfl:* **-arsi 1.** *(equilibrarsi)* sich im Gleichgewicht halten; **2.** *fig* sich ausgleichen, sich *(dat)* die Waage halten. **bilanciere** [...'tʃɛ:re] *m* **1.** *(di orologio)* Unruh *f;* **2.** *(del funambolo)* Balancierstange *f;* **3.** *sport* (Scheiben)hantel *f;* **4.** *mot* Schwinghebel *m.*

bilancio [bi'lantʃo] ⟨-ci⟩ *m com, fig* Bilanz *f; (budget)* Haushalt *m,* Etat *m;* ~ **familiare** Haushaltskasse *f;* ~ **preventivo/consuntivo** Haushaltsplan *m*/Schlußrechnung *f;* **fare il** ~ **della propria vita/delle vittime** die Bilanz seines Lebens/der Opfer ziehen.

bilaterale [bilate'ra:le] *agg* bilateral, beiderseitig.

bile ['bi:le] *f* **1.** *anat* Galle *f;* **2.** *fig* Wut *f,* Ärger *f;* **essere verde di** ~ *fam* sich schwarz ärgern; **crepare dalla** ~ *fam* vor Wut platzen, eine Wut im Bauch haben.

bilia ['bi:li̯a] ⟨-ie⟩ *f* **1.** *(di vetro, plastica)* Murmel *f;* **2.** *(del biliardo)* Billardkugel *f.*

biliardino [bili̯ar'di:no] *m* kleines Billardspiel; ~ **elettrico** Flipper *m.* **biliardo** [bi'li̯ardo] *m* **1.** *(gioco)* Billard(spiel) *n;* **2.** *(tavolo)* Billardtisch *m;* **liscio come una palla da** ~ *fig* spiegelglatt.

biliare [bi'li̯a:re] *agg* gallig, Gallen-.

bilico ['bi:liko] *m:* **essere (*o* stare) in** ~ sich im labilen Gleichgewicht befinden; *fig* auf der Kippe stehen.

bilingue [bi'liŋgu̯e] **I.** *agg* zweisprachig; **II.** *mf* zweisprachige Person. **bilinguismo** [...'gu̯izmo] *m* Zweisprachigkeit *f.*

bilione [bi'li̯o:ne] *m* Billion *f; (secondo l'uso italiano)* Milliarde *f.*

bilocale [bilo'ka:le] *m* Zweizimmerwohnung *f.*

bimbo, -a ['bimbo] *m, f* (kleines) Kind *n.*

bimensile [bimen'si:le] *agg* zweimal monatlich, halbmonatlich, Halbmonats-. **bimestrale** [bimes'tra:le] *agg* zweimonatlich, Zweimonats-. **bimestre** [bi'mɛstre] *m* **1.** *(periodo)* Zeitraum *m* von zwei Monaten, zwei Monate *m pl;* **2.** *com* Zweimonatsrate *f.*

bimetallo [bime'tallo] *m* Bimetall *n.*

bimotore [bimo'to:re] **I.** *agg* zweimotorig, Zweimotoren-; **II.** *m* zweimotoriges Flugzeug.

binario, -a [bi'na:rio] ⟨-i, -ie⟩ **I.** *agg* zweiteilig; *mat* binär, Binär-; **codice** ~ Binärcode *m;* **sistema di numerazione -a** Binär-, Dualsystem *n;* **II.** *m* Gleis *n,* Schiene *f;* ~ **morto** Abstellgleis *n;* **essere su un** ~ **morto** *fig* in einer Sackgasse stecken; **il treno per Stoccarda parte dal** ~ **16** der Zug nach Stuttgart fährt auf Bahnsteig 16 ab.

binocolo [bi'nɔ:kolo] *m* Fernglas *n,* Feldstecher *m.*

binomio [bi'nɔ:mio] ⟨-i⟩ *m* **1.** *mat* Binom *n;* **2.** *fig* Paar *n; (parole, concetti)* Wortpaar *n,* Doppelbegriff *m.*

bio- ['bio] *(in parole composte)* Bio-.

bioagricultura [-agrikol'tu:ra] *f* Biolandwirtschaft *f.*

biochimica [bio'ki:mika] *f* Biochemie *f.*

biochimico, -a [...ko] ⟨-ci, -che⟩ **I.** *agg* biochemisch; **II.** *m, f* Biochemiker(in) *m(f).*

biodegradabile [-degra'da:bile] *agg* biologisch abbaubar.

biodinamico, -a [-di'na:miko] *agg* biodynamisch.

bioenergetico, -a [-ener'dʒɛ:tiko] ⟨-ci, -che⟩ *agg* bioenergetisch.

biofarmacologia [-farmakolo'dʒi:a] ⟨-gie⟩ *f* Biopharmakologie *f.*

biogas [-'gas] ⟨-⟩ *m* Biogas *n.*

biografia [-gra'fi:a] *f* Biographie *f.* **biografico, -a** [-'gra:fiko] *agg* biographisch. **biografo, -a** [bi'ɔ:grafo] *m, f* Biograph(in) *m(f).*

bioingegneria [-indʒeɲɲe'ri:a] ⟨-ie⟩ *f* Gentechnik *f.*

biologia [-lo'dʒi:a] ⟨-ie⟩ *f* Biologie *f.* **biologico, -a** [-'lɔ:dʒiko] *agg* biologisch; **deodorante** ~ natürliches Deodorant. **biologo, -a** [bi'ɔ:logo] ⟨-gi, -ghe⟩ *m, f* Biologe *m,* Biologin *f.*

biondeggiare [biondeď'dʒa:re] ⟨biondeggio, biondeggi⟩ *itr* gelb werden.

biondo, -a ['biondo] **I.** *agg* blond; ~ **cenere** aschblond; ~ **come l'oro** goldblond; **II.** *m, f* Blonde(r) *mf,* Blondine *f; (bambino)* Blondschopf *m;* **III.** *m (colore)* Blond *n.*

bionica [bi'ɔnika] *f* Bionik *f.*

bioritmo [-'ritmo] *m* Biorhythmus *m.*

biosistema [-sis'tɛ:ma] *m* Ökosystem *n.*

biossido [bi'ɔssido] *m* Dioxyd *n,* Dioxid *n.*

biotecnica [-'tɛknika] ⟨-che⟩ *f* Biotechnik *f.* **biotecnologia** [-teknolo'dʒi:a] ⟨-gie⟩ *f* Biotechnologie *f.*

biotopo [bi'ɔ:topo] *m* Biotop *n.*

bipartitico, -a [bipar'ti:tiko] *agg* Zweiparteien-. **bipartitismo** [...ti'tizmo] *m* Zweiparteiensystem *n.* **bipartito, -a** [...'ti:to] **I.** *agg* Zweiparteien-; **governo** ~ Zweiparteienregierung *f;* **II.** *m* Zweiparteienkoalition *f.*

bipede ['bi:pede] **I.** *m* Zweifüßer *m;* **II.** *agg* zweifüßig.

biplano [bi'pla:no] *m* Doppeldecker *m.*

bipolare [bipo'la:re] *agg* **1.** *fis* zweipolig; **2.** *pol* bipolar, Zweiblock-.

biposto [bi'posto] ⟨*inv*⟩ *agg* zweisitzig; **automobile/aereo** ~ Zweisitzer *m.*

birbante [bir'bante] *mf* **1.** *fam scherz* Schlingel *m,* Spitzbube *m;* **2.** *peg* Gauner *m,* Schurke *m.* **birbone, -a** [...'bo:ne] **I.** *m, f* **1.** *scherz* Schelm *m; (uomo a.)* Spitzbube *m; (donna a.)* (kleines) Luder *n fam;* **2.** *peg (uomo)* Halunke *m,* Lump *m; (donna)* Aas *n;* **II.** *agg* **1.** *scherz (persona)* spitzbübisch; *(fame, sete, freddo)* schrecklich, entsetzlich; **2.** *peg* listig, böse; **avere una fame/sete -a** *fam scherz* einen Bärenhunger/Riesendurst haben; **fare un tiro** ~ **a qu** *peg* jdm einen bösen Streich spielen; **fa un freddo** ~ *fam scherz* es ist lausig kalt *fam.*

birichinata [biriki'na:ta] *f* Schelmen-, Jungenstreich *m.* **birichino, -a** [...'ki:no] **I.** *agg* schelmisch, spitzbübisch; **II.** *m, f* Schelm *m,* Schlingel *m.*

birillo [bi'rillo] *m* Kegel *m.*

biro® ['bi:ro] ⟨-⟩ *f* Kuli *m fam,* Kugelschreiber *m.*

birra ['birra] *f* Bier *n;* **a tutta** ~ *fam* volle Pulle *fam;* **con questo ci faccio la** ~ *fam* das kannst du dir an den Hut stekken. **birraio** [...'ra:io] ⟨-ai⟩ *m (fabbricante)* Bierbrauer *m; (venditore)* Bierhändler *m.* **birreria** [...re'ri:a] ⟨-ie⟩ *f* **1.** *(locale)* Bierstube *f,* Bierkeller *m;* **2.** *(fabbrica)* Brauerei *f.*

bis [bis] **I.** *interi* Wiederholung, Zugabe, nochmal; **II.** ⟨-⟩ *m* Zugabe *f;* **concedere il** ~ eine Zugabe geben; **fare il** ~ **di qc** etw. wiederholen; *(nel mangiare)* von etw. noch einmal nehmen; **III.** ⟨*inv*⟩ *agg:* **treno** ~ Sonderzug *m.*

bisavolo, -a [bi'za:volo] *m, f* Urgroßvater *m,* -mutter *f.*

bisbetico, -a [biz'bɛ:tiko] ⟨-ci, -che⟩ **I.** *agg* launisch, launenhaft; **II.** *m, f peg* launischer Mensch; **"La Bisbetica domata"** „Der Widerspenstigen Zähmung".

bisbigliare [bizbiʎ'ʎa:re] ⟨bisbiglio, bisbigli⟩ **I.** *tr* **1.** *(parole)* (zu)flüstern, wispern; **2.** *(sparlare)* tuscheln über, klatschen über; ~ **qc nell'orecchio a qu** jdm etw. ins Ohr flüstern; **II.** *itr* flüstern, tuscheln.

bisbiglio[1] [biz'biʎʎo] ⟨-gli⟩ *m* **1.** *(parlottare)* Tuscheln *n,* Getuschel *n;* **2.** *(sussurare)* Flüstern *n.*

bisbiglio[2] [bizbiʎ'ʎi:o] ⟨-glii⟩ *m* Flüstern *n,* Geflüster *n.*

bisboccia [biz'bɔttʃa] *f* Fest *n;* **fare** ~ *fam* eine Mordsfete machen *fam.*

bisca ['biska] ⟨-sche⟩ *f* Spielkasino *n;*

Spielhölle *f pej.*
biscia ['biʃʃa] ⟨-sce⟩ *f* Natter *f.*
biscottato, -a [biskot'ta:to] *agg* zweimal gebacken; **fette -e** Zwieback *m.*
biscottiera [biskot'tjɛ:ra] *f* Keksdose *f; (da presentazione)* Gebäckschale *f.* **biscottificio** [...ti'fi:tʃo] ⟨-ci⟩ *m* Keksfabrik *f.* **biscotto** [...'kɔtto] *m* Keks *m,* Plätzchen *n.*
biscugino, -a [bisku'dʒi:no] *m, f* Cousin *m,* Cousine *f* zweiten Grades.
bisessuale [bisessu'a:le] *agg* bisexuell; *(pianta, animale)* doppelgeschlechtig.
bisestile [bizes'ti:le] *agg:* **anno** ~ Schaltjahr *n.*
bisettimanale [bisettima'na:le] **I.** *agg* zweimal wöchentlich; **II.** *m* zweimal wöchentlich erscheinende Zeitschrift.
bisex [bi'sɛks] ⟨*inv*⟩ *agg* bisexuell.
bislacco, -a [bi'zlakko] ⟨-cchi, -cche⟩ *agg* sonderbar; *(persona a.)* verschroben.
bislungo, -a [bi'zluŋgo] *agg* länglich, lang.
bisnipote [bizni'po:te] *mf (di nonno)* Urenkel(in) *m(f); (di zio)* Großneffe *m,* -nichte *f.* **bisnonno, -a** [-'nɔnno] *m, f* Urgroßvater *m,* -mutter *f.*
bisognare [bizoɲ'ɲa:re] ⟨*solo 3ª pers sing e pl*⟩ *itr* ⟨*essere*⟩ *(avere bisogno di)* brauchen, benötigen; *(dovere)* müssen; *(essere necessario)* nötig sein; **bisogna che** +*congv,* **bisogna** +*inf* man muß (*o* braucht *o* benötigt) ...; **bisogna che tu lo faccia** du mußt es tun; **non bisogna crederci** das muß man nicht glauben.
bisogno [bi'zoɲɲo] *m* **1.** *(necessità)* Bedarf *m,* Notwendigkeit *f;* **2.** *(mancanza di mezzi)* Not *f,* Bedürftigkeit *f;* **3.** *(desiderio)* Bedürfnis *n;* **4.** ⟨*pl*⟩ *fam (corporali)* Notdurft *f,* Bedürfnis *n;* **avere ~ di qc/qu** etw./jdn brauchen; **sentire il ~ di fare qc** das Bedürfnis (*o* Verlangen) haben (*o* verspüren), etw. zu tun; **essere nel** ~ in Not sein, Not leiden; **fare i propri -i** *fam* mal auf die Toilette (*o* wohin) müssen *fam;* **in caso di** ~ im Bedarfsfall, nötigenfalls; **secondo il** ~ (je) nach Bedarf; **al** ~ wenn nötig, nötigenfalls; **nel** ~ in der Not; **non c'è ~ di** +*inf* es ist nicht notwendig, zu ..., man braucht (*o* muß) nicht ... **bisognoso, -a** [...'ɲo:so] **I.** *agg* bedürftig; ~ **di aiuto/cura** hilfe-/pflegebedürftig; **II.** *m, f* Bedürftige(r) *mf.*
bisonte [bi'zonte] *m (europeo)* Wisent *m; (americano)* Bison *m.*
bisso ['bisso] *m* (feines) Leinengewebe *n.*
bistecca [bis'tekka] ⟨-cche⟩ *f* Steak *n,* Kotelett *n;* ~ **alla fiorentina** ≃ T-Bone-Steak *n* (vom Holzkohlenfeuer). **bistecchiera** [...'kjɛ:ra] *f* Grillpfanne *f;* Grillautomat *m.*
bisticciare [bistit'tʃa:re] ⟨bisticcio, bisticci⟩ **I.** *itr* zanken, streiten; **II.** *rfl:* **-arsi** sich zanken, sich streiten. **bisticcio** [...'tittʃo] ⟨-cci⟩ *m* Zank *m,* Gezänk *n,* Streit *m.*
bistrattare [bistrat'ta:re] *tr* mißhandeln, schlecht behandeln.
bisturi ['bisturi] ⟨-⟩ *m* Skalpell *n.*
bisunto, -a [bi'zunto] *agg fam* schmierig; *(sporco di grasso)* fettig; **unto e** ~ total fettig.
bit [bɪt] ⟨-⟩ *m* Bit *n.*
bitorzolo [bi'tortsolo] *m* Pickel *m; (prominenza)* Beule *f.*
bitter ['bitter] ⟨-⟩ *m* Bitter *m.*
bitume [bi'tu:me] *m* Bitumen *n.*
bivaccare [bivak'ka:re] ⟨bivacco, bivacchi⟩ *itr* im Freien übernachten; *(spesso mil)* biwakieren. **bivacco** [bi'vakko] ⟨-cchi⟩ *m* Biwak *n.*
bivio ['bi:vjo] ⟨-i⟩ *m* Gabelung *f,* Abzweigung *f;* **essere (giunto) a un** ~ *fig* an einem (*o* am) Scheideweg angelangt sein.
bizantino, -a [biddzan'ti:no] *agg* byzantinisch.
bizza ['biddza] *f (di bambini)* Eigensinn *m; (stizza)* Koller *m fam;* **fare le -e** ungezogen (*o* bockig) sein.
bizzarria [biddzar'ri:a] ⟨-ie⟩ *f* Absonderlichkeit *f,* Wunderlichkeit *f.* **bizzarro, -a** [...'dzarro] *agg* **1.** *(persona, idea)* absonderlich, bizarr; **2.** *(cavallo)* temperamentvoll, eigenwillig.
bizzeffe [bid'dzɛffe] : **a** ~ *avv* in Hülle und Fülle, haufenweise *fam;* **avere denaro a** ~ Geld wie Heu haben.
bizzoso, -a [bid'dzo:so] *agg* launenhaft, eigensinnig.
blablà [bla'bla] *m fam peg* Blabla *n,* Gelaber *n,* Geschwätz *n.*
black-out ['blækaut] ⟨-⟩ Blackout *n (a. fig).*
blando, -a ['blando] *agg* **1.** *(parole)* sanft; **2.** *(medicinale)* leicht.
blasfemo, -a [blas'fɛ:mo] *agg* blasphemisch, gotteslästerlich.
blaterare [blate'ra:re] **I.** *itr* schwatzen, labern; **II.** *tr* ausposaunen, lautstark verkünden.
blazer ['blazer] ⟨-⟩ *m* Blazer *m.*
blindato, -a [blin'da:to] *agg* Panzer-, gepanzert; **carro** ~ Panzer *m;* **auto** ~ Panzerwagen *m.*
blitz [blɪts] ⟨-⟩ *m* **1.** *(guerra)* Blitzkrieg *m;* **2.** *(operazione a sorpresa)* Blitzaktion *f,* Razzia *f.*
bloccaggio [blok'kaddʒo] ⟨-ggi⟩ *m* **1.** *tec* Blockierung *f,* Verriegelung *f;* **2.** *sport* Abfangen *n,* Halten *n;* **3.** *com, econ* Sperren *n,* Stopp *m.*
bloccare [blok'ka:re] ⟨blocco, blocchi⟩ **I.** *tr* **1.** *tec* (ab)sperren, verriegeln; *(sterzo)* sperren, blockieren; **2.** *(comunicazione)* unterbrechen; *(città)* abschneiden; *(strada, passo)* blockieren; *(dalla polizia)* (ab)sperren; **3.** *(fissare)* festsetzen; *(fermare)* anhalten; **4.** *sport* abfangen, halten; **5.** *(prezzi, salari)* einfrieren;

(licenziamento) stoppen, aufhalten; *dir* abbrechen, stoppen; **6.** *fin (assegno, conto, ecc.)* sperren; **II.** *rfl:* **-arsi** blokkieren; *fig* sich sperren.

blocca-ruota [blokka'rụɔ:ta] ⟨-⟩ *m* Parkkralle *f*. **bloccasterzo** [...s'tɛrtso] ⟨- *o* -i⟩ *m* Lenkradschloß *n*.

blocchetto [blok'kɛetto] *m* (Notiz)block *m;* ~ **degli assegni** Scheckheft *n*.

blocco[1] ['blɔkko] ⟨-cchi⟩ *m* **1.** *min, mot, com, pol, fig* Block *m;* **2.** *(per appunti)* (Notiz-, Schreib)block *m;* **vendere/comprare in** ~ en bloc (*o* im ganzen) verkaufen/kaufen.

blocco[2] ['blɔkko] ⟨-cchi⟩ *m* **1.** *tec* (Ab)sperrung *f*, Verriegelung *f; (di sterzo)* Sperrung *f*, Blockierung *f;* **2.** *naut, mil* Blockade *f; (a. di strada)* Sperre *f;* **3.** *dir (dei fitti, ecc.)* Stopp *m; fin* Sperrung *f;* **4.** *(arresto)* Unterbrechung *f; (di congegno)* Stockung *f;* **5.** *med* Versagen *n;* **6.** *psic (di personalità, coscienza)* Hemmung *f*, Störung *f; (di memoria)* Gedächtnislücke *f;* ~ **renale/cardiaco** Nieren-/Herzversagen *n;* **posto di** ~ Absperrung *f*.

bloc-notes [blɔk'nɔtes] ⟨-⟩ *m* Notizblock *m*.

blu [blu] **I.** ⟨*inv*⟩ *agg* blau; **fare a qu un occhio** ~ jdm ein blaues Auge schlagen; **II.** ⟨-⟩ *m* Blau *n*.

blue-jeans ['blu:'dʒi:nz] *m pl* Blue jeans *pl.*

bluff [bluf] ⟨-⟩ *m* **1.** *(nel gioco delle caste)* Bluff *m;* **2.** *fig (finzione)* Täuschung *f*, Bluff *m*. **bluffare** [bluf'fa:re] *tr* **I.** bluffen; **II.** *itr* ⟨*avere*⟩ **1.** *(nel gioco delle carte)* bluffen; **2.** *(ingannare)* täuschen.

blusa ['blu:za] *f* Bluse *f; (camiciotto) m* Kittel *m*.

boa[1] ['bɔ:a] ⟨-⟩ *m* **1.** *zoo* Boa *f;* **2.** *(sciarpa)* (Feder)boa *f*.

boa[2] ['bɔ:a] *f naut* Boje *f*.

boato [bo'a:to] *m* Dröhnen *n*, Donnern *n*, Getöse *n*.

bob [bɔb] ⟨-⟩ *m* Bob *m; (sport)* Bobsport *m*. **bobbista** [bob'bista] ⟨-i *m*, -e *f*⟩ *mf* Bobfahrer(in) *m(f)*.

bobina [bo'bi:na] *f* Spule *f;* ~ **di nastro** *inform* Bandspule *f*.

bocca ['bokka] ⟨-cche⟩ *f* **1.** *anat* Mund *m; (di animale)* Maul *n;* **2.** *fig (apertura)* Öffnung *f*, Mund *m*, Loch *n; (di cannone)* Mündung *f; (di forno)* Tür *f;* **3.** *geog (di fiume)* Mündung *f; (di mare)* Straße *f;* ~ **di leone** *bot* Löwenmaul *n*, Löwenmäulchen *n;* **a** ~ mündlich; **a** ~ **piena** mit vollem Mund; **restare a** ~ **aperta** *(a. fig)* mit offenem Mund dastehen; **restare a** ~ **asciutta** leer ausgehen, das Nachsehen haben; **essere di** ~ **buona** nicht wählerisch sein; **essere sulla** ~ **di tutti** in aller Munde sein; **passare di** ~ **in** ~ von Mund zu Mund gehen, die Runde machen; **avere tre -cche da sfamare** drei Mäuler zu stopfen haben; **in** ~ **al lupo!** Hals- und Beinbruch!, toi, toi, toi!.

boccaccia [...'kattʃa] ⟨-cce⟩ *f* **1.** *(smorfia)* Grimasse *f*, Schnute *f;* **2.** *fig peg* Lästermaul *n;* **3.** *peg* Schnauze *f*, häßlicher Mund; **fare le -cce** das Gesicht (*o* den Mund) verziehen, Grimassen schneiden (*o* ziehen). **boccaglio** [...'kaʎʎo] ⟨-gli⟩ *m* **1.** *tec* Düse *f;* **2.** *(di maschera)* Mundstück *n*.

boccale [bok'ka:le] *m* Krug *m*.

boccata [bok'ka:ta] *f* Mundvoll *m; (di sigaretta)* Zug *m; (d'acqua)* Schluck *m;* **andare a prendere una** ~ **d'aria** frische Luft schnappen (gehen).

boccetta [bot'tʃetta] *f* **1.** *(per inchiastro medicinali)* Fläschchen *n;* **2.** *(al biliardo)* Stoßkugel *f*.

boccheggiante [bokked'dʒante] *agg* nach Luft ringend.

boccheggiare [bokked'dʒa:re] ⟨boccheggio, boccheggi⟩ *itr* nach Luft ringen.

bocchino [bok'ki:no] *m* **1.** *(per sigaretta)* Zigarettenspitze *f;* **2.** *mus* Mundstück *n*.

boccia ['bɔttʃa] ⟨-cce⟩ *f* Bocciakugel *f;* **gioco delle -cce** Boccia(spiel) *n;* **giocare a -cce** Boccia spielen.

bocciare [bot'tʃa:re] ⟨boccio, bocci⟩ *tr* **1.** *(scolaro)* durchfallen lassen; **2.** *(proposta, idea)* ablehnen; **3.** *(alle bocce)* treffen. **bocciatura** [...tʃa'tu:ra] *f* Durchfallen *n; (a scuola a.)* Sitzenbleiben *n*.

boccio ['bɔttʃo] ⟨-cci⟩ *m* Knospe *f;* **in** ~ noch nicht erblüht; *fig* noch nicht reif.

bocciodromo [bot'tʃɔ:dromo] *m* Boccia-anlage *f*.

bocciolo [bot'tʃɔ:lo] *m* Knospe *f*.

boccola ['bokkola] *f* **1.** *tec* Büchse *f*, Hülse *f;* **2.** *el* Buchse *f*.

boccolo ['bokkolo] *m* Locke *f*.

bocconcino [bokkon'tʃi:no] *m* Häppchen *n*, Leckerbissen *m*.

boccone [bok'ko:ne] *m* Bissen *m*, Happen *m; (cibo prelibato, fig)* Leckerbissen *m;* **inghiottire un** ~ **amaro** *fig* eine bittere Pille schlucken; **fra un** ~ **e l'altro** *fam* während des Essens, zwischendurch; **col** ~ **in gola** vom Essen weg, ohne sich *(dat)* den Mund abgewischt zu haben. **bocconi** [...'ko:ni] *avv* auf dem Bauch, bäuchlings.

body ['bɔdi] ⟨-⟩ *m* Body(suit) *m*. **body-building** [-'bildiŋ] ⟨-⟩ *m* Bodybuilding *n*.

bofonchiare [bofoŋ'ki̯a:re] ⟨bofonchio, bofonchi⟩ *itr* brumme(l)n, murmeln, murren.

boia ['bɔ:i̯a] **I.** ⟨-⟩ *m* Henker *m*, Scharfrichter *m;* ~ **d'un mondo!** *volg* beschissene (*o* verfluchte) Welt! *vulg;* **II.** ⟨*inv*⟩ *agg volg* beschissen, verdammt *fam.* **boiata** [bo'i̯a:ta] *f volg* Scheiße *f vulg; (spettacoli, libri)* Schund *m*.

boicottaggio [boikot'taddʒo] ⟨-ggi⟩ *m* Boykott *m*, Boykottieren *n*. **boicottare** [...'ta:re] *tr* **1.** *com* boykottieren; **2.** *(ostacolare)* behindern.

boiler ['bɔɪlə] ⟨-⟩ *m* Boiler *m.*
bolide ['bɔ:lide] *m* **1.** *astr* Bolid *m;* **2.** *mot* schneller Flitzer *fam,* Rennwagen *m;* **3.** *scherz* Tonne *f,* Fettwanst *m;* **è passato come un** ~ er ist wie der Blitz vorbeigeschossen.
Bolivia [bo'li:vi̯a] *f* Bolivien *n.*
bolla[1] ['bolla] *f* Blase *f;* **finire in una** ~ **di sapone** *fig* wie eine Seifenblase zerplatzen.
bolla[2] ['bolla] *f* **1.** *rel* Bulle *f;* **2.** *com* Schein *m; (sigillo)* Siegel *n;* ~ **di accompagnamento** Warenbegleitschein *m;* ~ **di consegna** Lieferschein *m.*
bollare [bol'la:re] *tr* **1.** *amm* (ab)stempeln; **2.** *fig* brandmarken; *(d'infamia, di disonore)* überhäufen. **bollato, -a** [...'la:to] *agg* **1.** *amm* (ab)gestempelt; **2.** *fig* gebrandmarkt; **carta -a** *(foglio gravato da bollo)* Stempelpapier *n.*
bollente [bol'lɛnte] *agg* kochend, siedend, heiß; **calmare i -i spiriti** *fig* die erhitzten Gemüter besänftigen.
bolletta [bol'letta] *f* (Ab)rechnung *f; (polizza)* Schein *m;* ~ **del telefono/ della luce** Telefon-/Stromrechnung *f;* **essere in** ~ *fam* blank (*o* abgebrannt) sein *fam.*
bollettino [bollet'ti:no] *m* **1.** *gener.* Bericht *m,* Bulletin *n;* **2.** *meteo* (Wetter)bericht *m;* **3.** *(modulo)* Schein *m,* Formular *n;* **B~ Ufficiale** Amtsbericht *m;* ~ **dei prezzi** Preisliste *f.*
bollilatte [bolli'latte] ⟨-⟩ *m* Milchkochtopf *m.*
bollino [bol'li:no] *m* Marke *f; (tagliando)* Abschnitt *m.*
bollire [bol'li:re] ⟨bollo⟩ **I.** *itr fis, gastr, fig* kochen, sieden; **in questa macchina si bolle** *fam* in diesem Auto brät man ja; **chissà cosa bolle in pentola!** *fig* wer weiß, was da dahintersteckt!; **II.** *tr* (auf)kochen (lassen); *(per sterilizzare)* (ab)kochen. **bollito, -a** [...'li:to] **I.** *agg* (ab)gekocht; **II.** *m (da bollire)* Suppenfleisch *n; (pronto)* gekochtes Rind-(*o* Kalb)fleisch. **bollitore** [...li'to:re] *m* **1.** *(pentola)* Kochtopf *m; (per acqua a.)* Wasserkessel *m;* **2.** *(attrezzo)* Kocher *m.* **bollitura** [...li'tu:ra] *f* Kochen *n,* Sieden *n.*
bollo ['bollo] *m* **1.** *(strumento, marchio)* Stempel *m,* Siegel *n;* **2.** *fam (francobollo)* Briefmarke *f;* ~ **di circolazione** Kraftfahrzeugsteuermarke *f.*
bollore [bol'lo:re] *m* **1.** *gastr, fis* Sieden *n,* Aufkochen *n,* Aufwallen *n;* **2.** *fig* Hitze *f,* Ungestüm *n;* **a** ~ kochend(heiß); **far passare i -i a qu** *fig* jdn beschwichtigen.
bolognese [boloɲ'ne:se] **I.** *agg* aus Bologna, bolognesisch, Bologneser-; **alla** ~ mit Fleischsoße; **II.** *mf* Bologneser(in) *m(f).*
bolso, -a ['bolso] *agg* schlaff, träge.
Bolzano [bol'tsa:no] *f* Bozen *n.*
bomba ['bomba] *f* Bombe *f;* ~ **a idrogeno/orologeria** Wasserstoff-/Zeitbombe *f;* ~ **a mano** Handgranate *f;* ~ **atomica** Atombombe *f;* ~ **Molotov** Molotowcocktail *m;* **una notizia** ~ *fig* eine Bombennachricht *fam;* **fare scoppiare la** ~ *fig* die Bombe platzen lassen; **tornare a** ~ wieder zum Kern (des Themas) zurückkommen; **a prova di** ~ bombensicher; *(amicizia)* felsenfest. **bombardamento** [bombarda'mento] *m* **1.** *mil (di bombe aeree)* Bombardierung *f; (di artiglieria pesante)* schwerer Beschuß, schweres Feuer; **2.** *fig (di domande, accuse)* Bombardierung *f;* **3.** *fis* Beschuß *m;* ~ **a tappeto** Flächenbombardierung *f,* Bombenteppich *m.* **bombardare** [...'da:re] *tr* **1.** *mil* bombardieren, beschießen; **2.** *fig (di domande, accuse)* bombardieren (*di* mit); **3.** *fis* beschießen. **bombardiere** [...'di̯ɛ:re] *m* **1.** *(aereo)* Bomber *m;* **2.** *(di artiglieria pesante)* Artillerist m; ~ **ad acqua** Sprühflugzeug *n* (zur Feuerbekämpfung).
bombarolo, -a [bomba'rɔ:lo] *m, f* Bombenleger(in) *m(f).*
bomber ['bɔmə] ⟨-⟩ *m* **1.** *sport* Bomber *m;* **2.** *(giubbotto)* Bomberjacke *f.*
bombetta [bom'betta] *f (cappello)* Melone *f.*
bombola ['bombola] *f* Gasflasche *f.*
bomboniera [bombo'ni̯ɛ:ra] *f* Bonbonniere *f.*
bonaccia [bo'nattʃa] ⟨-cce⟩ *f* **1.** *naut* Flaute *f,* Windstille *f; (mare)* ruhige (*o* glatte) See; **2.** *fig* Stille *f,* Ruhe *f.*
bonaccione, -a [bonat'tʃo:ne] *m, f* gutmütiger Mensch.
bonario, -a [bo'na:ri̯o] ⟨-i, -ie⟩ *agg* **1.** *(indulgente)* gutmütig; **2.** *dir* gütlich; **composizione -a** gütliche Regelung *f.*
bonifica [bo'ni:fika] ⟨-che⟩ *f (di terreno)* Urbarmachung *f; (di palude)* Trockenlegung *f.* **bonificare** [bonifi'ka:re] ⟨bonifico, bonifichi⟩ *tr* **1.** *(terreno)* urbar machen; *(palude)* trockenlegen; **2.** *fin* gutschreiben.
bonifico [bo'ni:fiko] ⟨-ci⟩ *m* **1.** *fin* Gutschrift *f;* **2.** *com* Preisnachlaß *m.*
bonomia [bono'mi:a] ⟨-ie⟩ *f* Gutmütigkeit *f.*
bontà [bon'ta] ⟨-⟩ *f* Güte *f;* **che** ~ **questa torta!** diese Torte ist ein Gedicht!
bonus-malus ['bɔnus'malus] ⟨-⟩ *m* Versicherung *f* mit Schadensfreiheitsrabatt.
boom [bu:m] ⟨-⟩ *m* Aufschwung *m,* Boom *m;* ~ **demografico** Babyboom *m.*
boomerang ['bu:məræŋ] ⟨-⟩ *m* Bumerang *m.*
bootleg ['bu:tleg] ⟨-⟩ *m fig* Raubkopie *f.*
bora ['bɔ:ra] *f* Bora *f.*
borbottare [borbot'ta:re] *tr, itr (parlare in modo indistinto)* murmeln; *(brontolare)* brummen; **ma che stai borbottando?** *fam* was brummst du da in deinen

Bart (hinein)?. **borbottio** [...'ti:o] ⟨-ii⟩ *m fam* Gemurmel *n*, Gestammel *n*.

borchia ['bɔrkia] ⟨-chie⟩ *f* Metallverzierung *f*, Beschlag *m*.

bordare [bor'da:re] *tr* (ein)säumen, (um)säumen; *(per ornamento)* mit einer Borte verzieren. **bordatura** [...da'tu:ra] *f* Einfassung *f*, Bordüre *f*, Borte *f*.

bordello [bor'dɛllo] *m* Bordell *n*, Freudenhaus *n*; **smettetela di far ~!** *fam* hört mal auf mit dem Radau! *fam*.

bordo ['bordo] *m* **1.** *(di vestito, tenda)* Saum *m*; *(per ornamento)* Borte *f*; **2.** *naut, aero, mot* Bord *m*; **3.** *(di strada)* Rand *m*; **4.** *(di tavolo, sedia)* Kante *f*; **salire a ~** an Bord gehen, einsteigen; **a ~** an Bord; **a ~ della macchina** im Wagen; **sul ~ della strada** am Straßenrand. **bordura** [...'du:ra] *f* **1.** *(di aiuola)* Einfassung *f*, Rand(streifen) *m*; **2.** *(di abito)* Bordüre *f*.

borgata [bor'ga:ta] *f* **1.** *(in campagna)* Ortschaft *f*; **2.** *(di periferia)* Vorort *m*.

borghese [bor'ge:se] **I.** *agg* **1.** *soc* bürgerlich, Bürger-; **2.** *amm* zivil, Zivil-; **3.** *fig peg* (klein)bürgerlich; **in ~** in Zivil; **II.** *mf* Bürger(in) *m(f)*, Bourgeois *m*; **piccolo ~** Kleinbürger *m*; *peg* Spießbürger *m*, Spießer *m*; **III.** *m* Zivilist *m*. **borghesia** [...ge'zi:a] ⟨-ie⟩ *f* Bürgertum *n*, Bourgeoisie *f*; **alta/piccola ~** Groß-/Kleinbürgertum *n*; **media ~** Mittelstand *m*.

borgo ['borgo] ⟨-ghi⟩ *m* **1.** *(centro abitato)* Ortschaft *f*, Dorf *n*; **2.** *(quartiere cittadino)* (Vorstadt)viertel *n*.

borgomastro [borgo'mastro] *m* Bürgermeister *m*.

boria ['bɔ:ria] ⟨-ie⟩ *f* Aufgeblasenheit *f*, Hochmut *m*.

borioso, -a [bo'rio:so] *agg* aufgeblasen, hochmütig.

boro ['bɔ:ro] *m* Bor *n*.

borotalco® [boro'talko] *m* Körperpuder *m*.

borraccia [bor'rattʃa] ⟨-cce⟩ *f* Wasserflasche *f*; *mil* Feldflasche *f*.

borsa¹ ['borsa] *f* **1.** *gener.* Tasche *f*, Beutel *m*; *(di donna)* Handtasche *f*; *(per denaro)* Geldbeutel *m*; **2.** *fig (denaro)* Geld *n*; **3.** *anat* Beutel *m*; *(sotto gli occhi)* Sack *m*; **~ portadocumenti** Aktenkoffer *m*; **~ termica** Kühltasche *f*; **~ da viaggio** Reisetasche *f*; **~ dell'acqua calda** Wärmflasche *f*; **~ della spesa/del tabacco** Einkaufstasche *f*/Tabakbeutel *m*; **~ del ghiaccio** Eisbeutel *m*; **~ di studio** Stipendium *n*; **pagare di ~ propria** aus eigener Tasche bezahlen; **o la ~ o la vita!** Geld (her) oder Leben!

borsa² ['borsa] *f fin* Börse *f*; **~ valori** Effekten-, Wertpapierbörse *f*; **~ dei calciatori** Transfermarkt *m*; **giocare in ~** an der Börse spekulieren.

borsaiolo, -a [borsa'iɔ:lo] *m, f* Taschendieb(in) *m(f)*.

borsanera [borsa'ne:ra] ⟨borsenere⟩ *f* Schwarzmarkt *m*.

borseggiare [borsed'dʒa:re] ⟨borseggio, borseggi⟩ *tr* bestehlen. **borseggiatore, -trice** [...dʒa'to:re] *m, f* Taschendieb(in) *m(f)*. **borseggio** [...'seddʒo] ⟨-ggi⟩ *m* Taschendiebstahl *m*.

borsellino [borsel'li:no] *m* Geldbeutel *m*, Portemonnaie *n*.

borsello [bor'sɛllo] *m (da uomo)* Tasche *f*, Täschchen *n*.

borsenere *pl di* **borsanera**.

borsetta [bor'setta] *f (da donna)* (Hand)tasche *f*, Täschchen *n*.

borsista [bor'sista] ⟨-i *m*, -e *f*⟩ *mf* **1.** *(chi ha una borsa di studio)* Stipendiat(in) *m(f)*; **2.** *fin* Börsenspekulant(in) *m(f)*.

boscaglia [bos'kaʎʎa] ⟨-glie⟩ *f* Gehölz *n*.

boscaiolo, a [boska'iɔ:lo] *m, f* Holzfäller(in) *m(f)*, -hacker(in) *m(f)*.

boschivo, -a [bos'ki:vo] *agg* waldig.

bosco ['bɔsko] ⟨-schi⟩ *m (a. fig)* Wald *m*. **boscoso, -a** [...'ko:so] *agg* waldig, bewaldet.

Bosforo ['bɔsforo] *m* Bosporus *m*.

Bosnia ['bɔsnia] *f* Bosnien *n*. **bosniaco, -a** [...'ni:ako] ⟨-ci, -che⟩ **I.** *agg* bosnisch; **II.** *m, f* Bosnier(in) *m(f)*.

bosso ['bɔsso] *m* **1.** *bot* Buchsbaum *m*; **2.** *(legno)* Buchsbaumholz *n*.

bossolo ['bɔssolo] *m* Patronenhülse *f*.

B.O.T., bot ['bɔt] *m acr di* **Buono Ordinario del Tesoro** ordentliche Schatzanweisung, Staatsanleihe *f*.

botanica [bo'ta:nika] ⟨-che⟩ *f* Botanik *f*. **botanico, -a** [...ko] ⟨-ci, -che⟩ **I.** *agg* botanisch; **II.** *m, f* Botaniker(in) *m(f)*.

botola ['bɔ:tola] *f* Falltür *f*.

botta ['bɔtta] *f* **1.** *(colpo)* Schlag *m*, Hieb *m*; *(percossa)* Stoß *m*; **2.** *(rumore)* Knall *m*; **un sacco di -e** eine Tracht Prügel; **fare a -e** raufen, sich prügeln; **fare a ~ e risposta** sich *(dat)* ein Wortgefecht (*o* einen Schlagabtausch) liefern; **dar -e da orbi** blindlings drauflosschlagen; **è stata una bella ~ per lui** das war ein schwerer Schlag für ihn.

botte ['botte] *f* **1.** *(di vino)* Faß *n*; **2.** *fig fam* Tonne *f*, Faß *n*; **volta a ~** Tonnengewölbe *n*; **essere in una ~ di ferro** ganz sicher sein, von allen Seiten abgesichert sein.

bottega [bot'te:ga] ⟨-ghe⟩ *f* Geschäft *n*, Laden *m*; **fondi di ~** Restbestände *m pl*; **andare/stare a ~ da qu** bei jdm in die Lehre gehen/in der Lehre sein; **lavorare a ~ da qu** bei jdm im Laden arbeiten; **avere la ~ aperta** *fig fam* den Hosenladen offen haben *fam*. **bottegaio, -a** [...te'ga:io] ⟨-ai, -aie⟩ *m, f* Händler(in) *m(f)*, Kaufmann *m*. **botteghino** [...te'gi:no] *m* Kartenschalter *m*; *teat* Theaterkasse *f*; *film* Kinokasse *f*; *(sport a.)* Wettbüro *n*; *(del lotto)* Lottoannahme-

stelle *f.*
bottiglia [bot'tiʎʎa] ⟨-glie⟩ *f* Flasche *f;* ~ **Molotov** *sl* Molotowcocktail *m.*
bottino [bot'ti:no] *m mil* Kriegsbeute *f; (di furto)* (Diebes)beute *f.*
botto ['bɔtto] *m* **1.** *(colpo)* Schlag *m; (dello sparo)* Knall *m;* **2.** *(fuochi d'artificio)* Feuerwerk *n;* **di** ~ schlagartig, mit einem Schlag; **in un** ~ mit einem Schlag, im Handumdrehen.
bottone [bot'to:ne] *m* **1.** *gener.* Knopf *m;* **2.** *tec* (Druck)knopf *m,* Taste *f;* ~ **automatico** Druckknopf *m;* **stanza dei -i** *fig* Schalt-, Kommandostelle *f;* **attaccare un** ~ **(a qu)** (jdm) einen Knopf annähen; *fig fam* jdn in ein endloses Gespräch verwickeln.
boule ['bul] *f* Wärmeflasche *f; (piena di ghiaccio)* Eisbeutel *m.*
bouquet [bu'ke] ⟨-⟩ *m* Bukett *n.*
bovino, -a [bo'vi:no] **I.** *agg* Rind(er)-; **occhi -i** *peg* Kuh-, Glotzaugen *n pl;* **II.** *m* Rind *n.*
box [bɔks] ⟨-⟩ *m* **1.** *(per bambini)* Laufstall *m,* -gitter *n;* **2.** *mot, zoo* Box *f.*
boxare [bok'sa:re] *itr* boxen. **boxe** [bɔks] ⟨-⟩ *f* Boxen *n,* Boxsport *m.*
boxer ['bɔksə] ⟨-⟩ *m pl (mutande)* Boxershorts *pl.*
boxeur [bɔk'sœ:r] ⟨-⟩ *m* Boxer *m.*
boy-scout ['bɔıskaut] *m* Pfadfinder *m.*
bozza ['bɔttsa] *f* **1.** *tip* Fahne *f,* (Korrektur)abzug *m;* **2.** *letter* Entwurf *m;* **correzione di -e** Fahnenkorrektur *f;* **-e di stampa** Druckfahnen *f pl.*
bozzetto [bot'tsetto] *m* Skizze *f.*
bozzolo ['bɔttsolo] *m* **1.** *zoo* Kokon *m;* **2.** *(protuberanza)* Beule *f,* Höcker *m;* **uscire dal** ~ *zoo* ausschlüpfen; *fig* wieder unter die Menschen gehen.
BR, Br *f pl abbr di* **Brigate Rosse** Rote Brigaden *f pl (italienische Terroristenorganisation).*
braca ['bra:ka] ⟨-che⟩ *f* **1.** ⟨*pl*⟩ *(indumento)* Hose(n *pl*) *f;* **2.** *(legatura)* Schlinge *f;* **portare le ~che** *fig* di Hosen anhaben; **rimanere in ~che di tela** *fig* im Hemd dastehen.
braccare [brak'ka:re] ⟨bracco, bracchi⟩ *tr* hetzen, aufspüren; *(fig a.)* verfolgen.
braccetto [brat'tʃetto] *m:* **a** ~ Arm in Arm, eingehakt; **prendere qu a** ~ sich bei jdm einhaken.
braccia *f pl di* **braccio.**
bracciale [brat'tʃa:le] *m,* **braccialetto** [...tʃa'letto] *m* Armband *n; (cerchio)* Armreif *m.*
bracciante [brat'tʃante] *mf* Tagelöhner(in) *m(f);* ~ **agricolo** landwirtschaftlicher Hilfsarbeiter.
bracciata [brat'tʃa:ta] *f* **1.** *sport* (Arm)stoß *m* (beim Schwimmen); **2.** *(quantità)* Armvoll *m.*
braccio ['brattʃo] *m* **1.** ⟨*pl:* braccia *f*⟩ *anat* Arm *m;* ⟨*pl:* braccia *f*⟩ *fig* Arbeitskräfte *f pl;* **2.** ⟨*pl:* -cci *m*⟩ *geog:* ~ **di mare/terra/fiume** Meerenge *f*/Landzunge *f*/Flußarm *m;* **3.** ⟨*pl:* -cci *m*⟩ *(tec, di lampada)* Arm *m; (di gru)* Ausleger *m; (di bilancia)* Balken *m;* **accogliere qu a braccia aperte** jdn mit offenen Armen empfangen (*o* aufnehmen); **agitare le braccia** mit den Armen fuchteln; *(per fare segni)* gestikulieren; *(in segno di saluto)* winken; **stare a braccia conserte** mit verschränkten Armen dastehen; *fig* Däumchen drehen *fam;* **portare un bambino in** ~ ein Kind auf dem Arm tragen; **prendere qu per un** ~ jdn am (*o* beim) Arm nehmen; **offrire il** ~ **a qu** jdm den Arm anbieten; **mi sono cascate le braccia** *fig* ich hätte heulen können *fam.*
bracciolo [...'tʃɔ:lo] *m* Armlehne *f.*
bracco ['brakko] ⟨-cchi⟩ *m* Bracke *m,* Spürhund *m.*
bracconiere [brakko'njɛ:re] *m* Wilderer *m,* Wilddieb *m.*
brace ['bra:tʃe] *f* Glut *f,* Feuer *n; (carbone)* Holzkohle *f;* **una bistecca alla** ~ ein Steak *n* vom (Holzkohlen)grill.
braciere [bra'tʃɛ:re] *m* Kohlenbecken *n,* -pfanne *f.*
braciola [bra'tʃɔ:la] *f* Schnitzel *n;* ~ **di maiale** Schweinekotelett *n.*
brain-storming ['brein'stɔ:miŋ] ⟨-⟩ *m* Brainstorming *n.*
brama ['bra:ma] *f lett* Begierde *f,* Sehnsucht *f;* ~ **di sapere** Wißbegierde *f.*
bramare [bra'ma:re] *tr lett* heiß begehren, schmachten nach *geh.*
brambilla [bram'billa] ⟨-⟩ *m* Kleinunternehmer *m,* Selfmademan *m.*
bramosia [bramo'si:a] ⟨-ie⟩ *f* Begierde *f,* Sehnsucht *f.* **bramoso, -a** [...'mo:so] *agg* sehnsüchtig (*di* nach), (be)gierig (*di* auf +*akk*).
branca ['braŋka] ⟨-che⟩ *f* **1.** *zoo* Klaue *f; (di uccelli)* Kralle *f;* **2.** *fig* Gebiet *n,* Zweig *m; (com al.)* Branche *f.*
branchie ['braŋkje] *f pl* Kiemen *f pl.*
branco ['braŋko] ⟨-chi⟩ *m* **1.** *zoo* Rudel *n; (gregge)* Herde *f; (di uccelli)* Schwarm *m;* **2.** *fig peg* Meute *f,* Haufen *m.*
brancolare [braŋko'la:re] *itr* herumirren; ~ **nel buio** *(a. fig)* im dunkeln tappen.
branda ['branda] *f* Feldbett *n.*
brandeburghese [brandebur'ge:ze] *agg* brandenburgisch.
Brandeburgo [brande'burgo] *m* Brandenburg *n;* **Porta di** ~ Brandenburger Tor.
brandello [bran'dɛllo] *m* Fetzen *m,* Stück *n;* **fare a -i** zerfetzen, in Stücke reißen.
brandire [bran'di:re] ⟨brandisco⟩ *tr* schwingen.
brano ['bra:no] *m* **1.** *mus* (Musik)stück *n;* **2.** *letter* Stelle *f,* Ausschnitt *m;* **3.** *(pezzo)* Stück *n,* Fetzen *m.*
branzino [bran'tsi:no] *m* Seebarsch *m.*
brasato, -a [bra'za:to] **I.** *agg* geschmort; **II.** *m* (Rinder)schmorbraten *m.*

Brasile [bra'zi:le] *m:* **il ~** Brasilien *n.* **brasiliano, -a** [...zi'lia:no] **I.** *agg* brasilianisch; **II.** *m, f* Brasilianer(in) *m(f).*
bravata [bra'va:ta] *f* Bravourstück *n; (a. iron)* Glanzleistung *f,* Glanznummer *f.*
bravo, -a ['bra:vo] **I.** *agg* **1.** *(abile)* tüchtig, fähig; **2.** *(onesto)* ehrlich, anständig, rechtschaffen; **3.** *(buono)* gut; *(bambino)* brav, artig; **essere ~ in qc** (*o* **a fare qc**) etw. gut (machen) können; **fare il ~** lieb (*o* artig) sein; **II.** *interi* bravo, gut, toll. **bravura** [bra'vu:ra] *f* Geschicklichkeit *f,* Können *n; (virtuosismo)* Bravour *f;* **pezzo di ~** Bravourstück *n.*
break ['breik] ⟨-⟩ *m* Unterbrechung *f,* Pause *f,* Kaffeepause *f.*
breccia ['brettʃa] ⟨-cce⟩ *f mil* Bresche *f;* **essere sulla ~** in vorderster Linie stehen.
brefotrofio [brefo'trɔ:fio] ⟨-i⟩ *m* (Kinder)-heim *n.*
Brema ['brɛ:ma] *f* Bremen *n.*
Brennero ['brɛnnero] *m* Brenner *m;* **Passo del ~** Brennerpaß *m.*
Breslavia [bre'zla:via] *f* Breslau *n.*
Bressanone [bressa'no:ne] *f* Brixen *n.*
bretella [bre'tɛlla] *f* **1.** ⟨*di solito al pl*⟩ *(per pantaloni)* Hosenträger *m;* **2.** *fig (raccordo stradale)* Zubringer *m,* Zubringerstraße *f.*
breve ['brɛ:ve] **I.** *agg* kurz; **essere ~** *fig* sich kurz fassen; **a farla ~** um es kurz zu machen, kurzum; **a ~ termine** kurzfristig; **in ~** kurz und bündig; **fra ~** in Kürze, demnächst; **II.** *f mus* Doppelganze *f.*
brevettare [brevet'ta:re] *tr* patentieren. **brevetto** [...'vetto] *m (abbr* **brev.***)* Patent *n;* **~ di pilota (***o* **pilotaggio)** Flug-, Pilotenschein *m.*
breviario [bre'via:rio] ⟨-i⟩ *m* Brevier *n.*
brevità [brevi'ta] ⟨-⟩ *f* Kürze *f.*
brezza ['breddza] *f* Brise *f,* Wind *m.*
bricco ['brikko] ⟨-cchi⟩ *m* Kanne *f.*
briccone, -a [brik'ko:ne] *m, f* Schelm *m,* Gauner(in) *m(f).*
briciola ['bri:tʃola] *f* **1.** *(di pane, torta)* Krümel *m;* **2.** *fig* Spur *f,* Funke *m;* **andare in -e** *fig* zerbröckeln, zusammenbrechen. **briciolo** [...lo] *m fig* Funke *m,* Spur *f;* **non avere un ~ di cervello** keinen Funken Verstand haben.
bricolage [briko'laʒ] ⟨-⟩ *m* Basteln *n,* Heimwerken *n.*
briefing ['bri:fiŋ] ⟨-⟩ *m* Briefing *n,* Informationsgespräch *n.*
briga ['bri:ga] ⟨-ghe⟩ *f* **1.** *(fastidio)* Mühe *f,* Unannehmlichkeit *f;* **2.** *(lite)* Streit *m,* Händel *m pl;* **attaccar ~ con qu** mit jdm Streit anfangen; **darsi (***o* **prendersi) la ~ di fare qc** sich *(dat)* Mühe geben, etw. zu tun.
brigadiere [briga'diɛ:re] *m* Unteroffizier *m (der Karabinieri).*
brigantaggio [brigan'taddʒo] ⟨-ggi⟩ *m* Räuberwesen *n.* **brigante, -essa** [...'gante, ...'tessa] *m, f* **1.** *peg* (Straßen)räuber(in) *m(f),* Bandit(in) *m(f);* **2.** *scherz* Gauner *m,* Schurke *m.*
brigata [bri'ga:ta] *f* Schar *f; mil* Brigade *f;* **~ aerea** Geschwader *n.* **brigatista** [briga'tista] ⟨-i *m,* -e *f*⟩ *mf:* **~ rosso** Rotbrigadist(in) *m(f).*
briglia ['briʎʎa] ⟨-glie⟩ *f* Zügel *m,* Zaum *m;* **a ~ sciolta** *fig* zügellos.
brillante [bril'lante] **I.** *agg* **1.** *fig* brillant, glänzend, hervorragend; **2.** *(che brilla)* glänzend, strahlend; **II.** *m* Brillant *m.*
brillantina [brillan'ti:na] *f* Pomade *f,* Brillantine *f.*
brillare [bril'la:re] **I.** *itr* **1.** *(stella, sole, occhi, ecc.)* glänzen, leuchten, strahlen; **2.** *fig* glänzen (*per* mit, durch), sich auszeichnen (*per* durch); **3.** *(mina)* explodieren; **~ per la propria assenza** *scherz* durch Abwesenheit glänzen; **II.** *tr* **1.** *(mina)* sprengen; **2.** *(riso)* schälen, polieren.
brillio [bril'li:o] ⟨-ii⟩ *m* Schimmern *n.*
brillo, -a ['brillo] *agg* beschwipst *fam.*
brina, brinata ['bri:na, bri'na:ta] *f* (Rauh)reif *m.*
brindare [brin'da:re] *itr* anstoßen (*a* auf +*akk*), prosten (*a* auf +*akk*).
brindello [brin'dɛllo] *m (di stoffa)* Stück *n,* Fetzen *m.*
brindisi ['brindizi] ⟨-⟩ *m* Trinkspruch *m,* Toast *m;* **fare un ~ a qu** auf jdn einen Trinkspruch ausbringen.
brio ['bri:o] *m* Schwung *m,* Lebhaftigkeit *f.*
brioche [bri'ɔʃ] ⟨-⟩ *f* Brioche *f.*
brioso, -a [...'o:so] *agg* schwungvoll, lebhaft; *(ingegnoso)* spritzig, geistvoll.
Brisgovia [briz'gɔ:via] *f* Breisgau *m.*
brivido ['bri:vido] *m* **1.** *(di freddo)* Frösteln *n; (di febbre, fig)* Schüttelfrost *m;* **2.** *fig (gradevole)* Schau(d)er *m,* Prickeln *n; (di spavento)* Schau(d)er *m,* Grau(s)en *n;* **~ della velocità** Geschwindigkeitsrausch *m;* **avere i -i (di freddo)** frösteln; *(di febbre)* Schüttelfrost haben; **mi vengono i -i** es überläuft mich eiskalt, mir läuft es kalt den Rükken runter *fam.*
brizzolato, -a [brittso'la:to] *agg* **1.** *(cavallo)* gescheckt; **2.** *(barba, capelli)* graumeliert.
brocca ['brɔkka] ⟨-cche⟩ *f* Kanne *f,* Krug *m.*
broccato [brok'ka:to] *m* Brokat *m.*
broccoli ['brɔkkoli] *m pl* Brokkoli *pl,* Spargelkohl *m.*
broche [brɔʃ] ⟨-⟩ *f* Brosche *f.*
broda, brodaglia ['brɔ:da, bro'daʎʎa] ⟨-glie⟩ *f peg* (dünne) Brühe *f; fig* Abwaschwasser *n.*
brodo ['brɔ:do] *m* (klare) Brühe *f;* **~ ristretto** Kraftbrühe *f;* **lasciar cuocere (***o* **bollire) qu nel suo ~** *fig* jdn im eigenen

Saft schmoren lassen; **andare in ~ di giuggiole** überglücklich sein; **tutto fa ~** Kleinvieh macht auch Mist *prov.* **brodoso, -a** [...'do:so] *agg* dünn(flüssig).
brogliaccio [broʎ'ʎattʃo] ⟨-cci⟩ *m* Schmierkladde *f.*
broker ['broker] *m* Broker *m.*
bronchiale [broŋ'kia:le] *agg* bronchial, Bronchial-.
bronchite [broŋ'ki:te] *f* Bronchitis *f.*
broncio ['brontʃo] ⟨-ci⟩ *m* Schmollmund *m;* **fare** (*o* **tenere) il ~** schmollen, eingeschnappt sein *fam.*
bronco ['broŋko] ⟨-chi⟩ *m* Bronchie *f.*
brontolare [bronto'la:re] **I.** *itr (persona)* murren, brummen; *(tuono)* grollen, rollen; *(stomaco)* knurren; **II.** *tr* brummen. **brontolio** [....'li:o] ⟨-ii⟩ *m (di persona)* Murren *n,* Brummen *n; (di tuono)* Grollen *n,* Rollen *n; (di stomaco)* Knurren *n.* **brontolone, -a** [...'lo:ne] **I.** *agg* brummig, knurrig, mürrisch; **II.** *m, f* Brummbär *m.*
bronzeo, -a ['brondzeo] *agg* bronzen, bronzefarben; *(pelle)* gebräunt. **bronzetto** [...'dzetto] *m* Bronzefigur *f.*
bronzo ['brondzo] *m* Bronze *f;* **età del ~** Bronzezeit *f.*
brossura [bros'su:ra] *f:* **in ~** broschiert.
brucare [bru'ka:re] ⟨bruco, bruchi⟩ *tr* abweiden, abfressen.
bruciacchiare [brutʃak'kia:re] ⟨bruciacchio, bruciacchi⟩ *tr* abbrennen; *(capelli)* versengen.
bruciapelo [brutʃa'pe:lo]: **a ~** *avv* **1.** *(vicino)* aus nächster Nähe; **2.** *fig* unvermittelt, plötzlich.
bruciare [bru'tʃa:re] ⟨brucio, bruci⟩ **I.** *tr* ⟨*avere*⟩ *gener.* verbrennen; *gastr* anbrennen lassen, verbrennen (lassen); *med* ausbrennen; *(stirando a.)* ver-, ansengen; *(sole)* versengen; *(gelo)* erfrieren lassen; **~ gli avversari** *sport* die Gegner abhängen; **II.** *itr* ⟨*essere*⟩ **1.** *gener.* brennen; **2.** *(sole)* brennen, glühen; **3.** *(cibi)* heiß sein; **4.** *fig* brennen; *(della febbre)* glühen; **III.** *rfl:* **-arsi** sich verbrennen. **bruciato, -a** [...'tʃa:to] **I.** *agg* **1.** *(dal fuoco)* verbrannt; **2.** *(dal sole)* versengt; *(persona)* tiefbraun, sonnenverbrannt; **gioventù -a** Halbstarke(n) *pl;* **II.** *m* **1.** *gastr* Angebrannte(s) *n;* **2.** *(odore)* Brandgeruch *m.* **bruciatore** [...tʃa'to:re] *m* Brenner *m.* **bruciatura** [...tʃa'tu:ra] *f* Verbrennung *f; (scottatura)* Brandwunde *f.* **bruciore** [...'tʃo:re] *m (a. fig)* Brennen *n;* **~ di stomaco** Sodbrennen *n.*
bruco ['bru:ko] ⟨-chi⟩ *m* Raupe *f.*
bruf(f)olo ['bru:folo ('bruffolo)] *m* Pickel *m.*
brughiera [bru'giɛ:ra] *f* Heide(land *n*) *f.*
brulicare [bruli'ka:re] ⟨brulico, brulichi⟩ *itr* wimmeln (*di* von, vor *+dat*). **brulichio** [...'ki:o] ⟨-chii⟩ *m* Gewimmel *n.*
brullo, -a ['brullo] *agg* kahl, öde.
bruma ['bru:ma] *f* Nebel *m.*
Brunico [bru'ni:ko] *f* Bruneck *n.*
brunch [brʌntʃ] ⟨-⟩ *m* Brunch *n.*
bruno, -a ['bru:no] **I.** *agg* braun; *(di capelli a.)* brünett, braunhaarig; **II.** *m, f (persona)* Braunhaarige(r) *mf,* Brünette *f;* **III.** *m (colore)* Braun *n.*
brusco, -a ['brusko] ⟨-schi, -sche⟩ *agg* schroff, brüsk.
bruscolo ['bruskolo] *m* Körnchen *n,* Stäubchen *n;* **essere un ~ in un occhio a qu** jdm ein Dorn im Auge sein.
brusio [bru'zi:o] ⟨-ii⟩ *m* Geräusch *n; (di voci)* Stimmengewirr *n.*
brut [bryt] ⟨*inv*⟩ *agg (champagne)* trokken.
brutale [bru'ta:le] *agg* brutal. **brutalità** [...tali'ta] ⟨-⟩ *f* Brutalität *f; (fig a.)* Härte *f,* Erbarmungslosigkeit *f.*
bruto, -a ['bru:to] **I.** *agg* roh, tierisch; **II.** *m, f* Unmensch *m,* Bestie *f.*
bruttezza [brut'tettsa] *f* Häßlichkeit *f.*
brutto, -a ['brutto] **I.** *agg* **1.** *(non bello)* häßlich; **2.** *fig* schlecht, schlimm, unerfreulich; *meteo* schlecht; **-a abitudine** schlechte Angewohnheit; **giungere in un ~ momento** in einem unpassenden Augenblick kommen; **essere ~ come il peccato** häßlich wie die Nacht sein; **vedersela -a** schlimm dran sein *fam,* in Schwierigkeiten sein; **con le -e** im bösen, mit Gewalt; **alle -e, alla -a** schlimmstenfalls; **~ ignorante!** *fam peg* blöder Heini! *fam;* **II.** *m* **1.** *(cosa)* Häßliche(s) *n,* Schlechte(s) *n;* **2.** *meteo* schlechtes Wetter; **il ~ è che ...** das Schlimme (daran) ist, daß ...; **ha di ~ che ...** *(di una persona)* sein (*o* ihr) Fehler (*o* Nachteil) ist, daß ...; *(di una cosa)* der Nachteil daran ist, daß ...; **il tempo si mette al ~** das Wetter wird schlechter (*o* verschlechtert sich); **III.** *m, f* häßlicher Mensch; **IV.** *f* Konzept *n;* **scrivere qc in -a** etw. ins unreine schreiben; **V.** *adv* böse, feindlich. **bruttura** [...'tu:ra] *f* **1.** *(cosa)* Häßlichkeit *f,* Scheußlichkeit *f;* **2.** *(azione)* Schandtat *f.*
Bruxelles [bry'sɛl] *f* Brüssel *n.*
B. T. E. *abbr di* **Buono del Tesoro in Euroscudi** Schatzanweisung *f* in ECU.
bua ['bu:a] *f (linguaggio infantile)* Aua *n,* Wehweh *n;* **farsi la ~** sich *(dat)* weh tun.
bubbone [bub'bo:ne] *m* Schwellung *f,* Beule *f.*
buca ['bu:ka] ⟨-che⟩ *f* **1.** *gener.* Loch *n,* Grube *f;* **2.** *geog* Talsenke *f,* Talniederung *f;* **3.** *(ristorante)* Kellerlokal *n;* **~ delle lettere** Briefkasten *m.*
bucaneve [buka'ne:ve] ⟨-⟩ *m* Schneeglöckchen *n.*
bucare [bu'ka:re] ⟨buco, buchi⟩ **I.** *tr* **1.** *(forare)* durchlöchern, ein Loch machen in *+akk; (biglietto)* lochen; *(la-*

miera) lochen, anbohren, durchschlagen; **2.** *(pungere)* zer-, durchstechen; ~ **una gomma** eine Reifenpanne (*o* einen Platten *fam*) haben; **II.** *rfl:* **-arsi 1.** *(pungersi)* sich stechen; **2.** *(pneumatico)* ein Loch bekommen; **3.** *sl (drogati)* fixen *sl.*

Bucarest [buka'rɛst *o* 'bu:karest] *f* Bukarest *n.*

bucato [bu'ka:to] *m* Wäsche *f;* **fare il** ~ (die Wäsche) waschen; **mettere in** ~ in die Wäsche geben; **fresco di** ~ frisch gewaschen; ~ **a mano** Handwäsche *f.*

bucato, -a [bu'ka:to] **I.** *agg* durchlöchert; **II.** *m, f fam* Junkie *mf sl,* Drogenabhängige(r) *m(f).*

buccia ['buttʃa] ⟨-cce⟩ *f* **1.** *(di frutta)* Schale *f; (baccello)* Hülse *f;* **2.** *(di salume)* Pelle *f,* Haut *f,* Darm *m.*

bucherellare [bukerel'la:re] *tr* durchlöchern.

buco ['bu:ko] ⟨-chi⟩ *m* **1.** *(gener., fam peg)* Loch *n; (apertura)* Öffnung *f;* **2.** *(intervallo)* Leerlauf *m;* **3.** *sl (di eroina)* Schuß *m sl;* ~ **nell'ozono(sfera)** Ozonloch *n;* **tappare un** ~ *(a. fig)* ein Loch stopfen.

buddismo [bud'dizmo] *m* Buddhismus *m.* **buddista** [...'dista] ⟨-i *m,* -e *f*⟩ **I.** *agg* buddhistisch; **II.** *mf* Buddhist(in) *m(f).*

budello [bu'dɛllo] *m* **1.** ⟨*pl:* -a *f*⟩ *anat* Darm *m;* ⟨*pl*⟩ Gedärm *n,* Eingeweide *n pl;* **2.** ⟨*pl:* -i *m*⟩ *fig (tubo)* Schlauch *m.*

budget ['bʌdʒɪt *o* byd'ʒɛ] ⟨-⟩ *m* Budget *n.* **budgetario, -a** [budʒe'ta:rjo] ⟨-i, -ie⟩ *agg* Budget-, Haushalts-.

budino [bu'di:no] *m* Pudding *m.*

bue ['bu:e] ⟨buoi⟩ *m* Ochse *m;* ~ **muschiato** Moschusochse *m.*

bufalo ['bu:falo] *m* Büffel *m.*

bufera [bu'fɛ:ra] *f* Unwetter *n; (a. fig)* Sturm *m.*

buffet [by'fɛ] ⟨-⟩ *m* Büfett *n; (mobile a.)* Anrichte *f.*

buffetto [buf'fetto] *m* Klaps *m* (auf die Wange).

buffo, -a ['buffo] **I.** *agg* **1.** *(cosa, persona)* witzig, drollig, komisch; **2.** *teat* Buffo-; **opera** ~ komische Oper, Opera buffa; **II.** *m* **1.** *teat* Buffo *m;* **2.** *(cosa)* Komische(s) *n,* Witzige(s) *n.* **buffonata** [-'na:ta] *f* Narretei *f,* Posse *f.* **buffone, -a** [...'fo:ne] *m, f* **1.** *fam* Clown *m,* Hanswurst *m;* **2.** *st (di corte)* (Hof)narr *m.* **buffoneria** [...fone'ri:a] ⟨-ie⟩ *f* Narretei *f,* Clownerie *f.*

bug [bʌg] ⟨-⟩ *m* Bug *m,* Programm-, Softwarefehler *m.*

buggeratura [buddʒera'tu:ra] *f fam* Betrug *m.*

bugia[1] [bu'dʒi:a] ⟨-gie⟩ *f (menzogna)* Lüge *f;* ~ **pietosa** Notlüge *f;* **dire le -gie** lügen; **le -gie hanno le gambe corte** *prov* Lügen haben kurze Beine *prov.*

bugia[2] [bu'dʒi:a] ⟨-gie⟩ *f (candeliere)* Handleuchter *m.*

bugiardaggine, bugiarderia [budʒar'daddʒine,...de'ri:a] ⟨-ie⟩ *f* Verlogenheit *f.*

bugiardo, -a [bu'dʒardo] **I.** *agg (persona)* verlogen; *(promessa)* falsch, trügerisch; **II.** *m, f* Lügner(in) *m(f).*

bugigattolo [budʒi'gattolo] *m* **1.** *(locale piccolo)* Loch *n;* **2.** *(ripostiglio)* Rumpelkammer *f.*

bugnato, -a [buɲ'ɲa:to] *agg* mit Kragsteinen versehen.

buildup ['bɪldʌp] ⟨-⟩ *m* Propaganda *f.*

buio, -a ['bu:jo] ⟨bui, buie⟩ **I.** *agg* dunkel, finster; *(fig a.)* ungewiß; ~ **pesto** stockdunkel; **II.** *m* Dunkel *n,* Dunkelheit *f,* Finsternis *f;* **farsi** ~ dunkel werden; **tenere al** ~ **qu** jdn über etw. im ungewissen (*o* im dunklen) lassen.

bulbo ['bulbo] *m* **1.** *bot* (Pflanzen)knolle *f,* Zwiebel *f;* **2.** *(di lampada)* Kolben *m; (di termometro)* Kugel *f;* ~ **oculare** (*o* **dell'occhio)** Augapfel *m.*

Bulgaria [bulga'ri:a] *f* Bulgarien *n.*

bulgaro, -a ['bulgaro] **I.** *agg* bulgarisch; **II.** *m, f* Bulgare *m,* Bulgarin *f.*

bulimia [buli'mi:a] *f* Bulimie *f.*

bulldog ['buldɔg] ⟨-⟩ *m* Bulldogge *f.*

bulldozer ['buldouzə] ⟨-⟩ *m* Bulldozer *m,* Planierraupe *f.*

bulletta [bul'letta] *f* (Reiß)zwecke *f; (per tapezzeria)* Polsternagel *m.*

bullonare [bullo'na:re] *tr* verbolzen.

bullone [bul'lo:ne] *m* Bolzen *m.*

bunker ['buŋker] ⟨-⟩ *m* Bunker *m.*

buoi ['bu̯ɔ:i] *pl di* **bue.**

buon, buon' [bu̯ɔn] *v.* **buono.**

buona *f v.* **buono, -a.**

buonafede, buona fede [bu̯ona'fe:de] *f:* **in** ~ in gutem Glauben.

buonanima, buon'anima [bu̯o'na:nima] **I.** ⟨*inv*⟩ *agg lett, scherz* selig; **mia zia** ~ meine Tante selig, meine selige Tante; **II.** *f* Selige(r) *mf;* **la** ~ **del nonno** der Großvater selig.

buonanotte, buona notte [-'nɔtte] **I.** *interi* gute Nacht; **. . . e** ~**!** *fam* . . . na, das wär's dann ja wohl! *fam;* **II.** ⟨-⟩ *f* gute Nacht; **dare (*o* augurare) la** ~ **a qu** jdm gute Nacht sagen.

buonasera, buona sera [-'se:ra] **I.** *interi* guten Abend; **II.** ⟨-⟩ *f* guter Abend; **dare (*o* augurare) la** ~ **a qu** jdm guten Abend sagen, jdm einen guten Abend wünschen.

buoncostume, buon costume [bu̯oŋkos'tu:me] ⟨-⟩ *m* gute Sitte, Sittlichkeit *f;* **squadra del** ~ Sittenpolizei *f,* Sitte *f fam.*

buongiorno, buon giorno [-'dʒorno] **I.** *interi* guten Tag, guten Morgen; **II.** ⟨-⟩ *m* guter Tag, guter Morgen; **dare (*o* augurare) il** ~ **a qu** jdm guten Tag (*o* guten Morgen) sagen, jdm einen guten Tag wünschen.

buongoverno, buon governo [bu̯oŋgo'vɛrno] ⟨-⟩ *m* gute (*o* ideale) Regie-

rung.
buongrado [-'gra:do]: **di** ~ *avv* gern(e), mit Freude.
buongustaio, -a [-gus'ta:i̯o] ⟨-ai, -aie⟩ *m, f* Feinschmecker(in) *m(f),* Gourmet *mf.*
buongusto, buon gusto [-'gusto] *m* (guter) Geschmack *m; (tatto)* Takt *m,* Feingefühl *n;* **con** ~ geschmackvoll.
buono ['bu̯ɔ:no] *m* Gutschein *m;* ~ **di benzina** Benzingutschein *m;* ~ **di consegna** Lieferabschnitt *m;* ~ **di cassa** Kassenanweisung *f; (in negozio)* Kassenzettel *m,* -bon *m;* ~**-libri** Büchergutschein *m;* ~ **del Tesoro** Staatsanleihe *f.*
buono, -a ['bu̯ɔ:no] **I.** ⟨più buono *o* migliore, buonissimo *o* ottimo⟩ *agg* **1.** *gener.* gut; *(persona a.)* anständig; *(indulgente)* gütig; *(bambino)* brav, artig, lieb; *(ragione a.)* triftig; *(tempo a.)* schön; *(gastr a.)* genießbar, eßbar; **2.** *(adatto a.)* tauglich, passend, geeignet; **3.** *com (moneta)* gültig; *(oro, argento)* echt; **un' anima -a** eine Seele von Mensch *fam;* **è -a gente** das sind gute (*o* anständige) Leute; **essere** ~ **con qu** gut zu jdm sein; **essere** ~ **come il pane** herzensgut sein; **essere in -a** *fam* gut aufgelegt sein; **usare le -e maniere** sich manierlich betragen; *fig* es im guten versuchen; ~ **a nulla** zu nichts nütze, zu nichts zu gebrauchen; **alla -a** schlicht, einfach; **con le -e** auf gütlichem Wege; **con le -e o con le cattive** wenn nicht im guten, dann im bösen; **questa moneta è ancora -a** diese Münze ist noch im Kurs; **ti ho aspettato un'ora -a** ich habe eine volle (*o* geschlagene) Stunde auf dich gewartet; **-a fortuna!** viel Glück!; **II.** *m, f (persona)* Gute(r) *mf;* **un** ~ **a nulla** ein Nichtsnutz *m;* **essere un poco di** ~ nicht viel taugen, ein Taugenichts (*o* Tunichtgut) sein; **fare il** ~ *(a. zoo)* brav (*o* artig *o* lieb) sein; **III.** *m (cosa)* Gute(s) *n;* **ha questo di** ~ **che ...** das Gute an ihm (*o* ihr) ist, daß ...; **c'è questo di** ~ das ist das Gute daran.
buonomini *pl di* **buonuomo.**
buonora, buon'ora [bu̯o'no:ra] *f:* **di** ~ früh(zeitig), zeitig; **alla** ~**!** endlich (einmal)!
buonsenso, buon senso [-'sɛnso] *m* gesunder Menschenverstand.
buontempone, -a [-tem'po:ne] *m, f* stets gutgelaunter Mensch, sonniger Charakter.
buonumore, buon umore [-u'mo:re] *m* gute Laune; **essere di** ~ in Laune sein, gut aufgelegt sein.
buonuomo, buon uomo [bu̯o'nu̯ɔ:mo] ⟨buon(u)omini⟩ *m* guter Mann.
buonuscita, buona uscita [-uʃ'ʃi:ta] *f (per un appartamento)* Mietablösung *f,* Ablösesumme *f; (per un impiego)* Abfindung *f.*
burattino [burat'ti:no] *m* **1.** *teat* Handpuppe *f; (a fili)* Marionette *f;* **2.** *fig* Marionette *f,* Kasperlefigur *f;* **teatro dei -i** Puppentheater *n.*
burbero, -a ['burbero] **I.** *agg* mürrisch, barsch; **II.** *m, f* Brummbär *m,* Griesgram *m.*
burla ['burla] *f* Spaß *m,* Scherz *m;* **per** ~ zum Spaß, spaßeshalber. **burlare** [...'la:re] **I.** *tr* verspotten, aufziehen; **II.** *rfl:* **-arsi** spotten (*di* über +*akk*), sich lustig machen (*di* über +*akk*). **burlesco, -a** [...'lesko] ⟨-schi, -sche⟩ **I.** *agg (tono, modi)* scherzhaft, spaßhaft; **II.** *m* Spaßige(s) *n.* **burletta** [...'letta] *f* Spaß *m,* Witz *m,* Scherz *m;* **mettere qc in** ~ etw. ins Lächerliche ziehen. **burlone, -a** [...'lo:ne] *m, f* Witzbold *m,* Spaßvogel *m.*
burocrate [bu'rɔ:krate] *mf* **1.** *amm* Bürokrat(in) *m(f);* **2.** *fig peg* Paragraphenreiter(in) *m(f);* Kleinigkeitskrämer(in) *m(f).* **burocratese** [burokra:'tese] *m* Amtsdeutsch *n.* **burocratico, -a** [buro'kra:tiko] ⟨-ci, -che⟩ *agg* Beamten-; *(a. peg)* bürokratisch; **linguaggio** ~ Beamtensprache *f;* **riforma -a** Verwaltungsreform *f.* **burocratizzazione** [...tiddzat'tsi̯o:ne] *f* Bürokratisierung *f.* **burocrazia** [...t'tsi:a] ⟨-ie⟩ *f* Bürokratie *f.*
burrasca [bur'raska] ⟨-sche⟩ *f (a. fig)* Sturm *m;* **il mare è in** ~ die See ist stürmisch (*o* aufgewühlt). **burrascoso, -a** [...'ko:so] *agg (a. fig)* stürmisch.
burrificare [burrifi'ka:re] ⟨burrifico, burrifichi⟩ *tr* zu Butter machen (*o* schlagen).
burro ['burro] *m* Butter *f;* **al** ~ mit Butter zubereitet (*o* angerichtet).
burrone [bur'ro:ne] *m* Schlucht *f; fig* Abgrund *m.*
bus [bus] ⟨-⟩ *m* Bus *m.*
buscare [bus'ka:re] ⟨busco, buschi⟩ *fam tr, rfl:* **-arsi** kriegen *fam;* ~ **(o -arsi) l'influenza** (die) Grippe kriegen; **buscarne, buscarle** Prügel kriegen *fam.*
business ['bɪznɪs] ⟨-⟩ *m* Geschäft *n.* **business class** ['-kla:s] ⟨-⟩ *f aero* Business-Class *f.* **businessman** ['-mæn] ⟨-⟩ *m* Geschäftsmann *m.*
bussare [bus'sa:re] *itr* klopfen, pochen; ~ **alla porta** an die Tür klopfen.
bussola ['bussola] *f* **1.** *naut* Kompaß *m;* **2.** *tec* Buchse *f,* Hülse *f;* **perdere la** ~ *fig* die Fassung verlieren.
busta ['busta] *f* **1.** *(per lettera)* Briefumschlag *m,* Kuvert *n;* **2.** *(custodia)* Tasche *f; (per documenti)* Mappe *f; (per occhiali)* Etui *n;* **3.** *(per generi alimentari)* Packung *f;* ~ **affrancata** Freiumschlag *m;* ~ **con finestra** Fensterumschlag *m;* ~ **paga** Lohntüte *f.*
bustaia [bus'ta:i̯a] ⟨-aie⟩ *f* Korsettmacherin *f.*
bustarella [busta'rɛlla] *f* Schmiergeld *n.*
bustina [bus'ti:na] *f* **1.** *(berretto)* Schiffchen *n;* **2.** *(per farmaci, erbe aromati-*

che) Tütchen *n;* **3.** *(per infusione)* Aufgußbeutel *m.*

bustino [bus'ti:no] *m* Mieder *n,* Bustier *n.*

busto ['busto] *m* **1.** *anat* Oberkörper *m;* **2.** *(nell'arte)* Büste *f; (nella pittura)* Brustbild *n;* **3.** *med* Stützkorsett *n;* **4.** *(da donna)* Korsett *n,* Mieder *n.*

buttare [but'ta:re] **I.** *tr (gettare)* werfen; *(con forza, rabbia)* schmeißen; *(palla)* zuwerfen *(a qu* jdm); ~ **tutto all'aria** alles durcheinanderschmeißen, alles auf den Kopf stellen; *fig (piano, progetto)* alles zunichte machen; ~ **via** wegwerfen; *fig* vergeuden; ~ **giù** *(edificio)* abbrechen, abreißen; *(lettera)* hinschmieren *fam; (persona)* fertigmachen *fam; (pasta, verdura)* ins kochende Wasser werfen; *(boccone)* hinunterschlingen; *(bevanda)* hinunterschütten *fam;* **II.** *itr bot* ausschlagen, sprießen; *(semi)* keimen; **III.** *rfl:* **-arsi** sich werfen, sich stürzen **-arsi nelle braccia di qu** sich in jds Arme werfen; **-arsi in mare/dalla finestra** sich ins Meer/aus dem Fenster stürzen; **-arsi nel fuoco per qu** *fig* für jdn durchs Feuer gehen; **-arsi giù** *fig* den Kopf hängen lassen, den Mut verlieren.

by-pass ['bai'pa:s] ⟨-⟩ *m* **1.** *tec, med* Bypass *m;* **2.** *(raccordo stradale)* Verbindungsstraße *f,* Zubringer *m.*

byte [baɪt] ⟨-⟩ *m* Byte *n;* **mille** ~ Kilobyte *n.*

C

C, c [tʃi] ⟨-⟩ *f* C, c *n;* **c come Catania** C wie Cäsar.
c. a. 1. *abbr di* **corrente anno** l. J. (*abk von* laufenden Jahres); **2.** *abbr di* **alla cortese attenzione di** z. Hd. (*abk von* zu Händen).
ca' [ka] ⟨-⟩ *f venez (casa)* Haus *n.*
CAB ['kab] *m acr di* **codice di avviamento bancario** BLZ *f (abk von* Bankleitzahl).
cabala ['ka:bala] *f* Kabbala *f,* Zahlenmystik *f.*
cabaret [kaba'rɛ] ⟨-⟩ *m* Varieté *n.*
cabina [ka'bi:na] *f* **1.** *gener.* Kabine *f,* Zelle *f,* Raum *m;* **2.** *(al mare)* Bade-, Umkleidekabine *f;* ~ **di guida** Führerhaus *n;* ~ **di pilotaggio** Pilotenkanzel *f;* ~ **elettorale** Wahlkabine *f;* ~ **telefonica** Telefonzelle *f.* **cabinato** [kabi'na:to] **I.** *agg* mit Kabinen versehen; **II.** *m* Kabinenboot *n.*
cablaggio [ka'bladdʒo] ⟨-ggi⟩ *m* Kabelverbindung *f.* **cablo, cablogramma** ['ka:blo, kablo'gramma] ⟨-i⟩ *m* Überseetelegramm *n.*
cabotaggio [kabo'taddʒo] ⟨-ggi⟩ *m* Küstenschiffahrt *f.*
cabriolé, cabriolet [kabrio'lɛ] ⟨-⟩ *m* Kabrio(lett) *n,* Cabrio(let) *n.*
cacao [ka'ka:o] *m* Kakao *m.*
cacare [ka'ka:re] ⟨caco, cachi⟩ *tr, itr volg* kacken *vulg,* scheißen *vulg;* **non ~ qu** *fig* auf jdn scheißen; **cacarsi sotto** *volg* die Hosen voll haben, sich in die Hosen machen *fam* (*o* scheißen *vulg*).
cacca ['kakka] ⟨-cche⟩ *f fam* Kacke *f vulg; (dei bambini)* Aa *n fam;* **fare la ~** *fam* kacken *vulg,* Aa machen *fam.*
caccia[1] ['kattʃa] ⟨-cce⟩ **1.** *gener.* Jagd *f;* **2.** *gastr* Wild(bret) *n;* ~ **grossa** Großwildjagd *f;* **andare a ~** auf die Jagd gehen; **andare a ~ di qc** auf etw. Jagd machen; *fig* auf der Suche nach etw. sein; **dare la ~ a qu** jdn jagen (*o* verfolgen).
caccia[2] ['kattʃa] ⟨-⟩ *m aero* Jagdflugzeug *n.*
cacciabombardiere [-bombar'djɛ:re] *m* Jagdbomber *m.*
cacciagione [kattʃa'dʒo:ne] *f* **1.** *zoo* Wild *n;* **2.** *gastr* Wild(bret) *n;* **3.** *(bottino)* Jagdbeute *f.*
cacciamine [-'mi:ne] *m* ⟨-⟩ Minenräumfahrzeug *n.*
cacciare [kat'tʃa:re] ⟨caccio, cacci⟩ **I.** *tr* **1.** *sport* jagen; **2.** *fig (mandare via)* verjagen, vertreiben; **3.** *(in prigione)* werfen, stecken; **4.** *(con violenza)* stoßen; **5.** *(urlo)* ausstoßen; ~ **fuori i soldi/il coltello/la lingua** das Geld herausrükken/das Messer ziehen/die Zunge herausstrecken; **dove ho cacciato l'orologio?** *fam* wo habe ich nur die Uhr hingesteckt?; **-arsi in testa qc** sich *(dat)* etw. in den Kopf setzen; **II.** *itr sport* jagen; **III.** *rfl:* **-arsi 1.** *fam (andare a finire)* stecken *fam; (nascondersi)* sich verstecken; **2.** *(introdursi)* sich hineindrängen, -zwängen; **dove si è cacciato?** *fam* wo steckt er? *fam;* **-arsi in un mare di guai** sich in die Nesseln setzen. **cacciatora** [kattʃa'to:ra] *f gastr:* **alla ~** nach Jägerart. **cacciatore, -trice** [...'to:re] *m, f* Jäger(in) *m(f);* ~ **di dote** Mitgiftjäger *m;* ~ **di frodo** Wilderer *m.* **cacciatorpediniere** [...torpedi'njɛ:re] *m naut* Zerstörer *m.*
cacciavite [kattʃa'vi:te] ⟨-⟩ *m* Schraubenzieher *m;* ~ **con punta a croce** Kreuz(-schlitz)schraubenzieher *m.*
cachemire [kaʃ'mi:r] ⟨-⟩ *m* **1.** *(lana)* Kaschmirwolle *f;* **2.** *(tessuto)* Kaschmir *m.*
cachet [ka'ʃɛ] ⟨-⟩ *m* **1.** *med* Kapsel *f;* **2.** *(per capelli)* Haarfärbemittel *n;* **3.** *teat, film (compenso)* Gage *f.*
cachi[1] ['ka:ki] *(colore)* **I.** ⟨*inv*⟩ *agg* khakifarben; **II.** ⟨-⟩ *m* Khaki *n.*
cachi[2] ['ka:ki] ⟨-⟩ *m bot* **1.** *(albero)* Kakibaum *m;* **2.** *(frutto)* Kakifrucht *f,* -pflaume *f.*
cacio ['ka:tʃo] ⟨-ci⟩ *m* Käse *m;* **come il ~ sui maccheroni** wie gerufen, gerade recht.
cacofonia [kakofo'ni:a] ⟨-ie⟩ *f* Mißklang *m,* Kakophonie *f geh.*
cactus ['kaktus] ⟨-⟩ *m* Kaktus *m.*
CAD ['kæd] *m acr di* **Computer Aided Design** CAD *n,* computerunterstütztes Entwerfen.
cadavere [ka'da:vere] *m* Leiche *f,* Leichnam *m.*
caddi ['kaddi] *p rem di* **cadere.**
cadente [ka'dɛnte] *agg* **1.** *(edificio)* baufällig; **2.** *fig (persona)* gebrechlich, hinfällig; **stella ~** Sternschnuppe *f.*
cadenza [ka'dɛntsa] *f* **1.** *ling* Tonfall *m,* Akzent *m;* **2.** *(andamento ritmico)* Takt *m,* Rhythmus *m;* **3.** *mus* Kadenz *f.* **cadenzare** [kaden'tsa:re] *tr (voce)* modulieren; ~ **il passo** Schritt halten. **cadenzato, -a** [...'tsa:to] *agg* rhythmisch.
cadere [ka'de:re] ⟨cado, caddi, caduto⟩ *itr* ⟨*essere*⟩ **1.** *(cascare)* (hin-, um)fallen, (hin-, um)stürzen; *(dall'alto)* herab-, hinunterfallen, herab-, hinunterstürzen;

(aereo, alpinista) abstürzen; *(foglie)* fallen; *(frutta)* abfallen; *(capelli)* ausfallen; **2.** *fig* geraten, (ver)fallen; **3.** *pol (governo, ecc.)* stürzen; **4.** *(accento)* liegen (*su* auf *+dat*); **5.** *(crollare)* ein-, zusammenstürzen; ~ **ammalato** krank werden; ~ **lungo e disteso** der Länge nach hinfallen; ~ **in piedi** *(a. fig)* auf die Füße fallen; ~ **in miseria** in Not geraten; ~ **in disgrazia** in Ungnade fallen; ~ **in mora** *dir* in Verzug geraten; ~ **in prescrizione** *dir* verjähren; **far ~ qc dall'alto** *fig* etw. nach langem Hinhalten gewähren; **il discorso cadde su ...** man kam auf ... zu sprechen; **quest'abito cade bene** dieses Kleid fällt (*o* sitzt) gut.

cadetto, -a [ka'detto] **I.** *agg* **1.** *(di figlio maschio non primogenito)* jüngere(r, s); **2.** *sport* Nachwuchs-, B-; **II.** *m* **1.** *(figlio maschio non primogenito)* jüngerer Sohn; **2.** *mil* Kadett *m;* **3.** *sport* Nachwuchssportler *m,* Mitglied *n* einer B-Mannschaft.

cadmio ['kadmio] *m chim* Kadmium *n.*

caduco, -a [ka'du:ko] ⟨-chi, -che⟩ *agg* von kurzer Lebensdauer; *fig* flüchtig, vergänglich.

caduta [ka'du:ta] *f* **1.** *(atto del cadere)* Fall *m,* Sturz *m; (dall'alto a.)* Absturz *m;* **2.** *fig* Untergang *m;* **3.** *pol (del governo, ecc.)* Sturz *m;* **4.** *com, fin (dei prezzi, corsi)* Verfall *m;* ~ **della temperatura** Temperatursturz *m;* ~ **di tensione** Spannungsabfall *m;* ~ **massi** Steinschlag *m.* **caduto, -a** [...to] **I.** *agg* gefallen, gestürzt; *(albero)* umgestürzt; *(sasso)* herabgefallen; **II.** *m mil* Gefallene(r) *m.*

caffè [kaf'fɛ] ⟨-⟩ *m* **1.** *gastr* Kaffee *m;* **2.** *(locale)* Café *n;* **3.** *bot* Kaffee(pflanze *f*) *m;* ~ **concerto** Tanzcafé *n;* ~ **macchiato/corretto** Kaffee *m* mit etwas Milch/mit Schuß; ~ **in grani/in polvere** Bohnen-/Pulverkaffee *m;* ~ **solubile** Instantkaffee *m;* **macchina del** ~ Kaffeemaschine *f.* **caffeina** [...fe'i:na] *f* Koffein *n;* **caffè senza** ~ koffeinfreier Kaffee. **caffel(l)atte** [...fe'latte (...fel'latte)] ⟨-⟩ *m* Milchkaffee *m.* **caffettiera** [...fe'tiɛ:ra] *f* **1.** *(bricco)* Kaffeekanne *f;* **2.** *(macchina)* Kaffeemaschine *f.*

cafone, -a [ka'fo:ne] **I.** *agg* ungehobelt, rüde; **II.** *m, f* Rüpel *m.*

cagionare [kadʒo'na:re] *tr* verursachen, bewirken. **cagione** [ka'dʒo:ne] *f (causa)* Ursache *f; (motivo)* Grund *m,* Anlaß *m.*

cagionevole [kadʒo'ne:vole] *agg* kränklich, anfällig; **essere di salute** ~ sehr anfällig sein.

caglio ['kaʎʎo] ⟨-gli⟩ *m* **1.** *(per il latte)* Lab *n;* **2.** *bot* Labkraut *n.*

cagna ['kaɲɲa] *f* Hündin *f.*

cagnesco, -a [kaɲ'ɲesko] ⟨-schi, -sche⟩ *agg* **1.** *(di cane)* hündisch; **2.** *fig* schief, scheel.

cal *abbr di* **(piccola) caloria** cal. (*abk von* Kalorie).

cala ['ka:la] *f* Bucht *f.*

Calabria [ka'la:bria] *f* Kalabrien *n.*

calabrone [kala'bro:ne] *m* Hornisse *f.*

calamaio [kala'ma:io] ⟨-ai⟩ *m* Tintenfaß *n.*

calamaro [kala'ma:ro] *m* Tintenfisch *m.*

calamita [kala'mi:ta] *f* Magnet *m.*

calamità [kalami'ta] ⟨-⟩ *f* Unheil *n,* Plage *f;* ~ **naturale** Naturkatastrophe *f.*

calamitare [kalami'ta:re] *tr* **1.** *(ferro, acciaio)* magnetisieren; **2.** *fig* magnetisch anziehen, anlocken. **calamitato, -a** [...'ta:to] *agg* magnetisiert, Magnet-.

calandra [ka'landra] *f* Kühlergrill *m.*

calante [ka'lante] *agg* **1.** *(luna)* abnehmend; *(temperatura)* sinkend; **2.** *(moneta, peso)* fehlgewichtig.

calare [ka'la:re] **I.** *tr* ⟨*avere*⟩ **1.** *(far scendere)* senken, herab-, herunterlassen; *(reti)* auswerfen; *(vele)* einholen, streichen; *(sipario)* senken; **2.** *(maglie)* abnehmen; **3.** *(nei giochi a carte)* ausspielen, herauskommen mit; **II.** *itr* ⟨*essere*⟩ **1.** *(scendere)* hinabgehen, -steigen, hinuntergehen; *(sipario)* fallen; **2.** *fig (notte)* hereinbrechen; **3.** *(invadere)* einfallen, einbrechen; **4.** *(vento)* abflauen, nachlassen, sich legen; *(acqua)* sinken, zurückgehen; **5.** *(prezzo)* sinken; *(di peso)* abnehmen; **6.** *mus* tiefer werden; ~ **di tono** leiser werden; *fig* abnehmen; **III.** *rfl:* **-arsi** sich herab-, hinab-, hinunterlassen; *sport* sich abseilen. **calata** [ka'la:ta] *f* **1.** *mil* Einfall *m;* **2.** *sport* Abseilen *n.*

calca ['kalka] ⟨-che⟩ *f* Gedränge *n.*

calcagno [kal'kaɲɲo] ⟨*pl:* -i *m o fig* -a *f*⟩ *m* Ferse *f;* **avere qu alle -a** jdn auf den Fersen haben.

calcare[1] [kal'ka:re] ⟨calco, calchi⟩ *tr* **1.** *(coi piedi)* treten, stampfen; **2.** *(con la voce)* betonen; **3.** *(disegno)* durchpausen; **4.** *(premere)* drücken, zwängen; ~ **le scene** auf der Bühne stehen; ~ **la mano** *fig* übertreiben; *(essere severo)* zu streng bestrafen.

calcare[2] [kal'ka:re] *m min* Kalkstein *m.*

calcareo, -a [kal'ka:reo] *agg* kalkhaltig.

calce[1] ['kaltʃe] *f* Kalk *m.*

calce[2] ['kaltʃe] *m:* **in** ~ *amm* unten, am unteren Ende eines Schriftstücks.

calcestruzzo [kaltʃes'truttso] *m* Beton *m.*

calcetto [kal'tʃetto] *m* Hallenfußball *m; (calciobalilla)* Tischfußball *m.*

calciare [kal'tʃa:re] ⟨calcio, calci⟩ **I.** *itr* **1.** *(tirar calci)* Fußtritte austeilen, treten; *(animale)* ausschlagen; **2.** *sport* schießen, treten; **II.** *tr* schießen, treten.

calciatore, -trice [kaltʃa'to:re] *m, f* Fußballspieler(in) *m(f).*

calcina [kal'tʃi:na] *f* Mörtel *m.* **calcinaccio** [...tʃi'nattʃo] ⟨-cci⟩ *m* Putz-, Mörtelstück *n;* ⟨*pl*⟩ Schutt *m.*

calcio[1] ['kaltʃo] ⟨-ci⟩ *m* **1.** *(pedata)* (Fuß)-tritt *m; (di animale)* Huftritt *m;* **2.** *sport* Fußball *m;* ~ **di punizione/di rigore/d'inizio/d'angolo** Freistoß *m*/Elfmeter *m*/Anstoß *m*/Eckstoß *m;* **giocare al** ~ Fußball spielen; **prendere qu a -ci** jdn treten; **tirare -ci** treten, Fußtritte austeilen; *(animale)* ausschlagen.

calcio[2] ['kaltʃo] *m chim* Kalzium *n.*

calcistico, -a ⟨-ci, -che⟩ *agg* Fußball-.

calco ['kalko] ⟨-chi⟩ *m* Abdruck *m; tip* Abzug *m.*

calcolare [kalko'la:re] *tr* **1.** *mat* berechnen, ermitteln; **2.** *fig* abwägen, abschätzen; *(tenere conto)* berücksichtigen.

calcolatore, -trice [kalkola'to:re] **I.** *agg* **1.** *(regolo, macchina)* Rechen-; **2.** *fig (persona, mente)* berechnend; **II.** *m, f (persona)* Rechner(in) *m(f); fig (mente fredda)* kühler Kopf; **III.** *m:* ~ **elettronico** Elektronenrechner *m,* Computer *m;* **musica al** ~ Computermusik *f;* **IV.** *f tec* Rechenmaschine *f,* Rechner *m; (regolo)* Rechenschieber *m;* ~ **tascabile** Taschenrechner *m.*

calcolo[1] ['kalkolo] *m mat* Rechnung *f,* Berechnung *f;* ~ **preventivo** Vorausberechnung *f,* Kostenvoranschlag *m;* ~ **delle probabilità** Wahrscheinlichkeitsrechnung *f;* **agire per** ~ *fig* berechnend sein; **fare i -i** rechnen.

calcolo[2] ['kalkolo] *m med* Stein *m;* ~ **renale** Nierenstein *m.*

caldaia [kal'da:i̯a] ⟨-aie⟩ *f* Kessel *m; tec (per riscaldamento)* Heizkessel *m.*

caldamente [kalda'mente] *avv* warm, wärmstens *fam; (cordialmente)* herzlich.

caldeggiare [kalded'dʒa:re] ⟨caldeggio, caldeggi⟩ *tr* befürworten.

caldo, -a ['kaldo] **I.** *agg* **1.** *(che ha calore)* warm; *(molto ~)* heiß; **2.** *fig (colore, voce)* warm; *(amicizia, ecc.)* innig, herzlich; *(notizia)* neueste(r, s); **avere il sangue** ~ *fig* heißblütig sein; **II.** *m* **1.** *(calore)* Wärme *f; (~ intenso)* Hitze *f;* **2.** *fig (fervore)* Eifer *m;* **tenersi in** ~ **qu/qc** sich *(dat)* jdn/etw. warmhalten; **mettere (***o* **tenere) le vivande in** ~ die Speisen warm halten; **ho (***o* **sento)** ~ mir ist heiß (*o* warm).

caleidoscopio [kaleidos'kɔ:pi̯o] ⟨-i⟩ *m* Kaleidoskop *n.*

calendario [kalen'da:ri̯o] ⟨-i⟩ *m* Kalender *m;* ~ **di lavoro** Arbeitsplan *m;* **confezione** ~ *farm* (Tages- *o*)Memo-Packung *f;* ~ **perpetuo** Dauerkalender *m.*

calendola, calendula [ka'lɛndola, ...dula] *f bot* Ringelblume *f.*

calibro ['ka:libro] *m (a. fig)* Kaliber *n.*

calice ['ka:litʃe] *m* Kelch *m.*

califfo [ka'liffo] *m* Kalif *m.*

caligine [ka'li:dʒine] *f* Dunst *m,* Nebel *m; (in zone industriali)* Smog *m.*

calle ['kalle] **I.** *f (a Venezia)* Gasse *f,* Straße *f;* **II.** *m poet* Pfad *m poet.*

call-girl ['kɔ:lgə:l] ⟨-⟩ *f* Callgirl *n.*

callifugo [kal'li:fugo] ⟨-ghi⟩ *m* hornhauterweichendes Mittel; *(cerotto)* Hühneraugenpflaster *n.*

calligrafia [kalligra'fi:a] *f* Handschrift *f.*

callista [kal'lista] ⟨-i *m,* -e *f*⟩ *mf* Fußpfleger(in) *m(f).*

callo ['kallo] *m* Hornhaut *f; (dei piedi)* Hühnerauge *n; (della mano)* Schwiele *f;* ~ **osseo** *med* Kallus *m;* **fare il** ~ **a qc** *fig* sich an etw. gewöhnen, gegen etw. unempfindlich werden; **pestare i -i a qu** *fig fam* jdm auf die Füße treten *fam.*

calma ['kalma] *f* **1.** *(quiete)* Ruhe *f; (silenzio)* Stille *f; (tranquillità)* Gelassenheit *f;* **2.** *(vento)* Windstille *f; (mare)* Flaute *f,* Meeresstille *f;* **periodo di** ~ ruhige Zeit; *com* Flaute *f;* **prendersela con** ~ es in aller Ruhe angehen.

calmante [kal'mante] *m* Beruhigungsmittel *n.*

calmare [kal'ma:re] **I.** *tr* **1.** *(persona)* beruhigen; *(placare)* besänftigen; **2.** *(dolore)* lindern; **II.** *rfl:* **-arsi 1.** *(persona)* sich beruhigen; **2.** *(vento)* abflauen, sich legen; *(dolore)* nachlassen.

calmierare [kalmi̯e'ra:re] *tr* den Höchstpreis amtlich festsetzen (*qc* einer S. *gen*). **calmiere** [...'mi̯ɛ:re] *m* obere Preisgrenze, Preisbindung *f;* **prezzo di** ~ Höchstpreis *m.*

calmo, -a ['kalmo] *agg* ruhig; *(tranquillo)* gelassen; *(equilibrato)* ausgeglichen.

calo ['ka:lo] *m* Verminderung *f,* Rückgang *m; (di volume, peso)* Abnahme *f,* Sinken *n; (di qualità)* Verschlechterung *f; (di prezzo)* (Preis)senkung *f;* ~ **naturale** Schwund *m.*

calore [ka'lo:re] *m* Wärme *f; (~ intenso)* Hitze *f;* ~ **animale** Körperwärme *f;* **essere/andare in** ~ läufig sein/werden.

caloria [kalo'ri:a] ⟨-ie⟩ *f (abbr* **cal**) Kalorie *f;* **grande** ~ Kilokalorie *f.* **calorico, -a** [ka'lɔ:riko] ⟨-ci, -che⟩ *agg* **1.** *fis* Wärme-, kalorisch; **2.** *biol* Kalorien-.

calorifero [kalo'ri:fero] *m* Heizkörper *m.*

caloroso, -a [kalo'ro:so] *agg* **1.** *(persona)* kälteunempfindlich; **2.** *fig (saluto, applauso)* herzlich; *(discussione)* angeregt.

caloscia [ka'lɔʃʃa] ⟨-sce⟩ *f* Überschuh *m.*

calotta [ka'lɔtta] *f* **1.** *geog* (Eis)kappe *f;* **2.** *mat, arch, rel* Kalotte *f;* ~ **artica/antartica** arktische/antarktische Polarkappe.

calpestare [kalpes'ta:re] *tr* **1.** *(coi piedi)* (zer)treten; **2.** *fig* mißachten, mit Füßen treten; **(è) vietato** ~ **l'erba** (das) Betreten des Rasens (ist) verboten.

calunnia [ka'lunni̯a] ⟨-ie⟩ *f* Verleumdung *f.* **calunniare** [...'ni̯a:re] ⟨calunnio, calunni⟩ *tr* verleumden.

calva *f v.* **calvo.**

calvario [kal'va:ri̯o] ⟨-i⟩ *m* Kreuz-, Lei-

densweg *m; fig* unsagbares Leid.
calvinista [kalvi'nista] ⟨-i *m*, -e *f*⟩ *mf* Kalvinist(in) *m(f)*.
calvizie [kal'vittsi̯e] ⟨-⟩ *f* Kahlköpfigkeit *f*.
calvo, -a ['kalvo] **I.** *agg* kahl-, glatzköpfig; **II.** *m, f* Kahlkopf *m*, Glatzkopf *m fam*.
calza ['kaltsa] *f* Strumpf *m*; ~ **elastica** Gummistrumpf *m*, Stützstrumpf *m*; **ferri da** ~ Stricknadeln *f pl*; **fare la** ~ strikken. **calzamaglia** [-'maʎʎa] *f* Strumpfhose *f*.
calzante [kal'tsante] *agg* passend, treffend.
calzare [kal'tsa:re] **I.** *tr* ⟨*avere*⟩ anziehen; *(portare)* tragen; **II.** *itr* **1.** ⟨*avere*⟩ *(scarpe)* passen; **2.** ⟨*essere*⟩ *fig* passen, passend sein. **calzascarpe** [...as'karpe] ⟨-⟩, **calzatoio** [...a'to:i̯o] ⟨-oi⟩ *m* Schuhanzieher *m*, -löffel *m*.
calzatura [kaltsa'tu:ra] *f* Schuhe *m pl*; **industria delle -e** Schuhindustrie *f*; **-e di sicurezza** *(o* **antiinfortunistiche)** Sicherheitsschuhe *m pl*. **calzaturificio** [...turi'fi:tʃo] ⟨-ci⟩ *m* Schuhfabrik *f*.
calzettone [kaltset'to:ne] *m* Kniestrumpf *m*. **calzino** [...'tsi:no] *m* Socke *f*.
calzolaio, -a [kaltso'la:i̯o] ⟨-ai, -aie⟩ *m, f* Schuster(in) *m(f)*, Schuhmacher(in) *m(f)*. **calzoleria** [...le'ri:a] ⟨-ie⟩ *f* Schuhgeschäft *n*.
calzoncini [kaltson'tʃi:ni] *m pl* kurze Hose; *(da spiaggia, bagno)* Strand-, Badehose *f*.
calzone [kal'tso:ne] *m* **1.** ⟨*pl*⟩ *(indumento)* Hose *f*; **2.** *(parte)* Hosenbein *n*.
camaleonte [kamale'onte] *m (a. fig)* Chamäleon *n*.
cambiale [kam'bi̯a:le] *f* Wechsel *m*; ~ **a vista** Sichtwechsel *m*.
cambiamento [kambi̯a'mento] *m* Wechsel *m*, Veränderung *f*; ~ **d'aria/di stagione** Luftveränderung *f*/Wechsel *m* der Jahreszeit; **ha fatto un grande** ~ er (*o* sie) hat sich sehr verändert.
cambiare [kam'bi̯a:re] ⟨cambio, cambi⟩ **I.** *tr* ⟨*avere*⟩ **1.** (ver)tauschen; *(vestito)* wechseln; **2.** *(trasformare)* (ver)ändern, umändern; *(pezzi di ricambio)* auswechseln; **3.** *fin* wechseln, tauschen; ~ **casa** umziehen; ~ **aria** *fig* verschwinden, verduften *fam*; ~ **idea** seine Meinung ändern, es sich *(dat)* anders überlegen; ~ **marcia** in einen anderen Gang schalten; ~ **treno** umsteigen; ~ **le lire in marchi** Lire in DM tauschen; **mi cambia centomila lire?** können Sie mir hunderttausend Lire wechseln?; **II.** *itr* ⟨*essere*⟩ sich (ver)ändern; **III.** *rfl*: **-arsi** sich umziehen.
cambiario, -a [kam'bi̯ɑ:ri̯o] *agg* Wechsel-; **accettazione, -a** Wechselannahme *f*; **avallo** ~ Wechselbürgschaft *f*.
cambiatensione [kambi̯aten'si̯o:ne] *m* Netzspannungswähler *m*.
cambiavalute [kambi̯ava'lu:te] ⟨-⟩ *mf* Geldwechsler(in) *m(f)*.
cambio ['kambi̯o] ⟨-i⟩ *m* **1.** *(sostituzione)* Tausch *m*, Wechsel *m*; *(modifica)* Änderung *f*; **2.** *(soldi)* (Geld)wechsel *m*; *fin* (Wechsel)kurs *m*; **3.** *mot* Getriebe *n*; *(azione)* Schaltung *f*; ~ **a cloche** Knüppelschaltung *f*; ~ **a 5 marce** Fünfganggetriebe *n*; ~ **di velocità** Gangschaltung *f*; ~ **automatico** Automatikgetriebe *n*; ~**di potere** Machtwechsel *m*; **agente di** ~ Börsenmakler(in) *m(f)*; **fare a** ~ tauschen; **dare il** ~ **a qu** jdn ablösen; **in** ~ **di** anstelle +*gen*, anstatt +*gen*.
camcorder ['kæmkɔ:də] ⟨-⟩ *m* Camcorder *m*.
camelia [ka'mɛ:li̯a] ⟨-ie⟩ *f* Kamelie *f*.
camera ['ka:mera] *f* **1.** *(vano)* Zimmer *n*, Raum *m*; *(da letto)* (Schlaf)zimmer *n*; **2.** *(mobilia)* Zimmereinrichtung *f*, Möbel *n pl*; **3.** *pol, amm* Kammer *f*; *(pol a.)* Haus *n*; ~ **d'aria** *mot* Luftschlauch *m*; ~ **da letto/pranzo/degli ospiti** Schlaf-/Eß-/Gästezimmer *n*; ~ **singola/matrimoniale** Einzel-/Doppelzimmer *n*; ~ **ad un letto/a due letti** Einbett-/Zweibettzimmer *n*; **prenotare/disdire una** ~ ein Zimmer bestellen/abbestellen; **appartamento di quattro -e** Vierzimmerwohnung *f*; **musica da** ~ Kammermusik *f*; **sciogliere le -e** das Parlament auflösen; ~ **di Commercio Internazionale** *(abbr* **CCI)** Internationale Handelskammer (*abk* IHK).
cameraman ['kæmərəmæn] ⟨-⟩ *m* Kameramann *m*, -frau *f*.
camerata[1] [kame'ra:ta] *f (di collegio, caserma)* Schlafsaal *m*.
camerata[2] [kame'ra:ta] ⟨-i *m*, -e *f*⟩ *mf (persona)* Kamerad(in) *m(f)*. **cameratismo** [...ra'tizmo] *m* Kameradschaft(lichkeit) *f*.
cameriera [kame'ri̯ɛ:ra] *f (di casa privata)* Dienstmädchen *n*; *(di locale)* Kellnerin *f*; *(di albergo)* Zimmermädchen *n*.
cameriere [...re] *m (di casa privata)* Hausdiener *m*; *(di locale)* Kellner *m*, Ober *m*; *(di albergo)* Hoteldiener *m*; ~, **mi porti il conto, per favore!** Herr Ober, bitte zahlen!
camerino [kame'ri:no] *m* Garderobe *f*, Umkleideraum *m*.
camice ['ka:mitʃe] *m* **1.** *med* Kittel *m*; **2.** *rel* Meß-, Chorhemd *n*.
camiceria [kamitʃe'ri:a] ⟨-ie⟩ *f* Hemdengeschäft *n*.
camicetta [kami'tʃetta] *f* Bluse *f*.
camicia [ka'mi:tʃa] ⟨-cie *o* -ce⟩ *f* **1.** *(indumento)* Hemd *n*; **2.** *mot, tec* Mantel *m*; ~ **da donna/uomo** Bluse *f*/(Herren)hemd *n*; ~ **da notte** Nachthemd *n*; ~ **di forza** Zwangsjacke *f*; **le -cie rosse** *st* die Rothemden (*o* Garibaldianer); **essere nato con la** ~ ein Glückskind sein; **sudare sette -cie** Herkulesarbeit verrichten; **si leverebbe (***o* **caverebbe) anche la**

~ er (*o* sie) würde sein (*o* ihr) letztes Hemd hergeben. **camiciaio, -a** [kami'tʃa:io] ⟨-ai, -aie⟩ *m, f (fabbricante)* Hemdenfabrikant(in) *m(f); (chi fa camicie)* Hemdennäher(in) *m(f); (chi vende camicie)* Hemdenverkäufer(in) *m(f).* **camiciola** [...'tʃɔ:la] *f* **1.** *(sulla pelle)* Unterhemd *n;* **2.** *(per l'estate)* Sommerhemd *n.* **camiciotto** [...'tʃɔtto] *m* Arbeitskittel *m.*

caminetto [kami'netto] *m* (offener) Kamin *m.*

camino [ka'mi:no] *m* **1.** *(per riscaldamento)* Kamin *m;* **2.** *(comignolo)* Kamin *m,* Schornstein *m.*

camion ['ka:mi̯on] ⟨-⟩ *m* Last(kraft)wagen *m.* **camionabile, camionale** [kami̯o'na:bile, ...'na:le] **I.** *agg* für Lastkraftwagen befahrbar; **II.** *f* für Lastkraftwagen befahrbare Straße. **camioncino** [...n'tʃi:no] *m* Lieferwagen *m,* Kleintransporter *m.* **camionista** [...'nista] ⟨-i *m,* -e *f*⟩ *mf* Lastwagenfahrer(in) *m(f).*

camma ['kamma] *f* Nocken *m;* **albero a -e** Nockenwelle *f.*

cammello [kam'mɛllo] *m* **1.** *zoo* Kamel *n;* **2.** *(tessuto)* Kamelhaar *n.*

camminare [kammi'na:re] *itr* **1.** *(andare a piedi)* gehen; *(velocemente)* laufen; **2.** *(veicoli)* fahren; *tec* laufen, gehen; **3.** *fig* Fortschritte machen, vorankommen; ~ **a quattro zampe** auf allen vieren gehen; **cammina!** *(affrettati)* beeil dich!; *(vattene)* hau ab! *fam.* **camminata** [...'na:ta] *f* **1.** *(passeggiata)* Spaziergang *m;* **2.** *(modo di camminare)* Gang (art *f*) *m.* **camminatore, -trice** [...na'to:re] *m, f* Läufer(in) *m(f),* Geher(in) *m(f);* **è un buon** ~ er ist gut zu Fuß. **cammino** [...'mi:no] *m* **1.** *(viaggio)* Weg *m,* Reise *f;* **2.** *(strada)* Weg *m,* Wegstrekke *f;* **3.** *inform* Pfad *m;* **mettersi in** ~ sich auf den Weg machen; **ci sono tre ore di** ~ es ist eine Strecke von drei Stunden; *(a piedi)* zu Fuß sind es drei Stunden; ~ **facendo** unterwegs.

camomilla [kamo'milla] *f* **1.** *(pianta)* Kamille *f;* **2.** *(infuso)* Kamillentee *m.*

camorra [ka'mɔrra] *f* **1.** *(associazione)* Kamorra *f;* **2.** *fig* Verbrecherring *m,* Syndikat *n.*

camoscio [ka'mɔʃʃo] ⟨-sci⟩ *m* **1.** *zoo* Gemse *f;* **2.** *(pelle)* Wildleder *n.*

campagna [kam'paɲɲa] *f* **1.** *agr, geog* Land *n;* **2.** *(podere)* Landgut *n,* Ländereien *f pl;* **3.** *mil* Feldzug *m;* **4.** *fig* Kampagne *f;* ~ **elettorale/pubblicitaria** Wahlkampf *m*/Werbefeldzug *m,* -kampagne *f;* ~**pubblicitaria** Werbekampagne *f;* ~ **di lancio** Einführungskampagne *f;* ~ **di richiamo** Rückrufaktion *f.* **campagnola** [...'ɲɔ:la] *f* Geländewagen *m.*

campale [kam'pa:le] *agg* Feld-; **battaglia** ~ Feldschlacht *f;* **giornata** ~ *(a. fig)* Großkampftag *m.*

campana [kam'pa:na] *f* Glocke *f;* ~ **pneumatica** Luftkammer *f;* **a** ~ glockenförmig; **pantaloni a** ~ Hose *f* mit weitem Schlag; **sentire tutte e due le -e** beide Meinungen (*o* Parteien) hören; **tenere qu sotto una** ~ **di vetro** jdn in Watte packen und eine Glasglocke darüberstülpen *fam;* **sordo come una** ~ stocktaub. **campanaccio** [kampa'nattʃo] ⟨-cci⟩ *m* Kuhglocke *f.* **campanaro** [...'na:ro] *m* Glöckner *m.* **campanella** [...'nɛlla] *f* Klingel *f.* **campanello** [...'nɛllo] *m* Klingel *f; (piccola campana)* Glöckchen *n;* ~ **d'allarme** Alarmglocke *f; fig* Alarmsignal *n;* **suonare il** ~ klingeln.

Campania [kam'pa:ni̯a] *f* Kampanien *n.*

campanile [kampa'ni:le] *m* Kirch-, Glokkenturm *m.* **campanilismo** [kampani'lizmo] *m* Lokalpatriotismus *m.* **campanilista** [...'lista] ⟨-i *m,* -e *f*⟩ *mf* Lokalpatriot(in) *m(f).*

campanula [kam'pa:nula] *f* Glockenblume *f.*

campare [kam'pa:re] *fam* **I.** *itr* ⟨*essere*⟩ leben (*di* von), sich durchbringen (*di* mit), sich durchschlagen (*di* mit); ~ **alla giornata** von der Hand in den Mund leben; **tirare a** ~ sich durchschlagen; **II.** *tr* ⟨*avere*⟩ *(figli)* großziehen, durchbringen.

campato, -a [kam'pa:to] *agg:* ~ **in aria** aus der Luft gegriffen.

campeggiare [kamped'dʒa:re] ⟨campeggio, campeggi⟩ *itr* **1.** *(far campeggio)* campen, zelten; **2.** *(spiccare)* hervorstechen, sich abheben. **campeggiatore, -trice** [...dʒa'to:re] *m, f* Camper(in) *m(f),* Zelter(in) *m(f).* **campeggio** [...'peddʒo] ⟨-ggi⟩ *m* **1.** *(terreno)* Zelt-, Campingplatz *m;* **2.** *(turismo)* Camping *n,* Zelten *n;* **fare** ~ campen, zelten.

camper ['kæmpə] ⟨-⟩ *m* Campingbus *m,* Wohnmobil *n.*

campestre [kam'pɛstre] *agg* Feld-; **corsa** ~ Querfeldeinlauf *m.*

campionario, -a [kampi̯o'na:ri̯o] ⟨-i, -ie⟩ **I.** *agg* Muster-; **fiera -a** Mustermesse *f;* **II.** *m* Musterkollektion *f.*

campionato [kampi̯o'na:to] *m* Meisterschaft *f.*

campione, -essa [kam'pi̯o:ne, ...i̯o'nessa] **I.** *m, f* **1.** *sport* Meister(in) *m(f),* Champion *m;* **2.** *fig* Muster *n* (*di* an), Weltmeister(in) *m(f)* (*di* im) *fam;* **II.** *m* Muster *n,* Probe *f;* ~ **gratuito** Gratisprobe *f;* ~ **senza valore** Warensendung *f.*

campisanti *pl di* **camposanto.**

campo ['kampo] *m* **1.** *(terreno coltivato)* Feld *n; (agr a.)* Acker *m;* **2.** *sport* Platz *m;* **3.** *(nell'arte)* Hintergrund *m;* **4.** *fig* Bereich *m,* Gebiet *n;* ~ **visivo** Gesichtsfeld *n;* ~ **sportivo** Sportplatz *m;* ~ **da tennis/golf/gioco** Tennis-/Golfplatz *m*/Spielfeld *n;* ~ **profughi** Flüchtlingslager *n;* ~ **di concentramento/sterminio**

Konzentrations-/Vernichtungslager *n;* ~ **d'azione** Aktionsradius *m,* Wirkungsbereich *m;* ~ **di specializzazione** Spezialgebiet *n;* ~ **delle trattative** Verhandlungsgegenstand *m,* -thema *n;* ~ **d'aviazione** Flugplatz *m;* **scendere in ~ contro qu** *fig* gegen jdn zu Felde ziehen.

camposanto [-'santo] ⟨campisanti⟩ *m* Friedhof *m.*

camuffare [kamuf'fa:re] **I.** *tr* **1.** *(travestire)* verkleiden *(da* als); **2.** *fig* verbergen, tarnen; ~ **il bilancio** die Bilanz verschleiern *(o* frisieren); **II.** *rfl:* **-arsi** sich vermummen; *(travestirsi)* sich verkleiden *(da* als).

Canada ['ka:nada] *m:* **il** ~ Kanada *n.* **canadese** [kana'de:se] **I.** *agg* kanadisch; **II.** *mf* Kanadier(in) *m(f).*

canaglia [ka'naʎʎa] ⟨-glie⟩ *f* Kanaille *f.*

canale [ka'na:le] *m* **1.** *(per l'irrigazione, la navigazione)* Kanal *m;* **2.** *geog* Meerenge *f;* **3.** *anat* Gang *m; (condotto)* Kanal *m,* Leiter *m;* **4.** *el, tel* Leitung *f;* **5.** *TV, radio* Kanal *m,* Programm *n;* **6.** *fig* Kanal *m,* Weg *m;* ~ **di distribuzione** Vertriebsweg *m.* **canalizzazione** [...dzat'tsi̯o:ne] *f* **1.** *(per acque)* Kanalisation *f; (per gas, elettricità)* Leitungssystem *n;* **2.** *(operazione)* Kanalisierung *f.*

canapa ['ka:napa] *f* Hanf *m.*

canapo ['ka:napo] *m* Hanfseil *n; naut* Tau *n.*

Canarie [ka'na:ri̯e] *f pl:* **le** ~ die Kanarischen Inseln *f pl.*

canarino [kana'ri:no] **I.** *m* Kanarienvogel *m;* **II.** ⟨*inv*⟩ *agg* kanariengelb.

cancellare [kantʃel'la:re] *tr* **1.** *(depennare)* auslöschen, (aus)streichen; *(con la gomma)* ausradieren; *(con la penna)* durchstreichen; *(sulla lavagna)* auswischen; **2.** *fig (debito)* tilgen; *(appuntamento)* absagen; *(volo, prenotazione)* stornieren; **3.** *inform* löschen; ~ **qc dalla memoria** etw. aus dem Gedächtnis streichen.

cancellata [kantʃel'la:ta] *f* Gitter(werk) *n.*

cancellatura [kantʃella'tu:ra] *f* Streichung *f,* Löschung *f.*

cancelleria [kantʃelle'ri:a] ⟨-ie⟩ *f* **1.** *pol, dir, amm* Kanzlei *f; (del tribunale)* Geschäftsstelle *f;* **2.** *(materiale)* Bürobedarf *m.*

cancelliere [kantʃel'li̯ɛ:re] *m* **1.** *pol* Kanzler *m;* **2.** *dir* Urkundsbeamte(r) *m* (der Geschäftsstelle).

cancello [kan'tʃɛllo] *m* Gittertor *n.*

cancerogeno, -a [kantʃe'rɔ:dʒeno] **I.** *agg* krebserregend, karzinogen; **II.** *m* Krebserreger *m.*

cancrena [kaŋ'krɛ:na] *f* **1.** *med* Brand *m,* Gangrän *f o n wissensch;* **2.** *fig* Übel *n;* **andare in** ~ brandig werden.

cancro ['kaŋkro] *m* **1.** *med* Krebs *m;* **2.** *astr:* **C~** Krebs *m;* **3.** *fig* Krebsgeschwür *n,* Übel *n;* **sono (del** *o* **un) C~** ich bin (ein) Krebs.

candeggiante [kanded'dʒante] **I.** *agg* bleichend; **II.** *m* Weißmacher *m,* Aufheller *m.* **candeggiare** [...ded'dʒa:re] *tr* bleichen. **candeggio** [...'deddʒo] ⟨-ggi⟩ *m* Bleichen *n.*

candela [kan'de:la] *f* **1.** *gener.* Kerze *f;* **2.** *mot* (Zünd)kerze *f;* **3.** *el (potenza)* Kerzenstärke *f,* Wattangabe *f;* **a** ~ senkrecht; **una lampadina da 60 -e** eine 60-Watt-Birne; **tenere (***o* **reggere) la ~ a qu** *fig* bei jdm die Anstandsdame *(o* den Anstandswauwau *fam)* spielen; **a lume di** ~ bei Kerzenschein. **candelabro** [kande'la:bro] *m* Kandelaber *m,* (mehrarmiger) Kerzenleuchter *m.* **candeliere** [...'li̯ɛ:re] *m* Kerzenhalter *m.*

candelotto [...'lɔtto] *m:* ~ **lacrimogeno** Tränengaspatrone *f.*

candidamente [kandida'mente] *avv (con schiettezza)* treuherzig; *(ingenuamente)* leichtgläubig, naiv.

candidare [kandi'da:re] **I.** *tr* als Kandidaten aufstellen; **II.** *rfl:* **-arsi** kandidieren.

candidato, -a [kandi'da:to] *m, f* Kandidat(in) *m(f); (a esame)* Prüfungskandidat(in) *m(f),* Prüfling *m; (ad un'assunzione)* Stellenbewerber(in) *m(f).* **candidatura** [...da'tu:ra] *f* Kandidatur *f;* **presentare la propria** ~ sich bewerben; *pol, amm* kandidieren.

candid camera ['kandid 'kamera] ⟨-⟩ *f* versteckte Kamera.

candido, -a ['kandido] *agg* **1.** *(pulito)* rein; *(colore)* schneeweiß; **2.** *fig* naiv; *(schietto)* arglos, treuherzig.

candito, -a [kan'di:to] **I.** *agg* kandiert; *(zucchero)* Kandis-; **II.** *m* ⟨*di solito al pl*⟩ kandierte Früchte *f pl.*

candore [kan'do:re] *m* **1.** *(biancore)* (reines) Weiß *n;* **2.** *fig* Naivität *f,* Arglosigkeit *f.*

cane ['ka:ne] *m* **1.** *zoo, fig, astr* Hund *m;* **2.** *(nelle armi da fuoco)* Hahn *m;* ~ **da caccia/guardia** Jagd-/Wachhund *m;* **figlio d'un** ~ *volg* Hundesohn *m;* **vita da -i** Hundeleben *n fam;* **tempo da -i** Hundewetter *n,* Sauwetter *vulg;* **lavoro fatto da -i** hundsmiserable Arbeit; **essere solo come un** ~ einsam und verlassen sein; **menare il can per l'aia** *fig* nicht zur Sache kommen; **fa un freddo** ~ *fam* es ist hundekalt *(o* saukalt) *fam;* **ho una fame** ~ *fam* ich habe einen Bärenhunger *fam;* **non c'era un** ~ *fig fam* es war kein Schwein da *vulg;* **mondo** ~! *fam* Scheißwelt! *vulg.*

canestro [ka'nɛstro] *m (a. sport)* Korb *m.*

canfora ['kanfora] *f* Kampfer *m.*

cangiante [kan'dʒante] *agg* changierend.

canguro [kaŋ'gu:ro] *m* Känguruh *n.*

canile [ka'ni:le] *m* **1.** *(cuccia)* Hundehütte *f;* **2.** *(allevamento)* Hundezucht *f.*

canino, -a [ka'ni:no] **I.** *agg* Hunde-, Hunds-; **rosa -a** Hecken-, Hundsrose *f;*

II. *m* Eckzahn *m.*

canna ['kanna] *f* **1.** *bot* Rohr *n;* **2.** *(bastone)* (Rohr)stock *m; (da pesca)* Angelrute *f;* **3.** *(dell'organo)* Pfeife *f;* **4.** *(del fucile)* Lauf *m; (della bicicletta)* Stange *f;* **5.** *sl* Joint *m;* ~ **fumaria** Rauchfang *m;* ~ **da zucchero** Zuckerrohr *n;* **essere povero in** ~ *fig* bettelarm sein, arm wie eine Kirchenmaus sein.

cannare [kan'nɑ:re] *tr fam (sbagliare)* falsch machen, verpatzen *fam.*

cannella [kan'nɛlla] *f* Zimt *m.*

cannello [kan'nɛllo] *m* **1.** *bot, tec* Röhrchen *n;* **2.** *chim, med* Kanüle *f.*

cannibale [kan'ni:bale] *mf* Kannibale *m,* Kannibalin *f.*

cannocchiale [kannok'ki̯a:le] *m* Fernrohr *n.*

cannonata [kanno'na:ta] *f* **1.** *mil* Kanonenschuß *m,* -schlag *m;* **2.** *fig fam* Wucht *f,* Bombensache *f fam.* **cannone** [...'no:ne] *m* **1.** *mil* Kanone *f;* **2.** *fig fam* As *n,* Kanone *f fam;* **3.** *(piega)* Quetschfalte *f;* **donna** ~ *(alla fiera)* Riesendame *f.*

cannuccia [kan'nuttʃa] ⟨-cce⟩ *f* Stroh-, Trinkhalm *m.*

canoa [ka'nɔ:a] *f* **1.** *(barca a un remo)* Kanu *n;* **2.** *sport* Kajak *m.*

canone ['kanone] *m* **1.** *(norma)* Regel *f; (schema di riferimento)* Maßstab *m,* Kanon *m;* **2.** *com, fin* Abgabe *f; (radio, TV, abbonamento)* Gebühr *f;* **3.** *rel, mus* Kanon *m;* ~ **d'affitto** Miete *f,* Mietzins *m;* **i -i della morale** die moralischen Grundsätze *m pl.*

canonica [ka'nɔ:nika] ⟨-che⟩ *f* Pfarrhaus *n.* **canonico, -a** [...ko] ⟨-ci, -che⟩ **I.** *agg* kanonisch; *(valido)* vorschriftsmäßig; **II.** *m* Kanoniker *m,* Kanonikus *m.*

canonizzare [kanonid'dza:re] *tr* heiligsprechen.

canoro, -a [ka'nɔ:ro] *agg* Sing-; **uccelli -i** Singvögel *m pl.*

canottaggio [kanot'taddʒo] ⟨-ggi⟩ *m* Rudersport *m.*

canottiera [kanot'ti̯ɛ:ra] *f* Unterhemd *n.*

canottiere, -a [kanot'ti̯ɛ:re] *m, f* Ruderer *m,* Ruderin *f.*

canotto [ka'nɔtto] *m* kleines Boot *n; (di gomma)* Schlauchboot *n.*

canovaccio [kano'vattʃo] ⟨-cci⟩ *m* **1.** *(tessuto)* Kanevas *m;* **2.** *(da cucina)* Putztuch *n; (per stoviglie)* Geschirrtuch *n;* **3.** *(per ricamo)* Stramin *m;* **4.** *teat* Kanevas *m;* **5.** *letter* Handlung(sablauf *m*) *f.*

cantabile [kan'ta:bile] **I.** *agg* singbar; **II.** *m* Kantabile *n.*

cantante [kan'tante] *mf* Sänger(in) *m(f);* ~ **lirico** Opernsänger(in) *m(f);* ~ **di musica leggera** Schlagersänger(in) *m(f).*

cantare [kan'ta:re] **I.** *itr* **1.** *mus* singen; **2.** *zoo (gallina)* gackern; *(gallo)* krähen; *(uccello)* zwitschern; *(grilli)* zirpen; **3.** *fig (fare la spia)* reden, plaudern; *fam (davanti alla polizia)* singen *fam;* ~ **da tenore** Tenor singen; **II.** *tr* **1.** *(canzoni)* singen; **2.** *(persone, fatti, ecc.)* besingen; **3.** *rel (messa)* lesen; ~ **le lodi di qu** ein Loblied auf jdn singen; ~ **vittoria** frohlocken, triumphieren; **cantarla chiara** *fig* kein Blatt vor den Mund nehmen. **cantastorie** [...tas'tɔ:ri̯e] ⟨-⟩ *mf* Bänkelsänger(in) *m(f).* **cantata** [...'ta:ta] *f* **1.** *mus* Kantate *f;* **2.** *fam* Singen *n,* Gesang *m.* **cantautore, -trice** [...tau'to:re] *m, f* Liedermacher(in) *m(f).* **canterellare** [...terel'la:re] *tr* trällern. **canterino, -a** [...te'ri:no] *agg (uccello)* sing-, sangesfreudig; *(grillo)* zirpend. **canticchiare** [...k'ki̯a:re] ⟨canticchio, canticchi⟩ *tr, itr fam* trällern. **cantico** ['kantiko] ⟨-ci⟩ *m* Lobgesang *m,* Hymne *f;* **il** ~ **dei -ci** das Hohelied (Salomos).

cantiere [kan'ti̯ɛ:re] *m* **1.** *naut, aero* Werft *f;* **2.** *(~ edile)* Baustelle *f;* **avere in** ~ *fig* in Vorbereitung haben.

cantilena [kanti'lɛ:na] *f* **1.** *(il cantare)* Singsang *m;* **2.** *(ninnananna)* Wiegenlied *n;* **3.** *fig (lamentela)* Gejammer *n;* **4.** *mus* Kantilene *f.*

cantina [kan'ti:na] *f* **1.** *arch* Keller *m; (per il vino)* Weinkeller *m;* **2.** *fig (bottega)* Weinschenke *f;* **3.** *(produzione e vendita di vino)* Kellerei *f;* ~ **sociale** Genossenschaftskellerei *f,* Winzergenossenschaft *f.*

canto[1] ['kanto] *m* **1.** *mus* Gesang *m; (canzone)* Lied *n;* **2.** *zoo (del gallo)* Schrei *m; (dell'usignolo)* Schlag *m;* **3.** *poet* Gedicht *n,* Gesang *m;* ~ **popolare** Volkslied *n.*

canto[2] ['kanto] *m* **1.** *(angolo)* Winkel *m,* Ecke *f;* **2.** *(parte)* Seite *f;* **3.** *(spigolo)* Kante *f;* **d'altro** ~ andererseits, auf der anderen Seite.

cantonale [kanto'na:le] *agg* kantonal, Kantonal-.

cantonata [kanto'na:ta] *f* (Straßen)ecke *f;* **prendere una** ~ *fig* einen Reinfall erleben.

cantone[1] [kan'to:ne] *m (angolo)* Ecke *f;* **il gioco dei quattro -i** ~ ≃ Bäumchen, wechsle dich.

cantone[2] [kan'to:ne] *m (della Svizzera)* Kanton *m;* **Lago dei Quattro C~i** Vierwaldstättersee *m.*

cantoniera [kanto'ni̯ɛ:ra] *f* **1.** *(mobile)* Eckschrank *m;* **2.** *(casa cantoniera)* Bahnwärterhaus *n.*

cantoniere [kanto'ni̯ɛ:re] *m* Bahn-, Straßenwärter *m.*

cantore [kan'to:re] *m* **1.** *rel* Kantor *m;* **2.** *letter* Sänger *m,* Dichter *m;* **i maestri -i** die Meistersinger *m pl.*

cantuccio [kan'tuttʃo] ⟨-cci⟩ *m fam* Winkel *m;* **stare in un** ~ abseits stehen.

canuto, -a [ka'nu:to] *agg* **1.** *(capelli)* weiß; **2.** *(persona)* weißhaarig.

canzonare [kantso'na:re] *tr* verspotten, hänseln; **farsi** ~ zum Gespött werden. **canzonatorio, -a** [...na'tɔ:rio] ⟨-i, -ie⟩ *agg* spöttisch.

canzone [kan'tso:ne] *f* **1.** *mus* Lied *n;* **2.** *letter* Kanzone *f;* **festival della** ~ Schlagerfestival *n;* ~ **popolare** Volkslied *n; (molto nota)* (bekannter) Schlager *m.* **canzonetta** [kantso'netta] *f* Liedchen *n,* Schlager *m.* **canzoniere** [...'niɛ:re] *m* Liedersammlung *f.*

caos ['ka:os] ⟨-⟩ *m* Chaos *n.* **caotico, -a** [ka'ɔ:tiko] ⟨-ci, -che⟩ *agg* chaotisch.

C.A.P. [kap] ⟨-⟩ *m acr di* **Codice di Avviamento Postale** PLZ (*abk von* Postleitzahl).

capace [ka'pa:tʃe] *agg* **1.** *(atto)* fähig; *(abile)* geschickt; **2.** *dir* rechtsfähig; **3.** *(spazioso)* weit, geräumig, groß; **4.** *(atto a contenere)* fassend; **essere** ~ **di fare qc** fähig (*o* imstande) sein, etw. zu tun.

capacità [kapatʃi'ta] ⟨-⟩ *f* **1.** *(di contenere)* Fassungsvermögen *n,* Kapazität *f;* **2.** *(abilità)* Fähigkeit *f,* Tüchtigkeit *f;* **il teatro ha una** ~ **di 2000 persone** das Theater faßt 2000 Personen; ~ **di agire** Handlungsfähigkeit *f;* ~ **di memoria** Speicherkapazität *f.*

capacitarsi [kapatʃi'tarsi] *rfl* begreifen; *(persuadersi)* sich überzeugen; **non poter** ~ **di qc** sich *(dat)* etw. nicht erklären können.

capanna [ka'panna] *f* Hütte *f.*

capannello [kapan'nɛllo] *m* kleine Menschenansammlung.

capanno [ka'panno] *m,* **1.** *(riparo)* Unterstand *m,* Laube *f;* **2.** *(cabina di spiaggia)* Umkleide-, Badekabine *f; (di caccia)* Jagdhütte *f.*

capannone [kapan'no:ne] *m* **1.** *agr* Scheune *f,* Schuppen *m;* **2.** *(di fabbrica)* Werk(s)halle *f.*

caparbio, -a [ka'parbio] ⟨-i, -ie⟩ *agg* dickköpfig, hartnäckig.

caparra [ka'parra] *f (parte del pagamento)* Anzahlung *f; (pegno)* Pfand *n; (cauzione)* Kaution *f;* **dare una** ~ **a qu** jdm eine Anzahlung leisten, jdm eine Kaution zahlen.

capatina [kapa'ti:na] *f* Stippvisite *f;* **fare una** ~ auf einen Sprung vorbeikommen.

capeggiare [kaped'dʒa:re] ⟨capeggio, capeggi⟩ *tr* anführen.

capello [ka'pello] *m* Haar *n;* **cose da far rizzare i -i** *fig* haarsträubende Dinge *n pl;* **averne fin sopra i -i** *fig* die Nase gestrichen voll haben *fam;* **mettersi le mani nei -i** *fig* sich *(dat)* die Haare raufen; **mi fai venire i -i bianchi** deinetwegen bekomme ich noch graue Haare; **portare i -i lunghi/corti** lange/kurze Haare haben; **prendersi per i -i** *fig* sich *(dat)* in die Haare geraten; **non torcere neppure un** ~ **a qu** *fig* jdm kein Haar krümmen. **capellone, -a** [...'lo:ne] *fam* **I.** *m, f* Langhaarige(r) *mf; fig peg* Gammler(in) *m(f);* **II.** *agg* langhaarig; *fig peg* Gammel-, gammelig *fam.* **capelluto, -a** [...'lu:to] *agg* behaart.

capezzale [kapet'tsa:le] *m* **1.** *(testa del letto)* Kopfende *n; (letto di un malato)* (Kranken)bett *n.*

capezzolo [ka'pettsolo] *m* Brustwarze *f.*

capi- [kapi-] *(in parole composte) v. a.* **capo-.**

capiarea *pl di* **capoarea.**

capibanda *pl di* **capobanda.**

capibranco *pl di* **capobranco.**

capiclasse *pl di* **capoclasse.**

capicomitiva *pl di* **capocomitiva.**

capicronisti *pl di* **capocronista.**

capicuochi *pl di* **capicuoco.**

capiente [ka'piɛnte] *agg* geräumig; *(recipiente)* groß. **capienza** [ka'piɛntsa] *f* Fassungsvermögen *n.*

capifamiglia *pl di* **capofamiglia.**

capigliatura [kapiʎʎa'tu:ra] *f* Haare *n pl;* *(~ folta)* (Haar)schopf *m,* Mähne *f fam.*

capigruppo *pl di* **capogruppo.**

capilinea *pl di* **capolinea.**

capilista *pl di* **capolista.**

capillare [kapil'la:re] **I.** *agg* **1.** *anat* kapillar, Kapillar-; **2.** *fig* detailliert; *(organizzazione)* engmaschig; **vasi -i** Kapillargefäße *n pl;* **II.** *m* Kapillargefäß *n.*

capimafia *pl di* **capomafia.**

capimastri *pl di* **capomastro.**

capinera [kapi'ne:ra] *f* Mönchsgrasmükke *f.*

capire [ka'pi:re] ⟨capisco⟩ **I.** *tr* ⟨*avere*⟩ verstehen, begreifen, erfassen; *fam* hören; **far** ~ **qc a qu** jdm etw. zu verstehen geben; *(far comprendere)* jdm etw. begreiflich machen; ~ **fischi per fiaschi** *fig* falsch verstehen; **chi ti capisce è bravo!** dich soll einer verstehen! *fam;* **II.** *itr* ⟨*essere*⟩ klar (*o* selbstverständlich) sein; **farsi** ~ sich verständlich machen; **si capisce** das versteht sich von selbst, das ist selbstverständlich; **III.** *rfl:* **-irsi** sich verstehen; **ci siamo capiti?** haben wir uns verstanden?

capiredattori *pl di* **caporedattore.**

capireparto *pl di* **caporeparto.**

capirosso [kapi'rosso] *m* Stieglitz *m.*

capisala *pl di* **caposala.**

capisaldi *pl di* **caposaldo.**

capiservizio *pl di* **caposervizio.**

capisezione *pl di* **caposezione.**

capisquadra *pl di* **caposquadra.**

capistazione *pl di* **capostazione.**

capitale [kapi'ta:le] **I.** *agg* **1.** *(principale)* wesentlich, Haupt-; **2.** *(delitto)* Kapital-; *(dir, rel a.)* Tod(es)-; **II.** *f* Hauptstadt *f;* **III.** *m* Kapital *n; (patrimonio a.)* Vermögen *n;* ~ **sociale** Stammkapital *n;* **fare** ~ **di qc** *(a. fig)* Kapital aus etw. schlagen.

capitalismo [kapita'lizmo] *m* Kapitalismus *m.* **capitalista** [...'lista] ⟨-i *m,* -e *f*⟩ **I.** *mf* Kapitalist(in) *m(f);* **II.** *agg* kapitalistisch, Kapitalisten-. **capitalistico, -a** [...'listiko] ⟨-ci, -che⟩ *agg* kapitalistisch.

capitalizzazione [kapitaliddzat'tsi̯one] *f* Kapitalisierung *f.*

capitanare [kapita'na:re] *tr* anführen, leiten; ~ **una squadra di calcio** *sport* Kapitän einer Fußballmannschaft sein, Mannschaftskapitän sein. **capitaneria** [...ne'ri:a] ⟨-ie⟩ *f (di porto)* Hafenbehörde *f.*

capitano [kapi'ta:no] *m* **1.** *mil* Hauptmann *m;* **2.** *naut* Kapitän *m; aero* (Flug)kapitän *m;* **3.** *sport* (Mannschafts)kapitän *m;* **4.** *fig* Anführer *m;* ~ **d'industria** Industriekapitän *m.*

capitare [kapi'ta:re] *itr* ⟨essere⟩ *(giungere)* (zufällig) kommen, geraten; *(occasione)* sich bieten; *(succedere)* passieren, vorkommen; ~ **bene/male** gelegen/ungelegen kommen; *(avere fortuna/sfortuna)* Glück/Pech haben; ~ **nelle mani di qu** jdm in die Hände fallen; **capita anche nelle migliori famiglie** das kommt in den besten Familien vor; **capiti proprio a proposito!** du kommst gerade recht!

capitavola *pl di* **capotavola.**

capitello [kapi'tɛllo] *m* Kapitell *n.*

capitolare [kapito'la:re] *itr (a. fig)* kapitulieren.

capitolato [kapito'lato] *m (di una fornitura)* Vorschrift *f,* Spezifikation *f;* ~ **di fornitura** Lieferbedingungen *f pl;* ~ **d'oneri** Pflichtenheft *n;* ~ **tecnico** technische Liefervorschriften *f pl.*

capitolazione [...at'tsi̯o:ne] *f (a. fig)* Kapitulation *f.*

capitolo [ka'pi:tolo] *m* **1.** *(di libro, abbr* **cap.***)* Kapitel *n;* **2.** *com* Posten *m.*

capitombolo [kapi'tombolo] *m* **1.** *(caduta)* Sturz *m;* **2.** *fig* Zusammenbruch *m.*

capitone [kapi'to:ne] *m* fetter weiblicher Aal.

capitribù *pl di* **capotribù.**

capi ufficio *pl di* **capo ufficio.**

capo ['ka:po] *m* **1.** *anat* Kopf *m,* Haupt *n geh;* **2.** *fig* Haupt *n,* Kopf *m,* Führer(in) *m(f); pol* Oberhaupt *n; (in ufficio)* Chef(in) *m(f); (di reparto, azienda)* Leiter(in) *m(f); (in tribù)* Häuptling *m;* **3.** *geog* Kap *n;* **4.** *(di biancheria, vestiario)* Stück *n;* **5.** *(estremità)* Ende *n; (di spillo)* (Stecknadel)kopf *m; (parte alta)* oberes Ende, oberer Teil; **ispettore/segretario** ~ Hauptinspektor *m*/Hauptsekretär *m;* **comandante in** ~ Oberbefehlshaber *m;* ~ **d'accusa** Anklagepunkt *m;* **per sommi -i** in groben Zügen; **chinare (***o* **abbassare** *o* **piegare) il** ~ *fig* sich beugen; **andare a** ~ eine neue Zeile beginnen; **andare in** ~ **al mondo** bis ans Ende der Welt gehen; **cominciare da** ~ von vorne anfangen; **in** ~ **ad un mese/una settimana** nach Ablauf eines Monats/einer Woche; **essere a** ~ **di qu/qc** jdn/etw. anführen; **non avere né** ~ **né coda** *fig* weder Hand noch Fuß haben; **cosa ti frulla (***o* **passa) per il** ~? *fam* was geht dir durch den Kopf?; **arrivare (***o* **capitare) fra** ~ **e collo** *fam* aus heiterem Himmel kommen; *(inopportuno)* ungelegen kommen; **punto e a** ~ Punkt und neue Zeile; *fig* nochmal von vorn(e).

capoarea [kapo'area] ⟨capiarea *m,* - *f*⟩ *mf* Gebietsleiter(in) *m(f).* **capobanda** [-'banda] ⟨capibanda⟩ *m* **1.** *mus* Kapellmeister *m;* **2.** *peg* Bandenführer *m.* **capobranco** [kapo'braŋko] ⟨capibranco *m,* - *f*⟩ *mf* Leittier *n.*

capocchia [ka'pɔkki̯a] ⟨-cchie⟩ *f (di spillo, fiammifero, chiodo, ecc.)* Kopf *m.*

capoccia [ka'pɔttʃa] ⟨-⟩ *m sett (in famiglia)* Familienoberhaupt *n; scherz* Boß *m fam,* Chef *m; peg* Anführer *m.*

capoclasse [kapo'klasse] ⟨capiclasse *m,* - *f*⟩ *mf* Klassensprecher(in) *m(f).* **capocomico, -a** [-'kɔ:miko] *m, f* Leiter(in) *m(f)* einer Schauspieltruppe. **capocomitiva** [-komi'tiva] ⟨capicomitiva *m,* - *f*⟩ *mf* Reiseleiter(in) *m(f).* **capocronista** [-kro'nista] ⟨capicronisti *m,* -e *f*⟩ *mf* leitende(r) Nachrichtenredakteur(in) *m(f).* **capocuoco, -a** [-'ku̯ɔ:ko] ⟨capocuochi *o* capicuochi *m,* capocuoche *f*⟩ *m, f* Chefkoch *m,* -köchin *f.*

capodanno, capo d'anno [-'danno] *m* Neujahr *n.*

capodoglio [-'dɔʎʎo] ⟨-gli⟩ *m* Pottwal *m.*

capofamiglia [-fa'miʎʎa] ⟨capifamiglia *m,* - *f*⟩ *mf* Familienoberhaupt *n.*

capofitto [-'fitto]: **a** ~ *avv* kopfüber; **buttarsi a** ~ **in qc** *fig* sich in etw. stürzen.

capogiro [-'dʒi:ro] *m* Schwindel *m;* **cifre/prezzi da** ~ schwindelerregende (*o* sehr hohe) Zahlen *f pl*/Preise *m pl.*

capogruppo [-'gruppo] ⟨capigruppo *m,* - *f*⟩ **I.** *mf (chi guida un gruppo)* Gruppenleiter(in) *m(f);* **II.** *m (società)* Muttergesellschaft *f;* ~ **parlamentare** Fraktionsvorsitzende(r) *mf.*

capolavoro [-la'vo:ro] *m* Meisterwerk *n.*

capolinea [-'li:nea] ⟨capilinea⟩ *m* Endstation *f.*

capolino [kapo'li:no] *m:* **far** ~ hervorkommen, -gucken.

capolista [-'lista] *mf* ⟨capilista *m,* - *f*⟩ **1.** *gener.* Listenführer(in) *m(f);* **2.** *sport* Tabellenführer(in) *m(f);* **3.** *pol* Spitzenkandidat(in) *m(f).*

capoluogo [-'lu̯ɔ:go] *m amm* Hauptstadt *f.*

capomacchinista [-makki'nista] *m* Maschinenmeister *m; naut* Obermaschinist *m.* **capomafia** [-'mafi̯a] ⟨capimafia⟩ *m* Mafiaboß *m.* **capomastro** [-'mastro] ⟨-i *o* capimastri⟩ *m (capocantiere)* Polier *m,* Bauführer *m; (imprenditore)* Bauun-

ternehmer *m.*
caporale [kapo'ra:le] *m* **1.** *mil* Korporal *m,* Gefreite(r) *m;* **2.** *fam* Vermittler *m* von Schwarzarbeitern.
caporedattore, -trice [-redat'to:re] ⟨capiredattori *m*⟩ *m, f* Chefredakteur(in) *m(f).* **caporeparto** [-re'parto] ⟨capireparto *m, - f*⟩ *mf* Abteilungsleiter(in) *m(f).* **caporione** [-'rio:ne] *m* Rädelsführer *m,* Anführer *m.* **caposala** [-'sa:la] ⟨capisala *m, - f*⟩ *mf* Saalaufsicht *f; (in ospedale)* Stationsschwester *f.*
caposaldo [-'saldo] ⟨capisaldi⟩ *m* **1.** *fig* Kern-, Angelpunkt *m;* **2.** *mil* Bollwerk *n.*
caposervizio [-ser'vittsio] ⟨capiservizio *m, - f*⟩ *mf* Ressortleiter(in) *m(f).* **caposettore** [-set'tore] *m* Branchenführer *m.* **caposezione** [-set'tsio:ne] ⟨capisezione *m, - f*⟩ *mf* Abteilungsleiter(in) *m(f).* **caposquadra** [-s'kua:dra] ⟨capisquadra *m, - f*⟩ **I.** *mf sport* Mannschaftsführer(in) *m(f);* **II.** *m (mil, di operai)* Kolonnen-, Gruppenführer *m.* **capostazione** [-stat'tsio:ne] ⟨capistazione *m, - f*⟩ *mf* Bahnhofs-, Stationsvorsteher(in) *m(f).* **capostipite** [-s'ti:pite] *m* Stammvater *m.* **capotavola** [-'ta:vola] ⟨capitavola *m, - f*⟩ **I.** *mf* am Tischende Sitzende(r) *mf;* **essere il ~** am Kopf der Tafel sitzen; **II.** *m* Tischende *n;* **sedere a ~** am Kopf der Tafel sitzen.
capote [ka'pɔt] ⟨-⟩ *f* Verdeck *n.*
capotribù [-tri'bu] ⟨capitribù *m, - f*⟩ *mf* Stammeshäuptling *m.* **cap(o)ufficio, capo ufficio** [-uf'fi:tʃo] ⟨capi ufficio *m, - f*⟩ *mf* Bürovorsteher(in) *m(f).*
capoverso [-'vɛrso] *m* Absatz *m.*
capovolgere [-'vɔldʒere] ⟨*irr*⟩ **I.** *tr* **1.** *(voltare)* umdrehen, auf den Kopf stellen, umstülpen; **2.** *fig* umkehren; **II.** *rfl:* **-ersi 1.** *(barca)* kentern; *(macchina)* sich überschlagen; **2.** *fig* sich wenden. **capovolgimento** [-voldʒi'mento] *m* **1.** *(ribaltamento)* Umkehr *f;* **2.** *fig* Umwälzung *f; pol* Umsturz *m.*
cappa[1] ['kappa] *f* **1.** *(indumento)* Umhang *m,* Mantel *m;* **2.** *tec* Abzugshaube *f; (del camino)* Rauchfang *m;* **~ di piombo** *fig* bleierne Schwere.
cappa[2] ['kappa] ⟨-⟩ *m o f v.* **K, k.**
cappella[1] [kap'pɛlla] *f rel, mus* Kapelle *f.*
cappella[2] [kap'pɛlla] *f (del fungo)* Hut *m,* Kopf *m.*
cappellano [kappel'la:no] *m* Kaplan *m.*
cappelliera [kappel'liɛ:ra] *f* Hutschachtel *f.* **cappellino** [...'li:no] *m* (Damen)hütchen *n.*
cappello [kap'pɛllo] *m* **1.** *(copricapo)* Hut *m; (copertura, protezione)* (Schutz)haube *f;* **2.** *(di scritto, discorso)* Vorspann *m;* **levarsi** (*o* **togliersi**) **il ~** den Hut ziehen; **tanto di ~!** Hut ab! alle Achtung!
cappero ['kappero] *m* **1.** *gastr* Kaper *f;* **2.** *bot* Kapernstrauch *m.*
cappio ['kappio] ⟨-i⟩ *m* Schlinge *f.*
cappone [kap'po:ne] *m* Kapaun *m.*
cappotto [kap'pɔtto] *m* Mantel *m.*
cappuccino [kapput'tʃi:no] *m* **1.** *gastr* Cappuccino *m;* **2.** *rel* Kapuziner *m.*
cappuccio [kap'puttʃo] ⟨-cci⟩ *m* **1.** *(copricapo)* Kapuze *f;* **2.** *(di penna, biro)* Kappe *f; (copertura)* Haube *f.*
capra ['ka:pra] *f* **1.** *zoo* Ziege *f;* **2.** *tec* Bock *m,* Winde *f.* **capretto** [ka'pretto] *m* **1.** *zoo, gastr* Zicklein *n;* **2.** *(pelle)* Ziegenleder *n.*
capriccio [ka'prittʃo] ⟨-cci⟩ *m* **1.** *(ghiribizzo)* Laune *f;* **2.** *mus* Capriccio *n;* **fare i -cci** bockig sein. **capriccioso, -a** [...'tʃo:so] *agg (bambino)* bockig; *(ragazza)* launisch, zickig *fam,* kapriziös.
capricorno [kapri'kɔrno] *m* **1.** *zoo* Steinbock *m;* **2.** *astr:* **C~** Steinbock *m;* **sono (del** *o* **un) C~** ich bin (ein) Steinbock.
caprifoglio [-'fɔʎʎo] *m* Geißblatt *n.*
capriola [kapri'ɔ:la] *f* **1.** *(salto)* Purzelbaum *m; (nella danza)* Luftsprung *m; (nell'equitazione)* Kapriole *f;* **2.** *zoo* Ricke *f;* **fare le -e** Purzelbäume schlagen.
capriolo [kapri'ɔ:lo] *m* Reh *n.*
capro ['ka:pro] *m* Ziegenbock *m;* **~ espiatorio** *fig* Sündenbock *m.* **caprone** [ka'pro:ne] *m* Ziegenbock *m.*
capsula ['kapsula] *f* **1.** *med, aero* Kapsel *f;* **2.** *chim* Tiegel *m,* Schale *f;* **~ dentaria** (Zahn)krone *f.*
captare [kap'ta:re] *tr* **1.** *(cattivarsi)* sich erwerben; **2.** *radio* empfangen.
capufficio [kapuf'fi:tʃo] *v.* **cap(o)ufficio.**
capzioso, -a [kap'tsio:so] *agg* spitzfindig.
C.A.R. ['kar] *m (acr di* **Centro Addestramento Reclute***)* Zentrum *n* für Rekrutenausbildung.
cara *f v.* **caro.**
carabina [kara'bi:na] *f* Karabiner *m.*
carabiniere [karabi'niɛ:re] *m* Karabiniere *m.*
caraffa [ka'raffa] *f* Karaffe *f.*
caramella [kara'mɛlla] *f* **1.** *gastr* Bonbon *n o m;* **2.** *fig fam* Monokel *n.* **caramellato, -a** [...mel'la:to] *agg* karamelisiert; **zucchero ~** Karamelzucker *m.* **caramello** [...'mɛllo] *m* Karamel *m.*
carato [ka'ra:to] *m* Karat *n.*
carattere [ka'rattere] *m* **1.** *(indole)* Charakter *m; (natura)* Natur *f,* Wesen(sart *f*) *n; (caratteristica)* Merkmal *n,* Kennzeichen *n,* Eigenheit *f;* **2.** *tip* Type *f,* Letter *f;* **3.** *(di scrittura)* Schriftzeichen *n,* Buchstabe *m;* **4.** *biol* (Erb)faktor *m;* **un uomo di ~** ein Mann *m* mit Charakter; **essere in ~ con qc** mit etw. im Einklang sein, zu etw. passen; **mancare di ~** charakterlos sein; **~ di comando** (*o* **di governo**) Steuerzeichen *n;* **-i OCR** OCR-Schrift *f.* **caratteriale** [...'riale] **I.** *agg* charakterlich; *psic* verhaltensgestört, verhaltensauffällig; **II.** *mf* Verhaltensgestörte(r) *mf.* **caratterino** [...'ri:no] *m iron* schwieriger Charakter.

caratteristica [karatte'ristika] ⟨-che⟩ *f (di persona)* Eigenheit *f*, Eigenart *f*; *(di oggetto)* Eigenschaft *f*, Merkmal *n*; **-che tecniche** technische Daten *n pl*. **caratteristico, -a** [...ko] ⟨-ci, -che⟩ *agg* charakteristisch.

caratterizzare [karatterid'dza:re] *tr* charakterisieren; *(distinguere a.)* kennzeichnen.

caratura [kara'tu:ra] *f* Karatmessung *f*.

caravan ['kærəvæn] ⟨-⟩ *m* Wohnwagen *m*, Caravan *m*.

caravella [kara'vɛlla] *f* Karavelle *f*.

carboidrato [karboi'dra:to] *m chim* Kohle(n)hydrat *n*.

carbonaio, -a [karbo'na:io] ⟨-ai, -aie⟩ *m, f* **1.** *(lavoratore)* Köhler(in) *m(f)*; **2.** *com* Kohlenhändler(in) *m(f)*.

carbonaro, -a [karbo'na:ro] *agg*: **alla -a** mit Speck und Eiern.

carboncino [karbon'tʃi:no] *m* **1.** *(per disegnare)* Zeichenkohle *f*, Kohlestift *m*; **2.** *(disegno)* Kohlezeichnung *f*.

carbone [kar'bo:ne] *m* Kohle *f*; ~ **bianco** Wasserkraft *f*; **essere (*o* stare) sui -i accesi** *fig* (wie) auf glühenden Kohlen sitzen; **Comunità Europea del C~ e dell'Acciaio** (*acr* **CECA**) Europäische Gemeinschaft für Kohle und Stahl (*abk* EGKS). **carbonella** [...bo'nɛlla] *f* Holzkohle *f*.

carbonico, -a [kar'bɔ:niko] ⟨-ci, -che⟩ **I.** *agg* kohlensauer; **acido** ~ Kohlensäure *f*; **anidride -a** Kohlendioxyd *n*; **II.** *m* Karbon *n*. **carbonifero, -a** [...bo'ni:fero] *agg* Kohlen-; **bacino** ~ Kohlenbecken *n*. **carbonio** [...'bɔ:nio] *m* Kohlenstoff *m*; **ossido di** ~ Kohlenmonoxyd *n*, Kohlenoxyd *n*. **carbonizzare** [karbonid'dza:re] **I.** *tr* ankohlen, verschmoren (lassen); **II.** *rfl*: **-arsi** verkohlen; *(automobile, ecc.)* völlig ausbrennen.

carburante [karbu'rante] *m* Treibstoff *m*. **carburatore** [...a'to:re] *m* Vergaser *m*. **carburazione** [...rat'tsio:ne] *f* Vergasung *f*.

carcassa [kar'kassa] *f* **1.** *zoo* Gerippe *n*; **2.** *tec* Gerüst *n*; *(di turbine)* Gehäuse *n*; *naut* Wrack *n*; *(ossatura)* (Schiffs)gerippe *n*; **3.** *fig peg (macchina)* Klapperkiste *f fam*.

carcerario, -a [kartʃe'ra:rio] ⟨-i, -ie⟩ *agg* Gefängnis-. **carcerato, -a** [kartʃe'ra:to] *m, f* Häftling *m*. **carcerazione** [...rat'tsio:ne] *f* **1.** *(provvedimento)* Inhaftierung *f*; **2.** *(periodo)* Haft *f*.

carcere ['kartʃere] ⟨*pl*: -i *f*⟩ *m* **1.** *(luogo)* Gefängnis *n*; **2.** *(pena)* Gefängnis(strafe *f*) *n*; ~ **giudiziario/preventivo** Untersuchungsgefängnis *n*/Untersuchungshaft *f*. **carceriere, -a** [...'riɛ:re] *m, f* **1.** *(secondino)* Gefängniswärter(in) *m(f)*; **2.** *fig peg* Kerkermeister *m*.

carcinoma [kartʃi'nɔ:ma] ⟨-i⟩ *m* Karzinom *n wissensch.*, Krebsgeschwulst *f*.

carciofino [kartʃo'fi:no] *m* Artischockenherz *n*. **carciofo** [...'tʃɔ:fo] *m* Artischocke *f*.

cardanico, -a [kar'da:niko] ⟨-ci, -che⟩ *agg* Kardan-; **albero** ~ Kardanwelle *f*.

cardellino [kardel'li:no] *m* Stieglitz *m*.

cardiaco, -a [kar'di:ako] ⟨-ci, -che⟩ *agg* Herz-.

cardigan ['kardigan] ⟨-⟩ *m* Cardigan *m*, Strickjacke *f*.

cardinale [kardi'na:le] **I.** *agg (fondamentale)* Grund-, hauptsächlich; *(a. geog)* Haupt-; *(virtù, numero)* Kardinal-; **punti -i** (Haupt)himmelsrichtungen *f pl*; **II.** *m* Kardinal *m*.

cardine ['kardine] *m tec* Angel *f*.

cardiochirurgia [kardiokirur'dʒia] ⟨-gie⟩ *f* Herzchirurgie *f*. **cardiocircolatorio, -a** [-tʃirkola'tɔrio] *agg* Herz- und Kreislauf-. **cardiologia** [-lo'dʒi:a] ⟨-gie⟩ *f* Kardiologie *f*. **cardiologo, -a** [...'diɔ:logo] ⟨-gi, -ghe⟩ *m, f* Herzspezialist(in) *m(f)*, Kardiologe *m*, -login *f*. **cardiopatico** [-'patiko] ⟨-ci, -che⟩ *agg* herzkrank. **cardiostimolatore** [-stimola'tore] *m* Herzschrittmacher *m*.

cardo ['kardo] *m* Distel *f*.

carena [ka'rɛ:na] *f naut* Kiel *m*; *aero* Rumpf *m*. **carenaggio** [kare'naddʒo] ⟨-ggi⟩ *m* Kielholung *f*.

carente [ka'rɛnte] *agg* -arm; **un'alimentazione ~ di vitamine** eine vitaminarme Ernährung.

carenza [ka'rɛntsa] *f* Mangel *m* (*di* an +*dat*); **per ~ di prove** *dir* mangels Beweisen; ~ **di posti di lavoro** Arbeitsplatzmangel *m*; ~ **di parcheggi** Parkraumnot *f*; ~ **legislativa** Gesetzeslücke *f*.

carestia [kares'ti:a] ⟨-ie⟩ *f* (Hungers)not *f*.

carezza [ka'rettsa] *f* Streicheln *n*, Liebkosung *f*; **fare una ~ a qu** jdn streicheln (*o* liebkosen). **carezzare** [...'tsa:re] *tr* streicheln.

cariare [ka'ria:re] ⟨cario, cari⟩ **I.** *tr* **1.** *(provocare carie)* Karies verursachen bei (*o* an +*dat*); **2.** *fig (intaccare)* angreifen; *(corrodere)* zerfressen; **la cioccolata caria i denti** Schokolade greift die Zähne an; **II.** *rfl*: **-arsi** von Karies befallen werden, kariös werden.

caribico, -a [ka'ri:biko] ⟨-ci, -che⟩ *agg* karibisch.

carica ['ka:rika] ⟨-che⟩ *f* **1.** *amm* Amt *n*; **2.** *fis, el* Ladung *f*; **3.** *mil* Attacke *f*; *(a. sport)* Angriff *m*; **4.** *fig* Ausstrahlung *f*; *(slancio)* Elan *m*, Schwung *m*; **essere in** ~ ein Amt innehaben (*o* ausüben); **tornare alla** ~ erneut angreifen; *fig* es noch einmal versuchen.

caricabatteria [karikabatte'ria] ⟨-⟩ *m* Ladegerät *n*.

caricare [kari'ka:re] ⟨carico, carichi⟩ **I.** *tr* **1.** *(macchina, camion, bastimento)* (be)laden; *(riempire)* aufladen; **2.** *(fuci-*

le, pistola) laden; **3.** *(orologio)* aufziehen; **4.** *fot* einen Film einlegen in *+akk;* **5.** *inform* laden; **6.** *sport* behindern; **7.** *fig* belasten (*di* mit), aufbürden, -lasten (*qu di qc* jdm etw.); ~ **la dose** das Maß steigern; **II.** *rfl:* **-arsi** sich belasten (*di* mit). **caricatore** [...ka'to:re] *m* **1.** *mil, fot, film* Magazin *n;* **2.** *(operaio)* Ladearbeiter *m,* Auf-, Verlader *m.*

caricatura [karika'tu:ra] *f* Karikatur *f.* **caricaturista** [...tu'rista] ⟨-i *m,* -e *f*⟩ *mf* Karikaturist(in) *m(f).*

carico, -a ['ka:riko] ⟨-chi, -che⟩ **I.** *agg* **1.** *(carro, camion, nave)* beladen (*di* mit); **2.** *(persona)* bepackt (*di* mit); **3.** *fig* überhäuft (*di* mit, von); *peg* belastet (*di* mit); **4.** *(colore)* kräftig, intensiv; *peg* grell; **5.** *(tè, caffè)* stark; **6.** *(pistola, batteria)* geladen; *(orologio, sveglia)* aufgezogen; **II.** *m* **1.** *(di merce)* Verladung *f;* **2.** *(quantità)* Ladung *f;* **3.** *naut* Fracht *f;* **4.** *(peso)* Last *f;* **5.** *el* Leistung *f,* Ladung *f;* **6.** *fig* Verantwortung *f,* Belastung *f;* **persone a** ~ unterhaltsberechtigte Personen *f pl;* **avere la famiglia a** ~ die Familie ernähren müssen; **farsi** ~ **di qc** sich *(dat)* über etw. Gedanken (*o* Sorgen) machen; **vivere a** ~ **di qu** auf jds Kosten leben; **a** ~ **di** zu Lasten von.

carie ['ka:rie] ⟨-⟩ *f* Karies *f.*

carillon [kari'jɔ̃] ⟨-⟩ *m* Glockenspiel *n;* *(scatola armonica)* Spieldose *f.*

carino, -a [ka'ri:no] *agg* lieb; *(grazioso)* hübsch, nett.

Carinzia [ka'rintsia] *f* Kärnten *n.*

carisma [ka'rizma] ⟨-i⟩ *m* Charisma *n.* **carismatico, -a** [...riz'matiko] ⟨-ci, -che⟩ *agg* charismatisch.

carità [kari'ta] ⟨-⟩ *f* **1.** *(compassione)* Erbarmen *n,* Mitleid *n,* Mitgefühl *n;* *(misericordia)* Barmherzigkeit *f;* *(rel a.)* Nächstenliebe *f;* **2.** *(elemosina)* Almosen *n;* **3.** *fam* Gefallen *m;* **chiedere/fare la** ~ um Almosen bitten/Almosen gewähren; **fammi la** ~ **di spegnere la radio** *fam* tu mir den Gefallen und mach das Radio aus; **per** ~**!** um Himmels willen!. **caritatevole** [-'te:vole] *agg* barmherzig; *(benefico)* mild-, wohltätig.

Carla ['karla] *(nome proprio femminile)* Karla.

Carlo ['karlo] *(nome proprio maschile)* Karl.

carlona [kar'lo:na] *f:* **alla** ~ schlampig *fam,* auf die Schnelle *fam.*

carminio [kar'mi:nio] ⟨-i⟩ *m* Karmesin *n,* Karmin(rot) *n.*

carnagione [karna'dʒo:ne] *f* Teint *m,* Hautfarbe *f.*

carnale [kar'na:le] *agg* **1.** *(sensuale)* sinnlich; **2.** *(fratello, cugino)* leiblich, blutsverwandt; **violenza** ~ Notzucht *f.*

carne ['karne] *f* Fleisch *n;* ~ **in scatola** Dosenfleisch *n;* ~ **bianca/rossa** helles/dunkles Fleisch; ~ **tritata/salata** Hack-/Pökelfleisch *n;* ~ **viva** rohes Fleisch; **essere (bene) in** ~ *fig* gut im Fleisch (*o* im Futter) stehen *fam;* **non essere né** ~ *fig* **né pesce** weder Fisch noch Fleisch sein; **mettere troppa** ~ *fig* **al fuoco** zuviel auf einmal unternehmen; **in** ~ **ed ossa** leibhaftig.

carnefice [kar'ne:fitʃe] *m* **1.** *(boia)* Henker *m;* **2.** *fig* Tyrann *m.* **carneficina** [...nefi'tʃi:na] *f* Blutbad *n.*

carnet [kar'nɛ] ⟨-⟩ *m* **1.** *(taccuino)* Notizbuch *n;* **2.** *com* Carnet *n;* ~ **di assegni** Scheckheft *n,* -buch *n.*

carnevale [karne'va:le] *m* Karneval *m,* Fastnacht *f,* Fasching *m;* **veglione di** ~ Faschingsball *m.* **carnevalesco, -a** [...va'lesko] ⟨-chi, -che⟩ *agg* Faschings-, Fastnachts-, Karnevals-.

carniere [kar'niɛ:re] *m* Jagdtasche *f.*

carnivoro, -a [kar'ni:voro] **I.** *agg* fleischfressend; **II.** *m pl* Fleischfresser *m pl.*

carnoso, -a [kar'no:so] *agg* fleischig.

caro, -a ['ka:ro] **I.** *agg* **1.** *gener.* lieb, nett; *(amabile)* liebenswert; **2.** *(costoso)* teuer; **(tanti) -i saluti** (viele) liebe Grüße; **tenere** ~ **qc** etw. in Ehren halten; **sono stati molto -i con me** sie waren sehr nett zu mir; **questo quadro mi è molto** ~ ich hänge sehr an diesem Bild; **II.** *avv* teuer; **devi pagarla -a** *fig* das wird dich teuer zu stehen kommen; **III.** *m, f* Liebe(r) *mf,* Liebste(r) *mf.*

caro-affitto [karoaf'fitto] ⟨-⟩ *m* steigende Mietpreise *m pl.*

caro-fitti [karo'fitti] ⟨-⟩ *m* steigende Mietpreise *m pl.*

carogna [ka'roɲɲa] *f (a. fig)* Aas *n.* **carognata** [...'ɲa:ta] *f fam* Niederträchtigkeit *f,* Gemeinheit *f.*

caro-petrolio [karope'trɔlio] ⟨-⟩ *m* Erdölverteuerung *f.*

carota [ka'rɔ:ta] *f* Karotte *f,* Möhre *f,* Mohrrübe *f;* **pel di** ~ Rotschopf *m.*

carotide [ka'rɔ:tide] *f* Halsschlagader *f.*

carovana [karo'va:na] *f* Karawane *f.*

carovita [karo'vi:ta] ⟨-⟩ *m* Teuerung *f;* **indennità di** ~ Teuerungszulage *f.*

carpa ['karpa] *f* Karpfen *m.*

carpentiere [karpen'tiɛ:re] *m* Zimmermann *m;* ~ **in ferro** Bauschlosser *m.*

carpire [kar'pi:re] ⟨carpisco⟩ *tr:* ~ **qc a qu** jdm etw entreißen; *(con astuzia)* jdm etw entlocken.

carpo ['karpo] *m* Handwurzel *f.*

carponi [kar'po:ni] *avv* auf allen vieren.

carrabile [kar'ra:bile] *agg* befahrbar; **passo** ~ Auf-/Einfahrt *f;* *(avviso stradale)* Ausfahrt freihalten!. **carraio, -a** [...'ra:io] ⟨-ai, -aie⟩ *agg* Fahr-.

carreggiata [karred'dʒa:ta] *f* **1.** *mot* (Fahr)bahn *f;* **2.** *mot (di veicolo)* Spurweite *f;* **3.** *fig* Bahn *f;* **uscir di** ~ *fig* aus der Bahn kommen; **rimettersi in** ~ auf den richtigen Weg zurückfinden.

carrello [kar'rɛllo] *m* **1.** *(per trasporto)*

Wagen *m;* **2.** *tec* Schlitten *m,* Rollgestell *n,* Gleitvorrichtung *f; aero* Fahrwerk *n; (della macchina da scrivere)* Wagen *m; film* Kamerawagen *m;* **3.** *(per cibi e bevande)* Tee-, Servierwagen *m; (per la spesa)* Einkaufswagen *m;* ~ **elevatore a forca** Gabelstapler *m.*

carretta [kar'retta] *f (a. fig peg)* Karre *f,* Karren *m;* **tirare la** ~ *fig* sich abplagen, sich abrackern *fam.* **carrettiere** [...'ti̯ɛ:re] *m* Fuhrmann *m.* **carretto** [...'retto] *m* Karren *m; (a mano)* Handwagen *m,* -karren *m.*

carriera [kar'ri̯ɛ:ra] *f* **1.** *(professione)* Beruf *m; (avanzamento in una professione)* Karriere *f,* Laufbahn *f;* **2.** *(corsa)* Lauf *m; (del cavallo)* gestreckter Galopp, Karriere *f;* ~ **esecutiva/di concetto/direttiva** Laufbahn *f* des mittleren/gehobenen/höheren Dienstes; **di** (*o* **a**) **gran** ~ sehr schnell; **sbagliare** ~ den falschen Beruf ergreifen.

carriola [karri'ɔ:la] *f* Schubkarren *m; (carretto a mano)* Handwagen *m.*

carro ['karro] *m* Wagen *m;* ~ **armato** Panzer *m;* ~ **attrezzi** Abschleppwagen *m;* ~ **merci/bestiame** Güterwagen *m*/Viehwaggon *m;* ~ **funebre** Leichenwagen *m.*

carrozza [kar'rɔttsa] *f* **1.** *(vettura)* Kutsche *f;* **2.** *ferr* Eisenbahnwagen *m;* ~ **ristorante** Speisewagen *m;* **signori, in** ~! alles einsteigen!. **carrozzabile** [...rot'tsa:bile] **I.** *agg* befahrbar; **II.** *f* befahrbare Straße. **carrozzella** [...rot'tsɛlla] *f* **1.** *(per bambini)* Kinderwagen *m;* **2.** *(per invalidi)* Rollstuhl *m.*

carrozzeria [karrottse'ri:a] ⟨-ie⟩ *f* **1.** *mot* Karosserie *f;* **2.** *(officina)* (Karosserie)-werkstatt *f;* **danni alla** ~ Blechschaden *m.* **carrozziere** [...'tsi̯ɛ:re] *m* Autoschlosser *m.*

carrozzina [karrot'tsi:na] *f* Kinderwagen *m.* **carrozzone** [karrot'tso:ne] *m* Zirkuswagen *m.*

carrucola [kar'ru:kola] *f* Flaschenzug *m.*

carta ['karta] *f* **1.** *gener.* Papier *n;* **2.** ⟨*pl*⟩ *dir, amm* Papiere *n pl;* **3.** *geog* (Land)-karte *f; (pianta)* Plan *m; gastr* (Speise)-karte *f;* **4.** *(da gioco)* Spielkarte *f;* ~ **assorbente** (*o* **asciugante**) Löschpapier *n;* ~ **vetrata/oleata/igienica** Schmirgel-/Butterbrot-/Toilettenpapier *n;* ~ **crespata** Kreppapier *n;* ~ **cellofanata** Frischhaltefolie *f;* ~ **riciclata** Umweltschutzpapier *n,* Recyclingpapier *n;* ~ **bollata** (*o* **da bollo**) Stempelpapier *n;* ~ **assegni** Scheckkarte *f;* ~ **di credito** Kreditkarte *f;* ~ **moneta** Papiergeld *n;* ~ **costituzionale** Verfassung(surkunde) *f;* ~ **da parati** Tapete *f;* ~ **d'identità** Personalausweis *m;* ~ **d'argento** Seniorenpaß *m;* ~ **di circolazione** Fahrzeugschein *m;* ~ **verde** grüne Versicherungskarte; ~ **d'imbarco** Bordkarte *f;* **la** ~ **delle Nazioni Unite** die Charta der Vereinten Nationen; **avere le -e in regola** seine Papiere in Ordnung haben; *fig* qualifiziert sein; **cambiare le -e in tavola** *fig* die Situation zu seinen Gunsten verdrehen; **dare** ~ **bianca a qu** jdm freie Hand lassen; **farsi fare le -e** sich *(dat)* die Karten legen lassen; **leggere le -e** aus den Karten lesen, (die) Karten legen; **mangiare alla** ~ à la carte essen. **cartacarbone** [-kar'bo:ne] ⟨cartecarbone⟩ *f* Kohlepapier *n.* **cartamodello** [-mo'dɛllo] *m* Schnittmusterbogen *m.* **cartamoneta** [-mo'ne:ta] *f* Papiergeld *n.* **cartapecora** [-'pɛ:kora] *f* Pergament *n.* **cartapesta** [-'pesta] *f* Pappmaché *n.* **cartastraccia** [kartas'trattʃa] ⟨cartestracce⟩ *f* Altpapier *n.* **cartecarbone** *pl di* **cartacarbone.**

carteggio [kar'teddʒo] ⟨-ggi⟩ *m* Briefsammlung *f; (corrispondenza)* Briefwechsel *m.*

cartella [kar'tɛlla] *f* **1.** *(foglio)* Blatt *n; (scheda)* Schein *m; tip* Manuskriptseite *f; fin* Schatzanweisung *f;* **2.** *(documento)* Akte, Bogen; **3.** *(custodia)* Mappe *f; (per la scuola)* Schultasche *f;* **4.** *inform* Ordner; ~ **delle tasse** Steuerbescheid *m;* ~ **clinica** Krankenblatt *n.*

cartellino [kartel'li:no] *m* **1.** *com* Schild(chen) *n,* Etikett *n;* **2.** *(targhetta)* Namensschild *n;* ~ **dei prezzi** Preisschild *n;* ~ **orologio** (*o* **di presenza**) Stechkarte *f;* **timbrare il** ~ stechen.

cartello[1] [kar'tɛllo] *m* Schild *n;* ~ **stradale** (Straßen)verkehrsschild *n;* ~ **pubblicitario** Werbeplakat *n.*

cartello[2] [kar'tɛllo] *m com* Kartell *n.*

cartellone [kartel'lo:ne] *m* **1.** *(per pubblicità)* Plakat *n;* **2.** *(della tombola)* Lottotafel *f;* **3.** *(programma)* Programm *n; theat* Spielplan *m;* **tenere il** ~ lange auf dem Spielplan bleiben. **cartellonista** [...lo'nista] ⟨-i *m,* -e *f*⟩ *mf* Plakatmaler(in) *m(f).*

carter ['karter] ⟨-⟩ *m:* ~ **d'insonorizzazione** Schallschluckhaube *f.*

cartestracce *pl di* **cartastraccia.**

cartevalori, carte valori [karteva'lo:ri] *f pl* Wertpapiere *n pl.*

cartiera [kar'ti̯ɛ:ra] *f* Papierfabrik *f.*

cartilagine [karti'la:dʒine] *f* Knorpel *m.*

cartina [kar'ti:na] *f* **1.** *(per sigarette)* Zigarettenpapier *n;* **2.** *(chim, per aghi, automatici, ganci)* Briefchen *n;* **3.** *geog* (Land)karte *f; (della città)* Stadtplan *m.*

cartoccio [kar'tɔttʃo] ⟨-cci⟩ *m* **1.** *(involucro di carta)* Tüte *f;* **2.** *(contenuto)* Tüte(voll) *f;* **3.** *gastr* Folie *f;* **pesce/pollo al** ~ Fisch/Hähnchen in Folie (gebacken).

cartografia [kartogra'fi:a] *f* Kartographie *f.*

cartolaio, -a [karto'la:i̯o] ⟨-ai, -aie⟩ *m, f* Schreibwarenhändler(in) *m(f).* **cartoleria** [...le'ri:a] ⟨-ie⟩ *f* Schreibwarenhand-

lung *f*.
cartolina [karto'li:na] *f* Karte *f;* ~ **postale/illustrata** Post-/Ansichtskarte *f;* ~ **precetto** (*o* **rosa** *fam*) Einberufungsbefehl *m*.
cartomante [karto'mante] *mf* Kartenleger(in) *m(f)*. **cartomanzia** [...n'tsi:a] ⟨-ie⟩ *f* Kartenlegen *n*.
cartoncino [karton'tʃi:no] *m* **1.** *(cartone leggero)* leichter Karton, Steifpapier *n;* **2.** *(biglietto)* Kärtchen *n;* ~ **d'auguri** Glückwunschkarte *f*.
cartone [kar'to:ne] *m* **1.** *(carta consistente)* Pappe *f,* Karton *m;* **2.** *(disegno)* Karton *m;* **-i animati** (Zeichen)trickfilm *m*. **cartonista** [...to'nista] ⟨-i *m,* -e *f*⟩ *mf* Trickfilmzeichner(in) *m(f)*.
cartuccia [kar'tuttʃa] ⟨-cce⟩ *f* **1.** *mil* Patrone *f; (artiglieria pesante)* Kartusche *f;* **2.** *(di penna)* Patrone *f*.
casa ['ka:sa] *f* **1.** *(abitazione)* Haus *n;* **2.** *(istituto)* Heim *n,* Anstalt *f;* **3.** *com* Firma *f; (di vendita a.)* Handelshaus *n;* **4.** *pol* (Herrscher)haus *n;* ~ **di cura** Privatkrankenhaus *n,* -klinik *f;* ~ **di correzione/pena** Besserungs-/Strafanstalt *f;* ~ **di ricovero** Altersheim *n;* ~ **dello studente** Studentenwohnheim *n;* ~ **chiusa** (*o* **di tolleranza**) Freudenhaus *n;* ~ **da gioco** Spielhalle *f;* ~ **editrice** Verlag(shaus *n*) *m;* ~ **popolare** Siedlungshaus *n; (abitazione sociale)* Sozialwohnung *f;* **essere in** ~ zu Hause sein; **essere fuori (di)** ~ außer Haus sein; **andare a** ~ nach Hause gehen; **mandare avanti la** ~ den Haushalt führen; **metter su** ~ *fam* einen eigenen Hausstand gründen; **giocare in/fuori** ~ *sport* zu Hause/auswärts spielen; **fatto in** ~ *gastr* hausgemacht; **a** ~ **mia** bei mir zu Hause; **fai come se fossi a** ~ **tua** fühl dich wie zu Hause.
casacca [ka'zakka] ⟨-cche⟩ *f* Kasack *m*.
casaccio [ka'zattʃo] *m:* **a** ~ unüberlegt, aufs Geratewohl.
casalingo, -a [kasa'liŋgo] ⟨-ghi, -ghe⟩ **I.** *agg* **1.** *(vita, persona)* häuslich; **2.** *gastr* hausgemacht; **3.** *sport* Heim-; **pane** ~ selbstgebackenes Brot; **incontro** ~ Heimspiel *n;* **alla -a** nach Hausfrauenart; **II.** *m pl* Haushaltswaren *f pl;* **III.** *m, f* Hausmann *m,* -frau *f*.
casamento [kasa'mento] *m* **1.** *(edificio)* (Wohn)block *m;* **2.** *(persone)* Hausgemeinschaft *f*.
casato [ka'sa:to] *m* **1.** *(cognome)* Familienname *m* **2.** *(stirpe)* Familie *f,* Geschlecht *n*.
cascame [kas'kame] *m* Abfallprodukt *n*.
cascamorto [kaska'mɔrto] *m fam* Schmachtlappen *m fam;* **fare il** ~ **a qu** *fam* jdn anschmachten *fam*.
cascante [kas'kante] *agg* schlaff; *(debole)* schwach, kraftlos; *(guance, seno)* Hänge-.
cascare [kas'ka:re] ⟨casco, caschi⟩ *itr* ⟨*essere*⟩ *fam* fallen; ~ **dal sonno** *fig* vor Müdigkeit umfallen; ~ **bene/male** *fig (di persona)* an den Richtigen/Falschen geraten; *(di cosa)* das Richtige/Falsche treffen; **far** ~ **qc dall'alto a qu** *fig* jdm etw. nach langem Hinhalten gewähren; **cascarci** darauf hereinfallen.
cascata [kas'ka:ta] *f* Wasserfall *m*. **caschetto** [...'ketto] *m* Bubikopf *m*.
cascina [kaʃ'ʃi:na] *f* Bauernhof *m*.
cascinale [kaʃʃi'na:le] *m* Ansiedlung *f,* Weiler *m; (casolare)* Landhaus *n*.
casco ['kasko] ⟨-schi⟩ **I.** *m* **1.** *mil, sport* Helm *m;* **2.** *(dal parrucchiere)* (Trokken)haube *f;* ~ **blu** Blauhelm *m,* UNO-Soldat *m;* ~ **di banane** Bananenbüschel *n;* **II.** ⟨*inv*⟩ *agg:* **polizza** ~ Kaskoversicherung *f*.
caseario, -a [kaze'a:rjo] ⟨-i, -ie⟩ *agg* Käse-, Molkerei-.
caseggiato [kased'dʒa:to] *m (gruppo di case)* Siedlung *f; (singolo edificio)* Wohn-, Mietshaus *n*.
caseificio [kasei'fi:tʃo] ⟨-ci⟩ *m* Käserei *f,* Molkerei *f*.
casella [ka'sɛlla] *f* **1.** *(quadretto)* Kästchen *n;* **2.** *(scompartimento)* Fach *n;* ~ **postale** (*abbr* **C.P.**) Postfach *n*.
casellario [kasel'la:rjo] ⟨-i⟩ *m* **1.** *(per documenti)* Aktenschrank *m;* **2.** *dir:* ~ **giudiziale** Strafregister *n*.
casello [ka'sɛllo] *m* Autobahnzahlstelle *f,* -häuschen *n,* Mautstelle *f A*.
caserma [ka'sɛrma *o* ka'zɛ...] *f* Kaserne *f*.
cash ['kæʃ] ⟨-⟩ *m* Bargeld *n*. **cash flow** [-fləʊ] ⟨-⟩ *m* Cash-flow *m,* Kassenzufluß *m*.
cashmere ['ka:ʃmir] ⟨-⟩ *m* Kaschmir *m*.
casinista [kazi'nista] ⟨-i *m,* -e *f*⟩ *mf fam* **1.** *(confusionario)* Chaot(in) *m(f) fam;* **2.** *(tipo di compagnia)* Stimmungskanone *f fam*.
casino [ka'zi:no] *m fam* **1.** *(disordine)* Durcheinander *n,* Tohuwabohu *n,;* **2.** *(chiasso)* Radau *m fam;* **3.** *(bordello)* Puff *m fam*.
casinò [kazi'nɔ] ⟨-⟩ *m* (Spiel)kasino *n*.
caso ['ka:zo] *m* **1.** *(imprevisto)* Zufall *m,* Fügung *f;* **2.** *(ipotesi)* Fall *m,* Annahme *f;* **3.** *(fatto)* Fall *m,* Ereignis *n;* **4.** *gram* Fall *m,* Kasus *m;* ~ **fortuito** Zufall *m;* ~ **limite** Grenzfall *m;* ~ **di coscienza** Gewissensfrage *f;* **un** ~ **disperato** ein aussichtsloser (*o* hoffnungsloser) Fall; **in** ~ **di morte/malattia** im Todes-/Krankheitsfall; **per (puro)** ~ (rein) zufällig; **a** ~ auf gut Glück, aufs Geratewohl; **in** ~ **affermativo** im positiven Fall; **in** (*o* **nel**) ~ **contrario** ander(e)nfalls; **in qualunque** ~ in jedem Fall; **in tal** ~ in diesem Fall; **in tutti i -i, in ogni** ~ *(comunque)* auf jeden Fall, jedenfalls; *(sempre)* in jedem Fall; **in nessun** ~ keinesfalls; **nel peggiore dei -i** schlimmstenfalls; **nel** ~

che (*o* **in cui)** +*congv* für den Fall, daß ...; **mettiamo** (*o* **poniamo) il** ~ **che** +*congv* gesetzt den Fall, daß ...; **si dà (il)** ~ **che** +*congv* Tatsache ist, daß ...; **i -i sono due** es gibt zwei Möglichkeiten; **questo non fa al** ~ **nostro** das ist nichts für uns; **non mi sembra che sia il** ~ **di prendersela** ich glaube nicht, daß man sich darüber aufregen sollte; **non è il** ~ es lohnt (sich) nicht.

casolare [kaso'la:re] *m* abgelegenes Haus.

casomai, caso mai [kazo'ma:i, 'ka:zo 'ma:i] *cong* +*congv* für den Fall, falls.

caspita ['kaspita] *interi fam* Donnerwetter; **ma che** ~ **vuoi!** *fam* zum Donnerwetter, was willst du (denn)?

cassa ['kassa] *f* **1.** *(recipiente)* Kiste *f,* Kasten *m;* **2.** *tec (dell'orologio)* Gehäuse *n;* **3.** *com, fin* Kasse *f;* ~ **acustica** Lautsprecher(box *f*) *m;* ~ **continua** Nachttresor *m;* ~ **mobile** Container *m;* ~ **da morto** Sarg *m;* ~ **di risparmio** Sparkasse *f;* ~ **integrazione** Lohnergänzungskasse *f,* **andare** (*o* **essere) in** ~ **integrazione** kurzarbeiten; ~ **malattia** Krankenkasse *f;* ~ **toracica** *anat* Brustkasten *m;* **la gran** ~ die große Trommel; **batter** ~ *fam* Geld verlangen; **pagare (a) pronta** ~ bar zahlen.

cassaforte [-'fɔrte] ⟨casseforti⟩ *f* Safe *m o n,* Geldschrank *m.* **cassapanca** [-'paŋka] ⟨-che *o* cassepanche⟩ *f* Sitztruhe *f,* Truhenbank *f.*

cassazione [kassat'tsio:ne] *f:* **Corte di C**~ Kassationshof *m.*

casseforti *pl di* **cassaforte.**

cassepanche *pl di* **cassapanca.**

casseruola [kasse'ruɔ:la] *f* Kasserolle *f.*

cassetta [kas'setta] *f* **1.** *gener., tec* Kasten *m;* **2.** *(di registratore, video)* Kassette *f;* **3.** *(di carrozza)* (Kutsch)bock *m;* ~ **degli attrezzi** (*o* **portautensili**) Werkzeugkasten *m;* ~ **delle lettere** Briefkasten *m;* ~ **di pronto soccorso** Verband(s)kasten *m;* ~ **di sicurezza** Schließfach *n;* ~ **puliscitestine** Reinigungskassette *f;* **film di** ~ kommerzieller Film; **pane a** ~ Kastenbrot *n.*

cassettiera [kasset'tiɛ:ra] *f* Schubladenschrank *m.* **cassetto** [kas'setto] *m* Schublade *f;* ~ **portaoggetti** *mot* Handschuhfach *n.*

cassettone [kasset'to:ne] *m* **1.** *(mobile)* Kommode *f;* **2.** *arch* Kassette *f;* **soffitto a -i** Kassettendecke *f.*

cassiere, -a [kas'siɛ:re] *m, f* Kassierer(in) *m(f).*

cassintegrato [kassinte'grato] *m* Kurzarbeiter(in) *m(f).*

cassone [kas'so:ne] *m* **1.** *(grande cassa)* große Kiste; **2.** *(mobile)* große Truhe.

cassonetto [kasso'netto] *m* Müllcontainer *m.*

cast [kɑ:st] ⟨-⟩ *m* Besetzung *f.*

casta ['kasta] *f* Kaste *f.*

castagna [kas'taɲɲa] *f* Kastanie *f;* **prendere qu in** ~ *fig* jdn auf frischer Tat ertappen. **castagno** [...ɲo] *m* Kastanie *f,* Kastanienbaum *m.*

castano, -a [kas'ta:no] *agg* kastanienbraun.

castello [kas'tɛllo] *m* **1.** *gener.* Burg *f,* Schloß *n;* **2.** *(impalcatura)* Gerüst *n;* **fare -i in aria** *fig* Luftschlösser bauen.

castigare [kasti'ga:re] ⟨castigo, castighi⟩ *tr* bestrafen. **castigo** [...'ti:go] ⟨-ghi⟩ *m* Strafe *f;* **mettere/essere in** ~ *fam* in die Ecke stellen/in der Ecke stehen.

castità [kasti'ta] ⟨-⟩ *f* Keuschheit *f;* **cintura di** ~ Keuschheitsgürtel *m.* **casto, -a** ['kasto] *agg* keusch.

castorino [kasto'ri:no] *m* **1.** *(pelliccia)* Nutria(fell *n*) *m;* **2.** *zoo* Nutria *f,* Biberratte *f.*

castoro [kas'tɔ:ro] *m* **1.** *zoo* Biber *m;* **2.** *(pelliccia)* Biberpelz *m.*

castrare [kas'tra:re] *tr* kastrieren. **castrato, -a** [...'tra:to] **I.** *agg* kastriert; **II.** *m* **1.** *zoo* kastriertes Tier; **2.** *gastr* Hammelfleisch *n;* **3.** *mus* Kastrat *m.*

castrazione [kastrat'tsio:ne] *f* Kastration *f.*

casual ['kæʒuəl] **I.** ⟨*inv*⟩ *agg* leger, Freizeit-; **II.** ⟨-⟩ *m* Freizeitkleidung *f.*

casuale [kazu'a:le] *agg* zufällig. **casualità** [...uali'ta] ⟨-⟩ *f* Zufälligkeit *f.*

casupola [ka'su:pola] *f* Hütte *f,* bescheidenes Häuschen.

cataclisma [kata'klizma] ⟨-i⟩ *m* Naturkatastrophe *f.*

catacomba [kata'komba] *f* Katakombe *f.*

catafascio [kata'faʃʃo] *m:* **a** ~ durcheinander; **andare/mandare a** ~ durcheinandergeraten/-bringen.

catalitico, -a [kata'litiko] ⟨-ci, -che⟩ *agg* katalytisch; **marmitta ~a** *mot* Katalysator *m.* **catalizzato, -a** [katalid'dʒa:to] *agg mot* mit Katalysator.

catalizzatore [kataliddza'to:re] *m chim* Katalysator *m.*

catalogare [katalo'ga:re] ⟨catalogo, cataloghi⟩ *tr* katalogisieren.

catalogo [ka'ta:logo] ⟨-ghi⟩ *m* Katalog *m,* Verzeichnis *n;* ~ **alfabetico/per materie** (*o* **sistematico)/a soggetto** alphabetischer/systematischer/thematischer Katalog.

catapecchia [kata'pekkia] ⟨-cchie⟩ *f* Bruchbude *f fam.*

catapulta [kata'pulta] *f* Katapult *n o m.*

catarifrangente [katarifran'dʒɛnte] *m* Rückstrahler *m,* Katzenauge *n fam.*

catarro [ka'tarro] *m* Katarrh *m.*

catasta [ka'tasta] *f* Stapel *m,* Stoß *m.*

catasto [ka'tasto] *m* **1.** *(registro)* Kataster *m o n;* **2.** *(ufficio)* Katasteramt *n.*

catastrofe [ka'tastrofe] *f* Katastrophe *f;* ~ **atomica/ecologica** atomare/ökologische Katastrophe. **catastrofico, -a**

[...'trɔ:fiko] ⟨-ci, -che⟩ *agg* katastrophal. **catechismo** [kate'kizmo] *m* Katechismus *m.*

categoria [katego'ri:a] ⟨-ie⟩ *f* Kategorie *f;* ~ **a rischio** Risikogruppe *f;* **contratto di** ~ Tarifvertrag *m* einer Berufsgruppe; ~ **di prezzo** Preisklasse *f;* ~ **di reddito** Einkommensschicht *f.* **categorico, -a** [...'gɔ:riko] ⟨-ci, -che⟩ *agg* kategorisch. **categorizzare** [...gorid'dzare] *tr* kategorisieren.

catena [ka'te:na] *f* Kette *f;* ~ **alberghiera** Hotelkette *f;* ~ **umana** Menschenkette *f;* ~ **di montaggio** (*o* **di lavorazione**) Fließband *n;* ~ **di trasmissione** Antriebskette *f;* **-e da neve** Schneeketten *f pl.* **catenaccio** [kate'nattʃo] ⟨-cci⟩ *m* Riegel *m.*

cateratta [kate'ratta] *f* **1.** *med* grauer Star; **2.** *geog* Stromschnelle *f,* Katarakt *m;* **3.** *(chiusa)* Schleuse *f.*

Caterina [kate'ri:na] *(nome proprio femminile)* Katharina, Käthe.

caterpillar [kater'pillar] ⟨-⟩ *m* Caterpillar *m.*

caterva [ka'tɛrva] *f* Menge *f,* Haufen *m,* Herde *f.*

catetere [kate'tɛ:re] *m* Katheter *m.*

cateto [ka'tɛ:to] *m* Kathete *f.*

catinella [kati'nɛlla] *f* Waschschüssel *f;* **piove a -e** *fig* es schüttet (*o* es gießt) wie aus Eimern.

catino [ka'ti:no] *m* Schüssel *f.*

catodo ['ka:todo] *m* Kathode *f.*

catorcio [ka'tɔrtʃo] ⟨-ci⟩ *m fam peg (oggetto)* Schrott *m fam; (veicolo)* Schrottkiste *f fam; (persona)* Wrack *n fam.*

catramare [katra'ma:re] *tr* teeren.

catrame [ka'tra:me] *m* Teer *m.*

cattedra ['kattedra] *f* **1.** *(di scuola)* Katheder *n,* Pult *n;* **2.** *(all'università)* Lehrstuhl *m;* **stare in** ~ *fig scherz* dozieren.

cattedrale [katte'dra:le] *f* Kathedrale *f.*

cattedratico, -a [katte'dra:tiko] ⟨-ci, -che⟩ **I.** *agg* Universitäts-, universitär; **II.** *m, f* Lehrstuhlinhaber(in) *m(f).*

cattiva *f v.* **cattivo.**

cattiveria [katti'vɛ:ria] ⟨-ie⟩ *f* Bosheit *f,* Boshaftigkeit *f.*

cattività [kattivi'ta] ⟨-⟩ *f lett* Gefangenschaft *f.*

cattivo, -a [kat'ti:vo] **I.** ⟨più cattivo *o* peggiore, cattivissimo *o* pessimo⟩ *agg* **1.** *(persona)* böse, schlecht; **2.** *(cosa, tempo, aria, ecc.)* schlecht; **essere in** ~ **stato** in einem schlechten Zustand sein; **II.** *m, f* Böse(r) *mf,* Bösewicht *m,* böser Mensch; **III.** *m (parte cattiva)* Schlechte(s) *n; (immangiabile, imbevibile)* Ungenießbare(s) *n.*

cattolicesimo [kattoli'tʃe:zimo] *m* Katholizismus *m.* **cattolico, -a** [...'tɔ:liko] ⟨-ci, -che⟩ **I.** *agg* katholisch; **II.** *m, f* Katholik(in) *m(f).*

cattura [kat'tu:ra] *f* **1.** *dir* Festnahme *f,* Ergreifung *f;* **2.** *(di animale)* Fang *m;* **mandato** (*o* **ordine**) **di** ~ Haftbefehl *m.* **catturare** [...tu'ra:re] *tr* fangen, ergreifen; *(fare prigioniero)* gefangennehmen.

caucciù [kaut'tʃu] ⟨-⟩ *m* Kautschuk *n.*

causa ['ka:uza] *f* **1.** *(origine)* Ursache *f,* Grund *m;* **2.** *dir* Klage *f; (processo)* Prozeß *m;* **3.** *fig, pol, com, soc, rel* Sache *f;* **4.** *(motivo)* Anlaß *m,* Veranlassung *f;* ~ **civile/penale** Zivilklage *f*/Strafverfahren *n;* **essere** ~ **di qc** die Ursache für etw. sein; **far** ~ **a qu** jdn gerichtlich belangen, gegen jdn einen Prozeß anstrengen; **fare** (*o* **muovere**) ~ klagen; **fare** ~ **comune** gemeinsame Sache machen; **a** (*o* **per**) ~ **di** auf Grund von; **per** ~ **tua** deinetwegen. **causale** [kau'za:le] **I.** *agg* kausal; **II.** *f* **1.** *gram* Kausalsatz *m;* **2.** *dir (di un delitto)* (Beweg)grund *m,* Ursache *f;* **3.** *com (di un pagamento, versamento, bonifico)* Verwendungszweck *m.* **causare** [...'za:re] *tr* verursachen.

caustico, -a ['ka:ustiko] ⟨-ci, -che⟩ *agg* **1.** *chim* ätzend, kaustisch; **2.** *fig* beißend, scharf.

cautela [kau'tɛ:la] *f* Vorsicht *f,* Umsicht *f.* **cautelare** [...te'la:re] **I.** *tr* (ab)sichern, sicherstellen; **II.** *rfl:* **-arsi** sich absichern (*contro, da* gegen); *(proteggersi)* sich schützen (*da* vor).

cauterizzazione [kauteriddzat'tsio:ne] *f* Ätzung *f,* Kauterisation *f wissensch.*

cauto, -a ['ka:uto] *agg* vorsichtig, umsichtig.

cauzionale [kauttsio'nale] *agg* Sicherheits-, Kautions-, Garantie-.

cauzione [kaut'tsio:ne] *f* Kaution *f.*

Cav. *abbr di* **Cavaliere** *Träger eines Verdienstordens.*

cava ['ka:va] *f* Grube *f; (di pietre)* Steinbruch *m.*

cavalcare [kaval'ka:re] ⟨cavalco, cavalchi⟩ **I.** *tr* **1.** *(cavallo, asino)* reiten (auf +*dat*); *(montare)* aufsteigen auf +*akk;* **2.** *(muretto, ramo)* rittlings sitzen auf +*dat;* **II.** *itr* reiten. **cavalcata** [...'ka:ta] *f* Ritt *m.* **cavalcatore, -trice** [...ka'to:re] *m, f* Reiter(in) *m(f).*

cavalcavia [kavalka'vi:a] ⟨-⟩ *m* Überführung *f.*

cavalcioni [kaval'tʃo:ni] *avv:* **a** ~ rittlings.

cavaliere [kava'liɛ:re] *m* **1.** *st (feudale)* Ritter *m;* **2.** *sport* Reiter *m;* **3.** *st (soldato)* Kavallerist *m,* Soldat *m* der Kavallerie; **4.** *(gentiluomo)* Kavalier *m;* **5.** *(accompagnatore)* Begleiter *m,* Kavalier *m; (al ballo)* Tanzpartner *m,* Herr *m;* **6.** *(onorificenza, ab* **Cav.***)* Ordensträger *m;* **i -i della tavola rotonda** König Artus' Tafelrunde *f;* ~ **del lavoro** Ritter *m* des Ordens der Arbeit *(Art Verdienstkreuz);* ~ **di Malta** Malteserritter *m.*

cavalla [ka'valla] *f* Stute *f.* **cavalleresco,**

-a [...e'resko] ⟨-schi, -sche⟩ *agg* **1.** *letter* höfisch; **2.** *st* Ritter-, ritterlich; **3.** *fig* vornehm, edel; **letteratura -a** höfische Literatur. **cavalleria** [...'ri:a] ⟨-ie⟩ *f* **1.** *mil* Kavallerie *f;* **2.** *st* Rittertum *n;* **3.** *fig* Ritterlichkeit *f.* **cavallerizzo, -a** [kavalle'rittso] *m, f* Reiter(in) *m(f); (acrobata)* Kunstreiter(in) *m(f).*

cavalletta [kaval'letta] *f* Heuschrecke *f.*

cavalletto [kaval'letto] *m tec* Bock *m,* Gestell *n; (da pittore)* Staffelei *f; fot, film* Stativ *n; mil* Dreifuß *m.*

cavallina [kaval'li:na] *f* **1.** *zoo* junge Stute; **2.** *sport* Bock *m;* **correre la** ~ *fig* über die Stränge schlagen.

cavallo [ka'vallo] *m* **1.** *zoo, sport* Pferd *n;* **2.** *(di scacchi a.)* Springer *m;* **3.** *(di calzoni, mutande)* Schritt *m;* ~ **da corsa/sella/tiro** Renn-/Reit-/Zugpferd *n;* ~ **bianco/baio/sauro** Schimmel *m*/Brauner *m*/Fuchs *m;* ~ **a dondolo** Schaukelpferd *n;* ~ **di battaglia** *fig* Stärke *f; (di artista)* Glanznummer *f; (di attore)* Glanzrolle *f;* ~ **vapore** (*abbr* **C.V.**) Pferdestärke *f;* **dose/febbre da** ~ *fam* starke Dosis/hohes Fieber; **montare** (*o* **salire) a** ~ aufsitzen; **scendere da** ~ absitzen; **essere a** ~ *fig* über den Berg sein. **cavallone, -a** [...'lo:ne] *m* Brecher *m,* große Welle. **cavalluccio** [...'luttʃo] ⟨-cci⟩ *m:* ~ **marino** Seepferdchen *n;* **a** ~ auf den Schultern (sitzend).

cavare [ka'va:re] *tr* **1.** *(estrarre, tirare fuori)* herausholen; *(dente)* ziehen; *(marmo, pietre)* (heraus)brechen; *(liquidi)* ablassen, abzapfen; **2.** *(levare)* weg-, ab-, fortnehmen; *(macchia)* entfernen; *(vestiti)* ausziehen, ablegen; **-arsi gli occhi** *(litigare)* sich *(dat)* die Augen auskratzen; *(rovinarsi la vista)* sich *(dat)* die Augen verderben; **-arsi la voglia di far qc** das Bedürfnis befriedigen, etw. zu tun; **cavarsela** *fam* davonkommen; **come te la cavi?** *fam* wie kommst du klar? *fam;* **cavati di torno!** *fam* mach, daß du fortkommst!

cavatappi [kava'tappi] ⟨-⟩ *m,* **cavaturaccioli** [-tu'rattʃoli] ⟨-⟩ *m* Korkenzieher *m.*

caveau [ka'vo] ⟨-⟩ *m* Tresorraum *m.*

caverna [ka'vɛrna] *f* Höhle *f,* Grotte *f.* **cavernoso, -a** [...'no:so] *agg (voce)* tief.

cavezza [ka'vettsa] *f* Halfter *m o n.*

cavia ['ka:vi̯a] ⟨-ie⟩ *f* **1.** *zoo* Meerschweinchen *n;* **2.** *fig* Versuchskaninchen *n;* **uomo** ~ Versuchsperson *f.*

caviale [ka'vi̯a:le] *m* Kaviar *m.*

caviglia [ka'viʎʎa] ⟨-glie⟩ *f* Fußgelenk *n,* Fessel *f; (malleolo)* Fußknöchel *m.*

cavillare [kavil'la:re] *itr* Haarspaltereien treiben, Haare spalten *fam.* **cavillo** [ka'villo] *m* Haarspalterei *f,* Spitzfindigkeit *f.* **cavilloso, -a** [...'lo:so] *agg* spitzfindig.

cavità [kavi'ta] ⟨-⟩ *f* Höhle *f.*

cavo ['ka:vo] *m* **1.** *anat* Höhle *f,* Höhlung *f;* **2.** *el* Kabel *n;* **3.** *(corda)* Tau *n,* Seil *n;* **trasmissione via** ~ Kabelfernsehen *n;* ~ **a fibre ottiche** Glasfaserkabel *n;* **nel** ~ **della mano** in der hohlen Hand.

cavo, -a ['ka:vo] *agg* hohl.

cavolata [kavo'la:ta] *f fig fam* Dummheit *f,* Blödsinn *m fam.*

cavolfiore [kavol'fi̯o:re] *m* Blumenkohl *m.*

cavolino [kavo'li:no] *m:* ~ **di Bruxelles** Rosenkohl *m,* Kohlsprossen *f pl A.*

cavolo ['ka:volo] *m* Kohl *m;* ~ **cappuccio/rapa/verzotto** Weißkohl *m*/Kohlrabi *m*/Wirsing(kohl) *m;* **testa di** ~ *fig fam* Hohlkopf *m fam;* **non capire/fare un** ~ *fam* nicht die Bohne verstehen/keinen Strich tun *fam;* **non me ne importa un** ~ *fam* das kümmert mich einen Dreck *vulg;* **col** ~ *fam* von wegen! *fam,* erst recht nicht!; **sono -i tuoi** *fam* das ist dein Bier *fam;* **entrarci** (*o* **starci) come il** ~ **a merenda** passen wie die Faust aufs Auge; **che** ~ **vuoi?** *fam* was zum Kuckuck willst du? *fam.*

cazzo ['kattso] *m volg* Schwanz *m vulg;* **testa di** ~ *volg* Arschloch *n vulg;* **non me ne importa un** ~ *volg* das kümmert mich einen Scheißdreck *vulg;* **non capisce un** ~ *volg* er (*o* sie) versteht nur Bahnhof *fam.*

cazzottare [kattsot'ta:re] *fam* **I.** *tr* boxen, mit Fäusten schlagen; **II.** *rfl: -arsi (con qu)* sich (mit jdm) schlagen. **cazzotto** [...'tsɔtto] *m fam* Faustschlag *m,* Boxhieb *m;* **fare a -i (con qu)** sich (mit jdm) schlagen.

cazzuola [kat'tsu̯ɔ:la] *f* (Maurer)kelle *f.*

c/c *abbr di* **conto corrente** Girokonto.

C.C.D. [tʃitʃi'di] *m abbr di* **Centro Cristiano Democratico** christdemokratische Partei in Italien.

C.C.T. *m abbr di* **Certificato di Credito del Tesoro** Schatzanweisungszertifikat *n,* Staatsanleihe *f.*

CD [tʃid'di] ⟨-⟩ *m abbr di* **Compact Disc** CD *f.*

CD-ROM [-'rɔm] ⟨-⟩ *m abbr di* **Compact Disc Read Only Memory** CD-ROM *f;* **lettore** ~ CD-ROM-Laufwerk *n.*

ce [tʃe] *pron davanti a lo, la, li, le, ne v.* **ci.**

ceca *f v.* **ceco.**

cecchino [tʃek'ki:no] *m* Scharfschütze *m,* Heckenschütze *m.*

cece ['tʃe:tʃe] *m* Kichererbse *f.*

Cecilia [tʃe'tʃi:li̯a] *(nome proprio femminile)* Cäcilie.

cecità [tʃetʃi'ta] ⟨-⟩ *f* Blindheit *f.*

ceco, -a ['tʃɛ:ko] ⟨-chi, -che⟩ **I.** *agg* tschechisch; **repubblica -a** Tschechische Republik *f;* **II.** *m, f* Tscheche *m,* Tschechin *f.*

Cecoslovacchia [tʃekozlo'vakki̯a] *f:* **(la)** ~ *st* die Tschechoslowakei. **cecoslovacco,**

-a [...'vakko] ⟨-cchi, -cche⟩ *st* **I.** *agg* tschechoslowakisch; **II.** *m, f* Tschechoslowake *m*, -slowakin *f*.

cedere ['tʃɛ:dere] **I.** *itr* **1.** *mil, fig (ritirarsi)* zurückweichen (*a* vor +*dat*); *(arrendersi)* sich ergeben; *(darsi per vinto)* sich beugen, nachgeben; **2.** *(pilastri, fondazioni)* nachgeben, einstürzen; *(abbassarsi)* absacken; ~ **alle preghiere di qu** jds Bitten nachgeben; **II.** *tr* überlassen; *(com, dir a.)* abtreten; ~ **il passo a qu** jdm den Vortritt lassen. **cedevole** [tʃe'de:vole] *agg* **1.** *(duttile)* nachgiebig, weich; **2.** *fig* gefügig. **cedibile** [...'di:bile] *agg* übertragbar.

cedola ['tʃɛ:dola] *f* Schein *m; com* Coupon *m; fin* Coupon *m*, Dividendenschein *m; (di interessi)* Zinsschein *m;* ~ **di consegna** Lieferschein *m*. **cedolare** [tʃedo'la:re] *agg* Dividenden-.

cedro ['tʃe:dro] *m* **1.** *(conifera)* Zeder *f; (albero da frutto)* Zedratbaum *m;* **2.** *(frutto)* Zedratzitrone *f;* **3.** *(legno)* Zedernholz *n;* **4.** *(candito)* Zitronat *n*.

cedrone [tʃe'dro:ne] *agg:* **gallo** ~ Auerhahn *m*.

ceduo, -a ['tʃɛ:duo] *agg* fällbar, schlagbar; **bosco** ~ Nutzwald *m*, Forst *m*.

C.E.E. ['tʃɛ:e] *f acr di* **Comunità Economica Europea** *st* EWG *f* (*abk von* Europäische Wirtschaftsgemeinschaft).

cefalea [tʃefa'lɛ:a] *f* Kopfschmerz *m*.

cefalo ['tʃɛ:falo] *m* Meeräsche *f*.

ceffo ['tʃɛffo] *m* **1.** *(muso)* Schnauze *f*, Maul *n;* **2.** *fig peg (faccia)* Visage *f fam pej; (persona)* Halunke *m*.

ceffone [tʃef'fo:ne] *m* Ohrfeige *f;* **ti tiro un** ~ *fam* ich verpaß' dir eine Ohrfeige *fam*.

celare [tʃe'la:re] *lett* **I.** *tr* verbergen; *(verità)* verheimlichen; **II.** *rfl:* **-arsi** sich verbergen (*a* vor +*dat*).

celeberrimo, -a [tʃele'bɛrrimo] ⟨*superl di* celebre⟩ *agg* hochberühmt, hochgefeiert.

celebrare [tʃele'bra:re] *tr* feiern; *(messa)* lesen, zelebrieren; *(nozze)* vollziehen; *(processo)* (durch)führen. **celebrazione** [...rat'tsio:ne] *f* Feier *f; (di messa)* Zelebrieren *n; (di matrimonio)* Vollziehung *f; (di processo)* (Durch)führung *f*.

celebre ['tʃɛ:lebre] ⟨più celebre, celeberrimo⟩ *agg* berühmt. **celebrità** [tʃelebri'ta] ⟨-⟩ *f* **1.** *(fama)* Ruhm *m*, Berühmtheit *f;* **2.** *(persona)* Berühmtheit *f*, Größe *f*.

celere ['tʃɛ:lere] **I.** *agg* **1.** *(nave, servizio, spedizione)* Eil-; **2.** *(corso)* schnell, rasch; **II.** *f* Überfallkommando *n*. **celerità** [tʃeleri'ta] ⟨-⟩ *f* Geschwindigkeit *f*, Schnelligkeit *f*.

celeste [tʃe'lɛste] **I.** *agg* **1.** *astr* Himmels-; **2.** *rel, fig* himmlisch; **3.** *(colore)* himmelblau; **II.** *m* Himmelblau *n*.

celibato [tʃeli'ba:to] *m* Ledigsein *n; rel* Zölibat *n o m*. **celibe** ['tʃɛ:libe] **I.** *agg (uomo)* unverheiratet, ledig; **II.** *m* Junggeselle *m*.

cella ['tʃɛlla] *f* **1.** *(stanza piccola)* Zelle *f;* **2.** *arch (vano)* Kammer *f*, Raum *m;* **3.** *(delle api)* (Honig)wabe *f;* **4.** *inform* Speicher *m;* ~ **frigorifera** Kühlraum *m*.

cellula ['tʃɛllula] *f* Zelle *f;* ~ **fotoelettrica** Photozelle *f;* ~ **solare** Solarzelle *f*. **cellulare** [tʃellu'la:re] **I.** *agg* **1.** *biol* zellular, zellulär, Zell-; **2.** *(carcere, furgone)* Zellen-; **divisione** ~ Zellteilung *f;* **II.** *m* **1.** *(furgone)* grüne Minna *fam;* **2.** *(carcere)* Zellengefängnis *n;* **3.** *tel* Mobiltelefon *n*.

cellulite [tʃellu'li:te] *f* Zellulitis *f*.

celluloide [tʃellu'lɔ:ide] *f* Zelluloid *n;* **mondo/divi della** ~ Welt *f* des Films/Leinwandhelden *m pl*.

cellulosa [tʃellu'lo:sa] *f* Zellulose *f*.

celluloterapia [tʃellulotera'pi:a] *f* Frischzellentherapie *f*.

cembalista [tʃemba'lista] ⟨-i *m*, -e *f*⟩ *mf* Cembalist(in) *m(f)*. **cembalo** ['tʃembalo] *m* Cembalo *n*.

cementare [tʃemen'ta:re] *tr* **1.** *(edilizia)* zementieren; *(strada)* betonieren; **2.** *fig (amicizia)* festigen. **cemento** [...'mento] *m* Zement *m; (calcestruzzo)* Beton *m;* ~ **armato** Stahlbeton *m*.

cena ['tʃe:na] *f* Abendessen *n;* **l'ultima** ~ das (Letzte) Abendmahl.

cenacolo [tʃe'na:kolo] *m* **1.** *(nell'arte)* Abendmahl *n;* **2.** *fig* Zirkel *m*, Künstlertreff *m*.

cenare [tʃe'na:re] *itr* zu Abend essen.

cenciaio, -a [tʃen'tʃa:io] ⟨-ai, -aie⟩, **cenciaiolo, -a** [...tʃa'iɔ:lo] *m, f* Lumpenhändler(in) *m(f)*, -sammler(in) *m(f)*.

cencio ['tʃentʃo] ⟨-ci⟩ *m* **1.** *(brandello)* Lumpen *m;* **2.** *(per pulire)* (Putz)lappen *m*, -lumpen *m;* **3.** *peg (di abiti)* Fetzen *m*, Lumpen *m;* **4.** *fig* geschwächter Mensch, Schatten *m* seiner/ihrer selbst; ~ **da dare in terra** *fam* Scheuerlappen *m*, Aufnehmer *m;* ~ **della polvere** Staubtuch *n*. **cencioso, -a** [...'tʃo:so] *agg* zerlumpt.

cenere ['tʃe:nere] **I.** *f* Asche *f;* **(mercoledì del)le -i** Aschermittwoch *m;* **ridursi in** ~ ausbrennen; *fig* sich ruinieren, sich zugrunde richten; **covare sotto la** ~ *(a. fig)* schwelen; **II.** ⟨*inv*⟩ *agg* aschgrau.

cenerentola [tʃene'rɛntola] *f (a. fig)* Aschenbrödel *n*, -puttel.

cenno ['tʃenno] *m* **1.** *(gesto)* Wink *m*, Zeichen *n;* **2.** *(indizio)* Anzeichen *n;* **3.** *(spiegazione)* Andeutung *f*, Hinweis *m;* ~ **di riscontro** kurze Empfangsbestätigung; **salutare qu con un** ~ **della mano** jdm zuwinken; **fare** ~ **di sì/no** durch ein Zeichen bejahen/verneinen.

cenone [tʃe'no:ne] *m* Festessen *n (an Silvester)*.

censimento [tʃensi'mento] *m* Bestandsaufnahme *f;* ~ **della popolazione** Volkszählung *f.* **censire** [...'si:re] ⟨censisco⟩ *tr* zählen; *(registrare)* registrieren.

censore [tʃen'so:re] *m* Zensor *m.*

censura [tʃen'su:ra] *f* **1.** *(controllo)* Zensur *f;* **2.** *(ufficio)* Zensurbehörde *f,* -stelle *f;* **3.** *fig* Rüge *f,* Verweis *m.* **censurare** [...su'ra:re] *tr* **1.** *(film, opera, libro)* zensieren; **2.** *fig* beanstanden.

centellinare [tʃentelli'na:re] *tr* **1.** *(bevanda)* genußvoll trinken; **2.** *fig* auskosten.

centenario, -a [tʃente'na:rio] ⟨-i, -ie⟩ **I.** *agg* **1.** *(che ha cent'anni)* hundertjährig; **2.** *(che ricorre ogni cento anni)* Hundertjahr(es)-; **II.** *m, f* Hundertjährige(r) *mf;* **III.** *m* Hundertjahrfeier *f.*

centesimale [tʃentezi'ma:le] *agg* zentesimal.

centesimo, -a [tʃen'tɛ:zimo] **I.** *agg* hundertste(r, s); **II.** *m, f* Hundertste(r, s) *mfn;* **III.** *m* **1.** *(frazione)* Hundertstel *n,* hundertster Teil; **2.** *fin* Centesimo *m;* **3.** *fig fam* Heller *m,* Pfennig *m;* **non avere un** ~ **in tasca** keinen Pfennig in der Tasche haben.

centigrado, -a [tʃen'ti:grado] *agg* hundertgradig, Celsius-; **grado** ~ Grad Celsius. **centilitro** [...'ti:litro] *m* Zentiliter *m o n,* Hundertstel Liter *m.* **centimetro** [...'ti:metro] *m* (*abbr* **cm**) Zentimeter *m o n.*

centinaio [tʃenti'na:io] ⟨*pl:* -aia *f*⟩ *m* Hundert *n;* **un** ~ **(di ...)** etwa hundert (...); **-aia** hundert, Hunderte *pl;* **a -aia** zu Hunderten.

cento ['tʃɛnto] **I.** *num* (ein)hundert; *(fig a.)* viel; ~ **di questi giorni!** noch viele solche Tage!; **II.** ⟨-⟩ *m* Hundert *f;* **per** ~ Prozent; *v. a. cinque.* **centometrista** [tʃentome'trista] ⟨-i *m,* -e *f*⟩ *mf* Hundertmeterläufer(in) *m(f).* **centomila** [-'mi:la] **I.** *num* hunderttausend; **II.** ⟨-⟩ *m* Hunderttausend *f.*

centrale [tʃen'tra:le] **I.** *agg* **1.** *(situato nel centro, a. fig)* zentral, Zentral-, Haupt-; **2.** *amm* Haupt-; **3.** *geog* Zentral-, Mittel-; **II.** *f* Zentrale *f;* ~ **elettrica** Elektrizitätswerk *n;* ~ **telefonica** Telefonzentrale *f;* ~ **nucleare (***o* **atomica)** Kern-, Atomkraftwerk *n;* ~ **di polizia** Polizeirevier *n.* **centralinista** [...rali'nista] ⟨-i *m,* -e *f*⟩ *mf* Telefonist(in) *m(f).* **centralino** [...ra'li:no] *m* Telefonvermittlung *f,* Telefonzentrale *f.*

centralizzare [tʃentralid'dza:re] *tr* zentralisieren. **centralizzato, -a** [...lid'dza:to] *agg* **1.** *(accentrato)* zentralisiert; **2.** *mot:* **chiusura -a** Zentralverriegelung *f.* **centralizzazione** [...dzat'tsio:ne] *f* Zentralisierung *f.*

centrare [tʃen'tra:re] *tr* **1.** *(bersaglio)* treffen; *(inquadrare)* visieren; *(mirare)* zielen auf *+akk;* **2.** *fig* den Kern erfassen (*qc* einer S. *gen*); **3.** *tip, inform, tec* zentrieren; *mot* auswuchten; *(nel calcio)* einwerfen, in die Feldmitte werfen.

centrattacco [...rat'takko] ⟨-cchi⟩ *mf,* **centravanti** [...ra'vanti] ⟨-⟩ *mf* Mittelstürmer(in) *m(f).*

centrifuga [tʃen'tri:fuga] *f* Schleuder *f,* Zentrifuge *f;* *(per frutta)* Entsafter *m.* **centrifugare** [...rifu'ga:re] ⟨centrifugo, centrifughi⟩ *tr* schleudern, zentrifugieren.

centrino [tʃen'tri:no] *m* (Häkel-, Spitzen)deckchen *n.*

centritavola *pl di* **centrotavola.**

centro ['tʃɛntro] *m* **1.** *gener., mat, geog* Mittelpunkt *m; pol, anat* Zentrum *n;* **2.** *(di città)* (Stadt)zentrum *n,* Stadtmitte *f;* **3.** *(sede di attività, istituto)* Zentrum *n;* *(di studi, ricerca)* Institut *n;* **4.** *fig* Kern-, Mittelpunkt *m;* ~ **abitato** (geschlossene) Ortschaft *f;* ~ **balneare** Badeort *m;* ~ **dati (***o* **di calcolo)** Rechenzentrum *n;* ~ **storico** Stadtkern *m,* Altstadt *f;* ~ **di costo** *com* Kostenstelle *f;* ~ **di raccolta profughi** Aufnahmelager *n* für Flüchtlinge; ~ **di vendita al dettaglio** Einkaufszentrum *n;* **far** ~ *(a. fig)* treffen; ~ **di gravità/d'attrazione** *fis* Schwer-/Anziehungspunkt *m.* **centrocampo** [-'kampo] *m* Mittelfeld *n.* **centrodestra** [-'dɛstra] ⟨-⟩ *m* Mitte-Rechts-Koalition *f.* **centromediano, -a** [-me'dia:no] *m, f* Mittelläufer(in) *m(f).* **centrosinistra** [-si'nistra] ⟨-⟩ *m* Mitte-Links-Koalition *f.* **centrotavola** [-'ta:vola] ⟨centritavola⟩ *m* Tafelaufsatz *m.*

centuplicare [tʃentupli'ka:re] ⟨centuplico, centuplichi⟩ *tr* **1.** *com* verhundertfachen; *mat* mit hundert multiplizieren; **2.** *fig* vervielfachen, stark vermehren. **centuplo, -a** ['tʃɛntuplo] **I.** *agg* hundertfach; **II.** *m* Hundertfache(s) *n.*

ceppo ['tʃeppo] *m* **1.** *bot* Wurzelstock *m;* *(di albero tagliato)* (Baum)stumpf *m;* **2.** *(da ardere)* Holzklotz *m;* **3.** *(stirpe)* Stamm *m;* **4.** ⟨*pl*⟩ Fesseln *f pl;* *(catene)* Ketten *f pl;* **-i dei freni** Bremsklötze *m pl.*

cera[1] ['tʃe:ra] *f* **1.** *(sostanza)* Wachs *n;* *(per lucidare a.)* Wichse *f;* **2.** *(modello)* Wachsfigur *f;* ~ **da pavimenti** Bohnerwachs *n;* ~ **per mobili** Möbelpolitur *f;* **museo delle -e** Wachsfigurenkabinett *n;* **dare la** ~ wachsen, bohnern.

cera[2] ['tʃe:ra *o* 'tʃɛ:ra] *f* *(del viso)* Gesichtsfarbe *f;* **avere una bella/brutta** ~ gut/schlecht aussehen.

ceralacca [tʃera'lakka] *f* Siegellack *m.*

ceramica [tʃe'ra:mika] ⟨-che⟩ *f* **1.** *(oggetto)* Keramik *f,* Töpferware *f;* **2.** *(arte)* Keramik(kunst) *f;* **3.** *(impasto)* Steingut *n,* Ton *m.* **ceramista** [...ra'mista] ⟨-i *m,* -e *f*⟩ *mf* Keramiker(in) *m(f),* Töpfer(in) *m(f).*

cerato, -a [tʃe'ra:to] *agg* gewachst, Wachs-; **tela -a** Wachstuch *n.*

cerbiatto, -a [tʃerˈbi̯atto] *m, f* Hirschkalb *n.*
cerbottana [tʃerbotˈtaːna] *f* Blasrohr *n.*
cerca [ˈtʃerka] ⟨-che⟩ *f:* **in ~ di** auf der Suche nach.
cercapersone [tʃerkaperˈsoːne] ⟨-⟩ *m (apparecchio)* Personensuchanlage *f.*
cercare [tʃerˈkaːre] ⟨cerco, cerchi⟩ **I.** *tr* suchen; *(in un libro)* nachschlagen; *(desiderare)* wünschen; *(aspirare)* streben nach; ~ **marito/moglie** sich *(dat)* einen Mann/eine Frau (zum Heiraten) suchen; ~ **guai** Streit suchen; **cercasi** ...... gesucht; **II.** *itr* versuchen, sich bemühen; **chi cerca trova** *prov* wer sucht, der findet *prov.* **cercatore, -trice** [...kaˈtoːre] **I.** *a* Such-; **II.** *m, f* Sucher(in) *m(f);* ~ **d'oro** Goldsucher *m.*
cerchia [ˈtʃerki̯a] ⟨-chie⟩ *f* **1.** *geog* Ring *m; (di mura)* Ringmauer *f;* **2.** *fig* Kreis *m,* Runde *f.* **cerchiare** [...ˈki̯aːre] ⟨cerchio, cerchi⟩ *tr* **1.** *(ruota, botte)* bereifen; **2.** *(circondare)* umgeben (*di* mit). **cerchiato, -a** [...ˈki̯aːto] *agg* **1.** *(ruota, botte)* bereift; **2.** *(occhi)* umschattet, gerändert.
cerchietto [tʃerˈki̯etto] *m* **1.** *(piccolo cerchio)* kleiner Kreis; **2.** *(anello)* Ring *m; (braccialetto)* Reif *m;* **3.** *(per capelli)* Haarreifen *m.*
cerchio [ˈtʃerki̯o] ⟨-chi⟩ *m* **1.** *mat* Kreis *m;* **2.** *(di botte)* Reifen *m;* **3.** *(di ruota)* Felge *f;* **4.** *(di persone)* Ring *m,* Kreis *m;* **5.** *(anello)* Ring *m; (bracciale)* Armreif *m;* **disporsi in** ~ sich im Kreis aufstellen; **-chi in lega** Leichtmetallfelgen *f pl.* **cerchione** [...ˈki̯oːne] *m* Felge *f.*
cereale [tʃereˈaːle] **I.** *agg* Getreide-; **II.** *m* ⟨*di solito al pl*⟩ Getreide *n.*
cerebrale [tʃereˈbraːle] *agg* **1.** *anat* Gehirn-, zerebral; **2.** *fig* kopflastig, intellektualistisch.
cerebroleso, -a [tʃerebroˈleːso] **I.** *agg* hirngeschädigt; **II.** *m, f* Hirngeschädigte(r) *mf.*
cereo, -a [ˈtʃɛːreo] *agg* **1.** *(di cera)* wächsern; **2.** *(aspetto, volto)* wachs-, kreidebleich.
ceretta [tʃeˈretta] *f* Enthaarungswachs *n.*
cerimonia [tʃeriˈmɔːni̯a] ⟨-ie⟩ *f* **1.** *(rito)* Zeremonie *f; (festeggiamento)* Feier *f;* **2.** ⟨*pl*⟩ *(complimenti)* Förmlichkeiten *f pl;* **abito da** ~ *(da donna)* Abendkleid *n; (da uomo)* dunkler Anzug. **cerimoniale** [...moˈni̯aːle] *m* **1.** *(regole)* Zeremoniell *n;* **2.** *(libro)* Zeremonienbuch *n.*
cerimonioso, -a [...moˈni̯oːso] *agg* förmlich.
cerino [tʃeˈriːno] *m* Wachsstreichholz *n.*
cerniera [tʃerˈni̯ɛːra] *f* **1.** *(di borsa)* Verschluß *m,* Schloß *n;* **2.** *(a cardine)* Scharnier *n;* ~ **lampo** Reißverschluß *m.*
cernita [tʃerˈniːta] *f* Auslese *f,* Auswahl *f.*
cero [ˈtʃeːro] *m* große Kerze.
cerone [tʃeˈroːne] *m* Schminke *f.*
cerotto [tʃeˈrɔtto] *m* **1.** *med* Pflaster *n;* **2.** *fam scherz* Nervensäge *f fam; (di salute cagionevole)* kränklicher Mensch, Jammerlappen *m fam.*
certamente [tʃertaˈmente] *avv* sicherlich, gewiß.
certezza [tʃerˈtettsa] *f* Sicherheit *f,* Gewißheit *f.*
certificare [tʃertifiˈkaːre] ⟨certifico, certifichi⟩ *tr* bescheinigen, bestätigen. **certificato** [...ˈkaːto] *m* Zeugnis *n; amm* Bescheinigung *f,* Nachweis *m; (documento)* Urkunde *f; (attesto)* Attest *n;* ~ **di nascita/morte** Geburts-/Sterbeurkunde *f;* ~ **di garanzia** Garantieschein *m;* ~ **di residenza** Anmeldebestätigung *f.*
certo, -a [ˈtʃɛrto] **I.** *agg* **1.** *(sicuro)* sicher, gewiß; *(indubbio)* zweifellos; *(vero)* wahr; *(convinto)* überzeugt; **2.** *(qualche)* manche(r, s); **3.** *(alquanto)* einige(r, s); **4.** *(tale)* gewiß; **dare qc per** ~ etw. als Tatsache hinstellen; **in -i giorni** an manchen Tagen; **quel** ~ **non so che** das gewisse Etwas; **ha telefonato una -a Gianna** eine gewisse Gianna hat angerufen; **II.** *avv* sicher(lich), natürlich, gewiß; **di** ~ sicher(lich); **sì/no ~!,** ~ **che sì/no!** ja sicher/sicher (*o* bestimmt) nicht!; **III.** ⟨-⟩ *m (sicuro)* Sichere(s) *n; (certezza)* Gewißheit *f; com* Sicherheit *f.*
certosa [tʃerˈtoːza] *f* Kartause *f.* **certosino** [...toˈziːno] *m* **1.** *rel* Kartäuser *m;* **2.** *gastr* Kräuterlikör *m,* Chartreuse® *m;* **pazienza da (*o* di un)** ~ *fig* Engelsgeduld *f.*
certuno [tʃerˈtuːno] *pron indef* manch eine(r, s), manche(r, s).
cerume [tʃeˈruːme] *m* Ohrenschmalz *n.*
cerva [ˈtʃɛrva] *f* Hirschkuh *f.*
cervello [tʃerˈvɛllo] *m* **1.** ⟨*pl a.:* -a *f*⟩ *anat* Gehirn *n;* **2.** *inform* Rechner *m;* **3.** *fig* Kopf *m; (senno)* Verstand *m;* ~ **elettronico** Elektronenhirn *n,* -rechner *m;* **è il** ~ **dell'organizzazione** *fig* er (*o* sie) ist der Kopf der Organisation; **agire senza** ~ kopflos handeln; **avere un** ~ **di gallina** ein Spatzenhirn haben *fam;* **dare di volta il** ~ durchdrehen *fam.* **cervellone, -a** [...velˈloːne] **I.** *m, f (persona)* kluger Kopf, kluges Köpfchen *fam;* **II.** *m inform fam* Großrechner *m,* Superhirn *n fam.* **cervellotico, -a** [...ˈlɔːtiko] ⟨-ci, -che⟩ *agg* wunderlich, (ab)sonderlich.
cervicale [tʃerviˈkaːle] *agg* Hals-; **vertebra** ~ Halswirbel. **cervice** [tʃerˈviːtʃe] *f* Nacken *m;* ~ **uterina** Gebärmutterhals *m,* Zervix *f wissensch.*
Cervino [tʃerˈviːno] *m* Matterhorn *n.*
cervo [ˈtʃɛrvo] *m* Hirsch *m;* ~ **volante** *zoo* Hirschkäfer *m; (giocattolo)* (Papier)drachen *m.*
Cesare [ˈtʃeːzare] *(nome proprio maschile)* Cäsar.
cesellare [tʃezelˈlaːre] *tr* **1.** *(lavorare metalli)* ziselieren; **2.** *(ritratto, figura)* sehr

detailliert zeichnen. **cesellatore, -trice** [...la'to:re] *m, f* Ziseleur *m,* Ziselierer(in) *m(f).* **cesello** [...'zɛllo] *m* **1.** *(arte)* Ziselierkunst *f;* **2.** *(utensile)* Grabstichel *m; (a più punte)* Punze *f.*
cesio ['tʃɛ:si̯o] *m* Cäsium *n.*
cesoia [tʃe'zo:i̯a] ⟨-oie⟩ *f (per lamiere)* Draht-, Blechschere *f;* ⟨*pl*⟩ *(da giardino)* Gartenschere *f.*
cespite ['tʃɛspite] *m* Einnahmequelle *f;* ~ **di reddito** Ertragsquelle *f; (di guadagno)* Verdienstquelle *f.*
cespo ['tʃespo] *m* (Salat)kopf *m;* ~ **d'insalata** Salatkopf *m.*
cespuglio [tʃes'puʎʎo] ⟨-gli⟩ *m* Busch *m,* Strauch *m;* ⟨*pl*⟩ Gebüsch *n.*
cessare [tʃes'sa:re] **I.** *itr* ⟨*essere o avere*⟩ aufhören (*di* zu); **II.** *tr* ⟨*avere*⟩ einstellen, beenden, aufhören mit. **cessazione** [...sat'tsi̯o:ne] *f* Einstellung *f,* Aufgabe *f,* Beendigung *f;* ~ **delle ostalità** Einstellung *f* der Feindseligkeiten; ~ **di un contratto** Auslaufen *n* eines Vertrages.
cessione [tʃes'si̯o:ne] *f* Abtretung *f,* Übertragung *f.*
cesso ['tʃɛsso] *m fam* Klo *n fam,* Lokus *m fam.*
cesta ['tʃesta] *f* Korb *m.* **cestello** [...'tɛllo] *m* **1.** *(piccola cesta)* Körbchen *n; (per bottiglie)* Flaschenkorb *m;* **2.** *(di lavatrice)* Trommel *f; (di lavastoviglie)* (Geschirr)korb *m.*
cestinare [tʃesti'na:re] *tr* in den Papierkorb werfen.
cestino [tʃes'ti:no] *m* Körbchen *n;* ~ **da lavoro** Nähkästchen *n;* ~ **da viaggio** Lunchpaket *n;* ~ **della carta** Papierkorb *m.*
cesto ['tʃesto] *m* Korb *m.*
cesura [tʃe'zu:ra] *f* Zäsur *f.*
ceto ['tʃɛ:to] *m* Stand *m; (strato)* Schicht *f.*
cetra ['tʃe:tra *o* 'tʃɛ:tra] *f* Zither *f,* Lyra *f.*
cetriolo [tʃetri'ɔ:lo] *m* Gurke *f.*
cf., cfr. *abbr di* **confronta** vgl. (*abk von* vergleiche).
C.F.C. *abbr di* **clorofluoro carburi** FCKW *n* (*abk von* **Fluorchlorkohlenwasserstoff**).
C.G.I.L. [tʃidʒi'ɛlle] *f abbr di* **Confederazione Generale Italiana del Lavoro** *Allgemeiner italienischer Gewerkschaftsbund.*
CH *abbr di* **Confoederatio Helvetica** CH.
champagne [ʃam'paɲ] ⟨-⟩ *m* Champagner *m.*
chance ['ʃans] ⟨-⟩ *f* Chance *f.*
charter ['tʃa:tə] **I.** ⟨*inv*⟩ *agg* Charter-; **II.** ⟨-⟩ *m (volo)* Charterflug *m; (aero)* Charterflugzeug *n.*
châssis [ʃa'si] ⟨-⟩ *m* **1.** *mot* Chassis *n,* Fahrgestell *n;* **2.** *inform* Gehäuse *n.*
chauffeur [ʃo'fœ:r] ⟨-⟩ *m* Chauffeur *m.*
che[1] [ke] **I.** *pron rel* **1.** *(soggetto)* der *m,* die *f,* das *n,* die *pl;* welche(r, s) *geh,* welche *pl geh;* **2.** *(complemento)* den *m,* die *f,* das *n,* die *pl;* welche(n, s) *geh,* welche *pl geh;* **3.** *(la qual cosa)* was; **4.** *(temporale)* als, an dem; *(luogo a.)* wo; **II.** *pron interr* was; ~ **(cosa) pensi?** was denkst du?; ~ **ne dici?** was sagst du dazu?; **di** ~ **(cosa) ti lamenti?** (worüber) beklagst du dich?; **III.** *pron escl* was; ~ **vedo!** was sehe ich!; **IV.** *pron indef* etwas; **ha un certo non so** ~ **di curioso** er (*o* sie) hat etwas Sonderbares an sich *(dat);* **V.** *agg interr* welche(r, s), was für ein(e); **a** ~ **pagina siamo arrivati?** auf welcher Seite sind wir?; **con** ~ **diritto?** mit welchem Recht?; ~ **uomo sei?** was bist du für ein Mann?; **VI.** *agg escl* welch (*o* was für) ein(e); ~ **stupido sono stato!** wie dumm ich doch gewesen bin!
che[2] [ke] *cong +congv* **1.** *(con proposizioni subordinate)* daß; *(affinché a.)* damit; **2.** *(temporale, eccettuativo, in comparazioni)* als; **3.** *(limitativo)* soweit; ~ **vada!** möge er (*o* sie) nur gehen!; ~ **io sappia, non è ancora arrivato** soviel ich weiß, ist er noch nicht angekommen; **non fa altro** ~ **brontolare** er (*o* sie) meckert andauernd; ~ **tu lo voglia o no** ob du es willst oder nicht; **sia** ~ **. . ., sia** ~ **. . .** ob . . . oder . . ., sei es, daß . . . oder . . .; ~ **mi sia sbagliato?** sollte ich mich getäuscht haben?
checca ['kekka] ⟨-cche⟩ *f (omosessuale)* Tunte *f.*
checché [kek'ke] *pron +congv* was auch immer.
check-in [tʃek'in] ⟨-⟩ *m* Einchecken *n,* Abfertigung *f;* **fare il** ~ einchecken.
check-point [tʃek'point] ⟨-⟩ *m* Abfertigungsschalter *m.*
check-up ['tʃekʌp] ⟨-⟩ *m med* gründliche Untersuchung, Check-up *m.*
chef [ʃɛf] ⟨-⟩ *m* Chefkoch *m.*
chela ['kɛ:la] *f zoo* Schere *f.*
chemioterapia [kemi̯otera'pi:a] *f* Chemotherapie *f.*
chemisier [ʃəmi'zje] ⟨-⟩ *m* Hemdblusenkleid *n.*
chèque [ʃɛk] ⟨-⟩ *m* Scheck *m.*
cherosene [kero'zɛ:ne] *m* Kerosin *n.*
cherubino [keru'bi:no] *m* Cherub *m.*
chetichella [keti'kɛlla] *f:* **alla** ~ heimlich, in aller Stille. **cheto, -a** ['ke:to] *agg* still, ruhig.
chewing gum ['tʃu:ɪŋgʌm] ⟨-⟩ *m* Kaugummi *n o m.*
chi [ki] **I.** *pron rel* **1.** *(soggetto)* wer; der-/die-/dasjenige, welche(r, s); **2.** *(oggetto)* den-/die-/dasjenige(n), welche(n, s); **parlane a** ~ **vuoi** sag es, wem du willst; **si salvi** ~ **può** rette sich, wer kann; **II.** *pron indef* jemand, einer; **III.** *pron interr* **1.** *(soggetto)* wer; **2.** *(oggetto)* wen; *(complemento)* wem; ~ **c'è?** wer ist da?; **di** ~ **hai paura?** vor wem hast du Angst?; **di** ~ **è questo giornale?**

wem gehört diese Zeitung?; **a** ~ **telefoni?** wen rufst du an?; **con** ~ **esci?** mit wem gehst du aus?; **IV.** *pron escl* **1.** *(soggetto)* wer; **2.** *(oggetto)* wen; ~ **si vede!** wen sieht man da!

chiacchiera ['ki̯akki̯era] *f* **1.** ⟨*pl*⟩ *(conversazione)* Plauderei *f,* Schwätzchen *n; peg* Geschwätz *n;* **2.** *(notizia infondata)* Gerede *n,* Klatsch *m;* **fare due (***o* **quattro) -e** *fam* ein Schwätzchen halten; **tutte -e!** alles Geschwätz!. **chiacchierare** [...'ra:re] *tr* **1.** *(parlare)* plaudern, schwatzen; **2.** *peg* klatschen, tratschen *fam.* **chiacchierata** [...'ra:ta] *f* Plausch *m,* Plauderei *f.* **chiacchierone, -a** [...'ro:ne] **I.** *agg* geschwätzig; **II.** *m, f* Schwätzer(in) *m(f),* Klatschmaul *n fam.*

chiamare [ki̯a'ma:re] **I.** *tr* **1.** *gener.* rufen; **2.** *tel* anrufen; **3.** *(dare nome)* (be)nennen, einen Namen geben (*qc* einer S. *dat*); **4.** *(a una carica)* ernennen, berufen; **mandare a** ~ **qu** jdn rufen lassen; ~ **in giudizio** vor Gericht laden; ~ **in causa** in etw. hineinziehen; ~ **alle armi** zu den Waffen rufen; *(servizio di leva)* einberufen; **II.** *rfl:* **-arsi 1.** *(aver nome)* heißen, sich nennen; **2.** *(considerarsi)* sich nennen, sich halten für. **chiamata** [...'ma:ta] *f* **1.** *tel* Anruf *m,* Telefongespräch *n;* **2.** *mil* Einberufung *f;* **3.** *dir* Vorladung *f;* **4.** *inform* Aufruf *m;* ~ **interurbana** Ferngespräch *n.*

chiappa ['ki̯appa] *f fam* Hinterbacke *f,* Arschbacke *f vulg.*

chiara ['ki̯a:ra] *f fam* Eiweiß *n.*

Chiara ['ki̯a:ra] *(nome proprio femminile)* Klara.

chiarezza [ki̯a'rettsa] *f (a. fig)* Klarheit *f.*

chiarificare [ki̯arifi'ka:re] ⟨chiarifico, chiarifichi⟩ *tr* **1.** *(liquido)* klären; **2.** *fig* klarstellen; *(spiegare)* erläutern, erklären.

chiarimento [ki̯ari'mento] *m* Erklärung *f,* Erläuterung *f.* **chiarire** [...'ri:re] ⟨chiarisco⟩ **I.** *tr* klären, klarstellen; *(dubbio)* aus der Welt schaffen; *(faccenda a.)* bereinigen; **II.** *rfl:* **-irsi 1.** *(diventare chiaro, a. fig)* sich aufklären; **2.** *(procurarsi chiarezza)* sich *(dat)* Klarheit verschaffen (*di* über +*akk*).

chiaro, -a ['ki̯a:ro] **I.** *agg* **1.** *(giorno, cielo, acqua)* klar; *(colore, suoni, voce)* hell; **2.** *fig* klar; **blu/verde** ~ hellblau/-grün; **II.** *m* Helle(s) *n; (luce)* Licht *n,* Helligkeit *f;* **al** ~ **di luna** bei Mondschein; **mettere in** ~ **una questione** *fig* eine Angelegenheit klarstellen; **III.** *avv* offen; **parlar** ~ offen reden; **vedere** ~ **in qc** etw. durchschauen; ~ **e tondo** *fam* klipp und klar *fam.* **chiarore** [ki̯a'ro:re] *m* Schein *m.* **chiaroscuro** [...ros'ku:ro] *m* **1.** *(tecnica)* Helldunkelmalerei *f;* **2.** *fig (della vita)* Wechselfälle *m pl.* **chiaroveggente** [ki̯aroved'dʒɛnte] **I.** *agg* hellseherisch; **II.** *mf* Hellseher(in) *m(f).*

chiasso ['ki̯asso] *m* Krach *m,* Lärm *m.* **chiassone, -a** [...'so:ne] *m, f* Randalierer(in) *m(f).* **chiassoso, -a** [...'so:so] *agg* laut.

chiatta ['ki̯atta] *f (traghetto)* Fähre *f; (per trasporto merci)* Lastkahn *m.*

chiavare ['ki̯a'va:re] *tr volg* vögeln *vulg,* bumsen *vulg.*

chiave ['ki̯a:ve] **I.** *f gener., inform, fig* Schlüssel *m; (punto strategico)* Schlüsselpunkt *m;* ~ **inglese** *tec* Engländer *m;* ~ **a croce** Kreuzschlüssel *m;* ~ **di volta** Schluß-, Scheitelstein *m;* **chiudere a** ~ abschließen; **mettere sotto** ~ unter Verschluß halten; **una casa -i in mano** ein schlüsselfertiges Haus; **II.** ⟨*inv*⟩ *agg* Schlüssel-. **chiavetta** [ki̯a'vetta] *f (di giocattolo)* (Aufzieh)schlüssel *m; (per condutture)* (Gas-, Wasser)hahn *m;* ~ **d'accensione** Zündschlüssel *m.*

chiavistello [ki̯avis'tɛllo] *m* Riegel *m.*

chiazza ['ki̯attsa] *f* Fleck *m; (di liquidi a.)* Klecks *m.* **chiazzare** [...'tsa:re] *tr* beflecken; *(con liquidi a.)* beklecksen.

chic [ʃik] ⟨*inv*⟩ *agg* schick, elegant.

chicchessia [kikkes'si:a] ⟨*inv*⟩ *pron* wer auch immer.

chicco ['kikko] ⟨-cchi⟩ *m* **1.** *bot (di grano, riso)* Korn *n; (di caffè)* Bohne *f;* **2.** *(di grandine)* Korn *n; (di un vezzo)* Perle *f;* ~ **d'uva** Weintraube *f,* -beere *f.*

chiedere ['ki̯ɛ:dere] ⟨chiedo, chiesi, chiesto⟩ **I.** *tr* **1.** *(per sapere)* fragen nach; **2.** *(per avere)* bitten um, erbitten; ~ **qc a qu** jdn etw. fragen; ~ **il prezzo di qc** nach dem Preis von etw. fragen; ~ **un favore a qu** jdn um einen Gefallen bitten; ~ **notizie di qu** sich nach jdm erkundigen; ~ **la mano di una ragazza** um die Hand eines Mädchens anhalten; **II.** *itr* fragen (*a qu di qc* jdn nach etw.), sich erkundigen (*a qu di qc* bei jdm nach etw.).

chierica ['ki̯e:rika] ⟨-che⟩ *f* Tonsur *f.*

chierichetto [ki̯eri'ketto] *m* Meßdiener(in) *m(f),* Ministrant(in) *m(f).*

chiesa ['ki̯ɛ:za] *f* Kirche *f.*

chiesi ['ki̯ɛ:si *o* 'ki̯ɛ:zi] *p rem di* **chiedere.**

chiesto ['ki̯ɛsto] *pp di* **chiedere.**

chiffon [ʃi'fon] ⟨-⟩ *m* Chiffon *m.*

chiglia ['kiʎʎa] ⟨-glie⟩ *f* Kiel *m.*

chignon [ʃi'njɔ̃] ⟨-⟩ *m* (Haar)knoten *m.*

chilo ['ki:lo] *m* (*abbr di* **chilogrammo**) Kilo *n.*

chilocaloria [kilokalo'ri:a] *f* (*abbr* **kcal**) Kilokalorie *f.*

chilogrammo [-'grammo] *m* (*abbr* **kg**) Kilogramm *n.*

chilometraggio [-me'traddʒo] *m* zurückgelegte Kilometerzahl; *(tasso di rimborso)* Kilometergeld *n.*

chilometro [ki'lɔ:metro] *m* (*abbr* **km**) Kilometer *m.*

chilowatt [kilo'vat *o* 'ki:lovat] *m* (*abbr* **kW**) Kilowatt *n.* **chilowattora** [-vat'to:-

ra] *m* (*abbr* **kWh**) Kilowattstunde *f*.

chimera [ki'mɛ:ra] *f* **1.** *fig* Hirngespinst *n*, Schimäre *f geh;* **2.** *(in mitologia)* Chimäre *f*.

chimica ['ki:mika] ⟨-che⟩ *f* Chemie *f*. **chimico, -a** [...ko] ⟨-ci, -che⟩ **I.** *agg* chemisch; **II.** *m, f* Chemiker(in) *m(f)*.

chimono [ki'mɔ:no] ⟨-⟩ *m* Kimono *m*.

china[1] ['ki:na] ⟨-⟩ *f (inchiostro)* Tusche *f*.

china[2] ['ki:na] *f (pendio)* Abhang *m*.

chinare [ki'na:re] **I.** *tr (capo, volto)* neigen, beugen; *(sguardo, occhi)* senken; ~ **il capo** *fig* sich beugen; **II.** *rfl:* **-arsi** sich bücken.

chincaglierie [kiŋkaʎʎe'ri:e] *f pl* Trödel *m*, Kleinkram *m; (soprammobile)* Zierat *m*.

chinesiterapia [kinezitera'pi:a] *v.* **cinesiterapia.**

chinino [ki'ni:no] *m* Chinin *n*.

chino, -a ['ki:no] *agg* gebeugt.

chioccia ['ki̯ɔttʃa] ⟨-cce⟩ *f* Glucke *f*. **chiocciare** [ki̯ot'tʃa:re] ⟨chioccio, chiocci⟩ *itr* glucken.

chioccio, -a ['ki̯ɔttʃo] ⟨-cci, -cce⟩ *agg (voce)* rauh.

chiocciola ['ki̯ɔttʃola] *f* Schnecke *f;* **scala a** ~ Wendeltreppe *f*.

chiodato, -a [ki̯o'da:to] *agg* ge-, vernagelt; *(scarpe)* Nagel-.

chiodo ['ki̯ɔ:do] *m* **1.** *tec* Nagel *m;* **2.** *fig* Tick *m*, fixe Idee; **3.** *sl* schwarze Lederjacke; ~ **fisso** fixe Idee; **-i di garofano** Gewürznelken *f pl;* **roba da -i** *fig* Unsinn *m*.

chioma ['ki̯ɔ:ma] *f* **1.** *(capigliatura)* Haar *n; fam* Mähne *f;* **2.** *bot* (Baum)krone *f*, Wipfel *m;* ~ **folta** dichtes Haar; **fluenti -e** wallendes Haar.

chiosco ['ki̯ɔsko] ⟨-schi⟩ *m* Kiosk *m*.

chiostro ['ki̯ɔstro] *m* Kreuzgang *m; (convento)* Kloster *n*.

chip [tʃɪp] ⟨-⟩ *m* Chip *m*, elektronischer Baustein.

chiromante [kiro'mante] *mf* Handliniendeuter(in) *m(f)*, Chiromant(in) *m(f)*.

chirurgia [kirur'dʒi:a] ⟨-gie⟩ *f* Chirurgie *f;* ~ **plastica** plastische Chirurgie. **chirurgico, -a** [ki'rurdʒiko] ⟨-ci, -che⟩ *agg* chirurgisch; **intervento** ~ operativer Eingriff. **chirurgo, -a** [ki'rurgo] ⟨-gi *o* -ghi, -ghe⟩ *m, f* Chirurg(in) *m(f)*.

chissà [kis'sa] *avv* wer weiß; ~ **chi verrà** wer weiß, wer kommen wird.

chitarra [ki'tarra] *f* Gitarre *f;* **suonare la** ~ Gitarre spielen. **chitarrista** [...'rista] ⟨-i *m*, -e *f*⟩ *mf* Gitarrist(in) *m(f)*.

chiudere ['ki̯u:dere] ⟨chiudo, chiusi, chiuso⟩ **I.** *tr* **1.** *(finestra, porta, valigia)* schließen, zumachen; *(libro, ombrello)* zuklappen, -machen; *(acqua, gas)* abdrehen; *(mano)* ballen; *(strada, passaggio)* (ver)sperren; *(radio, televisore)* abstellen; *(buco, falla)* zumachen; **2.** *fig (lettera, scuole, inform)* schließen, beenden; *(fabbrica)* stillegen; **3.** *(rinchiudere)* einsperren, -schließen; ~ **qc sotto chiave** etw. unter Verschluß nehmen; ~ **le scuole** den Unterricht beenden; ~ **la bocca** den Mund zumachen; *fig* den Mund halten; ~ **la bocca a qu** *fig* jdm den Mund stopfen; ~ **un occhio** *fig* ein Auge zudrücken; **non** ~ **occhio tutta la notte** die ganze Nacht kein Auge zutun (können); **II.** *itr* **1.** *(combaciare)* schließen; **2.** *(negozio, scuola)* schließen; **3.** *com* abschließen; ~ **in avanzo/perdita** mit Gewinn/Verlust abschließen; **III.** *rfl:* **-ersi 1.** *(porta, finestra)* (sich) schließen, zugehen; **2.** *(scuole, locale)* schließen; **3.** *fig* sich verschließen; **-ersi nel silenzio** sich in Schweigen hüllen; **-ersi in se stesso** sich in sich selbst zurückziehen.

chiudiporta [ki̯udi'pɔrta] ⟨-⟩ *m tec:* ~ **elettrico** elektrischer Türschließer.

chiunque [ki'uŋkue] ⟨*inv, solo al sing*⟩ *pron* **1.** *(relativo)* wer auch immer; **2.** *(indefinito)* jede(r, s); ~ **sia** egal wer, wer auch immer.

chiusa ['ki̯u:sa] *f* **1.** *(di fiume, canale)* Schleuse *f;* **2.** *(di lettera, discorso)* Schluß *m;* **3.** *geog* Talenge *f*.

chiusi ['ki̯u:si] *p rem di* **chiudere.**

chiuso, -a ['ki̯u:so] **I.** *pp di* **chiudere; II.** *agg (non aperto, a. fig)* verschlossen; *ling* geschlossen; *(naso)* zu, verstopft; **circolo** ~ geschlossene Gesellschaft; **persona -a** verschlossene Person; **tenere la bocca -a** *fig* den Mund halten; **III.** *m* geschlossener Raum; **puzzo di** ~ stickige (*o* schlechte) Luft. **chiusura** [ki̯u'su:ra] *f* **1.** *(fine)* Schluß *m*, Ende *n; (di attività)* Beendigung *f*, (Ab)schluß *m;* **2.** *(serratura)* Verschluß *m;* **orario di** ~ **dei negozi** Ladenschlußzeit(en) *f(pl);* ~ **automatica (***o* **a scatto)** Schnappverschluß *m;* ~ **a strappo** Klett(en)verschluß *m;* ~ **centralizzata** *mot* Zentralverriegelung *f;* ~ **lampo** Reißverschluß *m;* ~ **della caccia** Ende *n* der Jagdsaison; ~ **dei conti** Rechnungsabschluß *m;* ~ **di borsa** Börsenschluß *m*.

choc [ʃɔk] ⟨-⟩ *m* Schock *m*, Erschütterung *f*.

ci [tʃi] **I.** *pron pers 1ª pers pl* uns; **II.** *pron rfl 1ª pers pl* uns; **III.** *pron dim* davon, daran; **IV.** *pron impers* man; ~ **si diverte** man amüsiert sich; **V.** *avv* **1.** *(qui)* hier; *(moto)* hierhin; **2.** *(lì)* dort; *(moto)* dorthin; **3.** *(per quel luogo)* hier durch; **c'è/ci sono ...** es gibt ...

C.ia *abbr di* **compagnia** Co. (*abk von* Kompanie).

ciabatta [tʃa'batta] *f* **1.** *(pantofola)* Pantoffel *m*, Hausschuh *m; (scarpa malandata)* Latsche *f fam;* **2.** *fig peg (cosa)* Lumpen *m; (persona)* heruntergekommene Person; **trattare qu come una** ~ *fig* jdn wie den letzten Dreck behandeln

fam. **ciabattino, -a** [...'ti:no] *m, f* Flickschuster(in) *m(f).*
ciac, ciak ['tʃak] **I.** *interi:* ~, **si gira!** Achtung, Aufnahme!; **II.** *m film* Klappe *f.*
ciacola ['tʃa:kola] *f* ⟨*pl*⟩ *venez* Klatsch *m.*
cialda ['tʃalda] *f* Waffel *f.*
cialtronata [tʃaltro'na:ta] *f* **1.** *(azione)* Ungezogenheit *f,* Frechheit *f;* **2.** *(lavoro fatto in modo sciatto)* Pfuscherei *f,* Pfuscharbeit *f.*
cialtrone, -a [tʃal'tro:ne] *m, f (persona incapace)* Stümper(in) *m(f); (persona trasandata)* ungepflegter, schlampiger Mensch, Schlampe *f.*
ciambella [tʃam'bɛlla] *f* **1.** *gastr* Kranz *m;* **2.** *(salvagente)* Rettungsring *m.*
ciancicare [tʃantʃi'ka:re] ⟨ciancico, ciancichi⟩ **I.** *tr* zerknittern, verknautschen; **II.** *itr fam* stammeln.
cianfrusaglia [tʃanfru'zaʎʎa] ⟨-glie⟩ *f* Firlefanz *m,* Krimskrams *m.*
ciangolare [tʃango'la:re] *itr (chiacchierare)* schwätzen *fam,* Unsinn reden.
cianuro [tʃa'nu:ro] *m* Zyanid *n.*
ciao ['tʃa:o] *interi* **1.** *(nell'incontrarsi)* hallo, grüß' dich; **2.** *(nel lasciarsi)* tschüs, ciao.
ciarla ['tʃarla] *f (notizia falsa)* Gerücht *n; (chiacchiere)* Geschwätz *n.* **ciarlare** [...'la:re] *itr fam* tratschen *fam.*
ciarlatano [tʃarla'ta:no] *m* Scharlatan *m.*
ciarliero, -a [tʃar'ljɛ:ro] *agg* geschwätzig, redselig.
ciarpame [tʃar'pa:me] *m* Kram *m fam,* Gerümpel *n.*
ciascuno, -a [tʃas'ku:no] *agg, pron* jede(r, s); **a ~ il suo** jedem das Seine.
cibarsi [tʃi'barsi] *rfl* sich ernähren *(di* von).
cibernetica [tʃiber'nɛtika] *f* Kybernetik *f.*
cibo ['tʃi:bo] *m* Nahrung *f,* Speise *f; (per animali)* Futter *n.*
ciborio [tʃi'bɔ:rjo] ⟨-i⟩ *m* Ziborium *n.*
cicala [tʃi'ka:la] *f* Zikade *f.*
cicaleccio [tʃika'lettʃo] ⟨-cci⟩ *m* Palaver *n fam.*
cicatrice [tʃika'tri:tʃe] *f* Narbe *f.* **cicatrizzarsi** [tʃikatrid'dzarsi] *rfl* vernarben, verheilen.
cicca ['tʃikka] ⟨-cche⟩ *f* **1.** *(di sigaretta)* Kippe *f;* **2.** *(da masticare)* Priem *m;* **non valere una ~** *fig* keinen Pfifferling wert sein.
cicchetto [tʃik'ketto] *m* **1.** *(di vino, liquore)* Gläschen *n;* **2.** *(ramanzina)* Anpfiff *m,* Rüge *f;* **farsi un ~** einen kippen *fam.*
ciccia ['tʃittʃa] ⟨-cce⟩ *f fam* Fleisch *n; (fig a.)* Speck *m scherz.* **ciccione, -a** [...'tʃo:ne] *m, f fam* Fettkloß *m.* **cicciottello, -a** [tʃittʃot'tello] *agg* mollig, pumm(e)lig.
cicerone [tʃitʃe'ro:ne] *m* Fremdenführer *m.*
ciclabile [tʃi'kla:bile] *agg:* **pista ~** Rad(-fahr)weg *m.*
ciclamino [tʃikla'mi:no] **I.** *m* Alpenveilchen *n;* **II.** ⟨*inv*⟩ *agg* zyklamfarben.
ciclico, -a ['tʃi:kliko] ⟨-ci, -che⟩ *agg* zyklisch; *(letter a.)* Zyklus-, Zyklen-.
ciclismo [tʃi'klizmo] *m* Radsport *m.* **ciclista** [...'klista] ⟨-i *m,* -e *f*⟩ *mf* (Fahr)radfahrer(in) *m(f); sport* Radrennfahrer(in) *m(f),* Radsportler(in) *m(f).* **ciclistico, -a** [...'klistiko] ⟨-ci, -che⟩ *agg* Rad-.
ciclo ['tʃi:klo] *m* **1.** *gener., letter, fis* Zyklus *m; (decorso)* Verlauf *m;* **2.** *(serie)* Reihe *f;* **3.** *inform* Schleife *f;* **~ biologico** biologischer Kreislauf; **~ storico** Epoche *f;* **~ di trasmissioni/conferenze** Sende-/Vortragsreihe *f.*
ciclomotore [tʃiklomo'to:re] *m* Kleinkraftrad *n.* **ciclomotorista** [...moto'rista] *mf* Mofafahrer(in) *m(f).*
ciclone [tʃi'klo:ne] *m* **1.** *meteo* Zyklon *m; (tempesta)* Wirbelsturm *m;* **2.** *fig* Wirbelwind *m.* **ciclonico, -a** [...'klɔ:niko] ⟨-ci, -che⟩ *agg* Tiefdruck-.
ciclopico, -a [tʃi'klɔ:piko] ⟨-ci, -che⟩ *agg* riesig, gewaltig.
ciclostilare [tʃiklosti'la:re] *tr* hektographieren. **ciclostile** [...'ti:le] *m* Hektograph *m.*
cicogna [tʃi'koɲɲa] *f* Storch *m.*
cicoria [tʃi'kɔ:rja] ⟨-ie⟩ *f* **1.** *bot* Wegwarte *f;* **2.** *gastr (insalata)* Chicorée *f o m; (surrogato del caffè)* Zichorie(nkaffee *m) f.*
cicuta [tʃi'ku:ta] *f* **1.** *(veleno)* Schierlingsgift *n;* **2.** *bot* Schierling *m.*
cieco, -a ['tʃɛ:ko] ⟨-chi, -che⟩ **I.** *agg (a. fig)* blind; **ubbidienza/passione -a** blinder Gehorsam/blinde Leidenschaft; **diventare ~** erblinden; **alla -a** blindlings; **II.** *m, f* Blinde(r) *mf;* **III.** *m* Blinddarm *m.*
cielo ['tʃɛ:lo] **I.** *m* **1.** *meteo, fig, rel* Himmel *m; (mil, amm a.)* Luftraum *m;* **2.** *astr* Sphäre *f;* **3.** *arch* Decke *f,* Himmel *m;* **toccare il ~ con un dito** *fig* überglücklich sein, den Himmel offen sehen *geh;* **non sta né in ~ né in terra** das hat die Welt noch nicht gesehen *fam;* **sotto altri -i** unter anderen Sternen; **per l'amore del ~!** um Himmels willen!; **II.** *interi fam* (du lieber) Himmel!
cifra ['tʃi:fra] *f* **1.** *mat* Ziffer *f,* Zahl *f;* **2.** *com* Summe *f;* **3.** *(monogramma)* Monogramm *n;* **4.** *(scrittura segreta)* Chiffre *f,* Geheimschrift *f;* **~ d'affari** Umsatz *m;* **numero di tre -e** dreistellige Zahl. **cifrare** [tʃi'fra:re] *tr* **1.** *(fazzoletti, lenzuola)* mit einem Monogramm versehen, ein Monogramm sticken in *+akk;* **2.** *(messaggio, dispaccio)* chiffrieren, kodieren. **cifrario** [...'fra:rjo] ⟨-i⟩ *m* Kode *m,* Code *m.*
ciglio ['tʃiʎʎo] *m* **1.** ⟨*pl:* -glia *f*⟩ *anat, zoo* Wimper *f; (sopracciglio)* (Augen)braue *f;* **2.** ⟨*pl:* -gli *m*⟩ *(orlo)* Rand *m;* **aggrot-**

tare/alzare le -glia die Brauen zusammenziehen/heben; **non batter** ~ *fig* nicht mit der Wimper zucken.
cigno ['tʃiɲɲo] *m* Schwan *m*.
cigolare [tʃigo'la:re] *itr* quietschen. **cigolio** [...'li:o] ⟨-ii⟩ *m* Quietschen *n*.
Cile ['tʃi:le] *m*: **il** ~ Chile *n*.
cilecca [tʃi'lekka] *f*: **far** ~ *fam* vorbeischießen, daneben treffen; *fig* versagen.
cilicio [tʃi'li:tʃo] ⟨-ci⟩ *m* Bußgürtel *m*.
ciliegia [tʃi'li̯ɛ:dʒa] ⟨-gie⟩ *f* Kirsche *f*. **ciliegina** [...'dʒi:na] *f* kleine Kirsche; **la** ~ **sulla torta** *fig* das Tüpfelchen auf dem I. **ciliegio** [...dʒo] ⟨-gi⟩ *m* Kirschbaum *m*; *(legno)* Kirschbaum(holz *n*) *m*.
cilindrata [tʃilin'dra:ta] *f* Hubraum *m*; **macchina di piccola/media/grossa** ~ Kleinwagen *m*/Wagen *m* der Mittelklasse/Wagen *m* der gehobenen Klasse.
cilindrico, -a [tʃi'lindriko] ⟨-ci, -che⟩ *agg* zylindrisch.
cilindro [tʃi'lindro] *m* **1.** *mat, mot* Zylinder *m*; **2.** *tec* Walze *f*; **3.** *(cappello)* Zylinder(hut) *m*.
cima ['tʃi:ma] *f* **1.** *(parte più alta)* Spitze *f*; *(di montagna a.)* Gipfel *m*; *(di albero)* Wipfel *m*, Krone *f*; **2.** *fam* Leuchte *f fam*, As *n fam*; **-e di rapa** Rübengrün *n*; **da** ~ **a fondo** von Anfang bis Ende, von oben bis unten; *fig* durch und durch; **raggiungere la** ~ *(a. fig)* den Gipfel erreichen.
cimentare [tʃimen'ta:re] **I.** *tr (rischiare)* aufs Spiel setzen; *(mettere alla prova)* auf die Probe stellen; **II.** *rfl*: **-arsi** es versuchen, ein Wagnis eingehen; **-arsi con qu** jdn herausfordern; **-arsi in qc** etw. wagen.
cimice ['tʃi:mitʃe] *f* **1.** *zoo, tec* Wanze *f*; **2.** *(puntina da disegno)* Reißzwecke *f*.
ciminiera [tʃimi'ni̯ɛ:ra] *f* Schornstein *m*.
cimitero [tʃimi'tɛ:ro] *m* Friedhof *m*.
cimosa [tʃi'mo:sa] *f* Webkante *f*.
cimurro [tʃi'murro] *m* Staupe *f*.
Cina ['tʃi:na] *f* China *n*.
cinciallegra [tʃintʃal'le:gra] *f* Kohlmeise *f*.
cincilla, cincillà [tʃin'tʃilla, ...'la] ⟨-⟩ *m* **1.** *zoo* Chinchilla *f o n*; **2.** *(pelliccia)* Chinchilla *m*.
cincin, cin cin [tʃin'tʃin] *interi fam* prost, prosit.
cincischiare [tʃintʃis'ki̯a:re] *tr* **1.** *(nel parlare)* stammeln, herumdrucksen; **2.** *(sgualcire)* zerknüllen, zerknittern; **3.** *(perdere tempo)* (herum)trödeln.
cine ['tʃi:ne] ⟨-⟩ *m fam* Kino *n*. **cineamatore, -trice** [tʃineama'to:re] *m, f* Amateurfilmer(in) *m(f)*. **cineasta** [tʃine'asta] ⟨-i *m*, -e *f*⟩ *mf* Filmemacher(in) *m(f)*. **cinecittà** [-tʃit'ta] *f* Filmstadt *f*, Filmstudios *n pl*. **cineclub** [-'klub] *m* Filmklub *m*. **cineforum** [-'fɔ:rum] ⟨-⟩ *m* Filmforum *n*. **cinegiornale** [-dʒor'na:le] *m* Wochenschau *f*.
cinema ['tʃi:nema] ⟨-⟩ *m* Kino *n*; ~ **d'essai** Experimentalfilm *m*; *(cineforum)* Programmkino *n*.
cinematografare [tʃinematogra'fa:re] *tr* filmen. **cinematografo** [...'tɔ:grafo] *m* **1.** *(locale)* Kino *n*, Lichtspielhaus *n*; **2.** *(arte)* Film(kunst *f*) *m*, Kino *n*.
cinepresa [tʃine'pre:sa] *f* Filmkamera *f*.
cineromanzo [-ro'mandzo] *m* Fotoroman *m*.
cinese [tʃi'ne:ze] **I.** *agg* chinesisch; **II.** *mf* Chinese *m*, Chinesin *f*.
cinesiterapia [tʃinezitera'pia] *f* Heilgymnastik *f*, Bewegungstherapie *f*.
cinetica [tʃi'nɛ:tika] ⟨-che⟩ *f* Kinetik *f*.
cingere ['tʃindʒere] ⟨cingo, cingi, cinsi, cinto⟩ **I.** *tr* **1.** *(circondare)* umschließen, umgeben; **2.** *(avvolgere)* umhüllen; **3.** *(con le braccia)* umarmen; ~ **d'assedio** *mil* belagern; **II.** *rfl*: **-ersi** sich umgürten mit.
cinghia ['tʃiŋgia] ⟨-ghie⟩ *f* Riemen *m*; *(cintura)* Gürtel *m*, Gurt *m*; ~ **trapezoidale** Keilriemen *m*; **tirare (***o* **stringere) la** ~ *fig* den Gürtel enger schnallen.
cinghiale [tʃiŋ'gia:le] *m* **1.** *zoo* Wildschwein *n*; **2.** *(pelle)* Schweinsleder *n*.
cingolato, -a [tʃiŋgo'la:to] *agg* Raupen-, Ketten-. **cingolo** ['tʃiŋgolo] *m* Raupenkette *f*.
cinguettare [tʃiŋgu̯et'ta:re] *itr* zwitschern. **cinguettio** [...'ti:o] ⟨-ii⟩ *m* Gezwitscher *n*.
cinico, -a ['tʃi:niko] ⟨-ci, -che⟩ **I.** *agg* zynisch; **II.** *m, f* Zyniker(in) *m(f)*.
cinismo [tʃi'nizmo] *m* Zynismus *m*.
cinquanta [tʃiŋ'ku̯anta] **I.** *num* fünfzig; **II.** ⟨-⟩ *m* Fünfzig *f*; **gli anni** ~ die fünfziger Jahre; **essere sui** ~ um die Fünfzig sein; **avere passato i** ~ die Fünfzig überschritten haben, über fünfzig sein. **cinquantenario** [...te'na:ri̯o] ⟨-i⟩ *m* Fünfzigjahrfeier *f*, fünfzigjähriges Jubiläum. **cinquantenne** [...'tɛnne] **I.** *agg* fünfzigjährig; **II.** *mf* Fünfzigjährige(r) *mf*. **cinquantennio** [...'tɛnni̯o] ⟨-i⟩ *m* Zeitraum *m* von fünfzig Jahren, fünfzig Jahre *n pl*.
cinquantesimo, -a [...'tɛ:zimo] **I.** *agg* fünfzigste(r, s); **II.** *m, f* Fünfzigste(r, s) *mfn*; **III.** *m (frazione)* Fünfzigstel *n*, fünfzigster Teil; *v. a. quinto*. **cinquantina** [...'ti:na] *f*: **una** ~ **(di . . .)** (etwa) fünfzig (. . .); **essere sulla** ~ an (*o* um) die Fünfzig sein.
cinque ['tʃiŋku̯e] **I.** *num* fünf; **capitolo/pagina** ~ Kapitel/Seite fünf; **siamo in** ~ wir sind zu fünft; **a** ~ **a** ~ in Fünferreihen, zu (jeweils) fünfen; **ho** ~ **anni** ich bin fünf Jahre (alt); **di** ~ **anni** fünfjährig; **ogni** ~ **anni** alle fünf Jahre; **oggi è il** ~ **agosto** heute ist der fünfte August; **arriverò il** ~ ich komme am Fünften; **arriverò il** ~ **maggio** ich komme am fünften Mai; **Roma, (il)** ~ **dicembre 1995** Rom, den fünften Dezember 1995; ~ **volte** fünfmal; **II.** ⟨-⟩ *m* **1.** *(numero)* Fünf *f*;

2. *(nelle date)* Fünfte(r) *m;* 3. *(voto scolastico)* ≃ Mangelhaft *n,* Fünf *f;* **abita al ~** er (*o* sie) wohnt in Nummer fünf; **il (tram numero) ~** die (Straßenbahnlinie) Fünf; **prendere un ~** eine Fünf bekommen; **il ~ di cuori** die Herzfünf; **tre più due fa ~** drei plus zwei macht (*o* ist) fünf; **oggi è il ~** heute ist der Fünfte; **III.** *f pl* fünf Uhr; **alle ~** um fünf (Uhr); **sono le ~ (del mattino/pomeriggio)** es ist fünf Uhr (morgens/nachmittags); **sono le ~ in punto** es ist genau (*o* Punkt) fünf Uhr; **sono le quattro meno ~** es ist fünf (Minuten) vor vier (Uhr); **sono le ~ e mezzo** es ist halb sechs.

cinquecentesco, -a [-tʃen'tesko] ⟨-schi, -sche⟩ *agg* das sechzehnte Jahrhundert betreffend. **cinquecento** [-'tʃɛnto] **I.** *num* fünfhundert; **II.** ⟨-⟩ *m* Fünfhundert *f;* **il C~** das sechzehnte Jahrhundert.

cinquemila [-'mi:la] **I.** *num* fünftausend; **II.** ⟨-⟩ *m* Fünftausend *f.*

cinquina [tʃiŋ'kui:na] *f* Quinterne *f.*

cinsi ['tʃinsi] *p rem di* **cingere.**

cinta ['tʃinta] *f* Umgrenzung *f; (recinto)* Einfriedung *f;* **~ di mura** Mauerring *m.*

cintare [...'ta:re] *tr* einfrieden.

cinto ['tʃinto] *pp di* **cingere.**

cintola ['tʃintola] *f* Taille *f.*

cintura [tʃin'tu:ra] *f* Gürtel *m;* **~ di salvataggio** Rettungsring *m;* **allacciare (***o* **allacciarsi) la ~ di sicurezza** sich anschnallen; **~ di sicurezza a tre punti di ancoraggio** Dreipunktsicherheitsgurt *m;* **~ verde** *(di una città)* Grüngürtel *m.*

cinturato, -a [tʃintu'ra:to] **I.** *agg* Gürtel-; **II.** *m* Gürtelreifen *m.* **cinturino** [...'ri:no] *m (dell'orologio)* Armband *n.* **cinturone** [...'ro:ne] *m* Koppel *n.*

ciò [tʃɔ] *pron dim* das, dies; **~ che ...** (das) was ...; **~ non di meno** trotz alledem; **con tutto ~** bei all dem.

ciocca ['tʃɔkka] ⟨-cche⟩ *f* Strähne *f; (ciuffo)* Büschel *n.*

cioccolata [tʃokko'la:ta] *f* **1.** *(liquida)* Kakao *m,* Schokolade *f;* **2.** *(solida)* Schokolade *f.* **cioccolatino** [...la'ti:no] *m* Praline *f.* **cioccolato** [...'la:to] *m* Schokolade *f.*

cioè [tʃo'ɛ] *avv* das heißt, nämlich.

ciondolare [tʃondo'la:re] **I.** *itr* **1.** *(dondolare)* baumeln; *(pendere)* hängen; **2.** *fig fam* herumhängen *fam,* -lungern *fam;* **II.** *tr* hängen (*o* baumeln) lassen.

ciondolo ['tʃondolo] *m* Anhänger *m.*

ciondoloni [tʃondo'lo:ni] *avv* baumelnd; **con le braccia ~** mit herunterhängenden Armen.

ciononostante, ciò nonostante [tʃononos'tante, 'tʃɔ nonos'tante] *avv* dessenungeachtet, dennoch.

ciotola ['tʃɔ:tola] *f* Schälchen *n,* Napf *m.*

ciottolo ['tʃɔttolo] *m* Kieselstein *m.*

cipolla [tʃi'polla] *f* Zwiebel *f.* **cipollina** [...pol'li:na] *f* **1.** *(piccola cipolla)* kleine Zwiebel; **2.** *(erba cipollina)* Schnittlauch *m.*

cipresseto [tʃipres'se:to] *m* Zypressenhain *m.*

cipresso [tʃi'prɛsso] *m* **1.** *bot* Zypresse *f;* **2.** *(legno)* Zypressenholz *n.*

cipria ['tʃi:pria] ⟨-ie⟩ *f* Puder *m.*

cipriota [tʃipri'ɔ:ta] ⟨-i *m,* -e *f*⟩ **I.** *agg* zyprisch, zypriotisch; **II.** *mf* Zyprier(in) *m(f),* Zypriot(in) *m(f).*

Cipro ['tʃi:pro] *f* Zypern *n.*

circa ['tʃirka] **I.** *avv* (*abbr* **c.**) etwa, circa; *(temporale)* gegen; **II.** *prp* bezüglich *+gen,* in bezug auf *+akk,* über *+akk.*

circo ['tʃirko] ⟨-chi⟩ *m* Zirkus *m.*

circolante [tʃirko'lante] *agg (a. com)* umlaufend.

circolare[1] [tʃirko'la:re] *itr* ⟨*essere o avere*⟩ **1.** *(veicoli)* fahren; *(traffico)* fließen; *(muoversi)* sich bewegen; *(proseguire)* weitergehen; **2.** *(sangue)* zirkulieren, kreisen; **3.** *fin* kursieren, zirkulieren; **4.** *(voce)* kursieren, umgehen; **~!** weitergehen!

circolare[2] [tʃirko'la:re] **I.** *agg* **1.** *gener., mat* Kreis-; **2.** *(stadio, tracciato)* kreisförmig, Kreis-, Rund-; **assegno ~** *fin* Orderscheck *m;* **II.** *f* **1.** *amm* (*abbr* **circ.**) Rundschreiben *n;* **2.** *(linea di autobus)* Ringlinie *f.*

circolatorio, -a [tʃirkola'tɔ:rio] ⟨-i, -ie⟩ *agg* Kreislauf-; **disturbi -i** Kreislaufstörungen *f pl.*

circolazione [tʃirkolat'tsio:ne] *f* **1.** *(atto del circolare)* Umlauf *m;* **2.** *anat* Blutzirkulation *f,* -kreislauf *m;* **3.** *mot* Verkehr *m;* **4.** *fin* Umlauf *m;* **carta/libretto di ~** (Kraft)fahrzeugschein *m;* **mettere in ~** *(a. fig)* in Umlauf bringen; **togliere dalla ~** *(a. fig)* aus dem Verkehr ziehen.

circolo ['tʃirkolo] *m* **1.** *mat* Kreis *m;* **2.** *geog* (Breiten)kreis *m;* **3.** *(associazione)* Klub *m,* Zirkel *m,* Verein *m;* **4.** *amm* Kollegium *n;* **~ equatoriale** Äquator *m;* **~ vizioso** *fig* Teufelskreis *m,* Circulus vitiosus *m geh.*

circoncisione [tʃirkontʃi'zio:ne] *f* Beschneidung *f.*

circondare [tʃirkon'da:re] **I.** *tr* **1.** *mil* umzingeln, umstellen; *(attorniare)* umringen; *(accerchiare)* einkreisen; **2.** *fig* umgeben (*di* mit); **II.** *rfl:* **-arsi** sich umgeben (*di* mit).

circondario [tʃirkon'da:rio] ⟨-i⟩ *m* **1.** *dir, amm* Bezirk *m;* **2.** *(dintorni)* Umkreis *m,* Umgebung *f.*

circonferenza [tʃirkonfe'rɛntsa] *f* (Kreis)umfang *m;* **~ vita** Taillenweite *f.*

circonflesso, -a [tʃirkon'flɛsso] *agg:* **accento ~** Zirkumflex *m.*

circonvallazione [tʃirkonvallat'tsio:ne] *f* Umgehungsstraße *f.*

circoscrivere [tʃirkos'kri:vere] ⟨*irr*⟩ *tr* **1.** *mat* umschreiben; **2.** *fig* ein-, begrenzen (*a* auf +*akk*), beschränken (*a* auf +*akk*).

circoscrizione [tʃirkoskrit'tsio:ne] *f amm* Bezirk *m;* ~ **elettorale** Wahlbezirk *m.*

circospetto, -a [tʃirkos'pɛtto] *agg* vorsichtig, behutsam. **circospezione** [...pet'tsio:ne] *f* Umsicht *f,* Vorsicht *f.*

circostante [tʃirkos'tante] **I.** *agg* umgebend, umliegend; *(persone)* umstehend; **II.** *m pl* Umstehende(n) *pl.*

circostanza [tʃirkos'tantsa] *f* Umstand *m,* Gegebenheit *f; (occasione)* Gelegenheit *f;* **atteggiamento di** ~ angemessenes Verhalten; **-e attenuanti/aggravanti** *dir* mildernde/erschwerende Umstände *m pl.*

circostanziato, -a [tʃirkostan'tsia:to] *agg (resoconto, rapporto)* ausführlich.

circuire [tʃirku'i:re] ⟨circuisco⟩ *tr* umgarnen.

circuito [tʃir'ku:ito] *m* **1.** *sport* Rennstrekke *f; (chiuso)* Ring *m; (gara)* Rundrennen *n;* **2.** *(~ elettrico)* Stromkreis *m;* ~ **base** Grundschaltung *f;* ~ **integrato** integrierter Schaltkreis; **corto** ~ Kurzschluß *m.*

circumnavigare [tʃirkumnavi'ga:re] *tr* umschiffen; *(a vela)* umsegeln. **circumnavigazione** [...gat'tsio:ne] *f* Umschiffung *f; (a vela)* Umseg(e)lung *f.*

cirillico, a- [tʃi'rilliko] ⟨-ci, -che⟩ *agg* kyrillisch.

cirrosi [tʃir'ro:zi] ⟨-⟩ *f* Zyrrhose *f;* ~ **epatica** Leberzirrhose *f.*

C.I.S.L. [tʃizl] *f acr di* **Confederazione Italiana Sindacati Lavoratori** *italienischer Arbeitergewerkschaftsbund.*

ciste ['tʃiste] *v.* **cisti.**

cisterna [tʃis'tɛrna] **I.** *f* Zisterne *f; (serbatoio)* Tank *m;* **II.** ⟨*inv*⟩ *agg* Tank-.

cisti ['tʃisti] ⟨-⟩ *f* Zyste *f.*

cistifellea [tʃisti'fɛllea] *f* Gallenblase *f.*

cistite [tʃis'ti:te] *f* Blasenentzündung *f.* **cistoscopia** [tʃistosko'pi:a] ⟨-ie⟩ *f* Blasenspiegelung *f.*

C.I.T. [tʃit] *f abbr di* **Compagnia Italiana Turismo** *italienische Reiseverkehrsgesellschaft.*

citare [tʃi'ta:re] *tr* **1.** *(riferire)* zitieren, anführen; *(nominare)* erwähnen; **2.** *(testo, discorso)* zitieren; ~ **qu in tribunale/giudizio** *dir* jdn (bei Gericht) vorladen; ~ **ad esempio** als Beispiel anführen. **citazione** [...tat'tsio:ne] *f* **1.** *dir* Vorladung *f;* **2.** *letter* Zitat *n;* **3.** *(menzione)* Erwähnung *f,* Nennung *f;* **una** ~ **al merito** eine lobende Erwähnung.

citofonare [tʃitɔfo'na:re] *itr* durch eine Sprechanlage sprechen. **citofono** [...'tɔ:fono] *m* (Haus)sprechanlage *f.*

citoplasma [tʃito'pla:zma] *m* Zellplasma *n,* Zytoplasma *n.*

citrico, -a ['tʃi:triko] ⟨-ci, -che⟩ *agg* zitronensauer; **acido** ~ Zitronensäure *f.*

città [tʃit'ta] ⟨-⟩ *f* Stadt *f;* ~ **dormitorio** Schlafstadt *f;* ~ **nuova** Neubaugebiet *n;* ~ **vecchia** Altstadt *f;* ~ **universitaria (***o* **degli studi)** Universitätsgelände *n,* Campus *m;* ~ **satellite** Satellitenstadt *f,* Trabantenstadt *f;* ~ **dei ragazzi** Kinderdorf *n;* **C~ del Vaticano** Vatikanstadt *f;* **C~ del Capo** Kapstadt *n;* **abitare in** ~ in der Stadt wohnen.

cittadella [-'dɛlla] *f* **1.** *mil* Zitadelle *f;* **2.** *fig* Hochburg *f.*

cittadina [tʃitta'di:na] *f* Kleinstadt *f.* **cittadinanza** [tʃittadi'nantsa] *f* **1.** *dir* Staatsbürgerschaft *f;* **2.** *(insieme di cittadini)* Bürgerschaft *f,* Einwohnerschaft *f;* ~ **onoraria** Ehrenbürgerschaft *f.*

cittadino, -a [tʃitta'di:no] **I.** *agg* städtisch, Stadt-; **II.** *m, f* **1.** *dir* Staatsangehörige(r) *mf;* **2.** *(di città)* Bürger(in) *m(f);* **il primo** ~ *amm* der Bürgermeister; *pol* der italienische Staatspräsident.

ciucciare [tʃut'tʃa:re] ⟨ciuccio, ciucci⟩ *tr fam* saugen, nuckeln *fam;* ~ **il dito** (am) Daumen lutschen. **ciuccio** ['tʃuttʃo] ⟨-cci⟩ *m fam* Schnuller *m fam; (per biberon a.)* Sauger *m.*

ciuco, -a ['tʃu:ko] ⟨-chi, -che⟩ *m, f fam* **1.** *zoo* Esel(in) *m(f);* **2.** *fig peg* Esel *m.*

ciuffo ['tʃuffo] *m* Büschel *n.*

ciurma ['tʃurma] *f* Mannschaft *f,* Besatzung *f.*

civaie [tʃi'va:ie] *f pl tosc* Hülsenfrüchte *f pl.*

civetta [tʃi'vetta] *f* **1.** *zoo* Kauz *m;* **2.** *fig peg* kokette Frau; **3.** *film* Kinoprogramm *n;* **auto** ~ getarnter Polizeiwagen. **civettare** [...'ta:re] *itr* kokettieren. **civetteria** [...te'ri:a] ⟨-ie⟩ *f* Koketterie *f.* **civettuolo, -a** [...'tuɔ:lo] *agg* kokett.

civico, -a ['tʃi:viko] ⟨-ci, -che⟩ *agg* **1.** *(di città)* städtisch, Stadt-; **2.** *dir* staatsbürgerlich; **3.** *(dovere)* Bürger-; **senso** ~ Gemeinschaftssinn *m.*

civile [tʃi'vi:le] **I.** *agg* **1.** *(del cittadino)* bürgerlich, Bürger-; **2.** *(non militare, ecclesiastico)* zivil; **3.** *(nazione, popolo)* zivilisiert; *(comportamento, maniere)* angemessen, passend; *(colto)* kultiviert; *(letteratura, poesia)* gepflegt, stilvoll; *(abito)* anständig, gepflegt; **guerra** ~ Bürgerkrieg *m;* **matrimonio** ~ standesamtliche Trauung; **II.** *m* Zivil *n;* **essere vestito in** ~ Zivil tragen.

civilizzare [tʃivilid'dza:re] **I.** *tr* zivilisieren; **II.** *rfl:* **-arsi 1.** *(popolo)* zivilisiert werden; **2.** *(persona)* kultiviert werden. **civilizzatore, -trice** [...dza'to:re] **I.** *agg* zivilisierend; **II.** *m, f* Überbringer(in) *m(f)* der Zivilisation. **civilizzazione** [...dzat'tsio:ne] *f* Zivilisierung *f.*

civilmente [tʃivil'mente] *avv* **1.** *(educatamente)* anständig, höflich, gesittet; **2.** *amm* zivilrechtlich; **sposarsi** ~ standesamtlich heiraten.

civiltà [tʃivil'ta] ⟨-⟩ *f* **1.** *(cultura)* Kultur *f;* **2.** *(progresso)* Zivilisation *f;* **3.** *(cortesia)*

Anstand *m*, Höflichkeit *f;* ~ **dei consumi** Konsumgesellschaft *f.*
civismo [tʃi'vizmo] *m* Gemeinschaftssinn *m.*
CL *abbr di* **Comunione e Liberazione** *Laienbewegung der italienischen Kirche.*
clacson ['klakson] ⟨-⟩ *m* Hupe *f;* **suonare il** ~ hupen.
clamore [kla'mo:re] *m* Aufsehen *n,* Wirbel *m.* **clamoroso, -a** [...mo'ro:so] *agg* sensationell, aufsehenerregend.
clandestinità [klandestini'ta] ⟨-⟩ *f* Verborgenheit *f,* Heimlichkeit *f; (illegalità)* Illegalität *f; pol* Untergrund *m.* **clandestino, -a** [...'ti:no] **I.** *agg* heimlich; *(illegale)* illegal, gesetzwidrig; *(lavoro, vendita, viaggio)* schwarz; **II.** *m, f* blinder Passagier.
Clara ['kla:ra] *(nome proprio femminile)* Klara.
clarinettista [klarinet'tista] ⟨-i *m,* -e *f*⟩ *mf* Klarinettist(in) *m(f).* **clarinetto** [...'netto] *m* Klarinette *f.* **clarino** [kla'ri:no] *m* Clarino *n,* Bach-Trompete *f.*
classe ['klasse] *f* **1.** *gener.* Klasse *f;* **2.** *(aula)* Klassenzimmer *n;* **3.** *mil* Jahrgang *m;* **4.** *fig* Klasse *f,* Rang *m;* **la** ~ **dirigente** die Führungsschicht; **un uomo di** ~ ein Mann *m* von Welt; ~ **di leva** Einberufungsjahrgang *m;* **viaggiare in prima** ~ erster Klasse reisen; **fuori** ~ Spitzenklasse *f.*
classicismo [klassi'tʃizmo] *m (epoca)* Klassik *f; (stile)* Klassizismus *m; (qualità)* Klassische(s) *n.*
classico, -a ['klassiko] ⟨-ci, -che⟩ **I.** *agg* klassisch; *(liceo, studi)* altsprachlich, humanistisch; **II.** *m* Klassiker *m.*
classifica [klas'si:fika] ⟨-che⟩ *f* **1.** *sport* Tabelle *f,* Rangliste *f;* **2.** *amm* Wertung *f,* Einstufung *f;* **arrivare ultimo in** ~ am Tabellenende stehen; **essere in testa alla** ~ Tabellenführer sein. **classificare** [klassifi'ka:re] ⟨classifico, classifichi⟩ **I.** *tr* **1.** *(scolaro, compito)* bewerten; **2.** *(materiale, libri)* klassifizieren, einordnen; **II.** *rfl:* **-arsi** sich plazieren; **-arsi bene** gut abschneiden; **-arsi terzo** Dritter werden. **classificatore** [...ka'to:re] *m* **1.** *(raccoglitore)* (Akten)ordner *m; (cartella)* Schnellhefter *m;* **2.** *(mobile)* Büroschrank *m.* **classificazione** [...kat'tsio:ne] *f* **1.** *(divisione in classi)* Klassifizierung *f,* Klassifikation *f; (ripartizione)* Einteilung *f;* **2.** *(voto)* Bewertung *f; sport* Wertung *f; (a scuola)* Zensur *f,* Note *f.*
classismo [klas'sizmo] *m* Klassenkampftheorie *f.* **classista** [klas'sista] ⟨-i *m,* -e *f*⟩ *agg* Klassen-.
claudicante [klaudi'kante] *agg* hinkend.
Claudio ['kla:udio] *(nome proprio maschile)* Claudius.
clausola ['kla:uzola] *f* Klausel *f.*
claustrofobia [klaustrofo'bi:a] ⟨-ie⟩ *f* Klaustrophobie *f,* Platzangst *f fam.*
clausura [klau'zu:ra] *f* Klausur *f.*
clava ['kla:va] *f* Keule *f.*
clavicembalo [klavi'tʃembalo] *m* (Clavi)cembalo *n.*
clavicola [kla'vi:kola] *f* Schlüsselbein *n.*
clearing ['kliəriŋ] ⟨-⟩ *m econ* Clearing *n,* Abrechnungsverkehr *m.*
clemente [kle'mɛnte] *agg* **1.** *(clima)* mild; **2.** *(persona)* gütig; *(tollerante)* nachsichtig. **clemenza** [...'mɛntsa] *f* Milde *f.*
cleptomane [klep'tɔ:mane] **I.** *agg* kleptomanisch; **II.** *mf* Kleptomane *m,* -manin *f.*
clericale [kleri'ka:le] **I.** *agg* klerikal; **II.** *mf* Klerikale(r) *mf.*
clero ['klɛ:ro] *m* Klerus *m,* Geistlichkeit *f;* ~ **regolare/secolare** Ordens-/Weltgeistlichkeit *f.*
clessidra [kles'si:dra] *f (a sabbia)* Sanduhr *f; (ad acqua)* Wasseruhr *f.*
clic [klik] ⟨-⟩ *m:* **fare** ~ *inform* (mit der Maus) (an)klicken. **cliccare** [klik'ka:re] ⟨clicco, clicchi⟩ *itr* ⟨*avere*⟩ *sl inform* (an)klicken.
cliché [kli'ʃe] ⟨-⟩ *m* Klischee *n.*
cliente [kli'ɛnte] *mf (di un negozio)* Kunde *m,* Kundin *f; (di un albergo, ristorante)* Gast *m; med* Patient(in) *m(f); (di un avvocato)* Klient(in) *m(f).* **clientela** [klien'tɛ:la] *f* **1.** *(di un negozio)* Kundschaft *f; (di un albergo, ristorante)* Gäste *m pl;* **2.** *med* Patienten *m pl; (di un avvocato)* Klienten *m pl,* Klientel *f;* **cura dei contatti con la** ~ Kundenpflege *f.*
clientelare [...te'la:re] *agg peg pol* auf der Klüngelwirtschaft (*o* Parteiwirtschaft) basierend. **clientelismo** [...te'lizmo] *m peg pol* Klüngel-, Parteiwirtschaft *f.*
clima ['kli:ma] ⟨-i⟩ *m (a. fig)* Klima *n.*
climaterio [klima'tɛ:rio] ⟨-i⟩ *m* Wechseljahre *n pl,* Klimakterium *n wissensch.*
climatico, -a [kli'ma:tiko] ⟨-ci, -che⟩ *agg* klimatisch, Klima-. **climatizzato, -a** [...tid'dza:to] *agg* klimatisiert. **climatizzazione** [...dzat'tsio:ne] *f* Klimatisierung *f;* **impianto di** ~ Klimaanlage *f.* **climatologo, -a** [...'tɔ:logo] *m, f* Klimaforscher(in) *m(f).*
clinica ['kli:nika] ⟨-che⟩ *f* Klinik *f.* **clinico, -a** [...ko] ⟨-ci, -che⟩ **I.** *agg* klinisch; **avere l'occhio** ~ *fig* einen scharfen Blick haben; **II.** *m* Krankenhausarzt *m; (docente)* Kliniker *m.*
clip[1] [klɪp] ⟨-⟩ *f* (Ohr)clip *m.*
clip[2] [klɪp] ⟨-⟩ *m* (Video)clip *m.*
clistere [klis'tɛ:re] *m med* Klistier *n.*
clitoride [kli'tɔ:ride] *m o f* Klitoris *f.*
cloaca [klo'a:ka] ⟨-che⟩ *f* Kloake *f.*
clonare [klona:re] *tr* klonen; **clonazione** [klonat'tsio:ne] *f* Klonen *n.* **clone**

[klɔne] *m (a. inform)* Klon *m.*
cloro [ˈklɔːro] *m* Chlor *n.*
clorofilla [kloroˈfilla] *f* Chlorophyll *n.* **clorofilliano, -a** [...ˈliaːno] *agg* Chlorophyll-; **sintesi -a** Photosynthese *f.*
clorofluorcarburo [klorofluorkarˈbuːro] *m (abbr* **CFC**) Fluorchlorkohlenwasserstoff *m* (*abk* FCKW).
cloroformio [kloroˈfɔrmio] ⟨-i⟩ *m* Chloroform *n.*
clorurato, -a [kloruˈraːto] *agg* chloriert; **acqua -a** Chlorwasser *n,* gechlortes Wasser.
club [klub] ⟨-⟩ *m* Klub *m;* ~ **del libro** Buchclub *m.*
cm *abbr di* **centimetro** cm (*abk von* Zentimeter).
c.m. *abbr di* **corrente mese** d. M. (*abk von* dieses Monats).
c/o *abbr di* **care of** *(presso)* c/o, bei.
coadiuvante [koadiuˈvante] **I.** *agg* Hilfs-; **II.** *m* Hilfsmedikament *n.*
coadiuvare [koadiuˈvaːre] *tr* mitwirken (*in qc* bei etw) *(collaborare a.)* mitarbeiten (*in qc* bei etw).
coagulante [koaguˈlante] **I.** *agg* gerinnungsfördernd; **II.** *m* Gerinnungsmittel *n,* Koagulans *n wissensch.*
coagulare [koaguˈlaːre] **I.** *tr* gerinnen lassen, zur Gerinnung bringen; *(med a.)* koagulieren *wissensch;* **II.** *rfl:* **-arsi** gerinnen; *(med a.)* koagulieren *wissensch.*
coagulazione [...latˈtsioːne] *f* Gerinnen *n; (med a.)* Gerinnung *f,* Koagulation *f wissensch;* ~ **del sangue** Blutgerinnung *f.*
coalizione [koalitˈtsioːne] *f* Koalition *f; (di enti)* Zusammenschluß *m.* **coalizzare** [...lidˈdzaːre] **I.** *tr* koalisieren; *(unire)* verbinden; **II.** *rfl:* **-arsi** koalieren, koalisieren, sich verbünden.
coatto, -a [koˈatto] *agg* Zwangs-, gezwungen.
cobalto [koˈbalto] *m* **1.** *chim* Kobalt *n;* **2.** *(colore)* Kobaltblau *n.* **cobaltoterapia** [...teraˈpiːa] *f* Kobaltbehandlung *f,* -bestrahlung *f.*
cobra [ˈkɔːbra] ⟨-⟩ *m* Kobra *f.*
coca [ˈkɔːka] ⟨-che⟩ *f* **1.** *bot* Kokastrauch *m; (sostanza) sl* Kokain *n;* **2.** *(bevanda) fam* Cola *f.*
cocaina [kokaˈiːna] *f* Kokain *n.*
cocca[1] [ˈkɔkka] ⟨-cche⟩ *f* **1.** *(di fazzoletto, grembiule)* Zipfel *m;* **2.** *(di freccia)* (Pfeil)kerbe *f.*
cocca[2] *f v.* **cocco, -a.**
coccarda [kokˈkarda] *f* Rosette *f,* Kokarde *f.*
cocchiere, -a [kokˈkiɛːre] *m, f* Kutscher(in) *m(f).*
cocchio [ˈkɔkkio] ⟨-cchi⟩ *m* Kutsche *f.*
coccige [kotˈtʃiːge] *m* Steißbein *n.*
coccinella [kottʃiˈnɛlla] *f* Marienkäfer *m.*
coccio [ˈkɔttʃo] ⟨-cci⟩ *m* **1.** *(terracotta)* Steingut *n;* **2.** ⟨*pl*⟩ *fam* Geschirr *n;* **3.** *(frammento)* Scherbe *f.*
cocciutaggine [kottʃuˈtaddʒine] *f* Dickköpfigkeit *f.* **cocciuto, -a** [...ˈtʃuːto] **I.** *agg* dickköpfig; **II.** *m, f* Dickkopf *m.*
cocco[1] [ˈkɔkko] ⟨-cchi⟩ *m bot* Kokospalme *f;* **noce di** ~ Kokosnuß *f.*
cocco[2] [ˈkɔkko] ⟨-cchi⟩ *m biol* Kokkus *m,* Kokke *f.*
cocco, -a [ˈkɔkko] ⟨-cchi, -cche⟩ *m, f fam* Liebling *m,* Schätzchen *n fam;* **essere il ~ di mamma** Mamas Liebling sein; **povero ~!** armes Häschen (*o* Herzchen)!
coccodrillo [kokkoˈdrillo] *m* **1.** *zoo* Krokodil *n;* **2.** *(pelle)* Kroko(dil)leder *n.*
coccolare [kokkoˈlaːre] *tr fam* liebkosen, schmusen mit *fam; (vezzeggiare)* (ver)hätscheln. **coccolone, -a** [...ˈloːne] *m, f fam* Schmusekatze *f fam.*
cocente [koˈtʃɛnte] *agg* **1.** *(ardente)* glühendheiß; **2.** *fig (dolore)* heftig, brennend, stechend; *(offesa)* schmerzend, verletzend.
cocker [ˈkɔkə] ⟨-⟩ *m* Cockerspaniel *m.*
cocktail [ˈkɔkteɪl] ⟨-⟩ *m* **1.** *gastr* Cocktail *m;* **2.** *(trattenimento)* Cocktailparty *f;* **abito da** ~ Cocktailkleid *n.*
cocomero [koˈkoːmero] *m* Wassermelone *f.*
cocuzzolo [koˈkuttsolo] *m* **1.** *(di montagna)* Gipfel *m,* Kuppe *f;* **2.** *(di testa, cappello)* Spitze *f.*
cod. *abbr di* **codice** Gesetzbuch.
coda [ˈkoːda] *f* **1.** *zoo* Schwanz *m;* **2.** *astr* Schweif *m;* **3.** *(di un abito femminile)* Schleppe *f; (di un abito maschile)* Rockschoß *m;* **4.** *(di un aereo)* Heck *n;* **5.** *(fila)* Reihe *f,* Schlange *f;* **6.** *letter, mus* Koda *f;* **7.** *(appendice)* Anhang *m;* ~ **in umido/lessa** geschmorter/gekochter Ochsenschwanz; ~ **di cavallo** *(acconciatura)* Pferdeschwanz *m;* ~ **di rospo** *fam* Seeteufel *m;* **vettura di** ~ *ferr* Schlußwagen *m;* **andarsene con la ~ fra le gambe** *fig* mit eingezogenem Schwanz (*o* wie ein begossener Pudel) abziehen *fam;* **avere la ~ di paglia** *fig (non avere la coscienza tranquilla)* ein schlechtes Gewissen haben; *(offendersi)* schnell beleidigt sein, eine Mimose sein; **fare la** ~ Schlange stehen; **mettersi in** ~ sich anstellen.
codardo, -a [koˈdardo] **I.** *agg* feige; **II.** *m, f* Feigling *m.*
codazzo [koˈdattso] *m* Schwarm *m,* Gefolgschaft *f.*
codesto, -a [koˈdesto] *pron tosc* diese(r, s).
codice [ˈkɔːditʃe] *m* **1.** *dir, letter* Kodex *m (dir a., abbr* **cod.***)* Gesetzbuch *n;* **2.** *(cifrario, inform)* Kode *m,* Code *m; (sistema a.)* Schlüssel *m;* ~ **civile/penale** (*abbr* **C.C./C.P.**) Bürgerliches Gesetzbuch/Strafgesetzbuch *n;* ~ **di procedura civile/penale** (*abbr* **C.P.C./C.P.P.**) Zivil-/Strafprozeßordnung *f;* ~ **della**

strada (*abbr* **C.d.S.**) Straßenverkehrsordnung *f;* ~ **di avviamento postale** (*acr* **C.A.P.**) Postleitzahl *f;* ~ **a barre** (*o* **barrette**) Strichkode *m;* ~ **ASCII** ASCII-Code *m;* ~ **dell'articolo** (europäische) Artikelnummer *f;* ~ **fiscale** Steuernummer *f.*

codificare [kodifi'ka:re] ⟨codifico, codifichi⟩ *tr* **1.** *inform* codieren, kodieren; *(tradurre)* verschlüsseln; **2.** *dir* kodifizieren.

codificatore [...ka'to:re] *inform* Codierer *m,* Encoder *m.* **codificazione** [...kat'tsio:ne] *f* **1.** *(atto)* Kodifizierung *f;* **2.** *(effetto)* Kodifikation *f;* **3.** *inform* Kodierung *f.*

codino [ko'di:no] *m (acconciatura maschile)* Zopf *f,* Pferdeschwanz *m.*

coeditore, -trice [koedi'to:re] *m, f* Mitherausgeber(in) *m(f).*

coefficiente [koeffi'tʃɛnte] *m* Koeffizient *m.*

coercizione [koertʃit'tsio:ne] *f* Druck *m,* Zwang *m.*

coerede [koe'rɛ:de] *mf* Miterbe *m,* -erbin *f.*

coerente [koe'rɛnte] *agg* folgerichtig, schlüssig, logisch; *(persona)* zielstrebig, konsequent. **coerenza** [...'rɛntsa] *f* Folgerichtigkeit *f,* Schlüssigkeit *f; (di persona)* Zielstrebigkeit *f.*

coesione [koe'zio:ne] *f* **1.** *fig* Zusammenhang *m;* **2.** *fis ling* Kohäsion *f.*

coesistenza [koezis'tɛntsa] *f* Koexistenz *f geh,* Nebeneinanderbestehen *n;* ~ **pacifica** friedliche Koexistenz. **coesistere** [koe'zistere] ⟨*irr*⟩ *itr* ⟨*essere*⟩ nebeneinander bestehen, koexistieren *geh.*

coetaneo, -a [koe'ta:neo] **I.** *agg* gleichaltrig; **II.** *m, f* Gleichaltrige(r) *mf,* Altersgenosse *m,* -genossin *f.*

cofanetto [kofa'netto] *m* **1.** *(piccolo cofano)* Kästchen *n; (per gioielli)* Schmuckkästchen *n;* **2.** *(per libri)* Schuber *m,* Kassette *f.*

cofano ['kɔ:fano] *m* **1.** *mot* Motorhaube *f;* **2.** *(cassa)* Truhe *f,* Kasten *m.*

cofinanziamento [kofinantsia'mento] *m* Mitfinanzierung *f.*

cofondatore, -trice [kofonda'to:re] *m, f* Mitbegründer(in) *m(f).*

cogerente [kodʒe'rɛnte] *mf* Mitverwalter(in) *m(f).*

cogestione [kodʒes'tio:ne] *f* Mitverwaltung *f.* **cogestionale** [...tio'na:le] *agg pol* Mitbestimmungs-.

cogli ['koʎʎi] *prp* **con** *con art gli.*

cogliere ['kɔʎʎere] ⟨colgo, cogli, colsi, colto⟩ *tr* **1.** *(fiore, frutto)* pflücken; *(frutto a.)* ernten; *(bacche)* lesen; **2.** *fig (occasione)* ergreifen; *(colpo)* treffen; *(significato, importanza)* erfassen; **3.** *(sorprendere)* erwischen, ertappen; ~ **nel segno** genau treffen; ~ **qu in fallo/in flagrante** jdn auf frischer Tat ertappen/in flagranti erwischen.

coglione, -a [koʎ'ʎo:ne] **I.** *m, f volg* Eierarsch *m vulg,* dumme Sau *vulg;* **II.** *m pl volg* Eier *n pl vulg.*

cognato, -a [koɲ'ɲa:to] *m, f* Schwager *m,* Schwägerin *f.*

cognizione [koɲɲit'tsio:ne] *f* **1.** *(nozione)* Kenntnis *f;* **2.** *dir* Zuständigkeit *f,* Kompetenz *f;* **con** ~ **di causa** kompetent, mit Sachverstand, mit Sachkenntnis.

cognome [koɲ'ɲo:me] *m* Nach-, Familienname *m;* ~ **da nubile** Mädchenname *m.*

coi ['ko:i] *prp* **con** *con art i.*

coibentare [koiben'ta:re] *tr tec* isolieren. **coibentazione** [...tat'sio:ne] *f tec* Isolierung *f.*

coincidenza [kointʃi'dɛntsa] *f* **1.** *(avvenimento simultaneo)* Zusammentreffen *n; (avvenimento casuale)* Zufall *m;* **2.** *(di autobus, ferr, aero)* Anschluß *m,* Verbindung *f;* **3.** *fig* Übereinstimmung *f.* **coincidere** [...'tʃi:dere] ⟨*irr*⟩ *itr (accadere insieme)* zusammenfallen; *(corrispondere)* sich *(dat)* entsprechen, übereinstimmen; *(essere la stessa cosa)* sich decken.

coinquilino, -a [koiŋkui'li:no] *m, f* Mitbewohner(in) *m(f).*

cointestatario, -a [kointesta'ta:rio] *m, f* Mitinhaber(in) *m(f);* ~ **di un conto** Mitinhaber eines Kontos.

coinvolgere [koin'vɔldʒere] ⟨*irr*⟩ *tr* hineinziehen (*in* in +*akk*), verwickeln (*in* in +*akk*).

coinvolgimento [koinvoldʒi'mento] *m* Verwicklung *f.*

coinvolto, -a [koin'vɔlto] **I.** *pp di* **coinvolgere; II.** *agg* beteiligt; **III.** *m, f* Beteiligte(r) *mf;* ~ **nell'incidente** (*o* **nel sinistro)** Unfallbeteiligte(r) *mf.*

coiote [ko'iɔ:te] ⟨-⟩ *m* Kojote *m.*

Coira ['kɔ:ira] *f* Chur *n.*

coito ['kɔ:ito] *m* Koitus *m wissensch.,* Beischlaf *m.*

coke [kouk] ⟨-⟩ *m* Koks *m.*

col [kol] *prp* **con** *con art il.*

colabrodo [kola'brɔ:do] ⟨-⟩ *m* Durchschlag *m,* Sieb *n.* **colapasta** [-'pasta] ⟨-⟩ *m* Nudelsieb *n,* Seiher *m.*

colare [ko'la:re] **I.** *tr* ⟨*avere*⟩ **1.** *(liquido)* abgießen, filtern; *(brodo)* durchseihen, durch ein Sieb schütten; *(pasta)* abgießen, -schütten; **2.** *(metallo)* gießen; ~ **a picco** (*o* **a fondo)** *(nave)* versenken; **II.** *itr* ⟨*essere o avere*⟩ *(gocciolare)* tropfen, rinnen; *(recipiente)* lecken; **mi cola il naso** mir läuft die Nase.

colazione [kolat'tsio:ne] *f* **1.** *(prima ~)* Frühstück *n;* **2.** *(seconda ~)* Mittagessen *n;* ~ **di lavoro** Arbeitsessen *n;* **fare** ~ frühstücken.

Coldiretti [koldi'rɛtti] *f abbr di* **Confederazione dei coltivatori diretti** Verband *m* der selbständigen Landwirte.

colei *f v.* **colui.**
coleottero [kole'ɔttero] *m* Käfer *m.*
colera [ko'lɛ:ra] ⟨-⟩ *m* Cholera *f.*
colesterina [koleste'ri:na] *f,* **colesterolo** [...'rɔ:lo] *m* Cholesterin *n.*
colf [kɔlf] ⟨-⟩ *mf* Haushaltshilfe *f.*
colgo ['kɔlgo] *pr di* **cogliere.**
colibrì [koli'bri] ⟨-⟩ *m* Kolibri *m.*
colica ['kɔ:lika] ⟨-che⟩ *f* Kolik *f.*
colino [ko'li:no] *m* kleines Sieb; *(per tè)* Teesieb *n.*
colla[1] ['kɔlla] *f* Leim *m,* Klebstoff *m;* ~ **in stick** Klebestift *m;* ~ **universale** Alleskleber *m.*
colla[2] ['kolla] *prp* **con** *con art la.*
collaborare [kollabo'ra:re] *itr* mitarbeiten (*a* an +*dat*), zusammenarbeiten (*con* mit); *(peg a.)* kollaborieren (*con* mit). **collaboratore, -trice** [...ra'to:re] *m, f* Mitarbeiter(in) *m(f);* ~ **esterno** freier Mitarbeiter. **collaboratrice** [...ra'tri:tʃe] *f:* ~ **familiare (***o* **domestica)** Hausangestellte *f,* Haushaltshilfe *f.* **collaborazione** [...rat'tsi̯o:ne] *f* Mitarbeit *f* (*a* an +*dat*), Zusammenarbeit *f;* ~ **economica/scientifica** wirtschaftliche/wissenschaftliche Zusammenarbeit.
collana [kol'la:na] *f* **1.** *(di perle, di pietre)* (Hals)kette *f;* **2.** *(di libri)* Reihe *f.*
collant [kɔ'lã] ⟨-⟩ *m* Strumpfhose *f.*
collare [kol'la:re] *m* **1.** *(per cani)* Halsband *n;* **2.** *(ornamento)* Halskrause *f;* **3.** *rel* Beffchen *n,* Kollar *n.*
collasso [kol'lasso] *m* Kollaps *m.*
collaterale [kollate'ra:le] *agg (a lato)* seitlich, Seiten-; *(vicino)* Neben-.
collaudare [kollau'da:re] *tr* prüfen, testen. **collaudatore, -trice** [...da'to:re] *m, f* Prüfer(in) *m(f);* ~ **di automobili** Testfahrer(in) *m(f);* ~ **di aeroplani** Testpilot(in) *m(f).* **collaudo** [...'la:udo] *m* Kontrolle *f,* Prüfung *f; (di macchina, ascensore a.)* Probelauf *m;* **volo di** ~ Probeflug *m.*
colle[1] ['kɔlle] *m (rilievo)* Hügel *m.*
colle[2] ['kolle] *prp* **con** *con art le.*
collega [kol'lɛ:ga] ⟨-ghi *m,* -ghe *f*⟩ *mf* Kollege *m,* Kollegin *f.*
collegamento [kollega'mento] *m* **1.** *gener.* Verbindung *f;* **2.** *el* Schaltung *f;* **3.** *mil, TV, radio* Verbindung *f;* **4.** *inform* Vernetzung *f;* ~ **ferroviario/telefonico/radiofonico** Eisenbahn-/Telefon-/Funkverbindung *f;* **in** ~ **con Madrid, vi trasmettiamo . . .** *TV, radio* wir sind mit Madrid verbunden und senden . . . **collegare** [...'ga:re] **I.** *tr* verbinden; *(fig a.)* in Verbindung setzen (*con* mit); **II.** *rfl:* **-arsi** sich in Verbindung setzen (*con* mit); *(unirsi)* sich vereinen.
collegiale [kolle'dʒa:le] **I.** *agg* **1.** *(collettivo)* kollegial, Kollegial-; **2.** *(da collegio)* Internats-; **II.** *mf* Internatsschüler(in) *m(f).* **collegialità** [...dʒali'ta] ⟨-⟩ *f* Kollegialität *f.* **collegialmente** [...dʒal'mente] *avv* **1.** *(da collega)* kollegial; **2.** *(collettivamente)* kollektiv, gemeinschaftlich.
collegio [kol'lɛ:dʒo] ⟨-gi⟩ *m* **1.** *(istituto)* Internat *n,* Internatsschule *f;* **2.** *(professionale)* Kollegium *n;* ~ **elettorale** Wahlbezirk *m.*
collera ['kɔllera] *f* Wut *f;* **andare in** ~ wütend werden; **essere in** ~ **con qu** auf jdn wütend sein. **collerico, -a** [kol'lɛ:riko] ⟨-ci, -che⟩ *agg* cholerisch, jähzornig.
colletta [kol'lɛtta] *f* (Geld)sammlung *f.*
collettiva [kollet'ti:va] *f* Gruppenausstellung *f.*
collettività [kollettivi'ta] ⟨-⟩ *f* Kollektivität *f,* Gemeinschaftlichkeit *f.* **collettivo, -a** [...'ti:vo] **I.** *agg* kollektiv, gemeinschaftlich, Gemeinschafts-; **II.** *m* Kollektiv *n.*
colletto [kol'letto] *m* Kragen *m;* **i -i bianchi** *fig* die Angestellten *m pl.*
collettore, -trice [kollet'to:re] **I.** *agg* Sammel-; **II.** *m* **1.** *tec* Sammelleitung *f;* **2.** *el* Kollektor *m;* ~ **solare** Sonnenkollektor *m.*
collezionare [kollettsi̯o'na:re] *tr* sammeln. **collezione** [...'tsi̯o:ne] *f* **1.** *(raccolta)* Sammlung *f;* **2.** *(di moda)* Kollektion *f.* **collezionista** [...i̯o'nista] ⟨-i *m,* -e *f*⟩ *mf* Sammler(in) *m(f).*
collimare [kolli'ma:re] *itr* übereinstimmen, sich *(dat)* entsprechen.
collina [kol'li:na] *f* Hügel *m,* Anhöhe *f.* **collinoso, -a** [...li'no:so] *agg* hüg(e)lig.
collirio [kol'li:ri̯o] ⟨-i⟩ *m* Augentropfen *m pl.*
collisione [kolli'zi̯o:ne] *f* Zusammenstoß *m,* Kollision *f;* **entrare in** ~ zusammenstoßen, kollidieren.
collo[1] ['kɔllo] *m* **1.** *anat* Hals *m; (del piede)* Spann *m,* Rist *m;* **2.** *(di bottiglia)* Hals *m;* **3.** *(di abito)* Kragen *m;* **avere/portare al** ~ um den Hals haben/tragen; **avere/tenere in** ~ im (*o* auf dem) Arm haben/halten; **prendere qu per il** ~ jdn am Kragen packen; **tirare il** ~ **ad un pollo** einem Huhn den Hals umdrehen; **essere nei debiti fino al** ~ *fig* bis zum Hals in Schulden stecken; **a** ~ **alto** Rollkragen-.
collo[2] ['kɔllo] *m com* Frachtstück *n,* Kollo *n.*
collo[3] ['kollo] *prp* **con** *con art lo.*
collocabile [kollo'ka:bile] *agg* **1.** *(disoccupato)* vermittelbar; **2.** *fin* verkäuflich.
collocamento [kolloka'mento] *m* **1.** *(impiego)* Stellung *f;* **2.** *(disposizione)* Anordnung *f,* Stellung *f;* **3.** *tec* Einbau *m;* **agenzia/ufficio di** ~ Stellenvermittlung *f*/Arbeitsamt *n.*
collocare [kollo'ka:re] *tr* **1.** *(mettere)* setzen, stellen, legen; **2.** *(trovare un lavoro per)* unterbringen; **3.** *com* absetzen, verkaufen; ~ **qu a riposo/in aspettativa** jdn in den Ruhe-/Wartestand versetzen. **collocazione** [...kat'tsi̯o:ne] *f* Stellung *f; (di libro, fig)* Standort *m; (sistemazio-*

ne) Anordnung *f.*
colloquiale [kollo'kuia:le] *agg* Umgangs-; **linguaggio** ~ Umgangssprache *f;* **tono** ~ Umgangston *m.*
colloquio [kol'lɔ:kuio] ⟨-qui⟩ *m* **1.** *(conversazione)* Gespräch *n,* Unterredung *f;* **2.** *(esame)* mündliche Prüfung; ~ **di presentazione** Vorstellungsgespräch *n.*
colloso, -a [kol'lo:so] *agg* klebrig.
colludere [kol'ludere] ⟨colludo, collusi, colluso⟩ *itr* kolludieren; **essere colluso** unter einer Decke stecken, verfilzt sein. **collusione** [...lu'zio:ne] **1.** *dir* Kollusion *f;* **2.** *fam* Machenschaften *f pl,* Verfilzung *f.*
collutorio [kollu'tɔ:rio] ⟨-i⟩ *m* Mundwasser *n.*
colluttazione [kolluttat'tsio:ne] *f* Schlägerei *f.*
colmare [kol'ma:re] *tr* **1.** *(recipiente)* füllen *(di* mit); *(lacuna)* schließen, ausfüllen; **2.** *fig* überschütten *(di* mit), überhäufen *(di* mit); *(riempire l'animo)* erfüllen *(di* mit).
colmo ['kolmo] *m* Gipfel *m,* Höhe *f;* **è il** ~**!** *fam fig* das ist die Höhe!
colmo, -a ['kolmo] *agg* voll *(di +nom); (con agg attr)* voll *(di +gen/+dat);* voller *(di +nom); (con agg attr)* voller *(di +gen); (fig a.)* erfüllt *(di* von, mit); **fino all'orlo** randvoll.
colomba [ko'lomba] *f* Taube *f;* **la** ~ **pasquale** *typischer Osterkuchen in Form einer Taube.*
colombaia [colom'ba:ia] ⟨-ie⟩ *f* Taubenschlag *m.*
Colombia [ko'lombia] *f* Kolumbien *n.*
colombo [...bo] *m* Täuberich *m,* Taube *f.*
colon ['kɔ:lon] ⟨-⟩ *m* Grimmdarm *m,* Kolon *n.*
colonia[1] [ko'lɔ:nia] ⟨-ie⟩ *f* **1.** *pol, biol* Kolonie *f;* **2.** *(per le vacanze)* Ferienlager *n,* -kolonie *f;* **3.** *(gruppo di stranieri)* (Ausländer)kolonie *f.*
colonia[2] [ko'lɔ:nia] ⟨-ie⟩ *f (acqua di Colonia)* Kölnischwasser *n.*
Colonia [ko'lɔ:nia] *f* Köln *n;* **acqua di** ~ Kölnischwasser *n.*
coloniale [kolo'nia:le] **I.** *agg* **1.** *pol, com* kolonial, Kolonial-; **2.** *biol* Kolonien bildend; **II.** *m pl* Kolonialwaren *f pl.* **colonialismo** [kolonia'lizmo] *m* Kolonialismus *m.* **colonialista** [...'lista] ⟨-i *m,* -e *f*⟩ **I.** *mf* Kolonialist(in) *m(f);* **II.** *agg* Kolonial-.
colonico, -a [ko'lɔ:niko] ⟨-ci, -che⟩ *agg:* **casa -a** Bauernhaus *n.*
colonizzare [kolonid'dza:re] *tr* **1.** *pol* kolonisieren; **2.** *agr* besiedeln. **colonizzatore, -trice** [...dza'to:re] **I.** *agg* kolonisatorisch; **II.** *m* Kolonisator *m.* **colonizzazione** [...dzat'tsio:ne] *f* **1.** *pol* Kolonisierung *f;* **2.** *agr* Besied(e)lung *f.*
colonna [ko'lonna] *f* **1.** *arch* Säule *f;* **2.** *(di automobili, mil)* Kolonne *f;* **3.** *(di numeri)* Reihe *f,* Kolonne *f;* **4.** *typ* Spalte *f,* Kolumne *f;* **5.** *film, mus* Spur *f;* **6.** *fig* Stütze *f;* **7.** *(d'acqua, di fuoco)* (Wasser-, Feuer)wand *f;* ~ **vertebrale** Wirbelsäule *f.* **colonnato** [...'na:to] *m* Säulengang *m; (portico)* Säulenhalle *f.*
colonnello [kolon'nɛllo] *m* Oberst *m.*
colonnina [kolon'ni:na] *f:* ~ **per chiamate di soccorso** Notrufsäule *f.* **colonnista** [kolon'nista] ⟨-i *m,* -e *f*⟩ *mf (columnist)* Kolumnist(in) *m(f).*
colorante [kolo'rante] **I.** *agg* färbend, Färbe-, Farb-; **II.** *m* Farbstoff *m;* **-i alimentari** Lebensmittelfarben *f pl.*
colorare [kolo'ra:re] **I.** *tr (a. fig)* färben; *(disegno)* kolorieren, bemalen; **II.** *rfl:* **-arsi** sich färben. **colorazione** [...'rat'tsio:ne] *f* Färbung *f.*
colore [ko'lo:re] *m* Farbe *f; (pol a.)* Couleur *f;* ~ **locale** Lokalkolorit *n;* **scatola di -i** Farbkasten *m;* **uomo di** ~ Farbige(r) *m;* **-i a olio/tempera** Öl-/Temperafarben *f pl;* **dirne di tutti i -i** kein Blatt vor den Mund nehmen; **farne di tutti i -i** alles mögliche anstellen, es bunt treiben; **diventare di mille (***o* **di tutti i) -i** abwechselnd blaß und rot werden; **dare una mano di** ~ **a qc** etw. anstreichen; **a -i** farbig, Farb-, bunt, Bunt-; **senza -i** farblos. **colorire** [...'ri:re] ⟨colorisco⟩ *tr* **1.** *(colorare)* kolorieren; **2.** *fig (racconto)* ausschmücken. **colorito, -a** [...'ri:to] **I.** *agg* **1.** *(viso)* rosig; *(abito)* farbig; **2.** *fig* lebhaft, farbig; *(linguaggio a.)* ausdrucksvoll; **II.** *m* Farbe *f,* Färbung *f; (della pelle)* Gesichtsfarbe *f,* Teint *m.*
coloro [ko'lo:ro] *v.* **colui.**
colossale [kolos'sa:le] *agg* **1.** *(impresa, opera)* gewaltig, riesig; **2.** *fig* enorm, kolossal. **colosso** [ko'lɔsso] *m* **1.** *(statua)* Koloß *m;* **2.** *fig* Größe *f;* **un** ~ **dello schermo** *fig* eine Bildschirmgröße.
colpa ['kolpa] *f* Schuld *f;* **essere/sentirsi in** ~ schuldig sein/sich schuldig fühlen; **per** ~ **di qu/qc** durch jds Schuld/wegen etw.; **non è** ~ **mia** das ist nicht meine Schuld, ich kann nichts dafür; **la** ~ **è tua** es ist deine Schuld, du bist schuld. **colpevole** [...'pe:vole] **I.** *agg* **1.** *(persona)* schuldig; **2.** *(azione)* schuldhaft; **II.** *mf* Schuldige(r) *mf.* **colpevolezza** [...vo'lettsa] *f* Schuld *f;* **verdetto di** ~ Schuldspruch *m.* **colpevolizzare** [...volit'tsa:re] *tr* Schuldgefühle hervorrufen *(qu* in jdm); *(dare la colpa)* Schuld geben *(qu* jdm.).
colpire [kol'pi:re] ⟨colpisco⟩ *tr* **1.** *gener.* treffen; **2.** *fig* beeindrucken, treffen; ~ **nel segno** *fig* ins Schwarze treffen; ~ **qu con un pugno** jdm einen Faustschlag versetzen.
colpo ['kolpo] *m* **1.** *gener.* Schlag *m; (urto a.)* Stoß *m;* **2.** *fig peg* Coup *m,* Streich *m;* **3.** *(sparo)* Schuß *m; (detonazione)*

Knall *m;* ~ **della strega** *fam* Hexenschuß *m;* ~ **di vento/d'aria** Windstoß *m*/Luftzug *m;* ~ **di sole** Sonnenstich *m;* **-i di sole** Strähnchen *n pl;* ~ **di testa** *fig* Kurzschlußhandlung *f;* ~ **di fortuna** Glücksfall *m;* ~ **di stato** Staatsstreich *m;* ~ **apoplettico** Schlaganfall *m,* Gehirnschlag *m;* ~ **basso** *(a. fig)* Schlag *m* unter die Gürtellinie; **a** ~ **d'occhio** auf den ersten Blick; **ti do un** ~ **di telefono** *fam* ich rufe dich kurz an; **andare a** ~ **sicuro** sichergehen; **fare** ~ beeindrukken; **fare un** ~ einen Coup landen; **gli è venuto un** ~ ihn hat der Schlag getroffen; **di** ~ plötzlich; **sul** ~ auf der Stelle.

colposo, -a [kol'po:so] *agg dir* vorsätzlich.

colsi ['kɔlsi] *p rem di* **cogliere.**

coltellata [koltel'la:ta] *f* Messerstich *m.*

coltello [kol'tɛllo] *m* Messer *n;* **avere il** ~ **dalla parte del manico** *fig* das Heft in der Hand haben.

coltivabile [kolti'va:bile] *agg* anbaufähig; **area** ~ Anbaugebiet *n;* **superficie** ~ Anbaufläche *f.*

coltivare [kolti'va:re] *tr* **1.** *(campo, terreno)* bestellen, bebauen; **2.** *(patate, rape)* anbauen; **3.** *min* abbauen; **4.** *fig (amicizia)* pflegen; *(mente)* kultivieren, bilden; *(scienze, arti)* pflegen, betreiben. **coltivatore, -trice** [...va'to:re] *m, f* Erzeuger(in) *m(f),* Produzent(in) *m(f);* ~ **diretto** Direkterzeuger *m; (agricoltore indipendente)* selbständiger Landwirt. **coltivazione** [...vat'tsio:ne] *f (di un prodotto)* Anbau *m; (di un campo)* Bestellen *n.*

colto ['kɔlto] *pp di* **cogliere.**

colto, -a ['kolto] *agg* gebildet.

coltre ['koltre] *f (a. fig)* Decke *f.*

coltura [kol'tu:ra] *f* **1.** *agr* Anbau *m,* Kultur *f;* **2.** *biol* Kultur *f;* **3.** *zoo* Zucht *f.*

colui, colei [ko'lu:i, ko'lɛ:i] ⟨coloro⟩ *pron* diese(r, s) (dort), jene(r, s); ~ **che ...** der(jenige), der ... *etc.*

coma ['kɔ:ma] ⟨-⟩ *m* Koma *n;* **essere in** ~ im Koma liegen.

comandamento [komanda'mento] *m* Gebot *n.*

comandante [koman'dante] *m* Kommandant *m; naut* Kapitän *m.*

comandare [koman'da:re] **I.** *tr* **1.** *mil (reggimento, esercito, nave)* kommandieren, befehligen, (an)führen; **2.** *tec* bedienen; **3.** *amm* versetzen; **4.** *(ordinare)* befehlen, anordnen; **comandi!** zu Befehl!; **II.** *itr* kommandieren, befehlen *(a qu di fare qc* jdm, etw. zu tun).

comando [ko'mando] *m* **1.** *mil* Kommando *n,* Führung *f;* **2.** *amm* Leitung *f;* **3.** *(ordine)* Befehl *m;* **4.** *tec* Schaltung *f;* **5.** *sport* Führung *f;* **leva di** ~ Schalthebel *m;* ~ **terroristico** Terrorkommando *n.*

comare [ko'ma:re] *f* (Tauf)patin *f.*

combaciare [komba'tʃa:re] *itr* **1.** *(aderire)* (zusammen)passen; **2.** *fig* übereinstimmen.

combattente [kombat'tɛnte] **I.** *agg* kämpfend, Kampf-; **II.** *mf* Kämpfer(in) *m(f).*

combattere [kom'battere] **I.** *itr* **1.** *mil* kämpfen *(contro* gegen); **2.** *fig* sich einsetzen, kämpfen *(contro* gegen, *per* für); **II.** *tr mil, fig* bekämpfen, kämpfen gegen; **III.** *rfl:* **-ersi** sich bekämpfen, miteinander *(o* gegeneinander) kämpfen. **combattimento** [...ti'mento] *m* **1.** *mil* Kampf *m,* Gefecht *n;* **2.** *sport* (Wett-, Ring)kampf *m;* **mettere fuori** ~ *(a. fig)* außer Gefecht setzen. **combattivo, -a** [...t'ti:vo] *agg* Kampf-, kämpferisch. **combattuto, -a** [...'tu:to] *agg* unschlüssig; *(da dubbi)* gequält, geplagt.

combinare [kombi'na:re] **I.** *tr* **1.** *(colori)* kombinieren, zusammenstellen; *(gita, cena, riunione)* arrangieren, in die Wege leiten; *(affare)* zustande bringen; **2.** *chim, tec* verbinden; **3.** *(unire)* vereinen; ~ **un guaio** *fam* etwas anstellen *(o* anrichten); **II.** *itr* (zusammen)passen, passen *(con* zu); **III.** *rfl:* **-arsi 1.** *chim* sich verbinden; **2.** *fam* sich herrichten, sich zurechtmachen; **3.** *(mettersi d'accordo)* sich einigen *(su* über).

combinazione [kombinat'tsio:ne] *f* **1.** *(caso fortuito)* Zufall *m;* **2.** *(di colori)* Zusammenstellung *f; (di cassaforte)* Kombination *f;* **3.** *chim* Verbindung *f;* **per (pura)** ~ (rein) zufällig.

combustibile [kombus'ti:bile] **I.** *agg* brennbar, Brenn-; **II.** *m* Brennstoff *m;* ~ **nucleare** Kernbrennstoff *m.*

combustione [kombus'tio:ne] *f* Verbrennung *f.*

combutta [kom'butta] *f* Bande *f;* **essere in** ~ **con qu** mit jdm unter einer Decke stecken.

come ['ko:me] **I.** *avv* **1.** *(interrogativo, esclamativo, nei paragoni)* wie; **2.** *(correlativo)* so wie; **3.** *(in qualità di)* als; ~ **me/te,** *ecc.* wie ich/du, *ecc.* **ora** ~ **ora** hier und jetzt; ~ **viene, viene** *fam* wie es kommt, so kommt es; ~ **dire** will sagen; **ma** ~**!** wie bitte?; ~ **stai?** wie geht's (dir)?; ~ **mai?** wieso?; **II.** *cong* **1.** *(dichiarativo)* wie; **2.** *(condizionale)* +*congv* als +*konjv;* **3.** *(temporale)* als; **4.** *(comparativo)* wie; ~ **se** +*congv* als ob +*konjv;* **III.** ⟨-⟩ *m* Wie *n.*

COMECON [kɔmekɔn] *m acr di* **Consiglio di mutua assistenza economica** Rat *m* für gegenseitige Wirtschaftshilfe.

comedone [kome'do:ne] *m* Mitesser *m.*

cometa [ko'me:ta] *f* Komet *m.*

comfort ['kʌmfət] ⟨-⟩ *m* Komfort *m,* Bequemlichkeit *f.*

comica ['kɔ:mika] ⟨-che⟩ *f film* Stummfilmsketch *m.*

comicità [komitʃi'ta] ⟨-⟩ *f* Komik *f.*

comico, -a ['kɔ:miko] ⟨-ci, -che⟩ **I.** *agg* **1.** *(della commedia)* Lustspiel-; **2.** *(buffo)* komisch; **II.** *m, f (attore, a. fig)* Komiker(in) *m(f); (scrittore)* Komödienautor(in) *m(f);* **III.** *m* Komik *f,* Komische(s) *n.*

comignolo [ko'miɲɲolo] *m* Schornstein *m.*

cominciare [komin'tʃa:re] ⟨comincio, cominci⟩ *tr* ⟨*avere*⟩, *itr* ⟨*essere o avere*⟩ anfangen (mit), beginnen (mit); **comincia a piovere** es beginnt (*o* fängt an) zu regnen; ~ **col dire ...** damit anfangen, daß man sagt ...; **a ~ da oggi** ab heute; **si comincia bene!** *iron* das fängt ja gut an!; **chi ben comincia è a metà dell'opera** *prov* guter Anfang ist halbe Arbeit.

comitato [komi'ta:to] *m* Komitee *n,* Ausschuß *m.*

comitiva [komi'ti:va] *f* (Reise)gruppe *f,* -gesellschaft *f.*

comizio [ko'mittsi̯o] ⟨-i⟩ *m* (öffentliche) Versammlung *f;* **indire un ~** eine Versammlung einberufen.

comma ['komma] ⟨-i⟩ *m* **1.** *dir* Absatz *m,* Paragraph *m;* **2.** *mus* Komma *n.*

commedia [kom'mɛ:di̯a] ⟨-ie⟩ *f* Komödie *f;* ~ **musicale** Musical *n;* ~ **a soggetto** Stegreifkomödie *f;* ~ **d'intreccio/di carattere** Verwicklungs-/Charakterkomödie *f;* **personaggio da ~** *fig* Hanswurst *m;* **fare la ~** *fig* Komödie spielen. **commediante** [...me'di̯ante] *mf (a. fig peg)* Komödiant(in) *m(f).* **commediografo, -a** [...me'diɔ:grafo] *m, f* Lustspiel-, Komödienautor(in) *m(f).*

commemorare [kommemo'ra:re] *tr* gedenken (*qu* jds); *(celebrare)* feiern. **commemorazione** [...rat'tsi̯o:ne] *f* Gedenken *n* (*di* an *+akk*); *(cerimonia)* Gedächtnisfeier *f.*

commendatore [kommenda'to:re] *m* (*abbr* **Comm.**) Komtur *m.*

commensale [kommen'sa:le] *mf* Tischgenosse *m,* -genossin *f.*

commentare [kommen'ta:re] *tr* **1.** *(passo, poesia)* interpretieren, erläutern; **2.** *(spiegare con commento)* kommentieren; **3.** *(esprimere giudizi)* seine Meinung äußern über *+akk.*

commento [kom'mento] *m* **1.** *(nota illustrativa)* Kommentar *m,* Erläuterung *f; letter, radio, TV* Besprechung *f;* **2.** *(giudizio)* Kommentar *m,* Beurteilung *f;* ~ **musicale** *film* (Film)musik *f.*

commerciale [kommer'tʃa:le] *agg* **1.** *(lettera, valore, scuola)* Handels-; **2.** *(prodotto, film)* kommerziell. **commercialista** [...tʃa'lista] ⟨-i *m,* -e *f*⟩ *mf* **1.** *(libero professionista)* Steuerberater(in) *m(f);* **2.** *(dottore in economia e commercio)* Diplomkaufmann *m,* -kauffrau *f;* **3.** *(avvocato specialista in diritto commerciale)* Handelsrechtsexperte *m,* -expertin *f.* **commercializzare** [...tʃalid'dza:re] *tr (mettere in commercio)* in den Handel bringen; *(immettere sul mercato)* vermarkten. **commercializzazione** [...tʃaliddza'tsi̯o:ne] *f* Vermarktung *f,* Vertrieb *m;* **costi di ~** Vertriebskosten *f pl.*

commerciante [kommer'tʃante] *mf* Händler(in) *m(f);* ~ **in pellami** Lederwarenhändler(in) *m(f).*

commerciare [kommer'tʃa:re] ⟨commercio, commerci⟩ *itr* handeln (*in* in, mit).

commercio [kom'mɛrtʃo] ⟨-ci⟩ *m* Handel *m;* ~ **all'ingrosso/al minuto** Groß-/Einzelhandel *m;* **essere in ~** im Handel sein; **essere nel ~** im Handel tätig sein.

commessa[1] [kom'messa] *f (in un negozio)* Verkäuferin *f.*

commessa[2] [kom'messa] *f (ordinazione)* Auftrag *m,* Bestellung *f.*

commesso [kom'messo] *m* **1.** *(in un negozio)* Verkäufer *m;* **2.** *(impiegato subalterno)* Bote *m;* ~ **viaggiatore** Handlungsreisende(r) *m,* Handelsvertreter *m.*

commestibile [kommes'ti:bile] *agg* eßbar, genießbar.

commettere [kom'mettere] ⟨*irr*⟩ *tr* begehen; *(errore a.)* machen.

commiato [kom'mi̯a:to] *m* Abschied *m.*

commilitone [kommili'to:ne] *m mil* Kamerad *m.*

commiserare [kommize'ra:re] *tr* bemitleiden, bedauern. **commiserazione** [...rat'tsi̯o:ne] *f* Mitleid *n,* Bemitleidung *f.*

commissariato [kommissa'ri̯a:to] *m* Kommissariat *n.*

commissario, -a [kommis'sa:ri̯o] ⟨-i, -ie⟩ *m, f* **1.** *amm* Kommissar(in) *m(f),* Beauftragte(r) *mf;* **2.** *(membro di commissione)* Mitglied *n* einer Kommission; **3.** *sport* Funktionär(in) *m(f);* ~ **di pubblica sicurezza** Polizeikommissar *m;* ~ **d'esame** Mitglied *n* einer Prüfungskommission; ~ **tecnico** (*abbr* **C.T.**) ≃ (Fußball)bundestrainer *m.*

commissionare [kommissi̯o'na:re] *tr* bestellen, ordern, in Auftrag geben.

commissionario, -a [kommissi̯o'na:ri̯o] *m, f* Auftragnehmer(in) *m(f).*

commissione [kommis'si̯o:ne] *f* **1.** *(incarico)* Auftrag *m;* **2.** *com (ordinazione)* Bestellung *f,* Auftrag *m; (somma)* Kommission *f;* **3.** *(comitato)* Kommission *f,* Ausschuß *m;* ~ **esaminatrice** Prüfungskommission *f;* ~ **d'esami/inchiesta** Prüfungs-/Untersuchungsausschuß *m;* ~ **interna** Betriebsrat *m;* ~ **dell'unione europea** EU-Kommission *f;* ~ **di concorso** Jury *f;* **mandare qu a fare una ~** jdn (weg)schicken, um eine Besorgung zu machen; **su ~** auf Bestellung.

committente [kommit'tɛnte] *mf* Auftraggeber(in) *m(f).*

commovente [kommo'vɛnte] *agg* rührend, ergreifend. **commozione** [...mot'tsi̯o:ne] *f* Rührung *f,* Bewegung *f;* ~ **cerebrale** Gehirnerschütterung *f.*

commuovere [kom'muɔ:vere] ⟨*irr*⟩ **I.** *tr* rühren, ergreifen, bewegen; **II.** *rfl:* **-ersi** gerührt sein.

commutare [kommu'ta:re] *tr* **1.** *(scambiare)* austauschen; *(pena)* umwandeln; **2.** *el* umschalten. **commutatore** [...ta'to:re] *m* **1.** *el* Kollektor *m,* Stromwender *m;* **2.** *tel* (Um)schaltung *f.* **commutazione** [...tat'tsio:ne] *f* **1.** *dir* Umwandlung *f;* **2.** *el, tel* Schaltung *f.*

Como ['kɔ:mo] *f* Como *n;* **Lago di ~** Comer See *m.*

comò [ko'mɔ] ⟨-⟩ *m* Kommode *f.*

comodato [komo'da:to] *m econ* Leihe *f,* unentgeltliches Darlehen; **contratto di ~** Leihvertrag *m.*

comodino [komo'di:no] *m* Nachttisch *m,* -schränkchen *n.*

comodità [komodi'ta] ⟨-⟩ *f* Bequemlichkeit *f.* **comodo** ['kɔ:modo] *m* Bequemlichkeit *f;* **con ~** in Ruhe, ohne Eile (*o* Hast); **fare (*o* tornare) ~ a qu** jdm gelegen kommen; **fare il proprio ~** nur das tun, wozu man Lust hat. **comodo, -a** ['kɔ:modo] *agg* bequem; **state -i!** bleibt sitzen!

compact disc ['kompakt disk] ⟨-⟩ *m* Compact Disc *f,* CD *f.*

compaesano, -a [kompae'za:no] *m, f* Landsmann *m,* -männin *f.*

compagine [kom'pa:dʒine] *f* **1.** *(stretta unione)* Gefüge *n;* **2.** *sport* Mannschaft *f;* **~ aziendale** Belegschaft *f.*

compagnia [kompaɲ'ɲi:a] ⟨-ie⟩ *f* **1.** *(lo stare insieme)* Gesellschaft *f;* **2.** *(gruppo)* Gesellschaft *f,* Gruppe *f;* **3.** *teat* (Schauspiel)truppe *f;* **4.** *rel* Orden *m;* **5.** *mil* Kompanie *f;* **6.** *com* (*abbr* **C.ia**) Gesellschaft *f;* **~ di assicurazione** Versicherungsgesellschaft *f;* **essere di buona ~** gesellig sein; **fare (*o* tenere) ~ a qu** jdm Gesellschaft leisten; **e ~ bella** *fam* et cetera pp. *fam;* **in ~ di** in Begleitung *+gen.*

compagno, -a [kom'paɲɲo] *m, f* **1.** *(chi sta insieme con altri)* Gefährte *m,* Gefährtin *f; (di classe, gioco, sport)* Kamerad(in) *m(f);* **2.** *pol* Genosse *m,* Genossin *f;* **3.** *com* Teilhaber(in) *m(f),* Partner(in) *m(f);* **4.** *(persona con cui si vive)* Lebensgefährte *m,* -gefährtin *f,* Partner(in) *m(f);* **~ di banco/di scuola** Banknachbar *m*/Klassenkamerad *m.*

compaio [kom'pa:io] *pr di* **comparire.**

companatico [kompa'na:tiko] ⟨-ci⟩ *m* Beilage *f* zum Brot, Brotbelag *m.*

comparare [kompa'ra:re] *tr* vergleichen. **comparativo, -a** [...ra'ti:vo] **I.** *agg (a. ling)* vergleichend, komparativ; **II.** *m ling* Komparativ *m.* **comparato, -a** [kompa'ra:to] **I.** *pp di* **comparare; II.** *agg* vergleichend. **comparazione** [...rat'tsio:ne] *f* **1.** *(paragone)* Vergleich *m;* **2.** *gram* Steigerung *f,* Komparation *f.*

compare [kom'pa:re] *m* **1.** *(di battesimo)* (Tauf)pate *m;* **2.** *(amico)* Genosse *m;* **3.** *peg* Kumpan *m,* Helfershelfer *m.*

comparire [kompa'ri:re] ⟨comparisco *o* compaio, comparvi *o* comparii, comparso⟩ *itr* ⟨*essere*⟩ **1.** *(presentarsi)* erscheinen; **2.** *(risultare)* auftreten, in Erscheinung treten; **3.** *(far mostra)* sich in Szene setzen. **comparizione** [komparit'tsio:ne] *f* Auftreten *n,* Erscheinen *n;* **mancata ~ in giudizio** *dir* Nichterscheinen *n* vor Gericht; **mandato (*o* ordine) di ~** *dir* Vorladung *f.*

comparsa [kom'parsa] *f* **1.** *teat, film* Statist(in) *m(f),* Komparse *m,* Komparsin *f;* **2.** *(il comparire)* Erscheinen *n,* Auftreten *n; teat* Auftritt *m;* **fare la ~** als Komparse auftreten.

comparso [kom'parso] *pp di* **comparire.**

compartecipare [kompartetʃi'pa:re] *itr* sich beteiligen (*a* an *+dat*), teilhaben (*a* an *+dat*).

compartimento [komparti'mento] *m* **1.** *(suddivisione)* Abteilung *f; (di scaffale)* Fach *n;* **2.** *ferr* Abteil *n;* **3.** *amm* Bezirk *m.*

comparvi [kom'parvi] *p rem di* **comparire.**

compassione [kompas'sio:ne] *f* Mitleid *n* (*di, per, verso* mit); *(pietà)* Erbarmen *n;* **far ~ a qu** jdm leid tun; **muovere a ~ qu** bei jdm Mitleid erwecken.

compasso [kom'passo] *m* Zirkel *m; naut (bussola)* Kompaß *m.*

compatibile [kompa'ti:bile] *agg* **1.** *(conciliabile)* vereinbar (*con* mit); **2.** *(scusabile)* verzeihlich; **3.** *inform* kompatibel. **compatibilmente** [...tibil'mente] *avv:* **~ con ...** soweit es mit ... vereinbar ist.

compatimento [kompati'mento] *m* Mitleid *n,* Mitgefühl *n.* **compatire** [...'ti:re] ⟨compatisco⟩ *tr* **1.** *(avere compassione di)* Mitleid haben mit; **2.** *(commiserare)* bedauern, bemitleiden; **3.** *(scusare)* verzeihen.

compatriota [kompatri'ɔ:ta] ⟨-i *m,* -e *f*⟩ *mf* Landsmann *m,* -männin *f.*

compattezza [kompat'tettsa] *f* **1.** *(solidità)* Kompaktheit *f,* Dichte *f;* **2.** *fig* Geschlossenheit *f.* **compatto, -a** [...'patto] *agg* **1.** *(solido, denso)* kompakt, dicht; **2.** *fig* geschlossen.

compendiare [kompen'dia:re] ⟨compendio, compendi⟩ *tr* zusammenfassen. **compendio** [...'pɛndio] ⟨-i⟩ *m* Kompendium *n,* Abriß *m,* Kurzreferat *n;* **in ~** zusammengefaßt.

compenetrarsi [kompene'trarsi] *rfl* sich (gegenseitig) durchdringen.

compensare [kompen'sa:re] *tr* **1.** *(somma)* begleichen, bezahlen; *(persona)* bezahlen (*in* mit); *(risarcire)* entschädigen (*di* für); **2.** *(differenza)* ausgleichen, wettmachen, kompensieren.

compensato [kompen'sa:to] *m* Sperrholz *n.*

compensazione [kompensat'tsi̯o:ne] *f* Ausgleich *m.*

compenso [kom'pɛnso] *m* **1.** *com (retribuzione)* Vergütung *f; (risarcimento)* Entschädigung *f;* **2.** *fig* Ausgleich *m;* **in ~** als (*o* zum) Ausgleich, dafür.

compera ['kompera] *ecc. v.* **compra** *ecc.*

competente [kompe'tɛnte] **I.** *agg* **1.** *(esperto)* kompetent, sachkundig; **2.** *amm* zuständig; **II.** *mf* Sachverständige(r) *mf,* Fachmann *m.* **competenza** [...'tɛntsa] *f* **1.** *(perizia)* Kompetenz *f,* Sachverstand *m;* **2.** *amm* Zuständigkeit *f;* **3.** ⟨*pl*⟩ *com* Honorar *n;* **ciò non è di sua ~** das liegt nicht in seiner (*o* ihrer) Kompetenz.

competere [kom'pɛ:tere] ⟨*manca il pp*⟩ *itr* **1.** *(gareggiare)* konkurrieren (*con* mit, *per* um), wetteifern (*con* mit, *per* um); **2.** *amm* zustehen, zukommen; **3.** *(riguardare)* betreffen (*a qu* jdn).

competitività [kompetitivi'ta] ⟨-⟩ *f* Konkurrenz-, Wettbewerbsfähigkeit *f.* **competitivo, -a** [...'ti:vo] *agg* konkurrenzfähig, wettbewerbsfähig. **competizione** [...tit'tsi̯o:ne] *f* Wettkampf *m.*

compiacente [kompi̯a'tʃɛnte] *agg* gefällig; *(cortese)* entgegenkommend. **compiacenza** [...'tʃɛntsa] *f* **1.** *(cortesia)* Gefälligkeit *f,* Entgegenkommen *n;* **2.** *(soddisfazione)* Befriedigung *f,* Zufriedenheit *f;* **avere la ~ di fare qc** so liebenswürdig sein, etw. zu tun.

compiacere [kompi̯a'tʃe:re] ⟨*irr*⟩ **I.** *itr* gefällig sein, entgegenkommen; *(assecondare)* zufriedenstellen (*a qu* jdn); **II.** *rfl:* **-ersi** sich freuen (*di, per* über *+akk*). **compiacimento** [...tʃi'mento] *m* Befriedigung *f,* Genugtuung *f.*

compiangere [kom'pi̯andʒere] ⟨*irr*⟩ *tr* bedauern. **compianto, -a** [...'pi̯anto] **I.** *agg fig* verstorben; **II.** *m* Trauer *f.*

compiere ['kompi̯ere] **I.** *tr* **1.** *(concludere)* beenden; *(età)* vollenden; **2.** *(adempiere)* ausführen, tun; *(dovere)* erfüllen; **~ gli anni** Geburtstag haben; **ha compiuto 10 anni** er (*o* sie) ist zehn Jahre (alt) geworden; **II.** *rfl:* **-ersi 1.** *(concludere)* zu Ende gehen, zum Abschluß kommen; **2.** *(avverarsi)* eintreffen, sich erfüllen.

compilare [kompi'la:re] *tr* **1.** *(comporre)* verfassen, zusammenstellen; *(modulo)* ausfüllen; **2.** *inform* kompilieren. **compilatore** [...la'to:re] *m* Compiler *m.* **compilazione** [...lat'tsi̯o:ne] *f* Zusammenstellung *f,* Verfassung *f; (di modulo)* Ausfüllen *n.*

compimento [kompi'mento] *m* Abschluß *m;* **portare a ~ qc** etw. zum Abschluß bringen.

compitare [kompi'ta:re] *tr* buchstabieren.

compito ['kompito] *m* **1.** *(scolastico fatto a casa)* (Haus)aufgabe *f; (a scuola)* Klassenarbeit *f;* **2.** *(incarico)* Aufgabe *f,* Pflicht *f;* **~ in classe** Klassenarbeit *f.*

compito, -a [kom'pi:to] *agg* korrekt, höflich.

compiutamente [kompi̯uta'mente] *avv* vollständig.

compiuto, -a [kom'pi̯u:to] **I.** *pp di* **compiere; II.** *agg:* **mettere qu di fronte al fatto ~** jdn vor vollendete Tatsachen stellen.

compleanno [komple'anno] *m* Geburtstag *m;* **auguri di buon ~** Glückwünsche *m pl* zum Geburtstag.

complementare [komplemen'ta:re] **I.** *agg* komplementär, (sich) ergänzend; *(accessorio)* zusätzlich, Zusatz-; *(secondario)* Neben-; **II.** *f* Ergänzungsabgabe *f.*

complemento [...'mento] *m* **1.** *gram* Ergänzung *f,* Angabe *f;* **2.** *mil* Reserve *f;* **~ di causa/tempo** (adverbiale) Bestimmung des Grundes/der Zeit; **~ di specificazione/termine** Genitiv-/Dativobjekt *n.*

complessare [komples'sa:re] *tr* Komplexe verursachen (*qu* bei jdm). **complessato, -a** [...'sa:to] **I.** *agg* komplexbeladen, voller Komplexe; **II.** *m, f* Mensch, der Komplexe hat.

complessità [komplessi'ta] ⟨-⟩ *f* Komplexität *f; (fig a.)* Vielschichtigkeit *f; (difficoltà)* Schwierigkeit *f.*

complessivo, -a [komples'si:vo] *agg* umfassend, gesamt, Gesamt-.

complesso [kom'plɛsso] *m* **1.** *(insieme)* Komplex *m,* Gesamtheit *f;* **2.** *(di edifici)* (Gebäude)komplex *m;* **3.** *mus* Gruppe *f,* Band *f;* **4.** *psic* Komplex *m;* **~ d'inferiorità** Minderwertigkeitskomplex *m;* **in (***o* **nel) ~** insgesamt, im großen und ganzen.

complesso, -a [kom'plɛsso] *agg* komplex; *(fig a.)* vielschichtig; *(difficile)* kompliziert, schwierig.

completamente [kompleta'mente] *avv* völlig.

completare [komple'ta:re] *tr* vervollständigen, ergänzen. **completezza** [...'tettsa] *f* Vollständigkeit *f.*

completo, -a [kom'plɛ:to] **I.** *agg* **1.** *(assortimento, elenco)* vollständig; **2.** *(autobus, vettura)* besetzt, voll(besetzt); *(teatro)* ausverkauft; **3.** *fig (fiducia)* völlig, voll; **II.** *m* **1.** *(da uomo)* Anzug *m; (da donna)* Komplet *n;* **2.** *(accessori)* Satz *m,* Set *n;* **al ~** *(riunione)* vollzählig; *(albergo)* (voll) belegt.

complicare [kompli'ka:re] ⟨complico, complichi⟩ **I.** *tr* komplizieren, schwierig(er) machen; **II.** *rfl:* **-arsi 1.** *(situazione, trama)* sich komplizieren, sich verwickeln; **2.** *med* Komplikationen ergeben. **complicato, -a** [...'ka:to] *agg* kompliziert. **complicazione** [...kat'tsi̯o:ne] *f* **1.** *med* Komplikation *f;* **2.** *(difficoltà)* Schwierigkeit *f.*

complice ['kɔmplitʃe *o* 'kom...] *mf* Kom-

plize *m*, Komplizin *f*; *dir* Mittäter(in) *m(f)*. **complicità** [komplitʃi'ta] ⟨-⟩ *f* Mittäterschaft *f*.
complimentarsi [komplimen'tarsi] *rfl* beglückwünschen (*con qu* jdn), gratulieren (*con qu* jdm).
complimento [kompli'mento] *m* Kompliment *n*; **-i** Empfehlungen *f pl*; **-i!** (mein) Kompliment!; *(per la laurea, ecc.)* (ich) gratuliere!; **senza -i** ohne Umstände. **complimentoso, -a** [...'to:so] *agg* umständlich.
complottare [komplot'ta:re] *itr* ein Komplott schmieden, sich verschwören. **complotto** [...'plɔtto] *m* Komplott *n*; **fare un ~ contro qu** ein Komplott gegen jdn anzetteln.
componente [kompo'nɛnte] **I.** *agg* formend, bildend; **II.** *mf* Mitglied *n*; **III.** *m* Bestandteil *m*, Komponente *f*.
componibile [kompo'ni:bile] *agg* Anbau-; *(cucina a.)* Einbau-.
componimento [komponi'mento] *m* **1.** *(scolastico)* Aufsatz *m*; **2.** *letter* Werk *n*; **3.** *mus* Komposition *f*; **4.** *dir (di una lite)* Schlichtung *f*, Beilegung *f*; *(accordo)* Einigung *f*.
comporre [kom'porre] ⟨*irr*⟩ *tr* **1.** *(formare)* bilden; *tel (numero)* wählen; **2.** *letter* verfassen, schreiben; *(a scuola)* schreiben; **3.** *mus* komponieren; **4.** *tip* setzen; **5.** *dir (lite)* beilegen, schlichten.
comportamentale [komportamen'ta:le] *agg* Verhaltens-. **comportamento** [komporta'mento] *m* Verhalten *n*; *(di persona a.)* Benehmen *n*.
comportare [kompor'tare] **I.** *tr* bedingen, voraussetzen; *(implicare)* mit sich *(dat)* bringen; **II.** *rfl*: **-arsi** sich verhalten; *(persone a.)* sich benehmen.
compositore, -trice [kompozi'to:re] *m, f* Komponist(in) *m(f)*.
composizione [kompozit'tsio:ne] *f* **1.** *(il comporre)* Zusammensetzung *f*, Zusammenstellung *f*; *(formazione)* Bildung *f*; **2.** *(mus, testo)* Komposition *f*; **3.** *(a scuola)* Aufsatz *m*; **4.** *tip* Satz *m*; **5.** *dir (di una lite)* Schlichtung *f*, Beilegung *f*; *(di persone)* Einigung *f*.
compostaggio [kompos'taddʒo] *m* Kompostieren *n*, Kompostierung *f*; **impianto di ~** Kompostieranlage *f*.
compostezza [kompos'tettsa] *f* Anstand *m*. **composto, -a** [...'posto] **I.** *agg* **1.** *(formato da più elementi)* zusammengesetzt; **2.** *(posizione)* gesittet; **interesse ~** *fin* Zinseszins *m*; **II.** *m* **1.** *gener.* Zusammensetzung *f*; **2.** *chim* Verbindung *f*; **3.** *(misto)* Mischung *f*.
compra ['kompra] *f* Kauf *m*. **comprare** [...'pra:re] *tr* kaufen. **compratore, -trice** [...pra'to:re] *m, f* Käufer(in) *m(f)*. **compravendita** [-'vendita] *f* Kaufvertrag *m*.
comprendere [kom'prɛndere] ⟨*irr*⟩ **I.** *tr* **1.** *(capire)* verstehen, begreifen; **2.** *(contenere)* umfassen, enthalten; **II.** *rfl*: **-ersi** sich verstehen. **comprendonio** [...ren'dɔ:nio] ⟨-i⟩ *m fam scherz* Grips *m fam*; **essere duro di ~** schwer von Begriff (*o* Kapee *fam*) sein. **comprensibile** [kompren'si:bile] *agg* verständlich. **comprensione** [...'sio:ne] *f* Verständnis *n*. **comprensivo, -a** [...'si:vo] *agg* **1.** *(indulgente)* verständnisvoll; **2.** *com* einschließlich (*di gen*), inbegriffen (*di qc* etw.); **prezzo ~ di I.V.A.** Preis einschließlich Mehrwertsteuer. **compreso, -a** [...'pre:so] *agg* **1.** *(persona)* aufgenommen, eingeschlossen; **2.** *(incluso)* einschließlich, inbegriffen; **tutto ~** alles in allem; *com* alles inklusive; **I.V.A. -a** einschließlich Mehrwertsteuer.
compressa [kom'prɛssa] *f* **1.** *(pastiglia)* Tablette *f*; **2.** *(garza)* Kompresse *f*.
compressi [kom'prɛssi] *p rem di* **comprimere.**
compressione [kompres'sio:ne] *f* **1.** *(il comprimere)* Zusammendrücken *n*, -pressen *n*; **2.** *mot* Verdichtung *f*, Kompression *f*. **compresso, -a** [...'prɛsso] **I.** *pp di* **comprimere; II.** *agg* **1.** *(sottoposto a compressione)* zusammengedrückt, -gepreßt; **2.** *mot* verdichtet, komprimiert; **3.** *fig (ira, passione)* unterdrückt. **compressore** [...pres'so:re] **I.** *agg* komprimierend, Druck-; **II.** *m* Kompressor *m*; **~ stradale** *(rullo)* Straßenwalze *f*.
comprimere [kom'pri:mere] ⟨comprimo, compressi, compresso⟩ *tr* zusammendrücken; *fis* komprimieren, verdichten.
compromesso, -a [kompro'messo] **I.** *agg (persona)* kompromittiert; *(reputazione)* geschädigt; **II.** *m* **1.** *fig* Kompromiß *m*; **2.** *dir (di contratto)* Vorvertrag *m*; *(accordo)* Vergleich *m*. **compromettente** [...met'tɛnte] *agg* kompromittierend.
compromettere [...'mettere] ⟨*irr*⟩ **I.** *tr* **1.** *(impresa, reputazione)* gefährden; *(persona)* kompromittieren; **2.** *dir* einem Schiedsgericht übergeben; **II.** *rfl*: **-ersi** **1.** *(mettersi in cattiva luce)* sich kompromittieren; **2.** *(impegnarsi)* sich einlassen (*con* mit).
comproprietario, -a [komproprie'ta:rio] *m, f* Mitbesitzer(in) *m(f)*, Mitinhaber(in) *m(f)*.
comprovare [kompro'va:re] *tr* nachweisen, beweisen.
compunto, -a [kom'punto] *agg* reumütig, reuig, zerknirscht.
computare [kompu'ta:re] *tr* berechnen; *(calcolare)* ausrechnen.
computer [kəm'pju:tə] ⟨-⟩ *m* Computer *m*; **basato su ~** computergestützt, rechnergestützt. **computer graphics** [-'græfiks] ⟨-⟩ *f* Bildverarbeitung *f*.
computeristica [...'ristika] *f* Computerwissenschaft *f*. **computerizzare** [komputerid'dza:re] *tr* computerisieren.

computisteria [komputiste'ri:a] ⟨-ie⟩ *f* Buchhaltung *f,* Buchführung *f.* **computo** ['kɔmputo] *m* (Be)rechnung *f.*

comunale [komu'na:le] *agg* kommunal, Gemeinde-; **palazzo** ~ *st* Rathaus *n.*

comunanza [komu'nantsa] *f* Gemeinschaft *f,* Gemeinsamkeit *f.*

comune[1] [ko'mu:ne] **I.** *agg* **1.** *(di tutti)* gemeinsam, Gemeinschafts-; **2.** *(opinione, uso)* allgemein, üblich; **3.** *(medio, normale)* durchschnittlich, mittelmäßig; *(ordinario)* gewöhnlich; **4.** *peg* gewöhnlich; **bene** ~ Gemeinwohl *n;* **luogo** ~ Gemeinplatz *m;* **II.** *m* Übliche(s) *n,* Gewohnte(s) *n,* Gewöhnliche(s) *n;* **essere fuori del** ~ ungewöhnlich sein; **in** ~ zusammen, gemeinsam; **mettere qc in** ~ etw. gemeinsam benutzen; **avere qc in** ~ etw. gemeinsam haben.

comune[2] [ko'mu:ne] *m* **1.** *amm* Gemeinde *f; (sede)* Gemeindeverwaltung *f;* **2.** *st* Stadtstaat *m;* **Camera dei -i** Unterhaus *n;* **sposarsi in** ~ standesamtlich heiraten.

comune[3] [ko'mu:ne] *f (abitazione in comune)* Wohngemeinschaft *f.*

comunemente [komune'mente] *avv* allgemein, gewöhnlich.

comunicante [komuni'kante] *agg* miteinander verbunden, Verbindungs-.

comunicare [komuni'ka:re] ⟨comunico, comunichi⟩ **I.** *tr* **1.** *(notizia)* mitteilen; *(pubblicamente)* bekanntgeben; **2.** *(sentimenti, gioia)* zeigen; **3.** *med, fis* übertragen; **4.** *rel* die Kommunion spenden (*qu* jdm), das Abendmahl erteilen (*qu* jdm); **II.** *itr* **1.** *(luoghi)* verbunden sein (*con* mit); **2.** *(persone)* sich verständigen; *fig* sich verstehen; **III.** *rfl:* **-arsi 1.** *rel* kommunizieren; **2.** *(diffondersi)* sich verbreiten, bekanntwerden; **3.** *med, fis* übertragen werden. **comunicativa** [...ka'ti:va] *f* Mitteilsamkeit *f,* Extrovertiertheit *f.* **comunicativo, -a** [...ka'ti:vo] *agg* **1.** *(persona)* mitteilsam, extrovertiert, kontaktfreudig; **2.** *(sentimento, allegria, risata)* ansteckend. **comunicato, -a** [...'ka:to] **I.** *agg* bekanntgegeben, mitgeteilt; **II.** *m* Meldung *f,* Bericht *m;* ~ **stampa** Pressemeldung *f;* ~ **di guerra** Kriegsbericht *m.*

comunicazione [komunikat'tsio:ne] *f* Kommunikation *f; (collegamento)* Verbindung *f; (notizia)* Mitteilung *f;* ~ **aziendale** Bürokommunikation *f;* **-i ferroviarie/marittime/stradali** Eisenbahn-/ Schiffs-/Straßenverbindungen *f pl;* ~ **non verbale** nonverbale Kommunikation *f;* ~ **telefonica/interurbana** Telefon-/Fernverbindung *f;* **essere in** ~ verbunden sein.

comunione [komu'nio:ne] *f* **1.** *rel* Kommunion *f,* Abendmahl *n;* **2.** *dir* Gemeinschaft *f;* **3.** *fig* Gemeinsamkeit *f;* **prima** ~ Erstkommunion *f;* ~ **dei beni** Gütergemeinschaft *f.*

comunismo [komu'nizmo] *m* Kommunismus *m.* **comunista** [...'nista] ⟨-i *m,* -e *f*⟩ **I.** *mf* Kommunist(in) *m(f);* **II.** *agg* kommunistisch.

comunità [komuni'ta] ⟨-⟩ *f* Gemeinschaft *f;* **la C~ Economica Europea** (*acr* **C.E.E.**) die Europäische Wirtschaftsgemeinschaft; **C~ Europea dell'Energia Atomica** (*acr* **C.E.E.A.**) Europäische Atom(energie)gemeinschaft *f* (*akr* EURATOM). **comunitario, -a** [...'ta:rio] ⟨-i, -ie⟩ *agg* **1.** *(relativo a una comunità)* gemeinschaftlich, Gemeinschafts-; **2.** *(relativo all'Unione Europea)* EU-, der EU.

comunque [ko'muŋkue] **I.** *avv (in ogni modo)* jedenfalls; *(tuttavia)* immerhin; **II.** *cong +congv* wie auch immer.

con [kon] ⟨col, collo, colla, coi, cogli, colle⟩ *prp* **1.** *(compagnia, unione)* mit *+dat;* **2.** *(mezzo, strumento, modo, maniera)* mit *+dat;* **3.** *(tempo, causa)* mit *+dat,* bei *+dat;* **4.** *(verso)* zu *+dat;* **5.** *(avversativo)* trotz *+dat o +gen;* **caffè col latte** Kaffee mit Milch; ~ **la porta/finestra aperta** bei offener Tür/offenem Fenster; **viaggiare col treno/colla macchina** mit dem Zug/Auto reisen; **essere gentile** ~ **qu** nett zu jdm sein; ~ **tutto il cuore** mit (*o* von) ganzem Herzen; ~ **la tua venuta** bei deiner Ankunft; ~ **mio sommo stupore** zu meinem größten Erstaunen; ~ **questo** damit; ~ **questo caldo non si può uscire** bei dieser Hitze kann man nicht aus dem Haus gehen; ~ **tutto che . . .** obwohl . . .

conato [ko'na:to] *m:* **-i di vomito** Brechreiz *m.*

conca ['koŋka] ⟨-che⟩ *f* **1.** *(recipiente)* (Wasch)schüssel *f;* **2.** *geog* Becken *n,* Mulde *f.*

concatenazione [konkatenat'tsio:ne] *f* Verkettung *f,* Verflechtung *f.*

concavo, -a ['kɔŋkavo] *agg* konkav.

concedere [kon'tʃɛ:dere] ⟨concedo, concessi *o* concedei *o* concedetti, concesso⟩ **I.** *tr* gewähren, zugestehen; *(a. prestito)* einräumen; **II.** *rfl:* **-ersi 1.** *(donna)* sich hingeben; **2.** *(permettersi)* sich *(dat)* gönnen, sich *(dat)* erlauben.

concelebrante [kontʃele'brante] *m rel* Konzelebrant *m.*

concentramento [kontʃentra'mento] *m* **1.** *econ (concentrazione)* Konzentration *f,* Zusammenschluß *m;* **2.** *pol (accentramento)* Zentralisierung *f,* Zusammenziehung *f;* **campo di** ~ Konzentrationslager *n;* ~ **del potere** Machtkonzentration *f.*

concentrare [...'tra:re] **I.** *tr* **1.** *mil* konzentrieren, zusammenziehen; **2.** *fig* konzentrieren (*su* auf *+akk*), richten (*su* auf *+akk*); **3.** *chim* konzentrieren; **II.** *rfl:* **-arsi** sich konzentrieren (*su* auf

+*akk*), sich vertiefen (*in* in +*akk*). **concentrato** [...'tra:to] *m* Konzentrat *n*, Extrakt *m;* ~ **di pomodoro** Tomatenmark *n.* **concentrazione** [...trat'tsio:ne] *f* **1.** *(a. com)* Konzentration *f,* Zusammenballung *f;* **2.** *(raccoglimento)* Konzentration *f,* Sammlung *f;* **area di** ~ Ballungsgebiet *n.*

concepimento [kontʃepi'mento] *m* **1.** *biol* Empfängnis *f;* **2.** *fig* Erfassen *n.* **concepire** [...'pi:re] ⟨concepisco⟩ *tr* **1.** *biol* empfangen; **2.** *fig (comprendere)* begreifen; **3.** *(ideare)* ausdenken, ersinnen.

concernere [kon'tʃɛrnere] ⟨*mancano il p rem ed il pp*⟩ *tr* betreffen, angehen.

concertare [kontʃer'ta:re] *tr* **1.** *peg (truffa, rapina)* planen, aushecken; **2.** *mus* (ein)stimmen.

concertista [kontʃer'tista] ⟨-i *m*, -e *f*⟩ *mf* Solist(in) *m(f).*

concertistico, -a [kontʃer'tistiko] ⟨-ci, -che⟩ *agg* Konzert-.

concerto [kon'tʃɛrto] *m* **1.** *mus* Konzert *n;* **2.** *fig* Einvernehmen *n.*

concessi [kon'tʃɛssi] *p rem di* **concedere.**

concessionaria [kontʃessio'na:ria] ⟨-ie⟩ *f* Vertretung *f.* **concessionario, -a** [...io] ⟨-i, -ie⟩ *m* **1.** *(destinatario di un atto di concessione)* Konzessionär *m;* **2.** *(chi svolge un'attività di vendita per conto di una casa produttrice)* Vertragshändler(in) *m(f); (ditta)* Vertretung *f;* ~ **esclusivo** Alleinvertreter(in) *m(f).*

concessione [kontʃes'sio:ne] *f* Zugeständnis *n; com* Konzession *f; fin* Bewilligung *f; (permesso)* Genehmigung *f;* ~ **di procura** *dir* Bevollmächtigung *f,* Vollmacht(s)erteilung *f.* **concessivo, -a** [...'si:vo] *agg* konzessiv. **concesso** [...'tʃɛsso] *pp di* **concedere.**

concetto [kon'tʃɛtto] *m* **1.** *filos* Begriff *m;* **2.** *(stima, opinione)* Auffassung *f;* **impiegato di** ~ Beamte(r) *m* (*o* Angestellte(r) *m*) des gehobenen Dienstes; **lavoro di** ~ Schreibtischarbeit *f,* -tätigkeit *f;* **avere un alto** ~ **di sé** eine hohe Meinung von sich (*dat*) haben.

concezione [kontʃet'tsio:ne] *f* Konzeption *f,* Auffassung *f; (di piano)* Entwurf *m;* **l'Immacolata C~** die Unbefleckte Empfängnis.

conchiglia [koŋ'kiʎʎa] ⟨-glie⟩ *f* Muschel *f.*

concia ['kontʃa] ⟨-ce⟩ *f* **1.** *(delle pelli)* Gerbung *f;* **2.** *(sostanza)* Gerbmittel *n.*

conciare [kon'tʃa:re] ⟨concio, conci⟩ **I.** *tr* **1.** *(pelli)* gerben; **2.** *(tabacco, olive)* fermentieren; **3.** *fig fam* (übel) zurichten; *(cose a.)* versauen *fam;* ~ **qu per le feste** *fig fam* jdn übel zurichten; **II.** *rfl:* **-arsi** *peg* **1.** *(vestirsi male)* sich geschmacklos anziehen; **2.** *(ridursi male)* sich zurichten; **guarda come ti sei conciato!** wie siehst du denn aus!. **conciatore, -trice** [...tʃa'to:re] *m, f* Gerber(in) *m(f).* **conciatura** [...tʃa'tu:ra] *f* Gerbung *f.*

conciliante [kontʃi'liante] *agg* versöhnlich, konziliant *geh.*

conciliare [kontʃi'lia:re] ⟨concilio, concili⟩ **I.** *tr* **1.** *amm (multa)* sofort (*o* freiwillig) bezahlen; **2.** *(sonno)* fördern, herbeiführen; **3.** *(litiganti, avversari)* versöhnen; **4.** *fig (tesi)* vereinbaren; **questo film concilia il sonno** dieser Film ist zum Einschlafen; **II.** *rfl:* **-arsi 1.** *(mettersi d'accordo)* sich einigen (*con* mit); **2.** *(trovarsi d'accordo)* übereinstimmen; **3.** *(conquistarsi)* gewinnen, sich *(dat)* verschaffen.

conciliazione [kontʃiliat'tsio:ne] *f* **1.** *(di due avversari)* Versöhnung *f;* **2.** *dir* Vergleich *m;* **la C~** die Lateranverträge *m pl.*

concilio [kon'tʃi:lio] ⟨-i⟩ *m* Konzil *n.*

concimare [kontʃi'ma:re] *tr* düngen.

concime [kon'tʃi:me] *m* Dünger *m,* Düngemittel *n;* ~ **chimico** Kunstdünger *m.*

conciso, -a [kon'tʃi:zo] *agg* bündig, kurz.

concitato, -a [kontʃi'ta:to] *agg* erregt, aufgeregt, hektisch.

concittadino, -a [kontʃitta'di:no] *m, f* Mitbürger(in) *m(f).*

conclave [koŋ'kla:ve] *m* Konklave *n.*

concludere [koŋ'klu:dere] ⟨concludo, conclusi, concluso⟩ **I.** *tr* **1.** *(condurre a termine)* beenden, abschließen; **2.** *(trattato, vertenza)* (ab)schließen; *(patto, pace)* schließen; *(affare)* abschließen; **3.** *(di conseguenza)* schließen, folgern; **4.** *(fare)* zustande bringen; **da ciò si conclude che ...** daraus ist zu schließen, daß ...; **II.** *rfl:* **-ersi** ausgehen, enden, schließen.

conclusione [koŋklu'zio:ne] *f* **1.** *(fine)* (Ab)schluß *m,* Ende *n; (di partita)* Ausgang *m;* **2.** *(deduzione)* Folgerung *f,* Schluß *m; (di accordo)* Ergebnis *n;* **giungere alla ~ che ...** zu dem Ergebnis kommen, daß ...; **in** ~ abschließend. **conclusivo, -a** [...'zi:vo] *agg* abschließend, End-, Schluß-. **concluso, -a** [...'klu:zo] *pp di* **concludere.**

concomitante [koŋkomi'tante] *agg* begleitend, Begleit-.

concordanza [koŋkor'dantsa] *f* **1.** *gram* Kongruenz *f;* **2.** *(di opinioni, idee, fatti)* Übereinstimmung *f,* Einklang *m.* **concordare** [...'da:re] **I.** *tr* **1.** *gram* in Kongruenz bringen; **2.** *(prezzo, tregua)* vereinbaren, abmachen; **3.** *amm* durch einen Vergleich beilegen; **II.** *itr* **1.** *(essere d'accordo)* übereinstimmen (*con* mit); *(con persone)* einig sein (*con* mit); **2.** *gram* kongruent sein; **tutti concordano nel lodarlo** alle loben ihn übereinstimmend.

concordato [koŋkor'da:to] *m* **1.** *dir* Vergleich *m;* **2.** *rel* Konkordat *n.*

concorde [koŋ'kɔrde] *agg* einvernehmlich. **concordia** [...'kɔrdia] ⟨-ie⟩ *f* Einvernehmen *n; (armonia)* Eintracht *f.*

concorrente [koŋkor'rɛnte] **I.** *agg* **1.** *com* konkurrierend, Konkurrenz-; **2.** *mat* konvergent; **II.** *mf* **1.** *sport, com* Konkurrent(in) *m(f);* **2.** *(di concorso)* (Mit)-bewerber(in) *m(f),* Kandidat(in) *m(f).*

concorrenza [koŋkor'rɛntsa] *f* Konkurrenz *f; (com a.)* Wettbewerb *m;* **i nostri prezzi non temono la** ~ unsere Preise sind konkurrenzlos. **concorrenziale** [...ren'tsi̯a:le] *agg* Konkurrenz-, Wettbewerbs-; *(prezzo a.)* konkurrenzfähig.

concorrere [koŋ'korrere] ⟨*irr*⟩ *itr* **1.** *(partecipare)* teilnehmen (*a* an +*dat*); **2.** *(competere)* sich bewerben (*a* um +*akk*); *(in un concorso)* mitmachen (*a* an +*dat*, bei), teilnehmen (*a* an +*dat*, bei), mitspielen (*a* bei); **3.** *(contribuire)* sich beteiligen (*a* an +*dat*), beitragen (*a* zu), mitwirken (*a* an +*dat*).

concorsista [konkor'sista] ⟨-i *m* -e *f*⟩ *mf* Wettbewerbsteilnehmer(in) *m(f).*

concorso [koŋ'korso] *m* **1.** *(competizione ufficiale)* Wettbewerb *m;* **2.** *sport* Wettkampf *m;* **3.** *(partecipazione)* Beitrag *m; (collaborazione)* Mitwirkung *f; (in un reato)* Beteiligung *f;* **4.** *fig (di cause, fattori)* Zusammentreffen *n; (di persone)* Auflauf *m,* Zusammenströmen *n;* ~ **ippico** Reitturnier *n;* ~ **a premi** Preisausschreiben *n;* **fuori** ~ außer Konkurrenz; **bando di** ~ Ausschreibung *f;* ~ **di colpa** Mitverschulden *n;* ~ **in peculato** Unterschlagung *f.*

concretare [koŋkre'ta:re] **I.** *tr* konkretisieren; *(realizzare)* realisieren, verwirklichen; **II.** *rfl:* **-arsi** sich verwirklichen, Gestalt annehmen. **concretezza** [...'tettsa] *f* Konkretheit *f.* **concretizzare** [...tid'dza:re] *v.* **concretare.**

concreto, -a [koŋ'krɛ:to] **I.** *agg* konkret; **II.** *m* Konkrete(s) *n;* **in** ~ konkret (betrachtet).

concubinato [koŋkubi'na:to] *m* wilde Ehe, Konkubinat *n jur, obs.*

concubino, -a [koŋku'bi:no] *m, f* in wilder Ehe lebender Mann/lebende Frau.

concussione [koŋkus'si̯o:ne] *f dir* Amtsmißbrauch *m.*

condanna [kon'danna] *f* **1.** *dir* Verurteilung *f,* Urteil *n;* **2.** *fig* Mißbilligung *f.*

condannare [kondan'na:re] *tr (a. fig)* verurteilen (*a* zu, *per* wegen). **condannato, -a** [...'na:to] *m, f* Verurteilte(r) *mf.*

condensa [kon'dɛnsa] *f* Kondenswasser *n.*

condensare [konden'sa:re] **I.** *tr* **1.** *fis* kondensieren, verdichten; **2.** *fig* zusammenfassen, resümieren; **II.** *rfl:* **-arsi** kondensieren, sich verdichten. **condensato, -a** [...'sa:to] **I.** *agg* **1.** *(latte)* Kondens-; **2.** *fis* kondensiert; **3.** *(libro)* zusammengefaßt; **II.** *m* **1.** *fis* Kondensat *n;* **2.** *(di libro)* Zusammenfassung *f.* **condensatore** [...sa'to:re] *m* Kondensator *m.* **condensazione** [...sat'tsi̯o:ne] *f* Kondensation *f.*

condimento [kondi'mento] *m (a. fig)* Würze *f; (per l'insalata)* Dressing *n.*

condire [...'di:re] ⟨condisco⟩ *tr* **1.** *gastr* würzen, abschmecken; *(insalata)* anmachen; **2.** *fig* würzen, bereichern.

condiscendente [kondiʃʃen'dɛnte] *agg* entgegenkommend; *(cedevole)* nachgiebig. **condiscendere** [...diʃ'ʃendere] *v.* **accondiscendere.**

condividere [kondi'vi:dere] ⟨*irr*⟩ *tr (opinioni, idee, gioia)* teilen.

condizionale [kondittsi̯o'na:le] **I.** *agg* **1.** *gram* Konditional-, konditional; **2.** *dir* zur (*o* mit) Bewährung; **II.** *m gram* Konditional *m;* **III.** *f dir* Bewährung *f.*

condizionare [kondittsi̯o'na:re] *tr* **1.** *(aria)* klimatisieren; **2.** *psic* konditionieren; **3.** *(subordinare)* abhängig machen (*a* von). **condizionatore** [...na'to:re] *m* Klimaanlage *f.*

condizione [kondit'tsi̯o:ne] *f* **1.** *(presupposto)* Bedingung *f,* Voraussetzung *f;* **2.** *dir* Kondition *f;* **3.** *inform* Zustand *m;* **4.** ⟨*pl*⟩ *com* Konditionen *f pl,* Modalitäten *f pl;* **5.** ⟨*pl*⟩ *(stato)* Zustand *m; (finanziarie)* Lage *f;* **-i di salute** Gesundheitszustand *m;* **-i di pagamento** Zahlungsbedingungen *f pl;* **a** ~ **che** +*congv* unter der Bedingung, daß . . .

condoglianze [kondoʎ'ʎantse] *f pl* Beileid *n;* **fare le** ~ **a qu** jdm sein Beileid aussprechen, jdm kondolieren *geh.*

condom ['kɔndom] ⟨-⟩ *m* Kondom *n.*

condominio [kondo'mi:ni̯o] ⟨-i⟩ *m* **1.** *dir* Miteigentum *n;* **2.** *(casa)* Haus *n* mit Eigentumswohnungen. **condomino, -a** [...'dɔ:mino] *m, f* Miteigentümer(in) *m(f).*

condonare [kondo'na:re] *tr* erlassen. **condono** [...'do:no] *m* Erlaß *m,* Erlassung *f.*

condotta [kon'dotta] *f* **1.** *(comportamento)* Betragen *n,* Verhalten *n;* **2.** *med* Bezirksarztstelle *f; (zona)* Arztbezirk *m;* **3.** *(di gioco, impresa)* Führung *f,* Leitung *f;* **4.** *tec (tubazione)* Rohrleitung *f;* **linea di** ~ Richtschnur *f,* Linie *f;* **medico di** ~ Bezirksarzt *m,* -ärztin *f.*

condottiero, -a [kondot'ti̯ɛ:ro] *m, f* Führer(in) *m(f).*

condotto, -a [kon'dotto] **I.** *pp di* **condurre;** **II.** *agg (medico)* Bezirks-; **III.** *m* **1.** *anat (~ uditivo, ~ epatico)* Gang *m; (~ lacrimale)* Kanal *m;* **2.** *tec* Rohr *n,* Leitung *f.*

conducente [kondu'tʃɛnte] *mf (di veicolo)* Fahrer(in) *m(f).*

condurre [kon'durre] ⟨conduco, condussi, condotto⟩ **I.** *tr* **1.** *mot, ferr, naut* fahren, führen; **2.** *(accompagnare)* führen, begleiten; **3.** *(azienda)* leiten; **4.** *fig (trattative, vita)* führen; **5.** *sport* anführen; **6.** *fig (portare a)* treiben (*a* zu); ~ **qu al suicidio/alla rovina** jdn zum Selbstmord/in den Ruin treiben; ~ **a termine**

(*o* **compimento) qc** etw. zum Abschluß bringen; **II.** *itr* **1.** *sport* führen (*per* mit), in Führung liegen (*per* mit); **2.** *(strada)* führen (*a* nach); **III.** *rfl:* **-ursi** sich verhalten (*da* wie), sich benehmen (*da* wie). **conduttore, -trice** [...'to:re] **I.** *agg* führend, Führungs-; **filo** ~ *fig* roter Faden; **II.** *m, f* **1.** *ferr* Zugführer(in) *m(f)* -schaffner(in) *m(f); mot* (Renn)fahrer(in) *m(f);* **2.** *radio, TV* Moderator(in) *m(f);* **3.** *fis* Leiter *m; el* Leitung *f.* **conduttura** [...'tu:ra] *f tec, el* Leitung *f.* **conduzione** [...t'tsio:ne] *f:* **azienda a** ~ **familiare** Familienbetrieb *m.*

confabulare [konfabu'la:re] *itr scherz* flüstern, tuscheln.

confacente [konfa'tʃɛnte] *agg* geeignet, passend.

confarsi [kon'farsi] ⟨*irr, usato solo nella 3ª pers sing e pl; rari il pp ed i tempi composti*⟩ *rfl* **1.** *(addirsi)* entsprechen (*a dat),* passen (*a* zu); **2.** *(giovare)* sich eignen (*a* für, zu), (gut) bekommen (*a dat).*

Confartigianato [konfartiddʒa'na:to] *f acr di* **Confederazione generale dell' artigianato** *Verband der Handwerker in Italien.*

Confcommercio [konfkom'mɛrtʃo] *f acr di* **Confederazione generale del commercio** *Handelsverband in Italien.*

confederale [konfede'ra:le] *agg* Bündnis-, Bundes-.

confederare [konfede'ra:re] **I.** *tr* zusammenschließen, vereinigen; **II.** *rfl:* **-arsi** sich zusammenschließen, sich vereinigen.

confederativo, -a [konfedera'ti:vo] *agg* Bündnis-. **confederato, -a** [...'ra:to] **I.** *agg* verbündet; *CH* eigenössisch; **II.** *m, f* Verbündete(r) *mf; CH* Eidgenosse *m,* Eidgenossin *f.*

confederazione [konfederat'tsio:ne] *f* **1.** *pol* Konföderation *f;* **2.** *(unione di più enti)* Verband *m,* Bund *m;* **la C~ Elvetica** die Schweizerische Eidgenossenschaft.

conferenza [konfe'rɛntsa] *f* **1.** *(discorso)* Vortrag *m;* **2.** *(riunione)* Konferenz *f;* ~ **stampa** Pressekonferenz *f;* ~ **al vertice** Spitzentreffen *n; (pol a.)* Gipfeltreffen *n,* -konferenz *f;* ~ **con proiezione di diapositive** Diavortrag *m.* **conferenziere, -a** [...ren'tsiɛ:re] *m, f* Sprecher(in) *m(f),* Redner(in) *m(f).*

conferire [konfe'ri:re] ⟨conferisco⟩ **I.** *tr* **1.** *(incarico)* vergeben; *(ricompensa)* geben; *(titolo)* verleihen; **2.** *fig (aggiungere)* geben, verleihen; **II.** *itr* **1.** *(colloquiare)* eine Besprechung haben; **2.** *(giovare)* guttun, gut bekommen.

conferma [kon'ferma] *f* Bestätigung *f;* ~ **d'ordine** Auftragsbestätigung *f;* **trovare** (*o* **avere)** ~ bestätigt werden. **confermare** [...'ma:re] **I.** *tr* bestätigen; *(rafforzare)* bekräftigen; **II.** *rfl:* **-arsi 1.** *(rafforzarsi)* sich festigen; **2.** *(acquistare credito)* sich bestätigen.

confessare [konfes'sa:re] **I.** *tr* **1.** *rel* beichten; **2.** *fig (a persona amica)* anvertrauen, beichten *fam; (colpa, errori)* gestehen; **II.** *rfl:* **-arsi 1.** *rel* zur Beichte gehen, beichten; **2.** *(rivelarsi)* sich bekennen; **-arsi colpevole** sich schuldig bekennen. **confessionale** [...sio'na:le] **I.** *m* Beichtstuhl *m;* **II.** *agg (del sacramento)* Beicht-; *(scuola)* Konfessions-.

confessione [...'sio:ne] *f* **1.** *rel* Bekenntnis *n,* Konfession *f; (sacramento)* Beichte *f;* **2.** *dir* Geständnis *n.* **confessore** [...fes'so:re] *m* Beichtvater *m.*

confetto [kon'fɛtto] *m* **1.** *gastr* Pariser Mandel *f* ⟨*pl*⟩; **2.** *med* Dragée *n.*

confezionare [konfettsio'na:re] *tr* **1.** *(vestito)* anfertigen; **2.** *(merci)* ein-, verpakken; *(pacco)* machen.

confezione [konfet'tsio:ne] *f* **1.** *(imballaggio)* (Ver)packung *f; (presentazione)* Aufmachung *f;* **2.** ⟨*pl*⟩ *(vestiti)* Konfektion *f;* ~ **di cioccolatini** Pralinenschachtel *f;* ~ **regalo** Geschenkpackung *f;* **negozio di -i** Konfektionsgeschäft *n.*

conficcare [konfik'ka:re] **I.** *tr* **1.** *(ficcare)* einschlagen; **2.** *fig (nella mente)* einprägen; **II.** *rfl:* **-arsi 1.** *(penetrare)* eindringen; **2.** *fig (nella mente)* sich einprägen, sich festsetzen.

confidare [konfi'da:re] **I.** *tr* anvertrauen; **II.** *itr* **1.** *(aver fiducia)* vertrauen (*in* auf +*akk*), bauen (*in* auf +*akk*); **2.** *(sperare)* zuversichtlich sein; **III.** *rfl:* **-arsi** sich anvertrauen (*con qu* jdm).

confidente [konfi'dɛnte] *mf* **1.** *(persona amica)* Vertraute(r) *mf,* Vertrauensperson *f;* **2.** *(della polizia)* Spitzel *m.* **confidenza** [...'dɛntsa] *f (fiducia)* Vertrauen *n; (familiarità)* Vertrautheit *f; (segreto)* Vertraulichkeit *f;* **in** ~ im Vertrauen; **essere in** ~ **con qu** mit jdm vertraut sein; **fare una** ~ **a qu** jdm etw. anvertrauen. **confidenziale** [...den'tsia:le] *agg* vertraulich.

configurare [konfigu'ra:re] **I.** *tr* darstellen, gestalten; **II.** *rfl:* **-arsi** sich gestalten. **configurazione** [...rat'tsio:ne] *f* **1.** *(il configurare)* Darstellung *f,* Gestaltung *f;* **2.** *(conformazione)* Gestaltung *f,* Beschaffenheit *f,* Form *f; (struttura)* Aufbau *m;* **3.** *fig* Gestalt *f,* Form *f;* **4.** *inform* Konfiguration *f.*

confinante [konfi'nante] *agg* angrenzend, benachbart; **paese** ~ Nachbarland *n;* **fondo** ~ angrenzendes Grundstück.

confinare [konfi'na:re] **I.** *itr* (an)grenzen (*con* an +*akk*); **II.** *tr (a. fig)* verbannen; **III.** *rfl:* **-arsi** sich zurückziehen. **confinario, -a** [...'na:rio] ⟨-i, -ie⟩ *agg* Grenz-; **polizia -a** Grenzpolizei *f.*

confine [kon'fi:ne] *m* Grenze *f.*

confino [kon'fi:no] *m* Verbannung *f* (an

einen Zwangswohnort), Wohnortbeschränkung *f*.

confisca [kon'fiska] ⟨-sche⟩ *f* Beschlagnahmung *f*. **confiscare** [...'ka:re] ⟨confisco, confischi⟩ *tr* konfiszieren, beschlagnahmen.

conflagrazione [konflagrat'tsio:ne] *f lett* Aufflammen *n*.

conflitto [kon'flitto] *m* Zusammenstoß *m*, Konflikt *m*; ~ **a fuoco** Schußwechsel *m*; ~ **di competenza** Kompetenzstreit *m*; ~ **di interessi** Interessenkonflikt *m*; ~ **mondiale** Weltkrieg *m*; **essere in** ~ im Zwiespalt sein. **conflittuale** [...tu'a:le] *agg* Konflikt-, konfliktträchtig.

confluenza [konflu'ɛntsa] *f* Zusammenfluß *m*. **confluire** [...u'i:re] *itr* **1.** *geog* zusammenfließen; **2.** *fig* zusammentreffen.

confondere [kon'fondere] ⟨*irr*⟩ **I.** *tr* **1.** *(scambiare)* verwechseln, durcheinanderbringen; **2.** *(turbare, imbarazzare)* verwirren, durcheinanderbringen; **3.** *(mescolare)* vermischen, vermengen; **II.** *rfl:* **-ersi 1.** *(mescolarsi)* sich mischen (*tra* unter +*akk*); **2.** *fig (smarrirsi)* sich verwischen, sich verlieren; *(colori)* verschwimmen; **3.** *(turbarsi)* in Verwirrung geraten, durcheinandergeraten.

conformare [konfor'ma:re] **I.** *tr* anpassen (*a* an +*akk*); **II.** *rfl:* **-arsi** sich anpassen (*a* an +*akk*).

conformazione [konformat'tsio:ne] *f* **1.** *(forma, struttura)* Form *f*, Gestaltung *f*, Bau *m*; **2.** *geol* Beschaffenheit *f*.

conforme [kon'forme] **I.** *agg* konform, übereinstimmend, entsprechend; **essere** ~ **alle norme** normgerecht sein, den Normen entsprechen; **II.** *avv* gemäß, entsprechend. **conformismo** [...'mizmo] *m* Konformismus *m*. **conformista** [...'mista] ⟨-i *m*, -e *f*⟩ *mf* Konformist(in) *m(f)*. **conformità** [...mi'ta] ⟨-⟩ *f* Übereinstimmung *f*; **in** ~ **a (***o* **con)** in Übereinstimmung mit.

confortante [konfor'tante] *agg* tröstend.

confortare [konfor'ta:re] **I.** *tr* **1.** *(consolare)* trösten; **2.** *fig* stärken, bekräftigen; **II.** *rfl:* **-arsi** sich trösten. **confortevole** [...'te:vole] *agg* komfortabel. **conforto** [...'fɔrto] *m* **1.** *(consolazione)* Trost *m*; **2.** *(agio)* Komfort *m*.

confraternita [konfra'ternita] *f* Bruderschaft *f*.

confrontare [konfron'ta:re] *tr* vergleichen.

confronto [kon'fronto] *m* Vergleich *m*; *(a. dir)* Gegenüberstellung *f*; **fare un** ~ **(fra)** einen Vergleich anstellen (zwischen); **in** ~ **a, a** ~ **di** verglichen mit, im Vergleich zu; **nei -i di** gegen, gegenüber; **non c'è** ~**!** das ist unvergleichlich!

confusionario, -a [konfuzio'na:rio] ⟨-i, -ie⟩ **I.** *agg* wirr, durcheinander, verwirrt; **II.** *m, f* Wirrkopf *m*, Chaot(in) *m(f) fam*.

confusione [konfu'zio:ne] *f* **1.** *(disordine)* Durcheinander *n*; **2.** *(agitazione, imbarazzo)* Verwirrung *f*. **confuso, -a** [...'fu:zo] *agg* **1.** *(discorso, situazione)* unklar, verworren; **2.** *(persona)* verwirrt.

confutare [konfu'ta:re] *tr* widerlegen.

congedare [kondʒe'da:re] **I.** *tr* verabschieden; *mil* entlassen; **II.** *rfl:* **-arsi** sich verabschieden. **congedo** [...'dʒɛ:do] *m* **1.** *gener.* Abschied *m*; *(mil a.)* Entlassung *f*; **2.** *(di impiegato)* Beurlaubung *f*; ~ **per matrimonio** *einer Braut oder einem Bräutigam zustehender Urlaub für die Hochzeit;* ~ **retribuito** bezahlter Urlaub.

congegnare [kondʒeɲ'ɲa:re] *tr* **1.** *tec* konstruieren; **2.** *fig* austüfteln, ausdenken.

congegno [kon'dʒeɲɲo] *m* Mechanismus *m*, Werk *n*.

congelamento [kondʒela'mento] *m* **1.** *fis, fin, com, pol* Einfrieren *n*; **2.** *med* Erfrierung *f*; **morire di** ~ erfrieren. **congelare** [...'la:re] **I.** *tr* **1.** *(agghiacciare)* gefrieren lassen; **2.** *fin, com, pol* einfrieren; **3.** *(alimenti)* einfrieren, tiefkühlen; **II.** *rfl:* **-arsi 1.** *fis* (ge)frieren; **2.** *med* erfrieren; **3.** *fig fam* (ab)frieren. **congelatore** [...la'to:re] *m* Tiefkühltruhe *f*; *(armadio ~)* Gefrierschrank *m*; *(nel frigorifero)* Gefrier-, Tiefkühlfach *n*.

congeniale [kondʒe'nia:le] *agg* wesensgleich.

congenito, -a [kon'dʒɛ:nito] *agg* angeboren.

congerie [kon'dʒɛ:rie] ⟨-⟩ *f* Aufhäufung *f*.

congestionare [kondʒestio'na:re] *tr* **1.** *med* einen Blutandrang bewirken in +*dat*; **2.** *fig* stauen, verstopfen. **congestione** [...'tio:ne] *f* **1.** *med* Blutandrang *m*; **2.** *fig (del traffico)* Stau *m*.

congettura [kondʒet'tu:ra] *f* Vermutung *f*, Annahme *f*. **congetturare** [...tu'ra:re] *tr* vermuten.

congiungere [kon'dʒundʒere] ⟨*irr*⟩ **I.** *tr* verbinden; *(mani)* falten; **II.** *rfl:* **-ersi** sich verbinden; **-ersi in matrimonio** sich vermählen.

congiuntivite [kondʒunti'vi:te] *f* Bindehautentzündung *f*, Konjunktivitis *f wissensch.*

congiuntivo [kondʒun'ti:vo] *m* Konjunktiv *m*.

congiunto, -a [kon'dʒunto] **I.** *agg* vereint, verbunden; **II.** *m, f* Verwandte(r) *mf*.

congiuntura [kondʒun'tu:ra] *f* **1.** *com* Konjunktur *f*; **2.** *(circostanza)* Gelegenheit *f*; **3.** *(di travi, pezzi)* Verbindungsstelle *f*. **congiunturale** [...tu'ra:le] *agg* konjunkturell.

congiunzione [kondʒun'tsio:ne] *f* Konjunktion *f*.

congiura [kon'dʒu:ra] *f* Verschwörung *f*. **congiurare** [...dʒu'ra:re] *itr* sich verschwören (*contro* gegen). **congiurato, -a** [...dʒu'ra:to] *m, f* Verschwörer(in) *m(f)*.

conglobare [konglo'ba:re] *tr econ* zusammenrechnen, pauschalieren.
conglomerato [koŋglome'ra:to] *m* Konglomerat *n,* Gemisch *n.*
congratularsi [koŋgratu'larsi] *rfl* gratulieren; ~ **con qu per qc** jdm zu etw. gratulieren. **congratulazione** [...lat'tsi̯o:ne] *f* Glückwunsch *m,* Gratulation *f;* **fare le -i a qu per qc** jdm zu etw. seinen Glückwunsch aussprechen; **-i!** herzlichen Glückwunsch!
congrega [koŋ'grɛ:ga] ⟨-ghe⟩ *f* **1.** *peg* Bande *f,* Clique *f;* **2.** *rel* Bruderschaft *f.*
congressista [koŋgres'sista] ⟨-i *m,* -e *f*⟩ *mf* Kongreßteilnehmer(in) *m(f).*
congresso [koŋ'grɛsso] *m* Kongreß *m,* Tagung *f.*
congruo, -a ['kɔŋgruo] *agg* **1.** *(adeguato)* passend, angemessen; **2.** *mat* kongruent.
conguagliare [koŋgu̯aʎ'ʎa:re] ⟨conguaglio, conguagli⟩ *tr* ausgleichen. **conguaglio** [...'gu̯aʎʎo] ⟨-gli⟩ *m* Ausgleich *m.*
C.O.N.I. ['kɔ:ni] *m acr di* **Comitato Olimpico Nazionale Italiano** Italienisches Olympisches Komitee.
coniare [ko'ni̯a:re] ⟨conio, coni⟩ *(a. fig)* prägen.
conico, -a ['kɔ:niko] ⟨-ci, -che⟩ *agg* konisch, kegelförmig.
conifera [ko'ni:fera] *f* Nadelgewächs *n,* Konifere *f.*
coniglio [ko'niʎʎo] ⟨-gli⟩ *m* **1.** *zoo* Kaninchen *n;* **2.** *fig* Angsthase *m fam,* Hasenfuß *m fam.*
conio ['kɔ:ni̯o] ⟨-i⟩ *m* **1.** *tec (arnese)* Prägeisen *n;* **2.** *(il coniare)* Prägen *n;* **3.** *(effetto)* Prägung *f;* **4.** *fig* Art *f,* Schlag *m.*
coniugale [koni̯u'ga:le] *agg* ehelich, Ehe-.
coniugare [koni̯u'ga:re] ⟨coniugo, coniughi⟩ *tr* konjugieren.
coniugato, -a [koni̯u'ga:to] **I.** *pp di* **coniugare; II.** *agg* verheiratet.
coniugazione [...gat'tsi̯o:ne] *f* Konjugation *f.*
coniuge ['kɔni̯udʒe] *mf* Ehemann *m,* -frau *f,* Gatte *m,* Gattin *f geh.*
connazionale [konnattsi̯o'na:le] **I.** *agg* aus dem gleichen Land; **II.** *mf* Landsmann *m,* -männin *f.*
connessione [konnes'si̯o:ne] *f* **1.** *(fra due fatti, tec)* Verbindung *f;* **2.** *el* Anschluß *m.* **connesso, -a** [...'nɛsso] *agg* **1.** *el* angeschlossen; **2.** *tec, fig* verbunden.
connettere [kon'nɛttere] ⟨connetto, connettei, connesso⟩ *tr* **1.** *(fili, pezzi)* verbinden, zusammenfügen; **2.** *fig* in Zusammenhang bringen; **non riesco a** ~ ich bin ganz außer mir. **connettivo, -a** [...'ti:vo] *agg:* **tessuto** ~ Bindegewebe *n.*
connivente [konni'vɛnte] **I.** *agg* stillschweigend einverstanden (*con* mit); **II.** *mf* Mitwisser(in) *m(f).* **connivenza** [...'vɛntsa] *f* stilles Einverständnis; *dir* Mitwisserschaft *f.*
connotato [konno'ta:to] *m* Kennzeichen *n,* Merkmal *n.*
connubio [kon'nu:bi̯o] ⟨-i⟩ *m* **1.** *(matrimonio)* Heirat *f;* **2.** *fig* Verbindung *f,* Zusammenschluß *m.*
cono ['kɔ:no] *m* Kegel *m; (mat a.)* Konus *m;* **a** ~ kegelförmig.
conobbi [ko'nobbi] *p rem di* **conoscere.**
conoscente [konoʃ'ʃɛnte] *mf* Bekannte(r) *mf.*
conoscenza [konoʃ'ʃɛntsa] *f* **1.** *(apprendimento)* Kenntnis *f* (*di* von), Wissen *n* (*di* von); **2.** *med* Bewußtsein *n;* **3.** *(persona)* Bekannte(r) *mf,* Bekanntschaft *f;* **-e linguistiche/professionali** Sprach-/Fachkenntnisse *f pl;* **fare la** ~ **di qu/qc** jds/mit etw. Bekanntschaft machen, jdn/etw. kennenlernen; **essere a** ~ **di qc** über etw. Bescheid wissen (*o* unterrichtet sein); **per** ~ (*abbr* **p.c.**) zur Kenntnisnahme; **avere molte -e** viele Bekannte haben; **lieto di fare la Sua** ~ (sehr) angenehm, ich freue mich, Ihre Bekanntschaft zu machen.
conoscere [ko'noʃʃere] ⟨conosco, conobbi, conosciuto⟩ *tr* **1.** *(persona)* kennen; **2.** *(cosa)* sich auskennen in *+dat* (*o* bei), kennen; *(lingue)* beherrschen, können; ~ **qu di vista** jdn vom Sehen kennen; **ti faccio** ~ **mio fratello** ich mache dich mit meinem Bruder bekannt. **conoscitore, -trice** [...ʃi'to:re] *m, f* Kenner(in) *m(f).*
conosciuto, -a [kono'ʃu:to] **I.** *pp di* **conoscere; II.** *agg* bekannt.
conquista [koŋ'ku̯ista] *f* **1.** *(atto del conquistare)* Erreichen *n,* Erwerbung *f; (a. della libertà)* Erringung *f,* Erlangung *f; (del potere)* Ergreifung *f;* **2.** *(mil, a. fig fam)* Eroberung *f;* **3.** *(progresso)* Errungenschaft *f.* **conquistare** [...'ta:re] *tr* **1.** *(ottenere)* erreichen, erwerben; *(a. libertà)* erlangen, erringen; *(potere)* ergreifen; **2.** *mil, fig* erobern. **conquistatore, -trice** [...ta'to:re] *m, f* **1.** *mil* Eroberer(in) *m(f);* **2.** *fig fam* Herzensbrecher(in) *m(f).*
consacrare [konsa'kra:re] **I.** *tr* **1.** *rel* weihen; **2.** *(re, imperatore)* salben; **3.** *(dedicare)* widmen; **II.** *rfl:* **-arsi** sich widmen; *(a Dio)* sich weihen. **consacrazione** [...rat'tsi̯o:ne] *f* Weihe *f; (durante la messa)* Wandlung *f.*
consanguineo, -a [konsaŋ'gu̯i:neo] **I.** *agg* blutsverwandt; **II.** *m, f* Blutsverwandte(r) *mf.*
consapevole [konsa'pe:vole] *agg* bewußt. **consapevolezza** [...pevo'lettsa] *f* Bewußtsein *n.*
conscio, -a ['kɔnʃo] ⟨-sci, -sce⟩ *agg* bewußt.
consecutiva [konseku'ti:va] *f (interpretazione ~)* Konsekutivdolmetschen *n.*
consecutivista [...'vista] ⟨-i *m,* -e *f*⟩ *mf*

Konsekutivdolmetscher(in) *m(f)*.

consecutivo, -a [konseku'ti:vo] *agg* **1.** *(giorno, ora)* aufeinanderfolgend, hintereinander; **2.** *gram* Konsekutiv-, konsekutiv; **ha diluviato (per) tre ore -e** es hat drei Stunden an einem Stück geregnet.

consegna [kon'seɲɲa] *f* **1.** *(di merci)* (Aus)lieferung *f,* Zustellung *f;* **2.** *amm* (Amts)übergabe *f;* **3.** *(custodia)* Aufbewahrung *f;* **4.** *mil* Dienstvorschrift *f; (punizione)* Ausgangssperre *f;* ~ **a domicilio** Lieferung *f* frei Haus; **ricevere in** ~ zur Aufbewahrung erhalten. **consegnare** [...'ɲa:re] *tr* **1.** *(dare)* übergeben, abliefern; *com* (aus)liefern; *(affidare)* anvertrauen; **2.** *mil* Ausgangssperre verhängen (*qu* über jdn).

conseguente [konse'gu̯ɛnte] *agg* **1.** *(danno, disturbi)* Folge-; **2.** *(persona)* konsequent; **3.** *(ragionamento, deduzione)* konsequent, folgerichtig.

conseguenza [konse'gu̯ɛntsa] *f* Konsequenz *f,* Folge *f; (conclusione logica)* (Schluß)folgerung *f;* **in** ~ **di** als Folge von, infolge *+gen.*

conseguimento [konsegu̯i'mento] *m* Erlangung *f.* **conseguire** [...'gu̯i:re] **I.** *tr* ⟨*avere*⟩ erreichen, erlangen; ~ **la laurea** sein Staatsexamen ablegen; ~ **un utile** (einen) Gewinn erzielen; **II.** *itr* ⟨*essere*⟩ folgen, hervorgehen.

consenso [kon'sɛnso] *m* Zustimmung *f* (*a* zu), Einverständnis *n (a* mit); **tacito** ~ stillschweigendes Einverständnis.

consentire [konsen'ti:re] **I.** *itr* zustimmen; ~ **a qc** einer S. *(dat)* zustimmen; **II.** *tr* zulassen. **consenziente** [...n'tsi̯ɛnte] *agg* zustimmend.

conserva [kon'sɛrva] *f* Konserve *f;* **mettere in** ~ einmachen. **conservante** [...'vante] *m* Konservierungsstoff *m,* Konservierungsmittel *n;* **senza -i** ohne Konservierungsstoffe.

conservare [konser'va:re] **I.** *tr* **1.** *gastr* konservieren, haltbar machen; *(in vasi)* einmachen; **2.** *(custodire)* aufbewahren; **3.** *fig* erhalten, bewahren; **II.** *rfl:* **-arsi 1.** *gastr* sich halten; **2.** *(mantenersi)* sich erhalten; *(in salute)* gesund bleiben. **conservatore, -trice** [...va'to:re] **I.** *agg* konservativ; **II.** *m, f* Konservative(r) *mf.*

conservatorio [konserva'tɔ:ri̯o] ⟨-i⟩ *m* Konservatorium *n.*

conservazione [konservat'tsi̯o:ne] *f* **1.** *(atto del conservare)* Erhaltung *f;* **2.** *gastr* Konservierung *f,* Haltbarmachung *f;* **3.** *biol* Selbsterhaltung *f;* **data di** ~ Haltbarkeitsdatum *n.*

considerare [konside'ra:re] *tr* **1.** *(tenere conto)* berücksichtigen, bedenken **2.** *(soppesare)* abwägen, abschätzen; *(esaminare)* erwägen; **3.** *(ritenere)* betrachten (*come* als); **4.** *(stimare)* achten, schätzen; **tutto considerato** alles in allem; **considerata la sua età** für sein (*o* ihr) Alter.

considerazione [konsiderat'tsi̯o:ne] *f* **1.** *(osservazione)* Betrachtung *f; (riflessione)* Überlegung *f;* **2.** *(esame)* Erwägung *f;* **3.** *(stima)* Ansehen *n,* Wertschätzung *f;* **agire senza** ~ unüberlegt handeln; **essere tenuto in gran** ~ hoch angesehen sein; **prendere in** ~ beachten; **in** ~ **di** in Anbetracht *+gen,* unter Berücksichtigung *+gen.* **considerevole** [...'re:vole] *agg* beachtlich.

consigliabile [konsiʎ'ʎa:bile] *agg* ratsam.

consigliare [konsiʎ'ʎa:re] ⟨consiglio, consigli⟩ **I.** *tr* raten, empfehlen; *(persone a.)* beraten; ~ **a qu di fare qc** jdm raten, etw. zu tun; **II.** *rfl:* **-arsi** sich beraten. **consigliere, -a** [...'ʎɛ:re] *m, f* **1.** *(chi consiglia)* Ratgeber(in) *m(f),* Berater(in) *m(f);* **2.** *amm* Rat *m,* Rätin *f;* ~ **di stato/d'amministrazione** Staatsrat *m*/Aufsichtsrat *m;* ~ **delegato** Geschäftsführer *m.*

consiglio [kon'siʎʎo] ⟨-gli⟩ *m* **1.** *(suggerimento)* Rat(schlag) *m,* Empfehlung *f;* **2.** *amm* Rat *m;* **3.** *(riunione)* Beratung *f;* ~ **d'amministrazione** Vorstand *m;* ~ **di classe** *Organ bestehend aus Vertretern der Lehrer, Schüler und Eltern;* ~ **dei genitori** Elternbeirat *m;* ~ **dei ministri** Ministerrat *m;* ~ **di mutua assistenza economica** Rat *m* für gegenseitige Wirtschaftshilfe; ~ **di sicurezza delle Nazioni Unite** Sicherheitsrat *m* der Vereinten Nationen, UN-Sicherheitsrat *m;* ~ **di fabbrica** Betriebsrat *m;* **venire a più miti -gli** leisere Töne anschlagen; **la notte porta** ~ *prov* man soll die Sache überschlafen.

consiliare [konsi'li̯a:re] *agg* Rats-.

consistente [konsis'tɛnte] *agg* **1.** *(materiale)* fest, solide; **2.** *fig (notevole)* beträchtlich, beachtlich. **consistenza** [...'tɛntsa] *f* **1.** *(di materiale)* Festigkeit *f;* **2.** *com* Bestand *m;* **3.** *fig* Gehalt *m;* ~ **patrimoniale** Vermögensbestand *m;* **prendere** ~ Form (*o* Gestalt) annehmen.

consistere [kon'sistere] ⟨consisto, consistei *o* consistetti, consistito⟩ *itr* ⟨*essere*⟩ bestehen (*in* aus, in *+dat*).

consociato, -a [konso'tʃa:to] **I.** *agg (unito in società)* vereint, verbunden; *(appartenente allo stesso gruppo)* vereinigt, zusammengeschlossen; **II.** *f* Tochtergesellschaft *f,* Beteiligungsgesellschaft *f.*

consocio, -a [kon'sɔ:tʃo] *m, f* Teilhaber(in) *m(f);* ~ **in affari** Geschäftspartner *m.*

consolante [konso'lante] *agg* tröstlich, tröstend.

consolare¹ [konso'la:re] **I.** *tr* trösten; **II.** *rfl:* **-arsi** sich trösten (*di* über *+akk,*

con mit).
consolare² [konso'la:re] *agg* konsularisch, Konsulats-.
consolato [konso'la:to] *m* Konsulat *n.*
consolazione [konsolat'tsi̯o:ne] *f* Trost *m.*
console¹ ['kɔnsole] *m* Konsul *m.*
console² [kon'sol] ⟨-⟩ *f* **1.** *(tavolo)* Konsole *f;* **2.** *inform* Konsole *f.*
consolidare [konsoli'da:re] **I.** *tr* **1.** *(rendere solido)* festigen; **2.** *fig* konsolidieren; *(posizione)* ausbauen; *(migliorare)* verbessern; *(amicizia, conoscenza)* vertiefen, festigen; **II.** *rfl:* **-arsi 1.** *(diventare solido)* fest werden; **2.** *fig* sich konsolidieren; *(amicizia, rapporti)* sich festigen, sich vertiefen.
consolle [kon'sɔlle] ⟨-⟩ *f (a. inform)* Konsole *f.*
consommé [kõsɔ'me] ⟨-⟩ *m* Kraftbrühe *f.*
consonante [konso'nante] *f* Konsonant *m,* Mitlaut *m.*
consonanza [konso'nantsa] *f* Konsonanz *f,* Gleichklang *m.*
consono, -a ['kɔnsono] *agg* entsprechend (*a +dat*), angemessen (*a +dat*).
consorella [konso'rɛlla] *f* Schwesterfirma *f,* Schwestergesellschaft *f.*
consorte [kon'sɔrte] *mf* Gemahl(in) *m(f),* Gatte *m,* Gattin *f.*
consorzio [kon'sɔrtsi̯o] ⟨-i⟩ *m dir, fin* Konsortium *n; agr* Genossenschaft *f.*
constare [kons'ta:re] *itr* ⟨*essere*⟩ **1.** *(essere costituito)* bestehen (*di* aus); **2.** *(risultare)* sich ergeben; **mi consta che** *+congv* es ist mir bekannt, daß ...
constatare [konsta'ta:re] *tr* feststellen. **constatazione** [...tat'tsi̯o:ne] *f* Feststellung *f.*
consueto, -a [konsu'ɛ:to] **I.** *agg* gewohnt, üblich; **II.** *m* Übliche(s) *n;* **di ~** üblicherweise. **consuetudinario, -a** [...tudi'na:ri̯o] ⟨-i, ie⟩ *agg* Gewohnheits-; **diritto ~** Gewohnheitsrecht *n.* **consuetudine** [...ue'tu:dine] *f* **1.** *(abitudine)* Gewohnheit *f;* **2.** *(costume)* Brauch *m;* **avere la ~ di fare qc** gewöhnt sein, etw. zu tun; **per ~** aus Gewohnheit.
consulente [konsu'lɛnte] *mf* Berater(in) *m(f);* **~ legale/tributario** Rechts-/Steuerberater(in) *m(f).* **consulenza** [...'lɛntsa] *f* Beratung *f;* **~ aziendale** Unternehmensberatung *f.*
consulta [kon'sulta] *f* **1.** *(riunione)* Beratung *f,* Besprechung *f;* **2.** *amm, pol* beratende Versammlung. **consultare** [...'ta:re] **I.** *tr (medico, avvocato)* zu Rate ziehen, konsultieren; *(libro)* nachschlagen in *+dat;* **II.** *rfl:* **-arsi** sich beraten. **consultazione** [...tat'tsi̯o:ne] *f* **1.** *(atto del consultare)* Beratung *f;* **2.** *(ricerca)* Konsultation *f;* **3.** ⟨*pl*⟩ *pol* Beratungen *f pl* zum Zwecke einer Regierungsneubildung; **4.** *med* Untersuchung *f;* **5.** *inform* Anfrage *f;* **~ popolare** Volksbefragung *f;* **opere di ~** Nachschlagewerke *n pl.* **consultivo, -a** [konsul'ti:vo] *agg* beratend; **comitato ~** Beirat *m;* **membro ~** beratendes Mitglied. **consultorio** [...'tɔ:ri̯o] ⟨-i⟩ *m* Beratungsstelle *f;* **~ familiare** Familienberatung(sstelle) *f.*
consumare [konsu'ma:re] **I.** *tr* **1.** *(usare)* verbrauchen; *(scarpe, abiti, libri, strumenti)* abnutzen; **2.** *(pasti)* verzehren, zu sich *(dat)* nehmen; **3.** *(matrimonio)* vollziehen; **II.** *rfl:* **-arsi 1.** *(logorarsi)* sich abnutzen; **2.** *fig* sich verzehren (*da* vor). **consumatore, -trice** [...ma'to:re] *m, f* Verbraucher(in) *m(f).* **consumazione** [...mat'tsi̯o:ne] *f* **1.** *(il consumare)* Verbrauch *m;* **2.** *gastr* Verzehr *m;* **3.** *dir* Vollzug *m.* **consumismo** [...'mizmo] *m* Konsumdenken *n.* **consumistico, -a** [...'mistiko] ⟨-ci, -che⟩ *agg* konsumorientiert.
consumo [kon'su:mo] *m* Konsum *m; (uso, a. di luce, benzina, gas, acqua)* Verbrauch *m;* **civiltà dei -i** Konsumgesellschaft *f.*
consuntivo, -a [konsun'ti:vo] **I.** *agg* Schluß-; **II.** *m* Bilanz *f; (a. fig)* Abrechnung *f;* **fare il ~** *(a. fig)* (die) Bilanz ziehen.
consunto, -a [kon'sunto] *agg* **1.** *(scarpe, indumenti)* abgenutzt; **2.** *(persona)* verbraucht; *(volto)* ausgezehrt.
consuocero, -a [kon'su̯ɔ:tʃero] *m, f* Vater *m,* Mutter *f* des Schwiegersohns (*o* der Schwiegertochter).
conta ['konta] *f:* **fare la ~** *(nei giochi)* abzählen.
contabile [kon'ta:bile] **I.** *agg* Rechnungs-, Buchungs-; **II.** *mf* Buchhalter(in) *m(f).* **contabilità** [kontabili'ta] ⟨-⟩ *f* Buchführung *f,* -haltung *f;* **tenere la ~** die Bücher führen.
contachilometri [kontaki'lɔ:metri] ⟨-⟩ *m* Kilometerzähler *m.*
contadino, -a [konta'di:no] **I.** *m, f (a. peg)* Bauer *m,* Bäu(e)rin *f;* **II.** *agg* bäuerlich.
contagiare [konta'dʒa:re] ⟨contagio, contagi⟩ *tr* anstecken, infizieren.
contagio [kon'ta:dʒo] ⟨-gi⟩ *m* Ansteckung *f,* Infizierung *f.* **contagioso, -a** [...ta'dʒo:so] *agg* ansteckend.
contagiri [konta'dʒi:ri] ⟨-⟩ *m* Drehzahlmesser *m,* Tourenzähler *m.*
contagocce [-'gottʃe] ⟨-⟩ *m* Pipette *f;* **bottiglietta a ~** Tropfflasche *f;* **col ~** *scherz* tröpfchenweise.
container [kən'teinə] ⟨-⟩ *m* Container *m;* **trasporto a mezzo ~** Containertransport *m.*
contaminare [kontami'na:re] **I.** *tr* **1.** *(acque, aria)* verunreinigen, verseuchen; **2.** *fig* verderben, beeinträchtigen. **contaminazione** [...nat'tsi̯o:ne] *f* **1.** *(dell'acqua, aria)* Verunreinigung *f,* Verseuchung *f,* Kontamination *f wissensch.;*

2. *fig* Beeinträchtigung *f*, Schädigung *f*; **pericolo di ~ radioattiva** Strahlengefährdung *f*.

contante [kon'tante] **I.** *agg* bar; **denaro ~** Bargeld *n;* **II.** *m* Bargeld *n;* **pagare in -i** bar bezahlen.

contare [kon'ta:re] **I.** *tr (numerare)* zählen; *(calcolare)* zusammenzählen; *(limitare)* abzählen; *(mettere in conto)* mitzählen; **II.** *itr* **1.** *(numeri)* zählen; **2.** *(valere)* zählen, gelten; **3.** *(fare assegnamento)* zählen (*su* auf +*akk*); **4.** *(proporsi)* rechnen (*di* +*inf* damit, daß . . .), ausgehen (*di* +*inf* davon, daß . . .).

contascatti [konta'skatti] ⟨-⟩ *m tel* Gebührenzähler *m*.

contasecondi [-se'kondi] ⟨-⟩ *m* Sekundenzähler *m*.

contatore [konta'to:re] *m* Zähler *m*.

contattare [kontat'ta:re] *tr* sich in Verbindung setzen mit, kontaktieren *geh*.

contatto [kon'tatto] *m* **1.** *gener., fig, el* Kontakt *m;* **2.** *mot* Zündung *f;* **3.** *tel, radio* Verbindung *f;* **~ difettoso** Wackelkontakt *m;* **lenti a ~** Kontaktlinsen *f pl;* **essere/porre (***o* **mettere) a ~** Kontakt haben/herstellen; **prendere ~ con qu** mit jdm Kontakt aufnehmen; **venire a ~ con** in Kontakt kommen mit.

conte, -essa ['konte, ...'tessa] *m, f* Graf *m*, Gräfin *f*.

conteggiare [konted'dʒa:re] ⟨conteggio, conteggi⟩ *tr* ausrechnen. **conteggio** [...'teddʒo] ⟨-ggi⟩ *m* (Be)rechnung *f;* **~ alla rovescia** Countdown *m o n*.

contegno [kon'teɲɲo] *m* Haltung *f;* **darsi un ~** Haltung annehmen. **contegnoso, -a** [...'ɲo:so] *agg* zurückhaltend; *(altero)* hochmütig.

contemplare [kontem'pla:re] *tr* **1.** *(guardare attentamente)* betrachten; *(ammirare)* bewundern; **2.** *dir* berücksichtigen, vorsehen; **3.** *(meditare)* sich vertiefen in +*akk*. **contemplazione** [...lat'tsio:ne] *f* Betrachtung *f; (a. rel)* Kontemplation *f*.

contempo [kon'tɛmpo] *m:* **nel ~** gleichzeitig.

contemporaneo, -a [kontempo'ra:neo] **I.** *agg* **1.** *(che avviene nello stesso tempo)* gleichzeitig; **2.** *(che appartiene al presente)* zeitgenössisch; **storia -a** Zeitgeschichte *f;* **II.** *m, f* Zeitgenosse *m*, -genossin *f*.

contendente [konten'dɛnte] *mf* Rivale *m*, Rivalin *f*.

contendere [kon'tɛndere] ⟨*irr*⟩ **I.** *tr* streitig machen (wollen), rivalisieren um; **II.** *itr* streiten (*per* um), kämpfen (*per* um); **III.** *rfl:* **-ersi** streitig machen (wollen).

contenere [konte'ne:re] ⟨*irr*⟩ **I.** *tr* **1.** *(persone, cose)* enthalten, fassen; **2.** *fig (lacrime, sdegno, ira)* zurückhalten; **II.** *rfl:* **-ersi** sich beherrschen. **contenitore** [...ni'to:re] *m* Behälter *m;* **~ per vetro** (Alt)glascontainer *m*.

contentare [konten'ta:re] **I.** *tr* zufriedenstellen; **II.** *rfl:* **-arsi** sich zufriedengeben (*di* mit), sich begnügen (*di* mit); **chi si contenta gode** *prov* Zufriedenheit macht glücklich. **contentezza** [...'tettsa] *f* Zufriedenheit *f; (letizia)* Freude *f; (felicità)* Glück *n*.

contento, -a [kon'tɛnto] *agg (soddisfatto)* zufrieden (*di* mit); *(lieto)* froh (*di* über +*akk*), fröhlich; *(felice)* glücklich (*di* mit, über +*akk*); **fare ~ qu** jdn zufriedenstellen.

contenuto, -a [konte'nu:to] *m* Inhalt *m*.

conterraneo, -a [konter'ra:neo] *m, f* Landsmann *m*, -männin *f*.

contesa [kon'te:sa] *f* Streit *m*, Auseinandersetzung *f*.

contessa *f v.* **conte.**

contestabile [kontes'ta:bile] *agg* anfechtbar.

contestare [kontes'ta:re] *tr* **1.** *(sottoporre a critica)* protestieren gegen; *(negare)* bestreiten, abstreiten; **2.** *dir* anfechten; **3.** *com (fornitura, merce)* beanstanden.

contestatore, -trice [...ta'to:re] *m, f* Anfechter(in) *m(f); pol, soc* Protestler(in) *m(f) fam*. **contestazione** [...tat'tsio:ne] *f* **1.** *pol, soc* Protest *m;* **2.** *dir* Anfechtung *f;* **3.** *com* Beanstandung *f*.

contesto [kon'tɛsto] *m* **1.** *(di scritto, discorso)* Zusammenhang *m*, Kontext *m;* **2.** *fig (ambiente)* Umfeld *n*, Hintergrund *m*.

contiguo, -a [kon'ti:guo] *agg* angrenzend.

continentale [kontinen'ta:le] **I.** *agg* kontinental, Festland(s)-; **II.** *mf* Festland(s)bewohner(in) *m(f)*.

continente[1] [konti'nɛnte] *m* Kontinent *m*, Erdteil *m; (terraferma)* Festland *n;* **~ antico/nuovo** Alte/Neue Welt.

continente[2] [konti'nɛnte] *agg* enthaltsam, zurückhaltend (*in* bei). **continenza** [...'nɛntsa] *f* Enthaltsamkeit *f*, Zurückhaltung *f*.

contingente [kontin'dʒɛnte] **I.** *agg* zufällig; **II.** *m* Kontingent *n* (*di* an +*dat*), Quote *f (di +gen)*. **contingenza** [...'dʒɛntsa] *f* Umstand *m*, Zufälligkeit *f; filos* Kontingenz *f*.

continuare [kontinu'a:re] **I.** *tr* fortsetzen; **II.** *itr* fortfahren (*a* mit), weitermachen (*a* mit); *(durare)* weitergehen, andauern, anhalten; **~ a vivere/dormire** weiterleben/weiterschlafen. **continuato, -a** [...'a:to] *agg* fortwährend, fortgesetzt; **orario ~** durchgehend geöffnet. **continuazione** [...uat'tsio:ne] *f* Fortsetzung *f;* **in ~** dauernd, ununterbrochen. **continuità** [...ui'ta] ⟨-⟩ *f* Kontinuität *f*, Fortdauer *f; (fig a.)* Zusammenhang *m*. **continuo, -a** [...'ti:nuo] *agg* dauernd, ständig; **di ~** dauernd, fortwährend; **a ciclo ~** am laufenden Band.

conto ['konto] *m* **1.** *mat, com* Rechnung *f;* **2.** *fin* Konto *n;* **3.** *(stima)* Ansehen *n;* ~ **alla rovescia** Countdown *m;* ~ **corrente (***abbr* **c/c)** Girokonto *n;* ~ **profitti e perdite** Gewinn- und Verlust-Rechnung *f;* **far** ~ **di fare qc** planen, etw. zu tun; **non fare alcun** ~ **di qc/qu** etw./jdn nicht beachten; **far** ~ **su qu/qc** auf jdn/ etw. bauen; **fare i -i con qu** mit jdm abrechnen; **chiedere** ~ **a qu di qc** von jdm Rechenschaft über etw. *(akk)* verlangen; **dar (***o* **render)** ~ **a qu di qc** jdm über etw. *(akk)* Rechenschaft ablegen; **dire qc sul** ~ **di qu** etw. über jdn sagen; **liquidare i -i** abrechnen; **mettere in** ~ **qc a qu** jdm etw. in Rechnung stellen; **rendersi** ~ **di qc** sich *(dat)* einer S. *(gen)* bewußt werden, sich *(dat)* über etw. *(akk)* klar sein; **tenere** ~ **di qc/qu** etw./ jdn berücksichtigen (*o* in Betracht ziehen); **tenere da** ~ **qc** etw. in Ehren halten; **tenere in gran** ~ **qc/qu** eine hohe Meinung von etw./jdm haben; **per** ~ **di qu** in jds Auftrag (*o* Namen); **per** ~ **mio/tuo/suo** was mich/dich/ihn (*o* sie) betrifft; **a -i fatti** alles in allem; **in fin dei -i** letztendlich; **a(d ogni) buon** ~ jedenfalls, immerhin; **per un** ~ **o per l'altro** so oder so; **è un altro** ~ das ist ein anderes Kapitel; **fare i -i senza l'oste** die Rechnung ohne den Wirt machen.

contorcere [kon'tɔrtʃere] ⟨*irr*⟩ **I.** *tr* verdrehen; **II.** *rfl:* **-ersi** sich krümmen, sich winden; *(divincolarsi)* sich entwinden. **contorcimento** [...tortʃi'mento] *m* Winden *n,* Krümmen *n.*

contornare [kontor'na:re] **I.** *tr* umranden; **II.** *rfl:* **-arsi** sich umgeben (*di* mit).

contorno [kon'torno] *m* **1.** *gastr* Beilage *f;* **2.** *(di disegno, volto)* Kontur *f,* Umriß *m.*

contorsione [kontor'si̯o:ne] *f* (Ver)drehung *f,* Verrenkung *f.* **contorsionista** [...i̯o'nista] ⟨-i *m,* -e *f*⟩ *mf* Schlangenmensch *m,* Kontorsionist(in) *m(f).* **contorto, -a** [...'tɔrto] *agg* **1.** *(storto)* gewunden; **2.** *fig* verdreht, verschlungen.

contrabbandare [kontrabban'da:re] *tr* schmuggeln. **contrabbandiere, -a** [...'di̯ɛ:re] *m, f* Schmuggler(in) *m(f).* **contrabbando** [...'bando] *m* Schmuggel *m;* **esportare/importare qc di** ~ etw. illegal aus-/einführen; **di** ~ heimlich.

contrabbasso [-b'basso] *m* Kontrabaß *m.*

contraccambiare [-kkam'bi̯a:re] *tr* erwidern.

contraccettivo, -a [-ttʃet'ti:vo] **I.** *agg* empfängnisverhütend, Verhütungs-; **II.** *m* Verhütungsmittel *n.* **contraccezione** [-ttʃet'tsi̯o:ne] *f* Empfängnisverhütung *f.*

contraccolpo [-k'kolpo] *m* **1.** *(urto)* Gegen-, Rückschlag *m;* **2.** *fig* Rückwirkung *f,* negative Auswirkung *f;* **di** ~ prompt.

contrada [kon'tra:da] *f* Straße *f,* Gasse *f.*

contraddire [kontrad'di:re] ⟨*irr*⟩ **I.** *tr* widersprechen (*qu* jdm); **II.** *rfl:* **-irsi** sich widersprechen. **contraddittorietà** [-ddittori̯e'ta] ⟨-⟩ *f* Widersprüchlichkeit *f.* **contraddittorio, -a** [-ddit'tɔ:ri̯o] ⟨-i, -ie⟩ **I.** *agg* widersprüchlich; **II.** *m* Streitgespräch *n,* Disput *m.* **contraddizione** [-ddit'tsi̯o:ne] *f* Widerspruch *m;* **essere in** ~ **con qc** im Widerspruch zu etw. stehen.

contraente [kontra'ɛnte] **I.** *agg* vertragsschließend; **II.** *mf* Geschäftsparter(in) *m(f),* Vertragspartner(in) *m(f).*

contraffare [-f'fa:re] ⟨*irr*⟩ *tr* nachmachen, imitieren; *(falsificare)* fälschen. **contraffazione** [...t'tsi̯o:ne] *f* Nachahmung *f;* *(falsificazione)* Fälschung *f.*

contralto [kon'tralto] **I.** *m* **1.** *(voce)* Alt *m,* Altstimme *f;* **2.** *(persona)* Alt *m,* Altistin *f;* **II.** ⟨*inv*⟩ *agg* Alt-.

contrappeso [-p'pe:so] *m* **1.** *tec* Gegengewicht *n;* **2.** *fig* Ausgleich *m.*

contrapporre [-p'porre] ⟨*irr*⟩ **I.** *tr* **1.** *(ostacolo, sbarramento)* entgegensetzen; **2.** *fig* gegenüberstellen, entgegenstellen; **II.** *rfl:* **-orsi 1.** *(opporsi)* sich widersetzen; **2.** *fig* gegensätzlich sein. **contrapposizione** [-ppozit'tsi̯o:ne] *f* Gegenüberstellung *f.* **contrapposto, -a** [-p'posto] *m* Gegensatz *m (di* zu), Gegenteil *n* (*di* von).

contrappunto [-p'punto] *m* Kontrapunkt *m.*

contrariamente [kontrari̯a'mente] *avv* im Gegensatz (*a* zu).

contrariare [kontra'ri̯a:re] ⟨contrario, contrari⟩ *tr* **1.** *(infastidire)* verärgern; **2.** *(contrastare)* durchkreuzen, behindern; **3.** *(contraddire)* widersprechen (*qu/qc* jdm/einer S. *dat*). **contrarietà** [...i̯e'ta] ⟨-⟩ *f* Widerwärtigkeit *f,* Ärgernis *n; (fastidio)* Verärgerung *f.* **contrario, -a** [...'tra:ri̯o] ⟨-i, -ie⟩ **I.** *agg* gegenteilig, entgegengesetzt; *fig* widrig; **in caso** ~ andernfalls; **fino a prova -a** bis zum Gegenbeweis; ~ **alla legge** gesetzwidrig; **II.** *m* Gegenteil *n;* **al** ~ im Gegenteil; **non avere nulla in** ~ nichts dagegen haben.

contrarre [kon'trarre] ⟨*irr*⟩ **I.** *tr* **1.** *(patto)* (ab)schließen; *(matrimonio)* schließen; *(obbligo)* übernehmen; **2.** *(malattia)* bekommen, sich *(dat)* zuziehen; *(abitudine)* sich *(dat)* zulegen; *(debito)* machen; **3.** *(labbra, muscolo, sopracciglia)* zusammenziehen; **II.** *rfl:* **-arsi** sich zusammenziehen.

contrassegnare [-sseɲ'ɲa:re] *tr* kennzeichnen; ~ **con una X** ankreuzen. **contrassegno** [-s'seɲɲo] *m:* **spedizione** ~ per Nachnahme.

contrastare [kontras'ta:re] **I.** *tr* behindern, entgegenwirken (*qc* einer S. *dat*); **II.** *itr* **1.** *(essere in disaccordo)* im Widerspruch stehen (*con* zu), einen Gegensatz bilden (*con* zu); **2.** *(discutere)* streiten. **contrastivo, -a** [...'ti:vo] *agg ling* kontrastiv.

contrasto [kon'trasto] *m* **1.** *(opposizione)* Gegensatz *m; (diverbio)* Streit *m; (conflitto)* Auseinandersetzung *f;* **2.** *fot, TV* Kontrast *m.*

contrattacco [kontrat'takko] *m* Gegenangriff *m.*

contrattare [kontrat'ta:re] *tr* handeln (um *o* über *+akk*), feilschen um. **contrattazione** [...t'tsio:ne] *f* Geschäft *n,* Verhandlung *f.*

contrattempo [-t'tɛmpo] *m* **1.** *(inciampo)* Verzögerung *f,* Zwischenfall *m;* **2.** *mus* Zwischentakt *m.*

contratto [kon'tratto] *m* Vertrag *m;* ~ **(collettivo) di lavoro** Tarifvertrag *m;* ~ **a termine** Zeitvertrag *m.* **contrattuale** [...tu'a:le] *agg* Vertrags-, vertraglich.

contravvenire [-vve'ni:re] ⟨*irr*⟩ *itr* zuwiderhandeln *(a qc* einer S. *dat),* verstoßen (*a* gegen). **contravvenzione** [-vven'tsio:ne] *f* **1.** *(violazione)* (Gesetzes)übertretung *f;* **2.** *(contestazione)* Strafmandat *n,* gebührenpflichtige Verwarnung *amm.*

contrazione [kontrat'tsio:ne] *f* **1.** *(il contrarsi)* Zusammenziehung *f;* **2.** *anat, ling* Kontraktion *f;* **3.** *com* Verringerung *f,* Rückgang *m.*

contribuente [kontribu'ɛnte] *mf* Steuerzahler(in) *m(f).*

contribuire [kontribu'i:re] ⟨contribuisco⟩ *itr* beitragen (*a* zu), sich beteiligen (*a* an *+dat*). **contributo** [...'bu:to] *m* **1.** *com* Beitrag *m,* Anteil *m;* **2.** *dir, amm* Gebühr *f;* **3.** *fig* Beitrag *m* (*a* zu); **-i sociali** Sozialabgaben *f pl;* **dare un** ~ **a qc** einen Beitrag zu etw. leisten. **contributore, -trice** *m, f* Mitarbeiter(in) *m(f).*

contrito, -a [kon'tri:to] *agg* zerknirscht; *(a. rel)* reuig.

contro ['kontro] **I.** *prp* gegen *+akk,* entgegen *+dat;* ~ **di me/te/lei** gegen mich/dich/sie; **navigare** ~ **vento** gegen den Wind segeln; **sparare** ~ **qu** auf jdn schießen; ~ **assegno/ricevuta/pagamento** gegen Scheck/Quittung/Zahlung; **II.** *avv* dagegen; **votare/essere** ~ dagegen stimmen/sein; **dare** ~ Kontra geben; **III.** ⟨-⟩ *m:* **il pro ed il** ~ das Pro und das Kontra.

contro- [kontro-] *(in parole composte)* Gegen-, Wider-. **controaccusa** [-ak'ku:za] *f dir* Gegenklage *f.* **contraargomento** [-argo'mento] *m* Gegenargument *n.* **controbattere** [-'battere] *tr* erwidern, zurückgeben. **controbilanciare** [-bilan'tʃa:re] *tr* **1.** *(carico, pesi)* ausbalancieren; **2.** *fig* ausgleichen, aufwiegen. **controcorrente** [-kor'rɛnte] **I.** *f* Gegenstrom *m,* Gegenströmung *f;* **II.** *avv* gegen den Strom; **andare** ~ *fig* gegen den Strom schwimmen. **controffensiva** [kontroffen'si:va] *f* Gegenangriff *m; (fig a.)* Gegenoffensive *f;* **passare alla** ~ *(a. fig)* zum Gegenangriff übergehen. **controfferta** [kontrof'fɛrta] *f* Gegenangebot *n.* **controfigura** [-fi'gu:ra] *f film* Double *n,* Stuntman *m.* **controfiletto** [-fi'letto] *m* Lendenstück *n.* **controfirma** [-'firma] *f* Gegenzeichnung *f.* **controindicazione** [-indikat'tsio:ne] *f* Gegenanzeige *f,* Kontraindikation *f wissensch.*

controllabile [kontrol'la:bile] *agg* kontrollierbar, überprüfbar. **controllabilità** [kontrollabili'ta] *f* Kontrollierbarkeit *f,* Überprüfbarkeit *f.*

controllare [kontrol'la:re] **I.** *tr* **1.** *(verificare)* kontrollieren, überprüfen; *(attività, persona)* beaufsichtigen; *(sorvegliare)* überwachen; **2.** *(situazione, mercato, avversario)* beherrschen, unter Kontrolle haben; **3.** *fig (gesti, emozioni)* beherrschen, kontrollieren; **II.** *rfl:* **-arsi** sich beherrschen; **-arsi nelle spese/nel fumo/nel bere** sich bei den Ausgaben/im Rauchen/im Trinken einschränken.

controllo [kon'trɔllo] *m* **1.** *(verifica)* Kontrolle *f,* Überprüfung *f; (sorveglianza)* Aufsicht *f,* Überwachung *f;* **2.** *fig* Beherrschung *f,* Kontrolle *f;* **3.** *tec* Steuerung *f,* Regulierung *f;* **4.** *inform* Steuerung *f;* ~ **dei bagagli/biglietti** Gepäck-/Fahrkartenkontrolle *f;* ~ **delle nascite** Geburtenkontrolle *f;* ~ **di plausibilità** Plausibilitätskontrolle *f.* **controllore** [...trol'lo:re] *m* **1.** *(chi effettua controlli) (a. ferr)* Kontrolleur *m;* **2.** *inform* Steuergerät *n;* ~ **di volo** Fluglotse *m.*

controluce [-'lu:tʃe] **I.** ⟨-⟩ *f* Gegenlicht *n;* **II.** *avv:* **in** ~ Gegenlicht-. **contromano** [-'ma:no] *avv* in Gegenrichtung. **contromisura** [-mi'su:ra] *f* Gegenmaßnahme *f.* **controparte** [-'parte] *f* Gegenpartei *f.* **contropelo** [-'pe:lo] **I.** *avv* gegen den Strich; **prendere qu** ~ *fam scherz* jdn auf dem falschen Fuß erwischen; **II.** *m:* **fare il** ~ **a qu** *fig* jdn zerpflücken. **contropiede** [-'piɛ:de] *m* Überraschungsangriff *m;* **prendere** (*o* **cogliere) qu in** ~ jdn auf dem falschen Fuß erwischen, jdn überrumpeln. **controproducente** [-produ'tʃɛnte] *agg* kontraproduktiv; *(antieconomico)* unwirtschaftlich. **controproposta** [-pro'posta] *f* Gegenvorschlag *m.* **contrordine** [kon'trordine] *m* Gegenbefehl *m; com* Rückrufaktion *f.* **controriforma** [-ri'forma] *f* Gegenreformation *f.* **controsenso** [-'sɛnso] *m* Widersinn *m.* **controsoffitto** [-sof'fitto] *m* Hängeboden *m.* **controspionaggio** [-spio'naddʒo] *m* Gegenspionage *f.* **controsterzare** [-ster'tsa:re] *itr mot* gegensteuern. **controvalore** [-va'lo:re] *m* Gegenwert *m.*

controvento [kontro'vɛnto] *avv* gegen den Wind; *fig* gegen den Strom. **contro-**

versia [-'vɛrsi̯a] ⟨-ie⟩ *f* **1.** *dir* Streitpunkt *m,* Streitgegenstand *m;* **2.** *(polemica)* Kontroverse *f,* Meinungsverschiedenheit *f.* **controverso, -a** [...'vɛrso] *agg* kontrovers, strittig.

controvoglia [-'vɔʎʎa] *avv* ungern, widerwillig.

contumace [kontu'ma:tʃe] *amm* **I.** *agg dir* abwesend; **II.** *mf* Abwesende(r) *mf.* **contumacia** [...tʃa] ⟨-cie⟩ *f dir* Abwesenheit *f.*

conturbante [kontur'bante] *agg* verwirrend.

contusione [kontu'zi̯o:ne] *f* Prellung *f,* Quetschung *f.* **contuso, -a** [...'tu:zo] *agg* geprellt.

contuttoché [kontutto'ke] *cong +congv* obwohl; trotz der Tatsache, daß ...

contuttociò, con tutto ciò [kontutto'tʃɔ] *cong* dennoch, trotzdem.

conurbazione [konurbat'tsi̯o:ne] *f* Ballungsgebiet *n.*

convalescente [konvaleʃ'ʃɛnte] *agg* genesend, rekonvaleszent *wissensch.* **convalescenza** [...'ʃɛntsa] *f* Erholung *f,* Rekonvaleszenz *f wissensch.*

convalidare [konvali'da:re] *tr (a. fig)* bestätigen.

convegno [kon'veɲɲo] *m* **1.** *(incontro)* Treffen *n; (di studi a.)* Tagung *f;* **2.** *(luogo)* Treffpunkt *m.*

convenevoli [konve'ne:voli] *m pl* Förmlichkeiten *f pl.*

conveniente [konve'ni̯ɛnte] *agg* angemessen; *(vantaggioso)* lohnend, günstig. **convenienza** [...'ni̯ɛntsa] *f* **1.** ⟨*pl*⟩ *(regole)* Form *f,* (Anstands)regeln *f pl;* **2.** *(vantaggio)* Form *f;* **prezzo di** ~ Sonderpreis *m;* **rispettare le -e** die Form wahren.

convenire [konve'ni:re] ⟨*irr*⟩ **I.** *itr* ⟨*essere o avere*⟩ **1.** *(riunirsi)* zusammenkommen, sich versammeln; **2.** *(concordare)* sich einigen (*su* über *+akk, con* mit), übereinkommen (*con* mit); **3.** *(adattarsi)* sich schicken (*a* für), sich gehören (*a* für); *(a cose)* angemessen sein, passen (*a* zu); **4.** *(tornare utile)* sich lohnen; **5.** *(impersonale: essere opportuno)* besser sein; *(essere necessario)* nötig sein; **II.** *tr* ⟨*avere*⟩ **1.** *(stabilire)* übereinkommen (*qc* über etw. *(akk)*), sich einigen (*qc* über etw. *(akk)*); **2.** *dir (in giudizio)* vorladen; **III.** *rfl:* **-irsi** sich gehören (*a* für), sich schicken (*a* für).

convento [kon'vɛnto] *m* Kloster *n.*

convenuto, -a [konve'nu:to] **I.** *agg* vereinbart; **come** ~ wie vereinbart; **II.** *m* Übereinkunft *f;* **III.** *m, f dir* Angeklagte(r) *mf;* ⟨*pl*⟩ *(a riunioni)* Anwesende *pl.*

convenzionale [konventsi̯o'na:le] *agg* **1.** *(per accordo)* Konventional-; **2.** *(comune)* konventionell.

convenzionare [konventsi̯o'na:re] **I.** *tr* absprechen, abmachen; **II.** *rfl:* **-arsi** übereinkommen, Abmachungen treffen. **convenzionato, -a** [...'na:to] **I.** *pp di* **convenzionare; II.** *agg* vertragsgebunden; **medico** ~ Kassenarzt *m;* **prezzi -i** vereinbarte Preise *m pl.*

convenzione [konven'tsi̯o:ne] *f* **1.** *dir, amm* Abkommen *n;* **2.** *pol* Konvent *m,* Versammlung *f;* **3.** *(intesa)* Konvention *f;* **4.** ⟨*pl*⟩ *peg* Formeln *f pl,* Konventionen *f pl;* ~ **mutualistica/commerciale/doganale** Versicherungs-/Handels-/Zollabkommen *n.*

convergente [konver'dʒɛnte] *agg* konvergierend, zusammenlaufend; *mat, fis* konvergent. **convergenza** [...'dʒɛntsa] *f* **1.** *gener., mat* Konvergenz *f;* **2.** *mot* (Achs)sturz *m.*

convergere [kon'vɛrdʒere] ⟨convergo, convergi, conversi, converso⟩ *itr* ⟨*essere*⟩ **1.** *(strade)* zusammenlaufen; **2.** *fig* übereinstimmen; **3.** *mat* konvergieren.

conversare [konver'sa:re] *itr* sich unterhalten. **conversatore, -trice** [...sa'to:re] *m, f* Gesellschafter(in) *m(f).* **conversazione** [...sat'tsi̯o:ne] *f* Unterhaltung *f,* Konversation *f,* Gespräch *n;* ~ **di servizio** Dienstgespräch *n;* **durata della** ~ Sprechzeit *f.*

conversi [kon'vɛrsi] *p rem di* **convergere, convertire.**

conversione [konver'si̯o:ne] *f* **1.** *(trasformazione)* Umwandlung *f,* Umformung *f; el, tec* Konversion *f,* Umformung *f;* **2.** *rel* Bekehrung *f;* **3.** *(movimento)* (Kehrt)wendung *f;* **4.** *naut* Kursberechnung *f;* **5.** *inform* Konversion *f.*

converso [kon'vɛrso] *pp di* **convergere.**

convertire [konver'ti:re] ⟨converto, convertii *o* conversi, convertito⟩ **I.** *tr* **1.** *(trasformare)* umwandeln; **2.** *rel, pol* bekehren (*a* zu); **3.** *fin, inform* konvertieren; **4.** *fig* verwandeln (*in* in *+akk*); **II.** *rfl:* **-irsi 1.** *rel* konvertieren (*a* zu); **2.** *fig* sich (ver)wandeln (*in* in *+akk*). **convertito, -a** [...'ti:to] **I.** *agg* bekehrt; **II.** *m, f* Bekehrte(r) *mf.* **convertitore** [...'to:re] *m:* ~ **analogico-digitale** Analog-Digital-Umwandler *m.*

convesso, -a [kon'vɛsso] *agg* konvex; *(angolo)* stumpf.

convincere [kon'vintʃere] ⟨*irr*⟩ **I.** *tr* überzeugen (*qu di qc* jdn von etw.); **II.** *rfl:* **-ersi** sich überzeugen (*di* von). **convinto, -a** [...'vinto] *agg* überführt. **convinzione** [...n'tsi̯o:ne] *f* Überzeugung *f,* Meinung *f.*

convitato, -a [konvi'ta:to] *m, f* Gast *m.*

convitto [kon'vitto] *m* Internat *n.* **convittore, -trice** [...'to:re] *m, f* Internatsschüler(in) *m(f),* Internatszögling *m.*

convivenza [konvi'vɛntsa] *f* Zusammenleben *n.* **convivere** [...'vi:vere] ⟨*irr*⟩ *itr* ⟨*essere o avere*⟩ zusammenleben.

convocare [konvo'ka:re] ⟨convoco, convochi⟩ *tr* zusammenrufen; *(pol, amm a.)* einberufen. **convocazione** [...kat'tsio:-ne] *f* Einberufung *f.*

convogliare [konvoʎ'ʎa:re] ⟨convoglio, convogli⟩ *tr* **1.** *(traffico, soccorsi)* leiten, führen; **2.** *(acqua, fiumi: trasportare)* mitführen. **convoglio** [...'vɔʎʎo] ⟨-gli⟩ *m* Konvoi *m,* Kolonne *f; ferr* Zug *m.*

convulsione [konvul'sio:ne] *f* Krampf (anfall) *m,* Konvulsion *f.* **convulso, -a** [...'vulso] **I.** *agg* krampfhaft; *fig* hektisch, fieberhaft; **II.** *m fig* Anfall *m.*

cooperare [koope'ra:re] *itr* zusammenarbeiten (*a* mit), kooperieren (*a* mit); *(contribuire)* mitwirken (*a, in* an *+dat*), beitragen (*a* zu). **cooperativa** [...ra'ti:va] *f* Genossenschaft *f.* **cooperativo, -a** [...ra'ti:vo] *agg* kooperativ. **cooperatore, -trice** [...ra'to:re] *m, f* **1.** *(di impresa)* Mitarbeiter(in) *m(f);* **2.** *com* Genossenschaftler(in) *m(f).* **cooperazione** [...rat-'tsio:ne] *f* **1.** *(ad un'impresa)* Mitarbeit *f;* **2.** *com* Genossenschaftswesen *n;* ~ **di terzi** Mitwirkung *f* Dritter; ~ **economica** wirtschaftliche Zusammenarbeit.

coordinare [koordi'na:re] *tr* **1.** *(ordinare insieme vari elementi)* koordinieren; **2.** *gram* nebenordnen, beiordnen. **coordinata** [...'na:ta] *f* Koordinate *f.* **coordinatore, -trice** [...na'to:re] *m, f* Koordinator(in) *m(f).* **coordinazione** [...nat'tsio:-ne] *f* **1.** *(atto del coordinare)* Koordination *f,* Abstimmung *f;* **2.** *gram* Nebenordnung *f,* Beiordnung *f.*

Copenaghen [kope'na:gen] *f* Kopenhagen *n.*

coperchio [ko'pɛrkio] ⟨-chi⟩ *m* Deckel *m.*

copersi [ko'pɛrsi] *p rem di* **coprire.**

coperta [ko'pɛrta] *f* **1.** *(panno)* Decke *f;* **2.** *naut* Deck *n;* **in** ~ an Deck.

copertina [koper'ti:na] *f* Einband *m,* Umschlag *m;* **ragazza-~** Covergirl *n.*

coperto [ko'pɛrto] *m* Gedeck *n.*

coperto, -a [ko'pɛrto] **I.** *pp di* **coprire; II.** *agg* **1.** *(palestra, piscina)* überdacht; **2.** *(persona)* bekleidet, angezogen; **3.** *fin fig (rischio)* gedeckt; **4.** *meteo (cielo, tempo)* bedeckt; **5.** *fig* verborgen; **6.** *(cosparso)* bedeckt (*di* mit), übersät (*di* mit); **essere ben** ~ dick angezogen sein; **III.** *m* überdachter Ort; **stare/mettersi al** ~ sich unterstellen.

copertone [koper'to:ne] *m* (Reifen)mantel *m,* Reifen *m.*

copertura [koper'tu:ra] *f* **1.** *(del tetto)* Bedeckung *f; arch* Abdeckung *f;* **2.** *com, fin, sport* Deckung *f.*

copia ['kɔ:pia] ⟨-ie⟩ *f* **1.** *gener.* Kopie *f; (trascrizione a.)* Abschrift *f;* **2.** *tip* Exemplar *n,* Stück *n;* **3.** *fot* Abzug *m;* **bella/brutta** ~ Reinschrift *f*/Konzept *n;* **per** ~ **conforme** (*abbr* **p.c.c.)** *amm* für die Richtigkeit der Abschrift; ~ **di sicurezza** Sicherheitskopie *f,* Backup *n.* **copiare** [ko'pia:re] ⟨copio, copi⟩ *tr* **1.** *(trascrivere, a scuola)* abschreiben; **2.** *(imitare, film, inform)* kopieren. **copiativo, -a** [...ia'ti:vo] *agg* Kopier-; **carta -a** Kohlepapier *n.* **copiatrice** [...ia'tri:tʃe] *f* Kopiergerät *n,* Kopierer *m.*

copione [ko'pio:ne] *m teat* Regiebuch *n; film* Drehbuch *n.*

coppa ['kɔppa *o* 'koppa] *f* **1.** *(recipiente, contenuto)* Becher *m,* Kelch *m;* **2.** *sport* Pokal *m;* ~ **da spumante/gelato** Sektschale *f*/Eisbecher *m;* ~ **dell'olio** *mot* Ölwanne *f.*

coppia ['kɔppia] ⟨-ie⟩ *f* **1.** *(di persone)* Paar *n;* **2.** *(coniugi)* (Ehe)paar *n;* **3.** *sport* Doppel *n;* **a -ie, in** ~ paarweise; **gara a -ie** Paarlauf *m.*

copricapo [kopri'ka:po] *m* Kopfbedekkung *f.* **copricostume** [-kos'tu:me] ⟨-⟩ *m* Strandkleid *n.* **coprifuoco** [-'fuɔ:ko] *m* Ausgangssperre *f.* **copriletto** [-'lɛtto] ⟨-⟩ *m* Tagesdecke *f.*

coprire [ko'pri:re] ⟨copro, coprii *o* copersi, coperto⟩ **I.** *tr* **1.** *(mettere qualcosa sopra)* bedecken, zudecken; **2.** *(persona)* bedecken, einhüllen; **3.** *fig (impiego)* bekleiden; **4.** *(distanza)* zurücklegen; **5.** *fin, com (debito, rischio)* (ab)decken; **6.** *sport, mil* decken; **7.** *(casa)* decken; ~ **qu di baci/onori** jdn mit Küssen bedecken/mit Ehrungen überhäufen; **copri bene il bambino!** pack das Kind gut ein! *fam;* **II.** *rfl:* **-irsi 1.** *(il corpo)* sich bedecken, sich einhüllen; **2.** *fig* sich bedecken, sich überziehen (*di* mit); **3.** *fin* sich absichern; **-irsi bene** sich warm einpacken *fam.*

copriruota [kopri'ruɔ:ta] ⟨-⟩ *m mot* Raddeckel *m.*

coprocessore [koprotʃes'sore] *m* Koprozessor *m.*

coproduttore, -trice [koprodut'to:re] *m, f* Koproduzent(in) *m(f).* **coproduzione** [-produt'tsio:ne] *f* Koproduktion *f.*

copyright ['kɔpɪraɪt] ⟨-⟩ *m* Copyright *n.*

coque [kɔk] *f:* **uovo alla** ~ weichgekochtes Ei.

coraggio [ko'raddʒo] *m* Mut *m;* **mancare/perdersi di** ~ keinen Mut haben/den Mut verlieren; **avere il** ~ **delle proprie azioni** zu seinen Handlungen stehen; ~! nur Mut!. **coraggioso, -a** [...'dʒo:so] *agg* mutig.

corale [ko'ra:le] **I.** *agg* **1.** *mus* Chor-; **2.** *(approvazione)* einhellig; **II.** *m* Choral *m.*

corallino, -a [koral'li:no] *agg* Korallen-.

corallo [ko'rallo] *m* Koralle *f.*

corano [ko'ra:no] *m* Koran *m.*

corazza [ko'rattsa] *f* **1.** *mil* Rüstung *f,* Harnisch *m;* **2.** *zoo* Panzer *m.* **corazzare** [...'tsa:re] **I.** *tr* **1.** *mil* panzern; **2.** *fig* abschirmen; **II.** *rfl:* **-arsi** *(a. fig)* sich panzern. **corazzata** [...'tsa:ta] *f* Panzerkreuzer *m.*

corbelleria [korbelle'ri:a] ⟨-ie⟩ *f fam* Unsinn *m.*

corbezzolo [kor'bettsolo] *m* Erdbeerbaum *m.*

corda ['kɔrda] *f* **1.** *(fune)* Seil *n,* Schnur *f; sport* Seil *n;* **2.** *mus* Saite *f;* **-e vocali** *anat* Stimmbänder *n pl;* **strumenti a ~** Saiteninstrumente *n pl;* **salto della ~** Seilspringen *n;* **ballare (***o* **camminare) sulla ~** seiltanzen; **essere con la ~ al collo** *fig* den Kopf in der Schlinge haben; **essere teso come le -e di un violino** gespannt sein wie ein Flitzebogen *fam;* **dare ~ a qu** *fig* jdn an der langen Leine führen; **tagliare la ~** *fig* Reißaus nehmen, sich aus dem Staub machen; **tenere qu sulla ~** *fig* jdn auf die Folter spannen; **tirar troppo la ~** *fig* den Bogen überspannen. **cordata** [...'da:ta] *f (a. fig, pol)* Seilschaft *f.*

cordiale [kor'di̯a:le] **I.** *agg* herzlich; **II.** *m* Stärkung(strunk *m*) *f.* **cordialità** [...i̯ali'ta] ⟨-⟩ *f* Herzlichkeit *f* ⟨*pl*⟩; *(saluti)* herzliche Grüße *m pl;* **accogliere qu con ~** jdn herzlich empfangen; **tante ~ alla Sua famiglia** viele herzliche Grüße an Ihre Familie.

cordless ['kɔ:dlis] ⟨-⟩ *m* schnurloses Telefon.

cordoglio [kor'dɔʎʎo] ⟨-gli⟩ *m* Schmerz *m,* (tiefe) Trauer *f.*

cordone [kor'do:ne] *m* **1.** *gener.* Schnur *f,* Kordel *f;* **2.** *el* Kabel *n;* **3.** *mil* Sperrgürtel *m,* Kordon *m;* **~ ombelicale** Nabelschnur *f;* **~ sanitario** Cordon sanitaire *m.*

Corea [ko'rɛ:a] *f* Korea *n.*

coreografia [koreogra'fi:a] *f* Choreographie *f.* **coreografo, -a** [...e'ɔ:grafo] *m, f* Choreograph(in) *m(f).*

coriandolo [ko'ri̯andolo] *m* **1.** *bot* Koriander *m;* **2.** ⟨*pl*⟩ Konfetti *n.*

coricare [kori'ka:re] ⟨corico, corichi⟩ **I.** *tr* (hin)legen; **II.** *rfl:* **-arsi** sich hinlegen.

corista [ko'rista] ⟨-i *m,* -e *f*⟩ *mf* Chorsänger(in) *m(f).*

cornacchia [kor'nakki̯a] ⟨-cchie⟩ *f* Krähe *f.*

cornamusa [korna'mu:za] *f* Dudelsack *m.*

cornata [kor'na:ta] *f* Stoß *m* mit den Hörnern.

cornea ['kɔrnea] *f* Hornhaut *f.* **corneo, -a** [...eo] *agg* Horn-; **sostanza -a** Keratin *n.*

corner ['kɔrner] ⟨-⟩ *m* Eckball *m;* **salvarsi in ~** *fig* sich im letzten Augenblick retten.

cornetta [kor'netta] *f* Telefonhörer *m;* **mettere giù la ~** *fam* den Hörer auflegen. **cornetto** [kor'netto] *m* **1.** *(amuleto)* hornförmiges Amulett; **2.** *gastr (brioche)* Hörnchen *n,* Croissant *n;* ⟨*pl*⟩ *(fagiolini)* Brechbohnen *f pl;* **~ acustico** Hörrohr *n.*

cornice [kor'ni:tʃe] *f* **1.** *(di quadro, specchio)* Rahmen *m;* **2.** *arch* Gesims *n;* **legge ~** Rahmengesetz *n.* **corniciaio** [...ni'tʃa:i̯o] ⟨-ai⟩ *m* Rahmenhersteller *m.* **cornicione** [...ni'tʃo:ne] *m* Kranzgesims *n.*

corno ['kɔrno] *m* **1.** ⟨*pl:* -a *f*⟩ *zoo* Horn *n; (del cervo)* Geweih *n;* **2.** ⟨*pl:* -i *m*⟩ *(sostanza)* Horn *n;* **3.** ⟨*pl:* -i *m*⟩ *(da scarpe)* Schuhlöffel *m;* **4.** ⟨*pl:* -i *m*⟩ *mus* Horn *n;* **5.** ⟨*pl:* -i *m*⟩ *(di oggetto)* Horn *n,* Spitze *f;* **avere qu/qc sulle -a** *fam* jdn/etw. bis oben (satt) haben *fam;* **fare le -a alla moglie/al marito** *fam* seine Frau betrügen/seinem Mann Hörner aufsetzen; **rompersi (***o* **spezzarsi) le -a** *fig* sich *(dat)* den Kopf einrennen; **non me ne importa un ~** *volg* es kümmert mich einen Dreck *fam* (*o* Scheiß *vulg*)!. **cornuto, -a** [...'nu:to] **I.** *agg* **1.** *zoo* Horn-, hörnertragend; **2.** *fig fam* gehörnt, betrogen; **II.** *m, f* **1.** *fig fam* Gehörnte(r) *m,* Hahnrei *m obs;* **2.** *volg (insulto)* Hornochse *m fam.*

coro ['kɔ:ro] *m* Chor *m;* **maestro del ~** Chorleiter(in) *m(f).*

corografia [korogra'fi:a] *f* Chorographie *f,* Landeskunde *f.*

corolla [ko'rɔlla] *f* Korolla *f.*

corona [ko'ro:na] *f* **1.** *gener., fin, fig* Krone *f;* **2.** *(di fiori)* Kranz *m;* **3.** *(di dente)* Krone *f;* **4.** *(cerchio)* Kreis *m,* Ring *m;* **~ di alloro** Lorbeerkranz *m;* **usurpare la ~** die Macht an sich reißen; **~ del rosario** Rosenkranz *m;* **~ dentata** Zahnkranz *m;* **~ mortuaria (***o* **funebre)** (Grab)kranz *m;* **far ~ intorno a qu** jdn umringen.

coronamento [korona'mento] *m* Krönung *f.* **coronare** [...'na:re] *tr* **1.** *fig* krönen; **2.** *(cingere)* kränzen; *fig* umkränzen, umgeben.

coronaria [koro'na:ri̯a] ⟨-ie⟩ *f* Kranzgefäß *n.*

corpetto [kor'petto] *m* Leibchen *n; (panciotto)* Weste *f; (corpino)* Mieder *n.*

corpo ['kɔrpo] *m* **1.** *gener., biol, anat* Körper *m;* **2.** *(parte sostanziale)* Hauptteil *m;* **3.** *(insieme di persone)* Körper(schaft *f*) *m; mil, pol* Korps *n;* **4.** *letter* Korpus *n,* Sammlung *f;* **5.** *(salma)* Leiche *f;* **-i celesti** Himmelskörper *m pl;* **~ insegnante** *amm* Lehrkörper *m amm;* **~ di ballo** Corps de ballet *n,* Ballett(gruppe *f*) *n;* **~ del reato** *dir* Corpus delicti *n;* **vendita a ~** Kauf *m* en bloc; **andare di ~** *fam* Stuhlgang haben; **dar/prendere ~** Form geben/annehmen; **mettere qc in ~** etw. zu sich *(dat)* nehmen; **a ~ morto** *fig* mit vollem Einsatz; **combattere ~ a ~** Mann gegen Mann kämpfen; **~ di Bacco!** *fam* Donnerwetter! *fam.*

corporale [korpo'ra:le] *agg* körperlich, Körper-.

corporate identity ['kɔ:pərət aı'dentətı] ⟨-⟩ *f* Corporate Identity *f.*

corporatura [korpora'tu:ra] *f* Körperbau

m.

corporazione [korporat'tsio:ne] *f* **1.** *com, amm* Körperschaft *f;* **2.** *st* Zunft *f,* Innung *f.*

corporeo, -a [kor'pɔ:reo] *agg* **1.** körperlich; *(a. peso)* Körper-; **2.** *(sostanza)* materiell.

corpulento, -a [korpu'lɛnto] *agg* korpulent, beleibt.

corpuscolo [kor'puskolo] *m* **1.** *scient, fis* Korpuskel *n;* **2.** *anat* (Blut)körperchen *n.*

Corpus Domini ['kɔrpus 'dɔ:mini] ⟨-⟩ *m* Fronleichnam *m.*

Corrado [kor'ra:do] *(nome proprio maschile)* Konrad.

corredare [korre'da:re] *tr* ausstatten (*di* mit), versehen (*di* mit).

corredo [kor'rɛ:do] *m* **1.** *(da sposa)* Aussteuer *f;* **2.** *(di laboratorio, casa, scuola, nave, automobile)* Ausstattung *f;* **3.** *fig* Fundus *m* (*di* an +*dat*), Grundstock *m* (*di* von).

correggere [kor'rɛddʒere] ⟨*irr*⟩ **I.** *tr* **1.** *(compito, scritto, traduzione)* korrigieren, verbessern; **2.** *med* beheben, bessern; **3.** *(persona)* zurechtweisen; **4.** *gastr (bevande)* beimischen (*qc con qc* etw. einer S. *dat*); ~ **le bozze di stampa** Korrektur lesen; **II.** *rfl:* **-ersi** sich *(dat)* abgewöhnen (*di qc* etw.).

correlazione [korrelat'tsio:ne] *f* Wechselbeziehung *f; (a. ling)* Korrelation *f.*

corrente[1] [kor'rɛnte] **I.** *agg* **1.** *(acqua)* fließend; **2.** *(mese, anno)* laufend; **3.** *(stile, linguaggio, uso)* geläufig, gängig; ~ **anno** (*abbr* **c.a.**) dieses Jahres; ~ **mese** (*abbr* **c.m.**) dieses Monats; **II.** *m:* **essere/mettere al** ~ auf dem laufenden sein/halten.

corrente[2] [kor'rɛnte] *f* **1.** *(di fiume)* Strömung *f,* Strom *m;* **2.** *(di lava)* (Lava)strom *m;* **3.** *el* Strom *m;* **4.** *pol, fig* Strömung *f,* Richtung *f; (movimento)* Bewegung *f;* ~ **alternata** (*abbr* **c.a.**) Wechselstrom *m;* ~ **continua** (*abbr* **c.c.**) Gleichstrom *m;* ~ **d'aria** Durchzug *m;* **andare contro (la)** ~ *fig* gegen den Strom schwimmen.

correntemente [korrente'mente] *avv* **1.** *(speditamente)* fließend; **2.** *(comunemente)* üblicherweise.

correntezza [corren'tettsa] *f* Kulanz *f.*

correntista [korren'tista] ⟨-i *m,* -e *f*⟩ *mf* Girokontoinhaber(in) *m(f).*

correre ['korrere] ⟨corro, corsi, corso⟩ **I.** *itr* ⟨*essere o avere*⟩ **1.** *(persone)* laufen, rennen; *(mot, sport a.)* fahren; *(acqua)* fließen; **2.** *fig (strade, torrenti)* verlaufen; **3.** *(voci, banconote)* im Umlauf sein; **4.** *(tempo)* schnell vergehen; **5.** *com (interessi)* laufen; ~ **a gambe levate** die Beine in die Hand (*o* unter die Arme) nehmen *fam;* ~ **ai ripari** Abhilfe schaffen; ~ **dietro a qu** hinter jdm herlaufen; ~ **dietro alle donne** *fig* hinter den Frauen hersein; **lasciar** ~ nicht eingreifen; **II.** *tr* ⟨*avere*⟩ **1.** *sport (distanza)* laufen (über); *(gara)* teilnehmen an +*dat;* **2.** *(rischio)* eingehen; *(pericolo)* laufen.

corresponsabile [korrespon'sa:bile] *agg* mitverantwortlich. **corresponsabilità** [...sabili'ta] ⟨-⟩ *f* Mitverantwortung *f.*

correttezza [korret'tettsa] *f* Korrektheit *f.*

corretto, -a [kor'rɛtto] *agg* **1.** *(esatto)* korrekt; *(giusto)* richtig; *(dopo correzione)* verbessert, korrigiert; **2.** *(persona, comportamento)* korrekt, tadellos; **3.** *(caffè)* mit Schuß.

correttore, -trice [korret'to:re] **I.** *m, f* Korrektor(in) *m(f);* **II.** *m (tasto di macchina da scrivere)* Korrekturtaste *f; (nastro correttore)* Korrekturband *n; (correttore liquido)* Korrekturflüssigkeit *f.*

correzione [korret'tsio:ne] *f* **1.** *(miglioramento)* Verbesserung *f;* **2.** *(di compiti, bozze)* Korrektur *f; (da parte di uno scolaro)* Verbesserung *f;* **3.** *(di rotta)* (Kurs)korrektur *f;* **4.** *(di indumento)* Änderung *f.*

corrida [kor'ri:da] *f* Stierkampf *m.*

corridoio [korri'do:io] ⟨-oi⟩ *m* **1.** *(di casa)* Korridor *m,* Flur *m;* **2.** *ferr* Gang *m;* **3.** *pol, sport* Korridor *m; (nel tennis)* Doppelfeld *n;* **voci di** ~ Flüsterpropaganda *f.*

corridore, -trice [korri'do:re] *m, f* Läufer(in) *m(f); mot* Rennfahrer(in) *m(f).*

corriera [kor'riɛ:ra] *f* Überlandbus *m.*

corriere [kor'riɛ:re] *m* (Eil)bote *m; mil, pol* Kurier *m.*

corrigendo, -a [korri'dʒɛndo] *m, f* Zögling *m* (einer Besserungsanstalt).

corrispettivo, -a [korrispet'ti:vo] **I.** *agg* entsprechend; **II.** *m* Gegenleistung *f.*

corrispondente [korrispon'dɛnte] **I.** *agg* entsprechend, angemessen; **II.** *mf* **1.** *(epistolare)* Briefpartner(in) *m(f);* **2.** *(di giornale)* Korrespondent(in) *m(f),* Berichterstatter(in) *m(f);* ~ **dall'estero** Auslandskorrespondent(in) *m(f).*

corrispondenza [korrispon'dɛntsa] *f* **1.** *(di lettere)* Korrespondenz *f,* Schriftverkehr *m amm;* **2.** *(di affetti)* Gegenseitigkeit *f,* Erwiderung *f;* **3.** *(di giornale)* Korrespondentenbericht *m;* ~ **commerciale** Handelskorrespondenz *f;* ~ **in arrivo/partenza** ankommende/ausgehende Post; **corso per** ~ Fernkurs(us) *m;* **essere in** ~ **con qu** mit jdm korrespondieren, mit jdm in Korrespondenz stehen.

corrispondere [korris'pondere] ⟨*irr*⟩ **I.** *itr* **1.** *(equivalere)* entsprechen (*a dat*), übereinstimmen (*a* mit); **2.** *(per lettera)* korrespondieren, sich *(dat)* schreiben; **II.** *tr* bezahlen.

corroborante [korrobo'rante] *agg* stärkend.

corrodere [kor'ro:dere] ⟨*irr*⟩ **I.** *tr* **1.** *(metalli)* zersetzen, zerfressen; *(acidi)* ätzen; *(denti)* angreifen; **2.** *fig* nagen an, zehren an; **II.** *rfl:* **-ersi** sich zersetzen.

corrompere [kor'rompere] ⟨*irr*⟩ **I.** *tr* korrumpieren; *(con denaro)* bestechen; *(moralmente)* verderben; **II.** *rfl:* **-ersi** verderben.

corrosione [korro'zio:ne] *f* Korrosion *f;* *tec, chim* Ätzung *f.* **corrosivo, -a** [...'zi:vo] **I.** *agg* **1.** *chim* korrosiv; **2.** *(azione, fenomeno)* Korrosions-, Zersetzungs-; **3.** *fig (critica)* scharf, beißend; **II.** *m* Ätzmittel *n.*

corrucciarsi [korrut'tʃarsi] ⟨mi corruccio, ti corrucci⟩ *rfl* sich ärgern.

corrugare [korru'ga:re] ⟨corrugo, corrughi⟩ *tr (fronte)* runzeln; *(sopracciglia)* zusammenziehen.

corruttibile [korrut'ti:bile] *agg* **1.** *(persona)* korrupt, bestechlich; **2.** *(cibi)* verderblich.

corruttore, -trice [korrut'to:re] **I.** *agg* verderblich, verderbenbringend; **II.** *m, f* Verderber(in) *m(f); (seduttore)* Verführer(in) *m(f).*

corruzione [korrut'tsio:ne] *f* Korruption *f; (con denaro)* Bestechung *f; (seduzione)* Verführung *f.*

corsa[1] *f v.* **corso, -a.**

corsa[2] ['korsa] *f* **1.** *(atto del correre)* Lauf *m,* Laufen *n;* **2.** *sport* Lauf *m,* Rennen *n;* **3.** *(di automezzo)* Fahrt *f,* Tour *f;* **4.** *tec* Hub *m;* ~ **agli armamenti** Wettrüsten *n;* ~ **a ostacoli** Hindernisrennen *n;* **andare alle -e** zum Pferderennen gehen; **fare una ~ in qualche luogo** auf einen Sprung irgendwo hingehen; **a che ora c'è l'ultima ~?** wann fährt der letzte Bus (*o* Zug)?; **di ~** eilends, schnell; **è proibito scendere dal veicolo in ~** es ist verboten, während der Fahrt abzuspringen.

corsaro, -a [kor'sa:ro] **I.** *m* Korsar *m,* Freibeuter *m;* **II.** *agg* Kaper-.

corsetteria [korsette'ri:a] ⟨-ie⟩ *f* **1.** *(assortimento)* Miederwaren *f pl;* **2.** *(negozio)* Miederwarengeschäft *n.*

corsi ['korsi] *p rem di* **correre.**

corsia [kor'si:a] ⟨-ie⟩ *f* **1.** *med* Krankensaal *m;* **2.** *(di strada)* (Fahr)spur *f;* **3.** *sport* Bahn *f;* ~ **di marcia/sorpasso/emergenza** Fahr-/Überhol-/Standspur *f;* ~ **preferenziale** Bus-, Taxispur *f.*

Corsica ['kɔrsika] *f* Korsika *n.*

corsivo, -a [kor'si:vo] **I.** *agg* (*abbr* **c.vo**) kursiv; **II.** *m* Kursive *f,* Kursivschrift *f.*

corso[1] ['korso] *pp di* **correre.**

corso[2] ['korso] *m* **1.** *(andamento)* (Ver)lauf *m; (d'acqua, di fiume)* Lauf *m;* **2.** *(insegnamento)* Kurs(us) *m;* **3.** *fin* Umlauf *m; (prezzo)* Kurs *m;* **4.** *com* (Ab)lauf *m,* Gang *m;* **5.** *(strada)* Prachtstraße *f,* Korso *m;* **6.** *(sfilata)* (Um)zug *m,* Korso *m;* **7.** *astr* Lauf *m,* Bahn *f;* **moneta fuori ~** nicht mehr im Umlauf befindliche Münze; **gli affari in ~** die laufenden Geschäfte *n pl;* **seguire (***o* **fare) il suo ~** seinen Lauf nehmen; **in ~ di stampa** im Druck (befindlich); **andare/essere fuori ~** die Regelstudienzeit überschreiten/überschritten haben; **fare (***o* **frequentare) il secondo ~ di medicina** im zweiten Jahr Medizin studieren.

corso, -a ['kɔrso] **I.** *agg* korsisch; **II.** *m, f* Korse *m,* Korsin *f.*

corte ['korte] *f* **1.** *(reggia)* Hof *m;* **2.** *arch* Hof *m;* **3.** *dir* Gericht *n,* (Gerichts)hof *m;* ~ **d'appello** Berufungsgericht *n;* ~ **dei conti/costituzionale** Rechnungshof *m*/Verfassungsgericht *n;* ~ **marziale** Kriegsgericht *n;* **fare la ~ a qu** jdm den Hof machen.

corteccia [kor'tettʃa] ⟨-cce⟩ *f* Rinde *f.*

corteggiare [korted'dʒa:re] ⟨corteggio, corteggi⟩ *tr* den Hof machen (*qu* jdm), umwerben. **corteggiatore, -trice** [...dʒa'to:re] *m, f* Verehrer(in) *m(f).*

corteo [kor'tɛ:o] *m* (Um)zug *m.*

cortese [kor'te:ze] *agg* **1.** *(garbato)* höflich; *(gentile)* freundlich; **2.** *st* höfisch. **cortesia** [...te'zi:a] ⟨-ie⟩ *f* Höflichkeit *f;* *(gentilezza)* Freundlichkeit *f;* **per ~** bitte; **fammi la ~ di uscire** geh bitte hinaus.

cortigiano, -a [korti'dʒa:no] *m, f* Höfling *m,* Hofdame *f.*

cortile [kor'ti:le] *m* Hof *m;* **animali da ~** Kleintiere *n pl.*

cortina [kor'ti:na] *f* **1.** *(tenda)* Vorhang *m;* **2.** *fig (di nebbia, fumo)* Wand *f;* ~ **di ferro** Eiserner Vorhang.

cortisone [korti'zo:ne] *m* Kortison *n.*

corto, -a ['korto] **I.** *agg* kurz; **essere a ~ di soldi/argomenti** knapp bei Kasse sein/wenig Argumente haben; **II.** *avv:* **tagliar ~** es kurz machen. **cortocircuito** [-tʃir'ku:ito] *m* Kurzschluß *m.* **cortometraggio** [-me'traddʒo] *m* Kurzfilm *m.*

corvino, -a [kor'vi:no] *agg* raben-, pechschwarz.

corvo ['kɔrvo] *m* Rabe *m;* **nero come un ~** rabenschwarz.

cosa ['kɔ:sa] *f* Sache *f,* Ding *n; fam* Dings(da) *n fam;* **la ~ pubblica** der Staat; **arrivare a -e fatte** vor vollendeten Tatsachen stehen; **è ~ fatta** es ist erledigt; **non è una gran ~** das ist nichts besonderes; **è la stessa ~** das ist das gleiche; **è tutt'altra ~** das ist etwas völlig anderes; **le -e si mettono male** die Lage verschlimmert sich; **una ~ tira l'altra, da ~ nasce ~** eins zieht das andere nach (sich *dat*); **raccontami come sono andate le -e** erzähl mir, wie die Sache (*o* wie's) gelaufen ist; **dimmi una ~** sag mal; **sai una ~, . . .** weißt du was? . . .; ~ **vuoi, sono bambini!** was willst du, so sind Kinder eben!; **per prima ~** als erstes, vor allem; **tante belle -e!** alles Gu-

te!; **qualche** ~ etwas; **qualsiasi** ~ **succeda** was auch immer geschieht; **(che)** ~? was?; **a/di che** ~? wozu/wovon?; **a (che)** ~ **pensi?** woran denkst du?
cosca ['kɔska] ⟨-sche⟩ *f* Mafia-Klan *m.*
coscia ['kɔʃʃa] ⟨-sce⟩ *f* **1.** *anat* Schenkel *m;* **2.** *gastr* Keule *f,* Schlegel *m.*
cosciente [koʃ'ʃɛnte] *agg* bewußt.
coscienza [koʃ'ʃɛntsa] *f* Gewissen *n; (consapevolezza)* Bewußtsein *n; (impegno, senso del dovere)* Gewissenhaftigkeit *f; (onestà)* Ehrlichkeit *f;* **avere la** ~ **pulita/sporca** ein gutes/schlechtes Gewissen haben; **avere la** ~ **dei propri limiti** sich *(dat)* seiner Grenzen bewußt sein; **agire con** ~ gewissenhaft handeln; **mettersi una mano sulla** ~ mit sich *(dat)* ins Gericht gehen; **in** ~ Hand aufs Herz!
coscienziosità [koʃʃentsi̯osi'ta] ⟨-⟩ *f* Gewissenhaftigkeit *f.* **coscienzioso, -a** [...'tsi̯o:so] *agg* gewissenhaft.
cosciotto [koʃ'ʃɔtto] *m* Schlegel *m,* kleine Keule.
coscritto [kos'kritto] *m* Rekrut *m.* **coscrizione** [...krit'tsi̯o:ne] *f* Einberufung *f.*
coseno [ko'se:no] *f* Kosinus *m.*
così [ko'si] **I.** *avv* **1.** *(in questo modo)* so; **2.** *(tanto)* so; **3.** *(correlativo di come)* (so) wie; **per** ~ **dire** sozusagen; **e** ~ **via** und so weiter; **come va?** - ~ ~ wie geht es? - so lala; **II.** ⟨*inv*⟩ *agg* solche(r, s), so ein(e, r, s); **III.** *cong* so; ~ **sia** amen. **cosicché** [-k'ke] *cong* so daß. **cosiddetto, -a** [-d'detto] *agg* sogenannt.
cosmesi [koz'mɛ:zi] ⟨-⟩ *f* Kosmetik *f.* **cosmetico, -a** [...'mɛ:tiko] ⟨-ci, -che⟩ **I.** *agg* kosmetisch; **II.** *m* Kosmetikprodukt *n.*
cosmico, -a ['kɔzmiko] ⟨-ci, -che⟩ *agg* **1.** *astr* kosmisch; **2.** *fig* universal.
cosmo ['kɔzmo] *m* Kosmos *m,* Weltall *n.*
cosmonauta [-'na:uta] ⟨-i *m,* -e *f*⟩ *mf* Kosmonaut(in) *m(f).* **cosmonave** [-'na:ve] *f* Raumschiff *n.*
cosmopolita [kozmopo'li:ta] ⟨-i *m,* -e *f*⟩ **I.** *mf* Kosmopolit(in) *m(f);* **II.** *agg* kosmopolitisch.
cospargere [kos'pardʒere] ⟨*irr*⟩ *tr* bestreuen (*di* mit); *(disseminare)* übersäen (*di* mit); *(coprire)* bedecken (*di* mit).
cospetto [kos'pɛtto] *m:* **al** ~ **di** in Gegenwart *+gen,* gegenüber *+dat.*
cospicuo, -a [kos'pi:kuo] *agg* ansehnlich, beträchtlich; *(evidente)* augenfällig.
cospirare [kospi'ra:re] *itr* sich verschwören, konspirieren *geh;* **tutto sembra** ~ **contro di me** alles scheint sich gegen mich verschworen zu haben. **cospiratore, -trice** [...ra'to:re] *m, f* Verschwörer(in) *m(f).* **cospirazione** [...rat'tsi̯o:ne] *f* Verschwörung *f,* Konspiration *f geh.*
cossi ['kɔssi] *p rem di* **cuocere.**
costa ['kɔsta] *f* **1.** *geog* Küste *f;* **2.** *anat, bot* Rippe *f;* **3.** *(di libro, coltello)* Rükken *m.*
costà [kos'ta] *avv (stato)* dort; *(moto)* dorthin.
costante [kos'tante] **I.** *agg* **1.** *(persona)* beharrlich, ausdauernd; *(fermo)* beständig; **2.** *(desiderio, amore)* anhaltend; *(tempo)* beständig; **3.** *mat, fis* konstant; **II.** *f* Konstante *f.* **costanza** [...'tantsa] *f* **1.** *(di persona)* Beharrlichkeit *f,* Ausdauer *f; (fermezza)* Beständigkeit *f;* **2.** *tec, scient* Stetigkeit *f,* Konstanz *f.*
Costanza [kos'tantsa] *f* Konstanz *n.*
costare [kos'ta:re] *itr* ⟨*essere*⟩, *tr* ⟨*avere*⟩ kosten; ~ **caro/poco** viel kosten, teuer sein/wenig kosten, nicht teuer sein; **quanto costa?** wieviel (*o* was) kostet das?; **costi quel che costi** koste es, was es wolle; **la vita oggi costa** heutzutage ist das Leben teuer.
costata [kos'ta:ta] *f* Rumpsteak *n.* **costatina** [kosta'ti:na] *f* Schweinekotelett *n.*
costeggiare [kosted'dʒa:re] ⟨costeggio, costeggi⟩ *tr* **1.** *naut* entlangfahren an *+dat;* **2.** *(strada, sentiero)* vorbeiführen an *+dat,* entlanglaufen an *+dat.*
costei *v.* **costui.**
costellazione [kostellat'tsi̯o:ne] *f* Konstellation *f; (dello zodiaco)* Sternbild *n.*
costernazione [kosternat'tsi̯o:ne] *f* Bestürzung *f.*
costì [kos'ti] *avv (stato)* dort; *(moto)* dorthin.
costiero, -a [kos'ti̯ɛ:ro] *agg* Küsten-.
costipato, -a [kosti'pa:to] *agg (stitico)* verstopft; *(raffreddato)* stark erkältet.
costituente [kostitu'ɛnte] **I.** *agg* konstituierend; **II.** *f* konstituierende (*o* verfassunggebende) Versammlung; **III.** *m* Bestandteil *m.*
costituire [kostitu'i:re] ⟨costituisco⟩ **I.** *tr* **1.** *(fondare, creare)* gründen; **2.** *(rappresentare)* darstellen, sein; **3.** *(formare)* bilden; **4.** *(eleggere)* ernennen (*a* zu), erklären (*a* zu); *(nominare)* einsetzen; **essere costituito da** bestehen aus, zusammengesetzt sein aus; **II.** *rfl:* **-irsi 1.** *dir (presentarsi alle autorità)* sich stellen; **2.** *(formarsi)* sich bilden; **-irsi parte civile** Nebenklage erheben; **-irsi in giudizio** vor Gericht erscheinen. **costituito, -a** [...'i:to] *agg* gesetzlich, gesetzmäßig.
costitutivo, -a [kostitu'ti:vo] *agg* grundlegend, konstitutiv *geh.*
costituzionale [kostituttsi̯o'na:le] *agg* **1.** *pol* konstitutionell, verfassungsmäßig; **2.** *dir* Verfassungs-; **3.** *med* konstitutionell.
costituzione [kostitut'tsi̯o:ne] *f* **1.** *dir* (*abbr* **Cost.**) Verfassung *f;* **2.** *(di società, giuria)* Bildung *f,* Gründung *f;* **3.** *geol* Formation *f;* **4.** *med* Konstitution *f;* **5.** *(struttura)* Struktur *f,* Gefüge *n.*
costo ['kɔsto] *m* **1.** *(somma)* Preis *m; (sacrificio)* Kosten *pl,* Unkosten *pl;* **2.** *fig* Preis *m,* Einsatz *m;* **indice del** ~ **della vita** Lebenshaltungsindex *m;* **sotto** ~

unter Preis; **a prezzo di** ~ zum Selbstkostenpreis; **a qualunque (***o* **ad ogni)** ~, **a tutti i -i** um jeden Preis; **a nessun** ~ um keinen Preis.

costola ['kɔstola] *f* **1.** *anat, bot* Rippe *f;* **2.** *gastr* Rippchen *n;* **3.** *(di libro, lama)* Rücken *m;* **stare alle -e di qu** jdm auf der Pelle liegen *fam.* **costoletta** [kosto'letta] *f* Kotelett *n.*

costoro [kos'to:ro] *v.* **costui.**

costoso, -a [kos'to:so] *agg* teuer; *(dispendioso)* kostspielig.

costringere [kos'trindʒere] ⟨*irr*⟩ *tr* zwingen; ~ **qu a fare qc** jdn zwingen, etw. zu tun; **la febbre lo costringe a letto** das Fieber fesselt ihn ans Bett. **costrizione** [...t'tsio:ne] *f* Zwang *m.*

costruire [kostru'i:re] ⟨costruisco⟩ *tr* **1.** *arch* (er-, auf)bauen; *tec* (zusammen)-bauen; **2.** *tec, ling (periodo)* konstruieren; **3.** *fig* bilden, errichten, aufbauen. **costruttivo, -a** [...ut'ti:vo] *agg* **1.** *(tecnica, processo)* baulich, Bau-; **2.** *fig* konstruktiv. **costruttore, -trice** [...'to:re] *m, f* (Er)bauer(in) *m(f); tec* Konstrukteur(in) *m(f).* **costruzione** [...t'tsio:ne] *f* **1.** *arch* Bau *m; (fabbricazione)* (Auf)-bau *m,* Konstruktion *f;* **2.** *tec* Bauart *f,* Bauweise *f;* **3.** *ling* Konstruktion *f,* (Satz)bau *m; letter* Aufbau *m;* **essere in** ~ im Bau (befindlich) sein.

costui, costei [kos'tu:i, ...'tɛ:i] ⟨costoro⟩ *pron* diese(r, s), der/die/das da.

costume [kos'tu:me] *m* **1.** *teat* Kostüm *n; (foggia di vestire)* Tracht *f;* **2.** *(usanze)* Sitte *f,* Brauch *m; (abitudine)* Gewohnheit *f;* **3.** *(condotta morale)* Sitte *f,* Anstand *m;* ~ **da bagno** *(da donna)* Badeanzug *m; (da uomo)* Badehose *f;* **squadra del buon** ~ Sittenpolizei *f;* **una donna di facili -i** eine Frau mit lockerem Lebenswandel; **è un fatto di** ~ das liegt im Trend (der Zeit).

costura [kos'tu:ra] *f* Naht *f.*

cotogna [ko'toɲɲa] *f* Quitte *f.* **cotognata** [...'ɲa:ta] *f* Quittenmarmelade *f.* **cotogno** [ko'toɲɲo] *m* Quitte(nbaum *m*) *f.*

cotoletta [koto'letta] *f* Kotelett *n; (senza osso)* Schnitzel *n.*

cotonare [koto'na:re] *tr* toupieren.

cotone [ko'to:ne] *m* Baumwolle *f;* ~ **da ricamo** Stickgarn *n;* ~ **(idrofilo)** Watte *f.* **cotoniero, -a** [koto'niɛ:ro] *agg* Baumwoll-.

cotta[1] ['kɔtta] *f fam* Vernarrtheit *f;* **prendersi una** ~ **per qu** sich in jdn verknallen *fam;* **avere una** ~ **per qu** in jdn verknallt sein *fam;* **un furfante di tre -e** ein ausgekochter (*o* durchtriebener) Schurke.

cotta[2] ['kɔtta] *f rel* Chorhemd *n.*

cottage ['kɔtidʒ] ⟨-⟩ *m* Landhaus *n.*

cottimista [kotti'mista] ⟨-i *m,* -e *f*⟩ *mf* Akkordarbeiter(in) *m(f).* **cottimo** ['kɔttimo] *m* Akkord *m;* **lavorare a** ~ im Akkord arbeiten.

cotto, -a ['kɔtto] **I.** *pp di* **cuocere; II.** *agg* **1.** *gastr (pronto)* gar; *(bollito)* gekocht; *(in forno)* gebacken; *(in padella)* gebraten; *(in umido)* gedünstet, geschmort; **2.** *fig fam* verknallt (*di* in +*akk*) *fam;* **3.** *fig fam* k.o., ausgepowert *fam;* **ben** ~ durch(gebraten); ~ **e stracotto** zerkocht; **farne di -e e di crude** *fig* allerlei anstellen; **III.** *m* Tonfliese *f.* **cottura** [kot'tu:ra] *f* **1.** *gastr* Garen *n; (nell'acqua)* Kochen *n; (in padella)* Braten *n; (in umido)* Dünsten *n,* Schmoren *n; (in forno)* Backen *n;* **2.** *(di mattoni, laterizi)* Brennen *n;* **punto di** ~ Garpunkt *m;* **tempo di** ~ Gar-, Kochzeit *f.*

coupon [ku'pɔ̃] ⟨-⟩ *m* Coupon *m,* Abschnitt *m;* ~ **per la benzina** Benzingutschein *m.*

cova ['ko:va] *f* Brut *f; (tempo)* Brutzeit *f.* **covare** [ko'va:re] **I.** *tr* **1.** *zoo* ausbrüten; **2.** *fig (malattia)* ausbrüten *fam; (odio, sospetto, speranza)* hegen; **II.** *itr* **1.** *zoo* brüten; **2.** *fig* verborgen sein. **covata** [ko'va:ta] *f* Brut *f.*

cover-girl ['kʌvə gə:l] ⟨-⟩ *f* Covergirl *n.*

covo ['ko:vo] *m* **1.** *zoo* Höhle *f,* Bau *m;* **2.** *fig* Schlupfwinkel *m,* Versteck *n;* ~ **di ladri** Diebesnest *n.*

covone [ko'vo:ne] *m* Garbe *f.*

cozza ['kɔttsa] *f mer* Miesmuschel *f.*

cozzare [kot'tsa:re] **I.** *itr* **1.** *(sbattere)* anstoßen (*contro* an +*akk*), stoßen (*contro* gegen), anrennen (*contro* gegen); **2.** *zoo* mit den Hörnern stoßen; **3.** *fig* stoßen (*contro* auf +*akk*); ~ **la macchina contro un albero** das Auto gegen einen Baum fahren, mit dem Auto einen Baum rammen; **II.** *tr* rammen. **cozzo** ['kɔttso] *m* **1.** *(urto)* Stoß *m;* **2.** *fig* Kollision *f.*

C.P. *abbr di* **Casella Postale** Postf. (*abk von* Postfach).

crac [krak] ⟨-⟩ *m* **1.** *(rumore)* Knacken *n,* Krachen *n;* **2.** *fig com* Zusammenbruch *m.*

crack [kræk] ⟨-⟩ *m (droga)* Crack *n.*

crampo ['krampo] *m* Krampf *m.*

cranio ['kra:nio] ⟨-i⟩ *m anat* Schädel *m;* **a** ~ *fig fam* pro Kopf, pro Nase *fam.*

cratere [kra'tɛ:re] *m* Krater *m;* ~ **lunare** Mondkrater *m.*

crauti ['kra:uti] *m pl* Sauerkraut *n.*

cravatta [kra'vatta] *f* Krawatte *f.* **cravattino** [...'ti:no] *m* Fliege *f.*

crawl [krɔ:l] ⟨-⟩ *m* Kraul(schwimmen) *n,* Kraulen *n;* **battere il** ~ kraulen.

creanza [kre'antsa] *f* **1.** *(educazione)* Erziehung *f* **2.** *(buone maniere)* Anstand *m,* Benehmen *n.*

creare [kre'a:re] *tr* **1.** *(produrre)* (er)-schaffen; *com (società)* gründen; *(nella moda)* kreieren; *tec* konstruieren; *(teoria)* aufstellen; **2.** *fig (scandalo)* verursachen; *(imbarazzo)* stiften; *(difficoltà)* machen, bereiten; **3.** *(nominare)* ernennen.

creatività [kreativi'ta] ⟨-⟩ *f* Kreativität *f.* **creativo, -a** [...'ti:vo] *agg* kreativ, schöpferisch.

creato, -a [kre'a:to] **I.** *agg* geschaffen; **II.** *m* Schöpfung *f.* **creatore, -trice** [krea'to:re] **I.** *agg* schöpferisch; **II.** *m, f* Schöpfer(in) *m(f);* **il C~** *rel* (Gott) der Schöpfer. **creatura** [...'tu:ra] *f* **1.** *rel* Kreatur *f,* Geschöpf *n;* **2.** *(bambino)* kleines Wesen, Kind *n;* **3.** *(essere umano)* Geschöpf *n,* Wesen *n;* **4.** *(protetto)* Schützling *m.* **creazione** [...t'tsio:ne] *f* **1.** *(atto del creare)* (Er)schaffung *f; rel* Schöpfung *f;* **2.** *(fondazione)* Gründung *f;* **3.** *(nella moda)* Kreation *f;* **4.** *tec* Konstruktion *f;* **5.** *(invenzione)* Erfindung *f.*

crebbi ['krebbi] *p rem di* **crescere.**

credente [kre'dɛnte] **I.** *agg* gläubig; **II.** *mf* Gläubige(r) *mf.*

credenza[1] [kre'dɛntsa] *f (mobile)* Anrichte *f,* Sideboard *n.*

credenza[2] [kre'dɛntsa] *f (fede, opinione)* Glaube *m;* **-e popolari** Volksglaube *m.*

credenziale [kreden'tsia:le] **I.** *agg (lettera)* Beglaubigungs-; **II.** *f (a. econ)* Akkreditiv *n.*

credere ['kre:dere] **I.** *tr* glauben; *(ritenere)* halten für; **lo credo bene!** das glaube ich gern! *fam;* **lo credo capace di tutto** ich glaube, er ist zu allem fähig; **~ qu onesto** jdn für ehrlich halten; **II.** *itr* glauben (*in* an *+akk, a qu* jdm); **non potevo ~ ai miei occhi** ich glaubte meinen Augen nicht zu trauen; **fa come credi** mach so, wie du es für richtig hältst; **III.** *rfl:* **-ersi** sich halten für; **-ersi furbo/intelligente** sich für schlau/intelligent halten; **ma chi ti credi di essere?** für wen hältst du dich eigentlich?. **credibile** [kre'di:bile] *agg* glaubhaft, glaubwürdig.

creditizio, -a [kredi'tittsio] ⟨-i, -ie⟩ *agg* Kredit-.

credito ['kre:dito] *m* **1.** *com, fin* Kredit *m;* **2.** *fig (stima)* Ansehen *n; (attendibilità)* Glauben *m,* Beachtung *f;* **comprare/vendere a ~** auf Kredit kaufen/verkaufen; **godere di molto ~** sehr angesehen sein. **creditore, -trice** [kredi'to:re] *m, f* Gläubiger(in) *m(f).*

credo ['krɛ:do] *m* Kredo *n; (a. fig)* Glaubensbekenntnis *n.*

credulità [kreduli'ta] ⟨-⟩ *f* Leichtgläubigkeit *f.* **credulone, -a** [kredu'lo:ne] *fam m, f* Einfaltspinsel *m,* Naivling *m fam.*

crema ['krɛ:ma] **I.** *f* Creme *f;* **~ di pomodoro/piselli** Tomaten-/Erbsencremesuppe *f;* **~ da giorno/notte** Tages-/Nachtcreme *f;* **~ per il sole** Sonnencreme *f;* **~ da scarpe** Schuhcreme *f;* **II.** ⟨*inv*⟩ *agg:* **(color) ~** cremefarben.

cremagliera [kremaʎ'ʎɛ:ra] *f* Zahnstange *f;* **ferrovia a ~** Zahnradbahn *f.*

cremare [kre'ma:re] *tr* einäschern. **crematorio, -a** [...ma'tɔ:rio] ⟨-i, -ie⟩ *m* Krematorium *n.* **cremazione** [...mat'tsio:ne] *f* Einäscherung *f.*

Cremlino [krem'li:no] *m* Kreml *m.*

cren [krɛn] ⟨-⟩ *m* Meerrettich *m,* Kren *m A.*

crepa ['krɛ:pa] *f* Riß *m,* Sprung *m.* **crepaccio** [kre'pattʃo] ⟨-cci⟩ *m* Spalte *f.*

crepacuore [krepa'kuɔ:re] *m* Herzeleid *n obs;* **morire di ~** an gebrochenem Herzen sterben. **crepapelle** [-'pɛlle] *avv:* **ridere a ~** *fam* sich kaputtlachen *fam.*

crepare [kre'pa:re] **I.** *itr* ⟨*essere*⟩ **1.** *(muro, terra)* bersten, aufbrechen; **2.** *(pelle)* aufspringen, aufplatzen; **3.** *fig fam (di salute)* strotzen (*di* vor, von); *peg (di rabbia, invidia)* platzen (*da* vor); **4.** *volg* krepieren *vulg,* verrecken *vulg,* eingehen *fam;* **~ dal caldo/dalla sete/fame** *fam* vor Hitze eingehen/vor Durst/Hunger sterben *fam;* **~ dalle risa** *fam* vor Lachen platzen; **II.** *rfl:* **-arsi** aufbrechen, rissig werden.

crepitare [krepi'ta:re] *itr (fuoco)* knistern; *(pioggia)* prasseln.

crepuscolo [kre'puskolo] *m* **1.** *(ora)* Dämmerung *f; (luce a.)* Dämmerlicht *n;* **2.** *fig* Untergang *m;* **~ degli dei** Götterdämmerung *f;* **~ della vita** Lebensabend *m.*

crescendo [kreʃ'ʃɛndo] *m* **1.** *mus* Crescendo *n;* **2.** *fig* Anschwellen *n.*

crescere ['kreʃʃere] ⟨cresco, crebbi, cresciuto⟩ **I.** *itr* ⟨*essere*⟩ **1.** *(piante, bambini)* wachsen; *(essere allevato)* aufwachsen; **2.** *(aumentare)* wachsen, zunehmen; **~ di peso/volume** an Gewicht/Volumen zunehmen; **~ in bellezza** an Schönheit zunehmen; **~ nella stima di qu** in jds Achtung steigen; **farsi ~ i capelli** sich *(dat)* die Haare wachsen lassen; **come sei cresciuto!** du bist aber groß geworden!; **II.** *tr* ⟨*avere*⟩ **1.** *(figli)* aufziehen, großziehen; **2.** *bot* ziehen, züchten; **3.** *com (prezzi)* erhöhen; **4.** *(a maglia)* zunehmen.

crescione [kreʃ'ʃo:ne] *m* (Brunnen)kresse *f.*

crescita ['kreʃʃita] *f* Wachstum *n.*

cresciuto [kre'ʃu:to] *pp di* **crescere.**

cresima ['krɛ:zima] *f* Firmung *f; (nella chiesa luterana)* Konfirmation *f.* **cresimando, -a** [krezi'mando] *m, f* Firmling *m; (nella chiesa luterana)* Konfirmand(in) *m(f).* **cresimare** [...'ma:re] *tr* firmen; *(nella chiesa luterana)* konfirmieren.

crespo, -a ['krespo] **I.** *agg (capelli)* kraus; *(tessuto)* gekräuselt; **II.** *m* Krepp *m.*

cresta ['kresta] *f* **1.** *zoo* (Hahnen)kamm *m;* **2.** *geog* (Gebirgs)kamm *m,* Grat *m;* **3.** *(dell'onda)* (Wellen)kamm *m;* **4.** *(di cameriera)* Häubchen *n;* **alzare/abbassare la ~** *fig* hochmütig/demütig sein;

essere sulla ~ dell'onda *fig* auf dem Gipfel des Erfolgs sein.

creta ['kre:ta] *f* **1.** *min* Ton *m;* **2.** *geol* Kreide *f;* **3.** *(oggetto)* Tongefäß *n; (statuetta)* Tonfigur *f.*

cretinata [kreti'na:ta] *f fam* Blödsinn *m fam.* **cretino, -a** [...'ti:no] *fam* **I.** *agg* blöd(e), blödsinnig; **II.** *m, f* Idiot(in) *m(f).*

C.R.I. *f abbr di* **Croce Rossa Italiana** Italienisches Rotes Kreuz.

cric [krik] ⟨-⟩ *m,* **cricco** ['krikko] ⟨-cchi⟩ *m* Wagenheber *m.*

criceto [kri'tʃɛ:to] *m* Hamster *m.*

cricket ['krɪkɪt] ⟨-⟩ *m* Kricket *n.*

criminale [krimi'na:le] **I.** *agg* Kriminal-; *(fatto)* kriminell; **II.** *mf* Kriminelle(r) *mf,* Verbrecher(in) *m(f).* **criminalità** [...nali'ta] ⟨-⟩ *f* Kriminalität *f;* **lotta alla ~** Verbrechensbekämpfung *f.* **criminalizzare** [...nalid'dza:re] *tr* kriminalisieren. **Criminalpol** ['kri:minalpol] ⟨-⟩ *f* Kriminalpolizei *f.*

crimine ['kri:mine] *m* Verbrechen *n.*

criminologia [kriminolo'dʒi:a] ⟨-gie⟩ *f* Kriminologie *f.* **criminologo, -a** [...'nɔ:logo] ⟨-gi, -ghe⟩ *m, f* Kriminologe *m,* -login *f.*

crinale [kri'na:le] *m* (Gebirgs)kamm *m,* Grat *m.*

crine ['kri:ne] *m* (Roß)haar *n;* **materasso di ~** Roßhaar-, Seegrasmatratze *f.*

criniera [kri'ni̯ɛ:ra] *f (a. scherz)* Mähne *f.*

cripta ['kripta] *f* Krypta *f.*

crisalide [kri'za:lide] *f zoo* Puppe *f.*

crisantemo [krizan'tɛ:mo] *m* Chrysantheme *f.*

crisi ['kri:zi] ⟨-⟩ *f* **1.** *(stato di particolare difficoltà)* Krise *f;* **2.** *med* Anfall *m;* **essere in ~** sich in einer Krise befinden; **~ economica** Wirtschaftskrise *f;* **~ energetica** Energiekrise *f;* **~ epilettica** epileptischer Anfall; **~ di gabinetto** Kabinettskrise *f;* **~ di governo** Regierungskrise *f;* **~ di nervi** Nervenzusammenbruch *m;* **~ di pianto** Weinkrampf *m.*

crisma ['krizma] ⟨-i⟩ *m* Chrisam *n o m,* Salböl *n;* **con tutti i -i** *fig* ganz ordnungsgemäß.

cristalleria [kristalle'ri:a] ⟨-ie⟩ *f* **1.** *(da tavola)* Tafelkristall *n;* **2.** *(fabbrica)* Kristallwarenfabrik *f.*

cristallino, -a [kristal'li:no] **I.** *agg* **1.** *fig (voce, acqua)* kristallklar; **2.** *min* kristallin; **II.** *m anat* Linse *f.*

cristallizzazione [kristalliddzat'tsi̯o:ne] *f* **1.** *chim* Kristallisierung *f,* Kristallisation *f;* **2.** *fig* Erstarrung *f.*

cristallo [kris'tallo] *m* Kristall *m;* **-i liquidi** Flüssigkristall *m;* **~ di rocca** Bergkristall *m.*

cristiana *f v.* **cristiano, -a.**

cristianesimo [kristi̯a'ne:zimo] *m* Christentum *n.* **cristianità** [...ni'ta] ⟨-⟩ *f* **1.** *(qualità)* Christlichkeit *f;* **2.** *(tutti i cristiani)* Christenheit *f.*

Cristiano [kris'ti̯a:no] *(nome proprio maschile)* Christian.

cristiano, -a [kris'ti̯a:no] **I.** *agg* christlich, Christen-; **II.** *m, f* **1.** *rel* Christ(in) *m(f);* **2.** *fig fam* Mensch *m;* **da ~** *fam* anständig, vernünftig; **essere un buon ~** *fam* ein guter Mensch sein.

Cristina [kris'ti:na] *(nome proprio femminile)* Christine.

cristo ['kristo] *m* **1.** *rel:* **(il) C~** Christus *m;* **2.** *fam* Mensch *m,* Kerl *m fam;* **avanti/dopo C~** **(***abbr* **a.C./d.C.)** vor/nach Christus; **un povero ~** ein armer Teufel *fam.*

criterio [kri'tɛ:ri̯o] ⟨-i⟩ *m* **1.** *(norma)* Kriterium *n;* **2.** *(senno)* Vernunft *f,* Verstand *m;* **fare qc con ~** etw. mit Vernunft tun.

critica ['kri:tika] ⟨-che⟩ *f* Kritik *f.* **criticare** [...'ka:re] ⟨critico, critichi⟩ *tr* kritisieren; *(letter, film, teat, mus)* besprechen. **critico, -a** ['kri:tiko] ⟨-ci, -che⟩ **I.** *agg* kritisch; *(difficile a.)* schwierig; *(peg a.)* nörglerisch; **II.** *m, f* Kritiker(in) *m(f);* **~ letterario/teatrale/musicale** Literatur-/Theater-/Musikkritiker *m.* **criticone, -a** [kriti'ko:ne] *m, f fam* Nörgler(in) *m(f).*

crivellare [krivel'la:re] *tr* durchsieben; **~ qu di pallottole** jdn mit Kugeln durchlöchern.

croato, -a **I.** *agg* kroatisch; **II.** *m, f* Kroate *m,* Kroatin *f.*

Croazia [kro'a:tsi̯a] Kroatien *n.*

croccante [krok'kante] **I.** *agg* knusp(e)rig; **II.** *m* Krokant *m.*

crocchetta [krok'ketta] *f* Krokette *f.*

crocchia ['krɔkki̯a] ⟨-cchie⟩ *f (di capelli)* Knoten *m.*

crocchio ['krɔkki̯o] ⟨-cchi⟩ *m* Grüppchen *n.*

croce ['kro:tʃe] *f* Kreuz *n;* **~ al merito** Verdienstkreuz *n;* **~ di Malta** Malteserkreuz *n;* **fare una ~ su qc** *fig* etw. abhaken; **in ~** gekreuzt; *(braccia)* verschränkt; **testa o ~?** Kopf oder Zahl?.

crocerossina [krotʃeros'si:na] *f* Rotkreuzschwester *f.* **crocetta** [kro'tʃetta] *f* kleines Kreuz, Kreuzchen *n;* **segnare con una ~** ankreuzen. **crocevia** [krotʃe'vi:a] ⟨-⟩ *m* (Weg)kreuzung *f.*

crociata [kro'tʃa:ta] *f (a. fig)* Kreuzzug *m.*

crocicchio [...'tʃikki̯o] ⟨-cchi⟩ *m* (Weg)-kreuzung *f.*

crociera[1] [kro'tʃɛ:ra] *f* **1.** *naut* Kreuzfahrt *f;* **2.** *aero* Reiseflug *m.*

crociera[2] [kro'tʃɛ:ra] *f arch* (Gewölbe)-kreuz *n.*

crocifiggere [krotʃi'fiddʒere] ⟨crocifiggo, crocifiggi, crocifissi, crocifisso⟩ *tr* **1.** *rel* kreuzigen; **2.** *fig* quälen. **crocifissione** [...fis'si̯o:ne] *f* Kreuzigung *f.* **crocifisso** [...'fisso] **I.** *pp di* **crocifiggere; II.** *m* **1.** *(persona)* Gekreuzigte(r) *m;* **2.** *rel (immagine di Gesù)* Kruzifix *n.*

croco ['krɔ:ko] ⟨-chi⟩ *m* Krokus *m.*

crogiolarsi [krodʒo'larsi] *rfl* sich aalen (*a* in *+dat*), sich wiegen (*in +dat*) *geh;* ~**al sole** sich sonnen.

crogiolo [kro'dʒɔ:lo] *m (a. fig)* Schmelztiegel *m.*

crollare [krol'la:re] *itr* ⟨*essere*⟩ **1.** *(costruzione)* einstürzen, zusammenbrechen; **2.** *(persone)* zusammenbrechen; **3.** *(prezzi)* fallen. **crollo** ['krɔllo] *m* **1.** *(di casa, ponte)* Einsturz *m,* Zusammenbruch *m;* **2.** *fig, com* Zusammenbruch *m; (dei prezzi)* Sturz *m.*

croma ['krɔ:ma] *f* Achtelnote *f.*

cromare [kro'ma:re] *tr* verchromen.

cromatico, -a [kro'ma:tiko] ⟨-ci, -che⟩ *agg* chromatisch.

cromatura [kroma'tu:ra] *f* Verchromung *f.*

cromo ['krɔ:mo] *m* Chrom *n.*

cromosoma [kromo'sɔ:ma] ⟨-i⟩ *m* Chromosom *n.*

cronaca ['krɔ:naka] ⟨-che⟩ *f* Chronik *f,* Reportage *f;* **fatti di** ~ Tagesereignisse *n pl;* ~ **politica** politische Meldungen *f pl;* ~ **bianca/nera/rosa** (*o* **mondana**) allgemeiner Nachrichtenteil/Verbrechens- und Unfallmeldungen *f pl*/Klatschspalte *f.*

cronico, -a ['krɔ:niko] ⟨-ci, -che⟩ *agg* chronisch.

cronista [kro'nista] ⟨-i *m,* -e *f*⟩ *mf* Berichterstatter(in) *m(f),* Reporter(in) *m(f);* ~ **mondano** Klatschreporter *m.*

cronologia [kronolo'dʒi:a] ⟨-gie⟩ *f* Chronologie *f,* zeitliche Abfolge. **cronologico, -a** [...'lɔ:dʒiko] *agg* chronologisch.

cronometrare [kronome'tra:re] *tr* (ab)-stoppen. **cronometro** [...'nɔ:metro] *m* Chronometer *n.*

cross[1] ['krɔs] ⟨-⟩ *m acr di* **motocross** Moto-Cross *m.* **crossista** [kros'sista] ⟨-i *m* -e *f*⟩ *mf* Moto-Cross-Fahrer(in) *m(f).*

cross[2] ['krɔs] ⟨-⟩ *m* **1.** *(boxe)* Kreuzschlag *m;* **2.** *(calcio)* Flanke *f.*

crosta ['krɔsta] *f* **1.** *(del pane)* Kruste *f; (del formaggio a.)* Rinde *f;* **2.** *med* Schorf *m,* Kruste *f;* **3.** *geog* Kruste *f;* **4.** *fig peg (dipinto)* Schinken *m;* ~ **lattea** *med* Milchschorf *m;* ~ **terrestre** Erdkruste *f.*

crostacei [kros'ta:tʃei] *m pl* Krustentiere *n pl.*

crostata [kros'ta:ta] *f* Mürbeteigkuchen *m.* **crostino** [kros'ti:no] *m* geröstete Brotschnitte.

crucciare [krut'tʃa:re] ⟨cruccio, crucci⟩ **I.** *tr* betrüben; **II.** *rfl:* **-arsi** sich grämen. **cruccio** ['kruttʃo] ⟨-cci⟩ *m* Kummer *m,* Gram *m.*

cruciale [kru'tʃa:le] *agg* entscheidend, kritisch.

cruciverba [krutʃi'vɛrba] ⟨-⟩ *m* Kreuzworträtsel *n.*

crudele [kru'de:le] *agg* grausam. **crudeltà** [...del'ta] ⟨-⟩ *f* Grausamkeit *f.*

crudo, -a ['kru:do] *agg* **1.** *(carne, verdura)* roh; **2.** *(inverno, clima)* rauh; **3.** *(seta)* roh, unbearbeitet; **4.** *fig (realtà)* grausam.

cruento, -a [kru'ɛnto] *agg* blutig.

crumiraggio [krumi'raddʒo] ⟨-ggi⟩ *m* Streikbruch *m.* **crumiro, -a** [...'mi:ro] *m, f* Streikbrecher(in) *m(f).*

cruna ['kru:na] *f* Nadelöhr *n.*

crusca ['kruska] ⟨-sche⟩ *f* Kleie *f;* **l'Accademia della C**~ *Gesellschaft zur Pflege der italienischen Sprache.*

cruscotto [krus'kɔtto] *m* Armaturenbrett *n.*

c.s. *abbr di* **come sopra** w. o. (*abk von* wie oben).

cubatura [kuba'tu:ra] *f* Kubatur *f.*

cubetto [ku'betto] *m* Würfel *m.*

cubico, -a ['ku:biko] ⟨-ci, -che⟩ *agg* **1.** *(forma)* kubisch, würfelförmig; **2.** *mat* kubisch, Kubik-; **radice -a** Kubikwurzel *f.*

cubismo [ku'bizmo] *m* Kubismus *m.*

cubo ['ku:bo] **I.** *m* **1.** *mat* Kubus *m,* Würfel *m; (terza potenza)* dritte Potenz; **2.** *(oggetto)* Würfel *m;* **II.** *agg* kubisch, Kubik-. **cuboflash** [kubo'flæʃ] ⟨-⟩ *m fot* Blitzwürfel *m.*

cuccagna [kuk'kaɲɲa] *f* Schlaraffenland *n;* **il paese della** ~ das Schlaraffenland.

cuccare [kuk'ka:re] ⟨cucco, cucchi⟩ *tr* **1.** *fam (pigliare)* schnappen *fam,* erwischen *fam;* **2.** *fam (ingannare)* betrügen, hereinlegen *fam;* **3.** *sl (imbroccare)* aufreißen *sl,* abschleppen *sl.*

cuccetta [kut'tʃetta] *f naut* Koje *f; ferr* Liegewagenplatz *m.*

cucchiaino [kukkja'i:no] *m* kleiner Löffel, Teelöffel *m;* **sono da raccattare col** ~ *fam* ich gehe auf dem Zahnfleisch *fam.* **cucchiaio** [...'kja:jo] ⟨-ai⟩ *m* (Eß)löffel *m.*

cuccia ['kuttʃa] ⟨-cce⟩ *f* Hundehütte *f; (giaciglio)* Körbchen *n;* ~! Platz!; *fig fam* kusch! *fam.* **cucciolata** [kuttʃo'la:ta] *f* Wurf *m.* **cucciolo, -a** ['kuttʃolo] *m, f* (Hunde)junge(s) *n,* Welpe *m.*

cucina [ku'tʃi:na] *f* **1.** *(luogo)* Küche *f;* **2.** *(arte, modo)* Küche *f,* Kochkunst *f;* **3.** *(fornelli)* Herd *m;* ~ **all'americana** Einbauküche *f;* ~ **a gas** Gasherd *m;* ~ **elettrica** Elektroherd *m;* **essere appassionato di** ~ leidenschaftlich gerne kochen; **fare la** ~ kochen. **cucinare** [kutʃi'na:re] **I.** *tr* kochen, zubereiten; **II.** *itr* kochen. **cucinino, cucinotto** [...'ni:no, ...'nɔtto] *m* Kochnische *f.*

cucire [ku'tʃi:re] ⟨cucio, cuci⟩ *tr* nähen; ~ **la bocca a qu** *fig* jdm den Mund stopfen; **cucirsi la bocca** *fig* seinen Mund halten. **cucito** [ku'tʃi:to] *m* Näherei *f,* Näharbeit *f.* **cucitrice** [kutʃi'tri:tʃe] *f* **1.** *tec* Nähmaschine *f;* **2.** *tip* Heftmaschine *f; (per carta)* Hefter *m.* **cucitura** [...'tu:ra] *f* **1.** *(di tessuto)* Naht *f;* **2.** *tip* Heftung *f.*

cucù [ku'ku] ⟨-⟩ *m* **1.** *zoo* Kuckuck *m;* **2.** *(orologio)* Kuckucksuhr *f.* **cuculo** [ku'ku:lo] *m* Kuckuck *m.*

cuffia ['kuffja] ⟨-ie⟩ *f* **1.** *(per la testa)* Haube *f;* **2.** *tel, radio* Kopfhörer *m;* **3.** *mot* Haube *f;* ~ **da bagno** Badehaube *f,* -kappe *f.*

cugino, -a [ku'dʒi:no] *m, f* Cousin *m,* Cousine *f;* Vetter *m,* Base *f obs.*

cui ['ku:i] *pron* **1.** *(con preposizioni):* **con** ~ mit dem, der; **di** ~ von dem, der; **in** ~ in (*o* an) dem, der; **per** ~ für den, die, das; **2.** *(a cui)* dem, der, denen *pl;* **3.** *(di cui)* dessen, deren.

culinaria [kuli'na:rja] ⟨-ie⟩ *f* Kochkunst *f.*

culla ['kulla] *f* Wiege *f;* **fin dalla** ~ von Geburt an. **cullare** [...'la:re] **I.** *tr* wiegen; **II.** *rfl:* **-arsi** sich wiegen.

culminante [kulmi'nante] *agg* Haupt-, Gipfel-.

culminare [kulmi'na:re] *itr* ⟨*essere*⟩ gipfeln, kulminieren (*in, con* in *+dat*). **culmine** ['kulmine] *m* **1.** *fig* Gipfel *m,* Höhepunkt *m;* **2.** *(di monte)* Gipfel *m,* Spitze *f.*

culo ['ku:lo] *m volg* Arsch *m vulg;* **avere** ~ *volg* Schwein haben *fam;* **essere** ~ **e camicia con qu** mit jdm ein Herz und eine Seele sein; **mandare qc a fare** (*o* **farsi) in** ~ *volg* auf jdn scheißen *vulg;* **prendere qu per il** ~ *volg* jdn verarschen *vulg;* **farsi il** ~ (*o* **un** ~ **così)** *volg* sich den Arsch aufreißen *vulg.*

culto ['kulto] *m* **1.** *rel* Kult(us) *m; (religione)* Religion *f;* **2.** *fig* Kult *m;* **libertà di** ~ Religionsfreiheit *f.*

cultura [kul'tu:ra] *f* **1.** *gener.* Kultur *f,* Bildung *f;* **2.** *agr* Kultur *f,* Pflanzung *f,* Anbau *m;* **un uomo di** ~ ein kultivierter Mann; **farsi una** ~ sich bilden. **culturale** [...tu'ra:le] *agg* **1.** *(preparazione, prova)* kulturell; **2.** *(associazione, scambi)* Kultur-.

culturismo [kultu'rizmo] *m* Bodybuilding *n.* **culturista** [...'rista] ⟨-i *m,* -e *f*⟩ *mf* Bodybuilder(in) *m(f).*

cumino [ku'mi:no] *m* Kümmel *m.*

cumulare [kumu'la:re] *tr* anhäufen, kumulieren. **cumulativo, -a** [...la'ti:vo] *agg* Sammel-; *(prezzo)* Gesamt-. **cumulo** ['ku:mulo] *m* **1.** *(di cose)* Haufen *m;* **2.** *meteo* Kumulus *m,* Haufenwolke *f;* **3.** *fig* Anhäufung *f.*

cuneo ['ku:neo] *m* Keil *m.*

cunetta [ku'netta] *f* Querrinne *f.*

cunicolo [ku'ni:kolo] *m* Stollen *m,* unterirdischer Gang.

cuocere ['kuɔ:tʃere] ⟨cuocio, cuoci, cossi, cotto⟩ **I.** *tr* ⟨*avere*⟩ **1.** *gastr* garen; *(nell'acqua)* kochen; *(in padella)* braten; *(in forno)* backen; *(in umido)* dünsten, schmoren; **2.** *(ceramiche, mattoni, calcina)* brennen; **3.** *(sole)* verbrennen, austrocknen; **II.** *itr* ⟨*essere*⟩ **1.** *gastr* kochen; **2.** *fig (offesa, affronto)* weh tun, brennen; **III.** *rfl:* **-ersi 1.** *gastr* kochen; **2.** *(scottarsi)* sich verbrennen.

cuoco, -a ['kuɔ:ko] ⟨-chi, -che⟩ *m, f* Koch *m,* Köchin *f.*

cuoio ['kuɔ:jo] *m* **1.** ⟨*pl:* -oi *m*⟩ *anat, zoo* Leder *n;* **2.** ⟨*pl:* -oia *f*⟩ *fig* Fell *n;* ~ **capelluto** Kopfhaut *f;* **tirare le -a** *fam* sterben, abkratzen *fam.*

cuore ['kuɔ:re] *m (a. fig)* Herz *n;* ~ **artificiale** Kunstherz *n;* **affari di** ~ Herzensangelegenheiten *f pl;* **gente di** ~ herzliche Leute *pl;* **cuor contento** *fam* Sonnenkind *n;* **avere il** ~ **sulle labbra** das Herz auf der Zunge haben; **essere (***o* **stare) a** ~ am Herzen liegen; **prendersi a** ~ **qc** sich *(dat)* etw. zu Herzen nehmen; **ragionare col** ~ nach dem Herzen handeln; **ridere di** ~ herzlich lachen; **nel** ~ **della notte** mitten in der Nacht; **senza** ~ herzlos; **con tutto il** ~ von ganzem Herzen; **a (forma di)** ~ herzförmig; **mi si stringe il** ~ mir blutet das Herz; **un** ~ **ed una capanna** Raum ist in der kleinsten Hütte.

cupè [ku'pɛ] ⟨-⟩ *m mot* Coupé *n.*

cupidigia [kupi'di:dʒa] ⟨-gie⟩ *f* Gier *f* (*di* nach).

cupo, -a ['ku:po] *agg* **1.** *(colore)* dunkel; **2.** *(notte, foresta)* finster; **3.** *(voce)* tief; *(brontolio)* dumpf; **4.** *fig (volto)* düster, finster; *(carattere)* nachdenklich, schweigsam.

cupola ['ku:pola] *f* Kuppel *f,* Wölbung *f.*

cura ['ku:ra] *f* **1.** *(premura)* Aufmerksamkeit *f; (impegno)* Pflege *f,* Sorge *f; (oggetto di interessamento)* Sorge *f;* **2.** *(accuratezza)* Sorgfalt *f;* **3.** *med* Kur *f; (terapia)* Behandlung *f;* ~ **preventiva** Prophylaxe *f;* **casa di** ~ Klinik *f,* Sanatorium *n;* **avere** ~ **della propria salute** auf seine Gesundheit achten; **a** ~ **di . . .** herausgegeben von . . . **curabile** [ku'ra:bile] *agg* heilbar. **curante** [ku'rante] *agg* behandelnd.

curare [ku'ra:re] **I.** *tr* **1.** *(malato, malattia)* behandeln; **2.** *(badare)* achten auf *+akk,* pflegen; *(interessi)* wahrnehmen; *(affari)* verfolgen, nachgehen (*qc* einer S. *dat*); **3.** *rel* sorgen für, betreuen; **4.** *(edizione)* betreuen; *(traduzione)* besorgen; ~ **le anime** Seelsorge betreiben; **II.** *rfl:* **-arsi 1.** *(prendersi cura)* sich pflegen; *med* sich behandeln lassen; **2.** *(preoccuparsi)* sich kümmern (*di* um).

curato [ku'ra:to] *m* Pfarrer *m.*

curatore, -trice [kura'to:re] *m, f* **1.** *(di antologia, edizione)* Herausgeber(in) *m(f);* **2.** *dir* Verwalter(in) *m(f).*

curia ['ku:rja] ⟨-ie⟩ *f* Kurie *f.*

curiosare [kurjo'sa:re] *itr* herumschnüffeln.

curiosità [kurjosi'ta] ⟨-⟩ *f* **1.** *(desiderio)* Neugier *f;* **2.** *(rarità)* Kuriosität *f;* **mostrare** ~ **per qc** neugierig auf etw. *(akk)*

sein. **curioso, -a** [ku'ri̯o:so] **I.** *agg* **1.** *(indiscreto)* neugierig; **2.** *(bizzarro)* kurios, sonderbar; **essere ~ di sapere qc** etw. gern wissen wollen; **II.** *m, f* Neugierige(r) *mf.*
curriculum [kur'ri:kulum] ⟨-⟩ *m:* ~ **scolastico** Bildungsweg *m;* ~ **professionale** beruflicher Werdegang. **curriculum vitae** [-'vi:te] ⟨-⟩ *m* Lebenslauf *m.*
cursore [kur'so:re] *m inform* Cursor *m.*
curva ['kurva] *f* Kurve *f;* **doppia** ~ S-Kurve *f.* **curvare** [...'va:re] **I.** *tr* **1.** *(sbarra, ramo)* biegen; **2.** *(capo, fronte)* beugen; *(schiena a.)* krümmen; **II.** *rfl:* **-arsi** sich krümmen; *(persona a.)* sich beugen; **III.** *itr* abbiegen. **curvatura** [...va'tu:ra] *f* Rundung *f; (piegatura)* Krümmung, Biegung *f.* **curvo, -a** ['kurvo] *agg* gebogen, gekrümmt; *(spalle, persona)* gebeugt.
cuscinetto [kuʃʃi'netto] *m* **1.** *tec* Lager *n;* **2.** *(per spilli, timbri)* Kissen *n;* ~ **a sfere** Kugellager *n;* **stato** ~ Pufferstaat *m.*
cuscino [kuʃ'ʃi:no] *m* Kissen *n.*
cuspide ['kuspide] *f* Spitze *f; arch* Giebel *m.*
custode [kus'tɔ:de] *mf* Aufseher(in) *m(f); (di museo a.)* Wärter(in) *m(f).* **custodia** [...'tɔ:di̯a] ⟨-ie⟩ *f* **1.** *(cura)* Bewachung *f,* Beaufsichtigung *f; (conservazione)* Aufbewahrung *f;* **2.** *(astuccio)* Kasten *m; (degli occhiali)* Etui *n.* **custodire** [...to'di:re] ⟨custodisco⟩ *tr* bewachen; *(casa, bambini, mandria)* hüten.
cutaneo, -a [ku'ta:neo] *agg* Haut-. **cute** ['ku:te] *f* Haut *f.* **cuticola** [ku'ti:kola] *f* **1.** *anat* Häutchen *n;* **2.** *bot, zoo* Kutikula *f;* ~ **delle unghie** Nagelhaut *f.*
C.V. *abbr di* **Cavallo Vapore** PS (*abk von* Pferdestärke).
cyclette [si'klɛt] ⟨-⟩ *f* Heimtrainer *m.*

D

D, d [di] ⟨-⟩ *f* D, d *n;* **d come Domodossola** D wie Dora.

d' *prp v.* **di.**

D 1. *abbr di* **Diretto** ≃ E (*abk von* Eilzug); **2.** *abbr di* **Deutschland** D.

da [da] ⟨dal, dallo, dall', dalla, dai, dagli, dalle⟩ *prp* **1.** *(stato in luogo)* bei *+dat; (moto da luogo)* von *+dat,* aus *+dat; (moto a luogo: con persone)* zu *+dat; (attraverso)* durch *+akk,* über *+akk; (distanza)* von *+dat; (fuori di)* aus *+dat;* **2.** *(agente)* von *+dat,* durch *+akk;* **3.** *(causa)* vor *+dat/+akk;* **4.** *(tempo)* seit *+dat,* von *+dat* ... an; **5.** *(fine, scopo)* als, zu; **6.** *(origine, provenienza)* von *+dat,* aus *+dat;* **7.** *(modo)* wie; *(età)* als; **8.** *(qualità)* mit *+dat;* **9.** *(valore)* zu *+dat,* im Wert von *+dat;* **10.** *(con +inf)* zu(m); **abito ~ mio zio** ich wohne bei meinem Onkel; **andare ~ Verona a Stoccarda** von Verona nach Stuttgart fahren; **vado ~ un amico** ich gehe zu einem Freund; **vengo ~ casa** ich komme von daheim; **verrò ~ Firenze** ich werde aus (*o* von) Florenz kommen; **tremare dal freddo** vor Kälte zittern; **~ cinque anni** seit fünf Jahren; **~ oggi in poi** von heute an, ab heute; **~ solo** (von) selbst, allein; **comportarsi ~ vero amico** sich wie ein wahrer Freund verhalten; **riconoscere qu dal passo** jdn am Schritt erkennen; **una ragazza dai capelli rossi** ein Mädchen mit roten Haaren; **(fin) ~ bambino** (schon) als Kind; **trattoria "~ Giovanni"** Gasthof „Bei Giovanni"; **cieco ~ un occhio** auf einem Auge blind; **qc ~ bere** etw. zum Trinken, etw. zu trinken; **~ allora** seither, seit damals; **~ molto/poco** seit langer/kurzer Zeit, seit langem/kurzem.

dabbene [dab'bɛ:ne] ⟨*inv*⟩ *agg* rechtschaffen, redlich.

daccapo [dak'ka:po] *avv* noch einmal (von Anfang an), von vorn.

dacché [dak'ke] *cong* seit(dem).

dadaismo [dada'izmo] *m* Dadaismus *m.*

dado ['da:do] *m* **1.** *(cubetto)* Würfel *m;* **2.** *gastr* Brüh-, Suppenwürfel *m;* **3.** *(per bulloni)* (Schrauben)mutter *f;* **giocare ai -i** Würfel spielen, würfeln; **il ~ è tratto** die Würfel sind gefallen.

daffare [daf'fa:re] ⟨-⟩ *m* viel(e) Arbeit *f,* viel(e) Mühe *f,* dringende Aufgabe; **avere un gran ~** sehr viel Arbeit (*o* sehr viel zu tun) haben.

dagli, dai ['daʎʎi, 'da:i] *prp* **da** *con art gli, i.*

daino ['da:ino] *m* Damhirsch *m.*

dal [dal] *prp* **da** *con art il.*

dalia ['da:lia] ⟨-ie⟩ *f* Dahlie *f.*

dall', dalla, dallo, dalle [dall, 'dalla, ...lo, ...le] *prp* **da** *con art l', la, lo, le.*

daltonico, -a [dal'tɔ:niko] ⟨-ci, -che⟩ *agg* farbenblind.

dama ['da:ma] *f* **1.** *(persona)* Dame *f;* **2.** *(gioco)* Dame(spiel *n*) *f; (scacchiera)* Damebrett *n;* **~ di compagnia** Gesellschafterin *f,* Gesellschaftsdame *f;* **giocare a ~** Dame spielen.

damasco [da'masko] ⟨-schi⟩ *m* Damast *m.*

damigella [dami'dʒɛlla] *f* Edelfräulein *f;* **~ d'onore** Brautjungfer *f.*

damigiana [dami'dʒa:na] *f* große Korbflasche.

danaro [da'na:ro] *v.* **denaro. danaroso, -a** [dana'ro:so] *agg* vermögend, wohlhabend, zahlungskräftig *fam.*

dancing ['dɑ:nsıŋ] ⟨-⟩ *m* Tanzlokal *n.*

danese [da'ne:se] **I.** *agg* dänisch; **II.** *mf* Däne *m,* Dänin *f.*

Daniele [da'niɛ:le] *(nome proprio maschile)* Daniel.

Danimarca [dani'marka] *f* Dänemark *n.*

dannare [dan'na:re] **I.** *tr* verdammen, verfluchen; **far ~ qu** jdn zur Verzweiflung treiben (*o* bringen); **II.** *rfl:* **-arsi** sich abplagen, sich abquälen. **dannato, -a** [...'na:to] **I.** *agg* verdammt; **II.** *m, f* Verdammte(r) *mf.* **dannazione** [...nat'tsio:ne] *f* **1.** *(perdizione)* Verdammnis *f,* Verdammung *f;* **2.** *fig (tormento)* Plage *f,* Strafe *f;* **~!** verdammt (nochmal)! *fam.*

danneggiare [daned'dʒa:re] ⟨danneggio, danneggi⟩ *tr* **1.** *(rovinare)* beschädigen; **2.** *(nuocere)* schädigen, schaden (*qc/qu* einer S. *dat*/jdm).

danno ['danno] *m* Schaden *m;* **far -i** Schaden anrichten; **recare ~** Schaden zufügen; **pagare i -i** für den Schaden aufkommen, den Schaden ersetzen; **a ~ (*o* ai -i) di qu** zu jds Schaden. **dannoso, -a** [...'no:so] *agg* schädlich (*per, a* für).

dantesco, -a [dan'tesko] ⟨-schi, -sche⟩ *agg* dantisch, von Dante.

Danubio [da'nu:bio] *m* Donau *f.*

danza ['dantsa] *f* Tanz *m;* **~ classica** Ballett *n;* **~ macabra/popolare** Toten-/Volkstanz *m.* **danzante** [...'tsante] *agg* tanzend, Tanz-. **danzare** [...'tsa:re] *itr, tr* tanzen.

Danzica ['dantsika] *f* Danzig *n.*

dappertutto [dapper'tutto] *avv* **1.** *(stato)* überall; **2.** *(moto)* überallhin.

dappoco [dap'pɔ:ko] ⟨*inv*⟩ *agg* **1.** *(inetto)* unfähig, beschränkt, einfältig; **2.** *(di poca importanza)* unbedeutend, bedeutungslos.

dapprima [dap'pri:ma] *avv* im ersten Moment, anfangs.

dardo ['dardo] *m* Pfeil *m*.

dare ['da:re] ⟨do, diedi *o* detti, dato⟩ **I.** *tr* **1.** *gener.* geben; *(per portare via)* mitgeben; *(rinunciare)* hergeben; *(medicina)* eingeben, einflößen; *(ordine)* geben; *(esame)* ablegen; *(coraggio)* machen; *(fuoco)* legen; *(sguardo)* werfen; **2.** *(assegnare)* verleihen, geben; **3.** *(produrre)* hervorbringen, erzeugen; **4.** *(causare)* verursachen; *(dispiacere, preoccupazioni)* machen; **5.** *(festa)* veranstalten; *(ricevimento a.)* geben; **6.** *(augurare)* wünschen; **7.** *(volgere)* zukehren; ~ **una multa a qu** jdm ein Bußgeld auferlegen; ~ **peso a qc** einer S. *(dat)* Bedeutung beimessen; ~ **una notizia** Nachricht geben; ~ **un tema in classe** ein Thema im Unterricht stellen; ~ **le spalle a qu** jdm den Rücken zukehren; **II.** *itr* **1.** *(guardare)* gehen (*su* auf *+akk*, nach); **2.** *(prorompere)* ausbrechen (*in* in *+akk*); **3.** *(denominare) peg* bezeichnen *(di +art det a qu* jdn als etw.); **4.** *(battere)* schlagen (*con* mit); ~ **sul rosso** ins Rot gehen; ~ **dello scemo a qu** jdn als Dummkopf bezeichnen. **III.** *rfl:* **darsi 1.** *(dedicarsi)* sich widmen, sich hingeben; **2.** *(sottomettersi)* sich ergeben; **3.** *(incominciare)* anfangen, beginnen; **può darsi che** *+congv* es mag (*o* kann) sein, daß ...; **darsela a gambe** sich aus dem Staub machen *fam;* **darsi per** ... sich ausgeben für ...; **darsi alla pittura** sich der Malerei widmen; **IV.** ⟨-⟩ *m* Soll *n;* **il** ~ **e l'avere** Soll und Haben.

darsena ['darsena] *f* Dock *n*.

darvinismo [darvi'nizmo] *m* Darwinismus *m*.

DAT ['dat] *m acr di* **Digital Audio Tape** DAT *n*.

data ['da:ta] *f* Datum *n; (momento)* Zeitpunkt *m;* **di antica/vecchia** ~ alt; ~ **di conservazione minima** Mindesthaltbarkeitsdatum *n;* ~ **di scadenza** Haltbarkeitsdatum *n*. **datare** [da'ta:re] *tr* ⟨*avere*⟩, *itr* ⟨*essere*⟩ datieren; **a** ~ **da domani** vom morgigen Datum an.

data base ['deitə beis] ⟨-⟩ *m* Datenbank *f*.

datazione [dɑtɑt'tsi̯o:ne] *f* Datierung *f*.

dativo [da'ti:vo] *m* Dativ *m*, Wemfall *m*.

dato, -a ['da:to] **I.** *agg* **1.** *(determinato)* bestimmt; **2.** *(dedito) peg* ergeben (*a* einer S. *dat*); **in -i casi** in bestimmten Fällen; **in -i giorni** an bestimmten Tagen; ~ **che** *cong* da; **II.** *m* Anhaltspunkt *m; (a. mat)* (bekannte) Größe *f;* ⟨*pl*⟩ Daten *pl;* ~ **di fatto** Tatsache *f*, Gegebenheit *f;* **-i base** Stammdaten *pl.*

datore, -trice [da'to:re] *m, f:* ~ **di lavoro** Arbeitgeber(in) *m(f).*

dattero ['dattero] *m* **1.** *(frutto)* Dattel *f;* **2.** *(pianta)* Dattelpalme *f;* **3.** *zoo:* ~ **di mare** Stein-, Meerdattel *f*.

dattilografare [dattilogra'fa:re] *tr* maschineschreiben, mit der (Schreib)maschine schreiben. **dattilografia** [...'fi:a] *f* Maschinenschreiben *n*. **dattilografo, -a** [...'lɔ:grafo] *m, f* Stenotypist(in) *m(f)*, Schreibkraft *f*.

dattiloscritto [-s'kritto] *m* maschine(n)-geschriebener Text, Typoskript *n*.

dattorno [dat'torno] **I.** *avv* **1.** *(intorno)* umher, herum; **2.** *(vicino)* in der Nähe; **II.** *prp:* ~ **a 1.** *(intorno a)* um ... *+akk* herum; **2.** *(vicino a)* in der Nähe von *+dat.*

davanti [da'vanti] **I.** *avv (di fronte)* davor; *(nella parte anteriore)* vorn(e); **II.** *prp:* ~ **a** *(stato)* vor *+dat; (moto)* vor *+akk;* **III.** ⟨*inv*⟩ *agg* Vorder-, vordere(r, s); **IV.** *m* Vorderteil *n*, Vorderseite *f*.

davanzale [davan'tsa:le] *m* Fensterbank *f*.

davanzo, d'avanzo [da'vantso] *avv* mehr als genug, im Überfluß.

Davide ['da:vide] *(nome proprio maschile)* David.

davvero [dav've:ro] *avv* wirklich, tatsächlich; **per** ~ tatsächlich, im Ernst.

daziario, -a [dat'tsi̯a:ri̯o] ⟨-i, -ie⟩ *agg* Zoll-.

daziere [dat'tsi̯ɛ:re] *m* Zollbeamte(r) *m*, -beamtin *f*. **dazio** ['dattsi̯o] ⟨-i⟩ *m* Zoll *m*.

d.C. *abbr di* **dopo Cristo** n. Chr. (*abk von* nach Christus).

D.C. *f abbr di* **Democrazia Cristiana** *st christdemokratische Partei Italiens.*

dea ['dɛ:a] *f* Göttin *f*.

deambulante [deɑmbu'lɑnte] *agg* gehfähig; **non** ~ (geh)behindert.

debbo ['dɛbbo] *pr di* **dovere.**

debellare [debel'la:re] *tr (a. fig)* bezwingen, besiegen; *(male, vizio)* ausrotten.

debilitare [debili'ta:re] *tr* schwächen, entkräften.

debitamente [debita'mente] *avv* in der vorschriftsgemäßen Form, ordnungsgemäß.

debito, -a ['de:bito] **I.** *agg* **1.** *(doveroso)* schuldig, gebührend; **2.** *(imposto)* notwendig, geboten; **3.** *(opportuno)* passend; **a tempo** ~ im passenden Augenblick, zur rechten Zeit; **II.** *m* **1.** *com* Schuld *f*, Verbindlichkeit *f;* **2.** *(obbligo morale)* Pflicht *f*, Schuldigkeit *f;* ~ **pubblico** *econ* Staatsschulden *f pl;* **avere un** ~ **con qu** jdm etw. schulden; **essere in** ~ **con qu** in jds Schuld stehen *geh;* **segnare un importo a** ~ einen Betrag anschreiben. **debitore, -trice** [debi'to:re] *m, f* Schuldner(in) *m(f);* **essere** ~ **di qc a qu** *fig* jdm etw. schuldig sein.

debole [ˈdeːbole] **I.** *agg* schwach, kraftlos; **essere ~ di memoria** ein schlechtes Gedächtnis haben; **~ di vista** schwachsichtig; **~ in qc** *(scuola)* schwach in etw.; **II.** *m, f* Schwache(r) *m f; peg* Schwächling *m;* **III.** *m* Schwäche *f,* schwache Seite; **avere il ~ del gioco** eine Schwäche für das Glücksspiel haben. **debolezza** [deboˈlettsa] *f* Schwäche *f.*

debordare [deborˈdaːre] *itr* überlaufen; *(tempo)* überziehen.

debosciato, -a [deboʃˈʃaːto] *m, f* Wüstling *m,* zügelloser Mensch.

debugging [diːˈbʌgiŋ] ⟨-⟩ *m inform* Debugging *n,* Fehlersuche *f* im Programm.

debuttante [debutˈtante] *mf* Debütant(in) *m(f).* **debuttare** [...ˈtaːre] *itr* debütieren, erstmals (öffentlich) auftreten. **debutto** [deˈbutto] *m* Debüt *n,* erstes (öffentliches) Auftreten.

decade [ˈdɛːkade] *f* Dekade *f.*

decadente [dekaˈdɛnte] *agg* dekadent. **decadenza** [...ˈdɛntsa] *f* **1.** *(declino)* Niedergang *m,* Verfall *m;* **2.** *letter, fig* Dekadenz *f.*

decadere [dekaˈdeːre] ⟨*irr*⟩ *itr* ⟨*essere*⟩ verfallen *(a. fig);* **~ da un diritto** ein Recht verlieren.

decaedro [dekaˈɛːdro] *m* Dekaeder *n,* Zehnflächner *m.*

decaffeinato, -a [dekaffeiˈnaːto] **I.** *agg* entkoffeiniert; **II.** *m* entkoffeinierter Kaffee.

decagono [deˈkaːgono] *m* Dekagon *n,* Zehneck *n.*

decalcomania [dekalkomaˈniːa] ⟨-ie⟩ *f* Abziehbild *n.*

decalogo [deˈkaːlogo] ⟨-ghi⟩ *m* **1.** *rel (di Mosè)* die Zehn Gebote *n pl,* Dekalog *m wissensch.;* **2.** *(norme)* Verhaltensregeln *f pl,* Gebote *n pl,* Vorschriften *f pl.*

decano [deˈkaːno] *m* Älteste(r) *m,* Doyen *m; (titolo)* Dekan *m.*

decantare [dekanˈtaːre] *tr* preisen *geh,* lobpreisen *poet.*

decapitare [dekapiˈtaːre] *tr* enthaupten.

decappotabile [dekappoˈtaːbile] **I.** *agg:* **auto ~** Kabrio(lett) *n;* **II.** *f* Kabrio(lett) *n.*

decat(h)lon [ˈdɛːkatlon] ⟨-⟩ *m* Zehnkampf *m.*

decedere [deˈtʃɛːdere] ⟨decedo, decessi *o* decedetti, deceduto⟩ *itr* ⟨*essere*⟩ entschlafen, sterben.

decelerare [detʃeleˈraːre] *tr, itr* die Geschwindigkeit vermindern von (*o* bei), das Tempo drosseln von (*o* bei). **decelerazione** [...ratˈtsi̯oːne] *f* Verminderung *f* der Geschwindigkeit, Drosselung *f* des Tempos.

decennale [detʃenˈnaːle] **I.** *agg* **1.** *(che dura 10 anni)* zehnjährig; **2.** *(ogni 10 anni)* zehnjährlich; **celebrazione ~** Zehnjahrfeier *f;* **piano ~** Zehnjahresplan *m;* **II.** *m* zehnter Jahrestag; *(celebrazione)* Zehnjahresfeier *f.*

decenne [deˈtʃɛnne] **I.** *agg* zehnjährig; **II.** *m, f* Zehnjährige(r) *mf.* **decennio** [deˈtʃɛnni̯o] ⟨-i⟩ *m* Jahrzehnt *n,* Dezennium *n.*

decente [deˈtʃɛnte] *agg* **1.** *(decoroso)* schicklich, anständig; **2.** *fig (adeguato)* annehmbar, angemessen, anständig *fam.*

decentramento [detʃentraˈmento] *m* Dezentralisierung *f,* Dezentralisation *f.* **decentrare** [...ˈtraːre] *tr* dezentralisieren.

decenza [deˈtʃɛntsa] *f* **1.** *(pudore, dignità)* Schicklichkeit *f,* Anstand *m;* **2.** *(convenienza)* Angemessenheit *f.*

decessi [deˈtʃɛssi] *p rem di* **decedere.**

decesso [deˈtʃɛsso] *m amm* Todes-, Sterbefall *m adm.*

decidente [detʃiˈdɛnte] *mf* Entscheidungsträger(in) *m(f).*

decidere [deˈtʃiːdere] ⟨decido, decisi, deciso⟩ **I.** *tr* **1.** *(di giudizio definitivo)* beschließen (*qc* etw., über etw. *akk*), entscheiden (*qc* etw., über etw. *akk*); **2.** *dir* befinden (*qc* über etw. *akk*), entscheiden (*qc* über etw. *akk*); **3.** *(fissare)* festlegen, festsetzen, bestimmen; **II.** *itr* entscheiden; **III.** *rfl:* **-ersi** sich entscheiden, sich entschließen; **-ersi a fare qc** sich entscheiden, etw. zu tun.

decifrare [detʃiˈfraːre] *tr (scrittura)* entziffern; *(codice, messaggio)* entschlüsseln; *(enigma)* (auf)lösen.

decilitro [deˈtʃiːlitro] *m* (*abbr* **dl**) Deziliter *m o n.*

decima[1] *f v.* **decimo.**

decima[2] [ˈdɛːtʃima] *f* **1.** *mus* Dezime *f;* **2.** *st* Zehnt *m;* **3.** *mat* zehnte Potenz; **7 alla ~** sieben hoch zehn.

decimale [detʃiˈmaːle] *agg* dezimal, Dezimal-.

decimare [detʃiˈmaːre] *tr* dezimieren.

decimetro [deˈtʃiːmetro] *m* (*abbr* **dm**) Dezimeter *m o n.*

decimo, -a [ˈdɛːtʃimo] **I.** *agg* zehnte(r, s); **II.** *m, f* Zehnte(r, s) *mfn;* **III.** *m (frazione)* Zehntel *n,* zehnter Teil; *v. a. quinto.*

decina [deˈtʃiːna] *v.* **diecina.**

decisamente [detʃizaˈmente] *avv* **1.** *(con risolutezza)* mit Entschiedenheit, (fest) entschlossen; **2.** *(veramente)* ausgesprochen, unzweifelhaft.

decisi [deˈtʃiːzi] *p rem di* **decidere.**

decisionale [detʃizi̯oˈnaːle] *agg* Entscheidungs-.

decisione [detʃiˈzi̯oːne] *f* **1.** *(risolutezza)* Entschlossenheit *f;* **2.** *(deliberazione)* Entscheidung *f,* Beschluß *m,* Entschluß *m;* **3.** *dir (sentenza)* Entscheid *m,* Beschluß *m;* **prendere una ~** eine Entscheidung treffen, einen Entschluß fassen. **decisivo, -a** [...ˈziːvo] *agg* ausschlaggebend, entscheidend; *(battaglia, gara)* Entscheidungs-. **deciso, -a** [deˈtʃiːzo] **I.** *pp di* **decidere; II.** *agg (risoluto)* entschlossen, entschieden, energisch.

declamare [dekla'ma:re] *tr, itr* deklamieren. **declamazione** [...mat'tsio:ne] *f* Deklamation *f.*
declassare [deklas'sa:re] *tr* deklassieren, herabsetzen, herunterstufen.
declinare [dekli'na:re] **I.** *tr* **1.** *gram* deklinieren, beugen; **2.** *(rifiutare)* zurückweisen, ablehnen; **II.** *itr* **1.** *(abbassarsi)* abfallen; *(sole, astro)* untergehen; **2.** *(volgere alla fine)* zu Ende gehen, zur Neige gehen *geh;* **la collina declina verso il mare** der Hügel fällt zum Meer hin ab. **declinazione** [...nat'tsio:ne] *f* Deklination *f.*
declino [de'kli:no] *m* **1.** *(decadenza)* Niedergang *m,* Untergang *m,* Verfall *m; (di bellezza)* Schwinden *n,* Verblühen *n;* **2.** *(diminuzione, calo)* Rückgang *m;* ~ **delle esportazioni** Exportrückgang *m;* ~ **delle nascite** Geburtenrückgang *m.*
declivio [de'kli:vio] ⟨-i⟩ *m* (Berg)hang *m.*
decodificare [dekodifi'ka:re] *tr* entschlüsseln; *(a. inform)* dekodieren. **decodificatore** [...ka'to:re] *m inform* Decoder *m.*
decollare [dekol'la:re] *itr* abheben, starten *(a. fig).*
décolleté [dekɔl'te] **I.** ⟨*inv*⟩ *agg* ausgeschnitten, dekolletiert; **II.** ⟨-⟩ *m* Ausschnitt *m,* Dekolleté *n.*
decollo [de'kɔllo] *m* **1.** *aero* Start *m,* Abheben *n;* **2.** *fig* Aufschwung *m.*
decolorante [dekolo'rante] **I.** *agg* bleichend, Bleich-; **II.** *m* Bleichmittel *n,* Entfärbungsmittel *n.* **decolorare** [...'ra:re] *tr* bleichen, entfärben.
decomponibile [dekompo'ni:bile] *agg* zerlegbar, auflösbar.
decomporre [dekom'porre] ⟨*irr*⟩ **I.** *tr* zerlegen, (in seine Einzelteile) auflösen; **II.** *rfl:* **-orsi** sich zersetzen, verwesen. **decomposizione** [...pozit'tsio:ne] *f* **1.** *(scomposizione)* Zerlegung *f,* Auflösung *f;* **2.** *(putrefazione)* Zersetzung *f,* Verwesung *f.*
decompressione [dekompres'sio:ne] *f* Druckentlastung *f,* Dekompression *f wissensch.*
decongestionare [dekondʒestio'na:re] *tr* **1.** *(traffico)* entlasten; **2.** *med* abschwellen lassen. **decongestione** [...dʒes'tio:ne] *f* **1.** *(del traffico)* Entlastung *f;* **2.** *med* Abschwellung *f.*
deconstruttivismo [dekonstrutti'vismo] *m* Dekonstruktivismus *m.*
decontrazione [dekontrat'tsio:ne] *f* Entkrampfung *f.*
decorare [deko'ra:re] *tr* **1.** *(con ornamenti)* (aus)schmücken, verzieren, dekorieren; **2.** *(con decorazioni)* auszeichnen, einen Orden verleihen (*qu* jdm), dekorieren. **decorativo, -a** [...ra'ti:vo] *agg* schmückend, dekorativ; *(arte)* Dekorations-. **decoratore, -trice** [...ra'to:re] *m, f* Dekorateur(in) *m(f).* **decorazione** [...rat'tsio:ne] *f* **1.** *(ornamento)* Dekoration *f,* Ausschmückung *f,* Ausstattung *f;* **2.** *(onorificenza)* Dekoration *f,* Ehrenzeichen *n.*
decoro [de'kɔ:ro] *m* **1.** *(dignità)* Anstand *m;* **2.** *(onore, prestigio)* Ansehen *n,* Prestige *n.* **decoroso, -a** [deko'ro:so] *agg* **1.** *(dignitoso)* anständig; *(comportamento a.)* schicklich; **2.** *(di prestigio)* angesehen, geachtet.
decorrenza [dekor'rɛntsa] *f* **1.** *(data)* Fristbeginn *m,* Beginn *m* einer Laufzeit; **2.** *(periodo)* Laufzeit *f;* **con ~ dal 10 maggio** (mit Wirkung) vom 10. Mai an.
decorrere [de'korrere] ⟨*irr*⟩ *itr* ⟨*essere*⟩ laufen (*da* von . . . an); **a ~ da domani** von morgen an. **decorso** [de'korso] *m* Verlauf *m.*
decotto [de'kɔtto] *m* Aufguß *m.*
decrepito, -a [de'krɛ:pito] *agg* **1.** *(di estrema vecchiaia)* hinfällig, altersschwach, gebrechlich; **2.** *fig* überaltert, überholt.
decrescere [de'kreʃʃere] ⟨*irr*⟩ *itr* ⟨*essere*⟩ abnehmen, zurückgehen; *(prezzi)* fallen.
decretare [dekre'ta:re] *tr* anordnen, verordnen.
decreto [de'krɛ:to] *m* Erlaß *m,* Dekret *n;* ~ **legge** (*abbr* **D. L.**) Gesetzesdekret *n.*
decubito [de'ku:bito] *m med:* **piaghe da ~** Wundliegen *n.*
decuplo, -a ['dɛ:kuplo] **I.** *agg* zehnfach; **II.** *m* Zehnfache(s) *n.*
decurtare [dekur'ta:re] *tr* (ver)kürzen.
dedica ['dɛ:dika] ⟨-che⟩ *f* Widmung *f.* **dedicare** [dedi'ka:re] ⟨dedico, dedichi⟩ **I.** *tr* widmen; *rel* weihen; **II.** *rfl:* **-arsi** sich widmen.
dedito, -a ['dɛ:dito] *agg* gewidmet (*a* einer S. (*dat*)); *(ai vizi)* ergeben (*a* einer S. (*dat*)).
dedizione [dedit'tsio:ne] *f* Hingabe *f* (*a* an *+akk).*
deducibile [dedu'tʃi:bile] *agg* **1.** (desumibile) ableitbar (*da* von); **2.** *(di somma, spese)* absetzbar, abzugsfähig (*da* von).
dedurre [de'durre] ⟨deduco, dedussi, dedotto⟩ *tr* **1.** *(conclusioni)* folgern (*da* aus), schließen (*da* aus), den Schluß ziehen (*da* aus); **2.** *com (spese)* abziehen (*da* von), absetzen (*da* von). **deduzione** [...ut'tsio:ne] *f* **1.** *(argomentazione)* (Schluß)folgerung *f,* Schluß *m;* **2.** *(detrazione)* Abzug *m.*
dee-jay [di:'dʒei] ⟨-⟩ *m f* (*abbr di* **disc jockey**) Discjockey *m.*
defalcare [defal'ka:re] ⟨defalco, defalchi⟩ *tr* absetzen (*da* von), abziehen (*da* von).
defenestrare [defenes'tra:re] *tr* **1.** *(buttare dalla finestra)* aus dem Fenster werfen (*o* stürzen); **2.** *fig* hinauswerfen; *pol* stürzen.
deferente [defe'rɛnte] *agg* **1.** *(rispettoso)* ehrerbietig; **2.** *anat:* **canale ~** Samenleiter *m.*

deferire [defe'ri:re] *tr* **1.** *(denunciare)* anzeigen, belangen; **2.** *(sottoporre)* überweisen, unterbreiten; **3.** *(giuramento)* auferlegen; ~ **qu all'autorità giudiziaria** jdn gerichtlich (*o* vor Gericht) belangen.
defezione [defet'tsi̯o:ne] *f* Wortbruch *m,* Treulosigkeit *f; pol* Abfall *m,* Abtrünnigkeit *f; mil* Desertion *f.*
deficiente [defi'tʃɛnte] **I.** *agg* **1.** *(scarso)* schwach, nicht ausreichend, mangelhaft; **2.** *(persona)* geistesschwach, schwachsinnig; *(scolaro)* lernbehindert; **II.** *mf* Geistesgestörte(r) *mf,* Schwachsinnige(r) *mf; fam peg* Schwachsinnige(r) *mf,* Idiot *m.* **deficienza** [...'tʃɛntsa] *f* **1.** *(scarsità)* Mangel *m,* Unzulänglichkeit *f;* **2.** *peg, med* Schwachsinn *m,* Idiotie *f.*
deficit ['dɛ:fitʃit] ⟨-⟩ *m* **1.** *fin (bilancio)* Fehlbetrag *m,* Defizit *n;* **2.** *(insufficienza, a. med)* Defizit *n,* Mangel *m* (*di* an +*dat*). **deficitario, -a** [defitʃi'ta:ri̯o] ⟨-i, -ie⟩ *agg* **1.** *fin* defizitär; **2.** *fig (politica)* erfolglos; *(argomenti)* nicht stichhaltig; **3.** *med* mangelhaft, Mangel-.
défilé [defi'le] ⟨-⟩ *m* Modenschau *f.*
definire [defi'ni:re] *tr* **1.** *(determinare)* definieren, bestimmen, erklären; **2.** *(delimitare)* festlegen, abstecken *fam;* (persona) beurteilen; **3.** *(risolvere)* (auf)lösen, beenden. **definitivo, -a** [...ni'ti:vo] *agg* endgültig, definitiv; **in -a** *(in conclusione)* zum Schluß, schließlich; *(tutto sommato)* alles in allem. **definito, -a** [...'ni:to] *agg* **1.** *(determinato)* definiert, bestimmt, festgelegt, definit *wissensch.;* **2.** *(preciso)* klar, genau, scharf; **limiti ben -i** genau festgelegte Grenzen *f pl.*
definizione [...nit'tsi̯o:ne] *f* **1.** *(determinazione)* Definition *f,* (genaue) Bestimmung *f;* **2.** *(di lite)* Entscheidung *f,* Beendigung *f;* **3.** *TV* Auflösung *f,* Schärfe *f;* **per** ~ zwangsläufig, notwendigerweise.
deflagrazione [deflagrat'tsi̯o:ne] *f* **1.** *chim* Verpuffung *f;* **2.** *geol* Deflagration *f;* **3.** *fig* Explosion *f,* Ausbruch *m.*
deflazione [deflat'tsi̯o:ne] *f* Deflation *f.*
deflazionistico, -a [...i̯o'nistiko] ⟨-ci, -che⟩ *agg* deflationistisch, deflationär.
deflettore [deflet'to:re] *m* **1.** Deflektor *m,* Klappe *f;* **2.** *mot* Ausstellfenster *n.*
defluire [deflu'i:re] *itr* ⟨*essere*⟩ **1.** *(liquidi)* (her)abfließen, herunterfließen; **2.** *(gas)* entweichen, ausströmen; **3.** *fig strömen; (capitale)* abfließen. **deflusso** [de'flusso] *m* **1.** *(di liquidi)* Abfluß *m,* Ablaufen *n,* Ablauf *m;* **2.** *(di gas)* Abzug *m,* Entweichen *n;* **3.** *fig* Auszug *m; (di capitale)* Abfluß *m.*
defogliante [defoʎ'ʎante] *agr* **I.** *agg* Entlaubungs-; **II.** *m* Entlaubungsmittel *n.*
deforestazione [deforestat'si̯o:ne] *f* Abholzung *f,* Rodung *f.*
deformare [defor'ma:re] *tr* **1.** *gener., tec* verformen; *peg* verunstalten, entstellen, deformieren; **2.** *fig (significato)* verzerren, entstellen. **deformazione** [...mat'tsi̯o:ne] *f* **1.** *(atto del deformare)* Verformung *f; (deturpamento)* Verunstaltung *f,* Entstellung *f,* Deformation *f;* **2.** *fig* Verzerrung *f,* Entstellung *f;* ~ **professionale** *fig* Berufskrankheit *f.* **deforme** [de'forme] *agg* entstellt; *(troppo grosso)* unförmig. **deformità** [...mi'ta] ⟨-⟩ *f* Verunstaltung *f; (eccessiva grossezza)* Unförmigkeit *f; med* Mißbildung *f.*
defraudare [defrau'da:re] *tr* betrügen (*qu di qc* jdn um etw.); *fig* vorenthalten (*qu di qc* jdm etw.).
defunto, -a [de'funto] **I.** *agg* verstorben, tot; **II.** *m, f* Verstorbene(r) *mf,* Tote(r) *mf.*
dégagé [dega'ʒe] ⟨*inv*⟩ *agg* ungezwungen, zwangslos.
degenerare [dedʒene'ra:re] *itr* **1.** *gener.* entarten, degenerieren; *(biol a.)* verkümmern **2.** *fig (cambiare in peggio)* ausarten *(in* in *+akk);* **3.** *fig (deviare)* abweichen (*da* von), sich entfernen (*da* von). **degenerato, -a** [...'ra:to] **I.** *agg* **1.** *gener.* entartet, degeneriert; *(biol a.)* verkümmert; **2.** *fig (di morale)* verkommen, heruntergekommen; **II.** *m, f* verkommene Person. **degenerazione** [...rat'tsi̯o:ne] *f* **1.** *gener.* Entartung *f,* Verfall *m,* Degeneration *f wissensch.;* **2.** *fig* Entartung *f,* Entartungserscheinung *f.*
degenere [de'dʒɛ:nere] *agg* mißraten, ungeraten.
degente [de'dʒɛnte] **I.** *agg* bettlägerig; **II.** *mf* Krankenhauspatient(in) *m(f).* **degenza** [de'dʒɛntsa] *f* Bettlägerigkeit *f;* ~ **ospedaliera** Krankenhausaufenthalt *m.*
degli ['deʎʎi] *prp* **di** *con art gli.*
deglutire [deglu'ti:re] ⟨deglutisco⟩ *tr* schlucken.
degnare [deɲ'ɲa:re] **I.** *tr* würdigen, für würdig halten; **non** ~ **qu di uno sguardo** jdn keines Blickes würdigen; **II.** *rfl:* **-arsi** sich herablassen, sich bequemen.
degno, -a ['deɲɲo] *agg* würdig, wert; ~ **di nota** beachtenswert, bemerkenswert; **una -a ricompensa** eine angemessene Belohnung.
degradabile [degra'da:bile] *agg chim* abbaubar.
degradare [degra'da:re] **I.** *tr* degradieren; **II.** *rfl:* **-arsi** **1.** *(umiliarsi)* sich erniedrigen, sich entwürdigen; **2.** *chim, fis* sich abbauen. **degradazione** [...dat'tsi̯o:ne] *f* **1.** *mil* Degradierung *f;* **2.** *rel, fis* Degradation *f;* **3.** *chim* Abbau *m;* **4.** *fig* Verfall *m,* Niedergang *m; (avvilimento morale)* Herabwürdigung *f,* Erniedrigung *f.*
degrado [-'gra:do] *m (dell'ambiente)* Verschmutzung *f; (delle istituzioni)* Verfall *m.*
degustare [degus'ta:re] *tr* probieren, kosten. **degustazione** [...tat'tsi̯o:ne] *f* Probieren *n,* Kosten *n;* ~ **del vino** Weinpro-

be *f.*
dei¹ ['dɛ:i] *pl di* **dio.**
dei² ['de:i] *prp* **di** *con art i.*
del [del] *prp* **di** *con art il.*
delatore, -trice [dela'to:re] *m, f* Denunziant(in) *m(f),* Spitzel *m.* **delazione** [...t'tsi̯o:ne] *f* Denunziation *f,* denunzierende Anzeige.
delega ['dɛ:lega] ⟨-ghe⟩ *f* Vollmacht *f,* Ermächtigung *f.* **delegare** [dele'ga:re] ⟨delego, deleghi⟩ *tr* beauftragen (*qc a qu* jdn mit etw.), delegieren (*qc a qu* etw. an jdn); *dir* ermächtigen (*qc a qu* jdn zu etw.), bevollmächtigen (*qc a qu* jdn zu etw.). **delegato, -a** [...'ga:to] **I.** *agg* beauftragt (*a* mit), bevollmächtigt (*a* zu), delegiert (*a* zu); **II.** *m, f* Delegierte(r) *mf,* Beauftragte(r) *mf,* Bevollmächtigte(r) *mf.* **delegazione** [...gat'tsi̯o:ne] *f* **1.** *dir* Delegation *f,* Ermächtigung *f,* Bevollmächtigung *f;* **2.** *(rappresentanza)* Delegation *f,* Abordnung *f;* **3.** *(sede, circoscrizione territoriale)* Amtsbereich *m; rel* Delegatur *f.*
deleterio, -a [dele'tɛ:ri̯o] ⟨-i, -ie⟩ *agg* verderblich, schädlich.
delfino [del'fi:no] *m* Delphin *m;* **nuotare a** ~ delphinschwimmen.
delibera [de'li:bera] *f* Beschluß *m,* Entscheidung *f.* **deliberare** [delibe'ra:re] *amm* **I.** *tr* entscheiden, beschließen; **II.** *itr* beraten (*su* über *+akk), beratschlagen (su* über *+akk).* **deliberatamente** [...rata'mente] *avv* mit (voller) Absicht, mit Vorbedacht. **deliberato, -a** [...'ra:to] *agg* willentlich; *(intenzione, proposito)* fest. **deliberazione** [...rat'tsi̯o:ne] *f* **1.** *amm (decisione)* Entscheidung *f* (*su* über *+akk*), Beschluß *m* (*su* über *+akk*); **2.** *(discussione preliminare)* Beratung *f* (*di* über *+akk), Beratschlagung f* (*di* über *+akk).*
delicatezza [delika'tettsa] *f* **1.** *(finezza)* Zartheit *f;* **2.** *(di sentimenti)* Zartgefühl *n,* Feingefühl *n;* **3.** *(tatto)* Takt(gefühl *n*) *m;* **4.** *(cibo, bevanda)* Leckerbissen *m,* Delikatesse *f.*
delicato, -a [deli'ka:to] *agg* **1.** *(per finezza, intensità)* fein, zart; *(tessuto a.)* duftig; *(cibo, bevande)* delikat, leicht; **2.** *(per fragilatà)* zart, empfindlich, anfällig; **3.** *(che richiede tatto)* heikel, delikat, schwierig; **4.** *iron* zartbesaitet.
delimitare [delimi'ta:re] *tr* **1.** *(circoscrivere)* abgrenzen, begrenzen; **2.** *fig* abstecken, abgrenzen; *(definire)* definieren, festlegen. **delimitazione** [...tat'tsi̯o:ne] *f* **1.** *(di confini)* Abgrenzung *f,* Begrenzung *f;* **2.** *fig* Abgrenzung *f,* Definition *f,* Festlegung *f.*
delineare [deline'a:re] **I.** *tr (a. fig)* umreißen, skizzieren; **II.** *rfl:* **-arsi** sich abzeichnen, sichtbar werden.
delinquente [deliŋ'ku̯ɛnte] *mf* **1.** *dir* Verbrecher(in) *m(f),* Straftäter(in) *m(f) adm;* **2.** *fig scherz* Gauner *m.* **delinquenza** [...'ku̯ɛntsa] *f* Kriminalität *f,* Straffälligkeit *f adm;* ~ **minorile** Jugendkriminalität *f.* **delinquere** [de'liŋku̯ere] *itr* eine Straftat (*o* Straftaten) begehen; **associazione a** ~ kriminelle Vereinigung; **istigazione a** ~ Anstiftung *f* zum Verbrechen.
delirante [deli'rante] *agg* **1.** *(irragionevole)* irrsinnig, absurd; **2.** *(frenetico)* irrsinnig; *(applauso)* rasend.
delirare [deli'ra:re] *itr* **1.** *med* irrereden, phantasieren, delirieren *wissensch.;* **2.** *fig* durchdrehen, (ganz) durchgedreht sein *fam.*
delirio [de'li:ri̯o] ⟨-i⟩ *m* **1.** *med* Wahn(vorstellung *f*) *m,* Delirium *n;* **2.** *fig (esaltazione)* Rausch *m,* Taumel *m;* **andare/mandare in** ~ vor Begeisterung toben/zu Begeisterungsstürmen hinreißen.
delitto [de'litto] *m* **1.** *dir* Verbrechen *n,* Delikt *n adm,* Straftat *f adm,* strafbare Handlung; **2.** *(errore)* Unrecht *n;* ~ **colposo/doloso** fahrlässig/vorsätzlich begangene Straftat; **corpo del** ~ Beweisstück *n.* **delittuoso, -a** [...tu'o:so] *agg* ungesetzlich, verbrecherisch.
delizia [de'littsi̯a] ⟨-ie⟩ *f* **1.** *(piacere)* Genuß *m,* Vergnügen *n* (*di* an *+dat*), Wonne *f;* **2.** *(predilezione)* Genuß *m,* Freude *f.*
delizioso, -a [...'tsi̯o:so] *agg* **1.** *(cibo, bevanda)* köstlich; **2.** *(persona, oggetto)* entzückend, reizend.
dell', della, delle, dello [dell, 'della, ...le, ...lo] *prp* **di** *con art l', la, le, lo.*
delta¹ ['dɛlta] ⟨-⟩ *f (lettera greca)* Delta *n.*
delta² ['dɛlta] ⟨-⟩ *m (di fiume)* Delta *n.*
deltaplanista [deltɑpla'nista] ⟨-i *m,* -e *f*⟩ *mf* Drachenflieger(in) *m(f).* **deltaplano** [-'pla:no] *m* (Flug)drachen *m;* **lo sport del** ~ das Drachenfliegen.
delucidare [delutʃi'da:re] *tr* (er)klären, verständlich machen. **delucidazione** [...dat'tsi̯o:ne] *f amm* Erklärung *f,* Aufklärung *f.*
deludere [de'lu:dere] ⟨deludo, delusi, deluso⟩ *tr* enttäuschen. **delusione** [delu'zi̯o:ne] *f* Enttäuschung *f.* **deluso** [de'lu:zo] *pp di* **deludere.**
demagogia [demago'dʒi:a] ⟨-gie⟩ *f* Demagogie *f.* **demagogico, -a** [...'gɔ:dʒiko] ⟨-ci, -che⟩ *agg* demagogisch.
demanio [de'ma:ni̯o] ⟨-i⟩ *m* Staatsgut *n,* Domäne *f.*
démaquillage [demɑki'jɑ:ʒ] ⟨-⟩ *m* Abschminken *n.*
demarcare [demɑr'kɑ:re] ⟨demarco, demarchi⟩ *tr* abstecken; *(fig a.)* festsetzen, festlegen; ~ **i confini** die Grenzen abstecken (*o* ziehen). **demarcazione** [demarkat'tsi̯o:ne] *f* Abgrenzung *f,* Demarkation *f geh;* **linea di** ~ Demarkationslinie *f.*
demente [de'mɛnte] **I.** *agg* **1.** *med*

schwachsinnig; **2.** *fam (idiota)* blöd(e), blödsinnig; **II.** *mf* **1.** *med* Schwachsinnige(r) *mf;* **2.** *fam (idiota)* Blödian *m fam,* Dummkopf *m.* **demenza** [de'mɛntsa] *f* **1.** *med* Schwachsinn *m;* **2.** *fam (stupidità)* Blödheit *f,* Dummheit *f.*

demerito [de'mɛ:rito] *m* Vergehen *n,* Schuld *f,* Verweis *m adm.*

demilitarizzazione [demilitariddzat'tsio:ne] *f* Entmilitarisierung *f.*

demistificare [demistifi'kɑ:re] ⟨demistifico, demistifichi⟩ *tr* entmystifizieren.

demmo ['demmo] *v.* **dare.**

democraticità [demokratitʃi'ta] ⟨-⟩ *f* demokratische Art, demokratisches Wesen. **democratico, -a** [...'kra:tiko] ⟨-ci, -che⟩ **I.** *agg* **1.** *pol* demokratisch; **2.** *(alla mano)* leutselig, locker *fam;* **II.** *m, f* Demokrat(in) *m(f).* **democratizzazione** [...tiddzɑt'tsio:ne] *f* Demokratisierung *f.* **democrazia** [...rat'tsi:a] ⟨-ie⟩ *f* Demokratie *f;* **D~ Cristiana (***abbr* **D.C.)** *st christdemokratische Partei Italiens.*

democristiano, -a [demokris'tia:no] *st* **I.** *agg* christdemokratisch; **II.** *m, f* Christdemokrat(in) *m(f).*

demografia [demogra'fi:a] *f* Demographie *f,* Bevölkerungswissenschaft *f.* **demografico, -a** [...'gra:fiko] *agg* demographisch, Bevölkerungs-; **calo ~** Bevölkerungsabnahme *f;* **incremento~** Bevölkerungszunahme *f.*

demolire [demo'li:re] ⟨demolisco⟩ *tr* **1.** *(costruzioni)* abreißen, niederreißen; *(macchine, auto)* verschrotten; *(navi)* abwracken; **2.** *fig* vernichten; *(criticare)* auseinandernehmen, verreißen; *(reputazione)* ruinieren. **demolizione** [...lit'tsio:ne] *f* **1.** *(di costruzioni)* Abriß *m,* Abbruch *m; (di macchinari)* Verschrottung *f;* **2.** *fig* Vernichtung *f; (della critica)* Verriß *m.*

demone ['dɛ:mone] *m* Dämon *m.* **demoniaco, -a** [demo'ni:ako] ⟨-ci, -che⟩ *agg* teuflisch, dämonisch. **demonio** [de'mɔ:nio] ⟨-i⟩ *m* Teufel *m; (fig a.)* Teufelskerl *m;* **fare il ~** die Beherrschung verlieren, (total) ausrasten *fam.* **demonizzare** [demonid'dzɑ:re] *tr* dämonisieren.

demoralizzare [demoralid'dza:re] **I.** *tr* entmutigen, demoralisieren; **II.** *rfl:* **-arsi** den Mut verlieren. **demoralizzazione** [...liddzat'tsio:ne] *f* **1.** *(atto)* Entmutigung *f;* **2.** *(condizione)* Mutlosigkeit *f,* Verzagtheit *f;* **3.** *(abbattimento)* Niedergeschlagenheit *f.*

demoscopia [demosko'pi:a] ⟨-ie⟩ *f* Demoskopie *f,* Meinungsforschung *f;* **istituto di ~** Meinungsforschungsinstitut *n.* **demoscopo, -a** [de'mɔskopo] *m, f* Meinungsforscher(in) *m(f).*

demotivare [demoti'va:re] *tr* demotivieren.

denaro [de'na:ro] *m* **1.** *(soldi)* Geld *n;* **2.** ⟨*pl*⟩ *(carte da gioco)* Schellen *f pl,* Münzen *f pl;* **~ liquido** Bargeld *n;* **~ sporco** *fig* schmutziges Geld.

denaturato [denatu'ra:to] *agg:* **alcool ~** denaturierter Alkohol.

denigrare [deni'gra:re] *tr* verleumden, diffamieren. **denigrazione** [...rat'tsio:ne] *f* Verleumdung *f,* Diffamierung *f.*

denominare [denomi'na:re] **I.** *tr* (be)nennen (*qc* etw.), bezeichnen (*qc* als etw.); **II.** *rfl:* **-arsi** sich nennen, genannt werden, heißen. **denominatore** [...na'to:re] *m* Nenner *m.* **denominazione** [...nat'tsio:ne] *f* Bezeichnung *f,* Benennung *f; (nome)* Name *m.*

denotare [deno'ta:re] *tr* ausdrücken, schließen lassen (*qc* auf *+akk*), zeigen.

densità [densi'ta] ⟨-⟩ *f* **1.** *(fittezza)* Dichte *f,* Dichtigkeit *f;* **2.** *(fluidità ridotta)* Dikke *f,* Dickflüssigkeit *f;* **3.** *fig* Dichte *f;* **~ di popolazione** Bevölkerungsdichte *f.*

denso, -a ['dɛnso] *agg* **1.** *(fluido)* dick(-flüssig); **2.** *(fitto)* dicht; **3.** *fig* dicht, reich; **una settimana -a di avvenimenti** eine ereignisreiche Woche.

dentale [den'ta:le] **I.** *agg* dental, Zahn-; **II.** *f* Zahnlaut *m,* Dental(laut) *m.* **dentario, -a** [den'ta:rio] ⟨-i, -ie⟩ *agg* Zahn-; **carie -a** Karies *f.*

dentato, -a [den'ta:to] *agg* gezahnt, gezackt; *(tec a.)* Zahn-. **dentatura** [...ta'tu:ra] *f* **1.** *anat* Gebiß *n;* **2.** *tec* Zahnung *f.*

dente ['dɛnte] *m* **1.** *anat* Zahn *m;* **2.** *tec* Zacke *f,* Zahn *m; (del pettine, della sega)* Zahn *m;* **~ canino/incisivo/molare** Eck-/Schneide-/Backenzahn *m;* **~ del giudizio** Weisheitszahn *m;* **~ di latte** Milchzahn *m;* **~ di leone** *bot* Löwenzahn *m;* **avere il ~ avvelenato contro qu** *fig* jdn gefressen haben *fam;* **battere i -i** mit den Zähnen klappern; **essere armato fino ai -i** *fig* bis an die Zähne bewaffnet sein; **mettere qc sotto i -i** *fam* etw. zwischen die Zähne schieben; **mostrare i -i a qu** *fig* jdm die Zähne zeigen; **stringere i -i** *fig* die Zähne zusammenbeißen; **al ~** *gastr* mit Biß, beißfest; *(riso a.)* körnig; **fuori dai -i** *fig* rund heraus.

dentellato, -a [dentel'la:to] *agg* gezahnt, gezackt. **dentellatura** [...la'tu:ra] *f* Zahnung *f,* Auszackung *f; arch* Zackenornament *n.*

dentice ['dɛntitʃe] *m* Zahnbrasse *f.*

dentiera [den'tiɛ:ra] *f* **1.** *(protesi)* Zahnersatz *m,* Gebiß *n;* **2.** *tec* Zahnspange *f.*

dentifricio, -a [denti'fri:tʃo] ⟨-ci, -cie⟩ **I.** *agg:* **pasta -a** Zahnpasta *f;* **II.** *m* Zahnpasta *f.*

dentista [den'tista] ⟨-i *m,* -e *f*⟩ *mf* Zahnarzt *m,* -ärztin *f.* **dentistico, -a** [...'tistiko] ⟨-ci, -che⟩ *agg* zahnärztlich, Zahnarzt-; **studio ~** Zahnarztpraxis *f.*

dentizione [dentit'tsio:ne] *f* Zahndurchbruch *m,* Zahnen *n.*

dentro ['dentro] **I.** *avv* **1.** *(stato)* darin, drinnen, drin *fam; (moto)* hinein, herein; **2.** *fig* im Inner(e)n; **essere** ~ *fam* drin sein; *(in carcere)* sitzen *sl;* **mettere** ~ hineintun; *fig (incarcerare)* einlochen *sl*, einbuchten *sl;* **II.** *prp (stato)* in *+dat; (moto)* in *+akk;* ~ **casa** im Haus; ~ **di me** in meinem Inner(e)n, bei mir; **darci** ~ *fam* sich in etw. *(akk)* hineinknien *fam;* **esserci** ~ *fam* in etw. *(dat)* drinstecken *fam;* **III.** *m* Innere(s) *n.*

denuclearizzato, -a [denuklearid'dza:to] *agg* atomwaffenfrei.

denudare [denu'da:re] **I.** *tr* entblößen; *(a. fig)* entkleiden; **II.** *rfl:* **-arsi** sich entblößen, sich entkleiden.

denuncia [de'nuntʃa] ⟨-ce *o* -cie⟩, **denunzia** [de'nuntsi̯a] ⟨-ie⟩ *f* **1.** *dir* Anzeige *f;* **2.** *amm* (An)meldung *f;* **3.** *(dichiarazione)* Erklärung *f;* ~ **dei redditi** Steuererklärung *f;* **sporgere** ~ Anzeige erstatten. **denunciare** [...'tʃa:re] ⟨denuncio, denunci⟩, **denunziare** [...'tsi̯a:re] ⟨denunzio, denunzi⟩ *tr* **1.** *dir, amm (furti, illegalità)* anzeigen; *(dichiarare)* (an)melden; *(disdire)* kündigen; **2.** *fig (accusare)* anprangern, scharf kritisieren, brandmarken; *(dimostrare)* zeigen.

denutrito, -a [denu'tri:to] *agg* unterernährt. **denutrizione** [...rit'tsi̯o:ne] *f* Unterernährung *f.*

deodorante [deodo'rante] **I.** *agg* de(s)odorierend; **II.** *m* De(s)odorant *n;* ~ **a sfera** Deoroller *m;* ~ **spray** Deospray *m o n.* **deodorare** [...'ra:re] *tr* de(s)odorieren.

depauperare [depaupe'ra:re] *tr* erschöpfen, auslaugen.

depenalizzare [depenalid'dza:re] *tr* (im nachhinein) für straffrei erklären, Straffreiheit gewähren.

depennare [depen'na:re *tr* (aus-, durch)-streichen.

deperibile [depe'ri:bile] *agg* leicht verderblich.

deperimento [deperi'mento] *m* **1.** *med* Kräfteverfall *m*, Auszehrung *f;* **2.** *(di alimenti)* Verderben *n.* **deperire** [...'ri:re] ⟨deperisco⟩ *itr* ⟨*essere*⟩ **1.** *(di salute)* verkümmern, dahinsiechen *geh;* **2.** *(deteriorarsi)* verderben.

depilare [depi'la:re] *tr (gambe, ascelle)* enthaaren; *(sopracciglia)* zupfen. **depilatorio, -a** [...la'tɔ:ri̯o] ⟨-i, -ie⟩ **I.** *agg* enthaarend, Enthaarungs-; **crema ~a** Enthaarungscreme *f;* **II.** *m* Enthaarungsmittel *n.* **depilazione** [...lat'tsi̯o:ne] *f* Enthaarung *f.*

depistage [depis'ta:ʒ] ⟨-⟩ *m* **1.** *soc, med* Früherkennung *f;* **2.** *(di criminalità)* Aufspüren *n.* **depistaggio** [depis'taddʒo] ⟨-ggi⟩ *m* Irreführung *f.*

dépliant [depli'jã] ⟨-⟩ *m* Faltblatt *n*, Prospekt *m.*

deplorabile [deplo'ra:bile] *agg* tadelnswert.

deplorare [deplo'ra:re] *tr* **1.** *(biasimare)* mißbilligen, tadeln; **2.** *(compiangere)* beklagen, bedauern. **deplorevole** [...'re:vole] *agg* **1.** *(da biasimare)* tadelnswert; **2.** *(miserevole)* beklagenswert, bedauernswert; *(fatto)* bedauerlich.

depoliticizzare [depolititʃid'dza:re] *tr* entpolitisieren.

deporre [de'porre] ⟨*irr*⟩ **I.** *tr* **1.** *(oggetto)* absetzen, ablegen; *(uova)* legen; *fig (armi)* niederlegen; **2.** *(in giudizio)* ablegen; *(da testimone)* aussagen; **3.** *(da una carica)* absetzen, entheben (*qu da qc* jdn einer S. *gen*); **4.** *fig (idea)* ablassen (*qc* von etw.), Abstand nehmen (*qc* von etw.); *(orgoglio)* aufgeben; **II.** *itr dir* aussagen; **ciò depone a suo favore** *fig* das spricht für ihn (*o* sie).

deportare [depor'ta:re] *tr* deportieren. **deportato, -a** [...'ta:to] *m, f* Deportierte(r) *mf.* **deportazione** [...tat'tsi̯o:ne] *f* Deportation *f.*

depositare [depozi'ta:re] *tr* **1.** *(porre giù)* absetzen, -stellen, -legen; **2.** *(affidare in deposito, a. fin)* deponieren, hinterlegen; **3.** *(immagazzinare)* (ein)lagern; **4.** *(liquidi)* ablagern, absetzen. **depositario, -a** [...'ta:ri̯o] ⟨-i, -ie⟩ *m, f* **1.** *gener.* Verwahrer(in) *m(f);* **2.** *fin* Depositar *m;* **3.** *fig* Bewahrer(in) *m(f),* Wächter(in) *m(f),* Hüter(in) *m(f).* **depositato, -a** [...'ta:to] *agg* registriert, hinterlegt; **marchio** ~ eingetragenes Warenzeichen.

deposito [de'pɔ:zito] *m* **1.** *(custodia di oggetti)* Deponieren *n,* Hinterlegen *n,* Hinterlegung *f; (in magazzino)* (Ein)lagerung *f,* (Ein)lagern *n;* **2.** *fin* (Geld)einlage *f;* ⟨*pl*⟩ *a.* Depositen *f pl;* **3.** *(luogo)* Depot *n; (per persone)* Sammellager *n;* **4.** *chim* (Boden)satz *m; (di bevande)* Depot *n;* **5.** *geol* Ablagerung *f;* ~ **bagagli** Gepäckaufbewahrung *f.*

deposizione [depozit'tsi̯o:ne] *f* **1.** *(sedimento)* Ablagerung *f;* **2.** *(da una carica)* Absetzung *f;* **3.** *(in tribunale)* Zeugenaussage *f;* **4.** *rel* Kreuzabnahme *f.*

depravazione [depravat'tsi̯o:ne] *f* Verderbtheit *f,* Verkommenheit *f.*

deprecabile [depre'ka:bile] *agg* unliebsam, tadelnswert.

deprecare [depre'ka:re] ⟨depreco, deprechi⟩ *tr* mißbilligen.

depredare [depre'da:re] *tr* **1.** *(saccheggiare)* plündern; **2.** *(derubare)* aus-, berauben; ~ **qu di qc** jdm etw. rauben, jdn einer S. *(gen)* berauben.

depressa *f v.* **depresso.**

depressi [de'prɛssi] *p rem di* **deprimere.**

depressione [depres'si̯o:ne] *f* **1.** *(abbassamento)* (Ab)senkung *f,* Vertiefung *f; geog* Landsenke *f;* **2.** *meteo* Tief(druckgebiet) *n;* **3.** *med, econ* Depression *f;* ~ **economica** Konjunkturtief *n.* **depressi-**

vo, -a [...'si:vo] *agg* depressiv.

depresso, -a [de'prɛsso] **I.** *pp di* **deprimere; II.** *agg* **1.** *(abbassato)* abgesenkt, vertieft; **2.** *(avvilito)* deprimiert, niedergeschlagen; **3.** *econ* strukturschwach; **III.** *m, f* deprimierte Person; *med* Depressive(r) *mf.*

deprezzamento [deprettsa'mento] *m* Wertminderung *f; (di valuta)* Wertverlust *m,* Kursrückgang *m.* **deprezzare** [...'tsa:re] **I.** *tr* **1.** *(prezzo)* den Preis senken (*qc* einer S. *gen*); *(svalutare)* den Wert (ver)mindern (*qc* einer S. *gen*); **2.** *fig* abwerten, herabsetzen; **II.** *rfl:* **-arsi** an Wert verlieren.

deprimente [depri'mɛnte] *agg* deprimierend, bedrückend.

deprimere [de'pri:mere] ⟨deprimo, depressi, depresso⟩ *tr* deprimieren, bedrücken.

depurare [depu'ra:re] **I.** *tr* reinigen; *chim* klären; *(fig a.)* säubern; **II.** *rfl:* **~arsi** sich reinigen; **depurativo** [...ra'ti:vo] *m* Entschlackungsmittel *n; (tè)* ≃ Blutreinigungstee *m.* **depuratore, -trice** [...ra'to:re] **I.** *agg* Klär-, Reinigungs-, Filter-; **II.** *m* **1.** *(apparecchio)* Reinigungsapparat *m,* Aufbereitungsgerät *n,* Filtrierapparat *m;* **2.** *(impianto)* Kläranlage *f,* Klärwerk *n.* **depurazione** [...rat'tsi̯o:ne] *f* Reinigung *f,* Klärung *f;* **~ dell'aria** Luftreinhaltung *f.*

deputato, -a [depu'ta:to] *m, f* **1.** *(delegato)* Beauftragte(r) *mf;* **2.** *pol* Abgeordnete(r) *mf;* **~ europeo** Europaabgeordnete(r) *mf.*

dequalificazione [dekualifikat'tsi̯o:ne] *f* Herabsetzung *f.*

deragliare [deraʎ'ʎa:re] ⟨deraglio, deragli⟩ *itr* ⟨*essere*⟩ entgleisen.

deregolamentare [deregolamen'ta:re] *tr econ* liberalisieren. **deregolamentazione** [...tat'tsi̯o:ne] *econ* Liberalisierung *f.*

derelitto, -a [dere'litto] **I.** *agg* vereinsamt, verlassen; **II.** *m, f* vereinsamter (*o* verlassener) Mensch.

deresponsabilizzare [deresponsabilid'dza:re] **I.** *tr* **~ qu** jdn von seiner Verantwortung befreien; **II.** *rfl:* **-arsi** sich seiner Verantwortung entziehen.

deretano [dere'ta:no] *m* Gesäß *n.*

deridere [de'ri:dere] ⟨*irr*⟩ *tr* auslachen, verspotten, spotten (*qu/qc* über jdn/etw.).

derisione [deri'zi̯o:ne] *f* Verspottung *f,* Spott *m.* **derisorio, -a** [...'zɔ:ri̯o] ⟨-i, -ie⟩ *agg* **1.** *(che deride)* Spott-, spöttisch; **2.** *(di derisione)* lächerlich.

deriva [de'ri:va] *f* **1.** *naut (trascinamento)* Abtrift *f,* Drift *f;* **2.** *(di aereo)* Seitenruder *n;* **3.** *geol:* **~ dei continenti** Kontinentaldrift *f,* Kontinentalverschiebung *f;* **andare alla ~** abgetrieben werden; *fig* sich treiben lassen.

derivare [deri'va:re] **I.** *itr* ⟨*essere*⟩ **1.** *(aver origine)* herkommen (*da* von), herrühren (*da* von), seinen Ursprung haben (*da* in *+dat*), beruhen (*da* auf *+dat*); *(a. ling)* abstammen (*da* von); **2.** *fig (discendere)* (ab)stammen (*da* aus, von); **3.** *(essere prodotto)* gewonnen werden (*da* aus); **II.** *tr* ⟨*avere*⟩ **1.** *(captare)* ableiten, abzweigen; **2.** *fig (per deduzione)* ableiten, herleiten. **derivato** [...'va:to] *m* Derivat *n; ling* Derivativ *n,* Ableitung *f.* **derivazione** [...vat'tsi̯o:ne] *f* **1.** *tec* Abzweigung *f,* Ableitung *f; el* Abzweig(ung *f*) *m; tel* Nebenanschluß *m;* **2.** *mat* Differentialrechnung *f;* **3.** *ling* Derivation *f,* Ableitung *f.*

dermatite [derma'tite] *f* Hautentzündung *f,* Dermatitis *f wissensch.*

dermatologia [dermatolo'dʒi:a] ⟨-gie⟩ *f* Dermatologie *f.* **dermatologo, -a** [...'tɔ:logo] ⟨-gi, -ghe⟩ *m, f* Hautarzt *m,* -ärztin *f,* Dermatologe *m,* -login *f.* **dermatosi** [...'tɔ:zi] ⟨-⟩ *f* Hautkrankheit *f,* Dermatose *f wissensch.*

deroga ['dɛ:roga] ⟨-ghe⟩ *f* Abweichung *f,* (teilweise) Außerkraftsetzung *f;* **in ~ a** abweichend von, in Abweichung von.

derogare [...'ga:re] ⟨derogo, deroghi⟩ *itr* teilweise außer Kraft setzen (*a qc* etw.), derogieren (*a qc* etw.).

derrata [der'ra:ta] *f* (Eß)ware *f;* **-e alimentari** Lebens-, Nahrungsmittel *n pl.*

derubare [deru'ba:re] *tr* bestehlen, berauben.

desalinizzazione [desaliniddzat'tsi̯o:ne] *f* Entsalzung *f.*

descrittivo, -a [deskrit'ti:vo] *agg* beschreibend, deskriptiv.

descrivere [des'kri:vere] ⟨*irr*⟩ *tr* **1.** *(rappresentare)* beschreiben; *(avvenimento a.)* schildern; **2.** *(lasciare una traccia)* beschreiben. **descrivibile** [...ri'vi:bile] *agg* beschreibbar. **descrizione** [...rit'tsi̯o:ne] *f* Schilderung *f,* Beschreibung *f.*

desensibilizzare [desensibilid'dza:re] *tr* desensibilisieren. **desensibilizzazione** [...ddzat'tsi̯o:ne] *f* Desensibilisierung *f.*

desertico, -a [de'zɛrtiko] ⟨-ci, -che⟩ *agg* Wüsten-.

desertificazione [dezertifikat'tsi̯one] *f* Wüstenausdehnung *f,* Desertifikation *f wissensch.*

deserto, -a [de'zɛrto] **I.** *agg* unbewohnt, menschenleer; *fig* ausgestorben; **II.** *m* **1.** *geog* Wüste *f;* **2.** *fig* Einöde *f.*

desiderabile [deside'ra:bile] *agg* wünschenswert; *(sessualmente)* begehrenswert.

desiderare [deside'ra:re] *tr* wünschen; *(sessualmente)* begehren; **~ un figlio** sich *(dat)* ein Kind wünschen; **~ di rivedere qu** den Wunsch haben, jdn wiederzusehen; **desiderei mangiare** ich möchte essen; **farsi ~** sich rar machen, sich selten blicken lassen; **lasciare a ~** zu wünschen übriglassen; **ti desiderano**

al telefono du wirst am Telefon verlangt.
desiderio [desiˈdɛːri̯o] ⟨-i⟩ *m* **1.** *(aspirazione)* Wunsch *m* (*di* nach); **2.** *(brama)* Begierde *f* (*di* nach), Verlangen *n* (*di* nach); **3.** *(bisogno)* Bedürfnis *n* (*di* nach), Verlangen *n* (*di* nach). **desideroso, -a** [...deˈroːso] *agg* verlangend, sehnsüchtig.
design [di̯ˈzai̯n] ⟨-⟩ *m* Design *n.*
designare [desiɲˈɲaːre] *tr* **1.** *(persona)* bestimmen, bestellen, ernennen; **2.** *(fissare)* bestimmen, bezeichnen. **designazione** [...tˈtsi̯oːne] *f* **1.** *(per una carica)* Ernennung *f;* **2.** *(nome)* Bezeichnung *f;* ~ **d'origine** Herkunftsbezeichnung *f;* ~ **professionale** Berufsbezeichnung *f.*
designer [dɪˈzaɪnə] ⟨-⟩ *mf* Designer(in) *m(f).*
desinare [deziˈnaːre] **I.** *itr* (zu) Mittag essen; **II.** *m* Mittagessen *n;* **dopo** ~ nachmittags.
desinenza [deziˈnɛntsa] *f ling* Endung *f.*
desistere [deˈsistere] ⟨desisto, desistei *o* desistetti, desistito⟩ *itr* ablassen (*da* von); *dir* zurückziehen, zurücknehmen; ~ **da un proposito** von einem Vorhaben ablassen; ~ **dalla querela** die Klage zurücknehmen.
desktop computer [ˈdesktɔp kəmˈpjuːtə] ⟨-⟩ *m* Tischcomputer *m,* Tischrechner *m.*
desktop publishing [-ˈpʌbliʃiŋ] ⟨-⟩ Desktop publishing .
desolante [dezoˈlante] *agg* trostlos, desolat *geh.*
desolato, -a [dezoˈlaːto] *agg* **1.** *(luogo)* verlassen, ausgestorben; *(per squallore)* öd(e), trostlos; **2.** *(persona)* tiefbetrübt, bekümmert; **sono veramente** ~ **di non poterti favorire** *lett* ich bin untröstlich, daß ich dir nicht helfen kann *geh.* **desolazione** [...latˈtsi̯oːne] *f* **1.** *(rovina)* Verheerung *f,* Verwüstung *f;* **2.** *(squallore)* Öde *f,* Trostlosigkeit *f;* **3.** *(dolore)* (tiefe) Betrübnis *f.*
desolforare [desolfoˈraːre] *tr* entschwefeln. **desolforazione** [...ratˈtsi̯oːne] *f* Entschwefelung *f.*
despota [ˈdɛspota] ⟨-i *m,* -e *f*⟩ *mf* Despot(in) *m(f).*
dessert [deˈsɛːr] ⟨-⟩ *m* Nachspeise *f,* Dessert *n.*
dessi [ˈdessi] *v.* **dare.**
destabilizzare [destabilidˈdzaːre] *tr* destabilisieren; *(fig a.)* schwächen. **destabilizzazione** [...dzatˈtsi̯oːne] *f* Destabilisierung *f.*
destare [desˈtaːre] **I.** *tr* **1.** *lett (svegliare)* (auf)wecken; **2.** *fig* wachrufen, erwekken; *(meraviglia, sospetti)* erregen; **II.** *rfl:* **-arsi** *lett* aufwachen, erwachen *geh.*
deste, desti [ˈdeste, ...ti] *v.* **dare.**
destinare [destiˈnaːre] *tr (a uso, scopo particolare)* bestimmen (*a* für), versehen (*a* für); *(irrevocabilmente)* (vorher)bestimmen; *(data)* festlegen; *(somma)* widmen, zueignen. **destinato, a** [...ˈnato] *agg fig:* **essere** ~ **a qc** zu etw. verurteilt sein, etw. müssen. **destinatario, -a** [...naˈtaːri̯o] ⟨-i, -ie⟩ **I.** *agg:* **banca -a** Empfängerbank *f;* **paese** ~ Bestimmungsland *n;* **II.** *m, f* Adressat(in) *m(f),* Empfänger(in) *m(f).* **destinazione** [...natˈtsi̯oːne] *f* **1.** *(scopo)* Bestimmung *f,* (End)zweck *m,* Ziel *n;* **2.** *(luogo)* Bestimmungsort *m,* Ziel(ort *m*) *n;* **partire per** ~ **ignota** mit unbekanntem Ziel abreisen; **giungere a** ~ am Ziel ankommen.
destino [desˈtiːno] *m* Schicksal *n.*
destituire [destituˈiːre] ⟨destituisco⟩ *tr* absetzen (*qu da qc* jdn von etw.), entheben (*qu da qc* jdn einer S. *(gen)*). **destituzione** [...utˈtsi̯oːne] *f* Absetzung *f,* (Amts)enthebung *f.*
desto, -a [ˈdesto] *agg lett* wach.
destra [ˈdɛstra] *f* **1.** *(mano)* Rechte *f,* rechte Hand; **2.** *(lato)* rechte Seite; **3.** *pol* Rechte *f;* **a** ~ rechts, rechter Hand; **estremista di** ~ Rechtsextremist(in) *m(f).*
destreggiarsi [destredˈdʒarsi] ⟨mi destreggio, ti destreggi⟩ *rfl* zurechtkommen (*con* mit), sich zurechtfinden (*in* in +*dat*).
destrezza [desˈtrettsa] *f* Geschick *n,* Geschicklichkeit *f,* Gewandtheit *f;* ~ **di mano** Fingerfertigkeit *f.*
destro, -a [ˈdɛstro] **I.** *agg* **1.** *(opposto a sinistro)* rechte(r, s); **2.** *fig* tüchtig, geschickt; **II.** *m* **1.** *sport* Rechte *f;* **2.** *(opportunità)* Gelegenheit *f,* rechter Zeitpunkt.
destrorso, -a [desˈtrɔrso] *agg* rechtsdrehend.
desumere [deˈsuːmere] ⟨desumo, desunsi, desunto⟩ *tr* folgern (*da* aus), schließen (*da* aus).
detassazione [detassaɑtˈtsi̯oːne] *f* Nichtbesteuerung *f.*
detective [dɪˈtektɪv] ⟨-⟩ *mf* (Privat)detektiv(in) *m(f).*
detenere [deteˈneːre] ⟨*irr*⟩ *tr* **1.** *(possedere)* besitzen, *(primato)* halten; *(incarico)* innehaben; **2.** *(in prigione)* gefangenhalten, in Haft (be)halten.
detentore, -trice [detenˈtoːre] *m, f* Inhaber(in) *m(f),* Besitzer(in) *m(f);* ~ **di un titolo** *sport* Titelverteidiger(in) *m(f);* ~ **di un record** Rekordhalter(in) *m(f).*
detenuto, -a [deteˈnuːto] *m, f* Häftling *m,* Inhaftierte(r) *mf.* **detenzione** [...nˈtsi̯oːne] *f* **1.** *(possesso)* Besitz *m; fig* Innehaben *n;* **2.** *dir (pena)* Haft *f,* Gewahrsam *m;* ~ **di armi e munizioni** unerlaubter Waffenbesitz; ~ **preventiva** Untersuchungshaft *f.*
detergente [deterˈdʒɛnte] **I.** *agg* reinigend, Reinigungs-; **latte** ~ Reinigungs-

milch *f;* **II.** *m* Reinigungsmittel *n.*

deteriorabile [deterio'ra:bile] *agg* verderblich.

deteriorarsi [deterio'rarsi] *rfl* **1.** *(cibi)* verderben, schlecht werden; *(oggetti)* beschädigt werden; **2.** *fig* sich verschlechtern, sich trüben.

determinante [determi'nante] *agg* bestimmend, ausschlaggebend, entscheidend; **elemento** ~ entscheidender Faktor.

determinare [determi'na:re] **I.** *tr* **1.** *(fissare)* festlegen, bestimmen, festsetzen; **2.** *(causare)* verursachen, bewirken, herbeiführen. **determinativo, -a** [...na'ti:vo] *agg* bestimmt. **determinato, -a** [...'na:to] *agg* **1.** *(stabilito, fissato)* bestimmt, festgelegt; **2.** *(risoluto)* entschlossen, entschieden, bestimmt; **in -i casi** in bestimmten Fällen; **contratto a tempo** ~ befristeter Vertrag. **determinazione** [...nat'tsio:ne] *f* **1.** *(stabilizzazione)* Festsetzung *f,* Festlegung *f,* Bestimmung *f;* **2.** *(decisione)* Beschluß *m* (*di* über *+akk*), Entscheidung *f* (*di* über *+akk*); **3.** *(risoluzione)* Entschiedenheit *f,* Entschlossenheit *f,* Bestimmtheit *f.*

deterrente [deter'rɛnte] *m* **1.** *(arma)* Abschreckungswaffe *f;* **2.** *(complesso di mezzi)* Abschreckungsmittel *n.* **deterrenza** [...'rɛntsa] *f* Abschreckung *f.*

detersivo [deter'si:vo] *m* Reinigungsmittel *n; (per biancheria)* Waschmittel *n; (per stoviglie)* Spülmittel *n; (per pavimenti)* Putzmittel *n.*

detestare [detes'ta:re] *tr* verabscheuen, hassen.

detonante [deto'nante] **I.** *agg* explosiv, Spreng-, Zünd-; **II.** *m* Sprengstoff *m.*

detonare [deto'na:re] *itr* detonieren. **detonatore** [...na'to:re] *m* Zünd-, Sprengkapsel *f,* Detonator *m.* **detonazione** [...nat'tsio:ne] *f* **1.** *(scoppio)* Explosion *f,* Detonation *f;* **2.** *(in motori)* Klopfen *n,* Klingeln *n.*

detraibile [detra'i:bile] *agg* abziehbar, abzugsfähig.

detrarre [de'trarre] ⟨*irr*⟩ *tr* abziehen (*da* von), abrechnen (*da* von); **detraendo le spese** unter Abzug (*o* abzüglich) der Spesen. **detrazione** [...at'tsio:ne] *f* Abzug *m,* Abrechnung *f.*

detrimento [detri'mento] *m:* **a** ~ **di qu** zu jds Nachteil, zum Nachteil für jdn.

detrito [de'tri:to] *m* **1.** *(rifiuto)* Schutt *m,* Abfall *m;* **2.** *geol* Geröll *n,* (Gesteins)-schutt *m.*

detronizzare [detronid'dza:re] *tr* **1.** *pol* entthronen, stürzen; **2.** *fig* entmachten, absetzen.

detta ['detta] *f:* **a** ~ **di ...** nach Aussage von ..., wie von ... gesagt wird; **a** ~ **mia/tua/sua,** *ecc.* meiner/deiner/seiner (*o* ihrer), *etc.* Aussage nach.

dettagliante [dettaʎ'ʎante] *mf* Einzelhändler(in) *m(f).*

dettagliato, -a [dettaʎ'ʎa:to] *agg* eingehend, detailliert; **descrizione -a** ausführliche Beschreibung.

dettaglio [det'taʎʎo] ⟨-gli⟩ *m* Detail *n,* Einzelheit *f;* **vendita al** ~ Einzelhandel *m,* Einzelverkauf *m.*

dettame [det'ta:me] *m* ⟨*di solito al pl*⟩ Gebot *n,* Grundsatz *m; (fig a.)* Gesetz *n.*

dettare [det'ta:re] *tr* **1.** *(lettera, tema)* diktieren; **2.** *(condizioni)* auferlegen, aufzwingen, diktieren; *(legge)* vorschreiben; **3.** *(suggerire)* bestimmen, diktieren; ~ **legge** *fig* das Regiment führen; ~ **sentenze** *fig* befehlen, kommandieren. **dettato** [...'ta:to] *m* **1.** *(testo)* Diktat *n;* **2.** *(norma)* Vorschrift *f,* Bestimmungen *f pl.* **dettatura** [...ta'tu:ra] *f* Diktat *n,* Diktieren *n;* **scrivere sotto** ~ nach Diktat schreiben.

detti ['dɛtti] *p rem di* **dare.**

detto, -a ['detto] **I.** *pp di* **dire; II.** *agg* **1.** *(con soprannome)* genannt; **2.** *(suddetto)* obengenannt, obenerwähnt, vorgenannt *adm;* **è presto** ~ das ist leichter gesagt als getan; **III.** *m* **1.** *(discorso)* Worte *n pl,* Rede *f;* **2.** *(motto)* (Aus)-spruch *m,* Wort *n; (sentenza)* Lebensregel *f,* Sinnspruch *m;* ~ **popolare** Volksweisheit *f.*

deturpare [detur'pa:re] *tr* entstellen, verunstalten.

deumidificare [deʎumidifi'ka:re] *tr* entfeuchten. **deumidificatore** [...'to:re] *m* Entfeuchter *m.*

devastare [devas'ta:re] *tr* **1.** *(guastare, rovinare)* verwüsten, verheeren; **2.** *(deturpare)* entstellen. **devastazione** [...tat'tsio:ne] *f* Verwüstung *f,* Verheerung *f.*

deviare [devi'a:re] ⟨devio, devii⟩ **I.** *itr* **1.** *(di direzione)* abkommen; *(strada)* abzweigen; **2.** *fig* abweichen, abkommen; **II.** *tr* **1.** *(traffico, treno, corso d'acqua)* umleiten; **2.** *fig* ablenken. **deviazione** [deviat'tsio:ne] *f* **1.** *(cambiamento di direzione)* Abweichung *f; (spostamento)* Verschiebung *f;* **2.** *(via diversa)* Umweg *m; (stradale)* Umleitung *f;* **3.** *fig* Abwendung *f,* Abweichung *f.*

device [di'vaɪs] ⟨-⟩ *m inform* Gerät *n.*

devitalizzare [devitalid'dza:re] *tr* abtöten.

devo ['dɛ:vo] *pr di* **dovere.**

devolvere [de'vɔlvere] ⟨devolvo, devolvei *o* devolvetti, devoluto⟩ *tr* **1.** *dir* übergeben; *(diritto)* übertragen; **2.** *(denaro)* zuweisen, zuwenden.

devoto, -a [de'vɔ:to] **I.** *agg* **1.** *(religioso)* gläubig, fromm; **2.** *lett (affezionato)* ergeben, treu; **3.** *(a un ideale)* ergeben; **II.** *m, f* **1.** *rel* Gläubige(r) *mf,* Fromme(r) *mf,* frommer Mensch; **2.** *fig* Ergebene(r) *mf,* Getreue(r) *mf.* **devozione** [devot'tsio:ne] *f* **1.** *(spirituale)* Andacht *f; (religiosità)* Frömmigkeit *f,* Gläubigkeit *f;*

2. *(deferenza)* Ergebenheit *f,* Hochachtung *f;* **3.** *(affetto)* Ergebenheit *f,* Treue *f;* **4.** *(dedizione)* Hingabe *f* (*a* an *+akk*); **-i** Gebete *n pl.*

di [di] ⟨d', del, dello, dell', della, dei, degli, delle⟩ *prp* **1.** *(specificazione)* von *+dat,* für *+akk,* zu *+dat; (riferito a materia)* aus *+dat; (possessivo)* von *+dat;* **2.** *(causa)* vor *+dat;* **3.** *(modo, mezzo)* mit *+dat;* **4.** *(fine, scopo)* zu *+dat,* für *+akk;* **5.** *(origine)* aus *+dat,* von *+dat;* **6.** *(moto da luogo)* von *+dat,* aus *+dat; (moto per luogo)* durch *+akk;* **7.** *(tempo)* bei *+dat,* in *+dat,* an *+dat;* **8.** *(paragone)* als; **amor ~ patria** Vaterlandsliebe *f;* **cittadino ~ Torino** Einwohner *m* von Turin; **essere ~ Trieste** aus Triest sein; **una donna ~ trent'anni** eine Frau von dreißig Jahren, eine dreißigjährige Frau; **un litro ~ latte** ein Liter *m* Milch; **vorrei del pane** ich möchte (etwas) Brot; **la città ~ Torino** (die Stadt) Turin; **il mese ~ gennaio** der Monat Januar; **non c'è ~ meglio** es gibt nichts Besseres; **mi sembra ~ capire che ...** soweit ich (das) verstehe, ...; **gridare ~ gioia** vor Freude schreien; **alzarsi ~ mattina** morgens aufstehen; **venire ~ corsa** schnell (*o* angerannt) kommen; **tentare ~ fuggire** versuchen zu fliehen, zu fliehen versuchen; **d'estate** im Sommer; **~ giorno** tagsüber, bei Tag(e); **~ sera** abends, am Abend; **dopo/prima ~ me** nach/vor mir; **invece ~ lui** an seiner Stelle.

dì [di] ⟨-⟩ *m lett* Tag *m.*

dia[1] ['di:a] *v.* **dare.**

dia[2] ['di:ɑ] ⟨-⟩ *f* Dia *n.*

diabete [dia'bɛ:te] *m* Zuckerkrankheit *f,* Diabetes *m.* **diabetico, -a** [...'bɛ:tiko] ⟨-ci, -che⟩ **I.** *agg* diabetisch, zuckerkrank; **II.** *m, f* Diabetiker(in) *m(f).*

diabolico, -a [dia'bɔ:liko] ⟨-ci, -che⟩ *agg* teuflisch, diabolisch.

diacono [di'a:kono] *m* Diakon *m.*

diadema [dia'dɛ:ma] ⟨-i⟩ *m* Diadem *n.*

diafano, -a [di'a:fano] *agg* **1.** *(trasparente)* durchscheinend, durchsichtig; **2.** *fig (delicato)* durchscheinend, zart.

diaframma [dia'framma] ⟨-i⟩ *m* **1.** *(elemento divisorio)* (Trenn)wand *f,* Barriere *f;* **2.** *anat* Zwerchfell *n;* **3.** *fot, ott* Blende *f;* **4.** *tel* Membran(e) *f;* **5.** *(anticoncezionale)* Diaphragma *n,* (Intrauterin)pessar *n.*

diagnosi [di'aɲɲozi] ⟨-⟩ *f (a. fig)* Diagnose *f;* **fare la ~** eine Diagnose stellen.

diagnosta [diaɲ'ɲosta] ⟨-i *m,* -e *f*⟩ *mf* Diagnostiker(in) *m(f);* **~ degli impianti** Überprüfer(in) *m(f)* von Industrieanlagen.

diagnosticare [diaɲɲosti'ka:re] ⟨diagnostico, diagnostichi⟩ *tr* diagnostizieren.

diagonale [diago'na:le] **I.** *agg* diagonal; **II.** *f* Diagonale *f;* **III.** *m* **1.** *(stoffa)* Diagonal *m;* **2.** *sport (calcio)* Diagonalpaß *m; (tennis)* Cross *m.*

diagramma [dia'gramma] ⟨-i⟩ *m* Diagramm *n;* **~ a blocchi** Blockdiagramm *n;* **~ di flusso** Flußdiagramm *n.*

dialettale [dialet'ta:le] *agg* Dialekt-, dialektal.

dialettica [dia'lɛttika] ⟨-che⟩ *f* Dialektik *f.*

dialettico, -a [...ko] ⟨-ci, -che⟩ **I.** *agg* dialektisch; **II.** *m* Dialektiker *m.*

dialetto [dia'lɛtto] *m* Mundart *f,* Dialekt *m.*

dialisi [di'a:lizi] ⟨-⟩ *f* Dialyse *f.*

dialogare [dialo'ga:re] ⟨dialogo, dialoghi⟩ **I.** *itr* einen Dialog führen; **II.** *tr* dialogisieren, in Dialogform setzen.

dialogo [di'a:logo] ⟨-ghi⟩ *m (a. inform)* Dialog *m.*

diamante [dia'mante] *m* Diamant *m;* **di ~** diamanten; **anello di -i** Diamantring *m.*

diametralmente [diametral'mente] *avv* in gegensätzlicher Art, diametral; **~ opposto** diametral entgegengesetzt.

diametro [di'a:metro] *m* Durchmesser *m.*

diamine ['dia:mine] *interi fam* (zum) Teufel *fam;* **~ se lo voglio!** Teufel auch (*o* freilich) will ich!

diapason [di'a:pazon] ⟨-⟩ *m* **1.** *(strumento)* Stimmgabel *f;* **2.** *(registro di strumento)* Register *n.*

diapositiva [diapozi'ti:va] *f* Dia *n.*

diaproiettore [diaproiet'to:re] *m* Diaprojektor *m.*

diaria [di'a:ria] ⟨-ie⟩ *f* Tagegeld *n,* Aufwandsentschädigung *f;* **~ parlamentare** Diäten *pl.*

diario [di'a:rio] ⟨-i⟩ *m* Tagebuch *n;* **~ di bordo** Schiffstagebuch *n,* Logbuch *n;* **~ di classe** Klassenbuch *n;* **~ scolastico** Aufgabenheft *n.*

diarrea [diar'rɛ:a] *f* Durchfall *m,* Diarrhö(e) *f wissensch.*

diaspora [di'aspora] *f* Diaspora *f.*

diaspro [di'aspro] *m* Jaspis *m.*

diavoletto, -a [diavo'letto] *m, f scherz* kleiner Teufel *fam.*

diavolo ['dia:volo] *m* Teufel *m; (persona vivace)* Teufel(skerl) *m;* **avere il ~ addosso** den Teufel im Leib haben; **quel ragazzo è un ~ scatenato** dieser Junge hat den Teufel im Leib; **avere un ~ per capello** fuchsteufelswild sein; **il ~ ci ha messo la coda** der Teufel hat seine Hand im Spiel gehabt; **mandare qu al ~ (*o* a casa del ~)** jdn zum Teufel schikken; **mandare tutto al ~** alles zur Hölle wünschen; **saperne una più del ~** mit allen Wassern gewaschen sein; **stare a casa del ~** am Ende der Welt wohnen; **per mille -i!** Teufel nochmal!; **che ~ vuoi adesso?** was zum Teufel willst du jetzt?; **come/dove** *etc.* **~?** wie/wo *etc.* zum Teufel?; **il ~ non è così brutto co-**

me si dipinge *prov* es wird nichts so heiß gegessen, wie es gekocht wird *prov.*
dibattere [di'battere] **I.** *tr* **1.** *(agitare)* (schnell) bewegen; **2.** *fig (discutere)* erörtern, debattieren; **II.** *rfl:* **-ersi 1.** *(agitarsi)* um sich schlagen; *(divincolarsi)* sich winden; **2.** *fig* mit sich *(dat)* ringen (*in* wegen), mit sich *(dat)* kämpfen (*in* wegen). **dibattito** [di'battito] *m* (lebhafte) Diskussion *f* (*su* über *+akk*), Debatte *f* (*su* über *+akk*). **dibattuto, -a** [...'tu:to] *agg* umstritten.
diboscamento [diboska'mento] *m* Abholzung *f,* Rodung *f.*
dica ['di:ka] *v.* **dire.**
dicastero [dikas'tɛ:ro] *m* Ministerium *n.*
dicembre [di'tʃɛmbre] *m* Dezember *m; v. a. settembre.*
diceria [ditʃe'ri:a] ⟨-ie⟩ *f* Gerede *n,* Klatsch *m.*
dichiarare [dikia'ra:re] **I.** *tr* **1.** *(manifestare, proclamare)* erklären; *amm (generalità)* angeben; *(alla dogana)* deklarieren; **2.** *(giudicare)* erklären (*qc* etw. für, *qu* jdn für, zu); *(decisione)* erklären, (offiziell) mitteilen; ~ **guerra** den Krieg erklären; ~ **aperta la seduta** die Sitzung für eröffnet erklären; ~ **qu in arresto** jdn für verhaftet erklären; ~ **colpevole qu** jdn für schuldig erklären; ~ **marito e moglie** zu Mann und Frau erklären; **II.** *rfl:* **-arsi 1.** *(proclamarsi)* sich erklären; *(parteggiare)* sich aussprechen; **2.** *(confessare il proprio amore)* seine Liebe gestehen, sich erklären *obs;* **-arsi favorevole** sich dafür aussprechen; **-arsi innocente** sich für unschuldig erklären.
dichiarazione [dikiarat'tsio:ne] *f* Erklärung *f,* Deklaration *f;* ~ **dei redditi** Einkommensteuererklärung *f.*
diciannove [ditʃan'nɔ:ve] **I.** *num* neunzehn; **II.** ⟨-⟩ *m* **1.** *(numero)* Neunzehn *f;* **2.** *(nelle date)* Neunzehnte(r) *m;* **III.** *f pl* neunzehn Uhr; *v. a. cinque.* **diciannovenne** [...no'vɛnne] **I.** *agg* neunzehnjährig; **II.** *mf* Neunzehnjährige(r) *mf.* **diciannovesimo, -a** [...no'vɛ:zimo] **I.** *agg* neunzehnte(r, s); **II.** *m, f* Neunzehnte(r) *mfn;* **III.** *m (frazione)* Neunzehntel *n,* neunzehnter Teil; *v. a. quinto.*
diciassette [ditʃas'sɛtte] **I.** *num* siebzehn; **II.** ⟨-⟩ *m* **1.** *(numero)* Siebzehn *f;* **2.** *(nelle date)* Siebzehnte(r) *m;* **III.** *f pl* siebzehn Uhr; *v. a. cinque.* **diciassettenne** [...set'tɛnne] **I.** *agg* siebzehnjährig; **II.** *mf* Siebzehnjährige(r) *mf.* **diciassettesimo, -a** [...set'tɛ:zimo] **I.** *agg* siebzehnte(r, s); **II.** *m, f* Siebzehnte(r) *mfn;* **III.** *m (frazione)* Siebzehntel *n,* siebzehnter Teil; *v. a. quinto.*
diciottenne [ditʃot'tɛnne] **I.** *agg* achtzehnjährig; **II.** *mf* Achtzehnjährige(r) *mf.* **diciottesimo, -a** [...'tɛ:zimo] **I.** *agg* achtzehnte(r, s); **II.** *m, f* Achtzehnte(r) *mfn;* **III.** *m (frazione)* Achtzehntel *n,* achtzehnter Teil; *v. a. quinto.* **diciotto** [di'tʃɔtto] **I.** *num* achtzehn; **II.** ⟨-⟩ *m* **1.** *(numero)* Achtzehn *f;* **2.** *(nelle date)* Achtzehnte(r) *m;* **III.** *f pl* achtzehn Uhr; *v. a. cinque.*
dicitore, -trice [ditʃi'to:re] *m, f* Vortragskünstler(in) *m(f),* Diseur *m,* Diseuse *f.*
dicitura [ditʃi'tu:ra] *f* Ausdruck *m,* Redeweise *f; (didascalia)* Aufschrift *f,* Beschriftung *f.*
dico ['di:ko] *pr di* **dire.**
didascalia [didaska'li:a] ⟨-ie⟩ *f* **1.** *lit* Bildunterschrift *f,* Legende *f;* **2.** *film* Untertitel *m;* **3.** *teat* Regieanweisung *f.*
didattica [di'dattika] ⟨-che⟩ *f* Didaktik *f.*
didentro [di'dentro] ⟨-⟩ *m fam* Innere(s) *n.*
didietro [di'diɛ:tro] **I.** ⟨*inv*⟩ *agg* hintere(r, s), Hinter-; **II.** ⟨-⟩ *m* **1.** *fam* Hinterseite *f;* **2.** *scherz (deretano)* Hinterteil *n.*
dieci ['diɛ:tʃi] **I.** *num* zehn; **II.** ⟨-⟩ *m* **1.** *(numero)* Zehn *f; (nelle date)* Zehnte(r) *m;* **2.** *(voto scolastico)* Hervorragend *n;* **III.** *f pl* zehn Uhr; *v. a. cinque.* **diecimila** [dietʃi'mi:la] **I.** *num* zehntausend; **II.** ⟨-⟩ *m* Zehntausend *f.* **diecina** [...'tʃi:na] *f mat* Zehner *m pl;* **una ~ (di ...)** (etwa) zehn (...); **a -e** zu (*o* in) Dutzenden.
diedi ['diɛ:di] *p rem di* **dare.**
dieresi [di'ɛ:rezi] ⟨-⟩ *f* Diärese *f,* Diäresis *f; (segno diacritico)* Trema *n.*
diesel ['di:zəl] **I.** ⟨inv⟩ *agg:* **motore ~** Dieselmotor *m;* **II.** ⟨-⟩ *m (motore)* Dieselmotor *m;* **III.** *mf (autoveicolo con motore diesel)* Diesel *m.*
diesis [di'ɛ:zis] ⟨-⟩ *m mus* Kreuz *n,* Diesis *f;* **Fa ~** Fis *n.*
dieta[1] ['diɛ:ta] *f* **1.** *(parlamento)* **D~ federale** Bundestag *m;* **D~ del Land** Landtag *m;* **2.** *st (dell'Impero Germanico)* Reichstag *m.*
dieta[2] ['diɛ:ta] *f* Diät *f;* **stare a ~** auf Diät sein. **dietetica** [die'tɛ:tika] ⟨-che⟩ *f* Diätetik *f.* **dietetico, -a** [...ko] ⟨-ci, -che⟩ *agg* diätetisch, Diät-. **dietologo, -a** [...'tologo] ⟨-gi *m,* -ghe *f*⟩ *mf* Diätologe *m,* -login *f.*
dietro ['diɛ:tro] **I.** *prp* **1.** *(locale: stato)* hinter *+dat; (moto)* hinter *+akk;* **2.** *(temporale)* nach *+dat;* **3.** *(dopo, mediante)* gegen *+akk;* ~ **di me** hinter mir; **un guaio ~ l'altro** ein Unglück nach dem andern; ~ **ricevuta** gegen Quittung; **portarsi ~ qu** jdn mitnehmen; **II.** *avv (stato)* hinten; *(moto)* nach hinten. **dietrofront, dietro front** ['diɛ:tro'front] **I.** ⟨-⟩ *m (a. fig)* Kehrtwendung *f;* **II.** *interi* kehrt.
difatti [di'fatti] *cong* in der Tat, tatsächlich.
difendere [di'fɛndere] ⟨difendo, difesi, difeso⟩ **I.** *tr* **1.** *gener. (a. fig)* verteidigen; **2.** *(diritto, interessi)* vertreten; **3.** *(dare riparo)* schützen; **II.** *rfl:* **-ersi** sich vertei-

digen (*da* gegen); *(proteggersi)* sich schützen (*da* vor *dat*).

difensiva [difen'si:va] *f* Defensive *f*, Verteidigung *f*; **stare sulla** ~ in der Defensive sein. **difensivo, -a** [...vo] *agg* Verteidigungs-, Defensiv-, defensiv, Abwehr-. **difensore, difenditrice** [...so:re, ...ndi'tri:tʃe] *m, f* Verteidiger(in) *m(f)*; ~ **penale** Strafverteidiger(in) *m(f)*; ~ **di fiducia** Vertrauensanwalt *m*, -anwältin *f*.

difesa [di'fe:sa] *f* **1.** *gener., (a. fig)* Verteidigung *f* (*da, contro* gegen); *(mil a.)* Abwehr *f*; **2.** *(riparo)* Schutz *m* (*di* vor +*dat*); **legittima** ~ Notwehr *f*; ~ **antiaerea** Flugabwehr *f*; ~**dell'ambiente** Umweltschutz *m*.

difesi [di'fe:si] *p rem di* **difendere**.

difeso [dife:so] *pp di* **difendere**.

difettare [difet'ta:re] *itr* **1.** *(mancare, scarseggiare)* mangeln (*di* an +*dat*), fehlen (*di* an +*dat*); **2.** *(essere difettoso)* Mängel haben, mangelhaft sein.

difetto [di'fɛtto] *m* **1.** *(imperfezione)* Fehler *m*; *(di meccanismo)* Defekt *m*; **2.** *(vizio)* Fehler *m*, schlechte Eigenschaft; **3.** *med* Schaden *m*, Behinderung *f*; **4.** *(mancanza)* Mangel *m*. **difettoso, -a** [difet'to:so] *agg* **1.** *(con imperfezioni)* fehlerhaft; *(mal funzionante)* defekt, fehleranfällig; **2.** *med (vista, udito, etc.)* schlecht; **3.** *(manchevole)* unzureichend.

diffamare [diffa'ma:re] *tr* verleumden, diffamieren. **diffamatore, -trice** [...ma'to:re] *m, f* Verleumder(in) *m(f)*.

diffamatorio, -a [...ma'tɔ:rio] ⟨-i, -ie⟩ *agg* verleumderisch; **campagna -a** Hetzkampagne *f*. **diffamazione** [...mat'tsio:ne] *f* Verleumdung *f*; *(dir a.)* üble Nachrede.

differente [diffe'rɛnte] *agg* unterschiedlich; **è una cosa** ~ das ist etwas anderes.

differenza [diffe'rɛntsa] *f* **1.** *(diversità)* Verschiedenheit *f*; *(divario)* Unterschied *m*; **2.** *mat* Differenz *f*; ~ **di opinioni** Meinungsunterschiede *m pl*; ~ **di prezzo** Preisdifferenz *f*; **a** ~ **di** im Unterschied zu; **per me non fa** ~ das ist für mich dasselbe. **differenziale** [...'tsia:le] **I.** *agg* Differential-; **II.** *m* **1.** *mat* Differential *n*; **2.** *mot* Differential(getriebe) *n*.

differenziare [...'tsia:re] ⟨differenzio, differenzi⟩ **I.** *tr* unterscheiden, differenzieren *geh*; **II.** *rfl:* **-arsi** sich unterscheiden (*da* von). **differenziazione** [...t'tsio:ne] *f* Differenzierung *f*.

differire [diffe'ri:re] ⟨differisco⟩ **I.** *tr* ⟨*avere*⟩ verschieben (*di* um, *a* auf +*akk*), aufschieben; **II.** *itr* ⟨*essere o avere*⟩ unterschiedlich sein, differieren *geh* (*da* von), sich unterscheiden (*da* von).

differito, -a [diffe'ri:to] **I.** *agg* aufgeschoben; *radio, TV* aufgezeichnet; **II.** *f radio, TV* Aufzeichnung *f*.

difficile [dif'fi:tʃile] **I.** *agg* **1.** *(complicato)* schwer, schwierig, diffizil *geh*; **2.** *(faticoso)* mühsam; **3.** *(persona)* schwierig; **4.** *(improbabile)*: **è** ~ **che venga** er (*o* sie) wird kaum (*o* schwerlich) kommen (können); **essere di gusti -i** wählerisch sein; **II.** *m* Schwierigkeit *f*. **difficilmente** [...fitʃil'mente] *avv* kaum, schwerlich.

difficoltà [diffikol'ta] ⟨-⟩ *f* Schwierigkeit *f*; **incontrare** ~ auf Schwierigkeiten stoßen; **con** ~ unter Schwierigkeiten. **difficoltoso, -a** [...'to:so] *agg* schwer, schwierig.

diffida [dif'fi:da] *f* Warnung *f*, Verwarnung *f*, Mahnung *f*. **diffidare** [diffi'da:re] **I.** *itr* mißtrauen *(di qu/qc* jdm/einer S. *dat*); **II.** *tr* warnen (*da* vor), verwarnen; ~ **qu dal fare qc** jdn warnen, etw. zu tun. **diffidente** [...'dɛnte] *agg* mißtrauisch. **diffidenza** [...'dɛntsa] *f* Mißtrauen *n*.

diffondere [dif'fondere] ⟨*irr*⟩ **I.** *tr* aus-, verbreiten; *(notizia)* verbreiten; **II.** *rfl:* **-ersi** sich verbreiten, sich ausbreiten.

diffusione [diffu'zio:ne] *f* Verbreitung *f*, Ausbreitung *f*; *(di notizia)* Verbreitung *f*. **diffuso, -a** [...'fu:zo] *agg* **1.** *(sparso largamente)* verbreitet; **2.** *(scritto, discorso)* weitschweifig, ausführlich; **3.** *fis (illuminazione)* diffus. **diffusore, diffonditrice** [diffu'zo:re, ...fondi'tri:tʃe] **I.** *m, f (chi diffonde)* Verkünder(in) *m (f)*, Verkündiger(in) *m (f)*, Prediger(in) *m (f) fam*; **II.** *m tec, fot* Diffusor *m*; *(dello stereo)* Lautsprecher *m*.

difilato, -a [difi'la:to] *agg, avv* geradewegs, direkt.

difronte [di'fronte] ⟨*inv*⟩ **I.** *agg* gegenüberliegend; **II.** *avv* gegenüber.

difterite [difte'ri:te] *f* Diphtherie *f*.

diga ['di:ga] ⟨-ghe⟩ *f* **1.** *(sbarramento)* (Stau)damm *m*, -wehr *n*; **2.** *(argine)* Deich *m*.

digerente [didʒe'rɛnte] *agg* Verdauungs-.

digeribile [didʒe'ri:bile] *agg* verdaulich, bekömmlich.

digerire [didʒe'ri:re] ⟨digerisco⟩ *tr* **1.** *med* verdauen; **2.** *fig (capire bene)* fressen *fam*, bewältigen; **3.** *fig (sopportare)* ertragen. **digestione** [didʒes'tio:ne] *f* Verdauung *f*. **digestivo, -a** [...'ti:vo] **I.** *agg* Verdauungs-; **II.** *m* **1.** *(farmaco)* verdauungsförderndes Mittel; **2.** *(bevanda)* Digestif *m*, Magenbitter *m*.

digitale [didʒi'ta:le] **I.** *agg* **1.** *anat* Finger-; **2.** *inform* digital, Digital-; **orologio** ~ Digitaluhr *f*; **II.** *f bot* Fingerhut *m*. **digitalizzare** [...talid'dza:re] *tr* digitalisieren **digitalizzazione** [...ddzat'tsio:ne] *f* Digitalisierung. *f*.

digitare [didʒita:re] *tr inform* eingeben.

digiunare [didʒu'na:re] *itr* fasten, hungern.

digiuno, -a [di'dʒu:no] **I.** *agg* **1.** *(senza cibo)* nüchtern; **2.** *fig:* **essere (a)** ~ **di qc**

(sprovvisto) ohne etw. sein; *(senza cognizioni)* von etw. nichts verstehen (*o* keine Ahnung haben); **II.** *m* Fasten *n,* Hungern *n;* **a** ~ auf nüchternen Magen.

dignità [diɲɲi'ta] ⟨-⟩ *f* **1.** *(rispetto)* Würde *f,* Dignität *f geh;* **2.** *(decoro)* Anstand *m,* Schicklichkeit *f;* **3.** *(alta carica)* (Amts)-würde *f.* **dignitoso, -a** [...'to:so] *agg* würdevoll, würdig.

DIGOS ['digos] *f acr di* **Divisione Investigazioni Generali e Operazioni Speciali della Polizia di Stato** *Sonderabteilung des Staatsschutzes.*

digradare [digra'da:re] *itr* abfallen, sich senken.

digressione [digres'sjo:ne] *f* Abschweifung *f,* Exkurs *m.* **digressivo, -a** [...es'si:vo] *agg* weit schweifend.

digrignare [digriɲ'ɲa:re] *tr* blecken, fletschen.

dilagare [dila'ga:re] ⟨dilago, dilaghi⟩ *itr* ⟨*essere*⟩ **1.** *(espandersi)* sich ausbreiten; **2.** *(fig a.)* um sich greifen.

dilaniare [dila'nja:re] ⟨dilanio, dilani⟩ *tr* **1.** *(lacerare)* zerreißen, zerfetzen; **2.** *fig* zerfleischen.

dilapidare [dilapi'da:re] *tr* verschwenden.

dilatare [dila'ta:re] **I.** *tr* (aus)dehnen, erweitern; **II.** *rfl:* **-arsi 1.** *(ampliarsi)* sich (aus)dehnen, sich erweitern; **2.** *fig* sich ausbreiten. **dilatazione** [...tat'tsjo:ne] *f* Ausdehnung *f,* Erweiterung *f.*

dilazionare [dilattsjo'na:re] *tr* hinaus-, aufschieben; *fin* stunden. **dilazionato, -a** [...'na:to] *agg* aufgeschoben, verschoben; **pagamento** ~ gestundete (*o* aufgeschobene) Zahlung. **dilazione** [...'tsjo:ne] *f* Aufschub *m; fin* Stundung *f; dir* Dilation *f.*

dileggiare [diled'dʒa:re] ⟨dileggio, dileggi⟩ *tr* verspotten, verhöhnen, spotten über *+akk.*

dileguare [dile'gua:re] **I.** *tr* ⟨*avere*⟩ zerstreuen, vertreiben; **II.** *itr* ⟨*essere*⟩ schwinden *geh,* verschwinden; *fig* verfliegen; **III.** *rfl:* **-arsi** schwinden *geh,* verschwinden.

dilemma [di'lɛmma] ⟨-i⟩ *m* Dilemma *n.*

diletta *f v.* **diletto.**

dilettante [dilet'tante] **I.** *agg* Amateur-, Laien-; *peg* dilettantisch; **fotografo** ~ Amateurfotograf *m;* **pittore** ~ Sonntagsmaler *m;* **II.** *mf* **1.** *(non professionista)* Nichtfachmann *m,* Laie *m;* **2.** *peg* Nichtskönner(in) *m(f),* Dilettant(in) *m(f).* **dilettantismo** [...'tismo] *m* Dilettantismus *m; peg* Stümperhaftigkeit *f; sport* Amateursport *m.*

dilettare [dilet'ta:re] **I.** *tr* erfreuen, ergötzen; **II.** *rfl:* **-arsi** sich (er)freuen (*a, di* an *+dat),* Gefallen finden (*a, di* an *+dat),* Freude haben (*a, di* an *+dat); (per diletto)* zu seinem Vergnügen (*o* aus Liebhaberei) tun (*di qc* etw.). **dilettevole** [...'te:vole] **I.** *agg* erfreulich, angenehm; **II.** *m* Erfreuliche(s) *n,* Angenehme(s) *n.*

diletto [di'lɛtto] *m* Vergnügen *n,* Ergötzen *n;* **far qc per** ~ etw. zum Vergnügen tun. **diletto, -a** [di'lɛtto] **I.** *agg* teuer *geh,* (zärtlich) geliebt; **II.** *m, f* Liebste(r) *mf geh,* Geliebte(r) *mf.*

diligente [dili'dʒɛnte] *agg* fleißig; *(accurato)* sorgfältig.

diligenza [dili'dʒɛntsa] *f (cura)* Fleiß *m; (accuratezza)* Sorgfalt *f.*

diluire [dilu'i:re] ⟨diluisco⟩ *tr* **1.** *(sostanze)* verdünnen; *(sciogliere)* auflösen; **2.** *fig* verwässern.

dilungarsi [diluŋ'garsi] ⟨mi dilungo, ti dilunghi⟩ *rfl* sich verlieren (*in* in *+dat),* sich verbreiten (*in* über *+akk).*

diluviare [dilu'vja:re] ⟨diluvio, diluvi⟩ *itr* ⟨*essere o avere*⟩ **1.** *meteo* in Strömen regnen, gießen *fam;* **2.** *fig* herabregnen (*su* auf *+akk),* (nieder)hageln (*su* auf *+akk*), niedergehen (*su* auf *+akk*). **diluvio** [di'lu:vjo] ⟨-i⟩ *m* **1.** *meteo* Wolkenbruch *m,* sintflutartiger Regen; **2.** *fig* Flut *f,* Schwall *m;* ~ **universale** Sintflut *f.*

dimagrante [dima'grante] *agg:* **cura** ~ Schlankheits-, Abmagerungskur *f.* **dimagrimento** [...gri'mento] *m* Abmagerung *f.* **dimagrire** [...'gri:re] ⟨dimagrisco⟩ *itr* ⟨*essere*⟩ abnehmen; *peg* abmagern, mager werden.

dimenare [dime'na:re] **I.** *tr* schütteln (*qc* (mit) etw.), schlenkern (*qc* (mit) etw.); ~ **la coda** mit dem Schwanz wedeln; **II.** *rfl:* **-arsi** zappeln, sich schütteln; *(nel letto)* sich wälzen.

dimensione [dimen'sjo:ne] *f* Dimension *f.*

dimenticanza [dimenti'kantsa] *f* **1.** *(oblio)* Vergessenheit *f;* **2.** *(negligenza)* Versäumnis *n.* **dimenticare** [...'ka:re] ⟨dimentico, dimentichi⟩ **I.** *tr* vergessen; *(trascurare)* vernachlässigen; **II.** *rfl:* **-arsi (di)** vergessen.

dimesso, -a [di'messo] *agg* bescheiden, schlicht.

dimestichezza [dimesti'kettsa] *f* Vertrautheit *f;* **aver** ~ **con qc** mit etw. vertraut sein.

dimettere [di'mettere] ⟨*irr*⟩ **I.** *tr* entlassen; **II.** *rfl:* **-ersi** zurücktreten.

dimezzare [dimed'dza:re] *tr* **1.** *(in due)* halbieren, teilen; **2.** *(ridurre)* drosseln, herabdrücken.

diminuire [diminu'i:re] ⟨diminuisco⟩ **I.** *tr* ⟨*avere*⟩ vermindern, verringern; **II.** *itr* ⟨*essere*⟩ geringer werden (*di* um), abnehmen (*di* um); ~ **di prezzo** billiger werden. **diminutivo** [...u'ti:vo] *m* Diminutiv(um) *n,* Verkleinerungsform *f.* **diminuzione** [...ut'tsjo:ne] *f* (Ver)minderung *f,* Verringerung *f,* Abnahme *f,* Rückgang *m;* ~ **dei costi** Kostensenkung *f;* ~ **delle esportazioni** Exportrückgang *m;* ~ **di pena** Strafmilderung *f;* ~ **del personale** Personalkürzung *f,* Personalabbau *m;* ~ **di peso** Gewichtsabnahme *f;* ~ **di temperatura** Temperaturrückgang *m.*

dimissione [dimis'sio:ne] *f* ⟨*di solito al pl*⟩ *(da una carica, ufficio)* Rücktritt *m; (da un rapporto di lavoro)* Kündigung *f; (dall 'ospedale)* Entlassung *f;* **presentare (***o* **rassegnare) le -i** sein Rücktrittsgesuch einreichen, zurücktreten; **lettera di** ~ Kündigungsschreiben *n;* **-i del governo** Regierungsrücktritt *m.*

dimora [di'mɔ:ra] *f* **1.** *dir (permanenza)* Wohnsitz *m,* Aufenthalt *m geh,* Aufenthaltsort *m;* **2.** *(abitazione)* Wohnung *f,* Heim *n;* **senza fissa** ~ ohne festen Wohnsitz.

dimostrante [dimos'trante] *mf* Demonstrant(in) *m(f).*

dimostrare [dimos'tra:re] **I.** *tr* **1.** *(palesare)* zeigen, demonstrieren, erkennen lassen, bekunden *geh;* **2.** *(provare)* beweisen; **non dimostra affatto i suoi sessant'anni** man sieht ihm (*o* ihr) seine (*o* ihre) 60 Jahre überhaupt nicht an; **II.** *itr* demonstrieren; **III.** *rfl:* **-arsi** sich erweisen (*qc* als etw.), sich herausstellen (*qc* als etw.). **dimostrativo, -a** [...ra'ti:vo] *agg* **1.** *(che serve a provare)* beweisend, Beweis-; **2.** *(che serve a manifestare)* demonstrativ; **3.** *gram* hinweisend, Demonstrativ-. **dimostrazione** [...rat'tsio:ne] *f* **1.** *(manifestazione)* Beweis *m,* Bekundung *f geh;* **2.** *(argomentazione)* Beweis(führung *f*) *m;* **3.** *(protesta)* Demonstration *f,* (Protest)kundgebung *f;* **4.** *(illustrazione)* Vorführung *f,* Demonstration *f.*

dinamica [di'na:mika] ⟨-che⟩ *f (a. fig)* Dynamik *f.* **dinamico, -a** [...ko] ⟨-ci, -che⟩ *agg* dynamisch.

dinamitardo, -a [dinami'tardo] **I.** *agg* Sprengstoff-, Dynamit-; **II.** *m, f* Sprengstoffattentäter(in) *m(f).* **dinamite** [dina'mi:te] *f* Dynamit *n.*

dinamo ['di:namo] ⟨-⟩ *f* Dynamo *m,* Generator *m.*

dinanzi [di'nantsi] **I.** *avv (stato)* vorn(e); *(moto)* voraus, nach vorne; **II.** *prp:* ~ **a** *(stato)* vor *+dat; (moto)* vor *+akk;* **III.** ⟨*inv*⟩ *agg* **1.** *(anteriore)* vordere(r, s); **2.** *(precedente)* vorhergehend, vorige(r, s).

dinastia [dinas'ti:a] ⟨-ie⟩ *f* Dynastie *f.*

diniego [di'niɛ:go] ⟨-ghi⟩ *m* Verneinung *f; (rifiuto)* Weigerung *f.*

dinoccolato, -a [dinokko'la:to] *agg* schlenkernd, schlaksig *fam.*

dinosauro [dino'sa:uro] *m* Dinosaurier *m.*

dintorno [din'torno] **I.** *avv* herum, ringsherum; **II.** *m pl* Umgebung *f.*

dio ['di:o] ⟨dei⟩ *m* (Ab)gott *m,* Götze *m.*

Dio ['di:o] *m* Gott *m;* **viene giù che** ~ **la manda** der Himmel öffnet seine Schleusen; **come** ~ **vuole** *(alla meglio)* wie es Gott gefällt; **grazie a** ~ Gott sei Dank; **senza** ~ gottlos; ~ **l'abbia in gloria!** Gott hab ihn (*o* sie) selig!; ~ **m'assista!** der Himmel steh mir bei!; ~ **me ne guardi!** Gott behüte!; ~ **ce la mandi buona!** Gott sei uns gnädig!; ~ **sa quando** Gott weiß, wann; ~ **sia lodato** Gott sei gelobt; ~ **ci scampi e liberi!** Gott bewahre!; **per l'amor di** ~! um Gottes willen!

diocesi [di'ɔ:tʃezi] ⟨-⟩ *f* Diözese *f,* Bistum *n.*

diodo ['di:odo] *m* Diode *f;* ~ **luminescente** Leuchtdiode *f* (*abk* LED).

diossina [dios'si:na] *f* Dioxin *n.*

dipanare [dipa'na:re] *tr* **1.** *(lana)* aufwikkeln, aufspulen; **2.** *fig* entwirren, auflösen.

dipartimento [diparti'mento] *m* **1.** *(circoscrizione territoriale)* Verwaltungsbezirk *m; CH* Departement *n;* **2.** *(ministero)* Ministerium *n; CH* Departement *n;* **3.** *(di università)* Fachbereich *m.*

dipendente [dipen'dɛnte] **I.** *agg* abhängig; *(a. gram)* untergeordnet; *(operaio)* (abhängig) beschäftigt; *(impiegato)* angestellt; **II.** *mf* Beschäftigte(r) *mf,* Angestellte(r) *mf;* ⟨*pl*⟩ Belegschaft *f.* **dipendenza** [...'dɛntsa] *f* Abhängigkeit *f.*

dipendere [di'pɛndere] ⟨dipendo, dipesi, dipeso⟩ *itr* ⟨*essere*⟩ **1.** *(derivare)* abhängen (*da* von), bedingt sein (*da* durch), beruhen (*da* auf *+dat);* **2.** *(da volontà, autorità di altri)* abhängen (*da* von), abhängig sein (*da* von); **3.** *gram* abhängig sein (*da* von); **vieni anche tu? - dipende** kommst du auch? - das kommt (ganz) darauf an.

dipingere [di'pindʒere] ⟨dipingo, dipingi, dipinsi, dipinto⟩ **I.** *tr* **1.** *(con colori)* malen (*a* mit, in *+akk, su* auf *+akk); (per adornare)* aus-, bemalen; **2.** *fig (descrivere)* ausmalen, zeichnen, beschreiben; ~ **a tempera/ad olio** mit Wasserfarben/in Öl malen; ~ **all'acquerello** aquarellieren **II.** *rfl:* **-ersi** sich bemalen. **dipinto, -a** [di'pinto] **I.** *agg* gemalt; *(ornato)* bemalt; *(truccato)* bemalt, angemalt; **II.** *m* Gemälde *n.*

diploma [di'plɔ:ma] ⟨-i⟩ *m* (*abbr* **dipl.**) **1.** *(università: per materie tecniche, scientifiche, economiche)* Diplom *n* (*abk* **Dipl.**); **2.** *fam (scuola)* Abschluß *m* an einer höheren Schule; *(attestato)* Abschlußzeugnis *n;* ~ **di laurea** Universitätsabschluß *m,* Staatsexamen *n;* ~ **di maturità** (Zeugnis *n* der) Hochschulreife *f,* Abitur(zeugnis) *n;* ~ **di scuola media (inferiore)** Hauptschulabschluß *m.* **diplomare** [...lo'ma:re] **I.** *tr* ein (Abschluß)zeugnis (*o* Diplom) ausstellen (*qu* jdm), diplomieren *geh;* **II.** *rfl:* **-arsi** ein (Abschluß)zeugnis erhalten, ein Diplom erwerben.

diplomatico, -a [diplo'ma:tiko] ⟨-ci, -che⟩ **I.** *agg (a. fig)* diplomatisch; **II.** *m, f* Diplomat(in) *m(f).*
diplomato, -a [diplo'ma:to] **I.** *agg* diplomiert, (staatlich) geprüft, Diplom-; **II.** *m, f* Diplominhaber(in) *m(f).*
diplomazia [diplomat'tsi:a] ⟨-ie⟩ *f (a. fig)* Diplomatie *f.*
diporto [di'pɔrto] *m* **1.** *(divertimento)* Vergnügen *n,* Zerstreuung *f;* **2.** *sport:* **imbarcazione da ~** Sportboot *n.*
diradare [dira'da:re] **I.** *tr* **1.** dünner (*o* weniger) werden lassen; *(piante, capelli)* lichten, ausdünnen; **2.** *fig (visite)* einschränken, verringern; **II.** *rfl:* **-arsi** seltener werden; *(piante, capelli)* sich lichten; *(nebbia, folla)* sich auflösen.
diramare [dira'ma:re] **I.** *tr* in Umlauf bringen, verbreiten; **II.** *rfl:* **-arsi** sich verzweigen; *(strada a.)* abzweigen (*da qc* von etw.) sich gabeln. **diramazione** [...mat'tsio:ne] *f* **1.** *(ramificazione)* Verzweigung *f;* **2.** *(diffusione)* Verbreitung *f;* **~ di un fiume** Flußarm *m,* Seitenarm *m.*
dire ['di:re] ⟨dico, dissi, detto⟩ **I.** *tr* **1.** *gener.* sagen; **2.** *(pensare)* meinen; **3.** *(recitare)* vortragen; *(poesia)* aufsagen; *(preghiera)* sprechen; *(messa)* lesen; **4.** *(significare)* heißen, bedeuten; **~ la sua** seine Meinung sagen; **dirle grosse** den Mund voll nehmen; **dir male di qu** jdm Übles nachsagen; **avere da ~ su qu** über jdn etw. zu sagen haben; **far ~ qc a qu** jdm etw. in den Mund legen; **lasciar ~** sprechen lassen; **a ~ il vero** um die Wahrheit zu sagen; **lo dicevo io!** das habe ich ja (gleich) gesagt!; **dico bene?** nicht wahr?; **dico sul serio** im Ernst; **vale a ~** will sagen, das heißt; **come sarebbe a ~?** was soll das?, wie ist das gemeint?; **voler ~** bedeuten; **che ne dici del mio abito nuovo?** was sagst du zu meinem neuen Kleid?; **così dicendo** mit diesen Worten; **diciamo, ...** sagen wir mal ...; **da non dirsi** unsagbar; **si dice che sia molto ricco** man sagt, er sei sehr reich; **come si dice in tedesco?** wie heißt das auf deutsch?; **si direbbe che ...** man könnte (*o* sollte) meinen, daß ...; **~ di sì/no** ja/nein sagen; **dica, signora?** Sie wünschen (, gnädige Frau)?, was darf es sein?; *v. a. detto;* **II.** *m* Sagen *n,* Reden *n,* Worte *n pl;* **hai un bel ~** du hast gut reden.
directory [di'rektəri] ⟨-⟩ *f inform* Verzeichnis *n.*
diressi [di'rɛssi] *p rem di* **dirigere.**
direttamente [diretta'mente] *avv* direkt; *(per via diretta a.)* geradewegs; *(senza interposizione a.)* unmittelbar.
direttissima [diret'tissima] *f* Schnellverbindung *f;* **per ~** *dir* im Schnellverfahren.
direttiva [diret'ti:va] *f* Direktive *f geh,* Verhaltensmaßregel *f,* Richtlinie *f.* **direttivo, -a** [...vo] **I.** *agg* leitend, Leitungs-, Führungs-; **norme -e** Direktiven *f pl;* **II.** *m* Leitung *f,* Führung *f,* Vorstand *m.*
diretto, -a [di'rɛtto] **I.** *pp di* **dirigere; II.** *agg* **1.** *(senza deviazioni, immediato)* direkt, unmittelbar; **2.** *(indirizzato)* (direkt) auf dem Weg (*a* in *+akk*), gerichtet (*a* an *+akk*); **3.** *(guidato)* geleitet, geführt; **III.** *m* **1.** (*abbr* **D**) *(treno)* Eilzug *m;* **2.** *sport (pugilato)* Gerade *f;* **IV.** *f:* **in -a** *TV* live, als Direktübertragung.
direttore, -trice [diret'to:re] *m, f* Direktor(in) *m(f),* Leiter(in) *m(f);* **~ d'orchestra** Orchesterleiter(in) *m(f),* Dirigent(in) *m(f);* **~ didattico** Rektor(in) *m(f) (an Grund- u. Hauptschulen);* **~ responsabile** Herausgeber(in) *m(f).* **direttoriale** [...to'ria:le] *agg* direktorial, Direktor-.
direttrice [diret'tri:tʃe] *f* **I.** *agg* Richt-; **II.** *f* **1.** *(persona)* Direktorin *f;* **2.** *(principio)* Leitlinie *f,* Richtung *f.*
direzionale [direttsio'na:le] *agg* **1.** *(relativo alla direzione)* Direktoren-, Direktions-; **2.** *(indicazione di direzione)* Richt-, Richtungs-; **centro ~** Geschäftszentrum *n,* Büroviertel *n.*
direzione [diret'tsio:ne] *f* **1.** *(organo dirigente)* Leitung *f,* Direktion *f;* **2.** *(senso)* Richtung *f;* **~ amministrativa** Geschäftsleitung *f;* **~ vietata** verbotene Fahrtrichtung; **in ~ di** in Richtung (auf *+akk o* zu *+dat).*
dirigente [diri'dʒɛnte] **I.** *agg* führend, Führungs-, leitend; **classe ~** Führungsschicht *f;* **II.** *mf* leitende(r) Angestellte(r) *mf;* **~ d' azienda** Betriebsleiter(in) *m(f);* **~ amministrativo** Geschäftsführer(in) *m(f).* **~ sindacale** Gewerkschaftsführer(in) *m(f).*
dirigere [di'ri:dʒere] ⟨dirigo, dirigi, diressi, diretto⟩ **I.** *tr* **1.** *(essere a capo)* leiten, führen; *mot, naut, fig* lenken; *mus* dirigieren; **2.** *(indirizzare)* richten (*verso* auf *+akk*), lenken (*verso* auf *+akk*); **II.** *rfl:* **-ersi** zugehen (*a, verso* auf *+akk*), die Richtung einschlagen (*verso* zu); *(a. fig)* sich wenden (*a, verso* nach, zu).
dirigibile [diri'dʒi:bile] *m* Luftschiff *n.*
dirigismo [diri'dʒizmo] *m* Dirigismus *m.*
dirimpetto [dirim'pɛtto] **I.** *avv* gegenüber, vis-à-vis; **II.** *prp:* **~ a** gegenüber (von) *+dat.*
diritto [di'ritto] *m* **1.** *(complesso di norme)* Recht *n;* **2.** *(scienza)* Jura *f,* Rechtswissenschaft *f;* **3.** *(facoltà, pretesa)* Recht *n* (*di* auf *+akk*), (Rechts)anspruch *m* (*di* auf *+akk*), Berechtigung *f* (*di* zu); **4.** ⟨*pl*⟩ Gebühren *f pl,* Abgaben *f pl;* **~ civile** Zivilrecht *n,* bürgerliches Recht; **~ contrattuale** Vertragshaftung *f;* **~ penale/privato** Straf-/Privatrecht *n;* **-i**

d'autore Urheberrechte *n pl;* **-i dell'uomo** Menschenrechte *n pl;* ~ **di brevetto** Patentrecht *n;* ~ **alla pensione** Renteanspruch *m;* **rivendicare un** ~ einen Anspruch geltend machen; **a (buon)** ~ mit gutem Recht; **di** ~ von Rechts wegen.

diritto, -a [di'ritto] *f* **I.** *agg* **1.** *gener.* gerade; *(ritto a.)* aufrecht; **2.** *fig* geradlinig; *(onesto)* rechtschaffen, redlich; **rigar/filar** ~ spuren *fam;* **tirar** ~ ohne Halt durchfahren; **II.** *m* **1.** *(parte principale)* Vorderseite *f;* **2.** *sport* Vorhand *f.* **dirittura** [...'tu:ra] *f* **1.** *sport:* ~ **d'arrivo** Zielgerade *f;* **2.** *fig (rettitudine)* Geradlinigkeit *f; (onestà)* Rechtschaffenheit *f,* Redlichkeit *f.*

diroccato, -a [dirok'ka:to] *agg* baufällig.

dirottamento [dirotta'mento] *m naut* Kursänderung *f,* -abweichung *f; (di aereo)* Flugzeugentführung *f.* **dirottare** [...'ta:re] **I.** *itr naut* den Kurs ändern: **II.** *tr naut* auf einen anderen Kurs bringen; *(traffico)* umleiten; *(aereo)* entführen. **dirottatore, -trice** [...ta'to:re] *m, f* Flugzeugentführer(in) *m(f).*

dirotto, -a [di'rotto] *agg* heftig, stark; **a** ~ heftig; **piove a** ~ es regnet in Strömen.

dirozzare [dirod'dza:re] **I.** *tr* roh behauen; *(costumi)* verfeinern; *(popolo)* zivilisieren; **II.** *rfl:* **-arsi** sich verfeinern.

dirupo [di'ru:po] *m* abschüssiges Gelände.

disabile [diz'ɑ:bile] **I.** *agg* (geh)behindert; **II.** *m f* Behinderte(r) *m f.*

disabitato, -a [dizabi'ta:to] *agg* unbewohnt.

disabituare [dizabitu'a:re] **I.** *tr* abgewöhnen (*qu a qc* jdm etw.), entwöhnen (*qu a qc* jdn einer Sache *gen*); **II.** *rfl:* **-arsi** sich *(dat)* abgewöhnen (*a qc* etw.), aufgeben (*a qc* etw.).

disaccordo [dizak'kɔrdo] *m* **1.** *mus* Mißklang *m,* Dissonanz *f;* **2.** *(contrasto)* Uneinigkeit *f.*

disadattato, -a [dizadat'ta:to] **I.** *agg* unangepaßt, nicht anpassungsfähig; *psic* verhaltensgestört; **II.** *m, f* unangepaßte (*o* nicht anpassungsfähige) Person; *psic* Verhaltensgestörte(r) *mf.* **disadatto, -a** [...a'datto] *agg* ungeeignet (*a* für).

disadorno, -a [diza'dorno] *agg* schmucklos, schlicht.

disaffezione [disaffet'tsi̯o:ne] *f* **1.** *(diminuzione dell'affetto)* Entfremdung *f* (*a* von); **2.** *(scontento)* Verdrossenheit *f;* ~ **per lo Stato** Staatsverdrossenheit *f.*

disagevole [diza'dʒe:vole] *agg* beschwerlich, mühselig; *(strada)* schlecht.

disagiato, -a [diza'dʒa:to] *agg* **1.** *(povero)* mittellos, ärmlich; **2.** *(poco accogliente)* unbehaglich; **condizione -a** Bedürftigkeit *f.* **disagio** [di'za:dʒo] *m* Unbehagen *n; (mancanza di comodità)* Unbequemlichkeit *f; (imbarazzo)* Verlegenheit *f;* **sentirsi a** ~ sich unbehaglich (*o* nicht wohl) fühlen; **mettere a** ~ **qu** jdn in Verlegenheit bringen.

disambientato, -a [dizambi̯en'ta:to] *agg* unvertraut, fremd.

disamministrazione [dizamministrat'tsi̯o:ne] *f* Mißmanagement *n.*

disamorarsi [dizamo'rarsi] *rfl* die Lust (*o* Freude *o* Liebe) verlieren (*di* an *+dat*).

disapprovare [dizappro'va:re] *tr* mißbilligen, ablehnen. **disapprovazione** [...vat'tsi̯o:ne] *f* Mißbilligung *f,* Ablehnung *f.*

disappunto [dizap'punto] *m* Mißmut *m,* Unmut *m,* Bedauern *n.*

disarmare [dizar'ma:re] **I.** *tr* **1.** *(persone)* entwaffnen; *(fortezze)* wehrlos machen; **2.** *(edifici)* abrüsten; *(navi)* abtakeln; **3.** *fig* entwaffnen; **II.** *itr* **1.** *pol* abrüsten; **2.** *fig (cedere)* nachgeben, aufgeben, die Waffen strecken *geh.* **disarmato, -a** [...'ma:to] *agg* **1.** *(senza armi)* waffenlos, entwaffnet; **2.** *fig* wehrlos (*contro* gegen, gegenüber).

disarmo [di'zarmo] *m* **1.** *(di forze militari)* Abrüstung *f;* **2.** *(di persone)* Entwaffnung *f.*

disarmonia [dizarmo'ni:a] *f* Disharmonie *f,* Dissonanz *f.* **disarmonico, -a** [...'mɔ:niko] *agg* disharmonisch, unharmonisch.

disarticolato, -a [dizartiko'la:to] *agg* **1.** *med* abgetrennt; **2.** *fig* unartikuliert.

disassuefazione [dizassuefat'tsi̯o:ne] *f* Abgewöhnung *f,* Entwöhnung *f.*

disastrato, -a [dizas'tra:to] **I.** *agg (zona)* verwüstet, zerstört, Katastrophen-; *(persona)* geschädigt; **II.** *mf* Geschädigte(r) *mf,* Opfer *n.*

disastro [di'zastro] *m* (schweres) Unglück *n; (a. fig)* Katastrophe *f.* **disastroso, -a** [...'tro:so] *agg* katastrophal, fürchterlich.

disattento, -a [dizat'tɛnto] *agg* unaufmerksam. **disattenzione** [...ten'tsi̯o:ne] *f* **1.** *(mancanza d'impegno, di riguardo)* Unaufmerksamkeit *f;* **2.** *(svista)* Unachtsamkeit *f,* Versehen *n.*

disattivare [dizatti'va:re] *tr* **1.** *(bomba)* entschärfen; **2.** *(reattore nucleare)* deaktivieren.

disavanzo [diza'vantso] *m* Fehlbetrag *m,* Defizit *n.*

disavventura [dizavven'tu:ra] *f* Unglück *n,* Mißgeschick *n.*

disbrigo [diz'bri:go] ⟨-ghi⟩ *m* (rasche) Erledigung *f.*

discapito [dis'ka:pito] *m* Nachteil *m,* Schaden *m;* **a** ~ **di** zum Nachteil von.

discarica [dis'ka:rika] *f* Müllabladeplatz *m,* Mülldeponie *f.*

discendente [diʃʃen'dɛnte] **I.** *agg* absteigend, fallend, Abwärts-; **II.** *mf* Nachkomme *m.* **discendenza** [...'dɛntsa] *f* **1.** *(origine)* Abstammung *f;* **2.** *(discendenti)* Nachkommenschaft *f.*

discendere [diʃ'ʃendere] ⟨*irr*⟩ **I.** *itr* **1.** *(provenire)* abstammen (*da* von); **2.** *(andare giù)* hinunter-, hinabsteigen (*in* in *+akk*); *(venire giù)* herunter-, herabsteigen (*da* von); *(da veicolo)* aussteigen (*da* aus); *(da cavallo, bicicletta)* absteigen (*da* von); **3.** *fig (abbassarsi)* abfallen, sich senken; *(prezzi, temperatura)* sinken, fallen; **II.** *tr (andare giù)* hinabsteigen, hinuntergehen; *(venire giù)* herunter-, herabsteigen.

discepolo, -a [diʃ'ʃe:polo] *m, f* **1.** *(alunno)* Schüler(in) *m(f);* **2.** *(seguace)* Anhänger(in) *m(f),* Jünger *m geh;* **3.** *rel* Jünger *m.*

discernere [diʃ'ʃɛrnere] ⟨discerno, discernei, *manca il pp*⟩ *tr* auseinanderhalten, unterscheiden. **discernimento** [...ʃerni'mento] *m* Urteilsvermögen *n,* Vernunft *f.*

discesa [diʃ'ʃe:sa] *f* **1.** *(il venire giù)* Absteigen *n,* Abstieg *m; (da cavallo)* Absitzen *n; (da veicolo)* Aussteigen *n;* **2.** *(pendenza)* Gefälle *n,* Abhang *m;* **3.** *(invasione)* Einfall *m;* **4.** *sport* Abfahrt *f;* ~ **libera** Abfahrtslauf *m;* **in** ~ abwärts, bergab. **discesista** [...ʃe'sista] ⟨-i *m,* -e *f*⟩ *mf* Abfahrtsläufer(in) *m(f).*

dischetto [dis'ketto] *m* Diskette *f;* ~ **da** $5^1/_4$ **pollici** 5,25 Zoll-Diskette *f;* ~ **da** $3^1/_2$ **pollici** 3,5 Zoll-Diskette *f;* **un** ~ **a bassa/ad alta densità** eine Diskette *f* mit doppelter/hoher Schreibdichte.

discinto, -a [diʃ'ʃinto] *agg lett* nachlässig gekleidet.

disciogliere [diʃ'ʃɔʎʎere] ⟨*irr*⟩ **I.** *tr* **1.** *(liquefare, stemperare)* auflösen; **2.** *(liberare)* befreien; **II.** *rfl:* **-ersi** sich auflösen.

disciplina [diʃʃi'pli:na] *f* **1.** *gener.* Disziplin *f;* **2.** *(materia di studio a.)* Fach *n; (ramo del sapere)* Wissensgebiet *n,* Wissenschaftszweig *m.*

disciplinare¹ [diʃʃipli'na:re] *agg* disziplinarisch, Disziplinar-.

disciplinare² [diʃʃipli'na:re] *tr* **1.** *(regolare)* regeln, ordnen; **2.** *fig* disziplinieren *geh,* bezwingen. **disciplinato, -a** [...'na:to] *agg* diszipliniert.

disc-jockey ['dɪskdʒɔki] ⟨-⟩ *m f* Diskjokkey *m.*

disco ['disko] ⟨-schi⟩ *m* **1.** *(piastra rotonda)* Scheibe *f;* **2.** *mus* (Schall)platte *f;* **3.** *inform* Platte *f;* **4.** *sport* Diskus *m;* **5.** *ferr* Signalscheibe *f;* **6.** *tel:* ~ **combinatore** Wählscheibe *f,* Nummernscheibe *f;* ~ **fisso (***o* **rigido)** Festplatte *f;* ~ **magnetico** Magnetplatte *f;* ~ **orario** Parkscheibe *f;* ~ **volante** fliegende Untertasse; **zona** ~ blaue Zone *(in der mit Parkscheibe geparkt werden darf);* **lancio del** ~ Diskuswurf *m,* Diskuswerfen *n;* **ernia del** ~ Bandscheibenvorfall *m;* **cambiare** ~ *fig* eine neue (*o* andere) Platte auflegen *fam.*

discobolo [...'kɔ:bolo] *m* Diskuswerfer(in) *m(f).*

discografico, -a [-'grɑfico] ⟨-ci *m,* -che *f*⟩ *agg* Schallplatten-; **casa ~a** Schallplattenfirma *f;* **registrazione ~a** Schallplattenaufnahme *f.* **discolibro** [-'libro] ⟨dischilibri *o* discolibri⟩ *m* Buch *n* mit beigefügter Schallplatte.

discolo ['diskolo] *m* Bengel *m,* Frechdachs *m.*

discolpa [dis'kolpa] *f* Entlastung *f,* Rechtfertigung *f;* **a mia** ~ zu meiner Entlastung (*o* Rechtfertigung). **discolpare** [...'pa:re] **I.** *tr* entschuldigen; *dir* entlasten; *(dall'accusa)* befreien; **II.** *rfl:* **-arsi** sich rechtfertigen, sich entschuldigen.

disconoscere [disko'noʃʃere] ⟨*irr*⟩ *tr (a. dir)* nicht anerkennen.

discontinuità [diskontinui'ta] *f* Diskontinuität *f; (interruzione)* Unterbrechung *f.*

discontinuo, -a [...'ti:nuo] *agg* unterbrochen, mit Unterbrechungen, diskontinuierlich *geh.*

discordare [diskor'da:re] *itr* **1.** *(persone, opinioni)* nicht übereinstimmen (*su qc da qu* mit jdm in etw. *(dat)*); **2.** *(colori)* nicht zusammenpassen. **discorde** [...'kɔrde] *agg* gegensätzlich, widersprüchlich. **discordia** [...'kɔrdia] ⟨-ie⟩ *f* Zwietracht *f,* Uneinigkeit *f.*

discorrere [dis'korrere] ⟨*irr*⟩ *itr* sich unterhalten (*di* über *+akk*), reden (*di* über *+akk*); ~ **del più e del meno** plaudern.

discorsivo, -a [diskor'si:vo] *agg* Rede-, Gesprächs-, Plauder- *fam.*

discorso [dis'korso] *m* **1.** *(conferenza)* Rede *f; (discorso breve a.)* Ansprache *f;* **2.** *(conversazione)* Gespräch *n;* **3.** *fig (atteggiamento mentale)* Haltung *f; (orientamento)* Betrachtungsweise *f;* **4.** *gram* Rede *f;* ~ **inaugurale** Eröffnungsansprache *f;* **attaccar** ~ eine Unterhaltung anfangen; **pronunciare un** ~ eine Rede halten; **il** ~ **cadde su di te** dann war die Rede von dir; **questo è un altro** ~ das ist etwas (ganz) anderes.

discosto, -a [dis'kɔsto] **I.** *agg* abgelegen (*da* von), entfernt liegend; **II.** *avv* weit, abseits.

discoteca [disko'tɛ:ka] *f* **1.** *(locale)* Diskothek *f;* **2.** *(collezione)* Schallplattensammlung *f.*

discreditare [diskredi'ta:re] **I.** *tr* in Verruf bringen, diskreditieren *geh;* **II.** *rfl:* **-arsi** in Verruf kommen, sich diskreditieren *geh.* **discredito** [...'kre:dito] *m* Mißkredit *m.*

discrepanza [diskre'pantsa] *f* Widersprüchlichkeit *f,* Diskrepanz *f.*

discretamente [diskreta'mente] *avv* **1.** *(con discrezione)* taktvoll, diskret; **2.** *(sufficientemente)* ziemlich (gut), ganz gut; *(mediocremente)* einigermaßen, halbwegs *fam.*

discreto, -a [dis'kre:to] *agg* **1.** *(sufficiente)* ausreichend, genügend; **2.** *(modera-*

to) mäßig, bescheiden; **3.** *(abbastanza buono)* ziemlich gut, ganz gut; **4.** *(riservato)* taktvoll, diskret.

discrezione [diskret'tsio:ne] *f* **1.** *(tatto)* Diskretion *f; (senso della misura)* Maß *n;* **2.** *(libertà di agire)* Ermessen *n,* Gutdünken *n;* **3.** *(facoltà di discernere)* Urteilsfähigkeit *f;* **a ~** nach Ermessen.

discriminare [diskrimi'na:re] *tr* **1.** *(distinguere)* unterscheiden; **2.** *pol* diskriminieren. **discriminatorio, -a** [...na'tɔ:rio] ⟨-i, -ie⟩ *agg* **1.** *(che distingue)* unterscheidend; **2.** *pol* diskriminierend. **discriminazione** [...nat'tsio:ne] *f* **1.** *(distinzione)* Unterscheidung *f;* **2.** *pol* Diskriminierung *f;* **~ razziale** Rassendiskriminierung *f.*

discussi [dis'kussi] *p rem di* **discutere.**

discussione [diskus'sio:ne] *f* **1.** *(dibattito)* Diskussion *f; (esame di una questione)* Erörterung *f; pol* Debatte *f;* **2.** *(litigio)* Auseinandersetzung *f,* Streit *m,* Streiterei *f.*

discusso, -a [dis'kusso] *agg* umstritten.

discutere [dis'ku:tere] ⟨discuto, discussi, discusso⟩ **I.** *tr* **1.** *(contestare)* diskutieren; *(per prendere una decisione)* besprechen, erörtern. **II.** *itr* **1.** *(conversare)* diskutieren (*di, su* über *+akk*), debattieren (*su* über *+akk*); **2.** *(litigare)* heftig diskutieren (*di* über *+akk*), (sich) streiten (*di* über *+akk*). **discutibile** [...ku'ti:bile] *agg* **1.** *(da discutere)* diskutabel, strittig; **2.** *(incerto)* umstritten, zweifelhaft, fragwürdig.

disdegnare [dizdeɲ'ɲa:re] *tr* verschmähen. **disdegno** [...'deɲɲo] *m* Geringschätzung *f,* Verachtung *f.*

disdetta [diz'detta] *f* **1.** *(sfortuna)* Pech *n,* Mißgeschick *n;* **2.** *(rifiuto)* Absage *f; (di contratto)* Kündigung *f.*

disdire [diz'di:re] ⟨*irr*⟩ *tr* **1.** *(rifiutare)* absagen; **2.** *dir* kündigen; **3.** *(annullare)* rückgängig machen, stornieren.

diseducativo, -a [dizeduka'ti:vo] *agg* unpädagogisch.

disegnare [diseɲ'ɲa:re] *tr* **1.** *(tracciando linee)* zeichnen; *(design)* (das Design) entwerfen; **2.** *(descrivere)* beschreiben, skizzieren; **3.** *(progettare)* konzipieren, planen; *(col disegno)* entwerfen. **disegnatore, -trice** [...ɲa'to:re] *m, f* Zeichner(in) *m(f); (designer)* Designer(in) *m(f).*

disegno [di'seɲɲo] *m* **1.** *(rappresentazione grafica)* Zeichnung *f,* Bild *n;* **2.** *fig (abbozzo)* Entwurf *m,* Skizze *f;* **3.** *(motivo ornamentale)* Muster *n;* **4.** *(arte)* Zeichnen *n,* Zeichenkunst *f;* **~ di legge** (*abbr* **D.D.L.**) Gesetzesvorlage *f,* Gesetzentwurf *m;* **tessuto a -i** gemusterter Stoff.

diserbante [dizer'bante] *m* Unkrautvertilgungsmittel *n.*

diseredare [dizere'da:re] *tr* enterben.

disertare [dizer'ta:re] **I.** *itr* **1.** *mil* Fahnenflucht begehen, desertieren; **2.** *fig* abfallen (*da* von), abtrünnig werden; **II.** *tr* verlassen; *(non frequentare)* fernbleiben (*qc* einer S. *(dat)*). **disertore** [...'to:re] *m* **1.** *mil* Fahnenflüchtige(r) *m,* Deserteur *m;* **2.** *fig* Abtrünnige(r) *m.* **diserzione** [...r'tsio:ne] *f* **1.** *mil* Fahnenflucht *f,* Desertion *f;* **2.** *fig* Abtrünnigkeit *f,* Abfall *m.*

disfacimento [disfatʃi'mento] *m* **1.** *(decomposizione)* Auflösung *f; (di cadavere)* Verwesung *f;* **2.** *fig (sfacelo)* Auflösung *f,* Zerfall *m.* **disfare** [...'fa:re] ⟨*irr*⟩ **I.** *tr* **1.** *(scomporre)* auflösen; *(distruggere)* zerstören; **2.** *(letto)* auf-, abdecken; *(meccanismo)* auseinandernehmen, zerlegen; *(valigia)* auspacken; *(cucito)* auftrennen; **3.** *(sciogliere)* zergehen lassen, schmelzen; **4.** *fig (casa)* auflösen; **II.** *rfl:* **-arsi 1.** *(scomporsi)* sich auflösen *(a. fig); (essere distrutto)* zerstört werden; *(cucito, nodo)* aufgehen; *(cadavere)* verwesen; **2.** *(dare via)* sich entledigen (*di qc* einer S. *(gen)*) *geh,* loswerden (*di qc/qu* etw./jdn) *fam,* abstoßen (*di qc* etw.) *fam.*

disfatta [dis'fatta] *f* Niederlage *f.* **disfattismo** [...'ti:zmo] *m* Defätismus *m.* **disfattista** [...'tista] ⟨-i *m,* -e *f*⟩ *mf* Defätist(in) *m(f).*

disfunzione [disfun'tsio:ne] *f* **1.** *med* Funktionsstörung *f;* **2.** *fig* schlechtes Funktionieren, Mißstand *m.*

disgelo [diz'dʒɛ:lo] *m* **1.** *meteo* (Auf)tauen *n;* **2.** *fig pol* Tauwetter *n.*

disgiunto, -a [diz'dʒunto] *agg* einzeln, getrennt; **firma -a** Einzelunterschrift *f.*

disgrazia [diz'grattsia] *f* **1.** *(sventura)* Unglück *n,* Pech *n;* **2.** *(sfavore)* Ungnade *f;* **3.** *(incidente)* Unglücksfall *m,* Unglück *n;* **per ~** unglücklicherweise. **disgraziato, -a** [...'tsia:to] **I.** *agg* unglücklich, unglückselig; **II.** *m, f* **1.** *(persona sfortunata)* armer Teufel, Pechvogel *m,* Unglücksrabe *m; (persona deplorevole)* Gauner *m;* **2.** *fam (persona minorata)* Unglückliche(r) *mf.*

disgregamento [dizgrega'mento] *m* Zerfall *m,* Auflösung *f.* **disgregare** [...'ga:re] ⟨disgrego, disgreghi⟩ **I.** *tr* **1.** *(frantumare)* auseinanderbrechen (lassen), zersplittern; **2.** *fig* auflösen, zersetzen; **II.** *rfl:* **-arsi 1.** *(andare in pezzi)* auseinandergehen, zersplittern; **2.** *fig* sich auflösen, zerbröckeln, sich zersetzen. **disgregazione** [...gat'tsio:ne] *f* Zersetzung *f,* Auflösung *f.*

disguido [diz'gui:do] *m* **1.** *(postale)* Fehlleitung *f,* Fehlzustellung *f;* **2.** *(svista)* Versehen *n.*

disgustare [dizgus'ta:re] **I.** *tr* **1.** *(dare disgusto)* anekeln, anwidern, zuwider sein (*qu* jdm); **2.** *fig* abstoßen; **II.** *rfl:* **-arsi** Widerwillen empfinden (*di* bei),

angeekelt (*o* angewidert) sein (*di* von).
disgusto [diz'gusto] *m* Widerwille *m* (*per* gegen), Abscheu *m* (*per* vor *+dat*), Ekel *m* (*per* vor *+dat*). **disgustoso, -a** [...'to:so] *agg* **1.** *(nauseante)* ekelerregend; *(cibo a.)* unappetitlich; **2.** *fig* abstoßend, ekelhaft, widerlich.
disidratato, -a [dizidra'ta:to] *agg* **1.** *(alimenti)* getrocknet, Trocken-, Dörr-; **2.** *(organismo)* ausgetrocknet. **disidratazione** [...tat'tsi̯o:ne] *f* **1.** *(perdita di acqua)* Wasserentzug *m*, Dehydratation *f wissensch.*; *(pelle)* Austrocknen *n*; **2.** *(alimentare)* Trocknen *n*, Dörren *n*.
disilludere [dizil'lu:dere] ⟨*irr*⟩ **I.** *tr* ernüchtern, enttäuschen; **II.** *rfl:* **-ersi** ernüchtert (*o* enttäuscht) werden. **disillusione** [...lu'zi̯o:ne] *f* Ernüchterung *f*, Enttäuschung *f*.
disimparare [dizimpa'ra:re] *tr* verlernen (*a fare qc* etw. zu tun).
disimpegnare [dizimpeɲ'ɲa:re] **I.** *tr* **1.** *(liberare)* befreien; *fig (da impegno, promessa)* entbinden; **2.** *(pegno)* ein-, auslösen; **II.** *rfl:* **-arsi 1.** *(liberarsi)* sich befreien, sich losmachen; **2.** *(cavarsela)* fertig werden (*in* mit).
disincagliare [diziŋkaʎ'ʎa:re] **I.** *tr* **1.** *naut* flottschleppen, flottmachen; **2.** *fig* wieder in Gang bringen; **II.** *rfl:* **-arsi 1.** *naut f* flottkommen; **2.** *fig* sich entschärfen.
disincantato, -a [diziŋkan'ta:to] *agg* illusionslos, nüchtern, ernüchtert.
disincentivare [dizintʃenti'va:re] *tr* **1.** *(non favorire)* nicht unterstützen, nicht fördern; **2.** *(limitare)* einschränken. **disincentivo** [...tʃen'ti:vo] *m* Einschränkung *f* wirtschaftlicher Anreize.
disinfestare [dizinfes'ta:re] *tr* entwesen, von Ungeziefer befreien. **disinfestazione** [...tat'tsi̯o:ne] *f* Entwesung *f*.
disinfettante [dizinfet'tante] **I.** *agg* desinfizierend; **II.** *m* Desinfektionsmittel *n*. **disinfettare** [...'ta:re] *tr* desinfizieren. **disinfezione** [...t'tsi̯o:ne] *f* Desinfektion *f*.
disinformato [dizinfor'mɑ:to] *agg* **1.** *(avere informazioni errate)* desinformiert, falsch informiert; **2.** *(senza informazioni)* nicht informiert. **disinformazione** [-'tsi̯o:ne] *f* **1.** *(informazione errate)* Desinformation *f*; **2.** *(mancanza di informazione)* Informationsdefizit *n*.
disingannare [diziŋgan'na:re] **I.** *tr* die Augen öffnen (*qu* jdm); *(deludere)* enttäuschen, ernüchtern; **II.** *rfl:* **-arsi** seine Illusionen aufgeben.
disinibito, -a [dizini'bi:to] **I.** *agg* unbefangen, ungehemmt; **II.** *m, f* unbefangener Mensch.
disinnescare [dizinnes'ka:re] *tr (a. fig)* entschärfen.
disinnestare [dizinnes'ta:re] *tr* **1.** *tec (frizione)* auskuppeln; *(marcia)* herausnehmen; **2.** *el (spina)* herausziehen.
disinquinare [diziŋku̯ina:re] *tr* von Schadstoffen befreien.
disinserire [dizinse'ri:re] *tr* ab-, ausschalten.
disintegrare [dizinte'gra:re] **I.** *tr* **1.** *(ridurre in frammenti)* zertrümmern, zerkleinern; **2.** *fis* spalten; **II.** *rfl:* **-arsi 1.** *(ridursi in frammenti)* zertrümmert (*o* zerkleinert) werden; **2.** *fis* sich spalten, zerfallen. **disintegrazione** [...rat'tsi̯o:ne] *f* **1.** *(frammentazione)* Zertrümmerung *f*, Zerkleinerung *f*; **2.** *fis (a. fig)* Spaltung *f*, Zerfall *m*.
disinteressare [dizinteres'sa:re] **I.** *tr* das Interesse nehmen (*qu a qc* jdm an etw.*(dat)*); **II.** *rfl:* **-arsi** kein Interesse haben (*di* an *+dat*), sich nicht interessieren (*di* für); *(smettere di interessarsi)* das Interesse verlieren (*di* an *+dat*). **disinteressato, -a** [...'sa:to] *agg* **1.** *(senza interesse)* uninteressiert, desinteressiert; **2.** *(senza interesse personale)* uneigennützig. **disinteresse** [...'rɛsse] *m* **1.** *(noncuranza)* Desinteresse *n geh* (*per* an *+dat*), Gleichgültigkeit *f (per* gegenüber), Interesselosigkeit *f*; **2.** *(generosità)* Uneigennützigkeit *f*.
disintossicare [dizintossi'ka:re] **I.** *tr* entgiften; **II.** *rfl:* **-arsi** den Körper entschlacken. **disintossicazione** [...kat'tsi̯o:ne] *f* Entgiftung *f*.
disinvolto, -a [dizin'vɔlto] *agg* **1.** *(spigliato)* unbefangen, ungezwungen; **2.** *peg* leichtfertig, unverfroren. **disinvoltura** [...vol'tu:ra] *f* **1.** *(scioltezza)* Unbefangenheit *f*, Ungezwungenheit *f* **2.** *peg* Unverfrorenheit *f*, Leichtfertigkeit *f*.
disistima [dizis'ti:mɑ] *f* Geringschätzung *f*.
dislessia [diz'les'si:a] *f* Legasthenie *f*, Lese- und Rechtschreibschwäche *f*.
dislivello [dizli'vɛllo] *m* **1.** *(differenza di livello)* Höhenunterschied *m*; **2.** *fig* Unterschied *m*; ~ **tra classi sociali** Klassenunterschied *m*.
dislocare [dizlo'ka:re] *tr* **1.** *mil* dislozieren; **2.** *(spostare)* verlegen, versetzen; **3.** *naut* verdrängen.
dismisura [dizmi'zu:ra] *f:* **a** ~ maßlos, übermäßig.
disobbediente [dizobbe'di̯ɛnte] *ecc. v.* **disubbidiente** *ecc.*
disobbligare [dizobbli'ga:re] **I.** *tr* entbinden (*qu da qc* jdn von etw.); **II.** *rfl:* **-arsi** sich revanchieren (*con* bei, *per* für), sich erkenntlich zeigen (*con* bei, *per* für).
disoccupato, -a [dizokku'pa:to] **I.** *agg* arbeitslos; **II.** *m, f* Arbeitslose(r) *mf*. **disoccupazione** [...pat'tsi̯o:ne] *f* Arbeitslosigkeit *f*; ~ **cronica (*o* di lunga durata)** Dauerarbeitslosigkeit *f*; ~ **frizionale** friktionelle Arbeitslosigkeit, Sucharbeitslosigkeit *f*; ~ **giovanile** Jugendarbeitslosigkeit *f*; ~ **di massa** Massenarbeitslosigkeit *f*; ~ **stagionale** saisonbe-

dingte (*o* saisonale) Arbeitslosigkeit.

disonestà [dizones'ta] *f* Unehrlichkeit *f*, Unredlichkeit *f*. **disonesto, -a** [...'nɛsto] *agg* unehrlich, unredlich.

disonorare [dizono'ra:re] **I.** *tr* entehren; **II.** *rfl:* **-arsi** seine Ehre verlieren. **disonore** [...'no:re] *m* **1.** *(perdita dell'onore)* Verlust *m* der Ehre; **2.** *(vergogna)* Schande *f; (fig a.)* Schandfleck *m*. **disonorevole** [...no're:vole] *agg* unehrenhaft, entehrend.

disopra, di sopra [di'so:pra] **I.** *avv (stato)* oben; *(moto)* nach oben; *(nella parte superiore)* darüber; **II.** ⟨*inv*⟩ *agg* obere(r, s), darüberliegend; **III.** ⟨-⟩ *m* Oberseite *f*, Außenseite *f; (parte)* oberer Teil.

disordinare [dizordi'na:re] *tr* in Unordnung bringen; *(fig a.)* durcheinanderbringen. **disordinato, -a** [...'na:to] **I.** *agg* **1.** *(scompigliato)* ungeordnet; **2.** *(vita)* unordentlich, ungeregelt; **3.** *(mangiatore)* unmäßig; **II.** *m, f* unordentliche Person.

disordine [di'zordine] *m* **1.** *(scompiglio)* Unordnung *f*, Durcheinander *n;* **2.** *(situazione confusa)* Durcheinander *n;* **3.** *(sregolatezza)* Unmäßigkeit *f;* **4.** ⟨*pl*⟩ *(tumulti)* Unruhen *f pl*.

disorganico, -a [dizor'ga:niko] *agg* zusammenhanglos, unorganisch.

disorganizzare [dizorganid'dza:re] *tr* desorganisieren, zerrütten. **disorganizzato** [-'dzɑ:to] *agg* **1.** *(non organizzato)* unorganisiert, desorganisiert; **2.** *(persona)* unordentlich, chaotisch. **disorganizzazione** [...dzat'tsi̯o:ne] *f* Organisationsmangel *m*.

disorientamento [dizori̯enta'mento] *m* Verwirrung *f*, Desorientierung *f*. **disorientare** [...'ta:re] **I.** *tr* **1.** *(nella direzione)* in die Irre führen; **2.** *fig* verwirren; **II.** *rfl:* **-arsi 1.** *(nella direzione)* sich verirren, die Orientierung verlieren; **2.** *fig* die Orientierung verlieren, in Verwirrung geraten.

disotto, di sotto [di'sotto] **I.** *avv (stato)* unten; *(moto)* nach unten; *(nella parte inferiore)* darunter; **II.** ⟨*inv*⟩ *agg* untere(r, s), darunterliegend; **III.** ⟨-⟩ *m* Unterseite *f*, Innenseite *f*.

dispaccio [dis'pattʃo] ⟨-cci⟩ *m* **1.** *gener.* Botschaft *f*, Bericht *m;* **2.** *(giornalismo)* Meldung *f*.

disparato, -a [dispa'ra:to] *agg* ungleichartig, verschieden.

dispari ['dispari] ⟨*inv*⟩ *agg* ungleich; *mat* ungerade. **disparità** [-'ta] *f* Ungleichheit *f*, Verschiedenheit *f*.

disparte [dis'parte] *avv:* **in** ~ beiseite, abseits.

dispendio [dis'pɛndi̯o] ⟨-i⟩ *m* großer Aufwand; *peg* Verschwendung *f*. **dispendioso, -a** [...pen'di̯o:so] *agg* aufwendig, kostspielig.

dispensa [dis'pɛnsa] *f* **1.** *(fascicolo)* (Einzel)ausgabe *f*, Lieferung *f;* **2.** *(esonero)* Freistellung *f*, Befreiung *f;* **3.** *(mobile)* Anrichte *f;* **4.** *(stanzino)* Vorrats-, Speisekammer *f;* **5.** *(università)* Skript *n*, Vorlesungstext *m*. **dispensare** [dispen'sa:re] *tr* **1.** *(distribuire)* aus-, verteilen; **2.** *(esonerare)* befreien, freistellen; *amm* suspendieren.

dispenser [dis'pensə] ⟨-⟩ *m* Spender *m;* ~ **per sapone liquido** Seifenspender *m*.

disperare [dispe'ra:re] **I.** *itr* verzweifeln (*di* an +*dat*), die Hoffnung verlieren (*o* aufgeben) (*di* auf +*akk*); **far ~ qu** jdn zur Verzweiflung bringen; **II.** *rfl:* **-arsi** verzweifeln (*per* an +*dat*), in Verzweiflung geraten (*per* über +*akk*). **disperato, -a** [...'ra:to] **I.** *agg* **1.** *(senza speranza)* verzweifelt, hoffnungslos; **2.** *(rischioso)* verzweifelt, Verzweiflungs-; **II.** *m, f* Verzweifelte(r) *mf*, Hoffnungslose(r) *mf; scherz* Verrückte(r) *mf*. **disperazione** [...rat'tsi̯o:ne] *f* **1.** *(mancanza di speranza)* Verzweiflung *f*, Hoffnungslosigkeit *f;* **2.** *(che fa disperare)* Elend *n*, Unglück *n*.

disperdere [dis'pɛrdere] ⟨*irr*⟩ **I.** *tr* **1.** *(sparpagliare)* ver-, zerstreuen; **2.** *(consumare)* ver-, aufbrauchen, aufzehren; **II.** *rfl:* **-ersi 1.** *(dissiparsi)* sich zerstreuen, sich verlaufen; **2.** *fig* sich verlieren (*in* in +*dat*). **dispersione** [...per'si̯o:ne] *f* **1.** *fis* Dispersion *f;* **2.** *fig* Zersplitterung *f;* ~ **di calore** Wärmeverlust *m*. **dispersivo, -a** [...per'si:vo] *agg* **1.** *(senza concentrazione)* zerstreut; **2.** *(senza ordine, metodo)* planlos. **disperso, -a** [...'pɛrso] **I.** *agg* **1.** *(sparpagliato)* zerstreut, versprengt; **2.** *(perso)* verloren(gegangen); **3.** *(irreperibile)* vermißt; **4.** *fig* zersplittert; **II.** *m, f* Vermißte(r) *mf*.

dispetto [dis'petto] *m* **1.** *(atto spiacevole)* Bosheit *f;* **2.** *(irritazione)* Ärger *m* (*per* über +*akk*); **a ~ di** zum Trotz. **dispettoso, -a** [...'to:so] *agg* boshaft; *(fastidioso)* lästig, ärgerlich.

dispiacere[1] [dispi̯a'tʃe:re] *m* **1.** *(afflizione)* Kummer *m*, Gram *m geh;* **2.** *(rammarico)* Bedauern *n*.

dispiacere[2] [dispi̯a'tʃe:re] ⟨*irr*⟩ *itr* ⟨*essere*⟩ mißfallen, nicht gefallen, nicht zusagen; **non** ~ nicht abgeneigt sein, ganz gut gefallen *fam;* **mi dispiace (che . . .)** es tut mir leid (, daß . . .); **se non ti dispiace, . . .** wenn es dir nichts ausmacht . . .

dispiaciuto, -a [dispi̯a'tʃu:to] *agg* bekümmert (*di* über +*akk*), traurig (*di* über +*akk*).

display [dis'plei] ⟨-⟩ *m* Display *n;* ~ **a cristallo liquido** Flüssigkristallanzeige *f*, LCD-Anzeige *f;* ~ **luminoso** Leuchtanzeige *f*.

disponibile [dipo'ni:bile] *agg* verfügbar; *(merce)* vorrätig; *(persone)* disponibel, entgegen-, zuvorkommend. **disponibilità** [...nibili'ta] ⟨-⟩ *f* **1.** *gener.* Verfügbarkeit *f; (di merce)* Vorrätigkeit *f; (di persona)* Entgegenkommen *n,* Zuvorkommenheit *f;* **2.** ⟨*pl*⟩ *(elementi patrimoniali)* flüssiges Kapital, Mittel *n pl fam.*

disporre [dis'porre] ⟨*irr*⟩ **I.** *tr* **1.** *(collocare)* aufstellen, anordnen; **2.** *(sistemare)* (an)ordnen; **3.** *(preparare)* vorbereiten, einstimmen; **4.** *(prescrivere)* veranlassen, anordnen; **II.** *itr* **1.** *(avere a disposizione)* verfügen *(di* über *+akk);* **2.** *(stabilire)* bestimmen, verfügen; **3.** *(decidere)* entscheiden; **III.** *rfl:* **-orsi** **1.** *(sistemarsi)* sich aufstellen; **2.** *(prepararsi)* sich vorbereiten *(a* auf *+akk),* sich einstimmen *(a* auf *+akk).*

dispositivo [dispozi'ti:vo] *m* Vorrichtung *f;* ~ **di sicurezza** Sicherung *f.*

disposizione [...pozit'tsio:ne] *f* **1.** *(collocazione)* Aufstellung *f,* Anordnung *f;* **2.** *(sistemazione)* (An)ordnung *f;* **3.** *(inclinazione)* Veranlagung *f (a, per* zu), Begabung *f (a, per* für); **4.** *(condizione di spirito)* Verfassung *f;* **5.** *(ordine)* Bestimmung *f,* Vorschrift *f; (decisione)* Verfügung *f,* Anordnung *f;* **6.** *(facoltà di servirsi)* Verfügung *f,* Disposition *f;* **essere a** ~ **di qu** jdm zur Verfügung stehen; ~ **fiscale (***o* **tributaria)** Steuervorschrift *f;* ~ **amministrativa** Verwaltungsvorschrift *f.* **disposto, -a** [...'posto] *agg* **1.** *(collocato)* aufgestellt, angeordnet; **2.** *(pronto)* bereit; **3.** *(fissato)* vorgeschrieben, angeordnet; **essere ben/mal** ~ **verso qu** auf jdn gut/schlecht zu sprechen sein; **essere** ~ **a discutere** bereit sein zu diskutieren, diskussionsbereit sein.

dispotico, -a [dis'pɔ:tiko] ⟨-ci, -che⟩ *agg (a. fig)* despotisch.

dispregiativo, -a [dispredʒa'ti:vo] *agg* verächtlich.

disprezzabile [dispret'tsa:bile] *agg* verachtenswert, zu verachten(d).

disprezzare [dispret'tsa:re] *tr* **1.** *(ritenere indegno)* verachten; *(disdegnare)* verschmähen; **2.** *(non osservare)* mißachten, unterschätzen. **disprezzo** [...'prɛttso] *m* **1.** *(sdegnoso rifiuto)* Verachtung *f; (di cose)* Verschmähung *f;* **2.** *(noncuranza)* Mißachtung *f,* Unterschätzung *f.*

disputa ['disputa] *f* **1.** *(discussione)* Disput *m,* Streitgespräch *n;* **2.** *(alterco)* Auseinandersetzung *f;* **3.** *sport* Austragung *f.* **disputare** [...'ta:re] **I.** *itr* **1.** *(discutere)* disputieren *geh (di, su* über *+akk),* diskutieren *(di, su* über *+akk);* **2.** *(litigare)* heftig diskutieren *(di* über *+akk),* (sich) streiten *(di* über *+akk);* **II.** *tr* **1.** *(contendere)* streitig machen; **2.** *sport (partita)* austragen; **III.** *rfl:* **-arsi** kämpfen *(qc* um etw.), wetteifern *(qc* um etw.).

dissacrare [dissa'kra:re] *tr* **1.** *rel* entweihen; **2.** *fig (demitizzare)* entmythisieren.

dissanguamento [dissaŋgua'mento] *m* Verbluten *n.* **dissanguare** [...'gua:re] **I.** *tr* **1.** *med* verbluten lassen; *(animali)* ausbluten lassen; **2.** *fig* schröpfen, ausnehmen, (bis aufs Blut) aussaugen; **II.** *rfl:* **-arsi** **1.** *med* verbluten *(per* an *+dat);* **2.** *fig* sich aufopfern.

dissapore [dissa'po:re] *m* Unstimmigkeit *f.*

disseccare [disse'ka:re] *tr, rfl:* **-arsi** austrocknen.

disseminare [dissemi'na:re] *tr* **1.** *(spargere)* ver-, ausstreuen; **2.** *fig* verbreiten.

dissennato, -a [dissen'na:to] *agg* unvernünftig, töricht *gen.*

dissenso [dis'sɛnso] *m* **1.** *(divergenza di opinioni)* Meinungsverschiedenheit *f;* **2.** *(disapprovazione)* Mißbilligung *f,* Ablehnung *f;* **3.** *pol, rel* Dissens *m,* Abweichlertum *n,* Dissidententum *n.*

dissenteria [dissente'ri:a] ⟨-ie⟩ *f med* Ruhr *f.*

dissentire [dissen'ti:re] *itr* nicht übereinstimmen *(da* mit), anderer Meinung sein *(da* als). **dissenziente** [...n'tsiɛnte] *agg* andersdenkend.

disseppellire [disseppel'li:re] *tr* ausgraben, freilegen.

dissertazione [dissertat'tsio:ne] *f* (wissenschaftliche) Abhandlung *f;* ~ **di laurea** Staatsexamens-, Magister-, Diplomarbeit; *(di ricerca)* Dissertation *f,* Doktorarbeit *f.*

disservizio [disser'vittsio] *m* schlechtes Funktionieren.

dissestare [disses'ta:re] *tr* **1.** *(mettere in disordine)* aus den Fugen gehen lassen; **2.** *fig* das Gefüge zerstören *(qc* einer S. *gen); (famiglia)* zerrütten; *econ* abwirtschaften. **dissesto** [...'sɛsto] *m* Zerrüttung *f.*

dissetante [disse'tante] *agg* durstlöschend, durststillend. **dissetare** [...'ta:re] **I.** *tr* den Durst löschen (*o* stillen) *(qu* jds); **II.** *rfl:* **-arsi** seinen Durst löschen (*o* stillen).

dissi ['dissi] *p rem di* **dire.**

dissidente [dissi'dɛnte] *mf* Dissident(in) *m(f),* Regimekritiker(in) *m(f).*

dissidio [dis'si:dio] ⟨-i⟩ *m* Zwist *m,* Meinungsverschiedenheit *f.*

dissimulare [dissimu'la:re] *tr* **1.** *(nascondere)* verheimlichen, verbergen; *(sentimento a.)* verhehlen; **2.** *(fingere)* vorspiegeln, vortäuschen, (vor)heucheln. **dissimulatore, -trice** [...la'to:re] *m, f* Heuchler(in) *m(f).* **dissimulazione** [...lat'tsio:ne] *f* Verstellung *f,* Vortäuschung *f,* Heuchelei *f.*

dissipare [dissi'pa:re] **I.** *tr* **1.** *(dissolvere)* auflösen, zerstreuen; **2.** *fig (dubbi)* zerstreuen; **3.** *(sperperare)* vergeuden, verschwenden; **II.** *rfl:* **-arsi** *(a. fig)* sich auflösen.

dissipato, -a [dissi'pa:to] *agg* ausschweifend, liederlich. **dissipazione** [...pat'tsio:ne] *f* **1.** *(condotta sregolata)* Hemmungslosigkeit *f,* Maßlosigkeit *f;* **2.** *(sperpero)* Verschwendung *f,* Vergeudung *f.*

dissociare [disso'tʃa:re] ⟨dissocio, dissoci⟩ **I.** *tr* **1.** *(separare)* trennen, dissoziieren *geh;* **2.** *chim* dissoziieren; **II.** *rfl:* **-arsi** sich distanzieren (*da* von), Abstand nehmen (*da* von); **-arsi dal terrorismo** sich vom Terrorismus distanzieren. **dissociazione** [...tʃat'tsio:ne] *f* **1.** *(disgiunzione)* Trennung *f;* **2.** *chim, psic* Dissoziation *f.*

dissodare [disso'da:re] *tr* urbar machen.

dissolsi [dis'sɔlsi] *p rem di* **dissolvere.**

dissolto [dis'sɔlto] *pp di* **dissolvere.**

dissolutezza [dissolu'tettsa] *f* Ausschweifung *f,* Zügellosigkeit *f,* Sittenlosigkeit *f.* **dissoluto, -a** [...'lu:to] *agg* ausschweifend, zügellos, sittenlos.

dissolvere [dis'sɔlvere] ⟨dissolvo, dissolsi, dissolto⟩ **I.** *tr* **1.** *(sciogliere)* auflösen; **2.** *(disperdere)* zerstreuen; **3.** *(dissipare)* vertreiben; **II.** *rfl:* **-ersi** sich auflösen, (ent)schwinden.

dissonante [disso'nante] *agg* **1.** *mus* dissonant, mißtönend; **2.** *fig* nicht übereinstimmend, verschieden. **dissonanza** [...'nantsa] *f* **1.** *mus* Dissonanz *f;* **2.** *fig* Unstimmigkeit *f,* Disharmonie *f geh.*

dissotterrare [dissotter'ra:re] *tr* ausgraben.

dissuadere [dissua'de:re] ⟨dissuado, dissuasi, dissuaso⟩ *tr* abbringen (*qu da qc* jdn von etw.), ausreden (*qu da qc* jdm etw.). **dissuasione** [...a'zio:ne] *f* Abraten *n;* ~ **nucleare** atomare Abschreckung.

dissuaso [...u'a:zo] *pp di* **dissuadere.**

distaccare [distak'ka:re] **I.** *tr* **1.** *(separare)* abnehmen, ablösen, trennen; **2.** *(allontanare)* wegbringen, entfernen, trennen; **3.** *mil* abkommandieren; *amm* abordnen; **4.** *sport* zurücklassen, abhängen, mit Abstand besiegen; **II.** *rfl:* **-arsi** **1.** *(staccarsi)* sich loslösen, abgehen *fam;* **2.** *fig (allontanarsi)* sich abkehren, sich abwenden; **3.** *(distinguersi)* sich abheben. **distaccato, -a** [...'ka:to] *agg* distanziert; **sede -a** Außenstelle *f.*

distacco [dis'takko] *m* **1.** *(stacco)* Abnahme *f,* Ablösung *f;* **2.** *fig (allontanamento)* Trennung *f,* Abschied *m;* **3.** *sport, fig* Abstand *m,* Distanz *f;* **vincere con** ~ mit Abstand gewinnen.

distante [dis'tante] **I.** *agg* **1.** *(lontano)* fern, weit; **2.** *fig (di riserbo)* unnahbar; **II.** *avv* (weit) entfernt. **distanza** [...'tantsa] *f* **1.** *(spazio)* Abstand *m,* Entfernung *f;* *(a. sport: percorso)* Distanz *f;* **2.** *(tempo)* Abstand *m;* **3.** *fig (differenza)* Unterschied *m;* **comando a** ~ Fernsteuerung *f.*

distanziare [distan'tsia:re] ⟨distanzio, distanzi⟩ *tr* **1.** *(disporre a distanza)* in einem bestimmten Abstand aufstellen; **2.** *sport, fig* abhängen, hinter sich *(dat)* lassen.

distare [dis'ta:re] ⟨*mancano tempi composti*⟩ *itr* **1.** *(essere discosto)* entfernt sein (*o* liegen); **2.** *fig (differire)* auseinandergehen.

distendere [dis'tɛndere] ⟨*irr*⟩ **I.** *tr* **1.** *(estendere)* ausbreiten; *(braccia, gambe)* ausstrecken; **2.** *(mettere a giacere)* (hin)legen; **3.** *(nervi, muscoli)* entspannen; **II.** *rfl:* **-ersi** **1.** *(rilassarsi)* sich entspannen; **2.** *(sdraiarsi)* sich hinlegen, sich ausstrecken; **3.** *(stirarsi)* sich strecken, sich dehnen. **distensione** [...ten'sio:ne] *f* **1.** *(allungamento, estensione)* Dehnung *f,* Streckung *f;* **2.** *(rilassamento) (a. pol)* Entspannung *f;* **politica di** ~ Entspannungspolitik *f.* **distensivo, -a** [...ten'si:vo] *agg* entspannend; *(a. pol)* Entspannungs-. **distesa** [...'te:sa] *f* **1.** *(quantità)* (ganze) Reihe *f;* **2.** *(estensione)* Ausdehnung *f,* Weite *f.* **disteso, -a** [...'te:so] **I.** *agg* **1.** *(sdraiato, allungato)* ausgestreckt; **2.** *(pacato)* gedämpft; **3.** *(rilassato)* entspannt; **II.** *avv:* **a -a** ohne Unterbrechung.

distillare [distil'la:re] *tr* **1.** *chim* destillieren; *(acquavite)* brennen; **2.** *(mandar fuori)* (tropfenweise) absondern (*o* ausscheiden). **distillatore** [...la'to:re] *m* Destillator *m.* **distillazione** [...lat'tsio:ne] *f* Destillation *f.*

distinguere [dis'tiŋguere] ⟨distinguo, distinsi, distinto⟩ **I.** *tr* **1.** *(discernere)* unterscheiden; **2.** *(individuare)* erkennen; **3.** *(caratterizzare)* kennzeichnen; *(far emergere)* auszeichnen; **II.** *rfl:* **-ersi** sich unterscheiden (*per* in *+dat, da* von), sich auszeichnen (*per* durch).

distinta [dis'tinta] *f* Aufstellung *f,* Liste *f,* Verzeichnis *n.*

distintivo, -a [distin'ti:vo] **I.** *agg* Unterscheidungs-, unterscheidend, distinktiv *geh;* **II.** *m* Abzeichen *n.*

distinto, -a [dis'tinto] **I.** *pp di* **distinguere;** **II.** *agg* **1.** *(differente)* verschieden(artig), getrennt; **2.** *(chiaro)* deutlich; **3.** *(fine)* vornehm, distinguiert *geh;* **-i saluti** hochachtungsvoll. **distinzione** [...n'tsio:ne] *f* **1.** *(discriminazione)* Unterscheidung *f,* Unterschied *m;* **2.** *(riguardo)* Hochachtung *f;* **3.** *(onoreficienza)* Auszeichnung *f;* **4.** *(signorilità)* Vornehmheit *f,* Distinguiertheit *f geh.*

distogliere [dis'tɔʎʎere] ⟨*irr*⟩ *tr* abbringen; *(distrarre)* ablenken; *(sguardo)* abwenden.

distorcere [dis'tɔrtʃere] ⟨*irr*⟩ **I.** *tr* **1.** *(torcere)* verziehen, verzerren; **2.** *fig* entstellen, verzerren; **II.** *rfl:* **-ersi** sich winden. **distorsione** [...tor'sio:ne] *f* **1.** *med* Verstauchung *f;* **2.** *fig* Entstellung *f,* Verzerrung *f;* ~ **concorrenziale** Wettbewerbsverzerrung *f.* **distrarre** [dis'trarre] ⟨*irr*⟩ **I.** *tr* ablenken; *(divertire)* zerstreuen; **II.** *rfl:* **-arsi** **1.** *(volgere la mente)* sich ablenken (lassen); **2.** *(divertirsi)* sich zerstreuen. **distratto, -a** [...'tratto] *agg* unaufmerksam, zerstreut. **distrazione** [...t'tsio:ne] *f* **1.** *(disattenzione)* Unaufmerksamkeit *f,* Zerstreutheit *f;* **2.** *(diversivo)* Zerstreuung *f,* Ablenkung *f.*

distretto [dis'tretto] *m* Bezirk *m,* Distrikt *m.*

distribuire [distribu'i:re] ⟨distribuisco⟩ *tr* verteilen, austeilen; *(fornire)* versorgen mit; *(posta)* austragen, zustellen. **distributore** [...u'to:re] *m el* Verteiler *m;* ~ **automatico** Automat *m;* ~ **automatico di biglietti** Fahrscheinautomat *m;* ~ **di benzina** Tankstelle *f;* ~ **di sigarette** Zigarettenautomat *m.* **distribuzione** [...ut'tsio:ne] *f* **1.** *(assegnazione)* Zuteilung *f,* Verteilung *f;* **2.** *(consegna)* Austeilung *f,* Zustellung *f;* **3.** *(fornitura)* Versorgung *f* (*di* mit); **4.** *(meccanismo)* Steuerung *f;* **5.** *com* Vertrieb *m,* Distribution *f;* **6.** *(posizione)* Verteilung *f,* Distribution *f.*

districare [distri'ka:re] ⟨districo, districhi⟩ **I.** *tr* **1.** *(sbrogliare)* entwirren; **2.** *fig* klären, lösen; **II.** *rfl:* **-arsi** **1.** *(liberarsi)* sich befreien; **2.** *fig (trarsi d'impaccio)* sich herauswinden, sich zu helfen wissen.

distruggere [dis'truddʒere] ⟨irr⟩ *tr* **1.** *(annientare)* zerstören, vernichten; *(specie)* ausrotten; **2.** *(vanificare)* zunichte machen, vereiteln; **3.** *fig* zerstören, zugrunde richten. **distruttore, -trice** [...'to:re] **I.** *agg* Zerstörungs-; **II.** *m, f* Zerstörer(in) *m(f).* **distruzione** [...t'tsio:ne] *f* Zerstörung *f,* Vernichtung *f; (di specie)* Ausrottung *f.*

disturbare [distur'ba:re] **I.** *tr* **1.** *(infastidire)* stören; **2.** *(far male)* nicht bekommen, nicht gut tun, zu schaffen machen *fam.* **II.** *rfl:* **-arsi** sich stören lassen, sich bemühen, (sich *dat*) Umstände machen; **non si disturbi** machen Sie sich *(dat)* keine Umstände, lassen Sie sich nicht stören. **disturbatore, -trice** [...ba'to:re] *m, f* Störer(in) *m(f),* Störenfried *m.* **disturbo** [...'turbo] *m* **1.** *gener., tec* Störung *f;* **2.** *med* Verstimmung *f,* Beschwerden *pl;* **3.** *(incomodo)* Bemühung *f,* Mühe *f;* **togliere il** ~ sich empfehlen *geh,* nicht länger stören wollen.

disubbidiente [dizubbi'diɛnte] *agg* ungehorsam (*a* gegenüber). **disubbidienza** [...'diɛntsa] *f* Ungehorsam *m.*

disubbidire [dizubbi'di:re] *itr* nicht gehorchen (*a qu* jdm); *(a un ordine, una disposizione)* nicht befolgen (*a qc* etw. *(akk)*).

disuguaglianza [dizuguaʎ'ʎantsa] *f* **1.** *(divario)* Unterschied *m;* **2.** *mat* Ungleichung *f.* **disuguale** [...'gua:le] *agg* **1.** *(diverso)* ungleich, unterschiedlich; **2.** *(irregolare)* ungleichmäßig, unregelmäßig; *(terreno)* uneben.

disumano, -a [dizu'ma:no] *agg* unmenschlich, inhuman *geh.*

disunire [dizu'ni:re] *tr* **1.** *(separare)* scheiden, trennen; **2.** *fig* entzweien.

disusato, -a [dizu'za:to] *agg* ungebräuchlich; *(antiquato)* veraltet. **disuso** [di'zu:zo] *m:* **in** ~ veraltet; **cadere in** ~ außer Gebrauch kommen, veralten.

ditale [di'ta:le] *m* Fingerhut *m.*

ditata [di'ta:ta] *f* **1.** *(colpo)* Stoß *m* mit dem Finger; **2.** *(impronta)* Fingerabdruck *m.*

dito ['di:to] ⟨*pl nel loro insieme:* -a *f, specificando ciascuno:* -i *m*⟩ *m* **1.** *anat (della mano)* Finger *m; (del piede)* Zeh *m,* Zehe *f;* **2.** *(del guanto)* Fingerling *m,* Finger *m;* **3.** *(misura)* Fingerbreit *m; (di liquidi a.)* Schluck *m;* **si contano sulle (***o* **sulla punta delle) -a** man kann sie an zehn Fingern abzählen; **mettere il** ~ **sulla piaga** *fig* den wunden Punkt treffen.

ditta ['ditta] *f* Firma *f;* ~ **affiliata (***o* **consorella)** Schwesterfirma *f.*

dittafono [dit'ta:fono] *m* **1.** *(per la dettatura)* Diktiergerät *n,* Diktaphon *n;* **2.** *(per la conversazione)* Sprechanlage *f.*

dittatore [ditta'to:re] *m* Diktator *m.* **dittatoriale** [...to'ria:le] *agg* diktatorisch. **dittatura** [...'tu:ra] *f* Diktatur *f.*

dittongo [dit'tɔŋgo] ⟨-ghi⟩ *m* Doppelvokal *m,* Diphthong *m.*

diuretico, -a [diu'rɛ:tiko] ⟨-ci, -che⟩ *agg* harntreibend, diuretisch *wissensch.*

diurno, -a [di'urno] *agg* Tag(es)-; **servizio** ~ **e notturno** Tag und Nacht geöffnet.

diva ['di:va] *f* Diva *f.*

divagare [diva'ga:re] *itr* abschweifen (*da* von), abkommen (*da* von). **divagazione** [...gat'tsio:ne] *f* Abschweifung *f,* Exkurs *m.*

divampare [divam'pa:re] *itr* ⟨*essere*⟩ **1.** *(incendio)* auflodern; **2.** *fig (emozione, guerra)* entbrennen; *(persone)* glühen (*di* vor).

divano [di'va:no] *m* Sofa *n,* Couch *f;* ~ **letto** Bettcouch *f.*

divaricare [divari'ka:re] ⟨divarico, divarichi⟩ *tr* **1.** *(in ginnastica)* (auseinander)-spreizen; **2.** *(allargare)* verbreitern, öffnen. **divaricatore** [...ka'to:re] *m* Wundhaken *m.*

divario [di'va:rio] ⟨-i⟩ *m* **1.** *(diversità)* Unterschied *m,* Verschiedenheit *f;* **2.** *(disparità)* Gefälle *n.*

divenire [dive'ni:re] ⟨*irr*⟩, **diventare** [diven'ta:re] *itr* ⟨*essere*⟩ werden (*qc* (zu) etw.).

diverbio [di'vɛrbio] ⟨-i⟩ *m* Wortgefecht *n,* Wortwechsel *m.*

divergente [diver'dʒɛnte] *agg* **1.** *mat* divergent; **2.** *fig* divergierend *geh*, auseinandergehend. **divergenza** [...'dʒɛntsa] *f* **1.** *mat* Divergenz *f;* **2.** *fig* (Meinungs)verschiedenheit *f*, Divergenz *f geh.* **divergere** [di'vɛrdʒere] ⟨divergo, divergi, *mancano il p rem ed il pp*⟩ *itr* divergieren *geh; (a. fig)* abweichen. **diversamente** [diversa'mente] *avv* **1.** *(in maniera diversa)* anders, auf andere Weise; **2.** *(altrimenti)* sonst, andernfalls. **diversificare** [diversifi'ka:re] **I.** *tr* **1.** *(differenziare)* unterscheiden; *(cambiare)* variieren; **2.** *econ* diversifizieren; **II.** *rfl:* **-arsi** sich unterscheiden. **diversificazione** [...kat'tsio:ne] **1.** *(differenziazione)* Unterscheidung *f; (varietà)* Abwechslung *f*, Vielfalt *f;* **2.** *econ* Diversifikation *f*, Diversifizierung *f.*

diversione [diver'sio:ne] *f mil* Ablenkungsmanöver *n.*

diversità [diversi'ta] ⟨-⟩ *f* **1.** *(differenza)* Verschiedenheit *f; (di prezzo a.)* Differenz *f;* **2.** *(varietà)* Vielfalt *f.* **diversivo** [...'si:vo] *m* Abwechslung *f*, Ablenkung *f.* **diverso, -a** [di'vɛrso] **I.** *agg* **1.** *(differente)* verschieden, andere(r, s), anders; **2.** ⟨*pl*⟩ *(vari)* mehrere, diverse, einige; **II.** ⟨*pl*⟩ *pron* etliche, mehrere; **III.** *m, f* **1.** *(persona con attitudini diverse)* Außenseiter(in) *m(f);* **2.** *(omosessuale)* Homosexuelle(r) *mf.*

divertente [diver'tɛnte] *agg* unterhaltsam, vergnüglich, amüsant.

divertimento [diverti'mento] *m* **1.** *(passatempo)* Unterhaltung *f*, Vergnügen *n;* **2.** *mus* Divertimento *n*, Divertissement *n.* **divertire** [...'ti:re] ⟨diverto⟩ **I.** *tr* unterhalten, amüsieren, vergnügen; **II.** *rfl:* **-irsi** sich vergnügen (*con* mit), sich amüsieren (*con* mit), seinen Spaß haben (*a* an *+dat, con* bei, mit); **-irsi alle spalle di qu** sich über jdn lustig machen. **divertito, -a** [...'ti:to] *agg* vergnügt, belustigt, amüsiert.

dividendo [divi'dɛndo] *m* **1.** *mat* Dividend *m;* **2.** *fin* Dividende *f.*

dividere [di'vi:dere] ⟨divido, divisi, diviso⟩ **I.** *tr* **1.** *(separare)* (auf)teilen; **2.** *(suddividere)* ein-, aufteilen; **3.** *(distribuire)* (ver-, auf)teilen; **4.** *(separare)* trennen, *(fig a.)* entzweien; **5.** *mat* teilen (*per* durch), dividieren (*per* durch); ~ **a/ per metà** halbieren; ~ **in quattro** vierteln, in vier Stücke teilen; ~ **9 per 3** 9 durch 3 teilen; **II.** *rfl:* **-ersi** sich teilen; *(separarsi)* sich trennen.

divieto [di'viɛ:to] *m* Verbot *n;* ~ **d'accesso/d'affissione** Betreten/Plakate ankleben verboten; ~ **d'importazione** Einfuhrverbot *n;* ~ **di sosta** Halteverbot *n.*

divinazione [divinat'tsio:ne] *f* Wahrsagung *f.*

divincolarsi [divinko'larsi] *rfl* sich krümmen, sich winden.

divinità [divini'ta] ⟨-⟩ *f* **1.** *(qualità divina)* Göttlichkeit *f;* **2.** *(dio)* Gottheit *f.*

divino, -a [di'vi:no] *agg* **1.** *(di divinità)* göttlich, Gottes-; **2.** *fig* himmlisch, göttlich.

divisa[1] [di'vi:za] *f (uniforme)* Uniform *f;* ~ **sportiva** Sportdreß *m.*

divisa[2] [di'vi:za] *f fin* Devisen *pl.*

divisi [di'vi:zi] *p rem di* **dividere.**

divisibile [divi'zi:bile] *agg* teilbar.

divisione [divi'zio:ne] *f* **1.** *(ripartizione)* (Auf)teilung *f;* **2.** *(separazione)* Trennung *f;* **3.** *(suddivisione)* Auf-, Einteilung *f;* **4.** *mat* Teilung *f*, Division *f;* **5.** *(reparto)* Abteilung *f;* **6.** *mil* Division *f;* **7.** *sport* Spielklasse *f*, Division *f;* ~ **in sillabe** Silbentrennung *f;* **massima** ~ ≃ Bundesliga *f.*

diviso, -a [di'vi:zo] **I.** *pp di* **dividere; II.** *agg* **1.** *(separato)* getrennt, abgesondert; **2.** *fig* uneinig, getrennt.

divisore [divi'zo:re] *m* **1.** *mat* Divisor *m*, Teiler *m;* **2.** *tec* Trennscheibe *f;* ~ **comune** gemeinsamer Teiler. **divisorio, -a** [...'zɔ:rio] ⟨-i, -ie⟩ **I.** *agg* Trenn-; **II.** *m* Trennwand *f.*

divo, -a ['di:vo] *m, f* Star *m.*

divorare [divo'ra:re] *tr* **1.** *(mangiare avidamente, a. fig)* verschlingen; *(di animali)* fressen; **2.** *fig (consumare)* verzehren; **3.** *fig (dilapidare)* verschleudern.

divorziare [divor'tsia:re] ⟨divorzio, divorzi⟩ *itr* sich scheiden lassen (*da* von). **divorzio** [di'vɔrtsio] ⟨-i⟩ *m* (Ehe)scheidung *f;* **chiedere il** ~ die Scheidung einreichen.

divulgare [divul'ga:re] ⟨divulgo, divulghi⟩ **I.** *tr* **1.** *(diffondere)* verbreiten, bekanntmachen; **2.** *(rendere comprensibile)* (allgemein)verständlich darstellen; **II.** *rfl:* **-arsi** sich verbreiten, bekanntwerden. **divulgativo, -a** [...ga'ti:vo] *agg* allgemeinverständlich, populär(wissenschaftlich). **divulgazione** [...gat'tsio:ne] *f* **1.** *(diffusione)* Verbreitung *f*, Bekanntmachung *f;* **2.** *(di teoria)* Popularisierung *f;* **opera di** ~ **scientifica** populärwissenschaftliches Werk.

dizionario [dittsio'na:rio] ⟨-i⟩ *m* Wörterbuch *n;* ~ **monolingue/bilingue** einsprachiges/zweisprachiges Wörterbuch; **consultare il** ~ im Wörterbuch nachschlagen.

dizione [dit'tsio:ne] *f* **1.** *(modo di parlare)* Ausdrucksweise *f*, Diktion *f geh;* **2.** *(recitazione)* Vortrag *m*, Deklamation *f.*

DNA [diɛnne'a] *m abbr di* **acido deossiribonucleico** DNS *f* (*abk von* Desoxyribonukleinsäure).

do[1] [dɔ] ⟨-⟩ *m mus* c, C *n.*

do[2] [dɔ] *pr di* **dare.**

dobbiamo [dob'bia:mo] *v.* **dovere.**

D.O.C. [dɔk] *abbr di* **Denominazione di**

Origine Controllata QbA (*abk von* Qualitätswein aus bestimmten Anbaugebieten).

doccia ['dottʃa] ⟨-cce⟩ *f* **1.** *(nel bagno)* Dusche *f;* **2.** *(grondaia)* Dachrinne *f;* **fare la** ~ (sich) duschen. **docciaschiuma** [-'skiu:ma] ⟨-⟩ *m* Duschgel *n.*

docente [do'tʃɛnte] **I.** *agg* Lehr(er)-; **personale** ~ Lehrkörper *m amm;* **II.** *mf* Lehrkraft *f amm,* Lehrer(in) *m(f);* ~ **universitario** Dozent(in) *m(f),* Hochschullehrer(in) *m(f).* **docenza** [do'tʃɛntsa] *f* Dozentur *f;* **libera** ~ Privatdozentur *f.*

docile ['dɔ:tʃile] *agg* **1.** *(persona)* gefügig, fügsam; **2.** *(animale)* zahm; **3.** *(materiale)* geschmeidig, weich. **docilità** [dotʃili'ta] ⟨-⟩ *f* **1.** *(sottomissione)* Gefügigkeit *f,* Fügsamkeit *f;* **2.** *(di animali)* Zahmheit *f;* **3.** *(di materiali)* Geschmeidigkeit *f.*

documentare [dokumen'ta:re] **I.** *tr* dokumentieren; *(comprovare)* belegen, nachweisen; **II.** *rfl:* **-arsi** sich informieren (*su* über +*akk*). **documentario, -a** [...'ta:rio] ⟨-i, -ie⟩ **I.** *agg* dokumentarisch, Dokumentar-; **II.** *m* Dokumentarfilm *m.* **documentazione** [...tat'tsio:ne] *f* **1.** *(raccolta di materiale)* Dokumentation *f;* **2.** *(insieme di documenti)* Unterlagen *f pl,* Akte *f.*

documento [doku'mento] *m* **1.** *amm* Dokument *n,* Beleg *m,* Papiere *n pl fam; inform* Dokument *n;* **2.** ⟨*pl*⟩ *(di identità)* Papiere *n pl fam,* (Personal)ausweis *m;* **3.** *fig (testimonianza storica)* Dokument *n,* Zeugnis *n;* **-i doganali** Zollbegleitpapiere *n pl.*

dodicenne [dodi'tʃɛnne] **I.** *agg* zwölfjährig; **II.** *mf* Zwölfjährige(r) *mf.* **dodicesimo, -a** [...'tʃɛ:zimo] **I.** *agg* zwölfte(r, s); **II.** *m, f* Zwölfte(r, s) *mfn;* **III.** *(frazionario)* Zwölftel *n,* zwölfter Teil; *v. a. quinto.*

dodici ['do:ditʃi] **I.** *num* zwölf; **II.** ⟨-⟩ *m* **1.** *(numero)* Zwölf *f;* **2.** *(nelle date)* Zwölfte(r) *m;* **III.** *f pl* zwölf Uhr; *v. a. cinque.*

dogana [do'ga:na] *f* **1.** *(imposta)* Zoll *m;* **2.** *(ufficio)* Zoll *m,* Zollbehörde *f,* Zollamt *n;* **3.** *(impiegati)* Zollbeamte(n) *m pl;* **operazioni di** ~ Zollabfertigung *f.* **doganale** [doga'na:le] *agg* Zoll-. **doganiere** [...'niɛ:re] *m* Zollbeamte(r) *m,* -beamtin *f.*

doge ['dɔ:dʒe] *m* Doge *m.*

doglie ['dɔʎʎe] *f pl* (Geburts)wehen *f pl.*

dogma ['dɔgma] ⟨-i⟩ *m* Dogma *n.* **dogmatico, -a** [...ko] ⟨-ci, -che⟩ **I.** *agg* dogmatisch; **II.** *m* Dogmatiker *m.* **dogmatizzare** [dogmatid'dza:re] *tr* dogmatisieren.

dolby® ['dɔlbɪ] ⟨-⟩ *m* Dolby® *n.*

dolce ['doltʃe] **I.** *agg* **1.** *(sapore, fig)* süß; **2.** *(lieve, tenero)* leicht, sanft; **3.** *(delicato, mite)* mild; **4.** *(ecologico)* sanft; **turismo** ~ sanfter Tourismus; **tecnologie -i** sanfte (*o* umweltschonende) Energieformen *f pl;* **II.** *m* Süßspeise *f,* Süßigkeit *f,* Kuchen *m.* **dolcetta** [...'tʃetta] *f* Feldsalat *m,* Ackersalat *m.* **dolcevita** [...tʃe'vi:ta] ⟨-⟩ *m o f* Rollkragenpullover *m.* **dolcezza** [...'tʃettsa] *f* **1.** *(sapore dolce, a. fig)* Süße *f;* **2.** *(mitezza)* Milde *f;* **3.** *(bontà)* Sanftheit *f,* Güte *f.* **dolciario, -a** [...'tʃa:rio] ⟨-i, -ie⟩ *agg:* **industria -a** Süßwarenindustrie *f.* **dolciastro, -a** [...'tʃastro] *agg* **1.** *(sapore)* widerlich süß; **2.** *fig peg (maniera)* honigsüß, süßlich.

dolcificante [doltʃifi'kante] **I.** *agg* süßend, Süß-; **II.** *m* Süßstoff *m.*

dolcificatore [doltʃifika'to:re] *m* Enthärter *m.*

dolciumi [dol'tʃu:mi] *m pl* Süßwaren *f pl.*

dolente [do'lɛnte] *agg* schmerzend, schmerzhaft; *fig* schmerzlich; **punto** ~ schmerzende Stelle; *(fig)* wunder Punkt; **sono** ~ **per quanto è successo** was geschehen ist, schmerzt mich.

dolere [do'le:re] ⟨dolgo, dolsi, doluto⟩ **I.** *itr* ⟨*essere o avere*⟩ schmerzen, weh tun; **mi dolgono i denti** die Zähne tun mir weh; **II.** *rfl:* **-ersi** Schmerz empfinden (*di* über +*akk*), betrübt sein (*di* über +*akk*).

dollaro ['dɔllaro] *m* Dollar *m.*

dolo ['dɔ:lo] *m (nel diritto penale)* Vorsatz *m,* Dolus *m; (nel diritto privato)* arglistige Täuschung.

dolomite [dolo'mi:te] *f* Dolomit *m;* **le Dolomiti** die Dolomiten.

dolorante [dolo'rante] *agg* schmerzend, schmerzhaft.

dolore [do'lo:re] *m* **1.** *med* Schmerz *m;* **2.** *fig (afflizione)* Kummer *m,* Leid *n,* Schmerz *m;* ~ **di testa** Kopfschmerz *m.* **doloroso, -a** [...'ro:so] *agg* **1.** *med* schmerzhaft; **2.** *(afflitto)* schmerzlich, traurig.

doloso, -a [do'lo:so] *agg dir* vorsätzlich; **incendio** ~ Brandstiftung *f;* **omicidio** ~ vorsätzliche Tötung; **fallimento** ~ betrügerischer Bankrott.

dolsi ['dɔlsi] *p rem di* **dolere.**

doluto [do'lu:to] *pp di* **dolere.**

domanda [do'manda] *f* **1.** *(interrogazione, quesito)* Frage *f;* **2.** *(richiesta)* Anfrage *f; (a. amm)* Antrag *m,* Gesuch *n;* **3.** *com* Nachfrage *f;* ~ **d' assunzione** Bewerbung *f;* ~ **di matrimonio** Heiratsantrag *m;* **fare una** ~ eine Frage stellen. **domandare** [...'da:re] **I.** *tr* **1.** *(per sapere qc)* fragen (*qc a qu* jdn etw.), erfragen (*qc* etw.), fragen nach; **2.** *(per ottenere qc)* bitten (*qc a qu* jdn um etw.); ~ **notizie di qu** um Auskunft über jdn bitten; ~ **la parola** um das Wort bitten; ~ **il prezzo** nach dem Preis fragen; ~ **scusa** um Entschuldigung bitten; **II.** *rfl:* **-arsi**

sich fragen.
domani [do'ma:ni] **I.** *avv* morgen; ~ **mattina/pomeriggio** morgen früh/nachmittag; **a** ~! bis morgen!; **II.** ⟨-⟩ *m* **1.** *(il giorno successivo)* darauffolgender Tag, nächster Tag; **2.** *fig* Morgen *n,* Zukunft *f.*
domare [do'ma:re] *tr* **1.** *(animali)* zähmen, bändigen; **2.** *fig* bändigen; *(passioni)* bezähmen; *(lingua)* im Zaum halten; *(popolo)* unterwerfen; *(rivolta)* niederwerfen. **domatore, -trice** [doma'to:re] *m, f* **1.** *(di cavalli)* Zureiter(in) *m(f);* **2.** *(di belve)* Tierbändiger(in) *m(f),* Dompteur *m,* Dompteuse *f.*
domattina [domat'ti:na] *avv* morgen früh.
domenica [do'me:nika] ⟨-che⟩ *f* Sonntag *m; v. a. lunedì.* **domenicale** [domeni'ka:le] *agg* Sonntags-, sonntäglich.
domestico, -a [do'mɛstiko] ⟨-ci, -che⟩ **I.** *agg* Haus-, häuslich; *(animale)* Haus-; **lavori -ci** Hausarbeit *f;* **per uso** ~ für den Hausgebrauch; **II.** *m, f* Hausangestellte(r) *mf,* Hausdiener *m,* Dienstmädchen *n.*
domiciliare [domitʃi'li̯a:re] *agg* Haus-; **perquisizione** ~ Haus(durch)suchung *f,* **arresto** ~ Hausarrest *m.*
domiciliato, -a [domitʃi'li̯a:to] *agg* **1.** *amm* wohnhaft; **2.** *com:* **cambiale -a** Domizilwechsel *m.*
domicilio [...'tʃi:li̯o] ⟨-i⟩ *m* **1.** *(abitazione)* Wohnung *f,* Haus *n;* **2.** *amm* Wohnsitz *m.*
dominante [domi'nante] *agg* vorherrschend, dominierend.
dominare [domi'na:re] **I.** *itr* **1.** *(essere padrone assoluto)* herrschen; **2.** *fig (primeggiare)* überlegen sein *(su qu* jdm); **3.** *fig (prevalere)* (vor)herrschen, dominieren; **II.** *tr (a. fig)* beherrschen; **III.** *rfl:* **-arsi** sich beherrschen. **dominatore, -trice** [...na'to:re] *m, f* (Be)herrscher(in) *m(f).* **dominazione** [...nat'tsi̯o:ne] *f* Herrschaft *f.*
dominio [do'mi:ni̯o] ⟨-i⟩ *m* **1.** *(padronanza)* Herrschaft *f (di* über *+akk);* **2.** *(controllo)* Beherrschung *f;* **3.** *dir (proprietà)* Eigentum *n,* Besitz *m;* **4.** *(territorio)* Herrschaftsgebiet *n;* **5.** *fig (campo)* (Spezial)gebiet *n,* Domäne *f;* ~ **di sé** Selbstbeherrschung *f;* **beni di** ~ **pubblico** Allgemeingut *n.*
donare [do'na:re] **I.** *tr* **1.** *(regalare)* verschenken, geben; **2.** *fig* hingeben; **3.** *(sangue, organi)* spenden; **II.** *itr fig* stehen, schmeicheln; **III.** *rfl:* **-arsi** sich hingeben, sich (ganz) widmen. **donatore, -trice** [...'to:re] *m, f* Spender(in) *m(f);* ~ **d'organi** Organspender(in) *m(f).* **donazione** [...t'tsi̯o:ne] *f* Spende *f,* Geschenk *n; dir* Schenkung *f.*
donde ['donde] *avv lett* **1.** *(da dove)* woher, von wo; **2.** *(da cui)* woraus.
dondolare [dondo'la:re] **I.** *tr* schaukeln; **II.** *itr, rfl:* **-arsi 1.** *(muoversi oscillando)* schaukeln; **2.** *fig (oziare)* herumtrödeln *fam,* nichts tun. **dondolio** [...'li:o] ⟨-ii⟩ *m* Schaukeln *n.* **dondolo** ['dondolo] *m* Hollywoodschaukel *f;* **cavallo/sedia a** ~ Schaukelpferd *n*/-stuhl *m.*
dongiovanni [dondʒo'vanni] ⟨-⟩ *m* Don Juan *m,* Frauenheld *m.*
donna ['dɔnna] **I.** *f* **1.** *gener.* Frau *f;* **2.** *(domestica)* Hausmädchen *n;* **3.** *(in carte da gioco)* Dame *f; (scacchi)* Dame *f,* Königin *f;* ~ **di casa** Hausfrau *f;* ~ **di strada** Strichmädchen *n fam;* ~ **di servizio** Dienstmädchen *n;* ~ **a ore** Haushaltshilfe *f;* ~ **fissa** Hausangestellte *f;* ~ **singola** *(senza figli)* alleinstehende Frau; *(con figli)* alleinerziehenede Mutter; **bicicletta da** ~ Damen(fahr)rad *n;* **II.** *(in parole composte):* ~**-ferroviere** Eisenbahnerin *f;* ~**-manager** Managerin *f;* ~**-poliziotto** Polizistin *f;* ~**-prete** Priesterin *f.* **donnaccia** [don'nattʃa] ⟨-cce⟩ *f peg* Hure *f.* **donnaiolo** [...a'i̯ɔ:lo] *m* Schürzenjäger *m fam,* Frauenheld *m.* **donnicciola** [...nit'tʃɔ:la] *f* **1.** *(donna pettegola)* Waschweib *n fam,* Klatschbase *f fam;* **2.** *peg (uomo pauroso)* Weichling *m,* Waschlappen *m fam.*
donnola ['dɔnnola] *f* Wiesel *n.*
dono ['do:no] *m* **1.** *(regalo)* Geschenk *n;* **2.** *fig (dote)* Gabe *f,* Begabung *f.*
dopante [do'pante] *m* Dopingmittel *n.*
dopare [do'pa:re] **I.** *rfl:* **-arsi** sich dopen.
doping ['doupɪŋ] ⟨-⟩ *m* Doping *n.*
dopo ['do:po] **I.** *avv* **1.** *(tempo)* nachher, danach, später, dann; **2.** *(luogo)* danach; **poco** ~ kurz danach; **a** ~ bis später, bis dann *fam;* ~ **di che** darauf, schließlich; **II.** *prp* **1.** *(tempo)* nach *+dat;* **2.** *(luogo)* hinter *+dat;* **due anni** ~ nach zwei Jahren, zwei Jahre danach; **III.** *cong* nachdem; **IV.** ⟨*inv*⟩ *agg* (darauf)folgend, nächste(r, s); **il giorno** ~ am nächsten Tag. **dopobarba** [dopo'barba] ⟨-⟩ *m* Rasierwasser *n,* After-shave-Lotion *f.* **dopodiché, dopo di che** [-di'ke, 'do:po di 'ke] *avv* darauf, schließlich. **dopodomani** [-do'ma:ni] *avv* übermorgen. **dopoguerra** [-'gu̯ɛrra] ⟨-⟩ *m* Nachkriegszeit *f,* Nachkriegsjahre *n pl.* **dopolavoro** [-la'vo:ro] ⟨-⟩ *m öffentliche Einrichtung für die Freizeitgestaltung des Arbeitnehmers.* **dopopranzo** [-'prandzo] ⟨-⟩ **I.** *m* (früher) Nachmittag *m;* **II.** *avv* am (frühen) Nachmittag, nachmittag(s). **doposci** [-ʃʃi] *m* **1.** *(abbigliamento)* Après-Ski-(Kleidung *f*) *n;* **2.** ⟨*pl*⟩ *(stivali)* Moonboots *pl.* **doposcuola** [-s'ku̯ɔ:la] ⟨-⟩ *m* Kinderhort *m.* **dopotutto, dopo tutto** [-'tutto, 'do:po 'tutto] *avv* schließlich, letzten Endes, alles in allem.
doppiaggio [dop'pi̯addʒo] ⟨-ggi⟩ *m* Synchronisation *f.* **doppiare** [...'pi̯a:re] ⟨doppio, doppi⟩ *tr* **1.** *naut* umschiffen;

2. *sport* überrunden; 3. *film* synchronisieren.

doppietta [dop'pietta] *f* 1. *(fucile)* Doppelflinte *f*, -büchse *f;* 2. *sport (nel pugilato)* Dublette *f; (nel calcio)* doppelter Treffer; *(due vittorie)* Doppelerfolg *m;* 3. *mot:* **fare la ~** Zwischengas geben.

doppiezza [dop'piettsa] *f* Doppelzüngigkeit *f.*

doppio, -a ['doppio] ⟨-i, -ie⟩ **I.** *agg* **1.** *(due volte)* doppelt, doppel-, Doppel-; **2.** *fig* zweideutig; *(ipocrita)* doppelzüngig; **II.** *avv* doppelt, zweifach; **vederci ~** doppelt sehen *fam;* **in ~** in doppelter Ausfertigung; **III.** *m* **1.** *(di quantità, numero, misura)* Doppelte(s) *n;* **2.** *sport* Doppel *n.* **doppione** [...'pio:ne] *m* **1.** *(seconda copia)* Doppelexemplar *n;* **2.** *teat* Doppelrolle *f.* **doppiopetto** [...pio'pɛtto] ⟨-⟩ *m* Zweireiher *m*, Doppelreiher *m.*

dorare [do'ra:re] *tr* **1.** *(con oro)* vergolden; **2.** *gastr* goldbraun backen; **~ la pillola** *fig* die (*o* eine) bittere Pille versüßen. **dorato, -a** [do'ra:to] *agg* **1.** *(rivestito d'oro)* vergoldet, Gold-; **2.** *fig* golden; **3.** *gastr* goldbraun gebacken. **doratura** [...'tu:ra] *f* **1.** *(rivestimento)* Vergoldung *f;* **2.** *(ornamento)* goldene Verzierung.

dormicchiare [dormik'kia:re] ⟨dormicchio, dormicchi⟩ *itr* dösen *fam.*

dormiglione, -a [dormiʎ'ʎo:ne] *m, f* Langschläfer(in) *m(f)*, Schlafmütze *f fam.*

dormire [dor'mi:re] ⟨dormo⟩ **I.** *itr* **1.** *(riposare)* schlafen; **2.** *fig (pratica, progetti)* eingeschlafen sein *fam*, ruhen *geh;* **dormirci sopra** etw. überschlafen; **~ come un ghiro** schlafen wie ein Murmeltier; **II.** *tr* schlafen. **dormita** [...'mi:ta] *f* langer, tiefer Schlaf; **farsi una bella ~** mal richtig ausschlafen. **dormitina** [...mi'ti:na] *f* Schläfchen *n*, Nickerchen *n.* **dormitorio** [...mi'tɔ:rio] ⟨-i⟩ *m* **1.** *(stanzone)* Schlafsaal *m;* **2.** *(città)* Schlafstadt *f;* **~ pubblico** Nachtasyl *n.* **dormiveglia** [...mi'veʎʎa] ⟨-⟩ *m* Dämmerzustand *m*, Halbschlaf *m.*

dorrò [dɔr'rɔ] *v.* **dolere.**

dorsale [dor'sa:le] **I.** *agg* Rücken-, dorsal *wissensch.;* **II.** *f* (Berg)rücken *m; (catena)* Bergkette *f.*

dorso ['dɔrso] *m* Rücken *m;* **a ~ nudo** mit nacktem Oberkörper.

dosaggio [do'zaddʒo] ⟨-ggi⟩ *m* Dosierung *f.* **dosare** [do'za:re] *tr (a. fig)* dosieren.

dose ['dɔ:ze] *f* **1.** *(quantità determinata)* Menge *f*, Ration *f*, Quantum *n;* **2.** *med* Dosis *f;* **3.** *fig scherz* Portion *f fam.*

dosso ['dɔsso] *m* **1.** *(dorso)* Rücken *m;* **2.** *(~ stradale)* Unebenheit *f*, Kuppe *f;* **levarsi di ~** ausziehen, ablegen; *fig* sich *(dat)* vom Halse schaffen.

dotare [do'ta:re] *tr* **1.** *(dare la dote)* als Mitgift geben (*qu di qc* jdm etw.); **2.** *(corredare)* ausstatten (*di* mit). **dotato, -a** [do'ta:to] *agg* **1.** *(di talento)* begabt (*per* für), talentiert (*per* für); **2.** *(di fisico)* kraftvoll, kräftig. **dotazione** [dotat'tsio:ne] *f* **1.** *(rendita)* Zuwendung *f*, Dotation *f geh;* **2.** *(mezzi e materiali)* Ausstattung *f*, Ausrüstung *f.*

dote ['dɔ:te] *f* **1.** *(della sposa)* Mitgift *f*, Aussteuer *f;* **2.** *fig (pregio)* Gabe *f.*

Dott. *abbr di* **Dottore** Dr. (*abk von* Doktor).

dotto, -a ['dɔtto] **I.** *agg* (sehr) gebildet, gelehrt; **II.** *m, f* Gelehrte(r) *mf*, Wissenschaftler(in) *m(f).* **dottorale** [dotto'ra:le] *agg* **1.** *gener.* Doktor-; **2.** *iron, peg* schulmeisterlich, besserwisserisch, neunmalklug.

dottore, -essa [dot'to:re, ...to'ressa] *m, f* (*abbr* **Dr., Dott., Dott.ssa**) **1.** *(laureato)* Doktor *m;* **2.** *fam (medico)* Doktor(in) *m(f) fam*, Herr *m* (Frau *f*) Doktor; **~ in legge/lettere** Doktor der Rechte/der Philologie.

dottrina [dot'tri:na] *f* **1.** *(cognizioni)* Wissen *n*, Bildung *f;* **2.** *(principi teorici)* Lehre *f*, Doktrin *f*, Theorie *f;* **3.** *rel (principi di fede cristiana)* Glaubenslehre *f; (catechismo)* Katechismus *m;* **4.** *dir* Rechtstheorie *f.* **dottrinario** [...ri'na:rio] ⟨-i⟩ *m* Doktrinär *m.*

Dott.ssa *abbr di* **Dottoressa** Dr. (*abk von* Doktor).

dove ['do:ve] **I.** *avv* **1.** *(stato)* wo; **2.** *(moto)* wohin; **da (*o* di) ~** woher; **~ vai?** wohin gehst du?; **II.** *cong letter;* **1.** +*congv (nel caso che)* falls, wenn; **2.** *(mentre)* während; **III.** *m* Wo *n.*

dovere [do've:re] ⟨devo *o* debbo, dovei *o* dovetti, dovuto⟩ **I.** *itr* **1.** *(avere l'obbligo, la necessità)* müssen, sollen; **2.** *(essere possibile)* müssen; **3.** *(stare per)* müssen; **come si deve** wie es sich gehört; **deve essere successo qc** es muß etw. passiert sein; **strano, dovrebbe già nevicare** seltsam, es müßte (eigentlich) schon schneien; **II.** *tr (essere debitore)* schulden; *(fig a.)* verdanken; **come dovevasi dimostrare** was zu beweisen war; **III.** *m* Pflicht *f;* **sentirsi in ~ di . . .** es als seine Pflicht empfinden zu . . ., sich verpflichtet fühlen zu . . .; **a ~** pflichtgemäß; *(come si deve)* wie es sich gehört; **violazione dei -i d'ufficio** *dir* Verletzung *f* der Amtspflicht. **doveroso, -a** [dove'ro:so] *agg* geboten, gebührend.

dovunque [do'vuŋkue] *avv* +*congv* **1.** *(stato)* wo (auch) immer; *(moto)* wohin (auch) immer; **2.** *(dappertutto: stato)* überall; *(moto)* überallhin.

dovuto [do'vu:to] **I.** *m* Schuld *f*, Verpflichtungen *f pl;* **II.** *agg* gebührend, geboten; **~ a** verursacht durch (*o* von).

dozzina [dod'dzi:na] *f* Dutzend *n;* **una ~ (di . . .)** (etwa) zwölf (. . .), ein Dutzend

(. . .); **a -e** in (*o* zu) Dutzenden, dutzendweise; **roba di (*o* da)** ~ *peg* Dutzendware *f*. **dozzinale** [...dzi'na:le] *agg peg* gewöhnlich, alltäglich; **gusto** ~ Allerweltsgeschmack *m;* **merce** ~ Dutzendware *f;* **persona** ~ Allerweltstyp *m fam.*

Dr. *abbr di* **Dottore, Dottoressa** Dr. (*abk von* Doktor).

dracma ['drakma] *f* Drachme *f.*

dragaggio [dra'gaddʒo] ⟨-ggi⟩ *m* Ausbaggerung *f.*

dragamine [draga'mi:ne] ⟨-⟩ *m* Minensuchboot *n.*

dragare [...'ga:re] ⟨drago, draghi⟩ *tr* **1.** *(scavare sottacqua)* ausbaggern; **2.** *(mine)* räumen; **3.** *sl (avvicinare donne)* anmachen *fam,* aufreißen *sl,* angraben *sl.*

drago ['dra:go] ⟨-ghi⟩ *m* Drache *m.*

dramma ['dramma] ⟨-i⟩ *m* **1.** *teat* Drama *n,* Schauspiel *n;* **2.** *fig* Drama *n; (esagerazione a.)* Theater *n;* ~ **radiofonico** Hörspiel *n.*

drammaticità [dramatitʃi'ta] ⟨-⟩ *f* Dramatik *f.* **drammatico, -a** [...'ma:tiko] ⟨-ci, -che⟩ *agg* dramatisch.

drammatizzare [drammatid'dza:re] *tr* **1.** *teat* für die Bühne bearbeiten; **2.** *fig (esagerare)* dramatisieren.

drammaturgia [drammatur'dʒi:a] ⟨-gie⟩ *f* Dramaturgie *f.* **drammaturgo, -a** [...'turgo] ⟨-ghi, -ghe⟩ *m, f* Dramatiker(in) *m(f),* Bühnendichter(in) *m(f).*

drappeggiare [drapped'dʒa:re] ⟨drappeggio, drappeggi⟩ **I.** *tr* drapieren; *(avvolgere)* einhüllen; **II.** *rfl:* **-arsi** sich (ein)hüllen (*in* in *+akk*). **drappeggio** [...'peddʒo] ⟨-ggi⟩ *m* Drapierung *f.*

drappello [drap'pɛllo] *m* Schar *f,* Trupp *m.*

drappo ['drappo] *m* Tuch *n.*

drastico, -a ['drastiko] ⟨-ci, -che⟩ *agg* drastisch.

drenaggio [dre'naddʒo] ⟨-ggi⟩ *m* **1.** *(sistema per lo scolo delle acque)* Bewässerungsanlage *f,* Drainage *f;* **2.** *(bonifica)* Dränung *f,* Dränierung *f;* **3.** *med* Drainage *f.* **drenare** [dre'na:re] *tr* drainieren.

Dresda ['drɛzda] *f* Dresden *n.*

dribblare [drib'bla:re] **I.** *itr sport* dribbeln; **II.** *tr sport* umspielen; *fig (problema)* umgehen, ausweichen *+dat.*

dritto, -a ['dritto] **I.** *m, f fam* Schlauberger *m fam,* Schlaukopf *m fam;* **II.** *m* **1.** *sport (tennis)* Vorhand *f,* Vorhandschlag *m;* **2.** *(maglia)* rechte Masche.

drive ['draiv] ⟨-⟩ *m inform* Laufwerk *n.*

drizzare [drit'tsa:re] **I.** *tr* **1.** *(raddrizzare)* geschichten, geraderichten, geradebiegen; **2.** *(innalzare)* aufrichten; **3.** *(dirigere)* richten (*verso* auf *+akk*); ~ **le orecchie** die Ohren spitzen; **II.** *rfl:* **-arsi** sich aufrichten.

droga ['drɔ:ga] ⟨-ghe⟩ *f* **1.** *(sostanza aromatica)* Gewürz *n;* **2.** *med* Arzneimittel *n;* **3.** *(stupefacente)* Rauschgift *n,* Droge *f;* **-ghe leggere/pesanti** Weiche/harte Drogen *f pl.* **drogaggio** [...'gaddʒo] ⟨-ggi⟩ *m sport* Doping *n.* **drogare** [dro'ga:re] ⟨drogo, droghi⟩ **I.** *tr* **1.** *gastr* würzen; **2.** *(persona)* unter Drogen setzen, Rauschgift geben (*qu* jdm); *sport* dopen; **II.** *rfl:* **-arsi** Rauschgift nehmen, fixen *fam; sport* sich dopen. **drogato, -a** [...'ga:to] *m, f* Drogenabhängige(r) *mf,* Rauschgiftsüchtige(r) *mf.*

drogheria [droge'ri:a] ⟨-ie⟩ *f* Drogerie *f.*
droghiere, -a [...'gi̯ɛ:re] *m, f* Drogist(in) *m(f).*

dromedario [drome'da:ri̯o] ⟨-i⟩ *m* Dromedar *n.*

dualismo [dua'lizmo] *m* Dualismus *m.*

dubbio, -a ['dubbi̯o] ⟨-i, -ie⟩ **I.** *agg* zweifelhaft, fragwürdig; **II.** *m* Zweifel *m* (*su* an *+dat*); **avere dei -i su qu** an jdm zweifeln; **essere in** ~ **su qc** über etw. *(akk)* im Zweifel sein; **senza** ~ zweifellos, ohne Zweifel. **dubbioso, -a** [...'bi̯o:so] *agg* **1.** *(che è in dubbio)* zweifelnd, unsicher; **2.** *(che dà motivo di dubbio)* zweifelhaft, dubios.

dubitare [dubi'ta:re] *itr* **1.** *(esitare)* zweifeln (*di* an *+dat*), im Zweifel sein (*di* über *+akk*); **2.** *(ritenere poco probabile)* bezweifeln (*di qc* etw.); **3.** *(sospettare)* anzweifeln (*di qc* etw.); **dubito assai che tu venga** ich bezweifle sehr, daß du kommst. **dubitativo, -a** [...ta'ti:vo] *agg* **1.** *(con dubbio)* unbestimmt, zweifelnd; **2.** *gram* dubitativ.

Dublino [du'bli:no] *f* Dublin *n.*

duca ['du:ka] ⟨-chi⟩ *m* Herzog *m.* **ducale** [du'ka:le] *agg* herzoglich, Herzogs-.

ducato¹ [du'ka:to] *m pol* Herzogtum *n.*

ducato² [du'ka:to] *m fin* Dukaten *m.*

duce ['du:tʃe] ⟨-ci⟩ *m lett* Führer *m;* **il D**~ *(Benito Mussolini)* der Duce.

duchessa [du'kessa] *f* Herzogin *f.*

due ['du:e] **I.** *num* zwei; *fig fam* ein paar; **non poter dividersi in** ~ *fig* sich nicht zweiteilen können; **scambiare** ~ **chiacchiere** *fam* einen (kleinen) Schwatz halten *fam;* **a** ~ **a** ~ zu zweien (nebeneinander), paarweise; **II.** ⟨-⟩ *m* **1.** *(numero)* Zwei *f;* **2.** *(nelle date)* Zweite(r) *m;* **3.** *(voto scolastico)* ≃ Mangelhaft *n,* Ungenügend *n;* ~ **alberi** Zweimaster *m;* ~ **pezzi** Zweiteiler *m;* ~ **volumi** *mot* Steilheck *n;* **lavorare/mangiare per** ~ für zwei arbeiten/essen; **III.** *f pl* zwei Uhr; *v. a.* *cinque.*

duecentesco, -a [duetʃen'tesko] ⟨-schi, -sche⟩ *agg* das dreizehnte Jahrhundert betreffend. **duecento** [...'tʃɛnto] **I.** *num* zweihundert; **II.** ⟨-⟩ *m* Zweihundert *f;* **il D**~ das dreizehnte Jahrhundert.

duellare [duel'la:re] *itr* sich duellieren (*con* mit). **duello** [du'ɛllo] *m* **1.** *st, fig* Duell *n;* **2.** *sport* Zweikampf *m,* Duell *n.*

duemila [due'mi:la] **I.** *num* zweitausend; **II.** ⟨-⟩ *m* Zweitausend *f;* **il** ~ das Jahr 2000.

duepezzi, due pezzi [due'pɛttsi, 'du:e 'pɛttsi] ⟨-⟩ *m (giacca e gonna)* Kostüm *n,* Zweiteiler *m; (costume da bagno)* Zweiteiler *m fam,* Bikini *m.*

duetto [du'etto] *m* **1.** *mus* Duett *n;* **2.** *scherz* Duo *n.*

dumping ['dʌmpɪŋ] ⟨-⟩ *m econ* Dumping *n.*

duna ['du:na] *f* Düne *f.*

dunque ['duŋkue] **I.** *cong* **1.** *(perciò)* folglich, also; **2.** *(allora)* also; **3.** *(esortativo)* nun, also; **II.** *m:* **veniamo al** ~ kommen wir zum entscheidenden Punkt.

duo ['du:o] ⟨-⟩ *m* Duo *n.*

duodeno [duo'dɛ:no] *m* Zwölffingerdarm *m.*

duole ['uɔ:le] *ecc. v.* **dolere.**

duomo ['duɔ:mo] *m* Dom *m.*

duplicato [dupli'ka:to] *m* Zweitausfertigung *f,* Duplikat *n; (foglio scritto a.)* Zweitschrift *f,* Kopie *f.* **duplicazione** [...kat'tsio:ne] *f* Verdoppelung *f;* ~ **chiavi** Schlüsseldienst *m.*

duplice ['du:plitʃe] *agg* zweifach, doppelt.

dura *f v.* **duro.**

durante [du'rante] *prp* während *+gen;* **vita natural** ~ zeitlebens.

durare [du'ra:re] **I.** *itr* ⟨*essere o avere*⟩ **1.** *(continuare)* (an)dauern, weitergehen; **2.** *(mantenersi)* halten, sich halten; **così non può** ~ so kann das nicht weitergehen; **II.** *tr* ⟨*avere*⟩*:* ~ **fatica** sich abmühen, Mühe haben. **durata** [du'ra:ta] *f* Dauer *f; (di oggetti)* Lebensdauer *f,* Haltbarkeit *f; (di contratti)* Laufzeit *f;* ~ **d'ascolto** *(di cassette)* Spieldauer *f;* **di lunga** ~ von langer Lebensdauer. **duraturo, -a** [dura'tu:ro] *agg* bleibend, dauerhaft. **durevole** [du're:vole] *agg* dauerhaft, langlebig.

durezza [du'rettsa] *f* **1.** *(qualità)* Härte *f;* **2.** *fig (severità)* Härte *f; (a. del clima)* Strenge *f; (ostinazione)* Hartnäckigkeit *f.*

duro, -a ['du:ro] **I.** *agg* **1.** *gener., fig* hart; **2.** *(tiglioso, a. fig)* zäh; **3.** *(severo)* hart, streng; *(ostinato)* hartnäckig; **4.** *(difficile)* schwer, schwierig; ~ **di comprendonio** schwer von Begriff; ~ **d'orecchi** schwerhörig; **grano** ~ Hartweizen *m;* **tempi -i** harte Zeiten *f pl;* **II.** *avv* hart; **III.** *m* **1.** *(parte dura)* Harte(s) *n;* **2.** *fig* Schwierigkeit *f, Schlimmste n;* **3.** *fam (uomo attraente)* starker Typ *fam; (spietato)* knallharter Typ *fam; (che non cede)* Kämpfernatur *f.*

duttile ['duttile] *agg* **1.** *(sostanza)* dehnbar, geschmeidig; *(metallo)* duktil; **2.** *fig (carattere)* flexibel.

duty free shop [djuti'fri:ʃɔp] ⟨-⟩ *m* Duty-free-Shop *m.*

duvet [dy've] ⟨-⟩ *m* Daunenjacke *f.*

E

E, e [e] ⟨-⟩ *f* E, e *n;* **e come Empoli** E wie Emil.

e [e] *cong* **1.** *(correlativa)* und; **2.** *(ma, invece)* aber, doch; **3.** *(ebbene)* gut, nun; **4.** *mat* und, plus; ~ . . . ~ . . . sowohl . . . als auch . . .; **tutti** ~ **tre** alle drei.

E. *abbr di* **est** O (*abk von* Ost).

è [ɛ] *v.* **essere.**

ebano ['ɛ:bano] *m* **1.** *bot* Ebenholzbaum *m;* **2.** *(legno)* Ebenholz *n.*

ebbe ['ɛbbe] *ecc. v.* **avere.**

ebbene [eb'bɛ:ne] *cong* **1.** *(dunque)* also, nun, (nun *o* also) gut; **2.** *(interrogativo)* nun, also.

ebbi ['ɛbbi] *p rem di* **avere.**

ebbrezza [eb'brettsa] *f (a. fig)* Rausch *m,* Trunkenheit *f.* **ebbro, -a** ['ɛbbro] *agg* betrunken; *fig* trunken, berauscht.

ebete ['ɛ:bete] **I.** *agg* schwachsinnig; *(viso, sguardo a.)* stumpfsinnig, blöd(e); **II.** *mf* Schwachsinnige(r) *mf; fig peg* Schwachkopf *m.*

ebollizione [ebollit'tsi̯o:ne] *f* **1.** *fis* Sieden *n,* Kochen *n;* **2.** *fig* Aufruhr *m.*

ebraico, -a [e'bra:iko] ⟨-ci, -che⟩ *agg* hebräisch.

ebreo, -a [e'brɛ:o] **I.** *agg* jüdisch; **II.** *m, f* Jude *m,* Jüdin *f.*

ecatombe [eka'tombe] *f* Gemetzel *n,* Blutbad *n.*

ecc. *abbr di* **eccetera** etc. (*abk von* et cetera), usw. (*abk von* und so weiter).

eccedente [ettʃe'dɛnte] **I.** *agg* überschüssig, darüber hinausgehend; **II.** *m* Überschuß *m.* **eccedenza** [...'dɛntsa] *f* Überschuß *m (di* an *+dat).*

eccedere [et'tʃɛ:dere] **I.** *tr* **1.** *(superare)* übersteigen, übertreffen; **2.** *fig (limiti, competenze)* überschreiten; **II.** *itr* übertreiben, sich übernehmen (*in* in *+dat, bei).*

eccellente [ettʃel'lɛnte] *agg* ausgezeichnet, hervorragend, Spitzen- *fam.* **eccellenza** [...'lɛntsa] *f* **1.** *(titolo)* Exzellenz *f;* **2.** *(qualità)* Unübertrefflichkeit *f,* Vorzüglichkeit *f; (perfezione)* Vollkommenheit *f;* **per** ~ par excellence *geh,* schlechthin.

eccellere [et'tʃɛllere] ⟨eccello, eccelsi, eccelso⟩ *itr* ⟨*essere o avere*⟩ sich auszeichnen (*in* durch), sich hervortun (*in* mit, durch); *(essere superiore)* überlegen sein (*su qu* jdm).

eccelso, -a [et'tʃɛlso] *agg* **1.** *fig* erhaben, glänzend, vortrefflich; **2.** *(altissimo)* höchste(r, s).

eccentricità [ettʃentritʃi'ta] ⟨-⟩ *f* **1.** *fig* Überspanntheit *f,* Exzentrizität *f geh;* **2.** *mat* Exzentrizität *f geh.* **eccentrico, -a** [et'tʃɛntriko] ⟨-ci, -che⟩ **I.** *agg* **1.** *fig* exzentrisch, bizarr, überspannt; **2.** *mat* exzentrisch, abweichend; **II.** *m* Exzenter *m.*

eccepire [ettʃe'pi:re] ⟨eccepisco⟩ *tr* einwenden.

eccessivo, -a [ettʃes'si:vo] *agg* übermäßig hoch, zu hoch. **eccesso** [et'tʃɛsso] *m* **1.** *(esagerazione)* Übermaß *n* (*di* an *+dat); peg* Exzeß *m;* **2.** ⟨*pl*⟩ Ausschreitungen *f pl;* ~ **nel bere** Sauferei *f fam;* ~ **di zelo** Übereifer *m.*

eccetera [et'tʃɛ:tera] *avv* (*abbr* **ecc.**) etcetera, und so weiter.

eccetto [et'tʃɛtto] **I.** *prp* außer *+dat,* bis auf *+akk;* **II.** *cong:* ~ **che** *+congv* es sei denn, . . .; außer (wenn) . . . **eccettuare** [ettʃettu'a:re] *tr* ausnehmen, ausschließen, absehen von; **eccettuati i presenti** Anwesende ausgenommen.

eccezionale [ettʃettsi̯o'na:le] *agg* außergewöhnlich, Sonder-; *(singolare)* einmalig, ungewöhnlich; **in via (del tutto)** ~ ausnahmsweise. **eccezione** [...'tsi̯o:ne] *f* Ausnahme *f;* **fare** ~ eine Ausnahme darstellen; **senza** ~ ausnahmslos; **ad** ~ **di** mit Ausnahme von; **l'**~ **conferma la regola** *prov* Ausnahmen bestätigen die Regel *prov.*

eccidio [et'tʃi:di̯o] ⟨-i⟩ *m* Massaker *n,* Gemetzel *n.*

eccitante [ettʃi'tante] **I.** *agg* aufregend; **II.** *m* Aufputschmittel *n.*

eccitare [ettʃi'ta:re] **I.** *tr* **1.** *(agitare)* erregen, aufregen; *(masse)* aufheizen, aufhetzen; **2.** *fig (curiosità)* erwecken; *(fantasia)* anregen; **II.** *rfl:* **-arsi** sich aufregen, sich erregen. **eccitazione** [...tat'tsi̯o:ne] *f* **1.** *(fisica)* Erregung *f,* Aufregung *f;* **2.** *(psichica)* Erregtheit *f;* **3.** *el, fis* Erregung *f.*

ecclesiastico, -a [ekkle'zi̯astiko] ⟨-ci, -che⟩ **I.** *agg* kirchlich, Kirchen-, geistlich; **II.** *m* Geistliche(r) *m.*

ecco ['ɛkko] **I.** *avv* da (ist *o* sind), hier (ist *o* sind), da kommt (*o* kommen) *ecc.* ~**mi** da bin ich; ~**ti il libro** da hast du das Buch; ~ **il libro** da ist das Buch; ~ **perché . . .** deswegen . . ., das ist der Grund, warum . . .; ~ **tutto** das ist alles; ~ **come sono andate le cose** so hat es sich abgespielt, so war es; ~ **fatto** fertig, das wär's, das hätten wir; **II.** *interi* (ja) eben, genau.

eccome [ek'ko:me] *avv* und wie, und ob.

echeggiare [eked'dʒa:re] ⟨echeggio, echeggi⟩ *itr* ⟨*essere o avere*⟩ widerhallen, (er)tönen.
echi *pl di* **eco.**
eclettico, -a [e'klɛttiko] ⟨-ci, -che⟩ **I.** *agg* **1.** *(versatile)* vielseitig; **2.** *filos* eklektisch; **II.** *m, f* **1.** *(persona versatile)* vielseitig beschäftigter Mensch; **2.** *filos* Eklektiker(in) *m(f).*
eclissare [eklis'sa:re] **I.** *tr* **1.** *astr* verdunkeln, verfinstern; **2.** *fig* in den Schatten stellen; **II.** *rfl:* **-arsi 1.** *astr* sich verdunkeln, sich verfinstern; **2.** *fig* untertauchen, verschwinden. **eclisse** [e'klisse] *f,* **eclissi** [...si] ⟨-⟩ *f* Finsternis *f,* Eklipse *f.*
eco ['ɛ:ko] ⟨echi *m*⟩ *m o f (a. fig)* Echo *n.*
ecocatastrofe [ekoka'tastrofe] *f* Umweltkatastrophe *f.* **ecografia** [ekogra'fi:a] ⟨-ie⟩ *f* Ultraschalluntersuchung *f.* **ecografo** [e'kɔgrafo] *m* Ultraschallgerät *n.*
ecologa *f v.* **ecologo.**
ecologia [ekolo'dʒi:a] ⟨-gie⟩ *f* Ökologie *f.* **ecologico, -a** [...'lɔdʒiko] *agg* **1.** *(relativo all'ecologia)* ökologisch; **2.** *(non inquinante)* umweltfreundlich, umweltschonend; **3.** *(macchina)* abgasarm. **ecologista** [...lo'dʒista] ⟨-i *m,* -e *f*⟩ *mf* Umweltschützer(in) *m(f).* **ecologo, -a** [e'kɔ:logo] ⟨-gi, -ghe⟩ *m, f* Ökologe *m,* -login *f.*
economa *f v.* **economo.**
economia [ekono'mi:a] ⟨-ie⟩ *f* **1.** *gener.* Wirtschaft *f; (scienza)* Wirtschaftswissenschaft *f; (sistema)* Wirtschaftssystem *n; (situazione)* Wirtschaftslage *f;* **2.** *(risparmio)* Sparsamkeit *f,* Wirtschaftlichkeit *f;* **3.** ⟨*pl*⟩ *(somma)* Ersparnisse *f pl,* Ersparte(s) *n;* **4.** *(attività)* Sparen *n;* ~ **domestica** Hauswirtschafts-, Haushaltungslehre *f;* ~ **politica** Volkswirtschaftslehre *f;* **fare** ~ (*o* **-ie**) sparen. **economicità** [...mitʃi'ta] ⟨-⟩ *f* Wirtschaftlichkeit *f.* **economico, -a** [...'nɔ:miko] ⟨-ci, -che⟩ *agg* **1.** *(condizioni, criterio)* wirtschaftlich; **2.** *(poco costoso)* preiswert, billig. **economista** [ekono'mista] ⟨-i *m,* -e *f*⟩ *mf* Wirtschaftswissenschaftler(in) *m(f).* **economizzare** [...mid'dza:re] **I.** *tr* sparen, einsparen; **II.** *itr* haushalten, sparen. **economizzatore** [...middza'to:re] *m tec* Ekonomiser *m; (per lavatrici)* Spartaste *f,* Sparvorrichtung *f.* **economo, -a** [e'kɔ:nomo] **I.** *m, f* Verwalter(in) *m(f);* **II.** *agg* sparsam.
ecoscandaglio [ekoskan'daʎʎo] ⟨-gli⟩ *m* Echolot *n.*
ecosistema [ekosis'tɛ:ma] ⟨-⟩ *m* Ökosystem *n.*
ecu [eku] *m acr di* **European Currency Unit** Ecu *m.*
ecumenico, -a [eku'mɛ:niko] ⟨-ci, -che⟩ *agg* ökumenisch. **ecumenismo** [...meni:zmo] *m* Ökumene *f.*
eczema [ek'dzɛ:ma] ⟨-i⟩ *m* Ekzem *n.*
ed *cong* **e** *davanti a vocale.*
edema [e'dɛma] ⟨-i⟩ *m* Ödem *n.*
eden ['ɛ:den] ⟨-⟩ *m* Eden *n; fig* Paradies *n;* **il giardino dell'E**~ der Garten Eden.
edera ['e:dera] *f* Efeu *m.*
edicola [e'di:kola] *f* Zeitungsstand *m,* -kiosk *m.* **edicolante** [ediko'lante] *m f* Zeitungsverkäufer(in) *m(f)* (im Kiosk).
edificabile [edifi'kɑ:bile] *agg* bebaubar, Bau-.
edificante [edifi'kante] *agg* erbaulich, erhebend.
edificare [edifi'ka:re] ⟨edifico, edifichi⟩ *tr* **1.** *arch* (er)bauen, errichten; **2.** *fig* bauen; *(moralmente)* erbauen.
edificio [edi'fi:tʃo] ⟨-ci⟩ *m* **1.** *arch* Gebäude *n,* Bau *m;* **2.** *fig* Aufbau *m,* Gefüge *n.*
edile [e'di:le] **I.** *agg* baulich, bautechnisch, Bau-; **II.** *m* Bauarbeiter *m.* **edilizia** [edi'littsi̯a] ⟨-ie⟩ *f* Bauwesen *n,* Baugewerbe *n.* **edilizio, -a** [...i̯o] ⟨-i, -ie⟩ *agg* baulich, Bau-.
edito, -a ['ɛ:dito] *agg* verlegt, veröffentlicht, aufgelegt; *(a cura di)* herausgegeben.
editor ['editor] ⟨-⟩ *m* **1.** *tip* Herausgeber(in) *m(f);* **2.** *inform* Editor *m.*
editore, -trice [edi'to:re] **I.** *agg* Verlags-; *(dell'editore)* Verleger-, verlegerisch; **II.** *m, f* (*abbr* **Ed.**) Verleger(in) *m(f); (curatore)* Herausgeber(in) *m(f).* **editoria** [...to'ri:a] ⟨-ie⟩ *f* Verlagswesen *n;* ~ **da tavolo** (*o* **personale**) Desktop publishing *n.* **editoriale** [edito'ri̯a:le] *agg* Verlags-; *(dell'editore)* Verleger-, verlegerisch.
editto [e'ditto] *m st* Edikt *n,* Erlaß *m.*
edizione [edit'tsi̯o:ne] *f* **1.** (*abbr* **ed.**) *tip* Auflage *f; (a. esemplare)* Ausgabe *f;* **2.** *TV, radio* Ausgabe *f;* ~ **economica** Taschenbuch-, Billigausgabe *f;* ~ **straordinaria** Sonderausgabe *f.*
Edoardo [edo'ardo] *(nome proprio maschile)* Eduard.
E.D.P. *f abbr di* **Electronic Data Processing** EDV *f* (*abk von* Elektronische Datenverarbeitung).
educanda [edu'kanda] *f* Internats-, Pensionatsschülerin *f.*
educare [edu'ka:re] ⟨educo, educhi⟩ *tr* **1.** *(giovani)* erziehen; **2.** *fig* gewöhnen (*a* an). **educativo, -a** [...ka'ti:vo] *agg* Erziehungs-; *(metodo)* erzieherisch; *(romanzo)* Erziehungs-, Bildungs-. **educato, -a** [...'ka:to] *agg* (wohl)erzogen, höflich, artig. **educatore, -trice** [...ka'to:re] *m, f* Erzieher(in) *m(f).* **educazione** [...kat'tsi̯o:ne] *f* **1.** *(dei giovani)* Erziehung *f;* **2.** *(buone maniere)* (gutes) Benehmen *n,* Erziehung *f;* ~ **fisica** Leibeserziehung *f amm,* Turnen *n.*
E.E.D. *f abbr di* **Elaborazione Elettronica dei Dati** EDV *f* (*abk von* Elektronische Datenverarbeitung).
efelide [e'fɛ:lide] *f* Sommersprosse *f.*
effem(m)inato, -a [effem(m)i'na:to]

I. *agg peg* verweichlicht, weibisch; II. *m peg* Weichling *m.*
effervescente [effervеʃ'ʃɛnte] *agg* 1. *(bibita)* sprudelnd, (auf)brausend; *(pasticca)* Brause-; 2. *fig* lebhaft, sprudelnd. **effervescenza** [...'ʃɛntsa] *f* 1. *(di pasticca, acqua)* Sprudeln *n;* 2. *fig (agitazione)* Erregung *f,* Aufregung *f.*
effettivamente [effettiva'mente] *avv* tatsächlich, wirklich, in Wirklichkeit.
effettivo, -a [effet'ti:vo] *agg* 1. *(reale)* wirklich; *(valore, danno)* effektiv, tatsächlich; 2. *(socio, membro, professore)* ordentlich.
effetto [ef'fɛtto] *m* 1. *gener., dir, fis* Wirkung *f,* Auswirkung *f,* Effekt *m; fig* Ergebnis *n; (scopo)* Zweck *m;* 2. *sport* Effet *m;* 3. ⟨*pl*⟩ persönliche Sachen *f pl* (*o* Gegenstände *m pl*); 4. *fin* Wertpapier *n,* Schuldverschreibung *f;* ~ **serra** Treibhauseffekt *m;* **-i collaterali** Nebenwirkungen *f pl;* **-i personali** persönliche Habe; **fare** ~ Eindruck machen; **in -i** wirklich, in der Tat, tatsächlich; **d'~** effektvoll.
effettuare [effettu'a:re] *tr* aus-, durchführen.
efficace [effi'ka:tʃe] *agg* wirksam, wirkungsvoll. **efficacia** [...'ka:tʃa] ⟨-cie⟩ *f* Wirksamkeit *f,* Wirkung *f.*
efficiente [effi'tʃɛnte] *agg (organizzazione, persona)* leistungsfähig, effizient; *(che funziona)* wirksam, wirkungsvoll. **efficienza** [...'tʃɛntsa] *f* Wirksamkeit *f,* Effizienz *f; (di persona)* Leistungsfähigkeit *f; (di motore)* Leistung *f.*
effigie [ef'fi:dʒe] ⟨- *o* -gi⟩ *f* Bildnis *n,* Bild *n.*
effimero, -a [ef'fi:mero] *agg* 1. *(fugace)* flüchtig, vergänglich; *(di breve durata)* kurzlebig; 2. *zoo* eintägig, Eintags-.
effusione [effu'zjo:ne] *f* 1. *(versamento)* Ver-, Ausgießen *n; (di gas)* Ausströmen *n;* 2. *fig* Überschwenglichkeit *f; (cordialità)* Herzlichkeit *f.*
EFTA ['ɛfta] *f acr di* **European Free Trade Association** EFTA *f.*
egalitario [egali'ta:rjo] *v.* **egualitario.**
egalitario [egali'ta:rjo] *v.* **egualitario.**
egemonia [edʒemo'ni:a] ⟨-ie⟩ *f* Hegemonie *f; (a. fig)* (Vor)herrschaft *f.*
Egeo [e'dʒɛ:o] *m:* **l'~** (*o* **il Mare ~**) die Ägäis.
Egitto [e'dʒitto] *m:* **l'~** Ägypten *n.*
egiziano, -a [edʒit'tsja:no] I. *agg* ägyptisch; II. *m, f* Ägypter(in) *m(f).*
egli ['eʎʎi] *pron pers m sing* er.
ego ['ɛ:go] ⟨-⟩ *m* Ego *n,* Ich *n.*
egocentrico, -a [ego'tʃɛntriko] ⟨-ci, -che⟩ I. *agg* egozentrisch; II. *m, f* Egozentriker(in) *m(f).*
egoismo [ego'izmo] *m* Egoismus *m,* Selbstsucht *f.* **egoista** [...'ista] ⟨-i *m,* -e *f*⟩ I. *mf* Egoist(in) *m(f);* II. *agg* egoistisch, selbstsüchtig. egoistisch, selbstsüchtig.
Egr. *abbr di* **egregio** sehr geehrter . . .
egregio, -a [e'grɛ:dʒo] ⟨-gi, -gie⟩ *agg* ausgezeichnet, vortrefflich; ~ **signore** *(nelle lettere)* sehr geehrter Herr.
eguaglianza [eguaʎ'ʎantsa] *ecc. v.* **uguaglianza** *ecc.*
egualitario, -a [eguali'ta:rjo] ⟨-i, -ie⟩ *agg* egalitär, gleichmacherisch.
eh [ɛ *o* e] *interi fam* he *fam; (sorpresa, compatimento)* oh; *(con domanda)* was? *fam;* **niente male,** ~? nicht übel, was?
ehi [ei] *interi fam* he *fam;* **~! dove corri?** *fam* he! wo läufst du hin?
eiaculazione [ejakulat'tsjo:ne] *f* Ejakulation *f wissensch.,* Samenerguß *m.*
eiettabile [ejet'ta:bile] *agg* Schleuder-, **sedile** ~ Schleudersitz *m.*
eidomatica® *f* Bildverarbeitung *f.*
elaborare [elabo'ra:re] *tr* 1. *(tesi, piano)* ausarbeiten, erarbeiten; 2. *inform (dati)* verarbeiten. **elaborato, -a** [...'ra:to] I. *agg* ausgefeilt, geschliffen; II. *m* 1. *(a scuola)* Arbeit *f,* Aufgabe *f;* 2. *inform* Ausdruck *m.* **elaboratore** [...ra'to:re] *m:* ~ **elettronico** EDV-Anlage, Computer *m;* ~ **centrale** Server *m.* **elaborazione** [...rat'tsjo:ne] *f* 1. *inform* Verarbeitung *f;* 2. *(di progetto, piano, teoria)* Erstellung *f,* Ausarbeitung *f;* 3. *mus* Durchführung *f;* ~ **(elettronica) dei dati (***abbr* **E.E.D.)** (elektronische) Datenverarbeitung *f* (*abk* **EDV).**
elargire [elar'dʒi:re] ⟨elargisco⟩ *tr* spenden. **elargitore, -trice** [...dʒi'to:re] *m, f* Spender(in) *m(f).* **elargizione** [...dʒit'tsjo:ne] *f* Spende *f.*
elasticità [elastitʃi'ta] ⟨-⟩ *f* 1. *(di molle, gomma)* Elastizität *f,* Dehnbarkeit *f;* 2. *(agilità)* Beweglichkeit *f,* Gelenkigkeit *f;* 3. *fig* Flexibilität *f,* Beweglichkeit *f;* ~ **mentale** geistige Beweglichkeit. **elasticizzato, -a** [...tʃid'dza:to] *agg* Stretch-.
elastico, -a [e'lastiko] ⟨-ci, -che⟩ I. *agg* 1. *(molla, tessuto)* elastisch, dehnbar; 2. *(persona)* gelenkig, beweglich; *(carattere)* beweglich, flexibel; **calza ~a** Gummistrumpf *m,* Stützstrumpf *m;* **morale -a** dehnbare Prinzipien *n pl;* II. *m* 1. *(tessuto)* elastisches Gewebe; 2. *(per fissare)* Gummi(band) *n.*
Elba[1] ['elba] *f (isola)* Elba *n.*
Elba[2] ['ɛlba] *m (fiume)* Elbe *f.*
elefante, -essa [ele'fante, ...fan'tessa] *m, f* Elefant *m,* Elefantenkuh *f;* **memoria da** ~ Elefantengedächtnis *n.*
elegante [ele'gante] *agg* elegant. **eleganza** [...'gantsa] *f* Eleganz *f.*
eleggere [e'lɛddʒere] ⟨*irr*⟩ *tr* wählen. **eleggibile** [eled'dʒibile] *agg* wählbar.
elegia [ele'dʒi:a] ⟨-gie⟩ *f* Elegie *f.* **elegiaco, -a** [...'dʒi:ako] ⟨-ci, -che⟩ *agg* elegisch, klagend, Klage-.
elementare [elemen'ta:re] I. *agg (semplice)* elementar, einfach; *(di base)* ele-

mentar, Grund-, grundlegend; *(scuola)* Grund-; **II.** ⟨*pl*⟩ *f* Grundschule *f*.
elemento [ele'mento] *m* **1.** *gener., chim, filos, fig* Element *n;* **2.** *fig (parte costitutiva)* Bestandteil *m*, Element *n; (di studio, arte)* Grundlage *f;* **3.** *fig peg (individuo)* Person *f*, Subjekt *n*, Element *n*.
elemosina [ele'mɔ:zina] *f* Almosen *n*, Spende *f*. **elemosinare** [...mozi'na:re] **I.** *tr* erbetteln, betteln um; **II.** *itr* betteln.
Elena ['ɛ:lena] *(nome proprio femminile)* Helene.
elencare [eleŋ'ka:re] ⟨elenco, elenchi⟩ *tr* verzeichnen, auflisten; *(enumerare)* aufzählen, aufführen.
elenco [e'lɛŋko] ⟨-chi⟩ *m* Verzeichnis *n*, Liste *f;* ~ **telefonico** Telefonbuch *n*.
Eleonora [eleo'nɔ:ra] *(nome proprio femminile)* Eleonore.
elettivo, -a [elet'ti:vo] *agg* Wahl-.
eletto, -a [e'lɛtto] **I.** *agg* **1.** *(scelto, nominato)* gewählt; **2.** *rel* auserwählt; **3.** *fig* erlesen; **II.** *m, f* Gewählte(r) *mf*.
elettorale [eletto'ra:le] *agg* Wahl-.
elettorato [eletto'ra:to] *m* Wählerschaft *f*, Wähler *m pl*. **elettore, -trice** [...'to:re] *m, f* Wähler(in) *m(f)*.
elettrauto [elet'tra:uto] ⟨-⟩ *m* **1.** *(officina)* Auto-, Kraftfahrzeugelektrodienst *m;* **2.** *(operaio)* Auto-, Kraftfahrzeugelektriker *m*.
elettricista [elettri'tʃista] ⟨-i *m*, -e *f*⟩ *mf* Elektriker(in) *m(f)*. **elettricità** [...tʃi'ta] ⟨-⟩ *f* Elektrizität *f*. **elettrico, -a** [e'lɛttriko] ⟨-ci, -che⟩ *agg* **1.** *fis* elektrisch, Elektrizitäts-; **2.** *fig* gereizt, gespannt.
elettrificare [elettrifi'ka:re] ⟨elettrifico, elettrifichi⟩ *tr* elektrifizieren, auf Elektrobetrieb umstellen. **elettrificazione** [...kat'tsi̯o:ne] *f* Elektrifizierung *f*, Umstellung *f* auf Elektrobetrieb.
elettrizzante [elettrid'dʒɑnte] *agg* aufregend.
elettrizzare [elettrid'dza:re] **I.** *tr* **1.** *fis* elektrisieren; **2.** *fig* unter die Haut gehen (*qu* jdm); *(entusiasmare)* begeistern, in Begeisterung versetzen; **II.** *rfl:* **-arsi 1.** *fis* elektrisiert werden; **2.** *fig* in Eifer geraten.
elettro- [elettro-] *(in parole composte)* Elektro-, elektrisch. **elettrocardiogramma** [-kardi̯o'gramma] ⟨-i⟩ *m* Elektrokardiogramm *n*. **elettrochoc** [-ʃ'ʃɔk] *v.* **elettroshock. elettrocomandato, -a** [-koman'da:to] *agg* elektrisch angetrieben.
elettrodo [e'lɛttrodo] *m* Elektrode *f*.
elettrodomestico [-do'mɛstiko] *m* Elektrogerät *n;* **negozio di -ci** Elektrogeschäft *n*. Elektroenzephalogramm *n*.
elettroesecuzione [elettroezekut'tsi̯o:ne] *f* Hinrichtung *f* auf dem elektrischen Stuhl.
elettrolisi [elet'trɔ:lizi] ⟨-⟩ *f* Elektrolyse *f*.
elettromagnete [-maɲ'ɲɛ:te] *m* Elektromagnet *m*. **elettromagnetico, -a** [...'ɲɛ:tiko] *agg* elektromagnetisch.
elettromotrice [-mo'tri:tʃe] *f* E-Lok *f*.
elettrone [elet'tro:ne] *m* Elektron *n*.
elettronica [elet'trɔ:nika] ⟨-che⟩ *f* Elektronik *f*. **elettronico, -a** [...'trɔ:niko] ⟨-ci, -che⟩ *agg* elektronisch, Elektronik-.
elettroshock [-ʃ'ʃɔk] ⟨-⟩ *m* Elektroschock *m*. **elettrotecnica** [-'tɛknika] *f* Elektrotechnik *f*. **elettrotecnico, -a** [...ko] **I.** *agg* elektrotechnisch; **II.** *m, f* Elektrotechniker(in) *m(f)*.
elevare [ele'va:re] **I.** *tr* **1.** *(edificio)* aufstocken (*di* um); **2.** *fig* anheben, erhöhen; **3.** *(alzare)* er-, anheben; *(carica, dignità)* erheben (*a* zu); **4.** *amm (multa, contravvenzione)* auferlegen; ~ **un numero al quadrato** eine Zahl zum/ins Quadrat erheben; **II.** *rfl:* **-arsi 1.** *(ergersi)* sich erheben, emporragen; **2.** *(migliorare la posizione sociale)* aufsteigen.
elevato, -a [ele'va:to] *agg* **1.** *(monte, prezzo)* hoch; **2.** *fig* gehoben, erhaben.
elevatore, -trice [eleva'to:re] **I.** *agg* Hebe-; *(a. tec)* Hub-; **carrello** ~ Gabelstapler *m;* **II.** *m* **1.** *tec* Hebewerk *n*, Elevator *m;* **2.** *(nelle armi)* Zubringer *m*. **elevazione** [...vat'tsi̯o:ne] *f* Erhebung *f*, Erhöhung *f;* ~ **a potenza** Erhebung *f* zur (*o* in die) Potenz.
elezione [elet'tsi̯o:ne] *f* Wahl *f;* ~**i anticipate** vorgezogene Wahlen.
Elia [e'li:a] *(nome proprio maschile)* Elias.
elica ['ɛ:lika] ⟨-che⟩ *f* **1.** *naut* Schiffsschraube *f;* **2.** *aero* Propeller *m*.
elicotterista [elikotte'rista] ⟨-i *m* -e *f*⟩ *mf* Hubschrauberpilot(in) *m(f)*.
elicottero [eli'kɔttero] *m* Hubschrauber *m*, Helikopter *m*.
elidere [e'li:dere] ⟨elido, elisi, eliso⟩ **I.** *tr* **1.** *(annullare)* aufheben; **2.** *ling* elidieren; **II.** *rfl:* **-ersi** sich aufheben.
eliminare [elimi'na:re] *tr* **1.** *(far scomparire)* beseitigen, entfernen; **2.** *sport* ausschalten; **3.** *fig (ipotesi)* ausschließen; *(espellere)* ausscheiden; **4.** *sl* aus dem Weg räumen, umlegen *fam*. **eliminatoria** [...na'tɔ:ri̯a] ⟨-ie⟩ *f* Vorrunde *f*, Ausscheidungskämpfe *m pl*. **eliminazione** [...nat'tsi̯o:ne] *f* **1.** *sport* Ausscheiden *n; (squalifica)* (Platz)verweis *m;* **2.** *(rimozione)* Entfernen *n*, Beseitigung *f;* ~ **dei rifiuti** Abfallbeseitigung *f*.
elio ['ɛ:li̯o] *m* Helium *n*.
Elio ['ɛ:li̯o] *(nome proprio maschile)* Elias.
elioterapia [eli̯otera'pi:a] ⟨-ie⟩ *f* Heliotherapie *f wissensch.*, Sonnentherapie *f*.
eliporto [eli'pɔrto] *m* Heliport *m*, Hubschrauberlandeplatz *m*.
Elisabetta [eliza'bɛtta] *(nome proprio femminile)* Elisabeth.
elisi [e'li:zi] *p rem di* **elidere.**

elisione [eli'zi̯o:ne] *f* Elision *f.*
elisir [eli'zir] ⟨-⟩ *m* Elixier *n;* ~ **di lunga vita** Lebenselixier *n.*
eliso [e'li:zo] *pp di* **elidere.**
elisoccorso [elisok'korso] *m* Flugrettungsdienst *m.*
elitario, -a [eli'ta:ri̯o] ⟨-i, -ie⟩ *agg* elitär.
élite [e'lit] ⟨-⟩ *f* Elite *f.*
ella ['ella] *pron pers f sing* sie.
ellepì [ɛlle'pi] ⟨-⟩ *m* (*abbr* **LP**) Langspielplatte *f,* LP *f.*
ellisse [el'lisse] *f mat, astr* Ellipse *f.*
ellissi [el'lissi] ⟨-⟩ *f ling* Ellipse *f.*
ellittico, -a [el'littiko] ⟨-ci, -che⟩ *agg mat, ling, astr* elliptisch.
elmetto [el'metto] *m (per soldati, minatori)* Helm *m.*
elmo ['elmo] *m (nelle antiche armature)* Helm *m.*
elogiare [elo'dʒa:re] ⟨elogio, elogi⟩ *tr* loben. **elogio** [e'lɔ:dʒo] ⟨-gi⟩ *m* Lob *n,* Lobrede *f;* ~ **funebre** Trauerrede *f.*
eloquente [elo'ku̯ɛnte] *agg* **1.** *(oratore, discorso)* redegewandt, wortgewandt, eloquent *geh;* **2.** *fig (sguardo, silenzio)* vielsagend, sprechend, beredt. **eloquenza** [...'ku̯ɛntsa] *f* **1.** *(di oratore)* Redegewandtheit *f,* Wortgewandtheit *f,* Eloquenz *f geh;* **2.** *fig (di gesto, sguardo)* Beredtheit *f.*
elucubrare [eluku'bra:re] *tr* austüfteln. **elucubrazione** [...brat'tsi̯o:ne] *f* Tüftelei *f.*
eludere [e'lu:dere] ⟨eludo, elusi, eluso⟩ *tr* ausweichen (*qc* einer Sache *dat*), umgehen.
elvetico, -a [el'vɛ:tiko] ⟨-ci, -che⟩ *agg* helvetisch, schweizerisch.
elzeviro, -a [eldze'vi:ro] **I.** *agg:* **carattere** ~ Elzevir *f;* **II.** *m* **1.** *(articolo di giornale)* Feuilletonartikel *m;* **2.** *(edizione)* Elzevirausgabe *f.*
emaciato, -a [ema'tʃa:to] *agg* stark abgemagert, ausgemergelt.
emanare [ema'na:re] **I.** *tr* ⟨*avere*⟩ **1.** *(luce, calore)* ausstrahlen, -strömen; **2.** *dir (leggi)* erlassen; **3.** *fig (fascino)* ausstrahlen; **II.** *itr* ⟨*essere*⟩ (her)kommen (*da* von), ausgehen (*da* von). **emanazione** [...nat'tsi̯o:ne] *f* **1.** *(di luce, calore)* Ausstrahlung *f,* Ausströmen *n;* **2.** *dir* Verkündung *f,* Erlaß *m.*
emancipare [emantʃi'pa:re] **I.** *tr* emanzipieren, befreien; *dir* mündigsprechen; **II.** *rfl:* **-arsi** sich emanzipieren. **emancipato, -a** [...'pa:to] *agg* emanzipiert. **emancipazione** [...pat'tsi̯o:ne] *f* Emanzipation *f.*
emarginare [emardʒi'na:re] *tr* **1.** *(escludere)* ausgrenzen, an den Rand drängen; **2.** *amm* am Rande vermerken. **emarginato, -a** [...dʒi'na:to] **I.** *agg* **1.** *(escluso)* ausgegrenzt, an den Rand gedrängt; **2.** *amm* angemerkt, am Rande vermerkt; **II.** *m, f* Außenseiter(in) *m(f); m pl* Randgruppen *f pl,* Minderheiten *f pl.* **emarginazione** [...dʒinat'tsi̯o:ne] *f* Ausgrenzung *f.*
ematoma [ema'tɔ:ma] ⟨-i⟩ *m* Hämatom *n; (livido a.)* Bluterguß *m.*
embargo [em'bargo] ⟨-ghi⟩ *m* Embargo *n;* ~ **commerciale** Handelsembargo *n.*
emblema [em'blɛ:ma] ⟨-i⟩ *m* Emblem *n,* Sinnbild *n,* Symbol *n.*
embolia [embo'li:a] ⟨-ie⟩ *f* Embolie *f.*
embrione [embri'o:ne] *m* **1.** *biol* Embryo *m; bot* Keimling *m;* **2.** *fig* Keim *m,* Ansatz *m;* **essere in** ~ im Keim (*o* im Ansatz) vorhanden sein.
emendamento [emenda'mento] *m* **1.** *(correzione)* Verbesserung *f,* Berichtigung *f;* **2.** *dir* Abänderung *f.* **emendare** [...'da:re] **I.** *tr* **1.** *(correggere)* verbessern, berichtigen; **2.** *dir* (ab)ändern; **II.** *rfl:* **-arsi** sich bessern.
emergente [emer'dʒɛnte] *agg* aufstrebend, emporkommend; **paesi -i** Schwellenländer *n pl.*
emergenza [emer'dʒɛntsa] *f* Krisensituation *f,* Notfall *m;* **stato di** ~ Notstand *m;* **in caso di** ~ im Notfall.
emergere [e'mɛrdʒere] ⟨emergo, emergi, emersi, emerso⟩ *itr* ⟨*essere*⟩ **1.** *(venir in superficie)* auftauchen; **2.** *(apparire in alto)* emporragen; **3.** *fig (eccellere)* hervorragen, sich hervortun; *(risultare)* deutlich werden, herauskommen.
emerito, -a [e'mɛ:rito] *agg* **1.** *(insigne)* hervorragend, bedeutend; **2.** *(per cessazione d'ufficio)* im Ruhestand; *(università)* emeritiert; **3.** *(fig, a. scherz)* notorisch, bekannt; **sei un** ~ **stupido** du bist ein ausgesprochener (*o* ausgemachter) Dummkopf.
emeroteca [emero'tɛka] ⟨-che⟩ *f* Zeitschriftensammlung *f.*
emersi [e'mɛrsi] *p rem di* **emergere.**
emersione [emer'si̯o:ne] *f geog, naut* Auftauchen *n; geog, astr* Emersion *f.*
emerso [e'mɛrso] *pp di* **emergere.**
emettere [e'mettere] ⟨*irr*⟩ *tr* **1.** *(mandar fuori)* ausstoßen; *(calore)* ausströmen, ausstrahlen; **2.** *(suono, rumore)* ausstoßen, von sich *(dat)* geben; **3.** *fin* emittieren, ausgeben; *(assegno, fattura)* ausstellen; **4.** *dir (sentenza)* aussprechen; *(mandato)* erlassen. **emettitore** [emetti'to:re] *m radio, TV* Emitter *m.*
emicrania [emi'kra:ni̯a] ⟨-ie⟩ *f* Migräne *f.*
emigrante [emi'grante] **I.** *agg* auswandernd, emigrierend; **II.** *mf* Auswanderer *m,* Auswand(r)erin *f,* Emigrant(in) *m(f).*
emigrare [emi'gra:re] *itr* ⟨*essere o avere*⟩ **1.** *(trasferirsi)* auswandern, emigrieren; **2.** *zoo* ziehen. **emigrato, -a** [...'gra:to] **I.** *agg* ausgewandert, emigriert; **II.** *m, f* Auswanderer *m,* Auswand(r)erin *f,* Emigrant(in) *m(f).* **emigratorio, -a** [...gra'tɔ:ri̯o] ⟨-i, -ie⟩ *agg* Auswanderungs-, Emigrations-. **emigrazione** [...rat'tsi̯o:ne] *f* **1.** *(spostamento)* Aus-

wanderung *f*, Emigration *f;* **2.** *zoo* Wanderung *f*, Zug *m*, Migration *f;* **3.** *fin* Abwanderung *f*, Flucht *f;* ~ **di capitali** Kapitalflucht *f*.

Emilio [e'miːlio] *(nome proprio maschile)* Emil.

eminente [emi'nɛnte] *agg* **1.** *(alzato)* erhöht; **2.** *fig* hervor-, herausragend, vortrefflich. **eminenza** [...'nɛntsa] *f* **1.** *rel* Eminenz *f;* **2.** *fig* Vorzüglichkeit *f*, Vortrefflichkeit *f*.

emiparesi [emipa'rɛːzi] ⟨-⟩ *f* halbseitige Lähmung, Hemiparese *f wissensch.*

emirato [emi'raːto] *m* Emirat *n.* **emiro** [e'miːro] *m* Emir *m.*

emisferico, -a [emis'fɛːriko] ⟨-ci, -che⟩ *agg* hemisphärisch. **emisfero** [...'fɛːro] *m* Hemisphäre *f*, Halbkugel *f;* ~ **australe/boreale** südliche/nördliche Hemisphäre.

emissario [emis'saːrio] ⟨-i⟩ *m* **1.** *geog* Ausfluß *m; (di fognatura)* Abwasserkanal *m;* **2.** *(agente segreto)* geheimer Abgesandter, (Geheim)agent *m.*

emissione [emis'sioːne] *f* **1.** *(fuoriuscita)* Aussenden *n*, -stoßen *n;* **2.** *com, fin* Emission *f*, Ausgabe *f;* **3.** *fis* Emission *f; (a. radio)* Ausstrahlung *f;* **istituto di** ~ Notenbank *f*.

emittente [emit'tɛnte] **I.** *agg* **1.** *radio, TV* sendend, Sende-; **2.** *fin* Emissions-; **II.** *f radio, TV* Sender *m*, Sendestation *f;* ~ **clandestina** Piratensender *m.* **emittenza** [...t'tentsa] *f* **1.** *(emittenti)* Sendeanstalten *f pl;* **2.** *(trasmissione)* Ausstrahlung *f*, Sendung *f;* ~ **pubblica** öffentlich-rechtliche Sendeanstalten; **diritto di** ~ Ausstrahlungs-, Senderecht *n.*

emment(h)al ['emɛntal] ⟨-⟩ *m* Emmenthaler *n.*

emodialisi [emodi'aːlizi] ⟨-⟩ *f* Blutwäsche *f*.

emofilia [emofi'liːa] ⟨-ie⟩ *f* Bluterkrankheit *f*, Hämophilie *f wissensch.* **emofiliaco, -a** [...'liːako] ⟨-ci *m*, -che *f*⟩ **I.** *m, f* Bluter *m;* **II.** *agg* Bluter-.

emoglobina [emoglo'biːna] *f* Hämoglobin *n.*

emorragia [emorra'dʒiːa] ⟨-gie⟩ *f* Blutung *f*, Hämorrhagie *f wissensch.*

emorroidi [emor'rɔːidi] *f pl* Hämorrhoiden *f pl.*

emotività [emotivi'ta] ⟨-⟩ *f* Gefühlsbetontheit *f*, Emotionalität *f wissensch.* **emotivo, -a** [...'tiːvo] **I.** *agg* Gefühls-, emotional, gefühlsmäßig; *(persona)* gefühlsbetont, emotional; **II.** *m, f* Gefühlsmensch *m.*

emozionale [emottsio'naːle] *agg* emotional, emotionell, Gefühls-.

emozionante [emottsio'nante] *agg* aufregend, mitreißend, spannend.

emozionare [emottsio'naːre] **I.** *tr* bewegen, erschüttern, aufregen; **II.** *rfl:* **-arsi** sich aufregen, sich erregen. **emozione** [...'tsioːne] *f* Gefühl *n; (agitazione)* Aufregung *f*, Erregung *f;* **provare una forte** ~ stark bewegt (*o* erschüttert) sein.

empietà [empie'ta] ⟨-⟩ *f* Schändlichkeit *f; rel* Gottlosigkeit *f*.

empio, -a ['empio] ⟨-i, -ie⟩ *agg* schändlich, ruchlos; *rel* gottlos.

empirico, -a [em'piːriko] ⟨-ci, -che⟩ **I.** *agg* **1.** *(rimedi, metodo)* empirisch; **2.** *peg* unwissenschaftlich, laienhaft; **II.** *m, f* Empiriker(in) *m(f).* **empirismo** [empi'riːzmo] *m* Empirismus *m.*

emporio [em'pɔːrio] ⟨-i⟩ *m* Handelszentrum *n; (negozio)* Kaufhaus *n.*

emulare [emu'laːre] *tr* nacheifern (*qu* jdm). **emulazione** [...lat'tsioːne] *f* Nacheifern *n; inform* Emulation *f*.

emulsionare [emulsio'naːre] *tr* emulgieren. **emulsione** [...'sioːne] *f* Emulsion *f*.

encefalo [en'tʃɛːfalo] *m* (Groß)hirn *n.*

enciclica [en'tʃiːklika] ⟨-che⟩ *f* Enzyklika *f*.

enciclopedia [entʃiklope'diːa] ⟨-ie⟩ *f* Enzyklopädie *f*, (Konversations)lexikon *n.* **enciclopedico, -a** [...'pɛːdiko] ⟨-ci, -che⟩ *agg* enzyklopädisch; *(fig a.)* umfassend; **una cultura -a** eine umfassende Bildung.

encomiabile [eŋko'miaːbile] *agg lett* lobens-, rühmenswert.

encomio [eŋ'kɔːmio] ⟨-i⟩ *m* Lob *n*, Lobrede *f*.

endemico, -a [en'dɛːmiko] ⟨-ci, -che⟩ *agg* **1.** *med, biol* endemisch; **2.** *fig* weit verbreitet.

endovenoso, -a [endove'noːso] *agg* intravenös.

E.N.E.A. [e'nɛːa] *m acr di* **Comitato nazionale per la ricerca e lo sviluppo dell'Energia Nucleare e delle Energie Alternative** *Nationaler Ausschuß für Kernenergie und alternative Energiequellen.*

E.N.E.L. ['ɛːnel] *m acr di* **Ente Nazionale per l'Energia Elettrica** *staatliche Elektrizitätsgesellschaft.*

energetico, -a [ener'dʒɛːtiko] ⟨-ci, -che⟩ *agg* **1.** *fis* energetisch, energieerzeugend, Energie-; **2.** *med* kräftigend, aufbauend; **fonti -che** Energiequellen *f pl.*

energia [ener'dʒiːa] ⟨-gie⟩ *f* Energie *f; (fig a.)* Tatkraft *f;* ~ **elettrica/cinetica** elektrische/kinetische Energie; ~ **atomica** Atomkraft *f*, -energie *f;* ~ **nucleare** Kernkraft *f*, -energie *f;* ~ **solare** Sonnenenergie *f;* **con** ~ kraftvoll, energisch. **energico, -a** [e'nɛrdʒiko] ⟨-ci, -che⟩ *agg* kraftvoll, energisch.

energumeno, -a [ener'guːmeno] *m, f* Besessene(r) *mf*, Rasende(r) *mf.*

enfasi ['ɛnfazi] ⟨-⟩ *f* Nachdruck *m*, Emphase *f geh.* **enfatico, -a** [en'faːtiko] ⟨-ci, -che⟩ *agg* nachdrücklich, emphatisch *geh.* **enfatizzare** [...tid'dzaːre] *tr* **1.** *(pronunciare con enfasi)* (stark) betonen, hervorheben; **2.** *fig* übertreiben; *(ingigantire)* aufbauschen.

Engadina [eŋga'di:na] *f* Engadin *n.*

E.N.I.T. ['ɛ:nit] *m acr di* **Ente Nazionale Italiano per il Turismo** *staatliches italienisches Fremdenverkehrsamt.*

enigma [e'nigma] ⟨-i⟩ *m* Rätsel *n.* **enigmatico, -a** [...'ma:tiko] ⟨-ci, -che⟩ *agg* rätselhaft. Rätsel-.

ennesimo, -a [en'nɛ:zimo] *agg* **1.** *fam* x-te(r, s) *fam,* hundertste(r, s); **2.** *mat* n-te(r, s).

enologia [enolo'dʒi:ɑ] ⟨-gie⟩ *f* Weinkunde *f,* Önologie *f.* **enologico, -a** [eno'lɔ:dʒiko] *agg* weinkundlich, Weinkunde-, önologisch. **enologo, -a** [e'nɔ:logo] ⟨-gi, -ghe⟩ *m, f* Weinkundler(in) *m(f),* Önologe *m,* -login *f.*

enorme [e'norme] *agg* enorm, riesig, ungeheuer. **enormità** [...mi'ta] ⟨-⟩ *f* **1.** *(grandezza)* Riesengröße *f; (quantità)* ungeheures Ausmaß; **2.** *fig* Ungeheuerlichkeit *f; peg* Abscheulichkeit *f;* **costa un'~!** das kostet ein Heidengeld!

enoteca [eno'tɛ:ka] *f* **1.** *(raccolta)* Sammlung *f* edler Weine; **2.** *(luogo)* Weinkeller *m; (vendita)* Weinhandlung *f (locale)* Weinlokal *n.*

Enrico [en'ri:ko] *(nome proprio maschile)* Heinrich.

ente ['ɛnte] *m* Anstalt *f,* Körperschaft *f;* ~ **pubblico** Körperschaft *f* des öffentlichen Rechts; ~ **morale** gemeinnützige Vereinigung.

entità [enti'ta] ⟨-⟩ *f* Wert *m; (importanza)* Bedeutung *f.*

entomologia [entomolo'dʒi:a] ⟨-gie⟩ *f* Insektenkunde *f,* Entomologie *f.*

entraîneuse [ãtrɛ'nø:z] ⟨-⟩ *f* Animierdame *f.*

entrambi, -e [en'trambi] *agg, pron pl* (alle) beide; **~e le parti** beide Teile; **sono usciti -i** beide sind hinausgegangen.

entrante [en'trante] *agg* kommend, nächste(r, s).

entrare [en'tra:re] *itr* ⟨*essere*⟩ **1.** *gener.* betreten (*in qc* etw.), eintreten, hineingehen; *(andando verso chi parla)* hereinkommen; **2.** *fig, mil* eintreten, aufgenommen werden; *(essere ammesso)* beitreten (*in qc* einer S. *dat*); **3.** *(vestito)* hineinpassen, -gehen; **4.** *teat* auftreten; *mus* einsetzen; ~ **in casa** ins Haus gehen/kommen; ~ **dalla porta/finestra** zur Tür/zum Fenster hineingehen/hereinkommen; ~ **in area** *sport* in den Strafraum eindringen; ~ **in società** in die Gesellschaft aufgenommen werden; ~ **in ballo (***o* **gioco** *o* **campo)** *fig* eingreifen; ~ **in contatto con qu** mit jdm Verbindung (*o* Kontakt) aufnehmen; ~ **in carica** ein Amt antreten; ~ **in vigore** in Kraft treten; ~ **in possesso di qc** in den Besitz einer Sache *(gen)* kommen; ~ **nel sistema** *inform* sich anmelden; **questo non c'entra** das hat damit nichts zu tun, das gehört nicht hierher.

entrata [en'tra:ta] *f* **1.** *(ingresso)* Eingang *m; (per veicoli)* Einfahrt *f;* **2.** *(l'entrare, a. fig)* Eintritt *m;* **3.** *teat* Auftritt *m;* **4.** *mus* Einsatz *m;* **5.** *inform* Eingabe *f;* **6.** *sport* Eingreifen *n;* **7.** ⟨*pl*⟩ *com* Einnahmen *f pl;* ~ **in guerra** Kriegseintritt *m;* ~ **principale** Haupteingang *m;* ~ **di servizio** Dienstboten-, Lieferanteneingang *m;* ~ **in servizio** Dienstantritt *m.*

entro ['entro] *prp* innerhalb *+gen o +dat,* binnen *+gen o +dat;* ~ **e non oltre il 30 ottobre** *amm* bis spätestens (zum) 30. Oktober; **si sposa ~ l'anno** er (*o* sie) heiratet noch in diesem Jahr.

entroterra [entro'tɛrra] ⟨-⟩ *m* Hinterland *n.*

entusiasmare [entuzi̯az'ma:re] **I.** *tr* begeistern, mitreißen; **II.** *rfl:* **-arsi** sich begeistern (*per* für). **entusiasmo** [...'zi̯azmo] *m* Begeisterung *f,* Enthusiasmus *m;* **essere pieno di ~ per qc/qu** von etw./jdm hell(auf) begeistert sein. **entusiasta** [...'zi̯asta] ⟨-i *m,* -e *f*⟩ **I.** *agg* begeistert (*di* von), enthusiastisch (*di* über *+akk*); **II.** *mf* Enthusiast(in) *m(f)* Begeisterte(r) *mf.* **entusiastico, -a** [...'zi̯astiko] ⟨-ci, -che⟩ *agg* begeistert; *(applauso)* stürmisch.

enumerare [enume'ra:re] *tr* aufzählen. **enumerazione** [...rat'tsi̯o:ne] *f* Aufzählung *f.*

enunciare [enun'tʃa:re] ⟨enuncio, enunci⟩ *tr* darlegen, formulieren. **enunciato** [...'tʃa:to] *m* Formulierung *f,* Wortlaut *m; ling* Aussage *f.* **enunciazione** [...tʃat'tsi̯o:ne] *f* Formulierung *f,* Darlegung *f.*

enzima [en'dzi:ma] ⟨-i⟩ *m* Enzym *n.*

Enzo ['ɛntso] *(nome proprio maschile)* Heinz.

eolico, -a [e'ɔ:liko] ⟨-ci, -che⟩ *agg* Wind-; **energia -a** Windenergie *f.*

epatico, -a [e'pa:tiko] ⟨-ci, -che⟩ *agg* Leber-; **cirrosi -a** Leberzirrhose *f.* **epatite** [epa'ti:te] *f* Hepatitis *f.*

epica ['ɛ:pika] ⟨-che⟩ *f* Epik *f.* **epico, -a** ['ɛ:piko] ⟨-ci, -che⟩ *agg* episch, erzählend.

epidemia [epide'mi:a] ⟨-ie⟩ *f* **1.** *med* Epidemie *f,* Seuche *f;* **2.** *fig* Plage *f;* ~ **di insetti** Insektenplage *f.* **epidemico, -a** [...'dɛ:miko] ⟨-ci, -che⟩ *agg* epidemisch, seuchenartig.

epidemiologia [epidemi̯olo'dʒi:a] ⟨-gie⟩ *f* Epidemiologie *f.* **epidemiologico, a-** [...'lɔdʒiko] ⟨-ci, -che⟩ *agg* epidemiologisch.

epidermico, -a [epi'dɛrmiko] ⟨-ci, -che⟩ *agg* **1.** *anat* Oberhaut-; **2.** *fig* oberflächlich. **epidermide** [...'dɛrmide] *f* Oberhaut *f,* Epidermis *f wissensch.*

epifania [epifa'ni:a] ⟨-ie⟩ *f* Epiphanie *f;* **E~** *(festa)* Dreikönigsfest *n,* Dreikönigstag *m.*

epigrafe [e'pi:grafe] *f* **1.** *(archeologia)* Inschrift *f;* **2.** *(di libro)* Motto *n.* **epigrafico, -a** [...'gra:fiko] *agg* **1.** *(di epigrafe)* epigraphisch, Epigraphik-; **2.** *fig* gedrängt, bündig.

epigramma [epi'gramma] ⟨-i⟩ *m* Epigramm *n.*

epilessia [epiles'si:a] ⟨-ie⟩ *f* Epilepsie *f.* **epilettico, -a** [...'lɛttiko] ⟨-ci, -che⟩ **I.** *agg* epileptisch; **II.** *m, f* Epileptiker(in) *m(f).*

epilogo [e'pi:logo] ⟨-ghi⟩ *m* **1.** *letter* Epilog *m,* Nachwort *n;* **2.** *fig (a. teat)* Nachspiel *n;* **3.** *(conclusione)* Ende *n,* Abschluß *m.*

episcopale [episko'pɑ:le] *agg* bischöflich, Bischofs-; **conferenza** ~ Bischofskonferenz *f.* **episcopato** [episko'pa:to] *m* Episkopat *n,* Bischofswürde *f,* -amt *n.*

episodico, -a [epi'zɔ:diko] ⟨-ci, -che⟩ *agg* **1.** *letter* episodisch, episodenartig; **2.** *(sporadico)* vereinzelt, gelegentlich. **episodio** [...'zɔ:di̯o] ⟨-i⟩ *m* Episode *f.*

epistola [e'pistola] *f rel* Epistel *f,* Brief *m; (alla messa)* Lesung *f.* **epistolare** [...'la:re] *agg* brieflich, Brief-; **stile/romanzo** ~ Briefstil *m*/-roman *m.* **epistolario** [...'la:ri̯o] ⟨-i⟩ *m letter* Briefsammlung *f.*

epitaffio [epi'taffi̯o] ⟨-i⟩ *m* Epitaph *n geh,* Grabinschrift *f.*

epiteto [e'pi:teto] *m* Beiname *m; peg* Schimpfname *m.*

epoca ['ɛ:poka] ⟨-che⟩ *f* Zeit *f; (a. st)* Epoche *f;* ~ **glaciale** Eiszeit *f;* **auto d'**~ Oldtimer *m;* **a quell'**~ zu jener Zeit, damals.

epopea [epo'pɛ:a] *f* **1.** *letter* (Helden)epos *n; (genere letterario)* Epik *f;* **2.** *st* Heldentaten *f pl.*

eppure [ep'pu:re] *cong* und doch, dennoch, trotzdem.

epurare [epu'ra:re] *tr pol* säubern. **epurazione** [...rat'tsi̯o:ne] *f pol* Säuberung *f.*

equalizzare [eku̯alid'dza:re] *tr* nivellieren, gleichmachen. **equalizzatore** [..dza'to:re] *m* Equalizer *m.* **equalizzazione** [...dzat'tsi̯o:ne] *f* **1.** *tel* Entzerrung *f;* **2.** *econ* Stabilisierung *f.*

equanime [e'ku̯a:nime] *agg (giudizio)* sachlich, gerecht; *(giudice)* unparteiisch, unvoreingenommen.

equatore [eku̯a'to:re] *m* Äquator *m.* **equatoriale** [...to'ri̯a:le] *agg* äquatorial, Äquator-.

equazione [eku̯at'tsi̯o:ne] *f* Gleichung *f.*

equestre [e'ku̯ɛstre] *agg* Reiter-; **circo** ~ Zirkus *m.*

equidistante [eku̯idis'tante] *agg* gleichweit entfernt, äquidistant *wissensch.*

equilatero, -a [eku̯i'la:tero] *agg* gleichseitig.

equilibrare [eku̯ili'bra:re] **I.** *tr* **1.** *(tenere in equilibrio)* ausgleichen; *(pesi)* ins Gleichgewicht bringen; *(spese)* im Gleichgewicht halten; **2.** *tec* auswuchten; **II.** *rfl:* **-arsi** sich ausgleichen. **equilibrato, -a** [...'bra:to] *agg fig* ausgeglichen. **equilibratura** [eku̯ilibrɑ'tu:rɑ] *f* Auswuchten *n,* Auswuchtung *f.*

equilibrio [eku̯i'li:bri̯o] ⟨-i⟩ *m* Gleichgewicht *n; (di persona)* Ausgeglichenheit *f;* **mantenere/perdere l'**~ das Gleichgewicht halten/verlieren; **avere un** ~ **interiore** ausgeglichen sein. **equilibrismo** [...li'brizmo] *m* **1.** *(arte)* Äquilibristik *f geh,* Gleichgewichtskunst *f;* **2.** *fig* Schaukelpolitik *f.*

equino, -a [e'ku̯i:no] **I.** *agg* Pferde-; **II.** *m* Pferd *n.*

equinozio [eku̯i'nɔttsi̯o] ⟨-i⟩ *m* Tagundnachtgleiche *f,* Äquinoktium *n wissensch.*

equipaggiamento [eku̯ipaddʒa'mento] *m* Ausrüstung *f.* **equipaggiare** [...'dʒa:re] ⟨equipaggio, equipaggi⟩ **I.** *tr* **1.** *(di mezzi)* ausrüsten; **2.** *naut, aero (di persone)* bemannen; **II.** *rfl:* **-arsi** sich ausrüsten.

equipaggio [eku̯i'paddʒo] ⟨-ggi⟩ *m* Besatzung *f,* Crew *f.*

equiparare [eku̯ipa'ra:re] *tr* gleichstellen.

équipe [e'kip] ⟨-⟩ *f tec* Team *n; (sport a.)* Mannschaft *f; (ippica)* Equipe *f.*

equipollente [eku̯ipol'lɛnte] *agg* gleichwertig.

equità [eku̯i'ta] ⟨-⟩ *f* Unparteilichkeit *f,* Unvoreingenommenheit *f.*

equitazione [eku̯itat'tsi̯o:ne] *f* Reiten *n,* Reitsport *m.*

equivalente [eku̯iva'lɛnte] **I.** *agg* gleichwertig; *(dello stesso significato)* gleichbedeutend; *mat* äquivalent; **II.** *m* Gegenwert *m.* **equivalenza** [...'lɛntsa] *f* **1.** *mat* Äquivalenz *f;* **2.** *fig* Gleichwertigkeit *f.*

equivalere [eku̯iva'le:re] ⟨*irr*⟩ **I.** *itr* ⟨*essere o avere*⟩ entsprechen, gleichkommen; **II.** *rfl:* **-ersi** gleichwertig sein, sich dekken.

equivocare [eku̯ivo'ka:re] ⟨equivoco, equivochi⟩ *itr* sich täuschen, sich irren. **equivoco, -a** [e'ku̯i:voko] ⟨-ci, -che⟩ **I.** *agg* **1.** *(risposta, modo)* zweideutig; **2.** *fig (persona, comportamento)* zwielichtig, undurchsichtig; **II.** *m* Zweideutigkeit *f; (malinteso)* Mißverständnis *n;* **a scanso di -ci** um Mißverständnisse zu vermeiden.

equo, -a ['ɛ:ku̯o] *agg* **1.** *(persona)* gerecht, unvoreingenommen; **2.** *com* angemessen.

era[1] ['ɛ:ra] *f (a. fig)* Ära *f,* Zeitalter *n; st* Zeitrechnung *f;* **l'**~ **atomica** das Atomzeitalter; **l'**~ **cristiana** die christliche Zeitrechnung.

era[2] ['ɛ:ra] *ecc. v.* **essere.**

erariale [era'ri̯a:le] *agg* Staatsfinanz-, Staatskassen-. **erario** [e'ra:ri̯o] ⟨-i⟩ *m* Staatskasse *f,* Staatsfinanzen *f pl.*

erba ['ɛrba] **1.** *bot* Gras *n;* **2.** *gastr* Gewürz(kraut) *n;* **3.** *sl (marijuana)* Gras *n sl;* **un filo d'**~ ein Grashalm *m;* **in** ~ *fig* unerfahren; **fare d'ogni** ~ **un fascio** *fig* alles in einen Topf werfen, alles über einen Kamm scheren. **erbario** [er'ba:ri̯o] ⟨-i⟩ *m* **1.** *(libro)* Kräuterbuch *n;* **2.** *(collezione)* Herbarium *n,* Kräutersammlung *f.* **erbicida** [erbi'tʃi:da] ⟨-i⟩ *m* Unkrautvertilgungsmittel *n,* Herbizid *n.* **erbivendolo, -a** [erbi'vendolo] *m, f* Gemüsehändler(in) *m(f).* **erbivoro, -a** [er'bi:voro] **I.** *agg* pflanzenfressend; **II.** *m* Pflanzenfresser *m.* **erborista** [erbo'rista] ⟨-i *m,* -e *f*⟩ *mf (esperto)* Kräuterspezialist(in) *m(f),* -sammler(in) *m(f); com* Heilpflanzenverkäufer(in) *m(f).* **erboristeria** [...riste'ri:ɑ] ⟨-ie⟩ *f* Heilpflanzenhandlung *f.* **erboso, -a** [er'bo:so] *agg* grasbewachsen, Gras-.

Ercolano [erko'la:no] *f* Herculaneum *n.*

ercole ['ɛrkole] *m fig scherz* Muskelprotz *m,* Herkules *m.*

erede [e'rɛ:de] *mf* **1.** *dir* Erbe *m,* Erbin *f;* **2.** *fig* Stammhalter *m.* **eredità** [eredi'ta] ⟨-⟩ *f* **1.** *dir* Erbschaft *f,* Erbe *n;* **2.** *biol* Vererbung *f;* **3.** *fig* Erbe *n;* **lasciare/ricevere in** ~ vererben/erben. **ereditare** [...'ta:re] *tr* erben. **ereditario, -a** [...'ta:ri̯o] ⟨-i, -ie⟩ *agg* **1.** *(principe)* Erb-, Kron-; **2.** *biol* (ver)erblich, Erb-; **3.** *dir* Erb-, Erbschafts-, Nachlaß-. **ereditiera** [...'ti̯ɛ:ra] *f* (reiche) Erbin *f.*

eremita [ere'mi:ta] ⟨-i⟩ *m* Eremit *m,* Einsiedler *m.* **eremitaggio** [...mi'taddʒo] ⟨-ggi⟩ *m* Einsiedelei *f.* **eremo** ['ɛ:remo] *m* Einsiedelei *f; fig* Stille *f,* Abgeschiedenheit *f.*

eresia [ere'zi:a] ⟨-ie⟩ *f* Ketzerei *f,* Häresie *f geh; (dottrina)* Irrlehre *f.*

eressi [e'rɛssi] *p rem di* **erigere.**

eretico, -a [e'rɛ:tiko] ⟨-ci, -che⟩ **I.** *agg* häretisch, ketzerisch, Ketzer-; **II.** *m, f* **1.** *rel* Ketzer(in) *m(f),* Häretiker *m;* **2.** *fam* Gottlose(r) *mf.*

eretto, -a [e'rɛtto] **I.** *pp di* **erigere; II.** *agg* gerade, aufrecht.

erezione [eret'tsi̯o:ne] *f* **1.** *arch* Errichtung *f,* Bau *m;* **2.** *biol* Erektion *f.*

ergastolano, -a [ergasto'la:no] *m, f* zu „lebenslänglich" Verurteilte(r) *mf,* Lebenslängliche(r) *mf fam.* **ergastolo** [er'gastolo] *m* lebenslängliche Freiheitsstrafe; **condannare all'** ~ zu lebenslänglicher Haft verurteilen.

ergere ['ɛrdʒere] ⟨ergo, ergi, ersi, erto⟩ **I.** *tr* erheben, emporrichten; **II.** *rfl:* **-ersi** aufragen.

ergometro [er'gə:metro] *m* Ergometer *n.*

ergonomia [ergono'mi:a] *f* Ergonomie *f.* **ergonomico, -a** [...'nə:miko] ⟨-ci, -che⟩ *agg* ergonomisch.

eri ['ɛ:ri] *v.* **essere.**

erica ['ɛ:rika] ⟨-che⟩ *f bot* Erika *f,* Heidekraut *n.*

erigere [e'ri:dʒere] ⟨erigo, erigi, eressi, eretto⟩ **I.** *tr* **1.** *arch* errichten, erbauen; **2.** *fig* gründen; **II.** *rfl:* **-ersi** sich aufwerfen (*a* zu), sich aufspielen (*a* als).

ermafrodito, -a [ermafro'di:to] **I.** *agg* Zwitter-, hermaphroditisch; **II.** *m* Zwitter *m,* Hermaphrodit *m.*

ermellino [ermel'li:no] *m* **1.** *zoo* Hermelin *n;* **2.** *(pelliccia)* Hermelin *m.*

ermetico, -a [er'mɛ:tiko] ⟨-ci, -che⟩ *agg* **1.** *tec, letter* hermetisch; **2.** *fig* unverständlich, dunkel.

ernia ['ɛrni̯a] ⟨-ie⟩ *f* (Eingeweide)bruch *m.*

ero[1] ['ɛ:ro] ⟨-⟩ *f fam (eroina)* H *n.*

ero[2] ['ɛ:ro] *v.* **essere.**

erodere [e'ro:dere] ⟨*irr*⟩ *tr* **1.** *geol* erodieren *wissensch.,* auswaschen; **2.** *fig* unterminieren, aufweichen.

eroe, eroina [e'rɔ:e, ero'i:na] *m, f (nella mitologia)* Heros *m,* Heroin *f; letter, fig* Held(in) *m(f).*

erogare [ero'ga:re] ⟨erogo, eroghi⟩ *tr* **1.** *(gas, luce, acqua)* liefern; **2.** *(denaro, ecc.)* spenden. **erogazione** [...ga'tsi̯o:ne] *f* **1.** *(di gas, luce, acqua)* Lieferung *f,* Versorgung *f;* **2.** *(di denaro)* Spende *f.*

erogeno, -a [e'rɔ:dʒeno] *agg* erogen.

eroico, -a [e'rɔ:iko] ⟨-ci, -che⟩ *agg* heldenhaft, Helden-, heroisch.

eroina[1] *f v.* **eroe.**

eroina[2] [ero'i:na] *f (droga)* Heroin *n.*

eroismo [ero'izmo] *m* Heldentum *n,* Heldenhaftigkeit *f.*

erompere [e'rompere] ⟨*irr*⟩ *itr* hervorbrechen, ausbrechen (*in* in +*akk, da* aus); ~ **in un grido** einen Schrei ausstoßen.

erosione [ero'zi̯o:ne] *f* Erosion *f.* **erosivo, -a** [...'zi:vo] *agg* erosiv.

erotico, -a [e'rɔ:tiko] ⟨-ci, -che⟩ *agg* erotisch. **erotismo** [ero'ti:zmo] *m* Erotik *f.*

errare [er'ra:re] *itr* **1.** *(vagare)* umherirren; *(fig a.)* umherschweifen; **2.** *(sbagliare)* (sich) irren.

errata corrige [er'ra:ta 'kɔrridʒe] ⟨-⟩ *m* Errata *n pl,* Korrigenda *pl.*

errato, -a [er'ra:to] *agg* irrig, verfehlt; **se non vado** ~ wenn ich nicht irre.

erroneo, -a [er'rɔ:neo] *agg* irrig, falsch, abwegig.

errore [er'ro:re] *m* Fehler *m,* Irrtum *m;* ~ **d'ortografia/di battitura/di calcolo/di stampa/di sistema** Rechtschreib-/Tipp-/Rechen-/Druck-/Systemfehler *m;* **per** ~ irrtümlich, versehentlich, aus Versehen.

ersi ['ɛrsi] *p rem di* **ergere.**

erta ['erta] *f* Steigung *f;* **stare all'**~ auf der Hut sein.

erto ['erto] *pp di* **ergere.**

erudito, -a [eru'di:to] **I.** *agg* gelehrt; **II.** *m, f* Gelehrte(r) *mf.* **erudizione** [...dit'tsi̯o:ne] *f* Gelehrtheit *f,* Wissen *n.*

eruttare [erut'ta:re] *tr* ausstoßen, ausspeien. **eruzione** [erut'tsi̯o:ne] *f* **1.** *geol*

Ausbruch *m,* Eruption *f;* **2.** *med* (Haut)-ausschlag *m.*

Erzegovina [ertse'gɔ:vina] *f* Herzegowina *n.*

E.S.A. ['ɛ:za] *f acr di* **European Space Agency** Europäische Weltraumorganisation, ESA *f.*

esacerbare [ezatʃer'ba:re] *tr lett* verschärfen, verschlimmern.

esaedro [eza'ɛ:dro] *m* Hexaeder *m,* Sechsflächner *m.*

esagerare [ezadʒe'ra:re] *tr, itr* übertreiben; **senza** ~ ohne Übertreibung. **esagerato, -a** [...'ra:to] *agg* übertrieben, überzogen; *(persona)* überspannt. **esagerazione** [...rat'tsio:ne] *f* Übertreibung *f;* **costa un'**~ das kostet wahnsinnig *fam* (*o* viel zu) viel.

esagonale [ezago'na:le] *agg* sechseckig, hexagonal. **esagono** [e'za:gono] *m* Sechseck *n,* Hexagon *n.*

esalare [eza'la:re] **I.** *tr* ⟨*avere*⟩ *(respiro)* aushauchen; *(vapori, fumo)* ausstoßen; *(profumo)* ausströmen; ~ **l'ultimo respiro** *lett* sein Leben aushauchen *geh;* **II.** *itr* ⟨*essere*⟩ *(odore, profumo)* aufsteigen.

esaltare [ezal'ta:re] **I.** *tr* **1.** *(decantare)* (lob)preisen, rühmen; **2.** *(entusiasmare)* begeistern; **3.** *(elevare)* erheben; **II.** *rfl:* **-arsi** sich rühmen; *(entusiasmarsi)* sich begeistern. **esaltato, -a** [...'ta:to] **I.** *agg* überspannt, überdreht *fam;* exaltiert *geh;* **II.** *m, f* überspannte (*o* exaltierte) Person. **esaltazione** [...tat'tsio:ne] *f* **1.** *(lode)* Verherrlichung *f,* Lobpreisung *f;* **2.** *fig* Enthusiasmus *m,* Überschwang *m,* Begeisterung *f.*

esame [e'za:me] *m* **1.** *(nell'insegnamento)* Prüfung *f,* Examen *n;* **2.** *med* Untersuchung *f;* **3.** *(considerazione)* Erwägung *f,* Prüfung *f;* **dare/passare un** ~ eine Prüfung ablegen/bestehen; **-i di maturità** Reifeprüfung *f;* ~ **del sangue** Blutuntersuchung *f;* **prendere in** ~ überprüfen, genau prüfen; **fare l'**~ **di coscienza** sein Gewissen prüfen.

esaminare [ezami'na:re] *tr* prüfen; *med* untersuchen; *dir (testimoni)* vernehmen, verhören. **esaminatore, -trice** [...na'to:re] *m, f* Prüfer(in) *m(f).*

esangue [e'zaŋgue] *agg* **1.** *fig (volto)* bleich; *(stile, prosa)* leblos; **2.** *med* blutarm, anämisch *wissensch.*

esanime [e'za:nime] *agg* leblos.

esasperante [ezaspe'rante] *agg* (nerven)aufreibend.

esasperare [ezaspe'ra:re] **I.** *tr* **1.** *(indignare)* empören, aufbringen; **2.** *(inasprire)* verschärfen, verschlimmern; **II.** *rfl:* **-arsi** wütend werden, in Zorn geraten. **esasperazione** [...rat'tsio:ne] *f* Gereiztheit *f,* Verbitterung *f,* Zorn *m;* **portare qu all'**~ jdn zur Weißglut bringen.

esattezza [ezat'tettsa] *f* Genauigkeit *f,* Exaktheit *f; (correttezza)* Richtigkeit *f;* **con** ~ genau, exakt.

esatto [e'zatto] *pp di* **esigere.**

esatto, -a [e'zatto] *agg* genau, exakt; *(corretto)* richtig.

esattore, -trice [ezat'to:re] *m, f* Geldeinnehmer(in) *m(f);* ~ **del gas** Gasmann *m fam;* ~ **delle imposte** Steuereinzieher *m,* Erhebungsbeamte(r) *m.* **esattoria** [...to'ri:a] ⟨-ie⟩ *f* Zahlstelle *f.*

esaudire [ezau'di:re] ⟨esaudisco⟩ *tr (persona)* erhören; *(desiderio)* erfüllen (*qc* etw.), nachkommen (*qc* einer S. *dat*).

esauriente [ezau'riɛnte] *agg* erschöpfend, befriedigend.

esaurimento [ezauri'mento] *m* Erschöpfung *f; (delle risorse, scorte)* Versiegen *n;* ~ **nervoso** Nervenzusammenbruch *m;* **fino ad** ~ **della merce** solange der Vorrat reicht. **esaurire** [...'ri:re] ⟨esaurisco⟩ **I.** *tr* **1.** *(provviste, scorte)* aufbrauchen, verbrauchen; **2.** *(fiaccare)* schwächen; **3.** *(questione)* erschöpfend behandeln; **II.** *rfl:* **-irsi 1.** *(sorgente, vena, fig)* versiegen; *(forze)* zu Ende gehen; **2.** *com* ausverkauft werden, ausgehen; *(libri)* vergriffen sein; **3.** *med* sich schwächen, geschwächt werden; *(ammalarsi)* einen Nervenzusammenbruch bekommen. **esaurito, -a** [...'ri:to] *agg* **1.** *(miniera)* ausgebeutet; *(sorgente)* versiegt; **2.** *(posti, merce)* ausverkauft; *(edizione)* vergriffen; **3.** *med* erschöpft, einem Zusammenbruch nahe.

esausto, -a [e'za:usto] *agg* erschöpft.

esautorare [ezauto'ra:re] *tr* absetzen, entmachten.

esca ['eska] ⟨esche⟩ *f* **1.** *(cibo per catturare animali, a. fig)* Köder *m;* **2.** *(sostanza infiammabile)* Zunder *m.*

escalation [eskə'leiʃn] ⟨-⟩ *f* Eskalation *f.*

escandescenza [eskandeʃ'ʃɛntsa] *f:* **dare in -e** einen Tobsuchtsanfall bekommen, jähzornig werden.

escavatore, -trice [eskava'to:re] *m o f* Bagger *m.*

esche *pl di* **esca.**

eschimese [eski'me:se] **I.** *agg* Eskimo-; **II.** *mf* Eskimo *m,* Eskimofrau *f.*

esci *pr di* **uscire.**

esclamare [eskla'ma:re] *tr* ausrufen. **esclamazione** [...mat'tsio:ne] *f* Ausruf *m.*

escludere [es'klu:dere] ⟨escludo, esclusi, escluso⟩ *tr* ausschließen. **esclusa** *f v.* **escluso.**

esclusi [es'klu:zi] *p rem di* **escludere.**

esclusione [esklu'zio:ne] *f* Ausschluß *m;* **a** ~ **di** mit Ausnahme von; **andare per** ~ ausschlußweise vorgehen, ausschließen.

esclusiva [esklu'zi:va] *f* Alleinverkaufsrecht *n,* Monopol *n;* **intervista in** ~ Exklusivinterview *n;* **notizia in** ~ Exklusivbericht *m.* **esclusivamente** [...ziva'men-

te] *avv* ausschließlich, allein. **esclusivo, -a** [...ˈziːvo] *agg* exklusiv, Exklusiv-.
escluso, -a [esˈkluːzo] **I.** *pp di* **escludere; II.** *agg* ausgeschlossen; *(eccetto)* außer; **non è ~ che** *+congv* es ist nicht ausgeschlossen, daß . . .; **fino al 3 novembre ~** bis ausschließlich 3. November; **III.** *m, f* Ausgeschlossene(r) *mf.*
esco [ˈɛsko] *pr di* **uscire.**
escogitare [eskodʒiˈtaːre] *tr* ausdenken, austüfteln.
escoriazione [eskoriatˈtsioːne] *f* (Haut)-abschürfung *f.*
escremento [eskreˈmento] *m* Exkrement *n wissensch.*, Ausscheidung *f.*
escursione [eskurˈsioːne] *f* **1.** *(gita)* Ausflug *m; (per studi)* Exkursion *f;* **2.** *meteo* Schwankung *f;* **3.** *tec* Ausschlag *m;* **~ termica** Temperaturschwankung *f;* **andare in ~ a . . .** einen Ausflug nach . . . machen.
escussione [eskusˈsioːne] *f dir* Vernehmung *f,* Anhörung *f.*
esecutivo, -a [ezekuˈtiːvo] **I.** *agg* **1.** *amm* exekutiv, Exekutiv-, ausführend; **2.** *dir* Vollstreckungs-, vollstreckend; **3.** *(progetto, fase)* ausführend, Ausführungs-; **mandato ~** Vollstreckungsbefehl *m;* **potere ~** ausführende Gewalt, Exekutive *f;* **II.** *m* Exekutive *f.* **esecuzione** [...tˈtsioːne] *f* **1.** *(attuazione)* Aus-, Durchführung *f;* **2.** *dir* Vollstreckung *f,* Vollzug *m;* **3.** *mus* Vortrag *m,* Spiel *n;* **~ capitale** Hinrichtung *f.*
eseguire [ezeˈguiːre] ⟨eseguo, esegui⟩ *tr* **1.** *gener.* aus-, durchführen; **2.** *mus* vortragen, spielen.
esempio [eˈzɛmpio] ⟨-i⟩ *m* (*abbr* **es.**) Beispiel *n;* **essere un ~ di bontà** ein Musterbeispiel an Güte sein; **dare il buon/cattivo ~** mit gutem/schlechtem Beispiel vorangehen; **fare un ~** ein Beispiel anführen; **seguire l'~ di qu** jds Beispiel folgen, sich *(dat)* an jdm ein Beispiel nehmen; **per ~ (***abbr* **p.es.)** zum Beispiel; **che ti serva d'~!** das soll dir eine Lehre sein!. **esemplare** [ezemˈplaːre] **I.** *agg* beispielhaft, exemplarisch *geh,* mustergültig; **II.** *m* **1.** *(unità)* Exemplar *n,* Stück *n; (~ tipico)* Musterstück *n;* **2.** *fig (modello)* Musterbeispiel *n.* **esemplificare** [...lifiˈkaːre] ⟨esemplifico, esemplifichi⟩ *tr* durch Beispiele erläutern, am Beispiel erklären.
esentare [ezenˈtaːre] *tr* befreien (*da* von), entbinden (*da* von). **esentasse** [...ˈtasse] ⟨*inv*⟩ *agg amm* steuerfrei. **esente** [eˈzɛnte] *agg* befreit, (-)frei (*da* von), ohne (*da qc* etw.); **~ da tasse/difetti** steuer-/fehlerfrei.
esequie [eˈzɛːkuie] *f pl* Begräbnisfeier *f,* Exequien *pl.*
esercente [ezerˈtʃɛnte] *mf* Gewerbetreibende(r) *mf; (di negozio)* Geschäftsinhaber(in) *m(f).*
esercitare [ezertʃiˈtaːre] **I.** *tr* **1.** *(professione)* ausüben; **2.** *(corpo, memoria)* üben, trainieren; **3.** *(potere, diritto)* ausüben, wahrnehmen; *(influenza, pressione)* ausüben; **~ la medicina/l'insegnamento** den Arzt-/Lehrerberuf ausüben; **II.** *rfl:* **-arsi** sich üben (*in, a* in *+dat*). **esercitazione** [...tatˈtsioːne] *f* **1.** *(allenamento)* Übung *f,* Training *n;* **2.** *(lezione)* Übungskurs *m.*
esercito [eˈzɛrtʃito] *m* **1.** *mil* Armee *f,* Militär *n; (forze terrestri)* Heer *n;* **2.** *fig* Heer *n.*
eserciziario [ezertʃitˈtsiaːrio] ⟨-i⟩ *m* Übungs-, Arbeitsbuch *n.*
esercizio [ezerˈtʃittsio] ⟨-i⟩ *m* **1.** *gener., sport* Übung *f;* **2.** *com (gestione)* Betrieb *m; (anno)* Geschäfts-, Rechnungsjahr *n;* **3.** *(pratica)* Ausübung *f;* **4.** *fig* Übung *f.*
esibire [eziˈbiːre] ⟨esibisco⟩ **I.** *tr* **1.** *(passaporto, documento)* vorzeigen, vorlegen; **2.** *(bravura, nudità)* zeigen, zur Schau stellen; **II.** *rfl:* **-irsi 1.** *(offrirsi)* sich an-, erbieten; **2.** *(in pubblico)* auftreten; *(mettersi in mostra)* sich zur Schau stellen. **esibizione** [...bitˈtsioːne] *f* **1.** *teat* Auftritt *m,* Darbietung *f,* Vorführung *f; sport* Darbietung *f;* **2.** *(di documenti)* Vorlage *f,* Vorzeigen *n;* **3.** *(mostra)* Vorführung *f,* Schau *f.*
esigente [eziˈdʒɛnte] *agg* anspruchsvoll, fordernd. **esigenza** [...ˈdʒɛntsa] *f* Anspruch *m,* Anforderung *f; (bisogno)* Bedürfnis *n.*
esigere [eˈziːdʒere] ⟨esigo, esigi, esigei *o* esigetti, esatto⟩ *tr* **1.** *(richiedere)* verlangen, fordern; **2.** *(riscuotere)* einziehen; **3.** *fig* erfordern, verlangen.
esiguo, -a [eˈziːguo] *agg* gering, geringfügig.
esile [ˈɛːzile] *agg* **1.** *(persona)* schmächtig, dünn; *(tenue, gracile)* zart; **2.** *fig* spärlich, dünn.
esiliare [eziˈliaːre] ⟨esilio, esili⟩ **I.** *tr* verbannen, ins Exil schicken; **II.** *rfl:* **-arsi 1.** *pol* in die Verbannung (*o* ins Exil) gehen; **2.** *fig* sich zurückziehen (*da* von). **esiliato, -a** [...ˈliaːto] **I.** *agg* verbannt, im Exil; **II.** *m, f* Verbannte(r) *mf.* **esilio** [eˈziːlio] ⟨-i⟩ *m* **1.** *pol* Exil *n,* Verbannung *f;* **2.** *fig* Abkehr *f.*
esimere [eˈziːmere] ⟨esimo, *p rem e pp come esentare*⟩ **I.** *tr* befreien (*qu da qc* jdn von etw.); **II.** *rfl:* **-ersi** sich entziehen (*da qc* einer S. *dat*).
esimio, -a [eˈziːmio] ⟨-i, -ie⟩ *agg* hochverehrt.
esistente [ezisˈtɛnte] *agg* vorhanden, bestehend, existent. **esistenza** [...ˈtɛntsa] *f* Existenz *f; (di cose)* Vorhandensein *n; (vita)* Leben *n,* Existenz *f,* Dasein *n.* **esistenziale** [...tenˈtsiaːle] *agg* daseinsmäßig, existentiell, Existenz-.
esistere [eˈzistere] ⟨esisto, esistei *o* esi-

stetti, esistito⟩ *itr* ⟨*essere*⟩ existieren, bestehen; *(esserci)* dasein, vorhanden sein; *(vivere)* leben, existieren.
esitare [ezi'ta:re] *itr* zögern, zaudern. **esitazione** [...tat'tsio:ne] *f* Zögern *n,* Zaudern *n.*
esito ['ɛ:zito] *m* Ergebnis *n,* Resultat *n,* Ausgang *m.*
eskimo ['ɛskimo] *m (giaccone)* Parka *m.*
esodo ['ɛ:zodo] *m* Abwanderung *f; rel* Exodus *m,* Auszug *m.*
esofago [e'zɔ:fago] ⟨-gi⟩ *m* Speiseröhre *f.*
esonerare [ezone'ra:re] *tr* freistellen, befreien, entbinden. **esonero** [e'zɔ:nero] *m* Freistellung *f,* Befreiung *f.*
esorbitante [ezorbi'tante] *agg* übertrieben, gewaltig.
esorcismo [ezor'tʃi:zmo] *m* Exorzismus *m.* **esorcista** [...'tʃista] ⟨-i *m,* -e *f*⟩ *mf* Exorzist(in) *m(f).*
esordio [e'zɔrdio] ⟨-i⟩ *m* Anfang *m,* Beginn *m; teat* Debüt *n.* **esordire** [ezor'di:re] ⟨esordisco⟩ *itr* anfangen, beginnen; *teat* debütieren.
esortare [ezor'ta:re] *tr* ermahnen (*a* zu). **esortazione** [...tat'tsio:ne] *f* Ermahnung *f.*
esoterico, -a [ezo'tɛ:riko] ⟨-ci, -che⟩ *agg* esoterisch. **esoterismo** [...te'rizmo] *m* Esoterik *f.*
esotico, -a [e'zɔ:tiko] ⟨-ci, -che⟩ *agg* exotisch. **esotismo** [ezo'tizmo] *m* Exotik *f.*
espandere [es'pandere]⟨espando, espansi *o* espandetti, espanso⟩ **I.** *tr* ausdehnen, erweitern; **II.** *rfl:* **-ersi** sich ausdehnen, sich ausbreiten; *com* expandieren. **espandibile** [...pan'di:bile] *agg (a. inform)* erweiterbar.
espansione [...n'sio:ne] *f* **1.** *(aumento di volume, fis)* Ausdehnung *f,* Erweiterung *f; com* Expansion *f; inform* Erweiterung *f;* **2.** *fig* Überschwenglichkeit *f,* Herzlichkeit *f.* **espansivo, -a** [...n'si:vo] *agg* überschwenglich, offenherzig. **espanso, -a** [es'panso] **I.** *pp di* **espandere; II.** *agg* Schaumstoff-; **polistirolo** ~ Styropor® *n.*
espatriare [espa'tria:re] ⟨espatrio, espatri⟩ *itr* ⟨*essere*⟩ ausreisen. **espatrio** [es'pa:trio] ⟨-i⟩ *m* Ausreise *f.*
espediente [espe'diɛnte] *m* Ausweg *m; (provvisorio)* Notbehelf *m;* **vivere d'** ~**i** mehr schlecht als recht leben, sich durchschlagen *fam.*
espellere [es'pɛllere] ⟨espello, espulsi, espulso⟩ *tr* **1.** *(allievo, giocatore)* aus-, verweisen; *(persona)* ausstoßen, ausschließen; **2.** *med* ausscheiden.
esperienza [espe'riɛntsa] *f* Erfahrung *f.*
esperimento [esperi'mento] *m* Experiment *n,* Versuch *m.*
esperto, -a [es'pɛrto] **I.** *agg* sachkundig, erfahren; *(abile)* gewandt, geschickt; **II.** *m, f* Fachmann *m,* Experte *m,* Expertin *f.*
espiare [espi'a:re] ⟨espio, espii⟩ *tr* (ab-, ver)büßen; *rel* sühnen.
espirare [espi'ra:re] *tr* ausatmen.
espletare [esple'ta:re] *tr amm* bearbeiten, erledigen.
esplicare [espli'ka:re] ⟨esplico, esplichi⟩ *tr* ausüben; *(attività)* entfalten.
esplicito, -a [es'pli:tʃito] *agg* explizit; *(ordine)* ausdrücklich; *(risposta)* deutlich, klar.
esplodere [es'plɔ:dere] ⟨esplodo, esplosi, esploso⟩ **I.** *itr* ⟨*essere o avere*⟩ **1.** *(bomba, dinamite)* explodieren, in die Luft gehen *fam;* **2.** *fig* ausbrechen; **II.** *tr* ⟨*avere*⟩ abfeuern.
esplorare [esplo'ra:re] *tr* **1.** *(perlustrare)* erforschen; **2.** *fig* auskundschaften. **esploratore, -trice** [...ra'to:re] *m, f* **1.** *(chi esplora)* Forscher(in) *m(f),* Entdecker(in) *m(f);* **2.** *mil* Aufklärer *m;* **3.** *(scout):* **giovane** ~ Pfadfinder *m.* **esplorazione** [...rat'tsio:ne] *f* Erforschung *f; mil* Erkundung *f.*
esplosi [es'plɔ:zi] *p rem di* **esplodere.**
esplosione [esplo'zio:ne] *f* **1.** *(di mina, bomba)* Explosion *f;* **2.** *fig* Ausbruch *m;* ~ **nucleare** Kernexplosion *f.* **esplosivo, -a** [...'zi:vo] **I.** *agg* **1.** *(sostanza)* Spreng-, explosiv, Explosiv-; **2.** *fig* explosiv, heftig; **II.** *m* Sprengstoff *m.* **esploso** [es'plɔ:zo] *pp di* **esplodere.**
esponente [espo'nɛnte] **I.** *mf* **1.** *(rappresentante)* Vertreter(in) *m(f);* **2.** *(persona autorevole)* Wortführer(in) *m(f);* **II.** *m mat* Exponent *m,* Hochzahl *f.*
esporre [es'porre] ⟨*irr*⟩ **I.** *tr* **1.** *(porre fuori)* aussetzen, ausstellen; *(merce, arte)* ausstellen; **2.** *fot* belichten; **3.** *(narrare)* darlegen; *(spiegare)* erläutern; **II.** *rfl:* **-orsi** sich aussetzen (*a qc* einer S. *dat*), sich exponieren.
esportare [espor'ta:re] *tr* exportieren *(a. fig), ausführen.* **esportatore, -trice** [...ta'to:re] **I.** *m, f* Exporteur(in) *m(f);* **II.** *agg* Export-, Ausfuhr-, exportierend. **esportazione** [...tat'tsio:ne] *f* Export *m,* Ausfuhr *f; inform* Export *m.*
esposizione [espozit'tsio:ne] *f* **1.** *(di merci, opere d'arte)* Ausstellung *f;* **2.** *fot* Belichtung *f;* **3.** *(di fatto, brano)* Darstellung *f,* Ausführung *f.*
esposto, -a [es'posto] **I.** *agg* **1.** *(in una mostra)* ausgestellt; *geog* liegend, gelegen; *meteo* ausgesetzt; **2.** *(motivo, ragione)* dargelegt, vorgetragen; **3.** *com* verschuldet; **II.** *m amm* Bericht *m.*
espressi [es'prɛssi] *p rem di* **esprimere.**
espressione [espres'sio:ne] *f* Ausdruck *m;* **con** ~ ausdrucksvoll. **espressivo, -a** [...'si:vo] *agg* ausdrucksvoll.
espresso, -a [es'prɛsso] **I.** *agg* **1.** *(ordine, dovere)* ausdrücklich; **2.** *(lettera, raccomandata, ferrovia)* Expreß-, Eil-; **treno** ~ Eilzug *m,* Expreß(zug) *m;* **caffè** ~ Espresso *m;* **II.** *m* **1.** *(caffè)* Espresso *m;*

2. *ferr* Eilzug *m,* Expreß(zug) *m;* 3. *(lettera)* Eil-, Expreßbrief *m.*
esprimere [es'pri:mere] ⟨esprimo, espressi, espresso⟩ **I.** *tr* ausdrücken, äußern, zum Ausdruck bringen; **II.** *rfl:* **-ersi** sich ausdrücken, sprechen.
espropriare [espro'pri̯a:re] ⟨espropr̲io, espropri⟩ *tr* enteignen. **espropriazione** [...i̯at'tsi̯o:ne] *f,* **esproprio** [es'prɔ:pri̯o] ⟨-i⟩ *m* Enteignung *f.*
espugnare [espuɲ'ɲa:re] *tr* erstürmen, einnehmen.
espulsi [es'pulsi] *p rem di* **espellere.**
espulsione [espul'si̯o:ne] *f* Ausschluß *m;* *(di allievo)* Verweis *m.*
espulso [es'pulso] *pp di* **espellere.**
esquimese [esku̯i'me:se] *v.* **eschimese.**
essa ['essa] *pron pers f sing* sie; *(riferito a cose, animali a.)* es.
esse ['esse] *pron pers f pl* sie.
essenza [es'sɛntsa] *f* **1.** *(di discorso, problema)* Wesen *n,* Wesentliche(s) *n,* Essenz *f;* **2.** *chim* Essenz *f;* ~ **di rose** Rosenöl *n.* **essenziale** [essen'tsi̯a:le] **I.** *agg* **1.** *(sostanziale)* wesentlich, essentiell; *(principale)* Haupt-; **2.** *chim* ätherisch; **II.** *m* Wesentliche(s) *n,* Hauptsache *f.*
essere ['ɛssere] ⟨sono, fui, stato⟩ **I.** *itr* ⟨*essere*⟩ **1.** *gener.* sein; *(esistere)* (da)sein, existieren; **2.** *(trovarsi)* sich befinden; **3.** *(succedere)* geschehen; **4.** *fam (costare)* kosten; **5.** *(provenire)* stammen (*di* aus), sein (*di* aus, von); ~ **per qu** für jdn sein, für jdn Partei ergreifen; ~ **di** *(appartenere)* gehören *+dat;* **è di mio padre** das gehört (*o* ist von) meinem Vater; **c'è ..., ci sono ...** es gibt ...; **c'era una volta ...** es war einmal ...; **c'è da piangere** es ist zum Weinen; **ci siamo!** *(luogo)* da wären wir!, wir sind gleich da!; *fig* das hätten wir!; *(momento)* jetzt ist es soweit!; **è freddo/bello/Natale** es ist kalt/schön/Weihnachten; **è come diceva lui** es ist so, wie er sagte; **sono loro** sie sind es; **sono ore che t'aspetto** ich warte (schon) seit Stunden auf dich; **Silvia Rossi fu Giovanni** Silvia Rossi, Tochter des verstorbenen Giovanni; **cosa c'è?** was gibt es?, was ist los?; **chi è?** wer ist es?; *(alla porta)* wer ist da?; **che ora è?, che ore sono?** wie spät ist es?; **quant'è?** *fam* was kostet das?, wie teuer kommt das? *fam;* **che sarà di noi?** was wird aus uns (werden)?; **come sarebbe a dire?** was soll das heißen?, wie soll ich das verstehen?; **II.** *m* **1.** *(esistenza)* Sein *n,* Dasein *n;* **2.** *(essenza)* Wesen *n;* **3.** *fam (persona)* Mensch *m,* (Lebe)wesen *n;* **l'E~ supremo** das höchste Wesen, Gott *m;* **gli -i viventi** die Lebewesen *n pl.*
essi ['essi] *pron pers m pl* sie.
essiccare [essik'ka:re] ⟨essicco, essicchi⟩ **I.** *tr (palude)* trockenlegen, austrocknen; *(frutta)* dörren; **II.** *rfl:* **-arsi 1.** *(frutta)* dörren, trocknen; **2.** *(acque)* austrocknen.
esso ['esso] *pron pers m sing* er; *(riferito a cose, animali a.)* es.
est [ɛst] ⟨-⟩ *m* (*abbr* **E.**) Ost(en) *m;* **a ~ di** östlich von.
estasi ['ɛstazi] ⟨-⟩ *f* Verzückung *f,* Ekstase *f.* **estasiare** [esta'zi̯a:re] ⟨estasio, estasi⟩ **I.** *tr* hinreißen, in Ekstase bringen; **II.** *rfl:* **-arsi** in Ekstase geraten.
estate [es'ta:te] *f* Sommer *m;* **in ~, d'~** im Sommer; ~ **di San Martino** Spätsommer *m,* Altweibersommer *m.*
estendere [es'tɛndere] ⟨*irr*⟩ **I.** *tr* erweitern, vergrößern; *(a. fig)* ausdehnen; **II.** *rfl:* **-ersi** sich erstrecken, sich ausdehnen; *(a. fig)* sich ausbreiten. **estensione** [esten'si̯o:ne] *f* Ausdehnung *f,* Weite *f,* Größe *f; inform* Extension *f.* **estensivo, -a** [...'si:vo] *agg* großflächig, extensiv.
estenuante [estenu'ante] *agg (caldo)* ermüdend, ermattend; *(attesa)* ermüdend, zermürbend; *fig* nervtötend *fam.*
estenuare [estenu'a:re] *tr* ermatten, erschöpfen, schwächen.
estere ['ɛstere] *m chim* Ester *m.*
esteriore [este'ri̯o:re] **I.** *agg* äußere(r, s), äußerlich, Außen-; **II.** *m* Äußere(s) *n,* Äußerliche(s) *n.*
esternare [ester'na:re] *tr* äußern.
esterno, -a [es'tɛrno] **I.** *agg* äußere(r, s), extern, Außen-; **alunni -i** Externe *pl;* **per uso ~** *med* zur äußeren Anwendung; **II.** *m, f (di collegio)* Externe(r) *mf;* **III.** *m* **1.** *(parte di fuori)* Äußere(s) *n;* *(di edificio)* Außenseite *f;* **2.** ⟨*pl*⟩ *film* Außenaufnahmen *f pl;* **all'~** außen.
estero, -a ['ɛstero] **I.** *agg* ausländisch, Auslands-; **II.** *m* Ausland *n.*
esterrefatto, -a [esterre'fatto] *agg* bestürzt, entsetzt.
esteso, -a [es'te:so] *agg* ausgedehnt; *fig* umfassend, umfangreich.
estetica [es'tɛ:tika] ⟨-che⟩ *f* **1.** *filos* Ästhetik *f;* **2.** *(aspetto esteriore)* Aussehen *n.* **estetico, -a** [...ko] ⟨-ci, -che⟩ *agg* ästhetisch.
estetista [este'tista] ⟨-i *m,* -e *f*⟩ *mf* Kosmetiker(in) *m(f).*
estimo ['ɛstimo] *m* (Ab)schätzung *f.*
estinguere [es'tiŋgu̯ere] ⟨estinguo, estinsi, estinto⟩ **I.** *tr* **1.** *(incendio)* löschen; **2.** *com* tilgen, löschen; **II.** *rfl:* **-ersi 1.** *(incendio)* erlöschen; **2.** *fig* aussterben, erlöschen *geh.* **estinto, -a** [es'tinto] *m, f* Verstorbene(r) *mf.* **estintore** [...'to:re] *m* Feuerlöscher *m.* **estinzione** [...n'tsi̯o:ne] *f* **1.** *(di stirpe, famiglia)* Aussterben *n,* Erlöschen *n geh; biol (di specie)* Aussterben *n;* **2.** *(di incendio)* Löschen *n,* Löschung *f;* **3.** *(di vulcano)* Erlöschen *n;* **4.** *com (di debito)* Tilgung *f.*
estirpare [estir'pa:re] *tr* **1.** *(sradicare)* (her)ausreißen; *med (dente)* ziehen; *(tu-*

more) entfernen, herausoperieren, -schneiden; **2.** *agr (erbacce)* jäten; **3.** *fig* ausrotten.

estivo, -a [es'ti:vo] *agg* sommerlich, Sommer-.

Estonia [εsto:nia] *f* Estland *n.*

estorcere [es'tɔrtʃere] ⟨*irr*⟩ *tr* abpressen (*qc a qu* jdm etw.), erpressen (*qc a qu* etw. von jdm). **estorsione** [estor'sio:ne] *f* Erpressung *f.* **estorsivo, -a** [...'si:vo] *agg* erpresserisch.

estradare [esta'da:re] *tr dir* ausliefern. **estradizione** [...dit'tsio:ne] *f dir* Auslieferung *f.*

estraneo, -a [es'tra:neo] **I.** *agg* fremd, außenstehend; *amm* unbefugt; **corpo** ~ Fremdkörper *m;* **II.** *m, f* Fremde(r) *mf,* Außenstehende(r) *mf; amm* Unbefugte(r) *mf.*

estrarre [es'trarre] ⟨*irr*⟩ *tr* **1.** *(tirare fuori)* aus-, herausziehen; *(dente)* ziehen; **2.** *(numeri)* ziehen; **3.** *min* fördern, abbauen, gewinnen; **4.** *mat (radice)* ziehen; ~ **a sorte** auslosen. **estratto, -a** [es'tratto] *m* **1.** *gastr (di carne, pomodoro)* Extrakt *m;* **2.** *com, amm* Auszug *m;* **3.** *(opuscolo)* Auszug *m;* ~ **conto** Kontoauszug *m,* ~ **di nascita** Auszug *m* aus dem Geburtsregister. **estrazione** [...t'tsio:ne] *f* **1.** *gener.* (Aus-, Heraus)-ziehen *n; (di dente)* Ziehen *n,* Extraktion *f wissensch.;* **2.** *min* Förderung *f,* Gewinnung *f;* **3.** *chim* Extraktion *f;* **4.** *mat (di radice)* Ziehen *n;* **5.** *(di numeri)* Ziehung *f;* **6.** *fig (condizione sociale)* Abstammung *f,* Herkunft *f.*

estremismo [estre'mizmo] *m* Extremismus *m.* **estremista** [...'mista] ⟨-i *m,* -e *f*⟩ *mf* Extremist(in) *m(f).*

estremità [estremi'ta] ⟨-⟩ *f* **1.** *(parte)* Ende *n;* **2.** *fig* Extrem *n;* **3.** ⟨*pl*⟩ *(mani e piedi)* Extremitäten *f pl.* **estremo, -a** [es'trε:mo] **I.** *agg* **1.** *(ultimo)* äußerste(r, s), höchste(r, s), letzte(r, s); **2.** *pol* extrem; **3.** *fig* äußerste(r, s), höchste(r, s); **II.** *m* **1.** *(punto estremo)* Ende *n,* äußerster Punkt; **2.** *fig* Extrem *n;* **3.** ⟨*pl*⟩ *amm* Hauptdaten *pl;* **essere ridotto agli -i** *fig* völlig heruntergekommen sein; **passare da un** ~ **all'altro** von einem Extrem ins andere fallen.

estrinsecare [estrinse'ka:re] ⟨estrinseco, estrinsechi⟩ **I.** *tr* äußern; **II.** *rfl:* **-arsi** sich äußern.

estro ['εstro] *m* Eingebung *f; (capriccio)* Anwandlung *f,* Laune *f.*

estrogeno [es'trɔ:dʒeno] *m* Östrogen *n.*

estroso, -a [es'tro:so] *agg* **1.** *(fantasioso)* phantasievoll, originell; **2.** *(capriccioso)* extravagant.

estroverso, -a [estro'vεrso] **I.** *agg* extrovertiert, extravertiert; **II.** *m, f* Extrovertierte(r) *mf,* Extravertierte(r) *mf.*

estuario [estu'a:rio] ⟨-i⟩ *m geog* Trichtermündung *f.*

esuberante [ezube'rante] *agg* **1.** *(persona)* temperamentvoll; *(temperamento)* sprühend, überschäumend; **2.** *(vegetazione)* üppig. **esuberanza** [...'rantsa] *f* **1.** *(di persona)* Temperament *n; (di temperamento)* Überschwang *m,* Überschäumen *n;* **2.** *(di vegetazione)* Üppigkeit *f.* **esubero** [e'zubero] *m amm* Überschuß *m.*

esulare [ezu'la:re] *itr* hinausgehen (*da* über +*akk*), fernstehen *(da qc* einer S. *dat).*

esule ['ε:zule] **I.** *agg* verbannt, im Exil (lebend); **II.** *mf* Verbannte(r) *mf,* im Exil Lebende(r) *mf.*

esultare [ezul'ta:re] *itr* jubeln, frohlokken, jauchzen.

esumare [ezu'ma:re] *tr* exhumieren.

età [e'ta] ⟨-⟩ *f* **1.** *(anni di vita)* Alter *n;* **2.** *geol* Zeitalter *n,* Zeit *f;* **3.** *st* Ära *f,* Zeitalter *n;* **l'~ del bronzo/ferro** die Bronze-/Eisenzeit; **maggiore/minore** ~ Voll-/Minderjährigkeit *f;* **raggiungere la maggiore** ~ volljährig werden.

etere ['ε:tere] *m poet, chim* Äther *m.*

eternità [eterni'ta] ⟨-⟩ *f* Ewigkeit *f.*

eterno, -a [e'tεrno] **I.** *agg* ewig; **II.** *m* Ewigkeit *f;* **l'E~** der Ewige, Gott *m;* **in** ~ in Ewigkeit.

eterogeneo, -a [etero'dʒε:neo] *agg* heterogen, verschiedenartig.

eterosessuale [eterosessu'a:le] *agg* heterosexuell.

etica ['ε:tika] ⟨-che⟩ *f* Ethik *f.*

etichetta [eti'ketta] *f* **1.** *com* Etikett *n; (del prezzo)* (Preis)etikett *n,* Preisschild *n;* **2.** *(casa discografica, a. inform)* Label *n;* **3.** *fig (cerimoniale)* Etikette *f.*

etico, -a ['ε:tiko] ⟨-ci, -che⟩ *agg* ethisch.

etilato, -a [eti'la:to] *agg* verbleit; **benzina -a** verbleites Benzin.

etimologia [etimolo'dʒi:a] ⟨-gie⟩ *f* Etymologie *f.* **etimologico, -a** [...'lɔ:dʒiko] *agg* etymologisch.

Etna ['εtna] *m* Ätna *m.*

etnia [et'ni:a] ⟨-ie⟩ *f* Ethnie *f,* Volk *n.* **etnico, -a** ['εtniko] ⟨-ci, -che⟩ *agg* ethnisch, Volks-. **etnologia** [etnolo'dʒi:a] ⟨-gie⟩ *f* Ethnologie *f,* Völkerkunde *f.*

etrusco, -a [e'trusko] ⟨-schi, -sche⟩ **I.** *agg* etruskisch; **II.** *m, f* Etrusker(in) *m(f).*

ettaro ['εttaro] *m* (*abbr* **ha**) Hektar *m o n.*

etto ['εtto] *m* (*abbr* **h**), **ettogrammo** [etto'grammo] *m* (*abk* **hg**) hundert Gramm, Hektogramm *n.*

ettolitro [et'tɔ:litro] *m* (*abbr* **hl**) Hektoliter *m o n.*

Ettore ['εttore] *(nome proprio maschile)* Hektor.

eucalipto [euka'lipto] *m* Eukalyptus *m.*

eucaristia, eucarestia [eukaris'ti:a, ...res'ti:a] ⟨-ie⟩ *f* Eucharistie *f.*

euforia [eufo'ri:a] ⟨-ie⟩ *f* Euphorie *f,* Hochgefühl *n.*

Eugenio [eu'dʒɛ:nio] *(nome proprio maschile)* Eugen.
euro- ['euro] *(in parole composte)* Euro-.
eurochèque [-ʃ'ʃɛk] ⟨-⟩ *m* **1.** *(assegno)* Euroscheck *m;* **2.** *(carta assegni)* Euroscheckkarte *f.* **euro-city** [-'sɪtɪ] ⟨-⟩ *m* Eurocity *m.* **eurocomunismo** *m* Eurokommunismus *m.* **eurocrate** [eu'rɔ:krate] *m* Eurokrat *m.* **eurodeputato, -a** [-depu'ta:to] *m, f* Europa-Abgeordneter(r) *mf.* **eurodestra** [-'destra] *f pol* Europäische Rechte. **eurodollaro** [-'dɔllaro] *m* Eurodollar *m.* **euromissile** [-'missile] *m* Mittelstreckenrakete *f.* **europarlamentare** [-parlamen'ta:re] *mf v.* **eurodeputato.**
Europa [eu'rɔ:pa] *f* Europa *n.*
europeismo [europe'izmo] *m* Europagedanke *m.* **europeista** [-pe'ista] ⟨-i *m,* -e *f*⟩ *mf* Anhänger(in) *m(f)* des Europagedankens. **europeizzare** [-peid'dʒa:re] *tr* europäisieren. **europeizzazione** [...iddʒat'tsio:ne] *f* Europäisierung *f.* **europeo, -a** [...'pɛ:o] **I.** *agg* europäisch; **II.** *m, f* Europäer(in) *m(f).*
euroscudo [-sku:do] *m* Ecu *m.*
eurosinistra [-si'nistra] *f pol* Europäische Linke. **euroterrorismo** [-terro'rizmo] *m* Euroterrorismus *m.* **eurovisione** [-vi'zio:ne] *f* Eurovision *f.*
eutanasia [eutana'zi:a] ⟨-ie⟩ *f* Sterbehilfe *f,* Euthanasie *f.*
evacuare [evaku'a:re] **I.** *tr* **1.** *(città, territorio)* evakuieren, räumen; **2.** *(feci)* ausscheiden; **II.** *itr* **1.** *(da città, zona)* räumen (*da qc* etw. *(akk)*); **2.** *(defecare)* Stuhlgang haben. **evacuazione** [...uat'tsio:ne] *f* **1.** *(di territorio, piazza)* Evakuierung *f,* Räumung *f;* **2.** *(di feci)* Ausscheidung *f.*
evadere [e'va:dere] ⟨evado, evasi, evaso⟩ **I.** *itr* ⟨*essere*⟩ **1.** *(da prigione)* ausbrechen (*da* aus); **2.** *fig* sich befreien (*da* von), fliehen (*da* vor *+dat*); **II.** *tr* ⟨*avere*⟩ **1.** *amm (pratica, corrispondenza)* bearbeiten, erledigen; **2.** *dir (tasse)* hinterziehen; ~ **il fisco** steuerflüchtig sein.
evanescente [evaneʃ'ʃɛnte] *agg* verschwommen. **evanescenza** [...'ʃɛntsa] *f* **1.** *(di immagine)* Verschwommenheit *f;* **2.** *radio, TV* Schwund(effekt) *m,* Fading(effekt *m*) *n.*
evangelico, -a [evan'dʒɛ:liko] ⟨-ci, -che⟩ **I.** *agg* evangelisch; **II.** *m, f* Evangelische(r) *mf.*
evangelista [evandʒe'lista] ⟨-i⟩ *m* Evangelist *m.*
evangelizzare [evandʒelid'dza:re] **I.** *tr* bekehren, evangelisieren; **II.** *itr* das Evangelium verkünden.
evaporare [evapo'ra:re] **I.** *itr* ⟨*essere o avere*⟩ verdunsten; *(profumo)* verfliegen; **II.** *tr* ⟨*avere*⟩ verdunsten (lassen), verdampfen. **evaporazione** [...rat'tsio:ne] *f* Verdunstung *f,* Evaporation *f wissensch.*
evasa *f v.* **evaso.**
evasi [e'va:zi] *p rem di* **evadere.**
evasione [eva'zio:ne] *f* **1.** *(fuga, a. fig)* Flucht *f;* *(da carcere)* Ausbruch *m;* **2.** *amm* Erledigung *f,* Bearbeitung *f;* ~ **fiscale** Steuerhinterziehung *f.*
evasivo, -a [eva'zi:vo] *agg* ausweichend.
evaso, -a [e'va:zo] **I.** *pp di* **evadere; II.** *m, f* Entflohene(r) *mf.*
evasore [eva'zo:re] *m* Steuerhinterzieher *m.*
evenienza [eve'niɛntsa] *f* Fall *m,* Gelegenheit *f;* **per (***o* **in) ogni** ~ für alle Fälle.
evento [e'vɛnto] *m* Ereignis *n,* Vorfall *m;* **lieto** ~ freudiges Ereignis.
eventuale [eventu'a:le] *agg* eventuell, möglich. **eventualità** [...uali'ta] ⟨-⟩ *f* Möglichkeit *f,* Eventualität *f,* Fall *m;* **nell'**~ **che** *+congv* für den Fall, daß . . ., falls . . . **eventualmente** [...ual'mente] *avv* möglicherweise, eventuell, unter Umständen.
eversivo, -a [ever'si:vo] *agg* subversiv.
evidente [evi'dɛnte] *agg* evident *geh; (visibile)* augenfällig, sichtlich; *(manifesto)* offensichtlich; *(chiaro)* klar, deutlich. **evidenza** [...'dɛntsa] *f* Evidenz *f geh,* Augenfälligkeit *f,* Offensichtlichkeit *f,* Deutlichkeit *f;* **mettere qc/mettersi in** ~ etw. hervorheben/sich hervortun. **evidenziatore** [...dentsia'to:re] *m* Textmarker *m.*
evitare [evi'ta:re] *tr* vermeiden; *(scansare)* meiden; *(pericolo a.)* umgehen, ausweichen (*qc* einer Sache *dat*).
evo ['ɛ:vo] *m* Zeit(alter *n*) *f;* ~ **antico** Altertum *n,* Antike *f;* ~ **moderno** Neuzeit *f.*
evocare [evo'ka:re] ⟨evoco, evochi⟩ *tr* **1.** *(spiriti)* beschwören; **2.** *fig (richiamare)* heraufbeschwören.
evolutivo, -a [evolu'ti:vo] *agg* Entwicklungs-, Evolutions-.
evoluto, -a [evo'lu:to] **I.** *pp di* **evolversi; II.** *agg* fortgeschritten, entwickelt.
evoluzione [evolut'tsio:ne] *f* **1.** *(sviluppo)* Entwicklung *f; biol, soc* Evolution *f;* **2.** *sport* Übung *f,* Bewegung *f.*
evolversi [e'vɔlversi] ⟨mi evolvo, mi evolvei *o* evolvetti, evoluto⟩ *rfl* sich entwickeln.
evviva [ev'vi:va] **I.** *interi* es lebe . . ., hoch lebe . . ., hurra; ~ **gli sposi!** hoch lebe das Brautpaar!, sie leben hoch!; **II.** ⟨-⟩ *m* Hochruf *m,* Hurra *n.*
ex [ɛks] *prp* ehemalig, Ex-, ex-; ~ **presidente** Altpräsident(in) *m(f).*
extra ['ɛkstra] **I.** ⟨*inv*⟩ *agg* **1.** *(straordinario)* besondere(r, s), extra, Extra-; **2.** *com (spese)* Sonder-; **II.** ⟨-⟩ *m* Extra *n,* Sonderausgabe *f;* **III.** *prp* außerhalb *+gen.*
extracomunitario, -a [ekstrakomuni'ta:rio] **I.** *agg* nicht zur EU gehörig;

II. *mf* Nicht-EU-Bürger(in) *m(f)*; *(del terzo mondo)* Einwanderer(in) *m(f)* aus der dritten Welt. **extraconiugale** [-konju'ga:le] *agg* außerehelich. **extraeuropeo, -a** [-euro'pɛo] *agg* außereuropäisch. **extraparlamentare** [-parlamen'ta:re] **I.** *agg* außerparlamentarisch; **II.** *mf* Mitglied *n* einer außerparlamentarischen Organisation. **extrasensoriale** [-senso'rja:le] *agg* außersinnlich, übersinnlich. **extraterrestre** [-ter'rɛstre] **I.** *agg* außerirdisch; **II.** *mf* Außerirdische(r) *mf*. **extraurbano, -a** [-ur'ba:no] *agg* außerhalb der Stadt, außerstädtisch. **extravergine** [-'verdʒine] ⟨*inv*⟩ *agg*: **olio ~ di oliva** kaltgepreßtes Olivenöl.

eye-liner ['aılaınə] ⟨-⟩ *m* Eyeliner *m*.

F

F, f ['ɛffe] ⟨-⟩ *f* F, f *n;* **f come Firenze** F wie Friedrich.

fa[1] [fa] ⟨-⟩ *m mus* f, F *n.*

fa[2] [fa] *avv (addietro)* vor; **tre anni** ~ vor drei Jahren.

fabbisogno [fabbi'zoɲɲo] *m* Bedarf *m* (*di* an *+dat*).

fabbrica ['fabbrika] ⟨-che⟩ *f* **1.** *(stabilimento)* Fabrik *f,* Werk *n;* **2.** *(costruzione)* Bau *m,* Bauwerk *n;* **chiudere la** ~ die Fabrik stillegen; **nuovo di** ~ fabrikneu. **fabbricabile** [...'kɑːbile] *agg* bebaubar, Bau-. **fabbricante** [...'kante] *mf* Fabrikant(in) *m(f).* **fabbricare** [...'kaːre] ⟨fabbrico, fabbrichi⟩ *tr* **1.** *(costruire)* (er-, auf)bauen; **2.** *(produrre)* herstellen, fertigen; **3.** *fig (inventare)* erfinden, ersinnen. **fabbricato** [...'kaːto] *m* Bau *m,* Gebäude *n;* ~ **annesso** Anbau *m.* **fabbricazione** [...kat'tsi̯oːne] *f* Herstellung *f,* Fabrikation *f,* Produktion *f;* ~ **in serie** Serienproduktion *f.*

fabbro ['fabbro] *m* **1.** *(~ ferraio)* Schmied *m;* **2.** *(di serrature)* Schlosser *m.*

faccenda [fat'tʃɛnda] *f* Angelegenheit *f,* Sache *f;* ~**e domestiche/di casa** Hausarbeit *f.*

facchino [fak'kiːno] *m* **1.** *(portabagagli)* Träger *m,* Gepäckträger *m;* **2.** *(d'albergo)* Hoteldiener *m;* **3.** *(scaricatore)* Verladearbeiter *m.*

faccia ['fattʃa] ⟨-cce⟩ *f* **1.** *(volto)* Gesicht *n;* **2.** *(espressione)* Miene *f,* Ausdruck *m;* **3.** *fam (aspetto)* Aussehen *n;* **4.** *(parte)* Seite *f;* *(di case)* Fassade *f;* **5.** *(superficie)* Oberfläche *f;* ~ **tosta (***o* **di bronzo)** *fig* dreiste (*o* unverfrorene) Art; *(persona)* unverschämte (*o* dreiste) Person; **(a)** ~ **a** ~ Auge in Auge, von Angesicht zu Angesicht. **facciale** [...'tʃaːle] *agg* Gesichts-.

facciata [fat'tʃaːta] *f* **1.** *arch* Fassade *f;* **2.** *(di pagina)* Seite *f.*

faccio ['fattʃo] *pr di* **fare.**

faceto, -a [fa'tʃɛːto] *agg* witzig, lustig.

fachiro [fa'kiːro] *m* Fakir *m.*

facile ['faːtʃile] *agg* **1.** *(agevole)* leicht; *(testo)* verständlich; **2.** *(affabile)* umgänglich, nett; **3.** *(probabile)* wahrscheinlich; **4.** *(poco serio)* leichtfertig.

facilità [fatʃili'ta] ⟨-⟩ *f* **1.** *(agevolezza)* Leichtigkeit *f,* Mühelosigkeit *f;* **2.** *(comprensibilità)* Verständlichkeit *f;* **3.** *(predisposizione)* Gewandtheit *f;* **4.** *(leggerezza)* Leichtfertigkeit *f.* **facilitare** [...'taːre] *tr* **1.** *(agevolare)* erleichtern; **2.** *(nei crediti)* entgegenkommen (*qu* jdm). **facilitazione** [...tat'tsi̯oːne] *f* Erleichterung *f; fin* Vergünstigung *f.*

facilone, -a [fatʃi'loːne] *m, f* leichtsinniger Mensch, Leichtfuß *m.* **faciloneria** [...lone'riːa] ⟨-ie⟩ *f* Leichtfertigkeit *f.*

facoltà [fakol'ta] ⟨-⟩ *f* **1.** *(capacità)* Fähigkeit *f,* Gabe *f;* **2.** *(potere)* Befugnis *f,* Macht *f;* **3.** *(permesso)* Erlaubnis *f;* **4.** *(~ universitaria)* Fakultät *f.*

facoltativo, -a [fakolta'tiːvo] *agg* **1.** *(a discrezione)* beliebig; **2.** *(di libera scelta)* wahlfrei, fakultativ; **3.** *(non obbligatorio)* unverbindlich; **fermata -a** Bedarfshaltestelle *f.*

facoltoso, -a [fakol'toːso] *agg* vermögend, wohlhabend.

facsimile [fak'siːmile] ⟨-⟩ *m* **1.** *(riproduzione)* Faksimile *n;* **2.** *tel* (Tele)fax *n;* *(apparecchio)* Fax(gerät) *n;* **3.** *fig* Doppelgänger(in) *m(f),* Kopie *f.*

factoring ['fæktɔrıŋ] ⟨-⟩ *m econ* Factoring *n.*

faggio ['faddʒo] ⟨-ggi⟩ *m* Buche *f.*

fagiano [fa'dʒaːno] *m* Fasan *m.*

fagiolino [fadʒo'liːno] *m* Brechbohne *f,* grüne Bohne.

fagiolo [fa'dʒɔːlo] *m* (weiße) Bohne *f;* **capitare a** ~ *fam* wie gerufen kommen.

fagotto[1] [fa'gɔtto] *m (involto)* Bündel *n;* **far** ~ *fig* sein Bündel schnüren, seine Siebensachen zusammenpacken.

fagotto[2] [fa'gɔtto] *m mus* Fagott *n.*

fai da te [fai da 'te] ⟨-⟩ *m* Heimwerken *n,* Do-it-yourself *n;* *(bricologe)* Basteln *n.*

faina [fa'iːna] *f* Steinmarder *m.*

falce ['faltʃe] *f* Sichel *f;* ~ **fienaia** Sense *f.* **falciare** [...'tʃaːre] ⟨falcio, falci⟩ *tr* **1.** *(erba, grano)* mähen; **2.** *fig (mietere vittime)* dahinraffen; *mil* niedermähen. **falciatrice** [...tʃa'triːtʃe] *f (per fieno)* Mähmaschine *f;* *(per erba)* Rasenmäher *m.*

falco ['falko] ⟨-chi⟩ *m* Falke *m.*

falda ['falda] *f* **1.** *geol* Schicht *f;* **2.** *(di monte)* Hang *m;* **3.** *(di abito)* Saum *m;* *(di cappello)* Krempe *f;* **4.** *(di neve)* Flocke *f.*

falegname [faleɲ'ɲaːme] *m* Schreiner *m,* Tischler *m.* **falegnameria** [...ɲame'riːa] ⟨-ie⟩ *f* Schreinerei *f,* Tischlerei *f.*

falena [fa'lɛːna] *f* Nachtfalter *m.*

falla ['falla] *f* **1.** *naut* Leck *n;* **2.** *mil (nello schieramento)* Lücke *f.*

fallace [fal'laːtʃe] *agg* trügerisch.

fallimentare [fallimen'taːre] *agg* **1.** *dir* Konkurs-; **2.** *fig (situazione)* katastrophal.

fallimento [falli'mento] *m* **1.** *com* Konkurs *m;* **2.** *fig (insuccesso)* Scheitern *n,* Schiffbruch *m.*

fallire [fal'li:re] ⟨fallisco⟩ **I.** *itr* ⟨*essere*⟩ **1.** *dir* Konkurs machen; **2.** *fig* mißlingen, scheitern; *(tentativo a.)* fehlschlagen; **II.** *tr* ⟨*avere*⟩ verfehlen. **fallito, -a** [...'li:to] **I.** *agg* **1.** *com* bankrott; **2.** *fig* gescheitert, fehlgeschlagen; **II.** *m, f* **1.** *com* Bankrotteur(in) *m(f);* **2.** *fig* Versager(in) *m(f).*

fallo[1] ['fallo] *m* **1.** *(errore)* Fehler *m,* Irrtum *m;* **2.** *(difetto)* Mangel *m;* **3.** *sport* Foul *n;* ~ **di mano** Handspiel *n;* **cogliere qu in** ~ jdn auf frischer Tat ertappen; **essere in** ~ Schuld haben; **mettere un piede in** ~ ausrutschen; **senza** ~ ohne Zweifel, gewiß.

fallo[2] *m* **1.** *(simbolo)* Phallus *m;* **2.** *(organo virile)* Penis *m.*

fallocrate [fal'lɔkrate] *m* Chauvi *m fam.* **fallocratico** [...'kra:tiko] ⟨-ci, -che⟩ *agg* chauvinistisch. **fallocrazia** [...krat'tsi:a] ⟨-ie⟩ *f* (männlicher) Chauvinismus *m.*

fall-out [fɔ:l 'aut] ⟨-⟩ *m* radioaktiver Niederschlag, Fallout *m.*

falò [fa'lɔ] ⟨-⟩ *m* (Freuden)feuer *n.*

falsare [fal'sa:re] *tr* verdrehen, falsch auslegen; *(riportare alterando)* entstellen, verfälschen.

falsariga [falsa'ri:ga] *f* **1.** *(foglio)* Linienblatt *n;* **2.** *fig (modello)* Muster *n,* Vorgabe *f;* **sulla** ~ **di qu** nach jds Beispiel.

falsario, -a [fal'sa:rio] ⟨-i *m,* -ie *f*⟩ *m* Fälscher(in) *m(f); (di monete a.)* Falschmünzer(in) *m(f).*

falsetto [fal'setto] *m* Falsett *n.*

falsificare [falsifi'ka:re] ⟨falsifico, falsifichi⟩ *tr* (ver)fälschen. **falsificazione** [...kat'tsio:ne] *f* Fälschung *f.*

falsità [falsi'ta] ⟨-⟩ *f* Unwahrheit *f; (a. ipocrisia)* Falschheit *f.* **falso, -a** ['falso] **I.** *agg* falsch; *(falsificato a.)* gefälscht; **II.** *m* Falsche(s) *n; dir* Fälschung *f.*

fama ['fa:ma] *f* **1.** *(reputazione)* (guter) Ruf *m;* **2.** *(celebrità)* Ruhm *m;* **avere** ~ **di ...** im Ruf *+gen* stehen.

fame ['fa:me] *f* **1.** Hunger *m;* **2.** *fig (bramosia)* Gier *f,* Sucht *f; (di sapere)* Durst *m;* ~ **da lupi** Bärenhunger *m fam.* **famelico, -a** [fa'mɛ:liko] ⟨-ci, -che⟩ *agg* **1.** *(affamato)* ausgehungert; **2.** *fig poet* gierig.

famigerato, -a [famidʒe'ra:to] *agg* berüchtigt.

famiglia [fa'miʎʎa] ⟨-glie⟩ *f* Familie *f; (gruppo a.)* Gruppe *f;* ~ **estesa** Großfamilie *f;* ~ **monoparentale (***o* **monogenitore)** Einelternfamilie *f.* ~ **umana** Menschengeschlecht *n;* ~ **reale** Königshaus *n;* **essere di buona** ~ aus gutem Hause sein; **metter su** ~ eine Familie gründen.

familiare [fami'lia:re] **I.** *agg* **1.** *(della famiglia)* familiär, Familien-; **2.** *(consueto, noto)* vertraut; **3.** *(semplice)* einfach; *(cucina)* gutbürgerlich; **4.** *ling* umgangssprachlich, familiär; **linguaggio** ~ Umgangssprache *f;* **II.** *mf* (Familien)angehörige(r) *mf;* **III.** *f* Kombiwagen *m.* **familiarità** [...iari'ta] ⟨-⟩ *f* **1.** *(confidenza)* Vertraulichkeit *f;* **2.** *(pratica)* Vertrautheit *f.*

familiarizzarsi [...iarid'dzarsi] *rfl* vertraut werden; *(impratichirsi)* sich vertraut machen.

famoso, -a [fa'mo:so] *agg* berühmt.

fanale [fa'na:le] *m* Licht *n,* Lampe *f; (di automobile)* Scheinwerfer *m.* **fanalino** [fana'li:no] *m* kleine Lampe, Leuchte *f;* ~ **di coda** *mot* Rücklicht *n; fig* Schlußlicht *n.*

fanatico, -a [fa'na:tiko] ⟨-ci, -che⟩ **I.** *agg* fanatisch; **essere** ~ **di qc** von etw. begeistert sein, versessen sein auf etw. *(akk);* **II.** *m, f* Fanatiker(in) *m(f).* **fanatismo** [fana'tizmo] *m* Fanatismus *m.*

fanciulla [fan'tʃulla] *f* (junges) Mädchen *n.* **fanciullezza** [...'lettsa] *f* Kindheit *f,* Kindesalter *n.* **fanciullo** [...'tʃullo] *m* Knabe *m,* Kind *n.*

fandonia [fan'dɔ:nia] ⟨-ie⟩ *f* Lüge *f.*

fanfaluca [fanfa'lu:ka] ⟨-che⟩ *f* Geschwätz *n.*

fanfara [fan'fa:ra] *f* **1.** *(banda)* Blechmusikkapelle *f;* **2.** *(musica)* Fanfare *f.*

fanfarone, -a [fanfa'ro:ne] *m, f* Prahler(in) *m(f),* Prahlhans *m.*

fangatura [faŋɑ'tu:rɑ] *f* Fangobad *n; (applicazione)* Fangopackung *f.*

fango ['faŋgo] ⟨-ghi⟩ *m* **1.** *(limo)* Schlamm *m;* **2.** *geol* Schlick *m;* **3.** *med* Fango *m;* **4.** ⟨*pl*⟩ *(termali)* Fangobäder *n pl;* **-ghi di depurazione** Klärschlamm *m.*

fangoso, -a [...'go:so] *agg* **1.** *(pieno di fango)* schlammig; **2.** *(coperto di fango)* dreckig, schmutzig.

fannullone, -a [fannul'lo:ne] *m, f* Nichtstuer(in) *m(f),* Faulenzer(in) *m(f).*

fantascienza [fantaʃ'ʃɛ:ntsa] *f* Sciencefiction *f.* **fantascientifico, -a** [-ʃen'ti:fiko] *agg* **1.** *letter, film* Science-Fiction-; **2.** *fig peg* utopisch.

fantasia [fanta'zi:a] ⟨-ie⟩ *f* **1.** *(immaginazione)* Phantasie *f,* Vorstellungsvermögen *n;* **2.** *(capriccio)* Laune *f;* **3.** *(tessuto)* bunt gemusterter Stoff; **4.** *mus* Fantasie *f.* **fantasioso, -a** [...'zio:so] *agg* phantasievoll.

fantasma [fan'tazma] **I.** ⟨-i⟩ *m* **1.** *(spettro)* Gespenst *n,* Geist *m;* **2.** *(illusione)* Phantom *n,* Trugbild *n;* **II.** ⟨*inv*⟩ *agg (governo)* Schein-; *(nave)* Geister-.

fantasticare [fantasti'ka:re] ⟨fantastico, fantastichi⟩ **I.** *tr* träumen von, phantasieren von; **II.** *itr* träumen, phantasieren. **fantasticheria** [...ke'ri:a] ⟨-ie⟩ *f* Phantasterei *f,* Träumerei *f.*

fantastico, -a [fan'tastiko] ⟨-ci, -che⟩ *agg* phantastisch; *(della fantasia)* Phantasie-.

fante ['fante] *m* **1.** *mil* Infanterist *m;* **2.** *(nelle carte francesi)* Bube *m; (nelle carte tedesche)* Unter *m.* **fanteria** [-'ri:a] ⟨-ie⟩ *f* Infanterie *f.*
fantino [fan'ti:no] *m* Jockey *m,* Jockei *m.*
fantoccio [fan'tɔttʃo] ⟨-cci⟩ *m* **1.** *(pupazzo)* Puppe *f;* **2.** *fig* Hampelmann *m,* Marionette *f.*
farabutto, -a [fara'butto] *m, f* Schurke *m,* Schurkin *f.*
faraona [fara'o:na] *f* Perlhuhn *n.*
faraone [fara'o:ne] *m* Pharao *m.*
farcia ['fa:rtʃa] ⟨-ce⟩ *f gastr* Füllung *f,* Farce *f.* **farcire** [far'tʃi:re] ⟨farcisco⟩ *tr gastr* füllen, farcieren.
fard ['fa:rd] ⟨-⟩ *m* Rouge *n.*
fardello [far'dɛllo] *m* **1.** *(involto)* Bündel *n;* **2.** *fig (peso)* Bürde *f,* Last *f.*
fare ['fa:re] ⟨faccio, feci, fatto⟩ **I.** *tr* **1.** *gener.* machen, tun; *(opera)* verfassen; **2.** *(mestiere)* ausüben; **3.** *(sport)* treiben; *(tennis, calcio)* spielen; **4.** *(comportamento)* spielen; **5.** *(rappresentazione)* spielen; *(al teatro, cinema)* geben; **6.** *fig (amicizia)* schließen; ~ **il medico** Arzt sein; **non** ~ **la sciocca** spiel nicht die Dumme; ~ **sapere qc a qu** jdn etw. wissen lassen; ~ **piangere/ridere qu** jdn zum Weinen/Lachen bringen; ~ **tacere qu** jdn zum Schweigen bringen; ~ **vedere** zeigen; **fammi vedere** zeig mal, laß mich (mal) sehen; ~ **a meno di qc** ohne etw. auskommen; **farla a qu** *fam* jdn hereinlegen, jdn übers Ohr hauen; **non fa niente** das macht nichts; **5 più 3 fa 8** 5 und 3 macht (*o* ist) 8; **farcela** es schaffen; **farla finita con qu** mit jdm Schluß machen; **II.** *itr* **1.** *(essere adatto, convenire)* sein (*per qu/qc* für jdn/etw.); **2.** *(esercitare le funzioni)* dienen (*da qc* als); sein (*da qu* als); *(lavorare)* arbeiten (*da qu* als); **3.** *impers (divenire, compiersi)* werden; *(riferito a condizioni atmosferiche)* sein; **questo lavoro non fa per me** diese Arbeit ist nichts für mich; **questa cura ti farà bene** diese Kur wird dir guttun; **gli fa da padre** er ist wie ein Vater für ihn; **un divano che fa da letto** eine Couch, die als Bett dient; **oggi fa un anno da che ...** heute wird es ein Jahr, seit ...; **fa bello/caldo/freddo** es ist schön/warm/kalt; **faccia pure!** bitte sehr!; **non mi fa né caldo né freddo** das läßt mich kalt; ~ **tardi** zu spät kommen. **III.** *rfl:* **farsi 1.** *(diventare)* werden **2.** *sl (drogarsi)* fixen *sl,* sich einen Schuß setzen *fam;* **farsi qu** *sl (andarci a letto)* mit jdm ins Bett gehen *fam;* **farsi pregare** sich bitten lassen; **farsi fare una copia** sich *(dat)* eine Kopie machen lassen; **farsi notare** sich bemerkbar machen; **farsi avanti** vortreten; *fig* sich hervortun; **farsi da parte** zur Seite treten; *fig* in den Hintergrund treten; **farsela addosso** *fam* sich *(dat)* in die Hosen (*o* ins Hemd) machen *fam;* **farsi in quattro** *fig* sich zerreißen; **farsi strada** *fig* seinen Weg machen; **si è fatto tardi** es ist spät geworden; **IV.** *m* **1.** *(comportamento)* Benehmen *n* Art *f;* **2.** *(modo di fare)* Tun *n,* Handlungsweise *f.*
farfalla [far'falla] *f* Schmetterling *m.*
farfallino [...fal'li:no] *m (abbigliamento)* Fliege *f.*
farfugliare [farfuʎ'ʎa:re] ⟨farfuglio, farfugli⟩ *itr* faseln.
farina [fa'ri:na] *f* Mehl *n;* ~ **di frumento** Weizenmehl *n;* **non è** ~ **del tuo sacco** *fig* das ist nicht auf deinem Mist gewachsen.
faringe [fa'rindʒe] *f* Rachen *m.* **faringite** [...dʒi:te] *f* Rachenkatarrh *m,* Angina *f fam.*
farmaceutico, -a [farma'tʃɛ:utiko] ⟨-ci, -che⟩ *agg* pharmazeutisch; *(industria)* Pharma-, Arzneimittel-.
farmacia [farma'tʃi:a] ⟨-cie⟩ *f* **1.** *scient.* Pharmazie *f,* Arznei(mittel)kunde *f;* **2.** *(locale)* Apotheke *f.* **farmacista** [...'tʃista] ⟨-i *m,* -e *f*⟩ *mf* Apotheker(in) *m(f).*
farmaco ['farmako] ⟨-ci *o* -chi⟩ *m* Arznei *f,* Arznei-, Heilmittel *n.* **farmacodipendente** [-dipen'dɛnte] *agg* medikamentenabhängig. **farmacodipendenza** [...pen'dɛntsa] *f* Medikamentenabhängigkeit *f.*
farneticare [farneti'ka:re] ⟨farnetico, farnetichi⟩ *itr* **1.** *(delirare)* phantasieren; **2.** *(dire assurdità)* faseln, wirr reden.
faro ['fa:ro] *m* **1.** *(torre)* Leuchtturm *m;* **2.** *(di veicolo)* Scheinwerfer *m;* **3.** *fig lett* Leuchte *f geh;* **-i abbaglianti/anabbaglianti** Fern-/Abblendlicht *n.*
farsa ['farsa] *f* **1.** *letter* Farce *f,* Posse *f;* **2.** *fig (buffonata)* Posse *f geh,* (Narren)streich *m.*
fascetta [faʃ'ʃetta] *f* **1.** *(posta)* Streifband *n;* **2.** *tec* Schelle *f;* ~ **fiscale** Banderole *f.*
fascia ['faʃʃa] ⟨-sce⟩ *f* **1.** *(striscia di tessuto)* Band *n; (a. med)* Binde *f;* **2.** ⟨*pl*⟩ *(per bambini)* Windel *f;* **3.** *(di territorio)* Strich *m,* Streifen *m,* Gürtel *m;* **4.** *(di carta)* Banderole *f,* Streifband *n;* **5.** *fig (settore)* Ausschnitt *m,* Teil *m;* ~ **elastica** *med* elastische Binde; *(ventriera)* elastisches Mieder; *(nei motori)* Kolbenring *m;* **bambino in -sce** Wickelkind *n.*
fasciare [faʃ'ʃa:re] ⟨fascio, fasci⟩ *tr* **1.** *(ferita)* verbinden; **2.** *(bambino)* wickeln; **3.** *(aderire)* (eng) anliegen an +*dat,* umschließen. **fasciatoio** [...ʃa'to:io] ⟨-oi⟩ *m* Wickelkommode *f.* **fasciatura** [...ʃa'tu:ra] *f* Verband *m.*
fascicolo [faʃ'ʃi:kolo] *m* (*abbr* **fasc.**) **1.** *(di riviste, dispensa)* Heft *n,* Lieferung *f,* Faszikel *m;* **2.** *(di documenti)* Aktenbündel *n.*
fascino ['faʃʃino] *m* **1.** *(attrattività)* Charme *m,* Zauber *m;* **2.** *(allettamento)* Reiz

m, Faszination *f.*
fascio ['faʃʃo] ⟨-sci⟩ *m* **1.** *(di legna)* Bund *m,* Stoß *m;* **2.** *(di fiori)* Strauß *m;* **3.** *(di nervi, raggi, erba)* Bündel *n;* **4.** *pol* Verband *m,* Bund *m;* **5.** *st (emblema)* Liktoren-, Rutenbündel *n.*
fascismo [faʃ'ʃizmo] *m* Faschismus *m.* **fascista** [...'ʃista] ⟨-i *m,* -e *f*⟩ **I.** *agg* faschistisch; **II.** *mf* Faschist(in) *m(f).*
fase ['fa:ze] *f* **1.** *gener.* Phase *f; (stadio a.)* Stadium *n,* Stufe *f,* Abschnitt *m;* **2.** *mot* Takt *m.*
fast food ['fa:st fu:d] ⟨-⟩ *m* Fast-Food *n,* Schnellimbiß *m.*
fastidio [fas'ti:dio] ⟨-i⟩ *m* **1.** *(molestia)* Belästigung *f,* Störung *f;* **2.** *(noia)* Überdruß *m,* Verdruß *m;* **3.** *(disgusto)* Ekel *m;* **4.** *(dispiacere)* Unannehmlichkeit *f;* **dare ~ a qu** jdn belästigen. **fastidioso, -a** [...ti'dio:so] *agg* **1.** *(seccante)* lästig, unangenehm; *(noioso)* langweilig; **2.** *(irritabile)* reizbar.
fasto ['fasto] *m* Prunk *m.*
fasullo, -a [fa'zullo] *agg* **1.** *(moneta, oro)* falsch; **2.** *fig (persona)* unfähig, schlecht.
fata ['fa:ta] *f* Fee *f.*
fatale [fa'ta:le] *agg* fatal; *(ferita)* tödlich; *(disastro)* verhängnisvoll, unselig; *(fascino)* unwiderstehlich. **fatalità** [fatali'ta] ⟨-⟩ *f* **1.** *(destino)* Schicksalhaftigkeit *f,* Fatalität *f;* **2.** *(disgrazia)* Unglück *n.*
fatato, -a [fa'tato] *agg* verzaubert, Zauber-.
fatica [fa'ti:ka] ⟨-che⟩ *f* **1.** *(sforzo, difficoltà)* Mühe *f,* Anstrengung *f;* **2.** *(stanchezza)* Müdigkeit *f;* **3.** *(lavori pesanti)* Schwerarbeit *f.* **faticare** [fati'ka:re] ⟨fatico, fatichi⟩ *itr* **1.** *(sottoporsi a sforzo)* hart arbeiten; **2.** *(incontrare difficoltà)* sich abmühen, Mühe haben. **faticoso, -a** [...'ko:so] *agg* **1.** (pesante) mühsam, anstrengend; **2.** *fig (discorso, stile)* umständlich, schwerfällig.
fato ['fa:to] *m* Schicksal *n.*
fattezze [fat'tettse] *f pl* (Gesichts)züge *m pl.*
fattibile [fat'ti:bile] *agg* machbar, möglich.
fatto, -a ['fatto] **I.** *pp di* **fare; II.** *agg* **1.** *(compiuto)* gemacht, getan; *(abito)* fertig, von der Stange; *tec* gefertigt, hergestellt; **2.** *(maturo, a. fig)* reif; **3.** *(conformato fisicamente)* gebaut; **4.** *(adetto)* geschaffen; **~ a macchina/mano** maschinell gefertigt/handgemacht; **ben ~** *(di fisico)* gut gebaut; **esser ~ l'uno per l'altro** für einander wie geschaffen sein; **III.** *m* **1.** *(azione)* Tat *f;* **2.** *(avvenimento)* Ereignis *n;* **3.** *(affare)* Angelegenheit *f,* Sache *f;* **porre qu di fronte al ~ compiuto** jdn vor vollendete Tatsachen stellen; **di ~** tatsächlich, in der Tat; **in ~ di** mit Bezug auf, in bezug auf; **~ è/sta che ...** Tatsache ist, daß ...
fattore [fat'to:re] *m* Faktor *m;* **~ Rh** *med* Rhesusfaktor *m.*
fattore, -essa (*o fam* **-a**) [fat'to:re, ...to'ressa] *m, f* Gutsverwalter(in) *m(f).*
fattoria [fatto'ri:a] ⟨-ie⟩ *f* Gutshof *m,* (Land)gut *n.*
fattorino, -a [fatto'ri:no] *m, f* **1.** *(commesso)* Bote *m,* Botin *f; (di negozio)* Laufbursche *m,* -mädchen *n;* **2.** *(bigliettaio)* Schaffner(in) *m(f).*
fattura [fat'tu:ra] *f* **1.** *(lavorazione)* Anfertigung *f,* Herstellung *f;* **2.** *(confezione)* Fasson *f;* **3.** (*abbr* **Fatt.**) *com* Rechnung *f;* **4.** *(maleficio)* Zauberei *f,* Hexerei *f.* **fatturare** [fattu'ra:re] *tr* **1.** *com* fakturieren; *(contabilizzare)* umsetzen; **2.** *(vino)* panschen. **fatturato** [...'ra:to] *m* Umsatz *m.*
fatuo, -a ['fa:tuo] *agg* oberflächlich.
fauna ['fa:una] *f* Tierreich *n,* Fauna *f.*
fausto, -a ['fa:usto] *agg* glücklich.
fautore, -trice [fau'to:re] *m, f* Förderer *m,* Förderin *f; (sostenitore)* Befürworter(in) *m(f).*
fava ['fa:va] *f* dicke Bohne, Saubohne *f.*
favilla [fa'villa] *f* Funke(n) *m.*
favola ['fa:vola] *f* Fabel *f; (fandonia)* Märchen *n.* **favoloso, -a** [...'lo:so] *agg* fabelhaft; *(enorme)* großartig, außergewöhnlich.
favonio [fa'vɔ:nio] ⟨-i⟩ *m meteo* Föhn *m; poet* Zephir *m.*
favore [fa'vo:re] *m* **1.** *(benevolenza)* Wohlwollen *n;* **2.** *(servizio)* Gefallen *m,* Gefälligkeit *f;* **3.** *(protezione)* Gunst *f,* Schutz *m;* **per ~** bitte; **fare un ~ a qu** jdm einen Gefallen tun; **parlare in ~ di qu** zu jds Gunsten sprechen, für jdn eintreten. **favoreggiamento** [favoreddʒa'mento] *m* Begünstigung *f.* **favoreggiare** [favored'dʒa:re] ⟨favoreggio, favoreggi⟩ *tr* begünstigen.
favorevole [favo're:vole] *agg* **1.** *(vantaggioso)* günstig; **2.** *(benevolo)* wohlwollend; **3.** *(consenziente)* zustimmend; **essere ~** dafür sein; **essere ~ a qc/qu** für etw./jdn sein.
favorire [favo'ri:re] ⟨favorisco⟩ *tr* **1.** *(assecondare)* begünstigen; **2.** *(agevolare)* unterstützen, fördern; **favorisca il biglietto** die Fahrkarte, bitte; **favorisca alla cassa** bemühen Sie sich bitte an die Kasse *geh;* **favorisca in salotto** nehmen Sie bitte im Wohnzimmer Platz; **vuole ~?** darf ich Ihnen das anbieten?. **favorito, -a** [...'ri:to] **I.** *agg* **1.** *(prediletto)* Lieblings-, bevorzugt; **2.** *(probabile vincitore)* favorisiert; **II.** *m, f* **1.** *(beniamino)* Liebling *m;* **2.** *(in gare, elezioni)* Favorit(in) *m(f).*
fax ['faks] ⟨-⟩ *m* (*abbr di* **facsimile**) **1.** *(messaggio)* Fax *n;* **2.** *(telecopiatrice)* Faxgerät *n.* **faxare** [fak'sa:re] *tr* faxen.
fazione [fat'tsio:ne] *f* Faktion *f.*
fazzoletto [fattso'letto] *m* Tuch *n; (da*

naso) Taschentuch *n; (da testa)* Kopftuch *n;* ~ **di carta** Papiertaschentuch *n.*
febbraio [feb'bra:io] *m* Februar *m; v. a. settembre.*
febbre ['fɛbbre] *f (a. fig)* Fieber *n;* ~ **da fieno** Heuschnupfen *m.* **febbricitante** [febbritʃi'tante] *agg* fiebernd; **essere** ~ Fieber haben. **febbrile** [...'bri:le] *agg* **1.** *med* fiebrig, Fieber-; **2.** *fig* fieberhaft.
feccia ['fɛttʃa] ⟨-cce⟩ *f* **1.** *(di vino)* (Boden)satz *m;* **2.** *fig peg* Abschaum *m.*
feci[1] ['fɛ:tʃi] *f pl* Fäkalien *pl; med* Stuhl *m fam.*
feci[2] ['fe:tʃi] *p rem di* **fare.**
fecola ['fɛ:kola] *f* Stärkemehl *n.*
fecondare [fekon'da:re] *tr* **1.** *biol* befruchten; **2.** *(rendere fertile)* fruchtbar machen. **fecondazione** [...dat'tsio:ne] *f* Befruchtung *f;* ~**artificiale** künstliche Befruchtung; ~ **in vitro** Invitro-Fertilisation *f.*
fecondità [fekondi'ta] ⟨-⟩ *f* Fruchtbarkeit *f.* **fecondo, -a** [fe'kondo] *agg* fruchtbar.
fede ['fe:de] *f* **1.** *(credo)* Glaube(n) *m;* **2.** *(fiducia)* Vertrauen *n;* **3.** *(onestà, fedeltà)* Treue *f;* **4.** *(anello)* Trau-, Ehering *m;* **5.** *(attestato)* Schein *m,* Bescheinigung *f;* **in** ~ *amm* für die Richtigkeit; **in buona/mala** ~ in gutem Glauben/in böser Absicht.
fedele [fe'de:le] **I.** *agg* **1.** *(devoto)* treu; **2.** *(esatto)* genau; *(traduzione, riproduzione)* (original)getreu; **II.** *mf* **1.** *(credente)* Gläubige(r) *mf;* **2.** *(seguace)* Anhänger(in) *m(f),* Getreue(r) *mf.*
fedeltà [fedel'ta] ⟨-⟩ *f* **1.** *(devozione)* Treue *f;* **2.** *(esattezza)* Zuverlässigkeit *f,* Treue *f;* **ad alta** ~ Hi(gh)-Fi(delity)-.
federa ['fɛ:dera] *f* (Kopf)kissenbezug *m.*
federale [fede'ra:le] *agg* **1.** *pol* föderativ; *(riferito alla Germania)* Bundes-; **2.** *(di società)* Verbands-, Vereins-. **federalismo** [...ra'li:zmo] *m* Förderalismus *m.*
federazione [federat'tsio:ne] *f* **1.** *(di stati)* Föderation *f;* **2.** *(di società)* Verband *m.*
Federcalcio [feder'kaltʃo] *f* (*abbr di* **Federazione Italiana Gioco Calcio**) *Italienischer Fußballverband.*
Federica [fede'ri:ka] *(nome proprio femminile)* Friederike.
Federico [fede'ri:ko] *(nome proprio maschile)* Friedrich.
fedina [fe'di:na] *f:* ~ **penale** Führungszeugnis *n.*
feeling ['fi:liŋ] ⟨-⟩ *m* Feeling *n.*
fegatino [fegɑti:no] *m gastr* Hühnerleber *f.*
fegato ['fe:gato] *m* **1.** *anat* Leber *f;* **2.** *fig (audacia)* Mut *m.*
felce ['feltʃe] *f* Farn *m.*
felice [fe'li:tʃe] *agg* glücklich. **felicità** [felitʃi'ta] ⟨-⟩ *f* Glück *n.*
felicitarsi [felitʃi'tarsi] *rfl* sich freuen (*di* über *+akk*); ~ **con qu per qc** jdn zu etw. beglückwünschen. **felicitazione** [...tat'tsio:ne] *f* Glückwunsch *m.*
felino, -a [fe'li:no] **I.** *agg* katzenartig, Katzen-; **II.** *m* Katze *f.*
felpa ['felpa] *f* **1.** *(stoffa)* Plüsch *m;* **2.** *(pull)* Sweatshirt *n.*
feltro ['feltro] *m* **1.** *(tessuto)* Filz *m;* **2.** *(cappello)* Filzhut *m.*
femmina ['femmina] *f* **1.** *(spesso peg: donna)* Weib *n;* **2.** *zoo* Weibchen *n;* **3.** *tec* Mutter *f.* **femminile** [...'ni:le] **I.** *agg* weiblich; *(abito, sport)* Damen-; *(lavoro)* Frauen-; *(scuola)* Mädchen-; **genere** ~ *gram* Femininum *n;* **II.** *m* **1.** *gram* Femininum *n;* **2.** *sport* Damenwettbewerb *m.*
femminilizzare [femminilid'ʒa:re] *tr* **1.** *(modificare a favore della donna)* frauenfreundlich gestalten; ~ **un atteggiamento** frauenfreundliches Verhalten zeigen; ~ **provvedimenti** frauenfreundliche Maßnahmen ergreifen; **2.** *(aumentare il numero delle donne in un campo generalmente dominato dagli uomini)* den Frauenanteil erhöhen. **femminilizzazione** [...ddʒat'tsio:ne] *f (modificazione in senso folvorevole alla donna)* frauenfreundliche Gestaltung.
femminismo [femmi'nizmo] *m* Feminismus *m,* Frauenbewegung *f.* **femminista** [...'nista] ⟨-i *m,* -e *f*⟩ *mf* Feminist(in) *m(f).*
femore ['fɛ:more] *m* Oberschenkel *m.*
fendere ['fɛndere] *tr* **1.** *(tagliare)* spalten; **2.** *(onde)* durchpflügen.
fendinebbia [fendi'nebbia] *m pl* Nebelscheinwerfer *m pl.*
fenditura [fendi'tu:ra] *f* **1.** *(taglio)* Spaltung *f;* **2.** *(apertura)* Spalt *m,* Riß *m.*
fenicottero [feni'kɔttero] *m* Flamingo *m.*
fenolo [fe'nɔ:lo] *m* Phenol *n.*
fenomenale [fenome'na:le] *agg* phänomenal, außergewöhnlich, unglaublich.
fenomeno [fe'nɔ:meno] *m* Phänomen *n,* Erscheinung *f;* ~ **temporaneo** Übergangserscheinung *f;* ~ **concomitante** (*o* **secondario**) Begleiterscheinung *f.*
Ferdinando [ferdi'nando] *(nome proprio maschile)* Ferdinand.
feretro ['fɛ:retro] *m* Bahre *f,* Sarg *m.*
feriale [fe'ria:le] *agg* Wochen-, Werk-.
ferie ['fɛ:rie] *f pl* Ferien *pl,* Urlaub *m;* **andare in** ~ in die Ferien fahren; **prendere le** ~ Urlaub nehmen; **essere in** ~ Ferien haben, in Urlaub sein.
ferimento [feri'mento] *m* Verletzung *f,* Verwundung *f.*
ferire [fe'ri:re] ⟨ferisco⟩ *tr (a. fig)* verletzen; *(colpendo)* verwunden; *(occhi)* blenden; **senza colpo** ~ ohne Blutvergießen.
ferita [fe'ri:ta] *f* Verletzung *f,* Wunde *f (a. fig);* **riaprire una** ~ *fig* alte Wunden wieder aufreißen.
ferito, -a [fe'ri:to] **I.** *agg* verletzt, verwun-

det; **II.** *m, f* Verletzte(r) *mf,* Verwundete(r) *mf.*

feritoia [feri'to:ia] ⟨-oie⟩ *f* **1.** *mil* Schießscharte *f;* **2.** *(in ambienti)* Schlitz *m.*

ferma ['ferma] *f* **1.** *mil* Militärzeit *f,* Wehrdienstzeit *f;* **2.** *(nella caccia)* Vorstehen *n.*

fermacalzoni [fermakal'tso:ni] ⟨-⟩ *m* Fahrradklammer *f.* **fermacarte** [-'karte] ⟨-⟩ *m* Briefbeschwerer *m.* **fermacravatta** [-kra'vatta] ⟨-e⟩ *m* Krawattennadel *f.*

fermaglio [fer'maʎʎo] ⟨-gli⟩ *m* **1.** *(borchia, fibbia)* Schnalle *f,* Spange *f;* **2.** *(per fogli)* Büroklammer *f.*

fermare [fer'ma:re] **I.** *tr* **1.** *(arrestare il movimento)* anhalten; *(emorragia)* stillen, stoppen; *(motore)* abstellen; *(lavoro)* aufhören mit; **2.** *(persone)* aufhalten, zurückhalten; *(di polizia)* festnehmen; **3.** *(fissare)* befestigen; **II.** *itr* (an)halten, stehenbleiben; **III.** *rfl:* **-arsi 1.** *(arrestarsi)* (an)halten; *(a. orologio)* stehenbleiben; **2.** *(trattenersi)* sich aufhalten; **senza -arsi** ununterbrochen.

fermata [fer'ma:ta] *f* **1.** *(sosta)* Halt *m,* Aufenthalt *m;* **2.** *(luogo)* Haltestelle *f;* **3.** *mus* Fermate *f;* ~ **facoltativa (***o* **a richiesta)/obbligatoria** Bedarfshaltestelle *f*/planmäßige Haltestelle.

fermentare [fermen'ta:re] **I.** *itr (a. fig)* gären; **II.** *tr* fermentieren. **fermentazione** [...tat'tsio:ne] *f* Gärung *f.* **fermento** [...'mento] *m* **1.** *(enzima)* Ferment *n;* **2.** *fig (agitazione)* Gärung *f geh,* Unruhe *f.*

fermezza [fer'mettsa] *f* Entschlossenheit *f,* Bestimmtheit *f; (costanza)* Beständigkeit *f;* ~ **di propositi** Standhaftigkeit *f.*

fermo, -a ['fermo] **I.** *agg* **1.** *(non in moto)* still, unbeweglich; *(sguardo)* fest, starr; *(veicolo)* (an)haltend; **2.** *(non in funzione)* stillstehend; *(orologio)* stehengeblieben; *com (fabbrica)* stilliegend; *(vendite)* stockend; **3.** *fig (risoluto)* entschlossen, bestimmt; *(costante)* beständig; **star ~ con le mani** die Hände stillhalten; **è ~ nel suo rifiuto** er beharrt auf seiner Weigerung; **da ~** *sport* aus dem Stand; **II.** *interi* halt; **III.** *m* **1.** *(chiusura)* Haltevorrichtung *f;* **2.** *dir* (vorläufige) Festnahme *f;* ~ **immagine** *(del videoregistratore)* Standbild *n.*

fermoposta [fermo'pɔsta] **I.** ⟨*inv*⟩ *agg, avv* postlagernd; **II.** ⟨-⟩ *m* Schalter *m* für postlagernde Sendungen.

Fernando [fer'nando] *(nome proprio maschile)* Ferdinand.

feroce [fe'ro:tʃe] *agg* **1.** *(bestia)* wild; **2.** *(persona)* grausam; **3.** *fig* furchtbar, schrecklich.

ferocia [fe'rɔ:tʃa] ⟨-cie⟩ *f* **1.** *(di bestie)* Wildheit *f;* **2.** *(di persone)* Grausamkeit *f.*

ferodo [fe'rɔ:do] *m:* ~ **per freni** Bremsbelag *m.*

ferraglia [fer'raʎʎa] ⟨-glie⟩ *f* Schrott *m,* Alteisen *n.*

ferragosto [ferra'gosto] *m* **1.** *(festa)* Mariä Himmelfahrt; **2.** *(periodo)* Mitte *f* August; **le vacanze di ~** die Augustferien.

ferramenta [ferra'menta] *f pl* Eisenwaren *f pl.*

ferrare [fer'ra:re] *tr* beschlagen. **ferrato, -a** [...'ra:to] *agg (a. fig)* beschlagen; **strada -a** Schienenstrang *m.*

ferravecchio [ferra'vɛkkio] *m* Schrotthändler *m.*

ferreo, -a ['fɛrreo] *agg* eisern *(a. fig).*

ferro ['fɛrro] *m* **1.** *(metallo, oggetto)* Eisen *n;* **2.** *(da maglia)* Stricknadel *f;* **3.** ⟨*pl*⟩ *(strumenti di lavoro)* Handwerkszeug *n,* Werkzeug *n;* **4.** ⟨*pl*⟩ *gastr* Rost *m,* Grill *m;* ~ **di cavallo** Hufeisen *n;* ~ **da stiro** *(a vapore)* (Dampf)bügeleisen *n;* ~ **battuto** Schmiedeeisen *n;* **ai -i** gegrillt, vom Grill; **di ~** *(a. fig)* eisern; **essere ai -i corti con qu** zu jdm ein gespanntes Verhältnis haben; **toccare ~** *fig* auf Holz klopfen. **ferroso, -a** [fer'ro:so] *agg* eisenhaltig.

ferrotranvieri [ferrotran'viɛ:ri] *m pl* Eisen- und Straßenbahner *m pl.*

ferrovia [ferro'vi:a] *f* (*abbr* **Ferr.**) Eisenbahn *f.* **ferroviario, -a** [...'via:rio] ⟨-i, -ie⟩ *agg* Eisenbahn-. **ferroviere, -a** [...'viɛ:re] *m, f* Eisenbahner(in) *m(f).*

fertile ['fɛrtile] *agg* fruchtbar.

fertilizzante [fertilid'dzante] *m* Dünger *m;* ~ **chimico** Kunstdünger *m;* ~ **naturale** Naturdünger *m.* **fertilizzare** [...'dza:re] *tr* düngen.

fervente [fer'vɛnte] *agg (passione, amore, zelo)* glühend; *(odio)* blind.

fervido, -a ['fɛrvido] *agg (preghiera)* inbrünstig; *(auguri)* herzlich; *(fantasia)* blühend; *(attività)* eifrig.

fervore [fer'vo:re] *m* **1.** *(passione)* Leidenschaft *f;* **2.** *(zelo)* Inbrunst *f,* (Feuer)-eifer *m;* **3.** *fig (momento culminante)* Höhepunkt *m;* **nel ~ della mischia** in der Hitze des Gefechts.

fesseria [fesse'ri:a] ⟨-ie⟩ *f fam* **1.** *(sciocchezza)* Dummheit *f,* Blödsinn *m;* **2.** *fig (piccolezza)* Kleinigkeit *f,* Lappalie *f.*

fesso, -a ['fesso] **I.** *agg* **1.** *(incrinato)* gesprungen, rissig; **2.** *(stridulo)* schrill; **3.** *volg (tonto)* blöde, bescheuert *sl,* beknackt *sl;* **fare ~ qu** *volg* jdn bescheißen *vulg;* **II.** *m f* Depp *m,* Trottel *m.*

fessura [fes'su:ra] *f* Spalt *m.*

festa ['fɛsta] *f* **1.** *(solennità)* Feiertag *m; (cerimonia)* Fest *n,* Feier *f; rel* Fest *n;* **2.** *(dimostrazione gioiosa)* Fest(tag *m*) *n;* **3.** *(vacanza)* freier Tag; **far ~ a qu** jdn herzlich begrüßen (*o* empfangen); **far la ~ a qu** mit jdm kurzen Prozeß machen.

festeggiamento [festeddʒa'mento *m* **1.** *(il festeggiare)* Feiern *n;* **2.** *(celebra-*

zione) Feierlichkeiten *f pl.*

festeggiare [fested'dʒa:re] ⟨festeggio, festeggi⟩ *tr* **1.** *(celebrare)* feiern; **2.** *(accogliere con una festa)* festlich empfangen.

festino [fes'ti:no] *m* Fest *n; (serata a.)* Party *f,* Fete *f.*

festival [festi'val *o* 'fɛs...] ⟨-⟩ *m* Festspiele *n pl,* Festival *n;* ~ **del cinema** Filmfestival *n,* -festspiele *n pl;* ~ **musicale** Musikfestspiele *n pl.*

festività [festivi'ta] ⟨-⟩ *f* Feiertag *m.* **festivo, -a** [...'ti:vo] *agg* **1.** *(giorno)* Feier-, Fest-; *(orario)* Feiertags-, Festtags-; **2.** *(abito)* festlich; **riposo** ~ Sonntagsruhe *f.*

festone [fes'to:ne] *m* Girlande *f; (di fiori)* Gewinde *n.*

festoso, -a [fes'to:so] *agg* freudig.

feticcio [fe'tittʃo] ⟨-cci⟩ *m* Fetisch *m.* **feticista** [feti'tʃista] ⟨-i *m,* -e *f*⟩ *mf* Fetischist(in) *m(f).*

feto ['fɛ:to] *m* Fötus *m.*

fetta ['fetta] *f* **1.** *(di salame, pane, formaggio)* Scheibe *f; (di torta)* Stück *n;* **2.** *fig (di luna)* Sichel *f; (di terra)* Streifen *m;* **tagliare a -e** in Scheiben schneiden. **fettina** [...'ti:na] *f* (kleines) Kalbs- oder Rinderschnitzel *n.*

fettuccia [fettut'sʃa] ⟨-ce⟩ *f* Band *n.* **fettuccine** [fettut'tʃi:ne] *f pl* Bandnudeln *f pl.*

feudale [feu'da:le] *agg* **1.** *st* feudal, Feudal-; **2.** *fig* mittelalterlich, rückständig. **feudalesimo** [feuda'lezimo] *m* Feudalismus *m.*

fiaba ['fi̯a:ba] *f* Märchen *n.* **fiabesco, -a** [...'besko] ⟨-chi, -che⟩ *agg* märchenhaft.

fiacca ['fi̯akka] ⟨-cche⟩ *f* **1.** *(stanchezza)* Müdigkeit *f;* **2.** *(svogliatezza)* Trägheit *f;* **battere la** ~ trödeln. **fiaccare** [...'ka:re] ⟨fiacco, fiacchi⟩ *tr* schwächen. **fiacco, -a** ['fi̯akko] ⟨-cchi, -cche⟩ *agg* **1.** *(persona)* müde, matt; **2.** *fig* schwach; *com* flau.

fiaccola ['fi̯akkola] *f* Fackel *f.* **fiaccolata** [fi̯akko'la:ta] *f* Fackelzug *m.*

fiala ['fi̯a:la] *f* Ampulle *f,* Phiole *f.*

fiamma ['fi̯amma] *f* **1.** *(lingua di fuoco)* Flamme *f;* **2.** *fig (ardore)* Feuer *n,* Flamme *f;* **3.** *scherz (donna del cuore)* Flamme *f scherz;* **le F-e Gialle** Steuerfahndungsdienst *m.* **fiammante** [...'mante] *agg* leuchtend, knall- *fam;* **rosso** ~ feuerrot, knallrot *fam;* **nuovo** ~ nagelneu. **fiammata** [...'ma:ta] *f* Stichflamme *f; fig* Strohfeuer *n.*

fiammifero [fi̯am'mi:fero] *m* Streichholz *n.*

fiancata [fi̯aŋ'ka:ta] *f* **1.** *(parte laterale)* Seitenteil *n,* Seitenwand *f;* **2.** *(urto)* Seitenstoß *m.*

fiancheggiare [fi̯aŋked'dʒa:re] ⟨fiancheggio, fiancheggi⟩ *tr* **1.** *(stare a lato)* säumen; **2.** *mil* flankieren; **3.** *fig (sostenere)* unterstützen, zur Seite stehen *(qu* jdm).

fianco ['fi̯aŋko] ⟨-chi⟩ *m* **1.** *anat* Hüfte *f;* **2.** *(lato)* Seite *f; (di monte)* Abhang *m;* **offrire il** ~ **a qu** sich zur Zielscheibe machen; ~ **a** ~ Seite an Seite; **di** ~ *(laterale)* seitlich; *(accanto)* nebenan; **di** ~ **a** neben, bei.

fiasco ['fi̯asko] ⟨-schi⟩ *m* **1.** *(recipiente)* Korbflasche *f,* (strohumflochtene) Flasche *f;* **2.** *fig (insuccesso)* Fiasko *n;* **fare** ~ Schiffbruch erleiden.

fiatare [fi̯a'ta:re] *itr fig* den Mund aufmachen, sprechen; **non** ~! halt' den Mund! *fam.*

fiato ['fi̯a:to] *m* **1.** *(aria espirata)* Atem *m;* **2.** *sport, fig (energia)* Ausdauer *f;* **strumenti a** ~ Blasinstrumente *n pl;* **avere il** ~ **grosso/corto** außer Atem/kurzatmig sein; **prendere** ~ verschnaufen; **tirare il** ~ Luft holen; *fig* aufatmen; **trattenere il** ~ den Atem *(o* die Luft) anhalten; **non tira un** ~ **di vento** es weht kein Lüftchen; **in un (*o* d'un)** ~ in einem Zug; **rimanere senza** ~ *fig* sprachlos sein. **fiatone** [...'to:ne] *m:* **avere il** ~ außer Atem *(o* Puste *fam)* sein.

fiberglass® ['fairbəgla:s] ⟨-⟩ *m* Glasfaser *f.*

fibbia ['fibbi̯a] ⟨-ie⟩ *f* Schnalle *f.*

fibra ['fi:bra] *f* **1.** *bot, biol* Faser *f;* **2.** *fig (costituzione fisica)* Konstitution *f.*

fica ['fi:ka] ⟨-che⟩ *f volg* Fotze *f vulg.*

ficcanaso [fikka'na:so] ⟨-i *o* - *m,* - *f*⟩ *mf fam* Naseweis *m,* Topfgucker *m scherz.*

ficcare [fik'ka:re] ⟨ficco, ficchi⟩ **I.** *tr* stekken; **II.** *rfl:* **-arsi** *fam* sich stecken; *(cacciarsi)* sich verstecken, abbleiben; **-arsi nei guai** *fig* sich in die Nesseln setzen; **-arsi qc in testa** *fig* sich *(dat)* etw. in den Kopf setzen; *(ricordarsi)* sich *(dat)* etw. hinter die Ohren schreiben.

fico ['fi:ko] ⟨-chi⟩ *m* **1.** *bot* Feige *f; (albero a.)* Feigenbaum *m;* **2.** *sl* geiler Typ; ~ **d'India** *(pianta)* Feigenkaktus *m; (frutto)* Kaktusfeige *f;* **non me n'importa un** ~ *fam* das ist mir Wurscht *fam,* ich schere mich den Teufel darum; **non valere un** ~ **secco** keinen Pfifferling *(o* Schuß Pulver) wert sein *fam.*

ficus ['fikus] ⟨-⟩ *m* Gummibaum *m.*

fidanzamento [fidantsa'mento] *m* Verlobung *f.* **fidanzarsi** [...'tsarsi] *rfl* sich verloben. **fidanzato, -a** [...'tsa:to] *m, f* Verlobte(r) *mf,* Braut *f,* Bräutigam *m.*

fidarsi [fi'darsi] *rfl* **1.** *(avere fiducia)* vertrauen *(di* auf *+akk),* sich verlassen *(di* auf *+akk);* **2.** *(avere coraggio)* sich trauen, sich *(dat)* etw. zutrauen; ~ **è bene, non** ~ **è meglio** *prov* Vertrauen ist gut, Kontrolle ist besser *prov.* **fidato, -a** [fi'da:to] *agg* zuverlässig.

fido ['fi:do] *m* Kredit *m.*

fiducia [fi'du:tʃa] ⟨-cie⟩ *f* Vertrauen *n (in* zu); **di** ~ Vertrauens-. **fiducioso, -a** [...du'tʃo:so] *agg* vertrauensvoll, zuversichtlich, vertrauend *(in* auf *+akk).*

fiele ['fiɛ:le] *m* **1.** *(bile)* Galle *f;* **2.** *fig (astio)* Bitterkeit *f,* Groll *m.*
fienile [fie'ni:le] *m* Heuschober *m.*
fieno ['fiɛ:no] *m* Heu *n;* **febbre (***o* **raffreddore) da** ~ Heuschnupfen *m.*
fiera ['fiɛ:ra] *f* **1.** *(di paese)* Jahrmarkt *m;* **2.** *(del bestiame)* (Vieh)markt *m;* **3.** *com (esposizione)* Messe *f,* Ausstellung *f;* ~ **di beneficenza** Wohltätigkeitsbasar *m.*
fierezza [fie'rettsa] *f* Stolz *m.*
fieristico, -a [fie'ri:stiko] ⟨-ci, -che⟩ *agg* Messe-.
fiero, -a ['fiɛ:ro] *agg* **1.** *(orgoglioso)* stolz; (*di* auf +*akk*); **2.** *letter (feroce, crudele)* grausam, heftig.
fievole ['fie:vole] *agg* schwach.
fifa ['fi:fa] *f fam* Bammel *m fam,* Schiß *m fam.* **fifone, -a** [fi'fo:ne] *m, f fam* Angsthase *m fam.*
figlia ['fiʎʎa] ⟨-glie⟩ *f* Tochter *f.*
figliastro, -a [fiʎ'ʎastro] *m, f* Stiefsohn *m,* -tochter *f.*
figlio ['fiʎʎo] ⟨-gli⟩ *m* **1.** *(prole)* Kind *n; (di sesso maschile)* Sohn *m;* **2.** *zoo* Junge(s) *n;* **3.** ⟨*pl*⟩ *(prole)* Kinder *n pl;* ~ **unico** Einzelkind *n;* ~ **di mamma/papà** *fam* Mutter-/Vatersöhnchen *n fam;* **senza -gli** kinderlos. **figlioccio, -a** [...'ʎɔttʃo] ⟨-cci, -cce⟩ *m, f* Patenkind *n.*
figura [fi'gu:ra] *f* **1.** *gener.* Figur *f;* **2.** *(aspetto esteriore)* Form *f,* Gestalt *f; (apparenza)* Aussehen *n,* Erscheinung *f;* **3.** *(illustrazione, abbr* **fig.***)* Abbildung *f,* Bild *n;* ~ **simbolica** Symbolfigur *f;* **far** ~ gut aussehen; *(abiti)* gut stehen, kleiden; **fare (una) bella/brutta** ~ einen guten/schlechten Eindruck machen; **che** ~! *iron* so eine Blamage!.
figurare [figu'ra:re] **I.** *tr* **1.** *(ritrarre)* darstellen; **2.** *(simboleggiare)* symbolisieren, versinnbildlichen; **3.** *(plasmare)* bearbeiten; **II.** *itr (esserci)* (dabei) sein, sich befinden, erscheinen; *(in registri)* verzeichnet sein; **III.** *rfl:* **-arsi** sich *(dat)* vorstellen; **figurati!** stell dir vor!, denk nur!. **figurativo, -a** [...ra'ti:vo] *agg* bildlich, darstellend; *(arti)* bildend. **figurato, -a** [...'ra:to] *agg* **1.** *(con figure)* Bild-; *(libro)* bebildert; **2.** *fig (espressione, parola)* bildlich, übertragen. **figurina** [...'ri:na] *f* **1.** *(statuetta)* Figurine *f;* **2.** *(su cartoncino)* Bildchen *n.* **figurino** [...'ri:no] *m* Modeskizze *f,* -zeichnung *f.*
figuro [fi'gu:ro] *m* (verdächtiges) Individuum *n.*
fila ['fi:la] *f* **1.** *(serie)* Reihe *f;* **2.** *(successione nel tempo)* Serie *f,* Folge *f;* **3.** *fig* Reihe *f,* Serie *f;* **4.** *(coda)* Schlange *f;* **far la** ~ Schlange stehen; **in** ~ in Reih' und Glied; **in** ~ **indiana** im Gänsemarsch; **di** ~ hintereinander.
filamento [fila'mento] *m* **1.** *bot* Staubfaden *m;* **2.** *(di lampadina)* Glühfaden *m;* **3.** *anat* Faser *f.*
filanca® [fi'laŋka] *f* Helanca® *n.*
filante [fi'lante] *agg* Fäden ziehend; **stella** ~ Sternschnuppe *f; (per carnevale, decorazioni)* Luftschlange *f.*
filantropia [filantro'pi:a] *f* Menschenliebe *f,* Philantropie *f geh.*
filare[1] [fi'la:re] *m (di piante)* Reihe *f.*
filare[2] [fi'la:re] **I.** *tr* ⟨*avere*⟩ **1.** *(fibre tessili)* spinnen; **2.** *(ridurre in fili)* Fäden ziehen lassen; **3.** *naut* (ab)fieren; **II.** *itr* ⟨*essere o avere*⟩ **1.** *(fare la tela)* spinnen; **2.** *(assumere forma di filo)* Fäden ziehen; **3.** *fig (discorso)* fließen; **4.** *(avere un filo logico)* schlüssig (*o* logisch) sein; **5.** *(procedere velocemente)* rasen, brausen; **6.** *fam (andarsene)* verschwinden *fam; (svignarsela)* sich verdrücken, sich aus dem Staub machen *fam;* **7.** *scherz (amoreggiare)* flirten; ~ **diritto** *fam* spuren *fam.*
filarmonico, -a [filar'mɔ:niko] *agg* philharmonisch.
filastrocca [filas'trɔkka] ⟨-cche⟩ *f* **1.** *(per bambini)* Kinderreim *m;* **2.** *peg* Litanei *f,* Rattenschwanz *m fam.*
filatelia [filate'li:a] *f* Philatelie *f,* Briefmarkenkunde *f.*
filato, -a [fi'la:to] **I.** *agg* **1.** *(ridotto in filo)* gesponnen; **2.** *fig (ininterrotto)* schlüssig; **zucchero** ~ Zuckerwatte *f;* **II.** *m* Garn *n.* **filatura** [...'tu:ra] *f* **1.** *(lavorazione)* Spinnen *n;* **2.** *(stabilimento)* Spinnerei *f.*
file ['faıl] ⟨-⟩ *m inform* Datei *f.*
filettatura [filetta'tu:ra] *f tec* Gewinde *n.* **filetto** [fi'letto] *m* **1.** *(nastrino)* Band *n;* **2.** *(gallone)* Tresse *f,* Litze *f; (su uniforme)* Vorstoß *m,* Besatz *m;* **3.** *gastr* Filet *n;* **4.** *(di vite)* Gewinde *n.*
filiale [fi'lia:le] **I.** *agg* kindlich, Kinder-, Kindes-; **II.** *f* Filiale *f,* Zweigstelle *f.*
filiforme [fili'forme] *agg* fadenförmig.
filigrana [fili'gra:na] *f* **1.** *(in oreficeria)* Filigran *n;* **2.** *(sulla carta)* Wasserzeichen *n.*
Filippine [filip'pi:ne] *f pl:* **le (isole)**~ die Philippinen.
Filippo [fi'lippo] *(nome proprio maschile)* Philipp.
film [film] ⟨-⟩ *m* **1.** *fot, film* Film *m;* **2.** *(per alimenti)* Folie *f;* ~ **d'avventure** Abenteuerfilm *m;* ~ **dell'orrore** Horrorfilm *m.* **filmare** [...'ma:re] *tr* **1.** *(girare)* aufnehmen, filmen; **2.** *(romanzo, racconto)* verfilmen.
filo ['fi:lo] *m* Faden *m; (prodotto)* Garn *n; (a. di perle)* Schnur *f; (di lama)* Schneide *f; (metallico)* Draht *m;* ~ **conduttore** *fig* roter Faden; ~ **a piombo** Lot *n;* ~ **spinato** Stacheldraht *m;* ~ **d'erba** Grashalm *m;* **un** ~ **di speranza** ein Hoffnungsschimmer *m;* **un** ~ **di voce** eine dünne Stimme; **non c'è un** ~ **d'acqua** es ist kein Tropfen Wasser da; **dar del** ~ **da torcere a qu** eine harte Nuß für jdn sein; *(a. persona)* jdm zu schaf-

fen machen; **essere attaccato a un** ~ *fig* an einem seidenen Faden hängen; **fare il** ~ **a qu** jdm den Hof machen, sich für jdn interessieren *fam;* **perdere il** ~ **del discorso** den Faden verlieren; **per** ~ **e per segno** lang und breit.

filobus ['fi:lobus] *m* O(berleitungs)bus *m.*

filodendro [filo'dɛ:ndro] *m* Philodendron *m.*

filodiffusione [filodiffu'zio:ne] *f* Drahtfunk *m.*

filodrammatica [filodram'ma:tika] ⟨-che⟩ *f* Laienschauspieltruppe *f.*

filogovernativo, -a [filogoverna'ti:vo] *agg* regierungsfreundlich.

filologia [filolo'dʒi:a] ⟨-gie⟩ *f* Philologie *f.*

filologo, -a [fi'lɔ:logo] ⟨-gi, -ghe⟩ *m, f* Philologe *m,* -login *f.*

filoncino [filon'tʃi:no] *m* Stangenweißbrot *n.*

filone [fi'lo:ne] *m* **1.** *(di giacimento)* Ader *f;* **2.** *(pane)* ≃ Baguette *n;* **3.** *fig (di cultura)* Bewegung *f,* Strömung *f.*

filonucleare [filonukle'a:re] **I.** *agg* die Atomkraft befürwortend; **II.** *mf* Atomkraftbefürworter(in) *m(f).*

filosofia [filozo'fi:a] ⟨-ie⟩ *f* **1.** *(dottrina)* Philosophie *f;* **2.** *fig (serenità)* Gelassenheit *f,* Gleichmut *m.* **filosofo, -a** [fi'lɔ:zofo] *m, f* Philosoph(in) *m(f).*

filovia [filo'vi:a] *f* Autobuslinie *f* mit Oberleitung.

filtrare [fil'tra:re] **I.** *tr* ⟨*avere*⟩ filtern; **II.** *itr* ⟨*essere*⟩ **1.** *(liquidi)* durchsickern; **2.** *(luce)* durchdringen, -scheinen; **3.** *fig (notizie)* durchsickern.

filtro ['filtro] *m* Filter *m.*

filza ['filtsa] *f* **1.** *(serie di elementi)* Kette *f;* **2.** *fig (sequela)* Reihe *f.*

fin [fin] *v.* **fine²**, **fino.**

finale [fi'na:le] **I.** *agg* **1.** *(alla fine, ultimo)* letzte(r, s), End-, Schluß-; **2.** *(definitivo)* endgültig; **3.** *gram* final, Final-; **II.** *m* **1.** *(conclusione)* Schluß *m,* Ende *n;* **2.** *mus* Finale *n;* **III.** *f* **1.** *gram* Finalsatz *m;* **2.** *sport* Endrunde *f; (calcio, tennis)* Finale *n,* Endspiel *n; (pugilato)* Endkampf *m.* **finalissima** [fina'lissima] *f* Endausscheidung *f.* **finalista** [...'lista] ⟨-i *m,* -e *f*⟩ *mf* Endspielteilnehmer(in) *m(f).*

finalità [finali'ta] ⟨-⟩ *f* Zweck *m.*

finalizzare [finalid'dza:re] *tr* einem bestimmten Ziel unterordnen, auf ein bestimmtes Ziel hin ausrichten. **finalizzazione** [...dzat'tsio:ne] *f* Ausrichtung *f* auf einen bestimmten Zweck.

finalmente [final'mente] *avv* endlich.

finanza [fi'nantsa] *f* **1.** *gener.* Finanz *f,* Geldwesen *n;* **2.** ⟨*pl*⟩ *(mezzi di enti pubblici)* Gelder *n pl,* Finanzen *f pl;* **3.** ⟨*pl*⟩ *(disponibilità private)* Finanzen *f pl;* **4.** *(banche)* Bankwelt *f,* Finanz *f.* **finanziare** [...'tsia:re] ⟨finanzio, finanzi⟩ *tr* finanzieren. **finanziario, -a** [...'tsia:rio] ⟨-i, -ie⟩ **I.** *agg* finanziell, Finanz-; **II.** *f* **1.** *(società)* Finanzgesellschaft *f;* **2.** *pol* Haushaltsgesetz *n;* ~ **di controllo** Holding(-gesellschaft) *f.* **finanziere, -a** [...'tsiɛ:re] *m, f* **1.** *(esperto)* Finanzexperte *m,* -expertin *f,* Finanzberater(in) *m(f); (banchiere)* Finanzier *m;* **2.** *(della guardia di finanza doganale)* Zollbeamte(r) *m,* beamtin *f; (... tributaria)* Steuerfahnder(in) *m(f).*

finché [fiŋ'ke] *cong* **1.** *(per tutto il tempo che)* solange; **2.** *(fino al momento in cui)* (solange,) bis.

fine¹ ['fi:ne] *agg* **1.** *gener.* fein; *(sottile a.)* dünn; **2.** *(puro)* rein; **3.** *fig (vista)* gut, scharf; *(udito)* fein; **4.** *fig (abito)* geschmackvoll, elegant; *(signora)* elegant, vornehm.

fine² ['fi:ne] **I.** *f (conclusione)* Ende *n,* Schluß *m;* **alla** ~ schließlich; **alla fin** ~ am Ende, alles in allem, im Endeffekt; **in fin dei conti** schließlich und endlich; **II.** *m* **1.** *(scopo)* Ziel *n,* Zweck *m;* **2.** *(esito)* Ende *n,* Ausgang *m;* **secondo** ~ Hintergedanke *m;* **lieto** ~ Happy End *n;* **a fin di bene** in bester Absicht.

fine(-)settimana ['fi:ne setti'ma:na] ⟨-⟩ *m o f* Wochenende *n.*

finestra [fi'nɛstra] *f a. inform* Fenster *n.*

finestrino [fines'tri:no] *m (di veicolo)* Fenster *n.*

finezza [fi'nettsa] *f* Feinheit *f; (acutezza)* Schärfe *f.*

fingere ['findʒere] ⟨fingo, fingi, finsi, finto⟩ **I.** *tr* vortäuschen; **II.** *itr* sich verstellen, so tun (*di +inf* als ob); **III.** *rfl:* **-ersi** sich stellen.

finimondo [fini'mondo] *m fam* Heidenlärm *m fam,* Mordskrach *m fam.*

finire [fi'ni:re] ⟨finisco⟩ **I.** *tr* ⟨*avere*⟩ **1.** *(portare a compimento)* beenden; *(lavoro a.)* abschließen, fertigmachen; **2.** *(smettere)* aufhören; **3.** *(estinguere)* auf-, verbrauchen; ~ **con** *+inf* darauf hinauslaufen, daß ...; **finirai con l'ammalarti** du wirst noch krank werden; ~ **di mangiare/bere/parlare** fertigessen/austrinken/ausreden; **II.** *itr* ⟨*essere*⟩ **1.** *(giungere alla fine)* zu Ende gehen; **2.** *(per consumo)* zur Neige gehen, ausgehen; **3.** *(morire)* sterben; ~ **male** böse enden; **dov'è andato a** ~ **il giornale?** wo ist die Zeitung hingekommen?

finito, -a [fi'ni:to] *agg* **1.** *(compiuto)* beendet; *(lavoro a.)* abgeschlossen; **2.** *fig (rovinato)* gebrochen, erledigt *fam;* **3.** *(prodotto)* fertig, Fertig-; **farla -a con qu** mit jdm Schluß machen; **(tutto) è** ~ es ist (alles) aus.

finlandese [finlan'de:se] **I.** *agg* finnisch; **II.** *mf* Finne *m,* Finnin *f.* **Finlandia** [...'landia] *f* Finnland *n.*

fino ['fi:no] ⟨*davanti a consonante:* fin⟩ **I.** *prp* bis; ~ **a** bis; *(luogo)* bis (zu *o* nach); ~ **a casa** bis nach Hause; ~ **a do-**

mani bis morgen; ~ **a nuovo ordine** bis auf weiteres; ~ **ad allora** bis zu dem Zeitpunkt; **fin da ...** schon seit ..., von ... an; **fin da bambino** von Kind an; **fin da ieri/domani** seit gestern/von morgen an, ab morgen; **fin dove/quando** bis wo/wann; **II.** *avv* lett *(perfino)* sogar, selbst.

fino, -a ['fi:no] *agg* fein.

finocchio [fi'nɔkkio] ⟨-cchi⟩ *m* **1.** *bot* Fenchel *m;* **2.** *volg (pederasta)* Schwule(r) *m fam.*

finora [fi'no:ra] *avv* bis jetzt.

finsi ['finsi] *p rem di* **fingere.**

finta ['finta] *f* **1.** *(simulazione)* Verstellung *f;* **2.** *sport* Finte *f;* **far ~ di niente** tun, als ob nichts geschehen sei.

fintantoché [fintanto'ke] *v.* **finché.**

finto, -a ['finto] **I.** *pp di* **fingere; II.** *agg* **1.** *(non vero)* falsch; **2.** *(artificiale)* künstlich, Kunst-; **3.** *(simulato)* vorgetäuscht, Schein-; **~a pelle** Kunstleder *n;* **fare il ~ tonto** sich dumm stellen.

finzione [fin'tsio:ne] *f* **1.** *(simulazione)* (Vor)täuschung *f;* **2.** *(doppiezza)* Heuchelei *f,* Verstellung *f;* **3.** *(artistica)* Fiktion *f.*

fioccare [fiok'ka:re] ⟨fiocco, fiocchi⟩ *itr* ⟨*essere*⟩ **1.** *(cadere a fiocchi)* (in Flokken) schneien; **2.** *fig* regnen, hageln.

fiocco ['fiɔkko] ⟨-cchi⟩ *m* **1.** *(di lana, neve)* Flocke *f; (di stoffa)* Bausch *m;* **2.** *(di nastro)* Schleife *f;* **3.** *naut* Klüver *m;* **-cchi d'avena** Haferflocken *f pl;* **coi -cchi** *fig* ausgezeichnet, vorzüglich.

fiocina ['fiɔ:tʃina] *f* Harpune *f.*

fioco, -a ['fiɔ:ko] ⟨-chi, -che⟩ *agg* schwach.

fionda ['fionda] *f* Schleuder *f.*

fioraio, -a [fio'ra:io] ⟨-ai, -aie⟩ *m, f* Blumenhändler(in) *m(f).*

fiorami [fio'ra:mi] *m pl:* **a ~** geblümt.

fiordaliso [fiorda'li:zo] *m* Kornblume *f.*

fiordo ['fiɔrdo] *m* Fjord *m.*

fiore ['fio:re] *m* **1.** *bot* Blume *f;* **2.** *(di albero, pianta)* Blüte *f;* **3.** *fig* Blüte *f;* **4.** *(parte eletta)* Auslese *f; (della società)* Elite *f;* **5.** ⟨*pl*⟩ *(di carte da gioco)* Kreuz *n,* Eichel *f;* **essere in ~** blühen; **fior di farina/latte** Auszugsmehl *n/* Rahm *m;* **avere i nervi a fior di pelle** *fig* total angespannt sein; **a fior d'acqua** an der Wasseroberfläche.

fioretto [fio'retto] *m sport* Florett *n.*

fioriera [fio'riɛ:ra] *f (per l'interno)* Blumenschale *f; (per l'esterno)* Blumenkasten *m.*

fiorino [fio'ri:no] *m* Gulden *m,* Florin *m.*

fiorire [fio'ri:re] ⟨fiorisco⟩ **I.** *itr* ⟨*essere*⟩ **1.** *(essere in fiore, a. fig)* blühen; **2.** *(iniziare la fioritura, a. fig)* erblühen. **fiorista** [...'rista] ⟨-i *m,* -e *f*⟩ *mf* Florist(in) *m(f).* **fiorito, -a** [...'ri:to] *agg* **1.** *(coperto di fiori)* blumenbedeckt; *(adorno di fiori)* blumengeschmückt; **2.** *fig (stile)* blumig. **fioritura** [...ri'tu:ra] *f* **1.** *(processo, a. fig)* Blüte *f;* **2.** *(epoca)* Blüte(zeit) *f.*

Firenze [fi'rɛntse] *f* Florenz *n.*

firma ['firma] *f* **1.** *(sottoscrizione)* Unterschrift *f;* **2.** *fig (persona rinomata)* Name *m;* **avere la ~** *com* zeichnungsbefugt sein, Prokura haben.

firmamento [firma'mento] *m* Firmament *n.*

firmare [fir'ma:re] *tr* unterschreiben. **firmatario, -a** [firma'ta:rio] ⟨-i, -ie⟩ **I.** *agg* unterzeichnend; **II.** *m, f* Unterzeichner(in) m(f). **firmato, -a** [fir'mato] *agg* Designer-.

fisarmonica [fizar'mɔ:nika] *f* Ziehharmonika *f,* Akkordeon *n.*

fiscale [fis'ka:le] *agg* **1.** *(di tributi)* fiskalisch, steuerlich, Steuer-; **2.** *(per controllo)* Kontroll-; **3.** *(medico)* Amts-; **4.** *fig peg (rigoroso, vessatorio)* streng, hart. **fiscalista** [...ka'lista] ⟨-i *m,* -e *f*⟩ *mf (consulente fiscale)* Steuerberater(in) *m(f).* **fiscalizzazione** [...liddzat'tsio:ne] *f* Besteuerung *f.*

fischiare [fis'kia:re] ⟨fischio, fischi⟩ **I.** *itr* pfeifen; *(serpente)* zischen; **mi fischiano le orecchie** *fig scherz* mir klingen die Ohren; **II.** *tr* pfeifen; *(per disapprovare)* auspfeifen. **fischietto** [...'kietto] *m* Trillerpfeife *f.*

fischio ['fiskio] ⟨-schi⟩ *m* **1.** *(suono)* Pfiff *m; (a. fig)* Pfeifen *n; (di serpenti)* Zischen *n;* **2.** *(strumento)* Pfeife *f;* **prendere -schi per fiaschi** *fig* etw. falsch verstehen.

fisco ['fisko] *m* **1.** *(sistema fiscale)* Fiskus *m;* **2.** *(ufficio)* Steuerbehörde *f.*

fisica ['fi:zika] ⟨-che⟩ *f* Physik *f;* ~ **nucleare** Kernphysik *f.* **fisico, -a** [...ko] ⟨-ci, -che⟩ **I.** *agg* **1.** *scient, fis* physikalisch; **2.** *(della natura)* physisch; *(del corpo umano)* physisch, körperlich, Körper-; **educazione -a** Leibeserziehung *f;* **II.** *m* Körperbau *m;* **III.** *m, f* Physiker(in) *m(f).*

fisiologia [fiziolo'dʒi:a] *f* Physiologie *f.*

fisionomia [fiziono'mi:a] ⟨-ie⟩ *f* **1.** *(di persona)* Physiognomie *f geh,* Gestalt *f; (del viso)* Gesicht *n,* Gesichtszüge *m pl;* **2.** *fig* Aussehen *n,* Charakter *m.*

fisioterapia [fiziotera'pi:a] *f* Physiotherapie *f.* **fisioterapista** [-tera'pista] *mf* Physiotherapeut(in) *m(f).*

fissare [fis'sa:re] **I.** *tr* **1.** *(applicare)* befestigen, festmachen; *(chiodo)* einschlagen; **2.** *fig (sguardo, attenzione)* richten auf +*akk;* **3.** *(guardare in modo fisso)* starren, fixieren; **4.** *(stabilire)* festsetzen; *(pattuire: prezzo)* vereinbaren; *(domicilio)* legen, aufschlagen; **5.** *(prenotare)* reservieren; *(viaggio)* buchen; **II.** *rfl:* **-arsi 1.** *(tenersi fermo)* sich richten (*su* auf +*akk*); **2.** *(stabilirsi in un luogo)* sich niederlassen; **3.** *fig (intestarsi)* sich *(dat)* in den Kopf setzen (*su qc* etw.), sich versteifen (*di* auf *+akk*). **fissato, -a** [...'sa:to] *m, f* Besessene(r) *mf.* **fissatore** [...'to:re] *m* Fixativ *n;* ~ **per capelli** Haarfestiger *m.* **fissazione** [...sat'tsjo:ne] *f* fixe Idee; *psic* Zwangsvorstellung *f.*

fissionare [fissjo'na:re] *tr fis* spalten. **fissione** [fis'sjo:ne] *f* Kernspaltung *f.*

fisso, -a ['fisso] *agg* **1.** *gener.* fest; **2.** *(sguardo)* starr; **3.** *(idea)* fix; **chiodo** ~ *fig* fixe Idee; **prezzo** ~ fester Preis.

fitness ['fitnɪs] ⟨-⟩ *f* Fitneßtraining *n..*

fitta ['fitta] *f* stechender Schmerz.

fittacamere [fitta'ka:mere] ⟨-⟩ *mf fam* Zimmervermieter(in). *m(f).* **fittare** [fit'ta:re] *tr fam* vermieten.

fittizio, -a [fit'tittsjo] ⟨-i, -ie⟩ *agg* fiktiv, Schein-.

fitto[1] ['fitto] *m:* **nel** ~ **del bosco** im Dikkicht des Waldes.

fitto[2] ['fitto] *m (pigione)* Miete *f.*

fitto, -a ['fitto] *agg* **1.** *(bosco)* dicht; *(tessuto)* engmaschig; *(buio)* tief; **2.** *(chiodo)* eingeschlagen.

fiumana [fju'ma:na] *f* **1.** *(corrente)* Flut *f;* **2.** *fig (massa)* Strom *m,* Menge *f.*

fiume ['fju:me] **I.** *m* **1.** *(corso d'acqua)* Fluß *m; (~ grande)* Strom *m;* **2.** *fig (grande quantità)* Strom *m; (di parole)* Schwall *m;* **a -i** in Strömen; **II.** ⟨*inv*⟩ *agg fig* endlos; **romanzo** ~ Romanzyklus *m;* **discorso** ~ endlose Rede; **seduta** ~ Marathonsitzung *f.*

fiutare [fju'ta:re] *tr* **1.** *(annusare)* beschnuppern; **2.** *(aspirare col naso)* schnupfen; **3.** *fig (intuire)* wittern. **fiuto** ['fju:to] *m* **1.** *(il fiutare)* Schnuppern *n; (odorato)* Witterung *f;* **2.** *(aspirazione)* Schnupfen *n;* **3.** *fig (intuizione)* Spürsinn *m,* Riecher *m fam.*

fixing ['fiksiŋ] ⟨-⟩ *m* amtliche Notierung.

flaccido, -a [flɑt'tʃido] *agg* schlaff.

flacone [fla'ko:ne] *m* Flakon *n o m,* Fläschchen *n.*

flagello [fla'dʒɛllo] *m (a. fig)* Geißel *f.*

flagrante [fla'grante] **I.** *agg* offensichtlich, offenkundig; **II.** *m:* **cogliere qu in** ~ jdn auf frischer Tat (*o* in flagranti) ertappen.

flanella [fla'nɛlla] *f* Flanell *m.*

flash [flæʃ] **I.** ⟨*inv*⟩ *agg:* **una risposta** ~ eine schlagfertige Antwort; **II.** ⟨-⟩ *m* **1.** *fot* Blitzlicht *n;* **2.** *(notizia importante)* (wichtige) Kurzmeldung *f;* **3.** *(comunicazione)* Schlagabtausch *m;* **4.** *sl (drogati)* Flash *m sl.*

flauto ['fla:uto] *m* Flöte *f;* ~ **dolce** Blockflöte *f;* ~ **traverso** Querflöte *f.*

flebile ['flɛ:bile] *agg* weinerlich.

flebo, fleboclisi ['flɛ:bo, flebo'kli:zi] ⟨-⟩ *f* Infusion *f.*

flemma ['flɛmma] *f* Phlegma *n,* Trägheit *f; (tranquillità eccessiva)* Gemütsruhe *f.* **flemmatico, -a** [flem'ma:tiko] ⟨-ci, -che⟩ *agg* phlegmatisch, träge, schwerfällig.

flessibile [fles'si:bile] *agg* biegsam; *(a. fig)* flexibel; *(carattere)* nachgiebig; **orario** ~ gleitende Arbeitszeit, Gleitzeit *f.*

flessione [fles'sjo:ne] *f* **1.** *(azione)* Krümmen *n,* Biegen *n;* **2.** *(piegatura, curvatura)* Krümmung *f,* Biegung *f;* **3.** *(in ginnastica)* Beuge *f;* **4.** *gram* Flexion *f,* Beugung *f;* **5.** *com (calo)* Rückgang *m.*

flesso ['flɛsso] *pp di* **flettere.**

flessuoso, -a [flessu'o:so] *agg* geschmeidig.

flettere ['flɛttere] ⟨fletto, flettei, flesso⟩ **I.** *tr* biegen; *(membra)* beugen; *gram* flektieren, beugen; **II.** *rfl:* **-ersi** sich biegen, sich beugen.

flippare [flip'pɑre] *itr* ⟨*avere*⟩ **1.** *sl (droga)* sich *(dat)* einen Schuß setzen; **2.** *(giocare al flipper)* flippern *fam;* **3.** *(gergo giovanile: agitarsi)* ausflippen, durchdrehen. **flipper** [flipper] ⟨-⟩ *m* Flipper(automat) *m.*

flirtare [flir'ta:re] *itr* flirten.

flit ['flit] ⟨-⟩ *m (per uso domestico)* Insektenspray *n.*

F.lli *abbr di* **fratelli** Gebr. (*abk von* Gebrüder).

F.L.M. *f abbr di* **Federazione Lavoratori Metalmeccanici** *Verband der Arbeitnehmer in der metallverarbeitenden Industrie.*

flogistico, -a [flo'dʒistiko] ⟨-ci, -che⟩ *agg* entzündlich.

flop ['flɔp] ⟨-⟩ *m* Flop *m,* Reinfall *m.*

floppy disk ['flɔpɪ disk] ⟨-⟩ *m* Diskette *f.*

flora ['flɔ:ra] *f* Pflanzenwelt *f,* Flora *f.*

floreale [flore'a:le] *agg* Blumen-.

florido, -a ['flɔ:rido] *agg* blühend.

floscio, -a ['flɔʃʃo] ⟨-sci, -sce⟩ *agg* **1.** *(non rigido)* weich; **2.** *(moscio)* schlaff; **3.** *fig (molle)* weichlich.

flotta ['flɔtta] *f* Flotte *f.*

fluido, -a ['flu:ido] **I.** *agg* **1.** *fis, fig (stile)* flüssig; **2.** *fig (mutevole)* wandelbar, unbeständig; **II.** *m* **1.** *fis* Flüssigkeit *f;* **2.** *fig* Fluidum *n.*

fluire [flu'i:re] ⟨fluisco⟩ *itr* ⟨*essere*⟩ **1.** *(liquidi)* fließen; *(a. gas)* strömen; **2.** *fig (discorso)* fließen.

fluorescente [fluoreʃ'ʃɛnte] *agg* fluoreszierend; **lampada** ~ Neonlampe *f.*

fluoro [flu'ɔ:ro] *m* Fluor *n.*

flusso ['flusso] *m* **1.** *(scorrimento, a. fis)* Strom *m,* Fluß *m; (a. del gas)* Strömen *n; (dell'acqua)* Fließen *n;* **2.** *fig (della storia)* Lauf *m,* Gang *m;* **3.** *fig (di persone)* Strom *m; (di cose)* Fluß *m;* **4.** *(alta marea)* Flut *f;* **5.** *inform* Datenfluß *m;* ~ **di merci** Warenstrom *f.*

flûte ['flyt] ⟨-⟩ *m* Sektglas *n.*

fluttuare [fluttu'a:re] *itr* **1.** *(ondeggiare)* wogen, schaukeln; *fig (abito)* wallen, fließen; **2.** *(variare, a. econ)* schwanken, fluktuieren *geh;* **3.** *fin* floaten. **fluttuazione** [...uat'tsjo:ne] *f* **1.** *(a. econ)*

Schwankung *f,* Fluktuation *f geh;* **2.** *fin* Floaten *n;* ~ **congiunta** Floating *n;* ~ **dei cambi** Kursschwankung *f.*
fluviale [flu'vi̯a:le] *agg* Fluß-.
F.M.E. *m abbr di* **Fondo Monetario Europeo** E.W.F. (*abk von* Europäischer Währungsfonds).
F.M.I. *abbr di* **Fondo Monetario Internazionale** I.W.F. (*abk von* Internationaler Währungsfonds)
foca ['fɔ:ka] ⟨-che⟩ *f* Seehund *m.*
focaccia [fo'kattʃa] ⟨-cce⟩ *f* **1.** *(pane)* Fladen *m;* **2.** *(dolce)* runder Hefekuchen.
focale [fo'kɑle] *agg* Brenn-; **distanza** ~ Brennweite *f;* **punto** ~ Brennpunkt *m; fig* springender Punkt. **focalizzare** [fokɑlid'dʒɑ:re] *tr* **1.** *fot* scharf einstellen; *fis* fokusieren; **2.** *fig* auf den Punkt bringen.
foce ['fo:tʃe] *f* Mündung *f.*
focolaio [foko'la:i̯o] ⟨-ai⟩ *m,* **focolare** [...'la:re] *m (a. fig)* Herd *m.* **focoso, -a** [foko:zo] *agg fig* feurig, stürmisch.
fodera ['fɔ:dera] *f* Hülle *f,* Bezug *m; (di vestito)* Futter *n; (di libro)* Schutzhülle *f;* ~ **del cuscino** Kissenbezug *m.* **foderare** [fode'ra:re] *tr (vestiti)* füttern; *(libri)* einbinden; *(cassetti)* ausschlagen.
fodero ['fɔ:dero] *m (di spada)* Scheide *f.*
foga ['fo:ga] *f* Hitze *f,* Eifer *m;* **nella ~ del discorso** im Eifer des Gesprächs.
foggia ['fɔddʒa] ⟨-gge⟩ *f* **1.** *(forma)* Form *f; (di abito)* Schnitt *m;* **2.** *(modo di abbigliarsi)* Tracht *f,* Mode *f.*
foglia ['fɔʎʎa] ⟨-glie⟩ *f bot* Blatt *n;* **tremare come una** ~ wie Espenlaub zittern.
fogliame [foʎ'ʎa:me] *m* Laub *n.*
foglietto [foʎ'ʎetto] *m* (Notiz)zettel *m.*
foglio ['fɔʎʎo] ⟨-gli⟩ *m* **1.** *(pezzo di carta)* Bogen *m,* Blatt *n;* **2.** *(documento, banconota)* Schein *m;* ~ **elettronico** Tabellenkalkulation *f;* ~ **forato** Ringbuchblatt *n;* ~ **rosa** provisorische Fahrerlaubnis; ~ **di stile** Druckformatvorlage *f.*
fogna ['foɲɲa] *f* **1.** *(canale)* Abwasserkanal *m;* **2.** *fig peg* Sumpf *m.* **fognatura** [-'tu:ra] *f* Kanalisation *f,* Entwässerung *f.*
folata [fo'la:ta] *f* Windstoß *m.*
folclore [folk'lo:re] *m* Folklore *f.* **folcloristico, -a** [...klo'ristiko] ⟨-ci, -che⟩ *agg* Volks-, folkloristisch.
folgorare [folgo'ra:re] *tr* **1.** *(fulmine)* treffen, erschlagen; **2.** *(scarica elettrica)* mit einem elektrischen Schlag treffen; **3.** *(con arma da fuoco)* niederschießen.
folla ['folla *o* 'fɔlla] *f* Menge *f.*
folle ['fɔlle] **I.** *agg* verrückt, wahnsinnig; *(progetto, spesa a.)* sinnlos, unsinnig; **in** ~ *mot* im Leerlauf; **II.** *mf* Narr *m,* Närrin *f.* **folleggiare** [folled'dʒa:re] ⟨folleggio, folleggi⟩ *itr* es toll treiben.
follia [fol'li:a] ⟨-ie⟩ *f* **1.** *(pazzia)* Wahnsinn *m;* **2.** *(stoltezza)* Torheit *f.*
folto, -a ['folto] **I.** *agg* dicht; **II.** *m* **1.** *(del bosco)* Dickicht *n;* **2.** *fig (della mischia)* Getümmel *n,* Gewühl *n.*
fomentare [fomen'ta:re] *tr* schüren.
fondamentale [fondamen'ta:le] *agg* wesentlich, Grund-. **fondamentalismo** [...ta'lizmo] *m* Fundamentalismus *m (a. rel).* **fondamentalista** [...ta'lista] ⟨-i *m,* -e *f*⟩ *mf (a. rel)* Fundamentalist(in) *m(f).*
fondamento [fonda'mento] *m* **1.** ⟨*pl:* -a *f*⟩ *arch* Fundament *n;* **2.** ⟨*pl:* -i *m*⟩ *fig* Fundament *n,* Grundlage *f.*
fondare [fon'da:re] **I.** *tr* **1.** *(costruire)* das Fundament legen für; **2.** *fig (istituire)* gründen; *(teoria)* aufstellen; *(accusa)* stützen; **II.** *rfl:* **-arsi** sich stützen (*su* auf +*akk*); *(su persone)* bauen (*su* auf +*akk*). **fondatezza** [...da'tettsa] *f* Stichhaltigkeit *f,* Glaubwürdigkeit *f.* **fondazione** [...dat'tsi̯o:ne] *f* **1.** *(istituzione)* Gründung *f;* **2.** *arch* Fundament *n;* **3.** *dir* Stiftung *f.*
fondello [fon'dɛllo] *m:* **prendere qu per i -i** *fam* jdn an der Nase herumführen, jdn auf den Arm nehmen.
fondere ['fondere] ⟨fondo, fusi, fuso⟩ **I.** *tr* **1.** *(neve, ghiaccio)* schmelzen; **2.** *(statua)* gießen; **3.** *fig (colori, società)* verschmelzen; **II.** *itr* schmelzen; **III.** *rfl:* **-ersi 1.** *(sciogliersi)* schmelzen; **2.** *el (valvola)* durchbrennen; **3.** *fig* sich zusammenschließen (*con* mit).
fonderia [fonde'ri:a] ⟨-ie⟩ *f* Gießerei *f.*
fondiario, -a [fon'di̯a:ri̯o] ⟨-i, -ie⟩ *agg* Boden-, Grund-.
fondista [fon'dista] ⟨-i *m,* -e *f*⟩ *mf* **1.** *sport* Langstreckenläufer(in) *m(f);* **2.** *(giornalismo)* Leitartikler(in) *m(f).*
fondivalle *pl di* **fondovalle.**
fondo[1] ['fondo] *m* **1.** *(di recipiente)* Boden *m; (di pozzo)* Grund *m; (di valle)* Sohle *f;* **2.** *(limite estremo)* Ende *n; (parte inferiore)* unterer Rand; **3.** *(sfondo)* Hintergrund *m;* **4.** *fig (parte più interna)* Innerste(s) *n,* Tiefe *f;* **5.** *sport* Langstrecke *f,* Langstreckenlauf *m;* **6.** *(deposito)* Bodensatz *m;* **7.** *(di liquido)* Rest *m;* **-i di caffè** Kaffeesatz *m;* **-i di magazzino** Restbestände *m pl;* ~ **stradale** Fahrbahn *f;* **sci di** ~ Skilanglauf *m;* **in ~ alla stanza** hinten im Zimmer; **andare a** ~ *(nave)* untergehen; **andare fino in ~ a qc** *fig* einer Sache *(dat)* auf den Grund gehen; **conoscere/esaminare a** ~ gründlich kennen/untersuchen; **di** ~ grundlegend; **in** ~ *fig* im Grunde (genommen).
fondo[2] ['fondo] *m* **1.** *(bene immobile)* Grundstück *n; (terreno)* (Land)gut *n;* **2.** *com (voce di bilancio)* Fonds *m;* **3.** *(mezzi monetari)* Kapital *n,* Geld(bestand *m*) *n;* ~ **di cassa** Kassenbestand *m;* ~ **d'esercizio** Betriebskapital *n;* **-i** Geldmittel *n pl,* Gelder *n pl;* **a ~ perduto** nicht rückzahlbar.
fondo, -a ['fondo] *agg* tief; **a notte ~a** tief in der Nacht, mitten in der Nacht.

fondotinta [fondo'tinta] ⟨-⟩ *m* Make-up *n.*
fondovalle [fondo'valle] ⟨fondivalle⟩ *m* Talsohle *f.*
fonduta [fon'du:ta] *f* Fondue *n.*
fonetica [fo'nɛ:tika] ⟨-che⟩ *f* Phonetik *f.*
fonoassorbente [fonoassor'bɛnte] *agg* schalldämpfend, schallschluckend.
fonoteca [fono'te:ka] ⟨-che⟩ *f* Schallarchiv *n.*
font [fɔnt] ⟨-⟩ *m* Font *m,* Zeichenssatz *m.*
fontana [fon'ta:na] *f* Brunnen *m;* ~ **a getto** Springbrunnen *m.* **fontanella** [...ta'nɛlla] *f* Fontanelle *f.* **fontaniere** [...ta'ɲiɛ:re] *m* Installateur *m.*
fonte ['fonte] **I.** *f (a. fig)* Quelle *f;* **II.** *m:* ~ **battesimale** Taufbecken *n.*
footing ['futıŋ] ⟨-⟩ *m* Jogging *n.*
foraggio [fo'raddʒo] ⟨-ggi⟩ *m* (Vieh)futter *n.*
forare [fo'ra:re] **I.** *tr* **1.** *(parete, lamiera)* durchlöchern, durchbohren; **2.** *(biglietti)* lochen; **II.** *itr* eine Reifenpanne haben; **III.** *rfl:* **-arsi** *(pneumatico)* platzen.
forbici ['fɔrbitʃi] *f pl* Schere *f;* **un paio di** ~ eine Schere.
forca ['forka] ⟨-che⟩ *f* **1.** *agr* Gabel *f;* **2.** *(patibolo)* Galgen *m;* **3.** *(valico)* enger Bergpaß; **far** ~ *fig reg* die Schule schwänzen.
forcella [for'tʃɛlla] *f* **1.** *tec, bot* Gabel *f;* **2.** *(per capelli)* Haarnadel *f.*
forchetta [for'ketta] *f* Gabel *f;* **essere una buona** ~ *fig* ein guter Esser sein.
forcina [for'tʃi:na] *f* Haarnadel *f.*
foresta [fo'rɛsta] *f* Wald *m;* ~ **vergine** Urwald *m.* **forestale** [fores'tale] *agg* Forst-, Wald-; **patrimonio** ~ Waldbestand *m.* **forestazione** [...t'tsi:one] *f* Aufforstung *f.*
forestiero, -a [fores'tiɛ:ro] **I.** *agg* fremd; **II.** *m, f* Fremde(r) *mf,* Ausländer(in) *m(f).*
forfait [fɔr'fɛ] ⟨-⟩ *m* **1.** *econ* Pauschalbetrag *m,* Pauschale *f;* **2.** *sport* Aufgeben *n;* **dichiarare (***o* **dare)** ~ aufgeben. **forfettario, -a** [fortfet'ta:rio] ⟨-i, -ie⟩ *agg* Pauschal-.
forfora ['forfora] *f* Schuppen *f pl.*
forgia ['fɔrdʒa] ⟨-ge⟩ *f* Schmiede *f.* **forgiare** [for'dʒa:re] ⟨forgio, forgi⟩ *tr* **1.** *(modellare)* schmieden; **2.** *fig (plasmare)* formen.
forma ['forma] *f* **1.** *gener. (a. fig)* Form *f; (del corpo)* Gestalt *f;* **2.** *(per calzature)* Leisten *m; (per dolci)* Form *f; (del sarto)* Schneiderpuppe *f;* **badare alla** ~, **rispettare (***o* **salvare) le -e** die Form wahren; **essere in** ~ in Form sein; **essere giù di** ~ nicht in Form sein; **prendere** ~ Gestalt annehmen; **a** ~ **di** ......-förmig.
formaggiera [formad'dʒɛ:ra] *f* Käsedose *f.*
formaggino [formad'dʒi:no] *m* Käseecke *f.*
formaggio [for'maddʒo] ⟨-ggi⟩ *m* Käse *m;* ~ **da spalmare** Schmier-, Streichkäse *m.*
formaldeide [formal'dɛ:ide] *f* Formaldehyd *n.*
formale [for'ma:le] *agg* **1.** *(attinente alla forma)* formal, Form-; **2.** *(osservante la forma)* förmlich, formal; **3.** *(esplicito, ufficiale)* formell.
formalità [formali'ta] ⟨-⟩ *f* Formalität *f.*
formalizzare [formalid'dza:re] **I.** *tr* formalisieren; **II.** *rfl:* **-arsi** Anstoß nehmen (*per* an *+dat*).
formare [for'ma:re] **I.** *tr* **1.** *(modellare)* formen; **2.** *(creare, costituire)* bilden; **3.** *(addestrare, educare)* aus-, heranbilden, heranziehen; **II.** *rfl:* **-arsi 1.** *(prodursi)* sich bilden; **2.** *(svilupparsi)* sich entwickeln.
formato [for'ma:to] *m* Format *n.*
formattare [format'ta:re] *tr* formatieren.
formattazione [...tat'tsio:ne] *f* Formatierung *f.*
formazione [format'tsio:ne] *f* **1.** *(creazione)* Entstehung *f,* Bildung *f; (sviluppo)* Entwicklung *f;* **2.** *(cognizioni)* Ausbildung *f;* **3.** *geol,*Formation *f;* **4.** *mil* Formation *f; (a. sport)* Aufstellung *f.*
formica® ['fɔrmitka] *f (laminato)* Resopal® *n.*
formica [for'mi:ka] ⟨-che⟩ *f* Ameise *f.* **formicaio** [...mi'ka:io] ⟨-ai⟩ *m* **1.** *zoo* Ameisenhaufen *m;* **2.** *fig* Gewimmel *n.* **formichiere** [...mi'kiɛ:re] *m* Ameisenbär *m.*
formicolare [formiko'la:re] *itr* **1.** ⟨*avere*⟩ *(brulicare)* wimmeln (*di* vor, von); **2.** ⟨*essere*⟩ *(essere intorpidito)* kribbeln.
formicolio [...'li:o] ⟨-ii⟩ *m* **1.** *(brulichio)* Gewimmel *n;* **2.** *(di arti)* Kribbeln *n.*
formidabile [formi'da:bile] *agg* hervorragend, außerordentlich, großartig.
formula ['fɔrmula] *f* Formel *f;* **gara di** ~ **1** Formel-1-Rennen *n.*
formulare [formu'la:re] *tr* formulieren.
formulario [formu'la:rio] ⟨-i⟩ *m* **1.** *(modulo)* Formular *n,* Vordruck *m;* **2.** *(raccolta)* Formelsammlung *f.*
fornace [for'na:tʃe] *f* **1.** *tec* Brennofen *m;* **2.** *(stabilimento)* Ziegelei *f.*
fornaio, -a [for'na:io] ⟨-ai, -aie⟩ *m, f* Bäker(in) *m(f).*
fornello [for'nɛllo] *m* **1.** *(per cucinare)* Herd *m,* Kocher *m;* **2.** *(di caldaia)* Feuerung *f;* **3.** *(di miniera)* Blindschacht *m;* ~ **elettrico/a gas** Elektro-/Gasherd *m* (*o* -kocher *m*).
fornire [for'ni:re] ⟨fornisco⟩ **I.** *tr* **1.** *(somministrare, provvedere)* versorgen (*qc a qu* jdn mit etw.), beliefern (*qc a qu, qu di qc* jdn mit etw.), liefern; **2.** *(informazioni)* erteilen; *(prova)* erbringen; **II.** *rfl:* **-irsi** sich versorgen (*di* mit).
fornitore, -trice [forni'to:re] *m, f* Lieferant(in) *m(f).* **fornitura** [...ni'tu:ra] *f* **1.** *(azione)* (Be)lieferung *f;* **2.** *(merce)*

Lieferung *f.*

forno ['forno] *m* **1.** *(costruzione)* Ofen *m; (in cucina)* Backofen *m;* **2.** *tec* Schmelzofen *m;* **3.** *(panetteria)* Bäckerei *f;* ~ **a microonde** Mikrowellenherd *m;* **pasta al** ~ überbackenes Nudelgericht.

foro[1] ['fo:ro] *m (buco)* Loch *n.*

foro[2] ['fɔ:ro] *m* **1.** *st* Forum *n;* **2.** *dir* Gerichtsstand *m.*

forse ['forse] **I.** *avv* vielleicht; **II.** *m* Zweifel *m;* **essere in** ~ im Zweifel sein.

forsennato, -a [forsen'na:to] **I.** *agg* rasend, wahnsinnig; **II.** *m, f* Rasende(r) *mf,* Wahnsinnige(r) *mf.*

forte[1] ['fɔrte] **I.** *agg* **1.** *gener.* stark; *(robusto a.)* kräftig; *(carattere)* fest; **2.** *(somma)* groß, hoch; **3.** *fig (intenso)* stark; *(colore)* kräftig; *(che non sbiadisce)* waschecht; *(sapore, odore)* scharf; **4.** *(abile)* gut; **moneta** ~ harte Währung; **finanziariamente** ~ kapitalkräftig; **dare man** ~ **a qu** jdn tatkräftig unterstützen; **farsi** ~ **di qc** sich auf etw. *(akk)* stützen; **II.** *avv* **1.** *(con forza)* fest; **2.** *(di suono)* laut; **3.** *(velocemente)* schnell; **4.** *(assai)* stark; *(mangiare)* gut, tüchtig; *(giocare)* hoch; **III.** *m* **1.** *(persona)* starker Mann; *fig* Mächtige(r) *mf;* **2.** *(specialità)* Stärke *f;* **3.** *gastr* Schärfe *f;* **4.** *mus* (*abbr* **f**) Forte *n.*

forte[2] ['fɔrte] *m mil* Fort *n.*

fortezza [for'tettsa] *f* **1.** *mil* Festung *f;* **2.** *(morale)* Stärke *f.*

fortificare [fortifi'ka:re] ⟨fortifico, fortifichi⟩ *tr* **1.** *mil* befestigen; **2.** *(corpo)* kräftigen, stärken. **fortificazione** [...kat'tsio:ne] *f* Befestigung *f.*

fortuito, -a [for'tu:ito] *agg* zufällig; **per un caso** ~ per (*o* durch) Zufall.

fortuna [for'tu:na] *f* **1.** *(destino)* Schicksal *n;* **2.** *(buona sorte)* Glück *n;* **3.** *(patrimonio)* Vermögen *n;* **fare** ~ sein Glück machen; **per** ~ zum Glück; **di** ~ Not-, Behelfs-, provisorisch; **atterraggio di** ~ Notlandung *f.* **fortunato, -a** [...tu'na:to] *agg* glücklich; **essere** ~ Glück haben.

foruncolo [fo'ruŋkolo] *m* Furunkel *m o n.*

forviare [forvi'a:re] ⟨forvio, forvii⟩ **I.** *tr* **1.** *(sviare)* irreleiten; **2.** *fig (traviare)* auf Abwege führen, verführen; **II.** *itr* auf Abwege geraten; *(bes. fig)* vom rechten Weg abkommen.

forza ['fɔrtsa] *f* **1.** *(robustezza, a. fig)* Kraft *f,* Stärke *f; (di sentimenti)* Heftigkeit *f;* **2.** *(efficacia)* Macht *f,* Stärke *f;* **3.** *fis* Kraft *f;* **4.** *(violenza)* Gewalt *f;* **5.** ⟨*pl*⟩ *mil:* **-e (armate)** Streitkräfte *f pl;* ~ **bruta/maggiore** rohe/höhere Gewalt; ~ **lavoro** Arbeitskraft *f;* ~ **pubblica** Staatsgewalt *f;* **F~ Italia** *politische Partei Italiens;* **essere in -e** bei Kräften sein; **farsi** ~ *fig* sich Mut machen; **in** ~ **di** kraft +*gen;* **a** ~ **di ...** vom vielen ..., nach langem ...; **con la** ~ mit Gewalt; **con tutte le -e** mit aller Kraft; **per** ~ *(controvoglia)* notgedrungen; *(naturalmente)* natürlich; **per amore o per** ~ wohl oder übel; ~! vorwärts!, Tempo!, los!

forzare [for'tsa:re] **I.** *tr* **1.** *(scassinare)* aufbrechen; *(penetrare)* durchbrechen; **2.** *(accelerare)* beschleunigen; **3.** *(sottoporre a sforzo)* beanspruchen; **4.** *(costringere)* zwingen; **5.** *(travisare)* verdrehen; **II.** *itr* drücken; *(porta, cassetto)* klemmen. **forzato, -a** [...'tsa:to] **I.** *agg* **1.** *(privo di naturalezza)* gezwungen; **2.** *dir* Zwangs-; **3.** *tec* Druck-; **II.** *m, f* Zuchthäusler(in) *m(f).*

forziere [for'tsiɛ:re] *m* Geldschrank *m.*

forzista [fort'tsista] ⟨-i *m,* -e *f*⟩ *mf* Mitglied *n* der Partei Forza Italia.

foschia [fos'ki:a] ⟨-schie⟩ *f* Dunst *m;* **c'è** ~ es ist diesig.

fosco, -a ['fosko] ⟨-schi, -sche⟩ *agg* **1.** *(colore)* dunkel; **2.** *fig (sguardo)* finster, düster.

fosfato [fos'fa:to] *m* Phosphat *n.*

fosforescente [fosforeʃ'ʃɛnte] *agg* phosphoreszierend; *fig (occhi)* leuchtend.

fosforo ['fɔsforo] *m* Phosphor *m.*

fossa ['fɔssa] *f* **1.** *(scavo, a. geol)* Graben *m;* **2.** *(buca)* Grube *f,* Loch *n;* **3.** *(tomba)* Grab *n;* **4.** *anat* Höhle *f.*

fossato [fos'sa:to] *m* Wassergraben *m; (di fortezza, castello)* Festungsgraben *m.*

fosse ['fosse] *ecc. v.* **essere.**

fossetta [fos'setta] *f* Grübchen *n.*

fossi ['fossi] *ecc. v.* **essere.**

fossile ['fɔssile] **I.** *agg* **1.** *(di epoca remota)* versteinert, fossil; **2.** *fig* vorsintflutlich *scherz;* **II.** *m* Fossil *n.*

fosso ['fɔsso] *m* **1.** *mil* Festungsgraben *m;* **2.** *(per irrigare)* Bewässerungsgraben *m.*

foste, fosti ['foste, ...ti] *v.* **essere.**

foto ['fɔ:to] ⟨-⟩ *f* Foto *n.*

foto- [foto-] *(in parole composte)* Foto-, Photo-.

fotocellula [-'tʃɛllula] *f* Fotozelle *f.*

fotocompositore, -trice [-kompozito:re] *m, f* Fotosetzer(in) *m(f).* **fotocomposizione** [-kompozit'tsio:ne] *f* Fotosatz *m.*

fotocopia [-'kɔ:pia] *f* Fotokopie *f.* **fotocopiare** [-ko'pia:re] *tr* fotokopieren. **fotocopiatrice** [-kopia'tri:tʃe] *f* Fotokopiergerät *n,* Fotokopierer *m;* ~ **a colori** Farbkopierer *m.*

fotocromatico, -a [-kro'ma:tiko] ⟨-ci, -che⟩ *agg* selbsttönend.

fotocronaca [-'krɔ:naka] *f* Bildreportage *f.*

fotogenico, -a [-'dʒɛ:niko] ⟨-ci, -che⟩ *agg* fotogen.

fotogiornalista [-dʒorna'lista] *mf* Bildjournalist(in) *m(f),* Bildreporter(in) *m(f).*

fotografa *f v.* **fotografo.**
fotografare [fotogra'fa:re] *tr* fotografieren, aufnehmen.
fotografia [fotogra'fi:a] *f* Foto(grafie *f*) *n,* Aufnahme *f;* ~ **a colori** Farbfoto *n,* Farbbild *n;* ~ **in bianco e nero** Schwarzweißaufnahme *f;* ~ **formato tessera** Paßbild *n;* ~ **aerea** Luftbild *n;* ~ **istantanea** Momentaufnahme *f,* Schnappschuß *m fam.* **fotografico, -a** [...'gra:fiko] *agg* Foto-, fotografisch; **macchina -a** Kamera *f,* Fotoapparat *m;* **studio** ~ Fotostudio *n,* Fotoatelier *n.*
fotografo, -a [fo'tɔ:grafo] *m, f* Fotograf(in) *m(f).*
fotomodella [-mo'dɛlla] *f* Fotomodell *n.*
fotomontaggio [-mon'taddʒo] *m* Fotomontage *f.* **fotoreportage** [-rəpɔr'ta:ʒ] ⟨-⟩ *m* Bildreportage *f.* **fotoromanzo** [-ro'mandzo] *m* Bildroman *m,* Fotostory *f.* **fotosafari** [-sa'fa:ri] ⟨-⟩ *m* Fotosafari *f.* **fotosensibile** [-sen'si:bile] *agg* lichtempfindlich. **fototeca** [-'tɛ:ka] ⟨-che⟩ *f* Bildarchiv *n.*
fottere ['fottere] **I.** *tr volg* **1.** ficken *vulg,* bumsen *vulg;* **2.** *fam (imbrogliare)* leimen *sl,* linken *sl,* bescheißen *vulg;* **va a farti ~!** *volg* leck mich am Arsch! *vulg;* **II.** *rfl:* **-ersi** *volg* scheißen (*di* auf *+akk*) *vulg.*
foulard [fu'lar] ⟨-⟩ *m* Kopftuch *n; (per il collo)* Halstuch *n.*
fra [fra] *prp v.* **tra.**
fracassare [frakas'sa:re] **I.** *tr* zerschlagen, zertrümmern; **II.** *rfl:* **-arsi** zerbrechen; *(su scogli)* zerschellen; *(legno)* zersplittern.
fracasso [fra'kasso] *m* Krach *m,* Lärm *m; (di vetri)* Geklirr *n,* Klirren *n; (di acqua)* Getöse *n.*
fradicio, -a ['fra:ditʃo] ⟨-ci, -ce⟩ *agg* **1.** *(marcio)* verdorben; *(uova)* faul; *(legno)* morsch; **2.** *(bagnato)* durchnäßt; *(di sudore)* schweißgebadet.
fragile ['fra:dʒile] *agg* **1.** *(facile a rompersi)* zerbrechlich; *(capelli)* spröde; **2.** *fig (gracile)* zart, schwach; *(salute, speranza)* schwach; **~!** *(su pacchi)* Vorsicht, Glas!. **fragilità** [fradʒili'ta] ⟨-⟩ *f* **1.** *(facilità di rompersi)* Zerbrechlichkeit *f;* **2.** *fig (gracilità)* Zartheit *f,* Schwäche *f,* Schwachheit *f.*
fragola ['fra:gola] *f* Erdbeere *f.*
fragore [fra'go:re] *m* Getöse *n; (del tuono)* Grollen *n; (di motori)* Dröhnen *n.* **fragoroso, -a** [...go'ro:so] *agg* tosend, dröhnend; *(applauso)* brausend; *(risata)* schallend.
fragrante [fra'grante] *agg* duftend, wohlriechend. **fragranza** [...'grantsa] *f* Duft *m,* Wohlgeruch *m.*
fraintendere [frain'tɛndere] ⟨*irr*⟩ *tr* mißverstehen.
frammentare [frammen'ta:re] *tr* zerstückeln. **frammentario, -a** [...'ta:rjo] ⟨-i, -ie⟩ *agg* fragmentarisch; *(fig a.)* bruchstückhaft.
frammento [fram'mento] *m* **1.** Bruchstück *n; (coccio)* Scherbe *f; (di osso)* Splitter *m;* **2.** *fig, letter* Fragment *n.*
frana ['fra:na] *f* **1.** *(di terreno)* Erdrutsch *m,* Steinlawine *f;* **2.** *fig (rovina)* Mißerfolg *m;* **3.** *fam scherz (persona)* Niete *f.*
franare [fra'na:re] *itr* ⟨*essere*⟩ **1.** *(terreno)* abrutschen; **2.** *fig* zusammenbrechen, scheitern.
Franca ['fraŋka] *(nome proprio femminile)* Franziska.
francamente [fraŋka'mente] *avv* ehrlich, offen (heraus).
Francesca [fran'tʃeska] *(nome proprio femminile)* Franziska.
Francesco [fran'tʃesko] *(nome proprio maschile)* Franz, Franziskus.
francese [fran'tʃe:ze] **I.** *agg* französisch; **II.** *mf* Franzose *m,* Französin *f.* **francesismo** [...tʃe'zizmo] *m* Gallizismus *m.*
franchezza [fraŋ'kettsa] *f* Aufrichtigkeit *f,* Freimut *m,* Offenheit *f.*
franchigia [fraŋ'ki:dʒa] ⟨-gie⟩ *f* **1.** *fin* (Gebühren)freiheit *f; (nelle assicurazioni)* (teilweiser) Risikoausschluß *m;* **in ~** (abgaben-, gebühren)frei; **in ~ doganale/postale** zoll-/portofrei.
franchising ['fræntʃaiziŋ] ⟨-⟩ *m* Franchising *n.*
Francia ['frantʃa] *f* Frankreich *n.*
franco ['fraŋko] ⟨-chi⟩ *m (~ belga, francese)* Franc *m; (~ svizzero)* Franken *m.*
Franco ['fraŋko] *(nome proprio maschile)* Frank, Franz.
franco, -a ['fraŋko] ⟨-chi, -che⟩ *agg* **1.** *com* franko, frei; **2.** *(sincero)* offen, aufrichtig; ~ **domicilio/magazzino** frei Haus/Lager; ~ **fabbrica** ab Fabrik; ~ **tiratore** Heckenschütze *m;* **farla -a** *fig* ungeschoren (*o* mit heiler Haut) davonkommen.
francobollo [fraŋko'bollo] *m* Briefmarke *f.*
Francoforte [fraŋko'fɔrte] *f* Frankfurt *n.*
frangente [fran'dʒɛnte] *m* **1.** *(onda)* Brandung *f;* **2.** *fig (momento grave)* Not *f.*
frangetta [fran'dʒetta] *f (di capelli)* Pony *m.*
frangia ['frandʒa] ⟨-ge⟩ *f* **1.** *(di stoffa)* Franse *f;* **2.** *(fascia costiera)* Küstenstreifen *m,* -saum *m;* **3.** *fig pol* Flügel *m;* **4.** *fig (aggiunta)* Schnörkel *m,* Ausschmückung *f.*
frangiflutti [frandʒi'flutti] ⟨-⟩ *m* Wellenbrecher *m.* **frangivento** [frandʒi'vɛnto] ⟨-⟩ *m agr* Windschutz *m.*
frantoio [fran'to:jo] ⟨-oi⟩ *m (per olive)* Ölmühle *f; (per pietre)* Steinmühle *f.*
frantumare [frantu'ma:re] **I.** *tr* zertrümmern; **II.** *rfl:* **-arsi** zerbrechen, in Stücke gehen. **frantumi** [...'tu:mi] *m pl:* **andare in** ~ in die Brüche gehen.

frappé [frɑp'pɛ] ⟨-⟩ *m* Milchmixgetränk *n,* Milchshake *m.*

frapporre [frap'porre] ⟨*irr*⟩ **I.** *tr* **1.** *(cose)* dazwischenlegen, -stellen, -setzen; **2.** *fig (ostacoli)* in den Weg legen; **II.** *rfl:* **-orsi** sich dazwischenlegen, -stellen, -setzen.

frasca ['fraska] ⟨-sche⟩ *f* Zweig *m.*

frase ['fra:ze] *f* **1.** *ling* Satz *m;* **2.** *(espressione)* Ausdruck *m; (locuzione)* Redewendung *f;* **3.** *peg (modo di dire convenzionale)* Phrase *f;* ~ **fatta** Gemeinplatz *m.*

frassino ['frassino] *m* Esche *f.*

frastagliato, -a [frastaʎ'ʎa:to] *agg (terreno, costa)* zerklüftet.

frastornato, -a [frastor'na:to] *agg (per rumore)* benommen; *(nelle idee)* verwirrt.

frastuono [fras'tu̯ɔ:no] *m* Getöse *n,* Lärm *m.*

frate ['fra:te] *m rel* Bruder *m;* **farsi** ~ Mönch werden. **fratellanza** [fratel'lantsa] *f* **1.** *(tra fratelli)* Brüderlichkeit *f,* Brüderschaft *f;* **2.** *(comunanza)* Bruderschaft *f.* **fratellastro** [...'lastro] *m* Stiefbruder *m.*

fratello [fra'tɛllo] *m* **1.** *(parente)* Bruder *m;* **2.** *fig, rel (di confraternita)* Bruder *m;* **3.** ⟨*pl*⟩ *(solo maschi)* Brüder *m pl; (-i e sorelle)* Geschwister *pl; com (abbr* **F.lli**) Gebrüder *pl.*

fraternità [fraterni'ta] ⟨-⟩ *f* **1.** *(vincolo fraterno)* Brüderlichkeit *f;* **2.** *fig (amicizia, comunanza)* Bruderschaft *f.* **fraternizzare** [...id'dza:re] *itr* sich verbrüdern.

fraterno, -a [...'tɛrno] *agg* **1.** *(relativo a fratelli)* brüderlich, Bruder-; **2.** *fig (amorevole)* brüderlich.

fratricida [fratri'tʃi:da] ⟨-i *m,* -e *f*⟩ *mf (di fratello)* Brudermörder(in) *m(f); (di sorella)* Schwestermörder(in) *m(f).*

frattaglie [frat'taʎʎe] *f pl* Innereien *pl.*

frattale [frat'ta:le] **I.** *agg* Fraktal-; **II.** *m mat, inform* Fraktal *n.*

frattanto [frat'tanto] *avv* inzwischen, unterdessen, währenddessen; ~**che** +*cong* während.

frattempo [frat'tɛmpo] *m:* **nel** ~ inzwischen, unterdessen, währenddessen.

frattura [frat'tu:ra] *f (a. fig)* Bruch *m.*

fraudolento, -a [fraudo'lɛnto] *agg* betrügerisch.

frazione [frat'tsi̯o:ne] *f* **1.** *(porzione)* Teil *m,* Bruchteil *m;* **2.** *pol* Fraktion *f;* **3.** *mat* Bruch *m;* **4.** *(borgata)* Ortsteil *m.*

freccia ['frettʃa] ⟨-cce⟩ *f* Pfeil *m; (di veicolo)* Blinker *m;* **mettere la** ~ den Blinker setzen. **frecciata** [...'tʃa:ta] *f fig* Spitze *f,* Stichelei *f.*

freddare [fred'da:re] *tr* **1.** *(raffreddare, a. fig)* abkühlen lassen; **2.** *(uccidere)* erledigen, kaltmachen *sl;* **3.** *fig (intimidire)* zurechtweisen.

freddezza [fred'dettsa] *f* Kälte *f; (indifferenza)* Gleichgültigkeit *f.*

freddo, -a ['freddo] **I.** *agg* kalt; *(a. fig)* kühl; *(colore)* kalt; **animali a sangue** ~ Kaltblüter *m pl;* **mostrarsi** ~ **con qu** jdm die kalte Schulter zeigen; **II.** *m* Kälte *f;* **a** ~ *fig* kaltblütig; **avere** ~ frieren; **far venir** ~ *fig* erschau(d)ern lassen.

freddoloso, -a [-'lo:so] *agg* verfroren.

freddura [...'du:ra] *f* Kalauer *m.*

freelance ['frɪ:'la:ns] **I.** ⟨*inv*⟩ *agg* freiberuflich, freischaffend; **II.** *mf* freie(r) Mitarbeiter(in) *m(f).*

freezer ['fri:zə] ⟨-⟩ *m* **1.** *(cella del frigorifero)* Tiefkühlfach *n,* Gefrierfach *n;* **2.** *(apparecchio congelatore)* Gefrierschrank *m.*

fregare [fre'ga:re] ⟨frego, freghi⟩ **I.** *tr* **1.** *(strofinare)* scheuern, wischen; **2.** *fig fam (imbrogliare)* anschmieren *fam; (rubare)* abstauben *fam,* klauen *fam;* **II.** *rfl:* **-arsi 1.** *(strisciare)* sich reiben; **2.** *fam:* **fregarsene di qc** auf etw. *(akk)* pfeifen *fam.*

fregata [fre'ga:ta] *f* **1.** *naut* Fregatte *f;* **2.** *fig fam* Schwindel *m,* Betrug *m.*

fregatura [frega'tu:ra] *f fam* Betrug *m,* Schwindel *m;* **dare una** ~ **a qu** jdn übers Ohr hauen; **prendere una** ~ hereingelegt (*o* angeschmiert) werden.

fregio ['fre:dʒo] ⟨-gi⟩ *m* **1.** *arch* Fries *m;* **2.** *(su copricapo)* Tresse *f.*

frego ['fre:go] ⟨-ghi⟩ *m* Strich *m; (scarabocchio)* Gekritzel *n.*

fremere ['frɛ:mere] *itr* zittern, beben; *(di orrore)* schaudern.

fremito ['frɛ:mito] *m* Zittern *n,* Beben *n; (di orrore)* Schauder *m.*

frenare [fre'na:re] **I.** *tr* **1.** *(veicolo)* (ab)-bremsen; **2.** *(cavallo)* zügeln; **3.** *fig (trattenere)* zügeln, bremsen; *(lacrime)* zurückhalten; **II.** *rfl:* **-arsi** sich beherrschen. **frenata** [...'na:ta] *f* Bremsung *f,* Bremsen *n.*

frenesia [frene'zi:a] ⟨-ie⟩ *f* **1.** *(pazzia)* Tobsucht *f,* Raserei *f;* **2.** *fig (smania)* Sucht *f,* Gier *f.* **frenetico, -a** [...'nɛ:tiko] ⟨-ci, -che⟩ *agg (a. fig)* rasend; *(applauso a.)* frenetisch.

freno ['fre:no *o* 'frɛ:no] *m* Bremse *f;* ~ **a disco/a mano/a tamburo** Scheiben-/Hand-/Trommelbremse *f;* **senza** ~ zügellos.

frequentare [freku̯en'ta:re] *tr* **1.** *(persone)* verkehren mit; **2.** *(luoghi)* verkehren in; *(scuola, università)* gehen in, besuchen; ~ **cattive compagnie** schlechten Umgang haben. **frequentato, -a** [...'ta:to] *agg (locale)* gutbesucht; *(strada)* belebt. **frequente** [...'ku̯ɛnte] *agg* häufig. **frequenza** [...'ku̯ɛntsa] *f* **1.** *(di incidenti, fatti)* Häufung *f,* Häufigkeit *f;* **2.** *(di persone)* Menge *f,* Zahl *f;* **3.** *(di scuola, università)* Besuch *m;* **4.** *fis* Frequenz *f.*

freschezza [fres'kettsa] *f* Frische *f.*

fresco, -a ['fresko] ⟨-schi, -sche⟩ **I.** *agg*

1. *(non vecchio, a. fig)* frisch; **2.** *(un po' freddo)* kühl; **un dottore ~ di studi** ein frischgebackener Doktor; **stare ~** *fig fam* schön in der Patsche sitzen *fam;* **II.** *m* Frische *f;* **stare al ~** *fig fam* hinter Gittern sitzen. **frescura** [...'kuːra] *f* Kühle *f,* Frische *f.*

fretta ['fretta] *f* Eile *f;* **aver ~** es eilig haben; **non c'è ~** das hat keine Eile; **in ~** in Eile; **in ~ e furia** in aller (*o* größter) Eile. **frettoloso, -a** [...to'loːso] *agg* eilig, hastig.

friabile [fri'aːbile] *agg (terreno)* locker, bröck(e)lig; *(pasta)* mürbe.

Fribourg [fri'buːr] *f* Freiburg *n* (in der Schweiz).

Friburgo [fri'burgo] *f* Freiburg *n* (in Deutschland).

fricassea [frikas'sɛːa] *f* Frikassee *n.*

frichettone, -a [frikket'toːne] *peg, scherz* **I.** *m, f* Freak *m;* **II.** *agg* ausgeflippt *fam.*

friggere ['friddʒere] ⟨friggo, friggi, frissi, fritto⟩ **I.** *tr* braten; *(con molto olio)* fritieren; **andare a farsi ~** *fam* zum Teufel gehen *fam;* **mandare qu a farsi ~** *fam* jdn zum Teufel jagen *fam;* **II.** *itr* **1.** *(crepitare)* brutzeln; **2.** *fig (fremere)* kochen. **friggitoria** [...dʒito'riːa] ⟨-ie⟩ *f* Bratstube *f.* **friggitrice** [...dʒi'triːtʃe] *f* Friteuse *f.*

frigido, -a ['friːdʒido] *agg* **1.** *med* frigid(e); **2.** *fig (freddo)* kalt(herzig).

frignare [friɲ'ɲaːre] *itr* wimmern.

frigo ['friːgo] ⟨-⟩ *m fam* Kühlschrank *m.*

frigocongelatore [frigokondʒela'toːre] *m* Kühlschrank *m* mit (Dreisterne-)Gefrierfach.

frigorifero, -a [frigo'riːfero] **I.** *agg* Kühl-; **II.** *m* Kühlschrank *m.*

fringuello [friŋ'gu̯ɛllo] *m* Buchfink *m.*

frinire [fri'niːre] ⟨frinisco⟩ *itr* zirpen.

frisbee® ['frɪsbɪː] ⟨-⟩ *m* Frisbee® *n; (disco)* Frisbeescheibe *f.*

Frisia ['friːzi̯a] *f* Friesland *n.*

frissi ['frissi] *p rem di* **friggere.**

frittata [frit'taːta] *f* Eierkuchen *m,* Omelett *n,* Omelette *f;* **fare una ~** *fig fam* Mist bauen *fam* (*o* machen *fam*).

frittella [frit'tɛlla] *f* **1.** *gastr* Krapfen *m;* **2.** *(macchia d'unto)* Fettfleck *m.*

fritto, -a ['fritto] **I.** *pp di* **friggere; II.** *agg* **1.** *gastr* gebraten; *(con molto olio)* fritiert; **2.** *fig fam (bell'e ~)* geliefert *fam,* gelackmeiert *fam;* **sono cose fritte e rifritte** *fig* das sind doch olle Kamellen *fam;* **III.** *m* Gebratene(s) *n,* Gebackene(s) *n;* **~ misto** *gemischtes Ausgebakkenes.* **frittura** [...'tuːra] *f* (Aus)gebackene(s) *n,* Fritüre *f.*

Friuli [fri'uːli] *m* Friaul *n.*

frivolo, -a ['friːvolo] *agg* leichtfertig, oberflächlich.

frizionare [frittsi̯o'naːre] *tr* einreiben. **frizione** [...'tsi̯oːne] *f* **1.** *(attrito)* Einreibung *f;* **2.** *(massaggio)* Massage *f;* **3.** *mot* Kupplung *f.*

frizzante [frid'dzante] *agg* **1.** *gener.* sprudelnd; *(acqua)* Sprudel-, mit Kohlensäure; *(vino)* Perl-; *(aria)* prickelnd; **2.** *fig (motto)* beißend.

frocio ['frɔːtʃo] ⟨-i⟩ *m volg* Schwule(r) *m fam.*

frodare [fro'daːre] *tr* betrügen; **~ il fisco** Steuern hinterziehen.

frode ['frɔːde] *f* Betrug *m;* **~ fiscale** Steuerhinterziehung *f.*

frodo ['frɔːdo] *m* ⟨*sing*⟩ Schmuggel *m;* **cacciare di ~** wildern.

frollare [frol'laːre] **I.** *tr* ⟨*avere*⟩ abhängen lassen, mürbe werden lassen; **II.** *itr* ⟨*essere*⟩ abhängen, mürbe werden. **frollatura** [...la'tuːra] *f* Abhängen(lassen) *n,* Abhängezeit *f.*

frollo, -a ['frɔllo] *agg* mürbe; *(di carne)* abgehangen; **pasta ~a** Mürbteig *m.*

fronda[1] ['fronda] *f* **1.** *(frasca)* Zweig *m;* **2.** ⟨*pl*⟩ *(fogliame)* Laub *n;* **3.** ⟨*pl*⟩ *fig (ornamenti)* Schnörkel *m pl,* Verzierungen *f pl.*

fronda[2] ['fronda] *f* **1.** *st* Fronde *f;* **2.** *fig (opposizione)* Opposition *f; (rivolta)* Aufruhr *m.*

frondoso, -a [fron'doːso] *agg* (dicht)belaubt.

frontale [fron'taːle] *agg* **1.** *anat* Stirn-; **2.** *(che avviene di fronte)* frontal, Frontal-.

frontaliero, -a [fronta'li̯ɛːro] *m, f* Grenzgänger(in) *m(f).*

fronte ['fronte] **I.** *f* **1.** *anat* Stirn *f;* **2.** *fig (volto)* Gesicht *n;* **3.** *(facciata)* Vorderseite *f;* **testo a ~** nebenstehender Text; **a ~ alta/bassa** erhobenen/gesenkten Hauptes; **di ~** gegenüber; **la casa di ~** das gegenüberliegende Haus; **di ~ a questa situazione** angesichts dieser Situation; **II.** *m mil, pol* Front *f;* **far ~ agli impegni** den Verpflichtungen nachkommen; **far ~ alle spese** für die Kosten aufkommen; **tener ~ a qu** jdm die Stirn bieten.

fronteggiare [fronted'dʒaːre] ⟨fronteggio, fronteggi⟩ *tr* widerstehen (*qu* jdm); *fig (difficoltà)* entgegentreten (*qc* einer S. *(dat)*, bewältigen.

frontespizio [frontes'pittsi̯o] ⟨-i⟩ *m* Titelseite *f.*

frontiera [fron'ti̯ɛːra] *f* (Staats)grenze *f.*

frontone [fron'toːne] *m* Giebel *m.*

fronzolo ['frondzolo] *m* Flitter *m,* Firlefanz *m.*

frotta ['frɔtta] *f* Schar *f,* Schwarm *m;* **in ~, a -e** in Scharen, scharenweise.

frottola ['frɔttola] *f* Lüge *f,* Märchen *n pej.*

frugale [fru'gaːle] *agg* einfach, bescheiden.

frugare [fru'gaːre] ⟨frugo, frughi⟩ **I.** *itr* (herum)kramen, (herum)stöbern; **II.** *tr* durchsuchen.

fruire [fru'iːre] ⟨fruisco⟩ *itr* genießen (*di*

qc etw.).
frullare [frulˈlaːre] **I.** *tr* ⟨*avere*⟩ rühren, quirlen; *(panna)* schlagen; **II.** *itr* ⟨*essere o avere*⟩ schwirren. **frullato** [...ˈlaːto] *m* (Milch)mixgetränk *n.* **frullatore** [...laˈtoː-re] *m* Mixer *m.* **frullino** [...ˈliːno] *m* Handmixer *m.*
frumento [fruˈmento] *m* Weizen *m,* Korn *n.*
fruscio [fruʃˈʃiːo] ⟨-scii⟩ *m (di tessuto, carta, foglie)* Rascheln *n; (di apparecchi elettronici)* Rauschen *n.*
frusta [ˈfrusta] *f* **1.** *(sferza)* Peitsche *f;* **2.** *(da cucina)* Schneebesen *m.* **frustare** [...ˈtaːre] *tr* **1.** *(con la sferza)* (aus)peitschen; **2.** *fig (censurare)* geißeln. **frustata** [...ˈtaːta] *f* Peitschenhieb *m.* **frustino** [...ˈtiːno] *m* Reitpeitsche *f.*
frustrare [frusˈtraːre] *tr* **1.** *(speranze)* zunichte machen, enttäuschen; **2.** *psic* frustrieren. **frustrazione** [...ratˈtsi̯oːne] *f* Enttäuschung *f; psic* Frustration *f.*
frutta [ˈfrutta] *f* ⟨*sing*⟩ Obst *n;* ~ **candita/secca** kandierte Früchte *f pl*/Dörrobst *n;* ~ **da tavola** Tafelobst *n;* **essere alla** ~ beim Dessert sein; *fig* am Ende sein.
fruttare [frutˈtaːre] *itr* **1.** *(capitale)* einbringen, abwerfen; **2.** *(dar frutti, a. fig)* Früchte tragen, fruchten.
frutteto [frutˈteːto] *m* Obstgarten *m.*
frutticolo, -a [frutˈtiːkolo] *agg* Obst-.
fruttiera [frutˈti̯ɛːra] *f* Obstschale *f.*
fruttifero, -a [frutˈtiːfero] *agg* **1.** *bot* Obst-, fruchttragend; **2.** *fig* einträglich; *(conto)* zinsbringend, -tragend.
fruttivendolo, -a [fruttiˈvendolo] *m, f* Obsthändler(in) *m(f).*
frutto [ˈfrutto] *m* **1.** *bot (a. fig)* Frucht *f;* **2.** ⟨*pl*⟩ *fig (prodotti di attività umana)* Früchte *f pl;* **3.** *com (profitto)* Ertrag *m,* Gewinn *m; fin (interesse)* Zins *m;* **-i di mare** Meeresfrüchte *f pl;* **mettere a** ~ **un capitale** ein Kapital ertragbringend anlegen. **fruttuoso, -a** [fruttuˈoːso] *agg* fruchtbar, ertragreich.
FS, FF.SS. *f, f pl abbr di* **Ferrovie dello Stato** *italienische Eisenbahn(en).*
fu [fu] **I.** *p rem di* **essere**; **II.** *agg* verstorben, selig *geh;* **il** ~ **Giuseppe Bianchi** der selige Giuseppe Bianchi.
fucilare [futʃiˈlaːre] *tr* erschießen. **fucilata** [...ˈlaːta] *f* Gewehrschuß *m.* **fucilazione** [...latˈtsi̯oːne] *f* Erschießung *f.*
fucile [fuˈtʃiːle] *m* Gewehr *n.* **fuciliere** [futʃiˈli̯ɛːre] *m* Schütze *m,* Füsilier *m CH.*
fucina [fuˈtʃiːna] *f* **1.** *(focolare)* Schmiedeofen *m;* **2.** *(locale)* Schmiede *f.*
fuco [ˈfuːko] ⟨-chi⟩ *m* Drohne *f.*
fuga [ˈfuːga] ⟨-ghe⟩ *f* **1.** *(atto del fuggire)* Flucht *f;* **2.** *(fuoriuscita)* Entweichen *n; (a. di liquidi)* Ausströmen *n; fig (di notizie)* Durchsickern *n;* **3.** *fig (espatrio)* Abwanderung *f;* **4.** *mus* Fuge *f;* **5.** *sport* Vorstoß *m;* **6.** *arch* Flucht *f;* ~ **di capitali** Kapitalflucht *f;* ~ **dei cervelli** Abwanderung *f* der Intelligenz; **darsi alla** ~ die Flucht ergreifen.
fugace [fuˈgaːtʃe] *agg* vergänglich, flüchtig.
fuggiasco, -a [fudˈdʒasko] ⟨-schi, -sche⟩ **I.** *agg* flüchtig; **II.** *m, f* Flüchtige(r) *mf.*
fuggifuggi [fuddʒiˈfuddʒi] ⟨-⟩ *m:* ~ **generale** (wilde) Flucht *f.*
fuggire [fudˈdʒiːre] ⟨fuggo, fuggi⟩ **I.** *itr* ⟨*essere*⟩ **1.** *(scappare)* fliehen, flüchten; **2.** *fig (scorrere via rapidamente)* davoneilen; *(tempo)* verfliegen; ~ **via** fortlaufen; **II.** *tr* ⟨*avere*⟩ meiden, fliehen *geh.*
fuggitivo, -a [...dʒiˈtiːvo] **I.** *agg* flüchtend; **II.** *m, f* Flüchtling *m.*
fui [ˈfui] *p rem di* **essere.**
fulcro [ˈfulkro] *m* **1.** *tec* Drehpunkt *m;* **2.** *fig* Angelpunkt *m.*
fulgore [fulˈgoːre] *m* Glanz *m.*
fuliggine [fuˈliddʒine] *f* Ruß *m.* **fuligginoso, -a** [...ˈnoːso] *agg* rußig.
full time [fulˈtɑim] ⟨*inv*⟩ *agg, avv* ganztägig, Ganztags-, Vollzeit-.
fulminare [fulmiˈnaːre] **I.** *tr* **1.** *(di fulmine)* treffen, erschlagen; **2.** *(scarica elettrica)* mit einem elektrischen Schlag treffen; **3.** *(con arma da fuoco)* niederschießen; **4.** *fig (con lo sguardo)* durchbohren; **II.** *itr* blitzen; **III.** *rfl:* **-arsi** durchbrennen.
fulmine [ˈfulmine] *m* Blitz *m;* **un colpo di** ~ *fig* Liebe *f* auf den ersten Blick; **come un** ~ wie der Blitz.
fulvo, -a [ˈfulvo] *agg* rotblond.
fumaiolo [fumaˈi̯ɔːlo] *m* Schornstein *m.*
fumare [fuˈmaːre] **I.** *tr* rauchen; **II.** *itr* rauchen; *(emettere vapore)* dampfen, qualmen. **fumata** [fuˈmaːta] *f* **1.** *(colonna di fumo)* Rauchsäule *f;* **2.** *(per segnalazione)* Rauchzeichen *n;* **3.** *(di tabacco)* Rauchen *n.* **fumatore, -trice** [fumaˈtoːre] *m, f* Raucher(in) *m(f).*
fumetto [fuˈmetto] *m* **1.** *(nuvoletta)* Sprechblase *f;* **2.** ⟨*pl*⟩ Comics *m pl.*
fummo [ˈfummo] *v.* **essere.**
fumo [ˈfuːmo] *m* **1.** *(prodotto di combustione)* Rauch *m,* Qualm *m; (vapore)* Dampf *m;* **2.** *(del tabacco)* Rauchen *n;* ~ **di Londra** Rauchgrau *n;* **-i dell'alcol** Alkoholdünste *m pl;* **andare in** ~ *fig* sich in Luft auflösen; **molto** ~ **e poco arrosto** *fig* mehr Schein als Sein. **fumoso, -a** [fuˈmoːso] *agg* **1.** *(pieno di fumo)* verraucht, rauchig, verräuchert *fam;* **2.** *(che fa fumo)* rauchend; **3.** *fig (oscuro)* nebelhaft, dunkel, unklar.
funambolo, -a [fuˈnambolo] *m, f* Seiltänzer(in) *m(f).*
fune [ˈfuːne] *f (corda)* Seil *n; (cavo)* Tau *n;* **tiro alla** ~ Tauziehen *n.*
funebre [ˈfuːnebre] *agg* **1.** *(rito)* Trauer-, Toten-; **2.** *fig (mesto, lugubre)* düster, Trauer-.
funerale [funeˈraːle] *m* Beerdigung *f;* **fac-**

cia da ~ Leichenbittermiene *f,* Gesicht wie drei Tage Regenwetter.

funesto, -a [fu'nɛsto] *agg* verderbenbringend, verhängnisvoll.

fungere ['fundʒere] ⟨fungo, fungi, funsi, funto⟩ *itr* fungieren (*da* als); *amm* amtieren (*da* als); *(essere)* sein; ~ **da padrino** Pate sein.

fungicida [fuŋgi'tʃi:da] ⟨-i⟩ *m* Fungizid *n,* Pilzvernichtungsmittel *n.*.

fungo ['fuŋgo] ⟨-ghi⟩ *m* Pilz *m;* ~ **atomico** Atompilz *m;* ~ **edule/velenoso** Speise-/Giftpilz *m;* ~ **porcino** Steinpilz *m;* ~ **prataiolo** Champignon *m;* **andare a** (*o* **per**) **-ghi** Pilze sammeln gehen; **crescere come i -ghi** *fig* wie Pilze aus dem Boden schießen.

funicolare [funiko'la:re] *f* (Stand)seilbahn *f.*

funivia [funi'vi:a] *f* (Draht)seilbahn *f,* Seilschwebebahn *f.*

funsi ['funsi] *p rem di* **fungere.**

funto ['funto] *pp di* **fungere.**

funzionale [funtsjo'na:le] *agg* zweckmäßig, funktionell.

funzionamento [funtsjona'mento] *m* Arbeitsweise *f,* Funktionieren *n.* **funzionare** [...'na:re] *itr* **1.** funktionieren, gehen; *(tec a.)* arbeiten; *(macchina in movimento)* laufen; **2.** *(persone)* fungieren (*da* als), amtieren (*da* als); **far** ~ in Betrieb setzen.

funzionario, -a [funtsjo'na:rjo] ⟨-i, -ie⟩ *m, f* Amtsperson *f,* Funktionär(in) *m(f); (impiegato)* Beamte(r) *m,* Beamtin *f; (incaricato)* Beauftragte(r) *mf.*

funzione [fun'tsjo:ne] *f* **1.** *gener., mat, med, tec* Funktion *f; (di persona a.)* Tätigkeit *f,* Aufgabe *f,* Rolle *f; (ufficio)* Stellung *f; (carica)* Amt *n; (mansione)* Befugnis *f;* **2.** *(cerimonia, rito)* Feier *f;* (~ *religiosa)* Gottesdienst *m;* **nell'esercizio delle proprie -i** in Ausübung seines (*o* ihres) Amtes; **entrare in** ~ in Betrieb gehen; *(persone)* die Arbeit aufnehmen.

fuoco ['fuɔ:ko] ⟨-chi⟩ *m* **1.** *gener.* Feuer *n;* **2.** *(fornello)* (Herd)platte *f,* Feuer *n,* Flamme *f;* **3.** *fot, fis* Brennpunkt *m,* Fokus *m;* **4.** *mil* Feuer *n;* **-chi d'artificio** Feuerwerk *n;* ~ **di Sant'Antonio** *med fam* Gürtelrose *f;* **dar** ~ **a qc** etw. in Brand setzen (*o* stecken), etw. anzünden; **prendere** ~ Feuer fangen; **aprire/cessare il** ~ das Feuer eröffnen/einstellen; **scherzare col** ~ mit dem Feuer spielen; **al** ~! Feuer!, es brennt!

fuorché [fuor'ke] **I.** *cong* außer *(+inf);* **II.** *prp* ausgenommen *+nom o +akk,* außer *+dat,* mit Ausnahme *+gen.*

fuori ['fuɔ:ri] **I.** *avv* **1.** *(stato)* draußen; *(sulla superficie)* außen; *(fuori di casa: persone)* außer Haus; *(all'estero)* im Ausland; **2.** *(moto)* heraus, hinaus; ~ **(di qui)!** hinaus!; ~ **i soldi!** her mit dem Geld!; **far** ~ *fam (uccidere)* abmurksen *fam; (sperperare)* durchbringen; **in** ~ nach außen; **sporgersi in** ~ sich hinauslehnen; **tagliar** ~ **qu** jdn (von etw.) abschneiden; **essere di** ~ fremd sein; **II.** *prp:* ~ **(di) 1.** *(stato)* außerhalb *+gen; fig* außer *+dat;* **2.** *(moto)* aus *+dat;* ~ **concorso/pericolo/uso** außer Konkurrenz/Gefahr/Gebrauch; **essere** ~ **di sé** außer sich *(dat)* sein; **fuor di dubbio** außer Zweifel; ~ **luogo** unangebracht, fehl am Platz(e); ~ **mano** abgelegen, entlegen; ~ **orario** außerplanmäßig, außerhalb der (festgesetzten) Zeit.

fuoribordo [fuori'bordo] ⟨-⟩ *m* **1.** *(motore)* Außenbordmotor *m;* **2.** *(imbarcazione)* Außenborder *m.* **fuoriclasse** [-'klasse] **I.** ⟨*inv*⟩ *agg* erstklassig; *(speciale)* Spezial-, Sonder-; **II.** ⟨-⟩ *mf* Sonderklasse *f fam,* Spitzenmann, -frau *m, f fam.* **fuoricorso** [-'korso] ⟨-⟩ *mf* Student(in), der (die) die Studienzeit überschritten hat. **fuorigioco** [-'dʒɔ:ko] ⟨-⟩ *m* Abseits *n,* Aus *n.* **fuorilegge** [-'leddʒe] ⟨-⟩ *mf* Gesetzlose(r) *mf.* **fuoriprogramma** [-pro'gramma] **I.** ⟨*inv*⟩ *agg* außerplanmäßig, nicht programmgemäß; **II.** ⟨-⟩ *m* außerplanmäßige Sendung.

fuoriserie [-'sɛ:rje] **I.** ⟨*inv*⟩ *agg* Sonder-, Spezial-; **II.** ⟨-⟩ *f* Sonderausführung *f,* Sondermodell *n.* **fuoristrada** [-'stra:da] ⟨-⟩ *m* Geländewagen *m.* **fuor(i)uscita** [fuor(i)uʃ'ʃi:ta] *f* Ausströmen *n,* Entweichen *n; (rinuncia)* Ausstieg *m; (dal partito)* Austritt *m.* **fuor(i)uscito, -a** [...'ʃi:to] *m, f* Emigrant(in) *m(f).*

fuorviante [fuorvj'ante] *agg* irreführend.

furano [fu'ra:no] *m chim* Furan *n.*

furba *f v.* **furbo.**

furbacchione, -a [furbak'kjo:ne] *m, f* Schlaumeier *m fam.*

furberia [furbe'ri:a] ⟨-ie⟩ *f* Listigkeit *f,* List *f.*

furbizia [fur'bittsja] ⟨-ie⟩ *f* Schlauheit *f,* Schläue *f.*

furbo, -a ['furbo] **I.** *agg* schlau, listig; **II.** *m, f* Schlaumeier *m fam.*

furente [fu'rɛnte] *agg* wütend.

furfante [fur'fante] *m* Gauner *m.*

furgone [fur'go:ne] *m* Lieferwagen *m,* Transporter *m.*

furia ['fu:rja] ⟨-ie⟩ *f* **1.** *(accesso di collera)* Wut(anfall) *f(m);* **2.** *(fig, a. del vento)* Wüten *n;* **3.** *(fretta)* (große) Eile *f;* **4.** *(persona)* Furie *f fam;* **andare su tutte le -ie** auf die Palme gehen *fam;* **a** ~ **di ...** durch viel(es)/ständiges ...

furibondo, -a [furi'bondo] *agg* wütend.

furioso, -a [fu'rjo:so] *agg* **1.** *(persona)* wütend; *lett* rasend; **2.** *fig (passione, tempesta)* heftig.

furono ['fu:rono] *v.* **essere.**

furore [fu'ro:re] *m* **1.** *(agitazione violenta)* Wut *f,* Raserei *f;* **2.** *(veemenza)* Heftigkeit *f.* **furoreggiare** [furored'dʒa:re] ⟨furoreggio, furoreggi⟩ *itr* Furore machen.

furtivo, -a [fur'ti:vo] *agg* **1.** *(sguardo, sorriso)* verstohlen; *(lacrima)* heimlich; **2.** *(merce)* gestohlen.

furto ['furto] *m* **1.** *(azione)* Diebstahl *m;* **2.** *(cosa rubata)* Diebesgut *n;* ~ **con scasso** Einbruchdiebstahl *m;* **è un** ~! *fig* das kostet ja ein Vermögen!

fusa ['fu:sa] *f pl:* **far le** ~ schnurren.

fuscello [fuʃ'ʃɛllo] *m* (dürrer) Zweig *m; (di paglia)* Halm *m.*

fuseau(x) [fy'zo] *m pl* Leggings *m pl.*

fusi ['fu:zi] *p rem di* **fondere.**

fusibile [fu'zi:bile] *m* Schmelzsicherung *f.*

fusione [fu'zio:ne] *f* **1.** *(di metalli)* Schmelzen *n; (di campane)* Gießen *n;* **2.** *(di colori)* Mischung *f;* **3.** *(di suoni)* Einklang *m;* **4.** *com* Fusion *f; (a. pol)* Zusammenschluß *m;* **5.** *sport* Zusammenspiel *n;* ~ **nucleare** Kernfusion *f.*

fuso[1] ['fu:zo] *pp di* **fondere.**

fuso[2] ['fu:so] *m (in filatura)* Spindel *f;* ~ **orario** Zeitzone *f.*

fustagno [fus'taɲɲo] *m* Baumwollflanell *m.*

fustino [fus'tino] *m* (große) Waschmittelpackung *f.*

fusto ['fusto] *m* **1.** *bot* Stamm *m;* **2.** *(di colonna)* Schaft *m;* **3.** *(recipiente)* Faß *n;* **4.** *fig fam (giovane aitante)* Prachtkerl *m fam.*

futile ['fu:tile] *agg* unbedeutend, nichtig.

futilità [futili'ta] ⟨-⟩ *f* Nichtigkeit *f.*

futurismo [futu'rizmo] *m* Futurismus *m.*

futuro, -a [fu'tu:ro] **I.** *agg* zukünftig; **II.** *m* **1.** *(avvenire)* Zukunft *f;* **2.** *gram* Futur *n.*

futurologia [futurolo'dʒi:a] ⟨-gie⟩ *f* Zukunftsforschung *f.*

G

G, g [dʒi] ⟨-⟩ *f* G, g *n;* **g come Genova** G wie Gustav.

g *abbr di* **grammo** g (*abk von* Gramm).

gabardine [gabar'din] ⟨-⟩ **I.** *f (tessuto)* Gabardine *m o f;* **II.** *mf (soprabito)* Gabardinemantel *m.*

gabbare [gab'ba:re] *tr* **1.** *(ingannare)* betrügen, hintergehen; **2.** *(deridere)* verulken, verschaukeln.

gabbia ['gabbi̯a] ⟨-ie⟩ *f* **1.** *zoo* Käfig *m; (per uccelli)* Vogelbauer *n o m;* **2.** *fig fam* Kittchen *n fam,* Loch *n fam;* **3.** *(involucro)* Korb *m; (per trasporto)* (Latten)verschlag *m;* ~ **toracica** Brustkorb *m;* ~ **di matti** *fam* Irrenhaus *n.*

gabbiano [gab'bi̯a:no] *m* Möwe *f.*

gabinetto [gabi'netto] *m* **1.** *(toilette)* Toilette *f;* **2.** *(studio)* Arbeitszimmer *n; (a scuola)* Raum *m; med* Praxis *f; amm* Amtszimmer *n;* **3.** *(pol, di museo)* Kabinett *n;* ~ **medico/dentistico** Arzt-/Zahnarztpraxis *f;* ~ **di chimica** Chemieraum *m;* **andare al** ~ auf die Toilette gehen, austreten.

Gabriele [gabri'ɛ:le] *(nome proprio maschile)* Gabriel.

Gabriella [gabri'ɛlla] *(nome proprio femminile)* Gabriele, Gabriela.

gadget ['gædʒit] ⟨-⟩ *m (accessorio)* Schnickschnack *m fam; (omaggio)* Werbebeigabe *f.*

gaffe [gaf] ⟨-⟩ *f* Schnitzer *m,* Fauxpas *m;* **fare una** ~ ins Fettnäpfchen treten *fam,* einen Fauxpas begehen.

gagnolare [gaɲo'lɑ:re] *itr* winseln.

gagliardetto [gaʎʎɑr'detto] *m* **1.** *sport* Fähnchen *n,* Wimpel *m;* **2.** *pol* Standarte *f;* **3.** *naut* Stander *m.*

gagliardo, -a [gaʎ'ʎardo] *agg* kräftig; *(vino a.)* feurig.

gaiezza [ga'i̯ettsa] *f* Fröhlichkeit *f,* Ausgelassenheit *f.*

gaio, -a ['ga:i̯o] ⟨-ai, -aie⟩ *agg* fröhlich, ausgelassen.

gala ['ga:la] **I.** *f* **1.** *(lusso)* Pracht *f,* Festlichkeit *f,* Gala *f;* **2.** *(di tessuto)* Rüsche *f;* **di** ~ Gala-; **II.** *m (ricevimento)* Empfang *m,* Fest *n.*

galante [ga'lante] **I.** *agg* galant; **II.** *m* Kavalier *m.* **galanteria** [-'ri:a] ⟨-ie⟩ *f* Galanterie *f,* Ritterlichkeit *f.*

galantina [galan'ti:na] *f* Sülze *f,* Aspik *m o n.*

galantuomo [galan'tu̯ɔ:mo] ⟨galantuomini⟩ *m* Ehrenmann *m,* Gentleman *m;* **parola di** ~ Ehrenwort *n.*

galassia [ga'lassi̯a] ⟨-ie⟩ *f* Milchstraße *f,* Galaxis *f.*

galateo [gala'tɛ:o] *m* gute Umgangsformen *f pl,* gutes Benehmen.

galattico, -a [ga'lattiko] ⟨-ci, -che⟩ *agg* galaktisch, Milchstraßen-.

galeotto [gale'ɔtto] *m* **1.** *(detenuto)* Sträfling *m,* Zuchthäusler *m;* **2.** *fig (furfante)* Schurke *m.*

galera [ga'lɛ:ra] *f* Gefängnis *n,* Zuchthaus *n,* Strafvollzugsanstalt *f amm;* **avanzo di** ~ Galgenvogel *m fam;* **tipo da** ~ Knastbruder *m fam.*

galla ['galla] *f* **1.** *(vescica, bolla)* Blase *f;* **2.** *bot* Galle *f,* Wucherung *f;* **a** ~ an (*o* auf) der Oberfläche; **stare (*o* tenersi) a** ~ oben schwimmen; *fig* sich über Wasser halten; **venire a** ~ auftauchen; *fig* an den Tag kommen.

galleggiante [galled'dʒante] **I.** *agg* schwimmend, Schwimm-; **II.** *m* **1.** *naut* Wasserfahrzeug *n;* **2.** *(per la pesca, tec)* Schwimmer *m.* **galleggiare** [...'dʒa:re] ⟨galleggio, galleggi⟩ *itr* (obenauf) schwimmen, treiben.

galleria [galle'ri:a] ⟨-ie⟩ *f* **1.** *(traforo)* Tunnel *m; (di talpa)* Gang *m; min* Stollen *m;* **2.** *(arch, di opere d'arte)* Galerie *f; (in città a.)* Passage *f;* **3.** *teat, film* Rang *m,* Galerie *f;* **4.** *mot, aero* Kanal *m;* ~ **del vento** Windkanal *m.* **gallerista** [...'rista] ⟨-i *m,* -e *f*⟩ *mf* Galerist(in) *m(f).*

galletta [gal'letta] *f* (Schiffs)zwieback *m.*

gallicismo [galli'tʃizmo] *m* Gallizismus *m.*

gallina [gal'li:na] *f* Henne *f,* (Haus)huhn *n;* **andare a letto con le -e** mit den Hühnern zu Bett (*o* schlafen) gehen; ~ **vecchia fa buon brodo** *prov* auch ein altes Huhn gibt noch eine gute Suppe. **gallinacei** [...li'na:tʃei] *m pl* Hühnervögel *m pl.* **gallinella** [...li'nɛlla] *f* Wasserhuhn *n.*

gallismo [gal'lizmo] *m* Männlichkeitswahn *m.*

gallo ['gallo] **I.** *m zoo* Hahn *m; (a. fig)* Gockel *m fam;* ~ **cedrone** Auerhahn *m;* **fare il** ~ sich wie ein Gockel aufführen; **II.** ⟨*inv*⟩ *agg sport* Bantam-; **peso** ~ Bantamgewicht *n.*

gallone[1] [gal'lo:ne] *m* **1.** *mil* Tresse *f;* **2.** *(guarnizione)* Besatz *m.*

gallone[2] [gal'lo:ne] *m (misura di capacità)* Gallone *f.*

galoppare [galop'pa:re] *itr zoo, fig* galoppieren; *(persona)* hasten, sich abhetzen. **galoppata** [...'pa:ta] *f* Galopp *m; fig* Hetzerei *f.* **galoppino** [...'pi:no] *m* Lakai *m,* Laufbursche *m.*

galoppo [ga'lɔppo] *m* Galopp *m;* **andare al** ~ galoppieren.

galoscia [ga'lɔʃʃa] *v.* **caloscia.**

galvanico, -a [gal'va:niko] ⟨-ci, -che⟩ *agg* galvanisch. **galvanizzare** [galvanid'dza:re] *tr* **1.** *el* galvanisieren; **2.** *fig* aufrütteln.

gamba ['gamba] *f* **1.** *anat* Bein *n; (di animali a.)* Lauf *m;* **2.** *(di pantalone)* (Hosen)bein *n; (di tavolo, sedia)* Bein *n,* Fuß *m;* **3.** *(di lettera)* (Grund)strich *m;* **essere in** ~ tüchtig sein; *(di salute)* fit sein *fam,* auf der Höhe sein; *sport* gut in Form sein. **gambale** [...'ba:le] *m* (Stiefel)schaft *m.* **gambaletto** [...bɑ'letto] *m* Kniestrumpf *m.*

gamberetto [gambe'retto] *m* Garnele *f.*

gambero ['gambero] *m* Krebs *m;* **fare come i -i** im Krebsgang gehen.

gambizzare [gambid'dzɑ:re] *tr* in die Beine schießen.

gambo ['gambo] *m* **1.** *bot* Stiel *m,* Stengel *m;* **2.** *fig* Stiel *m,* Schaft *m.*

gamella [ga'mɛlla] *f* Eßnapf *m,* Blechnapf *m.*

gamma¹ ['gamma] **I.** ⟨-⟩ *m ling* Gamma *n;* **II.** ⟨*inv*⟩ *agg fis* Gamma-.

gamma² ['gamma] *f* **1.** *(di varie gradazioni)* Skala *f;* **2.** *(serie)* Reihe *f,* Serie *f; (di prodotti, merce a.)* Palette *f;* **3.** *mus* Tonleiter *f;* **4.** *radio* Bereich *m,* Band *n;* ~ **di prodotti** Produktpalette *f.*

ganascia [ga'naʃʃa] ⟨-sce⟩ *f* **1.** *anat* Kinnlade *f;* **2.** *zoo* Ganasche *f;* **3.** *mot (del freno)* (Brems)backe *f.*

gancio ['gantʃo] ⟨-ci⟩ *m* Haken *m;* ~ **di traino** Anhängerkupplung *f.*

ganghero ['gaŋgero] *m* **1.** *(di porte, finestre)* Angel *f;* **2.** *(di vestito)* Häkchen *n,* Öse *f;* **uscire dai -i** die Fassung verlieren; **essere fuori dai -i** (vor Wut) außer sich *(dat)* sein.

ganglio ['gaŋglio] ⟨-gli⟩ *m* **1.** *anat* Ganglion *n,* Nervenknoten *m;* **2.** *fig* Lebensnerv *m.*

gangrena [gaŋ'grɛ:na] *v.* **cancrena.**

gap [gæp] ⟨-⟩ *m* Gefälle *n,* Kluft *f;* ~ **generazionale** Generationskonflikt *m.*

gara ['ga:ra] *f sport* Wettkampf *m,* Match *n;* Wettstreit *m,* Wettbewerb *m; (lotta concorrenziale)* Konkurrenzkampf *m;* **fare una** ~ einen Wettkampf veranstalten (*o* austragen); **fare a** ~ wetteifern (*con* mit); **essere fuori** ~ ausgeschieden (*o* aus dem Rennen) sein.

garage [ga'ra:ʒ] ⟨-⟩ *m* Garage *f; (per servizio)* (Autoreparatur)werkstatt *f;* ~ **sotterraneo** Tiefgarage *f.* **garagista** [gara'dʒista] ⟨-i *m,* -e *f*⟩ *mf* **1.** *(operaio)* Automechaniker(in) *m(f);* **2.** *(proprietario)* (Auto)werkstattbesitzer(in) *m(f).*

garante [ga'rante] *mf* Bürge *m,* Garant *m;* **farsi** ~ **per qu/di qc** bürgen für jdn/etw.

garantire [garan'ti:re] ⟨garantisco⟩ **I.** *tr* **1.** *(assicurare)* bürgen für; **2.** *dir* haften für; **3.** *econ* Garantie leisten für; **4.** *fig* garantieren, versichern; **II.** *itr* bürgen; **III.** *rfl:* **-irsi 1.** *(assicurarsi)* sich absichern; **2.** *(procurarsi garanzie)* sich *(dat)* eine Bürgschaft besorgen. **garantito, -a** [...'ti:to] **I.** *agg* garantiert; **l'automobile è -a per un anno** das Auto hat ein Jahr Garantie; **impermeabile** ~ garantiert wasserfest; **II.** *adv (certamente)* garantiert, bestimmt.

garanzia [garan'tsi:a] ⟨-ie⟩ *f* **1.** *econ (a. fig)* Garantie *f;* **2.** *dir:* **avviso di** ~ Ermittlungsbescheid *m;* **dare una** ~ eine Garantie geben; **dare** ~ **di serietà** für Zuverlässigkeit garantieren, vertrauenswürdig sein.

garbato, -a [gar'ba:to] *agg* angenehm, höflich.

garbo ['garbo] *m* **1.** *(grazia)* Charme *m,* Anmut *f; (buone maniere)* Höflichkeit *f,* Anstand *m;* **2.** *(forma)* schöne Form; *(di vestito)* Schick *m,* guter Schnitt; **con (bel)** ~ höflich; **senza** ~ ungehobelt, plump.

garbuglio [gar'buʎʎo] ⟨-gli⟩ *m* Wirrwarr *m,* Gewirr *n.*

Garda ['gɑrdɑ] *m:* **lago di** ~ Gardasee *m.*

Gardena [gar'de:na] *f:* **Val** ~ Grödner Tal *n,* Gröden *n.*

gardenia [gar'dɛ:nia] ⟨-ie⟩ *f* Gardenie *f.*

gardesano, -a [gɑrde'zɑno] *agg* Garda-.

gareggiare [gared'dʒa:re] ⟨gareggio, gareggi⟩ *itr* wetteifern (*in o a qc con qu* mit jdm um *o* in *+dat*); *sport* kämpfen, antreten.

garganella [garga'nɛlla] *f:* **bere a** ~ *aus der Flasche trinken, ohne sie am Mund anzusetzen; (bere molto, spec. bevande alcoliche a.)* bechern *fam.*

gargarismo [garga'rizmo] *m* **1.** *(azione)* Gurgeln *n;* **2.** *(liquido)* Gurgelmittel *n;* **fare i -i** gurgeln. **gargarizzare** [...id'dza:re] *itr* gurgeln.

garibaldino, -a [garibal'di:no] **I.** *agg* Garibaldi-, von (*o* wie) Garibaldi; **II.** *m, f* Garibaldianer(in) *m(f).*

garofano [ga'rɔ:fano] *m* Nelke *f;* **chiodo di** ~ Gewürznelke *f.*

garrire [gar'ri:re] ⟨garrisco⟩ *itr (uccelli)* lärmen, kreischen; **le bandiere garrivano al vento** *lett* die Fahnen flatterten im Wind. **garrulo, -a** ['garrulo] *agg (uccelli)* kreischend; *(persona)* schwatzhaft, geschwätzig.

garza ['gardza] *f* Gaze *f; (a. med)* Verbandmull *m.*

garzone [gar'dzo:ne] *m* (Lauf)bursche *m.*

gas [gas] ⟨-⟩ *m* Gas *n;* ~ **asfissiante/biologico/esilarante/illuminante/lacrimogeno/nobile/propellante** Gift-/Bio-/Lach-/Leucht-/Tränen-/Edel-/Treibgas *n;* **dare** ~ Gas geben; **a tutto** ~ *fig fam* mit Volldampf; ~ *m pl* **di scarico** Abgase *n*

pl; **bolletta del** ~ Gasrechnung *f.*
gasare [ga'za:re] *v.* **gassare.**
gasato [ga'za:to] *agg* **1.** *(acqua, bibita)* kohlensäurehaltig; **2.** *(fam: persona)* aufgeblasen; **3.** *(euforico)* übergeschnappt *fam.*
gasdotto [gaz'dotto] *m* Gasleitung *f.*
gasista [ga'zista] *v.* **gassista.**
gasolio [ga'zɔ:li̯o] *m* Dieselkraftstoff *m.*
gasometro [ga'zɔ:metro] *m* Gasbehälter *m.*
gassare [gas'sa:re] *tr* **1.** *(liquidi, bevande)* mit Kohlensäure versetzen; **2.** *(uccidere)* vergasen. **gassato, -a** [...'sa:to] *agg* mit Kohlensäure(zusatz), kohlensäurehaltig. **gassificare** [gassifi'ka:re] ⟨gassifico, gassifichi⟩ *tr* gasifizieren. **gassista** [...'sista] ⟨-i *m,* -e *f*⟩ *mf* Gasarbeiter(in) *m(f).* **gassosa** [gas'so:sa] *f* Brause(getränk *n*) *f.* **gassoso, -a** [...so] *agg* gasartig, gasförmig, Gas-.
gastrico, -a ['gastriko] ⟨-ci, -che⟩ *agg* Magen-, gastrisch *wissensch.* **gastrite** [...'tri:te] *f* Magenschleimhautentzündung *f,* Gastritis *f wissensch.*
gastroenterite [gastroente'ri:te] *f* Magen-Darm-Entzündung *f,* Magen-Darm-Grippe *f.*
gastronomia [gastrono'mi:a] ⟨-ie⟩ *f* Gastronomie *f.* **gastronomico, -a** [...'nɔ:miko] ⟨-ci, -che⟩ *agg* gastronomisch. **gastronomo, -a** [...'trɔ:nomo] *m, f* Gastronom(in) *m(f).*
gastroscopia [gɑstrosko'pi:ɑ] ⟨-ie⟩ *f* Magenspiegelung *f,* Gastroskopie *f wissensch.*
GATT [gɑt] *m acr di* **General Agreement on Tariffs and Trade** GATT *n.*
gatta ['gatta] *f* Katze *f;* **dare a qu una ~ da pelare** jdm eine harte Nuß zu knakken geben *fam; (difficile)* eine harte Nuß; **~ ci cova!** da ist was faul!; **tanto va la ~ al lardo che ci lascia lo zampino** *prov* der Krug geht so lange zum Brunnen, bis er bricht *prov.*
gattabuia [gatta'bu:i̯a] ⟨-ie⟩ *f fam* Kittchen *n fam.*
gattamorta [gɑttɑ'mɔ:rtɑ] ⟨gattemorte⟩ *f* Leisetreter(in) *m(f).*
gattino [gɑt'tino] *zoo, bot* Kätzchen *n.*
gatto ['gatto] *m* Katze *f; (maschio)* Kater *m;* **il ~ con gli stivali** der Gestiefelte Kater; **c'erano quattro -i** *fig* es war kaum jemand da; **al buio tutti i -i sono neri (***o* **bigi)** *prov* bei Nacht sind alle Katzen grau *prov;* **quando il ~ non c'è i topi ballano** *prov* wenn die Katze aus dem Haus ist, tanzen die Mäuse (auf dem Tisch) *prov.*
gattoni [gat'to:ni] **I.** *avv* auf allen vieren; **II.** *m pl fam* Ziegenpeter *m fam.*
gattopardo [gatto'pardo] *m* große Raubkatze; **~ africano** Serval *m;* **~ americano** Ozelot *m.*
gattuccio [gɑt'tuttʃo] ⟨-cci⟩ *m* **1.** *zoo* Katzenhai *m;* **2.** *tec* Stichsäge *f.*
gaudente [gau'dɛnte] **I.** *agg* genießerisch, Genießer-; **II.** *mf* Genießer(in) *m(f).*
gavetta [ga'vetta] *f* Blechnapf *m;* **venire dalla ~** von der Pike auf dienen, sich von unten emporarbeiten.
gavitello [gavi'tɛllo] *m* Boje *f.*
gay ['gei] **I.** ⟨*inv*⟩ *agg* homosexuell; *(donna a.)* lesbisch *fam; (uomo a.)* schwul *fam;* **II.** ⟨-⟩ *mf* Homosexuelle(r) *m(f); (donna a.)* Lesbierin *f,* Lesbe *f fam; (uomo a.)* Schwule(r) *m.*
gazebo [gɑd'dzɛ:bo] *m* Gartenpavillon *m.*
gazza ['gaddza] *f* Elster *f;* **~ ladra** diebische Elster.
gazzarra [gad'dzarra] *f fam* Spektakel *n,* Zirkus *m fam.*
gazzella [gad'dzɛlla] *f* **1.** *zoo* Gazelle *f;* **2.** *sl (dei carabinieri) schnellster Einsatzwagen der Karabinieri;* **occhi da ~** Rehaugen *n pl.*
gazzetta [gad'dzetta] *f* Zeitung *f,* Gazette *f;* **la G~ Ufficiale (***abbr* **G.U., Gazz. Uff.)** *regelmäßige Mitteilungen der italienischen Regierung:* Amtsblatt *n.* **gazzettino** [...'ti:no] *m* **1.** *(giornale)* Zeitung *f;* **2.** *(parte del giornale)* Sparte *f,* Spalte *f;* **3.** *fig (persona pettegola)* Klatschbase *f fam.*
gazzosa [gad'dzo:sa] *v.* **gassosa.**
Gazz. Uff. *abbr di* **Gazzetta Ufficiale.**
geiger ['gɑigər] ⟨-⟩ *m* Geigerzähler *m.*
gel [dʒɛl] ⟨-⟩ *m* Gel *n.*
gelare [dʒe'la:re] **I.** *itr* **1.** ⟨*essere*⟩ *(diventare di ghiaccio)* frieren, gefrieren; *(stagno)* zufrieren; **2.** ⟨*essere o avere*⟩ *impers meteo* frieren; **II.** *tr* ⟨*avere*⟩ erfrieren (lassen), gefrieren (lassen); *fig (sangue)* erstarren; **III.** *rfl:* **-arsi** erfrieren, (ab)frieren, gefrieren. **gelata** [...'la:ta] *f* Frost *m.*
gelataio, -a [dʒela'ta:i̯o] ⟨-ai, -aie⟩ *m, f* Eishersteller(in) *m(f); (venditore)* Eisverkäufer(in) *m(f).* **gelateria** [...te'ri:a] ⟨-ie⟩ *f* Eiscafé *n,* Eisdiele *f.* **gelatiera** [...'ti̯ɛ:ra] *f* Eismaschine *f.*
gelatina [dʒela'ti:na] *f* Gelatine *f; (salato)* Aspik *m o n.* **gelatinoso, -a** [...ti'no:so] *agg* gallertartig.
gelato, -a [dʒe'la:to] **I.** *agg* (zu)gefroren, eisig; **II.** *m* Eis *n,* Speiseeis *n;* **cono ~** Eistüte *f;* **~ da passeggio** Eis *n* am Stiel.
gelido, -a ['dʒɛ:lido] *agg* **1.** *(acqua, stanza)* eisig, eiskalt; **2.** *fig (uomo, accoglienza)* eisig, kühl, frostig.
gelificante [dʒelifi'kɑnte] **I.** ⟨*inv*⟩ *agg* Gelier-; **II.** *m* Geliermittel *n.*
gelo ['dʒɛ:lo] *m* **1.** *meteo* Frost *m,* eisige Kälte; **2.** *fig* Frostigkeit *f,* Kühle *f,* Kälte *f.* **gelone** [dʒe'lo:ne] *m* Frostbeule *f.*
gelosia[1] [dʒelo'si:a] ⟨-ie⟩ *f* **1.** *(stato d'animo)* Eifersucht *f;* **2.** *(cura attenta)*

(peinliche) Sorgfalt *f.*
gelosia[2] [dʒelo'si:a] ⟨-ie⟩ *f (di finestra)* Jalousie *f,* Rolladen *m.*
geloso, -a [dʒe'lo:so] *agg* eifersüchtig (*di* auf +*akk*).
gelso ['dʒɛlso] *m* Maulbeerbaum *m.*
gelsomino [dʒelso'mi:no] *m* Jasmin *m.*
gemella *f v.* **gemello.**
gemellaggio [dʒemel'laddʒo] ⟨-ggi⟩ *m* Städtepartnerschaft *f.*
gemellare[1] [dʒemel'la:re] *agg med* Zwillings-; **parto** ~ Zwillingsgeburt *f.*
gemellare[2] [dʒemel'la:re] *tr (due città)* durch eine Städtepartnerschaft verbinden.
gemello, -a [dʒe'mɛllo] **I.** *agg* **1.** *(fratelli)* Zwillings-; **2.** *fig* Doppel-, doppelt, verwandt; **II.** *m, f* Zwilling *m;* **III.** *m* **1.** *astr:* **Gemelli** Zwillinge *m pl;* **2.** ⟨*pl*⟩ *(golfini)* Twinset *n;* **3.** ⟨*pl*⟩ *(bottoni)* Manschettenknöpfe *m pl;* **sono (dei) Gemelli** ich bin (ein) Zwilling.
gemere ['dʒɛ:mere] *itr* **1.** *(piangere)* stöhnen, ächzen; **2.** *fig (soffrire)* stöhnen. **gemito** ['dʒɛ:mito] *m (lamento)* Stöhnen *n,* Ächzen *n; (del vento)* Heulen *n.*
gemma ['dʒɛmma] *f* **1.** *bot* Knospe *f;* **2.** *min* Edelstein *m;* **3.** *fig* Perle *f,* Juwel *n o m.*
gendarme [dʒen'darme] *m* **1.** *mil* Gendarm *m;* **2.** *fig (donna)* Feldwebel *m fam,* Dragoner *m fam.* **gendarmeria** [-'ri:a] ⟨-ie⟩ *f* Gendarmerie *f.*
gene ['dʒɛ:ne] *m* Gen *n.*
genealogia [dʒenealo'dʒi:a] ⟨-gie⟩ *f* Genealogie *f.* **genealogico, -a** [...'lɔ:dʒiko] *agg* genealogisch; **albero** ~ Stammbaum *m.*
generale[1] [dʒene'ra:le] **I.** *agg* **1.** *(fatti, principi, norma)* allgemein, generell; *(comune a tutti)* umfassend, gesamt; **2.** *(direttore)* General-; *(ispettore)* Ober-; *(segretario)* Haupt-; **in** ~ hauptsächlich; *(generalmente)* im allgemeinen; **II.** *f pl* Allgemeinheiten *f pl,* Allgemeine(s) *n;* **stare (***o* **tenersi** *o* **restare) sulle -i** allgemein bleiben.
generale[2] [dʒene'ra:le] *m mil* General *m.*
generalesco, -a [...ra'lesko] ⟨-schi, -sche⟩ *agg peg* feldwebelhaft, kommandiersüchtig.
generalità [dʒenerali'ta] ⟨-⟩ *f* **1.** ⟨*pl*⟩ *amm* Personalien *pl,* Angaben *f pl* zur Person; **2.** *(maggioranza)* Allgemeinheit *f,* Mehrheit *f;* **3.** *(discorso, concetto generico)* Allgemeinplatz *m,* Allgemeinheit *f;* **nella** ~ **dei casi** in den meisten Fällen; **declinare le proprie** ~ seine Personalien angeben.
generalizzare [dʒeneralid'dza:re] *tr, itr* verallgemeinern.
generalmente [dʒeneral'mente] *avv* im allgemeinen, gewöhnlich.
generare [dʒene'ra:re] *tr* **1.** *(figlio)* zeugen; **2.** *fig (causare)* erzeugen; *(sospetto, dubbio)* erregen; *(provocare)* bewirken; **3.** *fis* erzeugen. **generatore, -trice** [...ra'to:re] **I.** *agg* erzeugend, Erzeugungs-; **II.** *m fis* Generator *m.* **generatrice** [...ra'tri:tʃe] *f* **1.** *mat* Erzeugende *f;* **2.** *el* Lademaschine *f.*
generazionale [dʒenerattsjo'na:le] *agg* Generations-, Generationen-.
generazione [dʒenerat'tsjo:ne] *f* **1.** *(di coetanei, a. tec)* Generation *f;* **2.** *biol* Zeugung *f;* **3.** *tec* Erzeugung *f.*
genere ['dʒɛ:nere] *m* **1.** *gram* Genus *n,* Geschlecht *n;* **2.** ⟨*pl*⟩ *econ* Güter *n pl;* **3.** *(letter, arte)* Gattung *f,* Genre *n;* **4.** *bot, zoo* Gattung *f;* **5.** *(insieme di persone)* Geschlecht *n,* Rasse *f; (insieme di cose a.)* Art *f;* **6.** *(tipo)* Art (und Weise) *f,* Weise *f;* **-i alimentari** Lebensmittel *n pl;* **-i di consumo** Konsumgüter *n pl;* **-i di prima necessità** Grundnahrungsmittel *n pl; (in casi di emergenza)* nötigste Bedarfsgüter *n pl;* **il** ~ **umano** das Menschengeschlecht; **in** ~ im allgemeinen, gewöhnlich, meist(ens).
genericità [dʒeneritʃi'ta] ⟨-⟩ *f* Allgemeinheit *f,* Unverbindlichkeit *f.* **generico, -a** [...'nɛ:riko] ⟨-ci, -che⟩ *agg* **1.** *med* allgemein, praktisch; **2.** *(discorso, risposta)* allgemein, unverbindlich; **3.** *(nozione, significato)* allgemein; **medico** ~ praktischer Arzt, Arzt *m* für Allgemeinmedizin.
genero ['dʒɛ:nero] *m* Schwiegersohn *m.*
generosità [dʒenerosi'ta] ⟨-⟩ *f* **1.** *(munificenza)* Großzügigkeit *f,* Freigebigkeit *f;* **2.** *(magnanimità)* Großmut *f,* Hochherzigkeit *f.*
generoso, -a [dʒene'ro:so] **I.** *agg* **1.** *(munifico)* großzügig, freigebig; **2.** *(magnanimo)* großherzig, großmütig; **3.** *(mancia)* großzügig; *(vino)* edel; *(scollo)* tief, offenherzig; **II.** *m, f* großmütiger Mensch.
genesi ['dʒɛ:nezi] ⟨-⟩ **I.** *f gener.* Entstehung *f,* Genese *f;* **II.** *f o m rel:* **G**~ Genesis *f,* Schöpfung *f.*
genetico, -a [dʒe'nɛ:tiko] ⟨-ci, -che⟩ **I.** *agg* genetisch; **II.** *f* Genetik *f.*
genetista [dʒene'tista] ⟨-i *m,* -e *f*⟩ *mf* Genforscher(in) *m(f),* Humangenetiker(in) *m(f).*
gengiva [dʒen'dʒi:va] *f* Zahnfleisch *n.*
geniale [dʒe'nja:le] *agg* genial. **genialità** [...jali'ta] ⟨-⟩ *f* Genialität *f.*
genico, -a ['dʒɛ:niko] ⟨-ci, -che⟩ *agg* Gen-.
genio[1] ['dʒɛ:njo] ⟨-i⟩ *m* **1.** *(capacità eccezionale)* Genius *m,* Genie *n,* Schöpfergeist *m;* **2.** *(persona)* Genie *n;* **3.** *(in mitologia)* Schutzgeist *m;* **4.** *(entità astratta)* Geist *m;* **5.** *(talento)* Begabung *f* (*per* für), Talent *n* (*per* für, zu); **un uomo di** ~ ein erfindungsreicher (*o* schöpferischer) Mensch; **mi va a** ~ das sagt mir

zu, das paßt mir.

genio² ['dʒɛːni̯o] ⟨-i⟩ *m:* ~ **civile** *staatliches o städtisches Bauamt;* ~ **militare** *militärische Behörde für technische Planung u. Durchführung.*

genitale [dʒeni'taːle] **I.** *agg* genital, Genital-, Geschlechts-; **II.** *m pl* Genitalien *pl,* Geschlechtsorgane *n pl.*

genitivo [dʒeni'tiːvo] **I.** *m* Genitiv *m,* Wesfall *m;* **II.** *agg* genitivisch, Genitiv-; **caso** ~ Genitiv *m,* Wesfall *m.*

genitore [dʒeni'toːre] *m* **1.** *(padre o madre)* Elternteil *m; lett (padre a.)* Erzeuger *m;* **2.** ⟨*pl*⟩ Eltern *pl.*

gennaio [dʒen'naːi̯o] *m* Januar *m; v. a. settembre.*

genocidio [dʒeno'tʃiːdi̯o] ⟨-i⟩ *m* Völkermord *m.*

genoma [dʒɛ'nɔːmɑ] ⟨-i⟩ *m* Genom *n.*

Genova ['dʒɛːnova] *f* Genua *n.*

gentaglia [dʒen'taʎʎa] ⟨-glie⟩ *f* Pack *n,* Gesindel *n.*

gente ['dʒɛnte] *f* **1.** ⟨*sing*⟩ *gener.* Leute *pl,* Menschen *m pl;* **2.** *st* Familie *f,* Stamm *m,* Sippe *f;* ~ **di campagna** Landleute *pl,* Landvolk *n;* **diritto delle -i** *dir* Völkerrecht *n;* **abbiamo** ~ **a cena** wir haben Gäste zum Abendessen.

gentile [dʒen'tiːle] *agg* **1.** *(persona, maniere)* freundlich, höflich, liebenswürdig; **2.** *(lineamenti)* weich, lieblich; **3.** *(sentimenti, animo)* edel; ~ **signora** gnädige Frau; *(nelle lettere)* sehr geehrte Frau ... **gentilezza** [...ti'lettsa] *f* **1.** *(di persona)* Freundlichkeit *f,* Höflichkeit *f,* Liebenswürdigkeit *f;* **2.** *(piacere)* Gefälligkeit *f,* Freundlichkeit *f,* Entgegenkommen *n;* ~ **di modi/aspetto/sentimenti** freundliche Art/nettes Äußeres/edle Gesinnung; **per** ~ wären Sie bitte so freundlich; bitte; **fammi la** ~ **di** *+inf* tu mir den Gefallen und ...

gentiluomo [dʒenti'lu̯ɔːmo] ⟨gentiluomini⟩ *m* **1.** *st* Adlige(r) *m,* Edelmann *m;* **2.** *(uomo signorile, cortese)* Gentleman *m;* **comportarsi da** ~ sich wie ein Gentleman benehmen.

genuflessione [dʒenufles'si̯oːne] *f* Kniefall *m,* Niederknien *n.* **genuflettersi** [...'flɛttersi] ⟨*irr*⟩ *rfl* niederknien, auf die Knie fallen.

genuinità [dʒenuini'ta] ⟨-⟩ *f* Echtheit *f,* Unverfälschtheit *f.*

genuino, -a [dʒenu'iːno] *agg* echt, natürlich, unverfälscht.

genziana [dʒen'tsi̯aːna] *f* Enzian *m.*

geodesia [dʒeode'ziːɑ] ⟨-ie⟩ *f* Erdvermessung *f,* Geodäsie *f.*

geofisica [dʒeo'fiːzikɑ] *f* Geophysik *f.*

geografia [dʒeogra'fiːa] *f* Geographie *f,* Erdkunde *f.* **geografico, -a** [...'graːfiko] *agg* geographisch; **carta -a** Landkarte *f.* **geografo, -a** [dʒe'ɔːgrafo] *m, f* Geograph(in) *m(f).*

geologia [dʒeolo'dʒiːa] ⟨-gie⟩ *f* Geologie *f.* **geologico, -a** [...'lɔːdʒiko] *agg* geologisch. **geologo, -a** [dʒe'ɔːlogo] ⟨-gi, -ghe⟩ *m, f* Geologe *m,* -login *f.*

geomagnetismo [dʒeomaɲɲe'tizmo] *m* Erdmagnetismus *m.*

geometra [dʒe'ɔːmetra] ⟨-i *m,* -e *f*⟩ *mf,* Vermessungstechniker(in) *m(f).*

geometria [dʒeome'triːa] ⟨-ie⟩ *f* Geometrie *f.* **geometrico, -a** [...'mɛːtriko] *agg* **1.** *mat* geometrisch; **2.** *fig (esattezza, logicità)* mathematisch.

geopolitica [dʒeopo'liːtika] *f* Geopolitik *f.* **geopolitico, -a** [...ko] *agg* geopolitisch.

Georgia [dʒe'ordʒɑ] *f* Georgien *n.*

geranio [dʒe'raːni̯o] ⟨-i⟩ *m* Geranie *f.*

gerarca [dʒe'rarka] ⟨-chi⟩ *m* **1.** *rel* Hierarch *m;* **2.** *st pol* hohes Parteimitglied.

gerarchia [dʒerar'kiːa] ⟨-chie⟩ *f* Hierarchie *f,* Rangordnung *f.* **gerarchico, -a** [...'rarkiko] ⟨-ci, -che⟩ *agg* hierarchisch; **rapporto** ~ Rangverhältnis *n,* Dienstverhältnis *n;* **ricorso** ~ Dienstaufsichtsbeschwerde *f.*

gerbera [dʒer'bɛːra] *f* Gerbera *f.*

Geremia [dʒere'miːa] *(nome proprio maschile)* Jeremias.

gerente [dʒe'rɛnte] *mf* (Geschäfts)führer(in) *m(f),* -leiter(in) *m(f).*

gergale [dʒer'gaːle] *agg* Jargon-, Slang-; **espressione** ~ Slangwort *n.*

gergo ['dʒɛrgo] ⟨-ghi⟩ *m* Jargon *m,* Slang *m;* ~ **giornalistico/studentesco** Journalisten-/Studentenjargon *m.*

geriatria [dʒeri̯a'triːa] ⟨-ie⟩ *f* Geriatrie *f.* **geriatrico, -a** [...'ri̯aːtriko] ⟨-ci, -che⟩ *agg* Alten-, geriatrisch *wissensch.;* **clinica** ~**a** Altenpflegeheim *n.*

gerla ['dʒɛrla] *f* Tragkorb *m,* Hucke *f.*

Germania [dʒer'maːni̯a] *f* Deutschland *n;* **vado in** ~ ich fahre nach Deutschland; **la** ~ **è un paese molto bello** Deutschland ist ein sehr schönes Land. **germanico, -a** [...'maːniko] ⟨-ci, -che⟩ *agg* germanisch.

germanismo [dʒerma'nizmo] *m* Germanismus *m.* **germanista** [...'nista] ⟨-i *m,* -e *f*⟩ *mf* Germanist(in) *m(f).* **germanistica** [...'nistika] ⟨-che⟩ *f* Germanistik *f.*

germanofilia [dʒermɑnofi'liːɑ] *f* Deutschfreundlichkeit *f.*

germanofobia [dʒermɑnofo'biːɑ] *f* Deutschfeindlichkeit *f.*

germanofono, -a [dʒermɑ'nɔːfono] *agg* deutschsprachig.

germe ['dʒɛrme] *m* **1.** *biol* Keim *m,* Keimling *m;* **2.** *med* Keim *m,* Erreger *m;* **3.** *bot* Keimling *m,* Sämling *m;* **4.** *fig* Keim *m,* Ursprung *m;* **-i patogeni** Krankheitserreger *m pl;* **in** ~ im Keim, keimend.

germicida [dʒermi'tʃiːdɑ] ⟨-i, -e⟩ **I.** *agg* keimtötend, bakterizid; **II.** *m* keimtötendes Mittel *n,* Bakterizid *n.*

germinare [dʒermi'naːre] *itr* ⟨*essere o avere*⟩ keimen.

germogliare [dʒermoʎ'ʎa:re] ⟨germoglio, germogli⟩ *itr* ⟨*essere o avere*⟩ **1.** *bot* sprießen, treiben; **2.** *fig (idee, sentimenti)* keimen. **germoglio** [...'moʎʎo] ⟨-gli⟩ *m* **1.** *bot* Sproß *m,* Trieb *m;* **2.** *fig* Keim *m.*

geroglifico, -a [dʒero'gli:fiko] ⟨-ci, -che⟩ **I.** *agg ling* hieroglyphisch, Hieroglyphen-; **II.** *m* **1.** *ling* Hieroglyphe *f;* **2.** ⟨*di solito al pl*⟩ *fig* Krähenfüße *m pl fam,* Hieroglyphen *f pl fam.*

gerontologia [dʒerontolo'dʒi:a] ⟨-gie⟩ *f* Gerontologie *f.* **gerontologo, -a** [...'tɔ:logo] ⟨-gi, -ghe⟩ *m, f* Gerontologe *m,* -login *f.*

gerundio [dʒe'rundio] ⟨-i⟩ *m* Gerundium *n.*

Gerusalemme [dʒeruza'lɛmme] *f* Jerusalem *n.*

gessare [dʒes'sa:re] *tr* **1.** *(carta, bende)* (ein)gipsen; **2.** *agr* kalken, mit Kalkdünger anreichern.

gessato [dʒes'sa:to] *m* Nadelstreifenanzug *m.*

gessetto [dʒes'setto] *m* (Stück) Kreide *f.*

gesso ['dʒɛsso] *m* **1.** *(per lavagna)* Kreide *f;* **2.** *min* Gips *m;* **3.** *med* Gips(verband) *m;* **4.** *(scultura)* Gipsfigur *f.* **gessoso, -a** [dʒes'so:so] *agg* gipshaltig, Gips-.

gesta ['dʒɛsta] *f pl letter* Heldentaten *f pl.*

gestante [dʒes'tante] *f* Schwangere *f,* werdende Mutter. **gestazione** [...tat'tsio:ne] *f* **1.** *med* Schwangerschaft *f;* **2.** *fig* Bearbeitung *f,* Vorbereitung *f;* **in** ~ in Bearbeitung, in Vorbereitung.

gesticolare [dʒestiko'la:re] *itr* gestikulieren.

gestionale [dʒestio'na:le] *agg* (Geschäfts)führungs-, (Geschäfts)leitungs-.

gestione [dʒes'tio:ne] *f* (Geschäfts)führung *f,* -leitung *f; inform* Steuerung *f;* ~ **dei dati** Datenverwaltung *f.*

gestire [dʒes'ti:re] ⟨gestisco⟩ *tr* **1.** *(dirigere, organizzare)* leiten, führen, abwickeln; **2.** *(trattare)* umgehen; **3.** *inform* steuern.

gesto ['dʒɛsto] *m* Geste *f,* Gebärde *f;* **non fare un** ~ *fig* sich nicht rühren.

gestore, -trice [dʒes'to:re] *m, f* (Geschäfts)führer(in) *m(f),* -leiter(in) *m(f).*

Gesù [dʒe'zu] *m* Jesus *m.*

gesuita [dʒezu'i:ta] ⟨-i⟩ *m* **1.** *rel* Jesuit *m;* **2.** *peg* Heuchler *m.*

gettare [dʒet'ta:re] **I.** *tr* **1.** *gener.* (weg)werfen; **2.** *naut (ancora, reti)* auswerfen; **3.** *agr (seme, fiore, grano)* (aus)säen; **4.** *arch (fondamenta)* legen; **5.** *(statua, campana)* gießen; **6.** *(radici, ponte)* schlagen; **7.** *(grido)* ausstoßen; ~ **via qc** etw. wegwerfen; ~ **le braccia al collo a qu** jdm die Arme um den Hals werfen; ~ **le basi per (***o* **di) qc** den Grundstein zu etw. legen; ~ **la spugna** *fig* das Handtuch werfen; ~ **le armi** *fig* die Waffen strecken, aufgeben; **II.** *itr* **1.** *bot* keimen, treiben; **2.** *(rubinetto, fontana)* fließen, laufen; **III.** *rfl:* **-arsi 1.** *gener.* sich werfen, sich stürzen (*su* auf *+akk*); **2.** *(fiume)* münden, sich ergießen; **-arsi a terra/sul divano/in ginocchio** sich auf den Boden/auf das Sofa/auf die Knie werfen; **-arsi ai piedi di qu** sich jdm zu Füßen werfen.

gettito ['dʒɛttito] *m* Ertrag *m.*

getto ['dʒɛtto] *m* **1.** *bot* Sproß *m,* Trieb *m;* **2.** *(di liquido)* Strahl *m;* **3.** *(di metallo)* Guß *m;* **4.** *(di calcestruzzo)* (Beton)schüttung *f;* **a** ~ **continuo** *fig* ununterbrochen; **di** ~ *fig* flüssig, zügig.

gettonare [dʒetto'na:re] *tr fam* **1.** *(al juke-box)* spielen lassen; **2.** *scherz tel* anrufen. **gettonato, -a** [...'na:to] *agg fam* gespielt, gedrückt; **la canzone più -a dell'anno** das meistgespielte Lied des Jahres.

gettone [dʒet'to:ne] *m* **1.** *gener.* (Einwurf)münze *f,* -marke *f;* **2.** *(al gioco)* Spielmarke *f,* Jeton *m;* ~ **del telefono (***o* **telefonico)** Telefonmünze *f;* ~ **di presenza** Sitzungsgeld *n,* Anwesenheitsgeld *n.*

ghepardo [ge'pardo] *m* Gepard *m.*

gheriglio [ge'riʎʎo] ⟨-gli⟩ *m* (Nuß)kern *m.*

ghermire [ger'mi:re] ⟨ghermisco⟩ *tr* **1.** *zoo* (mit den Krallen) packen (*o* greifen); **2.** *fig* ergreifen, packen.

ghetta ['getta] *f st* Gamasche *f;* **pantalone con le ~e** Steghose *f.*

ghettizzare [gettid'dza:re] *tr* g(h)ettoisieren *geh.* **ghettizzazione** [...dzat'sio:ne] *f* G(h)ettoisierung *f geh.*

ghetto ['getto] *m* G(h)etto *n.*

ghiacciaia [giat'tʃa:ia] ⟨-aie⟩ *f* Eis-, Kühlschrank *m.*

ghiacciaio [giat'tʃa:io] ⟨-ai⟩ *m* Gletscher *m.*

ghiacciare [giat'tʃa:re] ⟨ghiaccio, ghiacci⟩ **I.** *itr* ⟨*essere*⟩ (zu)frieren, gefrieren; **II.** *tr* ⟨*avere*⟩ **1.** *(gelare)* gefrieren, vereisen, zu Eis werden (lassen); **2.** *fig* erstarren lassen; **III.** *rfl:* **-arsi** (zu)frieren, gefrieren. **ghiacciato, -a** [...'tʃa:to] *agg* **1.** *(strada, terreno)* vereist, gefroren; *(acque)* zugefroren; **2.** *(molto freddo)* eiskalt, eisig.

ghiaccio ['giattʃo] ⟨-cci⟩ *m* Eis *n;* **essere un pezzo di** ~ *fig* ein Eisklumpen sein, durchgefroren sein; **avere le mani/i piedi di** ~ eiskalte Hände/Füße haben.

ghiacciolo [giat'tʃɔ:lo] *m* **1.** *(pezzo di ghiaccio)* Eiszapfen *m;* **2.** *gastr* Wassereis *n.*

ghiaia ['gia:ia] ⟨-aie⟩ *f* Kies *m; (per strade)* Schotter *m.* **ghiaioso, -a** [gia'io:so] *agg* kiesig, Kies-.

ghianda ['gianda] *f bot* Eichel *f.*

ghiandola ['giandola] *f* Drüse *f.*

ghigliottina [giʎʎot'ti:na] *f* Guillotine *f*, Fallbeil *n*.
ghignare [giɲ'ɲa:re] *itr* grinsen. **ghigno** [giɲɲo] *m* Grinsen *n*.
ghingheri ['giŋgeri]: **in** ~ *avv fam scherz* herausgeputzt, aufgetakelt.
ghiotto, -a ['giotto] *agg* **1.** *(persona)* naschhaft; *fig* gierig; **2.** *(cibo)* schmackhaft, lecker *fam;* **è** ~ **di dolci** er ist (ganz) wild auf Süßigkeiten. **ghiottone, -a** [...'to:ne] *m, f* Schlemmer *m*, Leckermaul *n*. **ghiottoneria** [...tone'ri:a] ‹-ie› *f* **1.** *(golosità)* Naschhaftigkeit *f;* **2.** *gastr* Leckerbissen *m;* **3.** *fig (cosa ricercata)* Leckerbissen *m*, Rarität *f*.
ghiribizzo [giri'biddzo] *m* Schnapsidee *f fam.*
ghirigoro [giri'gɔ:ro] *m* Schnörkel *m*.
ghirlanda [gir'landa] *f* **1.** *(di fiori, foglie)* Girlande *f*, Kranz *m;* **2.** *arch* Feston *n*.
ghiro ['gi:ro] *m* Siebenschläfer *m*.
ghironda [gi'ronda] *f* Drehleier *f*.
ghisa ['gi:za] *f* Gußeisen *n*.
ghostwriter ['goustrɑitə] ‹-› *mf* Ghostwriter(in) *m(f)*.
già [dʒa] *avv* **1.** *(prima d'ora)* schon, bereits; **2.** *(sin d'ora)* jetzt schon; **3.** *(ormai)* nun(mehr), schon; **4.** *(ex)* früher, ehemalig, Ex-; **5.** *(assenso)* gewiß, freilich, schon; **6.** *(rafforzativo)* gewiß; ~ ~ schon gut; ja, ja.
giacca ['dʒakka] ‹-cche› *f* Jacke *f; (indumento maschile)* Jackett *n*, Sakko *m;* ~ **a vento** Anorak *m*, Windjacke *f;* ~ **ad un petto/a doppio petto** Einreiher *m*/ Zweireiher *m;* ~ **double-face** Wendejacke *f*.
giacché [dʒak'ke] *cong* da ... (schon), weil ... (schon).
giacchetta [dzak'ketta] *f* (leichte) Jacke *f; (di lana)* Wolljacke *f*.
giaccio ['dʒattʃo] *pr di* **giacere.**
giaccone [dʒɑk'ko:ne] *m* Winterjacke *f*.
giacente [dʒa'tʃɛnte] *agg (posta)* nicht zugestellt, unzustellbar; *(pratica)* unerledigt. **giacenza** [...'tʃɛntsa] *f* Lagerbestand *m*, Lager *n*.
giacere [dʒa'tʃe:re] ‹giaccio, giaci, giacqui, giaciuto› *itr ‹essere›* liegen; *(fig a.)* ruhen; ~ **supino/bocconi/sul fianco** auf dem Rücken/Bauch/der Seite liegen; **qui giace** ... *(sulle tombe)* hier ruht (in Frieden) ...
giacimento [dʒatʃi'mento] *m* Vorkommen *n*, Lager *n*.
giacinto [dʒa'tʃinto] *m bot* Hyazinthe *f*.
giaciuto [dʒa'tʃu:to] *pp di* **giacere.**
Giacobbe [dʒa'kɔbbe], **Giacomo** ['dʒa:komo] *(nome proprio maschile)* Jakob.
giacqui ['dʒakkui] *p rem di* **giacere.**
giada ['dʒa:da] *f* Jade *m o f*.
giaggiolo [dʒad'dʒɔ:lo] *m* Schwertlilie *f*, Iris *f*.
giaguaro [dʒa'gua:ro] *m* Jaguar *m*.
giallastro, -a [dʒal'lastro] *agg* gelblich, schmutzig gelb.
giallista [dʒal'lista] ‹-i *m*, -e *f*› *mf* Kriminalschriftsteller(in) *m(f)*, Krimiautor(in) *m(f)*.
giallo, -a ['dʒallo] **I.** *agg* **1.** *(colore)* gelb; **2.** *letter, film, teat, TV* Kriminal-, Krimi- *fam;* ~ **canarino/oro/limone/ocra/paglierino** kanarien-/gold-/zitronen-/ocker-/strohgelb; **farina -a** Maismehl *n;* **febbre -a** Gelbfieber *n;* **pagine -e** gelbe Seiten *f pl;* **romanzo** ~ Kriminalroman *m*, Krimi *m fam;* **film** ~ Kriminalfilm *m*, Krimi *m fam;* **stampa -a** Skandalpresse *f;* **II.** *m* **1.** *(colore)* Gelb *n;* **2.** *letter* Kriminalroman *m*, Krimi *m fam*, Thriller *m; film* Kriminalfilm *m*, Krimi *m fam*, Thriller *m;* **passare col** ~ bei Gelb über die Ampel fahren. **giallognolo, -a** [...'loɲɲolo] *agg* blaßgelb, gelblich.
giammai [dʒam'ma:i] *avv lett, obs* nie, niemals.
gianduia [dʒan'du:ja] ‹-ie› *m* N(o)ugat *m o n*.
Gianna ['dʒanna] *(nome proprio femminile)* Hanna(h), Hanne.
Gianni ['dʒanni] *(nome proprio maschile)* Hans.
Giappone [dʒap'po:ne] *m:* **il** ~ Japan *n*.
giapponese [...po'ne:se] **I.** *agg* japanisch; **II.** *mf* Japaner(in) *m(f)*.
giara ['dʒa:ra] *f* Krug *m*.
giardinaggio [dʒardi'naddʒo] ‹-ggi› *m* Gartenbau *m*.
giardinetta [dʒardi'netta] *f* Kombiwagen *m*, Kombi *m fam.*
giardiniera [dʒardi'njɛ:ra] *f* **1.** *gastr* Mischgemüse *n; (sottaceti)* Mixpickles *pl;* **2.** *(mobile)* Blumenständer *m*.
giardiniere, -a [dʒardi'njɛ:re] *m, f* Gärtner(in) *m(f)*.
giardino [dʒar'di:no] *m* Garten *m;* ~ **pubblico** (öffentlicher) Park *m;* ~ **zoologico** Zoo *m*, Tiergarten *m;* ~ **d'infanzia** Kindergarten *m;* ~ **all'inglese** englischer Garten *m*.
giarrettiera [dʒarret'tjɛ:ra] *f* **1.** *(per donna)* Strumpfband *n; (di reggicalza)* Strumpfhalter *m;* **2.** *(per uomo)* Sockenhalter *m;* **ordine della** ~ Hosenbandorden *m*.
giavellotto [dʒavel'lɔtto] *m* **1.** *mil* Wurfspieß *m*, Lanze *f;* **2.** *sport* Speer *m*.
gibboso, -a [dʒib'bo:so] *agg* buck(e)lig; *(terreno a.)* uneben.
Gibilterra [dʒibil'tɛrrɑ] *f* Gibraltar *n*.
gigabyte [dʒiga'baɪt] ‹-› *m* Gigabyte *n*.
gigante [dʒi'gante] **I.** *agg* riesig, riesengroß, Riesen-; **II.** *m* **1.** *poet* Gigant *m*, Riese *m;* **2.** *(persona imponente)* Riese *m*, Hüne *m;* **3.** *fig* Titan *m*, Größe *f;* **fare passi da** ~ Riesenschritte machen. **giganteggiare** [-d'dʒa:re] ‹giganteggio, giganteggi› *itr* **1.** *(edificio, albero, monumento)* (riesenhaft) hervor-, heraus-

ragen; **2.** *fig* hervorragen, hervorstechen. **gigantesco, -a** [...'tesko] ⟨-schi, -sche⟩ *agg* riesenhaft, riesig, Riesen-. **gigantismo** [dʒigan'tizmo] *m* Riesenwuchs *m.* **gigantografia** [...togra'fi:a] *f* Gigantographie *f.*
giglio ['dʒiʎʎo] ⟨-gli⟩ *m* Lilie *f;* ~ **rosso** Feuerlilie *f.*
gilè, gilet [dʒi'lɛ] ⟨-⟩ *m* Weste *f.*
gimcana [dʒim'ka:na] *v.* **gincana.**
gin [dʒin] ⟨-⟩ *m* Gin *m.*
gincana [dʒiŋ'ka:na] *f* Gymkhana *n.*
ginecologia [dʒinekolo'dʒi:a] ⟨-gie⟩ *f* Gynäkologie *f,* Frauenheilkunde *f.* **ginecologo, -a** [...'kɔ:logo] ⟨-gi, -ghe⟩ *m, f* Frauenarzt *m,* -ärztin *f,* Gynäkologe *m,* -login *f.*
ginepraio [dʒine'praio] ⟨-i⟩ *m fig* Wespennest *n.*
ginepro [dʒi'ne:pro] *m* Wacholder *m;* **bacche di** ~ Wacholderbeeren *f pl.*
ginestra [dʒi'nɛstra] *f* Ginster *m.*
Ginevra [dʒi'ne:vra] *f* Genf *n.*
gingillarsi [dʒindʒil'larsi] *rfl* **1.** *(giocherellare)* herumspielen *(con* mit, an *+dat);* **2.** *fig* herumtrödeln. **gingillo** [...'dʒillo] *m* **1.** *(ninnolo)* Krimskrams *m,* Nippes *pl;* **2.** *(occupazione vana)* Tändelei *f,* (Herum)spielerei *f.*
ginnasiale [dʒinna'zia:le] **I.** *agg* Gymnasial-, Gymnasium(s)-; **II.** *mf* Gymnasiast(in) *m(f).*
ginnasio [dʒin'na:zio] ⟨-i⟩ *m* Gymnasium *n.*
ginnasta [dʒin'nasta] ⟨-i *m,* -e *f*⟩ *mf* Turner(in) *m(f).*
ginnastica [dʒin'nastika] ⟨-che⟩ *f* **1.** *sport* Gymnastik *f;* **2.** *fig* Übung *f;* ~ **artistica** Kunstturnen *n;* ~ **correttiva (***o* **medica)** Krankengymnastik *f;* ~ **ritmica** Jazzgymnastik *f.* **ginnico, -a** ['dʒinniko] ⟨-ci, -che⟩ *agg* gymnastisch, Gymnastik-.
Gino ['dʒi:no] *v.* **Luigi.**
ginocchiera [dʒinok'kiɛ:ra] *f* Knieschützer *m.*
ginocchio [dʒi'nɔkkio] ⟨-cchi *m o* -cchia *f*⟩ *m* Knie *n;* **piegare il** ~ einen Knicks machen; **stare in** ~ knien; **far venire il latte alle -cchia** auf die Nerven gehen. **ginocchioni** [...nok'kio:ni] *avv* auf den Knien.
Gioacchino [dʒoak'ki:no] *(nome proprio maschile)* Joachim.
giocare [dʒo'ka:re] ⟨gioco, giochi⟩ **I.** *itr* **1.** *gener.* spielen *(con* mit, *a qc* etw.); **2.** *sport* spielen *(a qc* etw.); **3.** *fin* spekulieren; **4.** *tec* Spiel haben; ~ **a palla/bocce/carte/scacchi** Ball/Boccia/Karten/Schach spielen; ~ **al lotto** im Lotto spielen; ~ **al rialzo/ribasso** *fin* auf Hausse/Baisse spekulieren; ~ **con la propria vita/salute** sein Leben/seine Gesundheit aufs Spiel setzen; **è uno che gioca** er ist ein Spieler; **a che gioco giochiamo?** *fig* was wird hier gespielt?, was ist hier los?; **chi è fortunato in amore non giochi a carte** *prov* Pech im Spiel, Glück in der Liebe *prov;* **II.** *tr* **1.** *(al gioco)* spielen; *(carta)* (aus)spielen; *(somma)* setzen, spielen um; **2.** *fig* betrügen, täuschen; **III.** *rfl:* **-arsi 1.** *(stima, carriera)* verspielen, riskieren; **2.** *(al gioco)* verspielen; **-arsi anche la camicia** sein letztes Hemd verspielen. **giocata** [...'ka:ta] *f* **1.** *(mossa)* Zug *m,* Spiel *n;* **2.** *(puntata)* Einsatz *m,* Spiel *n;* **3.** *(partita)* Spiel *n,* Partie *f;* **4.** *(al lotto)* Tip *m.*
giocatore, -trice [dʒoka'to:re] *m, f* **1.** *(di scopone, biliardo, sport)* Spieler(in) *m(f);* **2.** *fin* Spekulant(in) *m(f);* ~ **d'azzardo** Glücksspieler(in) *m(f);* ~ **di borsa** Börsenspekulant(in) *m(f).*
giocattolo [dzo'kattolo] *m* Spielzeug *n.*
giocherellare [dʒokerel'la:re] *itr* (herum)spielen. **giocherellone, -a** [...'lo:ne] *m, f* verspielter Mensch.
giochetto [dʒo'ketto] *m* **1.** *(divertimento)* Spielchen *n;* **2.** *fig* leichtes Spiel, Kinderspiel *n.*
gioco ['dʒɔ:ko] ⟨-chi⟩ *m* **1.** *gener., sport, fig* Spiel *n;* **2.** *(giocattolo)* Spiel *n,* Spielzeug *n;* **3.** *tec* Spiel *n,* Toleranz *f;* ~ **d'azzardo** Glücksspiel *n;* ~ **da ragazzi** *fig* Kinderspiel *n,* leichtes Spiel; ~ **di parole** Wortspiel *n;* **fare il** ~ **di qu** jdm in die Hände spielen; **fare il doppio** ~ ein falsches (*o* doppeltes) Spiel treiben; **essere in** ~ *fig* auf dem Spiel stehen; **entrare in** ~ ins Spiel kommen; **mettere in** ~ **qc** etw. aufs Spiel setzen; **prendersi** ~ **di qu** sich *(akk)* über jdn lustig machen; **aver** ~ *tec* Spiel haben; **avere buon** ~ leichtes Spiel haben; **conoscere le regole del** ~ *(a. fig)* die Spielregeln kennen.
giocoforza [dʒoko'fɔrtsa] ⟨-⟩ *m:* **essere** ~ *+inf* nötig (*o* unvermeidlich) sein zu ...; **è** ~ **andarci** da muß man hingehen.
giocoliere, -a [dʒoko'liɛ:re] *m, f* Jongleur(in) *m(f).*
giocondo, -a [dʒo'kondo] *agg* heiter; **la Gioconda** die Mona Lisa.
giocoso, -a [dʒo'ko:so] *agg* **1.** *(fatto per gioco)* spielerisch; **2.** *(per divertire)* lustig, heiter.
giogo ['dʒo:go] ⟨-ghi⟩ *m* Joch *n.*
gioia[1] ['dʒɔ:ia] ⟨-ie⟩ *f (emozione)* Freude *f;* **darsi alla pazza** ~ sich ins Vergnügen stürzen.
gioia[2] ['dʒɔ:ia] ⟨-ie⟩ *f* **1.** *min* Edelstein *m;* **2.** *(gioiello)* Juwel *m o n.*
gioielleria [dʒoielle'ri:a] ⟨-ie⟩ *f* **1.** *(negozio)* Juweliergeschäft *n;* **2.** *(arte)* Goldschmiedekunst *f.* **gioielliere, -a** [...'liɛ:re] *m, f* Juwelier(in) *m(f).*
gioiello [dʒo'iɛllo] *m* **1.** Schmuck(stück *n) m;* **2.** *fig* Juwel *n o m,* Perle *f.*
gioioso, -a [dʒo'io:so] *agg* fröhlich, freudig.
gioire [dʒo'i:re] ⟨gioisco⟩ *itr* jubeln; ~ **di qc** über etw. *(akk)* hocherfreut sein.

Giorgio ['dʒordʒo] *(nome proprio maschile)* Georg.
giornalaio, -a [dʒorna'la:io] ⟨-ai, -aie⟩ *m, f* Zeitungsverkäufer(in) *m(f)*, -händler(in) *m(f)*.
giornale [dʒor'na:le] *m* **1.** *gener.* Zeitung *f*, Tageszeitung *f*; **2.** *(periodico)* Zeitschrift *f*; **3.** *radio, film, TV* Nachrichten *f pl*; **4.** *(registro)* Journal *n*, Buch *n*; *(diario)* Tagebuch *n*; ~ **di bordo** Schiffstagebuch *n*, Logbuch *n*; ~ **di classe** Klassenbuch *n*; ~ **radio** (*abbr* **GR**) Rundfunknachrichten *f pl*; ~ **murale** Aushang *m*; ~ **sindacale** Gewerkschaftszeitung *f*. **giornaletto, giornalino** [...na'letto, ...na'li:no] *m fam* Comic-Heft *n*.
giornaliero, -a [dʒorna'ljɛ:ro] **I.** *agg* (all)täglich, Tage(s)-; **II.** *m, f* Tagelöhner(in) *m(f)*.
giornalismo [dʒorna'lizmo] *m* Journalismus *m*, Zeitungswesen *n*. **giornalista** [...'lista] ⟨-i *m*, -e *f*⟩ *mf* Journalist(in) *m(f)*. **giornalistico, -a** [...'listiko] ⟨-ci, -che⟩ *agg* journalistisch, Zeitungs-.
giornalmente [dʒornal'mente] *avv* täglich, jeden Tag.
giornata [dʒor'na:ta] *f* **1.** *gener.* Tag *m*, Tagesablauf *m*; **2.** *econ* Tagelohn *m*; **3.** *sport* Spieltag *m*, Runde *f*; **in** ~ im Lauf(e) des Tages; **a -e** tageweise; **lavorare a** ~ im Tagelohn arbeiten (*o* stehen); **vivere alla** ~ in den Tag hinein leben.
giorno ['dʒorno] *m* Tag *m*; ~ **commemorativo/feriale/festivo/lavorativo** Gedenk-/Werk-/Feier-/Arbeitstag *m*; **piatto del** ~ Tagesgericht *n*; **i fatti del** ~ die Tagesereignisse *n pl*; **buon** ~ *v.* **buongiorno; al** (*o* **il**) ~ am Tag, täglich; **di** ~ tags(über), bei Tag; **di** ~ **in** ~ von Tag zu Tag; **di tutti i -i** alltäglich, Alltags-; **da un** ~ **all'altro** von einem Tag zum anderen, von heute auf morgen; **un** ~ **o l'altro** irgendwann, eines Tages; ~ **per** ~ Tag für Tag; **in pieno** ~ am hellichten Tag; **sul far del** ~ bei Tagesanbruch; **al** ~ **d'oggi** heutzutage; **a** ~ **fatto** zu fortgeschrittener Tageszeit, am hellen Tag; **ai nostri -i** zu unserer Zeit; **a -i alterni** jeden zweiten Tag; **uno di questi -i** in diesen Tagen, demnächst; **tutto il santo** ~ *fam* den lieben langen Tag *fam*.
giostra ['dʒɔstra] *f* Karussell *n*. **giostrare** [dʒos'tra:re] *itr* **1.** *(andare a zonzo)* bummeln; **2.** *fig (ingegnarsi in situazioni difficili)* meistern.
giovamento [dʒova'mento] *m* Nutzen *m*, Vorteil *m*.
giovane ['dʒo:vane] **I.** *agg* jung; **II.** *mf* **1.** *gener.* Jugendliche(r) *mf*; junger Mann, (junges) Mädchen; **2.** *(aiutante)* Gehilfe *m*, Gehilfin *f*; **da** ~ in der Jugend(zeit), als Jugendliche(r); **il G**~ *(attributo di nome)* der Jüngere; **III.** *adv* jugendlich. **giovanetto, -a** [dʒova'netto] *m, f* Jüngling *m*, Knabe *m*; (junges) Mädchen *n*. **giovanile** [...'ni:le] *agg* jugendlich, Jugend-.
Giovanna [dʒo'vanna] *(nome proprio femminile)* Johanna.
Giovanni [dʒo'vanni] *(nome proprio maschile)* Johann(es).
giovanotto [dʒova'nɔtto] *m* **1.** *(uomo giovane)* junger Mann, Bursche *m*; **2.** *fam (scapolo)* Junggeselle *m*.
giovare [dʒo'va:re] **I.** *itr* ⟨*essere o avere*⟩ nützen, nützlich sein; **II.** *rfl:* **-arsi di qu/qc** sich *(dat)* jdn/etw. zunutze machen, jdn/etw. in Anspruch nehmen.
Giove ['dʒɔ:ve] *m* Jupiter *m*; **per** ~**!** *fam* beim Zeus!, Donnerwetter! *fam*.
giovedì [dʒove'di] ⟨-⟩ *m* Donnerstag *m*; ~ **grasso** Karnevalsdonnerstag *m*, Altweiberfastnacht *f reg*; ~ **santo** Gründonnerstag *m*; *v. a. lunedì*.
gioventù [dʒoven'tu] ⟨-⟩ *f* Jugend *f*; **amori/errori di** ~ Jugendlieben *f pl*/Jugendsünden *f pl*; **in** ~ in der Jugend.
gioviale [dʒo'vi̯a:le] *agg* jovial, heiter. **giovialità** [...i̯ali'ta] ⟨-⟩ *f* Jovialität *f*, Heiterkeit *f*.
giovinastro [dʒovi'nastro] *m* (junger) Flegel *m*.
giovinezza [dʒovi'nettsa] *f* Jugend *f*, Jugendalter *n*; **la seconda** ~ die zweite Jugend.
GIP ['dʒip] ⟨-⟩ *m acr di* **Guidice per le Indagini Preliminari** Untersuchungsrichter *m*.
giradischi [dʒira'diski] ⟨-⟩ *m* Plattenspieler *m*.
giraffa [dʒi'raffa] *f* **1.** *zoo* Giraffe *f*; **2.** *film, TV, radio* Galgen *m sl*.
giramento [dʒira'mento] *m fam* Schwindel(gefühl *n*) *m*; ~ **di testa** *fam* Drehwurm *m fam*; **questo lavoro è un** ~ **di scatole** *fam* diese Arbeit geht mir auf den Keks *fam* (*o* auf die Eier *vulg*).
giramondo [dʒira'mondo] ⟨-⟩ *mf* Weltenbummler(in) *m(f)*.
girandola [dʒi'randola] *f* **1.** *(fuoco d'artificio)* Feuerrad *n*; **2.** *fig (persona)* Flattergeist *m*, Wetterfahne *f*; **3.** *(giocattolo)* Windrädchen *n*; **4.** *(del vento)* Wetterfahne *f*. **girandolone, -a** [...'lo:ne] *m, f fam* Herumtreiber(in) *m(f) fam*.
girare [dʒi'ra:re] **I.** *tr* **1.** *(chiave)* (herum)drehen, (um)drehen; *(testa, occhi)* drehen; *fig (domanda)* weitergeben; **2.** *film* drehen; **3.** *fin* girieren, übertragen; **4.** *(città, isola)* durchfahren, durchlaufen; *(ostacolo)* umgehen; **5.** *(mescolare)* (um)rühren; **6.** *fig* verdrehen; ~ **il mondo** in der Welt herumkommen; **II.** *itr* **1.** *gener.* sich drehen; **2.** *med* schwindlig werden; **3.** *fam* passen *fam*; **4.** *(camminare)* herumlaufen; **5.** *(voltare)* eine Kurve machen, abbiegen; **6.** *fin* zirkulieren, in Umlauf sein/kommen; **7.** *(noti-*

zie, dicerie) umgehen, im Umlauf sein; **8.** *(correre in giro)* herumgehen; **far ~ la testa a qu** jdn schwindlig machen; *(fare innamorare)* jdm den Kopf verdrehen; **mi gira la testa** mir wird schwindlig; **mi girano le scatole/palle** *volg* das geht mir auf die Eier/den Sack *vulg;* **dipende da come mi gira** *fam* kommt drauf an, wie es mir gerade paßt; ~ **alla larga** Abstand halten; **gira e rigira** wie man es auch dreht und wendet; **III.** *rfl:* **-arsi** sich (um)wenden, sich (um)drehen; **in questa casa non ci si gira** *fam* in diesem Haus kann man sich nicht bewegen.

girarrosto [dʒirar'rɔsto] *m* Grill *m,* (Braten)spieß *m.*

girasole [dʒira'so:le] *m* Sonnenblume *f.*

girata [dʒi'ra:ta] *f* **1.** *(passeggiata)* Runde *f,* Spaziergang *m;* **2.** *fin* Giro *n,* Indossament *n;* **3.** *(il girare)* (Um)drehen *n,* Drehung *f.*

giratubi [dʒira'tu:bi] ⟨-⟩ *m* Rohrzange *f.*

giravolta [dʒira'vɔlta] *f* **1.** *(di strada)* Kurve *f;* **2.** *(del corpo)* Purzelbaum *m;* **3.** *fig* Kehrtwendung *f.*

girella [dʒi'rɛlla] *f* Jo-Jo *n.*

girellare [dʒirel'la:re] *itr* umherschlendern, bummeln.

girello [dʒi'rɛllo] *m* **1.** *(per bambini)* Laufstuhl *m;* **2.** *gastr* Kugel *f,* Nuß *f.*

girellone, -a [dʒirel'lo:ne] *m, f fam* Bummler(in) *m(f).*

giretto [dʒi'retto] *m fam* kleiner Rund-, Spaziergang, Runde *f fam.*

girevole [dʒi're:vole] *agg* drehbar, Dreh-.

girino [dʒi'ri:no] *m* Kaulquappe *f.*

giro ['dʒi:ro] *m* **1.** *(cerchia)* Kreis *m;* **2.** *(rotazione)* Drehung *f,* Drehen *n; tec* Rotation *f; astr* Umdrehung *f,* Umkreisung *f; mot* Umdrehung *f,* Drehzahl *f,* Tour *f;* **3.** *sport* Rundstreckenrennen *n;* **4.** *(passeggiata)* Spaziergang *m,* Runde *f fam; (in macchina)* Rundfahrt *f; (viaggio)* Fahrt *f,* Reise *f;* **5.** *(di vestito)* Ausschnitt *m;* **6.** *(di carte)* Runde *f; (partita)* Partie *f,* Spiel *n;* ~ **d'affari** Umsatz *m;* ~ **di boa** *fig* Wendepunkt *m;* ~ **di parole** Wortspiel *n;* ~ **di valzer** Walzerrunde *f;* ~ **di vite** Schraubendrehung *f;* **il ~ di Francia** die Tour de France; **a (stretto) ~ di posta** postwendend; ~ **turistico** Rundfahrt *f,* Tour *f;* **45 -i** Single(-platte) *f;* **essere su/giù di -i** auf hundertachtzig/down sein *fam;* **essere nel/fuori dal ~** *fig* drin/draußen sein; **essere in ~ per lavoro/affari** beruflich/geschäftlich unterwegs sein; **andare in ~** umherlaufen, umherbummeln; **prendere in ~ qu** *fig* jdn auf den Arm nehmen; **nel ~ di un mese/anno** im Laufe eines Monats/Jahres.

girocollo [dʒiro'kɔllo] *m* **1.** *(maglione)* Pullover *m* mit Rundausschnitt *m;* **2.** *(collana corta)* kurze Halskette *f,* Collier *n.* **giroconto** [-'konto] ⟨-i⟩ *m* Girogeschäft *n.*

girone [dʒi'ro:ne] *m* **1.** *sport* Runde *f;* **2.** *letter (nella Divina Commedia)* Kreis *m;* ~ **d'andata/di ritorno** *sport* Vor-/Rückrunde *f.*

gironzolare [dʒirondzo'la:re] *itr* **1.** *fam (stare intorno a)* herumscharwenzeln (*intorno a* um); **2.** *(girare senza meta)* herumbummeln.

girotondo [dʒiro'tondo] *m* Ringelreihen *m.*

girovagare [dʒirova'ga:re] *itr* umherschweifen, umherziehen. **girovago, -a** [...'rɔ:vago] ⟨-ghi, -ghe⟩ *agg (gente)* herum-, umherziehend; *(attori, suonatori, mercanti)* fahrend, fliegend, Wander-.

gita ['dʒi:ta] *f* Ausflug *m;* **andare in ~ a ...** einen Ausflug nach ... machen.

gitano, -a [dʒi'ta:no] **I.** *agg* Zigeuner-; **II.** *m, f* Zigeuner(in) *m(f).*

gitante [dʒi'tante] *mf* Ausflügler(in) *m(f).*

gittata [dʒit'ta:ta] *f* Reichweite *f.*

giù [dʒu] *avv* **1.** *(stato)* unten; **2.** *(moto)* herunter, hinunter; **essere ~** niedergeschlagen (*o* down *fam*) sein; ~ **di lì** dort herum; *(temporale)* so um ... herum; **in ~** *(verso il basso)* hinunter, abwärts, nach unten; *(in basso)* unten; ~ **le mani!** Hände weg!

giubba ['dʒubba] *f* Jacke *f.* **giubbetto** [...'betto] *m* leichte Jacke. **giubbone** [...'bo:ne] *m* weite Jacke; *(per motociclista)* Motorradjacke *f.* **giubbotto** [...'bɔtto] *m* Blouson *m,* Sportjacke *f;* ~ **di salvataggio** (*o* ~ **salvagente)** Schwimmweste *f,* Rettungsweste *f;* ~ **antiproiettile** kugelsichere Weste; ~ **bomber** Bomberjacke *f.*

giubilare [dʒubi'la:re] *itr lett, obs* frohlocken *geh,* jubilieren *geh.*

giubileo [dʒubi'lɛ:o] *m* **1.** *rel* Jubeljahr *n;* **2.** *(cinquantenario)* (fünfzigjähriges) Jubiläum *n.*

giubilo ['dʒu:bilo] *m lett* Jubel *m,* Frohlocken *n geh,* Jauchzen *n.*

giuda ['dʒu:da] ⟨-⟩ *m peg* Judas *m.* **giudeo, -a** [dʒu'dɛ:o] **I.** *agg st* aus Judäa; **II.** *mf* **1.** *st (della Giudea)* Judäer(in) *m(f);* **2.** *peg* Jude *m,* Jüdin *f; (traditore)* Judas *m.*

giudicare [dʒudi'ka:re] ⟨giudico, giudichi⟩ *tr* **1.** *dir* entscheiden, erkennen auf; *(persona)* verurteilen; **2.** *(valutare)* urteilen über *+akk,* beurteilen, halten für; **fu giudicato colpevole** er wurde (für) schuldig erklärt; **giudicò opportuno tacere** er (*o* sie) hielt es für gut zu schweigen. **giudicato, -a** [...'ka:to] **I.** *agg* beurteilt; **II.** *m* rechtskräftiges Urteil; **passare in ~** rechtskräftig werden. **giudicatore, -trice** [...ka'to:re] *agg* (be)urteilend, Urteils-.

giudice ['dʒu:ditʃe] *mf* **1.** *dir* Richter(in) *m(f);* **2.** *sport* Schiedsrichter(in) *m(f);* ~ **popolare** Geschworene(r) *mf,* Schöffe

m, Schöffin *f;* ~ **conciliatore** Friedensrichter(in) *m(f);* ~ **penale** Strafrichter *m;* ~ **di arrivo** Zielrichter *m.*
giudiziale [dʒudit'tsi̯ɑle] *agg* richterlich, gerichtlich; **spese -i** Prozeßkosten *pl.*
giudiziario, -a [dʒudit'tsi̯a:ri̯o] ⟨-i, -ie⟩ *agg* gerichtlich, Gerichts-, richterlich.
giudizio [dʒu'dittsi̯o] ⟨-i⟩ *m* **1.** *(ragione)* Vernunft *f,* Verstand *m;* **2.** *(opinione)* Urteil *n,* Beurteilung *f; (facoltà)* Urteilsvermögen *n;* **3.** *dir* Prozeß *m,* Verfahren *n; (sentenza)* Urteil *n;* **4.** *rel* Gericht *n;* ~ **civile/penale** Zivil-/Strafprozeß *m;* ~ **di assoluzione/condanna** Freispruch *m*/Verurteilung *f;* **il** ~ **universale (***o* **finale)** das Jüngste (*o* Letzte) Gericht; **mettere** ~ Vernunft annehmen; **farsi un** ~ **su qc/qu** sich *(dat)* über etw./jdn ein Urteil bilden; **a mio/tuo/suo** ~ meiner/deiner/seiner (*o* ihrer) Meinung nach. **giudizioso, -a** [...'tsi̯o:so] *agg* vernünftig, überlegt.
giugno ['dʒuɲɲo] *m* Juni *m; v. a. settembre.*
giugulo ['dʒugulo] *m anat* Jugulum *n.*
Giulia ['dʒu:li̯a] *(nome proprio femminile)* Julia, Julie.
Giuliana [dʒu'li̯a:na] *(nome proprio femminile)* Juliane.
Giuliano [dʒu'li̯a:no] *(nome proprio maschile)* Julian.
Giulio ['dʒu:li̯o] *(nome proprio maschile)* Julius.
giulivo, -a [dʒu'li:vo] *agg* fidel, vergnügt; **l'oca** ~**a** *fig* die dumme Gans; **era tutto** ~ er war kreuzfidel.
giullare [dʒul'la:re] *m* Spielmann *m.*
giumenta [dʒu'menta] *f* (Reit)stute *f.*
giunco ['dʒuŋko] ⟨-chi⟩ *m* Schilf *n,* Binse *f.*
giungere ['dʒundʒere] ⟨giungo, giungi, giunsi, giunto⟩ **I.** *itr* ⟨*essere*⟩ (an)kommen, eintreffen; *(nave)* einlaufen; **mi giunge nuovo** das ist mir neu; ~ **all'orecchio di qu** jdm zu Ohren kommen; **II.** *tr* ⟨*avere*⟩*:* ~ **le mani** di Hände falten.
giungla ['dʒuŋgla] *f (a. fig)*Dschungel *m,* Urwald *m;* ~ **retributiva (***o* **dei redditi)** *fig* Tarifdschungel *m.*
giunsi ['dʒunsi] *p rem di* **giungere.**
giunta[1] ['dʒunta] *f* **1.** *amm* Ausschuß *m,* Kommission *f;* **2.** *pol* Junta *f.*
giunta[2] ['dʒunta] *f* **1.** *(aggiunta)* Zu-, Beigabe *f;* **2.** *(per indumenti)* Ansatz *m,* Einsatz *m;* **per** ~ obendrein, überdies.
giunto ['dʒunto] **I.** *pp di* **giungere; II.** *m* Gelenk *n; mot* Kupplung *f;* ~ **cardanico** Gelenkkupplung *f,* Kardangelenk *n.*
giuntura [dʒun'tu:ra] *f* **1.** *(di pezzi)* Verbindung *f,* Naht *f;* **2.** *anat* Gelenk *n.*
Giura ['dʒu:ra] *m geog* Jura *m.*
giuramento [dʒura'mento] *m* Schwur *m,* Eid *m;* **fare** ~ schwören; **prestar** ~ einen Eid leisten. **giurare** [...'ra:re] **I.** *tr* schwören, beschwören; ~ **il falso** einen Meineid leisten; **II.** *itr* schwören (*su* bei, auf +*akk*).
giurassico [dʒu'rɑssiko] *m geol* Jura *m.*
giurato, -a [...'ra:to] **I.** *agg (nemico)* (ein)geschworen; *(interprete, guardia, perito)* vereidigt, beeidigt; **II.** *m, f* Geschworene(r) *mf.*
giuria [dʒu'ri:a] ⟨-ie⟩ *f* Jury *f,* Preisgericht *n.*
giuridico, -a [dʒu'ri:diko] ⟨-ci, -che⟩ *agg* juristisch, rechtlich, Rechts-; **persona -a** juristische Person.
giurisdizione [dʒurizdit'tsi̯o:ne] *f* **1.** *dir* Gerichtsbarkeit *f,* Rechtsprechung *f;* **2.** *(competenza)* Zuständigkeit *f.*
giurisprudenza [dʒurispru'dɛntsa] *f* Rechtswissenschaft *f,* Jura *n pl,* Jurisprudenz *f.*
giurista [dʒu'rista] ⟨-i *m,* -e *f*⟩ *mf* Jurist(in) *m(f);* ~**d'impresa** Hausjurist *m.*
Giuseppe [dʒu'zɛppe] *(nome proprio maschile)* Josef, Joseph.
Giuseppina [dʒuzep'pi:na] *(nome proprio femminile)* Josefine, Josephine.
giusta *f v.* **giusto.**
giustezza [dʒus'tettsa] *f* Richtigkeit *f.*
giustificabile [dʒustifi'kɑbile] *agg* entschuldbar.
giustificare [dʒustifi'ka:re] ⟨giustifico, giustifichi⟩ **I.** *tr* **1.** *(condotta, errore)* rechtfertigen, entschuldigen; **2.** *(spese)* belegen; **II.** *rfl:* **-arsi** sich rechtfertigen, sich entschuldigen. **giustificativo, -a** [...ka'ti:vo] **I.** *agg* belegend, Beleg-; **II.** *m* Beleg(stück *n*) *m.* **giustificazione** [...kat'tsi̯o:ne] *f* **1.** *gener.* Rechtfertigung *f;* **2.** *(a scuola)* Entschuldigung *f;* **3.** *(riconoscimento)* Unterlage *f,* Beleg *m.*
giustizia [dʒus'tittsi̯a] ⟨-ie⟩ *f* **1.** *gener.* Gerechtigkeit *f;* **2.** *dir* Justiz *f;* ~ **sommaria** *(a. fig)* kurzer Prozeß; **fare** ~ **da sé** Selbstjustiz üben; **rendere** ~ **a qu** jdm Gerechtigkeit widerfahren lassen; **ricorrere alla** ~ vor Gericht gehen; **con** ~ gerecht; **secondo** ~ rechtmäßig.
giustiziare [dʒustit'tsi̯a:re] ⟨giustizio, giustizi⟩ *tr* hinrichten. **giustiziato, -a** [...'tsi̯a:to] *m, f* Hingerichtete(r) *mf.* **giustiziere** [...'tsi̯ɛ:re] *m* Scharfrichter *m,* Henker *m.*
giusto, -a ['dʒusto] **I.** *agg (persona, pena, causa, critica)* gerecht; *(osservazione, parola)* richtig, passend, genau; *(salario)* gerecht; *(prezzo)* angemessen; *(preciso)* genau; *(vero)* richtig; **hai l'ora -a?** hast du die genaue (Uhr)zeit?; **II.** *m, f* Gerechte(r) *mf;* **III.** *m* Rechte(s) *n,* Richtige(s) *n;* **IV.** *avv* **1.** *(esattamente)* genau, richtig; **2.** *(proprio)* gerade, eben, genau; **colpire** ~ *fig* ins Schwarze treffen; **è arrivato** ~ **(in tempo)** er ist gerade zur rechten Zeit gekommen; **V.** *interi (in risposta)* richtig, stimmt, genau.
glaciale [gla'tʃa:le] *agg* eiskalt, Eis-; *(a. fig)* eisig; **il Mar G~ Artico** das nördli-

che Eismeer; **periodo (***o* **epoca)** ~ Eiszeit *f*.
glaciazione [glatʃat'tsjo:ne] *f* Vereisung *f*.
gladiatore [gladja'to:re] *m* Gladiator *m*.
gladiolo [gla'di:olo] *m* Gladiole *f*.
glande ['glande] *m anat* Eichel *f*.
Glarona [gla'ro:na] *f* Glarus *n*.
glassa ['glassa] *f* Glasur *f*, Zuckerguß *m; (per torta a.)* Tortenguß *m*. **glassare** [...'sa:re] *tr* glasieren, glacieren.
glaucoma [glau'kɔ:ma] ⟨-i⟩ *m* grüner Star, Glaukom *n*.
gli [ʎi] **I.** *art det m pl davanti a s impura, gn pn, ps, x, z* die; **II.** *pron pers* **1.** *3ª pers m sing* ihm; **2.** *fam 3ª pers f sing* ihr; **3.** *3ª pers m e f pl* ihnen.
glicemia [glitʃe'mi:a] ⟨-⟩ *f* Blutzucker *m*.
glicerina [glitʃe'ri:na] *f* Glyzerin *n*.
glicine ['gli:tʃine] *m* Glyzinie *f*.
glicol(e) ['gli:kol(e)] *m* Glykol *n*.
gliela, gliele, glieli, glielo, gliene ['ʎe:la, 'ʎe:le, 'ʎe:li, 'ʎe:lo, 'ʎe:ne] *pron* **gli** *o* **le** *con la, le, li, lo, ne*.
globale [glo'ba:le] *agg* global, umfassend, gesamt, Gesamt-.
globo ['glɔ:bo] *m* **1.** *gener.* Kugel *f;* **2.** *astr* Kugel *f*, Globus *m;* **3.** *anat* Apfel *m;* **4.** *el* Lampenglocke *f;* ~ **terrestre** Erdball *m*, -kugel *f;* ~ **oculare** Augapfel *m*.
globulo ['glɔ:bulo] *m* Blutkörperchen *n*.
gloria ['glɔ:rja] ⟨-ie⟩ *f* Ruhm *m*, Ehre *f; (rel a.)* Herrlichkeit *f; (vanto)* Stolz *m*, Glanz *m*, Ruhm *m;* **lavorare per la** ~ *scherz* für Gottes Lohn (*o* umsonst) arbeiten.
gloriarsi [glo'rjarsi] ⟨mi glorio, ti glori⟩ *rfl* sich rühmen (*di qc* einer S. *(gen)*); *(vantarsi)* prahlen (*di* mit).
glorificare [glorifi'ka:re] ⟨glorifico, glorifichi⟩ *tr (Dio)* preisen, rühmen, verherrlichen; *(martire, eroe)* ehren. **glorificazione** [...kat'tsjo:ne] *f (di Dio)* Verherrlichung *f; (di poeta, martire, eroe)* Verehrung *f*.
glorioso, -a [glo'rjo:so] *agg* glorreich, ruhmreich.
glossa ['glɔssa] *f* Glosse *f*, Anmerkung *f*. **glossario** [...'sa:rjo] ⟨-i⟩ *m* Glossar *n*.
glottologia [glottolo'dʒi:a] ⟨-gie⟩ *f* Sprachwissenschaft *f*, Sprachforschung *f*.
glucosio [glu'kɔ:zjo] ⟨-i⟩ *m* Glykose *f*, Glucose *f*.
gluteo ['glu:teo] *m* Gesäßbacke *f*, -muskel *m*.
gnocco ['ɲɔkko] ⟨-cchi⟩ *m* **1.** *gastr* Klößchen *n*, Gnocco *m;* **2.** *fam peg* Tölpel *m*.
gnomo ['ɲɔ:mo] *m* Gnom *m*, Kobold *m*.
gnorri ['ɲɔrri] *m:* **fare lo** ~ *fam* sich dumm stellen, den Ahnungslosen spielen.
goal [goul] ⟨-⟩ *m* Tor *n*, Treffer *m;* ~ **della bandiera** Ehrentor *n;* **fare (***o* **segnare) un** ~ ein Tor schießen.
gobba ['gɔbba] *f* **1.** *med* Buckel *m; anat (del naso)* Höcker *m;* **2.** *zoo* Höcker *m;* **3.** *(del terreno)* Buckel *m*, Hügel *m;* ~ **a ponente luna crescente,** ~ **a levante luna calante** z wie zunehmender Mond, a wie abnehmender Mond.
gobbo, -a ['gɔbbo] **I.** *agg* buck(e)lig; *(naso)* krumm; **II.** *m, f* Bucklige(r) *mf*.
goccia ['gottʃa] ⟨-cce⟩ *f* Tropfen *m;* **somigliarsi come due -cce d'acqua** sich *(dat)* gleichen wie ein Ei dem anderen; **la** ~ **che fa traboccare il vaso** *fig* der Tropfen, der das Faß zum Überlaufen bringt; **fino all'ultima** ~ bis zum letzten Tropfen; **a** ~ tropfenförmig; **a** ~ **a** ~ tropfenweise, tröpfchenweise; **a** ~ **a** ~ **si (***o* **l'acqua) scava la pietra** *prov* steter Tropfen höhlt den Stein *prov*.
goccio ['gottʃo] ⟨-cci⟩ *m* Tropfen *m*, Schluck *m*.
gocciola ['gottʃola] *f* Tröpfchen *n*, Tropfen *m;* **ho la** ~ **al naso** mir läuft die Nase. **gocciolamento** [-'mento] *m* Tropfen *n*, Tröpfeln *n*.
gocciolare [gottʃo'la:re] **I.** *tr* ⟨*avere*⟩ tropfen, tröpfeln; **II.** *itr* ⟨*essere o avere*⟩ **1.** *(naso, rubinetto)* tropfen, laufen; **2.** *(liquido)* tropfen. **gocciolatoio** [...la'to:jo] ⟨-oi⟩ *m* Dachtraufe *f*. **gocciolio** [...'li:o] ⟨-ii⟩ *m* Tröpfeln *n*, Tropfen *n*.
godere [go'de:re] **I.** *itr* Genuß empfinden, genießen (*di qc* etw.); *(compiacersi)* sich freuen (*di* über *+akk*); *(far vita di piaceri)* das Leben genießen; ~ **di** *+inf*, ~ **che** *+congv* sich freuen, daß ...; ~ **della fiducia di qu** jds Vertrauen genießen; **II.** *tr (bene, salute)* genießen (*qc* etw.), sich erfreuen (*qc* einer S. *(gen)*); ~ **ottima salute** sich *(akk)* bester Gesundheit erfreuen, bei bester Gesundheit sein; **-ersi la vita/le vacanze** das Leben/den Urlaub genießen; **godersela** *fam* sich vergnügen, sich amüsieren. **godereccio, -a** [gode'rettʃo] ⟨-cci, -cce⟩ *agg (gente)* locker, lebenslustig; *(vita)* lokker.
godet [go'dɛ] ⟨-⟩ *m* Glockenschnitt *m;* **gonna a** ~ Glockenrock *m*.
godibile [go'di:bile] *agg* nutzbar.
godimento [godi'mento] *m* Genuß *m*, Freude *n*, Vergnügen *n; (vantaggio)* Nutzen *m; dir* Genuß *m*, Nutznießung *f*.
goffaggine [gof'faddʒine] *f* Plumpheit *f*.
goffo, -a ['gɔffo] *agg* **1.** *(persona)* plump, unbeholfen, ungehobelt; **2.** *(vestito)* plump, schlecht sitzend.
gol [gɔl] *v.* **goal.**
gola ['go:la] *f* **1.** *anat* Kehle *f; (collo)* Hals *m;* **2.** *(vizio)* Gefräßigkeit *f;* **3.** *geog* Schlucht *f;* **4.** *tec (del camino, della fornace)* Schlot *m; (scanalatura)* Rille *f*, Nut *f;* **mal di** ~ Halsweh *n*, Halsschmerzen *m pl;* **peccati di** ~ Völlerei *f;* **far** ~ Appetit machen, verlockend sein (*o* aus-

sehen); *fig* reizen, verlockend sein; **prendere qu per la** ~ *(a. fig)* jdn an (*o* bei) der Gurgel packen; **ho l'acqua alla** ~ *(a. fig)* das Wasser steht mir bis zum Hals.

goldoniano, -a [goldo'nia:no] *agg* goldonianisch.

goletta [go'letta] *f naut* Schoner *m.*

golf[1] [gɔlf] ⟨-⟩ *m sport* Golf *n,* Golfspiel *n;* **mazza (*o* bastone) da** ~ Golfschläger *m.*

golf[2] [gɔlf] ⟨-⟩ *m (maglia)* (kragenlose) Strickjacke *f.*

golfista [gol'fista] ⟨-i *m,* -e *f*⟩ *mf* Golfspieler(in) *m(f).*

golfo ['golfo] *m* Golf *m,* Bucht *f;* **la guerra del G**~ *st* der Golfkrieg *m.*

golosità [golosi'ta] ⟨-⟩ *f* **1.** Naschhaftigkeit *f;* **2.** *fig* Gier *f;* **3.** *(leccornia)* Lekkerbissen *m,* Schleckerei *f.*

goloso, -a [go'lo:so] **I.** *agg* naschhaft; *fig* gierig; **essere** ~ **di qc** etw. mögen, auf etw. *(akk)* scharf sein *fam;* **II.** *m, f* Schlemmer(in) *m(f),* Leckermaul *n.*

golpe ['gɔlpe] ⟨-⟩ *m* Putsch *m,* Staatsstreich *m.* **golpista** [gol'pista] ⟨-i *m,* -e *f*⟩ *mf* Putschist(in) *m(f).*

gomitata [gomi'ta:ta] *f* Stoß *m* (*o* Schlag *m*) mit dem Ellenbogen, Rempler *m fam.*

gomito ['go:mito] *m* **1.** *anat* Ell(en)bogen *m;* **2.** *tec (di tubo)* Knick *m,* Winkel *m;* **3.** *(di fiume, tubazioni)* Knie *n;* **curva a** ~ Haarnadelkurve *f;* **alzare il** ~ *fig* zu tief ins Glas schauen, einen über den Durst trinken *fam.*

gomitolo [go'mi:tolo] *m* Knäuel *m o n.*

gomma ['gomma] *f* **1.** *gener.* Gummi *m o n;* **2.** *fam mot* (Auto)reifen *m;* **3.** *(da cancellare)* Radiergummi *m;* ~ **naturale/sintetica** Kautschuk *m*/Kunstkautschuk *m;* ~ **americana (*o* da masticare)** Kaugummi *m o n;* **cambiare una** ~ *fam* einen Reifen wechseln; **forare una** ~ *fam* einen Plattfuß (*o* Platten) fahren *fam.*

gommapiuma® [-'piu:ma] *f* Schaumgummi *m.*

gommato, -a [gom'ma:to] *agg* gummiert.

gommatura [gomma'tu:ra] *f mot* Bereifung *f.* **gommino** [...'mi:no] *m* Gummidichtung *f.* **gommista** [...'mista] ⟨-i *m,* -e *f*⟩ *mf* **1.** *(venditore)* Reifenhändler(in) *m(f);* **2.** *(officina)* Reifendienst *m.* **gommone** [...'mo:ne] *m* Schlauchboot *n.* **gommoso, -a** [...'mo:so] *agg* **1.** *(che contiene gomma)* gummihaltig, Gummi-; **2.** *(simile alla gomma)* gummiartig.

gondola ['gondola] *f* Gondel *f.* **gondoliere** [...'liɛ:re] *m* Gondoliere *m,* Gondelführer *m.*

gonfalone [gonfa'lo:ne] *m* Banner *n.*

gonfiabile [gon'fia:bile] *agg* aufblasbar.

gonfiare [gon'fia:re] ⟨gonfio, gonfi⟩ **I.** *tr* **1.** *(pallone, materassino)* aufblasen, aufpumpen; *(vele, guance, stomaco)* (auf)blähen; **2.** *fig (notizia, fatto)* aufbauschen; *(persona)* übertrieben (*o* über den grünen Klee *fam*) loben; **II.** *rfl:* **-arsi** **1.** *(diventare gonfio)* sich (auf)blähen, anschwellen; **2.** *fig (inorgoglire)* sich (vor Stolz) aufblasen (*o* aufplustern).

gonfiato, -a [...'fia:to] *agg (pallone, materassino)* aufgepumpt; *(vele)* (auf)gebläht; **imbalaggio** ~ Mogelpackung *f;* **pallone** ~ *fig* aufgeblasene Person. **gonfiezza** [...'fiettsa] *f* **1.** *(l'esser gonfio)* Schwellung *f;* **2.** *fig* Aufgeblasenheit *f.*

gonfio, -a ['gonfio] ⟨-i, -ie⟩ *agg* **1.** *med* (an)geschwollen; *(occhi)* verquollen, geschwollen; **2.** *(fiume, torrente)* angeschwollen; **3.** *(persona)* aufgeblasen; **4.** *(stile)* geschwollen, schwülstig. **gonfiore** [...'fio:re] *m* (An)schwellung *f.*

gong [gɔŋg] ⟨-⟩ *m* Gong *m.*

gongolare [goŋgo'la:re] *itr* jauchzen *geh,* frohlocken *geh.*

goniometro [go'niɔmetro] *m* Winkelmesser *m.*

gonna ['gonna *o* 'gɔnna] *f* (Damen)rock *m;* ~ **svasata/a pieghe/pantalone** Glocken-/Falten-/Hosenrock *m.* **gonnella** [gon'nɛlla] *f* Rock *m,* Röckchen *n;* **correre dietro alle -e** *fam* ein Schürzenjäger sein.

gonorrea [gonor'rɛ:a] *f* Gonorrhöe *f,* Tripper *m.*

gonzo, -a ['gondzo] *fam peg* **I.** *agg* dämlich *fam,* dußlig *fam;* **II.** *m, f* Schwachkopf *m fam,* Einfaltspinsel *m,* Dussel *m.*

gorgheggiare [gorged'dʒa:re] ⟨gorgheggio, gorgheggi⟩ **I.** *itr* **1.** *zoo* trillern; *(usignoli)* schlagen *n;* **2.** *mus* trillern; **II.** *tr (melodia)* trällern. **gorgheggio** [...'geddʒo] ⟨-ggi⟩ *m* **1.** *zoo* Getriller *n,* Trillern *n; (di usignoli)* Schlagen *n;* **2.** *mus* Triller *m.*

gorgo ['gorgo] ⟨-ghi⟩ *m* **1.** *(d'acqua)* Strudel *m;* **2.** *fig* Wirbel *m,* Strudel *m.*

gorgogliare [gorgoʎ'ʎa:re] ⟨gorgoglio, gorgogli⟩ *itr (liquido)* blubbern, gurgeln; *(intestino)* rumoren, kollern.

gorgoglio[1] [gor'goʎʎo] ⟨-gli⟩ *m (di liquido)* Blubbern *n,* Gurgeln *n.*

gorgoglio[2] [gorgoʎ'ʎi:o] ⟨-glii⟩ *m (gorgogliare continuato)* fortwährendes Gurgeln.

gorgonzola [gorgon'dzɔla] ⟨-⟩ *m* Gorgonzola *m.*

gorilla [go'rilla] ⟨-⟩ *m* **1.** *zoo* Gorilla *m (a. fig);* **2.** *(guardia del corpo)* Leibwächter *m,* Gorilla *m fam.*

gotico, -a ['gɔ:tiko] ⟨-ci, -che⟩ **I.** *agg* gotisch; **II.** *m* Gotik *f;* ~ **fiorito** Flamboyantstil *m.*

gotta ['gotta] *f* Gicht *f.*

Gottinga [got'tiŋga] *f* Göttingen *n.*

governabilità [governabili'ta] ⟨-⟩ *f* Regierbarkeit *f.*

governante [gover'nante] **I.** *mf pol* Regiernde(r) *mf;* **II.** *f* **1.** *(istitutrice)* Gouvernante *f;* **2.** *(di casa)* Haushälterin *f.*

governare [gover'na:re] **I.** *tr* **1.** *(paese, stato)* regieren; *(comune, regione)* verwalten; **2.** *(casa, famiglia, azienda)* führen, leiten; *(bestie)* versorgen; **3.** *naut, aero* steuern; **II.** *rfl:* **-arsi** sich regieren, sich verwalten. **governativo, -a** [...na'ti:vo] *agg* Regierungs-. **governatorato** [...nato'ra:to] *m* Gouvernement *n.* **governatore, -trice** [...na'to:re] *m, f pol, amm* Gouverneur(in) *m(f); (di una banca)* Präsident(in) *m(f).*

governo [go'vɛrno] *m* **1.** *pol* Regierung *f;* **2.** *(della casa)* Haushalt *m,* Hauswirtschaft *f; (delle bestie)* Versorgung *f;* **3.** *amm* Verwaltung *f;* **4.** *naut* Steuerung *f;* ~ **fantoccio/fantasma/ponte** Marionetten-/Schein-/Übergangsregierung *f;* ~ **federale** Bundesregierung *f;* ~ **monocolore** Einparteienregierung *f;* ~ **ombra** Schattenkabinett *n.*

gozzo ['gottso] *m* Kropf *m;* **avere/restare sul** ~ *fig fam* im Hals haben/steckenbleiben.

gozzoviglia [gottso'viʎʎa] ⟨-glie⟩ *f* Prasserei *f.* **gozzovigliare** [...'ʎa:re] ⟨gozzoviglio, gozzovigli⟩ *itr* prassen.

gozzuto, -a [got'tsu:to] *agg* kropfig, Kropf-.

GPL *abbr di* **Gas di Petrolio Liquefatto** Flüssiggas *n.*

GR [dʒi'ɛrre] ⟨-⟩ *m acr di* **Giornale Radio** Hörfunknachrichten.

gracchiare [grak'kia:re] ⟨gracchio, gracchi⟩ *itr* **1.** *(cornacchia)* krächzen; **2.** *fig (persona, radio)* quäken. **gracchio** ['grakkio] ⟨-cchi⟩ *m* Krächzen *n.*

gracidare [gratʃi'da:re] *itr* quaken. **gracidio** [...'di:o] ⟨-ii⟩ *m* Quaken *n,* Gequake *n.*

gracile ['gra:tʃile] *agg* **1.** *(persona, aspetto)* zart, grazil; **2.** *fig* schwach, dünn. **gracilità** [gratʃili'ta] ⟨-⟩ *f* **1.** *(di persona, aspetto)* Zartheit Grazilität *f;* **2.** *fig* Schwäche *f.*

gradasso [gra'dasso] *m* Aufschneider *m;* **fare il** ~ prahlen, aufschneiden.

gradatamente [gradata'mente] *avv* stufenweise, nach und nach, allmählich.

gradazione [gradat'tsio:ne] *f (di vino, liquore)* Grad *m,* Gehalt *m; (di luci, suoni)* Abstufung *f,* Nuance *f;* ~ **alcolica** Alkoholgehalt *m;* **in** ~ abgestuft.

gradevole [gra'de:vole] *agg* angenehm, gefällig.

gradimento [gradi'mento] *m* Wohlgefallen *m; (accoglimento)* Billigung *f;* **indice di** ~ Einschaltquote *f;* **questo è di mio** ~ das gefällt mir, das sagt mir zu.

gradinata [gradi'na:ta] *f* Stufenreihe *f; (di stadi, teatri)* Sitzreihe *f,* Rang *m; (pubblico)* Publikum *n (o* Zuschauer *m pl)* auf den Rängen.

gradino [gra'di:no] *m* Stufe *f.*

gradire [gra'di:re] ⟨gradisco⟩ *tr* (gern) mögen, (gern) annehmen; *(desiderare)* wünschen, mögen; **voglia** ~ **i più sentiti auguri** mit den besten Wünschen; **gradisci un caffè?** möchtest du (gern) einen Kaffee?. **gradito, -a** [...'di:to] *agg* willkommen, angenehm, gerngesehen.

grado[1] ['gra:do] *m* **1.** *gener.* Grad *m;* **2.** *(stadio)* Schritt *m,* Stufe *f,* Stadium *n; mus* Stufe *f;* **3.** *sport* Schwierigkeit *f,* Schwierigkeitsgrad *m;* **4.** *(condizione sociale)* Stellung *f,* Stufe *f; mil* Rang *m,* Grad *m;* **5.** *fig* Grad *m,* Maß *n;* ~ **alcolico/igrometrico** Alkohol-/Feuchtigkeitsgehalt *m;* ~ **di durezza/di purezza** *chim* Härte-/Reinheitsgrad *m;* ~ **di parente la** Verwandschaftsgrad *m;* **essere in** ~ **di fare qc** in der Lage sein, etw. zu tun; **andare per -i** schrittweise (*o* stufenweise) vorgehen; **salire di** ~ (beruflich) eine Stufe weiterkommen.

grado[2] ['gra:do] *m:* **di buon** ~ gern(e).

graduabile [gradu'a:bile] *agg* abstufbar.

graduale [gradu'a:le] *agg* graduell, stufen-, schrittweise. **gradualmente** [...ual'mente] *avv* stufen-, schrittweise.

graduare [gradu'a:re] *tr* **1.** *tec* in Grade einteilen, graduieren; **2.** *fig (difficoltà, insegnamento)* abstufen, staffeln. **graduato, -a** [...'a:to] **I.** *agg* in Grade eingeteilt, graduiert, abgestuft; **II.** *m mil* Unterführer *m.*

graduatoria [gradua'tɔ:ria] ⟨-ie⟩ *f* Rangfolge *f; (di gara, concorso a.)* Rangliste *f.*

graduazione [graduat'tsio:ne] *f* Maßeinteilung *f,* Graduation *f.*

graffa ['graffa] *f* **1.** *(grappetta)* Schelle *f,* Krampe *f;* **2.** *tip* Akkolade *f,* geschweifte Klammer. **graffetta** [graf'fetta] *f* Büroklammer *f.*

graffiante [graf'fiante] *agg fig* bissig, beißend.

graffiare [graf'fia:re] ⟨graffio, graffi⟩ **I.** *tr* (ver-, zer)kratzen; **II.** *rfl:* **-arsi** sich kratzen. **graffiatura** [...ia'tu:ra] *f* Kratzer *m,* Schramme *f; (di pelle a.)* Kratzwunde *f.*

graffio ['graffio] ⟨-i⟩ *m* Kratzer *m,* Schramme *f; (di pelle a.)* Kratzwunde *f.*

graffito, -a [graf'fi:to] **I.** *agg* (ein)geritzt, Sgraffito-; **II.** *m* **1.** *(disegno o scrittura incisi)* Sgraffito *n;* **2.** *(scritta su muro o monumento)* Graffito *m o n;* **i -i** Graffiti *pl.*

grafia [gra'fi:a] ⟨-ie⟩ *f* Schreibung *f,* Schreibweise *f.*

grafica ['gra:fika] ⟨-che⟩ *f (arte)* Graphik *f;* ~ **computerizzata** Computergraphik *f.*

grafico, -a [...ko] ⟨-ci, -che⟩ **I.** *agg* graphisch; **II.** *m (rappresentazione)* Graphik *f;* **III.** *m, f (tecnico)* Graphiker(in) *m(f);* ~ **pubblicitario** Werbegraphiker *m.*

grafite [gra'fi:te] *f* Graphit *m.*

grafologia [grafolo'dʒi:a] ⟨-gie⟩ *f* Graphologie *f.* **grafologo, -a** [...'fɔ:logo] ⟨-gi, -ghe⟩ *m,f* Graphologe *m,* -login *f.*

gramaglie [gra'maʎʎe] *f pl:* **in** ~ in Trauer.

gramigna [gra'miɲɲa] *f* **1.** *bot* Quecke *f,* Queckengras *n;* **2.** *gastr Nudelsorte, die meist als Suppeneinlage verwendet wird;* **crescere (*o* moltiplicarsi) come la** ~ wie Unkraut wuchern. **graminacee** [grami'na:tʃee] *f pl* Gräser *n pl.*

grammatica [gram'ma:tika] ⟨-che⟩ *f* Grammatik *f,* Sprachlehre *f.* **grammaticale** [...mati'ka:le] *agg* grammatisch, grammatikalisch, Grammatik-.

grammo ['grammo] *m* **1.** (*unità di misura, abbr* **g**) Gramm *n;* **2.** *fig* Funke *m,* Fünkchen *n,* Gran *n.*

grammofono [gram'mɔ:fono] *m* Grammophon *n.*

gramo, -a ['gra:mo] *agg* armselig, elend.

gran [gran] *v.* **grande.**

grana ['gra:na] *f* **1.** *sl (denaro)* Kies *m sl,* Moos *n sl;* **2.** *fig fam* Stunk *m fam,* Ärger *m,* Schererei *f;* **3.** *fot, min* Korn *n,* Körnung *f;* **formaggio (di)** ~ Hartkäse *m;* **piantare una** ~ *fam* Stunk machen *fam;* **avere un sacco di -e** *fam* eine Menge Ärger (*o* Scherereien) am Hals haben.

granaglie [gra'naʎʎe] *f pl* Getreide *n.* **granaio** [...'na:jo] ⟨-ai⟩ *m* **1.** *agr* Getreidespeicher *m;* **2.** *fig* Kornkammer *f.*

granata[1] [gra'na:ta] *f mil* Granate *f.*

granata[2] [gra'na:ta] *f bot* Granatapfel *m.*

granatiere [grana'tjɛ:re] *m* **1.** *mil* Grenadier *m;* **2.** *fig* Koloß *m,* Brocken *m.*

granato [gra'na:to] *m* Granat *m.*

Gran Bretagna ['gram bre'taɲɲa] *f* Großbritannien *n.*

grancassa [graŋ'kassa] *f* große Trommel.

granché [gran'ke] **I.** *pron indef* besonders; **il film non è un** ~ der Film ist nicht besonders; **II.** *avv* viel, besonders; **non lavora** ~ er (*o* sie) arbeitet nicht (gerade) viel.

granchio ['graŋkjo] ⟨-chi⟩ *m* **1.** *zoo* Krabbe *f,* Taschenkrebs *m;* **2.** *fig* Schnitzer *m;* **prendere un** ~ *fig* einen Bock schießen.

grand' [grand] *v.* **grande.**

grandangolare [grandaŋgola:re] **I.** *m* Weitwinkelobjektiv *n;* **II.** *agg* weitwinklig, Weitwinkel-.

grande ['grande] **I.** *agg* ⟨più grande *o* maggiore, grandissimo *o* massimo *o* sommo⟩ **1.** *gener.* groß; *(largo a.)* breit; *(esteso a.)* weit; **2.** *fig* groß, bedeutend, wichtig; **Federico il G~** Friedrich der Große; **un gran bevitore/fumatore** ein starker Trinker/Raucher; **avere una gran fame** einen Bärenhunger haben; **(una) gran cosa** *fam* super *fam,* toll *fam,* Spitze *fam;* **non è un gran che** *fam* das ist nichts Besonderes; **è un gran tempo che non lo vedo** *fam* ich habe ihn schon eine ganze Weile nicht gesehen; **fare le cose in** ~ etw. groß (*o* in großem Stil) aufziehen; **come ti sei fatto** ~! wie du gewachsen bist!; **II.** *mf* **1.** *(adulto)* Erwachsene(r) *mf;* **2.** *(chi eccelle)* Große(r) *mf,* Mächtige(r) *mf;* **III.** *m* Größe *f; fig* Großartigkeit *f,* Großartige(s) *n.* **grandeggiare** [-d'dʒa:re] ⟨grandeggio, grandeggi⟩ *itr* **1.** *(di costruzione)* hinausragen (*su, sopra* über +*akk*), sich erheben (*su, sopra* über +*akk*); **2.** *fig* hervorragen (*su* unter +*dat*), herausragen (*su* unter +*dat*).

grandezza [gran'dettsa] *f* **1.** *gener.* Größe *f; (dimensione a.)* Ausmaß *n;* **2.** *fig (nobilità)* Größe *f;* ~ **d'animo** Edelmut *m;* **in** ~ **naturale** in Originalgröße; *(persone)* in Lebensgröße.

grandinare [grandi'na:re] *itr* ⟨*essere o avere*⟩ hageln *(a. fig);* **grandina** es hagelt. **grandinata** [...'na:ta] *f* Hagel(schlag) *m.*

grandine ['grandine] *f* **1.** *meteo* Hagel *m;* **2.** *fig* Regen *m,* Hagel *m.*

grandiosità [grandjosi'ta] ⟨-⟩ *f* **1.** *gener.* Großartigkeit *f,* Größe *f;* **2.** *(ostentazione)* Großtuerei *f.* **grandioso, -a** [...'djo:so] *agg* großartig, grandios, überwältigend.

grandissimo [gran'dissimo] *superl di* **grande.**

granduca, -duchessa [gran'du:ka, ...du'kessa] *m, f* Großherzog(in) *m(f).* **granducato** [...du'ka:to] *m* **1.** *(titolo)* Großherzogswürde *f;* **2.** *(territorio)* Großherzogtum *n.*

granello [gra'nɛllo] *m* **1.** *(di pepe, sabbia, riso, polvere)* Korn *n,* Körnchen *n;* **2.** *fig* Gran *n,* Korn *n,* Funke *m.* **granelloso, -a** [granel'loso] *agg* körnig.

granita [gra'ni:ta] *f* Granita *f* (Sorbet aus feingestoßenem Eis u. Fruchtsäften oder Kaffee).

granitico, -a [gra'ni:tiko] ⟨-ci, -che⟩ *agg* **1.** *min* granitisch, Granit-; **2.** *fig (fede, volantà)* unerschütterlich. **granito** [...'ni:to] *m* Granit *m.*

grano ['gra:no] *m* **1.** *bot* Korn *n,* Getreide *n; (frumento)* Weizen *m;* **2.** *(di pepe)* Korn *n;* **3.** *(di rosario, collana)* Perle *f,* Kugel *f;* **4.** *fig* Fünkchen *n,* Gran *n,* Korn *n;* ~ **saraceno** Buchweizen *m;* **con un** ~ **di sale** *fig* einsichtig und vernünftig.

gran(o)turco [gran(o)'turko] ⟨-chi⟩ *m* Mais *m.*

granturismo [grantu'rizmo] ⟨-⟩ *f mot* Sportwagen *m,* GT-Wagen *m.*

granulare [granu'la:re] **I.** *agg* körnig, gekörnt, Korn-; **II.** *tr* granulieren, körnen. **granulo** ['gra:nulo] *m* Granulum *n.* **granuloso, -a** [...'lo:so] *agg* gekörnt, körnig.

grappa[1] ['grappa] *f gastr* Grappa *m* (italienischer Tresterbranntwein).

grappa² ['grappa] *f (in edilizia)* Bauklammer *f.*

grappetta [grap'petta] *f* **1.** *(per fogli)* Büroklammer *f,* Heftklammer *f;* **2.** *sport* Steigeisen *n.*

grappino¹ [grap'pi:no] *m fam* Gläschen *n* Grappa.

grappino² [grɑp'pi:no] *m naut* Wurfhaken *m,* Wurfanker *m.*

grappolo ['grappolo] *m* **1.** *bot* (Wein)traube *f;* **2.** *fig* Traube *f;* **un ~ d'uva** eine (Wein)traube; **fiori a ~** Traubenblütler *m pl.*

grassetto, -a [gras'setto] **I.** *agg* halbfett; **II.** *m* halbfette Schrift.

grassezza [gras'settsa] *f* **1.** *(di persona, animale)* Fettleibigkeit *f;* **2.** *(di cibo)* Fettgehalt *m,* Fettigkeit *f;* **3.** *agr* Fruchtbarkeit *f,* Fettheit *f.*

grasso, -a ['grasso] **I.** *agg* **1.** *(persona)* dick(leibig), fett; **2.** *bot, agr* fett; **3.** *(pelle)* fettig; **4.** *gastr (carne, formaggio, brodo)* fett; *(cucina, cibo)* fetthaltig, fettig; **5.** *fig (ricco)* fett; *(persone)* reich, wohlhabend; *(viscido, osceno)* schmierig, schlüpfrig; **pelle ~a** fettige Haut; **piante -e** Fettpflanzen *f pl,* Kakteen *m pl fam;* **far -e risate** sich vor Lachen biegen; **II.** *m* Fett *n; (gastr a.)* Schmalz *n;* **~ vegetale** Pflanzenfett *n;* **~ per lubrificare** Schmierfett *n.* **grassoccio, -a** [...'sɔttʃo] ⟨-cci, -cce⟩ *agg* pummelig, rundlich. **grassone, -a** [...'so:ne] *m, f* Dickwanst *m.*

grata ['gra:ta] *f* Gitter *n.*

gratella, graticola [gra'tɛlla, ...'ti:kola] *f* Grill *m,* Rost *m;* **pesce in ~** gegrillter Fisch.

graticcio [gra'tittʃo] ⟨-cci⟩ *m* **1.** *(stuoia intrecciata)* Rohrgeflecht *n; (per far seccare frutta, verdura)* Darre *f;* **2.** *(di chiusura)* Gitter *n.*

gratifica [gra'ti:fika] ⟨-che⟩ *f econ* Gratifikation *f,* (Sonder)zuwendung *f;* **~ natalizia** Weihnachtsgratifikation *f,* Weihnachtsgeld *n.* **gratificante** [gratifi'kante] *agg* befriedigend. **gratificare** [...'ka:re] ⟨gratifico, gratifichi⟩ *tr* eine (Sonder)zuwendung gewähren für.

gratinare [grati'na:re] *tr* gratinieren, überbacken.

gratis ['gra:tis] *avv* gratis, kostenlos, umsonst.

gratitudine [grati'tu:dine] *f* Dankbarkeit *f,* Dank *m.*

grato, -a ['gra:to] *agg* **1.** *(persona)* dankbar (*di, per* für); **2.** *(odore, sapore)* angenehm, erfreulich; *(gradito)* willkommen.

grattacapo [gratta'ka:po] *m fam* Schererei *f,* Unannehmlichkeit *f.*

grattacielo [gratta'tʃɛ:lo] *m* Wolkenkratzer *m.*

grattare [grat'ta:re] **I.** *tr* **1.** *(pelle)* kratzen; **2.** *(pane, formaggio)* reiben; **3.** *(con temperino, carta vetrata)* (weg)kratzen, -schleifen, -schmirgeln; **4.** *sl* klauen *fam;* **II.** *itr* **1.** *(produrre rumore metallico)* kratzen; **2.** *fam mot (marcia)* krachen, knirschen; **III.** *rfl:* **-arsi** sich kratzen. **grattata** [...'ta:ta] *f* **1.** *fam mot* Krachen *n,* Knirschen *n;* **2.** *(di testa, naso)* Kratzen *n.*

grattugia [grat'tu:dʒa] ⟨-gie⟩ *f* Reibe *f.* **grattugiare** [...tu'dʒa:re] ⟨grattugio, grattugi⟩ *tr* reiben.

gratuità [gratui'ta] ⟨-⟩ *f* **1.** *(senza pagamento)* Unentgeldlichkeit *f;* **2.** *fig* Grundlosigkeit *f.*

gratuito, -a [gra'tu:ito *o* ...tu'i:to] **I.** *agg* **1.** *econ* gratis, umsonst, unentgeltlich; *(ingresso a.)* frei; **2.** *fig* grundlos, unhaltbar; **biglietto ~** Freikarte *f.*

gravare [gra'va:re] **I.** *tr* **1.** *(caricare)* beladen (*di* mit), belasten (*di* mit); **2.** *fig* belasten *(di* mit); **II.** *itr* lasten (*su* auf *+dat*).

grave ['gra:ve] *agg* **1.** *(importante, serio)* schwerwiegend; *(errore, peccato, malattia)* schwer; *(situazione, caso)* ernst; *(atteggiamento)* ernsthaft; **2.** *mus* grave, getragen, schwer; *(nota)* tief, dunkel; **3.** *(pesante)* schwer, voll.

gravidanza [gravi'dantsa] *f* Schwangerschaft *f;* **~ addominale** Bauchhöhlenschwangerschaft *f.* **gravido, -a** ['gra:vido] *agg* **1.** *(donna)* schwanger; *(animale)* trächtig; **2.** *fig* voll (*di* mit), -schwer *geh.*

gravità [gravi'ta] ⟨-⟩ *f* **1.** *phys* Schwerkraft *f,* Anziehungskraft *f;* **2.** *fig* Schwere *f,* Würde *f; (di situazione a.)* Ernst *m; (di perdita)* Härte *f;* **3.** *mus* Gravität *f.* **gravitare** [...'ta:re] *itr* **1.** *astr* kreisen, gravitieren; **2.** *fig* sich bewegen, herumsein; **~ intorno a** *fig* angezogen werden von. **gravitazione** [...tat'tsio:ne] *f* Gravitation *f,* Anziehungskraft *f.*

gravoso, -a [gra'vo:so] *agg* drückend, beschwerlich.

grazia ['grattsia] ⟨-ie⟩ *f* **1.** *(armonia, delicatezza)* Anmut *f,* Liebreiz *m,* Grazie *f;* **2.** *(gentilezza)* Liebenswürdigkeit *f,* Freundlichkeit *f;* **3.** *rel* Gnade *f;* **4.** *dir* Begnadigung *f;* **5.** *(benevolenza)* Gunst *f,* Wohlwollen *n;* **colpo di ~** Gnadenstoß *m;* **~ di Dio** *fam* Gottesgabe *f,* Gabe *f* des Himmels; **ministero di ~ e giustizia** Justizministerium *n;* **concedere la ~** *dir* Begnadigung gewähren *rel* erhören; **essere nelle -ie di qu** in jds Gunst stehen; **con ~** freundlich, liebenswürdig; **con mala ~** unwirsch, ruppig; **per ~ ricevuta** für erwiesene Gnade (Spruch bei einer Votivgabe); **in (***o* **per) ~ di** dank *+dat o +gen;* **alla ~!** *fam* meine Güte! *fam;* **troppa ~ Sant'Antonio!** *fam* zuviel des Guten!

graziare [grat'tsia:re] ⟨grazio, grazi⟩ *tr* **1.** *dir* begnadigen; **2.** *fig (concedere)* gewähren (*qu di qc* jdm etw.), schenken *(qu di qc* jdm etw.) **graziato, -a** [...'tsi̯a:to] *m, f* **1.** *dir* Begnadigte(r) *mf;* **2.** *rel* Begnadete(r) *mf.*

grazie ['grattsi̯e] *interj* danke; **tante/mille** ~ vielen Dank!, danke schön!/tausend Dank!; ~ **a** dank *+dat o +gen,* durch *+akk;* ~ **a Dio/al cielo** Gott/dem Himmel sei Dank!

grazioso, -a [grat'tsi̯o:so] *agg* graziös, lieblich, anmutig; *(piacevole a.)* reizend; *(gentile)* liebenswürdig, freundlich.

greca ['grɛ:kɑ] *f* Mäander *n.*

Grecia ['grɛ:tʃa] *f* Griechenland *n.* **grecismo** [gre'tʃizmo] *m* Gräzismus *m.* **greco, -a** ['grɛ:ko] ⟨-ci, -che⟩ **I.** *agg* griechisch; **II.** *m, f* Grieche *m,* Griechin *f.*

gregario, -a [gre'ga:ri̯o] ⟨-i, -ie⟩ **I.** *agg* Herden-; **II.** *m (di società, organizzazione)* Mitglied *n; peg* Mitläufer(in) *m(f).*

gregge ['greddʒe] ⟨*pl:* -i *f*⟩ *m* **1.** *zoo* Herde *f;* **2.** *fig* Herde *f,* Masse *f.*

greggio, -a ['greddʒo] ⟨-ggi, -gge⟩ **I.** *agg* roh, Roh-, Ur-; **II.** *m* Rohöl *n,* Erdöl *n.*

grembiale, grembiule [grem'bi̯a:le, ...'bi̯u:le] *m* Schürze *f; (per lavoro a.)* Kittel *m.*

grembo ['grɛmbo *o* 'grembo] *m* Schoß *m.*

gremire [gre'mi:re] ⟨gremisco⟩ **I.** *tr* füllen, bevölkern; **II.** *rfl:* **-irsi** sich füllen (*di* mit), sich bevölkern (*di* mit).

greppia ['greppi̯a] ⟨-ie⟩ *f* Futtertrog *m,* (Futter)krippe *f.*

greto ['gre:to] *m* Kiesbank *f.*

grettezza [gret'tettsa] *f* Kleinlichkeit *f,* Engstirnigkeit *f.* **gretto, -a** ['gretto] *agg* **1.** *(avaro)* geizig; **2.** *fig (meschino)* kleinkariert, engstirnig; **animo** ~ Krämerseele *f.*

grezzo, -a ['greddzo] *agg* **1.** *(non lavorato)* unbehandelt, unbearbeitet; *(fibre)* grob; *(pietre preziose)* Roh-; **2.** *fig (non elaborato)* unbearbeitet; *peg* ungeschliffen, ungehobelt, grob.

gridare [gri'da:re] **I.** *itr* schreien; *(per chiamare)* rufen; ~ **a squarciagola** aus vollem Halse schreien; **II.** *tr* **1.** schreien; *(per chiamare)* rufen; **2.** *fam (sgridare)* ausschimpfen; ~ **aiuto** um Hilfe rufen.

grido ['gri:do] *m* **1.** ⟨*pl:* -a *f*⟩ *(di persone)* Schrei *m,* Ruf *m; (invocazione)* Aufschrei *m; econ (in borsa)* Ausruf *m;* **2.** ⟨*pl:* -a *f*⟩ *fig (fama)* Ruf *m;* **3.** ⟨*pl:* -i *m*⟩ *(di animali)* Schrei *m,* Ruf *m;* **di** ~ von Ruf, berühmt; **essere l'ultimo** ~ der letzte Schrei (*o* in *fam*) sein.

griffato, -a [grif'fɑ:to] *agg* mit dem Markenzeichen (*o* Etikett) eines Couturiers versehen.

griffe [grif] ⟨-⟩ *f* Designeretikett *n,* Signet *n.*

grigiastro, -a [gri'dʒastro] *agg* gräulich.

grigio, -a ['gri:dʒo] ⟨-gi, -gie⟩ **I.** *agg* **1.** *(colore)* grau; **2.** *fig* grau, eintönig, trostlos; **eminenza** ~ graue Eminenz *f;* ~ **cenere/perla** asch-/perlgrau; **vedere tutto** ~ *fig* alles grau in grau sehen; **II.** *m* Grau *n.*

Grigioni [gri'dʒo:ni] *m pl* Graubünden *n.*

grigiore [gri'dʒo:re] *m* **1.** *(di paesaggio)* Grau *n;* **2.** *fig* Eintönigkeit *f.*

griglia ['griʎʎa] ⟨-glie⟩ *f* **1.** *gastr* Grill *m,* (Brat)rost *m;* **2.** *(inferriata, mot, fis)* Gitter *n;* **pollo/bistecca alla** ~ Hähnchen *n*/Steak *n* vom Grill, gegrilltes Hähnchen/Steak.

grill [gril] *m* ⟨-⟩ **1.** *(griglia)* Grill *m,* (Brat)rost *m;* **2.** *(carne)* Grillfleisch *n; (pesce)* gegrillter Fisch; **3.** *(ristorante)* Autobahnrestaurant *n.*

grilletto [gril'letto] *m* Abzug *m;* **premere il** ~ abdrücken.

grillo ['grillo] *m* **1.** *zoo* Grille *f;* **2.** *fig* Grille *f,* Laune *f;* **3.** ® *tel kleines Telefon mit leisem Ton;* **avere molti -i per il capo** *fam* eine Menge Flausen im Kopf haben *fam;* **indovinala** ~! *fam* weiß der Geier! *fam,* das wissen die Götter! *fam.*

grimaldello [grimɑl'dɛllo] *m* Dietrich *m.*

grinfia ['grinfi̯a] ⟨-ie⟩ *f fam* Klaue *f;* **cadere (*o* finire) nelle -ie di qu** *fig fam* in jds Klauen geraten.

grinta ['grinta] *f* **1.** *(faccia dura)* grimmiges (*o* finsteres) Gesicht; **2.** *sport (a. fig)* Kampfgeist *m;* **3.** *fig* Durchsetzungsvermögen *n;* **mostrare la** ~ grimmig dreinschauen.

grinza ['grintsa] *f* **1.** *(della pelle)* Falte *f,* Runzel *f;* **2.** *(di vestito)* Falte *f,* Knitter *m;* **non fare una** ~ *fig* einwandfrei sein, unanfechtbar sein. **grinzoso, -a** [..'tso:so] *agg (pelle)* faltig, runz(e)lig; *(vestito)* zer-, verknittert.

grippare [grip'pa:re] **I.** *itr* fressen; **II.** *rfl:* **-arsi** *mot* sich festfressen.

grissino [gris'si:no] *m* **1.** ⟨*di solito al pl*⟩ *gastr* Grissini *n pl* (Knabberstangen aus Weißbrotteig); **2.** *fig* Hering *m.*

Groenlandia [groen'landi̯a] *f* Grönland *n.*

grondaia [gron'da:i̯a] ⟨-aie⟩ *f* Dach-, Regenrinne *f.*

grondare [gron'da:re] **I.** *itr* triefen (*di* vor *+dat*); **II.** *tr* vergießen, verlieren.

groppa ['grɔppa] *f* **1.** *zoo* Kruppe *f;* **2.** *fig scherz* Buckel *m,* Kreuz *n;* **avere molti anni sulla** ~ *fam* schon viele Jahre auf dem Buckel haben. **groppone** [grop'po:ne] *m fam scherz* Buckel *m.*

grossa ['grɔssa] *f* Gros *n;* **dormire della** ~ *fam* schlafen wie ein Murmeltier.

grossezza [gros'settsa] *f* Größe *f,* Umfang *m; (spessore)* Dicke *f.*

grossista [gros'sista] ⟨-i *m,* -e *f*⟩ *mf* Grossist(in) *m(f),* Großhändler(in) *m(f).*

grosso, -a ['grɔsso] **I.** *agg* **1.** *(dimensione)* dick, groß, breit; *(robusto)* kräftig; **2.** *fig (persona)* groß, wichtig, hoch(gestellt); *econ (somma, guadagno)* hoch;

(affare, patrimonio) groß, wichtig; **3.** *(rozzo)* grob, roh; *gastr (sale)* grob(körnig); **mare** ~ bewegte See; **parole -e** schlimme Worte *n pl;* **pezzo** ~ hohes Tier *fam;* **dirle (***o* **spararle) -e** *fam* dick auftragen, Lügenmärchen erzählen; **l'ha fatta -a** *fam* er (*o* sie) hat eine große Dummheit gemacht; **sbagliarsi di** ~ *fam* sich gewaltig (*o* gehörig) irren; **questa sì che è -a** *fam* das ist wohl ein starkes Stück; **II.** *m* **1.** *(parte grossa)* Hauptteil *m,* Großteil *m;* **2.** *(parte numerosa)* Mehrzahl *f,* größter Teil; **3.** *(parte rilevante)* Hauptteil *m,* wichtigster Teil, Wichtigste(s) *n.*

grossolanità [grossolani'ta] ⟨-⟩ *f (modi)* Grobschlächtigkeit *f,* Ungeschliffenheit *f; (parole)* Grobheit *f.* **grossolano, -a** [...'la:no] *agg (persona)* grob(schlächtig), roh, plump; *(modi)* grob, ungeschliffen; *(scherzi)* schlecht; *(errore)* schwer; *(lavoro, panni, ornamenti)* grob.

grossomodo [grosso'mɔ:do] *avv* ungefähr, etwa, zirka.

grotta ['grɔtta] *f* Grotte *f.*

grottesco, -a [grot'tesko] ⟨-schi, -sche⟩ *agg* grotesk, absonderlich.

groviera [gro'viɛ:ra] ⟨-⟩ *m o f* Gruyère(käse) *m,* Greyerzer *m.*

groviglio [gro'viʎʎo] ⟨-gli⟩ *m* Verwirrung *f,* Durcheinander *n.*

gru [gru] ⟨-⟩ *f* **1.** *zoo* Kranich *m;* **2.** *tec* Kran *m;* **3.** *film* Krankamera *f.*

gruccia ['gruttʃa] ⟨-cce⟩ *f* **1.** *med* Krücke *f;* **2.** *(per abiti)* (Kleider)bügel *m;* **camminare con le -cce** auf Krücken gehen.

grufolare [grufo'la:re] *itr* **1.** *zoo* (mit der Schnauze) (herum)wühlen; **2.** *fig* das Essen (in sich) hineinschlingen.

grugnire [gruɲ'ɲi:re] ⟨grugnisco⟩ *itr* **1.** *zoo* grunzen; **1.** *fig peg* knurren, maulen. **grugnito** [...'ɲi:to] *m* **1.** *zoo* Grunzen *n;* **2.** *fig peg* Grunzen *n,* Gebrumm(e) *n.*

grugno ['gruɲɲo] *m* **1.** *zoo* Schnauze *f;* **2.** *peg* Schnauze *f vulg,* Fresse *f vulg; (broncio)* Schnute *f fam,* Schmollmund *m;* **rompere il** ~ **a qu** *sl* jdm die Fresse polieren *sl vulg.*

gruista [gru'ista] ⟨-i *m,* -e *f*⟩ *mf* Kranführer(in) *m(f).*

grullo, -a ['grullo] *peg* **I.** *agg* doof, dämlich, dußlig; **II.** *m, f* Blödian *m fam,* Schwachkopf *m.*

grumo ['gru:mo] *m* Klumpen *m; (granello)* Klümpchen *n.*

gruppo ['gruppo] *m* **1.** *gener.* Gruppe *f; pol* Fraktion *f; sport* Verein *m;* **2.** *econ, fin* Verband *m,* Konzern *m,* Kette *f;* **3.** *mot* Satz *m,* Aggregat *n;* ~ **economico/finanziario** Wirtschaftsverband *m*/Finanzgruppe *f;* ~ **sanguigno** Blutgruppe *f;* **lavoro di** ~ Teamarbeit *f.*

gruzzolo ['gruttsolo] *m fam* Stange *f* (Geld) *fam,* Sümmchen *n fam,* Batzen *m.*

guadagnare [guadaɲ'ɲa:re] **I.** *tr* **1.** *(denaro)* verdienen; **2.** *fig (tempo, spazio, velocità)* gewinnen (an +*dat*); **3.** *(cima, vetta)* erreichen; **4.** *(vincere)* gewinnen; **tanto di guadagnato** um so besser; **II.** *itr* **1.** *econ* verdienen; **2.** *fig* gewinnen (*in* an +*dat*), zur Geltung kommen; ~ **per vivere** den Lebensunterhalt verdienen.

guadagno [gua'daɲɲo] *m* Verdienst *m; (utile, vantaggio)* Gewinn *m;* ~ **lordo/netto** Brutto-/Nettoverdienst *m.*

guadare [gua'da:re] *tr* durchwaten. **guado** ['gua:do] *m* Furt *f;* **passare a** ~ durchwaten.

guai ['gua:i] *interi* wehe; ~ **a te!** wehe (dir)!

guaina [gua'i:na] *f* **1.** *(di spada)* Scheide *f;* **2.** *(indumento)* Korsett *n,* Mieder *n.*

guaio ['gua:io] ⟨-ai⟩ *m* Unglück *n,* Ärger *m;* **ficcarsi nei -ai** *fam* sich in die Nesseln setzen.

guaire [gua'i:re] ⟨guaisco⟩ *itr* winseln, jaulen. **guaito** [...'i:to] *m* Gewinsel *n,* Gejaule *n.*

guancia ['guantʃa] ⟨-ce⟩ *f* **1.** *anat* Wange *f,* Backe *f;* **2.** *gastr* (Schweins-, Kalbs-)kopf *m.*

guanciale [guan'tʃa:le] *m* Kissen *n,* Polster *n.*

guanto ['guanto] *m* Handschuh *m;* ~ **a manopola** Fausthandschuh *m;* **calzare come un** ~ wie angegossen sitzen; **trattare qu coi -i** jdn mit Samthandschuhen anfassen. **guantone** [...'to:ne] *m* Boxhandschuh *m.*

guardaboschi [guarda'bɔski] ⟨-⟩ *m* Waldhüter(in) *m(f),* Förster(in) *m(f).* **guardacaccia** [-'kattʃa] ⟨-⟩ *m* Jagdaufseher(in) *m(f).* **guardacoste** [-'kɔste] ⟨-⟩ *m* Küstenwache *f.* **guardalinee** [-'li:nee] ⟨-⟩ *m* **1.** *ferr* Streckenwärter(in) *m(f);* **2.** *sport* Linienrichter(in) *m(f).* **guardamacchine** [-mak'ki:ne] ⟨-⟩ *mf* Parkwächter(in) *m(f).*

guardare [guar'da:re] **I.** *tr* **1.** *(vedere)* ansehen, (an)blicken, anschauen; *(osservare)* zusehen (*qc* einer S. *dat*); *(museo)* besichtigen; **2.** *(custodire: animali)* hüten; ~ **qu/qc colla coda dell'occhio** jdn/etw. aus den Augenwinkeln heraus (*o* verstohlen) ansehen; ~ **con tanto d'occhi** große Augen machen; ~ **qu di buon occhio** jdn wohlwollend betrachten; ~ **qu di sbieco/traverso/in cagnesco** jdn schief/schräg/feindselig anschauen; ~ **qu dall'alto in basso** jdn von oben herab ansehen; ~ **la televisione/un film** fernsehen/einen Film ansehen; **II.** *itr* **1.** *(vedere)* sehen (*da* aus, *verso* auf +*akk*), schauen (*da* aus, *verso* auf +*akk*), blicken (*da* aus, *verso* auf +*akk*); **2.** *(badare)* sich kümmern (*a* um), aufpassen (*a* auf +*akk*); **stare a** ~ zuschauen, dastehen; **Dio ce ne guardi!**

Gott behüte uns!, Gott bewahre!; **III.** *rfl:* **-arsi 1.** sich ansehen, sich anschauen; **2.** *(stare in guardia)* sich hüten (*da* vor +*dat*); **non si guardano più in faccia** sie reden nicht mehr miteinander.

guardaroba [gu̯arda'rɔ:ba] ⟨-⟩ *m* **1.** *(armadio)* Kleiderschrank *m;* **2.** *(stanza)* Garderobe *f,* Ankleideraum *m;* **3.** *(indumenti)* Kleidung *f,* Garderobe *f.* **guardarobiere, -a** [...ro'bi̯ɛ:re] *m, f* Garderobier *m,* Garderobiere *f,* Garderobenfrau *f.*

guardata [gu̯ar'da:ta] *f* Blick *m;* **dammi una ~ ai bambini!** schau mal nach den Kindern!

guardia ['gu̯ardi̯a] ⟨-ie⟩ *f* **1.** *(custodia)* Wache *f,* Bewachung *f; (persona)* Wächter *m,* Wache *f; (di polizia)* Polizist *m;* **2.** *(servizio) mil* Wache *f; med* Dienst *m,* Wachdienst *m;* **3.** *sport* Deckung *f;* **4.** *(limite)* Anzeiger *m; (di fiume)* Pegel *m;* **~ del corpo** Leibwache *f;* **~ di finanza** Zollbehörde *f; (persona)* Zollbeamte(r) *m;* **~ forestale/giurata** Förster *m*/vereidigter Beschützer; **~ medica** Notarztdienst *m,* Bereitschaftsdienst *m;* **~ svizzera** Schweizergarde *f;* **cambio della ~** *(a. fig)* Wachablösung *f;* **medico di ~** diensthabender Arzt; **mettere in ~ qu contro qc** jdn vor etw. *(dat)* warnen; **stare in ~** auf der Hut sein, aufpassen; **montare la/essere di ~** auf Wache ziehen/sein; **fare la ~** Wache halten, wachen; **in ~!** Achtung!, aufgepaßt!. **guardiamarina** [-ma'ri:na] ⟨-⟩ *m* Leutnant *m* zur See.

guardiano, -a [gu̯ar'di̯a:no] *m, f* Wächter(in) *m(f),* Aufseher(in) *m(f).*

guardina [gu̯ar'di:na] *f* Arrestzelle *f.*

guardingo, -a [gu̯ar'diŋgo] ⟨-ghi, -ghe⟩ *agg* behutsam, umsichtig.

guardone [gu̯ar'do:ne] *m* Voyeur *m,* Spanner *m fam.*

guardrail ['gɑ:dreɪl] ⟨-⟩ *m* Leitplanke *f.*

guaribile [gu̯a'ri:bile] *agg* heilbar.

guarigione [gu̯ari'dʒo:ne] *f* Heilung *f,* Genesung *f;* **buona ~!** gute Besserung!

guarire [gu̯a'ri:re] ⟨guarisco⟩ **I.** *tr* ⟨*avere*⟩ **1.** *med* heilen; *(persona a.)* gesund machen; **2.** *fig (noia, tristezza, paura)* besiegen; *(persona)* heilen, befreien; **II.** *itr* ⟨*essere*⟩ **1.** *med* gesund werden, genesen; **2.** *fig (dal vizio)* geheilt werden. **guaritore, -trice** [...ri'to:re] *m, f* Heilpraktiker(in) *m(f).*

guarnigione [gu̯arni'dʒo:ne] *f* Garnison *f.*

guarnire [gu̯ar'ni:re] ⟨guarnisco⟩ *tr* **1.** *(adornare)* verzieren, schmücken; *(a. gastr)* garnieren; **2.** *mil (di mura)* umziehen, umgeben; *(di soldati)* bemannen. **guarnizione** [...nit'tsi̯o:ne] *f* **1.** *(di indumento, tenda)* Garnitur *f,* Verzierung *f; (a. gastr)* Garnierung *f;* **2.** *gastr (contorni)* Beilage *f;* **3.** *tec, mot* Dichtung *f.*

guastafeste [gu̯asta'fɛste] ⟨-⟩ *mf* Spielverderber(in) *m(f),* Miesmacher(in) *m(f) fam.*

guastare [gu̯as'ta:re] **I.** *tr* **1.** *(raccolto, stomaco)* verderben; **2.** *(meccanismi, arnesi)* beschädigen, kaputtmachen; **3.** *fig (sonno, appetito, salute)* verderben; *(gioia)* trüben; **II.** *itr* schaden; **III.** *rfl:* **-arsi 1.** *(tempo)* sich verschlechtern; **2.** *(cosa, meccanismo)* kaputtgehen; **3.** *(cibi)* verderben, schlecht werden; *(frutta)* verfaulen; *(uova)* faul werden.

guasto, -a ['gu̯asto] **I.** *agg* **1.** *(macchina, televisione, lavatrice)* kaputt, defekt; **2.** *(cibo)* verdorben, schlecht; *(frutta)* verfault; *(uova)* faul; **3.** *med (dente, stomaco)* krank, schlecht; **4.** *fig* verderbt, korrupt; **II.** *m* **1.** *tec* Schaden *m,* Defekt *m; mot* Panne *f;* **2.** *fig* Differenz *f,* Mißstimmung *f;* **~ al motore** Motorschaden *m;* **sensibilità ai -i** Störanfälligkeit *f;* **servizio -i** Störungsstelle *f.*

guazza ['gu̯attsa] *f* Tau(nässe *f*) *m.*

guazzabuglio [gu̯attsa'buʎʎo] ⟨-gli⟩ *m* Durcheinander *n,* Kunterbunt *n; (a. fig)* Wust *m.*

guêpière [gɛ'pi̯ɛr] ⟨-⟩ *f* Korselett *n; (con reggicalze)* Torselett *n.*

guercio, -a ['gu̯ɛrtʃo] ⟨-ci, -ce⟩ **I.** *agg* schielend, schieläugig; **II.** *m, f* Schielende(r) *mf;* **essere ~** schielen.

guerra ['gu̯ɛrra] *f* **1.** *mil* Krieg *m;* **2.** *pol, econ, fig* Krieg *m,* Kampf *m,* Konflikt *m;* **~ atomica/batteriologica/chimica** Atomkrieg *m*/Krieg *m* mit biologischen Waffen/Krieg *m* mit chemischen Waffen; **~ civile** Bürgerkrieg *m;* **~ commerciale** Handelskrieg *m;* **-e stellari** *mil* Krieg *m* der Sterne, SDI *n;* **criminale di ~** Kriegsverbrecher *m;* **la prima/seconda ~ mondiale** der erste/zweite Weltkrieg; **entrare/essere in ~** in den Krieg eintreten/Krieg führen (*con* mit); **essere sul piede (*o* in assetto) di ~** kriegsbereit sein. **guerreggiare** [...red'dʒa:re] ⟨guerreggio, guerreggi⟩ *itr* Krieg führen; **~ con/contro qu** mit jdm/gegen jdn Krieg führen. **guerresco, -a** [...'resko] ⟨-schi, -sche⟩ *agg* **1.** *mil* kriegerisch, Kriegs-; **2.** *fig (incline alla guerra)* kriegerisch, kriegslustig. **guerriero, -a** [...'ri̯ɛ:ro] **I.** *agg* **1.** *(popolo, gioventù)* kriegerisch, Krieger-, Kriegs-; **2.** *fig (aspetto, animo)* streitbar; *(combattivo)* angriffslustig; **II.** *m, f* Krieger(in) *m(f),* Kriegsmann *m.*

guerriglia [gu̯ɛr'riʎʎa] ⟨-glie⟩ *f* Guerilla(krieg *m*) *f.* **guerrigliero, -a** [...riʎ'ʎɛ:ro] *m, f* Guerillero *m,* Guerillakämpfer(in) *m(f).*

gufo ['gu:fo] *m* Eule *f.*

guglia ['guʎʎa] ⟨-glie⟩ *f* **1.** *arch* Fiale *f;* **2.** *geog* Felsnadel *f;* Bergspitze *f;* **3.** *(per l'albero di Natale)* Christbaumspitze *f.*

gugliata [guʎ'ʎa:ta] *f* Faden(länge *f*) *m.*

Guglielmina [guʎʎel'mi:na] *(nome proprio femminile)* Wilhelmine.

Guglielmo [guʎ'ʎɛlmo] *(nome proprio maschile)* Wilhelm.

guida ['gu̯i:da] **I.** *f* **1.** *mot* Fahren *n,* Führen *n,* Lenken *n;* **2.** *(libro)* Reiseführer *m; gener.* Leitfaden *m,* Einführung *f; tel* (Telefon)buch *n;* Adreßbuch *n;* **3.** *(persona)* (Reise)leiter(in) *m(f);* **4.** *(tappeto)* Läufer *m;* **5.** *tec* Führung *f,* Schiene *f; mot* Lenkung *f;* ~ **alpina** Bergführer *m;* ~ **sportiva** *mot* sportliche Fahrweise *f;* **scuola** ~ Fahrschule *f;* **patente di** ~ Führerschein *m;* **fare da** ~ **a qu** jdn führen, jdm den Weg weisen; **II.** ⟨*inv*⟩ *agg* Führungs-, Leit-.

guidare [gui'da:re] *tr* **1.** *gener.* führen, leiten; **2.** *mot* fahren, führen, lenken; **3.** *sport* anführen, führen (in *+dat*); **non sa** ~ er (*o* sie) kann nicht Auto fahren.

guidatore, -trice [...da'to:re] *m, f* Fahrer(in) *m(f),* Lenker(in) *m(f).*

guinzaglio [gu̯in'tsaʎʎo] ⟨-gli⟩ *m* **1.** *zoo* (Hunde)leine *f;* **2.** *fig* Leine *f;* **tenere qu al** ~ jdn an der (kurzen) Leine haben (*o* halten).

guisa ['gu̯i:za] *f* Art *f,* Weise *f,* Art und Weise; **a** ~ **di** wie.

guizzare [gu̯it'tsa:re] *itr* ⟨*essere*⟩ **1.** *(pesce)* (in die Höhe) schnellen; *(fiamme)* züngeln; *(lampi)* zucken; **2.** *fig* entschlüpfen, (ent)gleiten. **guizzo** ['gu̯ittso] *m* **1.** *(di pesce)* Zucken *n,* Schnellen *n; (di fiamme)* Züngeln *n;* **2.** *fig* Ruck *m.*

guru ['gu:ru] ⟨-⟩ *m* Guru *m.*

guscio ['guʃʃo] ⟨-sci⟩ *m* **1.** *zoo* Schale *f; (della tartaruga)* Panzer *m; (di chiocciola)* Haus *n;* **2.** *bot* Schale *f; (di piselli, leuticchie)* Hülse *f,* Schote *f; (dell'uovo)* Schale *f;* **chiudersi nel proprio** ~ *fig* sich in sein Schneckenkhaus zurückziehen; **uscire dal proprio** ~ *fig* aus seinem Schneckenhaus herauskommen.

gustare [gus'ta:re] **I.** *tr* **1.** *gastr* probieren, kosten; **2.** *fig* genießen; **II.** *itr* **1.** *gastr* schmecken; **2.** *fig* gefallen, behagen; **III.** *rfl:* **-arsi 1.** *gastr* genießen, sich *(dat)* schmecken lassen; **2.** *fig* genießen.

gusto ['gusto] *m* **1.** *(senso, sensazione, sapore)* Geschmack *m;* **2.** *(piacere)* Gefallen *n,* Freude *f; (godimento)* Genuß *m;* **3.** *(opinione, estetica)* Geschmack *m;* **4.** *(preferenza)* Vorliebe *f; (inclinazione)* Lust *f,* Neigung *f;* **lavorare di** ~ gern arbeiten; **mangiare di** ~ mit Appetit essen; **ridere di** ~ vergnügt lachen; **avere buon** ~ einen guten Geschmack haben; **vestire con** ~ sich *(akk)* geschmackvoll kleiden; **prenderci** ~ Gefallen daran finden; **al** ~ **di lampone** mit Himbeergeschmack; **è questione di -i** es ist eine Geschmacksfrage; **non c'è** ~ es macht keinen Spaß; **tutti i -i son -i** *prov* über Geschmack läßt sich (nicht) streiten *prov;* **uno scherzo di pessimo** ~ ein geschmackloser Witz. **gustoso, -a** [...'to:so] *agg* **1.** *gastr* schmackhaft, wohlschmeckend; **2.** *fig* köstlich, amüsant.

gutturale [guttu'ra:le] *agg* guttural, Guttural-, Kehl-.

H

H, h ['akka] ⟨-⟩ *f* H, h *n;* **h come hotel** H wie Heinrich; **bomba H** Wasserstoffbombe *f.*
h *abbr di* **ora** h, Std. (*abk von* hora, Stunde).
ha *abbr di* **ettaro** ha (*abk von* Hektar).
ha [a] *v.* **avere.**
habitat ['a:bitat] ⟨-⟩ *m* **1.** *biol* Habitat *n,* Lebensraum *m;* **2.** *fig* geeignetes Milieu; **3.** *(spazio attrezzato)* Wohnstätte *f.*
habitué [abi'tɥe] ⟨-⟩ *mf* Stammgast *m.*
habitus ['a:bitus] ⟨-⟩ *m* **1.** *med* Habitus *m,* körperliches Erscheinungsbild; **2.** *biol* Habitus *m,* Körperbeschaffenheit *f.*
hacker ['hækə] ⟨-⟩ *m inform* Hacker *m.*
hai ['a:i] *v.* **avere.**
hall [hɔ:l] ⟨-⟩ *f* (Eingangs)halle *f.*
hamburger [am'burger] ⟨-⟩ *m* Hamburger *m.*
handicap ['hændıkæp] ⟨-⟩ *m (a. fig)* Handikap *n.* **handicappare** [andikap'pa:re] *tr* benachteiligen, handikapen. **handicappato, -a** [...'pa:to] **I.** *agg* behindert; **II.** *m, f* Behinderte(r) *mf.*
hangar [ã'ga:r] ⟨-⟩ *m* Hangar *m,* Flugzeughalle *f.*
hanno ['anno] *v.* **avere.**
hard top ['ha:d tɔp] ⟨-⟩ *m* Hardtop *n o m.*
hard disk ['ha:d disk] ⟨-⟩ *m* Festplatte *f.*
hardware ['ha:dwɛə] ⟨-⟩ *m* Hardware *f.*
harem [a'rɛm] ⟨-⟩ *m* Harem *m.*
hascisc [aʃ'ʃiʃ] ⟨-⟩ *m* Haschisch *n o m.*
H.D.T.V. *abbr di* **High definition television** HDTV *n.*
hearing ['hiəriŋ] ⟨-⟩ *m* Anhörung *f,* Hearing *n.*
help [help] ⟨-⟩ *m inform* Hilfe(funktion) *f.*
henna ['ɛnna] *f* **1.** *(tintura)* Henna *f o n;* **2.** *bot* Hennastrauch *m.*
herpes ['ɛrpes] ⟨-⟩ *m* Herpes *m.*
hertz [hɛrts] ⟨-⟩ *m* (*abbr* **Hz**) Hertz *n.*
hg *abbr di* **ettogrammo** hg (*abbr di* Hektogramm).
high-fidelity [hɑifi'deliti] (*abbr* **hi-fi**) **I.** *agg* ⟨*inv*⟩ Hi-Fi-; **impianto** ~ Hi-Fi-Anlage *f;* **II.** ⟨-⟩ *f* High-Fidelity *f* (*abk* **Hi-Fi**).
high society ['haı sə'saıətı] ⟨-⟩ *f* High-Society *f,* gesellschaftliche Oberschicht.
Hinterland ['hintərlant] ⟨-⟩ *m* **1.** *(retroterra)* Hinterland *n;* **2.** *(zona periferica)* Umland *n.*
hippy ['hıpı] **I.** ⟨-⟩ *mf* Hippie *m;* **II.** ⟨*inv*⟩ *agg* Hippie-.
hit [hıt] ⟨-⟩ *m* Hit *m.*
hit-parade [hıtpə'reid] ⟨-⟩ *f* Hitparade *f.*
ho [ɔ] *pr di* **avere.**
hobbista [ob'bista] ⟨-e *f,* -i *m*⟩ *mf* Hobbybastler(in) *m(f).*
hobby ['hɔbı] ⟨-⟩ *m* Hobby *n,* Steckenpferd *n.*
hockey ['hɔki] ⟨-⟩ *m* Hockey *n.*
holding ['houldıŋ] ⟨-⟩ *f* Holdinggesellschaft *f.*
hooligan ['hu:ligan] ⟨-⟩ *m* Hooligan *m.*
hostess ['houstıs] ⟨-⟩ *f* **1.** *aero* Stewardeß *f;* **2.** *(guida turistica)* Reiseführerin *f;* *(di fiere)* (Messe)hostess *f.*
hotel [o'tɛl] ⟨-⟩ *m* Hotel *n.*
humour ['hju:mə] ⟨-⟩ *m* Humor *m;* **avere senso dell'**~ Sinn für Humor haben.
humus ['u:mus] ⟨-⟩ *m* **1.** *bot* Humus *m;* **2.** *fig* Nährboden *m.*
Hz *abbr di* **hertz** Hz.

I

I, i [i] ⟨-⟩ *f* I, i *n;* **i come Imola** I wie Ida; **i lunga** J, j *n.*

i *art det m pl* die.

I *abbr di* **Italia** I.

I.A. *abbr di* **Intelligenza Artificiale** *inform* KI *f* (*abk von* Künstliche Intelligenz).

iato [i'a:to] *m* **1.** *ling* Hiat(us) *m;* **2.** *fig* Bruch *m,* Unterbrechung *f.*

ibernare [iber'nɑ:re] *itr* Winterschlaf halten. **ibernazione** [...nɑt'tsio:ne] *f* **1.** *zoo* Winterschlaf *m;* **2.** *med* Ibernation *f.*

ibrido, -a ['i:brido] **I.** *agg* **1.** *zoo, bot* hybrid, Hybrid-; **2.** *fig (stile, linguaggio)* hybrid, Misch-; **animale** ~ Mischling *m;* **II.** *m* **1.** *zoo, bot* Hybridzüchtung *f,* Hybride *f o m;* **2.** *fig (mescolanza)* Mischung *f,* Gemisch *n.*

iceberg ['aisbə:g] ⟨-⟩ *m* Eisberg *m;* **la punta dell'**~ die Spitze des Eisbergs.

ICI ['itʃi] *f acr di* **Imposta Comunale sugli Immobili** *kommunale Immobiliensteuer.*

icona [i'kɔ:na *o* i'ko:na] *f* Ikone *f; inform* Icon *n,* Piktogramm *n.*

iconografia [ikonogra'fi:a] ⟨-ie⟩ *f* Ikonographie *f.* **iconologia** [...lo'dʒia] ⟨-gie⟩ *f* Ikonologie *f,* Symbolkunde *f.*

ics [iks] ⟨-⟩ *f v.* **X, x.**

ictus ['iktus] ⟨-⟩ *m med* Schlaganfall *m,* Apoplexie *f wissensch.*

Iddio [id'di:o] *m* (Herr)gott *m;* **Signore** ~! mein Gott!, Herrgott!; **benedetto** ~! allmächtiger Gott!

idea [i'dɛ:a] *f* **1.** *filos* Idee *f,* Begriff *m;* **2.** *(conoscenza elementare)* Vorstellung *f; (immagine)* Bild *n;* **3.** *(pensiero)* Idee *f,* Gedanke *m;* **4.** *(impressione)* Eindruck *m; (opinione)* Meinung *f,* Ansicht *f;* **5.** *(trovata)* Idee *f,* Einfall *m;* **6.** *(proposito)* Gedanke *m; (piano, progetto)* Plan *m,* Vorhaben *n;* **7.** *(sapere)* Ahnung *f; (sensazione)* Gefühl *n;* **8.** *(apparenza)* Anschein *m;* **avere** ~ **di qc** eine Ahnung von etw. haben; **non averne la più pallida** ~ keine blasse Ahnung davon haben; **dare l'**~ **di qc** den Anschein von etw. erwecken; **farsi un'**~ **di qc** sich *(dat)* eine Vorstellung von etw. machen.

ideale [ide'a:le] **I.** *agg* **1.** *(che concerne l'idea)* ideell, geistig; **2.** *(perfetto)* ideal, vollkommen; **II.** *m* Ideal *n; (modello)* Vorbild *n.* **idealista** [idea'lista] ⟨-i *m,* -e *f*⟩ *mf* Idealist(in) *m(f).* **idealizzare** [...lid'dza:re] *tr* idealisieren. **idealmente** [...l'mente] *avv* **1.** *(teoricamente, di pensiero)* ideell, geistig; **2.** *(in modo ideale)* ideal.

ideare [ide'a:re] *tr* **1.** *(concepire)* (sich *dat*) ausdenken; *(inventare)* erfinden; **2.** *(progettare)* entwerfen. **ideatore, -trice** [idea'to:re] *m, f* Schöpfer(in) *m(f); (inventore)* Erfinder(in) *m(f).*

idem [i:dem] ⟨-⟩ **I.** *pron dim* (*abbr* **id.**) idem, desgleichen; **II.** *avv fam* ebenso.

identico, -a [i'dɛntiko] ⟨-ci, -che⟩ *agg* identisch (*a* mit), völlig gleich (*a* mit).

identificare [identifi'ka:re] ⟨identifico, identifichi⟩ **I.** *tr* **1.** *(riconoscere)* identifizieren; *(persona a.)* die Identität feststellen (*qu* jds); **2.** *(considerare identico)* gleichsetzen; **II.** *rfl:* **-arsi** sich identifizieren (*con* mit). **identificazione** [...kat'tsio:ne] *f* Identifikation *f,* Identifizierung *f.*

identikit [identi'kit *o* i'dɛn...] ⟨-⟩ *m* Phantombild *n.*

identità [identi'ta] ⟨-⟩ *f* **1.** *(l'essere identico)* Gleichheit *f;* **2.** *(di persona)* Identität *f;* **carta d'**~ Personalausweis *m;* **crisi d'**~ *psic* Identitätskrise *f.*

ideogramma [ideo'gramma] ⟨-⟩ *m* **1.** *(di scrittura)* Ideogramm *n,* Begriffszeichen *n;* **2.** *(di statistica)* (Statistik)diagramm *n.*

ideologia [ideolo'dʒi:a] ⟨-gie⟩ *f* Ideologie *f.* **ideologico, -a** [...'lɔ:dʒiko] *agg* ideologisch.

idillico, -a [i'dilliko] ⟨-ci, -che⟩ *agg* idyllisch. **idillio** [i'dillio] ⟨-i⟩ *m* **1.** *letter* Idylle *f;* **2.** *fig* Idyll *n;* **intrecciare un** ~ zarte Bande knüpfen *poet, a. scherz.*

idioma [i'diɔ:ma] ⟨-i⟩ *m* Idiom *n.* **idiomatico, -a** [idio'ma:tiko] ⟨-ci, -che⟩ *agg* idiomatisch; **frasi -che** idiomatische Redewendungen *f pl.*

idiota [i'diɔ:ta] ⟨-i *m,* -e *f*⟩ **I.** *agg* idiotisch; *(a. med)* schwachsinnig; **II.** *mf* Idiot(in) *m(f); (a. med)* Schwachsinnige(r) *mf.* **idiozia** [idiot'tsi:a] ⟨-ie⟩ *f* **1.** *med* Idiotie *f,* Schwachsinn *m;* **2.** *(stupidità)* Idiotie *f,* Dummheit *f.*

idolatrare [idola'tra:re] *tr* **1.** *rel* (als Götzen) anbeten; **2.** *fig (ammirare)* abgöttisch verehren; *(amare)* vergöttern, anbeten. **idolatria** [...la'tri:a] ⟨-ie⟩ *f* **1.** *rel* Götzendienst *m;* **2.** *fig* abgöttische Verehrung; *(amore)* Vergötterung *f.*

idolo ['i:dolo] *m* **1.** *(divinità)* Götze *m; (oggetto)* Götzenbild *n;* **2.** *fig* Idol *n; (persona amata follemente)* Abgott *m.*

idoneità [idonei'ta] ⟨-⟩ *f* Eignung *f,* Tauglichkeit *f; amm* Eignung *f,* Befähigung *f;* ~ **all'insegnamento** Lehrbefähigung *f;*

~ **al lavoro** Arbeitsfähigkeit *f;* **esami di** ~ Eignungsprüfungen *f pl.* **idoneo, -a** [i'dɔ:neo] *agg (adatto)* geeignet, befähigt; *amm* fähig, tauglich; *(cosa)* passend; ~ **al servizio militare** wehrdiensttauglich.

idrante [i'drante] *m* **1.** *(dispositivo)* Hydrant *m;* **2.** *(autobotte)* Löschfahrzeug *n.*

idratante [idra'tante] *agg* Feuchtigkeits-, feuchtigkeitsspendend.

idratare [idra'ta:re] *tr* Feuchtigkeit zuführen (*qc* einer S. *dat*); *chim* hydratisieren.

idrato [i'dra:to] *m* Hydrat *n;* **-i di carbonio** Kohlenhydrate *n pl.*

idraulica [i'dra:ulika] ‹-che› *f* Hydraulik *f.* **idraulico, -a** [...ko] ‹-ci, -che› *m, f* Installateur(in) *m(f).*

idrico, -a ['i:driko] ‹-ci, -che› *agg* Wasser-, Hydro-; **rifornimento** ~ Wasserversorgung *f,* -zufuhr *f.*

idrocarburo [idrokar'bu:ro] *m* Kohlenwasserstoff *m.* **idrocultura** [-kul'tu:ra] *f* Hydrokultur *f.* **idroelettrico, -a** [-e'lɛttriko] *agg* hydroelektrisch; **centrale -a** Wasserkraftwerk *n.*

idrofilo, -a [i'drɔ:filo] *agg* hydrophil, Wasser (*o* Feuchtigkeit) aufnehmend; **cotone** ~ Watte *f.*

idrofobia [idrofo'bi:a] ‹-ie› *f* Hydrophobie *f; (malattia)* Tollwut *f.* **idrofobo, -a** [i'drɔ:fobo] *agg* **1.** *med* tollwütig; **2.** *fig fam* fuchsteufelswild *fam.*

idrogeno [i'drɔ:dʒeno] *m* Wasserstoff *m.*

idrografia [idrogra'fi:a] *f* Hydrographie *f,* Gewässerkunde *f.* **idromassaggio** [-mɑssɑd'dʒo] ‹-gi› *m* Unterwassermassage *f;* **vasca (da)** ~ Whirl-pool *m.* **idrometro** [i'drɔ:metro] *m* Wasserstandsmesser *m,* Hydrometer *n.* **idrorepellente** [-repel'lɛnte] *agg* wasserabstoßend, wasserabweisend. **idroscalo** [-s'ka:lo] *m* Wasserflughafen *m.* **idrosolubile** [-so'lu:bile] *agg* wasserlöslich. **idrovolante** [-vo'lante] *m* Wasserflugzeug *n.* **idrovora** [i'drɔ:vorɑ] *f* Entwässerungsfahrzeug *n.*

iella ['i̯ɛlla] *f fam* Pech *n,* Unglück *n;* **portare** ~ Unglück bringen. **iellato, -a** [iel'la:to] *agg dial* vom Pech verfolgt.

iena ['i̯ɛ:na] *f* Hyäne *f.*

ieri ['i̯ɛ:ri] **I.** *avv* gestern; **l'altro** ~ vorgestern; ~ **mattina** gestern morgen; ~ **sera** gestern abend; **sembra nato** ~ *fig* er ist naiv; **da** ~ **ad oggi** von gestern auf heute; **II.** ‹-› *m* Gestern *n.*

iettatore, -trice [ietta'to:re] *m, f* Unglücks-, Unheilbringer(in) *m(f).* **iettatura** [...'tu:ra] *f* **1.** *(malocchio)* böser Blick; **2.** *(disdetta)* Unglück *n,* Unheil *n.*

igiene [i'dʒɛ:ne] *f* Hygiene *f,* Gesundheitspflege *f;* **ufficio d'**~ Gesundheitsamt *n;* ~ **della bocca** Mundpflege *f;* ~ **personale** Körperpflege *f.* **igienico, -a** [i'dʒɛ:niko] ‹-ci, -che› *agg* hygienisch; *(salutare)* gesund; **carta** ~ **a** Toilettenpapier *n,* Klopapier *n fam;* **impianti** ~**-sanitari** sanitäre Anlagen *f pl.* **igienista** [idʒe'nista] ‹-i *m,* -e *f*› *mf* Hygieniker(in) *m(f).*

ignaro, -a [iɲ'ɲa:ro] *agg* unwissend; *(inesperto)* unerfahren; ~ **degli avvenimenti** über die Ereignisse nicht unterrichtet.

ignobile [iɲ'ɲɔ:bile] *agg* **1.** *(senza dignità)* unwürdig; **2.** *(abietto)* niederträchtig, gemein.

ignominia [iɲɲo'mi:ni̯a] ‹-ie› *f* Schande *f.*

ignorante [iɲɲo'rante] **I.** *agg* **1.** *(incompetente)* unfähig; *(inesperto)* unerfahren; **2.** *(senza cultura)* ungebildet; *(che non sa)* unwissend; **3.** *(maleducato)* ungezogen; **II.** *mf* **1.** *(senza istruzione)* Unwissende(r) *mf,* Ignorant(in) *m(f) (a. pej);* **2.** *(maleducato)* ungezogener Mensch, Flegel *m.* **ignoranza** [...'rantsa] *f* Unwissenheit *f (in, di* in *+dat),* Unkenntnis *f (in, di gen),* Ignoranz *f pej;* **non è ammessa l'**~ **della legge** Unwissenheit schützt vor Strafe nicht.

ignorare [iɲɲo'ra:re] *tr* **1.** *(non conoscere)* nicht kennen; *(non sapere)* nicht wissen; **2.** *(trascurare)* übersehen, ignorieren. **ignorato, -a** [...'ra:to] *agg* **1.** *(non conosciuto)* unbekannt; **2.** *(trascurato)* unbeachtet.

ignoto, -a [iɲ'ɲɔ:to] **I.** *agg* unbekannt, nicht bekannt; **monumento al Milite I**~ Denkmal *n* des Unbekannten Soldaten; **II.** *m* Unbekannte(s) *n.*

igrometro [i'grɔ:metro] *m* Feuchtigkeitsmesser *m,* Hygrometer *n.*

ikebana [ike'ba:na] ‹-› *m* Ikebana *n.*

il [il] *art det m sing* der *m,* die *f,* das *n.*

ilare [i'la:re] *agg* heiter, fröhlich. **ilarità** [ilari'ta] ‹-› *f* Heiterkeit *f,* Fröhlichkeit *f; (risata)* allgemeine Heiterkeit, Gelächter *n.*

illecito, -a [il'le:tʃito] **I.** *agg* unerlaubt, unzulässig; *(illegale)* gesetzwidrig, widerrechtlich; **II.** *m* Vergehen *n,* gesetzwidrige Handlung; ~ **penale** strafrechtliches Vergehen.

illegale [ille'ga:le] *agg* illegal, gesetzwidrig. **illegalità** [...gali'ta] *f* Illegalität *f; (a. atto)* Gesetzwidrigkeit *f.*

illeggibile [illed'dʒi:bile] *agg* **1.** *(difficile a leggersi)* unleserlich, schwer entzifferbar; **2.** *fig* schwer verständlich.

illegittimità [illedʒittimi'ta] *f* Unrechtmäßigkeit *f,* Gesetzwidrigkeit *f; (di figli)* Unehelichkeit *f.* **illegittimo, -a** [...'dʒittimo] *agg* gesetzwidrig, unrechtmäßig; *(figli)* unehelich.

illeso, -a [il'le:zo] *agg* **1.** *(incolume)* heil, unversehrt; **2.** *(indenne: cosa)* unbeschädigt; *(persona)* unbeschadet.

illetterato, -a [illette'ra:to] *agg* ungebildet; *(analfabeta)* analphabetisch.

illibato, -a [illiba:to] *agg (integro, puro)*

rein, unschuldig; *dir* unbescholten; *(di donna: vergine)* jungfräulich.
illimitato, -a [illimiˈtaːto] *agg* unbegrenzt, unbeschränkt.
illividire [illiviˈdiːre] ⟨illividisco⟩ **I.** *tr* ⟨*avere*⟩ **1.** *(rendere livido)* blau anlaufen lassen; **2.** *(coprire di lividi)* mit dunklen Striemen überziehen; **II.** *itr* ⟨*essere*⟩, *rfl:* **-irsi** dunkle Striemen aufweisen; *(per infarto, il freddo)* blau anlaufen.
illogico, -a [ilˈlɔːdʒiko] *agg* unlogisch.
illudere [ilˈluːdere] ⟨illudo, illusi, illuso⟩ **I.** *tr* falsche Hoffnungen machen (*qu* jdm); **II.** *rfl:* **-ersi** sich *(dat)* Illusionen machen, sich *(dat)* etwas vormachen, sich trügerischen Hoffnungen hingeben.
illuminante [illumiˈnante] *agg* **1.** *(che illumina)* Leucht-; **2.** *fig* erhellend.
illuminare [illumiˈnaːre] **I.** *tr* **1.** *(diffondere luce)* be-, erleuchten, erhellen; **2.** *fig (svelare il vero)* aufklären (*su* über +*akk*); *rel* erleuchten; **3.** *fig (ravvivare)* aufheitern; *(colore)* erhellen; **II.** *rfl:* **-arsi 1.** *(apparire in luce)* hell werden, aufleuchten; **2.** *fig* strahlen (*di* vor +*dat*). **illuminato, -a** [...ˈnaːto] *agg* **1.** *(rischiarato)* er-, beleuchtet; **2.** *fig* erleuchtet, eingeweiht. **illuminazione** [...natˈtsi̯oːne] *f* **1.** *(effetto, fonte di luce)* Beleuchtung *f; (atto a.)* Beleuchten *n;* **2.** *(per feste)* Festbeleuchtung *f;* **3.** *fig* Erleuchtung *f.*
illuminismo [illumiˈnizmo] *m* Aufklärung *f.*
illuminotecnica [illuminoˈtɛknika] *f* Beleuchtungstechnik .
illusi [ilˈluːzi] *p rem di* **illudere.**
illusione [illuˈzi̯oːne] *f* **1.** *(di sensi)* Täuschung *f,* Illusion *f;* **2.** *(delusione)* Illusion *f;* **dare l'~** die Illusion vermitteln, scheinen; **farsi delle -i** sich *(dat)* Illusionen machen. **illusionismo** [illuzi̯oˈnizmo] *m* Zauberkunst *f.* **illusionista** [...ˈnista] ⟨-i *m,* -e *f*⟩ *mf* Zauberkünstler(in) *m(f).*
illuso, -a [ilˈluːzo] **I.** *pp di* **illudere; II.** *m, f* Träumer(in) *m(f),* Schwärmer(in) *m(f).*
illusorio, -a [illuˈsɔːri̯o] ⟨-i, -ie⟩ *agg* illusorisch, trügerisch.
illustrare [illusˈtraːre] *tr* **1.** *(con figure)* illustrieren, bebildern; **2.** *(con spiegazioni)* erklären, erläutern, veranschaulichen. **illustrativo, -a** [...raˈtiːvo] *agg* veranschaulichend, illustrierend. **illustrato, -a** [...ˈtraːto] *agg* illustriert, bebildert. **illustrazione** [...ratˈtsi̯oːne] *f* (*abbr* **ill.**) **1.** *(figura)* Illustration *f,* Abbildung *f;* **2.** *(commento)* Illustration *f,* Erläuterung *f,* Veranschaulichung *f.*
illustre [ilˈlustre] *agg* **1.** *(famoso)* berühmt, bekannt; **2.** *(nobile)* vornehm.
ILOR [ˈilɔr] *f acr di* **Imposta Locale sui Redditi** *kommunale Einkommenssteuer.*
imam [iˈmaːm], **imano** [iˈmaːno] *m* Imam *m.*
imbacuccare [imbakukˈkaːre] ⟨imbacucco, imbacucchi⟩ **I.** *tr* einmummen; **II.** *rfl:* **-arsi** sich einmummen.
imballaggio [imbalˈladdʒo] ⟨-ggi⟩ *m* **1.** *(involucro)* Verpackung *f;* **2.** *(operazione)* (Ver)packen *n;* **carta da ~** Packpapier *n;* **~ a perdere** Einwegverpakkung *f;* **~ a rendere** Mehrwegverpakkung *f.*
imballare[1] [imbalˈlaːre] *tr (merce)* ver-, einpacken.
imballare[2] [imbalˈlaːre] *tr (motore)* hochjagen, überdrehen.
imballatore, -trice [imballaˈtoːre] *m, f* Packer(in) *m(f).*
imbalsamare [imbalsaˈmaːre] *tr* **1.** *(persone)* einbalsamieren; **2.** *(animali)* ausstopfen, präparieren. **imbalsamazione** [...matˈtsi̯oːne] *f* **1.** *(di persone)* Einbalsamierung *f;* **2.** *(di animali)* Ausstopfen *n.*
imbambolato, -a [imbamboˈlaːto] *agg* verträumt, träumerisch.
imbandierare [imbandi̯eˈraːre] *tr* beflaggen, mit Fahnen schmücken.
imbandire [imbanˈdiːre] *tr* (festlich) dekken.
imbarazzante [imbaratˈtsante] *agg* **1.** *(che crea disagio)* peinlich; **2.** *(poco conveniente)* unangenehm.
imbarazzare [imbaratˈtsaːre] **I.** *tr* **1.** *(creare disagio)* in Verlegenheit bringen, verlegen machen; **2.** *(confondere)* verwirren; **~ lo stomaco** den Magen belasten; **II.** *rfl:* **-arsi** verlegen werden. **imbarazzato, -a** [...ˈtsaːto] *agg* **1.** *(persona)* verlegen; *(confuso)* verwirrt; **2.** *(stomaco)* verdorben, verstimmt.
imbarazzo [imbaˈrattso] *m* **1.** *(disagio)* Verlegenheit *f; (confusione)* Verwirrung *f;* **2.** *(impedimento)* Hindernis *n;* **~ di stomaco** Magenverstimmung *f;* **l'~ della scelta** die Qual der Wahl; **mettere qu in ~** jdn in Verlegenheit bringen.
imbarbarire [imbarbaˈriːre] ⟨imbarbarisco⟩ *tr* verrohen.
imbarcadero [imbarkaˈdɛːro] *m* Landungssteg *m,* -brücke *f.*
imbarcare [imbarˈkaːre] ⟨imbarco, imbarchi⟩ **I.** *tr* einschiffen, an Bord nehmen; *(merce)* verladen; **II.** *rfl:* **-arsi 1.** *(salire a bordo)* sich einschiffen, an Bord gehen; **2.** *fig* sich einlassen (*in* auf +*akk*); **3.** *(incurvarsi)* sich krümmen, sich verziehen. **imbarcazione** [...katˈtsi̯oːne] *f* Boot *n;* **~ a remi** Ruderboot *n;* **~ a vela** Segelboot *n.* **imbarco** [imˈbarko] ⟨-chi⟩ *m* **1.** *(atto dell'imbarcare)* Einschiffung *f; (di merci)* Verladung *f;* **2.** *(banchina)* Verladeplatz *m,* Kai *m;* **3.** *(arruolamento)* Anmusterung *f.*
imbastire [imbasˈtiːre] ⟨imbastisco⟩ *tr* **1.** *(tessuti)* heften, (an)reihen; **2.** *fig* (in groben Zügen) entwerfen, skizzieren; *(mettere in opera)* einfädeln. **imbastitu-**

ra [...ti'tu:ra] *f (cucitura)* Heften *n; (risultato)* Heftnaht *f.*
imbattersi [im'battersi] *rfl* stoßen (*in* auf +*akk*); *(incontrare)* treffen (*in* auf +*akk*).
imbattibile [imbat'ti:bile] *agg* unschlagbar, unbesiegbar.
imbavagliare [imbavaʎ'ʎa:re] ⟨imbavaglio, imbavagli⟩ *tr* **1.** *(mettere un bavaglio)* knebeln; **2.** *fig* zum Schweigen bringen.
imbeccare [imbek'ka:re] *tr* **1.** *(volatili)* füttern; **2.** *fig (suggerire)* einflüstern; *(attore)* souffIieren (*qu* jdm). **imbeccata** [...'ka:ta] *f* **1.** *(quantità di cibo)* (Schnabelvoll *m*) Futter *n;* **2.** *fig (suggerimento)* Vorsagen *n,* Zuflüstern *n.*
imbecille [imbe'tʃille] **I.** *agg* **1.** *(stupido)* dumm, blöd; **2.** *med* schwachsinnig; **II.** *mf* **1.** *(stupido)* Schwach-, Dummkopf *m;* **2.** *med* Schwachsinnige(r) *mf.* **imbecillità** [...li'ta] ⟨-⟩ *f* **1.** *fig peg* Dummheit *f,* Torheit *f;* **2.** *med* Imbezillität *f,* Schwachsinn *m.*
imbellire [imbel'li:re] ⟨imbellisco⟩ **I.** *tr* ⟨*avere*⟩ verschönern, schöner (*o* attraktiver) machen; **II.** *itr* ⟨*essere*⟩, *rfl:* **-irsi** schöner werden.
imberbe [im'bɛrbe] *agg* **1.** *(senza barba)* bartlos; **2.** *fig* unerfahren, unreif.
imbestialire [imbestia'li:re] ⟨imbestialisco⟩ *itr* ⟨*essere*⟩, *rfl:* **-irsi** wütend (*o* rasend) werden.
imbevere [im'be:vere] **I.** *tr* eintunken; *(fare assorbire)* durchtränken; **II.** *rfl:* **-ersi** *(di liquido)* sich vollsaugen (*di* mit).
imbiancare [imbiaŋ'ka:re] ⟨imbianco, imbianchi⟩ **I.** *tr* ⟨*avere*⟩ weiß färben (*o* machen); *(panni)* weiß-, reinwaschen; *(tessuto)* bleichen; *(pareti)* weißen, (weiß) anstreichen; **II.** *itr* ⟨*essere*⟩, *rfl:* **-arsi 1.** *(diventar bianco)* weiß werden; *(incanutire)* ergrauen; **2.** *fig* erblassen, blaß werden. **imbiancato, -a** [...'ka:to] *agg (tessuto)* gebleicht; *(pareti)* (weiß) getüncht. **imbiancatura** [...ka'tu:ra] *f (di biancheria)* Bleichen *n; (di pareti)* (weißer) Anstrich *m.* **imbianchino, -a** [...'ki:no] *m, f* **1.** *(operaio)* Anstreicher(in) *m(f),* Maler(in) *m(f);* **2.** *peg (pittore)* Farbenkleckser(in) *m(f).*
imbiondire [imbion'di:re] ⟨imbiondisco⟩ **I.** *tr* ⟨*avere*⟩ **1.** *(rendere biondo)* blondieren, blond färben; **2.** *gastr* anbraten; **II.** *itr* ⟨*essere*⟩ blond werden.
imbizzarrire [imbiddzar'ri:re] ⟨imbizzarrisco⟩ *itr* ⟨*essere*⟩, *rfl:* **-irsi** *(cavallo)* scheuen; *(persona)* sich erregen.
imboccare [imbok'ka:re] ⟨imbocco, imbocchi⟩ **I.** *tr* **1.** *(introdurre cibo)* füttern; **2.** *fig (imbeccare)* einflüstern; **3.** *(strada)* einbiegen in +*akk; (direzione)* einschlagen; **II.** *itr* (hinein)passen. **imboccatura** [...ka'tu:ra] *f* Einfahrt *f; (apertura)* Öffnung *f; (sbocco)* Mündung *f.* **imbocco** [im'bokko] ⟨-cchi⟩ *m* Eingang *m; (apertura)* Öffnung *f; (sbocco)* (Ein)mündung *f.*
imborghesire [imborge'zi:re] ⟨imborghesisco⟩ **I.** *itr* ⟨*essere*⟩ verbürgerlichen; *peg* sich zum Spießbürger entwickeln; **II.** *rfl:* **-irsi** sich zum Spießbürger entwickeln.
imboscarsi [imbos'karsi] ⟨m'imbosco, t'imboschi⟩ *rfl* **1.** *(nascondersi)* sich im Wald verstecken; **2.** *mil* sich dem Militärdienst entziehen; **3.** *scherz* sich drükken. **imboscata** [...'ka:ta] *f* Hinterhalt *m;* **cadere in un'~** in einen Hinterhalt geraten. **imboscato, -a** [...'ka:to] **I.** *agg* untergetaucht; **II.** *m* **1.** *mil* Deserteur *m,* Fahnenflüchtige(r) *m;* **2.** *fig* Drückeberger *m fam.*
imboschimento [imboski'mento] *m* Bewaldung *f.*
imbottigliamento [imbottiʎʎa'mento] *m* **1.** *(di liquidi)* (Flaschen)abfüllung *f;* **2.** *(del traffico)* (Verkehrs)stau *m.* **imbottigliare** [...'ʎa:re] ⟨imbottiglio, imbottigli⟩ *tr* (in Flaschen) abfüllen; **restare imbottigliati** *(veicoli)* im Stau steckenbleiben.
imbottire [imbot'ti:re] ⟨imbottisco⟩ *tr* **1.** *(riempire)* füllen; *(vestiti)* wattieren; *(poltrona)* polstern; **2.** *(panini)* belegen; **3.** *fig (riempire)* vollstopfen, vollpfropfen. **imbottito, -a** [...'ti:to] *agg (poltrona)* gepolstert; *(abito)* wattiert; *(panino)* belegt. **imbottitura** [...ti'tu:ra] *f (di poltrone)* Polsterung *f; (di abiti)* Wattierung *f.*
imbracciare [imbrat'tʃa:re] ⟨imbraccio, imbracci⟩ *tr* ergreifen, halten; *(fucile)* anlegen.
imbranato, -a [imbra'na:to] **I.** *agg* ungeschickt, tolpatschig; **II.** *m, f* Tolpatsch *m,* Tölpel *m.*
imbrattare [imbrat'ta:re] **I.** *tr* beschmieren; *(sporcare)* beschmutzen; **II.** *rfl:* **-arsi 1.** *(sporcarsi)* sich beschmutzen, sich besudeln; **2.** *fig* sich beflecken. **imbrattatele** [...ta'te:le] ⟨-⟩ *mf peg* Farbenkleckser(in) *m(f),* Sonntagsmaler(in) *m(f).*
imbrigliare [imbriʎ'ʎa:re] ⟨imbriglio, imbrigli⟩ **I.** *tr* **1.** *(mettere le redini)* (auf)zäumen; **2.** *fig* zügeln, bändigen; **II.** *rfl:* **-arsi** sich mit den Beinen im Zaumzeug verfangen; *fig* hängenbleiben.
imbroccare [imbrok'ka:re] ⟨imbrocco, imbrocchi⟩ *tr* treffen; *(indovinare)* erraten; **non imbroccarne una** immer danebentreffen.
imbrogliare [imbroʎ'ʎa:re] ⟨imbroglio, imbrogli⟩ **I.** *tr* **1.** *(confondere)* durcheinanderbringen; **2.** *(truffare)* hereinlegen; *(frodare)* betrügen; **~ le idee a qu** jdn verwirren; **~ la matassa** Verwirrung stiften; **II.** *rfl:* **-arsi 1.** *(ingarbugliarsi)* sich

verwickeln; **2.** *(nel parlare)* sich verhaspeln; **3.** *fig* kompliziert werden.

imbroglio [im'brɔʎʎo] ⟨-gli⟩ *m* **1.** *(ingarbugliamento)* Verwicklung *f;* **2.** *fig* Verwirrung *f,* Konfusion *f; (faccenda)* verzwickte Angelegenheit; **3.** *(truffa)* Betrug *m;* **4.** *(intoppo)* Hindernis *n.* **imbroglione, -a** [...roʎ'ʎo:ne] *m, f* Betrüger(in) *m(f),* Schwindler(in) *m(f).*

imbronciarsi [imbron'tʃarsi] ⟨m'imbroncio, t'imbronci⟩ *rfl* schmollen, verärgert sein.

imbrunire [imbru'ni:re] ⟨imbrunisco⟩ **I.** *itr* ⟨*essere o avere*⟩ dunkel werden; *(dopo il tramonto)* dämmern; **il cielo imbrunisce** der Himmel verdunkelt sich; **II.** *m* (Abend)dämmerung *f;* **sull'**~ in der (Abend)dämmerung.

imbruttire [imbrut'ti:re] ⟨imbruttisco⟩ **I.** *tr* ⟨*avere*⟩ häßlich(er) machen; **II.** *itr* ⟨*essere*⟩ häßlich(er) werden.

imbucare [imbu'ka:re] *tr (lettera)* einwerfen.

imbufalirsi [imbufa'lirsi] ⟨m'imbufalisco⟩ *rfl* ausrasten, vor Wut platzen.

imburrare [imbur'ra:re] *tr* mit Butter bestreichen, buttern.

imbustare [imbus'ta:re] *tr* in einen (Brief) umschlag stecken, kuvertieren *geh.*

imbuto [im'bu:to] *m* Trichter *m;* **a** ~ trichterförmig.

imitare [imi'ta:re] *tr* imitieren, nachahmen, nachmachen; *(firma a.)* fälschen.

imitazione [imitat'tsi̯o:ne] *f* Imitation *f geh,* Nachahmung *f; (contraffazione a.)* Fälschung *f; (prodotto)* Imitation *f;* **fare l'**~ **di qu** jdn nachahmen.

immacolato, -a [immako'la:to] *agg* **1.** *(biancheria)* schneeweiß, blendend weiß; **2.** *fig* rein, makellos; **l'Immacolata Concezione** die Unbefleckte Empfängnis.

immagazzinare [immagaddzi'na:re] *tr* **1.** *(in magazzino)* (ein)lagern; **2.** *inform* speichern, einspeisen; **3.** *fig* speichern; *(raccogliere)* ansammeln, anhäufen.

immaginabile [immadʒi'nabile] *agg* denkbar, vorstellbar.

immaginare [immadʒi'na:re] *tr* **1.** *(figurarsi)* sich *(dat)* vorstellen; **2.** *(ideare)* sich *(dat)* ausdenken; **3.** *(supporre)* annehmen, vermuten; *(intuire)* ahnen, sich *(dat)* denken; **4.** *(illudersi)* sich *(dat)* einbilden; *(sperare)* hoffen; **immaginati se non lo voglio!** natürlich will ich das!; **La disturbo? - s'immagini!** störe ich (Sie)? - aber keineswegs, (aber) ich bitte Sie!. **immaginario, -a** [...'na:ri̯o] ⟨-i, -ie⟩ *agg* imaginär *geh; (non reale)* unwirklich, phantastisch, Phantasie-. **immaginativa** [...na'ti:va] *f* Vorstellungskraft *f,* -vermögen *n;* **mancare di** ~ keine Phantasie haben.

immaginazione [immadʒinat'tsi̯o:ne] *f* Vorstellung(skraft) *f,* Einbildung(skraft) *f; (fantasia)* Phantasie *f; peg* Einbildung *f;* **una fervida** ~ eine blühende Phantasie.

immagine [im'ma:dʒine] *f* **1.** *gener.* Bild *n; (fig a.)* Darstellung *f;* **2.** *(nell'arte)* Bildnis *n,* Bild *n;* **3.** *(che somiglia molto)* Abbild *n,* Ebenbild *n; (espressione fisica)* Verkörperung *f;* **4.** *(di personaggio, azienda, associazione)* Image *n;* **5.** *zoo* Imago *f;* **è l'**~ **della salute** er (*o* sie) ist die Gesundheit in Person.

immancabile [immaŋ'ka:bile] *agg* unausbleiblich; *(inevitabile)* unvermeidlich; *(sicuro)* gewiß, sicher.

immane [im'ma:ne] *agg* riesig, ungeheuer; *(terribile)* schrecklich, entsetzlich.

immangiabile [imman'dʒa:bile] *agg* nicht eßbar, ungenießbar.

immatricolare [immatriko'la:re] **I.** *tr* eintragen, registrieren; *(automobili)* zulassen; *(all'università)* immatrikulieren, einschreiben; **II.** *rfl:* **-arsi** sich immatrikulieren (*o* einschreiben) (lassen). **immatricolazione** [...lat'tsi̯o:ne] *f* Immatrikulation *f,* Einschreibung *f; (di un'automobile)* Zulassung *f.*

immaturità [immaturi'ta] *f* Unreife *f,* Unreifsein *n.* **immaturo, -a** [...'tu:ro] *agg* **1.** *(acerbo, a. fig)* unreif; **2.** *(prematuro)* vorzeitig, verfrüht; *(decisione)* voreilig.

immedesimarsi [immedezi'marsi] *rfl* sich hineinversetzen (*in* in *+akk*), sich einfühlen (*in* in *+akk*); ~ **nella situazione di qu** sich in jds Lage hineinversetzen (können).

immediatamente [immedi̯ata'mente] *avv* sofort, unverzüglich, unmittelbar.

immediatezza [immedi̯a'tettsa] *f* Unmittelbarkeit *f; (simultaneità)* Unverzüglichkeit *f.*

immediato, -a [imme'di̯a:to] *agg* **1.** *(diretto)* unmittelbar, direkt; **2.** *(pronto)* sofortig, unverzüglich; *(reazione, risposta)* prompt; **3.** *(evidente)* offenkundig; **nelle -e vicinanze** in unmittelbarer Nähe.

immemorabile [immemo'ra:bile] *agg* undenklich.

immensità [immensi'ta] ⟨-⟩ *f* **1.** *(qualità)* Unermeßlichkeit *f,* Unendlichkeit *f;* **2.** *(quantità)* Unmenge *f.* **immenso, -a** [im'mɛnso] *agg* **1.** *(enorme)* unermeßlich, immens; *(sconfinato)* grenzenlos, unendlich (groß); *(numeroso)* unzählig; **2.** *fig (intenso)* ungeheuer, außerordentlich stark.

immergere [im'mɛrdʒere] ⟨immergo, immergi, immersi, immerso⟩ **I.** *tr* **1.** *(tuffare)* (ein)tauchen; **2.** *(affondare)* hineinstoßen; **3.** *fig* versenken; **II.** *rfl:* **-ersi 1.** *(penetrare)* eindringen; *(in acqua, tra la folla)* untertauchen; **2.** *fig* sich vertiefen, sich versenken; *(affondare)* versinken; *(sparire)* verschwinden; **-ersi nello studio** sich ins Studium vertiefen.

immeritato, -a [immeri'ta:to] *agg* unverdient.
immeritevole [immeri'te:vole] *agg* unwürdig.
immersi [im'mɛrsi] *p rem di* **immergere.**
immersione [immer'sio:ne] *f* **1.** *(introduzione in liquido)* (Ein-, Unter)tauchen *n;* **2.** *naut* Tiefgang *m.*
immerso [im'mɛrso] *pp di* **immergere.**
immettere [im'mettere] ⟨*irr*⟩ **I.** *tr* **1.** *(introdurre)* einlassen; *(acqua)* einlaufen lassen; **2.** *inform* eingeben; **3.** *econ* einführen; **II.** *itr* hineinführen.
immigrante [immi'grante] *mf* Einwanderer *m,* Einwand(r)erin *f,* Immigrant(in) *m(f).* **immigrare** [...'gra:re] *itr* ⟨*essere*⟩ immigrieren, ein-, zuwandern. **immigrato, -a** [...'gra:to] **I.** *agg* immigriert, ein-, zugewandert; **II.** *m, f* Immigrant(in) *m(f),* Einwanderer *m,* Einwand(r)erin *f.*
immigrazione [...rat'tsio:ne] *f* Immigration *f,* Einwanderung *f.*
imminente [immi'nɛnte] *agg* (unmittelbar) bevorstehend.
immischiare [immis'kia:re] **I.** *tr* hineinziehen, verwickeln; **II.** *rfl:* **-arsi** sich einmischen (*in* in +*akk*); **-arsi in qc** in etw. *(akk)* verwickelt sein.
immiserimento [immizeri'mento] *m (a. fig)* Verarmung *f.* **immiserire** [...'ri:re] ⟨immiserisco⟩ **I.** *tr* ⟨*avere*⟩ verarmen lassen, arm machen; **II.** *itr* ⟨*essere*⟩, *rfl:* **-irsi** verarmen.
immissione [immis'sio:ne] *f* **1.** *(introduzione)* Einführen *n; (sbocco)* Einströmen *n; (afflusso)* Zufuhr *f,* Zufluß *m;* **2.** *tec* Immission *f;* **3.** *inform* Eingabe *f.*
immobile [im'mɔ:bile] **I.** *agg* unbeweglich, regungslos; **II.** *m* Immobilie *f,* unbewegliches Gut. **immobiliare** [immobi'lia:re] *agg* Immobilien-, Immobiliar-. **immobilismo** [...'lizmo] *m fig* **1.** *(mancanza di cambiamento)* Immobilismus *m,* Unbeweglichkeit *f;* **2.** *(inazione)* Untätigkeit *f,* Nichtstun *n.* **immobilità** [...li'ta] *f* Unbeweglichkeit *f; (inerzia)* Regungslosigkeit *f.* **immobilizzare** [...lid'dza:re] *tr* **1.** *(rendere immobile)* bewegungsunfähig machen; *(tenere fermo)* festhalten, hemmen; *(nemico)* außer Gefecht setzen; **2.** *(capitale)* festlegen, langfristig anlegen; **3.** *med* ruhigstellen. **immobilizzazione** [...liddzat'tsio:ne] *f* **1.** *(il rendere immobile)* Unbeweglichmachen *n;* **2.** *med* Ruhigstellung *f;* **3.** *fin* Festlegung *f.*
immodestia [immo'dɛstia] *f* Unbescheidenheit *f.* **immodesto, -a** [...'dɛsto] *agg* unbescheiden.
immolare [immo'la:re] **I.** *tr* (auf)opfern; **II.** *rfl:* **-arsi** sich (auf)opfern.
immondezza [immon'dettsa] *f* **1.** *(immondizie)* Unrat *m,* Müll *m,* Abfall *m;* **2.** *fig* Schmutzigkeit *f.* **immondezzaio** [...'tsa:io] ⟨-ai⟩ *m* **1.** *(per immondizie)* Müll-, Schuttabladeplatz *m;* **2.** *fig* Saustall *m fam.*
immondizia [immon'dittsia] ⟨-ie⟩ *f* Abfall *m,* Müll *m;* **bidone delle -e** Mülltonne *f.*
immondo, -a [im'mondo] *agg* **1.** *(sporco)* schmutzig, dreckig; **2.** *fig* sündhaft; **3.** *rel (impuro)* unrein.
immorale [immo'ra:le] *agg* unmoralisch. **immoralità** [...rali'ta] *f* Unmoral *f,* Amoralität *f; (scostumatezza)* Unsittlichkeit *f; (corruzione)* Verderbtheit *f.*
immortalare [immorta'la:re] *tr* verewigen. **immortale** [...'ta:le] *agg* unsterblich; *(fig a.)* ewig. **immortalità** [...tali'ta] *f* Unsterblichkeit *f.*
immotivato, -a [immoti'va:to] *agg* unmotiviert; *(senza ragione)* unbegründet.
immoto, -a [im'mɔ:to] *agg* unbeweglich, regungslos.
immune [im'mu:ne] *agg* **1.** *med, fig* immun (*a* gegen), unempfänglich (*a* für); **2.** *(esente)* frei (*da* von), -frei, -los; **rimanere ~ da qc** von etw. verschont bleiben. **immunità** [immuni'ta] ⟨-⟩ *f* **1.** *med, pol* Immunität *f;* **2.** *fig, amm (esenzione)* Befreiung *f* (*da* von). **immunitario, -a** [...'ta:rio] ⟨-i, -ie⟩ *agg* Immun-; **sistema ~** Immunsystem *n.* **immunizzare** [...id'dza:re] *tr* immunisieren. **immunodeficienza** [...nodefi'tʃɛntsa] *f* Immunschwäche *f;* **sindrome da ~ acquisita** Immunschwächekrankheit *f,* Aids *n.*
immunologico, -a [...no'lɔ:dʒiko] ⟨-ci, -che⟩ *agg* immunologisch. **immunologo, -a** [...'nɔ:logo⟩ ⟨-gi *m,* -ghe *f*⟩ *m, f* Immunologe *m,* -login *f.*
immusonirsi [immuzo'nirsi] ⟨m'immusonisco⟩ *rfl* schmollen.
immutabile [immu'ta:bile] *agg* unveränderlich, unwandelbar.
immutato, -a [immu'ta:to] *agg* unverändert.
impaccare [impak'ka:re] ⟨impacco, impacchi⟩ *tr* ver-, einpacken. **impaccamento** *m inform* Komprimierung *f.* **impaccatore, -trice** [...ka'to:re] *m, f* (Ver)-packer(in) *m(f).*
impacchettare [impakket'ta:re] *tr* ab-, ein-, verpacken.
impacciare [impat'tʃa:re] ⟨impaccio, impacci⟩ *tr* behindern; *(disturbare)* stören. **impacciato, -a** [...'tʃa:to] *agg* **1.** *(intralciato)* behindert, gehindert; **2.** *(maldestro)* unbeholfen, plump; **3.** *(imbarazzato)* verlegen, befangen. **impaccio** [im'pattʃo] ⟨-cci⟩ *m* **1.** *(imbarazzo)* Verlegenheit *f;* **2.** *(disturbo)* Störung *f;* **3.** *(intralcio)* Hindernis *n;* **cavarsi d'~** sich aus der Verlegenheit ziehen; **essere d'~ a qu** jdm im Wege sein.
impacco [im'pakko] *m* Umschlag *m,* Kompresse *f.*
impadronirsi [impadro'nirsi] ⟨m'impadronisco⟩ *rfl* **1.** *(impossessarsi)* sich bemächtigen (*di qc* einer S. *gen*); *(appro-*

priarsi indebitamente) sich *(dat)* aneignen (*di qc* etw.); **2.** *fig (acquisire a fondo)* sich *(dat)* aneignen (*di qc* etw.); *(afferrare)* an sich reißen.

impagabile [impa'ga:bile] *agg (a. fig)* unbezahlbar.

impaginare [impadʒi'na:re] *tr tip* umbrechen. **impaginazione** [...nat'tsio:ne] *f typ* Umbruch *m.*

impagliare [impaʎ'ʎa:re] ⟨impaglio, impagli⟩ *tr* **1.** *(rivestire)* mit Stroh umwickeln; *(sedie)* mit einem Korbgeflecht versehen; **2.** *(imbalsamare)* ausstopfen. **impagliatore, -trice** [...ʎa'to:re] *m, f* **1.** *(di oggetti)* Korbflechter(in) *m(f),* Strohflechter(in) *m(f);* **2.** *(di animali)* (Tier)präparator(in) *m(f).* **impagliatura** [...ʎa'tu:ra] *f* **1.** *(rivestimento)* Strohgeflecht *n,* Korbgeflecht *n;* **2.** *(di animali)* Ausstopfung *f.*

impalato, -a [impa'lato] *agg fig* angewurzelt; **star** ~ dumm (*o* blöd) rumstehen.

impalcatura [impalka'tu:ra] *f* (Bau)gerüst *n; fig* Aufbau *m.*

impallidire [impalli'di:re] ⟨impallidisco⟩ *itr* ⟨*essere*⟩ **1.** *(sbiancare)* erblassen, blaß werden; **2.** *fig (attenuarsi)* verblassen.

impalpabile [impal'pa:bile] *agg* kaum (*o* nicht) wahrnehmbar; *(finissimo)* hauchdünn.

impaludarsi [impalu'darsɪ] *rfl* **1.** *geog* versumpfen; **2.** *fig* sich verstricken, in eine Sackgasse geraten.

impanare [impa'na:re] *tr* panieren.

impantanarsi [impanta'narsi] *rfl* **1.** *(affondare nel pantano, a. fig)* im Schlamm steckenbleiben; **2.** *fig* sich verwickeln (*o* hineinziehen) lassen; *(bloccarsi)* sich festfahren.

impaperarsi [impape'rarsi], **impappinarsi** [impappi'narsi] *rfl* sich verhaspeln, sich verheddern.

imparare [impa'ra:re] *tr* (er)lernen; ~ **a leggere/scrivere** lesen/schreiben lernen.

imparaticcio [impara'tittʃo] ⟨-cci⟩ *m* **1.** *(nozioni mal assimilate)* oberflächliches Wissen; **2.** *(lavoro da principiante)* Anfangsarbeit *f.*

impareggiabile [impared'dʒa:bile] *agg* unvergleichlich.

imparentarsi [imparen'tarsi] *rfl* sich verschwägern; *(per mezzo del matrimonio)* einheiraten (*con* in *+akk*).

impari ['impari] ⟨*inv*⟩ *agg* **1.** *(disuguale)* ungleich; **2.** *mat (dispari)* ungerade.

impartire [impar'ti:re] ⟨impartisco⟩ *tr* erteilen, geben.

imparziale [impar'tsia:le] *agg* unparteiisch; *(non prevenuto)* unvoreingenommen. **imparzialità** [...iali'ta] *f* Unparteilichkeit *f; (mancanza di prevenzione)* Unvoreingenommenheit *f;* **giudicare con** ~ unparteiisch urteilen.

impassibile [impas'si:bile] *agg* unerschütterlich; *(indifferente)* gleichmütig; **restare** ~ keine Miene verziehen. **impassibilità** [...sibili'ta] ⟨-⟩ *f* Unerschütterlichkeit *f; (indifferenza)* Gleichmut *m.*

impastare [impas'ta:re] *tr* **1.** *(pasta)* kneten; **2.** *(colori)* mischen. **impastato, -a** [impɑs'tɑto] *agg (coperto, pieno, a. fig)* voll (*di qc* von etw.); *(lingua)* belegt; **essere ~ di pregiudizi** voller Vorurteile stecken. **impastatrice** [...ta'tri:tʃe] *f* **1.** *(per farina)* Knetmaschine *f;* **2.** *(per malta)* Betonmischer *m.*

impasticcarsi [impastik'karsi] ⟨m'impasticco, t'impasticchi⟩ *rfl fam (di sostanze stupefacenti)* Drogen nehmen; *(di medicinali, psicofarmaci)* sich mit Medikamenten vollstopfen.

impasto [im'pasto] *m* Mischung *f,* Gemisch *n; gastr* Teig *m.*

impatto [im'patto] *m* **1.** *(urto)* Aufprall *m; (scontro)* Zusammenstoß *m;* **2.** *fig (contatto)* Berührung *f; (incontro)* Begegnung *f.*

impaurire [impau'ri:re] ⟨impaurisco⟩ **I.** *tr* ⟨*avere*⟩ ängstigen, Furcht einjagen (*qu* jdm); **II.** *itr* ⟨*essere*⟩, *rfl:* **-irsi** Angst bekommen (*o* kriegen *fam*), erschrecken.

impavido, -a [im'pa:vido] *agg* unerschrocken, furchtlos, mutig.

impaziente [impat'tsiɛnte] *agg* **1.** *(insofferente)* unduldsam (*con* gegenüber); **2.** *(senza pazienza)* ungeduldig; **3.** *(ansioso)* aufgeregt. **impazienza** [...'tsiɛntsa] *f* Ungeduld *f.*

impazzata [impat'tsa:ta] *f:* **all'**~ wie verrückt, wie wahnsinnig; **fuggire all'**~ Hals über Kopf davonlaufen.

impazzire [impat'tsi:re] ⟨impazzisco⟩ *itr* ⟨*essere*⟩ **1.** *(ammattire)* verrückt (*o* wahnsinnig) werden (*per* vor); **2.** *fig (languire)* verrückt sein (*per* nach *+dat,* auf *+akk di* vor); **3.** *fig (stillarsi il cervello)* sich *(dat)* den Kopf zerbrechen, sich verrückt machen *fam;* ~ **d'amore** vor Liebe vergehen; ~ **per una donna** nach einer Frau verrückt sein; *(perdere la testa)* wegen einer Frau den Verstand verlieren.

impeccabile [impek'ka:bile] *agg* einwandfrei, tadellos, tip top *fam.*

impedimento [impedi'mento] *m* Hindernis *n;* **essere d'**~ ein Hindernis sein, im Wege sein.

impedire [impe'di:re] ⟨impedisco⟩ *tr* **1.** *(intralciare)* behindern; *(vista, transito)* versperren; **2.** *(ostacolare)* hindern (*qc a qu* jdn an etw.); *(trattenere)* abhalten (*qc a qu* jdn von etw.); **3.** *(impacciare)* (be)hindern (*qc a qu* jdn bei etw.).

impegnare [impeɲ'ɲa:re] **I.** *tr* **1.** *(per garanzia)* verpfänden, versetzen *fam;* **2.** *(prenotare)* vormerken, reservieren; **3.** *(tenere occupato)* beschäftigen; *(im-*

piegare) einsetzen; **4.** *(a un comportamento)* verpflichten (*a* zu); **II.** *rfl:* **-arsi** **1.** *(obbligarsi)* sich verpflichten (*a* zu); **2.** *(impiegare energie)* sich einsetzen, sich engagieren; **-arsi nello studio** sich dem Studium widmen. **impegnativa** [...ɲati:va] *f Genehmigung der Krankenkasse für einen Krankenhausaufenthalt oder einen Facharztbesuch,* Überweisungsschein *m.* **impegnativo, -a** [...ɲa'ti:vo] *agg* **1.** *(vincolante)* verbindlich; *(che obbliga)* verpflichtend; **2.** *(che richiede impegno)* stark beanspruchend, anspruchsvoll. **impegnato, -a** [...'ɲa:to] *agg* **1.** *(occupato)* beschäftigt; **2.** *(dedito)* engagiert; **3.** *(riservato)* belegt, besetzt; *(prenotato)* (vor)bestellt.

impegno [im'peɲɲo] *m* **1.** *(obbligo)* Verpflichtung *f; fin, econ* Verbindlichkeit *f;* **2.** *fig* Engagement *n,* Einsatz *m; (zelo)* Eifer *m;* **lavorare con** ~ mit vollem Einsatz arbeiten; **senza** ~ unverbindlich.

impegolarsi [impego'larsi] *rfl* sich verstricken (*in* in +*akk*); ~ **nei guai** sich in Schwierigkeiten verstricken, sich in die Scheiße setzen *fam.*

impelagarsi [impela'garsi] ⟨m'impelago, t'impelaghi⟩ *rfl* sich verstricken (*in* in +*akk*).

impellente [impel'lɛnte] *agg* dringend, dringlich; *(motivo)* zwingend.

impellicciato, -a [impellit'tʃɑto] *agg* im Pelz(mantel).

impenetrabile [impene'tra:bile] *agg* **1.** *(non trapassabile)* undurchlässig; *(inaccessibile)* undurchdringlich; **2.** *fig (indecifrabile)* unergründlich, undurchschaubar; *(persona)* unzugänglich; *(volto)* verschlossen.

impenitente [impeni'tɛnte] *agg* unverbesserlich; *(bevitore)* notorisch *geh pej; (scapolo)* eingefleischt; *(peccatore)* verstockt.

impennarsi [impen'narsi] *rfl* **1.** *(cavallo)* sich aufbäumen; **2.** *aero (cabrare)* steil aufsteigen; **3.** *fig* hochfahren, aufbrausen. **impennata** [...'na:ta] *f* **1.** *(di cavallo)* (Sich)aufbäumen *n;* **2.** *(di aereo)* überzogener Flug; **3.** *fig (scatto d'ira)* Aufbrausen *n,* Hochfahren *n.*

impensabile [impen'sa:bile] *agg* **1.** *(inconcepibile)* undenkbar, unvorstellbar; *(assurdo)* unmöglich, absurd; **2.** *(imprevedibile)* unvorhersehbar.

impensato, -a [impen'sa:to] *agg* unvermutet, ungeahnt.

impensierire [impensi̯e'ri:re] ⟨impensierisco⟩ **I.** *tr* Sorgen machen (*qu* jdm), beunruhigen; **II.** *rfl:* **-irsi** sich *(dat)* Sorgen machen, sich beunruhigen.

imperare [impe'ra:re] *itr* **1.** *(dominare)* beherrschen (*su qu/qc* jdn/etw.), herrschen (*su* über +*akk*); **2.** *fig* (vor)herrschen. **imperativo, -a** [...ra'ti:vo] **I.** *agg* befehlend, Befehls-; *dir* zwingend; *pol* imperativ; *gram* Imperativ-, Befehls-; **tono** ~ Befehlston *m;* **II.** *m* Imperativ *m,* Befehlsform *f.* **imperatore, -trice** [...ra'to:re] *m, f* Kaiser(in) *m(f).*

impercettibile [impertʃet'ti:bile] *agg* kaum wahrnehmbar, unmerklich.

imperdonabile [imperdo'na:bile] *agg* unverzeihlich.

imperfetto, -a [imper'fɛtto] **I.** *agg* **1.** *(difettoso)* mangelhaft, unvollkommen, fehlerhaft; **2.** *(incompleto)* unvollständig; *(non finito)* unvollendet; **II.** *m gram* Imperfekt *n.* **imperfezione** [...fet'tsi̯o:ne] *f* Unvollkommenheit *f,* Fehlerhaftigkeit *f; (mancanza)* Mangel *m; (difetto)* Fehler *m;* ~ **della vista** Sehfehler *m.*

imperiale [impe'ri̯a:le] *agg* kaiserlich, Kaiser-. **imperialismo** [...ri̯a'lizmo] *m* Imperialismus *m.* **imperialista** [...'lista] ⟨-i *m,* -e *f*⟩ **I.** *agg* imperialistisch; **II.** *mf* Imperialist(in) *m(f).* **imperialistico, -a** [...'listiko] ⟨-ci, -che⟩ *agg* imperialistisch.

imperioso, -a [impe'ri̯o:so] *agg* **1.** *(autoritario)* herrisch, gebieterisch; **2.** *fig (impellente)* zwingend; *(urgente)* dringend.

imperizia [impe'rittsi̯a] *f* Unerfahrenheit *f; (poca formazione)* mangelhafte Ausbildung.

imperlare [imper'la:re] *tr* **1.** *(adornare con perle)* mit Perlen besetzen; **2.** *(cospargere di gocce)* (ab)perlen (*qc* von etw.); *(rugiada)* benetzen.

impermalirsi [imperma'lirsi] ⟨m'impermalisco⟩ *rfl* einschnappen; ~ **con qu per qc** jdm etw. übelnehmen.

impermeabile [imperme'a:bile] **I.** *agg (riferito a liquidi)* undurchlässig; *(riferito all'acqua)* wasserdicht; **II.** *m* Regenmantel *m.* **impermeabilizzante** [...meɑbilid'dzante] *tec* **I.** *agg* abdichtend; **II.** *m* Abdichtungsmittel *n,* Abdichtmasse *f; (per calcestruzzo)* Sperrmittel *n.*

imperniare [imper'ni̯a:re] ⟨impernio, imperni⟩ *tr* **1.** *(collegare con perni)* verzapfen; *(con bulloni)* verbolzen; **2.** *fig (basare)* stützen (*su* auf +*dat*).

impero [im'pɛ:ro] **I.** *m* **1.** *(governo)* kaiserliche Gewalt; **2.** *(territorio)* (Kaiser)reich *n,* Imperium *n;* **3.** *(stile)* Empire *n;* **4.** *fig* Macht *f,* Herrschaft *f;* **l'~ britannico** das britische Empire; **gli -i centrali** die Mittelmächte *f pl;* **II.** ⟨*inv*⟩ *agg* Empire-.

imperscrutabile [imperskru'ta:bile] *agg* unergründlich, unerforschlich; *(persona a.)* undurchschaubar.

impersonale [imperso'na:le] *agg* unpersönlich.

impersonare [imperso'na:re] *tr* **1.** *(simbolo, tipo)* verkörpern, personifizieren; **2.** *(da attore)* darstellen, spielen.

imperterrito, -a [imper'tɛrrito] *agg* unerschrocken; *(imperturbabile)* unerschütterlich.

impertinente [imperti'nɛnte] **I.** *agg* aufdringlich, impertinent; *(sfrontato)* unverschämt; **II.** *mf* unverschämter Mensch, unverschämte Person. **impertinenza** [...'nɛntsa] *f* Aufdringlichkeit *f*, Impertinenz *f*; *(sfrontatezza)* Unverschämtheit *f*.

imperturbabile [impertur'ba:bile] *agg* unerschütterlich; *(sereno)* gleichmütig; *(tranquillo)* gelassen. **imperturbabilità** [...babili'ta] ⟨-⟩ *f* Gelassenheit *f*, Gemütsruhe *f*; *(serenità)* Gleichmut *m*.

imperversare [imperver'sa:re] *itr* **1.** *(infuriare)* toben, wüten; **2.** *scherz (diffondersi)* sich breitmachen.

impervio, -a [im'pɛrvio] ⟨-i, -ie⟩ *agg* unwegsam; *(inaccessibile)* unzugänglich.

impeto ['impeto] *m* **1.** *(moto violento)* Heftigkeit *f*; *(violenza)* Wucht *f*; *(assalto)* Ansturm *m*; **2.** *fig (di collera, gioia)* Ausbruch *m*; *(slancio)* Schwung *m*; **nell'~ del discorso** im Redeeifer; **agire d'~** ungestüm handeln.

impettito, -a [impet'ti:to] *agg* kerzengerade.

impetuoso, -a [impetu'o:so] *agg* ungestüm, heftig.

impiallacciato, -a [impiallat'tʃato] *agg* furniert, Furnier-.

impiantare [impian'ta:re] *tr* **1.** *(costruire)* errichten, aufbauen *tec* installieren; **2.** *(fondare)* gründen; **3.** *fig (discussione, dibattito)* in Gang bringen.

impiantistica [impian'tistika] ⟨-che⟩ *f* *(costruzione di stabilimenti)* Anlagenbau *m*; *(ingegneria)* Anlagentechnik *f*.

impiantito [impian'ti:to] *m* gefliester Fußboden.

impianto [im'pianto] *m* **1.** *tec* Installierung *f*; **2.** *(complesso di attrezzature)* Anlage *f*; **3.** *med* Implantation *f*; **~ di depurazione** Kläranlage *f*; **~ pilota** Pilotanlage *f*; **~ di rigenerazione** Wiederaufbereitungsanlage *f* (*abk* WAA); **-i sanitari** sanitäre Anlagen *f pl*; **~ sportivo** Sportanlage *f*; **~ stereo(fonico)** Stereoanlage *f*; **~ telefonico** Fernsprechanlage *f*.

impiastrare [impias'tra:re] **I.** *tr* beschmieren; **II.** *rfl:* **-arsi** sich verschmieren; *peg* sich anmalen, sich übertrieben schminken.

impiastro [im'piastro] *m* **1.** *med* (Brei)umschlag *m*; **2.** *fig fam* Nervensäge *f fam*, Quälgeist *m fam*; **3.** *(lavoro)* Pfusch *m*.

impiccagione [impikkad'dʒone] *f* (Er)hängen *n*; **condannare all'~** zum Tod durch Erhängen/durch den Strang *fam* verurteilen.

impiccare [impik'ka:re] ⟨impicco, impicchi⟩ **I.** *tr* (er)hängen, aufhängen *fam*; **II.** *rfl:* **-arsi** sich erhängen, sich aufhängen *fam*; **impiccati!** geh zum Teufel (*o* zum Henker)!. **impiccato, -a** [...'ka:to] **I.** *agg* erhängt; **II.** *m, f* Erhängte(r) *mf*, Gehängte(r) *mf*.

impicciare [impit'tʃa:re] ⟨impiccio, impicci⟩ **I.** *tr* **1.** *(impedire)* behindern; *(disturbare)* stören, im Weg(e) sein (*qu* jdm); **2.** *(ostacolare)* versperren; **II.** *rfl:* **-arsi** sich einmischen (*in, di* in *+akk*).

impiccio [im'pittʃo] ⟨-cci⟩ *m* **1.** *(ostacolo)* Hindernis *n*; *(intralcio)* störender Gegenstand; **2.** *fig* Plage *f*; *(faccenda sgradevole)* lästige Angelegenheit; **3.** *fig (guaio)* Klemme *f fam*, Patsche *f fam*; **essere d'~** im Weg sein. **impiccione, -a** [...'tʃo:ne] *m, f* Störenfried *m*; *(curioso)* Schnüffler *m*.

impiccolire [impikko'li:re] ⟨impiccolisco⟩ **I.** *tr* ⟨*avere*⟩ verkleinern, kleiner machen; **II.** *itr* ⟨*essere*⟩, *rfl:* **-irsi** kleiner werden, sich verkleinern.

impiegare [impie'ga:re] **I.** *tr* **1.** *(applicare)* anwenden; *(usare)* verwenden; **2.** *(tempo)* nutzen; *(periodo di tempo)* brauchen; *(trascorrere)* verbringen; **3.** *(spendere)* ausgeben; *(investire)* anlegen, investieren; **4.** *(assumere)* einstellen; **~ il tempo libero a suonare** die Freizeit mit Musizieren verbringen; **II.** *rfl:* **-arsi** eine Stelle bekommen.

impiegato, -a [impie'ga:to] *m, f* Angestellte(r) *mf*; *(funzionario pubblico)* Beamte(r) *m*, Beamtin *f*; **~ statale** (Staats)beamter *m*.

impiego [im'piɛ:go] ⟨-ghi⟩ *m* **1.** *(occupazione)* Beschäftigung *f*; *(posto di lavoro)* Stelle *f*; **2.** *(utilizzazione)* Gebrauch *m*, Verwendung *f*; *(applicazione)* Anwendung *f*; **~ fisso** feste Stelle; **~ pubblico** Stelle *f* im öffentlichen Dienst; **~ del tempo libero** Freizeitgestaltung *f*.

impietosire [impieto'si:re] ⟨impietosisco⟩ **I.** *tr* Mitleid erregen (*qu* jds); *(commuovere)* rühren; **II.** *rfl:* **-irsi** Mitleid haben, sich erbarmen.

impigliare [impiʎ'ʎa:re] **I.** *tr* gefangenhalten, festhalten; **II.** *rfl:* **-arsi** sich verfangen, hängenbleiben.

impigrire [impi'gri:re] ⟨impigrisco⟩ **I.** *tr* ⟨*avere*⟩ träge machen, träge werden lassen; **II.** *itr* ⟨*essere*⟩, *rfl:* **-irsi** träge werden.

impinguare [impiŋ'gua:re] **I.** *tr* **1.** *(ingrassare)* mästen; **2.** *fig (arricchire)* bereichern (*di* mit); **II.** *rfl:* **-arsi** *fig* sich bereichern.

impilare [impi'lare] *tr* (aufeinander)stapeln.

impiombare [impiom'ba:re] *tr* plombieren, mit einer Plombe versehen; *(dente a.)* mit einer Füllung versehen.

implacabile [impla'ka:bile] *agg* unversöhnlich, unerbittlich.

implantologia [implantolo'dʒi:a] ⟨-gie⟩ *f* *(innesto)* Implantation *f*; *(tecnica)* Implantologie *f*.

implementare [implemen'tare] *tr* implementieren.
implicare [impli'ka:re] ⟨implico, implichi⟩ **I.** *tr* **1.** *(coinvolgere)* verwickeln; **2.** *(sottintendere)* implizieren *geh; (come conseguenza)* mit sich *(dat)* bringen; *(comprendere)* beinhalten; **II.** *rfl:* **-arsi** sich verwickeln. **implicazione** [...kat'tsjo:ne] *f* Implikation *f,* Konsequenz *f.*
implicito, -a [im'pli:tʃito] *agg* unausgesprochen, implizit *geh;* **è ~ che dobbiamo operare in questo modo** das impliziert, daß wir so vorgehen müssen; **accettazione -a** *dir* stillschweigende Annahme.
implorare [implo'ra:re] *tr* flehen (*qc* um etw.), erbitten; *(persona)* anflehen (*qc da qu* jdn um etw.); **~ Dio** zu Gott flehen. **implorazione** [...rat'tsjo:ne] *f* Flehen *n,* flehentliche Bitte.
impollinazione [impollinat'tsjo:ne] *f* Bestäubung *f.*
impoltronire [impoltro'ni:re] ⟨impoltronisco⟩ **I.** *tr* ⟨*avere*⟩ träge machen; **II.** *itr* ⟨*essere*⟩, *rfl:* **-irsi** träge werden.
impolverare [impolve'ra:re] **I.** *tr* staubig machen; **II.** *rfl:* **-arsi** staubig werden, verstauben.
imponderabile [imponde'ra:bile] **I.** *agg* nicht abzuwägen(d); *(incalcolabile)* unberechenbar; **II.** *m pl* Unwägbarkeiten *f pl,* Imponderabilien *pl geh.*
imponente [impo'nɛnte] *agg* **1.** *(grandioso)* imposant, großartig; **2.** *(che incute rispetto)* imponierend, ehrfurchtgebietend. **imponenza** [...'nɛntsa] *f* Großartigkeit *f.*
imponibile [impo'ni:bile] **I.** *agg* besteuerbar, steuerpflichtig; **II.** *m* Bemessungsgrundlage *f; (reddito)* steuerpflichtiges Einkommen.
impopolare [impopo'la:re] *agg* unpopulär. **impopolarità** [...lari'ta] *f* Unpopularität *f.*
imporre [im'porre] ⟨*irr*⟩ **I.** *tr* **1.** *(prescrivere)* vorschreiben; **2.** *(legge, tassa, silenzio)* auferlegen; *(nome)* geben; *(volontà)* aufzwingen; **3.** *rel (mani)* auflegen; **II.** *rfl:* **-orsi 1.** *(persone)* sich durchsetzen; *(affermarsi)* sich behaupten; **2.** *(moda)* sich durchsetzen; **3.** *(rendersi necessario)* sich aufdrängen; *(apparire necessario)* nötig erscheinen.
importante [impor'tante] **I.** *agg* bedeutend, wichtig; **II.** *m* Wichtige(s) *n; (cosa essenziale)* Hauptsache *f.*
importanza [impor'tantsa] *f* Wichtigkeit *f,* Bedeutung *f;* **dare ~ a qc** einer S. *(dat)* Bedeutung beimessen; **di nessuna (***o* **senza) ~** bedeutungslos; *(senza rilievo)* belanglos; **di poca ~** von geringer Bedeutung, unwichtig.
importare [impor'ta:re] **I.** *tr* ⟨*avere*⟩ importieren; *(a. fig)* einführen; **~ in franchigia** *econ* zollfrei einführen; **II.** *itr* ⟨*essere*⟩ **1.** *(essere importante)* wichtig sein, am Herzen liegen; **2.** *(interessare)* interessieren (*a qu* jdn); **3.** *impers* gelegen sein (*di qc* an *+dat*); *(essere necessario)* nötig sein; *(interessare)* angehen (*a qu* jdn); **non me ne importa niente** daran ist mir nichts gelegen; *(non mi riguarda)* das geht mich nichts an; *(non m'interessa)* daran liegt mir nichts; **non importa** das machts nichts.
importatore, -trice [importa'to:re] **I.** *agg* Einfuhr-, Import-; **II.** *m, f* Importeur(in) *m(f),* Einfuhrhändler(in) *m(f).* **importazione** [...tat'tsjo:ne] *f* **1.** *(operazione)* Import *m,* Einfuhr *f;* **2.** *(prodotto)* Einfuhrgut *n,* Importware *f;* **3.** *inform* Import *m.*
importo [im'pɔrto] *m* Betrag *m; (somma)* Summe *f.*
importunare [importu'na:re] *tr* belästigen; *(disturbare)* stören. **importunità** [...ni'ta] ⟨-⟩ *f* Lästigkeit *f; (invadenza)* Aufdringlichkeit *f.* **importuno, -a** [...'tu:no] **I.** *agg* lästig; *(invadente)* aufdringlich; *(visitatore a.)* ungelegen; **II.** *m, f* lästige (*o* aufdringliche) Person.
imposizione [impozit'tsjo:ne] *f* **1.** *(ingiunzione)* Befehl *m; (costrizione)* Zwang *m;* **2.** *fin* Abgabe *f,* Steuer *f;* **3.** *(di nome)* Namensgebung *f;* **4.** *rel* (Hand)auflegen *n.*
impossessarsi [imposses'sarsi] *rfl* **1.** *(appropriarsi)* Besitz ergreifen (*di* von); **2.** *fig (apprendere)* sich *(dat)* aneignen (*di qc* etw.).
impossibile [impos'si:bile] **I.** *agg* unmöglich; *(insopportabile a.)* unerträglich; **II.** *m* Unmögliche(s) *n.* **impossibilità** [impossibili'ta] *f* Unmöglichkeit *f.*
imposta[1] [im'pɔsta] *f (battente)* (Fenster)laden *m.*
imposta[2] [im'pɔsta] *f fin* Steuer *f,* Abgabe *f;* **~ di ricchezza mobile** Einkommen(s)steuer *f;* **~ sul reddito dei capitali** Kapitalertragssteuer *f* (*abk* KESt); **~ sul valore aggiunto (***abbr* **I.V.A.)** Mehrwertsteuer *f;* **ufficio delle -e** Finanzamt *n;* **esente da ~** steuerfrei; **soggetto a ~** steuerpflichtig.
impostare[1] [impos'ta:re] *tr* **1.** *(lavoro)* anlegen; **2.** *(servizio)* organisieren, aufbauen; **3.** *(problemi)* genau formulieren.
impostare[2] [impos'ta:re] *tr (nella cassetta)* einwerfen; *(alla posta)* aufgeben.
impostazione [impostat'tsjo:ne] *f* Anlegen *n,* Ansatz *m;* **~ di un problema** Aufgabenstellung *f.*
imposto, -a [im'posto] *agg* auferlegt; **prezzo ~** vorgeschriebener Preis.
impostore, -a [impos'to:re] *m, f* Schwindler(in) *m(f),* Betrüger(in) *m(f).*
impotente [impo'tɛnte] **I.** *agg* **1.** *(senza potenza)* machtlos; **2.** *(incapace)* unfähig; **3.** *med* impotent; **4.** *(debole)*

schwach, kraftlos; **5.** *(inefficace)* wirkungslos; **II.** *m* impotenter Mann.

impotenza [impo'tɛntsa] *f* **1.** *(mancanza di potenza)* Machtlosigkeit *f;* **2.** *(incapacità)* Unfähigkeit *f,* Unvermögen *n;* **3.** *med* Impotenz *f;* **4.** *(debolezza)* Schwäche *f.*

impoverire [impove'ri:re] ⟨impoverisco⟩ **I.** *tr* ⟨*avere*⟩ **1.** *(rendere povero)* verarmen lassen, arm machen; **2.** *fig* erschöpfen; **II.** *itr* ⟨*essere*⟩, *rfl:* **-irsi** arm werden, verarmen.

impraticabile [imprati'ka:bile] *agg* **1.** *(non percorribile)* unwegsam; *(strada a.)* unbefahrbar; *(campo da gioco)* unbespielbar; **2.** *(inattuabile)* undurchführbar. **impraticabilità** [...kabili'ta] ⟨-⟩ *f* **1.** *(di terreno)* Unwegsamkeit *f; (di strada a.)* Unbefahrbarkeit *f; (di campo da gioco)* Unbespielbarkeit *f;* **2.** *(inattuabilità)* Undurchführbarkeit *f.*

impratichirsi [imprati'kirsi] ⟨m'impratichisco⟩ *rfl* sich (ein)üben; *(in un lavoro)* sich einarbeiten; ~ **a cucinare** sich im Kochen üben.

imprecare [impre'ka:re] ⟨impreco, imprechi⟩ *itr* fluchen (*contro* auf *+akk,* über *+akk*). **imprecazione** [...kat'tsi̯o:ne] *f* Fluch *m;* **lanciare -i** Flüche ausstoßen, fluchen.

imprecisato, -a [impretʃi'za:to] *agg* unbestimmt.

imprecisione [impretʃi'zi̯o:ne] *f* Ungenauigkeit *f; (senza accuratezza)* Nachlässigkeit *f; (indeterminatezza)* Unbestimmtheit *f.* **impreciso, -a** [...'tʃi:zo] *agg* ungenau.

impregnare [impreɲ'ɲa:re] **I.** *tr* **1.** *(imbevere)* (durch)tränken; **2.** *fig (riempire)* erfüllen; *(permeare)* durchsetzen; **3.** *tec* imprägnieren; **II.** *rfl:* **-arsi** durchtränkt werden.

imprenditore, -trice [imprendi'to:re] *m, f* Unternehmer(in) *m(f).* **imprenditoriale** [...to'ri̯a:le] *agg* Unternehmer-, unternehmerisch.

impreparato, -a [imprepa'ra:to] *agg* unvorbereitet; *(senza formazione o istruzione)* unausgebildet. **impreparazione** [impreparat'tsi̯o:ne] *f* mangelnde Vorbereitung.

impresa [im'pre:sa] *f* **1.** *(azione)* Unternehmen *n,* Unterfangen *n;* **2.** *(ditta)* Unternehmen *n,* Betrieb *m;* ~ **eroica** Heldentat *f,* heroische Tat; ~ **industriale** Industrieunternehmen *n,* -betrieb *m.*

impresario, -a [impre'sa:ri̯o] ⟨-i, -ie⟩ *m, f* Theater-, Konzertagent(in) *m(f),* Impresario *m.*

imprescindibile [impreʃin'dibile] *agg* unumgänglich.

imprescrittibile [impreskrit'ti:bile] *agg dir* unverjährbar.

impressi [im'prɛssi] *p rem di* **imprimere.**

impressionabile [impressi̯o'na:bile] *agg* (leicht) zu beeindrucken; *(eccitabile)* erregbar; *fot* belichtbar. **impressionante** [...'nante] *agg* beeindruckend, eindrucksvoll.

impressionare [impressi̯o'na:re] **I.** *tr* **1.** *(turbare)* beeindrucken; *(commuovere)* tief bewegen; *(scuotere)* erschüttern; **2.** *(colpire, fare effetto)* Eindruck machen auf *+akk;* **3.** *fot* belichten; **II.** *rfl:* **-arsi 1.** *(turbarsi)* sich beeindrucken lassen; *(essere scosso)* erschüttert sein; **2.** *fot* belichtet werden.

impressione [impres'si̯o:ne] *f* **1.** *(sensazione)* (Sinnes)eindruck *m, (presentimento a.)* Gefühl *n;* **2.** *(opinione)* Eindruck *m;* **3.** *(turbamento)* (starker) Eindruck *m; (scossa)* Erschütterung *f;* **4.** *(impronta)* Abdruck *m;* **5.** *(stampa)* Druck *m,* Auflage *f.*

impressionismo [impressi̯o'nizmo] *m* Impressionismus *m.*

impresso [im'prɛsso] *pp di* **imprimere.**

imprevedibile [impreve'di:bile] *agg* unvorhersehbar; *(persona)* unberechenbar.

imprevidente [imprevi'dɛnte] *agg* nicht vorausschauend; *(non prudente)* leichtsinnig.

imprevisto, -a [impre'visto] **I.** *agg* unvorhergesehen; *(inatteso)* unvermutet; **II.** *m* Unvorhergesehene(s) *n;* **salvo -i** wenn nichts (Unvorhergesehenes) dazwischenkommt.

impreziosire [imprettsi̯o'si:re] ⟨impreziosisco⟩ *(a. fig)* bereichern; *(ornare)* verzieren, ausschmücken.

imprigionare [impridʒo'na:re] *tr* **1.** *(incarcerare)* einsperren, inhaftieren *adm;* **2.** *fig (bloccare)* einklemmen; *(rinchiudere)* einschließen.

imprimere [im'pri:mere] ⟨imprimo, impressi, impresso⟩ *tr* **1.** *(con impronta)* auf-, einprägen; *(sigillo, timbro)* aufdrücken; **2.** *fig (carattere distintivo)* verleihen; **3.** *fig (ricordo)* einprägen; **4.** *(dare)* übertragen; ~ **un movimento a qc** etw. *(akk)* in Bewegung setzen.

imprinting [im'printiŋ] ⟨-⟩ *m (a. fig)* Prägung *f.*

improbabile [impro'ba:bile] *agg* unwahrscheinlich.

improbo, -a ['improbo] *agg lett fig* hart; *(faticoso)* mühsam, anstrengend; **fatica -a** große und nicht lohnende Mühe.

improcrastinabile [improkrasti'na:bile] *agg* unaufschiebbar.

improduttività [improduttivi'ta] *f* Unproduktivität *f; (mancanza di rendimento)* Unergiebigkeit *f.* **improduttivo, -a** [...'ti:vo] *agg* unproduktiv; *(che non rende)* unergiebig.

impronta[1] [im'pronta] *f* **1.** *(segno)* Abdruck *m; (traccia)* Spur *f;* **2.** *fig (carattere distintivo)* Stempel *m;* **-e digitali** Fingerabdrücke *m pl;* **-e genetiche** genetischer Fingerabdruck.

impronta² [im'pronta] *f:* **all'~** improvisiert, aus dem Stegreif; **tradurre all'~** aus dem Stegreif übersetzen.

improntare [impron'ta:re] *tr* einen (gewissen) Charakter verleihen (*qc* einer S. *dat*). **improntato, -a** [...'tɑto] *agg* geprägt (*a qc* von etw.).

improperio [impro'pɛ:ri̯o] ⟨-i⟩ *m* Beleidigung *f; (espressione irriverente)* Schimpfwort *n.*

improprietà [improprie'ta] *f* **1.** *(del linguaggio)* Ungenauigkeit *f; (errore)* Unkorrektheit *f;* **2.** *(singolo vocabolo)* ungenauer (*o* unkorrekter) Ausdruck. **improprio, -a** [im'prɔ:pri̯o] *agg* unangebracht, unpassend; *(vocabolo, costrutto)* nicht korrekt.

improrogabile [improro'ga:bile] *agg* unaufschiebbar.

improvvisare [improvvi'za:re] **I.** *tr* **1.** *(discorso, musica)* improvisieren; **2.** *fig* improvisieren; *(preparare in fretta)* rasch vorbereiten; **~ un discorso** aus dem Stegreif reden; **II.** *rfl:* **-arsi** spielen; **-arsi cuoco** als Koch einspringen.

improvvisata [improvvi'za:ta] *f* **1.** *(avvenimento piacevole)* Überraschung *f;* **2.** *(visita)* überraschender Besuch; **fare una bella ~ a qu** jdm eine angenehme Überraschung bereiten.

improvvisazione [improvvizat'tsi̯o:ne] *f* Improvisation *f.*

improvviso, -a [improv'vi:zo] **I.** *agg* **1.** *(inatteso)* unerwartet; *(cosa positiva)* unverhofft; **2.** *(repentino)* überraschend, plötzlich; **II.** *m:* **all'~, d'~** plötzlich, unversehens.

imprudente [impru'dɛnte] **I.** *agg* **1.** *(sventato)* unbesonnen, leichtsinnig; **2.** *(incauto)* unvorsichtig; *(senza riflettere)* unüberlegt; **II.** *mf* unvorsichtiger Mensch. **imprudenza** [...'dɛntsa] *f* Unvorsichtigkeit *f; (sventatezza)* Leichtsinn *m.*

impudente [impu'dɛnte] **I.** *agg* unverschämt, frech; **II.** *mf* unverschämter Mensch. **impudenza** [...'dɛntsa] *f* Unverschämtheit *f,* Frechheit *f.*

impudico, -a [im'pu:diko] *agg* schamlos; *(indecente)* unanständig.

impugnabile [impuɲ'ɲa:bile] *agg* anfechtbar.

impugnare¹ [impuɲ'ɲa:re] *tr (afferrare)* ergreifen; *(tenere in mano)* in der Hand halten.

impugnare² [impuɲ'ɲa:re] *tr (contestare)* beanstanden; *dir (sentenza)* anfechten.

impugnatura [impuɲɲa'tu:ra] *f* Griff *m.*

impulsività [impulsivi'ta] ⟨-⟩ *f* Impulsivität *f.* **impulsivo, -a** [...'si:vo] **I.** *agg* impulsiv; **II.** *m, f* impulsiver Mensch.

impulso [im'pulso] *m* **1.** *fig (incremento)* Anreiz *m,* Antrieb *m; (moto istintivo)* Impuls *m,* innere Regung; *(tendenza)* Neigung *f;* **2.** *fis* Impuls *m.*

impunemente [impune'mente] *avv* ungestraft, straflos.

impunibile [impu'ni:bile] *agg* **1.** *(azione)* nicht strafbar; **2.** *(persona)* nicht der Strafe unterliegend, nicht bestrafbar.

impunito, -a [impu'ni:to] *agg* ungestraft, unbestraft, straflos.

impuntarsi [impun'tarsi] *rfl* **1.** *(cavallo, asino)* bocken; **2.** *fig (ostinarsi)* beharren (*a* auf *+dat*), sich versteifen (*a* auf *+akk*); **s'impunta a dire di no** er (*o* sie) beharrt auf seinem (*o* ihrem) Nein.

impuntura [impun'tu:ra] *f* Steppnaht *f; (punto)* Steppstich *m.*

impurità [impuri'ta] *f (a. fig: morale)* Unreinheit *f; (imbrattamento)* Verunreinigung, Verseuchung *f.* **impuro, -a** [im'pu:ro] *agg* **1.** *(sporco)* unrein, unsauber; **2.** *(immorale)* unanständig; *(impudico)* unzüchtig; **esse -a** *gram* vorkonsonantisches s, s impurum.

imputabile [impu'ta:bile] *agg* **1.** *(attribuibile)* zuschreibbar, zuzuschreiben (*a qc/qu* jdm/etw.); **2.** *(responsabile)* verantwortlich (*di* für); **3.** *dir* schuldfähig; **una svista ~ a negligenza** ein Versehen *n* aus Nachläßigkeit.

imputare [impu'ta:re] *tr (considerare responsabile)* verantwortlich machen (*qu di qc* jdn für etw.); *(attribuire la colpa)* zuschreiben; *dir (accusare)* anklagen (*di* wegen). **imputato, -a** [...'ta:to] *m, f* Angeklagte(r) *mf.* **imputazione** [...tat'tsi̯o:ne] *f* **1.** *dir* Anklage *f; (nella fase dell'inchiesta)* Anschuldigung *f;* **2.** *econ* An-, Ver-, Zurechnung *f.*

imputridire [imputri'di:re] ⟨imputridisco⟩ *itr* verwesen; *(marcire)* verfaulen.

in¹ [in] ⟨nel, nello, nell', nella, nei, negli, nelle⟩ *prp* **1.** *(stato in luogo)* in *+dat,* auf *+dat; (moto a luogo)* nach *+akk,* in *+akk; (moto attraverso luogo)* durch *+akk;* **2.** *(tempo determinato)* in *+dat; (tempo continuato)* innerhalb *+gen,* im Laufe *+gen;* **3.** *(modo, maniera)* in *+dat,* mit *+dat;* **4.** *(mezzo, strumento)* mit *+dat,* in *+dat;* **5.** *(materia)* aus *+dat,* von *+dat;* **6.** *(scopo, fine)* zu *+dat,* für *+akk;* **7.** *(causa)* vor *+dat,* wegen *+gen;* **8.** *(stato coniugale femminile)* verheiratete; **andare ~ Austria** nach Österreich fahren; **andare ~ tram** mit der Straßenbahn fahren; **vivere ~ campagna/città** auf dem Lande/in der Stadt leben; **accorrere ~ aiuto di qu** jdm zu Hilfe eilen; **essere ~ due** zu zweit sein; **Filomena Rossi ~ Neri** Filomena Neri, geborene Rossi; **~ tedesco** auf deutsch; **~ pace** in Frieden.

in² [in] ⟨*inv*⟩ **I.** *avv:* **essere ~** in sein, in Mode sein; **II.** *agg:* **uno scrittore ~** ein Schriftsteller, der in (*o* en vogue) ist.

INA ['i:na] *f acr di* **Istituto Nazionale delle Assicurazioni** *nationales italieni-*

sches Versicherungsinstitut.

inabile [i'na:bile] *agg* unfähig, untauglich; ~ **al lavoro** arbeitsunfähig; ~ **al servizio militare** (wehrdienst)untauglich. **inabilità** [inabili'ta] *f* Unfähigkeit *f*, Untauglichkeit *f*.

inabissare [inabis'sa:re] **I.** *tr* versenken; **II.** *rfl:* **-arsi** versinken.

inabitabile [inabi'ta:bile] *agg* unbewohnbar. **inabitato, -a** [...'ta:to] *agg* unbewohnt.

inabrogabile [inabro'ga:bile] *agg dir* unaufhebbar.

inaccessibile [inattʃes'si:bile] *agg* **1.** *(difficile da raggiungere)* unerreichbar; **2.** *(difficile da percorrere)* unzugänglich; **3.** *fig (mistero)* unerklärlich; *(teoria)* unverständlich; *(persona)* unzugänglich, verschlossen; *(montagna)* unbezwingbar; *(prezzo)* unerschwinglich.

inaccettabile [inattʃet'ta:bile] *agg* unannehmbar, inakzeptabel.

inacidire [inatʃi'di:re] ⟨inacidisco⟩ **I.** *tr* ⟨*avere*⟩ **1.** *(render acido)* sauer machen; **2.** *fig (inasprire)* verbittern; **II.** *itr* ⟨*essere*⟩, *rfl:* **-irsi** **1.** *(diventar acido)* sauer (*o* schlecht) werden; **2.** *fig (diventare scostante)* verbittert werden.

inadatto, -a [ina'datto] *agg* unpassend (*a* zu), ungeeignet (*a* für).

inadeguatezza [inadegua'tettsa] *f* Unangemessenheit *f*; *(insufficienza)* Unzulänglichkeit *f*. **inadeguato, -a** [...'gua:to] *agg* unangemessen; *(insufficiente)* unzulänglich; *(inadatto)* ungeeignet (*a* für); **mezzi -i** unzureichende Mittel *n pl*; **essere ~ a un compito** einer Aufgabe nicht gewachsen sein.

inadempiente [inadem'piɛnte] **I.** *agg dir* vertragsbrüchig; **II.** *mf* **1.** *dir* Vertragsbrüchige(r) *mf*; **2.** *(debitore)* Schuldner(in) *m(f)*. **inadempienza** [...'piɛntsa] *f* Nichterfüllung *f*, Nichteinhaltung *f*.

inafferrabile [inaffer'ra:bile] *agg* **1.** *(ladro)* nicht zu fassen(d); **2.** *fig (concetto)* unverständlich.

inaffidabile [inaffi'da:bile] *agg* unzuverlässig. **inaffidabilità** [...dabili'ta] ⟨-⟩ *f* Unzuverlässigkeit *f*.

inagibile [ina'dʒi:bile] *agg* nicht betretbar (*o* benutzbar).

inalare [ina'la:re] *tr* inhalieren, einatmen. **inalatore** [...la'to:re] *m* Inhalator *m*. **inalazione** [...lat'tsio:ne] *f* Inhalation *f*.

inalberare [inalbe'ra:re] **I.** *tr naut* hissen; **II.** *rfl:* **-arsi** **1.** *(cavallo)* sich aufbäumen; **2.** *fig* sich aufbäumen; *(adirarsi)* zornig werden.

inalienabile [inalie'na:bile] *agg dir* unveräußerlich.

inalterabile [inalte'ra:bile] *agg* **1.** *(non alterabile)* unveränderlich; *(tinta, colore)* (wasch)echt; **2.** *(amicizia)* unerschütterlich. **inalterabilità** [...rabili'ta] ⟨-⟩ *f* Unveränderlichkeit *f*; *(imperturbabilità)* Unerschütterlichkeit *f*. **inalterato, -a** [...'ra:to] *agg* unverändert; *(cibo)* unverdorben.

INAM ['i:nam] *f acr di* **Istituto Nazionale per l'Assicurazione contro le Malattie** *staatliche italienische Krankenversicherungsanstalt.*

inamidare [inami'da:re] *tr* stärken.

inammissibile [inammis'si:bile] *agg* unannehmbar; *(a. dir)* unzulässig.

inamovibile [inamo'vi:bile] *agg amm* unabsetzbar.

inanimato, -a [inani'ma:to] *agg* **1.** *(che non ha vita)* unbeseelt; **2.** *(privo di sensi)* leblos.

inappagabile [inappa'ga:bile] *agg* unerfüllbar. **inappagato, -a** [...'ga:to] *agg* unerfüllt; *(insoddisfatto)* unbefriedigt.

inappellabile [inappel'la:bile] *agg* **1.** *dir* unanfechtbar, nicht berufungsfähig; **2.** *f fig* unwiderruflich, unumstößlich.

inappetente [inappe'tɛnte] *agg* appetitlos.

inapprensibile [inappren'si:bile] *agg* unverständlich.

inappuntabile [inappun'ta:bile] *agg* **1.** *(irreprensibile)* untad(e)lig; **2.** *(privo di difetti)* einwandfrei, tadellos.

inarcare [inar'ka:re] ⟨inarco, inarchi⟩ **I.** *tr* krümmen; ~ **le sopracciglia** die Augenbrauen hochziehen; **II.** *rfl:* **-arsi** sich krümmen.

inaridimento [inaridi'mento] *m* Austrocknen *n*. **inaridire** [...'di:re] ⟨inaridisco⟩ **I.** *tr* ⟨*avere*⟩ **1.** *(rendere secco)* austrocknen, ausdörren; **2.** *fig* hart (*o* gefühllos) werden lassen; **II.** *itr* ⟨*essere*⟩, *rfl:* **-irsi** **1.** *(diventare secco)* aus-, vertrocknen; **2.** *fig* versiegen.

inarrestabile [inarres'ta:bile] *agg* unaufhaltsam.

inarticolato, -a [inartiko'la:to] *agg* unartikuliert.

inascoltato, -a [inaskol'ta:to] *agg* **1.** *(non ascoltato)* nicht befolgt; **2.** *(inesaudito)* nicht erhört, unerhört.

inaspettato, -a [inaspet'ta:to] *agg* unerwartet; *(insperato)* unverhofft.

inasprimento [inaspri'mento] *m* Verschärfung *f*; *(peggioramento)* Verschlimmerung *f*. **inasprire** [...'pri:re] ⟨inasprisco⟩ **I.** *tr* **1.** *(acuire)* verschärfen; *(peggiorare)* verschlimmern; **2.** *(esasperare)* verbittern; **3.** *(aumentare)* erhöhen; **II.** *rfl:* **-irsi** **1.** *(diventare aspro)* sauer werden; **2.** *fig* bitter werden, verbittern; *(situazioni)* sich verschärfen.

inattaccabile [inattak'ka:bile] *agg* **1.** *(immune da attacchi)* unangreifbar; **2.** *(resistente)* beständig, -fest; **3.** *fig* untad(e)lig; **un tessuto ~ dagli acidi** ein säurebeständiger Stoff.

inattendibile [inatten'di:bile] *agg* unglaubwürdig; *(che non merita fiducia)* unzuverlässig.

inatteso, -a [inat'te:so] *agg* unerwartet; *(imprevisto)* unvorhergesehen.
inattitudine [inatti'tu:dine] *f* Ungeeignetsein *n* (*a* für); *(mancanza delle doti)* mangelhafte Begabung (*a* für).
inattivo, -a [inat'ti:vo] *agg* untätig, tatenlos; *(vulcano)* untätig; *(spento)* erloschen; *(fermo)* stillgelegt; *chim* inaktiv.
inattuabile [inattu'a:bile] *agg* undurchführbar; *(irrealizzabile)* nicht zu verwirklichen.
inattuale [inattu'a:le] *agg* nicht aktuell, unzeitgemäß, veraltet.
inaudito, -a [inau'di:to] *agg* unerhört, unglaublich.
inaugurale [inaugu'ra:le] *agg* Einweihungs-; *(di apertura)* Eröffnungs-.
inaugurare [inaugu'ra:re] *tr* **1.** *(iniziare con solennità)* feierlich eröffnen; **2.** *(aprire al pubblico)* eröffnen; *(scuola, ospedale)* einweihen; *(monumento)* enthüllen; *(chiesa)* weihen; **3.** *fig (avviare)* beginnen, einleiten; **4.** *scherz (usare per la prima volta)* einweihen.
inaugurazione [...rat'tsio:ne] *f (di mostre, opere pubbliche)* Eröffnung *f; (di edificio)* Einweihung *f; (di monumenti)* Enthüllung *f; (di chiese)* (Ein)weihung *f;* **discorso di** ~ Eröffnungsansprache *f*, -rede *f*.
inavveduto, -a [inavve'du:to] *agg* unachtsam.
inavvertenza [inavver'tɛntsa] *f* Unachtsamkeit *f; (imprudenza)* Unvorsichtigkeit *f*.
inavvertitamente [inavvertita'mente] *avv* unabsichtlich, versehentlich.
inavvicinabile [inavvitʃi'nabile] *agg* unnahbar.
incagliarsi [iŋkaʎ'ʎarsi] ⟨m'incaglio, t'incagli⟩ *rfl* **1.** *naut* auflaufen, stranden; **2.** *fig (trattative, affari)* ins Stocken geraten.
incalcolabile [iŋkalko'la:bile] *agg* nicht berechenbar; *(non valutabile)* unschätzbar; *(fig a.)* unermeßlich.
incallito, -a [inkal'li:to] *agg* **1.** *(reso calloso)* schwielig; **2.** *fig (accanito)* hartnäkkig; *(insensibile)* hart; **bevitore** ~ Gewohnheitstrinker *m*.
incalzante [iŋkal'tsante] *agg* (be)drängend; *(urgente)* dringend.
incalzare [iŋkal'tsa:re] *tr* **1.** *(inseguire)* verfolgen, sich an die Fersen heften (*qu* jdm); **2.** *fig* drängen; *(persona)* bedrängen; **3.** *(susseguirsi)* sich überstürzen.
incamerare [iŋkame'ra:re] *tr* einziehen.
incamminare [iŋkammi'na:re] **I.** *tr* in die Wege leiten; **II.** *rfl:* **-arsi 1.** *(andare)* sich auf den Weg begeben; **2.** *fig* zusteuern (*verso* auf *+akk*).
incanalare [iŋkana'la:re] **I.** *tr* **1.** *(acqua)* kanalisieren; *(convogliare)* (in einem Kanal) auffangen; **2.** *(gente)* durchschleusen; **3.** *fig* einleiten; **II.** *rfl:* **-arsi 1.** *(acqua)* sich (in einem Kanal) sammeln; **2.** *(folla)* zuströmen (*verso* auf *+akk*).
incancrenire [iŋkaŋkre'ni:re] ⟨incancrenisco⟩ *itr* ⟨*essere*⟩ brandig werden.
incandescente [iŋkandeʃ'ʃɛnte] *agg* glühend. **incandescenza** [...'ʃɛntsa] *f* Glühen *n*.
incantare [iŋkan'ta:re] **I.** *tr* **1.** *(per magia)* verzaubern; **2.** *(serpenti)* beschwören; **3.** *fig (estasiare)* bezaubern, entzükken; **II.** *rfl:* **-arsi 1.** *(restare ammaliato)* entzückt (*o* wie verzaubert) sein; **2.** *(restare intontito)* benommen sein; *(essere stordito)* betäubt sein; **3.** *(arrestarsi)* stehenbleiben; *(bloccarsi)* steckenbleiben, stocken. **incantato, -a** [...'ta:to] *agg* **1.** *(fatato)* verzaubert, Zauber-; **2.** *fig (suggestivo)* bezaubernd; *(incantevole)* zauberhaft; **3.** *(estasiato)* verzaubert, entzückt; **4.** *(intontito)* benommen, wie betäubt; **castello** ~ verwunschenes Schloß. **incantatore, -trice** [...ta'to:re] *m, f* Zauberer *m*, Zaub(r)erin *f;* ~ **di serpenti** Schlangenbeschwörer *m*. **incantesimo** [...'te:zimo] *m* **1.** *(sortilegio)* Zauber *m; (atto, arte)* Zauberei *f; (formula magica)* Zauberformel *f*, -spruch *m;* **2.** *fig (per estasiare)* Zauber *m*, Reiz *m*. **incantevole** [...'te:vole] *agg* zauberhaft, bezaubernd.
incanto[1] [iŋ'kanto] *m* **1.** *(magia)* Zauberei *f;* **2.** *fig (fascino)* Zauber *m;* **come per** ~ wie von Zauberhand; **d'**~ wunderbar; **quella ragazza è un** ~ dieses Mädchen ist bezaubernd.
incanto[2] [iŋ'kanto] *m dir* Versteigerung *f*, Auktion *f;* **mettere all'**~ versteigern.
incapace [iŋka'pa:tʃe] **I.** *agg* unfähig (*di* zu); *(inetto)* untüchtig; ~ **di intendere e di volere** *dir* unzurechnungsfähig; **II.** *mf* **1.** *(inetto)* Versager(in) *m(f);* **2.** *dir* rechtsunfähige Person. **incapacità** [...patʃi'ta] *f* Unfähigkeit *f;* ~ **giuridica** Rechtsunfähigkeit *f*.
incappare [iŋkap'pa:re] *itr* ⟨*essere*⟩ stoßen (*in* auf *+akk*); *(capitare)* geraten (*in* unter *+akk*).
incappucciare [iŋkapput'tʃa:re] ⟨incappuccio, incappucci⟩ *tr* **1.** *(coprire con un cappuccio)* eine Kopfbedeckung aufsetzen (*qu* jdm); **2.** *fig* (mit Schnee) bedecken.
incapricciarsi [iŋkaprit'tʃarsi] ⟨m'incapriccio, t'incapricci⟩ *rfl* sich verlieben (*di* in *+akk*), sich vernarren (*di* in *+akk*).
incapsulare [iŋkapsu'la:re] *tr* **1.** *med* einkapseln; *(denti)* verkronen; **2.** *tec (bottiglie)* verkapseln. **incarcerare** [iŋkartʃe'ra:re] *tr* **1.** *(imprigionare)* einsperren, inhaftieren *amm; st* einkerkern; **2.** *fig (rinchiudere)* einschließen.
incaricare [iŋkari'ka:re] **I.** *tr* beauftragen (*di* mit); **II.** *rfl:* **-arsi** übernehmen (*di qc*

etw.). **incaricato, -a** [...'ka:to] **I.** *agg* beauftragt (*di* mit); **professore ~** außerordentlicher Professor; **II.** *m, f* **1.** *(funzionario)* Beauftragte(r) *mf;* **2.** *(diplomatico)* Geschäftsträger(in) *m(f);* **~ d'affari** Geschäftsträger *m,* Chargé d'affaires *m.*

incarico [iŋ'ka:riko] *m* Auftrag *m; (di insegnante)* befristete Lehrtätigkeit; **per ~ di** im Auftrag von.

incarnare [iŋkar'na:re] **I.** *tr* verkörpern; *(rappresentare)* darstellen; **II.** *rfl:* **-arsi 1.** *rel (Cristo)* Fleisch (*o* Mensch) werden; **2.** *(unghia)* (ins Fleisch) einwachsen. **incarnazione** [...nat'tsio:ne] *f* **1.** *rel (di Cristo)* Menschwerdung *f;* **2.** *fig (concretizzazione)* Verkörperung *f;* **è l'~ della malvagità** er (*o* sie) ist die Bosheit in Person.

incarnire [iŋkar'ni:re] ⟨incarnisco⟩ *itr* ⟨*essere*⟩, *rfl:* **-irsi** (ins Fleisch) einwachsen.

incartamento [iŋkarta'mento] *m* Akte *f,* Aktenbündel *n.*

incartapecorire [iŋkartapeko'ri:re] ⟨incartapecorisco⟩ *itr* ⟨*essere*⟩, *rfl:* **-irsi** *(insecchire)* vertrocknen; *(pelle)* runzlig werden.

incartare [iŋkar'ta:re] *tr* (in Papier) einwickeln, einpacken. **incarto** [iŋ'karto] *m* **1.** *(materiale per incartare)* Verpackung *f;* **2.** *(incartamento)* Aktenheft *n.*

incartocciare [iŋkartot'tʃa:re] ⟨incartoccio, incartocci⟩ *tr* in Tüten abpacken.

incasellare [iŋkasel'la:re] *tr* **1.** *(posta)* auf Fächer verteilen; **2.** *fig (cognizioni)* systematisieren.

incasinato, -a [inkazı'nato] *agg fam* **1.** *(confuso, disordinato)* total durcheinander; **2.** *(avere problemi)* drinsitzen.

incassare [iŋkas'sa:re] *tr* **1.** *(merce)* in Kisten verpacken; **2.** *(tubatura)* legen; **3.** *(incastonare)* einfassen; *(fiume)* eindämmen; **4.** *econ* (ein)kassieren; **5.** *(colpi)* hinnehmen, einstecken; *(assegno)* einlösen. **incassatore, -trice** [...sa'to:re] *m, f sport* Nehmer *m.* **incasso** [iŋ'kasso] *m* Einnahme *f; econ* Inkasso *n;* **realizzare un forte ~** hohe Einnahmen verbuchen können.

incastonare [iŋkasto'na:re] *tr* (ein)fassen. **incastonatura** [...na'tu:ra] *f* (Ein)fassung *f.*

incastrare [iŋkas'tra:re] **I.** *tr* **1.** *tec (inserire)* zusammenstecken; **2.** *fig fam* festnageln; **II.** *rfl:* **-arsi** sich verklemmen; *(incunearsi)* sich verkeilen; *(conficcarsi)* eindringen; *(bloccarsi)* klemmen. **incastro** [iŋ'kastro] *m tec* (Steck)verbindung *f;* **a ~** zusammengesteckt.

incatenare [iŋkate'na:re] *tr* **1.** *(legare con catene)* anketten; *(persona)* in Ketten legen; **2.** *(chiudere con catene)* mit einer Kette absperren; **3.** *fig (soggiogare)* fesseln; *(legare strettamente)* fest binden; **4.** *fig (limitare)* einengen.

incatramare [iŋkatra'ma:re] *tr* (ein)teeren.

incattivire [iŋkatti'vi:re] ⟨incattivisco⟩ **I.** *tr* ⟨*avere*⟩ böse machen; **II.** *itr* ⟨*essere*⟩, *rfl:* **-irsi** böse werden.

incauto, -a [iŋ'ka:uto] *agg* unvorsichtig; *(avventato)* unüberlegt.

incavare [iŋka'va:re] *tr* aushöhlen. **incavato, -a** [...'va:to] *agg* **1.** ausgehöhlt; **2.** *fig (occhi)* tiefliegend; *(guance)* hohl, eingefallen. **incavatura** [...va'tu:ra] *f* Aushöhlung *f.* **incavo** [iŋ'ka:vo] *m* Aushöhlung *f; (di abiti)* Ausschnitt *m;* **~ della manica** Ärmelausschnitt *m.*

incavolarsi [iŋkavo'larsi] *rfl fam* stinksauer werden *fam;* **mi fai incavolare!** du bringst mich auf die Palme! *fam.*

incazzarsi [iŋkat'tsarsi] *rfl volg* sich saumäßig aufregen *fam* (*di* über *+akk*).

incedere [in'tʃɛ:dere] ⟨incedo, incessi *o* incedei *o* incedetti, incesso⟩ *itr lett* (einher)schreiten *geh.*

incedibile [intʃe'di:bile] *agg* nicht übertragbar.

incendiare [intʃen'dia:re] ⟨incendio, incendi⟩ **I.** *tr* **1.** *(bruciare)* anzünden, in Brand setzen (*o* stecken); **2.** *fig (infiammare)* entflammen; **II.** *rfl:* **-arsi** sich entzünden, in Brand geraten; *(prendere fuoco)* Feuer fangen. **incendiario, -a** [...'dia:rio] ⟨-i, -ie⟩ **I.** *agg* Brand-; **bombe -ie** Brandbomben *f pl;* **II.** *m, f* Brandstifter(in) *m(f).*

incendio [in'tʃɛndio] ⟨-i⟩ *m* Brand *m,* Feuer *n;* **~ doloso** Brandstiftung *f.*

incenerimento [intʃeneri'mento] *m* Einäscherung *f;* **~ delle immondizie** Müllverbrennung *f.* **incenerire** [...'ri:re] ⟨incenerisco⟩ **I.** *tr* **1.** *(ridurre in cenere)* einäschern; **2.** *chim* veraschen; **II.** *rfl:* **-irsi** zu Asche werden. **inceneritore** [...ri'to:re] *m* Müllverbrennungsanlage *f.*

incensare [intʃen'sa:re] *tr* **1.** *rel* beweihräuchern, mit Weihrauch erfüllen; **2.** *fig (adulare)* beweihräuchern. **incensata** [...'sa:ta] *f* (*a. fig*) Beweihräucherung *f.* **incensatore, -trice** [...sa'to:re] *m, f fig* Schmeichler(in) *m(f),* Schöntuer(in) *m(f).* **incensiere** [...'siɛ:re] *m* Weihrauchfaß *n.* **incenso** [in'tʃɛnso] *m* Weihrauch *m.*

incensurabile [intʃensu'ra:bile] *agg (comportamento)* tadellos; *(persona)* untadelig. **incensurato, -a** [...'ra:to] *agg dir* nicht vorbestraft.

incentivare [intʃenti'va:re] *tr* anregen, fördern; *(econ a.)* Anreize schaffen; *(incrementare)* ankurbeln. **incentivazione** [...vat'tsio:ne] *f* Anregung *f; (incremento)* Ankurbelung *f,* Förderung *f.* **incentivo** [...'ti:vo] *m* Anreiz *m; (stimolo)* Anregung *f;* **~ agli investimenti** Investitionsanreiz *m.*

incentrarsi [intʃen'trarsi] *rfl lett* kreisen (*su* um).

inceppamento [intʃeppa'mento] *m* **1.** *tec* Klemmen *n; (armi)* Ladehemmung *f;* **2.** *fig (intralcio)* Hemmnis *n*, Hindernis *n*. **inceppare** [...p'pa:re] **I.** *tr* (be)hindern; **II.** *rfl:* **-arsi** *tec* sich verklemmen.

incerata [intʃe'ra:ta] *f* **1.** *(tessuto)* Wachstuch *n;* **2.** *(indumento)* Ölzeug *n*.

incertezza [intʃer'tettsa] *f* **1.** *(mancanza di certezza)* Ungewißheit *f;* **2.** *(esitazione)* Unsicherheit *f; (indecisione)* Unentschlossenheit *f;* **avere un momento d'~** einen Augenblick unsicher sein.

incerto, -a [in'tʃɛrto] **I.** *agg* **1.** *(non sicuro)* ungewiß; *(a. persona)* unsicher; *(non chiaro)* unklar; *(data)* nicht feststehend; *(tempo)* unbeständig; **2.** *(esitante)* unsicher, unschlüssig; **3.** *(vago)* undeutlich; *(indistinto)* unscharf; *(colore)* verschwommen; *(luce)* schumm(e)rig; **II.** *m* **1.** *(incidente)* unvorhersehbarer Fall; **2.** ⟨*pl*⟩ *fin* Nebeneinkünfte *f pl*.

incespicare [intʃespi'ka:re] ⟨incespico, incespichi⟩ *itr* **1.** *(inciampare)* stolpern (*in* über *+akk*); **2.** *fig* sich verhaspeln (*in* bei); ~ **nel leggere/parlare** stockend lesen/sprechen.

incessante [intʃes'sante] *agg* unaufhörlich, ununterbrochen; *(pioggia)* anhaltend.

incessi [in'tʃɛssi] *p rem di* **incedere.**

incesso [in'tʃɛsso] *pp di* **incedere.**

incesto [in'tʃɛsto] *m* Inzest *m*, Blutschande *f*. **incestuoso, -a** [intʃestu'o:so] *agg* inzestuös.

incetta [in'tʃɛtta] *f* Vorrats-, Großein-, Hamsterkauf *m;* **fare ~ di zucchero** einen großen Zuckervorrat kaufen. **incettare** [intʃet'ta:re] *tr* **1.** *(accaparrare)* aufkaufen, hamstern *fam; (immagazzinare)* horten; **2.** *fig (procacciarsi)* sich *(dat)* verschaffen; ~ **voti** Stimmen fangen. **incettatore, -trice** [...ta'to:re] *m, f* Großeinkäufer(in) *m(f)*, Hamsterer *m fam*, Hamsterin *f fam*.

inchiesta [iŋ'kjɛsta] *f* **1.** *dir* Ermittlung *f*, Untersuchung *f;* **2.** *(giornalistica)* Bericht *m; (indagine)* Nachforschung *f;* **3.** *soc* Umfrage *f; (rilevamento)* Erhebung *f;* **svolgere un'~** Nachforschungen anstellen.

inchinare [iŋki'na:re] **I.** *tr* neigen; *(corpo)* beugen; *(abbassare)* senken; ~ **la fronte** den Kopf senken; **II.** *rfl:* **-arsi 1.** *(per riverenza)* sich verneigen (*a* vor *+dat*), sich verbeugen (*a* vor *+dat*); **2.** *fig (cedere)* sich beugen (*a qc* einer S. *dat*); *(sottomettersi)* sich fügen (*a* in *+akk*). **inchino** [iŋ'ki:no] *m* Verneigung *f*, Verbeugung *f*.

inchiodare [iŋkio'da:re] **I.** *tr* **1.** *(fissare con chiodi)* an-, festnageln; **2.** *fig (immobilizzare)* fesseln *(qu a qc* jdn an etw. *(akk)); (costringere)* festnageln *(qu a qc* jdn auf etw. *(akk));* ~ **una cassa** eine Kiste zunageln; ~ **alla croce** ans Kreuz nageln; **II.** *rfl:* **-arsi** stehenbleiben; *(bloccarsi)* blockieren.

inchiostro [iŋ'kjɔstro] *m* Tinte *f;* ~ **di china** (Auszieh)tusche *f;* ~ **da stampa** Druckerfarbe *f*, Druckerschwärze *f;* ~ **simpatico** Geheimtinte *f*.

inciampare [intʃam'pa:re] *itr* ⟨*essere o avere*⟩ anstoßen (*in* an *+akk*); *(incespicare)* stolpern (*in* über *+akk*). **inciampo** [in'tʃampo] *m* Hindernis *n*, Hemmnis *n*.

incidentale [intʃiden'ta:le] *agg* **1.** *(casuale)* zufällig; **2.** *(secondario)* nebensächlich, Neben-; **3.** *dir* Inzidenz-; **un fatto ~** eine Nebensächlichkeit.

incidentato, -a [intʃiden'ta:to] *agg* Unfall-; **automobile -a** Unfallwagen *m*.

incidente[1] [intʃi'dɛnte] *agg mat, ott* Einfalls-, Inzidenz-.

incidente[2] [intʃi'dɛnte] *m (infortunio)* Unfall *m*, Unglück *n; (contrattempo)* Zwischenfall *m; (episodio)* Vorfall *m*.

incidenza [intʃi'dɛntsa] *f* **1.** *mat, ott* Einfall *m;* **2.** *fin* Steuerlast *f;* **angolo d'~** Einfallswinkel *m*.

incidere[1] [in'tʃi:dere] ⟨incido, incisi, inciso⟩ *itr (gravare)* belasten *(su qc* etw. *(akk)); (ripercuotersi)* sich auswirken (*su* auf *+akk*).

incidere[2] [in'tʃi:dere] ⟨incido, incisi, inciso⟩ *tr* **1.** *(tagliare)* ein-, aufschneiden; **2.** *(intagliare)* (ein)ritzen; *(scolpire)* (ein)gravieren; **3.** *(registrare)* aufzeichnen, aufnehmen; *(canzone, disco)* aufnehmen; **4.** *fig (imprimere)* einprägen (*in* in *+akk*); ~ **il legno** (in Holz) schnitzen; ~ **la pietra** (in Stein) hauen; ~ **su nastro magnetico** auf Tonband aufzeichnen.

incinta [in'tʃinta] *agg* schwanger; **è ~ di quattro mesi** sie ist im vierten Monat schwanger; **rimanere ~** schwanger werden.

incipiente [intʃi'pjɛnte] *agg* beginnend; **calvizie ~** erste Anzeichen einer Glatze.

incipriare [intʃi'prja:re] ⟨incipriο, incipri⟩ **I.** *tr* (ein)pudern; **II.** *rfl:* **-arsi** sich (ein)pudern.

incirca [in'tʃirka] *avv:* **all'~** ungefähr, etwa.

incisi [in'tʃi:zi] *p rem di* **incidere.**

incisione [intʃi'zio:ne] *f* **1.** *(taglio)* (Ein)schnitt *m;* **2.** *(arte)* Gravierung *f;* **3.** *(disegno)* Gravur *f*, Stich *m;* **4.** *(registrazione)* Aufnahme *f;* ~ **all'acquaforte** Radierung *f;* ~ **in legno** Holzschnitt *m;* ~ **su rame** Kupferstich *m;* ~ **su disco/nastro magnetico** Schallplatten-/Tonbandaufnahme *f*.

incisività [intʃizivi'ta] ⟨-⟩ *f (efficacia)* Wirksamkeit *f*, Schärfe *f*. **incisivo, -a** [...'zi:vo] **I.** *agg* **1.** *(dente)* Schneide-; **2.** *fot* scharf, klar; **3.** *fig (stile, parole)* einprägsam, wirkungsvoll; **II.** *m* Schneidezahn *m*.

inciso, -a [in'tʃi:zo] **I.** *pp di* **incidere;**

II. *m* Einschub *m,* eingeschobener Satz(teil); **per** ~ nebenbei.

incisore [intʃi'zo:re] *m* Graveur(in) *m(f);* ~ **in legno** Holzschneider(in) *m(f);* ~ **in pietra** Bildhauer(in) *m(f).*

incitamento [intʃita'mento] *m* Aufruf *m* (*per, a* zu); *(stimolo)* Anregung *f* (*per, a* zu); *peg* Aufhetzung *f.* **incitare** [...'ta:re] *tr* anregen; *(spronare)* anspornen; *sport, mil* anfeuern.

incivile [intʃi'vi:le] *agg* **1.** *(barbaro, selvaggio)* unkultiviert, unzivilisiert; **2.** *(maleducato)* unhöflich; *(rozzo)* ungehobelt, grob. **incivilire** [...vi'li:re] ⟨incivilisco⟩ **I.** *tr* zivilisieren; **II.** *rfl:* **-irsi** zivilisierter werden. **inciviltà** [...vil'ta] *f* **1.** *(mancanza di civiltà);* Unkultur *f;* **2.** *(maleducazione)* ungehobeltes Benehmen.

inclassificabile [iŋklassifi'ka:bile] *agg* **1.** *(a scuola)* unzensierbar; **2.** *fig (scorretto)* unter aller Kritik; *(pessimo)* denkbar (*o* äußerst) schlecht.

inclemente [iŋkle'mɛnte] *agg* **1.** *(inflessibile)* erbarmungslos, unerbittlich; **2.** *fig (avverso)* widrig, ungünstig; *(clima)* rauh. **inclemenza** [...'mɛntsa] *f* **1.** *(di giudice, sentenza)* Erbarmungslosigkeit *f,* Unerbittlichkeit *f;* **2.** *(di clima)* Rauheit *f.*

inclinabile [iŋkli'na:bile] *agg* (schräg) verstellbar; *(ribaltabile)* kippbar.

inclinare [iŋkli'na:re] **I.** *tr* neigen, schräg stellen; **II.** *rfl:* **-arsi** sich neigen, sich beugen. **inclinazione** [...nat'tsjo:ne] *f* **1.** *(pendenza)* Neigung *f; (piano obliquo)* Schräge *f; (di strada)* Gefälle *n; mat* Neigung *f; fis* Inklination *f; tec* Schrägstellung *f;* **2.** *fig (propensione)* Neigung *f* (*a* zu), Hang *m* (*a* zu); *(capacità naturale)* Veranlagung *f* (*a* zu). **incline** [iŋ'kli:ne] *agg* neigend (*a* zu), geneigt (*a* zu).

includere [iŋ'klu:dere] ⟨includo, inclusi, incluso⟩ *tr* **1.** *(inserire)* einfügen; **2.** *(comprendere)* einschließen, einbeziehen; **3.** *(implicare, racchiudere)* (mit) einbegreifen; **4.** *(accludere)* beifügen, -legen.

inclusive tour [in'klu:siv tuə] ⟨-⟩ *m* Pauschalreise *f.*

inclusivo, -a [...'zi:vo] *agg* einschließlich, inbegriffen. **incluso** [iŋ'klu:zo] **I.** *pp di* **includere; II.** *agg (compreso)* inklusiv, inbegriffen; *(allegato)* beigefügt; **servizio** ~ Bedienung inbegriffen; **-e le spese di spedizione** inklusive Versandkosten.

incoerente [iŋkoe'rɛnte] *agg* **1.** *(senza coesione)* unzusammenhängend, zusammenhang(s)los, inkohärent *geh; (persona)* inkonsequent; **2.** *fis* inkohärent. **incoerenza** [...'rɛntsa] *f* **1.** *(incongruenza)* Zusammenhang(s)losigkeit *f,* Inkohärenz *f geh; (illogicità)* Inkonsequenz *f;* **2.** *fis* Inkohärenz *f.*

incognita [iŋ'kɔɲɲita] *f* **1.** *mat* Unbekannte *f,* unbekannte Größe; **2.** *fig* unvorhersehbare (*o* ungewisse) Angelegenheit; **quel viaggio è un'**~ das ist eine Reise ins Ungewisse. **incognito, -a** [...to] **I.** *agg* unbekannt; **II.** *m* Inkognito *n;* **viaggiare in** ~ inkognito reisen.

incollare [iŋkol'la:re] **I.** *tr* **1.** *(attaccare)* auf-, ankleben; *(~ parti insieme)* zusammenkleben; **2.** *fig* (fest)kleben; **II.** *rfl:* **-arsi 1.** *(attaccarsi)* festkleben (*a* an *+dat*); **2.** *fig (appiccicarsi)* sich anklammern (*a* an *+akk*). **incollatura** [...la'tu:ra] *f* **1.** *(operazione dell'incollare)* Ankleben *n,* Anleimen *n;* **2.** *(punto incollato)* Klebestelle *f.*

incollerire [iŋkolle'ri:re] ⟨incollerisco⟩ *itr* ⟨*essere*⟩, *rfl:* **-irsi** wütend werden, in Zorn geraten.

incolmabile [iŋkol'ma:bile] *agg* unausfüllbar.

incolonnare [iŋkollo'na:re] **I.** *tr* **1.** *(cifre)* in Spalten (untereinander) schreiben; **2.** *(persone)* in Reih und Glied aufstellen; **II.** *rfl:* **-arsi** sich in Reih und Glied aufstellen; *(nel traffico)* in Kolonne fahren.

incolore [iŋko'lo:re] *agg* **1.** *(senza colore)* farblos; **2.** *fig (scialbo)* farblos; *(noioso)* langweilig.

incolpare [iŋkol'pa:re] *tr* beschuldigen (*qu di qc* jdn einer S. *gen*); *(rendere responsabile)* verantwortlich machen (*qu di qc* jdn für etw.).

incolto, -a [iŋ'kolto] *agg* **1.** *(terreno)* unbestellt, brach; **2.** *fig (non curato)* ungepflegt; *(trascurato)* vernachlässigt; **3.** *fig (ignorante)* ungebildet; *(senza cultura)* unkultiviert.

incolume [iŋ'kɔ:lume] *agg* unversehrt; *(cosa)* unbeschädigt.

incombente [iŋkom'bɛnte] *agg* bevorstehend; *(pericolo a.)* drohend.

incombenza [iŋkom'bɛntsa] *f* Auftrag *m.*

incombere [iŋ'kombere] ⟨incombo, incombei *o* incombetti, *manca il pp*⟩ *itr* bevorstehen; *(sovrastare minaccioso)* drohend hängen (*su* über *+dat*).

incombustibile [iŋkombus'ti:bile] *agg* nicht brennbar; *(resistente al fuoco)* feuerfest.

incominciare [iŋkomin'tʃa:re] **I.** *tr* ⟨*avere*⟩ beginnen, anfangen; **II.** *itr* ⟨*essere o avere*⟩ beginnen, anfangen.

incomodare [iŋkomo'da:re] **I.** *tr (disturbare)* stören; *(dare incomodo)* Umstände bereiten (*o* machen) (*qu* jdm); **II.** *rfl:* **-arsi** sich bemühen, sich *(dat)* Umstände machen; **non s'incomodi!** machen Sie sich *(dat)* keine Umstände!. **incomodo** [iŋ'kɔ:modo] *m* Störung *f; (disagio)* Beschwerlichkeit *f;* **essere d'**~ **per qu** jdm unbequem sein; **levare l'**~ nicht länger stören wollen; **scusi l'**~ entschuldigen Sie die Störung.

incomparabile [iŋkompa'ra:bile] *agg* unvergleichlich.
incompatibile [iŋkompa'ti:bile] *agg* **1.** *(inconciliabile)* unvereinbar; **2.** *chim* unverträglich; *inform* nicht kompatibel; *dir, med, rel* inkompatibel. **incompatibilità** [...tibili'ta] ⟨-⟩ *f* **1.** *(inconciliabilità)* Unvereinbarkeit *f;* **2.** *chim, med, bot* Unverträglichkeit *f;* ~ **di carattere** charakterliche Unverträglichkeit.
incompetente [iŋkompe'tɛnte] *agg* **1.** *(inesperto)* nicht kompetent, inkompetent; **2.** *dir* nicht zuständig, nicht kompetent; **3.** *(incapace)* unfähig. **incompetenza** [...'tɛntsa] *f* **1.** *(ignoranza)* Unkenntnis *f; (mancanza di competenza)* Inkompetenz *f;* **2.** *dir* Unzuständigkeit *f.*
incompiuto, -a [iŋkom'pju:to] *agg* unvollendet.
incompleto, -a [iŋkom'plɛ:to] *agg* unvollständig.
incomprensibile [iŋkompren'si:bile] *agg* unverständlich. **incomprensione** [...'sjo:ne] *f* Unverständnis *n; (mancanza di comprensione)* Verständnislosigkeit *f.*
incompreso, -a [...'pre:so] *agg* unverstanden; *(genio a.)* verkannt.
incomunicabile [iŋkomuni'ka:bile] *agg* nicht mitteilbar.
inconcepibile [iŋkontʃe'pi:bile] *agg* undenkbar; *(inimmaginabile)* unvorstellbar; *(incomprensibile)* unfaßbar, unbegreiflich.
inconciliabile [iŋkontʃi'lja:bile] *agg* unversöhnlich; *fig* unvereinbar.
inconcludente [iŋkoŋklu'dɛnte] *agg (discorso)* zusammenhang(s)los; *(vano)* unnütz, furchtlos; *(persona)* unbeständig.
incondizionato, -a [iŋkondittsjo'na:to] *agg* bedingungslos.
inconfondibile [iŋkonfon'di:bile] *agg* unverwechselbar; *fig* unverkennbar.
inconfutabile [iŋkonfu'ta:bile] *agg* unwiderlegbar; *(incontestabile)* unanfechtbar.
incongruente [iŋkoŋgru'ɛnte] *agg* nicht übereinstimmend; *(contraddittorio)* widersprüchlich. **incongruenza** [...'ɛntsa] *f* Nichtübereinstimmung *f; (contraddizione)* Widerspruch *m.*
inconsapevole [iŋkonsa'pe:vole] *agg* unbewußt; *(ignaro)* ahnungslos.
inconscio, -a [iŋ'kɔnʃo] ⟨-sci, -scie *o* -sce⟩ **I.** *agg* unbewußt; **II.** *m* Unbewußte(s) *n.*
inconseguente [iŋkonse'guɛnte] *agg* inkonsequent. **inconseguenza** [...'guɛntsa] *f* Inkonsequenz *f.*
inconsistente [iŋkonsis'tɛnte] *agg* unhaltbar; *(persona)* haltlos. **inconsistenza** [...'tɛntsa] *f* Unhaltbarkeit *f; (di persona)* Haltlosigkeit *f.*
inconsolabile [iŋkonso'la:bile] *agg* untröstlich.
inconsueto, -a [iŋkonsu'ɛ:to] *agg* ungewohnt; *(insolito)* ungewöhnlich.
inconsulto, -a [iŋkon'sulto] *agg* unbesonnen.
incontaminato, -a [iŋkontami'na:to] *agg* unberührt; *(non infestato)* nicht verschmutzt.
incontenibile [inkonte'nibile] *agg* unbändig.
incontentabile [iŋkonten'ta:bile] *agg* ungenügsam; *(insaziabile)* unstillbar; *(esigente)* anspruchsvoll; *(persona mai contenta)* immer unzufrieden.
incontestabile [iŋkontes'ta:bile] *agg* unbestreitbar. **incontestato, -a** [...'ta:to] *agg* unbestritten.
incontinenza [iŋkonti'nɛntsa] *f* **1.** *(smodatezza)* Zügellosigkeit *f;* **2.** *med* Inkontinenz *f.*
incontrare [iŋkon'tra:re] **I.** *tr* **1.** *(per caso)* begegnen (*qu* jdm); *(deliberatamente)* treffen; **2.** *(trovarsi di fronte a)* gegenüberstehen (*qc* einer S. *dat*); **3.** *(imbattersi)* stoßen auf *+akk; (successo)* haben; **4.** *sport* treffen auf *+akk;* **5.** *(piacere)* gefallen; *(favore)* ansprechen (*di qu* jdn); **II.** *rfl:* **-arsi 1.** *(stabilire un incontro)* sich treffen; *(scontrarsi) sich (dat)* begegnen; *(vedersi con qu a.)* sich sehen; **2.** *(incappare)* geraten (*in* an *+akk*); **3.** *fig (conoscersi)* sich kennenlernen; **4.** *sport* antreten (*con* gegen).
incontrario [iŋkon'tra:rjo] *avv:* **all'**~ *fam* verkehrt (*o* falsch) herum.
incontrastato, -a [iŋkontras'ta:to] *agg* unangefochten; *(indiscusso)* unbestritten.
incontro[1] [iŋ'kontro] **I.** *avv* entgegen; **mi corse** ~ er (*o* sie) lief mir entgegen; **II.** *prp:* ~ **a** auf *+akk* ... zu; **farsi** ~ **a qu** auf jdn zugehen; **venire** ~ **a qu** *fig* jdm entgegenkommen.
incontro[2] [iŋ'kontro] *m* **1.** *(di persone)* Begegnung *f; (convegno)* Zusammenkunft *f,* Treffen *n;* **2.** *sport* Begegnung *f; (partita)* Spiel *n; (di pugilato)* Kampf *m;* **fissare un** ~ einen Termin (für ein Treffen) ausmachen.
incontrollabile [iŋkontrol'la:bile] *agg* **1.** *(impossibile a controllarsi)* unkontrollierbar; **2.** *(non accertabile)* nicht nachweisbar, nicht überprüfbar; **3.** *(privo di controllo)* unbeherrscht, zügellos.
inconveniente [iŋkonve'njɛnte] *m* **1.** *(inopportunità)* Unannehmlichkeit *f;* **2.** *(lato negativo)* Nachteil *m.*
incoraggiamento [iŋkoraddʒa'mento] *m* Ermutigung *f.* **incoraggiare** [...'dʒa:re] ⟨incoraggio, incoraggi⟩ *tr* ermutigen (*a* zu); *(fig a.)* unterstützen; *(favorire)* fördern.
incorniciare [iŋkorni'tʃa:re] ⟨incornicio, incornici⟩ *tr* **1.** *(quadro)* (ein)rahmen; **2.** *fig* umrahmen.
incoronare [iŋkoro'na:re] *tr* krönen; *(inghirlandare)* bekränzen. **incoronazione**

[...nat'tsio:ne] *f* Krönung *f*.
incorporare [iŋkorpo'ra:re] *tr* **1.** *(più elementi)* vermengen; **2.** *fig (annettere)* einverleiben; *(inserire)* eingliedern.
incorporeo, -a [iŋkor'pɔ:reo] *agg* körperlos; *fig* zart, durchscheinend.
incorreggibile [iŋkorred'dʒi:bile] *agg* unkorrigierbar; *fig* unverbesserlich.
incorrere [iŋ'korrere] ⟨*irr*⟩ *itr* ⟨*essere*⟩ verfallen (*in qc* einer S. *dat*); **è incorso in un errore** ihm ist ein Irrtum unterlaufen; ~ **in un pericolo** ein Risiko eingehen.
incorruttibile [iŋkorrut'ti:bile] *agg* **1.** *(inalterabile)* unverderblich; **2.** *fig (persona)* unbestechlich.
incosciente [iŋkoʃ'ʃɛnte] **I.** *agg* **1.** *(senza coscienza)* gewissenlos; *(irresponsabile)* leichtsinnig; **2.** *med* bewußtlos; **II.** *mf* leichtsinnige (*o* gewissenlose) Person.
incoscienza [...'ʃɛntsa] *f* **1.** *(sventatezza)* Gewissenlosigkeit *f; (irresponsabilità)* Leichtsinn *m;* **2.** *med* Bewußtlosigkeit *f*.
incostante [iŋkos'tante] *agg* unbeständig; *(volubile)* wankelmütig. **incostanza** [...'tantsa] *f* Unbeständigkeit *f; (volubilità)* Wankelmut *m*.
incostituzionale [iŋkostituttsio'na:le] *agg* verfassungswidrig.
incravattato, -a [iŋkravat'tato] *agg* mit Krawatte.
incredibile [iŋkre'di:bile] *agg* unglaublich.
incredulo, -a [iŋ'krɛ:dulo] *agg* ungläubig.
incrementare [iŋkremen'ta:re] *tr* steigern; *(fare prosperare)* fördern. **incremento** [...'mento] *m* Steigerung *f; (sviluppo)* Zunahme *f,* Zuwachs *m;* **tasso d'~ annuale** *econ, fin* jährliche Zuwachsrate.
increscioso, -a [iŋkreʃ'ʃo:so] *agg* bedauerlich; *(sgradito)* lästig.
increspare [iŋkres'pa:re] *tr* kräuseln; *(carta)* kreppen.
incriminare [iŋkrimi'na:re] *tr dir* anklagen; *(incolpare)* beschuldigen.
incrinare [iŋkri'na:re] **I.** *tr* einen Sprung (*o* Sprünge) verursachen in *+dat (o* an *+dat); fig* schädigen; **II.** *rfl:* **-arsi** einen Riß (*o* Risse) bekommen. **incrinatura** [...na'tu:ra] *f* Sprung *m; (crepa)* Riß *m*.
incrociare [iŋkro'tʃa:re] ⟨incrocio, incroci⟩ **I.** *tr* **1.** *gener.* kreuzen; *(gambe a.)* übereinanderschlagen; *(braccia)* verschränken; **2.** *(incontrare)* begegnen (*qu* jdm), über den Weg laufen (*qu* jdm); ~ **le armi** *fig* die Waffen kreuzen; ~ **le braccia** *fig* die Arbeit niederlegen; **II.** *itr* **1.** *naut* kreuzen; **2.** *aero* kreisen; **III.** *rfl:* **-arsi** sich kreuzen; *(incontrarsi)* sich treffen, sich begegnen. **incrociatore** [...tʃa'to:re] *m* Kreuzer *m*.
incrocio [iŋ'kro:tʃo] ⟨-ci⟩ *m* Kreuzung *f*.
incrollabile [iŋkrol'la:bile] *agg* unerschütterlich; *(stabile)* fest.
incrostarsi [iŋkros'tarsi] *rfl* verkrusten. **incrostazione** [...tat'tsio:ne] *f* **1.** *(formazione di crosta)* Verkrustung *f; (effetto)* Kruste *f;* **2.** *(sedimento)* Belag *m;* **3.** *(per ornamento)* Inkrustation *f*.
incrudelire [iŋkrude'li:re] ⟨incrudelisco⟩ *itr* **1.** ⟨*avere*⟩ *(infierire)* wüten; *(essere crudele)* grausam sein (*su* gegen); **2.** ⟨*essere*⟩ *(diventare malvagio)* grausam werden.
incubatrice [iŋkuba'tri:tʃe] *f* **1.** *(per uova)* Brutapparat *m;* **2.** *(per neonati)* Brutkasten *m*. **incubazione** [...bat'tsio:ne] *f* **1.** *(cova)* Brüten *n; (periodo)* Brutzeit *f;* **2.** *med* Inkubation *f*.
incubo ['iŋkubo] *m (a. fig)* Alptraum *m;* **l'~ degli esami** die Prüfungsangst.
incudine [iŋ'ku:dine] *f* Amboß *m*.
inculcare [iŋkul'ka:re] ⟨inculco, inculchi⟩ *tr* einschärfen, eintrichtern *fam*.
incunearsi [iŋkune'arsi] *rfl* sich einkeilen; *(inserirsi a forza)* eindringen.
incurabile [iŋku'ra:bile] *agg* unheilbar; *fig* unverbesserlich.
incurante [iŋku'rante] *agg* unbekümmert (*di* gegenüber, um); *(indifferente)* gleichgültig (*di* gegenüber).
incuriosire [iŋkurio'si:re] ⟨incuriosisco⟩ **I.** *tr* neugierig machen; **II.** *rfl:* **-irsi** neugierig werden.
incursione [iŋkur'sio:ne] *f* Einfall *m; (attacco)* Angriff *m; (per rapina)* Überfall *m*.
incurvare [iŋkur'va:re] **I.** *tr* (durch)biegen; *(curvare)* krümmen; ~ **la schiena** *fig* dienern; **II.** *rfl:* **-arsi** sich beugen; *(di oggetto)* sich (ver)biegen.
incussi [iŋ'kussi] *p rem di* **incutere.**
incusso [iŋ'kusso] *pp di* **incutere.**
incustodito, -a [iŋkusto'di:to] *agg* unbeaufsichtigt; *(parcheggio)* unbewacht; **passaggio a livello** ~ unbeschrankter Bahnübergang.
incutere [iŋ'ku:tere] ⟨incuto, incussi, incusso⟩ *tr* einflößen; *(spavento a.)* einjagen.
indaco ['indako] **I.** ⟨*inv*⟩ *agg* indigoblau, Indigo-; **II.** ⟨-chi⟩ *m* Indigo *m o n*.
indaffarato, -a [indaffa'ra:to] *agg* vielbeschäftigt.
indagare [inda'ga:re] ⟨indago, indaghi⟩ **I.** *tr* erforschen; **II.** *itr* ermitteln (*su* in *+dat*), eine Untersuchung durchführen (*su* über *+akk*). **indagatore, -trice** [...ga'to:re] **I.** *agg* forschend; **II.** *m, f* (Er)-forscher(in) *m(f)*. **indagine** [in'da:dʒine] *f* Untersuchung *f; dir* Ermittlung *f; (ricerca)* Erforschung *f;* ~ **di mercato** Marktuntersuchung *f*.
indebitamento [indebita'mento] *m* Verschuldung *f;* ~ **dello stato** Staatsverschuldung *f*. **indebitarsi** [...'tarsi] *rfl* sich verschulden.
indebito, -a [in'de:bito] *agg (onori)* unverdient; *(accusa)* unbegründet; *(appro-*

priazione) widerrechtlich.

indebolimento [indeboli'mento] *m* Schwächung *f.* **indebolire** [...'li:re] ⟨indebolisco⟩ **I.** *tr* schwächen; **II.** *rfl:* **-irsi** schwach werden.

indecente [inde'tʃɛnte] *agg* unanständig; *(disdicevole)* unschicklich; *fam (eccessivo)* völlig unmöglich; **prezzi -i** unverschämte Preise. **indecenza** [...'tʃɛntsa] *f* Unanständigkeit *f; (vergogna)* Schande *f.*

indecifrabile [indetʃi'fra:bile] *agg* **1.** *(scrittura)* unentzifferbar; *(codice)* undechiffrierbar; **2.** *fig (oscuro)* unerforschlich.

indecisione [indetʃi'zio:ne] *f* Unentschlossenheit *f.* **indeciso, -a** [...'tʃi:zo] *agg* **1.** *(irresoluto)* unentschlossen, unschlüssig; **2.** *fig (incerto)* verschwommen; *(tempo)* unbeständig; *(situazione)* unsicher; *(questione)* unentschieden.

indecoroso, -a [indeko'ro:so] *agg* unwürdig; *(disdicevole)* unschicklich.

indefesso, -a [inde'fɛsso] *agg* unermüdlich.

indefinibile [indefi'ni:bile] *agg* undefinierbar. **indefinito, -a** [...'ni:to] *agg* **1.** *(indeterminato)* unbestimmt; *(spazio)* unbegrenzt; **2.** *gram* unbestimmt, indefinit; **3.** *(non risolto)* ungelöst.

indegnità [indeɲɲi'ta] ⟨-⟩ *f* Unwürdigkeit *f.* **indegno, -a** [in'deɲɲo] *agg* unwürdig.

indelebile [inde'lɛ:bile] *agg* **1.** *(non cancellabile)* unauslöschbar; *(colore)* echt; *(inchiostro)* dokumentenecht; **2.** *fig (indimenticabile)* unauslöschlich.

indelicato, -a [indeli'ka:to] *agg* taktlos.

indemoniato, -a [indemo'nia:to] **I.** *agg* **1.** *(ossesso)* (vom Teufel) besessen; **2.** *fig (furioso)* rasend; **un ragazzino** ~ *scherz* ein Wildfang *m;* **II.** *m, f* **1.** *(ossesso)* Besessene(r) *mf;* **2.** *fig (energumeno)* Besessene(r) *mf,* Rasende(r) *mf.*

indenne [in'dɛnne] *agg* **1.** *(incolume)* unverletzt, unversehrt; **2.** *(senza danni)* schadensfrei.

indennità [indenni'ta] ⟨-⟩ *f* **1.** *(attribuzione patrimoniale)* Vergütung *f;* **2.** *(risarcimento)* Schadensersatz *m,* Entschädigung *f;* ~ **di buonuscita** Abfindung *f;* ~ **di contingenza** Teuerungszulage *f;* ~ **di trasferta** Reisekostenvergütung *f.* **indennizzare** [...d'dza:re] *tr* entschädigen *(di* für). **indennizzo** [...'niddzo] *m* Entschädigung *f* *(di* für).

inderogabile *agg* unabdingbar; *(scadenza, termine)* unaufschiebbar.

indescrivibile [indeskri'vi:bile] *agg* unbeschreiblich.

indesiderabile, indesiderato, -a [indeside'ra:bile, ...'rato] *agg* unerwünscht.

indeterminatezza [indetermina'tettsa] *f* Unbestimmtheit *f; (irrisolutezza)* Unentschiedenheit *f.* **indeterminativo, -a** [...a'ti:vo] *agg (a. gram)* unbestimmt. **indeterminato, -a** [...'na:to] *agg* unbestimmt; *(vago)* vage; **articolo** ~ unbestimmter Artikel; **contratto a tempo** ~ unbefristeter Vertrag.

indeuropeo [indeuro'pɛ:o] *v.* **indoeuropeo.**

India ['india] *f* Indien *n.* **indiano, -a** [in'dia:no] **I.** *agg* **1.** *(dell'India)* indisch; **2.** *(d'America)* indianisch, Indianer-; **II.** *m, f* **1.** *(dell'India)* Inder(in) *m(f);* **2.** *(pellerossa)* Indianer(in) *m(f).*

indiavolato, -a [indiavo'la:to] *agg* besessen, vom Teufel geritten; **rumore** ~ Höllenlärm *m.*

indicare [indi'ka:re] ⟨indico, indichi⟩ *tr* **1.** *(mostrare, additare)* zeigen auf *+akk;* **2.** *tec* (an)zeigen, angeben; **3.** *(consigliare)* empfehlen; *(specificare)* nennen, angeben; **4.** *(denotare, rivelare)* zeugen von, zeigen. **indicativo, -a** [...ka'ti:vo] **I.** *agg* hinweisend; *(sintomatico)* bezeichnend; **modo** ~ *gram* Indikativ *m;* **prezzo** ~ Preisempfehlung *f;* **II.** *m* Indikativ *m.* **indicato, -a** [...'ka:to] *agg* angezeigt; *(adatto)* geeignet. **indicatore, -trice** [...ka'to:re] **I.** *agg* Hinweis-, Anzeige-; **cartello** ~ Verkehrsschild *n,* -zeichen *n;* **II.** *m tec* Anzeiger *m,* Indikator *m;* ~ **a cristalli liquidi** LCD-Anzeige *f;* ~ **di tensione** Spannungsprüfer *m.* **indicazione** [...kat'tsio:ne] *f* **1.** *(atto)* (An)zeigen *n;* **2.** *(dato, notizia)* Angabe *f;* **3.** *(informazione, cenno)* Hinweis *m.*

indice ['inditʃe] *m* **1.** *anat* Zeigefinger *m;* **2.** *tec* Zeiger *m;* **3.** *fig (indizio)* (An)zeichen *n;* **4.** *(elenco)* Verzeichnis *n; rel* Index *m;* **5.** *mat* Index *m;* **6.** *(in statistica)* Index *m; fis, econ* Kennzahl *f;* ~ **analitico** Sachregister *n;* ~ **azionario tedesco** Deutscher Aktienindex *(abk* DAX); ~ **d'ascolto (***o* **di gradimento)** Einschaltquote *f;* **mettere all'**~ auf den Index setzen.

indicibile [indi'tʃi:bile] *agg* unsagbar.

indicizzare [inditʃid'dza:re] *tr econ* angleichen, indexieren, dynamisieren. **indicizzazione** [...dzat'tsio:ne] *f econ* Angleichung *f,* Indexierung *f,* Dynamisierung *f.*

indietreggiare [indietred'dʒa:re] ⟨indietreggio, indietreggi⟩ *itr* ⟨*essere o avere*⟩ zurückweichen.

indietro [in'diɛ:tro] *avv* zurück; **tornare** ~ zurückkehren; **voltarsi** ~ sich umdrehen; **essere** ~ **con il lavoro** mit der Arbeit im Rückstand sein; **l'orologio è** ~ die Uhr geht nach; **all'** ~ rückwärts.

indifeso, -a [indi'fe:so] *agg* wehrlos; *(non protetto)* ungeschützt.

indifferente [indiffe'rɛnte] *agg* **1.** *(che non prova emozioni)* gleichgültig *(a* gegenüber); **2.** *(irrilevante)* einerlei, gleich. **indifferenza** [...'rɛntsa] *f* Gleichgültigkeit *f; (non partecipazione)* Teilnahmslosigkeit *f.*

indifferibile [indiffe'ri:bile] *agg* unaufschiebbar.
indigeno, -a [in'di:dʒeno] **I.** *agg (popolazione, cucina)* einheimisch; *(di colonia a.)* eingeboren; *(flora, fauna)* heimisch; **II.** *m, f* Einheimische(r) *mf; (di colonia a.)* Eingeborene(r) *mf.*
indigente [indi'dʒɛnte] **I.** *agg* notleidend; *(povero)* bedürftig; **II.** *mf* Notleidende(r) *mf; (povero)* Bedürftige(r) *mf.* **indigenza** [...'dʒɛntsa] *f* Not *f,* Elend *n.*
indigestione [indidʒes'ti̯o:ne] *f* Verdauungsstörung *f.*
indigesto, -a [indi'dʒɛsto] *agg* schwer verdaulich, unverdaulich.
indignare [indiɲ'ɲa:re] **I.** *tr* entrüsten, empören; **II.** *rfl:* **-arsi** sich entrüsten (*per* wegen, über *+akk*), sich empören (*per* wegen, über *+akk*). **indignazione** [...ɲat'tsi̯o:ne] *f* Entrüstung *f,* Empörung *f.*
indimenticabile [indimenti'ka:bile] *agg* unvergeßlich.
indipendente [indipen'dɛnte] **I.** *agg* unabhängig; *(autonomo)* selbständig; **II.** *mf* Unabhängige(r) *mf.* **indipendenza** [...'dɛntsa] *f* Unabhängigkeit *f; (autonomia)* Selbständigkeit *f.* **indipendentista** [...den'tista] ⟨-i *m,* -e *f*⟩ *mf* Befürworter(in) *m(f)* (*o* Verfechter(in) *m(f))* der Unabhängigkeit.
indire [in'di:re] ⟨*irr*⟩ *tr* ansagen; *(concorso)* ausschreiben; *(assemblea)* einberufen; *(elezioni)* ausschreiben; *(conferenza)* anberaumen; *(sciopero)* ausrufen.
indiretto, -a [indi'rɛtto] *agg* indirekt.
indirizzare [indirit'tsa:re] **I.** *tr* **1.** *(dirigere)* lenken; **2.** *fig (instradare)* lenken (*a* auf *+akk*); *(mandare)* schicken; **3.** *(rivolgere)* richten (*a* an *+akk*); **4.** *(corredare dell'indirizzo)* adressieren; **II.** *rfl:* **-arsi 1.** *(rivolgersi)* sich wenden; *(dirigersi)* sich richten; **2.** *(per consiglio, aiuto)* sich wenden (*a* an *+akk, per* wegen). **indirizzo** [...'rittso] *m* **1.** *(sulla corrispondenza)* Anschrift *f,* Adresse *f;* **2.** *fig (direzione, condotta)* Richtung *f.*
indisciplinato, -a [indiʃʃipli'na:to] *agg* disziplinlos, undiszipliniert.
indiscreto, -a [indis'kre:to] *agg* indiskret; *(senza tatto)* taktlos; *(importuno)* zudringlich, aufdringlich. **indiscrezione** [...ret'tsi̯o:ne] *f* Indiskretion *f; (indelicatezza)* Taktlosigkeit *f; (importunità)* Auf-, Zudringlichkeit *f.*
indiscriminato, -a [indiskrimi'na:to] *agg* unterschiedslos; *(a caso)* wahllos; **violenza -a** blinde Gewalt.
indiscusso, -a [indis'kusso] *agg* unbestritten.
indiscutibile [indisku'ti:bile] *agg* indiskutabel *geh,* unbestreitbar.
indispensabile [indispen'sa:bile] **I.** *agg* unentbehrlich; *(necessario)* unerläßlich; **II.** *m* Allernötigste(s) *n.*
indispettire [indispet'ti:re] ⟨indispettisco⟩ **I.** *tr* ⟨*avere*⟩ (ver)ärgern, irritieren; **II.** *itr* ⟨*essere*⟩, *rfl:* **-irsi** sich ärgern.
indisponente [indispo'nɛnte] *agg* irritierend.
indisporre [indis'porre] ⟨*irr*⟩ *tr* irritieren, verstimmen.
indisposizione [indispozit'tsi̯o:ne] *f* Unwohlsein *n,* Unpäßlichkeit *f.* **indisposto, -a** [...'posto] *agg* unpäßlich, unwohl.
indissolubile [indisso'lu:bile] *agg* unauflösbar.
indistintamente [indistinta'mente] *avv* **1.** *(senza discriminazione)* unterschiedslos; **2.** *(vagamente)* unklar, vage. **indistinto, -a** [...'tinto] *agg* verschwommen; *(non chiaro)* undeutlich; *(vago)* vage.
indistruttibile [indistrut'ti:bile] *agg* **1.** *(impossibile a distruggersi)* unzerstörbar; *(materiale, stoffa a.)* unverwüstlich; **2.** *fig (fede)* unerschütterlich.
indisturbato, -a [indistur'ba:to] *agg* ungestört; *(non ostacolato)* ungehindert.
indivia [in'di:vi̯a] ⟨-ie⟩ *f* Endivie *f.*
individuale [individu'a:le] **I.** *agg* individuell, persönlich; **gara** ~ *sport* Einzel(spiel) *n;* **libertà ~i** Freiheiten *f pl* des Individuums; **II.** *f sport* Einzelkampf *m.*
individualità [...uali'ta] ⟨-⟩ *f* Individualität *f.*
individuare [individu'a:re] *tr* **1.** *(riconoscere)* erkennen; *dir* identifizieren; **2.** *(determinare)* bestimmen; *(scoprire)* herausfinden.
individuo [indi'vi:duo] *m* **1.** *biol* (Einzel)wesen *n;* **2.** *(singolo)* Individuum *n,* Person *f.*
indivisibile [indivi'zi:bile] *agg* **1.** *mat, dir* unteilbar; **2.** *(inseparabile)* untrennbar; *(persone)* unzertrennlich.
indiviso, -a [indi'vi:zo] *agg* ungeteilt.
indiziare [indit'tsi̯a:re] ⟨indizio, indizi⟩ *tr* verdächtigen. **indiziato, -a** [...'tsi̯a:to] *agg* verdächtigt; **I.** *m, f* Verdächtigte(r) *mf.* **indizio** [in'dittsi̯o] ⟨-i⟩ *m* (An)zeichen *n* (*di* für); *(a. dir)* Indiz *n* (*di* für).
indocile [in'dɔ:tʃile] *agg* unfügsam.
indoeuropeo, -a [indoeuro'pɛ:o] **I.** *agg* indoeuropäisch; **II.** *m* Indoeuropäisch(e) *n;* **III.** *m, f* Indoeuropäer(in) *m(f).*
indole ['indole] *f* Wesen *n,* Natur *f.*
indolente [indo'lɛnte] *agg* nachlässig; *(apatico)* träge. **indolenza** [...'lɛntsa] *f* Nachlässigkeit *f; (pigrizia)* Trägheit *f.*
indolenzito, -a [indolen'tsi:to] *agg:* **sentirsi** ~ diffuse Schmerzen haben.
indolore [indo'lo:re] *agg* schmerzlos.
indomani [indo'ma:ni] *m:* **l'**~ der darauffolgende Tag.
indoor ['indɔ:] ⟨*inv*⟩ *agg sport* Hallen-; **record** ~ Hallenrekord *m.*
indorare [indo'ra:re] *tr* **1.** *(rivestire d'oro)* mit Gold überziehen; *(a. fig)* vergolden; **2.** *gastr* vor dem Braten in geschla-

genem Ei wälzen; **3.** *fig* versüßen.

indormentire [indormen'ti:re] ⟨indormentisco, indormentisci⟩ *fam* **I.** *tr* ⟨avere⟩ *(intorpidire)* betäuben, gefühllos machen; **II.** *itr* ⟨essere⟩ einschlafen, gefühllos werden.

indossare [indos'sa:re] *tr* **1.** *(avere indosso)* tragen, anhaben; **2.** *(mettersi indosso)* anziehen. **indossatore, -trice** [...sa'to:re] **I.** *m, f (uomo)* Dressman *m; (donna)* Mannequin *n,* Model *n;* **II.** *m (mobile)* stummer Diener.

indosso [in'dɔsso] *avv* an, auf; **avere, mettersi** ~ *v.* **indossare.**

indotto, -a [in'dotto] **I.** *pp di* **indurre; II.** *agg* induziert; **corrente -a** Neben-, Induktionsstrom *m.*

indottrinare [indottri'na:re] *tr* indoktrinieren; *(istruire)* belehren, unterweisen.

indovina *f v.* **indovino.**

indovinare [indovi'na:re] **I.** *tr* **1.** *(provare a indovinare)* raten; **2.** *(riuscire a indovinare)* erraten; **II.** *itr* raten; **tirare a** ~ *fam* auf gut Glück raten; **indovina un po' chi ha vinto?** rate mal, wer gewonnen hat?. **indovinato, -a** [...'na:to] *agg* geglückt, gelungen, gut. **indovinello** [...'nɛllo] *m* Rätsel *n.* **indovino, -a** [...'vi:no] *m, f* Wahrsager(in) *m(f).*

indubbio, -a [in'dubbi̯o] *agg* zweifelsfrei, unzweifelhaft.

induco [in'du:ko] *pr di* **indurre.**

indugiare [indu'dʒa:re] ⟨indugio, indugi⟩ **I.** *tr* verzögern, hinausschieben; **II.** *itr* zögern, zaudern; **III.** *rfl:* **-arsi** verweilen *geh,* sich aufhalten. **indugio** [in'du:dʒo] ⟨-gi⟩ *m* Zögern *n,* Zaudern *n; (ritardo)* Verzug *m,* Verzögerung *f;* **senza** ~ unverzüglich.

indulgente [indul'dʒɛnte] *agg* nachsichtig. **indulgenza** [...'dʒɛntsa] *f* Nachsicht *f.*

indulto [in'dulto] *m* Straferlaß *m.*

indumento [indu'mento] *m* Kleidungsstück *n;* **~i intimi** Unterwäsche *f.*

indurire [indu'ri:re] ⟨indurisco⟩ **I.** *tr* ⟨*avere*⟩ (ver)härten, hart machen; **II.** *itr* ⟨*essere*⟩, *rfl:* **-irsi** *(a. fig)* (sich) verhärten, hart werden.

indurre [in'durre] ⟨induco, indussi, indotto⟩ *tr* bewegen *(a* zu), veranlassen *(a* zu); *peg* verleiten *(a* zu), verführen *(a* zu); ~ **qu in errore** jdn irreführen; ~ **qu in tentazione** jdn in Versuchung führen.

industria [in'dustri̯a] ⟨-ie⟩ *f* Industrie *f;* ~ **accessoria** Zulieferindustrie *f;* ~ **culturale** Kulturindustrie *f;* ~ **farmaceutica** Pharmaindustrie *f;* ~ **turistica** Fremdenverkehrsgewerbe *n;* ~ **leggera/pesante** Konsumgüter-/Schwerindustrie *f;* **cavaliere d'**~ Hochstapler *m,* Glücksritter *m.* **industriale** [...'tri̯a:le] **I.** *agg* industriell, gewerblich, Industrie-, Gewerbe-; **corrente** ~ Industriestrom *m;* **scuola** ~ Gewerbeschule *f;* **zona** ~ Gewerbegebiet *n;* **II.** *mf* Industrielle(r) *mf.* **industrializzare** [...i̯alid'dza:re] *tr* industrialisieren. **industrializzazione** [...i̯aliddʒat'tsi̯o:ne] *f* Industrialisierung *f.*

industriarsi [indus'tri̯arsi] ⟨m'industrio, t'industri⟩ *rfl* sich be-, abmühen. **industrioso, -a** [...'tri̯o:so] *agg* betriebsam, rührig.

induttivo, -a [indut'ti:vo] *agg* induktiv, Induktiv-, Induktions-. **induzione** [...t'tsi̯o:ne] *f* **1.** *fis* Induktion *f;* **2.** *fig* Vermutung *f.*

inebriare [inebri'a:re] ⟨inebrio, inebri⟩ **I.** *tr* **1.** *(ubriacare)* berauschen, betrunken machen; **2.** *fig* berauschen, trunken machen; **II.** *rfl:* **-arsi 1.** *(ubriacarsi)* sich betrinken; **2.** *fig* sich berauschen *(a* an *+dat).*

ineccepibile [inettʃe'pi:bile] *agg* tadellos, einwandfrei.

inedia [i'nɛ:di̯a] ⟨-ie⟩ *f* (langes) Fasten *n.*

inedito, -a [i'nɛ:dito] *agg* **1.** *(non pubblicato)* unveröffentlicht; **2.** *fig* brandneu.

ineffabile [inef'fa:bile] *agg* unaussprechlich, unsagbar.

inefficace [ineffi'ka:tʃe] *agg* unwirksam.

inefficiente [ineffi'tʃɛnte] *agg* nicht leistungsfähig; *(che rende poco)* uneffektiv *fam.* **inefficienza** [...'tʃɛntsa] *f* Leistungsunfähigkeit *f.*

ineguagliabile [ineguaʎ'ʎa:bile] *agg* unvergleichbar. **ineguaglianza** [...'ʎantsa] *f* Ungleichheit *f.* **ineguale** [ine'gu̯a:le] *agg* ungleich.

ineluttabile [inelut'ta:bile] *agg* unabwendbar.

inequivocabile [inekui̯vo'ka:bile] *agg* unmißverständlich, unzweideutig.

inerente [ine'rɛnte] *agg:* ~ **a** in Zusammenhang mit, verbunden mit.

inerme [i'nɛrme] *agg* **1.** *(disarmato)* unbewaffnet; **2.** *(indifeso)* wehrlos.

inerte [i'nɛrte] *agg* **1.** *(inoperoso, ozioso, fis)* träge; *(inattivo)* untätig; **2.** *(immobile)* unbeweglich, bewegungslos; **3.** *chim* untätig, reaktionsträge; *(gas)* Edel-. **inerzia** [i'nɛrtsi̯a] ⟨-ie⟩ *f* **1.** *(oziosità, fis)* Trägheit *f;* **2.** *(inoperosità)* Untätigkeit *f;* **3.** *(immobilità)* Unbeweglichkeit *f,* Bewegungslosigkeit *f;* **4.** *chim* Reaktionsträgheit *f,* Untätigkeit *f;* **forza d'**~ Trägheit *f* der Masse; *fig* Macht *f* der Gewohnheit.

inesattezza [inezat'tettsa] *f* Ungenauigkeit *f.* **inesatto, -a** [...'zatto] *agg* ungenau.

inesauribile [inezau'ri:bile] *agg* unerschöpflich.

inesistente [inezis'tɛnte] *agg* nicht vorhanden, nicht existent.

inesorabile [inezo'ra:bile] *agg* **1.** *(implacabile)* unerbittlich, hart; **2.** *(inevitabile)* unabwendbar.

inesperienza [inespe'ri̯ɛntsa] *f* Unerfahrenheit *f.* **inesperto, -a** [...'pɛrto] *agg* unerfahren; ~ **del diritto** *dir* rechtsunkundig.

inesplicabile [inespli'ka:bile] *agg* unerklärlich, unerklärbar.

inesplorabile [inesplo'rabile] *agg* **1.** *(che non si può esplorare)* unerforschlich; **2.** *fig* unergründlich. **inesplorato, -a** [inesplo'ra:to] *agg* unerforscht.

inespressivo, -a [inespres'si:vo] *agg* ausdruckslos. **inespresso, -a** [...'prɛsso] *agg* unausgedrückt, unterschwellig. **inesprimibile** [...pri'mi:bile] *agg* unaussprechlich, unausdrückbar.

inespugnabile [inespuɲ'ɲa:bile] *agg* uneinnehmbar.

inestimabile [inesti'ma:bile] *agg* unschätzbar.

inettitudine [inetti'tu:dine] *f* **1.** *(mancanza di attitudine)* Untauglichkeit *f* (*a* für), mangelnde Begabung (*a* für); **2.** *(senza alcuna capacità)* Unfähigkeit *f*. **inetto, -a** [i'nɛtto] **I.** *agg* untauglich; *(incapace)* unfähig; **II.** *m, f* Taugenichts *m*, Nichtsnutz *m*.

inevaso, -a [ine'va:zo] *agg* unbearbeitet, unerledigt.

inevitabile [inevi'ta:bile] *agg* unvermeidbar, unvermeidlich.

in extremis [in eks'trɛ:mis] *avv (sul punto di morte)* im Sterben; *(all'ultimo momento)* im letzten Moment, auf den letzten Drücker *fam*.

inezia [i'nɛttsi̯a] ⟨-ie⟩ *f* Kleinigkeit *f*, Lappalie *f*.

infagottare [infagot'ta:re] *fam* **I.** *tr* **1.** *(persona)* einmumme(l)n *fam*, dick (*o* warm) anziehen; **2.** *(vestito)* dick (*o* plump) machen; **II.** *rfl:* **-arsi** sich einmumme(l)n *fam; peg* sich unvorteilhaft kleiden.

infallibile [infal'li:bile] *agg* **1.** *(non soggetto a sbagliare)* unfehlbar; *(verità)* unumstößlich; **2.** *(sicuro, certo)* sicher. **infallibilità** [...libili'ta] ⟨-⟩ *f* **1.** *(di metodo, strumento, del Papa, della Chiesa)* Unfehlbarkeit *f;* **2.** *(sicurezza)* Sicherheit *f*.

infamare [infa'ma:re] **I.** *tr* mit Schande bedecken, in Verruf bringen; **II.** *rfl:* **-arsi** sich entehren, sich mit Schande bedekken. **infame** [in'fa:me] *agg* **1.** *(ignobile, turpe)* schändlich, infam, gemein; **2.** *fig scherz (tempo)* widerlich, scheußlich; *(fatica, lavoro)* unerträglich. **infamia** [in'fa:mi̯a] ⟨-ie⟩ *f* **1.** *(ignominia)* Schande *f*, Schmach *f;* **2.** *(scelleratezza)* Schändlichkeit *f*, Infamie *f geh*, Gemeinheit *f;* **3.** *fig scherz (cosa pessima)* Schande *f fam;* **senza ~ e senza lode** *fam* mittelmäßig.

infangare [infaŋ'ga:re] ⟨infango, infanghi⟩ *tr* **1.** *(sporcare)* (mit Schlamm) beschmutzen; **2.** *fig (infamare)* durch den Schmutz ziehen; ~ **il proprio nome** seinen Namen mit Schimpf und Schande bedecken.

infanticida [infanti'tʃi:da] ⟨-i *m*, -e *f*⟩ *mf* Kindesmörder(in) *m(f)*. **infanticidio** [...ti'tʃi:di̯o] ⟨-i⟩ *m* Kindermord *m*, Kindesmord *m*.

infantile [infan'ti:le] *agg* **1.** *(dell'infanzia)* kindlich, Kinder-; **2.** *peg (immaturo)* kindisch, infantil; **asilo ~** Kindergarten *m*. **infantilismo** [...ti'lizmo] *m* mangelnde Reife, Infantilität *f geh*. **infantilità** [...tili'ta] ⟨-⟩ *f* Infantilität *f geh*, kindisches Wesen.

infanzia [in'fantsi̯a] ⟨-ie⟩ *f* **1.** *(periodo)* Kindheit *f;* **2.** *(bambini in generale)* Kinder *n pl;* **prima/seconda ~** Kleinkindalter *n* /Kindheit *f* vom zweiten bis zum zwölften Lebensjahr.

infarinare [infari'na:re] **I.** *tr* **1.** *(coprire con farina)* mit Mehl bestäuben; *(rinvoltare nella farina)* in Mehl wenden; **2.** *fig* bestreuen (*di* mit); **II.** *rfl:* **-arsi** sich mehlig machen. **infarinatura** [...na'tu:ra] *f fig* oberflächliche Kenntnis.

infarto [in'farto] *m* Infarkt *m;* ~ **cardiaco/cerebrale** Herzinfarkt *m*/Gehirnschlag *m*.

infastidire [infasti'di:re] ⟨infastidisco⟩ **I.** *tr* belästigen, stören; **II.** *rfl:* **-irsi** sich gestört fühlen (*di* von).

infaticabile [infati'ka:bile] *agg* unermüdlich.

infatti [in'fatti] *cong* in der Tat, tatsächlich.

infatuarsi [infatu'arsi] *rfl* sich vernarren (*di* in +*akk*). **infatuazione** [...uat'tsi̯o:ne] *f* Schwärmerei *f* (*per* für).

infausto, -a [in'fa:usto] *agg* unheilvoll, unglückselig.

infecondo, -a [infe'kondo] *agg (terreno)* unfruchtbar; *(persona a.)* steril; *(matrimonio)* kinderlos.

infedele [infe'de:le] **I.** *agg* **1.** *(sleale)* untreu, treulos; **2.** *fig (alterato)* ungetreu, ungenau; **3.** *rel* ungläubig; **II.** *mf* Ungläubige(r) *mf*. **infedeltà** [...del'ta] *f* **1.** Untreue *f*, Treulosigkeit *f;* **2.** *fig (inesattezza)* Ungenauigkeit *f*.

infelice [infe'li:tʃe] **I.** *agg* **1.** *(sventurato)* unglücklich; **2.** *(mal riuscito)* mißlungen, mißglückt; **3.** *(negativo, sfavorevole)* ungünstig, unglücklich; *(persona)* unglückselig; **4.** *(inopportuno)* ungeeignet, ungünstig, unglücklich; **II.** *mf* Unglückliche(r) *mf*. **infelicità** [...litʃi'ta] *f* **1.** *(sventura)* Unglück *n;* **2.** *(inopportunità)* Unangebrachtheit *f*.

infeltrirsi [infel'trirsi] *rfl* ⟨s'infeltrisce⟩ verfilzen.

inferiore [infe'ri̯o:re] ⟨*comp di* basso⟩ **I.** *agg* niedrig; *(minore)* niedriger; *(più basso)* untere(r, s), Unter-; *(fig a.)* minderwertig; **essere ~ a qu** jdm unterlegen sein (*per* an +*dat*), jdm nachstehen (*per* in +*dat*); **II.** *mf* Untergebene(r) *mf*. **inferiorità** [...i̯ori'ta] ⟨-⟩ *f* Minderwertigkeit *f*, geringer Wert; *(di persona)* Unterlegenheit *f.*

inferma *f v.* **infermo.**

infermeria [inferme'ri:a] ⟨-ie⟩ *f* Krankenstation *f.* **infermiere, -a** [...'mjɛ:re] *m, f* Krankenpfleger(in) *m(f),* Krankenschwester *f.*

infermità [infermi'ta] ⟨-⟩ *f* Krankheit *f;* ~ **mentale** Geisteskrankheit *f.* **infermo, -a** [in'fermo] **I.** *agg* krank; **II.** *m, f* Kranke(r) *mf.*

infernale [infer'na:le] *agg (a. fig)* höllisch, Höllen-. **inferno** [in'fɛrno] *m* Hölle *f;* **baccano d'**~ Höllenlärm *m;* **vita d'**~ Hundeleben *n;* **mandare qu all'**~ jdn zum Teufel jagen (*o* schicken).

inferocirsi [infero'tʃirsi] ⟨m'inferocisco⟩ *rfl* wild (*o* wütend) werden.

inferriata [infer'rja:ta] *f* (Eisen)gitter *n.*

infervorare [infervo'ra:re] **I.** *tr* anspornen, anfeuern; **II.** *rfl:* **-arsi** sich erhitzen, sich ereifern.

infestare [infes'ta:re] *tr (fattori nocivi, med)* verseuchen; *(parassiti)* befallen. **infestazione** [...tat'tsjo:ne] *f* Verseuchung *f; (di parassiti)* Befall *m.*

infettare [infet'ta:re] **I.** *tr* anstecken, infizieren *wissensch.; inform* mit einem Virus verseuchen; **II.** *rfl:* **-arsi** sich anstekken, sich infizieren *wissensch.* **infettivo, -a** [...'ti:vo] *agg* infektiös, Infektions-. **infetto, -a** [in'fɛtto] *agg* verseucht; *med* infiziert.

infezione [infet'tsjo:ne] *f* Infektion *f,* Entzündung *f fam.*

infiacchire [infjak'ki:re] ⟨infiacchisco⟩ **I.** *tr* ⟨*avere*⟩ schwächen, entkräften; **II.** *itr* ⟨*essere*⟩, *rfl:* **-irsi** matt werden, ermatten *geh.*

infiammabile [infjam'ma:bile] **I.** *agg* entflammbar, entzündbar; *(con pericolo d'incendio)* feuergefährlich; **II.** *m* feuergefährliches Material. **infiammabilità** [...mabili'ta] ⟨-⟩ *f* Entflammbarkeit *f,* Entzündbarkeit *f; (con pericolo d'incendio)* Feuergefährlichkeit *f.* **infiammare** [...'ma:re] **I.** *tr* **1.** *(bruciare)* anzünden; **2.** *fig (cuore, animo)* entflammen lassen; *(viso)* erröten lassen; **3.** *med* entzünden; **II.** *rfl:* **-arsi 1.** *(incendiarsi)* sich entzünden; *(bruciare)* brennen; **2.** *fig* entbrennen; **3.** *med* sich entzünden. **infiammatorio, -a** [...ma'tɔ:rjo] ⟨-i, -ie⟩ *agg* Entzündungs-, entzündend. **infiammazione** [...mat'tsjo:ne] *f* Entzündung *f.*

infiascare [infjas'ka:re] ⟨infiasco, infiaschi⟩ *tr* in (Korb)flaschen füllen.

infido, -a [in'fi:do] *agg* treulos, untreu; *(fig a.)* tückisch.

infierire [infje'ri:re] ⟨infierisco⟩ *itr* wüten (*contro* gegen).

infiggere [in'fiddʒere] ⟨infiggo, infiggi, infissi, infitto⟩ *tr (chiodo)* (hin)einschlagen; *(palo)* (hin)einrammen, (hin)eintreiben.

infilare [infi'la:re] **I.** *tr* **1.** *(ago)* einfädeln; *(perle)* auffädeln, aufreihen; *(chiave)* stecken in *+akk; (anello)* anstecken; **2.** *(trapassare)* aufspießen (*in* auf *+akk*), stecken (*in* auf *+akk*); **3.** *(indossare)* schlüpfen in *+akk,* überstreifen; **4.** *(strada)* einschlagen, nehmen; **II.** *rfl:* **-arsi** schlüpfen; **-arsi tra la folla** sich unter die Menge mischen.

infiltrarsi [infil'trarsi] *rfl* durchsickern, eindringen. **infiltrazione** [...at'tsjo:ne] *f* **1.** *(di gas, liquido)* Eindringen *n,* Durchsickern *n;* **2.** *fig pol* Unterwanderung *f;* **3.** *med* Infiltration *f.*

infilzare [infil'tsa:re] *tr* **1.** *(trafiggere)* durchbohren; *(con spada, gastr)* aufspießen; **2.** *(bottoni, castagne)* aufreihen.

infimo, -a ['infimo] ⟨*superl di* basso⟩ *agg* niedrigste(r, s), mindere(r, s).

infine [in'fi:ne] *avv* **1.** *(finalmente)* schließlich, am Ende; **2.** *(insomma)* endlich, vielleicht einmal.

infingardo, -a [infiŋ'gardo] **I.** *agg* drückebergerisch, unwillig; **II.** *m, f* Drückeberger(in) *m(f).*

infinità [infini'ta] ⟨-⟩ *f* **1.** *(illimitatezza)* Unendlichkeit *f;* **2.** *fig (quantità immensa)* Unmenge *f.*

infinitamente [-'mente] *avv* unendlich.

infinitesimale [infinitezi'ma:le] *agg* **1.** *mat* infinitesimal, Infinitesimal-; **2.** *fig (minimo)* kleinste(r, s), mindeste(r, s). **infinitesimo, -a** [...'tɛ:zimo] **I.** *agg* **1.** *mat* infinitesimal; **2.** *(minimo)* allerkleinste(r, s), winzig; **II.** *m* **1.** *(parte trascurabile)* winziger Teil; **2.** *mat* Grenzwert *m.*

infinitivo, -a [infini'ti:vo] **I.** *agg* Infinitiv-; **II.** *m* Infinitiv *m,* Nennform *f.*

infinito, -a [infi'ni:to] **I.** *agg* unendlich; *gram* infinit; **II.** *m* **1.** *(ciò che non ha fine)* Unendliche(s) *n,* Endlose(s) *n;* **2.** *gram* Infinitiv *m;* **3.** *mat, fot* Unendlich *n;* **all'**~ endlos, ewig.

infinocchiare [infinok'kja:re] ⟨infinocchio, infinocchi⟩ *tr fam* übers Ohr hauen *fam,* beschummeln *fam.*

infiocchettare [infjokket'ta:re] *tr* mit Schleifen verzieren.

infiorare [infjo'ra:re] *tr* **1.** *(con fiori)* mit Blumen schmücken; **2.** *fig* ausschmükken.

infischiarsi [infis'kjarsi] ⟨m'infischio, t'infischi⟩ *rfl fam* pfeifen (*di* auf *+akk*) *fam.*

infissi [in'fissi] *p rem di* **infiggere.**

infisso [in'fisso] *m* **1.** *arch* Einfassung *f,* Rahmen *m;* **2.** *(serramento)* Blendrahmen *m,* Einfassung *f.*

infittire [infit'ti:re] ⟨infittisco⟩ **I.** *tr* ⟨*avere*⟩ dichter machen; **II.** *itr* ⟨*essere*⟩, *rfl:* **-irsi** sich verdichten, dichter werden; *(fig a.)* sich häufen.

infitto [in'fitto] *pp di* **infiggere.**
inflazionato, -a [inflattsio'na:to] *agg* inflationiert.
inflazione [inflat'tsio:ne] *f* **1.** *(in economia)* Inflation *f;* **2.** *fig (rapido accrescimento)* Schwemme *f;* ~ **galoppante/strisciante** galoppierende/schleichende Inflation. **inflazionistico, -a** [...io'nistiko] ⟨-ci, -che⟩ *agg* inflationistisch, inflatorisch, inflationär.
inflessibile [infles'si:bile] *agg* unbiegsam; *fig* unbeugsam.
inflessione [infles'sio:ne] *f* **1.** *(cadenza)* Tonfall *m;* **2.** *mus* Modulation *f.*
infliggere [in'flidd͡ʒere] ⟨infliggo, infliggi, inflissi, inflitto⟩ *tr* auferlegen, verhängen *(qc a qu* etw. über jdn).
influente [influ'ɛnte] *agg* einflußreich. **influenza** [...'ɛntsa] *f* **1.** *(azione determinante)* Einfluß *m* (*su* auf +*akk*), Beeinflussung *f (su gen);* **2.** *med* Grippe *f.* **influenzabile** [...uen'tsa:bile] *agg* beeinflußbar, leicht zu beeinflussen(d).
influenzale [influen'tsa:le] *agg* grippal, Grippe-.
influenzare [influen'tsa:re] *tr* beeinflussen.
influire [influ'i:re] *itr* einwirken (*su* auf +*akk*), beeinflussen (*su qc/qu* etw./jdn), Einfluß haben (*su* auf +*akk*). **influsso** [in'flusso] *m* Einfluß *m.*
infocato, -a [info'ka:to] *agg* **1.** *(rovente)* glühend(heiß); **2.** *fig* glühend, heiß; *(discorso, occhi)* feurig.
infognarsi [infoɲ'ɲarsi] *rfl fam (nei debiti)* sich stürzen; *(con persone)* sich einlassen.
infoltire [infol'ti:re] ⟨infoltisco⟩ **I.** *tr* ⟨*avere*⟩ verdichten; **II.** *itr* ⟨*essere*⟩ dichter werden, sich verdichten.
infondatezza [infonda'tettsa] *f* Unbegründetheit *f.* **infondato, -a** [...'da:to] *agg* unbegründet.
infondere [in'fondere] ⟨*irr*⟩ *tr (coraggio)* einflößen; *(fiducia a.)* erwecken.
inforcare [infor'ka:re] ⟨inforco, inforchi⟩ *tr* **1.** *(fieno)* aufgabeln; **2.** *(occhiali)* aufsetzen; **3.** *(bicicletta)* sich setzen auf +*akk.*
inforestierimento [inforestieri'mento] *m* Überfremdung *f.*
informale [infor'ma:le] *agg* **1.** *(non ufficiale)* zwang-, formlos, informell; **2.** *(arte)* informell; **incontro** ~ informelles Treffen.
informare [infor'ma:re] **I.** *tr* informieren (*di, su* über +*akk*), benachrichtigen (*di, su* von), unterrichten (*di, su* über +*akk,* von); **II.** *rfl:* **-arsi** sich erkundigen (*su* nach), sich informieren (*su* über +*akk*).
informatica [infor'ma:tika] ⟨-che⟩ *f* Informatik *f.* **informatico, -a** [...'ma:tiko] ⟨-ci, -che⟩ **I.** *agg* Datenverarbeitungs-, Informatik-; **II.** *m, f* Informatiker(in) *m(f).*
informativo, -a [informa'ti:vo] *agg* informativ; **a titolo** ~ informativ, zur Information.
informatizzare [informatid'dza:re] *tr (applicare sistemi informatici)* EDV einsetzen; *(introdurre sistemi informatici)* auf EDV umstellen. **informatizzazione** [...dzat'tsio:ne] *f (impiego di sistemi informatici)* EDV-Einsatz *m; (introduzione di sistemi informatici)* Umstellung *f* auf EDV.
informato, -a [infor'ma:to] *agg* unterrichtet, informiert. **informatore, -trice** [...ma'to:re] **I.** *agg* auskunftgebend, Informations-; **II.** *m, f* Informant(in) *m(f),* Auskunftgeber(in) *m(f).*
informazione [informat'tsio:ne] *f* Auskunft *f,* Information *f;* **-i utili** nützliche Hinweise *m pl,* Wissenswerte(s) *n.*
informe [in'forme] *agg* unförmig; *fig* gestaltlos, schwammig.
informicolarsi, informicolirsi [informiko'larsi, ...'lirsi] *rfl* einschlafen.
infornare [infor'na:re] *tr* **1.** *(mettere nel forno)* in den Backofen (*o* die Backröhre) schieben; **2.** *(pane)* (Brot) backen. **infornata** [...'na:ta] *f* Einschieben *n; (quantità)* Schub *m.*
infortunato, -a [infortu'na:to] **I.** *agg* verunglückt; **II.** *m, f* Verunglückte(r) *mf.*
infortunio [infor'tu:nio] ⟨-i⟩ *m* Unfall *m;* ~ **sul lavoro** Betriebsunfall *m,* Arbeitsunfall *m;* **assicurazione contro gli -i** Unfallversicherung *f.*
infossare [infos'sa:re] **I.** *tr* versenken, in eine Grube legen; **II.** *rfl:* **-arsi 1.** *(guance)* einfallen; **2.** *(avvallarsi, sprofondare)* einsinken. **infossato, -a** [...'sa:to] *agg (guance)* hohl, eingefallen; *(occhi)* tiefliegend.
infra ['infra] *avv* unten; **vedi** ~ siehe unten (*abk* s. u.).
frammettere [infram'mettere] ⟨*irr*⟩ **I.** *tr* dazwischensetzen, -legen, -stellen; **II.** *rfl:* **-ersi** sich einmischen (*in* in +*akk*).
infrangere [in'frand͡ʒere] ⟨infrango, infrangi, infranso, infranto⟩ **I.** *tr* **1.** *(rompere)* zerbrechen; **2.** *fig (divieto)* brechen, übertreten; *(legge a.)* brechen; *(contratto)* verletzen; **II.** *rfl:* **-ersi 1.** *(frantumarsi)* zerbrechen, in Scherben gehen; *(nave)* zerschellen; *(onde)* sich brechen; **2.** *fig (speranza)* zerbrechen. **infrangibile** [...'d͡ʒi:bile] *agg* unzerbrechlich; *(vetro a.)* bruchfest.
infransi *p rem di* **infrangere.**
infranto, -a [in'franto] **I.** *pp di* **infrangere; II.** *agg* **1.** *(frantumato)* zerbrochen; **2.** *fig (cuore)* gebrochen.
infrarosso, -a [infra'rosso] *agg* infrarot, Infrarot-.
infrasettimanale [-settima'na:le] *agg* während der Woche.
infrastruttura [-strut'tu:ra] *f* Infrastruktur *f.*

infrazione [infrat'tsi̯o:ne] *f* Übertretung *f* (*a, di* einer Sache *gen*), Verletzung *f* (*a, di* einer Sache *gen*), Verstoß *m* (*a* gegen).
infreddatura [infredda'tu:ra] *f* (leichter) Schnupfen *m*, Erkältung *f*.
infreddolito, -a [infreddo'li:to] *agg*: **essere tutto** ~ ganz durchgefroren sein.
infrollire [infrol'li:re] ⟨infrollisco⟩ *itr* ⟨*essere*⟩ *(carne)* mürbe werden, abhängen.
infruttifero, -a [infrut'ti:fero] *agg* **1.** *bot* keine Früchte tragend, fruchtlos; **2.** *fin (capitale)* tot, zinslos.
infruttuoso, -a [infruttu'o:so] *agg* **1.** *(infruttifero)* fruchtlos, unfruchtbar; **2.** *fig (vano)* vergeblich, erfolglos; *(fatica)* fruchtlos.
infuori [in'fuɔ:ri] **I.** *avv*: **all'~** nach außen, hinaus; **II.** *prp*: **all'~ di** mit Ausnahme von *+dat*, außer *+dat*.
infuriare [infu'ri̯a:re] ⟨infurio, infuri⟩ **I.** *itr* wüten, toben; **II.** *rfl*: **-arsi** wütend (*o* zornig) werden.
infusione [infu'zi̯o:ne] *f* Aufguß *m*; *(bevanda)* (Kräuter)tee *m*. **infuso, -a** [in'fu:zo] **I.** *agg* übergossen; **avere la scienza -a** *scherz* die Weisheit mit Löffeln gefressen haben *fam*; **II.** *m* Aufguß *m*; *(bevanda)* (Kräuter)tee *m*.
ingaggiare [iŋgad'dʒa:re] ⟨ingaggio, ingaggi⟩ *tr* **1.** *(assumere con contratto)* verpflichten; *(sport, mus, film a.)* unter Vertrag nehmen; *teat, film, mus* engagieren; *(impiegati)* einstellen; **2.** *(combattimento)* eröffnen, beginnen. **ingaggio** [iŋ'gaddʒo] ⟨-ggi⟩ *m* **1.** *(assunzione con contratto)* Anwerbung *f*, Verpflichtung *f*; *sport* Einkauf *m*; **2.** *(somma)* Gage *f*.
ingannare [iŋgan'na:re] **I.** *tr* **1.** *(indurre in errore)* täuschen; **2.** *(imbrogliare)* betrügen, hintergehen; *(tradire)* betrügen; *(deludere)* hintergehen; ~ **il tempo** die Zeit totschlagen; **II.** *rfl*: **-arsi** (sich) irren, sich täuschen; **se non m'inganno** ... wenn ich nicht irre ... **ingannatore, -trice** [...na'to:re] **I.** *agg* trügerisch; **II.** *m, f* Betrüger(in) *m(f)*. **ingannevole** [...'ne:vole] *agg* trügerisch, irreführend.
inganno [iŋ'ganno] *m* **1.** *(frode, raggiro)* Betrug *m*; **2.** *(illusione, abbaglio)* Täuschung *f*; **trarre in** ~ täuschen, hinters Licht führen.
ingarbugliare [iŋgarbuʎ'ʎa:re] ⟨ingarbuglio, ingarbugli⟩ **I.** *tr (a. fig)* verwirren, durcheinanderbringen; **II.** *rfl*: **-arsi** *(a. fig)* sich verheddern.
ingegnarsi [indʒeɲ'ɲarsi] *rfl* **1.** *(adoperarsi)* sich ereifern; **2.** *(industriarsi)* sich bemühen, alles daransetzen (*a, di +inf* um zu ...).
ingegnere [indʒeɲ'ɲɛ:re] *mf* Ingenieur(in) *m(f)*; ~ **civile** Bauingenieur(in) *m(f)*; ~ **meccanico/navale** Maschinenbau-/Schiffbauingenieur(in) *m(f)*. **ingegneria** [...ɲe'ri:a] ⟨-ie⟩ *f* Ingenieurwesen *n*; ~ **chimica** chemische Verfahrenstechnik; ~ **genetica** Gentechnik *f*, Gentechnologie *f*; ~ **nucleare** Kerntechnik *f*.
ingegno [in'dʒeɲɲo] *m* **1.** *(intelligenza)* Geist *m*, Verstand *m*; **2.** *(inclinazione)* Talent *n*, Begabung *f*; **3.** *(genio)* Genie *n*. **ingegnosità** [-si'ta] ⟨-⟩ *f* Einfallsreichtum *m*. **ingegnoso, -a** [...'ɲo:so] *agg* findig, einfallsreich.
ingelosire [indʒelo'si:re] ⟨ingelosisco⟩ **I.** *tr* ⟨*avere*⟩ eifersüchtig machen; **II.** *itr* ⟨*essere*⟩, *rfl*: **-irsi** eifersüchtig werden (*o* sein).
ingente [in'dʒɛnte] *agg* riesig, ungeheuer, beträchtlich.
ingenuità [indʒenui'ta] ⟨-⟩ *f* Naivität *f*; *(l'essere fiducioso)* Arglosigkeit *f*; *(candore)* Unschuld *f*. **ingenuo, -a** [in'dʒɛ:nuo] **I.** *agg* naiv; *(fiducioso)* arglos; *(candido)* unschuldig; **II.** *m, f* naiver Mensch, Naivling *m*.
ingerenza [indʒe'rɛntsa] *f* Einmischung *f*; *mil* Übergriff *m*.
ingerire [indʒe'ri:re] ⟨ingerisco⟩ **I.** *tr* einnehmen, (hinunter)schlucken; **II.** *rfl*: **-irsi** sich einmischen (*in* in *+akk*).
ingessare [indʒes'sa:re] *tr* vergipsen; *med* in Gips legen, eingipsen. **ingessatura** [...sa'tu:ra] *f* Gips(verband) *m*.
Inghilterra [iŋgil'tɛrra] *f* England *n*.
inghiottire [iŋgiot'ti:re] ⟨inghiottisco *o* inghiotto⟩ *tr* **1.** *(deglutire, a. fig: umiliazioni)* (hinunter)schlucken; **2.** *fig (risucchiare)* (ver)schlucken, verschlingen.
inghippo [iŋ'gippo] *m dial* **1.** *(imbroglio)* Betrug *m*; **2.** *(difficoltà)* Problem *n*.
ingiallire [indʒal'li:re] ⟨ingiallisco⟩ **I.** *tr* ⟨*avere*⟩ gelb färben; **II.** *itr* ⟨*essere*⟩ gelb werden; *(carta)* vergilben.
ingigantire [indʒigan'ti:re] ⟨ingigantisco⟩ **I.** *tr* ⟨*avere*⟩ aufbauschen; **II.** *itr* ⟨*essere*⟩, *rfl*: **-irsi** riesengroß werden, sich enorm vergrößern.
inginocchiarsi [indʒinok'ki̯arsi] ⟨m'inginocchio, t'inginocchi⟩ *rfl* (sich) (nieder-, hin)knien. **inginocchiatoio** [...a'to:i̯o] ⟨-oi⟩ *m* Kniebank *f*.
ingioiellare [indʒoi̯el'la:re] **I.** *tr* mit Schmuck versehen; *(cosa a.)* schmücken; **II.** *rfl*: **-arsi** Schmuck anlegen.
ingiù [in'dʒu] *avv* (nach) unten, hinunter; **all'~** nach unten.
ingiungere [in'dʒundʒere] ⟨*irr*⟩ *tr* auferlegen. **ingiunzione** [...n'tsi̯o:ne] *f* Anordnung *f*; *(richiesta perentoria)* Aufforderung *f*; *(sollecitazione)* Mahnung *f*; **lettera d'~** Mahnbrief *m*; **procedimento d'~** *dir* Mahnverfahren *n*.
ingiuria [in'dʒu:ri̯a] *f* Beleidigung *f*, Schmähung *f*. **ingiuriare** [indʒu'ri̯a:re] ⟨ingiurio, ingiuri⟩ *tr* beleidigen, beschimpfen. **ingiurioso, -a** [...'ri̯o:so] *agg* Schmäh-, beleidigend.

ingiustificato, -a [indʒustifi'ka:to] *agg* ungerechtfertigt, unbegründet; *(scuola)* unentschuldigt.

ingiustizia [indʒus'tittsi̯a] *f* Ungerechtigkeit *f*. **ingiusto, -a** [in'dʒusto] *agg* **1.** *(persona)* ungerecht; **2.** *(cosa)* ungerechtfertigt.

inglese [iŋ'gle:se] **I.** *agg* englisch, britisch; **II.** *mf* Engländer(in) *m(f)*, Brite *m*, Britin *f*; **giardino all'~** englischer Garten. **inglesismo** [...le'sizmo] *m* Anglizismus *m*.

inglorioso, -a [iŋglo'ri̯o:so] *agg* ruhmlos, unrühmlich.

ingoiare [iŋgo'i̯a:re] ⟨ingoio, ingoi⟩ *tr* **1.** *(cibo)* verschlingen, in sich hineinstopfen; **2.** *fig (subire)* hinunterschlukken.

ingolfarsi [iŋgol'farsi] *rfl* **1.** *mot* zuviel Benzin bekommen, absaufen *fam;* **2.** *fig (impegnarsi)* sich stürzen (*in* in *+akk*).

ingolosire [iŋgolo'si:re] ⟨ingolosisco⟩ *tr* ⟨*avere*⟩ **1.** *(rendere goloso)* Appetit machen (*qu* jdm); **2.** *fig (allettare)* verlokken.

ingombrante [iŋgom'brante] *agg (di cosa)* sperrig; *(fig: di persone)* lästig; **merce ~** Sperrgut *n*. **ingombrare** [...'bra:re] *tr* versperren. **ingombro, -a** [iŋ'gombro] **I.** *agg* versperrt; **II.** *m* Hindernis *n;* **essere d'~** im Weg sein, Platz wegnehmen.

ingommare [iŋgom'ma:re] *tr* kleben, aufkleben.

ingordigia [iŋgor'di:dʒa] ⟨-gie⟩ *f* Gefräßigkeit *f; fig* Gier *f*. **ingordo, -a** [iŋ'gordo] *agg* **1.** *(vorace)* gefräßig; **2.** *fig* gierig (*di* nach).

ingorgarsi [iŋgor'garsi] ⟨m'ingorgo, t'ingorghi⟩ *rfl* sich verstopfen; *(traffico)* sich stauen. **ingorgo** [iŋ'gorgo] *m* Verstopfung *f;* **~ (di traffico)** (Verkehrs)-stau *m*, -stauung *f*.

ingovernabile [iŋgover'na:bile] *agg* unregierbar.

ingozzare [iŋgot'tsa:re] **I.** *tr* **1.** *(animali)* fressen, verschlingen; *fig (persona)* verschlingen; **2.** *(costringere a mangiare)* mästen; **II.** *rfl:* **-arsi** sich vollstopfen.

ingranaggio [iŋgra'naddʒo] ⟨-ggi⟩ *m* **1.** *tec* Getriebe *n;* **2.** *fig* Getriebe *n*, Räderwerk *n;* **essere preso nell'~ degli affari** von den Geschäften voll in Anspruch genommen sein. **ingranare** [...'na:re] **I.** *tr* einkuppeln; *(marcia)* einlegen; **II.** *itr* **1.** *tec* (ineinander)greifen; **2.** *fam (render bene, funzionare)* klappen; *(persone)* mitmachen, mitziehen.

ingrandimento [ingrandi'mento] *m (ampliamento, fot)* Vergrößerung *f; (di edificio)* Ausbau *m*. **ingrandire** [...'di:re] ⟨ingrandisco⟩ **I.** *tr* ⟨*avere*⟩ **1.** *(ampliare, fot)* vergrößern; *(edificio)* ausbauen; **2.** *fig (esagerare)* aufbauschen; **II.** *itr* ⟨*essere*⟩ groß (*o* größer) werden, wachsen; **III.** *rfl:* **-irsi 1.** *(crescere)* sich vergrößern, wachsen; **2.** *fig (espandersi)* sich erweitern, wachsen.

ingrassare [iŋgras'sa:re] **I.** *tr* ⟨*avere*⟩ **1.** *(persone)* dick machen; **2.** *zoo* mästen; **3.** *agr* düngen; **4.** *(ungere con grasso)* einfetten, einölen; *(lubrificare)* schmieren; *(automobili)* abschmieren; **II.** *itr* ⟨*essere*⟩, *rfl:* **-arsi 1.** *(aumentare di peso)* dick (*o* fett) werden; **2.** *fig (arricchire)* reich werden. **ingrasso** [iŋ'grasso] *m* **1.** *zoo* Mast *f;* **2.** *agr* Düngung *f; (concime)* Dünger *m*.

ingratitudine [iŋgrati'tu:dine] *f* Undankbarkeit *f*, Undank *m*. **ingrato, -a** [iŋ'gra:to] **I.** *agg* **1.** *(non riconoscente)* undankbar; **2.** *fig* undankbar; *(spiacevole)* unangenehm; **II.** *m, f* Undankbare(r) *mf*, undankbarer Mensch.

ingraziarsi [iŋgrat'tsi̯arsi] *rfl* sich beliebt machen (*qu* bei jdm).

ingrediente [iŋgre'di̯ɛnte] *m* Zutat *f*.

ingresso [iŋ'grɛsso] *m* **1.** *(entrata, accesso)* Eingang *m;* **2.** *(anticamera)* Vorzimmer *n;* **3.** *(atto dell'entrare)* Eintritt *m; teat* Auftritt *m; (in una carica)* Antritt *m;* **4.** *inform* Eingabe *f;* **5.** *(facoltà di entrare)* Zutritt *m;* **6.** *(prezzo)* Eintritt(-spreis) *m;* **7.** *(biglietto)* (Eintritts)karte *f;* **~ libero** Eintritt frei; **è vietato l'~** Zutritt verboten.

ingrossare [iŋgros'sa:re] **I.** *tr* ⟨*avere*⟩ **1.** *(rendere grosso)* dick machen; **2.** *(accrescere)* verstärken, vergrößern; **3.** *(gonfiare)* anschwellen lassen; *(mare a.)* aufwühlen; **II.** *itr* ⟨*essere*⟩, *rfl:* **-arsi** anschwellen.

ingrosso [iŋ'grɔsso]: **all'~** *avv* en gros, Groß-; **commercio all'~** Großhandel *m*.

inguaiare [iŋgu̯a'i̯a:re] ⟨inguaio, inguai⟩ *fam, mer* **I.** *tr* Scherereien einbringen (*qu* jdm), in Schwierigkeiten bringen (*qu* jdn); **~ una ragazza** einem Mädchen ein Kind machen *fam;* **II.** *rfl:* **-arsi** Scherereien haben (*o* bekommen), in Schwierigkeiten geraten; **si è inguaiato fino al collo** er steckt bis zum Hals im Schlamassel *fam*.

inguaIcibile [iŋgu̯al'tʃi:bile] *agg* knitterfrei.

inguaribile [iŋgu̯a'ri:bile] *agg* unheilbar; *fig* unverbesserlich.

inguine ['iŋgu̯ine] *m* Leiste *f*.

ingurgitare [iŋgurdʒi'ta:re] *tr* hinunterschlucken, hinunterwürgen.

inibire [ini'bi:re] ⟨inibisco⟩ *tr* **1.** *(proibire)* untersagen, verbieten; **2.** *(impedire)* hindern *(qc a qu* jdn an etw. *(dat));* **3.** *psic* hemmen. **inibito, -a** [...'bi:to] **I.** *agg* gehemmt; **II.** *m, f* gehemmter Mensch. **inibizione** [...bit'tsi̯o:ne] *f* Hemmung *f*.

iniettare [ini̯et'ta:re] *tr* (ein)spritzen, injizieren. **iniettore** [...'to:re] *m mot* Einspritzdüse *f*.

iniezione [ini̯et'tsi̯o:ne] *f* **1.** *tec* Einspritzung *f;* **2.** *med* Injektion *f,* Spritze *f;* **motore ad** ~ Einspritzmotor *m.*

inimicarsi [inimi'karsi] ⟨m'inimico, t'inimichi⟩ *rfl* sich verfeinden, sich überwerfen. **inimicizia** [...i'tʃittsi̯a] ⟨-ie⟩ *f* Feindschaft *f.*

inimitabile [inimi'ta:bile] *agg* unnachahmlich.

inimmaginabile [inimmadʒi'na:bile] *agg* unvorstellbar.

inincidentato, -a [inintʃiden'ta:to] *agg mot* unfallfrei.

ininterrotto, -a [ininter'rotto] *agg* ununterbrochen.

iniquità [inikui̯'ta] ⟨-⟩ *f* **1.** *(ingiustizia)* Ungerechtigkeit *f;* **2.** *(malvagità)* Niederträchtigkeit *f,* Bosheit *f.* **iniquo, -a** [i'ni:ku̯o] *agg* **1.** *(ingiusto)* ungerecht, unbillig; **2.** *(malvagio)* niederträchtig, boshaft, bösartig.

iniziale [init'tsi̯a:le] **I.** *agg* anfänglich, Anfangs-; **II.** *f* **1.** *(lettera)* Anfangsbuchstabe *m;* **2.** ⟨*pl*⟩ *(del nome)* Initialen *f pl.* **inizializzare** [...lid'dza:re] *tr inform* initialisieren. **inizializzazione** [...dzat'tsi̯o:ne] *f inform* Initialisierung *f.* **inizialmente** [...i̯al'mente] *avv* am Anfang, zu Beginn.

iniziare [init'tsi̯a:re] ⟨inizio, inizi⟩ *tr* **1.** *(intraprendere)* beginnen, anfangen; **2.** *(avviare)* einführen (*a* in +*akk*), einweisen (*a* in +*akk*); *(a un rito, a un'arte)* einweihen (*a* in +*akk*); **3.** *inform* starten.

iniziativa [inittsi̯a'ti:va] *f* **1.** *(azione decisa e volontaria)* Initiative *f,* Anregung *f;* **2.** *(attitudine, intraprendenza)* Unternehmung *f;* **spirito d'**~ Unternehmungsgeist *m;* **agire di propria** ~ etw. auf eigene Faust (*o* von sich *(dat)* aus) tun; ~ **di difesa strategica** strategische Verteidigungsinitiative, SDI *n.*

iniziato, -a [init'tsi̯a:to] **I.** *agg* eingeführt (*a* in +*akk*); *(a un rito, a un'arte)* eingeweiht (*a* in +*akk*); **II.** *m, f* Eingeweihte(r) *mf.* **iniziazione** [...i̯at'tsi̯o:ne] *f* Einweihung *f* (*a* in +*akk*).

inizio [i'nittsi̯o] ⟨-i⟩ *m* Beginn *m,* Anfang *m;* **-i** Anfänge *m pl;* **all'**~ anfangs, am Anfang, zu Beginn.

innalzare [innal'tsa:re] **I.** *tr* **1.** *(levare in alto)* hochheben; *(tenere)* hochhalten; **2.** *(aumentare il livello)* ansteigen lassen, erhöhen; **3.** *(erigere)* errichten; **4.** *(rizzare)* aufrichten; **5.** *fig (d'importanza, d'intensità)* erheben (*a* zu), machen (*a* zu); ~ **una preghiera** ein Gebet zum Himmel erheben; **II.** *rfl:* **-arsi 1.** *(levarsi verso l'alto)* sich erheben, emporragen; **2.** *fig (socialmente)* aufsteigen.

innamoramento [innamora'mento] *m* Verliebtheit *f.* **innamorare** [...'ra:re] **I.** *tr* verliebt machen; **II.** *rfl:* **-arsi** sich verlieben (*di* in +*akk*). **innamorato, -a** [...'ra:to] **I.** *agg* verliebt; ~ **cotto** bis über beide Ohren verliebt; **II.** *m, f* Verliebte(r) *mf.*

innanzi [in'nantsi] **I.** *avv* **1.** *(avanti)* vorn(e); **2.** *(prima)* vorher, vorhin; **tirare** ~ *fig* durchkommen; **II.** *prp* vor +*dat;* ~ **tempo** vorzeitig; ~ **tutto** vor allem, insbesondere.

innato, -a [in'na:to] *agg (per natura)* angeboren; *(spontaneo)* natürlich.

innaturale [innatu'ra:le] *agg* unnatürlich.

innegabile [inne'ga:bile] *agg* unleugbar, unbestreitbar.

innervosire [innervo'si:re] ⟨innervosisco⟩ **I.** *tr* nervös machen; **II.** *rfl:* **-irsi** nervös werden.

innescare [innes'ka:re] ⟨innesco, inneschi⟩ *tr* **1.** *(ami)* einen Köder festmachen an +*dat;* **2.** *(cariche esplosive)* scharf machen; **3.** *fig* in Gang setzen. **innesco** [in'nesko] ⟨-schi⟩ *m* Auslösung *f; (di carica esplosiva)* Zündvorrichtung *f.*

innestare [innes'ta:re] *tr* **1.** *agr* veredeln, pfropfen; **2.** *med* transplantieren, verpflanzen; **3.** *tec* kuppeln; *(marcia)* einlegen; **4.** *(inserire)* einschieben; *el (spina)* einstecken. **innesto** [in'nɛsto] *m* **1.** *agr* Vered(e)lung *f,* Pfropfung *f; (parte da innestare)* Pfropfreis *n;* **2.** *med* Transplantation *f,* Verpflanzung *f;* **3.** *tec* Kupplung *f.*

innevato, -a [inne'va:to] *agg* verschneit.

inno ['inno] *m* Hymne *f.*

innocente [inno'tʃɛnte] **I.** *agg* unschuldig; **II.** *mf* **1.** *(non colpevole)* Unschuldige(r) *mf;* **2.** *(bambino)* unschuldiges Kind. **innocenza** [...'tʃɛntsa] *f* **1.** *(mancanza di colpa)* Unschuld *f,* Schuldlosigkeit *f;* **2.** *(purezza d'animo)* Unschuld *f.*

Innocenzo [inno'tʃɛntso] *(nome proprio maschile)* Innozenz.

innocuità [innokui̯'ta] ⟨-⟩ *f* Unschädlichkeit *f; (di persone, animali)* Harmlosigkeit *f.* **innocuo, -a** [in'nɔ:kuo] *agg* unschädlich; *(animale, persona)* harmlos.

innovare [inno'va:re] *tr* erneuern. **innovativo, -a** [...'ti:vo] *agg* innovativ. **innovatore, -trice** [...va'to:re] *m, f* Erneuerer *m,* Erneuerin *f.* **innovazione** [...vat'tsi̯o:ne] *f* Erneuerung *f; (novità)* Neuerung *f,* Innovation *f.*

innumerevole [innume're:vole] *agg* unzählig.

inoccupato, -a [inokku'pa:to] **I.** *agg* unbeschäftigt, beschäftigungslos; **II.** *m, f* Unbeschäftigte(r) mf.

inoculare [inoku'la:re] *tr* (ein)impfen.

inodore, inodoro, -a [ino'do:re, ...ro] *agg* geruchlos, geruchfrei; *(fiore)* nicht riechend.

inoffensivo, -a [inoffen'si:vo] *agg (parole, azioni)* nicht beleidigend, harmlos; *(animale)* ungefährlich, harmlos.

inoltrare [inol'tra:re] **I.** *tr* **1.** *amm* einreichen; **2.** *(far proseguire)* übermitteln,

weiterleiten; **II.** *rfl:* **-arsi 1.** *(addentrarsi)* (weiter) hineingehen, vor-, eindringen; **2.** *fig (progredire)* sich hineinarbeiten, vordringen. **inoltrato, -a** [...'tra:to] *agg* spät(abends); **fino a notte -a** bis spät in die Nacht (hinein).
inoltre [i'noltre] *avv* **1.** *(oltre a ciò)* ferner, außerdem; **2.** *(per di più)* darüber hinaus, überdies.
inoltro [i'noltro] *m* Weiterleiten *n,* Weiterbeförderung *f.*
inondare [inon'da:re] *tr* **1.** *(allagare)* überschwemmen; **2.** *fig (gioia, tenerezza)* erfüllen; *(lacrime)* überströmen, fließen über +*akk.* **inondazione** [...dat'tsjo:ne] *f* **1.** *(allagamento)* Überschwemmung *f;* **2.** *fig* Schwemme *f.*
inoperoso, -a [inope'ro:so] *agg (persona)* untätig; *(capitale)* tot; *(macchina)* stillgelegt.
inopportunità [inopportuni'ta] *f* Ungelegenheit *f.* **inopportuno, -a** [...'tu:no] *agg* unangebracht; *(visita)* ungelegen.
inoppugnabile [inoppuɲ'ɲa:bile] *agg* **1.** *(certo, evidente)* unwiderlegbar; **2.** *dir* unanfechtbar.
inorganico, -a [inor'ga:niko] *agg* **1.** *chim* anorganisch; **2.** *(privo di organicità)* zusammenhang(s)los, nicht organisch.
inorgoglire [inorgoʎ'ʎi:re] ⟨inorgoglisco⟩ **I.** *tr* ⟨*avere*⟩ stolz machen (*di* auf +*akk*); **II.** *itr* ⟨*essere*⟩, *rfl:* **-irsi** stolz werden (*per* auf +*akk).*
inorridire [inorri'di:re] ⟨inorridisco⟩ **I.** *tr* ⟨*avere*⟩ erschrecken, entsetzen; **II.** *itr* ⟨*essere*⟩ (er)schaudern.
inospitale [inospi'ta:le] *agg* **1.** *(persona, casa)* ungastlich, unfreundlich; **2.** *(regione)* unwirtlich.
inosservanza [inosser'vantsa] *f* Nichtbeachtung *f,* Nichteinhaltung *f,* Mißachtung *f;* ~ **contrattuale** *dir* Nichteinhaltung *f* des Vertrags; ~ **degli accordi** *dir* Übertretung *f* der Vereinbarungen.
inosservato, -a [inosser'va:to] *agg* unbemerkt; *(a. non rispettato)* unbeachtet.
inossidabile [inossi'da:bile] *agg* **1.** *(acciaio)* nicht rostend, rostfrei; **2.** *fig* unverwüstlich, nicht totzukriegen(d) *fam.*
INPS ['imps] *m acr di* **Istituto Nazionale Previdenza Sociale** *staatliche italienische Sozialversicherungsanstalt.*
inquadramento [iŋkuadra'mento] *m* Einordnung *f.* **inquadrare** [...'dra:re] *tr* **1.** *(incorniciare)* einrahmen; **2.** *fig (dare rilievo)* einordnen; **3.** *fot, film* aufnehmen. **inquadratura** [...ra'tu:ra] *f fot* Bildausschnitt *m; film* Einstellung *f.*
inqualificabile [iŋkualifi'ka:bile] *agg* unter aller Kritik.
inquietante [iŋkuie'tante] *agg* beunruhigend, besorgniserregend. **inquietare** [...'ta:re] **I.** *tr* beunruhigen, beängstigen; **II.** *rfl:* **-arsi** sich beunruhigen, unruhig werden. **inquieto, -a** [iŋ'kuiɛ:to] *agg* **1.** *(turbato)* unruhig; **2.** *(irritato)* verärgert; **3.** *(preoccupato)* besorgt. **inquietudine** [...ie'tu:dine] *f* Unruhe *f; (preoccupazione)* Beunruhigung *f,* Sorge *f.*
inquilino, -a [iŋkui'li:no] *m, f* Mieter(in) *m(f).*
inquinamento [iŋkuina'mento] *m* Verschmutzung *f;* ~ **acustico** Lärmbelastung *f;* ~ **atmosferico** Luftverschmutzung *f;* ~ **nucleare** radioaktive Verseuchung; ~ **dell'ambiente** Umweltverschmutzung *f;* ~ **da petrolio** Ölpest *f;* ~ **delle prove** *dir* Manipulation *f* von Beweismaterial. **inquinante** [iŋkui'nante] *agg* umweltgefährdend, umweltfeindlich; **sostanza** ~ Schadstoff *m.* **inquinare** [iŋkui'na:re] *tr* **1.** *(infettare)* verschmutzen, verseuchen; **2.** *fig (corrompere)* verderben.
inquirente [iŋkui'rɛnte] **I.** *agg* untersuchend, ermittelnd, Untersuchungs-; **II.** *f* Untersuchungsausschuß *m.*
inquisire [iŋkui'zi:re] ⟨inquisisco⟩ *tr* ermitteln (*qc* gegen jdn). **inquisitore, -trice** [...zi'to:re] **I.** *agg* forschend; *dir* Ermittlungs-, Untersuchungs-; **II.** *m st* Inquisitor *m;* **III.** *m, f* Ermittler(in) *m(f).* **inquisitorio, -a** [...zi'tɔ:rio ⟨-ri, -ie⟩ *agg* **1.** *dir* Ermittlungs-, Untersuchungs-; **2.** *fig* forschend. **inquisizione** [...zit'tsio:ne] *f* **1.** *(inchiesta)* Untersuchung *f;* **2.** *st* Inquisition *f.*
insabbiare [insab'bia:re] ⟨insabbio, insabbi⟩ **I.** *tr* **1.** *(coprire di sabbia)* mit Sand bedecken; **2.** *fig (non far procedere)* im Sand(e) verlaufen lassen; **II.** *rfl:* **-arsi 1.** *(coprirsi di sabbia)* versanden; **2.** *(arenarsi)* auf Sand laufen, auflaufen; **3.** *fig (non procedere)* im Sand(e) verlaufen.
insaccare [insak'ka:re] ⟨insacco, insacchi⟩ *tr* **1.** *(mettere in sacchi)* einsacken, in Säcke füllen; *(in budelli)* in Häute (*o* Därme) füllen; **2.** *fig* hineinstopfen, zwängen.
insaccati [insak'ka:ti] *m pl* Wurst *f,* Wurstwaren *f pl.*
insalata [insa'la:ta] *f* Salat *m.* **insalatiera** [...la'tiɛ:ra] *f* Salatschüssel *f.*
insalubre [insa'lu:bre] *agg* ungesund, gesundheitsschädlich.
insanabile [insa'na:bile] *agg* **1.** *(inguaribile)* unheilbar; **2.** *(irrimediabile)* hoffnungslos, ausweglos; **3.** *(fig: implacabile)* unversöhnlich.
insanguinare [insaŋgui'na:re] **I.** *tr* blutig machen; *(a. fig)* mit Blut beflecken; **II.** *rfl:* **-arsi** sich blutig machen *fam,* sich mit Blut beflecken *(a. fig).*
insaponare [insapo'na:re] *tr* einseifen.
insaporire [insapo'ri:re] ⟨insaporisco⟩ **I.** *tr* abschmecken; **II.** *rfl:* **-irsi** schmackhaft werden.
insaputa [insa'pu:ta] *f:* **all'**~ **di** ohne Wissen +*gen;* **a mia** ~ ohne mein Wis-

sen.

insaziabile [insat'tsi̯a:bile] *agg* unersättlich.

inscenare [inʃe'na:re] *tr* **1.** *teat* inszenieren; **2.** *fig* veranstalten, machen.

insecchire [insek'ki:re] ⟨insecchisco⟩ *itr* ⟨*essere*⟩ **1.** *(diventare secco)* austrocknen; **2.** *fig (persona)* abmagern.

insediamento [insedi̯a'mento] *m* **1.** *(in una carica)* Amtseinsetzung *f*, Amtsantritt *m;* **2.** *(presa di possesso)* Einnahme *f;* **3.** *geog* (An)siedlung *f;* **4.** *peg* Einnistung *f*. **insediare** [...'di̯a:re] ⟨insedio, insedi⟩ **I.** *tr* (in das Amt) einsetzen; **II.** *rfl:* **-arsi 1.** *amm* sein Amt antreten; **2.** *fig* sich niederlassen, sich ansiedeln; **3.** *peg* sich einnisten.

insegna [in'seɲɲa] *f* **1.** *(di grado, dignità)* Abzeichen *n*, Zeichen *n; (bandiera)* Flagge *f; (stemma)* Wappen *n;* **2.** *(di negozio, impresa, viale)* Schild *n;* **all'~ di** *fig* im Zeichen *+gen*.

insegnamento [inseɲɲa'mento] *m* **1.** *(di una disciplina, di un'arte)* Unterricht *m;* **2.** *(precetto)* Lehre *f*. **insegnante** [...'ɲante] **I.** *agg* lehrend, Lehr-; **II.** *mf* Lehrer(in) *m(f)*, Lehrkraft *f adm*. **insegnare** [...'ɲa:re] **I.** *tr* lehren (*qc a qu* jdn etw.), unterrichten *(qc a qu* jdn in etw. *(dat)); (comportamento)* beibringen (*qc a qu* jdm etw.); **II.** *itr* unterrichten, lehren.

inseguire [inse'gu̯i:re] *tr* verfolgen (*qu* jdn), nachlaufen (*qu* jdm). **inseguitore, -trice** [...u̯i'to:re] *m, f* Verfolger(in) *m(f)*.

inseminazione [inseminat'tsi̯o:ne] *f* Befruchtung *f;* ~ **artificiale** künstliche Befruchtung.

insenatura [insena'tu:ra] *f* Einbuchtung *f*, Bucht *f*.

insensato, -a [insen'sa:to] *agg (persona)* unvernünftig; *(azione)* unsinnig.

insensibile [insen'si:bile] *agg* **1.** *(impercettibile)* unmerklich, unauffällig; **2.** *(nervo, arto)* unempfindlich; **3.** *(persona)* unempfindlich (*a* gegen); *peg* gefühllos. **insensibilità** [...sibili'ta] *f* Unempfindlichkeit *f* (*a* gegen); *peg* Gefühllosigkeit *f*.

inseparabile [insepa'ra:bile] *agg* **1.** *(cose)* untrennbar; **2.** *(persone)* unzertrennlich.

inserimento [inseri'mento] *m* Einfügung *f; (di persona)* Eingliederung *f*. **inserire** [...'ri:re] ⟨inserisco⟩ **I.** *tr* **1.** *(introdurre)* einfügen, -stecken, -legen; *(spina)* einstecken; **2.** *fig (includere)* einfügen; **3.** *(in un giornale)* aufgeben; **II.** *rfl:* **-irsi 1.** *(essere attaccato)* sich einfügen, einrasten; **2.** *fig (integrarsi)* beitreten (*in qc* einer S. *dat*), eintreten (*in* in *+akk*); **3.** *fig (intromettersi)* sich einschalten.

inserto [in'sɛrto] *m* **1.** *(incartamento)* Aktenheft *n;* **2.** *(in giornale, rivista)* Beilage *f;* **3.** *(di abbigliamento)* Einsatz *m;* **4.** *film* Insert *n;* ~ **pubblicitario** Werbebeilage *f*.

inservibile [inser'vi:bile] *agg* unbrauchbar, nutzlos.

inserviente [inser'vi̯ɛnte] *mf* Hilfskraft *f*.

inserzione [inser'tsi̯o:ne] *f* **1.** *(atto dell'inserire)* Einfügung *f*, Einschiebung *f;* **2.** *(annuncio pubblicitario)* Anzeige *f*, Inserat *n;* **fare un'~** eine Anzeige aufgeben. **inserzionista** [...tsi̯o'nista] ⟨-i *m*, -e *f*⟩ *mf* Inserent(in) *m(f)*.

insetticida [insetti'tʃi:da] ⟨-i, -e⟩ **I.** *agg* insektenvertilgend, Insekten-; **II.** *m* Insektenbekämpfungsmittel *n*, Insektizid *n wissensch*.

insetto [in'sɛtto] *m* Insekt *n;* ~ **nocivo** Schädling *m*.

insicurezza [insiku'rettsa] *f* Unsicherheit *f*. **insicuro, -a** [...'ku:ro] *agg* unsicher.

insider trading [in'saidə 'treidiŋ] ⟨-⟩ *m* Insidergeschäft *n*.

insidia [in'si:di̯a] ⟨-ie⟩ *f* **1.** *(tranello)* Hinterhalt *m*, Falle *f;* **2.** *(pericolo)* Falle *f*, Tücke *f*. **insidiare** [insi'di̯a:re] ⟨insidio, insidi⟩ *tr* in einen Hinterhalt locken (*qu* jdn), auflauern (*qu* jdm). **insidioso, -a** [...'di̯o:so] *agg (persone, domande)* hinterhältig; *(cose)* (heim)tückisch.

insieme [in'si̯ɛ:me] **I.** *avv* **1.** *(in compagnia, complessivamente)* zusammen; **2.** *(contemporaneamente)* zugleich, gleichzeitig; **II.** *prp:* ~ **con 1.** *(in compagnia, in unione)* zusammen (*o* gemeinsam) mit *+dat;* **2.** *(contemporaneamente)* gleichzeitig mit *+dat;* **III.** *m* **1.** *(totalità)* Gesamtheit *f*, Ganze(s) *n;* **2.** *mat* Menge *f*.

insiemistica [insi̯e'mistika] ⟨-che⟩ *f* Mengenlehre *f*.

insigne [in'siɲɲe] *agg* bedeutend, hervorragend.

insignificante [insiɲɲifi'kante] *agg* unbedeutend; *(trascurabile)* unwesentlich.

insincero, -a [insin'tʃɛ:ro] *agg* unaufrichtig, unehrlich.

insindacabile [insinda'ka:bile] *agg* unkontrollierbar; *(definitivo)* unanfechtbar, endgültig.

insinuante [insinu'ante] *agg* einschmeichelnd. **insinuare** [...'a:re] **I.** *tr* unterstellen; *(sospetti)* erwecken, erregen; **II.** *rfl:* **-arsi 1.** *(infiltrarsi)* eindringen; **2.** *fig* sich einschleichen (*in* in *+akk*), erschleichen (*in qc* etw.). **insinuazione** [...uat'tsi̯o:ne] *f* Unterstellung *f*.

insipido, -a [in'si:pido] *agg* **1.** *gastr* fade, geschmacklos; **2.** *fig (banale)* fade.

insistente [insis'tɛnte] *agg* nachdrücklich, eindringlich; *(ostinato)* beharrlich; *(continuo)* anhaltend. **insistenza** [...'tɛntsa] *f* Beharrlichkeit *f; (continuità)* Anhalten *n*. **insistere** [in'sistere] ⟨insisto, insistei *o* insistetti, insistito⟩ *itr* bestehen (*a, in* auf *+dat*), beharren (*a, in* auf *+dat*).

insito, -a ['insito] *agg* verwurzelt, innewohnend; *(qualità)* angeboren.
insoddisfatto, -a [insoddis'fatto] *agg* **1.** *(persona)* unbefriedigt, unzufrieden (*di* mit); **2.** *(desiderio)* unerfüllt. **insoddisfazione** [...t'tsio:ne] *f* Unzufriedenheit *f*, Unbefriedigtsein *n*.
insofferente [insoffe'rɛnte] *agg* unduldsam. **insofferenza** [...'rɛntsa] *f* Unduldsamkeit *f*.
insolazione [insolat'tsio:ne] *f* Sonnenstich *m*.
insolente [inso'lɛnte] *agg* frech. **insolentire** [...len'ti:re] ⟨insolentisco⟩ **I.** *tr* ⟨*avere*⟩ beleidigen, beschimpfen; **II.** *itr* **1.** ⟨*avere*⟩ schimpfen; **2.** ⟨*essere*⟩ frech werden. **insolenza** [...'lɛntsa] *f* **1.** *(arroganza)* Frechheit *f*, Unverschämtheit *f*; **2.** *(villania)* Beleidigung *f*.
insolito, -a [in'sɔ:lito] *agg* ungewöhnlich.
insolubile [inso'lu:bile] *agg* **1.** *(problema, questione)* unlösbar; *(dubbio)* nicht zu zerstreuen(d); **2.** *chim* unlöslich. **insoluto, -a** [...'lu:to] *agg* **1.** *(problema, questione)* ungelöst, nicht gelöst; **2.** *chim* nicht gelöst; **3.** *(debito)* nicht eingelöst, unbezahlt.
insolvente [insol'vɛnte] *agg* zahlungsunfähig, insolvent. **insolvenza** [...'vɛntsa] *f* Zahlungsunfähigkeit *f*, Insolvenz *f*.
insomma [in'somma] **I.** *avv (dunque)* also, somit; *(in breve)* kurz; *(in conclusione)* schließlich; **II.** *interi* (was) nun, also (was).
insonne [in'sɔnne] *agg* **1.** *(notte)* schlaflos; **2.** *fig (instancabile)* unermüdlich.
insonnia [in'sɔnnia] ⟨-ie⟩ *f* Schlaflosigkeit *f*. **insonnolito, -a** [insonno'li:to] *agg* schläfrig, verschlafen.
insonorizzante [insonorid'dzante] *agg* schalldämpfend, schallschluckend. **insonorizzare** [...'dza:re] *tr* schalldämmen. **insonorizzato, -a** [...'dza:to] *agg* schalldicht. **insonorizzazione** [...dzat'tsio:ne] *f* Schalldämmung *f*.
insopportabile [insoppor'ta:bile] *agg* unerträglich.
insorgere [in'sordʒere] ⟨*irr*⟩ *itr* ⟨*essere*⟩ **1.** *(ribellarsi)* aufstehen (*contro* gegen), sich erheben (*contro* gegen); **2.** *(manifestarsi)* auftreten.
insormontabile [insormon'ta:bile] *agg* unüberwindlich.
insorto, -a [in'sorto] *m, f* Aufständische(r) *mf*.
insospettabile [insospet'ta:bile] *agg* **1.** *(superiore a qualsiasi sospetto)* unverdächtig, über jeden Verdacht erhaben; **2.** *(impreveduto)* unvermutet, ungeahnt.
insospettire [insospet'ti:re] ⟨insospettisco⟩ **I.** *tr* ⟨*avere*⟩ argwöhnisch machen, Verdacht erregen bei; **II.** *itr* ⟨*essere*⟩, *rfl:* **-irsi** argwöhnisch werden, Verdacht schöpfen.
insostenibile [insoste'ni:bile] *agg (pena, situazione)* unerträglich; *(spese)* untragbar; *(mil, tesi, posizione)* unhaltbar.
insostituibile [insostitu'i:bile] *agg* unersetzlich.
insperato, -a [inspe'ra:to] *agg* unverhofft.
inspiegabile [inspie'ga:bile] *agg* unerklärlich.
instabile [ins'ta:bile] *agg* nicht stabil, instabil; *(tempo)* unbeständig; *(carattere a.)* wankelmütig. **instabilità** [...tabili'ta] *f* Unbeständigkeit *f*, Instabilität *f*.
installare [instal'la:re] *tr* **1.** *(persone)* unterbringen; *(in una carica)* einsetzen; **2.** *tec* anschließen, installieren; **3.** *inform* installieren. **installazione** [...lat'tsio:ne] *f (a. inform)* Installation *f*; *(impianto)* Einrichtung *f*; *(di missile)* Stationierung *f*.
instancabile [instaŋ'ka:bile] *agg* unermüdlich.
instaurare [instau'ra:re] *tr* schaffen; *(repubblica)* gründen; *(dittatura, regime)* errichten; *(processo)* einleiten.
instradare [instra'da:re] *tr* leiten, einweisen.
insù [in'su] *avv:* **all'~** nach oben, hinauf.
insubordinazione [insubordinat'tsio:ne] *f* **1.** *(indisciplina)* Undiszipliniertheit *f*; **2.** *mil* Gehorsamsverweigerung *f*, Insubordination *f geh*.
insuccesso [insut'tʃɛsso] *m* Mißerfolg *m*.
insudiciare [insudi'tʃa:re] ⟨insudicio, insudici⟩ **I.** *tr* **1.** *(sporcare)* schmutzig machen, beschmutzen; **2.** *fig (disonorare)* entehren; **II.** *rfl:* **-arsi 1.** *(sporcarsi)* sich schmutzig machen; **2.** *fig (compromettersi)* sich in Verruf bringen.
insufficiente [insuffi'tʃɛnte] *agg* **1.** *(non bastevole)* ungenügend, unzureichend; *(a scuola)* ungenügend; **2.** *(non idoneo)* ungeeignet, unfähig. **insufficienza** [...'tʃɛntsa] *f* **1.** *(inadeguatezza)* Unzulänglichkeit *f*; **2.** *(incapacità)* Ungeeignetheit *f*, Unfähigkeit *f*; **3.** *(votazione scolastica)* Ungenügend *n*; **4.** *med* Insuffizienz *f*, Schwäche *f*; **~ respiratoria** *med* Atemnot *f*.
insulare [insu'la:re] *agg* Insel-, insular.
insulina [insu'li:na] *f* Insulin *n*.
insulso, -a [in'sulso] *agg* **1.** *(cosa)* nichtssagend; **2.** *(persona)* geistlos.
insultare [insul'ta:re] *tr* beleidigen, beschimpfen. **insulto** [in'sulto] *m* Beleidigung *f*, Beschimpfung *f*.
insuperabile [insupe'ra:bile] *agg* **1.** *(insormontabile)* unüberwindlich; **2.** *(eccellente, imbattibile)* unübertrefflich. **insuperato, -a** [...'ra:to] *agg* unübertroffen.
insuperbire [insuper'bi:re] ⟨insuperbisco⟩ **I.** *tr* ⟨*avere*⟩ hochmütig machen; **II.** *itr* ⟨*essere*⟩, *rfl:* **-irsi** hochmütig werden.

insurrezione [insurret'tsi̯o:ne] *f* Aufstand *m.*

insussistente [insussis'tɛnte] *agg* inexistent, nicht bestehend.

intaccare [intak'ka:re] ⟨intacco, intacchi⟩ *tr* **1.** *(incidere)* (ein)kerben; **2.** *(corrodere, a. fig, med)* angreifen; **3.** *fig (ledere)* schaden (*qc* einer Sache *dat*). **intaccatura** [...ka'tu:ra] *f* **1.** *(atto dell'intaccare)* (Ein)kerben *n;* **2.** *(tacca, incavatura)* Kerbe *f.*

intagliare [intaʎ'ʎa:re] *tr (legno)* schnitzen; *(pietra)* hauen. **intaglio** [in'taʎʎo] *m* Schnitzerei *f.*

intanto [in'tanto] **I.** *avv* **1.** *(nel frattempo)* inzwischen, unterdessen; **2.** *(invece)* dagegen; **per** ~ einstweilen; **II.** *cong:* ~ **che** während.

intarsiare [intar'si̯a:re] ⟨intarsio, intarsi⟩ *tr* intarsieren. **intarsio** [in'tarsi̯o] ⟨-i⟩ *m* Intarsie *f,* Einlegearbeit *f.*

intasamento [intɑzɑ'mento] *m* Verstopfung *f; (del traffico)* Stau *m.*

intasare [inta'sa:re *o* ...'za:re] **I.** *tr* verstopfen; **II.** *rfl:* **-arsi** sich verstopfen.

intascare [intas'ka:re] ⟨intasco, intaschi⟩ *tr* einstecken, in die Tasche stecken.

intatto, -a [in'tatto] *agg* **1.** *(mai toccato)* unberührt; **2.** *(puro)* unbefleckt; **3.** *(integro)* unversehrt.

intavolare [intavo'la:re] *tr* einleiten; *(discussione)* eröffnen.

integerrimo [inte'dʒɛrrimo] *superl di* **integro.**

integrale [inte'gra:le] **I.** *agg* **1.** *(completo, intero)* vollständig, gesamt, Voll-; **2.** *mat* Integral-; **edizione** ~ Gesamtausgabe *f;* **II.** *m* Integral *n.*

integrare [inte'gra:re] **I.** *tr* **1.** *(completare)* ergänzen; **2.** *soc* integrieren, eingliedern; **II.** *rfl:* **-arsi 1.** *(completarsi)* sich ergänzen; **2.** *soc* sich integrieren, sich einfügen. **integrativo, -a** [...gra'ti:vo] *agg* Zusatz-, Ergänzungs-; **esame** ~ *(scuola)* Aufnahmeprüfung *f.* **integrazione** [...rat'tsi̯o:ne] *f* **1.** *(completamento)* Ergänzung *f,* Zusatz *m;* **2.** *mat* Integration *f;* **3.** *soc (~ razziale, ecc.)* Integration *f,* Eingliederung *f;* **4.** *(collaborazione)* Zusammenarbeit *f;* **corso d'**~ Aufbaukurs *m;* ~ **economica** wirtschaftliche Integration.

integrità [integri'ta] ⟨-⟩ *f* **1.** *(qualità di intatto)* Unversehrtheit *f,* Intaktheit *f; (completezza)* Vollständigkeit *f;* **2.** *fig* Rechtschaffenheit *f,* Integrität *f.* **integro, -a** ['integro] ⟨più integro, integerrimo⟩ *agg* **1.** *(intatto)* intakt, unversehrt; *(completo)* vollständig; **2.** *fig* integer, rechtschaffen.

intelaiatura [intelai̯a'tu:ra] *f* **1.** *arch* Gerüst *n; (di finestra)* Rahmen *m; (di nave)* Spanten *n pl; (di ponte)* Tragwerk *n;* **2.** *fig* Aufbau *m.*

intelletto [intel'lɛtto] *m* Geist *m,* Intellekt *m,* Verstand *m.* **intellettuale** [intellettu'a:le] **I.** *agg* geistig, intellektuell, Denk-; **facoltà** ~ Denkvermögen *n;* **lavoro** ~ geistige Arbeit; **II.** *mf* Intellektuelle(r) *mf.*

intelligente [intelli'dʒɛnte] *agg (a. inform)* intelligent; *(che denota buon senso)* klug; **un acquisto** ~ ein kluger Kauf. **intelligenza** [...'dʒɛntsa] *f* **1.** *(facoltà di intendere, pensare)* Verstand *m;* **2.** *(qualità)* Intelligenz *f;* ~ **artificiale** (*abbr* **IA**) künstliche Intelligenz (*abk* KI).

intelligibile [intelli'dʒi:bile] *agg* verständlich.

intemperante [intempe'rante] *agg* unmäßig, maßlos, zügellos.

intemperie [intem'pɛ:ri̯e] *f pl* Unwetter *n.*

intempestivo, -a [intempes'ti:vo] *agg* ungelegen.

intendente [inten'dɛnte] *mf* Verwalter(in) *m(f),* Direktor(in) *m(f).* **intendenza** [...'dɛntsa] *f amm* Direktion *f,* Verwaltungsstelle *f;* ~ **di finanza** Finanzamt *n.*

intendere [in'tɛndere] ⟨*irr*⟩ **I.** *tr* **1.** *(comprendere)* verstehen; **2.** *(udire)* vernehmen, hören; **3.** *(avere intenzione)* beabsichtigen, vorhaben; **darla ad** ~ **a qu** jdm etw. weismachen (*o* vormachen); **lasciar** ~ **qc** etw. durchblicken lassen; **non** ~ **ragione** keine Vernunft annehmen; **II.** *rfl:* **-ersi 1.** *(andare d'accordo)* sich verstehen; **2.** *(esser competente)* sich auskennen (*di* in *+dat*), sich verstehen (*di* auf *+akk*); **intendersela con qu** mit jdm etw. haben *fam; (illecitamente)* mit jdm unter einer Decke stecken. **intendimento** [intendi'mento] *m* Verstand *m; (intenzione, scopo)* Absicht *f,* Sinn *m.* **intenditore, -trice** [...di'to:re] *m, f* Kenner(in) *m(f);* ~ **di vini** Weinkenner(in) *m(f),* Gourmet *m.*

intenerire [intene'ri:re] ⟨intenerisco⟩ **I.** *tr* **1.** *(render tenero)* weich machen; **2.** *fig (commuovere)* erweichen, rühren; **II.** *rfl:* **-irsi 1.** *(divenire tenero)* weich werden; **2.** *fig (commuoversi)* gerührt sein, sich erweichen lassen.

intensificare [intensifi'ka:re] ⟨intensifico, intensifichi⟩ **I.** *tr* verstärken, intensivieren; **II.** *rfl:* **-arsi** sich verstärken, stärker werden.

intensità [intensi'ta] ⟨-⟩ *f* Stärke *f,* Intensität *f.* **intensivo, -a** [...'si:vo] *agg* intensiv. **intenso, -a** [in'tɛnso] *agg* intensiv; *(colore, luce a.)* kräftig, satt; *(sguardo)* eindringlich; *(freddo)* groß; *(affetto)* heftig.

intentare [inten'ta:re] *tr dir* anstrengen; ~ **causa contro qu** gegen jdn einen Prozeß anstrengen.

intentato, -a [inten'ta:to] *agg* unversucht; **non lasciar nulla d'**~ nichts unversucht lassen.

intento [in'tɛnto] *m* **1.** *(proposito)* Absicht *f;* **2.** *(fine)* Zweck *m.*

intento, -a [in'tɛnto] *agg* aufmerksam; **essere ~ a fare qc** dabei sein, etw. zu tun.

intenzionale [intentsi̯o'na:le] *agg* absichtlich, vorsätzlich. **intenzionato, -a** [...'na:to] *agg* gesinnt; **essere bene/male ~** gute/böse Absichten haben; **essere ~ a fare qc** die Absicht haben, etw. zu tun.

intenzione [inten'tsi̯o:ne] *f* **1.** *(proposito)* Absicht *f;* **2.** *(desiderio)* Wille *m;* **avere l'~ di fare qc** die Absicht haben, etw. zu tun.

interamente [intera'mente] *avv* ganz, vollständig.

interattivo, -a [interat'ti:vo] *agg inform* interaktiv.

interaziendale [interaddzi̯en'da:le] *agg* zwischenbetrieblich.

interazione [interat'tsi̯o:ne] *f* Wechselwirkung *f; soc, inform* Interaktion *f.*

intercalare[1] [interka'la:re] **I.** *agg* Zwischen-; *(mese, anno)* Schalt-; **II.** *m* **1.** *(nel parlare)* Füllwort *n;* **2.** *letter* Kehrreim *m,* Refrain *m.*

intercalare[2] [interka'la:re] *tr* einfügen, einschieben.

intercambiabile [-kam'bi̯abile] *agg* austauschbar.

intercapedine [-ka'pɛ:dine] *f* Zwischenraum *m.*

intercedere [-'tʃɛ:dere] *itr* sich einsetzen, sich verwenden *(presso qu per qu/qc* bei jdm für jdn/etw.). **intercessione** [-tʃes'si̯o:ne] *f* Fürsprache *f.* **intercessore, -ceditrice** [...'so:re, -tʃedi'tri:tʃe] *m, f* Fürsprecher(in) *m(f).*

intercettare [-tʃet'ta:re] *tr (lettera)* abfangen; *(telefonata)* abhören; **~ la rotta di una nave** den Kurs eines Schiffes kreuzen. **intercettazione** [...tat'tsi̯o:ne] *f (di lettera)* Abfangen *n; (di telefonata)* Abhören *n.*

intercity [-'siti] ⟨-⟩ *m* (*abbr* **IC**) Intercity *m.*

intercomunicante [-komuni'kante] *agg* Verbindungs-.

intercontinentale [-kontinen'ta:le] *agg* interkontinental.

intercorrere [-'korrere] ⟨*irr*⟩ *itr* ⟨*essere*⟩ dazwischenliegen; *fig* bestehen.

interculturale [-kultu'rale] *agg* interkulturell.

interdentale [-den'tale] *agg* interdental; **filo ~** Zahnseide *f.*

interdetto, -a [-'detto] **I.** *agg* **1.** *(vietato)* verboten, untersagt; **2.** *(stupito)* verwirrt, sprachlos; **3.** *dir* entmündigt; **II.** *m, f dir (persona)* Entmündigte(r) *mf;* **III.** *m dir (divieto)* Verbot *n,* Untersagung *f.*

interdipendente [-dipen'dɛnte] *agg* voneinander abhängig.

interdire [-'di:re] ⟨*irr*⟩ *tr* **1.** *(vietare)* untersagen, verbieten; **2.** *dir* entmündigen.

interdisciplinare [-diʃʃipli'na:re] *agg* interdisziplinär.

interdizione [-dit'tsi̯o:ne] *f* **1.** *(divieto)* Verbot *n;* **2.** *dir* Entmündigung *f;* **3.** *el* Sperre *f.*

interessamento [interessa'mento] *m* Interesse *n; (partecipazione)* Anteilnahme *f.* **interessante** [...'sante] *agg* interessant. **interessare** [...'sa:re] **I.** *tr* ⟨*avere*⟩ **1.** *(riguardare)* betreffen, angehen; **2.** *(destare attenzione)* interessieren, interessant sein für; **II.** *itr* ⟨*essere*⟩ interessieren (*a qu* jdn), angehen (*a qu* jdn); **III.** *rfl:* **-arsi** **1.** *(occuparsi)* sich kümmern (*di* um), sich bemühen (*di* um); **2.** *(mostrare interesse)* sich interessieren (*a, di* für). **interessato, -a** [...'sa:to] **I.** *agg* **1.** interessiert (*a* an *+dat,* für); **2.** *fig peg* eigennützig; *(persona)* materiell eingestellt; **II.** *m, f* Interessent(in) *m(f); (la persona in causa)* Betreffende(r) *mf.*

interesse [inte'rɛsse] *m* **1.** *fin* Zins *m,* Zinsen *m pl;* **2.** *(tornaconto, utilità)* Interesse *n;* **3.** *(interessamento)* Interesse *n; (partecipazione)* (An)teilnahme *f;* **4.** ⟨*pl*⟩ *(affari)* Angelegenheiten *f pl,* Interessen *n pl;* **~ guida** Leitzins *m;* **tasso d'~** Zinssatz *m;* **agire nell'~ di qu** jds Interessen wahrnehmen; **mostrare vivo ~ per qc** für etw. lebhaftes Interesse zeigen.

interfaccia [inter'fattʃa] ⟨-cce⟩ *f inform* Schnittstelle *f,* Interface *n;* **~ grafica** Benutzeroberfläche *f;* **~-uomo-macchina** Mensch-Maschine-Schnittstelle *f.* **interfacciare** [-fat'tʃa:re] ⟨interfaccio, interfacci⟩ *tr* durch ein Interface (*o* eine Schnittstelle) verbinden.

interferenza [interfe'rɛntsa] *f* **1.** *fis* Interferenz *f; (TV, tel a.)* Störung *f fam;* **2.** *fig (intromissione)* Einmischung *f.* **interferire** [...'ri:re] *itr* **1.** *fis* interferieren; **2.** *fig (intromettersi)* sich einmischen (*in* in *+akk*).

interfono [-fɔ:no] *m* (Gegen)sprechanlage *f.*

interiezione [-i̯et'tsi̯o:ne] *f* Interjektion *f.*

interim ['interim] ⟨-⟩ *m* Interim *n;* **ad ~** vorläufig, Übergangs-.

interinale [interi'na:le] *agg* vorläufig, Übergangs-.

interiora [inte'ri̯o:ra] *f pl* Innereien *f pl.*

interiore [inte'ri̯o:re] *agg* innere(r, s), Innen-.

interiorizzare [interi̯orid'dza:re] *tr* verinnerlichen.

interlinea [-'linea] *f* Zeilenabstand *m.*

interlocutore, -trice [-loku'to:re] *m, f* Gesprächspartner(in) *m(f).*

interlocutorio, -a [-loku'tɔ:ri̯o] ⟨-i, -ie⟩ *agg* vorläufig, Zwischen-.

interludio [-'lu:di̯o] ⟨-i⟩ *m mus, teat* Zwischenspiel *n,* Interludium *n.*

intermediario, -a [-me'di̯a:ri̯o] ⟨-i, -ie⟩

I. *agg* dazwischenliegend, Zwischen-; II. *m, f* Vermittler(in) *m(f),* Mittelsperson *f.*

intermedio, -a [-'mɛ:dio] *agg* Zwischen-, Mittel-, mittlere(r, s).

intermezzo [-'mɛddzo] *m* **1.** *mus, letter* Intermezzo *n;* **2.** *(intervallo)* Pause *f.*

interminabile [intermi'na:bile] *agg* endlos, unaufhörlich.

intermittente [-mit'tɛnte] *agg* wechselnd, Wechsel-; *tec* intermittierend.

interna *f v.* **interno.**

internamente [interna'mente] *avv* **1.** *(dentro)* innen, im Inner(e)n; **2.** *fig (nell'anima)* innerlich, im Inner(e)n.

internamento [interna'mento] *m* Internierung *f; med* Einweisung *f.* **internare** [...'na:re] *tr* internieren; *med* einweisen.

internato [inter'na:to] *m* **1.** *med (periodo)* Praktikum *n;* **2.** *(convitto)* Internat *n.*

internazionale [-nattsio'na:le] **I.** *agg* international; **II.** *f:* **l'I~** die Internationale.

internazionalizzare [...nalid'dza:re] *tr* internationalisieren.

internista [inter'nista] ⟨-i *m,* -e *f*⟩ *mf* Internist(in) *m(f).*

interno, -a [in'tɛrno] **I.** *agg* innere(r, s), Innen-; *(mare)* Binnen-; *amm* intern; *(alunno)* Internats-; *(politica)* Innen-; *fig* innerlich; **II.** *m* **1.** *(parte interna)* Innere(s) *n;* **2.** *film* Innenaufnahme *f;* **3.** *(numero interno)* Wohnungsnummer *f; tel* Durchwahlnummer *f,* Apparat *m;* **4.** *(territorio nazionale)* Inland *n;* **III.** *m, f* Internatsschüler(in) *m(f); sport* Mittelstürmer(in) *m(f);* **Ministero degli I-i** Innenministerium *n.*

intero, -a [in'te:ro] **I.** *agg* ganz, vollständig; **un anno ~** ein ganzes Jahr; **II.** *m* Ganze(s) *n;* **per ~** ganz, im ganzen.

interpellare [interpel'la:re] *tr* befragen, anfragen bei; *pol* interpellieren an *+akk.*

interpersonale [-perso'na:le] *agg* zwischenmenschlich.

interplanetario, -a [-plane'ta:rio] *agg* interplanetar(isch), Weltraum-.

interporre [-'porre] ⟨*irr*⟩ **I.** *tr* dazwischenlegen; **per interposta persona** durch Mittelsperson; **II.** *rfl:* **-orsi** dazwischentreten; *fig* sich einschalten.

interpretare [interpre'ta:re] *tr* **1.** *(chiarire, dare un significato)* deuten, auslegen, interpretieren; **2.** *film, TV, teat, mus* spielen; *(cantare)* singen. **interpretazione** [...tat'tsio:ne] *f* **1.** *(di testi, leggi)* Interpretation *f,* Auslegung; *(di parole, azione, sogno)* Deutung *f,* Auslegung *f;* **2.** *(attribuzione di un significato)* Deutung *f;* **3.** *film, teat, mus* Interpretation *f; (film, teat a.)* Darstellung *f.* **interprete** [in'tɛrprete] *mf* **1.** *(traduttore)* Dolmetscher(in) *m(f);* **2.** *film, TV, teat* Darsteller(in) *m(f); (a. mus)* Interpret(in) *m(f);* **3.** *(espositore di volontà altrui)* Vermittler(in) *m(f);* **4.** *inform* Interpreter *m;* **~ simultaneo** Simultandolmetscher *m;* **~ tascabile** Übersetzungscomputer *m* (im Taschenformat).

interpunzione [-pun'tsio:ne] *f* Interpunktion *f,* Zeichensetzung *f.*

interrare [inter'ra:re] *tr* **1.** *(seppellire)* ein-, vergraben; **2.** *(colmare di terra)* mit Erde bedecken. **interrato** [...'ra:to] *m (piano interrato)* Kellergeschoß *n; (appartamento)* Kellerwohnung *f.*

interregionale [-redʒo'na:le] *agg* überregional.

interrogare [-ro'ga:re] ⟨interrogo, interroghi⟩ *tr* (be)fragen, anfragen bei; *(a scuola)* abhören, -fragen; *dir* verhören, vernehmen; *fig (coscienza)* befragen; *inform* abfragen, abrufen. **interrogativo, -a** [...ga'ti:vo] **I.** *agg* fragend, Frage-; *(gram a.)* interrogativ; **punto ~** Fragezeichen *n;* **II.** *m* **1.** *(quesito, dubbio)* Frage *f;* **2.** *fig* Rätsel *n.* **interrogatorio** [...ga'tɔ:rio] ⟨-i⟩ *m* Verhör *n,* Vernehmung *f.* **interrogazione** [...gat'tsio:ne] *f* **1.** *(l'interrogare)* Befragung *f; dir* Vernehmung *f;* **2.** *pol* Anfrage *f;* **3.** *(scuola)* Abhören *n.*

interrompere [-'rompere] ⟨*irr*⟩ **I.** *tr* **1.** *(troncare)* unterbrechen, abbrechen; **2.** *(sospendere)* unterbrechen, einstellen; **II.** *rfl:* **-ersi** einhalten; *(nel parlare)* sich unterbrechen.

interruttore [-rut'to:re] *m* Schalter *m.*

interruzione [-rut'tsio:ne] *f* Unterbrechung *f;* **~ del viaggio** Fahrtunterbrechung *f;* **senza ~** ununterbrochen.

interscambio [-s'kambio] *m econ* Warenaustausch *m;* **~ giovani** Jugendaustausch *m.*

intersecare [-se'ka:re] ⟨interseco, intersechi⟩ **I.** *tr* (durch)kreuzen; **II.** *rfl:* **-arsi** sich überschneiden, sich kreuzen. **intersezione** [-set'tsio:ne] *f mat (punto d'incrocio)* Schnittpunkt *m,* Schnittstelle *f; (insieme dei punti comuni)* Schnittmenge *f.*

interstizio [inters'tittsio] ⟨-i⟩ *m* Zwischenraum *m.*

interurbano, -a [-ur'ba:no] **I.** *agg* Fern-; **II.** *f* Ferngespräch *n.*

intervallare [-val'la:re] *tr* in Abständen anordnen. **intervallo** [-'vallo] *m* **1.** *(di tempo)* (Zwischen)zeit *f,* Zeitspanne *f;* **2.** *(di spazio)* Zwischenraum *m,* Abstand *m;* **3.** *mus* Intervall *n;* **4.** *(ricreazione)* Pause *f.*

intervenire [-ve'ni:re] ⟨*irr*⟩ *itr* ⟨*essere*⟩ **1.** *(prendere parte)* sich beteiligen (*in* an *+dat*); *(in un conflitto)* intervenieren; **2.** *(intromettersi)* eingreifen, sich einmischen; *(di autorità)* einschreiten; **3.** *(trovarsi presente)* teilnehmen (*a* an *+dat*); **4.** *(adoperarsi)* sich einsetzen; **5.** *med* einen Eingriff vornehmen. **inter-**

ventismo [-ven'tizmo] *m pol* Interventionspolitik *f*. **intervento** [-'vɛnto] *m* **1.** *(intromissione)* Eingreifen *n*, Dazwischentreten *n; (della polizia)* Einschreiten *n; (ingerenza)* Einmischung *f; pol, econ* Intervention *f;* **2.** *(partecipazione)* Teilnahme *f (a* an *+dat*); **3.** *(discorso)* Ansprache *f*, Rede *f;* **4.** *med* Eingriff *m*.

intervista [-'vista] *f* Interview *n; (statistica)* Befragung *f*. **intervistare** [...'ta:re] *tr* interviewen; *(statisticamente)* befragen. **intervistatore, -trice** [...ta'to:re] *m, f* Interviewer(in) *m(f)*.

intesa [in'te:sa] *f* **1.** *(accordo)* Einverständnis *n*, Absprache *f;* **2.** *pol* Bündnis *n*, Entente *f*. **inteso, -a** [...so] *agg* **1.** *(stabilito)* vereinbart; **2.** *(compreso)* verstanden; **resta ~ che . . .** es bleibt dabei, daß . . .; **essere -i** verbleiben.

intessere [in'tɛssere] *tr* **1.** *(intrecciare)* flechten; **2.** *fig (comporre)* ersinnen, anzetteln.

intestardirsi [intestar'dirsi] ⟨m'intestardisco⟩ *rfl* sich versteifen *(su, in* auf *+akk*).

intestare [intes'ta:re] *tr* **1.** *(lettera, busta)* mit Namen versehen; **2.** *(conto)* eintragen *(a qu* auf jds Namen); *(casa)* überschreiben *(a qu* auf jds Namen). **intestatario, -a** [...ta'ta:rio] ⟨-i, -ie⟩ *m, f* Inhaber(in) *m(f)*. **intestato, -a** [...'ta:to] *agg* mit Namen *(o* Briefkopf) versehen; **~ a** lautend auf *+akk*. **intestazione** [...tat'tsio:ne] *f* **1.** *(registrazione)* Eintragung *f;* **2.** *(dicitura)* Überschrift *f; (di lettera)* Briefkopf *m*.

intestinale [intesti'na:le] *agg* Darm-. **intestino** [...'ti:no] *m* Darm *m*.

intiepidire [intiepi'di:re] ⟨intiepidisco⟩ **I.** *tr* ⟨*avere*⟩ anwärmen; **II.** *itr* ⟨*essere*⟩, *rfl:* **-irsi 1.** *(diventare tiepido)* abkühlen; **2.** *fig (attenuarsi)* sich abschwächen, nachlassen; *(sentimenti)* abkühlen.

intifada [inti'fa:da] *f* Intifada *f*.

intimare [inti'ma:re] *tr* anordnen, befehlen; **~ l'alt** Halt gebieten; **~ la guerra** den Krieg erklären. **intimazione** [...mat'tsio:ne] *f* Aufforderung *f*, Befehl *m*.

intimidazione [intimidat'tsio:ne] *f* Einschüchterung *f; mil* Abschreckung *f*. **intimidire** [...'di:re] ⟨intimidisco⟩ **I.** *tr* ⟨*avere*⟩ **1.** *(rendere timido)* schüchtern *(o* ängstlich) machen; **2.** *(incutere timore)* einschüchtern; **II.** *itr* ⟨*essere*⟩, *rfl:* **-irsi** schüchtern *(o* ängstlich) werden.

intimità [intimi'ta] ⟨-⟩ *f* **1.** *(di sentimenti)* Intimität *f*, Vertrautheit *f;* **2.** *(di ambienti)* Gemütlichkeit *f*. **intimo, -a** ['intimo] **I.** *agg* innerste(r, s); *(persona)* intim, vertraut; *(ambiente)* gemütlich; **igiene -a** Intimpflege *f;* **II.** *m* **1.** *(dell'animo)* Innerste(s) *n;* **2.** ⟨*pl*⟩ engste Verwandte *(o* Vertraute) *pl*.

intimorire [intimo'ri:re] ⟨intimorisco⟩ **I.** *tr* (ver)ängstigen, verschüchtern; **II.** *rfl:* **-irsi** sich fürchten.

intingere [in'tindʒere] ⟨*irr*⟩ *tr* eintauchen, -tunken. **intingolo** [in'tiŋgolo] *m* Tunke *f*, Soße *f*.

intirizzire [intirid'dzi:re] ⟨intirizzisco⟩ **I.** *tr* ⟨*avere*⟩ erstarren lassen; **II.** *itr* ⟨*essere*⟩, *rfl:* **-irsi** erstarren.

intitolare [intito'la:re] *tr* **1.** *(fornire del titolo)* betiteln, überschreiben; **2.** *(dedicare)* widmen.

intoccabile [intok'kabile] **I.** *agg* unberührbar; *fig* unantastbar; **II.** *mf* Unberührbare(r) *m(f)*.

intollerabile [intolle'ra:bile] *agg* nicht tolerierbar, intolerabel *geh; fig* unerträglich. **intollerante** [...'rante] *agg* intolerant, unduldsam. **intolleranza** [...'rantsa] *f* Intoleranz *f*, Unduldsamkeit *f*.

intonacare [intona'ka:re] ⟨intonaco, intonachi⟩ *tr* verputzen. **intonaco** [in'tɔ:nako] ⟨-ci *o* -chi⟩ *m* Verputz *m*.

intonare [into'na:re] **I.** *tr* **1.** *mus* anstimmen, intonieren; *(strumento)* stimmen; **2.** *fig (accordare)* abstimmen *(a* mit); **II.** *rfl:* **-arsi** passen *(a* zu). **intonazione** [...nat'tsio:ne] *f* **1.** *mus* Anstimmen *n; (di strumento)* Stimmen *n;* **2.** *ling* Intonation *f*, Tongebung *f*.

intontimento [intonti'mento] *m* Benommenheit *f*. **intontire** [...'ti:re] ⟨intontisco⟩ **I.** *tr* ⟨*avere*⟩ benommen machen; **II.** *itr* ⟨*essere*⟩, *rfl:* **-irsi** benommen werden.

intoppo [in'tɔppo] *m* Hindernis *n*.

intorbidare [intorbi'da:re] **I.** *tr* ⟨*avere*⟩ trüben, trübe machen; **II.** *itr* ⟨*essere*⟩, *rfl:* **-arsi** trübe werden.

intorno [in'torno] **I.** *avv* umher, herum; **tutt'~** ringsherum, ringsumher; **II.** *prp:* **~ a 1.** *(locale, temporale)* um *+akk* . . . herum; **2.** *(circa)* um *+akk*, an *+akk;* **3.** *(argomento)* über *+akk;* **III.** ⟨*inv*⟩ *agg* umliegend.

intorpidire [intorpi'di:re] ⟨intorpidisco⟩ **I.** *tr* ⟨*avere*⟩ **1.** *(membra)* gefühllos machen; **2.** *fig* stumpf machen, abstumpfen; **II.** *itr* ⟨*essere*⟩, *rfl:* **-irsi 1.** *(membra)* gefühllos werden; **2.** *fig* stumpf werden, abstumpfen.

intossicare [intossi'ka:re] ⟨intossico, intossichi⟩ **I.** *tr* vergiften; **II.** *rfl:* **-arsi** sich vergiften. **intossicazione** [...kat'tsio:ne] *f* Vergiftung *f*.

intraducibile [intradu'tʃi:bile] *agg* **1.** *(lingua)* unübersetzbar; **2.** *fig (sentimento)* unausdrückbar.

intralciare [intral'tʃa:re] ⟨intralcio, intralci⟩ *tr* behindern, hemmen. **intralcio** [in'traltʃo] ⟨-ci⟩ *m* Hindernis *n*.

intrallazzare [intrallat'tsa:re] *itr* Machenschaften betreiben. **intrallazzo** [...'lattso] *m* Machenschaft *f*.

intramontabile [intramon'tabile] *agg* unvergänglich.

intransigente [intransi'dʒɛnte] *agg* unnachgiebig, unversöhnlich.
intransitabile [intransi'ta:bile] *agg* unbefahrbar.
intransitivo, -a [intransi'ti:vo] **I.** *agg* intransitiv; **II.** *m* Intransitiv *n*, intransitives Verb.
intrappolare [intrappo'la:re] *tr* **1.** *(animali)* in einer Falle fangen; **2.** *fig (truffare)* hereinlegen.
intraprendente [intrapren'dɛnte] *agg* unternehmungslustig; *(con le donne)* draufgängerisch. **intraprendenza** [...'dɛntsa] *f* Unternehmungslust *f; (con le donne)* Draufgängertum *n.* **intraprendere** [-'prɛndere] ⟨*irr*⟩ *tr* unternehmen; *(carriera)* einschlagen.
intrattabile [intrat'ta:bile] *agg (problema)* heikel, schwierig; *(persona, carattere)* schwierig, unzugänglich.
intrattenere [intratte'ne:re] ⟨*irr*⟩ **I.** *tr* unterhalten; **II.** *rfl:* **-ersi** verweilen (*su* bei), sich aufhalten (*su* bei). **intrattenitore, -trice** [...ni'to:re] *m, f* Unterhalter(in) *m(f)*, Entertainer(in) *m(f)*.
intrauterino, -a [intraute'ri:no] *agg* intrauterin; **dispositivo ~** Intrauterinpessar *n*, Spirale *f fam.*
intrav(v)edere [intrav(v)e'de:re] ⟨*irr*⟩ *tr* (flüchtig) erblicken.
intrecciare [intret'tʃa:re] ⟨intreccio, intrecci⟩ **I.** *tr* **1.** *(capelli, vimini)* flechten; *(dita)* kreuzen; *(maglie)* abketten; **2.** *fig* knüpfen, spinnen; **II.** *rfl:* **-arsi** sich verschlingen. **intreccio** [in'trettʃo] ⟨-cci⟩ *m* **1.** *(lavoro)* Flechtwerk *n*, Geflecht *n;* **2.** *fig (trama)* Verwicklung *f*, Handlung *f.*
intrepido, -a [in'trɛ:pido] *agg* unerschrocken, draufgängerisch.
intricare [intri'ka:re] ⟨intrico, intrichi⟩ **I.** *tr* verwickeln, verwirren; **II.** *rfl:* **-arsi** sich verwickeln, sich verwirren. **intrico** [in'tri:ko] ⟨-chi⟩ *m* Gewirr *n.*
intrigante [intri'gante] **I.** *agg* intrigant; **II.** *mf* Intrigant(in) *m(f)*. **intrigare** [...'ga:re] ⟨intrigo, intrighi⟩ *itr* Ränke schmieden, intrigieren. **intrigo** [in'tri:go] ⟨-ghi⟩ *m* **1.** *(briga)* Intrige *f*, Machenschaften *f pl;* **2.** *(situazione imbarazzante)* Schlamassel *m fam;* **ordire un ~** Ränke schmieden.
intrinseco, -a [in'trinseko] ⟨-ci, -che⟩ *agg* innere(r, s); *fig* vertraut.
intrippato, -a [intrip'pa:to] *agg fam* **1.** *(sotto l'effetto di una droga)* berauscht, unter Drogeneinfluß stehend; **2.** *(assente)* abwesend; **3.** *(particolarmente coinvolto)* begeistert; **è ~ col calcio** er ist verrückt nach Fußball.
intriso, -a [in'tri:zo] *agg* triefend (*di* von, vor); *(di sudore a.)* gebadet (*di* in).
intristire [intris'tire] ⟨intristisco⟩ *itr* traurig werden.
introdurre [intro'durre] ⟨introduco, introdussi, introdotto⟩ **I.** *tr* **1.** *(inserire)* (hinein)stecken, einführen; **2.** *(mettere in uso, econ)* einführen; **3.** *(far entrare)* eintreten lassen; *(presentare)* vorstellen; **4.** *inform* eingeben; **II.** *rfl:* **-ursi** sich einschleichen, eindringen. **introduttivo, -a** [-dut'ti:vo] *agg* einleitend, einführend.
introduzione [-dut'tsio:ne] *f* **1.** *(immissione)* Einführung *f;* **2.** *econ* Einfuhr *f;* **3.** *(prefazione)* Einleitung *f;* **4.** *(di persona)* Vorstellung *f;* **5.** *mus* Vorspiel *n; (di opera)* Ouvertüre *f.*
introito [in'trɔ:ito] *m* Einnahme *f*, Einkünfte *f pl.*
intromettersi [-'mettersi] ⟨*irr*⟩ *rfl* **1.** *(interporsi)* dazwischentreten; **2.** *(immischiarsi)* sich einmischen. **intromissione** [-mis'sio:ne] *f* Dazwischentreten *n*, Eingreifen *n; (mediazione)* Vermittlung *f.*
introvabile [intro'va:bile] *agg* unauffindbar.
introverso, -a [-'vɛrso], **introvertito, -a** [-ver'ti:to] **I.** *agg* introvertiert; **II.** *m, f* Introvertierte(r) *mf.*
intrufolarsi [intrufo'larsi] *rfl* sich einschmuggeln.
intruglio [in'truʎʎo] ⟨-gli⟩ *m peg (mistura)* Gemisch *n; (bevanda)* Gebräu *n.*
intrusione [intru'zio:ne] *f* **1.** *(intervento)* Eindringen *n;* **2.** *(ingerenza)* Einmischung *f.* **intruso, -a** [in'tru:zo] *m, f* Eindringling *m.*
intuire [intu'i:re] ⟨intuisco⟩ *tr* ahnen; *(presentire)* (voraus)ahnen. **intuitivo, -a** [...ui'ti:vo] *agg* intuitiv. **intuito** [in'tu:ito] *m* Gefühl *n*, Intuition *f.* **intuizione** [intuit'tsio:ne] *f* Intuition *f; (presentimento)* Vorgefühl *n*, Vorahnung *f.*
inumano, -a [inu'ma:no] *agg* unmenschlich, inhuman.
inumidire [inumi'di:re] ⟨inumidisco⟩ **I.** *tr* be-, anfeuchten; *(bucato)* be-, einsprengen; **II.** *rfl:* **-irsi** feucht werden.
inurbamento [inurba'mento] *m* Landflucht *f.*
inusitato, -a [inuzi'ta:to] *agg* ungewöhnlich.
inutile [i'nu:tile] *agg* **1.** *(senza utilità)* unnütz, nutzlos; **2.** *(inefficace)* unwirksam; **3.** *(vano, superfluo)* zwecklos, sinnlos. **inutilità** [inutili'ta] *f* **1.** *(mancanza di utilità)* Nutzlosigkeit *f*, Zwecklosigkeit *f;* **2.** *(inefficacia)* Unwirksamkeit *f;* **3.** *(l'essere vano, superfluo)* Sinnlosigkeit *f.*
invadente [inva'dɛnte] **I.** *agg* aufdringlich; **II.** *mf* aufdringlicher Mensch. **invadenza** [...'dɛntsa] *f* Aufdringlichkeit *f.*
invadere [in'va:dere] ⟨invado, invasi, invaso⟩ *tr* **1.** *(con forza)* überfallen; *(città)* einnehmen; *(fortezza)* stürmen; *(paese)* einfallen in *+akk;* **2.** *fig (mercato, di turisti)* überschwemmen.
invaditrice *f v.* **invasore.**

invaghirsi [inva'girsi] ⟨m'invaghisco⟩ *rfl* sich verlieben (*di* in *+akk*); *(fig a.)* liebäugeln (*di* mit).
invalidare [invali'da:re] *tr* für ungültig erklären; *dir* anfechten. **invalidità** [...di'ta] *f* **1.** *dir* Rechtsungültigkeit *f; gener.* Ungültigkeit *f;* **2.** *(per menomazione)* Invalidität *f;* **pensione d'**~ Invalidenrente *f.*
invalido, -a [in'va:lido] **I.** *agg* **1.** *dir* rechtsungültig; *gener.* ungültig, nichtig; **2.** *(per menomazione)* invalide; ~ **al lavoro** erwerbsunfähig; **II.** *mf* Invalide *m,* Invalidin *f;* ~ **di guerra** Kriegsversehrte(r) *m.*
invalso, -a [in'valso] *agg* üblich, verbreitet.
invano [in'va:no] *avv* umsonst, vergebens.
invariabile [inva'ri̯a:bile] *agg* unveränderlich. **invariato, -a** [...'ri̯a:to] *agg* unverändert.
invasi [in'va:zi] *p rem di* **invadere.**
invasione [inva'zi̯o:ne] *f* **1.** *mil* Invasion *f,* Einfall *m,* Einmarsch *m;* **2.** *(di spettatori)* Ansturm *m;* **3.** *fig (diffusione)* Überschwemmung *f.*
invaso [in'va:zo] *pp di* **invadere.**
invasore, invaditrice [inva'zo:re, ...adi'tri:tʃe] **I.** *agg* eindringend, einfallend; **II.** *m, f* Invasor(in) *m(f),* Eindringling *m.*
invecchiamento [invekki̯a'mento] *m* **1.** *biol* Altern *n,* Alterung *f;* **2.** *(del vino)* Alterung *f,* Lagerung *f;* **3.** *tec* Aushärtung *f,* Aushärten *n;* **4.** *fig* Veralten *n.* **invecchiare** [...'ki̯a:re] ⟨invecchio, invecchi⟩ **I.** *itr* ⟨*essere*⟩ **1.** *biol* altern, alt werden; **2.** *(vino)* reifen, altern; **3.** *tec* aushärten; **4.** *fig* veralten; **II.** *tr* ⟨*avere*⟩ **1.** *(far diventare vecchio)* alt werden lassen, alt machen; **2.** *(far sembrare vecchio)* alt machen, älter erscheinen lassen; **3.** *(vino)* reifen (*o* altern) lassen; **4.** *tec* aushärten (lassen).
invece [in've:tʃe] **I.** *avv* dagegen, jedoch, indes(sen); **II.** *prp:* ~ **di** (an)statt *+gen;* ~ **di lei** an ihrer Stelle.
inveire [inve'i:re] ⟨inveisco⟩ *itr* schimpfen (*contro* gegen, auf *+akk*), wettern (*contro* gegen).
invelenire [invele'ni:re] ⟨invelenisco⟩ **I.** *tr* ⟨*avere*⟩ angiften; **II.** *itr* ⟨*essere*⟩, *rfl:* **-irsi** aufgebracht sein (*contro, con* gegen), böse sein (*contro, con* auf *+akk*).
invendibile [inven'di:bile] *agg* unverkäuflich.
inventare [inven'ta:re] *tr* **1.** *(ideare, immaginare)* erfinden; **2.** *(escogitare)* ersinnen, ausdenken; **inventarne di tutti i colori** die unglaublichsten Dinge erfinden; ~ **qc di sana pianta** sich *(dat)* etw. aus den Fingern saugen.
inventariare [inventa'ri̯a:re] ⟨inventario, inventari⟩ *tr* Bestandsaufnahme machen von. **inventario** [...'ta:ri̯o] ⟨-i⟩ *m* **1.** *(elencazione di beni)* Inventur *f,* Bestandsaufnahme *f;* **2.** *(registro)* Aufnahmeverzeichnis *n.*
inventiva [inven'ti:va] *f* Erfindungsgabe *f,* -reichtum *m;* **ricco d'**~ erfindungsreich. **inventore, -trice** [...'to:re] *m, f* Erfinder(in) *m(f).* **invenzione** [...'tsi̯o:ne] *f* **1.** *(ideazione)* Erfindung *f; (scoperta)* Entdeckung *f;* **2.** *(prodotto della fantasia)* Erfindung *f; (bugia)* Lüge *f.*
inverificabile [inverifi'ka:bile] *agg* **1.** *(non verificabile)* nicht prüfbar, nicht verifizierbar *geh;* **2.** *(non controllabile)* unkontrollierbar, nicht überprüfbar; **3.** *(non accertabile)* nicht feststellbar, nicht nachweisbar.
invernale [inver'na:le] *agg* winterlich, Winter-; **sport** ~ Wintersport *m.*
inverno [in'vɛrno] *m* Winter *m;* **d'**~ im Winter; **nel cuore dell'**~ im tiefsten Winter.
inverosimile [invero'si:mile] *agg* unwahrscheinlich.
inversione [inver'si̯o:ne] *f* **1.** *(atto dell'invertire)* Umkehrung *f;* **2.** *ling, chim* Inversion *f;* ~ **di marcia** *mot* Wenden *n;* ~ **di rotta** Kurswechsel *m.*
inverso, -a [in'vɛrso] **I.** *agg* umgekehrt, entgegengesetzt; **II.** *m* Gegenteil *n.*
invertebrato, -a [inverte'bra:to] **I.** *agg* wirbellos; **II.** *m pl* wirbellose Tiere *n pl.*
invertire [inver'ti:re] ⟨inverto⟩ *tr* **1.** *(nel senso contrario)* umkehren; *(direzione)* ändern; **2.** *(scambiare)* (aus)tauschen, (aus)wechseln; **3.** *ling, chim* invertieren; **4.** *fig (capovolgere)* auf den Kopf stellen, umkehren; ~ **la marcia** wenden; ~ **la rotta** den Kurs wechseln; ~ **le parti** die Rollen tauschen. **invertito, -a** [...'ti:to] *m, f* Invertierte(r) *mf.*
investigare [investi'ga:re] ⟨investigo, investighi⟩ **I.** *tr* erforschen, untersuchen; **II.** *itr* Nachforschungen anstellen. **investigatore, -trice** [...ga'to:re] *m, f* Detektiv(in) *m(f).* **investigazione** [...gat'tsi̯o:. ne] *f* Untersuchung *f,* Nachforschung *f; (di polizia)* Ermittlung *f.*
investimento [investi'mento] *m* **1.** *fin* Investition *f,* Anlage *f;* **2.** *(urto)* Zusammenstoß *m; (di persone, animali)* Anfahren *n; (a morte)* Überfahren *n.* **investire** [...'ti:re] **I.** *tr* **1.** *(di una carica)* betrauen (*di* mit); *(di potere, titolo, dignità)* verleihen (*qu di qc* jdm etw.); **2.** *fin* investieren, anlegen; **3.** *(urtare)* zusammenstoßen mit, auffahren auf *+akk; (persone, animali)* anfahren; *(a morte)* überfahren; **4.** *fig (sgridare)* anfahren; **II.** *rfl:* **-irsi 1.** *(di un titolo)* erreichen, bekleiden; **2.** *(di persona, parte)* sich hineinversetzen (*di* in *+akk*). **investitore, -trice** [...ti'to:re] *m, f* **1.** *(stradale)* Unfallfahrer(in) *m(f);* **2.** *fin* Anleger(in) *m(f),* Investor(in) *m(f).*
inveterato, -a [invete'ra:to] *agg* einge-

wurzelt, eingefleischt.

invettiva [invet'ti:va] *f* Schmährede *f*, Schmähung *f*.

inviare [invi'a:re] ⟨invio, invii⟩ *tr* **1.** *(cose)* (ver)schicken, (über-, ver)senden; **2.** *(persone)* schicken, entsenden. **inviato, -a** [...'a:to] *m, f* **1.** *(di giornale)* Berichterstatter(in) *m(f)*, Korrespondent(in) *m(f)*; **2.** *(in diplomazia)* (Ab)gesandte(r) *mf*; ~ **speciale** (Sonder)berichterstatter *m*.

invidia [in'vi:dia] ⟨-ie⟩ *f* Neid *m*. **invidiabile** [invi'dia:bile] *agg* beneidenswert.

invidiare [...'dia:re] ⟨invidio, invidi⟩ *tr* **1.** *(persone)* beneiden (*per* um), neidisch sein auf *+akk*; **2.** *(cose)* mißgönnen, neiden. **invidioso, -a** [...'dio:so] **I.** *agg* neidisch (*di* auf *+akk*); **II.** *m, f* neidischer Mensch, Neider *m*.

invincibile [invin'tʃi:bile] *agg* unbesiegbar.

invio [in'vi:o] ⟨-ii⟩ *m* Sendung *f*; *(di persone)* Entsendung *f*.

inviolabile [invio'la:bile] *agg* unverletzlich, unverletzbar; *(diritto)* unantastbar; *(luoghi)* heilig. **inviolato, -a** [...'la:to] *agg* unverletzt; *(foresta, verginità)* unberührt.

inviperirsi [invipe'rirsi] ⟨m'inviperisco⟩ *rfl* wütend werden.

invischiare [invis'kia:re] *tr fig:* **lasciarsi** ~ sich (mit)hineinziehen lassen. **invischiato, -a** [...'kia:to] *agg* verwickelt (*in* in *+akk*).

invisibile [invi'zi:bile] *agg* unsichtbar.

inviso, -a [in'vi:zo] *agg (malvisto)* unbeliebt (*a qu* bei jdm); *(odiato)* verhaßt (*a qu* bei jdm).

invitante [invi'tante] *agg* einladend, verlockend. **invitare** [...'ta:re] *tr* **1.** *(chiamare a partecipare)* einladen; **2.** *(esortare)* auffordern, mahnen; *(convocare)* bitten, ersuchen; *(ordinare)* auffordern; ~ **qu a cena** jdn zum Abendessen einladen. **invitato, -a** [...'ta:to] *m, f* Gast *m*, Eingeladene(r) *mf*.

invito [in'vi:to] *m* **1.** *(chiamata, biglietto)* Einladung *f*; **2.** *(esortazione)* Aufforderung *f*, (Er)mahnung *f*; **3.** *fig (allettamento, stimolo)* Verlockung *f*, Reiz *m*; **fare un** ~ eine Einladung geben.

invivibile [invi'vi:bile] *agg* unerträglich; *(ambiente)* menschenunwürdig.

invocare [invo'ka:re] ⟨invoco, invochi⟩ *tr* **1.** *(chiamare con fervore)* anflehen, anrufen; **2.** *(implorare)* erbitten, bitten um; **3.** *(ambire)* beschwören.

invogliare [invoʎ'ʎa:re] ⟨invoglio, invogli⟩ **I.** *tr* anregen (*a* zu); **II.** *rfl:* **-arsi** Lust bekommen (*di* auf *+akk*).

involgarire [involga'ri:re] ⟨involgarisco⟩ **I.** *tr* ⟨*avere*⟩ vulgär (*o* ordinär) machen; **II.** *itr* ⟨*essere*⟩, *rfl:* **-irsi** vulgär (*o* ordinär) werden.

involontario, -a [involon'ta:rio] *agg* **1.** *(contro la propria volontà)* unfreiwillig; **2.** *(senza intenzione)* unabsichtlich, ungewollt; **3.** *(gesto)* unwillkürlich.

involtare [invol'ta:re] *tr* einwickeln.

involtino [invol'ti:no] *m* (kleine) Roulade *f*.

involto [in'vɔlto] *m* **1.** *(pacco)* Paket *n*; **2.** *(fagotto)* Bündel *n*.

involucro [in'vɔ:lukro] *m* Hülle *f*.

involuto, -a [invo'lu:to] *agg* verworren.

involuzione [involut'tsio:ne] *f* **1.** *(declino, degenerazione)* Rückentwicklung *f*; **2.** *med* Rückbildung *f*; **3.** *(l'essere contorto)* Gewundenheit *f*.

invulnerabile [invulne'ra:bile] *agg* unverwundbar; *fig* unangreifbar.

inzaccherare [intsakke'ra:re] *tr* mit Schlamm beschmutzen.

inzuppare [intsup'pa:re] **I.** *tr* **1.** *(impregnare)* durchnässen; **2.** *(intingere)* eintauchen; *(imbevere)* einweichen; **II.** *rfl:* **-arsi** **1.** *(imbeversi)* sich vollsaugen; **2.** *(sotto la pioggia)* durchnäßt werden.

io ['i:o] **I.** *pron pers 1ª pers sing* ich; **II.** ⟨-⟩ *m* Ich *n*; **nel proprio** ~ im Inneren, innerlich.

iodio ['iɔ:dio] *m* Jod *n*.

iogurt ['iɔ:gurt] ⟨-⟩ *m* Joghurt *m o n*.

ione ['io:ne] *m* Ion *n*. **ionizzazione** [ioniddzat'tsio:ne] *f* Ionisation *f*, Ionisierung *f*.

Ionio [iɔ:nio] *m*: **Mar** ~ Ionisches Meer.

iosa ['iɔ:za]: **a** ~ *avv* in Hülle und Fülle.

iper- [iper-] *(in parole composte)* über-, Über-, hyper-, Hyper-.

iperbole [i'pɛrbole] *f* Hyperbel *f*. **iperbolico, -a** [iper'bɔ:liko] ⟨-ci, -che⟩ *agg* **1.** *mat, ling* hyperbolisch; **2.** *fig (smisurato)* übertrieben.

ipercalorico, -a [-ka'lɔ:riko] *agg* kalorienreich. **ipercapacità** [-kapatʃi'ta] *f econ* Überkapazität *f*. **ipercritico, -a** [-'kri:tiko] *agg* überkritisch. **iperemotività** [-emotivi'ta] *f* Überempfindlichkeit *f*. **iperemotivo, -a** [-emo'ti:vo] *agg* überempfindlich. **ipermercato** [-mer'kato] *m* Rieseneinkaufszentrum, großer Supermarkt. **ipersensibile** [-sen'si:bile] *agg* übersensibel, überempfindlich. **ipersensibilità** [-sensibili'ta] *f* Überempfindlichkeit *f*. **ipertensione** [-ten'sio:ne] *f* Bluthochdruck *m*, Hypertonie *f wissensch.* **iperteso, -a** [-'te:so] **I.** *agg* Bluthochdruck-, hypertonisch *wissensch.*; **II.** *m, f* Bluthochdruckpatient(in) *m(f)*, Hypertoniker(in) *m(f) wissensch.*

ipnosi [ip'nɔ:zi] ⟨-⟩ *f* Hypnose *f*. **ipnotico, -a** [ip'nɔ:tiko] ⟨-ci, -che⟩ *agg* hypnotisch. **ipnotizzare** [ipnotid'dza:re] *tr* hypnotisieren. **ipnotizzatore, -trice** [...dza'to:re] *m, f* Hypnotiseur(in) *m(f)*.

ipoacusia [ipoaku'zi:a] ⟨-ie⟩ *f med* Hörsturz *m*.

ipocalorico, -a [ipoka'lɔ:riko] *agg* kalorienarm.

ipocrisia [ipokri'zi:a] ⟨-ie⟩ *f* Scheinheiligkeit *f*, Heuchelei *f*. **ipocrita** [i'pɔ:krita] ⟨-i *m*, -e *f*⟩ **I.** *agg* scheinheilig, heuchlerisch; **II.** *mf* Scheinheilige(r) *mf*, Heuchler(in) *m(f)*.

ipofisi [i'pɔ:fizi] ⟨-⟩ *f anat* Hirnanhangdrüse *f*, Hypophyse *f*.

iponutrizione [iponutrit'tsi̯one] *f* Unterernährung *f*.

ipoteca [ipo'tɛ:ka] *f* Hypothek *f*. **ipotecare** [...te'ka:re] ⟨ipoteco, ipotechi⟩ *tr* **1.** *dir* mit einer Hypothek belasten; **2.** *fig* vorausplanen.

ipotenusa [ipote'nu:za] *f mat* Hypotenuse *f*.

ipotesi [i'pɔ:tezi] *f* **1.** *(congettura, supposizione)* Annahme *f*, Hypothese *f*; **2.** *mat, filos* Hypothese *f*; **3.** *(caso, eventualità)* Fall *m*, Eventualität *f*; **nella migliore delle ~** im günstigsten Fall.

ipotetico, -a [ipo'tɛ:tiko] ⟨-ci, -che⟩ *agg* **1.** *(considerato per ipotesi)* angenommen, hypothetisch; **2.** *(dubbio, incerto)* unsicher, zweifelhaft; **periodo ~** *ling* Bedingungssatz *m*.

ipotizzare [ipotid'dza:re] *tr* annehmen.

ippica ['ippika] ⟨-che⟩ *f* Reitsport *m*, Reiten *n*; **ma datti all'~!** *iron* such dir einen anderen Beruf!. **ippico, -a** [...ko] ⟨-ci, -che⟩ *agg* Reit-, Pferde-.

ippocampo [ippo'kampo] *m* Seepferdchen *n*.

ippocastano [ippokas'ta:no] *m* Roßkastanie *f*.

ippodromo [ip'pɔ:dromo] *m* Pferderennbahn *f*, Hippodrom *m o n*.

ippopotamo [ippo'pɔ:tamo] *m* Nilpferd *n*, Flußpferd *n*.

ipsilon ['ipsilon] ⟨-⟩ *f* Ypsilon *n*.

ira ['i:ra] *f* Zorn *m*; **avere uno scatto d'~** einen Zornesausbruch haben; **successe l'~ di Dio** *fam* es war der Teufel los *fam*.

iracheno, -a [ira'kɛ:no] **I.** *agg* irakisch; **II.** *m, f* Iraker(in) *m(f)*.

Iran [i'ran] *m*: **l'~** der Iran. **iraniano, -a** [ira'ni̯a:no] **I.** *agg* iranisch; **II.** *m, f* Iraner(in) *m(f)*.

Iraq [i'rak] *m*: **l'~** der Irak.

irascibile [iraʃ'ʃi:bile] *agg* jähzornig. **irascibilità** [...ʃibili'ta] ⟨-⟩ *f* Jähzorn *m*.

irato, -a [i'ra:to] *agg* zornig, erzürnt.

ireos ['i:reos] ⟨-⟩ *m* Iris *f*, Schwertlilie *f*.

iride ['i:ride] *f* **1.** *(arcobaleno)* Regenbogen *m*; **2.** *anat* Iris *f*, Regenbogenhaut *f*; **3.** *ott* Irisblende *f*. **iridescente** [irideʃ'ʃɛnte] *agg* irisierend, in Regenbogenfarben schillernd. **iridodiagnostica** [iridodiaɲ'ɲɔstika] ⟨-che⟩ *f* Irisdiagnostik *f*.

Irlanda [ir'landa] *f* Irland *n*; **~ del Nord** Nordirland *n*. **irlandese** [...'de:se] **I.** *agg* irisch; **II.** *mf* Ire *m*, Irin *f*.

ironia [iro'ni:a] ⟨-ie⟩ *f* Ironie *f*. **ironico, -a** [i'rɔ:niko] ⟨-ci, -che⟩ *agg* ironisch. **ironizzare** [ironid'dza:re] *tr, itr* ironisieren.

iroso, -a [i'ro:so] *agg* zornig.

IRPEF ['irpef] *f acr di* **Imposta sul Reddito delle Persone Fisiche** Einkommensteuer *f*; *(di lavoro dipendente)* Lohnsteuer *f*.

irradiare [irra'di̯a:re] **I.** *tr* ⟨*avere*⟩ **1.** *(rischiarare)* bestrahlen (*con, di* mit); *(illuminare)* anstrahlen, strahlen auf +*akk*; **2.** *(diffondere)* ausstrahlen; **3.** *med, fis* bestrahlen; *(colpire con raggi radioattivi)* verstrahlen; **II.** *itr* ⟨*essere*⟩ **1.** (aus)strahlen; **2.** *fig (sprigionarsi)* (er)strahlen (*da* vor); **III.** *rfl*: **-arsi** ausstrahlen; *(strade)* abzweigen. **irradiato, -a** [...'di̯a:to] *agg* verstrahlt, strahlenverseucht. **irradiazione** [...di̯at'tsi̯o:ne] *f* **1.** *(emissione di raggi)* Strahlung *f*; *(propagazione)* Ausstrahlung *f*; **2.** *med* Bestrahlung *f*.

irraggiungibile [irraddʒun'dʒi:bile] *agg* unerreichbar.

irragionevole [irradʒo'ne:vole] *agg* **1.** *(irrazionale)* irrational, ohne Vernunft; **2.** *(senza raziocinio)* unvernünftig; **3.** *fig (sospetto)* unbegründet; *(prezzo)* ungerechtfertigt.

irrancidire [irrantʃi'di:re] ⟨irrancidisco⟩ *itr* ⟨*essere*⟩ ranzig werden.

irrazionale [irrattsi̯o'na:le] *agg* **1.** *(irragionevole)* irrational, vernunftlos; **2.** *(insensato)* vernunftwidrig; *(persone)* unvernünftig; **3.** *mat, filos* irrational, irrationell. **irrazionalità** [...nali'ta] *f* Irrationalität *f*.

irreale [irre'a:le] *agg* unwirklich, irreal.

irrealizzabile [irrealid'dza:bile] *agg* undurchführbar, unrealisierbar.

irrecuperabile [irrekupe'ra:bile] *agg* unwiederbringlich; *(malato)* unheilbar.

irrecusabile [irreku'za:bile] *agg* unabweisbar; *(prova)* unwiderlegbar.

irrefrenabile [irrefre'na:bile] *agg* unaufhaltsam; *(fig a.)* ununterdrückbar.

irrefutabile [irrefu'ta:bile] *agg* unwiderlegbar.

irregolare [irrego'la:re] *agg* **1.** *gener.* unregelmäßig; **2.** *(non conforme alla regola, a. sport)* regelwidrig; *(condotta)* unordentlich; **3.** *mil* irregulär; *(dir a.)* rechtswidrig, gesetzwidrig; **4.** *(non uniforme)* ungleichmäßig; *(polso)* unregelmäßig; **5.** *gram* unregelmäßig, irregulär. **irregolarità** [...lari'ta] *f* **1.** *gener.* Unregelmäßigkeit *f*; **2.** *dir* Rechts-, Gesetzwidrigkeit *f*.

irremovibile [irremo'vi:bile] *agg* unbeugsam, unerschütterlich.

irreparabile [irrepa'ra:bile] *agg* nicht wiedergutzumachen(d); *(perdita)* unersetzlich.

irreperibile [irrepe'ri:bile] *agg* unauffindbar.

irreprensibile [irrepren'si:bile] *agg* tadellos, einwandfrei.

irrequietezza [irrekuie'tettsa] *f* Unruhe *f,* Ruhelosigkeit *f.* **irrequieto, -a** [...'kuiɛ:to] *agg* unruhig, ruhelos.
irresistibile [irresis'ti:bile] *agg* unwiderstehlich.
irresoluto, -a [irreso'lu:to] *agg* unentschlossen, unschlüssig.
irrespirabile [irrespi'ra:bile] *agg (aria)* stickig, unerträglich; *(tossico)* schädlich.
irresponsabile [irrespon'sa:bile] *agg* unverantwortlich; *(a. persone)* verantwortungslos. **irresponsabilità** [...sabili'ta] *f* Unverantwortlichkeit *f; (a. di persone)* Verantwortungslosigkeit *f.*
irrestringibile [irrestrin'dʒi:bile] *agg* nicht einlaufend.
irretire [irre'ti:re] ⟨irretisco⟩ *tr fig* umgarnen, ins Netz locken.
irrevocabile [irrevo'ka:bile] *agg* unwiderruflich.
irriconoscibile [irrikonoʃ'ʃi:bile] *agg* nicht wiederzuerkennen(d).
irriducibile [irridu'tʃi:bile] *agg* **1.** *(prezzo, somma)* nicht herabsetzbar, fest; **2.** *(volontà)* unbeugsam; **3.** *mat (frazione)* echt.
irriflessivo, -a [irrefles'si:vo] *agg* unüberlegt.
irrigare [irri'ga:re] ⟨irrigo, irrighi⟩ *tr* bewässern. **irrigazione** [...gat'tsio:ne] *f* Bewässerung *f.*
irrigidire [irridʒi'di:re] ⟨irrigidisco⟩ **I.** *tr* **1.** *(rendere rigido)* versteifen, steif machen; **2.** *fig (inasprire)* verschärfen; **II.** *rfl:* **-irsi 1.** *(farsi rigido)* sich versteifen, steif werden; *(aria)* rauh werden; **2.** *fig* sich versteifen (*in* auf *+akk*).
irriguo, -a [ir'ri:guo] *agg tec* Bewässerungs-; *geog* wasserreich.
irrilevante [irrile'vante] *agg* irrelevant; *(trascurabile)* unbedeutend, unerheblich.
irrimediabile [irrime'dia:bile] *agg* irreparabel; *(danno a.)* nicht wiedergutzumachen(d).
irrinunciabile [irrinun'tʃa:bile] *agg* unverzichtbar.
irripetibile [irripe'ti:bile] *agg* unwiederholbar.
irrisorio, -a [irri'zɔ:rio] ⟨-i, -ie⟩ *agg* spöttisch, Spott-; **prezzo** ~ Spottpreis *m.*
irrispettoso, -a [irrispet'to:so] *agg* respektlos.
irritabile [irri'ta:bile] *agg* **1.** *(stizzoso)* leicht reizbar, leicht erregbar; **2.** *(pelle, gola)* empfindlich. **irritabilità** [...tabili'ta] ⟨-⟩ *f* Reizbarkeit *f,* Erregbarkeit *f.*
irritare [irri'ta:re] **I.** *tr* **1.** *med* reizen; **2.** *fig (provocare fastidio)* irritieren; *(far arrabbiare)* ärgern; **II.** *rfl:* **-arsi** sich ärgern. **irritazione** [...tat'tsio:ne] *f* **1.** *(per stizza)* Gereiztheit *f,* Ärger *m;* **2.** *med* Reizung *f,* leichte Entzündung.
irriverente [irrive'rɛnte] *agg* respektlos.
irrobustire [irrobus'ti:re] ⟨irrobustisco⟩ **I.** *tr* stärken, kräftigen; **II.** *rfl:* **-irsi** sich kräftigen, stark werden.
irrompere [ir'rompere] ⟨*irr*⟩ *itr* ⟨*essere*⟩ einbrechen, eindringen.
irrorare [irro'ra:re] *tr* **1.** *(bagnare)* benetzen; **2.** *agr* spritzen.
irruente [irru'ɛnte] *agg* ungestüm, heftig.
irruvidire [irruvi'di:re] ⟨irruvidisco⟩ **I.** *tr* ⟨*avere*⟩ rauh machen; **II.** *itr* ⟨*essere*⟩, *rfl:* **-irsi** rauh werden.
irruzione [irrut'tsio:ne] *f* Eindringen *n.*
irsuto, -a [ir'su:to], **irto, -a** ['irto] *agg* struppig.
iscritto, -a [is'kritto] *m, f* Mitglied *n,* Eingetragene(r) *mf;* **in** (*o* **per**) ~ schriftlich.
iscrivere [is'kri:vere] ⟨*irr*⟩ **I.** *tr* **1.** *(includere, registrare)* eintragen; **2.** *(far ammettere)* anmelden; *(all'università)* einschreiben; **II.** *rfl:* **-ersi** sich anmelden (*a* für, bei, in *+dat*); *(a un partito)* sich eintragen; *(all'università)* sich einschreiben. **iscrizione** [...rit'tsio:ne] *f* **1.** *(atto dell'iscrivere)* Anmeldung *f,* Einschreibung *f;* **2.** *(registrazione)* Eintragung *f;* **3.** *(frase incisa)* Inschrift *f.*
islam [is'lɑm] ⟨*sing*⟩ *m* Islam *m.* **islamico, -a** [iz'la:miko] ⟨-ci, -che⟩ **I.** *agg* islamisch; **II.** *m, f* Mohammedaner(in) *m(f).*
islamizzare [izlamid'dza:re] *tr* islamisieren.
Islanda [iz'landa] *f* Island *n.* **islandese** [...'de:se] **I.** *agg* isländisch; **II.** *mf* Isländer(in) *m(f).*
isola ['i:zola] *f* Insel *f;* ~ **pedonale** Fußgängerzone *f;* ~ **spartitraffico** Mittelstreifen *m.*
isolamento [izola'mento] *m* **1.** *(esclusione da contatti)* Absonderung *f,* Isolierung *f; (solitudine)* Isolation *f,* Einsamkeit *f;* **2.** *dir, med, tec, fis* Isolierung *f;* **reparto di** ~ Isolierstation *f;* ~ **acustico/termico** Schall-/Wärmedämmung *f.*
isolano, -a [izo'la:no] **I.** *agg* insular, Insel-; **II.** *m, f* Inselbewohner(in) *m(f).*
isolante [izo'lante] **I.** *agg* isolierend, Isolier-; **II.** *m* Isolierstoff *m.*
isolare [izo'la:re] **I.** *tr* **1.** *(separare)* isolieren, (ab)trennen; **2.** *(ammalato, detenuto, chim, fis)* isolieren; **II.** *rfl:* **-arsi** sich absondern. **isolato, -a** [...'la:to] **I.** *agg* isoliert; *(persona)* abgesondert, zurückgezogen; *(luogo)* abgeschieden, entlegen; **un caso** ~ ein Einzelfall *m;* **II.** *m* Häuserblock *m.*
isoscele [i'zɔʃʃele] *agg mat* gleichschenk(e)lig.
Isotta [i'zɔtta] *(nome proprio femminile)* Isolde.
ispessire [ispes'si:re] ⟨ispessisco⟩ *tr* verdicken; *(liquidi a.)* eindicken.
ispettorato [ispetto'ra:to] *m* **1.** *(organo, edificio)* Aufsichtsamt *n,* -behörde *f;* **2.** *(ufficio e grado di ispettore)* Inspektorat *n;* ~ **del lavoro** Gewerbeaufsichtsamt *n.* **ispettore, -trice** [...'to:re] *m, f* In-

spektor(in) *m(f)*, Aufseher(in) *m(f)*.
ispezionare [ispet'tsio'na:re] *tr* inspizieren, prüfen. **ispezione** [...'tsio:ne] *f* **1.** *(di vigilanza)* Überwachung *f*, Aufsicht *f*; **2.** *(di controllo)* Revision *f*, Inspektion *f*.
ispido, -a ['ispido] *agg* **1.** *(irto)* borstig, struppig; **2.** *fig (carattere)* rüde, kratzbürstig.
ispirare [ispi'ra:re] **I.** *tr* **1.** *(suscitare)* erwecken, erregen; *(paura)* einflößen; **2.** *(suggerire)* empfehlen, anregen; **3.** *(estro creativo)* inspirieren; **II.** *rfl:* **-arsi** sich inspirieren lassen (*a* von); *(prendere a modello)* sich orientieren (*a* an +*dat*), folgen. **ispirato, -a** [...'ra:to] *agg* beseelt. **ispiratore, -trice** [...ra'to:re] *m, f* Anreger(in) *m(f)*. **ispirazione** [...rat'tsio:ne] *f* **1.** *(estro creativo)* Inspiration *f*, Eingebung *f*; **2.** *(suggerimento)* Inspiration *f*, Anregung *f*; *(consiglio)* Rat(schlag) *m*; **3.** *(trovata della mente, impulso)* Einfall *m*, Eingebung *f*.
Israele [izra'ɛ:le] *m* Israel *n*. **israeliano, -a** [izrae'lia:no] **I.** *agg* israelisch; **II.** *m, f* Israeli *mf*. **israelita** [...'li:ta] ⟨-i *m*, -e *f*⟩ *mf* Israelit(in) *m(f)*.
issare [is'sa:re] *tr* **1.** *(vele)* hissen; *(ancora)* einziehen; **2.** *(sollevare)* stemmen, hochstemmen.
istantanea [istan'ta:nea] *f* Momentaufnahme *f*, Schnappschuß *m*. **istantaneo, -a** [...eo] *agg* augenblicklich, sofortig.
istante [is'tante] *m* Augenblick *m*, Moment *m*; **all'**~ augenblicklich, unverzüglich.
istanza [is'tantsa] *f* **1.** *(richiesta)* Antrag *m*, Gesuch *n*; **2.** *dir, amm* Instanz *f*.
ISTAT ['istat] *m acr di* **Istituto Centrale di Statistica** *staatliches statistisches Amt*.
isteria [iste'ri:a] ⟨-ie⟩ *f* Hysterie *f*. **isterico, -a** [is'tɛ:riko] ⟨-ci, -che⟩ **I.** *agg* hysterisch; **II.** *m, f* Hysteriker(in) *m(f)*.
isterilire [isteri'li:re] ⟨isterilisco⟩ **I.** *tr* unfruchtbar machen; **II.** *rfl:* **-irsi** unfruchtbar werden.
istigare [isti'ga:re] ⟨istigo, istighi⟩ *tr* anstiften (*a* zu). **istigazione** [...gat'tsio:ne] *f* Anstiftung *f*, Aufwieg(e)lung *f*.
istintivo, -a [istin'ti:vo] *agg* instinktiv.
istinto [is'tinto] *m* Instinkt *m*; *(impulso)* Trieb *m*; *(sentimento)* Gefühl *n*; ~ **di conservazione** Selbsterhaltungstrieb *m*; ~ **sessuale** Geschlechtstrieb *m*.
istituire [istitu'i:re] ⟨istituisco⟩ *tr* **1.** *(fondare)* gründen; **2.** *(stabilire)* stiften; **3.** *(nominare)* einsetzen, ernennen; **4.** *(impostare)* auf-, anstellen. **istituto** [...'tu:to] *m* **1.** *(ente)* Institut *n*, Anstalt *f*; **2.** *(banca)* Institut *n*, Bank *f*; **3.** *(di facoltà universitaria)* Institut *n*; **4.** *(scuola)* Schule *f*, Institut *n*; ~ **di bellezza** Schönheitssalon *m*, Kosmetikinstitut *n*; ~ **di pena** Strafanstalt *f*; ~ **superiore** Oberschule *f*. **istitutore, -trice** [...tu'to:re] *m, f* Hauslehrer(in) *m(f)*, Privatlehrer(in) *m(f)*; *(nei collegi)* Heimlehrer(in) *m(f)*. **istituzionalizzare** [...tutsionalid'dza:re] *tr* institutionalisieren. **istituzione** [...tut'tsio:ne] *f* **1.** *(fondazione)* Stiftung *f*, Gründung *f*; *(ente)* Institution *f*; *(a. ordinamento)* Einrichtung *f*; **2.** *(nomina)* Einsetzung *f*, Ernennung *f*; **3.** *(fondato su leggi, usi)* Institution *f*; **4.** ⟨*pl*⟩ *(nozioni fondamentali)* Grundbegriffe *m pl*, Grundlagen *f pl*; **-i sociali** soziale Einrichtungen *f pl*.
istmo ['istmo] *m* Landenge *f*.
istoriare [isto'ria:re] ⟨istorio, istori⟩ *tr* bebildern.
istrice ['istritʃe] *m* **1.** *zoo* Stachelschwein *n*; **2.** *fig* ruppiger Mensch.
istrione [istri'o:ne] *m st* Histrione *m*; *peg* Schmierenkomödiant *m*; *fig* Komödiant(in) *m(f)*.
istruire [istru'i:re] ⟨istruisco⟩ **I.** *tr* **1.** *(insegnare)* unterrichten, lehren; **2.** *(educare)* erziehen, bilden; *(ammaestrare)* dressieren; **3.** *(dare istruzioni, suggerimenti)* unterrichten, anleiten, instruieren; **4.** *dir (processo)* einleiten; **II.** *rfl:* **-irsi 1.** *(darsi un'istruzione)* sich bilden; **2.** *(informarsi)* sich unterrichten (*su* über +*akk*). **istruttivo, -a** [istrut'ti:vo] *agg* lehrreich, Lehr-, instruktiv *geh*. **istruttore, -trice** [...'to:re] **I.** *agg* ausbildend, Ausbildungs-; *dir* Untersuchungs-; **giudice** ~ *dir* Untersuchungsrichter *m*; **II.** *m, f* Lehrer(in) *m(f)*; ~ **di guida/di volo** Fahr-/Fluglehrer *m*. **istruttoria** [...'tɔ:ria] ⟨-ie⟩ *f* (Vor)untersuchung *f*. **istruttorio, -a** [...'tɔ:rio] ⟨-i, -ie⟩ *agg* ermittelnd, untersuchend. **istruzione** [...trut'tsio:ne] *f* **1.** *(insegnamento)* Unterricht *m*; **2.** *(cognizioni acquisite)* (Aus)bildung *f*; **3.** *(direttiva)* Anweisung *f*, Instruktion *f*; **4.** ⟨*pl*⟩ *(prescrizioni, norme per l'uso)* Gebrauchsanweisung *f*; **5.** *dir* (Vor)untersuchung *f*; **impartire -i** Anweisungen erteilen.
istupidire [istupi'di:re] ⟨istupidisco⟩ **I.** *tr* ⟨*avere*⟩ verdummen, dumm machen; **II.** *itr* ⟨*essere*⟩ verdummen, dumm werden.
Italia [i'ta:lia] *f* Italien *n*; **vado in** ~ ich fahre nach Italien; **l'**~ **è un paese molto bello** Italien ist ein sehr schönes Land. **italiana** *f v.* **italiano. italianismo** [italia'nizmo] *m* Italianismus *m*. **italianista** [...'nista] ⟨-i *m*, -e *f*⟩ *mf* Italianist(in) *m(f)*. **italianizzare** [...nid'dza:re] *tr* italianisieren. **italiano, -a** [...'lia:no] **I.** *agg* italienisch; **II.** *m, f* Italiener(in) *m(f)*; **è -a** sie ist Italienerin; **all'-a** auf italienische Art; **III.** *m* Italienisch(e) *n*; **l'**~ **è una bella lingua** Italienisch (*o* das Italienische) ist eine schöne Sprache; **come si dice in** ~? was (*o* wie) heißt das auf italienisch?; **parla** ~? sprechen Sie Ita-

lienisch?.
italo- [italo-] *(in parole composte)* italo-, Italo-.
iter ['i:ter] ⟨-⟩ *m (trafila burocratica)* Weg *m,* Gang *m;* ~ **burocratico** Dienstweg *m.*
itinerante [itine'rante] *agg* Wander-, wandernd; **mostra** ~ Wanderausstellung *f.*
itinerario [itine'ra:rio] ⟨-i⟩ *m* (Reise)weg *m,* Route *f;* ~ **europeo (***abbr* **E)** Europastraße *f.*
itterizia [itter'rittsia] ⟨-ie⟩ *f* Gelbsucht *f.*
ittico, -a ['ittiko] ⟨-ci, -che⟩ *agg* Fisch-.
IUD [iud] *m acr di* **Intrauterine Device** Spirale *f,* Intrauterinpessar *n wissensch.*
Iugoslavia [iugoz'la:via] *f:* **l'ex** ~ das ehemalige Jugoslawien. **iugoslavo, -a** [...vo] **I.** *agg* jugoslawisch; **II.** *m. f* Jugoslawe *m,* -slawin *f.*
iuta ['iu:ta] *f* Jute *f.*
IVA ['i:va] *f acr di* **Imposta sul Valore Aggiunto** MwSt., MWSt. (*abk von* Mehrwertsteuer).

J

J, j [i l'luŋga] ⟨-⟩ *f* J, j *n;* **j come jersey** (*o* **jolly**) J wie Julius.
J *abbr di* **Joule** J.
jacquard [ʒa'ka:r] ⟨inv⟩ *agg* Jacquard-.
jazz [dʒæz] ⟨-⟩ *m* Jazz *m.* **jazzista** [dʒad'dzista] ⟨-i *m,* -e *f*⟩ *mf* Jazzer(in) *m(f),* Jazzmusiker(in) *m(f).* **jazzistico, -a** [...'dzistiko] ⟨-ci, -che⟩ *agg* Jazz-.
jeans [dʒi:nz] *m pl* Jeans *pl o f.*
jeep® [dʒi:p] ⟨-⟩ *f* Jeep ® *m.*
jersey ['dʒə:zɪ] ⟨-⟩ *m* Jersey *m.*
jet [dʒet] ⟨-⟩ *m* Jet *m.* **jet lag** ['dʒet læg] ⟨-⟩ *m* Jet-lag *m.* **jet-set** ['dʒet set] ⟨-⟩ *m* Jet-set *m.*
job [dʒɔb] ⟨-⟩ *m* Job *m,* Anstellung *f.*
jockey ['dʒɔki] ⟨-⟩ *m* Jockey *m.*
jodel [jo:dəl] ⟨-⟩ *m* Jodeln *n.* **jodler** ['jo:dlər] ⟨-⟩ *m* Jodeln *n.*
jogging ['dʒɔgɪŋ] ⟨-⟩ *m* Jogging *n;* **praticare il** ~ joggen.
jogurt ['i̯ɔ:gurt] *v.* **Yogurt. jogurtiera** [i̯ogur'ti̯ɛ:ra] *v.* **yogurtiera.**
joint [dʒɔint] ⟨-⟩ *m sl (spinello king size)* Joint *m.*
joint-venture [dʒɔint'ventʃə] ⟨-⟩ *f econ* Joint-venture *n.*
jolly ['dʒɔlɪ] ⟨-⟩ *m* Joker *m.*
joule [dʒu:l *o* dʒaul] ⟨-⟩ *m* (*abbr* **J**) Joule *n.*
joystick ['dʒɔistik] ⟨-⟩ *m inform* Joystick *m.*
judo ['dʒu:do] ⟨-⟩ *m* Judo *n.* **judoista** [dʒudo'ista] ⟨-i *m,* -e *f*⟩ *mf* Judosportler(in) *m(f).*
Jugoslavia [i̯ugoz'la:vi̯a] *ecc. v.* **Iugoslavia** *ecc.*
juke-box ['dʒu:kbɔks] ⟨-⟩ *m* Musikbox *f.*
jumbo ['dʒʌmbou *o* 'dʒumbo], **jumbo jet** ['dʒʌmbou'dʒet] ⟨-⟩ *m* Jumbo(-Jet) *m.*
junior ['i̯uni̯or, i̯u'ni̯ɔ:res] **I.** ⟨*inv*⟩ *agg* (*abbr* **jr.**) junior; **II.** ⟨juniores⟩ *mf sport* Junior(in) *m(f).*

K

K, k ['kappa] ⟨-⟩ *m o f* K, k *n;* **k come kursaal** K wie Kaufmann.
kalashnikov [ka'laʃnikɔf] ⟨-⟩ *m* Kalaschnikov *f.*
kamikaze [kami'ka:ze *o* kami'kaddze] ⟨-⟩ *m* Kamikaze *m.*
karaoke [kara'ɔke] ⟨-⟩ *m* Karaoke *n.*
karate [kara'tɛ] ⟨-⟩ *m* Karate *n.*
kashmir [kaʃ'mi:r] ⟨-⟩ *m* **1.** *(lana)* Kaschmirwolle *f;* **2.** *(tessuto)* Kaschmir *m.*
kayak [ka'i̯ak *o* 'kaɪæk] ⟨-⟩ *m* Kajak *m.*
Kazakistan [kaddzakis'tan] *m* Kasachstan *n.*
Kbyte *v.* **kilobyte.**
Kenia ['keni̯a] *m* Kenia *n.*
kepi [ke'pi] ⟨-⟩ *m* Käppi *n.*
kermesse [ker'mɛs] ⟨-⟩ *f* **1.** *(festa)* Kirmes *f,* Kirchweih *f;* **2.** *sport* Ehrenrunde *f;* **3.** *fig (allegria)* Jubel, Trubel, Heiterkeit *scherz.*
kerosene [kero'zɛ:ne] *v.* **cherosene.**
kg *abbr di* **chilogrammo** kg (*abk von* Kilogramm).
kibbu(t)z [kib'buts] [-⟩ *m* Kibuz *m.*
kidnapping ['kɪdnæpɪŋ] ⟨-⟩ *m* Kidnapping *n,* (Kindes)entführung *f.*
killer ['kɪlə] **I.** ⟨-⟩ *mf* Killer *m fam,* Mörder(in) *m(f);* **II.** ⟨*inv*⟩ *agg* Killer-; **lo squalo** ~ der Killerhai.
kilobyte [kilo'baɪt] ⟨-⟩ *m* Kilobyte *n.*
Kirghizistan ['kirgizistan] *m* Kirgisien *n.*
kirsch [kɪrʃ] ⟨-⟩ *m* Kirsch *m,* Kirschwasser *n.*
kit [kit] ⟨-⟩ *m* Bausatz *n,* Bastelsatz *m;* *(assortimento)* Set *n.*
kiwi[1] ['ki:vi] ⟨-⟩ *m (frutta)* Kiwi *f.*
kiwi[2] ['ki:vi] ⟨-⟩ *m (uccello)* Kiwi *m.*
kleenex® ['kli:neks] ⟨-⟩ *m* Kometiktuch *n,* Kleenex® *n.*
km *abbr di* **chilometro** km (*abk von* Kilometer).
knesset ['knɛssɛt] ⟨-⟩ *f* Knesset(h) *f.*
knock out ['nɔkaut] **I.** ⟨-⟩ *m* Knockout *m,* K.o.-Schlag *m;* **II.** ⟨*inv*⟩ *agg, avv* knokkout, k.o. **essere** ~ *(a. fig)* k.o. sein; **mettere qu** ~ *sport* jdn k.o. schlagen; *fig* jdn erledigen, jdn fertigmachen.
know how ['nouhau] ⟨-⟩ *m* Know-how *n,* technisches Können.
koala [ko'a:la] ⟨-⟩ *m* Koala(bär) *m,* Beutelbär *m.*
kolchoz [kal'xɔs] ⟨-⟩ *m* Kolchose *f,* Kolchos *m.*
kolossal ['kɔlossal] ⟨-⟩ *m* **1.** *film* Monumentalfilm *m;* **2.** *teat* aufwendige Aufführung.
kriss [kris] ⟨-⟩ *m* Kris *m.*
kümmel ['kʏməl] ⟨-⟩ *m* Kümmel(branntwein) *m.*
Kuwait [ku'vait] *m* Kuwait *n.*
kW *abbr di* **chilowatt** kW (*abk von* Kilowatt).
K-Way® ['keiwei] ⟨-⟩ *m* Regenjacke *f.*
kWh *abbr di* **chilowattora** kWh.

L

L, l ['ɛlle] ⟨-⟩ *f* L, l *n;* **l come Livorno** L wie Ludwig.

l' **I.** *art det m e f sing (davanti a vocale)* der *m,* die *f,* das *n;* **II.** *pron pers* **1.** *3ª pers m sing* ihn; **2.** *3ª pers f sing* sie; **3.** *(forma di cortesia a.:* **L'***)* Sie.

L *abbr di* **lira** L, Lit.

la¹ [la] **I.** *art det f sing* der *m,* die *f,* das *n;* **II.** *pron pers* **1.** *3ª pers f sing* sie; **2.** *(forma di cortesia a.:* **La***)* Sie.

la² [la] ⟨-⟩ *m mus* a, A *n.*

là [la] *avv (stato)* dort, da; *(moto)* dorthin, dahin; **tirarsi in** ~ zur Seite gehen; **chi va** ~? *mil* wer da?; **di** ~ *(stato in luogo)* drüben; *(da quel luogo)* von dort, von dorther; *(verso quel luogo)* hinüber; **al di** ~ *(moto)* auf die andere Seite; *(stato)* auf der anderen Seite; **al di** ~ **del fiume** jenseits des Flusses.

labbro ['labbro] *m* **1.** ⟨*pl:* -a *f*⟩ *anat* Lippe *f; (della vagina)* Schamlippe *f;* **2.** ⟨*pl:* -i *m*⟩ *fig* Rand *m;* ~ **leporino** Hasenscharte *f;* **pendere dalle -a di qu** an jds Lippen hängen.

labiale [la'bia:le] **I.** *agg* labial, Lippen-; **II.** *f* Labial-, Lippenlaut *m.*

labile ['la:bile] *agg* **1.** *(passeggero)* flüchtig, vergänglich; **2.** *psic (a. fig)* labil.

labirinto [labi'rinto] *m* Labyrinth *n.*

laboratorio [labora'tɔ:rio] ⟨-i⟩ *m* **1.** *scient* Labor(atorium) *n;* **2.** *(officina)* Werkstatt *f;* ~ **linguistico** Sprachlabor *n;* ~ **spaziale** (Welt)raumlabor *n.*

laboriosità [laboriosi'ta] ⟨-⟩ *f* Arbeitsamkeit *f,* Fleiß *m.* **laborioso, -a** [...'rio:so] *agg* arbeitsam, eifrig, fleißig.

lacca ['lakka] ⟨-cche⟩ *f* **1.** *(sostanza)* Schellack *m; (di inchiostri, tinte)* Farblack *m;* **2.** *(per capelli)* Haarspray *n;* **3.** *(per unghie)* Nagellack *m;* **4.** *(oggetto)* Lackarbeit *f.* **laccare** [...'ka:re] ⟨lacco, lacchi⟩ *tr* lackieren, lacken.

laccio ['lattʃo] ⟨-cci⟩ *m (nodo)* Schlinge *f; (nastro)* Schnur *f; (delle scarpe)* Schnürsenkel *m,* Schuhriemen *m.*

lacerante [latʃe'rante] *agg fig* quälend, qualvoll; *(urlo)* markerschütternd.

lacerare [latʃe'ra:re] *tr* **1.** *(stracciare)* zerreißen, zerfetzen; **2.** *fig* zerreißen, quälen. **lacerazione** [...rat'tsio:ne] *f* Riß *m; med* Rißwunde *f.* **lacero, -a** ['la:tʃero] *agg* zerrissen, zerlumpt.

laconico, -a [la'kɔ:niko] ⟨-ci, -che⟩ *agg* **1.** *(risposta)* lakonisch, kurz und bündig; **2.** *(persona)* wortkarg, einsilbig.

lacrima ['la:krima] *f* Träne *f;* **-e di coccodrillo** Krokodilstränen *f pl;* **avere le -e agli occhi** Tränen in den Augen haben; **avere le -e in tasca** nahe am Wasser gebaut haben; **ridere fino alle -e** Tränen lachen. **lacrimogeno, -a** [...'mɔ:dʒeno] *agg* Tränen-; **gas** ~ Tränengas *n.*

lacrimoso, -a [...'mo:so] *agg* **1.** *(viso)* tränenüberströmt; *(viso, occhi)* verweint; **2.** *(commovente)* traurig, rührend.

lacuna [la'ku:na] *f* Lücke *f; (fig a.)* Mangel *m;* **colmare una** ~ eine Lücke füllen; ~ **della memoria** Gedächtnislücke *f.* **lacunoso, -a** [...'no:so] *agg* lückenhaft, unvollständig.

ladino, -a [la'dino] **I.** *agg* ladinisch; **II.** *mf* Ladiner(in) *m(f);* **III.** *m* Ladinisch(e) *n.*

ladro, -a ['la:dro] **I.** *agg* diebisch; **II.** **1.** *m, f* Dieb(in) *m(f); (scassinatore)* Einbrecher *m;* **2.** *fig* Gauner(in) *m(f),* Halsabschneider(in) *m(f);* ~ **di cuori** Herzensbrecher *m.* **ladrocinio** [ladro'tʃi:nio] ⟨-i⟩ *m* betrügerischer Diebstahl. **ladrone** [la'dro:ne] *m* (Straßen)räuber *m;* **i due -i** *(sul Calvario)* die beiden Schächer *m pl.*

ladruncolo, -a [la'druŋkolo] *m, f* kleiner Dieb, kleine Diebin.

lager ['la:gər] ⟨-⟩ *m* Internierungslager *n; (campo di sterminio)* Konzentrationslager *n,* KZ *n fam.*

laggiù [lad'dʒu] *avv (stato)* dort unten, da drüben; *(moto)* dort hinunter, dort hinüber.

lagna ['laɲɲa] *f fam* **1.** *(lamento)* Gejammer *n;* **2.** *(persona)* Nervensäge *f fam;* **3.** *(discorso)* Litanei *f fam,* Salbaderei *f fam.* **lagnanza** [...'ɲantsa] *f* Beschwerde *f,* Klage *f.* **lagnarsi** [...'ɲarsi] *rfl* sich beschweren *(per, di* über *+akk),* sich beklagen *(per, di* über *+akk); (lamentarsi)* klagen *(per, di* über *+akk).*

lago ['la:go] ⟨-ghi⟩ *m* **1.** *geog* See *m;* **2.** *fig (di sangue, olio)* Lache *f;* ~ **artificiale** Stausee *m;* **L~ di Costanza** Bodensee *m.*

laguna [la'gu:na] *f* Lagune *f.* **lagunare** [lagu'na:re] *agg* Lagunen-.

L'Aia ['la:ia] *f* Den Haag *n.*

laicale [lai'ka:le] *agg* weltlich, Laien-.

laico, -a ['la:iko] ⟨-ci, -che⟩ **I.** *agg* **1.** *(non ecclesiastico)* weltlich, Laien-; **2.** *(non confessionale)* konfessionslos; **II.** *m, f rel* Laie *m; (frate)* Laienbruder *m.*

lama¹ ['la:ma] *f* **1.** *(del coltello)* (Messer)klinge *f; (della sega)* Sägeblatt *n;* **2.** *(spada)* Schwert *n,* Degen *m;* ~ **a doppio taglio** *fig* zweischneidiges

Schwert.

lama² ['la:ma] ⟨-⟩ *m rel* Lama *m.*

lama³ ['la:ma] ⟨-⟩ *m zoo* Lama *n.*

lambada [lam'ba:da] *f* Lambada *m.*

lambiccare [lambik'ka:re] ⟨lambicco, lambicchi⟩ **I.** *tr* destillieren; **II.** *rfl:* **-rsi il cervello** sich *(dat)* den Kopf zerbrechen (*su* über *+akk*).

lambire [lam'bi:re] ⟨lambisco⟩ *tr* **1.** *(con la lingua)* (ab)lecken; **2.** *fig* leicht berühren, streifen; *(fiamme)* umzüngeln; *(mare)* umspülen.

lamé [la'me] ⟨-⟩ *m* Lamé *m,* Lurex® *n fam.*

lamella [la'mɛlla] *f* Lamelle *f.* **lamellare** [...'la:re] *agg* lamellenförmig, lamellar.

lamentare [lamen'ta:re] **I.** *tr* klagen über *+akk,* beklagen; **II.** *rfl:* **-arsi** (sich be)klagen (*di* über *+akk*), sich beschweren (*di* über *+akk*). **lamentela** [...'tɛ:la] *f* Beschwerde *f,* Klage *f.*

lamento [la'mento] *m* **1.** *(gemito)* Klage *f,* Wehklagen *n;* **2.** *(di animali)* Heulen *n; (di cane)* Wimmern *n;* **3.** *(del vento)* Heulen *n;* **4.** *mus* Klagelied *n.* **lamentoso, -a** [...'to:so] *agg* klagend, jammernd, weinerlich.

lametta [la'metta] *f* (Rasier)klinge *f.*

lamiera [la'mi̯ɛ:ra] *f* Blech *n.*

lamina ['la:mina] *f* Blatt *n,* Folie *f;* ~ **d'oro** Goldfolie *f.*

laminare¹ [lami'na:re] *agg* blättchenförmig.

laminare² [lami'na:re] *tr* **1.** *(ricoprire)* laminieren, mit einer (Deck)schicht überziehen; **2.** *(ridurre in lamine)* (aus)walzen, pressen; **3.** *(coprire con lamine)* mit einem Metallbelag versehen; *(sci)* mit Stahlkanten versehen. **laminato, -a** [...'na:to] **I.** *agg* (aus)gewalzt; **II.** *m* Walzstück *n,* Walzgut *n;* **mobili di** ~ Möbel *n pl* mit Kunststoffoberfläche. **laminatoio** [...na'to:i̯o] ⟨-oi⟩ *m* Walzmaschine *f,* Walzwerk *n.*

lampada ['lampada] *f* Lampe *f,* Leuchte *f;* ~ **a morsetto** Klemmlampe *f;* ~ **al neon** Neonröhre *f,* Neonlampe *f;* ~ **a raggi infrarossi/ultravioletti** Infrarotstrahler *m*/Höhensonne *f;* **L~ di Aladino** Aladins Wunderlampe *f.* **lampadario** [...'da:ri̯o] ⟨-i⟩ *m* Deckenleuchte *f;* ~ **di vetro** (Kron)leuchter *m.* **lampadina** [...'di:na] *f* **1.** *(piccola lampada)* kleine Lampe, Lämpchen *n;* **2.** *el* (Glüh)birne *f;* ~ **tascabile** Taschenlampe *f.*

lampante [lam'pante] *agg (evidente)* einleuchtend, klar, offenkundig; **chiaro e** ~ sonnenklar.

lampeggiamento [lampeddʒa'mento] *m* **1.** *meteo* Blitzen *n,* Wetterleuchten *n;* **2.** *(di auto)* Blinken *n.*

lampeggiare [lamped'dʒa:re] ⟨lampeggio, lampeggi⟩ *itr* **1.** ⟨*avere*⟩ *meteo* blitzen, wetterleuchten; **2.** ⟨*avere*⟩ *fig (occhi, astro)* funkeln, leuchten; **3.** ⟨*avere*⟩ *mot, tec* blinken; **4.** ⟨*essere o avere*⟩ *impers* blitzen; **far** ~ **i proiettori** Lichthupe machen. **lampeggiatore** [...dʒa'to:re] *m* **1.** *(freccia di veicolo)* Blinker *m;* **2.** *(avvisatore a lampi di luce)* Warnblinkleuchte *f; (azzurra)* Blaulicht *n;* ~ **(d'emergenza)** Warnblinkanlage *f,* Warnblinker *m fam.*

lampioncino [lampi̯on'tʃi:no] *m* Lampion *m o n,* Papierlaterne *f.*

lampione [lam'pi̯o:ne] *m* (Straßen)laterne *f.*

lampo ['lampo] *m* Blitz *m; (fig a.)* Aufleuchten *n;* ~ **di genio** Geistesblitz *m;* **chiusura-**~ Reißverschluß *m;* **in un** ~ im Nu; **(veloce) come un** ~ blitzschnell.

lampone [lam'po:ne] *m* **1.** *(pianta)* Himbeerstrauch *m;* **2.** *(frutto)* Himbeere *f.*

LAN ['la:n] *m acr di* **Local Area Network** *m* LAN *n.*

lana ['la:na] *f* Wolle *f;* ~ **d'acciaio/di vetro/di legno** Stahl-/Glas-/Holzwolle *f.*

lancetta [lan'tʃetta] *f (di orologio)* Zeiger *m.*

lancia ['lantʃa] ⟨-ce⟩ *f* Lanze *f;* **spezzare una** ~ **in favore di qu** für jdn eine Lanze brechen.

lanciabombe [lantʃa'bombe] ⟨-⟩ *m* Granatwerfer *m.* **lanciafiamme** [-'fi̯amme] ⟨-⟩ *m* Flammenwerfer *m.* **lanciamissili** [-'missili] **I.** ⟨*inv*⟩ *agg* Raketen-, Raketenabschuß-; **II.** ⟨-⟩ *m* Raketenabschußrampe *f.* **lanciarazzi** [-'raddzi] ⟨-⟩ *m* Raketenwerfer *m.*

lanciare [lan'tʃa:re] ⟨lancio, lanci⟩ **I.** *tr* **1.** *(gettare)* werfen, schleudern; *(razzo)* abschießen; *(bombe)* abwerfen; **2.** *econ* einführen, lancieren; **3.** *fig (grido)* ausstoßen; *(occhiata)* zuwerfen; **4.** *fig (idea, notizia)* verbreiten; **II.** *rfl:* **-arsi** **1.** sich stürzen (*su* auf *+akk, contro* gegen), sich werfen (*su* auf *+akk, contro* gegen); *(dall'alto)* abspringen, sich fallen lassen; **2.** *fig* sich stürzen (*in* auf *+akk,* in *+akk*).

lanciasiluri [-si'lu:ri] ⟨-⟩ *m* Torpedo(ausstoß)rohr *n; (nave)* Torpedoschiff *n.*

lanciatore, -trice [lantʃa'to:re] *m, f* Werfer(in) *m(f);* ~ **del disco/giavellotto** Diskus-/Speerwerfer(in) *m(f);* ~ **del peso** Kugelstoßer(in) *m(f).*

lancinante [lantʃi'nante] *agg fig* stechend.

lancio ['lantʃo] ⟨-ci⟩ *m* **1.** *gener.* Wurf *m; (salto)* Sprung *m; (dall'alto)* Absprung *m; (di bombe)* Abwurf *m;* **2.** *com* Markteinführung *f, (a. fig)* Lancieren *n.*

lanerie [lane'ri:e] *f pl* Wollwaren *f pl.*

lanetta [la'netta] *f* **1.** *(tessuto)* leichter Wollstoff; **2.** *(d'acciaio)* Stahlwolle *f.*

languido, -a ['laŋgu̯ido] *agg* **1.** *(fiacco)* kraftlos, matt; **2.** *fig* schmachtend, sehnsüchtig.

languire [laŋ'gu̯i:re] ⟨languo *o* languisco, languii, languito⟩ *itr* **1.** *(struggersi)* sich verzehren, schmachten, vergehen (*da* vor +*dat*); **2.** *(indebolirsi)* ermatten, dahinsiechen; *(attività)* stocken; **3.** *(venir meno)* vergehen; **la conversazione langue** die Konversation stockt; ~ **dalla fame** vor Hunger vergehen. **languore** [...'guo:re] *m* **1.** *(fiacchezza)* Schlaffheit *f*, Mattigkeit *f;* **2.** *fig* Sehnsucht *f*, Schmachten *n;* ~ **di stomaco** Leeregefühl *n* (im Magen).

laniero, -a [la'niɛ:ro] *agg* Woll-. **lanificio** [lani'fi:tʃo] ⟨-ci⟩ *m* Wollspinnerei *f*, -weberei *f*.

lanolina [lano'li:na] *f* Lanolin *n*.

lanoso, -a [la'no:so] *agg* wollig.

lanterna [lan'tɛrna] *f* **1.** *gener.* Laterne *f;* **2.** *naut* Blinklicht *n;* *(faro)* Leuchtturm *m*. **lanternino** [...ter'ni:no] *m* kleine Laterne, Laternchen *n;* **cercare qc col** ~ etw. verzweifelt suchen.

lanugine [lanu'dʒi:ne] *f* Flaum *m*.

lapalissiano, -a [lapalis'sia:no] *agg* altbekannt; **verità -a** Binsenwahrheit *f*.

laparoscopia [lɑpɑrosko'pi:ɑ] ⟨-ie⟩ *f med* Bauchspiegelung *f*.

lapidare [lapi'da:re] *tr* steinigen. **lapidario, -a** [...'da:rio] ⟨-i, -ie⟩ *agg* **1.** *(arte)* Stein-, Steinmetz-; **2.** *fig* kurz und bündig, lapidar.

lapide ['la:pide] *f (su sepolcri)* Grabstein *m;* *(su muri)* Gedenktafel *f*, Gedenkstein *m*.

lapis ['la:pis] ⟨-⟩ *m* Bleistift *m;* *(matita colorata)* Buntstift *m*.

lapislazzuli [lapiz'laddzuli] ⟨-⟩ *m* Lapislazuli *m*.

lapsus ['lapsus] ⟨-⟩ *m* Lapsus *m*, Flüchtigkeitsfehler *m;* ~ **linguae** Versprecher *m*, Lapsus linguae *m geh*.

laptop ['læptɔp] ⟨-⟩ *m inform* Laptop *n o m*.

lardellare [lardel'la:re] *tr gastr (a. fig)* spicken, füllen.

lardo ['lardo] *m* Speck *m*.

largheggiare [larged'dza:re] ⟨largheggio, largheggi⟩ *itr* freigebig sein (*di, in* mit), großzügig sein (*di, in* mit); ~ **in cortesie** betont (*o* übertrieben) höflich sein; ~ **in mance** ein großzügiges Trinkgeld geben.

larghezza [lar'gettsa] *f* **1.** *(di strada, fiume)* Breite *f;* *(ampiezza)* Weite *f*, Geräumigkeit *f;* **2.** *fig (liberalità)* Großzügigkeit *f*, Freigebigkeit *f;* **3.** *fig (abbondanza)* Fülle *f;* ~ **d'idee** Weitblick *m;* ~ **di torace** Brustweite *f*.

largo, -a ['largo] ⟨-ghi, -ghe⟩ **I.** *agg* **1.** *(contrario di lungo)* breit; *(contrario di stretto)* weit; **2.** *(generoso)* großzügig; *(quantità)* reichlich; *(d'idee)* großzügig, aufgeschlossen; ~ **di fianchi/spalle** mit breiten Hüften/breitschult(e)rig; ~ **tre metri** drei Meter breit; **curva -a** flache Kurve; **beni di ~ consumo** *com* Massenkonsumgüter *n pl;* **stare alla -a da qu** jdn meiden, sich *(dat)* jdn vom Halse halten; **su -a scala** in großem Umfang; **II.** *m* **1.** *(larghezza)* Breite *f*, Weite *f;* *(spazio)* Platz *m;* **2.** *(mare)* offene See, offenes Meer; **3.** *mus* Largo *n;* **farsi ~ tra la folla** sich *(dat)* einen Weg durch die Menge bahnen; **girare al ~ da qu** um jdn einen (großen) Bogen machen; **prendere il** ~ *naut* in See stechen (*o* gehen); *fig* sich aus dem Staube machen; **fate** ~! Platz da!

larice ['la:ritʃe] *m* Lärche *f*.

laringe [la'rindʒe] *f o m* Kehlkopf *m*. **laringite** [...'dʒi:te] *f* Kehlkopfentzündung *f*, Laryngitis *f wissensch*.

larva ['larva] *f* **1.** *zoo* Larve *f;* **2.** *fig (ombra)* Gespenst *n*, Schatten *m*.

lasciapassare [laʃʃapas'sa:re] ⟨-⟩ *m* Passierschein *m*.

lasciare [laʃ'ʃa:re] ⟨lascio, lasci⟩ **I.** *tr* **1.** *(non portare con sé)* lassen, zurücklassen; **2.** *(abbandonare)* verlassen; *(posto)* aufgeben; **3.** *(dimenticare)* (liegen-, stehen-, hängen)lassen; **4.** *(in eredità)* hinterlassen, vermachen; **5.** *(mollare)* loslassen; *(liberare)* freilassen; **6.** *(far rimanere dopo di sé)* zurück-, hinterlassen; **7.** *(affidare, consegnare)* lassen, abgeben, überlassen; **8.** *(consentire)* lassen, zulassen; **9.** *(smettere, cessare)* aufhören (*di* zu); ~ **le cose come stanno** die Dinge auf sich *(dat)* beruhen lassen; ~ **il discorso a mezzo** das Gespräch (*o* die Rede) nicht zu Ende führen; **o prendere o** ~ entweder oder, ja oder nein; ~ **andare** fortlassen; *(non curarsi)* sich nicht kümmern um; ~ **andare (*o* perdere *o* stare)** sein lassen; ~ **correre** es geschehen lassen, ein Auge zudrücken; ~ **a desiderare** zu wünschen übrig lassen; ~ **detto** ausrichten (*o* bestellen) lassen; ~ **fare** in Ruhe lassen, gewähren lassen; ~ **scritto** schriftlich festlegen; ~ **stare qu** jdn in Ruhe lassen; **lasciamo stare!** reden wir nicht mehr darüber!; **II.** *rfl:* **-arsi 1.** *(accomiatarsi)* auseinandergehen, sich trennen; **2.** *(troncare i rapporti)* sich trennen; **3.** *(indursi)* sich überlassen, sich hingeben; **-arsi andare** *fig* sich gehenlassen.

lascito ['laʃʃito] *m* Vermächtnis *n*, Hinterlassenschaft *f*.

laser ['la:zer] ⟨-⟩ *m* Laser *m*. **laserterapia** [-terɑ'pi:ɑ] ⟨-ie⟩ *f* Lasertherapie *f*.

lassativo, -a [lassa'ti:vo] **I.** *agg* abführend, Abführ-; **II.** *m* Abführmittel *n*, Laxativum *n wissensch*.

lasso ['lasso] *m:* ~ **di tempo** Zeitraum *m*, Zeitspanne *f*.

lassù [las'su] *avv (stato)* dort (*o* da) oben; *(moto)* da (*o* dort) hinauf.

lastra ['lastra] *f* **1.** *(piastra)* Platte *f*, Tafel *f;* *(di vetro)* Scheibe *f;* **2.** *fot* Fotoplatte *f;* *(radiografia)* Röntgenaufnahme *f;* **3.** *tip* Druckplatte *f;* ~ **di ghiaccio** Eisscholle *f;* **farsi le -e** *fam* sich röntgen lassen.

lastricare [lastri'ka:re] ⟨lastrico, lastrichi⟩ *tr* pflastern (*di* mit). **lastricato** [...'ka:to] *m* (Straßen)pflaster *n*.

lastrico ['lastriko] ⟨-chi *o* -ci⟩ *m* **1.** *(di strada)* Pflaster *n*, Pflasterung *f*; **2.** *fig* Armut *f*, Elend *n*; **buttare (*o* ridurre) qu sul ~** jdn an den Bettelstab bringen; **ridursi sul ~** auf den Hund kommen.

lastrone [las'tro:ne] *m* Felsplatte *f*, Felswand *f*.

latente [la'tɛnte] *agg* latent, versteckt, verborgen.

laterale [late'ra:le] **I.** *agg* seitlich, Seiten-, Neben-; **II.** *m sport* Außenläufer(in) *m(f)*.

laterizio, -a [late'rittsjo] ⟨-i, -ie⟩ **I.** *agg* aus (gebrannter) Tonerde, Ziegel-, Backstein-; **materiale ~** Ziegelsteine *m pl*; **II.** *m pl* Ziegel(steine) *m pl*, Backsteine *m pl*; **fabbrica di -i** Ziegelbrennerei *f*, Ziegelei *f*.

latifoglio [lɑti'fɔʎʎo] ⟨-gli⟩ *m* Laubbaum *m*.

latifondista [latifon'dista] ⟨-i *m*, -e *f*⟩ *mf* Großgrundbesitzer(in) *m(f)*. **latifondo** [...'fondo] *m* Großgrundbesitz *m*, Latifundium *n*.

latino, -a [la'ti:no] **I.** *agg* lateinisch; *(neolatino)* romanisch; *rel* römisch(-katholisch); **America -a** Lateinamerika *n*; **~-americano** lateinamerikanisch; **II.** *m* Latein(isch) *n*; **III.** *m, f* **1.** *(abitante del Lazio antico)* Latiner(in) *m(f)*; **2.** *(romano)* Römer(in) *m(f)*.

latitante [lati'tante] **I.** *agg* flüchtig (vor dem Gesetz); **II.** *mf* Flüchtige(r) *mf*. **latitanza** [...'tantsa] *f* Flüchtigsein *n*.

latitudinale [latitudi'na:le] *agg* Breiten-; **coordinata ~** Breitengrad *m*. **latitudine** [...'tu:dine] *f* (geographische) Breite *f*.

lato[1] ['la:to] *agg*: **in senso ~** im weiteren Sinne.

lato[2] ['la:to] *m* **1.** *(parte)* Seite *f*; **2.** *fig (aspetto)* Seite *f*, Aspekt *m*; *(punto di vista)* Gesichtspunkt *m*, Standpunkt *m*; **a ~ di qu** neben jdm, an jds Seite; **da un ~ . . ., dall'altro . . .** einerseits . . ., and(e)rerseits . . .

latore, -trice [lɑ'to:re] *m, f* Überbringer(in) *m(f)*.

latrare [la'tra:re] *itr* kläffen. **latrato** [la'tra:to] *m* Gekläff(e) *n*.

latrina [la'tri:na] *f* Abort *m*.

latrocinio [latro'tʃi:njo] *v.* **ladrocinio.**

latta ['latta] *f* **1.** *(lamiera)* Blech *n*; **2.** *(recipiente)* Kanne *f*, Kanister *m*.

lattaio, -a [lat'ta:jo] ⟨-ai, -aie⟩ *m, f* Milchmann *m*, -frau *f*, Milchhändler(in) *m(f)*.

lattante [lat'tante] *mf* Säugling *m*.

latte ['latte] *m* Milch *f*; **~ in polvere** Milchpulver *n*; **~ in scatola** Dosenmilch *f*, Büchsenmilch *f*; **~ cagliato/condensato** Dick-/Kondensmilch *f*; **~ detergente** Reinigungsmilch *f*; **~ materno** Muttermilch *f*; **~ intero/scremato** Voll-/Magermilch *f*; **~ (sterilizzato) a lunga conservazione** H-Milch *f*; **denti da ~** Milchzähne *m pl*; **vitello di ~** Milchkalb *n*; **fior di ~** Rahm *m*; **bianco come il ~** schneeweiß. **latteo, -a** [...o] *agg* **1.** *(del latte)* Milch-; *(simile al latte)* milchig; **2.** *(colore)* milchweiß; **crosta -a** Milchschorf *m*; **farina -a** Milchbrei(pulver *n*) *m*; **Via L-a** Milchstraße *f*.

latteria [latte'ri:a] ⟨-ie⟩ *f* **1.** *(stabilimento)* Molkerei *f*; **2.** *(negozio)* Milchhandlung *f*, Milchgeschäft *n*. **latticello** [lɑtti'tʃɛllo] *m* Buttermilch *f*. **latticini** [...i'tʃi:ni] *m pl* Milchprodukte *n pl*, Milcherzeugnisse *n pl*.

lattiera [lat'tjɛ:ra] *f* Milchkännchen *n*.

lattiero, -a [...ro] *agg* Milch-.

lattifero, -a [lat'ti:fero] *agg* milchführend, milcherzeugend; **vacca -a** Milchkuh *f*.

lattiginoso, -a [lattidʒi'no:so] *agg* **1.** *(simile al latte)* milchig, milchartig; **2.** *bot* Milchsaft absondernd.

lattina [lat'ti:na] *f* Büchse *f*, (Blech)dose *f*.

lattosio [lat'tɔ:zjo] ⟨-i⟩ *m* Laktose *f*, Milchzucker *m*.

lattuga [lat'tu:ga] ⟨-ghe⟩ *f*: **~ cappuccio** Kopfsalat *m*; **~ ricciolina (*o* crespa)** (krause) Winterendivie *f*; **~ romana** Sommerendivie *f*.

laurea ['la:urea] *f italienischer Hochschulabschluß*; **~ ad honorem (*o* honoris causa)** Ehrendoktor *m*; **conseguire la ~** einen Hochschulabschluß erwerben; **prendere la ~ in economia e commercio** in Wirtschafts- und Handelswissenschaften Examen machen.

laureando, -a [laure'ando] *m, f* Examenskandidat(in) *m(f)*.

laureare [laure'a:re] **I.** *tr* **1.** *(studente)* promovieren, den akademischen Grad „dottore" verleihen (*qu* jdm); **2.** *sport* den Meistertitel verleihen (*qu* jdm); **II.** *rfl*: **-arsi 1.** *(studente)* den Titel „dottore" erwerben; **2.** *sport* den Meistertitel erwerben; **-arsi campione** *sport* Meister werden. **laureato, -a** [...'a:to] **I.** *agg* **1.** *(studente)* mit Hochschulabschluß; **2.** *(poeta)* lorbeergekrönt; **poeta ~** mit einem Preis ausgezeichneter Dichter, Laureat *m*; **II.** *m, f* Hochschulabsolvent(in) *m(f)*, Akademiker(in) *m(f)*; **~ in legge** Jurist(in) *m(f)*; **~ in lettere** Philologe *m*, -login *f*.

lauto, -a ['la:uto] *agg* auserlesen; *(abbondante)* üppig.

lava ['la:va] *f* Lava *f*.

lavabile [la'va:bile] *agg* waschbar, waschecht.

lavabo [la'va:bo] *m* Waschbecken *n*, Waschtisch *m*.

lavaggio [la'vaddʒo] ⟨-ggi⟩ *m* **1.** *gener.* Reinigung *f*, Wäsche *f*, Waschen *n*; **2.** *med* Spülung *f*; **3.** *min* Schlämmen *n*; **~ a secco** chemische Reinigung; **~ del**

cervello Gehirnwäsche *f*.

lavagna [la'vaɲɲa] *f* **1.** *geol* Schiefer *m;* **2.** *(nelle scuole)* (Schiefer)tafel *f;* ~ **luminosa** Tageslichtprojektor *m,* Overheadprojektor *m;* ~ **magnetica** Magnettafel *f*.

lavanda[1] [la'vanda] *f* Waschung *f; med* Spülung *f;* ~ **gastrica** Magenspülung *f*.

lavanda[2] [la'vanda] *f bot* Lavendel *m; (profumo a.)* Lavendelwasser *n*.

lavandaio, -a [lavan'da:io] ⟨-ai, -aie⟩ *m, f* **1.** Wäscher(in) *m(f),* Waschfrau *f;* **2.** *fig peg* Waschweib *n.* **lavanderia** [...de'ri:a] ⟨-ie⟩ *f* Wäscherei *f; (stanza)* Waschküche *f:* ~ **automatica (***o* **a gettone)** Waschsalon *m.* **lavandino** [...'di:no] *m* Waschbecken *n,* Spülbecken *n*.

lavapiatti [lava'piatti] ⟨-⟩ *mf* Tellerwäscher(in) *m(f)*.

lavare [la'va:re] **I.** *tr* (ab)waschen; *(stoviglie)* spülen, abwaschen; *(denti, vetri)* putzen; ~ **a secco** chemisch reinigen; **II.** *rfl:* **-arsi** sich waschen; **-arsi come i gatti** Katzenwäsche machen; **lavarsene le mani** seine Hände in Unschuld waschen.

lavasciuga ([lavaˈʃu:ga] ⟨-⟩ *f* Waschmaschine *f* mit integriertem Wäschetrockner.

lavasecco [lava'sekko] ⟨-⟩ *m o f* chemische Reinigung.

lavastoviglie [lavasto'viʎʎe] ⟨-⟩ *m o f* (Geschirr)spülmaschine *f*.

lavata [la'va:ta] *f* (flüchtiges) (Ab)waschen *n;* **dare a qu una** ~ **di capo** *fig* jdm den Kopf waschen.

lavatergifari [lavaterdʒi'fa:ri] ⟨-⟩ *m mot* Scheinwerferwaschanlage *f.* **lavatergilunotto** [-terdʒilu'nɔtto] *m* Heckscheibenwischer *m*.

lavativo, -a [lava'ti:vo] *m, f* Drückeberger *m,* Taugenichts *m*.

lavatoio [lava'to:io] ⟨-oi⟩ *m* **1.** *(stanza)* Waschküche *f;* **2.** *(vasca)* Waschtrog *m;* **3.** *(lastra)* Waschbrett *n.* **lavatrice** [...'tri:tʃe] *f* Waschmaschine *f.* **lavatura** [...'tu:ra] *f* **1.** *(il lavare)* Waschen *n,* Wäsche *f;* **2.** *(acqua)* Spül-, Waschwasser *n.* **lavavetri** [-'ve:tri] **I.** *mf* Fensterputzer(in) *m(f);* **II.** *m* Wischer *m*.

lavello [la'vɛllo] *m* Spülbecken *n,* Waschbecken *n*.

lavina [la'vi:na] *f* Lawine *f*.

lavorante [lavo'rante] *mf* Geselle *m,* Gesellin *f*.

lavorare [lavo'ra:re] **I.** *tr* **1.** *(agire su)* bearbeiten; *(pasta)* kneten; *(terreno)* bestellen; **2.** *(trasformare)* verarbeiten; **3.** *(tec, confezionare)* fertigen; **II.** *itr* **1.** *gener.* arbeiten; **2.** *(funzionare)* laufen; **3.** *(fare affari)* sein Handwerk verstehen; *(negozio, studio)* (gut) gehen; **4.** *(aver effetto)* wirksam sein, wirken; **III.** *rfl:* **-arsi qu** *fam* jdn herumbekommen (wollen) *fam,* jdn umgarnen. **lavorativo, -a** [...ra'ti:vo] *agg* Arbeits-, Werk-; **settimana -a** Arbeitswoche *f.* **lavoratore, -trice** [...ra'to:re] **I.** *agg* arbeitend, Arbeiter-, erwerbstätig; **II.** *m, f* Arbeiter(in) *m(f),* Erwerbstätige(r) *mf;* ~ **agricolo** Landarbeiter *m;* ~ **autonomo** Selbständige(r) *m;* ~ **dipendente** Arbeitnehmer *m;* ~ **qualificato** gelernter Arbeiter; ~ **specializzato** Facharbeiter *m.* **lavorazione** [...rat'tsio:ne] *f* Bearbeitung *f; (di materie prime)* Verarbeitung *f; (di film)* Herstellung *f; (di terreno)* Bestellung *f; (di pasta)* Kneten *n;* ~ **in serie** Serienfertigung *f;* **essere in** ~ in Arbeit sein.

lavorio [lavo'ri:o] ⟨-ii⟩ *m* **1.** *(attività)* Geschäftigkeit *f,* Betriebsamkeit *f;* **2.** *(di agenti naturali)* Einwirkung *f*.

lavoro [la'vo:ro] *m* **1.** *(attività di produzione)* Arbeit *f,* Tätigkeit *f; (remunerato a.)* Beschäftigung *f;* **2.** *(di agenti naturali)* (Ein)wirkung *f;* **3.** *(opera)* Arbeit *f,* Werk *n;* ~ **abusivo** Schwarzarbeit *f;* **-i domestici** Hausarbeit *f;* **-i a domicilio** Heimarbeit *f;* ~ **interinale** Leih-, Zeitarbeit *f;* ~ **nero** Schwarzarbeit *f;* ~ **straordinario** Überstunden *f pl;* ~ **teatrale** Theaterstück *n,* Bühnenwerk *n;* ~ **a tempo parziale/pieno** Teilzeit-/Vollzeitarbeit *f;* **-i in corso** *(su strade)* Baustelle *f;* **senza** ~ arbeitslos; **andare al** ~ zur Arbeit gehen; **hai fatto proprio un bel** ~**!** *iron* da hast du aber etw. Schönes angerichtet!

lay-out ['leiaut] ⟨-⟩ *m* Layout *n*.

Lazio ['lattsio] *m* Latium *n*.

lazzarone [laddza'ro:ne] *m* Schurke *m,* Lump *m; (fannullone)* Nichtsnutz *m,* Faulenzer *m fam*.

lazzo ['laddzo *o* 'lattso] *m* **1.** *(atto buffonesco)* Posse *f;* **2.** *(motto scurrile)* skurriler Einfall, Schnurre *f*.

le [le] **I.** *art det f pl* die; **II.** *pron pers* **1.** *3ª pers f pl (complemento di termine)* ihr; *(complemento oggetto)* sie; **2.** *forma di cortesia (a.* **Le***) (complemento di termine)* Ihnen; *(complemento oggetto)* Sie.

leader ['li:də] **I.** ⟨-⟩ *mf* Führer(in) *m(f);* ~ **del gruppo musicale** Bandleader(in) *m(f);* **II.** ⟨*inv*⟩ *agg* führend. **leadership** [-ʃıp] ⟨-⟩ *f* Führung *f,* Führerschaft *f*.

leale [le'a:le] *agg* **1.** *(onesto, sincero)* aufrichtig; *(di comportamento)* fair; **2.** *(fedele)* treu, loyal. **lealtà** [leal'ta] ⟨-⟩ *f* **1.** *(onestà, sincerità)* Aufrichtigkeit *f,* Rechtschaffenheit *f; (comportamento)* Fairneß *f;* **2.** *(fedeltà)* Treue *f,* Loyalität *f*.

leasing ['li:ziŋ] ⟨-⟩ *m* Leasing *n,* Mietkauf *m;* ~ **immobiliare** Immobilienleasing *n*.

lebbra ['lebbra] *f* **1.** *med* Lepra *f,* Aussatz *m;* **2.** *bot* Schorf *m;* **3.** *fig* Übel *n.* **lebbroso, -a** [...'bro:so] **I.** *agg* aussätzig, leprakrank; **II.** *m, f* Aussätzige(r) *mf*.

leccaculo [lekka'ku:lo] ⟨-li *o* -⟩ *m volg*

Arschkriecher *m vulg*, Schleimscheißer *m vulg*.

lecca(-)lecca [lekka'lekka] ⟨-⟩ *m* Lutscher *m*.

leccapiedi [lekka'pjɛ:di] ⟨-⟩ *m fam* Speichellecker *m*, Schleimer *m fam*.

leccare [lek'ka:re] ⟨lecco, lecchi⟩ **I.** *tr* lekken, ablecken, schlecken; ~ **i piedi (***o* **il culo) a qu** *fig* vor jdm kriechen, jdm in den Arsch kriechen *vulg*. **II.** *rfl:* **-arsi** sich schniegeln, sich schön machen; **mi lecco le dita (***o* **i baffi)** mir läuft das Wasser im Mund zusammen. **leccata** [...'ka:ta] *f* Lecken *n*, Ablecken *n*. **leccato, -a** [...'ka:to] *agg* **1.** (ab)geleckt; **2.** *fig* gepflegt; *peg* geziert, affektiert.

leccio ['lettʃo] ⟨-cci⟩ *m* Steineiche *f*.

leccornia [lekkor'ni:a] ⟨-ie⟩ *f* Delikatesse *f*, Leckerbissen *m*.

lecitina [letʃi'ti:na] *f* Lezithin *n*.

lecito, -a ['le:tʃito] *agg* erlaubt, zulässig.

led [lɛd] ⟨-⟩ *m acr di* **light emitting diode** *(diodo luminoso)* LED *(abk von* Leuchtdiode *f)*.

ledere ['lɛ:dere] ⟨ledo, lesi, leso⟩ *tr* schädigen; *(med a.)* verletzen.

lega[1] ['le:ga] ⟨-ghe⟩ *f* **1.** *(federazione)* Bund *m*, Liga *f; (associazione)* Vereinigung *f;* **2.** *(di metalli)* Legierung *f;* **gente di bassa** ~ Pöbel *m;* **far ~ con qu** sich mit jdm zusammentun; **L~ Nord** *f italienische Partei* Liga Nord.

lega[2] ['le:ga] ⟨-ghe⟩ *f (misura)* Meile *f*.

legaccio [le'gattʃo] ⟨-cci⟩ *m* (Schnür)band *n;* **-cci delle scarpe** Schuhriemen *m pl*, Schnürsenkel *m pl*.

legale [le'ga:le] **I.** *agg* legal, gesetzlich, Gesetzes-; *(secondo legge)* gesetzmäßig, rechtsgültig; *(a. fig)* rechtmäßig; *(per vie legali)* gerichtlich; **studio** ~ Anwaltsbüro *n*, (Rechts)anwaltskanzlei *f;* **II.** *m* (Rechts)anwalt *m*. **legalità** [legali'ta] ⟨-⟩ *f* Legalität *f*, Rechtmäßigkeit *f*.

legalizzare [legalid'dza:re] *tr dir* legalisieren; *amm* amtlich beglaubigen. **legalizzazione** [...dzat'tsjo:ne] *f dir* Legalisierung *f; amm* amtliche Beglaubigung.

legame [le'ga:me] *m* **1.** *(vincolo)* Bindung *f*, Band *n geh; (rapporto)* Verhältnis *n;* **2.** *(nesso logico)* Zusammenhang *m*.

legamento [lega'mento] *m* **1.** *gener.* Verbindung *f*, Bindung *f;* **2.** *anat* Band *n;* **3.** *ling* Bindung *f*.

legare [le'ga:re] ⟨lego, leghi⟩ **I.** *tr* **1.** *gener.* binden, an-, festbinden; *(con spago)* zu-, verschnüren; *(con funi)* vertäuen; *(alla catena)* fesseln; *(cane)* anketten; *(capelli)* zusammenbinden; **2.** *med (arteria)* abbinden; **3.** *(libri)* binden; **4.** *fig* verpflichten, (ver)binden; **legarsela al dito** *fam* es sich *(dat)* hinter die Ohren schreiben; **ho le mani legate** *fig* mir sind die Hände gebunden; **II.** *itr* **1.** *chim (far lega)* eine (Ver)bindung eingehen, eine Legierung bilden; *fig* zusammenpassen; **2.** *(andar d'accordo)* sich verstehen, sich vertragen; **III.** *rfl:* **-arsi** sich binden *(a* an *+akk)*.

legato[1] [le'ga:to] *m mus* Legato *n*.

legato[2] [le'ga:to] *m pol* Gesandte(r) *m*, Legat *m*.

legato[3] [le'ga:to] *m dir* Vermächtnis *n*.

legatore, -trice [lega'to:re] *m, f* Buchbinder(in) *m(f)*. **legatoria** [...to'ri:a] ⟨-ie⟩ *f* Buchbinderei *f*.

legatura [lega'tu:ra] *f* **1.** *(il legare)* Bindung *f; (azione)* Binden *n; (con spago)* Verschnürung *f; (con funi)* Vertäuen *n;* **2.** *med* Abbinden *n;* **3.** *mus* Ligatur *f;* **4.** *(rilegatura)* Einband *m*.

legazione [legat'tsjo:ne] *f* Gesandtschaft *f*, Legation *f*.

legge ['leddʒe] *f* **1.** *dir (precetto giuridico)* Gesetz *n;* **2.** *(diritto)* Recht *n;* **3.** *(giurisprudenza)* Jura *(ohne Artikel)*, Rechtswissenschaft *f*, Recht *n;* **4.** *(ordine)* Vorschrift *f;* **dottore in** ~ Doktor *m* der Rechte; ~ **cornice (***o* **quadro)** Rahmengesetz *n;* ~ **fisica** physikalisches Gesetz; ~ **ponte** Übergangsbestimmung *f*, -regelung *f;* **per** ~ gesetzlich, nach dem Gesetz.

leggenda [led'dʒɛnda] *f* **1.** *letter* Sage *f*, Legende *f;* **2.** *fig* Märchen *n;* **3.** *(didascalia)* Legende *f*, Zeichenerklärung *f*.

leggendario, -a [...'da:rjo] ⟨-i, -ie⟩ *agg* sagenhaft, Sagen-.

leggere ['lɛddʒere] ⟨leggo, lessi, letto⟩ **I.** *tr (a. inform)* lesen; *(ad altri)* vorlesen; *(amm, dir)* verlesen; ~ **il futuro** die Zukunft voraussagen; ~ **la mano** aus der Hand lesen; ~ **la musica** Noten lesen; **II.** *itr* lesen; *(ad altri)* vorlesen.

leggerezza [leddʒe'rettsa] *f* **1.** *gener.* Leichtheit *f*, Leichtigkeit *f;* **2.** *(l'essere agile)* Gewandtheit *f;* **3.** *fig (frivolezza)* Leichtfertigkeit *f*, Frivolität *f; (sconsideratezza)* Leichtsinn *m*, Gedankenlosigkeit *f*.

leggero, -a [led'dʒɛ:ro] *agg* **1.** *(di poco peso)* leicht; **2.** *(cibo, vestito, vino)* leicht; **3.** *(lieve)* leicht, geringfügig; *(delicato)* leise, sanft; **4.** *fig (frivolo)* leicht, flatterhaft; **5.** *(agile)* flink, leicht; **atletica -a** Leichtathletik *f;* **musica -a** leichte Musik, Unterhaltungsmusik *f;* **una ragazza -a** ein leichtes Mädchen; **prendere le cose alla -a** die Dinge auf die leichte Schulter nehmen.

leggiadria [leddʒa'dri:a] ⟨-ie⟩ *f* Anmut *f*, Grazie *f*. **leggiadro, -a** [...'dʒa:dro] *agg* anmutig, reizend; *(forma)* zierlich.

leggibile [led'dʒi:bile] *agg (scrittura)* leserlich; *(libro)* lesbar; *(raccomandabile)* lesenswert; ~ **dalla macchina** maschinenlesbar, computerlesbar.

leggio [led'dʒi:o] ⟨-ii⟩ *m* **1.** *(per libri)* Lesepult *n;* **2.** *mus* Notenständer *m*.

leghista [le'gista] ⟨-i *m*, -e *f*⟩ *mf* Mitglied

n der Liga Nord.
legiferare [ledʒife'ra:re] *itr* **1.** *dir* Gesetze erlassen; **2.** *fig scherz* Vorschriften machen, befehlen.
legione [le'dʒo:ne] *f* **1.** *mil* Legion *f,* Korps *n;* **2.** *fig* Legion *f,* Unzahl *f;* **L~ d'onore** Ehrenlegion *f;* **L~ straniera** Fremdenlegion *f.*
legislativo, -a [ledʒizla'ti:vo] *agg* gesetzgebend, legislativ; **(elezioni) -e** Parlamentswahlen *f pl;* **potere ~** Legislative *f.* **legislatore, -trice** [...'to:re] *m, f* Gesetzgeber(in) *m(f).* **legislatura** [...la'tu:-ra] *f* **1.** *(attività, assemblea)* Legislative *f,* Legislatur *f;* **2.** *(periodo)* Legislaturperiode *f.* **legislazione** [...lat'tsio:ne] *f* **1.** *(attività)* Gesetzgebung *f;* **2.** *(le leggi)* Gesetze *n pl,* Recht *n.*
legittima [le'dʒittima] *f* Pflichtteil *m o n.*
legittimare [ledʒitti'ma:re] *tr* **1.** *dir* legitimieren, als rechtsgültig anerkennen; *(figlio)* für ehelich erklären; **2.** *fig (giustificare)* rechtfertigen, entschuldigen. **legittimazione** [...mat'tsio:ne] *f* Legitimation *f,* Legitimierung *f.* **legittimità** [...mi'ta] ⟨-⟩ *f* **1.** *dir* Rechtsgültigkeit *f,* Gesetzlichkeit *f; fig* Legitimität *f,* Rechtmäßigkeit *f;* **2.** *(di prole)* Ehelichkeit *f;* **3.** *fig (fondatezza)* Berechtigung *f.* **legittimo, -a** [le'dʒittimo] *agg* **1.** *(conforme alla legge)* gesetzlich, rechtsgültig; *(per disposizione di legge)* berechtigt; *fig* legitim, rechtmäßig; **2.** *(prole)* ehelich; **3.** *fig (fondato)* berechtigt, gerechtfertigt; *(dubbio a.)* begründet; **-a difesa** Notwehr *f.*
legna ['leɲɲa] ⟨- *o* -e⟩ *f* (Brenn)holz *n;* **far ~** Holz machen; **mettere ~ al fuoco** *fig* Öl ins Feuer gießen. **legname** [...'ɲa:me] *m* Holz *n,* Nutzholz *n;* **~ da costruzione** Bauholz *n.*
legno ['leɲɲo] *m* Holz *n; (pezzo)* Holzscheit *n;* **~ compensato** Sperrholz *n.* **legnoso, -a** [...'ɲo:so] *agg* **1.** *(di legno)* hölzern, aus Holz; **2.** *fig (frutta)* holzig; *(carne)* zäh; **3.** *(carattere, comportamento)* hölzern, steif.
legume [le'gu:me] *m* **1.** *(baccello)* Hülse *f,* Schote *f;* **2.** ⟨*pl*⟩ Hülsenfrüchte *f pl.*
lei ['lɛ:i] *pron pers* **1.** *3ª pers f sing* sie; *(con preposizione)* sie, ihr, ihrer; **2.** *forma di cortesia (a.* **L~***)* Sie; *(con preposizione)* Sie, Ihnen, Ihrer; **beata ~!** die Glückliche; **dare del L~ a qu** jdn siezen, jdn mit „Sie" anreden.
lem [lɛm] *m acr di* **Lunar Excursion Module** Mond(lande)fähre *f.*
lembo ['lembo] *m* Rand *m; (di indumento)* Saum *m; (fig a.)* Zipfel *m; (striscia)* (dünner) Streifen *m.*
lemma ['lɛmma] ⟨-i⟩ *m* Lemma *n.* **lemmario** [...'ma:rio] ⟨-i⟩ *m* Stichwörterverzeichnis *n.*
lemme lemme ['lɛmme 'lɛmme] *avv fam* gemächlich, in aller Gemütsruhe.
lena ['le:na] *f:* **di buona ~** kräftig, tüchtig.
lenitivo, -a [leni'ti:vo] **I.** *agg* schmerzstillend, lindernd; **II.** *m* schmerzstillendes Mittel, Schmerzmittel *n.*
lente ['lɛnte] *f* **1.** *ott, fot* Linse *f;* **2.** ⟨*pl*⟩ *(occhiali)* Brille *f;* **~ d'ingrandimento** Lupe *f,* Vergrößerungsglas *n;* **-i a contatto morbide/rigide** weiche/harte Kontaktlinsen *f pl.*
lentezza [len'tettsa] *f (di persona)* Langsamkeit *f; (di cosa)* Langwierigkeit *f.*
lenticchia [len'tikkia] ⟨-cchie⟩ *f bot* Linse *f.*
lentiggine [len'tiddʒine] *f* Sommersprosse *f.* **lentigginoso, -a** [...'no:so] *agg* voll(er) Sommersprossen, sommersprossig.
lento, -a ['lɛnto] **I.** *agg* **1.** *(non veloce)* langsam; *(veleno, medicina)* langsam wirkend; **2.** *(lungo, interminabile)* lang, langwierig; **3.** *fig (lungo, monotono)* langsam, träge; **4.** *(molle, allentato)* lokker, lose; *(abito)* locker sitzend (*o* fallend); **5.** *(dolce)* sanft; **cuocere a fuoco ~** bei kleiner (*o* niedriger) Flamme kochen; **II.** *m mus* Lento *n.*
lenza ['lɛntsa] *f* Angelschnur *f.*
lenzuolo [lɛn'tsuɔ:lo] *m* **1.** ⟨*pl:* -i *m*⟩ *gener.* Laken *n;* **2.** ⟨*pl:* -a *f*⟩ *(nel letto)* Bettuch *n,* (Bett)laken *n.*
Leonardo [leo'nardo] *(nome proprio maschile)* Leon(h)ard.
leone [le'o:ne] *m* **1.** *zoo* Löwe *m;* **2.** *astr:* **L~** Löwe *m;* **farsi la parte del ~** sich *(dat)* den Löwenanteil nehmen; **sono del (*o* un) L~** ich bin (ein) Löwe. **leonessa** [leo'nessa] *f* Löwin *f.*
leopardo [leo'pardo] *m* Leopard *m.*
lepre ['lɛ:pre] *f* Hase *m;* **~ in salmì** Hasenpfeffer *m.*
lercio, -a ['lɛrtʃo *o* 'lertʃo] ⟨-ci, -ce⟩ *agg* **1.** *(sozzo)* schmutzig, dreckig; **2.** *fig* widerlich, ekelhaft. **lerciume** [ler'tʃu:me] *m* Schmutz *m,* Unrat *m.*
lesbica ['lɛzbika] ⟨-che⟩ *f* Lesbierin *f.* **lesbico, a** [...ko] ⟨-ci, -che⟩ *agg* lesbisch.
lesina, a ['le:zina] *f* Ahle *f.*
lesinare [lezi'na:re] **I.** *tr* sparen (*qc* an *+dat o* mit etw.); **~ il centesimo** mit dem Pfennig rechnen, jeden Pfennig umdrehen; **II.** *itr* sparen (*su* an *+dat,* mit).
lesionare [lezio'na:re] *tr* beschädigen.
lesione [le'zio:ne] *f* Beschädigung *f,* Schaden *m; med, dir* Verletzung *f.* **lesivo, -a** [le'zi:vo] *agg* schädigend.
lessare [les'sa:re] *tr* kochen, sieden.
lessi ['lɛssi] *p rem di* **leggere.**
lessico ['lɛssiko] ⟨-ci⟩ *m* **1.** *letter* Wörterbuch *n;* **2.** *ling* Wortschatz *m.* **lessicografia** [lessikogra'fi:a] *f* Lexikographie *f.* **lessicologia** [lessikolo'dʒi:a] ⟨-gie⟩ *f* Lexikologie *f.* **lessicologico, -a** [...'lɔ:dʒiko] ⟨-ci, -che⟩ *agg* lexikologisch.
lesso, -a ['lesso] **I.** *agg* gekocht, gesotten; **II.** *m* Sied-, Suppenfleisch *n; (carne les-*

sata) Gesottene(s) *n.*

lesto, -a ['lɛsto] *agg* flink, gewandt, behende; **essere ~ di mano** *fig* lange Finger machen; **~ di mente** scharfsinnig.

letale [le'ta:le] *agg* tödlich, letal *wissensch.*, Todes-.

letamaio [leta'ma:i̯o] ⟨-ai⟩ *m* **1.** Misthaufen *m,* Mistgrube *f;* **2.** *fig* Schweinestall *m fam.*

letamazione [letamat'tsi̯o:ne] *f* Düngung *f* mit Mist.

letame [le'ta:me] *m* Mist *m.*

letargia [letar'dʒi:a] ⟨-gie⟩ *f* Lethargie *f,* Teilnahmslosigkeit *f.* **letargico, -a** [le'tardʒiko] ⟨-ci, -che⟩ *agg* lethargisch.

letargo [le'targo] ⟨-ghi⟩ *m* **1.** *med* Lethargie *f,* Schlafkrankheit *f,* Schlafsucht *f;* **2.** *zoo (invernale)* Winterschlaf *m; (estivo)* Sommerschlaf *m;* **3.** *fig* Lethargie *f,* Teilnahmslosigkeit *f;* **essere in ~** Winterschlaf halten.

letizia [le'tittsi̯a] ⟨-ie⟩ *f* Freude *f,* Fröhlichkeit *f,* Frohsinn *m.*

lettera ['lɛttera *o* 'let....] *f* **1.** *(dell'alfabeto)* Buchstabe *m; tip* Type *f,* Letter *f;* **2.** *(comunicazione scritta)* Brief *m,* Schreiben *n;* **3.** ⟨*pl*⟩ *(letteratura)* Literatur *f; (materie letterarie)* Geisteswissenschaften *f pl;* **4.** ⟨pl⟩ *(epistolario)* Briefwechsel *m;* **~ aperta** offener Brief; **~ assicurata/espresso/raccomandata** Wert-/Eil-/Einschreib(e)brief *m;* **~ circolare** Rundschreiben *n;* **~ maiuscola/minuscola** Groß-/Kleinbuchstabe *m;* **~ minatoria** Drohbrief *m;* **~ pastorale** Hirtenbrief *m;* **~ di sollecito** *com* Mahnbrief *m;* **per ~** brieflich; **alla ~** buchstabengetreu; *(traduzione)* wörtlich; **restare ~ morta** ohne Wirkung (*o* unbeachtet) bleiben. **letterale** [lette'ra:le] *agg* wörtlich, wortgetreu; *mat* Buchstaben-. **letteralmente** [...ral'mente] *avv* **1.** *(alla lettera)* wörtlich; **2.** *fig (completamente)* buchstäblich, gänzlich.

letterario, -a [lette'ra:ri̯o] ⟨-i, -ie⟩ *agg* literarisch, Literatur-; *(ling a.)* gehoben; **lingua -a** Schriftsprache *f;* **materie -ie** geisteswissenschaftliche Fächer *n pl;* **proprietà -a e artistica** *dir* Urheberrecht *n.*

letterato, -a [lette'ra:to] *m, f* Literat(in) *m(f),* literarisch gebildeter Mensch.

letteratura [lettera'tu:ra] *f* Literatur *f.*

lettiga [let'ti:ga] ⟨-ghe⟩ *f* **1.** *(portantina)* Sänfte *f;* **2.** *(barella)* (Trag)bahre *f,* Krankentrage *f.*

lettino [let'ti:no] *m (letto per bambini)* Kinderbett *n; (branda)* Liege *f;* **~ solare** Sonnenbank *f.*

letto[1] ['lɛtto] *m* **1.** *(mobile)* Bett *n;* **2.** *geol* Lager *n,* Bank *f; (di fiume)* Flußbett *n; (di valle)* Talsohle *f;* **~ matrimoniale (*o* a due piazze)** Ehe-, Doppelbett *n;* **~ a castello** Etagenbett *n;* **~ di morte** Totenbett *n;* **figli di primo ~** *dir* Kinder aus erster Ehe; **andare a ~** ins (*o* zu) Bett gehen, schlafen gehen; **andare a ~ con qu** *fam* mit jdm ins Bett gehen *fam;* **essere in un ~ di rose** *fig* auf Rosen gebettet sein; **fare il ~** das Bett machen; **mettersi a ~** *(per dormire)* ins (*o* zu) Bett gehen; *(per malattia)* das Bett hüten (müssen); **rivoltarsi nel ~** sich schlaflos im Bett wälzen.

letto[2] ['lɛtto] *pp di* **leggere; ~ ed approvato** *amm* gelesen und genehmigt; **~, confermato e sottoscritto** *amm* gelesen, bestätigt und unterschrieben.

Lettonia [let'to:ni̯a] *f* Lettland *n.*

lettorato [letto'ra:to] *m* Lektorat *n.*

lettore [let'to:re] **I.** *m,* **-trice** *f* **1.** *gener.* Leser(in) *m(f);* **2.** *(all'università)* Lektor(in) *m(f);* **~ di bozze** Korrektor *m;* **II.** *m tec, inform* Lesegerät *n;* **~ ottico** Lichtstift *m,* Lichtgriffel *m;* **~ di cassette** Kassettendeck *n;* **~ di documenti** Belegleser *m;* **~ di nastri perforati** Lochstreifenleser *m;* **~ in chiaro** Klarschriftleser *m.*

lettura [let'tu:ra] *f* **1.** *(atto del leggere)* Lesen *n,* Lektüre *f; (ad alta voce)* Vorlesen *n; tec (del contatore, di strumento di misura)* Ablesen *n; (di poesia)* Vortrag *m;* **2.** *(scritto)* Lektüre *f,* Lesestoff *m;* **-e amene** Unterhaltungslektüre *f;* **~ da spiaggia** Strandlektüre *f.*

leucemia [leutʃe'mi:a] ⟨-ie⟩ *f* Leukämie *f.*

leucocita [leuko'tʃi:ta] ⟨-i⟩ *m,* **leucocito** [...to] *m* Leukozyt *m,* weißes Blutkörperchen.

leva[1] ['lɛ:va] *f* **1.** *tec* Hebel *m;* **2.** *(sbarra)* Brechstange *f,* -eisen *n;* **3.** *fig* Hebel *m; (stimolo)* Antrieb *m;* **~ del cambio** Schalthebel *m,* -knüppel *m.*

leva[2] ['lɛ:va] *f* **1.** *(arruolamento)* Einberufung *f* (zum Wehrdienst); **2.** *(coscrizione obbligatoria)* Wehrpflicht *f;* **di ~** wehrpflichtig; **classe di ~** (Rekruten)-jahrgang *m;* **le nuove -e** *fig* die jungen Kader.

levante [le'vante] *m* **1.** *(est)* Osten *m;* **2.** *(vento)* Ostwind *m;* **3.** *(paesi del Mediterraneo orientale)* Küstenländer *n pl* des östlichen Mittelmeers, Levante *f.*

levare [le'va:re] **I.** *tr* **1.** *(alzare)* heben, aufheben, hochheben; *(ancora)* lichten; **2.** *(togliere)* fort-, wegnehmen; *(ostacolo)* beseitigen; **3.** *(estrarre: dente)* ziehen; *(chiodo)* herausziehen; **4.** *(seduta)* schließen, auflösen; **5.** *(fame)* stillen; *(sete)* stillen, löschen; **6.** *(tenda)* abbrechen; **7.** *(tassa, divieto)* aufheben; **8.** *(vizio)* abgewöhnen; **~ gli occhi al cielo** die Augen zum Himmel erheben; **levati dai piedi!** bleib mir vom Leibe!; **II.** *rfl:* **-arsi 1.** *(alzarsi)* aufstehen; **2.** *(sollevarsi)* sich erheben; *(vento)* aufkommen; **3.** *(andarsene)* weggehen; **4.** *(indumenti)* (sich *dat*) ausziehen, ablegen; **5.** *(voglia)* befriedigen; *(fame)* stillen; *(sete)* stillen, löschen; *(vizio)* sich *(dat)* abgewöhnen; **-arsi il pane di bocca** sich *(dat)* den Bissen vom Munde absparen; **-arsi qu/qc dalla testa** sich *(dat)* jdn/etw. aus dem Kopf schlagen; **-arsi in volo** (zum Flug) starten, abfliegen; **III.** *m* Aufgang *m,* Aufgehen *n.*

levata [le'va:ta] *f* **1.** *(di sole, astro)* Aufgang *m,* Aufgehen *n;* **2.** *(dal letto)* Aufstehen *n;* **3.** *(della posta)* Leerung *f.* **levatàccia** [leva'tattʃa] ⟨-cce⟩ *f* frühes Aufstehen; **fare una** ~ sehr früh aufstehen (müssen).

levatoio, -a [leva'to:i̯o] ⟨-oi, -oie⟩ *agg:* **ponte** ~ Zug-, Fallbrücke *f.*

levatrice [leva'tri:tʃe] *f* Hebamme *f.*

levatura [leva'tu:ra] *f* Format *n,* Niveau *n.*

levigare [levi'ga:re] ⟨levigo, levighi⟩ *tr* *(limare, lisciare)* glätten, polieren; *(con abrasivo)* schleifen, schmirgeln. **levigatezza** [...ga'tettsa] *f* Glätte *f,* Schliff *m.*

levriere, levriero [le'vri̯ɛ:re, ...ro] *m* Windhund *m.*

lezione [let'tsi̯o:ne] *f* **1.** *(~ scolastica)* Unterrichtsstunde *f; (in un libro)* Lektion *f;* **2.** *(di università)* Vorlesung *f;* **3.** *(compito a casa)* Hausaufgabe *f;* **4.** *fig (ammaestramento)* Belehrung *f,* Lehre *f;* ~ **di ballo** Tanzstunde *f;* ~ **di storia** Geschichtsunterricht *m;* **fare** ~ unterrichten; *(all'università)* Vorlesungen halten; **prendere/dare -i** Privatunterricht (*o* -stunden) nehmen/geben; **dare a qu una** ~ *fig* jdm eine Lektion erteilen (*di* in +*dat*).

leziosità [lettsi̯osi'ta] ⟨-⟩ *f* Affektiertheit *f,* Geziertheit *f.* **lezioso, -a** [...'tsi̯o:so] *agg* affektiert, geziert; *(smorfioso)* zimperlich.

li [li] *pron pers* **1.** *3ª pers m pl* sie; **2.** *forma di cortesia (a.* **Li***)* Sie.

lì [li] *avv (stato)* dort, da; *(moto)* dorthin, dahin; **essere** ~ ~ **per fare qc** nahe daran sein, etw. zu tun; **di** ~ **a pochi giorni** wenige Tage später; **giù di** ~ mehr oder weniger, ungefähr; ~ **per** ~ im ersten Augenblick.

liana [li'a:na] *f* Liane *f.*

libbra ['libbra] *f* Pfund *n.*

libeccio [li'bettʃo] ⟨-cci⟩ *m* Südwest(-wind) *m.*

libellula [li'bɛllula] *f* Libelle *f.*

liberale [libe'ra:le] **I.** *agg* **1.** *(che rispetta la libertà)* freisinnig, freiheitlich gesinnt; *(generoso)* freigebig, großzügig; *(magnanimo)* großmütig; **2.** *pol* liberal; **le arti -i** die freien Künste *f pl;* **II.** *m* **1.** *gener.* freisinniger (*o* freiheitlich gesinnter) Mensch; **2.** *pol* Liberale(r) *mf.* **liberalismo** [...ra'lizmo] *m* Liberalismus *m.* **liberalità** [...rali'ta] ⟨-⟩ *f* Großzügigkeit *f.*

liberalizzazione [liberaliddzat'tsi̯o:ne] *f* Liberalisierung *f;* ~ **degli scambi commerciali** Liberalisierung des Warenverkehrs; ~ **dei prezzi** Preisfreigabe *f.*

liberamente [libera'mente] *avv* **1.** *(con franchezza)* freimütig, frei, offen; **2.** *(senza formalità)* anstandslos, ohne weiteres.

liberare [libe'ra:re] **I.** *tr* **1.** *(restituire alla libertà)* befreien, freilassen; *fig (da impiego, obbligo, promessa)* entbinden; **2.** *(salvare da pericolo)* retten, bewahren; **3.** *(sgombrare)* abräumen, (aus)räumen; **II.** *rfl:* **-arsi** sich befreien (*da* von), sich entledigen (*da qu/qc* jds/einer Sache *gen*). **liberatore, -trice** [...ra'to:re] **I.** *agg* befreiend, Befreiungs-; **II.** *m, f* Befreier(in) *m(f).* **liberazione** [...rat'tsi̯o:ne] *f* **1.** *(il liberare)* Befreiung *f,* Freilassung *f;* **2.** *fig* Erleichterung *f.*

libero, -a ['li:bero] *agg* frei; ~ **arbitrio** Willensfreiheit *f;* ~ **scambio** freier Warenaustausch *m;* **carta -a** stempelfreies Papier; **mercato** ~ freier Markt; **sei** ~ **di** +*inf* es steht dir frei zu . . .

libertà [liber'ta] ⟨-⟩ *f* Freiheit *f;* ~ **di parola** Redefreiheit *f;* ~ **di scelta** freie Wahl; ~ **vigilata** Entlassung *f* auf Bewährung; **giorno di** ~ freier Tag; **mettere in** ~ freilassen; **prendersi la** ~ **di fare qc** sich *(dat)* die Freiheit (heraus)nehmen, etw. zu tun; **prendersi delle** ~ **con qu** sich *(dat)* jdm gegenüber (manche) Freiheiten herausnehmen.

libertino, -a [liber'ti:no] **I.** *agg* freidenkend; *(sessualmente)* zügellos, ausschweifend; **II.** *m* Libertin *m,* Freigeist *m; (sessualmente)* Wüstling *m.*

liberty ['li:berti] ⟨-⟩ *m* Jugendstil *m.*

libidine [li'bi:dine] *f* **1.** Lüsternheit *f,* Geilheit *f;* **2.** *fig* Begierde *f,* Sucht *f;* ~ **di potere** Herrschsucht *f;* **che** ~ **ragazzi!** *sl* echt geil! *sl.* **libidinoso, -a** [libidi'no:so] *agg* lüstern, geil.

libraio, -a [li'bra:i̯o] ⟨-ai, -aie⟩ *m, f* Buchhändler(in) *m(f).*

librario, -a [li'bra:ri̯o] ⟨-i, -ie⟩ *agg* Buch-, Bücher-.

libreria [libre'ri:a] ⟨-ie⟩ *f* **1.** *(negozio)* Buchhandlung *f,* Buchladen *m;* **2.** *(mobile)* Bücherschrank *m,* Bücherregal *n; gener.* Schrankwand *f;* ~ **di programmi** *inform* Software(bibliothek) *f.*

libretto [li'bretto] *m* **1.** *(piccolo libro)* Büchlein *n,* kleines Buch; *(per appunti)* Notizbuch *n,* Notizblock *m;* **2.** *mus* Libretto *n,* Textbuch *n;* **3.** *(documento)* Ausweis *m,* Papier *n,* Paß *m;* ~ **degli assegni** Scheckheft *n,* Scheckbuch *n;* ~ **di circolazione** Fahrzeugschein *m;* ~ **di risparmio** Sparbuch *n;* ~ **ferroviario** Ermäßigungsausweis *m* (für Bahnfahrten); ~ **universitario** Studienbuch *n.*

libro ['li:bro] *m* Buch *n;* ~ **di cucina/di preghiere** Koch-/Gebetbuch *n;* ~ **di testo** Schulbuch *n,* Lehrbuch *n;* ~ **bianco** Weißbuch *n;* ~ **esaurito** vergriffenes Buch; ~ **illustrato** Bilderbuch *n;* ~ **ma-**

stro *econ* Hauptbuch *n;* ~ **nero** schwarze Liste; **parlare come un** ~ **stampato** *iron, scherz* reden wie gedruckt.

liceale [litʃe'a:le] **I.** *agg* gymnasial, Gymnasial-; **II.** *mf* Gymnasiast(in) *m(f).*

licenza [li'tʃɛntsa] *f* **1.** *(autorizzazione)* Erlaubnis *f,* Genehmigung *f;* **2.** *mil* Urlaub *m,* Urlaubsschein *m;* **3.** *(abuso)* Freiheit *f;* **4.** *(dissolutezza)* Ausschweifung *f,* Zügellosigkeit *f;* **5.** *(scuola)* Abgangszeugnis *n;* **6.** *(patente)* Lizenz *f,* Patent *n; sport, econ, amm* Lizenz *f;* ~ **di caccia/di porto d'armi/di esercizio** Jagd-/Waffen-/Gewerbeschein *m;* ~ **elementare** Grundschulabgangszeugnis *n;* ~ **poetica** dichterische Freiheit; **andare in** ~ *mil* in Urlaub gehen; **su** ~ **tedesca** in deutscher Lizenz; **prendersi troppe -e** sich *(dat)* zu viele Freiheiten herausnehmen.

licenziamento [litʃentsia'mento] *m* Entlassung *f,* Kündigung *f;* ~ **in massa** Massenentlassung *f;* ~ **in tronco** fristlose Entlassung; **indennità di** ~ Abfindung *f,* Entlassungsgeld *n.* **licenziare** [...'tsia:re] ⟨licenzio, licenzi⟩ **I.** *tr* **1.** *(impiegato)* entlassen (*qu* jdn), kündigen (*qu* jdm); **2.** *(studenti)* (von der Schule) entlassen; **II.** *rfl:* **-arsi 1.** *(da un impiego)* kündigen; **2.** *(a scuola)* einen Schulabschluß machen, abschließen.

licenziosità [litʃentsiosi'ta] ⟨-⟩ *f* Zügellosigkeit *f,* Liederlichkeit *f.* **licenzioso, -a** [...'tsio:so] *agg* zügellos, liederlich.

liceo [li'tʃɛ:o] *m* Gymnasium *n;* ~ **artistico/classico/scientifico** musisches/humanistisches/mathematisch-naturwissenschaftliches Gymnasium.

lichene [li'kɛ:ne] *m* Flechte *f.*

licitazione [litʃitat'tsio:ne] *f* **1.** *(asta)* Versteigerung *f;* **2.** *(offerta)* Gebot *n.*

lido ['li:do] *m* Lido *m,* Strand *m.*

Liechtenstein ['lıçtənʃtain] *m* Liechtenstein *n.*

lieto, -a ['liɛ:to] **1.** *(persone)* froh, fröhlich, glücklich; **2.** *(eventi)* freudig, erfreulich, froh; **sono** ~ **di conoscerLa** (ich bin) sehr erfreut(, Sie kennenzulernen)!

lieve ['liɛ:ve] *agg* **1.** *(poco pesante)* leicht; **2.** *(debole)* geringfügig, leicht; *(delicato)* leise, sanft.

lievitare [lievi'ta:re] *itr* ⟨*essere*⟩ **1.** *(pasta)* aufgehen; **2.** *fig (prezzi)* ansteigen, in die Höhe klettern. **lievitazione** [...tat'tsio:-ne] *f* **1.** *(di pasta)* Aufgehen *n; (processo chimico)* Säuerung *f,* Gärung *f;* **2.** *fig (dei prezzi)* Ansteigen *n.*

lievito ['liɛ:vito] *m* **1.** *biol* Hefe *f;* **2.** *fig* Antrieb *m,* Auslöser *m,* Ursache *f;* ~ **di birra** Bierhefe *f;* ~ **in polvere** Backpulver *n;* ~ **naturale** Sauerteig *m.*

lifting ['liftiŋ] ⟨-⟩ *m* Lifting *n;* ~ **facciale** *med* Gesichtsstraffung *f,* Facelifting *n.*

light ['lɑit] ⟨*inv*⟩ *agg* light.

light pen ['lɑit pen] ⟨-⟩ *f inform* Lichtgriffel *m,* Lichtstift *m.*

ligio, -a ['li:dʒo] ⟨-gi, -gie⟩ *agg* treu, ergeben, untertan; ~ **al dovere** pflichteifrig, pflichttreu.

ligneo, -a ['liɲɲeo] *agg* hölzern, aus Holz.

lignite [liɲ'ɲi:te] *f* Lignit *m,* Braunkohle *f.*

Liguria [li'gu:ria] *f* Ligurien *n.*

lilla, lillà ['lilla, ...'la] **I.** ⟨*inv*⟩ *agg* lila, fliederfarben; **II.** ⟨-⟩ *m* **1.** *(colore)* Lila *n,* Fliederfarbe *f;* **2.** *bot* Flieder *m.*

lillipuziano, -a [lilliput'tsia:no] **I.** *agg* liliputanisch, Liliputaner-; **II.** *m, f* Liliputaner(in) *m(f).*

lima ['li:ma] *f* Feile *f.*

limaccioso, -a [limat'tʃo:so] *agg* schlammig, trüb.

limare [li'ma:re] *tr* **1.** *(sbarre)* feilen; **2.** *fig (romanzo, tema, discorso)* (stilistisch) überarbeiten, ausfeilen. **limatura** [lima'tu:ra] *f* **1.** *(lavorazione)* Feilen *n;* **2.** *(particelle)* Feilstaub *m,* Feilspäne *m pl.*

limbo ['limbo] *m* Vorhölle *f,* Limbus *m.*

limetta [li'metta] *f* Nagelfeile *f.*

limitare [limi'ta:re] **I.** *tr* **1.** *(confinare)* ein-, begrenzen; **2.** *(restringere)* ein-, beschränken; **II.** *rfl:* **-arsi** sich beschränken (*a* auf +*akk*), sich einschränken (*in* in +*dat*). **limitato, -a** [...'ta:to] *agg* **1.** *(scarso)* beschränkt, begrenzt; **2.** *(modesto)* bescheiden, mäßig; **società a responsabilità -a** (*abbr* **S.r.l.**) Gesellschaft *f* mit beschränkter Haftung. **limitazione** [...tat'tsio:ne] *f* Beschränkung *f,* Begrenzung *f;* ~ **delle nascite** Geburtenregelung *f,* Geburtenkontrolle *f.*

limite ['li:mite] *m (a. fig)* Grenze *f;* **caso** ~ Grenzfall *m;* **-i di età** Altersgrenze *f;* ~ **di velocità** Geschwindigkeitsbegrenzung *f; (regola generale)* Tempolimit *n;* **ciò passa ogni** ~ das macht das Maß voll; **al** ~ höchstens, wenn alle Stricke reißen *fam;* **fuori** ~ *sport* aus; **nei -i del possibile** im Rahmen des Möglichen. **limitrofo, -a** [li'mi:trofo] *agg* angrenzend, Grenz-.

limonare [limo'na:re] *itr fam* schmusen, rummachen *sl.*

limonata [limo'na:ta] *f* (Zitronen)limonade *f.*

limone [li'mo:ne] *m* **1.** *(frutto)* Zitrone *f;* **2.** *(pianta)* Zitronenbaum *m;* **3.** *(colore)* Zitronengelb *n;* **spremere qu come un** ~ jdn wie eine Zitrone auspressen.

limpidezza [limpi'dettsa] *f* Klarheit *f,* Durchsichtigkeit *f.* **limpido, -a** ['limpido] *agg* **1.** *(trasparente)* klar, durchsichtig; **2.** *fig* klar, rein.

lince ['lintʃe] *f* Luchs *m.*

linciaggio [lin'tʃaddʒo] ⟨-ggi⟩ *m* Lynchjustiz *f,* Lynchen *n.* **linciare** [...'tʃa:re] ⟨lincio, linci⟩ *tr* lynchen.

lindo, -a ['lindo] *agg (pulito)* reinlich,

sauber; *(accurato)* ordentlich.

linea ['li:nea] *f* **1.** *(segno)* Linie *f,* Strich *m; tip* Zeile *f;* **2.** *(di abito)* Schnitt *m,* Modell *n;* **3.** *(su strumenti di misura)* Teilstrich *m;* **4.** *tel, el* Leitung *f;* **5.** *aero, ferr, naut, mot* Linie *f;* **6.** *(di persona)* Linie *f;* ~ **calda (***o* **rossa)** heißer Draht; ~ **equatoriale** Äquator *m;* ~ **spartiacque** Wasserscheide *f;* ~ **d'arrivo** Ziellinie *f;* ~ **di condotta** Verhaltensweise *f;* **combattere in prima** ~ in vorderster Linie kämpfen; **prezzi in** ~ angemessene Preise; **passare in prima** ~ in den Vordergrund treten; **restare in** ~ *tel* am Apparat bleiben; **a grandi -e** in groben Zügen; **in** ~ **di massima (***o* **di principio)** grundsätzlich; **avere qualche** ~ **di febbre** erhöhte Temperatur haben; **è caduta la** ~ die Leitung ist unterbrochen. **lineamenti** [linea'menti] *m pl* **1.** *(fisionomia)* (Gesichts)züge *m pl;* **2.** *fig* Grundzüge *m pl.* **lineare** [...e'a:re] *agg* **1.** linienartig, linear, Linear-; **2.** *fig* geradlinig, klar. **linearità** [...eari'ta] ⟨-⟩ *f (di condotta)* Geradheit *f,* Aufrichtigkeit *f; (di discorso)* Geradlinigkeit *f,* Klarheit *f.* **lineetta** [...e'etta] *f* Bindestrich *m,* Gedankenstrich *m; tip* (kleiner) Strich *m.*

linfa ['linfa] *f* **1.** *anat* Lymphe *f; bot* Pflanzensaft *m;* **2.** *fig* Inspiration *f,* Eingebung *f;* ~ **vitale** Lebenselixier *n,* Energiequelle *f.*

lingotto [liŋ'gɔtto] *m* Barren *m.*

lingua ['liŋgu̯a] *f* **1.** *anat* Zunge *f;* **2.** *(linguaggio)* Sprache *f;* **3.** *(striscia)* länglicher Streifen, Zunge *f;* ~ **d'arrivo/di partenza** Ziel-/Ausgangssprache *f;* ~ **parlata** gesprochene Sprache, Umgangssprache *f;* **mala** ~ böse Zunge; **di** ~ **tedesca** deutschsprachig; **avere la** ~ **lunga/sciolta** ein loses/flinkes Mundwerk haben; **avere qc sulla punta della** ~ *fig* etw. auf der Zunge (liegen) haben; **mordersi la** ~ *fig* sich *(dat)* auf die Zunge (*o* Lippen) beißen; **la** ~ **batte dove il dente duole** *prov* wes das Herz voll ist, des geht der Mund über *prov.* **linguaccia** [...'gu̯attʃa] ⟨-cce⟩ *f* böse Zunge, Lästermaul *n.* **linguacciuto, -a** [...gu̯at'tʃu:to] *agg* klatschsüchtig, klatschhaft.

linguaggio [liŋ'gu̯addʒo] ⟨-ggi⟩ *m* **1.** *(facoltà)* Sprache *f,* Sprechen *n;* **2.** *(modo)* Sprache *f,* Sprechweise *f;* ~ **di progammazione** Programmiersprache *f;* ~ **macchina** Maschinensprache *f;* ~ **tecnico** Fachsprache *f.*

linguetta [liŋ'gu̯etta] *f* **1.** *(piccola lingua)* kleine Zunge, Zünglein *n;* **2.** *(delle buste)* Klappe *f; (delle scarpe)* Zunge *f,* Lasche *f.*

linguista [liŋ'gu̯ista] ⟨-i *m,* -e *f*⟩ *mf* Linguist(in) *m(f),* Sprachwissenschaftler(in) *m(f).* **linguistica** [...'gu̯istika] ⟨-che⟩ *f* Linguistik *f,* Sprachwissenschaft *f.* **linguistico, -a** [...'gu̯istiko] ⟨-ci, -che⟩ *agg* **1.** *(della lingua)* sprachlich, Sprach(en)-; **2.** *(della linguistica)* linguistisch, sprachwissenschaftlich.

lino ['li:no] *m* **1.** *(pianta)* Flachs *m,* Lein *m;* **2.** *(tessuto)* Leinen *n.*

liofilizzare [liofilid'dza:re] *tr* gefriertrocknen.

liposolubile [liposo'lu:bile] *agg* fettlöslich.

liposoma [lipo'so:ma] ⟨-i⟩ *m* Liposom *n.*

liposuzione [liposut'tsi̯o:ne] *f med* Fettabsaugung *f.*

Lipsia ['lipsi̯a] *f* Leipzig *n.*

liquefare [liku̯e'fa:re] ⟨*irr*⟩ **I.** *tr* **1.** *(gas)* verflüssigen, flüssig machen; **2.** *(metalli)* zum Schmelzen bringen, schmelzen; **3.** *(neve)* schmelzen; **II.** *rfl:* **-arsi 1.** *(gas)* sich verflüssigen, flüssig werden; **2.** *(metalli, ghiaccio)* schmelzen. **liquefazione** [...fat'tsi̯o:ne] *f* Verflüssigung *f.*

liquidare [liku̯i'da:re] *tr* **1.** *(conto)* bezahlen, begleichen; *(somma)* auszahlen; **2.** *(persone)* auszahlen; **3.** *(svendere)* ausverkaufen; *(azienda, società)* auflösen; **4.** *(affare)* abwickeln, erledigen; **5.** *fig (persona)* abfertigen; (uccidere) beseitigen, liquidieren. **liquidazione** [...dat'tsi̯o:ne] *f* **1.** *econ* Liquidation *f; (di azienda)* Geschäftsauflösung *f;* **2.** *(somma)* Abfindung *f;* **3.** *(della pensione)* Auszahlung *f;* **4.** *(svendita)* Ausverkauf *m;* ~ **di fine stagione** (Saison)-schlußverkauf *m.*

liquidità [liku̯idi'ta] ⟨-⟩ *f* **1.** *fis* Flüssigkeit *f;* **2.** *fin* Liquidität *f.* **liquido, -a** ['li:ku̯ido] **I.** *agg* **1.** *fis* flüssig; **2.** *fin* liquid(e), zahlungsfähig; **denaro** ~ Bargeld *n;* **II.** *m* **1.** *fis* Flüssigkeit *f;* **2.** *fin* Bargeld *n;* ~ **per freni** Bremsflüssigkeit *f.*

liquirizia [liku̯i'rittsi̯a] ⟨-ie⟩ *f* **1.** *bot* Süßholz *n;* **2.** *gastr* Lakritze *f.*

liquore [li'ku̯o:re] *m* Likör *m;* **-i** Spirituosen *f pl.*

lira[1] ['li:ra] *f* (*abbr* **L**) *(moneta)* Lira *f;* **non avere una** ~ *fig* keinen Pfennig haben.

lira[2] ['li:ra] *f* **1.** *mus* Leier *f,* Lyra *f;* **2.** *(uccello ~)* Leierschwanz *m.*

lirica ['li:rika] ⟨-che⟩ *f* **1.** *letter* Lyrik *f,* Poesie *f;* **2.** *mus* Opernmusik *f,* Komposition *f* für Gesang. **lirico, -a** ['li:riko] ⟨-ci, -che⟩ **I.** *agg* **1.** *letter* lyrisch; **2.** *fig* lyrisch, gefühlvoll; **3.** *mus* Opern-; **cantante** ~ Opernsänger *m;* **stagione -a** (Theater)spielzeit *f;* **II.** *m* Lyriker *m.*

Lisbona [liz'bo:na] *f* Lissabon *n.*

lisca ['liska] ⟨-sche⟩ *f* (Fisch)gräte *f.*

lisciare [liʃ'ʃa:re] ⟨liscio, lisci⟩ **I.** *tr* **1.** *gener.* glätten; *(marmo, legno)* polieren; **2.** *(capelli, barba)* (glatt)streichen; **3.** *(animali)* streicheln; **4.** *fig (adulare)* schmeicheln (*qu* jdm); **5.** *(opera)* verschönern, ausschmücken; **II.** *rfl:* **-arsi 1.** *(persone)* sich herausputzen, sich schniegeln; **2.** *(animali)* sich putzen, sich lecken.

liscio, -a ['liʃʃo] ⟨-sci, -sce⟩ **I.** *agg* **1.** *gener.* glatt; **2.** *fig* glatt, einfach, ohne Komplikationen; **3.** *gastr (caffè)* ohne Milch, ohne Schnaps; *(bevanda alcolica)* ohne Wasser, pur; **va tutto ~** es läuft alles glatt; **passarla -a** mit heiler Haut davonkommen; **II.** *m* **1.** *(ballo)* Gesellschaftstanz *m;* **2.** *sport* Fehlschuß *m,* Fehlstoß *m.*

liscivia [liʃ'ʃi:vi̯a] ⟨-ie⟩ *f,* **lisciva** [...va] *f* Lauge *f.*

liso, -a ['li:zo] *agg* abgenutzt, abgetragen.

lista ['lista] *f* **1.** *(striscia)* Streifen *m;* **2.** *(elenco)* Liste *f,* Verzeichnis *n;* **3.** *(menu)* Speisekarte *f;* **~ elettorale** Wählerliste *f;* **~ d'attesa** Warteliste *f;* **~ dei vini** Weinkarte *f.* **listare** [lis'tare] *tr inform* auflisten. **listato** [lis'tato] *m inform* Listing *n.* **listello** [...'tɛllo] *m* (Zier)leiste *f.* **listino** [...'ti:no] *m* Liste *f,* Verzeichnis *n;* **~ di borsa** Kursblatt *n;* **~ dei cambi** Kurszettel *m,* Kursbericht *m;* **~ dei prezzi** Preisliste *f.*

litania [lita'ni:a] ⟨-ie⟩ *f (a. fig)* Litanei *f.*

lite ['li:te] *f* **1.** *gener.* Streit *m,* Zank *m;* **2.** *dir* Rechtsstreit *m,* Prozeß *m.*

litigante [liti'gante] *mf* Streitende(r) *mf; dir* Prozeßführende(r) *mf;* **fra i due -i il terzo gode** *prov* wenn zwei sich streiten, freut sich der Dritte *prov.*

litigare [liti'ga:re] ⟨litigo, litighi⟩ *itr* **1.** *gener.* (sich) streiten (*con* mit); **2.** *dir* einen Prozeß führen, prozessieren.

litigio [li'ti:dʒo] ⟨-gi⟩ *m* Streit *m,* Zank *m.*

litigiosità [litidʒosi'ta] ⟨-⟩ *f* Streitsucht *f,* Zanksucht *f.* **litigioso, -a** [...'dʒo:so] *agg* **1.** *gener.* streitsüchtig, zanksüchtig; **2.** *dir* streitig, strittig.

litografia [litogra'fi:a] *f* Lithographie *f.*

litorale [lito'ra:le] **I.** *agg* Küsten-, Strand-, Ufer-; **II.** *m* Küste *f,* Küstenstreifen *m.* **litoraneo, -a** [...'ra:neo] **I.** *agg* Küsten-; **II.** *f* Küstenstraße *f.*

litro ['li:tro] *m* (*abbr* **l**) Liter *m o n.*

littorio, -a [lit'tɔ:ri̯o] ⟨-i, -ie⟩ *agg* **1.** *st* Liktoren-; **2.** *(fascista)* Faschisten-, faschistisch; **fascio ~** Liktorenbündel *n.*

Lituania [litu'ɑ:ni̯a] *f* Litauen *n.*

liturgia [litur'dʒi:a] ⟨-gie⟩ *f* Liturgie *f.*

liuto [li'u:to] *m* Laute *f.*

live [lɑiv] ⟨*inv*⟩ *agg* live, Live-.

livella [li'vɛlla] *f* Wasserwaage *f.*

livellamento [livella'mento] *m* **1.** *tec* Einebnung *f,* Planierung *f;* **2.** *fig* Angleichen *n,* Ausgleichen *n.* **livellare** [...'la:re] **I.** *tr* **1.** *tec* (ein)ebnen, planieren; **2.** *fig* ausgleichen, angleichen; *(persone a.)* gleichmachen, gleichstellen; *(differenze)* nivellieren; **II.** *rfl:* **-arsi 1.** sich glätten, eben werden; **2.** *fig* sich ausgleichen, sich angleichen. **livellatrice** [...la'tri:tʃe] *f* Planierraupe *f.*

livello [li'vɛllo] *m* **1.** *(altezza)* Höhe *f,* Niveau *n; (del mare, lago)* Spiegel *m,* Stand *m;* **2.** *fig* Niveau *n,* Stand *m; (condizione sociale)* Rang *m,* Stand *m;* **~ dei prezzi** Preisniveau *n;* **~ di vita** Lebensstandard *m;* **ad alto ~** auf höherer Ebene; **sul ~ del mare** (*abbr* **s.l.m**) über dem Meeresspiegel.

livido, -a ['li:vido] **I.** *agg* **1.** bläulich, blaßblau; **2.** *fig* totenbleich; **~ per il freddo** blau vor Kälte; **~ per la rabbia** blaß vor Wut; **II.** *m* blauer Fleck.

livrea [li'vrɛ:a] *f* Livree *f.*

lizza ['littsa] *f* Wettkampf *m,* Streit *m;* **scendere in ~** in die Schranken treten.

lo [lo] **I.** *art det m sing (davanti a s impura, gn, pn, ps, x, z)* der *m,* die *f,* das *n;* **II.** *pron pers 3ª pers m sing* ihn.

lobbista [lob'bistɑ] ⟨-i *m,* -e *f*⟩ *mf* Lobbyist(in) *m(f).*

lobby ['lɔbi] ⟨-⟩ *f* Lobby *f.*

lobo ['lɔ:bo] *m* Lappen *m* (eines Organs), Lobus *m wissensch.;* **~ dell'orecchio** Ohrläppchen *n.*

locale [lo'ka:le] **I.** *agg* **1.** *(di luogo)* örtlich, Lokal-, Orts-; *(di un determinato luogo)* einheimisch; *(persone)* ortsansässig; **2.** *(caratteristico del luogo)* ortsüblich, örtlich; **3.** *med* örtlich, Lokal-; **II.** *m* **1.** *(stanza)* Raum *m,* Räumlichkeit *f;* **2.** *(luogo pubblico)* Lokal *n;* **~ notturno** Nachtlokal *n.*

localistico, -a [lokɑ'listiko] ⟨-ci, -che⟩ *agg* lokalpatriotisch, regionalistisch; **liste -che** *pol* regionalpolitisch orientierte Listen.

località [lokali'ta] ⟨-⟩ *f* Ort *m,* Ortschaft *f,* Örtlichkeit *f.*

localizzare [lokalid'dza:re] **I.** *tr* lokalisieren, örtlich festlegen; *naut, aero* orten; *(circoscrivere)* eingrenzen, eindämmen; **II.** *rfl:* **-arsi** sich beschränken, beschränkt bleiben. **localizzazione** [...dzat'tsi̯o:ne] *f* Lokalisierung *f; naut, aero* Ortung *f.*

locanda [lo'kanda] *f* Gasthaus *n,* Gastwirtschaft *f.*

locandina [lokan'di:na] *f* Spielplan *m.*

locare [lo'ka:re] ⟨loco, lochi⟩ *tr (fabbricati, appartamenti)* vermieten; *(terreni)* verpachten. **locatario, -a** [loka'ta:ri̯o] ⟨-i, -ie⟩ *m, f (di casa, appartamento)* Mieter(in) *m(f); (di terreno)* Pächter(in) *m(f).* **locatore, -trice** [...'to:re] *m, f* Vermieter(in) *m(f); (di terreno)* Verpächter(in) *m(f).* **locazione** [...t'tsi̯o:ne] *f* **1.** *(da parte del locatore)* Vermietung *f; (di terreni)* Verpachtung *f;* **2.** *(da parte del locatario)* Miete *f; (di terreni)* Pacht *f;* **dare in ~** vermieten; *(terreni)* verpachten.

locomotiva [lokomo'ti:va] *f* Lokomotive *f.* **locomotrice** [...'tri:tʃe] *f* (Elektro)triebwagen *m.* **locomozione** [...mot'tsi̯o:ne] *f* **1.** *(facoltà propria)* Fortbewegung *f,* Sichfortbewegen *n;* **2.** *(mediante veicolo)* Transport *m,* Beförderung *f.*

locusta [lo'ku:sta] *f* (Wander)heuschrekke *f.*

locuzione [lokut'tsi̯o:ne] *f* Redewendung *f,* Redensart *f.*

lodare [lo'da:re] **I.** *tr* **1.** *(dar lodi)* loben, anerkennen; **2.** *(dichiararsi soddisfatto)* billigen, gutheißen; **3.** *(celebrare)* preisen, rühmen; **sia lodato il cielo!** dem Himmel sei Dank!, Gott sei Dank!; **II.** *rfl:* **-arsi** sich (selbst) loben.

lode ['lɔ:de] *f* **1.** *(elogio)* Lob *n,* Anerkennung *f;* **2.** *(voto)* Auszeichnung *f;* **3.** *(contemplazione, rel)* Lobpreisung *f.*

loden ['lo:dən] ⟨-⟩ *m* **1.** *(panno)* Loden *m;* **2.** *(cappotto)* Lodenmantel *m.*

lodevole [lo'de:vole] *agg* **1.** *gener.* löblich, lobenswert; **2.** *(voto scolastico)* ausgezeichnet, sehr gut.

lodo ['lɔ:do] *m* Schiedsspruch *m.*

Lodovico [lodo'vi:ko] *(nome proprio maschile)* Ludwig.

loft [lɔft] ⟨-⟩ *m* Loft *m; (appartamento)* Loftwohnung *f.*

logaritmo [loga'ritmo] *m* Logarithmus *m.*

loggia ['lɔddʒa] ⟨-gge⟩ *f* **1.** *arch* Loggia *f,* Säulen(vor)halle *f;* **2.** *(di massoneria)* Loge *f.* **loggiato** [...'dʒa:to] *m* Loggia *f,* Bogengang *m,* Arkade *f.* **loggione** [...'dʒo:ne] *m* Galerie *f.*

logica ['lɔ:dʒika] ⟨-che⟩ *f* Logik *f;* **a rigor di** ~ strenggenommen. **logicità** [lodʒitʃi'ta] ⟨-⟩ *f* Logizität *f,* Folgerichtigkeit *f.* **logico, -a** ['lɔ:dʒiko] ⟨-ci, -che⟩ *agg* **1.** *(conforme alla logica)* logisch, folgerichtig; **2.** *(naturale)* natürlich, selbstverständlich.

logo ['lɔ:go] ⟨-⟩ *m,* **logotipo** [logo'ti:po] *m* Logo *n o m.*

logoramento [logora'mento] *m* Abnutzung *f,* Verschleiß *m.* **logorante** [...'rante] *agg* aufreibend, zermürbend. **logorare** [...'ra:re] **I.** *tr* abnutzen, verschleißen; *(vestiti a.)* abtragen; *(salute)* ruinieren; **II.** *rfl:* **-arsi 1.** *(consumarsi)* sich abnutzen, verschleißen; **2.** *fig* sich aufreiben, sich zugrunde richten. **logorio** [...'ri:o] ⟨-ii⟩ *m* **1.** *(consumo)* (kontinuierliche) Abnutzung *f;* **2.** *fig* Zermürbung *f,* Zerrüttung *f.* **logoro, -a** ['lo:goro] *agg (a. fig)* verschlissen; *(vestito a.)* abgetragen; *(superato)* überholt.

lolita [lo'li:tɑ] *f* Lolita *f,* Kindfrau *f.*

lombaggine [lom'baddʒine] *f* Hexenschuß *m.*

Lombardia [lombar'di:a] *f* Lombardei *f.*

lombare [lom'ba:re] *agg* Lenden-.

lombata [lom'ba:ta] *f* **1.** *(taglio di carne)* Lende *f,* Lendenstück *n;* **2.** *(arrosto)* Lendenbraten *m.*

lombo ['lombo] *m* Lende *f;* ⟨*pl*⟩ Hüften *f pl.*

lombrico [lom'bri:ko] ⟨-chi⟩ *m* Regenwurm *m.*

Londra ['londra] *f* London *n.*

long drink ['loŋdriŋk] ⟨-⟩ *m* Longdrink *m.*

longevità [londʒevi'ta] ⟨-⟩ *f* Langlebigkeit *f;* **aumento della** ~ Verlängerung *f* der Lebensdauer. **longevo, -a** [...'dʒɛ:vo] *agg* langlebig.

longilineo, -a [londʒi'li:neo] *agg* hochgewachsen, schlank und groß.

longitudinale [londʒitudi'na:le] *agg* längsgerichtet, längs-. **longitudine** [...'tu:dine] *f* (geographische) Länge *f,* Längengrad *m.*

long play ['lɔŋpleɪ] ⟨-⟩ *m* (*abbr* **LP**) Langspielplatte *f.*

long-seller ['lɔŋselə] ⟨-⟩ *m* Longseller *m.*

lontanamente [lontana'mente] *avv* **1.** *(vago)* schwach, entfernt; **2.** *(con negazione)* im geringsten, im entferntesten, kaum.

lontananza [lonta'nantsa] *f* Ferne *f,* Entfernung *f; fig* Fernsein *n.*

lontano, -a [lon'ta:no] **I.** *agg* **1.** *(spaziale)* fern, entfernt, weit weg; **2.** *(temporale)* lange her; **3.** *(assente, estraneo)* abwesend, fern; **4.** *(vago)* entfernt, unklar; *(somiglianza)* entfernt; **II.** *avv* weit entfernt, weitab; **andare** ~ (weit) weggehen; *fig* abweichen; **da** ~ von weitem; **alla -a** vage, flüchtig; ~ **dagli occhi,** ~ **dal cuore** *prov* aus den Augen, aus dem Sinn *prov.*

lontra ['lontra] *f* Fischotter *m.*

lonza ['lontsa] *f* Lendenstück *n.*

look [luk] ⟨-⟩ *m* Look *m; (abbigliamento di una persona)* Outfit *n.*

loop [lu:p] ⟨-⟩ *m inform* Schleife *f.*

loquace [lo'ku̯a:tʃe] *agg* **1.** *(persona)* gesprächig; **2.** *fig (gesto, silenzio)* beredt. **loquacità** [loku̯atʃi'ta] ⟨-⟩ *f* Gesprächigkeit *f.*

lordare [lor'dare] *tr* **1.** *(imbrattare)* beschmutzen, beschmieren; **2.** *fig* mit Schmach bedecken, besudeln.

lordo, -a ['lordo] *agg* **1.** *(sudicio)* schmutzig, beschmutzt; **2.** *econ* Brutto-, brutto; **3.** *fig* besudelt, befleckt.

loro ['lo:ro] **I.** *pron pers* **1.** 3^a *pers pl* sie; *(con preposizione)* sie, ihnen, ihrer; *(complemento di termine)* ihnen; **2.** *(forma di cortesia a.:* **L**~*)* Sie; *(con preposizione)* Sie, Ihnen, Ihrer; *(complemento di termine)* Ihnen; **beati** ~**!** die Glücklichen!; **II.** ⟨*inv*⟩ *agg poss* ihr *(forma di cortesia a.:* **L**~*)* Ihr; **le** ~ **speranze** ihre Hoffnungen; **il** ~ **padre/zio** ihr Vater/Onkel; **un** ~ **amico** ein Freund von ihnen; **III.** *pron poss:* **il/la** ~ ihre(r, s) *(forma di cortesia a.:* **L**~*)* Ihre(r, s); **IV.** *m:* **il** ~ das Ihr(ig)e; **i** ~ die Ihren *geh;* **anche tu sei dei** ~? auch du bist einer von ihnen?; ~ **due** sie beide, die beiden.

losanga [lo'zaŋga] ⟨-ghe⟩ *f* Rhombus *m,* Raute *f.*

Losanna [lo'zanna] *f* Lausanne *n.*

losco, -a ['losko] ⟨-schi, -sche⟩ *agg fig*

finster, krumm *fam; (a. affare)* unsauber, anrüchig.
loto ['lɔ:to] *m* Lotos *m,* Lotosblume *f.*
lotta ['lɔtta] *f* **1.** *(combattimento)* Kampf *m;* **2.** *sport* Ringen *n,* Ringkampf *m;* **3.** *fig (dissidio)* Streit *m,* Auseinandersetzung *f;* ~ **biologica** biologische Schädlingsbekämpfung; ~ **operaia** Arbeitskampf *m;* ~ **contro il cancro** Krebsbekämpfung *f;* ~ **di classe** Klassenkampf *m;* ~ **corpo a corpo** Nahkampf *m;* ~ **per l'esistenza** Existenzkampf *m;* ~ **libera** Freistilringen *n;* **fare la** ~ ringen. **lottare** [lot'ta:re] *itr* kämpfen (*contro* gegen), ringen (*per* um); ~ **con il sonno** mit dem Schlaf kämpfen. **lottatore, -trice** [...ta'to:re] *m, f* **1.** *gener.* Kämpfer(in) *m(f);* **2.** *sport* Ringer(in) *m(f),* Ringkämpfer(in) *m(f).*
lotteria [lotte'ri:a] ⟨-ie⟩ *f* Lotterie *f;* **biglietto della** ~ Lotterielos *n.*
lottizzare [lottid'dza:re] *tr* **1.** *(suddividere)* in Parzellen aufteilen, parzellieren; **2.** *pol* untereinander aufteilen; *(incarichi)* verteilen. **lottizzazione** [...dzat'tsio:ne] *f* **1.** *(suddivisione)* Aufteilung *f* in Parzellen, Parzellierung *f;* **2.** *pol* (Parteien)proporz *m.*
lotto ['lɔtto] *m* **1.** *(gioco)* Lotto(spiel) *n;* **2.** *(di terreno)* Parzelle *f; (di merce)* (Waren)posten *m,* Partie *f;* **giocare al** ~ (im) Lotto spielen; **a -i** partieweise, parzellenweise.
lozione [lot'tsio:ne] *f* Lotion *f,* Wasser *n;* ~ **per capelli** Haarwasser *n.*
Lubecca [lu'bɛkka] *f* Lübeck *n.*
lubrificante [lubrifi'kante] **I.** *agg* Schmier-; **II.** *m* Schmiere *f,* Schmiermittel *n.* **lubrificare** [...'ka:re] ⟨lubrifico, lubrifichi⟩ *tr* (ab)schmieren. **lubrificazione** [...kat'tsio:ne] *f* (Ab)schmieren *n.*
Luca ['lu:ka] *(nome proprio maschile)* Lukas.
lucchetto [luk'ketto] *m* Vorhängeschloß *n.*
luccicare [luttʃi'ka:re] ⟨luccico, luccichi⟩ *itr* leuchten, funkeln, glitzern. **luccichio** [...'ki:o] ⟨-chii⟩ *m* Gefunkel *n,* Glitzern *n.*
luccio ['luttʃo] ⟨-cci⟩ *m* Hecht *m.*
lucciola ['luttʃola] *f* Glühwürmchen *n,* Leuchtkäfer *m;* **prender -e per lanterne** etw. falsch verstehen, etw. verwechseln.
luce ['lu:tʃe] *f* **1.** *gener., fis, tec* Licht *n (a. fig);* **2.** *(chiarore)* Helligkeit *f;* ~ **del giorno** Tageslicht *n;* ~ **del sole** Sonnenlicht *n;* ~ **intermittente** Blinklicht *n;* **-i di posizione** Standlicht *n;* **una stanza piena di** ~ ein helles Zimmer; **bolletta della** ~ *fam* Stromrechnung *f;* **dare alla** ~ zur Welt bringen; **mettere qu in cattiva** ~ jdn ins schiefe Licht rücken; **mettersi in** ~ sich hervortun; **riportare qc alla** ~ etw. wieder ans Licht bringen; **a -i rosse** Porno-; **alle prime -i** bei Tagesanbruch, im Morgengrauen; **alla** ~ **dei fatti** in Anbetracht der Tatsachen; **contro** ~ bei Gegenlicht. **lucente** [lu'tʃɛnte] *agg* leuchtend, funkelnd, glänzend. **lucentezza** [lutʃen'tettsa] *f* Leuchten *n,* Glanz *m; (di seta, perle)* Schimmer *m.*
lucerna [lu'tʃɛrna] *f* Lampe *f,* Öllampe *f.*
Lucerna [lu'tʃɛrna] *f* Luzern *n.*
lucertola [lu'tʃɛrtola] *f* Eidechse *f.*
lucherino [luke'ri:no] *m* Zeisig *m,* Erlenfink *m.*
lucidalabbra [lutʃida'labbra] ⟨-⟩ *m* Lipgloss *n.*
lucidare [lutʃi'da:re] *tr (scarpe)* putzen, wichsen; *(mobili)* polieren; *(pavimenti)* bohnern. **lucidatore, -trice** [...da'to:re] **I.** *m, f* Polierer(in) *m* (f); **II.** *f* Bohnermaschine *f.* **lucidatura** [...da'tu:ra] *f (atto)* Polieren *n; (di scarpe)* Putzen *n,* Wichsen *n; (di pavimenti)* Bohnern *n.* **lucidità** [...di'ta] ⟨-⟩ *f* Klarheit *f.* **lucido, -a** ['lu:tʃido] **I.** *agg* **1.** glänzend, blank; **2.** *fig* klar, durchsichtig; ~ **come uno specchio** spiegelblank; **II.** *m* **1.** *(lucentezza)* Glanz *m;* **2.** *(per mobili)* Politur *f,* Poliermittel *n;* ~ **per (le) scarpe** Schuhcreme *f;* ~ **per pavimenti** Bohnerwachs *n.*
lucrativo, -a [lukra'ti:vo] *agg* gewinnbringend, einträglich, lukrativ. **lucro** ['lu:kro] *m* Gewinn *m,* Nutzen *m,* Vorteil *m;* ~ **cessante** *dir, fin* entgangener Gewinn; **a scopo di** ~ zu Gewinnzwecken.
ludoteca [ludo'tɛ:ka] ⟨-che⟩ *f* Spieleverleih *m.* **ludoterapia** [-tera'pi:a] ⟨-ie⟩ *f* Spieltherapie *f.*
luglio ['luʎʎo] *m* Juli *m; v. a. settembre.*
lugubre ['lu:gubre] *agg* schaurig, düster, unheilvoll.
lui ['lu:i] *pron pers 3ª pers m sing* **1.** *(soggetto)* er; **2.** *(oggetto)* ihn; *(con preposizione)* ihn, ihm, seiner; **beato** ~! der Glückliche!
Luigi [lu'i:dʒi] *(nome proprio maschile)* Ludwig.
Luisa [lu'i:za] *(nome proprio femminile)* Luise.
lumaca [lu'ma:ka] ⟨-che⟩ *f* Schnecke *f;* **a passo di** ~ *fig* im Schneckentempo *fam.* **lumacone, -a** [luma'ko:ne] *m, f fam* Tranfunzel *f fam,* Schlafmütze *f fam.*
lume ['lu:me] *m* Lampe *f; (a. fig)* Leuchte *f; (luce)* Licht *n;* **a** ~ **di candela** bei Kerzenlicht; **perdere il** ~ **della ragione** außer sich *(dat)* sein; **reggere il** ~ **a qu** bei jdm die Anstandsdame (*o* den Anstandswauwau *fam*) spielen. **lumicino** [lumi'tʃi:no] *m* Lämpchen *n,* kleine Lampe; *(luce)* schwaches (*o* kleines) Licht; **cercare qc col** ~ *fig* etw. wie eine Stecknadel im Heuhaufen suchen. **lumiera** [lu'miɛ:ra] *f reg* Kronleuchter *m,* Lüster *m.*
luminare [lumi'na:re] *m* Leuchte *f;* **un** ~ **della medicina** eine Kapazität (*o* Leuchte *fam*) auf dem Gebiet der Medizin. **lu-**

minaria [...'na:ria] ⟨-ie⟩ *f* **1.** *(illuminazione)* (Fest)beleuchtung *f;* **2.** *(quantità di lumi accesi)* Lichtermeer *n.* **lumino** [lu'mi:no] *m* Licht *n,* 24-Stunden-Brenner *m; (per tomba)* Grablicht *n.* **luminosità** [luminosi'ta] ⟨-⟩ *f* Helligkeit *f; fis* Lichtstärke *f.* **luminoso, -a** [...'no:so] *agg* **1.** *(che emette luce)* strahlend, leuchtend; **2.** *(limpido)* klar, hell; **3.** *fig* hervorragend, glänzend; *(sorriso)* strahlend.

luna ['lu:na] *f* **1.** *astr* Mond *m;* **2.** *(lunazione)* Mondwechsel *m;* **3.** *fig (capriccio)* Laune *f;* ~ **calante/crescente/piena** abnehmender/zunehmender Mond/ Vollmond *m;* **a mezza** ~ halbmondförmig; ~ **di miele** Flitterwochen *f pl;* **abbaiare alla** ~ den Mond anbellen; **avere la** ~ **(di traverso)** *fam* schlechte Laune haben; **con questi chiari di** ~ *fig* in diesen schlechten Zeiten.

luna park ['lu:na 'park] ⟨-⟩ *m* Vergnügungspark *m.*

lunare [lu'na:re] *agg* Mond-. **lunario** [lu'na:rio] ⟨-i⟩ *m:* **sbarcare il** ~ *fam* über die Runden kommen. **lunatico, -a** [lu'na:tiko] ⟨-ci, -che⟩ *agg* launenhaft, unbeständig.

lunedì [lune'di] ⟨-⟩ *m* Montag *m;* **il (***o* **di)** ~ montags; **l'ho visto** ~ ich habe ihn Montag (*o* am Montag) gesehen; ~ **scorso/prossimo** (am) letzten/(am) nächsten Montag; **tutto il** ~ den ganzen Montag (über); **ogni** ~**, tutti i** ~ jeden Montag; **un** ~ **sì, un** ~ **no** jeden zweiten Montag; **un** ~ eines Montags, an einem Montag; ~ **a otto** Montag in acht Tagen; ~ **mattina/sera/pomeriggio** Montag morgen (*o* früh)/abend/nachmittag; **di** ~ **mattina/sera** Montag (*o* montags) morgens/ abends; **oggi è** ~ **(il) due maggio** heute ist Montag, der zweite Mai.

lunetta [lu'netta] *f arch* Lünette *f,* Bogenfeld *n.*

lungaggine [luŋ'gaddʒine] *f* Langatmigkeit *f,* Schwerfälligkeit *f.*

lungarno [luŋ'garno] *m* Straße *f* am Arno (entlang).

lunghezza [luŋ'gettsa] *f* **1.** *(estensione)* Länge *f,* Längsseite *f; (di tempo)* Länge *f,* Dauer *f;* **2.** *(lentezza)* Langsamkeit *f;* ~ **d'onda** Wellenlänge *f.*

lunghista [lun'gista] ⟨-i *m,* -e *f*⟩ *mf* Weitspringer(in) m(f).

lungo ['luŋgo] *prp* **1.** *(di luogo)* längs *+gen o +dat,* entlang . . . *+dat o +gen,* . . . entlang *+akk;* **2.** *(di tempo)* während *+gen o +dat.*

lungo, -a ['luŋgo] ⟨-ghi, -ghe⟩ **I.** *agg* **1.** *(estensione)* lang; *(tempo)* lange dauernd, langwierig; *(lontananza)* weit, lang; **2.** *(persona)* hochgewachsen; *(lento) fam* langsam; **3.** *(bevanda, brodo, caffè)* dünn; **salto in** ~ Weitsprung *m;* **tirare in** ~ **(***o* **per le -ghe)** in die Länge ziehen; **saperla -a** mit allen Wassern gewaschen sein; **alla -a** auf die Dauer; **di gran -a** weitaus, bei weitem; **a -a scadenza** langfristig; **in** ~ **e in largo** kreuz und quer; *fig* lang und breit; **II.** *m* Länge *f;* **per il** ~ der Länge nach.

lungodegente [lungode'dʒɛnte] *mf* Pflegefall *m,* Langzeitkranke(r) *m(f).*

lungofiume [-'fiu:me] *m* Uferstraße *f; (per pedoni)* Uferpromenade *f.* **lungolago** [-'la:go] *m* Uferstraße *f; (per pedoni)* Seepromenade *f.* **lungomare** [-'ma:re] *m* Straße *f* am Meer; (per pedoni) Strandpromenade *f.* **lungometraggio** [-me'traddʒo] *m* Spielfilm *m.* **lungotevere** [-'te:vere] *m* Straße *f* am Tiber (entlang).

lunotto [lu'nɔtto] *m* Heckscheibe *f;* ~ **termico** heizbare Heckscheibe.

luogo ['luɔ:go] ⟨-ghi⟩ *m* Ort *m,* Stelle *f; (località)* Ortschaft *f,* Örtlichkeit *f; (posto)* Platz *m,* Raum *m; (locale)* Lokal *n,* Raum *m; (punto)* Stelle *f;* **in** ~ **aperto** im Freien; **in nessun** ~ nirgends; **in primo/ultimo** ~ zuallererst, an erster Stelle/zuallerletzt, an letzter Stelle; **sul** ~ an Ort und Stelle; **fuori** ~ unangebracht, fehl am Platz(e); **aver** ~ stattfinden.

lupetto [lu'petto] *m* **1.** *zoo* kleiner Wolf; *(cane)* junger Wolfshund; **2.** *(scout)* junger Pfadfinder, Wölfling *m;* **3.** *(maglione)* Stehkragenpullover *m.*

lupino [lu'pi:no] *m* Lupine *f.*

lupo ['lu:po] *m* Wolf *m;* **cane** ~ Wolfshund *m,* deutscher Schäferhund; ~ **mannaro** Werwolf *m,* Wolfsmensch *m;* **fame da -i** Bärenhunger *m fam;* **tempo da -i** Hundewetter *n fam;* ~ **di mare** Seebär *m;* **al** ~**!** fangt den Wolf!; **in bocca al** ~ Hals- und Beinbruch; **il** ~ **perde il pelo ma non il vizio** *prov* die Katze läßt das Mausen nicht *prov.*

luppolo ['luppolo] *m* Hopfen *m.*

lurido, -a ['lu:rido] *agg* **1.** schmutzig, dreckig; **2.** *fig* verkommen, unmoralisch; **acque -e** Abwässer *n pl.* **luridume** [luri'du:me] *m* **1.** Schmutz *m,* Unrat *m;* **2.** *fig* Sündenpfuhl *m.*

lusinga [lu'ziŋga] ⟨-ghe⟩ *f* Schmeichelei *f.* **lusingare** [...'ga:re] ⟨lusingo, lusinghi⟩ **I.** *tr* schmeicheln (*qu* jdm); **II.** *rfl:* **-arsi** hoffen, zu glauben wagen. **lusinghiero, -a** [...'giɛ:ro] *agg* schmeichlerisch, schmeichelhaft.

lussazione [lussat'tsio:ne] *f* Luxation *f,* Verrenkung *f.*

lussemburghese [lussembur'ge:se] **I.** *agg* luxemburgisch, Luxemburger; **II.** *mf* Luxemburger(in) *m(f).* **Lussemburgo** [...'burgo] *m:* **il** ~ Luxemburg *n.*

lusso ['lusso] *m* Luxus *m;* **automobile di** ~ Luxuswagen *m,* Luxuslimousine *f;* **permettersi certi -i** sich *(dat)* einen gewissen Luxus erlauben. **lussuoso, -a** [lussu'o:so] *agg* luxuriös, Luxus-.

lussureggiante [lussured'dʒante] *agg* üppig, prächtig.
lussuria [lus'su:ria] ⟨-ie⟩ *f* Fleischeslust *f*, Unzucht *f*. **lussurioso, -a** [...su'rio:so] **I.** *agg* geil, unzüchtig; **II.** *m, f* unzüchtiger (*o* wollüstiger) Mensch.
lustrare [lus'tra:re] **I.** *tr (mobili, metallo)* polieren; *(pavimenti)* bohnern; *(scarpe)* putzen, wichsen; **II.** *itr* blank sein, glänzen. **lustrascarpe** [...tras'karpe] ⟨-⟩ *mf* Schuhputzer(in) *m(f)*. **lustrata** [...'tra:ta] *f* rasches Putzen (*o* Polieren).
lustrino [lus'tri:no] *m* Flitter *m; (paillette)* Paillette *f*.
lustro, -a ['lustro] **I.** *agg* glänzend, blank; **II.** *m* **1.** *(lucentezza)* Glanz *m;* **2.** *fig (gloria)* Ruhm *m*, Ehre *f; (decoro)* Zierde *f;* **essere il ~ della famiglia** der Stolz der Familie sein.
luterano, -a [lute'ra:no] **I.** *agg* lutherisch; **II.** *m, f* Lutheraner(in) *m(f)*.
lutto ['lutto] *m* Trauer *f; (abito a.)* Trauerkleidung *f; (periodo a.)* Trauerzeit *f;* **~ nazionale** Staatstrauer *f;* **essere in ~** in Trauer sein; **prendere il ~** Trauer tragen; **chiuso per ~** wegen Trauerfall geschlossen. **luttuoso, -a** [...tu'o:so] *agg* **1.** *(sventuroso)* unheilvoll, verhängnisvoll; **2.** *(funesto)* tödlich.

M

M, m ['ɛmme] ⟨-⟩ *f* M, m *n;* **m come Milano** M wie Martha.
m *abbr di* **metro** m (*abk von* Meter).
ma[1] [ma] **I.** *cong* **1.** *(però)* (je)doch, aber; **2.** *(bensì)* sondern; **3.** *(rafforzativo)* sogar, doch; **II.** *avv* denn; ~ **perché?** wieso denn?; ~ **che cosa hai?** was hast du denn?; **III.** *m* Aber *n;* **non ci sono ~ che tengano** da gibt es kein Wenn und Aber, da hilft alles nichts.
ma[2] [ma] *interi* wer weiß; ~ **(insomma)!** na ja! *fam;* **sarà vero?** – ~! ob es (wohl) wahr ist? – was weiß ich!
macabro, -a ['ma:kabro] *agg* makaber.
macché [mak'ke] *interi* im Gegenteil, ach was *fam,* ach wo(her) *fam.*
maccheroni [makke'ro:ni] *m pl* Makkaroni *pl.*
macchia[1] ['makki̯a] ⟨-cchie⟩ *f* **1.** *(sporco)* Fleck(en) *m;* **2.** *(in pittura)* Farbtupfer *m;* **3.** *fig (colpa)* Makel *m,* Schandfleck *m;* **a ~ d'olio** *fig* wie ein Lauffeuer.
macchia[2] ['makki̯a] ⟨-cchie⟩ *f bot* Macchia *f,* Macchie *f;* **darsi/vivere alla ~** untertauchen/im Untergrund leben.
macchiare [mak'ki̯a:re] ⟨macchio, macchi⟩ **I.** *tr* **1.** *(vestito, tovaglia)* beflecken (*di* mit), Flecken machen auf *+akk;* **2.** *fig (onore, innocenza)* besudeln, beflecken; **II.** *rfl:* **-arsi 1.** *(sporcarsi)* sich schmutzig machen (*di* mit); *(cose)* Flekken bekommen; **2.** *fig* sich besudeln.
macchiato, -a [mak'ki̯a:to] *agg* **1.** (sporco) mit Flecken; **2.** *(di colore diverso)* gefleckt; **caffè ~** ≃ Kaffee mit Milch.
macchietta [...'ki̯etta] *f* **1.** *(schizzo, bozzetto)* Farbskizze *f;* **2.** *(persona)* Kauz *m,* Original *n;* **3.** *teat* Karikatur *f.*
macchina ['makkina] *f* **1.** *(congegno)* Maschine *f,* Apparat *m; (apparecchiatura)* Apparatur *f;* **2.** *(automobile)* Auto *n,* Wagen *m;* **3.** *fig (struttura)* Apparat *m;* **4.** *fig (meccanismo)* Maschinerie *f,* Getriebe *n;* ~ **da scrivere/da cucire** Schreib-/Nähmaschine *f;* ~ **da scrivere a testina rotante** Kugelkopfschreibmaschine *f;* ~ **da scrivere con ruota portacaratteri** Typenradschreibmaschine *f;* ~ **del caffè** Kaffeemaschine *f;* ~ **fotografica** Fotoapparat *m;* ~ **fotografica reflex** Spiegelreflexkamera *f;* **andare in ~** *mot* mit dem Auto fahren; *tip* in Druck gehen; **fatto a ~** maschinell hergestellt. **macchinare** [...'na:re] *tr* anzetteln. **macchinario** [...'na:ri̯o] ⟨-i⟩ *m* Maschinen *f pl,* Maschinenpark *m.* **macchinazione** [...nat'tsi̯o:ne] *f* Machenschaften *f pl,* Intrige *f.* **macchinista** [...'nista] ⟨-i *m,* -e *f*⟩ *mf* **1.** *ferr* Lokomotivführer(in) *m(f);* **2.** *naut* Maschinist(in) *m(f);* **3.** *teat* Maschinenmeister(in) *m(f).*
Macedonia [matʃe'dɔ:ni̯a] *f* Makedonien *n.*
macedonia [matʃe'dɔ:ni̯a] ⟨-ie⟩ *f* Obstsalat *m.*
macellaio, -a [matʃel'la:i̯o] ⟨-ai, -aie⟩ *m, f* **1.** *(chi macella)* Schlachter(in) *m(f),* Fleischer(in) *m(f);* **2.** *(negoziante)* Metzger(in) *m(f),* Fleischer(in) *m(f);* **3.** *fig peg* Schlächter *m.* **macellare** [...'la:re] *tr* **1.** *(animali)* schlachten; **2.** *fig* abschlachten, hinmetzeln. **macelleria** [...le'ri:a] ⟨-ie⟩ *f* Metzgerei *f,* Fleischerei *f.* **macello** [ma'tʃɛllo] *m* **1.** *(mattatoio)* Schlachthof *m;* **2.** *(strage)* Blutbad *n,* Gemetzel *n;* **3.** *fam scherz (sconfitta)* Fiasko *n,* Reinfall *m fam; (disastro)* Chaos *n.*
macerare [matʃe'ra:re] **I.** *tr* einweichen; **II.** *rfl:* **-arsi 1.** *(essere a bagno)* eingeweicht sein; **2.** *fig (tormentarsi)* sich peinigen, sich kasteien. **macerazione** [...rat'tsi̯o:ne] *f* Einweichen *n,* Aufweichen *n.* **macerie** [ma'tʃɛ:ri̯e] *f pl* Trümmer *pl,* Trümmerfeld *n,* Schutt *m.* **macero** ['ma:tʃero] *m* Auflösung *f,* Einstampfen *n.*
macho ['matʃo] ⟨-⟩ *m* Macho *m.*
macigno [ma'tʃiɲɲo] *m* Fels(block) *m.*
macilento, -a [matʃi'lɛnto] *agg* aus-, abgezehrt, mager.
macina ['ma:tʃina] *f* Mühlstein *m.* **macinacaffè** [matʃinakaf'fɛ] ⟨-⟩ *m* Kaffeemühle *f.* **macinapepe** [...na'pe:pe] ⟨-⟩ *m* Pfeffermühle *f.* **macinare** [...'na:re] *tr* **1.** *(grano, caffè)* mahlen; *(carne)* hakken; **2.** *fig (strada, chilometri)* abreißen *fam.* **macinato** [...'na:to] *m* **1.** *(prodotto di macinazione)* Mehl *n,* Gemahlene(s) *n;* **2.** *(carne tritata)* Hackfleisch *n.* **macinino** [...'ni:no] *m* **1.** *(per caffè)* Kaffeemühle *f; (per pepe)* Pfeffermühle *f;* **2.** *fig scherz (vecchia auto)* Mühle *f fam,* (Klapper)kiste *f fam.*
maciste [ma'tʃiste] *m scherz* Herkules *m.*
maciullare [matʃul'la:re] *tr* **1.** *(canapa, tessuti)* brechen; **2.** *(stritolare)* zermalmen, zerquetschen.
macro ['ma:kro] ⟨-⟩ *f inform* Makro *n.*
macrobiotica [makrobi'ɔ:tika] ⟨-che⟩ *f* Makrobiotik *f.* **macrobiotico, -a** [-bi'ɔ:tiko] ⟨-ci, -che⟩ *agg* makrobiotisch; **negozio ~** Bioladen *m.* **macroclima** [-'kli:ma] ⟨-i⟩ *m* Makroklima *n.* **macro-**

scopico, -a [...ros'kɔ:piko] ⟨-ci, -che⟩ *agg* **1.** *tec* makroskopisch; **2.** *fig* enorm, riesig, gewaltig.

maculato, -a [maku'la:to] *agg* gefleckt, gesprenkelt.

Maddalena [madda'le:na] *(nome proprio femminile)* Magdalena, Magdalene.

made in Italy ['meid in 'itali] ⟨-⟩ *m* in Italien hergestellte Exportwaren.

madia ['ma:dja] ⟨-ie⟩ *f* Backtrog *m*.

madido, -a ['ma:dido] *agg* naß, feucht; ~ **di sudore** schweißgebadet.

Madonna [ma'dɔnna] *f* **1.** *rel* Jungfrau Maria *f*, Muttergottes *f;* **2.** *(nell'arte)* Madonna *f*, Madonnenbild *n*. **madonnaro, -a** [madon'na:ro] *m, f* Pflastermaler(in) *m(f)*.

madornale [mador'na:le] *agg* gewaltig, enorm.

madre ['ma:dre] **I.** *f* **1.** *gener.* Mutter *f;* **2.** *rel* Schwester *f;* ~ **in affitto** (*o* **ospite** *o* **in prestito** *o* **surrogata** *o* **taxi**) Leihmutter *f;* ~ **superiora** (Schwester) Oberin *f;* **II.** ⟨*inv*⟩ *agg* **1.** *(che ha figli)* Mutter-; **2.** *(principale)* Leit-, Haupt-; **ragazza** ~ unverheiratete Mutter; **questa è la scena** ~ **del film** das ist die zentrale Szene des Films. **madrelingua** [madre'liŋgua] *f* Muttersprache *f;* **essere di** ~ **italiana** Italienisch als Muttersprache haben. **madrepatria** [-'pa:trja] *f* Vaterland *n*. **madreperla** [-'pɛrla] *f* Perlmutt *n*.

madrigale [madri'ga:le] *m* Madrigal *n*.

madrina [ma'dri:na] *f* **1.** *(di bambino)* Patin *f*, Patentante *f;* **2.** *(di nave)* Patin *f*.

maestà [maes'ta] ⟨-⟩ *f* **1.** *(imponenza)* Erhabenheit *f*, Würde *f*, Majestät *f;* **2.** *(di sovrani)* Majestät *f;* **Sua** ~ Seine (*o* Ihre) Majestät. **maestosità** [...tosi'ta] ⟨-⟩ *f* Erhabenheit *f*, Großartigkeit *f*. **maestoso, -a** [...'to:so] *agg* **1.** *(aspetto, gesto)* hoheitsvoll, majestätisch; **2.** *mus* feierlich, maestoso.

maestra [ma'ɛstra *o* ma'es...] *f* **1.** *(di scuola primaria)* Lehrerin *f;* **2.** *(esperta)* Meisterin *f;* ~ **d'asilo** Kindergärtnerin *f;* ~**di pianoforte** Klavierlehrerin *f*. **maestrale** [maes'tra:le] *m* Mistral *m*. **maestranze** [...'trantse] *f pl* Arbeiterschaft *f*, Belegschaft *f*. **maestria** [...'tri:a] ⟨-ie⟩ *f* Meisterschaft *f*, Geschicklichkeit *f*. **maestro** [ma'ɛstro *o* ma'es...] **I.** *m* **1.** *(di scuola primaria)* (Grundschul)lehrer *m;* **2.** *(istruttore)* Lehrer *m;* **3.** *(esperto)* Meister *m*, Experte *m;* ~ **del coro** Chorleiter *m;* **II.** *agg* **1.** *(principale)* Haupt-; **2.** *(abile)* meisterhaft, meisterlich, Meister-; **albero** ~ Großmast *m*.

mafia ['ma:fja] *f* Mafia *f*. **mafioso, -a** [ma'fjo:so] **I.** *agg* Mafia-, mafios; **II.** *m, f* Mafioso *m*, Mafiosa *f*.

maga ['ma:ga] ⟨-ghe⟩ *f* **1.** *(che fa magie)* Zauberin *f;* **2.** *fig (donna affascinante)* Circe *f*.

magagna [ma'gaɲɲa] *f* **1.** *(difetto)* Mangel *m*, Defekt *m*, Macke *f fam;* **2.** *(acciacco)* Gebrechen *n*.

magari [ma'ga:ri] **I.** *interi* und wie, und ob, schön wär's (ja) *fam;* **II.** *cong* +*congv* wenn nur +*konjv*, wenn doch +*konjv;* ~ **fosse vero!** wenn es doch wahr wäre!; **III.** *avv (forse)* möglicherweise, vielleicht.

magazzinaggio [magaddzi'naddʒo] ⟨-ggi⟩ *m***1.** *(periodo)* Lagerung *f*, Lagerhaltung *f;* **2.** *(prezzo)* Lagergebühr *f;* ~ **provvisorio** Zwischenlagerung *f*.

magazziniere, -a [magaddzi'njɛ:re] *m, f* Lagerverwalter(in) *m(f)*, Lagerhalter(in) *m(f)*.

magazzino [magad'dzi:no] *m* (Waren)lager *n;* **grande** ~ Kaufhaus *n*, Warenhaus *n*.

maggio ['maddʒo] *m* Mai *m; v. a. settembre.* **maggiolino** [-'li:no] *m* **1.** *(insetto)* Maikäfer *m;* **2.** *mot fam* Käfer *m*.

maggiorana [maddʒo'ra:na] *f* Majoran *m*.

maggioranza [maddʒo'rantsa] *f* **1.** *(maggior parte)* Mehrzahl *f;* **2.** *(in assemblea)* Mehrheit *f*, Majorität *f;* **la** ~ **silenziosa** die schweigende Mehrheit; **nella** ~ **dei casi** in den überwiegenden Fällen. **maggiorare** [...'ra:re] *tr (prezzi)* anheben, erhöhen. **maggiorazione** [...rat'tsjo:ne] *f* Erhöhung *f*.

maggiore [mad'dʒo:re] ⟨*comp di* grande⟩ **I.** *agg* **1.** *(comp: più grande)* größer; *(più alto)* höher; *(più vecchio)* älter; *(sorella, fratello a.)* größer; *(più importante)* größer, bedeutender; *mat* größer **2.** *(superl rel: il più grande)* größte(r, s); *(il più vecchio)* älteste(r, s); *(per importanza)* bedeutendste(r, s), größte(r, s), Haupt-; **3.** *mil* Ober-; **4.** *mus (terza)* groß; *(tonalità)* Dur-, -Dur; **II.** *f:* **andare per la** ~ einen hervorragenden Ruf haben, großen Erfolg haben; **III.** *mf* **1.** *mil* Major *m;* **2.** *(primogenito)* Erstgeborene(r) *mf*, Älteste(r) *mf*. **maggiorenne** [maddʒo'rɛnne] **I.** *agg* volljährig, mündig; **II.** *mf* Volljährige(r) *mf*. **maggiorenti** [...'rɛnti] *m pl* Oberschicht *f*. **maggioritario, -a** [...ri'ta:rjo] ⟨-i, -ie⟩ *agg* mehrheitlich; **sistema** ~ *pol* Mehrheitswahlrecht *n*.

magi ['ma:dʒi] *m pl:* **i Re M**~ die Heiligen Drei Könige *m pl*, die drei Weisen *m pl* aus dem Morgenland.

magia [ma'dʒi:a] ⟨-gie⟩ *f* **1.** *(arte occulta)* Magie *f*, Zauberei *f;* **2.** *fig* Zauber *m*.

magico, -a ['ma:dʒiko] ⟨-ci, -che⟩ *agg* **1.** *(di magia)* Zauber-, magisch; **2.** *(incantevole)* zauberhaft, bezaubernd.

magistero [madʒis'tɛ:ro] *m* **1.** *(insegnamento)* Lehrtätigkeit *f*, Lehramt *n;* **2.** *(facoltà)* pädagogische Hochschule. **magistrale** [...'tra:le] *agg* **1.** *(per maestri)* Lehrer-, Lehr-; **2.** *(da maestro)* meisterhaft, vorbildlich; **istituto** ~ *Lehrerbildungsanstalt für Grundschullehrer.*

magistrato [madʒis'tra:to] *m* **1.** *amm (carica pubblica)* öffentliches Amt; *(persona)* Amtsperson *f;* **2.** *dir (giudice)* Richter *m.* **magistratura** [...tra'tu:ra] *f* **1.** *(organi giudiziari)* Justiz *f,* Justizbehörde *f;* **2.** *(funzione)* Richteramt *n;* **3.** *(magistrati)* Richterstand *m;* **Consiglio Superiore della M~** (*abbr* **CSM**) *Aufsichtsbehörde der italienischen Gerichte.*

maglia ['maʎʎa] ⟨-glie⟩ *f* **1.** *(intrecciatura)* Masche *f;* **2.** *(tessuto)* Nadelarbeit *f,* Strick-, Häkelarbeit *f;* **3.** *(indumento)* Unterhemd *n; (maglione)* Pullover *m; sport* Trikot *n;* **4.** ⟨*pl*⟩ *fig (trame)* Netz *n;* ~ **diritta/rovescia** rechte/linke Masche; **lavorare a** ~ stricken. **maglieria** [...ʎe'ri:a] ⟨-ie⟩ *f* **1.** *(genere di merci)* Trikotagen *f pl,* Strickwaren *f pl;* **2.** *(fabbrica)* Strickerei *f,* Wirkerei *f;* **3.** *(bottega)* Strickwarengeschäft *n.* **maglietta** [...'ʎetta] *f* **1.** *(indumento)* T-Shirt *n,* Strickhemd *n;* **2.** *(gancio)* Haken *m,* Öse *f.*

maglio ['maʎʎo] ⟨-gli⟩ *m* **1.** *(martello)* (schwerer) Hammer *m;* **2.** *sport (hockey)* Schläger *m.*

maglione [maʎ'ʎo:ne] *m* (dicker) Pullover *m.*

magnaccia [ma'ɲattʃa] ⟨-⟩ *m* Zuhälter *m.*

magnanimo, -a [maɲ'ɲa:nimo] *agg* großmütig, edel.

magnate [maɲ'ɲa:te] *m* Magnat *m.*

magnesio [maɲ'ɲɛ:zio] *m* Magnesium *n.*

magnete [maɲ'ɲɛ:te] *m* Magnet *m.* **magnetico, -a** [...'ɲɛ:tiko] ⟨-ci, -che⟩ *agg* **1.** *el* magnetisch, Magnet-; **2.** *fig (sguardo)* magnetisierend. **magnetofono®** [...'tɔ:fono] *m* Tonbandgerät *n,* Magnetophon® *n.*

magnificare [maɲɲifi'ka:re] ⟨magnifico, magnifichi⟩ *tr* verherrlichen, preisen, rühmen. **magnificenza** [...fi'tʃɛntsa] *f* **1.** *(pompa, sfarzo)* Pracht *f,* Prunk *m;* **2.** *fig* Großartigkeit *f,* Herrlichkeit *f.*

magnifico, -a [maɲ'ɲi:fiko] ⟨-ci, -che⟩ *agg* herrlich, prächtig.

magniloquente [maɲɲilo'kuɛnte] *agg* salbungsvoll, pathetisch.

magno, -a ['maɲɲo] *agg lett* groß; **Carlo M~** Karl der Große.

magnolia [maɲ'ɲɔ:lia] ⟨-ie⟩ *f* Magnolie *f.*

mago ['ma:go] ⟨-ghi⟩ *m* **1.** *(che esercita magia)* Magier *m,* Zauberer *m;* **2.** *(guaritore)* Wunderheiler *m;* **3.** *(illusionista)* Zauberkünstler *m.*

magone [ma'go:ne] *m:* **avere il** ~ *fig* einen Kloß im Hals haben.

Magonza [ma'gontsa] *f* Mainz *n.*

magra ['ma:gra] *f* Niedrigwasser *n;* **tempi di** ~ *fig* magere Zeiten *f pl;* **essere in** ~ wenig Wasser führen.

magrezza [ma'grettsa] *f* Magerkeit *f.*

magro, -a ['ma:gro] **I.** *agg* **1.** *(persona)* mager; **2.** *fig (scarso)* dürftig, mager; ~ **come un chiodo** spindeldürr; **II.** *m* magerer Teil, Magere(s) *n.*

mai ['ma:i] *avv* **1.** *(nessuna volta)* nie(-mals); **2.** *(qualche volta)* jemals, je; **nessuno ...** ~ niemand ... je; **non ...** ~ nie; ~ **più** nie mehr, nie wieder; **ora più che** ~ jetzt erst recht, jetzt mehr denn je; ~ **e poi** ~ nie und nimmer; **ciò è quanto** ~ **spiacevole** das ist äußerst bedauerlich; **chi l'avrebbe** ~ **detto**? wer hätte das jemals gedacht?; **come** ~ **non vieni**? wieso kommst du denn nicht?

maiale [ma'ia:le] *m* **1.** *zoo* Schwein *n;* **2.** *(carne)* Schweinefleisch *n,* Schwein *n;* **3.** *volg* Sau *f vulg.*

mailbox ['meilboks] ⟨-⟩ *m inform* Mailbox *f,* elektronischer Briefkasten.

mail order ['meil 'ɔ:də] ⟨-⟩ *m* Versandhandel *m.*

mainframe ['meinfreim] ⟨-⟩ *m inform* Mainframe *m,* Großrechner *m.*

mainstream ['meinstri:m] ⟨-⟩ *m mus* Mainstream *m.*

maionese [maio'ne:se] *f* Mayonnaise *f.*

maiuscola [ma'iuskola] *f* Großbuchstabe *m.* **maiuscolo, -a** [...lo] *agg* Groß-, groß (geschrieben).

make-up ['meik ʌp] ⟨-⟩ *m* Make-up *n.*

mal [mal] *v.* **male.**

mala ['ma:la] *f sl* Unterwelt *f.*

malaccorto, -a [malak'kɔrto] *agg* unachtsam, unvorsichtig.

malachite [mala'ki:te] *f* Malachit *m.*

malafede [mala'fe:de] ⟨*rar* malefedi⟩ *f* böse Absicht, Böswilligkeit *f.*

malafemmina [mala'femmina] ⟨malefemmine⟩ *f* Dirne *f,* Hure *f pej.*

malaffare [malaf'fa:re] *m:* **di** ~ verrufen, übel beleumdet.

malaga ['ma:laga] ⟨-⟩**I.** *m (vino)* Malaga(wein) *m;* **II.** *f (uva)* Malagatraube *f.*

malagevole [mala'dʒe:vole] *agg* beschwerlich, anstrengend.

malagrazia [mala'grattsia] ⟨malegrazie⟩ *f* Grobheit *f,* Ungeschliffenheit *f.* **malalingua** [mala'liŋgua] ⟨malelingue⟩ *f* Lästerzunge *f,* Lästermaul *n fam.*

malamente [mala'mente] *avv* in übler Weise, schlecht.

malandato, -a [malan'da:to] *agg* **1.** *(ridotto male)* heruntergekommen; *(negozio, bar, azienda)* abgewirtschaftet; **2.** *(sciatto)* verwahrlost.

malanimo [ma'la:nimo] *m* Abneigung *f; (ostilità)* Feindseligkeit *f;* **di/con** ~ widerwillig/feindselig.

malanno [ma'lanno] *m* **1.** *(disgrazia)* Unglück *n,* Unheil *n;* **2.** *(malattia)* Leiden *n,* leichte Krankheit, Wehwehchen *n fam.*

malapena [mala'pe:na] *f:* **a** ~ mit Müh und Not, kaum.

malaria [ma'la:ria] ⟨-ie⟩ *f* Malaria *f.*

malasorte [mala'sɔrte] ⟨malesorti⟩ *f* Mißgeschick *n,* Unglück *n.*
malaticcio, -a [mala'tittʃo] ⟨-cci, -cce⟩ *agg* kränklich, kränkelnd.
malato, -a [ma'la:to] **I.** *agg* krank (*di* an *+dat),* -krank; **II.** *m, f* Kranke(r) *mf.*
malattia [malat'ti:a] ⟨-ie⟩ *f* Krankheit *f; fig (vizio)* Übel *n;* ~ **professionale** (*o* **del lavoro**) Berufskrankheit *f;* ~ **venerea** Geschlechtskrankheit *f;* ~ **del benessere** Wohlstandskrankheit *f.*
malaugurio [malau'gu:rio] *m* böses Omen; **uccello del** ~ Schwarzmaler *m,* Schwarzseher *m.*
malavita [mala'vi:ta] *f* Unterwelt *f,* Verbrechertum *n.* **malavoglia** [mala'vɔʎʎa] ⟨malevoglie⟩ *f:* **di** ~ ungern, widerwillig.
malcapitato, -a [malkapi'ta:to] **I.** *agg* unglücklich; **II.** *m, f* Unglückliche(r) *mf,* Pechvogel *m.* **malconcio, -a** [mal'kontʃo] ⟨-ci, -ce⟩ *agg* übel zugerichtet.
malcontento [malkon'tɛnto] *m* Unzufriedenheit *f.* **malcostume** [malkos'tu:me] *m* Sittenlosigkeit *f,* Mißstände *m pl.* **maldestro, -a** [mal'dɛstro] *agg* ungeschickt, unbeholfen. **maldicente** [maldi'tʃɛnte] **I.** *agg* läster-, klatschsüchtig; **II.** *mf* Lästerzunge *f,* Lästermaul *n fam.*
maldicenza [...'tʃɛntsa] *f* **1.** *(sparlare)* Lästern *n;* **2.** *(calunnie)* üble Nachrede, Verleumdung *f.* **maldisposto, -a** [maldis'posto] *agg* übelgesinnt (*verso qu* jdm), abgeneigt (*verso qu/qc* jdm/einer S. *(dat)*).
male[1] ['ma:le] ⟨peggio, malissimo⟩ *avv* **1.** *(non bene)* schlecht; **2.** *(erroneamente)* fälschlicherweise; **star** ~ sich unwohl fühlen; **finir** ~ ein böses (*o* kein gutes) Ende nehmen; **andar di** ~ **in peggio** immer schlechter gehen.
male[2] ['ma:le] *m* **1.** *(non bene)* Schlechte(s) *n,* Üble(s) *n,* Böse(s) *n;* **2.** *(danno)* Schaden *m;* **3.** *(sventura)* Unglück *n,* Unheil *n;* **4.** *(dolore)* Schmerz *m;* **5.** *(malattia)* Krankheit *f,* Leiden *n;* **mal di denti/d'auto** Zahnschmerzen *m pl/* Reisekrankheit *f;* **far** ~ weh tun; **fare il** ~ Böses tun; **non c'è** ~ nicht (so) schlecht, nicht übel, es geht.
maledetto, -a [male'detto] *agg (a. fam peg)* verdammt, verflucht.
maledire [male'di:re] ⟨*irr*⟩ *tr* verdammen, verfluchen. **maledizione** [...dit'tsio:ne] *f* **1.** *(condanna)* Fluch *m,* Verwünschung *f;* **2.** *fig (rovina)* Fluch *m;* ~! *fam* verflixt (*o* verflucht *o* verdammt) (nochmal)! *fam.*
maleducato, -a [maledu'ka:to] **I.** *agg* ungezogen; **II.** *m, f* Flegel *m,* Lümmel *m.* **maleducazione** [...kat'tsio:ne] *f* Ungezogenheit *f;* ~ **alimentare** ungesunde Eßgewohnheiten *f pl.*
malefatta [male'fatta] *f* Verfehlung *f,* Missetat *f.*
malefedi *rar pl di* **malafede.**
malefico, -a [ma'lɛ:fiko] ⟨-ci, -che⟩ *agg* **1.** *(dannoso)* schädlich, giftig. **2.** *(stregato)* Hexen-, Zauber-.
malegrazie *pl di* **malagrazia.**
malelingue *pl di* **malalingua.**
maleodorante [maleodo'rante] *agg* übelriechend.
malesorti *pl di* **malasorte.**
malessere [ma'lɛssere] *m* Unwohlsein *n,* Unpäßlichkeit *f.*
malestro [ma'lɛstro] *m* Schaden *m.*
malevoglie *pl di* **malavoglia.**
malevolo, -a [ma'lɛ:volo] *agg* mißgünstig, böswillig.
malfamato, -a [malfa'ma:to] *agg* verrufen, übel beleumdet. **malfatto, -a** [mal'fatto] *agg* **1.** *(lavoro, azione)* mißraten, mißlungen; **2.** *(corpo, persona)* mißgestaltet. **malfattore, -trice** [...'to:re] *m, f* Übeltäter(in) *m(f),* Missetäter(in) *m(f).*
malfermo, -a [mal'fermo] *agg (passo, persona)* unsicher; *(struttura)* instabil.
malformato, -a [malfor'ma:to] *agg* mißgebildet. **malformazione** [...mat'tsio:ne] *f* Mißbildung *f.* **malgoverno, mal governo** [malgo'vɛrno] *m* Mißwirtschaft *f;* ~ **della propria salute** schlechter Umgang mit seiner Gesundheit.
malgrado [mal'gra:do] **I.** *prp* trotz *+gen o +dat;* **II.** *cong +congv* obwohl, wenn ... auch; **III.** *avv:* **mio/tuo** ~ gegen meinen/deinen Willen.
malia [ma'li:a] ⟨-ie⟩ *f* **1.** *(fascino)* Zauber *m,* Faszination *f;* **2.** *(incantesimo)* Zauberei *f,* Hexerei *f.* **maliardo, -a** [ma'liardo] *agg* bezaubernd, faszinierend.
malignare [maliɲ'ɲa:re] *itr* schlecht reden (*o* denken) (*su* über *+akk*), klatschen (*su* über *+akk).* **malignità** [...ɲi'ta] ⟨-⟩ *f* Boshaftigkeit *f,* Bosheit *f; med* Bösartigkeit *f.* **maligno, -a** [ma'liɲɲo] *agg* **1.** *(malvagio)* boshaft, böswillig; **2.** *med* bösartig.
malinconia [maliŋko'ni:a] ⟨-ie⟩ *f* Melancholie *f.* **malinconico, -a** [...'kɔ:niko] ⟨-ci, -che⟩ *agg* melancholisch.
malincuore [maliŋ'kuɔ:re] *m:* **a** ~ schweren Herzens, notgedrungen.
malintenzionato, -a [malintentsio'na:to] *agg* übelgesinnt, böswillig. **malinteso, -a** [...'te:so] **I.** *agg* falsch (verstanden); **II.** *m* Mißverständnis *n.*
malissimo [ma'lissimo] *superl di* **male**[1].
malizia [ma'littsia] ⟨-ie⟩ *f* **1.** *(cattiveria)* Hinterlist *f,* Bosheit *f;* **2.** *(furbizia allusiva)* Pfiffigkeit *f,* Gewitztheit *f;* **3.** *(astuzia)* Trick *m,* Finesse *f.* **malizioso, -a** [...'tsio:so] *agg* **1.** *(maligno)* boshaft, arglistig; **2.** *(birichino)* pfiffig, gewitzt.
malleabile [malle'a:bile] *agg* **1.** *(metallo)* hämmerbar, formbar; *fis* dehnbar; **2.** *fig (carattere)* gefügig.
malleolo [mal'lɛ:olo] *m* (Fuß)knöchel *m.*
malloppo [mal'lɔppo] *m* **1.** *(fagotto)* Bündel *n; (fig a.)* Last *f;* **2.** *sl (refurtiva)*

Sore *f sl,* (Diebes)beute *f.*
malmenare [malme'na:re] *tr* verprügeln, übel zurichten. **malmesso, -a** [mal'messo] *agg* verwahrlost; *(negli abiti)* nachlässig, ungepflegt. **malnutrito, -a** [malnu'tri:to] *agg* unterernährt.
malocchio [ma'lɔkkio] *m* böser Blick.
malora [ma'lo:ra] *f fam:* **mandare qu in ~** jdn zugrunde richten; **andare in ~** zugrunde gehen; **(va) in ~!** (geh) zum Teufel! *fam.*
malore [ma'lo:re] *m* plötzliche Übelkeit.
malpartito [malpar'ti:to] *m:* **avere ~** übel dran sein, es schwer haben, in einer schlimmen Lage sein; **a ~** im schlimmsten Fall.
malpensante [malpen'sante] *agg* übelgesinnt, schlecht denkend. **malridotto, -a** [malri'dotto] *agg* **1.** *(oggetto)* verschlissen, abgenutzt; **2.** *(persona)* übel zugerichtet. **malsano, -a** [mal'sa:no] *agg* ungesund. **malsicuro, -a** [malsi'ku:ro] *agg* **1.** *(instabile)* instabil, schwankend; **2.** *fig (incerto)* ungewiß, zweifelhaft, unsicher.
Malta ['malta] *f* Malta *n.*
malta ['malta] *f* Mörtel *m.*
maltempo [mal'tɛmpo] *m* schlechtes Wetter.
malto ['malto] *m* Malz *n.*
maltrattare [maltrat'ta:re] *tr* **1.** *(persone, animali)* mißhandeln, quälen; **2.** *fig (lingua, musica)* verstümmeln, verschandeln *fam.* **malumore** [malu'mo:re] *m* schlechte Laune, Mißstimmung *f.*
malva ['malva] *f* Malve *f.*
malvagio, -a [mal'va:dʒo] ⟨-gi, -gie⟩ **I.** *agg* niederträchtig, gemein, böse; **II.** *m, f* Bösewicht *m.* **malvagità** [...vadʒi'ta] ⟨-⟩ *f* Niedertracht *f,* Bosheit *f.*
malversazione [malversat'tsio:ne] *f* Veruntreuung *f,* Unterschlagung *f.* **malvestito, -a** [malves'tito] *agg* schlecht gekleidet. **malvisto, -a** [mal'visto] *agg* unbeliebt. **malvivente** [malvi'vɛnte] *mf* Übeltäter(in) *m(f),* Verbrecher(in) *m(f).* **malvolentieri** [malvolen'tiɛ:ri] *avv* ungern, widerwillig. **malvolere** [...'le:re] ⟨*irr*⟩ *tr:* **farsi ~ da qu** sich bei jdm unbeliebt machen.
mamma ['mamma] *f* Mama *f,* Mami *f; (fig a.)* Mutter *f;* **~ mia!** (ach) du lieber Himmel!; **~ per conto terzi** Leihmutter *f.*
mammella [mam'mɛlla] *f* **1.** *anat* (weibliche) Brust *f;* **2.** *(di animali)* Zitze *f.* **mammifero** [...'mi:fero] *m* Säugetier *n.*
mammografia [mammogra'fi:a] ⟨-ie⟩ *f* Mammographie *f.*
mammola ['mammola] *f* (März)veilchen *n.*
mammone, -a [mam'mo:ne] *m, f fam* Muttersöhnchen *n.*
management ['mænidʒmənt] ⟨-⟩ *m* Management *n,* Geschäftsleitung *f.* **manager** [...dʒə *o* 'manager] ⟨-⟩ *mf* Manager *m.* **manageriale** [manadʒe'ria:le] *agg* Manager-, Führungs-.
manata [ma'na:ta] *f* **1.** *(colpo)* Schlag *m* mit der Hand; **2.** *(quantità)* Handvoll *f.*
mancanza [maŋ'kantsa] *f* **1.** *(assenza)* Abwesenheit *f,* Ausbleiben *n;* **2.** *(scarsità)* Mangel *m* (*di* an *+dat);* **3.** *(fallo)* Fehler *m,* Verfehlung *f;* **per ~ di** aus Mangel an *+dat;* **in ~ di meglio** in Ermangelung eines Besseren *geh;* **sentire la ~ di qu** jdn vermissen.
mancare [maŋ'ka:re] ⟨manco, manchi⟩ **I.** *itr* ⟨*essere*⟩ **1.** *(essere assente, insufficiente)* fehlen; *(persone a.)* abwesend sein; **2.** *(venir meno)* wegbleiben; *(luce a.)* ausfallen; **3.** *(spazio, tempo)* fehlen, (noch) sein; **4.** ⟨*avere*⟩ *(sottrarsi)* versäumen (*a qc* etw.), unterlassen (*a qc* etw.); *(non mantenere)* nicht (ein)halten (*a qc* etw.); **5.** *(trascurare)* vernachlässigen (*a qc* etw.); **6.** *(essere in colpa)* einen Fehler begehen, fehlen *geh;* **II.** *tr* ⟨*avere*⟩ **1.** *(fallire)* verfehlen; **2.** *(perdere)* verpassen; **non farsi ~ niente** sich *(dat)* nichts abgehen lassen; **ci mancherebbe altro!** das fehlte gerade noch!; **mancano 5 minuti alle quattro** es ist 5 vor vier. **mancato, -a** [...'ka:to] *agg (tentativo)* fehlgeschlagen, erfolglos; *(scrittore, artista)* verhindert.
manche ['mã:ʃ] ⟨-⟩ *f* Durchgang *m,* Runde *f.*
manchevole [maŋ'ke:vole] *agg (insufficiente)* unzulänglich; *(imperfetto)* mangelhaft. **manchevolezza** [...kevo:lettsa] *f* **1.** *(scorrettezza)* Verfehlung *f,* Fehltritt *m;* **2.** *(insufficienza)* Unzulänglichkeit *f,* Mangelhaftigkeit *f.*
mancia ['mantʃa] ⟨-ce⟩ *f* Trinkgeld *n;* **~ competente** Finderlohn *m.*
manciata [man'tʃa:ta] *f* Handvoll *f.*
mancino, -a [man'tʃi:no] **I.** *agg* **1.** *(persona)* linkshändig; **2.** *(lato)* linke(r, s); **3.** *fig* link *fam,* hinterhältig, (heim)tükkisch; **II.** *m, f* Linkshänder(in) *m(f).*
manco ['maŋko] *avv fam* nicht einmal, auch nicht; **~ per sogno** nicht mal im Traum.
mandante [man'dante] *mf* Auftraggeber(in) *m(f); dir* Mandant(in) *m(f).*
mandarancio [manda'rantʃo] ⟨-ci⟩ *m* Klementine *f.*
mandare [man'da:re] *tr* **1.** *(inviare)* schicken, (über)senden; **2.** *(raggi, profumo)* ausstrahlen; *(grido)* ausstoßen; **~ per fax** faxen; **~ all'aria qc** *fig* etw. platzen (*o* ins Wasser fallen) lassen; **non ~ giù qc** *fig* etw. nicht schlucken *fam,* an etw. *(dat)* schlucken *fam.*
mandarino [manda'ri:no] *m* **1.** *(frutta)* Mandarine *f;* **2.** *(albero)* Mandarinenbaum *m.*
mandata [man'da:ta] *f* **1.** *(spedizione)*

Sendung *f;* **2.** *(di serrature)* (Schlüssel)umdrehung *f.* **mandatario, -a** [...da'ta:rio] ⟨-i, -ie⟩ *m, f* Beauftagte(r) *mf, dir* Mandatar *m.* **mandato** [...'da:to] *m* **1.** *(incarico)* Auftrag *m;* **2.** *pol (delega)* Mandat *n;* **3.** *econ* (Zahlungs)anweisung *f;* ~ **d'arresto** Haftbefehl *m.*

mandibola [man'di:bola] *f* Unterkiefer *m.*

mandolino [mando'li:no] *m* Mandoline *f.*

mandorla ['mandorla] *f* Mandel *f.* **mandorlo** [...lo] *m* Mandelbaum *m.*

mandra, mandria ['mandra, ...ria] ⟨-ie⟩ *f (a. fig peg)* Herde *f.* **mandriano** [...ri'a:no] *m* Viehhüter *m.*

mandrino [man'dri:no] *m* Spindel *f.*

maneggevole [maned'dʒe:vole] *agg* handlich. **maneggiare** [...'dʒa:re] ⟨maneggio, maneggi⟩ *tr* **1.** *(materiali)* bearbeiten; **2.** *(arnesi)* handhaben, umgehen mit. **maneggio** [ma'neddʒo] ⟨-ggi⟩ *m* **1.** *(uso)* Verwendung *f,* Handhabung *f,* Umgang *m;* **2.** *(manovra)* Manipulation *f,* Manöver *n;* **3.** *(esercizi per cavalli)* Zureiten *n; (luogo)* Manege *f.*

manesco, -a [ma'nesko] ⟨-schi, -sche⟩ *agg* handgreiflich, tätlich.

manette [ma'nette] *f pl* Handschellen *f pl;* **mettere le ~ a qu** jdm Handschellen anlegen.

manforte [man'forte] ⟨-⟩ *f* Beistand *m,* Hilfe *f;* **dare ~ a qu** jdm Beistand leisten. **manganellata** [maŋganel'lata] *f* Hieb *m* mit dem Schlagstock; **prendere a ~e qu** jdn mit dem Schlagstock (ver)prügeln.

manganello [maŋga'nɛllo] *m* Knüppel *m,* Schlagstock *m.*

manganese [maŋga'ne:se] *m* Mangan *n.*

mangereccio, -a [mandʒe'rettʃo] ⟨-cci, -cce⟩ *agg* eßbar, Speise-.

mangiadischi [mandʒa'diski] ⟨-⟩ *m tragbarer Plattenspieler mit Schlitzöffnung.* **mangianastri** [-'nastri] ⟨-⟩ *m* Kassettenrecorder *m.*

mangiare [man'dʒa:re] ⟨mangio, mangi⟩ **I.** *tr* **1.** *(cibi)* essen; *(detto di animali)* fressen; **2.** *(patrimonio, risparmi)* verschlingen, aufzehren; **3.** *(parole)* verschlucken; **4.** *(pedina)* schlagen; *(carta)* stechen; **5.** *fig (intaccare)* zerfressen; **-arsi il fegato/le mani** *fig* sich krank/schwarz ärgern; **dare da ~ a qu** jdn füttern; **II.** *m* Essen *n,* Speise *f; (di animali)* Fressen *n.* **mangiata** [...'dʒa:ta] *f fam* Schmaus *m fam.* **mangiatoia** [...dʒa'to:ia] ⟨-oie⟩ *f* (Futter)krippe *f.* **mangiatore, -trice** [...dʒa'to:re] *m, f* Esser(in) *m(f).* **mangime** [...'dʒi:me] *m* Futter *n.* **mangione, -a** [...'dʒo:ne] *m, f scherz* Vielfraß *m fam.* **mangiucchiare** [...dʒuk'kia:re] ⟨mangiucchio, mangiucchi⟩ *tr* picken, essen wie ein Spatz.

mango ['mango] ⟨-ghi⟩ *m* **1.** *(frutta)* Mango *f;* **2.** *(albero)* Mangobaum *m.*

mania [ma'ni:a] ⟨-ie⟩ *f* **1.** *psic* Wahn *m,* Manie *f;* **2.** *fig (fissazione)* Leidenschaft *f (per* für), Sucht *f (di* nach); ~ **di grandezza/di persecuzione** Größen-/Verfolgungswahn *m.* **maniaco, -a** [ma'ni:ako] ⟨-ci, -che⟩ **I.** *agg* **1.** *psic* manisch, Wahn-; **2.** *fig (fanatico)* fanatisch, verrückt *fam (di* auf *+akk,* nach); **II.** *m, f* **1.** *psic* Wahnsinnige(r) *mf;* **2.** *fig* Fanatiker(in) *m(f),* Verrückte(r) *mf fam.* **maniaco-depressivo, -a** [-depres'si:vo] *agg* manisch-depressiv.

manica ['ma:nika] ⟨-che⟩ *f* Ärmel *m;* **in -che di camicia** *(a. fig)* hemdsärm(e)lig; **senza -che** ärmellos; **è un altro paio di -che!** *fam* das steht auf einem anderen Blatt, das ist ein anderes Paar Schuhe; **mezza ~** *(manica corta)* Halbarm *m,* kurzer Ärmel; *(soprammanica)* Ärmelschoner *m;* **essere di ~ larga/stretta** *fig* nachsichtig/streng sein; **tirarsi su** *(o* **rimboccarsi) le maniche** *(a. fig)* sich *(dat)* die Ärmel hochkrempeln.

Manica ['ma:nika] *f* Ärmelkanal *m.*

manicaretto [manika'retto] *m* Leckerbissen *m.*

manichino [mani'ki:no] *m (per artisti)* Gliederpuppe *f; (per sarti)* Schneiderpuppe *f,* Kleiderpuppe *f; (da vetrina)* Schaufensterpuppe *f.*

manico ['ma:niko] ⟨-chi *o* -ci⟩ *m* Griff *m; (di coltello)* Heft *n; (di pentola)* Henkel *m; (di scopa)* Stiel *m; (di borsa)* Bügel *m.*

manicomio [mani'kɔ:mio] ⟨-i⟩ *m* Irrenanstalt *f,* psychiatrische Klinik; *fig* Irrenhaus *n.*

manicotto [mani'kɔtto] *m* **1.** *(di pelliccia)* Muff *m;* **2.** *tec* Muffe *f,* Manschette *f.*

manicure [mani'ku:re] ⟨-⟩ *f* Maniküre *f.* **manicurista** [...ku'rista] ⟨-i *m,* -e *f*⟩ *mf* Handpfleger(in) *m(f).*

maniera [ma'niɛ:ra] *f* **1.** *(modo)* Art *f,* Weise *f,* Art und Weise *f;* **2.** *(stile)* Stil *m;* **3.** ⟨*pl*⟩ *(galateo)* Manieren *f pl;* **alla ~ di ...** nach Art *+gen,* auf ...-art; **alla ~ del Mantegna** in der Manier Mantegnas; **di ~** manieriert. **manierato, -a** [manie'ra:to] *agg* gekünstelt, manieriert *geh.*

manifattura [manifat'tu:ra] *f* **1.** *(lavorazione)* Verarbeitung *f;* **2.** *(stabilimento)* Manufaktur(betrieb *m) f.*

manifestante [manifes'tante] *mf* Demonstrant(in) *m(f),* Teilnehmer(in) *m(f)* einer Kundgebung. **manifestare** [...'ta:re] **I.** *tr* kundtun *geh,* äußern, offenbaren; **II.** *itr* demonstrieren, an einer Kundgebung teilnehmen; **III.** *rfl:* **-arsi** sich zeigen, sich erweisen. **manifestazione** [...tat'tsio:ne] *f* **1.** *(di coraggio, gioia)* Zeichen *n,* Bezeigung *f geh,* Äußerung *f;* **2.** *(spettacolo)* Veranstaltung *f;* **3.** *(dimostrazione pubblica)* Demonstration *f,* Kundgebung *f.* **manifestino** [...'ti:no] *m* Flugblatt *n.* **manifesto, -a** [...'fɛsto] **I.** *agg* deutlich, klar, offenkundig; *(noto)* bekannt; **II.** *m* **1.** *(avviso)* Plakat *n,* Bekanntmachung *f;* **2.** *(programma)* Manifest *n.*

maniglia [ma'niʎʎa] ⟨-glie⟩ *f* Griff *m; (di sostegno)* Handgriff *m; (di porta)* Klinke *f.*

manipolare [manipo'la:re] *tr* manipulieren. **manipolazione** [...lat'tsio:ne] *f* Manipulation *f;* ~ **genetica** Genmanipulation *f.* **manipolo** [ma'ni:polo] *m* **1.** *(fascio)* Bündel *n;* **2.** *(gruppetto)* Schar *f.*

maniscalco [manis'kalko] ⟨-chi⟩ *m* Hufschmied *m.*

manista [ma'nista] ⟨-i *m,* -e *f*⟩ *mf* Handmodell *n.*

manna ['manna] *f* **1.** *rel* Manna *n o f;* **2.** *fig (bene inatteso)* Geschenk *n* des Himmels, Segen *m.*

mannaggia [man'naddʒa] *interi reg* zum Donnerwetter!.

mannaia [man'na:ja] ⟨-aie⟩ *f* Henkersbeil *n.*

mannaro [man'na:ro] *agg:* **lupo** ~ Werwolf *m; (delle favole)* böser Wolf.

mano ['ma:no] *f* **1.** *(arto)* Hand *f;* **2.** *(di colore, vernice)* Anstrich *m; (strato)* Schicht *f;* **3.** *(potere)* Gewalt *f,* Macht *f;* **4.** *(lato)* Seite *f;* **5.** *(nei giochi)* Runde *f;* **a portata di** ~ bei der Hand, (griff)bereit; **alla** ~ *(persona)* umgänglich; **fuori** ~ abgelegen, entlegen; **man** ~ **che . . .** während . . .; **a** ~ **a** ~**, man** ~ nach und nach; **andare contro** ~ in entgegengesetzter Fahrtrichtung fahren; **dare una** ~ **a qu** *fig* jdm zur Hand gehen; **essere in** ~ **a qu** in jds Gewalt (*o* Hand) sein; **di prima/seconda** ~ aus erster/zweiter Hand; **avere le mani bucate** sein Geld mit vollen Händen ausgeben; **avere le mani in pasta** seine Hand im Spiel haben; **avere sotto** ~ bei der Hand haben; **tenere per** ~ an der Hand halten; **venire alle -i** handgreiflich werden; **far man bassa di qc** etw. einsacken, etw. an sich raffen; *(mangiare)* etw. aufessen; **ho le -i legate** mir sind die Hände gebunden; **-i in alto!** Hände hoch!; **stringere la** ~ **a qu** jdm die Hand schütteln; **fatto a** ~ handgearbeitet.

manodopera, mano d'opera [mano'dɔ:pera] *f* **1.** *(lavoratori)* Arbeitskräfte *f pl;* **2.** *(costo)* Arbeitskosten *pl.*

manomettere [mano'mettere] ⟨*irr*⟩ *tr* **1.** *(lettera)* (unerlaubt) öffnen; *(cassetto)* aufbrechen, erbrechen *geh;* **2.** *(documenti)* fälschen.

manopola [ma'nɔ:pola] *f* **1.** *(impugnatura)* Halteriemen *m,* (Halte)griff *m;* **2.** *tec* (Dreh)knopf *m,* Regler *m.*

manoscritto, -a [manos'kritto] **I.** *m* (*abbr* **ms**) Manuskript *n; st* Handschrift *f.* **II.** *agg* handschriftlich, handgeschrieben.

manovalanza [manova'lantsa] *f* Hilfsarbeit *f,* Handlangerdienst *m.* **manovale** [...'va:le] *mf* Handlanger *m,* Hilfsarbeiter(in) *m(f).*

manovella [mano'vɛlla] *f* Kurbel *f.*

manovra [ma'nɔ:vra] *f* **1.** *gener., tec* Bedienung *f; fig* Maßnahmen *f pl,* Vorkehrungen *f pl;* **2.** *(guida, timone)* Steuerung *f;* **3.** *ferr* Rangieren *n; mot* Manöver *n;* **4.** *mil* Manöver *n,* Übung *f;* **5.** *fig (intrighi)* (Täuschungs)manöver *n.* **manovrare** [...'vra:re] **I.** *tr* **1.** *(azionare)* betätigen, bedienen; **2.** *ferr* rangieren; **3.** *fig (persona)* lenken, handhaben; **II.** *itr* **1.** *mil* manövrieren; **2.** *mot* rangieren; **3.** *fig (tramare)* manövrieren.

manrovescio [manro'vɛʃʃo] *m* Ohrfeige *f* (mit dem Handrücken).

mansarda [man'sarda] *f* Mansarde *f.*

mansione [man'sio:ne] *f* Aufgabe *f,* Obliegenheit *f geh, amm.*

mansueto, -a [mansu'ɛ:to] *agg* sanft; *(animale)* zahm. **mansuetudine** [...ue'tu:dine] *f* Sanftheit *f; (di animale)* Zahmheit *f.*

mantella [man'tɛlla] *f* Umhang *m.* **mantello** [man'tɛllo] *m* **1.** *(cappotto)* Mantel *m (a. tec, fig),* Umhang *m;* **2.** *zoo* Fell *n.*

mantenere [mante'ne:re] ⟨*irr*⟩ **I.** *tr* **1.** *(far continuare)* (er)halten; **2.** *(persone, famiglia)* unterhalten, ernähren; *(amante)* aushalten; **3.** *(parola, promessa)* einhalten, halten; *(segreto)* bewahren; **4.** *fig (difendere)* behaupten, halten; **II.** *rfl:* **-ersi 1.** *(giovani, in forze)* sich (er)halten, jung (*o* fit) bleiben; **2.** *(provvedere ai bisogni)* für seinen Unterhalt sorgen. **mantenimento** [...ni'mento] *m* **1.** *(conservazione)* Erhaltung *f;* **2.** *(di famiglia)* Unterhalt *m,* Ernährung *f.*

mantice ['mantitʃe] *m* **1.** *gener., mus* (Blase)balg *m;* **2.** *(di auto, carrozza)* Verdeck *n.*

manto ['manto] *m* **1.** *(indumento)* Mantel *m;* **2.** *(di asfalto)* Decke *f; (di vernice)* Überzug *m;* **3.** *(di neve)* Decke *f;* **4.** *fig (finzione, pretesto)* Deckmantel *m.*

Mantova ['mantova] *f* Mantua *n.*

manuale [manu'a:le] **I.** *agg* handgemacht, Hand-; **II.** *m* Handbuch *n;* ~ **utente** Benutzerhandbuch *n.*

manubrio [ma'nu:brio] ⟨-i⟩ *m* **1.** *(di bicicletta)* Lenkstange *f;* **2.** *sport* Hantel *f;* **3.** *tec* (Hand)griff *m.*

manufatto [manu'fatto] *m* **1.** *(prodotto)* Manufaktur(ware) *f;* **2.** *(piccola costruzione)* Arbeit *f,* Arbeiten *f pl.*

manutenzione [manuten'tsio:ne] *f* Wartung *f,* Instandhaltung *f;* **spese di** ~ Instandhaltungskosten *pl.*

manzo ['mandzo] *m* Rind *n.*

maoismo [mao'izmo] *m* Maoismus *m.*

maomettano, -a [maomet'ta:no] **I.** *m, f* Mohammedaner(in) *m(f)*; **II.** *agg* mohammedanisch.
mapo ['ma:po] ⟨-⟩ *m eine Kreuzung aus Mandarine und Pampelmuse.*
mappa ['mappa] *f geog* Karte f, Landkarte *f*; ~ **catastale** Flur-, Katasterkarte *f*.
mappamondo [-'mondo] *m* Weltkarte *f*; *(globo)* Globus *m*.
mappatura [mappa'tu:ra] *f* **1.** *geog* Darstellung *f* der geologischen Verhältnisse eines bestimmten Gebietes; **2.** *biol, med* Genklassifikation *f*.
maquillage [maki'ja:ʒ] ⟨-⟩ *m* Make-up *n*.
maracuja [mara'ku:ja] ⟨-⟩ *m* Maracuja *f*.
marameo [mara'mɛ:o] *interi scherz* Pustekuchen *fam*, ätsch *fam*.
marasma [ma'razma] ⟨-i⟩ *m* Durcheinander *n*, Chaos *n*.
maratona [mara'to:na] *f* **1.** *sport* Marathon(lauf) *m*; **2.** *fig* Marathon *n fam*; *(attività da realizzare con fatica)* Schufterei *f*, Plackerei *f*.
marca ['marka] ⟨-che⟩ *f* **1.** *(segno)* Zeichen *n*; **2.** *econ* Marke *f*; **3.** *(scontrino)* (Aufbewahrungs)schein *m*, (Quittungs)zettel *m*; *(bollo)* (Steuer-, Wert-, Gebühren)marke *f*; **prodotti di** ~ Markenprodukte *n pl*.
marcare [mar'ka:re] ⟨marco, marchi⟩ *tr* **1.** *(oggetti)* kennzeichnen, markieren; **2.** *sport (punti)* machen; *(gol)* schießen.
marcatempo [markatɛmpo] ⟨-⟩ *m* **1.** *(tecnico)* REFA-Beauftragte(r) *mf*, REFA-Fachmann *m fam*, -Fachfrau *f fam*; **2.** *(dispositivo)* Stechuhr *f*.
marcato, -a [...'ka:to] *agg* **1.** *(con marchio)* gekennzeichnet, markiert; **2.** *fig* ausgeprägt, betont, markant.
Marche ['marke] *f pl* Marken *pl*.
marchese, -a [mar'ke:ze] *m, f* Marchese *m*, Marchesa *f*; *(in Francia)* Marquis(e) *m(f)*.
marchetta [mar'ketta] *f* (Versicherungs)marke *f*; **fare** ~**e** anschaffen gehen.
marchiare [mar'ki̯a:re] ⟨marchio, marchi⟩ *tr* (kenn)zeichnen, markieren; *(con timbro)* stempeln.
marchio ['marki̯o] ⟨-chi⟩ *m* **1.** *(del bestiame)* (Brand)zeichen *n*, (Brand)mal *n*; **2.** *fig* Brandmal *n*, Schandmal *n*; **3.** *econ* Warenzeichen *n*, Markenzeichen *n*; ~ **depositato** (*o* **registrato**) eingetragenes Warenzeichen; ~ **di qualità** Gütezeichen *n*, -siegel *n*.
marcia ['martʃa] ⟨-ce⟩ *f* **1.** *(cammino)* Marsch *m*; **2.** *mus* Marsch *m*; **3.** *tec, mot* Gang *m*; **4.** *sport* Gehen *n*; ~ **indietro** Rückwärtsgang *m*; **far** ~ **indietro** rückwärts fahren; *fig* einen Rückzieher machen; **mettersi in** ~ sich in Bewegung setzen.
marciapiede [martʃa'pi̯ɛ:de] *m* **1.** *(di strada)* Gehweg *m*, Bürgersteig *m*; **2.** *(di stazione)* Bahnsteig *m*.
marciare [mar'tʃa:re] ⟨marcio, marci⟩ *itr* **1.** *(camminare, a. mil)* marschieren; **2.** *fam (funzionare)* laufen, gehen; **3.** *sport* gehen.
marcio, -a ['martʃo] ⟨-ci, -ce⟩ **I.** *agg* **1.** *(frutto)* faul, verdorben; *(legno)* morsch; **2.** *med* eitrig; **3.** *fig (società, costume)* verderbt, verkommen; **aver torto** ~ völlig im Unrecht sein; **II.** *m* **1.** *med* Eiter *m*; **2.** *(parte marcia)* Faulstelle *f*, verdorbene Stelle; **3.** *fig (corruzione)* Verderbtheit *f*. **marcire** [...'tʃi:re] ⟨marcisco⟩ *itr* ⟨*essere*⟩ **1.** *(frutta, carne)* (ver)faulen, verderben; **2.** *med (ferita)* eitern; **3.** *fig (nell'ozio)* verkommen. **marciume** [...'tʃu:me] *m* **1.** *(cose marce)* faules Zeug, Moder *m*; **2.** *fig (corruzione)* Verderbtheit *f*, Verkommenheit *f*.
marco ['marko] ⟨-chi⟩ *m* Mark *f*.
Marco ['marko] *(nome proprio maschile)* Markus.
mare ['ma:re] *m* See *f*; *(a. fig)* Meer *n*; **Mar Ligure/Tirreno** Ligurisches/Tyrrhenisches Meer; **i Mari del Sud** die Südsee; ~ **del Nord** Nordsee *f*; **uomo in** ~**!** Mann über Bord!. **marea** [ma'rɛ:a] *f* **1.** *naut* Gezeiten *pl*; **2.** *fig* Flut *f*; **alta/bassa** ~ Flut *f*/Ebbe *f*. **mareggiata** [mared'dʒa:ta] *f* Sturmflut *f*.
maremma [ma'remma] *f* Maremmen *pl*.
maremoto [mare'mɔ:to] *m* Seebeben *n*.
maresciallo [mareʃ'ʃallo] *m* **1.** *(ufficiale supremo)* Marschall *m*; **2.** *(sottufficiale)* Feldwebel *m*.
marezzato, -a [mared'dza:to] *agg* gemasert.
margarina [marga'ri:na] *f* Margarine *f*.
margherita [marge'ri:ta] *f* Margerite *f*; **(pizza)** ~ *Pizza mit Käse und Tomaten*; **torta** ~ Sandkuchen *m*.
Margherita [marge'ri:ta] *(nome proprio femminile)* Margarete, Margret.
marginale [mardʒi'na:le] *agg* nebensächlich, Neben-; *econ* Marge-; *(nota, appunto)* Rand-, marginal; **nota** ~ Randbemerkung *f*.
margine ['mardʒine] *m* **1.** *(parte estrema)* Rand *m*; **2.** *tip* Steg *m*; **3.** *econ (quantità)* Spanne *f*, Marge *f*; **4.** *fig (di tempo)* Spanne *f*; *(eccedenza)* Spielraum *m*; ~ **di profitto** Gewinnspanne *f*.
margotta [mar'gotta] *f bot* Ableger *m*.
marijuana [mærɪ'hwɑ:nə *o* mari'xu̯ana] *f* Marihuana *n*.
marina [ma'ri:na] *f* **1.** *(riva)* Küste *f*; *(città)* Küstensiedlung *f*, Küstenstadt *f*; **2.** *(quadro)* Seestück *n*; **3.** *naut, mil* Marine *f*. **marinaio** [mari'na:i̯o] ⟨-ai⟩ *m* Seemann *m*; *(a. mil)* Matrose *m*. **marinara** [...'na:ra] *f* **1.** *(vestito)* Matrosenanzug *m*; **2.** *(capello)* Matrosenhut *m*. **marinare** [...'na:re] *tr* **1.** *gastr* einlegen, marinieren; **2.** *fig fam (scuola)* schwänzen. **marinata** [...'na:ta] *f* Marinade *f*. **marino, -a** [ma'ri:no] *agg* Meer(es)-, See-.

Mario ['ma:rio] *(nome proprio maschile)* Marius.

marionetta [mario'netta] *f* **1.** *(fantoccio)* Marionette *f;* **2.** *fig* Hampelmann *m; (senza carattere)* Marionette *f.*

maritale [mari'ta:le] *agg* des (Ehe)mannes. **maritare** [...'ta:re] **I.** *tr* verheiraten (*con* mit); **II.** *rfl:* **-arsi** heiraten (*a, con qu* jdn), sich verheiraten (*a, con* mit).

marito [ma'ri:to] *m* (Ehe)mann *m,* Gatte *m geh;* **prender** ~ heiraten; **ragazza (in età) da** ~ Mädchen *n* im heiratsfähigen Alter.

marittimo, -a [ma'rittimo] **I.** *agg* See-, Hafen-; *(clima)* maritim; **II.** *m* Hafenarbeiter *m; (marinaio)* Seemann *m.*

marker ['ma:kə *o* 'marker] ⟨-⟩ *m* **1.** *(evidenziatore)* Leuchtstift *m,* Leuchtmarker *m;* **2.** *biol, med* Marker *m.*

market ['ma:kət *o* market] ⟨-⟩ *m* Supermarkt *m.*

marketing ['ma:kətıŋ *o* 'marketing] ⟨-⟩ *m* Marketing *n;* ~ **diretto** Direktmarketing *n;* **ricerca di** ~ Marktforschung *f.*

marmaglia [mar'maʎʎa] ⟨-glie⟩ *f* (Lumpen)pack *n,* Gesindel *n.*

marmellata [marmel'la:ta] *f* Marmelade *f.*

marmista [mar'mista] ⟨-i, *m,* -e⟩ *mf* Marmorschleifer(in) *m(f).*

marmitta [mar'mitta] *f* **1.** *(pentolone)* (Koch)kessel *m,* Topf *m;* **2.** *mot* Auspufftopf *m;* ~ **catalitica** (Auspuff *m* mit) Katalysator *m.*

marmo ['marmo] *m* Marmor *m.*

marmocchio, -a [mar'mɔkkio] ⟨-cchi, -cchie⟩ *m, f scherz* Knirps *m fam.*

marmoreo, -a [mar'mɔ:reo] *agg* Marmor-, marmorn *geh.*

marmotta [mar'mɔtta] *f* Murmeltier *n.*

marocchino, -a [marok'ki:no] **I.** *agg* marokkanisch; **II.** *m, f* **1.** *(abitante, nativo del Marocco)* Marokkaner(in) *m(f);* **2.** *scherz o peg (meridionale o africano)* Kanake *m pej.* **III.** *m* Maroquin(leder *n*) *m o n.*

Marocco [ma'rɔkko] *m:* **il** ~ Marokko *n.*

maroso [ma'ro:so] *m* Sturzwelle *f.*

marrone [mar'ro:ne] **I.** *m* **1.** *bot* (Edel)kastanie *f;* **2.** *gastr* (Eß)kastanie *f;* (~ *candito)* Marone *f;* **3.** *(colore)* (Kastanien)braun *n;* **II.** ⟨*inv*⟩ *agg* (kastanien)braun.

marsupiali [marsu'pia:li] *m pl* Beuteltiere *n pl.* **marsupio** [...'su:pio] ⟨-i⟩ *m* Bauchtasche *f,* Beutel *m.*

Marta ['marta] *(nome proprio femminile)* Martha.

Marte ['marte] ⟨-⟩ *m* Mars *m.*

martedì [marte'di] ⟨-⟩ *m* Dienstag *m;* ~ **grasso** Faschingsdienstag *m; v. a. lunedì.*

martellamento [martella'mento] *m* Hämmern *n*

martellare [martel'la:re] **I.** *tr* **1.** *(il ferro)* hämmern; **2.** *(percuotere)* schlagen, hämmern; **3.** *fig (di domande)* überschütten; **II.** *itr* klopfen, pochen. **martellata** [...'la:ta] *f* Hammerschlag *m.*

martelletto [...'letto] *m med* Perkussionshammer *m; (del pianoforte)* Hämmerchen *n,* Hammer *m; (della macchina da scrivere)* Typenhebel *m.*

martello [mar'tɛllo] *m* Hammer *m; (di campana)* Klöppel *m;* **pesce** ~ Hammerhai *m.*

martinetto [marti'netto] *m* Winde *f.*

martingala [martiŋ'ga:la] *f* Rückengurt *m.*

martin pescatore [mar'tin peska'to:re] ⟨--i⟩ *m* Eisvogel *m.*

martire ['martire] *mf* Märtyrer(in) *m(f).*

martirio [...'ti:rio] ⟨-i⟩ *m* Martyrium *n; fig* Marter *f,* Qual *f.* **martirizzare** [martirid'dʒa:re] *tr* **1.** *(torturare)* martern; **2.** *fig* quälen.

martora ['martora] *f* Marder *m.*

martoriare [marto'ria:re] ⟨martorio, martori⟩ *tr fig (tormentare)* quälen, peinigen.

marxismo [mark'sizmo] *m* Marxismus *m.*

marxismo-leninismo [-leni'nizmo] *m* Marxismus-Leninismus *m.* **marxista** [...'sista] ⟨-i *m,* -e *f*⟩ **I.** *mf* Marxist(in) *m(f);* **II.** *agg* marxistisch.

marzapane [martsa'pa:ne] *m* Marzipan *n.*

marziale [mar'tsia:le] *agg* **1.** *(della guerra)* Kriegs-; **2.** *fig (aspetto, passo)* martialisch *geh,* kriegerisch; **arti -i** Kampfsportarten *f pl.*

marziano, -a [mar'tsia:no] **I.** *agg* Mars-; **II.** *m, f* **1.** *astr* Marsmensch *m;* **2.** *fig* Sonderling *m.*

marzo ['martso] *m* März *m;* **tempo di** ~ Aprilwetter *n; v. a. settembre.*

mas [mas] ⟨-⟩ *m* Schnellboot *n.*

mascalzone [maskal'tso:ne] *m* Lump *m,* Schuft *m.*

mascara [mas'ka:ra] ⟨-⟩ *m* Wimperntusche *f,* Mascara *n.*

mascé [ma'ʃe], **mascè** [ma'ʃɛ] ⟨*inv*⟩ *agg gastr:* **patate** ~ Kartoffelpüree *n,* -brei *m.*

mascella [maʃ'ʃɛlla] *f* Kiefer *m.*

maschera ['maskera] *f* **1.** *(finto volto, persona, a. fig, a. inform)* Maske *f;* **2.** *(travestimento)* Kostümierung *f,* Maskerade *f;* **3.** *teat* Kostüm *n,* Maske *f;* **4.** *(nella cosmesi)* Maske *f;* **5.** *teat, film (inserviente)* Platzanweiser(in) *m(f);* **6.** *tec (schermatura)* (Schutz)schirm *m,* (Schutz)schild *m;* ~ **antigas** Gasmaske *f;* ~ **di bellezza** Schönheitsmaske *f;* ~ **subacquea** Taucherbrille *f;* **ballo in** ~ Maskenball *m.* **mascherare** [...'ra:re] **I.** *tr* **1.** *(travestire)* kostümieren, verkleiden; **2.** *(mimetizzare, a. mil)* tarnen; **3.** *fig (nascondere)* verdecken, tarnen; **II.** *rfl:* **-arsi** **1.** *(travestirsi)* sich kostümieren (*da* als), sich verkleiden (*da* als); **2.** *fig* sich ausgeben (*da* als). **mascherata** [...'ra:ta] *f* **1.** *(gruppo)* Maskenzug *m;* **2.** *(festa)* Maskerade *f.* **mascherato, -a** [...'ra:to] *agg* maskiert, verkleidet; **ballo** ~ Maskenball *m;* **corso** ~ Fastnachts-, Faschingszug *m.* **mascherina** [...'ri:na] *f* **1.** *(mezza maschera)* Halbmaske *f;* **2.** *(persona mascherata)* Maske *f;* **3.** *zoo* Maske *f.*

maschile [mas'ki:le] **I.** *agg* **1.** *gener.* männlich; *(di uomo)* Herren-, Männer-; *(di ragazzo)* Knaben-, Jungen-; **2.** *gram* männlich, maskulin; **II.** *m* Maskulinum *n.* **maschilismo** [...ki'lizmo] *m* Männlichkeitswahn *m,* Machismo *m.* **maschilista** [...ki'lista] ⟨-i *m,* -e *f*⟩ **I.** *m* Macho *m;* **II.** *agg* Macho-, machohaft, chauvinistisch.

maschio, -a ['maskio] ⟨-schi, -schie⟩ **I.** *m* **1.** *biol* Männchen *n;* **2.** *(uomo)* Mann *m; (ragazzo)* Junge *m,* Knabe *m;* **3.** *tec* Zapfen *m; (utensile)* Gewindebohrer *m;* **II.** *agg biol* männlich; *(carattere, comportamento a.)* viril; *(moda, voce a.)* maskulin.

mascolino, -a [masko'li:no] *agg* männlich; *(fig a.)* maskulin.

mascotte [mas'kɔt] ⟨-⟩ *f* Maskottchen *n.*

masochismo [mazo'kizmo] *m* Masochismus *m.* **masochista** [...'kista] ⟨-i *m,* -e *f*⟩ *mf* Masochist(in) *m(f).*

massa ['massa] *f* **1.** *gener., fis* Masse *f;* **2.** *(mucchio)* Menge *f,* Haufen *m; (moltitudine)* (Un)menge *f,* große Menge; **3.** *soc* (breite) Masse *f,* Volk *n;* **4.** *el* Erde *f,* Masse *f;* **uomo** ~ Durchschnittsbürger *m;* **in** ~ massenweise, massenhaft; *(in blocco)* im ganzen, en bloc; **collegare (o mettere) a** ~ erden.

massacrante [massa'krante] *agg* aufreibend, mörderisch. **massacrare** [...'kra:re] *tr* **1.** *(trucidare)* niedermetzeln, hinschlachten; **2.** *(malmenare)* mißhandeln, massakrieren; **3.** *fig (logorare)* aufreiben, zermürben. **massacro** [mas'sa:kro] *m* Massaker *n,* Gemetzel *n.*

massaggiare [massad'dʒa:re] ⟨massaggio, massaggi⟩ *tr* massieren. **massaggiatore, -trice** [...dʒa'to:re] **I.** *m, f* Masseur(in) *m(f);* **II.** *m* Massagegerät *n.*

massaggio [mas'saddʒo] ⟨-ggi⟩ *m* Massage *f;* ~ **cardiaco** Herzmassage *f;* ~ **zonale** Reflexzonenmassage *f.*

masseria [masse'ri:a] ⟨-ie⟩ *f* Bauernhof *m,* Gutshof *m.* **masserizie** [...'rittsie] *f pl* Hausrat *m.*

massicciata [massit'tʃa:ta] *f* Tragschicht *f;* ~ **ferroviaria** Schotterung *f,* Schotterbettung *f.*

massiccio, -a [mas'sittʃo] ⟨-cci, -cce⟩ **I.** *agg* **1.** *(solido)* massiv; *(sodo)* fest, solide; *(voluminoso)* massiv, wuchtig; *(tarchiato)* stark, kräftig; **2.** *fig (in massa)* Massen-; **3.** *fig (violento)* massiv; *(pesante)* erdrückend; **II.** *m* (Gebirgs)-massiv *n.*

massima[1] ['massima] *f (sentenza, motto)* Maxime *f; (principio a.)* Grundsatz *m;* **in linea di** ~ im Prinzip, grundsätzlich.

massima[2] ['massima] *f (temperatura)* Höchsttemperatur *f.*

massimale [mass'ma:le]**I.** *agg* höchste(r, s), Höchst-; **II.** *m* **1.** *(limite)* Höchstgrenze *f;* **2.** *fin* Höchstbetrag *m,* Höchstsumme *f.*

Massimiliano [massimi'lia:no] *(nome proprio maschile)* Maximilian.

massimizzare [massimid'dza:re] *tr* maximieren. **massimizzazione** [...dzat'tsio:ne] *f* Maximierung *f;* ~ **dei profitti** Gewinnmaximierung *f.*

Massimo ['massimo] *(nome proprio maschile)* Max.

massimo, -a ['massimo] ⟨*superl di* grande⟩ **I.** *agg* **1.** *(estremamente grande)* maximal, sehr groß; **2.** *(il più grande)* größte(r, s); **3.** *(il più alto)* höchste(r, s); **temperatura -a** Höchsttemperatur *f;* **peso** ~ *sport* Schwergewicht *n;* ~ **comune divisore** (*abbr* **M.C.D.**) größter gemeinsamer Teiler; **al** ~ höchstens; **in -a parte** größtenteils; **II.** *m* **1.** *(il grado più elevato)* Maximum *n,* Höchstmaß *n;* **2.** *sport* Schwergewicht(ler *m*) *n.*

mass media [mæs'mi:diə *o* mas'me:dia] *m pl* Massenmedien *pl,* Massenkommunikationsmittel *pl.* **massmediale** [masme'dia:le], **massmediatico, -a** [...'dia:tiko] ⟨-ci, -che⟩ *agg* Massenmedien-.

masso ['masso] *m* Felsblock *m.*

massone [mas'so:ne] *m* Freimaurer *m.* **massoneria** [...sone'ri:a] ⟨-ie⟩ *f* Freimaurerei *f.*

massoterapia [massotera'pi:a] *f med* Massagebehandlung *f.*

mastectomia [mastekto'mi:a] ⟨-ie⟩ *f* Brustamputation *f,* Mastektomie *f wissensch.*

mastello [mas'tɛllo] *m* Bottich *m,* Bütte *f.*

masticare [masti'ka:re] ⟨mastico, mastichi⟩ *tr* **1.** *(cibo, tabacco)* kauen; **2.** *fig (biascicare)* murmeln; *(lingua)* radebrechen. **masticazione** [...kat'tsio:ne] *f* Kauen *n.*

mastice ['mastitʃe] *m* **1.** *(miscuglio adesivo)* Kitt *m;* **2.** *(resina)* Mastix *m.*

mastino [mas'ti:no] *m* Bluthund *m.*

mastro ['mastro] *m* **1.** *(artigiano)* Meister *m;* **2.** *(libro mastro)* Hauptbuch *n.*

masturbare [mastur'ba:re] *tr, rfl:* **-arsi** sich (selbst) befriedigen, masturbieren. **masturbazione** [...bat'tsio:ne] *f* Selbstbefriedigung *f,* Masturbation *f.*

matassa [ma'tassa] *f* **1.** *(di filo)* Docke *f,* Strähne *f;* **2.** *el* Wicklung *f;* **3.** *fig* verwikkelte Situation.

match [mætʃ] ⟨-⟩ *m* Match *n o m; (di pu-*

gilato) Fight *m,* Boxkampf *m.*

matematica [mate'ma:tika] ⟨-che⟩ *f* Mathematik *f.* **matematico, -a** [...ko] ⟨-ci, -che⟩ **I.** *agg* **1.** *mat* mathematisch; **2.** *(di assoluta precisione)* exakt, präzis(e); **II.** *m, f* Mathematiker(in) *m(f).*

materassino [materas'si:no] *m* **1.** *(gonfiabile)* Luftmatratze *f;* **2.** *sport* Matte *f.*

materasso [mate'rasso] *m* Matratze *f;* ~ **a molle** Federkernmatratze *f;* ~ **di gommapiuma** Schaumstoffmatratze *f.*

materia [ma'tɛ:ri̯a] ⟨-ie⟩ *f* **1.** *(sostanza)* Stoff *m,* Substanz *f;* **2.** *(contrapposta a spirito)* Materie *f;* **3.** *(argomento)* Thema *n,* Stoff *m;* **4.** *(disciplina)* (Lehr)fach *n;* ~ **grigia** graue Substanz; **-ie prime/plastiche** Roh-/Kunststoffe *m pl;* **indice per -ie** Sachregister *n;* **entrare in** ~ zum Thema kommen; **in** ~ **di** auf dem Gebiet +*gen,* was ... betrifft. **materiale** [mate'ri̯a:le] **I.** *agg* **1.** *(di, della materia)* stofflich, materiell; **2.** *(economico)* materiell; **3.** *(effettivo)* (effektiv) notwendig; **4.** *(grossolano)* plump; **II.** *m* **1.** *(prodotto necessario)* Material *n,* Stoff *m,* Mittel *n;* **2.** *(appunti e documenti)* Unterlagen *f pl;* ~ **didattico** Lehrmaterial *n;* ~ **da costruzione** Baumaterial *n;* ~ **fissile** Spaltmaterial *n;* ~ **plastico** Kunststoff *m.* **materialismo** [materi̯a'lizmo] *m* Materialismus *m.* **materialista** [...'lista] ⟨-i *m,* -e *f*⟩ **I.** *mf* Materialist(in) *m(f);* **II.** *agg* materialistisch. **materialistico, -a** [...'listiko] ⟨-ci, -che⟩ *agg* materialistisch. **materializzazione** [...liddzat'tsi̯o:ne] *f* Materialisation *f.* **materialmente** [...al'mente] *avv* konkret, tatsächlich; *(in sostanza)* faktisch.

maternità [materni'ta] ⟨-⟩ *f* **1.** *(condizione di madre)* Mutterschaft *f;* **2.** *dir* Mutterschutz *m;* **3.** *(reparto ospedaliero)* Entbindungsstation *f;* **essere in** ~ im Mutterschutz sein. **materno, -a** [ma'tɛrno] *agg* **1.** *(di, da madre)* mütterlich, Mutter-; **2.** *(da parte di madre)* mütterlicherseits.

matita [ma'ti:ta] *f* Stift *m; (lapis)* Bleistift *m;* ~ **automatica** Drehbleistift *m;* ~ **luminosa** Leuchtstift *m;* ~ **per gli occhi** Eyeliner *m.*

matrice [ma'tri:tʃe] *f* **1.** *mat, biol* Matrix *f;* **2.** *tip* Matrize *f,* Mater *f;* **3.** *tec* Gesenk *n;* **4.** *econ* Stammregister *n.*

matricola [ma'tri:kola] *f* **1.** *(registro)* Matrikel *f,* Register *n;* **2.** *(numero)* Matrikelnummer *f;* **3.** *(studente)* Studienanfänger(in) *m(f);* **4.** *sport, fig* Anfänger(in) *m(f),* Neuling *m;* **5.** *mil* Stammrolle *f.*

matrigna [ma'triɲɲa] *f* Stiefmutter *f.*

matrimoniale [matrimo'ni̯a:le] *agg* ehelich, Ehe-. **matrimonio** [...'mɔ:ni̯o] ⟨-i⟩ *m* **1.** *(rapporto)* Ehe *f;* **2.** *(cerimonia)* Hochzeit *f,* Trauung *f;* ~ **civile/religioso** standesamtliche/kirchliche Trauung; **contrarre** ~ eine Ehe eingehen; **fare un buon** ~ eine gute Partie machen; **unire in** ~ trauen.

matta *f v.* **matto.**

mattacchione, -a [mattak'ki̯o:ne] *m, f scherz* Spaßvogel *m,* Witzbold *m fam.*

mattatoio [matta'to:i̯o] ⟨-oi⟩ *m* Schlachthof *m.*

Matteo [mat'tɛ:o] *(nome proprio maschile)* Matthäus.

matterello [matte'rɛllo] *m* Nudelholz *n.*

Mattia [mat'ti:a] *(nome proprio maschile)* Matthias.

mattina [mat'ti:na] *f* Morgen *m;* **questa** ~ heute morgen (*o* früh); **domani** ~ morgen früh; **di** ~ morgens; **di prima** ~ am frühen Morgen. **mattinata** [matti'na:ta] *f* **1.** *(durata della mattina)* Vormittag *m;* **2.** *mus* Morgenständchen *n;* **3.** *(spettacolo)* Matinee *f.* **mattiniero, -a** [...'ni̯ɛ:ro] *agg:* **essere** ~ (ein) Frühaufsteher sein. **mattino** [...'ti:no] *m* Morgen *m;* **di buon** ~ frühmorgens.

matto, -a ['matto] **I.** *agg* **1.** *(pazzo)* wahnsinnig, verrückt; **2.** *fam (stravagante)* verrückt, verdreht; **una voglia -a** eine irre Lust/Wahnsinnslust *f;* **è roba da -i!** *fam* das ist (doch) nicht zu fassen!; **andar** ~ **per qu/qc** *fam* nach jdm/etw. verrückt sein; **essere** ~ **da legare** *fam* völlig verrückt sein; **II.** *m, f* **1.** *(pazzo)* Wahnsinnige(r) *mf,* Verrückte(r) *mf;* **2.** *(persona stravagante)* verrückte Person.

mattone [mat'to:ne] *m* **1.** *(laterizio)* Ziegel(stein) *m,* Backstein *m;* **2.** *fig (libro, film)* Schinken *m.* **mattonella** [...to'nɛlla] *f* **1.** *(piastrella)* Fliese *f,* (Stein)platte *f;* **2.** *(nel biliardo)* Bande *f;* **3.** *(combustibile)* Brikett *n.*

mattutino, -a [mattu'ti:no] *agg* Morgen-, morgendlich.

matura *f v.* **maturo.**

maturando, -a [matu'rando] *m, f* Abiturient(in) *m(f),* Maturant(in) *m(f) A.*

maturare [matu'ra:re] **I.** *itr* ⟨*essere*⟩ **1.** *(frutti)* reifen, reif werden; *(diventar stagionato)* ausreifen; **2.** *(persona)* heranreifen, reifen *geh;* **3.** *econ (interessi)* fällig werden; **4.** *(giungere a compimento)* reif werden; **II.** *tr* ⟨*avere*⟩ **1.** *(frutti)* reifen lassen, reifen *geh,* reif werden lassen; *(formaggio, vino)* (aus)reifen lassen; **2.** *(idea, piano)* reifen lassen; **3.** *fig (promuovere)* das Reifezeugnis erteilen (*qu* jdm); **III.** *rfl:* **-arsi** reif werden. **maturazione** [...rat'tsi̯o:ne] *f* **1.** *gener.* Reifen *n,* Reifung *f,* Reifeprozeß *m;* **2.** *econ* Fälligkeit *f.* **maturità** [...ri'ta] ⟨-⟩ *f* **1.** *(età)* bestes (*o* reifes) Alter; *(a. fig)* Reife *f;* **2.** *biol* (Geschlechts)reife *f;* **3.** *(diploma)* Abiturzeugnis *n,* Reifezeugnis *n.* **maturo, -a** [ma'tu:ro] *agg* **1.** *(frutto)* reif; *(vino)* ausgereift;

2. *(adulto)* erwachsen, reif; 3. *(studente)* mit Abitur; 4. *fig (equilibrato, idoneo, compiuto)* reif; 5. *fig (approfondito)* reiflich, gründlich; 6. *econ* fällig.

Maurizio [mau'rittsio] *(nome proprio maschile)* Moritz.

maxicalcolatore [maksikalkola'to:re] *m* Großrechner *m*. **maxigonna** [-'gonna] *f* Maxirock *m*.

maxillofacciale [maksillofat'tʃa:le] *agg med* Kiefer- und Gesichts-.

mazza ['mattsa] *f* 1. *(bastone)* Knüppel *m*, Schlagstock *m;* 2. *mil* Keule *f;* 3. *sport* Schlagholz *n; (a. fig: persona)* Schläger *m;* 4. *(grosso martello)* Vorschlaghammer *m*, Fäustel *m;* 5. *mus* Schlegel *m*.

mazzata [mat'tsa:ta] *f* Knüppel-, Hammerschlag *m*, Keulenschlag *m; fig* (schwerer) Schlag *m;* **dare una ~ in testa a qu** jdm einen Schlag auf den Kopf versetzen. **mazzetta** [mat'tsetta] *f* 1. *(pacchetto di banconote)* Banknotenbündel *n;* 2. *fam (bustarella)* Schmiergeld *n fam*, Bestechungsgeld *n*.

mazzo ['mattso] *m* 1. *(di fiori)* Strauß *m; (di erbe)* Bündel *n; (di oggetti)* Bund *m;* 2. *(di carte)* (Karten)spiel *n*.

me [me] *pron pers 1ª pers sing* 1. *(oggetto)* mich; *(con preposizione)* mich, mir, meiner; 2. *(soggetto in forme comparative ed esclamative)* ich; 3. *(complemento di termine davanti a lo, la, li, le, ne)* mir; *(complemento oggetto davanti a la, lo, li, le, ne)* mich; **da ~** selbst, selber; **fra (*o* tra) ~ e ~** in meinem Innern; **secondo ~** meiner Meinung nach.

meandro [me'andro] *m* Mäander *m*.

M.E.C. [mɛk] *m acr di* **Mercato Comune Europeo** Gemeinsamer (europäischer) Markt.

meccanica [mek'ka:nika] ⟨-che⟩ *f* 1. *fis, tec* Mechanik *f;* 2. *(attività tecnologica)* Maschinenbau *m*, Technik *f;* 3. *(comportamento)* Ablauf *m*, Vorgang *m*, Prozeß *m;* **~ di precisione** Feinmechanik *f*.

meccanico, -a [mek'ka:niko] ⟨-ci, -che⟩ I. *agg* mechanisch; *(fig a.)* automatisch; II. *m, f* Mechaniker(in) *m(f)*. **meccanismo** [mekka'nizmo] *m* Mechanismus *m*. **meccanizzazione** [...niddzat'tsio:ne] *f* Mechanisierung *f*.

meccanografia [mekkanogra'fi:a] *f* (automatisierte) Datenverarbeitung *f*. **meccanografico, -a** [...'gra:fiko] *agg* Datenverarbeitungs-, Rechen-.

mèche ['mɛʃ] ⟨-⟩ *f* Strähnchen *n;* **farsi fare le ~** sich Strähnchen machen lassen.

medaglia [me'daʎʎa] ⟨-glie⟩ *f* Medaille *f; (riconoscimento a.)* Orden *m*, Auszeichnung *f;* **~ al valor civile/militare** Verdienstorden *m* /Tapferkeitsmedaille *f*.

medesimo, -a [me'de:zimo] I. *agg* 1. *(stesso):* **il ~, la -a** der-, die-, dasselbe; 2. *(uguale)* gleich; 3. *(in persona)* selbst; II. *pron:* **il (la) ~ (-a)** der-, die-, dasselbe.

media[1] ['mɛ:dia] ⟨-ie⟩ *f* 1. *gener.* Durchschnitt(swert) *m;* 2. *mat* Mittel *n*, Mittelwert *m;* **~ oraria** Durchschnittsgeschwindigkeit *f;* **in ~** im Durchschnitt, durchschnittlich.

media[2] ['mi:diə *o* 'mɛ:dia] *m pl abbr di* **mass media** Medien *pl*.

media planner ['mi:diə 'plænə] ⟨-⟩ *m* Mediaplaner(in) *m(f)*

medianico, -a [me'dia:niko] ⟨-ci, -che⟩ *agg* medial, das Medium betreffend.

mediano, -a [me'dia:no] I. *agg* Mittel-, mittlere(r, s); II. *m (calcio)* Läufer *m*.

mediante [me'diante] *prp* mit *+dat*, durch *+akk*, mittels *+gen*.

mediare [me'dia:re] ⟨medio, medi⟩ *tr* 1. *(da mediatore)* vermitteln; 2. *mat* den Mittelwert bilden aus. **mediatore, -trice** [media'to:re] *m, f* 1. *(intermediario)* Mittelsmann *m*, Mittelsperson *f*, Vermittler(in) *m(f);* 2. *econ* Makler(in) *m(f)*. **mediazione** [...t'tsio:ne] *f* 1. *gener.* Vermittlung *f;* 2. *fig (intercessione)* Fürsprache *f;* 3. *(compenso)* Maklerprovision *f*, -gebühr *f*.

medicamento [medika'mento] *m* Medikament *n*, Arznei *f*. **medicare** [medi'ka:re] ⟨medico, medichi⟩ *tr* behandeln. **medicazione** [...kat'tsio:ne] *f* Behandlung *f*.

medicina [medi'tʃi:na] *f* 1. *(scienza)* Medizin *f;* 2. *(farmaco)* Medizin *f*, Arznei *f;* **~ classica (*o* scolastica)** Schulmedizin *f;* **~ legale** Gerichtsmedizin *f;* **~ sportiva** Sportmedizin *f*. **medicinale** [...tʃi'na:le] I. *m* Arzneimittel *n;* II. *agg* Heil-, Arznei-.

medico, -a ['mɛ:diko] ⟨-ci, -che⟩ I. *m, f* Arzt *m*, Ärztin *f;* **~ curante** behandelnder Arzt; **~ fiscale** Vertrauensarzt *m;* **~ generico** praktischer Arzt, Arzt für Allgemeinmedizin; **~ dell'anima** Seelsorger *m;* **~ di casa (*o* di famiglia)** Hausarzt *m;* II. *agg* 1. *(della medicina)* medizinisch; 2. *(del medico)* ärztlich, Arzt-.

medievale [medie'va:le] *agg* mittelalterlich.

medio, -a ['mɛ:dio] ⟨-i, -ie⟩ I. *agg* 1. *(di mezzo)* Mittel-, mittlere(r, s); 2. *(di valore intermedio)* Durchschnitts-, durchschnittlich; 3. *(mediocre)* mittelmäßig; **ceto ~** Mittelstand *m;* **peso ~** *sport* Mittelgewicht(ler *m*) *n;* **licenza -a** Hauptschulabschluß *m;* II. *m* Mittelfinger *m*.

mediocre [me'diɔ:kre] *agg* mittelmäßig, mäßig; *(ordinario)* gewöhnlich.

mediocredito [medio'kre:dito] *m* mittelfristiger Kredit.

mediocrità [mediokri'ta] ⟨-⟩ *f* Mittelmäßigkeit *f*.

medioevo [medio'ɛ:vo] *m* Mittelalter *n*.

medioleggero [medioled'dʒɛ:ro] *m*

Weltergewicht(ler *m*) *n*. **mediomassimo** [...o'massimo] *m* Halbschwergewicht(-ler *m*) *n*. **mediorientale** [...orien'ta:le] *agg* Nahost-.

medioteca [medio'tɛ:ka] ⟨-che⟩ *f* Mediothek *f*.

meditabondo, -a [medita'bondo] *agg* gedankenversunken.

meditare [medi'ta:re] **I.** *itr* meditieren; **II.** *tr* **1.** *(considerare)* nachdenken über +*akk*, bedenken; **2.** *(preparare)* planen, ausdenken. **meditazione** [...tat'tsio:ne] *f* **1.** *(riflessione)* Meditation *f*; **2.** *(considerazione)* Überlegung *f*, Erwägung *f*; **3.** *(preparazione)* Ausdenken *n*, Planen *n*.

mediterraneo, -a [mediter'ra:neo] **I.** *agg* mediterran, Mittelmeer-; **il Mar M~** das Mittelmeer; **II.** *m* Mittelmeer *n*.

medium ['mɛ:dium] ⟨-⟩ *mf* Medium *n*.

medusa [me'du:za] *f* Qualle *f*.

meeting ['mi:tɪŋ] ⟨-⟩ *m* **1.** *(a. pol)* Treffen *n*, *f* Begegnung *f*, Meeting *n*; **2.** *sport* Veranstaltung *f*, Meeting *n*.

megabyte [mega'bait] ⟨-⟩ *m* Megabyte *n*.

megaconcerto [megakon'tʃerto] *m* Riesenkonzert *n*, Superkonzert *n*. **megafono** [me'ga:fono] *m* Megaphon *n*, Sprachrohr *n*. **megagalattico, -a** [megaga'lattiko] ⟨-ci, -che⟩ *agg sl* Wahnsinns- *fam*, spitzenmäßig *sl*, (hyper)galaktisch *sl*.

megalomane [mega'lɔ:mane] *agg* größenwahnsinnig. **megalomania** [...loma'ni:a] *f* Größenwahn *m*. **megalopoli** [...'lɔ:poli] ⟨-⟩ *f* Riesenstadt *f*

meglio ['mɛʎʎo] **I.** ⟨*comp di* bene⟩ *avv* **1.** *(in modo migliore)* besser; **2.** *(piuttosto)* lieber, eher, besser; **3.** *(più)* mehr, besser; **4.** *(ovvero)* (oder) besser; **5.** *(più facilmente)* leichter, besser; **6.** *(con valore di superl)* am besten; **tanto ~!, ~ così!** um so besser!; **per ~ dire** (oder) besser gesagt; **II.** ⟨*comp di* buono⟩ *agg* **1.** *(migliore)* besser; **2.** *(preferibile)* besser; **3.** *fam (con valore di superl)* beste(r, s), allerbeste(r, s); **III.** ⟨-⟩ *m o f* Beste(s) *n*; **il ~ possibile** das Bestmögliche; **avere la ~** die Oberhand gewinnen (*o* haben); **fare del proprio ~** sein Bestes (*o* möglichstes) tun; **per il ~** zum Besten, auf die beste Weise; **alla (bell'e) meglio** so gut es (eben) geht.

mela ['me:la] *f* Apfel *m*; **~e al forno** Bratäpfel *m pl*; **succo di ~** Apfelsaft *m*; **torta di ~e** Apfelkuchen *m*. **melagrana** [mela'gra:na] *f* Granatapfel *m*.

mélange [me'lã:ʒ] ⟨-⟩ *m* Melange *f*.

melanzana [melan'dza:na *o* ...n'tsa:na] *f* Aubergine *f*.

melenso, -a [me'lɛnso] *agg* **1.** *(persona)* einfältig, dämlich; **2.** *(cosa)* albern, geistlos.

melissa [me'lissa] *f* Melisse *f*.

mellifluo, -a [mel'li:fluo] *agg peg* honigsüß, süßlich.

melma ['melma] *f* **1.** *(fango)* Schlamm *m*; **2.** *fig* Schmutz *m*. **melmoso, -a** [...'mo:so] *agg* schlammig.

melo ['me:lo] *m* Apfelbaum *m*.

melodia [melo'di:a] ⟨-ie⟩ *f* Melodie *f*. **melodioso, -a** [melo'dio:so] *agg* melodiös; *(armonico)* melodisch.

melodramma [melo'dramma] *m* Melodram(a) *n*. **melodrammatico, -a** [...'ma:tiko] *agg* **1.** *teat* melodramatisch; **2.** *fig* theatralisch.

melograno [melo'gra:no] *m* Granat(apfel)baum *m*.

melone [me'lo:ne] *m* (Netz)melone *f*, (Honig)melone *f*.

meloterapia [melotera'pi:a] *f* Musiktherapie *f*.

melt-down ['mɛeltdaun] ⟨-⟩ *m* Schmelzen *n* des Reaktorkerns.

membrana [mem'bra:na] *f* Membran(e) *f*.

membro ['mɛmbro] *m* **1.** ⟨*pl:* -i *m*⟩ *(persona)* Mitglied *n*; **2.** ⟨*pl:* -i *m*⟩ *(parte costitutiva)* Teil *n*, Glied *n*; **3.** ⟨*pl:* -i *m*⟩ *anat (pene)* (männliches) Glied *n*; **4.** ⟨*pl:* -a *f*⟩ *anat* Gliedmaßen *pl*, Glieder *n pl*.

memorabile [memo'ra:bile] *agg* denkwürdig.

memorandum [memo'randum] ⟨-⟩ *m* **1.** *(promemoria)* Notizbuch *n*; **2.** *(documento espositivo)* Denkschrift *f*, Memorandum *n*.

memoria [me'mɔ:ria] ⟨-ie⟩ *f* **1.** *(capacità, processo)* Gedächtnis *n*, Erinnerungsvermögen *n*; **2.** *(ricordo)* Erinnerung *f* (*di* an +*akk*), Gedenken *n* (*di* an +*akk*); **3.** *(annotazione)* Notiz *f*, Gedächtnisstütze *f*; **4.** *(menzione)* Erwähnung *f*; **5.** *(cimelio, documento)* Erinnerungsstück *n*; **6.** ⟨*pl*⟩ *(opera)* Memoiren *pl*; **7.** *inform* Speicher *m*; **8.** *tec* Steuerung *f*; **a ~** auswendig; **degno di ~** denkwürdig; **~ ad accesso immediato** Direktzugriffsspeicher *m*, RAM *m*; **~ cache** Cache(-Speicher) *m*; **~ centrale** (*o* **principale**) Hauptspeicher *m*; **~ correttrice** (*o* **di correzione**) Korrekturspeicher *m*; **~ di elaborazione** Arbeitsspeicher *m*; **~ a nuclei** Kernspeicher *m*; **~ di sola lettura** Lesespeicher *m*, ROM *m*; **~ di transito** (*o* **tampone**) Puffer *m*; **~ volatile** flüchtiger Speicher. **memoriale** [memo'ria:le] *m* **1.** *(scritto)* Denkschrift *f*, Verteidigungsschrift *f*; **2.** *(monumento)* Gedenkstätte *f*. **memorizzare** [...rid'dza:re] *tr* sich *(dat)* einprägen; *inform* (ab)speichern.

menadito [mena'di:to] *avv*: **a ~** *(conoscere, sapere)* im Schlaf/aus dem Effeff *fam*.

ménage [me'nadʒ] ⟨-⟩ *m* Haushalt *m*, Haushaltsführung *f*.

menare [me'na:re] *tr* **1.** *(condurre)* führen; **2.** *(battere, picchiare)* schlagen; *(colpi)* austeilen; ~ **le mani** handgreiflich werden. **menata** [...'na:ta] *f fam fig* Litanei *f*, Leier *f fam.*

mendicante [mendi'kante] *mf* Bettler(in) *m(f).* **mendicare** [...'ka:re] ⟨mendico, mendichi⟩ **I.** *tr* **1.** *(elemosinare)* betteln um; **2.** *fig* erflehen *geh*, flehen um; **II.** *itr* betteln (gehen).

menefreghismo [menefre'gizmo] *m* (zynische) Gleichgültigkeit *f.* **menefreghista** [...'gista] ⟨-i *m*, -e *f*⟩ *mf* gleichgültige (*o* ungerührte) Person.

menisco [me'nisko] ⟨-schi⟩ *m* Meniskus *m.*

meno ['me:no] ⟨*comp di* poco⟩ **I.** *avv* **1.** *(in minor quantità, misura, grado)* weniger, nicht so viel; **2.** *(in frasi comparative)* nicht so (*di* wie), weniger (*di* als); **3.** *(in frasi superlative)* am wenigsten; **4.** *(mat, di temperatura, nelle votazioni scolastiche)* minus; **5.** *(di ora)* vor; **6.** *(no)* nicht; **di (*o* in)** ~ weniger; **poco** ~ so gut wie, fast; **quanto** ~ wenigstens; **tanto** ~ um so weniger; **niente** ~! wirklich!; **niente** ~ **che ...** kein Geringerer als ...; ~ **male!** Gott sei Dank!; **essere da** ~ **di qu** jdm unterlegen sein; **sono le 3** ~ **5** es ist fünf Minuten vor drei (Uhr); **dobbiamo decidere se andarci o** ~ wir müssen entscheiden, ob wir hingehen oder nicht; **II.** ⟨*inv*⟩ *agg* **1.** *(minore in quantità)* geringer, weniger; **2.** *(in minor numero)* weniger, nicht so viel; **III.** *prp* außer *+dat;* **a** ~ **di (*o* che** *+congv***)** es sei denn, daß ..., außer wenn ...; **IV.** ⟨-⟩ *m* **1.** *(la minor cosa)* Geringste(s) *n*, Mindeste(s) *n;* **2.** *(la parte minore)* geringerer Teil; **3.** *mat* Minus(zeichen) *n;* **4.** ⟨*pl*⟩ *(minoranza)* Minderheit *f;* **in men che non si dica** im Handumdrehen.

Meno ['mɛ:no] *m* Main *m.*

menomato, -a [meno'ma:to] *m, f* Behinderte(r) *mf.* **menomazione** [...mat'tsio:ne] *f* Behinderung *f.*

menopausa [meno'pa:uza] *f* Menopause *f wissensch.*, Wechseljahre *n pl fam;* **entrare in** ~ in die Wechseljahre kommen.

mensa ['mɛnsa] *f* **1.** *(locale)* Kantine *f;* *(~ universitaria)* Mensa *f;* **2.** *(tavola)* Tafel *f geh*, Tisch *m;* ~ **aziendale** (Werks)kantine *f*, Kasino *n.*

mensile [men'si:le] **I.** *agg* **1.** *(di ogni mese)* monatlich, Monats-; **2.** *(che dura un mese)* einmonatig; **II.** *m* **1.** *(stipendio)* Monatsgehalt *n;* **2.** *(periodico)* Monatsheft *n*, -schrift *f.* **mensilità** [...sili'ta] ⟨-⟩ *f* **1.** *(retribuzione)* Monatsgehalt *n*, Monatslohn *m;* **2.** *(periodicità mensile)* monatliche Leistung, monatlicher Vorgang.

mensola ['mɛnsola] *f* Konsole *f.*

menta ['menta] *f* **1.** *bot* Minze *f;* **2.** *gastr* *(liquore)* Pfefferminzlikör *m;* *(caramella)* Pfefferminzbonbon *n.*

mentale [men'ta:le] *agg* **1.** *(della mente)* Geistes-, geistig; **2.** *(senza parlare)* still; *(calcolo, lavoro)* Kopf-; **fare un calcolo** ~ Kopfrechnen, im Kopf hochrechnen *fam* (di qc etw.) **mentalità** [...tali'ta] ⟨-⟩ *f* Mentalität *f.*

mente ['mente] *f* **1.** *(intelligenza, intelletto)* Geist *m*, Verstand *m;* **2.** *(attenzione)* Gedanken *m pl*, Kopf *m;* *(intenzione a.)* Sinn *m;* **3.** *(memoria)* Gedächtnis *n;* **4.** *fig (persona)* Kopf *m*, Geist *m;* **a** ~ auswendig; **a** ~ **lucida** bei klarem Verstand; **avere in** ~ **di fare qc** im Sinn haben (*o* vorhaben), etw. zu tun; **tenere a** ~ **qc** sich *(dat)* etw. merken. **mentecatto, -a** [-'katto] *agg* schwachsinnig.

mentire [men'ti:re] ⟨mento⟩ *itr* lügen.

mentitore, -trice [...ti'to:re] *m, f* Lügner(in) *m(f).*

mento ['mento] *m* Kinn *n;* **doppio** ~ Doppelkinn *n.*

mentolo [men'tɔ:lo] *m* Menthol *n.*

mentre ['mentre] **I.** *cong* **1.** *(temporale)* während; **2.** *(avversativo)* während, wohingegen, indessen *geh;* **II.** *m:* **in quel** ~ gerade in diesem Moment.

menu [me'ny] ⟨-⟩ *m* **1.** *(lista)* Speise(n)-karte *f;* *(insieme di vivande)* Speisenfolge *f*, Menü *n;* **2.** *inform* Menü *n.*

menzionare [mentsio'na:re] *tr* nennen, erwähnen. **menzione** [...'tsio:ne] *f* Erwähnung *f;* **degno di** ~ nennenswert, erwähnenswert.

menzogna [men'tsoɲɲa] *f* Lüge *f.*

Merano [me'ra:no] *f* Meran *n.*

meraviglia [mera'viʎʎa] ⟨-glie⟩ *f* **1.** *(sorpresa)* Überraschung *f;* **2.** *(stupore)* Erstaunen *n*, Verwunderung *f;* **3.** *(cosa, persona meravigliosa)* Wunder *n;* **le sette -glie del mondo** die sieben Weltwunder; **a** ~ wunderbar, ausgezeichnet; **dire (*o* raccontare) -glie di qc** von etw. Wunderdinge erzählen; **mi fa** ~ **che** ... es wundert mich, daß ... **meravigliare** [...'ʎa:re] ⟨meraviglio, meravigli⟩ **I.** *tr* verwundern, erstaunen; **II.** *rfl:* **-arsi** sich wundern; **mi meraviglio di te!** ich muß mich doch sehr über dich wundern!; **non mi meraviglierei affatto se ...** es würde mich (gar) nicht wundern, wenn ... **meraviglioso, -a** [...'ʎo:so] *agg* wunderbar.

mercante, -essa [mer'kante, ...'tessa] *m, f* **1.** *(commerciante)* Händler(in) *m(f);* **2.** *fig peg* Krämer *m.* **mercanteggiare** [...ted'dʒa:re] ⟨mercanteggio, mercanteggi⟩ **I.** *itr* handeln (*su* um), feilschen (*su* um); **II.** *tr peg* verschachern. **mercantile** [...'ti:le] **I.** *agg* Handels-, kaufmännisch; *(del mercante)* Händler-; **II.** *m* Handels-, Frachtschiff *n.* **mercanzia** [...'tsi:a] ⟨-ie⟩ *f* (Handels)ware *f;* **saper vendere la propria** ~ *(a. fig)* seine

Ware gut verkaufen können.

mercatino [merka'ti:no] *m* (Wochen)-markt *m.*

mercato [mer'ka:to] *m* Markt *m;* ~ **mondiale** Weltmarkt *m;* ~ **nero** schwarzer Markt, Schwarzmarkt *m;* ~ **unico europeo** europäischer Binnenmarkt; **il M~ Comune (Europeo)** (*abbr* **M.E.C.**) der Gemeinsame Markt; ~ **dei titoli** Rentenmarkt *m;* ~ **del lavoro** Arbeitsmarkt *m;* ~ **delle pulci** Flohmarkt *m;* ~ **delle vacche** *iron peg* Kuhhandel *m pej;* **a buon** ~ preiswert, günstig.

merce ['mɛrtʃe] *f* **1.** *econ* Ware *f;* ⟨*pl*⟩ Güter *n pl;* **2.** *fig* Gut *n;* **scalo/treno -i** Güterbahnhof/-zug *m.*

mercenario, -a [mertʃe'na:ri̯o] ⟨-i, -ie⟩ **I.** *agg* Söldner-; **II.** *m* Söldner *m.*

merceologia [mertʃeolo'dʒi:a] ⟨-ie⟩ *f* Warenkunde *f.*

merceria [mertʃe'ri:a] ⟨-ie⟩ *f* **1.** *(assortimento)* Kurzwaren *f pl;* **2.** *(negozio)* Kurzwarenhandlung *f.* **merciaio, -a** [mer'tʃa:i̯o] ⟨-ciai, -ciaie⟩ *m, f* Kurzwarenhändler(in) *m(f).*

merchandising ['mə:tʃəndaiziŋ] ⟨-⟩ *m* Merchandising *n.*

mercoledì [merkole'di] ⟨-⟩ *m* Mittwoch *m;* ~ **delle ceneri** Aschermittwoch *m; v. a. lunedì.*

mercurio [mer'ku:ri̯o] *m chim* Quecksilber *n.*

Mercurio [mer'ku:ri̯o] *m astr* Merkur *m.*

merda ['mɛrda] *f volg* Scheiße *f vulg;* **essere nella** ~ in der Scheiße stecken, beschissen dran sein; **di** ~ *fig* beschissen.

merenda [me'rɛnda] *f* Vesper(brot) *n,* Nachmittagsimbiß *m;* **fare (la)** ~ Vesper machen, vespern.

merge ['mə:dʒ] ⟨-⟩ *m inform* Zusammenführen *n.*

meridiana [meri'di̯a:na] *f* **1.** *(orologio)* Sonnenuhr *f;* **2.** *astr* Mittagslinie *f.* **meridiano, -a** [...no] **I.** *agg* Mittags-; **II.** *m* Meridian *m.*

meridionale [meridi̯o'na:le] **I.** *agg* **1.** *(del sud)* südlich, Süd-; **2.** *(del Mezzogiorno italiano)* süditalienisch; **l'Italia** ~ Süditalien *n;* **II.** *mf* **1.** *(del sud)* Südländer(in) *m(f); (del Mezzogiorno italiano)* Süditaliener(in) *m(f).* **meridione** [...'di̯o:ne] *m* Süden *m.*

meringa [me'riŋga] ⟨-ghe⟩ *f* Meringe *f,* Baiser *n.*

merino [me'ri:no] **I.** ⟨*inv*⟩ *agg* Merino-; **II.** ⟨-⟩ *m* **1.** *zoo* Merino(schaf *n*) *m;* **2.** *(lana)* Merinowolle *f.*

meritare [meri'ta:re] **I.** *tr* **1.** *(conseguire)* verdienen; **2.** *(procurare)* eintragen, einbringen; **II.** *itr* **1.** *fam (valere)* sich lohnen; **2.** *(impersonale: valere la pena)* sich lohnen, der Mühe wert sein; **non merita che se ne parli** es ist nicht wert, daß man darüber spricht; **III.** *rfl:* **-arsi** (sich *dat*) verdienen; **questa te la sei proprio meritata!** das geschieht dir gerade recht!

meritevole [meri'te:vole] *agg* wert, würdig.

merito ['mɛ:rito] *m* **1.** *(qualità)* Verdienst *n;* **2.** *(valore)* Wert *m,* Vorzug *m;* **3.** *(sostanza)* Kern *m,* Hauptsache *f;* **dare a qu** ~ **di qc** jdm etw. als Verdienst anrechnen; **in** ~ **a ...** was ... betrifft, in bezug auf *+akk;* **a pari** ~ bei Gleichwertigkeit. **meritorio, -a** [meri'tɔ:ri̯o] ⟨-i, -ie⟩ *agg* verdienstvoll.

merletto [mer'letto] *m* Spitze *f.*

merlo[1] ['mɛrlo] *m arch* Zinne *f.*

merlo[2] ['mɛrlo] *m zoo* Amsel *f,* Schwarzdrossel *f.*

merluzzo [mer'luttso] *m* Kabeljau *m.*

mescere ['meʃʃere] ⟨mesco, mesci⟩ *tr* einschenken, eingießen.

meschinità [meskini'ta] ⟨-⟩ *f* **1.** *(ristrettezza mentale)* Kleinlichkeit *f,* Engherzigkeit *f,* Engstirnigkeit *f;* **2.** *(inadeguatezza)* Dürftigkeit *f,* Unzulänglichkeit *f.*

meschino, -a [...'ki:no] *agg* **1.** *(misero)* armselig; *fig* kläglich; **2.** *(insufficiente)* dürftig, spärlich; **3.** *(gretto)* kleinlich, engherzig, engstirnig.

mescita ['meʃita] *f* Ausschank *m;* **banco di** ~ Schanktisch *m,* Theke *f.*

mescolanza [mesko'lantsa] *f* **1.** *(il mescolare)* Mischung *f,* Mischen *n;* **2.** *(insieme di cose mescolate)* Mischung *f,* Gemisch *n;* **3.** *fig peg (confusione)* Mischmasch *m fam.*

mescolare [mesko'la:re] **I.** *tr* **1.** *(mischiare)* (ver)mischen; *(carte)* mischen; **2.** *fig (confondere)* durcheinanderbringen, -werfen; **II.** *rfl:* **-arsi 1.** *(unirsi in una massa)* sich vermischen; **2.** *(confondersi)* sich mischen. **mescolatore** [...la'to:re] *m,* **mescolatrice** [...'tri:tʃe] *f tec* Mischmaschine *f,* Mischer *m.*

mese ['me:se] *m* **1.** *(periodo di tempo)* Monat *m;* **2.** *(stipendio)* Monatslohn *m,* -gehalt *n;* **3.** *(canone d'affitto)* Monatsmiete *f;* **essere al terzo** ~ im dritten Monat (schwanger) sein.

messa[1] ['messa] *f rel, mus* Messe *f;* **dire la** ~ die Messe lesen.

messa[2] ['messa] *f (azione del mettere):* ~ **a fuoco** Scharfeinstellung *f;* ~ **a massa (*o* a terra)** *el* Erdung *f;* ~ **a punto** *tec* Einstellung *f,* Regulierung *f;* ~ **in marcia** *tec* Ingangsetzen *n;* ~ **in moto** *tec* Anlassen *n;* ~ **in opera** *tec* Installation *f,* Verlegung *f;* ~ **in piega** Legen *n,* (Wasser)welle *f;* ~ **in scena** *v.* **messinscena.**

messaggero, -a [messad'dʒɛ:ro] *m, f* Bote *m,* Botin *f.*

messaggio [mes'saddʒo] ⟨-ggi⟩ *m* **1.** *(notizia)* Nachricht *f; (fig a.)* Botschaft *f;* **2.** *(discorso solenne)* Botschaft *f;* **3.** *inform* Message *f;* **lasciare un** ~ **per qu** für jdn eine Nachricht hinterlassen.

messale [mes'sa:le] *m* Meßbuch *n,* Mis-

sale *n.*
messe ['mɛsse] *f* **1.** *(mietitura)* (Getreide)ernte *f;* **2.** *(quantità di cereali)* Getreide *n,* Korn *n;* **3.** *(epoca)* Erntezeit *f;* **4.** *fig* Ernte *f,* Ausbeute *f.*
messia [mes'si:a] ⟨-⟩ *m:* **il M~** der Messias.
messicano, -a [messi'ka:no] **I.** *agg* mexikanisch; **II.** *m, f* Mexikaner(in) *m(f).*
Messico ['mɛssiko] *m:* **il** ~ Mexiko *n.*
messinscena [messin'ʃɛ:na], **messa in scena** ⟨messe in scena⟩ *f* Inszenierung *f.*
messo[1] ['messo] *pp di* **mettere.**
messo[2] ['messo] *m* **1.** *poet (messaggero)* Bote *m;* **2.** *amm* Amtsdiener *m;* ~ **del tribunale** Gerichtsdiener *m.*
mestiere [mes'tiɛ:re] *m* **1.** *(lavoro)* Beruf *m,* Handwerk *n;* **2.** *(competenza)* Fach *n,* Metier *n,* Handwerk *n;* **di** ~ von Beruf; **essere del** ~ vom Fach sein.
mesto, -a ['mɛsto] *agg* wehmütig, traurig.
mestolo ['mestolo] *m* Schöpflöffel *m.*
mestruale [mestru'a:le] *agg* menstrual, menstruell, Menstruations-. **mestruazione** [...uat'tsio:ne] *f,* **mestruo** ['mɛstruo] *m* Monatsblutung *f,* Regel *f,* Menstruation *f wissensch.*
meta ['mɛ:ta] *f* **1.** *(destinazione)* Ziel *n;* **2.** *(scopo)* Zweck *m.*
metà [me'ta] ⟨-⟩ *f* **1.** *(parte)* Hälfte *f;* **2.** *(punto di mezzo)* Mitte *f;* **3.** *fig scherz (coniuge)* bessere Hälfte *scherz;* **a** ~ halb, zur Hälfte; **a** ~ **strada** auf halbem Wege; **dire le cose a** ~ sich vage ausdrücken; **dividere a** ~ halbieren; **fare a** ~ halbe-halbe machen *fam.*
metabolismo [metabo'lizmo] *m* Stoffwechsel *m,* Metabolismus *m wissensch.*
metadone [meta'do:ne] *m* Methadon *n*
metafisica [meta'fi:zika] *f* Metaphysik *f.*
metafora [me'ta:fora] *f* Metapher *f;* **fuor di** ~ unverblümt; **parlar sotto** ~ etw. durch die Blume sagen.
metaldetector ['metldi'tektə] ⟨-⟩ *m* Metalldetektor *m.*
metalinguaggio [metaliŋ'guaddʒo] *m* Metasprache *f.*
metallico, -a [me'talliko] ⟨-ci, -che⟩ *agg* Metall-, metallen; *(a. fig)* metallisch.
metallizzato, -a [...lid'dza:to] *agg* metallic.
metallo [me'tallo] *m* Metall *n.* **metallurgia** [...lur'dʒi:a] ⟨-gie⟩ *f* Metallurgie *f,* Hüttenkunde *f.* **metallurgico, -a** [...'lurdʒiko] ⟨-ci, -che⟩ **I.** *agg* metallverarbeitend, Metall-, Hütten-; **industria** ~**a** Metallindustrie *f;* **II.** *m, f* Hütten-, Metallarbeiter(in) *m(f).* **metalmeccanico, -a** [metalmek'ka:niko] **I.** *agg* Metall- (und Maschinenbau-); **II.** *m, f* Metallarbeiter(in) *m(f).*
metamorfosi [meta'mɔrfozi] ⟨-⟩ *f* Metamorphose *f.*
metanizzare [metanid'dza:re] *tr (approvvigionare di metano)* mit Erdgas (*o* Methangas) versorgen; *(modificare un impianto)* auf Erdgas(versorgung) umstellen.
metano [me'ta:no] *m* Methan(gas) *n.*
metanodotto [...-'dotto] *m* Erdgasleitung *f,* Gas(fern)leitung *f.*
metastasi [me'tastazi] ⟨-⟩ *f* Metastase *f,* Tochtergeschwulst *f.* **metastatizzante** [...statid'dzante] *agg* Metastasen bildend.
meteo ['mɛ:teo] **I.** *m* (*abbr di* **meteorogramma**) Wettervorhersage *f,* -bericht *m;* **II.** ⟨*inv*⟩ *agg* (*abbr di* **meteorologico**): **situazione** ~ Wetterlage *f.*
meteora [me'tɛ:ora] *f* Meteor *m.* **meteorite** [meteo'ri:te] *m o f* Meteorit *m.*
meteorologia [meteorolo'dʒi:a] ⟨-gie⟩ *f* Meteorologie *f,* Wetterkunde *f.* **meteorologico, -a** [...'lɔ:dʒiko] *agg* meteorologisch; *(bollettino, satellite, stazione)* Wetter-. **meteorologo, -a** [...'rɔ:logo] ⟨-gi, -ghe⟩ *m, f* Meteorologe *m,* -login *f.*
meteoropatia [...ropa'ti:a] *f* Wetterfühligkeit *f.* **meteoropatico, -a** [...'pa:tiko] ⟨-ci, -che⟩ *agg* wetterfühlig. **Meteosat** ['mɛ:teosat] ⟨-⟩ *m* Wettersatellit *m.*
meticcio, -a [me'tittʃo] ⟨-cci, -cce⟩ *m, f* **1.** *biol* Hybride *f o m;* **2.** *(persona)* Mestize *m,* Mestizin *f,* Mischling *m.*
meticolosità [metikolosi'ta] ⟨-⟩ *f* Gewissenhaftigkeit *f,* peinliche Sorgfalt. **meticoloso, -a** [...'lo:so] *agg* gewissenhaft, peinlich genau, minuziös *geh.*
metile [me'ti:le] *m* Methyl *n.*
metodico, -a [me'tɔ:diko] ⟨-ci, -che⟩ *agg* **1.** *(sistematico)* methodisch; **2.** *(abitudinario)* gewohnheitsmäßig; **un uomo** ~ ein Gewohnheitsmensch *m.*
metodismo [meto'dizmo] *m* Methodismus *m.* **metodista** [...'dista] ⟨-i *m,* -e *f*⟩ **I.** *agg* methodistisch, Methodisten-; **II.** *mf* Methodist(in) *m(f).*
metodo ['mɛ:todo] *m* **1.** *(procedimento)* Methode *f,* Verfahren(sweise *f*) *n;* **2.** *(ordine)* System *n,* Methode *f;* **3.** *(manuale)* Leitfaden *m,* Einführung *f;* ~ **globale** Ganzheitsmethode *f;* **senza** ~ planlos.
metodologico, -a [...'lɔ:dʒiko] *agg* methodologisch.
metraggio [me'traddʒo] ⟨-ggi⟩ *m* **1.** *(misurazione)* Messen *n* (nach Metern); **2.** *(quantità)* Meterlänge *f.* **metratura** [...a'tu:ra] *f* Länge *f* in Metern.
metrica ['mɛ:trika] ⟨-che⟩ *f* Verslehre *f,* Metrik *f.* **metrico, -a** [...ko] ⟨-ci, -che⟩ *agg* metrisch.
metro[1] ['mɛ:tro] *m* **1.** *(unità di lunghezza, abbr* **m***)* Meter *m o n;* **2.** *(strumento)* Metermaß *n,* Meterband *n;* **3.** *fig (criterio di giudizio)* Maßstab *m;* **4.** *letter* Metrum *n,* Versmaß *n;* ~ **cubo/quadrato** Kubik-/Quadratmeter *m o n.*
metro[2] [me'tro] ⟨-⟩ *m* Metro *f.*
metronotte [metro'nɔtte] ⟨-⟩ *m* Nacht-

wächter *m.*

metropoli [me'trɔ:poli] ⟨-⟩ *f* **1.** *(grande città)* Großstadt *f,* Metropole *f;* **2.** *(capitale)* Hauptstadt *f.*

metropolitana [metropoli'ta:na] *f* Untergrundbahn *f,* U-Bahn *f; (in superficie)* Stadtbahn *f.* **metropolitano, -a** [...no] **I.** *agg* Großstadt-; **II.** *m* Polizist *m,* Schutzmann *m.*

mettere ['mettere] ⟨metto, misi, messo⟩ **I.** *tr* **1.** *(collocare, apporre)* setzen; *(in piedi)* stellen; *(orizzontalmente)* legen; **2.** *(ficcare)* (hinein)stecken; **3.** *(applicare)* (auf)kleben; *(appendere)* (auf)hängen; **4.** *fam (installare)* installieren; *el* legen; **5.** *(infondere)* erfüllen *(qc a qu* jdn mit etw.); *(paura)* einflößen (*qc a qu* jdm etw.); *(discordia)* säen; *(provocare)* verursachen, auslösen; **6.** *(indossare)* anziehen, tragen; *(cappello a.)* aufsetzen; **7.** *(imporre)* auferlegen; **8.** *(ridurre)* umsetzen, umwandeln, machen zu; **9.** *(sviluppare)* bekommen; *(radici)* ansetzen; **10.** *(alloggiare)* unterbringen; **11.** *(depositare)* deponieren; **12.** *(puntare)* (ein)setzen; **13.** *fam (far pagare)* zahlen lassen; ~ **ai voti** zur Abstimmung bringen; ~ **alla porta** vor die Tür setzen; ~ **a tacere** zum Schweigen bringen; ~ **giù** ab-, hin-, weglegen; ~ **in atto (***o* **in pratica)** in die Tat umsetzen; ~ **in chiaro** klarstellen; ~ **in fuga** in die Flucht schlagen; ~ **in funzione** in Betrieb setzen; ~ **in giro** in Umlauf bringen; ~ **in guardia qu** jdn warnen; ~ **in pericolo** in Gefahr bringen; ~ **qu in libertà** jdm die Freiheit geben; ~ **dentro** *(infilare)* hineinstecken; *fig fam (imprigionare)* einlochen *fam;* ~ **sotto** *fig* überwältigen, besiegen; ~ **su** *(fondare)* gründen; *(organizzare)* einrichten, aufbauen; *(aprire)* eröffnen; *fig (istigare)* anstiften; *fam (mettere a cuocere)* aufsetzen; *(indossare)* anziehen; **metterci** *fig (dedicare)* (darauf) verwenden; *(impiegare)* (dafür) brauchen; **mettercisi** *fig (mettersi d'impegno)* sich daranmachen *fam;* **mettercela tutta** alles daransetzen; ~ **bocca in qc** bei etw. *(dat)* dreinreden, sich in etw. *(akk)* einmischen; ~ **i denti** Zähne bekommen; ~ **le radici** Wurzeln ansetzen; *fig* Wurzeln schlagen; **II.** *itr* **1.** *(sboccare)* münden; **2.** *(germogliare)* keimen, treiben; **3.** *(supporre)* annehmen; **mettiamo che** *+congv* nehmen wir an (*o* angenommen), daß ...; **III.** *rfl:* **-ersi 1.** *(collocarsi)* sich stellen; *(sdraiarsi)* sich legen; **2.** *(cacciarsi)* sich bringen, sich stürzen; **3.** *(indossare)* (sich *dat*) anziehen; *(cappello a.)* (sich *dat*) aufsetzen; **4.** *(unirsi)* sich vereinigen, sich zusammentun; **5.** *(assumere un andamento)* sich anlassen; **-ersi a ...** anfangen zu ..., beginnen zu ...; **-ersi a sedere** sich (hin)setzen; **-ersi a proprio agio** es sich *(dat)* bequem machen; **-ersi al bello/brutto** *(tempo)* schön(er)/schlechter werden; **-ersi al lavoro** sich an die Arbeit machen; **-ersi con qu** *(associarsi)* sich mit jdm vereinigen; *(avere una relazione amorosa)* mit jdm gehen; *(gareggiare)* sich mit jdm messen; **-ersi in contatto con qu** sich mit jdm in Verbindung setzen; **-ersi in vista** sich zur Schau stellen.

mezza ['mɛddza] *f* halbe Stunde; **ci vediamo alla** ~ wir sehen uns um halb eins.

mezzadria [meddza'dri:a] ⟨-ie⟩ *f* Halbpacht *f.* **mezzadro** [...'dza:dro] *m* Halbpächter *m.*

mezzala [med'dza:la] ⟨mezzali *o* mezze ali⟩ *f:* **-destra** Halbrechte *f;* **-sinistra** Halblinke *f.*

mezzaluna [meddza'luna] ⟨mezzelune⟩ *f* **1.** *astr* Halbmond *m;* **2.** *(utensile)* Wiegemesser *n.*

mezzanino [meddza'ni:no] *m* Zwischengeschoß *n,* Mezzanin *n.*

mezzanotte [meddza'nɔtte] ⟨mezzenotti⟩ *f* Mitternacht *f.* **mezz'asta** [med'dzasta] *f:* **a** ~ auf halbmast.

mezzeria [meddze'ri:a] ⟨-ie⟩ *f* mittlere Linie; **linea di** ~ *(di strada)* Mittellinie *f.*

mezzibusti *pl di* **mezzobusto.**

mezzisoprani *pl di* **mezzosoprano.**

mezzo, -a ['mɛddzo] **I.** *agg* **1.** *(metà di un intero)* halb, Halb-; **2.** *(medio, intermedio)* mittlere(r, s); **3.** *fig (quasi)* halb; **vestito di -a stagione** Übergangskleid *n;* **le tre e** ~ drei Uhr dreißig, halb vier; **II.** *m* **1.** *(metà)* Hälfte *f;* **2.** *(parte centrale)* Mitte *f;* **3.** *(espediente)* Mittel *n;* **4.** *(veicolo)* Verkehrsmittel *n,* Fahrzeug *n;* **5.** ⟨*pl*⟩ *(denari, averi)* (Geld)mittel *n pl;* **6.** *fis* Medium *n;* **7.** *fig (misura)* Maß *n;* **8.** *fig (dote, capacità)* Fähigkeit *f;* ~ **legale** Rechtsmittel *n;* **via di** ~ *fig* Mittelweg *m;* **per** ~ **di** *(persona)* durch; *(cosa)* mit, mit Hilfe von; **privo di -i** mittellos; **andarci di** ~ etw. *(akk)* abbekommen *fam;* **esserci di** ~ beteiligt sein, mit von der Partie sein *fam;* **levar (***o* **togliere) di** ~ aus dem Weg räumen, ausschalten; **levarsi (***o* **togliersi) di** ~ von der Bildfläche verschwinden *fam;* **III.** *avv* zur Hälfte, halb-, halb. **mezzobusto** [-'musto] ⟨mezzibusti⟩ *m* **1.** *(di statua)* Büste *f;* **2.** *TV iron* Nachrichtensprecher(in) *m (f),* Fernsehansager(in) *m(f).* **mezzofondista** [-fon'dista] ⟨-i *m,* -e *f*⟩ *mf* Mittelstreckenläufer(in) *m(f)*/-schwimmer(in) *m(f).* **mezzofondo** [-'fondo] *m* Mittelstreckenlauf *m*/-schwimmen *n.*

mezzogiorno [-'dʒorno] *m* **1.** *(le 12)* Mittag *m,* zwölf Uhr (mittags); **2.** *(sud)* Süden *m;* **3.** *(l'Italia meridionale):* **il M~** Süditalien *n.* **mezz'ora** [med'dzo:ra] ⟨mezze ore⟩ *f* halbe Stunde. **mezzolitro**

[-'liːtro] *m* halber Liter. **mezzosoprano** [-so'praːno] ⟨mezzisoprani⟩, **mezzo soprano** *m* Mezzosopran *m*.

mi¹ [mi] **I.** *pron pers 1ª pers sing* **1.** *(complemento di termine)* mir; **2.** *(complemento oggetto)* mich; **II.** *pron rfl 1ª pers sing* mich.

mi² [mi] ⟨-⟩ *m mus* e, E *n*.

miagolare [mi̯ago'laːre] *itr* miauen. **miagolio** [...'liːo] ⟨-ii⟩ *m* Miauen *n*.

MIB [mib] *acr di* **Milano Indice Borsa** *italienischer Aktienindex.*

mica¹ ['miːka] *avv* **1.** *(affatto, per niente):* **non ...** ~ doch nicht, ja nicht, gar nicht; *(per caso)* doch (wohl) nicht; **2.** *fam (non)* nicht; ~ **male quel tipo!** *fam* nicht übel, dieser Typ! *fam.*

mica² ['miːka] ⟨-che⟩ *f min* Glimmer *m*.

miccia ['mittʃa] ⟨-cce⟩ *f* Zündschnur *f*.

Michela [mi'kɛːla] *(nome proprio femminile)* Michaela.

Michele [mi'kɛːle] *(nome proprio maschile)* Michael.

micidiale [mitʃi'di̯aːle] *agg* tödlich; *(a. fig)*.

micio, -a ['miːtʃo] ⟨-ci, -ce⟩ *m, f fam* Mieze *f fam.*

micosi [mi'kɔːzi] ⟨-⟩ *f* Pilzkrankheit *f*, Mykose *f*.

microbiologia [mikrobiolo'dʒiːa] *f* Mikrobiologie *f*.

microbo ['miːkrobo] *m* Mikrobe *f*.

microcalcolatore [mikrokalkola'toːre] *m* Mikrocomputer *m*. **microcassetta** [-kas'setta] *f* Mikrokassette *f*. **microclima** [-'kliːma] *m* Mikroklima *n*. **microcomputer** [-kɔm'pi̯uːtə] ⟨-⟩ *m* Mikrocomputer *m*. **microelettronica** [-elet'trɔːnika] *f* Mikroelektronik *f*. **microfiche** [-'fiʃ] ⟨-⟩ *f* Mikrofiche *m o n*. **microfilm** [-'film] *m* Mikrofilm *m*. **microfilmare** [...'maːre] *tr* mikroverfilmen.

microfono [mi'krɔːfono] *m* Mikrophon *n; tel* Telefonhörer *m*.

microonda [mikro'onda] *f* Mikrowelle *f;* **forno a -e** Mikrowellenherd *m*. **microprocessore** [-protʃes'soːre] *m* Mikroprozessor *m*. **microscheda** [-'skɛːda] *f* Mikrofiche *m o n*.

microscopico, -a [mikros'kɔːpiko] ⟨-ci, -che⟩ *agg* **1.** *tec* mikroskopisch; **2.** *fig (estremamente piccolo)* verschwindend klein, winzig.

microscopio [-s'kɔːpi̯o] ⟨-i⟩ *m* Mikroskop *n;* ~ **elettronico** Elektronenmikroskop *n*.

microsolco [mikro'solko] *m* **1.** *(solco)* Mikrorille *f;* **2.** *(disco)* Langspielplatte *f*.

midollo [mi'dollo] ⟨*pl:* -a *f o rar* -i *m*⟩ *m* **1.** *anat, bot* Mark *n;* **2.** *fig* Mark *n*, Knochen *m;* **bagnarsi (*o* infradiciarsi) fino al** ~ **(*o* alle -a)** *fig fam* bis auf die Knochen naß werden; **un uomo senza** ~ *fig* ein Mann *m* ohne Rückgrat.

mie, miei ['miːe, 'mi̯ɛːi] *v.* **mio.**

miele ['mi̯ɛːle] *m* Honig *m*.

mietere ['mi̯ɛːtere] *tr* **1.** *agr* mähen; **2.** *fig (raccogliere)* einheimsen *fam*, ernten; **3.** *fig (uccidere)* dahinraffen *geh.* **mietitore, -trice** [mi̯eti'toːre] *m, f* Mäher(in) *m(f)*, Schnitter(in) *m(f)*. **mietitrice** [...'triːtʃe] *f* Mähmaschine *f*. **mietitura** [...'tuːra] *f* **1.** *(lavoro)* Mähen *n;* **2.** *(periodo)* Erntezeit *f;* **3.** *(messe)* Getreideernte *f*.

migliaio [miʎ'ʎaːi̯o] ⟨*pl:* -aia *f*⟩ *m* Tausend *n;* **un** ~ **(di ...)** etwa tausend (...); **a -aia** zu Tausenden.

migliarino [miʎʎa'riːno] *m* ⟨*spec. pl*⟩ Schrot *m*.

miglio¹ ['miʎʎo] ⟨*pl:* -glia *f*⟩ *m* **1.** *(unità di misura)* Meile *f;* **2.** *fig (distanza notevole)* meilenweite Entfernung; **3.** *(pietra)* Meilenstein *m;* **essere lontano un** ~ meilenweit entfernt sein.

miglio² ['miʎʎo] ⟨-gli⟩ *m bot* Hirse *f*.

miglioramento [miʎʎora'mento] *m* (Ver)besserung *f*.

migliorare [miʎʎo'raːre] **I.** *tr* ⟨*avere*⟩ (ver)bessern; **II.** *itr* ⟨*essere*⟩ besser werden, sich bessern; **il malato migliora di giorno in giorno** dem Kranken geht es von Tag zu Tag besser; **III.** *rfl:* **-arsi** sich bessern.

migliore [miʎ'ʎoːre] ⟨*comp di* buono⟩ **I.** *agg* **1.** *(comp)* besser; **2.** *(superl rel)* beste(r, s); **un futuro** ~ eine bessere Zukunft; **nel** ~ **dei casi** im günstigsten Fall; **II.** *mf* Beste(r) *mf*. **miglioria** [...ʎo'riːa] ⟨-ie⟩ *f* Ausbau *m*, Umbau *m*.

mignolo ['miɲɲolo] *m* **1.** *(della mano)* kleiner Finger; **2.** *(del piede)* kleiner Zeh.

migrare [mi'graːre] *itr* ⟨*essere*⟩ wandern; *(uccelli a.)* ziehen. **migratore, -trice** [migra'toːre] **I.** *agg* Wander-; *(uccelli)* Zug-; **II.** *m, f* (Aus)wanderer *m*, -wand(r)erin *f*. **migratorio, -a** [...'tɔːri̯o] ⟨-i ,ie⟩ *agg* Migrations-, Wander-. **migrazione** [...t'tsi̯oːne] *f* Wanderung *f*, Migration *f*.

milanese [mila'neːse] **I.** *agg* mailändisch; **risotto alla** ~ Risotto *m* nach Mailänder Art; **II.** *mf* Mailänder(in) *m(f)*.

Milano [mi'laːno] *f* Mailand *n*.

miliardario, -a [mili̯ar'daːri̯o] ⟨-i, -ie⟩ **I.** *m, f* Milliardär(in) *m(f);* **II.** *agg* Milliardär(s)-; *(somma)* Milliarden-; *(persona)* milliardenschwer *fam.*

miliardo [mi'li̯ardo] *m* Milliarde *f*.

miliare [mi'li̯aːre] *agg:* **pietra** ~ *(a. fig)* Meilenstein *m*.

milionario, -a [mili̯o'naːri̯o] ⟨-i, -ie⟩ **I.** *m, f* Millionär(in) *m(f);* **II.** *agg* Millionär(s)-; *(somma)* Millionen-; *(persona)* millionenschwer *fam.*

milione [mi'li̯oːne] *m* Million *f*.

militante [mili'tante] **I.** *agg* militant, streitbar *geh;* **II.** *mf* Militant(in) *m(f)*.

militare [mili'taːre] **I.** *agg* militärisch, Militär-, Soldaten-; **servizio** ~ Wehrdienst *m;* **II.** *m* Soldat *m;* **III.** *itr* **1.** *(fare il soldato)* Soldat sein, dienen, Wehrdienst leisten; **2.** *fig (partecipare attivamente)* aktiv (tätig) sein; ~ **a favore di qu/qc** *fig* für jdn/etw. eine Bresche schlagen.

milite ['mi:lite] *m* **1.** *(soldato)* Soldat *m;* **2.** *(membro)* Milizsoldat *m;* **il M~ Ignoto** der Unbekannte Soldat. **militesente** [milite'sɛnte] *agg amm (libero da obblighi militari)* militärfrei; *(esonerato dal servizio militare)* vom Militärdienst befreit. **milizia** [mi'littsi̯a] ⟨-ie⟩ *f* **1.** *mil (esercito)* Armee *f,* Heer *n;* **2.** *(speciale corpo armato)* Miliz *f.*

millantatore, -trice [millanta'to:re] *m, f* Angeber(in) *m(f),* Prahler(in) *m(f).*

mille ['mille] **I.** *num* (ein)tausend; **II.** ⟨-⟩ *m* (Ein)tausend *f o n;* **le ~ ed una notte** Tausendundeine Nacht; **per ~** pro mille, vom Tausend; **uno su** (*o* **fra**) ~ einer von tausend. **millecento** [-'tʃɛnto] ⟨-⟩ **I.** *m* zwölftes Jahrhundert; **II.** *f mot* Elfhunderter *m fam.* **millefoglie** [-'fɔʎʎe] ⟨-⟩ **I.** *m* (Blätterteig)cremeschnitte *f;* **II.** *f* Schafgarbe *f.* **millenario, -a** [-'na:ri̯o] ⟨-i, -ie⟩ **I.** *agg* **1.** *(che dura mille anni)* tausendjährig; **2.** *(che ricorre ogni mille anni)* alle tausend Jahre, Tausendjahr(es)-; **II.** *m* tausendster Jahrestag. **millennio** [mil'lɛnni̯o] ⟨-i⟩ *m* Jahrtausend *n.* **millepiedi** [mille'pi̯ɛ:di] ⟨-⟩ *m* Tausendfüß(l)er *m.* **millesimo, -a** [mil'lɛ:zimo] **I.** *agg* tausendste(r, s); **II.** *m, f* Tausendste(r, s) *mfn;* **III.** *m (frazione)* Tausendstel *n.* **milleusi** [mille'u:zi] ⟨*inv*⟩ *agg* Mehrzweck-, Allzweck-.

milligrammo [milli'grammo] *m* Milligramm *n.* **millimetro** [mil'li:metro] *m* (*abbr* **mm**) Millimeter *m o n.* **millirem** [milli'rɛm] ⟨-⟩ *m* Millirem *n.*

milza ['miltsa] *f* Milz *f.*

mimare [mi'ma:re] **I.** *tr* mimen, mimisch darstellen; **II.** *itr* schauspielern.

mimetico, -a [mi'mɛ:tiko] ⟨-ci, -che⟩ *agg* **1.** *gener.* mimetisch; **2.** *(imitativo)* imitativ; **3.** *(mimetizzante)* Tarn-, tarnend. **mimetismo** [mime'tizmo] *m* Mimese *f.* **mimetizzare** [...tid'dza:re] **I.** *tr mil* tarnen; **II.** *rfl:* **-arsi** **1.** *mil* sich tarnen; **2.** *zoo* sich der Umgebung anpassen; **3.** *fig (adeguarsi)* sich anpassen.

mimica ['mi:mika] ⟨-che⟩ *f* Mimik *f.* **mimico, -a** [...ko] ⟨-ci, -che⟩ *agg* mimisch; **linguaggio** ~ Gebärdensprache *f.*

mimo ['mi:mo] *m* Pantomime *m,* -mimin *f.*

mimosa [mi'mo:sa] *f* Mimose *f.*

mina ['mi:na] *f* **1.** *(mil, della matita)* Mine *f;* **2.** *(carica esplosiva)* (Spreng)ladung *f;* **3.** *(cunicolo sotterraneo)* Sprenggang *m;* ~ **vagante** *fig* Zeitbombe *f.*

minaccia [mi'nattʃa] ⟨-cce⟩ *f* **1.** *(intimidazione)* Drohung *f;* **2.** *(pericolo)* Bedrohung *f,* Gefahr *f.* **minacciare** [...'tʃa:re] ⟨minaccio, minacci⟩ *tr* **1.** *(spaventare)* bedrohen (*qu di qc* jdn mit etw.), drohen (*qu di qc* jdm mit etw.); **2.** *fig* drohen, befürchten lassen. **minaccioso, -a** [...'tʃo:so] *agg* drohend; *(pericoloso)* bedrohlich, gefährlich.

minare [mi'na:re] *tr* **1.** *(collocare mine)* verminen, Minen legen in *+akk* (*o* auf *+akk*); **2.** *fig (logorare)* untergraben, zerstören.

minareto [mina're:to] *m* Minarett *n.*

minatore [mina'to:re] *m* Bergmann *m.*

minatorio, -a [mina'tɔ:ri̯o] ⟨-i, -ie⟩ *agg (lettera)* Droh-.

minchia [miŋ'ki̯a] ⟨-ie⟩ *f volg reg (pene)* Schwanz *m vulg;* **che** ~ ! so ein Scheiß!.

minerale [mine'ra:le] **I.** *agg* mineralisch, Mineral-; **II.** *m* Mineral *n,* Erz *n.* **mineralogia** [...lo'dʒi:a] ⟨-gie⟩ *f* Mineralogie *f.* **minerario, -a** [...'ra:ri̯o] ⟨-i, -ie⟩ *agg* **1.** *(dei minerali)* Erz-; **2.** *(delle miniere)* Bergbau-, Montan-.

minerva [mi'nɛrva] **I.** ⟨-⟩ *m* Zündhölzer *n pl,* Zündholzbriefchen *n;* **II.** ⟨-e⟩ *f (per il collo)* Stützkorsett *n.*

minestra [mi'nɛstra] *f* **1.** *gastr* Suppe *f;* **2.** *fig* Geschichte *f,* Sache *f;* **è sempre la solita** ~ *fig* es ist immer die alte Geschichte. **minestrone** [...'tro:ne] *m* **1.** *gastr* Gemüseeintopf *m,* Minestrone *f;* *(miscuglio)* Mischmasch *m fam,* Sammelsurium *n fam.*

mingherlino, -a [miŋger'li:no] *agg* schmächtig; *(uomo a.)* schmalbrüstig.

mini ['mi:ni] **I.** ⟨-⟩ *f* Mini(rock) *m;* **II.** ⟨*inv*⟩ *agg* Mini-, mini; **miniabito** [mini'abito] *m* Minikleid *n.* **miniappartamento** [miniapparta'mento] *m* Einzimmerwohnung *f.*

miniatura [mini̯a'tu:ra] *f* **1.** *(arte)* Miniaturmalerei *f;* **2.** *(opera)* Miniatur *f;* **3.** *fig (lavoro di precisione)* Präzisionsarbeit *f;* **in** ~ en miniature.

miniaturizzazione [mini̯aturiddzat'tsi̯o:ne] *f tec* Kleinstbauweise *f.*

minibar ['minibar] ⟨-⟩ *m* Minibar *f.* **minibus** [-bus] ⟨-⟩ *m* Kleinbus *m.* **minicassetta** *f* Minikassette *f.*

miniera [mi'ni̯ɛ:ra] *f* **1.** *min* Bergwerk *n,* Grube *f;* **2.** *fig (fonte)* Fundgrube *f.*

minigolf [mini'gɔlf] *m* Minigolf *n.*

minigonna [mini'gonna *o* ...'gɔnna] *f* Minirock *m.*

minima ['mi:nima] *f* **1.** *meteo* Tiefsttemperatur *f;* **2.** *mus* halbe Note.

minimalismo [minima'lizmo] *m* Minimalismus *m.* **minimalista** [...'lista] ⟨-i *m,* -e *f*⟩ **I.** *agg* minimalistisch; **II.** *mf* **1.** *(fautore di programmi o interventi minimi)* Anhänger(in) *m(f)* des Liberalismus; **2.** *(arte)* Minimalist(in) *m(f).*

minimizzare [minimid'dza:re] *tr* bagatellisieren, verniedlichen.

minimo, -a ['mi:nimo] ⟨*superl di* piccolo⟩ **I.** *agg* **1.** *(estremamente piccolo)* minimal, sehr klein; **2.** *(il più piccolo)* kleinste(r, s); *(a. fig)* geringste(r, s); **3.** *(il più basso)* tiefste(r, s), niedrigste(r, s); **4.** *(ultimo)* Mindest-, äußerste(r, s); **5.** *(nessuno)* geringste(r, s), mindeste(r, s); **II.** *m* **1.** *(la parte più piccola)* Geringste(s) *n,* Mindeste(s) *n;* **2.** *(misura, quantità minima)* Mindestmaß *n,* Minimum *n;* **3.** *mot* Leerlauf *m;* **al** ~ mindestens; **regolare il** ~ den Leerlauf einstellen.

minimum tax ['minimum tæks] ⟨-⟩ *f* Mindeststeuer *f,* Minimum tax *f.*

minio ['mi:nio] *m* Mennige *f.*

ministeriale [ministe'ria:le] *agg* Minister-, ministeriell, ministerial; **crisi** ~ Regierungskrise *f;* **rimpasto** ~ Regierungsumbildung *f.*

ministero [minis'tɛ:ro] *m* **1.** *(dicastero)* Ministerium *n;* **2.** *(governo)* Kabinett *n,* Regierung *f;* **3.** *fig (ufficio)* Mission *f,* hoher Auftrag; ~ **della difesa/degli esteri/delle finanze/di grazia e giustizia** Verteidigungs-/Außen-/Finanz-/Justizministerium *n;* **pubblico** ~ Staatsanwalt *m; (organo)* Staatsanwaltschaft *f.*

ministro [mi'nistro] *m* **1.** *pol* Minister(in) *m(f);* **2.** *rel* Obere(r) *mf;* ~ **degli affari esteri/degli interni/della pubblica istruzione** Außen-/Innen-/Kultusminister(in) *m(f);* ~ **senza portafoglio** Minister(in) *m(f)* ohne Geschäftsbereich; **primo** ~ Premierminister(in) *m(f).*

minoranza [mino'rantsa] *f* Minderheit *f,* Minorität *f.*

minorato, -a [mino'ra:to] **I.** *agg* behindert; **II.** *m, f* Behinderte(r) *mf.* **minorazione** [...rat'tsio:ne] *f* Behinderung *f.*

minore [mi'no:re] ⟨*comp di* piccolo⟩ **I.** *agg* **1.** *(comp: più piccolo)* kleiner; *fig* geringer; *(più breve)* kürzer; *(più giovane)* jünger; *(meno importante)* unbedeutender; *mus* Moll-, -Moll; **1.** *(superl rel)* kleinste(r, s); **II.** *mf* **1.** *(persona più giovane)* Jüngste(r) *mf;* **2.** *(minorenne)* Minderjährige(r) *mf,* Jugendliche(r) *mf.*

minorenne [mino'rɛnne] **I.** *mf* Minderjährige(r) *mf,* Jugendliche(r) *mf;* **tribunale dei -i** Jugendgericht *n;* **II.** *agg* minderjährig. **minorile** [...'ri:le] *agg* Jugend-, jugendlich; **delinquenza/lavoro** ~ Jugendkriminalität *f*/Kinderarbeit *f.* **minoritario, -a** [...ri'ta:rio] ⟨-i, -ie⟩ *agg* Minderheiten-, Minderheits-.

minuetto [minu'etto] *m* Menuett *n.*

minuscolo, -a [mi'nuskolo] **I.** *agg* **1.** *(scrittura)* klein-, klein (geschrieben); **2.** *(piccolissimo)* winzig; **II.** *m o f* Kleinbuchstabe *m,* Minuskel *f.*

minuta [mi'nu:ta] *f* Konzept *n,* Entwurf *m.*

minuto [mi'nu:to] *m* (*abbr* **min.**) Minute *f;* ~ **primo/secondo** Minute *f*/Sekunde *f;* **in un** ~ *fig (rapidamente)* in einer Sekunde *fam;* **spaccare il** ~ *fig* auf die Minute genau sein; **non avere un** ~ **di pace** keine ruhige Minute haben; **ho i -i contati** meine Zeit ist knapp (bemessen).

minuto, -a [mi'nu:to] *agg* **1.** *(piccolo)* klein, Klein-; **2.** *(di poca importanza)* klein; **3.** *(gracile)* zierlich; *(delicato, sottile)* fein; **4.** *(particolareggiato)* genau, eingehend; **al** ~ *econ* en détail.

minuziosità [minuttsiosi'ta] ⟨-⟩ *f* peinliche Genauigkeit. **minuzioso, -a** [...'tsio:so] *agg (lavoro)* minuziös; *(persona)* peinlich genau.

mio, -a ['mi:o] ⟨miei, mie⟩ **I.** *agg* mein; **la -a anima/voce** meine Seele/Stimme; ~ **padre/zio** mein Vater/Onkel; **un** ~ **amico** ein Freund von mir; **II.** *pron:* **il** ~**, la -a** meiner, meine, mein(e)s; **questi libri sono i miei** das sind meine Bücher, diese Bücher gehören mir; **III.** *m:* **il** ~ das Mein(ig)e; **i miei** die Meinen *geh;* **dire la -a** meine Meinung sagen; **essere (***o* **stare) dalla -a** auf meiner Seite sein; **la -a del ...** mein Brief vom ...; **ne ho fatta una delle mie** ich habe wieder eines meiner Dinger gedreht.

miope ['mi:ope] **I.** *agg* kurzsichtig *(a. fig);* **II.** *mf* Kurzsichtige(r) *mf.* **miopia** [mio'pi:a] ⟨-ie⟩ *f* Kurzsichtigkeit *f,* Myopie *f wissensch.*

mira ['mi:ra] *f* **1.** *(il mirare)* Zielen *n,* (An)visieren *n;* **2.** *(bersaglio)* Ziel *n;* **3.** *fig (intenzione, scopo)* Ziel *n,* Zielsetzung *f,* Absicht *f;* **prendere di** ~ **qu** *fig* jdn aufs Korn nehmen *fam.*

mirabile [mi'ra:bile] *agg* bewundernswert; *(meraviglioso)* wunderbar. **mirabilie** [mira'bi:lie] *f pl scherz* Wunderdinge *n pl.*

mirabolante [mirabo'lante] *agg* märchenhaft, unglaublich.

miracolo [mi'ra:kolo] *m* Wunder *n;* ~ **economico** Wirtschaftswunder *n;* **far -i** *fig* Wunder vollbringen; *(cose)* Wunder wirken; **per** ~ wie durch ein Wunder. **miracoloso, -a** [mirako'lo:so] *agg* **1.** *(che fa miracoli)* wundertätig; **2.** *(cosa)* wunderbar; *(persona a.)* phänomenal, fabelhaft.

miraggio [mi'raddʒo] ⟨-ggi⟩ *m* **1.** *fis* Luftspiegelung *f;* **2.** *fig (promessa seducente)* Trugbild *n.*

mirare [mi'ra:re] *itr* **1.** *(puntare)* zielen (*a* auf +*akk*), anvisieren (*a qc* etw.); **2.** *fig (tendere)* abzielen (*a* auf +*akk*), trachten (*a* nach), streben (*a* nach); ~ **in alto** ein hohes Ziel anstreben.

mirato, -a [mi'ra:to] *agg* gezielt; **provvedimento** ~ gezielte Vorkehrungen *f pl.*

miriade [mi'ri:ade] *f* Myriade *f geh.*, Fülle *f.*

mirino [mi'ri:no] *m* **1.** *mil* Korn *n; (a. fig)*

Visier *n,* Fadenkreuz *n;* **2.** *fot* Sucher *m;* **essere nel** ~ *fig* im Visier sein.

mirra ['mirra] *f* Myrrhe *f.*

mirtillo [mir'tillo] *m* Heidelbeere *f,* Blaubeere *f.*

mirto ['mirto] *m* Myrte *f.*

misantropo, -a [mi'zantropo] *m, f* Menschenfeind(in) *m(f),* Misanthrop *m geh.*

miscela [miʃ'ʃɛ:la] *f* Mischung *f; mot* Gemisch *n.* **miscelare** [miʃʃe'la:re] *tr* (ver)mischen. **miscelatore, -trice** [...la'to:re] **I.** *m* **1.** *(apparecchio)* Mixer *m;* **2.** *(recipiente graduato)* Mischbecher *m,* Mixbecher *m;* **II.** *agg* Misch-, Mix-.

mischia ['miskja] ⟨-schie⟩ *f* **1.** *(ammassamento, a. sport)* Gewühl *n,* Gedränge *n;* **2.** *(rissa)* Handgemenge *n,* Getümmel *n.* **mischiare** [...'kja:re] ⟨mischio, mischi⟩ **I.** *tr* (ver)mischen; **II.** *rfl:* **-arsi** sich mischen *(tra* unter *+akk).*

misconoscere [misko'noʃʃere] *tr* verkennen.

miscredente [miskre'dɛnte] **I.** *mf* Ungläubige(r) *mf;* **II.** *agg* ungläubig.

miscuglio [mis'kuʎʎo] ⟨-gli⟩ *m* Mischung *f,* Gemisch *n.*

miserabile [mize'ra:bile] **I.** *agg* **1.** *(compassionevole)* erbärmlich, jämmerlich; **2.** *(povero)* armselig, miserabel; **3.** *peg* erbärmlich, elend, miserabel; **II.** *mf* Elende(r) *mf.*

miseria [mi'zɛ:rja] ⟨-ie⟩ *f* **1.** *(povertà)* Armut *f,* Elend *n;* **2.** *(scarsità)* Mangel *m* *(di* an *+dat),* Not *f (di* an *+dat);* **3.** *(meschinità)* Armseligkeit *f,* Armut *f;* **4.** ⟨*pl*⟩ *(infelicità)* Misere *f,* Nöte *f pl,* Leiden *n pl;* **costare una** ~ spottbillig sein; **porca** ~**!,** ~ **ladra!** *fam* elende (*o* verdammte) Schweinerei! *vulg.*

misericordia [mizeri'kɔrdja] ⟨-ie⟩ *f* Barmherzigkeit *f; (pietà)* Mitleid *n (di* mit), Erbarmen *n (di* mit); **senza** ~ erbarmungslos; ~**, che hai combinato!** barmherziger Himmel, was hast du denn angestellt!. **misericordioso, -a** [...kor'djo:so] *agg* barmherzig; *(compassionevole)* mitleidsvoll, mitleidig.

misero, -a ['mi:zero] *agg* **1.** *(povero)* arm, elend; **2.** *(insufficiente)* kümmerlich, jämmerlich; *(meschino)* kläglich, jämmerlich.

misfatto [mis'fatto] *m* Untat *f,* Missetat *f.*

misi ['mi:zi] *p rem di* **mettere.**

misogino, -a [mi'zɔ:dʒino] *agg* frauenfeindlich, misogyn *geh.*

missaggio [mis'saddʒo] ⟨-ggi⟩ *m film, TV* Mischen *n,* Mixen *n.* **missare** [...'sa:re] *tr film, TV* mischen, mixen.

missile ['missile] *m* Flugkörper *m,* Rakete *f;* ~ **a breve gittata/a lunga gittata/a gittata intermedia** Kurz-/Lang-/Mittelstreckenrakete *f;* ~ **Cruise (***o* **da crociera)** Marschflugkörper *m.*

missino, -a [mis'si:no] *m, f Mitglied o Anhänger der Partei M(ovimento) S(ociale) I(taliano).*

missionario, -a [missjo'na:rjo] ⟨-i, -ie⟩ **I.** *m, f* **1.** *rel* Missionar(in) *m(f);* **2.** *fig (apostolo)* Apostel *m;* **II.** *agg* **1.** *rel* missionarisch, Missions-; **2.** *fig (zelante)* missionarisch; **padre** ~ Missionar *m.*

missione [mis'sjo:ne] *f* Mission *f; (funzione)* Auftrag *m.*

misterioso, -a [miste'rjo:so] *agg* geheimnisvoll, mysteriös.

mistero [mis'tɛ:ro] *m* **1.** *(fenomeno inspiegabile)* Geheimnis *n;* **2.** *(enigma, fatto oscuro a.)* Rätsel *n.*

misticismo [misti'tʃizmo] *m* Mystizismus *m.* **mistico, -a** ['mistiko] ⟨-ci, -che⟩ **I.** *agg* mystisch; **II.** *m, f* Mystiker(in) *m(f).*

mistificare [mistifi'ka:re] ⟨mistifico, mistifichi⟩ *tr* **1.** *(ingannare)* täuschen, irreführen; **2.** *(falsificare)* fälschen. **mistificazione** [...kat'tsjo:ne] *f* Täuschung *f,* Irreführung *f.*

mistilingue [misti'lingue] ⟨*inv*⟩ *agg* mehrsprachig.

misto, -a ['misto] **I.** *agg* Misch-, gemischt; **tessuto** ~ Mischgewebe *n;* **II.** *m* Mischung *f,* Gemisch *n.* **mistura** [...'tu:ra] *f* Gemisch *n,* Mischung *f.*

misura [mi'zu:ra] *f* **1.** *mat* Maß *n,* Maßeinheit *f;* **2.** *(dimensione)* Maß *n;* **3.** *(taglia)* Größe *f;* **4.** *(provvedimento)* Maßnahme *f;* **5.** *(grado, proporzione)* Grad *m,* (Aus)maß *n,* Umfang *m,* Rahmen *m;* **6.** *fig (criterio di valutazione)* Maß *n,* Maßstab *m;* **7.** *mus* Takt *m;* **prendere le -e a qu/di qc** bei jdm Maß nehmen/etw. (ab)messen; **non avere il senso della** ~ kein Gefühl für das rechte Maß haben; **senza** ~ ohne Maß und Ziel (*o* Sinn und Verstand *fam*); **oltre** ~ über die (*o* alle) Maßen; **su** ~ nach Maß, Maß-. **misurare** [mizu'ra:re] **I.** *tr* **1.** *(valutare)* (aus-, ab)messen; *(terreni)* vermessen; **2.** *(provare)* anprobieren; **3.** *(percorrere)* durchmessen *geh;* **4.** *(giudicare)* beurteilen; *(ponderare)* abwägen; **5.** *(limitare)* begrenzen; **6.** *(ridurre eccessivamente)* einschränken; **7.** *(mettere alla prova)* messen *geh;* **II.** *itr* messen; **III.** *rfl:* **-arsi** **1.** *fig (gareggiare)* sich messen *geh (con qu* mit jdm), wetteifern *(con qu* mit jdm); **2.** *(contenersi)* sich mäßigen, maßvoller werden. **misurato, -a** [...'ra:to] *agg* **1.** *(moderato)* mäßig, maßvoll; **2.** *(equilibrato)* ausgeglichen, gemäßigt; **3.** *(ponderato)* abgewogen; **4.** *(limitato)* begrenzt. **misurazione** [...rat'tsjo:ne] *f* Messen *n,* Messung *f; (di terreni)* Vermessung *f.* **misurino** [...'ri:no] *m* Meßbecher *m.*

mite ['mi:te] *agg* **1.** *(benevolo)* mild(e), sanftmütig; *(tono)* mild; *(indulgente a.)* nachsichtig; **2.** *(clima)* mild; **3.** *(mansueto)* zahm; **4.** *(moderato)* mäßig. **mitezza** [mi'tettsa] *f* **1.** *(benevolenza)* Milde *f,* Sanftmut *f; (indulgenza a.)* Nachsicht *f;* **2.** *(di clima)* Milde *f;* **3.** *(mansuetudine)* Zahmheit *f.*

mitico, -a ['mi:tiko] ⟨-ci, -che⟩ *agg* **1.** *(del mito)* mythisch; **2.** *(leggendario)* legendär, sagenhaft.

mitigare [miti'ga:re] ⟨mitigo, mitighi⟩ **I.** *tr* **1.** *(addolcire)* mildern; *(dolore a.)* lindern; **2.** *(attenuare)* (ab)mildern, mindern, dämpfen; **II.** *rfl:* **-arsi** sich mildern, sich abschwächen.

mitizzare [mitid'dza:re] **I.** *tr* zum Mythos erheben, mystifizieren; **II.** *itr* Mythen schaffen.

mito ['mi:to] *m* Mythos *m.* **mitologia** [mitolo'dʒi:a] ⟨-gie⟩ *f* Mythologie *f.* **mitologico, -a** [...'lɔ:dʒiko] ⟨-ci, -che⟩ *agg* **1.** *(di mito)* mythologisch; **2.** *fig (favoloso)* sagenhaft.

mitra[1] ['mi:tra] ⟨-⟩ *m mil* Maschinengewehr *n,* -pistole *f.*

mitra[2] ['mi:tra] *f rel* Mitra *f,* Bischofsmütze *f.*

mitraglia [mi'traʎʎa] ⟨-glie⟩ *f* **1.** *(insieme di colpi)* Feuerstoß *m,* Feuersalve *f;* **2.** *(mitragliatrice)* Maschinengewehr *n.* **mitragliare** [...'ʎa:re] ⟨mitraglio, mitragli⟩ *tr* **1.** *mil* unter Maschinengewehrfeuer nehmen; **2.** *fig (bersagliare)* bombardieren. **mitragliatrice** [...ʎa'tri:tʃe] *f* Maschinengewehr *n.*

mitt. *abbr di* **mittente** Abs. (*abk von* Absender).

mitteleuropeo, -a [mitteleuro'pɛo] *agg* mitteleuropäisch.

mittente [mit'tɛnte] *mf* (*abbr* **mitt.**) Absender(in) *m(f).*

mix [miks] ⟨-⟩ *m* **1.** *(mescolanza)* Mischung *f;* **2.** *(miscela, cocktail)* Mix *m;* **3.** *(disco antologico)* Sampler *m.* **mixare** [mik'sa:re] *tr radio, TV* mischen.

mixer ['mɪksə] ⟨-⟩ *m* **1.** *(recipiente)* Misch-, Mixbecher *m;* **2.** *(del frullatore)* Mixer *m;* **3.** *(apparecchio miscelatore)* Mixer *m;* **4.** *(tecnico)* Mixer *m.*

mm *abbr di* **millimetro** mm (*abk von* Millimeter).

mnemonico, -a [mne'mɔ:niko] ⟨-ci, -che⟩ *agg* Erinnerungs-, Gedächtnis-, mnemotechnisch *wissensch.;* **facoltà -a** Erinnerungsvermögen *n.*

mobile ['mɔ:bile] **I.** *m* **1.** *(oggetto d'arredamento)* Möbel(stück) *n;* **2.** *fis* beweglicher Körper; ~ **portacomputer** Computertisch *m;* **II.** *f* Überfallkommando *n;* **III.** *agg* **1.** *(che si può muovere, a. fin, econ)* beweglich; **2.** *mil* mobil; **3.** *(in movimento)* bewegt; **4.** *(vivace)* lebhaft, lebendig. **mobilia** [mo'bi:lia] ⟨-ie⟩ *f* Mobiliar *n,* Hausrat *m.* **mobiliare** [mobi'lia:re] *agg econ* beweglich; **mercato** ~ Effektenmarkt *m.* **mobilio** [mo'bi:lio] ⟨-i⟩ *m* Mobiliar *n,* Hausrat *m.* **mobilità** [mobili'ta] ⟨-⟩ *f* **1.** *(capacità di spostamento)* Beweglichkeit *f;* *(professionale, sociale, del lavoro)* Mobilität *f;* **2.** *(vivacità)* Lebhaftigkeit *f,* Lebendigkeit *f.* **mobilitare** [...'ta:re] **I.** *tr* mobilisieren; **II.** *rfl:* **-arsi** sich in Bewegung setzen. **mobilitazione** [...tat'tsio:ne] *f* **1.** *(appello generale)* Mobilisierung *f;* **2.** *mil* Mobilmachung *f.*

moca, moka ['mɔ:ka] **I.** ⟨-⟩ *m* Mokka(-kaffee) *m;* **II.** ⟨-che, -ke⟩ *f* Kaffeemaschine *f* (für Espresso).

mocassino [mokas'si:no] *m* Mokassin *m.*

moccio ['mottʃo] ⟨-cci⟩ *m* Nasenschleim *m,* Rotz *m fam.* **moccioso, -a** [...'tʃo:so] **I.** *agg* verschleimt; **II.** *m, f fig, peg* Rotznase *f fam.*

moccolo ['mɔkkolo *o* 'mok...] *m* **1.** *(di candela)* Kerzenstummel *m;* **2.** *fam (bestemmia)* Fluch *m;* **3.** *(moccio)* Nasenschleim *m,* Rotz *m fam;* **reggere il** ~ *fig* Anstandswauwau sein *fam;* **mandare (***o* **tirare) -i** *fam* Gift und Galle spucken *fam.*

moda ['mɔ:da] *f* Mode *f;* **alla** ~ nach der Mode, modisch; **l'alta** ~ die Haute Couture; ~ **pronta** Konfektion *f;* **fuori** ~ altmodisch; **di** ~ modern; **andare (***o* **essere) di** ~ (in) Mode (*o* modern) sein; **passare di** ~ aus der Mode kommen; **seguire la** ~ mit der Mode gehen.

modalità [modali'ta] ⟨-⟩ *f* Bedingung *f;* *(amm a.)* Bestimmung *f;* ~ **di pagamento/d'uso** Zahlungsbedingungen *f pl*/Gebrauchsanweisung *f.*

modella [mo'dɛlla] *f (persona)* Modell *n;* *(indossatrice)* Mannequin *n.*

modellare [model'la:re] **I.** *tr* **1.** *(plasmare)* formen, modellieren; **2.** *(disegnare)* umreißen, skizzieren; **3.** *fig (conformare ad un modello)* ausrichten (*su* an *+dat*); **II.** *rfl:* **-arsi** sich richten (*su* nach), sich orientieren (*su* an *+dat*). **modellatore** [...la'to:re] *m* Korsett *n.* **modellino** [...'li:no] *m (oggetto)* Modell *n.* **modellismo** [...'lizmo] *m* Modellbau *m.* **modellista** [...'lista] ⟨-i *m,* -e *f*⟩ *mf* **1.** *(ideatore)* Modelleur(in) *m(f),* Modellist(in) *m(f);* *(di abiti)* Modelldesigner(in) *m(f);* **2.** *(esecutore)* Modelleur(in) *m(f),* Modellbauer(in) *m(f).*

modello [mo'dɛllo] *m* **1.** *gener.* Modell *n;* *(oggetto di riferimento)* Muster *n;* **2.** *(abito)* Modell(kleid) *n;* **3.** *(figurino)* (Schnitt)muster *n;* **4.** *fig (esempio)* Modell *n geh,* Muster *n* (*di* an), Vorbild *n;* **5.** *(forma, stampo)* Form *f.*

modem ['mɔ:dem] ⟨-⟩ *m* Modem *n.*

moderare [mode'ra:re] **I.** *tr* **1.** *(ridurre)* vermindern, mäßigen; *(spese, lusso)* einschränken; **2.** *(misurare)* zügeln, mäßigen; **II.** *rfl:* **-arsi** sich mäßigen, Maß halten. **moderatezza** [...ra'tettsa] *f* maßvolles Verhalten. **moderato, -a** [...'ra:to] *agg* **1.** *(non eccessivo)* maßvoll, mäßig; *(nel mangiare, fumare, bere)* maßvoll; *(equilibrato)* ausgeglichen; **2.** *pol* gemäßigt; **3.** *mus* moderato, mäßig schnell.

moderatore, -trice [...ra'to:re] **I.** *m, f* Moderator(in) *m(f);* **II.** *m fis* Moderator *m.* **moderazione** [...rat'tsio:ne] *f* Mäßigkeit *f; (nel bere, mangiare, fumare)* Maßhalten *n.*

modernità [...ni'ta] ⟨-⟩ *f* Modernität *f.*

modernizzare [...nid'dza:re] **I.** *tr* modernisieren; **II.** *rfl:* **-arsi** mit der Zeit gehen, sich der Zeit anpassen.

moderno, -a [mo'dɛrno] **I.** *agg* modern; *(lingua)* neuere(r, s); *(storia)* neuzeitlich; **II.** *m* Moderne(s) *n.*

modestia [mo'dɛstia] ⟨-ie⟩ *f* **1.** *(virtù)* Bescheidenheit *f;* **2.** *(sobrietà)* Genügsamkeit *f,* Anspruchslosigkeit *f;* **3.** *(pudore)* Sittsamkeit *f;* **4.** *(limitatezza)* Mäßigkeit *f; (mediocrità)* Mittelmäßigkeit *f;* ~ **a parte** *scherz* bei aller Bescheidenheit. **modesto, -a** [...to] *agg* **1.** *(umile)* bescheiden; *(parsimonioso)* anspruchslos, genügsam; **2.** *(privo di sfarzo)* bescheiden, einfach; *(limitato)* mäßig, gering; *(prezzo)* niedrig, reell; **3.** *(pudico, serio)* sittsam, anständig; **4.** *peg (mediocre)* mittelmäßig.

modico, -a ['mɔ:diko] ⟨-ci, -che⟩ *agg* gering; *(prezzi)* niedrig, mäßig.

modifica [mo'di:fika] ⟨-che⟩ *f* (Ab-, Um-, Ver)änderung *f,* Modifikation *f geh.* **modificare** [modifi'ka:re] ⟨modifico, modifichi⟩ **I.** *tr* (ab-, um-, ver)ändern, modifizieren *geh;* **II.** *rfl:* **-arsi** sich (ver)ändern. **modificazione** [...kat'tsio:ne] *f* (Ab)änderung *f,* Modifizierung *f geh.*

modista [mo'dista] *f* Modistin *f.*

modo ['mɔ:do] *m* **1.** *(maniera)* Art *f,* Weise *f,* Art und Weise *f;* **2.** *(comportamento)* Benehmen *n,* Art *f,* Manieren *pl;* **3.** *(abitudine, usanza)* Art *f;* **4.** *(occasione)* Gelegenheit *f,* Möglichkeit *f;* **5.** *(limite, regola)* Maß *n;* **6.** *gram, inform* Modus *m;* **7.** *(locuzione)* Redewendung *f;* **8.** *mus* Tonart *f;* ~ **condizionale/congiuntivo/indicativo** Konditional *m*/Konjunktiv *m*/Indikativ *m;* ~ **maggiore/minore** Dur(tonart *f*) *n*/Moll (tonart *f*) *n;* **una persona a** ~ eine anständige Person; ~ **di dire** Redensart *f;* **ad** (*o* **in**) **ogni** ~ auf jeden Fall, jedenfalls; **a quel** (*o* **questo**) ~ auf diese Art, so; **di** (*o* **in**) ~ **che** *+congv* so, daß . . .; **in che** ~? wie?; **in nessun** ~ auf keinen Fall; **in qualche** ~ irgendwie; **in qualunque** ~ unter allen Umständen, mit allen Mitteln; *(in ogni caso)* auf jeden Fall; **c'è** ~ **e** ~ **di dire qc** man kann etwas so oder so sagen; ~ **operativo on-line/off-line** *inform* On-line-/Off-line-Betrieb *m.*

modulare[1] [modu'la:re] *agg* **1.** *amm* Formular-; **2.** *tec, inform* Modul(ar)-.

modulare[2] [modu'la:re] *tr* **1.** *mus, fis* modulieren; **2.** *radio, tec* regeln. **modulatore** [...la'to:re] *m* Modulator *m.* **modulazione** [...lat'tsio:ne] *f* **1.** *fis, radio* Modulation *f;* **2.** *mus* Übergang *m,* Modulieren *n.*

modulo ['mɔ:dulo] *m* **1.** *(formulario)* Formblatt *n,* Formular *n,* Vordruck *m;* **2.** *tec, arch, mat* Modul *m;* **carta a** ~ **continuo** Endlospapier *n;* ~ **lunare** Mond(lande)fähre *f.*

moffetta [mo'fetta] *f* Stinktier *n,* Skunk *m.*

moffo, -a ['mɔffo] *agg sl* down *fam.*

mogano ['mɔ:gano] *m* Mahagoni *n.*

mogio, -a ['mɔ:dʒo] ⟨-gi, -ge⟩ *agg* **1.** *(avvilito)* niedergeschlagen, bedrückt; **2.** *(privo di vivacità)* schlapp, lustlos.

moglie ['moʎʎe] ⟨-gli⟩ *f* (Ehe)frau *f,* Gattin *f geh;* **dare in** ~ zur Frau geben; **prender** ~ heiraten.

moina [mo'i:na] *f* Schmeichelei *f;* **fare le -e a qu** *fam* jdm um den Bart gehen.

mola ['mɔ:la] *f* Schleifstein *m,* Schleifscheibe *f; (da mulino)* Mühlstein *m.*

molare[1] [mo'la:re] **I.** *m* Backenzahn *m;* **II.** *agg* **1.** *anat:* **dente** ~ Backenzahn *m;* **2.** *(della mola):* **pietra** ~ Mühlstein *m.*

molare[2] [mo'la:re] *tr* schleifen.

Moldavia [mol'da:via] *f* Moldawien *n.*

mole ['mɔ:le] *f* **1.** *(dimensione)* Ausmaß *n,* Umfang *m;* **2.** *arch* (imponierendes) Bauwerk *n,* Burg *f;* **3.** *(volume)* (wuchtige) Masse *f;* **4.** *fig (quantità)* Menge *f,* Masse *f fam;* ~ **di lavoro** Arbeitspensum *n.*

molecola [mo'lɛ:kola] *f* Molekül *n.* **molecolare** [moleko'la:re] *agg* molekular, Molekular-.

molestare [moles'ta:re] *tr* belästigen. **molestia** [mo'lɛstia] ⟨-ie⟩ *f* **1.** *(fastidio)* Plage *f,* Lästigkeit *f;* **2.** *(azione molesta)* Belästigung *f;* **3.** *dir* Störung *f,* Unfug *m.*

molesto, -a [mo'lɛsto] *agg* lästig.

molla ['mɔlla] *f* **1.** *tec* Feder *f;* **2.** ⟨*pl*⟩ Zange *f;* **3.** *fig (impulso)* Triebfeder *f fig;* ~ **a balestra** Blattfeder *f;* **prendere qu con le -e** *fig fam* jdn mit Vorsicht genießen, jdn mit Glacéhandschuhen anfassen.

mollare [mol'la:re] **I.** *tr* **1.** *(lasciar andare)* loslassen; *naut (ormeggi)* losmachen; *(vele)* klarmachen; **2.** *(allentare)* locker machen; *(presa)* lockern; **3.** *fig fam (sberla, schiaffo, ceffone)* austeilen, verpassen *fam;* **4.** *(lasciar perdere)* hinschmeißen *fam;* **II.** *itr* **1.** *(cedere)* nachgeben; **2.** *fig fam (smetterla)* lockerlassen *fam;* **tira e molla** nach langem Hin und Her.

molle ['mɔlle] **I.** *agg* **1.** *(morbido)* weich; *(flessibile)* biegsam, geschmeidig; **2.** *(bagnato)* naß, durchnäßt; *(umido)* feucht; **3.** *ling (palatalizzato)* palatal; **4.** *fig (debole)* schwach, weichlich; **5.** *fig (rilassato)* locker *fam,* entspannt; *peg* nachlässig; *(dolce, mite)* sanft; *(sciolto)* gelöst, gelockert; **II.** *m* Weiche(s) *n.*

molleggiare [molled'dʒa:re] ⟨molleggio, molleggi⟩ **I.** *itr* federn; **II.** *tr* elastisch machen, eine Federung anbringen in *+dat(o* an *+dat); **III.** rfl:* **-arsi** sich federnd bewegen. **molleggio** [...'leddʒo] ⟨-ggi⟩ *m* Federung *f.*

molletta [mol'letta] *f* **1.** *(per capelli)* (Haar)klammer *f,* -klemme *f;* **2.** *(per panni)* (Wäsche)klammer *f;* **3.** ⟨*pl*⟩ *(per zucchero)* Zuckerzange *f; (per ghiaccio)* Eiszange *f.*

mollettone [mollet'to:ne] *m* Molton *m; (sottotovaglia)* Tischdeckenunterlage *f.*

mollezza [mol'lettsa] *f* **1.** *(l'essere molle)* Weichheit *f;* **2.** *fig (fiacchezza)* Weichlichkeit *f,* Schwäche *f;* **3.** ⟨*pl*⟩ *(agio)* Bequemlichkeit *f.*

mollica [mol'li:ka] ⟨-che⟩ *f* (Brot)krume *f;* ⟨*spec. al pl*⟩ Krümel *m.*

mollusco [mol'lusko] ⟨-schi⟩ *m* Weichtier *n,* Molluske *f.*

molo ['mɔ:lo] *m* (Hafen)mole *f.*

molotov ['mɔ:lotov] ⟨-⟩ *f* Molotowcocktail *m.*

molteplice [mol'te:plitʃe] *agg* vielfältig.

molteplicità [...teplitʃi'ta] ⟨-⟩ *f* Vielfältigkeit *f; (varietà)* Vielfalt *f.*

moltiplica [mol'ti:plika] ⟨-che⟩ *f tec* Übersetzung *f.*

moltiplicare [moltipli'ka:re] ⟨moltiplico, moltiplichi⟩ **I.** *tr* **1.** *mat* multiplizieren; **2.** *(accrescere)* vervielfachen, vermehren; *fig* steigern; ~ **3 per 7** 3 mit 7 multiplizieren; **II.** *rfl:* **-arsi 1.** *(riprodursi)* sich vermehren, sich fortpflanzen; **2.** *(aumentare)* sich (ver)mehren, mehr werden. **moltiplicatore** [...ka'to:re] *m* **1.** *mat, fig* Multiplikator *m;* **2.** *tec* Verstärker *m,* Vervielfacher *m; (di velocità)* Übersetzungsgetriebe *n.* **moltiplicazione** [...kat'tsio:ne] *f* **1.** *mat* Multiplikation *f;* **2.** *(accrescimento numerico)* Vermehrung *f,* Zuwachs *m.*

moltissimo [mol'tissimo] *superl di* **molto.**

moltitudine [molti'tu:dine] *f* Menge *f; (folla a.)* Masse *f.*

molto, -a ['molto] ⟨più, moltissimo⟩ **I.** *agg* **1.** *(in gran numero)* viel; **2.** *(intenso, grande)* groß; **3.** *(lungo)* lange; **II.** *avv* **1.** *(quantità)* viel; **2.** *(intensità)* sehr; **3.** *(a lungo)* lange; **4.** *(spesso)* oft, viel; **5.** *(caro)* viel; **6.** *(con comparativi)* viel; **7.** *fam iron (affatto, per nulla)* viel *fam;* **III.** *m* Viele(s) *n;* **IV.** *pron* viel(e, s); **a dir** ~ höchstens; **esserci** ~ weit sein; **fra non** ~ in Kürze; **per** ~ auf lange (Zeit hinaus); ~ **dopo/prima** viel später/früher; **né** ~ **né poco** überhaupt nicht(s).

momentaneo, -a [momen'ta:neo] *agg* augenblicklich, momentan.

momento [mo'mento] *m* **1.** *(istante)* Augenblick *m,* Moment *m; (periodo)* Zeit(-raum *m*) *f;* **2.** *(circostanza)* Zeitpunkt *m,* Moment *m;* **3.** *fis, fig* Moment *n;* **a -i** jeden Moment; *(quasi)* um ein Haar; **dal ~ che . . .** da . . .; **da un ~ all'altro** von einem Augenblick zum andern; *(subito)* jeden Augenblick/Moment; **del** ~ momentan; **in qualunque** ~ jederzeit; **in un** ~ in einem Augenblick, im Nu; **tutti i -i** alle Augenblicke; **ogni** ~ andauernd, ununterbrochen; **per il** ~ einstweilen, vorläufig; **sul** ~ sofort, auf der Stelle; **non vedere il** ~ **di** *+inf* den Augenblick nicht erwarten können, da . . .; **un** ~! einen Augenblick (mal)!

monaca ['mɔ:naka] ⟨-che⟩ *f* Nonne *f.*

monaco ['mɔ:nako] ⟨-ci⟩ *m* Mönch *m.*

Monaco ['mɔ:nako] *f* **1.** *(principato)* Monaco *n;* **2.** *(~ di Baviera)* München *n.*

monarca [mo'narka] ⟨-chi⟩ *m* Monarch *m.* **monarchia** [...'ki:a] ⟨-chie⟩ *f* Monarchie *f.* **monarchico, -a** [mo'narkiko] ⟨-ci, -che⟩ **I.** *agg* monarchistisch; **II.** *m, f* Monarchist(in) *m(f).*

monastero [monas'tɛ:ro] *m* Kloster *n.*

moncherino [moŋke'ri:no] *m* Armstumpf *m.*

monco, -a ['moŋko] ⟨-chi, -che⟩ **I.** *agg (a. fig)* verstümmelt; **II.** *m, f* Krüppel *m.*

mondano, -a [mon'da:no] *agg* **1.** *(ricercato)* mondän; *(frivolo)* Halbwelt-; **2.** *(del mondo)* weltlich.

mondare [mon'da:re] *tr* **1.** *(pulire)* säubern; *(verdura)* putzen; *(insalata)* verlesen; **2.** *(sbucciare)* schälen.

mondezza [mon'dettsa] *f dial (spazzatura)* Kehricht *m,* Müll *m.*

mondiale [mon'dia:le] **I.** *agg* **1.** *(del mondo)* Welt-; **2.** *fig fam (ottimo)* fabelhaft, spitzenmäßig *sl;* **campionato** ~ Weltmeisterschaft *f;* **di fama** ~ von Weltruf; **II.** *m* ⟨*pl*⟩ *sport* Weltmeisterschaften *f pl.*

mondo ['mondo] *m* **1.** *gener.* Welt *f; (universo a.)* Weltall *n; (terra a.)* Erde *f;* **2.** *fig (regno)* Reich *n; (ambiente sociale, civiltà)* Welt *f;* **3.** *fig (gran quantità)* Unmenge *f,* Fülle *f;* **il ~ animale/minerale/vegetale** das Tier-/Mineral-/Pflanzenreich; **il bel** ~ die vornehme Welt; **l'altro** ~ das Jenseits; **il Terzo M**~ die Dritte Welt; **cose dell'altro** ~ *fam* haarsträubende (*o* unglaubliche) Dinge; **divertirsi un** ~ *fam* sich köstlich amüsieren; **fare il giro del** ~ eine Weltreise machen; **essere la fine del** ~ *fam* umwerfend (*o* super *fam*) sein; **non sarà la fine del** ~ davon geht die Welt nicht unter *fam;* **mettere/venire al** ~ zur Welt bringen/auf die Welt kommen; **fuori del** ~ *fig* weltfremd; **da che** ~ **è** ~ seit die Welt besteht; **per nessuna cosa (***o* **per niente) al** ~ nicht um alles in der Welt; **tutto il** ~ **è paese** *prov* die Menschen sind doch überall gleich.

mondovisione [mondovi'zio:ne] *f* Satellitenübertragung *f.*

monegasco, -a [mone'gasko] ⟨-schi, -sche⟩ **I.** *agg* monegassisch; **II.** *m, f* Monegasse *m,* Monegassin *f.*
monello, -a [mo'nɛllo] **I.** *m, f* **1.** *(ragazzo di strada)* Straßenjunge *m;* **2.** *(ragazzo vivace)* Lausbub *m fam,* Lausejunge *m fam;* **II.** *f* Göre *f.*
moneta [mo'ne:ta] *f* **1.** *fin* Münze *f,* Geldstück *n; (denaro)* Geld *n; (valuta)* Währung *f; (spicciolo)* Kleingeld *n;* **2.** *(nell'ippica)* (Wett)einsatz *m;* ~ **cartacea/metallica** Papier-/Hartgeld *n;* ~ **debole/forte** weiche/harte Währung; **ha** ~? haben Sie es klein? *fam;* **(ri)pagare qu con la stessa** ~ *fig* es jdm mit gleicher Münze heimzahlen. **monetario, -a** [mone'ta:rjo] ⟨-i, -ie⟩ *agg* Münz-, Geld-, Währungs-; **Sistema M~ Europeo** (*abbr* **SME**) Europäisches Währungssystem (*abk* EWS); **mercato** ~ Geldmarkt *m.*
mongolfiera [moŋgol'fjɛ:ra] *f* (Warmluft)ballon *m.*
mongoloide [moŋgo'lɔ:ide] **I.** *agg* mongoloid; **II.** *mf* Mongoloide(r) *mf.*
monile [mo'ni:le] *m* Schmuckstück *n.*
monito ['mɔ:nito] *m* Mahnung *f.*
monitor ['mɔnɪtə] ⟨-⟩, **monitore** [moni'to:re] *m* Monitor *m (a. inform),* Kontrollbildschirm *m.*
monoblocco [mono'blɔkko] *m* Zylinderblock *m.*
monocamerale [-kamerale *agg* Einkammer-.
monocolo [mo'nɔ:kolo] *m* **1.** *(lente)* Monokel *n;* **2.** *(canocchiale)* Fernrohr *n.*
monocolore [monoko'lo:re] **I.** ⟨*inv*⟩ *agg* **1.** *pol* Einparteien-; **2.** *(di un solo colore)* einfarbig; **II.** ⟨-⟩ *m* Einparteienregierung *f.* **monogamia** [-ga'mi:a] ⟨-ie⟩ *f* Einehe *f,* Monogamie *f.* **monogenitore** [-dʒeni'to:re] ⟨*inv*⟩, **monogenitoriale** [...to'rja:le] *agg:* **famiglia** ~ Einelternfamilie *f.* **monogramma** [-'gramma] ⟨-i⟩ *m* Monogramm *n.* **monolingue** [-'liŋgue] ⟨*inv*⟩ *agg* einsprachig.
monolito [mo'nɔ:lito] *m* Monolith *m.*
monolocale [monolo'ka:le] *m* Einzimmerwohnung *f.*
monologo [mo'nɔ:logo] ⟨-ghi⟩ *m* Monolog *m,* Selbstgespräch *n.*
monopattino [mono'pattino] *m* **1.** Roller *m.* **2.** *(skate-board)* Skateboard *n.* **monoplano** [-'pla:no] *m* Eindecker *m.*
monopoli® [mo'nɔ:poli] ⟨-⟩ *m* Monopoly® *n.*
monopolio [mono'pɔ:ljo] ⟨-i⟩ *m (a. fig)* Monopol *n.* **monopolizzare** [...lid'dza:re] *tr* **1.** *econ* monopolisieren; **2.** *fig (accentrare su di sé)* (auf sich) konzentrieren; **3.** *fig (riservare a pochi)* reservieren, (für sich) in Anspruch nehmen.
monosci [monoʃ'ʃi] ⟨-⟩ *m* Monoski *m.*
monosillabico, -a [-sil'la:biko] **I.** *agg* einsilbig; **II.** *m* einsilbiges Wort.
monoteismo [-te'izmo] *m* Monotheismus *m.* **monoteista** [...'ista] ⟨-i *m,* -e *f*⟩ **I.** *mf* Monotheist(in) *m(f);* **II.** *agg* monotheistisch.
monotonia [-to'ni:a] ⟨-ie⟩ *f* Eintönigkeit *f,* Monotonie *f.* **monotono, -a** [mo'nɔ:tono] *agg (uniforme)* gleichförmig, monoton; *(privo di varietà a.)* eintönig; *fig (noioso a.)* langweilig.
monouso [mono'u:zo] ⟨*inv*⟩ *agg* Einweg-, Wegwerf-; **siringa** ~ Einweg-, Einmalspritze *f.*
monovolume [-vo'lu:me] *f mot* Schrägheck *n.*
monovulare [-vu'la:re] *agg* eineiig.
monsignore [monsiɲ'ɲo:re] *m* Monsignore *m.*
monsone [mon'so:ne] *m* Monsun *m.*
monta ['monta] *f* **1.** *(accoppiamento)* Decken *n,* Beschälung *f;* **2.** *(luogo)* Deckstation *f;* **3.** *sport* Reiten *n.*
montacarichi [monta'ka:riki] ⟨-⟩ *m* Lastenaufzug *m.*
montaggio [mon'taddʒo] ⟨-ggi⟩ *m* **1.** *tec* Montage *f;* **2.** *film* Montage *f,* Schnitt *m;* **3.** *(incorniciatura)* Rahmung *f;* **catena di** ~ Fließband *n.*
montagna [mon'taɲɲa] *f* **1.** *(monte)* Berg *m;* **2.** *(regione montuosa)* Gebirge *n,* Berge *m pl;* **3.** *fig (grande quantità)* Berg, Haufen *m fam;* **andare in** ~ in die Berge fahren; ~ **di burro** Butterberg *m;* **-e russe** Achterbahn *f;* **mal di** ~ Höhenkrankheit *f.* **montagnoso, -a** [...'ɲo:so] *agg* bergig, gebirgig.
montanaro, -a [monta'na:ro] **I.** *m, f* Gebirgsbewohner(in) *m(f),* Bergbewohner(in) *m(f);* **II.** *agg* Gebirgs-, Berg-. **montano, -a** [...'ta:no] *agg* Gebirgs-, Berg-.
montante [mon'tante] *m* **1.** *(asta)* Pfeiler *m; (a. sport: calcio)* Pfosten *m; (intelaiatura)* Rahmen *m;* **2.** *(nel pugilato)* Aufwärtshaken *m;* **3.** *fin* aufgelaufene Summe.
montare [mon'ta:re] **I.** *itr* ⟨*essere*⟩ **1.** *(salire)* (auf)steigen; *(in macchina, treno)* einsteigen; **2.** *(aumentare di livello)* (an)steigen; **3.** *(andare a cavallo):* ~ **a cavallo** reiten; **II.** *tr* ⟨*avere*⟩ **1.** *(salire)* hinaufsteigen; **2.** *(cavalcare)* besteigen; **3.** *zoo (accoppiarsi)* bespringen, besteigen; **4.** *(comporre)* auf-, zusammenbauen, aufstellen; *(mobili a.)* einbauen; *tec* montieren; **5.** *gastr* schlagen; **6.** *(incastonare)* (ein)fassen; *(incorniciare)* (ein)rahmen; **7.** *film* montieren; **8.** *fig (esagerare)* aufbauschen, übertreiben; ~ **la guardia** auf Wache ziehen; ~ **la testa a qu** *fig* jdm den Kopf verdrehen; **III.** *rfl:* **-arsi la testa** *fig* sich *(dat)* wunder was einbilden *fam.* **montatura** [...ta'tu:ra] *f* **1.** *(incastonatura)* Fassung *f; (supporto)* Gestell *n; (incorniciatura)* Rahmung *f,* Rahmen *m;* **2.** *fig (esagerazione)* Auf-

bauschen *n,* Übertreibung *f;* ~ **degli occhiali** Brillenfassung *f.*
monte ['monte] *m* **1.** *(rilievo)* Berg *m;* **2.** *fig (grande quantità)* Berg *m,* Haufen *m fam;* **3.** *fin (somma)* Geldsumme *f; (banca)* Geldinstitut *n;* ~ **di pietà** Leihhaus *n;* ~ **di Venere** Venusberg *m;* **M~ Bianco** Montblanc *m;* **a** ~ tal-, stromaufwärts; **andare a** ~ *fig* ins Wasser fallen, scheitern; **mandare a** ~ über den Haufen werfen *fam.*
montepremi [monte'prɛ:mi] ⟨-⟩ *m* Gesamtgewinn *m.*
montone [mon'to:ne] *m* Schafbock *m; (castrato)* Hammel *m.*
montuosità [montuosi'ta] ⟨-⟩ *f* Gebirgigkeit *f.* **montuoso, -a** [...u'o:so] *agg* gebirgig, bergig.
monumentale [monumen'ta:le] *agg* **1.** *(di monumento)* Denkmal(s)-, Monumental-; **2.** *(città, regione, zona)* reich an Denkmälern; **3.** *fig (enorme)* monumental.
monumento [monu'mento] *m* Monument *n; (a. fig)* Denkmal *n.*
moon boot ['mu:n bu:t] ⟨-⟩ *m* Moonboots *pl.*
moquettato, -a [moket'tato] *agg* mit Teppichboden (ausgelegt).
moquette [mo'kɛt] ⟨-⟩ *f* Teppichboden *m.*
mora[1] ['mɔ:ra] *f bot (del rovo)* Brombeere *f; (del gelso)* Maulbeere *f.*
mora[2] ['mɔ:ra] *f dir* Verzug *m;* **interessi di** ~ Verzugszinsen *m pl.*
mora[3] *f v.* **moro, -a.**
morale [mo'ra:le] **I.** *agg* moralisch, Moral-; **II.** *f* **1.** *(moralità)* Moral *f;* **2.** *(insegnamento)* Lehre *f; (della favola)* Moral *f;* **III.** *m (spirito)* Stimmung *f,* Moral *f;* **essere giù di** ~ seinen Moralischen haben *fam,* down sein *fam;* **essere su di** ~ gute Laune haben, gut drauf sein. **moralista** [...'lista] ⟨-i *m,* -e *f*⟩ *mf* Moralist(in) *m(f); peg* Moralprediger(in) *m(f).* **moralità** [...li'ta] ⟨-⟩ *f* Sittlichkeit *f; (morale)* Moral *f.*
moratoria [mora'tɔ:ria] ⟨-ie⟩ *f* **1.** *(sospensione)* Moratorium *n,* (Zahlungs)aufschub *m;* **2.** *(dilazione)* Stundung *f,* Aussetzung *f.*
morbidezza [morbi'dettsa] *f* Weichheit *f,* Zartheit *f.* **morbido, -a** ['mɔrbido] *agg (a. fig)* weich.
morbillo [mor'billo] *m* Masern *pl.*
morbo ['mɔrbo] *m* **1.** *med* Krankheit *f;* **2.** *fig (piaga)* Plage *f,* Übel *n;* ~ **di Alzheimer** Alzheimer-Krankheit *f.* **morboso, -a** [...'bo:so] *agg* krankhaft, morbid(e).
morchia ['mɔrkia] ⟨-chie⟩ *f* (Boden)satz *m.*
mordace [mor'da:tʃe] *agg* **1.** *(cane)* bissig; **2.** *fig (caustico)* bissig, scharf; *(lingua)* spitz.
mordente [mor'dɛnte] *m* Biß *m sl,* Wirkungskraft *f.*
mordere ['mɔrdere] ⟨mordo, morsi, morso⟩ *tr* **1.** *(morsicare)* beißen; *(insetti)* stechen; *(cibi)* beißen in +*akk*; **2.** *(far presa)* fassen, packen; **3.** *(corrodere)* ätzen; **4.** *fig (irritare)* beißen, stechen; ~ **il freno** *fig* die Zähne zusammenbeißen; ~ **il terreno (***o* **la polvere)** *fig* besiegt zu Boden gehen; ~ **la strada** *(pneumatici)* (auf der Straße) haften; **-ersi le dita (***o* **le mani)** *fig* (vor Wut) mit den Zähnen knirschen. **mordicchiare** [mordik'kia:re] ⟨mordicchio, mordicchi⟩ *tr* knabbern, nagen.
morena [mo'rɛ:na] *f* Moräne *f.*
morente [mo'rɛnte] **I.** *mf* Sterbende(r) *mf;* **II.** *agg* sterbend, im Sterben liegend.
morfina [mor'fi:na] *f* Morphium *n,* Morphin *n.*
morfologia [morfolo'dʒi:a] ⟨-gie⟩ *f* Morphologie *f.* **morfologico, -a** [...'lɔ:dʒiko] *agg* morphologisch.
moria [mo'ri:a] ⟨-ie⟩ *f* Massensterben n; ~ **degli alberi/dei boschi** Baum-/Waldsterben *n.*
moribondo, -a [mori'bondo] **I.** *agg* sterbend, im Sterben liegend; **essere** ~ im Sterben liegen; **II.** *m, f* Sterbende(r) *mf.*
morigerato, -a [moridʒe'ra:to] *agg* sittsam; *(sobrio)* gemäßigt, mäßig, maßvoll.
morire [mo'ri:re] ⟨muoio, morii, morto⟩ *itr* ⟨*essere*⟩ **1.** *(cessare di vivere)* sterben (*di* an +*dat*); *(piante)* eingehen; *(animali)* eingehen, sterben; **2.** *fig (soffrire intensamente)* sterben *fam* (*di* vor), umkommen *fam* (*di* vor), vergehen (*di* vor); **3.** *fig (cessare di esistere)* sterben; *(estinguersi)* aussterben; *(terminare)* enden; ~ **ammazzato** umgebracht werden; ~ **di crepacuore/vecchiaia** an Kummer/ an Altersschwäche sterben; ~ **dal sonno** zum Sterben müde sein; **fame/sete da** ~ *fam* Mordshunger *m fam*/Mordsdurst *m fam;* **più brutto di così si muore** potthäßlich; **peggio di così si muore** es könnte nicht schlimmer sein.
mormone [mor'mo:ne] *m* Mormone *m.*
mormorare [mormo'ra:re] **I.** *itr* **1.** *(bisbigliare)* murmeln, flüstern; **2.** *(sparlare)* munkeln (*di* über +*akk*); **3.** *fig (acque, fronde)* murmeln, rauschen; **II.** *tr* murmeln. **mormorazione** [...rat'tsio:ne] *f peg* Gerede *n,* Gemunkel *n.* **mormorio** [...'ri:o] ⟨-ii⟩ *m* **1.** *(sussurro)* Gemurmel *n,* Geraune *n,* Flüstern *n;* **2.** *(di acque, fronde)* Murmeln *n poet,* Rauschen *n;* **3.** *(commento maligno)* Gerede *n,* Gemunkel *n.*
moro ['mɔ:ro] *m* Maulbeerbaum *m.*
moro, -a ['mɔ:ro] **I.** *agg* **1.** *(di capelli scuri)* dunkelhaarig, brünett; *(di carnagione scura)* dunkelhäutig; **2.** *st* maurisch; **II.** *m, f* **1.** *st* Maure *m,* Maurin *f;* **2.** *(di capelli scuri)* dunkelhaarige *(o*

brünette) Person; *(di carnagione scura)* dunkelhäutige Person.
moroso, -a [mo'ro:so] *agg dir* säumig.
morsa ['mɔrsa] *f* Schraubstock *m; fig* Zangengriff *m;* **essere preso in una ~** *fig* in die Zange genommen werden *fam.* **morsetto** [mor'setto] *m* Zwinge *f,* Klammer *f; el* Klemme *f.*
Morse [mɔrs] ⟨*inv*⟩ *agg* Morse-; **segnale ~** Morsezeichen *n.*
morsi ['mɔrsi] *p rem di* **mordere.**
morsicare [morsi'ka:re] ⟨morsico, morsichi⟩ *tr* **1.** *(mordere)* beißen (in *+akk);* **2.** *(pungere)* beißen, stechen. **morsicatura** [...ka'tu:ra] *f (segno di morso)* Biß(-wunde *f) m; (segno di puntura d'insetto)* Stich *m.* **morso, -a** ['mɔrso] **I.** *pp di* **mordere; II.** *m* **1.** *(il mordere)* Biß *m,* (Zu)beißen *n;* **2.** *(segno)* Biß(wunde *f) m; (puntura d'insetto)* Stich *m; (di serpente)* Biß *m;* **3.** *(boccone)* Bissen *m;* **4.** *(di cavallo)* Gebiß *n;* **5.** *(forte stretta)* Greifen *n,* Zupacken *n;* **6.** *fig (sensazione acuta)* Stich *m;* **mangiare qc a ~** etw. in kleinen Bissen essen; **mettere il ~ a qu** *fig* jdn an die Kandare nehmen.
morta *f v.* **morto.**
mortadella [mortadella] *f* Mortadella *f.*
mortaio [mor'ta:io] ⟨-ai⟩ *m* Mörser *m.*
mortale [mor'ta:le] *agg* **1.** *(soggetto a morte)* sterblich; **2.** *(che causa la morte, a. fig)* tödlich; **3.** *(di morte)* Tod(es)-, tödlich; *(di morto)* Toten-. **mortalità** [mortali'ta] ⟨-⟩ *f* Sterblichkeit *f;* **~ infantile** Kindersterblichkeit *f.* **mortalmente** [...l'mente] *avv* **1.** *(in modo mortale)* tödlich; **2.** *fig (profondamente)* tödlich; *(odiare)* auf den Tod.
mortaretto [morta'retto] *m* Böller *m.*
morte ['mɔrte] *f* **1.** *(cessazione della vita)* Tod *m; (di piante, animali a.)* Eingehen *n;* **2.** *fig (fine)* Tod *m,* Ende *n;* **~ civile** Verlust *m* der bürgerlichen Ehrenrechte; **pena di ~** Todesstrafe *f;* **fare una brutta ~** einen schlimmen Tod haben; **condannare a ~ qu** jdn zum Tode verurteilen; **avere la ~ nel cuore** *fig* todunglücklich sein; **non sapere di che ~ morire** *fam* seinem Schicksal ausgeliefert sein; **annoiarsi a ~** sich zu Tode langweilen; **avercela a ~ con qu** *fam* jdn wie die Pest hassen *fam,* jdn auf den Tod nicht ausstehen können *fam.*
mortificare [mortifi'ka:re] ⟨mortifico, mortifichi⟩ **I.** *tr* **1.** *(rattristare)* kränken; **2.** *(umiliare)* beschämen, demütigen; **II.** *rfl:* **-arsi 1.** *(avvilirsi)* sich beschämt (*o* gekränkt) fühlen; **2.** *(punirsi)* sich kasteien. **mortificazione** [...kat'tsio:ne] *f* **1.** *(umiliazione)* Demütigung *f,* Kränkung *f;* **2.** *rel* Kasteiung *f.*
morto, -a ['mɔrto] **I.** *pp di* **morire; II.** *m, f* Tote(r) *mf; (defunto)* Verstorbene(r) *mf;* **il giorno dei -i** Allerseelen *n;* **fare il ~** den toten Mann machen; **suonare a ~** die Totenglocke läuten; **III.** *agg* tot; **lettera -a** bedeutungslose Vorschrift; **stanco ~** todmüde; **cascar ~** tot umfallen; **essere ~ di paura** halb tot vor Angst sein *fam;* **fare la mano -a** zudringlich werden. **mortorio** [mor'tɔ:rio] ⟨-i⟩ *m fam* sterbenslangweilige Angelegenheit *fam,* Trauerveranstaltung *f.*
mortuario, -a [mortu'a:rio] ⟨-i,-ie⟩ *agg* Toten-, Leichen-.
mosaico [mo'za:iko] ⟨-ci⟩ *m* Mosaik *n.*
mosca ['moska] ⟨-sche⟩ **I.** *f* Fliege *f;* **-sche volanti** *fig* Augenflimmern *n;* **giocare a ~ cieca** Blindekuh spielen; **essere raro come le -sche bianche** *fig* selten sein wie ein weißer Rabe; **fare d'una ~ un elefante** *~ fig* aus einer Mücke einen Elefanten machen; **non far male ad una ~** *fig* keiner Fliege etw. zuleide tun; **non si sente volare una ~** *fig* es ist totenstill; **restare (*o* rimanere) con un pugno di -sche in mano** *fig* das Nachsehen haben, leer ausgehen; **gli salta la ~ al naso** *fig* ihm reißt der Geduldsfaden *fam;* **II.** ⟨*inv*⟩ *agg:* **peso ~** Fliegengewicht *n;* **III.** ⟨-⟩ *m* Fliegengewicht(ler *m*) *n.*
Mosca ['moska] *f* Moskau *n.*
moscato, -a [mos'ka:to] **I.** *m* Muskateller *m;* **II.** *agg* **1.** *(uva)* Muskateller-; **2.** *(noce)* Muskat-.
moscerino [moʃʃe'ri:no] *m* Taufliege *f,* kleine Fliege *fam.*
moschea [mos'kɛ:a] ⟨-chee⟩ *f* Moschee *f.*
moschettiere [mosket'tiɛ:re] *m* Musketier *m.* **moschettone** [...'to:ne] *m* Karabiner(haken) *m.*
moschicida [moski'tʃi:da] ⟨-i⟩ *agg* Fliegen(gift)-; **carta ~** Fliegenfänger *m.*
moscio, -a ['moʃʃo] ⟨-sci, -sce⟩ *agg* **1.** *(floscio)* schlapp; **2.** *(appassito, vizzo)* welk; *(carni)* schlaff; **3.** *fig* schlapp *fam,* schlaff; **cappello ~** Schlapphut *m.*
moscone [mos'ko:ne] *m* **1.** *zoo* große Fliege, Brummer *m fam;* **2.** *fig fam (corteggiatore)* Verehrer *m;* **3.** *(pattino)* Ruderboot *n;* **~ d'oro** Goldkäfer *m.*
Mosella [mo'zɛlla] *f* Mosel *f.*
mossa ['mɔssa] *f* **1.** *(movimento)* Bewegung *f;* **2.** *(movenza)* Geste *f,* Gebärde *f;* **3.** *mil* Manöver *n;* **4.** *(nel gioco, a. fig)* Zug *m;* **fare la ~** mit den Hüften wackeln; **fare la prima ~** den Anfang machen; **prendere le -e da qc** *fig* von etw. ausgehen; **darsi una ~** sich einen Ruck geben.
mossi ['mɔssi] *p rem di* **muovere.**
mosso, -a ['mɔsso] **I.** *pp di* **muovere; II.** *agg* **1.** *(agitato)* bewegt; **2.** *(capelli)* gewellt; *(fotografia)* verwackelt; **mare ~** bewegte See. **3.** *mus* lebhaft, mosso.
mostarda [mos'tarda] *f* **1.** *(salsa)* Senfsoße *f;* **2.** *(frutta candita)* in Senfsirup eingelegte Früchte.
mosto ['mosto] *m* (Trauben)most *m.*
mostra ['mostra] *f* **1.** *(d'arte)* Ausstellung

f; **2.** *econ* Messe *f;* **3.** *fig (sfoggio)* Schau *f,* Zurschaustellung *f;* **4.** *fig (finta)* (äußerer) Schein *m,* Anschein *m;* **5.** *(vetrina)* Auslage *f;* ~ **itinerante/permanente** Wander-/Dauerausstellung *f;* ~ **mercato** Verkaufsausstellung *f;* **mettere in (bella)** ~ **qc** *fig* etw. zur Schau stellen. **mostrare** [mos'tra:re] **I.** *tr* **1.** *(far vedere, indicare, dimostrare)* zeigen; *(per controllo)* (vor)zeigen; **2.** *(fingere)* vortäuschen, heucheln; **II.** *rfl:* **-arsi 1.** *(farsi vedere)* sich zeigen, sich sehen lassen; **2.** *(dimostrarsi)* sich zeigen, sich erweisen; **3.** *(apparire)* sich zeigen, zum Vorschein kommen. **mostrina** [...'tri:na] *f* Kragenspiegel *m.*

mostro ['mostro] *m* **1.** *(creatura fantastica)* Monstrum *n,* Ungeheuer *n; (fig peg a.)* Scheusal *n;* **2.** *scherz (portento)* Ausbund *m (di* an); **un** ~ **sacro** *fig* eine heilige Kuh. **mostruosità** [...ruosi'ta] ⟨-⟩ *f* Monstrosität *f.* **mostruoso, -a** [...ru'o:so] *agg* **1.** *(orrendo)* scheußlich, monströs *geh;* **2.** *fig (eccezionale)* ungeheuer(lich).

motel [mo'tel] ⟨-⟩ *m* Motel *n.*

motivabile [motivabile] *agg* begründbar, motivierbar.

motivare [moti'va:re] *tr* **1.** *(causare)* verursachen; **2.** *(precisare il motivo)* begründen; **3.** *psic* motivieren. **motivazione** [...vat'tsjo:ne] *f* **1.** *(esposizione delle ragioni)* Begründung *f;* **2.** *psic* Motivation *f.*

motivo [mo'ti:vo] *m* **1.** *(ragione)* Motiv *n,* (Beweg)grund *m,* Ursache *f;* **2.** *mus, letter* Thema *n,* Motiv *n;* **3.** *(canzone)* Melodie *f,* (Musik)stück *n;* **4.** *(decorazione)* Muster *n;* ~ **conduttore** Leitmotiv *n;* **aver** ~ **di (*o* per)** *+inf* Grund haben zu *+inf;* **dar** ~ **di** Anlaß geben zu; **per -i di famiglia/salute** aus familiären/gesundheitlichen Gründen.

moto[1] ['mɔ:to] *m* **1.** *gener., st, pol* Bewegung *f;* **2.** *astr* Umlauf *m;* **3.** *(impulso)* Bewegung *f,* (innere) Bewegtheit *f;* **con** ~ *mus* mit Bewegung, etwas beschleunigt; **fare del** ~ *sport* sich *(dat)* Bewegung verschaffen, sich bewegen; **essere in** ~ in Bewegung sein; *mot* in Gang *(o* in Betrieb) sein; **mettere in** ~ in Gang setzen; **mettersi in** ~ sich in Bewegung setzen; *fig* in Gang kommen.

moto[2] ['mɔ:to] ⟨-⟩ *f (motocicletta)* Motorrad *n.*

motocampestre [motokam'pɛstre] **I.** *agg* Moto-Cross-; **II.** *f* Moto-Cross *n.*

motocarro [moto'karro] *m* dreirädriger Kastenwagen.

motocicletta [-tʃi'kletta] *f* Motorrad *n.* **motociclismo** [...'klizmo] *m* Motorradsport *m.* **motociclista** [...'klista] *mf* Motorradfahrer(in) *m(f).* **motociclo** [-'tʃi:klo] *m* Motorrad *n.*

motocross [-'krɔs] ⟨-⟩ *m* Moto-Cross *n.*

motonautica [-'nautika] ⟨-che⟩ *f* Motorschiffahrt *f.*

motonave [-'na:ve] *f* Motorschiff *n.*

motorcaravan ['moutəkærəvæn *o* motor'ka:ravan] ⟨-⟩ *m o. f* Wohnmobil *n.*

motore, -trice [mo'to:re] **I.** *m* **1.** *tec* Motor *m;* **2.** *(veicolo)* Motorfahrzeug *n;* **3.** *fig (movente)* Motor *m,* Triebfeder *f,* Antrieb *m;* ~ **a benzina/a scoppio** Benzin-/Verbrennungsmotor *m;* ~ **ad iniezione** Einspritzmotor *m;* ~ **di ricambio** Austauschmotor *m;* ~ **turbo** Turbomotor *m;* **II.** *agg* **1.** *tec* Antriebs-, Trieb-; **2.** *(nervi)* Bewegungs-. **motorino** [...'ri:no] *m fam (ciclomotore)* Mofa *n fam;* ~ **d'avviamento** *tec* Anlasser *m,* Starter *m.*

motorizzare [...rid'dza:re] **I.** *tr* motorisieren; **II.** *rfl:* **-arsi** *fam* sich motorisieren *fam.* **motorizzazione** [...riddzat'tsjo:ne] *f* Motorisierung *f;* **Ispettorato della** ~ Straßenverkehrsamt *n.*

motorscooter ['moutəsku:tə *o* motor'sku:tɛr] *m* (Motor)roller *m.*

motoscafo [motos'ka:fo] *m* Motorboot *n.* **motosega** [-'se:ga] *f* Kettensäge *f.*

motovedetta [-ve'detta] *f* Patrouillenboot *n,* Wachboot *n.*

motrice [mo'tri:tʃe] *f* **1.** *(di autotreno)* Sattelschlepper *m;* **2.** *tec (macchina)* Zugmaschine *f;* **3.** *ferr* Triebwagen *m.*

motteggio [mot'teddʒo] ⟨-ggi⟩ *m* Spott *m,* Spöttelei *f.*

mottetto [mottetto] *m* Motette *f.*

motto ['mɔtto] *m* **1.** *(detto arguto)* Witz *m; (detto sentenzioso)* Wahlspruch *m,* Motto *n;* **2.** *letter* Wort *n.*

mountain bike ['mauntənbaik] ⟨-⟩ *f* Mountainbike *n.*

mouse ['mauz] ⟨-⟩ *m inform* Maus *f.*

movente [mo'vɛnte] *m* Beweggrund *m (di* für), Motiv *n (di* für).

movenza [mo'vɛntsa] *f* **1.** *(atteggiamento)* Bewegung *f;* **2.** *fig (andamento)* Verlauf *m.*

movibile [mo'vibile] *agg* beweglich; **pezzi -i** bewegliche Teile.

movimentare [movimen'ta:re] *tr* beleben, in Schwung bringen.

movimento [movi'mento] *m* **1.** *(mossa, moto)* Bewegung *f;* **2.** *mil* Bewegung *f,* Verschiebung *f;* **3.** *ferr, fin, econ* Verkehr *m;* **4.** *(animazione)* Verkehr *m,* Betrieb *m;* **5.** *(vita)* Leben *n;* **6.** *mus* Tempo *n;* **7.** *(corrente, a. pol)* Bewegung *f;* **8.** *tec* Antrieb *m; (meccanismo)* Werk *n,* Mechanik *f;* ~ **dei prezzi** Preisbewegung *f;* ~ **dei turisti/viaggiatori** Touristen-/Personenverkehr *m;* **mettersi in** ~ sich in Bewegung setzen; ~ **riflesso** Reflexbewegung *f;* ~ **pacifista** Friedensbewegung *f.*

moviola [mo'vjɔ:la] *f* Schneidetisch *m; (rallentamento delle immagini)* Zeitlupe *f;* **vedere qc alla** ~ etw. in Zeitlupe sehen.

mozione [mot'tsio:ne] *f* Antrag *m,* Motion *f CH;* ~ **di fiducia/sfiducia** Vertrauens-/Mißtrauensantrag *m.*
mozzafiato [mottsa'fia:to] ⟨*inv*⟩ *agg* atemberaubend
mozzare [mot'tsa:re] *tr* **1.** *(recidere)* abschneiden, abschlagen; **2.** *fig (interrompere)* abbrechen; *(fiato, respiro)* nehmen, verschlagen. **mozzarella** [mottsa'rɛlla] *f* Mozzarella *m.*
mozzicone [mottsi'ko:ne] *m* Stumpf *m; (a. di sigaretta)* Stummel *m.*
mozzo[1] ['mottso] *m (marinaio)* Schiffsjunge *m.*
mozzo[2] ['mɔddzo] *m mot* Nabe *f.*
mozzo, -a ['mottso] *agg* **1.** *(reciso)* abgeschnitten, abgeschlagen; **2.** *fig (mutilo)* verstümmelt, verkürzt.
mucca ['mukka] ⟨-cche⟩ *f* Kuh *f.*
mucchio ['mukkio] ⟨-cchi⟩ *m* Haufen *m,* Menge *f;* **raccontare un** ~ **di bugie** einen Haufen Lügen erzählen; **a -cchi** haufenweise *fam.*
muco ['mu:ko] ⟨-chi⟩ *m* Schleim *m.* **mucosa** [mu'ko:sa] *f* Schleimhaut *f.*
muffa ['muffa] *f* Schimmel *m;* **fare** (*o* **prendere**) **la** ~ (ver)schimmeln.
muftì [muf'ti] ⟨-⟩ *m* Mufti *m.*
mugghiare [mug'gia:re] ⟨mugghio, mugghi⟩ *itr* **1.** *(bue)* muhen, brüllen; **2.** *fig (mare, vento)* heulen. **mugghio** ['muggio] ⟨-gghi⟩ *m* **1.** *(di bue)* Muhen *n,* Brüllen *n;* **2.** *fig (di mare, vento)* Heulen *n.*
muggire [mud'dʒi:re] ⟨muggisco⟩ *itr* muhen, brüllen. **muggito** [...'dʒi:to] *m* Muhen *n,* Brüllen *n.*
mughetto [mu'getto] *m* **1.** *bot* Maiglöckchen *n;* **2.** *med* Soor *m.*
mugnaio, -a [muɲ'ɲa:io] ⟨-ai, -aie⟩ *m, f* Müller(in) *m(f).*
mugo ['mu:go] ⟨-ghi⟩ *m* Latschenkiefer *f.*
mugolare [mugo'la:re] **I.** *itr* **1.** *(cane)* winseln; **2.** *fig (vento)* heulen; **3.** *(persona)* stöhnen; **II.** *tr* brumme(l)n, murmeln. **mugolio** [...'li:o] ⟨-ii⟩ *m* Gewinsel *n,* Winseln *n.*
mugugnare [muguɲ'ɲa:re] *itr* brummen, knurren. **mugugno** [mu'guɲɲo] *m* Gebrumme(l) *n.*
mulattiera [mulat'tiɛ:ra] *f* Saumpfad *m,* Maultierpfad *m.*
mulatto, -a [mu'latto] **I.** *m, f* Mulatte *m,* Mulattin *f;* **II.** *agg* Mulatten-.
muliebre [mu'li:ebre] *agg* weiblich, Frauen-.
mulinare [muli'na:re] **I.** *tr* ⟨*avere*⟩ sich *(dat)* ausdenken, aushecken *fam;* **II.** *itr* ⟨*essere*⟩ **1.** *(far mulinello)* wirbeln; **2.** *fig* herumschwirren. **mulinello** [...'nɛllo] *m* **1.** *(moto vorticoso)* Wirbel *m;* **2.** *(di canna da pesca)* Rolle *f;* **3.** *naut* Ankerwinde *f.*
mulino [mu'li:no] *m* Mühle *f;* ~ **ad acqua/a vento** Wasser-/Windmühle *f;* **tirare (***o* **portare) acqua al proprio** ~ *fig* immer zuerst an sich selbst denken; **parlare come un** ~ **a vento** *fig* reden wie ein Wasserfall.
mulo ['mu:lo] *m* **1.** *zoo* Maultier *n,* Maulesel *m;* **2.** *fig* sturer Bock; **ostinato come un** ~ störrisch wie ein Esel.
multa ['multa] *f* **1.** *(pena)* Geldstrafe *f;* **2.** *(ammenda)* Verwarnungs-, Bußgeld *n.* **multare** [...'ta:re] *tr* mit einer Geldstrafe belegen, zu einer Geldstrafe verurteilen.
multicolore [multiko'lo:re] *agg* bunt, mehr-, vielfarbig. **multiculturale** [-kultu'ra:le] *agg* multikulturell. **multietnico, -a** [-'ɛtniko] *agg* multiethnisch, Vielvölker-. **multiforme** [-'forme] *agg* **1.** *(vario, molteplice)* vielfältig, vielgestaltig; **2.** *(versatile)* vielseitig. **multifunzionale** [-funtsio'na:le], **multifunzione** [-fun'tsio:ne] ⟨*inv*⟩ *agg* multifunktional. **multilaterale** [-late'ra:le] *agg* multilateral. **multilingue** [-'lingue] ⟨*inv*⟩ *agg* mehrsprachig. **multimedia** [-'mɛ:dia] ⟨*inv*⟩ *agg,* **multimediale** [-me'dia:le] *agg* multimedial, Multimedia-. **multimilionario, -a** [-milio'na:rio] **I.** *m, f* Multimillionär(in) *m(f);* **II.** *agg* millionenschwer *fam.* **multinazionale** [-nattsio'na:le] **I.** *f* multinationales Unternehmen, Multi *m fam;* **II.** *agg* multinational.
multiplo ['multiplo] **I.** *m* Vielfache(s) *n;* **il minimo comune** ~ **(***abbr* **m.c.m.)** das kleinste gemeinsame Vielfache; **II.** *agg* mehrfach, Mehrfach-, vielfach; **presa -a** Mehrfachsteckdose *f.*
multipolare [multipo'la:re] *agg* mehrpolig. **multiposto** [-'posto] ⟨*inv*⟩ *agg inform* mehrplatzfähig. **multiprogrammazione** [-programmat'tsio:ne] *f* Multitasking *n.* **multiproprietà** [-proprie'ta] ⟨-⟩ *f* Timesharing *n,* Anteile *m pl* an einer Ferienwohnung. **multirazziale** [-rat'tsia:le] *agg* mehrrassig; **società** ~ multikulturelle Gesellschaft. **multistazione** [-stat'tsio:ne] ⟨*inv*⟩ *agg inform* mehrplatzfähig. **multiusi** [-'u:zi], **multiuso** [-'u:zo] ⟨*inv*⟩ *agg* Mehrzweck-, Vielzweck-.
mummia ['mummia] ⟨-ie⟩ *f* **1.** *(cadavere imbalsamato)* Mumie *f;* **2.** *fig sl (persona vecchia)* Scheintote(r) *mf sl.*
mungere ['mundʒere] ⟨mungo, munsi, munto⟩ *tr* melken. **mungitore, -trice** [mundʒi'to:re] *m, f* Melker(in) *m(f).* **mungitrice** [...'tri:tʃe] *f* Melkmaschine *f,* Melkanlage *f.* **mungitura** [...'tu:ra] *f* Melken *n.*
municipale [munitʃi'pa:le] *agg* städtisch, Stadt-, Gemeinde-; **consiglio/palazzo** ~ Gemeinderat *m*/Rathaus *n.* **municipalizzato, -a** [...palid'dza:to] *agg* gemeindeeigen, kommunal; **azienda -a** gemeindeeigener Betrieb.
municipio [muni'tʃi:pio] ⟨-i⟩ *m* **1.** *(ammi-*

nistrazione) Stadt(verwaltung) *f,* Gemeinde(verwaltung) *f;* **2.** *(sede)* Rathaus *n;* **sposarsi in ~** standesamtlich heiraten.

munifico, -a [mu'ni:fiko] ⟨-ci, -che⟩ *agg lett* generös *geh,* hochherzig *geh.*

munire [mu'ni:re] ⟨munisco⟩ **I.** *tr* versehen (*di* mit), ausrüsten (*di* mit), ausstatten (*di* mit); **II.** *rfl:* **-irsi 1.** *(procurarsi)* sich ausrüsten (*di* mit), sich ausstatten (*di* mit); **2.** *(premunirsi, a. fig)* sich wappnen (*contro* gegen, *di* mit).

munizioni [munit'tsio:ni] *f pl* Munition *f.*

munsi ['munsi] *p rem di* **mungere.**

munto ['munto] *pp di* **mungere.**

muoio, muore, muori ['muɔ:io, 'muɔ:re, ...ri] *pr di* **morire.**

muovere ['muɔ:vere] ⟨muovo, mossi, mosso⟩ **I.** *tr* ⟨*avere*⟩ **1.** *(spostare)* bewegen; *(coda)* wedeln mit; *(pedina)* vorrücken, ziehen; **2.** *(mettere in moto)* in Bewegung setzen; **3.** *(suscitare)* erregen, hervorrufen; **4.** *(sollevare)* vorbringen, erheben; **5.** *(spingere)* bringen, treiben; **~ i primi passi** die ersten Schritte machen; **non ~ un dito** *fig fam* keinen Finger rühren *fam;* **II.** *itr* ⟨*essere*⟩ **1.** *(partire)* abgehen (*da* von), abfahren (*da* von); **2.** *(andare)* gehen, entgegengehen (*incontro a qu* jdm); **3.** *fig* ausgehen (*da* von); **III.** *rfl:* **-ersi 1.** *(essere in movimento)* sich bewegen; **2.** *(mettersi in movimento)* sich in Bewegung setzen; **3.** *(darsi da fare)* sich rühren, sich regen *geh;* **4.** *fig (commuoversi)* gerührt werden; **5.** *fig (sollevarsi)* sich erheben; **e dai, muoviti!** *fam* los, beweg dich mal! *fam.*

muraglia [mu'raʎʎa] ⟨-glie⟩ *f (a. fig)* Mauer *f;* **la (grande) ~ cinese** die Chinesische Mauer.

murale [mu'ra:le] *agg* Mauer-; *(carta, giornale, pittura)* Wand-.

murales [mu'ra:les] *m pl* Wandmalereien *f pl.*

murare [mu'ra:re] *tr* mauern; *(chiudere)* zumauern; *(conficcare)* einmauern. **murario, -a** [mu'ra:rio] ⟨-i, -ie⟩ *agg* **1.** *(di muratura)* Mauer-, gemauert; **2.** *(di muratore)* Maurer-. **muratore** [mura'to:re] *m* **1.** *(operaio)* Maurer *m;* **2.** *fig (massone)* (Frei)maurer *m.* **muratura** [...'tu:ra] *f* **1.** *(costruzione)* Mauerwerk *n,* Mauer *f;* **2.** *(il murare)* Mauern *n,* Mauerung *f.*

murena [mu'rɛ:na] *f* Muräne *f.*

muriatico, -a [mu'ria:tiko] ⟨-ci, -che⟩ *agg:* **acido ~** Salzsäure *f.*

muricciolo [murit'tʃɔ:lo] *m* Einfassungsmauer *f,* Grenzmauer *f; (del giardino)* Gartenmauer *f.*

muro ['mu:ro] *m* **1.** ⟨*pl:* -a *f*⟩ *(cinta difensiva)* Stadtmauer *f;* **2.** ⟨*pl:* -i *m*⟩ *(parete)* Mauer *f;* **~ divisorio/maestro** Trenn-, Zwischenwand *f*/tragende Wand; **~ del suono** Schallmauer *f;* **~ del pianto** Klagemauer *f;* **le ~a di cinta** Ringmauer *f;* **il M~ di Berlino** *st* die Berliner Mauer; **parlare al ~** *fig fam* gegen eine Wand reden.

musa ['mu:za] *f* Muse *f.*

muschiato, -a [mus'kia:to] *agg* Moschus-, moschus-; **topo ~** Bisamratte *f.*

muschio[1] ['muskio] ⟨-schi⟩ *m bot* Moos *n.*

muschio[2] ['muskio] ⟨-schi⟩ *m (secrezione)* Moschus *m.*

muscolare [musko'la:re] *agg* muskulär, Muskel-. **muscolatura** [...la'tu:ra] *f* Muskulatur *f.*

muscolo ['muskolo] *m* Muskel *m;* **tendere i -i** die Muskeln anspannen **muscoloso, -a** [...'lo:so] *agg* muskulös.

museo [mu'zɛ:o] *m* Museum *n;* **pezzo da ~** *fig* Museumsstück *n.*

museruola [muze'ruɔ:la] *f* Maulkorb *m.*

musica ['mu:zika] ⟨-che⟩ *f* Musik *f;* **~ da camera** Kammermusik *f;* **~ di fondo** Hintergrundmusik *f;* **carta da ~** Notenpapier *n;* **dire qc in ~** *fam* jdm etw. verdolmetschen *fam;* **leggere la ~** Noten lesen; **mettere in ~** vertonen; **è sempre la solita ~** *fig iron* es ist immer dasselbe Lied (*o* dieselbe Leier) *fam.* **musicale** [muzi'ka:le] *agg* **1.** *(di musica)* Musik-, musikalisch; **2.** *(portato per la musica)* musikalisch; **3.** *(armonioso)* musikalisch, klangvoll. **musicassetta** [...kas'setta] *f* Musikkassette *f.* **musicista** [muzi'tʃista] ⟨-i *m,* -e *f*⟩ *mf* **1.** *(compositore)* Komponist(in) *m(f);* **2.** *(esecutore)* Musiker(in) *m(f).* **musicoterapia** [muzikotera'pi:a] *f* Musiktherapie *f.*

muso ['mu:zo] *m* **1.** *(di animale)* Schnauze *f,* Maul *n;* **2.** *fig peg (di persona)* Schnauze *f vulg,* Maul *n vulg; (broncio)* Schnute *f fam,* Flappe *f fam; (faccia)* Visage *f fam;* **3.** *fig (di auto)* Schnauze *f fam;* **avere (*o* tenere) il ~** *fam* eine Schnute ziehen *fam,* schmollen; **rompere (*o* spaccare) il ~ a qu** *sl* jdm eins auf die Schnauze hauen *fam,* jdm die Fresse polieren *vulg.* **musone, -a** [mu'zo:ne] *m, f* Miesepeter *m fam,* Sauertopf *m fam.*

mussola ['mussola] *f* Musselin *m.*

must [mast] ⟨-⟩ *m* Muß *n.*

mustacchi [mus'takki] *m pl* Schnauzbart *m,* (großer) Schnurrbart *m.*

musulmano, -a [musul'ma:no] **I.** *agg* muselmanisch; *(islamico)* moslemisch; **II.** *m, f* Moslem *m,* Moslime *f.*

muta[1] ['mu:ta] *f* **1.** *(di uccelli)* Mauser *f; (di rettili, insetti)* Häutung *f;* **2.** *sport* Taucheranzug *m;* **3.** *mil* Ablösung *f.*

muta[2] ['mu:ta] *f (di cani)* (Hunde)meute *f.*

muta[3] *f v.* **muto.**

mutabile [mu'ta:bile] *agg* veränderlich.

mutamento [muta'mento] *m* **1.** *(cambiamento)* (Ver)änderung *f;* **2.** *(trasfor-*

mazione) Wandel *m,* Wechsel *m.*

mutande [mu'tande] *f pl* Unterhose(n) *f (pl).* **mutandine** [...'di:ne] *f pl* **1.** *(indumento femminile)* Slip *m;* **2.** *(calzoncini da bagno)* Badehose *f; (del bikini)* Höschen *n.*

mutare [mu'ta:re] **I.** *tr* ⟨*avere*⟩ (ver)ändern, wechseln; **II.** *itr* ⟨*essere*⟩ sich (ver)ändern; **III.** *rfl:* **-arsi 1.** *(cambiarsi)* sich umziehen; **2.** *(trasformarsi)* sich verwandeln, sich umwandeln. **mutazione** [mutat'tsio:ne] *f* **1.** *(cambiamento)* Wechsel *m,* Veränderung *f;* **2.** *biol* Mutation *f.* **mutevole** [mu'te:vole] *agg* veränderlich, wechselhaft; *(peg a.)* unbeständig.

mutilare [muti'la:re] *tr* verstümmeln; *(fig a.)* entstellen. **mutilato, -a** [...'la:to] **I.** *m, f* Versehrte(r) *mf,* Körperbeschädigte(r) *mf;* ~ **di guerra** Kriegsversehrte(r) *m;* **II.** *agg* versehrt; *(fig a.)* verstümmelt. **mutilazione** [...lat'tsio:ne] *f* Verstümmelung *f; (fig a.)* Entstellung *f.*

mutismo [mu'tizmo] *m* **1.** *med* Stummheit *f;* **2.** *(silenzio)* Schweigen *n,* Schweigsamkeit *f.*

muto, -a ['mu:to] **I.** *agg* stumm; *(per lo stupore)* sprachlos; ~ **come un pesce** stumm wie ein Fisch; **cinema** ~ Stummfilm *m;* **II.** *m, f* Stumme(r) *mf;* **III.** *m* Stummfilm *m.*

mutua ['mu:tua] *f amm* Versicherungsträger *m amm;* **cassa** ~ Krankenkasse *f.*

mutualistico, -a [mutua'listiko] ⟨-ci, -che⟩ *agg* **1.** *(relativo alle mutualità)* gegen-, wechselseitig; **2.** *(relativo alla mutua)* Krankenkassen-.

mutuatario, -a [mutua'ta:rio] ⟨-i, -ie⟩ *m, f* Darlehens-, Kreditnehmer(in) *m(f).* **mutuato, -a** [mutu'a:to] *m, f* Versicherte(r) *mf; med* Kassenpatient(in) *m(f).*

mutuo, -a ['mu:tuo] *agg* gegenseitig.

mutuo ['mu:tuo] *m* Darlehen *n,* Kredit *m;* **fare un** ~ ein Darlehen aufnehmen.

N

N, n ['ɛnne] ⟨-⟩ *f* N, n *n;* **n come Napoli** N wie Nordpol.
n *abbr di* **numero** Nr. (*abk von* Nummer).
N. *abbr di* **nord** N (*abk von* Nord).
nacchere ['nakkere] *f pl* Kastagnetten *f pl.*
nacqui ['nakkui] *p rem di* **nascere.**
nafta ['nafta] *f* **1.** *(petrolio greggio)* Rohöl *n;* **2.** *(per motori Diesel)* Dieselöl *n.* **naftalina** [...ta'li:na] *f* Naphthalin *n.*
naia[1] ['na:ia] ⟨-aie⟩ *f zoo* Kobra *f,* Brillenschlange *f.*
naia[2] ['na:ia] ⟨-aie⟩ *f sl mil* Wehrdienst *m.*
naïf [na'if] ⟨*inv*⟩ *agg* naiv.
nanismo [nanizmo] *m* Zwergwuchs *m.*
nanna ['nanna] *f (linguaggio infantile)* Heia *f fam;* **fare la ~** Heia machen; **a ~** in die Heia.
nano, -a ['na:no] **I.** *agg* zwergenhaft, Zwerg(en)-; **II.** *m, f* Zwerg(in) *m(f).*
NAP [nap] *m pl acr di* **Nuclei Armati Proletari** *bewaffnete linksextremistische Terrororganisation.*
napalm ['na:palm] *m* Napalm *n.*
napoletano, -a [napole'ta:no] **I.** *agg* neapolitanisch; **II.** *m, f* Neapolitaner(in) *m(f);* **III.** *f* neapolitanische Kaffeemaschine *f.* **Napoli** ['na:poli] *f* Neapel *n.*
nappa ['nappa] *f* **1.** *(ornamento)* Quaste *f,* Troddel *f;* **2.** *(pelle)* Nappa(leder) *n.*
nappista [nap'pista] ⟨-i *m,* -e *f*⟩ *mf* Mitglied *n* der NAP.
NAR [nar] *m pl acr di* **Nuclei Armati Rivoluzionari** *bewaffnete neofaschistische Terrororganisation.*
narcisismo [nartʃi'zizmo] *m* Narzißmus *m,* Selbstbezogenheit *f.*
narcisista [nartʃi'zista] ⟨-i *m,* -e *f*⟩ *mf* Narzißt(in) *m(f).*
narciso [nar'tʃi:zo] *m* **1.** *bot* Narzisse *f;* **2.** *fig* Narziß *m.*
narcosi [nar'kɔ:zi] ⟨-⟩ *f* Narkose *f,* Betäubung *f.* **narcotico -a** [...'kɔ:tiko] ⟨-ci, -che⟩ **I.** *agg* betäubend, narkotisch; **II.** *m* Narkotikum *n,* Betäubungsmittel *n.*
narcotizzare [narkotid'dʒa:re] *tr* narkotisieren, betäuben.
narcotrafficante [narkotraffi'kante] *mf* Drogenhändler(in) *m(f),* Dealer(in) *m(f).* **narcotraffico** [-'traffiko] ⟨-ci⟩ *m* Drogenhandel *m.*
narice [na'ri:tʃe] *f* Nasenloch *n; zoo* Nüster *f.*
narrare [nar'ra:re] **I.** *tr* erzählen; **II.** *itr* erzählen (*di* von), berichten (*di* von, über +*akk*). **narrativa** [narra'ti:va] *f* erzählende Literatur, Erzählliteratur *f.* **narrativo, -a** [...vo] *agg* erzählend, Erzähl-. **narratore, -trice** [...'to:re] *m, f* Erzähler(in) *m(f).* **narrazione** [...at'tsjo:ne] *f* Erzählung *f.*
N.A.S. *m abbr di* **Nucleo Antisofisticazioni (dei carabinieri)** *Carabinieri-Einheit zum Schutz gegen Lebensmittelverfälschung.*
nasale [na'sa:le] **I.** *agg* **1.** *anat* Nasen-; **2.** *ling* nasal, Nasal-; **3.** *(voce)* näselnd; **II.** *f* Nasal(laut) *m.*
nascere ['naʃʃere] ⟨nasco, nasci, nacqui, nato⟩ *itr* ⟨*essere*⟩ **1.** *(persone)* geboren werden, zur Welt kommen; **2.** *zoo (mammiferi)* auf die Welt kommen, geworfen werden; **3.** *bot* keimen, sprießen; **4.** *(fiumi)* entspringen; **5.** *(sole, astro)* aufgehen; *(giorno)* anbrechen; **6.** *fig (avere origine)* entstehen; **7.** *fig (venire alla mente)* einfallen, kommen; **non sono (mica) nato ieri** ich bin (doch) nicht von gestern. **nascita** ['naʃʃita] *f* Geburt *f;* **~ gemellare** Zwillingsgeburt *f;* **una ~ laboriosa** eine schwere Geburt; **sordo dalla ~** von Geburt an taub; **atto (*o* certificato) di ~** Geburtsurkunde *f;* **luogo di ~** Geburtsort *m.* **nascituro, -a** [...'tu:ro] *m, f* ungeborenes Kind.
nascondere [nas'kondere] ⟨nascondo, nascosi, nascosto⟩ **I.** *tr* **1.** *(celare)* verstecken (*qc a qu* etw. vor jdm), verbergen (*qc a qu* etw. vor jdm); **2.** *(sentimento)* verhehlen, verheimlichen; **II.** *rfl:* **-ersi** sich verstecken (*a* vor +*dat*), sich verbergen (*a* vor +*dat*). **nascondiglio** [...'diʎʎo] ⟨-gli⟩ *m* Versteck *n; (a. peg)* Schlupfwinkel *m.* **nascondino** [...'di:no] *m:* **giocare a ~** Versteck(en) spielen. **nascosi** [...'ko:si] *p rem di* **nascondere.** **nascosto, -a** [...'kosto] **I.** *pp di* **nascondere; II.** *agg* **1.** *(celato, occultato)* versteckt, verborgen; *(luogo)* abgelegen; **2.** *fig* heimlich; **di ~** heimlich.
nasello [na'sɛllo] *m* Seehecht *m.*
nasiera [na'ziɛ:ra] *f* Nasenring *m.*
naso ['na:so] *m* Nase *f (a. fig); (zoo a.)* Schnauze *f;* **~ all'insù** Stupsnase *f;* **ficcare il ~ negli affari altrui** die Nase in anderer Leute Angelegenheiten stecken; **menare qu per il ~** jdn an der Nase herumführen; **mettere qc sotto il ~ a qu** jdm etw. direkt unter die Nase halten; **restare con tanto di ~** ein langes Gesicht machen; **arricciare il ~** *(a. fig)* die Nase rümpfen; **non vedere più in là del**

proprio ~ nicht über die eigene Nasenspitze hinaussehen; **non ricordarsi dal ~ alla bocca** ein Gedächtnis wie ein Sieb haben; **avere buon** ~ *fig* eine gute Nase haben; **a** ~ nach dem Gefühl, aus dem Bauch heraus *fam.*

nastro ['nastro] *m* **1.** *gener.* Band *n;* **2.** *(per decorazione)* Ordensband *n,* Orden *m;* ~ **adesivo** Klebestreifen *m;* ~ **correttore** Korrekturband *n;* ~ **dattilografico** Farbband *n;* ~ **magnetico** Magnet(ton)band *n;* ~ **trasportatore** Förderband *n.*

nastroteca [nastro'tɛ:ka] ⟨-che⟩ *f* (Ton)-bandarchiv *n.*

nasturzio [nas'turtsi̯o] ⟨-i⟩ *m* Kresse *f.*

natale [na'ta:le] *agg* Geburts-, Heimat-.

Natale [na'ta:le] *m* Weihnacht *f,* Weihnachten *n;* **regalo di** ~ Weihnachtsgeschenk *n;* **vigilia di** ~ Weihnachtsabend *m,* Heiligabend *m;* **Buon** ~! Frohe Weihnachten!.

natalità [natali'ta] ⟨-⟩ *f* Geburtenziffer *f.*

natalizio, -a [nata'littsi̯o] ⟨-i, -ie⟩ *agg* Weihnachts-, weihnachtlich.

natante [na'tante] *m* Wasserfahrzeug *n.*

natatorio, -a [...ta'tɔ:ri̯o] ⟨-i, -ie⟩ *agg* Schwimm-.

natica ['na:tika] ⟨-che⟩ *f* Gesäß-, Hinterbacke *f.*

nativo, -a [na'ti:vo] **I.** *agg (paese)* Geburts-, Heimat-; *(persona)* gebürtig (*di* von, aus), stammend (*di* aus); **II.** *m, f* Eingeborene(r) *mf.*

NATO ['na:to] *f acr di* **North Atlantic Treaty Organisation** NATO *f,* Nato *f.*

nato, -a ['na:to] **I.** *pp di* **nascere; essere ~ con la camicia** *fig* ein Glückspilz sein; **essere ~ sotto (una) cattiva stella** unter keinem guten Stern geboren sein; **II.** *agg* geboren; **cieco/sordo** ~ von Geburt an blind/taub; ~ **morto** totgeboren; **un giornalista** ~ der geborene Journalist; **Sandra Rossi nata Verdi** Sandra Rossi geborene Verdi (*abbr* **n.** *abk* geb.).

natura [na'tu:ra] *f* Natur *f; (indole a.)* Wesen *n,* Anlage *f;* ~ **morta** Stilleben *n;* **contro** ~ naturwidrig. **naturale** [natu'ra:le] **I.** *agg* natürlich; **scienze -i** Naturwissenschaften *f pl;* **II.** *avv* gewiß, sicherlich. **naturalezza** [natura'lettsa] *f* Natürlichkeit *f;* **con** ~ natürlich, ungezwungen; **con la massima** ~ mit der größten Selbstverständlichkeit. **naturalizzare** [...lid'dza:re] **I.** *tr* naturalisieren, einbürgern; **II.** *rfl:* **-arsi** die Staatsangehörigkeit erhalten, eingebürgert werden. **naturalmente** [...ral'mente] *avv* **1.** *(di, per natura)* von Natur (aus), natürlich; **2.** *fig (certamente)* selbstverständlich, natürlich. **naturismo** [...'rizmo] *m* **1.** *(movimento)* Naturismus *m,* Freikörperkultur *f;* **2.** *med* Naturheilverfahren *n.* **naturista** [...'rista] ⟨-i *m,* -e *f*⟩ *mf* Anhänger(in) *m(f)* des Naturismus.

naufragare [naufra'ga:re] ⟨naufrago, naufraghi⟩ *itr* **1.** ⟨*avere*⟩ *(persone)* Schiffbruch erleiden; **2.** ⟨*essere*⟩ *(nave)* auflaufen; **3.** ⟨*essere o avere*⟩ *fig* Schiffbruch erleiden, scheitern. **naufragio** [...'fra:dʒo] ⟨-gi⟩ *m* **1.** *naut* Schiffbruch *m; aero* Flugzeugabsturz *m;* **2.** *fig* Scheitern *n,* Schiffbruch *m;* **fare** ~ Schiffbruch erleiden. **naufrago, -a** ['na:ufrago] ⟨-ghi, -ghe⟩ *m, f* Schiffbrüchige(r) *mf.*

nausea ['na:uzea] *f* **1.** *med* Übelkeit *f,* Brechreiz *m;* **2.** *fig* Ekel *m,* Abscheu *m;* **fino alla** ~ bis zum Überdruß. **nauseabondo, -a** [nauzea'bondo], **nauseante** [...e'ante] *agg* ekelerregend, widerwärtig. **nauseare** [...e'a:re] *tr* (an)ekeln.

nautica ['na:utika] ⟨-che⟩ *f* Nautik *f,* Schiffahrtskunde *f.* **nautico, -a** [...ko] ⟨-ci, -che⟩ *agg* Schiffahrts-; *(di mare)* See-; **sport** ~ Wassersport *m.*

navale [na'va:le] *agg* Schiff(s)-, Schiffahrts-; *(di mare)* See-.

navalmeccanica [navalmek'ka:nika] *f* Schiffbau *m.*

navata [na'va:ta] *f* (Kirchen)schiff *n;* ~ **centrale** Mittelschiff *n.*

nave ['na:ve] *f* Schiff *n;* ~ **ammiraglia** Flaggschiff *n;* ~ **bananiera** Bananendampfer *m;* ~ **da carico/da guerra** Fracht-/Kriegsschiff *n;* ~ **cisterna** Tanker *m;* ~ **oceanografica** Laborschiff *n;* ~ **passeggeri** Fahrgast-, Passagierschiff *n;* ~ **portaerei** Flugzeugträger *m;* ~ **portacontainer** Containerschiff *n;* ~ **spaziale** Raumschiff *n.* **navetta** [na'vetta] *f* **1.** *(spola)* (Weber)schiffchen *n;* **2.** *(treno)* Pendelzug *m;* ~ **spaziale** Raumfähre *f,* (Space)shuttle *m.* **navicella** [navi'tʃɛlla] *f* **1.** *(piccola nave)* Schiffchen *n;* **2.** *(di dirigibile)* Gondel *f; (di aerostato)* Korb *m;* ~ **spaziale** Raumfähre *f,* (Space)shuttle *m.*

navigabile [navi'ga:bile] *agg* schiffbar, befahrbar. **navigante** [...'gante] *mf* Seefahrer(in) *m(f).* **navigare** [...'ga:re] ⟨navigo, navighi⟩ *itr* **1.** *naut* (zur See) fahren; **2.** *aero* fliegen; ~ **in cattive acque** *fig* sich in einer (finanziell) schwierigen Lage befinden. **navigato, -a** [...'ga:to] *agg fig* (welt)erfahren, lebenserfahren. **navigatore, -trice** [...ga'to:re] *m, f* Seefahrer(in) *m(f),* Schiffer(in) *m(f).* **navigazione** [...gat'tsi̯o:ne] *f* **1.** *naut* Schiffahrt *f;* **2.** *aero* Navigation *f;* ~ **marittima/interna/aerea** See-/Binnen-/Luftschiffahrt *f.*

nazionale [nattsi̯o'na:le] **I.** *agg (di nazione)* National-, national; *(di paese)* Landes-, einheimisch; *(di Stato)* Staats-, staatlich; **festa** ~ Nationalfeiertag *m;* **inno** ~ Nationalhymne *f;* **lutto** ~ Staatstrauer *f;* **II.** *f* Nationalmannschaft *f;* ~ **di calcio** Nationalelf *f;* **giocatore della** ~ Nationalspieler *m.* **nazionalismo** [...na-

'lizmo] *m* Nationalismus *m.* **nazionalista** [...na'lista] ⟨-i *m,* -e *f*⟩ *mf* Nationalist(in) *m(f).* **nazionalità** [...nali'ta] ⟨-⟩ *f* Nationalität *f; (relativo a stato)* Staatsangehörigkeit *f.* **nazionalizzare** [...nalid'dza:re] *tr* nationalisieren, verstaatlichen. **nazionalsocialismo** [nattsional-sotʃa'lizmo] *m* Nationalsozialismus *m.* **nazionalsocialista** [...'lista] **I.** *agg* nationalsozialistisch; **II.** *mf* Nationalsozialist(in) *m(f).*

nazione [nat'tsio:ne] *f* Nation *f; (stato)* Staat *m;* **Nazioni Unite** (*abbr* **N.U.**) Vereinte Nationen *f pl,* UNO *f.*

naziskin ['nattsiskin] ⟨-⟩ *mf* Skinhead *m.*

nazismo [nat'tsizmo] *m* Nazismus *m.* **nazista** [...'tsista] ⟨-i *m,* -e *f*⟩ **I.** *agg* nazistisch; **II.** *mf* Nazi *m.*

N.B. *abbr di* **nota bene** NB (*abk von* notabene).

N.d.A. *abbr di* **nota dell'autore** Anm. d. Verf.; *(abk von* Anmerkung des Verfassers/der Verfasserin).

'ndrangheta [n'draŋgeta] *f* kalabrische Mafia.

ne [ne] **I.** *pron* **1.** *(persona: di lui)* von ihm, über ihn, seiner; *(di lei)* von ihr, über sie, ihrer; *(di loro)* von ihnen, über sie, ihrer; **2.** *(cosa)* damit, darüber, davon, daraus; **3.** *(con valore partitivo)* davon, einige, welche; ~ **parlano molto** *(persona)* man spricht viel von ihm (*o* ihr *o* ihnen); *(cosa)* man spricht viel davon; **non ~ vedo proprio la ragione** ich sehe wirklich keinen Grund dafür; **damme~ ancora** gib mir mehr davon; **quanti anni hai? - ~ ho 29** wie alt bist du? - ich bin 29 (Jahre alt); **hai dei giornali? - sì, ~ ho** hast du Zeitungen? - ja, ich habe welche; **hai del sale? - no, non ~ ho** hast du Salz? - nein, ich habe kein(e)s; **II.** *avv (spesso non si traduce)* von hier (*o* da *o* dort); **andarsene** fort-, weggehen.

né [ne] *cong* und nicht, auch nicht; ~ . . . ~ . . . weder . . . noch . . .; ~ **più** ~ **meno** nicht mehr und nicht weniger.

NE *abbr di* **nordest** NO (*abk von* Nordost).

neanche [ne'aŋke] *v.* **nemmeno.**

nebbia ['nebbia] ⟨-ie⟩ *f (a. fig)* Nebel *m;* ~ **fitta** dichter Nebel; **banco di** ~ Nebelbank *f.* **nebbioso, -a** [...'bio:so] *agg* neb(e)lig.

nebulizzare [nebulid'dza:re] *tr* zerstäuben, sprühen. **nebulizzatore** [...dza'to:re] *m* Zerstäuber *m.* **nebulosa** [...'lo:sa] *f* Nebelfleck *m,* Nebel *m.* **nebulosità** [...losi'ta] ⟨-⟩ *f* **1.** *meteo* Nebligkeit *f;* **2.** *fig* Unklarheit *f,* Verworrenheit *f.* **nebuloso, -a** [...'lo:so] *agg* **1.** *meteo* neb(e)lig; **2.** *fig (sfumato)* unklar, verschwommen, nebulös.

nécessaire [nesɛ'ser] ⟨-⟩ *m* Set *n;* ~ **per le unghie** Maniküreset *n.*

necessariamente [netʃessaria'mente] *avv* notgedrungen.

necessario, -a [netʃes'sa:rio] ⟨-i, -ie⟩ **I.** *agg* nötig, notwendig; **II.** *m* Nötige(s) *n,* Notwendige(s) *n.* **necessità** [...si'ta] ⟨-⟩ *f* **1.** *(che è indispensabile)* Notwendigkeit *f;* **2.** *(bisogno, povertà)* Not *f;* **3.** *(richiesta)* Bedarf *m* (*di qc* an etw. *(dat)*); **avere ~ di qc** etw. notwendig brauchen; **essere nella ~ di fare qc** gezwungen sein, etw. zu tun; **fare di ~ virtù** aus der Not eine Tugend machen; **in caso di** ~ im Notfall, im Bedarfsfall; **per** ~ gezwungenermaßen. **necessitare** [...si'ta:re] **I.** *tr* ⟨*avere*⟩ erfordern, erforderlich machen; **II.** *itr* ⟨*essere*⟩ **1.** *(avere bisogno)* benötigen (*di qc* etw.), brauchen (*di qc* etw.); **2.** *impers* nötig (*o* erforderlich) sein.

necroforo [ne'krɔ:foro] *m* Totengräber *m.* **necrologio** [nekro'lɔ:dʒo] ⟨-gi⟩ *m* **1.** Nachruf *m; (annunzio)* Todesanzeige *f;* **2.** *(registro)* Totenbuch *n,* Nekrologium *n.*

nefando, -a [ne'fando] *agg* ruchlos, frevelhaft, schändlich.

nefasto, -a [ne'fasto] *agg* Unglücks-, unselig, unheilvoll.

Nefertiti [nefer'ti:ti] *(nome proprio femminile) st* Nofretete *f.*

nefrite [ne'fri:te] *f* Nierenentzündung *f,* Nephritis *f wissensch.*

negare [ne'ga:re] ⟨nego, neghi⟩ *tr* **1.** *(contestare)* verneinen, (ab)leugnen, abstreiten; **2.** *(rifiutare)* verweigern, versagen; **3.** *(non riconoscere)* absprechen.

negativa [nega'ti:va] *f* Negativ *n.* **negativo, -a** [...'ti:vo] *agg* **1.** *(non affermativo)* negativ, verneinend; *amm* abschlägig; *(risposta)* ablehnend; **2.** *(sfavorevole)* ungünstig, nachteilig.

negato, -a [ne'ga:to] *agg fig* unbegabt (*per* für), untalentiert (*per* für). **negazione** [...at'tsio:ne] *f* **1.** *(risposta negativa)* Verneinung *f; (contestazione)* Leugnung *f;* **2.** *(rifiuto)* Verweigerung *f;* **3.** *gram* Verneinung *f,* Negation *f.*

negli ['neʎʎi] *prp* **in** *con art gli.*

négligé [negli'ʒe] ⟨-⟩ *m* Negligé *n,* Morgenrock *m,* Hauskleid *n.*

negligente [negli'dʒɛnte] *agg* **1.** *(trasandato)* nachlässig, schlampig; **2.** *(pigro)* träge, faul. **negligenza** [...'dʒɛntsa] *f* Nachlässigkeit *f; (pigrizia)* Trägheit *f,* Faulheit *f.*

negoziabile [negot'tsia:bile] *agg* **1.** *econ* verkäuflich; **2.** *fin (titoli)* handelsfähig; *(in borsa)* börsenfähig; *(cambiali)* übertragbar.

negoziante [negot'tsiante] *mf* Kaufmann *m,* Händler(in) *m(f);* ~ **al minuto/all'ingrosso** Einzel-/Großhändler *m.*

negoziare [negot'tsia:re] ⟨negozio, negozi⟩ **I.** *tr* **1.** *(contrattare)* verhandeln über *+akk;* **2.** *fin (titoli)* handeln mit;

(cambiali) begeben; **II.** *itr* Handel treiben (*in* mit), handeln (*in* mit). **negoziato** [...'tsia:to] *m* Verhandlung *f,* Unterhandlung *f.* **negoziazione** [...tsiat'tsio:ne] *f* **1.** *(trattativa)* Verhandlung *f;* **2.** *fin (di titoli, cambiali)* Handel *m.*

negozietto [negot'tsietto] *m:* ~ **all'angolo** Tante-Emma-Laden *m.*

negozio [ne'gɔttsio] ⟨-i⟩ *m* Geschäft *n,* Laden *m;* ~ **giuridico** Rechtsgeschäft *n;* ~ **self-service** Selbstbedienungsladen *m;* ~ **dell'usato** Secondhandladen *m.*

negriere, -a [ne'griɛ:re] *m, f* **1.** *st* Sklavenhändler(in) *m(f);* **2.** *fig peg* Sklaventreiber(in) *m(f).*

negro, -a ['ne:gro] **I.** *agg (spesso peg)* schwarz, Neger- *(oft pej);* **II.** *m, f (spesso peg)* Neger(in) *m(f) (oft pej),* Schwarze(r) *mf;* **fare il ~, sgobbare come un ~** *fam* arbeiten wie ein Pferd.

negromante [negro'mante] *mf* Zauberer *m,* Zauberin *f,* Schwarzkünstler(in) *m(f).* **negromanzia** [...n'tsi:a] ⟨-ie⟩ *f* Zauberei *f,* Schwarze Kunst.

nel, nell', nella, nelle, nello, nei [nel, 'nella, ...le, ...lo, 'ne:i] *prp* **in** *con art il, l', la, le, lo, i.*

nembo ['nembo] *m* Gewitter-, Sturmwolke *f.*

nemico, -a [ne'mi:ko] ⟨-ci, -che⟩ **I.** *agg* **1.** *(ostile)* feindlich; **2.** *fig (avverso)* abgeneigt *(di qc* einer S. *dat); (riferito a cose)* ungünstig; **II.** *m, f* Feind(in) *m(f),* Gegner(in) *m(f);* ~ **mortale** Todfeind *m.*

nemmeno [nem'me:no] *avv, cong* nicht einmal, auch nicht; ~ **una settimana dopo** noch keine Woche später; ~ **uno** kein einziger; ~ **per idea!** nicht (einmal) im Traum!

nenia ['nɛ:nia] ⟨-ie⟩ *f* **1.** *(canto di morte)* Trauergesang *m,* Klagelied *n;* **2.** *fig* Leier *f.*

neo ['nɛ:o] *m* **1.** *anat* Muttermal *n,* Leberfleck *m;* **2.** *(di bellezza)* Schönheitspflästerchen *n,* Schönheitsfleck *m;* **3.** *fig (piccolo difetto)* Schönheitsfehler *m.*

neo- [neo-] *(in parole composte)* Neo-, neo-, Neu-, neu-. **neofascismo** [-faʃ'ʃizmo] *m* Neofaschismus *m.* **neofascista** [...'ʃista] **I.** *agg* neofaschistisch; **II.** *mf* Neofaschist(in) *m(f).* **neologismo** [-lo-'dʒizmo] *m* Neologismus *m.* **neologista** [...'dʒista] ⟨-i *m,* -e *f*⟩ *mf* Neologismenforscher(in) *m(f).*

neon ['nɛ:on] *m* Neon *n;* **illuminazione al ~** Neonbeleuchtung *f;* **lampada al ~** Neonröhre *f.*

neonato, -a [neo'na:to] **I.** *agg* neugeboren; **II.** *m, f* Neugeborene(s) *n.* **neonazismo** [-nat'tsizmo] *m* Neonazismus *m.* **neonazista** [...'tsista] **I.** *agg* neonazistisch; **II.** *mf* Neonazi *m.* **neoplasia** [-plazi:a] ⟨-ie⟩ *f* Neoplasma *n.* **neoprene®** [-'prɛ:ne] Neopren® *n.* **neorealismo** [-rea'lizmo] *m* **1.** *filos* Neorealismus *m;* **2.** *letter, film* Neoverismus *m.*

neozelandese [-dzelan'de:se] **I.** *agg* neuseeländisch; **II.** *mf* Neuseeländer(in) *m(f).*

nepotismo [nepo'tizmo] *m* Nepotismus *m,* Vetternwirtschaft *f.*

neppure [nep'pu:re] *v.* **nemmeno.**

nerbo ['nɛrbo] *m* **1.** *(staffile)* Peitsche *f,* Ochsenziemer *m;* **2.** *fig* Kern *m; (forza)* Kraft *f.* **nerboruto, -a** [nerbo'ru:to] *agg* sehnig; *(fig a.)* kräftig, stark.

neretto [ne'retto] *m* **1.** *(colore)* schwärzliche Farbe; **2.** *tip* Halbfettdruck *m,* Halbfettschrift *f;* **3.** *(articolo)* Artikel *m* in Halbfettdruck; **in ~** halbfett.

nero, -a ['ne:ro] **I.** *agg* **1.** *(colore)* schwarz; **2.** *(fig a.)* dunkel; *(sudicio)* schmutzig; **3.** *fig (doloroso)* traurig, schmerzlich; **4.** *fig (scellerato)* böse, schlecht; **5.** *(lavoro, mercato)* Schwarz-; **borsa -a** Schwarzmarkt *m;* ~ **come il carbone/la pece** kohl(raben)-/pechschwarz; **vedere tutto ~** *fig* (immer) schwarzsehen *fam;* **II.** *m* Schwarz(e) *n,* Schwärze *f;* ~ **fumo** *v.* **nerofumo; lavorare in ~** schwarz arbeiten; **mettere qc ~ su bianco** etw. schwarz auf weiß niederschreiben. **nerofumo, nero fumo** [nero'fu:mo] *m* Ruß *m.*

nervatura [nerva'tu:ra] *f* **1.** *anat* Nervensystem *n;* **2.** *bot* Blattäderung *f,* Rippen *f pl;* **3.** *arch* Rippe *f;* **4.** *(di stoffa)* Biese *f;* **5.** *(di libri)* Bund *m,* Buchrückenverzierung *f;* **6.** *tec* Sicke *f.*

nervino, -a [ner'vi:no] *agg* Nerven-; **gas ~** Nervengas *n.*

nervo ['nɛrvo] *m* **1.** *anat* Nerv *m;* **2.** *bot* Blattader *f,* Rippe *f;* **3.** *fam (tendine)* Sehne *f;* **4.** *fig* Kraft *f,* Stärke *f;* **avere i -i a fior di pelle** überreizte Nerven haben, ein Nervenbündel sein; **avere i -i a pezzi** mit den Nerven heruntersein; **far venire i -i a qu** jdm auf die Nerven gehen (*o* fallen) *fam.* **nervosismo** [nervo'sizmo] *m* Nervosität *f,* Reizbarkeit *f.* **nervoso, -a** [...'vo:so] **I.** *agg* **1.** *(relativo ai nervi)* Nerven-; **2.** *(eccitabile)* nervös, reizbar; **3.** *(asciutto)* sehnig, nervig; *(figura)* sehnig; **4.** *bot* geädert, gerippt; **5.** *fig (stile)* markant, prägnant; **II.** *m fam* Nervosität *f;* **mi viene il ~** ich werde nervös; **far venire il ~ a qu** jdm auf die Nerven gehen *fam.*

nespola ['nɛspola] *f* Mispel *f.* **nespolo** [...lo] *m* Mispelbaum *m.*

nesso ['nɛsso] *m* Zusammenhang *m; ling* Verbindung *f.*

nessuno, -a [nes'su:no] ⟨*sing*⟩ **I.** *agg* kein; *(in frasi interrogative)* irgendein; **in nessun luogo/caso** nirgends, nirgendwo/in keinem Fall, keinesfalls; **II.** *pron* **1.** *(non uno)* niemand, keine(r, s); **2.** *(qualcuno)* jemand; **nessun altro** kein anderer, niemand anderer; **III.** *m* Niemand *m;* **figli di ~** Findelkinder *n*

pl.
nettapiedi [netta'pjɛ:di] ⟨-⟩ *m* Fußmatte *f*, Fußabtreter *m fam.*
nettare[1] ['nɛttare] *m* Göttertrank *m*, Nektar *m.*
nettare[2] [net'ta:re] *tr* reinigen, putzen.
nettarina [netta'ri:na] *f* Nektarine *f.*
nettezza [net'tettsa] *f* Sauberkeit *f; (a. fig)* Reinheit *f;* ~ **urbana** (*abbr* **N.U.**) *(pulizia stradale)* Straßenreinigung *f; (raccolta rifiuti)* Müllabfuhr *f.*
netto, -a ['netto] *agg* **1.** *(biancheria)* rein, sauber; **2.** *(risposta, rifiuto)* klar, deutlich, entschieden; **3.** *econ* Netto-, Rein-; **peso** ~ Nettogewicht *n;* **reddito** ~ Nettoeinkommen *n;* **utile** ~ Reinertrag *m*, Reingewinn *m.*
netturbino, -a [nettur'bi:no] *m, f* Straßenkehrer(in) *m(f).*
network ['netwə:k] ⟨-⟩ *m* Netzwerk *n.*
neurochirurgia [neurokirur'dʒi:a] *f* Neurochirurgie *f.* **neurochirurgo, -a** [-ki'rurgo] *m, f* Neurochirurg(in) *m(f).* **neurologia** [-lo'dʒi:a] ⟨-gie⟩ *f* Neurologie *f.* **neurologo, -a** [neu'rɔ:logo] ⟨-gi, -ghe⟩ *m* Neurologe *m*, -login *f.* **neurovegetativo, -a** [-vedʒeta'ti:vo] *agg* neurovegetativ; **sistema** ~ vegetatives Nervensystem.
neutrale [neu'tra:le] **I.** *agg* neutral; **II.** *mf* Neutrale(r) *mf.* **neutralità** [...li'ta] ⟨-⟩ *f* Neutralität *f.* **neutralizzare** [...lid'dza:re] *tr* **1.** *chim* neutralisieren; **2.** *pol* für neutral erklären; **3.** *fig* neutralisieren, unwirksam (*o* zunichte) machen.
neutro, -a ['nɛ:utro] **I.** *agg* **1.** *chim* neutral; **2.** *pol* neutral, parteilos; **3.** *gram* sächlich, neutrum; **II.** *m* Neutrum *n*, sächliches Geschlecht.
neutrone [neu'tro:ne] *m* Neutron *n.*
nevaio [ne'va:jo] ⟨-ai⟩ *m* **1.** *(terreno)* Schneefeld *n;* **2.** *(accumulo)* Schneewehe *f.*
neve ['ne:ve] *f (a. sl: cocaina)* Schnee *m;* ~ **artificiale** Kunstschnee *m;* ~ **fresca/farinosa** Neu-/Pulverschnee *m;* **-i perenni** ewiger Schnee; **catene da** ~ Schneeketten *f pl;* **palla/fiocco di** ~ Schneeball *m*/-flocke *f;* **bianco come la** ~ schneeweiß; **c'è molta** ~ es liegt viel Schnee; **montare a** ~ zu Schnee (*o* steif) schlagen. **nevicare** [nevi'ka:re] ⟨nevico, nevichi⟩ *itr impers* ⟨*essere o avere*⟩ schneien. **nevicata** [...'ka:ta] *f* Schneefall *m*, Schneien *n.* **nevischio** [ne'viskjo] ⟨-schi⟩ *m* Schneegestöber *n.* **nevoso, -a** [ne'vo:so] *agg (terra, monte)* schneebedeckt; *(precipitazione)* Schnee-; *(stagione)* schneereich.
nevralgia [nevral'dʒi:a] ⟨-gie⟩ *f* Neuralgie *f.* **nevralgico, -a** [ne'vraldʒiko] ⟨-ci, -che⟩ *agg* neuralgisch; **punto** ~ *fig* wunder (*o* neuralgischer) Punkt. **nevrastenia** [nevraste'ni:a] ⟨-ie⟩ *f* Neurasthenie *f.* **nevrastenico, -a** [...'tɛ:niko] ⟨-ci, -che⟩ **I.** *agg* neurasthenisch; *(fig a.)* nervös; **II.** *m, f* Neurastheniker(in) *m(f); (fig a.)* nervöser Mensch.
nevrite [nev'rite] *f* Nervenentzündung *f*, Neuritis *f wissensch.*
nevrosi [ne'vrɔ:zi] ⟨-⟩ *f* Neurose *f.* **nevrotico, -a** [ne'vrɔ:tiko] ⟨-ci, -che⟩ **I.** *agg* neurotisch; **II.** *m, f* Neurotiker(in) *m(f).*
nicchia ['nikkja] ⟨-cchie⟩ *f* Nische *f.*
nichel ['ni:kel] *m* Nickel *n.* **nichelare** [nike'la:re] *tr* vernickeln.
nichilismo [niki'lizmo] *m* Nihilismus *m.*
nichilista [...'lista] ⟨-i *m*, -e *f*⟩ **I.** *agg* nihilistisch; **II.** *mf* Nihilist(in) *m(f).*
Nicola [ni'kɔ:la], **Nicolò** [niko'lɔ] *(nome proprio maschile)* Klaus.
Nicoletta [niko'letta] *(nome proprio femminile)* Nicole, Nikola.
nicotina [niko'ti:na] *f* Nikotin *n;* **senza**~ nikotinfrei.
nidiata [ni'dja:ta] *f* **1.** *zoo* Brut *f;* **2.** *fig scherz* Kinderschar *f.*
nidificare [nidifi'ka:re] ⟨nidifico, nidifichi⟩ *itr* nisten, ein Nest bauen.
nido ['ni:do] *m* **1.** *zoo* Nest *n; (di rapaci)* Horst *m;* **2.** *fig (casa)* Heim *n*, Nest *n; (covo)* Versteck *n*, Schlupfwinkel *m;* **asilo** ~ Kinderkrippe *f;* **a** ~ **d'ape** wabenartig, Waben-.
niente ['njɛnte] **I.** ⟨*inv*⟩ *pron indef* **1.** *(nessuna cosa)* nichts; **2.** *(in frasi interr)* etwas, nichts; **non fa** ~ *(non ha importanza)* das macht nichts; **non se ne fa** ~ daraus wird nichts; **non mi dice mai** ~ er/sie sagt mir nie etwas; **(non) ti serve** ~? brauchst du etwas?; **è una cosa da** ~ es ist eine Kleinigkeit; **come (se)** ~ **fosse** mir nichts, dir nichts *fam*, einfach so; **II.** ⟨-⟩ *m* **1.** *(nessuna cosa)* Nichts *n; (persona)* Null *f fam;* **2.** *(poca cosa)* Kleinigkeit *f*, Nichtigkeit *f;* **III.** *avv* (überhaupt) nicht, keineswegs; **non è** ~ **male** er (*o* sie *o* es) ist nicht schlecht; ~ **affatto** ganz und gar nicht, durchaus nicht; **nient'altro** nichts anderes; ~ **di** ~ absolut nichts, ganz und gar nichts; **per** ~ *(affatto)* durchaus nicht; *(invano)* vergebens, umsonst; *(gratis)* unentgeltlich, umsonst; **IV.** ⟨*inv*⟩ *agg fam* kein; ~ **paura!** nur keine Angst!.
nientedimeno [njentedi'me:no], **nientemeno** [...te'me:no] **I.** *avv* sogar; **II.** *interi* Donnerwetter.
night [nait], **night-club** ['naɪtklʌb] *m* Nachtlokal *n*, Bar *f.*
Nilo ['ni:lo] *m* Nil *m.*
nimbo ['nimbo] *m (splendore)* Glanz *m; (aureola)* Nimbus *m*, Heiligenschein *m.*
ninfa ['ninfa] *f zoo* Nymphe *f.* **ninfea** [...'fɛ:a] *f* Seerose *f.*
ninfomane [nin'fɔ:mane] **I.** *agg* nymphoman; **II.** *f* Nymphomanin *f.*
ninnananna [ninna'nanna] ⟨ninnenanne⟩ *f* Wiegenlied *n.*
ninnolo ['ninnolo] *m* **1.** *(gingillo)* (Kinder)spielzeug *n;* **2.** *(soprammobile)* Nip-

pes *pl*, Nippsache *f*.

nipote [ni'po:te] *mf* **1.** *(di zio/zia)* Neffe *m*, Nichte *f;* **2.** *(di nonno/nonna)* Enkel(in) *m(f)*, Enkelkind *n;* **3.** ⟨*pl*⟩ *(discendenti)* Nachkommen *m pl*.

nipplo ['nipplo] *m* Nippel *m*.

nirvana [nir'va:na] ⟨-⟩ *m* Nirwana *n*.

nitidezza [niti'dettsa] *f* **1.** *(chiarezza)* Klarheit *f*, Reinheit *f;* **2.** *fot* Schärfe *f*.

nitido, -a ['ni:tido] *agg* **1.** *(chiaro)* klar, rein; **2.** *fot* scharf.

nitrato [ni'tra:to] *m* Nitrat *n*. **nitrico, -a** ['ni:triko] ⟨-ci, -che⟩ *agg* Salpeter-.

nitrire [ni'tri:re] ⟨nitrisco⟩ *itr* wiehern.

nitrito[1] [ni'tri:to] *m zoo* Gewieher *n*, Wiehern *n*.

nitrito[2] [ni'tri:to] *m chim* Nitrit *n*.

nitroglicerina [nitroglitʃe'ri:na] *f* Nitroglyzerin *n*, Glyzerintrinitrat *n*.

no [nɔ] **I.** *avv* nein; *(in frasi negative a.)* nicht; **parti o** ~? fährst du ab oder nicht?; **lo farai,** ~? du wirst es tun, oder (nicht)?; **perché** ~? warum nicht?; **pare di** ~ es scheint nicht so zu sein; **come** ~! und ob!, natürlich!, und wie!; **perché** ~? warum nicht?; ~ **e poi** ~ nein, nein und nochmals nein; **rispondere di** ~ nein sagen, mit Nein antworten; **non dico di** ~ da sage ich nicht nein; **II.** ⟨-⟩ *m* **1.** *(risposta)* Nein *n;* **2.** *(voto)* Nein(-stimme *f*) *n*.

NO *abbr di* **nordovest** NW (*abk von* Nordwest).

Nobel ['nɔbel] *m* **1.** *(premio)* Nobelpreis *m;* **2.** *(personaggio insignito)* Nobelpreisträger(in) *m(f)*.

nobildonna [nobil'dɔnna] *f* Adlige *f*, Edelfrau *f*.

nobile ['nɔ:bile] **I.** *agg* **1.** *(di nobiltà)* ad(e)lig, Adels-; **2.** *fig* nobel, vornehm, edel; *(eccellente)* vortrefflich, erhaben; **3.** *chim* edel, Edel-; **II.** *mf* Adlige(r) *mf;* **i -i** der Adel. **nobiliare** [nobi'li̯a:re] *agg* ad(e)lig, Adels-. **nobilitare** [nobili'ta:re] **I.** *tr* adeln; **II.** *rfl:* **-arsi** sich erheben. **nobiltà** [...l'ta] ⟨-⟩ *f* Adel *m; (fig a.)* Vornehmheit *f*.

nobiluomo [nobi'lu̯ɔ:mo] ⟨nobiluomini⟩ *m* Adlige(r) *m*, Edelmann *m*.

nocca ['nɔkka] ⟨-cche⟩ *f* Knöchel *m*.

noccio ['nɔttʃo] *pr di* **nuocere.**

nocciola [not'tʃɔ:la] **I.** ⟨*inv*⟩ *agg* haselnußbraun; **un cappotto** ~ ein hellbrauner Mantel; **II.** *f* Haselnuß *f;* **III.** *m* Haselnußbraun *n*.

nocciolina [nottʃo'li:na] *f (arachide)* Erdnuß *f*.

nocciolo[1] ['nɔttʃolo] *m* **1.** *bot* Kern *m*, Stein *m;* **2.** *fig* Kern *m*, Hauptsache *f;* **3.** *fis (zona di fissione di un reattore)* Reaktorkern *m*, Core *n wissensch*.

nocciolo[2] [not'tʃɔ:lo] *m* Haselnuß(-strauch *m*) *f*.

noce[1] ['no:tʃe] **I.** *m (albero)* Walnußbaum *m; (legno)* Nußbaum(holz *n*) *m;* **II.** *agg (colore)* Nußbraun *n*.

noce[2] ['no:tʃe] *f* **1.** *bot* (Wal)nuß *f;* **2.** *gastr (di vitello)* Nuß *f*, Nüßchen *n;* ~ **moscata** Muskatnuß *f;* ~ **di cocco** Kokosnuß *f*.

nocepesca [notʃe'pɛska] ⟨nocipesche⟩ *f* Nektarine *f*.

nocino [no'tʃi:no] *m* (Wal)nußlikör *m*.

nociuto [no'tʃu:to] *pp di* **nuocere.**

nocività [notʃivi'ta] ⟨-⟩ *f* Schädlichkeit *f*.

nocivo, -a [no'tʃi:vo] *agg* schädlich; **emissione di sostanze -e** Schadstoffemission *f*.

no comment ['nou 'kɔmənt] ⟨-⟩ *m* kein Kommentar, no comment *n*.

nocqui ['nɔkku̯i] *p rem di* **nuocere.**

nodale [no'da:le] *agg* Knoten-; *fig* Kern-.

nodo ['nɔ:do] *m* **1.** *(legamento, intreccio)* Knoten *m;* **2.** *(difficoltà)* Verwicklung *f*, Schwierigkeit *f;* **3.** *(vincolo)* Band *n*, Fessel *f;* **4.** *(punto centrale)* Kern *m*, Hauptsache *f;* **5.** *mot, ferr* Knotenpunkt *m;* **6.** *med* Knoten *m;* ~ **linfatico** Lymphknoten *m;* ~ **scorsoio** Schlaufe *f;* **avere un** ~ **alla gola** einen Kloß im Hals haben; **fare il** ~ **alla cravatta** die Krawatte binden; **tutti i -i vengono al pettine** *prov* es ist nichts so fein gesponnen, es kommt doch ans Licht der Sonnen *prov*. **nodulo** ['nɔ:dulo] *m* Knötchen *n*.

no frost ['nou 'frɔst] **I.** ⟨-⟩ *m* No-Frost-Technik *f;* **II.** ⟨*inv*⟩ *agg* No-Frost-.

noi ['no:i] *pron pers 1ª pers pl* **1.** *(soggetto)* wir; **2.** *(oggetto)* uns; *(con preposizione)* uns, unser.

noia ['nɔ:i̯a] ⟨-oie⟩ *f* **1.** *(fastidio)* Lang(e)-weile *f; (tedio)* Überdruß *m;* **2.** *(molestia)* Störung *f*, Belästigung *f; (seccatura)* Unannehmlichkeit *f*, Schererei *f;* **morire di** ~ vor Langeweile sterben.

noialtri [no'i̯altri] *pron* wir, wir unsererseits.

noioso, -a [no'i̯o:so] **I.** *agg* **1.** *(che procura noia)* langweilig; **2.** *(che dà fastidio)* lästig; **II.** *m, f* langweiliger Mensch, Langweiler(in) *m(f) fam*.

noleggiare [noled'dʒa:re] ⟨noleggio, noleggi⟩ *tr* **1.** *(dare a nolo)* vermieten, verleihen; **2.** *(prendere a nolo)* mieten. **noleggiatore, -trice** [...dʒa'to:re] *m, f* **1.** *(che dà a nolo)* Vermieter(in) *m(f);* **2.** *(che prende a nolo)* Mieter(in) *m(f)*. **noleggio** [no'leddʒo] ⟨-ggi⟩ *m* **1.** *(contratto)* Mieten *n;* **2.** *(prezzo)* Mietpreis *m*, Leihgebühr *f;* **3.** *(impresa)* Verleih *m;* ~ **di biciclette** Fahrradverleih *m*.

nolente [no'lɛnte] *agg lett* widerwillig; **volente o** ~ wohl oder übel, nolens volens *geh*.

nolo ['nɔ:lo] *m* **1.** *(trasporto, carico)* Fracht *f;* **2.** *(prezzo)* Mietpreis *m;* **dare a** ~ vermieten; **prendere a** ~ mieten, chartern.

nomade ['nɔ:made] **I.** *agg* nomadisch,

Nomaden-; **II.** *mf* Nomade *m,* Nomadin *f; (zingaro)* Zigeuner(in) *m(f).*
nome ['no:me] *m* **1.** *gener.* Name *m; (prenome)* Vorname *m;* **2.** *(denominazione)* Bezeichnung *f,* Benennung *f;* **3.** *gram* Nomen *n,* Hauptwort *n;* ~ **astratto/collettivo** Abstraktum *n*/Kollektivum *n;* ~ **composto** Kompositum *n,* zusammengesetztes Hauptwort; ~ **comune/proprio** Gattungs-/Eigenname *m;* ~ **d'arte** Künstlername *m;* ~ **di battesimo** Vorname *m,* Taufname *m;* ~ **commerciale** Handelsbezeichnung *f;* ~ **depositato** Schutzmarke *f;* **a** ~ **di qu** in jds Namen; **di** ~ *(chiamato)* namens; **chiamare le cose col loro** ~ *fig* etw. beim Namen nennen; **conoscere qu di** ~ jdn dem Namen nach kennen; **fare il** ~ **di qu** jds Namen nennen; **senza** ~ namenlos.
nomea [no'mɛ:a] *f* Ruf *m,* Leumund *m.*
nomenclatura [nomeŋkla'tu:ra] *f* Nomenklatur *f.* **nomignolo** [no'miɲɲolo] *m* Spitzname *m.* **nomina** ['nɔ:mina] *f* Ernennung *f,* Nominierung *f; (all'università)* Berufung *f,* Ruf *m.* **nominale** [...'na:le] *agg* **1.** *gram* nominal, Nominal-; **2.** *(del nome)* namentlich, Namens-; **3.** *(di nome)* nominell, (nur) dem Namen nach bestehend; **4.** *econ* nominell, Nominal-; **valore** ~ Nennwert *m,* Sollwert *m.*
nominare [nomi'na:re] *tr* **1.** *(chiamare)* nennen; *(cose)* (be)nennen; **2.** *(citare)* erwähnen, nennen; **3.** *(eleggere)* wählen; *(professore)* ernennen, berufen; *(commissione)* einsetzen, einberufen; **mai sentito** ~! nie gehört!. **nominativo, -a** [...na'ti:vo] **I.** *agg* namentlich, auf den Namen lautend, Namen(s)-; **II.** *m* **1.** *gram* Nominativ *m,* Werfall *m;* **2.** *amm* Name(n) *m.*
non [non] *avv* **1.** *(con verbi)* nicht; **2.** *(con sostantivi determinati)* kein, nicht; **3.** *(come prefisso)* nicht, Nicht-, un-, Un-, non-, Non-; **4.** *(seguito da un'altra negazione) non si traduce;* ~ **che** *v.* **nonché;** ~ **appena** sobald; ~ ... **niente** nichts; ~ ... **mai** nie(mals).
nona *f v.* **nono.**
non agressione [non aggres'sio:ne] *f:* **patto di** ~ Nichtangriffspakt *m.*
non allineato, -a [non alline'a:to] *agg* blockfrei.
non belligerante [non bellidʒe'rante] *agg* nichtkriegführend.
nonché, non che [noŋ'ke] *cong* **1.** *(e inoltre)* sowie, und auch, außerdem; **2.** *(e tanto meno)* geschweige denn.
nonconformista [noŋkonfor'mista] **I.** *agg* nonkonformistisch; **II.** *mf* Nonkonformist(in) *m(f).*
non credente [non kre'dɛnte] *mf* Nichtgläubige(r) *m(f).*
noncurante [noŋku'rante] *agg* unbekümmert (*di* um), unbesorgt (*di* um). **noncuranza** [...'rantsa] *f* **1.** *(disinvoltura)* Unbekümmertheit *f,* Sorglosigkeit *f;* **2.** *(inosservanza)* Nichtbeachtung *f.*
nondimeno [nondi'me:no] *cong (nonostante)* nichtsdestoweniger; *(tuttavia)* trotzdem, dennoch.
non fumatore, -trice [non fuma'to:re] **I.** *m,f* Nichtraucher(in) *m(f);* **II.** *agg* Nichtraucher-; *(di ambienti a.)* rauchfrei.
non intervento [non inter'vɛnto] ⟨-⟩ *m pol* Nichteinmischung *f.*
nonna ['nɔnna] *f* Großmutter *f; (fam, a. fig)* Oma *f fam.* **nonno** [...no] *m* Großvater *m; (fam, a. fig)* Opa *m fam;* **i -i** die Großeltern.
nonnulla [non'nulla] ⟨-⟩ *m:* **un** ~ eine Kleinigkeit, nichts.
nono, -a ['nɔ:no] **I.** *agg* neunte(r, s); **II.** *m, f* Neunte(r, s) *mfn;* **III.** *m (frazione)* Neuntel *n,* neunter Teil; *v. a. quinto.*
nonostante [nonos'tante] **I.** *prp* trotz *+dat o +gen;* **II.** *cong +congv* auch wenn, obwohl, obgleich; ~ **che** *+congv* obwohl; **pur** ~ trotzdem.
non plus ultra ['nɔn plus 'ultra] ⟨-⟩ *m* Nonplusultra *n,* Gipfel *m.*
non proliferazione [non proliferat'tsio:ne] ⟨-⟩ *f pol* Nonproliferation *f,* Nichtweitergabe *f* von Atomwaffen.
nonsenso [non'sɛnso] *m* Nonsens *m,* Unsinn *m.*
non so che [non sɔ k'ke] ⟨-⟩ *m:* **un (certo)** ~ ein gewisses Etwas.
non stop [non 'stɔp] ⟨*inv*⟩ *agg* Nonstop-; **orario** ~ durchgehende Öffnungszeiten; *(su cartelli, insegne etc)* durchgehend geöffnet; **volo** ~ Nonstopflug *m.*
nontiscordardimé, non-ti-scordar-di-me [nontiskordardi'me] ⟨-⟩ *m* Vergißmeinnicht *n.*
non vedente [non ve'dɛnte] *mf amm* Blinde(r) *mf.*
nonviolenza [nonvio'lɛntsa] *f* Gewaltlosigkeit *f.*
nord [nɔrd] *m* (*abbr* **N**) Nord(en) *m;* **Italia del** ~ Norditalien *n,* Oberitalien *n;* **a** ~ **di** ... nördlich von ...; **verso** ~ nordwärts.
nord- [nɔrd-] *(in parole composte)* Nord-, nord-. **nordest** [nɔr'dɛst] *m* (*abbr* **NE**) Nordost(en) *m;* **vento di** ~ Nordostwind *m.* **nordeuropeo, -a** [-euro'pɛo] **I.** *agg* nordeuropäisch; **II.** *mf* Nordeuropäer(in) *m(f).*
nordico, -a ['nɔrdiko] ⟨-ci, -che⟩ **I.** *agg* nordisch, Nord-; **II.** *m, f* Nordländer(in) *m(f).* **nordista** [nor'dista] ⟨-i *m,* -e *f*⟩ **I.** *agg* nordstaatlich, Nordstaaten-; **II.** *mf* Nordstaatler(in) *m(f).*
nordovest [nor'dɔ:vest] *m* **1.** (*abbr* **NO**) *geog* Nordwest(en) *m;* **2.** *(cappello)* Südwester *m;* **di** ~ nordwestlich, Nord-

west-.

Norimberga [norim'bεrga] *f* Nürnberg *n.*

norma ['nɔrma] *f* **1.** *(regola)* Norm *f,* Richtschnur *f;* **2.** *(uso)* Regel *f;* ~ **antinfortunistica (***o* **di sicurezza)** Unfallverhütungsvorschrift *f;* **-e comunitarie** Gemeinschaftsnormen *f pl;* **-e di circolazione/di navigazione** Verkehrsvorschriften *f pl*/Schiffahrtsordnung *f;* **-e per l'uso** Gebrauchsanweisung *f;* **a ~ di** laut *+dat o +gen,* gemäß *+dat o +gen,* nach *+dat;* **come di ~** wie üblich. **normale** [nor'ma:le] *agg* **1.** *(conforme alla norma)* normal, üblich; **2.** *(regolare)* regelmäßig. **normalità** [normali'ta] ⟨-⟩ *f* Normalität *f;* **rientrare nella ~** sich wieder normalisieren. **normalizzare** [...lid-'dza:re] **I.** *tr* **1.** *(rendere normale)* normalisieren, normal gestalten; **2.** *(standardizzare)* normieren, vereinheitlichen; **II.** *rfl:* **-arsi** sich normalisieren. **normalizzazione** [...liddzat'tsio:ne] *f* **1.** *(atto del normalizzare)* Normalisierung *f;* **2.** *(standardizzazione)* Normierung *f,* Vereinheitlichung *f.* **normalmente** [...l-'mente] *avv* normalerweise, gewöhnlich; *(conforme alla norma)* vorschriftsmäßig.

normativo, -a [norma'ti:vo] **I.** *agg* normativ, maßgebend; **II.** *f* Rechtsvorschriften *f pl.*

norvegese [norve'dʒe:se] **I.** *agg* norwegisch; **II.** *mf* Norweger(in) *m(f).* **Norvegia** [...'vε:dʒa] *f* Norwegen *n.*

nostalgia [nostal'dʒi:a] ⟨-gie⟩ *f* Nostalgie *f; (rimpianto)* Sehnsucht *f* (*di* nach); *(della patria)* Heimweh *n* (*di* nach). **nostalgico, -a** [...'taldʒiko] ⟨-ci, -che⟩ **I.** *agg* sehnsüchtig, sehnsuchtsvoll; *(della patria)* heimwehkrank; **II.** *m, f* Nostalgiker(in) *m(f).*

nostrano, -a [nos'tra:no] *agg* einheimisch, hiesig; *(salame)* hausgemacht.

nostro, -a ['nɔstro] **I.** *agg* (*abbr* **ns.**) unser; **la -a speranza** unsere Hoffnung; **~ padre/zio** unser Vater/Onkel; **un ~ amico** ein Freund von uns; **II.** *pron:* **il ~, la -a** unsere(r, s); **III.** *m:* **il ~** das Unsere, das Unsrige *geh;* **i -i** die Unsrigen *m pl geh.*

nostromo [nos'trɔ:mo] *m* Bootsmann *m,* Bootsmaat *m.*

nota ['nɔ:ta] *f* **1.** *(contrassegno)* (Kenn)-zeichen *n,* Merkmal *n;* **2.** *(appunto)* Notiz *f;* **3.** *(commento)* Erläuterung *f;* **4.** *(elenco)* Aufstellung *f,* Verzeichnis *n;* **5.** *(conto)* Rechnung *f;* **6.** *(comunicazione)* Mitteilung *f,* Schreiben *n;* **7.** *mus* Note *f;* **8.** *fig (impronta)* Eigenart *f,* Note *f;* **~ a piè di pagina** Fußnote *f;* **~ del traduttore (***abbr* **N.d.T.)** Anmerkung des Übersetzers/der Übersetzerin (*abk* Anm. d. Übers.); **~ di accredito/addebito** Gut-/Lastschrift *f;* **~ di biasimo** Disziplinarmaßnahme *f;* **~ introduttiva** Einleitung *f;* **prendere ~ di qc** sich etw. *(akk)* notieren, sich etw. *(akk)* aufschreiben; **degno di ~** bemerkenswert. **nota bene** ['nɔ:ta 'bε:ne] ⟨- -⟩ *m* (*abbr* **N.B.**) Notabene *n,* Anmerkung *f.* **notabile** [no'ta:bile] **I.** *agg* angesehen, bedeutend; **II.** *m pl* Honoratioren *pl,* Prominenz *f.*

notaio, -a [no'ta:io] ⟨-ai, -aie⟩ *m, f* Notar(in) *m(f).*

notare [no'ta:re] *tr* **1.** *(prender nota)* aufzeichnen, aufschreiben, vermerken; **2.** *(contrassegnare)* kennzeichnen; **3.** *(rilevare)* bemerken; **4.** *(considerare)* beachten; **far ~ qc a qu** jdn auf etw. *(akk)* aufmerksam machen; **farsi ~** sich bemerkbar machen, auffallen; **è da ~ che ...** es ist hervorzuheben, daß ... .

notariato [nota'ria:to] *m* Notariat *n.* **notarile** [...'ri:le] *agg* notariell, Notar(s)-, Notariat(s)-.

notazione [notat'tsio:ne] *f* Anmerkung *f; mus* Notenschrift *f,* Notation *f.*

notebook ['nəutbuk] ⟨-⟩ *m* **1.** *(quaderno)* Notizbuch *n;* **2.** *(computer portatile)* Notebook *n o m.*

notes ['nɔ:tes] ⟨-⟩ *m* Notizblock *m.*

notevole [no'te:vole] *agg* beträchtlich, beachtlich, bemerkenswert.

notifica [no'ti:fika] ⟨-che⟩ *f* **1.** *amm* Mitteilung *f,* Bekanntmachung *f;* **2.** *dir* Zustellung *f;* **~ di cambiamento** Ummeldung *f;* **obbligo di ~** Meldepflicht *f.* **notificare** [notifi'ka:re] ⟨notifico, notifichi⟩ *tr* **1.** *amm* bekanntgeben, mitteilen; **2.** *(dichiarare)* anmelden, anzeigen.

notizia [no'tittsia] ⟨-ie⟩ *f* **1.** *(comunicato, novità)* Nachricht *f,* Meldung *f;* **2.** *(informazione)* Auskunft *f,* Information *f;* **-ie infondate** Falschmeldungen *f pl.* **notiziario** [...'tsia:rio] ⟨-i⟩ *m TV, radio* Nachrichten *f pl,* Nachrichtensendung *f; (nel giornale)* Nachrichtenblatt *n,* Nachrichtendienst *m.*

noto, -a ['nɔ:to] *agg* bekannt; *(famoso)* berühmt; **ben ~** wohlbekannt.

notoriamente [notaria'mente] *avv* bekanntlich, bekanntermaßen. **notorietà** [...ie'ta] ⟨-⟩ *f* Bekanntheit *f; (fama)* Berühmtheit *f.* **notorio, -a** [no'tɔ:rio] ⟨-i, -ie⟩ *agg* allgemein bekannt; **atto ~** Zeugenurkunde *f.*

nottambulo, -a [not'tambulo] *m, f* Nachtschwärmer(in) *m(f).*

nottante [not'tante] *mf* Nachtschwester *f,* Krankenpfleger *m* im Nachtdienst.

nottata [not'ta:ta] *f* Nacht *f;* **far ~** die (ganze) Nacht durchmachen.

notte ['nɔtte] *f* Nacht *f;* **la ~ sulla domenica** die Nacht von Samstag auf Sonntag; **si fa ~** es wird Nacht; **nella ~ dei tempi** in grauer Vorzeit; **nel cuore della ~** mitten in der Nacht; **essere peggio che andar di ~** die schlimmste Strafe sein; **far di ~ giorno** die Nacht zum Tag machen; ~ **bianca** (*o* **in bianco**) schlaflose Nacht; **Buona** ~! Gute Nacht!; **di** ~ nachts, bei Nacht. **nottetempo** [notte'tɛmpo] *avv* nachts, bei Nacht.

nottola[1] ['nɔttola] *f zoo* Abendsegler *m.*

nottola[2] ['nɔttola] *f (sbarretta)* Riegel *m.*

nottolino [notto'li:no] *m* **1.** *(saliscendi)* (Tür)klinke *f;* **2.** *(di arresto)* Sperrklinke *f*, Sperrzahn *m.*

notturno, -a [not'turno] **I.** *agg* nächtlich; Nacht-; **lavoro** ~ Nachtarbeit *f;* **vita -a** Nachtleben *n;* **II.** *m mus* Nocturne *n o f.*

novanta [no'vanta] **I.** *num* neunzig; **II.** ⟨-⟩ *m* Neunzig *f;* **la paura fa** ~ Angst macht Beine; *v. a. cinquanta.* **novantenne** [...'tɛnne] **I.** *agg* neunzigjährig; **II.** *mf* Neunzigjährige(r) *mf;* **un pezzo da** ~ *(capo mafioso)* Mafiaboss *m; fig* ein hohes Tier. **novantesimo, -a** [...'tɛ:zimo] **I.** *agg* neunzigste(r, s); **II.** *m, f* Neunzigste(r, s) *mfn;* **III.** *m (frazione)* Neunzigstel *n,* neunzigster Teil; *v. a. quinto.* **novantina** [...'ti:na] *f:* **una** ~ **(di ...)** (etwa) neunzig (...); **essere sulla** ~ an (*o* um) die Neunzig sein.

nove ['nɔ:ve] **I.** *num* neun; **II.** ⟨-⟩ *m* **1.** *(numero)* Neun *f;* **2.** *(nelle date)* Neunte(r) *m;* **3.** *(voto scolastico)* ≃ Sehr Gut *n,* Eins *f;* **III.** *f pl* neun Uhr; *v. a. cinque.* **novecentesco, -a** [novetʃen'tesko] ⟨-schi, -sche⟩ *agg* das zwanzigste Jahrhundert betreffend. **novecento** [...'tʃɛnto] **I.** *num* neunhundert; **II.** ⟨-⟩ *m* Neunhundert *f;* **il N~** das zwanzigste Jahrhundert.

novella [no'vɛlla] *f* Novelle *f;* **la buona** ~ die Frohe Botschaft.

novellino, -a [novel'li:no] *m, f* Neuling *m.*

novellista [novel'lista] ⟨-i *m,* -e *f*⟩ *mf* Novellenschreiber(in) *m(f),* Novellist(in) *m(f).*

novello, -a [no'vɛllo] *agg* neu, frisch; **un** ~ **Michelangelo** ein zweiter Michelangelo; **-i sposi** Jungvermählte *pl.*

novembre [no'vɛmbre] *m* November *m; v. a. settembre.* **novembrino, -a** [novem'bri:no] *agg* November-, novemberhaft.

novemila [nove'mi:la] **I.** *num* neuntausend; **II.** ⟨-⟩ *m* Neuntausend *f.*

novilunio [novi'lu:nio] ⟨-i⟩ *m* Neumond *m.*

novità [novi'ta] ⟨-⟩ *f* **1.** *(qualità)* Neuheit *f,* Neuartigkeit *f; (cosa)* Neuheit *f;* **2.** *(notizia)* Neuigkeit *f,* Nachricht *f;* **3.** *(innovazione)* Neuerung *f,* Neuschöpfung *f;* **nessuna** ~ nichts Neues.

noviziato [novit'tsia:to] *m* **1.** *rel (stato, periodo)* Noviziat *n; (luogo)* Novizeninternat *n;* **2.** *(tirocinio)* Einarbeitungszeit *f.* **novizio, -a** [no'vittsio] ⟨-i, -ie⟩ *m, f* **1.** *rel* Novize *m,* Novizin *f;* **2.** *fig (inesperto)* Anfänger(in) *m(f),* Neuling *m.*

nozione [not'tsio:ne] *f* **1.** *(conoscenza)* Kenntnis *f;* **2.** *(concetto)* Begriff *m;* **le prime -i** die Grundlagen *f pl* (eines Wissensgebietes). **nozionismo** [nottsio'nizmo] *m* oberflächliches Wissen. **nozionistico, -a** [...'nistiko] ⟨-ci, -che⟩ *agg* oberflächlich.

nozze ['nɔttse] *f pl* Hochzeit *f;* ~ **d'argento/d'oro** siberne/goldene Hochzeit; **celebrare le** ~ Hochzeit feiern; **far le** ~ **con i fichi secchi** *fig scherz* um jeden Preis sparen (wollen).

ns. *abbr di* **nostro** unser.

N.T. *abbr di* **Nuovo Testamento** N.T. (*abk von* Neues Testament).

N.U. *f* **1.** ⟨*pl*⟩ *abbr di* **Nazioni Unite** UN *f pl* (*abk von* United Nations); **2.** ⟨-⟩ *abbr di* **Nettezza Urbana** Städtische Müllabfuhr.

nuance [nɥã:s] ⟨-⟩ *f* Nuance *f,* Abstufung *f.*

nube ['nu:be] *f* **1.** *scient, poet* Wolke *f;* **2.** *fig* Nebel *m,* Schleier *m,* Schatten *m;* ~ **radioattiva** radioaktive Wolke; ~ **tossica** Giftwolke *f.*

nubifragio [nubi'fra:dʒo] ⟨-gi⟩ *m* Wolkenbruch *m.*

nubile ['nu:bile] **I.** *agg (donna)* ledig, unverheiratet; **II.** *f* Ledige *f,* ledige Frau, Junggesellin *f.*

nuca ['nu:ka] ⟨-che⟩ *f* Nacken *m,* Genick *n.*

nucleare [nukle'a:re] **I.** *agg* nuklear, Kern-, Nuklear-, Atom-; **armi -i** Atomwaffen *f pl;* **reazione/esperimento** ~ Kernreaktion *f*/Atomwaffenversuch *m;* **II.** *m* **1.** *(energia)* Kernenergie *f;* **2.** *(sfruttamento)* Kernenergienutzung *f.*

nucleico, -a [nu'klɛ:iko] ⟨-ci, -che⟩ *agg:* **acido** ~ Nukleinsäure *f.*

nucleo ['nu:kleo] *m* **1.** *scient* Kern *m;* **2.** *fig (reparto)* Gruppe *f;* **3.** *mil* Truppe *f;* **4.** *pol* Zelle *f;* ~ **atomico** Atomkern *m.*

nudismo [nu'dizmo] *m* Nudismus *m,* Freikörperkultur *f,* FKK *fam.* **nudista** [nu'dista] ⟨-i *m,* -e *f*⟩ *mf* Nudist(in) *m(f),* FKKler *m fam;* **spiaggia di -i** FKK-Strand *m.*

nudità [...i'ta] ⟨-⟩ *f* **1.** *(di persone)* Nacktheit *f,* Blöße *f;* **2.** *(di terreno)* Kahlheit *f;* **3.** ⟨*pl*⟩ *(pudende)* Schamteile *n pl,* Geschlechtsteile *n pl.*

nudo, -a ['nu:do] **I.** *agg* nackt, bloß; *(terreno)* kahl; **essere** ~ **come un verme** splitter(faser)nackt sein; **a occhio** ~ mit bloßem Auge; **II.** *m (in arte)* Akt *m.*

nugolo ['nu:golo] *m:* ~ **di polvere** Staubwolke *f;* ~ **di zanzare** Mückenschwarm *m.*

nulla ['nulla] **I.** ⟨*inv*⟩ *pron indef* **1.** *(nessuna cosa)* nichts (von Belang); **2.** *(in frasi interr)* etwas; **una cosa da** ~ eine Kleinigkeit; **non ...** ~ nichts; **non ha detto** ~ er/sie hat nichts gesagt; **II.** *avv* nichts; **per** ~ nicht im geringsten, durchaus nicht, ganz und gar nicht; **III.** ⟨-⟩ *m* Nichts *n,* Kleinigkeit *f.* **nullaosta, nulla osta** [nulla'ɔsta] ⟨-⟩ *m* (amtliche) Genehmigung *f,* Erlaubnis *f.* **nullatenente** [nullate'nɛnte] **I.** *agg amm* mittellos, unbemittelt; *dir* besitzlos; **II.** *mf amm* Mittellose(r) *mf; dir* Besitzlose(r) *mf.* **nullità** [nulli'ta] ⟨-⟩ *f* **1.** *(qualità)* Nichtigkeit *f;* **2.** *amm* Ungültigkeit *f;* **3.** *(persona)* Null *f fam.* **nullo, -a** ['nullo] *agg* **1.** *dir (non valido)* ungültig; **2.** *(inefficace)* unwirksam; *(senza valore)* (gleich) null *fam;* **3.** *sport* unentschieden; **contratto** ~ nichtiger Vertrag; **scheda (elettorale) -a** ungültige Stimme.

nume ['nu:me] *m* Gottheit *f,* Numen *n.*

numerale [nume'ra:le] **I.** *agg* Zahlen-; **II.** *m* Zahlwort *n.*

numerare [nume'ra:re] *tr* numerieren. **numeratore** [...ra'to:re] *m* **1.** *mat* Zähler *m;* **2.** *tec* Numerator *m,* Numerierwerk *n.* **numerazione** [...rat'tsi̯o:ne] *f* Numerierung *f;* ~ **binaria** binäres Zahlensystem.

numerico, -a [nu'mɛ:riko] ⟨-ci, -che⟩ *agg* zahlenmäßig, Zahlen-; *mat, inform* numerisch.

numero ['nu:mero] *m* (*abbr* **n**) **1.** *mat* Zahl *f; (cifra)* Ziffer *f;* **2.** *(quantità)* (An)zahl *f,* Menge *f;* **3.** *(di mezzi pubblici)* Linie *f;* **4.** *(esemplare di giornale)* Nummer *f,* Exemplar *n;* **5.** *(di spettacolo)* Nummer *f;* **6.** *(taglia, misura)* Größe *f;* **7.** *gram* Numerus *m,* Zahl *f;* ~ **di casa** (*o* **civico)/targa** Haus-/Autonummer *f;* ~ **di codice** Postleitzahl *f;* ~ **chiuso** Numerus clausus *m;* ~ **primo** Primzahl *f;* ~ **segreto** Geheimnummer *f;* ~ **telefonico** Telefonnummer *f;* ~ **unico** Sonderausgabe *f;* ~ **verde** ≃ 0130; ~ **vincente** Gewinnzahl *f;* **avere dei -i** *fig* Fähigkeiten (*o* Möglichkeiten) haben; **dare i -i** *fam* spinnen; **chiamare un** ~ eine Nummer wählen; **sbagliare** ~ sich verwählen, eine falsche Nummer wählen; **in gran** ~ zahlreich, in großer Zahl. **numeroso, -a** [...'ro:so] *agg* zahlreich; *(famiglia, classe)* groß.

numismatica [numiz'ma:tika] ⟨-che⟩ *f* Numismatik *f,* Münzkunde *f.* **numismatico, -a** [...ko] ⟨-ci, -che⟩ **I.** *agg* numismatisch, Münzen-; **II.** *m, f* Numismatiker(in) *m(f),* Münzenkenner(in) *m(f),* Münzensammler(in) *m(f).*

nunzio ['nuntsi̯o] ⟨-i⟩ *m* (Apostolischer) Nuntius *m.*

nuocere ['nu̯ɔ:tʃere] ⟨noccio *o* nuoccio, nuoci, nocqui, nociuto⟩ *itr* schaden, Schaden zufügen, schädlich sein (*a* für).

nuora ['nu̯ɔ:ra] *f* Schwiegertochter *f.*

nuotare [nu̯o'ta:re] *itr* schwimmen; *(oggetti a.)* treiben; ~ **a farfalla/a rana/a crawl (***o* **stile libero)** im Schmetterlingsstil schwimmen/brustschwimmen/kraulen; ~ **sott'acqua** tauchen; ~ **nell'oro** *fig* im Geld schwimmen *fam.* **nuotata** [...'ta:ta] *f* Schwimmen *n.* **nuotatore, -trice** [...ta'to:re] *m, f* Schwimmer(in) *m(f).* **nuoto** ['nuɔ:to] *m* Schwimmen *n,* Schwimmsport *m;* **a** ~ schwimmend; **traversare a** ~ **un fiume** durch einen Fluß schwimmen.

nuova ['nu̯ɔ:va] *f* Neuigkeit *f,* Nachricht *f;* **nessuna** ~, **buona** ~ keine Nachricht, gute Nachricht.

Nuova York ['nu̯ɔ:va 'i̯ɔrk] *f* New York *n.*

Nuova Zelanda ['nu̯ɔ:va ddze'landa] *f* Neuseeland *n.*

nuovo, -a ['nu̯ɔ:vo] **I.** *agg* neu; ~ **fiammante (***o* **di zecca)** (funkel)nagelneu; ~ **ricco** neureich; **luna -a** Neumond *m;* **uomo** ~ Emporkömmling *m;* **di** ~ von neuem, nochmals; **II.** *m* Neue(s) *n,* Neuigkeit *f;* **che c'è di** ~**?** was gibt es Neues?

nutrice [nu'tri:tʃe] *f* Ernährerin *f; (balia)* Amme *f,* Nährmutter *f.*

nutriente [nutri'ɛnte] *agg (sostanzioso)* nährend, nahrhaft; *(che nutrisce)* Nahrungs-, Nähr-. **nutrimento** [...i'mento] *m* Nahrung *f.*

nutrire [nu'tri:re] ⟨nutro *o* nutrisco⟩ **I.** *tr* **1.** *(alimentare)* nähren, ernähren; **2.** *fig (mente)* fördern, pflegen; *(fiducia, odio)* hegen; **II.** *rfl:* **-irsi** sich ernähren, essen. **nutritivo, -a** [nutri'ti:vo] *agg (cibo)* Nähr-, Nahrungs-; *(sostanzioso)* nahrhaft. **nutrito, -a** [nu'tri:to] *agg (fig)* lebhaft, stürmisch; **ben/mal** ~ wohlgenährt/unterernährt. **nutrizione** [...it'tsi̯o:ne] *f* **1.** *(atto del nutrire)* Ernährung *f;* **2.** *(cibo)* Nahrung *f,* Essen *n;* ~ **forzata** Zwangsernährung *f.*

nuvola ['nu:vola] *f* Wolke *f;* **cadere (***o* **cascare) dalle -e** *fig* aus allen Wolken fallen. **nuvolo** [...lo] *agg reg lett* wolkig, bewölkt. **nuvolone** [nuvo'lo:ne] *m* große Wolke. **nuvolosità** [...losi'ta] ⟨-⟩ *f* Bewölkung *f.* **nuvoloso, -a** [...'lo:so] *agg* wolkig, bewölkt; *(coperto)* bedeckt.

nuziale [nut'tsi̯a:le] *agg* ehelich, Ehe-; *(festa, banchetto)* Hochzeits-.

nylon® ['nailən] ⟨-⟩ *m* Nylon *n.*

O

O, o [ɔ] ⟨-⟩ *f* O, o *n;* **o come Otranto** O wie Otto.
o [o] ⟨*davanti a vocale spesso* od⟩ *cong* **1.** *(oppure)* oder; **2.** *(ossia, vale a dire)* oder auch, das heißt; ~ ... ~ entweder ... oder.
O. *abbr di* **ovest** W (*abk von* West).
oasi ['ɔ:azi] ⟨-⟩ *f* Oase *f;* **un'~ di pace** *fig* eine Oase des Friedens.
obbediente [obbe'di̯ɛnte] *ecc. v.* **ubbidiente** *ecc.*
obbligare [obbli'ga:re] ⟨obbligo, obblighi⟩ **I.** *tr* **1.** *(costringere)* zwingen; **2.** *(per riconoscenza)* (zu Dank) verpflichten; ~ **a letto** ans Bett fesseln; **II.** *rfl:* **-arsi 1.** *dir (vincolarsi)* bürgen, haften; **2.** *(impegnarsi)* sich verpflichten. **obbligato, -a** [...'ga:to] *agg* **1.** *(costretto)* gezwungen; **2.** *(per riconoscenza)* (zu Dank) verpflichtet; **3.** *(non variabile, inevitabile)* obligatorisch. **obbligatorio, -a** [...ga'tɔ:ri̯o] ⟨-i, -ie⟩ *agg* **1.** *(che costituisce un obbligo)* vorgeschrieben, obligatorisch, verbindlich; *(materia)* Pflicht-; **2.** *dir* rechtsgültig, -verbindlich.
obbligazione [...gat'tsi̯o:ne] *f* **1.** *(obbligo)* Verpflichtung *f;* **2.** *dir (impegno, debito)* Verbindlichkeit *f; (documento)* Schuldverschreibung *f;* **3.** *fin* Obligation *f,* Wertpapier *n;* **-i dello stato** Staatsanleihen *f pl.* **obbligo** ['ɔbbligo] ⟨-ghi⟩ *m* Pflicht *f,* Verpflichtung *f;* **essere in ~ di** *+inf*/**avere l' ~ di** *+inf* die Pflicht haben zu *+inf;* **d'~** vorgeschrieben, obligatorisch, Pflicht-; ~ **di contrassegno** Kennzeichnungspflicht *f;* ~ **di denuncia** Meldepflicht *f;* ~ **scolastico** Schulpflicht *f;* **sentirsi in ~** sich verpflichtet fühlen (*a qc* zu etw.).
obbrobrio [ob'brɔ:bri̯o] ⟨-i⟩ *m* Schande *f.* **obbrobrioso, -a** [obbro'bri̯o:so] *agg* schändlich; *(molto brutto)* scheußlich.
obelisco [obe'lisko] ⟨-schi⟩ *m* Obelisk *m.*
oberato, -a [obe'ra:to] *agg (di lavoro)* überlastet; *(di debiti)* überschuldet, übermäßig belastet.
obesità [obezi'ta] ⟨-⟩ *f* Fettsucht *f.* **obeso, -a** [o'bɛ:zo] **I.** *agg* fettleibig, übergewichtig; **II.** *m, f* fettleibige Person.
obice ['ɔ:bitʃe] *m* Haubitze *f.*
obiettare [obi̯et'ta:re] *tr* einwenden (*su* gegen), entgegenhalten.
obiettività [obi̯ettivi'ta] ⟨-⟩ *f* Objektivität *f.* **obiettivo, -a** [...'ti:vo] **I.** *agg* objektiv; *(giudizio a.)* sachlich; *(arbitro a.)* unvoreingenommen; **II.** *m* **1.** *fot, fis* Objektiv *n;* **2.** *mil (bersaglio)* Ziel(gebiet) *n,* Ziel(punkt *m*) *n;* **3.** *(scopo)* Ziel *n,* Zweck *m;* ~ **grandangolare** Weitwinkelobjektiv *n;* ~ **di cambio** Wechselobjektiv *n.*
obiettore, -trice [obi̯et'to:re] *m, f* Gegner(in) *m(f);* ~ **di coscienza** Kriegsdienstverweigerer *m* (aus Gewissensgründen), Wehrdienstverweigerer *m.*
obiezione [...t'tsi̯o:ne] *f* Einwand *m,* Gegenargument *n; dir* Einspruch *m.*
obitorio [obi'tɔ:ri̯o] ⟨-i⟩ *m* Leichenschauhaus *n.*
oblazione [oblat'tsi̯o:ne] *f* **1.** *(offerta)* Spende *f;* **2.** *dir Strafabwendung durch Geldzahlung.*
oblio [o'bli:o] ⟨-ii⟩ *m poet* Vergessenheit *f;* **cadere nell'~** in Vergessenheit geraten.
obliquità [oblikui̯'ta] ⟨-⟩ *f* Schräge *f,* Schiefe *f.* **obliquo, -a** [ob'li:kuo] *agg* **1.** *(sghembo)* schief, schräg; *fig (sguardo)* schief; **2.** *fig (indiretto)* krumm *fam;* **3.** *gram* abhängig.
obliterare [oblite'ra:re] *tr* entwerten. **obliteratrice** [...ra'tri:tʃe] *f* Entwerter *m.* **obliterazione** [...rat'tsi̯o:ne] *f* Entwertung *f.*
oblò [o'blɔ] ⟨-⟩ *m* Bullauge *n.*
oblungo, -a [o'bluŋgo] *agg* länglich, mehr lang als breit.
oboe ['ɔ:boe] *m* Oboe *f.*
obsolescenza [obsoleʃ'ʃɛntsa] *f* Veralten *n.* **obsoleto, -a** [...'lɛ:to] *agg* veraltet, obsolet *geh.*
OC *abbr di* **onde corte** KW (*abk von* Kurzwelle).
oca ['ɔ:ka] ⟨oche⟩ *f* **1.** *zoo* Gans *f;* **2.** *fig peg* dumme Gans; **collo d'~** *tec* Kurbelwelle *f; (di tubi)* Schwanenhals *m;* **passo d'~** *mil* Stechschritt *m;* **pelle d'~** *fig* Gänsehaut *f;* **camminare come un'~** über den großen Onkel gehen *fam;* **porca l'~!** *fam* Menschenskind(er)! *fam.*
ocaggine [o'kaddʒine] *f fam* Blöd-, Doofheit *f fam.*
ocarina [oka'ri:na] *f* Okarina *f.*
occasionale [okkazi̯o'na:le] *agg* Gelegenheits-, gelegentlich; *(per caso)* zufällig; **amicizia ~** Zufallsbekanntschaft *f.*
occasione [okka'zi̯o:ne] *f* **1.** *(opportunità)* Gelegenheit *f; (econ a.)* Angebot *n;* **2.** *(circostanza)* Gelegenheit *f,* Anlaß *m;* **3.** *(motivo)* Grund *m,* Anlaß *m;* **auto d'~** Gebrauchtwagen *m;* **cogliere/perdere l'~** die Gelegenheit nutzen/verpassen; **all'~** gegebenenfalls; **in ~ di** anläßlich *+gen;* **per l'~** aus diesem Anlaß.

occhi *pl di* **occhio.**
occhiaie [ok'kia:ie] *f pl* (dunkle) Ränder *m pl* unter den Augen, Ringe *m pl* unter den Augen.
occhialetto [okkia'letto] *m* Lorgnette *f*, Lorgnon *n.*
occhiali [ok'kia:li] *m pl* Brille *f;* ~ **da sole/da subacquei** Sonnen-/Taucherbrille *f;* **portare gli** ~ eine Brille tragen.
occhialuto, -a [okkia'lu:to] **I.** *agg* bebrillt; **II.** *m, f* Brillenträger(in) *m(f).*
occhiata [ok'kia:ta] *f* (kurzer) Blick *m;* **dare un'**~ **al giornale** einen Blick in die Zeitung werfen; **dare un'**~ **ai bambini** ein Auge auf die Kinder haben; **lanciare un'**~ **a qu** jdm einen Blick zuwerfen.
occhiello [ok'kiɛllo] *m* **1.** *(asola)* Knopfloch *n;* **2.** *(su scarpe, borse)* Öse *f;* **3.** *tip* Schmutztitel *m.*
occhietto [ok'kietto] *m* **1.** *(occhio piccolo e vivace)* Äuglein *n;* **2.** *tip* Schmutztitel *m;* **far l'**~ **a qu** jdm zuzwinkern.
occhio ['ɔkkio] ⟨occhi⟩ *m* **1.** *anat* Auge *n;* **2.** *fig (del brodo)* Fettauge *n; (del formaggio)* Loch *n;* **3.** *fig (accortezza)* Blick *m,* Auge *n;* **4.** *bot* Auge *n;* **5.** *(foro)* Auge *n,* Loch *n;* **6.** *tip* Schriftbild *n;* **colpo d'**~ (kurzer) Blick *m;* **avere buon** ~ ein Auge für etwas haben; **avere gli occhi foderati di prosciutto** *fig fam* Tomaten auf den Augen haben *fam;* **costare** (*o* **valere) un** ~ **della testa** *fig* ein Vermögen kosten; **non credere ai propri occhi** seinen Augen nicht trauen; **dare nell'**~ ins Auge fallen; **non levar gli occhi di dosso a qu** jdn nicht aus den Augen lassen; **mettere gli occhi addosso a qu** ein Auge auf jdn werfen; **non perdere d'**~ nicht aus den Augen verlieren; **vedere di buon** ~ **qu** jdm wohlgesonnen sein; **a** ~ **(e croce)** über den Daumen gepeilt *fam;* **a occhi chiusi** *fig* blindlings; **come un pugno in un** ~ wie die Faust aufs Auge *fam;* **in un batter d'**~ im Nu, in Null Komma nichts *fam.* **occhiolino** [okkio'li:no] *m:* **fare l'**~ **a qu** jdm zuzwinkern.
occidentale [ottʃiden'ta:le] **I.** *agg* West-, westlich; *(civiltà)* abendländisch; **II.** *mf* Bewohner(in) *m(f)* der westlichen Welt (*o* des Abendlands). **occidente** [...'dɛnte] *m* Westen *m; (civiltà)* Abendland *n;* **a** ~ **di** westlich (*o* im Westen) von.
occipite [ot'tʃi:pite] *m* Hinterkopf *m.*
occludere [ok'klu:dere] ⟨occludo, occlusi, occluso⟩ *tr* verschließen, verstopfen *fam.* **occlusione** [okklu'zio:ne] *f* Verschluß *m.* **occlusivo, -a** [...'zi:vo] *agg* verschließend; *ling, scient* okklusiv. **occluso** [ok'klu:zo] *pp di* **occludere.**
occorrente [okkor'rɛnte] **I.** *agg* erforderlich, notwendig; **II.** *m* Notwendige(s) *n,* Nötige(s) *n;* ~ **per scrivere** Schreibzeug *n.* **occorrenza** [...'rɛntsa] *f* Bedarf *m,* Bedarfsfall *m;* **all'**~ bei Bedarf.
occorrere [ok'korrere] ⟨*irr*⟩ *itr* ⟨*essere*⟩ **1.** *(essere di bisogno)* brauchen (qc a qu jd etw.), erforderlich sein, benötigt werden; **2.** *impers* müssen; **3.** *(accadere)* geschehen, widerfahren; **gli occorre aiuto** er braucht Hilfe; **occorrono medicinali** es sind Medikamente erforderlich; **se ti occorre qualcosa, dillo!** wenn du etwas brauchst, sag' es ruhig!; **occorre** *+inf* man muß *+inf;* **non occorre** *+inf* man braucht nicht *+inf,* es ist nicht nötig, daß . . .; **mi è occorso un fatto strano** mir ist etwas Eigenartiges zugestoßen (*o* passiert *fam*).
occultare [okkul'ta:re] *tr* **1.** *(nascondere)* verbergen, verstecken; **2.** *fig* verheimlichen; **3.** *astr* verfinstern. **occultismo** [...'tizmo] *m* Okkultismus *m.*
occulto, -a [ok'kulto] *agg* geheim, okkult; **scienze -e** Okkultismus *m.*
occupante [okku'pante] **I.** *agg* Besatzungs-, besetzend; **II.** *mf* Insasse *m,* Insassin *f;* **III.** *m* Besatzungsmacht *f.*
occupare [okku'pa:re] **I.** *tr* **1.** *(luogo)* besetzen; *(mil a.)* einnehmen; **2.** *(appartamento)* beziehen; **3.** *(carica)* innehaben, bekleiden; **4.** *(spazio)* brauchen, beanspruchen, wegnehmen; *inform (memoria)* belegen; **II.** *rfl:* **-arsi 1.** *(interessarsi)* sich beschäftigen (*di* mit), sich befassen (*di* mit); **2.** *(prendersi cura)* sich kümmern (*di* um); **3.** *(impiegarsi)* angestellt werden, eine Beschäftigung finden; **4.** *(impicciarsi)* sich einmischen (*di* in *+akk*). **occupato, -a** [...'pa:to] *agg* **1.** *(non libero)* besetzt, belegt; **2.** *(affaccendato)* beschäftigt; **3.** *(impiegato)* angestellt, beschäftigt. **occupatore, -trice** [...pa'to:re] *m, f* Besetzer(in) *m(f); mil* Besatzer *m.* **occupazionale** [...pattsio'na:le] *agg* Beschäftigungs-.
occupazione [okkupat'tsio:ne] *f* **1.** *(presa di possesso)* Besetzung *f;* **2.** *dir* Aneignung *f;* **3.** *(impiego)* Beschäftigung *f,* Anstellung *f;* **4.** *(attività abituale)* Beschäftigung *f;* **5.** *(complesso di lavoratori)* Beschäftigte(n) *mf pl;* **piena** ~ Vollbeschäftigung *f;* ~ **stagionale** Saisonbeschäftigung *f;* **truppe d'**~ Besatzungstruppen *f pl.*
oceanico, -a [otʃe'a:niko] ⟨-ci, -che⟩ *agg* ozeanisch.
oceano [o'tʃɛ:ano] *m* **1.** *geog* Ozean *m;* **2.** *fig* Meer *n.* **oceanografia** [otʃeanogra'fi:a] *f* Meereskunde *f,* Ozeanographie *f.* **oceanografico, -a** [...'gra:fiko] *agg* meereskundlich, ozeanographisch.
ocelot [otʃe'lɔt] *v.* **ozelot.**
oche *pl di* **oca.**
ocra ['ɔ:kra] **I.** ⟨*inv*⟩ *agg* ocker(farben); **II.** *f* Ocker *m o n.*
O.C.S.E. *acr di* **Organizzazione per la Cooperazione e lo Sviluppo Economici** OECD (*abk von* Organisation für wirtschaftliche Zusammenarbeit und Ent-

wicklung.
oculare [oku'la:re] **I.** *agg* Aug(en)-, okular *wissensch.;* **testimone** ~ Augenzeuge *m,* -zeugin *f;* **II.** *m* Okular *n.*
oculatezza [okula'tettsa] *f* Umsicht *f,* Besonnenheit *f.* **oculato, -a** [...'la:to] *agg* umsichtig, besonnen.
oculista [oku'lista] ⟨-i *m,* -e *f*⟩ *mf* Augenarzt *m,* -ärztin *f* **oculistica** [...'listika] ⟨-che⟩ *f* Augenheilkunde *f.*
od [od] *v.* **o.**
oda ['oda] *v.* **udire.**
ode ['ɔ:de] *f* Ode *f.*
odiare [o'di̯a:re] ⟨odio, odi⟩ *tr* hassen.
odierno, -a [o'di̯ɛrno] *agg* heutig.
O.d.G. *abbr di* **ordine del giorno** Tagesordnung *f; mil* Tagesbefehl *m.*
odio ['ɔ:di̯o] ⟨-i⟩ *m* Haß *m,* (heftige) Abneigung *f;* ~ **mortale** tödlicher Haß; **avere in** ~ **qu** einen Haß auf jdn haben.
odioso, -a [o'di̯o:so] *agg* **1.** *(detestabile)* abscheulich, häßlich; **2.** *(pieno di odio)* verhaßt, hassenswert.
odissea [odis'sɛ:a] *f* Odyssee *f.*
odo ['ɔ:do] *pr di* **udire.**
odontoiatra [odonto'i̯a:tra] ⟨-i *m,* -e *f*⟩ *mf* Zahnarzt *m,* -ärztin *f.* **odontoiatrico, -a** [-'i̯a:triko] ⟨-ci, -che⟩ *agg* zahnärztlich, zahnmedizinisch. **odontotecnico, -a** [...'tɛkniko] **I.** *agg* zahntechnisch; **II.** *m, f* Zahntechniker(in) *m(f).*
odorare [odo'ra:re] **I.** *tr* **1.** *(annusare)* beriechen, riechen (*qc* an etw. *(dat)*); *fig* wittern; **2.** *(profumare)* zum Duften bringen, mit Duft erfüllen; **II.** *itr* riechen (*di* nach). **odorato** [...'ra:to] *m* Geruch(ssinn) *m.*
odore [o'do:re] *m* **1.** *(sensazione)* Geruch *m* (*di* nach, von); **2.** ⟨*pl*⟩ *gastr* Gewürzkräuter *n pl;* **sento (*o* si sente) un** ~ **di gas** es riecht nach Gas; **si sente un** ~ **di bruciato** es riecht angebrannt; **non sentire nessun** ~ nichts riechen; **in** ~ **di** im Ruf *+gen.* **odorino** [odo'ri:no] *m* Aroma *n,* (würziger) Duft *m;* **un delizioso** ~ **d'arrosto** ein köstlicher Bratenduft. **odoroso, -a** [...'ro:so] *agg* duftend, wohlriechend.
offendere [of'fɛndere] ⟨offendo, offesi, offeso⟩ **I.** *tr* **1.** *(ferire)* verletzen; **2.** *fig (oltraggiare)* beleidigen, verletzen, kränken; **3.** *(violare)* verletzen, verstoßen gegen; **II.** *rfl:* **-ersi 1.** *(risentirsi)* beleidigt sein, sich beleidigt fühlen; **2.** *(ingiuriarsi)* sich (gegenseitig) beleidigen.
offensiva [offen'si:va] *f* Offensive *f.* **offensivo, -a** [...vo] *agg* **1.** *(oltraggioso)* beleidigend, verletzend; **2.** *mil* offensiv, Angriffs-; **3.** *(atto a ferire)* verletzend.
offensore, offenditrice [...'so:re, ...di'tri:tʃe] *m, f* **1.** *(chi offende)* Beleidiger(in) *m(f);* **2.** *mil* Angreifer(in) *m(f).*
offerente [offe'rɛnte] *mf* Bieter(in) *m(f);* **aggiudicare qc al migliore** ~ etw. dem Meistbietenden zuschlagen.
offersi [of'fɛrsi] *p rem di* **offrire.**
offerta [of'fɛrta] *f* **1.** *(dono)* Gabe *f; (obolo)* Spende *f;* **2.** *(proposta)* Angebot *n;* **3.** *econ* Angebot *n,* Offerte *f;* ~ **di lavoro** Stellenangebot *n;* ~ **speciale** Sonderangebot *n;* **essere in** ~ **speciale** im Angebot sein. **offerto** [...to] *pp di* **offrire.**
offertorio [offer'tɔ:ri̯o] ⟨-i⟩ *m* Offertorium *n.*
offesa [of'fe:sa] *f* **1.** *(oltraggio)* Kränkung *f,* Beleidigung *f; (molestia)* Verletzung *f,* Beleidigung *f;* **2.** *(violazione)* Verletzung *f* (*a qc* einer S. *(gen)*), Verstoß (*a* gegen); **3.** *mil* Angriff *m;* ~ **al pudore** Verletzung *f* des Schamgefühls.
offesi [of'fe:si] *p rem di* **offendere.**
offeso, -a [of'fe:so] **I.** *pp di* **offendere;** **II.** *agg* **1.** *(risentito)* beleidigt, verletzt, gekränkt; **2.** *(lesionato)* verletzt; **III.** *m, f* Beleidigte(r) *mf,* Gekränkte(r) *mf;* **fare l'**~ den Beleidigten spielen.
officina [offi'tʃi:na] *f* Werkstatt *f,* Werkstätte *f geh;* ~ **autorizzata** Vertragswerkstatt *f;* ~ **di riparazioni** Reparaturwerkstatt *f.*
officinale [offitʃi'na:le] *agg* Arznei-, Heil-.
off-line ['ɔf lain] ⟨inv⟩ *agg* Off-Line-.
offrire [of'fri:re] ⟨offro, offersi *o* offrii, offerto⟩ **I.** *tr* **1.** *(mettere a disposizione)* anbieten; **2.** *(regalare)* schenken; **3.** *fig (esporre, presentare)* bieten, zeigen; **4.** *econ (mettere in vendita)* anbieten, offerieren; **5.** *fam (pagare)* zahlen; *(dare)* geben; **oggi offre lui il pranzo** er zahlt heute das Mittagessen; **chi mi offre una sigaretta?** wer gibt mir eine Zigarette?; **II.** *rfl:* **-irsi** sich anbieten (*di* zu, *come* als), sich zur Verfügung stellen (*come* als).
offset ['ɔ:fset] ⟨-⟩ *m* Offsetdruck(verfahren *n*) *m.*
offuscare [offus'ka:re] ⟨offusco, offuschi⟩ *tr* **1.** *(oscurare, ottenebrare)* verdunkeln, verfinstern; **2.** *fig* trüben.
oftalmico, -a [of'talmiko] ⟨-ci, -che⟩ *agg* Augen-.
oggettivare [oddʒetti'va:re] *tr* versachlichen, objektivieren, konkretisieren. **oggettività** [...vi'ta] ⟨-⟩ *f* Objektivität *f;* **giudicare con** ~ objektiv urteilen. **oggettivo, -a** [...'ti:vo] *agg* **1.** *(obiettivo)* objektiv, unvoreingenommen, sachlich; **2.** *gram* Objekt-.
oggetto [od'dʒɛtto] *m* **1.** *(unità materiale)* Gegenstand *m,* Sache *f,* Objekt *n;* **2.** *(fine, scopo, argomento)* Gegenstand *m;* **3.** *dir (di un contratto, negozio giuridico)* Gegenstand *m;* **4.** *gram (complemento* ~*)* Akkusativobjekt *n;* **5.** *amm* Betreff *m amm;* **con riferimento a quanto indicato in** ~ *amm* unter Bezugnahme auf die im Betreff genannte Angelegenheit *amm.*
oggi ['ɔddʒi] **I.** *avv* heute; ~ **come** ~

heutzutage; ~ **stesso** heute noch; ~ **a otto/quindici** heute in acht Tagen/zwei Wochen; **II.** *m* Heute *n,* Gegenwart *f;* **il giornale di** ~ die Zeitung von heute; **la moda d'**~ die heutige Mode; **devo finire il lavoro entro** ~ ich muß die Arbeit bis heute fertigmachen; **al giorno d'**~ heutzutage; **a tutt'**~ bis zum heutigen Tag; **dall'**~ **al domani** von heute auf morgen. **oggigiorno** [oddʒi'dʒorno] *avv* heutzutage.

ogiva [o'dʒi:va] *f* **1.** *arch* Gewölberippe *f;* **2.** *mil* Kopf *m,* Spitze *f;* **volta a** ~ Spitzbogen *m.*

ogni ['oɲɲi] ⟨*inv, solo al sing*⟩ *agg* jede(r, s); **uno** ~ **dieci** jeder zehnte; ~ **tre giorni** alle drei Tage; ~ **tanto** hin und wieder, von Zeit zu Zeit; ~ **momento** andauernd, die ganze Zeit; **con** ~ **mezzo** mit allen Mitteln; **con** ~ **riguardo** mit Hochachtung, mit höchster Achtung; **in** ~ **luogo** überall.

Ognissanti [-s'santi] ⟨-⟩ *m* Allerheiligen *n.* **ognuno, -a** [oɲ'ɲu:no] ⟨*sing*⟩ *pron* jedermann, (ein) jeder, (eine) jede, (ein) jedes.

oh [ɔ *o* o] *interi* o, oh.

ohi ['ɔ:i] *interi* au, aua, au weh; *fig* o weh. **ohimè** [oi'mɛ] *interi* oje, weh mir *geh.*

OL *abbr di* **onde lunghe** LW (*abk von* Langwelle).

ola ['ola] ⟨- *o* -e *o* -s⟩ *f* La-Ola *f;* **fare la** ~ eine La-Ola machen.

Olanda [o'landa] *f* Holland *n.* **olandese** [...'dese] **I.** *agg* holländisch, niederländisch; **II.** *m* **1.** *(lingua)* Holländisch(e) *n,* Niederländisch(e) *n;* **2.** *(formaggio)* Edamer (Käse) *m;* **III.** *mf* Holländer(in) *m(f),* Niederländer(in) *m(f).*

oleandro [ole'andro] *m* Oleander *m.*

oleario, -a [ole'a:rio] ⟨-i, -ie⟩ *agg* öl-. **oleato, -a** [...'a:to] *agg:* **carta -a** Ölpapier *n; (per alimenti)* Butterbrotpapier *n.*

oleico, -a [o'lɛ:iko] ⟨-ci, -che⟩ *agg:* **acido** ~ Ölsäure *f.* **oleificio** [olei'fi:tʃo] ⟨-ci⟩ *m* Ölfabrik .

oleodotto [oleo'dotto] *m* (Erd)ölleitung *f,* Pipeline *f.*

oleoso, -a [ole'o:so] *agg* **1.** *(che contiene olio)* ölhaltig, ölig; **2.** *(simile all'olio)* ölig.

olfattivo, -a [olfatti:vo] *agg* Geruchs-; **nervo** ~ Geruchsnerv *m.*

olfatto [ol'fatto] *m* Geruch(ssinn) *m.*

oliare [o'lia:re] ⟨olio, oli⟩ *tr* **1.** *(lubrificare)* ölen; **2.** *fig (dar mance per corrompere)* schmieren. **oliatore** [olia'to:re] *m* **1.** *tec* Schmiernippel *m;* **2.** *(recipiente)* Ölkännchen *n.* **oliera** [o'liɛ:ra] *f* Menage *f.*

oligarchia [oligar'ki:a] ⟨-chie⟩ *f* Oligarchie *f.*

olimpiadi [olim'pi:adi] *f pl* Olympiade *f,* Olympische Spiele *n pl;* ~ **invernali** Winterolympiade *f.* **olimpico, -a** [o'limpiko] ⟨-ci, -che⟩ *agg* olympisch, Olympia-; **giochi -ci** Olympische Spiele *n pl;* **stadio** ~ Olympiastadion *n;* **villaggio** ~ Olympiadorf (*o* olympisches Dorf) *n.* **olimpionico, -a** [...'piɔ:niko] ⟨-ci, -che⟩ **I.** *agg* Olympia-; **campione** ~ Olympiasieger *m;* **medaglia -a** Olympiamedaille *f;* **II.** *m, f* Olympionike *m,* Olympionikin *f.*

olimpo [o'limpo] *m* Olymp *m.*

olio ['ɔ:lio] ⟨-i⟩ *m* Öl *n;* ~ **combustibile** Heizöl *n;* ~ **da bagno** Badeöl *n;* ~ **essenziale** ätherisches Öl; ~ **di girasole/di lino/di oliva** Sonnenblumen-/Lein-/Olivenöl *n;* ~ **multigrade** Mehrbereichsöl *n;* ~ **santo** Salböl *n;* ~ **solare** Sonnenöl *n;* ~ **vegetale** Pflanzenöl *n;* **quadro ad** ~ Ölbild *n,* Ölgemälde *n;* **andare liscio come l'**~ glatt laufen; **cambiare l'**~ *mot* einen Ölwechsel machen; **sott'**~ *gastr* in Öl eingelegt.

oliva [o'li:va] **I.** *f* Olive *f;* ~ **farcita** gefüllte Olive; **II.** ⟨*inv*⟩ *agg* oliv(grün). **olivastro, -a** [oli'vastro] **I.** *agg* oliv, olivfarben; **II.** *m* Oleaster *m,* wilde Olive. **oliveto** [...'ve:to] *m* Olivenhain *m.*

olivo [o'li:vo] *m* **1.** *bot* Olivenbaum *m,* Olive *f;* **2.** *(simbolo di pace)* Ölzweig *m.*

olmo ['olmo] *m* Ulme *f.*

olocausto [olo'ka:usto] *m* **1.** *rel* Menschenopfer *n,* Brandopfer *n;* **2.** *(genocidio)* Holocaust *m; (genocidio degli ebrei a.)* Judenvernichtung *f.*

O.L.P. [ɔlp] *m abbr di* **Organizzazione per la Liberazione della Palestina** PLO *f* (*abk von* Palestine Liberation Organization).

oltraggiare [oltrad'dʒa:re] ⟨oltraggio, oltraggi⟩ *tr* (schwer) beleidigen, beschimpfen.

oltraggio [ol'traddʒo] ⟨-ggi⟩ *m* (schwere) Beleidigung *f;* ~ **al pudore** Verletzung *f* des Schamgefühls; ~ **a pubblico ufficiale** Beamtenbeleidigung *f.* **oltraggioso, -a** [...'dʒo:so] *agg* beleidigend.

oltralpe, oltr'alpe [ol'tralpe] **I.** *avv* jenseits der Alpen *(von Italien aus gesehen);* **II.** *m* Land *n* (*o* Länder *n pl*) jenseits der Alpen.

oltranza [ol'trantsa] *f:* **a** ~ bis zum äußersten; **sciopero a** ~ unbefristeter Streik. **oltranzista** [...'tsista] ⟨-i *m,* -e *f*⟩ *mf* Extremist(in) *m(f).*

oltre ['oltre] **I.** *avv* **1.** *(di tempo)* länger; **2.** *(di luogo)* weiter; **andare** ~ weitergehen; **II.** *prp* **1.** *(dall'altra parte di)* jenseits *+gen; (moto)* über *+akk;* **2.** *(più di)* mehr als, über *+akk;* **3.** *(in aggiunta, in più)* neben *+dat,* außer *+dat;* **4.** *(eccetto):* ~ **a** außer *+dat.* **oltremare** [-'ma:re] **I.** *avv (stato)* in Übersee; *(moto)* nach Übersee; **II.** ⟨*inv*⟩ *agg:* **blu** ~ ultramarin(blau); **III.** ⟨-⟩ *m* Übersee *f;* **paesi d'**~ Übersee *f;* **d'**~ Übersee-, aus

Übersee. **oltremodo, oltre modo** [-'mɔ:do] *avv* höchst, überaus, äußerst. **oltreoceano** [-o'tʃɛ:ano] **I.** *avv (stato)* in Übersee; *(moto)* nach Übersee; **II.** ⟨-⟩ *m:* **d'~** aus Übersee. **oltrepassare** [-pas'sa:re] *tr (a. fig)* überschreiten. **oltretomba** [-'tomba] ⟨-⟩ *m* Jenseits *n.*
OM *abbr di* **onde medie** MW (*abk von* Mittelwelle).
O.M. 1. *abbr di* **Ordinanza Ministeriale** Regierungserlaß *m;* **2.** *abbr di* **Ospedale Militare** Militärhospital *n.*
omaggio [o'maddʒo] ⟨-ggi⟩ **I.** *m* **1.** *(offerta)* (Werbe)geschenk *n;* **2.** *fig (segno di rispetto)* Gedenken *n* (*a* an *+akk*), Huldigung *f* (*a* an *+akk*); *(a un artista)* Hommage *f;* **3.** ⟨*pl*⟩ *(ossequi)* Verehrung *f,* Hochachtung *f; (saluti)* Empfehlung(en *pl*) *f;* **~ floreale** Blumengeschenk *n;* **libro in ~** Freiexemplar *n;* **rendere ~ a qu** jdm huldigen; **II.** ⟨*inv*⟩ *agg:* **confezione ~** Werbegeschenk *n.*
ombelicale [ombeli'ka:le] *agg* Nabel-; **cordone ~** Nabelschnur *f.*
ombelico [ombe'li:ko] ⟨-chi⟩ *m* (Bauch)-nabel *m.*
ombra ['ombra] *f* **1.** *gener.* Schatten *m;* **2.** *fig (parvenza)* Spur *f,* Anschein *m;* **3.** *fig (protezione)* Schutz *m;* **all' ~** im Schatten; **-e cinesi** Schattenspiele *n pl;* **governo ~** Schattenkabinett *n;* **restare nell'~** *fig* im dunkeln bleiben; **vivere nell'~** *fig* zurückgezogen leben; **senz'~ di dubbio** ohne den leisesten (*o* geringsten) Zweifel, zweifellos. **ombreggiare** [ombred'dʒa:re] ⟨ombreggio, ombreggi⟩ *tr* **1.** *(coprire d'ombra)* überschatten, beschatten; **2.** *(in pittura)* schattieren; *(in disegno)* schraffieren; **3.** *(nella cosmesi)* Lidschatten auftragen auf *+akk.* **ombreggiatura** [...dʒa'tu:ra] *f* **1.** *(in pittura)* Schattierung *f; (in disegno)* Schraffierung *f;* **2.** *(nella cosmesi)* Auftragen *n* von Lidschatten.
ombrello [om'brɛllo] *m* Schirm *m;* **~ atomico** (*o* **nucleare**) *mil* atomarer Schutzschild; **~ pieghevole** (*o* **tascabile**) Taschenschirm *m.* **ombrellone** [ombrel'lo:ne] *m* Sonnenschirm *m.*
ombretto [om'bretto] *m* Lidschatten *m.*
ombrosità [ombrosi'ta] ⟨-⟩ *f* **1.** *(oscurità)* Dunkel *n;* **2.** *fig* Verletzlichkeit *f.* **ombroso, -a** [om'bro:so] *agg* **1.** *(ricco d'ombra)* schattig; **2.** *(che dà ombra)* schattenspendend; **3.** *fig* verletzlich; *(a. animale)* scheu.
omega [o'mɛ:ga] ⟨-⟩ *m* Omega *n.*
omelette [ɔm'lɛt] ⟨-⟩ *f* Omelett *n.*
omelia [ome'li:a] ⟨-ie⟩ *f* Homilie *f.*
omeopatia [omeopa'ti:a] ⟨-ie⟩ *f* Homöopathie *f.* **omeopatico, -a** [...'pa:tiko] ⟨-ci, -che⟩ **I.** *agg* homöopathisch; **II.** *m, f* Homöopath(in) *m(f).*
omero ['ɔ:mero *o* 'o:m...] *m* Oberarmknochen *m.*
omertà [omer'ta] ⟨-⟩ *f* Stillschweigen *n,* Verschwiegenheit *f;* **legge dell' ~** *fig* Gesetz *n* des Schweigens.
omettere [o'mettere] ⟨*irr*⟩ *tr* aus-, weglassen; *(non fare)* unterlassen.
ometto [o'metto] *m* **1.** *(piccolo uomo)* Männchen *n,* kleiner Mann; **2.** *(gruccia)* Kleiderbügel *m.*
omicida [omi'tʃi:da] ⟨-i *m,* -e *f*⟩ **I.** *agg* Mörder-, Mord-; **II.** *mf* Mörder(in) *m(f).*
omicidio [omi'tʃi:dio] ⟨-i⟩ *m* Mord *m;* **~ colposo/premeditato/volontario** fahrlässige Tötung/heimtückischer Mord/vorsätzliche Tötung; **~ preterintenzionale** Körperverletzung *f* mit Todesfolge.
omissione [omis'sio:ne] *f* **1.** *(tralasciamento)* Weg-, Auslassung *f,* Weg-, Auslassen *n;* **2.** *(volontario mancato compimento)* Unterlassung *f,* Unterlassen *n;* **~ di soccorso** unterlassene Hilfeleistung; **salvo errori e -i** Irrtum vorbehalten.
omofonia [omofo'ni:a] ⟨-ie⟩ *f* Homophonie *f.*
omogeneità [omodʒenei'ta] ⟨-⟩ *f* Homogenität *f,* Gleichartigkeit *f.* **omogeneizzare** [...id'dza:re] *tr* homogenisieren. **omogeneizzato, -a** [...id'dza:to] **I.** *agg* homogenisiert; **latte ~** H-Milch *f;* **II.** *m* homogenisiertes Lebensmittel; ⟨*pl*⟩ (Kinder)fertignahrung *f.* **omogeneizzazione** [...iddzat'tsio:ne] *f* Homogenisierung *f.*
omogeneo, -a [omo'dʒɛ:neo] *agg* homogen; *(fig a.)* einheitlich.
omologare [omolo'ga:re] ⟨omologo, omologhi⟩ *tr* zulassen; *(riconoscere)* (amtlich) bestätigen. **omologazione** [...gat'tsio:ne] *f* Zulassung *f; (riconoscimento)* (amtliche) Bestätigung *f.*
omologo, -a [o'mɔ:logo] ⟨-ghi, -ghe⟩ *agg* homolog.
omonimo, -a [o'mɔ:nimo] **I.** *agg* gleichnamig; *ling* homonym; **II.** *m, f* Namensvetter *m,* -schwester *f;* **III.** *m ling* Homonym *n.*
omosessuale [omosessu'a:le] **I.** *agg* homosexuell; **II.** *mf* Homosexuelle(r) *mf.* **omosessualità** [...uali'ta] *f* Homosexualität *f.*
On. *abbr di* **Onorevole** *Titel italienischer Parlamentarier.*
oncia ['ontʃa] ⟨-ce⟩ *f* Unze *f.*
onanismo [ona'ni:zmo] *m* Onanie *f,* Selbstbefriedigung *f.*
oncogeno, -a [on'kɔ:dʒeno] *agg* krebserregend. **oncologia** [onkolo'dʒi:a] ⟨-gie⟩ *f* Onkologie *f.* **oncologo, -a** [on'kɔ:logo] ⟨-gi *m,* -ghe *f*⟩ *m, f* Onkologe *m,* -login *f,* Facharzt *m,* -ärztin *f* für Krebskrankheiten.
onda ['onda] *f (a. fig)* Welle *f,* Woge *f geh;* **-e corte/lunghe/medie** (*abbr* **OC/OL/OM**) Kurz-/Lang-/Mittelwelle *f* (*abk* KW/LW/MW); **~ verde** grüne Welle; **andare a -e** schwanken, wanken;

andare in ~ ausgestrahlt werden; **mettere** (*o* **mandare) in** ~ ausstrahlen; **essere sulla cresta dell'**~ *fig* auf dem Gipfel des Erfolgs sein. **ondata** [on'da:ta] *f* **1.** *(di mare)* Sturzwelle *f*, Brecher *m;* **2.** *fig (afflusso)* Welle *f;* ~ **di caldo** Hitzewelle *f;* ~ **di scioperi** Streikwelle *f.*

onde ['onde] **I.** *avv lett* **1.** *(da dove)* woher, von wo; **2.** *(dalla qual cosa)* wovon, woraus; **II.** *cong +congv* damit; ~ *+inf* um zu *+inf.*

ondeggiare [onded'dʒa:re] ⟨ondeggio, ondeggi⟩ *itr* **1.** *(seguire il movimento delle onde)* schwanken, schaukeln; **2.** *(fluttuare)* wogen; *(vestiti, capelli)* wallen; **3.** *fig (vacillare)* schwanken, wanken; **4.** *fig (titubare)* schwanken.

ondina [on'di:na] *f* Undine *f.*

ondoso, -a [on'do:so] *agg* **1.** *(mare)* bewegt; **2.** *(moto)* Wellen-; **moto** ~ See-, Wellengang *m.*

ondulare [ondu'la:re] *tr* **1.** *(capelli)* wellen, in Wellen legen; **2.** *(lamiera)* wellen. **ondulato, -a** [...'la:to] *agg (capelli)* gewellt, wellig; *(terreno)* wellig; *(lamiera)* Well-. **ondulatorio, -a** [...la'tɔ:rio] ⟨-i, -ie⟩ *agg* wellenförmig, wellenartig; *fis* Wellen-, undulatorisch. **ondulazione** [...lat'tsio:ne] *f* **1.** *(disposizione a onde)* Welligkeit *f;* **2.** *(oscillazione)* Wellenbewegung *f;* **3.** *(acconciatura)* Wellen *n*, Legen *n.*

onerare [one'ra:re] *tr* belasten (*qu di qc* jdn mit etw.), aufbürden (*qu di qc* jdm etw.). **onere** ['ɔ:nere] *m* Last *f*, Verpflichtung *f;* ~ **fiscale** Steuerbelastung *f.*

onerosità [onerosi'ta] ⟨-⟩ *f* Belastung *f*, Last *f.* **oneroso, -a** [...'ro:so] *agg* **1.** *dir* entgeltlich; **2.** *fig (pesante)* belastend; *(carico, tasse)* drückend.

onestà [ones'ta] ⟨-⟩ *f* **1.** *(probità, rettitudine)* Ehrlichkeit *f*, Rechtschaffenheit *f;* **2.** *(comportamento virtuoso)* Ehrbarkeit *f*, Ehrenhaftigkeit *f.* **onestamente** [-'mente] *avv* **1.** *(con onestà)* ehrlich, redlich; **2.** *(in tutta sincerità)* ehrlicherweise. **onesto, -a** [o'nɛsto] *agg* **1.** *(probo, retto)* ehrlich, rechtschaffen, redlich; **2.** *(casto, puro)* ehrbar; **3.** *(giusto, conveniente)* ehrlich.

onice ['ɔ:nitʃe] *m* Onyx *m.*

onirico, -a [o'ni:riko] ⟨-ci, -che⟩ *agg* Traum-, traumhaft.

on-line ['ɔnlain] ⟨*inv*⟩ *agg inform* On-line-.

onni- [onni-] *(in parole composte)* All(es)-, all(es)-. **onnicomprensivo, -a** [-kompren'si:vo] *agg* gesamt, allumfassend. **onnipotente** [-po'tɛnte] *agg* allmächtig. **onnipresente** [-pre'zɛnte] *agg* allgegenwärtig, omnipräsent *geh.* **onnisciente** [-ʃ'ʃɛnte] *agg* allwissend. **onnivoro, -a** [on'ni:voro] **I.** *agg* allesfressend; **II.** *m* Allesfresser *m.*

onomastico [ono'mastiko] ⟨-ci⟩ *m* Namenstag *m.*

onomatopeico, -a [onomato'pɛ:iko] ⟨-ci, -che⟩ *agg* lautmalend, onomatopoetisch.

onoranze [ono'rantse] *f pl* Ehrenerweisungen *f pl*, Ehrungen *f pl.*

onorare [ono'ra:re] **I.** *tr* **1.** *(trattare con onore)* ehren; **2.** *(venerare, adorare)* verehren; **3.** *(dimostrare considerazione)* beehren (*di* mit); **4.** *(far onore)* ehren, Ehre erweisen (*qc/qu* einer Sache *(dat)*/jdm); **5.** *(rendere illustre, famoso)* (alle) Ehre machen (*qc/qu* einer Sache *(dat)*/jdm); **II.** *rfl:* **-arsi** sich beehren *geh*, die Ehre haben. **onorario** [...'ra:rio] ⟨-i⟩ *m* Honorar *n.* **onorario, -a** [...'ra:rio] ⟨-i, -ie⟩ *agg* Ehren-; **membro** ~ Ehrenmitglied *n.*

onore [o'no:re] *m* **1.** *(reputazione, gloria)* Ehre *f;* **2.** *rel (adorazione)* Verehrung *f;* **3.** *(dignità, carica)* Würde *f;* **4.** *(decoro)* Ehrenhaftigkeit *f*, Anstand *m;* **parola d'**~ Ehrenwort *n;* **uomo d'**~ Ehrenmann *m;* **Vostro O-** Euer Ehren; **fare** ~ Ehre machen; **fare** ~ **a qc** einer Sache *(dat)* Ehre antun; *(al pranzo)* sich *(dat)* etw. schmecken lassen; **fare gli -i di casa** die Honneurs machen *geh;* **farsi** ~ **in qc** mit etw. Ehre einlegen; **a onor del vero** um der Wahrheit die Ehre zu geben. **onorevole** [ono're:vole] **I.** *agg* **1.** *(degno di onore, decoroso)* ehrenwert; *(comportamento a.)* löblich; **2.** *pol Titel und Anrede italienischer Parlamentarier, bes. Abgeordneter;* **l'**~ **deputato** der Herr Abgeordnete; **II.** *mf* Abgeordnete(r) *mf* des italienischen Parlaments.

onorificenza [onorifi'tʃɛntsa] *f* **1.** *(titolo)* Ehrentitel *m*, Ehrenbezeichnung *f;* **2.** *(decorazione)* Ehrenzeichen *n.* **onorifico, -a** [...'ri:fiko] ⟨-ci, -che⟩ *agg* Ehren-; *(senza retribuzione)* ehrenamtlich.

onta ['onta] *f* Schande *f.*

ontano [on'ta:no] *m* Erle *f.*

ONU ['ɔ:nu] *f acr di* **Organizzazione delle Nazioni Unite** UNO *f* (*akr von* United Nations Organization).

opacità [opatʃi'ta] ⟨-⟩ *f* **1.** *(di vetro, corpo)* Undurchsichtigkeit *f;* *(di filtro ottico)* Lichtundurchlässigkeit *f*, Opazität *f;* *(di metallo)* Mattheit *f;* **2.** *fig* Dumpfheit *f.* **opacizzare** [...ʃid'dza:re] *tr* mattieren.

opaco, -a [o'pa:ko] ⟨-chi, -che⟩ *agg* **1.** *(vetro)* trübe; *(lente)* lichtundurchlässig, undurchsichtig, opak; *(marmo)* glanzlos, matt; **2.** *fig (mente, suono)* dumpf; *(sguardo)* trübe, matt.

opale [o'pa:le] *m o f* Opal *m.* **opalina** [opa'li:na] *f* Opalglas *n.*

O.P.E.C. *f acr di* **Organization of Petroleum Exporting Countries** *(Organizzazione dei Paesi Esportatori di Petrolio)* OPEC *f* (*akr von* Organisation erdölexportierender Länder).

opera ['ɔ:pera] *f* **1.** *(azione)* Arbeit *f;*

(prodotto a.) Werk *n;* **2.** *(letter, pittura)* Werk *n;* **3.** *mus* Oper *f;* **4.** *(teatro)* Oper(nhaus *n*) *f;* **5.** *(ente assistenziale)* (Hilfs)werk *n;* ~ **d'arte** Kunstwerk *n;* ~ **buffa/lirica/seria** Opera buffa *f*/Oper *f*/ Opera seria *f;* ~ **omnia** Gesamtwerk *n;* ~ **universitaria** Studentenwerk *n;* **mettersi all'**~ sich ans Werk machen.

operaio, -a [ope'ra:io] ⟨-ai, -aie⟩ **I.** *agg* Arbeiter-; **movimento** ~ Arbeiterbewegung *f;* **II.** *m, f* Arbeiter(in) *m(f);* ~ **qualificato/specializzato** gelernter Arbeiter/ Facharbeiter *m.*

operante [ope'rante] *agg* wirksam.

operare [ope'ra:re] **I.** *tr* **1.** *(fare, realizzare)* bewirken, tun; *(miracoli)* vollbringen; *(a. fig)* wirken; **2.** *med* operieren; **II.** *itr* **1.** *(agire)* handeln, vorgehen; **2.** *(influire)* einen Einfluß haben, wirken; **3.** *med, fig, mil* operieren; **III.** *rfl:* **-arsi 1.** *(realizzarsi)* geschehen, sich ereignen; *(a. fig)* sich vollziehen; **2.** *med* sich operieren lassen. **operativo, -a** [...ra'ti:vo] *agg* operativ, Operations-; **essere** ~ in Kraft treten. **operato, -a** [...'ra:to] **I.** *agg* **1.** *med* operiert; **2.** *(stoffa)* gewirkt; **II.** *m* Tun *n,* Handlungen *f pl.* **operatore, -trice** [...ra'to:re] *m, f* **1.** *gener.* Techniker(in) *m(f);* **2.** *med* Chirurg(in) *m(f);* **3.** *econ* Makler(in) *m(f),* Händler(in) *m(f);* **4.** *inform* Operator(in) *m(f);* ~ **cinematografico** Kameramann *m;* ~ **economico** Wirtschaftsmakler *m;* ~ **ecologico** *amm* Straßenreiniger *m;* ~ **sociale** Sozialarbeiter *m.* **operatorio, -a** [...ra'tɔ:rio] ⟨-i, -ie⟩ *agg (intervento)* operativ; *(sala)* Operations-. **operazione** [...rat'tsio:ne] *f* **1.** *med, mil, mat* Operation *f;* **2.** *(azione)* Aktion *f;* **3.** *econ* Geschäft *n,* Transaktion *f;* **4.** *inform (fase elaborativa)* Arbeitsgang *m,* Ablauf *m; (in un file)* Bewegung *f,* Vorgang *m;* **-i aritmetiche** Rechenarten *f pl.*

operetta [ope'retta] *f* Operette *f.*

operistico, -a [ope'ristiko] ⟨-ci, -che⟩ *agg* Opern-; **musica -a** Opernmusik *f.*

operosità [operosi'ta] ⟨-⟩ *f* Arbeitsamkeit *f,* Eifer *m.* **operoso, -a** [...'ro:so] *agg* arbeitsam, eifrig, fleißig.

opificio [opi'fi:tʃo] ⟨-ci⟩ *m* Fabrik *f,* Werk *n.*

opinabile [opi'na:bile] *agg* diskutabel *geh.*

opinare [opi'na:re] *tr, itr lett* meinen, der Meinung sein.

opinione [opi'nio:ne] *f* Meinung *f,* Ansicht *f;* ~ **pubblica** öffentliche Meinung; **manifestazione della propria** ~ Meinungsäußerung *f;* **questione di -i** Ansichtssache *f;* **condividere l'**~ **di qu** jds Meinung teilen.

opinionista [opinio'nista] ⟨-i *m,* -e *f*⟩ *mf (di radio, TV)* Kommentator(in) *m(f); (di giornale)* Kolumnist(in) *m(f).* **opinion-maker** [ə'piniən 'meikə] ⟨-⟩ *mf* **1.** *pol* Meinungsbildner(in) *m(f),* Meinungsmacher(in) *m(f);* **2.** *com* Trendsetter(in) *m(f).*

op là [op 'la] *interi* hopp, hoppla.

oppiaceo, -a [op'pia:tʃeo] **I.** *agg* opiumhaltig, Opium-; **II.** *m* Opiat *n.*

oppio ['ɔppio] ⟨-i⟩ *m* Opium *n.* **oppiomane** [op'piɔ:mane] **I.** *agg* opiumsüchtig; **II.** *mf* Opiumsüchtige(r) *mf.*

opponente [oppo'nɛnte] *mf* Widersacher(in) *m(f),* Gegner(in) *m(f),* Opponent(in) *m(f).*

opporre [op'porre] ⟨*irr*⟩ **I.** *tr* **1.** *(addurre contro)* entgegenhalten, einwenden (*a* gegen); **2.** *(mettere contro)* entgegenstellen; **3.** *fig (ostacolare)* entgegensetzen, -stellen; ~ **resistenza** Widerstand leisten; **II.** *rfl:* **-orsi** sich widersetzen, opponieren (*a* gegen); **mi oppongo!** *dir* (ich erhebe) Einspruch!

opportunismo [opportu'nizmo] *m* Opportunismus *m.* **opportunista** [...'nista] ⟨-i *m,* -e *f*⟩ **I.** *agg* opportunistisch; **II.** *mf* Opportunist(in) *m(f).* **opportunistico, -a** [...'nistiko] ⟨-ci, -che⟩ *agg* opportunistisch.

opportunità [opportuni'ta] ⟨-⟩ *f* (günstige) Gelegenheit *f.* **opportuno, -a** [...'tu:no] *agg* zweckmäßig, passend; *(visita)* gelegen; **a tempo** ~ bei passender Gelegenheit, zu gegebener Zeit.

oppositore, -trice [oppozi'to:re] *m, f* Gegner(in) *m(f),* Opponent(in) *m(f).*

opposizione [...it'tsio:ne] *f* **1.** *(posizione contraria)* Opposition *f; fig* Gegensatz *m,* Gegensätzlichkeit *f,* Opposition *f;* **2.** *(obiezione)* Widerstand *m* (*a* gegen), Opposition *f* (*a* gegen); **3.** *astr, pol* Opposition *f;* **4.** *dir* Einspruch *m,* Widerspruch *m;* **capo dell'** ~ Oppositionsführer *m;* **nei banchi dell'** ~ in den Reihen der Opposition; **essere in** ~ im Gegensatz (zueinander) stehen; **fare** ~ sich widersetzen; *dir* Einspruch erheben, Widerspruch einlegen. **opposto, -a** [op'posto] **I.** *agg* **1.** *(situato di fronte)* gegenüberliegend; *(direzione)* entgegengesetzt; **2.** *(contrario)* gegensätzlich, entgegengesetzt; **II.** *m* Gegenteil *n;* **all'**~ im Gegenteil.

oppressa *f v.* **oppresso.**

oppressi [op'prɛssi] *p rem di* **opprimere.**

oppressione [oppres'sio:ne] *f* **1.** *(sopraffazione)* Unterdrückung *f;* **2.** *fig* Beklemmung *f,* beklemmendes Gefühl. **oppressivo, -a** [...'si:vo] *agg* **1.** *(caldo)* drückend; **2.** *(regime)* repressiv, Zwangs-. **oppresso, -a** [op'prɛsso] **I.** *pp di* **opprimere; II.** *agg* unterdrückt; **III.** *m, f* Unterdrückte(r) *mf.* **oppressore** [oppres'so:re] *m* Unterdrücker *m.*

opprimente [oppri'mɛnte] *agg (caldo)* unerträglich, drückend; *(persona)* unausstehlich.

opprimere [op'pri:mere] ⟨opprimo, oppressi, oppresso⟩ *tr* **1.** *(angariare)* unterdrücken; **2.** *(gravare)* niederdrücken; **3.** *fig (affliggere)* bedrücken.

oppugnabile [oppuŋ'ŋabile] *agg* anfechtbar.

oppugnare [oppuɲ'ɲa:re] *tr lett* anfechten, bekämpfen.

oppure [op'pu:re] *cong* **1.** *(o, o invece)* oder; **2.** *(altrimenti)* sonst, andernfalls.

optare [op'ta:re] *itr* **1.** *(scegliere)* wählen (*per qc* etw.), sich (zwischen zwei Möglichkeiten) entscheiden (*per* für); **2.** *pol, fin, dir* optieren.

optimum ['ɔptimum] ⟨-⟩ *m* Optimum *n.*

optional ['ɔpʃənəl] ⟨-⟩ *m* Sonder-, Extraausstattung *f,* Extras *n pl fam.*

optoelettronica [optoelet'trɔ:nika] *f* Optoelektronik *f.*

opulento, -a [opu'lɛnto] *agg* **1.** *lett (abbondante, ricco)* (über)reich, üppig, opulent *geh;* **2.** *fig (donna)* üppig.

opuscolo [o'puskolo] *m* Heft *n,* Broschüre *f,* Prospekt *m.*

opzionale [optsi̯o'na:le] *agg* Wahl-, fakultativ; *(accessori)* auf Wunsch lieferbar.

opzione [op'tsi̯o:ne] *f* **1.** *(libera scelta)* Wahlfreiheit *f;* **2.** *pol, fin, dir, inform* Option *f;* ~ **zero** Nullösung *f.*

ora[1] ['o:ra] *f* (*abbr* **h**) **1.** *(unità, spazio)* Stunde *f;* **2.** *(nelle indicazioni temporali)* Uhr *f;* **3.** *fig (momento)* Stunde *f,* Zeit *f,* Augenblick *m;* ~ **civile/legale (***o* **estiva)/locale** Normal-/Sommer-/Ortszeit *f;* **-e libere** Freizeit *f;* ~ **straordinaria** Überstunde *f;* ~ **di calma** verkehrsarme Zeit; ~ **di punta** Hauptverkehrszeit *f,* Stoßzeit *f;* ~ **di utilizzo** *inform* Betriebsstunde *f;* **correre a cento all'~** mit hundert Stundenkilometern fahren; **far le -e piccole** bis in die frühen Morgenstunden aufbleiben; **che ~ è (***o* **che -e sono)? – sono le quattro** wieviel Uhr ist es? – es ist vier Uhr; **tra mezz'~** in einer halben Stunde; **per -e e -e** stundenlang; **a -e** stundenweise; **di ~ in ~** von einem Augenblick zum anderen; **non veder l'~ di** *+inf* es kaum erwarten können zu *+inf.*

ora[2] ['o:ra] **I.** *avv* ⟨*talvolta troncato in* or⟩ **1.** *(adesso)* jetzt, nun; *(per il momento)* im Augenblick; **2.** *(poco fa)* (so)eben, gerade (jetzt); **3.** *(tra poco)* gleich; **4.** *(in correlazioni):* ~ ... ~ ... einmal ... einmal ..., bald ... bald ..., jetzt ... dann...; **d'~ in avanti (***o* **in poi)** von jetzt an, von nun an; **fin d'~** von diesem Augenblick an; **per ~** im Augenblick; **prima d'~** zuvor; **or ~** soeben, gerade; ~ **come ~** unter diesen Umständen, nun; **II.** *cong* **1.** *(invece)* nun, aber; **2.** *(dunque, allora)* da, dann, nun; ~ **che** ... nun, da ...

oracolo [o'ra:kolo] *m* Orakel *n.*

orafo, -a ['ɔ:rafo] *m, f* Goldschmied(in) *m(f).*

orale [o'ra:le] **I.** *agg* **1.** *(della bocca)* Mund-, oral *wissensch.;* **2.** *(di voce)* mündlich; **da somministrare per via ~** *(di medicinale)* zum Einnehmen; **II.** *m* mündliche Prüfung.

oramai [ora'ma:i] *v.* **ormai.**

orango [o'raŋgo] ⟨-ghi⟩ *m,* **orangutan** [oraŋgu'tan] ⟨-⟩ *m* Orang-Utan *m.*

orario, -a [o'ra:ri̯o] ⟨-i, -ie⟩ **I.** *agg* Stunden-, stündlich; *(di tempo)* Zeit-; **disco ~** Parkscheibe *f;* **segnale ~** Zeitzeichen *n;* **velocità -a** Stundengeschwindigkeit *f;* **in senso ~** im Uhrzeiger; **II.** *m* **1.** *gener.* Stunden *f pl,* Zeit *f,* Zeitplan *m;* **2.** *ferr* Fahrplan *m; (libro)* Kursbuch *n;* **3.** *aero* Flugplan *m;* **4.** *(delle lezioni)* Stundenplan *m;* ~ **d'apertura dei negozi/di chiusura dei negozi** Ladenöffnungs-/Ladenschlußzeit *f;* ~ **di lavoro/di punta/di servizio/d'ufficio/delle visite** Arbeits-/Hauptgeschäfts-/Dienst-/Büro-/Besuchszeit *f;* ~ **di sportello** Schalterstunden *f pl;* ~ **continuato/elastico (***o* **flessibile)** durchgehende/gleitende Arbeitszeit; **in ~** pünktlich; *ferr* (fahr)planmäßig; *aero* planmäßig.

orata [o'ra:ta] *f* Goldbrasse *f.*

oratore, -trice [ora'to:re] *m, f* Redner(in) *m(f).* **oratoria** [...'tɔ:ri̯a] ⟨-ie⟩ *f* Redekunst *f.* **oratorio** [...'tɔ:ri̯o] ⟨-i⟩ *m* **1.** *(complesso di ambienti)* Jugendzentrum *n* einer Pfarrei; **2.** *mus* Oratorium *n.* **oratorio, -a** [...'tɔ:ri̯o] ⟨-i, -ie⟩ *agg* Rede-. **oratrice** *f v.* **oratore. orazione** [orat'tsi̯o:ne] *f* **1.** *(preghiera)* Gebet *n;* **2.** *(discorso)* Rede *f.*

orba *f v.* **orbo.**

orbene, or bene [or'bɛ:ne] *cong* also, nun.

orbita ['ɔrbita] *f* **1.** *fis* Bahn *f;* **2.** *astr* (Umlauf)bahn *f,* Orbit(albahn *f*) *m;* **3.** *fig (ambito)* (Einfluß)bereich *m; (limite)* Sphäre *f,* Rahmen *m;* **4.** *anat* Augenhöhle *f;* **con gli occhi fuori dalle -e** mit weit aufgerissenen Augen. **orbitare** [...'ta:re] *itr (a. fig)* kreisen; ~ **intorno alla terra** die Erde umkreisen; ~ **intorno a qu** *fig* in jds Dunstkreis sein.

orbo, -a ['ɔrbo] **I.** *agg* blind; **II.** *m, f* Blinde(r) *mf;* **da -i** *fig* blindwütig.

orca ['ɔrka] ⟨-che⟩ *f* Mörder-, Schwertwal *m.*

orchestra [or'kɛstra] *f* Orchester *n;* ~ **da camera/d'archi/sinfonica** Kammer-/Streich-/Sinfonieorchester *n.* **orchestrale** [orkes'tra:le] *agg* Orchester-, orchestral. **orchestrare** [...'tra:re] *tr* **1.** *mus* orchestrieren; **2.** *fig (organizzare)* organisieren. **orchestrazione** [...trat'tsi̯o:ne] *f* **1.** *mus* Orchestration *f,* Orchestrierung *f;* **2.** *fig (organizzazione)* Organisation *f.*

orchidea [orki'dɛ:a] *f* Orchidee *f.*

orcio ['ortʃo] ⟨-ci⟩ *m* (amphorenförmiger)

Tonkrug *m.*

orco ['ɔrko] ⟨-chi⟩ *m* (menschenfressendes) Ungeheuer *n.*

orda ['ɔrda] *f* Horde *f.*

ordigno [or'diɲɲo] *m* **1.** *(arnese)* Gerät *n,* Maschine *f;* **2.** *fig* komplizierter Apparat; **3.** *fam (oggetto strano)* Apparat *m fam,* Ding *n fam;* ~ **esplosivo** Sprengkörper *m.*

ordinale [ordi'na:le] **I.** *agg* Ordinal-, Ordnungs-; **II.** *m* Ordinal-, Ordnungszahl *f.* **ordinamento** [...na'mento] *m* Ordnung *f;* ~ **sociale** soziale Ordnung. **ordinanza** [...'nantsa] *f* **1.** *amm* Verordnung *f,* Anordnung *f,* Erlaß *m;* **2.** *dir* Verfügung *f;* **3.** *mil* Ordonnanz *f.*

ordinare [ordi'na:re] **I.** *tr* **1.** *(mettere in ordine)* ordnen; *(stanza)* in Ordnung bringen, aufräumen; *inform* sortieren; **2.** *(comandare)* befehlen, anordnen; **3.** *(prescrivere)* verordnen, verschreiben; **4.** *econ (commissionare)* ordern, bestellen, in Auftrag geben; **5.** *(in locali pubblici)* bestellen; **6.** *rel* ordinieren; ~ **in sequenza** *inform* reihen, sequentiell ordnen. **II.** *rfl:* **-arsi** sich ordnen (*in* zu), sich formieren (*in* zu).

ordinario, -a [ordi'na:rio] ⟨-i, -ie⟩ **I.** *agg* **1.** *(consueto)* üblich; **2.** *(regolare, di ruolo)* ordentlich; **3.** *peg (rozzo, volgare)* ordinär, gewöhnlich; **seduta -a** ordentliche Sitzung; **tariffa -a** Normaltarif *m;* **II.** *m* **1.** *(consuetudine, normalità)* Übliche(s) *n,* Gewohnte(s) *n;* **2.** *(professore di ruolo)* Ordinarius *m;* **fuori dell'**~ außergewöhnlich, ungewöhnlich; **più/meno dell'**~ mehr/weniger als gewöhnlich.

ordinata [ordi'na:ta] *f mat* Ordinate *f.*

ordinato, -a [ordi'na:to] *agg* **1.** *(messo in ordine, regolato)* geordnet, ordentlich; *(preciso)* ordentlich; **2.** *(osservante dell'ordine)* ordnungsliebend, ordentlich; **3.** *econ* bestellt, geordert; **4.** *(in locali pubblici)* bestellt. **ordinazione** [...nat'tsio:ne] *f* **1.** *econ* Order *f,* Bestellung *f,* Auftrag *m;* **2.** *(in locali pubblici)* Bestellung *f;* **3.** *rel* Ordination *f;* **su** ~ auf Bestellung; **fare un'**~ eine Bestellung aufgeben.

ordine ['ordine] *m* **1.** *(sistemazione, struttura)* Ordnung *f;* **2.** *(categoria professionale)* (Berufs)stand *m;* *(qualità, natura)* Klasse *f,* Art *f;* **3.** *(ceto, classe)* Stand *m,* Klasse *f;* **4.** *(religioso)* Orden *m;* **5.** *(comando)* Anordnung *f;* *(mil a.)* Befehl *m,* Order *f;* *amm* Verfügung *f;* *(disposizione, direttiva)* Order *f,* Anweisung *f;* **6.** *econ* Order *f,* Auftrag *m;* **7.** *rel* Weihe *f;* **8.** *teat* Reihe *f,* Rang *m;* **9.** *(successione, classifica)* Reihenfolge *f,* Plazierung **10.** *inform (comando)* Befehl *m;* *(disposizione)* Sortierfolge *f;* ~ **alfabetico** alphabetische Reihenfolge; ~ **di consegna** Lieferauftrag *m;* ~ **di grandezza** Größenordnung *f;* ~ **gerarchico** Rangfolge *f;* ~ **di pagamento** Zahlungsanweisung *f;* ~ **di comparizione** *dir* Vorladung *f;* ~ **pubblico** öffentliche Ordnung; **essere agli -i di qu** jdm untergeordnet sein; **mettere** ~ Ordnung schaffen; **narrare per** ~ der Reihe nach erzählen; **richiamare qu all'**~ jdn zur Ordnung rufen; **ritirarsi in buon** ~ den geordneten Rückzug antreten; **in** ~ **sparso** in aufgelöster Formation; **di prim'/terz'** ~ erst-/drittklassig; **d'infimo** ~ minderwertig; **d'**~ **generale** von allgemeiner Bedeutung; **questioni d'**~ **pratico** Angelegenheiten *f pl* praktischer Art; **fino a nuovo** ~ bis auf weiteres; **con** ~ geordnet; **per** ~ **di** auf Anordnung von, im Auftrag von; **per** ~ **di altezza** der Größe nach; **per** ~ **di merito** leistungsgerecht; **per** ~ **superiore** in höherem Auftrag; **secondo gli -i** auftragsgemäß; **ai vostri -i** zu Ihren Diensten; **agli -i!** zu Befehl!

ordire [or'di:re] ⟨ordisco⟩ *tr* anzetteln *fam,* anstiften. **ordito** [or'di:to] *m* **1.** *(di tessuto)* Kette *f;* **2.** *fig (trama)* (Handlungs)gerüst *n;* **3.** *fig (intreccio di notizie false)* Netz *n,* Gewebe *n.*

orecchia [o'rekkia] ⟨-cchie⟩ *f* Ohr *n;* *v. a. orecchio.* **orecchiabile** [...'kia:bile] *agg* ins Ohr gehend, eingängig; **canzone** ~ Ohrwurm *m fam.*

orecchino [orek'ki:no] *m* Ohrring *m,* Ohrklipp *m.*

orecchio [o'rekkio] ⟨*pl:* -cchi *m o* -cchie *f*⟩ *m* **1.** *anat* Ohr *n;* **2.** *(udito)* Ohren *n pl,* Gehör *n;* **essere debole d'**~ schlechte Ohren haben; **essere tutt' -cchi** ganz Ohr sein; **avere molto** ~ ein feines Ohr (für Musik) haben; **cantare a** ~ nach Gehör singen; **aprir bene gli -cchi** die Ohren aufsperren *fam;* **entrare da un** ~ **e uscire dall'altro** zum einen Ohr hinein- und zum anderen wieder hinausgehen *fam;* **fare -cchie da mercante** sich taub stellen; **fare un'**~ **alla pagina** ein Eselsohr in die Seite machen *fam;* **tirare le -cchie a qu** jdm die Ohren langziehen *fam;* **essere duro d'-cchi** *(a. fig)* schwerhörig sein; **da questo** ~ **non ci sento** *fig* auf diesem Ohr bin ich taub *fam.*

orecchioni [orek'kio:ni] *m pl fam* Ziegenpeter *m fam,* Mumps *m.*

orefice [o're:fitʃe] *mf* Goldschmied(in) *m(f);* *(negoziante)* Juwelier(in) *m(f).* **oreficeria** [orefitʃe'ri:a] ⟨-ie⟩ *f* **1.** *(arte)* Goldschmiedekunst *f;* **2.** *(laboratorio)* Goldschmiedewerkstatt *f;* *(negozio)* Juwelierladen *m,* -geschäft *n.*

Oreste [o'rɛste] *(nome proprio maschile)* Orest.

oretta [o'retta] *f* Stündchen *n.*

orfano, -a ['ɔrfano] **I.** *agg* verwaist, Waisen-; **bambino** ~ Waisenkind *n,* Waise *f;* **essere** ~ **di madre** mutterlos sein; **II.** *m,* *f* Waisenkind *n,* Waise *f.* **orfanotrofio** [orfano'trɔ:fio] ⟨-i⟩ *m* Waisenhaus *n.*

organetto [orga'netto] *m mus* **1.** *(organo meccanico)* Drehorgel *f,* Leierkasten *m fam;* **2.** *fam (armonica a bocca)* Mundharmonika *f; (fisarmonica)* Akkordeon *n,* Ziehharmonika *f.*

organico, -a [or'ga:niko] ⟨-ci, -che⟩ **I.** *agg* organisch; *(fig a.)* einheitlich; **II.** *m amm (personale)* Personal(bestand *m*) *n;* **posto in** ~ Planstelle *f.* **organigramma** [organi'gramma] ⟨-i⟩ *m* **1.** *amm* Organigramm *n;* **2.** *inform* Flußdiagramm *n;* ~ **di programmazione** *inform* Programmablauf *m.*

organismo [orga'nizmo] *m* **1.** *(struttura fisiologica)* Organismus *m;* **2.** *fig (ente)* Organisation *f.*

organista [orga'nista] ⟨-i *m,* -e *f*⟩ *mf* Organist(in) *m(f).*

organizzare [organid'dza:re] **I.** *tr* organisieren; *(festa, spettacolo)* veranstalten; **II.** *rfl:* **-arsi** sich organisieren; *(disporre il proprio tempo)* sich die Zeit einteilen. **organizzativo, -a** [...dza'ti:vo] *agg* Organisations-, organisatorisch. **organizzato, -a** [...'dza:to] **I.** *agg* organisiert; **criminalità -a** organisiertes Verbrechen; **sciopero non** ~ wilder Streik; **II.** *m, f* organisiertes Mitglied. **organizzatore, -trice** [...dza'to:re] **I.** *agg* Organisations-, organisatorisch; **II.** *m, f* Organisator(in) *m(f); (di festa, spettacolo)* Veranstalter(in) *m(f).* **organizzazione** [...dzat'tsio:ne] *f* **1.** *(l'organizzare)* Organisation *f; (di festa, spettacolo)* Veranstaltung *f;* **2.** *(associazione)* Organisation *f,* Verband *m;* ~ **dell' archivio** *inform* Dateiaufbau *m;* ~ **della memoria** *inform* Speicherorganisation *f.*

organo ['ɔrgano] *m* **1.** *anat* Organ *n;* **2.** *tec* Teil *m;* **3.** *mus* Orgel *f;* **4.** *(amm, giornale)* Organ *n;* ~ **elettronico** Keyboard *n;* ~ **di partito** Parteiorgan *n.*

orgasmo [or'gazmo] *m* **1.** *(sessuale)* Orgasmus *m;* **2.** *(agitazione)* (höchste) Erregung, (große) Aufregung.

orgia ['ɔrdʒa] ⟨-ge *o* -gie⟩ *f* Orgie *f.*

orgoglio [or'goʎʎo] ⟨-gli⟩ *m* Stolz *m.* **orgoglioso, -a** [...'ʎo:so] *agg* stolz (*di* auf +*akk*).

orientabile [orien'ta:bile] *agg* einstellbar, ausrichtbar; *(girevole)* schwenkbar.

orientale [orien'ta:le] **I.** *agg (dell'est)* östlich, Ost-; *(civiltà)* orientalisch; **II.** *mf* Orientale *m,* Orientalin *f.*

orientamento [orienta'mento] *m* Orientierung *f (verso* nach, an +*dat*); *(fig a.)* (Aus)richtung *f (verso* nach); ~ **politico** politische Linie; ~ **professionale** Berufsberatung *f;* **senso d'**~ Orientierungssinn *m.*

orientare [orien'ta:re] **I.** *tr* **1.** *(puntare in una direzione)* richten (*verso* nach +*dat*), ausrichten (*verso* nach +*dat*); **2.** *fig (sospetti, interessi)* richten (*su, verso* auf +*akk*), lenken (*su, verso* auf +*akk*); **3.** *fig (studenti, personale)* anleiten (*a, verso* zu +*dat*); **4.** *mat (retta)* orientieren, eine Richtung geben (*qc* einer S. *(dat)*); **II.** *rfl:* **-arsi 1.** *(orizzontarsi)* sich orientieren (*con qc* an etw. *(dat)*); **2.** *fig (indirizzarsi)* sich zuwenden (*verso qc* einer S. *(dat)*), beginnen (*verso qc* mit) *fam.* **orientativo, -a** [...ta'ti:vo] *agg* Orientierungs-, orientierend. **orientato, -a** [...'ta:to] *agg* orientiert; **la stanza è -a nord** das Zimmer geht (*o* liegt *o* schaut) nach Norden; ~ **a destra/a sinistra** *pol* rechts-/linksgerichtet.

oriente [o'riɛnte] *m* Osten *m; (civiltà)* Orient *m,* Morgenland *n obs;* **l'Estremo/il Medio/il Vicino** ~ der Ferne/Mittlere/Nahe Osten.

orifizio [ori'fittsio] ⟨-i⟩ *m* **1.** *(foro)* Öffnung *f;* **2.** *anat* Öffnung *f,* Mund *m.*

origano [o'ri:gano] *m* Origano *m,* Oregano *m.*

originale [oridʒi'na:le] **I.** *agg* **1.** *gener.* Original-, original; *(delle origini)* ursprünglich; *(proprio dell'autore a.)* echt; **2.** *(nuovo, eseguito per la prima volta)* neuartig, originär *geh;* **3.** *(stravagante)* originell; **II.** *m* **1.** *(opera di mano dell'autore)* Original *n;* **2.** *(esemplare di documento)* Original *n,* Urschrift *f;* **3.** *(lingua originale)* Originalsprache *f;* **4.** *(modello)* Original *n;* **conforme (*o* fedele) all'**~ originalgetreu; **III.** *mf* Original *n.* **originalità** [...nali'ta] ⟨-⟩ *f* Originalität *f.*

originare [oridʒi'na:re] *tr* hervorrufen, bewirken, erzeugen.

originario, -a [oridʒi'na:rio] ⟨-i, -ie⟩ *agg* **1.** *(proveniente da un luogo)* (ab)stammend; *(a. persona)* gebürtig; **2.** *(che appartione agli inizi)* ursprünglich; *(primitivo a.)* Ur-; **3.** *(che dà origine)* Ursprungs-, Herkunfts-.

origine [o'ri:dʒine] *f* **1.** *(momento iniziale)* Ursprung *m,* Anfang *m;* **2.** *(punto d'inizio)* Anfang *m,* Beginn *m;* **3.** *(provenienza)* Herkunft *f,* Abstammung *f;* **4.** ⟨*pl*⟩ Ursache *f,* Ursprung *m;* **certificato di** ~ Ursprungsbescheinigung *f;* **imposta all'**~ *fin* Quellensteuer *f.*

origliare [oriʎ'ʎa:re] ⟨origlio, origli⟩ *itr* lauschen, horchen.

orina [o'ri:na] *f* Urin *m,* Harn *m.* **orinale** [ori'na:le] *m* Nachttopf *m.* **orinare** [...'na:re] **I.** *itr* Harn lassen, urinieren; **II.** *tr* ausscheiden.

oriundo, -a [o'riundo] *agg* gebürtig, stammend; **è** ~ **austriaco** er ist gebürtiger Österreicher.

orizzontale [oriddzon'ta:le] **I.** *agg* waagerecht, horizontal; **II.** *f* Horizontale *f,* Waagerechte *f.*

orizzontarsi [oriddzon'tarsi] *rfl* **1.** *(orien-*

tarsi) sich orientieren; **2.** *fig (raccapezzarsi)* sich zurechtfinden.

orizzonte [orid'dzonte] *m (a. fig)* Horizont *m;* **giro d'~** Übersicht *f,* Überblick *m,* Tour d'horizon *f o m geh.*

Orlando [or'lando] *(nome proprio maschile)* Roland; **l'~ furioso** *letter* der Rasende Roland.

orlare [or'la:re] *tr* einfassen, umranden; *(nel cucito)* (ein)säumen. **orlatura** [orla'tu:ra] *f* Saum *m.*

orlo ['orlo] *m* **1.** *(margine)* Rand *m;* **2.** *(di tessuto)* Saum *m;* **3.** *(materiale)* Bordüre *f,* Besatz *m;* **4.** *fig* Rand *m;* **~ a giorno** Hohlsaum *m;* **essere sull'~ della pazzia** am Rande des Wahnsinns sein.

orma ['orma] *f* **1.** *(di persona)* Spur *f,* Fußstapfe *f;* **2.** *(di animale)* Fährte *f;* **3.** *fig* Spur *f;* **mettersi sulle -e (***o* **calcare le -e) di qu** *fig* in jds Fußstapfen treten.

ormai [or'ma:i] *avv* **1.** *(ora)* nun, jetzt; **2.** *(già)* schon, bereits.

ormeggiare [ormed'dʒa:re] ⟨ormeggio, ormeggi⟩ *tr, itr, rfl:* **-arsi** festmachen, vertäuen.

ormeggio [or'meddʒo] ⟨-ggi⟩ *m* **1.** *naut* Verankerung *f,* Vertäuung *f;* **2.** *(luogo)* Ankerplatz *m;* **3.** ⟨*pl*⟩ (Halte)leinen *f pl.*

ormonale [ormo'na:le] *agg* hormonal, Hormon-; **terapia ~** Hormontherapie *f.*

ormone [or'mo:ne] *m* Hormon *n.*

ornamentale [ornamen'ta:le] *agg* Zier-, ornamental, Ornament-; **piante -i** Zierpflanzen *f pl.*

ornamento [orna'mento] *m (decorazione)* Ornament *n,* Verzierung *f; (fig a.)* Ausschmückung *f.*

ornare [or'na:re] **I.** *tr* **1.** *(abbellire)* verzieren; *(decorare)* (aus)schmücken; **2.** *fig (arricchire)* schmücken; *(discorso)* ausschmücken; **II.** *rfl:* **-arsi** sich schmücken. **ornato, -a** [or'na:to] **I.** *agg* verziert, geschmückt; **II.** *m* Ornamentik *f.*

ornitologia [ornitolo'dʒi:a] ⟨-gie⟩ *f* Vogelkunde *f,* Ornithologie *f.* **ornitologo, -a** [...'tɔ:logo] ⟨-gi, -ghe⟩ *m, f* Vogelkundler(in) *m(f),* Ornithologe *m,* -login *f.*

ornitorinco [ornito'riŋko] ⟨-chi⟩ *m* Schnabeltier *n.*

oro ['ɔ:ro] *m* **1.** *(metallo, colore)* Gold *n;* **2.** *(denaro)* Gold *n,* Geld *n;* **3.** ⟨*pl*⟩ *(oggetti d'~)* Goldstücke *n pl,* Gold *n; (gioielli)* Goldschmuck *m;* **~ bianco** Weißgold *n;* **~ nero** *fig* schwarzes Gold; **un affare d'~** ein gutes Geschäft; *(negozio, ristorante)* eine Goldgrube; **d'~** golden, aus Gold; *fig (a prezzo gonfiato)* vergoldet *iron.* **non lo farei per tutto l'~ del mondo** das würde ich nicht um alles in der Welt tun; **nuotare nell'~** *fig* im Geld schwimmen; **prendere qc per ~ colato** *fig* etw. für bare Münze nehmen; **vendere qc a peso d'~** etw. *(akk)* für teures Geld verkaufen.

orologeria [orolodʒe'ri:a] ⟨-ie⟩ *f* **1.** *(arte)* Uhrmacherhandwerk *n; (industria)* Uhrenindustrie *f;* **2.** *(negozio)* Uhrengeschäft *n.* **orologiaio, -a** [...'dʒa:jo] ⟨-giai, -giaie⟩ *m, f* **1.** *(fabbricante)* Uhrenfabrikant(in) *m(f);* **2.** *(riparatore)* Uhrmacher(in) *m(f);* **3.** *(venditore)* Uhrenhändler(in) *m(f).*

orologio [oro'lɔ:dʒo] ⟨-gi⟩ *m* Uhr *f;* **~ al quarzo** Quarzuhr *f;* **~ atomico/digitale** Atom-/Digitaluhr *f;* **~ marcatempo** Stechuhr *f;* **~ da polso/da tasca** Armband-/Taschenuhr *f;* **caricare l'~** die Uhr aufziehen.

oroscopo [o'rɔskopo] *m* Horoskop *n.*

orrendo, -a [or'rɛndo] *agg* schrecklich, entsetzlich, fürchterlich.

orribile [or'ri:bile] *agg* **1.** *(atroce)* schrecklich, entsetzlich, furchtbar; *(delitto)* grausig; **2.** *fig (pessimo)* schrecklich, gräßlich.

orrido, -a ['ɔrrido] **I.** *agg* schrecklich; *(aspetto a.)* furchteinflößend; **II.** *m* Klamm *f,* Schlucht *f.*

orripilante [orripi'lante] *agg* haarsträubend.

orrore [or'ro:re] *m (repulsione, spavento)* Entsetzen *n,* Grausen *n; (avversione)* Horror *m fam,* Abscheu *m; (terrore)* Schrecken *m;* **film dell'~** Horrorfilm *m;* **gli -i della guerra** die Schrecken *m pl* des Krieges.

orsa ['orsa] *f* **1.** *zoo* Bärin *f;* **2.** *astr:* **l'Omaggiore/minore** der Große/Kleine Bär. **orsacchiotto** [-k'kjɔtto] *m* Teddy-, Plüschbär *m.* **orso** ['orso] *m (a. fig)* Bär *m;* **~ bianco (***o* **polare)/bruno/grigio/lavatore** Eis-/Braun-/Grizzly-/Waschbär *m.*

ortaggio [or'taddʒo] ⟨-ggi⟩ *m* Gemüse *n.*

ortensia [or'tɛnsja] ⟨-ie⟩ *f* Hortensie *f.*

ortica [or'ti:ka] ⟨-che⟩ *f* Brennessel *f.*

orticaria [orti'ka:rja] ⟨-ie⟩ *f* Nesselsucht *f,* -fieber *n.*

orticoltura [ortikol'tu:ra] *f* Gartenbau *m.*

Ortisei [orti'zɛ:i] *f* Sankt Ulrich *n.*

orto ['ɔrto] *m* (Gemüse-, Nutz)garten *m;* **~ botanico** botanischer Garten.

ortodossia [ortodos'si:a] ⟨-ie⟩ *f* Orthodoxie *f.* **ortodosso, -a** [...'dɔsso] **I.** *agg (a. fig)* orthodox; **II.** *m, f* Angehörige(r) *mf* der griechisch-orthodoxen Kirche.

ortofrutticolo, -a [ortofrut'ti:kolo] *agg* Obst- und Gemüse-.

ortografia [ortogra'fi:a] *f* Rechtschreibung *f,* Orthographie *f.* **ortografico, -a** [...'gra:fiko] *agg* Rechtschreib-, orthographisch; **errore ~** Rechtschreibfehler *m.*

ortolano, -a [orto'la:no] *m, f* **1.** *(coltivatore)* Gemüsegärtner(in) *m(f);* **2.** *(venditore)* Gemüsehändler(in) *m(f).*

ortomercato [ortomer'ka:to] *m* Obst-

und Gemüsemarkt *m.*
ortopedia [ortope'di:a] ⟨-ie⟩ *f* Orthopädie *f.* **ortopedico, -a** [...'pɛ:diko] ⟨-ci, -che⟩ **I.** *agg* orthopädisch, Orthopädie-; **II.** *m, f* Orthopäde *m,* -pädin *f.*
orzaiolo [ordza'jɔ:lo] *m med* Gerstenkorn *n.*
orzata [or'dza:ta] *f* **1.** *(bevanda)* Mandelmilch *f;* **2.** *(sciroppo)* Mandelsirup *m.*
orzo ['ɔrdzo] *m* Gerste *f;* **caffè d'~** Malzkaffee *m.*
osanna [o'zanna] **I.** *interi* hosianna; **II.** ⟨-⟩ *m* Hosianna *n,* Hosiannaruf *m.* **osannare** [...'na:re] **I.** *tr* bejubeln; **II.** *itr* Hosianna rufen; *fig* jubeln, zujubeln (*a qu* jdm).
osare [o'za:re] *tr* wagen.
oscar ['ɔskar] ⟨-⟩ *m* **1.** *(premio)* Oscar *m;* **2.** *fig (personaggio o film premiato)* Oscarpreisträger(in) *m(f);* **3.** *fig (primo premio)* Große(r) Preis *m.*
oscenità [oʃʃeni'ta] ⟨-⟩ *f* **1.** *(indecenza)* Obszönität *f,* Unanständigkeit *f;* **2.** *fam (opera bruttissima)* Greuel *m.*
osceno, -a [oʃ'ʃɛ:no] *agg* **1.** *(indecente)* obszön, unanständig, unzüchtig; **2.** *fam (bruttissimo)* widerlich, ekelhaft.
oscillare [oʃʃil'la:re] *itr* **1.** *(dondolare)* schaukeln; *(a. fis)* schwingen; **2.** *(variare, mostrare alternanza)* schwanken; **3.** *(tentennare)* schwanken. **oscillazione** [...lat'tsjo:ne] *f* Schwankung *f; fis* Schwingung *f,* Oszillation *f; (a. fig, fin)* Schwanken *n;* **-i di temperatura** Temperaturschwankungen *f pl.*
oscuramento [oskura'mento] *m* **1.** *(l'oscurare)* Verdunk(e)lung *f,* Verfinsterung *f;* **2.** *fig (ottenebramento)* Trübung *f; (della mente)* Umnachtung *f.* **oscurare** [...'ra:re] **I.** *tr* **1.** *(rendere oscuro)* verdunkeln, verfinstern; **2.** *fig (far impallidire)* in den Schatten stellen; **II.** *rfl:* **-arsi 1.** *(diventare oscuro)* sich verdunkeln, sich verfinstern; **2.** *fig* sich trüben; *(mente)* sich umnachten; *(volto)* sich verfinstern.
oscurità [oskuri'ta] ⟨-⟩ *f* **1.** *(assenza di luce)* Dunkelheit *f,* Dunkel *n,* Finsternis *f;* **2.** *fig (difficile intelligibilità)* Undurchschaubarkeit *f,* Dunkel *n;* **3.** *fig (scarsa notorietà)* Schatten *m.*
oscuro, -a [os'ku:ro] **I.** *agg* **1.** *(buio)* finster, dunkel; **2.** *fig* dunkel; *(pensiero, volto)* finster; *peg* obskur; **II.** *m* Dunkel *n,* Dunkelheit *f;* **essere all'~ di qc** von etw. keine Ahnung haben.
osé [o'ze:] ⟨*inv*⟩ *agg* gewagt.
ospedale [ospe'da:le] *m* Krankenhaus *n,* Hospital *n;* **~ civile** städtisches Krankenhaus; **fare sei mesi d'~** sechs Monate im Krankenhaus liegen; **mandare qu all'~** jdn krankenhausreif schlagen. **ospedaliero, -a** [...da'ljɛ:ro] **I.** *agg* Krankenhaus-; **II.** *m, f* Krankenpfleger(in) *m(f); (medico)* Krankenhausarzt *m,* -ärztin *f;* **III.** *m pl* Krankenhauspersonal *n.* **ospedalizzare** [...dalid'dza:re] *tr* ins Krankenhaus einliefern (*o* bringen), stationär aufnehmen.
ospitale [ospi'ta:le] *agg* **1.** *(persona)* gastfreundlich; **2.** *(luogo)* gastlich, einladend. **ospitalità** [...tali'ta] ⟨-⟩ *f* Gastfreundschaft *f.*
ospitare [ospi'ta:re] *tr* **1.** *(dare ospitalità)* Gastfreundschaft gewähren (*qu* jdm), zu Gast haben; *(accogliere)* aufnehmen, beherbergen; *sport* Gastgeber (*o* gastgebende Mannschaft) sein für; **2.** *fig (articolo)* aufnehmen; **3.** *biol* Wirt sein für.
ospite ['ɔspite] **I.** *mf* **1.** *(persona che ospita)* Gastgeber(in) *m(f);* **2.** *(persona ospitata)* Gast *m;* **3.** *biol* Wirt *m;* **~ d'onore** Ehrengast *m;* **II.** *agg* Gast-.
ospizio [os'pittsjo] ⟨-i⟩ *m* Heim *n;* **~ per orfani/vecchi** Waisenhaus *n*/Alters-, Altenheim *n.*
ossatura [ossa'tu:ra] *f* **1.** *anat (insieme delle ossa)* Skelett *n,* Knochengerüst *n; (struttura)* Knochenbau *m;* **2.** *fig (struttura portante)* Gerippe *n,* Skelett *n; (orditura)* Gerüst *n.*
osseo, -a ['ɔsseo] *agg* Knochen-, knöchern.
ossequente [osse'kuɛnte] *agg lett* gehorsam (*a* gegenüber *+dat*), respektvoll (*a* gegenüber *+dat*), ehrerbietig *geh (a* gegenüber *+dat).*
ossequio [os'sɛkujo] ⟨-qui⟩ *m lett* Hochachtung *f,* Ehrfurcht *f,* Ehrerbietung *f geh;* **gradisca i miei -qui** *(nelle lettere)* mit dem Ausdruck meiner vorzüglichen Hochachtung *geh.* **ossequioso, -a** [...'kujo:so] *agg lett* ehrfurchtsvoll, ehrerbietig *geh; peg* unterwürfig.
osservante [osser'vante] **I.** *agg* befolgend (*di qc* etw.); *rel* observant; **II.** *mf* Strenggläubige(r) *mf.* **osservanza** [...'vantsa] *f* Befolgung *f,* Beachtung *f;* **~ della legge** *dir* Gesetzestreue *f;* **~ di una scadenza** *dir* Einhaltung *f* einer Frist (*o* eines Termins; **in ~ alle disposizioni emanate** *amm* unter Beachtung der erlassenen Verfügungen.
osservare [osser'va:re] *tr* **1.** *(guardare attentamente)* beobachten, betrachten; **2.** *(non trasgredire, mantenere)* beachten, befolgen, einhalten; **3.** *(rilevare)* bemerken, beobachten, feststellen; **4.** *(obiettare)* einwenden; **far ~ qc a qu** jdn auf etw. *(akk)* aufmerksam machen. **osservatore, -trice** [...va'to:re] **I.** *agg* beobachtend, Beobachtungs-; **II.** *m, f (a. dir)* Beobachter(in) *m(f).* **osservatorio** [...va'tɔ:rjo] ⟨-i⟩ *m* Observatorium *n;* **~ astronomico/meteorologico** Sternwarte *f*/ Wetterwarte *f,* Beobachtungsstation *f.*
osservazione [osservat'tsjo:ne] *f* **1.** *(atto, studio)* Beobachtung *f,* Observierung *f wissensch.;* **2.** *(considerazione critica)*

Betrachtung *f*, Untersuchung *f;* **3.** *(rimprovero)* Vorhaltung *f*, Tadel *m*, Vorwurf *m;* **4.** *(obiezione)* Einwand *m;* **essere tenuto in** ~ unter Beobachtung sein (*o* stehen).

ossessa *f v.* **ossesso.**

ossessionante [ossessi̯o'nante] *agg* bedrängend, quälend. **ossessionare** [...'na:re] *tr* **1.** *(tormentare la coscienza)* bedrängen, plagen, quälen; **2.** *fig (infastidire)* verfolgen, bedrängen. **ossessione** [...'si̯o:ne] *f* **1.** *(invasamento demoniaco)* Besessenheit *f;* **2.** *psic* Zwangsvorstellung *f*, Obsession *f;* **3.** *(preoccupazione angosciosa)* Angstvorstellung *f*, Wahn *m*. **ossessivo, -a** [...'si:vo] *agg* quälend; *psic* Zwangs-, obsessiv. **ossesso, -a** [os'sɛsso] **I.** *agg* besessen; **II.** *m, f* Besessene(r) *mf.*

ossia [os'si:a] *cong* oder (besser gesagt), oder (auch).

ossibuchi *pl di* **ossobuco.**

ossidabile [ossi'da:bile] *agg* oxidierbar, oxydierbar *wissensch.; (soggetto a ossidarsi)* rostend.

ossidante [ossi'dante] *m* Oxydationsmittel *n*. **ossidare** [...'da:re] *tr, rfl:* **-arsi** oxydieren. **ossidazione** [...dat'tsi̯o:ne] *f* Oxydation *f.*

ossido ['ɔssido] *m* Oxyd *n*, Oxid *n;* ~ **di azoto** Stickoxid *n;* ~ **di carbonio** Kohlen(mon)oxid *n.*

ossigenare [ossidʒe'na:re] *tr* Sauerstoff zuführen (*qc* einer S. *(dat)*), mit Sauerstoff anreichern; **-arsi i capelli** sich *(dat)* die Haare blondieren. **ossigenato, -a** [...'na:to] *agg* **1.** *chim* sauerstoffhaltig, mit Sauerstoff angereichert; **2.** *(capelli)* gebleicht, blondiert; **bionda -a** Wasserstoffblondine *f fam.* **ossigenatura** [...na'tu:ra] *f* Blondierung *f.*

ossigeno [os'si:dʒeno] *m* **1.** *chim* Sauerstoff *m;* **2.** *fig (linfa rinnovatrice)* Frischzellen *f pl*, frisches Blut; **tenda a** ~ Sauerstoffzelt *n.*

osso ['ɔsso] ⟨*pl:* -i *m o* -a *f nel senso anat*⟩ **1.** *anat* Knochen *m;* **2.** ⟨*pl*⟩ *lett (resti di cadavere)* Gebeine *n pl;* **3.** *(osso animale lavorato)* Bein *n;* **4.** *(nocciolo)* Kern *m*, Stein *m;* ~ **sacro/nasale** Kreuz-/Nasenbein *n;* **un** ~ **duro** *fig (difficoltà)* eine harte Nuß *fam; (persona)* ein zäher Knochen *fam;* **avere le -a peste (***o* **rotte)** *fig* zerschlagen (*o* wie gerädert) sein; **farsi le -a** sich *(dat)* die Hörner abstoßen *fam;* **posa l'~!** *fig* heraus damit!; **sputa l'~!** *fam scherz* spuck's schon aus! *fam.* **ossobuco** [osso'bu:ko] ⟨ossibuchi⟩ *m gastr* Beinscheiben *f pl* vom Kalb; ~ **alla milanese** geschmorte Beinscheiben. **ossuto, -a** [os'su:to] *agg* knochig, knöch(e)rig.

ostacolare [ostako'la:re] *tr* behindern; *(peg a.)* hintertreiben.

ostacolista [ostako'lista] ⟨-i *m*, -e *f*⟩ **I.** *mf (atleta)* Hindernis-, Hürdenläufer(in) *m(f);* **II.** *m (cavallo)* Springpferd *n.*

ostacolo [os'ta:kolo] *m* **1.** *(impedimento, intralcio)* Hindernis *n;* **2.** *sport* Hindernis *n*, Hürde *f.*

ostaggio [os'taddʒo] ⟨-ggi⟩ *m* Geisel *f;* **prendere/tenere qu in** ~ jdn als Geisel nehmen/festhalten.

oste, -essa ['ɔste, os'tessa] *m, f* (Gast)-wirt(in) *m(f);* **fare i conti senza l'~** die Rechnung ohne den Wirt machen.

osteggiare [osted'dʒa:re] ⟨osteggio, osteggi⟩ *tr* bekämpfen.

ostello [os'tɛllo] *m* Herberge *f;* ~ **della gioventù** Jugendherberge *f.*

ostensorio [osten'sɔ:ri̯o] ⟨-i⟩ *m* Monstranz *f.*

ostentare [osten'ta:re] *tr* zur Schau stellen (*o* tragen), hervorkehren, prahlen mit. **ostentazione** [...tat'tsi̯o:ne] *f* Zurschaustellung *f.*

osteria [oste'ri:a] ⟨-ie⟩ *f* Schenke *f*, (kleine) Gaststätte *f.*

ostessa *f v.* **oste.**

ostetricia [oste'tri:tʃa] ⟨-cie⟩ *f* Geburtshilfe *f*. **ostetrico, -a** [os'tɛ:triko] ⟨-ci, -che⟩ **I.** *agg* Entbindungs-, Geburts-; **II.** *m, f (medico)* Geburtshelfer(in) *m(f);* **III.** *f (infermiera)* Hebamme *f.*

ostia ['ɔsti̯a] ⟨-ie⟩ *f* **1.** *rel* Hostie *f;* **2.** *(cialda)* Oblate *f.*

ostico, -a ['ɔstiko] ⟨-ci, -che⟩ *agg* hart, mühsam.

ostile [os'ti:le] *agg* feindlich, feindselig. **ostilità** [ostili'ta] ⟨-⟩ *f* Feindschaft *f*, Feindseligkeit *f;* **scoppio/cessazione delle** ~ Ausbruch *m*/Einstellung *f* der Feindseligkeiten.

ostinarsi [osti'narsi] *rfl* beharren (*a* auf *+dat*), sich versteifen (*a* auf *+akk*). **ostinato, -a** [...'na:to] **I.** *agg* hartnäckig, beharrlich; *(tenace)* zäh; **II.** *m, f* Dickkopf *m*, Starrkopf *m*. **ostinazione** [...nat'tsi̯o:ne] *f (caparbietà)* Dick-, Starrköpfigkeit *f*, Halsstarrigkeit *f; (persistenza)* Hartnäckigkeit *f*, Beharrlichkeit *f.*

ostracismo [ostra'tʃizmo] *m* **1.** *st* Scherbengericht *n*, Ostrazismus *m;* **2.** *fig (esclusione)* Verbannung *f*, Ausschluß *m.*

ostrica ['ɔstrika] ⟨-che⟩ *f* Auster *f;* **stare attaccato a qu come l'~ allo scoglio** *fig* wie eine Klette an jdm hängen.

ostruire [ostru'i:re] ⟨ostruisco⟩ *tr (condotto)* verschließen, verstopfen; *(passaggio)* versperren. **ostruzione** [...ut'tsi̯o:ne] *f (di condotto, a. med)* Verschluß *m; (di passaggio, a. mil)* Sperre *f*, Sperrung *f;* **fare** ~ **a qc** etw. zu behindern (o hemmen) suchen. **ostruzionismo** [...uttsi̯o'nizmo] *m* **1.** *(ostacolo)* Behinderung *f;* **2.** *pol* Obstruktion *f;* **3.** *sport* Behinderung *f*. **ostruzionista** [...'nista] ⟨-i *m*, -e *f*⟩ *mf* **1.** *pol* Obstruktionist(in) *m(f);* **2.** *(nemico)* Widersacher(in) *m(f).*

Otello [oˈtɛllo] *(nome proprio maschile)* Othello.

otite [oˈtiːte] *f* Ohrenentzündung *f,* Otitis *f wissensch.*

otorinolaringoiatra [otorinolariŋgoˈjaːtra] ⟨-i *m,* -e *f*⟩ *mf* Hals-Nasen-Ohren-Arzt *m,* -Ärztin *f.*

otorino [otoˈrino] ⟨-i⟩ *m* (*abbr di* **otorinolaringoiatra)** HNO-Arzt *m* (*abk von* Hals-Nasen-Ohren-Arzt).

otre [ˈoːtre] *m* Schlauch *m.*

ottagonale [ottagoˈnaːle] *agg* achteckig, oktogonal. **ottagono** [otˈtaːgono] *m* Achteck *n,* Oktagon *n.*

ottano [otˈtaːno] *m* Oktan *n;* **numero di -i** Oktanzahl *f.*

ottanta [otˈtanta] **I.** *num* achtzig; **II.** ⟨-⟩ *m* Achtzig *f; v. a. cinquanta.* **ottantenne** [...ˈtɛnne] **I.** *agg* achtzigjährig; **II.** *mf* Achtzigjährige(r) *mf.* **ottantesimo, -a** [...ˈtɛːzimo] **I.** *agg* achtzigste(r, s); **II.** *m, f* Achtzigste(r, s) *mfn;* **III.** *m (frazione)* Achtzigstel *n,* achtzigster Teil; *v. a. quinto.* **ottantina** [...ˈtiːna] *f:* **una ~ (di ...)** (etwa) achtzig (...); **essere sulla ~** an (*o* um) die Achtzig sein.

ottava [otˈtaːva] *f* **1.** *rel* Oktav *f;* **2.** *letter* Oktave *f,* Stanze *f;* **3.** *mus (intervallo)* Oktave *f; (croma)* Achtelnote *f.*

Ottavia [otˈtaːvja] *(nome proprio femminile)* Oktavia.

ottavino [ottaˈviːno] *m* Pikkoloflöte *f.*

ottavo, -a [otˈtaːvo] **I.** *agg* achte(r, s); **II.** *m, f* Achte(r, s) *mfn;* **III.** *m* **1.** *(frazione)* Achtel *n,* achter Teil; **2.** *(formato)* Oktav *n;* **-i di finale** Achtelfinale *n; v. a. quinto.*

ottemperanza [ottempeˈrantsa] *f amm* Beachtung *f,* Befolgung *f;* **in ~ alle norme di legge** unter Beachtung der gesetzlichen Bestimmungen.

ottenebrare [otteneˈbraːre] *tr lett* **1.** *(offuscare)* verfinstern, verdunkeln; **2.** *fig* trüben.

ottenere [otteˈneːre] ⟨*irr*⟩ *tr* **1.** *(conseguire)* erlangen, erreichen, erzielen; *(vittoria)* erringen; **2.** *(ricevere)* erhalten; **3.** *(ricavare)* gewinnen, erhalten.

ottetto [otˈtetto] *m* Oktett *n.*

ottica [ˈɔttika] ⟨-che⟩ *f* Optik *f.* **ottico, -a** [...ko] ⟨-ci, -che⟩ **I.** *agg* optisch; **nervo ~** Sehnerv *m;* **II.** *m, f* Optiker(in) *m(f).*

ottimale [ottiˈmaːle] *agg* optimal.

ottimamente [ottimaˈmente] ⟨*superl di* bene⟩ *avv* hervorragend, ausgezeichnet.

ottimismo [ottiˈmizmo] *m* Optimismus *m.* **ottimista** [...ˈmista] ⟨-i *m,* -e *f*⟩ **I.** *agg* optimistisch; **II.** *mf* Optimist(in) *m(f).* **ottimistico, -a** [...ˈmistiko] ⟨-ci, -che⟩ *agg* optimistisch.

ottimizzare [ottimidˈdzaːre] *tr* optimieren.

ottimo, -a [ˈɔttimo] ⟨*superl di* buono⟩ **I.** *agg (molto buono)* sehr gut, hervorragend, ausgezeichnet; **II.** *m* **1.** *(stato ideale)* Optimum *n;* **2.** *(valutazione scolastica)* ≃ Sehr gut.

otto [ˈɔtto] **I.** *num* acht; **dare gli ~ giorni** (mit acht Tagen Frist) kündigen; **oggi a ~** heute in acht Tagen; **II.** ⟨-⟩ *m* **1.** *(numero)* Acht *f;* **2.** *(nelle date)* Achte(r) *m; (nei giochi a carte)* Acht *f;* **3.** *(voto scolastico)* ≃ Gut *n,* Zwei *f;* **4.** *sport (nel pattinaggio)* Acht *f,* Achter *m; (nel canottaggio)* Achter *m;* **~ volante** Achterbahn *f;* **III.** *f pl* acht Uhr; *v. a. cinque.*

ottobre [otˈtoːbre] *m* Oktober *m; v. a. settembre.*

ottocentesco, -a [ottotʃenˈtesko] ⟨-schi, -sche⟩ *agg* das neunzehnte Jahrhundert betreffend. **ottocento** [...ˈtʃɛnto] **I.** *num* achthundert; **II.** ⟨-⟩ *m* **1.** *(numero)* Achthundert *f;* **2.** ⟨*pl*⟩ *sport* Achthundertmeterlauf *m;* **l'O~** das neunzehnte Jahrhundert.

ottomila [ottoˈmiːla] **I.** *num* achttausend; **II.** ⟨-⟩ *m* **1.** *num* Achttausend *f;* **2.** *(vetta)* Achttausender *m.*

ottone [otˈtoːne] *m* **1.** *(lega)* Messing *n;* **2.** ⟨*pl*⟩ *mus* Blechblasinstrumente *n pl.*

Ottone [otˈtoːne] *(nome proprio maschile)* Otto.

ottuagenario, -a [ottuadʒeˈnaːrjo] ⟨-i, -ie⟩ **I.** *agg* achtzigjährig; **II.** *m, f* Achtzigjährige(r) *mf.*

ottundere [otˈtundere] ⟨ottundo, ottusi, ottuso⟩ *tr (a. fig)* abstumpfen.

ottuplo, -a [ˈɔttuplo] **I.** *agg* achtfach; **II.** *m* Achtfache(s) *n.*

otturare [ottuˈraːre] **I.** *tr* **1.** *med (dente)* füllen, plombieren; **2.** *tec (falla)* (ver-, zu)stopfen; *(tubo)* abdichten; **II.** *rfl:* **-arsi** verstopfen. **otturatore** [...raˈtoːre] *m* **1.** *mil* (Gewehr)schloß *n,* Verschluß *m;* **2.** *fot* Verschluß *m.* **otturazione** [...ratˈtsjoːne] *f* **1.** *(atto, effetto)* Abdichtung *f; (di un dente)* Plombieren *n;* **2.** *(amalgama)* (Zahn)füllung *f,* Plombe *f.*

ottusi [otˈtuːzi] *p rem di* **ottundere.**

ottusità [ottuziˈta] ⟨-⟩ *f* Stumpfsinnigkeit *f.* **ottuso, -a** [otˈtuːzo] **I.** *pp di* **ottundere;** **II.** *agg gener., mat, fig* stumpf; *(suono)* dumpf; *fig (ambiente, intelletto)* stumpfsinnig.

out [ˈaut] **I.** *avv* out; **essere ~** out sein; **II.** ⟨*inv*⟩ *agg* out, passé, aus der Mode; **III.** ⟨-⟩ *m sport* Aus *n.*

outdoor [ˈautdɔː] ⟨*inv*⟩ *agg sport* im Freien.

output [ˈautput] ⟨-⟩ *m econ, inform* Output *n.*

outsider [autˈsaider] ⟨-⟩ *mf sport, pol* Außenseiter(in) *m(f).*

ouverture [uvɛrˈtyːr] ⟨-⟩ *f* Ouvertüre *f.*

ovaia [oˈvaːja] ⟨-aie⟩ *f,* **ovaio** [...o] ⟨*pl:* -aia *f*⟩ *m* Eierstock *m.*

ovale [oˈvaːle] **I.** *agg* oval; **palla ~** Rugby

n; **II.** *m* Oval *n.*
ovarico, -a [o'va:riko] ⟨-ci, -che⟩ *agg* **1.** *anat* Eierstock-; **2.** *bot* Fruchtknoten-.
ovario [o'va:ri̯o] ⟨-i⟩ *m* Fruchtknoten *m.*
ovatta [o'vatta] *f* Watte *f;* **d'~** aus Watte, Watte-. **ovattare** [...'ta:re] *tr* **1.** *(imbottire di ovatta)* wattieren; **2.** *fig (rumore)* dämpfen.
overdose ['oʊvədoʊs] ⟨-⟩ *f* Überdosis *f.*
ovest ['ɔ:vest] *m* (*abbr* **O**) Westen *m.*
ovile [o'vi:le] *m* Schafstall *m;* **tornare all'~** *fig* in den Schoß der Familie zurückkehren.
ovino, -a [o'vi:no] **I.** *agg* Schaf-; **II.** *m* Schaf *n.*
oviparo, -a [o'vi:paro] *agg* eierlegend.
ovolaccio [ovolat'tʃo] ⟨-ci⟩ *m* Fliegenpilz *m.*
ovolo ['ɔ:volo] *m* **1.** *arch* Eierstab *m;* **2.** *bot* Kaiserling *m;* **~ malefico** Fliegenpilz *m.*
ovulare [ovu'la:re] *agg* oval, eiförmig. **ovulazione** [...lat'tsi̯o:ne] *f* Eisprung *m,* Ovulation *f wissensch.*
ovulo ['ɔ:vulo] *m* **1.** *bot* Samenanlage *f,* Ovulum *n wissensch.;* **2.** *biol* Eizelle *f;* **3.** *(preparato farmaceutico)* Ovulum *n.*
ovunque [o'vuŋku̯e] *avv* **1.** *(dovunque) +congv (stato in luogo)* wo (auch) immer; *(moto a luogo)* wohin (auch) immer; **2.** *(dappertutto)* überall.
ovvero [ov've:ro] *cong* oder (auch).
ovviare [ovvi'a:re] ⟨ovvio, ovvii⟩ *itr* begegnen, entgegenwirken.
ovvio, -a ['ɔvvi̯o] ⟨-i, -ie⟩ *agg* **1.** *(naturale)* selbstverständlich; **2.** *(evidente)* offensichtlich.
ozelot [oddze'lɔt] ⟨-⟩ *m* Ozelot *m.*
oziare [ot'tsi̯a:re] ⟨ozio, ozi⟩ *itr* untätig *(o* müßig *geh)* sein, müßiggehen *geh.*
ozio ['ɔttsi̯o] ⟨-i⟩ *m* **1.** *(abituale inoperosità)* Müßiggang *m;* **2.** *(inattività temporanea)* Untätigkeit *f;* **3.** *(tempo libero)* Muße *f,* Mußestunde *f;* **4.** ⟨*pl*⟩ *(vita lussuosa)* luxuriöses Leben, Leben *n* im Überfluß; **stare in ~** müßig sein, nichts tun *fam;* **l'~ è il padre dei vizi** *prov* Müßiggang ist aller Laster Anfang *prov.*
ozioso, -a [ot'tsi̯o:so] **I.** *agg* **1.** *(fannullone)* müßig *geh,* müßiggängerisch *geh;* **2.** *(inoperoso)* untätig; **3.** *(futile)* überflüssig, müßig; **II.** *m, f* Müßiggänger(in) *m(f).*
ozono [od'dzɔ:no] *m* Ozon *m o n;* **buco d'~** Ozonloch *n.* **ozonosfera** [oddzonos'fɛ:ra] *f* Ozonschicht *f,* Ozonsphäre *f.*

P

P, p [pi] ⟨-⟩ *f* P, p *n;* **p come Padova** (*o* **Palermo**) P wie Paula.
P2 [pid'du:e] ⟨-⟩ *f abbr di* **Propaganda 2** Geheimloge *f* P2.
pacatezza [paka'tettsa] *f* (Gemüts)ruhe *f,* Gelassenheit *f.* **pacato, -a** [pa'ka:to] *agg* friedlich, ruhig, gelassen.
pacca ['pakka] ⟨-cche⟩ *f* Klaps *m.*
pacchetto [pak'ketto] *m* **1.** *(piccolo pacco)* Päckchen *n,* kleines Paket; **2.** *com, econ, fin, inform* Paket *n;* ~ **azionario** (*o* **di azioni**) Aktienpaket *n;* **un** ~ **di sigarette** ein Päckchen Zigaretten; ~ **di software** Softwarepaket *n.*
pacchia ['pakkia] ⟨-cchie⟩ *f fam (divertimento)* Vergnügen *n,* Spaß *m; (di esame)* Kinderspiel *n; (caso fortunato)* Glücksfall *m.*
pacchiano, -a [pak'kia:no] *agg* geschmacklos, plump.
pacciamare [pattʃa'ma:re] *tr agr* mulchen. **pacciame** [pat'tʃa:me] *m agr* Mulch *m.*
pacco ['pakko] ⟨-chi⟩ *m* **1.** *(involto)* Paket *n;* **2.** *(corredo)* Besteck *n,* Ausrüstung *f;* **3.** *inform (di schede, dischi, ecc.)* Stapel *m;* ~ **dono** Hilfspaket *n;* ~ **viveri** Lebensmittelpaket *n.*
pace ['pa:tʃe] *f* Frieden *m; (tranquillità fisica)* Ruhe *f;* **trattato di** ~ Friedensvertrag *m;* **fare** ~ **con qu** sich mit jdm versöhnen; **mettere** ~ Frieden stiften; **mettere (***o* **mettersi) il cuore in** ~ es gut sein lassen; **darsi** ~ sich zufriedengeben, sich trösten; **non dare** ~ keine Ruhe geben; **non trovar** ~ keine Ruhe finden; **lasciare in** ~ in Ruhe lassen; **starsene in (santa)** ~ unbehelligt (*o* ungestört) sein.
pacemaker ['peɪsmeɪkə] ⟨-⟩ *m med* Herzschrittmacher *m.*
pachiderma [paki'dɛrma] ⟨-i⟩ *m* **1.** *zoo* Dickhäuter *m;* **2.** *fig* Trampel *m o n.*
paciere, -a [pa'tʃɛ:re] *m, f* Frieden(s)stifter(in) *m(f).*
pacificare [patʃifi'ka:re] ⟨pacifico, pacifichi⟩ **I.** *tr* **1.** *(riconciliare)* befrieden; **2.** *(calmare)* beruhigen, besänftigen; **II.** *rfl:* **-arsi** sich versöhnen. **pacifico, -a** [pa'tʃi:fiko] ⟨-ci, -che⟩ *agg* **1.** *(uomo, indole)* friedliebend, friedfertig, friedlich; **2.** *(vita)* friedlich, ruhig; **3.** *fig (chiaro)* klar, unbestritten; *(ovvio)* selbstverständlich; **4.** *geog* Pazifik-, pazifisch; **l'Oceano P**~**, il P**~ der Pazifische Ozean, der Pazifik.
pacifismo [patʃi'fizmo] *m* **1.** *(movimento)* Friedensbewegung *f;* **2.** *(atteggiamento)* Pazifismus *m,* pazifistische Haltung. **pacifista** [...'fista] ⟨-i *m,* -e *f*⟩ *mf* Pazifist(in) *m(f).*
pack [pæk] ⟨-⟩ *m* Packeis *n.*
pacioccone, -a [patʃok'ko:ne] *m, f fam* dicker, gutmütiger Mensch.
padano, -a [pa'da:no] *agg* Po-; **pianura -a** Poebene *f.*
padella [pa'dɛlla] *f* **1.** *(utensile)* (Brat)pfanne *f,* Stielpfanne *f;* **2.** *(per malati)* Bettpfanne *f;* ~ **antiaderente** Antihaftpfanne *f,* beschichtete Pfanne; **cuocere qc in** ~ etw. in der Pfanne braten; **cadere dalla** ~ **nella brace** *fig* vom Regen in die Traufe kommen.
padiglione [padiʎ'ʎo:ne] *m* **1.** *arch* Pavillon *m; (di fiera a.)* Halle *f;* **2.** *anat (auricolare)* Hörmuschel *f.*
Padova ['pa:dova] *f* Padua *n.*
padre ['pa:dre] *m* **1.** *gener., fig, rel* Vater *m;* **2.** ⟨*pl*⟩ *(antenati)* Vorfahren *m pl,* Ahnen *m pl;* ~ **adottivo/putativo** Adoptiv-/Pflegevater *m;* **di** ~ **in figlio** von Generation zu Generation; **per via di** ~ väterlicherseits; **Dio P**~ Gottvater *m;* **Santo P**~ *(il Papa)* Heiliger Vater.
Padrenostro [padre'nɔstro] ⟨-i⟩ *m* Vaterunser *m.*
padrino [pa'dri:no] *m* **1.** *rel (di battesimo)* (Tauf)pate *m; (di cresima)* (Firm)pate *m;* **2.** *sl* Mafiaboß *m; fig* Machtmensch *m.*
padrona *f v.* **padrone.**
padronale [padro'na:le] *agg* **1.** *(del padrone)* herrschaftlich, Herren-; **2.** *(di proprietà)* eigen; **3.** *(imprenditoriale)* Unternehmer-, Arbeitgeber-.
padronanza [padro'nantsa] *f* **1.** *fig (conoscenza sicura)* Beherrschung *f;* **2.** *(controllo)* Beherrschung *f,* Kontrolle *f.*
padronato [padro'na:to] *m* Arbeitgeberschaft *f,* Unternehmertum *n.*
padrone, -a [pa'dro:ne] *m, f* **1.** *(proprietario)* Eigentümer(in) *m(f),* Besitzer(in) *m(f);* **2.** *(datore di lavoro)* Arbeitgeber(in) *m(f);* **3.** *(dominatore)* Herrscher(in) *m(f),* Gebieter(in) *m(f);* **4.** *(conoscitore)* Kenner(in) *m(f);* ~ **di casa** Hausherr *m; (per gli inquilini)* Hausbesitzer *m;* **essere** ~ **di** Herr sein über *+akk; fig (controllare)* beherrschen; **essere** ~ **di** *+inf (avere libertà di scelta)* sich frei entscheiden können zu *+inf,* die Wahl haben zu *+inf;* **sei** ~ **di andartene** es steht dir frei zu gehen.
padroneggiare [padroned'dʒa:re] ⟨pa-

droneggio, padroneggi⟩ **I.** *tr* **1.** *(nervi, sentimenti)* beherrschen, bezähmen; **2.** *(lingua, materia)* beherrschen; **II.** *rfl:* **-arsi** sich beherrschen.

paesaggio [pae'zaddʒo] ⟨-ggi⟩ *m* **1.** *geog* Landschaft *f;* **2.** *(panorama)* Panorama *n,* Aussicht *f;* **3.** *(pittura)* Landschaftsbild *n; (a. fot)* Landschaftsaufnahme *f;* ~ **alpino/fluviale/lacustre/montano** Alpen-/Fluß-/Seen-/Gebirgslandschaft *f;* **difesa del** ~ Landschaftspflege *f,* -schutz *m.* **paesaggistico, -a** [paezad'dʒistiko] ⟨-ci, -che⟩ **I.** *agg* landschaftlich, Landschafts-; **II.** *f* Landschaftsmalerei *f.*

paesano, -a [pae'za:no] **I.** *agg* dörflich, Dorf-; *(rustico)* ländlich; **II.** *m, f* **1.** *(abitante)* Dorfbewohner(in) *m(f);* **2.** *dial (compaesano)* Landsmann *m,* -männin *f.*

paese [pa'e:ze] *m* **1.** *(nazione, stato)* Land *n,* Staat *m;* **2.** *(patria)* Vaterland *n,* Heimat *f;* **3.** *(villaggio)* Dorf *n;* **4.** *(regione)* Gegend *f,* Landschaft *f;* **i Paesi Bassi** die Niederlande *pl;* ~ **emergente** Schwellenland *n;* ~ **esportatore di petrolio** Erdölexportland *n;* ~ **industrializzato** Industrieland *n;* ~ **in via di sviluppo** Entwicklungsland *n;* ~ **non allineato** blockfreies Land; ~ **non membro** Nicht-Mitgliedsstaat *m;* **mandare qu a quel** ~ *fig fam* jdn dahin schicken, wo der Pfeffer wächst; jdn zum Teufel jagen; ~ **che vai, usanze che trovi** *prov* andere Länder, andere Sitten *prov.*

paffuto, -a [paf'fu:to] *agg* pausbackig, pausbäckig.

pag. *abbr di* **pagina** S. (*abk von* Seite).

paga ['pa:ga] ⟨-ghe⟩ *f* Lohn *m,* Gehalt *n;* ~ **base** Grundlohn *m;* ~ **a cottimo** Akkordlohn *m;* **busta** ~ Lohntüte *f,* **ufficio** ~ Lohnbüro *n;* **giorno di** ~ Zahltag *m.*

pagabile [pa'ga:bile] *agg* (be)zahlbar; ~ **alla consegna/scadenza** zahlbar bei Erhalt/Fälligkeit; ~ **a rate/vista** zahlbar in Raten/bei (*o* nach) Sicht; ~ **in anticipo/contanti** im voraus/bar zahlbar.

pagaia [pa'ga:ia] ⟨-aie⟩ *f* Paddel *n.*

pagamento [paga'mento] *m* **1.** *(il pagare)* (Be)zahlung *f,* Auszahlung *f;* **2.** *(somma)* Zahlung *f,* bezahlter Geldbetrag; **mancato** ~ Nichtzahlung *f;* **mandato di** ~ Zahlungsbefehl *m;* ~ **accomodante** Kulanzzahlung *f;* ~ **alla consegna/contro assegno** Zahlung *f* bei (Ab)lieferung/gegen Nachnahme; ~ **a mezzo assegno** Zahlung *f* per Scheck; ~ **anticipato/in contanti/a rate** Voraus-/Bar-/Ratenzahlung *f;* ~ **in natura** Bezahlung *f* in Naturalien; ~ **semestrale** halbjährliche Zahlung.

paganesimo [paga'ne:zimo] *m* Heidentum *n.*

pagano, -a [pa'ga:no] **I.** *agg* heidnisch; **II.** *m, f* Heide *m,* Heidin *f.*

pagante [pa'gante] *mf* Zahlende(r) *mf;* **reparto -i** Privatstation *f,* Station *f* für Privatpatienten.

pagare [pa'ga:re] ⟨pago, paghi⟩ **I.** *tr* **1.** *(somma)* (be)zahlen; *(stipendio)* auszahlen; *(versare)* (ein)zahlen; *(imposte, tasse)* (be)zahlen, entrichten; **2.** *(offrire)* spendieren, ausgeben *fam;* **3.** *(ricompensare)* belohnen, bezahlen; **4.** *dir* ab-, verbüßen; **far** ~ **qc a qu** *fig* jdn für etw. bezahlen lassen; **farla** ~ **cara a qu** jdn für etw. büßen lassen; ~ **caro qc** *(a. fig)* etw. teuer bezahlen; ~ **da bere a qu** jdm einen ausgeben *fam;* ~ **di persona** selbst die Folgen tragen; **II.** *rfl:* **-arsi** sich bezahlt machen.

pagella [pa'dʒɛlla] *f* (Schul)zeugnis *n.*

paggio ['paddʒo] ⟨-ggi⟩ *m* Page *m;* **capelli alla** ~ Pagenkopf *m.*

pagherò [page'rɔ] ⟨-⟩ *m* Eigen-, Solowechsel *m.*

pagina ['pa:dʒina] *f (abbr* **pag.**) Seite *f* (*abk* S.); **prima/terza/quarta** ~ *fig* Titelseite *f*/Feuilleton-/Anzeigenteil *m;* **una** ~ **fondamentale della nostra storia** ein wichtiges Kapitel unserer Geschichte; **-e gialle** gelbe Seiten *f pl,* Branchenverzeichnis *n;* **voltar** ~ umblättern; *fig* ein neues Kapitel anfangen; *(parlare d'altre cose)* von etw. anderem reden.

paginazione [padʒinat'tsio:ne] *f* Paginierung *f.*

paglia ['paʎʎa] ⟨-glie⟩ *f* **1.** *(materiale)* Stroh *n;* **2.** *(oggetto)* Strohware *f; (cappello)* Strohhut *m;* **uomo di** ~ *fig* Strohmann *m;* **fuoco di** ~ Strohfeuer *n;* **avere la coda di** ~ ein schlechtes Gewissen haben, Dreck am Stecken haben *fam.*

pagliaccetto [paʎʎat'tʃetto] *m* **1.** *(per bambini)* Strampelhose *f;* **2.** *(per donna)* Body(stocking) *m.*

pagliacciata [paʎʎat'tʃa:ta] *f* Narrenposse *f,* Hanswurstiade *f.*

pagliaccio [paʎ'ʎattʃo] ⟨-cci⟩ *m* **1.** *(di circo)* Clown *m;* **2.** *fig (buffone)* Hanswurst *m,* Narr *m; mus* Bajazzo *m.*

pagliaio [paʎ'ʎa:io] ⟨-ai⟩ *m* Strohhaufen *m;* **cercare l'ago nel** ~ eine Stecknadel im Heuhaufen suchen.

pagliericcio [paʎʎe'rittʃo] ⟨-cci⟩ *m* Strohsack *m.*

paglierino, -a [paʎʎe'ri:no] *agg* strohgelb.

paglietta [paʎ'ʎetta] *f* **1.** *(cappello)* Strohhut *m;* **2.** *(d'acciaio)* Stahlwolle *f.*

pagliuzza [paʎ'ʎuttsa] *f* **1.** *(fuscellino di paglia)* Strohhalm *m;* **2.** *(d'oro, d'argento)* Flitter *m,* Paillette *f.*

pagnotta [paɲ'ɲɔtta] *f* Rundbrot *n,* Brotlaib *m.*

pago, -a ['pa:go] ⟨-ghi, -ghe⟩ *agg:* **essere** ~ **di** zufrieden sein mit, befriedigt sein von.

pagoda [pa'gɔ:da] *f* Pagode *f.*

paia *pl di* **paio**[2].

paguro [pa'gu:ro] *m* Einsiedlerkrebs *m.*
paillette [pa'jɛt] ⟨-⟩ *f* Flitter *m,* Paillette *f.*
paio[1] ['pa:io] *pr di* **parere.**
paio[2] ['pa:io] ⟨*pl:* paia *f*⟩ *m (coppia)* Paar *n;* **un ~ di** ein paar, einige; **un ~ di calzoni/forbici/occhiali** eine Hose (*o* ein Paar Hosen)/eine Schere/eine Brille.
paiolo [pa'iɔ:lo] *m* (Koch)kessel *m.*
Pakistan ['pakistan] *m* Pakistan *n.*
pala ['pa:la] *f* **1.** *(attrezzo)* Schaufel *f,* Schippe *f; (di remo)* Ruderblatt *n;* **2.** *(d'altare)* Altartafel *f,* Altarbild *n.*
paladino [pala'di:no] *m* **1.** *(cavaliere)* Paladin *m;* **2.** *fig (difensore)* Verteidiger *m; (di dottrina, ecc.)* Verfechter *m.*
palafitta [pala'fitta] *f* **1.** *st* Pfahlbau *m; (paese)* Pfahldorf *n;* **2.** *arch* Pfahlwerk *n.*
palaghiaccio [pala'giattʃo] ⟨-ci⟩ *m* Eisstadion *n.*
palanca[1] [pa'lanka] ⟨-che⟩ *f* **1.** *(trave)* Planke *f;* **2.** *mar* Laufplanke *f,* -steg *m.*
palanca[2] [pa'lanka] ⟨-che⟩ ⟨*spec. pl*⟩ Kies *m,* Zaster *m.*
palancato [palan'ka:to] *m* Lattenzaun *m.*
palasport [pala'spɔrt] ⟨-⟩ *m* Sportpalast *m.*
palata [pa'lata] *f* **1.** *(quantità di una pala)* Schaufel(voll) *f;* **2.** *sport* Ruderschlag *m;* **a -e** haufenweise.
palatale [pala'ta:le] **I.** *agg* **1.** *anat* Gaumen-; **2.** *ling* palatal; **II.** *f* Palatal(laut) *m,* Gaumenlaut *m.*
Palatinato [palati'na:to] *m* Pfalz *f.*
Palatino [pala'ti:no] *m* Palatin *m.* **palatino** [pala'ti:no] *agg* **1.** *geog* palatinisch; **2.** *(di corte)* Hof-; **3.** *st* Pfalz-, palatinisch.
palato [pa'la:to] *m* **1.** *anat* Gaumen *m;* **2.** *fig (gusto)* Gaumen *m,* Geschmack *m;* **avere il ~ delicato** einen feinen Gaumen haben.
palazzina [palat'tsi:na] *f* Mehrfamilienhaus *n.*
palazzo [pa'lattso] *m* **1.** *arch* Palast *m;* **2.** *(condominio)* Wohnhaus *n;* **3.** *fig, pol* Regierung(sgebäude *n*) *f;* **~ dei congressi** Kongreßhalle *f;* **~ di giustizia** Justizpalast *m;* **~ reale** Königspalast *m; (del periodo barocco)* Schloß *n.*
palco ['palko] ⟨-chi⟩ *m* **1.** *teat* Loge *f;* **2.** *(piano sopraelevato)* Tribüne *f,* Bühne *f.*
palcoscenico [palkoʃ'ʃɛ:niko] ⟨-ci⟩ *m* **1.** *teat* Bühne *f;* **2.** *fig (arte)* Bühne(nkunst) *f;* **calcare il ~** beim Theater sein.
paleocristiano, -a [paleokris'tia:no] *agg* frühchristlich, urchristlich.
paleontologia [paleontolo'dʒi:a] ⟨-gie⟩ *f* Paläontologie *f.* **paleontologo, -a** [...'tɔ:logo] ⟨-gi, -ghe⟩ *m, f* Paläontologe *m,* -login *f.*
palesare [pale'za:re] **I.** *tr* kundtun, kundgeben; **II.** *rfl:* **-arsi** sich offenbaren.
palese [pa'le:ze] *agg* offenkundig, deutlich.
palestra [pa'lɛstra] *f* **1.** *sport (locale)* Turnhalle *f; (esercizio)* Turnübung *f,* Gymnastik *f;* **2.** *fig* Schule *f,* Schulung *f.*
paletot [pal'to] ⟨-⟩ *m* (Winter)mantel *m.*
paletta [pa'letta] *f* **1.** *(piccola pala)* kleine Schaufel; *(per brace, carbone)* Kohlenschaufel *f;* **2.** *(di carabinieri, vigili)* Kelle *f; (del capostazione a.)* Signalstab *m;* **3.** *(per dolci)* Tortenheber *m,* Kuchenschaufel *f.*
paletto [pa'letto] *m* **1.** *(chiavistello)* Riegel *m;* **2.** *(da infiggere nel terreno)* Pflock *m; (da tenda)* Hering *m;* **chiudere il ~** den Riegel vorschieben.
palinsesto [palin'sɛsto] *m* **1.** *TV, radio* Programm *n;* **2.** *st* Palimpsest *n.*
palio ['pa:lio] ⟨-ii⟩ *m* **1.** *(drappo)* kostbar bestickes Tuch *(als Siegesprämie bei Pferderennen, die in einigen italienischen Städten veranstaltet werden);* **2.** *(gara)* Palio *m;* **correre il ~** am Palio teilnehmen; **3.** *fig:* **essere/mettere in ~** als Preis ausgesetzt sein/aussetzen.
palissandro [palis'sandro] *m* Palisander(holz *n*) *m.*
palizzata [palit'tsa:ta] *f* Palisadenwand *f,* Palisaden *f pl.*
palla ['palla] *f* **1.** *gener., sport* Ball *m;* **2.** *(sfera)* Kugel *f;* **3.** *(proiettile)* Kugel *f,* Geschoß *n;* **4.** ⟨*pl*⟩ *volg (testicoli)* Eier *n pl vulg;* **~ di neve/vetro** Schneeball *m*/Glaskugel *f;* **~ da biliardo/da tennis/a volo** Billard-/Tennis-/Volleyball *m;* **~ dell'occhio** Augapfel *m;* **giocare a ~** Ball spielen; **essere in ~** am Ball sein; *fig* (gut) in Form sein; **prendere (***o* **cogliere) la ~ al balzo** *fig* die Gelegenheit beim Schopf ergreifen; **essere una ~ al piede per qu** für jdn ein Klotz am Bein sein; **mi rompi le -e!** *volg* du gehst mir auf die Eier! *vulg;* **Che -e!** *volg* So ein Scheiß! *vulg,* Mist! *fam.* **pallacanestro** [-ka'nɛstro] *f* Basketball *m.* **pallamano** [-'ma:no] *f* Handball *m.* **pallanuoto** [-'nuɔ:to] *f* Wasserball *m.* **pallavolo** [-'vo:lo] *f* Volleyball *m.*
palleggiare [palled'dʒa:re] ⟨palleggio, palleggi⟩ *itr* sich im Ballfangen und -werfen üben, mit dem Ball üben; *(nella pallavolo, ecc.)* den Ball in der Luft halten. **palleggio** [...'leddʒo] ⟨-ggi⟩ *m* Zuwerfen *n* des Balles.
pallet ['pallet] ⟨-⟩ *m* Palette *f.*
palliativo [pallia'ti:vo] *m* **1.** *fig (rimedio inefficace)* Trostpflaster *n,* Notbehelf *m;* **2.** *med* Linderungsmittel *n.*
pallido, -a ['pallido] *agg* **1.** *(viso)* blaß; *(colore)* blaß, matt; **2.** *fig (ricordo)* schwach; *(idea)* blaß; **essere ~ come un cencio** totenbleich (*o* leichenblaß) sein.
pallina [pal'li:na] *f* Murmel *f,* Klicker *m; (del ping-pong)* Tischtennisball *m.*
pallino [pal'li:no] *m* **1.** *(del biliardo)* (weißer) Punktball *m; (delle bocce)*

Malkugel *f,* Zielkugel *f;* **2.** ⟨*pl*⟩ *(proiettile)* Schrot *m o n;* **3.** *(di tessuto, stoffa)* Tupfen *m,* Tupfer *m;* **4.** *fig fam (fissazione)* fixe Idee, Manie *f,* Fimmel *m fam;* **avere il ~ della pulizia** *fam* einen Putzfimmel haben *fam.*

pallonata [pallo'na:ta] *f* Schuß *m* (*o* Stoß *m*) mit dem Ball.

palloncino [pallon'tʃi:no] *m* **1.** *(palla elastica gonfiata)* (Luft)ballon *m;* **2.** *(lampioncino)* Lampion *m;* **prova del ~** Alkoholtest *m.*

pallone [pal'lo:ne] *m* **1.** *(grossa palla)* großer Ball; *sport* Fußball *m,* Lederball *m;* **2.** *(aerostato)* Ballon *m;* **3.** *chim* Glaskolben *m;* **~ autogonfiabile** *mot* Air-bag *m;* **giocare a ~** Fußball spielen; **essere nel ~** *fig* (vollkommen) neben der Kappe sein; **essere un ~ gonfiato** *fam* ein aufgeblasener Mensch sein. **pallonetto** [...lo'netto] *m (tennis)* Lob *m; (calcio)* Heber *m.*

pallore [pal'lo:re] *m* Blässe *f.*

palloso, -a [pal'lo:so] *agg sl* nervtötend *fam,* ätzend *sl.*

pallottola [pal'lɔttola] *f* **1.** *(proiettile)* Kugel *f,* Geschoß *n;* **2.** *(di carta, di legno, vetro)* kleine Kugel, Kügelchen *n.*

pallottoliere [palloto'ljɛ:re] *m* Rechenbrett *n.*

palma[1] ['palma] *f* **1.** *bot* Palme *f; (ramo)* Palm(en)zweig *m;* **2.** *fig* Siegespalme *f,* Sieg *m;* **~ da cocco/da datteri** Kokos-/Dattelpalme *f;* **domenica delle Palme** Palmsonntag *m.*

palma[2] ['palma] *f anat* Handteller *m,* -fläche *f;* **portare qu in ~ di mano** jdn auf Händen tragen.

palmato, -a [pal'ma:to] *agg* **1.** *zoo* Schwimm-; **2.** *bot* gefingert, handförmig.

palmipede [pal'mi:pede] *m* Schwimmvogel *m.*

palmo ['palmo] *m* **1.** *(della mano)* Handbreit *f;* **2.** *(unità di misura)* Spanne *f;* **restare con un ~ di naso** ein langes Gesicht machen; **~ a ~** *fig* Zoll für Zoll.

palm top ['pa:mtɔp] ⟨-⟩ *m inform* Palm top *m* (Computer).

palo ['pa:lo] *m* **1.** *gener.* Pfahl *m; (del telegrafo)* Mast *m;* **2.** *sport (calcio)* (Tor)pfosten *m;* **fare il (***o* **da) ~** *sl* Schmiere stehen *sl;* **saltare di ~ in frasca** *fig* vom Hundertsten ins Tausendste kommen.

palombaro [palom'ba:ro] *m* Froschmann *m.*

palombo [pa'lombo] *m* Glatthai *m.*

palpabile [pal'pa:bile] *agg* **1.** *(che si può palpare)* greifbar, fühlbar; **2.** *(evidente)* offensichtlich; *(prova a.)* handfest.

palpare [pal'pa:re] *tr* betasten, befühlen; *med* abtasten.

palpebra ['palpebra] *f* (Augen)lid *n.*

palpitante [palpi'tante] *agg* **1.** *gener.* pulsierend, zuckend; **2.** *fig* pulsierend, brennend; *(d'emozione)* bebend.

palpitare [palpi'ta:re] *itr (sussultare)* zucken; *(cuore)* schlagen, klopfen. **palpitazione** [...tat'tsjo:ne] *f* **1.** *med* Herzklopfen *n;* **2.** *fig (ansia)* Angst *f,* Erregung *f;* **avere le -i** Herzklopfen haben.

palpito ['palpito] *m* **1.** *(del cuore)* Herzschlag *m;* **2.** *fig* Herzklopfen *n.*

paltò [pal'tɔ] ⟨-⟩ *m* (Winter)mantel *m.*

paludarsi [palu'darsi] *rfl fam* sich zurechtmachen, sich geschmacklos (*o* auffällig) kleiden.

palude [pa'lu:de] *f* Sumpf *m,* Moor *n.*

paludoso, -a [palu'do:so] *agg* sumpfig, moorig.

palustre [pa'lustre] *agg* Sumpf-, Moor-.

pampa ['pampa] ⟨-s⟩ *f* Pampa *f.*

pampino ['pampino] *m* Blatt *n* (*o* Sproß *m*) der Weinrebe.

panacea [pana'tʃɛ:a] *f* Allheil-, Wundermittel *n.*

panama ['pa:nama] ⟨-⟩ *m* Panama(hut) *m.*

panare [pa'na:re] *tr* panieren.

panata [pa'na:ta] *f* Brotsuppe *f.*

panca ['paŋka] ⟨-che⟩ *f* (Sitz)bank *f.*

pancarré [panka're] ⟨-⟩ *m* Toastbrot *m.*

pancetta [pan'tʃetta] *f* **1.** *gastr* durchwachsener Speck, Bauchspeck *m;* **2.** *fam (addome)* Bäuchlein *n.*

panchetto [paŋ'ketto] *m* Schemel *m,* Hocker *m; (per piedi)* Fußbank *f.*

panchina [paŋ'ki:na] *f* (Garten)bank *f;* **sedere in ~** *sport* auf der Reservebank sitzen.

pancia ['pantʃa] ⟨-ce⟩ *f* **1.** *fam (ventre)* Bauch *m;* **2.** *fig (di fiasco)* (Flaschen)-bauch *m,* Ausbauchung *f;* **avere il mal di ~** Bauchweh *n* haben; **metter su ~** *fam* einen Bauch (*o* Speck) ansetzen; **stare a ~ all'aria/a terra** auf dem Rükken/auf dem Bauch liegen; **grattarsi la ~** *fig fam* auf der faulen Haut liegen. **panciata** [...'tʃa:ta] *f* Bauchklatscher *m,* -landung *f.* **panciera** [...'tʃɛ:ra] *f* Bauch-, Leibbinde *f; (di tessuto elastico a.)* Mieder *n,* Hüfthalter *m.* **panciolle** [...'tʃɔlle] *tosc:* **starsene in ~** auf der faulen Haut liegen. **pancione** [...'tʃo:ne] *m fam* **1.** *(grossa pancia)* dicker Bauch, Schmerbauch *m;* **2.** *(persona)* Dickbauch *m.* **panciotto** [...'tʃɔtto] *m* Weste *f.* **panciuto, -a** [...'tʃu:to] *agg (persona)* dickbäuchig; *(vaso)* (dick)bauchig.

pancreas ['paŋkreas] ⟨-⟩ *m* Bauchspeicheldrüse *f.*

panda ['panda] ⟨-⟩ *m* Panda *m.*

pandemonio [pande'mɔ:njo] ⟨-i⟩ *m* Höllenspektakel *n,* -lärm *m.*

pandispagna [pandis'paɲɲa] ⟨-⟩ *m* Biskuit *n.* **pandoro** [pan'dɔ:ro] *m Kuchenspezialität aus Verona, speziell zur Weihnachtszeit.*

pane ['pa:ne] *m* **1.** *gener.* Brot *n; (forma a.)* (Brot)laib *m;* **2.** *(massa compatta)*

Barren *m*, Massel *f*; *(di burro)* Stück *n*, Päckchen *n*; ~ **integrale** Vollkornbrot *n*; **guadagnarsi il** ~ *fig* sich *(dat)* seinen Lebensunterhalt verdienen; **mangiare il** ~ **a ufo/a tradimento** auf Kosten anderer leben; **dire** ~ **al** ~ **e vino al vino** *fig* die Dinge (*o* das Kind) beim Namen nennen; **trovare** ~ **per i propri denti** *fig* eine harte Nuß zu knacken haben; **rendere pan per focaccia** *fam* Gleiches mit Gleichem vergelten; **levarsi il** ~ **di bocca per qu** *fam* sich *(dat)* für jdn jeden Bissen vom Munde absparen; **buono come il** ~ herzensgut.

panegirico [pane'dʒi:riko] ⟨-ci⟩ *m* **1.** *letter* Panegyrikus *m*; **2.** *fig* Verherrlichung *f*, Lobpreisung *f*.

panel ['panel] ⟨-⟩ *m* **1.** *(campione rappresentativo)* Panel *n*; **2.** *(procedimento di raccolta di informazioni statistiche)* Paneltechnik *f*; **3.** *(riunione di dirigenti di un'azienda)* Besprechung *f*; **4.** *(tavola rotonda)* Gespräch *n* am runden Tisch.

panetteria [panette'ri:a] ⟨-ie⟩ *f* Bäckerei *f*, Bäckerladen *m*. **panettiere, -a** [...'tiɛ:re] *m, f* Bäcker(in) *m(f)*.

panettone [panet'to:ne] *m* Panettone *m* *(Hefekuchenspezialität aus Mailand, speziell zur Weihnachtszeit)*.

panfilo ['panfilo] *m* Jacht *f*, Yacht *f*.

panforte [pan'fɔrte] *m Früchtebrot aus Siena* Panforte *m*.

pangrattato, pan grattato [paŋgrat'ta:to] *m* Semmelbrösel *m pl*, Semmel-, Paniermehl *n*.

panico[1] ['pa:niko] ⟨-chi⟩ *m (terrore)* Panik *f*; **essere preso dal** ~ panisch reagieren.

panico[2] [pa'ni:ko] ⟨-chi⟩ *m bot* Kolbenhirse *f*.

paniere [pa'niɛ:re] *m* Korb *m*; *econ* Warenkorb *m*.

panificare [panifi'ka:re] ⟨panifico, panifichi⟩ *itr* Brot backen.

panificio [pani'fi:tʃo] ⟨-ci⟩ *m* Bäckerei *f*, Brotfabrik *f*.

paninaro, -a [pani'na:ro] *m, f* ≃ Popper(in) *m(f)*.

panino [pa'ni:no] *m* Brötchen *n*; ~ **imbottito** belegtes Brötchen. **paninoteca** [panino'tɛ:ka] ⟨-che⟩ *f* Schnellimbiß *m* *(in dem hauptsächlich belegte Brötchen angeboten werden)*.

panna[1] ['panna] *f gastr* Sahne *f*, Rahm *m*; ~ **montata** Schlagsahne *f*.

panna[2] ['panna] *f naut* Aufbrassen *n*.

panne [pan] ⟨-⟩ *f mot (guasto)* (Auto)panne *f*; **essere** (*o* **rimanere**) **in** ~ eine (Auto)panne haben.

panneggio [pan'neddʒo] ⟨-ggi⟩ *m* Draperie *f*, Faltenwurf *m*.

pannello [pan'nɛllo] *m* **1.** *el* Schaltbrett *n*, -tafel *f*; *inform* Bedienungsfeld *n*; **2.** *(arte)* Paneel *n*; ~ **isolante** Isolierplatte *f*; ~ **radiante** Plattenheizkörper *m*, Strahlungsplatte *f*, -heizung *f*; ~ **solare** Solarzelle *f*.

panno ['panno] *m* **1.** *(tessuto)* Stoff *m*, Tuch *n*; **2.** *(pezzo di stoffa)* Tuch *n*, Lappen *m*; **3.** ⟨*pl*⟩ *(biancheria)* Wäsche *f*; **4.** ⟨*pl*⟩ *(vestiti)* Kleider *n pl*, Kleidung *f*; **essere/mettersi nei -i di qu** in jds Haut stecken/sich in jdn hineinversetzen.

pannocchia [pan'nɔkkia] ⟨-cchie⟩ *f* **1.** *bot* Rispe *f*; **2.** *gastr* Maiskolben *m*.

pannolino [panno'li:no] *m* **1.** *(per neonato)* Windel *f*; **2.** *(assorbente)* (Damen)binde *f*; ~ **mutandina** Höschenwindel *f*.

panorama [pano'ra:ma] ⟨-i⟩ *m* **1.** *(veduta)* Panorama *n*, Rundblick *m*; **2.** *fig (rassegna)* Überblick *m*, Übersicht *f*; **3.** *teat* Rundhorizont *m*. **panoramica** [...'ra:mika] ⟨-che⟩ *f* **1.** *(veduta)* Überblick *m*, Übersicht *f*; **2.** *fot* Panoramaaufnahme *f*; *film* Panoramaschwenk *m*; **3.** *(strada)* Panoramastraße *f*. **panoramico, -a** [...'ra:miko] ⟨-ci, -che⟩ *agg* **1.** *(veduta)* Panorama-, Aussichts-; *(strada, percorso)* mit schöner Aussicht, Panorama-; **2.** *(visione, rassegna)* übersichts-, umfassend; **3.** *fot* Panorama-; *film* Breitwand-.

panpepato [pampe'pa:to] *m* Pfeffer-, Lebkuchen *m*.

pansé [pan'se] ⟨-⟩ *f* Acker-Stiefmütterchen *n*.

pantaloncini [pantalon'tʃi:ni] *m pl* kurze Höschen *n pl*, Shorts *pl*; ~ **da tennis** Tennishose *f*.

pantalone [panta'lo:ne] *m* ⟨*spesso pl*⟩ Hose *f*, Hosen *f pl*; ~ **a tubo** Röhrenhose *f*; **un paio di** ~ eine Hose; **portare i** ~ Hosen tragen; *fig* die Hosen anhaben.

pantano [pan'ta:no] *m (a. fig)* Sumpf *m*. **pantanoso, -a** [...ta'no:so] *agg* sumpfig, schlammig.

pantera [pan'tɛ:ra] *f* **1.** *zoo* Panther *m*; **2.** *sl (della polizia)* schneller Funkstreifenwagen.

pantheon ['panteon] ⟨-⟩ *m* Pantheon *n*.

pantofola [pan'tɔ:fola] *f* Pantoffel *m*, Hausschuh *m*.

pantomima [panto'mi:ma] *f* Pantomime *f*.

panzana [pan'tsa:na] *f* Flunkerei *f*, Ammenmärchen *n*.

Paola ['pa:ola] *(nome proprio femminile)* Paula.

Paolo ['pa:olo] *(nome proprio maschile)* Paul, Paulus.

paonazzo, -a [pao'nattso] *agg* (dunkel)violett.

papa ['pa:pa] ⟨-i⟩ *m* Papst *m*; **ad ogni morte di** ~ *fig* alle Jubeljahre (einmal); **vivere come un** ~ wie Gott in Frankreich (*o* die Made im Speck *fam*) leben. **morto un** ~ **se ne fa un altro** *prov* niemand ist unersetzlich.

papà [pa'pa] ⟨-⟩ *m fam* Papa *m fam,* Vati *m.*
papaia [pa'pa:ia] ⟨-aie⟩ *f* Papaya *f.*
papale [pa'pa:le] *agg* päpstlich, Papst-.
papalina [papa'li:na] *f* Käppchen *n.*
paparazzo [papa'rattso] *m* Skandal(foto)reporter(in) *m(f),* Paparazzo *m.*
papato [pa'pa:to] *m* **1.** *(istituto storico)* Papsttum *n,* Papat *m o n;* **2.** *(dignità papale)* Papstwürde *f;* **3.** *(durata della carica)* Amtszeit *f* eines Papstes.
papavero [pa'pa:vero] *m* (Klatsch)mohn *m.*
papera ['pa:pera] *f* **1.** *zoo* (junge) Gans *f;* **2.** *fig (errore)* Versprecher *m;* **3.** *fam peg (donna stupida)* dumme Gans *fam;* **prendere una ~** sich versprechen.
paperback ['peipəbæk] ⟨-⟩ *m* Taschenbuch *n,* Paperback *n.*
papero ['pa:pero] *m* (junger) Gänserich *m.*
papilla [pa'pilla] *f* Papille *f,* Warze *f;* **-e gustative** Geschmackspapillen *f pl.*
papillon [papi'jõ] ⟨-⟩ *m (indumento maschile)* Fliege *f.*
papiro [pa'pi:ro] *m* **1.** *(bot, testo)* Papyrus *m;* **2.** *scherz (lunga lettera)* Epistel *f.*
pappa[1] ['pappa] *f* **1.** *(minestrina)* Brot-, Grießsuppe *f;* **2.** *peg (minestra troppo cotta)* Pampe *f fam,* Brei *m;* **3.** *(per bambini)* Brei *m,* Mus *n;* **~ reale** Gelee *n* royale; **~ molle** *fig fam* Schlappschwanz *m fam;* **trovare la ~ scodellata** *fig fam* sich ins gemachte Nest setzen.
pappa[2] ['pappa] ⟨-⟩ *m dial (sfruttatore di prostitute)* Zuhälter *m,* Lude *m sl.*
pappagallo [pappa'gallo] *m* **1.** *zoo* Papagei *m;* **2.** *fig (uomo)* Papagallo *m;* **3.** *(orinale)* Urinal *n.*
pappagorgia [pappa'gɔrdʒa] ⟨-ge⟩ *f* Doppelkinn *n.*
pappamolle [pappa'mɔlle] ⟨-⟩ *mf* Schlaffi *m,* Schlappschwanz *m.*
pappare [pap'pa:re] *tr fam* **1.** *(mangiare)* hinunterschlingen; **2.** *fig (trarre profitti)* in die eigene Tasche wirtschaften, einsacken *fam.*
paprica ['pa:prika] *f* Paprika(pulver) *n.*
pap-test ['paptεst *o* pap'tεst] *m* Abstrich *m.*
par. *abbr di* **paragrafo** Par. *(abk von* Paragraph).
para ['pa:ra] *f* Paragummi *m o n.*
parà [pa'ra] ⟨-⟩ *mf* **1.** *gener.* Fallschirmspringer(in) *m(f);* **2.** *mil* Fallschirmjäger *m.*
parabola [pa'ra:bola] *f* **1.** *letter* Parabel *f; rel* Gleichnis *n;* **2.** *mat* Parabel *f;* **3.** *fig (declino)* allmählicher Niedergang, Abstieg *m.* **parabolico, -a** [...'bɔ:liko] ⟨-ci, -che⟩ *agg* parabolisch, Parabol-; **antenna -a** Parabolantenne *f.*
parabrezza [para'breddza] ⟨-⟩ *m* Windschutzscheibe *f.*
paracadutare [parakadu'ta:re] *tr* mit dem Fallschirm abwerfen. **paracadute** [...'du:te] ⟨-⟩ *m* Fallschirm *m;* **lanciarsi col ~** mit dem Fallschirm abspringen.
paracadutismo [...du'tizmo] *m* Fallschirmspringen *n,* Fallschirmsport *m.*
paracadutista [...du'tista] ⟨-i *m,* -e *f*⟩ **I.** *mf* **1.** Fallschirmspringer(in) *m(f);* **2.** *mil* Fallschirmjäger *m;* **II.** *agg* Fallschirm-.
paracarro [para'karro] *m* Prellstein *m.*
paradentosi [paraden'tɔ:zi] ⟨-⟩ *f* Parodontose *f.*
paradigma [para'digma] ⟨-i⟩ *m* Paradigma *n.*
paradisiaco, -a [paradi'zi:ako] ⟨-ci, -che⟩ *agg* **1.** *(del paradiso)* paradiesisch, Paradies-; **2.** *fig* himmlisch.
paradiso [para'di:zo] *m* Paradies *n; (fig a.)* Himmel *m;* **~ fiscale** Steuerparadies *n;* **~ terrestre** (Garten) Eden *m;* **uccello del ~** Paradiesvogel *m.*
paradossale [parados'sa:le] *agg* paradox.
paradosso [para'dɔsso] *m* Paradox(on) *n.*
parafango [para'faŋgo] *m (della macchina)* Kotflügel *m; (della motocicletta, ecc.)* Schutzblech *n.*
paraffina [paraf'fi:na] *f* Paraffin *n.*
parafrasare [parafra'za:re] *tr* paraphrasieren, umschreiben, frei wiedergeben.
parafrasi [pa'ra:frazi] ⟨-⟩ *f* Umschreibung *f,* Paraphrase *f,* freie Wiedergabe.
parafulmine [para'fulmine] *m* Blitzableiter *m.*
paraggi [pa'raddʒi] *m pl* (nähere) Umgebung *f,* Nähe *f,* Gegend *f.*
paragonabile [parago'na:bile] *agg* vergleichbar (*a qu/qc* mit jdm/etw.).
paragonare [parago'na:re] **I.** *tr* vergleichen (*a, con* mit); **II.** *rfl:* **-arsi** sich vergleichen (*a, con* mit).
paragone [para'go:ne] *m* Vergleich *m,* Gegenüberstellung *f;* **termine del ~, pietra di ~** Vergleichselement *n;* **a ~ di** im Vergleich zu; **mettere a ~ di (***o* **con)** vergleichen mit; **essere senza ~, non avere -i** unvergleichlich sein; **portare un ~** einen Vergleich anstellen (*o* ziehen); **reggere al ~** dem Vergleich standhalten.
paragrafo [pa'ra:grafo] *m* (*abbr* **par.**) **1.** *(parte di documento, testo)* Abschnitt *m;* **2.** *dir* Paragraph *m.*
paralisi [pa'ra:lizi] ⟨-⟩ *f* **1.** *med* Lähmung *f,* Paralyse *f wissensch.;* **2.** *fig* Lahmlegung *f;* **~ infantile** Kinderlähmung *f.* **paralitico, -a** [para'li:tiko] ⟨-ci, -che⟩ **I.** *agg* gelähmt; *(stato)* Lähmungs-; **II.** *m, f* Gelähmte(r) *mf.* **paralizzare** [...lid'dza:re] *tr* **1.** *med* lähmen, paralysieren *wissensch.;* **2.** *fig* lähmen, lahmlegen.
parallela [paral'lε:la] *f* **1.** *mat* Parallele *f;* **2.** ⟨*pl*⟩ *sport* Barren *m.* **parallelo, -a** [...lo] **I.** *agg* Parallel-, parallel; **calcolatore ~** Parallelrechner *m;* **II.** *m* **1.** *(con-*

fronto) Vergleich *m;* **2.** *geog* Breitenkreis *m;* **3.** *mat* Parallelprojektion *f;* **istituire un** ~ eine Parallele ziehen.

parallelogramma [parallelo'gramma] ⟨- i⟩, **parallelogrammo** [...mo] *m* Parallelogramm *n.*

paralume [para'lu:me] *m* Lampenschirm *m.*

paramedico, -a [para'mɛ:diko] ⟨-ci, che⟩ **I.** *agg* Pflege-; **II.** *m pl* Pflegepersonal *n.*

paramenti [para'menti] *m pl* Paramente *n pl.*

parametro [pa'ra:metro] *m (a. fig)* Parameter *m.*

paramilitare [paramili'ta:re] *agg* paramilitärisch.

paramosche [para'moske] ⟨-⟩ *m* Fliegenglocke *f.*

paranco [pa'raŋko] ⟨-chi⟩ *m* Flaschenzug *m.*

paranoia [para'nɔ:i̯a] ⟨-oie⟩ *f* Verfolgungswahn *m,* Paranoia *f wissensch.* **paranoico, -a** [...'nɔ:iko] ⟨-ci, -che⟩ **I.** *agg* paranoisch; **II.** *m, f* Paranoiker(in) *m(f).*

paranormale [paranor'ma:le] *agg* paranormal, übersinnlich.

paraocchi [para'ɔkki] ⟨-⟩ *m (a. fig)* Scheuklappe *f.*

parapendio [parapen'di:o] ⟨-⟩ *m sport* **1.** *(attrezzo)* Gleitschirm *m;* **2.** *sport* Gleitschirmfliegen *n,* Paragliding *n.*

parapetto [para'pɛtto] *m* **1.** *(riparo)* Geländer *n;* **2.** *naut* Reling *f;* **3.** *mil* Brustwehr *f.*

parapiglia [para'piʎʎa] ⟨-⟩ *m* Durcheinander *n,* Getümmel *n,* Gemenge *n.*

paraplegia [paraple'dʒi:a] ⟨-gie⟩ *f* Querschnittslähmung *f,* Paraplegie *f wissensch.* **paraplegico, -a** [...'plɛ:dʒiko] ⟨-ci, -che⟩ **I.** *agg* querschnitt(s)gelähmt; **II.** *m, f* Querschnitt(s)gelähmte(r) *mf.*

parapsicologia [parapsikolo'dʒi:a] *f* Parapsychologie *f.*

parare [pa'ra:re] **I.** *tr* **1.** *(colpo)* abwehren, auffangen; *sport (tiro)* parieren, abfangen; **2.** *(ornare)* herrichten, schmükken; **3.** *(schermare)* schützen (*da* vor), abschirmen (*da* gegen); **II.** *itr* hinauswollen (auf +*akk*); **dove vuoi andare a** ~? worauf willst du hinaus?; **III.** *rfl:* **-arsi 1.** *(opporsi)* sich in den Weg stellen; **2.** *(schermirsi)* sich schützen.

parascolastico, -a [parasko'lastiko] *agg* unterrichtsbegleitend; **attività -che** unterrichtsbegleitende Veranstaltungen.

parasole [para'so:le] ⟨-⟩ *m* **1.** *(ombrello)* Sonnenschirm *m;* **2.** *fot, mot* Sonnenblende *f.*

paraspruzzi [paras'pruttsi] ⟨-⟩ *m mot* Spritzschutz *m.*

parassita [paras'si:ta] ⟨-i *m,* -e *f*⟩ **I.** *m biol* Parasit *m;* **II.** *mf fig* Schmarotzer(in) *m(f);* **III.** *agg* **1.** *biol* Schmarotzer-, parasitär; **2.** *fig* schmarotzerhaft. **parassitario, -a** [...si'ta:ri̯o] ⟨-i, -ie⟩ *agg* **1.** *biol* parasitär; **2.** *fig* schmarotzerhaft.

parastatale [parasta'ta:le] **I.** *agg* halbstaatlich, mit staatlicher Beteiligung; **II.** *mf* Angestellte(r) *mf* einer halbstaatlichen Einrichtung.

parata[1] [pa'ra:ta] *f sport (calcio)* Abwehr *f* (durch den Torhüter); *(scherma)* Parade *f; (boxe)* Parieren *n.*

parata[2] [pa'ra:ta] *f* **1.** *mil* (Militär)parade *f;* **2.** *(rassegna)* Vorführung *f;* **3.** *(pompa)* Gala *f,* Prunk *m,* Parade *f;* **vista la mala** ~, . . . da die Dinge eine schlechte Wende genommen haben (*o* hatten), . . .

paratia [para'ti:a] ⟨-ie⟩ *f* Schott *n,* Scheidewand *f.*

paratifo [para'ti:fo] *m* Paratyphus *m.*

parati [pa'ra:ti] *m pl:* **carta da** ~ Tapete *f.*

paraurti [para'urti] ⟨-⟩ *m* **1.** *mot* Stoßstange *f;* **2.** *ferr (del binario)* Prellbock *m; (del vagone)* Puffer *m.*

paravalanghe [parava'laŋge] ⟨-⟩ *m* Lawinenverbauung *f.*

paravento [para'vɛnto] ⟨-⟩ *m* **1.** *(suppellettile)* Paravent *m o n,* spanische Wand; **2.** *fig* Deckmantel *m.*

parcella [par'tʃɛlla] *f* **1.** *(di terreno)* Parzelle *f;* **2.** *(delle spese)* Honorarforderung *f.*

parcheggiare [parked'dʒa:re] ⟨parcheggio, parcheggi⟩ *tr, itr* parken; *fig* abstellen, abladen *fam.*

parcheggio [par'keddʒo] ⟨-ggi⟩ *m* **1.** *(posteggio)* Parkplatz *m;* **2.** *(manovra)* (Ein)parken *n;* ~ **a pagamento** gebührenpflichtiger Parkplatz; ~ **custodito** bewachter Parkplatz; **area di** ~ Parkzone *f; (a. fig)* Abstellplatz *m;* **divieto di** ~ Parkverbot *n;* **è vietato il** ~ Parken verboten.

parchimetro [par'ki:metro] *m* Parkuhr *f.*

parco ['parko] ⟨-chi⟩ *m* Park *m;* ~ **giochi** (Kinder)spielplatz *m;* ~ **nazionale** Nationalpark *m;* ~ **vetture (*o* automobilistico *o* di autoveicoli)** Fuhr-, Wagen-, Fahrzeugpark *m.*

parco, -a ['parko] ⟨-chi, -che⟩ *agg* **1.** *(nel mangiare, bere)* sehr genügsam; *(nello spendere)* geizig; **2.** *(mensa, pasto)* karg.

parcometro [par'kɔ:metro] *v.* **parchimetro.**

parecchio, -a [pa'rekki̯o] ⟨-cchi, -cchie⟩ **I.** *agg* **1.** *(in quantità notevole)* (ziemlich) viel, einige(r,s) ganz schön viel *fam;* **2.** *(in numero considerevole)* etliche, mehrere, einige *fam;* **3.** *(con valore temporale)* ziemlich lange; ~**cchi dischi** ziemlich viele Platten; ~**cchie volte** mehrmals; ~ **tempo** ziemlich lange; **c'è** ~ **vento** es ist ziemlich windig; **avrò** ~**cchie grane** *fam* ich werde einigen Ärger bekommen; **c'è ancora** ~**a strada** das ist noch eine ziemliche (*o* ganz schöne *fam*) Strecke; **II.** *pron indef*

1. *(qualità considerevole)* (ziemlich) viel, einige(r,s) *fam,* ganz schön viel *fam;* 2. *(numero considerevole)* etliche, mehrere, einige(r,s) *fam;* 3. *(con valore temporale)* (ziemlich) lange; **c'è ancora ~ da fare** es gibt noch viel (*o* einiges) zu tun; **fra le partecipanti, ~cchie erano straniere** unter den Teilnehmerinnen gab es viele (*o* mehrere) Ausländerinnen; **~cchi di noi** viele von uns; **mi sono fermato ~** ich bin ziemlich lange geblieben; **III.** *avv* 1. *(in quantità notevole)* ziemlich, ganz schön *fam;* 2. *(con valore temporale)* (ziemlich) lange; **ho aspettato ~** ich habe lange gewartet; **è migliorata ~** sie ist um einiges besser geworden; *(riferito alla salute)* es geht ihr wesentlich besser.

pareggiare [pared'dʒa:re] ⟨pareggio, pareggi⟩ **I.** *tr* 1. *(terreno)* einebnen; 2. *(bilanci)* ausgleichen; *(conti)* begleichen; 3. *(uguagliare)* gleichkommen (*qu in qc* jdm in etw. *(dat)*); 4. *(equiparare)* gleichstellen; **scuola pareggiata** staatlich anerkannte Schule; **II.** *itr* unentschieden spielen (*con* gegen).

pareggio [pa'reddʒo] ⟨-ggi⟩ *m* 1. *econ* Ausgleich *m,* Deckung *f;* 2. *sport* Unentschieden *n,* Ausgleich *m;* **chiudere in ~** *sport* unentschieden ausgehen; *econ* ausgeglichen sein.

parentado [paren'ta:do] *m* Verwandtschaft *f.*

parente [pa'rɛnte] *mf* Verwandte(r) *mf.*

parentela [paren'tɛ:la] *f* 1. *(insieme dei parenti)* Verwandtschaft *f,* Verwandte(n) *m pl;* 2. *fig (legame)* Verwandtschaft *f.*

parentesi [pa'rɛntezi] *f* 1. *gener.* Einschub *m,* Parenthese *f;* 2. *(segno grafico)* Klammer *f;* 3. *fig (intervallo)* Einschub *m,* Unterbrechung *f;* **~ tonda/quadra/graffa** runde/eckige/geschweifte Klammer; **fra ~** *fig* nebenbei bemerkt.

parere [pa're:re] ⟨paio, parvi, parso⟩ **I.** *itr* ⟨*essere*⟩ 1. *(apparire)* scheinen; 2. *(pensare)* meinen, glauben; 3. *(volere)* belieben, passen *fam;* 4. *(impersonale: sembrare)* scheinen, den Anschein haben; *(dare l'impressione)* so aussehen, als ob; **pare di sì/no** anscheinend schon/nicht; **pare impossibile** es scheint unmöglich (zu sein); **a quanto pare** wie es scheint; **non mi par vero** das kann ich kaum glauben; das ist zu schön, um wahr zu sein; **ti pare di aver ragione?** glaubst du, recht zu haben?; **che te ne pare?** was hältst du davon?; **fai come ti pare** mach es, wie du meinst (*o* willst); **ma Le pare!** keine Ursache!; **II.** *m* 1. *(opinione)* Meinung *f,* Ansicht *f;* 2. *(consiglio)* Rat(schlag) *m;* *(di un esperto)* Stellungnahme *f;* **a mio ~** meiner Meinung nach; **cambiar ~** seine Meinung ändern; **essere del ~ che ...** der Ansicht sein, daß ...

parete [pa're:te] *f* Wand *f;* **le -i domestiche** *fig* die eigenen vier Wände.

pari[1] ['pa:ri] **I.** ⟨*inv*⟩ *agg* 1. *(uguale)* gleich; 2. *(allo stesso livello)* gleichrangig, gleichgestellt; 3. *mat (numero)* gerade; 4. *(sport, nei giochi)* unentschieden; 5. *anat* paarig, paarweise vorhanden; **ragazza alla ~** Au-pair-Mädchen *n;* **essere ~ a** entsprechen *+dat;* **essere ~ con qu** mit jdm quitt sein; **stare alla ~ con qu** jdm gewachsen sein; **mettere alla ~** gleichstellen; **andare di ~ passo con qc/qu** *fig* mit etw./jdm Schritt halten; **~ ~** haargenau, wortwörtlich; **II.** *avv* gleich; **alla ~** gleichberechtigt, gleichgestellt; **III.** ⟨-⟩ *mf* Gleichgestellte(r) *mf,* Ebenbürtige(r) *mf;* **trattare qu da ~ a ~** jdn als seinesgleichen behandeln; **senza ~** einzigartig; **IV.** ⟨-⟩ *m* Gleichheit *f;* **far ~** (im Spiel) ein Unentschieden erzielen, dieselbe Punktzahl haben; **mettersi in ~** aufholen; **essere in ~ con qc** nichts nachzuholen haben; **V.** ⟨-⟩ *f fin* Nennwert *m;* **alla ~** zum Nennwert; **sopra/sotto la ~** über/unter Nennwert.

pari[2] ['pa:ri] ⟨-⟩ *m pol* Mitglied *n* des britisches Oberhauses.

parificare [parifi'ka:re] ⟨parifico, parifichi⟩ *tr* 1. *dir* (rechtlich) gleichstellen; 2. *amm* (staatlich) anerkennen. **parificato, -a** [...'ka:to] *agg* rechtsgültig anerkannt, gleichgestellt; **scuola -a** staatlich anerkannte Schule.

Parigi [pa'ri:dʒi] *f* Paris *n.*

pariglia [pa'riʎʎa] ⟨-glie⟩ *f* Paar *n;* *(di dadi)* Pasch *m;* *(di cavalli)* Gespann *n;* **rendere la ~** Gleiches mit Gleichem vergelten.

parità [pari'ta] ⟨-⟩ *f* 1. *(uguaglianza)* Gleichheit *f;* *(di diritti)* Gleichberechtigung *f;* 2. *sport* Unentschieden *n;* 3. *com, inform* Parität *f;* **~ salariale** Lohngleichheit *f;* **chiudere in ~** unentschieden ausgehen; **a ~ di condizioni** bei gleichen Bedingungen. **paritario, -a** [...'tario] ⟨-ri *m,* -rie *f*⟩ *agg* Gleich-, gleich.

paritetico, -a [pari'tɛ:tiko] ⟨-ci, -che⟩ *agg* paritätisch.

parka ['parka] ⟨-⟩ *m* Parka *m o f.*

parlamentare[1] [parlamen'ta:re] *pol* **I.** *agg* parlamentarisch, Parlaments-; **II.** *mf* Parlamentarier(in) *m(f),* Abgeordnete(r) *mf.*

parlamentare[2] [parlamen'ta:re] *itr* verhandeln (*per* wegen *+gen,* über *+akk*).

parlamento [parla'mento] *m* Parlament *n;* **P~ Europeo** Europäisches Parlament; **~ federale** Bundestag *m;* **convocare/sciogliere il ~** das Parlament zusammenrufen/auflösen; **sedere in ~** einen Sitz im Parlament haben.

parlante [par'lante] *agg* 1. *(che parla)* sprechend; 2. *fig (molto espressivo)* sprechend, ausdrucksvoll; *(evidente)* einleuchtend, offensichtlich. **parlantina** [...'ti:na] *f fam* Redseligkeit *f;* **avere una bella (*o* buona)** ~ ein flinkes (*o* flottes) Mundwerk haben *fam.*

parlare [par'la:re] **I.** *itr* **1.** *gener.* sprechen; **2.** *(intrattenersi)* sprechen *(con qu di qc* mit jdm über etw. *(akk))* reden *(con qu di qc* mit jdm über etw. *(akk));* **3.** *(rivolgere la parola)* reden *(a qu/qc* mit jdm/etw.); *(tenere un discorso, una predica)* sprechen *(a qu* zu jdm); **4.** *(confessare)* reden; **5.** *fig (ricordare)* erinnern *(di* an *+akk);* ~ **a gesti** sich mit Zeichen verständigen; ~ **col naso** durch die Nase reden, näseln; ~ **tra i denti** in den Bart brummeln; ~ **tra sé e sé** Selbstgespräche führen, vor sich hinsprechen; ~ **a caso/vanvera** unüberlegt daherreden/ins Blaue hineinreden, dummes Zeug reden; ~ **come un libro stampato** reden wie gedruckt; **far** ~ **di sé** von sich *(dat)* reden machen; **non volerne più sentir** ~ nichts mehr davon hören wollen; **per ora non se ne parla** im Moment kommt das nicht in Frage; **non se ne parli più** Schwamm darüber, darüber soll kein Wort mehr verloren werden; **per non** ~ **di** ganz zu schweigen von; **con rispetto parlando** mit Verlaub gesagt; **II.** *tr* sprechen, reden; ~ **tedesco/italiano** Deutsch/Italienisch sprechen; ~ **ostrogoto** (*o* **arabo**) *fig* chinesisch sprechen; **III.** *rfl:* **-arsi** miteinander reden; **IV.** *m* **1.** *(modo di parlare)* Sprech-, Redeweise *f;* **2.** *(parlata)* Gerede *n.* **parlata** [...'la:ta] *f* Sprech-, Redeweise *f.* **parlato, -a** [...'la:to] *agg* gesprochen, Sprach-. **parlatore, -trice** [...la'to:re] *m, f* gute(r) Redner(in), redegewandte Person. **parlatorio** [...'tɔ:ri̯o] ‹-i› *m* Besuchszimmer *n.*

parlottare [parlot'ta:re] *itr* flüstern, tuscheln. **parlottio** [...'ti:o] ‹-ii› *m* Getuschel *n,* Geflüster *n.*

parmigiano, -a [parmi'dʒa:no] **I.** *agg* aus Parma, Parmesan-; **II.** *m* Parmesan(käse) *m;* **III.** *m, f* Einwohner(in) *m(f)* von Parma.

parodia [paro'di:a] ‹-ie› *f* Parodie *f;* **fare la** ~ **di qu** jdn parodieren.

parola [pa'rɔ:la] *f* **1.** *(vocabolo, espressione)* Wort *n;* **2.** ‹*pl*› *(consiglio)* Worte *n pl,* Rat(schlag) *m;* **3.** ‹*pl*› *(chiacchiere)* Gerede *n,* Geschwätz *n;* **4.** *(facoltà di parlare)* Sprache *f;* **5.** *(il parlare)* Reden *n,* Sprechen *n;* **6.** *(modo di esprimersi)* Redeweise *f,* Art *f* zu sprechen; **7.** *(diritto di parlare)* Wort *n,* Rederecht *n;* ~ **chiave** Schlüsselwort *n; inform* Paßwort *n,* Kennwort *n;* ~ **d'ordine** Parole *f,* Losung *f;* ~ **d'onore** Ehrenwort *n;* **-e (in)-crociate** Kreuzworträtsel *n;* **giro di -e** Umschreibung *f;* **gioco di -e** Wortspiel *n;* **mare di** ~ *fig* Wortflut *f;* **scambio di -e** Wortwechsel *m;* **in una** ~ kurz gesagt, mit einem Wort; **in altre -e** mit anderen Worten; **credere a qu sulla** ~ jdm aufs Wort glauben; **dire una** ~ **decisiva** ein Machtwort sprechen; **essere di** ~, **mantenere la** ~ sein Wort halten; **prendere la** ~ das Wort ergreifen; **prendere (*o* pigliare) in** ~ beim Wort nehmen; **restare senza -e** keine Worte finden, sprachlos sein; **metter(ci) una buona** ~ ein gutes Wort einlegen; **rivolgere la** ~ **a qu** jdn ansprechen; **uomo di poche -e** wortkarger Mensch; **-e sante!** *fig fam* wahre Worte!, wie wahr!; **è una** ~**!** *fam* das ist leichter gesagt als getan!; **una** ~ **tira l'altra** ein Wort gibt das andere; ~ **per** ~ Wort für Wort. **parolaccia** [paro'lattʃa] ‹-cce› *f* Schimpfwort *n.* **paroliere, -a** [...'li̯ɛ:re] *m, f* (Schlager)texter(in) *m(f).* **parolina** [...'li:na] *f* **1.** *(breve cenno)* Wörtchen *n;* **2.** *(parola gentile e graziosa)* freundliches (*o* liebes) Wort; **devo dirti una** ~ *fig* ich habe noch ein Wörtchen mit dir zu reden. **parolona** [...'lo:na] *f,* **parolone** [...'lo:ne] *m* langes (*o* schwieriges) Wort.

parossismo [paros'sizmo] *m* Paroxysmus *m.*

parotite [paro'ti:te] *f* Mumps *m.*

parquet [par'kɛ] ‹-› *m* Parkett *n.*

parrocchia [par'rɔkki̯a] ‹-ie› *f* **1.** *(circoscrizione)* Pfarrei *f,* Pfarrbezirk *m;* **2.** *(chiesa)* Pfarrkirche *f; (dimora)* Pfarrhaus *n; (ufficio)* Pfarramt *n;* **3.** *(insieme dei fedeli)* Pfarrgemeinde *f; A* Pfarre *f.* **parrocchiale** [parrok'ki̯a:le] *agg* Pfarr-. **parrocchiano, -a** [...'ki̯a:no] *m, f* Mitglied *n* einer Pfarrgemeinde, Pfarrkind *n.*

parroco ['parroko] ‹-ci› *m* Pfarrer *m.*

parrucca [par'rukka] ‹-cche› *f* Perücke *f;* **portare la** ~ eine Perücke tragen.

parrucchiere, -a [parruk'ki̯ɛ:re] *m, f* (Damen)friseur *m,* -friseuse *f.*

parsimonia [parsi'mɔ:ni̯a] *f* Sparsamkeit *f.* **parsimonioso, -a** [...mo'ni̯o:so] *agg* sparsam.

parso ['parso] *pp di* **parere.**

partaccia [par'tattʃa] ‹-cce› *f* **1.** *(rimprovero) fam:* **fare una** ~ **a qu** jdm einen Rüffel erteilen *fam;* **2.** *(figuraccia):* **fare una** ~ sich ein Ding leisten.

parte ['parte] **I.** *f* **1.** *(pezzo, settore)* Teil *n,* Einzelteil *n; anat* (Körper)teil *m;* **2.** *(porzione)* Teil *m,* Portion *f; (quota)* (An)teil *m;* **3.** *(luogo)* Gegend *f;* **4.** *(lato)* Seite *f; (direzione)* Richtung *f;* **5.** *(fazione)* Seite *f,* Partei *f; (partito)* Flügel *m,* Richtung *f; dir* Partei *f;* **6.** *cinema, teat* Rolle *f; fig (ruolo)* Rolle *f,* Aufgabe *f; mus* Part *m,* Partie *f;* ~ **del discorso** Satzteil *m,* Satzglied *n;* ~ **integrante** Bestandteil *m;* ~ **lesa** *dir* Geschädigte(r) *mf;* **-i di ricambio** Ersatzteile *n pl;* **-i sociali** Tarifpartner *m pl,* Tarifparteien *f pl;* **maggior** ~ größter Teil, Mehrzahl *f;*

a ~ *(separatamente)* getrennt, separat; *(tralasciando)* abgesehen von; *(in disparte)* weiter weg; *teat* für sich; **in ~** zum Teil, teilweise; **in gran (*o* buona) ~** zum Großteil, größtenteils; **in/da ogni ~** überall/von überall(her); **da ~ di** von +*dat*, von seiten +*gen*, seitens +*gen*; **da (*o* per) ~ mia** was mich betrifft, meinerseits; **da una ~ ..., dall'altra ...** einerseits ..., andererseits ...; **da un mese a questa ~** seit einem Monat; **essere (*o* far) ~ di qc** zu etw. gehören, Bestandteil von etw. sein; **essere ~ in causa** Partei sein; *fig* betroffen (*o* beteiligt) sein; **mettere da ~** *(metter via)* beiseite legen; *(tralasciare)* beiseite lassen; **prendere ~ a qc** an etw. *(dat)* teilnehmen; **non sapere da che ~ voltarsi** *fig* weder ein noch aus wissen; **essere dalla ~ del torto** im Unrecht sein; **costituirsi ~ civile** Nebenklage erheben; **stare dalle -i di Fiesole** in der Gegend von Fiesole wohnen; **fatti da ~!** *fam* geh zur Seite!, geh weg!; **II.** *avv* teils.

partecipante [partetʃi'pante] **I.** *mf* Teilnehmer(in) *m(f)*; **II.** *agg* teilnehmend, Teilnehmer-.

partecipare [partetʃi'pa:re] **I.** *itr* **1.** *(prendere parte)* teilnehmen (*a* an +*dat*), sich beteiligen (*a* an +*dat*); **2.** *(alla gioia, al dolore)* Anteil nehmen (*a* an +*dat*); **3.** *(essere partecipe)* teilhaben (*di* an +*dat*); *econ* teilhaben (*a* an +*dat*), beteiligt sein (*a* an +*dat*); **II.** *tr* (durch Anzeige) bekanntgeben (*o* mitteilen). **partecipazione** [...pat'tsio:ne] *f* **1.** *(di matrimonio, morte)* Anzeige *f*; **2.** *(intervento)* Teilnahme *f*, Mitwirkung *f*; **3.** *(interessamento)* Anteilnahme *f*; **4.** *econ, fin, amm* Beteiligung *f*; **~ agli utili** Gewinnbeteiligung *f*. **partecipe** [...'te:tʃipe] *agg*: **essere ~** Anteil nehmen (*a qc* an etw. +*dat*).

parteggiare [parted'dʒa:re] ⟨parteggio, parteggi⟩ *itr* Partei nehmen (*o* ergreifen) (*per* für).

partenza [par'tɛntsa] *f* **1.** *(il partire)* Abreise *f*, Aufbruch *m*; **2.** *(di veicolo)* Abfahrt *f*; **3.** *sport, inform* Start *m*; **~ a caldo/a freddo** *inform* Warm-/Kaltstart *m*; **lingua di ~** Ausgangssprache *f*; **punto di ~** *(a. fig)* Ausgangspunkt *m*; **essere in ~** kurz vor der Abreise stehen, auf dem Sprung sein *fam*; *com* abgehend; **pronto per la ~** abfahr(t)bereit, startbereit.

particella [parti'tʃɛlla] *f* **1.** *ling* Partikel *f*; **2.** *fis* Partikel *n o f*, Teilchen *n*; **~ elementare** Elementarteilchen *n*.

participio [parti'tʃi:pio] ⟨-i⟩ *m* Partizip *n*, Mittelwort *n*.

particolare [partiko'la:re] **I.** *m* Detail *n*, Einzelheit *f*; *(fig a.)* Besondere(s) *n*, Besonderheit *f*; **entrare (*o* scendere) nei -i** ins Detail gehen; **fin nei minimi -i** bis in die letzten Einzelheiten; **II.** *agg* **1.** *(specifico)* besondere(r, s), spezifisch; *(speciale)* Spezial-, Sonder-; **2.** *(proprio)* eigene(r, s), besondere(r, s); **3.** *(singolo)* einzeln, Einzel-; **4.** *(fuori dal comune)* besondere(r, s), ungewöhnlich; **caso ~** Sonderfall *m*; **nulla di ~** nichts Besonderes; **in ~** besonders. **particolareggiato, -a** [...lared'dʒa:to] *agg* ausführlich, detailliert.

particolarità [partikolari'ta] ⟨-⟩ *f* **1.** *(caratteristica)* Besonderheit *f*, Eigenheit *f*; **2.** *(dettaglio)* Einzelheit *f*, Detail *n*.

particolato [partiko'la:to] *m mot (parte delle emissioni di scarico)* Partikel *n o f*.

partigiano, -a [parti'dʒa:no] **I.** *m, f* **1.** *pol, mil* Partisan(in) *m(f)*, Widerstandskämpfer(in) *m(f)*; **2.** *(sostenitore)* Parteigänger(in) *m(f)*, Verfechter(in) *m(f)*; **II.** *agg* **1.** *(guerra)* Partisanen-; **2.** *(giudizio)* parteiisch; **3.** *(spirito, politica)* von Parteigeist beseelt.

partire [par'ti:re] ⟨parto⟩ *itr* ⟨*essere*⟩ **1.** *(andarsene)* weggehen; *(in viaggio)* abreisen (*per* nach); *(con l'aereo)* abfliegen; *(con il treno, l'automobile)* abfahren; **2.** *(colpo)* losgehen; *(macchina, motocicletta)* anspringen; *sport* starten; **3.** *fig (avere inizio)* beginnen; **4.** *(provenire)* ausgehen (*da* von), stammen (*da* von); **5.** *fam scherz (guastarsi)* kaputtgehen *fam*; **~ per Napoli/per le vacanze** nach Neapel abreisen/in die Ferien fahren; **~ in quarta** *fam* loslegen *fam*; **essere partito** *fam* hinübersein *fam*, futsch sein *fam*; **a ~ da** seit, von ... an.

partita [par'ti:ta] *f* **1.** *sport* Spiel *n*, Wettkampf *m*; *(gioco)* Partie *f*, Spiel *n*; **2.** *econ* Partie *f*, Posten *m*; **3.** *(di caccia)* (Jagd)partie *f*; **4.** *mus* Partita *f*; **~ semplice/doppia** *econ* einfache/doppelte Buchführung; **fare una ~ a carte/scacchi** eine Partie Karten/Schach spielen; **andare alla ~** zum Fußballspiel gehen.

partitico, -a [par'ti:tiko] ⟨-ci, -che⟩ *agg* Partei-, partei-.

partitivo, -a [parti'ti:vo] *agg* partitiv.

partito [par'ti:to] *m* **1.** *pol* Partei *f*; **2.** *(decisione)* Entschluß *m*, Entscheidung *f*; **3.** *(persona da sposare)* Partie *f*; **~ di governo/di opposizione** Regierungs-/Oppositionspartei *f*; **fondare un ~** eine Partei gründen; **per ~ preso** von vornherein; **essere ridotto a mal ~** in einem schlimmen Zustand sein; **mettere la testa a ~** Vernunft annehmen. **partitocrazia** [...krat'tsi:a] ⟨-ie⟩ *f* Partei(en)herrschaft *f*, Parteienstaat *m*.

partitura [parti'tu:ra] *f* Partitur *f*.

partizione [parti'tsione] *f inform* Partition *f*.

partner ['pɑ:tnə] ⟨-⟩ *mf* Partner(in) *m(f)*; **~ commerciale** Handelspartner *m*.

parto ['parto] *m* Geburt *f*, Entbindung *f*; **~ senza violenza** sanfte Geburt. **parto-**

riente [-'riεnte] *f* Gebärende *f*, Wöchnerin *f*. **partorire** [-'ri:re] ⟨partorisco⟩ *tr* **1.** *med* gebären, zur Welt bringen; **2.** *fig (invenzione)* machen.

part time ['pɑ:t taım] **I.** ⟨*inv*⟩ *agg* Teilzeit-; **II.** ⟨-⟩ *m* Teilzeitarbeit *f*.

parure [pa'ry:r] ⟨-⟩ *f* **1.** *(di biancheria)* (Wäsche)garnitur *f;* **2.** *(di gioielli)* Set *n*, Garnitur *f*.

parvenza [par'vεntsa] *f* (An)schein *m*.

parvi ['parvi] *p rem di* **parere**.

parziale [par'tsia:le] *agg* **1.** *(non totale)* Teil-, partiell; **successo** ~ Teilerfolg *m;* **2.** *(arbitro, giudizio)* parteiisch. **parzialità** [...iali'ta] ⟨-⟩ *f* Parteilichkeit *f*.

pascià [paʃ'ʃa] ⟨-⟩ *m* Pascha *m;* **fare il** ~, **stare** (*o* **vivere) come un** ~ wie Gott in Frankreich leben.

pasciuto, -a [paʃ'ʃu:to] *agg:* **ben** ~ wohlgenährt.

pascolare [pasko'la:re] **I.** *tr* hüten, weiden; **II.** *itr* weiden.

pascolo ['paskolo] *m* **1.** *(terreno, erba)* Weide *f;* **2.** *(il pascolare)* Weiden *n*.

Pasqua ['paskua] *f (cristiana)* Ostern *n*, Osterfest *n; (ebraica)* Passah(fest) *n;* ~ **di resurrezione** Osterfest *n;* **Isola di P~** Osterinsel *f;* **lunedì di P~** (*o* **dell'Angelo)** Ostermontag *m;* **uovo di P~** Osterei *n;* **a P~** zu/an Ostern; **essere contento come una** ~ sich wie ein Schneekönig freuen. **pasquale** [...'kua:le] *agg* österlich, Oster-.

Pasquale [pas'kua:le] *(nome proprio maschile)* Pascal.

pasquetta [pas'kuetta] *f* Ostermontag *m;* **fare** ~ (am Ostermontag) einen Ausflug (ins Grüne) machen.

passabile [pas'sa:bile] *agg* annehmbar, leidlich, passabel.

passaggio [pas'saddʒo] ⟨-ggi⟩ *m* **1.** *(il passar davanti)* Vorbeigehen *n*, Vorübergehen *n; (di truppe)* Vorbeimarschieren, *n*, -marsch *m; (di veicoli)* Vorbeifahren *n*, -fahrt *f; (di aerei)* Vorbeifliegen *n*, -flug *m;* **2.** *(il passare attraverso)* Durchgehen *n; (di persone)* Durchgehen *n*, -gang *m; (di veicoli)* Durchfahren *n*, -fahrt *f; (di aerei)* Durchfliegen *n*, -flug *m;* **3.** *(il passare oltre)* Hinübergehen *n; (di veicoli)* Überfahrt *f;* **4.** *(movimento, traffico)* Verkehr *m;* **5.** *(viaggio per nave)* Überfahrt *f;* **6.** *(apertura, varco)* Durchgang *m; (in mare)* (enge) Durchfahrt *f*, Passage *f;* **7.** *fig (cambiamento, successione)* Übergang *m*, Wechsel *m;* **8.** *letter (brano)* Passage *f*, Stelle *f;* **9.** *mus* Passage *f*, Stück *n;* **10.** *sport* Paß *m*, Zuspiel(en) *n* (des Balles); ~ **pedonale** Fußgängerüberweg *m;* ~ **a livello** Bahnübergang *m;* ~ **di proprietà** Eigentumsübertragung *f;* **clienti di** ~ Laufkundschaft *f;* **dire qc di** ~ etw. nur andeuten; **essere di** ~ auf der Durchreise sein; **vedere qu di** ~ jdn nur flüchtig (*o* im Vorübergehen) sehen; **dare/offrire un** ~ **a qu** jdn (im Auto) mitnehmen/jdm eine Mitfahrgelegenheit anbieten; **aprirsi un** ~ **tra la folla** sich *(dat)* sich einen Weg durch die Menge bahnen; **vietato il** ~ Durchgang (*o* Durchfahrt) verboten.

passamaneria [passamane'ri:a] ⟨-ie⟩ *f* **1.** *(guarnizioni)* Posament *n*, Besatzartikel *m;* **2.** *(negozio)* Kurzwarenhandlung *f*.

passamano[1] [...'ma:no] *m (guarnizione)* Besatzborte *f*.

passamano[2] [...'mano] *m fig* Kette *f;* **fare un** ~ eine Kette bilden.

passamontagna [passamon'taɲɲa] ⟨-⟩ *m* Sturm-, Windhaube *f*.

passante [pas'sante] **I.** *mf* Passant(in) *m(f);* **II.** *m* Lasche *f*, Schlaufe *f*.

passaporto [passa'pɔrto] *m* (Reise)paß *m;* ~ **collettivo** Sammelpaß *m*, **(far) rinnovare il** ~ den Paß verlängern (lassen).

passare [pas'sa:re] **I.** *itr* ⟨*essere*⟩ **1.** *(attraversare)* gehen (*per* durch), kommen (*per* durch); *(veicoli)* fahren (*per* durch); **2.** *(transitare)* vorübergehen, vorbeigehen (*a* an +*dat*); *(veicoli)* vorbeifahren (*a* an +*dat*); *(venire brevemente)* vorbeikommen (*a* bei); **3.** *(entrare)* durch-, hereinkommen; **4.** *(penetrare)* durchgehen, durchpassen; **5.** *(trasferire)* umziehen, verziehen; **6.** *(tramandarsi)* übergehen (*da qu a qu, di qu in qu* von jdm auf jdn); **7.** *(finire)* ver-, vorbeigehen; **8.** *(cambiar stato)* überwechseln (*da qc a qc* von etw. zu etw.); *(cambiare argomento)* übergehen (*a* zu); **9.** *(cessare)* vorbei-, vorübergehen; *(dolore)* vergehen; **10.** *(essere accettabile)* durchgehen; **11.** *(scolaro)* versetzt werden; *(candidato)* bestehen (*a qc* etw.); *(avanzare di grado)* aufsteigen, befördert werden (zu); *(legge)* verabschiedet (*o* angenommen) werden; **12.** *(essere considerato)* angesehen werden (*per* als), gehalten werden (zu); (*per* für); **13.** *(nei giochi)* passen; *sport* zuspielen, abgeben; ~ **inosservato** unbemerkt bleiben; ~ **di cottura** verkochen; ~ **di moda** aus der Mode kommen; ~ **di ruolo** eine Planstelle bekommen; ~ **alla storia** in die Geschichte eingehen; ~ **ai voti** zur Abstimmung schreiten; ~ **in rassegna** (*o* **rivista)** Revue passieren; ~ **per la mente/il capo** durch den Sinn/Kopf gehen; ~ **di mente a qu** jdm entfallen; ~ **sopra a qc** *fig* über etw. *(akk)* hinweggehen; ~ **a prendere qu** jdn abholen kommen; **passo e chiudo** Ende der Durchsage; **per questa volta passi** diesmal mag es noch durchgehen; **di qui non si passa** hier geht es nicht durch (*o* weiter); **passo a salutarti** ich komme auf einen Sprung bei dir vorbei *fam;* **II.** *tr* ⟨*avere*⟩ **1.** *(attraversare)* gehen (über

+*akk*), überschreiten *geh*, überqueren; *(con veicoli)* fahren über +*akk;* **2.** *(sorpassare)* überholen; *fig (superare)* überschreiten; **3.** *(trafiggere)* durchbohren; **4.** *gastr* passieren; **5.** *(porgere)* reichen, geben; *(assegnare)* zukommen lassen; *(ordinazione)* erteilen; **6.** *(patire)* durchmachen, erleiden *geh*; **7.** *(notizia, ecc.)* weitergeben, weitersagen; *(voce)* verbreiten; *sport (palla)* zuspielen; **8.** *(sottoporsi)* sich unterziehen (*qc* einer S. *dat*); **9.** *(tempo, vacanze)* verbringen; **10.** *(avanzare di grado)* befördern (*qc* zu etw.); *(scolaro)* versetzen; **11.** *(perdonare, accettare)* durchgehen lassen; *(legge)* verabschieden; *(provvedimento)* billigen; **12.** *(superare)* überstehen, überleben; *(esame)* bestehen; **13.** *(scorrere)* durchsehen, überfliegen; **14.** *tel* verbinden (mit); ~ **qc sotto silenzio** etw. verschweigen; ~ **il cencio in terra** den Boden (auf)wischen; ~ **il segno (***o* **la misura)** das Maß überschreiten; **passarne di tutti i colori** allerhand durchmachen; **ha passato i settanta** er (*o* sie) hat die Siebzig überschritten; **passarla liscia** *fam* mit heiler Haut davonkommen; **l'ha passata bella** *fam* er (*o* sie) ist noch gut davongekommen; **passarsela bene/male** gute/schlechte Zeiten durchmachen.

passaruota [passa'rụɔ:ta] ⟨-⟩ *m* Radkasten *m.*

passata [pas'sa:ta] *f* **1.** *(scorsa)* Überfliegen *n;* **2.** *(di cencio)* Darüberwischen *n,* -gehen *n,* -fahren *n;* **3.** *(breve applicazione)* (rascher) Anstrich *m;* **4.** *inform* Durchlauf *m,* Durchgang *m;* ~ **di correzione/di ordinamento** *inform* Korrektur-/Sortierlauf *m;* ~ **di pomodori** passierte Tomaten *f pl.*

passatempo [passa'tɛmpo] *m* Zeitvertreib *m;* **per** ~ zum Zeitvertreib.

passato, -a [pas'sa:to] **I.** *agg* **1.** *(trascorso)* vergangen, vorbei; *(settimana, anno, ecc.)* vorige(r, s), letzte(r, s); **2.** *fig (inattuale, fuori moda)* überholt; **II.** *m* **1.** *(di tempo)* Vergangenheit *f;* **2.** *gastr* Püree *n,* Brei *m;* ~ **prossimo** Perfekt *n;* ~ **remoto** historisches Perfekt; ~ **burrascoso** turbolente Vergangenheit *f;* **avere un brutto** ~ eine schlimme Vergangenheit haben.

passatutto [passa'tutto] ⟨-⟩ *m* Passiermaschine *f.* **passaverdura, passaverdure** [passaver'du:ra, ...re] ⟨-⟩ *m* Passiermaschine *f.*

passeggero, -a [passed'dʒɛ:ro] **I.** *agg* vorübergehend; **II.** *m, f* Reisende(r) *mf; naut, aero* Passagier(in) *m(f),* Fahrgast *m;* ~ **anteriore** Beifahrer *m;* ~ **clandestino** blinder Passagier.

passeggiare [passed'dʒa:re] ⟨passeggio, passeggi⟩ *itr* spazieren(gehen). **passeggiata** [...'dʒa:ta] *f* **1.** *(il passeggiare, percorso)* Spaziergang *m; (con veicolo)* Spazierfahrt *f;* **2.** *(strada)* Promenade *f,* Spazierweg *m;* ~ **spaziale** Raumspaziergang *m,* Spaziergang *m* im All. **passeggiatrice** [...dʒa'tri:tʃe] *f* Strichmädchen *n.* **passeggino** [...'dʒi:no] *m* Kinderwagen *m,* Sportwagen *m.* **passeggio** [...'seddʒo] ⟨-ggi⟩ *m* **1.** *(atto)* Spaziergang *m;* **2.** *(luogo)* Promenade *f,* Spazierweg *m;* **andare a** ~ spazierengehen; **portare a** ~ spazierenführen, ausführen.

passe-partout [paspar'tu] ⟨-⟩ *m* **1.** *(chiave)* Hauptschlüssel *m;* **2.** *(cornice)* Passepartout *n.*

passerella [passe'rɛlla] *f* **1.** *(ponte)* Steg *m,* (kleine) Brücke *f; naut* Bootssteg *m,* Laufgang *m;* **2.** *aero* Gangway *f,* Laufgang *m;* **3.** *teat* Rampe *f; (per indossatrici)* Laufsteg *m.*

passero ['passero] *m* Sperling *m,* Spatz *m;* ~ **solitario** Blaumerle *f.*

passibile [pas'si:bile] *agg dir* strafbar (*di* mit).

passino [pas'si:no] *m* Sieb *n.*

passionale [passi̯o'na:le] *agg* leidenschaftlich; *dir (delitto)* Affekt-.

passione [pas'si̯o:ne] *f* **1.** *(sofferenza)* Schmerz *m,* Leid(en) *n,* Kummer *m;* **2.** *(violento amore)* Leidenschaft *f,* leidenschaftliche Liebe; **3.** *(grande interesse)* Leidenschaft *f,* Passion *f;* **4.** *(persona)* (große) Liebe *f,* (große) Leidenschaft *f;* **5.** *rel* Passion *f,* Leiden *n;* **settimana di** ~ Karwoche *f;* **ha la** ~ **della lettura** Lesen ist seine (*o* ihre) Leidenschaft; **con** ~ leidenschaftlich, mit Hingabe; **non aver** ~ **a niente** keine Interessen haben.

passivante [passi'vante] *agg gram:* **si** ~ Passivkonstruktion *f* mit „si".

passività [passivi'ta] ⟨-⟩ *f* **1.** *(estraneità)* Passivität *f,* Teilnahmslosigkeit *f;* **2.** *econ* Passiva *pl,* Schulden *f pl.*

passivo, -a [pas'si:vo] **I.** *agg* **1.** *(senza reazione)* passiv; **2.** *gram* passiv(isch); **3.** *econ* passiv, Passiv-; **II.** *m* **1.** *gram* Passiv *n,* Leideform *f;* **2.** *econ* Passiva *pl;* **chiudere in** ~ mit Verlust abschließen; **mettere (***o* **registrare** *o* **segnare) al** ~ *(a. fig)* als Verlust verbuchen.

passo[1] ['passo] *m* **1.** *(movimento; a. fig)* Schritt *m; (andatura a.)* Gangart *f; (mil a.)* Gleichschritt *m;* **2.** *tec* Gewindegang *m;* **3.** *mot* Rad-, Achsstand *m;* **4.** *letter* (Text)stelle *f,* Passus *m;* **5.** *mus* Passage *f,* Stelle *f;* **6.** *fig (progresso)* Fortschritt *m;* **senza muovere un** ~ *fig* ohne einen Finger krumm zu machen; **a** ~ **d'uomo** im Schrittempo; **andare al** ~ im Schrittempo fahren; **a** ~ **di lumaca (***o* **tartaruga)** im Schneckentempo; **a gran -i** mit Riesenschritten; **veicoli al** ~**!** Schrittempo fahren!; **allungare il** ~ schneller gehen; **fare due (***o* **quattro) -i** *fig* sich *(dat)* die Beine vertreten; **fare un** ~

avanti einen Schritt vorwärts gehen; *fig* einen Schritt vorankommen; **fare il ~ più lungo della gamba** *fig* sich übernehmen; **muovere i primi -i** *(a. fig)* die ersten Schritte tun; **procedere di buon ~** gut (*o* zügig) vorankommen; **segnare il ~** *mil, fig* auf der Stelle treten; **seguire i -i di qu** *fig* in jds Fußstapfen treten; **stare al ~ con qu** mit jdm Schritt halten; **tornare sui propri -i** (denselben Weg) zurückgehen; *fig* von vorne anfangen; **essere a pochi -i** wenige Schritte entfernt sein; **ad ogni ~** bei jedem Schritt, auf Schritt und Tritt; **di questo ~** wenn es so weitergeht, bei diesem Tempo *fam;* **e via di questo ~!** und so weiter!; *n* **un ~ dopo l'altro** Schritt für Schritt.

passo² ['passo] *m* **1.** *gener.* Durchgang *m; (con veicolo)* Durchfahrt *f;* **2.** *(valico)* Paß *m;* **~ carrabile (*o* carraio)** Einfahrt *f,* Ausfahrt *f;* **cedere il ~** den Vortritt lassen.

passo, -a ['passo] *agg:* **uva ~a** Rosinen *f pf.*

password ['pasword] ⟨-⟩ *f* Paßwort *n,* Password *n.*

pasta ['pasta] *f* **1.** *(impasto)* Teig *m;* **2.** *(alimento)* Nudeln *f pl,* Teigwaren *f pl;* **3.** *(dolce)* (Fein)gebäck *n;* **4.** *(massa molle, a. gastr)* Paste *f;* **5.** *fig (indole)* Natur *f,* Charakter *m;* **~ sfoglia** Blätterteig *m;* **~ frolla** Mürb(e)teig *m; fig* Waschlappen *m fam;* **~ all'uovo** Eiernudeln *f pl;* **~ d'acciughe** Sardellenpaste *f;* **~ dentifricia** Zahnpasta *f;* **~ di vetro/legno** Glasmasse *f*/Holzschliff *m;* **essere una ~ d'uomo** eine Seele von Mensch sein; **essere della stessa ~** aus dem gleichen Holz geschnitzt sein; **avere le mani in ~** seine Hände im Spiel haben, mitmischen.

pastasciutta [pastaʃ'ʃutta] *f* Nudelgericht *n,* Pastasciutta *f.*

pasteggiare [pasted'dʒa:re] ⟨pasteggio, pasteggi⟩ *itr* speisen *geh,* zu essen pflegen.

pastella [pas'tɛlla] *f* Ausbackteig *m (aus Mehl, Wasser, Öl).*

pastello [pas'tɛllo] **I.** *m* **1.** *(per dipingere)* Pastellfarbe *f; (matita)* Pastellstift *m;* **2.** *(dipinto)* Pastell(bild) *n;* **II.** *agg* pastellfarben, pastell-.

pasticca [pas'tikka] ⟨-cche⟩ *f* Pastille *f,* Tablette *f.*

pasticcere *v.* **pasticciere.**

pasticceria [pastittʃe'ri:a] ⟨-ie⟩ *f* **1.** *(negozio)* Konditorei *f;* **2.** *(assortimento)* (Fein)gebäck *n.*

pasticciare [pastit'tʃa:re] ⟨pasticcio, pasticci⟩ *tr* **1.** *(eseguire male)* pfuschen (*qc* bei etw.), hudeln (*qc* bei etw.) *fam;* **2.** *(sporcare)* beklecksen, beschmieren (*di* mit).

pasticciere, -a [pastit'tʃɛ:re] *m, f* Konditor(in) *m(f),* Feinbäcker(in) *m(f).*

pasticcino [pastit'tʃi:no] *m* Klein-, Feingebäck *n.*

pasticcio [pas'tittʃo] ⟨-cci⟩ *m* **1.** *gastr* Pastete *f;* **2.** *fig fam (faccenda imbrogliata)* (schöne) Bescherung *f,* Schlamassel *m fam,* Patsche *f fam;* **3.** *fig (lavoro mal fatto)* Hudelei *f fam,* Pfusch *m;* **~ di fegato d'oca** Gänseleberpastete *f;* **~ di maccheroni** Makkaroniauflauf *m;* **essere nei ~cci** im Schlamassel stecken, in der Patsche sitzen; **mettersi nei -cci** *fam* sich in die Nesseln setzen *fam,* ins Fettnäpfchen treten *fam.* **pasticcione, -a** [...'tʃo:ne] *m, f fam* **1.** *(arruffone)* Pfuscher(in) *m(f);* **2.** *(confusionario)* Wirrkopf *m.*

pastificio [pasti'fi:tʃo] ⟨-ci⟩ *m* Teigwarenfabrik *f.*

pastiglia [pas'tiʎʎa] ⟨-glie⟩ *f* **1.** *(pasticca)* Pastille *f,* Tablette *f;* **2.** *mot (dei freni)* Bremsbelag *m.*

pastina [pas'ti:na] *f* Suppennudeln *f pl.*

pasto ['pasto] *m* Essen *n,* Mahlzeit *f; (cibo)* Essen *n,* Speise *f;* **~ principale** Hauptmahlzeit *f;* **ore dei -i** Essenszeit *f;* **vino da ~** Tisch-, Tafelwein *m;* **saltare il ~** eine Mahlzeit auslassen, nichts essen; **dare qc in ~ al pubblico** etw. an die Öffentlichkeit bringen; **fuori ~** außerhalb der (Haupt)mahlzeiten, zwischendurch.

pastone [...'to:ne] *m* **1.** *(per animali)* Kleienfutter *n;* **2.** *(cibo troppo cotto)* verkochtes Essen.

pastorale [pasto'ra:le] **I.** *agg* **1.** *gener., letter* Hirten-, Schäfer-; **2.** *rel* pastoral, Pastoral-, Seelsorge-, seelsorgerisch; **3.** *(di vescovo)* Bischofs-; **II.** *f* **1.** *rel* Seelsorge *f,* Pastorale *f; (lettera)* Hirtenbrief *m;* **2.** *mus* Pastorale *f;* **III.** *m rel* Hirtenstab *m,* Pastorale *n.*

pastore, -a [pas'to:re] *m, f* **1.** *(custode)* Hirt(in) *m(f); (di pecore)* Schäfer(in) *m(f);* **2.** *zoo* Schäferhund *m,* -hündin *f;* **3.** *rel* Seelsorger(in) *m(f),* Geistliche(r) *mf; (sacerdote protestante)* Pastor(in) *m(f);* **~ di anime** Seelsorger *m;* **cane (da) ~** Schäferhund *m.* **pastorizia** [...to'rittsi̯a] ⟨-ie⟩ *f* Schafzucht *f.*

pastorizzare [pastorid'dza:re] *tr* pasteurisieren. **pastorizzazione** [...dzat'tsi̯o:-ne] *f* Pasteurisation *f,* Pasteurisierung *f.*

pastoso, -a [pas'to:so] *agg (molle ed elastico)* teigig, knetbar; *fig (colore, stile, ecc.)* weich, zart; *(vino)* vollmundig, samtig.

pastrano [pas'tra:no] *m* dicker Mantel.

patacca [pa'takka] ⟨-cche⟩ *f fam* **1.** *(distintivo)* Plakette *f,* billiger Orden; **2.** *(macchia)* (Fett-, Schmutz)fleck *m.*

patata [pa'ta:ta] *f* Kartoffel *f;* **~ americana (*o* dolce)** Batate *f,* Süßkartoffel *f;* **-e fritte/lesse** Pommes frites *pl*/Pellkartoffeln *f pl;* **~ bollente** *fig* heißes Eisen; **-e in insalata** Kartoffelsalat *m;* **spirito di -e** schlechter Witz; **sacco di -e** *fam* Trampel(tier *n*) *m o n fam.* **patatina** [pata'tiːna] *f* kleine Kartoffel; ⟨*pl*⟩ *(patate fritte confezionate)* Kartoffelchips *m pl.*

patatrac [pata'trak] ⟨-⟩ *m fam* **1.** *(crollo)* Einsturz *m,* Zusammenbruch *m;* **2.** *fig* Pleite *f,* Ruin *m.*

paté [pa'te] ⟨-⟩ *m* Pastete *f.*

patella [pa'tɛlla] *f* Napfschnecke *f.*

patema [pa'tɛːma] ⟨-i⟩ *m* Kummer *m,* seelischer Schmerz.

patentato, -a [paten'taːto] *agg* **1.** *(munito di patente)* staatlich geprüft, zugelassen; **2.** *fam scherz* ausgemacht, Erz-, Ober-.

patente [pa'tɛnte] *f* **1.** *(di guida)* Führerschein *m;* **2.** *amm* Genehmigung *f; (licenza)* Lizenz *f;* **3.** *fig, scherz* Stempel *m;* **esibire la** ~ den Führerschein vorzeigen; **prendere la** ~ **(di guida)** den Führerschein machen; **ritiro della** ~ Führerscheinentzug *m,* Entzug *m* der Fahrerlaubnis *adm.* **patentino** [paten'tiːno] *m* provisorische Fahrerlaubnis.

paternale [pater'naːle] *f* Strafpredigt *f,* Standpauke *f fam.*

paternalismo [paterna'lizmo] *m* **1.** *pol* Paternalismus *m;* **2.** *(atteggiamento benevolo)* väterliche Fürsorglichkeit. **paternalistico, -a** [...'listiko] ⟨-ci, -che⟩ *agg* **1.** *pol* paternalistisch; **2.** *fig* gönnerhaft.

paternità [paterni'ta] ⟨-⟩ *f* **1.** *(condizione di padre)* Vaterschaft *f;* **2.** *amm* Name(n) *m* des Vaters; **3.** *fig* Urheberschaft *f;* **accertamento della** ~ *dir* Feststellung *f* der Vaterschaft.

paterno, -a [pa'tɛrno] *agg* **1.** *(del padre)* väterlich, Vater-; **2.** *(da parte del padre)* väterlicherseits; **3.** *(da padre)* väterlich, wohlwollend.

pateticità [patetitʃi'ta] ⟨-⟩ *f* Pathetik *f.*

patetico, -a [pa'tɛːtiko] ⟨-ci, -che⟩ *agg* pathetisch.

pathos ['paːtos] ⟨-⟩ *m* Pathos *n.*

patibolo [pa'tiːbolo] *m* Schafott *n; (forca)* Galgen *m;* **che** ~! was für eine Qual!

patimento [pati'mento] *m* Leiden *n,* Schmerz *m.*

patina ['paːtina] *f* **1.** *(strato)* (dünne) Schicht *f; (su rame, ecc.)* Patina *f;* **2.** *med* (Zungen)belag *m.*

patino [pa'tiːno] *v.* **pattino**[2].

patire [pa'tiːre] ⟨patisco⟩ **I.** *tr* **1.** *(offesa, torto)* erleiden, ertragen; *(fame, sete)* leiden; *(freddo, caldo a.)* leiden unter *+dat;* **2.** *fig (sopportare)* ertragen, ausstehen; ~ **le pene dell' inferno** Höllenqualen ausstehen; **II.** *itr* leiden *(di* an *+dat).*

patito, -a [pa'tiːto] **I.** *agg* abgemagert; *(faccia)* eingefallen; **II.** *m, f* (leidenschaftlicher) Fan *m,* Freak *m;* ~ **del computer** Computerfreak *m;* ~ **di calcio** Fußballfan *m.*

patogeno, -a [pa'tɔːdʒeno] *agg* krankheitserregend, pathogen *wissensch.*

patologia [patolo'dʒiːa] ⟨-gie⟩ *f* Pathologie *f.* **patologico, -a** [...'lɔːdʒiko] *agg* pathologisch, krankhaft; **caso** ~*fig scherz* hoffnungsloser Fall.

patria ['paːtri̯a] ⟨-ie⟩ *f* **1.** *(nazione)* Vaterland *n;* **2.** *(luogo d'origine)* Heimat *f; (di cosa a.)* Herkunftsland *n;* **la madre** ~ das Mutterland.

patriarca [patri'arka] ⟨-chi⟩ *m (capo)* Patriarch *m,* Oberhaupt *n; (capostipite)* Erz-, Stammvater *m.* **patriarcale** [...'kaːle] *agg* patriarchalisch.

patrigno [pa'triɲɲo] *m* Stiefvater *m.*

patrimoniale [patrimo'ni̯aːle] *agg* Vermögens-; **imposta** ~ Vermögenssteuer *f.*

patrimonio [patri'mɔːni̯o] ⟨-i⟩ *m* **1.** *econ* Vermögen *n,* Kapital *n;* **2.** *fig (ricchezza)* Reichtum *m,* Schätze *m pl;* ~ **artistico/culturale/ereditario (***o* **genetico/forestale/spirituale/zootecnico** Kunstschätze *m pl*/Kulturgut *n*/Erbgut *n*/Waldbestand *m*/geistiges Erbe/Viehbestand *m.*

patrio, -a ['paːtri̯o] ⟨-ii, -ie⟩ *agg lett* **1.** *(del padre)* väterlich; **2.** *(della patria)* vaterländisch, Vaterlands-, Heimat-; **-a potestà** *dir* väterliche Gewalt; **amor** ~ Vaterlandsliebe *f.*

patriota [patri'ɔːta] ⟨-i *m,* -e *f*⟩ *mf* Patriot(in) *m(f).* **patriottico, -a** [...i'ɔttiko] ⟨-ci, -che⟩ *agg* patriotisch. **patriottismo** [...iot'tizmo] *m* Patriotismus *m,* Vaterlandsliebe *f.*

patrocinare [patrotʃi'naːre] *tr* **1.** *dir* (vor Gericht) verteidigen; **2.** *(sostenere)* begünstigen, befürworten; *(iniziativa)* unterstützen. **patrocinio** [...'tʃiːni̯o] ⟨-ii⟩ *m* **1.** *dir* Verteidigung *f,* Rechtsbeistand *m;* **2.** *rel* Schutz(herrschaft *f*) *m* eines Heiligen; **3.** *amm* Schirmherrschaft *f,* Patronat *n.*

patronato [patro'naːto] *m* **1.** *(istituzione assistenziale)* Fürsorgeeinrichtung *f,* Hilfswerk *n;* **2.** *(protezione)* Schirmherrschaft *f,* Patronat *n.* **patronessa** [...'nessa] *f* **1.** *(socia di patronato)* Förd(r)erin *f (o* Mitglied *n)* eines Hilfswerkes; **2.** *(protettrice)* Schirmherrin *f.* **patrono, -a** [pa'trɔːno] *m, f* **1.** *(protettore)* Schirmherr(in) *m(f); rel* Schutzpatron(in) *m(f),* Schutzheilige(r) *mf;* **2.** *(socio di patronato)* Förderer *m,* Förd(r)erin *f (o* Mitglied *n)* eines Hilfswerkes.

patta ['patta] *f* **1.** *(di tasca)* Patte *f; (di pantaloni)* Hosenschlitz *m;* **2.** *(pareggio)* Patt *n,* Unentschieden *n.*

patteggiare [patted'dʒaːre] ⟨patteggio, patteggi⟩ **I.** *tr* aushandeln, verhandeln über; **II.** *itr* verhandeln, Verhandlungen führen.

pattinaggio [patti'naddʒo] ⟨-ggi⟩ *m (a rotelle)* Rollschuhlaufen *n; (su ghiac-*

cio) Eislaufen *n,* Schlittschuhlaufen *n;* ~ **artistico** Eiskunstlauf *m.* **pattinare** [...'na:re] *itr* **1.** *sport (a rotelle)* Rollschuh laufen; *(su ghiaccio)* Schlittschuh laufen, eislaufen; **2.** *mot (scivolare)* schleudern, rutschen. **pattinatore, -trice** [...na'to:re] *m, f (a rotelle)* Rollschuhläufer(in) *m(f); (su ghiaccio)* Eisläufer(in) *m(f),* Schlittschuhläufer(in) *m(f).*

pattino[1] ['pattino] *m* **1.** *sport:* ~ **a rotelle** Rollschuh *m;* ~**da ghiaccio** Schlittschuh *m; (di slitta, ecc.)* Kufe *f;* **2.** *tec* (Gleit)schuh *m.*

pattino[2] [pat'ti:no] *m* Tretboot *n.*

patto ['patto] *m* **1.** *(accordo)* Vereinbarung *f,* Übereinkunft *f;* **2.** *pol* Pakt *m,* Vertrag *m;* **3.** *(condizione)* Bedingung *f;* **P~ Atlantico** Atlantisches Bündnis, (Nord)atlantikpakt *m,* NATO *f;* ~ **di non aggressione** Nichtangriffspakt *m;* ~ **di Varsavia** *st* Warschauer Pakt *m;* ~ **sociale** Sozialabkommen *n;* **venire (***o* **scendere) a -i con qu** mit jdm übereinkommen; **a** ~ **che** +*congv* unter der Bedingung, daß ...

pattuglia [pat'tuʎʎa] ⟨-glie⟩ *f* Patrouille *f,* Streife *f;* **essere di** ~ auf Streife gehen, auf Patrouille sein. **pattugliare** [...'ʎa:re] ⟨pattuglio, pattugli⟩ **I.** *itr* patrouillieren; **II.** *tr* absuchen.

pattuire [pattu'i:re] ⟨pattuisco⟩ *tr* abmachen, vereinbaren. **pattuito, -a** [...'i:to] **I.** *agg* ausgehandelt, vereinbart; **come** ~ vereinbarungsgemäß; **II.** *m* vereinbarte Summe.

pattume [pat'tu:me] *m* Müll *m,* Abfall *m.* **pattumiera** [...tu'mjɛ:ra] *f* Müll-, Abfalleimer *m.*

paura [pa'u:ra] *f* Angst *f,* Furcht *f;* **una** ~ **del diavolo/da morire** eine Höllen-/Sterbensangst; **avere** ~ **di qc/qu** Angst vor etw./jdm haben; **aver** ~ **che** +*congv* befürchten, daß ..., Angst haben, daß ...; **per** ~ **che** +*congv* aus Angst, daß ...; **mettere** ~ **a qu** jdm Angst einjagen; **da far** ~ schrecklich, zum Fürchten.

pauroso, -a [pau'ro:so] *agg* **1.** *(spaventoso)* angsterregend, fürchterlich; **2.** *(timoroso)* ängstlich, furchtsam; **3.** *fig (straordinario)* unglaublich, sagenhaft.

pausa ['pa:uza] *f* Pause *f (a. mus),* (kurze) Unterbrechung *f; (sosta)* Stockung *f,* Stillstand *m;* ~ **di assestamento** *fin* Konsolidierungspause *f.*

pavimentare [pavimen'ta:re] *tr (stanza)* (mit Fußboden) belegen; *(strada)* pflastern; ~ **una stanza** den Fußboden in einem Zimmer verlegen. **pavimentazione** [...tat'tsjo:ne] *f* **1.** *(serie di lavori)* (Fußboden)verlegen *n;* **2.** *(lastricato)* Pflaster *n,* Pflasterung *f;* ~ **stradale** Straßenpflaster *n.* **pavimento** [...'mento] *m* Fußboden *m,* Boden(belag) *m.*

pavone [pa'vo:ne] *m* Pfau *m;* **penna del** ~ Pfauenfeder *f.* **pavoneggiarsi** [pavoned'dʒarsi] *rfl* sich aufplustern *fam,* sich brüsten.

pazientare [pattsjen'ta:re] *itr* Geduld haben, sich gedulden.

paziente [pat'tsjɛnte] **I.** *agg* **1.** *(persona)* geduldig; **2.** *(lavoro, ricerca)* mühselig; *(con precisione)* sorgfältig; **II.** *mf* Patient(in) *m(f).*

pazienza [pat'tsjɛntsa] *f* Geduld *f; (precisione a.)* Sorgfalt *f;* ~ **di Giobbe (***o* **di un certosino)** Engelsgeduld *f;* **perdere la** ~ die Geduld verlieren; **mi scappa la** ~ mir reißt die Geduld (*o* der Geduldsfaden) *fam.*

pazza *f v.* **pazzo.**

pazzerellone, -a [pattserel'lo:ne] *fam m, f* lustiger (*o* ulkiger) Kauz.

pazzesco, -a [pat'tsesko] ⟨-schi, -sche⟩ *agg* **1.** *(di, da pazzo)* verrückt; **2.** *fam* unglaublich, wahnsinnig *fam,* Wahnsinns- *fam,* irrsinnig *fam.*

pazzia [pat'tsi:a] ⟨-ie⟩ *f* **1.** *med* Wahnsinn *m;* **2.** *(azione stravagante)* Verrücktheit *f,* Torheit *f;* **3.** *fig (assurdità)* Unsinn *m.*

pazzo, -a ['pattso] **I.** *agg* **1.** *med* wahnsinnig, verrückt; *(insensato)* unsinnig, verrückt; **2.** *fig (stravagante)* verrückt, extravagant; *(tempo)* verrückt, unbeständig; *(spese, ecc.)* irrsinnig, wahnsinnig; **essere** ~ **furioso** tobsüchtig sein; **essere** ~ **da legare** vollkommen verrückt sein; **essere innamorato** ~ **di qu** wahnsinnig in jdn verliebt sein; **andare** ~ **per qc** verrückt nach (*o* auf +*akk*) etw. sein; **darsi alla -a gioia** sich ins Vergnügen stürzen; **fingersi** ~ so tun, als sei man verrückt. **II.** *m, f* **1.** *med* Wahnsinnige(r) *mf,* Irre(r) *mf;* **2.** *fig* Verrückte(r) *mf,* Narr *m,* Närrin *f.*

p.c. *abbr di* **per conoscenza** z. K. (*abk von* zur Kenntnisnahme).

P.C.I. *m st abbr di* **Partito Comunista Italiano** *ehemalige kommunistische Partei Italiens.*

P.C.M.C.I.A. *abbr di* **Personal Computer Memory Card International Association** PCMCIA; **uno slot** ~ ein PCMCIA-Steckplatz.

P.D.A. *abbr di* **Personal Digital Assistant** PDA *m.*

P.D.S. *m abbr di* **Partito Democratico della Sinistra** *italienische Partei der demokratischen Linken.*

pecca ['pɛkka] ⟨-cche⟩ *f* Fehler *m,* Mangel *m;* **avere le proprie -cche** (seine) Macken haben *fam.*

peccaminoso, -a [pekkami'no:so] *agg* sündig, sündhaft.

peccare [pek'ka:re] ⟨pecco, pecchi⟩ *itr* **1.** *rel* sündigen; **2.** *(commettere errori)* Fehler begehen; ~ **di presunzione/leggerezza** überheblich/leichtsinnig sein.

peccato [pek'ka:to] *m* **1.** *rel* Sünde *f;* **2.** *(errore)* Fehltritt *m,* Fehler *m;* ~ **mortale/originale/veniale** Tod-/Erbsünde *f/*

läßliche Sünde; **che** ~! wie schade!; **è un** ~ **che** +*congv* es ist schade, daß ...; **brutto come il** ~ häßlich wie die Sünde (*o* die Nacht). **peccatore, -trice** [...ka'to:re] *m, f* Sünder(in) *m(f)*.

pece ['pe:tʃe] *f* Pech *n*.

pecora ['pɛ:kora] *f* **1.** *zoo* Schaf *n;* **2.** *fig peg* Duckmäuser *m,* Schwächling *m;* **essere la** ~ **nera** *fig* das schwarze Schaf sein. **pecoraio, -a** [peko'ra:i̯o] ⟨-ai, -aie⟩ *m, f* Schäfer(in) *m(f),* Schafhirte *m,* -hirtin *f*. **pecorella** [...'rɛlla] *f* **1.** *zoo* Schäfchen *n,* Schäflein *n;* **2.** *fig (nuvoletta)* Schäfchenwolke *f*. **pecorino** [...'ri:no] *m* Schaf(s)käse *m*.

peculato [peku'la:to] *m* Unterschlagung *f* (im Amt), Veruntreuung *f* (im Amt).

peculiare [peku'li̯a:re] *agg* charakteristisch, eigentümlich. **peculiarità** [...i̯ari'ta] ⟨-⟩ *f* Besonderheit *f,* Eigentümlichkeit *f*.

pecuniario, -a [peku'ni̯a:ri̯o] ⟨-i, -ie⟩ *agg* Geld-.

pedaggio [pe'daddʒo] ⟨-ggi⟩ *m* Maut *f,* Straßengebühr *f;* ~ **autostradale** Autobahngebühr *f;* **a** ~ maut-, gebührenpflichtig.

pedagogia [pedago'dʒi:a] ⟨-gie⟩ *f* Pädagogik *f,* Erziehungswissenschaft *f*. **pedagogico, -a** [...'gɔ:dʒiko] ⟨-ci, -che⟩ *agg* pädagogisch, Pädagogik-, Erziehungs-.

pedalare [peda'la:re] *itr* in die Pedale treten. **pedalatore, -trice** [pedala'to:re] *m, f* Radfahrer(in) *m(f)*.

pedale [pe'da:le] *m* Pedal *n*.

pedalò [peda'lo] ⟨-⟩ *m* Tretboot *n*.

pedana [pe'da:na] *f* **1.** *(struttura)* Fußbrett *n;* **2.** *sport* Sprungbrett *n*.

pedante [pe'dante] **I.** *agg* pedantisch, kleinlich; **II.** *mf* Pedant(in) *m(f),* Kleinigkeitskrämer(in) *m(f)*. **pedanteria** [...te'ri:a] ⟨-ie⟩ *f* Pedanterie *f,* Kleinigkeitskrämerei *f*. **pedantesco, -a** [...'tesko] ⟨-schi, -sche⟩ *agg* pedantisch, schulmeisterlich.

pedata [pe'da:ta] *f* **1.** *(impronta)* Fußabruck *m,* Fußspur *f;* **2.** *(colpo di piede)* Fußtritt *m;* **3.** *(superficie orizzontale di un gradino)* Trittfläche *f*.

pederasta [pede'rasta] ⟨-i⟩ *m* Päderast *m*.

pedestre [pe'dɛstre] *agg* **1.** *(lavoro, discorso)* gewöhnlich, gemein; *(fig a.)* platt, trivial; **2.** *(milizia)* Fuß-.

pediatra [pe'di̯a:tra] ⟨-i *m,* -e *f*⟩ *mf* Kinderarzt *m,* -ärztin *f*. **pediatria** [...i̯a'tri:a] ⟨-ie⟩ *f* Kinderheilkunde *f,* Pädiatrie *f wissensch*.

pedicure [pedi'ku:re] ⟨-⟩ **I.** *f* Fußpflege *f,* Pediküre *f;* **II.** *mf* Fußpfleger(in) *m(f)*.

pediluvio [pedi'lu:vi̯o] ⟨-i⟩ *m* Fußbad *n;* **fare un** ~ ein Fußbad nehmen.

pedina [pe'di:na] *f* **1.** *(da gioco)* Spielstein *m;* *(negli scacchi)* Figur *f;* **2.** *fig (strumento)* Werkzeug *n,* Marionette *f;* **mangiare (*o* soffiare) una** ~ einen Stein (*o* eine Figur) schlagen.

pedinare [pedi'na:re] *tr* bespitzeln, beschatten.

pedissequo, -a [pe'dissekuo] *agg* sklavisch genau; *(traduzione)* wortgetreu.

pedonale [pedo'na:le] *agg* Fußgänger-; **zona** ~ Fußgängerzone *f*.

pedone, -a [pe'do:ne] *m, f* **1.** Fußgänger(in) *m(f);* **2.** *(negli scacchi)* Bauer *m;* **zona riservata ai -i** Fußgängerzone *f*.

peggio ['pɛddʒo] ⟨*comp di* male⟩ **I.** *avv* schlechter; *(più grave) schlimmer;* **andare di male in** ~ immer schlimmer werden; **cambiare in** ~ sich verschlechtern, sich zu seinem Nachteil verändern; **potrebbe esser** ~ es könnte schlechter (*o* schlimmer) sein; **tanto** ~ **per lui!** um so schlimmer für ihn!; **II.** ⟨*inv*⟩ *agg* schlimmer, schlechter; **III.** ⟨-⟩ *m o f* Schlimmste(s) *n,* Schlechteste(s) *n;* **aver la** ~ den kürzeren ziehen; **alla meno** ~ schlecht und recht; **il** ~ **deve ancora venire** das Schlimmste steht (uns) noch bevor; **temere il** ~ das Schlimmste befürchten.

peggioramento [peddʒora'mento] *m* Verschlechterung *f,* Verschlimmerung *f*. **peggiorare** [...'ra:re] **I.** *tr* ⟨*avere*⟩ verschlechtern, schlechter machen; **II.** *itr* ⟨*essere*⟩ sich verschlechtern, schlechter werden; *(aggravare)* sich verschlimmern. **peggiorativo, -a** [...ra'ti:vo] *agg* pejorativ, abwertend.

peggiore [ped'dʒo:re] ⟨*comp di* cattivo⟩ **I.** *agg* **1.** *(comp)* schlechter, schlimmer; *(meno capace a.)* unfähiger; *(più scadente a.)* weniger wert; *(meno opportuno a.)* unpassender; **2.** *(superl)* schlechteste(r, s), schlimmste(r, s); **II.** *mf* Schlimmste(r) *mf,* Übelste(r) *mf*.

pegno ['peɲɲo] *m* Pfand *n;* **anticipazione su** ~ *fin* Lombarddarlehen *n*.

pelame [pe'la:me] *m* Fell *n*.

pelandrone, -a [pelan'dro:ne] *m, f dial* Faulpelz *m*.

pelapatate [pelapa'ta:te] ⟨-⟩ *m* Kartoffelschäler *m,* -schälmesser *n*.

pelare [pe'la:re] **I.** *tr* **1.** *(togliere la buccia)* schälen, pellen; **2.** *(pollo)* rupfen; **3.** *(tagliare a zero)* kahlscheren; **4.** *fig fam (spillare denaro)* ausnehmen, schröpfen; **II.** *rfl:* **-arsi 1.** *(perdere i capelli)* das Haar verlieren; *(animali a.)* sich haaren; **2.** *(perdere le foglie)* das Laub verlieren; **3.** *(spellarsi)* sich häuten, sich schälen. **pelata** [pe'la:ta] *f* Glatzkopf *m,* Glatze *f*. **pelato, -a** [...to] **I.** *agg* **1.** *(testa)* kahl, Glatz-; **2.** *gastr* geschält; *(patate)* gepellt; **pomodori -i** geschälte Tomaten; **II.** *m* **1.** *(calvo) fam* Glatzkopf *m;* **2.** *gastr* geschälte Tomate.

pellaccia [pel'lattʃa] ⟨-cce⟩ *f fam (persona astuta)* durchtriebener Mensch; *(persona resistente)* zähe Natur.

pellame [pel'la:me] *m* Haut *f,* Leder *n*.

pelle ['pɛlle] *f* **1.** *(cute)* Haut *f;* **2.** *(pellame)* Leder *n,* (gegerbtes) Fell *n;* **3.** *fig fam (vita)* Haut *f;* **4.** *(buccia)* Schale *f,* Haut *f;* ~ **secca/grassa/normale** trockene/fettige/normale Haut; ~ **mista** Mischhaut *f;* ~ **d'oca** Gänsehaut *f;* ~ **di daino/camoscio** Hirsch-/Wildleder *n;* **articoli di** (*o* **in**) ~ Lederwaren *f pl;* **avere la** ~ **dura** *fig* ein dickes Fell haben; **esser (ridotto)** ~ **ed ossa** nur noch Haut und Knochen sein; **lasciarci** (*o* **rimetterci) la** ~ sein Leben dabei einbüßen; **salvar la** ~ mit heiler Haut davonkommen; **non stare più nella** ~ es nicht mehr abwarten können; **non voler essere nella** ~ **di qu** nicht in jds Haut stekken mögen; **ho cara la mia** ~ mein Leben ist mir lieb; **vendere la** ~ **dell'orso prima d'averlo ucciso** das Fell verkaufen, ehe man den Bären hat.

pellegrinaggio [pellegri'naddʒo] ⟨-ggi⟩ *m* **1.** *(viaggio)* Wallfahrt *f,* Pilgerfahrt *f;* **2.** *(comitiva)* Pilgerschar *f,* Pilgerzug *m.* **pellegrino, -a** [...'gri:no] *m, f* Pilger(in) *m(f),* Wallfahrer(in) *m(f).*

pellerossa [pelle'rossa] ⟨pellirosse⟩ *mf* Rothaut *f.*

pelletteria [pellette'ri:a] ⟨-ie⟩ *f* **1.** *(industria)* Leder(waren)industrie *f;* **2.** *(assortimento)* Lederwaren *f pl;* **3.** *(negozio)* Lederwarengeschäft *n.*

pellicano [pelli'ka:no] *m* Pelikan *m.*

pellicceria [pellittʃe'ri:a] ⟨-ie⟩ *f* **1.** *(lavorazione)* Kürschnerei *f;* **2.** *(negozio)* Pelz(waren)geschäft *n;* **3.** *(assortimento)* Pelzwaren *f pl,* Pelze *m pl.*

pelliccia [pel'littʃa] ⟨-cce⟩ *f* Fell *n; (a. indumento)* Pelz *m;* ~ **ecologica** Kunstfaserpelz *m,* Webpelz *m.* **pellicciaio, -a** [...'tʃa:io] ⟨-ciai, -ciaie⟩ *m, f* **1.** *(negoziante)* Pelzhändler(in) *m(f);* **2.** *(confezionista)* Kürschner(in) *m(f).*

pellicola [pel'li:kola] *f* **1.** *fot, film* Film *m;* **2.** *(pelle sottile)* dünne Haut, Häutchen *n;* **3.** *(per conservare cibi)* Frischhaltefolie *f.*

pellirossa [pelli'rossa] *v.* **pellerossa.**

pellirosse *pl di* **pellerossa, pellirossa.**

pelo ['pɛ:lo] *m* **1.** *(di uomo)* (Körper)haar *n; (di animale)* (Tier)haar *n;* **2.** *(pelame)* Fell *n; (pelliccia)* Pelz *m;* **3.** *bot* Härchen *n pl,* Flaum *m;* **4.** *fig (superficie)* Oberfläche *f;* ~ **della barba** Barthaar *n;* **collo di** ~ Pelzkragen *m;* **foderato di** ~ pelzgefüttert; **per un** ~**, c'è mancato un** ~ **che** *+congv fam* um ein Haar . . .; ~ ~ mit Mühe und Not; **non avere -i sulla lingua** kein Blatt vor den Mund nehmen; **cercare il** ~ **nell'uovo** ein Haar in der Suppe finden; **a** ~ **dell' acqua** an der Wasseroberfläche.

peloso, -a [pe'lo:so] *agg* behaart, haarig.

peltro ['peltro] *m* Hartzinn *n.*

peluche [pə'lyʃ] ⟨-⟩ *m* Plüsch *m; (giocattolo)* Plüschtier *n.*

peluria [pe'lu:ria] ⟨-ie⟩ *f* Flaum *m.*

pena ['pe:na] *f* **1.** *(punizione)* Strafe *f,* Bestrafung *f;* **2.** *(sofferenza)* Leid(en) *n,* Qual *f,* Kummer *m;* **3.** *(angoscia, pietà)* Sorge *f,* Mitleid *n;* **4.** *(fatica, stento)* Anstrengung *f; (disturbo a.)* Mühe *f;* ~ **capitale (***o* **di morte)** Todesstrafe *f;* ~ **pecunaria** Geldstrafe *f;* **a mala** ~ mit knapper Not; **darsi** ~ sich *(dat)* Mühe geben; **essere (***o* **stare) in** ~ **per qu** in Sorge um jdn sein; **fare** ~ **a qu** jdm leid tun; **valere la** ~ die Mühe lohnen, der Mühe wert sein; **non(ne) vale la** ~ es lohnt sich nicht.

penale [pe'na:le] **I.** *agg* Straf-, strafrechtlich; **azione** ~ strafbare Handlung; **codice** ~ Strafgesetzbuch *n;* **codice di procedura** ~ Strafprozeßordnung *f;* **II.** *f* Strafe *f,* Strafbestimmung *f.* **penalista** [pena'lista] ⟨-i *m,* -e *f*⟩ *mf* Strafrechtler(in) *m(f).* **penalità** [penali'ta] ⟨-⟩ *f* **1.** *dir* Strafe *f; (sanzione)* Konventionalstrafe *f,* Vertragsstrafe *f;* **2.** *sport:* **punto di** ~ Strafpunkt *m;* **minuto di** ~ Strafminute *f.* **penalizzare** [...lid'dza:re] *tr* **1.** *sport* Punkte abziehen (*qu* jdm); **2.** *fig* benachteiligen. **penalizzazione** [...liddzat'tsio:ne] *f* Strafe *f.*

penalty ['penɔlti] ⟨-⟩ *m o f* Strafstoß *m.*

penare [pe'na:re] *itr* **1.** *(patire)* leiden, (viel) durchmachen; **2.** *(durar fatica)* sich abmühen, Mühe haben.

pendaglio [pen'daʎʎo] ⟨-gli⟩ *m* Anhängsel *n,* Anhänger *m.*

pendente [pen'dɛnte] **I.** *agg* **1.** *(che pende)* (herab)hängend; **2.** *(inclinato)* geneigt, schief; **3.** *dir* anhängig, schwebend; **4.** *fig (conto, questione)* offen(stehend); **la torre** ~ der schiefe Turm (von Pisa); **crediti -i** Außenstände *m pl;* **II.** *m* Anhänger *m; (orecchino)* Hängeohrring *m.* **pendenza** [...'dɛntsa] *f* **1.** *(inclinazione)* Gefälle *n;* **2.** *mat* Neigung *f;* **3.** *dir* anhängiges (*o* schwebendes) Verfahren; **4.** *econ* Schuld *f,* offene Rechnung; **5.** *fig (questione non risolta)* offene (*o* nicht gelöste) Frage.

pendere ['pɛndere] *itr* **1.** *(essere appeso)* hängen (*a* an *+dat*), herabhängen (*da* von *+dat*); **2.** *(essere inclinato)* schief stehen, sich neigen; **3.** *fig (incombere)* schweben (*su* über *+dat*), bevorstehen (*su qu* jdm); **4.** *dir* anhängig sein; **5.** *fig (propendere)* neigen (*verso* zu); **6.** *fig (tentennare)* schwanken, zögern.

pendici [pen'di:tʃi] *f pl* (Ab)hang *m.*

pendio [pen'di:o] ⟨-ii⟩ *m* **1.** *(pendenza)* Gefälle *n;* **2.** *(luogo)* (Ab)hang *m.*

pendola ['pɛndola] *f* Pendeluhr *f.* **pendolare** [pendo'la:re] **I.** *agg* Pendel-, pendelnd; **II.** *mf* Pendler(in) *m(f);* **fare il/la pendolare** pendeln. **pendolino** [...'li:no] *m* **1.** *(piccolo pendolo)* kleines Pendel; **2.** *(treno rapido)* Hochgeschwindigkeitszug *m.* **pendolo** ['pɛndolo] *m*

1. *(fis, di orologio)* Pendel *n;* **2.** *(filo a piombo)* Senkblei *n,* Senklot *n.*

pene ['pɛ:ne] *m* Penis *m,* (männliches) Glied *n.*

penetrante [pene'trante] *agg* **1.** *(odore)* penetrant, scharf; *(freddo, gelo)* scharf, beißend, schneidend; **2.** *fig (sguardo)* durchdringend; *(osservazione)* spitz; *(dolore)* heftig.

penetrare [pene'tra:re] **I.** *itr* ⟨*essere*⟩ eindringen; *(di ladri, malviventi)*, einbrechen; **II.** *tr* ⟨*avere*⟩ **1.** *fig (capire)* ergründen, eindringen in *+akk;* **2.** *(trapassare)* durchdringen, durchbohren. **penetrazione** [...trat'tsio:ne] *f* **1.** *(introduzione)* Eindringen *n;* Penetration *f wissensch.*; *(avanzamento)* Vordringen *n;* **2.** *fig (di prodotto)* Vordringen *n,* Verbreitung *f;* **3.** *mil* Einmarsch *m,* Einfallen *n;* **capacità di** ~ *fig* Einfühlungsvermögen *n.*

penicillina [penitʃil'li:na] *f* Penizillin *n.*

peninsulare [peninsu'la:re] *agg* Halbinsel-, halbinselartig.

penisola [pe'ni:zola] *f* Halbinsel *f.*

penitente [peni'tɛnte] *mf* Büßer(in) *m(f).* **penitenza** [...'tɛntsa] *f* Buße *f,* Strafe *f;* *(nei giochi)* Strafe *f.* **penitenziario** [...ten'tsia:rio] ⟨-i⟩ *m* Straf-, Vollzugsanstalt *f.*

penna ['penna] *f* **1.** *zoo* Feder *f;* **2.** *(per scrivere)* (Schreib)feder *f,* Federhalter *m;* **3.** ⟨*pl*⟩ *gastr kurze Makkaroni;* ~ **biro (***o* **a sfera)** Kugelschreiber *m;* ~ **a feltro** Filzstift *m;* ~ **ottica** *inform* Lichtstift *m,* Lichtgriffel *m;* ~ **stilografica** Füllfederhalter *m,* Füller *m fam.* **pennacchio** [...'nakkio] ⟨-cchi⟩ *m* **1.** *(ornamento)* Federbusch *m,* Panasch *m;* **2.** *fig (di fumo)* Rauchfahne *f.* **pennarello** [...na'rɛllo] *m* Filzstift *m.*

pennellare [pennel'la:re] *tr* pinseln; *gastr* bepinseln. **pennellata** [...'la:ta] *f* **1.** *(di pennello)* Pinselstrich *m;* **2.** *fig (elemento descrittivo)* Strich *m,* Zug *m.* **pennellessa** [...'lessa] *f* Maler-, Lackpinsel *m.*

pennello [pen'nɛllo] *m* Pinsel *m;* **andare (***o* **stare) a** ~ *(vestito)* wie angegossen sitzen.

pennino [pen'ni:no] *m* (Schreib)feder *f.*

pennone [pen'no:ne] *m* **1.** *naut* Rundholz *n* **2.** *(di bandiera)* Fahnenschaft *m;* ~ **di maestra** Großrah *f.*

pennuto, -a [pen'nu:to] **I.** *agg* gefiedert; **II.** *m* Vogel *m;* **-i** Federvieh *n.*

penombra [pe'nombra] *f* Halbschatten *m,* Halbdunkel *n;* **stare nella** ~ im Halbschatten sein.

penoso, -a [pe'no:so] *agg* **1.** *(che dà pena)* leidvoll, schmerzlich; **2.** *(faticoso)* mühsam, beschwerlich; **3.** *(imbarazzante)* peinlich, unangenehm.

pensare [pen'sa:re] **I.** *tr* **1.** *gener.* denken; **2.** *(considerare)* bedenken; **3.** *(inventare)* sich ausdenken; **4.** *(immaginare)* sich *(dat)* vorstellen; **5.** *(progettare)* eigentlich (*o* eventuell) wollen; **una ne fa e cento ne pensa** *fam* er (*o* sie) hat immer Überraschungen auf Lager *fam;* **che pensi di fare?** was gedenkst du zu tun? **II.** *itr* **1.** *gener.* denken (*a qu/qc* an jdn/etw.); **2.** *(riflettere)* (nach)denken (*su* über *+akk*); **3.** *(badare)* sich kümmern (*a qu/qc* um jdn/etw.), achten (*a* auf *+akk*); **4.** *(provvedere)* denken (*a* an *+akk*), sorgen (*a* für *+akk*); **5.** *(giudicare)* halten (*di* von *+dat*), denken (*di* über *+akk*); **6.** *(credere)* meinen; ~ **bene/male di qu** gut/schlecht über jdn denken; **dar da** ~ Sorgen machen (*a qu* jdm); **far** ~ zu denken geben (*qu* jdm); **pensa e ripensa** nach langer Überlegung. **pensata** [...'sa:ta] *f* Einfall *m,* Idee *f.* **pensatore, -trice** [...sa'to:re] *m, f* Denker(in) *m(f).*

pensée [pã'se] ⟨-⟩ *f* Stiefmütterchen *n.*

pensierino [pensie'ri:no] *m* **1.** *(pensiero allettante)* verführerischer (*o* reizvoller) Gedanke; **2.** *(piccolo dono)* kleine Aufmerksamkeit; **3.** *(composizione scolastica)* (Übungs)sätzchen *n;* **farci un** ~ *fam* sich etw. mal durch den Kopf gehen lassen.

pensiero [pen'siɛ:ro] *m* **1.** *(attività mentale)* Denken *n;* *(ciò che si pensa)* Gedanke *m;* **2.** *(ansia)* Sorge *f;* **3.** *(dottrina, teoria)* Lehre *f,* Denken *n;* **4.** *(dono)* Aufmerksamkeit *f;* **essere sopra** ~ in Gedanken (*o* zerstreut) sein; **stare in** ~ **per qu/qc** in Sorge um jdn/wegen etw. sein; **senza ~i** unbekümmert. **pensieroso, -a** [...sie'ro:so] *agg* nachdenklich, in Gedanken verloren.

pensile ['pɛnsile] **I.** *agg* hängend, Hänge-; **giardino** ~ Dachgarten *m;* **II.** *m (mobile)* Hängeschrank *m;* *(scaffale)* Hängeregal *n.*

pensilina [pensi'li:na] *f* Überdachung *f;* *(di stadio)* Wetterdach *n,* Schutzdach *n.*

pensionabile [pensio'na:bile] *agg amm* rentenfähig, Renten-.

pensionamento [pensiona'mento] *m* Pensionierung *f,* Versetzung *f* in den Ruhestand; ~ **anticipato** Frühpensionierung *f,* Vorruhestand *m.*

pensionante [pensio'nante] *mf* Pensionsgast *m.*

pensionare [pensio'na:re] *tr* pensionieren, in den Ruhestand versetzen. **pensionato, -a** [...'na:to] **I.** *m, f* Rentner(in) *m(f);* *(per impiegati statali)* Bezieher(in) *m(f)* einer Pension; **II.** *m* Pensionat *n,* Heim *n.*

pensione [pen'sio:ne] *f* **1.** *(albergo)* Pension *f;* **2.** *(rendita)* Rente *f;* *(per impiegati statali)* Pension *f;* ~ **completa** Vollpension *f;* **mezza** ~ Halbpension *f;* ~ **di anzianità (***o* **di vecchiaia)** Altersruhegeld *n,* (Alters)rente *f;* ~ **a scala mobile** dynamische Rente.

pensionistico, -a [pensio'nistiko] ⟨-ci,

-che⟩ *agg amm* Renten-, Ruhestands-.
pensoso, -a [pen'so:so] *agg* nachdenklich, gedankenverloren.
pentagono [pen'ta:gono] *m* Fünfeck *n;* **il P~** das Pentagon. **pentagramma** [penta'gramma] ⟨-i⟩ *m* Noten(linien)system *n.* **pentapartito** [pentapar'ti:to] *m st* Fünfparteienregierung *f,* Fünfparteienkoalition *f.* **pentathlon, pentatlon** ['pɛntatlon] ⟨-⟩ *m* Fünfkampf *m.*
Pentecoste [pente'kɔste] *f* Pfingsten *n,* Pfingstfest *n;* **a ~** an Pfingsten.
pentimento [penti'mento] *m* Reue *f; (rimorso a.)* Gewissensbiß *m.* **pentirsi** [...'tirsi] ⟨mi pento⟩ *rfl* bereuen (*di qc* etw. *(akk)*. **pentito, -a** [...'ti:to] *m, f* Reuige(r) *mf; ehemaliger Terrorist oder Mafioso, der mit der Polizei und der Justiz zusammenarbeitet.*
pentop ['pentɔp] ⟨-⟩ *m inform* Pentop *m* (Computer).
pentola ['pentola] *f* (Koch)topf *m;* **~ a pressione** Schnellkochtopf *m,* Dampfkochtopf *m;* **cosa bolle in ~?** *fig fam* was wird (da) gespielt? *fam.* **pentolino** [pento'li:no] *m* Stielkochtopf *m,* Stielkasserolle *f.*
penultimo, -a [pe'nultimo] **I.** *agg* vorletzte(r, s); **II.** *m, f* Vorletzte(r) *mf.*
penuria [pe'nu:ri̯a] ⟨-ie⟩ *f* Mangel *m,* Not *f;* **~ d'acqua** Wassermangel *m;* **~ di alloggi** Wohnungsnot *f;* **~ d'energia** Energieknappheit *f.*
penzolare [pendzo'la:re] *itr* herabhängen, baumeln. **penzoloni** [...'lo:ni] *avv* (herab)hängend, baumelnd; **con la lingua/le orecchie ~** mit heraushängender Zunge/mit hängenden Ohren.
peonia [pe'ɔ:ni̯a] ⟨-ie⟩ Pfingstrose *f.*
pepare [pe'pa:re] *tr* pfeffern, mit Pfeffer würzen. **pepato, -a** [pe'pa:to] *agg* **1.** *(condito col pepe)* gepfeffert; **2.** *(piccante)* pikant, scharf gewürzt; **3.** *fig (pungente)* bissig.
pepe ['pe:pe] *m* Pfeffer *m;* **~ bianco/nero** weißer/schwarzer Pfeffer; **~ macinato** gemahlener Pfeffer; **~ in grani** Pfefferkörner *n pl;* **una persona tutto ~** eine sehr temperamentvolle Person.
peperonata [pepero'na:ta] *f Gericht aus gedünsteten gelben Paprikaschoten.* **peperoncino** [...n'tʃi:no] *m* kleine Pfefferschote; **-i** Peperoni *pl.* **peperone** [...'ro:ne] *m* Paprika *m; (frutto a.)* Paprikaschote *f;* **diventare (*o* farsi) rosso come un ~** bis über die Ohren rot werden.
pepiera [pe'pi̯ɛ:ra] *f* Pfefferstreuer *m.*
pepita [pe'pi:ta] *f* Klumpen *m.*
per [per] **I.** *prp* **1.** *(scopo, fine)* für *+akk;* **2.** *(moto a luogo)* durch *+akk,* nach *+akk,* in *+akk; (stato in luogo)* auf *+akk;* **3.** *(temporale)* während *+gen,* ... *+akk* hindurch, ... *+akk* lang; **4.** *(per mezzo)* mit *+dat,* durch *+akk;* **5.** *(causa)* wegen *+gen o +dat,* infolge *+gen;* vor *+dat,* aus *+dat;* **6.** *mat* mal; **7.** *(come)* zu *+dat,* als *+akk;* **fare qc ~ qu** etw. für jdn tun; **passare ~ Firenze** durch Florenz fahren; **spedire ~ posta** mit der (*o* per) Post schicken; **correre ~ 30 chilometri** 30 Kilometer (lang) laufen; **piccolo ~ la sua età** klein für sein Alter; **prendere ~ moglie** zur Frau nehmen; **l'ho preso ~ un altro** ich habe ihn für einen anderen gehalten; **~ il fatto che ...** weil ...; **~ di più** überdies, darüber hinaus; **~ terra** auf dem (*o* den) Boden; **~ aria** in der Luft; **~ curiosità** aus Neugierde; **~ paura** vor Angst; **questa volta** (für) dieses Mal; **~ quale motivo?** aus welchem Grund?; **anno ~ anno** Jahr für Jahr, Jahr um Jahr; **tre ~ tre** drei mal drei; **hai poi finito ~ mangiarlo** *fam* am Ende (*o* schließlich) hast du es dann doch gegessen; **~ Bacco (*o* Giove)!** *fam* zum Donnerwetter! *fam;* **II.** *cong* **1.** *(concessivo) +congv* so (auch); **2.** *(finale, consecutivo) +inf* um zu *+inf;* **3.** *(causale) +inf* da, weil; **~ quanto grande sia** so groß er (*o* sie) auch sein mag; **lavorare ~ vivere** arbeiten um zu leben.
pera ['pe:ra] *f* **1.** *(frutto)* Birne *f;* **2.** *fig scherz (testa)* Birne *f fam;* **3.** *sl (iniezione di droga)* Schuß *m sl;* **cadere (*o* cascare) come una ~ cotta** *fam* (voll) hereinfallen; **farsi una ~** *sl* sich *(dat)* einen Schuß setzen *sl.*
peraltro [pe'raltro] *avv* übrigens, im übrigen.
perbacco [per'bakko] *interi* (zum) Donnerwetter *fam.*
perbene [per'bɛ:ne] **I.** ⟨*inv*⟩ *agg* anständig; **II.** *avv* ordentlich, sorgfältig. **perbenismo** [...be'nizmo] *m* kleinbürgerliche Moralvorstellung, Moralismus *m.*
percento [per'tʃɛnto] ⟨-⟩ *m (abbr* **p.***)* Prozent *n* (abk p. c. *o* v. H.); **il 7 ~** 7 Prozent; **i prezzi aumentano del 2 ~** die Preise steigen um 2 Prozent. **percentuale** [pertʃentu'a:le] **I.** *agg* prozentual, Prozent-; **II.** *f* **1.** *mat* Prozentsatz *m;* **2.** *econ (retribuzione)* Provision *f.*
percepire [pertʃe'pi:re] ⟨percepisco⟩ *tr* **1.** *(ricevere)* beziehen; **2.** *(sentire)* wahrnehmen; *(suono a.)* vernehmen.
percettibile [pertʃet'ti:bile] *agg* wahrnehmbar; *(suono a.)* vernehmbar. **percezione** [...tʃet'tsi̯o:ne] *f* **1.** *(facoltà)* Wahrnehmung(svermögen *n*) *f;* **2.** *amm* Beziehen *n,* Bezug *m.*
perché [per'ke] **I.** *avv interr* weshalb, warum; **II.** *cong* **1.** *(causale)* weil, da; **2.** *(finale) +congv* damit; **3.** *(consecutivo) +congv* als daß *+congv;* **III.** ⟨-⟩ *m* **1.** *(motivo)* Warum *n,* Grund *m;* **2.** *(interr)* Frage *f.*
perciò [per'tʃɔ] *cong* deshalb, daher, deswegen, darum.

percorrenza [perkor'rɛntsa] *f* Strecke *f*.
percorrere [per'korrere] ⟨*irr*⟩ *tr* durchqueren, durchstreifen; *(cammino, ecc.)* zurücklegen. **percorribile** [...'ri:bile] *agg* **1.** *(strada)* befahrbar; **2.** *fig* gangbar. **percorribilità** [...ribili'ta] ⟨-⟩ *f* **1.** *(strada)* Befahrbarkeit *f*; **2.** *fig* Gangbarkeit *f*; **bollettino di ~ delle strade** Straßenzustandsbericht *m*. **percorso** [...'korso] *m* **1.** *(tragitto)* Überfahrt *f*; **2.** *(viaggio)* Fahrt *f*; **3.** *(distanza percorsa)* Strecke *f*, Weg *m*; **4.** *inform* Pfad *m*; **~ ginnico** Trimm-dich-Pfad *m*.
percossa [per'kɔssa] *f* Schlag *m*, Hieb *m*.
percuotere [per'kuɔ:tere] ⟨percuoto, percossi, percosso⟩ *tr* schlagen, prügeln.
percussione [perkus'sio:ne] *f* Schlag *m*, Stoß *m*; **strumenti a ~** Schlaginstrumente *n pl*. **percussionista** [...sio'nista] ⟨-i *m*, -e *f*⟩ *mf* Perkussionist(in) *m(f)* Schlagzeuger(in) *m(f)*
percutaneo, -a [perku'ta:neo] *agg med* durch die Haut (wirkend), perkutan *wissensch*.
perdente [per'dɛnte] **I.** *agg* verlierend, unterliegend; **II.** *mf* Verlierer(in) *m(f)*, Unterlegene(r) *mf*.
perdere ['pɛrdere] ⟨perdo, persi *o* perdei *o* perdetti, perso *o* perduto⟩ **I.** *tr* **1.** *gener., fig* verlieren; *(smarrire a.)* verlegen; **2.** *(treno, ecc.)* verpassen, versäumen; *(tempo)* vertrödeln, vergeuden; *(occasione)* verpassen; **3.** *(acqua)* auslaufen (lassen), verlieren; *(gas)* ausströmen (lassen); *(sangue)* verlieren; **~ la vita** ums Leben kommen; **~ (il) colore** verblassen; **~ ogni speranza** jede Hoffnung aufgeben; **~ l'anno** *(a scuola)* sitzenbleiben *fam*; **non ti sei perso niente** du hast nichts verpaßt; **II.** *itr* **1.** *(colare)* undicht sein, lecken; **2.** *(avere la peggio)* verlieren, den kürzeren ziehen; **3.** *(rimetterci)* einbüßen (*di qc* etw. , an etw. *(dat)*); **lasciar ~** es seinlassen; **perso per perso** *fam* da sowieso nichts zu verlieren ist; **a ~** Wegwerf-, Einweg-; **bottiglia a ~** Einwegflasche *f*. **III.** *rfl*: **-ersi** **1.** *(smarrirsi)* sich verirren; **2.** *lett (rovinarsi)* sich ruinieren; **3.** *(uscire dalla vista)* sich verlieren, sich verlaufen; **4.** *(svanire)* sich verlieren, sich verflüchtigen; **-ersi d'animo (*o* di coraggio)** den Mut verlieren; **-ersi in un bicchier d'acqua** *fig* nicht einmal die einfachsten Sachen bewältigen.
perdifiato [perdi'fia:to] *avv*: **a ~** *(gridare)* lauthals, aus vollem Hals; *(correre)* bis zur Atemlosigkeit.
perdigiorno [perdi'dʒorno] ⟨-⟩ *mf* Taugenichts *m*.
perdio, per Dio [per'di:o] *interi fam* Herrgott noch mal *fam*.
perdita ['pɛrdita] *f* **1.** *gener.* Verlust *m*; **2.** *(fuga)* Austreten *n*, Lecken *n*; *(luogo)* Leck *n*; **~ di dati/energia/sangue** Daten-/Energie-/Blutverlust *m*; **-e bianche** *med* Ausfluß *m*; **~ di gas** Ausströmen *n* von Gas; **essere in ~** im Minus sein, Verluste verzeichnen; **a ~ d'occhio** so weit das Auge reicht.
perditempo [perdi'tɛmpo] ⟨-⟩ *fam* **I.** *m* Zeitverschwendung *f*; **II.** *mf* Nichtstuer(in) *m(f)*, Taugenichts *m*, Trödler(in) *m(f)*.
perdizione [perdit'tsio:ne] *f* **1.** *(rovina)* Ruin *m*, Verderben *n*; **2.** *rel* Verdammnis *f*.
perdonare [perdo'na:re] **I.** *tr* **1.** *gener.* verzeihen; *(a. rel)* vergeben; **2.** *(scusare)* entschuldigen, verzeihen; **II.** *itr* verzeihen; **III.** *rfl*: **-arsi** sich *(dat)* (*o* einander) verzeihen.
perdono [per'do:no] *m* **1.** *(remissione)* Verzeihung *f*; *(a. rel)* Vergebung *f*; **2.** *(scusa)* Entschuldigung *f*, Verzeihung *f*; **chiedere ~ a qu** jdn um Verzeihung bitten; **concedere/rifiutare il ~** verzeihen/nicht verzeihen.
perdurare [perdu'ra:re] *itr* **1.** *(permanere)* andauern, fortdauern, anhalten; **2.** *(persistere)* beharren (*in* auf *+dat*), bleiben (*in* bei *+dat*).
perdutamente [perduta'mente] *avv* leidenschaftlich.
perduto, -a [per'du:to] *agg* **1.** *(smarrito, a. fig)* verloren; **2.** *(corrotto)* verdorben, verkommen, liederlich; **andare ~** verlorengehen.
peregrinare [peregri'na:re] *itr* (umher)-ziehen.
perenne [pe'rɛnne] *agg* **1.** *(neve, gloria)* immerwährend, ewig; **2.** *bot* mehrjährig, Dauer-; **3.** *fig (continuo)* fortwährend, ständig.
perentorio, -a [peren'tɔ:rio] ⟨-i, -ie⟩ *agg* **1.** *dir* endgültig, unwiderruflich; *(termine, scadenza)* unaufschiebbar; **2.** *(tono, risposta)* entschieden, deutlich.
perequazione [perekuat'tsio:ne] *f amm* Ausgleich *m*, Ausgleichen *n*; **~ fiscale (*o* tributaria)** gerechte Verteilung der Steuerlast; **~ dei carichi di famiglia** Familienlastenausgleich *m*.
perestroika, perestrojka [peres'trɔika] *f* Perestroika *f*.
peretta [pe'retta] *f* **1.** *tec* Schnurschalter *m*; **2.** *med* Klistier *n*.
perfettamente [perfetta'mente] *avv* **1.** *(del tutto)* völlig, vollkommen, ganz und gar; **2.** *(benissimo)* ausgezeichnet, perfekt.
perfetto, -a [per'fɛtto] **I.** *agg* **1.** *(irreprensibile)* perfekt; *(completo a.)* vollkommen; **2.** *(privo di difetti)* einwandfrei, tadellos; **II.** *m* Perfekt *n*, Vergangenheit *f*.
perfezionamento [perfettsiona'mento] *m* Vervollkommnung *f*; **corso di ~** Fortbildungskurs *m*. **perfezionare** [...'na:re] **I.** *tr* **1.** *(portare a compimento)* vervoll-

kommnen, vollenden; **2.** *(migliorare)* perfektionieren, verbessern; **II.** *rfl:* **-arsi** sich vervollkommnen (*in* in *+dat*); *(specializzarsi)* sich spezialisieren (*in* auf *+akk*); *(frequentare corsi)* sich fortbilden, sich weiterbilden (*in* in *+dat*).

perfezione [perfet'tsio:ne] *f* **1.** *(compiutezza)* Vollkommenheit *f,* Perfektion *f;* **2.** *(eccellenza)* Vortrefflichkeit *f;* **3.** *(realizzazione totale)* Vollendung *f;* **a** (*o* **alla**) ~ ausgezeichnet, tadellos, perfekt *fam.* **perfezionismo** [...io'nizmo] *m* Perfektionismus *m.* **perfezionista** [...io'nista] ⟨-i *m,* -e *f*⟩ *mf* Perfektionist(in) *m(f).*

perfidia [per'fi:dia] ⟨-ie⟩ *f* **1.** *(qualità)* Heimtücke *f,* Bösartigkeit *f;* **2.** *(azione)* Gemeinheit *f.* **perfido, -a** ['pɛrfido] *agg* heimtückisch, bösartig.

perfino [per'fi:no] *avv* sogar.

perforare [perfo'ra:re] *tr* durchbohren, durchlöchern; *(carta)* perforieren; *(scheda)* lochen. **perforatrice** [...ra'tri:tʃe] **1.** *(in uffico)* Locher *m;* **2.** *inform* Locher *m,* Stanze *f;* **3.** *geol* Bohrhammer *m.* **perforazione** [...rat'tsio:ne] *f* **1.** *(serie di fori regolari)* Lochung *f,* Perforation *f;* **2.** *med* Perforation *f wissensch.,* Durchbruch *m;* **3.** *geol* Bohrung *f.*

performance [pə'fɔ:məns] ⟨-⟩ *f* **1.** *sport, econ* Leistung *f;* **2.** *(forma di produzione artistica)* Performance *f;* **3.** *ling* Performanz *f.*

pergamena [perga'mɛ:na] *f* Pergament *n.*

pergola ['pɛrgola] *f,* **pergolato** [pergo'la:to] *m* (Wein)laube *f.*

pericolante [periko'lante] *agg* **1.** *(edificio, costruzione)* baufällig, einsturzgefährdet; **2.** *(governo, economia)* (krisen)gefährdet, labil.

pericolo [pe'ri:kolo] *m* Gefahr *f;* ~ **di morte** Lebensgefahr *f;* **essere (*o* trovarsi) in** ~ in Gefahr sein; **essere in** ~ **di vita** in Lebensgefahr schweben; **mettere in** ~ **la vita** sein Leben aufs Spiel setzen; **c'è** ~ **che** *+congv* es besteht die Gefahr, daß . . .; **non c'è** ~ *fam scherz* das wird sicher nicht der Fall sein; **a proprio rischio e** ~ auf eigene Gefahr. **pericoloso, -a** [...'lo:so] *agg* gefährlich.

periferia [perife'ri:a] ⟨-ie⟩ *f* **1.** *(di città)* Stadtrand *m,* Peripherie *f;* **2.** *anat* periphere (*o* äußere) Körperzonen *f pl;* **3.** *inform* Peripherie *f;* **quartiere di** ~ Außenbezirk *m.* **periferica** [...'fɛ:rika] ⟨-che⟩ *f inform* Peripheriegerät *n.* **periferico, -a** [...'fɛ:riko] ⟨-ci, -che⟩ *agg* **1.** *gener.* peripher, Rand-, Außen-; **2.** *anat, inform* peripher; **3.** *amm* lokal; **4.** *fig (marginale)* nebensächlich, Rand-.

perifrasi [pe'ri:frazi] ⟨-⟩ *f* Umschreibung *f,* Periphrase *f.*

perimetro [pe'ri:metro] *m* **1.** *mat* Umfang *m;* **2.** *(linea esterna)* Begrenzungslinie *f.*

perineo [peri'nɛo] *m anat* Damm *m.*

periodicità [periodit∫i'ta] ⟨-⟩ *f:* **con** ~ in regelmäßigen Zeitabständen.

periodico, -a [pe'riɔ:diko] ⟨-ci, -che⟩ **I.** *agg* **1.** *(ricorrente)* periodisch, regelmäßig wiederkehrend; **2.** *mat* periodisch; **II.** *m* Zeitschrift *f.*

periodo [pe'ri:odo] *m* **1.** *(intervallo di tempo)* Periode *f,* Zeit(abschnitt *m*) *f,* Zeitraum *m; st* Zeit(alter *n*) *f;* **2.** *gram* Satzgefüge *n;* **3.** *mus, mat* Periode *f;* **4.** *astr* Umlaufzeit *f;* **5.** *geol* Periode *f,* Formation *f;* **6.** *fis* Periode *f,* Schwingungsdauer *f;* ~ **di aspettativa** Wartezeit *f;* ~ **di garanzia** Garantiefrist *f;* ~ **di incubazione** Inkubationszeit *f;* ~ **di prova** Probezeit *f;* ~ **radioattivo** Halbwert(s)zeit *f.*

peripezia [peripet'tsi:a] ⟨-ie⟩ *f* Schicksalsschläge *m pl,* Wechselfälle *m pl* (des Lebens).

periplo ['pɛ:riplo] *m* Umseg(e)lung *f,* Umschiffung *f.*

periscopio [peris'kɔ:pio] ⟨-i⟩ *m* Periskop *n.*

perito, -a [pe'ri:to] *m, f* Sachverständige(r) *mf; (di assicurazione, del tribunale a.)* Gutachter(in) *m(f);* ~ **agrario/commerciale/industriale** Absolvent *m* einer Fachschule für Landwirtschaft/Handel/Industrie.

perizia [pe'rittsia] ⟨-ie⟩ *f* **1.** *(abilità)* Gewandtheit *f,* Fertigkeit *f;* **2.** *(giudizio, esame)* Gutachten *n,* Expertise *f;* ~ **medico-legale** gerichtsmedizinisches Gutachten.

perla ['pɛrla] **I.** *f (a. fig)* Perle *f;* ~ **coltivata/vera** Zuchtperle *f*/echte Perle; **II.** ⟨*inv*⟩ *agg* perlfarben; **grigio** ~ perlgrau. **perlaceo, -a** [per'la:tʃeo] *agg* perlfarben. **perlato, -a** [...'la:to] *agg* **1.** *(cielo, rosa, colore)* perlfarben, perl-; **2.** *(riso, orzo)* poliert; **cotone** ~ Perlgarn *n.* **perlifero, -a** [...'li:fero] *agg* Perl(en)-.

perlinato [perli'na:to] *m (tavolato di rivestimento)* Wandverschalung *f* mit Nut- und Feder-Brettern.

perlomeno, per lo meno [perlo'me:no] *avv* **1.** *(a dir poco)* mindestens; **2.** *(almeno)* zumindest, wenigstens.

perlopiù, per lo più [perlo'piu] *avv* größtenteils, meistens.

perlustrare [perlus'tra:re] *tr* ab-, durchsuchen. **perlustrazione** [...trat'tsio:ne] *f* Durchsuchung *f,* Erkundung *f.*

permafrost ['pɛrmafrost] ⟨-⟩ *m geol* Permafrost *m,* Dauerfrostboden *m.*

permaloso, -a [perma'lo:so] **I.** *agg* überempfindlich, reizbar; **II.** *m, f* überempfindlicher Mensch.

permanente [perma'nɛnte] **I.** *agg* Dauer-, dauerhaft, bleibend; *(fisso)* ständig; **II.** *f* Dauerwelle *f;* **farsi fare la** ~ sich eine Dauerwelle machen lassen. **perma-**

nenza [...'nɛntsa] *f* **1.** *(soggiorno)* Aufenthalt *m;* **2.** *(il perdurare)* Fortdauer *f,* Andauern *n,* Anhalten *n;* ~ **in carica** Amtsdauer *f,* Amtszeit *f;* **buona** ~! angenehmen Aufenthalt!. **permanere** [perma'ne:re] ⟨permango, permasi, permaso⟩ *itr* ⟨*essere*⟩ bleiben.

permeabile [perme'a:bile] *agg* durchlässig, permeabel *wissensch.* **permeare** [...e'a:re] *tr (a. fig)* durchdringen.

permesso[1] [per'messo] *agg:* ~ ?, **è** ~ ? Sie gestatten? Darf ich? *fam.*

permesso[2] [per'messo] *m* **1.** *(autorizzazione)* Erlaubnis *f;* **2.** *amm* Beurlaubung *f; mil* Urlaub *m;* ~ **di soggiorno/lavoro** Aufenthaltsgenehmigung *f*/Arbeitserlaubnis *f;* ~ **di caccia/pesca** Jagd-/Angelschein *m;* **chiedere il** ~ **di fare qc** um die Erlaubnis fragen, etw. zu tun; **essere in** ~ beurlaubt sein; **con** ~ Sie gestatten?

permettere [per'mettere] ⟨*irr*⟩ **I.** *tr* erlauben, zulassen, gestatten; ~ **a qu di fare qc** jdm erlauben, etw. *(akk)* zu tun; **permette che mi sieda?** gestatten Sie, daß ich mich setze?; **II.** *rfl:* **-ersi 1.** *(concedersi)* sich *(dat)* erlauben, sich *(dat)* leisten; **2.** *(prendersi la libertà)* sich *(dat)* erlauben, sich *(dat)* herausnehmen; **come si permette!** was fällt Ihnen ein?, was erlauben Sie sich!.

per mille [per'mille] *avv* (*abbr* **p.m.**) Promille *n; (com a.)* pro mille (*abk* p.m.); **l'8** ~ 8 Promille (*o* pro mille).

permissivismo [permissi'vizmo] *m* Permissivität *f.*

permissivo, -a [permis'si:vo] *agg* freizügig, permissiv.

permuta ['pɛrmuta] *f* Tausch(geschäft *n*) *m.*

pernice [per'ni:tʃe] *f* Rebhuhn *n.*

pernicioso, -a [perni'tʃo:so] *agg* schädlich, gefährlich.

perno ['pɛrno] *m* **1.** *tec* Bolzen *m,* Stift *m;* **2.** *fig* Angelpunkt *m.*

pernottamento [pernotta'mento] *m* Übernachtung *f,* Übernachten *n.* **pernottare** [...'ta:re] *itr* übernachten.

pero ['pe:ro] *m* Birnbaum *m.*

però [pe'rɔ] *cong* **1.** *(ma)* aber; **2.** *(tuttavia)* dennoch.

perorare [pero'ra:re] *tr lett* befürworten, eintreten für.

perpendicolare [perpendiko'la:re] **I.** *agg* senkrecht, lotrecht; **II.** *f* Senkrechte *f.* **perpendicolo** [...'di:kolo] *m:* **a** ~ senkrecht, lotrecht.

perpetua [per'pɛ:tua] *f* Haushälterin *f* eines Pfarrers.

perpetuare [perpetu'a:re] **I.** *tr (nome, ricordo, ecc.)* verewigen; *(stirpe)* erhalten; **II.** *rfl:* **-arsi** sich verewigen. **perpetuo, -a** [...'pɛ:tuo] *agg* **1.** *(eterno)* ewig, immerwährend; **2.** *(continuo)* fortwährend, fortdauernd.

perplessità [perplessi'ta] ⟨-⟩ *f* Unschlüssigkeit *f,* Ratlosigkeit *f.*

perplesso, -a [per'plɛsso] *agg* **1.** *(incerto)* unschlüssig, ratlos; **2.** *(confuso)* verblüfft, perplex *fam.*

perquisire [perkui'zi:re] ⟨perquisisco⟩ *tr* durchsuchen. **perquisizione** [...zit'tsio:ne] *f* Durchsuchung *f;* ~ **domiciliare** Hausdurchsuchung *f;* ~ **personale** Leibesvisitation *f;* **mandato di** ~ Durchsuchungsbefehl *m.*

persecutore, -trice [perseku'to:re] **I.** *m, f* Verfolger(in) *m(f);* **II.** *agg* unterdrükkend.

persecuzione [persekut'tsio:ne] *f* **1.** *(vessazione)* Verfolgung *f;* **2.** *fig (molestia)* Last *f,* Qual *f,* Plage *f.*

perseguibile [perse'gui:bile] *agg* strafbar.

perseguire [perse'gui:re] *tr* verfolgen, anstreben.

perseguitare [persegui'ta:re] *tr (a. fig)* verfolgen. **perseguitato, -a** [...'ta:to] *m, f* Verfolgte(r) *mf;* ~ **politico** politisch Verfolgter.

perseveranza [perseve'rantsa] *f* Ausdauer *f,* Hartnäckigkeit *f,* Beharrlichkeit *f.* **perseverare** [...'ra:re] *itr* beharren (*in* auf +*dat*), ausharren (*in* bei +*dat*).

persi ['pɛrsi] *p rem di* **perdere.**

Persia ['pɛrsia] *f* Persien *n.*

persiana [per'sia:na] *f (imposta)* Fensterladen *m;* ~ **a battente/avvolgibile** Klapp-/Rolladen *m.*

persiano, -a [per'sia:no] **I.** *agg* persisch, Perser-; **II.** *m, f* Perser(in) *m(f);* **III.** *m* **1.** *(lingua)* Persisch(e) *n;* **2.** *(gatto)* Perserkatze *f;* **3.** *(pelliccia)* Persianer *m.*

persico, -a ['pɛrsiko] ⟨-ci, -che⟩ *agg* persisch; **il Golfo P~** der Persische Golf; **pesce** ~ Flußbarsch *m.*

persino [per'si:no] *avv* sogar.

persistente [persis'tɛnte] *agg* andauernd, anhaltend; *(continuo)* fortwährend. **persistenza** [...'tɛntsa] *f* **1.** *(durata)* Andauern *n,* Anhalten *n,* Fortdauer *f;* **2.** *(ostinazione)* Beharren *n (in* auf +*dat*), Beharrlichkeit *f,* Ausdauer *f.*

persistere [per'sistere] ⟨persisto, persistetti *o* persistei, persistito⟩ *itr* beharren (*in* auf +*dat*), bestehen (*in* auf +*dat*).

perso ['pɛrso] *pp di* **perdere.**

persona [per'so:na] *f* **1.** *(individuo, a. dir, gram)* Person *f; (al plurale a.)* Leute *pl;* **2.** *(aspetto)* Äußere(s) *n;* ~ **di famiglia** Familienangehörige(r) *mf;* ~ **di fiducia** Vertrauensperson *f;* ~ **di servizio** Hausangestellte(r) *mf;* **in** ~ persönlich; *(fatta persona)* in Person; **conoscere qu di** ~ jdn persönlich kennen; **a** ~ pro Person.

personaggio [perso'naddʒo] ⟨-ggi⟩ *m* **1.** *(persona importante)* Persönlichkeit *f;* **2.** *teat, letter* Figur *f,* Gestalt *f;* **3.** *fig*

(tipo strano) Figur *f fam,* Individuum *n.*
personal [pɛrsonal], **personal computer** ['pəːsnl -] ⟨-⟩ *m* Personalcomputer *m,* PC *m.*
personale [perso'naːle] **I.** *agg* persönlich; *econ* personal, Personal-; **ufficio (del)** ~ Personalabteilung *f;* **II.** *m* **1.** *(impiegati)* Personal *n;* **2.** *(corpo)* Figur *f,* Gestalt *f;* ~ **qualificato** Fachpersonal *n,* Fachkräfte *f pl;* **III.** *f* Ausstellung *f* (eines einzelnen Künstlers). **personalità** [...nali'ta] ⟨-⟩ *f* Persönlichkeit *f.* **personalizzare** [...nalid'dzaːre] *tr* persönlich gestalten; *com, inform* personalisieren, kundenspezifisch anpassen. **personalizzato, -a** [...nalid'zaːto] *agg com, inform* maßgeschneidert, auf spezielle Kundenwünsche zugeschnitten. **personalmente** [...nal'mente] *avv* persönlich, selbst.
personificare [personifi'kaːre] ⟨personifico, personifichi⟩ *tr* **1.** *(rappresentare)* personifizieren; **2.** *(essere simbolo)* verkörpern. **personificazione** [...nifikat'tsioːne] *f* **1.** *(rappresentazione)* Verkörperung *f,* Personifizierung *f;* **2.** *(esempio)* Inbegriff *m.*
perspicace [perspi'kaːtʃe] *agg* **1.** *(persona, ingegno, ecc.)* scharfsinnig; **2.** *(politica, provvedimento)* umsichtig, weitblickend. **perspicacia** [...tʃa] ⟨-cie⟩ *f* Scharfsinn *m,* Weitblick *m.*
persuadere [persua'deːre] ⟨persuado, persuasi, persuaso⟩ **I.** *tr* überzeugen (*qu di qc* jdn von etw.); *(indurre)* überreden *(a fare qc* etw. zu tun); **II.** *rfl:* **-ersi 1.** *(convincersi)* sich überzeugen (*di qc* von etw.); **2.** *(rendersi conto):* **non ~ di qc** etw. nicht wahrhaben wollen. **persuasione** [...a'zioːne] *f* Überredung *f; (convincimento)* Überzeugung *f,* feste Meinung; **forza di** ~ Überzeugungskraft *f.*
persuaso [persu'aːzo] *pp di* **persuadere.**
persuasore [persua'zoːre] *m:* **i -i occulti** die geheimen Verführer *m pl.*
pertanto [per'tanto] *cong* deshalb, deswegen, daher; *(preceduto da negazione)* indessen.
pertica ['pɛrtika] ⟨-che⟩ *f* **1.** *(bastone)* Stange *f; sport* (Kletter)stange *f;* **2.** *fam scherz* Bohnenstange *f fam.*
pertinace [perti'naːtʃe] *agg* **1.** *(ostinato)* hartnäckig, starrköpfig; **2.** *(costante)* beharrlich.
pertinente [perti'nɛnte] *agg* dazugehörend; *(amm a.)* diesbezüglich; **risposta** ~ passende Antwort. **pertinenza** [...'nɛntsa] *f* Zugehörigkeit *f* (*a* zu); *(competenza)* Zuständigkeit *f;* **conto di ~ estera** *fin* Ausländerkonto *n;* **essere di ~ di qu** in jds Zuständigkeit fallen.
pertosse [per'tosse] *f* Keuchhusten *m.*
pertugio [per'tuːdʒo] ⟨-gi⟩ *m* Spalt *m,* Loch *n.*
perturbare [pertur'baːre] *tr* verwirren, stören. **perturbazione** [...bat'tsioːne] *f meteo* Störung *f.*
pervadere [per'vaːdere] ⟨pervado, pervasi, pervaso⟩ *tr lett* durchdringen; *(fig a.)* erfüllen.
pervenire [perve'niːre] ⟨*irr*⟩ *itr* ⟨*essere*⟩ **1.** *(giungere)* gelangen (*a* zu), ankommen (*a* bei); *amm* eingehen (*a* bei); **2.** *(raggiungere)* gelangen (*a* zu), erreichen (*a qc* etw.)
perversione [perver'sioːne] *f* Perversion *f.* **perversità** [...si'ta] ⟨-⟩ *f* Perversität *f; (anomalia)* Abartigkeit *f.* **perverso, -a** [...'vɛrso] *agg* **1.** *(malvagio)* niederträchtig; **2.** *(anomalo)* pervers, verdorben; **3.** *(alterato)* abartig.
pervertire [perver'tiːre] ⟨perverto⟩ **I.** *tr* verderben; **II.** *rfl:* **-irsi** verkommen. **pervertito, -a** [...'tiːto] *m, f* Perverse(r) *mf.*
pervicace [pervi'kaːtʃe] *agg lett* hartnäkkig, halsstarrig.
p. es. *abbr di* **per esempio** z. B. (*abk von* zum Beispiel).
pesa ['peːsa] *f* **1.** *(operazione)* (Ab)wiegen *n;* **2.** *(luogo, apparecchiatura)* Waage *f.* **pesalettere** [pesa'lɛttere *o* ...'let...] ⟨-⟩ *m* Briefwaage *f.* **pesapersone** [pesaper'soːne] ⟨-⟩ *m* Personenwaage *f.*
pesante [pe'sante] *agg* **1.** *(che pesa)* schwer; **2.** *mil, tec, sport* Schwer-, schwer-; **3.** *meteo* drückend; *fig (atmosfera)* bedrückend; **4.** *(faticoso)* beschwerlich, mühsam; **5.** *(molesto)* lästig, unangenehm; **6.** *(stile, passo)* schwerfällig, plump; **7.** *(sonno)* fest; **gioco** ~ *sport* unfaires Spiel. **pesantezza** [...'tettsa] *f* Schwere *f; (di movimento, stile, ecc.)* Schwerfälligkeit *f.*
pesare [pe'saːre] **I.** *tr* **1.** *(persona)* wiegen; *(merce)* (ab)wiegen; **2.** *fig (valutare)* abwägen; *(giudicare)* abschätzen, prüfen; **II.** *itr* **1.** *(avere un peso)* wiegen, schwer sein; **2.** *(gravare)* belasten (*su qc* etw.), schwer liegen (*su* auf +*dat*); **3.** *fig (influire)* Gewicht haben, ins Gewicht fallen; *(incombere)* lasten (*su* auf +*dat*); ~ **sullo stomaco** schwer im Magen liegen; **III.** *rfl:* **-arsi** sich wiegen.
pesca[1] ['pɛska] ⟨-sche⟩ *f (frutto)* Pfirsich *m;* ~ **noce** Nektarine *f.*
pesca[2] ['peska] ⟨-sche⟩ *f* **1.** *(il pescare)* Fischfang *m,* Fischerei *f;* **2.** *(lotteria)* Glückstopf *m,* Lotterie *f;* ~ **subacquea** Unterwasserfischerei *f,* -jagd *f;* **canna da** ~ Angelrute *f.*
pescaggio [pes'kaddʒo] ⟨-ggi⟩ *m* Tiefgang *m.*
pescare [pes'kaːre] ⟨pesco, peschi⟩ **I.** *tr* **1.** *(pesci)* fischen, angeln; *fig (tirare dall'acqua)* herausfischen; **2.** *fig (trovare)* aufgabeln *fam;* **3.** *fig (prendere a caso)* herausgreifen, ziehen; **4.** *fig (sorprendere)* erwischen, ertappen; ~ **qu con le mani nel sacco** *fam* jdn auf frischer Tat ertappen; **II.** *itr* Tiefgang ha-

ben. **pescatore, -trice** [...ka'to:re] *m, f* Fischer(in) *m(f)*, Angler(in) *m(f)*; ~ **di frodo** Raubfischer *m*; ~ **subacqueo** Unterwasserjäger *m*.

pesce ['peʃʃe] *m* **1.** *zoo* Fisch *m*; **2.** *tip* Leiche *f*; **3.** *astr:* **Pesci** Fische *m pl*; **sono (dei) Pesci** mein Sternzeichen ist Fische, ich bin (ein) Fisch; ~ **cappone** Knurrhahn *m*; ~ **spada** Schwertfisch *m*; ~ **d'aprile** *fam* Aprilscherz *m*; **fare un ~ d'aprile a qu** jdn in den April schikken; **non sapere che -i prendere** (*o* **pigliare**) *fam* nicht wissen, was man tun soll; **prendere qu a -i in faccia** jdn sehr schlecht behandeln; **buttarsi a ~ su qc** sich auf etw. *(akk)* werfen (*o* stürzen).

pescecane [-'ka:ne] ⟨pescicani *o* pescecani⟩ *m* **1.** *zoo* Hai *m*, Menschenhai *m*; **2.** *fig* Hai *m*.

peschereccio [peske'rettʃo] ⟨-cci⟩ *m* Fischerboot *n*, Fischkutter *m*.

pescheria [peske'ri:a] ⟨-ie⟩ *f* Fischhandlung *f*, Fischgeschäft *n*.

peschiera [pes'kiɛ:ra] *f* Fischteich *m*.

pescicani *pl di* **pescecane**.

pesciera [peʃ'ʃɛ:ra] *f* Fisch(koch)topf *m*.

pescivendolo, -a [peʃʃi've:ndolo] *m, f* Fischverkäufer(in) *m(f)*, Fischhändler(in) *m(f)*.

pesco ['pɛsko] ⟨-schi⟩ *m* Pfirsichbaum *m*.

pescoso, -a [pes'ko:so] *agg* fischreich.

pesista [pe'sista] ⟨-i *m*, -e *f*⟩ *mf* Gewichtheber(in) *m(f)*. **pesistico, -a** [...stiko] ⟨-ci, -che⟩ *agg* Gewichthebe(r)-.

peso ['pe:so] *m* **1.** *gener.* Gewicht *n*; *(oggetto a.)* Last *f*; *(sport a.)* Gewichtsklasse *f*; **2.** *fig (valore)* Gewicht *n*, Bedeutung *f*; **3.** *fig (disagio)* Belastung *f*, Last *f*, Bürde *f*; **4.** *sport (attrezzo)* Kugel *f*; *(manubrio)* Hantel *f*; ~ **lordo/netto** Brutto-/Nettogewicht *n*; ~ **massimo consentito** zulässiges Gesamtgewicht; ~ **massimo/medio/piuma/gallo/mosca** *sport* Schwer-/Mittel-/Feder-/Bantam-/Fliegengewicht *n*; **eccedenza di ~** Übergewicht *n*; **lancio del ~** Kugelstoßen *n*; **avere un ~ sullo stomaco** ein Schweregefühl im Magen haben; **avere un ~ sul cuore** etw. auf dem Herzen haben; **avere due -i e due misure** *fig* mit zweierlei Maß messen; **esser di ~ a qu** jdm zur Last fallen, eine Belastung für jdn sein.

pessimismo [pessi'mizmo] *m* Pessimismus *m*. **pessimista** [...'mista] ⟨-i *m*, -e *f*⟩ **I.** *mf* Pessimist(in) *m(f)*; **II.** *agg* pessimistisch. **pessimistico, -a** [...'mistiko] ⟨-ci, -che⟩ *agg* pessimistisch.

pessimo, -a ['pɛssimo] ⟨*superl di* cattivo⟩ *agg* sehr schlecht, sehr schlimm; *(riprovevole a.)* übel; **di ~ gusto** *(a. fig)* geschmacklos.

pestare [pes'ta:re] *tr* **1.** *(battere)* klopfen; *(pepe, sale)* zerstoßen; **2.** *(calpestare)* zertreten; **3.** *fig (picchiare)* (ver)prügeln; ~ **i piedi per terra** mit den Füßen (auf den Boden) stampfen; ~ **i piedi** (*o* **i calli**) **a qu** *fig fam* jdm auf die Füße treten *fam*.

peste[1] ['pɛste] *f* **1.** *med* Pest *f*; **2.** *fig (persona)* Teufel *m*; **3.** *fig (rovina)* Übel *n*, Ruin *m*; ~ **bovina/suina** Rinder-/Schweinepest *f*; **dire ~ e corna di qu** *fam* an jdm kein gutes Haar lassen.

peste[2] ['peste] *f pl* **1.** *(orme)* Spuren *f pl*, Fußstapfen *f pl*; *(di animali)* Fährte *f*; **2.** *fig (guai)* Klemme *f*, Patsche *f*; **essere** (*o* **rimanere** *o* **trovarsi**) **nelle ~** in der Patsche sein (*o* sitzen *o* stecken).

pestello [pes'tɛllo] *m* Stößel *m*.

pesticida [pesti'tʃi:da] ⟨-i⟩ *m gener.* Pestizid *n*; *(contro parassiti)* Schädlingsbekämpfungsmittel *n*; *(erbicida)* Unkrautvertilgungsmittel *n*.

pestifero, -a [pes'ti:fero] *agg* pestartig; *(nauseabondo)* ekelhaft, widerwärtig, abscheulich.

pestilenza [pesti'lɛntsa] *f* **1.** *fig (fetore)* Gestank *m*; *(rovina)* Verderbnis *f*, Übel *n*; **2.** *med* Pest *f*, Pestilenz *f obs.* **pestilenziale** [...len'tsia:le] *agg* stinkend (wie die Pest).

pesto, -a ['pesto] **I.** *agg* **1.** *(ossa)* zerschlagen; *(occhio)* blau; **2.** *fig (buio)* stockdunkel; **II.** *m Soße aus Öl, feingehacktem Basilikum, Knoblauch, Käse und Pinienkernen.*

petalo ['pɛ:talo] *m* Blumen-, Blütenblatt *n*.

petardo [pe'tardo] *m* **1.** *(bombetta di carta)* Knallfrosch *m*, Knallerbse *f*; **2.** *ferr* Knallkapsel *f*.

petizione [petit'tsio:ne] *f* Eingabe *f*, Petition *f*.

peto ['pe:to] *m volg* Furz *m vulg*; **fare** (*o* **tirare**) **un ~** furzen *vulg*, einen (Furz) fahren lassen *vulg*.

petro(l)chimica [petro(l)'ki:mika] *f* Petrochemie *f*. **petro(l)chimico, -a** [...ko] *agg* petrochemisch.

petro(l)dollari [petro(l)'dɔllari] *m pl* Petrodollars *m pl*.

petroliera [petro'liɛ:ra] *f* (Öl)tanker *m*. **petroliere** [...re] *m* **1.** *(tecnico)* Erdölarbeiter *m*, -techniker *m*; **2.** *(industriale)* Erdölindustrielle(r) *m*. **petroliero, -a** [...ro] *agg* (Erd)öl-.

petrolifero, -a [petro'li:fero] *agg* (Erd)öl-, Mineralöl-; **crisi -a** Ölkrise *f*; **industria -a** Mineralölindustrie *f*.

petrolio [pe'trɔ:lio] *m* Erdöl *n*; *(illuminante)* Petroleum *n*; ~ **grezzo** Rohöl *n*; **lume a ~** Petroleumlampe *f*.

pettegolezzo [pettego'leddzo] *m* Klatsch *m*, Tratsch *m fam.* **pettegolo, -a** [pet'te:golo] **I.** *agg* klatschsüchtig, geschwätzig; **II.** *m, f* Klatschbase *f*, Klatschmaul *n fam.*

pettinare [petti'na:re] **I.** *tr* **1.** *(capelli)* kämmen, frisieren; **2.** *(lino, canapa, lana)* hecheln, kämmeln; **II.** *rfl:* **-arsi** sich kämmen, sich frisieren. **pettinata** [...'na:ta] *f:* **darsi una** ~ sich (schnell) mal kämmen *fam.* **pettinato, -a** [...'na:to] **I.** *agg* **1.** *(persona)* gekämmt, frisiert; **2.** *(filato, tessuto)* Kamm-; **II.** *m* Kammgarn(gewebe) *n.* **pettinatura** [...na'tu:ra] *f* **1.** *(di capelli)* Frisur *f;* **2.** *(di lana)* Hecheln *n,* Kämmen *n.*

pettine ['pɛttine] *m* Kamm *m; (per tessitura a.)* Hechel *f.*

pettirosso [petti'rosso] ⟨-i⟩ *m* Rotkehlchen *n.*

petto ['pɛtto] *m* **1.** *anat* Brust *f; (di donna a.)* Busen *m; (polmoni)* Lungen *f pl,* Brustorgane *n pl; (gastr a.)* Bruststück *n;* **2.** *fig (cuore)* Herz *n;* **punta di** ~ *gastr* Bruststück *n;* **voce di** ~ Bruststimme *f;* **do di** ~ *(di tenore)* hohes C; **a un/doppio** ~ ein-/zweireihig; **prendere qu di** ~ sich *(dat)* jdn vorknöpfen *fam.* **pettorale** [petto'ra:le] *m* Brustblatt *n,* -riemen *m.* **pettoruto, -a** [...'ru:to] *agg (uomo)* breitschult(e)rig; *(donna)* vollbusig.

petulante [petu'lante] *agg* **1.** *(arrogante)* anmaßend, überheblich; **2.** *(insistente)* aufdringlich. **petulanza** [...'lantsa] *f* Anmaßung *f,* Überheblichkeit *f.*

petunia [pe'tu:nia] ⟨-ie⟩ *f* Petunie *f.*

pezza ['pɛttsa] *f* **1.** *(toppa)* Flicken *m,* Fleck(en) *m;* **2.** *(cencio)* Lappen *m,* Tuch *n;* **3.** *(di tessuto)* Stoffballen *m;* ~ **d'appoggio** Beleg(schein) *m;* **trattare qu come una** ~ **da piedi** jdn wie (den letzten) Dreck behandeln.

pezzato, -a [pet'tsa:to] **I.** *agg* gescheckt, scheckig; **II.** *m* Schecke *m.*

pezzente [pet'tsɛnte] *mf* **1.** *(straccione)* Bettler(in) *m(f); fam peg* Hungerleider(in) *m(f) fam;* **2.** *fig (tirchio)* Geizkragen *m fam,* Geizhals *m fam.*

pezzo ['pɛttso] *m* **1.** *(parte)* Stück *n; (parte di serie a.)* Teil *n;* **2.** *(oggetto)* Stück *n,* Gegenstand *m;* **3.** *tec* (Bau)teil *n;* **4.** *letter, mus (brano)* Stück *n,* Stelle *f; (nel giornalismo)* Artikel *m;* **5.** *(di abito)* Teil *n;* **6.** *mil* Kanone *f,* Geschütz *n;* **7.** *(tratto)* Stück *n,* Strecke *f;* **8.** *fig (tempo)* Weile *f,* Zeitlang *f;* **è un** ~ **che non ci vediamo** es ist eine Weile her, seit wir uns gesehen haben; ~ **forte** Bravourstück *n,* Paradestück *n;* ~ **di ricambio** Ersatzteil *n;* **un** ~ **grosso** *fig* ein hohes Tier *fam;* **un bel** ~ **di ragazza** ein gutaussehendes Mädchen; **un bel** ~ **d'uomo** ein stattlicher Mann; **un uomo tutto d'un** ~ ein ganzer Kerl; **un due -i** ein Bikini *m,* ein Zweiteiler *m;* **un servizio da tavola di 48 -i** ein 48teiliges Tafelservice; **a -i ed a bocconi** nach und nach; *(fatto male)* stümperhaft; **cadere a** (*o* **in**) **-i** auseinanderfallen; *fig* ganz verkommen; **ridurre in -i** zerstückeln; **essere un** ~ **di legno** *fig* wie aus Stein sein.

pH [pi'akka] ⟨-⟩ *m* pH-Wert *m.*

phon [fɔn] ⟨-⟩ *m* Phon *n.*

piaccio ['piattʃo] *pr di* **piacere.**

piacente [pia'tʃɛnte] *agg* gewinnend, einnehmend.

piacere [pia'tʃe:re] ⟨piaccio, piaci, piacqui, piaciuto⟩ **I.** *itr* ⟨*essere*⟩ gefallen, zusagen, passen; *(cibi)* schmecken; **ti piacciono i funghi?** magst du Pilze?; **mi piace nuotare** ich schwimme gern; **mi piacerebbe rivederti** es würde mich freuen, dich wiederzusehen; **che ti piaccia o no** ob es dir gefällt oder nicht; **II.** *m* **1.** *(soddisfazione)* Gefallen *n;* **2.** *(divertimento)* Vergnügen *n,* Freude *f;* **3.** *(onore)* Ehre *f;* **4.** *(favore)* Gefallen *m;* **5.** *(voluttà)* Lust *f,* Genuß *m;* **6.** *(volontà)* Belieben *n;* **-i della tavola** Tafelfreuden *f pl;* **una gita/un viaggio di** ~ eine Vergnügungsfahrt/-reise; **dare/provare** ~ Gefallen bereiten/finden (*o* haben); **far** ~ **a qu** jdm gefallen, jdn freuen; **fare un** ~ **a qu** jdm einen Gefallen tun; **fammi il** ~ **di** *+inf* tu mir den Gefallen und . . ., sei so lieb und . . .; **canta che è un** ~ er (*o* sie) singt, daß es eine Freude ist; ~**!** angenehm!; **è un** ~ **conoscerLa** angenehm, Sie kennenzulernen; **a** ~ nach Wunsch, nach Belieben; **con** ~ mit Vergnügen, mit Freuden, gern; **per** ~ bitte(schön).

piacevole [pia'tʃe:vole] *agg* **1.** *(gradito)* angenehm, erfreulich; **2.** *(simpatico)* gefällig, freundlich, ansprechend.

piacimento [piatʃi'mento] *m:* **a** ~ nach Belieben.

piacqui ['piakkui] *p rem di* **piacere.**

piaga ['pia:ga] ⟨-ghe⟩ *f* **1.** *med* Wunde *f,* Verletzung *f;* **2.** *fig (danno)* Übel *n,* Plage *f;* **3.** *fig (dolore)* Schmerz *m;* **4.** *scherz (persona noiosa)* Quälgeist *m.*

piagnisteo [piaɲɲis'tɛ:o] *m* Gejammer *n,* Geheule *n.*

piagnucolare [piaɲɲuko'la:re] *itr* wimmern, heulen. **piagnucolone, -a** [...'lo:ne] *m, f* Heulsuse *f fam.* **piagnucoloso, -a** [...'lo:so] *agg* weinerlich, klagend.

pialla ['pialla] *f* Hobel *m.* **piallare** [...'la:re] *tr* (ab)hobeln. **piallatore, -trice** [...la'to:re] **I.** *m, f* Hobler(in) *m(f);* **II.** *f* Hobelmaschine *f.* **pialletto** [...'letto] *m* Schlichthobel *m.* **piallone** [...'lo:ne] *m* Rauhbank .

piana ['pia:na] *f* Ebene *f.*

pianale [pia'na:le] *m* **1.** *mot* Pritsche *f;* **2.** *ferr* Plattformwagen *m;* **3.** *tec* Plattform *f;* ~ **di carico** Ladepritsche *f.*

pianeggiante [pianed'dʒante] *agg* flach, eben.

pianerottolo [piane'rɔttolo] *m* Treppenabsatz *m.*

pianeta [pia'ne:ta] **I.** *m astr* Planet *m;* **II.** *f rel* Meßgewand *n,* Kasel *f.*

piangere ['piandʒere] ⟨piango, piangi, piansi, pianto⟩ **I.** *itr* weinen; ~ **di gioia/dolore/rabbia** vor Freude/Schmerz/

Wut weinen; ~ **a calde lacrime** heiße Tränen vergießen; ~ **sul latte versato** *fig fam* unnütze Tränen vergießen; ~ **come un vitello** *fam* heulen wie ein Schloßhund *fam;* ~ **dietro a qu** jdm nachweinen; **II.** *tr* **1.** *(lacrime)* vergießen; **2.** *(lamentare)* beklagen, beweinen.

pianificare [pianifiˈkaːre] ⟨pianifico, pianifichi⟩ *tr* planen. **pianificatore, -trice** [...kaˈtoːre] *m, f* (Wirtschafts)planer(in) *m(f).* **pianificazione** [...katˈtsioːne] *f* Planung *f;* ~ **familiare** Familienplanung *f.*

pianista [piaˈnista] ⟨-i *m,* -e *f*⟩ *mf* Klavierspieler(in) *m(f); (professionale)* Pianist(in) *m(f).* **pianistico, -a** [...ˈnistiko] ⟨-ci, -che⟩ *agg* pianistisch, Klavier-.

piano [ˈpiaːno] *m* **1.** *(livello)* Stufe *f,* Ebene *f,* Niveau *n; mat* Ebene *f;* **2.** *(superficie)* Fläche *f;* **3.** *(di edificio)* Stock(werk *n) m,* Etage *f;* **4.** *(progetto)* Plan *m,* Vorhaben *n;* **5.** *mus* Klavier *n;* ~ **Marshall** Marshallplan *m;* ~ **quinquennale** Fünfjahresplan *m;* ~ **regolatore** *amm* Bebauungsplan *m;* ~ **inclinato** schiefe Ebene; ~ **di attacco/di battaglia** Angriffs-/Schlachtplan *m;* **primo/secondo** ~ Vorder-/Hintergrund *m;* **primissimo** ~ *fot, film* Nahaufnahme *f;* **di primo** ~ von Rang; **passare in secondo** ~ *fig* in den Hintergrund treten; **essere in** ~ in (der) Planung sein.

piano, -a [ˈpiaːno] **I.** *agg* **1.** *(piatto)* eben, flach, glatt; *mat* eben; *sport* Flach-; **2.** *ling* auf der vorletzten Silbe betont; **3.** *fig (facile)* leicht(verständlich), einfach; **II.** *avv* **1.** *(adagio)* langsam, bedächtig; **2.** *(a bassa voce)* leise; **3.** *mus* leise, piano; **4.** *(con cautela)* vorsichtig, mit Bedacht; **pian(o)** ~ allmählich.

piano-bar [ˈpiano bar *o* piano ˈbar] ⟨-⟩ *m Lokal mit Klaviermusik ohne Tanz.*

pianoforte [pianoˈfɔrte] *m* Klavier *n,* Piano *n;* ~ **a coda/a mezza coda** Flügel *m/* Zimmerflügel *m.*

pianola [piaˈnɔːla] *f* Pianola *n.*

pianoterra [pianoˈtɛrra] ⟨-⟩ *m* Erdgeschoß *n,* Parterre *n.*

piansi [ˈpiansi] *p rem di* **piangere.**

pianta [ˈpianta] *f* **1.** *bot* Pflanze *f,* Gewächs *n;* **2.** *anat (del piede)* Sohle *f;* **3.** *(disegno)* Plan *m; (carta topografica)* Karte *f,* Plan *m;* **4.** *amm (ruolo)* Stellenplan *m,* Stellenverzeichnis *n;* ~ **da appartamento** Zimmerpflanze *f;* ~ **di città** Stadtplan *m;* **essere in** ~ **stabile** fest angestellt sein; **di sana** ~ vollkommen, von Grund auf. **piantagione** [-ˈdʒoːne] *f* Pflanzung *f,* Plantage *f.*

piantagrane [piantaˈgraːne] ⟨-⟩ *mf fam* Pedant(in) *m(f),* Haarspalter(in) *m(f) fam.*

piantare [pianˈtaːre] **I.** *tr* **1.** *agr (piante, fiori, alberi)* pflanzen, anbauen; *(terreno)* bepflanzen, bebauen; **2.** *(conficcare)* (ein)schlagen, einrammen; **3.** *fig (lasciare)* verlassen, sitzenlassen; ~ **in asso qu** jdn im Stich lassen; **piantala!** *fam* hör auf (damit)!; **II.** *rfl:* **-arsi 1.** *(conficcarsi)* eindringen; **2.** *(fermarsi)* bleiben, sich aufhalten; **3.** *fam (lasciarsi)* sich trennen, auseinandergehen. **piantato, -a** [...ˈtaːto] *agg:* **ben** ~ *fig* stämmig, robust.

piantatore, -trice [...taˈtoːre] *m, f* Pflanzer(in) *m(f).*

pianterreno [pianterˈreːno] *m* Erdgeschoß *n,* Parterre *n.*

pianto [ˈpianto] **I.** *pp di* **piangere; II.** *m* Weinen *n; (lacrime)* Tränen *f pl.*

piantonare [piantoˈnaːre] *tr* bewachen.

piantone [...ˈtoːne] *m* **1.** *mil* wachhabender Soldat, Wach(t)posten *m;* **2.** *mot* Lenksäule *f.*

piantumazione [piantumatˈtsioːne] *f* Begrünung *f,* Bepflanzung *f.*

pianura [piaˈnuːra] *f* Ebene *f;* ~ **Padana** Poebene *f.*

piastra [ˈpiastra] *f* **1.** *(lastra)* Scheibe *f,* Platte *f;* **2.** *tec, el* Platte *f;* **3.** *(moneta)* Piaster *m;* ~ **di registrazione** Kassettendeck *n.*

piastrella [piasˈtrɛlla] *f* Kachel *f,* Fliese *f.*

piastrellare [...ˈlaːre] *tr* kacheln, fliesen.

piastrina [piasˈtriːna] *f* **1.** *biol* Blutplättchen *n,* Thrombozyt *m wissensch.;* **2.** *mil* Erkennungsmarke *f,* Plakette *f;* **3.** *(di cane)* Hundemarke *f.*

piattaforma [piattaˈforma] ⟨piatteforme⟩ *f* **1.** *(superficie)* Plattform *f,* Rampe *f;* **2.** *geog* Tafel *f;* **3.** *tec* Scheibe *f; inform* Plattform *f;* **4.** *fig pol* Basis *f,* Plattform *f;* ~ **di lancio** Abschußrampe *f;* ~ **girevole** Drehscheibe *f;* ~ **contrattuale** Verhandlungsbasis *f;* ~ **rivendicativa** die Forderungen *f pl* der Gewerkschaft.

piattello [piatˈtɛllo] *m* Tontaube *f;* **tiro al** ~ Tontaubenschießen *n.*

piattezza [piatˈtettsa] *f* Plattheit *f,* Banalität *f,* Platitüde *f.*

piattino [piatˈtiːno] *m* **1.** *(sottocoppa)* Untertasse *f;* **2.** *(da frutta, dessert)* Kuchenteller *m.*

piatto, -a [ˈpiatto] **I.** *agg* **1.** flach, eben, platt; *mat (angolo)* gestreckt; **2.** *fig* seicht, platt; **II.** *m* **1.** *(recipiente)* Teller *m;* **2.** *gastr (vivanda)* Gericht *n; (portata)* Gang *m,* Speisenfolge *f;* **3.** *tec* Schale *f,* Scheibe *f;* **4.** ⟨*pl*⟩ *mus* Becken *n pl;* ~ **fondo/piano** tiefer/flacher Teller; **un** ~ **di minestra** ein Teller *m* Suppe; **primo** ~ erster Gang; **secondo** ~ Hauptgericht *n;* ~ **forte** Hauptgericht *n;* ~ **del giorno** Tagesgericht *n;* ~ **della bilancia** Waagschale *f;* ~ **del giradischi** Plattenteller *m.*

piattola [ˈpiattola] *f* **1.** *zoo* Filzlaus *f;* **2.** *fig* Nervensäge *f.*

piazza [ˈpiattsa] *f* **1.** *(area, abbr* **P.za***)* Platz *m;* **2.** *econ, fin* Markt *m;* **3.** *mil* Übungsgelände *n;* **4.** *(posto)* Platz *m;* ~ **d'armi/del mercato** Exerzier-/Marktplatz *m;* **scendere in** ~ *fig* auf die Straße gehen, demonstrieren; **letto ad una** ~ Einzelbett *n;* **fare** ~ **pulita** *fig* reinen Tisch machen; **vettura di** ~ Platzwagen *m.*

piazzaforte [piattsa'fɔrte] ⟨piazzeforti⟩ *f* Festung *f; (fig a.)* Bollwerk *n.*

piazzale [piat'tsa:le] *m* **1.** *(piazza, abbr* **P.le***)* Platz *m;* **2.** *(area di servizio)* Servicestation *f;* **3.** *ferr* Bahnanlage *f.*

piazzamento [piattsa'mento] *m* Aufstellung *f; (in classifica)* Plazierung *f.*

piazzare [piat'tsa:re] **I.** *tr* **1.** *(collocare)* aufstellen; **2.** *econ* absetzen, einführen, auf den Markt bringen; **3.** *fig (colpo)* plazieren; **II.** *rfl:* **-arsi 1.** *sport* sich plazieren; **2.** *fam (sistemarsi)* sich einrichten, sich breitmachen *fam.*

piazzeforti *pl di* **piazzaforte.**

piazzista [piat'tsista] ⟨-i *m,* -e *f*⟩ *mf* Handelsvertreter(in) *m(f).*

piazzola [piat'tsɔ:la] *f* **1.** *(spiazzo)* Ausweichstelle *f,* Haltemöglichkeit *f;* **2.** *mil* Geschützstand *m;* ~ **autostradale** Randstreifen *m;* ~ **di sosta** Rastplatz *m.*

picca ['pikka] ⟨-cche⟩ *f* **1.** *(puntiglio)* Trotz *m,* Groll *m;* **2.** *(arma)* Pike *f;* **3.** ⟨*pl*⟩ *(di carte da gioco)* Pik *n;* **rispondere -cche a qu** jdm eine Abfuhr erteilen.

piccante [pik'kante] *agg* **1.** *gastr* scharf gewürzt, pikant; **2.** *fig (mordace)* bissig, boshaft; **3.** *fig (lascivo)* pikant, schlüpfrig.

picchettaggio [pikket'taddʒo] ⟨-ggi⟩ *m* Streikposten *m.* **picchettare** [...'ta:re] *tr* **1.** *(fabbrica)* Streikposten beziehen in *+dat* (*o* auf *+dat, ecc.*); **2.** *(piantar paletti)* abstecken, Pflöcke aufstellen in *+dat* (*o* auf *+dat, ecc.*). **picchetto** [...'ketto] *m* **1.** *(paletto)* Pflock *m,* Pfahl *m;* **2.** *mil* Einsatzkommando *n;* **3.** *(gruppo di scioperanti)* Streikposten *m pl.*

picchiare [pik'kia:re] ⟨picchio, picchi⟩ **I.** *tr* **1.** *(battere)* schlagen; **2.** *(percuotere)* verprügeln, schlagen; **3.** *(bussare)* klopfen, pochen; **II.** *itr* klopfen, pochen; **III.** *rfl:* **-arsi** sich prügeln, sich schlagen.

picchiata [pik'kia:ta] *f* **1.** *aero* Sturzflug *m;* **2.** *(colpo)* Schlag *m; sport* Volley *m;* **scendere in** ~ im Sturzflug herunterkommen.

picchiato, -a [pik'kia:to] *agg fig* bekloppt.

picchiettare [pikkiet'ta:re] **I.** *itr* **1.** *(picchiare)* klopfen; *(pioggia)* trommeln, prasseln; **2.** *mus* saltato (*o* spiccato) spielen; **II.** *tr* sprenkeln, (be)tupfen.

picchio ['pikkio] ⟨-cchi⟩ *m* Specht *m.*

piccino, -a [pit'tʃi:no] **I.** *agg* klein, winzig; ~ **picciò** *fam* klitzeklein *fam;* **II.** *m, f* **1.** *(bambino)* kleines Kind; **2.** *(di animale)* Junge(s) *n.*

picciolo [pit'tʃɔ:lo] *m* (Blatt)stengel *m,* (Blatt)stiel *m.*

piccionaia [pittʃo'na:ia] ⟨-aie⟩ *f* **1.** *(luogo per piccioni, a. fig fam)* Taubenschlag *m;* **2.** *teat scherz (loggione)* Galerie *f,* Olymp *m.*

piccione [pit'tʃo:ne] *m* Taube *f;* ~ **viaggiatore** Brieftaube *f;* **pigliare (***o* **prendere) due -i con una fava** zwei Fliegen mit einer Klappe schlagen.

picco ['pikko] ⟨-cchi⟩ *m* **1.** *geog* Bergspitze *f,* Gipfel *m;* **2.** *fig* Spitze *f;* **a** ~ steil (*o* senkrecht) abfallend; **andare a** ~ sinken, untergehen.

piccolezza [pikko'lettsa] *f* **1.** *(dimensione)* Kleinheit *f;* **2.** *(inezia)* Belanglosigkeit *f,* Lappalie *f,* Kleinigkeit *f;* **3.** *fig (grettezza)* Kleinlichkeit *f.*

piccolo, -a ['pikkolo] ⟨più piccolo *o* minore, piccolissimo *o* minimo⟩ **I.** *agg* **1.** *gener.* klein; **2.** *(breve)* kurz; **3.** *(giovane)* jung, klein; **4.** *(trascurabile)* belanglos, geringfügig; *(errore)* unerheblich; *(somma)* unbeträchtlich; **5.** *fig (meschino)* kleinlich; ~ **imprenditore** Kleinunternehmer *m;* **farsi** ~ *fig* sein Licht unter den Scheffel stellen; **da** ~ als Kind, in der Kindheit; **fin da** ~ von klein auf, von Kindheit an; **in** ~ verkleinert, in kleinem Maßstab; **II.** *m, f* **1.** *(bambino)* Kind *n,* Kleine(r, s) *mfn;* **2.** *zoo* Junge(s) *n,* Jungtier *n;* **nel mio** ~ in meinen bescheidenen Verhältnissen, in meinem bescheidenen Rahmen.

piccone [pik'ko:ne] *m* (Spitz)hacke *f.*

piccoso, -a [pik'ko:so] *agg* reizbar.

piccozza [pik'kɔttsa] *f* (Kreuz)hacke *f,* (Eis)pickel *m.*

pick-up ['pɪkʌp] ⟨-⟩ *m* Tonabnehmer *m.*

picnic [pik'nik] ⟨-⟩ *m* Picknick *n.*

pidocchio [pi'dɔkkio] ⟨-cchi⟩ *m* **1.** *zoo* Laus *f;* **2.** *fig* Knauser *m fam,* Geizhals *m fam.* **pidocchioso, -a** [pidok'kio:so] *agg* **1.** *(infestato dai pidocchi)* verlaust, von Läusen befallen; **2.** *fig* geizig, knaus(e)rig *fam.*

pidue [pid'du:e] ⟨-⟩ *f abbr di* **Propaganda 2** Geheimloge *f* P2. **piduista** [piddu'ista] ⟨-i *m,* -e *f*⟩ **I.** *agg* der Geheimloge P2 zugehörig; **II.** *mf* Angehörige(r) *mf* der Geheimloge P2.

piè [piɛ] *m poet* Fuß *m;* **ad ogni** ~ **sospinto** auf Schritt und Tritt; **a** ~ **(di) pagina** in der Fußnote; **saltare a** ~ **pari** einen Sprung machen.

pied-à-terre [pieta'tɛ:r] ⟨-⟩ *m* Zweitwohnung *f.*

pied-de-poule [piet'pul] ⟨-⟩ *m* Hahnentrittmuster *n.*

piede ['piɛ:de] *m* **1.** *anat* Fuß *m;* **2.** *letter* Versfuß *m,* Versmaß *n;* **3.** *(unità di misura)* Fuß *m;* ~ **di porco** Brechstange *f,* Brecheisen *n;* ~ **del tavolo** Tischbein *n;* **ai -i del letto** am Fußende des Bettes; **ai -i della montagna** am Fuß der Berge; **i -i piatti** *sl* die Bullen *m pl sl,* die Polypen *m pl sl;* **avere i -i piatti** Plattfüße haben; **essere (***o* **stare) in -i** (auf den Füßen) stehen; **essere a -i** zu Fuß sein; **non stare in -i** *fig* auf wackeligen Füßen (*o* Beinen) stehen; **andare a -i** zu Fuß gehen; **restare a -i** zu Fuß gehen müssen; **essere tra i -i** *fam* im Weg sein; **levarsi (***o* **togliersi) dai -i qu** *fam* sich *(dat)* jdn vom Hals(e) schaffen; **prender ~** Fuß fassen; **tenere in -i** *fig* aufrechterhalten; **mettere qu sotto i -i** jdn unterdrücken, jdn kleinmachen, -kriegen; **mettere un ~ in fallo** einen Fehltritt tun; **mettere in -i qc** *fig* etw. auf die Beine stellen; **puntare i -i** *fig* auf seiner Meinung beharren; **fatto coi -i** *fam* hingepfuscht, stümperhaft gemacht; **a ~ libero** auf freiem Fuß; **a -i nudi** barfuß; **da capo a -i** von Kopf bis Fuß; **su due -i** *fig* stehenden Fußes, augenblicklich.

piedestallo [pi̯edes'tallo] *v.* **piedistallo.**

piedipiatti [pi̯edi'pi̯atti] ⟨-⟩ *m sl* Bulle *m sl.*

piedistallo [pi̯edis'tallo] *m* Sockel *m,* Podest *n.*

piedritto [pi̯e'dritto] *m* Widerlager *n.*

piega ['pi̯ɛ:ga] ⟨-ghe⟩ *f* **1.** *(grinza)* Falte *f;* **2.** *fig (andamento)* Verlauf *m,* Wendung *f;* **a -ghe** Falten-; **messa in ~** (Ein)legen *n;* **non fare una ~** *fig (di persona)* keine Miene verziehen; *(ragionamento)* haargenau stimmen.

piegamento [pi̯ega'mento] *m* **1.** *gener.* Falten *n; (curvatura)* Biegen *n;* **2.** *sport* (Knie)beuge *f.*

piegare [pi̯e'ga:re] ⟨piego, pieghi⟩ **I.** *tr* **1.** *(curvare)* biegen; *(flettere)* krümmen; *(inclinare)* beugen, biegen; *(testa)* senken; **2.** *(ripiegare)* (zusammen)falten, zusammenlegen; *(fronte)* runzeln; **3.** *fig* zwingen, beugen; **II.** *itr* **1.** *(voltare)* (ab)biegen; **2.** *(pendere da una parte)* sich krümmen, sich neigen; **~ a destra/sinistra** nach rechts/links abbiegen; **III.** *rfl:* **-arsi 1.** *fig (arrendersi)* sich ergeben, aufgeben; **2.** *(incurvarsi)* sich beugen.

piegatura [...'tu:ra] *f* **1.** *(operazione)* Falten *n; (curvatura)* Biegen *n; tec* Falzen *n;* **2.** *sport* Beuge *f;* **3.** *(segno)* Falte *f; tec* Falz *m.*

pieghettare [pi̯eget'ta:re] *tr* plissieren, fälteln.

pieghevole [pi̯e'ge:vole] **I.** *agg* **1.** *(metallo, ramo)* biegsam; **2.** *(sedia, tavolo)* (zusammen)klappbar, Klapp-; *(porta)* Falt-; **II.** *m (dépliant)* Faltblatt *n.*

Piemonte [pi̯e'monte] *m* Piemont *n.*

piena ['pi̯ɛ:na] *f* **1.** *(di corso d'acqua)* Hochwasser *n;* **2.** *(calca)* Gedränge *n,* Menge *f;* **essere in ~** Hochwasser haben.

pienezza [pi̯e'nettsa] *f* Fülle *f;* **essere nella ~ delle proprie forze** auf dem Höhepunkt seiner Kraft sein.

pieno, -a ['pi̯ɛ:no] **I.** *agg* **1.** *(colmo)* voll (*di* von), gefüllt (*di* mit); **2.** *(massiccio)* massig, stark; **3.** *(completo)* vollständig; **4.** *fig (pervaso)* erfüllt (*di* von), durchdrungen (*di* von); **luna -a** Vollmond *m;* **-a occupazione** Vollbeschäftigung *f;* **a tempo ~** Vollzeit-, Ganzzeit-; **essere ~ di invidia/stupore** voller Neid/Erstaunen sein; **essere ~ di sé** von sich *(dat)* eingenommen sein; **in ~** *(completamente)* vollständig, vollkommen, gänzlich; *(esattamente)* genau; **sbagliare in ~** (sich) gründlich irren; **in ~ giorno** am hellichten Tag; **in -a notte** mitten in der Nacht; **in ~ inverno** im tiefsten Winter; **in -a estate** im Hochsommer; **~ come un uovo** *fig* randvoll; **~ zeppo** *fam* gerammelt voll *fam;* **la misuna è -a** *fig* das Maß ist voll; **II.** *m* **1.** *(colmo)* Höhepunkt *m,* Blüte *f,* Fülle *f;* **2.** *mot* Tankfüllung *f; (carico)* volle Ladung; **fare il ~** volltanken; **nel ~ dell'estate/inverno** mitten im Sommer/im Winter.

pienone [pi̯e'no:ne] *m* Gedränge *n,* Gewühl *n,* Andrang *m.*

pienotto, -a [pi̯e'nɔtto] *agg* rundlich, voll.

Piera [pi̯ɛ:ra] *(nome proprio femminile)* Petra.

Piero ['pi̯ɛ:ro] *(nome proprio maschile)* Peter.

pietà [pi̯e'ta] ⟨-⟩ *f* **1.** *(compassione)* Mitleid *n* (*per* mit), Erbarmen *n* (*per* mit); **2.** *rel* Andächtigkeit *f,* Frömmigkeit *f;* **monte di ~** Pfandleihhaus *n;* **muovere qu a ~** jds Mitleid erregen.

pietanza [pi̯e'tantsa] *f* Gericht *n,* Speise *f; (seconda portata)* zweiter Gang. **pietanziera** [...'tsi̯ɛ:ra] *f* Henkelmann *m fam.*

pietismo [pi̯e'tizmo] *m* Pietismus *m; peg* Frömmelei *f.*

pietoso, -a [pi̯e'to:so] *agg* **1.** *(caritatevole)* barmherzig, mildtätig; **2.** *(compassionevole)* mitleiderregend, erbarmungswürdig; *(persona, stato a.)* bemitleidenswert; *(racconto a.)* rührend; **3.** *fam (deplorevole)* erbärmlich.

pietra ['pi̯ɛ:tra] *f* Stein *m;* **~ miliare** *(a. fig)* Meilenstein *m;* **~ preziosa** Edelstein *m;* **~ da costruzione** *(a. inform)* Baustein *m;* **la ~ dello scandalo** der Stein des Anstoßes; **~ di paragone** *fig* Prüfstein *m;* **età della ~** Steinzeit *f;* **porre la prima ~** *(a. fig)* den Grundstein legen; **mettere una ~ sopra a qc** *fig* Gras über etw. *(akk)* wachsen lassen. **pietraia** [pi̯e'tra:i̯a] ⟨-aie⟩ *f (ammasso)* Steinhaufen *m; (luogo)* steiniges Gelände.

pietrificare [pi̯etrifi'ka:re] ⟨pietrifico, pietrifichi⟩ **I.** *tr* versteinern, zu Stein werden lassen; *(fig a.)* erstarren lassen; **II.** *rfl:* **-arsi** zu Stein werden; *(fig a.)* erstarren.

pietrisco [pi̯e'trisko] ⟨-schi⟩ *m* Splitt *m,* Schotter *m.*

Pietro ['pi̯ɛ:tro] *(nome proprio maschile)* Peter, Petrus; **la basilica di San ~** der Petersdom.

pietroso, -a [pie'tro:so] *agg* **1.** *(di pietra)* steinern, aus Stein; **2.** *(pieno di pietre)* steinig.

pieve ['piε:ve] *f* (Kirchen)gemeinde *f,* Pfarre(i) *f.*

piffero ['piffero] *m* Pfeife *f,* Schalmei *f.*

piezoelettrico, -a [pieddzoe'lεttriko] ⟨-ci, -che⟩ *agg* piezoelektrisch.

pigiama [pi'dʒa:ma] ⟨-i⟩ *m* Pyjama *m,* Schlafanzug *m.*

pigia pigia ['pi:dʒa 'pi:dʒa] ⟨-⟩ *m* (dichtes) Gedränge *n.*

pigiare [pi'dʒa:re] ⟨pigio, pigi⟩ *tr (premere)* stoßen, drücken; *(spingere)* dränge(l)n; *(uva)* keltern **pigiatrice** [pidʒa'tri:tʃe] *f* Kelter *f.*

pigione [pi'dʒo:ne] *f amm* Miete *f.*

pigliare [piʎ'ʎa:re] ⟨piglio, pigli⟩ *tr fam* sich *(dat)* schnappen *fam;* **pigliarle** Prügel kriegen *fam.*

piglio[1] ['piʎʎo] *m:* **dar di ~ a qc** etw. *(akk)* schnell packen.

piglio[2] ['piʎʎo] ⟨-gli⟩ *m* Blick *m,* Miene *f; fig* Ton *m.*

pigmentazione [pigmentat'tsio:ne] *f* Pigmentierung *f.*

pigmento [pig'mento] *m* Pigment *n.*

pigna ['piɲɲa] *f* Pinienzapfen *m;* **avere le -e** *fig* Flausen im Kopf haben *fam.*

pignoleria [piɲɲole'ri:a] ⟨-ie⟩ *f* Kleinlichkeit *f.* **pignolo, -a** [...'ɲɔ:lo] **I.** *agg* kleinlich, pedantisch; **II.** *m, f* Pedant(in) *m(f),* Kleinkrämer(in) *m(f).*

pignone [piɲ'ɲo:ne] *m* Ritzel *n,* Triebrad *n.*

pignorare [piɲɲo'ra:re] *tr* pfänden. **pignoramento** [...'ra'mento] *m* Pfändung *f.*

pigolare [pigo'la:re] *itr* piep(s)en. **pigolio** [...'li:o] ⟨-ii⟩ *m* Piep(s)en *n,* Gepiep(s)e *n.*

pigrizia [pi'grittsia] ⟨-ie⟩ *f* Faulheit *f,* Trägheit *f.*

pigro, -a ['pi:gro] **I.** *agg* **1.** *(indolente)* faul, träge; *(lento a.)* langsam; **2.** *fig (ottuso)* träge; *(intelligenza)* beschränkt; **II.** *m, f* Faulenzer(in) *m(f).* **pigrone, -a** [pi'gro:ne] *m, f fam* Faulpelz *m fam.*

P.I.L. [pil] ⟨-⟩ *m acr di* **Prodotto Interno Lordo** Bruttoinlandsprodukt *n.*

pila ['pi:la] *f* **1.** *(oggetti sovrapposti)* Stapel *m,* Stoß *m;* **2.** *el* Batterie *f; fam (lampadina tascabile)* Taschenlampe *f;* **3.** *arch (di ponte)* (Brücken)pfeiler *m;* **4.** *rel* Weihwasserbecken *n.*

pilastro [pi'lastro] *m* **1.** *arch* (Wand)pfeiler *m,* Pilaster *m;* **2.** *fig (sostegno)* Stütze *f,* Säule *f.*

pillola ['pillola] *f* Pille *f,* Tablette *f; (anticoncezionale)* (Antibaby)pille *f;* **~ del giorno dopo** die Pille danach; **~ trifasica** Dreiphasenpille *f;* **prendere la ~** die Pille nehmen; **indorare la ~** *fig* die bittere Pille versüßen.

pilone [pi'lo:ne] *m* **1.** *arch* Pylon *m,* (Stütz)pfeiler *m;* **2.** *sport* Dränger *m.*

pilota [pi'lɔ:ta] ⟨-i *m,* -e *f*⟩ **I.** *mf aero* Pilot(in) *m(f); mot* (Renn)fahrer(in) *m(f); naut* Lotse *m,* Lotsin *f;* **II.** *m tec* Selbststeuergerät *n;* **III.** ⟨*inv*⟩ *agg* **1.** *(guida)* Pilot-, Leit-, Lotsen-; **2.** *(sperimentale)* Modell-, Versuchs-, Pilot-. **pilotaggio** [pilo'taddʒo] ⟨-ggi⟩ *m* **1.** *aero* Steuerung *f;* **2.** *naut* Lotsen *n.* **pilotare** [...'ta:re] *tr* **1.** *(automobile)* fahren, steuern, lenken; *(nave)* lotsen; *(aereo)* fliegen, führen; **2.** *fig (condurre)* führen, begleiten; **3.** *inform* steuern, treiben. **pilotato, -a** *agg* gelenkt, gesteuert.

piluccare [piluk'ka:re] ⟨pilucco, pilucchi⟩ *tr* **1.** *(uva)* abbeeren; **2.** *(mangiare sbocconcellando)* knabbern.

pimento [pi'mento] *m* Piment *m o n.*

pimpante [pim'pante] *agg* lebhaft, fröhlich, keck.

P.I.N. [pin] ⟨-⟩ *m* **1.** *acr di* **Prodotto Interno Netto** Nettoinlandsprodukt *n;* **2.** *acr di* **Personal Identification Number** persönliche Identifikationsnummer (*akr* PIN *f*), Geheimzahl *f fam.*

pin [pin] ⟨-⟩ *m (spilletta)* Anstecker *m.*

pinacoteca [pinako'tε:ka] ⟨-che⟩ *f* Pinakothek *f.*

pince [pε̃s] ⟨-⟩ *f* Abnäher *m; (piccola piega)* Bundfalte *f.*

pineta [pi'ne:ta] *f* Pinienwald *m.*

ping-pong [piŋg 'pɔŋg] ⟨-⟩ *m* Tischtennis *n,* Pingpong *n.*

pingue ['piŋgue] *agg* **1.** *(grasso)* dick, fett; **2.** *(fertile)* fruchtbar; **3.** *fig (abbondante)* reichlich, üppig, fett. **pinguedine** [...'guε:dine] *f* Fettsucht *f.*

pinguino [piŋ'gui:no] *m* Pinguin *m.*

pinna ['pinna] *f* **1.** *zoo* Flosse *f;* **2.** *sport* (Schwimm)flosse *f;* **3.** *naut* Boots-, Schlingerkiel *m;* **4.** *aero* Flossenstummel *m;* **5.** *anat* Nasenflügel *m.*

pinnacolo [pin'na:kolo] *m* **1.** *arch* Fiale *f;* **2.** *fig (roccia)* Zinne *f.*

pino ['pi:no] *m* **1.** *bot* Kiefer *f;* **2.** *(legno)* Kiefernholz *n.*

pinolo [pi'nɔ:lo] *m* Pinienkern *m.*

pinza ['pintsa] *f* **1.** *tec* Zange *f; (a. med)* Pinzette *f;* **2.** *zoo* Schere *f,* Zange *f.* **pinzatrice** [pintsa'tri:tʃe] *f* Heftmaschine *f,* Hefter *m fam.* **pinzetta** [...'tsetta] *f* Pinzette *f.*

pinzimonio [pintsi'mɔ:nio] ⟨-i⟩ *m Soße aus Öl, Salz und Pfeffer, die zu rohem Gemüse gereicht wird.*

pio, -a ['pi:o] ⟨pii, pie⟩ *agg* **1.** *(devoto)* demütig, ergeben; **2.** *(religioso)* gläubig, fromm, gottesfürchtig; **3.** *(caritatevole)* barmherzig, wohltätig.

pioggerella [pioddʒe'rεlla] *f* Niesel-, Sprühregen *m.*

pioggia ['piɔddʒa] ⟨-gge⟩ *f* **1.** *meteo* Regen *m;* **2.** *fig (di fiori, auguri, ecc.)* Regen *m,* Flut *f; (di pietre, rimproveri, ecc.)* Schwall *m;* **-gge acide** saurer Regen; ~ **fine/fitta/scrosciante** leichter/heftiger/prasselnder Regen; ~ **mista a neve** Schneeregen *m;* **scroscio/rovescio di** ~ Regenschauer *m*/Platzregen *m;* **stagione delle -gge** Regenzeit *f;* **a** ~ *fig* nach dem Zufallsprinzip.

piolo ['pjɔːlo] *m* **1.** *(legnetto)* Holzpflock *m; (della tenda)* Hering *m;* **2.** *(di scala)* (Holz)sprosse *f.*

piombare [pjom'baːre] **I.** *itr* ⟨*essere*⟩ **1.** *(cadere dall'alto)* herunterfallen, herunterstürzen; **2.** *fig (sprofondare)* verfallen (*in* in *+akk*), versinken; (*in* in *+akk*); **3.** *fig (avventarsi)* anfallen (*su qu/qc* jdn/etw.) überfallen (*su qu/qc* jdn/etw.); ~ **in casa di qu** *fig* jdm ins Haus platzen; ~ **addosso a qu** sich auf jdn stürzen; **II.** *tr* ⟨*avere*⟩ **1.** *fam (dente)* plombieren; **2.** *(pacco)* versiegeln, verplomben; *(carro)* verbleien, plombieren.

piombatura [...ba'tuːra] *f* **1.** *(di dente)* Plombe *f,* Füllung *f;* **2.** *(atto)* Füllen *n,* Plombieren *n;* **3.** *(rivestimento di piombo)* Verbleiung *f.*

piombifero, -a [pjom'biːfero] *agg* bleihaltig, Blei-.

piombino [pjom'biːno] *m* **1.** *(proiettile)* Geschoß *n,* Kugel *f;* **2.** *(di lenza)* Angelblei *n,* Senker *m; (di rete)* Netzblei *n;* **3.** *(di filo a piombo)* Senkblei *n; (scandaglio)* Lot *n;* **4.** *(di pacco)* Plombe *f,* Verschlußblei *n;* **5.** *(di gonna, cappotto)* Bleiplättchen *n.*

piombo ['pjombo] *m* **1.** *chim* Blei *n;* **2.** *(del filo a piombo)* Senkblei *n; (di lenza)* Angelblei *n,* Senker *m;* **3.** *(sigillo)* Plombe *f;* **4.** *(proiettile)* (Blei)kugel *f,* Projektil *n;* **5.** *tip* Drucktypen *m pl,* Lettern *f pl;* **a** ~ senkrecht; **essere a** ~ im Lot sein; **andare coi piedi di** ~ *fig* auf der Hut (*o* vorsichtig) sein; **di** ~ *fig* unversehens, jäh; **con** ~ verbleit; **senza** ~ bleifrei, unverbleit.

pioniere [pio'njɛːre] *m* Pionier *m.*

pioppo ['pjɔppo] *m* Pappel *f.*

piovano, -a [pjo'vaːno] *agg* Regen-.

piovere ['pjɔːvere] ⟨piove, piovve, piovuto⟩ *itr* ⟨*essere o avere*⟩ **1.** *meteo* regnen; *(penetrare acqua)* durch-, hereinregnen; **2.** *fig (telegrammi, baci, fiori, ecc.)* hageln, regnen; *(proteste, rimproveri, ecc.)* hageln; ~ **a dirotto/a scroscio/a catinelle** gießen/in Strömen regnen/wie aus Eimern schütten (*o* gießen); **ci è piovuto addosso un amico** *fam* ein Freund ist uns ins Haus geschneit *fam;* **su questo non ci piove** *fam* das ist so sicher wie das Amen in der Kirche *fam.*

piovigginare [pjoviddʒi'naːre] *itr* ⟨*essere o avere*⟩ nieseln, tröpfeln. **piovigginoso, -a** [...'noːso] *agg* regnerisch.

piovosità [pjovosi'ta] ⟨-⟩ *f* Regenfall *m,* Niederschlag *m.* **piovoso, -a** [...'voːso] *agg* regnerisch, Regen-.

piovra ['pjɔːvra] *f* **1.** *zoo* Polyp *m;* **2.** *fig* Blutsauger *m,* Schmarotzer *m;* **3.** *(organizzazione criminosa)* Mafia *f,* kriminelle Vereinigung.

piovve ['pjɔvve] *p rem di* **piovere.**

pipa ['piːpa] *f* Pfeife *f;* **fumare la** ~ Pfeife rauchen.

pipeline ['paip lain] ⟨-⟩ *f* Pipeline *f.*

pipetta [pi'petta] *f* Pipette *f.*

pipì [pi'pi] ⟨-⟩ *fam* **I.** *f* Pipi *n fam;* **fare (la)** ~ Pipi machen *fam;* **mi scappa la** ~ ich muß mal (Pipi machen); **II.** *m* Pipimännchen *n fam,* Pimmelchen *n fam.*

pipistrello [pipis'trɛllo] *m* **1.** *zoo* Fledermaus *f;* **2.** *(mantello)* Umhang *m,* Fledermauscape *n.*

pipita [pi'piːta] *f* **1.** *zoo* Pips *m;* **2.** *anat* Nagelhaut *f.*

piqué [pi'ke] ⟨-⟩ *m* Pikee *m,* Piqué *m.*

pira [piːra] *f* Scheiterhaufen *m.*

piramide [pi'raːmide] *f* Pyramide *f;* **organizzazione a** ~ hierarchische Organisationsform.

pirata, -tessa [pi'raːta, pira'tessa] **I.** ⟨-i, -e⟩ *m, f* **1.** *(di mare)* Pirat(in) *m(f),* Seeräuber(in) *m(f);* **2.** *fig (ladro)* Gauner(in) *m(f),* Betrüger(in) *m(f);* ~ **della strada** Unfallflüchtige(r) *m;* ~ **dell'aria** Flugzeugentführer *m,* Luftpirat *m;* **II.** ⟨*inv*⟩ *agg* Piraten-; *(stampa, registrazione)* Raub-; **disco** ~ Raubpressung *f;* **edizione (*o* copia)** ~ Raubkopie *f;* **emittente (*o* radio)** ~ Piratensender *m.* **pirateria** [...te'riːa] ⟨-ie⟩ *f* **1.** *(azione, mondo)* Piraterie *f;* **2.** *fig (ruberia)* Gaunerei *f,* Betrügerei *f.*

Pirenei [pire'nɛːi] *m pl* Pyrenäen *pl.*

pirico, -a ['piːriko] ⟨-ci, -che⟩ *agg:* **polvere -a** Schießpulver *n.*

pirite [pi'riːte] *f* Pyrit *m,* Schwefelkies *m.*

piroetta [piro'etta] *f* Pirouette *f; (giravolta)* schnelle (Um)drehung. **piroettare** [...'taːre] *itr* Pirouetten drehen.

pirofila [pi'rɔːfila] *f* **1.** *(materiale)* feuerfestes Material; **2.** *(tegame)* feuerfeste Form. **pirofilo, -a** [...lo] *agg* feuerfest, hitzebeständig.

piroga [pi'rɔːga] ⟨-ghe⟩ *f* Einbaum *m.*

pirografia [pirogra'fiːa] *f* Brandmalerei *f.*

piromane [pi'rɔːmane] *mf* Pyromane *m,* Pyromanin *f.*

piroscafo [pi'rɔskafo] *m* Dampfer *m,* Dampfschiff *n.*

pirotecnica [piro'tɛknika] *f* Pyrotechnik *f,* Feuerwerkskunst *f.* **pirotecnico, -a** [...ko] *agg* pyrotechnisch.

piscia ['piʃʃa] ⟨-sce⟩ *f volg* Pisse *f vulg;* **fare la** ~ pissen *vulg,* pinkeln *fam.* **pisciare** [...'ʃaːre] ⟨piscio, pisci⟩ *itr volg* pissen *vulg;* **pisciarsi addosso (*o* sotto)** *fig* sich bepissen *vulg,* sich *(dat)* ins Hemd machen *fam.* **pisciatoio** [...ʃa'toːjo] ⟨-oi⟩ *m volg* Pissoir *n.*

piscicoltura [piʃʃikol'tuːra] *f* Fischzucht *f.*

piscina [piʃ'ʃiːna] *f* **1.** *(vasca)* Schwimmbecken *n,* -bassin *n;* **2.** *(stabilimento)*

Schwimmbad *n*, Badeanstalt *f*; ~ **coperta/scoperta** Hallen-/Freibad *n*.

piscio ['piʃʃo] ⟨-sci⟩ *m volg* Pisse *f vulg*.

pisello [pi'sɛllo] **I.** *m* **1.** *bot, gastr* Erbse *f*; **2.** *fam (pene)* Zipfel *m fam*; **crema di -i** Erbsencremesuppe *f*; **II.** ⟨*inv*⟩ *agg* erbsengrün.

pisolino [pizo'li:no] *m fam* Nickerchen *n fam*; **schiacciare un** ~ ein Nickerchen machen.

pista ['pista] *f* **1.** *(traccia)* Fährte *f*, Spur *f*; **2.** *(da ballo)* Tanzfläche *f*; **3.** *sport* Piste *f*, Bahn *f*; **4.** *(di circo)* Manege *f*; **5.** *aero* Rollfeld *n*, Rollbahn *f*; **6.** *(del registratore)* (Magnet)spur *f*; *film* Streifen *m*, Spur *f*; **7.** *(via)* Weg *m*, Pfad *m*; **8.** *inform* Spur *f*; ~ **ciclabile** Rad(fahr)weg *m*; ~ **magnetica** Magnetstreifen *m*; ~ **(per sci) di fondo** (Langlauf)loipe *f*; ~ **da sci** Skipiste *f*; ~ **di volo/di rullaggio/di atterraggio** Flug-/Roll-/Landebahn *f*.

pistacchio [pis'takkjo] ⟨-cchi⟩ *m* Pistazie *f*.

pistillo [pis'tillo] *m* (Blüten)stempel *m*, Blütennarbe *f*.

pistola [pis'tɔ:la] *f* Pistole *f*; ~ **scacciacani** Schreckschußpistole *f*; ~ **a spruzzo** Spritzpistole *f*. **pistolettata** [...tolet'ta:ta] *f* Pistolenschuß *m*.

pistone [pis'to:ne] *m* **1.** *mot* (Motor)kolben *m*; **2.** *mus* Ventil *n*, Piston *n*.

pitagorico, -a [pita'gɔ:riko] ⟨-ci, -che⟩ *agg* pythagoreisch; **tavola -a** Einmaleins *n*.

pitoccare [pitok'ka:re] ⟨pitocco, pitocchi⟩ **I.** *itr* betteln; **II.** *tr* erbetteln, betteln um.

pitoccheria [pitokke'ri:a] ⟨-ie⟩ *f* **1.** *(avarizia)* Knaus(e)rigkeit *f*; **2.** *(atto)* Knauserei *f*.

pitocco, -a [pi'tɔkko] ⟨-cchi, -cche⟩ **I.** *m, f* Geizhals *m*; **II.** *agg* geizig, knaus(e)rig.

pitone [pi'to:ne] *m* Python *m*.

pittogramma [pitto'gramma] ⟨-⟩ *m* Piktogramm *n*.

pittore, -trice [pit'to:re] *m, f* **1.** *(artista)* Zeichner(in) *m(f)*, Maler(in) *m(f)*; **2.** *(imbianchino)* Maler(in) *m(f)*, Anstreicher(in) *m(f)*. **pittoresco, -a** [...to'resko] ⟨-schi, -sche⟩ *agg* pittoresk, malerisch. **pittorico, -a** [...'tɔ:riko] ⟨-ci, -che⟩ *agg* **1.** *(di pittura)* Mal-, Zeichen-; **2.** *fig* malerisch.

pittura [pit'tu:ra] *f* **1.** *(arte)* Malerei *f*, Zeichenkunst *f*; **2.** *(dipinto)* Bild *n*, Gemälde *n*; **3.** *(verniciatura)* Anstrich *m*. **pitturare** [...tu'ra:re] **I.** *tr* **1.** *(dipingere)* malen, zeichnen; **2.** *(verniciare)* anstreichen; **II.** *rfl:* **-arsi** *fam* sich schminken, sich anmalen *fam*.

più [pju] ⟨*comp di* molto⟩ **I.** *avv* **1.** *gener.* mehr; *(alla fine della frase)* **di** ~ mehr; **2.** *(comp di maggioranza) adj* +er; **3.** *(superl relativo) adj* +ste; *(in correlazione con verbi)* am *adj* +sten; **4.** *(in frasi negative)* **non ... più** nicht mehr; **5.** *(in espressioni correlative indicanti proporzione, misura)* ~ ... ~ ... je +*komp* ..., desto +*komp*; ~ ... **meno** ... je +*komp* ..., desto weniger ..., ~ ... **che** ... mehr ... als ..., eher ... als ...; **6.** *(di temperatura)* plus, über Null; **7.** *mat* plus, und; **8.** *(votazione scolastica)* plus; **devi star** ~ **attento** du mußt mehr aufpassen; **oggi devo lavorare di** ~ heute muß ich mehr arbeiten; **piacere di** ~ besser gefallen; **stare di** ~ länger bleiben; **dormire di** ~ länger schlafen; **Carlo è** ~ **curioso di Luca** Karl ist neugieriger als Lukas; **è il** ~ **bel regalo che abbia mai ricevuto** es ist das schönste Geschenk, das ich jemals bekommen habe; **questi sono i libri che** ~ **amo** das sind die Bücher, die ich am meisten liebe; **verrò** ~ **raramente** ich werde seltener kommen; ~ **che mai** mehr denn je; **per di** ~ außerdem, hinzu kommt, daß ...; **al** ~ **presto** so schnell (*o* bald) wie möglich; **al** ~ **tardi** spätestens; **a** ~ **tardi** bis später! er ist der älteste, er ist am ältesten; **in** ~ darüber hinaus; **mi ha dato un libro in** ~ er (*o* sie) hat mir ein Buch zuviel gegeben; **non trovo** ~ **il mio orologio** ich finde meine Uhr nicht mehr; **non lo vedrò mai** ~ ich werde ihn nie wieder sehen; **non ha detto** ~ **niente** er (*o* sie) hat nichts mehr gesagt; **niente (di)** ~ nichts mehr; **non ne posso** ~ ich kann nicht mehr; **a** ~ **non posso** *fam* bis zum Geht-nicht-mehr *fam*; ~ **lo guardo e** ~ **mi piace** je mehr ich ihn anschaue, desto mehr gefällt er mir; ~ **protesti e meno ottieni** je mehr du dich beschwerst, desto weniger erreichst du; **tanto** ~ **che** um so mehr, als; ~ **o meno** mehr oder weniger; **chi** ~ **chi meno** der eine mehr, der andere weniger; ~ **su** weiter oben; **tra non** ~ **di un mese** in längstens einem Monat; **II.** *prp* (und) außerdem (noch), plus; **III.** ⟨*inv*⟩ *agg* **1.** *(maggiore in qualità, misura o numero)* mehr; **2.** *(parecchi)* einige, mehrere; ~ **persone vengono e meglio è** je mehr Leute kommen, desto besser ist es; **glielo ho già detto** ~ **volte** ich habe es ihm schon einige Male (*o* mehrmals) gesagt; **IV.** ⟨-⟩ *m* **1.** *(massimo)* Höchste(s) *n*, Meiste(s) *n*; **2.** *(parte maggiore)* größter Teil, Großteil *m*; **3.** ⟨*pl*⟩ *(la maggioranza)* Mehrzahl *f*, Mehrheit *f*; **4.** *(cosa più importante)* Hauptsache *f*, Wichtigste(s) *n*; **5.** *mat* Plus(zeichen) *n*; **il** ~ **delle volte** meistens, in den meisten Fällen; **tutt'al** ~ allerhöchstens, maximal; **per lo** ~ um so mehr, als; **parlare del** ~ **e del meno** über dieses und jenes reden; **chi** ~ **ne ha** ~ **ne metta** und das ist (längst) noch nicht alles, und so weiter und so fort.

piuccheperfetto [pjukkeper'fɛtto] *m* Plusquamperfekt *n*, Vorvergangenheit *f*.

piuma ['pju:ma] *f* **1.** *(penna)* (Flaum)feder *f,* Daune *f;* **2.** *(ornamento)* (Schmuck)feder *f.* **piumaggio** [pi̯u'maddʒo] ⟨-ggi⟩ *m* Federkleid *n,* Gefieder *n.* **piumato, -a** [...'ma:to] *agg* gefiedert, Feder-.

piumino [pi̯u'mi:no] *m* **1.** *zoo* Daunen *f pl; (coperta)* Daunenbett *n;* **2.** *(per spolverare)* Staubwedel *m;* **3.** *(giubbotto)* Daunenjacke *f.*

piumone [pi̯u'mo:ne] *m* **1.** *(coperta)* Steppdecke *f;* **2.** *(giubbotto)* Daunenjakke *f,* (Daunen)anorak *m.*

piuttosto [pi̯ut'tɔsto] *avv* **1.** *(più, più volentieri)* eher, lieber; *(più facilmente a.)* leichter; **2.** *(alquanto)* ziemlich, relativ; **3.** *(invece)* anstatt; **4.** *(meglio)* besser, vielmehr; ~ **che** *+congv (o +inf),* ~ **di** *+inf* eher, als daß ...; *(anziché)* (an)statt zu *+inf,* (an)statt daß ...

piva ['pi:va] *f* Dudelsack *m.*

pixel ['piksɛl] ⟨-⟩ *m* Bildpunkt *m,* Pixel *m.*

pizza ['pittsa] *f* **1.** *gastr* Pizza *f;* **2.** *fig (persona noiosa)* Langweiler(in) *m(f); (cosa noiosa)* langweilige Sache; **3.** *sl film* Filmdose *f.* **pizzaiolo, -a** [-'i̯ɔ:lo] *m, f* **1.** *(chi fa le pizze)* Pizzabäcker(in) *m(f);* **2.** *(gestore di pizzeria)* Inhaber(in) *m(f)* einer Pizzeria; **alla -a** *mit Tomaten, Knoblauch und Oregano.* **pizzeria** [pittse'ri:a] ⟨-ie⟩ *f* Pizzeria *f,* Pizzabäckerei *f.*

pizzicare [pittsi'ka:re] ⟨pizzico, pizzichi⟩ **I.** *tr* **1.** *(stringere)* kneifen, zwicken; **2.** *(pungere)* stechen; **3.** *(stuzzicare)* stochern, bohren; **4.** *fig* stechen; *(freddo)* beißen; **5.** *fam* schnappen; **6.** *mus* zupfen; **II.** *itr* **1.** *(prudere)* kitzeln, jucken; *fig fam* kribbeln, prickeln; **2.** *(bruciare)* brennen, stechen; **3.** *gastr* scharf (*o* würzig) sein. **pizzicato** [...'ka:to] *m* Pizzikato *n.*

pizzico ['pittsiko] ⟨-chi⟩ *m* **1.** *(pizzicotto)* Kniff *m;* **2.** *(di sale, ecc.)* Prise *f;* **3.** *(puntura d'insetto)* (Insekten)stich *m,* -biß *m;* **non avere un ~ di sale in zucca** *fam* nicht für fünf Pfennig Verstand haben *fam.*

pizzicotto [pittsi'kɔtto] *m* Kneifen *n,* Kniff *m,* Zwicken *n.*

pizzo ['pittso] *m* **1.** *(merletto)* Spitze *f;* **2.** *(barba)* Spitzbart *m;* **3.** *dial (tangente)* Schutzgeld *n.*

placare [pla'ka:re] ⟨placo, plachi⟩ **I.** *tr* **1.** *(ira, furore, sdegno)* besänftigen, beruhigen; **2.** *(fame, sete)* stillen; **II.** *rfl:* **-arsi** sich beruhigen; *(fig a.)* sich legen.

placca ['plakka] ⟨-cche⟩ *f* **1.** *(piastra)* Platte *f;* **2.** *(targhetta)* Plakette *f,* Schildchen *n,* Marke *f;* **3.** *el* Anode *f;* **4.** *med* Fleck *m;* ~ **batterica** bakterieller Zahnbelag, Plaque *f.*

placcare [plak'ka:re] ⟨placco, placchi⟩ *tr* **1.** *(rivestire)* überziehen (*di* mit), plattieren; **2.** *sport* fassen, festhalten; ~ **d'** (*o* **in) oro/argento** vergolden/versilbern.

placebo [pla'tʃɛ:bo] **I.** ⟨-⟩ *m* Placebo *n;* **II.** ⟨*inv*⟩ *agg:* **effetto** ~ Placeboeffekt *m.*

placenta [pla'tʃɛnta] *f* Plazenta *f,* Mutterkuchen *m.*

placidità [platʃidi'ta] ⟨-⟩ *f* Ruhe *f,* Stille *f.*

placido, -a ['pla:tʃido] *agg* ruhig, still.

plafond [pla'fɔ̃] ⟨-⟩ *m* **1.** *(soffitto)* (Zimmer)decke *f;* **2.** *fin, com* Plafond *m.*

plafoniera [plafo'ni̯ɛ:ra] *f* Deckenlampe *f,* -leuchte *f; film* Deckenstrahler *m,* -scheinwerfer *m.*

plagiare [pla'dʒa:re] ⟨plagio, plagi⟩ *tr* **1.** *letter* plagiieren; **2.** *dir* hörig machen, gefügig machen.

plagio ['pla:dʒo] ⟨-gi⟩ *m* **1.** *letter* Plagiat *n;* **2.** *dir* Hörigmachen *n.*

plaid [plɛd] ⟨-⟩ *m* Plaid *n o m,* Reisedekke *f.*

planare [pla'na:re] *itr* gleiten.

plancia ['plantʃa] ⟨-ce⟩ *f* **1.** *(passerella)* (Lauf)steg *m;* **2.** *naut (ponte)* (Kommando)brücke *f.*

plancton ['plaŋkton] ⟨-⟩ *m* Plankton *n.*

planetario, -a [plane'ta:ri̯o] ⟨-i, -ie⟩ **I.** *agg* planetar(isch), Planeten-; **II.** *m* **1.** *astr* Planetarium *n;* **2.** *mot* Planetengetriebe *n.*

planning ['plæniŋ] ⟨-⟩ *m* Planung *f; econ* Plan *m.*

plantare [plan'ta:re] *m* orthopädische (Schuh)einlage.

plasma ['plazma] ⟨-i⟩ *m* Plasma *n.*

plasmare [plaz'ma:re] *tr* **1.** *(materiale)* modellieren, formen; **2.** *fig* formen, bilden.

plastica ['plastika] ⟨-che⟩ *f* **1.** *(materiale)* Plastik *n,* Kunststoff *m;* **2.** *(arte, med)* Plastik *f.* **plastico, -a** [...ko] ⟨-ci, -che⟩ **I.** *agg* **1.** *(in plastica)* aus Plastik, Plastik-; **2.** *(arte)* darstellend, bildend; *(in rilievo)* plastisch; **3.** *tec* dehnbar, formbar, modellierbar; **4.** *med* plastisch; **II.** *m* **1.** *arch* Modell *n;* **2.** *(rappresentazione topografica)* Relief *n;* **3.** *mil* Plastiksprengstoff *m;* **bomba al** ~ Plastikbombe *f.*

plastificare [plastifi'ka:re] ⟨plastifico, plastifichi⟩ *tr* **1.** *(rendere plastico)* plasti(fi)zieren; **2.** *(rivestire di plastica)* (mit Kunststoff) beschichten. **plastificato, -a** [...'ka:to] *agg* **1.** *(flessibile)* weich, pastifiziert; **2.** *(rivestito di plastica)* kunststoffbeschichtet.

plastilina® [plasti'li:na] *f* Plastilin® *n,* Knetgummi *m o n.*

platano ['pla:tano] *m* Platane *f.*

platea [pla'tɛ:a] *f* **1.** *teat* Parkett *n;* **2.** *TV (pubblico)* Publikum *n,* Zuschauer *m pl;* **3.** *geol* Tafel *f,* Plateau *n.* **plateale** [...te'a:le] *agg* offensichtlich, eindeutig.

platino ['pla:tino] **I.** *m* Platin *n;* **II.** ⟨*inv*⟩ *agg:* **biondo** ~ platinblond.

platonico, -a [pla'tɔ:niko] ⟨-ci, -che⟩ **I.** *agg* platonisch; **II.** *m* Platoniker *m.*

plausibile [plau'zi:bile] *agg (spiegazione,*

ecc.) plausibel, einsehbar; *(prova)* stichhaltig. **plausibilità** [...zibili'ta] ‹-› *f* Plausibilität *f*, Stichhaltigkeit *f*.

plauso ['pla:uzo] *m* Beifall *m*, (begeisterte) Zustimmung *f*.

play-back ['pleɪbæk] ‹-› *m* Playback *n*.

playboy ['pleɪbɔɪ] ‹-› *m* Playboy *m*.

plebaglia [ple'baʎʎa] ‹-glie› *f* Pöbel *m*, Gesindel *n*, Mob *m*.

plebe ['plɛ:be] *f* **1.** *peg* Pöbel *m*, Mob *m*; **2.** *st* Plebs *f*. **plebeo, -a** [ple'bɛ:o] *agg* **1.** *peg* pöbelhaft, ordinär, gewöhnlich; **2.** *st* plebejisch.

plebiscito [plebiʃ'ʃi:to] *m* Plebiszit *n*, Volksabstimmung *f*, Volksentscheid *m*.

Pleiadi ['plɛ:jadi] *f pl* Plejaden *pl*.

plenario, -a [ple'na:rjo] ‹-i, -ie› *agg* **1.** *(riunione)* Voll-, Plenar-; **2.** *(totale)* vollkommen, vollständig; **indulgenza -a** *rel* vollständiger Ablaß.

plenilunio [pleni'lu:njo] ‹-i› *m* Vollmond *m*.

plenipotenziario, -a [plenipoten'tsja:rio] ‹-i, -ie› **I.** *agg* bevollmächtigt; **II.** *m, f* Bevollmächtigte(r) *mf*.

pleonasmo [pleo'nazmo] *m* Pleonasmus *m*. **pleonastico, -a** [...'nastiko] ‹-ci, -che› *agg* **1.** *ling, letter* pleonastisch; **2.** *fig* *(superfluo)* überflüssig, unnötig.

plesso ['plɛsso] *m* **1.** *anat* Plexus *m*; **2.** *fig* Geflecht *n*, Komplex *m*; ~ **solare** Sonnengeflecht *n*, Solarplexus *m*.

plettro ['plɛttro] *m* Plektron *n*, Plektrum *n*.

pleurite [pleu'ri:te] *f* Brust-, Rippenfellentzündung *f*, Pleuritis *f* *wissensch.*

plexiglas® [pleksi'glas *o* 'plɛksiglas] ‹-› *m* Plexiglas® *n*.

P.L.I. *m abbr di* **Partito Liberale Italiano** *liberale Partei Italiens.*

plico ['pli:ko] ‹-chi› *m* Aktenbündel *n*; *(busta)* großer Umschlag.

plissé [pli'se] **I.** ‹*inv*› *agg* plissiert, Plissee-; **II.** ‹-› *m* Plissee *n*.

plotone [plo'to:ne] *m mil* Zug *m*, Abteilung *f*; ~ **d'esecuzione** Exekutionskommando *n*.

plotter ['plɔtter] ‹-› *m* Plotter *m*.

plumbeo, -a ['plumbeo] *agg* **1.** *(di piombo)* bleiern; **2.** *(colore)* bleifarben.

plurale [plu'ra:le] **I.** *agg* pluralisch, Plural-, Mehrzahl-; **II.** *m* Plural *m*, Mehrzahl *f*. **pluralismo** [plura'lizmo] *m* Pluralismus *m*. **pluralità** [...li'ta] ‹-› *f* Mehrheit *f*, Mehrzahl *f*.

pluri- [pluri-] *(in parole composte)* mehr(-fach)-, Mehr(fach)-, viel-, Viel-. **pluricellulare** [-tʃellu'la:re] *agg* mehr-, vielzellig. **pluricriminale** [-krimi'na:le] *mf* Mehrfachtäter(in) *m(f)*, Serientäter(in) *m(f)*. **pluridisciplinare** [-diʃʃipli'na:re] *agg* mehrere Disziplinen umfassend; *(interdisciplinare)* interdisziplinär. **pluriennale** [-en'na:le] *agg* mehrjährig. **plurifamiliare** [-fami'lja:re] *agg* Mehrfamilien-. **plurilingue** [-lingue] *agg* mehrsprachig. **plurimiliardario, -a** [-miljar'da:rjo] *m, f* Multimilliardär(in) *m(f)*. **plurimilionario, -a** [-miljo'na:rjo] *m, f* Multimillionär(in) *m(f)*. **plurimotore** [-mo'to:re] *m* Mehrmotorenflugzeug *n*. **plurinazionale** [-nattsjo'na:le] *agg* Mehrvölker-, mehrstaatlich. **plurinominale** [-nomi'na:le] *agg* mehrstimmenwahlberechtigt. **pluriomicida** [-omitʃi:da] ‹-i *m*, -e *f*› *mf* Mehrfachmörder(in) *m(f)*. **pluripartitico, -a** [-par'ti:tiko] *agg* Mehrparteien-. **pluriuso** [-'u:zo] ‹*inv*› *agg* Mehrzweck-, Allzweck-.

plusvalore [pluzva'lo:re] *m* **1.** *com* Wertzuwachs *m*; **2.** *filos* Mehrwert *m*.

plutocrate [plu'tɔ:krate] *mf* Plutokrat(in) *m(f)*. **plutocrazia** [...tokrat'tsi:a] ‹-ie› *f* Plutokratie *f*.

plutonio [plu'tɔ:njo] *m* Plutonium *n*.

pluviale [plu'vja:le] *agg* Regen-; **foresta** ~ Regenwald *m*.

pluviometro [plu'vjɔ:metro] *m* Niederschlagsmesser *m*, Pluviometer *n*.

P.M. **1.** *abbr di* **Pubblico Ministero** Staatsanwalt(schaft *f*) *m*; **2.** *abbr di* **Polizia Militare** Militärpolizei *f*.

pneumatico, -a [pneu'ma:tiko] ‹-ci, -che› **I.** *agg* **1.** *gener.* Luft-; **2.** *tec* pneumatisch, Luftdruck-; **3.** *(gonfiabile)* aufblasbar; **martello** ~ Preßlufthammer *m*; **pompa -a** Luftpumpe *f*; **II.** *m* Reifen *m*; ~ **radiale** Gürtel-, Radialreifen *m*.

P.N.L. *abbr di* **Prodotto Nazionale Lordo** Bruttosozialprodukt *n*.

po' [pɔ] *avv fam* ein wenig, ein bißchen; **un** ~ **di . . .** etwas . . ., ein wenig . . .; **un bel** ~ ganz schön viel; **dimmi un** ~! sag mal!; **senti un** ~! hör mal (her)!

pochette [pɔ'ʃɛt] ‹-› *f* **1.** *(borsetta)* Unterarmtasche *f*; **2.** *mus (piccolo violino)* Pochette *f*.

pochezza [pok'kettsa] *f* **1.** *fig (meschinità)* Kleinlichkeit *f*; **2.** *(scarsezza)* Knappheit *f*, Spärlichkeit *f*; **3.** *(modestia)* Bescheidenheit *f*.

pochino [po'ki:no] *m fam*: **un** ~ **di** ein bißchen.

pocket book ['pɔkit buk] ‹-› *m* Taschenbuch *n*, Paperback *n*.

poco, -a ['pɔ:ko] ‹-chi, -che; meno, pochissimo› **I.** *agg* wenig; *(scarso)* gering; *(piccolo)* gering, niedrig, klein; *(breve)* wenig, kurz; *(cattivo)* wenig, schlecht; **è -a cosa** das ist eine Kleinigkeit; **II.** *avv* wenig, nicht sehr; *(breve tempo)* kurz, nicht lange; *(con comp)* (nur) wenig, nicht viel; **mangia** ~ er/sie ißt wenig; **è** ~ **gentile** er/sie ist nicht sehr (o nicht besonders *fam*) freundlich; **pesa** ~ **più di 50 chili** er/sie wiegt etwas mehr als 50 Kilo; **ha** ~ **meno di 60 anni** er/sie ist knapp 60 Jahre alt; ~ **dopo/prima** kurz darauf/vorher; ~ **fa** eben, gerade; ~ **lontano** nicht sehr weit; **fra** ~ in Kürze, bald; **per** ~ *(temporale)* kurz; *(a buon mercato)* billig, preiswert; *(quasi)* beinahe, fast; **a** ~ **a** ~ nach und nach, allmählich; **di lì a** ~ kurz darauf; **a dir** ~ mindestens, wenigstens; ~ **importa** das macht nichts; ~ **male** auch gut, das macht nichts; ~ **o nulla** so gut wie nichts; **sapere di** ~ fade (*o* nach nichts) schmecken; **stare** ~ **bene** sich nicht (ganz) wohl fühlen; **III.** *m* Wenige(s) *n,* Geringe(s) *n;* **un** ~ ein bißchen; **un** ~ **di** ... ein wenig ...; **accontentarsi di** ~ sich mit Wenigem begnügen; **essere un** ~ **di buono** *fam* ein Nichtsnutz (*o* Taugenichts) sein; **IV.** *pron* **1.** ⟨*pl*⟩ *(persone)* wenige; *(cose)* wenig; **2.** *(piccola quantità)* wenig, nicht viel; **essere in -chi** wenige sein; **c'è** ~ **da fare** da kann man nichts (mehr) machen; **meglio** ~ **che niente** *prov* besser wenig als gar nichts.

podere [po'de:re] *m* (Land)gut *n.*

poderoso, -a [pode'ro:so] *agg* **1.** *(muscoli, braccia)* kräftig, stark; **2.** *(esercito)* mächtig; **3.** *fig* groß, gewaltig.

podestà [podes'ta] ⟨-⟩ *m st* (mittelalterlicher) Stadtvogt *m; (nel periodo fascista)* Ortsvorsteher *m.*

podio ['pɔ:dio] ⟨-i⟩ *m* Tribüne *f,* Podium *n; mus* Dirigentenpult *n.*

podismo [po'dizmo] *m* Gehen *n,* Gehsport *m.* **podista** [po'dista] ⟨-i *m,* -e *f*⟩ *mf* Geher(in) *m(f).*

podologo, -a [po'dɔ:logo] ⟨-gi *m,* -ghe *f*⟩ *m, f* medizinischer Fußpfleger *m,* medizinische Fußpflegerin *f.*

poema [po'ɛ:ma] ⟨-i⟩ *m* **1.** *letter* Dichtung *f;* **2.** *fig (scritto prolisso)* Roman *m;* **3.** *fig (cosa mirabile)* Gedicht *n;* ~ **epico/cavalleresco** Epos *n*/Ritterepos *n;* ~ **sinfonico** sinfonische Dichtung. **poemetto** [poe'metto] *m* Kurzepos *n.*

poesia [poe'zi:a] ⟨-ie⟩ *f* **1.** *(genere)* Dichtung *f; (fig a.)* Poesie *f;* **2.** *(singolo componimento)* Gedicht *n;* **3.** *(complesso di opere)* Dichtung *f,* Gedichte *n pl.*

poeta, -tessa [po'ɛ:ta, poe'tessa] ⟨-i, -e⟩ *m, f* Dichter(in) *m(f),* Poet(in) *m(f).* **poetare** [poe'ta:re] *itr* dichten, Gedichte schreiben.

poetica [po'ɛ:tika] ⟨-che⟩ *f* Poetik *f.* **poetico, -a** [...ko] ⟨-ci, -che⟩ *agg* poetisch, dichterisch, Dichtungs-; *(sentimentale a.)* schwärmerisch, sentimental.

poggiapiedi [poddʒa'piɛ:di] ⟨-⟩ *m* **1.** *(piccolo sgabello)* Fußstütze *f,* Fußbank *f;* **2.** *mot (di motocicletta, ecc.)* Fußraste *f.*

poggiare [pod'dʒa:re] ⟨poggio, poggi⟩ **I.** *tr (appoggiare)* (an)lehnen; *(posare)* (hin)legen; **II.** *itr* **1.** *arch* stehen, ruhen; **2.** *fig* basieren (*su* auf *+dat*), (sich) gründen (su auf *+dat*). **poggiatesta** [...dʒa'tɛsta] ⟨-⟩ *m* Kopfstütze *f.*

poggio ['pɔddʒo] ⟨-ggi⟩ *m* Anhöhe *f,* Hügel *m.*

pogrom ['pɔ:grom] ⟨-⟩ *m* Pogrom *n.*

poi ['pɔ:i] *avv* **1.** *(dopo)* dann, darauf; **2.** *(più tardi)* später, nachher; **3.** *(inoltre)* außerdem; *(posposto)* dann (noch); **4.** *(enfatico in proposizioni interr)* denn; *(con valore affermativo e rafforzativo)* ja; *(ancora)* und nochmals, und immer wieder; *(infine)* schließlich, endlich; ~ **dopo** dann, später; **d'ora in** ~ von jetzt an; **ma che cosa ha fatto** ~ **di male?** was hat er/sie denn Schlechtes getan?; **questa** ~ **è bella!** das ist ja ein starkes Stück!; **no e** ~ **no** *fam* nein und nochmals nein; **tanto e** ~ **tanto** *fam* vielmals.

poiché [poi'ke] *cong* da, weil.

pois [pwa] ⟨-⟩ *m* Tupfen *m;* **a** ~ getüpfelt, getupft.

poker ['pɔ:ker] ⟨-⟩ *m* Poker(spiel) *n;* **giocare a** ~ pokern, Poker spielen. **pokerista** [poke'rista] ⟨-i *m,* -e *f*⟩ *mf* Pokerspieler(in) *m(f).*

polacco, -a [po'lakko] ⟨-cchi, -cche⟩ **I.** *agg* polnisch; **II.** *m, f* Pole *m,* Polin *f.*

polare [po'la:re] *agg* Polar-, Pol-, polar; **freddo** ~ *fig* Eiseskälte *f;* **stella** ~ Nord-, Polarstern *m.* **polarità** [polari'ta] ⟨-⟩ *f* **1.** *fis* Polarität *f;* **2.** *fig* Polarität *f,* Gegensätzlichkeit *f.*

polarizzare [polarid'dza:re] **I.** *tr* **1.** *fis* polarisieren; **2.** *fig* lenken (*su* auf *+akk*), richten (*su* auf *+akk*); **II.** *rfl:* **-arsi 1.** *fis* polarisiert werden; **2.** *fig* sich orientieren (*su* an *+dat*), sich richten (*su* nach *+dat*).

polca ['pɔlka] ⟨-che⟩ *f* Polka *f.*

polemica [po'lɛ:mika] ⟨-che⟩ *f* Polemik *f; (controversia)* Auseinandersetzung *f,* Kontroverse *f;* **fare della** ~ polemisieren. **polemico, -a** [...ko] ⟨-ci, -che⟩ *agg* **1.** *(combattivo)* kämpferisch; **2.** *(proprio della polemica)* polemisch; **scritto** ~ Streitschrift *f.* **polemista** [pole'mista] ⟨-i *m,* -e *f*⟩ *mf* **1.** *(autore)* Verfasser(in) *m(f)* von Streitschriften; **2.** *(persona polemica)* Polemiker(in) *m(f).* **polemizzare** [...mid'dza:re] *itr* polemisieren (*su* gegen).

polenta [po'lɛnta] *f* Polenta *f (Maisbreigericht).*

polentone, -a [polen'to:ne] *m, f peg* Norditaliener(in) *m(f) (Schimpfwort der Süditaliener für die Norditaliener).*

poli- [poli-] *(in parole composte)* Mehr-, Viel-.

poliammidico, -a [-am'mi:diko] ⟨-ci, -che⟩ *agg* Polyamid-.

policlinico [-'kli:niko] ⟨-ci⟩ *m* Poliklinik *f.*

policromo, -a [po'li:kromo] *agg* vielfarbig, mehrfarbig, bunt.

poliedrico, -a [-'ɛ:driko] ⟨-ci, -che⟩ *agg* **1.** *fig (ingegno, mente)* vielseitig; **2.** *mat* vielflächig, polyedrisch. **poliedro** [-'ɛ:dro] *m* Vielflächner *m,* Polyeder *n.*

poliestere [-'ɛstere] *m* Polyester *m.*

polifase [-'fa:ze] *agg* mehrphasig, Mehrphasen-.

polifonia [-fo'ni:a] ⟨-ie⟩ *f* Polyphonie *f*, Mehrstimmigkeit *f*.

polifosfato [-fos'fa:to] *m* Polyphosphat *n*.

poligamia [-ga'mi:a] ⟨-ie⟩ *f* Vielehe *f; (a. bot, zoo)* Polygamie *f*. **poligamo, -a** [po'li:gamo] **I.** *agg* polygam; **II.** *m, f* Polygamist(in) *m(f)*.

poliglotta [-'glɔtta] ⟨-i *m*, -e *f*⟩ **I.** *mf* Mehrsprachige(r) *mf*, Polyglotte(r) *mf geh;* **II.** *agg* polyglott, mehrsprachig.

poligono [po'li:gono] *m* **1.** *mat* Vieleck *n*, Polygon *n;* **2.** *mil* Schießplatz *m*.

poligrafia [-gra'fi:a] *f* Vervielfältigung *f; (copia)* Abzug *m*, Kopie *f*. **poligrafica** [-'gra:fika] ⟨-che⟩ *f* Druckerei *f*. **poligrafico, -a** [-'gra:fiko] ⟨-ci *m*, -che *f*⟩ **I.** *agg* **1.** *(copia)* vervielfältigt; **2.** *(di poligrafia)* Vervielfältigungs-; **3.** *(istituto)* graphisch; **II.** *m, f* Drucker(in) *m(f)*.

polimerizzare [-merid'dza:re] *tr* polymerisieren. **polimero** [po'li:mero] *m* Polymer *n*.

polinomio [-'nɔ:mio] ⟨-i⟩ *m* Polynom *n*.

polio ['pɔ:lio] ⟨-⟩ *f*, **poliomielite** [poliomie'li:te] *f* Kinderlähmung *f*, Polio(myelitis) *f scient*.

polipo ['pɔ:lipo] *m* **1.** *zoo* Polyp *m*, Krake *m;* **2.** *med* Polyp *m*.

polistirolo [-sti'rɔ:lo] *m* Polystyrol *n;* ~ **(espanso)** Styropor® *n*.

politecnico, -a [-'tɛkniko] **I.** *agg* polytechnisch; **II.** *m* Polytechnikum *n*.

politeismo [-te'izmo] *m* Polytheismus *m*, Vielgötterei *f*.

politica [po'litika] ⟨-che⟩ *f* Politik *f; (fig a.)* Diplomatie *f;* ~ **dell'occupazione** Beschäftigungspolitik *f;* ~ **del non intervento** Politik *f* der Nichteinmischung; ~ **interna/estera** Innen-/Außenpolitik *f;* ~ **ambientale/concorrenziale/finanziaria/fiscale/sociale/salariale/dei prezzi** Umwelt-/Wettbewerbs-/Finanz-/Steuer-/Sozial-/Lohn-/Preispolitik *f*.

politicizzare [polititʃid'dza:re] *tr* politisieren.

politico, -a [po'li:tiko] ⟨-ci, -che⟩ **I.** *agg* politisch; **elezioni -che** Parlamentswahlen *f pl;* **scienze -che** Politikwissenschaft *f;* **uomo** ~ Politiker *m;* **II.** *m, f* Politiker(in) *m(f)*.

politologia [politolo'dʒi:a] ⟨-gie⟩ *f* Politologie *f*. **politologo, -a** [poli'tɔ:logo] ⟨-gi, -ghe⟩ *m, f* Politologe *m*, -login *f*, Politikwissenschaftler(in) *m(f)*.

poliuretano [poliure'ta:no] *m* Polyurethan *n*.

polivalente [-va'lɛnte] *agg* polyvalent, mehrwertig.

polizia [polit'tsi:a] ⟨-ie⟩ *f* Polizei *f; (commissariato a.)* Polizeiwache *f;* **agente di** ~ Polizeibeamte(r) *m;* ~ **giudiziaria/stradale** Kriminal-/Verkehrspolizei *f;* ~ **tributaria** Steuerfahndungsdienst *m;* **chiamare la** ~ die Polizei rufen; **essere ricercato dalla** ~ polizeilich gesucht werden. **poliziesco, -a** [...'tsiesko] ⟨-schi, -sche⟩ *agg* **1.** *amm* polizeilich, Polizei-; **2.** *letter, film* Kriminal-; **romanzo/film** ~ Kriminalroman/-film *m*, Krimi *m*. **poliziotto** [...'tsiɔtto] **I.** *m* Polizist *m;* **II.** ⟨*inv*⟩ *agg* Polizei-; **cane** ~ Polizeihund *m;* **donna** ~ Polizistin *f*.

polizza ['pɔ:littsa] *f* Police *f;* ~ **di assicurazione** Versicherungspolice *f;* ~ **di pegno** Pfandschein *m;* ~ **casco** Kaskoversicherung *f;* **fare una** ~ eine Versicherung abschließen.

pollaio [pol'la:io] ⟨-ai⟩ *m* Hühnerstall *m*.

pollaiolo, -a [...la'iɔ:lo] *m, f* Geflügelhändler(in) *m(f)*. **pollame** [...'la:me] *m* Geflügel *n*. **pollastro, -a** [...'lastro] *m, f* **1.** *zoo* junges Huhn, junge Henne; **2.** *fig fam* Einfaltspinsel *m*. **polleria** [...le'ri:a] ⟨-ie⟩ *f* Geflügelhandlung *f*.

pollice ['pɔllitʃe] *m* **1.** *anat (della mano)* Daumen *m; (del piede)* großer (*o* dicker) Zeh; **2.** *(unità di misura)* Zoll *m;* **non cedere di un** ~ *fig* keinen Zoll(breit) zurückweichen; **avere il** ~ **verde** *fig* eine grüne Hand (*o* einen grünen Daumen) haben *fam*, gut mit Pflanzen umgehen können.

polline ['pɔlline] *m* Pollen *m*, Blütenstaub *m*.

pollivendolo, -a [polli'vendolo] *m, f* Geflügelhändler(in) *m(f)*.

pollo ['pollo] *m* **1.** *zoo* Huhn *n; gastr* Hähnchen *n*, Hühnchen *n;* **2.** *fig (individuo ingenuo)* dummes Huhn *fam;* **conoscere i propri -i** *fig fam* seine Pappenheimer kennen; **questo fa ridere i -i** da lachen ja die Hühner! *fam*.

polluzione [pollut'tsio:ne] *f* **1.** *med* Pollution *f;* **2.** *(inquinamento)* Verschmutzung *f*, Verunreinigung *f*.

polmonare [polmo'na:re] *agg* Lungen-.

polmone [pol'mo:ne] *m* **1.** *anat* Lunge *f;* **2.** *fig (di città)* (grüne) Lunge *f*, Grünzone *f;* ~ **d'acciaio** eiserne Lunge; **respirare/gridare a pieni -i** tief einatmen (*o* durchatmen)/aus voller Kehle schreien. **polmonite** [...mo'ni:te] *f* Lungenentzündung *f*.

polo[1] ['pɔ:lo] *m (gener., a. fig)* Pol *m;* ~ **nord/sud** Nord-/Südpol *m;* **da un** ~ **all'altro** *fig* überall auf der Welt; **essere ai -i opposti** *fig* gegensätzliche Positionen vertreten (*o* darstellen); **abitare (*o* stare) al** ~ **nord** *fig* wohnen, wo sich Fuchs und Hase gute Nacht sagen; am Ende der Welt wohnen.

polo[2] ['pɔ:lo] *m sport* Polo(spiel) *n*.

polo[3] ['pɔ:lo] ⟨-⟩ *f* Polohemd *n*.

Polonia [po'lɔ:nia] *f* Polen *n*.

polpa ['polpa] *f (di frutto)* (Frucht)fleisch *n; (di carne)* (mageres, knochenloses) Fleisch *n*.

polpaccio [pol'pattʃo] ⟨-cci⟩ *m* Wade *f*.

polpastrello [polpas'trɛllo] *m* Fingerkuppe *f*.

polpetta [pol'petta] *f* **1.** *gastr* Fleischklößchen *n*, Frikadelle *f*; **2.** *(avvelenata)* (vergiftetes) Köderfleisch *n*. **polpettone** [...'to:ne] *m* **1.** *gastr* Hackbraten *m*, falscher Hase; **2.** *fig (scritto)* zusammengeschustertes Zeug; *(discorso a.)* wirres Zeug.

polpo ['polpo] *m* Krake *m*, Oktopus *m*.

polposo, -a [pol'po:so] *agg* fleischig.

polsino [pol'si:no] *m* Manschette *f*.

polso ['polso] *m* **1.** *anat* Handgelenk *n*; **2.** *(di manica)* Manschette *f*; **3.** *fig (energia)* Tatkraft *f*, Energie *f*; **4.** *med* Puls(schlag) *m*; **un uomo di** ~ ein Mann *m* der Tat; **tagliarsi i -i** sich *(dat)* die Pulsadern aufschneiden; **sentire (***o* **tastare) il** ~ **a qu** jdm den Puls fühlen; *fig* bei jdm. vorfühlen.

polstrada [pol'stra:da] ⟨-⟩ *f* Verkehrspolizei *f*.

poltiglia [pol'tiʎʎa] ⟨-glie⟩ *f* **1.** *(miscuglio)* Brei *m*; **2.** *(fango)* Schlamm *m*; **ridurre qu in** ~ jdn zu Brei schlagen *fam*.

poltrire [pol'tri:re] ⟨poltrisco⟩ *itr* **1.** *(starsene a letto)* sich im Bett rekeln; **2.** *fig* faulenzen, auf der faulen Haut liegen *fam*.

poltrona [pol'tro:na] *f* **1.** *(mobile)* Sessel *m*; **2.** *fig (carica)* Posten *m*, (gute) Stellung *f*; **3.** *teat* Parkettplatz *m*; **sedersi su una** ~ sich in einen Sessel setzen.

poltrone, -a [pol'tro:ne] **I.** *m*, *f* Faulenzer(in) *m(f)*; **II.** *agg* faul, träge.

polvere ['polvere] *f* **1.** *gener.* Staub *m*; **2.** *(materiale scomposto)* Staub *m*, Pulver *n*; *mil* (Schieß)pulver *n*; **3.** *rel* Staub *m*, Asche *f*; ~ **da sparo** Schießpulver *n*; **in** ~ in Pulverform, Pulver-; **caffè in** ~ Pulverkaffee *m*; **togliere la** ~ Staub wischen; **mangiare la** ~ *fig* am Boden liegen, unterliegen; **far mangiare la** ~ **a qu** *fig fam* jdn überholen; **buttare (***o* **gettare) la** ~ **negli occhi a qu** *fig* jdm Sand in die Augen streuen; **dare fuoco alle -i** *fig* Öl ins Feuer gießen. **polveriera** [...'ri̯ɛ:ra] *f* **1.** *(magazzino)* Pulvermagazin *n*, Munitionsdepot *n*; **2.** *fig* Pulverfaß *n*. **polverina** [...'ri:na] *f* **1.** *med* Pulver *n*; Pülverchen *n fam*; **2.** *sl (cocaina)* Koks *m sl*.

polverizzare [polverid'dza:re] **I.** *tr* **1.** *(ridurre in polvere)* pulverisieren, zu Pulver zermahlen; **2.** *(nebulizzare)* zerstäuben; **3.** *fig (annientare)* vernichten, niedermachen; *(record)* brechen; **4.** *gastr* bestreuen, bestäuben; **II.** *rfl:* **-arsi** zu Staub werden. **polverizzatore** [...dza'to:re] *m* Zerstäuber *m*, Sprühgerät *n*. **polverone** [polve'ro:ne] *m* dichte Staubwolke; **sollevare un** ~ *fig* Staub aufwirbeln.

polveroso, -a [polve'ro:so] *agg* staubig, staubbedeckt.

pomata [po'ma:ta] *f* Salbe *f*, Creme *f*; *(per capelli)* Pomade *f*.

pomello [po'mɛllo] *m* **1.** *(zigomo)* Jochbogen *m*, Zygoma *n*; **2.** *(oggetto sferico)* Knauf *m*, Knopf *m*.

pomeridiano, -a [pomeri'di̯a:no] *agg* nachmittäglich, Nachmittags-.

pomeriggio [pome'riddʒo] ⟨-ggi⟩ *m* Nachmittag *m*; **di** ~ nachmittags; **domani/oggi** ~ morgen/heute nachmittag; **nel primo/tardo** ~ am frühen/späten Nachmittag; **(il) venerdì** ~ (am) Freitag nachmittag.

pomice ['po:mitʃe] ⟨-ci⟩ **I.** *f* Bimsstein *m*; **II.** ⟨*inv*⟩ *agg:* **pietra** ~ Bimsstein *m*.

pomiciare [pomi'tʃa:re] ⟨pomicio, pomici⟩ *itr sl* knutschen *fam*, schmusen *fam*.

pomo ['po:mo] *m* **1.** *bot* Apfelfrucht *f*; **2.** *dial (mela)* Apfel *m*; **3.** *(oggetto sferico)* Kugel *f*, Knauf *m*; ~ **d'Adamo** Adamsapfel *m*; ~ **della discordia** Zankapfel *m*.

pomodoro [pomo'dɔ:ro] *m* Tomate *f*; **-i in insalata/insalata di -i** Tomatensalat *m*; **succo di** ~ Tomatensaft *m*; **diventare rosso come un** ~ puterrot werden.

pompa[1] ['pompa] *f* **1.** *tec* Pumpe *f*; **2.** *fam* Tank-, Zapfsäule *f*; ~ **di calore** Wärmepumpe *f*.

pompa[2] ['pompa] *f* *(sfarzo)* Pomp *m*, Prunk *m*; ~ **funebre** Leichenbegängnis *n*, -bestattung *f*; **impresa di -e funebri** Bestattungsinstitut *n*; **mettersi in** ~ **magna** *scherz* sich in Schale werfen *fam*.

pompare [pom'pa:re] *tr* **1.** *gener.* pumpen; **2.** *fam (gonfiare)* aufpumpen; **3.** *fig fam (esagerare)* aufbauschen.

Pompei [pom'pɛ:i] *f* Pompeji *n*.

pompelmo [pom'pɛlmo] *m* Pampelmuse *f*, Grapefruit *f*.

pompiere [pom'pi̯ɛ:re] *m* Feuerwehrmann *m*; **chiamare i -i** die Feuerwehr rufen.

pompon [põ'põ] ⟨-⟩ *m* Pompon *m*, Quaste *f*.

pomposo, -a [pom'po:so] *agg* pompös, prunkvoll, prächtig; *mus* feierlich.

poncho ['pontʃo] ⟨-⟩ *m* Poncho *m*.

ponderare [ponde'ra:re] *tr* er-, abwägen. **ponderato, -a** [...'ra:to] *agg* **1.** *(discorso, decisione)* (wohl-, gut)überlegt; **2.** *(persona)* überlegt, besonnen. **ponderazione** [...rat'tsi̯o:ne] *f* Erwägung *f*, Überlegung *f*.

pone ['po:ne] *ecc. v.* **porre.**

ponente [po'nɛnte] *m* **1.** *geog* Westen *m*; **2.** *(vento)* Westwind *m*.

pongo ['poŋgo] *pr di* **porre.**

poni ['po:ni] *ecc. v.* **porre.**

ponte ['ponte] **I.** *m* **1.** *gener.*, *fig* Brücke *f*; *(fig a.)* Verbindung *f*; **2.** *(nell'edilizia)* (Bau)gerüst *n*; **3.** *mot* Achse *f*; **4.** *med* (Zahn)brücke *f*; **5.** *el* Brücke *f*, Schaltdraht *m*; ~ **levatoio/sospeso** Zug-/Hängebrücke *f*; ~ **aereo** Luftbrücke *f*; ~ **ra-**

dio (Rund)funkverbindung *f;* **gettare un** ~ *(a. fig)* eine Brücke schlagen; **rompere (*o* tagliare) i -i** alle Brücken (hinter sich *+dat*) abbrechen; **fare il** ~ an einem Tag zwischen zwei Feiertagen nicht arbeiten, ein langes Wochenende machen; **II.** ⟨*inv*⟩ *agg* Übergangs-, Überbrückungs-; **governo** ~ Übergangsregierung *f.*

pontefice [pon'te:fitʃe] ⟨-ci⟩ *m* Papst *m.*

ponteggio [pon'teddʒo] ⟨-ggi⟩ *m* (Bau)-gerüst *n.*

ponticello [ponti'tʃɛllo] *m (a. mus; degli occhiali)* Steg *m.*

pontificare [pontifi'ka:re] ⟨pontifico, pontifichi⟩ *itr* **1.** *rel* das Pontifikalamt zelebrieren; **2.** *fig* (auf übertriebene Art) dozieren. **pontificato** [...'ka:to] *m* Papsttum *n,* Papstwürde *f; (carica)* Pontifikat *n.* **pontificio, -a** [...'fi:tʃo] ⟨-ci, -cie⟩ *agg* päpstlich, Papst-; **lo stato** ~ *st* der Kirchenstaat.

pontile [pon'ti:le] *m* Landungssteg *m,* Landungsbrücke *f.*

pool [pu:l] ⟨-⟩ *m* Pool *m.*

pop [pɔp] ⟨*inv*⟩ *agg* Pop-.

popeline ['pɔ:pelin] ⟨-⟩ *f* Popelin(e) *m.*

popò [po'pɔ] ⟨-⟩ *fam* **I.** *f (feci)* Aa *n fam;* **II.** *m (sedere)* Po(po) *m fam.*

popolano, -a [popo'la:no] **I.** *agg* **1.** *(del popolo)* volkstümlich, Volks-; **2.** *(a sostegno del popolo)* zugunsten des Volkes, Volks-; **II.** *m, f* Mann *m,* Frau *f* aus dem Volk.

popolare[1] [popo'la:re] *agg* **1.** *(del popolo)* Volks-; **2.** *(diffuso nel popolo)* Volks-, volkstümlich; **3.** *(noto)* populär, beliebt; **4.** *(divulgativo)* populär, allgemein verständlich; **canzone** ~ Volkslied *n;* **case -i** Sozialwohnungen *f pl.*

popolare[2] [popo'la:re] **I.** *tr* **1.** *(rendere abitato)* bevölkern, besiedeln; **2.** *(abitare)* bewohnen; **3.** *(riempire di gente)* bevölkern; **II.** *rfl:* **-arsi 1.** *(diventare popolato)* besiedelt (*o* bevölkert) werden; **2.** *(affollarsi)* sich bevölkern.

popolaresco, -a [popola'resko] ⟨-schi, -sche⟩ *agg* volkstümlich.

popolarità [popolari'ta] ⟨-⟩ *f* Popularität *f,* Beliebtheit *f.*

popolazione [popolat'tsio:ne] *f* **1.** *(quantità di persone)* Bevölkerung *f;* **2.** *(di un territorio)* Einwohner *m pl;* **3.** *zoo* Population *f;* **4.** *(raggruppamento)* Bevölkerungsgruppe *f;* **censimento della** ~ Volkszählung *f;* **densità della** ~ Bevölkerungsdichte *f.*

popolino [popo'li:no] *m peg* niederes (*o* gemeines) Volk.

popolo ['pɔ:polo] *m* **1.** *(di un paese)* Volk *n; (di una città, regione)* Bevölkerung *f;* **2.** *(moltitudine)* Volksmenge *f,* Volksmasse *f.* **popoloso, -a** [popo'lo:so] *agg* dichtbevölkert, dichtbesiedelt.

poppa ['poppa] *f* **1.** *naut* Heck *n;* **2.** *fam (mammella)* Brust *f;* **avere vento in** ~ *fig* Rückenwind haben; **a** ~ am Heck.

poppante [pop'pante] **I.** *agg (bambino)* an der Mutterbrust trinkend; **II.** *mf* **1.** *(lattante)* Säugling *m;* **2.** *fig fam* Grünschnabel *m.* **poppare** [...'pa:re] *tr* saugen; *(bambino)* (an der Mutterbrust) trinken. **poppata** [...'pa:ta] *f* Milchmahlzeit *f.* **poppatoio** [...pa'to:io] ⟨-oi⟩ *m* Fläschchen *n,* Milchflasche *f.*

porcaio [por'ka:io] ⟨-ai⟩ *m* **1.** *fig (luogo sudicio, immorale)* Saustall *m fam; (porcheria)* Sauerei *f fam;* **2.** *(guardiano di porci)* Schweinehirt *m.*

porcellana [portʃel'la:na] *f* Porzellan *n.*

porcellino [portʃel'li:no] *m* Ferkel *n;* ~ **d'India** Meerschweinchen *n.* **porcello, -a** [por'tʃɛllo] *m, f* **1.** *zoo* Schwein *n;* **2.** *fig fam* Ferkel *n fam.* **porcellone, -a** [...tʃel'lo:ne] *m, f fam* Ferkel *fam,* Schwein *n vulg.*

porcheria [porke'ri:a] ⟨-ie⟩ *f* **1.** *(sporcizia)* Dreck *m,* Schmutz *m;* **2.** *(pasto)* Fraß *m fam; (bevanda)* Gesöff *n fam;* **3.** *fig (azione)* Schweinerei *f fam; (cosa fatta male)* Schweinerei *f fam,* Schweinkram *m fam.*

porchetta [por'ketta] *f* Spanferkel *n.*

porcile [por'tʃi:le] *m* Schweinestall *m; (fig a.)* Saustall *m fam.*

porcino, -a [por'tʃi:no] **I.** *agg* Schweins-, Schweine-, schweinsartig; **II.** *m* Steinpilz *m.*

porco, -a ['pɔrko] ⟨-ci, -che⟩ **I.** *m* **1.** *zoo* Schwein *n;* **2.** *fig peg* Schwein *n,* Sau *f vulg;* **3.** *fig volg (persona viziosa)* Schweinehund *m vulg,* Saukerl *m vulg;* **gettar le perle ai -ci** *fig* Perlen vor die Säue werfen; **II.** *agg* **1.** *peg (schifoso)* widerlich, ekelhaft; **2.** *volg (in esclamazioni)* beschissen *vulg,* Sau- *vulg,* Scheiß- *fam;* **-a miseria!** *fam* verdammte Schweinerei! *vulg;* ~ **Giuda!** *fam* zum Teufel noch mal! *fam.*

porcospino [porkos'pi:no] *m* **1.** *zoo* Stachelschwein *n;* **2.** *fig* Kratzbürste *f.*

porfido ['pɔrfido] *m* Porphyr *m.*

porgere ['pɔrdʒere] ⟨porgo, porgi, porsi, porto⟩ *tr* **1.** *(dare)* reichen; **2.** *fig* (an)-bieten; ~ **la mano** die Hand geben (*o* reichen); ~ **l'occasione** (die) Gelegenheit geben; ~ **ascolto a qu** jdm Gehör schenken, jdm zuhören.

porno ['pɔrno] **I.** ⟨*inv*⟩ *agg* Porno-; **rivista** ~ Pornoheft *n;* **II.** ⟨-⟩ *m* Pornographie *f.*

pornofilm [-'film] ⟨-⟩ *m* Pornofilm *m.*

pornografia [pornogra'fi:a] *f* Pornographie *f.* **pornografico, -a** [-'gra:fiko] *agg* pornographisch, Porno-. **pornoshop** [-'ʃɔp] ⟨-⟩ *m* Sexshop *m.*

poro ['pɔ:ro] *m* Pore *f;* **sprizzare gioia/salute/rabbia/veleno da tutti i -i** außer sich *(dat)* sein vor Freude/vor Gesundheit strotzen/vor Wut schäumen/Gift und Galle spucken. **poroso, -a**

[po'ro:so] *agg* **1.** *(pelle)* (groß)porig; **2.** *(roccia, legno)* porös.

porpora ['porpora] *f (a. rel)* Purpur *m.*

porre ['porre] ⟨pongo, posi, posto⟩ **I.** *tr* **1.** *(mettere orizzontalmente)* legen; *(mettere verticalmente)* stellen, setzen; **2.** *(domanda)* richten, *(a qu* an jdn), stellen *(a qu* an jdn); **3.** *mat* (gleich)setzen; **4.** *fig (supporre)* annehmen; **5.** *dir* voraussetzen, annehmen; **6.** *(fine, termine)* machen, setzen; **7.** *(occhi, sguardo)* heften *(su* auf *+akk)*; ~ **a confronto** vergleichen, gegenüberstellen; ~ **fiducia in qu** Vertrauen in jdn setzen, jdm Vertrauen schenken; ~ **freno** Einhalt gebieten; **senza** ~ **tempo di mezzo** unverzüglich, sofort; **poniamo che sia errato** nehmen wir an, daß es falsch ist; **II.** *rfl:* **-orsi 1.** *(mettersi)* sich setzen, sich stellen, sich legen; **2.** *(accingersi)* sich anschicken; **-orsi a sedere** sich (hin)setzen; **-orsi in cammino/salvo** sich aufmachen, sich auf den Weg machen/sich in Sicherheit bringen.

porro ['pɔrro] *m* **1.** *bot* Lauch *m,* Porree *m;* **2.** *med fam* Warze *f.*

porsi ['pɔrsi] *p rem di* **porgere.**

porta ['pɔrta] *f* **1.** *(apertura)* Tür *f;* **2.** *(di mura)* Tor *n;* **3.** *sport* Tor *n;* **4.** *naut* Luke *f;* **5.** *inform* Anschluß(stelle *f*) *m,* Schnittstelle *f;* **a -e chiuse** *dir* unter Ausschluß der Öffentlichkeit; **vendita** ~ **a** ~ Haustürgeschäft *n;* **prendere la** ~ *fam* fortgehen; **sfondare una** ~ **aperta** *fig* offene Türen einrennen; **essere alle -e** *fig* vor der Tür stehen; **mettere qu alla** ~ jdn vor die Tür setzen; **indicare la** ~ **a qu** *fig* jdm die Tür weisen *geh,* jdn hinauswerfen; **chiudere la** ~ **in faccia a qu** jdm die Tür vor der Nase zuschlagen; **ha tutte le -e aperte** ihm *(o* ihr) stehen alle Türen offen; ~ **di Brandenburgo** Brandenburger Tor.

portabagagli [portaba'gaʎʎi] ⟨-⟩ *m* **1.** *(di automobili)* (Dach)gepäckträger *m;* *(bagagliaio)* Kofferraum *m;* *(in treno)* Gepäckablage *f.* **2.** *(facchino)* Gepäckträger *m.* **portabandiera** [-bandi̯ɛ:ra] ⟨-⟩ *mf* **1.** *fig (esponente principale)* Anführer(in) *m(f),* Hauptvertreter(in) *m(f);* **2.** *mil* Fahnenträger(in) *m(f).* **portabiancheria** [-bi̯aŋke'ri:a] ⟨-⟩ *m* Wäscheständer *m.* **portabottiglie** [-bo'tiʎʎe] ⟨-⟩ *m* Flaschengestell *n.* **portaburro** [-'burro] ⟨-⟩ *m* Butterdose *f.* **portacarte** [-'karte] ⟨-⟩ *m* Mappe *f,* Ordner *m.* **portacassette** [-kas'sette] ⟨-⟩ *m* Kassettenständer *m;* *(valigetta)* Kassettenkoffer *m.* **portacenere** [-'tʃe:nere] ⟨-⟩ *m* Aschenbecher *m.* **portachiavi** [-'ki̯a:vi] ⟨-⟩ *m* **1.** *(moschettone)* Schlüsselanhänger *m;* *(anello)* Schlüsselring *m;* **2.** *(custodia)* Schlüsseletui *n.* **portacipria** [-'tʃi:pri̯a] ⟨-⟩ *m* Puderdose *f.* **portadischi** [-'diski] ⟨-⟩ *m* (Schall)plattenständer *m.* **portadolci** [-'doltʃi] ⟨-⟩ *m* Kuchenteller *m,* -platte *f.*

portaerei [-'ɛ:rei] ⟨-⟩ *f* Flugzeugträger *m.*

portafinestra [-fi'nɛstra] ⟨portefinestre⟩ *f* Balkontür *f.*

portafiori [-'fi̯o:ri] ⟨-⟩ *m* Blumenständer *m.*

portafoglio [-'fɔʎʎo] *m* **1.** *(per denaro)* Geldtasche *f;* *(per carte)* Brieftasche *f;* **2.** *(per documenti)* Aktentasche *f;* **3.** *fig pol* Portefeuille *n,* Geschäftsbereich *m;* **4.** *fin* Wertpapierbestand *m;* ~ **estero** Devisenbestand *m;* **alleggerire il** ~ **a qu** jdn um sein Geld bringen, jdm das Geld aus der Tasche ziehen.

portafortuna [-for'tu:na] **I.** ⟨*inv*⟩ *agg* Glücks-; **II.** ⟨-⟩ *m* Glücksbringer *m,* Maskottchen *n,* Talisman *m.*

portafrutta [-'frutta] ⟨-⟩ *m* Obstteller *m,* -schale *f.* **portagioie, portagioielli** [-'dʒɔ:i̯e, -dʒo'i̯ɛlli] ⟨-⟩ *m* Schmuckkästchen *n,* -schatulle *f.*

portale [por'ta:le] *m* Portal *n.*

portalettere [-'lɛttere *o* -'let...] *mf* Briefträger(in) *m(f),* Postbote *m,* -botin *f.*

portamatite [-ma'ti:te] ⟨-⟩ *m* Bleistiftmäppchen *n,* -etui *n.*

portamento [porta'mento] *m* Haltung *f.*

portamonete [-mo'ne:te] ⟨-⟩ *m* Portemonnaie *n,* Geldbörse *f.*

portante [por'tante] *agg* tragend; **muro** ~ tragende Wand; **superficie** ~ Tragfläche *f.*

portantina [portan'ti:na] *f* **1.** *(per ammalati)* (Trag)bahre *f,* Trage *f;* **2.** *(sedia portatile)* Sänfte *f,* Tragsessel *m.*

portaombrelli [portaom'brɛlli] ⟨-⟩ *m* Schirmständer *m.* **portapacchi** [-'pakki] ⟨-⟩ *m* Gepäckträger *m.* **portapenne** [-'penne] ⟨-⟩ *m* **1.** *(astuccio)* Federetui *n,* Federmäppchen *n;* **2.** *(asticciola)* Federhalter *m.* **portapillole** [-'pillole] ⟨-⟩ *m* Pillendöschen *n.* **portaposate** [-po'sa:te] ⟨-⟩ *m* Besteckkasten *m.*

portare [por'ta:re] **I.** *tr* **1.** *(trasportare)* tragen; *(recare)* bringen; *(portare in regalo)* mitbringen; (~ con sé) mit sich *(dat)* tragen, mit sich *(dat)* bringen, (bei sich *+dat*) haben; *(far venire)* mitnehmen; **2.** *(indossare)* tragen, anhaben; **3.** *(reggere, tenere)* halten, tragen; **4.** *(condurre)* führen; *(veicoli)* fahren, lenken; *(animali)* führen, treiben; **5.** *(avere)* haben, tragen; *(mostrare)* aufweisen, tragen; **6.** *(indurre)* (hin)treiben, bringen; **7.** *(addurre)* (an)bringen, aufführen; *(prova)* erbringen; *(esempio)* anführen; **8.** *(produrre)* hervorbringen, mit sich *(dat)* bringen; *(causare)* verursachen; **9.** *(sostenere)* unterstützen; **10.** *(trasmettere)* überbringen, übertragen; *mat* übertragen; **11.** *fig (amore)* empfinden; *(rancore)* hegen; *(rispetto)* entgegenbringen; *(pazienza)* aufbringen; ~ **su/giù/dentro/fuori/via/avanti** hinauf-/hinunter-/hinein-/heraus-/weg-/

vorantragen; ~ **gli occhiali** eine Brille tragen; ~ **in dote/in regalo** als Aussteuer/Geschenk mitbringen; ~ **in tavola** auftischen, auftragen; ~ **a spasso qu** jdn spazierenführen; ~ **bene/male gli anni** für sein Alter gut/schlecht aussehen; ~ **bene (***o* **fortuna)/male (***o* **sfortuna) a qu** jdm Glück/Unglück bringen; **II.** *rfl:* **-arsi** sich begeben.

portariviste [portari'viste] ⟨-⟩ *m* Zeitungsständer *m.* **portarotoli, portarotolo** [-'rɔ:toli, -'rɔ:tolo] ⟨-⟩ *m* Rollenhalter *m; (per carta igienica)* Toilettenpapierhalter *m.* **portasapone** [-sa'po:ne] ⟨-⟩ *m* Seifendose *f,* -schale *f.* **portasci** [-ʃ'ʃi] *m* Skiträger *m.* **portasigarette** [-siga'rette] ⟨-⟩ *m* Zigarettenetui *n.* **portaspilli** [-s'pilli] ⟨-⟩ *m* Nadelkissen *n.*

portata [por'ta:ta] *f* **1.** *(di pranzo)* Gang *m;* **2.** *(capacità di carico)* Tragfähigkeit *f,* Ladefähigkeit *f;* **3.** *mil* Reichweite *f,* Schußweite *f;* **4.** *fis* Durchfluß *m; (di fiume)* Wassermenge *f;* **5.** *fig (importanza)* Tragweite *f,* Bedeutung *f;* **un prezzo alla ~ di tutti** ein Preis, der für jeden erschwinglich ist; **a ~ di mano** in Reichweite, in greifbarer Nähe; **di vasta ~** weitreichend.

portatessera [porta'tɛssera] ⟨-⟩ *m* Ausweishülle *f.*

portatile [por'ta:tile] *agg* tragbar; *(macchina da scrivere)* Reise-; *(radio)* Koffer-; **telefono ~** Mobiltelefon *n.*

portato, -a [por'ta:to] *agg:* **essere ~ per qc** für etw. begabt sein.

portatore, -trice [porta'to:re] *m, f* **1.** *(addetto al trasporto)* Träger(in) *m(f);* **2.** *med* (Über)träger(in) *m(f);* **3.** *fin* Überbringer(in) *m(f);* **4.** *econ (possessore)* Inhaber(in) *m(f);* **titolo al ~** Inhaberpapier *n,* -aktie *f.*

portatovagliolo [-tovaʎ'ʎɔ:lo] *m (busta)* Serviettentasche *f; (anello)* Serviettenring *m.* **portattrezzi** [portat'trettsi] ⟨-⟩ *m* Werkzeugkasten *m.* **portauova, portauovo** [-'uɔ:va, ...vo] ⟨-⟩ *m* Eierbecher *m.* **portavivande** [-vi'vande] *m* Servierwagen *m.* **portavoce** [-'vo:tʃe] ⟨-⟩ *mf* Sprecher(in) *m(f),* Wortführer(in) *m(f);* ~ **del governo** Regierungssprecher *m.*

portefinestre *pl di* **portafinestra.**

portello [por'tɛllo] *m* **1.** *(sportello)* (Schrank)flügel *m;* **2.** *naut* Luke *f.* **portellone** [portel'lo:ne] *m mot* Heckklappe *f.*

portento [por'tɛnto] *m* **1.** *(avvenimento straordinario)* Wunder *n;* **2.** *(persona eccezionale) Genie n,* Ausbund *m* (an). **portentoso, -a** [...ten'to:so] *agg* wunderbar.

porticato [porti'ka:to] *m* Laubengang *m,* Arkaden *f pl.* **portico** ['pɔrtiko] ⟨-ci⟩ *m* Lauben-, Säulen-, Bogengang *m.*

portiera [por'tjɛ:ra] *f* Wagen-, Autotür *f.*

portiere, -a [por'tjɛ:re] *m, f* **1.** *(portinaio)* Portier *m,* Portiersfrau *f,* Pförtner(in) *m(f);* **2.** *sport* Torwart *m.*

portinaio, -a [porti'na:jo] ⟨-ai, -aie⟩ *m, f* Portier *m,* Portiersfrau *f,* Pförtner(in) *m(f).* **portineria** [...ne'ri:a] ⟨-ie⟩ *f* Portier(s)loge *f.*

porto[1] ['pɔrto] *pp di* **porgere.**

porto[2] ['pɔrto] *m* **1.** *(relativo a armi):* ~ **d'armi** Waffenschein *m;* **2.** *(spesa di trasporto)* Porto *n;* **franco di ~** portofrei, gebührenfrei.

porto[3] ['pɔrto] *m* **1.** *naut* Hafen *m; (rifugio)* Zuflucht *f;* **2.** *fig (punto d'arrivo)* Ziel *n,* Ende *n;* **questa casa sembra un ~ di mare** *fig* hier geht es zu wie in einem Taubenschlag; **giungere in ~** *fig* am Ziel ankommen; **condurre in ~ un affare** *fig* eine Angelegenheit abschließen.

Portogallo [porto'gallo] *m:* **il ~** Portugal *n.* **portoghese** [...'ge:se] **I.** *agg* portugiesisch; **II.** *mf* Portugiese *m,* Portugiesin *f.*

portone [por'to:ne] *m* Tor *n,* Haupteingang *m.*

portuale [portu'a:le] **I.** *agg* Hafen-; **II.** *m* Hafenarbeiter *m.*

porzione [por'tsjo:ne] *f* (An)teil *m; (di cibo)* Portion *f;* ~ **dell'eredità** Erbteil *m.*

posa ['pɔ:sa] *f* **1.** *(collocazione)* Aufstellung *f,* Anbringung *f; (di cavi, tubi, ecc.)* Verlegung *f;* **2.** *fot* Belichtungszeit *f; (ripresa)* Zeitaufnahme *f; (fotografia)* Bild *n,* Aufnahme *f;* **3.** *(atteggiamento)* Pose *f,* Positur *f;* ~ **della prima pietra** Grundsteinlegung *f.*

posacenere [posa'tʃe:nere] ⟨-⟩ *m* Aschenbecher *m.*

posare [po'sa:re] **I.** *tr* niederstellen, hinstellen, -legen, absetzen; *(armi)* niederlegen; **II.** *itr* **1.** *(poggiare)* ruhen, stehen, liegen; **2.** *(stare in posa)* posieren; **3.** *fig (fondarsi)* sich stützen, beruhen; **III.** *rfl:* **-arsi** sich niederlassen.

posata [po'sa:ta] *f* Besteck *n.*

posatezza [posa'tettsa] *f* Bedächtigkeit *f,* Gesetztheit *f.* **posato, -a** [po'sa:to] *agg* bedächtig; *(equilibrato)* besonnen.

poscritto [pos'kritto] *m* Postskript(um) *n,* Nachschrift *f.*

posi ['po:si] *p rem di* **porre.**

positiva [pozi'ti:va] *f* Positiv *n.*

positivo, -a [pozi'ti:vo] **I.** *agg* **1.** *gener.* positiv; *(affermativo a.)* bejahend; *(favorevole a.)* günstig; **2.** *gram* im Positiv; **3.** *(reale)* wirklich, konkret, real; *(certo)* sicher, gewiß; **II.** *m* Positive(s) *n; (ciò che esiste)* Wirkliche(s) *n,* Konkrete(s) *n; (ciò che è sicuro)* Sichere(s) *n,* Gewisse(s) *n.*

posizionamento [pozittsjona'mento] *m inform* Positionierung *f; tec* Einordnung *f.*

posizione [pozit'tsjo:ne] *f* **1.** *gener., geog, astr (a. fig)* Lage *f,* Position *f; (a. mil, tec)* Stellung *f; sport* Stellung *f,* Position *f; (ubicazione)* Lage *f,* Standort *m;* **2.** *(atteggiamento del corpo)* Haltung *f;* **3.** *(collocazione)* Anordnung *f,* Aufstellung *f;* **4.** *fig (convinzione)* Standpunkt *m,* Überzeugung *f,* Position *f;* **farsi una** ~ etwas werden.

posologia [pozolo'dʒi:a] ⟨-gie⟩ *f* Dosierungsanweisung *f.*

posporre [pos'porre] ⟨*irr*⟩ *tr* **1.** *(collocare dopo)* nach-, zurückstellen; **2.** *(differire)* ver-, aufschieben.

possa ['pɔssa] *ecc. v.* **potere.**

possedere [posse'de:re] ⟨*irr*⟩ *tr (ricchezze, ville, cose)* besitzen; *(virtù, bellezze, doti, capacità a.)* verfügen über *+akk*; *(lingua, mestiere)* beherrschen. **possedimento** [...di'mento] *m* Ländereien *f pl,* Besitztum *n; pol* Hoheitsgebiet *n.*

posseditrice *f v.* **possessore.**

possente [pos'sɛnte] *agg* mächtig, stark.

possessivo, -a [posses'si:vo] *agg* **1.** *gram* besitzanzeigend, Possessiv-; **2.** *fig* besitzergreifend; **aggettivo/pronome** ~ besitzanzeigendes Adjektiv/Possessivpronomen *n.*

possesso [pos'sɛsso] *m* **1.** *(il possedere)* Besitz *m;* **2.** *(padronanza)* Beherrschung *f;* **3.** ⟨*pl*⟩ *(proprietà terriera)* Ländereien *f pl; pol* Kolonialbesitz *m,* Hoheitsgebiet *n;* **presa di** ~ Inbesitznahme *f;* **essere nel pieno** ~ **delle proprie facoltà mentali** im Vollbesitz seiner geistigen Kräfte sein; **entrare (***o* **venire) in** ~ **di qc** in den Besitz einer S. *(gen)* kommen. **possessore, posseditrice** [posses'so:re, ...edi'tri:tʃe] *m, f* Besitzer(in) *m(f),* Inhaber(in) *m(f).*

possiamo [pos'sia:mo] *ecc. v.* **potere.**

possibile [pos'si:bile] **I.** *agg* möglich; **al più presto** ~ so bald wie möglich; **appena** ~ sobald wie möglich; **rendere** ~ **qc** etw. ermöglichen; **II.** *m* Mögliche(s) *n;* **nei limiti del** ~ im Rahmen des Möglichen; **fare tutto il** ~ alles Mögliche tun. **possibilità** [possibili'ta] ⟨-⟩ *f* Möglichkeit *f.* **possibilmente** [...l'mente] *avv (se possibile)* möglicherweise, wenn möglich.

possidente [possi'dɛnte] *mf* Besitzer(in) *m(f); (di immobili)* Grundbesitzer(in) *m(f).*

posso ['pɔsso] *pr di* **potere.**

posta ['pɔsta] *f* **1.** *(corrispondenza)* Post *f; (ufficio)* Post *f,* Postamt *n;* **2.** *(nei giochi)* (Spiel)einsatz *m;* **3.** *(di giornale)* Leserbriefrubrik *f;* **4.** *st* Postkutsche *f;* ~ **aerea** Luftpost *f;* ~ **elettronica** elektronische Post; ~ **pneumatica** Rohrpost *f;* **la** ~ **del cuore** *(nei giornali)* Rubrik *f (o* Spalte *f)* für Ratsuchende, Kummerkasten *m fam;* **spedire per** ~ mit der Post schicken; **a bella** ~ absichtlich, mit Absicht. **postacelere** [posta'tʃɛ:lere] ⟨posteceleri *o* -⟩ *m* Schnellpost *f.* **postagiro** [posta'dʒi:ro] *m* ⟨-i *o* -⟩ Post(scheck)überweisung *f.* **postale** [pos'ta:le] **I.** *agg* Post-, postalisch; **cartolina (***o* **biglietto)** ~ Postkarte *f;* **casella** ~ Postfach *n;* **timbro** ~ Poststempel *m;* **vaglia** ~ Postanweisung *f.* **II.** *m naut* Postschiff *n; (corriera)* Postbus *m,* Postauto *n; ferr* Postzug *m; aero* Postflugzeug *n.*

postbellico, -a [post'bɛlliko] *agg* Nachkriegs-.

postdatare [postda'ta:re] *tr* vor(aus)datieren.

posteggiare [posted'dʒa:re] ⟨posteggio, posteggi⟩ *tr, itr* parken. **posteggiatore, -trice** [...dʒa'to:re] *m, f* Parkwächter(in) *m(f).* **posteggio** [...'teddʒo] ⟨-ggi⟩ *m* **1.** *(luogo)* Parkplatz *m;* **2.** *(operazione)* Parken *n;* **divieto di** ~ Parkverbot *n;* ~ **a pagamento** gebührenpflichtiger Parkplatz.

poster ['pɔster] ⟨-⟩ *m* Poster *n o m.*

posteri ['pɔsteri] *m pl* Nachkommen *m pl.*

posteriore [poste'rio:re] **I.** *agg* **1.** *(spazio)* hintere(r, s), Hinter-, rückwärtig; **2.** *(tempo)* später, nachfolgend; **3.** *(arto)* Hinter-; **II.** *m fam scherz (sedere)* Hintern *m fam.*

posterità [posteri'ta] ⟨-⟩ *f* Nachwelt *f; (discendenza)* Nachkommenschaft *f.*

postfazione [postfat'tsio:ne] ⟨-i⟩ *f* Nachwort *n.*

posticcio, -a [pos'tittʃo] ⟨-cci, -cce⟩ *agg* künstlich, falsch; **baffi -cci** künstlicher Schnurrbart.

posticipare [postitʃi'pa:re] *tr* verschieben, aufschieben; *(seduta, riunione, assemblea)* vertagen. **posticipato, -a** [...'pa:to] *agg, avv* nachträglich.

postilla [pos'tilla] *f* Anmerkung *f,* Randbemerkung *f.*

postino, -a [pos'ti:no] *m, f* Briefträger(in) *m(f),* Postbote *m,* -botin *f.*

post-it® ['pɔstit] ⟨-⟩ *m* Haftnotiz *f,* Haftnotizzettel *m.*

postmoderno, -a [postmo'dɛrno] *agg* postmodern.

posto ['posto] *m* **1.** *(luogo)* Platz *m,* Ort *m,* Stelle *f; (zona a.)* Gebiet *n,* Gegend *f;* **2.** *(sedile)* (Sitz)platz *m;* **3.** *(posizione)* Rang *m,* Stellung *f;* **4.** *mil* Posten *m;* **5.** *(impiego)* Stelle *f,* (An)stellung *f;* **6.** *inform* Platz *m,* Station *f;* ~ **di blocco** *ferr* Blockstelle *f; amm* Polizeisperre *f;* ~ **di controllo** Kontrollstelle *f,* -punkt *m;* ~ **di guida** Fahrer-, Führersitz *m;* ~ **di polizia** Polizeiwache *f,* -revier *n;* ~ **in piedi/a sedere** Steh-/Sitzplatz *m;* **essere a** ~ in Ordnung sein; **mettere a** ~ *(a. fig)* in Ordnung bringen; **mettere la testa a** ~ **a qu** jdm den Kopf zurechtrükken *fam;* **mettersi a** ~ *(rassettarsi)* sich zurechtmachen; *(trovare un lavoro)* sich *(dat)* eine Arbeitsstelle verschaffen; *(formare una famiglia)* eine Familie gründen; **tenere le mani/la lingua a** ~

die Hände ruhig halten/seine Zunge hüten; **avere la testa a** ~ vernünftig (*o* weise) sein; **stare al proprio** ~ *fig* sich gut benehmen; **far** ~ **a qu** jdm Platz machen; **mandare qu in quel** ~ *fam* jdn zum Teufel jagen *fam;* **al** ~ **di qu** an jds Stelle; **sul** ~ an Ort und Stelle; **-i esauriti** ausverkauft.

posto, -a ['posto] **I.** *pp di* **porre; II.** *agg* **1.** *(collocato)* aufgestellt; **2.** *(supposto)* angenommen; ~ **che** +*congv* angenommen, daß . . .

postoperatorio, -a [postopera'tɔ:ri̯o] *agg* postoperativ.

postribolo [pos'tri:bolo] *m* Bordell *n,* Freudenhaus *n.*

postscriptum [post'skriptum] ⟨-⟩ *m* *(abbr* **P.S.**) Postskriptum *n (abk PS).*

postulato [postu'la:to] *m* Postulat *n.*

postumo, -a ['pɔstumo] **I.** *agg* post(h)um; **II.** *m* **1.** *med* Nachwirkung *f;* **2.** ⟨*pl*⟩ *(conseguenze)* Folgen *f pl,* Folgeerscheinungen *f pl,* Spätfolgen *f pl.*

potabile [po'ta:bile] *agg* Trink-, trinkbar.

potare [po'ta:re] *tr* beschneiden, stutzen.

potassio [po'tassi̯o] *m* Kalium *n.*

potente [po'tɛnte] *agg* **1.** *(stato, persona)* mächtig; *(di forza fisica)* stark, kräftig; *(efficace)* wirksam, stark; **2.** *fam (di grande effetto)* sehr wirkungsvoll; **3.** *med* potent, zeugungsfähig; **4.** *tec* leistungsfähig.

potenza [po'tɛntsa] *f* **1.** *(potere, autorità)* Macht *f,* Gewalt *f; mil* Stärke *f,* Schlagkraft *f;* **2.** *fis* Kraft *f,* Leistung *f; tec, el, mot* Leistung *f;* **3.** *med, mat* Potenz *f;* **4.** *(intensità)* Heftigkeit *f; (efficacia)* Wirksamkeit *f;* **5.** *pol* Macht *f;* **6.** *fig (capacità)* Kraft *f,* Vermögen *n;* ~ **atomica (***o* **nucleare)** Atommacht *f;* **le grandi -e** die Großmächte *f pl;* **in** ~ potentiell.

potenziale [poten'tsi̯a:le] **I.** *agg* potentiell; *filos, gram* potential; **acquirente** ~ potentieller Käufer; **II.** *m fis, el, fig* Potential *n; (fis a.)* Leistungsfähigkeit *f;* ~ **nucleare** Atompotential *n.*

potenziamento [potentsi̯a'mento] *m* Steigerung *f,* Ausbau *m,* Erweiterung *f; mil (di missili)* Nachrüstung *f.* **potenziare** [...'tsi̯a:re] ⟨potenzio, potenzi⟩ *tr* verstärken, ausbauen, erweitern.

potere [po'te:re] ⟨posso, potei, potuto⟩ **I.** *itr* **1.** *(avere la possibilità, la capacità)* können; *(riuscire)* vermögen, imstande sein, in der Lage sein; **2.** *(avere il permesso)* dürfen, können; **3.** *(dovere)* müssen, sollen; **4.** *(essere probabile)* können, mögen; **5.** *(osare)* wagen, können; **6.** *(avere influenza)* vermögen; **si può fare** das läßt sich machen; **non si può** es geht nicht; **si può?** ist es gestattet?, darf ich?; **può darsi che** +*congv* es könnte sein, daß . . .; **non ne posso più** ich kann nicht mehr; **II.** *m* **1.** *gener.* Macht *f (su qu/qc* über jdn/etw.); **2.** *dir* Gewalt *f;* **3.** *amm* Befugnis *f;* **4.** *(virtù, a. econ)* Kraft *f;* **5.** *fis* Vermögen *n;* Fähigkeit *f;* ~ **economico/politico/spirituale/temporale** wirtschaftliche/politische/geistige/weltliche Macht; ~ **d'acquisto** Kaufkraft *f;* ~ **di vita e di morte** Macht über Leben und Tod; ~**i magici/soprannaturali** Zauberkräfte *f pl*/übernatürliche Kräfte; **divisione dei** ~ Gewaltenteilung *f;* **sete di** ~ Machthunger *m;* **abusare del proprio** ~ seine Macht mißbrauchen; **avere** ~**i limitati** (nur) beschränkte Befugnisse haben; **esercitare un grande** ~ große Macht ausüben; **essere al** ~ an der Macht sein; **essere in** ~ **di qu** in/unter jds *(dat)* Gewalt stehen; **questo non è in mio** ~ das steht nicht in meiner Macht; **usare il proprio** ~ seine Macht gebrauchen.

potestà [potes'ta] ⟨-⟩ *f dir,* Gewalt *f;* ~ **dei genitori** elterliche Gewalt.

poveraccio, -a [pove'rattʃo] ⟨-cci, -cce⟩ *m, f* armer Teufel *fam.*

povero, -a ['pɔ:vero] **I.** *agg* **1.** *(senza soldi, mezzi, a. fig)* arm; *(misero)* armselig; **2.** *(frugale)* einfach; **3.** *(disadorno)* schmucklos, einfach; **4.** *(privo)* -arm, arm (*di* an +*dat*); ~ **te, se ti pesco!** *fam* wehe dir, wenn ich dich erwische!; ~ **in canna** bettelarm, arm wie eine Kirchenmaus; **un** ~ **diavolo** ein armer Teufel *fam;* **regione -a di abitanti** bevölkerungsarme Region; **in parole -e** mit einfachen Worten; **II.** *m, f* Arme(r) *mf.*

povertà [pover'ta] ⟨-⟩ *f* **1.** *(indigenza)* Armut *f;* **2.** *(mancanza)* Armut *f* (*di* an +*dat*), Mangel *m* (*di* an +*dat*).

pozione [pot'tsi̯o:ne] *f* Zaubertrank *m.*

pozza ['pottsa] *f (d'acqua)* Pfütze *f; (di sangue)* (Blut)lache *f.*

pozzanghera [pot'tsaŋgera] *f* (Wasser)pfütze *f.*

pozzetto [pot'tsetto] *m* **1.** *(nelle fognature)* Gully *m,* Abfluß *m;* **2.** *naut* Plicht *f,* Cockpit *n.*

pozzo ['pottso] *m* **1.** *(per estrarre acqua)* Brunnen *m;* **2.** *min* Schacht *m,* Grube *f; (di petrolio)* Bohrloch *n;* **3.** *fig (grande quantità)* Unmenge *f;* ~ **nero** Senkgrube *f;* **essere un** ~ **di scienza** ein Wunder an Gelehrsamkeit sein; **essere un** ~ **senza fondo** *fig* ein Faß ohne Boden sein.

pp. *abbr di* **pagine** Seiten.

P.P.I. *m abbr di* **Partito Popolare Italiano** *italienische Volkspartei.*

P.R. **1.** *abbr di* **public relations** *(pubbliche relazioni)* Public Relations *pl* (*abk* PR), Öffentlichkeitsarbeit *f;* **2.** *abbr di* **Procuratore della Repubblica** Staatsanwalt *m.*

Praga ['pra:ga] *f* Prag *n.*

pragmatico, -a [prag'ma:tiko] ⟨-ci, -che⟩ *agg* pragmatisch.

prammatica [pram'ma:tika] *f:* **di** ~ obli-

gat, üblich; *(prescritto)* vorgeschrieben.
prammatico, -a [...ko] ⟨-ci, -che⟩ *agg* praktisch, pragmatisch.
pranoterapia [pranotera'pi:a] *f* Handauflegen *n.* **pranoterapista** [...'pista] ⟨-i *m,* -e *f*⟩ *mf* Handaufleger(in) *m(f).*
pranzare [pran'dza:re] *itr* zu Mittag essen.
pranzo ['prandzo] *m* (Mittag)essen *n;* **all'ora di** ~ zur Mittagszeit; **dopo** ~ nach dem (Mittag)essen; **prima di** ~ vor dem Mitagessen.
prassi ['prassi] ⟨-⟩ *f* **1.** *(procedura corrente)* Gepflogenheit *f;* **2.** *(pratica)* Praxis *f.*
prateria [prate'ri:a] ⟨-ie⟩ *f* Prärie *f.*
pratica ['pra:tika] ⟨-che⟩ *f* **1.** *(attività)* Praxis *f; peg* Praktik *f;* **2.** *(esperienza)* Erfahrung *f* (*di* mit); **3.** *amm* Vorgang *m,* Akte *f;* ⟨*pl*⟩ *(atti)* Akten *f pl,* Dokumente *n pl;* **4.** *rel* Handlung *f;* **5.** *(tirocinio)* Lehre *f;* **acquistare (*o* prendere)** ~ Übung bekommen; **far** ~ **da un barbiere** eine Friseurlehre machen; **mettere in** ~ in die Praxis umsetzen; **in** ~ in der Praxis; *fig* in Wirklichkeit, tatsächlich.
praticabile [prati'ka:bile] *agg* **1.** *(che si può praticare)* ausführbar, anwendbar; **2.** *(terreno)* begehbar; *(strada)* befahrbar.
praticamente [pratika'mente] *avv* **1.** *(in effetti)* im Grunde, praktisch; **2.** *(in modo pratico)* praktisch.
praticante [prati'kante] **I.** *agg rel* praktizierend; **II.** *mf* Praktikant(in) *m(f).* **praticare** [...'ka:re] ⟨pratico, pratichi⟩ *tr* **1.** *(mettere in pratica)* anwenden, praktizieren; **2.** *(esercitare)* ausüben, betreiben; *med* praktizieren; *(seguire)* (aus)-üben; **3.** *(frequentare)* verkehren mit (*qu/qc* mit jdm/in etw. *dat*); ~ **uno sconto** einen Nachlaß (*o* Rabatt) gewähren.
praticità [pratitʃi'ta] ⟨-⟩ *f* **1.** *(comodità)* Bequemlichkeit *f;* **2.** *(l'essere pratico)* Zweckmäßigkeit *f,* Handlichkeit *f.*
pratico, -a ['pra:tiko] ⟨-ci, -che⟩ *agg* **1.** *(gener.)* praktisch; *(comodo a usarsi a.)* handlich; *(carattere, persona)* praktisch (veranlagt); **2.** *(con esperienza)* erfahren (*di* in *+dat*); **essere** ~ **di qc** sich mit etw. auskennen.
prato ['pra:to] *m* Wiese *f; (di giardino, parco)* Rasen *m.*
pre- [pre-] *(in parole composte)* Vor-, Prä-, prä-.
Prealpi [-'alpi] *f pl* Voralpen *pl.* **prealpino, -a** [-al'pi:no] *agg* Voralpen-.
preambolo [-'ambolo] *m* **1.** *(testo introduttivo)* Präambel *f; (discorso introduttivo)* Einleitungsrede *f,* Vorrede *f;* **2.** *(cerimonia)* Umschweife *pl,* Umständlichkeit *f;* **senza tanti -i** ohne Umschweife.
preannunziare, preannunciare [-annun'tsia:re, ...'tʃa:re] *tr* vorankündigen, anzeigen. **preannunzio, preannuncio** [-an'nuntsio, ...tʃo] *m* Vorankündigung *f.*
preavvisare [-avvi'za:re] *tr* im voraus benachrichtigen (*o* warnen). **preavviso** [-av'vi:zo] *m* **1.** *(avviso preventivo)* Vorankündigung *f,* vorherige Benachrichtigung; *amm* Voranmeldung *f;* **2.** *dir* Voranzeige *f;* **3.** *(periodo)* Frist *f;* **periodo di** ~ Kündigungsfrist *f;* **senza** ~ fristlos, ohne Vorankündigung.
prebarba [-'barba] **I.** ⟨-⟩ *m* Pre-shave-Lotion *f;* **II.** ⟨*inv*⟩ *agg* Pre-shave-, Rasier-.
prebellico, -a [-'bɛlliko] *agg* Vorkriegs-.
precariato [-ka'ria:to] *m* befristetes Arbeitsverhältnis im öffentlichen Dienst.
precarietà [...rie'ta] ⟨-⟩ *f* Vorläufigkeit *f.*
precario, -a [...'ka:rio] ⟨-i, -ie⟩ **I.** *agg* **1.** *(provvisorio)* vorläufig, provisorisch; **2.** *med* prekär, bedenklich; **personale** ~ Zeitpersonal *n;* **II.** *m, f* Angestellte(r) *mf* mit Zeitvertrag.
precauzionale [-kauttsio'na:le] *agg* vorbeugend, Vorsichts-. **precauzione** [...'tsio:ne] *f* Vorsicht *f; (misura preventiva)* Vorsorgemaßnahme *f,* Vorsichtsmaßnahme *f;* **prendere le proprie -i** eigene Vorkehrungen treffen.
precedente [-tʃe'dɛnte] **I.** *agg* vorige(r, s), vorherige(r, s), vorhergehend, Vor-; **II.** *m* **1.** ⟨*pl*⟩ *dir* Vorleben *n;* **2.** ⟨*pl*⟩ *(condotta)* Führung *f;* **-i penali** Vorstrafen *f pl;* **senza -i** *fig* beispiellos, nie dagewesen. **precedenza** [...'dɛntsa] *f* **1.** *mot* Vorfahrt *f;* **2.** *(priorità)* Priorität *f;* **strada con diritto di** ~ Vorfahrtsstraße *f;* **in** ~ vorher, im voraus. **precedere** [-'tʃɛ:dere] *tr* **1.** *(andare innanzi)* vorangehen; *(con veicolo)* vorfahren; **2.** *(essere anteriore)* vorausgehen, voraussein; **3.** *fig (arrivare prima)* zuvorkommen, zuerst ankommen.
precetto [-'tʃɛtto] *m* **1.** *(insegnamento)* Regel *f,* Vorschrift *f; rel* Gebot *n;* **2.** *amm (ordine)* Befehl *m,* Bescheid *m;* **3.** *mil* Einberufung *f.* **precettore, -trice** [-tʃet'to:re] *m, f* Erzieher(in) *m(f),* Privatlehrer(in) *m(f).*
precipitare [-tʃipi'ta:re] **I.** *tr* ⟨*avere*⟩ **1.** *(gettare)* hinab-, hinunterstürzen; **2.** *fig (affrettare)* überstürzen, übereilen; **II.** *itr* ⟨*essere*⟩ **1.** *(cadere)* (herab)stürzen, -fallen, abstürzen; **2.** *fig* sich überschlagen; **3.** *chim* sich niederschlagen; **III.** *rfl:* **-arsi 1.** *(gettarsi)* sich (hinab)-werfen, -stürzen; **2.** *(recarsi in fretta)* (sich) stürzen. **precipitazione** [...tat'tsio:ne] *f* **1.** *meteo* Niederschlag *m;* **2.** *fig (fretta)* Überstürzung *f,* Übereilung *f;* **-i atmosferiche** Niederschläge *m pl.*
precipitevolissimevolmente [...tevolissimevol'mente] *avv scherz* Hals über Kopf. **precipitoso, -a** [...'to:so] *agg* überstürzt; *(senza riflettere a.)* voreilig, unüberlegt; *(fuga, ecc. a.)* kopflos.
precipizio [-tʃi'pittsio] ⟨-i⟩ *m* Abgrund *m* *(a. fig);* **essere sull'orlo del** ~ *fig* am

Rande des Abgrunds stehen; **a** ~ *(a strapiombo)* steil, abschüssig; *(a capofitto)* kopfüber.
precipuo, -a [-'tʃi:puo] *agg lett* hauptsächlich, Haupt-.
precisare [-tʃi'za:re] *tr* präzisieren, (genauer) bestimmen; *(esporre)* erläutern. **precisazione** [...zat'tsio:ne] *f* Präzisierung *f,* Erläuterung *f.*
precisione [-tʃi'zio:ne] *f* Präzision *f,* Genauigkeit *f;* ~ **di tiro** Treffsicherheit *f;* **esprimersi con** ~ sich präzise ausdrükken. **preciso, -a** [-'tʃi:zo] *agg* **1.** *(esatto)* genau, präzise, exakt; **2.** *(ordinato)* geordnet, ordentlich, genau; **3.** *(determinato)* bestimmt; **sono le 10 -e** es ist Punkt 10 (Uhr); **di** ~ genau.
precludere [-'klu:dere] ⟨precludo, preclusi, precluso⟩ *tr* **1.** *(fuga, cammino)* (ver)sperren; **2.** *fig (possibilità)* verbauen.
precoce [-'kɔ:tʃe] *agg* **1.** *(bambino, ragazzo)* frühreif; **2.** *(inverno, stagione)* vorzeitig, Früh-; **3.** *bot* Früh-; **4.** *(morte, vecchiaia)* allzu früh, vorzeitig.
precognizione [-koɲɲit'tsio:ne] *f* Voraussehen *n,* Vorauswissen *n.*
preconcetto, -a [-kon'tʃɛtto] **I.** *agg* vorgefaßt; **II.** *m* Vorurteil *n,* vorgefaßte Meinung.
preconizzare [-konid'dza:re] *tr* voraussagen, weissagen.
precorrere [-'korrere] ⟨*irr*⟩ *tr* voraus sein (*qc* einer S. *dat*), vorauseilen (*qc* einer S. *dat*). vorwegnehmen, zuvorkommen (*qc* einer S. *dat*). **precorritore, -trice** [...ri'to:re] *m, f* Vorläufer(in) *m(f).*
precotto [-'kɔtto] *m* Fertiggericht *n.*
precursore, -corritrice [-kur'so:re] *m, f* Vorläufer(in) *m(f).*
preda ['prɛ:da] *f* Beute *f; (animale a.)* Fang *m; (fig a.)* Opfer *n;* **uccello da** ~ Raubvogel *m;* **essere (***o* **cadere) in** ~ **a qu/qc** jdm zum Opfer fallen/Opfer von etw. sein, von etw. gepackt sein. **predare** [pre'da:re] *tr* **1.** *(denari, ecc.)* erbeuten, rauben; **2.** *(luogo)* plündern, ausrauben. **predatore, -trice** [...da'to:re] **I.** *agg* Raub-, räuberisch; **II.** *m, f* **1.** *zoo* Raubtier *n; (uccello)* Raubvogel *m;* **2.** *(predone)* Räuber(in) *m(f).*
predecessore, -a [-detʃes'so:re] *m, f* Vorgänger(in) *m(f).*
predella [pre'dɛlla] *f* Podest *n; (dell'altare)* Altarsockel *m.*
predellino [predel'li:no] *m* Trittbrett *n.*
predestinare [-desti'na:re] *tr* vorherbestimmen, prädestinieren. **predestinazione** [...nat'tsio:ne] *f* Prädestination *f,* Vorherbestimmung *f.*
predetto, -a [-'dɛtto] *agg* obengenannt, -erwähnt.
predica ['prɛ:dika] ⟨-che⟩ *f* **1.** *rel* Predigt *f;* **2.** *fig fam* Strafpredigt *f,* Standpauke *f fam;* **fare una** ~ **a qu** *fig* jdm eine Standpauke halten. **predicare** [predi'ka:re] ⟨predico, predichi⟩ *tr* **1.** *rel* predigen; **2.** *(insegnare)* predigen, lehren; ~ **al vento** in den Wind reden; ~ **bene e razzolare male** Wasser predigen und Wein trinken.
predicato [-di'ka:to] *m* **1.** *gram* Prädikat *n,* Satzaussage *f;* **2.** *(titolo)* Titel *m,* Prädikat *n.*
predicatore, -trice [-dika'to:re] *m, f* **1.** *rel* Prediger(in) *m(f);* **2.** *(sostenitore)* Verfechter(in) *m(f),* Prediger(in) *m(f).* **predicazione** [...t'tsio:ne] *f* Predigen *n.* **predicozzo** [...'kɔttso] *m fam scherz* Strafpredigt *f,* Standpauke *f fam.*
predilessi [-di'lɛssi] *p rem di* **prediligere.**
prediletto, -a [-di'lɛtto] **I.** *pp di* **prediligere; II.** *agg* bevorzugt, Lieblings-; **III.** *m, f* Liebling *m.*
predilezione [-dilet'tsio:ne] *f* Vorliebe *f* (*per* für). **prediligere** [-di'li:dʒere] ⟨prediligo, predilessi, prediletto⟩ *tr* vorziehen, bevorzugen.
predire [-'di:re] ⟨*irr*⟩ *tr* vorher-, voraussagen, prophezeien.
predisporre [-dis'porre] ⟨*irr*⟩ **I.** *tr* **1.** *(preparare)* vorbereiten; *(persone a.)* einstimmen (*a* auf +*akk*), vorbereiten (*a* auf +*akk*); **2.** *med* prädisponieren *scient* (*a* für), anfällig machen (*a* für); **3.** *inform (sistema)* einrichten; **II.** *rfl:* **-orsi** sich vorbereiten. **predisposizione** [...pozit'tsio:ne] *f* **1.** *(inclinazione)* Neigung *f* (*a* für); **2.** *med* Anfälligkeit *f,* Prädisposition *f scient.*
predizione [-dit'tsio:ne] *f* Vorhersage *f,* Vorausschau *f.*
predominante [-domi'nante] *agg* vorherrschend. **predominare** [...'na:re] *itr* **1.** *(prevalere)* vorherrschen, überwiegen; **2.** *(dominare)* herrschen (*su* über +*akk*), walten (*su* über +*akk*). **predominio** [...'mi:nio] *m* Vorherrschaft *f,* Machtstellung *f.*
predone [pre'do:ne] *m* Räuber *m.*
preesistenza [-ezis'tɛntsa] *f* Präexistenz *f,* vorheriges Bestehen. **preesistere** [-e'zistere] ⟨*irr*⟩ *itr* ⟨*essere*⟩ (bereits) bestehen, präexistieren.
prefabbricato, -a [-fabbri'ka:to] **I.** *agg* Fertig(bau)-; **casa -a** Fertighaus *n;* **elementi -i** Fertigteile *n pl;* **II.** *m* Fertig(bau)teil *n.*
prefazione [-fat'tsio:ne] *f* Vorwort *n.*
preferenza [-fe'rɛntsa] *f* **1.** *(scelta)* Vorzug *m;* **2.** *(predilezione)* Vorzug *m,* Vorliebe *f;* **fare -e** Unterschiede machen; **non ho -e** das ist mir egal; **a (***o* **di)** ~ vorzugsweise. **preferenziale** [...ren'tsia:le] *agg* Vorzugs-, Präferenz-; **corsia** ~ Fahrspur *f* für öffentliche Verkehrsmittel; **trattamento** ~ Vorzugsbehandlung *f.*
preferibile [-fɛ'ri:bile] *agg* vorzuziehen(d), besser, vorteilhafter. **preferibilmente** [...ribil'mente] *avv* lieber, am

liebsten.

preferire [-fe'ri:re] ⟨preferisco⟩ *tr* vorziehen, lieber mögen (*o* haben); ~ **il nuoto allo sci** lieber schwimmen als Ski laufen. **preferito, -a** [...'ri:to] **I.** *agg* Lieblings-; **II.** *m, f* Liebling *m.*

prefetto [-'fɛtto] *m* Präfekt *m.* **prefettura** [-fet'tu:ra] *f* Präfektur *f.*

prefiggersi [-'fiddʒersi] ⟨mi prefiggo, mi prefissi, prefisso⟩ *rfl* sich *(dat)* vornehmen; ~ **uno scopo** sich *(dat)* ein Ziel setzen.

prefinanziamento [-finantsia'mento] *m* Vorfinanzierung *f.*

prefissare [-fis'sa:re] *tr* vorher festlegen, vorher festsetzen.

prefissi [-'fissi] *p rem di* **prefiggersi.**

prefisso[1] [-'fisso] *pp di* **prefiggersi.**

prefisso[2] [-'fisso] *m* **1.** *ling* Präfix *n;* **2.** *tel* Vorwahl(nummer) *f.*

preformattazione [-formattat'tsio:ne] *f* Vorformatieren *n.*

pregare [pre'ga:re] ⟨prego, preghi⟩ *tr* **1.** *rel* beten zu; **2.** *(chiedere)* bitten (*di* um); **3.** *(in frasi di cortesia)* bitten, ersuchen *geh;* **farsi** ~ sich bitten lassen; **entri, La prego** treten Sie bitte ein; **si prega di** *+inf* es wird gebeten, zu *+inf.*

pregevole [pre'dʒe:vole] *agg* **1.** *(oggetto)* kostbar, erlesen; *(opera)* beachtenswert; **2.** *(persona)* ehrwürdig, achtenswert.

preghiera [pre'giɛ:ra] *f* **1.** *rel* Gebet *n;* **2.** *(richiesta)* Bitte *f;* **con ~ di inoltro immediato** mit der Bitte um sofortige Weiterleitung.

pregiarsi [pre'dʒarsi] ⟨mi pregio, ti pregi⟩ *rfl* sich geehrt fühlen, die Ehre haben. **pregiato, -a** [...'dʒa:to] *agg (vino, tessuto)* hochwertig, Qualitäts-; *(oggetto)* wertvoll; *(valuta)* hart; *(lettera)* geschätzt.

pregio ['prɛ:dʒo] ⟨-gi⟩ *m* **1.** *(valore)* Wert *m;* **2.** *(vantaggio)* Vorzug *m.*

pregiudicare [-dʒudi'ka:re] *tr* **1.** *(compromettere)* beeinträchtigen; **2.** *(danneggiare)* schaden (*qc* einer S. *dat*), schädigen. **pregiudicato, -a** [...'ka:to] *m, f* Vorbestrafte(r) *mf.*

pregiudizio [-dʒu'dittsio] *m* **1.** *(preconcetto)* Vorurteil *n;* **2.** *(danno)* Schaden *m* (*a* für), Beeinträchtigung *f* (*a qc* einer S. *gen*); **avere -i nei confronti di (*o* contro) qc/qu** gegen etw./jdn Vorurteile haben; **senza -i** unvoreingenommen.

pregnante [preɲ'ɲante] *agg* prägnant.

pregno, -a ['preɲɲo] *m* **1.** *zoo* trächtig; **2.** *fig (pieno di)* voll, trächtig, -trächtig; ~ **di errori** fehlerträchtig, voller Fehler.

prego ['prɛ:go] *interi* bitte; ~? wie bitte?.

pregustare [-gus'ta:re] *tr* sich (schon) freuen auf *+akk.*

preinstallare *tr inform* vorinstallieren.

preistoria [-is'tɔ:ria] *f* Vorgeschichte *f,* Prähistorie *f; fig (origine)* Ursprung *m.*

preistorico, -a [...'tɔ:riko] *agg* prähistorisch, vorgeschichtlich.

prelato [-la:to] *m* Prälat *m.*

prelavaggio [-la'vaddʒo] *m* Vorwaschgang *m,* Vorwäsche *f.*

prelazione [-lat'tsio:ne] *f* Vorkauf *m;* **diritto di** ~ Vorkaufsrecht *n.*

prelevamento [-leva'mento] *m* Entnahme *f,* Abholung *f; fin* Abhebung *f.* **prelevare** [...'va:re] *tr* **1.** *fin* abheben; **2.** *(ritirare)* abholen, übernehmen; **3.** *(arrestare)* festnehmen; **4.** *(requisire)* beschlagnahmen; **5.** *(asportare a scopo di esame)* entnehmen; **6.** *inform* abrufen.

prelibato, -a [-li'ba:to] *agg* köstlich.

prelievo [-'liɛ:vo] *m* Entnahme *f; fin* Abhebung *f;* ~ **di sangue** Blutabnahme *f.*

preliminare [-limi'na:re] **I.** *agg* **1.** *(iniziale)* einleitend, Vor-, Präliminar- *geh;* **2.** *(preparatorio)* Vorbereitungs-; **esame** ~ Vorprüfung *f;* **indagine (*o* inchiesta)** ~ Voruntersuchung *f;* **trattamento** ~ Vorbehandlung *f.* **II.** *m* ⟨*di solito al pl*⟩ **1.** *(della pace, di un trattato, ecc.)* Vorverhandlung *f;* **2.** *(nel rapporto sessuale)* Vorspiel *n.*

preludere [-'lu:dere] ⟨preludo, prelusi, preluso⟩ *itr* **1.** *(preannunciare)* hindeuten (*a* auf *+akk*); **2.** *(fare un'introduzione)* vorangehen, hinführen (*a* auf *+akk*).

preludio [-'lu:dio] ⟨-i⟩ *m* **1.** *mus* Präludium *n;* **2.** *(segno preliminare)* Vorzeichen *n;* **3.** *(proemio)* Vorrede *f,* Einleitung *f;* **4.** *fig (premessa)* Auftakt *m.*

prelusi [-'lu:zi] *p rem di* **preludere.**

preluso [-'lu:zo] *pp di* **preludere.**

pré-maman [prema'mã] **I.** ⟨-⟩ *m* Umstandskleid *n;* **II.** ⟨*inv*⟩ *agg* Umstands-.

prematrimoniale [-matrimo'nia:le] *agg* vorehelich.

prematuro, -a [-ma'tu:ro] *agg* **1.** *(morte)* vorzeitig, früh; **2.** *(parto, neonato)* Früh-; **3.** *fig (affrettato)* voreilig.

premeditare [-medi'ta:re] *tr* vorsätzlich begehen, planen; **omicidio premeditato** (vorsätzlicher) Mord *m.* **premeditazione** [...tat'tsio:ne] *f* Vorsatz *m.*

premere ['prɛ:mere] **I.** *tr* **1.** *(comprimere)* drücken; *(calcare)* auf-, durchdrükken; **2.** *fig (gravare)* drücken, belasten; *(incalzare)* drängen; ~ **il freno/l'acceleratore** (auf) das Brems-/Gaspedal treten; **II.** *itr* **1.** *(esercitare una pressione)* drücken (*su* auf *+akk*); **2.** *fig (gravare)* lasten (*su* auf *+dat*); *(stare a cuore)* am Herzen liegen; **3.** *fig (essere urgente)* drängen.

premessa [-'messa] *f* **1.** *(chiarimento preliminare)* Vorbemerkung *f; (di libro)* Vorwort *n;* **2.** *(condizione necessaria)* Voraussetzung *f.* **premettere** [-'mettere] ⟨*irr*⟩ *tr* vorausschicken.

premiare [pre'mia:re] ⟨premio, premi⟩ *tr* auszeichnen, prämieren. **premiazione**

[...iat'tsio:ne] *f* Preisverleihung *f,* Prämierung *f.*

preminente [-mi'nɛnte] *agg* vorrangig, Vorrang-, Haupt-.

premio ['prɛ:mio] ⟨-i⟩ **I.** *m* **1.** *(vincita)* Gewinn *m,* Preis *m;* **2.** *(indennità)* Zulage *f,* Prämie *f;* **3.** *fin, sport* Prämie *f;* **II.** ⟨*inv*⟩ *agg* Gewinn-, Preis-; ~ **d'anzianità** Alterszulage *f;* ~ **di consolazione** Trostpreis *m.*

premonitore, -trice [-moni'to:re] *agg* warnend, Warn-. **premonizione** [...t-'tsio:ne] *f* Weissagung *f.*

premunire [-mu'ni:re] **I.** *tr fig* rüsten (*contro* gegen); **II.** *rfl:* **-irsi** *fig* sich wappnen (*contro* vor +*dat,* gegen); **-irsi di (***o* **con) qc** sich mit etw. bewaffnen.

premura [-'mu:ra] *f* **1.** *(fretta)* Eile *f,* Drängen *n;* **2.** *(cura)* Sorgfalt *f;* **3.** *(sollecitudine)* Rücksicht *f,* Zuvorkommenheit *f.* **premuroso, -a** [...mu'ro:so] *agg* **1.** *(sollecito)* eifrig, beflissen; **2.** *(pieno d'attenzioni)* bemüht, aufmerksam.

prenatale [-na'ta:le] *agg* vorgeburtlich, pränatal *wissensch.*

prenatalizio, -a [-nata'littsio] ⟨-i, -ie⟩ *agg* vorweihnachtlich, Vorweihnachts-; **periodo** ~ Vorweihnachtszeit *f.*

prendere ['prɛndere] ⟨prendo, presi, preso⟩ **I.** *tr* **1.** *gener.* nehmen; *(afferrare)* (er)greifen, fassen; *(strada)* nehmen, einschlagen; *(odore, ecc.)* annehmen; *mil* einnehmen; *(rilevare)* (über)nehmen; *(derivare)* übernehmen, annehmen; *(lezioni, tram, ecc.)* nehmen; *(decisione)* treffen, fassen; *(coraggio)* fassen; *(aria)* schnappen, schöpfen; *(fuoco)* fangen; *(parola)* ergreifen; *(mangiare, bere)* (ein)nehmen; **2.** *(portare con sé)* mitnehmen; **3.** *(rubare)* (weg)nehmen, stehlen; **4.** *(catturare)* fassen, schnappen *fam;* **5.** *(centrare)* treffen; *(uccidere)* erlegen; *(pesci)* fangen; **6.** *(sorprendere)* erwischen, ertappen; **7.** *(guadagnare)* bekommen, verdienen; *(buscarsi)* bekommen, einstecken; *(malattia)* bekommen, sich *(dat)* holen *fam;* **8.** *(occupare)* brauchen, wegnehmen, beanspruchen; **9.** *(trattare)* behandeln, nehmen; **10.** *(scambiare)* verwechseln (*per* mit), halten (*per* für); **11.** *fot* aufnehmen; **andare a** ~ holen (gehen); **venire a** ~ abholen; ~ **appunti** (sich +*dat*) Notizen machen; ~ **posizione/posto** Stellung/Platz nehmen; ~ **in giro qu** jdn auf den Arm nehmen; ~ **in moglie/per marito** zur Frau/zum Mann nehmen; ~ **qc sotto gamba** etw. auf die leichte Schulter nehmen; ~ **qu sul serio** jdn ernst nehmen; ~ **qu in braccio** jdn in den Arm nehmen; ~ **qu con le buone/cattive** es jdm im guten sagen, jdm gut zureden/jdm drohen; **II.** *itr* **1.** *(piante)* Wurzel fassen; **2.** *(fuoco)* brennen, zünden; **3.** *(colla)* fest werden; *(cemento)* binden; **4.** *(avviarsi)* zugehen (*per* auf +*akk*), zulaufen (*per* auf +*akk*); ~ **a** +*inf* anfangen, etw. zu tun; **III.** *rfl:* **-ersi 1.** *(afferrarsi)* sich packen (*per* an +*dat*); **2.** *(azzuffarsi)* sich verprügeln, sich schlagen; **3.** *(assumersi)* übernehmen; **4.** *(fare)* machen, nehmen; **-ersi cura di qu** sich um jdn kümmern; **-ersi una vacanza/un giorno di ferie** Urlaub machen/einen Tag frei nehmen; **prendersela (con qu)** auf jdn böse sein, sich mit jdm anlegen; **prendersela comoda** eine ruhige Kugel schieben; **prendersela a cuore** *fam* es sich *(dat)* zu Herzen nehmen; **prenderle** *fam* Prügel kriegen; **prenderne** *fam* den Frack vollkriegen *fam.*

prendisole [prendi'so:le] ⟨-⟩ *m* Trägerkleid *n.*

prenotare [-no'ta:re] **I.** *tr* (vor)bestellen; *(posto, camera)* reservieren; *(viaggio)* buchen; **II.** *rfl:* **-arsi** sich vormerken lassen. **prenotazione** [...tat'tsio:ne] *f* (Vor)-bestellung *f; (di posto, camera)* Reservierung *f; (di viaggio)* Buchung *f.*

prensile ['prɛnsile] *agg* Greif-.

preoccupante [-okku'pante] *agg* besorgniserregend.

preoccupare [-okku'pa:re] **I.** *tr* beunruhigen; **II.** *rfl:* **-arsi** sich *(dat)* Sorgen machen (*per, di* um). **preoccupazione** [...pat'tsio:ne] *f* Sorge *f.*

prepagamento [-paga'mento] *m* Vorauskasse *f,* Voraus(be)zahlung *f.* **prepagato** [-pa'ga:to] *agg* vor(aus)bezahlt.

preparare [-pa'ra:re] **I.** *tr* **1.** *gener.* vorbereiten; *(apprestare)* herrichten, zurechtmachen; *(letto)* richten; *(pranzo)* zubereiten; *(tavola)* decken; **2.** *(elaborare)* vorbereiten, ausarbeiten; **3.** *fig (predisporre)* vorbereiten; *(tenere in serbo)* bringen, bereithalten; **II.** *rfl:* **-arsi 1.** *(accingersi)* sich anschicken, sich fertigmachen (*per, a* für); **2.** *(fare preparativi)* sich vorbereiten (*a* auf +*akk,* für). **preparativi** [...ra'ti:vi] *m pl* Vorbereitung(en *pl*) *f.* **preparato, -a** [...'ra:to] **I.** *agg* vorbereitet (*a* auf +*akk*); *(pronto)* bereit (*a* für), gewappnet (*a* für); **II.** *m* Präparat *n.* **preparatorio, -a** [...ra'tɔ:rio] ⟨-i, -ie⟩ *agg* Vorbereitungs-, Vor-, vorbereitend. **preparazione** [...rat'tsio:ne] *f* **1.** *(addestramento)* Vorbereitung *f* (*a* auf); **2.** *(complesso di nozioni)* Wissen *n,* Bildung *f;* **3.** *(di cibi)* Zubereitung *f;* ~ **professionale** Berufsausbildung *f;* ~ **tecnica** fachliche Ausbildung.

prepensionamento [-pensiona'mento] *m* Vorruhestand *m,* Frühpensionierung *f.*

preponderante [-ponde'rante] *agg* vorherrschend, überwiegend.

preporre [-'porre] ⟨*irr*⟩ *tr* **1.** *(anteporre)* vor(an)setzen; *(mettere a capo)* an die Spitze stellen; **2.** *fig (preferire)* vorziehen, stellen (*a* über +*akk*).

preposizione [-pozit'tsi̯o:ne] *f* Präposition *f,* Verhältniswort *n.*
prepotente [-po'tɛnte] **I.** *agg* **1.** *(persona)* herrschsüchtig, herrisch; **2.** *fig* dringend, dringlich, sehnlich; **II.** *mf* herrischer Mensch. **prepotenza** [...'tɛntsa] *f (caratteristica)* Rücksichtslosigkeit *f; (atto)* Übergriff *m.*
preppy ['prɛppi] ⟨-⟩ *mf* Preppy *m.*
prepuzio [-'puttsi̯o] ⟨-i⟩ *m* Vorhaut *f.*
preriscaldare [-riskal'da:ra] *tr* vorwärmen.
prerogativa [-roga'ti:va] *f* **1.** *(caratteristica)* besondere Eigenschaft, besonderer Vorzug; **2.** *(privilegio)* Vorrecht *n,* Privileg *n.*
presa ['pre:sa] *f* **1.** *(il prendere)* Griff *m,* Umklammerung *f;* **2.** *(effetto)* Halt *m; (a. tec)* Greifen *n; (di cemento, ecc.)* Festwerden *n;* **3.** *el* Steckdose *f;* **4.** *(di sale, pepe, ecc.)* Prise *f;* **5.** *(da cucina)* Topflappen *m;* **6.** *tec* Hebel *m; (d'acqua, del gas)* Hahn *m;* **7.** *mil* Einnahme *f;* ~ **di posizione** Stellungnahme *f;* ~ **di possesso** Inbesitznahme *f;* ~ **del potere** Machtergreifung *f;* ~ **in consegna** Entgegennahme *f;* **in** ~ **diretta** als Direktübertragung; **essere alle -e con qc** sich mit etw. herumschlagen.
presagio [-'za:dʒo] ⟨-gi⟩ *m* **1.** *(presentimento)* (Vor)ahnung *f;* **2.** *(segno)* Vorzeichen *n.* **presagire** [-za'dʒi:re] ⟨presagisco⟩ *tr (presentire)* (voraus)ahnen; *(predire)* voraussagen; *(prevedere)* vorhersehen.
presalario [-sa'la:ri̯o] *m staatliche leistungsbezogene Förderung für Studenten.*
presbite ['prɛzbite] *agg* weitsichtig.
presbiteriano, -a [prezbite'ri̯a:no] **I.** *m, f* Presbyterianer(in) *m(f);* **II.** *agg* presbyterianisch.
prescegliere [-ʃ'ʃeʎʎere] ⟨*irr*⟩ *tr* (aus)wählen.
prescindere [-ʃ'ʃindere] ⟨prescindo, prescindei, *rar* prescisso⟩ *itr:* **a** ~ **da, prescindendo da** abgesehen von.
prescolastico, -a [-sko'lastiko] *agg* Vorschul-.
prescrivere [-s'kri:vere] ⟨*irr*⟩ *tr* **1.** *dir* verjähren lassen; **2.** *med* verschreiben, verordnen. **prescrizione** [-skrit'tsi̯o:ne] *f* **1.** *dir* Verjährung *f;* **2.** *med* Verschreibung *f,* Verordnung *f;* **3.** *(norma)* Vorschrift *f.*
preselezione [-selet'tsi̯o:ne] *f* **1.** *gener.* Vorauswahl *f;* **2.** *sport* Vorentscheidung *f;* **3.** *tel* Vorwahl *f.*
presentare [prezen'ta:re] **I.** *tr* **1.** *(documento, passaporto)* (vor)zeigen, vorlegen; *(persona)* vorstellen; *(candidato)* aufstellen; *(prodotti, macchine, film)* vorführen; *teat* aufführen; **2.** *(saluti)* ausrichten, übermitteln; *(reclamo)* vorbringen; **3.** *(introdurre)* einführen; **4.** *amm (domanda)* stellen; *(richiesta)* einreichen; **5.** *fig (comportare)* bereiten; *(recare)* aufweisen; *(offrire)* (dar)bieten; ~ **le armi** die Waffen präsentieren; **II.** *rfl:* **-arsi 1.** *(farsi vedere)* erscheinen; **2.** *(farsi conoscere)* sich vorstellen, sich bekannt machen; **3.** *fig (offrirsi)* sich (an)bieten; *(capitare)* sich einstellen, eintreten; *(apparire)* sich erweisen. **presentatore, -trice** [...ta'to:re] *m, f* Showmaster(in) *m(f); (di quiz)* Quizmaster(in) *m(f).* **presentazione** [...tat'tsi̯o:ne] *f* **1.** *amm* Einreichung *f; (di documento)* Vorlage *f;* **2.** *(di persona)* Vorstellung *f; (in pubblico)* Vorstellung *f,* Auftritt *m; (di candidati)* Aufstellung *f;* **3.** *(raccomandazione)* Empfehlung *f;* **4.** *(introduzione)* Einführung *f,* Präsentation *f; (di prodotti, merci, modelli)* Einführung *f,* Vorführung *f;* **5.** *teat* Aufführung *f; film* Vorführung *f.*
presente¹ [pre'zɛnte] **I.** *agg* **1.** *(partecipante)* anwesend, gegenwärtig; **2.** *(attuale)* jetzig, gegenwärtig; *(anno, mese, secolo)* diese(r, s); **3.** *gram* präsentisch, Präsens-; **4.** *(questo)* vorliegend, diese(r, s); **5.** *(negli appelli)* hier, anwesend; **II.** *mf* Anwesende(r) *mf;* **III.** *m* **1.** *(tempo)* Gegenwart *f;* **2.** *gram* Präsens *n,* Gegenwart *f;* **IV.** *f* (vorliegendes) Schreiben *n.*
presente² [pre'zɛnte] *m (dono)* Geschenk *n,* Präsent *n.*
presentimento [-senti'mento] *m* Vorgefühl *n,* (Vor)ahnung *f.* **presentire** [...'ti:re] *tr* (voraus)ahnen.
presenza [pre'zɛntsa] *f* **1.** *(l'essere presente)* Anwesenheit *f,* Gegenwart *f; (esistenza)* Vorhandensein *n;* **2.** *(aspetto)* Aussehen *n.* **presenziare** [...'tsi̯a:re] ⟨presenzio, presenzi⟩ *itr* teilnehmen (*a* an +*dat*), beiwohnen (qc einer S. *dat*).
presepio [pre'zɛ:pio] ⟨-i⟩ *m* Krippe *f.*
preservare [-ser'va:re] *tr* schützen (*da* vor), bewahren (*da* vor).
preservativo [-serva'ti:vo] *m* Präservativ *n,* Kondom *n.*
presi ['pre:si] *p rem di* **prendere.**
preside ['prɛ:side] *mf (di scuola)* Schulleiter(in) *m(f),* Direktor(in) *m(f); (di facoltà)* Dekan *m.*
presidente, -essa [-si'dɛnte, ...den'tessa] *m, f (dirigente)* Vorsitzende(r) *mf,* Leiter(in) *m(f); dir, pol* Präsident(in) *m(f);* ~ **della Repubblica** Staatspräsident *m.*
presidenza [-si'dɛntsa] *f* **1.** *(carica)* Präsidentschaft *f; (di dirigente)* Vorsitz *m;* **2.** *(sede in una scuola)* Schulleitung *f; (in una facoltà)* Dekanat *n.* **presidenziale** [...den'tsi̯a:le] *agg* des Präsidenten, Präsidenten-, präsidial.
presidiare [-si'di̯a:re] ⟨presidio, presidi⟩ *tr* besetzen, unter Besatzung nehmen. **presidio** [-'si:di̯o] ⟨-i⟩ *m* Garnison *f,* Besatzung *f.*

presiedere [-'siɛ:dere] **I.** *tr* leiten; **II.** *itr* vorsitzen, die Leitung haben (*a qc* einer S. *gen*).

presina [pre'si:na] *f (da cucina)* Topflappen *m.*

preso ['pre:so] *pp di* **prendere.**

pressa ['prɛssa] *f tec* Presse *f.*

pressante [pres'sante] *agg* dringend.

pressappoco, press'a poco [pressap'pɔ:ko] *avv* ungefähr, nahezu.

pressare [pres'sa:re] *tr* pressen.

pressione [pres'sio:ne] *f* Druck *m; med (~ sanguigna)* Blutdruck *m;* ~ **atmosferica** Luftdruck *m;* ~ **alta/bassa** *meteo* Hoch-/Tiefdruck *m; med* hoher/niedriger Blutdruck; **essere sotto** ~ unter Druck stehen; **fare** ~ **su qu** auf jdn Druck ausüben.

presso ['prɛsso] **I.** *avv* nahe, in der Nähe; **II.** *prp* **1.** *(vicino a)* nahe an *+dat,* nahe bei *+dat,* in der Nähe *+gen; (moto)* zu *+dat,* in die Nähe *+gen;* **2.** *(in casa di, fig)* bei *+dat; (moto)* zu *+dat;* **3.** *(nelle lettere)* bei *+dat;* **III.** *m pl:* **nei -i di** in der Nähe von.

pressoché [presso'ke] *avv* fast, beinahe.

pressurizzare [pressurid'dza:re] *tr* unter Überdruck setzen. **pressurizzazione** [...dzat'tsio:ne] *f* Überdruck *m.*

prestabilire [-stabi'li:re] *tr* (vorher) festsetzen.

prestanome [presta'no:me] ⟨-⟩ *mf* Strohmann *m.*

prestante [pres'tante] *agg* stattlich. **prestanza** [...'tantsa] *f* Stattlichkeit *f.*

prestare [pres'ta:re] **I.** *tr (dare in prestito)* (ver)leihen, ausleihen; *fig (aiuto, giuramento)* leisten; *(fede)* schenken; *(attenzione)* zollen *geh,* schenken; ~ **ascolto a qu/qc** jdm/einer S. *(dat)* Gehör schenken; **II.** *rfl:* **-arsi 1.** *(adoperarsi)* sich einsetzen (*per* für); **2.** *(essere adatto)* sich eignen (*a* für).

prestazione [prestat'tsio:ne] *f* Leistung *f.*

presti(di)giatore, -trice [presti(di)dʒa'to:re] *m, f* Taschenspieler(in) *m(f),* Illusionist(in) *m(f).*

prestigio [pres'ti:dʒo] ⟨-gi⟩ *m* Ansehen *n,* Prestige *n;* **giochi di** ~ Zaubertricks *m pl;* **questione di** ~ Prestigefrage *f.* **prestigioso, -a** [...ti'dʒo:so] *agg* eindrucksvoll, imponierend, Prestige-, Luxus-.

prestito ['prɛstito] *m* **1.** *fin* Darlehen *n,* Anleihe *f;* **2.** *(il prestare)* Ausleihe *f;* **3.** *(cosa prestata)* Leihgabe *f;* **4.** *ling* Lehnwort *n;* **dare/prendere in** (*o* **a**) ~ **qc** etw. (ver)leihen/(sich *(dat)*) etw. leihen (*o* borgen).

presto ['prɛsto] *avv* **1.** *(fra poco)* bald; **2.** *(in fretta)* schnell, rasch; **3.** *(facilmente)* leicht, schnell; **4.** *(prima del tempo)* zu früh, verfrüht; **5.** *(di buon'ora)* früh(zeitig); **6.** *mus* presto; **fare** ~ sich beeilen, schnell machen; **a** ~ bis gleich, bis (*o* auf) bald; ~ **o tardi** früher oder später.

presumere [-'zu:mere *o* -'su:...] ⟨presumo, presunsi, presunto⟩ *tr* **1.** *(supporre)* annehmen, vermuten; **2.** *(pretendere)* sich *(dat)* anmaßen. **presumibile** [-zu'mi:bile *o* -su...] *agg* wahrscheinlich, voraussichtlich; **è** ~ es ist anzunehmen.

presunsi [-'zunsi *o* -'su...] *p rem di* **presumere.**

presunto, -a [-'zunto *o* -'su...] **I.** *pp di* **presumere; II.** *agg* vermutlich; *dir* mutmaßlich.

presuntuoso, -a [-zuntu'o:so] *agg* anmaßend, eingebildet. **presunzione** [-zun'tsio:ne *o* -su...] *f* Überheblichkeit *f,* Anmaßung *f.*

presupporre [-sup'porre] ⟨*irr*⟩ *tr* **1.** *(immaginare)* vermuten, annehmen; **2.** *(implicare)* voraussetzen. **presupposizione** [...pozit'tsio:ne] *f* **1.** *(supposizione)* Annahme *f,* Vermutung *f;* **2.** *(implicazione)* Voraussetzung *f.* **presupposto, -a** [...'posto] **I.** *agg* vorausgesetzt; **II.** *m* Voraussetzung *f.*

prêt-à-porter ['prɛt a pɔr'te] ⟨-⟩ *m* Konfektion *f; (abito)* Konfektionskleid *n.*

prete ['prɛ:te] *m* Priester *m;* **farsi** ~ Priester werden.

pretendente [-ten'dɛnte] **I.** *mf (al trono)* Anwärter(in) *m(f);* **II.** *m (corteggiatore)* Freier *m.*

pretendere [-'tɛndere] ⟨*irr*⟩ *tr* **1.** *(esigere)* verlangen, beanspruchen, fordern; **2.** *(presumere)* sich *(dat)* einbilden *fam,* sich *(dat)* anmaßen; **3.** *(voler far credere)* behaupten.

pretenzioso, -a [-ten'tsio:so] *agg* anspruchsvoll, prätenziös.

preterintenzionale [preterintentsio'na:le] *agg* nicht vorsätzlich, unabsichtlich; **omicidio** ~ Totschlag *m,* Körperverletzung *f* mit Todesfolge.

pretesa [-'te:sa] *f* **1.** *(esigenza)* Anspruch *m* (*di qc* auf etw. *akk*); *(richiesta)* Forderung *f* (*di qc* nach etw. *dat*); **2.** *(presunzione)* Einbildung *f,* Anmaßung *f;* **con la** ~ **di** *+inf* mit dem Anspruch, zu ...; **senza -e** anspruchslos.

pretesto [-'tɛsto] *m* Vorwand *m;* **col** ~ **di** *+inf* unter dem Vorwand, zu *+inf.*

pretore [pre'to:re] *m* Amtsrichter *m.*

pretrattare [pretrat'ta:re] *tr* vorbehandeln.

pretura [pre'tu:ra] *f* Amtsgericht *n.*

prevalente [-va'lɛnte] *agg* überwiegend, vorwiegend; *(opinione)* vorherrschend. **prevalenza** [...'lɛntsa] *f* Mehrheit *f; (di cose)* Übergewicht *n;* **in** ~ überwiegend, vorwiegend.

prevalere [-va'le:re] ⟨*irr*⟩ *itr* ⟨*essere o avere*⟩ **1.** *(imporsi, essere dominante)* überwiegen, vorherrschen; **2.** *(essere superiore)* überlegen sein (*su qu per qc* jdm an etw. *dat*).

prevaricare [-vari'ka:re] ⟨prevarico, prevarichi⟩ *itr* unehrenhaft handeln; *(abusare del potere)* seine Macht (*o* sein Amt) mißbrauchen. **prevaricazione** [...kat'tsio:ne] *f* Macht-, Amtsmißbrauch *m,* Übergriff *m; dir* Rechtsbeugung *f.*

prevedere [-ve'de:re] ⟨*irr*⟩ *tr* **1.** *(futuro)* voraussehen; **2.** *(ritenere possibile)* voraussehen, vorhersagen; **3.** *dir* vorsehen, berücksichtigen.

prevendita [-'vendita] *f* Vorverkauf *m.*

prevenire [-ve'ni:re] ⟨*irr*⟩ *tr* **1.** *(precedere)* zuvorkommen (*qu* jdm); **2.** *(anticipare)* vorwegnehmen; **3.** *(prendere precauzioni)* vorbeugen (*qc* einer S. *dat*).

preventivare [-venti'va:re] *tr* veranschlagen. **preventivo, -a** [...'ti:vo] **I.** *agg* Vorbeuge-, vorbeugend, präventiv, Präventiv-; *dir* Untersuchungs-; *med* vorbeugend, präventiv; *econ* Vor-; **II.** *m* Kostenvoranschlag *m.*

prevenuto, -a [-ve'nu:to] *agg* voreingenommen (*contro* gegenüber *+dat*).

prevenzione [-ven'tsio:ne] *f* **1.** *(pregiudizio)* Voreingenommenheit *f,* Vorurteil *n;* **2.** *med* Vorbeugung *f;* **3.** *dir* Verhütung *f.*

previdente [-vi'dɛnte] *agg* vorausschauend; *(prudente)* vorsorgend. **previdenza** [...'dɛntsa] *f* **1.** *(ente)* Fürsorge *f;* **2.** *(l'essere previdente)* Voraussicht *f;* ~ **sociale** Sozialfürsorge *f;* **ente di** ~ Sozialversicherungsträger *m.*

previo, -a ['prɛ:vio] ⟨-i, -ie⟩ *agg amm* nach vorherige(m, r); ~ **avviso** nach vorheriger Benachrichtigung.

previsionale [previzio'na:le] *agg* Vor-, Voranschlags-; **bilancio** ~ Haushaltsplan *m.*

previsione [-vi'zio:ne] *f* Vorhersage *f,* Voraussicht *f; meteo* Vorhersage *f;* **~i del tempo** Wetterbericht *m,* -vorhersage *f.*

previsto, -a [pre'visto] **I.** *pp di* **prevedere; II.** *agg* absehbar, vorhersehbar; **una sconfitta -a** eine vorhersehbare Niederlage; **III.** *m* **1.** *(quantità prevista):* **spendere meno del** ~ weniger als gedacht ausgeben; **Luisa guadagna più del** ~ Luisa verdient mehr als erwartet; **2.** *(tempo previsto):* **arrivare prima del** ~ früher als erwartet (*o* gedacht) ankommen.

prezioso, -a [pret'tsio:so] **I.** *agg* **1.** *(oggetto, pietra a. fig)* wertvoll, kostbar; **metallo** ~ Edelmetall *n;* **pietra** ~ Edelstein *m;* **2.** *fig (ricercato)* erlesen; **II.** *m, f fam:* **non fare tanto il** ~! mach dich doch nicht so rar!, laß dich doch nicht so lange bitten!; **III.** *m pl* Wertsachen *f pl.*

prezzario [pret'tsa:rio] ⟨-i⟩ *m* Preisliste *f.*

prezzatura [...tsa'tu:ra] *f* Auspreisung *f,* Auszeichnung *f.*

prezzemolo [pret'tse:molo] *m* Petersilie *f;* **essere come il** ~ überall mitmischen *fam,* ein Tausendsassa sein.

prezzo ['prɛttso] *m* Preis *m;* ~ **bloccato** Festpreis *m;* ~ **civetta** Lockpreis *m;* ~ **promozionale (*o* d'introduzione)** Einführungspreis *m;* **cartellino del** ~ Preisschild *n;* **a** ~ **di costo** zum Selbstkostenpreis; **a metà** ~ zum halben Preis; **a qualunque** ~ *fig* um jeden Preis, unbedingt; **pagare qc a caro** ~ *fig* etw. *(akk)* teuer bezahlen; **tirare sul** ~ den Preis drücken.

P.R.I. *m abbr di* **Partito Repubblicano Italiano** *republikanische Partei Italiens.*

prigione [pri'dʒo:ne] *f* **1.** *(carcere)* Gefängnis *n;* **2.** *fig (luogo buio)* Loch *n fam; (ambiente privo di libertà)* Gefängnis *n,* Käfig *m.* **prigionia** [...dʒo'ni:a] ⟨-ie⟩ *f* Gefangenschaft *f.* **prigioniero, -a** [...dʒo'niɛ:ro] **I.** *agg* **1.** *(catturato)* gefangen; **2.** *fig* ge-, befangen; **II.** *m, f* Gefangene(r) *mf;* ~ **di guerra** Kriegsgefangene(r) *mf.*

prima[1] ['pri:ma] *avv* **1.** *(in tempo anteriore, in un luogo che precede)* vorher; **2.** *(in tempi passati)* früher; **3.** *(in correlazione con poi):* ~ **. . ., poi . . .** (zu)erst . . ., dann . . .; **4.** *fam* schneller, vorher; **è successo un mese** ~ das ist einen Monat vorher passiert; **gli amici di** ~ die Freunde von früher; ~ **o poi** früher oder später; **tocca** ~ **a lui** er ist zuerst dran; ~ **faccio la spesa, poi vado dal parrucchiere** zuerst gehe ich einkaufen, dann zum Friseur; ~ **il lavoro, poi il piacere** erst die Arbeit, dann das Vergnügen; **se mi aiuti, faccio** ~ wenn du mir hilfst, bin ich schneller fertig; **fare a chi arriva** ~ um die Wette laufen; **quanto** ~ so bald (*o* schnell) wie möglich; **quanto detto** ~ wie oben gesagt; **ne so quanto** ~ *fam* jetzt bin ich so schlau wie vorher *fam;* ~ **che** *+congv,* ~ **di** *+inf* bevor; ~ **che tu parta/**~ **di partire, lasciami il tuo numero di telefono** gib mir deine Telefonnummer, bevor du wegfährst; ~ **di** *prp* vor *(+dat);* **l'ho conosciuta** ~ **di te** ich habe sie vor dir kennengelernt; ~ **di tutto** vor allem; ~ **del tempo** vorzeitig.

prima[2] ['pri:ma] *f* **1.** *teat, film* Erst-, Uraufführung *f; (di una stagione teatrale)* Premiere *f;* **2.** *mot* erster Gang; **3.** *(a scuola)* erste Klasse; **4.** *ferr, naut, aero* erste Klasse.

prima[3] *f v.* **primo.**

primario, -a [pri'ma:rio] ⟨-i, -ie⟩ **I.** *agg* **1.** *(importanza, interesse)* vorrangig, primär, äußerst; **2.** *(settore)* Haupt-, Primär-; **II.** *m, f* Chefarzt *m,* -ärztin *f; A* Primararzt *m,* -ärztin *f.*

primatista [prima'tista] ⟨-i *m,* -e *f*⟩ *mf* Rekordhalter(in) *m(f),* -inhaber(in) *m(f).*

primato [pri'ma:to] *m* **1.** *sport* Rekord *m;* **2.** *(superiorità)* Spitzenstellung *f,*

Überlegenheit *f,* Primat *n o m.*
primavera [prima'vɛ:ra] *f* Frühling *m,* Frühjahr *n;* **in** ~ im Frühling, im Frühjahr. **primaverile** [...ve'ri:le] *agg* frühlingshaft, Frühlings-.
primeggiare [primed'dʒa:re] ⟨primeggio, primeggi⟩ *itr* die erste Stelle einnehmen, führen.
primitivo, -a [primi'ti:vo] **I.** *agg* **1.** *gener.* primitiv; **2.** *gram* Stamm-; **3.** *fig peg* primitiv; *(rozzo)* ungehobelt; **le tribù -e dell'Africa** die Urvölker *n pl* Afrikas; **l'uomo** ~ der Urmensch; **II.** *m, f* **1.** *(di popolazione)* Ureinwohner(in) *m(f),* Eingeborene(r) *mf;* **2.** *fig peg* primitiver Mensch, Primitivling *m fam.*
primizia [pri'mittsia] ⟨-ie⟩ *f* **1.** *(frutta)* Frühobst *n; (verdura)* Frühgemüse *n;* **2.** *(notizia)* Neuigkeit *f.*
primo, -a ['pri:mo] **I.** *agg* **1.** *gener.* erste(r, s); *(con valore temporale)* früh; *(prossimo)* nächste(r, s); *(più bravo)* beste(r, s); **2.** *fig (principale)* hauptsächlich, Haupt-; *(elementare)* grundlegend, Grund-; **-a scelta** erste Wahl; **-a volta** erste Mal; **alla -a** beim ersten Mal; **Alessandro** ~ Alexander der Erste; **in un** ~ **tempo (***o* **momento)** zunächst; **sulle -e** am Anfang; **a tutta -a** im ersten Moment (*o* Augenblick); **II.** *m, f (di successione)* Erste(r) *mf; (più bravo)* Beste(r) *mf;* **essere il** ~ **in graduatoria** der erste in der Rangliste sein; **III.** *m* **1.** *(primo giorno)* Erste(r) *m;* ⟨*pl*⟩ die ersten Tage *(der Woche, des Monats, des Jahres);* **2.** *gastr* erster Gang; **3.** ⟨*pl*⟩ *(unità di misura del tempo)* Minute *f;* **4.** *mat (misura di angolo)* Minute *f;* **il** ~ **dell'anno** der Neujahrstag; **il** ~ **di maggio** der Erste Mai; **ai -i di maggio** in den ersten Maitagen, Anfang Mai; **sui -i del Novecento** am Anfang des 20. Jahrhunderts; **per** ~ **prenderò il risotto** als ersten Gang nehme ich Risotto.
primogenito, -a [primo'dʒɛ:nito] **I.** *m, f* Erstgeborene(r) *mf;* **II.** *agg* erstgeboren.
primordi [pri'mɔrdi] *m pl* (erste) Anfänge *m pl.* **primordiale** [-mor'dia:le] *agg* **1.** *(dei primordi)* anfänglich, Anfangs-; *(primigenio)* ursprünglich, Ur-; **2.** *fig (antiquato)* unterentwickelt.
primula ['pri:mula] *f* Primel *f.*
principale [printʃi'pa:le] **I.** *agg* **1.** *(più importante)* hauptsächlich, Haupt-, wichtigste(r, s); **2.** *(di maggior valore)* wertvollste(r, s), Haupt-; **3.** *(di maggior autorità)* bedeutendste(r, s), führend; **4.** *gram* Haupt-; **entrata** ~ Haupteingang *m;* **via** ~ Hauptstraße *f;* **II.** *mf fam* Chef(in) *m(f),* Vorgesetzte(r) *mf.*
principato [printʃi'pa:to] *m* **1.** *(stato)* Fürstentum *n;* **2.** *(dignità, governo)* Herrschaft *f.*
principe ['printʃipe] *m* **1.** *(sovrano)* Herrscher *m,* Fürst *m; (titolo)* Fürst *m;* **2.** *(figlio di sovrano)* (Kron)prinz *m;* **3.** *fig fam* König *m;* ~ **azzurro** Märchenprinz *m.* **principesco, -a** [...'pesko] ⟨-schi, -sche⟩ *agg* fürstlich, Fürsten-. **principessa** [...'pessa] *f* Prinzessin *f,* Fürstin *f.*
principiante [printʃi'piante] *mf* Anfänger(in) *m(f).* **principiare** [...'pia:re] ⟨principio, principi⟩ *tr* ⟨*avere*⟩, *itr* ⟨*essere o avere*⟩ beginnen, anfangen.
principio [prin'tʃi:pio] ⟨-i⟩ *m* **1.** *(inizio)* Anfang *m,* Beginn *m; (di luogo)* Anfang *m;* **2.** *(origine)* Ursprung *m,* Anfang *m;* **3.** *(concetto fondamentale)* Prinzip *n,* Grundsatz *m; (norma)* Regel *f,* Norm *f;* **dal** ~ von Anfang an; **in (***o* **al)** ~ am Anfang, anfangs, zu Beginn.
priore [pri'o:re] *m* Prior *m.*
priorità [priori'ta] ⟨-⟩ *f* Priorität *f,* Vorrang *m.*
prisma ['prizma] ⟨-i⟩ *m* Prisma *n.*
privacy ['praɪvəsɪ] ⟨-⟩ *f* Privatleben *n,* Privatsphäre *f.*
privare [pri'va:re] **I.** *tr* berauben (*qu di qc* jdn einer S. *gen*), entziehen (*qu di qc* jdm etw.); **II.** *rfl:* **-arsi** verzichten (*di* auf *+akk*).
privatista [priva'tista] ⟨-i *m,* -e *f*⟩ *mf* Privatschüler(in) *m(f).*
privatizzare [privatid'dza:re] *tr econ* privatisieren. **privatizzazione** [...dzat'tsio:ne] *f econ* Privatisierung *f.*
privato, -a [pri'va:to] **I.** *agg* privat, Privat-; **diritto** ~ Privatrecht *n.* **II.** *m, f* Privatperson *f.*
privazione [privat'tsio:ne] *f* **1.** *(rinuncia)* Entbehrung *f,* Verzicht *m;* **2.** *dir* Entzug *m,* Entziehung *f,* Aberkennung *f.*
privilegiare [privile'dʒa:re] ⟨privilegio, privilegi⟩ *tr* privilegieren; *(fig a.)* bevorzugen. **privilegiato, -a** [...'dʒa:to] **I.** *agg* privilegiert; *(fig a.)* begünstigt, bevorzugt; **azione -a** Vorzugsaktie *f.* **II.** *m, f* Privilegierte(r) *mf.*
privilegio [privi'lɛ:dʒo] ⟨-gi⟩ *m* Vorrecht *n,* Privileg *n.*
privo, -a ['pri:vo] *agg:* ~ **di** ohne, -los.
pro[1] [prɔ] **I.** *prp* zugunsten *+gen,* für *+akk;* **II.** ⟨-⟩ *m* Für *n,* Pro *n.*
pro[2] [prɔ] ⟨-⟩ *m (utilità)* Nutzen *m;* **a che** ~? wozu?, wofür?
probabile [pro'ba:bile] *agg* wahrscheinlich. **probabilità** [probabili'ta] ⟨-⟩ *f (attendibilità)* Wahrscheinlichkeit *f; (possibilità a.)* Chance *f,* Möglichkeit *f,* Aussicht *f;* **con tutta/molta** ~ aller Wahrscheinlichkeit nach. **probabilmente** [...l'mente] *avv* wahrscheinlich.
probante [pro'bante] *agg* überzeugend, beweisend.
probiviri *pl di* **proboviro.**
problema [pro'blɛ:ma] ⟨-i⟩ *m* **1.** *gener.* Problem *n; (difficoltà a.)* Schwierigkeit *f;* **2.** *mat* Problem *n,* Aufgabe *f; (a scuola)* Textaufgabe *f;* **3.** *fig (persona)* Problem(fall *m*) *n;* **non c'è** ~! kein Problem;

senza **-i** problemlos. **problematico, -a** [...'ma:tiko] ⟨-ci, -che⟩ *agg* problematisch, schwierig; *(poco attendibile)* fraglich, zweifelhaft.

probo, -a ['prɔ:bo] *agg* redlich, rechtschaffen.

proboscide [pro'bɔʃʃide] *f* Rüssel *m*.

proboviro [probo'vi:ro] ⟨probiviri⟩ *m* Schiedsrichter *m*.

procacciare [prokat'tʃa:re] *tr* besorgen, beschaffen; *fig* verschaffen.

procace [pro'ka:tʃe] *agg* provozierend, aufreizend, herausfordernd.

pro capite [prɔ'ka:pite] ⟨*inv*⟩ *avv, agg* pro Kopf, Pro-Kopf-; **reddito** ~ Pro-Kopf-Einkommen *n*.

procedere [pro'tʃɛ:dere] *itr* **1.** ⟨*essere*⟩ *(avanzare)* vorangehen, voranschreiten; **2.** ⟨*avere*⟩ *fig (seguitare)* fortfahren, weitermachen; **3.** ⟨*essere*⟩ *(seguire il proprio corso)* (voran)gehen, laufen; **4.** ⟨*avere*⟩ *(dare inizio)* beginnen (*a* mit); **5.** ⟨*avere*⟩ *dir* vorgehen (*contro* gegen); **6.** ⟨*avere*⟩ *(comportarsi)* vorgehen, handeln; **7.** ⟨*essere*⟩ *(derivare)* ausgehen (*da* von), stammen (*da* von), seinen Ursprung haben (*da* in *+dat*). **procedimento** [...tʃedi'mento] *m* **1.** *(atto)* Vorgehen *n*, Vorgang *m*; **2.** *(modo)* Vorgehensweise *f*; **3.** *dir* Verfahren *n*.

procedura [protʃe'du:ra] *f* *(a. inform)* Prozedur *f*; *amm* Vorgang *m*; *dir* Verfahren *n*; ~ **burocratica** Amtsvorgang *m*.

processare [protʃes'sa:re] *tr* vor Gericht stellen.

processione [protʃes'sjo:ne] *f* Prozession *f*.

processo [pro'tʃɛsso] *m* **1.** *dir* Verfahren *n*, Prozeß *m*; **2.** *(metodo)* Verfahren *n*; **3.** *(sviluppo)* Prozeß *m*, Entwicklung *f*; **fare il ~ addosso a qu** *fig* jdm den Prozeß machen; **mettere qu sotto ~** gegen jdn einen Prozeß anstrengen.

processore [protʃes'so:re] *m inform* Prozessor *m*.

procinto [pro'tʃinto] *m*: **in ~ di** *+inf* im Begriff, zu.

proclama [pro'kla:ma] ⟨-i⟩ *m* Aufruf *m*. **proclamare** [-kla'ma:re] *tr* proklamieren, ausrufen, erklären; ~ **lo sciopero generale** den Generalstreik ausrufen. **proclamazione** [...mat'tsjo:ne] *f* Ausrufung *f*, Proklamation *f*; ~ **d'indipendenza** Unabhängigkeitserklärung *f*.

procrastinare [prokrasti'na:re] *tr* aufschieben, verschieben.

procreazione [prokreat'tsjo:ne] *f* Fortpflanzung *f*, Zeugung *f*.

procura [pro'ku:ra] *f* **1.** *dir* Vollmacht *f*; *econ* Prokura *f*; **2.** *(ufficio)* Staatsanwaltschaft *f*.

procurare [proku'ra:re] *tr* **1.** *(fare avere)* besorgen; *(fig a.)* verschaffen; **2.** *(causare)* verursachen, bereiten.

procuratore, -trice [prokura'to:re] *m, f* *(magistrato)* Staatsanwalt *m*, -anwältin *f*; *(laureato in legge)* Anwaltsanwärter(in) *m(f)*; **P~ Generale** ≃ Generalstaatsanwalt *m*; ~ **della Repubblica** Staatsanwalt *m*.

prodezza [pro'dettsa] *f* **1.** *fig fam (leggerezza)* Leichtsinn *m*; **2.** *(coraggio)* Kühnheit *f*; **3.** *letter, hist* Heldentat *f*.

prodigalità [prodigali'ta] ⟨-⟩ *f* Großzügigkeit *f*, Freigebigkeit *f*.

prodigarsi [prodi'garsi] ⟨mi prodigo, ti prodighi⟩ *rfl* **1.** *(profondersi)* sich ergehen (*in* in *+dat*); **2.** *(adoperarsi)* sich aufopfern (*per* für).

prodigio [pro'di:dʒo] **I.** ⟨-gi⟩ *m* Wunder *n*; **II.** ⟨*inv*⟩ *agg* Wunder-; **bambino ~** Wunderkind *n*. **prodigioso, -a** [...di'dʒo:so] *agg* wunderbar, Wunder-; *(memoria, cultura)* außerordentlich, phänomenal.

prodigo, -a ['prɔ:digo] ⟨-ghi, -ghe⟩ *agg* **1.** *peg (che dà senza misura)* verschwenderisch; **2.** *(generoso)* freigebig; **la parabola del figliol ~** das Gleichnis vom verlorenen Sohn.

prodotto [pro'dotto] *m* **1.** *gener., com* Erzeugnis *n*, Produkt *n*; **2.** *(risultato)* Ergebnis *n*; **3.** *fig (della fantasia, ecc.)* Produkt *n*; **-i agricoli** Agrarerzeugnisse *n pl*; ~ **alimentare** Lebensmittel *n*, Nahrungsmittel *n*; **-i di bellezza** Kosmetikartikel *m pl*, Kosmetika *n pl*; **-i chimici** Chemikalien *f pl*; ~ **concorrente** Konkurrenzprodukt *n*; ~ **interno (***o* **nazionale) lordo** Bruttoinlandsprodukt *n*.

produrre [pro'durre] ⟨produco, produssi, prodotto⟩ **I.** *tr* **1.** *gener., econ* erzeugen, produzieren; *agr* erzeugen; *(fabbricare)* herstellen; **2.** *(dare)* liefern, hervorbringen, erzeugen; **3.** *(causare)* verursachen, hervorrufen, erzeugen; **4.** *(presentare)* vorlegen; **5.** *dir (prove, ecc.)* anführen; *(testimone)* vorführen; ~ **in serie** serienmäßig herstellen; **II.** *rfl*: **-ursi** *teat* auftreten.

produttività [produttivi'ta] ⟨-⟩ *f* **1.** *econ* Produktivität *f*; **2.** *agr* Ertragfähigkeit *f*; ~ **massima** Höchstleistung *f*; **grado di ~** Nutzungsgrad *m*; **premio di ~** Leistungsprämie *f*. **produttivo, a** [...'ti:vo] *agg* **1.** *com* produktiv; *agr* ergiebig, fruchtbar, ertragreich; **2.** *(di produzione)* Herstellungs-,Fertigungs-, Produktions-; **3.** *fig* produktiv.

produttore, -trice [produt'to:re] **I.** *m,f* **1.** *econ* Hersteller(in) *m(f)* Erzeuger(in) *m(f)*; *agr* Erzeuger *m*; **2.** *film* Produzent(in) *m(f)*; **II.** *agg* Herstellungs-, Hersteller-, Produktions-; **casa -trice** Herstellerfirma *f*; **i paesi -i di cacao** die kakaoproduzierenden Länder *n pl*.

produzione [produt'tsjo:ne] *f* **1.** *gener., econ* Erzeugung *f*, Produktion *f*; *agr* Erzeugung *f*; *(fabbricazione)* Herstellung *f; film* Produktion *f;* **2.** *(formazione)* Bildung *f;* **3.** *(letter, mus)* Schaffen *n; (opera)* Werk *n;* **4.** *amm (di documenti)* Vorlage *f;* **5.** *dir (di prove)* Anführung *f; (di testimone)* Vorführung *f;* ~ **a catena** Fließbandfertigung *f;* **di propria** ~ selbstgemacht, aus eigener Herstellung.

profanare [profa'na:re] *tr* entweihen, schänden. **profanazione** [...nat'tsio:ne] *f* Entweihung *f,* Schändung *f;* ~ **di tombe** Grabschändung *f.*

profano, -a [pro'fa:no] **I.** *agg* **1.** *(mondano)* weltlich, profan; *fig (parole, ecc.)* profan; **2.** *(non competente)* laienhaft; **II.** *m* Weltliche(s) *n,* Profane(s) *n;* **III.** *m, f* **1.** *(incompetente)* Laie *m;* **2.** *(non iniziato)* Uneingeweihte(r) *mf.*

proferire [profe'ri:re] ⟨proferisco⟩ *tr* **1.** *(parola, frase)* aussprechen; **2.** *(voto)* ablegen.

professare [profes'sa:re] **I.** *tr* **1.** *(dichiarare)* bekunden, bezeigen; **2.** *(manifestare)* bekennen; **II.** *rfl:* **-arsi** sich bekennen (zu, als).

professionale [professio'na:le] *agg* beruflich, Berufs-, professionell; **esperienza/malattia/segreto** ~ Berufserfahrung *f*/-krankheit *f*/-geheimnis *n.* **professionalità** [...nali'ta] ⟨-⟩ *f* Professionalität *f.*

professione [profes'sio:ne] *f* **1.** *(attività)* Beruf *m,* Gewerbe *n;* **2.** *(dichiarazione)* Bekundung *f,* Bezeugung *f; rel (di fede)* Bekenntnis *n; (dei voti)* Gelübde *n;* **ladro di** ~ professioneller Dieb. **professionismo** [...io'nizmo] *m* berufsmäßige Ausübung einer Tätigkeit; *sport* Berufs-, Profisport *m.* **professionista** [...io'nista] ⟨-i *m,* -e *f*⟩ *mf sport* Berufssportler(in) *m(f),* Profi *m fam;* **libero** ~ Freiberufler *m.*

professorato [professo'ra:to] *m* Professur *f,* Lehramt *n.*

professore, -essa [profes'so:re, ...so'ressa] *m, f* Lehrer(in) *m(f); (di liceo)* Studienrat *m,* -rätin *f; (di università)* Professor(in) *m(f);* ~ **incaricato** Lehrbeauftragte(r) *m;* ~ **straordinario/di ruolo** außerordentlicher/ordentlicher Professor; ~ **di musica/d'orchestra** Musiklehrer(in) *m(f)*/Orchestermusiker(in) *m(f).*

profeta, -tessa [pro'fɛ:ta, ...fe'tessa] ⟨-i, -e⟩ *m, f* Prophet(in) *m(f).* **profetico, -a** [...'fɛ:tiko] ⟨-ci, -che⟩ *agg* prophetisch. **profetizzare** [...fetid'dza:re] *tr, itr* prophezeien, weissagen. **profezia** [...fet'tsi:a] ⟨-ie⟩ *f* Prophezeiung *f; (di astrologo)* Weissagung *f.*

proficuo, -a [pro'fi:kuo] *agg* gewinnbringend, nützlich.

profilare [profi'la:re] **I.** *tr* **1.** *(delineare i contorni)* abzeichnen, konturieren, umreißen; **2.** *(orlare)* besetzen, betressen; **II.** *rfl:* **-arsi 1.** *(risaltare)* sich abheben, sich abzeichnen; **2.** *fig (essere imminente)* sich abzeichnen, sich ankündigen.

profilassi [profi'lassi] ⟨-⟩ *f* Prophylaxe *f wissensch.,* Krankheitsverhütung *f.*

profilato, -a [profi'la:to] **I.** *agg* **1.** *(ben delineato)* abgezeichnet, konturiert; **2.** *(abito, gonna)* betreßt; **II.** *m* Profil(eisen) *n.*

profilattico, -a [profi'lattiko] ⟨-ci, -che⟩ **I.** *agg* prophylaktisch, krankheitsverhütend; **II.** *m* Präservativ *n,* Kondom *n o m.*

profilatura [profila'tu:ra] *f* Profilierung *f.*

profilo [pro'fi:lo] *m* **1.** *(del volto)* Profil *n;* **2.** *(linea)* Umriß *m,* Kontur *f;* **3.** *fig* Portrait *n,* Charakterisierung *f,* Kurzbeschreibung *f;* **4.** *(dei pneumatici)* Profil *n.*

profittare [profit'ta:re] *itr* ausnutzen (*di qc* etw. *akk*), Nutzen ziehen (*di* aus).

profitto [pro'fitto] *m* **1.** *(vantaggio)* Profit *m,* Nutzen *m,* Vorteil *m;* **2.** *fig (progresso)* Fortschritt *m,* Erfolg *m;* **3.** *econ* Profit *m,* Gewinn *m;* **trarre** ~ **da qc** aus etw. Profit (*o* Nutzen) ziehen.

profondersi [pro'fondersi] ⟨*irr*⟩ *rfl* sich ergehen (*in* in +*dat*), um sich werfen (*in* mit).

profondità [profondi'ta] ⟨-⟩ *f* **1.** *gener., fig* Tiefe *f;* **2.** *fig (intensità)* Stärke *f;* **in** ~ tief; *fig* gründlich. **profondo, -a** [...'fondo] **I.** *agg* **1.** *gener.* tief; **2.** *fig (intenso)* tief; *(sentimento a.)* stark; *(non superficiale)* tiefgehend, fundiert, gründlich; **II.** *m* Tiefe *f.*

proforma, pro forma [pro'forma] **I.** ⟨*inv*⟩ *avv, agg* pro forma; **II.** ⟨-⟩ *m* Formalität *f.*

profugo, -a ['prɔ:fugo] ⟨-ghi, -ghe⟩ *m, f* Flüchtling *m,* (Heimat)vertriebene(r) *mf;* ~ **politico** politischer Flüchtling; **campo -ghi** Flüchtlingslager *n.*

profumare [profu'ma:re] **I.** *tr* ⟨*avere*⟩ parfümieren; **II.** *itr* ⟨*essere*⟩ duften (*di* nach); **III.** *rfl:* **-arsi** sich parfümieren. **profumatamente** [...mata'mente] *avv* teuer; **pagare qc** ~ für etw. einen saftigen Preis zahlen *fam.*

profumeria [profume'ri:a] ⟨-ie⟩ *f* **1.** *(negozio)* Parfümerie *f;* **2.** *(fabbricazione)* Parfümherstellung *f.* **profumiere, -a** [...'miɛ:re] *m, f* Parfümhändler(in) *m(f); (fabbricante)* Parfümhersteller(in) *m(f).*

profumo [pro'fu:mo] *m* **1.** *(fragranza)* Duft *m;* **2.** *(essenza)* Parfüm *n;* **3.** *fig* Hauch *m.*

profusione [profu'zio:ne] *f:* **a** ~ im Überfluß.

progenitore, -trice [prodʒeni'to:re] *m, f* **1.** *(capostipite)* Stammvater *m,* -mutter *f;* **2.** ⟨*pl*⟩ *(antenati)* Vorfahren *m pl.*

progesterone [prodʒeste'ro:ne] *m* Progesteron *n.*

progettare [prodʒet'ta:re] *tr* **1.** *(viaggio, spedizione)* planen; **2.** *(arch, ecc.)* planen, entwerfen. **progettazione** [...tat'tsio:ne] *f* Planung *f;* ~ **assistita dal**

computer *(abbr* CAD) rechnergestützter Entwurf (*abk* CAD); **ufficio** ~ Konstruktionsbüro *n.* **progettista** [...'tista] ⟨-i *m,* -e *f*⟩ *mf* Konstrukteur(in) *m(f).*

progetto [pro'dʒɛtto] *m* **1.** *com* Projekt *n; dir, tec* Entwurf *m;* **2.** *(proposito)* Plan *m;* **3.** *(ideazione)* Planung *f;* ~ **pilota** Pilotprojekt *n.*

prognosi ['prɔɲɲozi] ⟨-⟩ *f* Prognose *f;* ~ **sbagliata** Fehlprognose *f.*

programma [pro'gramma] ⟨-i⟩ *m* **1.** *gener.* Programm *n;* **2.** *(singolo spettacolo)* Vorstellung *f; (opuscolo)* Programm(heft) *n;* **3.** *(di scuola)* (Lehr)stoff *m;* ~ **applicativo,** (*o* **dell'utente)** Anwenderprogramm *n;* ~ **didattico** (*o* **educativo)** Lehrprogramm *n;* ~ **di scrittura** Textverarbeitungsprogramm *n;* **avere in** ~ **qc** etw. *(akk)* vorhaben; **essere in** ~ geplant sein. **programmabile** [...'ma:bile] *agg* programmierbar. **programmare** [...'ma:re] *tr* **1.** *(film, teat, TV, radio, ecc.)* aufs Programm setzen, ins Programm nehmen; **2.** *inform* programmieren; **3.** *com* planen. **programmatore, -trice** [...ma'to:re] *m, f* **1.** *inform* Programmierer(in) *m(f);* **2.** *econ* Wirtschaftsplaner(in) *m(f).* **programmazione** [...mat'tsio:ne] *f* **1.** *econ* (Wirtschafts)planung *f;* **2.** *inform* Programmierung *f.*

progredire [progre'di:re] ⟨progredisco⟩ *itr* ⟨*essere o avere*⟩ **1.** *(avanzare)* fort-, voranschreiten; **2.** *(far progressi)* Fortschritte machen, vorankommen. **progredito, -a** [...'di:to] *agg* fortschrittlich, fortgeschritten.

progressione [progres'sio:ne] *f* **1.** *mat* Reihe *f;* **2.** *(aumento)* Steigerung *f,* Zunahme *f;* **3.** *mus* Sequenz *f.*

progressista [progres'sista] ⟨-i *m,* -e *f*⟩ **I.** *mf* Fortschrittsgläubige(r) *mf,* Progressist(in) *m(f);* **II.** *agg* fortschrittlich, Fortschritts-. **progressivo, -a** [...'si:vo] *agg* fortschreitend, zunehmend, progressiv; **tassazione -a** progressive Besteuerung.

progresso [pro'grɛsso] *m (perfezionamento, avanzamento)* Fortschritt *m; (a. sviluppo)* Weiter-, Fortentwicklung *f.*

proibire [proi'bi:re] ⟨proibisco⟩ *tr* verbieten, untersagen. **proibitivo, -a** [...bi'ti:vo] *agg* **1.** *(decreto, provvedimento)* verbietend, verhindernd, prohibitiv; **2.** *(prezzi)* unerschwinglich. **proibizione** [...bit'tsio:ne] *f* Verbot *n,* Verbieten *n.*

proiettare [proiet'ta:re] **I.** *tr* **1.** *film, fot* vorführen; *(sullo schermo)* projizieren; **2.** *(gettar fuori)* hinauswerfen, -schleudern; **3.** *mat, psic* projizieren (su auf +*akk*); **4.** *(luce, ombra)* werfen (*su* auf +*akk*); **II.** *rfl:* **-arsi 1.** *fig* sich versetzen (*in* in +*akk*); **2.** *(gettarsi)* sich werfen.

proiettile [proiet'ti:le] *m* Geschoß *n,* Projektil *n wissensch.,* Kugel *f.*

proiettore [proiet'to:re] *m* **1.** *film, fot* Projektor *m;* **2.** *mot* Scheinwerfer *m;* ~ **fendinebbia** *mot* Nebelscheinwerfer *m;* ~ **per diapositive** Diaprojektor *m.* **proiezione** [...t'tsio:ne] *f* **1.** *film, fot* Vorführung *f; (sullo schermo)* Projektion *f;* **2.** *mat, geog* Projektion *f;* ~ **statistica** Hochrechnung *f.*

prolasso [pro'lasso] *m* Prolaps *m wissensch.,* Vorfall *m.*

prole ['prɔ:le] *f* Kinder *n pl,* Nachwuchs *m.*

proletariato [proleta'ria:to] *m* Proletariat *n.* **proletario, -a** [...'ta:rio] ⟨-i, -ie⟩ **I.** *agg* proletarisch; **II.** *m, f* Proletarier(in) *m(f).*

proliferare [prolife'ra:re] *itr* wuchern, sich vermehren.

prolifico, -a [pro'li:fiko] ⟨-ci, -che⟩ *agg* fruchtbar; *(fig a.)* schaffensfreudig.

prolisso, -a [pro'lisso] *agg* langatmig, weitschweifig, ausschweifend.

pro loco [prɔ 'lɔ:ko] ⟨-⟩ *f* Verkehrsverein *m.*

prologo ['prɔ:logo] ⟨-ghi⟩ *m* **1.** *(scena)* Prolog *m;* **2.** *(fig)* Einleitung *f.*

prolunga [pro'luŋga] ⟨-ghe⟩ *f* Verlängerung *f,* Verlängerungskabel *n,* -schnur *f.*

prolungamento [...a'mento] *m* Verlängerung *f.*

prolungare [proluŋ'ga:re] ⟨prolungo, prolunghi⟩ **I.** *tr* **1.** *(rendere più lungo)* verlängern; **2.** *fig* in die Länge ziehen; **II.** *rfl:* **-arsi 1.** *(estendersi)* sich ausbreiten, sich verlängern; *(nello spazio)* sich verlängern, sich erstrecken; *(nel tempo)* sich hinziehen, sich in die Länge ziehen; **2.** *(nel discorso)* ausschweifen, ausholen, sich auslassen (*su* über +*akk*).

promemoria [prome'mɔ:ria] ⟨-⟩ *m* Notiz-, Merkzettel *m.*

promessa [pro'messa] *f* **1.** *gener.* Versprechen *n;* **2.** *fig (giovane)* Hoffnung *f;* **mantenere la** ~ das Versprechen halten. **promesso, -a** [...so] **I.** *agg (sposo)* versprochen; **la Terra P-a** das Gelobte Land.

promettente [promet'tɛnte] *agg* vielversprechend.

promettere [pro'mettere] ⟨*irr*⟩ **I.** *tr* **1.** *(impegnarsi)* versprechen; **2.** *fig (far intravedere)* aussehen nach; **II.** *rfl:* **-ersi** sich versprechen.

prominente [promi'nɛnte] *agg* vorspringend. **prominenza** [...'nɛntsa] *f* Vorspringen *n,* Vorsprung *m.*

promiscuità [promiskui'ta] ⟨-⟩ *f* Vermischung *f; (sessuale)* Promiskuität *f.* **promiscuo, -a** [...'miskuo] **I.** *agg* gemischt; *(classe, scuola)* Gemeinschafts-; *gram* beidgeschlechtig; *(sessualmente)* sexuell freizügig, promiskuitiv; **II.** *m sl* Kombiwagen *m.*

promontorio [promon'tɔ:rio] ⟨-i⟩ *m* Kap *n.*

promosso, -a [pro'mɔsso] *agg (alunno)*

versetzt; *(dipendente)* befördert.

promotore, -trice [promo'to:re] **I.** *m, f* Förderer *m,* Förd(r)erin *f; (iniziatore)* Initiator(in) *m(f);* **II.** *agg* Förderer-; **comitato ~** Organisations-, Veranstaltungskomitee *n.*

promozionale [promot'tsio'na:le] *agg* Werbe-, Promotion-.

promozione [promot'tsio:ne] *f* **1.** *(avanzamento)* Beförderung *f; (di alunno)* Versetzung *f; sport* (Tabellen)aufstieg *m;* **2.** *econ* Werbung *f,* Promotion *f;* ~ **della piccola industria** Gewerbeförderung *f.*

promulgare [promul'ga:re] ⟨promulgo, promulghi⟩ *tr* **1.** *dir (legge)* erlassen; **2.** *(diffondere)* verbreiten, verkünden. **promulgazione** [...gat'tsio:ne] *f* **1.** *dir (di legge)* Erlaß *m;* **2.** *(divulgazione)* Verbreitung *f,* Verkündung *f.*

promuovere [pro'muɔ:vere] ⟨*irr*⟩ *tr* **1.** *(proporre)* fördern; *(iniziare)* initiieren; *(arti, cultura, ricerca)* fördern; **2.** *(far avanzare)* befördern; *(alunno)* versetzen.

pronipote [proni'po:te] *mf* **1.** *(dei nonni)* Urenkel(in) *m(f); (degli zii)* Großneffe *m,* -nichte *f;* **2.** ⟨*pl*⟩ Nachkommen *m pl.*

pronome [pro'no:me] *m* Pronomen *n,* Fürwort *n.*

pronosticare [pronosti'ka:re] ⟨pronostico, pronostichi⟩ *tr* voraussagen, ankündigen. **pronostico** [...'nɔstiko] ⟨-ci⟩ *m* Voraussage *f.*

prontezza [pron'tettsa] *f* Promptheit *f,* Schnelligkeit *f.*

pronto, -a ['pronto] **I.** *agg* **1.** *(preparato)* bereit, fertig; **2.** *(disposto)* bereit (*a* zu); **3.** *(rapido)* schnell, rasch; *(cosa a.)* prompt, sofortig; ~ **soccorso** Erste Hilfe; **a -i (contanti)** in bar; *(fin a.)* Kassa-; **essere ~ per partire** reisefertig sein; **essere ~ a tutto** zu allem bereit sein; **essere sempre ~ a scherzare** immer zu(m) Scherzen aufgelegt sein; **avere la risposta -a** schlagfertig sein; ~ **per l'uso** gebrauchsfertig; **II.** *interi tel* hallo (, hier spricht . . .); ~ **ti ascolto** Sorgentelefon *n.*

prontuario [prontu'a:rio] ⟨-i⟩ *m* Handbuch *n.*

pronuncia [pro'nuntʃa] ⟨-cie⟩ *f* Aussprache *f.* **pronunciare** [...'tʃa:re] ⟨pronuncio, pronunci⟩ **I.** *tr (parola, sentenza)* aussprechen; *(discorso)* halten; **II.** *rfl:* **-arsi** sich aussprechen. **pronunciato, -a** [...'tʃa:to] *agg* **1.** *(naso, mento)* ausgeprägt; **2.** *fig* ausgeprägt, ausgesprochen.

propaganda [propa'ganda] *f* Propaganda *f;* ~ **elettorale** Wahlpropaganda *f.* **propagandare** [...'da:re] *tr* verbreiten, propagieren. **propagandista** [...'dista] ⟨-i *m,* -e *f*⟩ Werber(in) *m(f); com* (Handels)-vertreter(in) *m(f).* **propagandistico, -a** [...'distiko] ⟨-ci, -che⟩ *agg* propagandistisch, Propaganda-.

propagare [propa'ga:re] ⟨propago, propaghi⟩ **I.** *tr* verbreiten, propagieren; **II.** *rfl:* **-arsi 1.** *(diffondersi)* sich ausbreiten, sich ausdehnen; *fig* um sich greifen; **2.** *biol* sich fortpflanzen, sich vermehren. **propagatore, -trice** [...ga'to:re] *m, f* Verbreiter(in) *m(f),* Verkünder(in) *m(f).* **propagazione** [...gat'tsio:ne] *f* **1.** *fis* Verbreitung *f; (della luce)* Fortpflanzung *f; (del calore, suono)* Ausbreitung *f;* **2.** *(diffusione)* Ver-, Ausbreitung *f;* **3.** *biol* Fortpflanzung *f,* Vermehrung *f.*

propaggine [pro'paddʒine] *f* Verzweigung *f; (di un monte)* Ausläufer *m.*

propano [pro'pa:no] *m* Propan(gas) *n.*

propedeutico, -a [prope'dɛ:utiko] ⟨-ci, -che⟩ *agg* propädeutisch.

propellente [propel'lɛnte] **I.** *agg* vorwärtstreibend, Treib-; **II.** *m* Treibstoff *m.*

propendere [pro'pɛndere] ⟨propendo, propendei *o* propesi, propenso *o rar* propenduto⟩ *itr* neigen (*per* zu), sein (*per* für). **propensione** [...pen'sio:ne] *f* Neigung *f* (*per* zu); *(per persone)* Zuneigung *f* (*per* zu); **avere ~ a** *+inf* dazu neigen, zu *+inf;* **ho ~ a credere** ich neige zu der Annahme. **propenso, -a** [...'pɛnso] **I.** *pp di* **propendere; II.** *agg* geneigt; **essere ~ a** *+inf* geneigt sein, zu *+inf;* **essere ~ verso qu** jdm geneigt sein. **propesi** *p rem di* **propendere.**

propinare [propi'na:re] *tr* **1.** *(somministrare)* (ein)geben, verabreichen; **2.** *fig scherz* auftischen, unterjubeln *fam.*

propiziare [propit'tsia:re] ⟨propizio, propizi⟩ *tr* günstig stimmen, geneigt machen.

propizio, -a [pro'pittsio] ⟨-i, -ie⟩ *agg* günstig.

proponimento [proponi'mento] *m* Vorsatz *m;* **fare (il) ~ di** *+inf* sich *(dat)* vornehmen zu *+inf.*

proporre [pro'porre] ⟨*irr*⟩ **I.** *tr* vorschlagen; *(tesi)* vorbringen; *(questione, problema)* aufwerfen; **II.** *rfl:* **-orsi** sich *(dat)* vornehmen; **-orsi un fine (***o* **una meta)** sich *(dat)* ein Ziel stecken (*o* setzen); **l'uomo propone e Dio dispone** *prov* der Mensch denkt, und Gott lenkt *prov.*

proporzionale [proportsio'na:le] *agg* Verhältnis-; **1.** *mat* proportional; **elezione ~** Verhältniswahl *f.* **proporzionato, -a** [...'na:to] *agg* **1.** *(adeguato)* entsprechend; **2.** *(armonico)* proportioniert; **ben ~** wohlproportioniert. **proporzione** [...'tsio:ne] *f* **1.** *mat* Proportion *f,* Verhältnisgleichung *f;* **2.** *(rapporto)* Verhältnis *n;* **3.** ⟨*pl*⟩ *fig* Ausmaße *n pl;* **assumere -i preoccupanti** besorgniserregende Ausmaße annehmen; **in ~ a** im Verhältnis zu.

proposito [pro'pɔ:zito] *m* **1.** *(proponimento)* Vorsatz *m,* Vorhaben *n,* Absicht *f;* **2.** *(argomento)* Bezug *m;* **di ~** *(apposta)* mit Absicht, absichtlich; *(seriamen-*

te) ganz bewußt; **a ~ di** in bezug auf, was ... betrifft; **a ~** übrigens, apropos *fam;* **arrivare (***o* **venire) a ~** gelegen (*o* wie gerufen) kommen; **a questo ~** hierzu, dazu, in dieser Hinsicht.

proposizione [propozit'tsio:ne] *f* Satz *m,* Proposition *f wissensch.*

proposta [pro'posta] *f* Vorschlag *m; amm* Antrag *m;* **~ di matrimonio** Heiratsantrag *m;* **~ di legge** Gesetzesvorlage *f.*

propriamente [propria'mente] *avv* **1.** *(in senso proprio)* eigentlich; **2.** *(in modo appropriato)* passend, richtig; **~ detto** strenggenommen, eigentlich.

proprietà [proprie'ta] ⟨-⟩ *f* **1.** *dir* Eigentum *n,* Besitz *m;* **2.** *(qualità)* Eigenschaft *f,* Beschaffenheit *f;* **3.** *(precisione)* Richtigkeit *f;* **4.** *rar (pulizia, ordine)* Sauberkeit *f;* **essere di ~ di qu** jds Eigentum sein, jdm gehören. **proprietario, -a** [...'ta:rio] ⟨-i, -ie⟩ *m, f* Eigentümer(in) *m(f),* Besitzer(in) *m(f);* **~ dell'autoveicolo** Kraftfahrzeughalter *m;* **~ di un marchio** Markeninhaber *m.*

proprio, -a ['prɔ:prio] ⟨-i, -ie⟩ **I.** *agg* **1.** *(suo)* eigen; *(di lui)* sein; *(di lei, loro)* ihr; **2.** *(tipico)* eigen, eigentümlich; **vino di produzione -a** Wein *m* aus eigener Herstellung; **con le -ie mani** eigenhändig; **II.** *avv* **1.** *(precisamente)* (ganz) genau; **2.** *(davvero)* wirklich; **3.** *(in frasi negative):* **non ... ~** überhaupt nicht; **è ~ lui!** er ist es wirklich!; **non l'ho ~ vista** ich habe sie überhaupt nicht gesehen; **III.** *m* Eigene(s) *n;* **lavorare in ~** selbständig (*o* freiberuflich) arbeiten.

propugnare [propuɲ'ɲa:re] *tr* verfechten.

propulsione [propul'sio:ne] *f* **1.** *fig (spinta)* Antrieb *m,* Aufschwung *m;* **2.** *tec* Antrieb *m;* **~ a razzo/turbina** Raketen-/Turbinenantrieb *m.* **propulsore** [...'so:re] *m* Triebwerk *n.*

prora ['prɔ:ra] *f* Bug *m.*

proroga ['prɔ:roga] ⟨-ghe⟩ *f* Aufschub *m,* Verlängerung *f; (di termine)* Verschiebung *f; (di pagamento)* Stundung *f.* **prorogare** [proro'ga:re] ⟨prorogo, proroghi⟩ *tr* aufschieben, verlängern; *(pagamento)* stunden; *(termine)* verschieben.

prorompente [prorom'pɛnte] *agg* ungestüm; *(gioia, ecc.)* unbändig. **prorompere** [pro'rompere] ⟨*irr*⟩ *itr* hervorbrechen; *(in lacrime, risata)* ausbrechen (*in* in +*akk*).

prosa ['prɔ:za] *f* Prosa *f; (componimento)* Prosatext *m.* **prosaico, -a** [pro'za:iko] ⟨-ci, -che⟩ *agg* **1.** *fig peg* nüchtern, prosaisch; **2.** *letter* prosaisch, Prosa-.

prosciogliere [proʃ'ʃɔʎʎere] ⟨*irr*⟩ *tr* **1.** *(liberare)* entbinden *geh* (*da qc* einer S. *gen*); **2.** *dir* freisprechen.

prosciugamento [proʃʃuga'mento] *m* **1.** *(il prosciugare)* Trockenlegung *f;* **2.** *(inaridimento)* Austrocknung *f.* **prosciugare** [...'ga:re] ⟨prosciugo, prosciughi⟩ **I.** *tr (terreno)* austrocknen; *(palude)* trockenlegen; **II.** *rfl:* **-arsi** trocken werden, austrocknen.

prosciutto [proʃ'ʃutto] *m* Schinken *m;* **~ crudo/cotto** roher/gekochter Schinken.

proscritto, -a [pros'kritto] *m, f* Verbannte(r) *mf,* Geächtete(r) *mf.* **proscrivere** [...'kri:vere] ⟨*irr*⟩ *tr* **1.** *(esiliare)* verbannen, ächten; **2.** *fig* verbieten, abschaffen.

proscrizione [...krit'tsio:ne] *f* **1.** *st* Ächtung *f,* Proskription *f;* **2.** *(esilio)* Verbannung *f;* **3.** *fig* Abschaffung *f,* Verbot *n.*

prosecuzione [prosekut'tsio:ne] *f* Fortsetzung *f,* Weiterführung *f.*

proseguimento [prosegui'mento] *m* Fortsetzung *f,* Weiterführung *f;* **buon ~!** weiterhin alles Gute!. **proseguire** [...'gui:re] **I.** *tr* fortsetzen, weiterführen; **II.** *itr* weitermachen (*in* mit); *(per una strada)* weitergehen; **~ negli studi** das Studium fortsetzen; **il treno prosegue per Milano** der Zug fährt nach Mailand weiter.

proselito, -a [pro'zɛ:lito] *m, f* Proselyt *m; (fig a.)* Anhänger(in) *m(f).*

prosperare [prospe'ra:re] *itr* gedeihen. **prosperità** [...ri'ta] ⟨-⟩ *f* Wohlstand *m,* Gedeihen *n.* **prospero, -a** ['prɔspero] *agg (commercio)* blühend; *(paese)* wohlhabend, blühend; *(annata)* glücklich; *(sorte)* günstig. **prosperoso, -a** [prospe'ro:so] *agg* blühend; *(commercio, regione a.)* wohlhabend.

prospettare [prospet'ta:re] **I.** *tr* darstellen, darlegen, vor Augen führen; **II.** *rfl:* **-arsi** sich darstellen.

prospettiva [prospet'ti:va] *f* **1.** *(tecnica)* Perspektive *f;* **2.** *(vista)* Ausblick *m;* **3.** *fig* Aussicht *f,* Perspektive *f;* **4.** *(disegno)* perspektivische Zeichnung.

prospetto [pros'pɛtto] *m* **1.** *(tabella)* Übersicht *f,* Aufstellung *f;* **2.** *(veduta)* Ausblick *m;* **3.** *(facciata)* Vorderseite *f;* **4.** *(disegno)* Ansicht *f;* **di ~** von vorne.

prossimamente [prossima'mente] **I.** *avv (fra breve)* in Kürze, demnächst; **II.** ⟨-⟩ *m fam film* Trailer *m,* Vorfilm *m.*

prossimità [prossimi'ta] ⟨-⟩ *f* Nähe *f;* **in ~ di** in der Nähe von.

prossimo, -a ['prɔssimo] **I.** *agg* **1.** *(vicino)* nächste(r, s); *(nel tempo a.)* kommend; **2.** *(parente)* nah(e); **3.** *(diretto)* unmittelbar, naheliegend, direkt; **è ~ a partire** er steht kurz vor der Abreise; **il giorno ~** am nächsten Tag; **la settimana -a** nächste Woche; **II.** *m* Nächste(r) *mf.*

prostata ['prɔstata] *f* Prostata *f.*

prosternarsi [proster'narsi] *rfl* sich auf die Knie (*o* zu Boden) werfen.

prostituire [prostitu'i:re] ⟨prostituisco⟩ **I.** *tr* prostituieren, verkaufen; **II.** *rfl:* **-irsi** sich prostituieren. **prostituta** [...'tu:ta] *f* Prostituierte *f.* **prostituzione** [...tut-

'tsjo:ne] *f* Prostitution *f;* **esercitare la** ~ der Prostition nachgehen.

prostrare [pros'tra:re] **I.** *tr* **1.** *(fiaccare)* schwächen, entkräften; **2.** *fig (umiliare)* erniedrigen, kränken; **II.** *rfl:* **-arsi 1.** *(gettarsi ai piedi)* sich auf die Knie werfen; **2.** *fig (umiliarsi)* kriechen, sich erniedrigen. **prostrazione** [...trat'tsjo:ne] *f* **1.** *(depressione)* Niedergeschlagenheit *f;* **2.** *(spossatezza)* Erschöpfung *f,* Ermattung *f.*

protagonista [protago'nista] ⟨-i *m,* -e *f*⟩ *mf* **1.** *film, teat* Hauptdarsteller(in) *m(f);* **2.** *letter* Protagonist(in) *m(f).*

proteggere [pro'tɛddʒere] ⟨proteggo, protessi, protetto⟩ *tr* **1.** *(difendere)* (be)schützen (*da* vor *+dat*); *inform* sichern; **2.** *(favorire)* begünstigen; *(persone a.)* protegieren; ~ **da copiatura** *inform* gegen (unbefugtes) Kopieren schützen.

proteico, -a [pro'tɛ:iko] ⟨-ci, -che⟩ *agg* eiweißhaltig, Protein-, Eiweiß-.

proteina [prote'i:na] *f* Protein *n,* Eiweiß *n.*

protendere [pro'tɛndere] ⟨*irr*⟩ **I.** *tr* hin-, vor-, ausstrecken; **II.** *rfl:* **-ersi** sich vorbeugen, sich beugen (*da* aus).

protesi ['prɔ:tezi] ⟨-⟩ *f* Prothese *f;* ~ **dentaria** Zahnersatz *m,* Zahnprothese *f.*

protessi [pro'tɛssi] *p rem di* **proteggere.**

protesta [pro'tɛsta] *f* **1.** *(disapprovazione)* Protest *m;* **2.** *(dichiarazione)* Bezeugung *f,* Beteuerung *f;* **movimento di** ~ Protestbewegung *f;* **per** ~ aus Protest.

protestante [protes'tante] **I.** *agg* protestantisch; **II.** *mf* Protestant(in) *m(f).*

protestare [protes'ta:re] **I.** *tr* bezeugen, beteuern; **II.** *itr* protestieren (*contro* gegen); **III.** *rfl:* **-arsi** sich erklären.

protettivo, -a [protet'ti:vo] *agg* schützend, Schutz-. **protetto** [...'tɛtto] **I.** *pp di* **proteggere; II.** *m* Schützling *m,* Protégé *m.*

protettorato [protetto'ra:to] *m* **1.** *(tutela)* Protektorat *n,* Schutzherrschaft *f;* **2.** *(territorio)* Schutzgebiet *n,* Protektorat *n.*

protettore, -trice [protet'to:re] **I.** *m, f* **1.** *(chi protegge)* (Be)schützer(in) *m(f);* **2.** *(chi favorisce)* Förderer *m,* Förd(r)erin *f;* **3.** *(patrono)* (Schutz)patron(in) *m(f),* Schutzheilige(r) *mf;* **4.** *(sfruttatore di prostitute)* Zuhälter *m;* **II.** *agg* (be)schützend, Schutz-.

protezione [protet'tsjo:ne] *f* **1.** *(difesa)* Schutz *m;* **2.** *peg (favoreggiamento)* Protektion *f,* Begünstigung *f;* ~ **dell'ambiente/del paesaggio/degli animali** Umwelt-/Landschafts-/Tierschutz *m;* ~ **dati** Datenschutz *m;* ~ **della memoria** *inform* Speicherschutz *m.*

protezionismo [protettsjo'nizmo] *m* Protektionismus *m.*

protocollare¹ [protokol'la:re] *tr* protokollieren, ins Protokollbuch eintragen.

protocollare² [protokol'la:re] *agg* protokollarisch, Protokoll-.

protocollo [proto'kɔllo] *m (a. inform)* Protokoll *n;* **mettere a** ~ protokollieren, zu Protokoll nehmen.

protone [pro'to:ne] *m* Proton *n.*

prototipo [pro'tɔ:tipo] *m* **1.** *tec* Prototip *m;* **2.** *scherz* Muster(stück) *n* (an), Inbegriff *m;* **3.** *(modello)* Urbild *n;* **è il** ~ **dei fannulloni** er ist ein Muster an Faulheit.

protrarre [pro'trarre] ⟨*irr*⟩ **I.** *tr* hinausziehen, in die Länge ziehen; *(differire)* aufschieben; **II.** *rfl:* **-arsi** sich hinausziehen, sich in die Länge ziehen.

protuberanza [protube'rantsa] *f* Auswuchs *m,* Vorsprung *m; (sul naso)* Höcker *m.*

prova ['prɔ:va] *f* **1.** *(esperimento)* Test *m,* Probe *f,* Versuch *m;* **2.** *(esame)* Prüfung *f;* **3.** *(dimostrazione)* Beweis *m,* Nachweis *m; (testimonianza)* Beweis *m,* Beleg *m;* **4.** *(esperienza)* Erfahrung *f;* **5.** *dir* Beweis *m;* **6.** *teat, mus, mat* Probe *f;* **7.** *(di abito)* Anprobe *f;* **8.** *(~ di stampa)* (Korrektur)abzug *m,* Fahne *f;* **9.** *sport* Wettkampf *m;* ~ **orale/scritta** mündliche/schriftliche Prüfung; ~ **generale** Generalprobe *f;* ~ **di durata** Haltbarkeitstest *m,* Dauertest *m;* **mettere qu alla** ~ jdn auf die Probe stellen; **assolvere per insufficienza di -e** aus Mangel an Beweisen freisprechen; **alla** ~ **dei fatti** anhand der Tatsachen; **fino a** ~ **contraria** bis zum Beweis des Gegenteils.

provare [pro'va:re] **I.** *tr* **1.** *gener.* probieren, versuchen; *tec, scient* testen; *(abito, scarpe)* anprobieren; **2.** *(sperimentare)* versuchen, ausprobieren; **3.** *(saggiare)* auf die Probe stellen, prüfen; **4.** *(assaggiare)* probieren, kosten; **5.** *(sentire)* empfinden, fühlen; *(dolore, simpatia, pietà a.)* haben; **6.** *(dimostrare)* beweisen; **7.** *(mus, teat)* proben; **8.** *(collaudare)* abnehmen, prüfen; **bisogna** ~ **per credere** man muß es selbst probieren, um es glauben zu können; **non provarci nemmeno!** untersteh dich!; **II.** *rfl:* **-arsi 1.** *(cimentarsi)* sich üben (*in* in *+dat*), sich versuchen (*in* in *+dat*); **2.** *(tentare)* versuchen, probieren. **provato, -a** [...'va:to] *agg* **1.** *(fedele)* treu; **2.** *(dimostrato)* erwiesen; *(rimedio, ecc.)* (alt)bewährt; *tec* erprobt; **3.** *(estenuato)* geprüft; *(stanco)* erschöpft; ~ **dalla sofferenza** leidgeprüft.

provenienza [prove'njɛntsa] *f* Herkunft *f; (fig a.)* Quelle *f.* **provenire** [...'ni:re] ⟨*irr*⟩ *itr* ⟨*essere*⟩ (her)kommen (*da* aus, von), (her-, ab)stammen (*da* aus, von).

provento [pro'vɛnto] *m* Ertrag *m.*

proverbiale [prover'bja:le] *agg (a. fig)* sprichwörtlich. **proverbio** [...'vɛrbjo] ⟨-i⟩ *m* Sprichwort *n.*

provetta [pro'vetta] *f* Reagenzglas *n;* **bambino in** ~ Retortenbaby *n.*

provetto, -a [pro'vɛtto] *agg* erfahren.
provincia [pro'vintʃa] ⟨-cie *o* -ce⟩ *f* **1.** *amm* (*abbr* **Prov.**) Provinz *f;* **2.** *(territorio)* Land *n; peg* Provinz *f.* **provinciale** [...'tʃa:le] **I.** *agg* **1.** *amm* Provinzial-, Provinz-; **2.** *peg* provinziell, provinzlerisch, kleinstädtisch; **medico** ~ Kreisarzt *m;* **II.** *mf peg* Provinzler(in) *m(f),* Kleinstädter(in) *m(f);* **III.** *f* Landstraße *f.* **provincialismo** [...tʃa'lizmo] *m* Provinzialismus *m.*
provino [pro'vi:no] *m* Probeaufnahme *f.*
provocante [provo'kante] *agg* herausfordernd, provozierend; *(sessualmente a.)* aufreizend.
provocare [provo'ka:re] ⟨provoco, provochi⟩ *tr* **1.** *(cagionare)* hervorrufen, verursachen; **2.** *(eccitare)* reizen, provozieren; *(sessualmente a.)* aufreizen; **3.** *peg (spingere)* aufstacheln; ~ **la pietà/l'invidia** Mitleid/Neid erregen; ~ **il riso** zum Lachen reizen. **provocatore, -trice** [...ka'to:re] **I.** *agg* herausfordernd; **agente** ~ Agent provocateur *m;* **II.** *m, f* Provokateur(in) *m(f),* Aufwiegler(in) *m(f).* **provocatorio, -a** [...ka'tɔ:rio] ⟨-i, -ie⟩ *agg* herausfordernd, provokativ, provozierend. **provocazione** [...kat'tsio:ne] *f* Herausforderung *f,* Provokation *f.*
provvedere [provve'de:re] ⟨*irr*⟩ **I.** *itr* sich kümmern (*a* um), sorgen (*a* für), (Vor-)sorge treffen (*a* für); **II.** *tr* **1.** *(fornire)* versehen (*di* mit), versorgen (*di* mit); **2.** *(procurarsi)* besorgen, beschaffen; **III.** *rfl:* **-ersi 1.** *(munirsi)* sich *(dat)* besorgen (*di qc* etw.), sich *(dat)* beschaffen (*di qc* etw.), sich versorgen (*di* mit); **2.** *fig* sich ausstatten (*di* mit). **provvedimento** [...di'mento] *m* Maßnahme *f,* Vorkehrung *f;* ~ **disciplinare** Disziplinarmaßnahme *f;* **prendere (dei) -i** Maßnahmen ergreifen.
provveditorato [provvedito'ra:to] *m* Verwaltungsamt *n;* ~ **agli studi** (Ober-)schulamt *n.* **provveditore, -trice** [...'to:re] *m, f* Amtsleiter(in) *m(f).*
provvidenza [provvi'dɛntsa] *f* **1.** *rel* (göttliche) Vorsehung *f;* **2.** *fig* Glück *n.* **provvidenziale** [...'tsia:le] *agg* **1.** *(opportuno)* willkommen, gelegen; **2.** *(della divina provvidenza)* gottgewollt.
provvigione [provvi'dʒo:ne] *f* Provision *f.*
provvisorietà [provvizorie'ta] ⟨-⟩ *f* Vorläufigkeit *f.* **provvisorio, -a** [...'zɔ:rio] ⟨-i, -ie⟩ *agg* vorläufig, provisorisch, vorübergehend; *(governo)* Übergangs-.
provvista [prov'vista] *f* Vorrat *m (di qc* an etw. *dat*); **fare** ~ **di qc** sich mit etw. eindecken.
provvisto, -a [prov'visto] *agg* versehen (*di* mit), ausgestattet (*di* mit).
prua ['pru:a] *f* Bug *m;* **a** ~ am Bug.
prudente [pru'dɛnte] *agg* **1.** *(persona)* vorsichtig; **2.** *(azione, comportamento)* umsichtig, überlegt. **prudenza** [...'dɛntsa] *f* Vorsicht *f,* Umsicht *f.*
prudere ['pru:dere] ⟨*manca il pp*⟩ *itr* jucken; **mi prude il naso** mir (*o* mich) juckt die Nase, mir (*o* mich) juckt es an der Nase.
prugna ['pruɲɲa] *f* Pflaume *f;* ~ **secca** Back-, Dörrpflaume *f.*
pruno ['pru:no] *m* **1.** *bot* Dornbusch *m;* **2.** *(spina)* Dorn *m.*
prurito [pru'ri:to] *m* **1.** *(pizzicore)* Jucken *n,* Juckreiz *m;* **2.** *fig (voglia)* Lust *f,* Kitzel *m;* **sente** ~ es juckt ihn (*o* sie).
Prussia ['prussia] *f* Preußen *n.*
P.S. 1. *abbr di* **Pubblica Sicurezza** *unbewaffnete Sicherheitspolizei;* **2.** *abbr di* **postscriptum** PS (*abk von* Postskriptum).
P.S.D.I. *m abbr di* **Partito Socialista Democratico Italiano** *sozialdemokratische Partei Italiens.*
pseudonimo [pseu'dɔ:nimo] *m* Pseudonym *n.*
P.S.I. *m abbr di* **Partito Socialista Italiano** *sozialistische Partei Italiens.*
psicanalisi [psika'na:lizi] *f* Psychoanalyse *f.* **psicanalista** [...na'lista] *mf* Psychoanalytiker(in) *m(f).* **psicanalitico, -a** [...na'li:tiko] ⟨-ci, -che⟩ *agg* psychoanalytisch. **psicanalizzare** [...nalid'dza:re] *tr* psychoanalytisch behandeln, psychoanalysieren.
psiche ['psi:ke] *f* Psyche *f.*
psichedelico, -a [psike'dɛ:liko] ⟨-ci, -che⟩ *agg* psychedelisch.
psichiatra [psi'kia:tra] ⟨-i *m,* -e *f*⟩ *mf* Psychiater(in) *m(f).* **psichiatria** [...ia'tri:a] ⟨-ie⟩ *f* Psychiatrie *f.* **psichiatrico, -a** [...'kia:triko] ⟨-ci, -che⟩ *agg* psychiatrisch.
psichico, -a ['psi:kiko] ⟨-ci, -che⟩ *agg* psychisch.
psicofarmaco [psiko'farmako] ⟨-ci⟩ *m* Psychopharmakon *n.*
psicologia [psikolo'dʒi:a] ⟨-gie⟩ *f* Psychologie *f.* **psicologico, -a** [...lɔ:dʒiko] *agg* **1.** *scient* psychologisch; **2.** *(dell'anima)* seelisch, psychisch. **psicologo, -a** [...'kɔ:logo] ⟨-gi, -ghe⟩ *m, f* Psychologe *m,* -login *f.*
psicopatico, -a [psiko'pa:tiko] ⟨-ci, -che⟩ **I.** *agg* psychopathisch; **II.** *m, f* Psychopath(in) *m(f).*
psicosi [psi'kɔ:zi] ⟨-⟩ *f* Psychose *f;* ~ **collettiva** Massenpsychose *f;* ~ **degli esami** Prüfungsangst *f.*
psicosomatico, -a [psikoso'ma:tiko] ⟨-ci, -che⟩ *agg* psychosomatisch.
psicoterapia [psikotera'pi:a] *f* Psychotherapie *f.*
P.T. *abbr di* **Poste e Telegrafi** *italienische Post.*
pubblicare [pubbli'ka:re] ⟨pubblico, pubblichi⟩ *tr* **1.** *(libro, giornale, rivista)* veröffentlichen, publizieren, herausgeben;

2. *(ordinanza, legge, notizia)* veröffentlichen. **pubblicazione** [...kat'tsjo:ne] *f* **1.** *(il pubblicare)* Veröffentlichung *f*, Publikation *f*, Herausgabe *f*; **2.** *(opera)* Veröffentlichung *f*, Publikation *f*; **3.** ⟨*pl*⟩ *(di matrimonio)* Aufgebot *n*; **fare le -i** das Aufgebot bestellen.

pubblicista [pubbli'tʃista] ⟨-i *m*, -e *f*⟩ *mf* **1.** *letter* Publizist(in) *m(f)*; **2.** *dir* Staatsrechtler(in) *m(f)*.

pubblicità [pubblitʃi'ta] ⟨-⟩ *f* **1.** *(propaganda)* Werbung *f*, Reklame *f*, Publicity *f*; **2.** *(diffusione)* Verbreitung *f*; **3.** *(di giornale)* Anzeigenteil *m*; ~ **comparativa** vergleichende Werbung; ~ **diretta** Direktwerbung *f*; ~ **radiofonica/televisiva** Rundfunk-/Fernsehwerbung *f*; ~ **per corrispondenza** Briefwerbung *f*; ~ **sulla maglia** Trikotwerbung *f*; **piccola** ~ Kleinanzeigen *f pl*. **pubblicitario, -a** [...'ta:rjo] ⟨-i, -ie⟩ **I.** *agg* Werbe-; **campagna -a** Werbekampagne *f*, -feldzug *m*; **II.** *m*, *f* Werbefachmann *m*, -frau *f*. **pubblicizzare** [...id'dza:re] *tr* **1.** *(propagandare attraverso pubblicità)* Werbung machen für, werben für; **2.** *(promuovere la conoscenza)* bekanntmachen.

pubblico, -a ['pubbliko] ⟨-ci, -che⟩ **I.** *agg* öffentlich; *(dello Stato a.)* Staats-, staatlich; *(impresa, ecc. a.)* öffentlich-rechtlich; *(della collettività)* (All)gemein-; ~ **funzionario** Beamte(r) *m*; **gara -a** öffentliche Ausschreibung; **i servizi -ci** der Öffentliche Dienst; **di diritto** ~ öffentlich-rechtlich. **II.** *m* Öffentlichkeit *f*, Allgemeinheit *f*; *(spettatori, lettori, ecc.)* Publikum *n*; **il** ~ **dei lettori/degli spettatori** die Leser *m pl*/die Zuschauer *m pl*; **in** ~ öffentlich, in der Öffentlichkeit.

pube ['pu:be] *m* Scham(gegend *f*) *f*; *(osso)* Schambein *n*.

pubertà [puber'ta] ⟨-⟩ *f* Pubertät *f*.

public relations ['pʌblɪk rɪ'leɪʃənz] *f pl* (*abbr* **P.R.**) Public Relations *pl*.

pudicizia [pudi'tʃittsja] ⟨-ie⟩ *f* Schamhaftigkeit *f*. **pudico, -a** [pu'di:ko] ⟨-chi, -che⟩ *agg (persona)* schamhaft; *(sguardo, ecc.)* verschämt.

pudore [pu'do:re] *m* **1.** *(vergogna)* Scham *f*; **2.** *(pudicizia)* Schamhaftigkeit *f*; *(discrezione)* Verschämtheit *f*.

puericultore, -trice [puerikul'to:re] *m*, *f* Säuglingspfleger(in) *m(f)*. **puericultura** [...'tu:ra] *f* Säuglingspflege *f*.

puerile [pue'ri:le] *agg* **1.** *(età)* Kindes-, Kinder-, kindlich; **2.** *peg* kindisch, albern. **puerilità** [...rili'ta] ⟨-⟩ *f* Albernheit *f*, Kinderei *f*.

puerpera [pu'ɛrpera] *f* Wöchnerin *f*.

pugilato [pudʒi'la:to] *m* Boxsport *m*, Boxen *n*. **pugile** ['pu:dʒile] *mf* Boxer(in) *m(f)*.

Puglia ['puʎʎa] *f* Apulien *n*.

pugnalare [puɲɲa'la:re] *tr* **1.** *(ferire)* einen Dolchstoß versetzen (*qu* jdm); **2.** *(uccidere)* erdolchen. **pugnalata** [...'la:ta] *f* Dolchstoß *m*. **pugnale** [...'ɲa:le] *m* Dolch *m*.

pugno ['puɲɲo] *m* **1.** *(mano chiusa)* Faust *f*; **2.** *(colpo)* Faustschlag *m*; **3.** *(quantità)* Handvoll *f*; **avere qu/qc in** ~ *fig* jdn/etw. im Griff haben; **mostrare il** ~ **(***o* **i -i)** mit der Faust drohen; **fare a -i** sich raufen; *fig (colori)* sich beißen; **venire a -i** aneinandergeraten, zu raufen anfangen.

pula ['pu:la] *f* **1.** *(di cereali)* Spreu *f*; **2.** *sl (polizia)* Polente *f sl*, Bullen *m pl sl*.

pulce ['pultʃe] *f* Floh *m*; **mettere una** ~ **nell'orecchio a qu** jdm einen Floh ins Ohr setzen.

pulcinella [pultʃi'nɛlla] ⟨-⟩ *m (maschera)*: **P**~ Pulcinella *m*; **è un segreto di** ~ das ist ein offenes Geheimnis, das pfeifen die Spatzen von den Dächern.

pulcino [pul'tʃi:no] *m* Küken *n*; **sembrare un** ~ **bagnato** dastehen wie ein begossener Pudel.

pulcioso, -a [pul'tʃo:so] *agg* voller Flöhe.

puledro, -a [pu'le:dro] *m*, *f* Fohlen *n*, Füllen *n*.

puleggia [pu'leddʒa] ⟨-gge⟩ *f* Riemenscheibe *f*, Rollenzug *m*.

pulire [pu'li:re] ⟨pulisco⟩ **I.** *tr* saubermachen, putzen, reinigen; **II.** *rfl*: **-irsi** *(denti, naso)* (sich +*dat*) putzen; *(bocca)* (sich +*dat*) abwischen. **pulita** [pu'li:ta] *f* (schnelle) Reinigung *f*. **pulito, -a** [...to] **I.** *agg* **1.** *(cose, mani, ecc.)* sauber; **2.** *(persone)* sauber, gepflegt; **3.** *fig* anständig; *(faccenda, ecc.)* sauber; *(coscienza)* rein; *(barzelletta)* anständig, stubenrein *fam*; **4.** *fig fam (senza denaro)* blank *fam*, abgebrannt *fam*; **5.** *(privo di effetti inquinanti)* umweltfreundlich, sauber. **II.** *m* **1.** *(l'essere pulito)* Saubere(s) *n*, Reine(s) *n*; **2.** *(bella copia)* Reinschrift *f*. **pulitura** [...'tu:ra] *f* **1.** *(pulizia)* Reinigung *f*, Säuberung *f*; **2.** *fig* Schliff *m*; ~ **a secco** Trockenreinigung *f*. **pulizia** [...t'tsi:a] ⟨-ie⟩ *f* **1.** *(stato)* Sauberkeit *f*; **2.** *(azione)* Säuberung *f*, Reinigung *f*; ~ **etnica** *pol* ethnische Säuberung; **-ie pasquali** Frühjahrsputz *m*; **donna delle -ie** Putzfrau *f*; **fare le -ie** saubermachen, putzen.

pullman ['pulman] ⟨-⟩ *m* (Reise)bus *m*.

pullover [pul'lɔ:ver] ⟨-⟩ *m* Pullover *m*.

pullulare [pullu'la:re] *itr* **1.** *(insetti, persone)* wimmeln; **2.** *fig* sprießen.

pulmino [pul'mi:no] *m* Kleinbus *m*.

pulpito ['pulpito] *m* Kanzel *f*; **montare (***o* **salire) sul** ~ *fig* (Moral)predigten halten.

pulsante [pul'sante] **I.** *m* (Druck)taste *f*, Knopf *m*; **II.** *agg* pulsierend.

pulsare [pul'sa:re] *itr (cuore)* klopfen, pochen; *(sangue, a. fig)* pulsieren. **pulsazione** [...sat'tsjo:ne] *f* Pulsschlag *m*.

pulviscolo [pul'viskolo] *m* Staub *m*.

pungente [pun'dʒɛnte] *agg* **1.** *(freddo)* beißend; **2.** *(spina, insetto)* stechend; **3.** *fig (risposta)* bissig; *(desiderio)* brennend.

pungere ['pundʒere] ⟨pungo, pungi, punsi, punto⟩ *tr* **1.** *(spina, insetto)* stechen; *(ortica)* brennen; *(barba)* kratzen; *(freddo)* beißen; **2.** *fig (parole)* stechen, treffen; *(desiderio)* brennen.

pungiglione [pundʒiʎ'ʎo:ne] *m* Stachel *m.*

pungolare [puŋgo'la:re] *tr* **1.** *(buoi, ecc.)* antreiben; **2.** *fig (stimolare)* anspornen.

pungolo ['puŋgolo] *m* **1.** *(bastone)* Ochsenziemer *m;* **2.** *fig* Stachel *m.*

punibile [pu'ni:bile] *agg* strafbar.

punire [pu'ni:re] ⟨punisco⟩ *tr* (be)strafen.

punitivo, -a [puni'ti:vo] *agg* Straf-, strafend. **punizione** [...t'tsio:ne] *f* Strafe *f,* Bestrafung *f;* **per** ~ zur Strafe.

punk [pʌŋk] **I.** ⟨-⟩ *m* Punk *m,* Punker(in) *m(f);* **II.** ⟨*inv*⟩ *agg* Punk-; **musica** ~ Punk(musik *f*) *m.*

punsi ['punsi] *p rem di* **pungere.**

punta¹ ['punta] *f* **1.** *(estremità)* Spitze *f;* **2.** *geog (cima)* Spitze *f,* Gipfel *m; (di costa)* Landzunge *f;* **3.** *(massima intensità)* Höchstmaß *n,* Höhepunkt *m,* Höchststand *m;* **4.** *(quantità minima)* Kleinigkeit *f; (gastr a.)* Idee *f,* Prise *f; fig* Hauch *m;* **5.** *sport* Angriffsspieler(in) *m(f);* **doppie -e** gespaltene Haare *n pl,* Spliß *m;* **ore di** ~ Stoßzeiten *f pl,* Spitzenzeiten *f pl;* **avere qc sulla** ~ **delle dita/della lingua** *fig* etw. aus dem Effeff können *fam*/etw. auf der Zunge (liegen) haben; **camminare in** ~ **di piedi** auf Zehenspitzen gehen; **prendere qc/qu di** ~ etw. entschlossen anpacken (*o* angehen)/jdm entschieden widersprechen (*o* entgegentreten); **fare la** ~ **ad una matita** einen Bleistift spitzen; **parlare in** ~ **di forchetta** hochgestochen reden; **terminare a** ~ spitz zulaufen.

punta² ['punta] *f:* **cane da** ~ Vorstehhund *m.*

puntare [pun'ta:re] **I.** *tr* **1.** *(appoggiare)* stemmen, stützen; **2.** *(dirigere)* zielen, richten; **3.** *(cane)* aufspüren; **4.** *(scommettere)* setzen (*su* auf +*akk*); ~ **i piedi per terra** *fig* sich hartnäckig sträuben; ~ **il dito verso qu** mit dem Finger auf jdn zeigen; ~ **sul cavallo perdente** *fig* auf das falsche Pferd setzen; **II.** *itr* **1.** *(dirigersi)* zusteuern (*a, verso, su* auf +*akk*); **2.** *fig* setzen (*a* auf +*akk*), bauen (*su* auf +*akk*); **III.** *rfl:* **-arsi** sich (auf)stützen.

puntaspilli [puntas'pilli] ⟨-⟩ *m* Nadelkissen *n.*

puntata¹ [pun'ta:ta] *f* **1.** *(gita)* Abstecher *m;* **2.** *(scommessa)* Einsatz *m;* **3.** *mil, sport* Vorstoß *m.*

puntata² [pun'ta:ta] *f* **1.** *(parte di opera)* Fortsetzung *f;* **2.** *(fascicolo)* (Nach)lieferung *f,* Ergänzungslieferung *f;* **3.** *TV, radio* Folge *f,* Fortsetzung *f.*

punteggiare [punted'dʒa:re] ⟨punteggio, punteggi⟩ *tr* **1.** *(lamiera, linea)* lochen, punktieren; **2.** *fig* durchsetzen (*di* mit).

punteggiatura [punteddʒa'tu:ra] *f* Interpunktion *f,* Zeichensetzung *f.*

punteggio [pun'teddʒo] ⟨-ggi⟩ *m* Punktzahl *f,* Wertung *f.*

puntellare [puntel'la:re] *tr* **1.** *arch* (ab)-stützen; **2.** *fig (tesi, ecc.)* untermauern. **puntello** [...'tɛllo] *m* **1.** *(trave, bastone)* Stütze *f,* Balken *m;* **2.** *fig* Stütze *f,* Unterstützung *f.*

punteruolo [punte'ruɔ:lo] *m (del calzolaio)* Ahle *f; (del meccanico)* Körner *m.*

puntiglio [pun'tiʎʎo] ⟨-gli⟩ *m* Eigensinn *m,* Starrsinn *m.* **puntiglioso, -a** [...'ʎo:so] *agg* verbohrt, starrsinnig, eigensinnig.

puntina [pun'ti:na] *f* **1.** *(del giradischi)* Nadel *f,* Saphir(nadel *f*) *m;* **2.** *(da disegno)* Reißzwecke *f.*

puntino [pun'ti:no] *m* Pünktchen *n;* **-i di sospensione** Auslassungspunkte *m pl;* **mettere i -i sulle i** *fig* etw. bis aufs I-Tüpfelchen darlegen.

punto¹ ['punto] *m* **1.** *gener.* Punkt *m;* **2.** *(nel cucito)* Stich *m; (a maglia)* Masche *f;* **3.** *med (metallo)* Klammer *f; (filo)* Faden *m; (operazione)* Stich *m;* **4.** *(argomento)* Punkt *m,* Sache *f;* **5.** *(istante)* (Zeit)punkt *m,* Augenblick *m;* **6.** *(ricapitolazione)* Zusammenfassung *f,* Überblick *m;* **7.** *(luogo)* Punkt *m,* Stelle *f;* **8.** *(voto)* Punkt *m,* Note *f;* **9.** *(sfumatura)* (Farb)ton *m;* ~ **esclamativo/interrogativo** Ausrufe-/Fragezeichen *n;* ~ **e virgola** Strichpunkt *m,* Semikolon *n;* **due -i** Doppelpunkt *m;* ~ **croce/erba** Kreuz-/Stielstich *m;* ~ **culminante** Höhepunkt *m;* ~ **di vendita** Verkaufsstelle *f,* -büro *n;* ~ **di ritrovo** Treffpunkt *m;* ~ **di partenza** *(a. fig)* Ausgangspunkt *m;* ~ **di ebollizione** Siedepunkt *m;* ~ **di vista** Stand-, Gesichtspunkt *m;* ~ **a favore** Pluspunkt *m;* **-i neri** Mitesser *m pl;* **dare un** ~ **a qc** etw. schnell übernähen; **dare dei -i a qu** *fig* jdm etwas vormachen *fam,* jdm überlegen sein; **fare il** ~ **della situazione** einen Lagebericht (*o* Überblick über die Lage) geben, die Lage bestimmen; **venire al** ~ zur Sache (*o* zum Thema) kommen; **essere sul** ~ **di . . .** im Begriff sein, zu . . .; **in** ~ **di morte** in der Todesstunde, dem Tod nahe; **alle tre in** ~ Punkt drei (Uhr); **ad un certo** ~ dann auf einmal, unversehens; **fino a questo** ~ bis hierher; **di** ~ **in bianco** auf einmal, unversehens, ganz plötzlich; **di tutto** ~ ganz und gar, vollends; **questo è il** ~ das ist das Problem; ~ **e basta!** *fam* basta! *fam,* punktum!

punto² ['punto] *pp di* **pungere.**

puntone [pun'to:ne] *m* Strebe *f.*

puntuale [puntu'a:le] *agg* pünktlich; *(e-*

satto) genau. **puntualità** [...uali'ta] ⟨-⟩ *f* Pünktlichkeit *f; (esattezza)* Genauigkeit *f.*

puntualizzare [puntualid'dza:re] *tr* präzisieren, umreißen.

puntura [pun'tu:ra] *f* **1.** *med* Punktion *f;* **2.** *fam (iniezione)* Spritze *f,* Injektion *f wissensch.;* **3.** *(di ago, zanzara, insetto)* Stich *m;* **4.** *(dolore)* Stechen *n;* **5.** *fig* Stich *m.*

punzecchiare [puntsek'ki̯a:re] ⟨punzecchio, punzecchi⟩ *tr* **1.** *(pungere)* stechen; **2.** *fig (provocare)* sticheln.

punzonare [puntso'na:re] *tr* stanzen. **punzone** [...'tso:ne] *m* Prägestempel *m,* Punze *f.*

può, puoi [pu̯ɔ, 'pu̯ɔ:i] *v.* **potere.**

pupa[1] ['pu:pa] *f fam (bambola)* Puppe *f; fig fam (ragazza)* Puppe *f fam.*

pupa[2] ['pu:pa] *f zoo* Puppe *f.*

pupazzo [pu'pattso] *m* **1.** *(fantoccio)* Puppe *f;* **2.** *fig* Hampelmann *m.*

pupilla [pu'pilla] *f* **1.** *anat* Pupille *f;* **2.** *(occhio)* Auge *n,* Augapfel *m;* **3.** *fig* Augenstern *m.*

pupillo, -a [pu'pillo] *m, f* **1.** *dir* Mündel *n;* **2.** *fam* Liebling *m.*

pupo ['pu:po] *m* **1.** *(burattino)* sizilianische Marionette; **2.** *fam (bambino)* Bübchen *n,* Kindchen *n.*

pur *v.* **pure.**

puramente [pura'mente] *avv* lediglich, bloß.

purché [pur'ke] *cong +congv* wenn . . . (nur).

purchessia [purkes'si:a] ⟨*inv*⟩ *agg* irgendein, beliebig.

pur(e) [pur ('pu:re)] **I.** *cong* **1.** *(anche se)* auch wenn, obwohl, wenn . . . auch; **2.** *(tuttavia)* doch, dennoch; **II.** *avv* **1.** *(anche)* auch, ebenso; **2.** *(proprio)* wirklich; **3.** *(rafforzativo)* doch; **4.** *(esortativo)* nur, ruhig; **faccia ~!** nur zu!, bitte sehr!

purè [pu'rɛ] ⟨-⟩ *m,* **purea** [pu'rɛ:a] *f* Püree *n.*

purezza [pu'rettsa] *f* Reinheit *f.*

purga ['purga] ⟨-ghe⟩ *f* **1.** *med* Abführmittel *n;* **2.** *fig pol* Säuberung(saktion) *f.* **purgante** [...'gante] *m* Abführmittel *n.*

purgare [pur'ga:re] ⟨purgo, purghi⟩ **I.** *tr* **1.** *med* ein Abführmittel geben (*qu* jdm); **2.** *(pulire)* reinigen, säubern; **3.** *fig* entschärfen; *letter* purgieren; *pol* säubern; **II.** *rfl:* **-arsi 1.** *med* ein Abführmittel (ein)nehmen; **2.** *fig* rein(gewaschen) werden, sich reinwaschen. **purgativo, -a** [...ga'ti:vo] *agg* Abführ-.

purgatorio [purga'tɔ:ri̯o] ⟨-i⟩ *m* Feg(e)feuer *n.*

purificare [purifi'ka:re] ⟨purifico, purifichi⟩ **I.** *tr* **1.** *(liberare da impurità)* klären, reinigen; **2.** *fig* läutern, reinwaschen; **II.** *rfl:* **-arsi 1.** *(diventare puro)* rein (*o* sauber) werden; **2.** *fig* geläutert werden. **purificazione** [...kat'tsi̯o:ne] *f* **1.** Reinigung *f,* Klärung *f;* **2.** *fig* Reinwaschung *f,* Läuterung *f.*

purismo [pu'rizmo] *m* Purismus *m.*

puritanesimo [purita'ne:zimo] *m* Puritanismus *m.* **puritano, -a** [...'ta:no] **I.** *agg* puritanisch; **II.** *m, f* Puritaner(in) *m(f).*

puro, -a ['pu:ro] *agg* **1.** *(vino, acqua, alcol)* rein; *(animali)* reinrassig; **2.** *(solo a.)* pur; **3.** *fig* rein; **il ~ necessario** das Allernötigste.

purosangue [puro'saŋgu̯e] **I.** ⟨*inv*⟩ *agg* **1.** *(cavallo)* vollblütig, reinrassig; **2.** *fig scherz* echt, reinrassig, Vollblut-; **II.** ⟨-⟩ *mf* Vollblut(pferd) *n.*

purpureo, -a [pur'pu:reo] *agg* purpurn, purpurfarben.

purtroppo [pur'trɔppo] *avv* leider.

purulento, -a [puru'lɛnto] *agg* eit(e)rig, eiternd.

pus [pus] ⟨-⟩ *m* Eiter *m.*

pusillanime [puzil'la:nime] **I.** *agg* duckmäuserisch; **II.** *mf* Duckmäuser *m.*

pussa via ['pussa 'vi:a] *interi dial, fam* hau ab, zieh ab, schieb ab.

pustola ['pustola] *f* Pustel *f.*

putacaso, puta caso [puta'ka:zo] *avv* etwa, zufällig; **~ che** *+congv* gesetzt den Fall, daß . . .

putativo, -a [puta'ti:vo] *agg* vermeintlich.

putiferio [puti'fɛ:ri̯o] ⟨-i⟩ *m* **1.** *(schiamazzo)* Geschrei *n,* Gezänk *n;* **2.** *(confusione)* Durcheinander *n.*

putrefarsi [putre'farsi] ⟨*irr*⟩ *rfl* faulen, verwesen. **putrefazione** [...fat'tsi̯o:ne] *f* Verwesung *f,* Fäulnis *f.*

putrescente [putreʃ'ʃɛnte] *agg* faulend, verwesend.

putrido, -a ['pu:trido] *agg* faul, verwest.

putsch [putʃ] ⟨-⟩ *m* Putsch *m.* **putschista** [put'tʃista] ⟨-i *m,* -e *f*⟩ **I.** *mf* Putschist(in) *m(f);* **II.** *agg* Putsch-.

puttana [put'ta:na] *f volg* Hure *f vulg,* Nutte *f vulg;* **figlio di ~** *volg* Hurensohn *m vulg.*

putto ['putto] *m* Putte *f.*

puzza ['puttsa] *f* Gestank *m.* **puzzare** [...'tsa:re] *itr* **1.** *(fare puzzo)* stinken (*di* nach), übel (*o* schlecht) riechen; **2.** *fig* stinken; **gli puzza il fiato** er riecht aus dem Mund.

puzzo ['puttso] *m* Gestank *m;* **c'è ~ d'inganno** das riecht verdächtig nach Betrug, da ist was faul *fam.*

puzzola ['puttsola] *f* Iltis *m; fig* Stinktier *n.*

puzzolente [puttso'lɛnte] *agg* stinkend.

PVC [pivvut'tʃi] ⟨-⟩ *m abbr di* **PoliVinilCloruro** PVC *n* (*abk von* Polyvinylchlorid *n).*

P.za *abbr di* **Piazza** Platz.

Q

Q, q [ku] ⟨-⟩ *f* Q, q *n;* **q come Quarto** Q wie Quelle.

q *abbr di* **quintale** dz (*abk von* Doppelzentner).

Q.I. *abbr di* **quoziente d'intelligenza** IQ *m* (*abk von* Intelligenzquotient).

qua [kua] *avv* **1.** *(stato in luogo)* da, hier; **2.** *(moto da luogo)* hierhin, hierher, her; **3.** *(preceduto da questo)* da, hier; **4.** *fam (dà qua)* her, her damit; **vieni ~!** komm her!; **mettilo ~** stell es hierhin (*o* hierher); **di ~** von hier (aus); **andare di ~ e di là** hin und her gehen; **essere più di là che di ~** *fig* mehr tot als lebendig sein; **in ~** hierher, näher; **da quando in ~?** seit wann?; **da un anno in ~** seit einem Jahr; **per di ~** hier durch, in dieser Richtung; **vieni ~** komm her!

quaderno [kua'dɛrno] *m* (Schreib-, Schul)heft *n;* **~ a quadretti/a righe** kariertes/lini(i)ertes Heft; **~ formato A4** DIN-A4-Heft *n.*

quadrangolo [kua'draŋgolo] *m* Viereck *n.*

quadrante [kua'drante] *m* **1.** *(di orologio)* Zifferblatt *n; (di bussola)* Kompaßquadrant *m;* **2.** *mat* Quadrant *m,* Viertelkreis *m;* **~ luminoso** Leuchtzifferblatt *n.*

quadrare [kua'dra:re] **I.** *tr ⟨avere⟩ mat* quadrieren; **II.** *itr ⟨essere o avere⟩* **1.** *(corrispondere)* entsprechen *(con qc* einer S. *(dat))*, übereinstimmen (*con* mit), in Einklang stehen (*con* mit); **2.** *fig fam (piacere)* passen, gefallen, liegen; **3.** *(essere adeguato)* angemessen sein, (in sich) stimmig sein; *(conti)* stimmen; **4.** *(dare una forma quadra)* zu einem Quadrat formen.

quadrato [kua'dra:to] *m* **1.** *mat (quadrangolo)* Quadrat *n; (potenza)* Quadrat *n,* zweite Potenz; **2.** *sport (pugilato)* Ring *m;* **7 al ~** 7 hoch zwei; **un ~ di stoffa/terreno** ein viereckiges Stück Stoff/Land; **elevare al ~** ins Quadrat erheben. **quadrato, -a** [...'dra:to] *agg* **1.** *(forma)* quadratisch, viereckig; **2.** *fig (solido)* stabil, kräftig; *(equilibrato)* ausgeglichen, ausgewogen; **3.** *mat* Quadrat-. **quadratura** [...dra'tu:ra] *f* Quadratur *f;* **~ del cerchio** die Quadratur des Kreises.

quadrettato, -a [kuadret'ta:to] *agg* kariert, Karo-.

quadretto [kua'dretto] *m* **1.** *(piccolo quadro)* kleines Bild; **2.** *(piccolo quadrato)* Kästchen *n; (di cioccolata)* Stück *n;* **3.** *fig (scena)* nette (*o* lebhafte) Szene.

quadricromia [kuadrikro'mi:a] ⟨-ie⟩ *f* Vierfarbendruck *m.*

quadriennale [kuadrien'na:le] *agg* **1.** *(che dura quattro anni)* vierjährig; **2.** *(che ricorre ogni quattro anni)* vierjährlich. **quadriennio** [...'ɛnnio] ⟨-i⟩ *m* Zeitraum von vier Jahren, vier Jahre.

quadrifoglio [-'fɔʎʎo] *m* **1.** *bot* vierblätt(e)riges Kleeblatt; **2.** *(di strada)* Kleeblatt *n;* **raccordo a ~** Kleeblatt *n.*

quadriglia [kua'driʎʎa] ⟨-glie⟩ *f* Quadrille *f.*

quadrilatero, -a [-'la:tero] **I.** *m* **1.** *mat* Viereck *n;* **2.** *(configurazione)* viereckige Form; **II.** *agg* viereckig, vierseitig, Vierseiten-.

quadrimestrale [...mes'tra:le] *agg* **1.** *(che dura quattro mesi)* viermonatig; **2.** *(che ricorre ogni quattro mesi)* viermonatlich.

quadrimestre [-'mɛstre] *m* **1.** *(periodo)* Zeitraum *m* von vier Monaten; **2.** *(di scuola)* Hälfte *f* des Schuljahres (von viermonatiger Dauer).

quadrimotore [-mo'to:re] *m* viermotoriges Flugzeug.

quadripartito, -a [-par'ti:to] **I.** *agg* **1.** *pol* Vierparteien-; **2.** *(di quattro contraenti)* Vierer-; **3.** *(diviso in quattro)* viergeteilt; **accordo ~** Viererabkommen *n;* **II.** *m* Vierparteienregierung *f.*

quadrivio [kua'dri:vio] ⟨-i⟩ *m* **1.** *arch* (Straßen)kreuzung *f;* **2.** *st* Quadrivium *n.*

quadro ['kua:dro] **I.** *m* **1.** *gener.* Bild *n; (dipinto a.)* Gemälde *n;* **2.** *(quadrato)* Viereck *n;* **3.** *fig (descrizione)* Bild *n,* Beschreibung *f;* **4.** *fig (prospetto)* Tabelle *f,* Übersicht *f;* **5.** *teat* Bild *n; film* (Film)szene *f,* Einstellung *f; TV* (Fernseh)bild *n;* **6.** *tec (pannello)* Tafel *f,* Brett *n;* **7.** *⟨pl⟩ (dirigenti)* Führung(sschicht) *f; pol, mil* Kader *m pl; amm* Führungskräfte *f pl; sport* Kader *m;* **-i amministrativi/direttivi/industriali** leitende Angestellte *m pl*/Führungskräfte *f pl*/Industriemanager *m pl;* **~ di comando** Bedienungsfeld *f,* Steuertafel *f;* **~ portastrumenti** Armaturenbrett *n;* **~ visore** Anzeigefeld *n;* **II.** *⟨inv⟩ agg* Rahmen-; **legge ~** Rahmengesetz *n.*

quadro, -a ['kua:dro] *agg* **1.** *(quadrato)* quadratisch, (vier)eckig; **2.** *mat* Quadrat-.

quadrupede [kua'dru:pede] **I.** *m* Vier-

füß(l)er *m;* **II.** *agg* vierbeinig, vierfüßig.
quadruplicare [kuadrupli'ka:re] ⟨quadruplico, quadruplichi⟩ **I.** *tr* ⟨*avere*⟩ **1.** *mat* mit vier multiplizieren; **2.** *fig* vervierfachen; **II.** *rfl:* **-arsi** sich vervierfachen, um ein Vierfaches ansteigen (*o* sich vermehren). **quadruplo, -a** ['kua:druplo] **I.** *agg* vierfach, viermal so groß; **II.** *m* Vierfache(s) *n.*
quaggiù [kuad'dʒu] *avv* **1.** *(qua in basso: stato in luogo)* hier (*o* da) unten; *(moto a luogo)* hier herunter, hinunter, da herunter, hinunter; **2.** *(sulla terra)* auf Erden; *(al sud)* hier unten (im Süden).
quaglia ['kuaʎʎa] ⟨-glie⟩ *f* Wachtel *f.*
qual [kual] *v.* **quale.**
qualche ['kualke] ⟨*inv, solo al sing*⟩ *agg indef* **1.** *(alcuni)* einige; **2.** *(uno)* ein(e), irgendein(e); **3.** *(un certo)* ein(e) gewisse(r, s); ~ **giorno** einige Tage; *(un giorno o l'altro)* früher oder später; ~ **volta** manchmal; *(una volta o l'altra)* irgendwann; **in (***o* **da)** ~ **parte** irgendwo; **in** ~ **modo** irgendwie.
qualcheduno [kualke'du:no] *v.* **qualcuno.**
qualcosa [kual'kɔ:sa] ⟨*inv*⟩ *pron indef* etwas; ~ **di grande** etwas Großes.
qualcuno, -a [kual'ku:no] ⟨*solo al sing*⟩ *pron indef* **1.** *(alcuni)* einige, welche *fam;* **2.** *(uno: riferito a persone)* (irgend)jemand, (irgend)eine(r); *(riferito a cose)* irgendeine(r, s); **3.** *(persona importante)* jemand (Besonderer); **qualcun altro** jemand anders.
quale ['kua:le] ⟨*davanti a consonante spesso* qual⟩ **I.** *agg* **1.** *(interr)* welche(r, s), was für ein(e); **2.** *(esclamativo)* welch ein(e), was für ein(e); **3.** *(come)* wie; **qual è il tuo libro preferito**? welches ist dein liebstes Buch?; **è tale** ~ **te l'ho descritto** er ist so, wie ich ihn dir beschrieben habe; **erbe -i la menta e l'ortica** Kräuter wie Minze und Brennessel; **ma -i vacanze: sono pieno di lavoro!** von wegen Ferien: ich habe einen Haufen Arbeit!; **II.** *pron* **1.** *(interr)* welche(r, s); **2.** *(rel)* der, die, das, welche(r, s) *geh;* **la città, nella** ~ **lavoro, è molto grande** die Stadt, in der ich arbeite, ist sehr groß; **lo zio di Maria, il** ~ **è molto ricco, arriva domani** Marias Onkel, der sehr reich ist, kommt morgen; **III.** *avv (in qualità di)* als.
qualifica [kua'li:fika] ⟨-che⟩ *f* **1.** *(titolo)* Titel *m;* **2.** *(doti professionali)* Qualifikation *f,* Eignung *f,* Befähigung *f;* **3.** *(giudizio)* Beurteilung *f.* **qualificare** [kualifi'ka:re] ⟨qualifico, qualifichi⟩ **I.** *tr* **1.** *(definire)* bezeichnen, kennzeichnen; **2.** *(preparare)* qualifizieren, befähigen; *(professionalmente)* aus-, weiterbilden; **II.** *rfl:* **-arsi 1.** *(definirsi)* sich bezeichnen (als); **2.** *(ottenere una qualifica, a. sport)* sich qualifizieren (als). **qualificativo, -a** [...ka'ti:vo] *agg* **1.** *gram* Eigenschafts-; **2.** *(che serve a qualificare)* qualifizierend; **aggettivo** ~ Eigenschaftswort *n.* **qualificato, -a** [...'ka:to] *agg* **1.** *(operaio, tecnico)* qualifiziert; **2.** *(dotato)* geeignet, begabt. **qualificazione** [...kat'tsio:ne] *f* **1.** *(qualifica)* Qualifikation *f,* Qualifizierung *f;* **2.** *(titolo)* Titel *m.*
qualità [kuali'ta] ⟨-⟩ *f* **1.** *gener.* Qualität *f (dote a.)* gute Eigenschaft, Gabe *f;* **2.** *fam (tipo di animale, pianta)* Art *f; (tipo di frutta, verdura)* Sorte *f;* ~ **di stampa** Druckqualität *f;* ~ **della vita** Lebensqualität *f;* **prodotti di** ~ Qualitätsware *f,* Qualitätserzeugnisse *n pl;* **di prima** ~ *com* erste Wahl; *fig* erstklassig; **in** ~ **di** als, in seiner (*o* ihrer) Eigenschaft als. **qualitativo, -a** [-'ti:vo] *agg* qualitativ, Qualitäts-.
qualora [kua'lo:ra] *cong +congv* falls, wenn, im Falle, daß . . .
qualsiasi [kual'si:asi] ⟨*inv, solo al sing*⟩ *agg indef* jede(r, s), jede(r, s) beliebige(r, s), jegliche(r, s); **in** ~ **momento** zu jeder Zeit, jederzeit; **vieni un giorno** ~ komm an irgendeinem Tag; **a** ~ **prezzo** um jeden Preis.
qualunque [kua'luŋkue] ⟨*inv, solo al sing*⟩ *agg indef* **1.** *(ogni, ciascuno)* jede(r, s), jede(r, s) beliebige(r, s), jegliche(r, s); **2.** *(uno qualsiasi)* irgendein(e), ein(e) gewöhnliche(r, s); **3.** *(rel) +congv* welche(r, s) auch (immer), was auch (immer); **l'uomo** ~ der Mann von der Straße.
quando ['kuando] **I.** *avv* **1.** *(interr)* wann; **2.** *(rel)* als, wenn; **a** ~? (bis) wann?; **per** ~? (für) wann?, bis wann?; **di** ~? von wann?, aus welcher Zeit?; **di** ~ **in** ~ ab und zu, dann und wann; **fino a** ~? bis wann?, wie lange noch?; **II.** *cong* **1.** *(temporale: col passato)* als; *(col presente ed il futuro)* wenn, sobald; **2.** *(tutte le volte che)* wenn, jedesmal (*o* immer) wenn; **3.** *(mentre)* während, jedoch, aber; **4.** *(poiché)* da, weil, wenn; **5.** *(condizionale) +congv* wenn, falls; **6.** *(esclamativo)* wenn; **quand'anche** *cong* auch wenn, wenn auch; **III.** *m* Wann *n.*
quantico, -a ['kuantiko] ⟨-ci, -che⟩ *agg* Quanten-; **numero** ~ Quantenzahl *f.*
quantificare [kuantifi'ka:re] ⟨quantifico, quantifichi⟩ *tr* beziffern.
quantità [kuanti'ta] ⟨-⟩ *f* **1.** *gener., fis* Menge *f,* Quantität *f;* **2.** *(gran numero)* (große) Menge *f;* **3.** *ling (di vocale)* Quantität *f; (di sillaba)* Länge *f;* **4.** *mat* Menge *f,* Größe *f;* **in** ~ in Hülle und Fülle. **quantitativo, -a** [-'ti:vo] **I.** *m* Menge *f,* Anzahl *f;* **II.** *agg* **1.** *(di quantità)* quantitativ, mengenmäßig; **2.** *chim* quantitativ.
quanto ['kuanto] *m fis* Quant *n.*

quanto, -a ['kuanto] **I.** *agg* **1.** *(interr)* wieviel; **2.** *(esclamativo)* wieviel, so viel; **3.** *(nella quantità che)* so viel ... wie; ~ **dura lo spettacolo?** wie lange dauert die Vorstellung?; **compra -e cartoline vuoi** kauf so viele Postkarten, wie du willst; **tutti -i** alle miteinander, allesamt; **-i ne abbiamo oggi?** der Wievielte ist heute?; **da** ~ **ho capito** soviel ich verstanden habe; **II.** *pron* **1.** *(interr)* wieviel(e); **2.** *(rel)* was; **3.** ⟨*pl*⟩ *(coloro che)* (alle,) die; **4.** *(con partitivo)* etwas (von); **quant'è?** was (*o* wieviel) kostet das?; **è** ~ **di peggio si possa immaginare** es ist das Schlimmste, das ich mir vorstellen kann; **III.** *avv* **1.** *(interr)* wieviel; *(tempo)* wie lang(e); *(distanza)* wie weit; **2.** *(esclamativo)* wie (sehr), so viel; **3.** *(nella misura che)* soviel ... als, soviel ... daß; **4.** *(come)* wie; **in** ~ *(in qualità di)* als, in seiner (*o* ihrer) Eigenschaft als; *(perché)* weil, da; **in** ~ **che ...** insofern, als ...; ~ **a te** was dich betrifft; **per** ~ +*congv* wie (sehr) auch, so(sehr) auch; **per** ~ **io ne sappia** soviel ich weiß; **per** ~ **mi riguarda** was mich betrifft.

quantunque [kuan'tuŋkue] *cong* +*congv* wenn auch, obwohl.

quaranta [kua'ranta] **I.** *agg num* vierzig; **II.** ⟨-⟩ *m* Vierzig *f; v. a. cinquanta.*

quarantena [kuaran'tɛ:na] *f* **1.** *med* Quarantäne *f;* **2.** *(periodo)* vierzig Tage; **essere/mettere in** ~ unter Quarantäne sein (*o* stehen)/stellen.

quarantenne [kuaran'tɛnne] **I.** *agg* vierzigjährig; **II.** *mf* Vierzigjährige(r) *mf.* **quarantesimo, -a** [...'tɛ:zimo] **I.** *agg* vierzigste(r, s); **II.** *m, f* Vierzigste(r, s) *mfn;* **III.** *m (frazione)* Vierzigstel *n,* vierzigster Teil; *v. a. quinto.* **quarantina** [...'ti:na] *f:* **una** ~ **(di ...)** (etwa) vierzig (...); **essere sulla** ~ an (*o* um) die Vierzig sein.

quarantotto [kuaran'tɔtto] **I.** *agg num* achtundvierzig; **II.** ⟨-⟩ *m* **1.** *(numero)* Achtundvierzig *f;* **2.** *fig fam (confusione)* Durcheinander *n,* Wirrwarr *m;* **fare un** ~ *fam* Krach schlagen *fam.*

quaresima [kua're:zima] *f* Fastenzeit *f.*

quark ['kuark] ⟨-⟩ *m fis* Quark *n.*

quarta[1] ['kuarta] *f* **1.** *(classe elementare)* vierte Klasse; *(alla scuola superiore)* vorletztes Schuljahr; **2.** *mot* vierter Gang; **3.** *mus* Quart(e) *f;* **mettere la** ~ *mot* in den vierten Gang schalten, den vierten Gang einlegen.

quarta[2] *f v.* **quarto.**

quartetto [kuar'tetto] *m* Quartett *n.*

quartiere [kuar'tiɛ:re] *m* **1.** *(di città)* Viertel *n,* Stadtteil *m;* **2.** *mil* Quartier *n;* ~ **residenziale** Wohngegend *f,* Wohnviertel *n;* **-i alti** vornehme Wohngegend; **lotta senza** ~ erbarmungsloser Kampf.

quartino [kuar'ti:no] *m fam (di vino)* Viertel *n.*

quarto, -a ['kuarto] **I.** *agg* vierte(r, s); **II.** *m, f* Vierte(r, s) *mfn;* **III.** *m* **1.** *(frazione, quantità)* Viertel *n,* vierter Teil; **2.** *(d'ora)* Viertel *n;* ~ **d'ora** Viertelstunde *f;* **sono le tre meno/e un** ~ es ist Viertel vor/nach drei (Uhr); **il** ~ **d'ora accademico** das akademische Viertel; **gonna a tre -i** dreiviertellanger Rock; **passare un brutto** ~ **d'ora** schreckliche Augenblicke durchleben; *v. a. quinto.*

quarzo ['kuartso] *m* Quarz *m;* **orologio al** ~ Quarzuhr *f.*

quasi ['kua:zi] **I.** *avv* **1.** *(circa)* ungefähr, etwa; **2.** *(pressoché)* fast, beinahe; **3.** *(forse)* wohl; **4.** *(come se fosse)* gleichsam, beinahe; ~ ~ **mi compro il giornale** vielleicht kaufe ich mir doch eine Zeitung; **II.** *cong* +*congv:* ~ **(che)** als ob.

quassù [kuas'su] *avv* **1.** *(qua in alto: stato in luogo)* hier (*o* da) oben; *(moto a luogo)* (hier)herauf, (hier)hinauf; **2.** *(al nord)* hier oben (im Norden).

quaterna [kua'tɛrna] *f* Quaterne *f,* Vierergewinn *m.*

quaternario, -a [kuater'na:rio] ⟨-i, -ie⟩ **I.** *agg* **1.** *(verso)* viersilbig; **2.** *geol* quartär; **II.** *m* **1.** *letter* Viersilb(l)er *m,* viersilbiger Vers; **2.** *geol* Quartär *n,* Neozoikum *n.*

quatto, -a ['kuatto] *agg* **1.** *(chinato e basso)* geduckt, gebückt; **2.** *(zitto zitto)* ganz still, (ganz) sachte.

quattordicenne [kuattordi'tʃɛnne] **I.** *agg* vierzehnjährig; **II.** *mf* Vierzehnjährige(r) *mf.* **quattordicesimo, -a** [...'tʃɛ:zimo] **I.** *agg* vierzehnte(r, s); **II.** *m, f* Vierzehnte(r, s) *mfn;* **III.** *m (frazione)* Vierzehntel *n,* vierzehnter Teil; **IV.** *f (retribuzione)* vierzehntes Monatsgehalt; *v. a. quinto.* **quattordici** [...'to:rditʃi] **I.** *agg num* vierzehn; **II.** ⟨-⟩ *m* **1.** *(numero)* Vierzehn *f;* **2.** *(nelle date)* Vierzehnte(r) *m;* **III.** *f pl* vierzehn Uhr; *v. a. cinque.*

quattrino [kuat'tri:no] *m* **1.** *(moneta spicciola)* Heller *m,* Pfennig *m,* Groschen *m;* **2.** ⟨*pl*⟩ *sl (denari)* Geld *n,* Kohle *f sl,* Mäuse *f pl sl;* **avere un sacco di -i** *fam* Geld wie Heu haben *fam.*

quattro ['kuattro] **I.** *agg* **1.** *num* vier; **2.** *fig (pochi)* ein paar, wenig; **c'erano solo** ~ **gatti** *fig* es war kaum jemand da; **spargere qc ai** ~ **venti** etw. in alle Winde (*o* Himmelsrichtungen) verstreuen; **dirne** ~ **a qu** jdm gehörig die Meinung sagen; **abitare a** ~ **passi** nur um die Ekke (*o* einen Steinwurf entfernt) wohnen; **fare il diavolo a** ~ einen Höllenlärm machen; **farsi in** ~ **per qu** sich für jdn krummlegen (*o* zerreißen) *fam,* sich *(dat)* ein Bein für jdn ausreißen *fam;* **in** ~ **e quattr'otto** im Handumdrehen, im Nu; **II.** ⟨-⟩ *m* **1.** *(numero)* Vier *f;* **2.** *(nelle date)* Vierte(r) *m;* **3.** *(voto scolastico)*

≃ Mangelhaft *n,* Ungenügend *n;* **4.** *sport* Vierer *m;* **III.** *f pl* vier Uhr; *v. a. cinque.*

quattrocchi, quattr'occhi [kuat'trɔkki]: **a ~** *avv* unter vier Augen.

quattrocentesco, -a [kuattrotʃen'tesko] ⟨-schi, -sche⟩ *agg* das fünfzehnte Jahrhundert betreffend. **quattrocento** [...'tʃɛnto] **I.** *agg num* vierhundert; **II.** ⟨-⟩ *m* Vierhundert *f;* **il Q~** das fünfzehnte Jahrhundert.

quattromila [kuattro'mi:la] **I.** *agg num* viertausend; **II.** ⟨-⟩ *m* Viertausend *f.*

quattro porte [kuattro 'pɔrte] *mot* **I.** ⟨-⟩ *f* Viertürer *m;* **II.** ⟨*inv*⟩ *agg* viertürig.

quello, -a ['kuello] **I.** ⟨quel, quell', quei, quegli⟩ *agg* **1.** *(persona, animale, cosa lontana)* jene(r, s), der, die, das (da); **2.** *(persona, animale, cosa già nota)* jene(r, s), der, die, das; **3.** *(tale)* solche(r, s), derartige(r, s); **II.** *pron* **1.** *(persona, animale, cosa lontana)* jene(r, s), der, die, das (da); **2.** *(colui, ciò)* der, die, das; **3.** *(uomo)* der (Mann); *(donna)* die (Frau); **4.** *m pl (abitanti)* Einwohner *m pl,* Bewohner *m pl;* **~ che** derjenige, der (*o* welcher); **tutto ~ che ...** (all) das, was ...; **in ~** in diesem Augenblick; **per quel che ne so io** soviel ich (darüber) weiß.

quercia ['kuɛrtʃa] ⟨-ce⟩ *f* **1.** *bot* Eiche *f,* Eichenbaum *m;* **2.** *(legno)* Eiche(nholz *n*) *f;* **3.** *(P.D.S.):* **La Q~** *italienische Partei der demokratischen Linken.*

querela [kue'rɛ:la] *f* Klage *f;* **~ per diffamazione** Verleumdungsklage *f;* **sporgere ~ contro qu** gegen jdn Klage erheben, jdn verklagen. **querelare** [...re'la:re] *tr* verklagen, Klage erheben gegen.

quesito [kue'zi:to] *m* Frage *f,* Problem *n.*

questionare [kuestio'na:re] *itr* **1.** *(discutere)* diskutieren (*di* über *+akk*), disputieren (*di* über *+akk*); **2.** *(litigare)* streiten, zanken.

questionario [kuestio'na:rio] ⟨-i⟩ *m* Fragenkatalog *m; (foglio da compilare)* Fragebogen *m.*

questione [kues'tio:ne] *f* **1.** *(problema, disputa, a. pol, soc, dir)* Problem *n,* Frage *f;* **2.** *(controversia)* Streitfrage *f;* **3.** *(litigio)* Auseinandersetzung *f,* Streit *m;* **4.** *(faccenda)* Angelegenheit *f,* Sache *f;* **la ~ meridionale** die Südfrage; **mettere in ~** in Frage stellen, bezweifeln; **essere fuori ~** außer Frage stehen; **è ~ di un minuto** es ist eine Sache von einer Minute; **è ~ di vita o di morte** es geht um Leben und Tod.

questo, -a ['kuesto] **I.** *agg dim* **1.** *(persona, animale, cosa vicina)* diese(r, s), der, die, das (hier); **2.** *(persona, animale, cosa nota)* diese(r, s), der, die, das; **3.** *(simile)* derartige(r, s), solche(r, s), so ein(e); **in ~ momento** soeben, gerade, in diesem Augenblick; **quest'oggi** heute; **uno di -i giorni** in den nächsten Tagen; **II.** *pron dim* **1.** *(persona, animale, cosa vicina)* diese(r, s), dies, das (hier); **2.** *(esclamativo)* dies, das; **3.** *(ciò)* das, dies; **4.** *(quanto segue)* dies, folgendes; **in ~** darin; **per ~** deshalb, deswegen; **su ~** darüber; **con ~** damit, hiermit, mit diesen Worten; **con tutto ~** nichtsdestoweniger, trotz alledem; **e con ~?** und wenn schon?, na und?; **~ mai** niemals; **~ sì** das schon; **senti -a!** hör dir das (mal) an!; **a ~ siamo arrivati!** soweit sind wir (also) gekommen!; **-a proprio non ci voleva!** das hat gerade noch gefehlt!; **-a sì che è bella!** das ist ja allerhand!

questore, a [kues'to:re] *m, f* Polizeipräsident(in) *m(f),* Polizeichef(in) *m(f).*

questua ['kuɛstua] *f* Sammlung *f; (in chiesa)* Kollekte *f.*

questura [kues'tu:ra] *f* Polizeipräsidium *n,* Polizei *f.* **questurino** [...tu'ri:no] *m fam* Polizist *m.*

qui [kui] *avv* **1.** *(stato in luogo)* hier, da; **2.** *(moto a luogo)* hierher, (da)her; **3.** *(preceduto da questo)* hier, da; **da ~** von hier aus; **di ~** von hier (aus); **di ~ a una settimana/un mese** in einer Woche/einem Monat; **di ~ in avanti** *(spazio)* von hier an; *(tempo)* von jetzt an; **per di ~** hier durch, hier (herum); **fin ~** *(locale)* bis hierhin; *(temporale)* bis jetzt.

quiche [kiʃ] ⟨-⟩ *f* Quiche *f.*

quiescenza [kuieʃ'ʃɛntsa] *f* Ruhestand *m,* Pension *f.*

quietanza [kuie'tantsa] *f* Quittung *f,* Empfangsbestätigung *f.*

quietare [kuie'ta:re] **I.** *tr* beruhigen; *(tumulto)* dämpfen; **II.** *rfl:* **-arsi** sich beruhigen, ruhig werden.

quiete ['kuiɛ:te] *f* **1.** *(calma)* Ruhe *f;* **2.** *(silenzio)* Stille *f;* **~ pubblica** öffentliche Ruhe.

quieto, -a ['kuiɛ:to] *agg* **1.** *(tranquillo, calmo)* ruhig; **2.** *(animale)* friedlich, zahm; **3.** *(silenzioso)* still, geräuschlos; **acqua -a** *fig* stilles Wasser.

quindi ['kuindi] **I.** *avv* dann, danach, darauf; **II.** *cong* daher, folglich, also.

quindicenne [kuindi'tʃɛnne] **I.** *agg* fünfzehnjährig; **II.** *mf* Fünfzehnjährige(r) *mf.* **quindicesimo, -a** [...'tʃɛ:zimo] **I.** *agg* fünfzehnte(r, s); **II.** *m, f* Fünfzehnte(r, s) *mfn;* **III.** *m (frazione)* Fünfzehntel *n,* fünfzehnter Teil; *v. a. quinto.* **quindici** ['kuinditʃi] **I.** *agg num* fünfzehn; **fra ~ giorni** in vierzehn Tagen; **II.** ⟨-⟩ *m* **1.** *(numero)* Fünfzehn *f;* **2.** *(nelle date)* Fünfzehnte(r) *m;* **III.** *f pl* fünfzehn Uhr; *v. a. cinque.* **quindicina** [...'tʃi:na] *f* **1.** *(serie):* **una ~ (di ...)** (etwa) fünfzehn (...); **2.** *(periodo)* zwei Wochen *f pl;* **la prima ~ di luglio** die erste Julihälfte. **quindicinale** [...tʃi'na:le] **I.** *agg* vierzehntägig, vierzehntäglich; **II.** *m* Halbmonatszeitschrift *f.*

quinquennale [kui̯ŋkue̯n'na:le] *agg* **1.** *(che dura cinque anni)* fünfjährig; **2.** *(che ricorre ogni cinque anni)* fünfjährlich, Fünfjahr(es)-. **quinquennio** [...'kue̯nnio̯] ⟨-i⟩ *m* Zeitraum *m* von fünf Jahren, fünf Jahre *n pl,* Jahrfünft *n.*
quinta ['kui̯nta] *f* **1.** *teat* Kulisse *f;* **2.** *(classe elementare)* fünfte Klasse; *(alla scuola superiore)* letztes Schuljahr; **3.** *mot* fünfter Gang; *v. a. quinto.*
quintale [kui̯n'ta:le] *m* (*abbr* **q**) Doppelzentner *m.*
quintetto [kui̯n'tetto] *m* Quintett *n.*
quinto, -a ['kui̯nto] **I.** *agg* fünfte(r, s); **la -a volta** das fünfte Mal; **la -a parte di** ein Fünftel *+gen;* **in -a pagina** auf der fünften Seite, auf Seite fünf; **Alessandro V** Alexander der Fünfte; **II.** *m, f* Fünfte(r, s) *mfn;* **arrivare** ~ als fünfter ankommen; **il** ~ **da destra** der fünfte von rechts; **III.** *m (frazione)* Fünftel *n,* fünfter Teil; **quattro -i** vier Fünftel *n pl.*
quintuplicare [kui̯ntupli'ka:re] ⟨quintuplico, quintuplichi⟩ **I.** *tr* verfünffachen, um ein Fünffaches erhöhen; **II.** *rfl:* **-arsi** sich verfünffachen, um ein Fünffaches ansteigen. **quintuplo, -a** ['kui̯ntuplo] **I.** *agg* fünffach, fünfmal so groß; **II.** *m* Fünfache(s) *n.*
quisling ['kwizlin(g)] ⟨-⟩ *m* Quisling *m,* Kollaborateur *m.*
quisquilia [kui̯s'kui̯:li̯a] ⟨-ie⟩ *f* Kleinigkeit *f,* Belanglosigkeit *f,* Kinkerlitzchen *n fam.*
quiz [kui̯dz] ⟨-⟩ *m* Quiz *n.* **quizzarolo, -a** [kui̯ddza'rɔ:lo] **I.** *m, f (conduttore)* Quizmaster *m; (partecipante)* Quizteilnehmer(in) *m(f);* **II.** *agg* Quiz-.
quorum ['kwɔ:rum] ⟨-⟩ *m* Quorum *n;* **mancanza del** ~ Beschlußunfähigkeit *f.*
quota ['kuɔ̯:ta] *f* **1.** *(parte)* Anteil *m,* Quote *f; (statistica)* Quote *f,* Rate *f;* **2.** *sport (posizione)* Stelle *f,* Platz *m;* **3.** *(cifra)* Betrag *m;* **4.** *com, fin* Teilzahlung *f,* Rate *f; (ripartizione)* (Mitglieds)beitrag *m;* **5.** *(altitudine)* Höhe *f; aero* (Flug)höhe *f;* ~ **esente (da tasse)** Freibetrag *m;* ~ **latte** Milchquote *f;* ~ **di partecipazione** Gesellschaftsanteil *m,* Kapitalanteil *m;* **essere a** ~ **zero** null Punkte haben; *fig* wieder am Anfang stehen; **prendere/perdere** ~ an Höhe gewinnen/verlieren.
quotare [kuo̯'ta:re] *tr* **1.** *fin* quotieren; *(titoli, quota)* notieren; **2.** *fig (stimare)* schätzen. **quotato, -a** [...'ta:to] *agg* **1.** *(apprezzato)* angesehen, geschätzt; **2.** *fin* notiert, quotiert. **quotazione** [...tat'tsio̯:ne] *f* **1.** *fin* (Kurs)notierung *f,* Quotation *f;* **2.** *(di persona)* Achtung *f,* Wertschätzung *f;* ~ **di (***o* **in) borsa** Börsennotierung *f.*
quotidiano, -a [kuo̯ti'di̯a:no] **I.** *agg* täglich, Tages-; *(solito)* alltäglich; **II.** *m* (Tages)zeitung *f.*
quoziente [kuo̯t'tsi̯ɛnte] *m* **1.** *mat* Quotient *m;* **2.** *(in statistica)* Ziffer *f,* Rate *f,* Quote *f;* ~ **di mortalità/natalità** Sterblichkeits-/Geburtenziffer *f.*

R

R, r ['ɛrre] ⟨-⟩ *f* R, r *n;* **r come Roma** R wie Richard.
rabarbaro [ra'barbaro] *m* **1.** *(pianta)* Rhabarber *m;* **2.** *(liquore)* Rhabarberlikör *m.*
rabberciare [rabber'tʃa:re] ⟨rabbercio, rabberci⟩ *tr* flicken, ausbessern; *fig* zusammenstoppeln *fam,* zurechtschustern *fam.*
rabbia ['rabbja] ⟨-ie⟩ *f* **1.** *(collera)* Wut *f,* Zorn *m;* **2.** *(dispetto)* Ärger *m;* **3.** *(accanimento)* Verbissenheit *f,* Wut *f;* **4.** *(avidità)* Gier *f,* Wut *f;* **5.** *med (idrofobia)* Tollwut *f;* **6.** *fig (impeto, furia)* Toben *n,* Wüten *n;* **fare ~ a qu** jds Zorn erregen *geh,* jdn wütend machen; **mi fa ~** *fam* das ärgert mich; **che ~!** so ein Mist! *fam.*
rabbino [rab'bi:no] *m* Rabbiner *m.*
rabbioso, -a [rab'bjo:so] *agg* **1.** *(arrabbiato)* wütend, zornig; **2.** *fig (furioso)* wütend, tobend; **3.** *(accanito)* verbissen, wütend; **4.** *med* tollwütig.
rabboccare [rabbok'ka:re] ⟨rabbocco, rabbocchi⟩ *tr (riempire di nuovo)* nachfüllen, auffüllen.
rabbonire [rabbo'ni:re] ⟨rabbonisco⟩ **I.** *tr* besänftigen, beruhigen; **II.** *rfl:* **-irsi** sich besänftigen, sich beruhigen.
rabbrividire [rabbrivi'di:re] ⟨rabbrividisco⟩ *itr* ⟨*essere*⟩ (er)schaudern; *(dal freddo)* schaudern.
rabbuffo [rab'buffo] *m* Rüffel *m,* Verweis *m.*
rabbuiare [rabbu'ja:re] ⟨rabbuio, rabbui⟩ *itr* ⟨*essere*⟩, *rfl:* **-arsi** sich verdüstern, sich verfinstern.
rabdomante [rabdo'mante] *mf* Wünschelrutengänger(in) *m(f).*
raccapezzarsi [rakkapet'tsarsi] *rfl* sich zurechtfinden, klarkommen *fam.*
raccapricciante [rakkaprit'tʃante] *agg* schauderhaft, entsetzlich.
raccattapalle [rakkatta'palle] ⟨-⟩ *mf* Balljunge *m.*
raccattare [rakkat'ta:re] *tr* **1.** *(raccogliere da terra)* auflesen, einsammeln; **2.** *(mettere insieme)* sammeln, zusammentragen; **3.** *fig fam* zusammenkratzen *fam.*
racchetta [rak'ketta] *f (da tennis)* Schläger *m; (da sci)* Stock *m.*
racchio, -a ['rakkjo] ⟨-cchi, -cchie⟩ *fam* **I.** *agg* häßlich, garstig; **II.** *m, f* Mißgeburt *f.*
racchiudere [rak'kju:dere] ⟨*irr*⟩ *tr* enthalten; *fig* miteinschließen.
raccogliere [rak'kɔʎʎere] ⟨*irr*⟩ **I.** *tr* **1.** *(da terra)* aufheben; **2.** *(frutti, a. fig)* ernten; **3.** *fig* einheimsen, erlangen; **4.** *(mettere insieme)* sammeln; **5.** *(accogliere)* annehmen; **II.** *rfl:* **-ersi 1.** *(riunirsi)* sich versammeln; **2.** *fig (volgere la mente)* sich sammeln. **raccoglimento** [rakkoʎʎi'mento] *m* Sammlung *f; (rel a.)* Andacht *f.* **raccoglitore** [...i'to:re] *m* **1.** *(per documenti)* Sammelmappe *f,* Ordner *m; (a forma di scatola di cartone o plastica)* Stehsammler *n,* Sammelbox *f;* **2.** *tec (vaschetta)* Sammelbecken *n.*
raccolta [rak'kɔlta] *f* **1.** *(atto)* Sammeln *n;* **2.** *(collezione)* Sammlung *f;* **3.** *(riunione)* Versammlung *f;* **4.** *agr (raccolto)* Ernte *f.* **raccolto, -a** [...'kɔlto] **I.** *agg* **1.** *(riunito)* vereint, zusammengebracht; **2.** *fig (pensoso)* andächtig; *(concentrato)* gesammelt; **3.** *(appartato)* abgeschieden, ruhig; **4.** *(capelli)* zusammengebunden, geflochten; **5.** *(con le membra rannicchiate)* zusammengekauert; **II.** *m* Ernte *f;* **assicurazione dei -i** Ernteversicherung *f.*
raccomandabile [rakkoman'da:bile] *agg* empfehlenswert.
raccomandare [rakkoman'da:re] **I.** *tr* **1.** *(affidare alle cure)* anvertrauen, ans Herz legen; **2.** *(segnalare)* empfehlen; **3.** *(consigliare)* anraten; **II.** *rfl:* **-arsi 1.** *(implorare)* anflehen; **2.** *(affidarsi)* sich anvertrauen; **3.** *(essere raccomandato)* protegiert werden; **~ a qc** auf etw. *(akk)* vertrauen.
raccomandata [rakkoman'da:ta] *f* Einschreiben *n,* Einschreib(e)brief *m.*
raccomandato, -a [rakkoman'da:to] **I.** *agg* empfohlen; **II.** *m, f* Schützling *m;* **un ~ di ferro** *scherz* ein erfolgreicher Günstling. **raccomandazione** [...dat'tsjo:ne] *f* Empfehlung *f.*
raccontare [rakkon'ta:re] *tr* **1.** *(narrare)* erzählen; **2.** *(riferire)* berichten; **~ per filo e per segno** haarklein berichten, des langen und des breiten erzählen; **raccontarne delle belle** alles mögliche erzählen. **racconto** [...'konto] *m* **1.** *letter* Erzählung *f;* **2.** *(il raccontare)* Erzählen *n.*
raccorciare [rakkor'tʃa:re] **I.** *tr* (ver)kürzen; **II.** *rfl:* **-arsi** kürzer werden.
raccordare [rakkor'da:re] *tr* anschließen (*qc a qc* etw. *akk* an etw. *akk*), (miteinander) verbinden. **raccordo** [...'kɔrdo] *m* **1.** *(collegamento)* Anschluß *m,* Verbindung *f;* **2.** *ferr* Anschluß *m; (strada)* Zubringer(straße *f*) *m;* **3.** *tec* Anschluß-

stück *n,* Nippel *m,* Stutzen *m;* ~ **autostradale** Autobahnzubringer *m.*
Rachele [ra'kɛ:le] *(nome proprio femminile)* Rachel.
rachitico, -a [ra'ki:tiko] ⟨-ci, -che⟩ **I.** *agg* **1.** *med* rachitisch; **2.** *fig* kümmerlich; **II.** *m, f* Rachitiker(in) *m(f).* **rachitismo** [raki'tizmo] *m* Rachitis *f.*
racimolare [ratʃimo'la:re] *tr* zusammenklauben, zusammenkratzen *fam.*
rack [ræk] ⟨-⟩ *m* Rack *n,* Hi-Fi-Turm *m.*
racket ['rækɪt] ⟨-⟩ *m* Verbrecherring *m.*
rada ['ra:da] *f* Reede *f.*
radar ['ra:dar] **I.** ⟨-⟩ *m* Radar *m o n;* **II.** ⟨*inv*⟩ *agg* Radar-. **radartachimetro** [radarta'ki:metro] *n* Radarfalle *f,* Radarkontrolle *f.*
raddolcire [raddol'tʃi:re] **I.** *tr* **1.** *(bevanda, dessert)* (ver)süßen; **2.** *fig* (ab)mildern; **II.** *rfl:* **-irsi** milder werden.
raddoppiamento [raddoppia'mento] *m* Verdopp(e)lung *f; (scient a.)* Reduplikation *f.* **raddoppiare** [...'pia:re] **I.** *tr* ⟨*avere*⟩ **1.** *gener.* verdoppeln; **2.** *fig* verstärken, steigern; **II.** *itr* ⟨*essere*⟩ **1.** *(crescere)* sich verdoppeln, zunehmen; **2.** *(nel biliardo)* dublieren. **raddoppio** [...pio] *m* **1.** *(raddoppiamento)* Verdopp(e)lung *f,* Verdoppeln *n;* **2.** *(del cavallo)* Redopp *m;* **3.** *(nel biliardo)* Dublee *n.*
raddrizzamento [raddrittsa'mento] *m* **1.** *(correzione)* Aufrichten *n,* Geraderücken *n;* **2.** *el* Gleichrichtung *f.* **raddrizzare** [...'tsa:re] **I.** *tr* **1.** *(lama, chiodo, quadro)* geradebiegen, -machen, zurechtbiegen; **2.** *fig (correggere)* zurechtrücken; **3.** *el* gleichrichten; **II.** *rfl:* **-arsi** sich aufrichten.
radere ['ra:dere] ⟨rado, rasi, raso⟩ **I.** *tr* **1.** *(col rasoio)* rasieren; **2.** *(bosco)* abholzen, abhauen; **3.** *(abbattere)* auslöschen, tilgen; ~ **al suolo** *fig* dem Erdboden gleichmachen; **II.** *rfl:* **-ersi** sich rasieren.
radiale [ra'dia:le] *agg* radial, Radial-; **pneumatico** ~ Gürtel-, Radialreifen *m.*
radiante [ra'diante] *agg (splendente)* strahlend; *fis* Strahlungs-, Strahlen-.
radiare [ra'dia:re] ⟨radio, radi⟩ *tr amm* löschen, streichen.
radiatore [radia'to:re] *m* **1.** *(termosifone)* Heizkörper *m;* **2.** *mot* Kühler *m;* **3.** *fis* Strahler *m.*
radiazione¹ [radiat'tsio:ne] *f fis* Strahlung *f;* ~ **ionizzante** Ionenstrahlung *f;* ~ **dello schermo** Bildschirmstrahlung *f;* **dose di -i** Strahlendosis *f;* **esposizione alle -i** Strahlenbelastung *f.*
radiazione² [radiat'tsio:ne] *f amm* Streichung *f,* Ausschluß *m.*
radica ['ra:dika] ⟨-che⟩ *f* Wurzelholz *n.*
radicale [radi'ka:le] **I.** *agg* **1.** *fig* radikal, tiefgreifend; **2.** *pol* radikal; **3.** *ling* Wurzel-, Stamm-; **II.** *mf* **1.** *pol* Radikale(r) *mf;* **2.** *fig* Hardliner(in) *m(f);* **III.** *m* **1.** *ling* Wurzel *f,* Stamm *m;* **2.** *mat, chim* Radikal *n.* **radicalismo** [...ka'lizmo] *m* Radikalismus *m.*
radicare [radi'ka:re] ⟨radico, radichi⟩ **I.** *itr* ⟨*essere*⟩ sich einwurzeln, Wurzeln schlagen; **II.** *rfl:* **-arsi** **1.** *(abbarbicarsi)* sich einwurzeln, Wurzeln schlagen; **2.** *fig* sich verwurzeln. **radicato, -a** [...'ka:to] *agg* verwurzelt; *(fig a.)* verhaftet (einer S. *dat*).
radicchio [ra'dikkio] ⟨-cchi⟩ *m* Radicchio *m.*
radice [ra'di:tʃe] *f* **1.** *bot, anat, mat* Wurzel *f;* **2.** *ling* Wurzel *f,* Stamm *m;* **3.** *fig (causa)* Wurzel *f,* Quelle *f,* Ursprung *m;* **mettere le -i** *(a. fig)* Wurzeln schlagen.
radi e getta ['ra:di e 'dʒɛtta] ⟨-⟩ *m* Einwegrasierer *m.*
radio¹ ['ra:dio] **I.** ⟨-⟩ *f* **1.** *(tec, organizzazione)* Rundfunk *m,* Radio *n;* **2.** *(apparecchio)* Radio(gerät) *n;* ~ **libera/pirata** freier Rundfunksender/Piratensender *m;* ~ **trasmittente/ricevente** Rundfunksender *m/*-empfänger *m;* **sentire qc alla** ~ etw. im Radio hören; **trasmettere per** ~ im Radio übertragen; **II.** ⟨*inv*⟩ *agg* Radio-, (Rund)funk-.
radio² ['ra:dio] *m anat* Speiche *f.*
radio³ ['ra:dio] *m chim* Radium *n.*
radioabbonato, -a [radioabbo'na:to] *m, f* Rundfunkteilnehmer(in) *m(f).* **radioamatore, -trice** [-ama'to:re] *m, f* Amateurfunker(in) *m(f).* **radioascoltatore, -trice** [-askolta'to:re] *m, f* Rundfunkhörer(in) *m(f).*
radioattività [-attivi'ta] *f* Radioaktivität *f.* **radioattivo, -a** [-at'ti:vo] *agg* radioaktiv; **rifiuti -i/scorie -e** Atommüll *m,* radioaktive Abfälle *m pl.*
radiocollegamento [-kollega'mento] *m* Funkverbindung *f,* -kontakt *m.* **radiocomandare** [-koman'da:re] *tr* fernsteuern. **radiocomando** [-ko'mando] *m* Fernsteuerung *f.* **radiocomunicazione** [-komunikat'tsio:ne] *f* Funkverkehr *m.* **radiocronaca** [-'krɔ:naka] *f* Rundfunkreportage *f.* **radiocronista** [-kro'nista] *mf* Rundfunkreporter(in) *m(f).* **radiodiffusione** [-diffu'zio:ne] *f* Rundfunk *m.* **radiodisturbo** [-dis'turbo] *m* Funkstörung *f;* **eliminare (*o* sopprimere) -i** entstören. **radiofonico, -a** [-'fɔ:niko] ⟨-ci, -che⟩ *agg* Rundfunk-, Funk-.
radiografia [-gra'fi:a] *f* **1.** *(operazione, tecnica)* Radiographie *f;* **2.** *(lastra)* Röntgenbild *n,* Röntgenaufnahme *f;* **3.** *fig* Analyse *f.* **radiografico, -a** [-'gra:fiko] *agg* Röntgen-, radiographisch.
radiolina [-'li:na] *f* Transistorradio *n.*
radiologa *f v.* **radiologo.**
radiologia [-lo'dʒi:a] ⟨-gie⟩ *f* Radiologie *f,* Röntgenologie *f.* **radiologico, -a** [-'lɔ:dʒiko] *agg* radiologisch. **radiologo, -a** [ra'diɔ:logo] ⟨-gi, -ghe⟩ *m, f* Radiolo-

ge *m*, -login *f*, Röntgenologe *m*, -login *f*.
radiomobile [-'mɔ:bile] *f* **1.** *(automezzo)* Funkstreifenwagen *m;* **2.** *tel (radiotelefono)* Mobilfunk *m*.
radioprotezione [-protet'tsio:ne] *f* Strahlenschutz.
radioregistratore [-redʒistra'to:re] *m* Radiorekorder *m*.
radioricevente [-ritʃe'vɛnte] **I.** *agg* Rundfunkempfangs-; **II.** *f* Rundfunkempfänger *m*.
radioscopia [-sko'pi:a] ⟨-ie⟩ *f* Radioskopie *f*.
radioso, -a [ra'dio:so] *agg* leuchtend; *(bellezza, sorriso)* strahlend.
radiostazione [radiostat'tsio:ne] *f* Rundfunkstation *f*. **radiosveglia** [-z'veʎʎa] *f* Radiowecker *m*. **radiotaxi, radiotassì** [-'taksi, -tas'si] *m* Funktaxi *n*. **radiotecnica** [-'tɛknika] *f* Radio-, Funktechnik *f*. **radiotecnico, -a** [...ko] **I.** *agg* radio-, funktechnisch; **II.** *m, f* Radiotechniker(in) *m(f)*, Rundfunkmechaniker(in) *m(f)*. **radiotelefono** [-te'lɛ:fono] *m* **1.** *(radioricevente e trasmittente)* Funk(sprech)gerät *n;* **2.** *(telefono cellulare)* Funktelefon *n*. **radiotelegrafista** [-telegra'fista] ⟨-i *m*, -e *f*⟩ *mf* Funker(in) *m(f)*. **radiotelevisivo, -a** [-televi'zi:vo] *agg* Rundfunk- und Fernseh-.
radioterapia [-tera'pi:a] *f* Radio-, Strahlentherapie *f*.
radiotrasmettere [-traz'mettere] ⟨*irr*⟩ *tr* senden, übertragen. **radiotrasmissione** [...mis'sio:ne] *f* Radiosendung *f*, -übertragung *f*. **radiotrasmittente** [...mit'tɛnte] **I.** *agg* Sende-, Funk-; **II.** *f* Rundfunksender *m*.
rado, -a ['ra:do] *agg* spärlich; *(capelli a.)* licht; *(nebbia, tela)* dünn; **di** ~ selten.
radunare [radu'na:re] **I.** *tr* **1.** *(cose)* ansammeln, anhäufen, zusammentragen; **2.** *(persone)* versammeln; **II.** *rfl:* **-arsi** sich versammeln. **radunata** [...'na:ta] *f* Versammlung *f*, Zusammenkunft *f*. **raduno** [ra'du:no] *m* Versammlung *f*, Zusammenkunft *f*, Treffen *n*.
radura [ra'du:ra] *f* Lichtung *f*.
rafano ['ra:fano] *m* Rettich *m; (crèn)* Meerrettich *m*.
Raffaele [raffa'ɛ:le] *(nome proprio maschile)* Raphael, Rafael.
Raffaella [raffa'ɛlla] *(nome proprio femminile)* Raphaela, Rafaela.
raffazzonare [raffattso'na:re] *tr* zusammenstoppeln *fam*, zurechtschustern *fam*.
raffermo, -a [raf'fermo] *agg (pane)* altbacken.
raffica ['raffika] ⟨-che⟩ *f* **1.** *(di vento)* Windstoß *m*, Bö(e) *f;* **2.** *(di mitra)* Garbe *f;* **3.** *fig* Hagel *m*.
raffigurare [raffigu'ra:re] **I.** *tr* **1.** *(rappresentare)* darstellen; **2.** *(simboleggiare)* symbolisieren, verkörpern; **II.** *rfl:* **-arsi** sich *(dat)* vorstellen.
raffinare [raffi'na:re] **I.** *tr* **1.** *chim (olio, zucchero, sale)* raffinieren; **2.** *fig (gusto, stile, educazione)* verfeinern; **II.** *rfl:* **-arsi** sich verfeinern, feiner werden. **raffinatezza** [...na'tettsa] *f* **1.** *(finezza)* Finesse *f*, Feinheit *f;* **2.** *(cosa)* Feinheit *f*, Kostbarkeit *f*. **raffinato, -a** [...'na:to] *agg* **1.** *(olio, sale, zucchero)* raffiniert; **2.** *fig* auserlesen, gepflegt. **raffinazione** [...nat'tsio:ne] *f* Raffination *f*. **raffineria** [...ne'ri:a] ⟨-ie⟩ *f* Raffinerie *f;* ~ **di petrolio** Erdölraffinerie *f*.
rafforzamento [raffortsa'mento] *m* **1.** *(il rafforzare)* Kräftigung *f*, Verstärkung *f;* **2.** *fig* (Be)stärkung *f; (di carattere)* Festigung *f*. **rafforzare** [...'tsa:re] **I.** *tr* **1.** *(muro, suono)* verstärken; **2.** *fig* bekräftigen, (be)stärken; *(carattere)* festigen; **II.** *rfl:* **-arsi** sich (ver)stärken.
raffreddamento [raffredda'mento] *m* Erkalten *n*, Abkühlen *n;* ~ **ad acqua/aria** Wasser-/Luftkühlung *f*. **raffreddare** [...'da:re] **I.** *tr* abkühlen (lassen), kalt werden lassen; *fig* abkühlen (*o* erkalten) lassen; **II.** *rfl:* **-arsi 1.** *(diventar freddo)* abkühlen, kühler werden; *(cibo a.)* kalt werden; **2.** *fam* sich erkälten, sich verkühlen *fam*.
raffreddore [raffred'do:re] *m* Erkältung *f;* ~ **da fieno** Heuschnupfen *m;* **avere il** ~ Schnupfen haben.
raffrontare [raffron'ta:re] *tr* gegenüberstellen, vergleichen. **raffronto** [...'fronto] *m* Gegenüberstellung *f*, Vergleich *m*.
rafia ['rafia] ⟨-ie⟩ *f* Bast *m*.
rafting ['ra:ftiŋ] ⟨-⟩ *m sport* Rafting *n*.
ragazza [ra'gattsa] *f* Mädchen *n; fam (fidanzata)* Freundin *f;* ~ **copertina** Covergirl *n;* ~ **madre** ledige Mutter, Alleinerziehende *f adm*. **ragazzata** [...'tsa:ta] *f* Lausbubenstreich *m*. **ragazzo** [ra'gattso] *m* Junge *m*, Bub *m dial; (garzone)* Bursche *m; fam (fidanzato)* Freund *m;* **-i** *(bambini)* Kinder *n pl; (giovani)* Jugendliche *pl*.
raggelare [raddʒe'la:re] **I.** *itr* ⟨*essere*⟩ gefrieren, vereisen; **II.** *tr* ⟨*avere*⟩ **1.** *(rendere gelido)* einfrieren, gefrieren lassen; **2.** *fig* erstarren lassen; **III.** *rfl:* **-arsi** gefrieren, einfrieren.
raggiante [rad'dʒante] *agg* leuchtend; *(a. fig, fis)* strahlend.
raggiera [rad'dʒɛ:ra] *f* Strahlenkranz *m;* **a** ~ strahlenförmig.
raggio ['raddʒo] ⟨-ggi⟩ *m* **1.** *(del sole, delle stelle)* Strahl *m; (luce)* Schein *m*, Schimmer *m;* **2.** *fig (di speranza, amore)* Strahl *m*, Schimmer *m;* **3.** *fis* Strahl *m;* **4.** *mat* Radius *m;* **5.** *(zona)* Umkreis *m; (ambito)* Gebiet *n*, Kreis *m;* **6.** *(di ruota)* Speiche *f;* ~ **d'azione** Aktionsradius *m;* **nel** ~ **di cinque chilometri** im Umkreis von fünf Kilometern.
raggirare [raddʒi'ra:re] *tr* hintergehen.

raggiro [...'dʒi:ro] *m* Betrug *m,* Schwindel *m.*
raggiungere [rad'dʒundʒere] ⟨*irr*⟩ *tr* erreichen; *(arrivare a riunirsi)* einholen; *(bersaglio)* treffen.
raggomitolare [raggomito'la:re] **I.** *tr* auf-, zusammenwickeln; **II.** *rfl:* **-arsi** sich zusammenkauern, sich zusammenrollen.
raggranellare [raggranel'la:re] *tr* zusammenkratzen *fam.*
raggrinzare, raggrinzire [raggrin'tsa:re, ...'tsi:re] ⟨raggrinzisco⟩ **I.** *tr* ⟨*avere*⟩ **1.** *(pelle)* runzeln; **2.** *(stoffa)* (zer)knittern; **II.** *itr* ⟨*essere*⟩, *rfl:* **-arsi, -irsi 1.** *(pelle)* sich runzeln; **2.** *(stoffa)* knittern.
raggrumare [raggru'ma:re] **I.** *tr* gerinnen lassen; **II.** *rfl:* **-arsi** gerinnen.
raggruppamento [raggruppa'mento] *m* Gruppierung *f.* **raggruppare** [...'pa:re] **I.** *tr* versammeln, gruppieren; **II.** *rfl:* **-arsi** sich versammeln, sich gruppieren.
ragguagliare [ragguaʎ'ʎa:re] ⟨ragguaglio, ragguagli⟩ *tr* **1.** *(paragonare)* vergleichen; **2.** *(informare)* informieren, unterrichten. **ragguaglio** [...'guaʎʎo] ⟨-gli⟩ *m* **1.** *(confronto)* Vergleich *m;* **2.** *(informazione)* Information *f.*
ragguardevole [ragguar'de:vole] *agg* **1.** *(persona)* angesehen; **2.** *(somma)* beachtlich, ansehnlich.
ragia ['ra:dʒa] ⟨-gie *o* -ge⟩ *f:* **acqua** ~ Terpentin *n.*
ragionamento [radʒona'mento] *m* **1.** *(riflessione)* Gedankengang *m,* Überlegung *f;* **2.** *(discorso)* Rede *f,* Argumentation *f.* **ragionare** [...'na:re] *itr* **1.** *(riflettere)* nachdenken, überlegen; **2.** *fam (discorrere)* sprechen *(di* über *+akk),* sich unterhalten *(di* über *+akk).* **ragionato, -a** [...'na:to] *agg* durchdacht, vernünftig.
ragione [ra'dʒo:ne] *f* **1.** *(facoltà)* Verstand *m,* Vernunft *f;* **2.** *(causa, motivo)* Grund *m;* **3.** *(diritto)* Recht *n,* Anspruch *m;* **4.** *(misura, rapporto, mat)* Verhältnis *n;* ~ **sociale** *com* Firma *f;* **aver l'uso della** ~ bei Verstand sein; **perdere l'uso (***o* **il lume) della** ~ den Verstand verlieren; **avere/dare** ~ recht haben/geben; **farsi una** ~ **di qc** sich mit etw. abfinden; **non sentir** ~ sich *(dat)* nichts sagen lassen; **picchiare (***o* **battere) qu di santa** ~ *fam* jdn gehörig verprügeln; **a maggior** ~ um so mehr; **a** ~ **veduta** nach gründlicher Überlegung; **per -i di famiglia/ forza maggiore** aus familiären Gründen/aufgrund höherer Gewalt.
ragioneria [radʒone'ri:a] ⟨-ie⟩ *f* **1.** *(disciplina)* Buchhaltung *f,* Rechnungswesen *n;* **2.** *(ufficio)* Buchhaltung *f,* Rechnungsbüro *n;* **studiare** ~ die höhere Handelsschule (*o* das Wirtschaftsgymnasium) besuchen.
ragionevole [radʒo'ne:vole] *agg* vernünftig.
ragioniere, -a [radʒo'niɛ:re] *m, f* Buchhalter(in) *m(f).*
raglan [ra'glan] ⟨*inv*⟩ *agg* Raglan-.
ragliare [raʎ'ʎa:re] ⟨raglio, ragli⟩ *itr* iahen. **raglio** ['raʎʎo] ⟨-gli⟩ *m* Schrei *m.*
ragnatela [raɲɲa'te:la] *f* Spinn(en)gewebe *n.*
ragno ['raɲɲo] *m* Spinne *f.*
ragù [ra'gu] ⟨-⟩ *m* (Fleisch)soße *f.*
RAI ['ra:i] *f acr di* **Radio Audizioni Italiane** *italienische Rundfunkanstalt.*
raid [reid] ⟨-⟩ *m* **1.** *sport* Rennen *n;* **2.** *mil* Überraschungsangriff *m.*
raion ['raion] ⟨-⟩ *m* Rayon *m o n,* Reyon *m o n.*
RAI-TV ['ra:i tiv'vu] *f acr di* **Radio Televisione Italiana** *italienische Rundfunk- und Fernsehanstalt.*
ralenti [ralã'ti] ⟨-⟩ *m* Zeitlupe *f;* **al** ~ im Zeitlupentempo.
rallegramenti [rallegra'menti] *m pl* Glückwünsche *m pl.* **rallegrare** [...'gra:re] **I.** *tr* erheitern; **II.** *rfl:* **-arsi 1.** *(diventar allegro)* sich aufheitern; **2.** *(congratularsi)* seine Glückwünsche aussprechen *(con qu per qc* jdm zu etw.), gratulieren *(con qu per qc* jdm zu etw.); **mi rallegro!** (ich) gratuliere!
rallentamento [rallenta'mento] *m* Verlangsamung *f; fig* Nachlassen *n.* **rallentare** [...'ta:re] **I.** *tr* verlangsamen; **II.** *itr* langsamer werden, nachlassen. **rallentatore** [...ta'to:re] *m* **1.** *TV, film* Zeitlupe *f;* **2.** *mot* Retarder *m;* **al** ~ in Zeitlupe; *fig* im Zeitlupentempo.
rally ['ræli] ⟨-⟩ *m* Rallye *f.*
RAM [ram] ⟨-⟩ *f acr di* **Random Access Memory** *(memoria ad accesso casuale)* RAM *n.*
ramadan [rama'dan] ⟨-⟩ *m* Ramadan *m.*
ramages [ra'ma:ʒ] *m pl* Rankenmuster *n;* **stoffa a** ~ Ramagé *m,* Stoff *m* mit Rankenmuster.
ramanzina [raman'dzi:na] *f fam* Standpauke *f fam;* **fare la** ~ **a qu** jdm eine Standpauke halten.
ramare [ra'ma:re] *tr* **1.** *tec* verkupfern; **2.** *agr* mit Kupfervitriol spritzen.
ramarro [ra'marro] *m* Smaragdeidechse *f.*
ramato, -a [ra'ma:to] *agg* **1.** *(filo)* Kupfer-; **2.** *(capelli, barba)* rotblond.
rambo, -a ['rambo] ⟨-⟩ *m, f* Rambo *m.*
rame ['ra:me] *m* **1.** *chim* Kupfer *n;* **2.** *(oggetto)* Kupfergefäß *n;* **3.** *(incisione)* Kupferstich *m.*
ramificare [ramifi'ka:re] ⟨ramifico, ramifichi⟩ **I.** *itr* Zweige austreiben; **II.** *rfl:* **-arsi** sich verzweigen, sich verästeln. **ramificazione** [...kat'tsio:ne] *f* **1.** *bot* Verzweigung *f,* Verästelung *f;* **2.** *(suddivisione)* Verzweigung *f,* Aufgliederung *f.*
ramino [ra'mi:no] *m* Rommé *n.*
rammaricare [rammari'ka:re] ⟨rammari-

co, rammarichi⟩ **I.** *tr* betrüben; **II.** *rfl:* **-arsi 1.** *(dispiacersi)* bedauern (*di qc* etw.); **2.** *(lamentarsi)* sich beklagen (*di* über *+akk*). **rammarico** [...'ma:riko] ⟨-chi⟩ *m* **1.** *(afflizione)* Kummer *m,* Gram *m;* **2.** *(rincrescimento)* Bedauern *n.*

rammendare [rammen'da:re] *tr* stopfen, flicken. **rammendo** [...'mɛndo] *m* Flickarbeit *f.*

rammentare [rammen'ta:re] **I.** *tr* erinnern (*qc a qu* jdn an etw. *akk*); **II.** *rfl:* **-arsi** sich erinnern (*di* an *+akk*).

rammollire [rammol'li:re] ⟨rammollisco⟩ **I.** *tr* **1.** *(cera, asfalto)* weich machen; **2.** *fig* verweichlichen; *(instupidire)* verblöden; **II.** *rfl:* **-irsi 1.** *(diventar molle)* weich werden; **2.** *fig* verweichlichen; *(instupidire)* verblöden. **rammollito, -a** [...'li:to] *m, f* Schlappschwanz *m fam,* Schwächling *m.*

ramo ['ra:mo] *m* **1.** *bot* Zweig *m,* Ast *m;* **2.** *(di fiume, lago)* Arm *m;* **3.** *(diramazione)* Verzweigung *f,* Verästelung *f;* **4.** *(di scienza, disciplina)* Zweig *m,* Gebiet *n;* **5.** *(discendenza)* Linie *f,* Stamm *m.* **ramoscello** [ramoʃ'ʃɛllo] *m* (kleiner) Zweig *m.*

rampa ['rampa] *f* **1.** *(di scale)* Rampe *f,* Lauf *m;* **2.** *aero* Rampe *f;* **3.** *(salita)* Steigung *f;* ~ **di carico** Verladerampe *f;* ~ **di lancio** Abschußrampe *f.*

rampante [ram'pante] **I.** *agg* aufgerichtet; **II.** *mf* Ehrgeizling *m.*

rampicante [rampi'kante] **I.** *agg* kletternd, Kletter-; **II.** *m* Kletterpflanze *f.*

rampichino [rampi'ki'no] *m* **1.** *(ragazzo vivace)* quirliges (*o* lebhaftes) Kind; *scherz (ragazzo che si arrampica dappertutto)* Klettermax(e) *m scherz;* **2.** *bot (rampicante)* Kletterpflanze *f;* **3.** *(bicicletta fuoristrada)* Mountainbike *n.*

rampino [ram'pi:no] *m* **1.** *(ferro)* Haken *m;* **2.** *naut* Draggen *m.*

rampollo [ram'pollo] *m* **1.** *scherz (figlio)* Sprößling *m;* **2.** *(discendente)* Abkömmling *m.*

rampone [ram'po:ne] *m* **1.** *(fiocina)* Harpune *f;* **2.** *(ferro piegato)* Krampe *f;* **3.** *(per scarpe)* Steigeisen *n.*

rana ['ra:na] **I.** *f* Frosch *m;* **II.** *agg:* **uomo** ~ Froschmann *m.*

rancido, -a ['rantʃido] **I.** *agg* ranzig; **II.** *m (sapore)* ranziger Geschmack; *(odore)* ranziger Geruch.

rancio ['rantʃo] ⟨-ci⟩ *m mil* Verpflegung *f.*

rancore [raŋ'ko:re] *m* Groll *m.*

randagio, -a [ran'da:dʒo] ⟨-gi, -ge *o* -gie⟩ *agg* herrenlos, streunend.

randellare [randel'la:re] *tr* verprügeln. **randellata** [...'la:ta] *f* Knüppelschlag *m.* **randello** [...'dɛllo] *m* Prügel *m,* Knüppel *m.*

random ['random] ⟨*inv*⟩ *agg* **1.** *(di variabile statistica)* Zufalls-; **2.** *inform:* **accesso** ~ wahlfreier Zugriff.

rango ['raŋgo] ⟨-ghi⟩ *m* **1.** *(condizione sociale)* Rang *m,* Stand *m;* **2.** *mil* Reihe *f;* **uscire dai -ghi** *fig* aus der Reihe tanzen; **rientrare nei -ghi** *(a. fig)* sich wieder einreihen.

rannicchiarsi [rannik'kjarsi] ⟨mi rannicchio, ti rannicchi⟩ *rfl* sich zusammenkauern.

rannuvolamento [rannuvola'mento] *m* Bewölkung *f.* **rannuvolarsi** [...'larsi] *rfl* **1.** *meteo* sich bewölken; **2.** *fig* sich verdüstern.

ranocchia [ra'nɔkkja] ⟨-cchie⟩ *f,* **ranocchio** [...kjo] ⟨-cchi⟩ *m* Frosch *m.*

rantolare [ranto'la:re] *itr* **1.** *(emettere rantoli)* röcheln; **2.** *(in agonia)* in den letzten Zügen liegen. **rantolio** [...'li:o] ⟨-ii⟩ *m,* **rantolo** ['rantolo] *m* Röcheln *n.*

ranuncolo [ra'nuŋkolo] *m* Ranunkel *f,* Hahnenfuß *m.*

rap [ræp] **I.** ⟨-⟩ *m* Rap *m;* **II.** ⟨*inv*⟩ *agg* Rap-.

rapa ['ra:pa] *f* Rübe *f.*

rapace [ra'pa:tʃe] **I.** *agg* **1.** *(uccello)* Raub-; **2.** *(ladri, amministratori)* räuberisch; **II.** *m* Raubvogel *m.*

rapare [ra'pa:re] *tr* glattscheren.

rapida ['ra:pida] *f* Stromschnelle *f.*

rapidità [rapidi'ta] ⟨-⟩ *f* Geschwindigkeit *f,* Schnelligkeit *f.* **rapido, -a** ['ra:pido] **I.** *agg* schnell; **II.** *m fam* IC *m,* Intercity-Zug *m.*

rapimento [rapi'mento] *m* **1.** *(di persona)* Entführung *f;* **2.** *rel, fig* Verzückung *f.*

rapina [ra'pi:na] *f* Raub *m; (scippo)* Raub(überfall) *m;* ~ **a mano armata** bewaffneter Überfall; **omicidio a scopo di** ~ Raubmord *m.* **rapinare** [rapi'na:re] *tr* **1.** *(cose)* rauben; **2.** *(persone)* berauben.

rapinatore, -trice [...na'to:re] *m, f* Räuber(in) *m(f).*

rapire [ra'pi:re] ⟨rapisco⟩ *tr* **1.** *(persone)* entführen; **2.** *(cose)* rauben; **3.** *fig (estasiare)* hinreißen. **rapitore, -trice** [rapi'to:re] *m, f* Entführer(in) *m(f),* Kidnapper(in) *m(f).*

rappacificare [rappatʃifi'ka:re] **I.** *tr* versöhnen, aussöhnen; **II.** *rfl:* **-arsi** sich versöhnen, sich aussöhnen. **rappacificazione** [...kat'tsjo:ne] *f* Versöhnung *f,* Aussöhnung *f.*

rappezzare [rappet'tsa:re] *tr* **1.** *(vestito, scarpa)* flicken, ausbessern; **2.** *fig peg* zusammenstückeln.

rappista [rap'pista] ⟨-i *m,* -e *f*⟩ *mf* Rapper *m.*

rapportare [rappor'ta:re] **I.** *tr* **1.** *(confrontare)* beziehen (*qc a qc* etw. auf etw. *akk*); **2.** *(riprodurre)* übertragen; **II.** *rfl:* **-arsi** sich beziehen (*a* auf *+akk*).

rapporto [rap'pɔrto] *m* **1.** *(relazione)* Bericht *m,* Meldung *f;* **2.** *mil* Rapport *m;* **3.** *(connessione, legame)* Beziehung *f,* Verhältnis *n;* **4.** *mat* Verhältnis *n;* **5.** *tec*

Übersetzung *f*, Übertragung *f;* **-i commerciali** Geschäftsverbindungen *f pl;* **-i intimi** intime Beziehung *f;* ~ **prezzo-prestazione** Preis-Leistungsverhältnis *n;* ~ **sessuale** Geschlechtsverkehr *m;* **essere in buoni ~i con qu** zu jdm ein gutes Verhältnis haben, mit jdm gut stehen *fam;* **per ~ a** im Verhältnis zu.

rapprendersi [rap'prɛndersi] ⟨*irr*⟩ *rfl* gerinnen.

rappresaglia [rappre'saʎʎa] ⟨-glie⟩ *f* Repressalie *f*, Strafmaßnahme *f*.

rappresentante [rapprezen'tante] *mf* Vertreter(in) *m(f);* ~ **di classe** Klassensprecher(in) *m(f)*. **rappresentanza** [...'tantsa] *f* **1.** *(potere riconosciuto)* Vertretung *f*, Repräsentation *f;* **2.** *econ* Vertretung *f*, Niederlassung *f;* ~ **diplomatica** diplomatische Vertretung; ~ **esclusiva** Alleinvertretung *f;* ~ **del personale** Personalvertretung *f*.

rappresentare [rapprezen'ta:re] *tr* **1.** *(raffigurare)* darstellen; **2.** *(simboleggiare)* symbolisieren, verkörpern; **3.** *teat (dramma)* aufführen; *(ruolo)* spielen; **4.** *(agire per conto di)* vertreten. **rappresentativo, -a** [...ta'ti:vo] *agg* vertretend; *(a. fig)* darstellend; *pol (sistema)* repräsentativ. **rappresentazione** [...tat'tsio:ne] *f* **1.** *gener.* Darstellung *f;* **2.** *teat* Aufführung *f*, Vorstellung *f;* **prima ~** Erstaufführung *f*.

rapsodia [rapso'di:a] ⟨-ie⟩ *f* Rhapsodie *f*.

raptus ['raptus] ⟨-⟩ *m* **1.** *med, psic* Wutanfall *m*, Raptus *m wissensch.;* **2.** *fig* Erleuchtung *f*.

rarefare [rare'fa:re] ⟨*irr*⟩ **I.** *tr* verdünnen; **II.** *rfl:* **-arsi** dünn werden, schwinden. **rarefazione** [...fat'tsio:ne] *f* Verdünnung *f*.

rarità [rari'ta] ⟨-⟩ *f* **1.** *(condizione)* Seltenheit *f;* **2.** *(cosa)* Rarität *f*, Seltenheit *f*.

raro, -a ['ra:ro] *agg* selten, rar.

ras [rɑs] ⟨-⟩ **1.** *(titolo)* Ras *m;* **2.** *fig scherz, peg* kleiner Tyrann *m scherz;* Despot *m pej.*

rasare [ra'sa:re] **I.** *tr* **1.** *(barba, capelli)* (ab)rasieren; **2.** *(siepe, prato)* (kurz) schneiden, scheren; **II.** *rfl:* **-arsi** sich rasieren. **rasato, -a** [ra'sa:to] *agg* **1.** *(barba, persona)* rasiert; **2.** *(tessuto)* satiniert. **rasatura** [rasa'tu:ra] *f* Rasur *f*.

raschiamento [raskia'mento] *m* Abschaben *n*, Auskratzen *n; med* Ausschabung *f*. **raschiare** [...'kia:re] ⟨raschio, raschi⟩ *tr* (ab)schaben, abkratzen; **-arsi la gola** sich räuspern. **raschio** ['raskio] ⟨-schi⟩ *m* Kratzen *n*.

rasentare [razen'ta:re] *tr* **1.** *(sfiorare)* streifen; **2.** *fig* grenzen (*qc* an etw. *akk*); ~ **il ridicolo** sich am Rande des Lächerlichen bewegen.

rasente [ra'zɛnte] *prp:* ~ **(a)** dicht an +*dat.*

rasi ['ra:si] *p rem di* **radere**.

raso, -a ['ra:so] **I.** *pp di* **radere; II.** *agg* **1.** *(volto, testa)* kahl, geschoren; **2.** *(bicchiere)* randvoll; *(cucchiaio)* gestrichen voll; **III.** *m* Atlas *m*, Satin *m*.

rasoio [ra'so:io] ⟨-oi⟩ *m* Rasiermesser *n; (elettrico)* Rasierapparat *m*.

rasoterra [raso'tɛrra] ⟨*inv*⟩ *agg, avv* dicht (*o* flach) über dem Boden.

raspare [ras'pa:re] **I.** *tr* **1.** *(legno, avorio)* schaben, raspeln; **2.** *(irritare)* reizen, kratzen; **II.** *itr* **1.** *(grattare)* kratzen, scharren; **2.** *(raschiare)* kratzen.

rassegna [ras'seɲɲa] *f* **1.** *mil* Parade *f*, Truppenschau *f;* **2.** *(esame accurato)* (Über)prüfung *f*, Analyse *f*, Untersuchung *f;* **3.** *(resoconto)* Übersicht *f*, Querschnitt *m;* **4.** *(recensione)* Bericht *m;* **5.** *(mostra)* Schau *f*, Ausstellung *f;* **6.** *(enumerazione)* Aufzählung *f;* **passare in ~ qc** *fig* etw. Revue passieren lassen.

rassegnare [rasseɲ'ɲa:re] **I.** *tr (carica)* niederlegen, aufgeben; *(dimissioni)* einreichen; **II.** *rfl:* **-arsi** sich fügen (*a* in +*akk*), sich abfinden (*a* mit), resignieren. **rassegnazione** [...ɲat'tsio:ne] *f* Resignation *f*, Ergebung *f*.

rasserenare [rassere'na:re] **I.** *tr* **1.** *(aria, cielo)* aufheitern; **2.** *fig* aufheitern, aufhellen; **II.** *rfl:* **-arsi 1.** *meteo* sich aufheitern; **2.** *fig* sich aufheitern, sich aufhellen.

rassettare [rasset'ta:re] **I.** *tr* **1.** *(stanza, casa)* aufräumen; **2.** *(abiti)* ausbessern; **II.** *rfl:* **-arsi** sich zurechtmachen.

rassicurare [rassiku'ra:re] **I.** *tr* beruhigen, versichern; **II.** *rfl:* **-arsi** sich beruhigen.

rassodamento [rassoda'mento] *m* Festigung *f*, Straffung *f*. **rassodare** [rasso'da:re] **I.** *tr* **1.** *gener.* festigen; *(muscoli, seno)* straffen; **2.** *fig* stärken, festigen; **II.** *rfl:* **-arsi** sich straffen; *(rafforzarsi)* sich stärken, sich festigen.

rassomiglianza [rassomiʎ'ʎantsa] *f* Ähnlichkeit *f*. **rassomigliare** [...'ʎa:re] **I.** *itr* gleichen, ähneln, ähnlich sein; **II.** *rfl:* **-arsi** sich *(dat)* gleichen, sich *(dat)* ähneln.

rastrellamento [rastrella'mento] *m* **1.** *agr* Harken *n;* **2.** *fig* Durchkämmen *n*. **rastrellare** [...'la:re] *tr* **1.** *agr* harken; **2.** *fig* durchkämmen, absuchen.

rastrello [ras'trɛllo] *m* Harke *f*.

rata ['ra:ta] *f* Rate *f;* **pagare/comprare a -e** in Raten zahlen/kaufen.

rateale [rate'a:le] *agg* Raten-, ratenweise.

rateare [rate'a:re] *tr,* **rateizzare** [...eid'dza:re] *tr* in Raten aufteilen. **rateo** ['ra:teo] *m* Rechnungsabgrenzung *f; (rateizzazione)* Ratenzahlung *f*.

ratifica [ra'ti:fika] ⟨-che⟩ *f* Ratifizierung *f*, Ratifikation *f*. **ratificare** [ratifi'ka:re] ⟨ratifico, ratifichi⟩ *tr* ratifizieren. **ratificazione** [...kat'tsio:ne] *f* Ratifizierung *f*, Ratifikation *f*.

rating ['reitiŋ] ⟨-⟩ *m* **1.** *econ (valutazione del livello di affidabilità)* Rating *n; (grado di affidabilità)* Bonität *f;* **2.** *TV* Einschaltquote *f;* **3.** *sport* Einstufung *f* in eine Bewertungsklasse.
Ratisbona [ratiz'bo:na] *f* Regensburg *n.*
ratto[1] ['ratto] *m zoo* Ratte *f.*
ratto[2] ['ratto] *m lett st* Raub *m.*
rattoppare [rattop'pa:re] *tr* flicken. **rattoppo** [...'tɔppo] *m* Flicken *m.*
rattrappire [rattrap'pi:re] ⟨rattrappisco⟩ **I.** *tr* verkrampfen; **II.** *rfl:* **-irsi** sich verkrampfen.
rattristare [rattris'ta:re] **I.** *tr* betrüben, traurig machen; **II.** *rfl:* **-arsi** betrübt (*o* traurig) werden.
raucedine [rau'tʃɛ:dine] *f* Heiserkeit *f.*
rauco, -a ['ra:uko] ⟨-chi, -che⟩ *agg* heiser.
ravanello [rava'nɛllo] *m* Radieschen *n.*
ravioli [ra'vjɔ:li] *m pl* Ravioli *pl (Teigtaschen mit Fleischfüllung).*
ravvedersi [ravve'dersi] ⟨*irr*⟩ *rfl* bereuen, sein Unrecht einsehen.
ravviare [ravvi'a:re] **I.** *tr* in Ordnung bringen; ~ **i capelli** schnell (*o* kurz) kämmen; **II.** *rfl:* **-arsi** sich schnell (*o* kurz) zurechtmachen. **ravviata** [...'a:ta] *f (di capelli)* schnelles (*o* kurzes) Kämmen.
ravvicinamento [ravvitʃina'mento] *m* **1.** *(il ravvicinarsi)* Annäherung (*a* an +*akk*), Näherkommen *n;* **2.** *fig (riconciliazione)* Versöhnung *f.* **ravvicinare** [...'na:re] **I.** *tr* **1.** *(avvicinare di più)* annähern, näherbringen; **2.** *fig (rappacificare)* versöhnen; **II.** *rfl:* **-arsi 1.** *(avvicinarsi)* sich annähern (*a* an +*akk*); **2.** *(rappacificarsi)* sich versöhnen.
ravvisare [ravvi'za:re] *tr* erkennen, feststellen.
ravvivamento [ravviva'mento] *m (a. fig)* (Wieder)belebung *f,* Kräftigung *f;* ~ **congiunturale** Konjunkturbelebung *f.*
ravvivare [ravvi'va:re] **I.** *tr* **1.** *(fuoco)* neu entfachen; **2.** *(ricordi, speranze)* wiederaufleben lassen; **II.** *rfl:* **-arsi** wiederaufleben.
ravvoltolare [ravvolto'la:re] **I.** *tr* einwickeln; **II.** *rfl:* **-arsi** sich einwickeln.
raziocinio [rattsjo'tʃi:njo] ⟨-i⟩ *m* Vernunft *f,* Verstand *m.*
razionale [rattsjo'na:le] **I.** *agg* **1.** *(dotato di ragione)* rational, vernunftbegabt; **2.** *(procedimento, metodo)* rational, vernünftig; **3.** *(alimentazione, architettura)* rationell, zweckmäßig; **4.** *mat* rational; **II.** *m* Rationale(s) *n.* **razionalità** [...li'ta] ⟨-⟩ *f* **1.** *(facoltà)* Rationalität *f,* Vernünftigkeit *f;* **2.** *(funzionalità)* Zweckmäßigkeit *f.* **razionalizzare** [...lid'dza:re] *tr* rationalisieren.
razionamento [rattsjona'mento] *m* Rationierung *f.* **razionare** [...'na:re] *tr* rationieren.
razione [rat'tsjo:ne] *f* Ration *f; (porzione)* Portion *f; (fig a.)* Anteil *m.*
razza[1] ['rattsa] *f* **1.** *(di uomini, animali)* Rasse *f;* **2.** *(di piante)* Sorte *f;* **3.** *(famiglia, stirpe)* Herkunft *f,* Abstammung *f;* **4.** *fig* Klasse *f; peg* Art *f,* Sorte *f;* **cavallo di** ~ Zuchthengst *m;* **ma che** ~ **di maniere sono queste?** *fam* was sind denn das für Manieren?; **di** ~ **pura** reinrassig.
razza[2] ['raddza] *f zoo* Rochen *m.*
razzia [rat'tsi:a] ⟨-ie⟩ *f* Raub-, Beutezug *m.*
razziale [rat'tsja:le] *agg* Rassen-; **conflitto** ~ Rassenkonflikt *m;* **odio** ~ Rassenhaß *m.*
razziare [rat'tsia:re] ⟨razzio, razzii⟩ *tr* ausrauben **razzismo** [rat'tsizmo]; *m* Rassismus *m.* **razzista** [...'tsista] ⟨-i *m,* -e *f*⟩ **I.** *mf* Rassist(in) *m(f);* **II.** *agg* rassistisch.
razzo ['raddzo] *m* **1.** *(fuoco artificiale)* Rakete *f,* Feuerwerkskörper *m;* **2.** *(proiettile)* Rakete *f;* ~ **vettore** *n* Trägerrakete *f.*
razzolare [rattso'la:re] *itr* scharren.
R.D.T. *f abbr di* **Repubblica Democratica Tedesca** *st* DDR *f* (*abk von* Deutsche Demokratische Republik); **l'ex** ~ die ehemalige DDR.
re[1] [re] ⟨-⟩ *m (a. fig)* König *m;* **vita da** ~ königliches Leben; ~ **di quadri** Karokönig *m.*
re[2] [rɛ] ⟨-⟩ *m mus* d, D *n.*
rea *f v.* **reo.**
readership ['ri:dəʃip] ⟨-⟩ *f* Leserschaft *f.*
reagente [rea'dʒɛnte] *m* Reagenz *n.*
reagire [rea'dʒi:re] *itr* reagieren (*a* auf +*akk*).
reale[1] [re'a:le] **I.** *(di, da re) agg* königlich, Königs-; **II.** *m pl* Königs-, Herrscherpaar *n.*
reale[2] [re'a:le] **I.** *agg* **1.** *(oggetto, fatto)* real, wirklich; *(salario)* Real-; **2.** *dir* Real-; **3.** *mat* reell; **II.** *m* Wirklichkeit *f.*
realismo [rea'lizmo] *m* Realismus *m.*
realista[1] [rea'lista] ⟨-i *m,* -e *f*⟩ *mf* **1.** *(persona concreta)* Realist(in) *m(f);* **2.** *(nell'arte)* Realist *m.*
realista[2] [rea'lista] ⟨-i *m,* -e *f*⟩ *mf pol* Royalist(in) *m(f).*
realistico, -a [rea'listiko] ⟨-ci, -che⟩ *agg* realistisch.
realizzare [realid'dza:re] **I.** *tr* **1.** *(speranza, progetto)* realisieren, verwirklichen; **2.** *econ* realisieren; **3.** *sport (gol, rigore)* schießen; **4.** *fig (comprendere)* begreifen, erfassen, bewußt werden (*qu qc* etw. *nom* jdm); **II.** *rfl:* **-arsi** sich verwirklichen, wahr werden. **realizzazione** [...dzat'tsjo:ne] Realisierung *f,* Verwirklichung *f.*
realizzo [rea'liddzo] *m* **1.** *com* Zwangsverkauf *m;* **2.** *fin* Liquidation *f;* ~ **a prezzo di costo** Verkauf *m* zum Selbstkostenpreis; **prezzo di** ~ Räumungspreis *m.*

realmente [real'mente] *avv* tatsächlich, wirklich.
realtà [real'ta] ⟨-⟩ *f* Realität *f*, Wirklichkeit *f*; ~ **esterna/interna** Außen-/Innenwelt *f*; ~ **sociale/virtuale** soziale Wirklichkeit/virtuelle Realität; **in** ~ tatsächlich, in Wirklichkeit.
reame [re'a:me] *m poet* (König)reich *n*.
reato [re'a:to] *m* Straftat *f*, Delikt *n*; ~ **tributario** Steuervergehen *n*, Steuerdelikt *n*; **-i contro l'ambiente** Umweltkriminalität *f*; **corpo del** ~ Corpus delicti *n*.
reattore [reat'to:re] *m* **1.** *aero* Düsenflugzeug *n*; *(motore)* Düsentriebwerk *n*; **2.** *fis* Reaktor *m*; ~ **ad acqua bollente/leggera/pressurizzata** Siede-/Leicht-/Druckwasserreaktor *m*; ~ **autofertilizzante** schneller Brüter; ~ **a fusione** Fusionsreaktor *m*, Thermoreaktor *m*; ~ **nucleare** Kernreaktor *m*.
reazionario, -a [reattsio'na:rio] ⟨-i, -ie⟩ **I.** *agg* reaktionär; **II.** *m, f* Reaktionär(in) *m(f)*.
reazione [reat'tsio:ne] *f* Reaktion *f*; ~ **a catena** Kettenreaktion *f*.
rebus ['rɛ:bus] ⟨-⟩ *m* **1.** *(gioco)* Rebus *m o n*, Bilderrätsel *n*; **2.** *fig (persona, cosa incomprensibile)* Rätsel *n*.
recapitare [rekapi'ta:re] *tr* zustellen, abliefern. **recapito** [re'ka:pito] *m* **1.** *(indirizzo)* Adresse *f*; **2.** *(consegna)* Zustellung *f*.
recare [re'ka:re] ⟨reco, rechi⟩ **I.** *tr* **1.** *(notizia, informazione)* (über)bringen; **2.** *(avere su di sé)* tragen; **3.** *(cagionare)* bewirken, verursachen; **II.** *rfl*: **-arsi** sich begeben.
recedere [re'tʃɛ:dere] *itr* **1.** *(tirarsi indietro)* zurückgehen, zurückweichen; **2.** *dir* zurücktreten.
recensione [retʃen'sio:ne] *f* Rezension *f*, Besprechung *f*. **recensore, -a** [...'so:re] *m, f* Rezensent(in) *m(f)*.
recente [re'tʃɛnte] *agg* neu, jüngste(r, s), letzte(r, s); **di** ~ kürzlich, vor kurzem.
recentissime [...'tissime] *f pl* neu(e)ste Nachrichten *f pl*, letzte Meldungen *f pl*.
recepire [retʃe'pi:re] ⟨recepisco⟩ *tr* empfangen, aufnehmen.
reception [ri'sepʃon] ⟨-⟩ *f* Rezeption *f*, Empfangsbüro *n*. **receptionist** [re'sɛpʃonist] ⟨-⟩ *mf* Empfangschef *m*, Empfangsdame *f*.
recessione [retʃes'sio:ne] *f* Rezession *f*, Rückgang *m*, Konjunktureinbruch *m*. **recessivo, -a** [...'si:vo] *agg* **1.** *biol* rezessiv; **2.** *econ* rückläufig.
recesso [re'tʃɛsso] *m* **1.** *(rifugio)* Schlupfwinkel *m*; **2.** *fig* Abgrund *m*, geheimer Winkel; **3.** *dir* Rücktritt *m*; **4.** *med* Rückgang *m*.
recidere [re'tʃi:dere] ⟨recido, recisi, reciso⟩ *tr* (ab)schneiden.
recidivo, -a [retʃi'di:vo] **I.** *agg* rückfällig; **II.** *m, f* Rückfällige(r) *mf*; *(dir a.)* Rückfall-, Wiederholungstäter(in) *m(f)*.
recintare [retʃin'ta:re] *tr* einfrieden, umzäunen. **recinto** [re'tʃinto] *m* **1.** *(spazio circoscritto)* Gebiet *n*; *(per animali)* Gehege *n*; **2.** *(ciò che recinge)* Zaun *m*, Umzäunung *f*. **recinzione** [...n'tsio:ne] *f* Einfriedung *f*, Umzäunung *f*.
recipiente [retʃi'piɛnte] *m* Behälter *m*, Gefäß *n*.
reciprocità [retʃiprotʃi'ta] ⟨-⟩ *f* Gegenseitigkeit *f*, Wechselseitigkeit *f*. **reciproco, -a** [re'tʃi:proko] ⟨-ci, -che⟩ *agg* gegenseitig; *mat, gram* reziprok.
recisi [re'tʃi:zi] *p rem di* **recidere**.
reciso [re'tʃi:zo] *pp di* **recidere**.
recita ['rɛ:tʃita] *f* Aufführung *f*.
recitare [retʃi'ta:re] **I.** *tr* **1.** *(poesia)* rezitieren, vortragen; *(orazioni)* sprechen; *(lezione)* aufsagen; **2.** *(declamare)* deklamieren; **3.** *teat, film* spielen; **II.** *itr* **1.** *teat, film* spielen; **2.** *fig peg* deklamieren. **recitazione** [...tat'tsio:ne] *f* **1.** *(interpretazione)* Rezitation *f*, Vortrag *m*; **2.** *(disciplina)* Schauspielkunst *f*.
reclamare [rekla'ma:re] **I.** *itr* reklamieren *(per, contro qc* etw.), sich beschweren *(per, contro* über +*akk*); **II.** *tr* **1.** *(richiedere)* geltend machen, fordern; **2.** *fig (aver bisogno)* benötigen, erfordern, verlangen.
réclame [re'klam] ⟨-⟩ *f* Reklame *f*, Werbung *f*; **fare** ~ **a qc** für etw. werben (*o* Werbung machen). **reclamizzare** [...mid'dza:re] *tr* werben für, Reklame machen für.
reclamo [re'kla:mo] *m* Reklamation *f*; *(a. documento)* Beschwerde *f*.
reclinare [rekli'na:re] *tr* neigen.
reclusione [reklu'zio:ne] *f* Haft *f*. **recluso, -a** [re'klu:zo] **I.** *agg* eingeschlossen; *dir* inhaftiert; **II.** *m, f* Häftling *m*.
recluta ['rɛ:kluta] *f* **1.** *mil* Rekrut *m*; **2.** *fig* Neuling *m*. **reclutamento** [rekluta'mento] *m* Einberufung *f*; *(a. fig)* Rekrutierung *f*. **reclutare** [...'ta:re] *tr* einberufen; *(a. fig)* rekrutieren.
recondito, -a [re'kɔndito] *agg lett* **1.** *(luogo)* abgelegen, entlegen; **2.** *fig* verborgen, geheim.
record ['rɛ:kord] **I.** ⟨-⟩ *m* **1.** *sport* Rekord *m*; *(elenco)* Wettkampfliste *f*; **2.** *inform* Datensatz *m*; **battere/stabilire un** ~ einen Rekord brechen/aufstellen; **a tempo di** ~ in Rekordzeit; **II.** ⟨*inv*⟩ *agg* Rekord-.
recordista [rekor'dista] ⟨-i *m*, -e *f*⟩ *mf film* Tonmeister(in) *m(f)*.
recriminare [rekrimi'na:re] *itr* sich beklagen (*su* über +*akk*). **recriminazione** [...nat'tsio:ne] *f* Klage *f*.
recrudescenza [rekrudeʃ'ʃɛntsa] *f* Verschlimmerung *f*.
redarguire [redargu'i:re] ⟨redarguisco⟩

tr tadeln, rügen.
redassi [re'dassi] *p rem di* **edigere.**
redatto [re'datto] *pp di* **redigere.**
redattore, -trice [redat'to:re] *m, f* **1.** *(di giornale, casa editrice)* Redakteur(in) *m(f)*; **2.** *(di atti, documenti)* Verfasser(in) *m(f)*. **redazione** [...t'tsjo:ne] *f* Redaktion *f*; ~ **di un documento** Abfassung *f* eines Dokuments; ~ **di verbale** Protokollaufnahme *f*, Protokollierung *f*.
redditività [redditivi'ta] ⟨-⟩ *f* Ertrag(s)fähigkeit *f*, Rentabilität *f*. **redditizio, -a** [...'tittsjo] ⟨-i, -ie⟩ *agg* einträglich, rentabel.
reddito ['rɛddito] *m* Einkommen *n; (utile)* Ertrag *m*, Gewinn *m*; ~ **lordo/netto** Brutto-/Nettoeinkommen *n*; ~ **reale** Realeinkommen *n*; ~ **da lavoro dipendente** Einkommen *n* aus unselbständiger Arbeit; **-i di capitale** Kapitalerträge *m pl*; **imposta sul** ~ Einkommenssteuer *f*; *(per lavoro dipendente)* Lohnsteuer *f*.
redensi [re'dɛnsi] *p rem di* **redimere.**
redentore, -trice [reden'to:re] **I.** *agg* erlösend, befreiend; **II.** *m* Erlöser *m*, Heiland *m*. **redenzione** [...n'tsjo:ne] *f* Erlösung *f*.
redigere [re'di:dʒere] ⟨redigo, redigi, redassi, redatto⟩ *tr* **1.** *(compilare, stendere)* verfassen, abfassen; **2.** *(curare)* redigieren, bearbeiten.
redimere [re'di:mere] ⟨redimo, redensi, redento⟩ *tr lett* erlösen, befreien. **redimibile** [redi'mi:bile] *agg* **1.** *(debito)* kündbar, tilgbar; **2.** *poet* erlösbar.
redini ['rɛ:dini] *f pl (a. fig)* Zügel *m pl*.
redivivo, -a [redi'vi:vo] *agg* auferstanden, wiedererstanden.
reduce ['rɛ:dutʃe] **I.** *agg* heimgekehrt; **essere** ~ **da una malattia** eine Krankheit überstanden haben; **II.** *mf* Heimkehrer(in) *m(f)*. **reducismo** [redu'tʃizmo] *m* Heimkehrer-, Rückkehrersyndrom *n*.
refe ['re:fe] *m* Zwirn *m*.
referendum [refe'rɛndum] ⟨-⟩ *m* **1.** *dir* Referendum *n*, Volksentscheid *m*; **2.** *(indagine)* Umfrage *f*.
referenza [refe'rɛntsa] *f* Referenz *f*, Empfehlung *f*.
referto [re'fɛrto] *m* Befund *m*.
refettorio [refet'tɔ:rjo] ⟨-i⟩ *m* Refektorium *n*, Speisesaal *m*. **refezione** [...t'tsjo:ne] *f* Speisung *f*; ~ **scolastica** Schulspeisung *f*.
reflex ['rɛ:fleks] ⟨-⟩ *f fot* Spiegelreflexkamera *f*.
refluo, -a ['rɛ:fluo] **I.** *agg* zurückfließend; **acque -e** Abwässer *n pl*; **II.** *m pl* Abwässer *n pl*.
refrattario, -a [refrat'ta:rjo] ⟨-i, -ie⟩ *agg* **1.** *(materiale)* hitzebeständig, feuerfest; **2.** *med, fig* unempfindlich (*a* gegen), immun (*a* gegen).
refrigerante [refridʒe'rante] **I.** *agg* kühlend, Kühl-; **II.** *m* **1.** *(apparecchio)* Kühlgerät *n*; **2.** *(sostanza)* Kühlmittel *n*.
refrigerare [refridʒe'ra:re] *tr* kühlen. **refrigeratore** [...ra'to:re] *m* **1.** *(fluido)* Kühlflüssigkeit *f*; **2.** *(parte del frigorifero)* Kühlaggregat *n*. **refrigerazione** [...rat'tsjo:ne] *f* Kühlung *f*. **refrigerio** [...'dʒɛ:rjo] ⟨-i⟩ *m* **1.** *(sensazione di fresco)* Erfrischung *f*; **2.** *fig (sollievo)* Erleichterung *f*.
refurtiva [refur'ti:va] *f* Beute *f*, Diebesgut *n*.
refuso [re'fu:zo] *m* Druckfehler *m*.
regalare [rega'la:re] *tr* **1.** *gener.* schenken; **2.** *econ* verschenken, verschleudern.
regale [re'ga:le] *agg* **1.** *(del re)* Königs-, königlich; **2.** *fig* königlich, fürstlich.
regalità [regali'ta] ⟨-⟩ *f* Königtum *n*.
regalo [re'ga:lo] *m* Geschenk *n*, Gabe *f*; ~ **di Natale** Weihnachtsgeschenk *n*; **avere qc in** ~ etw. als Geschenk bekommen; **dare qc a qu in** ~ jdm etw. zum Geschenk machen; **fare un** ~ **a qu** jdm etw. schenken.
regata [re'ga:ta] *f* Regatta *f*. **regatante** [rega'tante] *mf*, **regatista** [...'tista] ⟨-i *m*, -e *f*⟩ *mf* Regattateilnehmer(in) *m(f)*.
reggente [red'dʒɛnte] **I.** *mf* Regent(in) *m(f)*; **II.** *f* Hauptsatz *m*; **III.** *agg* **1.** *pol* Regenten-, Regentschafts-; **2.** *gram* regierend; **proposizione** ~ Hauptsatz *m*. **reggenza** [...'dʒɛntsa] *f* **1.** *(carica)* Regentschaft *f*; **2.** *(governo dei reggenti)* Regierung *f*, Herrschaft *f*; **3.** *gram* Rektion *f*.
reggere ['rɛddʒere] ⟨reggo, reggi, ressi, retto⟩ **I.** *tr* **1.** *(tenere)* halten; *(sostenere)* halten, stützen, tragen; *(tenere fermo)* festhalten; **2.** *(resistere)* standhalten *(qc* einer S. *dat)*; **3.** *(dirigere)* leiten, führen; *(governare)* regieren; **4.** *gram* regieren, erfordern; **5.** *(sopportare)* ertragen; ~ **il vino** trinkfest sein; **II.** *itr* **1.** *(resistere)* standhalten; **2.** *(durare)* anhalten; *(cibi)* haltbar sein; **un'accusa che non regge** *fig* eine unhaltbare Anklage; **non mi regge il cuore (***o* **l'animo) di** *+inf* ich bringe es nicht übers Herz zu *+inf*; **III.** *rfl:* **-ersi 1.** *(sostenersi)* sich halten; **2.** *fig (controllarsi)* sich beherrschen; **3.** *(governarsi)* sich regieren; **4.** *(attaccarsi)* sich festhalten; **-ersi a galla** sich an der Oberfläche halten.
reggia ['rɛddʒa] ⟨-gge⟩ *f* **1.** *(di re)* Königshof *m*, -palast *m*; **2.** *fig* Palast *m*.
reggicalze [reddʒi'kaltse] ⟨-⟩ *m* Strumpfhalter *m*.
reggimentale [reddʒimen'ta:le] *agg* Regiments-. **reggimento** [...'mento] *m* Regiment *n*.
reggipetto, reggiseno [reddʒi'pɛtto, -'se:no] *m* Büstenhalter *m*, BH *m*.
regia [re'dʒi:a] ⟨-gie⟩ *f (a. fig)* Regie *f*.
regime [re'dʒi:me] *m* **1.** *pol* Regime *n*; **2.** *(dieta)* Diät *f*; **3.** *(regola di vita)* Le-

bensweise *f*, -haltung *f;* **4.** *geog (andamento)* (jahreszeitliche) Schwankungen *f pl,* (jahreszeitliches) Verhalten *n;* **5.** *tec, mot* Drehzahl *f;* ~ **di marcia** Fahrbetrieb *m;* ~ **patrimoniale** *dir* Güterstand *m;* **a pieno** ~ mit voller Kraft, auf vollen Touren.

regina [re'dʒi:na] *f* **1.** *gener., fig* Königin *f;* **2.** *(negli scacchi, nelle carte)* Dame *f.* **reginetta** [...i'netta] *f* Miß *f*, Schönheitskönigin *f.*

regio, -a ['rɛ:dʒo] ⟨-gi, -gie⟩ *agg* Königs-; *(a. fig)* königlich.

regionale [redʒo'na:le] *agg* regional. **regionalizzare** [redʒonalid'dza:re] *tr* regionalisieren.

regione [re'dʒo:ne] *f* Region *f;* ~ **a statuto speciale** Region *f* mit Sonderstatut.

regista [re'dʒista] ⟨-i *m*, -e *f*⟩ *mf* Regisseur(in) *m(f).*

registrare [redʒis'tra:re] *tr* **1.** *amm* registrieren, eintragen; **2.** *fin* (ver)buchen; **3.** *(prendere nota)* ver-, aufzeichnen, eintragen; **4.** *(rilevare)* registrieren, verzeichnen; **5.** *(citare)* aufführen, verzeichnen; **6.** *tec (con registratori)* aufnehmen, aufzeichnen, mitschneiden; **7.** *tec, mot* einstellen; **8.** *inform (in memoria)* speichern; *(dati)* protokollieren; *(su supporto magnetico)* aufzeichnen, registrieren. **registratore** [...ra'to:re] *m* **1.** *(apparecchio)* Aufnahmegerät *n;* *(magnetofono)* Tonbandgerät *n;* **2.** *(cartella)* Ordner *m*, Registrator *m;* ~ **di cassa** Registrierkasse *f;* ~ **di volo** Flug(-daten)schreiber *m.* **registrazione** [...rat'tsio:ne] *f* **1.** *(il registrare)* Registrierung *f*, Eintragung *f;* **2.** *fin* (Ver)buchung *f;* **3.** *radio, TV* Aufzeichnung *f*, Aufnahme *f*, Mitschnitt *m;* *(locale)* Aufnahmestudio *n;* **4.** *tec* Einstellen *n*, Regulierung *f.*

registro [re'dʒistro] *m* **1.** *(libro, fascicolo, a. mus)* Register *n;* **2.** *tec* Regler *m;* **3.** *inform* Kurzspeicher *m*, Register *n;* ~ **di classe** Klassenbuch *n.*

regnante [reɲ'ɲante] **I.** *agg* **1.** *(casa, regina)* herrschend, Herrscher-; **2.** *(opinione)* herrschend; **II.** *mf* Herrscher(in) *m(f).* **regnare** [...'ɲa:re] *itr* **1.** *pol* herrschen, regieren; **2.** *fig* herrschen.

regno ['reɲɲo] *m* **1.** *pol (stato)* (König)-reich *n;* *(autorità, durata)* Herrschaft *f;* **2.** *fig* Reich *n;* *(animale, vegetale a.)* Welt *f;* ~ **animale/vegetale** Tier-/Pflanzenreich *n.*

regola ['rɛ:gola] *f* **1.** *(principio, norma)* Regel *f;* **2.** *(ordine)* Vorschrift *f;* **3.** *(misura, modo)* Maß *n;* **4.** *rel* Ordensregeln *f pl;* **5.** ⟨*pl*⟩ *(mestruazioni)* (Monats)regel *f;* **-e del gioco** Spielregeln *f pl;* **di** ~ in der Regel, normalerweise; **a** ~ **d'arte** fachgerecht; **l'eccezione conferma la** ~ Ausnahmen bestätigen die Regel.

regolamentare[1] [regolamen'ta:re] *agg* vorschriftsmäßig.

regolamentare[2] [regolamen'ta:re] *tr* reglementieren.

regolamentazione [regolamentat'tsio:-ne] *f* Reglementierung *f*, Regelung *f.*

regolamento [regola'mento] *m* **1.** *gener.* Ordnung *f*, Reglement *n;* *(norme)* Vorschriften *f pl*, Bestimmungen *f pl;* **2.** *(sistemazione)* Regulierung *f;* **3.** *econ* Abrechnung *f;* *(di debito)* Begleichung *f.*

regolare[1] [rego'la:re] **I.** *tr* **1.** *(ordinare)* regeln, ordnen; **2.** *(sistemare)* regulieren, in Ordnung bringen; *(debito)* begleichen; **3.** *tec* einstellen; *(orologio)* stellen; **II.** *rfl:* **-arsi** **1.** *(di comportamento)* sich verhalten; **2.** *(controllarsi)* sich beherrschen.

regolare[2] [rego'la:re] *agg* **1.** *gener., gram, mat* regelmäßig; **2.** *(in regola)* regulär, vorschriftsmäßig; *(secondo le norme)* geregelt; *(esercito)* regulär; **3.** *(proporzionato, costante)* gleichmäßig.

regolarità [regolari'ta] ⟨-⟩ *f* Regelmäßigkeit *f.*

regolarizzare [regolarid'dza:re] *tr* regulieren.

regolarmente [...lar'mente] *avv* regelmäßig; *(secondo il regolamento)* ordnungsgemäß.

regolata [rego'la:ta] *f fig fam:* **darsi una** ~ sich zusammenreißen *fam.*

regolatezza [regola'tettsa] *f* Regelmäßigkeit *f.* **regolato, -a** [...'la:to] *agg* geregelt; *(moderato)* maßvoll. **regolatore, -trice** [...'to:re] **I.** *agg* regelnd, regulierend; **II.** *m* Regulator *m*, Regler *m;* ~ **di contrasto** Kontrastregler *m;* **piano** ~ Bebauungsplan *m.* **regolazione** [...t'tsio:-ne] *f* Regulierung *f*, Reg(e)lung *f;* *inform* Einstellung *f;* ~ **di brillanza** Helligkeitsregelung *f.*

regolo ['rɛ:golo] *m* Stab *m*, Latte *f*, Leiste *f;* ~ **calcolatore** Rechenschieber *m.*

regredire [regre'di:re] ⟨regredisco, regredii, regredito *o* regresso⟩ *itr* ⟨*essere*⟩ **1.** *(tornare indietro)* zurückgehen, -weichen; **2.** *fig* zurückgehen, nachlassen. **regressione** [regres'sio:ne] *f* Rückgang *m;* *scient, psic* Regression *f;* ~ **economica (*o* della congiuntura)** Konjunkturrückgang *m.*

regresso [re'grɛsso] **I.** *pp di* **regredire;** **II.** *m* Rückgang *m;* *(a. fig)* Rückschritt *m.*

reietto, -a [re'iɛtto] *m, f* Ausgestoßene(r) *mf.*

reimpiego [reim'piɛ:go] ⟨-ghi⟩ *m* Wiederverwendung *f;* *(recupero al lavoro di categorie sociale)* Wiedereingliederung *f* in den Arbeitsprozeß.

reincarnazione [reiŋkarnat'tsio:ne] *f* Wiedergeburt *f*, Reinkarnation *f.*

reinserimento [reinseri'mento] *m* Wiedereinführung *f*, -eingliederung *f.*

reintegrare [reinte'gra:re] **I.** *tr* reintegrieren, wieder integrieren; *(in una carica)* wiedereinsetzen; **II.** *rfl:* **-arsi** sich wieder einfügen, sich reintegrieren. **reintegrazione** [...grat'tsi̯o:ne] *f* Reintegration *f,* Wiedereingliederung *f,* Wiedereinfügung *f.*

reinvestire [reinvest'ti:re] *tr* neu anlegen, reinvestieren.

reiterare [reite'ra:re] *tr lett* wiederholen.

relativamente [relativa'mente] *avv* relativ, verhältnismäßig; ~ **a** hinsichtlich +*gen,* bezüglich +*gen,* in bezug auf +*akk.*

relatività [relativi'ta] ⟨-⟩ *f* Relativität *f.*

relativo, -a [rela'ti:vo] *agg* relativ; *(che ha relazione a.)* bezüglich (*a* auf +*akk*); *gram* Relativ-.

relatore, -trice [rela'to:re] *m, f* Referent(in) *m(f).*

relax [re'laks] ⟨-⟩ *m* Entspannung *f;* **ora di** ~ Mußestunde *f.*

relazionale [relattsi̯o'na:le] *agg* Beziehungs-; *inform* relational.

relazione [relat'tsi̯o:ne] *f* **1.** *(esposizione)* Bericht *m,* Referat *n;* **2.** *(rapporto)* Beziehung *f,* Verhältnis *n;* **3.** *mat, fig* Relation *f;* **pubbliche -i** Öffentlichkeitsarbeit *f;* **avere una** ~ **con qu** mit jdm ein Verhältnis haben; **essere in buone -i con qu** zu jdm ein gutes Verhältnis haben; **in** ~ **a** in bezug auf +*akk;* **in** ~ **alla vostra richiesta del . . .** *amm* bezüglich Ihrer Anfrage vom . . .

relè [re'lɛ] ⟨-⟩ *m* Relais *n.*

relegare [rele'ga:re] *tr* **1.** *(allontanare)* verbannen; **2.** *fig (mettere in disparte)* beiseite stellen.

religione [reli'dʒo:ne] *f* Religion *f;* ~ **buddista/cristiana/ebraica/islamica** buddhistische/christliche/jüdische/mohamedanische Religion; ~ **naturale** Naturreligion *f;* ~ **di stato** Staatsreligion *f;* **l'ora di** ~ Religionsunterricht *m.*

religioso, -a [reli'dʒo:so] **I.** *agg* **1.** *rel* religiös, Religions-; **2.** *(pio)* fromm, religiös; **3.** *fig (devoto)* ehrfürchtig; **4.** *fig (diligente)* sorgfältig, gewissenhaft; **matrimonio** ~ kirchliche Trauung; **II.** *m, f* Ordensbruder *m,* -schwester *f.*

reliquia [re'li:kui̯a] ⟨-ie⟩ *f* Reliquie *f.* **reliquiario** [reli'kui̯a:ri̯o] ⟨-i⟩ *m* Reliquienschrein *m,* Reliquiar *n.*

relitto [re'litto] *m (a. fig)* Wrack *n.*

rem [rɛm] *m* ⟨-⟩ Rem *n.*

remainder [rɪ'meɪndə] ⟨-⟩ *m* **1.** *(libro)* Buch *n* zum Ramschpreis, Buch *n* im modernen Antiquariat; **2.** *(libreria)* modernes Antiquariat.

remare [re'ma:re] *itr* rudern. **rematore, -trice** [rema'to:re] *m, f* Ruderer *m,* Rud(r)erin *f.*

reminiscenza [reminiʃ'ʃɛntsa] *f* Reminiszenz *f geh.*

remissione [remis'si̯o:ne] *f* **1.** *(rel, perdono)* Erlaß *m;* **2.** *dir* Nachlaß *m,* Erlaß *m; (di querela, causa)* Rücknahme *f;* **3.** *(sottomissione)* Ergebenheit *f.*

remissività [remissivi'ta] ⟨-⟩ *f* Gefügigkeit *f.* **remissivo, -a** [...'si:vo] *agg* gefügig, nachgiebig.

remo ['rɛ:mo] *m* Ruder *n.*

remoto, -a [re'mɔ:to] *agg* **1.** *(tempo, causa)* (längst) vergangen, weit zurückliegend; **2.** *(paese, località)* abgelegen, weit entfernt; **3.** *gram:* **passato** ~ historisches Perfekt.

rena ['re:na] *f* Sand *m.*

renale [re'na:le] *agg* Nieren-.

Renania [re'na:ni̯a] *f* Rheinland *n;* **~-Palatinato** Rheinland-Pfalz *n;* ~ **Settentrionale-Vestfalia** Nordrhein-Westfalen *n.*

Renata [re'na:ta] *(nome proprio femminile)* Renate.

rendere ['rɛndere] ⟨rendo, resi, reso⟩ **I.** *tr* **1.** *(restituire)* zurückgeben; *fin* zurückerstatten; **2.** *(servizio, grazie, onore)* erweisen; **3.** *(fruttare)* einbringen, abwerfen; **4.** *(far diventare)* machen; **5.** *(tradurre)* wiedergeben, übertragen; **6.** *(raffigurare)* wiedergeben, widerspiegeln; **bottiglia (***o* **vuoto) a** ~ Pfandflasche *f;* ~ **bene/male** sich rentieren/sich nicht rentieren, viel/wenig einbringen; ~ **conto** Rechenschaft ablegen (*di qc* über etw. *akk*); ~ **giustizia** gerecht werden; **non** ~ **sul lavoro/a scuola** bei der Arbeit/in der Schule nichts leisten; ~ **pan per focaccia** Gleiches mit Gleichem vergelten; **un impiego che rende** eine gutbezahlte Stellung; **II.** *rfl:* **-ersi** sich machen; **-ersi utile/simpatico** sich nützlich/beliebt machen; **-ersi conto di qc** sich *(dat)* über etw. *(akk)* im klaren sein.

rendiconto [rendi'konto] *m* **1.** *(resoconto)* (Rechenschafts)bericht *m;* **2.** *com* Rechnungslegung *f;* ~ **annuo** Jahresbericht *m.*

rendimento [rendi'mento] *m* **1.** *(funzionalità)* Leistung *f; (di persona a.)* Leistungsfähigkeit *f;* **2.** *(reddito)* Ertrag *m;* ~ **annuo** Jahresleistung *f.*

rendita ['rɛndita] *f* Rendite *f;* **vivere di** ~ von den Zinsen leben.

rene ['rɛ:ne] *m* Niere *f.*

reni ['re:ni] *f pl* Kreuz *n; (a. di animali)* Lenden *f pl.*

renitente [reni'tɛnte] **I.** *agg* widersetzlich, renitent *geh;* **II.** *m:* ~ **alla leva** Wehrdienstverweigerer *m.*

renna ['rɛnna] *f* Ren(tier) *n.*

Reno ['rɛ:no] *m* Rhein *m;* ~ **inferiore/superiore** Niederrhein/Oberrhein *m.*

reo, -a ['rɛ:o] **I.** *agg* schuldig; **II.** *m, f* Schuldige(r) *mf.*

reparto [re'parto] *m* Abteilung *f,* Ressort *n; (in ospedale)* Station *f;* ~ **di cure intensive,** ~ **di rianimazione** Intensivstation *f.*

repellente [repel'lɛnte] *agg* abstoßend.
repentaglio [repen'taʎʎo] ⟨-gli⟩ *m* Risiko *n;* **mettere a ~** gefährden.
repentino, -a [repen'ti:no] *agg* plötzlich, augenblicklich.
reperibilità [reperibili'ta] ⟨-⟩ *f* **1.** *(di persone)* Erreichbarkeit *f;* **2.** *(di cose)* Auffindbarkeit *f;* **3.** *inform (di informazioni)* Abfragemöglichkeit *f;* **servizio di ~** Bereitschaftsdienst *m.*
reperire [repe'ri:re] ⟨reperisco⟩ *tr* auffinden; *inform (di informazioni)* wiedergewinnen, widerauffinden.
reperto [re'pɛrto] *m* **1.** *(archeologico)* Fund *m;* **2.** *(giudiziario)* Beweisstück *n;* **3.** *med* Befund *m.*
repertorio [reper'tɔ:'ri̯o] ⟨-i⟩ *m* **1.** *teat, mus* Repertoire *n;* **2.** *fig* Sammlung *f.*
replay [ri:'plei] ⟨-⟩ *m TV* Szenenwiederholung *f.*
replica ['rɛ:plika] ⟨-che⟩ *f* **1.** *(risposta)* Entgegnung *f,* Erwiderung *f; (obiezione)* Widerspruch *m;* **2.** *teat* Wiederaufführung *f;* **3.** *TV, radio* Wiederholung(ssendung) *f;* **4.** *(nell'arte)* Nachbildung *f,* Replik *f;* **5.** *(ripetizione)* Wiederholung *f.*
replicare [repli'ka:re] ⟨replico, replichi⟩ *tr* **1.** *(ripetere)* wiederholen; **2.** *teat* wiederaufführen; **3.** *(rispondere)* erwidern, entgegnen.
reportage [rəpor'ta:ʒ] ⟨-⟩ *m* Reportage *f,* Bericht *m.*
repressi [re'prɛssi] *p rem di* **reprimere.**
repressione [repres'si̯o:ne] *f* **1.** *pol* Repression *f,* Unterdrückung *f;* **2.** *psic* Unterdrückung *f.*
represso, -a [re'prɛsso] *agg* unterdrückt.
reprimere [re'pri:mere] ⟨reprimo, repressi, represso⟩ **I.** *tr* unterdrücken; **II.** *rfl:* **-ersi** sich beherrschen.
repubblica [re'pubblika] ⟨-che⟩ *f* Republik *f;* **R~ Federale Tedesca** (*abbr* **R.F.T.**) Bundesrepublik *f* Deutschland (*abk* BRD); **R~ Democratica Tedesca** (*abbr* **R.D.T.**) *st* Deutsche Demokratische Republik (*abk* DDR); **~ presidenziale** Präsidialrepublik *f;* **prima ~** *st* erste Republik *(in Italien von 1947 bis Anfang der 90er Jahre);* **seconda ~** zweite Republik *(in Italien seit Anfang der 90er Jahre).* **repubblicano, -a** [...'ka:no] **I.** *agg* republikanisch; **II.** *m, f* **1.** *(sostenitore della repubblica)* Republikaner(in) *m(f);* **2.** *(membro)* Mitglied der Partito Repubblicano Italiano.
repulisti [repu'listi] *m:* **fare (un) ~** ausnisten *fam.*
repulsione [repul'si̯o:ne] *f* **1.** *fis* Repulsion *f,* Abstoßung *f;* **2.** *(ripulsione)* Abneigung *f.*
reputare [repu'ta:re] **I.** *tr* erachten (*o* halten) für; **II.** *rfl:* **-arsi** sich halten für. **reputazione** [...tat'tsi̯o:ne] *f* Ruf *m,* Reputation *f geh.*
requie ['rɛ:ku̯ie] *f lett* Ruhe *f.*
requisire [reku̯i'zi:re] ⟨requisisco⟩ *tr* requirieren, beschlagnahmen.
requisito [reku̯i'zi:to] *m* Voraussetzung *f.*
requisitoria [reku̯izi'tɔ:ri̯a] ⟨-ie⟩ *f* Plädoyer *n,* Anklagerede *f.*
requisizione [reku̯izit'tsi̯o:ne] *f* Requisition *f,* Beschlagnahmung *f.*
resa ['re:sa] *f* **1.** *mil* Kapitulation *f;* **2.** *(restituzione)* Abgabe *f,* Rückgabe *f;* **3.** *(rendimento)* Leistung *f;* **~ dei conti** *(a. fig)* Abrechnung *f.*
rescindere [reʃ'ʃindere] ⟨*irr*⟩ *tr* aufheben, annullieren, für ungültig erklären; **~ un contratto** einen Vertrag auflösen. **rescissione** [...ʃis'si̯o:ne] *f* Aufhebung *f,* Auflösung *f,* Ungültigkeitserklärung *f.*
resi ['re:si] *p rem di* **rendere.**
Resia ['rɛ:zi̯a] *f* Reschen *n.*
residence ['rezidəns] ⟨-⟩ *m* **1.** *(complesso alberghiero)* Ferienwohnanlage *f,* Apartmenthotel *n;* **2.** *(complesso di abitazioni)* Wohnanlage *f.*
residente [resi'dɛnte] **I.** *agg* wohnhaft, ansässig; **II.** *mf* Ansässige(r) *mf.* **residenza** [...'dɛntsa] *f* **1.** *(sede)* Wohnsitz *m;* **2.** *(di sovrani)* Residenz *f;* **3.** *(diplomazia)* Sitz *m;* **luogo di ~** Wohnort *m;* **notificare il cambio di ~** sich ummelden. **residenziale** [...den'tsi̯a:le] *agg* Wohn-.
residuo, -a [re'si:duo] **I.** *agg* restlich, Rest-; **II.** *m* **1.** *com* Überschuß *m;* **2.** *(rimanenza)* Rest *m;* **3.** *chim, fis* Rückstand *m,* Rest *m;* **4.** *fig* Rest *m,* Überbleibsel *n;* **~ di filtrazione** *tec* Filterkuchen *m.*
resina ['rɛ:zina] *f* Harz *n.*
resistente [resis'tɛnte] *agg* widerstandsfähig (*a* gegen); *med, fis* resistent (*a* gegen); **~ al calore/al fuoco** hitze-/feuerfest; **~ agli agenti atmosferici** wetterfest, witterungsbeständig. **resistenza** [...'tɛntsa] *f* **1.** *(opposizione, sforzo)* Widerstand *m;* **2.** *(capacità)* Widerstandsfähigkeit *f;* **3.** *fis* Widerstand *m;* **4.** *mil* Widerstand *m,* Gegenwehr *f;* **5.** *(di materiale)* Haltbarkeit *f,* Strapazierfähigkeit *f; (di persona)* Ausdauer *f;* **opporre ~** Widerstand leisten; **la ~ italiana/francese** *st* die italienische/französische Widerstandsbewegung.
resistere [re'sistere] ⟨resisto, resistei *o* resistetti, resistito⟩ *itr* **1.** *(opporsi)* Widerstand leisten (*a* gegen); **2.** *(sopportare) standhalten;* **3.** *(non patir danno)* vertragen (*a qc* etw.), aushalten (*a qc* etw.); **resisti!** halte durch!.
reso ['re:so] *pp di* **rendere.**
resoconto [reso'konto] *m (relazione)* Bericht *m,* Zusammenfassung *f; (esposizione)* (Rechenschafts)bericht *m.*
respingente [respin'dʒɛnte] *m* Puffer *m.*
respingere [res'pindʒere] ⟨*irr*⟩ *tr* **1.** *(nemico, aggressore)* zurückdrängen, abwehren; **2.** *(regalo)* zurückweisen, nicht

annehmen; **3.** *(proposta)* ablehnen; *(accusa)* zurückweisen; **4.** *(bocciare)* nicht versetzen, nicht bestehen lassen; **5.** *sport* abwehren.

respirare [respi'ra:re] **I.** *itr* **1.** *biol* atmen; **2.** *fig* aufatmen; ~ **col naso/con la bocca** durch die Nase/den Mund atmen; **II.** *tr* (ein)atmen. **respiratore** [...ra'to:re] *m* **1.** *naut* Schnorchel *m;* **2.** *med* Beatmungsgerät *n.* **respirazione** [...rat'tsio:ne] *f* Atmung *f;* ~ **artificiale** künstliche Beatmung; ~ **bocca a bocca** Mund-zu-Mund-Beatmung *f.*

respiro [res'pi:ro] *m* **1.** *(il respirare)* Atem *m;* **2.** *(singolo atto)* Atemzug *m;* **3.** *(riposo)* Atempause *f;* **4.** *mus* Atemzeichen *n;* **di ampio** ~ *fig* breit angelegt; **una cosa da togliere il** ~ eine atemberaubende Sache.

responsabile [respon'sa:bile] **I.** *agg* **1.** *(conscio)* verantwortungsbewußt; **2.** *(investito di responsabilità)* verantwortlich (*di* für), haftbar (*di* für); **II.** *mf* Verantwortliche(r) *mf;* ~ **della protezione dati** Datenschutzbeauftragte(r) *m(f).* **responsabilità** [...sabili'ta] ⟨-⟩ *f* **1.** *(consapevolezza)* Verantwortung *f;* **2.** *dir* Haftung *f;* ~ **civile** Haftpflicht *f;* **a** ~ **limitata** mit beschränkter Haftung. **responsabilizzare** [...sabilid'dza:re] **I.** *tr* verantwortlich machen; **II.** *rfl:* **-arsi** (die) Verantwortung auf sich nehmen.

responso [res'pɔnso] *m* **1.** *(di oracolo)* (Orakel)spruch *m;* **2.** *(di giuria, commissione)* (Schieds)spruch *m.*

ressa ['rɛssa] *f* Gedränge *n.*

ressi ['rɛssi] *p rem di* **reggere.**

restante [res'tante] **I.** *agg* restlich, übrig; **posta** ~ postlagernd; **II.** *m* Rest *m.*

restare [res'ta:re] *itr* ⟨*essere*⟩ **1.** *(rimanere, continuare a stare)* bleiben; **2.** *(diventare)* werden; **3.** *(essere situato)* liegen, sein; **4.** *(avanzare)* (übrig-, ver)bleiben; ~ **a pranzo** zum Essen bleiben; ~ **deluso** enttäuscht werden; ~ **indietro** zurückbleiben; **resta a vedere se ...** man muß sehen, ob ...; **non resta che ...** es bleibt nichts anderes übrig, als ...

restaurare [restau'ra:re] *tr* restaurieren. **restauratore, -trice** [...ra'to:re] *m, f* Restaurator(in) *m(f).* **restaurazione** [...rat'tsio:ne] *f* Restauration *f.* **restauro** [res'ta:uro] *m* Restaurierung *f;* **chiuso per** ~ wegen Restaurierungsarbeiten geschlossen.

restio, -a [res'ti:o] ⟨-ii, -ie⟩ *agg* **1.** *(riluttante)* abgeneigt; **2.** *(mulo, cavallo)* störrisch; **essere** ~ **a fare qc** abgeneigt sein, etw. zu tun.

restituire [restitu'i:re] ⟨restituisco⟩ *tr* **1.** *(oggetto)* zurückgeben; *fin* zurückerstatten; **2.** *(contraccambiare)* erwidern. **restituzione** [...ut'tsio:ne] *f* Rückgabe *f.*

resto ['rɛsto] *m* **1.** *(avanzo)* Rest *m;* **2.** *(differenza di denaro)* Wechselgeld *n,* Rest *m;* **3.** ⟨*pl*⟩ Überreste *m pl;* **~i mortali** sterbliche Überreste *pl;* **dare il** ~ **a qu** jdm herausgeben; **del** ~ im übrigen, übrigens.

restringere [res'trindʒere] ⟨*irr*⟩ **I.** *tr* **1.** *(abito, ecc.)* enger machen; **2.** *fig* einschränken, begrenzen; **II.** *rfl:* **-ersi** **1.** *(diventar stretto)* eng(er) werden; *(stoffa a.)* einlaufen; **2.** *(persone)* zusammenrücken, sich zusammendrängen. **restrittivo, -a** [...it'ti:vo] *agg* einschränkend, restriktiv. **restrizione** [...it'tsio:ne] *f* Einschränkung *f,* Restriktion *f.*

restyling [ri:'stailiŋ] ⟨-⟩ *m* **1.** *(rinnovamento del design)* neues Design; **2.** *(ridimensionamento, aggiornamento)* Neugestaltung *f.* **resurrezione** [resurret'tsio:ne] *v.* **risurrezione.**

retata [re'ta:ta] *f* **1.** *fig (di persone)* Razzia *f,* Massenverhaftung *f;* **2.** *(di pesci, uccelli)* (Netz)fang *m.*

rete ['re:te] *f* **1.** *(per pescare, a. fig)* Netz *n; (per cacciare a.)* Schlinge *f;* **2.** *(intreccio)* Netz *n,* Geflecht *n;* **3.** *sport* Tor *n; (tennis, ping-pong)* Netz *n;* **4.** *TV* Sender *m,* Kanal *m;* **5.** *inform* Netz(werk) *n;* ~ **ferroviaria/stradale** Eisenbahn-/Straßennetz *n;* ~ **locale** *inform* lokales Netzwerk; ~ **a strascico** Schleppnetz *n;* ~ **di distribuzione** *econ* Verteilernetz *n;* ~ **per capelli** Haarnetz *n;* ~ **per la spesa** Einkaufsnetz *n;* ~ **metallica** Maschendraht *m;* **gettare/tirare la** ~ das Netz auswerfen/einholen; **cadere nella** ~ ins Netz gehen.

Rete ['re:te] *f pol:* **La R~** *linksgerichtete Protestpartei in Italien.*

reticente [reti'tʃɛnte] *agg* verschwiegen. **reticenza** [...'tʃɛntsa] *f* Verschwiegenheit *f,* Zurückhaltung *f.*

reticolato, -a [retiko'la:to] *m* **1.** *(intreccio)* Geflecht *n,* Netzwerk *n;* **2.** *mil* Drahtverhau *m;* **3.** *geog* Netz *n.*

reticolo [re'ti:kolo] *m* Netz *n,* Gitter *n.*

retina[1] ['rɛ:tina] *f anat* Netzhaut *f,* Retina *f wissensch.*

retina[2] [re'ti:na] *f (per capelli)* Haarnetz *n.*

retore ['rɛ:tore] *m st* Rhetor *m.*

retorica [re'tɔ:rika] ⟨-che⟩ *f* Rhetorik *f.* **retorico, -a** [...ko] ⟨-ci, -che⟩ *agg* rhetorisch.

retribuire [retribu'i:re] ⟨retribuisco⟩ *tr* entlohnen. **retributivo, -a** [...u'ti:vo] *agg* Vergütungs-, Entlohnungs-. **retribuzione** [...ut'tsio:ne] *f* Lohn *m,* Entlohnung *f,* Vergütung *f.*

retro ['rɛ:tro] **I.** *avv* hinten; **vedi** ~ bitte wenden; **II.** *m* Rückseite *f;* **sul** ~ auf der Rückseite; *(di foglio, pagina)* umseitig.

rétro [re'tro] ⟨*inv*⟩ *agg* nostalgisch; *(retrospettivo)* retrospektiv; **mostra ~, rassegna** ~ Retrospektive *f geh.*

retroattivo, -a [retroat'ti:vo] *agg* rück-

wirkend.
retrobottega [-bot'te:ga] ⟨-⟩ *m* Hinterzimmer *n,* Nebenraum *m* (in einem Laden).
retrocedere [-'tʃɛ:dere] ⟨retrocedo, retrocessi, retrocesso⟩ **I.** *itr* ⟨*essere*⟩ **1.** *(indietreggiare)* zurückweichen, -gehen; **2.** *fig* Abstand nehmen; **II.** *tr* ⟨*avere*⟩ **1.** *sport* zurückstufen, absteigen lassen; **2.** *mil* degradieren.
retrodatare [-da'ta:re] *tr* (zu)rückdatieren.
retrogrado, -a [re'trɔ:grado] **I.** *agg* **1.** *(persone, idee, mentalità)* rückständig; **2.** *(moto, movimento)* rückläufig; **II.** *m, f* Rückständige(r) *mf.*
retroguardia [retro'guardia] *f* Nachhut *f.*
retromarcia [-'martʃa] *f* Rückwärtsgang *m;* **fare ~** rückwärts fahren; **mettere la ~** den Rückwärtsgang einlegen.
retroscena [-ʃ'ʃɛ:na] ⟨-⟩ *m* **1.** ⟨*pl*⟩ *fig* Hintergründe *m pl;* **2.** *teat* Vorgänge *m pl* hinter den Kulissen.
retrospettiva [-spet'ti:va] *f* Retrospektive *f geh,* Rückblende *f.* **retrospettivo, -a** [...vo] *agg* retrospektiv *geh,* rückblickend; **mostra ~a** Retrospektive *f;* **sguardo ~** Rückblick *m.*
retrostante [-s'tante] *agg* dahinterliegend, Hinter-.
retroterra [-'tɛrra] ⟨-⟩ *m* Hinterland *n.*
retrotreno [-'trɛ:no] *m* Hinterachse *f.*
retrovia [-'vi:a] *f* ⟨*di solito al pl*⟩ Etappe *f,* Nachschubgebiet *n.*
retrovisore [-vi'zo:re] *m* Rückspiegel *m.*
retta[1] ['rɛtta] *f:* **dar ~ a qu** auf jdn hören.
retta[2] ['rɛtta] *f (di convitto, pensionato)* Pension *f.*
retta[3] ['rɛtta] *f mat* Gerade *f.*
rettangolare [rettaŋgo'la:re] *agg* rechteckig; *(triangolo)* rechtwinklig. **rettangolo, -a** [...'taŋgolo] **I.** *agg* rechteckig; *(triangolo)* rechtwinklig; **II.** *m* **1.** *mat* Rechteck *n;* **2.** *sport* Feld *n.*
rettifica [ret'ti:fika] ⟨-che⟩ *f* **1.** *(correzione)* Richtigstellung *f,* Berichtigung *f;* **2.** *tec* Schliff *m,* Schleifen *n.* **rettificare** [rettifi'ka:re] ⟨rettifico, rettifichi⟩ *tr* **1.** *(strada, curva)* begradigen; **2.** *fig (correggere)* berichtigen, richtigstellen; **3.** *tec* schleifen. **rettificazione** [...kat'tsio:ne] *f* **1.** *(modificazione)* Begradigung *f;* **2.** *fig* Berichtigung *f,* Richtigstellung *f.*
rettile ['rɛttile] *m* Reptil *n.*
rettilineo, -a [retti'li:neo] **I.** *agg* **1.** *(strada, percorso)* g(e)radlinig; **2.** *fig* redlich, aufrichtig, g(e)radlinig; **II.** *m* gerade Strecke, Gerade *f.*
rettitudine [retti'tu:dine] *f* Redlichkeit *f,* Rechtschaffenheit *f,* Aufrichtigkeit *f.*
retto, -a ['rɛtto] **I.** *pp di* **reggere; II.** *agg* **1.** *mat (linea)* gerade; *(angolo)* rechte(r, s); **2.** *(diritto)* gerade; **3.** *(onesto)* aufrichtig, redlich, rechtschaffen; **4.** *(corretto)* richtig, korrekt; **III.** *m* Mastdarm *m,* Rektum *n wissensch.*
rettorato [retto'ra:to] *m* Rektorat *n.* **rettore, -trice** [...'to:re] *m, f* Rektor(in) *m(f).*
reumatico, -a [reu'ma:tiko] ⟨-ci, -che⟩ *agg* rheumatisch. **reumatismo** [reuma'tizmo] *m* Rheuma *n,* Rheumatismus *m.*
reverendo, -a [reve'rɛndo] **I.** *agg* hoch-, ehrwürdig; **II.** *m* Hochwürden *m.*
reversibile [rever'si:bile] *agg* **1.** *(moto, processo)* reversibel, umkehrbar; **2.** *com, dir* reversibel, übertragbar.
revisionare [revizio'na:re] *tr* einer Revision unterziehen; *(tec a.)* überholen; *(conti, bilancio, cassa a.)* (über)prüfen, durchsehen. **revisione** [...'zio:ne] *f* Revision *f,* (Über)prüfung *f; (tec a.)* Überholung *f.* **revisore, -a** [...'zo:re] *m, f* Revisor(in) *m(f); (di bozze)* Korrektor(in) *m(f);* **~ dei conti** Rechnungsprüfer *m.*
revival [ri'vaivəl] ⟨-⟩ *m* Revival *n.*
revoca ['rɛ:voka] ⟨-che⟩ *f* Widerruf *m.* **revocare** [revo'ka:re] ⟨revoco, revochi⟩ *tr* widerrufen.
revolver [re'vɔlver] ⟨-⟩ *m* Revolver *m.* **revolverata** [revolve'ra:ta] *f* Revolverschuß *m.*
R.F.T. *f abbr di* **Repubblica Federale Tedesca** BRD *f* (*abk von* Bundesrepublik Deutschland).
ri- [ri-] *(in parole composte)* zurück-; *(di nuovo)* wieder(-), von neuem.
riabilitare [-abili'ta:re] **I.** *tr* **1.** *fig, dir* rehabilitieren; **2.** *(impianto, industria)* wiederherstellen; **3.** *(persona)* wieder befähigen; **II.** *rfl:* **-arsi** sich rehabilitieren. **riabilitazione** [...tat'tsio:ne] *f* Rehabilitation *f;* **clinica di ~** Rehabilitationsklinik *f.*
riaccendere [-at'tʃɛndere] ⟨*irr*⟩ **I.** *tr* wieder anzünden; *fig* wieder entfachen; **II.** *rfl:* **-ersi** *(a. fig)* sich wieder entzünden.
riaccomodare [-akkomo'da:re] *tr* wieder ausbessern.
riaccompagnare [-akkompaɲ'ɲa:re] *tr* zurückbegleiten.
riacquistare [-akkuis'ta:re] *tr* **1.** *(bene, gioiello)* zurückkaufen; **2.** *fig* wiedererlangen, wiedergewinnen.
riaddestramento [-addestra'mento] *m (di lavoratori)* Umschulung *f.*
riagganciare [-aggan'tʃa:re] *tr tel:* **~ il telefono (*o* il ricevitore)** den Hörer auflegen (*o* einhängen).
riaggiustare [-addʒus'ta:re] *tr* wieder in Ordnung bringen.
rialzamento [-altsa'mento] *m* **1.** *(di terreno)* Erhebung *f;* **2.** *(dei prezzi)* Erhöhung *f.*
rialzare [-al'tsa:re] **I.** *tr* ⟨*avere*⟩ **1.** *(alzare di nuovo)* wieder aufrichten; *(testa)* wieder erheben; **2.** *(alzare di più)* höher machen, erhöhen; **3.** *(prezzi)* (wieder)

erhöhen; **II.** *itr* ⟨*essere*⟩ **1.** *(prezzi)* (wieder) steigen (*di* um); **2.** *(temperatura)* (wieder) ansteigen (*di* um); **III.** *rfl:* **-arsi** **1.** *(risollevarsi)* wieder aufstehen; **2.** *fig* sich wieder erholen; **3.** *(termometro)* wieder steigen. **rialzato, -a** [-al'tsa:to] *agg* erhöht.

rialzista [-al'tsista] ⟨-i *m,* -e *f*⟩ *mf* Haussier *m.*

rialzo [-'altso] *m* **1.** *(di prezzi)* Erhöhung *f*, Steigerung *f;* **2.** *(di terreno)* Erhebung *f;* **essere in** ~ steigen; *fig* (an) Boden gewinnen; **giocare al** ~ *econ* auf Hausse spekulieren.

riandare [-an'da:re] ⟨*irr*⟩ **I.** *itr* ⟨*essere*⟩ **1.** *(andare di nuovo)* wieder gehen; **2.** *fig* zurückkehren; **II.** *tr* ⟨*avere*⟩ wieder durchlaufen, sich *(dat)* wieder vergegenwärtigen.

rianimare [-ani'ma:re] **I.** *tr* **1.** *(restituire forze)* wiederbeleben; **2.** *fig (restituire fiducia)* ermutigen; **II.** *rfl:* **-arsi** **1.** *(riprendere forza)* wiederaufleben; **2.** *fig (riprender coraggio)* wieder Mut schöpfen; **3.** *fig (luogo)* sich beleben. **rianimazione** [...mat'tsjo:ne] *f* Wiederbelebung *f; (med a.)* Reanimation *f;* **reparto (***o* **centro) di** ~ Intensivstation *f.*

riapertura [-aper'tu:ra] *f* Wiedereröffnung *f; (delle scuole)* Schuljahresbeginn *m.* **riaprire** [-a'pri:re] ⟨*irr*⟩ **I.** *tr* **1.** *(porta, cassetto)* wieder öffnen; **2.** *(teatro, negozio)* wiedereröffnen; *(scuole)* wieder beginnen; **3.** *fig (piaga)* wieder aufreißen; **II.** *rfl:* **-irsi** wiedereröffnet werden.

riappropriarsi [-appro'prjarsi] ⟨mi riapproprio, ti riappropri⟩ *rfl* wiedergewinnen (*di qc* etw. sich *(dat))* wieder aneignen (*di qc* etw.).

riarmare [-ar'ma:re] **I.** *tr* wiederbewaffnen; *mil* aufrüsten; **II.** *rfl:* **-arsi** sich wiederbewaffnen; *mil* aufrüsten. **riarmo** [-'armo] *m* Aufrüstung *f; (modernizzazione)* Nachrüstung *f;* **corsa al** ~ Rüstungswettlauf *m.*

riarso, -a [-'arso] *agg* **1.** *(terreno)* ausgedorrt; **2.** *(gola)* ausgetrocknet.

riassetto [-as'sɛtto] *m* **1.** *(il riordinare)* Aufräumen *n;* **2.** *fig* (Neu)regelung *f.*

riassorbire [-assor'bi:re] **I.** *tr* **1.** *(assorbire di nuovo)* wieder aufsaugen; **2.** *fig* wieder aufnehmen; **II.** *rfl:* **-irsi** wieder aufgesaugt werden.

riassumere [-as'su:mere] ⟨*irr*⟩ *tr* **1.** *(operaio)* wiedereinstellen; **2.** *(carica, funzione)* wieder übernehmen; **3.** *(sintetizzare)* nacherzählen, zusammenfassen. **riassuntivo, -a** [-assun'ti:vo] *agg* zusammenfassend. **riassunto, -a** [-as'sunto] **I.** *m* Nacherzählung *f*, Zusammenfassung *f;* **II.** *agg (di operaio)* wiedereingestellt. **riassunzione** [...n'tsjo:ne] *f* Wiedereinstellung *f.*

riattare [-at'ta:re] *tr* ausbessern.

riattivare [-atti'va:re] *tr* reaktivieren *(a. med),* wiederbeleben; *(fare funzionare)* wieder in Gang setzen.

riavere [-a've:re] ⟨riò, *irr come avere*⟩ **I.** *tr* **1.** *(libri, soldi)* wiederbekommen; **2.** *(vista)* wiedererlangen; **3.** *(avere un'altra volta)* wieder haben; **II.** *rfl:* **-ersi** **1.** *(recuperare la salute, fig fin)* sich (wieder) erholen; **2.** *(riprendere i sensi)* wieder zu sich *(dat)* kommen.

riavvicinamento [-avvitʃina'mento] *m* **1.** *(il riavvicinare)* Wiederannäherung *f;* **2.** *fig* Aussöhnung *f.* **riavvicinare** [...'na:re] **I.** *tr* **1.** *(oggetti)* wieder annähern, wieder zusammenrücken; **2.** *fig* aussöhnen; **II.** *rfl:* **-arsi** sich wieder annähern.

riavvolgimento [-avvoldʒi'mento] *m* Rücklauf *m,* Zurückspulen *n.*

ribadire [-ba'di:re] ⟨ribadisco⟩ *tr* bekräftigen.

ribalta [-'balta] *f* **1.** *teat* Rampe *f;* **2.** *(chiusura)* Klappe *f;* **venire (***o* **salire) alla** ~ *fig* (groß) herauskommen.

ribaltabile [-bal'ta:bile] **I.** *agg* Klapp-, klappbar; **II.** *m* **1.** *(parte di autocarro)* kippbare Ladefläche; **2.** *(autocarro)* Kipper *m.*

ribaltare [-bal'ta:re] **I.** *tr* **1.** *(capovolgere)* umkippen; **2.** *fig* verkehren; *(governo)* stürzen; **II.** *rfl:* **-arsi** umkippen.

ribaltina [ribal'ti:na] *f* **1.** *(scrittoio)* Sekretär *m;* **2.** *(parte della sopraccoperta di un libro)* Klappe *f.*

ribassare [ribas'sa:re] **I.** *tr* ⟨*avere*⟩ herabsetzen, senken; **II.** *itr* ⟨*essere*⟩ sinken (*di* um), fallen (*di* um). **ribassista** [...'sista] ⟨-i *m,* -e *f*⟩ *mf* Baissier *m.* **ribasso** [...'basso] *m* (Preis)senkung *f*, -rückgang *m; (alla borsa)* Baisse *f;* **in** ~ *fin* (ab)bröckelnd, fallend; **tendenza al** ~ sinkende Tendenz; **essere in** ~ sinken; **giocare al** ~ *econ* auf Baisse spekulieren.

ribattere [-'battere] **I.** *tr* **1.** *(tappeto, materasso, coperta)* erneut klopfen; **2.** *sport* zurückschlagen; **3.** *fig (respingere)* zurückweisen; **4.** *fig (contraddire)* widersprechen; *(accuse, ragioni, motivazioni)* widerlegen; **5.** *(riscrivere a macchina* nochmal(s) tippen (*o* schreiben); **II.** *itr* bestehen (*su* auf *+dat*), zurückkommmen (*su* auf *+akk*).

ribattino [-bat'ti:no] *m* Niet *m,* Niete *f.*

ribellarsi [ribel'larsi] *rfl* **1.** *(sollevarsi)* rebellieren (*a* gegen), sich erheben (*a* gegen), sich auflehnen (*a* gegen); **2.** *(non ubbidire)* sich widersetzen (*a qu/qc* jdm/einer S.); **3.** *fig* sich sträuben (*a* gegen).

ribelle [ri'bɛlle] **I.** *agg* **1.** *(insorto)* rebellisch, aufständisch; **2.** *(indocile)* widerspenstig, störrisch; **II.** *mf* Rebell(in) *m(f),* Aufständische(r) *mf.* **ribellione** [ribel'ljo:ne] *f* **1.** *(rivolta)* Rebellion *f* (*a* gegen), Aufstand *m* (*a* gegen); **2.** *(rifiuto d'ubbidienza)* Auflehnung *f* (*a* gegen).

ribes ['ri:bes] ⟨-⟩ *m* Johannisbeere *f*.

ribollire [ribol'li:re] **I.** *itr* **1.** *(bollire nuovamente)* wieder kochen; **2.** *(fermentare)* gären; **3.** *(fare bolle)* schäumen; **4.** *fig* kochen, in Wallung geraten; **II.** *tr* erneut (auf)kochen. **ribollita** [-bol'li:ta] *f toskanisches Eintopfgericht aus Brot, Bohnen und Kohl.*

ribrezzo [-'breddzo] *m* Ekel *m*, Abscheu *m;* **fare** ~ Abscheu erregen.

ributtante [-but'tante] *agg* ekelhaft, abstoßend.

ributtare [-but'ta:re] **I.** *tr* **1.** *(buttare di nuovo)* wieder werfen; *(a qualcuno)* zurückwerfen; **2.** *(vomitare)* erbrechen; **II.** *itr* **1.** *(ripugnare)* abstoßen; **2.** *(pianta)* austreiben, sprießen; **III.** *rfl:* **-arsi** sich wieder werfen; *fig* sich wieder stürzen.

ricacciare [-kat'tʃa:re] *tr* **1.** *mil* zurückwerfen, -schlagen; **2.** *(mandar via)* verjagen, vertreiben; **3.** *(rimettere con forza)* einrammen; **4.** *sl* herausrücken.

ricadere [-ka'de:re] ⟨*irr*⟩ *itr* ⟨*essere*⟩ **1.** *(cadere di nuovo)* wieder fallen; **2.** *fig* wieder verfallen (*in* in *+akk*); **3.** *fig (riversarsi)* treffen *(su +akk); (abiti)* fallen. **ricaduta** [-ka'du:ta] *f* **1.** *med* Rückfall *m;* **2.** *(il ricadere)* erneutes Fallen; ~ **radioattiva** radioaktiver Niederschlag, Fallout *m*.

ricalcare [-kal'ka:re] *tr* **1.** *(tracce, cappello)* wieder (ein)drücken; **2.** *(disegno)* (durch)pausen; **3.** *fig (seguire un modello)* nachzeichnen, nachahmen; ~ **le orme di qu** *fig* in jds Fußstapfen treten.

ricalcitrare [-kaltʃi'tra:re] *itr* **1.** *zoo* ausschlagen; **2.** *fig* sich auflehnen.

ricamare [rika'ma:re] *tr* **1.** *(tovaglia, fazzoletto, cuscino)* sticken; **2.** *fig fam (racconto)* ausschmücken. **ricamatrice** [...ma'tri:tʃe] *f* Stickerin *f*.

ricambiare [-kam'bja:re] *tr* **1.** *(auguri, cortesia, favore)* erwidern; **2.** *(lenzuola)* wechseln; *(letti)* neu beziehen; **3.** *(merce)* umtauschen. **ricambio** [-'kambjo] *m* **1.** *(di auguri, favore)* Erwiderung *f;* **2.** *(sostituzione)* Auswechs(e)lung *f*, Austausch *m; (tec a.)* Ersatz *m;* **3.** *med* Stoffwechsel *m;* **pezzo di** ~ Ersatzteil *n;* **malattie del** ~ Stoffwechselkrankheiten *f pl;* **ruota di** ~ Ersatzrad *n*. **ricambista** [-kam'bista] ⟨-i *m*, -e *f*⟩ *mf mot* Ersatzteilhändler(in) *m(f)*.

ricamo [ri'ka:mo] *m* **1.** *(lavoro su tessuto)* Stickerei *f;* **2.** *(operazione)* Sticken *n;* **3.** *fig (aggiunta arbitraria)* Schnörkel *m*, Zierat *m*.

ricapitolare [-kapito'la:re] *tr* rekapitulieren, zusammenfassen. **ricapitolazione** [...lat'tsjo:ne] *f* Rekapitulation *f*, Zusammenfassung *f*.

ricaricabile [-kari'ka:bile] *agg* wiederaufladbar.

ricaricare [-kari'ka:re] *tr (fucile)* nachladen; *(batteria)* neu aufladen; *(orologio)* aufziehen.

ricattare [rikat'ta:re] *tr* erpressen. **ricattatore, -trice** [...ta'to:re] *m, f* Erpresser(in) *m(f)*.

ricatto [ri'katto] *m* Erpressung *f*.

ricavare [-ka'va:re] *tr* **1.** *(estrarre)* gewinnen (*da* aus); **2.** *econ* herausholen, gewinnen; **3.** *(ottenere)* herausholen, herausbringen; **4.** *fig (dedurre)* ableiten, folgern. **ricavato** [-ka'va:to] *m* Ertrag *m*. **ricavo** [-'ka:vo] *m* Erlös *m*, Gewinn *m;* ~ **netto** Reinerlös *m*.

ricca *f v.* **ricco.**

Riccardo [rik'kardo] *(nome proprio maschile)* Richard.

ricchezza [rik'kettsa] *f* **1.** *(condizione, beni)* Reichtum *m;* **2.** *com, fin* Vermögen *n*.

riccio ['rittʃo] ⟨-cci⟩ *m* **1.** *zoo* Igel *m;* **2.** *(di castagna)* Kastanienschale *f*.

riccio, -a ['rittʃo] ⟨-cci, -cce⟩ **I.** *agg* **1.** *(capelli)* kraus, lockig; **2.** *(insalata)* kraus; **II.** *m* **1.** *(di capelli)* Locke *f;* **2.** *(oggetto ad anello)* Ring *m*. **ricciolo** [...'tʃɔ:lo] *m* Locke *f*. **ricciuto, -a** [...'tʃu:to] *agg* gelockt, lockig.

ricco, -a ['rikko] ⟨-cchi, -cche⟩ **I.** *agg* **1.** *(terra, paese, persona)* reich (*di* an *+dat);* **2.** *(abbondante)* reich, üppig; **3.** *(sfarzoso)* prachtvoll, üppig; ~ **sfondato** *fam* steinreich *fam;* **II.** *m, f* Reiche(r) *mf*.

ricerca [-'tʃerka] ⟨-che⟩ *f* **1.** *gener., a. inform* Suche *f*, (Nach)forschung *f;* **2.** *scient* Forschung *f;* **3.** *(indagine scientifica)* Studie *f; (di polizia)* Untersuchung *f*, Ermittlung *f; (di persona)* Fahndung *f* (nach); **4.** *(esercitazione didattica)* Untersuchung *f*, Forschung *f*, Arbeit *f;* ~ **nucleare** Atomforschung *f;* ~ **di mercato** Marktforschung *f;* ~ **sul campo** Feldforschung *f;* **centro di -che** Forschungszentrum *n;* **dottorato di** ~ Promotion *f*, Promotionsstudium *n;* **andare alla** ~ **di qc/qu** sich auf die Suche nach etw./jdm begeben. **ricercare** [-tʃer'ka:re] *tr* **1.** *(sperimentare)* erforschen; **2.** *(indagare)* forschen nach; *(cercare un latitante)* fahnden nach; **3.** *fig (parole, ecc.)* wählen; **cerca e ricerca** *fam* durch mehrfaches Suchen.

ricercatezza [-tʃerka'tettsa] *f* Gewähltheit *f*. **ricercato, -a** [...'ka:to] **I.** *agg* **1.** *(apprezzato)* gesucht, begehrt; **2.** *(affettato)* gekünstelt; **3.** *(maniere, modo)* gewählt; **II.** *m, f* Gesuchte(r) *mf*.

ricercatore, -trice [-tʃerka'to:re] *m, f* Forscher(in) *m(f)*.

ricetrasmittente [ritʃetrazmit'tɛnte] *f* Sende- und Empfangsgerät *n*.

ricetta [ri'tʃɛtta] *f* Rezept *n*.

ricettacolo [ritʃet'ta:kolo] *m* Sammelbekken *n*.

ricettario [ritʃet'ta:rjo] ⟨-i⟩ *m* **1.** *med* Rezeptblock *m;* **2.** *gastr (raccolta di ricette)* Rezeptsammlung *f.*

ricettatore, -trice [ritʃetta'to:re] *m, f* Hehler(in) *m(f).* **ricettazione** [...tat'tsio:ne] *f* Hehlerei *f.*

ricettività [ritʃettivi'ta] *f* **1.** *(che può ricevere)* Empfänglichkeit *f;* **2.** *med* Anfälligkeit *f;* **3.** *radio, TV* Empfangsmöglichkeit *f.*

ricettivo, -a [ritʃet'ti:vo] *agg* **1.** *(persona, mente)* aufnahmefähig, empfänglich; **2.** *med* anfänglich; **3.** *radio* Empfangs-.

ricevente [ritʃe'vɛnte] **I.** *agg* Empfangs-; **II.** *mf* Empfänger(in) *m(f).*

ricevere [ri'tʃe:vere] *tr* **1.** *(accettare, prendere)* bekommen, erhalten; **2.** *fig (insulto, condanna)* entgegennehmen; *(sacramento)* empfangen; **3.** *(accogliere)* empfangen, aufnehmen; *(medico, professore)* Sprechstunde haben; **4.** *radio, tel* empfangen; **5.** *(contenere)* aufnehmen; ~ **in dono/prestito qc** etw. geschenkt/geliehen bekommen. **ricevimento** [ritʃevi'mento] *m* Empfang *m.* **ricevitore** [...i'to:re] *m tel* Hörer *m; fis, el* Empfänger *m,* Empfangsgerät *n.* **ricevitoria** [...ito'ri:a] ⟨-ie⟩ *f* Annahmestelle *f.*

ricevuta [ritʃe'vu:ta] *f* Empfangsbestätigung *f,* Quittung *f;* ~ **fiscale** Steuerbeleg *m;* ~ **di ritorno (***abbr* **R.R.)** Rückschein *m.*

ricezione [ritʃet'tsio:ne] *f* Empfang *m.*

richiamare [-kia'ma:re] **I.** *tr* **1.** *(chiamare di nuovo)* wieder rufen; **2.** *(chiamare indietro)* zurückrufen; **3.** *mil* zurückziehen; **4.** *(attrarre)* anlocken; **5.** *(redarguire)* rügen, tadeln; **6.** *(rievocare)* erinnern an *+akk;* **7.** *inform (programma)* aufrufen; *(dati)* abrufen; ~ **l'attenzione di qu su qc** jds Aufmerksamkeit auf etw. *(akk)* lenken; ~ **all'ordine/al dovere** zur Ordnung rufen/an die Pflicht erinnern; ~ **alla realtà** mit der Wirklichkeit konfrontieren; **II.** *rfl:* **-arsi 1.** *(riferirsi)* sich berufen (*a* auf *+akk*); **2.** *(appellarsi)* anrufen (*a qu* jdn). **richiamo** [-'kia:mo] *m* **1.** *(invito al ritorno)* Zurückberufung *f;* **2.** *(rimprovero)* Verweis *m,* Tadel *m;* **3.** *(forza incoercibile)* Ruf *m; (del sangue)* Stimme *f;* **4.** *(allettamento)* Verlockung *f;* **5.** *(segno)* Verweis *m,* Verweisungszeichen *n;* **6.** *med (di vaccinazione)* Auffrischung *f,* Wiederhohlungsimpfung *f;* **7.** *tel* Fernabfrage *f;* **8.** *inform* Aufruf *m,* Aufrufen *n.*

richiedente [-kie'dɛnte] *mf* Antragsteller(in) *m(f).*

richiedere [-'kiɛ:dere] ⟨*irr*⟩ *tr* **1.** *(chiedere di nuovo)* wieder verlangen; **2.** *amm* beantragen; **3.** *(esigere)* verlangen; **4.** *(consiglio, favore, notizie)* erbitten, bitten um; *(a. parere)* fragen nach; **5.** *(chiedere in restituzione)* zurückverlangen; **6.** *(necessitare)* erfordern.

richiesta [-'kiɛsta] *f* **1.** *(domanda)* Frage *f,* Anfrage *f;* **2.** *amm* Antrag *m,* Gesuch *n;* **3.** *(esigenza)* Verlangen *n,* Anspruch *m;* **4.** *inform* Anfrage *f.*

riciclaggio [-tʃi'kladdʒo] ⟨-ggi⟩ *m* **1.** *(riutilizzo)* Recycling *n,* Wiederaufbereitung *f;* **2.** *fig (di denaro sporco)* Geldwäsche *f.* **riciclare** [...'kla:re] *tr* **1.** *(riutilizzare)* recyclen, wiederverwenden, wiederaufbereiten; **2.** *fig (beni o denaro di provenienza illecita)* waschen *fig fam.* **riciclato, -a** [...'kla:to] *agg:* **carta -a** Recyclingpapier *n,* Umweltschutzpapier *n.*

ricino ['ri:tʃino] *m* Rizinus *m.*

ricognitore [-koɲɲi'to:re] *m* Aufklärer *m.* **ricognizione** [...t'tsio:ne] *f* Aufklärung *f,* Erkundung *f.*

ricollegare [-kolle'ga:re] **I.** *tr* **1.** *(collegare di nuovo)* wieder verbinden; **2.** *fig* verbinden; **II.** *rfl:* **-arsi 1.** *(riferirsi)* sich beziehen (*a* auf *+akk*); **2.** *(essere connessi)* verbunden sein (*a* mit); **3.** *(collegarsi di nuovo)* sich wieder verbinden (*a* mit).

ricolmare [-kol'ma:re] *tr* überhäufen (*di* mit). **ricolmo, -a** [-'kolmo] *agg* vollgefüllt (*di* mit), randvoll.

ricominciare [-komin'tʃa:re] *tr* ⟨*avere*⟩, *itr* ⟨*essere*⟩ wieder anfangen.

ricompensa [-kom'pɛnsa] *f* Lohn *m,* Belohnung *f.* **ricompensare** [...pen'sa:re] *tr* **1.** *(premiare)* belohnen (*per* für); **2.** *(retribuire)* entlohnen (*per* für), entschädigen (*per* für).

ricomposizione [-kompozit'tsio:ne] *f* Wiederzusammensetzung *f.*

riconciliare [-kontʃi'lia:re] **I.** *tr* wieder aussöhnen (*o* versöhnen); **II.** *rfl:* **-arsi** sich wieder aussöhnen (*o* versöhnen). **riconciliazione** [...iat'tsio:ne] *f* (Wieder)-versöhnung *f.*

ricondurre [-kon'durre] ⟨*irr*⟩ *tr* zurückführen (*a* auf *+akk*).

riconferma [-kon'ferma] *f* Rückbestätigung *f.* **riconfermare** [...'ma:re] *tr* (wieder)bestätigen.

ricongiungere [-kon'dʒundʒere] ⟨*irr*⟩ **I.** *tr* wiedervereinigen; **II.** *rfl:* **-ersi** sich wieder vereinigen (*a* mit).

riconoscente [-konoʃ'ʃɛnte] *agg* dankbar; **essere ~ a qu per qc** jdm für etw. dankbar sein. **riconoscenza** [...'ʃɛntsa] *f* Dankbarkeit *f.*

riconoscere [-ko'noʃʃere] ⟨*irr*⟩ **I.** *tr* **1.** *(ravvisare)* wiedererkennen (*da, a* an *+dat*); **2.** *(distinguere)* unterscheiden; **3.** *(ammettere)* einsehen, zugeben; **4.** *dir, pol (considerare legittimo)* anerkennen. **riconoscimento** [...ʃi'mento] *m***1.** *(constatazione)* (Wieder)erkennen *n;* **2.** *dir, pol (accettazione)* Anerkennung *f;* **3.** *(consenso)* Würdigung *f,* Anerkennung *f;* **4.** *(compenso)* Lohn *m,* Anerkennung *f.*

riconquista [-koŋ'kuista] *f* Wiedereroberung *f.* **riconquistare** [...'ta:re] *tr* **1.** *(territorio)* wiedererobern; **2.** *fig (fiducia)* wiedererlangen.

riconsegna [-kon'seɲɲa] *f* Rückgabe *f.* **riconsegnare** [...'ɲa:re] *tr* **1.** *(consegnare di nuovo)* wieder übergeben; **2.** *(restituire)* zurückgeben.

riconsiderare [-konside'ra:re] *tr* nochmals durchdenken.

riconversione [-konver'sio:ne] *f* Umstellung *f;* **politica di ~** Umstrukturierungspolitik *f.*

ricopertura [-koper'tu:ra] *f* Abdeckung *f.*

ricopiare [-ko'pia:re] *tr* **1.** *(copiare di nuovo)* nochmal abschreiben, nochmal kopieren; **2.** *(trascrivere)* ins Reine schreiben.

ricoprire [-ko'pri:re] ⟨*irr*⟩ **I.** *tr* **1.** *(coprire di nuovo)* wieder zudecken; **2.** *(coprire)* ab-, bedecken, überziehen; **3.** *fig* überhäufen (*di* mit); **4.** *amm (carica)* bekleiden; **5.** *(nascondere)* verbergen; **II.** *rfl:* **-irsi** sich wieder bedecken.

ricordare [rikor'da:re] **I.** *tr* **1.** *(richiamare alla memoria)* sich erinnern an *+akk,* denken an *+akk; (altre persone)* erinnern (*qc a qu* jdn an etw. *akk*); **2.** *(serbare memoria)* gedenken *+gen;* **3.** *(assomigliare a)* ähneln (*qu* jdm); **4.** *(menzionare)* erwähnen; **II.** *rfl:* **-arsi** sich erinnern (*di* an *+akk*).

ricordino [rikor'di:no] *m* Andenken *n,* Mitbringsel *n.*

ricordo [ri'kɔrdo] *m* **1.** *(di persona, cosa, periodo)* Erinnerung *f;* **2.** *(oggetto)* Andenken *n;* **3.** *(traccia)* Überbleibsel *n,* Andenken *n;* **4.** *(memoria)* An(ge)denken *n.*

ricorrente [-kor'rɛnte] *agg* (regelmäßig) wiederkehrend. **ricorrenza** [...'rɛntsa] *f* **1.** *(festività)* Gedenktag *m;* **2.** *(ritorno)* Wiederkehr *f.*

ricorrere [-'korrere] ⟨*irr*⟩ **I.** *itr* ⟨*essere*⟩ **1.** *(tornare indietro)* zurücklaufen; **2.** *(rivolgersi)* sich wenden (*a* an *+akk*); **3.** *(servirsi)* sich bedienen *(a qc* einer S. *gen),* greifen (*a* zu); **4.** *(ripetersi)* fallen auf *+akk,* sich jähren; *(celebrarsi)* sein; **~ in appello** Berufung einlegen; **~ alle vie legali** den Rechtsweg beschreiten; **II.** *tr* ⟨*avere*⟩ wieder (*o* noch einmal) laufen.

ricorso [-'korso] *m* **1.** *(il ricorrere)* Anwendung *f,* Gebrauch *m;* **2.** *(reclamo)* Beschwerde *f;* **3.** *(il ripresentarsi periodico)* Wiederkehr *f;* **~ legale** *dir* Rechtsbehelf *m;* **~ in appello** *dir* Berufung *f.*

ricostituente [-kostitu'ɛnte] *m* Stärkungsmittel *n.*

ricostituire [-kostitu'i:re] **I.** *tr* wieder gründen; *(governo)* neu bilden; **II.** *rfl:* **-irsi** sich wieder bilden, neu gegründet werden. **ricostituzione** [...ut'tsio:ne] *f* Wiederherstellung *f; (di partito, organizzazione, società)* Neugründung *f; (di governo)* Neubildung *f.*

ricostruire [-kostru'i:re] *tr* **1.** *(casa, edificio)* wieder aufbauen; **2.** *(economia, industria)* wieder erstellen; **3.** *fig* wiederaufbauen; **4.** *(fatti, avvenimenti)* rekonstruieren. **ricostruzione** [...ut'tsio:ne] *f* **1.** *gener., pol* Wiederaufbau *m;* **2.** *fig* Rekonstruktion *f.*

ricotta [-'kɔtta] *f* Ricotta *m (quarkähnlicher Frischkäse).*

ricoverare [rikove'ra:re] **I.** *tr* einliefern; **II.** *rfl:* **-arsi** ins Krankenhaus gehen. **ricoverato, -a** [...'ra:to] *m, f* Krankenhauspatient(in) *m(f).* **ricovero** [ri'ko:vero] *m* **1.** *(istituto)* Heim *n; (per anziani)* Altersheim *n;* **2.** *med (in ospedale)* Einlieferung *f;* **3.** *(rifugio)* Zuflucht *f,* Zufluchtsort *m.*

ricreare [-kre'a:re] **I.** *tr* **1.** *(ristorare)* erfrischen; **2.** *(divertire)* erfreuen, erheitern; **3.** *(creare di nuovo)* neu gründen; **II.** *rfl:* **-arsi 1.** *(svagarsi)* sich erholen, ausspannen; **2.** *(divertirsi)* sich vergnügen. **ricreativo, -a** [...ea'ti:vo] *agg* erholsam, entspannend. **ricreazione** [...eat'tsio:ne] *f* **1.** *(intervallo)* Pause *f;* **2.** *(ristoro)* Erholung *f;* **3.** *(distrazione)* Zeitvertreib *m,* Vergnügen *n.*

ricredersi [-'kre:dersi] *rfl* seine Meinung ändern.

ricrescere [-'kreʃʃere] ⟨*irr*⟩ *itr* ⟨*essere*⟩ nachwachsen.

ricucire [-ku'tʃi:re] *tr* **1.** *(strappo, buco)* vernähen; **2.** *med (ferita)* (ver)nähen. **ricucitura** [-kutʃi'tu:ra] *f* Flicknaht *f.*

ricuocere [-'kuɔ:tʃere] ⟨*irr*⟩ *tr* aufkochen.

ricuperare [rikupe'ra:re] *tr* **1.** *(riacquistare)* wiedererlangen, wiedererhalten; *(a. salute)* zurückgewinnen; *(tempo)* aufholen; *(vista, parola)* wiedererlangen; **2.** *(naufrago)* bergen; **3.** *(minorato, ex-carcerato, tossicodipendente)* wiedereingliedern; **4.** *sport (partita)* nachholen; **5.** *fin* eintreiben; **6.** *(rendere utilizzabile)* (wieder) verwerten. **ricupero** [ri'ku:pero] *m* **1.** *(riacquisto)* Wiedererlangung *f; (di tempo)* Aufholen *n;* **2.** *(di nave)* Bergung *f;* **3.** *(di minorato, ex-carcerato, tossicodipendente)* Wiedereingliederung *f;* **4.** *fin* Eintreiben *n;* **5.** *(oggetto)* geborgener Gegenstand; **6.** *sport* Nachholspiel *n;* **7.** *inform (di informazioni)* Retrieval *n; (di sistema)* Wiederherstellung *f.*

ricurvo, -a [ri'kurvo] *agg* gebogen; *(dorso, vecchio)* gebeugt.

ricusare [riku'za:re] *tr lett* verweigern.

ridacchiare [ridak'kia:re] ⟨ridacchio, ridacchi⟩ *itr* (hämisch) kichern.

ridanciano, -a [ridan'tʃa:no] *agg* lustig, vergnügt.

ridare [-'da:re] ⟨*irr*⟩ *tr* **1.** *(dare di nuovo)* wieder geben; **2.** *(restituire)* zurückgeben, wiedergeben; **dagli e ridagli** *fam* nach langem Hin und Her.

ridefinire [-defi'ni:re] ⟨definisco⟩ *tr* neu definieren, neu festlegen.
ridente [ri'dɛnte] *agg* heiter.
ridere ['ri:dere] ⟨rido, risi, riso⟩ **I.** *itr* lachen; ~ **fino alle lacrime** Tränen lachen; **farsi** ~ **dietro** *fam* sich lächerlich machen; **far** ~ **qu** jdn zum Lachen bringen; **ma non farmi** ~! daß ich nicht lache!; ~ **dietro a qu** jdn auslachen; ~ **sotto i baffi** sich *(dat)* ins Fäustchen lachen; **II.** *rfl:* **-ersi 1.** *(burlarsi)* sich lustig machen (*di* über +*akk*); **2.** *(infischiarsene)* pfeifen *fam* (*di* auf +*akk*).
ridicolaggine [ridiko'laddʒine] *f* Lächerlichkeit *f.*
ridicolizzare [ridikolid'dzare] *tr* lächerlich machen.
ridicolo, -a [ri'di:kolo] **I.** *agg* lächerlich; **II.** *m* Lächerlichkeit *f,* Lächerliche(s) *n;* **cadere nel** ~ sich lächerlich machen; **mettere (***o* **porre) qu/qc in** ~ jdn/etw. lächerlich machen.
ridimensionamento [-dimensiona'mento] *m* **1.** *(di industria, azienda)* Wiederanpassung *f,* Neuanpassung *f;* **2.** *(di situazione)* Neubeurteilung *f.* **ridimensionare** [...'na:re] **I.** *tr* wiederanpassen, neu anpassen; **II.** *rfl:* **-arsi** sich wieder auf das rechte Maß beschränken.
ridire [-'di:re] ⟨*irr*⟩ *tr* **1.** *(dire di nuovo)* nochmal sagen; **2.** *(riferire)* weitererzählen, weitersagen; **3.** *(poesia, lezione)* aufsagen; **4.** *(rispondere)* erwidern; **5.** *(criticare)* einwenden gegen, aussetzen an (+*dat*).
ridistribuzione [-distribut'tsio:ne] *f* Neuverteilung *f,* Umverteilung *f.*
ridonare [-do'na:re] *tr* **1.** *(fiducia, libertà)* wiedergeben; **2.** *(donare a sua volta)* zurückschenken.
ridondante [ridon'dante] *agg* redundant.
ridosso [-'dɔsso] *m:* **a** ~ **di** unmittelbar hinter +*akk o* +*dat.*
ridotto, -a [ri'dotto] **I.** *agg* verkleinert, reduziert, vermindert; *(prezzi)* herabgesetzt; **biglietto** ~ ermäßigte Karte; **formato** ~ Kleinformat *n;* **essere** ~ **in pezzi (***o* **a brandelli)** ganz kaputt sein; **II.** *m* Foyer *n.*
ridurre [ri'durre] ⟨riduco, ridussi, ridotto⟩ **I.** *tr* **1.** *(diminuire)* verringern; *(prezzi)* herabsetzen, senken; *(tasse, spese)* senken; **2.** *mat* reduzieren; *(frazione)* kürzen; **3.** *(nel disegno)* skalieren; **4.** *(costringere)* zwingen; **5.** *(far diventare)* machen zu, werden lassen; **6.** *(portare)* bringen zu; **7.** *(adattare)* bearbeiten; **8.** *chim* reduzieren; **9.** *med* richten; **10.** *(ricondurre)* zurückführen; **II.** *rfl:* **-ursi 1.** *(restringersi)* abnehmen, sich verringern; **2.** *(diventare)* werden; **-ursi male** herunterkommen. **riduttore** [ridut'to:re] *m:* ~ **di corrente** Transformator *m;* ~ **di pressione** Druckminderer *m.* **riduzione** [ridut'tsio:ne] *f* **1.** *(diminuzione)* Senkung *f,* Herabsetzung *f,* Verminderung *f;* **2.** *(sconto)* Ermäßigung *f;* **3.** *film, teat, TV (adattamento)* Bearbeitung *f;* **4.** *med* Richten *n;* **5.** *mat* Kürzung *f,* Kürzen *n;* **6.** *chim* Reduktion *f;* **7.** *(di disegno)* Skalierung *f;* ~ **degli armamenti** Abrüstung *f.*
riecheggiare [-eked'dʒa:re] *itr* ⟨*essere*⟩ widerhallen, zurückschallen.
riedizione [-edit'tsio:ne] *f* **1.** *letter, fig* Neuauflage *f,* Neuausgabe *f;* **2.** *teat* Reprise *f,* Wiederaufnahme *f;* *(a. film)* Neufassung *f,* Remake *n.*
rieducare [-edu'ka:re] *tr* **1.** *(persone)* umerziehen, umschulen; *med* rehabilitieren; **2.** *(braccio, gamba)* trainieren, wieder beweglich machen. **rieducazione** [...kat'tsio:ne] *f* Umerziehen *n,* Umschulung *f; med* Rehabilitation *f.*
rielaborare [-elabo'ra:re] *tr* wieder ausarbeiten, neubearbeiten, nachbereiten.
rieleggere [-e'lɛddʒere] ⟨*irr*⟩ *tr* wiederwählen.
riempimento [-empi'mento] *m* (Auf)füllen *n,* Füllung *f; (di modulo, scheda, richiesta)* Ausfüllen *n.* **riempire** [-em'pi:re] ⟨riempio, riempii, riempito⟩ **I.** *tr* **1.** *(bicchiere, sacco)* (auf)füllen; **2.** *(modulo)* ausfüllen; *(foglio)* beschreiben; **3.** *fig* erfüllen; **II.** *rfl:* **-irsi 1.** *fam (mangiare troppo)* sich *(dat)* den Bauch vollschlagen *fam;* **2.** *(diventare pieno)* sich füllen (*di* mit). **riempii** *p rem di* **riempire. riempitivo** [-empi'ti:vo] *m* **1.** *(integrativo)* Füllsel *n,* Füllmittel *n; (parola)* Füllwort *n;* **2.** *fig* Lückenbüßer *m.* **riempito** *pp di* **riempire.**
rientrante [-en'trante] *agg* zurückspringend, zurücktretend; *(guance)* hohl. **rientranza** [-en'trantsa] *f* Vertiefung *f,* Einbuchtung *f.*
rientrare [-en'tra:re] *itr* ⟨*essere*⟩ **1.** *(entrare di nuovo)* wieder hineingehen; *(verso chi parla)* wieder eintreten; **2.** *(tornare)* zurückkommen, -kehren; *(a casa)* heimkommen; **3.** *(restringersi)* einlaufen; **4.** *(presentare concavità)* zurücktreten, zurückspringen; **5.** *(essere compreso)* gehören (*in* zu), dazugehören; ~ **in gioco** das Spiel wiederaufnehmen. **rientro** [-'entro] *m* **1.** *(ritorno)* Rückkehr *f; (a casa)* Heimkehr *f;* **2.** *(restringimento di stoffa)* Einlaufen *n;* **il grande** ~ Rückreisewelle *f* nach den Sommerferien.
riepilogare [-epilo'ga:re] ⟨riepilogo, riepiloghi⟩ *tr* zusammenfassen, rekapitulieren. **riepilogo** [-e'pi:logo] *m* Zusammenfassung *f.*
riesame [-e'za:me] *m* erneute (Über)prüfung.
riessere [-'ɛssere] ⟨*irr*⟩ *itr* ⟨*essere*⟩ *fam* wieder sein; **ci risiamo!** (nicht) schon wieder!.
riesumare [riezu'ma:re] *tr* exhumieren.

rievocare [-evo'ka:re] *tr* wieder wachrufen.

rifacimento [-fatʃi'mento] *m* Neuerstellung *f; (opera rifatta)* Neufassung *f.*

rifare [-'fa:re] ⟨*irr*⟩ **I.** *tr* **1.** *(fare di nuovo)* wiederholen, neu machen; **2.** *(stanza)* in Ordnung bringen, aufräumen; *(letto)* machen; **3.** *(imitare)* nachmachen, nachahmen, imitieren; **4.** *(compensare)* entschädigen; **5.** *(rieleggere)* wieder machen zu; **II.** *rfl:* **-arsi 1.** *(diventare nuovamente)* wieder werden; **2.** *(ristabilirsi)* sich wieder erholen; *med* wieder gesund werden; *(tempo)* sich bessern, wieder schön werden; **3.** *(prendersi la rivincita)* sich entschädigen (*di* für); **4.** *(cominciare)* beginnen (*da* bei), anfangen (*da* mit), zurückgehen (*da* zu); **rifarsela con qu** *fam* sich mit jdm anlegen.

riferimento [riferi'mento] *m* **1.** *(relazione)* Bezug *m;* **2.** *(cenno)* Verweis *m* (*a* auf +*akk*), Hinweis *m* (*a* auf +*akk*), Anspielung *f* (*a* auf +*akk*) *fam;* **punto di** ~ Bezugspunkt *m; (fig a.)* Anhaltspunkt *m;* **in (***o* **con)** ~ **alla Vostra del ...** *amm* Bezug nehmend (*o* mit Bezug) auf Ihr Schreiben vom ... *adm.*

riferire [rife'ri:re] ⟨riferisco⟩ **I.** *tr* **1.** *(riportare)* berichten, mitteilen; **2.** *(ascrivere)* zuschreiben; **3.** *(mettere in relazione)* beziehen (*a* auf +*akk*); **II.** *rfl:* **-irsi 1.** *(mettersi in relazione)* Bezug nehmen (*a* auf +*akk*), sich beziehen (*a* auf +*akk*); **2.** *(alludere)* anspielen (*a* auf +*akk*); **III.** *itr* vortragen (*su qc* etw.), Bericht erstatten (*su* über +*akk*).

rifilare [-fi'la:re] *tr fam* andrehen *fam,* verpassen *fam.*

rifinire [-fi'ni:re] *tr* fertigstellen, fertigmachen, den letzten Schliff geben. **rifinitura** [...'tu:ra] *f* **1.** *(di lavoro)* Fertigstellung *f,* letzter Schliff *fam;* **2.** *(guarnizione)* Verzierung *f.*

rifiorire [-fio'ri:re] *itr* ⟨*essere*⟩ **1.** *(tornare a fiorire)* wieder erblühen; **2.** *fig* wiederaufblühen.

rifiutare [rifiu'ta:re] **I.** *tr* **1.** *(non accettare)* ablehnen, zurückweisen; **2.** *(negare)* verweigern (*qc a qu* jdm etw.); **II.** *rfl:* **-arsi** sich weigern (*di fare qc* etw. zu tun).

rifiuto [ri'fiu:to] *m* **1.** *(negazione del consenso)* Ablehnung *f,* Absage *f,* (Ver)weigerung *f;* **2.** ⟨*pl*⟩ *(immondizie)* Abfall *m,* Müll *m;* **3.** *(scarto)* Abfall *m,* Ausschuß *m;* **-i ingombranti** Sperrmüll *m;* **-i nucleari (***o* **radioattivi)** Atommüll *m,* radioaktiver Abfall; **-i tossici** Giftmüll *m;* **-i della società** *peg* Abschaum *m* der Gesellschaft; **acque di** ~ Abwasser *n.*

riflessi [ri'flɛssi] *p rem di* **riflettere**.

riflessione [rifles'sio:ne] *f* **1.** *(considerazione)* Überlegung *f;* **2.** *fis* Reflexion *f;* **agire con** ~ überlegt handeln. **riflessivo, -a** [...'si:vo] *agg* **1.** *(persona, mente)* überlegt, besonnen; **2.** *gram* reflexiv, Reflexiv-, rückbezüglich.

riflesso, -a [ri'flɛsso] **I.** *agg* **1.** *(raggio, luce, immagine)* gespiegelt; **2.** *med, psic (moto, atto)* Reflex-; **II.** *m* **1.** *(luce)* Widerschein *m,* Blenden *n;* **2.** *med* Reflex *m;* **3.** *fig (conseguenza)* Auswirkung *f;* **per** ~ *fig* indirekt.

riflettere [ri'flɛttere] ⟨rifletto, riflessi *o* riflettei, riflesso *o* riflettuto⟩ **I.** *tr* **1.** *fis* reflektieren; **2.** *(rimandare)* zurückwerfen, widerspiegeln; **3.** *fig* spiegeln, widerspiegeln; **II.** *itr* überlegen, nachdenken (*su* über +*akk*); **III.** *rfl:* **-ersi 1.** *(specchiarsi)* sich (wider)spiegeln; **2.** *fig (evidenziarsi)* sich widerspiegeln (*su* in +*dat*), sich zeigen (*su* in +*dat*); **3.** *fig (ripercuotersi)* sich auswirken (*su* auf +*akk*).

riflettore [riflet'to:re] *m* **1.** *el* Scheinwerfer *m;* **2.** *radio, ott* Reflektor *m.*

rifluire [-flu'i:re] *itr* ⟨*essere*⟩ **1.** *(tornare a scorrere)* wieder fließen; **2.** *(fluire indietro)* zurückfließen, -strömen; **3.** *fig (tornare indietro)* zurückströmen. **riflusso** [-'flusso] *m* **1.** *(flusso di ritorno)* Rückfluß *m;* **2.** *(del mare)* Ebbe *f;* **3.** *fig (di persone)* Zurückströmen *n.*

rifocillare [-fotʃil'la:re] **I.** *tr* stärken; **II.** *rfl:* **-arsi** sich stärken.

Rifondazione Communista [rifondat'tsio:ne komu'nista] *f kommunistische Partei in Italien.*

rifondere [-'fondere] ⟨*irr*⟩ *tr* **1.** *(statua, metallo)* erneut schmelzen; **2.** *fig (danni, spese)* ersetzen, vergüten.

riforestazione [-forestat'tsio:ne] *f* Wiederaufforstung *f.*

riforma [-'forma] **1.** *gener., pol* Reform *f;* **2.** *rel:* **R**~ Reformation *f;* **3.** *mil* Ausmusterung *f;* ~ **tributaria** Steuerreform *f.* **riformare** [...'ma:re] **I.** *tr* **1.** *(formare di nuovo)* neu bilden, wieder bilden; **2.** *pol, rel* reformieren; **3.** *mil* ausmustern; **II.** *rfl:* **-arsi** sich wieder bilden. **riformato, -a** [...'ma:to] **I.** *m, f rel* Reformierte(r) *mf;* **II.** *m mil* Untaugliche(r) *m.* **riformatore, -trice** [...ma'to:re] **I.** *agg* reformierend, Reformations-; **II.** *m, f* Reformator(in) *m(f).*

riformatorio [-forma'tɔ:rio] ⟨-i⟩ *m* Erziehungsheim *n.*

riformista [-for'mista] ⟨-i *m,* -e *f*⟩ **I.** *mf* Reformist(in) *m(f);* **II.** *agg* reformistisch, reformerisch.

rifornimento [-forni'mento] *m* **1.** *(operazione)* Versorgung *f;* **2.** ⟨*pl*⟩ *(viveri)* Vorräte *m pl;* **3.** *mil* Nachschub *m.* **rifornire** [...'ni:re] **I.** *tr* versorgen (*di* mit), ausstatten (*di* mit); **II.** *rfl:* **-irsi** sich versorgen (*di* mit).

rifrangere [-'frandʒere] ⟨rifrango, rifrangi, rifransi, rifranto *o* rifratto⟩ **I.** *tr* brechen; **II.** *rfl:* **-ersi** sich brechen. **rifrazione** [-frat'tsio:ne] *f* Brechung *f,* Refraktion *f*.

rifuggire [-fud'dʒi:re] *itr* ⟨*essere*⟩ **1.** *(fuggire di nuovo)* wieder flüchten; **2.** *(evitare)* meiden (*da qc* etw.).

rifugiarsi [rifu'dʒarsi] ⟨mi rifugio, ti rifugi⟩ *rfl* (sich) flüchten. **rifugiato, -a** [rifu'dʒa:to] *m, f* Flüchtling *m*. **rifugio** [ri'fu:dʒo] ⟨-gi⟩ *m* **1.** *(riparo)* Zuflucht *f; (difesa)* Schutz *m;* **2.** *mil* Bunker *m*, Luftschutzraum *m*, -keller *m;* **3.** *(ambiente)* Zufluchtsort *m;* **4.** *fig* Trost *m*, Rettung *f;* ~ **antiatomico** Atomschutzbunker *m*.

rifusione [-fu'zio:ne] *f* **1.** *fig (risarcimento)* Entschädigung *f*, Ausgleich *m; (di danni)* Ersatz *m;* **2.** *(nuova fusione)* Umschmelzung *f*, Umarbeitung *f*.

riga ['ri:ga] ⟨-ghe⟩ *f* **1.** *(linea)* Strich *m; (di tessuto a.)* Streifen *m;* **2.** *(di scritto)* Zeile *f;* **3.** *(di persone, cose)* Reihe *f;* **4.** *(di capelli)* Scheitel *m;* **5.** *(asticella)* Lineal *n;* **carta/quaderno a -ghe** lini(i)ertes Papier/Heft.

rigaglie [ri'gaʎʎe] *f pl* Hühner- (*o* Gänse)-klein *n*.

rigagnolo [ri'gaɲɲolo] *m* Rinnsal *n*.

rigare [ri'ga:re] ⟨rigo, righi⟩ **I.** *tr* lini(i)eren; **II.** *itr:* **rigar diritto** spuren *fam*.

rigattiere [rigat'tiɛ:re] *m* Altwarenhändler *m*.

rigenerare [-dʒene'ra:re] **I.** *tr* **1.** *(far ricrescere)* wieder hervorbringen; **2.** *biol* regenerieren; **3.** *(ricostituire)* wiederherstellen; **4.** *tec* wiederaufbereiten; *mot (battistrada)* runderneuern; **II.** *rfl:* **-arsi** **1.** *biol* sich regenerieren; **2.** *fig* zu neuem Leben erwachen. **rigenerativo, -a** [...ra'ti:vo] *agg* regenerativ, Regenerations-. **rigenerazione** [...rat'tsio:ne] *f* **1.** *biol* Regeneration *f;* **2.** *rel* Wiedergeburt *f;* **3.** *fig* Erneuerung *f;* **4.** *tec* Wiederaufbereitung *f*.

rigettare [-dʒet'ta:re] **I.** *tr* **1.** *(gettare indietro)* zurückwerfen; **2.** *(respingere)* ablehnen, verwerfen; **3.** *bot* sprießen; **4.** *(vomitare)* erbrechen; **5.** *(gettare nuovamente)* wieder werfen; **II.** *rfl:* **-arsi** **1.** *(gettarsi di nuovo)* sich wieder werfen; **2.** *fig (riapparire)* wieder auftauchen. **rigetto** [-'dʒɛtto] *m* **1.** *med* Abstoßung *f;* **2.** *dir, fig* Ablehnung *f*.

righello [ri'gɛllo] *m* Lineal *n*.

rigidezza [ridʒi'dettsa] *f*, **rigidità** [...di'ta] ⟨-⟩ *f* **1.** *(del clima)* Rauheit *f;* **2.** *fig* Starrheit *f; (severità)* Strenge *f;* **3.** *med* Steifheit *f*, Starre *f*. **rigido, -a** ['ri:dʒido] *agg* **1.** *(colletto, cappello, braccio)* steif; **2.** *(clima)* rauh; *(inverno)* streng; **3.** *fig (severo)* streng.

rigirare [-dʒi'ra:re] **I.** *tr* **1.** *(girare più volte)* wieder wenden, wieder drehen; **2.** *(percorrere)* durchstreifen, laufen durch; **3.** *(assegno)* wieder indossieren; **4.** *fig* (anders) handhaben; ~ **il discorso** das Thema wechseln; ~ **qu** jdn um den kleinen Finger wickeln; **II.** *itr* umherlaufen; **III.** *rfl:* **-arsi** sich (wieder) umdrehen; *(nel letto a.)* sich wälzen.

rigo ['ri:go] ⟨-ghi⟩ *m* **1.** *(riga)* Linie *f; (di scrittura)* Zeile *f;* **2.** *mus* Notenlinien *f pl*.

rigoglio [ri'goʎʎo] ⟨-gli⟩ *m* **1.** *bot* Wuchern *n;* **2.** *fig* Blüte *f*. **rigoglioso, -a** [...'ʎo:so] *agg* **1.** *bot* wuchernd; **2.** *fig* blühend, üppig.

rigonfiamento [-gonfia'mento] *m* **1.** *(parte rigonfia)* Schwellung *f;* **2.** *(il gonfiare)* erneutes Anschwellen. **rigonfiare** [...'fia:re] **I.** *tr* ⟨*avere*⟩ aufpumpen; **II.** *rfl:* **-arsi** wieder anschwellen. **rigonfio, -a** [-'gonfio] *agg* **1.** *(occhio)* geschwollen; *(ginocchio a.)* angeschwollen; **2.** *fig* angefüllt (*di* mit); *peg* aufgeblasen.

rigore [ri'go:re] *m* **1.** *gener.* Strenge *f*, Härte *f;* **2.** *(del clima)* Strenge *f*, Rauheit *f;* **3.** *sport* Elfmeter *m;* **a rigor di logica** streng genommen.

rigor mortis ['ri:gor 'mortis] ⟨-⟩ *m* Totenstarre *f*.

rigorosità [...rosi'ta] ⟨-⟩ *f* Rigorosität *f*, Unerbittlichkeit *f*. **rigoroso, -a** [...'ro:so] *agg* **1.** *(severo)* streng, hart; *(persona a.)* unerbittlich; *(norma, legge a.)* rigoros; **2.** *(preciso)* rigoros, genau.

rigovernare [-gover'na:re] *tr* **1.** *(piatti)* spülen, abwaschen; **2.** *(animali)* versorgen.

riguadagnare [-guadaɲ'ɲare] *tr* **1.** *(ricuperare)* wiedergewinnen; *(tempo)* wieder auf-, einholen; **2.** *(somma)* wieder verdienen.

riguardare [-guar'da:re] **I.** *tr* **1.** *(rivedere)* durchsehen, überprüfen; **2.** *(concernere)* angehen, betreffen; **3.** *(considerare)* betrachten; **4.** *(guardare di nuovo)* wieder schauen; **5.** *(guardare indietro)* zurückschauen; **II.** *rfl:* **-arsi** sich vorsehen (*da* vor +*dat*), sich hüten (*da* vor +*dat*).

riguardo [-'guardo] *m* **1.** *(cura)* Rücksicht *f* (*di* auf +*akk*), Aufmerksamkeit *f;* **2.** *(rispetto)* Achtung *f;* **3.** *(relazione)* Bezug *m*, Zusammenhang *m;* **nei -i di,** ~ **a** in bezug auf +*akk*, was . . . betrifft. **riguardoso, -a** [...'do:so] *agg* rücksichtsvoll.

rigurgitare [rigurdʒi'ta:re] **I.** *itr* ⟨*essere o avere*⟩ überquellen; **II.** *tr* ⟨*avere*⟩ speien. **rigurgito** [ri'gurdʒito] *m* **1.** *(di fogna, fiume, canale)* Überquellen *n;* **2.** *med* Ausstoß *m* (aus dem Magen); **3.** *fig* Wiederaufleben *n*.

rilanciare [-lan'tʃa:re] *tr* **1.** *(palla, sasso)* zurückwerfen, wieder werfen; **2.** *(moda, canzone)* wieder lancieren; **3.** *com (offerta)* überbieten; **4.** *(economia)* in Schwung bringen. **rilancio** [-'lantʃo] *m* **1.** *(di pallone)* Rückwurf *m;* **2.** *(di moda)* Lancierung *f;* **3.** *econ (di offerta)* Überbieten *n;* **4.** *inform* Neustart *m;* ~

economico Wirtschaftsaufschwung *m.*

rilasciare [-laʃˈʃa:re] **I.** *tr* **1.** *amm* ausstellen; **2.** *med (muscoli, nervi)* entspannen; **3.** *(prigioniero)* freilassen; **II.** *rfl:* **-arsi 1.** *(lasciarsi di nuovo)* sich wieder trennen; **2.** *med (distendersi)* sich entspannen. **rilascio** [-ˈlaʃʃo] ⟨-sci⟩ *m* **1.** *amm* Ausstellung *f;* **2.** *(di prigioniero)* Freilassung *f.*

rilassamento [rilassaˈmento] *m* **1.** *(di muscoli, nervi)* Entspannung *f;* **2.** *(dei costumi)* Lockerung *f.* **rilassare** [...ˈsa:re] **I.** *tr* **1.** *(muscoli, nervi)* entspannen; **2.** *(disciplina, sorveglianza)* lockern; **II.** *rfl:* **-arsi 1.** *(distendersi)* sich entspannen; **2.** *(scadere)* sich lockern.

rilassatezza [...saˈtettsa] *f* Lockerung *f.*

rilegare [-leˈga:re] *tr* binden. **rilegatore, -trice** [-legaˈto:re] *m, f* Buchbinder(in) *m(f).* **rilegatura** [...ˈtu:ra] *f* **1.** *(operazione)* Binden *n;* **2.** *(copertura)* Einband *m.*

rileggere [-ˈlɛddʒere] ⟨*irr*⟩ *tr* wieder (*o* nochmal) lesen; *(rivedere)* durchlesen.

rilento [-ˈlɛnto]: **a ~** *avv* langsam.

rilevamento [-levaˈmento] *m* **1.** *(determinazione sistematica)* Erhebung *f;* **2.** *(topografico)* Vermessung *f;* **3.** *naut* Peilung *f;* **4.** *(di negozio)* Übernahme *f;* **5.** *(sostituzione)* Ablösung *f.*

rilevante [-leˈvante] *agg* relevant, bedeutend.

rilevare [-leˈva:re] **I.** *tr* **1.** *(mettere in evidenza)* hervorheben; **2.** *(apprendere)* entnehmen; **3.** *(raccogliere)* erheben, feststellen; **4.** *(azienda, negozio)* übernehmen; **5.** *(sostituire)* ablösen; **6.** *(andare a prendere)* abholen; **7.** *(compiere un rilevamento topografico)* aufnehmen, vermessen; **II.** *itr* vorstehen. **rilevazione** [-levatˈtsio:ne] *f* Erhebung *f.*

rilievo [riˈliɛ:vo] *m* **1.** *geog* Relief *n,* Erhebung *f;* **2.** *(scultura)* Relief *n;* **3.** *fig (importanza)* Bedeutung *f;* **4.** *(rilevamento)* Erhebung *f; (topografico)* Vermessung *f;* **5.** *(osservazione)* Bemerkung *f,* Anmerkung *f;* **alto/basso ~** Hoch-/Basrelief *n;* **mettere in ~** *fig* hervorheben.

rilucente [-luˈtʃɛnte] *agg* glänzend.

riluttante [-lutˈtante] *agg* widerwillig, widerstrebend; **essere ~ a fare qc** etw. ungern tun. **riluttanza** [...ˈtantsa] *f* Abneigung *f,* Widerwille *m.*

riluttare [-luˈta:re] *itr* widerstreben; **~ a far qc** etw. ungern tun.

rima [ˈri:ma] *f* Reim *m;* **-e** Verse *m pl.*

rimandare [-manˈda:re] *tr* **1.** *(mandare indietro)* zurückschicken; **2.** *(mandare di nuovo)* nochmal schicken; **3.** *(restituire)* zurückgeben; **4.** *sport* zurückgeben, -spielen; **5.** *(trasferire)* (ver)schikken; **6.** *(dimettere)* entlassen; **7.** *(differire)* verschieben; **8.** *(candidato)* durchfallen lassen; **9.** *(fare riferimento)* verweisen (*a* auf *+akk*). **rimando** [-ˈmando] *m* **1.** *(riferimento, rinvio)* Verweis *m;* **2.** *sport* Rückschuß *m,* Zurückschlagen *n.*

rimaneggiare [-manedˈdʒa:re] *tr* **1.** *(lista, articolo)* umarbeiten, umstellen; **2.** *(governo)* umbilden.

rimanente [rimaˈnɛnte] **I.** *agg* verbleibend, restlich, übrig; **II.** *mf* Verbleibende(r) *mf;* **i -i** die übrigen; **III.** *m* Rest *m.*

rimanenza [...ˈnɛntsa] *f* Überschuß *m.*

rimanere [rimaˈne:re] ⟨rimango, rimasi, rimasto⟩ *itr* ⟨*essere*⟩ **1.** *(restare, fermarsi, durare)* bleiben; **2.** *(essere situato)* liegen; **3.** *(avanzare)* übrigbleiben; **4.** *(convenire)* verbleiben; **~ indietro** zurückbleiben; **rimanerci** *fam* überrascht sein, baff sein *fam;* **~ male** enttäuscht sein; **~ al verde** *fam* blank sein *fam.*

rimangiare [-manˈdʒa:re] *tr* **1.** *(mangiare di nuovo)* wieder essen; **2.** *fig* zurücknehmen.

rimango [riˈmaŋgo] *pr di* **rimanere.**

rimare [riˈma:re] **I.** *itr* sich reimen; **II.** *tr* dichten.

rimarginare [-mardʒiˈna:re] **I.** *tr* ⟨*avere*⟩ heilen; **II.** *itr* ⟨*essere*⟩, *rfl:* **-arsi** (ver)heilen.

rimarrò [rimarˈrɔ] *v.* **rimanere.**

rimasi [riˈma:si *o* ...a:zi] *p rem di* **rimanere.**

rimasto [riˈmasto] *pp di* **rimanere.**

rimasuglio [rimaˈsuʎʎo] ⟨-gli⟩ *m peg* Überbleibsel *n.*

rimbalzare [rimbalˈtsa:re] *itr* ⟨*essere o avere*⟩ **1.** *(palla)* abprallen, zurückprallen; **2.** *fig (notizia, informazione)* sich schnell verbreiten.

rimbalzo [-ˈbaltso] *m* Rückprall *m;* **di ~** indirekt.

rimbambire [-bamˈbi:re] ⟨rimbambisco⟩ *itr* ⟨*essere*⟩, *rfl:* **-irsi** vertrotteln, verblöden. **rimbambito, -a** [...ˈbi:to] **I.** *agg* verblödet, vertrottelt; **II.** *m, f* Trottel *m.*

rimbeccare [-bekˈka:re] **I.** *tr* erwidern, entgegnen; **II.** *rfl:* **-arsi** aufeinander herumhacken.

rimbecillire [-betʃilˈli:re] ⟨rimbecillisco⟩ **I.** *itr* ⟨*essere*⟩ verblöden; **II.** *tr* ⟨*avere*⟩ **1.** *(rendere imbecille)* blöd machen; **2.** *(istupidire)* verdummen; **III.** *rfl:* **-irsi** verblöden, verdummen.

rimboccare [-bokˈka:re] *tr* umschlagen; **-arsi le maniche** *(a. fig)* die Ärmel hochkrempeln.

rimbombante [-bomˈbante] *agg* dröhnend.

rimbombare [-bomˈba:re] *itr* ⟨*essere o avere*⟩ dröhnen. **rimbombo** [-ˈbombo] *m* Dröhnen *n.*

rimborsare [-borˈsa:re] *tr* zurückzahlen, (rück)erstatten. **rimborso** [-ˈborso] *m* Rückzahlung *f,* Erstattung *f.*

rimboschimento [-boskiˈmento] *m* Aufforstung *f.* **rimboschire** [...ˈki:re] ⟨imboschisco⟩ **I.** *tr* ⟨avere⟩ aufforsten; **II.** *itr* ⟨*essere*⟩ sich bewalden.

rimbrottare [-brot'ta:re] *tr* zurechtweisen, tadeln. **rimbrotto** [-'brɔtto] *m* Vorwurf *m.*

rimediare [rime'di̯a:re] ⟨rimedio, rimedi⟩ **I.** *itr* wiedergutmachen (*a qc* etw.); **II.** *tr* **1.** *(danno, guaio)* beheben, wiedergutmachen; **2.** *fam (procurare)* (sich *+dat*) besorgen (*o* beschaffen).

rimedio [ri'mɛ:di̯o] ⟨-i⟩ *m* **1.** *(provvedimento)* Abhilfe *f,* Gegenmittel *n;* **2.** *med* (Heil)mittel *n;* **porre ~ a qc** einer S. *(dat)* abhelfen, etw. beheben.

rimembranza [-mem'brantsa] *f lett* Erinnerung *f,* Gedächtnis *n.*

rimescolare [-mesko'la:re] **I.** *tr* **1.** *(mescolare)* (um)rühren; **2.** *(mescolare di nuovo)* (wieder) mischen; **II.** *rfl:* **-arsi** **1.** *(mischiarsi)* sich mischen; **2.** *(agitarsi)* in Aufruhr geraten; *(sangue)* in Wallung geraten, kochen. **rimescolata** [...'la:ta] *f fam* Durchmischen *n.* **rimescolio** [...'li:o] ⟨-ii⟩ *m* **1.** *(trambusto)* Aufruhr *m;* **2.** *fig* Verwirrung *f.*

rimessa [-'messa] *f* **1.** *(locale)* Schuppen *m,* Remise *f; (per veicoli)* Garage *f;* **2.** *teat:* ~ **in scena** Wiederaufführung *f;* **3.** *sport* Einwurf *m;* **4.** *(immagazzinamento)* Einlagerung *f;* **5.** *com* Lieferung *f;* **6.** *fin* Überweisung *f.*

rimestare [-mes'ta:re] *tr* **1.** *(salsa, minestra)* (wieder) um-, durchrühren; **2.** *fig (frugare)* durchwühlen, wühlen (*in* in *+dat*).

rimettere [-'mettere] ⟨*irr*⟩ **I.** *tr* **1.** *(mettere di nuovo)* wieder setzen; *(in piedi)* wieder (auf)stellen; *(disteso)* wieder (hin)legen; *(indossare)* wieder anziehen; **2.** *(affidare)* anvertrauen, überlassen; **3.** *(pena, colpa, peccato)* erlassen, vergeben; **4.** *sport* zurückspielen; *(in gioco)* einwerfen; **5.** *bot* treiben; **6.** *(differire)* verschieben, verlegen; **7.** *(merce, lettere)* senden; **8.** *(assegno)* überweisen; **9.** *(vomitare)* (er)brechen; **10.** *(regolare)* (ein)stellen; **rimetterci la salute** *fam* seine Gesundheit ruinieren; **rimetterci di tasca propria** *fam* aus eigener Tasche draufzahlen *fam;* **II.** *rfl:* **-ersi** **1.** *(riprendersi)* sich wieder erholen; **2.** *(tempo)* sich bessern; **3.** *(appellarsi)* sich überlassen, sich anvertrauen; **-ersi a studiare** wieder mit dem Lernen beginnen.

rimmel® ['rimmel] ⟨-⟩ *m* Wimperntusche *f.*

rimodernamento [-moderna'mento] *m* Modernisierung *f.* **rimodernare** [...'na:re] *tr* modernisieren.

rimonta [-'monta] *f* **1.** *(il rimontare)* Wiederbesteigung *f;* **2.** *sport* Aufholen *n;* **fare una ~** sich erholen, aufholen. **rimontare** [...'ta:re] **I.** *tr* ⟨*avere*⟩ **1.** *(montare di nuovo)* wieder montieren, wieder zusammensetzen; **2.** *(fiume)* (flußaufwärts gehen (*o* fahren); **3.** *sport* aufholen; **II.** *itr* ⟨*essere*⟩ **1.** *(montare di nuovo)* wieder aufsteigen; *(in macchina, treno)* wieder einsteigen; **2.** *fig (risalire)* zurückreichen (*a* bis).

rimorchiare [rimor'ki̯a:re] ⟨rimorchio, rimorchi⟩ *tr* **1.** *(nave, automobile)* abschleppen; **2.** *fig* (mit)schleppen, mitschleifen. **rimorchiatore** [...i̯a'to:re] *m* Schlepper *m,* Schleppboot *n.* **rimorchio** [ri'mɔrki̯o] ⟨-chi⟩ *m* **1.** *(veicolo)* Anhänger *m;* **2.** *(trascinamento)* (Ab)schleppen *n;* **3.** *naut* Schleppseil *n,* -tau *n;* **prendere a ~** abschleppen.

rimordere [-'mɔrdere] ⟨*irr*⟩ *tr* plagen (*a qu* jdn), quälen *(a qu* jdn), nagen an *+dat.*

rimorso [-'mɔrso] *m* Reue *f; (tormento)* Gewissensbiß *m.*

rimostranza [-mos'trantsa] *f* Einwand *m,* Beschwerde *f.*

rimozione [-mot'tsi̯o:ne] *f* **1.** *(asportazione)* Beseitigung *f; (a. da carica, impiego)* Entfernung *f;* **2.** *psic* Verdrängung *f.*

rimpallo [rim'pallo] *m* **1.** *(nel biliardo)* Zugball *m;* **2.** *(nel calcio)* Zurückprallen *n.*

rimpastare [-pas'ta:re] *tr* **1.** *(sfoglia)* wieder kneten; **2.** *fig (governo)* umbilden; **rimpasto** [-'pasto] *m* **1.** *pol (del governo)* Umbildung *f;* **2.** *(nuovo impasto)* erneutes Kneten; ~ **governativo** Regierungsumbildung *f.*

rimpatriare [-pa'tri̯a:re] ⟨rimpatrio, rimpatri⟩ **I.** *itr* ⟨*essere*⟩ in die Heimat zurückkehren; **II.** *tr* ⟨*avere*⟩ repatriieren, in die Heimat zurückschicken. **rimpatriata** [-pa'tri̯a:ta] *f fam* Wiedersehen *n,* Treffen *n.* **rimpatrio** [-'pa:tri̯o] ⟨-ii⟩ *m* Rückkehr *f* in die Heimat, Heimkehr *f.*

rimpetto [-'pɛtto]: **di ~ a** *avv* gegenüber *+dat.*

rimpiangere [-'pi̯andʒere] ⟨*irr*⟩ *tr* nachtrauern (*qc* einer S. *dat*), beklagen. **rimpianto, -a** [-'pi̯anto] *m* Bedauern *n.*

rimpiattino [rimpi̯at'ti:no] *m* Versteckspiel *n,* Verstecken *n;* **giocare a ~** Versteck spielen.

rimpiazzare [-pi̯at'tsa:re] *tr fam* austauschen, ersetzen (*qc con qc* etw. durch etw.).

rimpicciolire [-pittʃo'li:re] ⟨rimpicciolisco⟩ **I.** *tr* verkleinern; **II.** *itr* ⟨*essere*⟩, *rfl:* **-irsi** kleiner werden.

rimpinguare [-piŋ'gu̯a:re] *tr* fett machen; *fig* wieder anfüllen.

rimpinzare [-pin'tsa:re] **I.** *tr* vollstopfen; **II.** *rfl:* **-arsi** sich vollstopfen.

rimpolpare [-pol'pa:re] *tr* **1.** *(rimettere in carne, salute)* wieder Fleisch ansetzen lassen; **2.** *fig* ausschmücken, anreichern, ausarbeiten.

rimproverare [-prove'ra:re] **I.** *tr* Vorwürfe machen, tadeln; ~ **qu di qc** jdm etw.

vorwerfen; **II.** *rfl:* **-arsi** sich *(dat)* Vorwürfe machen; **-arsi (di) qc** sich *(dat)* etw. vorwerfen. **rimprovero** [-'prɔ:vero] *m* Tadel *m,* Vorwurf *m.*

rimuginare [rimudʒi'na:re] *tr* grübeln über *+akk.*

rimunerare [-mune'ra:re] *tr* belohnen; **un lavoro ben rimunerato** eine gutbezahlte Arbeit (*o* Stelle). **rimunerazione** [...rat'tsio:ne] *f* Belohnung *f; (paga)* Vergütung *f,* Lohn *m.*

rimuovere [-'muɔ:vere] ⟨*irr*⟩ *tr* **1.** *(togliere via)* wegräumen, fortschaffen; **2.** *fig* abbringen (*da* von); **3.** *amm (dall'ufficio)* entfernen (*da* aus); **4.** *(muovere nuovamente)* wieder bewegen; **5.** *psic* verdrängen.

rinascere [-'naʃʃere] ⟨*irr*⟩ *itr* ⟨*essere*⟩ **1.** *(nascere di nuovo)* wiedergeboren werden; **2.** *bot* wieder sprießen, nachwachsen; **3.** *(unghie, capelli)* nachwachsen; **4.** *fig* wiederaufleben.

rinascimentale [-naʃʃimen'ta:le] *agg* Renaissance-. **rinascimento** [...'mento] *m* Renaissance *f.*

rinascita [-'naʃʃita] *f* **1.** *bot* Nachwachsen *n;* **2.** *fig* Wiederaufblühen *n,* Wiederaufleben *n.*

rincalzare [riŋkal'tsa:re] *tr* abstützen. **rincalzo** [-'kaltso] *m* **1.** *(sostegno)* Stütze *f,* Abstützung *f;* **2.** *mil* Reserve-, Hilfstruppe *f;* **3.** *sport* Reserve *f.*

rincarare [-ka'ra:re] **I.** *tr* ⟨*avere*⟩ verteuern, teurer machen; ~ **la dose** *fig* noch eins draufsetzen; **II.** *itr* ⟨*essere*⟩ sich verteuern, teurer werden. **rincaro** [-'ka:ro] *m* (Ver)teuerung *f;* ~ **della vita** Anstieg *m* der Lebenshaltungskosten; **ondata dei -i** Teuerungswelle *f.*

rincasare [-ka'sa:re] *itr* ⟨*essere*⟩ heimkehren, nach Hause kommen.

rinchiudere [-'kiu:dere] ⟨*irr*⟩ **I.** *tr* einschließen; *(a. fig)* (ein)sperren; **II.** *rfl:* **-ersi 1.** *(chiudersi dentro)* sich einschließen; **2.** *fig* sich verschließen.

rincitrullire [rintʃitrul'li:re] ⟨rincitrullisco⟩ **I.** *tr* ⟨*avere*⟩ dumm machen; **II.** *rfl:* **-irsi,** *itr* ⟨*essere*⟩ verdummen.

rincoglionire [riŋkoʎʎo'ni:re] ⟨rincoglionisco⟩ *itr* ⟨*essere*⟩, *rfl:* **-irsi** *volg* verblöden.

rincorrere [-'korrere] ⟨*irr*⟩ **I.** *tr* verfolgen, nachlaufen (*qu* jdm); **II.** *rfl:* **-ersi** sich *(dat)* nachlaufen, sich fangen; **fare a -ersi** Fangen spielen.

rincorsa [-'korsa] *f* Anlauf *m;* **prendere la** ~ Anlauf nehmen.

rincrescere [-'kreʃʃere] ⟨*irr*⟩ *itr impers* ⟨*essere*⟩ bedauern, leid tun; **mi rincresce che . . .** es tut mir leid, daß . . . **rincrescimento** [...ʃi'mento] *m* Bedauern *n.*

rinculare [-ku'la:re] *itr* zurückprallen; *(indietreggiare)* zurückweichen. **rinculo** [-'ku:lo] *m* **1.** *(movimento all'indietro)* Zurückweichen *n;* **2.** *mil* Rückstoß *m.*

rinfacciare [rinfat'tʃa:re] ⟨rinfaccio, rinfacci⟩ *tr* vorwerfen, vorhalten.

rinfocolare [-foko'la:re] *tr* **1.** *(riattizzare)* wieder anfachen; **2.** *fig (rancore, odio)* schüren.

rinforzare [-for'tsa:re] **I.** *tr* ⟨*avere*⟩ **1.** *(edificio)* (ab)stützen; **2.** *(muscoli)* stärken, kräftigen; **3.** *(suono)* verstärken; **4.** *fig (autorità, potere)* stärken; **II.** *itr* ⟨*essere*⟩ sich verstärken; **III.** *rfl:* **-arsi** kräftiger (*o* stärker) werden. **rinforzo** [-'fɔrtso] *m* **1.** *(sostegno, a. mil, fig)* Verstärkung *f;* **2.** *(appoggio)* Stütze *f.*

rinfrancare [-fraŋ'ka:re] ⟨rinfranco, rinfranchi⟩ **I.** *tr* (wieder) ermutigen; **II.** *rfl:* **-arsi** neuen Mut fassen.

rinfrescante [-fres'kante] *agg* erfrischend.

rinfrescare [-fres'ka:re] ⟨rinfresco, rinfreschi⟩ **I.** *tr* ⟨*avere*⟩ **1.** *(rendere fresco)* abkühlen (lassen); **2.** *(dipinto, memoria)* auffrischen; **II.** *itr* ⟨*essere*⟩ kühler werden, sich abkühlen; **III.** *rfl:* **-arsi** sich erfrischen.

rinfresco [-'fresko] ⟨-schi⟩ *m* **1.** *(ricevimento)* Empfang *m;* **2.** ⟨*pl*⟩ *(cibi e bevande)* Erfrischungen *f pl.*

rinfusa [-'fu:za] *f:* **alla** ~ durcheinander.

ring [riŋg] ⟨-⟩ *m* **1.** *sport* (Box)ring *m;* **2.** *econ* Ring *m.*

ringalluzzire [riŋgallut'tsi:re] ⟨ringalluzzisco⟩ *fam* **I.** *tr* aufmuntern, aufbauen *fam;* **II.** *rfl:* **-irsi** Oberwasser bekommen.

ringhiare [riŋ'gia:re] ⟨ringhio, ringhi⟩ *itr* knurren.

ringhiera [riŋ'giɛ:ra] *f* Geländer *n.*

ringhio ['riŋgio] ⟨-ghi⟩ *m* Knurren *n.* **ringhioso, -a** [...'gio:so] *agg* knurrend.

ringiovanire [rindʒova'ni:re] ⟨ringiovanisco⟩ **I.** *tr* ⟨*avere*⟩ verjüngen; *(fig a.)* jünger machen; **II.** *itr* ⟨*essere*⟩, *rfl:* **-irsi** sich verjüngen, jünger werden.

ringraziamento [riŋgrattsia'mento] *m* Dank *m,* Danksagung *f;* **-i** Dank *m;* **lettera di** ~ Dankschreiben *n.* **ringraziare** [...'tsia:re] *tr* danken (*qu* jdm), sich bedanken (*qu* bei jdm).

rinnegare [rinne'ga:re] *tr* verleugnen; *(ideale, dottrina a.)* abweichen von; *(figlio a.)* verstoßen. **rinnegato, -a** [-ne'ga:to] **I.** *agg* abtrünnig; **II.** *m, f* Renegat *m,* Abtrünnige(r) *mf.*

rinnovamento [-nova'mento] *m* Erneuerung *f.* **rinnovare** [-no'va:re] **I.** *tr* **1.** *(rendere nuovo)* erneuern; *(contratto, abbonamento)* verlängern; **2.** *(domanda, petizione)* wiederholen; **II.** *rfl:* **-arsi** sich wiederholen. **rinnovatore, -trice** [-nova'to:re] **I.** *agg* erneuernd, Erneuerungs-; **II.** *m, f* Erneuerer *m,* Erneuerin *f.* **rinnovazione** [...t'tsio:ne] *f* Erneuerung *f.* **rinnovo** [-'nɔ:vo] *m* Erneuerung *f; dir (di contratto)* Verlängerung *f.*

rinoceronte [rinotʃe'ronte] *m* Nashorn *n,* Rhinozeros *n.*

rinomato, -a [rino'ma:to] *agg* berühmt,

renommiert *geh.*

rinsaldare [rinsal'da:re] **I.** *tr* festigen, bestärken, konsolidieren; **II.** *rfl:* **-arsi** sich bestärken, sich konsolidieren.

rinsanire [-sa'ni:re] ⟨rinsanisco⟩ *itr* ⟨*essere*⟩ gesunden.

rinsavire [-sa'vi:re] ⟨rinsavisco⟩ *itr* ⟨*essere*⟩ wieder zu Verstand kommen.

rinsecchire [-sek'ki:re] ⟨rinsecchisco⟩ *itr* ⟨*essere*⟩ **1.** *(diventare magro)* abmagern; **2.** *(diventare secco)* vertrocknen.

rintanarsi [-ta'narsi] *rfl* **1.** *(animale)* sich (in einem Bau *o* einer Höhle) verkriechen; **2.** *fig (persona)* sich verkriechen.

rintoccare [-tok'ka:re] *itr* ⟨*essere o avere*⟩ *(orologio)* schlagen; *(campana a.)* läuten. **rintocco** [-'tokko] *m (di orologio)* Schlagen *n,* Schlag *m; (di campana)* (Glocken)schlag *m;* **al ~ della mezzanotte** Schlag Mitternacht.

rintracciare [-trat'tʃa:re] *tr* auffinden, aufspüren.

rintronare [-tro'na:re] **I.** *itr* ⟨*essere o avere*⟩ dröhnen; **II.** *tr*⟨*avere*⟩ betäuben.

rintuzzare [-tut'tsa:re] *tr* zurückschlagen, -geben.

rinuncia [ri'nuntʃa] ⟨-ce⟩ *f* **1.** *(il rinunciare)* Verzicht *m* (*a* auf *+akk*); **2.** *dir* Verzichterklärung *f;* **3.** ⟨*pl*⟩ *(privazioni)* Entsagungen *f pl.* **rinunciare** [...'tʃa:re] ⟨rinuncio, rinunci⟩ *itr* verzichten (*a* auf *+akk*); **ci rinuncio volentieri** *iron* darauf kann ich gern verzichten. **rinunciatario, -a** [...ja'ta:rio] ⟨-i, -ie⟩ **I.** *agg* verzichtend, Verzichts-; **II.** *m, f* Verzichtende(r) *mf.*

rinvasare [rinva'za:re] *tr* umtopfen.

rinvenimento[1] [-veni'mento] *m (ritrovamento)* Auffinden *n,* Entdeckung *f.*

rinvenimento[2] [-veni'mento] *m* **1.** *(ripresa dei sensi)* Wiederzusichkommen *n;* **2.** *(di fiori)* Wässern *n;* **3.** *(di metallo)* Anlassen *n.*

rinvenire[1] [-ve'ni:re] ⟨*irr*⟩ *tr (oggetti)* wiederfinden, entdecken.

rinvenire[2] [-ve'ni:re] ⟨*irr*⟩ *itr* ⟨*essere*⟩ **1.** *(ricuperare i sensi)* wieder zu sich *(dat)* kommen; **2.** *(funghi secchi, lenticchie, baccalà)* quellen; *(fiori)* sich erholen.

rinverdire [-ver'di:re] ⟨rinverdisco⟩ **I.** *tr* ⟨avere⟩ **1.** *(far tornar verde)* wieder grün machen; **2.** *fig* wieder beleben; *(speranza, usanza)* wieder aufleben lassen; **II.** *itr* ⟨*essere*⟩, *rfl:* **-irsi** (wieder) grün werden.

rinviare [-vi'a:re] *tr* **1.** *(luce)* zurückwerfen; **2.** *(rimandare)* verweisen (*a* auf *+akk*); **3.** *(differire)* verschieben; *(seduta)* vertagen; **4.** *sport* zurückgeben, zurückspielen; **~ a giudizio** *dir* das Verfahren einleiten (gegen).

rinvigorire [-vigo'ri:re] ⟨rinvigorisco⟩ **I.** *tr* ⟨*avere*⟩ wieder stark machen; *(a. fig)* kräftigen, stärken; **II.** *itr* ⟨*essere*⟩, *rfl:* **-irsi** wieder erstarken, wieder stark werden.

rinvio [-'vi:o] *m* **1.** *(ritorno)* Rücksendung *f,* Zurücksenden *n;* **2.** *sport* Rückschuß *m,* Rückwurf *m;* **3.** *(differimento)* Aufschub *m,* Verschiebung *f; (di seduta, udienza)* Vertagung *f;* **4.** *(rimando)* Verweis *m;* **~ a giudizio** *dir* Einleitung *f* des Verfahrens.

riò [ri'ɔ] *pr di* **riavere.**

rioccupare [riokku'pa:re] **I.** *tr* wieder besetzen; **II.** *rfl:* **-arsi** *fig (interessarsi di nuovo)* sich wieder kümmern (*di* um).

rioccupazione [...pat'tsio:ne] *f* Wiederbesetzung *f.*

rionale [rio'na:le] *agg* des Stadtviertels, Stadtviertel-. **rione** [ri'o:ne] *m* Stadtviertel *n.*

riordinamento [-ordina'mento] *m* Neuordnung *f.* **riordinare** [...'na:re] *tr* **1.** *(oggetti)* wieder (*o* neu) ordnen; *(casa, stanza)* aufräumen; **2.** *(dare un nuovo ordinamento)* neu ordnen, neu regeln.

riorganizzare [-organid'dza:re] **I.** *tr* reorganisieren, neu organisieren, umgestalten; **II.** *rfl:* **-arsi** sich neu organisieren.

riorganizzazione [...dzat'tsio:ne] *f* Reorganisation *f,* Umgestaltung *f.*

ripagare [ripa'gare] *tr* **1.** *(pagare di nuovo)* wieder (be)zahlen; **2.** *(ricompensare)* belohnen (*qu di qc* jdn für etw.); *(favore, cortesia)* sich revanchieren (*qu di qc* bei jdm für etw.); **3.** *(indennizzare)* entschädigen (*qu di qc* jdn für etw.); **~ con la stessa moneta** mit (*o* in) gleicher Münze heimzahlen (*qu di qc* jdm etw.).

riparare [ripa'ra:re] **I.** *tr* **1.** *(accomodare)* reparieren; **2.** *(proteggere)* schützen; **3.** *(torto, ingiustizia)* wiedergutmachen; **4.** *(a scuola)* eine Nachprüfung ablegen in; **II.** *itr* **1.** *(ovviare)* abhelfen; **2.** *fam (provvedere)* (vor)sorgen (*a* für); **3.** *fam tosc (farcela)* es schaffen; **III.** *rfl:* **-arsi** sich schützen (*da* vor *+dat*). **riparato, -a** [...'ra:to] *agg* **1.** *(luogo)* geschützt; **2.** *(tetto, strada, macchina)* repariert, ausgebessert.

riparazione [riparat'tsio:ne] *f* **1.** *(accomodatura)* Reparatur *f,* Ausbesserung *f;* **2.** *fig (di torto, ingiustizia)* Wiedergutmachung *f; (risarcimento)* Entschädigung *f* (*di* für); **3.** ⟨*pl*⟩ *pol* Reparationen *f pl.*

riparlare [-par'la:re] **I.** *itr* wieder sprechen (*o* reden); **ne riparleremo!** laß uns ein anderes mal darüber sprechen; *peg* wir sprechen uns noch!; **II.** *rfl:* **-arsi** sich wieder vertragen.

riparo [ri'pa:ro] *m* **1.** *(protezione)* Schutz *m,* Unterschlupf *m;* **2.** *(rimedio)* Abhilfe *f;* **mettersi al ~** *fig* vorbeugen (*da qc* einer S. *dat*).

ripartire[1] [-par'ti:re] ⟨ripartisco⟩ *tr* **1.** *(dividere)* (auf)teilen, einteilen; **2.** *(distribuire)* verteilen; *(compiti, mansioni)* zuteilen.

ripartire² [-par'ti:re] ⟨riparto⟩ *itr* ⟨*essere*⟩ wieder fortgehen, wieder abfahren.

ripartizione [-partit'tsio:ne] *f* **1.** *(divisione)* (Auf)teilung *f;* **2.** *(distribuzione)* Verteilung *f; (di compiti, mansioni)* Zuteilung *f.*

ripassare [-pas'sa:re] **I.** *itr* ⟨*essere*⟩ wieder vorbeigehen; *(ritornare)* wieder vorbeikommen; **II.** *tr* ⟨*avere*⟩ **1.** *(fiume, valico)* wieder passieren, wieder überschreiten; **2.** *(contorni di un disegno)* nachziehen, nachzeichnen; **3.** *fam (stirare)* auf-, überbügeln *fam;* **4.** *(lezione)* wiederholen. **ripassata** [...'sa:ta] *f* **1.** *fig (di lezione)* Wiederholung *f;* **2.** *fam (sgridata)* Anpfiff *m fam;* **dare una ~ alla camicia** das Hemd aufbügeln.

ripasso [-'passo] *m (a scuola)* Wiederholung *f.*

ripensamento [-pensa'mento] *m* Überdenken *n,* Überlegen *n; (cambiamento di idea)* Meinungsänderung *f.* **ripensare** [...'sa:re] *itr* **1.** *(riflettere)* überdenken (*a qc* etw.), überlegen (*a qc* etw.); **2.** *(cambiare parere)* es sich *(dat)* anders überlegen, seine Meinung ändern; **3.** *(riandare con la memoria)* zurückdenken (*a* an *+akk*).

ripercorrere [-per'korrere] ⟨*irr*⟩ *tr* **1.** *(itinerario, tragitto)* erneut gehen; **2.** *fig* wieder durchgehen, überdenken.

ripercuotere [-per'kuɔ:tere] ⟨*irr*⟩ **I.** *tr* **1.** *(percuotere di nuovo)* wieder schlagen; **2.** *(riflettere)* zurückwerfen; **II.** *rfl:* **-ersi 1.** *(provocare urto)* zurückprallen; **2.** *(essere riflesso)* zurückgeworfen werden; **3.** *fig* sich auswirken (*su* auf *+akk*). **ripercussione** [...kus'sio:ne] *f* **1.** *fig* Auswirkung *f* (*su* auf *+akk*); **2.** *(contraccolpo)* Rückstoß *m,* Rückprall *m.*

ripescare [-pes'ka:re] *tr* **1.** *(ricuperare)* wieder (auf)fischen; *(oggetto)* herausangeln, -fischen; **2.** *fig (ritrovare)* ausfindig machen.

ripetente [ripe'tɛnte] *mf* Repetent(in) *m(f) geh,* Sitzenbleiber *m fam.*

ripetere [ri'pɛ:tere] **I.** *tr* wiederholen; **II.** *rfl:* **-ersi** sich wiederholen. **ripetitore** [...'to:re] *m radio, TV* Verstärker *m,* Relaisstation *f.* **ripetizione** [...tit'tsio:ne] *f* **1.** *gener.* Wiederholung *f;* **2.** *(lezione privata)* Nachhilfeunterricht *m,* -stunde *f;* **~ (automatica)** *tel* Wahlwiederholung *f.*

ripiano [-'pia:no] *m* **1.** *(palchetto)* (Regal)brett *n;* **2.** *(zona piana)* Terrasse *f,* Ebene *f.*

ripicca [-'pikka] *f fam* Revanche *f;* **per ~** aus Rache, aus Trotz.

ripidezza [ripi'dettsa] *f* Steilheit *f.* **ripido, -a** ['ri:pido] *agg* steil.

ripiegamento [-piega'mento] *m* Rückzug *m.* **ripiegare** [...'ga:re] **I.** *tr* **1.** *(foglio, tessuto, lenzuolo)* zusammenfalten, -legen; **2.** *(ginocchia)* beugen; **3.** *(piegare di nuovo)* wieder biegen; **II.** *itr* **1.** *fig* ausweichen (*su* auf *+akk*); **2.** *mil* zurückweichen; **III.** *rfl:* **-arsi 1.** *(incurvarsi)* sich biegen, sich krümmen; **2.** *fig* sich zurückziehen.

ripiego [-'piɛ:go] ⟨-ghi⟩ *m* Ausweg *m,* Notlösung *f;* **soluzione di ~** Verlegenheitslösung *f.*

ripieno, -a [-'piɛ:no] **I.** *agg* **1.** *(colmo)* (voll)gefüllt, angefüllt; **2.** *gastr* gefüllt; **3.** *fig* voll; **II.** *m* **1.** *gastr* Farce *f,* Füllung *f;* **2.** *(materiale)* Füllung *f.*

ripigliare [-piʎ'ʎa:re] *fam* **I.** *tr* wieder nehmen; *(fiato)* wieder holen; *(discorso)* wieder beginnen; *(riaccettare)* wieder (an)nehmen; **II.** *itr* sich erholen; **III.** *rfl:* **-arsi** wieder zu sich *(dat)* kommen.

ripopolamento [-popola'mento] *m* Wiederbevölkerung *f,* Wiederbesiedlung *f.*

ripopolare [...'la:re] **I.** *tr* wieder bevölkern, wieder besiedeln; *(di animali)* wieder besetzen; **II.** *rfl:* **-arsi** sich wieder bevölkern, sich wieder besiedeln.

riporre [-'porre] ⟨*irr*⟩ *tr* **1.** *(mettere via)* zurücklegen, zurücktun, wegtun; **2.** *(porre di nuovo)* wieder legen, wieder stellen, wieder setzen; **3.** *fig (fiducia)* setzen (*in* in *+akk*); *(speranza)* setzen (*in* auf *+akk*).

riportare [-por'ta:re] **I.** *tr* **1.** *(portare di nuovo)* wieder bringen; **2.** *(portare indietro)* zurückbringen; **3.** *(riferire)* wiedergeben, hinterbringen; **4.** *mat* übertragen; **5.** *(trasportare)* übertragen; **6.** *fig (vittoria)* erlangen, davontragen; *(danni)* davontragen, erleiden; **~ a zero** *inform* löschen; **II.** *rfl:* **-arsi 1.** *(tornare indietro)* sich zurückbegeben; **2.** *(richiamarsi)* sich beziehen (*a* auf *+akk*), sich berufen (*a* auf *+akk*).

riporto [-'pɔrto] *m* **1.** *mat* Übertrag *m;* **2.** *(contabilità)* Übertrag *m,* Vortrag *m;* **3.** *fin* Report *m;* **4.** *(parte di tessuto)* Besatz *m.*

riposante [-po'sante] *agg* erholsam, entspannend.

riposare [-po'sa:re] **I.** *itr* **1.** *(dormire)* ruhen; *(fermarsi)* ausruhen; **2.** *(essere posato)* sich befinden; **~ in pace** in Frieden ruhen; **II.** *tr* **1.** *(corpo, membra)* ausruhen (lassen); *(vista)* schonen; **2.** *(posare di nuovo)* wieder legen (*o* stellen *o* setzen); **III.** *rfl:* **-arsi 1.** *(dormire)* ruhen; **2.** *(prendere ristoro)* sich ausruhen, sich erholen; **3.** *(tornare a posarsi)* sich wieder stellen (*o* legen *o* setzen). **riposato, -a** [-po'sa:to] *agg* **1.** *(ritemprato)* ausgeruht; **2.** *(calmo)* ruhig.

riposizionare [-pozittsio'na:re] *tr* neu einstellen, neu positionieren.

riposo [-'pɔ:so] *m* **1.** *(sospensione dell'attività)* Ruhe *f,* Erholung *f;* **2.** *(sonno)*

Ruhe *f,* Schlaf *m;* **3.** *sport, mil* Ruhestellung *f;* **4.** *amm* Ruhestand *m;* **giornata di** ~ Ruhetag *m;* **buon** ~! angenehme Ruhe!; ~! rührt euch!

ripostiglio [-pos'tiʎʎo] ⟨-gli⟩ *m* Abstellraum *m.*

riposto, -a [-'posto] *agg* verborgen.

riprendere [-'prɛndere] ⟨*irr*⟩ **I.** *tr* **1.** *(prendere di nuovo)* wieder nehmen; *(posto)* wieder einnehmen; **2.** *(prendere indietro)* zurücknehmen; **3.** *(ricominciare)* wieder beginnen, wiederaufnehmen; **4.** *(continuare)* fortfahren mit; **5.** *(rimproverare)* schelten, tadeln; **6.** *film, fot* aufnehmen; **7.** *(tornare a colpire)* wieder befallen; **8.** *(riassumere)* wieder einstellen (*o* anstellen); **9.** *(afferrare)* wieder fangen, wieder ergreifen; ~ **quota/velocità** wieder an Höhe/Geschwindigkeit gewinnen; ~ **i sensi/le forze** wieder zu Bewußtsein/Kräften kommen; **II.** *itr* **1.** *(ricominciare)* wieder anfangen; **2.** *(riprendere vigore)* sich erholen; **III.** *rfl:* **-ersi 1.** *(ricuperare vigore)* sich erholen; **2.** *(ravvedersi)* sich bessern.

ripresa [-'pre:sa] *f* **1.** *(inizio)* Wiederbeginn *m,* Wiederaufnahme *f;* **2.** *econ* Aufschwung *m;* **3.** *(da malattia, malessere, crisi)* Erholung *f,* Besserung *f;* **4.** *film, TV* Aufnahme *f;* **5.** *mus, teat, fin* Reprise *f;* **6.** *mot* Beschleunigung *f;* **7.** *sport* zweite Halbzeit; *(pugilato)* Runde *f;* **8.** *(pince)* Abnäher *m;* ~ **economica** *com* Konjunkturaufschwung *m;* **a più -e** in mehreren Ansätzen; **in** ~ **diretta** *TV* in Direktübertragung, live.

ripresentare [-prezen'ta:re] **I.** *tr* wieder vorstellen; *(questione)* wieder aufwerfen; *(conto)* wieder vorlegen; **II.** *rfl:* **-arsi 1.** *(presentarsi di nuovo)* sich wieder vorstellen; **2.** *(riapparire)* wieder erscheinen; *(occasione)* sich ergeben; ~ **ha propria candidatura** *pol* sich wieder als Kandidat(en) aufstellen lassen.

ripristinare [-pristi'na:re] *tr* **1.** *(ordine, consuetudine)* wiederherstellen; **2.** *(edificio, facciata)* wieder instand setzen; **3.** *(traffico)* wieder in Gang bringen. **ripristino** [-'pristino] *m* Wiederherstellung *f,* Instandsetzung *f.*

riprivatizzare [-privatid'dza:re] *tr* reprivatisieren.

riprodurre [-pro'durre] ⟨*irr*⟩ **I.** *tr* **1.** *(produrre di nuovo)* reproduzieren; **2.** *(documento)* vervielfältigen, abdrucken; **3.** *(produrre di nuovo)* wieder bewirken; **4.** *fig* wiedergeben; *(rappresentare)* darstellen; **II.** *rfl:* **-ursi 1.** *biol* sich fortpflanzen, sich vermehren; **2.** *(ripetersi)* sich wiederholen; **3.** *(rifarsi)* sich (neu) bilden. **riproduttivo, -a** [-produt'ti:vo] *agg* **1.** *biol* Fortpflanzungs-, reproduktiv; **2.** *tec* nachbildend, reproduktiv. **riproduttore, -trice** [...'to:re] **I.** *agg* Fortpflanzungs-; **II.** *m* Tonabnehmer *m.* **riproduzione** [...t'tsi̯o:ne] *f* **1.** *(di disegno, quadro)* Reproduktion *f,* Repro *n fam;* **2.** *biol* Fortpflanzung *f;* **3.** *(registrazione)* Wiedergabe *f;* ~ **vietata** Nachdruck verboten.

ripromettersi [-pro'mettersi] ⟨*irr*⟩ *rfl* sich *(dat)* vornehmen.

riprova [-'prɔ:va] *f* **1.** *mat* Gegenprobe *f;* **2.** *(conferma)* Beweis *m,* Bestätigung *f.*

riprovare¹ [-pro'va:re] **I.** *tr* **1.** *(vestito, cappello)* wieder (an)probieren; **2.** *fig (sensazione)* wieder fühlen, wieder empfinden; **II.** *rfl:* **-arsi** sich versuchen; **III.** *itr* wieder versuchen.

riprovare² [-pro'va:re] *tr* *(biasimare)* mißbilligen.

riprovazione [...vat'tsi̯o:ne] *f* Mißbilligung *f;* **con** ~ mißbilligend.

ripudiare [ripu'di̯a:re] ⟨ripudio, ripudi⟩ *tr* **1.** *(persone)* verstoßen; **2.** *(scritto)* verleugnen, zurückweisen; **3.** *(fede, idee)* verleugnen. **ripudio** [ri'pu:di̯o] ⟨-i⟩ *m* Verstoßen *n; (rifiuto)* Verleugnung *f.*

ripugnante [-puɲ'ɲante] *agg* abstoßend, widerlich. **ripugnanza** [...'ɲantsa] *f* **1.** *(ribrezzo)* Abscheu *m* (*per* vor +*dat*); **2.** *(avversione)* Abneigung *f* (*per* gegen), Widerwille *m* (*per* gegen). **ripugnare** [...'ɲa:re] *itr* abstoßen (*a qu* jdn), anwidern (*a qu* jdn).

ripulire [-pu'li:re] **I.** *tr* **1.** *(pulire di nuovo)* wieder säubern; **2.** *(nettare bene)* sorgfältig säubern; **3.** *fig fam (persona)* (total) ausnehmen *fam; (appartamento, tasche)* (total) leerräumen *fam;* **II.** *rfl:* **-irsi** sich zurechtmachen.

ripulsione [-pul'si̯o:ne] *f* Abneigung *f.*

riquadro [-'ku̯a:dro] *m* **1.** *(delimitazione quadrata)* Rechteck *n;* **2.** *arch* Kassette *f.*

riqualificazione [-ku̯alifikat'tsi̯o:ne] *f* Umschulung *f,* Erwerb *m* einer höheren Qualifikation.

risacca [-'sakka] ⟨-cche⟩ *f* Brandung *f.*

risaia [ri'sa:i̯a] ⟨-aie⟩ *f* Reisfeld *n.*

risalire [-sa'li:re] ⟨*irr*⟩ **I.** *tr* ⟨*avere*⟩ wieder hinaufgehen; **II.** *itr* ⟨*essere*⟩ **1.** *(salire di nuovo)* wieder (auf)steigen, wieder hinaufgehen; **2.** *econ* steigen; **3.** *fig (ricordare)* (in Gedanken) zurückgehen; *(indagare)* nachgehen, zurückverfolgen (*a qc* etw.); **gli avvenimenti risalgono a tre mesi fa** die Ereignisse liegen drei Monate zurück. **risalita** [-sa'li:ta] *f* Wiederaufstieg *m; zoo* Rückzug *m.*

risaltare [-sal'ta:re] **I.** *itr* ⟨*essere o avere*⟩ **1.** *(spiccare)* sich abheben; *(sporgere)* vorspringen, -ragen, -treten; **2.** *fig (eccellere)* hervorstechen (*per* durch), auffallen (*per* durch); **3.** *(saltare di nuovo)* wieder springen; *(palla)* zurückprallen; **II.** *tr* ⟨*avere*⟩ wieder überspringen. **risalto** [-'salto] *m* **1.** *(spicco)* Abheben *n; (sporgenza)* Vorsprung *m;* **2.** *(evidenza)*

Hervorhebung *f;* **mettere in ~ qc** etw. hervorheben.

risanamento [-sana'mento] *m* Sanierung *f.* **risanare** [-sa'na:re] **I.** *tr* ⟨*avere*⟩ sanieren; *(zona paludosa)* meliorieren, trockenlegen; **II.** *itr* ⟨*essere*⟩ wieder genesen.

risaputo, -a [-sa'pu:to] *agg (noto)* bekannt.

risarcimento [-sartʃi'mento] *m* **1.** *(compensazione)* Entschädigung *f* (*per* für); **2.** *(somma)* Entschädigung(ssumme) *f.* **risarcire** [...'tʃi:re] ⟨risarcisco⟩ *tr (persona)* entschädigen (*di* für); *(danno)* ersetzen, aufkommen (*qc* für etw.).

risata [ri'sa:ta] *f* Gelächter *n,* Lachen *n.*

riscaldamento [riskalda'mento] *m* **1.** *(atto, modo)* Heizen *n; (del motore)* Warmlaufen *n;* **2.** *(impianto, mezzo)* Heizung *f;* **3.** *sport* Aufwärmen *n,* Aufwärmphase *f;* **~ centrale** Zentralheizung *f;* **~ a gas/a kerosene** Gas-/Ölheizung *f;* **~ nel pavimento** Fußbodenheizung *f.* **riscaldare** [...'da:re] **I.** *tr* **1.** *gener.* erwärmen; *(minestra, caffè)* aufwärmen; *(stanza, casa)* heizen; **2.** *fig* erhitzen; **II.** *itr* heizen; **III.** *rfl:* **-arsi 1.** *(riprendere calore)* sich (auf)wärmen; **2.** *(diventare caldo)* warm werden, sich erwärmen, sich erhitzen; **3.** *fig (infervorarsi)* sich erhitzen, sich ereifern.

riscattare [riskat'ta:re] **I.** *tr* **1.** *(persona)* freikaufen; *pol* befreien; **2.** *dir (rendita, fondo)* einlösen, zurückkaufen; **3.** *fig (redimere)* erlösen, befreien; **II.** *rfl:* **-arsi** sich befreien, sich lösen. **riscatto** [...'katto] *m* **1.** *(liberazione a pagamento)* Loskaufen *n,* Freikaufen *n;* **2.** *dir* Ablösung *f,* Rückkauf *m;* **3.** *pol* Befreiung *f;* **4.** *(somma)* Lösegeld *n.*

rischiarare [riskia'ra:re] **I.** *tr* ⟨*avere*⟩ **1.** *(rendere chiaro)* beleuchten, aufhellen; **2.** *fig (mente)* schärfen; *(idee)* klären; **II.** *rfl:* **-arsi 1.** *meteo* aufklaren, sich aufhellen; **2.** *fig (rasserenarsi)* sich aufhellen; **-arsi la voce** sich räuspern; **III.** *itr* ⟨*essere*⟩ aufklaren.

rischiare [ris'kia:re] ⟨rischio, rischi⟩ **I.** *tr* riskieren, aufs Spiel setzen; **II.** *itr:* **~ di fare qc** riskieren (*o* Gefahr laufen), etw. zu tun.

rischio ['riskio] ⟨-schi⟩ *m* Risiko *n,* Wagnis *n; (pericolo)* Gefahr *f;* **correre un ~** ein Risiko eingehen, Gefahr laufen; **a ~** Risiko-; **a proprio ~ e pericolo** auf eigene Gefahr. **rischioso, -a** [...'kio:so] *agg* riskant, gewagt.

risciacquare [riʃʃak'kua:re] *tr* abspülen, nachspülen; *(bottiglie)* ausspülen; *(bocca)* (aus)spülen. **risciacquatura** [riʃʃakkua'tu:ra] *f* **1.** *(lavaggio)* Spülen *n;* **2.** *(acqua)* Spülwasser *n.*

risciacquo [riʃ'ʃakkuo] *m* **1.** *(di lavatrice o lavastoviglie)* Spülgang *m;* **2.** Mundwasser *n.*

riscontrare *tr* [-skon'tra:re] **1.** *(confrontare)* vergleichen; **2.** *(rilevare)* feststellen; **3.** *(controllare)* (über)prüfen. **riscontro** [-s'kontro] *m* **1.** *(confronto)* Vergleich *m;* **2.** *(verifica)* Überprüfung *f;* **3.** *amm (risposta)* Antwort *f;* **4.** *(corrente d'aria)* Durchzug *m.*

riscoperta [-sko'pɛrta] *f* Wiederentdeckung *f.*

riscossa [-s'kɔssa] *f* Rückeroberung *f.*

riscossione [-skos'sio:ne] *f* **1.** *(tassa, imposta)* Einziehung *f; (paga, stipendio)* Erhalt *m;* **2.** *(ritiro)* Abheben *n.*

riscrivere [-s'kri:vere] ⟨*irr*⟩ **I.** *tr* wieder schreiben, erneut schreiben; **II.** *itr* zurückschreiben.

riscuotere [-s'kuɔ:tere] ⟨*irr*⟩ **I.** *tr* **1.** *(ricevere una somma dovuta)* kassieren; *(stipendio, paga a.)* empfangen *geh,* einnehmen; *(tassa, imposta a.)* einziehen; **2.** *fig* erzielen; *(ammirazione a.)* ernten; **3.** *(scuotere di nuovo)* wieder rütteln; **II.** *rfl:* **-ersi 1.** *(risvegliarsi)* aufgerüttelt werden, zu sich *(dat)* kommen; **2.** *fig* sich zusammennehmen, sich aufraffen *fam.*

risentimento [-senti'mento] *m* **1.** *(reazione di sdegno)* Ressentiment *n,* Groll *m;* **2.** *med* Nachwirkung *f.* **risentire** [...'ti:re] **I.** *tr* **1.** *(sentire di nuovo)* wieder hören (*o* schmecken *o* riechen *o* fühlen); **2.** *(ascoltare di nuovo)* wieder anhören; **3.** *(provare)* (noch) empfinden, (noch) verspüren; **II.** *itr* (noch) leiden (*di* an *+dat*); **III.** *rfl:* **-irsi 1.** *(riparlarsi)* wieder voneinander hören; **2.** *(offendersi)* gekränkt (*o* beleidigt) sein; **a risentirci!** auf Wiederhören!. **risentito, -a** [...'ti:to] *agg* gekränkt, beleidigt.

riserbare [riser'ba:re] *tr lett* vorbehalten, bereithalten.

riserbo [ri'sɛrbo] *m* Zurückhaltung *f,* Reserve *f.*

riserva [ri'sɛrva] *f* **1.** *(provvista)* Reserve *f,* Vorrat *m;* **2.** *com, mil* Reserve *f;* **3.** *(di vino)* Jahrgang *m;* **4.** *sport* Reservespieler(in) *m(f);* **5.** *(di caccia, pesca)* Revier *n;* **6.** *(in etnologia)* Reservat *n;* **7.** *(limitazione)* Vorbehalt *m,* Einschränkung *f;* **8.** *(giudizio negativo)* Zweifel *m,* Vorbehalt *m;* **9.** *tec* Ersatz *m; (mot a.)* Reserve *f;* **essere in ~** *mot* auf Reserve fahren; **senza -e** ohne Vorbehalt, rückhaltlos. **riservare** [riser'va:re] **I.** *tr* **1.** *(tenere in serbo)* aufbewahren, aufsparen; **2.** *(facoltà, diritto)* vorbehalten; **3.** *(tavolo, posto, camera)* reservieren; **II.** *rfl:* **-arsi di fare qc** sich *(dat)* vorbehalten, etw. zu tun.

riservatezza [riserva'tettsa] *f* Zurückhaltung *f.* **riservato, -a** [...'va:to] *agg* **1.** *(posto, palco)* reserviert (*a* für); **2.** *(notizia, informazione)* vertraulich, geheim; **3.** *(persona, carattere)* zurückhaltend.

riservista [riser'vista] ⟨-i *m,* -e *f*⟩ *mf* Reservist(in) *m(f),* Ersatzspieler(in) *m(f).*

risi ['ri:si] *p rem di* **ridere.**
risiedere [-'siɛ:dere] *itr* **1.** *(aver sede)* ansässig sein; **2.** *fig (consistere)* bestehen (*in* in +*dat*).
risma ['rizma] *f* **1.** *(di carta)* Ries *n;* **2.** *fig peg* Bande *f.*
riso[1] ['ri:so] *m bot* Reis *m.*
riso[2] ['ri:so] ⟨*pl:* -a *f*⟩ *m (il ridere)* Lachen *n,* Gelächter *n.*
riso[3] ['ri:so] *pp di* **ridere.**
risocializzare [risotʃalid'dza:re] *tr* resozialisieren.
risolare [-so'la:re] *tr* neu besohlen.
risolsi [-'sɔlsi] *p rem di* **risolvere.**
risolto [-'sɔlto] *pp di* **risolvere.**
risolubile [riso'lu:bile] *agg* lösbar.
risolutezza [-solu'tettsa] *f* Entschlossenheit *f.*
risolutivo, -a [-solu'ti:vo] *agg* aufhebend, (auf)lösend; *(decisivo)* entscheidend.
risoluto, -a [-so'lu:to] **I.** *pp di* **risolvere; II.** *agg* resolut.
risoluzione [-solut'tsio:ne] *f* **1.** *(decisione)* Beschluß *m,* Resolution *f;* **2.** *(soluzione, mat)* Lösung *f;* **3.** *dir (di contratto)* Auflösung *f;* **4.** *chim* Auflösung *f,* Zerlegung *f;* **5.** *mus* Auflösung (*in* nach); **6.** *tec (potere separatore)* Auflösung *f;* **ad alta** ~ hochauflösend.
risolvere [-'sɔlvere] ⟨risolvo, risolvetti *o* risolvei *o* risolsi, risolto *o* risoluto⟩ **I.** *tr* **1.** *(equazione, problema, indovinello)* lösen; **2.** *(dubbio)* zerstreuen; **3.** *dir (contratto)* auflösen; **4.** *fam (riuscire a concludere)* beschließen; **5.** *chim (composto)* auflösen, zerlegen; **6.** *mus* auflösen; **II.** *rfl:* **-ersi 1.** *(decidersi)* sich entscheiden, sich entschließen (*a* zu); **2.** *fig (ridursi)* enden; *(andare a finire)* hinauslaufen (*in* auf +*akk*).
risonanza [-so'nantsa] *f* **1.** *fig (importanza)* Resonanz *f,* Zustimmung *f;* **2.** *fis* Resonanz *f;* **c'è molta** ~ *fis fam* es hallt. **risonare** [-so'na:re] **I.** *itr* ⟨*essere o avere*⟩ **1.** *(corpo percosso)* dröhnen, tönen; **2.** *(luogo chiuso)* hallen; **3.** *(suono)* widerhallen; **4.** *fig* klingen; **5.** *fis* mitschwingen; **II.** *tr* ⟨*avere*⟩ *(strumento)* wieder spielen.
risorgere [-'sordʒere] ⟨*irr*⟩ *itr* ⟨*essere*⟩ **1.** *rel* auferstehen; **2.** *(sole)* wieder aufgehen; **3.** *fig (rinascere)* wieder auftreten, wiederauftauchen.
risorsa [-'sorsa] *f* **1.** *(mezzo)* Ressource *f;* **2.** *(espediente)* Mittel *n;* **3.** *(capacità)* Fähigkeit *f;* **-e finanziarie** Geldmittel *n pl,* Finanzquelle *f;* **-e naturali** Rohstoffe *n pl,* natürliche Ressourcen *f pl;* ~ **rinnovabile** erneuerbare Energiequelle.
risotto [rizɔtto] *m* Risotto *m;* ~ **ai funghi** Pilzrisotto *m;* ~ **alla milanesa** Risotto *m* Mailänder Art; ~ **alla marinara** Risotto *m* mit Meeresfrüchten.
risparmiare [rispar'mia:re] ⟨risparmio, risparmi⟩ **I.** *tr* **1.** *(mettere da parte)* sparen; *(non impiegare)* einsparen; **2.** *(fare a meno)* sich sparen; **3.** *(voce, occhi)* schonen; **4.** *(astenersi dall'infliggere)* verschonen (*qc a qu* jdn mit etw.), ersparen (*qc a qu* jdm etw.); **II.** *rfl:* **-arsi** sich schonen. **risparmiatore, -trice** [...ia'to:re] *m, f* Sparer(in) *m(f).* **risparmio** [...'parmio] ⟨-i⟩ *m* **1.** *(denaro)* Ersparnis *f;* **2.** *(economia)* Ersparnis *f,* Einsparung *f.*
rispecchiare [-spek'kia:re] ⟨rispecchio, rispecchi⟩ **I.** *tr* widerspiegeln; **II.** *rfl:* **-arsi** sich widerspiegeln.
rispedire [-spe'di:re] *tr* zurückschicken.
rispettabile [-spet'ta:bile] *agg* **1.** *(persona)* ehrenwert, respektabel; *(dabbene)* ehrbar; **2.** *(età, naso)* beachtlich; *(patrimonio)* beachtlich, ansehnlich.
rispettare [-spet'ta:re] *tr* **1.** *(persona)* respektieren, achten; **2.** *(opinioni, diritti)* respektieren, anerkennen; **3.** *(ordini)* befolgen; *(feste)* beachten; *(termine)* einhalten; **4.** *(seguire)* beachten.
rispettivamente [-spettiva'mente] *avv* beziehungsweise.
rispettivo, -a [-spet'ti:vo] *agg* jeweilig, entsprechend *fam.*
rispetto [ris'pɛtto] *m* **1.** *(stima, deferenza)* Respekt *m* (*per* vor +*dat*), Achtung *f* (*per* vor +*dat*); **2.** *(riverenza)* Ehrfurcht *f* (*per* vor +*dat*); **3.** *(riguardo)* Rücksicht *f* (*per* vor +*dat*); **4.** *(di legge, regolamento)* Befolgung *f,* Beachtung *f;* **5.** *(punto di vista)* Aspekt *m;* ~ **a** im Verhältnis zu, im Vergleich zu; **con** ~ **parlando** mit Verlaub; **zona di** ~ *Gebiet, in dem nicht bzw. nur unter Auflagen gebaut werden darf.* **rispettoso, -a** [...pet'to:so] *agg* respektvoll, ehrerbietig.
risplendere [-s'plɛndere] *itr* ⟨*essere o avere*⟩ strahlen, leuchten.
rispolverare [-spolve'ra:re] **1.** *(spolverare di nuovo)* wieder abstauben; **2.** *fig* (wieder) auffrischen.
rispondere [ris'pondere] ⟨rispondo, risposi, risposto⟩ **I.** *itr* **1.** *gener.* antworten; **2.** *(replicare)* widersprechen; **3.** *(delle proprie azioni)* verantwortlich sein (für); *(di azioni di altri)* haften (für); *(in tribunale)* sich verantworten; **4.** *(essere conforme)* entsprechen; **5.** *(reagire)* ansprechen, reagieren; **II.** *tr* antworten, als Antwort geben.
risposta [ris'posta] *f* **1.** *(il rispondere, ciò che si risponde)* Antwort *f* (*a* auf +*akk*); **2.** *(reazione)* Reaktion *f* (*a* auf +*akk*), Entgegnung *f* (*a* auf +*akk*); **3.** *sport (scherma)* Risposte *f;* **4.** *tec* Ansprechen *n,* Reagieren *n.*
risposto [...to] *pp di* **rispondere.**
rissa ['rissa] *f* Rauferei *f,* Schlägerei *f.* **rissoso, -a** [...'so:so] *agg* rauflustig, streitsüchtig.
ristabilire [-stabi'li:re] **I.** *tr* wiederherstel-

len; **II.** *rfl:* **-irsi** sich erholen.

ristagnare [-staɲ'ɲa:re] *itr* **1.** *(liquidi)* sich stauen; **2.** *fig* stagnieren. **ristagno** [...'taɲɲo] *m* **1.** *(di fiume, sangue)* Stauung *f;* **2.** *fig* Stagnation *f,* Stagnieren *n;* ~ **degli affari** Geschäftsflaute *f.*

ristampa [-s'tampa] *f* Nachdruck *m,* Neudruck *m,* Neuauflage *f.* **ristampare** [...'pa:re] *tr* nachdrucken, neu drucken, neu auflegen.

ristorante [risto'rante] **I.** *m* Restaurant *n,* (Speise)lokal *n;* **II.** ⟨*inv*⟩ *agg:* **vagone** ~ *ferr* Speisewagen *m.*

ristorare [risto'ra:re] **I.** *tr* stärken; **II.** *rfl:* **-arsi** sich stärken. **ristoratore, -trice** [...ra'to:re] *agg* labend, erquickend. **ristoro** [...'tɔ:ro] *m* Stärkung *f,* Erfrischung *f.*

ristrettezza [ristret'tettsa] *f* **1.** *(di spazio)* Enge *f;* **2.** *(di mezzi)* Einschränkung *f;* **3.** *fig (di mente)* Beschränktheit *f.* **ristretto, -a** [...'tretto] *agg* **1.** *(limitato)* knapp, beschränkt; **2.** *(caffè)* stark; **3.** *fig (meschino)* beschränkt, kleinlich; **4.** *(limitato)* eingeschränkt, beschränkt (*a* auf +*akk*).

ristrutturare [-struttu'ra:re] *tr* umstrukturieren; *(appartamento)* umbauen, renovieren; *(quartiere)* neugestalten. **ristrutturazione** [...rat'tsio:ne] *f* Umstrukturierung *f; (appartamento, edificio)* Umbau *m,* Renovierung *f,* Neugestaltung *f.*

risucchiare [-suk'kia:re] *tr* in den Sog ziehen.

risucchio [-'sukkio] ⟨-cchi⟩ *m* Sog *m.*

risultare [risul'ta:re] *itr* ⟨*essere*⟩ **1.** *(derivare, essere accertato)* sich ergeben (*da* aus), resultieren (*da* aus); **2.** *(emergere, riuscire)* hervorgehen als, sich erweisen als; **3.** *(dimostrarsi)* sich herausstellen als, sich erweisen als.

risultato [risul'ta:to] *m* Resultat *n,* Ergebnis *n.*

risurrezione [risurret'tsio:ne] *f* **1.** *rel* Auferstehung *f;* **2.** *fig* Wiederaufleben *n.*

risuscitare [risuʃʃi'ta:re] **I.** *tr* ⟨*avere*⟩ **1.** *(morti)* auferwecken; **2.** *fig* wiederaufleben lassen; **II.** *itr* ⟨*essere*⟩ **1.** *rel* auferstehen; **2.** *(riprendersi)* wiederaufleben.

risvegliare [-zveʎ'ʎa:re] **I.** *tr* **1.** *(svegliare)* wieder (auf)wecken; **2.** *fig (memoria, emozioni)* wieder wachrufen; *(popolo, pigri)* aufrütteln; *(appetito, emozioni)* wieder wecken; **II.** *rfl:* **-arsi** wieder aufwachen. **risveglio** [...'veʎʎo] ⟨-gli⟩ *m* **1.** *(dal sonno)* Erwachen *n geh,* Aufwachen *n;* **2.** *fig* Aufleben *n,* Belebung *f;* **3.** *fig (rinnovo)* Erwachen *n.*

risvolto [-z'vɔlto] *m* **1.** *(di vestito)* Aufschlag *m,* Revers *n o m;* **2.** *fig (conseguenza)* Kehrseite *f;* **3.** *tip* Umschlagklappe *f.*

ritagliare [-taʎ'ʎa:re] *tr* ausschneiden. **ritaglio** [-'taʎʎo] *m* **1.** *(ciò che si toglie)* Ausschnitt *m;* **2.** *(pezzettini avanzati)* Schnipsel *m o n;* **3.** *fig* Rest *m,* Abschnitt *m.*

ritardare [-tar'da:re] **I.** *itr* sich verspäten; *(a. treno, tram)* Verspätung haben; **II.** *tr* **1.** *(far tardare)* verzögern; **2.** *(rallentare)* verlangsamen; **3.** *(impedire)* aufhalten; **4.** *(differire)* aufschieben; **5.** *mus* retardieren.

ritardatario, -a [-tarda'ta:rio] ⟨-i, -ie⟩ *m, f* Nachzügler(in) *m(f),* Verspätete(r) *mf.*

ritardato, -a [-tar'da:to] **I.** *agg* **1.** *(moto, scoppio)* verzögert, verlangsamt; **2.** *(treno, spettacolo)* verspätet; **3.** *(persona)* geistig zurückgeblieben, retardiert *wissensch.; (scolaro)* lernbehindert; **II.** *m, f* Zurückgebliebene(r) *mf,* geistig Behinderte(r) *mf.*

ritardo [-'tardo] *m* **1.** *(non puntualità)* Verspätung *f; (indugio)* Verzögerung *f; (rallentamento)* Verlangsamung *f;* **2.** *med, psic* Zurückbleiben *n;* **3.** *(di consegna, pagamento)* Verzug *m;* **essere in** ~ sich verspätet haben, Verspätung haben.

ritegno [ri'teɲɲo] *m* **1.** *(riserbo)* Zurückhaltung *f,* Reserve *f;* **2.** *(misura)* Einschränkung *f,* Maß *n;* **senza** ~ schamlos, rücksichtslos.

ritemprare [-tem'pra:re] **I.** *tr* wieder kräftigen; **II.** *rfl:* **-arsi** sich wieder kräftigen.

ritenere [-te'ne:re] ⟨*irr*⟩ **I.** *tr* **1.** *(fermare)* zurückhalten; **2.** *(credere)* meinen; *(considerare)* halten für; **3.** *com, fin* einbehalten; **4.** *(ricordare)* behalten; **II.** *rfl:* **-ersi** sich halten für. **ritenuta** [...'nu:ta] *f* **1.** *(detrazione)* Abzug *m* (*su* von, auf +*akk*); **2.** *(di flusso)* Zurückhalten *n;* ~ **d'acconto** Vorsteuer *f;* ~ **alla fonte** Quellensteuer *f.*

ritirare [-ti'ra:re] **I.** *tr* **1.** *(tirare di nuovo)* wieder ziehen; **2.** *(tirare indietro)* zurückziehen; **3.** *(richiamare)* zurückberufen, abberufen; **4.** *(farsi consegnare)* abholen, sich *(dat)* aushändigen lassen; **5.** *(togliere dalla circolazione)* einziehen, aus dem Verkehr ziehen; **6.** *fig (offesa, promessa)* zurücknehmen; *(permesso)* entziehen; **II.** *rfl:* **-arsi 1.** *(tirarsi indietro)* sich zurückziehen, zurückweichen; **2.** *(appartarsi)* sich zurückziehen, sich absondern; **3.** *(abbandonare)* aufgeben (*da qc* etw.), entsagen (*da qc* einer S. *dat*); **4.** *(restringersi)* einlaufen; **5.** *(scorrere via)* zurückgehen, abfließen; **6.** *fig (retrocedere da un impegno)* sich zurückziehen, einen Rückzieher machen *fam.* **ritirata** [...'ra:ta] *f* **1.** *mil (arretramento)* Rückzug *m; (rientro in caserma)* Zapfenstreich *m;* **2.** *(latrina)* Abort *m.* **ritirato, -a** [...'ra:to] *agg* zurückhaltend, zurückgezogen. **ritiro** [-'ti:ro] *m* **1.** *(richiamo)* Abberufung *f;* **2.** *(di truppe)* Rückzug *m;* **3.** *fin (dalla circolazione)* Einzug *m;* **4.** *(di pacco,* *merce)* Abholen *n;* **5.** *(di permesso)* Entziehung *f; (di patente, passaporto)* Einzug *m,* Einbehalten *n,* Entzug *m;* **6.** *(rinuncia)* Rückzug *m* (*da* aus), Ausscheiden *n* (*da* aus); **7.** *(in luogo appartato)* Zurückgezogenheit *f.*

ritmica ['ritmika] ⟨-che⟩ *f* Rhythmik *f.* **ritmico, -a** [...ko] ⟨-ci, -che⟩ *agg* rhythmisch.

ritmo ['ritmo] *m* Rhythmus *m.*

rito ['ri:to] *m* **1.** *(cerimonia)* Ritus *m,* Ritual *n;* **2.** *(usanza)* Brauch *m;* **3.** *dir* Verfahren *n.*

ritoccare [-tok'ka:re] *tr* überarbeiten; *(disegno, labbra)* nachziehen; *(trucco)* auffrischen, nachschminken. **ritocco** [-'tokko] *m* Korrektur *f,* Verbesserung *f.*

ritorcere [-'tɔrtʃere] ⟨*irr*⟩ **I.** *tr* **1.** *(accusa, insinuazione)* zurückgeben, umkehren; **2.** *(torcere in senso opposto)* verdrehen; **II.** *rfl:* **-ersi** sich wenden (*contro* gegen), zurückfallen (*contro* auf *+akk*).

ritornare [-tor'na:re] **I.** *itr* ⟨*essere*⟩ **1.** *(venire di nuovo)* zurückkehren, zurückkommen; **2.** *(ricomparire)* wieder erscheinen, wiederkehren; **3.** *(ridiventare)* wieder werden; ~ **in sé** (wieder) zu sich kommen; ~ **alla mente** einfallen; **II.** *tr fam* zurückgeben.

ritornello [-tor'nɛllo] *m* **1.** *letter* Kehrreim *m; (a. mus)* Refrain *m;* **2.** *fig peg* (alte) Leier *f.*

ritorno [-'torno] *m* **1.** *(rientro)* Rückkehr *f; (periodico a.)* Wiederkehr *f; (viaggio)* Rückfahrt *f;* **2.** *(rinvio)* Rücksendung *f,* Rückgabe *f;* **bottiglia di** ~ Pfandflasche *f;* **tasto di** ~ Rücktaste *f;* **al** ~ bei der Rückkehr; *(in viaggio)* auf der Rückreise.

ritorto, -a [-'tɔrto] *agg* gezwirnt, gedreht.

ritrarre [-'trarre] ⟨*irr*⟩ **I.** *tr* **1.** *(trarre indietro)* zurückziehen; **2.** *(nell'arte)* abbilden, darstellen; *(persona)* porträtieren; **II.** *rfl:* **-arsi** sich zurückziehen.

ritrattamento [ritratta'mento] *m* Wiederaufbereitung *f.*

ritrattare [-trat'ta:re] *tr* **1.** *(trattare di nuovo)* wieder darlegen, wieder behandeln; **2.** *(disdire)* zurücknehmen, widerrufen.

ritrattista [ritrat'tista] ⟨-i *m,* -e *f*⟩ *mf* Porträtist(in) *m(f),* Porträtmaler(in) *m(f).*

ritratto [ri'tratto] *m* **1.** *(riproduzione)* Porträt *n;* **2.** *fig* Abbild *n.*

ritrosia [ritro'si:a] ⟨-ie⟩ *f* **1.** *(riluttanza)* Widerspenstigkeit *f;* **2.** *(timidezza)* Sprödigkeit *f.* **ritroso, -a** [ri'tro:so] *agg* **1.** *(scontroso)* spröd(e), zurückhaltend; **2.** *(restio)* widerwillig, widerspenstig; **a** ~ rückwärts.

ritrovamento [-trova'mento] *m* **1.** *(risultato)* Wiederfinden *n,* Auffinden *n;* **2.** *(invenzione)* Erfindung *f; (scoperta)* Entdeckung *f.* **ritrovare** [...'va:re] **I.** *tr* **1.** *(persone, cose smarrite)* wiederfinden; **2.** *fig (salute, pace, serenità)* wiedererlangen; **3.** *(trovare di nuovo)* wieder antreffen; **II.** *rfl:* **-arsi 1.** *(incontrarsi di nuovo)* sich wieder treffen; **2.** *(trovarsi per caso)* kommen, geraten, sich befinden; **3.** *(raccapezzarsi)* sich zurechtfinden. **ritrovato** [...'va:to] *m* **1.** *(invenzione)* Erfindung *f;* **2.** *(scoperta)* Entdeckung *f.*

ritrovo [-'trɔ:vo] *m* **1.** *(riunione)* Treffen *n;* **2.** *(luogo)* Treffpunkt *m.*

ritto, -a ['ritto] *agg* senkrecht, hochkant; *(persona)* aufrecht.

rituale [ritu'a:le] **I.** *agg* **1.** *(conforme ai riti)* rituell; **2.** *fig (abituale)* üblich, gewöhnlich; **II.** *m* Ritual *n.*

riunificazione [-unifikat'tsio:ne] *f* Wiedervereinigung *f.*

riunione [-u'nio:ne] *f* Versammlung *f,* Sitzung *f; sport* Treffen *n.* **riunire** [-u'ni:re] **I.** *tr* **1.** *(unire elementi divisi)* wieder vereinen; **2.** *(mettere insieme)* versammeln; **3.** *(riconciliare)* versöhnen; **4.** *(convocare)* einberufen; **II.** *rfl:* **-irsi 1.** *(fare una riunione)* sich versammeln; **2.** *(tornare insieme)* sich wiedervereinen.

riuscire [-uʃ'ʃi:re] ⟨*irr*⟩ *itr* ⟨*essere*⟩ **1.** *(uscire di nuovo)* wieder hinausgehen *(sboccare)* herauskommen, enden: **2.** *(essere capace)* können, es fertigbringen, es schaffen *fam;* **3.** *(avere esito)* gelingen; **4.** *(risultare)* sich erweisen als; **5.** *(aver attitudine, successo)* erfolgreich sein, Erfolg haben; **6.** *(dimostrarsi)* erscheinen; **7.** *(apparire)* (er)scheinen, wirken; **non sono più riuscita ad andare in città** ich habe es nicht mehr geschafft, in die Stadt zu gehen; **sono riuscito a convincerlo** es ist mir gelungen, ihn zu überzeugen; **l'esperimento non è riuscito** das Experiment ist mißlungen (*o* nicht gelungen). **riuscita** [...'ʃi:ta] *f* *(esito)* Ausgang *m; (buon esito)* Gelingen *n; (di persona)* Erfolg *m;* **fare una buona/cattiva** ~ Erfolg/Mißerfolg haben.

riutilizzabile [-utilid'dza:bile] *agg* wiederverwendbar; **non** ~ Einweg-.

riutilizzare [-utilid'dza:re] *tr* wiederverwenden.

riva ['ri:va] *f* Ufer *n;* **andare all'altra** ~ ans andere Ufer fahren.

rivale [ri'va:le] **I.** *agg* rivalisierend; **II.** *mf* Rivale *m,* Rivalin *f; (in amore a.)* Nebenbuhler(in) *m(f).* **rivaleggiare** [rivaled'dʒa:re] ⟨rivaleggio, rivaleggi⟩ *itr* rivalisieren. **rivalità** [...li'ta] ⟨-⟩ *f* Rivalität *f.*

rivalsa [-'valsa] *f* **1.** *(compensazione)* Genugtuung *f;* **2.** *econ* Revers *m,* Entlastungserklärung *f.*

rivalutare [-valu'ta:re] *tr* aufwerten *(a. fig).* **rivalutazione** [...tat'tsio:ne] *f* Aufwertung *f.*

rivangare [-vaŋ'ga:re] *tr* wieder aufrühren.

rivedere [-ve'de:re] ⟨*irr*⟩ **I.** *tr* **1.** *gener.* wiedersehen; **2.** *(esaminare)* durchsehen; *(revisionare)* nachprüfen; *(rileggere)* durchlesen; **3.** *(prezzi)* korrigieren; **II.** *rfl:* **-ersi** sich wiedersehen. **riveduta** [rive'du:ta] *f* Durchsicht *f.*

rivelare [-ve'la:re] **I.** *tr* **1.** *(notizia, nascondiglio)* offenbaren, verraten; *(segreto a.)* enthüllen; **2.** *(manifestare)* verraten, zeigen; **II.** *rfl:* **-arsi** sich erweisen als. **rivelatore** [...la'to:re] *m* **1.** *tec, radio* Detektor *m;* **2.** *fot* Entwickler *m;* ~ **di metalli/di mine** Metall-/Minensuchgerät *n.* **rivelazione** [...lat'tsio:ne] *f* **1.** *(di notizie, segreti)* Enthüllung *f;* **2.** *rel* Offenbarung *f;* **3.** *(ciò che viene rivelato)* Offenbarung *f,* Entdeckung *f.*

rivendicare [-vendi'ka:re] *tr* **1.** *dir* einklagen, geltend machen; **2.** *(lottare per)* fordern, beanspruchen. **rivendicazione** [...kat'tsio:ne] *f* Forderung *f; (di diritto a.)* Beanspruchung *f;* **-i sindacali** Gewerkschaftsforderungen *f pl;* **-i territoriali** Gebietsansprüche *m pl.*

rivendita [-'vendita] *f* **1.** *com* Wiederverkauf *m;* **2.** *(negozio)* Laden *m.* **rivenditore, -trice** [...'to:re] *m, f* **1.** *(venditore al minuto)* (Klein)händler(in) *m(f);* **2.** *(di seconda mano)* Wiederverkäufer(in) *m(f).*

riverberare [-verbe'ra:re] *tr* widerspiegeln, zurückwerfen. **riverbero** [-'vɛrbero] *m* Widerschein *m.*

riverente [rive'rɛnte] *agg* ehrfürchtig; *(saluto)* ehrerbietig. **riverenza** [...'rɛntsa] *f* **1.** *(inchino)* Verneigung *f;* **2.** *(rispetto)* Reverenz *f,* Ehrerbietung *f,* Hochachtung *f* (*per* vor +*dat*).

riverire [rive'ri:re] ⟨riverisco⟩ *tr* verehren, achten; **La riverisco!** *(salutando)* ich empfehle mich!

riversare [-ver'sa:re] **I.** *tr* **1.** *(versare di nuovo)* wieder gießen; *(rovesciare)* gießen; **2.** *fig* stecken *fam;* ~ **qc su qu** *fig* jdn mit etw. überschütten; ~ **la responsabilità su qu** die Verantwortung auf jdn abwälzen; **II.** *rfl:* **-arsi** hervorquellen, sich ergießen.

rivestimento [-vesti'mento] *m* **1.** *(operazione)* Verkleiden *n,* Beziehen *n;* **2.** *(materiale)* Verkleidung *f,* Bezug *m.* **rivestire** [...'ti:re] **I.** *tr* **1.** *(ricoprire)* verkleiden, beziehen; **2.** *(indossare)* wieder anziehen; **3.** *fig (carica)* bekleiden; *(importanza, grado)* einnehmen; **4.** *(fornire di abiti nuovi)* einkleiden; **II.** *rfl:* **-irsi** sich wieder anziehen (*o* ankleiden).

riviera [ri'viɛ:ra] *f* Küste *f.*

rivincita [-'vintʃita] *f* Revanche *f.*

rivista [-'vista] *f* **1.** *(periodico)* Zeitschrift *f; (illustrato a.)* Illustrierte *f;* **2.** *(spettacolo)* Revue *f;* **3.** *mil* Revue *f,* Truppenschau *f;* ~ **di attualità** Nachrichtenmagazin *n.*

rivitalizzare [-vitalid'dza:re] *tr* revitalisieren.

rivivere [-'vi:vere] ⟨*irr*⟩ **I.** *itr* ⟨*essere*⟩ **1.** *(tornare a vivere)* wieder lebendig werden; **2.** *fig* wiederaufleben, zu neuem Leben erwachen; **II.** *tr* ⟨*avere*⟩ wieder erleben.

rivolgere [-'voldʒere] ⟨*irr*⟩ **I.** *tr* **1.** *(volgere verso una direzione)* wenden; **2.** *fig (attenzione)* richten (*a* auf +*akk*); **3.** *(distogliere)* abwenden; ~ **la parola a qu** das Wort an jdn richten; **II.** *rfl:* **-ersi** **1.** *(girarsi)* sich umdrehen; **2.** *(indirizzare il discorso, cercare aiuto)* sich wenden (*a* an +*akk*).

rivolgimento [-voldʒi'mento] *m* Umsturz *m.*

rivolta [-'vɔlta] *f* Revolte *f,* Aufstand *m.*

rivoltante [-vol'tante] *agg* abstoßend.

rivoltare [-vol'ta:re] **I.** *tr* **1.** *(voltare dalla parte opposta)* umdrehen, wenden; **2.** *(voltare ripetutamente)* wieder und wieder drehen; **3.** *(provocare disgusto)* abstoßen; **II.** *rfl:* **-arsi** **1.** *(ribellarsi)* sich auflehnen (*a* gegen); **2.** *(volgersi indietro)* sich umdrehen.

rivoltella [-vol'tɛlla] *f* Revolver *m.* **rivoltellata** [...tel'la:ta] *f* Revolverschuß *m.*

rivoltoso, -a [-vol'to:so] **I.** *agg* aufständisch, aufrührerisch; **II.** *m, f* Aufständische(r) *mf,* Aufrührer(in) *m(f).*

rivoluzionare [rivoluttsio'na:re] *tr* **1.** *fig (vita, mente)* in Aufruhr versetzen, durcheinanderbringen; **2.** *(ordine, società)* revolutionieren, umstürzen. **rivoluzionario, -a** [...'na:rio] ⟨-i, -ie⟩ **I.** *agg* revolutionär; **II.** *m, f* Revolutionär(in) *m(f).*

rivoluzione [rivolut'tsio:ne] *f* **1.** *pol* Revolution *f,* Umsturz *m;* **2.** *soc* Revolution *f,* Umwälzung *f;* **3.** *fig* Aufruhr *m; (disordine)* Durcheinander *n;* **4.** *astr* Umlauf *m;* **la R~ (francese)** die französische Revolution; ~ **culturale** Kulturrevolution *f;* ~ **industriale** industrielle Revolution; ~ **d'ottobre** Oktoberrevolution *f.*

rizzare [rit'tsa:re] **I.** *tr* **1.** *(tenda)* aufstellen, aufschlagen; **2.** *(vele, bandiera)* hissen; **3.** *fig (orecchie)* spitzen; **II.** *rfl:* **-arsi** *(alzarsi in piedi)* sich aufrichten, aufstehen.

R.N.A. *m abbr di* **acido ribonucleico** RNS *f* (*abk von* Ribonukleinsäure).

roba ['rɔ:ba] *f* **1.** *(possesso)* Sachen *f pl,* Dinge *n pl,* Zeug *n;* **2.** *(vestiario)* Sachen *f pl;* **3.** *(da vendere)* Ware *f;* **4.** *(affare, faccenda)* Sache *f,* Angelegenheit *f;* **5.** *(stoffa)* Stoff *m,* Tuch *n;* **6.** *sl (droga)* Stoff *n sl;* ~ **usata** Gebrauchtwaren *f pl;* ~ **da mangiare** Eßwaren *f pl;* **che ~!** (na *o* also) sowas!; **senti una ~** *dial* Hör mal!

Roberto [ro'bɛrto] *(nome proprio ma-

schile) Robert.

robivecchi [robi'vɛkki] ⟨-⟩ *mf* Altwarenhändler(in) *m(f)*.

robot ['rɔ:bot] ⟨-⟩ *m* Roboter *m;* ~ **da cucina** Küchenmaschine *f;* ~ **industriale** Industrieroboter *m.* **robotica** [ro'bɔ:tika] ⟨-che⟩ *f* Robotertechnik *f.* robotizzare [robotid'dza:re] *tr* automatisieren. **robotizzato, -a** [robotid'dza:to] *agg* vollautomatisiert.

robustezza [robus'tettsa] *f* Robustheit *f.*

robusto, -a [ro'busto] *agg* **1.** *(persona, costituzione)* robust, kräftig; **2.** *(cosa)* stabil; **3.** *(vino, voce)* kräftig.

rocca ['rɔkka] ⟨-cche⟩ *f* Festung *f.*

roccaforte [rokka'fɔrte] ⟨roccheforti⟩ *f* **1.** *(città fortificata)* Festung *f;* **2.** *fig* Hochburg *f.*

rocchetto [rok'ketto] *m* **1.** *(di filo)* Garnspule *f,* Garnrolle *f;* **2.** *fot, tec* Spule *f.*

roccia ['rɔttʃa] ⟨-cce⟩ *f* **1.** *geol* Gestein *n;* **2.** *(masso)* Fels *m,* Felsblock *m.* **rocciatore, -trice** [rottʃa'to:re] *m, f* Kletterer *m,* Klett(r)erin *f.* **roccioso, -a** [...'tʃo:so] *agg* felsig.

rock [rɔk] **I.** ⟨-⟩ *m* Rock *m;* **II.** ⟨*inv*⟩ *agg* Rock-; **complesso** ~ Rockgruppe *f;* **concerto** ~ Rockkonzert *n.* **rockeggiante** [rɔked'dʒante] *agg mus* rockig. **rockettaro, -a** [rɔket'ta:ro] *m* *(musicista)* Rockmusiker(in) *m(f); (fan)* Rockmusikfan *m.* **rockstar** [rɔksta:] ⟨-⟩ *f* Rockstar *m.*

roco, -a ['rɔ:ko] ⟨-chi, -che⟩ *agg* rauh, heiser.

rodaggio [ro'daddʒo] ⟨-ggi⟩ *m* **1.** *tec* Einlaufen *n; mot* Einfahren *n; (periodo)* Einlauf-, Einfahrzeit *f;* **2.** *fig* Eingewöhnung *f; (di impiegato, apprendista)* Einarbeitung *f;* **periodo di** ~ Schonfrist *f;* **essere in** ~ eingefahren werden. **rodare** [ro'da:re] *tr* einlaufen lassen; *mot* einfahren.

rodere ['ro:dere] ⟨rodo, rosi, roso⟩ **I.** *tr* **1.** *(rosicchiare)* nagen (an +*dat*); **2.** *(corrodere)* zerfressen; **3.** *fig* fressen (an +*dat*); **II.** *rfl:* **-ersi** sich verzehren (*da* vor +*dat*). **roditore** [rodi'to:re] *m* Nagetier *n,* Nager *m.*

rododendro [rodo'dɛndro] *m* Rhododendron *m o n.*

Rodolfo [ro'dɔlfo] *(nome proprio maschile)* Rudolf.

rogito ['rɔ:dʒito] *m* notarielle Urkunde.

rogna ['roɲɲa] *f* **1.** *med* Krätze *f,* Räude *f;* **2.** *fig fam* Plage *f.*

rognone [roɲ'ɲo:ne] *m gastr (di animali)* Niere *f.*

rognoso, -a [roɲ'ɲo:so] *agg* **1.** *med* krätzig, räudig; **2.** *fig* haarig.

rogo ['rɔ:go *o* 'ro:go] ⟨-ghi⟩ *m* **1.** *(pira)* Scheiterhaufen *m;* **2.** *(incendio)* Feuer *n,* Brand *m.*

roll-bar ['roulba:] ⟨-⟩ *m mot* Überrollbügel *m.*

rollìo [rol'li:o] ⟨-ii⟩ *m* Schlingern *n,* Rollbewegung *f.*

roll-on roll-off ['roul ɔn roul 'ɔf] ⟨*inv*⟩ *agg:* **nave** ~ Roll-on-roll-off-Schiff *n.*

rom [rɔm] ⟨-⟩ *mf* Rom *mf,* nicht deutschstämmige(r) Zigeuner(in) *m(f).*

ROM [rɔm] ⟨-⟩ *acr di* **Read Only Memory** *inform* ROM *n.*

Roma ['ro:ma] *f* Rom *n;* **di** ~ römisch, Römer; **abitante di** ~ Römer(in) *m(f).*

romana *f v.* **romano.**

Romandia [roman'di:a] *f* Französische Schweiz. **romando, -a** [ro'mando] *agg:* **Svizzera -a** Französische Schweiz.

romanesco, -a [roma'nesko] ⟨-schi, -sche⟩ *agg* römisch.

Romania [roma'ni:a] *f* Rumänien *n.*

romanico, -a [ro'ma:niko] ⟨-ci, -che⟩ **I.** *agg* romanisch; **II.** *m* Romanik *f.*

romanistica [roma'nistika] ⟨-che⟩ *f* Romanistik *f.*

romanità [romani'ta] ⟨-⟩ *f* Römertum *n.*

romano, -a [ro'ma:no] **I.** *agg* römisch; **fare alla -a** getrennte Kasse machen; **II.** *m, f* Römer(in) *m(f).*

romanticismo [romanti'tʃizmo] *m* Romantik *f.* **romantico, -a** [ro'mantiko] ⟨-ci, -che⟩ **I.** *agg* romantisch; **II.** *m, f* Romantiker(in) *m(f).*

romanza [ro'mandza] *f* Romanze *f.*

romanzare [roman'dza:re] *tr* (romanartig) ausschmücken. **romanzesco, -a** [...'dzesko] ⟨-schi, -sche⟩ *agg* **1.** *letter* Roman-; **2.** *(cavalleresco)* Ritter-, Helden-; **3.** *fig* phantastisch, abenteuerlich.

romanziere, -a [...'dzjɛ:re] *m, f* Romancier *m,* Romanschriftsteller(in) *m(f).*

romanzo [ro'mandzo] *m* Roman *m;* ~ **d'appendice** Fortsetzungsroman *m;* **sembrare (*o* parere) un** ~ *fig* kaum zu glauben sein, unglaublich klingen.

romanzo, -a [ro'mandzo] *agg* romanisch; **filologia -a** Romanistik *f.*

rombare [rom'ba:re] *itr* dröhnen, donnern.

rombo ['rombo] *m* **1.** *mat* Rhombus *m,* Raute *f;* **2.** *(rumore)* Dröhnen *n,* Donnern *n;* **3.** *zoo* Scholle *f,* Plattfisch *m.*

romeno [ro'mɛ:no] *v.* **rumeno.**

rompere ['rompere] ⟨rompo, ruppi, rotto⟩ **I.** *tr* **1.** *(pane)* brechen; *(fracassare: vaso, bastone, porcellana)* zerbrechen; *(catene, argini)* sprengen; *(timpano)* platzen lassen; **2.** *fig (silenzio, amicizia, incanto)* brechen; *(dieta)* aufhören mit; *(file, righe)* auflösen; ~ **le tasche (*o* le scatole** *volg o* **l'anima) a qu** *fam* jdm auf den Wecker (*o* Keks *o* Sack *vulg o* Geist) gehen *fam;* **II.** *itr* **1.** *(scoppiare)* ausbrechen (*in* in +*akk*); **2.** *(troncare)* brechen (*con* mit); **III.** *rfl:* **-ersi** (zer)brechen, kaputtgehen; **-ersi un braccio/una gamba** sich *(dat)* einen Arm/ein Bein brechen. **rompi** ['ro:mpi] ⟨-⟩ *mf acr di* **rompiscatole** Nervensäge *f.* **rompica-**

po [rompi'ka:po] *m* **1.** *(fastidio)* Kopfzerbrechen *n;* **2.** *(indovinello)* Denkaufgabe *f,* Rätsel *n;* **3.** *(problema difficile)* Problem *n.* **rompicollo** [-'kɔllo] *m:* **a ~** Hals über Kopf. **rompighiaccio** [-'gjattʃo] ⟨-⟩ *m* Eisbrecher *m.*

rompipalle [rompi'palle] ⟨-⟩, **rompiscatole** [...s'ka:tole] ⟨-⟩ *mf fam* Nervensäge *f fam.*

ronda ['ronda] *f* Streife *f,* Wache *f;* **fare la ~** auf Streife gehen.

rondeau [ron'do] ⟨-⟩ *m* **1.** *mus* Rondo *n;* **2.** *(di scatola)* Rondell *n.*

rondella [ron'dɛlla] *f* Unterlegscheibe *f.*

rondine ['rondine] *f* Schwalbe *f;* **a coda di ~** Schwalbenschwanz-. **rondone** [ron'do:ne] *m* Mauersegler *m.*

ronfare [ron'fa:re] *itr* **1.** *(russare)* schnarchen; **2.** *(gatto)* schnurren.

ronzare [ron'dza:re] *itr* **1.** *(insetti)* summen; **2.** *fig (idee, pensieri)* schwirren.

ronzino [ron'dzi:no] *m peg* Gaul *m,* Klepper *m.*

ronzio [ron'dzi:o] ⟨-ii⟩ *m* Summen *n.*

rosa ['rɔ:za] **I.** *f* **1.** *bot (pianta)* Rose *f,* Rosenstock *m; (fiore)* Rose *f;* **2.** *fig (gruppo di persone)* Kreis *m;* **~ dei venti** Windrose *f;* **fresco come una ~** frisch wie der junge Morgen; **all'acqua di -e** *fig* oberflächlich, flüchtig; **II.** ⟨*inv*⟩ *agg* rosa; **un vestito ~** ein rosa(farbenes) Kleid; **foglio ~** vorläufige Fahrerlaubnis; **romanzo ~** *fig* Liebesroman *m;* **III.** ⟨-⟩ *m* Rosa *n.* **rosaio** [ro'za:jo] ⟨-ai⟩ *m* Rosenstock *m,* -strauch *m.*

Rosalia [roza'li:a] *(nome proprio femminile)* Rosalie.

rosario [ro'za:rjo] ⟨-i⟩ *m* Rosenkranz *m.*

rosatello [roza'tɛllo] *m* Rosé(wein) *m.*

rosato, -a [ro'za:to] **I.** *agg* **1.** *(colorito)* rosa(farben); **2.** *(miele)* Rosen-; **3.** *(vino)* Rosé-; **II.** *m* Rosé(wein) *m.*

rosbif [rɔzbif] ⟨-⟩ *m* Roastbeef *n.* **rosé** [ro'ze:] **I.** ⟨*inv*⟩ *agg (vino)* Rosé-; **II.** ⟨-⟩ *m* Rosé(wein) *m.*

roseo, -a ['rɔ:zeo] *agg (a. fig)* rosig.

rosetta [ro'zetta] *f* **1.** *(diamante)* Rosette *f;* **2.** *tec* Unterlegscheibe *f;* **3.** *(pane)* Rosenbrötchen *n.*

rosi ['ro:si] *p rem di* **rodere.**

rosicchiare [rosik'kja:re] ⟨rosicchio, rosicchi⟩ *tr* knabbern (an *+dat*), nagen (an *+dat*).

rosmarino [rozma'ri:no] *m* Rosmarin *m.*

roso ['ro:so] *pp di* **rodere.**

rosolare [rozo'la:re] *tr* anbraten.

rosolia [rozo'li:a] ⟨-ie⟩ *f* Röteln *pl.*

rosone [ro'zo:ne] *m* **1.** *(motivo ornamentale)* Rosette *f;* **2.** *(vetrata)* Fensterrose *f,* Rosette *f.*

rospo ['rɔspo] *m* Kröte *f;* **coda di ~** Seeteufel *m;* **ingoiare il ~** *fig* in den sauren Apfel beißen.

rossa *f v.* **rosso.**

rossastro, -a [ros'sastro] *agg* rötlich.

rosseggiare [rossed'dʒa:re] ⟨rosseggio, rosseggi⟩ *itr* rötlich schimmern.

rossetto [ros'setto] *m* Lippenstift *m;* **mettersi il ~** Lippenstift auftragen.

rossiccio, -a [ros'sittʃo] ⟨-cci, -cce⟩ *agg* rötlich.

rosso, -a ['rosso] **I.** *agg* rot; **diventare ~ come un gambero** puterrot werden; **II.** *m* Rot *n;* **~ d'uovo** Eigelb *n;* **passare col ~** bei Rot über die Ampel gehen (*o* fahren); **III.** *m, f* **1.** *(persona rossa di capelli)* Rothaarige(r) *mf;* **2.** *fam pol* Rote(r) *mf fam.* **rossore** [...'so:re] *m* Röte *f.*

rosticceria [rostittʃe'ri:a] ⟨-ie⟩ *f* Rotisserie *f.*

rostro ['rɔstro] *m* **1.** *zoo* Schnabel *m;* **2.** *st (di nave)* Schiffsschnabel *m,* Rammsporn *m; (tribuna)* Rednerpult *n.*

rotaia [ro'ta:ja] ⟨-aie⟩ *f* Schiene *f,* Gleis *n.*

rotativa [rota'ti:va] *f* Rotationsmaschine *f,* -presse *f.* **rotativo, -a** [...vo] *agg* Rotations-; *agr* Fruchtwechsel-. **rotatorio, -a** [...'tɔ:rjo] ⟨-i, -ie⟩ *agg* Dreh-; *(a. circolazione)* Kreis-. **rotazione** [...tat'tsjo:ne] *f* Rotation *f;* **~ agraria** (*o* **delle colture**) Fruchtfolge *f,* Fruchtwechsel *m;* **~ terrestre** Erdumdrehung *f,* Erdrotation *f.*

roteare [rote'a:re] **I.** *tr* kreisen lassen; *(occhi a.)* rollen; **II.** *itr* kreisen, Kreise ziehen.

rotella [ro'tɛlla] *f* Rolle *f; (a. di orologio)* Rädchen *n;* **gli manca una** (*o* **qualche**) **~** *fam* bei ihm ist eine Schraube locker *fam.*

rotocalco [roto'kalko] *m* Illustrierte *f.*

rotolare [roto'la:re] **I.** *tr* ⟨*avere*⟩ rollen; **II.** *itr* ⟨*essere*⟩ rollen; **III.** *rfl:* **-arsi** sich rollen, sich wälzen.

rotolo ['rɔ:tolo] *m* **1.** *(di carta)* Rolle *f; (di stoffa)* Ballen *m;* **2.** *(libro antico)* Schriftrolle *f;* **andare/mandare a -i** *fam* den Bach runtergehen/runtergehen lassen *fam.*

rotonda [ro'tonda] *f* Rotunde *f.*

rotondità [rotondi'ta] ⟨-⟩ *f* Rundheit *f; (di persone, membra a.)* Rundlichkeit *f.* **rotondo, -a** [ro'tondo] *agg* rund; *(fig a.)* abgerundet.

rotore [ro'to:re] *m* Rotor *m.*

rotta ['rotta] *f* **1.** *fig* Bruch *m;* **2.** *(sconfitta)* Niederlage *f;* **3.** *naut, aero* Kurs *m;* **cambiare ~** *(a. fig)* den Kurs ändern; **fare ~ per** (*o* **verso**) **...** Kurs auf ... nehmen; **essere in ~ con qu** mit jdm gebrochen haben; **a ~ di collo** *fam* Hals über Kopf *fam.*

rottamare [rotta'ma:re] *tr* verschrotten. **rottamazione** [...mat'tsjo:ne] *f* Verschrottung *f.* **rottame** [rot'ta:me] *m* **1.** *(residuo)* Bruchstück *n;* **2.** *(ammasso inservibile)* Schrott(haufen) *m;* **3.** *fig fam (persona)* Wrack *n.*

rotto, -a ['rotto] **I.** *pp di* **rompere; II.** *agg* **1.** *(ridotto in pezzi)* zerbrochen, kaputt;

2. *(scarpe, camicia)* verschlissen, kaputt; 3. *(ossa)* gebrochen; 4. *fig (voce)* erstickt; 5. *(interrotto)* unterbrochen; 6. *(assuefatto)* vertraut (*a* mit), gewöhnt (*a* an +*akk*); **III.** *m:* **per il ~ della cuffia** *fam* um Haaresbreite.

rottura [rot'tu:ra] *f* **1.** *(di tubo, braccio, argine)* Bruch *m;* **2.** *fig (di tregua)* Abbruch *m; (di fidanzamento)* (Auf)lösung *f; (col passato)* Bruch *m.*

roulotte [ru'lɔt] ⟨-⟩ *f* Wohnwagen *m.*

routine [ru'tin] ⟨-⟩ *f (a. inform)* Routine *f.*

rovente [ro'vɛnte] *agg* glühend.

rovere ['ro:vere] **I.** *m o f* Stiel-, Sommereiche *f;* **II.** *m* Eichenholz *n.*

rovesciamento [roveʃʃa'mento] *m* Umkehrung *f,* Umsturz *m.*

rovesciare [roveʃ'ʃa:re] ⟨rovescio, rovesci⟩ **I.** *tr* **1.** *(versare inavvertitamente)* verschütten, vergießen; **2.** *(far cadere)* umwerfen, -stoßen; *fig pol (governo)* stürzen; **3.** *(capovolgere)* umkehren; **4.** *mil* niederschlagen; **5.** *fig (rivolgere, attribuire)* wälzen (*su* auf +*akk*); **II.** *rfl:* **-arsi 1.** *(capovolgersi)* sich umkehren; **2.** *(gettarsi)* sich stürzen; **3.** *(cadere)* sich fallen lassen; **4.** *(riversarsi)* sich ergießen.

rovescio, -a [ro'vɛʃʃo] ⟨-sci, -sce⟩ **I.** *agg* **1.** *(dalla parte opposta)* verkehrt, umgekehrt; **2.** *(supino)* rücklings; **alla -a** verkehrt, umgekehrt; **conto alla -a** Countdown *m;* **II.** *m* **1.** *(lato opposto)* Rückseite *f; (di stoffa, centrotavola, abito)* linke Seite; **2.** *(maglia)* linke Masche; **3.** *sport* Rückhand(schlag *m*) *f;* **4.** *(di pioggia, grandine)* Schauer *m;* **5.** *fig* Rückschlag *m;* **il ~ della medaglia** *fig* die Kehrseite der Medaille.

rovina [ro'vi:na] *f* **1.** *(disfacimento)* Einsturz *m;* **2.** ⟨*pl*⟩ *(macerie)* Ruinen *f pl;* **3.** *fig* Ruin *m,* Verderben *n.* **rovinare** [rovi'na:re] **I.** *tr* **1.** *(persone)* ruinieren, zugrunde richten; **2.** *(salute)* ruinieren; *(a. raccolto)* verderben; **3.** *(ponte, edificio)* einreißen; **II.** *itr* **1.** *(cadere giù)* einstürzen; **2.** *(precipitare)* herabstürzen; **III.** *rfl:* **-arsi** sich ruinieren, sich zugrunde richten.

rovistare [rovis'ta:re] *tr* durchsuchen, durchstöbern, stöbern in.

rovo ['ro:vo] *m* Brombeerstrauch *m,* Brombeere *f.*

royalty ['rɔiəlti] ⟨-⟩ *f* Tantieme *f.*

rozzezza [rod'dzettsa] *f* Grobheit *f.* **rozzo, -a** ['roddzo] *agg* **1.** *(persone, parole)* grob, ungehobelt; **2.** *(lana, tela)* grob, rauh.

R.S.M. *abbr di* **Repubblica di San Marino.**

ruba ['ru:ba] *f:* **andare a ~**reißenden Absatz finden, weggehen wie warme Semmeln *fam.*

rubacuori [ruba'kuɔ:ri] **I.** ⟨*inv*⟩ *agg* betörend; **II.** ⟨-⟩ *mf* Herzensbrecher(in) *m(f).*

rubare [ru'ba:re] *tr* **1.** *(portafogli, gioielli, borse)* rauben, stehlen; **2.** *fig (segreto)* entlocken; *(tempo, cuore)* stehlen; *(sonno)* rauben.

rubicondo, -a [rubi'kondo] *agg* hochrot.

rubinetteria [rubinette'ri:a] ⟨-ie⟩ *f* Armaturen *f pl.*

rubinetto [rubi'netto] *m* Hahn *m.*

rubino [ru'bi:no] **I.** *m* Rubin *m;* **II.** ⟨*inv*⟩ *agg:* **rosso ~** rubinrot.

rubizzo, -a [ru'bittso *o* ru'biddzo] *agg* rüstig.

rublo ['ru:blo] *m* Rubel *m.*

rubrica [ru'bri:ka] ⟨-che⟩ *f* **1.** *(libretto)* Verzeichnis *n;* **2.** *radio, TV* Magazin *n,* Sendung *f;* **3.** *(di giornale)* Spalte *f,* Rubrik *f;* **4.** *com, fin* Kontenrahmen *m;* **~ telefonica** Telefonbuch *n.*

ruche [ryʃ] ⟨-⟩ *f* Rüsche *f.*

rucola ['ru:kola] *f* Rauke *f.*

rude ['ru:de] *agg* rüde, grob.

rudere ['ru:dere] *m* **1.** *pl (avanzi di edifici)* Ruinen *f pl;* **2.** *fig (persona)* Wrack *n.*

rudimentale [rudimen'ta:le] *agg* rudimentär. **rudimenti** [...'menti] *m pl* Grundlagen *f pl.*

ruffianata [ruffja'na:ta] *f fam* Schweinerei *f fam,* Schiebung *f.* **ruffianeria** [...ne'ri:a] ⟨-ie⟩ *f* Kuppelei *f.* **ruffiano, -a** [...'fja:no] *m, f* **1.** *fam (chi cerca di ingraziarsi)* Speichellecker(in) *m(f);* **2.** *(mezzano)* Kuppler(in) *m(f).*

ruga ['ru:ga] ⟨-ghe⟩ *f* Falte *f,* Runzel *f.*

rugby ['rugbi] ⟨-⟩ *m* Rugby *n.*

ruggente [rud'dʒɛnte] *agg:* **gli anni -i** die Roaring Twenties *pl.*

Ruggero [rud'dʒɛ:ro] *(nome proprio maschile)* Rüdiger.

ruggine ['ruddʒine] **I.** *f* **1.** Rost *m;* **2.** *fig fam* Zoff *m fam,* Knatsch *m fam;* **3.** *agr* Brand *m;* **II.** ⟨*inv*⟩ *agg* rostbraun, rostfarben. **rugginoso, -a** [...'no:so] *agg* rostig.

ruggire [rud'dʒi:re] ⟨ruggisco⟩ *itr* brüllen. **ruggito** [...'dʒi:to] *m* Brüllen *n.*

rugiada [ru'dʒa:da] *f* Tau *m.*

rugoso, -a [ru'go:so] *agg* runz(e)lig, faltig.

rullare [rul'la:re] **I.** *itr* **1.** *(tamburo)* dröhnen; **2.** *aero* rollen; **3.** *sport* abrollen; **II.** *tr* walzen.

rullino [rul'li:no] *m* Film *m.*

rullio [rul'li:o] ⟨-ii⟩ *m* Dröhnen *n.*

rullo ['rullo] *m* **1.** *(di tamburo)* Trommelwirbel *m;* **2.** *(arnese cilindrico)* Rolle *f; (a. tip)* Walze *f;* **3.** *film* Filmrolle *f;* **~ compressore** Straßenwalze *f.*

rum, rhum ['rum] ⟨-⟩ *m* Rum *m.*

rumeno, -a [ru'mɛ:no] **I.** *agg* rumänisch; **II.** *m, f* Rumäne *m,* Rumänin *f.*

ruminanti [rumi'nanti] *m pl* Wiederkäuer *m pl.* **ruminare** [...'na:re] *tr* **1.** *zoo* wiederkäuen; **2.** *fig (pensare)* (nach)grübeln über +*akk*; **3.** *(masticare a lungo)* lange kauen.

rumore [ru'mo:re] *m* **1.** *(fenomeno acustico)* Geräusch *n; (strepito)* Lärm *m,* Krach *m;* **2.** *fig* Aufsehen *n;* ~ **di fondo** *el* Grundrauschen *n;* **colonna dei -i** *film* Geräuschkulisse *f;* **difesa dal** ~ Lärmbekämpfung *f;* **imquinamento da** ~ Lärmbelästigung *f.* **rumoreggiare** [rumored'dʒa:re] ⟨rumoreggio, rumoreggi⟩ *itr* **1.** *(far rumore)* lärmen; *(tuono)* dröhnen; *(mare)* brausen; **2.** *fig (folla)* murren. **rumoroso, -a** [...'ro:so] *agg* laut.

ruolo ['ru̯ɔ:lo] *m* **1.** *(funzione)* Rolle *f,* Funktion *f;* **2.** *teat* Rolle *f;* **3.** *amm* Stellenplan *m;* **4.** *com* Plan *m,* Liste *f;* **insegnanti di** ~ festangestellte Lehrer *m pl;* **essere di** ~ beamtet (*o* im Beamtenverhältnis) sein; **passare di** ~ ins Beamtenverhältnis übernommen werden; **interpretare (*o* recitare) un** ~ *teat* eine Rolle spielen.

ruota ['ru̯ɔ:ta] *f* **1.** *gener.* Rad *n;* **2.** *naut* Steven *m;* **3.** *(del lotto)* Ziehungsstelle *f;* **4.** *(oggetto circolare)* Scheibe *f;* **5.** *(di luna park)* Riesenrad *n;* ~ **dentata** Zahnrad *n;* ~ **portacaratteri** Typenrad *n;* **fare la** ~ *(pavone)* ein Rad schlagen; **essere l'ultima** ~ **del carro** das fünfte Rad am Wagen sein.

ruotare [ru̯o'ta:re] **I.** *itr* **1.** *(girare)* (sich) drehen; **2.** *(volare)* kreisen, Kreise ziehen; **II.** *tr* **1.** *(braccio, bastone)* kreisen lassen; **2.** *agr (colture)* wechseln.

ruoto 1. *pers sing pr di* **rotare.**

rupe ['ru:pe] *f* Fels(en) *m.*

rupestre [ru'pɛstre] *agg* felsig.

ruppi ['ruppi] *p rem di* **rompere.**

rurale [ru'ra:le] *agg* ländlich, Land-.

ruscello [ruʃ'ʃɛllo] *m* Bach *m.*

ruspa ['ruspa] *f* Bagger *m.*

ruspante [rus'pante] *agg* scharrend; **pollo** ~ Freilandhuhn *n.*

ruspare [rus'pa:re] *itr* scharren, kratzen.

russare [rus'sa:re] *itr* schnarchen.

Russia ['russi̯a] *f* Rußland *n.* **russo, -a** ['russo] **I.** *agg* russisch; **insalata -a** *Gemüsesalat mit Mayonnaise;* **montagne -e** Achterbahn *f;* **II.** *m, f* Russe *m,* Russin *f.*

rustico, -a ['rustiko] ⟨-ci, -che⟩ **I.** *agg* **1.** *(campagnolo)* ländlich; **2.** *(mobile)* rustikal; **3.** *(persona)* bäurisch; **4.** *fig peg* roh, grob; **II.** *m* **1.** *(fabbricato)* Wirtschaftsteil *m;* **2.** *arch* Rohbau *m.*

ruta ['ru:ta] *f* Raute *f.*

ruttare [rut'ta:re] *itr* rülpsen, aufstoßen.

rutto ['rutto] *m* Rülpser *m.*

ruttore [rut'to:re] *m* Schalter *m,* Unterbrecher *m.*

ruvido, -a ['ru:vido] *agg* **1.** *(mani, corteccia, stoffa)* rauh; **2.** *fig* roh, grob.

ruzzolare [ruttso'la:re] *itr* purzeln, hinunterkugeln. **ruzzolone** [...'lo:ne] *m* Sturz *m,* Fall *m.*

S

S, s ['ɛsse] ⟨-⟩ *f* S, s *n;* **s come Savona** S wie Siegfried (*o* Samuel).
S. 1. *abbr di* **sud** S (*abk von* Süd); **2.** *abbr di* **santo** hl., St. (*abk von* heilig, Sankt).
sabato ['sa:bato] *m* **1.** *(giorno settimanale)* Samstag *m,* Sonnabend *m;* **2.** *(per gli Ebrei)* Sabbat *m;* ~ **Santo** Karsamstag *m; v. a. lunedì.*
sabba ['sabba] ⟨-⟩ *m* Hexensabbat *m.*
sabbia ['sabbja] ⟨-ie⟩ *f* Sand *m;* ~ **del deserto/del mare/della spiaggia** Wüsten-/Meeres-/Strandsand *m;* **-ie mobili** Treibsand *m.* **sabbiatrice** [-'tritʃe] *f* Sandstrahlgebläse *n.* **sabbiatura** [-'tu:ra] *f* **1.** *med* Sandbad *n;* **2.** *tec* Sandstrahlen *n.* **sabbioso, -a** [sab'bjo:so] *agg* sandig; *(riva a.)* Sand-.
Sabina [sa'bi:na] *(nome proprio femminile)* Sabine.
sabotaggio [sabo'taddʒo] ⟨-ggi⟩ *m* Sabotage *f.* **sabotare** [...'ta:re] *tr* sabotieren. **sabotatore, -trice** [...ta'to:re] *m, f* Saboteur(in) *m(f).*
sacca ['sakka] ⟨-cche⟩ *f* **1.** *(borsa)* (große) Tasche *f,* Reisetasche *f;* **2.** *geog* Bucht *f,* Einbuchtung *f;* **3.** *med, anat* Beutel *m,* Sack *m.*
saccarina [sakka'ri:na] *f* Saccharin *n.*
saccente [sat'tʃɛnte] **I.** *agg* besserwisserisch; *(bambino a.)* altklug; **II.** *mf* Besserwisser(in) *m(f).*
saccheggiare [sakked'dʒa:re] ⟨saccheggio, saccheggi⟩ *tr* plündern; *(banca)* ausrauben. **saccheggiatore, -trice** [...dʒa'to:re] *m, f* Räuber(in) *m(f),* Plünderer *m,* Plünd(r)erin *f.* **saccheggio** [...'keddʒo] ⟨-ggi⟩ *m* Plünderung *f.*
sacchetto [sak'ketto] *m* Tüte *f,* Beutel *m;* ~ **biologico** (*o* **ecologico**) umweltfreundliche Tragetasche; ~ **di plastica** Plastiktüte *f.*
sacco ['sakko] ⟨-cchi⟩ *m* **1.** *(recipiente)* Sack *m;* **2.** *fig fam* Haufen *m fam,* Menge *f;* **3.** *anat, zoo* Sack *m,* Beutel *m;* **4.** *(saccheggio)* Plünderung *f;* **5.** *(tela)* Sackleinen *n;* **6.** *sport* Sandsack *m;* **7.** *fig scherz* Wanst *m,* Bauch *m;* **colazione al** ~ Picknick *n;* **corsa nei -cchi** Sackhüpfen *n;* ~ **a pelo** Schlafsack *m;* ~ **postale** Postsack *m;* ~ **lacrimale** Tränensack *m;* **avere un** ~ **di debiti** einen Haufen Schulden haben; **colmare il** ~ das Maß vollmachen; **mettere qu nel** ~ *fig* jdn in den Sack stecken; **vuotare il** ~ *fig* auspacken. **saccopelista** [-pe'lista] ⟨-i *m,* -e *f*⟩ *mf* Rucksacktourist(in) *m(f),* Rucksackreisende(r) *mf.*
sacerdotale [satʃerdo'ta:le] *agg* priesterlich, Priester-. **sacerdote, -essa** [...'dɔ:te, ...do'tessa] *m, f* Priester(in) *m(f);* **sommo** ~ Hohepriester(in) *m(f).* **sacerdozio** [...'dɔttsjo] ⟨-i⟩ *m* **1.** *rel* Priestertum *n,* Priesterschaft *f;* **2.** *fig* Mission *f.*
sacrale [sa'kra:le] *agg* sakral, heilig.
sacramentale [sakramen'ta:le] *agg* sakramental.
sacramento [sakra'mento] *m* Sakrament *n; (l'Eucarestia)* Abendmahl *n,* Eucharistie(feier) *f;* **il Santissimo S~** das Allerheiligste.
sacrario [sa'kra:rjo] ⟨-i⟩ *m* **1.** *(di tempio)* Heiligtum *n;* **2.** *(edificio)* Gedenkstätte *f.*
sacrato [sa'kra:to] *v.* **sagrato.**
sacrestano [sakres'ta:no] *v.* **sagrestano.**
sacrestia [sakres'ti:a] *v.* **sagrestia.**
sacrificare [sakrifi'ka:re] ⟨sacrifico, sacrifichi⟩ **I.** *tr* opfern; **II.** *rfl:* **-arsi 1.** *(offrirsi in sacrificio)* sich opfern, sich hingeben; **2.** *(sopportare privazioni)* sich aufopfern. **sacrificato, -a** [...'ka:to] *agg* **1.** *(pieno di rinunce)* entbehrungsreich, voller Opfer; **2.** *(non valorizzato)* zu schade; **3.** *(offerto in sacrificio)* geopfert.
sacrificio [sakri'fi:tʃo] ⟨-ci⟩ *m* Opfer *n; (privazione a.)* Verzicht *m,* Entbehrung *f;* **fare -i** *fig* Opfer bringen.
sacrilegio [sakri'lɛ:dʒo] ⟨-gi⟩ *m* **1.** *(profanazione)* Frevel *m,* Gotteslästerung *f,* Sakrileg *n;* **2.** *fig* Schande *f.* **sacrilego, -a** [sa'kri:lego] ⟨-ghi, -ghe⟩ *agg* gotteslästerlich, frevlerisch.
sacro ['sa:kro] *m anat* Kreuzbein *n.*
sacro, -a ['sa:kro] **I.** *agg* heilig; *(arte)* sakral; *(musica)* geistlich; **II.** *m* Heilige *n.*
sacrosanto, -a [sakro'santo] *agg* **1.** *rel* hochheilig; **2.** *(inviolabile)* unverletzlich, sakrosankt *geh,* unantastbar.
sadico, -a ['sa:diko] ⟨-ci, -che⟩ **I.** *agg* sadistisch; **II.** *m, f* Sadist(in) *m(f).*
sadismo [sa'dizmo] *m* Sadismus *m.*
saetta [sa'etta] *f* Blitz *m.*
safari [sa'fa:ri] ⟨-⟩ *m* Safari *f;* ~ **fotografico** Fotosafari *f.*
saga ['sa:ga] ⟨-ghe⟩ *f* Sage *f,* Saga *f.*
sagace [sa'ga:tʃe] *agg* scharfsinnig, klug. **sagacia** [...tʃa] ⟨-ie⟩ *f* Scharfsinn *m,* Klugheit *f.*
saggezza [sad'dʒettsa] *f* Weisheit *f.*
saggia *f v.* **saggio, -a.**
saggiare [sad'dʒa:re] ⟨saggio, saggi⟩ *tr* **1.** *tec* prüfen; **2.** *fig* prüfen; *(persone a.)* auf die Probe stellen.

saggio[1] ['saddʒo] ⟨-ggi⟩ *m* **1.** *(prova)* Prüfung *f,* Probe *f;* **2.** *(campione)* Probe *f,* Muster *n;* **3.** *(a scuola)* Prüfung *f;* **4.** *fin (tasso)* Satz *m.*
saggio[2] ['saddʒo] ⟨-ggi⟩ *m (scritto critico)* Essay *m o n,* Abhandlung *f.*
saggio, -a ['saddʒo] ⟨-ggi, -gge⟩ **I.** *agg* weise, klug; **II.** *m, f* Weise(r) *mf,* Gelehrte(r) *mf.*
saggista [sad'dʒista] ⟨-i *m,* -e *f*⟩ *mf* Essayist(in) *m(f).* **saggistica** [sad'dʒistika] ⟨-che⟩ *f* Essayistik *f.*
Sagittario [sadʒit'ta:rio] *m* Schütze *m;* **sono (del** *o* **un)** ~ ich bin (ein) Schütze.
sagoma ['sa:goma] *f* **1.** *(profilo)* Profil *n,* Linie *f,* Silhouette *f;* **2.** *(nel tiro a segno)* Zielscheibe *f;* **3.** *(modello)* Form *f,* Modell *n,* Schablone *f;* **4.** *fig fam* komischer Kauz (*o* Typ *fam*). **sagomare** [sago'ma:re] *tr* formen, modellieren.
sagra ['sa:gra] *f* **1.** *(festa popolare)* (Volks)fest *n;* **2.** *rel* Kirchweih *f.*
sagrato [sa'gra:to] *m* Kirchplatz *m.*
sagrestano, -a [sagres'ta:no] *m, f* Küster(in) *m(f),* Kirchendiener(in) *m(f).* **sagrestia** [...'ti:a] ⟨-ie⟩ *f* Sakristei *f.*
saio ['sa:io] ⟨sai⟩ *m* Kutte *f.*
sala ['sa:la] *f* Saal *m;* ~ **da pranzo/da ballo/d'aspetto** Eßzimmer *n*/Ball-/Wartesaal *m;* ~ **giochi** Spielhalle *f;* ~ **di lettura** Lesesaal *m;* ~ **macchine** Maschinenraum *m;* ~ **parto** Kreißsaal *m;* ~ **stampa** Pressezentrum *n.*
salace [sa'la:tʃe] *agg* **1.** *(lascivo)* schlüpfrig, lasziv; **2.** *(pungente)* bissig, scharf.
salamandra [sala'mandra] *f* Salamander *m.*
salame [sa'la:me] *m* **1.** *gastr* Salami *f;* **2.** *fig fam* Tölpel *m,* Trottel *m.*
salamelecco [salame'lɛkko] ⟨-cchi⟩ *m* Katzbuckel *m,* Bückling *m.*
salamoia [sala'mɔ:ia] ⟨-oie⟩ *f* Salzlake *f.*
salare [sa'la:re] *tr* salzen.
salariale [sala'ria:le] *agg* Lohn-. **salariato, -a** [...'ria:to] *m, f* Lohnempfänger(in) *m(f).*
salario [sa'la:rio] ⟨-i⟩ *m* Lohn *m,* Entlohnung *f,* Vergütung *f;* ~ **di (***o* **da) fame** Hungerlohn *m;* ~ **garantito** Mindestlohn *m;* ~ **reale** Reallohn *m.*
salassare [salas'sa:re] *tr* **1.** *med* zur Ader lassen; **2.** *fig* schröpfen. **salasso** [sa'lasso] *m* Aderlaß *m.*
salatino [sala'tino] *m* Salzstange *f; (biscotto)* Salzgebäck *n.*
salato, -a [sa'la:to] *agg* **1.** *gener.* salzig; *(acqua)* Salz-; *(gastr a.)* gesalzen; **2.** *fig (prezzo)* gesalzen *fam,* gepfeffert *fam;* **troppo** ~ versalzen.
saldare [sal'da:re] **I.** *tr* **1.** *(congiungere)* verbinden, vereinigen, zusammenfügen; **2.** *tec (metalli)* löten; *(a fiamma)* schweißen; **3.** *(conto, debito)* begleichen, bezahlen; *(partita)* abschließen; **II.** *rfl:* **-arsi** zuheilen, vernarben. **saldatore, -trice** [...da'to:re] **I.** *m, f (operaio)* Schweißer(in) *m(f);* **II.** *m tec* Lötkolben *m;* **III.** *f el* Schweißbrenner *m.* **saldatura** [...da'tu:ra] *f* **1.** *gener., fig* Verbindung *f,* Vereinigung *f;* **2.** *tec* Schweißen *n;* **punto di** ~ Schweißstelle *f.*
saldezza [sal'dettsa] *f* Festigkeit *f.*
saldo ['saldo] *m* **1.** *(svendita)* Restposten *m,* Restbestand *m;* **2.** *fin* Saldo *m;* **3.** *(somma da pagare)* Restbetrag *m;* ~ **in banca** Bankguthaben *n;* ~ **attivo/passivo** Guthaben *n*/Lastschrift *f.* **-i di fine stagione** Saisonschlußverkauf *m;* **-i estivi/invernali** Sommer-/Winterschlußverkauf *m.*
saldo, -a ['saldo] *agg (a. fig)* fest, stark.
sale ['sa:le] *m* **1.** *gastr, chim* Salz *n;* **2.** *fig (senno)* Verstand *m,* Geist *m;* ~ **comune (***o* **da cucina)** Kochsalz *n;* ~ **iodato (***o* **marino)** Jod-, Meersalz *n;* **un pizzico di** ~ eine Prise Salz; **-i da bagno** Badesalz *n;* **avere poco** ~ **in zucca** *fam* wenig (Grips *fam*) im Kopf haben; **sotto** ~ *gastr* in Salz eingelegt.
sales manager ['seilz 'manadʒer] ⟨-⟩ *mf* Verkaufsleiter(in) *m(f).*
salgemma [sal'dʒɛmma] *m* Steinsalz *n.*
salgo ['salgo] *pr di* **salire.**
salice ['sa:litʃe] *m* Weide *f;* ~ **piangente** Trauerweide *f.*
saliente [sa'liɛnte] *agg* **1.** *(che sale)* aufsteigend; **2.** *fig* bedeutend, wichtig.
saliera [sa'liɛ:ra] *f* Salzstreuer *m,* Salzgefäß *n.*
salina [sa'li:na] *f* **1.** *(impianto)* Saline *f,* Salzwerk *n;* **2.** *min* Salzlager *n,* -grube *f.*
salinità [salini'ta] ⟨-⟩ *f* Salzgehalt *m.*
salino, -a [sa'li:no] *agg* salzhaltig, Salz-.
salire [sa'li:re] ⟨salgo, salii, salito⟩ **I.** *tr* ⟨*avere*⟩ er-, besteigen; *(scale)* (hoch)steigen, hinaufgehen; **II.** *itr* ⟨*essere*⟩ **1.** *(andare verso l'alto)* hoch-, hinaufsteigen, hoch-, hinaufgehen; **2.** *(montare in macchina, in tram, in pullman, sul treno)* steigen (in *+akk,* einsteigen in *+akk*); *(sulla sedia, a cavallo)* steigen (auf *+akk*), *(sulla bicicletta, sulla moto a.)* aufsteigen (auf *+akk*); **3.** *(alzarsi in volo)* steigen, aufsteigen; **4.** *(prezzi, temperatura, livello)* steigen; **5.** *(strada)* ansteigen; ~ **al trono** den Thron besteigen; ~ **alla testa** in den (*o* zu) Kopf steigen.
Salisburgo [saliz'burgo] *f* Salzburg *n.*
saliscendi [saliʃ'ʃendi] ⟨-⟩ *m* **1.** *(chiusura)* Riegel *m;* **2.** *(salite e discese)* Auf und Ab *n.*
salita [sa'li:ta] *f* Aufstieg *m,* Aufgang *m; (strada)* Steigung *f;* **in** ~ *(ascendente)* ansteigend; *(avv)* bergauf.
saliva [sa'li:va] *f* Speichel *m,* Spucke *f fam.* **salivare** [sali'va:re] **I.** *agg* Speichel-; **II.** *itr* Speichel absondern.
salma ['salma] *f* Leiche *f,* Leichnam *m.*
salmastro, -a [sal'mastro] **I.** *agg* salzig,

brackig; **II.** *m (odore)* Salzgeruch *m; (sapore)* Salzgeschmack *m.*

salmì [sal'mi] *m* (scharfes) Wildragout *n;* **lepre in ~** Hasenpfeffer *m.*

salmistrato, -a [salmis'tra:to] *agg* gepökelt, Pökel-.

salmo ['salmo] *m* Psalm *m.*

salmone [sal'mo:ne] *m* Lachs *m,* Salm *m;* **~ affumicato** Räucherlachs *m.*

salmonella [salmo'nɛlla] *f* Salmonelle *f.*

salnitro [sal'ni:tro] *m* Salpeter *m.*

salone [sa'lo:ne] *m* **1.** *(locale)* (großer) Saal; **2.** *(mostra)* Salon *m,* Ausstellung *f;* **3.** *(edificio)* Messe-, Ausstellungshalle *f;* **4.** *(di bellezza, della moda)* Salon *m;* **~ dell'automobile** Automobilausstellung *f; (luogo)* (Auto)salon *m.*

salopette [salo'pɛt] ⟨-⟩ *f* Latzhose *f.*

salottiero, -a [salot'ti̯ɛ:ro] *agg* **1.** salonhaft, Salon-; **2.** *(persona, discorso)* oberflächlich.

salotto [sa'lɔtto] *m* **1.** *(stanza)* Wohnzimmer *n;* **2.** *(mobilio)* Wohnzimmer(einrichtung *f*) *n;* **3.** *(raduno)* Salon *m,* Kreis *m.*

salpare [sal'pa:re] **I.** *itr* ⟨*essere*⟩ in See stechen, den Anker lichten; **II.** *tr* ⟨*avere*⟩ hieven; *(ancora)* lichten.

salpinge [sal'pindʒe] *f anat* Eileiter *m.*

salsa ['salsa] *f* **1.** *gastr* Soße *f,* Sauce *f;* **2.** *mus* Salsa *f;* **~ di pomodoro** Tomatensauce *f.*

salsedine [sal'sɛ:dine] *f* **1.** *(del mare)* Salzigkeit *f,* Salzgehalt *m;* **2.** *(residuo)* Salzrückstände *m pl,* Salzkruste *f.*

salsiccia [sal'sittʃa] ⟨-cce⟩ *f* Wurst *f.*

salsiera [sal'si̯ɛ:ra] *f* Sauciere *f,* Soßenschüssel *f.*

saltare [sal'ta:re] **I.** *itr* ⟨*essere o avere*⟩ **1.** *gener.* springen; **2.** *(esplodere)* explodieren; **~ dalla finestra/dal ponte/dal letto** aus dem Fenster/von der Brücke/aus dem Bett springen; **~ al collo di qu** *(per abbracciarlo)* jdm um den Hals fallen; *(aggredire)* jdm an die Gurgel gehen; **~ fuori** herausspringen; *(esprimere)* herausplatzen; *(ritrovare)* auftauchen; **~ in mente** einfallen; **far ~** (in die Luft) sprengen; *fig* hochgehen lassen; **~ di palo in frasca** vom Hundertsten ins Tausendste kommen, vom Hölzchen aufs Stöckchen kommen; **II.** *tr* ⟨*avere*⟩ **1.** *(ostacolo, muricciolo, ecc.)* springen über *+akk,* überspringen; **2.** *gastr* sautieren, kurz braten; **3.** *fig* überspringen, auslassen; **~ la corda** Seil springen; **~ il pasto** eine Mahlzeit ausfallen lassen.

saltatore, -trice [...ta'to:re] *m, f* Springer(in) *m(f).*

saltellare [saltel'la:re] *itr* hüpfen. **saltello** [...'tɛllo] *m* Hüpfer *m.*

saltimbanco, -a [saltim'baŋko] ⟨-chi, -che⟩ *m, f* **1.** *(acrobata)* Seiltänzer(in) *m(f);* **2.** *fig peg* Schwindler(in) *m(f),* Scharlatan *m.*

saltimbocca [saltim'bokka] ⟨-⟩ *m:* **~ alla romana** *kleine Kalbsrouladen mit Schinken und Salbei.*

salto ['salto] *m* **1.** *gener., fig* Sprung *m;* **2.** *(omissione)* Überspringung *f,* Auslassung *f;* **3.** *mus* Intervall *n;* **4.** *(dislivello)* Gefälle *n;* **~ di qualità** Qualitätssprung *m; fig* Schritt nach vorne; **~ in alto/in lungo/con l'asta** Hoch-/Weit-/Stabhochsprung *m;* **~ mortale** Salto mortale *m,* Todessprung *m;* **fare i -i mortali** *fig* alles nur Mögliche tun; **~ nel buio** Sprung *m* ins Ungewisse; **fare quattro -i** *fam* das Tanzbein schwingen *fam;* **faccio un ~ in città/dalla mia amica** ich gehe auf einen Sprung in die Stadt/zu meiner Freundin *fam;* **a -i** springend.

saltuario, -a [saltu'a:ri̯o] ⟨-i, -ie⟩ *agg* unregelmäßig; **lavoro ~** Gelegenheitsarbeit *f.*

salubre [sa'lu:bre] *agg* gesund, heilsam. **salubrità** [salubri'ta] ⟨-⟩ *f* Gesundheit *f.*

salume [sa'lu:me] *m* Wurst *f;* **-i** Wurstwaren *f pl.* **salumeria** [salume'ri:a] ⟨-ie⟩ *f* Wurstwarenhandlung *f.* **salumiere, -a** [...'mi̯ɛ:re] *m, f* Wursthändler(in) *m(f).*

salutare[1] [salu'ta:re] *agg* heilsam, gesund.

salutare[2] [salu'ta:re] *tr* grüßen; *(a. accogliere)* begrüßen; **andare a ~ qu** jdn besuchen gehen.

salute [sa'lu:te] *f* Gesundheit *f;* **bere alla ~ di qu** auf jds Wohl trinken; **~!** *(nei brindisi)* prost!, zum Wohl!; *(quando si sternutisce)* Gesundheit!; *iron* na denn prost! *fam,* prost Mahlzeit! *fam;* **alla tua/vostra ~!** auf dein/euer Wohl!

salutismo [salu'tizmo] *m* Gesundheitsbewußtsein *n.*

saluto [sa'lu:to] *m* Gruß *m;* **rivolgere/ricevere un ~** grüßen/gegrüßt werden; **mandare i -i a qu** jdm Grüße ausrichten; **portare a qu i -i di qu** jdm von jdm Grüße ausrichten (*o* übermitteln); **in segno di ~** zum Gruß; **tanti cari -i** viele liebe Grüße; **affettuosi -i** herzliche Grüße; **cordiali -i** mit freundlichen Grüßen; **vogliate gradire i più distinti -i** mit vorzüglicher Hochachtung.

salva ['salva] *f* Salut(schuß) *m;* **colpo di ~** Salve *f;* **sparare a ~** Salut schießen, Salutschüsse abfeuern; **~ di fischi** *fig* Pfeifkonzert *n.*

salvacondotto [salvakon'dotto] *m* Geleit-, Schutzbrief *m.*

salvadanaio ⟨-ai⟩, **salvadanaro** [-da'na:i̯o, ...'na:ro] *m* Sparbüchse *f,* -dose *f.*

salvagente [-'dʒɛnte] ⟨-⟩ **I.** *m* **1.** *(per nuotare)* Schwimmring *m,* -reifen *m; (per salvataggio)* Rettungsring *m;* **2.** *(isola pedonale)* Verkehrsinsel *f;* **II.** ⟨*inv*⟩ *agg* Schwimm-; **giubbotto ~** Schwimmweste *f.*

salvagocce [salva'gottʃe] ⟨-⟩ *m* Tropfenfänger *m.*

salvaguardare [-guar'da:re] *tr* (be)schützen; *(interessi)* wahren. **salvaguardia** [-'guardia] *f* Schutz *m; (interessi)* Wahrung *f.*
salvare [sal'va:re] **I.** *tr* **1.** *(trarre da un pericolo)* retten; **2.** *(proteggere)* schützen; (be)wahren; **3.** *inform* sichern; **II.** *rfl:* **-arsi 1.** *(scampare alla morte)* sich retten; **2.** *(trovare scampo)* sich (an einen Ort) retten, Zuflucht finden; **si salvi chi può!** rette sich, wer kann!.
salvaslip [salva'zlip] ⟨-⟩ *m* Slipeinlage *f.*
salvataggio [...va'taddʒo] ⟨-ggi⟩ *m* **1.** *(soccorso)* Rettung *f,* Bergung *f;* **2.** *fig* Rettung *f;* **3.** *inform* Datensicherung *f.*
salvatore, -trice [...va'to:re] *m, f* Retter(in) *m(f);* **il S~** der Heiland. **salvavita** [...'vi:ta] ⟨*inv*⟩ *agg* lebensrettend. **salvazione** [...vat'tsio:ne] *f* Erlösung *f.*
salve ['salve] *interi* grüß' dich/euch, hallo.
salvezza [sal'vettsa] *f* Rettung *f,* Heil *n.*
salvia ['salvia] ⟨-ie⟩ *f* Salbei *m o f.*
salvietta [sal'vietta] *f* Serviette *f; sett* Handtuch *n.*
salvo, -a ['salvo] **I.** *agg* gerettet; **avere -a la vita** mit dem Leben davonkommen; **II.** *m:* **in** ~ in Sicherheit; **III.** *prp* außer *+dat,* ausgenommen *+akk,* abgesehen von *+dat;* **IV.** *cong:* ~ **che** *+congv* es sei denn (, daß) . . ., außer wenn . . .
sambuca [sam'bu:ka] ⟨-che⟩ *f* Sambuca *m.* **sambuco** [sam'bu:ko] ⟨-chi⟩ *m* (schwarzer) Holunder *m.*
samovar [samo'var] ⟨-⟩ *m* Samowar *m.*
san [san] *v.* **santo.**
sana *f v.* **sano.**
sanabile [sa'na:bile] *agg* **1.** *med* heilbar; **2.** *(risolvibile)* behebbar; **3.** *econ* sanierbar.
sanare [sa'na:re] **1.** *(ferita, ammalato)* heilen; **2.** *(bilancio, piaga sociale)* sanieren; ~ **un debito** *fin* eine Schuld begleichen; **il tempo sana tutti i dolori** die Zeit heilt (alle) Wunden.
sanatoria [sana'tɔ:ria] *f dir* Gültigkeitserklärung *f,* nachträgliche Zustimmung.
sanatorio [sana'tɔ:rio] ⟨-i⟩ *m* Sanatorium *n.*
san bernardo [samber'nardo] ⟨- - *o* - -i⟩ *m* Bernhardiner *m.*
sancire [san'tʃi:re] ⟨sancisco⟩ *tr* **1.** *dir* bestätigen, sanktionieren; **2.** *(dare carattere stabile)* bekräftigen, sanktionieren.
sandalo[1] ['sandalo] *m (calzatura)* Sandale *f.*
sandalo[2] ['sandalo] *m bot* Sandelbaum *m.*
sandwich ['sændwitʃ] **I.** ⟨-⟩ *m* Sandwich *m o n;* **II.** ⟨*inv*⟩ *agg* Sandwich-; **uomo** ~ Sandwichmann *m;* **strutture** ~ Sandwichbauweise *f.*
San Gallo [saŋ 'gallo] *f* Sankt Gallen *n.*
San Gottardo [saŋ got'tardo] *m* Sankt Gotthard *m.*
sangria [san'gri:a] ⟨-⟩ *f* Sangria *f.*
sangue ['saŋgue] *m* Blut *n;* **donatore di** ~ Blutspender *m;* **fatto di** ~ Bluttat *f;* **di** ~ **blu** blaublütig; **globulo del** ~ Blutkörperchen *n;* **pozza di** ~ Blutlache *f;* **senza spargimento di** ~ ohne Blutvergießen; **un (cavallo) puro** ~ ein Vollblut *n;* **animale a** ~ **caldo/freddo** Warm-/Kaltblüter *m;* **a** ~ **caldo** im Affekt; **a** ~ **freddo** kaltblütig; **al** ~ *gastr* englisch, medium; **all'ultimo** ~ auf Leben und Tod; **mi esce il** ~ **dal naso** ich habe Nasenbluten; **fra loro non c'è buon** ~ sie sind nicht gut aufeinander zu sprechen.
sanguigno, -a [saŋ'guiɲɲo] *agg* **1.** *med* Blut-; *(ricco di sangue)* blutreich; **2.** *(complessione, costituzione)* sanguinisch; **gruppo** ~ Blutgruppe *f.*
sanguinare [saŋgui'na:re] *itr* bluten.
sanguinario, -a [...'na:rio] ⟨-i, -ie⟩ *agg* blutrünstig. **sanguinoso, -a** [...'no:so] *agg* blutig.
sanguisuga [saŋgui'su:ga] ⟨-ghe⟩ *f* **1.** *zoo* Blutegel *m;* **2.** *fig peg* Blutsauger *m.*
sanità [sani'ta] ⟨-⟩ *f* **1.** *gener.* Gesundheit *f;* **2.** *amm* Gesundheit *f,* Gesundheitswesen *n.* **sanitario, -a** [...'ta:rio] ⟨-i, -ie⟩ *amm* **I.** *agg* gesundheitlich, sanitär, Gesundheits-; **impianti -i** sanitäre Einrichtungen *f pl;* **ufficiale** ~ Amtsarzt *m;* **II.** *m, f* Arzt *m,* Ärztin *f.*
sano, -a ['sa:no] **I.** *agg* **1.** *gener., med* gesund; **2.** *fig* gesund, anständig; **3.** *(intero)* heil, ganz; ~ **come un pesce** kerngesund; **di -a pianta** von Grund auf, vollkommen; **II.** *m, f* Gesunde(r) *mf.*
sansa ['sansa] *f (residuo della spremitura di olive)* Öltrester *m.*
sanscrito ['sanskrito] *m* Sanskrit *n.*
sant' [sant] *v.* **santo.**
santa *f v.* **santo.**
santificare [santifi'ka:re] ⟨santifico, santifichi⟩ **I.** *tr* heiligen, ehren; *(dichiarare santo)* heiligsprechen; *(rendere santo)* heilig machen; **II.** *rfl:* **-arsi** heilig werden.
santino [san'ti:no] *m* Heiligenbild *n.*
santissimo, -a [san'tissimo] **I.** *agg* allerheiligste(r, s); **II.** *m* Allerheiligste(s) *n.*
santità [santi'ta] ⟨-⟩ *f* Heiligkeit *f;* **Sua/Vostra S~** *(titolo)* Seine/Eure Heiligkeit.
santo, -a ['santo] **I.** *agg* (*abbr* **S.**) heilig; *(con nome proprio)* Sankt, der/die heilige; *(pio)* fromm, religiös; **acqua -a** Weihwasser *n;* **olio** ~ Salböl *n; (ultima unzione)* Letzte Ölung; **la settimana -a** die Karwoche; **la** ~ **Sede** der Heilige Stuhl; **la Terra Santa** das Heilige Land; **(tutti) i Santi** *fam* Allerheiligen *n;* **tutto il** ~ **giorno** *fam* den lieben langen Tag (lang); **fammi il** ~ **piacere . . .** *fam* tu mir den einen Gefallen und . . . *fam;* **Sant'Iddio!** ach du lieber Gott!; **II.** *m, f*

1. *rel* Heilige(r) *mf;* 2. *(immagine)* Heiligenbild *n;* 3. *fam (patrono)* Schutzheilige(r) *mf,* Schutzpatron(in) *m(f);* **la pazienza di un** ~ eine Engelsgeduld; **non sapere a che** ~ **votarsi** keinen Ausweg mehr wissen; **non ci sono -i che tengano** es ist unvermeidlich.

santone, -a [san'to:ne] *m, f* 1. *rel* (als heilig geltende) religiöse Persönlichkeit; 2. *fig* Guru *m,* Sektenführer(in) *m(f).*

santuario [santu'a:rio] ⟨-i⟩ *m* 1. *(chiesa)* Wallfahrtskirche *f;* 2. *(luogo sacro)* Heiligtum *n;* 3. *(di tempio ebraico)* Allerheiligste(s) *n.*

sanzionare [santsio'na:re] *tr* 1. *(confermare)* sanktionieren, bestätigen; 2. *(punire)* sanktionieren. **sanzione** [...'tsio:ne] *f* 1. *dir, amm* Sanktion *f; (di legge a.)* Bestätigung *f; (appravazione a.)* Zustimmung *f,* Billigung *f;* 2. *(punizione)* Sanktion *f,* Strafmaßnahme *f;* ~ **disciplinare** Disziplinarmaßnahme *f;* **-i penali** Strafrechtsmaßnahmen *f pl.*

sapere [sa'pe:re] ⟨so, seppi, saputo⟩ **I.** *tr* 1. *gener.* wissen; *(conoscere)* kennen; *(lingua)* können, beherrschen; *(mestiere)* beherrschen, verstehen; 2. *(con inf: essere capace)* können; 3. *(apprendere)* erfahren; ~ **il fatto suo** sich auskennen; **saperla lunga** schlau sein; **lo so** ich weiß; **come facevo a saperlo?** woher sollte ich das wissen?; **se tu sapessi!** Wenn du wüßtest!; **non saprei** ich wüßte nicht (*o* nicht daß ich wüßte); **non si sa mai** man kann nie wissen; **per quanto ne sappia (*o* che io sappia)** soviel ich weiß; **buono a sapersi** gut zu wissen; **non sa far altro che piangere** er (*o* sie) kann wohl nur weinen; **averlo saputo!** hätte ich das gewußt!; **far sapere qc a qu** jdn etw. wissen lassen, jdm etw. mitteilen; **come hai fatto a saperlo?** wie hast du das herausgefunden?; **II.** *itr* 1. *(aver sapore)* schmecken (*di* nach); 2. *(avere odore)* riechen (*di* nach); 3. ⟨*impers*⟩ *(pensare)* vermuten, scheinen, aussehen; **non** ~ **di niente** nach nichts schmecken *fam,* fade schmecken; **mi sa che oggi non viene** es sieht so aus, als käme er/sie heute nicht; **III.** *m* Wissen *n;* ~ **vivere** Lebenskunst *f,* Savoir-vivre *n geh;* ~ **fare** Gewandtheit *f,* Savoir-faire *n geh.*

sapiente [sa'piɛnte] **I.** *agg* klug, gelehrt; 1. *(abile) geschickt;* 2. *(esperto)* kundig; **II.** *mf* Weise(r) *mf,* Gelehrte(r) *mf.* **sapientone, -a** [sapien'to:ne] *m, f* Besserwisser(in) *m(f).* **sapienza** [sa'piɛntsa] *f* Weisheit *f.*

saponata [sapo'na:ta] *f (acqua)* Seifenlauge *f; (schiuma)* Seifenschaum *m.*

sapone [sa'po:ne] *m* Seife *f;* ~ **da bucato/barba/toeletta** Kern-/Rasier-/Toilettenseife *f.* **saponetta** [sapo'netta] *f* (feines) Seifenstück *n.*

sapore [sa'po:re] *m gastr* Geschmack *m; (fig a.)* Nachgeschmack *m;* **avere** ~ **di qc** nach etw. schmecken; **senza** ~ *(a. fig)* fade.

saporito, -a [sapo'ri:to] *agg* 1. *gastr* schmackhaft; 2. *fig (gustoso)* genüßlich, genußvoll; *(sonno)* tief; 3. *fig (piccante)* pikant; 4. *fig scherz (conto, prezzo)* gesalzen *fam,* gepfeffert *fam.* **saporoso, -a** [...'ro:so] *agg* 1. *gastr* schmackhaft, wohlschmeckend; 2. *fig* pikant.

saputello, -a [sapu'tɛllo] **I.** *agg* altklug; **II.** *m, f:* **fare il** ~ altklug sein.

saputo, -a [sa'pu:to] **I.** *agg* bekannt; **II.** *m, f* Besserwisser(in) *m(f).*

Sara ['sa:ra] *(nome proprio femminile)* Sara(h).

sarà [sa'ra] *ecc. v.* **essere.**

sarabanda [sara'banda] *f* 1. *mus* Sarabande *f;* 2. *fig* Lärm *m,* Krach *m,* Spektakel *n.*

saraceno, -a [sara'tʃɛ:no] **I.** *agg* sarazenisch; **grano** ~ Buchweizen *m;* **II.** *m, f st* Sarazene *m,* Sarazenin *f.*

saracinesca [saratʃi'neska] ⟨-sche⟩ *f* 1. *(di negozio)* Rolladen *m;* 2. *(serranda)* Fallgatter *n,* -tür *f.*

sarago ['sa:rago] ⟨-ghi⟩ *m* Brasse *f.*

sarcasmo [sar'kazmo] *m* Sarkasmus *m.*

sarcastico, -a [...'kastiko] ⟨-ci, -che⟩ *agg* sarkastisch.

sarchiare [sar'kia:re] ⟨sarchio, sarchi⟩ *tr* eggen.

sarcofago [sar'kɔ:fago] ⟨-gi *o* -ghi⟩ *m* Sarkophag *m.*

sarda[1] ['sarda] *f* Sardine *f,* Sprotte *f.*

sarda[2] *f v.* **sardo.**

Sardegna [sar'deɲɲa] *f* Sardinien *n.*

sardella [sar'dɛlla] *f fam* Sardelle *f.*

sardina [sar'di:na] *f* Sardine *f.*

sardo, -a ['sardo] **I.** *agg* sardisch; **II.** *m, f* Sarde *m,* Sardin *f;* **III.** *m* Sardisch(e) *n.*

sardonico, -a [sar'dɔ:niko] ⟨-ci, -che⟩ *agg* sardonisch.

sareste, saresti [sa'reste, ...ti] *v.* **essere.**

sartia ['sartia] ⟨-ie⟩ *f naut* Want *f.* **sartiame** [sar'tia:me] *m naut* Tauwerk *n.*

sarto, -a ['sarto] *m, f.* Schneider(in) *m(f).* **sartoria** [-'ri:a] ⟨-ie⟩ *f* Schneiderei *f; (tecnica a.)* Couture *f.*

sassaia [sas'sa:ia] ⟨-aie⟩ *f* 1. *(luogo)* Steinfeld *n;* 2. *(riparo)* Steindamm *m,* -wall *m.* **sassata** [...'sa:ta] *f* Steinwurf *m.*

sasso ['sasso] *m* Stein *m;* **duro come un** ~ steinhart.

sassofonista [sassofo'nista] ⟨-i *m,* -e *f*⟩ *mf* Saxophonist(in) *m(f).* **sassofono** [...'sɔ:fono] *m* Saxophon *n.*

sassone ['sassone] **I.** *agg* sächsisch; **II.** *mf* Sachse *m,* Sächsin *f.* **Sassonia** [...'sɔ:nia] *f* Sachsen *n;* **Bassa** ~ Niedersachsen *n.*

sassoso, -a [sas'so:so] *agg* steinig.

Satana ['sa:tana] *m* Satan *m.* **satanico,**

-a [sa'ta:niko] ⟨-ci, -che⟩ *agg* satanisch; *(fig a.)* teuflisch.
satellite [sa'tɛllite] **I.** *m* **1.** *astr* Satellit *m,* Trabant *m; aero* Satellit *m;* **2.** *mot* Planetenrad *n;* **3.** *fig peg* Anhang *m,* Anhängsel *n;* ~ **meteorologico/scientifico/televisivo** Wetter-/Foschungs-/Fernsehsatellit *m;* ~ **di comunicazione** Nachrichtensatellit *m;* **trasmissione** (*o* **collegamento) via** ~ Satellitenübertragung *f;* **II.** *agg* Satelliten-; *(quartieri a.)* Trabanten-.
satin [sa'tɛ̃] ⟨-⟩ *m* Satin *m.*
satinare [sati'na:re] *tr* satinieren.
satira ['sa:tira] *f* Satire *f.* **satirico, -a** [sa'ti:riko] ⟨-ci, -che⟩ *agg* satirisch.
satiro ['sa:tiro] *m* Satyr *m.*
satollare [satol'la:re] **I.** *tr* (über)sättigen; **II.** *rfl:* **-arsi** sich (über)sättigen (*di* an +*dat*). **satollo, -a** [sa'tollo] *agg* satt, gesättigt.
saturare [satu'ra:re] **I.** *tr* saturieren; *(a. fig)* sättigen; **II.** *rfl:* **-arsi** sich sättigen.
saturazione [...rat'tsi̯o:ne] *f* Saturierung *f; (a. fig)* Sättigung *f;* ~ **del mercato** Marktsättigung *f.*
saturnismo [satur'nizmo] *m* Bleivergiftung *f.*
saturo, -a ['sa:turo] *agg* gesättigt.
sauna ['sa:una] *f* Sauna *f;* **fare la** ~ in die Sauna gehen, saunieren.
sauro [sau̯ro] *m* Echse *f,* Saurier *m.*
savana [sa'va:na] *f* Savanne *f.*
savio, -a ['sa:vi̯o] ⟨-i, -ie⟩ **I.** *agg* **1.** *(posato)* vernünftig; **2.** *(saggio)* weise; **II.** *m* **1.** *(persona sensata)* vernünftiger Mensch; **2.** *(saggio, a. st)* Weise(r) *m.*
savoiardo, -a [savo'i̯ardo] **I.** *m, f (persona)* Savoyer(in) *m(f);* **II.** *m gastr* Löffelbiskuit *m.*
saziare [sat'tsi̯a:re] ⟨sazio, sazi⟩ **I.** *tr* **1.** *(fame)* stillen; *(persona, stomaco)* sättigen; **2.** *(nauseare)* übersättigen; **3.** *fig* befriedigen, stillen; **II.** *rfl:* **-arsi** **1.** *(riempirsi)* sich sättigen (*di* an +*dat*), satt werden (*di* von); **2.** *fig* genug haben (*o* bekommen); **-arsi di** +*inf fig* es müde werden zu ... **sazietà** [...tsi̯e'ta] ⟨-⟩ *f* **1.** *(l'essere sazio)* Sättigung *f,* Sattheit *f;* **2.** *fig* Genüge *f,* Sättigung *f;* **a** ~ zur Genüge. **sazio, -a** ['sattsi̯o] ⟨-i, -ie⟩ *agg* **1.** *(di cibo)* satt, gesättigt; **2.** *fig peg* satt, überdrüssig, leid.
sbaciucchiare [zbatʃuk'ki̯a:re] ⟨sbaciucchio, sbaciucchi⟩ **I.** *tr* abküssen; **II.** *rfl:* **-arsi** sich abküssen, knutschen *fam.*
sbadataggine [zbada'taddʒine] *f* Zerstreutheit *f,* Unaufmerksamkeit *f.* **sbadato, -a** [...'da:to] **I.** *agg* zerstreut, unaufmerksam; **II.** *m, f* zerstreute Person.
sbadigliare [zbadiʎ'ʎa:re] ⟨sbadiglio, sbadigli⟩ *itr* gähnen. **sbadiglio** [...'diʎʎo] ⟨-gli⟩ *m* Gähnen *n.*
sbafare [zba'fa:re] *tr fam peg* **1.** *(scroccare)* schnorren *fam;* **2.** *(mangiare avidamente)* verdrücken *fam,* hinunterschlingen.
sbafo ['zba:fo] *m:* **vivere/mangiare a** ~ schnorren *fam.*
sbagliare [zbaʎ'ʎa:re] ⟨sbaglio, sbagli⟩ **I.** *tr* **1.** *(colpo, mira)* verfehlen; *(scambiare)* verwechseln; ~ **strada/indirizzo/treno** sich verlaufen/sich in der Adresse irren/den falschen Zug nehmen; ~ **i calcoli** sich verrechnen; **II.** *itr* **1.** *(commettere un errore)* sich irren; **2.** *(commettere un'inesattezza)* einen Fehler machen; **3.** *(comportarsi male)* einen Fehler machen (*o* begehen); ~ **a leggere/scrivere** falsch (*o* fehlerhaft) lesen/schreiben; **III.** *rfl:* **-arsi** sich irren. **sbagliato, -a** [...'ʎa:to] *agg* falsch; **giudizio** ~ Fehlurteil *n;* **investimento** ~ Fehlinvestition *f.*
sbaglio ['zbaʎʎo] ⟨-gli⟩ *m* **1.** *(errore)* Fehler *m;* **2.** *(equivoco)* Mißverständnis *n,* Irrtum *m,* Versehen *n;* **per** ~ aus Versehen.
sbalestrare [zbales'tra:re] *tr* schleudern.
sbalestrato, -a [...'tra:to] *agg* durcheinander, konfus.
sballare [zbal'la:re] **I.** *tr* **1.** *(merce)* auspacken; **2.** *fig* übertreiben; **sballarle grosse** dicke Lügen auftischen, dick auftragen; **II.** *itr* **1.** *(a carte)* (aus dem Kartenspiel) ausscheiden; **2.** *fam* sich übernehmen. **sballato, -a** [...'la:to] *agg fig* verrückt, kopflos; *sl* high. **sballo** [z'ballo] *m* **1.** *(sballatura)* Auspacken *n;* **2.** *sl* Highsein *n;* **3.** *fig* Wahnsinn *m,* Wucht *f;* **che serata da** ~**, ragazzi!** der Abend ist (o war) echt zum wegflippen!
sballottare [zballot'ta:re] *tr* rütteln, schütteln, hin und her werfen.
sbalordire [zbalor'di:re] ⟨sbalordisco⟩ **I.** *tr* **1.** *(turbare)* verblüffen, aus der Fassung bringen; **2.** *(stordire)* bewußtlos machen, betäuben; **II.** *itr* **1.** *(rimanere senza sensi)* das Bewußtsein verlieren; **2.** *(rimanere impressionato)* sprachlos sein. **sbalorditivo, -a** [...di'ti:vo] *agg* verblüffend, unglaublich.
sbalzare [zbal'tsa:re] **I.** *tr* ⟨*avere*⟩ **1.** *(scagliare)* schleudern, werfen; **2.** *(lavorare a sbalzo)* treiben; **II.** *itr* ⟨*essere*⟩ **1.** *(cadere)* stürzen, fallen; **2.** *(fare un balzo)* springen, fallen. **sbalzo** [z'baltso] *m* **1.** *(spostamento)* Ruck *m,* Stoß *m; (a. fig)* Sprung *m;* **2.** *(lavorazione)* Treibarbeit *f.*
sbancare [zbaŋ'ka:re] ⟨sbanco, sbanchi⟩ **I.** *tr (banco)* sprengen; *fig (persona)* ausnehmen, ruinieren; **II.** *rfl:* **-arsi** sich ruinieren, sich verausgaben.
sbandamento [zbanda'mento] *m* **1.** *mot* Schleudern *n;* **2.** *fig* Entgleisung *f;* **3.** *naut* Krängung *f.* **sbandare** [...'da:re] **I.** *itr* **1.** *(auto)* schleudern, ins Schleudern geraten; *(nave)* krängen; **2.** *fig (peggiorare)* abgleiten (*verso* in +*akk*); **II.** *rfl:* **-arsi** zerfallen, sich zerstreuen,

sich auflösen. **sbandato, -a** [...'da:to] **I.** *agg* aus der Bahn geworfen, desorientiert; **II.** *m, f* Asoziale(r) *mf.*

sbandierare [zbandje'ra:re] *tr* **1.** *(bandiera, insegne)* schwenken; **2.** *fig* zur Schau stellen, an die große Glocke hängen *fam.*

sbaraccare [zbarak'ka:re] ⟨sbaracco, sbaracchi⟩ *tr fam* **1.** *(togliere di mezzo)* abziehen; **2.** *(trasferirsi)* sich verziehen *fam,* abziehen *fam.*

sbaragliamento [zbaraʎʎa'mento] *m fig* Rundumschlag *m.*

sbaragliare [zbaraʎ'ʎa:re] ⟨sbaraglio, sbaragli⟩ *tr mil* zerschlagen, niederwerfen; *sport, pol* niederringen, besiegen.

sbaraglio [zba'raʎʎo] ⟨-gli⟩ *m:* **gettarsi (***o* **andare** *o* **buttarsi) allo ~** alles auf eine Karte setzen.

sbarazzare [zbarat'tsa:re] **I.** *tr* befreien; **II.** *rfl:* **-arsi** sich entledigen, sich befreien (*di* von).

sbarazzino, -a [zbarat'tsi:no] **I.** *m, f* Schelm(in) *m(f);* **II.** *agg* schelmisch, spitzbübisch, schalkhaft.

sbarbare [zbar'ba:re] **I.** *tr* rasieren; **II.** *rfl:* **-arsi** sich rasieren.

sbarbatello [zbarba'tɛllo] *m* Grünschnabel *m,* junger Spund.

sbarcare [zbar'ka:re] ⟨sbarco, sbarchi⟩ **I.** *tr* ⟨*avere*⟩ **1.** *(passeggeri)* an Land bringen; *(merce)* löschen; **2.** *fam (far scendere)* absetzen, aussteigen lassen; **3.** *fig* überstehen; **II.** *itr* ⟨*essere*⟩ *naut* an Land gehen; *aero* aussteigen.

sbarco ['zbarko] ⟨-chi⟩ *m* **1.** *(atto)* Ausschiffung *f,* Landung *f; (di merci)* Ausladen *n,* Löschen *n;* **2.** *(luogo)* Landeplatz *m.*

sbarra ['zbarra] *f* **1.** *(della dogana, ecc.)* Schranke *f;* **2.** *dir* (Gerichts)schranken *f pl;* ⟨*pl*⟩ *(di carcere)* Gitter *n;* **3.** *sport* Reck *n; (sollevamento pesi)* Hantel *f;* **4.** *(spranga)* Stange *f;* **5.** *tip* Schräg-, Querstrich *m;* **essere dietro le -e** hinter Gittern sitzen.

sbarramento [zbarra'mento] *m* (Ab)sperrung *f.* **sbarrare** [...'ra:re] *tr* **1.** *(chiudere)* sperren; *(porta)* ab-, versperren; *(assegno)* sperren; **2.** *(occhi)* aufreißen, aufsperren. **sbarrato, -a** [...'ra:to] *agg* **1.** *(bloccato)* gesperrt, versperrt; **2.** *(occhi)* aufgerissen; **3.** *(segnato da linee)* gekreuzt; **assegno ~** Verrechnungsscheck *m.*

sbatacchiare [zbatak'kja:re] ⟨sbatacchio, sbatacchi⟩ **I.** *tr* schlagen; **~ le ali** mit den Flügeln schlagen; **II.** *itr* schlagen.

sbattere ['zbattere] **I.** *tr* **1.** *(panni, tappeti)* ausschlagen, -klopfen; **2.** *(ali)* schlagen mit; **3.** *(porta)* zuschlagen; **4.** *(urtare)* stoßen mit; **5.** *gastr* schlagen; **6.** *fig (trasferire)* versetzen; **~ qc sul tavolo** etw. auf den Tisch knallen; **non sapere dove ~ la testa** *fig* keinen Ausweg mehr wissen, weder ein noch aus wissen; **II.** *itr (porta)* schlagen; *(colore)* blaß machen; **il verde ti sbatte** grün macht dich blaß; **III.** *rfl:* **-ersi** sich abmühen, sich ins Zeug legen; **me ne sbatto!** *volg* ich scheiß' drauf! *vulg.*

sbattitore [zbatti'to:re] *m* Rührgerät *n.*

sbattuto, -a [zbat'tu:to] *agg* **1.** *gastr* geschlagen, gequirlt; **2.** *(viso)* blaß, abgespannt.

sbavare [zba'va:re] **I.** *itr* **1.** *(dalla bocca)* geifern, sabbern *fam;* **2.** *(colore)* verwischen; **la biro sbava** der Kuli schmiert; **II.** *tr* besabbern *fam;* **III.** *rfl:* **-arsi** sich besabbern *fam.* **sbavatura** [...va'tu:ra] *f* **1.** *(di colore)* Verwischen *n,* Verschmieren *n;* **2.** *(di lumache)* Schleimspur *f.*

sbeffeggiare [zbeffed'dʒa:re] ⟨sbeffeggio, sbeffiggi⟩ *tr* verspotten, verhöhnen.

sbellicarsi [zbelli'karsi] ⟨mi sbellico, ti sbellichi⟩ *rfl:* **~ dalle risa, ~ dal ridere** sich totlachen *fam,* sich kranklachen *fam.*

sberla ['zbɛrla] *f* Ohrfeige *f;* **prendere a -e qu** jdn ohrfeigen.

sberleffo [zber'lɛffo] *m* Fratze *f.*

sbevazzare [zbevat'tsa:re] *itr fam* saufen *fam,* sich besaufen *fam.*

sbiadire [zbja'di:re] ⟨sbiadisco⟩ **I.** *rfl:* **-irsi** *itr* ⟨*essere*⟩ verblassen, ausbleichen; **II.** *tr* ⟨*avere*⟩ ausbleichen. **sbiadito, -a** [...'di:to] *agg* **1.** *(colore, tessuto)* ausgebleicht, verblaßt; **2.** *fig* farblos, fad(e).

sbiancare [zbjaŋ'ka:re] ⟨sbianco, sbianchi⟩ **I.** *tr* ⟨*avere*⟩ bleichen; **II.** *itr* ⟨*essere*⟩ bleich werden, erbleichen; **III.** *rfl:* **-arsi** **1.** *(diventare bianco)* bleich werden, erbleichen; **2.** *(schiarirsi)* heller werden.

sbieco, -a ['zbjɛ:ko] ⟨-chi, -che⟩ **I.** *agg* schräg, schief; **II.** *m* Querband *n.*

sbigottimento [zbigotti'mento] *m* Bestürzung *f.* **sbigottire** [...'ti:re] ⟨sbigottisco⟩ **I.** *tr* ⟨*avere*⟩ bestürzen; **II.** *itr* ⟨*essere*⟩ (er)staunen; **III.** *rfl:* **-irsi** verzagen, bestürzt sein.

sbilanciare [zbilan'tʃa:re] **I.** *tr* aus dem Gleichgewicht bringen; *(economicamente)* belasten; **II.** *itr* nach einer Seite hängen; **III.** *rfl:* **-arsi** zu weit gehen, sich übernehmen.

sbilancio [zbi'lantʃo] *m econ* Ungleichgewicht *n; (nel bilancio)* Unterbilanz *f.*

sbilenco, -a [zbi'lɛŋko *o* ...'leŋko] ⟨-chi, -che⟩ *agg (a. fig)* krumm, schief.

sbirciare [zbir'tʃa:re] ⟨sbircio, sbirci⟩ *tr* (heimlich) betrachten, (kurz) schauen. **sbirciata** [...'tʃa:ta] *f* schneller (verstohlener) Blick.

sbirro ['zbirro] *m* Scherge *m,* Häscher *m.*

sbizzarrirsi [zbiddzar'rirsi] ⟨mi sbizzarrisco⟩ *rfl* sich austoben.

sbloccare [zblok'ka:re] *tr* **1.** *(meccanismo)* lösen; *(circolazione, affitti)* freigeben; **2.** *fig* lösen, befreien; *(situazione)* entspannen.

sblocco ['zblɔkko] *m* Freigabe *f.*
sboccare [zbok'ka:re] ⟨sbocco, sbocchi⟩ *itr* ⟨*essere*⟩ **1.** *(fiume, strada)* münden; **2.** *(arrivare)* kommen, gelangen; **3.** *fig* münden, enden.
sboccato, -a [zbok'ka:to] *agg* unanständig (sprechend).
sbocciare [zbot'tʃa:re] *itr* ⟨*essere*⟩ *(a. fig)* aufblühen.
sbocco ['zbokko] ⟨-cchi⟩ *m* **1.** *(di fiume, strada)* Mündung *f; (accesso)* Zugang *m; (uscita)* Ausgang *m;* **2.** *fig* Aussicht *f;* **3.** *econ* Absatzmarkt *m,* Absatzmöglichkeit *f;* **strada senza** ~ Sackgasse *f.*
sbocconcellare [zbokkontʃel'la:re] *tr* knabbern.
sbollentare [zbollen'ta:re] *tr* abbrühen, blanchieren.
sbollire [zbol'li:re] *itr* ⟨*essere o avere*⟩ *fig* aufhören, nachlassen; *(rabbia a.)* verrauchen.
sbolognare [zboloɲ'ɲa:re] *tr fam* andrehen; *(disfarsi)* loswerden *fam.*
sboom [zbum] ⟨-⟩ *m* Flaute *f.*
sbornia ['zbɔrnja] ⟨-ie⟩ *f fam* Rausch *m.*
sborsare [zbor'sa:re] *tr* ausgeben, hinblättern *fam.*
sbottare [zbot'ta:re] *itr* ⟨*essere*⟩ ausbrechen; ~ **a ridere/piangere** in Lachen/Tränen ausbrechen; ~ **a dire qc** mit etw. herausplatzen.
sbottonare [zbotto'na:re] **I.** *tr* aufknöpfen; **II.** *rfl:* **-arsi** *fig* sich öffnen (*con qu* jdm); **non si sbottona** *fig* er/sie gibt sich zugeknöpft.
sbozzare [zbot'tsa:re] *tr* entwerfen; *(marmo, pietra)* vorarbeiten.
sbracato, -a [zbra'ka:to] *agg fam* **1.** *(vestito male)* schlampig *fam;* **2.** *(riso)* ausgelassen.
sbracciarsi [zbrat'tʃarsi] ⟨mi sbraccio, ti sbracci⟩ *rfl* **1.** *(agitare le braccia)* die Arme schwenken, mit den Armen fuchteln *fam;* **2.** *(portare abiti senza maniche)* ärmellos gehen. **sbracciato, -a** [...'tʃa:to] *agg* **1.** *(vestito)* kurzärm(e)lig; *(senza maniche)* ärmellos; **2.** *(persona)* mit nackten Armen.
sbraccio ['zbrattʃo] *m* **1.** *tec* Reichweite *f;* **2.** *sport* Ausholen *n.*
sbraitare [zbrai'ta:re] *itr* schreien, brüllen.
sbranare [zbra'na:re] **I.** *tr* zerfleischen; *(a. fig)* zerreißen; **II.** *rfl:* **-arsi** sich zerfleischen, sich zerreißen.
sbreccare [zbrek'ka:re] *tr* anschlagen.
sbriciolare [zbritʃo'la:re] **I.** *tr* zerkrümeln, zerbröckeln; **II.** *rfl:* **-arsi** zerbröseln.
sbrigare [zbri'ga:re] ⟨sbrigo, sbrighi⟩ **I.** *tr* **1.** *(faccende)* erledigen, besorgen; **2.** *(clienti)* abfertigen; **II.** *rfl:* **-arsi** sich beeilen; **sbrigarsela** damit fertigwerden *fam.*
sbrigativo, -a [zbriga'ti:vo] *agg* **1.** *(persona)* kurzentschlossen; **2.** *(modi, sistemi)* zeitsparend; **3.** *peg* oberflächlich.
sbrigliare [zbriʎ'ʎa:re] ⟨sbriglio, sbrigli⟩ *tr* freien Lauf lassen (*qc* einer S. *dat*), die Zügel schießen lassen (*qc* einer S. *dat*).
sbrinamento [zbrina'mento] *m* Abtauen *n.* **sbrinare** [...'na:re] *tr* abtauen; *fig* auftauen. **sbrinatore** [...na'to:re] *m* **1.** *(per frigoriferi)* Abtauautomatik *f;* **2.** *mot* Defroster *m.*
sbrindellato, -a [zbrindel'la:to] *agg* zerfetzt; *(a. persona)* zerlumpt.
sbrinz [zbrints] ⟨-⟩ *m* Brienzer Käse *m.*
sbrodolare [zbrodo'la:re] **I.** *tr* besudeln, bekleckern; **II.** *rfl:* **-arsi** sich besudeln, sich bekleckern. **sbrodolone, -a** [...'lo:ne] *m, f* Schmutzfink *m fam.*
sbrogliare [zbroʎ'ʎa:re] ⟨sbroglio, sbrogli⟩ **I.** *tr* **1.** *(matassa)* entwirren; **2.** *fig (questione)* lösen; **II.** *rfl:* **-arsi** sich aus der Affäre ziehen; **sbrogliarsela** *fam* damit klarkommen *fam.*
sbronza ['zbrontsa *o* ...ndza] *f fam* Rausch *m.* **sbronzarsi** [...'tsarsi *o* ...n'dzarsi] *rfl fam* sich betrinken, sich besaufen *fam.* **sbronzo, -a** ['zbrontso *o* ...ndzo] *agg fam* betrunken, besoffen *fam.*
sbruffone, -a [zbruf'fo:ne] *m, f fam* Angeber(in) *m(f).*
sbucare [zbu'ka:re] *itr* ⟨*essere*⟩ heraus-, hervorkommen.
sbucciapatate [zbuttʃapa'ta:te] ⟨-⟩ *m* Kartoffelschäler *m.*
sbucciare [zbut'tʃa:re] ⟨sbuccio, sbucci⟩ *tr* **1.** *(patate, castagne)* schälen; **2.** *med* aufschürfen. **sbucciatura** [...tʃa'tu:ra] *f fam* Kratzer *m fam,* Schürfwunde *f.*
sbudellare [zbudel'la:re] **I.** *tr* **1.** *(pollo)* ausnehmen; **2.** *(ferire al ventre)* den Bauch aufschlitzen (*qu* jdm); **II.** *rfl:* **-arsi dalle risate** sich *(dat)* den Bauch halten vor Lachen.
sbuffare [zbuf'fa:re] *itr (persona)* schnaufen, schnauben; *(locomotiva)* schnaufen. **sbuffo** ['zbuffo] *m* **1.** *(folata)* Windstoß *m;* **2.** *(di fumo, vapore)* Wolke *f;* **maniche a** ~ Puffärmel *m pl.*
sburocratizzare [zburokratid'dza:re] *tr* entbürokratisieren.
sbuzzare [zbud'dza:re] *tr* **1.** *(pollo)* ausnehmen; **2.** *(ferire al ventre)* den Bauch aufschlitzen (*qu* jdm).
scabbia ['skabbja] ⟨-ie⟩ *f* Krätze *f.*
scabro, -a ['ska:bro] *agg* rauh. **scabrosità** [skabrosi'ta] ⟨-⟩ *f* **1.** *(di superficie)* Rauheit *f;* **2.** *fig* Mißlichkeit *f,* Schwierigkeit *f.* **scabroso, -a** [...'bro:so] *agg* **1.** *(strada, percorso)* uneben, holp(e)rig; **2.** *fig (delicato)* heikel; *(difficile)* schwierig.
scacchiera [skak'kjɛ:ra] *f* Schachbrett *n.*
scacchiere [skak'kjɛ:re] *m* **1.** *mil* Kriegsschauplatz *m;* **2.** *pol* Schatzamt *n;* **a** ~ schachbrettartig.
scacchista [skak'kista] ⟨-i *m,* -e *f*⟩ *mf*

Schachspieler(in) *m(f)*.
scacciacani [skattʃa'ka:ni] **I.** ⟨-⟩ *m o f* Schreckschußpistole *f;* **II.** ⟨*inv*⟩ *agg* Schreckschuß-.
scacciapensieri [-pen'siɛ:ri] ⟨-⟩ *m* Maultrommel *f*.
scacciare [skat'tʃa:re] *tr* vertreiben, verjagen.
scacco ['skakko] ⟨-cchi⟩ *m* **1.** ⟨*pl*⟩ *(gioco)* Schach *n;* **2.** *(singolo pezzo)* Schachfigur *f;* **3.** *(mossa)* Schach(zug *m*) *n;* **4.** *fig* Niederlage *f,* Schlappe *f;* **5.** *(quadratino)* Schachfeld *n;* **a -cchi** kariert; **giocare agli -cchi** Schach spielen.
scaccomatto, scacco matto [skakko'matto] *m* Schachmatt *n;* **dare ~ a qu** *(a. fig)* jdn schachmatt setzen.
scadente [ska'dɛnte] *agg* schlecht; *(merce, prodotto)* minderwertig; *fin* fällig.
scadenza [ska'dɛntsa] *f* **1.** *(cessazione)* Verfall *m,* Ablauf *m;* **2.** *fin* Fälligkeit *f;* **3.** *(periodo)* Frist *f;* **a breve/lunga/media ~** kurz-/lang-/mittelfristig; **data di ~** Verfall(s)datum *n, (com a.)* Haltbarkeitsdatum *n*.
scadenzario [skaden'tsa:rio] ⟨-i⟩ *m* Terminkalender *m*.
scadere [ska'de:re] ⟨*irr*⟩ *itr* ⟨*essere*⟩ **1.** *econ, amm* verfallen, ablaufen; *fin* fällig werden; **2.** *(perdere valore, pregio)* sinken, verfallen.
scafandro [ska'fandro] *m* Anzug *m; (di palombaro)* Taucheranzug *m; (equipaggiamento)* Tauchgerät *n*.
scafare [ska'fa:re] *tr sl* aus sich *(dat)* herausgehen lassen.
scaffalatura [skaffala'tu:ra] *f* Regalwand *f*.
scaffale [skaf'fa:le] *m* Regal *n*.
scafo ['ska:fo] *m* (Schiffs)rumpf *m*.
scagionare [skadʒo'na:re] **I.** *tr* entlasten, rechtfertigen; **II.** *rfl:* **-arsi** sich rechtfertigen.
scaglia ['skaʎʎa] ⟨-glie⟩ *f* **1.** *zoo* Schuppe *f;* **2.** *(scheggia)* Splitter *m*.
scagliare [skaʎ'ʎa:re] ⟨scaglio, scagli⟩ **I.** *tr* werfen, schleudern; **II.** *rfl:* **-arsi** **1.** *(gettarsi)* sich stürzen, sich werfen; **2.** *fig* überfallen (*contro qu* jdn); wettern (*contro qc* gegen etw.).
scaglionamento [skaʎʎona'mento] *m* Staffelung *f.* **scaglionare** [...'na:re] *tr* staffeln. **scaglione** [...'ʎo:ne] *m* **1.** *mil* Staffel *f;* **2.** *econ* Staffelung *f;* **~ d'imposta** Steuerklasse *f*.
scagnozzo, -a [skaɲ'ɲɔttso] *m, f* Handlanger(in) *m(f)*.
scala ['ska:la] *f* **1.** *arch* Treppe *f;* **2.** *(dispositivo)* Leiter *f;* **3.** *fig, tec, fis* Skala *f;* **4.** *(nel poker)* Flush *m;* **5.** *(in disegno, cartografia)* Maßstab *m;* **6.** *mus* Tonleiter *f;* **~ a chiocciola** Wendeltreppe *f;* **~ di corda** Strickleiter *f;* **~ di emergenza** Nottreppe *f,* Feuertreppe *f;* **~ mobile** Rolltreppe *f; (dei salari)* gleitende Lohnskala; **~ a pioli** Sprossenleiter *f;* **~ Richter** Richterskala *f;* **in ~ ridotta** in verkleinertem Maßstab; **in ~** maßstab(s)gerecht, maßstab(s)getreu; **in ~ naturale (*o* 1:1)** im Maßstab 1:1; **in ~ uno a duecentomila (*o* 1:200000)** im Maßstab eins zu zweihunderttausend; **~ in do maggiore** C-Dur-Tonleiter *f;* **su larga ~** *fig* in großem Umfang.
scalare [ska'la:re] **I.** *agg* **1.** *(disposto a scala)* treppenartig, stufenförmig; **2.** *mat* Skalen-, skalar; **3.** *(graduato)* abgestuft; **interesse ~** Staffelzins *m;* **II.** *tr* **1.** *(montagna)* be-, ersteigen; *(muro, ecc.)* klettern auf *+akk;* **2.** *econ* abziehen; **3.** *(capelli)* stufig schneiden; **4.** *(graduare)* abstufen; **5.** *mot* zurückschalten. **scalata** [...'la:ta] *f* Be-, Ersteigung *f.* **scalatore, -trice** [...la'to:re] *m, f* Bergsteiger(in) *m(f)*.
scalcagnato, -a [skalkaɲ'ɲa:to] *agg* **1.** *(scarpe)* ausgetreten; **2.** *(persona)* zerlumpt.
scalciare [skal'tʃa:re] *itr* austreten, ausschlagen.
scalcinato, -a [skaltʃi'na:to] *agg (muro, ecc.)* abgebröckelt, abgeblättert.
scaldabagno [skalda'baɲɲo] ⟨-i *o* -⟩ *m* Boiler *m*.
scaldamuscoli [skalda'muskoli] ⟨-⟩ *m* Beinwärmer *m,* Legwarmer *m*.
scaldare [skal'da:re] **I.** *tr* **1.** *gener.* erwärmen, warm machen; *(acqua, minestra)* aufwärmen, erhitzen; *(stanza)* heizen; *(motore)* warmlaufen lassen; **2.** *fig* erhitzen; **II.** *itr* aufheizen; *(motore)* heißlaufen; **III.** *rfl:* **-arsi** **1.** *(diventare caldo)* sich erwärmen, warm werden; **2.** *sport* sich aufwärmen; **3.** *fig (accalorarsi, irritarsi)* sich erhitzen.
scaldavivande [skaldavi'vande] ⟨-⟩ *m* Rechaud *m,* Stövchen *n; (vassoio)* Warmhalteplatte *f*.
scaldino [skal'di:no] *m* Wärmer *m*.
scaleo [ska'lɛ:o] *m* Trittleiter *f*.
scaletta [ska'letta] *f* **1.** *(piccola scala)* kleine Treppe (*o* Leiter); **2.** *(abozzo scritto)* Gliederung *f; film* Exposé *n;* **3.** *fam (taglio dei capelli)* Treppe *f,* Stufe *f*.
scalfire [skal'fi:re] ⟨scalfisco⟩ *tr* ritzen, schrammen. **scalfittura** [...fit'tu:ra] *f* Schramme *f*.
scalinata [skali'na:ta] *f* Freitreppe *f*.
scalino [ska'li:no] *m (a. fig)* Stufe *f; (di scala a pioli a.)* Sprosse *f*.
scalmana [skal'ma:na] *f* Hitzewallung *f*.
scalmanarsi [...ma'narsi] *rfl* **1.** *(affannarsi)* sich erhitzen; *(nel parlare, ecc.)* sich ereifern; **2.** *(fare in fretta)* sich einen abhetzen. **scalmanato, -a** [...'na:to] *m, f* Hitzkopf *m*.
scalmiera [skal'miɛ:ra] *f naut,* **scalmo** ['skalmo] *m naut* Dolle *f*.
scalo ['ska:lo] *m* **1.** *naut* Anlegestelle *f,* -platz *m;* **2.** *ferr* Umsteigebahnhof *m;*

3. *aero* Zwischenlandung *f;* **fare** ~ *aero* zwischenlanden; *naut* an Land gehen; ~ **merci** Güterbahnhof *m.*

scalogna [ska'loɲɲa] *f fam* Pech *n.* **scalognato, -a** [...'ɲa:to] *fam* **I.** *agg* vom Pech verfolgt; **II.** *m, f* Pechvogel *m,* Unglücksrabe *m.*

scalogno [ska'loɲɲo] *m* Schalotte *f.*

scaloppa, scaloppina [ska'lɔppa, ...lop'pi:na] *f* (in Butter gebratenes) Kalbsschnitzel *n.*

scalpellare [skalpel'la:re] *tr* behauen, meißeln.

scalpellino [skalpel'li:no] *m* Steinmetz *m.*

scalpello [skal'pɛllo] *m* Meißel *m; (per legno)* Stechbeitel *m; med* Skalpell *n.*

scalpiccio [skalpit'tʃi:o] ⟨-ccii⟩ *m* Getrampel *n.*

scalpitare [skalpi'ta:re] *itr* **1.** *zoo* stampfen, scharren; **2.** *fig scherz* ungeduldig sein.

scalpo ['skalpo] *m* Skalp *m.*

scalpore [skal'po:re] *m* Aufsehen *n.*

scaltrezza [skal'trettsa] *f* Schläue *f,* Schlauheit *f.* **scaltrire** [...'tri:re] ⟨scaltrisco⟩ **I.** *tr* schlau (*o* klug) machen; **II.** *rfl:* **-irsi** schlau werden. **scaltro, -a** ['skaltro] *agg* schlau, gewitzt.

scalzacane, scalzacani [skaltsa'ka:ne, ...ni] ⟨-⟩ *mf* Stümper(in) *m(f) fam.*

scalzare [skal'tsa:re] **I.** *tr* **1.** *agr* freilegen, freigraben; **2.** *arch* untergraben; **3.** *(dente)* die Wurzel freilegen von; **4.** *fig (rimuovere)* verdrängen; **II.** *rfl:* **-arsi** sich *(dat)* Schuhe und Strümpfe ausziehen. **scalzo, -a** ['skaltso] *agg* barfuß.

scambiare [skam'bja:re] **I.** *tr* **1.** *(confondere)* verwechseln (*per* mit); *(cose a.)* vertauschen (*per* mit); **2.** *(fare uno scambio)* (aus)tauschen (*con* gegen); **3.** *(impressioni, opinioni)* austauschen; *(parole)* wechseln; **II.** *rfl:* **-arsi** austauschen, tauschen.

scambiatore [skambja'to:re] *m* Austauscher *m,* Tauscher *m;* ~ **di calore** Wärmetauscher *m;* ~ **di ioni** Ionenaustauscher *m.*

scambievole [skam'bje:vole] *agg* gegen-, wechselseitig.

scambio ['skambjo] *m* **1.** *(di persona)* Verwechslung *f;* **2.** *(di doni, cortesie, idee)* Austausch *m;* **3.** *econ* Handel *m;* **4.** *ferr* Weiche *f;* **-i commerciali** Handelsbeziehungen *f pl;* **libero** ~ Freihandel *m;* ~ **culturale** Kulturaustausch *m.*

scamiciato [skami'tʃa:to] *m* Kleiderrock *m.*

scamosciato, -a [skamoʃ'ʃa:to] *agg* Wild-, Veloursleder-.

scampagnata [skampaɲ'ɲa:ta] *f* Ausflug *m,* Landpartie *f.*

scampanato, -a [skampa'na:to] *agg* glockenförmig.

scampanellare [skampanel'la:re] *itr* (lang und eindringlich) klingeln. **scampanellata** [...'la:ta] *f* (heftiges) Klingeln *n.*

scampanio [skampa'ni:o] ⟨-ii⟩ *m* (Glokken)läuten *n.*

scampare [skam'pa:re] **I.** *itr* ⟨*essere*⟩ entkommen, entrinnen; **II.** *tr* ⟨*avere*⟩ retten; **scamparla bella** noch einmal Glück haben; **Dio ci (*o* ce ne) scampi e liberi!** Gott bewahre!

scampo[1] ['skampo] *m (salvezza)* Rettung *f; (via d'uscita)* Ausweg *m;* **senza** ~ ausweglos.

scampo[2] ['skampo] *m zoo* Kaisergranat *m;* **-i** *gastr* Scampi *pl.*

scampolo ['skampolo] *m* (Stoff)rest *m.*

scanalatura [skanala'tu:ra] *f* Rille *f; (operazione)* Auskehlung *f.*

scandagliare [skandaʎ'ʎa:re] ⟨scandaglio, scandagli⟩ *tr* **1.** *naut* ausloten; **2.** *fig* ausloten, sondieren. **scandaglio** [...'daʎʎo] ⟨-gli⟩ *m* **1.** *naut (strumento)* Lot *n; (impiego)* (Aus)lotung *f;* **2.** *fig* Ausloten *n,* Sondieren *n.*

scandalistico, -a [skanda'listiko] ⟨-ci, -che⟩ *agg* Skandal-. **scandalizzare** [...lid'dza:re] **I.** *tr* Anstoß erregen (bei), aufbringen; **II.** *rfl:* **-arsi** Anstoß nehmen (*di qu* an etw. *dat*), sich entrüsten (*di qc* über etw. *akk*).

scandalo ['skandalo] *m* Skandal *m; (turbamento)* Ärgernis *n; (pubblicità a.)* Aufsehen *n; (pol a.)* Affäre *f;* **lo** ~ **Lockheed** die Lockheed-Affäre; **pietra dello** ~ *fig* Stein des Anstoßes; **dare** ~ Ärgernis erregen. **scandaloso, -a** [...'lo:so] *agg* skandalös.

Scandinavia [skandi'na:vja] *f* Skandinavien *n.* **scandinavo, -a** [...'na:vo] **I.** *agg* skandinavisch; **II.** *m, f* Skandinavier(in) *m(f).*

scandire [skan'di:re] ⟨scandisco⟩ *tr* **1.** *letter* skandieren; **2.** *fig (parole, nome)* deutlich aussprechen; ~ **il tempo** *mus* den Takt schlagen.

scannare [skan'na:re] *tr* **1.** *(animale)* schlachten; **2.** *(persona)* die Kehle durchschneiden (*qu* jdm); *(uccidere brutalmente)* niedermetzeln.

scanner ['skanner *o* 'skænə] ⟨-⟩ *m* Scanner *m.* **scanning** ['skæniŋ] ⟨-⟩ *m* Scannen *n;* **fare lo** ~ **di qc** etw. scannen.

scanno ['skanno] *m* Sitz *m.*

scansafatiche [skansafa'ti:ke] ⟨-⟩ *mf fam* Drückeberger(in) *m(f) fam.*

scansare [skan'sa:re] **I.** *tr* **1.** *(schivare)* ausweichen (*qc* einer S. *dat*); **2.** *(evitare)* (ver)meiden, aus dem Wege gehen (*qc* einer S. *dat*); **II.** *rfl:* **-arsi** (weg)rükken, Platz machen.

scansia [skan'si:a] ⟨-ie⟩ *f* Regal *n.*

scanso ['skanso] *m:* **a** ~ **di equivoci** um Mißverständnisse zu vermeiden.

scantinato [skanti'na:to] *m* Kellergeschoß *n.*

scantonare [skanto'na:re] **I.** *itr* **1.** *(voltare all'angolo)* um die Ecke biegen; **2.** *fig* ausweichen; **II.** *tr* abrunden, abstumpfen.
scanzonato, -a [skantso'na:to] *agg* unbekümmert, leichtfertig.
scapaccione [skapat'tʃo:ne] *m* Schlag *m* (auf den Hinterkopf).
scapestrato, -a [skapes'tra:to] **I.** *agg* liederlich; **II.** *m, f* liederlicher Mensch.
scapicollarsi [skapikol'larsi] *rfl dial* sich (fast) überschlagen.
scapigliato, -a [skapiʎ'ʎa:to] *agg* **1.** *(scampigliato)* zerzaust, zerrauft; **2.** *fig* liederlich.
scapito ['ska:pito] *m:* **a** ~ **di** zu Lasten von, auf Kosten von, auf Kosten +*gen.*
scapola ['ska:pola] *f* Schulterblatt *n.*
scapolo ['ska:polo] **I.** *agg* ledig, unverheiratet; **II.** *m* Junggeselle *m.*
scappamento [skappa'mento] *m* Auspuff *m.*
scappare [skap'pa:re] *itr* ⟨*essere*⟩ **1.** *(darsi alla fuga)* weg-, davonlaufen; *(di prigione)* ausbrechen; **2.** *(allontanarsi)* sofort weggehen; **3.** *fig (sfuggire)* entgehen; **gli è scappato detto** es ist ihm rausgerutscht *fam;* **mi scappa la pazienza** mir reißt die Geduld; **di qui non si scappa** hier gibt es kein Entrinnen. **scappata** [...'pa:ta] *f* Stippvisite *f,* Sprung *m fam.* **scappatella** [...pa'tɛlla] *f* Seitensprung *m.* **scappatoia** [...pa'to:ja] ⟨-oie⟩ *f* Ausweg *m.*
scappellotto [skappel'lɔtto] *m* Klaps *m.*
scarabeo [skara'bɛ:o] *m* **1.** *(insetto)* Skarabäus *m;* **2.** *(®: gioco)* Scrabble® *n.*
scarabocchiare [skarabok'kja:re] ⟨scarabocchio, scarabocchi⟩ *tr* **1.** *(riempire di scarabocchi)* bekritzeln, verkritzeln *fam;* **2.** *fig (scribacchiare)* herumschmieren. **scarabocchio** [...'bɔkkjo] ⟨-cchi⟩ *m* **1.** *(parola mal scritta)* Gekritzel *n,* Kritzelei *f;* **2.** *(disegno mal fatto)* Geschmiere *n,* Schmiererei *f.*
scaracchiare [skarak'kja:re] ⟨scaracchio, scaracchi⟩ *itr volg* rotzen *vulg.* **scaracchio** [...'rakkjo] ⟨-cchi⟩ *m volg* Rotz *m vulg.*
scarafaggio [skara'faddʒo] ⟨-ggi⟩ *m* (Küchen)schabe *f.*
scaramanzia [skaraman'tsi:a] ⟨-ie⟩ *f* Beschwörung *f.*
scaramuccia [skara'muttʃa] ⟨-cce⟩ *f* Geplänkel *n,* kleine Auseinandersetzung; *mil* Scharmützel *n.*
scaraventare [skaraven'ta:re] **I.** *tr* werfen, schleudern; **II.** *rfl:* **-arsi** sich werfen, sich stürzen.
scarcassato, -a [skarkas'sa:to] *agg fam* kaputt *fam.*
scarcerare [skartʃe'ra:re] *tr* freilassen, aus der Haft entlassen.
scardinare [skardi'na:re] *tr* ausheben, aus den Angeln heben.
scarica ['ska:rika] *f* **1.** *mil* Salve *f;* **2.** *el* Entladung *f;* ~ **di grandine** Hagelschlag *m.*
scaricabarile, scaricabarili [skarikaba'ri:le, ...li] ⟨-⟩ *m:* **fare a** ~ *fam* sich *(dat)* gegenseitig etw. in die Schuhe schieben *fam.*
scaricare [skari'ka:re] **I.** *tr* **1.** *(camion, macchina)* aus-, entladen; *(fucile)* entladen; **2.** *(merci)* ab-, ausladen; **3.** *mil* entladen; *(sparare)* abfeuern; **4.** *fig* (ab)laden, loswerden; *(rabbia, malumore)* auslassen (*su qu* an jdm); **5.** *fis* entladen; **6.** *fin (spese)* absetzen; *(IVA, imposta)* abführen; ~ **la colpa addosso a qu** jdm die Schuld zuschieben (*o* in die Schuhe schieben); ~ **la repsonsabilità** die Verantwortung abwälzen (*su qu* auf jdn); ~ **le acque** *(di fiume)* sich ergießen, fließen; **II.** *rfl:* **-arsi 1.** *(di un peso)* sich entlasten; **2.** *(di tensione nervosa)* sich entspannen; **3.** *(batteria, accumulatore)* leerlaufen; **4.** *(fulmine)* einschlagen (*su* in +*akk*); **5.** *(versarsi)* fließen, sich ergießen. **scaricatore** [...ka'to:re]: ~ **di porto** Hafenarbeiter *m.*
scarico, -a ['ska:riko] **I.** *agg* **1.** *(vuoto)* leer, unbeladen; *(fucile)* ungeladen; *(batteria)* leer; *(orologio)* abgelaufen; **2.** *fig* frei, unbelastet, entspannt; **II.** *m* **1.** *(di merci, materiali)* Ab-, Ausladen *n;* **2.** *(di nave, vagone)* Ent-, Ausladen *n;* **3.** *(rifiuti)* Müllhalde *f,* -kippe *f;* **4.** *(di acque, gas)* Abfluß *m,* Auslaß *m;* **5.** *econ* Ausgang *m;* **6.** *tec* Auslaß *m,* Ablaß *m; mot* Auspuff *m;* **7.** *fig* Entlastung *f;* **divieto di** ~ Schuttabladen verboten; **valvola di** ~ Ablaßventil *n; fig* Ventil *n;* **-chi industriali** Industrieabwässer *n pl;* **testimone a** ~ Entlastungszeuge *m;* **tubo di** ~ *(tubazione)* Abflußrohr *n; mot* Auspuffrohr *n;* **a mio/tuo** *ecc.* ~ zu meiner/deiner *etc.* Entlastung.
scarlattina [skarlat'ti:na] *f* Scharlach *m.*
scarlatto, -a [skar'latto] **I.** *agg* scharlachrot; **II.** *m* Scharlach(rot *n*) *m.*
scarmigliare [skarmiʎ'ʎa:re] ⟨scarmiglio, scarmigli⟩ *tr* zerzausen, zerraufen.
scarnificare [skarnifi'ka:re] ⟨scarnifico, scarnifichi⟩, **scarnire** [skar'ni:re] ⟨scarnisco⟩ *tr* vom Fleisch lösen.
scarno, -a ['skarno] *agg* **1.** *(viso, mani)* abgezehrt, mager; **2.** *fig* schlicht, schmucklos.
scarola [ska'rɔ:la] *f* wilder Lattich *f.*
scarpa ['skarpa] *f* **1.** *(calzatura)* Schuh *m;* **2.** *fig fam* Stümper(in) *m(f) fam;* ~ **di cuoio** Lederschuh *m;* ~ **da ginnastica** Turnschuh *m;* ~ **decolleté** Pumps *m;* **numero di** ~ Schuhgröße *f;* **fare le -e a qu** *fig fam* jdn täuschen.
scarpata [skar'pa:ta] *f* Böschung *f.*
scarpiera [skar'pjɛ:ra] *f* Schuhschrank *m.*
scarpinata [skarpi'na:ta] *f fam* Fuß-

marsch *m*.

scarpone [skar'po:ne] *m* fester Schuh: ~ **da montagna** Bergschuh *m;* ~ **da sci** Skischuh *m,* Skistiefel *m.*

scarrozzare [skarot'tsa:re] *tr, itr* (herum)kutschieren, -fahren.

scarseggiare [skarsed'dʒa:re] ⟨scarseggio, scarseggi⟩ *itr* knapp sein; ~ **di** mangeln an *+dat.*

scarsezza [skar'settsa] *f* Mangel *m* (*di* an *+dat*), Knappheit *f;* ~ **di viveri** Lebensmittelknapphei *f.*

scarsità [skarsi'ta] ⟨-⟩ *f* Mangel *m.* **scarso, -a** ['skarso] *agg* knapp, spärlich; *(peso)* knapp; **pesa due chili -i** er/sie/es wiegt knapp zwei Kilo; **essere** ~ **in inglese** schwach in Englisch sein.

scartabellare [skartabel'la:re] *tr* durchblättern; *(vocabolario, libro)* wälzen.

scartafaccio [skarta'fattʃo] ⟨-cci⟩ *m* Kladde *f.*

scartamento [skarta'mento] *m* Spurweite *f;* **a** ~ **ridotto** schmalspurig; *(a. fig)* Schmalspur-.

scartare[1] [skar'ta:re] *tr* **1.** *(pacco, involto)* auspacken; **2.** *fig (ipotesi, progetto, proposta)* verwerfen; *mil* ausmustern, **3.** *(nelle carte)* ablegen.

scartare[2] [skar'ta:re] **I.** *itr* ausbrechen; **II.** *tr* ausspielen, umdribbeln.

scarto[1] ['skarto] *m* **1.** *gener.* Aussonderung *f;* **2.** *fig* Ausschuß *m,* Abfall *m,* Ramsch *m fam;* **3.** *(nelle carte)* Ablegen *n.*

scarto[2] ['skarto] *m* **1.** *(di cavallo)* Seitensprung *m; (deviazione)* Schleudern *n;* **2.** *(differenza)* Abstand *m.*

scartocciare [skartot'tʃa:re] ⟨scartoccio, scartocci⟩ *tr* auspacken.

scartoffia [skar'tɔffia] ⟨-ie⟩ *f scherz* Wisch *m fam,* Schrieb *m fam.*

scassare [skas'sa:re] *fam* **I.** *tr* kaputtmachen *fam;* **II.** *rfl:* **-arsi** kaputtgehen *fam.*

scassinare [skassi'na:re] *tr* aufbrechen. **scassinatore, -trice** [...na'to:re] *m, f* Einbrecher(in) *m(f).*

scasso ['skasso] *m* Einbruch *m;* **furto con** ~ *dir* Einbruchdiebstahl *m.*

scatafascio [skata'faʃʃo] *m:* **a** ~ *fam* drunter und drüber *fam.*

scatenare [skate'na:re] **I.** *tr* entfesseln; **II.** *rfl:* **-arsi** losbrechen; *(tempesta)* aufkommen; *scherz* sich austoben.

scatola ['ska:tola] *f* Schachtel *f; (di carne, piselli, ecc.)* Büchse *f,* Dose *f;* ~ **cranica** Schädel *m;* **-e** *volg* Eier *n pl vulg,* Sack *m vulg;* **rompere/far girare le -e a qu** *volg* jdm auf den Keks (*o* Wecker *o* Sack *vulg*) gehen *fam;* **in** ~ Dosen-, Büchsen-; ~**nera** *(registratore di volo)* Flug(daten)schreiber *m; el, tec* Blackbox *f;* ~ **del cambio** *mot* Getriebegehäuse *n.*

scatolame [skato'la:me] *m* Schachteln *f pl; gastr* Konserven *f pl.*

scattante [skat'tante] *agg* schnell, flink.

scattare [skat'ta:re] **I.** *itr* ⟨*essere o avere*⟩ **1.** *(congegni, molle)* (los)schnellen, losgehen; *(trappola)* zuschnappen; **2.** *(persona)* springen, hochschnellen; **3.** *mot* beschleunigen; **4.** *fig (per l'ira)* hochfahren, an die Decke gehen *fam;* **5.** *fig (fare uno scatto)* einen Sprung machen, (stufenweise) steigen; **6.** *fig (avere inizio)* losgehen; **7.** *sport* spurten; **II.** *tr* ⟨*avere*⟩ knipsen *fam.*

scatto ['skatto] *m* **1.** *tec* Schnellen *n,* Losgehen *n; (di trappola)* Zuschnappen *n;* **2.** *mil (di armi)* Abzug *m; fot* Auslöser *m;* **3.** *(moto brusco)* Ruck *m;* **4.** *sport* Spurt *m;* **5.** *fig (di ira, ecc.)* Ausbruch *m,* Anfall *m;* **6.** *fig (aumento)* Anstieg *m,* Erhöhung *f;* **7.** *tel* (Gebühren)einheit *f;* **serratura a** ~ Schnappschloß *n;* ~ **di anzianità** *Lohn- bzw. Gehaltserhöhung entsprechend dem Dienstalter.*

scaturire [skatu'ri:re] ⟨scaturisco⟩ *itr* ⟨*essere*⟩ **1.** *(liquidi)* heraussprudeln, -laufen; **2.** *fig* hervorgehen (*da qc* aus), entspringen (*da qc* einer S. *dat*).

scavalcare [skaval'ka:re] *tr* **1.** *(ostacolo)* überklettern; **2.** *fig* überflügeln, ausbooten *fam,* den Rang ablaufen (*qu* jdm).

scavare [ska'va:re] *tr* **1.** *(fosso)* graben; *(legno, pietra, ecc.)* aushöhlen; **2.** *(città, tesoro)* ausgraben; **3.** *fig* nachforschen, -(nach)bohren; ~ **la fossa (con le proprie mani)** sich sein eigenes Grab schaufeln. **scavatore, -trice** [...va'to:re] **I.** *m, f (operaio)* Ausgräber(in) *m(f);* **II.** *f (macchina)* Bagger *m.*

scavezzacollo [skavettsa'kɔllo] ⟨-⟩ *mf* Draufgänger(in) *m(f).*

scavo ['ska:vo] *m* **1.** *(lo scavare)* Grabung *f;* **2.** *(luogo)* Grube *f; (nell'archeologia)* Ausgrabung *f;* **3.** *(incavatura)* Ausschnitt *m;* **4.** *min* Abbau *m.*

scazzottare [skattsot'ta:re] *fam* **I.** *tr* prügeln; **II.** *rfl:* **-arsi** sich prügeln. **scazzottata** [...'ta:ta] *f,* **scazzottatura** [...ta'tu:ra] *fam* Prügelei *f,* Schlägerei *f.*

scegliere ['ʃeʎʎere] ⟨scelgo, scelsi, scelto⟩ *tr* wählen; *(selezionare tra più cose esistenti)* auswählen, aussuchen.

sceicco [ʃe'ikko] ⟨-cchi⟩ *m* Scheich *m.*

scelgo ['ʃelgo] *pr di* **scegliere.**

scelleratezza [ʃellera'tettsa] *f* **1.** *(infamia)* Frevelhaftigkeit *f;* **2.** *(azione)* Frevel *m,* Freveltat *f.* **scellerato, -a** [...'ra:to] **I.** *agg* frevelhaft, ruchlos; **II.** *m, f* Missetäter(in) *m(f),* Frevler(in) *m(f).*

scellino [ʃel'li:no] *m* **1.** *st (inglese)* Shilling *m;* **2.** *(austriaco)* Schilling *m.*

scelsi ['ʃelsi] *p rem di* **scegliere.**

scelta ['ʃelta] *f* Wahl *f; (tra più oggetti esistenti)* Auswahl *f;* **fare una buona/cattiva** ~ eine gute/schlechte Wahl treffen; **avere una vasta** ~ eine große Auswahl haben; **a** ~ zur Auswahl; **di prima/seconda** ~ *com* erste/zweite Wahl.

scelto, -a [ˈʃelto] **I.** *pp di* **scegliere; II.** *agg* ausgewählt, ausgesucht, erlesen; **truppe -e** Elitetruppen *f pl;* **unità -e** Spezialeinheiten *f pl.*

scemare [ʃeˈmaːre] **I.** *itr* ⟨*essere*⟩ nachlassen, abnehmen; **II.** *tr* ⟨*avere*⟩ vermindern, herabsetzen.

scemenza [ʃeˈmɛntsa] *f* Dummheit *f,* Quatsch *m.*

scemo, -a [ˈʃeːmo] **I.** *agg* dumm, blöd(e); **II.** *m, f* Dummkopf *m,* Trottel *m.*

scempio [ˈʃempio] ⟨-i⟩ *m* **1.** *(violenza)* Qual *f,* Marter *f;* **2.** *(massacro)* Massaker *n,* Gemetzel *n;* **3.** *fig (deturpazione)* Verunstaltung *f;* **essere uno ~ per qc** *fig* etw. verunstalten.

scena [ˈʃɛːna] *f* **1.** *(palcoscenico)* Bühne *f;* **2.** *(parte dell'atto)* Szene *f;* **3.** *(scenario)* Szenerie *f,* Bühnenbild *n;* **4.** *(luogo)* Szene *f,* Schauplatz *m;* **5.** *(della natura)* Szenerie *f,* Anblick *m;* **6.** *fam* Szene *f;* **7.** *fig* Szene *f,* Bühne *f;* **~ madre** Hauptszene *f; fig* Riesenkrach *m;* **direttore di ~** Bühnenmeister(in) *m(f);* **colpo di ~** *(a. fig)* Theatercoup *m;* **andare in ~** zur Aufführung kommen; **mettere in ~** aufführen, inszenieren; **fare ~ muta** kein Wort hervorbringen. **scenario** [ʃeˈnaːrio] ⟨-i⟩ *m* **1.** *teat* Szenerie *f,* Bühnenbild *n; (nella commedia dell'arte, ecc.)* Scenario *m;* **2.** *(paesaggio)* Szenerie *f;* **3.** *pol (configurazione di situazioni probabili)* Szenario *n,* Szenarium *n.* **scenata** [ʃeˈnaːta] *f* Szene *f;* **fare una ~ a qu** jdm eine Szene machen.

scendere [ˈʃendere] ⟨scendo, scesi, sceso⟩ **I.** *itr* ⟨*essere*⟩ **1.** *(andare giù)* hinuntergehen, -steigen, hinabsteigen *geh; (venire giù)* herunterkommen, -steigen, herabsteigen *geh;* **2.** *(da bicicletta, moto, cavallo)* (ab)steigen (*da* von); *(da automobile, tram, pullman, treno, aereo)* (aus)steigen (*da* aus); **3.** *(essere in pendenza)* abfallen, sich neigen; **4.** *(capelli)* fallen; **5.** *(calare)* abnehmen, nachlassen, sinken; *(temperatura, prezzi)* fallen, sinken; *(notte)* hereinbrechen; **~ in piazza** auf die Straße gehen (um zu protestieren); **II.** *tr* ⟨*avere*⟩ hinabsteigen, hinuntergehen; *(venire)* herunterkommen.

scendiletto [ʃendiˈlɛtto] ⟨-⟩ *m* Bettvorleger *m.*

sceneggiare [ʃenedˈdʒaːre] ⟨sceneggio, sceneggi⟩ *tr* inszenieren. **sceneggiato** [...ˈdʒaːto] *m* Fernsehfilm *m; (serie)* Fernsehserie *f.* **sceneggiatore, -trice** [...dʒaˈtoːre] *m, f* Drehbuchautor(in) *m(f).* **sceneggiatura** [...dʒaˈtuːra] *f TV, radio, film* Drehbuch *n.*

scenetta [ʃeˈnetta] *f* Sketch *m.*

scenico, -a [ˈʃɛːniko] ⟨-ci, -che⟩ *agg* szenisch; *(di palcoscenico)* Bühnen-; **adattamente ~** Bühnenbearbeitung *f.*

scenografia [ʃenograˈfiːa] *f* Bühnengestaltung *f,* Bühnenbild *n; fig* Szenerie *f.* **scenografico, -a** [...ˈgraːfiko] *agg* **1.** *teat* Bühnenbild-; **2.** *fig peg* theatralisch. **scenografo, -a** [ʃeˈnɔːgrafo] *m, f* Bühnenbildner(in) *m(f).*

sceriffo [ʃeˈriffo] *m* Sheriff *m.*

scervellarsi [ʃervelˈlarsi] *rfl* sich *(dat)* den Kopf zerbrechen (*su, intorno a* über *+akk*). **scervellato, -a** [...ˈlaːto] **I.** *agg* verrückt, kopflos; **II.** *m, f* Verrückte(r) *mf.*

scesi [ˈʃeːsi] *p rem di* **scendere.**

sceso [ˈʃeːso] *pp di* **scendere.**

scetticismo [ʃettiˈtʃizmo] *m* Skepsis *f.*

scettico, -a [ˈʃɛttiko] ⟨-ci, -che⟩ **I.** *agg* skeptisch; **II.** *m, f* Skeptiker(in) *m(f).*

scettro [ˈʃɛttro] *m* Zepter *n.*

scheda [ˈskɛːda] *f* Zettel *m; amm* Karteikarte *f; inform* Karte *f;* **~ bianca/nulla** leerer/ungültiger Stimmzettel; **~ elettorale** Wahlschein *m,* Stimmzettel *m;* **~ magnetica** Magnetkarte *f;* **~ musicale** *inform* Soundkarte *f;* **~ perforata** Lochkarte *f;* **~ telefonica** Telefonkarte *f;* **~ di rilevazione** Erhebungsbogen *m adm;* **~ di valutazione** Schülerbogen *m.* **schedare** [skeˈdaːre] *tr* **1.** *(registrare su scheda)* auf Karteikarten schreiben; **2.** *amm* (ins Polizeiregister) eintragen. **schedario** [...ˈdaːrio] ⟨-i⟩ *m* **1.** *(raccolta)* Kartei *f;* **2.** *(mobile)* Karteischrank *m; (piccolo)* Karteikasten *m.* **schedato, -a** [...ˈdaːto] *m, f (persona registrata per precedenti penali)* Vorbestrafte(r) *mf.* **schedina** [...ˈdiːna] *f* Tippzettel *m,* Totoschein *m;* **~ del lotto** Lottoschein *m.*

scheggia [ˈskeddʒa] ⟨-gge⟩ *f* Splitter *m;* **~ di granata** Granatsplitter *m;* **~ impazzita** *fig* radikale Splittergruppe. **scheggiare** [...ˈdʒaːre] ⟨scheggio, scheggi⟩ **I.** *tr* absplittern; **II.** *rfl:* **-arsi** (zer)splittern.

scheletrico, -a [skeˈlɛːtriko] ⟨-ci, -che⟩ *agg* **1.** *anat* Skelett-; **2.** *fig (persona, corpo)* hager, dürr.

scheletrito, -a [skeleˈtriːto] *agg* **1.** *(persona)* mager, dürr; **2.** *(albero)* verdorrt.

scheletro [ˈskɛːletro] *m* **1.** *anat* Skelett *n;* **2.** *(di nave, imbarcazione)* Gerüst *n,* Gerippe *n; (di romanzo, ecc.)* Gerüst *n.*

schema [ˈskɛːma] ⟨-i⟩ *m* **1.** *(modello)* Schema *n;* **2.** *dir* Entwurf *m;* **3.** *letter* Entwurf *m,* Gerüst *n;* **4.** *fig* Schema *n,* Muster *n;* **5.** *(nella sintassi)* Satzbauplan *m;* **~ elettrico (*o* di circuito)** Schaltplan *m,* Schaltbild *n;* **~ di flusso** *inform* Flußdiagramm *n;* **~ di legge** Gesetzentwurf *m.* **schematico, -a** [...ˈmaːtiko] ⟨-ci, -che⟩ *agg* schematisch. **schematizzare** [skematidˈdzaːre] *tr* schematisieren.

scherma [ˈskerma] *f* Fechten *n;* **campionato di ~** Fechtmeisterschaft *f;* **tirare di ~** fechten.

schermaglia [skerˈmaʎʎa] ⟨-glie⟩ *f* Ge-

fecht *n; fig* Wortgefecht *n*.
schermare [sker'ma:re] *tr* abschirmen.
schermata [sker'ma:ta] *f* Bildschirminhalt *m*.
schermatura [skerma'tu:ra] *f* Abschirmung *f; radio, el* Entstörung *f*; ~ **contro i radiodisturbi** Funkentstörung *f*.
schermire [sker'mi:re] ⟨schermisco⟩ **I.** *tr* schützen (*da qu/qc* vor jdm/etw.); **II.** *itr* fechten; **III.** *rfl:* **-irsi 1.** *fig* abwehren (*da qc* etw.), sich wehren (*da qu/qc* vor jdm/etw.) **2.** *(ripararsi)* sich schützen (*da* vor +*dat*).
schermitore, -trice [skermi'to:re] *m, f* Fechter(in) *m(f)*.
schermo ['skermo] *m* **1.** *(riparo)* Schirm *m*, Schutz *m;* **2.** *film, fot* Leinwand *f;* **3.** *TV inform* Bildschirm *m;* **4.** *tec* Schirm *m;* ~ **grafico** Grafikbildschirm *m;* ~ **a cristalli liquidi** Flüssigkristallbildschirm *m*, LCD-Bildschirm *m;* **grande** ~ Kino *n;* **piccolo** ~ Fernseher *m*.
schermografia [skermogra'fi:a] *f* Röntgenaufnahme *f*, -bild *n*.
schernire [sker'ni:re] ⟨schernisco⟩ *tr* verhöhnen, verspotten, auslachen. **schernitore, -trice** [...ni'to:re] **I.** *m, f* Spötter(in) *m(f);* **II.** *agg* spöttisch.
scherno ['skerno] *m* Spott *m*, Hohn *m;* **farsi** ~ **di qu/qc** jdn/etw. verhöhnen; **è diventato lo** ~ **di tutti** er ist zum Gespött aller geworden.
scherzare [sker'tsa:re] *itr* scherzen, spaßen; ~ **col fuoco** mit dem Feuer spielen; **c'è poco da** ~ da gibt's nichts zu lachen.
scherzo ['skertso] *m* **1.** *(azione, parola scherzosa)* Scherz *m*, Spaß *m;* **2.** *(sorpresa sgradevole)* Streich *m;* **3.** *fig (impresa facile)* Kinderspiel *n;* **4.** *mus* Scherzo *n;* ~ **da prete** *fam* schlechter Scherz; **-i d'acqua/di luce** Wasser-/Lichtspiele *n pl;* **fare uno** ~ **a qu** jdm einen Streich spielen; **stare allo** ~ Spaß vertragen (können); **per** ~ zum (*o* aus) Spaß, zum Scherz, spaßeshalber; **neppure per** ~ auf gar keinen Fall; **senza -i** ohne Scherz, im Ernst; **-i a parte!** Spaß beiseite!. **scherzoso, -a** [...'tso:so] *agg* lustig, spaßig.
schettinare [sketti'na:re] *itr* rollschuhlaufen. **schettino** [s'kettino] *m* Rollschuh *m*.
schiaccianoci [skiattʃa'no:tʃi] ⟨-⟩ *m* Nußknacker *m*.
schiacciante [skiat'tʃante] *agg* (er)drükkend, überwältigend.
schiacciapatate [skiattʃapa'ta:te] ⟨-⟩ *m* Kartoffelstampfer *m*.
schiacciare [skiat'tʃa:re] ⟨schiaccio, schiacci⟩ **I.** *tr* **1.** *(patate, ecc.)* zerdrükken, (zer)quetschen; *(noci, mandorle)* knacken; **2.** *(dito)* (sich +*dat*) quetschen; **3.** *sport* schmettern; **4.** *tec* drükken; *(pedale)* treten; **5.** *fig (rendere piatto)* plätten, platt machen; **6.** *fig (superare)* schlagen; ~ **un pisolino** (*o* **sonnellino)** *fam* ein Nickerchen machen *fam;* **II.** *rfl:* **-arsi** eine Delle bekommen, (sich) verbeulen.
schiacciata [skiat'tʃa:ta] *f sport* Schmetterball *m*.
schiacciato, -a [skiat'tʃa:to] *agg* **1.** *(reso piatto)* plattgedrückt, eingedrückt; *(naso)* platt; **2.** *sport (tiro, ecc.)* Schmetter-.
schiaffare [skiaf'fa:re] *fam* **I.** *tr* schmeißen *fam*, hauen *fam;* **II.** *rfl:* **-arsi** sich schmeißen *fam*, sich hauen *fam*.
schiaffeggiare [skiaffed'dʒa:re] ⟨schiaffeggio, schiaffeggi⟩ *tr* ohrfeigen.
schiaffo ['skiaffo] *m* Ohrfeige *f;* **prendere a -i qu** jdn ohrfeigen.
schiamazzare [skiamat'tsa:re] *itr* **1.** *zoo (galline)* gackern; *(oche)* schnattern; **2.** *(persone)* kreischen, lärmen. **schiamazzo** [...'mattso] *m* **1.** *zoo (di galline)* Gegacker *n; (di oche)* Geschnatter *n;* **2.** *(di persone)* Gekreische *n*, Lärm *m*, Lärmen *n*.
schiantare [skian'ta:re] **I.** *tr* ⟨*avere*⟩ **1.** *(rompere)* ab-, zerreißen; *(piante)* ausreißen, entwurzeln; **2.** *fig* zerreißen; **II.** *itr* ⟨*essere*⟩ *fam* platzen; **III.** *rfl:* **-arsi** (zer)brechen, zerschellen; *(con fragore)* krachen (gegen).
schianto ['skianto] *m* **1.** *(rumore)* Krach *m*, Knall *m;* **2.** *fig* Stich *m;* **3.** *fam* Wucht *f;* **di** ~ schlagartig.
schiappa ['skiappa] *f fam* Niete *f fam*.
schiarimento [skiari'mento] *m* Aufhellung *f; (fig a.)* Aufklärung *f*.
schiarire [skia'ri:re] **I.** *tr* ⟨*avere*⟩ aufhellen, hell(er) machen; **II.** *itr* ⟨*essere*⟩ **1.** *(perdere il colore)* ausbleichen, hell(er) werden; **2.** *meteo* freundlicher werden; **III.** *rfl:* **-irsi 1.** *meteo* sich aufhellen; **2.** *(diventar chiaro)* hell(er) werden; **-irsi la voce** sich räuspern. **schiarita** [...'ri:ta] *f* **1.** *meteo* Aufheiterung *f;* **2.** *fig (miglioramento)* Verbesserung *f; (distensione)* Entspannung *f*.
schiattare [skiat'ta:re] *itr* ⟨*essere*⟩ platzen.
schiavismo [skia'vizmo] *m* Sklaverei *f*, Sklaventum *n*. **schiavitù** [...vi'tu] ⟨-⟩ *f* **1.** *soc* Sklaverei *f*, Versklavung *f;* **2.** *fig* Knechtschaft *f*. **schiavo, -a** ['skia:vo] **I.** *agg* versklavt, unterjocht; **II.** *m, f* Sklave *m*, Sklavin *f*.
schiena ['skiɛ:na] *f* Rücken *m;* **avere il mal di** ~ Rückenschmerzen haben.
schienale [skie'na:le] *m* (Rücken)lehne *f*.
schiera ['skiɛ:ra] *f* **1.** *(moltitudine)* Schar *f*, Menge *f;* **2.** *mil* Truppe *f*, Heer *n;* **a -e** scharenweise; **casa a** ~ Reihenhaus *n*.
schieramento [skiera'mento] *m* **1.** *mil* Aufmarsch *m*, Formation *f;* **2.** *sport* Aufstellung *f;* **3.** *fig* Lager *n*.
schierare [skie'ra:re] **I.** *tr* aufstellen, formieren; **II.** *rfl:* **-arsi** sich formieren, auf-

marschieren; **-arsi dalla parte di/contro qu** für/gegen jdn Partei ergreifen; ~ **contro qc** sich gegen etw. aussprechen.

schiettezza [skiet'tettsa] *f* Offenheit *f*, Ehrlichkeit *f*. **schietto, -a** ['skiεtto *o* 'skietto] *agg* **1.** *(puro)* rein, echt; **2.** *fig* ehrlich, aufrichtig.

schifare [ski'fa:re] **I.** *tr* (an)ekeln; **II.** *rfl:* **-arsi** sich ekeln (*di* vor *+dat*). **schifezza** [...'fettsa] *f* Ekelhaftigkeit *f*, Widerlichkeit *f*.

schifiltoso, -a [skifil'to:so] *agg* zimperlich, heikel.

schifo ['ski:fo] *m* Ekel *m;* **i funghi mi fanno** ~ ich ekle mich vor Pilzen; **la minestra è uno** ~ die Suppe ist einfach widerlich; **che** ~! so eine Schweinerei! *fam.* **schifoso, -a** [ski'fo:so] *agg* ekelhaft, widerlich.

schioccare [skiok'ka:re] ⟨schiocco, schiocchi⟩ *tr (frusta)* knallen mit; *(lingua)* schnalzen mit; *(dita)* schnippen mit. **schiocco** ['skiɔkko] ⟨-cchi⟩ *m* Knall *m*.

schioppettata [skioppet'ta:ta] *f* Flinten-, Büchsenschuß *m*. **schioppo** ['skiɔppo] *m* Flinte *f*, Büchse *f*.

schiudere ['skiu:dere] ⟨*irr*⟩ **I.** *tr* öffnen, aufmachen; **II.** *rfl:* **-ersi** sich öffnen, aufgehen.

schiuma ['skiu:ma] *f* Schaum *m;* ~ **da barba** Rasierschaum *m;* **fare molta/poca** ~ stark/wenig schäumen; **avere la** ~ **alla bocca** *fig* vor Wut schäumen. **schiumaiola** [skiuma'iɔ:la] *f* Schaumlöffel *m*, -kelle *f*. **schiumare** [..'ma:re] **I.** *tr* abschäumen, den Schaum abschöpfen von; **II.** *itr* schäumen. **schiumogeno, -a** [skiu'mɔ:dʒeno] **I.** *agg* Schaum-, schaumerzeugend; **II.** *m* **1.** *chim* Schaummittel *n;* **2.** *(estintore)* Feuerlöscher *m*, Schaumlöscher *m*.

schiumoso, -a [..'mo:so] *agg (sapone)* schaumig; *(a. latte)* schäumend.

schiusa [s'kiu:za] *f zoo* (Aus)schlüpfen *n*.

schivare [ski'va:re] *tr* ausweichen (*qc/qu* einer S./jdm), meiden.

schivo, -a ['ski:vo] *agg* scheu, zurückhaltend.

schizofrenia [skiddzofre'ni:a] ⟨-ie⟩ *f* Schizophrenie *f*. **schizofrenico, -a** [...'frε:niko] ⟨-ci, -che⟩ **I.** *agg* schizophren; **II.** *m, f* Schizophrene(r) *mf*.

schizzare [skit'tsa:re] **I.** *tr* ⟨*avere*⟩ **1.** *(liquidi)* (ver)spritzen; **2.** *(sporcare)* bespritzen, beschmutzen; **3.** *(disegnare)* skizzieren; **4.** *fig (descrivere)* skizzieren, kurz beschreiben, umreißen; **5.** *fig* (aus-, ver)sprühen, ausstrahlen; ~ **veleno/gioia** *fig* Gift verspritzen/vor Freude sprühen; **II.** *itr* ⟨*essere*⟩ **1.** *(liquidi)* spritzen; **2.** *(saltar fuori)* schießen, springen, sausen; **III.** *rfl:* **-arsi** sich bespritzen (*di qc* mit etw.).

schizzinoso, -a [skittsi'no:so] *agg* zimperlich, heikel.

schizzo ['skittso] *m* **1.** *(di fango, inchiostro)* Spritzer *m; (di bevande) fam* Schuß *m;* **2.** *(abbozzo)* Skizze *f*.

sci [ʃi] ⟨-⟩ *m* Ski *m; (attività)* Skifahren *n*, -laufen *n;* ~ **da fondo** Langlaufski *m;* ~ **di fondo** Langlauf *m;* ~ **nautico (***o* **d'acqua)** Wasserski *m;* **fare dello** ~ Ski laufen (*o* fahren).

scia ['ʃi:a] ⟨scie⟩ *f* **1.** *naut* Kielwasser *n;* **2.** *fig* Spur *f; (di profumo)* Wolke *f;* **mettersi sulla** ~ **di qu** in jds Fußstapfen treten.

scià [ʃa] ⟨-⟩ *m* Schah *m*.

sciabola ['ʃa:bola] *f* Säbel *m*.

sciabordio [ʃabor'di:o] ⟨-ii⟩ *m* Schwappen *n*.

sciacallaggio [ʃakal'laddʒo] ⟨-ggi⟩ *m* **1.** *(azione di chi saccheggia)* Plünderei *f;* **2.** *(sfruttamento scandalistico di informazioni)* Hetzkampagne *f*.

sciacallo [ʃa'kallo] *m* Schakal *m; fig* Aasgeier *m*.

sciacquare [ʃak'kua:re] *tr (piatti, bicchieri)* abspülen; *(panni)* ausspülen, auswaschen; **-arsi la bocca/le mani** (sich *dat*) den Mund ausspülen/die Hände abwaschen. **sciacquatura** [...kua'tu:ra] *f* **1.** *(acqua)* Spül-, Abwaschwasser *n;* **2.** *(pulizia)* (Aus)spülen *n;* ~ **di piatti** *fig peg* Spülwasser *n fam.*

sciacquo ['ʃakkuo] *m* (Mund)spülung *f*. **sciacquone** [...'kuo:ne] *m* Wasserspülung *f;* **tirare lo** ~ *(del WC)* spülen.

Sciaffusa [ʃaf'fu:za] *f* Schaffhausen *n*.

sciagura [ʃa'gu:ra] *f* Unglück *n;* ~ **ecologica** Umweltkatastrophe *f*. **sciagurato, -a** [ʃagu'ra:to] **I.** *agg* **1.** *(persona)* unglücklich; **2.** *(malvagio)* schändlich, gemein; *(madre, padre)* Raben-; **II.** *m, f* **1.** *(disgraziato)* Unglücksrabe *m;* **2.** *(padre, madre)* Rabenvater *m*, -mutter *f*.

scialacquare [ʃalak'kua:re] *tr* verschwenden, vergeuden; *(patrimonio)* verprassen. **scialacquatore, -trice** [...kua'to:re] *m, f* Verschwender(in) *m(f)*.

scialare [ʃa'la:re] *itr* prassen; **c'è poco da** ~ damit kann man keine großen Sprünge machen *fam.*

scialbo, -a ['ʃalbo] *agg* **1.** *(colore, tinta)* blaß, fahl, bleich; **2.** *fig* blaß, farblos.

scialle ['ʃalle] *m* Schultertuch *n*.

scialo ['ʃa:lo] *m* Verschwendung *f*, Vergeudung *f*.

scialuppa [ʃa'luppa] *f* Beiboot *n*, Schaluppe *f;* ~ **di salvataggio** Rettungsboot *n*.

sciamano [ʃa'ma:no] *m* Schamane *m*.

sciamare [ʃa'ma:re] *itr* ⟨*essere o avere*⟩ **1.** *zoo* (aus)schwärmen; **2.** *fig* ausschwärmen.

sciame ['ʃa:me] *m* **1.** *zoo* Schwarm *m;* **2.** *fig* Schwarm *m*, Schar *f*, Menge *f*.

sciancato, -a [ʃaŋ'ka:to] *m, f* Gehbehin-

derte(r) *m(f)*.
sciancrato, -a [ʃaŋ'kra:to] *agg* tailliert.
sciangai [ʃaŋ'ga:i] ⟨-⟩ *m* Mikado(spiel) *n*.
sciarada [ʃa'ra:da] *f* Scharade *f*.
sciare [ʃi'a:re] ⟨scio, scii⟩ *itr* Ski laufen (*o* fahren); *naut* Wasserski laufen.
sciarpa ['ʃarpa] *f* Schal *m; (fascia)* Schärpe *f*.
sciatica ['ʃa:tika] ⟨-che⟩ *f* Ischias *m*. **sciatico, -a** [...ko] ⟨-ci, -che⟩ *agg* Ischias-.
sciatore, -trice [ʃia'to:re] *m, f* Skiläufer(in) *m(f)*, -fahrer(in) *m(f)*.
sciatteri [ʃatte'ri:a] ⟨-ie⟩ *f* Schlampigkeit *f*. **sciatto, -a** ['ʃatto] *agg* schlampig. **sciattone, -a** [...'to:ne] *m, f fam* Schlampe *f*, Schlamper *m*.
scibile ['ʃi:bile] *m* Wissen *n*.
sciccheria [ʃikke'ri:a] ⟨-ie⟩ *f fam* Schick *m*.
scie *pl di* **scia**.
scientifico, -a [ʃen'ti:fiko] ⟨-ci, -che⟩ *agg* wissenschaftlich; *(liceo a.)* naturwissenschaftlich; **polizia -a** Erkennungsdienst *m*.
scienza ['ʃɛntsa] *f* Wissenschaft *f; (sapere)* Wissen *n;* **-e** Wissenschaften *f pl; (disciplina)* Naturwissenschaft *f;* ~ **dell'alimentazione/dell'educazione/dei materiali** Ernährungs-/Erziehungswissenschaft *f*/Werkstoffkunde *f;* **-e economiche/naturali/politiche/sociali/storiche** Wirtschafts-/Natur-/Politik-/Sozial-/Geschichtswissenschaft *f;* **avere la ~ infusa** die Weisheit mit Löffeln gefressen haben *fam*. **scienziato, -a** [...'tsia:to] *m, f* (Natur)wissenschaftler(in) *m(f)*.
sciistico, -a [ʃi'istiko] ⟨-ci, -che⟩ *agg* Ski-.
sciita [ʃi'i:ta] ⟨-i *m*, -e *f*⟩ **I.** *agg* schiitisch; **II.** *mf* Schiit(in) *m(f)*.
scimmia ['ʃimmia] ⟨-ie⟩ *f* Affe *m;* **brutto come una ~** potthäßlich; **avere la ~** *sl* einen Affen haben; **fare la ~ a qu** jdn nachäffen. **scimmiesco, -a** [...'miesko] ⟨-schi, -sche⟩ *agg* Affen-, affenartig. **scimmiottare** [...miot'ta:re] *tr* nachäffen. **scimmiotto** [...'miɔtto] *m* Äffchen *n*, kleiner Affe.
scimpanzé [ʃimpan'tse] ⟨-⟩ *m* Schimpanse *m*.
scimunito, -a [ʃimu'ni:to] **I.** *agg* dumm, blöd(e); **II.** *m, f* Dummkopf *m*.
scindere ['ʃindere] ⟨scindo, scissi, scisso⟩ **I.** *tr* **1.** *chim* spalten; **2.** *fig* auf(spalten); **II.** *rfl:* **-ersi** sich spalten.
scintilla [ʃin'tilla] *f* Funke *m;* **fare -e** *(a. fig)* Funken schlagen. **scintillare** [...'la:re] *itr* **1.** *fig* funkeln, leuchten, glitzern; **2.** *fis* Funken sprühen. **scintillio** [...'li:o] ⟨-ii⟩ *m* Funkeln *n*, Schimmern *n*, Glitzern *n*.
scioccante [ʃok'kante] *agg* schockierend.
scioccare [ʃok'ka:re] ⟨sciocco, sciocchi⟩ *tr* schockieren.
sciocchezza [ʃok'kettsa] *f* **1.** *(scemenza)* Dummheit *f;* **2.** *fig* Kleinigkeit *f*. **sciocco, -a** ['ʃɔkko] ⟨-cchi, -cche⟩ **I.** *agg* **1.** *(stupido)* dumm; **2.** *gastr tosc* fade; **II.** *m, f* Dummkopf *m*.
sciogliere ['ʃɔʎʎere] ⟨sciolgo, sciolsi, sciolto⟩ **I.** *tr* **1.** *gener.* lösen, losmachen; *(nodo)* lösen; **2.** *(liberare)* befreien; *(cane)* loslassen; **3.** *chim* lösen; **4.** *(ghiaccio, nevi)* schmelzen (lassen); **5.** *fig* (auf)lösen; *(contratto)* lösen; *(voto)* einlösen, erfüllen; *(seduta, parlamento)* auflösen; **II.** *rfl:* **-ersi 1.** *gener.* sich lösen; **2.** *fig* sich entledigen (*da qc* einer S. *gen*), sich befreien (*da* von); **3.** *(neve)* schmelzen; **-ersi in lacrime** in Tränen aufgelöst sein.
scioglilingua [ʃoʎʎi'liŋgua] ⟨-⟩ *m* Zungenbrecher *m*.
sciolgo ['ʃɔlgo] *pr di* **sciogliere**.
sciolina [ʃio'li:na] *f* Skiwachs *n*.
sciolsi ['ʃɔlsi] *p rem di* **sciogliere**.
scioltezza [ʃol'tettsa] *f* **1.** *(di movimenti)* Geschmeidigkeit *f*, Gelenkigkeit *f;* **2.** *(di modi)* Leichtigkeit *f*, Ungezwungenheit *f*.
sciolto, -a ['ʃɔlto] **I.** *pp di* **sciogliere; II.** *agg* **1.** *(slegato)* (auf)gelöst, lose; **2.** *fig* frei, lässig; *(disinvolto)* ungezwungen; **avere la lingua -a** ein flinkes (*o* gutes) Mundwerk haben.
scioperante [ʃope'rante] **I.** *agg* streikend; **II.** *mf* Streikende(r) *mf*. **scioperare** [...'ra:re] *itr* streiken. **scioperato, -a** [...'ra:to] **I.** *agg* faul, arbeitsscheu; **II.** *m, f* Faulpelz *m*, fauler Sack *fam*.
sciopero ['ʃɔ:pero] *m* Streik *m;* ~ **di ammonimento** Warnstreik *m;* ~ **articolato (*o* a scacchiera)** Schwerpunktstreik *m*, Teilstreik *m;* ~ **bianco** Dienst *m* nach Vorschrift; ~ **della fame** Hungerstreik *m;* ~ **della fettina** Kaufboykott *m;* ~ **generale** Generalstreik *m;* ~ **ad oltranza (*o* a tempo indeterminato)** unbefristeter Streik; ~ **(a gatto) selvaggio** wilder Streik; ~ **a singhiozzo** Bummelstreik *m;* **diritto di ~** Streikrecht *n;* **ondata di -i** Streikwelle *f;* **aderire a uno ~** an einem Streik teilnehmen; **fare ~** streiken.
sciorinare [ʃori'na:re] *tr* ausbreiten, zur Schau stellen.
sciovia [ʃio'vi:a] *f* Skilift *m*, Schlepplift *m*.
sciovinismo [ʃovi'nizmo] *m* Chauvinismus *m*. **sciovinista** [...'nista] ⟨-i *m*, -e *f*⟩ *mf* Chauvinist(in) *m(f)*. **sciovinistico, -a** [...'nistiko] ⟨-ci, -che⟩ *agg* chauvinistisch.
scipito, -a [ʃi'pi:to] *agg* **1.** *gastr* fade, schal; **2.** *fig* fade, geistlos.
scippare [ʃip'pa:re] *tr* die Tasche wegreißen (*qu* jdm). **scippatore, -trice** [...pa'to:re] *m, f* (Hand)taschenräuber(in) *m(f)*. **scippo** ['ʃippo] *m* (Hand)taschenraub *m*.
scirocco [ʃi'rɔkko] ⟨-cchi⟩ *m* Schirokko *m*.
sciroppare [ʃirop'pa:re] *tr* einmachen, einkochen; **-arsi qu/qc** *fam* jdn/etw.

über sich *(akk)* ergehen lassen.
sciroppo [ʃi'rɔppo] *f* Sirup *m; (med a.)* Saft *m;* ~ **per la tosse** Hustensaft *m.* **sciropposo, -a** [ʃirop'po:so] *agg* **1.** *(vino, liquido)* sirupartig; **2.** *fig* schmalzig.
scisma ['ʃizma] ⟨-i⟩ *m* **1.** *rel* Schisma *n;* **2.** *pol, soc* Spaltung *f.* **scismatico, -a** [...'ma:tiko] ⟨-ci, -che⟩ **I.** *agg* schismatisch; **II.** *m, f* Schismatiker(in) *m(f).*
scissi ['ʃissi] *p rem di* **scindere.**
scissione [ʃis'sio:ne] *f* Spaltung *f;* ~ **nucleare** Kernspaltung *f.*
scisso ['ʃisso] *pp di* **scindere.**
sciupare [ʃu'pa:re] **I.** *tr* **1.** *(logorare)* abnutzen; *(abito)* verschleißen; **2.** *(tempo, fatica)* verschwenden, vergeuden; **3.** *(appetito, vista, salute)* verderben; **II.** *rfl:* **-arsi 1.** *(indumento)* verschleißen, sich abnutzen; **2.** *(persona)* sich verbrauchen, sich kaputtmachen *fam.*
scivolare [ʃivo'la:re] *itr* ⟨*essere*⟩ **1.** *(perdere l'equilibrio)* (aus)rutschen; **2.** *(scorrere)* gleiten; **3.** *(sfuggire)* gleiten, rutschen; **4.** *aero* abgleiten, abrutschen. **scivolata** [...'la:ta] *f* **1.** *(scivolone)* (Aus)rutscher *m;* **2.** *aero* Abgleiten *n,* Abrutschen *n.* **scivolo** ['ʃi:volo] *m* Rutschbahn *f,* Rutsche *f.* **scivolone** [ʃivo'lo:ne] *m* (Aus)rutscher *m.* **scivoloso, -a** [...'lo:so] *agg* **1.** *(terreno)* glatt, rutschig; **2.** *(anguilla)* glitschig; **3.** *fig peg* schleimig, aalglatt.
sclerosi [skle'rɔ:zi] ⟨-⟩ *f* Sklerose *f;* ~ **multipla** multiple Sklerose.
sclerotizzato, -a [sklerotid'dza:to] *agg* **1.** *med* sklerotisch, verkalkt; **2.** *fig* starr, verknöchert.
scocca ['skɔkka] ⟨-cche⟩ *f* Fahrgestell *n,* Karosserie *f.*
scoccare [skok'kare] ⟨scocco, scocchi⟩ **I.** *tr* ⟨*avere*⟩ **1.** *(freccia)* abschießen; **2.** *(ore)* schlagen; **3.** *fig (bacio, sguardo)* zuwerfen; **II.** *itr* ⟨*essere*⟩ **1.** *el* aufleuchten; *(scintilla)* überspringen; **2.** *(ore)* schlagen.
scocciare [skot'tʃa:re] ⟨scoccio, scocci⟩ *fam* **I.** *tr* nerven *fam,* auf den Wecker gehen *(qu* jdm) *fam;* **II.** *rfl:* **-arsi** genug haben. **scocciatore, -trice** [...tʃa'to:re] *m, f fam* Störenfried *m,* Nervensäge *f fam.* **scocciatura** [...tʃa'tu:ra] *f fam* Ärgernis *n,* Belästigung *f;* **che** ~! wie lästig!
scodella [sko'dɛlla] *f* Schüssel *f.* **scodellare** [...del'la:re] *tr* einfüllen.
scodinzolare [skodintso'la:re] *itr* (mit dem Schwanz) wedeln.
scogliera [skoʎ'ʎɛ:ra] *f* Klippe *f;* ~ **corallina** Korallenriff *n.*
scoglio ['skɔʎʎo] ⟨-gli⟩ *m* **1.** *geog* Klippe *f;* **2.** *fig* Klippe *f,* Hürde *f.* **scoglioso, -a** [skoʎ'ʎo:so] *agg* klippenreich, Klippen-.
scoiattolo [sko'iattolo] *m* Eichhörnchen *n.*
scolainsalata [skolainsa'la:ta] ⟨-⟩ *m* Salatschleuder *f.* **scolapasta** [...'pasta] ⟨-⟩ *m* Sieb *n,* Seiher *m.* **scolapiatti** [-'piatti] ⟨-⟩ *m* Trockengestell *n* (für Teller); *(cesto)* Abtropfkorb *m.*
scolara *f v.* **scolaro.**
scolare[1] [sko'la:re] *agg* Schul-, schulpflichtig.
scolare[2] [sko'la:re] **I.** *tr* ⟨*avere*⟩ **1.** *(bottiglie)* ausgießen, ausschütten; **2.** *gastr* abgießen; *(insalata)* abtropfen lassen; **II.** *itr* ⟨*essere*⟩ abfließen, ablaufen, abtropfen; **III.** *rfl:* **-arsi** *fam* hinunterkippen *fam.*
scolaresca [skola'reska] ⟨-sche⟩ *f* Schülerschaft *f.* **scolaro, -a** [...'la:ro] *m, f* Schüler(in) *m(f).* **scolastico, -a** [...'lastiko] ⟨-ci, -che⟩ **I.** *agg* **1.** *(rendimento)* schulisch; *(anno, edificio, tasse, programma)* Schul-; **2.** *fig peg* schulmäßig.
scoliosi [sko'liɔ:zi] ⟨-⟩ *f* Skoliose *f.*
scollacciato, -a [skollat'tʃa:to] *agg* **1.** *(abito)* ausgeschnitten, dekolletiert; **2.** *fig peg* anstößig.
scollamento [skolla'mento] *m* Ablösen *n; fig* Auseinanderbrechen *n.*
scollare [skol'la:re] **I.** *tr* (ab)lösen; **II.** *rfl:* **-arsi** sich (ab)lösen. **scollato, -a** [...a:to] *agg (abito)* ausgeschnitten, dekolletiert.
scollatura [...la'tu:ra] *f* **1.** *(di abito)* Ausschnitt *m;* **2.** *(parte scoperta)* Dekolleté *n,* Ausschnitt *m;* **3.** *(di parti incollate)* (Ab)lösung *f.*
scollo ['skɔllo] *m* Ausschnitt *m.*
scolo ['sko:lo] *m* **1.** *(deflusso)* Ablauf *m,* Abfluß *m;* **2.** *(condotto)* Abfluß *m;* **3.** *(liquido)* Abwasser *n;* **4.** *med* Ausfluß *m; volg* Tripper *m.*
scolorare [skolo'ra:re] **I.** *tr* ⟨*avere*⟩ ausbleichen; **II.** *itr* ⟨*essere*⟩ abfärben; **III.** *rfl:* **-arsi** die Farbe verlieren, verbleichen.
scolorina [skolo'ri:na] *f* Tintenkiller *m.*
scolorire [skolo'ri:re] **I.** *tr* ⟨*avere*⟩ **1.** entfärben, bleichen; **2.** *fig* verblassen lassen; **II.** *itr* ⟨*essere*⟩ verblassen; **III.** *rfl:* **-irsi 1.** *(perdere il colore)* verblassen; **2.** *(impallidire)* erblassen, erbleichen.
scolpare [skol'pa:re] **I.** *tr* entschuldigen; **II.** *rfl:* **-arsi** die Schuld von sich weisen, sich rechtfertigen.
scolpire [skol'pi:re] *tr* **1.** *(marmo, statua)* behauen; *(legno)* schnitzen; **2.** *(incidere)* einmeißeln, einritzen, eingravieren; **3.** *fig* einhämmern, einprägen.
scolpitura [skolpi'tu:ra] *f mot* Reifenprofil *n.*
scombinare [skombi'na:re] *tr* durcheinanderbringen; *(mandare a monte)* scheitern lassen; *(piano)* vereiteln. **scombinato, -a** [...'na:to] *agg* **1.** *(mandato a monte)* gescheitert, vereitelt; **2.** *(confuso)* zusammenhanglos, verworren.
scombussolare [skombusso'la:re] *tr* verwirren, durcheinanderbringen.
scommessa [skom'messa] *f* Wette *f; (somma impegnata)* Einsatz *m;* **fare una** ~ eine Wette abschließen. **scommettere**

[...'mettere] ⟨*irr*⟩ *tr* wetten.

scomodare [skomo'da:re] **I.** *tr* stören, bemühen; **II.** *itr* unangenehm (*o* ungelegen) sein; **III.** *rfl:* **-arsi** sich bemühen, sich stören lassen.

scomodità [skomodi'ta] *f* Unbequemlichkeit *f.*

scomodo ['skɔ:modo] *m* Störung *f,* Belästigung *f.*

scomodo, -a ['skɔ:modo] *agg* unbequem.

scompaginare [skompadʒi'na:re] **I.** *tr fig* durcheinanderbringen; **II.** *rfl:* **-arsi** durcheinandergeraten.

scomparire [skompa'ri:re] ⟨*irr*⟩ *itr* ⟨*essere*⟩ **1.** *(sparire)* verschwinden; **2.** *fig* gering erscheinen, nicht zur Geltung kommen, verschwinden. **scomparsa** [...'parsa] *f* **1.** *(sparizione)* Verschwinden *n;* **2.** *med* Abklingen *n;* **3.** *(morte)* Ableben *n,* Entschlafen *n;* **antenna a** ~ Versenkantenne *f.* **scomparso, -a** [...'parso] **I.** *agg* **1.** *(popolo, continente)* untergegangen; **2.** *(irreperibile)* vermißt; **II.** *m, f* Verstorbene(r) *mf,* Entschlafene(r) *mf.*

scompartimento [skomparti'mento] *m* **1.** *ferr* Abteil *n;* **2.** *(di armadio)* Fach *n;* ~ **per fumatori/non fumatori** Raucher-/Nichtraucherabteil *n.* **scomparto** [...'parto] *m* Fach *n.*

scompenso [skom'pɛnso] *m* **1.** *med* Kompensationsstörung *f,* Dekompensation *f;* **2.** *(mancanza di equilibrio)* Unausgewogenheit *f,* Unausgeglichenheit *f.*

scompigliare [skompiʎ'ʎa:re] *tr* in Unordnung bringen; *(capelli)* zerzausen, zerraufen. **scompiglio** [...'piʎʎo] ⟨-gli⟩ *m* Unordnung *f;* **mettere in** ~ durcheinanderbringen.

scompisciarsi [skompiʃ'ʃarsi] *rfl:* ~ **dalle risate** *rar volg* sich kaputtlachen *fam.*

scomporre [skom'porre] ⟨*irr*⟩ **I.** *tr* **1.** *(disgregare)* durcheinanderbringen; *(scaffali, elementi)* zerlegen, auseinandernehmen; **2.** *mat* zerlegen; **3.** *(lineamenti, volto)* entstellen; **II.** *rfl:* **-orsi** aus der Fassung geraten, die Fassung verlieren.

scompostezza [skompos'tettsa] *f* Ungehörigkeit *f.* **scomposto, -a** [...'posto] *agg* **1.** *(disordinato)* zerzaust, durcheinander; **2.** *fig (sguaiato)* ungehörig, ordinär *fam.*

scomunica [sko'mu:nika] ⟨-che⟩ *f* Exkommunikation *f.* **scomunicare** [...muni'ka:re] *tr* exkommunizieren.

sconcertare [skontʃer'ta:re] **I.** *tr* **1.** *(creare disordine)* verwirren, durcheinanderbringen; **2.** *(turbare molto)* bestürzen, erschüttern.

sconcerto [skon'tʃɛrto] *m* **1.** *(perplessità)* Verblüffung *f;* **2.** *(turbamento)* Bestürzung *f,* Erschütterung *f.*

sconcezza [skon'tʃettsa] *f* Unanständigkeit *f,* Schweinerei *f fam.* **sconcio, -a** ['skontʃo] ⟨-ci, -ce⟩ **I.** *agg* schmutzig, unanständig; **II.** *m* Unanständigkeit *f,* Schweinerei *f fam.*

sconclusionato, -a [skonkluzio'na:to] *agg* **1.** *(discorso)* unzusammenhängend, zusammenhang(s)los; **2.** *(persona)* unschlüssig.

scondito, -a [skon'di:to] *agg* ungewürzt; *(di insalata)* nicht angemacht.

sconfessare [skonfes'sa:re] *tr* **1.** *(rinnegare)* verleugnen; **2.** *(disapprovare)* mißbilligen.

sconfiggere [skon'fiddʒere] ⟨sconfiggo, sconfiggi, sconfissi, sconfitto⟩ *tr* schlagen; *(fig a.)* besiegen.

sconfinare [skonfi'na:re] *itr* **1.** *(oltrepassare i confini)* eine (*o* die) Grenze überschreiten; **2.** *fig* abkommen, abweichen, abschweifen. **sconfinato, -a** [...'na:to] *agg* **1.** *(territorio)* grenzenlos; **2.** *fig* unbegrenzt, unbeschränkt; *(a. peg)* schrankenlos, uferlos.

sconfissi [skon'fissi] *p rem di* **sconfiggere.**

sconfitta [skon'fitta] *f* Niederlage *f;* ~ **elettorale** Wahlniederlage *f;* **infliggere una** ~ **a qu** jdm eine Niederlage zufügen; **subire una** ~ eine Niederlage erleiden.

sconfitto [skon'fitto] *pp di* **sconfiggere.**

sconfortante [skonfor'tante] *agg* entmutigend.

sconfortare [skonfor'ta:re] **I.** *tr* entmutigen; **II.** *rfl:* **-arsi** den Mut verlieren, verzagen. **sconforto** [...'fɔrto] *m* Verzagtheit *f,* Kummer *m.*

scongelare [skondʒe'la:re] *tr* auftauen. **scongelamento** [...la'mento] *m* Auftauen *n.*

scongiurare [skondʒu'ra:re] *tr* beschwören; *(pericolo, ecc.)* abwenden. **scongiuro** [...'dʒu:ro] *m* Beschwörung *f; (contro la iettatura)* Exorzismus *m.*

sconnesso, -a [skon'nɛsso] *agg* zusammenhang(s)los, konfus.

sconosciuto, -a [skonoʃ'ʃu:to] **I.** *agg* unbekannt; **II.** *m, f* Unbekannte(r) *mf.*

sconquassare [skoŋkuas'sa:re] *tr* **1.** *(scuotere)* zerrütten, zerstören; **2.** *(indisporre)* durcheinanderbringen, verstören, fertigmachen *fam.* **sconquasso** [...'kuasso] *m* **1.** *(scompiglio)* Krach *m,* Zusammenkrachen *n;* **2.** *fig* Durcheinander *n.*

sconsacrare [skonsa'kra:re] *tr* entweihen.

sconsideratezza [skonsidera'tettsa] *f* Unbedachtheit *f,* Gedankenlosigkeit *f.* **sconsiderato, -a** [...'ra:to] *agg* unbedacht, gedankenlos.

sconsigliabile [skonsiʎ'ʎa:bile] *agg* nicht ratsam. **sconsigliare** [...'ʎa:re] *tr:* ~ **qc a qu** jdm von etw. abraten; ~ **di** +*inf* davon abraten, zu +*inf.*

sconsolato, -a [skonso'la:to] *agg (persona)* untröstlich; *(espressione)* trostlos.

scontare [skon'ta:re] *tr* **1.** *econ, fin* ermäßigen (*di qc* um etw.); *(debito)* begleichen; *(cambiale)* diskontieren; **2.** *dir (pena)* verbüßen; **3.** *fig (pagare)* büßen (für), bezahlen (für). **scontato, -a** [...'ta:to] *agg* **1.** *(ridotto)* ermäßigt; **2.** *dir* verbüßt; **3.** *(previsto)* voraussehbar, selbstverständlich.

scontentare [skonten'ta:re] *tr* nicht zufriedenstellen, unzufrieden lassen. **scontentezza** [...'tettsa] *f* Unzufriedenheit *f.* **scontento, -a** [...'tɛnto] **I.** *agg* unzufrieden (*di* mit); **II.** *m* Unzufriedenheit *f* (*di* mit).

sconto ['skonto] *m* **1.** *econ* Nachlaß *m,* Rabatt *m,* Skonto *m;* **2.** *fin, dir* Diskont *m;* **tasso (***o* **saggio) di** ~ Diskontsatz *m.*

scontrare [skon'tra:re] **I.** *tr* treffen; **II.** *rfl:* **-arsi 1.** *mot* zusammenstoßen; **2.** *mil* aufeinandertreffen; **3.** *fig* aufeinanderstoßen, -prallen.

scontrino [skon'tri:no] *m:* ~ **di cassa/fiscale** Kassenbon *m,* Kassenzettel *m.*

scontro ['skontro] *m* **1.** *mot, ferr, aero* Zusammenstoß *m;* **2.** *mil* Zusammenstoß *m,* Gefecht *n;* **3.** *sport* Begegnung *f;* **4.** *fig* Zusammenstoß *m,* Auseinandersetzung *f.*

scontrosità [skontrosi'ta] ⟨-⟩ *f* Widerspenstigkeit *f.* **scontroso, -a** [...'tro:so] *agg* widerspenstig, störrisch.

sconveniente [skonve'njɛnte] *agg* **1.** *(contegno, parole, risposta)* unpassend, ungehörig; **2.** *(prezzo)* unangemessen. **sconvenienza** [...'njɛntsa] *f* **1.** *(indecenza)* Ungehörigkeit *f;* **2.** *econ (di prezzo)* Unangemessenheit *f.*

sconvolgente [skonvol'dʒɛnte] *agg* erschütternd.

sconvolgere [skon'vɔldʒere] ⟨*irr*⟩ *tr* **1.** *(creare disordine, a. fig)* durcheinanderbringen; **2.** *(turbare)* verwirren, erschüttern. **sconvolgimento** [...voldʒi'mento] *m* Erschütterung *f,* Verwirrung *f.*

sconvolto, -a [skon'vɔlto] **I.** *pp di* **sconvolgere; II.** *agg* **1.** *(in scompiglio)* zerstört; **2.** *(turbato)* verwirrt, erschüttert.

scoop [s'kup] ⟨-⟩ *m* Knüller *m;* ~ **pubblicitario** Werbeknüller *m*

scooter ['sku:ter *o* 'sku:tə] ⟨-⟩ *m* **1.** *mot* Motorroller *m;* **2.** *naut* Eissegler *m.* **scooterista** [skute'rista] ⟨-i *m,* -e *f*⟩ *mf* Motorrollerfahrer(in) *m(f).*

scopa ['sko:pa] *f* Besen *m.* **scopare** [sko'pa:re] *tr* **1.** *(pavimento)* kehren, fegen; **2.** *volg* ficken *vulg,* bumsen *vulg.* **scopata** [...'pa:ta] *f* **1.** *(spazzata)* Kehren *n,* Fegen *n;* **2.** *(colpo di scopa)* Besenschlag *m;* **3.** *volg* Fick *m vulg,* Bumsen *n vulg;* **farsi una** ~ *volg* ficken *vulg.*

scoperchiare [skoper'kja:re] ⟨scoperchio, scoperchi⟩ *tr* ab-, aufdecken; *(pentola)* den Deckel abnehmen von.

scoperta [sko'pɛrta] *f* Entdeckung *f.*

scoperto, -a [sko'pɛrto] **I.** *agg* **1.** *(terrazzo, terreno)* unbedeckt, unbedacht; **2.** *(braccia, capo)* unbedeckt, entblößt; **3.** *econ, fin* ungedeckt; **4.** *(visibile)* offen; **5.** *fig* offen, direkt; **giocare a carte -e** *(a. fig)* mit offenen Karten spielen; **II.** *m* **1.** *(luogo aperto)* Freie(s) *n;* **2.** *econ, fin* Überziehung *f.*

scopiazzare [skopjat'tsa:re] *tr* schlecht abschreiben, runterschmieren *fam.*

scopino [sko'pi:no] *m* Toiletten-, Klobürste *f.*

scopo ['skɔ:po] *m* Zweck *m;* *(fine)* Ziel *n,* Absicht *f;* **a che** ~? wozu?; **raggiungere uno** ~ ein Ziel erreichen.

scoppiare [skop'pja:re] ⟨scoppio, scoppi⟩ *itr* ⟨*essere*⟩ **1.** *(guerra)* ausbrechen; **2.** *(bomba)* hochgehen, explodieren; *(gomma)* platzen; **3.** *(epidemia, malattia, incendio)* ausbrechen; **4.** *fig* ausbrechen; ~ **a piangere/ridere,** ~ **in lacrime/in una risata** in Tränen/Gelächter ausbrechen; ~ **dal caldo** vor Hitze umkommen; ~ **di salute** vor Gesundheit strotzen.

scoppiettare [skoppjet'ta:re] *itr* knistern, prasseln. **scoppiettio** [...'ti:o] ⟨-ii⟩ *m* Geknister *n,* Knacken *n.*

scoppio ['skɔppjo] ⟨-i⟩ *m* **1.** *(di bomba, mina)* Explosion *f,* Platzen *n;* **2.** *(rumore)* Knall *m;* **3.** *fig* Ausbruch *m;* **motore a** ~ Verbrennungsmotor *m;* **a** ~ **ritardato** mit verzögerter Wirkung.

scoprire [sko'pri:re] ⟨*irr*⟩ **I.** *tr* **1.** *(togliere il coperchio, ecc.)* auf-, abdecken; **2.** *(statua, lapide, monumento)* enthüllen; **3.** *(gambe, capo)* entblößen; **4.** *(arrivare a conoscere)* entdecken; **5.** *fig (esporre)* darbieten; *(palesare)* enthüllen, aufdecken, offenbaren; ~ **l'America** *iron* das Rad neu erfinden; **II.** *rfl:* **-irsi 1.** *(di indumenti)* sich entblößen; *(nella stagione calda)* sich leicht (*o* dünn) anziehen; *(a letto)* sich aufdecken; **2.** *(rivelarsi)* sich verraten. **scopritore, -trice** [...pri'to:re] *m, f* Entdecker(in) *m(f).*

scoraggiamento [skoraddʒa'mento] *m* Entmutigung *f.* **scoraggiare** [...'dʒa:re] ⟨scoraggio, scoraggi⟩ **I.** *tr* entmutigen; **II.** *rfl:* **-arsi** den Mut verlieren.

scorbutico, -a [skor'bu:tiko] ⟨-ci, -che⟩ *agg fig* widerspenstig, störrisch. **scorbuto** [...'bu:to] *m* Skorbut *m.*

scorciatoia [skortʃa'to:ja] ⟨-oie⟩ *f* Abkürzung *f.*

scorcio ['skortʃo] ⟨-ci⟩ *m* **1.** *(nell'arte)* (perspektivische) Verkürzung *f;* **2.** *(vista)* Teilansicht *f,* Stück(chen) *n fam;* **3.** *(di tempo)* Zeitabschnitt *m.*

scordare[1] [skor'da:re] *tr, rfl:* **-arsi** *(dimenticare)* vergessen (*di qc* etw.).

scordare[2] [skor'da:re] *mus* **I.** *tr* verstimmen; **II.** *rfl:* **-arsi** sich verstimmen, verstimmt werden.

scoreggia [sko'reddʒa] ⟨-gge⟩ *f volg* Furz

m vulg. **scoreggiare** [...'dʒa:re] ⟨scoreggio, scoreggi⟩ *itr volg* furzen *vulg.*
scorfano, -a ['skɔrfano] **I.** *m, f fam* Mißgeburt *f;* **II.** *m* Drachenkopf *m,* Skorpionsfisch *m.*
scorgere ['skɔrdʒere] ⟨scorgo, scorsi, scorto⟩ *tr* **1.** *(intravedere)* erblicken; **2.** *fig* erkennen.
scoria ['skɔ:ri̯a] ⟨-ie⟩ *f* Schlacke *f; fig* Abfall *m;* **-ie radioattive** Atommüll *m.*
scornare [skor'nare] *tr* lächerlich machen. **scorno** ['skɔrno] *m* Schmach *f,* Schande *f.*
scorpacciata [skorpat'tʃa:ta] *f* (große) Esserei *f,* Fresserei *f fam.*
scorpione [skor'pi̯o:ne] *m* **1.** *zoo* Skorpion *m;* **2.** *astr:* **S~** Skorpion *m;* **sono (dello** *o* **uno) S~** ich bin (ein) Skorpion.
scorrazzare [skorrat'tsa:re] *itr* herumlaufen, -rennen.
scorrere ['skorrere] ⟨*irr*⟩ **I.** *itr* ⟨*essere*⟩ **1.** *(fiume)* fließen; *(lacrime)* laufen, rinnen; **2.** *(tempo)* vergehen, verrinnen; **3.** *(traffico)* fließen; **4.** *(periodo, ragionamento, discorso)* laufen; **II.** *tr* ⟨*avere*⟩ **1.** *(leggere in fretta)* überfliegen; **2.** *inform* blättern.
scorreria [skorre'ri:a] ⟨-ie⟩ *f* Einfall *m,* Streifzug *m.*
scorrettezza [skorret'tettsa] *f* **1.** *(errore)* Fehler *m,* Ungenauigkeit *f;* **2.** *(maleducazione)* Unkorrektheit *f,* Unschicklichkeit *f; (azione)* Fauxpas *m.* **scorretto, -a** [...'rɛtto] *agg* **1.** *(compito, traduzione)* fehlerhaft; **2.** *(gesto, contegno)* unkorrekt, nicht korrekt; **3.** *sport* unfair, regelwidrig.
scorrevole [skor're:vole] *agg* gleitend, verschiebbar; *(traffico, discorso)* flüssig; **porta ~** Schiebetür *f.*
scorribanda [skorri'banda] *f* Streifzug *m.*
scorsa ['skorsa] *f* Durchsicht *f.*
scorsi ['skɔrsi] *p rem di* **scorgere.**
scorso, -a ['skorso] *agg* vergangen, vorig; **ultimo ~ (***abbr* **u. s.)** vergangenen Monats/Jahres.
scorsoio, -a [skor'so:i̯o] ⟨-oi, -oie⟩ *agg:* **nodo ~** Schlinge *f.*
scorta ['skɔrta] *f* **1.** *(accompagnamento)* Begleitung *f,* Geleit *n;* **2.** *mil* Eskorte *f,* Geleit *n;* **3.** *(provvista)* Vorrat *m,* Reserve *f;* **ruota di ~** Ersatz-, Reserverad *n;* **esaurire le -e** die Vorräte aufbrauchen; **fare la ~** einen Vorrat anlegen (*di qc* an *+dat*). **scortare** [skor'ta:re] *tr* geleiten, eskortieren.
scortese [skor'te:ze] *agg* unhöflich. **scortesia** [...te'zi:a] *f* Unhöflichkeit *f.*
scorticare [skorti'ka:re] ⟨scortico, scortichi⟩; *tr (pelle)* ab-, aufschürfen; *(animale)* abziehen.
scorto ['skɔrto] *pp di* **scorgere.**
scorza ['skɔrdza *o* ...rtsa] *f* **1.** *(di albero)* Rinde *f;* **2.** *(di frutto)* Schale *f;* **3.** *(di serpente, pesce)* Haut *f;* **essere di ~ dura** *fig* ein dickes Fell haben.
scorzonera [skordzo'ne:ra *o* skortso...] *f* Schwarzwurzel *f.*
scosceso, -a [skoʃ'ʃe:so] *agg* steil.
scossa ['skɔssa] *f* **1.** *el* Schlag *m;* **2.** *(sbalzo)* Ruck *m,* Stoß *m;* **3.** *fig* Schlag *m,* Schock *m;* **~ di terremoto** Erd(beben)stoß *m;* **prendere una ~** *el* einen Schlag bekommen (*o* abkriegen *fam*).
scossi ['skɔssi] *p rem di* **scuotere.**
scosso, -a ['skɔsso] **I.** *pp di* **scuotere; II.** *agg* erschüttert.
scossone [skos'so:ne] *m* starker Ruck (*o* Stoß).
scostante [skos'tante] *agg* abweisend, verschlossen.
scostare [skos'ta:re] **I.** *tr* wegschieben, -rücken; *(tenda)* aufziehen; **II.** *rfl:* **-arsi** wegrücken, zur Seite rücken (*o* treten).
scostumato, -a [skostu'ma:to] *agg* sittenlos; *(maleducato)* ungezogen.
scotch [skɔtʃ] ⟨-⟩ *m* **1.** *(whisky)* Scotch *m;* **2.** *(®: nastro adesivo)* Klebeband *n,* Tesafilm® *m fam.*
scotennare [skoten'na:re] *tr* **1.** *(lardo)* die Schwarte abschneiden von; **2.** *(nemici)* skalpieren.
scottante [skot'tante] *agg* **1.** *(che scotta)* brennend; **2.** *fig* heiß; *(urgente)* drängend, brennend.
scottare [skot'ta:re] **I.** *tr* **1.** *(fiamma, sole)* (ver)brennen; *(liquido bollente)* verbrühen; **2.** *gastr* aufkochen; *(arrosto)* anbraten; **3.** *fig* verletzen, kränken; **II.** *itr* heiß sein, brennen; **III.** *rfl:* **-arsi** **1.** *med* sich verbrennen; **2.** *fig* sich *(dat)* die Finger verbrennen. **scottata** [...'ta:ta] *f* Aufkochen *n; (di arrosto)* Anbraten *n.* **scottatura** [...ta'tu:ra] *f* Verbrennung *f; (di sole)* Sonnenbrand *m.*
scotto, -a ['skɔtto] *agg* verkocht.
scotto ['skɔtto] *m:* **pagare lo ~** *fig* die Zeche zahlen.
scout [skaut] **I.** ⟨-⟩ *mf* Pfadfinder(in) *m(f);* **II.** ⟨*inv*⟩ *agg* Pfadfinder-.
scovare [sko'va:re] *tr* **1.** *(lepre, volpe)* aufspüren; **2.** *fig* aufstöbern.
Scozia ['skɔttsi̯a] *f* Schottland *n.* **scozzese** [skot'tse:se] **I.** *agg* schottisch; **gonna ~** Schottenrock *m,* Kilt *m;* **II.** *mf* Schotte *m,* Schottin *f.*
screanzato, -a [skrean'tsa:to] *agg* ungezogen, unverschämt.
screditare [skedi'ta:re] **I.** *tr* diskreditieren, in Mißkredit bringen; **II.** *rfl:* **-arsi** sich diskrediteren, in Mißkredit geraten.
scremare [skre'ma:re] *tr* entrahmen.
screening ['skri:niŋ] ⟨-⟩ *m med* Screening *n (Reihenuntersuchung zur Früherkennung von Krankheiten).*
screpolare [skrepo'la:re] **I.** *tr* rissig machen; **II.** *rfl:* **-arsi** rissig werden, aufspringen. **screpolatura** [...la'tu:ra] *f* Riß *m,* Sprung *m.*
screziare [skret'tsi̯a:re] ⟨screzio, screzi⟩

tr sprenkeln.
screzio ['skrɛttsi̯o] ⟨-i⟩ *m* Unstimmigkeit, Meinungsverschiedenheit *f.*
scribacchiare [skribak'ki̯a:re] ⟨scribacchio, scribacchi⟩ *tr* kritzeln, schmieren. **scribacchino** [...'ki:no] *m* Schreiberling *m.*
scricchiolare [skrikki̯o'la:re] *itr (neve)* knirschen; *(fuoco)* knistern; *(legno, albero)* knarren, ächzen. **scricchiolio** [...'li:o] ⟨-ii⟩ *m (di neve)* Knirschen *n; (di fuoco)* Knistern *n; (di legno, albero)* Knarren *n,* Ächzen *n.*
scricciolo ['skrittʃolo] *m* **1.** *zoo* Zaunkönig *m;* **2.** *fig fam* Knirps *m,* Zwerg *m.*
scrigno ['skriɲɲo] *m* Schmuckkasten *m.*
scriminatura [skrimina'tu:ra] *f* Scheitel *m.*
scrissi ['skrissi] *p rem di* **scrivere.**
scriteriato, -a [skrite'ri̯a:to] *agg* unvernünftig.
scritta ['skritta] *f* Aufschrift *f.* **scritto, -a** [...to] **I.** *pp di* **scrivere; II.** *agg* **1.** *(legge, esame)* schriftlich; **2.** *fig* vorbestimmt; **3.** *(registrato)* eingetragen, eingeschrieben; **III.** *m* **1.** *(lettera)* Schreiben *n;* **2.** *(scrittura, letter)* Schrift *f;* **per** ~ schriftlich. **scrittoio** [...'to:i̯o] ⟨-oi⟩ *m* Schreibtisch *m.* **scrittore, -trice** [...'to:re] *m, f* Schriftsteller(in) *m(f).*
scrittura [skrit'tu:ra] *f* **1.** *gener., rel* Schrift *f;* **2.** *dir* Schriftstück *n,* Dokument *n; (contratto)* Vertrag *m;* **3.** *teat, film, mus* Engagement *n;* ~ **a mano** Handschrift *f;* **programma di** ~ Textverarbeitungsprogramm *n;* **la Sacra S~** die Heilige Schrift. **scritturare** [...'ra:re] *tr* verpflichten, engagieren.
scrivania [skriva'ni:a] ⟨-ie⟩ *f* Schreibtisch *m.*
scrivere ['skri:vere] ⟨scrivo, scrissi, scritto⟩ *tr* (auf-, nieder)schreiben; **carta da** ~ Schreibpapier *n;* ~ **con la matita/con la penna/col gesso** mit Bleistift/mit Kuli/mit Kreide schreiben; ~ **a mano/a macchina** mit der Hand/mit der Maschine schreiben; ~ **alla (***o* **sulla) lavagna** an die Tafel schreiben; **„mezzo" si scrive con due zeta** „mezzo" schreibt man mit zwei Z; **come si scrive?** wie schreibt man das?; **finire di** ~ zu Ende schreiben.
scroccare [skrok'ka:re] ⟨scrocco, scrocchi⟩ *tr* schnorren. **scrocco** ['skrɔkko] *m:* **a** ~ umsonst; **vivere/mangiare a** ~ schnorren. **scroccone, -a** [skrok'ko:ne] *m, f* Schnorrer(in) *m(f).*
scrofa ['skrɔ:fa] *f* Sau *f.*
scrollare[1] [skrol'la:re] **I.** *tr* schütteln; *(tovaglia)* ausschütteln; ~ **le spalle** die (*o* mit den) Schultern zucken; **-arsi di dosso la neve** (sich *+dat*) den Schnee abschütteln; **II.** *rfl:* **-arsi** *fig* sich aufraffen.
scrollare[2] [skrol'la:re] *itr inform* scrollen.
scrollata [...'la:ta] *f* Schütteln *n.*
scrosciare [skroʃ'ʃa:re] ⟨scroscio, scrosci⟩ *itr ⟨essere o avere⟩* tosen, brausen; *(pioggia)* prasseln. **scroscio** ['skrɔʃʃo] ⟨-sci⟩ *m* Tosen *n,* Getöse *n,* Brausen *n; (di pioggia)* Prasseln *n;* ~ **di applausi/risa** Beifallssturm *m*/schallendes Gelächter.
scrostare [skros'ta:re] **I.** *tr* abkratzen; *(ferita)* die Kruste entfernen von; **II.** *rfl:* **-arsi** abblättern.
scroto ['skrɔ:to] *m* Hodensack *m,* Skrotum *n wissensch.*
scrupolo ['skru:polo] *m* **1.** *(morale)* Skrupel *m;* **2.** *(diligenza)* Bedacht *m,* Sorgfalt *f,* Gewissenschaftigkeit *f;* **senza -i** skrupellos. **scrupolosità** [skrupolosi'ta] ⟨-⟩ *f* Gewissenhaftigkeit *f.* **scrupoloso, -a** [...'lo:so] *agg* gewissenhaft.
scrutare [skru'ta:re] *tr* erforschen, ergründen. **scrutatore, -trice** [...ta'to:re] **I.** *m, f* Stimmen(aus)zähler(in) *m(f);* **II.** *agg* prüfend, forschend.
scrutinare [skruti'na:re] *tr* **1.** *dir* auszählen; **2.** *(nell'insegnamento)* benoten. **scrutinatore, -trice** [...na'to:re] *m, f* Stimmen(aus)zähler(in) *m(f).* **scrutinio** [...'ti:ni̯o] ⟨-i⟩ *m* **1.** *dir* Abstimmung *f,* Wahlgang *m;* **2.** *(a scuola)* Notenkonferenz *f.*
scucire [sku'tʃi:re] **I.** *tr* **1.** *(orlo)* auftrennen; **2.** *fam scherz* herausrücken *fam;* **II.** *rfl:* **-irsi** aufgehen.
scuderia [skude'ri:a] ⟨-ie⟩ *f* **1.** *zoo* Reit-, Pferde-, Rennstall *m;* **2.** *sport (automobilismo)* Rennstall *m.*
scudetto [sku'detto] *m* Meistertitel *m;* **vincere lo** ~ Meister werden.
scudiero [sku'di̯ɛ:ro] *m* Knappe *m.*
scudo[1] ['sku:do] *m* **1.** *mil* Schild *m;* **2.** *fig* Schutz *m;* **3.** *zoo* (Panzer)schuppe *f;* **4.** *(araldica)* Wappen *n;* **lo** ~ **crociato** der Kreuzschild *(die ehemalige christdemokratische Partei);* ~ **spaziale (***o* **stellare)** strategische Verteidigungsinitiative; ~ **termico** Hitzeschild *m.*
scudo[2] [sku:do] *m (moneta)* Scudo *m;* ~ **europeo** Ecu *m.*
scugnizzo [skuɲ'ɲittso] *m* (neapolitanischer) Gassenjunge *m.*
sculacciare [skulat'tʃa:re] ⟨sculaccio, sculacci⟩ *tr* den Hintern versohlen *fam* (*qu* jdm), übers Knie legen *fam.* **sculacciata** [...'tʃa:ta] *f* Schläge *m pl* auf den Hintern. **sculaccione** [...'tʃo:ne] *m* Schlag *m* auf den Hintern.
sculettare [skulet'ta:re] *itr* mit dem Po wackeln *fam.*
scultore, -trice [skul'to:re] *m, f* Bildhauer(in) *m(f).* **scultoreo, -a** [...'tɔ:reo] *agg (arte)* Bildhauer-, plastisch; *(bellezza)* statuarisch, statuengleich.
scultura [skul'tu:ra] *f* **1.** *(arte, tecnica)* Bildhauerei *f;* **2.** *(opera)* Skulptur *f,* Plastik *f.*
scuocere ['skuɔ:tʃere] ⟨*irr*⟩ *itr, rfl:* **-ersi**

verkochen.

scuola ['skuɔ:la] *f* Schule *f;* ~ **elementare/media/superiore** Grundschule *f*/ Hauptschule *f*/höhere Schule; ~ **materna** Vorschule *f,* Kindergarten *m;* ~ **di ballo/sci** Tanz-/Skischule *f;* ~ **guida** Fahrschule *f;* ~ **serale** Abendschule *f;* **apertura/chiusura delle -e** Beginn *m*/ Ende *n* des Schuljahres; **nave** ~ Schulschiff *n.* **scuolabus** ['skuɔ:labus *o* skuola'bus] *m* Schulbus *m.*

scuotere ['skuɔ:tere] ⟨scuoto, scossi, scosso⟩ **I.** *tr* **1.** *gener.* schütteln; *(spalle)* Zucker; *(panni, abiti)* ausschütteln; **2.** *(liberare: far cadere)* abschütteln; *(fig a.)* abwerfen; **3.** *fig (sconcertare)* erschüttern; **4.** *fig (incoraggiare)* aufrütteln; ~ **qu dal sonno** jdn aus dem Schlaf reißen (*o* rütteln); **II.** *rfl:* **-ersi 1.** *(sobbalzare)* aufschrecken, auffahren; **2.** *fig (farsi coraggio)* sich aufraffen; **3.** *fig (commuoversi)* bestürzt sein; ~ **dal sonno** aus dem Schlaf schrecken; *fig* aufwachen.

scure ['sku:re] *f* Axt *f,* Beil *n.*

scurire [sku'ri:re] ⟨scurisco⟩ **I.** *tr* ⟨*avere*⟩ verdunkeln, dunkel machen; **II.** *itr* ⟨*essere*⟩ nachdunkeln; *(a. meteo)* dunkel werden; **III.** *rfl:* **-irsi** dunkel werden, sich verdunkeln.

scuro ['sku:ro] *m* (Fenster)blende *f,* -laden *m.*

scuro, -a ['sku:ro] **I.** *agg* **1.** *(colore)* dunkel; **2.** *(notte)* dunkel, finster; **3.** *fig (fosco)* finster, düster; *(non chiaro)* obskur, dunkel; **II.** *m* **1.** *(oscurità)* Dunkel *n,* Finsternis *f;* **2.** *(colore)* Dunkle(s) *n.*

scurrile [sku'ri:le] *agg* skurril; *(salace)* lasziv, schlüpfrig.

scusa ['sku:za] *f* Entschuldigung *f; (perdono a.)* Verzeihung *f; (pretesto a.)* Ausrede *f;* **avere sempre una** ~ **pronta** nie um eine Ausrede verlegen sein; **chiedere (***o* **domandare)** ~ um Entschuldigung bitten.

scusare [sku'za:re] **I.** *tr* entschuldigen; **scusi, che ore sono?** entschuldigen Sie (*o* Verzeihung), wie spät ist es?; **mi scusi** Verzeihung!, (ich bitte Sie um) Entschuldigung!; **scusami, non volevo offenderti** verzeih mir, ich wollte dich nicht beleidigen; **II.** *rfl:* **-arsi** sich entschuldigen (*di qc, per qc, con qu* für etw. bei jdm).

sdebitarsi [zdebi'tarsi] *rfl fig* sich revanchieren (*di* für, *con* bei), eine Schuld begleichen.

sdegnare [zdeɲ'ɲa:re] **I.** *tr* **1.** *(rifiutare)* ablehnen, verschmähen; **2.** *(provocare risentimento)* aufbringen, entrüsten, empören; **II.** *rfl:* **-arsi** sich empören, sich entrüsten.

sdegno ['zdeɲɲo] *m* Empörung *f,* Entrüstung *f.* **sdegnoso, -a** [...'ɲo:so] *agg* **1.** *(che prova sdegno)* hochmütig; **2.** *(che mostra sdegno)* verächtlich.

sdentare [zden'ta:re] **I.** *tr* die Zähne abbrechen *(qc* einer S. *dat);* **II.** *rfl:* **-arsi** die Zähne verlieren. **sdentato, -a** [...'ta:to] *agg* zahnlos.

sdilinquirsi [zdiliŋ'kuirsi] ⟨mi sdilinquisco⟩ *rfl* schmachten.

sdoganare [zdoga'na:re] *tr* verzollen, abfertigen.

sdolcinato, -a [zdoltʃi'na:to] *agg* süßlich; **parole -e** Süßholzgeraspel *n scherz.*

sdoppiamento [zdoppia'mento] *m* Spaltung *f,* Trennung *f; (divisione)* Teilung *f.*

sdoppiare [...'pia:re] **I.** *tr* spalten, trennen; *(dividere)* (auf)teilen; **II.** *rfl:* **-arsi** sich spalten, sich trennen.

sdraia [z'dra:ia] ⟨-ie⟩ *f* Liegestuhl *m.*

sdraiare [zdra'ia:re] ⟨sdraio, sdrai⟩ **I.** *tr* (hin)legen; *(buttare a terra)* niederstrekken; **II.** *rfl:* **-arsi** sich (hin)legen, sich ausstrecken.

sdraio ['zdra:io] ⟨-ai⟩ *m:* **sedia a** ~ Liegestuhl *m.*

sdrammatizzare [zdrammatid'dza:re] *tr* entschärfen.

sdrucciolare [zdruttʃo'la:re] *itr* ⟨*essere*⟩ ausrutschen, ausgleiten. **sdrucciolevole** [...'le:vole] *agg* rutschig, glatt. **sdrucciolo, -a** ['zdruttʃolo] *agg* auf der drittletzten Silbe betont.

sdrucire [zdru'tʃi:re] ⟨sdrucisco *o* sdrucio⟩ *tr* auftrennen.

se[1] [se] **I.** *cong* **1.** *(condizionale)* wenn, falls; **2.** *(dubitativa, interrogativa, indiretta)* ob; **3.** *(esclamativa, desiderativa)* wenn doch; ~ **mai** wenn je; ~ **non** wenn nicht; ~ **non altro** wenigstens, zumindest; ~ **non che** nur daß, aber, jedoch; ~ **ben ricordo** wenn ich mich recht entsinne; ~ **me l'avesse detto, avrei accettato** wenn er (*o* sie) es mir gesagt hätte, hätte ich angenommen; ~ **solo l'avessi saputo!** wenn ich das doch nur gewußt hätte!; **come** ~ **non lo sapessi!** als ob ich das nicht wüßte!; **II. m** Wenn *n.*

se[2] [se] *pron davanti a lo, la, li, le, ne v.* **si**[1].

SE *abbr di* **sud-est** SO (*abk von* Südost).

sé [se] *pron rfl 3ª pers* sich; **essere fuori di** ~ außer sich *(dat)* sein; **da** ~ allein, von selbst; **fra** ~ bei sich *(dat);* **fra** ~ **e** ~ für sich (allein); **dentro di** ~ in seinem Inneren; ~ **stesso,** ~ **medesimo** sich selbst (*o* selber); **un caso a** ~ ein Fall für sich; **va da** ~ **che . . .** es versteht sich (von selbst), daß . . .; **la cosa di per** ~ **ha poca importanza** die Sache an und für sich hat wenig Bedeutung; **è un uomo che si è fatto da** ~ er ist ein Selfmademan.

sebaceo, -a [se'ba:tʃeo] *agg* Talg-.

Sebastiano [sebas'tia:no] *(nome proprio maschile)* Sebastian.

sebbene [seb'bɛ:ne] *cong +congv* obwohl, wenn auch, obgleich.

sebo ['sɛ:bo] *m* Talg *m.*
sec. *abbr di* **secondo** s. (*abk von* Sekunde).
secante [se'kante] *f* **1.** *(retta)* Sekante *f;* **2.** *(funzione)* Sekans *m.*
secca ['sekka] ⟨-cche⟩ *f* **1.** *naut* Untiefe *f;* 2. *(aridità)* Trockenheit *f;* **essere in** ~ ausgetrocknet sein.
seccante [sek'kante] *agg* lästig, unangenehm.
seccare [sek'ka:re] ⟨secco, secchi⟩ **I.** *tr* ⟨*avere*⟩ **1.** *(prosciugare)* trocknen, trokkenlegen; **2.** *gastr* trocknen, dörren; **3.** *(sorgente)* austrocknen; **4.** *fig* auf die Nerven gehen (*qu* jdm); **II.** *itr* ⟨*essere*⟩ vertrocknen, verdorren; **III.** *rfl:* **-arsi** **1.** *(diventare secco)* vertrocknen, verdorren; **2.** *fig* leid werden (*o* sein) (*di qc* etw.), satt bekommen (*di qc* etw.). **seccato, -a** [...'ka:to] *agg* **1.** *(pianta, ramo)* verdorrt, vertrocknet; **2.** *fig* genervt *fam.* **seccatore, -trice** [...ka'to:re] *m, f* Störenfried *m.* **seccatura** [...ka'tu:ra] *f* Störung *f,* Belästigung *f.*
secchia ['sekkia] ⟨-cchie⟩ *f* Eimer *m,* Kübel *m;* **piove a -cchie** es gießt wie aus Eimern. **secchiello** [...'kiɛllo] *m* Eimerchen *n,* kleiner Eimer. **secchio** ['sekkio] ⟨-cchi⟩ *m* Eimer *m,* Kübel *m.*
secchione, -a [sek'kio:ne] *m, f sl* Streber(in) *m(f).*
secco, -a ['sekko] ⟨-cchi, -cche⟩ **I.** *agg* **1.** *(terreno, clima)* trocken; *(sorgente, ecc.)* ausgetrocknet; **2.** *(frutta, funghi)* trocken, Trocken-; *(rami)* verdorrt, dürr; **3.** *(vino)* trocken, herb; **4.** *(persona, gambe)* dürr, mager; **5.** *fig* trocken, nüchtern, knapp; *(risposta a.)* schroff, brüsk; **restarci** ~ *fam* dabei draufgehen *fam;* **II.** *m* **1.** *(aridità)* Trockenheit *f,* Trockene(s) *n;* **2.** *naut* Trockene(s) *n,* Land *n.*
secentesco, -a [setʃen'tesko] ⟨-schi, -sche⟩ *agg* das siebzehnte Jahrhundert betreffend.
secernere [se'tʃɛrnere] ⟨secerno, secernei *o* secernetti, secreto⟩ *tr* absondern, ausscheiden.
secessione [setʃes'sio:ne] *f* Sezession *f.*
secolare [seko'la:re] *agg* **1.** *(antico)* jahrhundertealt; *(che dura un secolo)* hundertjährig; *(ogni secolo)* hundertjährlich; **2.** *(laico, mondano)* weltlich, säkular.
secolarizzazione [sekolariddʒat'tsio:ne] Säkularisierung *f.*
secolo ['sɛ:kolo] *m* **1.** *(periodo)* Jahrhundert *n;* **2.** *rel* Welt *f,* weltliches Leben; **3.** *fam* Ewigkeit *f;* **il** ~ **dell'energia nucleare** das Atomzeitalter; **lo scandalo del** ~ der Jahrhundertskandal; **nel secondo** ~ **avanti/dopo Cristo** im zweiten Jahrhundert vor/nach Christus; **al principio/alla fine del** ~ am Anfang/am Ende des Jahrhunderts; **per tutti i -i dei -i** in alle Ewigkeit.
seconda[1] [se'konda] *f* **1.** *(classe)* zweite Klasse, zweites Schuljahr; **2.** *mot* zweiter Gang; **3.** *ferr, naut, aero* zweite Klasse; **4.** *mus* Sekunde *f;* **5.** *sport* Sekond *f;* **viaggiare in** ~ zweiter Klasse reisen; **a** ~ **di** gemäß *+dat,* (je) nach *+dat.*
seconda[2] *f v.* **secondo, -a.**
secondariamente [sekondaria'mente] *avv* zweitens. **secondario, -a** [...'da:rio] ⟨-i, -ie⟩ *agg* sekundär, Zweit-, Neben-; **scuola -a** Sekundarstufe *f.*
secondino [sekon'di:no] *m* Gefängniswärter *m.*
secondo [se'kondo] *prp* **1.** *(nella direzione di)* mit; **2.** *(nel modo indicato)* gemäß; **3.** *(conformemente a)* nach; **4.** *(in proporzione a)* je nach; **remare** ~ **la corrente** mit der Strömung rudern; ~ **l'uso** wie gewöhnlich, dem Brauch gemäß; ~ **me/te** meiner/deiner Meinung nach; **il vangelo** ~ **Marco** das Evangelium nach Markus, das Markusevangelium; **vieni con noi?** - ~ . . . kommst du mit uns? - je nachdem . . .; ~ **quanto mi hanno detto** soweit (*o* nach dem, was) sie mir gesagt haben.
secondo, -a [se'kondo] **I.** *agg num* zweite(r, s); *(secondariamente)* zweitens; **Giacomo S**~ Jakob der Zweite; **abiti di -a mano** Kleider aus zweiter Hand, Secondhandkleidung *f;* **-a attività,** ~ **lavoro** Nebentätigkeit *f,* Nebenberuf *m;* ~ **fine** verborgene Absicht; **di** ~ **piano** *fig* zweitrangig; **II.** *m, f* Zweite(r, s) *mfn;* **III.** *m* **1.** *gastr* zweiter Gang, Hauptgang *m;* **2.** *(unità di misura del tempo, abbr* **s, sec***)* Sekunde *f;* **3.** *(in un duello, sport)* Sekundant *m.* **secondogenito, -a** [-'dʒɛ:nito] **I.** *agg* zweitgeboren; **II.** *m, f* Zweitgeborene(r) *mf.*
secreto [se'krɛ:to] **I.** *pp di* **secernere; II.** *m* Sekret *n.*
secrezione [sekret'tsio:ne] *f* Sekretion *f,* Ausscheidung *f.*
sedano ['sɛ:dano] *m* Sellerie *m o f;* **un gambo di** ~ eine Stange Sellerie.
sedare [se'da:re] *tr* **1.** *(tumulto)* beruhigen, beilegen; **2.** *(dolore)* stillen, lindern.
sedativo, -a [seda'ti:vo] **I.** *agg* beruhigend, Beruhigungs-; **II.** *m* Beruhigungsmittel *n,* Sedativum *n wissensch.*
sede ['sɛ:de] *f* **1.** *econ* Sitz *m,* Niederlassung *f;* **2.** *amm* Sitz *m;* **3.** *(luogo)* Stelle *f,* Ort *m;* **4.** *med* Gegend *f;* ~ **sociale** Firmensitz *m;* **la Santa S**~ der Heilige Stuhl; **in** ~ **di** bei, während; **in separata** ~ *(a. fig)* beiseite, privat, unter vier Augen.
sedentarietà [sedentarie'ta] ⟨-⟩ *f* **1.** *(vita)* sitzende Lebensweise; **2.** *(di tribù, ecc.)* Seßhaftigkeit *f.*
sedentario, -a [seden'ta:rio] ⟨-i, -ie⟩ *agg* **1.** *(lavoro, vita)* sitzend, im Sitzen; **2.** *(tribù)* seßhaft; **3.** *(persona)* bewe-

gungsfaul.

sedere[1] [se'de:re] ⟨siedo, sedetti *o* sedei, seduto⟩ **I.** *itr* ⟨*essere*⟩ sitzen; **mettersi/stare a** ~ sich hinsetzen/sitzen; ~ **a tavola** zu (*o* am) Tisch sitzen; **II.** *rfl:* **-ersi** sich setzen; **-ersi a tavola** sich zu Tisch setzen.

sedere[2] [se'de:re] *m* **1.** *anat* Gesäß *n*, Hintern *m fam;* **2.** *(atto)* Sitzen *n;* **mi stai prendendo per il** ~? *volg* willst du mich verarschen? *vulg.*

sedia ['sɛ:di̯a] ⟨-ie⟩ *f* Stuhl *m*, Sitz *m;* ~ **a dondolo** Schaukelstuhl *m;* ~ **girevole** Drehstuhl *m;* ~ **a rotelle** Rollstuhl *m.*

sedicenne [sedi'tʃɛnne] **I.** *agg* sechzehnjährig; **II.** *mf* Sechzehnjährige(r) *mf.*

sedicente [sedi'tʃɛnte] *agg* vorgeblich, angeblich.

sedicesimo, -a [sedi'tʃɛ:zimo] **I.** *agg* sechzehnte(r, s); **II.** *m, f* Sechzehnte(r, s) *mfn;* **III.** *m (frazione)* Sechzehntel *n*, sechzehnter Teil; *v. a. quinto.* **sedici** ['se:ditʃi] **I.** *num* sechzehn; **II.** ⟨-⟩ *m (numero)* Sechzehn *f (nelle date)* Sechzehnte(r) *m;* **III.** *f pl* sechzehn Uhr; *v. a. cinque.*

sedile [se'di:le] *m* Sitz *m;* ~ **anteriore/posteriore** Vorder-/Rücksitz *m;* ~ **ribaltabile** Klappsitz *m.*

sedimentare [sedimen'ta:re] *itr* ⟨*essere o avere*⟩ einen (Boden)satz bilden. **sedimentazione** [...tat'tsi̯o:ne] *f* **1.** *(di liquido)* Bodensatzbildung *f*, Ablagerung *f;* **2.** *geol* Sedimentation *f;* ~ **del sangue** *med* Blutsenkung *f.* **sedimento** [...'mento] *m* **1.** *(deposito)* Ablagerung *f; (di liquidi)* (Boden)satz *m;* **2.** *geol* Sediment *n*, Ablagerung *f.*

sedizione [sedit'tsi̯o:ne] *f* Aufstand *m*, Erhebung *f.* **sedizioso, -a** [...'tsi̯o:so] *agg* aufständisch, aufrührerisch.

sedotto [se'dotto] *pp di* **sedurre.**

seducente [sedu'tʃɛnte] *agg* verführerisch.

sedurre [se'durre] ⟨seduco, sedussi, sedotto⟩ *tr* verführen; *(fig a.)* verlocken.

seduta [se'du:ta] *f* Sitzung *f;* ~ **fiume** Marathonsitzung *f;* ~ **a porte chiuse** nichtöffentliche Sitzung; ~ **spiritica** spiritistische Sitzung; ~ **stante** *(a. fig)* auf der Stelle.

seduttore, -trice [sedut'to:re] **I.** *agg* verführerisch; **II.** *m, f* Verführer(in) *m(f).* **seduzione** [...t'tsi̯o:ne] *f* Verführung; *(fig a.)* Verlockung *f*, Versuchung *f.*

sega ['se:ga] ⟨-ghe⟩ *f* Säge *f;* ~ **circolare** Kreissäge *f.*

segala, segale ['se:gala, ...le] *f* Roggen *m.*

segare [se'ga:re] ⟨sego, seghi⟩ *tr* **1.** *gener.* sägen; *(tronco)* absägen; **2.** *(vene, gola)* durchschneiden; **3.** *(stringere)* (ein)schneiden in +*akk;* **4.** *sl* durchrasseln lassen *fam.* **segatura** [...'tu:ra] *f* **1.** *(azione)* (Ab-, Zer)sägen *n;* **2.** *(residuo)* Sägemehl *n*, Sägespäne *m pl.*

seggio ['sɛddʒo] ⟨-ggi⟩ *m* **1.** *parl* Sitz *m;* **2.** *fig (sedia importante)* Thron *m;* ~ **elettorale** *(luogo)* Wahllokal *n.* **seggiola** [...ola] *f* Stuhl *m.* **seggiolino** [seddʒo'li:no] *m* **1.** *(per bambini)* Kinderstuhl *m*, Hochstuhl *m;* **2.** *(sedia pieghevole)* Klappstuhl *m; (sedile ribaltabile nel treno)* Klappsitz *m;* ~ **eiettabile** *aero* Schleudersitz *m.* **seggiolone** [...'lo:ne] *m* Hochstuhl *m.* **seggiovia** [...'vi:a] *f* Sessellift *m.*

segheria [sege'ri:a] ⟨-ie⟩ *f* Sägewerk *n.*

seghettato, -a [seget'ta:to] *agg* gezahnt, gezackt. **seghetto** [se'getto] *m* kleine Säge.

segmento [seg'mento] *m* Abschnitt *m*, Segment *n.*

segnalare [seɲɲa'la:re] **I.** *tr* anzeigen, signalisieren; *(annunciare)* anzeigen, bekanntgeben, melden; *fig* aufmerksam machen (*qu/qc* auf jdn/etw.); *(raccomandare)* empfehlen; **II.** *rfl:* **-arsi** sich auszeichnen (*per* durch). **segnalazione** [...lat'tsi̯o:ne] *f* **1.** *ott, ferr, mot, aero (azione)* Signalisieren *n; (complesso di segnali)* Zeichen *n pl*, Signalsystem *n;* **2.** *(comunicazione)* Meldung *f;* **3.** *fig* Hinweis *m; (raccomandazione)* Empfehlung *f.*

segnale [seɲ'ɲa:le] *m* Signal *n*, Zeichen *n;* ~ **audio/video** *TV* Ton-/Bildsignal *n;* ~ **di comando (*o* pilota)** Steuerzeichen *n;* ~ **di disturbo** Störsignal *n;* ~ **orario** Zeitzeichen *n.* **segnaletica** [seɲɲa'lɛ:tika] ⟨-che⟩ *f* Signalsystem *n;* ~ **orizzontale** Fahrbahnmarkierung *f;* ~ **stradale** Verkehrszeichen *n pl;* ~ **verticale** Beschilderung *f.*

segnalibro [seɲɲa'li:bro] *m* Lesezeichen *n.* **segnaposto** [-'posto] *m* Tischkarte *f.* **segnaprezzo** [-'prɛttso] *m* Preisschild *m.*

segnare [seɲ'ɲa:re] **I.** *tr* **1.** *(notare)* anmerken; *(errori)* anstreichen; *(prendere nota)* aufschreiben; **2.** *(contrassegnare)* kennzeichnen, bezeichnen; **3.** *econ (merce)* auszeichnen; **4.** *sport (gol)* schießen; *(punto)* erzielen; **5.** *(indicare)* anzeigen, zeigen auf +*akk*; *(orologio, termometro)* (an)zeigen; **6.** *fig (lasciare traccia)* zeichnen; ~ **il passo** *mil, fig* auf der Stelle treten; **II.** *rfl:* **-arsi** sich bekreuzigen.

segno ['seɲɲo] *m* **1.** *gener.* Zeichen *n;* **2.** *med, fig* Anzeichen *n;* **3.** *(traccia a.)* Spur *f;* **4.** *(bersaglio)* Ziel(scheibe *f*) *n;* **5.** *(di libro)* Stelle *f; (oggetto)* Lesezeichen *n;* **-i caratteristici** besondere Kennzeichen; **tiro a** ~ Scheibenschießen *n;* ~ **della Croce** Kreuzzeichen *n;* **-i dello zodiaco** Sternzeichen *n pl;* **andare a** ~ *(a. fig)* treffen; **colpire nel** ~ *(a. fig)* ins Schwarze treffen; **in** ~ **di** zum (*o* als) Zeichen +*gen;* **non dare -i di vita** *(a.*

fig) kein Lebenszeichen von sich geben; **gli ho fatto ~ di fermarsi** ich habe ihm ein Zeichen gegeben, daß er warten soll; **lasciare il ~** Spuren hinterlassen; **essere nato sotto il ~ del Cancro** im Zeichen des Krebses geboren sein; **di che ~ sei?** was hast du denn für ein Sternzeichen.

segregare [segreˈgaːre] ⟨segrego, segreghi⟩ **I.** *tr* absondern; **II.** *rfl:* **-arsi** sich absondern, sich zurückziehen. **segregazione** [...gatˈtsi̯oːne] *f* Absonderung *f;* **~ razziale** Rassentrennung *f.*

segreta [seˈgreːta] *f* **1.** *(di armatura)* Kopfschutz *m* (unter dem Helm); **2.** *(cella)* Verlies *n;* **3.** *(di mobile)* Geheimfach *n.*

segretariato [segretaˈri̯aːto] *m* Sekretariat *n.*

segretario, -a [segreˈtaːri̯o] ⟨-i, -ie⟩ *m,f* Sekretär(in) *m(f);* **-a di direzione** Chefsekretärin *f;* **~ particolare** Privatsekretär *m;* **~ di stato** Staatssekretär(in) *m(f).* **segreteria** [...teˈriːa] ⟨-ie⟩ *f* Sekretariat *n,* Kanzlei *f;* **~ telefonica** Auskunft *f; (apparecchio)* Anrufbeantworter *m.*

segretezza [segreˈtettsa] *f* Heimlichkeit *f,* Vertraulichkeit *f.*

segreto, -a [seˈgreːto] **I.** *agg* geheim, Geheim-, heimlich; **II.** *m* **1.** *gener.* Geheimnis *n;* **2.** *tec* Geheimverschluß *m;* **~ bancario** Bankgeheimnis *n;* **~ confessionale (*o* della confessione)** Beichtgeheimnis *n;* **~ epistolare** Briefgeheimnis *n;* **~ di Pulcinella** offenes Geheimnis; **~ di stato** Staatsgeheimnis *n;* **in (gran) ~** geheim, unter (strenger) Geheimhaltung; **fare qc in ~** etw. heimlich machen; **custodire un ~** ein Geheimnis hüten; **svelare un ~** ein Geheimnis lüften.

seguace [seˈgu̯aːtʃe] *mf* Anhänger(in) *m(f).*

seguente [seˈgu̯ɛnte] *agg* (*abbr* **sg.**) folgend.

segugio [seˈguːdʒo] ⟨-gi⟩ *m* Spürhund *m.*

seguire [seˈgu̯iːre] ⟨seguo⟩ **I.** *tr* ⟨*avere*⟩ **1.** *(andare dietro)* folgen (*qu* jdm), nachgehen *fam* (*qu* jdm), nachlaufen (*qu* jdm); *(con veicolo)* nachfahren (*qc/qu* einer S./jdm); *(venire dopo)* folgen auf *+akk,* kommen nach; **2.** *fig (comprendere)* folgen (*qc/qc* einer S./jdm; *(tenersi informato)* verfolgen; *(prescrizioni, consiglio, ordine)* befolgen; **3.** *(corso)* teilnehmen an *+dat*; *(a. studi)* nachgehen *+dat;* **~ la moda** mit der Mode gehen; **non riesco più a seguirti** *fig* ich kann dir nicht mehr folgen, ich komme bei dir nicht mehr mit *fam;* **~ la corrente** *fig* mit dem Strom schwimmen; **II.** *itr* ⟨*essere*⟩ **1.** *(venir dopo)* folgen auf *+akk,* kommen nach; **2.** *(continuare)* folgen, fortgesetzt werden; **3.** *(derivare)* entstehen, folgen; **segue** Fortsetzung folgt; **segue a pag. 33** Fortsetzung auf S. 33.

seguitare [segu̯iˈtaːre] **I.** *tr* ⟨*avere*⟩ fortsetzen, weitermachen (mit); **II.** *itr* ⟨*essere o avere*⟩ fortfahren; **ha seguitato a parlare** er (*o* sie) hat weitergesprochen.

seguito [ˈseːgu̯ito] *m* **1.** *(scorta)* Gefolge *n;* **2.** *(discepoli)* Nachwuchs *m,* Anhängerschaft *f;* **3.** *(sequela)* Folge *f,* Reihe *f;* **4.** *(continuazione)* Fortsetzung *f;* **5.** *fig* Nachspiel *n,* Folgen *f pl;* **6.** *amm* Bezugnahme *f* (*a* auf *+akk*); **dare ~ a qc** etw. *(akk)* fortsetzen; **facciamo ~ alla nostra del . . .** *amm* wir nehmen Bezug auf unser Schreiben vom . . .; **in ~ si vedrà come . . .** im folgenden wird man sehen, wie . . .; **in ~** nachher, später; *(al passato)* in der Folgezeit, später; **in ~ a** infolge *+gen;* **di ~** ohne Unterbrechung; **e via di ~** und so weiter (*o* fort).

sei[1] [ˈsɛːi] **I.** *num* sechs; **II.** ⟨-⟩ *m* **1.** *(numero)* Sechs *f;* **2.** *(nelle date)* Sechste(r) *m;* **3.** *(voto scolastico)* ≃ Ausreichend *n,* Vier *f;* **III.** *f pl* sechs Uhr; *v. a. cinque.*

sei[2] [ˈsɛːi] *v.* **essere.**

seicentesco [seitʃenˈtesko] *v.* **secentesco. seicento** [seiˈtʃɛnto] **I.** *num* sechshundert; **II.** ⟨-⟩ *m* Sechshundert *f;* **il S~** das siebzehnte Jahrhundert.

seimila [seiˈmiːla] **I.** *num* sechstausend; **II.** ⟨-⟩ *m* Sechstausend *f.*

selce [ˈseltʃe] *f* Kiesel(stein) *m; (per pavimentazione)* Pflasterstein *m.* **selciare** [...ˈtʃaːre] ⟨selcio, selci⟩ *tr* pflastern. **selciato** [...ˈtʃaːto] *m* Pflaster *n,* Straßenpflaster(ung *f*) *n.*

selettività [selettiviˈta] ⟨-⟩ *f* wählerische Art. **selettivo, -a** [...ˈtiːvo] *agg* **1.** *(criterio, metodo)* selektiv, auswählend, Auswahl-; **2.** *(persona)* wählerisch. **selettore** [...ˈtoːre] *m radio, TV* (Sender)wähler *m; tel* (Leitungs)wähler *m; el* Schalter *m; fot* Automatik *f.*

selezionare [selettsi̯oˈnaːre] *tr* auswählen, selektieren *geh; (numero telefonico)* wählen; *(cernire)* sortieren.

selezione [seletˈtsi̯oːne] *f* **1.** *(scelta)* (Aus)wahl *f;* **2.** *biol* Selektion *f,* Auslese *f;* **3.** *tel* Wählen *n;* **4.** *inform* Sortierung *f;* **~ naturale** natürliche Auslese.

self-service [selfˈsəːvɪs] ⟨-⟩ *m (ristorante)* Selbstbedienungsrestaurant *n; (negozio)* Selbstbedienungsladen *m; (distributore di benzina)* SB-Tankstelle *f.*

sella [ˈsɛlla] *f* Sattel *m.* **sellare** [selˈlaːre] *tr* satteln. **selleria** [selleˈriːa] *f* **1.** *(bottega)* Sattlerei *f;* **2.** *mot (rivestimento interno)* Innenausstattung *f,* Verkleidung *f.* **sellino** [...ˈliːno] *m* Sattel *m.*

seltz [sɛlts] ⟨-⟩ *m* Selterswasser *n.*

selva [ˈselva] *f* **1.** *bot* Wald *m;* **2.** *fig* Menge *f,* Haufen *m; (di cose a.)* Dickicht *n;* **la S~ Nera** der Schwarzwald.

selvaggina [selvadˈdʒiːna] *f* Wild *n; (gastr. a)* Wildbret *n.*

selvaggio, -a [sel'vaddʒo] ⟨-ggi, -gge⟩ **I.** *agg (a. fig)* wild; **sciopero** ~ wilder Streik; **aquila -a** Pilotenstreik *m;* **rotaia -a** Eisenbahnstreik *m;* **II.** *m, f* Wilde(r) *mf.*
selvatico, -a [sel'va:tiko] ⟨-ci, -che⟩ **I.** *agg* **1.** *bot, zoo* wild; **2.** *fig peg (grossolano)* grob; *(poco socievole) ungesellig;* **II.** *m (odore)* Wildgeruch *m; (sapore)* Wildgeschmack *m.*
selvicoltore, -trice [selvikol'to:re] *m, f* Forstwirt(in) *m(f).*
semaforo [se'ma:foro] *m* Ampel *f; ferr* Signal *n.*
semantica [se'mantika] ⟨-che⟩ *f* Semantik *f.*
sembianza [sem'bi̯antsa] *f* **1.** *lett (somiglianza)* Ähnlichkeit *f,* Ebenbild *n;* **2.** ⟨*pl*⟩ *(lineamenti)* Züge *m pl,* Aussehen *n;* **3.** *fig (apparenza)* Anschein *m.*
sembrare [sem'bra:re] *itr* ⟨*essere*⟩ **1.** *(parere)* scheinen; **2.** *(ritenere)* erscheinen, halten, glauben; **3.** *(aver l'aspetto)* aussehen; **sembra una brava traduttrice** sie scheint eine gute Übersetzerin (zu sein); **sembra contento** er scheint zufrieden (zu sein); **la situazione sembra peggiorare** die Lage scheint sich zu verschlechtern; **sembra non ricordarsi dell'accaduto** er (*o* sie) scheint sich an den Vorfall nicht zu erinnern; **mi sembra di aver detto tutto** mir scheint (*o* ich glaube), ich habe alles gesagt; **ti sembra di aver ragione?** glaubst du, daß du recht hast?; **sembra che** *+congv* es scheint (*o* ich glaube); **mi sembra che non abbia tempo** mir scheint (*o* ich glaube,) er hat keine Zeit; **come ti sembra?** was hältst du davon?; **mi sembra importante rispondergli** es erscheint mir (*o* ich halte es für) wichtig, ihm zu antworten.
seme ['se:me] *m* **1.** *bot* Same(n) *m,* Keim *m; (gastr a.)* Kern *m;* **2.** *fig* Same *m,* Saat *f,* Keim *m;* **3.** *(delle carte)* Farbe *f.*
semente [se'mɛnte] *f* Saat *f,* Saatgut *n.*
semestrale [semes'tra:le] *agg* halbjährlich, Halbjahres-; *(corso)* Semester-.
semestre [se'mɛstre] *m* Halbjahr *n; (all'università)* Semester *n;* **primo/secondo** ~ *econ* erste/zweite Jahreshälfte.
semi- [semi-] *(in parole composte)* Halb-, halb-, Semi-, semi-. **semiaperto, -a** [-a'pɛrto] *agg* halboffen, halbgeöffnet. **semibreve** [-'brɛ:ve] *f* ganze Note. **semicerchio** [-'tʃerki̯o] *m* Halbkreis *m.* **semicircolare** [-tʃirko'la:re] *agg* halbkreisförmig, halbrund. **semiconduttore** [-kondut'to:re] *m* Halbleiter *m.* **semicroma** [-'krɔ:ma] *f* Sechzehntelnote *f.* **semicupio** [-'kupi̯o] ⟨-i⟩ *m* Sitzbadewanne *f.* **semifinale** [-fi'na:le] *f* Semi-, Halbfinale *n.* **semifreddo** [-'freddo] *m* Halbgefrorene(s) *n.* **semilavorato, -a** [-lavo'ra:to] **I.** *agg* Halbfertig-; **II.** *m* Halbfertigprodukt *n.* **semilibero, -a** [-'li:bero] *m, f dir* Freigänger(in) *m(f).* **semilibertà** [-liber'ta] ⟨-⟩ *f dir* offener Strafvollzug. **semiminima** [-'mi:nima] *f* Viertelnote *f.*
semina ['se:mina] *f* **1.** *(azione)* Aussaat *f;* **2.** *(periodo)* Saatzeit *f.* **seminale** [semi'na:le] *agg* Samen-, Keim-. **seminare** [...'na:re] *tr* **1.** *agr* (aus)säen; **2.** *fig (odio, ecc.)* säen; **3.** *sport* abschütteln, abhängen.
seminario [semi'na:ri̯o] ⟨-i⟩ *m* Seminar *n; rel* Priesterseminar *n.*
seminato, -a [semi'na:to] **I.** *agg* ausgesät; *fig* übersät (*di* mit); **II.** *m* Saatfeld *n;* **uscire dal** ~ *fig* vom Thema abkommen. **seminatore, -trice** [...na'to:re] **I.** *m, f* Säer(in) *m(f),* Sämann *m;* **II.** *f* Sämaschine *f.* **seminazione** [...nat'tsi̯o:ne] *f* Saat *f.*
seminfermità [seminfermi'ta] *f* halbkranker Zustand; ~ **mentale** *dir* verminderte Zurechnungsfähigkeit.
seminterrato [seminter'ra:to] *m* Kellergeschoß *n,* Souterrain *n.*
seminudo, -a [-'nu:do] *agg* halbnackt.
semiologia [semi̯olo'dʒi:a] ⟨-gie⟩ *f* Semiologie *f.*
semioscurità [semioskuri'ta] *f* Halbdunkel *n.*
semirimorchio [-ri'mɔrki̯o] *m* Sattelanhänger *m,* Auflieger *m.*
semisfera [-s'fɛ:ra] *f* Halbkugel *f,* Hemisphäre *f.*
semita [se'mi:ta] ⟨-i *m,* -e *f*⟩ **I.** *mf* Semit(in) *m(f);* **II.** *agg* semitisch.
semmai [sem'ma:i] **I.** *cong* wenn je, falls je; **II.** *avv* allenfalls, gegebenenfalls, notfalls *fam.*
semola ['se:mola] *f* **1.** *(farina)* Grieß *m;* **2.** *(crusca)* Kleie *f.* **semolato, -a** [semo'la:to] *agg* fein(gekörnt). **semolino** [...'li:no] *m* **1.** *(farina)* Grieß(mehl *n*) *m;* **2.** *gastr* Grießbrei m; *(minestra)* Grießsuppe *f.*
semplice ['semplitʃe] *agg* **1.** *gener.* einfach; **2.** *(fig a.)* schlicht, simpel; *peg (ingenuo)* einfältig; **3.** *(soltanto)* bloß, rein. **semplicemente** [-'mente] *avv* **1.** *(soltanto)* (einfach) nur, bloß; **2.** *(in modo semplice)* einfach, schlicht, simpel. **semplicione, -a** [...'tʃo:ne] *m, f fam* einfacher Mensch.
semplicità [semplitʃi'ta] ⟨-⟩ *f* **1.** *gener.* Einfachheit *f;* **2.** *fig* Einfachheit *f,* Schlichtheit *f,* Klarheit *f; peg (ingenuità)* Einfältigkeit *f.*
semplificare [semplifi'ka:re] ⟨semplifico, semplifichi⟩ **I.** *tr* **1.** *gener.* vereinfachen; **2.** *mat* kürzen; **II.** *rfl:* **-arsi** sich vereinfachen. **semplificazione** [...kat'tsi̯o:ne] *f* Vereinfachung *f.*
sempre ['sɛmpre] *avv* **1.** *(in ogni tempo)* immer, stets; **2.** *(dall'inizio alla fine, continuamente)* ständig, dauernd, immer(zu); **3.** *(ancora)* immer noch;

4. *(tuttavia)* durchaus; **5.** *(ma)* aber nur, immer (nur); **di** ~ üblich; **da** ~ seit jeher, seit eh und je; ~ **che** *+congv* falls (nur), wenn (nur), vorausgesetzt, daß; **una volta per** ~ ein für allemal. **sempreverde** [sempre'verde] **I.** *agg* immergrün; **II.** *m o f* Immergrün *n.*

senape ['sɛ:nape] **I.** *f* Senf *m;* **II.** ⟨*inv*⟩ *agg* senffarben.

senato [se'na:to] *m* Senat *m.* **senatore, -trice** [sena'to:re] *m, f* Senator(in) *m(f).*

senile [se'ni:le] *agg* Greisen-, Alters-, senil. **senilità** [senili'ta] ⟨-⟩ *f* (Greisen)alter *n,* Senilität *f.*

senior ['sɛ:njor] **I.** *agg* **1.** ⟨*inv*⟩ senior; **2.** *sport* Senioren-; **II.** ⟨seniores⟩ *mf* Senior(in) *m(f).*

Senna ['sɛnna] *f* Seine *f.*

senno ['senno] *m* Verstand *m;* **uscire di** ~ den Verstand verlieren.

sennò [sen'nɔ] *avv* sonst.

sennonché [sennoŋ'ke] *cong* aber; jedoch; nur, daß.

seno[1] ['se:no] *m* **1.** *(petto)* Brust *f,* Busen *m; (grembo)* Schoß *m;* **2.** *fig* Schoß *m geh;* **3.** *geog* Meerbusen *m,* Bucht *f;* **in** ~ **a** *fig* im Schoß *+gen.*

seno[2] ['se:no] *m mat* Sinus *m.*

sensale [sen'sa:le] *mf* Vermittler(in) *m(f),* Makler(in) *m(f).*

sensatezza [sensa'tettsa] *f* Vernunft *f,* Vernünftigkeit *f.* **sensato, -a** [...'sa:to] *agg* vernünftig.

sensazionale [sensattsjo'na:le] *agg* sensationell, aufsehenerregend. **sensazionalistico, -a** [...jona'listiko] ⟨-ci, -che⟩ *agg* Sensations-. **sensazione** [...'tsjo:ne] *f* **1.** *(tattile, visiva, ecc.)* Gefühl *n,* Empfindung *f;* **2.** *(impressione)* Eindruck *m,* Gefühl *n;* **3.** *(viva impressione)* Sensation *f,* Aufsehen *n;* **fare** ~ Aufsehen erregen.

sensibile [sen'si:bile] *agg* **1.** *(fenomeni)* (sinnlich) wahrnehmbar; **2.** *(persona)* sensibel, feinfühlig; **3.** *(notevole)* spürbar, merklich; **4.** *tec (strumento)* empfindlich; **pelle** ~ empfindliche Haut. **sensibilità** [sensibili'ta] ⟨-⟩ *f* **1.** *(capacità di percepire)* Empfindungsvermögen *n;* **2.** *(emotiva)* Sensibilität *f,* Feingefühl *n;* ~ **della pellicola** *fot* Filmempfindlichkeit *f.* **sensibilizzare** [...lid'dza:re] *tr* sensibilisieren.

sensitivo, -a [sensi'ti:vo] **I.** *agg* **1.** *(facoltà, ecc.)* sinnlich, Sinnen-; *(organo)* Sinnes-; **2.** *(sensibile, emotivo)* empfindlich, empfindsam, sensibel; **II.** *m, f* Medium *n.*

senso ['sɛnso] *m* **1.** *(facoltà)* Sinn *m;* **2.** ⟨*pl*⟩ *(coscienza)* Sinne *m pl,* Bewußtsein *n; (sensualità)* Sinne *m pl,* Sinnlichkeit *f;* **3.** *(impressione, sensazione)* Gefühl *n (di* von); **4.** *(significato)* Sinn *m;* **5.** *(direzione)* Richtung *f;* **buon** ~, ~ **comune** gesunder Menschenverstand; ~ **pratico** Sinn *m* fürs Praktische; ~ **della misura** Taktgefühl *n;* ~ **unico** Einbahnstraße *f;* ~ **vietato** Einfahrt verboten; **in** ~ **figurato (*o* traslato)** im übertragenen Sinn(e); **in** ~ **opposto** in Gegenrichtung, in entgegengesetzter Richtung; **in** ~ **orario/antiorario** im/gegen den Uhrzeigersinn; **nel** ~ **della lunghezza/larghezza** der Länge/Breite nach; **a** ~ sinngemäß; **ai -i di** gemäß *+dat;* **fare** ~ anekeln, ekelhaft sein.

sensore [sen'so:re] *m* Sensor *m.*

sensoriale [senso'rja:le] *agg* Sinnes-, sinnlich.

sensuale [sensu'a:le] *agg* sinnlich; *(dei sensi)* Sinnes-, Sinnen-. **sensualità** [..uali'ta] ⟨-⟩ *f* Sinnlichkeit *f.*

sentenza [sen'tɛntsa] *f* **1.** *dir* Urteil(sspruch *m*) *n;* **2.** *(massima)* (Aus)spruch *m,* Sentenz *f;* ~ **di assoluzione/condanna** Freispruch *m*/Verurteilung *f;* ~ **definitiva (*o* irrevocabile)** rechtskräftiges Urteil; ~ **di divorzio** Scheidungsurteil *n;* ~ **interlocutoria** vorläufiges Urteil; **pronuncia della** ~ Urteilsverkündung *f;* **sputar -e** Sprüche klopfen *fam.* **sentenziare** [senten'tsja:re] ⟨sentenzio, sentenzi⟩ *tr* **1.** *dir* ein Urteil verhängen; **2.** *fig* dozieren. **sentenzioso, -a** [...'tsjo:so] *agg* **1.** *(libro, stile)* sentenzenhaft; **2.** *(persona)* schulmeisterlich, dozierend.

sentiero [sen'tjɛ:ro] *m* Pfad *m,* Weg *m;* ~ **ecologico** Naturlehrpfad *m;* **essere (*o* marciare) sul** ~ **di guerra** *fig, scherz* auf dem Kriegspfad sein.

sentimentale [sentimen'ta:le] *agg* sentimental.

sentimentalismo [sentimenta'li:zmo] *m* Sentimentalität *f.*

sentimento [senti'mento] *m* **1.** *(il sentire)* Gefühl *n;* **2.** ⟨*pl*⟩ *(modo di pensare)* Gesinnung *f;* ~ **di sé** Selbstachtung *f.*

sentinella [senti'nɛlla] *f* Wache *f,* Wachposten *m.*

sentire [sen'ti:re] ⟨sento⟩ **I.** *tr* **1.** *(con le orecchie)* hören; *(dar retta)* hören (*qc/qu* auf etw./jdn); **2.** *(con il naso)* riechen; **3.** *(col gusto)* schmecken; *(assaggiare)* probieren, kosten; **4.** *(col tatto)* spüren, fühlen; **5.** *(provare)* fühlen, (ver)spüren, empfinden; *(fame, sete)* haben; **6.** *(venire a sapere)* erfahren, hören; **7.** *(consultare)* befragen, konsultieren, zu Rate ziehen; **8.** *(accorgersi)* fühlen, spüren; **sento caldo/freddo** mir ist (es) warm/ich friere; **farsi** ~ sich *(dat)* Gehör verschaffen; *(farsi notare)* sich bemerkbar machen; *(farsi vivo)* sich melden; **stare a** ~ *fam* zuhören; **sentirsela di** *+inf* es sich zutrauen, zu . . .; **II.** *itr* **1.** *(avere odore)* riechen (*di* nach); *(avere sapore)* schmecken (*di* nach); **2.** *(udire)* hören (können); **III.** *rfl:* **-irsi** sich fühlen; *(essere disposto)* sich imstande fühlen; **mi sento stanca** ich bin müde; **mi sento bene/male** ich fühle mich wohl/mir ist schlecht; **non mi sento di andare a cena fuori** mir ist nicht danach, essen zu gehen; **-irsi svenire** sich einer Ohnmacht nahe fühlen. **sentito, -a** [...'ti:to] *agg* herzlich, aufrichtig; **per ~ dire** vom Hörensagen.

sentore [sen'to:re] *m* Ahnung *f;* **avere ~ di qc** von etw. Wind bekommen *fam.*

senza ['sɛntsa] **I.** *prp* ohne *+akk,* -los; **~ di me/te** ohne mich/dich; **~ casa** obdachlos; **~ dubbio** zweifellos; **~ impegno** unverbindlich; **~ paragone** unvergleichlich, ohnegleichen; **senz'altro** ohne weiteres, auf jeden Fall; **fare ~ qc/qu** ohne etw./jdn auskommen; **rimanere ~ qc** etw. nicht mehr haben; **II.** *cong* ohne zu; **~ dire niente** ohne etwas zu sagen; **~ che** *+congv* ohne daß. **senzapatria** [-'pa:tri̯a] ⟨-⟩ *mf* Staaten-, Heimatlose(r) *mf.* **senzatetto** [-'tetto] ⟨-⟩ *mf* Obdachlose(r) *mf.*

separare [sepa'ra:re] **I.** *tr* trennen; *(tenere distinto)* unterscheiden; **II.** *rfl:* **-arsi** sich trennen, auseinandergehen. **separatamente** [...rata'mente] *avv* getrennt; *(uno alla volta)* einzeln. **separatismo** [...ra'tizmo] *m* Separatismus *m.* **separatista** [...ra'tista] ⟨-i *m,* -e *f*⟩ **I.** *mf* Separatist(in) *m(f);* **II.** *agg* separatistisch. **separato, -a** [...'ra:to] **I.** *agg* **1.** *getrennt;* **2.** *(di coniugi)* getrennt lebend; **II.** *m, f* Getrenntlebende(r) *mf.* **separazione** [...rat'tsi̯o:ne] *f* Trennung *f;* **~ dei beni** *dir* Gütertrennung *f.*

sepolcrale [sepol'kra:le] *agg* Grab-; *fig (silenzio, voce)* Grabes-. **sepolcro** [se'polkro] *m* Grab *n,* Grabmal *n.*

sepolto, -a [se'polto] **I.** *pp di* **seppellire; II.** *agg* **1.** *(seppellito)* begraben, beerdigt; **2.** *fig* versunken; **III.** *m, f* Begrabene(r) *mf.* **sepoltura** [...'tu:ra] *f* **1.** *(sepolcro)* Begräbnisstätte *f;* **2.** *(cerimonia)* Begräbnis *n,* Beerdigung *f,* Beisetzung *f.*

seppellire [seppel'li:re] ⟨seppellisco, seppellisci, seppellii, seppellito *o* sepolto⟩ **I.** *tr* **1.** *(morti)* begraben, beisetzen, beerdigen; **2.** *(oggetti)* vergraben; **3.** *(ricoprire)* verschütten, begraben *(da qc* unter etw. *dat);* **4.** *fig* begraben; **II.** *rfl:* **-irsi** sich vergraben.

seppi ['sɛppi] *p rem di* **sapere.**

seppia ['seppi̯a] ⟨-ie⟩ *f* Tintenfisch *m,* Sepia *f.*

seppure, se pure [sep'pu:re] *cong +congv* auch (*o* selbst) wenn.

sequela [se'ku̯ɛ:la] *f* Folge *f,* (lange) Reihe *f.*

sequenza [se'ku̯ɛntsa] *f* **1.** *(serie)* (Ab-, Reihen)folge *f,* Reihe *f;* **2.** *film, rel* Sequenz *f.* **sequenziale** [seku̯ɛn'tsi̯:le] *agg* sequentiell.

sequestrare [seku̯es'tra:re] *tr* **1.** *dir* beschlagnahmen; **2.** *(illegalmente)* entführen. **sequestratore, -trice** [seku̯estra'to:re] *m, f* Entführer(in) *m(f);* Kidnapper(in) *m(f).* **sequestro** [se'ku̯ɛstro] *m* **1.** *dir* Beschlagnahme *f;* **2.** *(illegale)* Entführung *f;* **~ di persona** Freiheitsberaubung *f.*

sera ['se:ra] *f* Abend *m;* **buona ~!** guten Abend!; **di ~** abends; **di prima ~** am frühen Abend; **domani ~** morgen abend; **ieri ~** gestern abend; **verso ~** gegen Abend ...; **la ~ prima** am Abend vorher; **si fa ~** es wird Abend.

serafico, -a [se'ra:fiko] ⟨-ci, -che⟩ *agg* **1.** *fig* seelenruhig; **2.** *rel* seraphisch, engelhaft.

serafino [sera'fi:no] *m* Seraph *m.*

serale [se'ra:le] *agg* abendlich, Abend-; **scuola ~** Abendschule *f;* **turno ~** Spätschicht *f.* **serata** [se'ra:ta] *f* Abend *m; (festa a.)* Abendveranstaltung *f.*

serbare [ser'ba:re] **I.** *tr* **1.** *(conservare)* (auf)bewahren, (auf)sparen; **2.** *fig* (be)halten; (rancore) hegen; **II.** *rfl:* **-arsi** sich erhalten.

serbatoio [serba'to:i̯o] ⟨-oi⟩ *m* Tank *m,* Behälter *m.*

Serbia [-sɛrbi̯a] *f* Serbien *n.* **serbo, -a** ['sɛrbo] **I.** *agg* serbisch; **II.** *m, f* Serbe *m,* Serbin *f.*

serbo ['sɛrbo] *m:* **avere in ~ una sorpresa** eine Überraschung bereithalten.

serbocroato, -a [serbokro'a:to] **I.** *agg* serbokroatisch; **II.** *m* Serbokroatisch(e) *n.*

serenata [sere'na:ta] *f* Serenade *f; (canto)* Ständchen *n.*

serenità [sereni'ta] ⟨-⟩ *f* **1.** *(di persona)* Heiterkeit *f,* Ausgeglichenheit *f;* **2.** *(di giudizio)* Unparteilichkeit *f.* **sereno, -a** [se're:no] **I.** *agg* **1.** *meteo* heiter, wolkenlos; **2.** *(persona)* heiter, ausgeglichen; *(a. vita)* unbeschwert; *(giudizio)* unparteiisch; *(valutazione)* sachlich, objektiv; **II.** *m* wolkenloser Himmel.

sergente [ser'dʒɛnte] *m* Sergeant *m,* Unteroffizier *m.*

serial ['siəriəl] ⟨-⟩ *m* Fernsehserie *f.*

seriale [se'ri̯a:le] *agg inform, mus* seriell.

serializzatore [seri̯aliddza'to:re] *m inform* Parallel-Seriell-Konverter *m,* -Umsetzer *m.*

seriamente [seri̯a'mente] *avv* ernsthaft, ernstlich.

sericoltura [serikol'tu:ra] *f* Seidenraupenzucht *f.*

serie ['sɛ:ri̯e] ⟨-⟩ *f* **1.** *(successione)* Reihe *f,* Serie *f,* Folge *f; chim* Reihe *f; tec, econ* Serie *f;* **2.** *(raccolta)* Serie *f,* Satz *m;* **3.** *sport* Klasse *f,* Liga *f;* **collegamento in ~** *el* Reihenschaltung *f;* **modello fuori ~** Sondermodell *n;* **produzione (*o* lavorazione) in ~** Serien(an)fertigung *f,* -produktion *f.*

serietà [seri̯e'ta] ⟨-⟩ *f* Ernst(haftigkeit *f*) *m; (a. gravità)* Ernst *m.*

serigrafia [serigra'fi:a *f* Siebdruck *m*.

serio, -a ['sɛ:rio] ⟨-i, -ie⟩ **I.** *agg* ernsthaft; *(grave)* ernst; **II.** *m* Ernst *m;* **sul** ~ im Ernst, ernsthaft; **fare sul** ~ es ernst meinen; **prendere qc/qu sul** ~ etw./jdn ernst nehmen.

sermone [ser'mo:ne] *m* **1.** *rel* Predigt *f;* **2.** *fig peg* Sermon *m*.

serpe ['sɛrpe] *f* Schlange *f*.

serpeggiante [serped'dʒante] *agg* gewunden. **serpeggiare** [...'dʒa:re] ⟨serpeggio, serpeggi⟩ *itr* **1.** *(strada, fiume)* sich schlängeln, sich winden; **2.** *fig* sich einschleichen.

serpente [ser'pɛnte] *m* **1.** *zoo, fig* Schlange *f;* **2.** *(pelle)* Schlangenleder *n;* ~ **a sonagli** Klapperschlange *f;* ~ **dagli occhiali** Brillenschlange *f;* ~ **monetario europeo** europäische Währungsschlange.

serpentina [serpen'ti:na] *f* Schlangenlinie *f; (di strada)* Serpentine *f*.

serra[1] ['sɛrra] *f bot, agr* Treib-, Gewächshaus *n;* **effetto** ~ Treibhauseffekt *m*.

serra[2] ['sɛrra] *f geog* Sierra *f*.

serraglio[1] [ser'raʎʎo] ⟨-gli⟩ *m zoo* Menagerie *f,* Tierschau *f*.

serraglio[2] [ser'raʎʎo] ⟨-gli⟩ *m (harem)* Serail *n,* Harem *m*.

serramanico [serra'ma:niko] *m:* **coltello a** ~ Klappmesser *n*.

serramenti [serra'menti] *m pl* Türen *f pl* und Fenster *n pl*.

serranda [ser'randa] *f* Rolladen *m*.

serrare [ser'ra:re] *tr* **1.** *(porta, baule)* (ab-, ver)schließen; **2.** *(pugni)* ballen; *(labbra)* zusammenpressen; **3.** *fig (nemico)* bedrängen; **4.** *tec (dado, vite, bullone)* anziehen.

serrata [ser'ra:ta] *f* Aussperrung *f*. **serrato, -a** [...a:to] *agg* **1.** *(conciso)* kurz (und bündig), gedrängt, knapp, konzis *geh;* **2.** *(folto, compatto)* dicht; **3.** *(veloce)* rasch, schnell.

serratura [serra'tu:ra] *f* Schloß *n;* ~ **a cilindro/a combinazione/a scatto** Zylinder-/Kombinations-/Schnappschloß *n*.

serva ['sɛrva] *f* **1.** *(donna di servizio)* Bedienstete *f,* Dienstmädchen *n;* **2.** *fig peg* Dienerin *f;* **3.** *fam peg (pettegola)* Waschweib *n fam*.

servigio [ser'vi:dʒo] ⟨-gi⟩ *m lett* Dienst *m,* Wohltat *f*.

servile [ser'vi:le] *agg* **1.** *(condizione)* Sklaven-, Knechts-; **2.** *fig peg* knechtisch, unterwürfig, servil; **verbo** ~ Hilfsverb *n*.

servire [ser'vi:re] ⟨servo⟩ **I.** *tr* ⟨*avere*⟩ **1.** *(come domestico)* dienen bei, im Dienst sein bei; *(patria, stato, re, dio)* dienen *(qu* jdm); *(clienti)* bedienen; **2.** *(cibi)* servieren, auftragen; **3.** *sport* den Ball zuspielen *(qu* jdm); **4.** *(mezzo di trasporto)* erreichen; ~ **la messa** ministrieren, Meßdiener(in) sein; **II.** *itr* ⟨*essere o avere*⟩ **1.** *(essere utile)* dienen; **2.** *mil* dienen (*in* bei); **3.** *(aver bisogno)* brauchen; **4.** *sport* angeben; *(tennis, ecc.)* aufschlagen; **5.** *(a tavola)* servieren; *(a. com)* bedienen; **mi serve una sedia** ich brauche einen Stuhl; **III.** *rfl:* **-irsi** **1.** *(usare)* benutzen (*di qc* etw.), sich bedienen *+gen geh* **2.** *(a tavola)* sich bedienen; **3.** *(essere cliente)* einkaufen, Kunde sein; **4.** *peg* ausnutzen (*di qu* jdn). **servito, -a** [ser'vi:to] *agg* **1.** *(cliente)* bedient; **2.** *gastr (pasto)* aufgetragen; **3.** *(di zona, quartiere)* ans öffentliche Verkehrsnetz angebunden. **servitore, -a** [...vi'to:re] *m, f* Diener(in) *m(f),* Bedienstete(r) *mf*.

servitù [servi'tu] ⟨-⟩ *f* **1.** *(schiavitù)* Knechtschaft *f,* Sklaverei *f;* **2.** *(personale di servizio)* (Dienst)personal *n;* **3.** *dir* Dienstbarkeit *f;* ~ **di passaggio** *dir* Wegbenutzungsrecht *n,* Wegerecht *n*.

servizievole [servit'tsje:vole] *agg* hilfsbereit.

servizio [ser'vittsjo] ⟨-i⟩ *m* **1.** *(lavoro, amm, mil)* Dienst *m;* **2.** *(radio, TV, giornalismo)* Bericht *m,* Reportage *f;* **3.** *fam* Besorgung *f;* **4.** *(da tavola, ecc.)* Service *n;* **5.** *sport* Angabe *f; (tennis, ecc.)* Aufschlag *m;* **6.** *econ* Dienstleistung *f; (assistenza clienti)* Service *m; (in negozio)* Bedienung *f;* **7.** ⟨*pl*⟩ *(di casa)* Bad(ezimmer) *n;* **porta di** ~ Lieferanteneingang *m;* ~ **all'americana** Set *n,* Platzdeckchen *n;* ~ **militare/civile** Wehr-/Zivildienst *m;* ~ **duplicazione chiavi** Schlüsseldienst *m;* ~ **di emergenza** Bereitschaftsdienst *m;* ~ **pubblico** öffentlicher Dienst; **s**~ **segreto,** ~ **di sicurezza** Geheimdienst *m;* ~ **speciale** Sonderbericht(erstattung *f*) *m;* ~ **di sviluppo** Entwicklungsdienst *m;* **area di** ~ Rastplatz *m;* **fuori** ~ *(di oggetti)* außer Betrieb; *(di persone)* außer Dienst; **essere in** ~ im Dienst sein.

servo ['sɛrvo] *m* Knecht *m,* Diener *m;* ~ **muto** stummer Diener.

servofreno [servo'fre:no *o* -'frɛ:no] *m* Servobremse *f*. **servosterzo** [-s'tɛrtso] *m* Servolenkung *f*.

sesamo ['sɛ:zamo] *m* Sesam *m;* **apriti** ~! Sesam öffne dich!

sessanta [ses'santa] **I.** *num* sechzig; **II.** ⟨-⟩ *m* Sechzig *f; v. a. cinquanta*. **sessantenne** [...'tɛnne] **I.** *agg* sechzigjährig; **II.** *mf* Sechzigjährige(r) *mf*. **sessantesimo, -a** [...'tɛ:zimo] **I.** *agg* sechzigste(r, s); **II.** *m, f* Sechzigste(r, s) *mfn;* **III.** *m (frazione)* Sechzigstel *n,* sechzigster Teil; *v. a. quinto*. **sessantina** [...'ti:na] *f:* **una** ~ **(di . . .)** (etwa) sechzig (. . .); **essere sulla** ~ an (*o* um) die Sechzig sein. **sessantottardo, -a** [sessantot'tardo] **I.** *agg* achtundsechziger; **II.** *m, f* (alte(r)) Achtundsechziger *m,* (alte) Achtundsechzigerin *f*. **sessantottino, -a** [ses-

santot'ti:no] **I.** *agg* achtundsechziger; **II.** *mf* Achtundsechziger(in) *m(f)*.
sessione [ses'sio:ne] *f* Sitzung *f,* Tagung *f*.
sessismo [ses'sizmo] *m* Sexismus *m*.
sessista [...'sista] ⟨-i *m,* -e *f*⟩ **I.** *agg* sexistisch; **II.** *mf* Sexist(in) *m(f)*.
sesso ['sɛsso] *m* **1.** *biol* Geschlecht *n;* **2.** *(sessualità)* Sex *m;* ~ **sicuro** Safer Sex *m;* **il gentil** ~ *scherz* das schöne Geschlecht.
sessuale [sessu'a:le] *agg* Geschlechts-, Sexual-, geschlechtlich, sexuell. **sessualità** [...uali'ta] ⟨-⟩ *f* Sexualität *f*. **sessuologo, -a** [...u'ɔ:logo] ⟨-gi *m,* -ghe *f*⟩ *m, f* Sexologe *m,* -login *f,* Sexualwissenschaftler(in) *m(f)*.
sesta *f v.* **sesto, -a**.
sestante [ses'tante] *m* Sextant *m*.
sestetto [ses'tetto] *m* Sextett *n*.
sesto¹ ['sɛsto] *m arch* (Bogen)wölbung *f;* **arco a tutto** ~ Rundbogen *m;* **arco a** ~ **acuto** Spitzbogen *m*.
sesto² ['sɛsto] *m:* **mettere in** ~ etw. in Ordnung bringen; **rimettersi in** ~ wieder in Ordnung kommen.
sesto, -a ['sɛsto] **I.** *agg* sechste(r, s); **II.** *m, f* Sechste(r, s) *mfn;* **III.** *m (frazione)* Sechstel *n,* sechster Teil; *v. a. quinto*.
set [sɛt] ⟨-⟩ *m* **1.** *(serie, sport)* Satz *m,* Set *n;* **2.** *film* Drehort *m;* **essere sul** ~ *film* drehen, bei den Dreharbeiten sein.
seta ['se:ta] *f* Seide *f;* ~ **cruda/lavata** Roh-/Waschseide *f;* **morbido come la** ~ seidenweich.
setacciare [setat'tʃa:re] ⟨setaccio, setacci⟩ *tr* (durch)sieben; *fig* (aus)sieben.
setaccio [se'tattʃo] ⟨-cci⟩ *m* Sieb *n*.
sete ['se:te] *f* **1.** *(bisogno di bere)* Durst *m;* **2.** *fig* Durst *m,* Gier *f;* **morire di** ~ verdursten.
setola ['se:tola] *f* Borste *f*. **setoloso, -a** [seto'lo:so] *agg* borstig.
setta ['sɛtta] *f* Sekte *f*.
settanta [set'tanta] **I.** *num* siebzig; **II.** ⟨-⟩ *m* Siebzig *f; v. a. cinquanta*. **settantenne** [...'tɛnne] **I.** *agg* siebzigjährig; **II.** *mf* Siebzigjährige(r) *mf*. **settantesimo, -a** [...'tɛ:zimo] **I.** *agg* siebzigste(r, s); **II.** *m, f* Siebzigste(r, s) *mfn;* **III.** *m (frazione)* Siebzigstel *n,* siebzigster Teil; *v. a. quinto*. **settantina** [...'ti:na] *f:* **una** ~ **(di . . .)** (etwa) siebzig (. . .); **essere sulla** ~ an (*o* um) die Siebzig sein.
settario, -a [set'ta:rio] ⟨-i, -ie⟩ **I.** *agg* sektiererisch; **II.** *m, f* Sektierer(in) *m(f)*.
sette ['sɛtte] **I.** *num* sieben; **II.** ⟨-⟩ *m* **1.** *(numero)* Sieben *f;* **2.** *(nelle date)* Siebte(r) *m;* **3.** *(voto scolastico)* ≃ Befriedigend *n,* Drei *f;* **4.** *fam* Triangel *m,* Winkelriß *m;* **III.** *f pl* sieben Uhr; *v. a. cinque*.
settecentesco, -a [settetʃen'tesko] ⟨-schi, -sche⟩ *agg* das achtzehnte Jahrhundert betreffend. **settecento** [...'tʃɛnto] **I.** *num* siebenhundert; **II.** ⟨-⟩ *m* Siebenhundert *f;* **il S~** das achtzehnte Jahrhundert.
settembre [set'tɛmbre] *m* September *m;* **in** ~**, nel mese di** ~ im September; **nel bel** ~ im schönen September; **alla fine di** ~ Ende September; **a metà** ~ Mitte September; **ai primi/agli ultimi di** ~ Anfang/Ende September; ~ **ha 30 giorni** der September hat 30 Tage; **Firenze, (il) 15** ~ **1996** Florenz, den 15. September 1996; **oggi è il primo (di)** ~ heute ist der erste September; **l'undici/il venti/il ventun** ~ der elfte/zwanzigste/einundzwanzigste September.
settemila [sette'mi:la] **I.** *num* siebentausend; **II.** ⟨-⟩ *m* Siebentausend *f*.
settentrionale [settentrio'na:le] **I.** *agg* nördlich, Nord-; **II.** *mf* **1.** *(del Nord)* Nordländer(in) *m(f);* **2.** *(dell'Italia del Nord)* Norditaliener(in) *m(f)*. **settentrione** [...'trio:ne] *m* Norden *m; (dell'Italia a.)* Nord-, Oberitalien *n*.
setticemia [settitʃe'mi:a] ⟨-ie⟩ *f* Blutvergiftung *f*.
settico, -a ['sɛttiko] ⟨-ci, -che⟩ *agg* septisch.
settima¹ ['sɛttima] *f mus* Septime *f*.
settima² *f v.* **settimo.**
settimana [setti'ma:na] *f* Woche *f; com (salario)* Wochenlohn *m;* ~ **corta** Fünftagewoche *f;* ~ **santa** Karwoche *f;* **fine** ~ Wochenende *n*. **settimanale** [...ma'na:le] **I.** *agg* wöchentlich, Wochen-; **II.** *m* Wochenzeitung *f,* -blatt *n*.
settimino, -a [setti'mi:no] *m, f* **1.** *(neonato)* Siebenmonatskind *n;* **2.** *mus* Septett *n*.
settimo, -a ['sɛttimo] **I.** *agg* siebte(r, s); **II.** *m, f* Siebte(r, s) *mfn;* **III.** *m (frazione)* Siebtel *n,* siebter Teil; *v. a. quinto*.
setto ['sɛtto] *m* Scheidewand *f,* Septum *n wissensch*.
settore [set'to:re] *m* **1.** *mat* Ausschnitt *m,* Sektor *m;* **2.** *fig* Sektor *m,* Bereich *m;* **3.** *(zona)* Sektor *m,* Abschnitt *m,* Teilgebiet *n;* **4.** *econ* Branche *f*. **settoriale** [...to'ria:le] *agg* **1.** *(di un settore)* Bereichs-, Sektoren-; **2.** *econ* Branchen-, branchenspezifisch; **3.** *(linguaggio)* Fach-.
settrice [set'tri:tʃe] *f* Kreisbogen *m*.
settuplo, -a ['sɛttuplo] **I.** *agg* siebenfach; **II.** *m* Siebenfache(s) *n*.
severità [severi'ta] ⟨-⟩ *f* Strenge *f; fig; (serietà)* Ernsthaftigkeit *f*. **severo, -a** [se'vɛ:ro] *agg* streng; *(fig a.)* ernst, ernsthaft.
sevizia [se'vittsia] ⟨-ie⟩ *f* Folter *f,* Mißhandlung *f*. **seviziare** [...'tsia:re] ⟨sevizio, sevizi⟩ *tr* mißhandeln; *(violentare)* vergewaltigen.
sex-shop ['seks ʃɔp] ⟨-⟩ *m* Sexshop *m*.
sexy ['seksı] ⟨*inv*⟩ *agg* sexy; **biancheria** ~ Reizwäsche *f*.

sezionare [settsio'na:re] *tr* **1.** *(dividere)* aufteilen, (zer)gliedern; **2.** *med* sezieren. **sezione** [set'tsio:ne] *f* **1.** *(parte)* Abteilung *f,* Sektion *f;* **2.** *dir* Kammer *f;* **3.** *mat* Schnitt *m;* **4.** *amm* Bezirk *m;* **5.** *med* Sezierung *f,* Sektion *f;* **6.** *(di libro)* Abschnitt *m;* **7.** *(nel disegno tecnico)* Querschnitt *m.*

sfaccendato, -a [sfattʃen'da:to] **I.** *agg* müßig, untätig; **II.** *m, f* Faulenzer(in) *m(f),* Nichtstuer(in) *m(f) fam.*

sfaccettare [sfattʃet'ta:re] *tr* facettieren. **sfaccettatura** [...ta'tu:ra] *f* Facettierung *f.*

sfacchinare [sfakki'na:re] *itr* sich abmühen, schuften *fam.* **sfacchinata** [...'na:ta] *f* Schufterei *f,* Schinderei *f.*

sfacciataggine [sfattʃa'taddʒine] *f* Unverschämtheit *f,* Frechheit *f.* **sfacciato, -a** [...'tʃa:to] **I.** *agg* unverschämt, frech; **II.** *m, f* unverschämte Person.

sfacelo [sfa'tʃɛ:lo] *m* Verfall *m,* Zusammenbruch *m.*

sfaldarsi [sfal'darsi] *rfl* sich in Schichten teilen (*o* spalten).

sfalsare [sfal'sa:re] *tr* verschieben, versetzen; *fig* sich auflösen.

sfamare [sfa'ma:re] **I.** *tr* ernähren; **II.** *rfl:* **-arsi** seinen Hunger stillen.

sfangare [sfaŋ'ga:re] ⟨sfango, sfanghi⟩ *tr fig fam:* **sfangarla (***o* **sfangarsela)** davonkommen.

sfarfallare [sfarfal'la:re] *itr* **1.** *film, TV, el* flimmern; **2.** *fig* unstet (*o* flatterhaft) sein. **sfarfallio** [...'li:o] ⟨-ii⟩ *m* **1.** *film, TV, el* Flimmern *n;* **2.** *(sfarfallare continuo)* Umherflattern *n.*

sfarzo ['sfartso] *m* Prunk *m,* Pomp *m.* **sfarzosità** [-si'ta] ⟨-⟩ *f* Prunk *m.* **sfarzoso, -a** [...'tso:so] *agg* prunkvoll, pompös.

sfasamento [sfaza'mento] *m* Phasenverschiebung *f.*

sfasare [sfa'za:re] *tr* **1.** *fig* verwirren, durcheinanderbringen; **2.** *el* außer Phase bringen.

sfasciacarrozze [sfaʃʃakar'rɔttse] ⟨-⟩ *m* Autoausschlachter(in) *m(f).*

sfasciare[1] [sfaʃ'ʃa:re] *tr (ferita)* den Verband abnehmen von.

sfasciare[2] [sfaʃ'ʃa:re] **I.** *tr* kaputtmachen, zerstören; **II.** *rfl:* **-arsi 1.** *(rompersi)* kaputtgehen, zerbrechen; *(nave)* zerschellen; **2.** *fig fam* sich auflösen, in die Brüche gehen.

sfascio [s'fa:ʃo] ⟨-i⟩ *m* Verfall *m,* Ruin *m;* **essere allo** ~ vor dem Zusammenbruch stehen.

sfatare [sfa'ta:re] *tr* entzaubern, zerstören.

sfaticato, -a [sfati'ka:to] **I.** *agg* faul, arbeitsscheu; **II.** *m, f* Faulpelz *m.*

sfatto, -a ['sfatto] *agg* **1.** *(letto)* ungemacht; **2.** *(frutta)* überreif; **3.** *fig* heruntergekommen; *(corpo)* verwelkt.

sfavillare [sfavil'la:re] *itr* funkeln, glitzern; *(fig a.)* strahlen. **sfavillio** [...'li:o] ⟨-ii⟩ *m* Funkeln *n,* Glitzern *n.*

sfavore [sfa'vo:re] *m:* **a** ~ **di** zu Ungunsten *+gen,* zuungunsten *+gen.* **sfavorevole** [...vo're:vole] *agg* ungünstig.

sfebbrare [sfeb'bra:re] *itr* ⟨*essere*⟩ fieberfrei werden.

sfegatarsi [sfega'tarsi] *rfl fam* sich *(dat)* ein Bein ausreißen *fam.* **sfegatato, -a** [...'ta:to] **I.** *agg* fanatisch; **II.** *m, f fam* Fanatiker(in) *m(f).*

sfera ['sfɛ:ra] *f* **1.** *gener., mat* Kugel *f;* **2.** *fig* Bereich *m,* Sphäre *f;* ~ **portacaratteri** Kugelkopf *m;* **cuscinetto a -e** Kugellager *n.* **sferico, -a** ['sfɛ:riko] ⟨-ci, -che⟩ *agg* kugelförmig, Kugel-.

sferragliare [sferraʎ'ʎa:re] ⟨sferraglio, sferragli⟩ *itr* klappern, rattern.

sferrare [sfer'ra:re] *tr* **1.** *fig (colpo, ecc.)* versetzen; **2.** *zoo (cavallo)* die Hufeisen abnehmen.

sferruzzare [sferrut'tsa:re] *itr* stricken.

sferza ['sfɛrtsa] *f* **1.** *(frusta)* Peitsche *f,* Gerte *f;* **2.** *fig* Schlag *m,* Hieb *m.* **sferzare** [sfer'tsa:re] *tr* **1.** *(battere)* peitschen, schlagen; **2.** *fig* geißeln. **sferzata** [...'tsa:ta] *f* **1.** *(colpo)* Peitschenhieb *m;* **2.** *fig* scharfe (*o* beißende) Kritik.

sfiancare [sfiaŋ'ka:re] ⟨sfianco, sfianchi⟩ **I.** *tr* **1.** *(rompere)* seitlich aufreißen (*o* beschädigen); **2.** *fig* zermürben, aufreiben; **3.** *(di abiti)* taillieren, auf Taille arbeiten; **II.** *rfl:* **-arsi 1.** *(rompersi)* seitlich aufbrechen; **2.** *fig* sich zermürben, sich aufreiben.

sfiatare [sfia'ta:re] **I.** *itr* ausströmen; **II.** *rfl:* **-arsi 1.** *mus* den Klang verlieren; **2.** *fam* außer Atem kommen. **sfiatatoio** [...ta'to:io] ⟨-oi⟩ *m* Entlüftung(sventil *n*) *f.* **sfiato** ['sfia:to] *m* Entlüftung(sventil *n*) *f.*

sfibrare [sfib'ra:re] *tr* angreifen; *(fig a.)* aufreiben; **capelli sfibrati** angegriffenes Haar.

sfida ['sfi:da] *f* Herausforderung *f; fig* Provokation *f.* **sfidante** [sfi'dante] **I.** *agg* herausfordernd; **II.** *mf* Herausforderer *m,* -ford(r)erin *f.* **sfidare** [...'da:re] *tr* **1.** *(provocare)* herausfordern; *(fig a.)* provozieren; *(pericolo)* heraufbeschwören; **2.** *(invitare)* auffordern; **sfido (io)!** das will ich meinen!.

sfiducia [sfi'du:tʃa] *f* Mißtrauen *n;* **voto di** ~ Mißtrauensvotum *n.*

sfigurare [sfigu'ra:re] **I.** *tr* entstellen, verunstalten; **II.** *itr* eine schlechte Figur machen, sich blamieren.

sfilabile [sfi'la:bile] *agg* ausziehbar, herausnehmbar.

sfilacciare [sfilat'tʃa:re] ⟨sfilaccio, sfilacci⟩ *tr, rfl:* **-arsi** ausfransen.

sfilare[1] [sfi'la:re] **I.** *tr* **1.** *(ago)* ausfädeln; *(anello)* abziehen; *(arrosto)* vom Spieß nehmen; **2.** *(tela)* ausfransen; **3.** *(indu-*

menti) abstreifen, ausziehen; **II.** *rfl:* **-arsi** *(calze)* eine Laufmasche bekommen; *(maglia)* laufen; *(collana)* reißen.
sfilare[2] [sfi'la:re] *itr* ⟨*essere o avere*⟩ defilieren; *(a. fig)* vorbeiziehen.
sfilata [sfi'la:ta] *f* Défilé *n,* Vorbeimarsch *m;* ~ **di moda** Modenschau *f.*
sfilato [sfi'la:to] *m* Lochstickerei *f.*
sfilza ['sfiltsa] *f* Reihe *f.*
sfinge ['sfindʒe] *f* Sphinx *f.*
sfinimento [sfini'mento] *m* Erschöpfung *f.* **sfinire** [...'ni:re] **I.** *tr* erschöpfen; **II.** *rfl:* **-irsi** die Kräfte verlieren.
sfiorare [sfio'ra:re] *tr* **1.** *(toccare)* streifen; **2.** *fig (tema)* streifen; *(successo)* fast erreichen.
sfiorire [sfio'ri:re] *itr* ⟨*essere*⟩ (ver)welken, verblühen.
sfittare [sfit'ta:re] **I.** *tr* unvermietet lassen; **II.** *rfl:* **-arsi** unvermietet sein.
sfittire [sfit'ti:re] ⟨sfittisco⟩ *tr* lichten.
sfitto, -a ['sfitto] *agg* unvermietet, frei.
sfizio ['sfittsio] ⟨-i⟩ *m dial* Lust *f,* Laune *f.*
sfocare [sfo'ka:re] ⟨sfoco, sfochi⟩ *tr* unscharf aufnehmen (*o* fotografieren). **sfocato, -a** [...'ka:to] *agg* unscharf.
sfociare [sfo'tʃa:re] ⟨sfocio, sfoci⟩ *itr* ⟨*essere*⟩ **1.** *(fiume)* münden; **2.** *fig* münden (*in* in +*akk*), enden (*in* in +*dat,* mit).
sfoderabile [sfode'ra:bile] *agg (di cuscino, divano, ecc.)* abziehbar.
sfoderare [sfode'ra:re] *tr* **1.** *(divano, poltrona, cuscino)* abziehen; **2.** *(spada)* (heraus)ziehen, aus der Scheide ziehen; **3.** *fig* hervorholen. **sfoderato, -a** [...a:to] *agg* ungefüttert.
sfogare [sfo'ga:re] ⟨sfogo, sfoghi⟩ **I.** *tr* ⟨*avere*⟩ abreagieren, herauslassen, freien Lauf lassen *(qc* einer S. *dat);* **II.** *itr* ⟨*essere*⟩ **1.** *(fumo, gas)* abziehen; **2.** *fig* sich Luft machen (in); **III.** *rfl:* **-arsi 1.** *(sollevarsi)* sich abreagieren, sich *(dat)* Luft machen; *peg* explodieren; **2.** *(soddisfare)* ausgiebig tun, sich abreagieren (*a* an +*dat*); **-arsi con qu** jdm sein Herz ausschütten; ~ **su qu di qc** etw. an jdm auslassen.
sfoggiare [sfod'dʒa:re] ⟨sfoggio, sfoggi⟩ *tr* zur Schau stellen, prunken mit; *peg* angeben mit. **sfoggio** ['sfɔddʒo] ⟨-ggi⟩ *m* Prunk *m,* Aufwand *m; (ostentazione)* Zurschaustellung *f.*
sfoglia ['sfɔʎʎa] *f* Blatt *n,* Folie *f;* **pasta** ~ Blätterteig *m.* **sfogliare** [sfoʎ'ʎa:re] ⟨sfoglio, sfogli⟩ *tr* **1.** *(libro)* durchblättern; **2.** *(fiore)* entblättern, die Blätter (*o* Blüten) entfernen von. **sfogliata** [...a:ta] *f:* **dare una** ~ **al giornale** die Zeitung kurz durchblättern.
sfogo ['sfo:go] ⟨-ghi⟩ *m* **1.** *(apertura)* Abzug *m; (per liquidi)* Abfluß *m;* **2.** *(sbocco)* Zugang *m;* **3.** *fam med* Ausschlag *m;* **4.** *fig* Ausbruch *m;* **dare** ~ **ai propri sentimenti** seinen Gefühlen freien Lauf lassen.
sfolgorare [sfolgo'ra:re] *itr* strahlen, leuchten.
sfollagente [sfolla'dʒɛnte] ⟨-⟩ *m* Schlagstock *m.*
sfollamento [sfolla'mento] *m* **1.** *(di paese, scuola)* Räumung *f; (per ragioni di sicurezza a.)* Evakuierung *f;* **2.** *(di personale)* (Personal)abbau *m.* **sfollare** [...'la:re] **I.** *tr* ⟨*avere*⟩ räumen; *(per ragioni di sicurezza a.)* evakuieren; **II.** *itr* ⟨*essere*⟩ **1.** *(diradarsi)* sich zerstreuen, sich verlaufen; **2.** *mil* sich zurückziehen.
sfollato, -a [...'la:to **I.** *agg* geräumt; *(persona)* evakuiert; **II.** *m, f* Evakuierte(r) *mf.*
sfoltire [sfol'ti:re] ⟨sfoltisco⟩ **I.** *tr* lichten, ausdünnen; **II.** *rfl:* **-irsi** dünner (*o* lichter) werden.
sfondare [sfon'da:re] **I.** *tr* **1.** *(porta, cassa)* einschlagen, aufbrechen; **2.** *mil* durchbrechen; **3.** *(scarpe)* abtreten, ablaufen; **II.** *itr* sich durchsetzen; **III.** *rfl:* **-arsi** *(rompersi)* verschleißen, kaputtgehen *fam; (scarpe)* sich ablaufen. **sfondato, -a** [...'da:to] *agg* kaputt; *(botte)* mit durchbrochenem Boden; *(scarpe)* abgelaufen; **ricco** ~ *fam* steinreich *fam.*
sfondo ['sfondo] *m* Hintergrund *m;* **sullo** ~ im Hintergrund.
sforare [sfo'ra:re **I.** *tr* übersteigen, überschreiten; **II.** *itr* überziehen.
sforbiciata [sforbi'tʃa:ta] *f* **1.** *(taglio)* Scherenschnitt *m;* **2.** *sport* Scherenschlag *m,* Schere *f.*
sformare [sfor'ma:re] **I.** *tr* **1.** *(deformare)* aus der Form bringen, verformen; **2.** *(estrarre)* aus der Form nehmen; **II.** *rfl:* **-arsi** die Form verlieren, unförmig werden.
sformato [sfor'ma:to] *m* Auflauf *m.*
sfornare [sfor'na:re] *tr* **1.** *gastr* aus dem Ofen nehmen; **2.** *fig* herausbringen.
sfornito, -a [sfor'ni:to] *agg* ohne, nicht ausgerüstet mit; **un negozio** ~ ein schlecht sortiertes (*o* ausgestattetes) Geschäft.
sfortuna [sfor'tu:na] *f* Unglück *n,* Pech *n;* ~ **al gioco/in amore** Pech im Spiel/in der Liebe. **sfortunato, -a** [...tu'na:to] *agg* unglücklich, mißglückt.
sforzare [sfor'tsa:re] **I.** *tr* **1.** *(porta, cassetto, serratura)* (gewaltsam) aufbrechen; **2.** *tec* überbeanspruchen, überstrapazieren; **3.** *(cavallo, vista)* überanstrengen; **4.** *(persona)* zwingen, nötigen; **II.** *rfl:* **-arsi** sich anstrengen, sich *(dat)* Mühe geben.
sforzo ['sfɔrtso] *m* Anstrengung *f,* Mühe *f; tec* Beanspruchung *f;* ~ **di volontà** Willensanstrengung *f;* **fare uno** ~ sich anstrengen.
sfottere ['sfottere] *tr volg* auf den Arm nehmen *fam,* verarschen *vulg.*
sfracellare [sfratʃel'la:re] **I.** *tr* zerschmettern, zertrümmern; **II.** *rfl:* **-arsi** zerschel-

len.

sfrattare [sfrat'ta:re] **I.** *tr* kündigen (*qu* jdm); **II.** *itr* aus-, wegziehen. **sfratto** ['sfratto] *m* Mietkündigung *f.*

sfrecciare [sfret'tʃa:re] ⟨sfreccio, sfrecci⟩ *itr* ⟨*essere*⟩ vorbeischnellen, vorbeisausen.

sfregare [sfre'ga:re] *tr* reiben; *(pavimento)* schrubben; *(muro)* streifen.

sfregiare [sfre'dʒa:re] ⟨sfregio, sfregi⟩ *tr (dipinto)* mit Schnitten (*o* Kratzern) beschädigen; *(avversario)* im Gesicht verletzen. **sfregio** ['sfre:dʒo] ⟨-gi⟩ *m* **1.** *(di persona)* Narbe *f; (di membro di associazione studentesca)* Schmiß *m;* **2.** *(di cosa)* Schramme *f,* Kratzer *m;* **3.** *fig* Schmach *f,* (tiefe) Beleidigung *f.*

sfrenatezza [sfrena'tettsa] *f* Hemmungslosigkeit *f.* **sfrenato, -a** [...'na:to] *agg* hemmungslos, zügellos; *(corsa)* ungebremst.

sfrigolare [sfrigo'la:re] *itr* brutzeln.

sfrondare [sfron'da:re] *tr* **1.** *(albero)* entlauben, entblättern; **2.** *fig* raffen, straffen.

sfrontatezza [sfronta'tettsa] *f* Unverschämtheit *f.* **sfrontato, -a** [...'ta:to] *agg* unverschämt, frech.

sfruttamento [sfrutta'mento] *m* **1.** *(utilizzo)* Ausnutzung *f;* **2.** *pol, agr* Ausbeutung *f;* ~ **della prostituzione** Zuhälterei *f.* **sfruttare** [...'ta:re] *tr* **1.** *fig (utilizzare)* ausnutzen; *(operai)* ausbeuten; *(abusare)* mißbrauchen; **2.** *agr, min* ausbeuten; *(spazio)* ausnutzen. **sfruttatore, -trice** [...ta'to:re] *m, f* Ausbeuter(in) *m(f).*

sfuggente [sfud'dʒɛnte] *agg* fliehend; *(sorriso)* flüchtig.

sfuggire [sfud'dʒi:re] **I.** *itr* ⟨*essere*⟩ **1.** *(eludere)* entkommen, entgehen, entwischen; *(alla morte, a un pericolo a.)* entrinnen; **2.** *(cadere)* entwischen; **3.** *(essere dimenticato)* entfallen; **4.** *(passare inosservato)* entgehen; **5.** *(essere detto)* herausrutschen *fam;* **lasciarsi ~ l'occasione** sich eine Gelegenheit entgehen lassen; **II.** *tr* ⟨*avere*⟩ fliehen vor *+dat,* entfliehen *+dat.*

sfuggita [sfud'dʒi:ta] *f:* **di ~** flüchtig.

sfumare [sfu'ma:re] **I.** *tr* ⟨*avere*⟩ **1.** abtönen, schattieren; *(di suono)* abklingen lassen; **2.** *(capelli)* stufig schneiden; **II.** *itr* ⟨*essere*⟩ **1.** *(dissolversi)* verfliegen, sich auflösen; **2.** *fig* zunichte werden, sich in Luft auflösen; **3.** *(di colore)* sich abtönen. **sfumato, -a** [...'ma:to] *agg* schattiert, abgetönt. **sfumatura** [...ma'tu:ra] *f* **1.** *(gradazione di colore)* Nuance *f,* Farbton *m;* **2.** *(nell'arte)* Schattierung *f;* **3.** *(di capelli)* Stufenschnitt *m;* **4.** *fig* Nuance *f; (traccia)* Schatten *m,* Hauch *m.*

sfuriata [sfu'ri̯a:ta] *f* Wutausbruch *m;* **il padre le ha fatto una ~** der Vater hat ihr den Marsch geblasen *fam.*

sfuso, -a ['sfu:zo] *agg* **1.** *(burro, ecc.)* zerlassen, flüssig; **2.** *econ* lose, unverpackt.

sg. *abbr di* **seguente** f. (*abk von* folgende).

sgabello [zga'bɛllo] *m* Schemel *m,* Hokker *m.*

sgabuzzino [zgabud'dzi:no] *m* Besenkammer *f,* Abstellraum *m.*

sgambato, -a [zgam'ba:to] *agg* mit hohem Beinausschnitt.

sgambettare [zgambet'ta:re] *itr* (mit den Beinen) strampeln. **sgambetto** [...'betto] *m:* **fare lo ~ a qu** *(a. fig)* jdm ein Bein stellen.

sganasciarsi [zganaʃ'ʃarsi] ⟨mi sganascio, ti sganasci⟩ *rfl:* ~ **dalle risate** sich ausschütten vor Lachen.

sganciare [zgan'tʃa:re] ⟨sgancio, sganci⟩ **I.** *tr* **1.** *(veicoli)* abhängen, -kuppeln; **2.** *(bombe)* abwerfen; *(siluri)* abfeuern; **3.** *fig fam* herausrücken; **II.** *rfl:* **-arsi 1.** *(staccarsi)* losgehen, sich (vom Haken) lösen; **2.** *mil* sich zurückziehen, sich absetzen; **3.** *fig fam* sich freimachen, freikommen, sich absetzen. **sgancio** ['zgantʃo] ⟨-i⟩ *m (di missile)* Abwurf *m.*

sgangherare [zgaŋge'ra:re] **I.** *tr* **1.** *(porta)* aus den Angeln heben; **2.** *(tavolo, baule)* aus den Fugen brechen (*o* reißen); **II.** *rfl:* **-arsi** kaputtgehen *fam.*

sgarbatezza [zgarba'tettsa] *f* Unhöflichkeit *f,* Unfreundlichkeit *f.* **sgarbato, -a** [...'ba:to] *agg* unhöflich, unfreundlich, grob.

sgarbo ['zgarbo] *m* Unhöflichkeit *f,* Grobheit *f.*

sgargiante [zgar'dʒante] *agg* schreiend.

sgarrare [zgar'ra:re] *itr* ungenau sein, Fehler machen.

sgattaiolare [zgattai̯o'la:re] *itr* ⟨*essere*⟩ davonschleichen.

sgelare [zdʒe'la:re] *tr* ⟨*avere*⟩, *itr* ⟨*essere*⟩ auftauen. **sgelo** ['zdʒɛ:lo] *m* Auftauen *n.*

sghembo, -a ['zgembo] *agg (storto)* krumm, schief; *(obliquo)* schräg.

sghignazzare [zgiɲɲat'tsa:re] *itr* höhnisch lachen. **sghignazzata** [...'tsa:ta] *f* höhnisches Gelächter.

sghimbescio, -a [zgim'bɛʃʃo] ⟨-sci, -sce⟩ *agg:* **a** (*o* **di**) ~ schräg, schief.

sghiribizzo [zgiri'biddzo] *m fam* Laune *f,* verrückte Idee.

sgobbare [zgob'ba:re] *itr fam* schuften *fam;* ~ **sui libri** *fam* büffeln *fam,* pauken *fam.* **sgobbata** [...'ba:ta] *f fam* Schufterei *f fam.* **sgobbone, -a** [...'bo:ne] *m, f fam* Büffler(in) *m(f) fam.*

sgocciolare [zgottʃo'la:re] **I.** *itr* ⟨*essere o avere*⟩ **1.** *(liquidi)* tropfen, tröpfeln; **2.** *(recipienti)* (ab)tropfen; **II.** *tr* ⟨*avere*⟩ **1.** *(liquidi)* tropfen (*o* tröpfeln) lassen; **2.** *(recipienti)* abtropfen lassen. **sgocciolo** ['zgottʃolo] *m:* **essere agli -i** zu Ende gehen, sich dem Ende neigen.

sgolarsi [zgo'larsi] *rfl* sich heiser schrei-

en, sich *(dat)* die Kehle aus dem Hals schreien.
sgomb(e)rare [zgom'bra:re (...mbe'ra:re)] *tr* räumen; *(tavolo)* abräumen. **sgomb(e)ro** ['zgombro (...mbero)] *m* Räumung *f; (trasloco)* Umzug *m.*
sgombraneve [zgombra'ne:ve] ⟨-⟩ *m* Schneeräumer *m,* Schneepflug *m.*
sgombro ['zgombro] *m zoo* Makrele *f.*
sgombro, -a ['zgombro] *agg* frei, leer.
sgomentare [zgomen'ta:re] **I.** *tr* bestürzen, erschüttern; **II.** *rfl:* **-arsi** bestürzt sein (*di* über *+akk*). **sgomento, -a** [...'mento] **I.** *agg* bestürzt, erschüttert; **II.** *m* Bestürzung *f,* Erschütterung *f.*
sgominare [zgomi'na:re] *tr* zersprengen, in die Flucht schlagen. **sgomitare** [...'ta:re] *itr (a. fig)* sich durchboxen
sgommare [sgom'ma:re] *itr* mit den Reifen quietschen.
sgonfiare [zgon'fia:re] **I.** *tr* **1.** *(pneumatico, pallone)* die Luft ablassen aus; **2.** *med* abschwellen lassen; **3.** *fig* dämpfen; **II.** *rfl:* **-arsi 1.** *(ruota, pallone)* die Luft verlieren; **2.** *med* abschwellen.
sgonfio, -a [zgonfio] *agg* **1.** *(pallone, ruota)* ohne Luft, leer; **2.** *med* abgeschwollen.
sgorbio ['zgɔrbio] ⟨-i⟩ *m* **1.** *(parola)* Gekritzel *n; (disegno)* Geschmiere *n;* **2.** *(macchia)* (Tinten)klecks *m;* **3.** *fig peg* Vogelscheuche *f.*
sgorgare [zgor'ga:re] ⟨sgorgo, sgorghi⟩ *itr* ⟨*essere*⟩ sprudeln, quellen.
sgozzare [zgot'tsa:re] *tr* schlachten.
sgradevole [zgra'de:vole] *agg* unangenehm.
sgradito, -a [zgra'di:to] *agg* unwillkommen, unerwünscht.
sgraffignare [zgraffiɲ'ɲa:re] *tr fam* klauen *fam,* mitgehen lassen *fam.*
sgrammaticato, -a [zgrammati'ka:to] *agg* voller grammatischer Fehler.
sgranare [zgra'na:re] *tr* **1.** *(piselli, fave)* enthülsen, aushülsen; **2.** *fig (occhi)* aufreißen; *(rosario)* beten.
sgranchire [zgraŋ'ki:re] ⟨sgranchisco⟩ *tr* lockern; **-irsi le gambe** sich *(dat)* die Beine vertreten.
sgranocchiare [zgranok'kia:re] ⟨sgranocchio, sgranocchi⟩ *tr fam* knabbern.
sgrassare [zgras'sa:re] *tr (brodo)* entfetten; *(vestito)* Fettflecken entfernen von (*o* aus).
sgravare [zgra'va:re] **I.** *tr* entlasten; **II.** *rfl:* **-arsi** sich entlasten. **sgravio** ['zgra:vio] ⟨-i⟩ *m* Entlastung *f,* Erleichterung *f;* ~ **fiscale** Steuererleichterung *f.*
sgraziato, -a [zgrat'tsia:to] *agg* ungraziös, ohne Grazie; *(corpo a.)* plump; *(senza garbo)* unfreundlich.
sgretolamento [zgretola'mento] *m* Abbröckeln *n.* **sgretolare** [...'la:re] *tr, rfl:* **-arsi** abbröckeln, zerbröckeln.
sgridare [zgri'da:re] *tr* ausschimpfen, schimpfen (*qu* mit jdm); **sgridata** [...'da:ta] *f* Schelte *f.*
sgrossare [zgros'sa:re] **I.** *tr* **1.** *(marmo)* zuhauen, grob behauen (*o* bearbeiten); **2.** *letter* (in groben Zügen) entwerfen; **II.** *rfl:* **-arsi** sich verfeinern.
sguaiato, -a [zgua'ia:to] *agg* unmanierlich, ordinär.
sguainare [zguai'na:re] *tr* ziehen, zükken.
sgualcire [zgual'tʃi:re] *tr* zerknautschen.
sgualdrina [zgual'dri:na] *f* Dirne *f.*
sguardo ['zguardo] *m* Blick *m;* **alzare lo** ~ den Blick heben, aufschauen; **abbassare lo** ~ den Blick senken; **dare uno** ~ **a qc** einen Blick auf/in etw. *(akk)* werfen; **distogliere lo** ~ **da qc/qu** den Blick von etw./jdm abwenden; **non degnare qu/qc di uno** ~ jdn/etw. keines Blickes würdigen; **fissare lo** ~ **su qu/qc** seinen Blick auf jdn/etw. richten.
sguarnito, -a [zguar'ni:to] *agg* schmucklos, unverziert.
sguattero, -a ['zguattero] *m, f* Küchenjunge *m,* -mädchen *n.*
sguazzare [zguat'tsa:re] *itr* **1.** *(nell'acqua)* planschen; **2.** *(sbattere) plätschern;* **3.** *fig (starci bene)* aufgehen; *(nella ricchezza, ecc.)* schwimmen.
sguinzagliare [zguintsaʎ'ʎa:re] ⟨sguinzaglio, sguinzagli⟩ *tr* **1.** *(cani)* von der Leine (los)lassen; **2.** *fig* hetzen.
sgusciare [zguʃ'ʃa:re] ⟨sguscio, sgusci⟩ **I.** *tr* ⟨*avere*⟩ *(uova)* schälen, pellen; *(fagioli)* enthülsen; **II.** *itr* ⟨*essere*⟩ **1.** *zoo* schlüpfen; **2.** *fig* entgleiten, entwischen.
shampoo [ʃæm'pu:] ⟨-⟩ *m* **1.** *(detergente)* Shampoo *n;* **2.** *(lavaggio)* Waschen *n;* **fare lo** ~ shamponieren, Schampon *n.*
share [ʃɛə] ⟨-⟩ *m* **1.** *fin* Share *m;* **2.** *TV (percentuale di spettatori)* Einschaltquote *f.*
shiftare [ʃif'ta:re] *tr* verschieben, shiften.
shock [ʃɔk] ⟨-⟩ *m* Schock *m.*
shocking ['ʃɔkiŋ] ⟨*inv*⟩ *agg* schockierend; *(di colore)* knall-, grell; **rosa** ~ pink(farben); **giallo** ~ knallgelb.
shopper ['ʃɔpə] ⟨-⟩ *m* Tragetasche *f.*
shopping ['ʃɔppin(g) *o* 'ʃɔpiŋ] ⟨-⟩ *m* Einkaufsbummel *m,* Einkaufen *n.* **shopping center** [- 'sɛnter *o* 'sentə] ⟨-⟩ *m* Einkaufszentrum *n.*
shorts [ʃɔrts] *m pl* Shorts *pl,* kurze Hose.
show [ʃo *o* 'ʃou] ⟨-⟩ *m* Show *f.*
show-down [ʃo'daun *o* 'ʃou daun] ⟨-⟩ *m* Showdown *m o n.*
si[1] [si] **I.** *pron rfl* **1.** *(complemento oggetto)* sich *(akk);* **2.** *(complemento di termine)* sich *(dat);* **3.** *(per sé)* sich *(dat);* **4.** *(reciproco)* sich *(dat),* einander; **II.** *pron impers* man; **cerca**~ **segretaria** Sekretärin gesucht.
si[2] [si] ⟨-⟩ *m mus* h, H *n.*
sì [si] **I.** *avv* ja; *(in risposta affermativa a una domanda negativa)* doch; *(in cor-*

relaz. con ma) zwar; **credo di** ~ ich glaube, ja; **e** ~ **che** und doch; **dire di** ~ ja sagen; **rispondere di** ~ mit Ja antworten; **ce l'ha fatta? – sembra di** ~ hat er (*o* sie) es geschafft? – es scheint so; **far** ~ **che** +*congv* dafür sorgen, daß . . .; **un giorno** ~ **ed uno no** jeden zweiten Tag, alle zwei Tage; ~ **e no** ja und nein, jein *fam;* **guadagna bene, si, ma non ha mai soldi** er verdient zwar gut, aber er hat nie Geld; **II.** *m* **1.** *(risposta)* Ja *n;* **2.** *(voto)* Ja(stimme *f*) *n.*

sia[1] ['siːa] *cong* ~ . . . ~ . . . sowohl . . . als auch . . .; ~ **che** . . . ~ **che** . . . ob . . . oder . . .

sia[2] ['siːa] *ecc. v.* **essere.**

siamese [sia'meːse] **I.** *agg* siamesisch; **gatto** ~ Siamkatze *f;* **fratelli -i** siamesische Zwillinge *m pl;* **II.** *mf* **1.** *(abitante) st* Siamese *m,* Siamesin *f;* **2.** *zoo* Siamkatze *f.*

Siberia [si'bɛːri̯a] *f* Sibirien *n; (a. fig).*

sibilante [sibi'lante] **I.** *agg* Zisch-; **II.** *f* Zischlaut *m,* Sibilant *m wissensch.*

sibilare [sibi'laːre] *itr* zischen.

sibilla [si'billa] *f* **1.** *(nella mitologia)* Sibylle *f;* **2.** *fig scherz* Wahrsagerin *f.*

sibilo ['siːbilo] *m* Zischen *n,* Pfeifen *n.*

sicario, -a [si'kaːri̯o] ⟨-i, -ie⟩ *m, f* gedungener Mörder, gedungene Mörderin, Killer(in) *m(f) fam.*

sicché [sik'ke] *cong* **1.** *(di modo che)* so daß; **2.** *(e perciò)* also.

siccità [sittʃi'ta] ⟨-⟩ *f* Trockenheit *f,* Dürre *f.*

siccome [sik'koːme] *cong* da, weil.

Sicilia [si'tʃiːli̯a] *f* Sizilien *n.* **siciliano, -a** [sitʃi'li̯aːno] **I.** *agg* sizilianisch; **II.** *mf* Sizilianer(in) *m(f).*

sicomoro [siko'mɔːro] *m* Maulbeerfeigenbaum *m,* Sykomore *f.*

sicura [si'kuːra] *f* Sicherung *f; mot (di portiera)* Kindersicherung *f;* **mettere/togliere la** ~ **a qc** etw. sichern/entsichern.

sicurezza [siku'rettsa] *f* Sicherheit *f; (certezza a.)* Gewiß-, Bestimmtheit *f;* **carcere di massima** ~ Hochsicherheitsgefängnis *n;* **cintura di** ~ Sicherheitsgurt *m;* **distanza di** ~ Sicherheitsabstand *m;* **misura di** ~ Sicherheitsvorkehrung *f,* -maßnahme *f;* **responsabile della** ~ **dati** Datenschutzbeauftragte(r) *mf;* **uscita di** ~ Notausgang *m;* **Pubblica S**~ (*abbr* **P.S.**) unbewaffnete Sicherheitspolizei; **la** ~ **stradale** die Sicherheit auf der Straße.

sicuro, -a [si'kuːro] **I.** *agg* **1.** *(luogo, posto)* sicher; **2.** *(mano, passo)* sicher, fest; **3.** *(certo)* sicher, gewiß; **4.** *(persona)* zuverlässig, vertrauenswürdig; **essere** ~ **di sé** selbstsicher sein; **star** ~ unbesorgt sein; **II.** *m* **1.** *(luogo)* Sicherheit *f;* **2.** *(certo)* Gewißheit *f,* Sicherheit *f,* Bestimmtheit *f;* **andare sul** ~ auf Nummer Sicher gehen; **mettere al** ~ in Sicherheit bringen; *fig* sicherstellen; **III.** *avv* sicher, gewiß, bestimmt; **di** ~ sicher(lich), mit Sicherheit.

S.I.D. *m acr di* **Servizio Informazioni Difesa** *militärischer Abschirmdienst Italiens.*

siderurgia [siderur'dʒiːa] ⟨-gie⟩ *f* Stahlindustrie *f.* **siderurgico, -a** [...'rurdʒiko] ⟨-ci, -che⟩ **I.** *agg* Stahl-; **II.** *mf* Stahlarbeiter(in) *m(f).*

sidro ['siːdro] *m* Apfelwein *m.*

siedo [si̯ɛːdo] *pr di* **sedere[1].**

siepe ['si̯ɛːpe] *f* Hecke *f.*

siero ['si̯ɛːro] *m* **1.** *(del latte)* Molke *f;* **2.** *med* Serum *n.*

sieropositivo, -a [si̯ɛropozi'tiːvo] **I.** *agg* HIV-positiv; **II.** *m, f* HIV-Positive(r) *mf.*

siesta ['si̯ɛsta] *f* Mittagsruhe *f,* Siesta *f; (sonno)* Mittagsschläfchen *n.*

siete ['si̯ɛːte] *v.* **essere.**

sifilide [si'fiːlide] *f* Syphilis *f,* Lues *f.*

sifone [si'foːne] *m* Siphon *m.*

Sig. *abbr di* **signore** Herr.

sigaretta [siga'retta] *f* Zigarette *f;* ~ **con/senza filtro** Filterzigarette *f*/Zigarette *f* ohne Filter; **farsi una** ~ sich eine Zigarette drehen; **accendersi una** ~ sich eine Zigarette anzünden.

sigaro ['siːgaro] *m* Zigarre *f.*

Sigg. *abbr di* **signori** (Damen und) Herren, Herr und Frau.

sigillare [sidʒil'laːre] *tr* versiegeln.

sigillo [si'dʒillo] *m* Siegel *n;* **(ap)porre i -i a qc** etw. versiegeln.

sigla ['siːgla] *f* Abkürzung *f,* Kürzel *n,* Sigle *f; mus, TV, radio* Erkennungszeichen *n;* ~ **musicale** Erkennungsmelodie *f.* **siglare** [si'glaːre] *tr* unterzeichnen, paraphieren.

Sig.na *abbr di* **signorina** Frl. (*abk von* Fräulein).

significante [siɲɲifi'kante] **I.** *agg* bedeutend; *(occhiata, ecc.)* bedeutungsvoll; **II.** *m ling* Signifikant *m,* Signifiant *n.*

significare [siɲɲifi'kaːre] ⟨significo, significhi⟩ *tr* bedeuten. **significativo, -a** [...ka'tiːvo] *agg* bedeutungsvoll, vielsagend. **significato** [...'kaːto] *m* **1.** *(concetto)* Bedeutung *f;* **2.** *ling* Signifikat *n,* Signifié *n.*

signora [siɲ'ɲoːra] *f* (*abbr* **Sig.ra**) **1.** *gener.* Frau *f,* Dame *f geh; (appellativo)* Frau *f;* **2.** *(moglie)* Frau *f,* Gattin *f geh;* **3.** *(padrona di casa)* Hausherrin *f;* **fare la** ~ die große Dame spielen; **ho incontrato la** ~ **Ferrucci** ich habe Frau Ferrucci getroffen; **gentile** ~ **Ferrucci** *(nelle lettere)* sehr geehrte (*o* verehrte) Frau Ferrucci; **buongiorno,** ~**!** guten Tag (, Frau X *o* gnädige Frau *geh*)!

signore [siɲ'ɲoːre] *m* **1.** *gener.* (*abbr* **Sig.**) Herr *m;* **2.** *(padrone di casa)* Hausherr *m;* **il signor dottore/avvocato** der Herr Doktor/Rechtsanwalt; **ho incontrato il signor Ferrucci** ich habe

Herrn Ferrucci getroffen; **i -i Ferrucci** Herr und Frau Ferrucci; **egregio signor Ferrucci** *(nelle lettere)* sehr geehrter Herr Ferrucci; **signore e -i** meine Damen und Herren; **buongiorno, ~!** guten Tag (, Herr X *o* mein Herr *geh*). **signoria** [...ɲo'ri:a] ⟨-ie⟩ *f* Signoria *f*, (Stadt)herrschaft *f*. **signorile** [...ɲo'ri:le] *agg* herrschaftlich, vornehm. **signorilità** [...ɲorili'ta] ⟨-⟩ *f* Vornehmheit *f*.

signorina [siɲɲo'ri:na] *f (abbr Sig.na)* **1.** *(donna nubile, appellativo)* Frau *f*, Fräulein *n obs;* **2.** *(donna giovane)* junge Frau, junges Mädchen; **la ~ Fioretti** Frau (*o* Fräulein) Fioretti; **buongiorno, ~!** guten Tag (, Frau X *o* Fräulein X *o* mein Fräulein *geh o* gnädiges Fräulein *geh*)!

Sig.ra *abbr di* **signora** Fr. (*abk von* Frau).

silenziato, -a [silen'tsi̯a:to] *agg* geräuschgedämpft, geräuscharm.

silenziatore [silentsi̯a'to:re] *m* Schalldämpfer *m; mot (marmitta di scarico)* Auspufftopf *m; fig (ostacolo)* Maulkorb *m*.

silenzio [si'lɛntsi̯o] ⟨-i⟩ *m* **1.** *(mancanza di suoni)* Ruhe *f*, Stille *f; (il tacere)* Schweigen *n;* **2.** *fig* Ruhe *f;* **3.** *(mancanza di notizie)* Schweigen *n;* **~ stampa** Pressesperre *f;* **zona del ~** *mot* Hupverbot(szone *f*) *n;* **fare ~** still sein; **passare qc sotto ~** etw. *(akk)* stillschweigend übergehen; **~!** Ruhe!. **silenzioso, -a** [silen'tsi̯o:so] *agg* **1.** *(persona)* still, ruhig, leise; **2.** *(senza rumore)* ruhig, leise; **3.** *(che non fa rumore)* leise.

silhouette [silv'ɛt] ⟨-⟩ *f* Silhouette *f*.

silicio [si'li:tʃo] *m* Silizium *n*.

silicone [sili'ko:ne] *m* Silikon *n*.

sillaba ['sillaba] *f* Silbe *f*. **sillabare** [...'ba:re] *tr* in Silben sprechen; *(compitare)* buchstabieren. **sillabario** [...'ba:ri̯o] ⟨-i⟩ *m* Fibel *f*. **sillabico, -a** [...'la:biko] ⟨-ci, -che⟩ *agg* silbisch, Silben-; *mus* syllabisch; **divisione -a** Silbentrennung *f;* **metodo ~** Ganzheitsmethode *f*.

silo ['si:lo] ⟨-i *o* -s⟩ *m* Silo *m o n*.

silo- [silo-] *v.* **xilo-**.

siluramento [silura'mento] *m (a. fig)* Torpedierung *f*. **silurare** [...'ra:re] *tr* **1.** *mil* torpedieren; **2.** *fig* ausbooten, absägen *fam*.

siluro [si'lu:ro] *m mil* Torpedo *m*.

silvestre [sil'vɛstre] *agg* Wald-.

simbiosi [simbi'ɔ:zi] ⟨-⟩ *f* Symbiose *f*.

simboleggiare [simboled'dʒa:re] ⟨simboleggio, simboleggi⟩ *tr* symbolisieren.

simbolico, -a [...'bɔ:liko] ⟨-ci, -che⟩ *agg* symbolisch. **simbolismo** [...bo'lizmo] *m* **1.** *(arte)* Symbolismus *m;* **2.** *(complesso di simboli)* Symbolik *f*. **simbolista** [...bo'lista] ⟨-i *m*, -e *f*⟩ **I.** *mf* Symbolist(in) *m(f);* **II.** *agg* symbolistisch.

simbolo ['simbolo] *m* **1.** *(figura, ecc.)* Symbol *n*, Sinnbild *n;* **2.** *scient* Symbol *n*, Zeichen *n*. **simbologia** [simbolo'dʒi:a] ⟨-ie⟩ *f* Symbolik *f*.

similare [simi'la:re] *agg* gleichartig, ähnlich.

simile ['si:mile] **I.** *agg* **1.** *(analogo)* ähnlich; **2.** *(tale)* solch, so(lch) ein; **~ nella forma/per il colore** ähnlich in der Form/in der Farbe; **II.** *mf* Nächste(r) *mf*, Mitmensch *m;* **e -i** und dergleichen.

similitudine [simili'tu:dine] *f* Gleichnis *n; letter* Vergleich *m*.

similoro [simi'lɔ:ro] *m* Talmi *n*, Scheingold *n*.

similpelle [simil'pɛlle] ⟨-⟩ *f* Kunstleder *n*, Skai® *n*.

simmetria [simme'tri:a] ⟨-ie⟩ *f* Symmetrie *f*. **simmetrico, -a** [...'mɛ:triko] *agg* symmetrisch.

Simona [si'mo:na] *(nome proprio femminile)* Simone.

Simone [si'mo:ne] *(nome proprio maschile)* Simon.

simpatia [simpa'ti:a] ⟨-ie⟩ *f* Sympathie *f;* **avere ~ per qu/qc** jdn/etw. sympathisch finden; **prendere qu in ~** jdn liebgewinnen. **simpatico, -a** [...'pa:tiko] ⟨-ci, -che⟩ **I.** *agg* sympathisch; **II.** *m anat* Sympathikus *m*.

simpatizzante [simpatid'dzante] *mf* Sympathisant(in) *m(f)*. **simpatizzare** [...'dza:re] *itr* **1.** *(entrare in simpatia)* sich verstehen (*con* mit); **2.** *pol (di ideologia, ecc.)* sympathisieren (*con* mit).

simplex ['simpleks] ⟨-⟩ *m tel* Einzelanschluß *m*.

simposio [sim'pɔ:zi̯o] ⟨-i⟩ *m* Symposium *n*, Symposion *n*, Tagung *f*.

simulare [simu'la:re] *tr* vortäuschen, vorheucheln; *(tec, inform, malattia)* simulieren. **simulatore** [...la'to:re] *m tec* Simulator *m*. **simulazione** [...lat'tsi̯o:ne] *f* Täuschung *f*, Heuchelei *f*.

simultaneista [simultane'ista] ⟨-i *m*, -e *f*⟩ *mf* **1.** *(interprete)* Simultandolmetscher(in) *m(f);* **2.** *(scacchista)* Simultanspieler(in) *m(f)*.

simultaneità [simultanei'ta] ⟨-⟩ *f* Gleichzeitigkeit *f*. **simultaneo, -a** [...'ta:neo] *agg* gleichzeitig, simultan; **traduzione -a** Simultanübersetzung *f*.

sinagoga [sina'gɔ:ga] ⟨-ghe⟩ *f* Synagoge *f*.

sinceramente *avv* ehrlich; **~ non so cosa pensare** ehrlich gesagt, ich weiß nicht, was ich davon halten soll.

sincerarsi [sintʃe'rarsi] *rfl* sich vergewissern (*di qc* einer S. *gen*).

sincerità [sintʃeri'ta] ⟨-⟩ *f* Aufrichtigkeit *f*, Ehrlichkeit *f;* **con tutta ~** in aller Offenheit. **sincero, -a** [...'tʃɛ:ro] *agg* aufrichtig, ehrlich; *(prodotto)* rein, echt.

sincopato, -a [siŋko'pa:to] *agg* synkopisch, synkopenreich.

sincope ['siŋkope] *f* Synkope *f*.

sincronico, -a [siŋ'krɔ:niko] *agg* gleichzeitig, synchron.
sincronizzare [siŋkronid'dza:re] *tr* synchronisieren; *inform* takten, synchronisieren. **sincronizzatore** [...dza'to:re] *m* **1.** *tec, el* Synchronisierer *m;* **2.** *mot* Synchronring *m.* **sincronizzazione** [...dzat'tsio:ne] *f* Synchronisierung *f,* Synchronisation *f.*
sindacale[1] [sinda'ka:le] *agg (del sindacato)* Gewerkschafts-, gewerkschaftlich; **vertenza** ~ Tarifkonflikt *m.*
sindacale[2] [sinda'ka:le] *agg (del sindaco)* Bürgermeister-.
sindacalismo [sindaka'lizmo] *m* Gewerkschaftsbewegung *f.* **sindacalista** [...'lista] ⟨-i *m,* -e *f*⟩ *mf* Gewerkschaft(l)er(in) *m(f).* **sindacalizzare** [...lid'dʒa:re] *tr* gewerkschaftlich organisieren.
sindacare [sinda'ka:re] ⟨sindaco, sindachi⟩ *tr* **1.** *amm* überprüfen; **2.** *(iscrivere)* in die Gewerkschaft aufnehmen; **3.** *econ* syndizieren; **4.** *fig* bekritteln, bemängeln.
sindacato [sinda'ka:to] *m* **1.** *pol* Verband *m; (di lavoratori)* Gewerkschaft *f;* **2.** *econ* Syndikat *n;* ~ **dei datori di lavoro** Arbeitgeberverband *m.*
sindaco, -a ['sindako] ⟨-ci, -che⟩ *m* Bürgermeister(in) *m(f).*
sindone ['sindone] *f* Leichentuch *n;* **la Sacra S~** das Leichentuch Christi.
sindrome ['sindrome] *f* Syndrom *n;* ~ **da astinenza** Entzugserscheinungen *f pl;* ~ **di Down** Mongolismus *m,* Down-Syndrom *n;* ~ **da immunodeficienza acquisita** Immunschwächekrankheit *f,* AIDS *n;* ~ **da raggi** Strahlenkrankheit *f.*
sinergia [siner'dʒi:a] ⟨-gie⟩ *f* **1.** *chim, farm* Synergismus *m;* **2.** *(combinazione operativa)* Synergie *f.*
sinfonia [sinfo'ni:a] ⟨-ie⟩ *f* **1.** *mus* Symphonie *f,* Sinfonie *f;* **2.** *fig scherz* Leier *f,* Lied *n.* **sinfonico, -a** [...'fɔ:niko] ⟨-ci, -che⟩ *agg* symphonisch, sinfonisch, Symphonie-, Sinfonie-.
singhiozzare [siŋgiot'tsa:re] *itr* schluchzen. **singhiozzo** [...'giottso] *m* **1.** *med* Schluckauf *m;* **2.** *(pianto)* Schluchzer *m;* **a** ~ stotternd, ruckweise.
single ['singol] ⟨-⟩ *mf* Single *m.*
singolare [siŋgo'la:re] **I.** *agg* einzigartig, einmalig; *(insolito)* besonders, ungewöhnlich; **II.** *m* **1.** *gram* Singular *m,* Einzahl *f;* **2.** *sport* Einzel *n;* ~ **femminile/maschile** Damen-/Herreneinzel *n.*
singolarmente [...lar'mente] *avv* besonders; *(uno a uno)* einzeln.
singolo, -a ['siŋgolo] **I.** *agg* einzeln, Einzel-; **II.** *m, f* Einzelne(r) *mf;* **III.** *m* **1.** *sport (tennis)* Einzel *n; (canottaggio)* Einer *m;* **2.** *tel* Einzelanschluß *m.*
singulto [siŋ'gulto] *m* Schluckauf *m;* **avere il** ~ Schluckauf haben.
sinistra [si'nistra] *f* **1.** *gener., pol* Linke *f; (mano a.)* linke Hand; **2.** *(parte)* linke Seite; **3.** *naut* Backbord *n;* **essere di** ~ *pol* links sein; **girare (*o* voltare) a** ~ links abbiegen; **tenere la** ~ links fahren (*o* gehen); **a** ~ **di** links von; **alla vostra** ~ links von euch, zu eurer Linken *geh.*
sinistrato, -a [sinis'tra:to] **I.** *agg* getroffen, betroffen, geschädigt; **zona -a** Katastrophengebiet *n;* **II.** *m, f* Geschädigte(r) *mf,* Opfer *n.*
sinistro, -a [si'nistro] **I.** *agg* **1.** *gener.* linke(r, s); **2.** *fig* unheilvoll, finster, düster; **II.** *m* **1.** *(infortunio)* Schaden *m,* Unglück *n,* Unfall *m;* **2.** *(piede)* linker Fuß; *(pugno)* Linke *f;* **colpire di** ~ mit links schlagen.
sino ['si:no] *prp:* ~ **a** bis (zu *o* nach).
sinonimo [si'nɔ:nimo] *m* Synonym *n;* **dizionario dei -i** Synonymwörterbuch *n.*
sinora [si'no:ra] *v.* **finora.**
sinottica, -a [si'nɔttiko] ⟨-ci, -che⟩ *agg* synoptisch, Übersichts-; **quadro** ~ Schautafel *f.*
sintassi [sin'tassi] ⟨-⟩ *f* Syntax *f,* Satzlehre *f.* **sintattico, -a** [...'tattiko] *agg* syntaktisch.
sintesi ['sintezi] *f* **1.** *chim* Synthese *f;* **2.** *(riassunto)* Zusammenfassung *f;* **in** ~ zusammenfassend. **sintetico, -a** [...'tɛ:tiko] ⟨-ci, -che⟩ *agg* **1.** *(conciso)* zusammenfassend, knapp; **2.** *(fibra, materiale)* synthetisch, Kunst-.
sintetizzare [sintetid'dza:re] *tr* **1.** *chim* synthetisieren; **2.** *fig* zusammenfassen.
sintetizzatore [sintetiddza'to:re] *m* Synthesizer *m.*
sintomatico, -a [sinto'ma:tiko] ⟨-ci, -che⟩ *agg* symptomatisch; *(fig a.)* typisch, bezeichnend.
sintomo ['sintomo] *m* **1.** *med* Symptom *n;* **2.** *fig* Zeichen *n,* Anzeichen *n.*
sintonia [sin'tɔ:nia] ⟨-ie⟩ *f* Einklang *m;* **essere in** ~ **con qu** mit jdm übereinstimmen.
sintonizzare [sintonid'dza:re] **I.** *tr* einstellen (*su* auf +*akk*); **II.** *rfl:* **-arsi** einstellen/*su qc* etw.); *fig* sich einstellen (*con qu/qc* auf jdn/etw.). **sintonizzatore** [...dza'to:re] *m radio* Tuner *m.*
sinuoso, -a [sinu'o:so] *agg* gewunden, kurvenreich.
sinusite [sinu'zi:te] *f* Nebenhöhlenentzündung *f,* Sinusitis *f wissensch.*
sionismo [sio'nizmo] *m* Zionismus *m.* **sionista** [...'nista] ⟨-i *m,* -e *f*⟩ *mf* Zionist(in) *m(f).*
S.I.P. [sip] *f acr di* **Società Italiana per l'Esercizio Telefonico** *italienische Telefongesellschaft.*
sipario [si'pa:rio] ⟨-i⟩ *m* Vorhang *m.*
siria ['si:ria] *f* Syrien *n.* **siriano, -a** [sir'ia:no] **I.** *agg* syrisch; **II.** *mf* Syrer(in) *m(f).*
sirena [si'rɛ:na] *f* Sirene *f;* **a -e spiegate** mit heulenden Sirenen.
siringa [si'riŋga] ⟨-ghe⟩ *f* **1.** *med* Spritze

f; **2.** *gastr* Spritztülle *f;* **3.** *mus* Pan-, Hirtenflöte *f;* ~ **monouso** Einwegspritze *f.*
siringare [siriŋ'ga:re] ⟨siringo, siringhi⟩ *tr* punktieren.
sisma ['sizma] ⟨-i⟩ *m* Erdbeben *n.* **sismico, -a** ['sizmiko] ⟨-ci, -che⟩ *agg* seismisch, Erdbeben-; **zona -a** Erdbebengebiet *n.* **sismografo** [siz'mɔ:grafo] *m* Seismograph *m,* Erdbebenmesser *m.* **sismologia** [...olo'dʒi:a] ⟨-gie⟩ *f* Seismologie *f,* Erdbebenkunde *f.* **sismologo, -a** [...'mɔ:logo] ⟨-gi, -ghe⟩ *m, f* Seismologe *m,* -login *f.*
sistema [sis'tɛ:ma] ⟨-i⟩ *m* **1.** *gener.* System *n;* **2.** *fig* Art und Weise *f; (modo di comportarsi)* Benehmen *n,* Verhalten *n;* ~ **antibloccaggio** Antiblockiersystem *n,* ABS *n;* ~ **antimissile** Raketenabwehrsystem *n;* ~ **di (*o* per) l'elaborazione dei dati** Datenverarbeitungssystem *n;* ~ **esperto** Expertensystem *n;* ~ **europeo delle banche centrali (***abbr* SEBC) Europäisches Zentralbankensystem (*abk* EZBS); ~ **immunitario** Immunsystem *n;* ~ **monetario europeo (***abbr* **SME)** Europäisches Währungssystem (*abk* EWS); ~ **operativo** Betriebssystem *n;* ~ **periodico** Periodensystem *n;* ~ **di word processing** Textverarbeitungssystem *n;* **analisi dei -i** Systemanalyse *f;* ~ **di vita** Lebensweise *f;* **mutare** ~ sein Verhalten ändern; **contrario al** ~ systemfeindlich.
sistemare [siste'ma:re] **I.** *tr* **1.** *(mettere a posto)* ordnen, in Ordnung bringen; **2.** *(faccenda)* erledigen, in Ordnung bringen, regeln; *(lite)* beilegen; **3.** *(procurare un lavoro, alloggio)* unterbringen; **4.** *fam* zurechtweisen, den Kopf zurechtrücken *fam* (*qu* jdm); **II.** *rfl:* **-arsi 1.** *gener.* in Ordnung kommen; **2.** *(trovare lavoro, alloggio)* unterkommen; **3.** *(sposarsi)* unter die Haube kommen *fam.*
sistematicamente [sistematika'mente] *avv* **1.** *(secondo un piano organico)* systematisch; **2.** *(regolarmente)* regelmäßig; **3.** *(assiduamente)* ständig, regelmäßig. **sistematico, -a** [...'ma:tiko] ⟨-ci, -che⟩ *agg* **1.** *(classificazione, ordine)* systematisch; **2.** *fig (opposizione, ecc.)* prinzipiell, grundsätzlich.
sistemazione [sistemat'tsjo:ne] *f* **1.** *(di cose)* (An)ordnung *f; (posto)* Platz *m;* **2.** *(impiego)* Stelle *f,* Anstellung *f;* **3.** *(di lite)* Beilegung *f; (di faccenda)* Erledigung *f;* **4.** *econ* (guter) Absatz *m;* **5.** *(alloggio)* Unterbringung *f,* Unterkunft *f.*
sistemista [siste'mista] ⟨-i *m,* -e *f*⟩ *mf* **1.** *(giocatore)* Systemspieler(in) *m(f);* **2.** *inform* Systemanalytiker(in) *m(f).*
sistola ['sistola] *f* (Spritz)schlauch *m.*
sistole ['sistole] *f* Systole *f.*
sit-in ['sitin] ⟨-⟩ *m* Sitzblockade *f,* Sit-in *n.*
situare [situ'a:re] *tr* setzen, stellen. **situato, -a** [...'a:to] *agg* gelegen.
situazione [situat'tsjo:ne] *f* Lage *f,* Situation *f;* **trovarsi in (*o* vivere) una** ~ **difficile** sich in einer schwierigen Lage befinden.
skai® ['skai] ⟨-⟩ *m* Skai® *n,* Kunstleder *n.*
skate-board ['skeɪtbɔ:d] ⟨-⟩ *m* Skateboard *n,* Rollbrett *n.*
slabbrare [zlab'bra:re] **I.** *tr* **1.** *(calzettoni)* ausleiern; **2.** *(ferita)* an den Rändern aufbrechen; **II.** *rfl:* **-arsi 1.** *(oggetto)* die Form verlieren, ausleiern; **2.** *(ferita)* an den Rändern aufplatzen.
slacciare [zlat'tʃa:re] ⟨slaccio, slacci⟩ **I.** *tr* lösen, aufmachen; *(sbottonare)* aufknöpfen; **II.** *rfl:* **-arsi** sich lösen, aufgehen.
slalom ['zla:lom] ⟨-⟩ *m* Slalom *m;* ~ **gigante** Riesenslalom *m.*
slanciarsi [zlan'tʃarsi] *rfl* sich werfen (*su* auf *+akk*), sich stürzen (*su* auf *+akk*).
slanciato, -a [zlan'tʃa:to] *agg* schlank.
slancio ['zlantʃo] *m* **1.** *(balzo)* Schwung *m; (rincorsa)* Anlauf *m;* **2.** *fig* Schwung *m,* Elan *m,* Auftrieb *m;* **agire di** ~ spontan handeln; **prendere lo** ~ Anlauf nehmen; **in uno** ~ **di entusiasmo** in einem Anflug von Begeisterung.
slargo ['zlargo] *m* Verbreiterung *f.*
slavato, -a [zla'va:to] *agg* ausgewaschen, ausgebleicht, verwaschen.
slavina [zla'vi:na] *f* Lawine *f.*
slavo, -a ['zla:vo] **I.** *agg* slawisch; **II.** *m, f* Slawe *m,* Slawin *f.*
sleale [zle'a:le] *agg* unehrlich; **concorrenza** ~ unlauterer Wettbewerb. **slealtà** [zleal'ta] *f* Unlauterkeit *f,* Unehrlichkeit *f.*
slegare [zle'ga:re] **I.** *tr* **1.** *(aprire)* aufmachen, aufknoten; **2.** *(liberare)* lösen; *(cavallo, cane)* losbinden; **II.** *rfl:* **-arsi 1.** *(sciogliersi)* aufgehen, sich lösen; **2.** *fig* sich loslösen, sich befreien. **slegato, -a** [...'ga:to] *agg* **1.** *(pacco, ecc.)* aufgebunden, lose; **2.** *fig* zusammenhang(s)los.
Slesia ['zlɛ:zja] *f* Schlesien *n.*
Slesvig-Holstein ['zlezvig 'hɔlʃtain] *m* Schleswig-Holstein *n.*
slip [zlip] ⟨-⟩ *m* Slip *m.*
slitta ['zlitta] *f* Schlitten *m.*
slittamento [zlitta'mento] *m* **1.** *(di ruote)* Rutschen *n;* **2.** *fig* Abkommen *n;* **3.** *econ, fin* Abfallen *n,* Nachgeben *n.*
slittare [...'ta:re] *itr* ⟨*essere o avere*⟩ **1.** *(ruote)* rutschen, durchdrehen; **2.** *(persone, animali)* rutschen, gleiten; **3.** *econ, fin* abfallen, nachgeben; **4.** *fig* abweichen, abkommen; **5.** *fig (tardare)* sich verzögern, verschoben werden.
slittino [zlit'ti:no] *m* Rodelschlitten *m.*
s.l.m. *abbr di* **sul livello del mare** ü.d.M. (*abk von* über dem Meeresspiegel).
slogan ['zlɔ:gan *o* 'slougən] ⟨-⟩ *m* Slogan *m.*

slogare [zlo'ga:re] ⟨slogo, sloghi⟩ *tr* aus-, verrenken. **slogatura** [...ga'tu:ra] *f* Verrenkung *f.*
sloggiare [zlod'dʒa:re] ⟨sloggio, sloggi⟩ **I.** *tr* vertreiben; *(di casa)* ausquartieren, weisen aus; **II.** *itr* **1.** *(abbandonare)* aus-, wegziehen; **2.** *fam* abhauen *fam.*
slot-machine ['slɔt mə'ʃi:n] ⟨-⟩ *f* Geldspielautomat *m.*
Slovacchia [zlovak'kia] *f* Slowakische Republik, Slowakei *f.* **slovacco, -a** [zlo'vakko] ⟨-cchi *m,* -cche *f*⟩ **I.** *agg* slowakisch; **II.** *m, f* Slowake *m,* Slowakin *f.*
Slovenia [slo'vɛ:nia] *f* Slowenien *n.* **sloveno, -a** [zlo'vɛ:no] **I.** *agg* slowenisch; **II.** *m, f* Slowene *m,* Slowenin *f.*
slurp [zlurp *o* slə:p] *interi fam (rumore di chi mangia)* schmatz! *fam; (rumore di che beve)* gluck! *fam.*
smacchiare [zmak'kia:re] *tr* die Flecken entfernen aus. **smacchiatore** [...kia'to:re] *m* Fleckentferner *m.*
smacco ['zmakko] ⟨-cchi⟩ *m* Schlappe *f fam,* Niederlage *f.*
smack [zmak *o* smæk] *interi fam* schmatz! *fam.*
smagliante [zmaʎ'ʎante] *agg* glänzend, strahlend.
smagliare [zmaʎ'ʎa:re] ⟨smaglio, smagli⟩ **I.** *tr (calze)* Laufmaschen haben in; *(maglia)* aufziehen; **II.** *rfl:* **-arsi 1.** *(calze)* Laufmaschen bekommen; *(maglia)* ein Loch bekommen; **2.** *(pelle)* Dehnungsstreifen bekommen; *(durante la gravidanza)* Schwangerschaftsstreifen bekommen. **smagliatura** [...ʎa'tu:ra] *f* **1.** *(di calze)* Laufmasche *f;* **2.** *med* Dehnungsstreifen *m; (di gravidanza)* Schwangerschaftsstreifen *m.*
smagnetizzare [zmaŋŋetid'dza:re] *tr* entmagnetisieren. **smagnetizzazione** [...'dzat'tsio:ne] *f* Entmagnetisierung *f.*
smagrire [zma'gri:re] ⟨smagrisco⟩ **I.** *tr* ⟨*avere*⟩ mager (*o* dünn) machen, abmagern lassen; **II.** *rfl:* **-irsi** abnehmen; **III.** *itr* ⟨*essere*⟩ abmagern.
smaliziato, -a [zmalit'tsia:to] *agg* gerissen, verschlagen.
smaltare [zmal'ta:re] *tr* emaillieren; *(ceramica)* glasieren.
smaltimento [zmalti'mento] *m* Entsorgung *f,* Beseitigung *f.*
smaltire [zmal'ti:re] ⟨smaltisco⟩ *tr* **1.** *(cibo)* verdauen, verwerten; **2.** *(indigestione)* überwinden; *(rabbia)* verrauchen lassen; *(sbornia)* ausschlafen; **3.** *econ (merce)* ausverkaufen; **4.** *(acque)* ableiten; *(rifiuti)* entsorgen; **5.** *(lavoro)* erledigen.
smalto ['zmalto] *m* **1.** *(per decorare)* Email *n; (per ceramica)* Glasur *f;* **2.** *(per unghie)* Nagellack *m;* **3.** *(dei denti)* Zahnschmelz *m.*
smammare [zmam'ma:re] *itr fam* abhauen *fam,* abzischen *fam,* abziehen *fam.*
smanceria [zmantʃe'ri:a] ⟨-ie⟩ *f* Getue *n fam.*
smanettare [zmanet'ta:re] *itr mot sl* (mit dem Motorrad) rasen, (das Motorrad) voll aufdrehen *fam.* **smanettone, -a** [...'to:ne] *m, f mot sl* (Motorrad)raser(in) *m(f)*
smania ['zma:nia] *f* **1.** *(agitazione)* Aufregung *f,* Unruhe *f;* **2.** *fig* Sucht *f,* Wahn *m;* **avere la ~ di fare qc** etw. unbedingt tun wollen. **smaniare** [zma'nia:re] ⟨smanio, smani⟩ *itr* **1.** *(agitarsi)* sich aufregen, rasen; **2.** *fig* brennen (*di fare qc* darauf, etw. zu tun), sich sehnen (*di* nach). **smanioso, -a** [...'nio:so] *agg* **1.** *(agitato)* tobend, rasend, außer sich *(dat);* **2.** *(desideroso)* wild (*di* auf *+akk*).
smantellamento [zmantella'mento] *m (mura, ecc.)* Abriß *m,* Abbruch *m; (fabbrica a.)* Abbau *m; (fortezza)* Schleifung *f;* ~ **sociale** *fig* Abbau der Sozialleistungen.
smantellare [zmantel'la:re] *tr* **1.** *(mura, ecc.)* abreißen; *(fabbrica a.)* demontieren; *(fortezza)* schleifen; *(missile)* abhauen, abrüsten; **2.** *naut* abwracken.
smargiasso, -a [zmar'dʒasso] *m, f* Prahler(in) *m(f),* Angeber(in) *m(f).*
smarrimento [zmarri'mento] *m* **1.** *(di oggetto)* Verlust *m;* **2.** *fig* Verwirrung *f.* **smarrire** [...'ri:re] ⟨smarrisco⟩ **I.** *tr* verlegen; ~ **la strada** sich verlaufen (*o* verfahren); **II.** *rfl:* **-irsi 1.** *(perdersi)* sich verlaufen (*o* verfahren), sich verirren; **2.** *fig* in Verwirrung geraten; *(d'animo)* verzagen.
smascherare [zmaske'ra:re] **I.** *tr* **1.** *fig* aufdecken, enthüllen, entlarven; **2.** *(togliere la maschera)* demaskieren; **II.** *rfl:* **-arsi 1.** *fig* die Maske fallen lassen; **2.** *(togliersi la maschera)* die Maske ablegen.
S.M.E [z'mɛ] *m abbr di* **Sistema Monetario Europeo** EWS *n* (*abk von* Europäisches Währungssystem).
smembramento [zmembra'mento] *m* **1.** *(divisione)* Aufteilung *f,* Zerteilung *f;* **2.** *fig* Auflösung *f.* **smembrare** [...'bra:re] *tr* zerstückeln.
smemoratezza [zmemora'tettsa] *f* Vergeßlichkeit *f.* **smemorato, -a** [...'ra:to] **I.** *agg* vergeßlich; **II.** *m, f* vergeßlicher Mensch.
smentire [zmen'ti:re] **I.** *tr* **1.** *(notizia, fatti)* dementieren; **2.** *dir* widerrufen; **3.** *(buon nome, fama)* handeln gegen; **II.** *rfl:* **-irsi** sich *(dat)* widersprechen; **non si smentisce mai** er (*o* sie) bleibt sich *(dat)* selbst treu. **smentita** [...'ti:ta] *f* Gegendarstellung *f,* Dementi *n; dir* Widerruf *m.*
smeraldo [zme'raldo] **I.** *m* Smaragd *m;* **II.** ⟨*inv*⟩ *agg* smaragdgrün.

smerciare [zmer'tʃa:re] ⟨smercio, smerci⟩ *tr* verkaufen, absetzen. **smercio** ['zmɛrtʃo] ⟨-ci⟩ *m* Verkauf *m*, Absatz *m*.
smerdare [zmer'da:re] *volg* **I.** *tr* vollscheißen *vulg*, vollkacken *vulg*; **II.** *rfl:* **-arsi** sich vollscheißen *vulg*, sich vollkacken *vulg*.
smerigliare [zmeriʎ'ʎa:re] ⟨smeriglio, smerigli⟩ *tr* (ab)schmirgeln. **smerigliato, -a** [...'ʎa:to] *agg* **1.** *(carta)* Schmirgel-; **2.** *(vetro)* geschmirgelt. **smeriglio** [...'riʎʎo] ⟨-gli⟩ *m* Schmirgel *m*.
smerlare [zmer'la:re] *tr* festonieren. **smerlo** ['zmɛrlo] *m* Feston *n*.
smettere ['zmettere] ⟨*irr*⟩ **I.** *tr* **1.** *(vestito)* ablegen; **2.** *(lavoro, studi)* aufgeben; *(interrompere)* abbrechen; **smettila!** hör auf damit!; **II.** *itr* aufhören; ~ **di fare qc** mit etw. aufhören; aufhören, etw. zu tun.
smidollato, -a [zmidol'la:to] **I.** *agg* **1.** *(osso)* marklos; **2.** *fig peg* schlaff, schlapp, ohne Mark (*o* Mumm) in den Knochen; **II.** *m, f* Schlappschwanz *m vulg*, Lahmarsch *m vulg*.
smilitarizzare [zmilitarid'dza:re] *tr* entmilitarisieren. **smilitarizzazione** [...dzat'tsio:ne] *f* Entmilitarisierung *f*.
smilzo, -a ['zmiltso] *agg* **1.** *(persona)* schmächtig; **2.** *(trama, tema)* mager, dürftig.
sminuire [zminu'i:re] ⟨sminuisco⟩ *tr* schmälern, mindern; *(persona)* geringschätzen.
sminuzzare [zminut'tsa:re] **I.** *tr* zerbröckeln; *(a. fig)* zerstückeln; **II.** *rfl:* **-arsi** zerbröckeln.
smistare [zmis'ta:re] *tr* **1.** *(corrispondenza, merci)* sortieren; **2.** *mil* einteilen; **3.** *ferr* verschieben, rangieren; **4.** *sport* übergeben, abgeben.
smisurato, -a [zmizu'ra:to] *agg* maßlos, grenzenlos.
smitizzare [zmitid'dza:re] *tr* nüchtern betrachten, entmythisieren.
smobilitare [zmobili'ta:re] *tr* demobilisieren; *(truppe)* abziehen. **smobilitazione** [...tat'tsio:ne] *f* Demobilisierung *f*; *(di truppe)* Abzug *m*.
smoccolare [zmokko'la:re] **I.** *itr* fluchen; **II.** *tr* den Docht stutzen (*o* schneiden) (*qc* einer S. *gen*).
smodato, -a [zmo'da:to] *agg* maßlos, unmäßig.
smoderato, -a [zmode'ra:to] *agg* maßlos, unmäßig; **essere ~ nel mangiare/bere** unmäßig essen/trinken.
smog [zmɔg] ⟨-⟩ *m* Smog *m*; **cappa di ~** Dunstglocke *f*; **allarme ~** Smogalarm *m*.
smoking ['zmɔkin(g)] ⟨-⟩ *m* Smoking *m*.
smontabile [zmontabile] *agg* zusammenklappbar, zerlegbar.
smontare [zmon'ta:re] **I.** *tr* ⟨*avere*⟩ **1.** *gener.* zerlegen, auseinandernehmen; *tec* demontieren; **2.** *fig* auseinandernehmen, -pflücken, demontieren; **II.** *itr* ⟨*essere o avere*⟩ **1.** *(scendere)* hinabsteigen; *(da treno, ecc.)* aussteigen; *(da cavallo)* absteigen; **2.** *(di turno, lavoro)* Feierabend machen; **III.** *rfl:* **-arsi** den Mut verlieren.
smorfia ['zmɔrfia] ⟨-ie⟩ *f* **1.** *(contrazione)* Grimasse *f*, Fratze *f*; **2.** *fig* Naserümpfen *n*; *(atteggiamento lezioso)* Getue *n fam*, Theater *n*; **fare le -ie** Fratzen schneiden.
smorfioso, -a [zmor'fio:so] **I.** *agg* zimperlich; **II.** *m, f* Zimperliese *f*.
smorto, -a ['zmɔrto] *agg* blaß, bleich; *fig* farblos, blaß.
smorzare [zmor'tsa:re] *tr* **1.** *(attenuarsi, a. fig)* dämpfen; **2.** *fig (estinguere)* stillen; **3.** *(spegnere)* ausmachen; *(fuoco a.)* löschen.
smottamento [zmotta'mento] *m* Erdrutsch *m*. **smottare** [...'ta:re] *itr* ⟨*essere*⟩ abrutschen.
smunto, -a ['zmunto] *agg* abgezehrt.
smuovere ['zmuɔ:vere] ⟨*irr*⟩ **I.** *tr* **1.** *(spostare)* wegrücken; **2.** *fig* abbringen; *(dall'inerzia)* aufrütteln; **II.** *rfl:* **-ersi** **1.** *(spostarsi)* sich wegbewegen, sich rühren; **2.** *fig* sich abbringen lassen (*da qc* von etw.).
smussare [zmus'sa:re] **I.** *tr* **1.** *(spigolo, stipite)* abstumpfen, abrunden; **2.** *fig* mildern; **II.** *rfl:* **-arsi** stumpf werden, abstumpfen.
snack [snæk] ⟨-⟩ *m* **1.** *(spuntino)* Snack *m*, Imbiß *m*; **2.** *(snack-bar)* Snackbar *f*, Imbißstube *.f*
snaturato, -a [znatu'ra:to] **I.** *agg* entartet, unmenschlich; *(madre, padre)* Raben-; **II.** *m, f* Unmensch *m*.
snazionalizzare [znattsionalid'dza:re] *tr* **1.** *com* reprivatisieren; **2.** *pol* entnationalisieren. **snazionalizzazione** [...dzat'tsio:ne] *f* **1.** *com* Reprivatisierung *f*; **2.** *pol* Entnationalisierung *f*.
snellire [znel'li:re] ⟨snellisco⟩ **I.** *tr* **1.** *(rendere snello)* schlank(er) machen; **2.** *fig* verschlanken, vereinfachen, straffen; **II.** *rfl:* **-irsi** schlank(er) werden.
snello, -a ['znɛllo] *agg* **1.** *(persona, figura)* schlank; **2.** *fig* leicht, behende; *(stile)* flüssig.
snervante [zner'vante] *agg* entnervend, nervenaufreibend, nervtötend. **snervare** [...'va:re] **I.** *tr* entnerven; **II.** *rfl:* **-arsi** entnervt sein.
snidare [zni'da:re] *tr* **1.** *(lepre, volpe)* aus dem Bau (*o* Nest) treiben, aufstöbern; **2.** *fig* ausheben.
sniffare [znif'fa:re] *tr sl* sniffen *sl*, schnupfen; *(cocaina)* koksen.
snob [znɔb] **I.** ⟨*inv*⟩ *agg* versnobt, snobistisch; **II.** ⟨-⟩ *mf* Snob *m*. **snobbare** [znob'ba:re] *tr* verachten, herabblicken auf +*akk*, ignorieren. **snobismo** [zno'bizmo] *m* Snobismus *m*.
snocciolare [znottʃo'la:re] *tr* **1.** *(ciliege, albicocche)* entkernen; **2.** *fig* reihenwei-

se von sich *(dat)* geben; *(orazioni a.)* herunterleiern. **snocciolatoio** [...la'to:io] ⟨-oi⟩ *m* Entkerner *m,* Entsteiner *m.*

snodabile [zno'da:bile] *agg* gelenkig; *(a. tec)* Gelenk-; **burattino** ~ Hampelmann *m.* **snodare** [...'da:re] **I.** *tr* **1.** *(fune, corda)* lösen, ent-, aufknoten; *(giunture)* lockern, locker machen; *fig (lingua)* lösen; **2.** *(rendere mobile)* gelenkig machen; **3.** *tec* mit Gelenken versehen; **II.** *rfl:* **-arsi 1.** *(fiume, strada)* sich schlängeln; **2.** *(articolarsi)* sich krümmen, gekrümmt sein.

snodo ['znɔ:do] *m tec* Gelenk *n.*

snowboard ['snoubɔ:d] ⟨-⟩ *m sport* Snowboard *n.*

so [sɔ] *pr di* **sapere.**

SO *abbr di* **sud-ovest** SW (*abk von* Südwest).

soave [so'a:ve] *agg* lieblich, süß. **soavità** [soavi'ta] ⟨-⟩ *f* Lieblichkeit *f,* Süße *f.*

sobbalzare [sobbal'tsa:re] *itr* **1.** *(veicoli)* stoßen, rucken; **2.** *(persone)* aufspringen, auffahren. **sobbalzo** [...'baltso] *m* Stoß *m,* Ruck *m,* Satz *m.*

sobbarcarsi [sobbar'karsi] ⟨mi sobbarco, ti sobbarchi⟩ *rfl* sich *(dat)* aufbürden sich belasten (*di* mit).

sobborgo [sob'borgo] *m* Vorort *m,* Vorstadt *f.*

sobillare [sobil'la:re] *tr* aufstacheln, aufhetzen, aufwiegeln. **sobillatore, -trice** [...la'to:re] *m, f* Aufwiegler(in) *m(f),* Unruhestifter(in) *m(f).*

sobrietà [sobrie'ta] ⟨-⟩ *f* Maß *n,* Mäßigkeit *f,* Genügsamkeit *f; (a. fig)* Nüchternheit *f.* **sobrio, -a** ['sɔ:brio] ⟨-i, -ie⟩ *agg* **1.** *(persona)* maßvoll, genügsam; **2.** *fig* einfach, schlicht, nüchtern; **3.** *(lucido)* nüchtern.

soc. *abbr di* **società** Ges. (*abk von* Gesellschaft).

socchiudere [sok'kiu:dere] ⟨*irr*⟩ *tr (porta, finestra)* anlehnen; ~ **gli occhi** blinzeln.

soccombere [sok'kombere] *itr* ⟨*essere*⟩ unterliegen, erliegen.

soccorrere [sok'korrere] ⟨*irr*⟩ *tr* helfen (*qu* jdm), zu Hilfe eilen (*qu* jdm). **soccorritore, -trice** [...ri'to:re] *m, f* Helfer(in) *m(f).*

soccorso [sok'korso] *m* Hilfe *f;* **-i** Hilfsmittel *n pl; mil* Hilfstruppen *f pl;* **pronto** ~ Erste Hilfe; ~ **alpino** Bergwacht *f,* Bergrettungsdienst *m;* ~ **stradale** Pannendienst *m,* Abschleppdienst *m;* **il** ~ **di Pisa** *fig, scherz* verspätete Hilfe; **cassetta di pronto** ~ Verband(s)kasten *m;* **omissione di** ~ *dir* unterlassene Hilfeleistung; **(reparto di) pronto** ~ Unfallstation *f;* **correre in** ~ **di qu** jdm zu Hilfe eilen.

socia *f v.* **socio.**

socialdemocratico, -a [sotʃaldemo'kra:tiko] **I.** *agg* sozialdemokratisch; **II.** *m, f* Sozialdemokrat(in) *m(f).* **socialdemocrazia** [...rat'tsi:a] *f* Sozialdemokratie *f.*

sociale [so'tʃa:le] *agg* **1.** *gener.* gesellschaftlich, sozial, Gesellschafts-, Sozial-; *(di società)* gesellschaftlich, Gesellschafts-, in Gesellschaft; **2.** *(di associazione)* Gesellschafts-; **3.** *(che vive in società, a. zoo)* gesellig; **quota** ~ Mitgliedsbeitrag *m;* **ragione** ~ Firmenname *m.*

socialismo [sotʃa'lizmo] *m* Sozialismus *m.* **socialista** [...'lista] ⟨-i *m,* -e *f*⟩ **I.** *mf* Sozialist(in) *m(f);* **II.** *agg* sozialistisch.

socializzare [sotʃalid'dza:re] *tr* sozialisieren; *econ* vergesellschaften.

società [sotʃe'ta] ⟨-⟩ *f* Gemeinschaft *f; soc, econ (abbr* **soc.**) Gesellschaft *f;* (*abk* **Ges.**); (ceto, associazione) Gesellschaft *f;* ~ **affluente (***o* **opulenta** *o* **del benessere)/dei consumi/industriale** Wohlstands-/Konsum-/Industriegesellschaft *f;* **alta** ~ High Society *f;* **l'onorata** ~ *(camorra, mafia)* ehrenwerte Gesellschaft; ~ **delle api/delle formiche** Bienenvolk *n*/Ameisenstaat *m.* ~ **per azioni (***o* **anonima) (***abbr* **S.p.A.)** Aktiengesellschaft *f;* ~ **a responsabilità limitata (***abbr* **S.r.l.)** Gesellschaft *f* mit beschränkter Haftung; ~ **in accomandita (***abbr* **S.acc.)** Kommanditgesellschaft *f;* ~ **finanziaria** Holding *f;* ~ **sportiva** Sportverein *m;* ~ **protettrice degli animali** Tierschutzverein *m;* **in** ~ gemeinsam.

socievole [so'tʃe:vole] *agg* gesellig; **poco** ~ kontaktscheu, menschenscheu.

socio, -a ['sɔ:tʃo] ⟨-ci, -cie⟩ *m, f* **1.** *gener. (membro)* Mitglied *n;* **2.** *econ* Gesellschafter(in) *m(f),* Teilhaber(in) *m(f);* ~ **fondatore** Gründungsmitglied *n;* ~ **promotore** passives Mitglied *n;* ~ **accomandatario** Kommanditist(in) *m(f);* ~ **con funzioni dirigenti** geschäftsführende(r) Gesellschafter(in) *m(f);* ~ **gerente** geschäftsführende(r) Teilhaber(in) *m(f).*

socioculturale [sotʃokultu'ra:le] *agg* soziokulturell.

sociologia [sotʃolo'dʒi:a] ⟨-gie⟩ *f* Soziologie *f.* **sociologo, -a** [so'tʃɔ:logo] ⟨-gi, -ghe⟩ *m, f* Soziologe *m,* Soziologin *f.*

soda ['sɔ:da] *f* **1.** *chim* Soda *n o f;* **2.** *(acqua)* Soda(wasser) *n.*

soddisfacente [soddisfa'tʃɛnte] *agg* befriedigend, zufriedenstellend.

soddisfare [soddis'fa:re] ⟨soddisfo *o* soddisfaccio, *irr*⟩ **I.** *tr* zufriedenstellen; *(a. bisogni, ecc.)* befriedigen; *(curiosità)* stillen; *(clienti, pubblico)* zufriedenstellen; ~ **le condizioni** die Bedingungen erfüllen; **II.** *itr:* ~ **a** genügen *+dat,* gerecht werden *+dat,* erfüllen *+akk;* ~ **ai propri doveri** seinen Verpflichtungen nachkommen. **soddisfatto, -a** [...'fatto] *agg* befriedigt; *(contento)* zufrieden.

soddisfazione [soddisfat'tsio:ne] *f* **1.** *(piacere)* Befriedigung *f; (contentezza)* Zufriedenheit *f;* **2.** *(compensazione)* Genugtuung *f;* **3.** *(riparazione)* Wiedergutmachung *f;* **le piccole -i della vita quotidiana** die kleinen Freuden *f pl* des (täglichen) Lebens.

sodio ['sɔ:dio] *m* Natrium *n.*

sodo, -a ['sɔ:do] **I.** *agg* **1.** *(carne)* fest, hart; **2.** *(muscolo)* stark, kräftig; **3.** *(uovo)* hart(gekocht); **4.** *fig* fest, solide; *(argomento)* stark; **II.** *avv* **1.** *(con forza)* hart, fest, stark; **2.** *(alacremente)* tüchtig, fest; **dormire** ~ tief (*o* fest) schlafen; **III.** *m:* **venire al** ~ zur Sache kommen.

sodomia [sodo'mi:a] ⟨-ie⟩ *f* Analverkehr *m,* Sodomie *f.*

sofà [so'fa] ⟨-⟩ *m* Sofa *n.*

sofferente [soffe'rɛnte] *agg* leidend; *med* krank. **sofferenza** [...'rɛntsa] *f* Leiden *n,* Qual *f;* **in** ~ *econ* überfällig, ausstehend.

soffermare [soffer'ma:re] **I.** *tr:* ~ **lo sguardo su qc** den Blick auf etw. *(dat)* ruhen lassen; **II.** *rfl:* **-arsi 1.** *(sostare)* stehenbleiben, sich aufhalten; **2.** *fig* sich aufhalten (*su* bei).

soffersi [sof'fɛrsi] *p rem di* **soffrire.**

sofferto, -a [sof'fɛrto] **I.** *pp di* **soffrire; II.** *agg* schwierig, mühsam.

soffiare [sof'fia:re] ⟨soffio, soffi⟩ **I.** *itr* **1.** *(aria, fumo)* blasen; *(vento a.)* wehen; **2.** *(sbuffare)* schnaufen, schnauben; **II.** *tr* **1.** *(aria, fumo)* blasen, pusten *fam; (vetro)* blasen; **2.** *fig (togliere)* wegschnappen; *(persona)* ausspannen; *(pedina)* schlagen; **3.** *(segreto, ecc.)* zuflüstern; *sl (fare la spia)* singen *sl;* **-arsi il naso** sich *(dat)* die Nase putzen.

soffiata [sof'fia:ta] *f sl* Tip *m fam.*

soffice ['sɔffitʃe] *agg* weich; *(tessuto a.)* flauschig.

soffietto [sof'fietto] *m* **1.** *(mantice)* Blasebalg *m;* **2.** *tec* Faltwulst *m;* **porta a** ~ Falttür *f.*

soffio ['soffio] ⟨-i⟩ *m* **1.** *gener.* Blasen *n; (d'aria, vento)* Hauch *m,* Zug *m;* **2.** *(rumore, a. med)* Geräusch *n;* **in un** ~ im Nu; **d'un** ~ um ein Haar, um Haaresbreite.

soffione [sof'fio:ne] *m* **1.** *geol* Soffione *f;* **2.** *bot* Pusteblume *f fam.*

soffitta [sof'fitta] *f* Dachboden *m,* Speicher *m.*

soffitto [sof'fitto] *m* (Zimmer)decke *f.*

soffocamento [soffoka'mento] *m* Erstikkung *f,* Ersticken *n.* **soffocante** [...'kante] *agg* **1.** *(aria)* stickig; **2.** *fig* bedrückend.

soffocare [soffo'ka:re] ⟨soffoco, soffochi⟩ *tr* **1.** *(a. fig)* ersticken; **2.** *fig* unterdrücken. **soffocazione** [...kat'tsio:ne] *f* **1.** *(a. fig)* Erstickung *f;* **2.** *fig* Unterdrükkung *f.*

soffriggere [sof'friddʒere] ⟨*irr*⟩ *tr* anbraten, anrösten.

soffrire [sof'fri:re] ⟨soffro, soffrii *o* soffersi, sofferto⟩ **I.** *tr* **1.** *(patire)* leiden, erleiden; **2.** *(sopportare)* (er)leiden, ertragen, (er)dulden; *(persone)* ausstehen, leiden; ~ **il caldo/freddo** unter Hitze/Kälte leiden, hitze-/kälteempfindlich sein; **II.** *itr* **1.** *med* leiden (*di* an *+dat*), haben (*di qc* etw.); **2.** *(patire)* leiden, krank sein.

soffritto [sof'fritto] *m Gemisch aus Zwiebeln, Kräutern und Speck, gehackt und angebraten.*

soffuso, -a [sif'fu:zo] *agg:* **luce -a** indirekte Beleuchtung.

sofisticare [sofisti'ka:re] ⟨sofistico, sofistichi⟩ *tr* (ver)fälschen; *(vino)* verschneiden, panschen. **sofisticato, -a** [...'ka:to] *agg* **1.** *(merce)* gefälscht; *(vino)* gepanscht, verschnitten; **2.** *(persona)* anspruchsvoll, überkandidelt *peg fam;* **3.** *(linguaggio)* gekünstelt, hochgestochen; **4.** *(impianto)* Hochleistungs-, hochentwickelt. **sofisticazione** [...kat'tsio:ne] *f* (Ver)fälschung *f; (di vino)* Panschen *n,* Verschneiden *n.*

software ['sɔftwer *o* 'sɔftwɛə] ⟨-⟩ *m* Software *f.*

soggettista [soddʒet'tista] ⟨-i *m,* -e *f*⟩ *mf* Drehbuchautor(in) *m(f).*

soggettività [soddʒettivi'ta] ⟨-⟩ *f* Subjektivität *f.* **soggettivo, -a** [...'ti:vo] *agg* **1.** *(opinione, impressione)* subjektiv; **2.** *gram* Subjekt(s)-.

soggetto [sod'dʒɛtto] *m* **1.** *(tema)* Thema *n,* Gegenstand *m,* Sujet *n geh; mus* Thema *n;* **2.** *gram, filos* Subjekt *n;* **3.** *med* Person *f,* Patient *m;* **4.** *teat* Improvisation *f;* **5.** *fam* Typ *m fam,* Subjekt *n fam.*

soggetto, -a [sod'dʒɛtto] *agg* unterworfen; *(esposto)* ausgesetzt *(a qc* etw. *+dat),* betroffen (*a* von); *med* anfällig (*a* für), empfindlich (*a* gegen); ~ **a dazio/imposta** zoll-/steuerpflichtig.

soggezione [soddʒet'tsio:ne] *f* **1.** *(timidezza)* Scheu *f,* Befangenheit *f;* **2.** *(dipendenza)* Abhängigkeit *f,* Unterworfensein *n.*

sogghignare [soggiɲ'ɲa:re] *itr* grinsen. **sogghigno** [...'giɲɲo] *m* Grinsen *n.*

soggiacere [soddʒa'tʃe:re] ⟨*irr*⟩ *itr* ⟨*essere*⟩ unterliegen.

soggiogare [soddʒo'ga:re] ⟨soggiogo, soggioghi⟩ *tr* unterjochen, unterwerfen.

soggiornare [soddʒor'na:re] *itr* sich aufhalten, verweilen.

soggiorno [sod'dʒorno] *m* **1.** *(permanenza)* Aufenthalt *m; (luogo)* Aufenthaltsort *m;* **2.** *(stanza)* Wohnzimmer *n;* **permesso di** ~ Aufenthaltserlaubnis *f,* -genehmigung *f.*

soggiungere [sod'dʒundʒere] ⟨*irr*⟩ *tr* hinzufügen.

soglia ['sɔʎʎa] ⟨-glie⟩ *f* Schwelle *f;* ~ **del dolore** Schmerzgrenze *f;* **varcare la** ~

über die Schwelle treten.
soglio ['sɔʎʎo] *pr di* **solere.**
sogliola ['sɔʎʎola] *f* Seezunge *f.*
sognante [soɲ'ɲante] *agg* träumerisch, verträumt.
sognare [soɲ'ɲa:re] **I.** *tr* **1.** *(vedere in sogno)* träumen; **2.** *fig (desiderare)* träumen von, erträumen; **ho sognato il nonno** ich habe von Großvater geträumt; **II.** *itr (a. fig)* träumen; **III.** *rfl:* **-arsi 1.** *(vedere in sogno)* träumen; **2.** *fig* träumen, sich *(dat)* einbilden. **sognatore, -trice** [...ɲa'to:re] *m, f* Träumer(in) *m(f).*
sogno ['soɲɲo] *m (a. fig)* Traum *m;* **fare un** ~ träumen, einen Traum haben (*o* träumen); ~ **ad occhi aperti** Tagtraum *m;* **nemmeno (***o* **neppure** *o* **neanche) per** ~ nicht einmal im Traum.
soia ['sɔ:i̯a] ⟨soie⟩ *f* Soja(bohne) *f.*
sol [sɔl] ⟨-⟩ *m mus* g, G *n.*
sola *f v.* **solo.**
solaio [so'la:i̯o] ⟨-ai⟩ *m* Dachboden *m.*
solare [so'la:re] *agg* **1.** *gener.* Sonnen-; **2.** *el* Sonnen-, Solar-; **3.** *fig* strahlend; **cellula** ~ Solarzelle *f;* **collettore (***o* **pannello)** ~ Sonnenkollektor *m;* **eclissi** ~ Sonnenfinsternis *f;* **filtro** ~ Sonnenschutzfilter *m;* **orologio** ~ Sonnenuhr *f;* **crema/olio** ~ Sonnencreme *f*/-öl *n.*
solario [so'la:ri̯o] ⟨-i⟩ *m,* **solarium** [so'la:ri̯um] ⟨-⟩ *m* Solarium *n,* Sonnenbank *f.*
solcare [sol'ka:re] ⟨solco, solchi⟩ *tr* **1.** *fig* durchpflügen, durchziehen; **2.** *agr* durchpflügen, durchfurchen.
solco ['solko] ⟨-chi⟩ *m* **1.** *agr* Furche *f;* **2.** *(incavatura)* Spur *f; (a. di disco)* Rille *f;* **3.** *(grinza)* Runzel *f,* Furche *f,* Falte *f;* **4.** *naut* Kielwasser *n.*
soldatino [solda'ti:no] *m* Spielsoldat *m;* ~ **di piombo** Zinnsoldat *m.*
soldato, -essa [sol'da:to, solda'tessa] *m, f* Soldat(in) *m(f);* **andare (a fare il)** ~ Soldat werden; **fare il** ~ Soldat sein.
soldo ['sɔldo] *m* **1.** ⟨*pl*⟩ Geld *n;* **2.** *fig* Pfennig *m,* Heller *m;* **3.** *mil* Sold *m;* **non aver neppure un** ~ keinen Pfennig haben; **mettere da parte i -i** Geld beiseite legen; **essere alto quanto un** ~ **di cacio** *scherz* ein Dreikäsehoch sein; **da pochi (***o* **quattro) -i** *fig* nichts (*o* wenig Geld) wert; **far -i a palate** Geld scheffeln.
sole ['so:le] *m* Sonne *f;* ~ **di mezzanotte** Mitternachtssonne *f;* **il Re S**~ *st* der Sonnenkönig; **c'è** ~ die Sonne scheint; **pieno di** ~ sonnig; **chiaro come il** ~ sonnenklar; **prendere il** ~ sich sonnen; **sdraiarsi/stare al** ~ sich in die Sonne legen/in der Sonne liegen; **in pieno** ~ in der prallen Sonne. **soleggiato, -a** [...'dʒa:to] *agg* sonnig, sonnenbeschienen.
solenne [so'lɛnne] *agg* **1.** *gener.* feierlich, festlich; **2.** *scherz (persona)* Erz- *fam,* Ober- *fam; (schiaffo, ecc.)* saftig *fam,* gehörig. **solennità** [solenni'ta] ⟨-⟩ *f* **1.** *(qualità)* Feierlichkeit *f,* Festlichkeit *f;* **2.** *(ricorrenza)* Feier-, Festtag *m.*
solere [so'le:re] ⟨soglio, solei, solito⟩ *itr* ⟨*essere*⟩ pflegen (*+inf* zu ...), gewohnt sein (*+inf* zu ...); **come si suol dire** wie man zu sagen pflegt.
solerte [so'lɛrte] *agg* eifrig, fleißig.
soletta [so'letta] *f* Einlegesohle *f.*
solfa ['sɔlfa] *f:* **è sempre la solita** ~! es ist immer dieselbe Leier (*o* das alte Lied)!; **che** ~! wie langweilig!
solfato [sol'fa:to] *m* Sulfat *n.*
solfeggio [sol'deffʒo] ⟨-i⟩ *m mus* Solfeggio *n.*
solforico, -a [sol'fɔ:riko] ⟨-ci, -che⟩ *agg* Schwefel-, schwefelhaltig, schwefelsauer; **acido** ~ Schwefelsäure *f.*
solfuro [sol'fu:ro] *m* Sulfat *n.*
solidale [soli'da:le] *agg* solidarisch. **solidarietà** [...dari̯e'ta] ⟨-⟩ *f* Solidarität *f;* **manifestazione di** ~ Solidaritätsbekundung *f.* **solidarizzare** [...darid'dza:re] *itr* sich solidarisieren.
solidificare [solidifi'ka:re] ⟨solidifico, solidifichi⟩ **I.** *tr* fest werden lassen; **II.** *itr, rfl:* **-arsi** fest werden, erstarren. **solidificazione** [...kat'tsi̯o:ne] *f* Festwerden *n,* Erstarren *n.*
solidità [solidi'ta] ⟨-⟩ *f* **1.** *(di costruzione, ecc.)* Festigkeit *f,* Solidität *f;* **2.** *fin* Solidität *f;* **3.** *(di persona)* Zuverlässigkeit *f; (di argomento)* Fundiertheit *f; (di ragionamento)* Stichhaltigkeit *f.*
solido, -a ['sɔ:lido] **I.** *agg* **1.** *fis* fest; **2.** *(costruzione)* solide, fest, stabil; **3.** *fig* solide, fest; *(argomento, ecc. a.)* handfest, fundiert, stichhaltig; *(persona, ditta)* zuverlässig; **II.** *m* **1.** *fis* Feststoff *m,* fester Stoff; **2.** *mat* Körper *m.*
soliloquio [soli'lɔ:kui̯o] ⟨-qui⟩ *m* Selbstgespräch *n.*
solista [so'lista] ⟨-i *m,* -e *f*⟩ **I.** *mf* Solist(in) *m(f);* **II.** *agg* Solo-, Einzel-.
solitario, -a [soli'ta:ri̯o] ⟨-i, -ie⟩ **I.** *agg* **1.** *(luogo, via)* einsam; **2.** *(passeggero)* einzeln, Einzel-; **II.** *m* **1.** *(gioco)* Patience *f;* **2.** *(brillante)* Solitär *m.*
solitamente [solita'mente] *avv* gewöhnlich.
solito, -a ['sɔ:lito] **I.** *pp di* **solere; II.** *agg* gewohnt, üblich; **essere** ~ **(di) fare qc** gewohnt sein, etw. *(akk)* zu tun; **siamo alle -e** schon wieder das Gleiche (*o* Übliche); **III.** *m* **1.** *(consueto)* Gewöhnliche(s) *n,* Übliche(s) *n;* **2.** *(consuetudine)* Gewohnheit *f;* **di** ~ gewöhnlich, normalerweise; **come al** ~ wie gewöhnlich, wie immer.
solitudine [soli'tu:dine] *f* Einsamkeit *f.*
sollecitare [solletʃi'ta:re] *tr* **1.** *(cose)* drängen auf *+akk; (persone)* drängen; **2.** *(promozione, ecc.)* ersuchen um, bitten um; *(posto)* sich bewerben um; **3.** *(stimolare)* anregen; *(fantasia)* an-

spornen; **4.** *tec* belasten, beanspruchen; ~ **un pagamento** eine Zahlung anmahnen. **sollecitazione** [...tat'tsio:ne] *f* **1.** *(il sollecitare)* Mahnung *f,* Drängen *n;* **2.** *(stimolazione)* Anregung *f,* Ansporn *m;* **3.** *fis, tec* Belastung *f,* Beanspruchung *f.*

sollecito, -a [sol'le:tʃito] **I.** *agg* **1.** *(risposta)* prompt, schnell; **2.** *(persona)* eifrig, zuvorkommend; **II.** *m amm* Aufforderung *f,* Mahnung *f;* **lettera di** ~ Mahnbrief *m.* **sollecitudine** [...letʃi'tu:dine] *f* **1.** *(impegno)* Eifer *m;* **2.** *(rapidità)* Eile *f,* Promptheit *f,* Schnelligkeit *f.*

solleone [solle'o:ne] *m* **1.** *(gran caldo)* Sommerhitze *f;* **2.** *(periodo)* Hundstage *m pl.*

solleticare [solleti'ka:re] ⟨solletico, solletichi⟩ *tr* **1.** kitzeln; **2.** *fig* kitzeln, reizen; *(appetito)* anregen. **solletico** [...'le:tiko] ⟨-chi⟩ *m* **1.** *(sensazione)* Kitzeln *n,* Kitzel *m;* **2.** *fig* Kitzel *m,* Reiz *m.*

sollevamento [solleva'mento] *m* (An)hebung *f,* (An)heben *n; (da terra)* Aufheben *n;* ~ **pesi** Gewichtheben *n.* **sollevare** [...va:re] **I.** *tr* **1.** *(peso)* (an)heben; *(da terra)* aufheben; **2.** *(testa, occhi)* (er)heben; **3.** *fig* heben; *(moralmente)* aufrichten; **4.** *fig (far insorgere)* aufwiegeln; **5.** *fig (questione)* stellen, aufwerfen; *(protesta)* erheben; **II.** *rfl:* **-arsi 1.** *(levarsi)* sich erheben, sich aufrichten; **2.** *fig (ribellarsi)* sich erheben, sich empören; **3.** *fig (riprendersi)* sich erholen. **sollevato, -a** [...'va:to] *agg fig* erholt, erleichtert.

sollievo [sol'liɛ:vo] *m* Erleichterung *f; (conforto)* Trost *m.*

sollucchero [sol'lukkero] *m:* **andare in** ~ *scherz* sich riesig freuen, vor Wonne vergehen.

solo, -a ['so:lo] **I.** *agg* **1.** *(senza compagnia)* allein; *(isolato)* einsam; **2.** *(unico)* einzig; **3.** *(semplice)* bloß, alleinig; **uno che s'è fatto da** ~ ein Selfmademan *m;* **parlare da** ~ mit sich *(dat)* selbst sprechen; **sentirsi** ~ sich einsam fühlen; **II.** *avv (solamente)* nur, allein, bloß; **non** ~ **. . ., ma anche** . . . nicht nur . . ., sondern auch . . .; **III.** *cong (ma)* nur, bloß; ~ **che** +*congv* wenn nur; **IV.** *m, f* **1.** *(unico)* Einzige(r) *mf;* **2.** *mus:* **a** ~ Solo; ⟨*pl*⟩ Soli *n pl.*

solstizio [sols'tittsio] ⟨-i⟩ *m* Sonnenwende *f.*

soltanto [sol'tanto] *avv (solo)* nur, bloß, allein.

solubile [so'lu:bile] *agg* **1.** *(caffè, chim)* löslich; **2.** *fig (problema, questione)* lösbar. **solubilità** [solubili'ta] ⟨-⟩ *f* **1.** *chim* Löslichkeit *f;* **2.** *fig* Lösbarkeit *f.*

soluzione [solut'tsio:ne] *f* **1.** *(di problema, conflitto, mat, chim)* Lösung *f;* **2.** *econ* Zahlung *f;* ~ **interlocutoria/di ripiego** Übergangs-/Verlegenheitslösung *f.*

solvente [sol'vɛnte] **I.** *agg* **1.** *chim* lösend, Lösungs-; **2.** *fin* zahlungsfähig, solvent; **II.** *mf* zahlungsfähige *(o* solvente) Person; **III.** *m* Lösungsmittel *n.*

solvenza [sol'vɛntsa] *f* Zahlungsfähigkeit *f,* Solvenz *f.*

soma ['sɔ:ma] *f* Last *f.*

somaro, -a [so'ma:ro] *m, f zoo* Esel(in) *m(f); fig* Esel *m.*

somatico, -a [so'ma:tiko] ⟨-ci, -che⟩ *agg* somatisch, körperlich, Körper-.

somigliante [somiʎ'ʎante] *agg* ähnlich, ähnelnd. **somiglianza** [...'ʎantsa] *f* Ähnlichkeit *f.* **somigliare** [...'ʎa:re] ⟨somiglio, somigli⟩ **I.** *tr* gleichen *(qu* jdm), ähneln *(qu* jdm), ähnlich sein *(qu* jdm); **II.** *itr* gleichen, ähneln, ähnlich sein *(o* sehen); **III.** *rfl:* **-arsi** sich *(dat)* ähnlich sehen, sich *(dat)* gleichen.

somma ['somma] *f* **1.** *mat* Summe *f;* **2.** *fin* Summe *f,* Betrag *m;* **3.** *(quantità complessiva)* Summe *f,* Gesamtheit *f;* **tirare le -e** *fig* das Fazit ziehen. **sommare** [...'ma:re] **I.** *tr* **1.** *mat* zusammenzählen, addieren; **2.** *(aggiungere)* hinzurechnen, -zählen; **tutto sommato** alles in allem; **II.** *itr* sich belaufen *(o* auf +*akk*).

sommario, -a [som'ma:rio] ⟨-i, -ie⟩ **I.** *agg* **1.** *(resoconto, racconto)* summarisch, zusammenfassend; **2.** *dir (procedimento, processo)* Schnell-; **3.** *(superficiale)* oberflächlich; **II.** *m* **1.** *(riassunto)* Zusammenfassung *f,* Inhaltsangabe *f;* **2.** *(compendio)* Abriß *m.*

sommatore [somma'to:re] *m inform* Addierwerk *n.*

sommergere [som'mɛrdʒere] ⟨sommergo, sommergi, sommersi, sommerso⟩ *tr* **1.** *(acque)* überschwemmen, überfluten; **2.** *fig* überschwemmen, überhäufen; **3.** *(far affondare)* versenken. **sommergibile** [sommer'dʒi:bile] *m* Unterseeboot *n.*

sommersi [som'mɛrsi] *p rem di* **sommergere.**

sommerso [som'mɛrso] *pp di* **sommergere.**

sommesso, -a [som'messo] *agg* leise, verhalten.

somministrare [somminis'tra:re] *tr* **1.** *(medicine)* verabreichen; **2.** *(sacramenti)* erteilen, spenden. **somministrazione** [...rat'tsio:ne] *f* **1.** *(di medicine)* Verabreichung *f;* **2.** *(di sacramenti)* Erteilung *f,* Spenden *n.*

sommità [sommi'ta] ⟨-⟩ *f (a. fig)* Gipfel *m,* Spitze *f.*

sommo, -a ['sommo] **I.** ⟨*superl di* alto *e* grande⟩ **1.** *(più alto)* höchste(r, s); *(più grande)* größte(r, s); **2.** *(molto alto)* sehr hoch; *(molto grande)* sehr groß; **3.** *fig (massimo)* äußerste(r, s), höchste(r, s); **II.** *m lett* Gipfel *m,* Spitze *f.*

sommossa [som'mɔssa] *f* Aufstand *m,*

Aufruhr *m.*
sommozzatore [sommottsa'to:re] *m* Froschmann *m.*
sonagliera [sonaʎ'ʎɛ:ra] *f* Schellenhalsband *n.* **sonaglio** [so'naʎʎo] ⟨-gli⟩ *m* Schelle *f; (giocottolo)* Rassel *f.*
sonare [so'na:re] **I.** *tr* ⟨*avere*⟩ **1.** *mus* spielen; **2.** *(orologio, campana)* schlagen; *(campanello)* läuten; **3.** *fam* verhauen *fam;* **essere sonato** *fam* einen Schuß haben *fam;* **II.** *itr* ⟨*essere o avere*⟩ **1.** *(campana, orologio)* läuten; *(telefono, sveglia)* klingeln; **2.** *mus* spielen, musizieren; **3.** *(parole, frasi)* klingen; **sta sonando il campanello** es klingelt. **sonata** [so'na:ta] *f* Sonate *f.* **sonatore, -trice** [sona'to:re] *m, f* Spieler(in) *m(f).*
sonda ['sonda] *f* Sonde *f;* ~ **spaziale** Raumsonde *f;* **pallone** ~ Forschungsballon *m.*
sondaggio [son'daddʒo] ⟨-ggi⟩ *m* **1.** *(indagine)* Umfrage *f;* **2.** *(con sonda)* Sondierung *f;* **3.** *(esplorazione)* Erforschung *f,* Sondierung *f;* ~ **del mercato** Marktuntersuchung *f;* ~ **d'opinione** Meinungsumfrage *f.* **sondare** [...'da:re] *tr (a. fig)* sondieren.
soneria [sone'ri:a] ⟨-ie⟩ *f* Läutwerk *n; (di telefono)* Klingel *f.*
sonetto [so'netto] *m* Sonett *n.*
sonnacchioso, -a [sonnak'kio:so] *agg* schläfrig, verschlafen.
sonnambulo, -a [son'nambulo] *m, f* Schlafwandler(in) *m(f);* **essere** ~ schlafwandeln.
sonnecchiare [sonnek'kia:re] ⟨sonnecchio, sonnecchi⟩ *itr* schlummern.
sonnellino [sonnel'li:no] *m* Schläfchen *n,* Nickerchen *n fam.*
sonnifero [son'ni:fero] *m* Schlafmittel *n.*
sonno ['sonno] *m* Schlaf *m;* **avere** ~ müde sein; **cascare dal** ~ vor Müdigkeit umfallen. **sonnolento, -a** [-'lɛnto] *agg* verschlafen; *(persona a.)* schläfrig. **sonnolenza** [-'lɛntsa] *f* Schläfrigkeit *f.*
sono ['so:no] *pr di* **essere.**
sonorità [sonori'ta] ⟨-⟩ *f* **1.** *fis* Klangfülle *f;* **2.** *ling* Stimmhaftigkeit *f.* **sonoro, -a** [so'nɔ:ro] **I.** *agg* **1.** *fis* Schall-, schallend; **2.** *(voce)* klangvoll, wohlklingend; **3.** *fig* schallend, dröhnend, laut; **4.** *ling* stimmhaft; **5.** *film* Ton-; **colonna -a** Soundtrack *m;* **II.** *m* Tonfilm *m.*
sontuosità [sontuosi'ta] ⟨-⟩ *f* Prunk *m,* Pracht *f.* **sontuoso, -a** [...u'o:so] *agg* prunkvoll, prächtig.
sopire [so'pi:re] ⟨sopisco⟩ *tr* beruhigen, besänftigen.
sopore [so'po:re] *m* Schlummer *m,* Halbschlaf *m.* **soporifero, -a** [sopo'ri:fero] *agg* einschläfernd.
soppalco [sop'palko] ⟨-chi⟩ *m* Dachboden *m.*
sopperire [soppe'ri:re] ⟨sopperisco⟩ *itr* ausgleichen (*a qc con qc* etw. mit etw.); ~ **a un bisogno** einem Anspruch genügen.
soppesare [soppe'sa:re] *tr* **1.** *fig* abwägen; **2.** *(oggetto)* wägen, das Gewicht abschätzen *(qc* einer S. *gen).*
soppiantare [soppian'ta:re] *tr* verdrängen.
soppiatto [sop'piatto] *agg:* **di** ~ heimlich, versteckt.
sopportare [soppor'ta:re] *tr* **1.** *(resistere a)* aushalten, ertragen; **2.** *(subire)* auf sich nehmen, erleiden, erdulden; *(tollerare)* dulden, ertragen; **3.** *(persona)* leiden (können), ausstehen (können); **4.** *(peso)* tragen, aushalten; **5.** *(spesa)* tragen. **sopportazione** [...tat'tsio:ne] *f* Duldung *f,* Ertragen *n; (pazienza)* Geduld *f.*
soppressi [sop'prɛssi] *p rem di* **sopprimere.**
soppressione [soppres'sio:ne] *f* **1.** *(abolizione)* Abschaffung *f,* Aufhebung *f;* **2.** *(uccisione)* Beseitigung *f.*
sopprimere [sop'pri:mere] ⟨sopprimo, soppressi, soppresso⟩ *tr* **1.** *(legge)* abschaffen, aufheben; **2.** *(persona)* beseitigen.
sopra ['so:pra] **I.** *prp* **1.** *(con contatto: stato in luogo)* auf *+dat; (moto a luogo)* auf *+akk;* **2.** *(senza contatto: stato in luogo)* über *+dat; (moto a luogo)* über *+akk;* **3.** *(oltre)* über *+dat,* oberhalb *+gen;* **4.** *(dopo)* über *+dat,* nach *+dat;* **5.** *(addosso)* auf *+akk;* **6.** *(intorno a, più di)* über *+akk;* ~ **ogni cosa** über alles; **uno** ~ **l'altro** übereinander; **II.** *avv* oben; *(oltre)* über, darüber; **berci** ~ darauf trinken; **dormirci** ~ darüber schlafen; **passarci** ~ darüber hinwegsehen; **il cassetto di** ~ die obere Schublade; **al di** ~ **di** oberhalb von; **di cui** ~ *amm* obengenannt; **come (detto)** ~ wie oben (gesagt); **III.** ⟨*inv*⟩ *agg* obere(r, s); **IV.** ⟨-⟩ *m* Oberteil *m o n.*
sopra- [sopra-] *(in parole composte)* Über-, über-; *v. a. sovra-.*
soprabito [so'pra:bito] *m* Übergangsmantel *m.* **sopracciglio** [-t'tʃiʎʎo] *m* (Augen)braue *f.* **sopraccitato, -a** [-ttʃi'ta:to] *agg* obenerwähnt, obengenannt.
sopraccoperta [-kko'pɛrta] *f* **1.** *(di letto)* Über-, Tagesdecke *f;* **2.** *naut* Deck *n.* **sopraddetto, -a** [-d'detto] *agg* oben gesagt, obengenannt.
sopr(a)elevare [sopr(a)ele'va:re] *tr (strada)* überhöhen; *(edificio)* aufstocken. **sopr(a)elevata** [...'va:ta] *f* Überführung *f.*
sopraffare [-f'fa:re] ⟨sopraffaccio *o* sopraffò, *irr*⟩ *tr* überwältigen; *(deboli)* unterdrücken. **sopraffazione** [-ffat'tsio:ne] *f* Überwältigung *f,* Unterdrückung *f; (prepotenza)* Übergriff *m.*
sopraffino, -a [-f'fi:no] *agg* **1.** *(burro, ecc.)* extrafein; **2.** *(cosa, pranzo)* exzel-

lent, raffiniert; **3.** *fig* außerordentlich, ausgezeichnet; **4.** *iron (furfante)* raffiniert.

sopraggiungere [-d'dʒundʒere] ⟨*irr*⟩ *itr* ⟨*essere*⟩ **1.** *(arrivare)* überraschend kommen (*o* erscheinen); **2.** *(aggiungersi)* hinzu-, dazukommen.

sopra(l)luogo [-(l)'luɔ:go] *m* Lokal-, Ortstermin *m;* **ordinare un** ~ einen Lokaltermin ansetzen. **soprammobile** [-m'mɔ:bile] *m* Nippesfigur *f,* Nippsachen *f pl.* **soprannaturale** [-nnatu'ra:le] **I.** *agg* übernatürlich, übersinnlich; **II.** *m* Übernatürliche(s) *n.*

soprannome [-n'no:me] *m* Spitz-, Beiname *f.* **soprannominare** [-nnomi'na:re] *tr* einen Spitznamen *fam (o* Beinamen) geben (*qu* jdm).

soprannumerario, -a [-nnume'ra:rio] ⟨-i, -ie⟩ *agg* überzählig, überschüssig. **soprannumero** [-n'nu:mero] *m:* **in** ~ überzählig, überschüssig.

soprano [so'pra:no] **I.** ⟨*inv*⟩ *agg* Sopran-; **II.** *m (voce)* Sopran *m;* **III.** ⟨*-i m,* -e *f*⟩ *mf (cantante)* Sopran *m,* Sopranist(in) *m(f);* ~ **leggero** Koloratursopran *m;* ~ **drammatico/lirico** dramatischer/lyrischer Sopran; **mezzo** ~ Mezzosopran *m.*

soprappensiero, sopra pensiero [-ppen'siɛ:ro] *avv* in Gedanken, gedankenverloren.

soprappiù [-p'piu] ⟨-⟩ *m* **1.** *(ciò che è in più)* Extra *n;* **2.** *(aggiunta)* Dreingabe *f,* Zugabe *f.* **soprapprezzo** [-p'prɛttso] *m* Aufpreis *m,* Aufschlag *m.* **soprassalto** [-s'salto] *m* Auffahren *n,* plötzlicher Satz; **di** ~ plötzlich, mit einem Satz.

soprassedere [-sse'de:re] ⟨*irr*⟩ *itr* aufschieben (*a qc* etw.), hinausschieben (*a qc* etw.).

soprattassa [-t'tassa] *f* Steuer-, Gebührenzuschlag *m.*

soprattutto [-t'tutto] *avv* vor allem, vor allen Dingen.

sopra(v)valutare [-(v)valu'ta:re] *tr* überbewerten.

sopravvenire [-vve'ni:re] ⟨*irr*⟩ *itr* ⟨*essere*⟩ **1.** *(sopraggiungere)* auftauchen, plötzlich erscheinen; **2.** *(accadere)* plötzlich passieren (*o* zustoßen); *(complicazioni, fatti)* plötzlich (*o* unvermutet) auftreten (*o* eintreten).

sopravvento [-v'vɛnto] **I.** *m* Übermacht *f,* Übergewicht *n; fig* Oberhand *f;* **avere il** ~ die Oberhand gewinnen; **II.** *avv* mit Rückenwind.

sopravvissuto, -a [-vvis'su:to] **I.** *agg* überlebend; **II.** *m, f* Überlebende(r) *mf.*

sopravvivenza [-vvi'vɛntsa] *f* Überleben *n.* **sopravvivere** [-v'vi:vere] ⟨*irr*⟩ *itr* ⟨*essere*⟩ **1.** *(vivere dopo altri)* überleben (*a qu* jdn); **2.** *(restare in vita)* überleben, am Leben bleiben.

soprintendente [soprinten'dɛnte] *mf* Oberaufseher(in) *m(f); (statale)* Oberintendant(in) *m(f);* ~ **alle Belle Arti** Landeskonservator(in) *m(f).* **soprintendenza** [...'dɛntsa] *f* Oberaufsicht *f; (statale)* Oberintendantur *f.* **soprintendere** [...'tɛndere] ⟨*irr*⟩ *itr* die Oberaufsicht führen (*a* über *+akk,* bei), vorstehen (*a qc* einer S. *dat*).

sopruso [so'pru:zo] *m* Übergriff *m* (*a* auf *+akk*), Gewaltakt *m* (*a* gegen).

soqquadro [sok'kua:dro] *m:* **mettere a** ~ durcheinanderbringen.

sorbetto [sor'betto] *m* Sorbett *n.*

sorbire [sor'bi:re] ⟨sorbisco⟩ *tr* **1.** *(bibita)* schlürfen; **2.** *fig* aushalten, über sich ergehen lassen.

sorcio ['sortʃo] ⟨-ci⟩ *m dial* Maus *f.*

sorda *f v.* **sordo.**

sordido, -a ['sɔrdido *o* 'sor...] *agg* **1.** *(sporco)* schmutzig, dreckig; **2.** *fig (avaro)* knaus(e)rig, geizig.

sordina [sor'di:na] *f* Dämpfer *m; (strumento)* Sordine *f;* **in** ~ gedämpft, leise; *fig* heimlich.

sordità [sordi'ta] ⟨-⟩ *f* **1.** *med (totale)* Taubheit *f; (parziale)* Schwerhörigkeit *f;* **2.** *fig* Taubheit *f,* Desinteresse *n.*

sordo, -a ['sordo] **I.** *agg* **1.** *med (totalmente)* taub; *(parzialmente)* schwerhörig; **2.** *tec (sala)* mit schlechter Akustik; **3.** *(voce, rumore, ambiente a. fig)* dumpf; **4.** *fig (privo di interesse)* taub, gleichgültig, uninteressiert; **5.** *ling* stimmlos; **essere** ~ **da un orecchio** auf einem Ohr taub sein; ~ **come una campana** stocktaub. **II.** *m, f* Taube(r) *mf.*

sordomuto, -a [sordo'mu:to] **I.** *agg* taubstumm; **II.** *m, f* Taubstumme(r) *mf.*

sorella [so'rɛlla] *f (a. rel)* Schwester *f.* **sorellastra** [sorel'lastra] *f* Halb-, Stiefschwester *f.*

sorgente [sor'dʒɛnte] *f (a. fig)* Quelle *f.*

sorgere ['sordʒere] ⟨sorgo, sorsi, sorto⟩ *itr* ⟨*essere*⟩ **1.** *(sole)* aufgehen; **2.** *(monte, castello)* sich erheben, emporragen; **3.** *(sollevarsi, a. fig)* sich erheben; **4.** *fig (manifestarsi)* aufkommen, auftreten.

sorgivo, -a [sor'dʒi:vo] *agg* Quell(en)-; **acqua -a** Quellwasser *n.*

soriano, -a [so'ria:no] **I.** *agg* getigert, Tiger-; **II.** *m* Tigerkatze *f.*

sormontare [sormon'ta:re] **I.** *tr* überwinden; **II.** *itr (di pezzi, stoffe ecc.)* übereinanderliegen.

sornione, -a [sor'nio:ne] *agg* scheinheilig, gleichgültig.

sorpassare [sorpas'sa:re] *tr* **1.** *mot* überholen; *(velocità)* überschreiten; **2.** *(in altezza)* überragen; **3.** *fig (oltrepassare)* überschreiten; **4.** *fig (sopravanzare)* übertreffen. **sorpassato, -a** [...'sa:to] *agg* überholt, überkommen. **sorpasso** [...'passo] *m* Überholen *n,* Überholvorgang *m;* **divieto di** ~ Überholverbot *n.*

sorprendente [sorpren'dɛnte] *agg* über-

raschend.
sorprendere [sor'prɛndere] ⟨*irr*⟩ **I.** *tr* **1.** *(cogliere)* überraschen, ertappen, erwischen; **2.** *fig* überraschen, erstaunen; ~ **qu a fumare** jdn beim Rauchen überraschen; **II.** *rfl:* **-ersi** sich wundern (*di* über +*akk*), staunen (*di* über +*akk*).
sorpresa [sor'pre:sa] *f* Überraschung *f; (meraviglia)* Verwunderung *f; (stupore)* Erstaunen *n;* **fare una ~ a qu** jdn überraschen; **di ~** überraschend.
sorreggere [sor'rɛddʒere] ⟨*irr*⟩ **I.** *tr* **1.** *(persona)* stützen; **2.** *fig* aufrecht (er)-halten, stützen; **3.** *(costruzione)* (ab)-stützen; **II.** *rfl:* **-ersi** sich stützen (*a* auf +*akk*), sich (aufrecht) halten.
Sorrento [sor'rɛnto] *f* Sorrent *n.*
sorridere [sor'ri:dere] ⟨*irr*⟩ *itr* **1.** *gener.* lächeln (*di* über +*akk*); **2.** *fig* zulächeln, hold sein; ~ **a qu** jdm zulächeln.
sorriso [sor'ri:so] *m* Lächeln *n.*
sorsata [sor'sa:ta] *f* Schluck *m.* **sorseggiare** [...sed'dʒa:re] ⟨sorseggio, sorseggi⟩ *tr* schlürfen, in kleinen Schlucken trinken.
sorsi ['sorsi] *p rem di* **sorgere.**
sorso ['sorso] *m* Schluck *m;* **in un ~** auf einen Zug.
sorta ['sɔrta] *f* Sorte *f,* Art *f;* **d'ogni ~** aller Art, alle möglichen.
sorte ['sɔrte] *f* Schicksal *n,* Los *n;* **estrazione a ~** Verlosung *f,* Auslosung *f;* ~ **tirare a ~** losen.
sorteggiare [sorted'dʒa:re] ⟨sorteggio, sorteggi⟩ *tr* auslosen; *(premi a.)* verlosen. **sorteggio** [...'teddʒo] ⟨-ggi⟩ *m* Auslosung *f; (di premi a.)* Verlosung *f.*
sortilegio [sorti'lɛ:dʒo] ⟨-gi⟩ *m* Zauber *m,* Zauberei *f.*
sortire [sor'ti:re] *tr* erzielen, erreichen.
sortita [sor'ti:ta] *f* **1.** *mil* Ausfall *m;* **2.** *fig* Bemerkung *f,* Bonmot *n.*
sorto ['sorto] *pp di* **sorgere.**
sorvegliante [sorveʎ'ʎante] *mf* Aufseher(in) *m(f),* Wächter(in) *m(f).* **sorveglianza** [...'ʎantsa] *f* Aufsicht *f,* Be-, Überwachung *f;* **impianto di ~** Überwachungsanlage *f.* **sorvegliare** [...'ʎa:re] *tr* be-, überwachen, beaufsichtigen; *(vigilare a.)* aufpassen auf +*akk.*
sorvolare [sorvo'la:re] **I.** *tr* **1.** *aero* überfliegen, hinwegfliegen über +*akk;* **2.** *fig* übergehen; **II.** *itr* hinweggehen (*su* über +*akk*).
S.O.S. ⟨-⟩ *m* SOS *n;* **lanciare un ~** *(a. fig)* einen Hilferuf aussenden.
sosia ['sɔ:zia] ⟨-⟩ *mf* Doppelgänger(in) *m(f).*
sospendere [sos'pɛndere] ⟨sospendo, sospesi, sospeso⟩ *tr* **1.** *(appendere)* aufhängen; **2.** *fig (cessare)* aufheben, einstellen, beenden; *(interrompere)* unterbrechen; **3.** *(funzionario)* suspendieren; *(alunno)* ausschließen; ~ **da una carica** *dir* eines Amt(e)s entheben. **sospensione** [...pen'sio:ne] *f* **1.** *(il sospendere)* Aufhängen *n;* **2.** *chim* Suspension *f;* **3.** *mot* Federung *f,* Radaufhängung *f;* **4.** *fig* Einstellung *f,* Aufhebung *f; (interruzione)* Unterbrechung *f;* **5.** *(da ufficio, impiego, servizio)* Suspendierung *f; (dalle lezioni)* Ausschluß *m.*
sospesi [sos'pe:si] *p rem di* **sospendere.**
sospeso, -a [sos'pe:so] **I.** *pp di* **sospendere; II.** *agg* **1.** *(sollevato)* hängend, schwebend; **2.** *(interrotto)* unterbrochen, eingestellt; **3.** *fig (incerto, indeciso)* ungewiß, unbestimmt, schwebend; **4.** *fig (ansioso)* besorgt; **essere ~ a un filo** *fig* an einem seidenen Faden hängen; **in ~** *fig* in der Schwebe, im ungewissen; **col fiato ~** mit angehaltenem Atem.
sospettare [sospet'ta:re] **I.** *tr* **1.** *(ritenere responsabile)* verdächtigen; **2.** *(immaginare)* vermuten, argwöhnen; **II.** *itr* **1.** *(diffidare)* verdächtigen (*di qu* jdn), in Verdacht haben (*di* jdn); **2.** *(avere sospetti)* annehmen, vermuten. **sospettato, -a** [...pet'tato] *agg* verdächtigt; **essere ~ di qc** unter Verdacht stehen wegen etw. *(gen).* **sospetto, -a** [...'pɛtto] **I.** *agg* verdächtig; **II.** *m* **1.** *(dubbio)* Verdacht *m,* Argwohn *m;* **2.** *(cosa sospetta)* Verdächtige(s) *n;* **nutrire dei -i** einen Verdacht hegen; **destare ~** Verdacht erregen; **c'è il ~ che** +*congv* es besteht der Verdacht, daß ... **sospettoso, -a** [...pet'to:so] *agg* argwöhnisch, mißtrauisch.
sospingere [sos'pindʒere] ⟨*irr*⟩ *tr* **1.** *(spingere)* treiben; **2.** *fig* (an)treiben.
sospirare [sospi'ra:re] **I.** *itr* seufzen; **II.** *tr* **1.** *(desiderare)* ersehnen, herbeisehnen, sich sehnen nach; **2.** *(aspettare)* ungeduldig erwarten, herbeisehnen.
sospiro [sos'pi:ro] *m* Seufzer *m.*
sosta ['sɔsta] *f* **1.** *(fermata)* Halt *m,* Anhalten *n;* **2.** *(riposo)* Pause *f;* ~ **limitata** beschränkte Parkdauer; **piazzola di ~** Rastplatz *m;* **traffico in ~** ruhender Verkehr; **essere in ~ vietata** im Parkverbot stehen; **fare una ~ a Perugia** in Perugia Halt (*o* Station) machen.
sostantivo [sostan'ti:vo] *m* Substantiv *n,* Hauptwort *n.*
sostanza [sos'tantsa] *f* **1.** *(materia)* Substanz *f,* Stoff *m;* **2.** ⟨*pl*⟩ *(patrimonio)* Vermögen *n,* Besitz *m;* **3.** *(parte essenziale)* Wesentliche(s) *n;* **4.** *(di cibo)* Gehalt *m,* Nährwert *m;* ~ **attiva** *chim* Wirkstoff *m;* ~ **nociva** Schadstoff *m;* **in ~** im wesentlichen. **sostanziale** [sostan'tsia:le] *agg* substantiell, wesentlich. **sostanzialmente** [...tsial'mente] *avv* im wesentlichen. **sostanzioso, -a** [...'tsio:so] *agg* **1.** *(cibo)* nahrhaft, gehaltvoll; **2.** *fig* gehaltvoll, inhaltsreich.
sostare [sos'ta:re] *itr* **1.** *(fermarsi)* halten, anhalten, Halt (*o* Station) machen;

2. *(fare una pausa)* pausieren, eine Pause machen.

sostegno [sos'teɲɲo] *m* **1.** *(supporto)* Stütze *f;* **2.** *fig* Unterstützung *f; (persona)* Stütze *f.*

sostenere [soste'ne:re] ⟨*irr*⟩ **I.** *tr* **1.** *(mantenere fermo)* stützen, *(reggere)* halten, tragen; **2.** *fig (assumersi)* tragen, *(parte)* spielen; **3.** *fig (persona)* unterstützen, *(candidatura, legge)* unterstützen; *(tesi, idea)* verfechten, vertreten; *(conversazione)* bestreiten; *(esame)* ablegen; *(prova)* sich unterziehen *(qc* einer S. *dat);* **4.** *(affermare)* behaupten; **5.** *fin (spese)* tragen, bestreiten; **II.** *rfl:* **-ersi 1.** *(reggersi)* sich stützen, sich aufstützen; *(tenersi ritto)* sich aufrecht halten; **2.** *fig* sich stärken, sich bei Kräften halten. **sostenitore, -trice** [...ni'to:re] *m, f* Vertreter(in) *m(f),* Verfechter(in) *m(f);* Befürworter(in) *m(f).*

sostentamento [sostenta'mento] *m* Unterhalt *m.*

sostenuto, -a [soste'nu:to] *agg* **1.** *(riservato)* zurückhaltend *(con* gegenüber); **2.** *(elevato)* erhöht.

sostituire [sostitu'i:re] ⟨sostituisco⟩ **I.** *tr* **1.** *(cambiare)* austauschen *(qc a qc* etw. mit etw.); auswechseln; *(qc a qc* etw. mit etw.); **2.** *(rimpiazzare)* ersetzen; **3.** *(prendere il posto)* vertreten; **II.** *rfl:* **-irsi** an die Stelle treten *(a qc* einer S. *gen),* ersetzen *(a qc* etw.). **sostitutivo, -a** [...u'ti:vo] *agg* Ersatz-, Ergänzungs-. **sostituto, -a** [...'tu:to] *m, f* Stellvertreter(in) *m(f);* ~ **procuratore** Staatsanwalt *m.* **sostituzione** [...tut'tsio:ne] *f* Auswechs(e)lung *f,* Ersatz *m;* **in ~ di** *(cosa)* zum *(o* als) Ersatz für; *(persona)* anstelle *+gen.*

sostrato [sos'tra:to] *m* **1.** *geol, ling* Substrat *n;* **2.** *fig* Nährboden *m.*

sottaceto [sotta'tʃe:to] **I.** ⟨*inv*⟩ *agg, avv* in Essig einlegt; **II.** *m pl* Mixpickles *pl.*

sottana [sot'ta:na] *f* **1.** *(sottogonna)* Unterrock *m; (gonna)* Rock *m;* **2.** *rel* Soutane *f;* **3.** *fig* Rockzipfel *m,* Schürze *f.*

sottecchi [sot'tekki] *avv:* **di ~** verstohlen.

sotterfugio [sotter'fu:dʒo] ⟨-gi⟩ *m* Ausflucht *f,* Vorwand *m;* **di ~** heimlich.

sotterraneo, -a [sotter'ra:neo] **I.** *agg* unterirdisch; **ferrovia -a** Untergrundbahn *f,* U-Bahn *f;* **II.** *f* Untergrundbahn *f,* U-Bahn *f;* **III.** *m* Keller-, Untergeschoß *n,* Souterrain *n.*

sotterrare [sotter'ra:re] *tr* **1.** *(tesoro)* vergraben; **2.** *(morto)* begraben, beerdigen.

sottigliezza [sottiʎ'ʎettsa] *f* **1.** *(di spessore)* Dünne *f,* Dünnheit *f;* **2.** *fig* Feinheit *f,* Subtilität *f; peg* Haarspalterei *f.*

sottile [sot'ti:le] **I.** *agg* **1.** *(filo, strato, aria)* dünn; **2.** *(figura, gambe)* schlank, zierlich; **3.** *fig (sofistico)* subtil; *(fino, leggero)* fein, dünn; *(mente)* feinsinnig; *(argomentazione)* spitzfindig; **II.** *m:* **non andare per il ~** es nicht genau nehmen.

sottiletta [sotti'letta] *f* Scheiblette® *f.*

sottilizzare [sottilid'dza:re] *itr* Haarspalterei betreiben, spitzfindig sein.

sottintendere [sottin'tɛndere] ⟨*irr*⟩ *tr* **1.** *(capire)* mit durchblicken lassen, zu verstehen geben; **2.** *(comportare)* miteinschließen, bringen, gleichzeitig bedeuten. **sottinteso, -a** [...'te:so] **I.** *agg* **1.** *gram* implizit; **2.** *(incluso)* mit eingeschlossen; **resta (*o* è) sottointeso che ...** es ist selbstverständlich, daß ...; es versteht sich von selbst, daß ...; **II.** *m* Hintergedanke *m.*

sotto ['sotto] **I.** *prp* **1.** *(stato in luogo)* unter *+dat;* **2.** *(moto a luogo)* unter *+akk;* **3.** *(dietro: stato in luogo)* hinter *+dat; (moto a luogo)* hinter *+akk;* **4.** *(in cambio di)* gegen *+akk,* für *+akk;* **5.** *(verso)* gegen *+akk,* um *+akk;* **6.** *(condizione)* unter *+dat,* in *+dat;* **7.** *(più in basso di)* unterhalb *+gen;* **essere ~ esami** im Examen stehen; **stare ~ a qu** jdm unterstehen; **tenere ~ qu** jdn unterdrücken; **sott'aceto/olio** in Essig/Öl; **~ la pioggia** im *(o* beim) Regen; **~ l'effetto della droga** unter Drogeneinfluß; **tenere qc ~ chiave** etw. unter Verschluß halten; **confezionato ~ vuoto** vakuumverpackt; **II.** *avv* **1.** *(stato in luogo)* unten; **2.** *(moto a luogo)* nach unten, hinunter; **3.** *(addosso)* darunter, unterhalb; **4.** *(più giù, oltre)* weiter unten; **farsi ~** sich heranmachen, sich anschleichen; **mettere ~** überfahren; **mettersi ~** sich daranmachen; **~ ~** unterschwellig, insgeheim; *fig* eigentlich; **qui c'è ~ qualcosa** *fig* da steckt etwas dahinter; **III.** ⟨*inv*⟩ *agg* untere(r, s), weiter unten; **IV.** ⟨-⟩ *m* Unterteil *n o m.*

sotto- [sotto-] *(in parole composte)* Unter-, unter-.

sottoalimentato, -a [-dimen'ta:to] *agg* unterernährt; *tec* unterversorgt.

sottobanco [-'baŋko] *avv* unterderhand. **sottobicchiere** [-bik'kiɛ:re] *m* Untersetzer *m.* **sottobosco** [-'bɔsko] *m* **1.** *bot* Unterholz *n;* **2.** *fig* Unter-, Halbwelt *f.* **sottobraccio** [-'brattʃo] *avv* Arm in Arm, untergehakt.

sottocchio [sot'tɔkkio] *avv* im Auge.

sottoccupazione [sottokkupat'tsio:ne] *f* Unterbeschäftigung *f.* **sottochiave** [-'kia:ve] *avv* unter Verschluß. **sottocoperta** [-ko'pɛrta] **I.** *f* Unterdeck *n;* **II.** *avv* unter Deck. **sottocosto** [-'kɔsto] **I.** *avv* unter Preis; **II.** ⟨*inv*⟩ *agg* unter Preis (angeboten). **sottocultura** [-kul'tu:ra] *f* Subkultur *f.* **sottocutaneo, -a** [-ku'ta:neo] *agg* subkutan *wissensch.* **sottoesporre** [-es'porre] ⟨*irr*⟩ *tr* unterbelichten. **sottofondo** [-'fondo] *m* **1.** *mus, film, TV* Hintergrund *m,* Background *m;* **2.** *(strato inferiore)* Untergrund *m.*

sottogamba [-'gamba] *avv* auf die leichte Schulter. **sottogonna** [-'gonna] *f* Unterrock *m.* **sottogruppo** [-'gruppo] *m* Untergruppe *f.* **sottolineare** [-line'a:re] *tr* unterstreichen; *(fig a.)* hervorheben. **sottomano** [-'ma:no] **I.** *avv* **1.** *(a portata di mano)* griffbereit; **2.** *fig* unterderhand, heimlich, versteckt; **tutto quello che gli capita** ~ alles, was er in die Finger bekommt (*o* kriegt); **II.** ⟨-⟩ *m* Schreibunterlage *f.* **sottomarino, -a** [-ma'ri:no] **I.** *agg* unterseeisch, Untersee-; **II.** *m* Unterseeboot *n,* U-Boot *n.*

sottomesso, -a [-'messo] *agg* **1.** *(persona)* unterwürfig, gefügig; **2.** *(popolo)* unterworfen, unterjocht. **sottomettere** [-'mettere] ⟨*irr*⟩ **I.** *tr* unterwerfen, unterjochen; **II.** *rfl:* **-ersi** sich unterwerfen. **sottomissione** [-mis'sio:ne] *f* Unterwerfung *f.*

sottopagato, -a [-pa'ga:to] *agg* unterbezahlt. **sottopassaggio** [-pas'saddʒo] *m* Unterführung *f.* **sottoporre** [-'porre] ⟨*irr*⟩ **I.** *tr* **1.** *(presentare)* unterbreiten, vorlegen; **2.** *(costringere)* unterziehen, unterwerfen, aussetzen; **II.** *rfl:* **-orsi** sich unterziehen, sich unterwerfen. **sottoprodotto** [-pro'dotto] *m* Nebenprodukt *n.* **sottoprogramma** [-pro'gramma]⟨-i⟩ *m inform* Unterprogramm *n.* **sottoprogramma** [-pro'gramma] ⟨-i⟩ *m inform* Unterprogramm *n.* **sottordine** [sot'tordine] *m:* **in** ~ untergeordnet, abhängig; *(a. fig)* zweitrangig. **sottoscala** [-s'ka:la] ⟨-⟩ *m* (Abstell)raum *m* unter der Treppe.

sottoscritto, -a [-s'kritto] *m, f amm* Unterzeichnete(r) *mf.* **sottoscrivere** [-s'kri:vere] ⟨*irr*⟩ *tr* unterschreiben, unterzeichnen. **sottoscrizione** [-skrit'tsio:ne] *f* **1.** *amm, econ* Unterzeichnung *f;* **2.** *(raccolta di adesioni)* Unterschriftensammlung *f,* -liste *f.*

sottosegretario, -a [-segre'ta:rio] *m, f* Untersekretär(in) *m(f).* **sottosopra** [-'so:pra] *avv* durcheinander, drunter und drüber *fam.* **sottostante** [-'stante] *agg* darunter liegend. **sottostare** [-s'ta:re] ⟨sottostò, *irr*⟩ *itr* ⟨*essere*⟩ **1.** *(essere dipendente)* unterstehen, unterliegen; **2.** *(affrontare)* sich unterziehen. **sottosterzante** [-ster'tsante] *agg* untersteuernd. **sottostimare** [-sti'ma:re] *tr* unterschätzen. **sottosuolo** [-'suɔ:lo] *m* **1.** *geol* Unterboden *m;* **2.** *arch* Unter-, Kellergeschoß *n,* Souterrain *n.*

sottosviluppato, -a [-zvilup'pa:to] *agg* unterentwickelt; **paese** ~ Entwicklungsland *n.* **sottosviluppo** [...'luppo] *m* Unterentwicklung *f.*

sottotenente [-te'nɛnte] *m* Unterleutnant *m.* **sottoterra** [-'tɛrra] *avv (stato)* unterirdisch, unter der Erde; *(moto)* unter die Erde. **sottotetto** [-'tetto] *m* Dachboden *m,* Dachgeschoß *n.* **sottotitolo** [-'ti:tolo] *m (a. film)* Untertitel *m.*

sottovalutare [-valu'ta:re] *tr* unterbewerten, unterschätzen. **sottovaso** [-'va:zo] *m* Unterteller *m; (vaso)* Übertopf *m.* **sottovento** [-'vɛnto] *avv* im Wind. **sottoveste** [-'vɛste] *f* Unterkleid *n,* -rock *m.* **sottovoce** [-'vo:tʃe] *avv* leise, halblaut. **sottovuoto** [-'vuɔ:to] ⟨*inv*⟩ *agg* Vakuum-, vakuum-; **caffè** ~ **spinto** vakuumverpackter Kaffee.

sottrarre [sot'trarre] ⟨*irr*⟩ **I.** *tr* **1.** *mat* subtrahieren, abziehen; **2.** *(denaro)* unterschlagen; *(documento)* entziehen; **3.** *(liberare)* entreißen (*a, da qc* einer S. *gen);* **II.** *rfl:* **-arsi** sich entziehen (*a qc* einer S. *gen).* **sottrazione** [...at'tsio:ne] *f* **1.** *mat* Subtraktion *f,* Abziehen *n;* **2.** *(di denaro)* Unterschlagung *f; (di documento)* Entziehung *f.*

sottufficiale [sottuffi'tʃa:le] *m* Unteroffizier *m.*

soul [soul] ⟨-⟩ *m* Soul *m.* **soul music** ['-miu:zik] ⟨-⟩ *f* Soulmusik *f.*

sovente [so'vɛnte] *avv* oft.

soviet [so'viɛt] ⟨-⟩ *m* Sowjet *m.* **sovietico, -a** [so'viɛ:tiko] ⟨-ci, -che⟩ **I.** *agg* sowjetisch, Sowjet-; **II.** *m, f st* Sowjetbürger(in) *m(f),* Sowjetrusse *m,* -russin *f.*

sovra- [sovra-] *v. a. sopra-.* **sovrabbondante** [sovrabbon'dante] *agg* übermäßig, überreichlich. **sovrabbondanza** [...'dantsa] *f* Übermaß *n,* Überfluß *m.* **sovraccapacità** [-kkapatʃi'ta] ⟨-⟩ *f econ* Überkapazität *f.* **sovraccaricare** [-kkari'ka:re] *tr* überladen (*di* mit); *fig* überlasten (*di* mit). **sovraccarico, -a** [-k'ka:riko] **I.** *agg* überladen; **II.** *m* **1.** *(carico eccessivo)* Überlast *f;* **2.** *fig* Überlastung *f;* ~ **di lavoro** Arbeitsüberlastung. **sovraesporre** [-es'porre] ⟨*irr*⟩ *tr* überbelichten. **sovraffollato, -a** [sovraffol'la:to] *agg* überfüllt. **sovralimentazione** [sovralimentat'tsi:ne] *f* **1.** Überernährung *f;* **2.** *mot* Aufladung *f.*

sovranità [sovrani'ta] ⟨-⟩ *f* **1.** *dir* Souveränität *f,* Hoheit *f;* **2.** *fig* Überlegenheit *f.* **sovrano, -a** [so'vra:no] **I.** *m, f* Souverän(in) *m(f),* Herrscher(in) *m(f);* **II.** *agg* **1.** *pol* souverän; **2.** *(di sovrano)* Herrscher-, herrschaftlich; **3.** *fig* größte(r, s), höchste(r, s).

sovraoccupazione [-okkupat'tsione] *f* Überbeschäftigung *f.*

sovrappopolato, -a [-ppopo'la:to] *agg* überbevölkert. **sovrapporre** [-p'porre] ⟨*irr*⟩ **I.** *tr* übereinanderstapeln, -legen, -setzen; **II.** *rfl:* **-orsi 1.** *(porsi sopra)* sich überlagern, übereinander liegen; **2.** *(aggiungersi)* hinzukommen. **sovrapposizione** [-ppozit'tsio:ne] *f* Überlagerung *f.* **sovrapprezzo** [-p'prɛttso] *m* Aufpreis *m.* **sovrapproduzione** [-pprodut'tsio:ne] *f* Überproduktion *f.* **sovrastante** [sovras'tante] *agg* darunter liegend; *fig* drohend. **sovrastare** [-s'ta:re] *tr* ⟨*irr*⟩ **1.** *(dominare)* beherrschen; **2.** *fig* bedrohen. **sovrastruttura** [-strut'tu:ra] *f* Überbau *m,* Aufbau *m.*

sovrumano, -a [sovru'ma:no] *agg* übermenschlich.

sovvenzionare [sovventsio'na:re] *tr* subventionieren. **sovvenzione** [...'tsio:ne] *f* Subvention *f.*

sovversivo, -a [sovver'si:vo] **I.** *agg* subversiv, umstürzlerisch; **II.** *m, f* Subversive(r) *mf,* subversives Element. **sovvertimento** [sovverti'mento] *m* Umsturz *m.* **sovvertire** [...'ti:re] ⟨sovverto⟩ *tr* umstürzen, zerrütten. **sovvertitore, -trice** [...ti'to:re] *m, f* Umstürzler(in) *m(f).*

sozzo, -a ['sottso] *agg fam* dreckig; *(fig a.)* schmierig.

S.p.A. *abbr di* **Società per Azioni** AG *f* (*abk von* Aktiengesellschaft).

spaccalegna [spakka'leɲɲa] ⟨-⟩ *mf* Holzhacker(in) *m(f).*

spaccare [spak'ka:re] ⟨spacco, spacchi⟩ **I.** *tr* spalten, entzweischlagen; *(far saltare)* sprengen; ~ **la legna** Holz hacken; ~ **la faccia a qu** *fam* jdm die Fresse einschlagen *fam;* **un orologio che spacca il minuto** eine Uhr, die auf die Minute genau geht; ~ **un capello in quattro** Haarspalterei betreiben; **II.** *rfl:* **-arsi** (zer)brechen, bersten. **spaccata** [...'ka:ta] *f* Spagat *n o m.* **spaccato, -a** [...ka:to] **I.** *agg* **1.** *(oggetto)* zerbrochen; *(a. labbro)* rissig; **2.** *fig* genau; *(manifesto)* ausgesprochen, ausgemacht, echt; **è il ritratto ~ di suo nonno** er (*o* sie) ist seinem (*o* ihrem) Großvater (wie) aus dem Gesicht geschnitten; **II.** *m* (Quer)schnitt *m,* Aufriß *m.* **spaccatura** [...ka'tu:ra] *f* **1.** *(fenditura)* Riß *m,* Spalt *m,* Sprung *m;* **2.** *fig* Spaltung *f.*

spacciare [spat'tʃa:re] ⟨spaccio, spacci⟩ **I.** *tr* **1.** *(valuta falsa)* in Umlauf bringen, verbreiten; **2.** *econ* vertreiben; **3.** *(dare per)* ausgeben (*per* für); **4.** *fam (dichiarare inguaribile)* abschreiben *fam;* **5.** *sl* dealen *sl;* **essere spacciato** *fam* geliefert sein *fam;* **II.** *rfl:* **-arsi** sich ausgeben (*per* für). **spacciatore, -trice** [...tʃa'to:re] *m, f* Dealer(in) *m(f) sl,* Händler(in) *m(f);* **rete di -i** Rauschgiftring *m.* **spaccio** ['spattʃo] ⟨-cci⟩ *m* **1.** *econ* Verbreitung *f,* Vertrieb *m,* Verkauf *m;* **2.** *(negozio)* Laden *m,* Geschäft *n.*

spacco ['spakko] ⟨-cchi⟩ *m* **1.** *(rottura)* Sprung *m,* Spalt *m; (strappo)* Riß *m;* **2.** *(di indumento)* Schlitz *m.*

spaccone, -a [spak'ko:ne] *m, f* Angeber(in) *m(f),* Großmaul *n.*

spada ['spa:da] *f* Schwert *n;* **pesce ~** Schwertfisch *m.* **spadaccino** [spadat'tʃi:no] *m* Haudegen *m.* **spadino** [...'di:no] *m* Kurzschwert *n.*

spadroneggiare [spadroned'dʒa:re] ⟨spadroneggio, spadroneggi⟩ *itr* sich als Herr aufspielen, das Maul aufreißen *fam.*

spaesato, -a [spae'za:to] *agg* fremd, unbehaglich.

spaghettata [spaget'ta:ta] *f* Spaghettiessen *n.* **spaghetteria** [...te'ri:a] ⟨-ie⟩ *f Lokal, in dem vorwiegend Nudelgerichte angeboten werden.*

spaghetti [spa'getti] *m pl* Spaghetti *pl.*

Spagna ['spaɲɲa] *f* Spanien *n.*

spagnoletta [spaɲɲo'letta] *f* Garnröllchen *n.*

spagnolo, -a [spaɲ'ɲɔ:lo] **I.** *agg* spanisch; **II. 1.** *m, f* Spanier(in) *m(f);* **2.** *m* Spanisch(e) *n.*

spago ['spa:go] ⟨-ghi⟩ *m* **1.** *(per legare)* Schnur *f,* Kordel *f;* **2.** *fig fam* Bammel *m fam;* **dare ~ a qu** jdm aufmerksam zuhören.

spaiato, -a [spa'ia:to] *agg* getrennt, unpaarig.

spalancare [spalaŋ'ka:re] ⟨spalanco, spalanchi⟩ **I.** *tr* **1.** *(porta, finestra)* aufreißen, aufsperren; **2.** *fig (occhi, bocca)* aufreißen; *(braccia)* ausbreiten; *(gambe)* spreizen; **II.** *rfl:* **-arsi** weit aufgehen.

spalare [spa'la:re] *tr* schippen, schaufeln.

spalla ['spalla] *f* **1.** *anat* Schulter *f;* **2.** *arch* Widerlager *n;* **3.** *tip* Schulterhöhe *f;* **4.** *teat* Partner(in) *m(f),* Stichwortgeber(in) *m(f);* **articolo di ~** Leitartikel *m;* **alzare le -e, stringersi nelle -e** *(a. fig)* die Achseln zucken; **avere le -e larghe** breite Schultern haben; *fig* ein dikkes Fell haben; **avere la famiglia sulle -e** die Familie am Hals haben *fam;* **volgere le -e a qu** *(a. fig)* jdm den Rücken kehren; **vivere alle -e di qu** auf jds Kosten leben; **ridere alle -e di qu** jdn heimlich auslachen; **con le -e al muro** *fig* mit dem Rücken zur Wand. **spallata** [...'la:ta] *f* **1.** *(urto)* Schulterstoß *m;* **2.** *(alzata di spalle)* Schulter-, Achselzucken *n.*

spalleggiare [spalled'dʒa:re] ⟨spalleggio, spalleggi⟩ *tr* **1.** *(sostenere)* unterstützen; **2.** *mil* schultern.

spalletta [spal'letta] *f* (Brücken)geländer *n.*

spalliera [spal'liɛ:ra] *f* **1.** *(di sedia, poltrona)* Rückenlehne *f;* **2.** *(di letto)* Kopfteil *n;* Fußteil *n;* **3.** *agr* Spalier *n;* **4.** *sport (~ svedese)* Sprossenwand *f.*

spallina [spal'li:na] *f* **1.** *(di indumento)* Träger *m; (imbottitura)* Schulterpolster *n;* **2.** *mil* Epaulette *f,* Schulterklappe *f.*

spallotta [spal'lotta] *f* Schulterpolster *n.*

spallucce [spal'luttʃe] *f pl:* **fare ~** *fam* mit den Schultern (*o* Achseln) zucken.

spalmare [spal'ma:re] *tr (burro, ecc.)* streichen; *(pane)* bestreichen.

spalti ['spalti] *m pl (di stadio)* Ränge *m pl.*

spanciarsi [span'tʃarsi] ⟨mi spancio, ti spanci⟩ *rfl:* ~ **dalle risate** *fam* sich *(dat)* den Bauch halten vor Lachen. **spanciata** [...'tʃa:ta] *f* Bauchklatscher *m fam,*

Bauchschlag *m.*

spandere ['spandere] ⟨spando, spandei *o* spansi *o* spandetti, spanto⟩ **I.** *tr* **1.** *(liquidi)* verschütten; *fig (lacrime)* vergießen; **2.** *(profumo)* verströmen; *(luce)* verbreiten; **3.** *(distendere)* verteilen, ausbreiten; **4.** *fig (notizia)* verbreiten; **spendere e ~** *fam* das Geld mit vollen Händen ausgeben; **II.** *rfl:* **-ersi** sich ausbreiten.

spanna [s'panna] *f* Handbreit *f.*

spappolare [spappo'la:re] **I.** *tr* zerquetschen, zu Brei machen; **II.** *rfl:* **-arsi** zerquetscht (*o* zu Brei) werden.

sparare [spa'ra:re] **I.** *tr* **1.** *mil* schießen; *(colpo)* abfeuern, abgeben; **2.** *fig (fandonie, ecc.)* auftischen, vom Stapel lassen *fam;* **spararle (grosse)** (faustdicke) Lügen auftischen; **II.** *itr* schießen, feuern; **III.** *rfl:* **-arsi** sich erschießen; **-arsi un colpo alla testa** sich *(dat)* eine Kugel durch den Kopf jagen. **sparato, -a** [...'ra:to] **I.** *agg (a gran velocità)* blitzschnell, wie geschossen; **partire tutto ~** abzischen *fam;* **II.** *m* (gestärkte) Hemdbrust *f.* **sparatoria** [...ra'tɔ:ria] ⟨-ie⟩ *f* Schußwechsel *m,* Schießerei *f.*

sparecchiare [sparek'kia:re] ⟨sparecchio, sparecchi⟩ *tr* abdecken, abräumen.

spareggio [spa'reddʒo] *m* Entscheidungsspiel *n,* -kampf *m.*

spargere ['spardʒere] ⟨spargo, sparsi, sparso⟩ **I.** *tr* **1.** *(semi, fiori)* (aus-, ver)streuen; **2.** *(luce, calore)* ausstrahlen; **3.** *(liquidi)* verschütten; *(a. lacrime, sangue)* vergießen; **4.** *(notizia)* verbreiten; **II.** *rfl:* **-ersi 1.** *(persone, animali)* sich zerstreuen, sich verstreuen; **2.** *(notizie, dicerie)* sich verbreiten. **spargimento** [...dʒi'mento] *m:* **~ di sangue** Blutvergießen *n.*

sparire [spa'ri:re] ⟨sparisco⟩ *itr* ⟨*essere*⟩ verschwinden. **sparizione** [...rit'tsio:ne] *f* Verschwinden *n.*

sparlare [spar'la:re] *itr* **1.** *peg* schlecht sprechen (*di* von), herziehen (*di* über *+akk*), Übles nachsagen (*di qu* jdm); **2.** *(farneticare)* dumm daherreden.

sparo ['spa:ro] *m* **1.** *(colpo)* Schuß *m;* **2.** *(rumore)* Knall *m.*

sparpagliare [sparpaʎ'ʎa:re] ⟨sparpaglio, sparpagli⟩ **I.** *tr* zer-, verstreuen; **II.** *rfl:* **-arsi** sich zer-, verstreuen.

sparsi ['sparsi] *p rem di* **spargere.**

sparso, -a ['sparso] **I.** *pp di* **spargere; II.** *agg* zerstreut, verstreut; *(sciolto)* lose; *(cosparso)* bestreut, übersät; **in ordine ~** *mil* verstreut.

spartano, -a [spar'ta:no] *agg (a. fig)* spartanisch.

spartiacque [sparti'akkue] ⟨-⟩ *m* Wasserscheide *f.*

spartineve [-'ne:ve] ⟨-⟩ *m* Räumfahrzeug *n,* Schneepflug *m.*

spartire [spar'ti:re] ⟨spartisco⟩ *tr* (auf-, ver)teilen; **non avere niente da ~ con qu** *fig* mit jdm nichts gemein haben.

spartito [spar'ti:to] *m* Partitur *f; (riduzione per piano)* Klavierauszug *m.*

spartitraffico [sparti'traffiko] **I.** ⟨-⟩ *m* Leitplanke *f;* **II.** ⟨*inv*⟩ *agg:* **linea/aiuola ~** Mittellinie *f*/Verkehrsinsel *f.*

spartizione [spartit'tsio:ne] *f* (Auf-, Ver)teilung *f.*

sparuto, -a [spa'ru:to] *agg* **1.** *(viso, aspetto)* eingefallen, schmächtig; **2.** *fig* mager, winzig, spärlich.

sparviere, sparviero [spar'viɛ:re, ...ro] *m* Sperber *m.*

spasimante [spazi'mante] *mf scherz* Verehrer(in) *m(f).*

spasimare [spazi'ma:re] *itr (a. fig)* schmachten. **spasimo** ['spa:zimo] *m* **1.** *med* Krampf *m;* **2.** *fig* Qual *f.*

spasmo ['spazmo] *m* Krampf *m.* **spasmodico, -a** [...'mɔ:diko] ⟨-ci, -che⟩ *agg* **1.** *med* krampfhaft; **2.** *fig* qualvoll, quälend.

spassarsela [spas'sarsela] *itr fam* sich amüsieren, sich vergnügen.

spassionato, -a [spassio'na:to] *agg* leidenschaftslos, unvoreingenommen.

spasso ['spasso] *m* **1.** *(divertimento)* Vergnügen *n,* Spaß *m;* **2.** *(persona)* Spaßvogel *m,* Witzbold *m;* **3.** *(passeggiata)* Spaziergang *m;* **andare a ~** spazierengehen. **spassoso, -a** [...'so:so] *agg* spaßig, lustig, amüsant, juxig *fam.*

spastico, -a ['spastiko] ⟨-ci, -che⟩ **I.** *agg* spastisch; **II.** *m, f* Spastiker(in) *m(f),* spastisch Gelähmte(r) *mf.*

spatola ['spa:tola] *f* Spachtel *m o f; (a. med)* Spatel *m o f.*

spauracchio [spau'rakkio] ⟨-cchi⟩ *m (a. fig fam)* Vogelscheuche *f,* Schreckgespenst *n.*

spaurito, -a [spau'ri:to] *agg* verängstigt.

spavalderia [spavalde'ri:a] ⟨-ie⟩ *f* Dreistigkeit *f,* Frechheit *f.* **spavaldo, -a** [...'valdo] *agg* dreist, frech.

spaventapasseri [spaventa'passeri] ⟨-⟩ *m (a. fig fam)* Vogelscheuche *f.*

spaventare [spaven'ta:re] **I.** *tr* erschrekken; **II.** *rfl:* **-arsi** (sich) erschrecken, einen Schrecken bekommen. **spavento** [...'vɛnto] *m* **1.** *(paura)* Schrecken *m,* Schreck *m;* **2.** *fig* Scheusal *n,* Schreckgespenst *n;* **fare ~ a qu** jdn erschrecken. **spaventoso, -a** [...ven'to:so] *agg* erschreckend, schrecklich.

spaziale [spat'tsia:le] *agg* **1.** *(dello spazio)* Raum-, räumlich; **2.** *astr* Raum-; **armi -i** Weltraumwaffen *f pl;* **navicella/era ~** Raumschiff *n*/Raumfahrtzeitalter *n.*

spaziare [spat'tsia:re] ⟨spazio, spazi⟩ **I.** *itr* **1.** *(vista)* umherschweifen, -streifen; **2.** *fig* (umher)schweifen, die Gedanken schweifen lassen; **II.** *tr tip* sperren, gesperrt drucken. **spaziatura** [spattsia-

'tu:ra] *f tip* Sperrung *f*, Durchschuß *m;* ~ **proporzionale** Proportionalschrift *f*.
spazientirsi [spattsi̯en'tirsi] ⟨mi spazientisco⟩ *rfl* die Geduld verlieren.
spazio ['spattsi̯o] ⟨-i⟩ *m* **1.** *gener.* Raum *m;* **2.** *(cosmo)* (Welt)raum *m*, (Welt)all *n;* **3.** *(posto)* Raum *m*, Platz *m;* **4.** *(distanza)* Zwischenraum *m*, Abstand *m;* **5.** *(di tempo)* (Zeit)spanne *f*, Zeitraum *m;* ~ **atmosferico** (*o* **aereo)** Luftraum *m;* ~ **pubblicitario** Werbefläche *f*. **spazioso, -a** [...'tsi̯o:so] *agg* geräumig.
spazzacamino [spattsaka'mi:no] *m* Schornstein-, Kaminfeger *m*.
spazzaneve [-'ne:ve] ⟨-⟩ *m* Schneepflug *m*.
spazzare [spat'tsa:re] *tr* **1.** *(strada, stanza)* kehren, fegen; **2.** *fam (pranzo)* verdrücken *fam*, verputzen *fam;* ~ **via** *(a. fig)* wegfegen. **spazzatrice** [...tsa'tri:tʃe] *f* Kehrmaschine *f*. **spazzatura** [...tsa'tu:ra] *f* Müll *m*, Abfall *m*, Kehricht *m o n*. **spazzino** [...'tsi:no] *m* Straßenkehrer *m*.
spazzola ['spattsola] *f* **1.** *(arnese)* Bürste *f;* **2.** *mot* Wischerblatt *n;* **avere i capelli a** ~ einen Bürstenschnitt haben. **spazzolare** [...'la:re] *tr* (ab-, aus)bürsten. **spazzolata** [...'la:ta] *f* kurzes Bürsten. **spazzolino** [...'li:no] *m* (kleine) Bürste *f;* ~ **da denti/unghie** Zahn-/Nagelbürste *f*. **spazzolone** [...'lo:ne] *m* Schrubber *m*, Scheuerbürste *f*.
speaker ['spi:kə] ⟨-⟩ *m* **1.** *TV, radio* Sprecher(in) *m(f)*, Ansager(in) *m(f);* **2.** *sport* Ansager(in) *m(f)*.
specchiarsi [spek'ki̯arsi] ⟨mi specchio, ti specchi⟩ *rfl* **1.** *(guardarsi allo specchio)* sich im Spiegel betrachten, in den Spiegel schauen; **2.** *(riflettersi)* sich spiegeln. **specchiera** [...'ki̯ɛ:ra] *f* (großer) Wandspiegel *m; (mobile)* Spiegelkommode *f*. **specchietto** [...'ki̯etto] *m* **1.** *(piccolo specchio)* kleiner Spiegel, Handspiegel *m;* **2.** *mot:* ~ **di cortesia** Kosmetikspiegel *m*, Make-up-Spiegel *m;* ~ **laterale** Außenspiegel *m;* ~ **retrovisore** Rückspiegel *m;* **3.** *(richiamo)* Lerchenlocker *m;* **4.** *(prospetto riassuntivo)* Übersicht *f*.
specchio ['spɛkki̯o] ⟨-cchi⟩ *m* **1.** *gener.* Spiegel *m;* **2.** *fig* Spiegel *m*, Spiegelbild *n;* **3.** *(prospetto)* Übersicht *f; (sport a.)* Tabelle *f;* ~ **segreto** die versteckte Kamera; **guardarsi allo** ~ in den Spiegel schauen, sich im Spiegel betrachten; **la sua casa è uno** ~ ihr (*o* sein) Haus ist blitzblank.
speciale [spe'tʃa:le] *agg* besondere(r, s), speziell, Sonder-, Spezial-; **treno** ~ Sonderzug *m*. **specialista** [spetʃa'lista] ⟨-i *m*, -e *f*⟩ *mf* **1.** *med* Facharzt *m*, -ärztin *f*, Spezialist(in) *m(f);* **2.** *(persona specializzata)* Fachmann *m*, -frau *f*, Spezialist(in) *m(f)*. **specialità** [...li'ta] ⟨-⟩ *f* **1.** *(cibo, prodotto)* Spezialität *f;* **2.** *(settore di competenza)* Spezial-, Fachgebiet *n*. **specializzare** [...lid'dza:re] **I.** *tr* spezialisieren; **II.** *rfl:* **-arsi** sich spezialisieren (*in* auf *+akk*). **specializzato, -a** [...lid'dza:to] *agg* spezialisiert, Fach-. **specializzazione** [...liddzat'tsi̯o:ne] *f* Spezialisierung *f*. **specialmente** [...l-'mente] *avv* besonders, speziell.
specie ['spɛ:tʃe] ⟨-⟩ *f* **1.** *biol* Art *f*, Spezies *f;* **2.** *(sorta, tipo)* Art *f*, Sorte *f;* **una** ~ **di** eine Art (von); **d'ogni** ~ aller Art; **della peggior** ~ *fig* von der schlechtesten Sorte.
specifica [spe'tʃi:fika] ⟨-che⟩ *f* Spezifikation *f*, Aufstellung *f*. **specificare** [spetʃifi'ka:re] ⟨specifico, specifichi⟩ *tr* spezifizieren, genau angeben. **specificazione** [...kat'tsi̯o:ne] *f* Spezifikation *f*, Aufstellung *f*. **specifico, -a** [...'tʃi:fiko] ⟨-ci, -che⟩ *agg* **1.** *(particolare)* besondere(r, s), speziell, bestimmt; **2.** *fis, med* spezifisch.
speck [ʃpɛk] ⟨-⟩ *m* (geräucherter) Schinkenspeck *m*.
speculare[1] [speku'la:re] *itr* **1.** *(a. fig)* spekulieren (*su* auf *+akk*); **2.** *(riflettere)* spekulieren (*su* über *+akk*).
speculare[2] [speku'la:re] *agg (di specchio)* Spiegel-.
speculativo, -a [spekula'ti:vo] *agg* spekulativ. **speculatore, -trice** [...'to:re] *m, f* Spekulant(in) *m(f)*. **speculazione** [...t'tsi̯o:ne] *f* Spekulation *f*.
spedire [spe'di:re] ⟨spedisco⟩ *tr* schikken, senden, verschicken; ~ **qu all'altro mondo** *fam* jdn ins Jenseits befördern.
spedito, -a [spe'di:to] *agg* schnell, rasch, flink.
spedizione [spedit'tsi̯o:ne] *f* **1.** *(di pacco, merce)* (Ver)sendung *f;* **2.** *(operazione)* Versand *m*, (Ver)sendung *f;* **3.** *scient* Expedition *f;* **4.** *mil* Feldzug *m;* **spese di** ~ Versandkosten *pl*. **spedizioniere** [...ttsi̯o'ni̯ɛ:re] *m* Spediteur *m*.
spegnere ['spɛɲɲere *o* 'speɲ...] ⟨spengo, spensi, spento⟩ **I.** *tr* **1.** *(fuoco)* löschen; *(sigaretta)* ausmachen, -drücken; *(fiamma)* ausblasen; *(luce)* ausmachen, ausschalten; *(radio, motore, apparecchio)* ab-, ausschalten, abstellen, ausmachen; **2.** *fig* schwächen, dämpfen; **II.** *rfl:* **-ersi** **1.** *(fuoco)* verlöschen, ausgehen; *(sigaretta, luce)* ausgehen; *(motore, apparecchio)* ausgehen, stehenbleiben; **2.** *fig* erlöschen; **3.** *fig (morire)* entschlafen *geh*.
spelacchiato, -a [spelak'ki̯a:to] *agg* gerupft.
spelare [spe'la:re] **I.** *tr* rupfen; **II.** *rfl:* **-arsi** Haare verlieren.
speleologia [speleolo'dʒi:a] ⟨-gie⟩ *f* Höhlenforschung *f*, Speläologie *f*. **speleologo, -a** [...e'ɔ:logo] ⟨-gi, -ghe⟩ *m, f* Höhlenforscher(in) *m(f)*.
spellare [spel'la:re] **I.** *tr* **1.** *(coniglio)* das Fell abziehen; **2.** *fig scherz* das Fell über

die Ohren ziehen (*qu* jdm); **-arsi le ginocchia** sich *(dat)* die Knie aufschürfen; **II.** *rfl:* **-arsi 1.** *(serpenti)* sich häuten; **2.** *med* sich aufschürfen.

spelling ['spɛliŋ] ⟨-⟩ *m:* **fare lo** ~ buchstabieren.

spelonca [spe'loŋka] ⟨-che⟩ *f* **1.** *(grotta)* Höhle *f;* **2.** *fig peg* Spelunke *f,* Höhle *f.*

spendaccione, -a [spendat'tʃo:ne] *m, f* Verschwender(in) *m(f).*

spendere ['spɛndere] ⟨spendo, spesi, speso⟩ *tr* **1.** *(soldi)* ausgeben (*in, per* für); **2.** *fig (impiegare)* aufwenden, einsetzen, verwenden; *(sacrificare)* opfern; ~ **molto in cosmetici** viel für Kosmetik ausgeben; ~ **una parola per qc** *fig* ein gutes Wort für jdn einlegen.

spengo ['spɛŋgo *o* 'speŋgo] *pr di* **spegnere.**

spennacchiare [spennak'ki̯a:re] ⟨*spennacchio, spennacchi*⟩. **spennare** [...'na:re] **I.** *tr* rupfen, die Federn ausrupfen; **II.** *rfl:* **-arsi** Federn verlieren.

spennellare [spennel'la:re] *tr* bepinseln (*di qc* mit etw.); *med* einpinseln. **spennellata** [...'la:ta] *f* Be-, Einpinseln *n.*

spensi ['spɛnsi *o* 'spensi] *p rem di* **spegnere.**

spensieratezza [spensi̯era'tettsa] *f* Sorglosigkeit *f,* Unbekümmertheit *f.* **spensierato, -a** [...'ra:to] *agg* unbekümmert, unbesorgt.

spento, -a ['spɛnto *o* 'spento] **I.** *pp di* **spegnere; II.** *agg* **1.** *(fuoco)* (v)erloschen; *(sigaretta)* abgebrannt; *(luce)* gelöscht; *(apparecchio, macchina)* ausgeschaltet; *(vulcano)* erloschen; **2.** *fig* matt, gedämpft, fahl.

speranza [spe'rantsa] *f* Hoffnung *f;* ~ **di vita** Lebenserwartung *f;* **riporre le proprie -e in qu/qc** seine Hoffnungen auf etw./jdn setzen; **nella** ~ **che** *+congv* in der Hoffnung, daß ... **speranzoso, -a** [...'tso:so] *agg* hoffnungsvoll.

sperare [spe'ra:re] **I.** *tr* hoffen, erhoffen, hoffen auf; ~ **di** *+inf* hoffen zu; ~ **che** *+congv* hoffen, daß ...; **spero di sì/no** ich hoffe ja/nein; **speriamo (bene)!** hoffen wir es!; **II.** *itr* hoffen (*in* auf *+akk*).

sperdersi ['spɛrdersi] ⟨*irr*⟩ *rfl* sich verirren. **sperduto, -a** [sper'du:to] *agg* abgelegen; *(a. persona)* verloren, verlassen.

sperequazione [spereku̯at'tsi̯o:ne] *f* Unausgeglichenheit *f,* Ungleichheit *f.*

spergiurare [sperdʒu'ra:re] *itr* einen Meineid leisten (*o* schwören). **spergiuro, -a** [...'dʒu:ro] **I.** *agg* meineidig; *(che manca ai giuramenti fatti)* eidbrüchig; **II.** *m, f* Meineidige(r) *mf; (che manca ai giuramenti fatti)* Eidbrüchige(r) *mf;* **III.** *m* Meineid *m.*

spericolato, -a [speriko'la:to] *agg* leichtsinnig, waghalsig; **guidatore** ~ leichtsinniger Fahrer.

sperimentale [sperimen'ta:le] *agg* experimentell, Experimental-, Versuchs-; **centro** ~ Versuchszentrum *n;* **fisica** ~ Experimentalphysik *f;* **scuola** ~ Versuchsschule *f.*

sperimentare [sperimen'ta:re] *tr* **1.** *gener.* versuchen, erproben; **2.** *tec* testen; **3.** *fig* auf die Probe stellen, erproben, testen *fam.* **sperimentatore, -trice** [...ta'to:re] *m, f* Experimentator(in) *m(f),* Experimentierer(in) *m(f).* **sperimentazione** [...tat'tsi̯o:ne] *f* Experimentieren *n.*

sperma ['spɛrma] ⟨-i⟩ *m* Sperma *n.*

spermatozoo [spɛrmatod'dzɔ:o] ⟨-oi⟩ *m* Spermatozoon *n.*

spermicida [spermi'tʃi:da] ⟨-i *m,* -e *f*⟩ **I.** *agg* spermizid; **II.** *m* Spermizid *n.*

speronare [spero'na:re] *tr* rammen.

sperone [spe'ro:ne] *m* **1.** *(arnese)* Sporn *m;* **2.** *zoo* Afterkralle *f; (di uccelli)* Sporn *m;* **3.** *naut* Rammsporn *m;* **4.** *geog* Ausläufer *m;* **5.** *arch* Strebe *f.*

sperperare [sperpe'ra:re] *tr* verschwenden; *fig* vergeuden. **sperpero** ['spɛrpero] *m* Verschwendung *f.*

spersonalizzare [spersonalid'dza:re] *tr* **1.** *(appartamento, stanza)* unpersönlich gestalten; **2.** *(questione, discussione)* entpersonalisieren.

spesa ['spe:sa] *f* **1.** *(somma)* Ausgabe *f;* ⟨*pl*⟩ Kosten *pl;* **2.** *(compera)* (Ein)kauf *m; fam (del cibo quotidiano)* Einkäufe *m pl;* **3.** ⟨*pl*⟩ *econ* Kosten *pl,* Spesen *pl;* **4.** ⟨*pl*⟩ *(supplemento all'affitto)* (Miet)-nebenkosten *pl;* **-e d'esercizio (*o* di gestione)** Betriebskosten *pl;* **contributo alle -e** Unkostenbeitrag *m;* **partecipazione alle -e** Kostenbeteiligung *f;* **rimborso delle -e** Kostenerstattung *f;* **fare la** ~ einkaufen; **fare le -e di qc** die Folgen von etw. tragen; **imparare qc a proprie -e** etw. am eigenen Leib erfahren; **non badare a -e** keine Kosten scheuen; **senza -e** kostenfrei; *com* spesenfrei. **a -e di** auf Kosten *+gen.*

spesare [spe'sa:re] *tr* unterhalten, den Unterhalt zahlen (*qu* jdm).

spesi ['spe:si] *p rem di* **spendere.**

speso ['spe:so] *pp di* **spendere.**

spesso, -a ['spesso] **I.** *agg* **1.** *(grosso)* dick; **2.** *(fitto)* dicht; **-e volte** häufig; **II.** *avv* oft, häufig. **spessore** [...'so:re] *m* **1.** *(grossezza)* Dicke *f,* Stärke *f;* **2.** *fig* Dichte *f.*

Spett. *abbr di* **spettabile.**

spettabile [spet'ta:bile] *agg* (*nelle lettere)* sehr geehrte(r).

spettacolare [spettako'la:re] *agg* spektakulär, aufsehenerregend.

spettacolo [spet'ta:kolo] *m* **1.** *teat* Vorstellung *f* Aufführung *f; (rappresentazione, a. film)* Vorstellung *f;* **2.** *(vista)* Anblick *m,* Schauspiel *n;* ~ **di varietà** Varieté *n.* **spettacoloso, -a** [...tako'lo:so] *agg* spektakulär, aufsehenerregend; *fig* großartig.

spettante [spet'tante] *agg* gebührend.

spettare [spet'ta:re] *itr* ⟨*essere*⟩ **1.** *(riguardare)* jds Sache sein; **2.** *(patrimonio, eredità)* zustehen, zufallen; **3.** *(essere dovuto)* zustehen.

spettatore, -trice [spetta'to:re] *m, f* **1.** *teat, film* Zuschauer(in) *m(f);* **2.** *(chi è presente)* (Augen)zeuge *m,* -zeugin *f.*

spettegolare [spettego'la:re] *itr* klatschen, tratschen.

spettinare [spetti'na:re] **I.** *tr* zerzausen; **II.** *rfl:* **-arsi** sich zerzausen.

spettrale [spet'tra:le] *agg fig* **1.** *fis, chim* Spektral-; **2.** *fig* gespenstisch.

spettro ['spɛttro] *m* **1.** *(fantasma)* Gespenst *n;* **2.** *fig (persona)* (Schreck)gespenst *n;* **3.** *fis, astr* Spektrum *n.*

spezie ['spɛttsi̯e] *f pl* Gewürze *n pl.*

spezzare [spet'tsa:re] **I.** *tr* **1.** *(rompere)* brechen, zerbrechen; **2.** *fig* brechen, (unter)teilen; *(periodo, ecc.)* (unter)gliedern; **II.** *rfl:* **-arsi** brechen, zerbrechen.

spezzatino [spettsa'ti:no] *m* Frikassee *n.*

spezzato, -a [spet'tsa:to] **I.** *agg* **1.** *(braccio, gamba)* gebrochen; **2.** *fig* unterteilt, untergliedert; *(interrotto)* unterbrochen; **II.** *m (abito)* Kombination *f.*

spezzettamento [spettsetta'mento] *m* Zersplitterung *f.* **spezzettare** [...'ta:re] *tr* in kleine Stücke teilen; *(eredità)* zersplittern; *(pane)* zerbröckeln.

spezzone [spet'tso:ne] *m TV, film* Ausschnitt *m.*

spia ['spi:a] ⟨-ie⟩ *f* **1.** *gener.* Spion(in) *m(f); (confidente della polizia)* Spitzel *m;* **2.** *tec* Kontrolleuchte *f,* -lampe *f,* Warnlampe *f;* **3.** *(fessura di porta)* (Tür)-spion *m,* Guckloch *n;* **4.** *teat* Vorhangguckloch *n;* **fare la ~** spionieren.

spiaccicare [spi̯attʃi'ka:re] ⟨spiaccico, spiaccichi⟩ *fam* **I.** *tr* zerquetschen, zerdrücken; **II.** *rfl:* **-arsi** zerquetscht (*o* zerdrückt) werden.

spiacente [spi̯a'tʃɛnte] *agg:* **essere ~ di qc** etw. bedauern.

spiacevole [spi̯a'tʃe:vole] *agg* unerfreulich, bedauerlich.

spiaggia ['spi̯addʒa] ⟨-gge⟩ *f* Strand *m;* **andare in ~** an den Strand gehen.

spianare [spi̯a'na:re] *tr* **1.** *(terreno, strada)* eben machen, (ein)ebnen; **2.** *(fucile, ecc.)* anlegen; **3.** *(pasta)* ausrollen; **4.** *(abito)* (glatt)bügeln; **5.** *(demolire)* abreißen; **~ il cammino (*o* la strada) a qu** *fig* jdm den Weg ebnen. **spianata** [...'na:ta] *f* Ebene *f,* ebenes Landstück.

spiano ['spi̯a:no] *m:* **a tutto ~** mit voller Kraft.

spiantato, -a [spi̯an'ta:to] **I.** *agg* ohne einen Pfennig, nichts besitzend (*o* habend); **II.** *m, f* Habenichts *m.*

spiare [spi'a:re] ⟨spio, spii⟩ *tr* **1.** *mil* ausspionieren, ausspähen; *(persona)* bespitzeln; **2.** *(fatti, segreti)* ausspionieren; *(ascoltare di nascosto)* belauschen.

spiata [...'a:ta] *f* Denunzierung *f.*

spiattellare [spi̯attel'la:re] *tr* ausplaudern.

spiazzo ['spi̯attso] *m* offener Platz.

spiccare [spik'ka:re] ⟨spicco, spicchi⟩ **I.** *tr (mandato di cattura)* erlassen; *(a. fattura, assegno)* ausstellen; **~ un salto (*o* balzo)** aufspringen; **~ il volo** auffliegen; **II.** *itr* hervorstechen, sich abheben (*su* von). **spiccato, -a** [...'ka:to] *agg* deutlich, klar; *(notevole)* ausgeprägt, merklich.

spicchio ['spikki̯o] ⟨-cchi⟩ *m* Stück *n; (di agrume a.)* Spalte *f,* Schnitz *m;* **~ d'aglio** Knoblauchzehe *f.*

spicciare [spit'tʃa:re] ⟨spiccio, spicci⟩ **I.** *tr* **1.** *(faccenda)* schnell erledigen; **2.** *(cliente, avventore)* abfertigen; **II.** *rfl:* **-arsi** sich beeilen. **spicciativo, -a** [...tʃa'ti:vo] *agg* **1.** *(persona)* kurz angebunden; **2.** *(metodi)* schnell, rasch; *(lavoro)* rasch erledigt.

spiccicare [spittʃi'ka:re] ⟨spiccico, spiccichi⟩ **I.** *tr* ablösen; **non ~ parola** kein Wort herausbringen; **II.** *rfl:* **-arsi** *fam* sich trennen, voneinander loskommen.

spiccio, -a ['spittʃo] ⟨-cci, -cce⟩ **I.** *agg* schnell, rasch, kurzentschlossen; **andare per le -cce** es kurz machen, direkt zur Sache kommen; **II.** *m pl* Kleingeld *n.* **spicciolare** [-'la:re] *tr* (in Kleingeld) wechseln, kleinmachen *fam.* **spicciolato, -a** [-'la:to] *agg:* **alla -a** einzeln. **spicciolo, -a** ['spittʃolo] **I.** *agg* **1.** *econ* Klein-, klein; **2.** *fig* klein, einfach, schlicht; **moneta -a** Kleingeld *n;* **II.** *m pl* Kleingeld *n.*

spicco ['spikko] ⟨-cchi⟩ *m:* **fare ~** auffallen, sich abheben.

spider ['spaider] ⟨-⟩ *m o f* Kabrio *n.*

spidocchiare [spidok'ki̯a:re] ⟨spidocchio, spidocchi⟩ **I.** *tr* (ent)lausen; **II.** *rfl:* **-arsi** sich (ent)lausen.

spiedino [spi̯e'di:no] *m* Spieß *m;* **~ di vitello** Kalbsspieß *m.*

spiedo ['spiɛ:do] *m* **1.** *gastr* Spieß *m;* **2.** *mil* Speer *m,* Spieß *m;* **arrosto allo ~** Spießbraten *m.*

spiegamento [spi̯ega'mento] *m* Aufmarsch *m,* Aufgebot *n;* **~ di forze** Truppenaufgebot *n.*

spiegare [spi̯e'ga:re] ⟨spiego, spieghi⟩ **I.** *tr* **1.** *(far capire)* erklären, erläutern; **2.** *(tovaglia)* ausbreiten; *(vele)* setzen; *(ali)* ausbreiten; **3.** *(truppe)* aufstellen; **II.** *rfl:* **-arsi 1.** *(esprimere il proprio pensiero)* sich klar ausdrücken; **2.** *(venire ad una spiegazione)* sich aussprechen, eine Aussprache haben. **spiegazione** [...gat'tsi̯o:ne] *f* Erklärung *f,* Erläuterung *f.*

spiegazzare [spi̯egat'tsa:re] *tr* zerknittern, zerknüllen.

spietato, -a [spi̯e'ta:to] *agg* **1.** *(crudele)* unbarmherzig, erbarmungslos; **2.** *(osti-*

nato) hartnäckig, unerbittlich.
spifferare [spiffe'ra:re] *tr* ausplaudern.
spiffero ['spiffero] *m* Zug(luft *f*) *m*.
spiga ['spi:ga] ⟨-ghe⟩ *f* Ähre *f*. **spigato, -a** [spi'ga:to] *agg* Fischgrat-, Fischgräten-.
spigliatezza [spiʎʎa'tettsa] *f* Unbefangenheit *f*. **spigliato, -a** [...'ʎa:to] *agg* unbefangen.
spigolare [spigo'la:re] *tr* **1.** *agr* stoppeln, einsammeln; **2.** *fig* sammeln, zusammentragen. **spigolatura** [...la'tu:ra] *f* **1.** *agr* Ährenlese *f;* **2.** ⟨*pl*⟩ *fig* Nachlese *f*, Anekdoten *f pl*.
spigolo ['spi:golo] *m* **1.** *(di muro, mobile)* Kante *f;* **2.** ⟨*pl*⟩ *fig* Schroffheit *f*, Ekken und Kanten *pl*. **spigoloso, -a** [spigo'lo:so] *agg* **1.** *(pieno di spigoli)* kantig, eckig; **2.** *fig* schroff, kantig, mit Ecken und Kanten.
spilla ['spilla] *f* Brosche *f*, (Ansteck)nadel *f;* ~ **di sicurezza** Sicherheitsnadel *f;* ~ **da cravatta** Krawattennadel *f*. **spillare** [...'la:re] *tr* **1.** *(forare)* anstecken, anzapfen; **2.** *(unire)* zusammenheften; ~ **soldi a qu** jdm Geld abknöpfen.
spillo ['spillo] *m* **1.** *gener.* (Steck)nadel *f;* **2.** *(spilla)* (Ansteck)nadel *f;* **tacchi a** ~ Pfennigabsätze *m pl*. **spillone** [...'lo:ne] *m* Hutnadel *f*.
spilluzzicare [spilluttsi'ka:re] ⟨spilluzzico, spilluzzichi⟩ *tr* knabbern.
spilorceria [spilortʃe'ri:a] ⟨-ie⟩ *f* Knaus(e)rigkeit *f*, Geiz *m*. **spilorcio, -a** [...'lortʃo] ⟨-ci, -ce⟩ **I.** *agg* knaus(e)rig, geizig; **II.** *m, f* Geizkragen *m fam*, Geizhals *m fam*.
spilungone, -a [spiluŋ'go:ne] *m, f fam* Bohnenstange *f fam*, lange Latte *fam*.
spina ['spi:na] *f* **1.** *bot* Dorn *m*, Stachel *m;* **2.** *zoo* Stachel *m; (di pesce)* Gräte *f;* **3.** *el* Stecker *m;* **4.** *tec (della botte)* Zapfloch *n;* ~ **dorsale** Rückgrat *n*, Wirbelsäule *f;* ~ **multipla** Mehrfachstecker *m;* **birra alla** ~ Faßbier *n*, Bier *n* vom Faß; **stare (***o* **essere) sulle -e** (wie) auf (glühenden) Kohlen sitzen; **quel ragazzo è la mia** ~ dieser Junge ist mein Kreuz.
spinacio [spi'na:tʃo] ⟨-ci⟩ *m bot* Spinat *m;* **-ci** *gastr* Spinat *m*.
spinale [spi'na:le] *agg* Rückgrat-, Rükken-.
spinato, -a [spi'na:to] *agg* **1.** *(con spine)* dornig, stach(e)lig, Stachel-; **2.** *(stoffa)* mit Fischgrätmuster, Fischgrat-; **filo** ~ Stacheldraht *m*.
spinello [spi'nɛllo] *m fam* Joint *m fam*.
spinetta [spi'netta] *f* Spinett *n*.
spingere ['spindʒere] ⟨spingo, spinsi, spinto⟩ **I.** *tr* **1.** *(spostare)* schieben; *(con forza)* stoßen; **2.** *(premere)* drücken; **3.** *fig* (voran)treiben; *(indurre)* (an)treiben (*a* zu); **4.** *(fare ressa)* schubsen, drängeln; **II.** *rfl:* **-ersi 1.** *(inoltrarsi)* vorstoßen, vordringen; **2.** *fig* sich vorwagen.
spino ['spi:no] *m* Dornbusch *m*, Dornenpflanze *f; (prugno selvatico)* Schlehdorn *m*. **spinoso, -a** [spi'no:so] *agg* **1.** *bot* dornig, stach(e)lig, Dornen-; **2.** *fig* dornig, dornenreich.
spinsi ['spinsi] *p rem di* **spingere.**
spinta ['spinta] *f* **1.** *(urto)* Stoß *m;* **2.** *fig* Anstoß *m*, Antrieb *m; (appoggio)* Beziehungen *f pl;* **3.** *fis* Schub *m*, Antrieb *m;* **4.** *sport* Anschub *m*. **spintarella** [-'rɛlla] *f fam (raccomandazione)* Empfehlung *f;* **dare una** ~ **a qu** *fam* jdn empfehlen.
spinterogeno [spinte'rɔ:dʒeno] *m* Zündverteiler *m*.
spinto, -a ['spinto] **I.** *pp di* **spingere; II.** *agg* gewagt, anstößig.
spintone [spin'to:ne] *m* **1.** (heftiger) Stoß *m;* **2.** *sport* Rempler *m;* **3.** *fig (raccomandazione)* Beziehungen *f pl*.
spionaggio [spio'naddʒo] ⟨-ggi⟩ *m* Spionage *f*.
spioncino [spion'tʃi:no] *m* (Tür)spion *m*, Guckloch *n*.
spione, -a [spi'o:ne] *m, f* Schnüffler(in) *m(f)*, Spion(in) *m(f)*. **spionistico, -a** [spio'nistiko] ⟨-ci, -che⟩ *agg* Spionage-.
spiovente [spio'vɛnte] **I.** *agg* **1.** *(rami, chiome)* herabhängend, (her)abfallend; **2.** *sport (tiro)* hoch; **II.** *m* **1.** *(del tetto)* (schräge) Dachfläche *f*, Abdachung *f;* **2.** *sport* hoher Schuß.
spiovere ['spiɔ:vere] ⟨*irr*⟩ *itr* ⟨*essere o avere*⟩ aufhören zu regnen, nicht mehr regnen.
spira ['spi:ra] *f* **1.** *(di serpente, spirale)* Windung *f;* **2.** *el* Schleife *f*.
spiraglio [spi'raʎʎo] ⟨-gli⟩ *m* **1.** *(di porta, finestra)* Spalt *m*, Ritz *m;* **2.** *(luce)* Lichtstrahl *m;* **3.** *fig* Schimmer *m*, Anzeichen *n*.
spirale [spi'ra:le] *f* Spirale *f;* **dell'inflazione** Inflationsspirale *f;* ~ **dei prezzi** Lohn-Preis-Spirale *f*.
spirare [spi'ra:re] *itr* **1.** ⟨*avere*⟩ *(vento)* wehen, blasen; **2.** *lett* ⟨*essere*⟩ *(morire)* verscheiden, seinen Geist aufgeben.
spiritato, -a [spiri'ta:to] **I.** *agg* aufgeregt, aufgewühlt, verstört; *(invasato)* besessen; **II.** *m, f* Besessene(r) *mf*.
spiritico, -a [spi'ri:tiko] ⟨-ci, -che⟩ *agg* spiritistisch.
spiritismo [spiri'tizmo] *m* Spiritismus *m*. **spiritista** [...'tista] ⟨-i *m*, -e *f*⟩ *m* Spiritist(in) *m(f)*.
spirito[1] ['spi:rito] *m* Geist *m;* ~ **di iniziativa** Initiative *f;* ~ **di osservazione** Beobachtungsgabe *f;* ~ **di patate** *fam* schlechter Witz; **una battuta di** ~ ein Bonmot *n;* **lo S**~ **Santo** der Heilige Geist; ~ **del tempo** Zeitgeist *m;* **avere la presenza di** ~ **di fare qc** die Geistesgegenwart besitzen, etw. zu tun; **fare dello** ~ humorvoll (*o* geistreich) sein; **nel castello ci sono gli -i** im Schloß spukt es.

spirito[2] ['spi:rito] *m (sostanza alcolica)* Spiritus *m;* **fornellino a** ~ Spirituskocher *m;* **ciliegie sotto** ~ *fam* beschwipste Kirschen *f pl fam.*

spiritosaggine [spirito'saddʒine] *f* Witzelei *f.*

spiritoso, -a [spiri'to:so] **I.** *agg* geistreich, witzig; **II.** *m, f* Witzbold *m.*

spirituale [spiritu'a:le] *agg* **1.** *(dello spirito)* geistig, Geistes-, spirituell; **2.** *(persona)* vergeistigt. **spiritualità** [...uali'ta] ⟨-⟩ *f* **1.** *(sensibilità)* geistige Tiefe; **2.** *(natura spirituale)* Vergeistigung *f,* Innerlichkeit *f.* **spiritualizzare** [spiritualid'dza:re] **I.** *tr* **1.** *(amore)* vergeistigen; **2.** *(persona)* idealisieren; **II.** *rfl:* **-arsi** sich vergeistigen.

splendere ['splɛndere] *itr* **1.** *(sole)* strahlen; *(stelle)* funkeln; **2.** *fig* strahlen, glänzen.

splendido, -a ['splɛndido] **I.** *agg* strahlend; *(festa)* prächtig, glänzend; **II.** *interi* toll, prima, herrlich.

splendore [splen'do:re] *m* **1.** *(di sole)* Strahlen *n,* Glanz *m; (di stelle)* Funkeln *n;* **2.** *(di persona)* Glanz *m,* Pracht *f;* **3.** *(di festa)* Glanz *m,* Pracht *f,* Herrlichkeit *f.*

splitting ['plitiŋ] ⟨-⟩ *m fin* Splitting *n.*

spodestare [spodes'ta:re] *tr* entmachten, absetzen; *(re)* entthronen.

spoetizzare [spoetid'dza:re] *tr* ernüchtern, enttäuschen.

spoglia ['spɔʎʎa] ⟨-glie⟩ *f* **1.** *(vestito)* Gewand *n;* **2.** *zoo* Balg *m.*

spogliare [spoʎ'ʎa:re] ⟨spoglio, spogli⟩ **I.** *tr* **1.** *(svestire)* ausziehen, entkleiden; **2.** *fig* berauben, entkleiden; **3.** *(posta)* sichten; **II.** *rfl:* **-arsi 1.** *(svestirsi)* sich ausziehen, sich entkleiden; **2.** *fig (privarsi)* sich entledigen, ablegen *(di qc* etw.). **spogliarellista** [...ʎarel'lista] ⟨-i *m,* -e *f*⟩ *mf* Stripteasetänzer(in) *m(f).* **spogliarello** [...ʎa'rɛllo] *m* Striptease *m;* **fare lo** ~ strippen *fam.* **spogliatoio** [...ʎa'to:i̯o] ⟨-oi⟩ *m* Umkleideraum *m,* -kabine *f.*

spoglio ['spɔʎʎo] ⟨-gli⟩ *m* Auswertung *f,* Sichtung *f,* Durchsicht *f;* ~ **delle schede (*o* dei voti)** Stimmen(aus)zählung *f.*

spoglio, -a ['spɔʎʎo] ⟨-gli, -glie⟩ *agg* kahl, nackt.

spoiler ['spɔiler *o* 'spɔilə] ⟨-⟩ *m* Spoiler *m;* ~ **anteriore** Frontspoiler *m.*

spola ['spɔ:la] *f* Spule *f;* **fare la** ~ *fig* pendeln, hin- und herlaufen. **spoletta** [spo'letta] *f* **1.** *(rocchetto)* Spule; **2.** *(di bomba, armi.)* Zünder *m.*

spolmonarsi [spolmo'narsi] *rfl* sich heiser reden (*o* singen *o* schreien).

spolpare [spol'pa:re] *tr* **1.** *(osso)* vom Fleisch lösen; **2.** *fig* ausnehmen, aussaugen.

spolverare [spolve'ra:re] **I.** *tr* **1.** *(mobile, vestito)* abstauben; **2.** *gastr* bestreuen, bestäuben; **3.** *fig fam (mangiare tutto)* verputzen *fam,* verschlingen; **II.** *itr* Staub wischen, abstauben. **spolverata** [...'ra:ta] *f* **1.** *(pulizia sommaria)* Abstauben *n,* (kurzes) Staubwischen *n;* **2.** *gastr* Bestreuen *n,* Bestäuben *n.*

spolverino [spolve'ri:no] *m* (leichter) Übergangsmantel *m.*

spompare [spom'pa:re] *fam* **I.** *tr fig* auslaugen; **II.** *rfl:* **-arsi** sich auslaugen. **spompato, -a** [spompa:to] *agg fam* ausgelaugt, ausgepumpt.

sponda ['sponda] *f* **1.** *(di fiume)* Ufer *n;* **2.** *(di letto)* (Bett)kante *f,* Rand *m.*

sponsor ['spɔnsor *o* 'spɔnsə] ⟨-⟩ *m* Sponsor(in) *m(f).* **sponsorizzare** [sponsorid'dza:re] *tr* sponsern.

spontaneista [spontane'ista] ⟨-i *m,* -e *f*⟩ *mf* Sponti *m fam.*

spontaneità [spontanei'ta] ⟨-⟩ *f* Spontaneität *f.* **spontaneo, -a** [...'ta:neo] *agg* spontan; *(stile, espressione)* natürlich; *(di propria volontà)* freiwillig; *(vegetazione)* wild.

spopolamento [spopola'mento] *m* Entvölkerung *f.* **spopolare** [...'la:re] **I.** *tr* entvölkern; **II.** *itr fam* Furore machen, einen Bombenerfolg haben *fam;* **III.** *rfl:* **-arsi** sich entvölkern, sich leeren.

spora ['spɔ:ra] *f* Spore *f.*

sporadicità [sporaditʃi'ta] ⟨-⟩ *f* Seltenheit *f.* **sporadico, -a** [...'ra:diko] ⟨-ci, -che⟩ *agg* sporadisch, gelegentlich.

sporcaccione, -a [sporkat'tʃo:ne] *m, f (a. fig)* Schmierfink *m,* Schmutzfink *m; peg* Schwein *n vulg.*

sporcare [spor'ka:re] ⟨sporco, sporchi⟩ **I.** *tr* **1.** *(vestito, tovaglia)* beschmutzen, schmutzig machen; **2.** *fig* besudeln, beflecken, in den Schmutz ziehen; **II.** *rfl:* **-arsi** sich beschmutzen *geh,* sich schmutzig machen; ~ **le mani** *(a. fig)* sich *(dat)* die Hände schmutzig machen.

sporcizia [spor'tʃittsi̯a] ⟨-ie⟩ *f* **1.** *(cosa sporca)* Dreck *m,* Schmutz *m;* **2.** *fig* Schweinerei *f.*

sporco, -a ['spɔrko] ⟨-chi, -che⟩ **I.** *agg (a. fig)* schmutzig, dreckig; **avere la fedina penale -a** *fam* vorbestraft sein; **II.** *m* Schmutz *m,* Dreck *m.*

sporgenza [spor'dʒɛntsa] *f* Vorsprung *m.*

sporgere ['spɔrdʒere] ⟨*irr*⟩ **I.** *tr* ⟨*avere*⟩ vorstrecken; *(dalla finestra)* hinausstrecken; ~ **denuncia** Anzeige erstatten; ~ **querela** Klage erheben; **II.** *itr* ⟨*essere*⟩ hinaus-, hervorragen, vorstehen, -springen; **III.** *rfl:* **-ersi** *(in fuori)* sich hinauslehnen; *(in avanti)* sich vorbeugen; **"è pericoloso sporgersi"** „Nicht hinauslehnen".

sport [spɔrt] ⟨-⟩ *m* Sport *m; (fig a.)* Spaß *m;* ~ **a squadre/di combattimento** Mannschafts-/Kampfsport *m;* **fare dello** ~ Sport treiben; **per** ~ zum Spaß.

sporta ['spɔrta] *f* **1.** *(borsa)* (große) Tasche *f,* Tragetasche *f;* **2.** *(quantità)* Tasche(voll) *f.*

sportello [spor'tɛllo] *m* **1.** *(di treno, macchina, armadio)* Tür *f;* **2.** *(di ufficio, banca, ecc.)* Schalter *m;* ~ **automatico (di banca)** Geldautomat *m.*

sportivo, -a [spor'ti:vo] **I.** *agg* **1.** *(spettacolo, campo)* Sport-; **2.** *(persona, vestito, ecc.)* sportlich; **II.** *m, f* Sportler(in) *m(f).*

sposa ['spɔ:za] *f* Braut *f; (moglie)* junge (Ehe)frau *f.* **sposalizio** [spoza'littsio] ⟨-i⟩ *m* Hochzeit *f.* **sposare** [...'za:re] **I.** *tr* **1.** *(prendere per moglie o marito)* heiraten; **2.** *(unire in matrimonio)* trauen, vermählen; **3.** *(dare in moglie o marito)* verheiraten; **4.** *fig* sich mit Leib und Seele widmen *(qc* einer S. *dat),* sich verschreiben *(qc* einer S. *dat);* **II.** *rfl:* **-arsi** heiraten; **-arsi con qu** jdn heiraten, sich mit jdm verheiraten; ~ **in chiesa/in comune** sich kirchlich/standesamtlich trauen lassen. **sposo** ['spɔ:zo] *m* Bräutigam *m; (marito)* junger (Ehe)mann *m;* **-i** Brautleute *pl.*

spossare [spos'sa:re] *tr* erschöpfen, entkräften. **spossatezza** [...sa'tettsa] *f* Erschöpfung *f,* Entkräftung *f.*

spostamento [sposta'mento] *m* Verschiebung *f; (d'aria a.)* Bewegung *f.* **spostare** [...'ta:re] **I.** *tr* **1.** *(mobile)* verschieben, verrücken; *(impiegato, alunno)* versetzen; **2.** *(data)* verschieben; **3.** *mus* transponieren; **II.** *rfl:* **-arsi** (weg)-rücken, Platz machen; *(di città, paese)* wegziehen; *(cosa)* sich (weg)bewegen. **spostato, -a** [...'ta:to] *m, f* Verhaltensgestörte(r) *mf.*

spot [spɔt] ⟨-⟩ *m* **1.** *(proiettore, faretto)* Spot *m,* Strahler *m;* **2.** *el (punto luminoso)* Bildpunkt *m;* **3.** *(spazio pubblicitario)* Werbespot *m.*

spranga ['spraŋga] ⟨-ghe⟩ *f* Stange *f; (lucchetto)* Riegel *m.* **sprangare** [...'ga:re] ⟨sprango, spranghi⟩ *tr* verriegeln.

spray ['spra:i] ⟨-⟩ *m* Spray *n o m.*

sprazzo ['sprattso] *m* **1.** *(di luce, sole)* Strahl *m;* **2.** *(di acqua)* Spritzer *m;* **3.** *fig* Blitz *m,* Funke *m.*

sprecare [spre'ka:re] ⟨spreco, sprechi⟩ **I.** *tr* **1.** *(soldi, denaro)* verschwenden; *(tempo, forza, energia)* vergeuden; **2.** *sport (palla, pallone)* verschießen; **II.** *rfl:* **-arsi** seine Kräfte vergeuden (*in* für), sich umsonst verausgaben (*in* für).

sprecato, -a [spre'ka:to] *agg* vergeudet, verschwendet; **fatica -a** *fig* verlorene (*o* vergebliche) Liebesmüh'; **è tempo** ~ das ist die reinste Zeitverschwendung; **essere** ~ **per qc** zu schade für etw. sein.

spreco ['sprɛ:ko] ⟨-chi⟩ *m* Verschwendung *f,* Vergeudung *f.* **sprecone, -a** [spre'ko:ne] *m, f* Verschwender(in) *m(f).*

spregevole [spre'dʒe:vole] *agg* **1.** *(persona, cosa)* verachtenswert; **2.** *(gesto, ecc.)* verächtlich.

spregiativo, -a [spredʒa'ti:vo] **I.** *agg* verächtlich, abwertend; **II.** *m* Pejorativ(um) *n,* Pejorativform *f.* **spregio** ['sprɛ:dʒo] ⟨-gi⟩ *m* Verachtung *f.*

spregiudicatezza [spredʒudika'tettsa] *f* Skrupellosigkeit *f.* **spregiudicato, -a** [...'ka:to] *agg* **1.** *(senza pregiudizi)* unvoreingenommen, vorurteilslos; **2.** *(senza scrupoli)* skrupellos.

spremere ['sprɛ:mere] *tr* **1.** *(limone, arancia)* auspressen; **2.** *fig* ausquetschen *fam;* **-ersi le meningi** sich *(dat)* den Kopf zerbrechen, sich *(dat)* das Hirn zermartern.

spremiagrumi [spremia'gru:mi] ⟨-⟩ *m* Zitrus-, Zitronenpresse *f;* ~ **elettrico** Entsafter *m.*

spremitura [spremi'tu:ra] *f* (Aus)pressen *n.*

spremuta [spre'mu:ta] *f* (frisch gepreßter) Fruchtsaft *m.*

sprezzante [spret'tsante] *agg* verächtlich, geringschätzig; *(atteggiamento a.)* hochmütig.

sprezzo ['sprɛttso] *m* **1.** *(disprezzo)* Verachtung *f;* **2.** *(noncuranza)* Mißachtung *f,* Nichtbeachtung *f.*

sprigionare [spridʒo'na:re] **I.** *tr* ausströmen; **II.** *rfl:* **-arsi** ausströmen, hervorkommen.

sprinkler ['spriŋklə] ⟨-⟩ *m* Sprinkler *m;* **impianto a** ~ Sprinkleranlage *f.*

sprint [sprɪnt] ⟨-⟩ *m* **1.** *sport* Sprint *m,* Spurt *m;* **2.** *fig* Schwung *m.*

sprizzare [sprit'tsa:re] **I.** *tr* ⟨*avere*⟩ **1.** *fig (gioia)* sprühen, (aus)strahlen; **2.** *(sangue)* ausspritzen, ausströmen; **la ferita sprizza sangue** aus der Wunde spritzt Blut; **sprizza gioia da tutti i pori** er (*o* sie) strahlt vor Freude. **II.** *itr* ⟨*essere*⟩ (aus)spritzen, strömen. **sprizzo** [s'prittso] *m* Spritzer *m.*

sprofondare [sprofon'da:re] **I.** *itr* ⟨*essere*⟩ **1.** *(pavimento, terreno)* nachgeben, absinken; *(casa, tetto)* einstürzen; **2.** *(affondare)* versinken, einsinken; **3.** *fig* versinken; **II.** *rfl:* **-arsi 1.** *(lasciarsi andare)* sich fallen lassen; **2.** *fig* sich vertiefen, sich versenken.

sproloquio [spro'lɔ:kuio] ⟨-qui⟩ *m* Salbaderei *f.*

spronare [spro'na:re] *tr* **1.** *(cavallo)* die Sporen geben; **2.** *fig* anspornen.

sprone ['spro:ne] *m* **1.** *gener., zoo* Sporn *m;* **2.** *fig* Ansporn *m;* **dar di** ~ die Sporen geben.

sproporzionato, -a [sproportsio'na:to] *agg* **1.** *(braccia, persona)* unproportioniert; **2.** *(prezzo, reazione)* unverhältnismäßig, unangemessen. **sproporzione** [...'tsio:ne] *f* Mißverhältnis *n.*

spropositato, -a [spropozi'ta:to] *agg* **1.** *(pieno di sbagli)* voller Fehler, vor

Fehlern strotzend; **2.** *fig* enorm, riesig; *(eccessivo)* übertrieben. **sproposito** [...'pɔ:zito] *m* **1.** *(errore)* grober Fehler; **2.** *(sciocchezza)* Dummheit *f,* Fehler *m.*

sprovveduto, -a [sprovve'du:to] *agg* unbedarft; ~ **di** *(sfornito)* nicht versehen mit, ohne.

sprovvisto, -a [sprov'visto] *agg:* ~ **di** nicht versehen mit, ohne, -los; **alla -a** unvorbereitet; **prendere qu alla -a** jdn unvorbereitet treffen, jdn überraschen.

spruzzare [sprut'tsa:re] *tr* sprühen, spritzen, bespritzen (*di qc* mit etw.), (be)sprühen (*di qc* mit etw.). **spruzzata** [...'tsa:ta] *f* **1.** *meteo* (leichter) Schauer *m;* **2.** *(lo spruzzare)* Spritzer *m,* Spritzen *n;* **3.** *gastr* Spritzer *m,* Schuß *m.* **spruzzatore** [...tsa'to:re] *m* Zerstäuber *m; mot* (Kraftstoff)düse *f.*

spruzzo ['spruttso] *m* **1.** *(d'acqua, fango)* Spritzer *m;* **2.** *meteo* Schauer *m;* **3.** *tec* Spritzen *n;* **4.** *gastr* Spritzer *m,* Schuß *m.*

spudoratezza [spudora'tettsa] *f* Unverschämtheit *f,* Schamlosigkeit *f.* **spudorato, -a** [...'ra:to] *agg* unverschämt, schamlos.

spugna ['spuɲɲa] *f* **1.** *(animale, oggetto)* Schwamm *m;* **2.** *(tessuto)* Frottee *n o m;* **gettare la** ~ *fig* das Handtuch werfen; **bere come una** ~ saufen wie ein Loch *fam.* **spugnoso, -a** [...'ɲo:so] *agg* schwammartig, schwammig, porös.

spulciare [spul'tʃa:re] ⟨spulcio, spulci⟩ **I.** *tr* **1.** *(cane, gatto)* flöhen, entflohen; **2.** *fig* durchforsten; **II.** *rfl:* **-arsi** sich flöhen (*o* entflohen).

spuma ['spu:ma] *f* **1.** *(schiuma)* Schaum *m;* **2.** *(bibita)* Limonade *f.* **spumante** [spu'mante] *m* Sekt *m,* Schaumwein *m.* **spumeggiante** [spumed'dʒante] *agg* **1.** *(birra)* schäumend; *(vino)* moussierend; **2.** *fig* sprühend, brillant. **spumeggiare** [...'dʒa:re] ⟨spumeggio, spumeggi⟩ *itr* schäumen; *(vino)* moussieren.

spuntare[1] [spun'ta:re] **I.** *tr* ⟨*avere*⟩ **1.** *(penna, lapis)* die Spitze abbrechen von; *(smussare)* stumpf machen, abstumpfen; **2.** *(capelli, baffi)* stutzen; **3.** *fig* meistern, überwinden, schaffen; **spuntarla** es schaffen, sich durchsetzen; **II.** *itr* ⟨*essere*⟩ **1.** *(venir fuori)* hervorkommen, zutage kommen; *(fiori)* sprießen; *(sole)* aufgehen; *(giorno)* anbrechen; **2.** *(apparire)* auftreten, erscheinen; **da dove spunti?** wo kommst du denn her?; **III.** *rfl:* **-arsi** abbrechen, die Spitze verlieren; *(smussarsi)* stumpf werden.

spuntare[2] [spun'ta:re] *tr (depennare)* abhaken.

spuntino [spun'ti:no] *m* Imbiß *m,* Zwischenmahlzeit *f.*

spunto ['spunto] *m* **1.** *(occasione)* Anstoß *m, f,* Anlaß *m;* **2.** *(stimolo)* Anregung *f;* **3.** *teat* Stichwort *n.*

spurgare [spur'ga:re] ⟨spurgo, spurghi⟩ *tr* **1.** *(fogna, canale)* reinigen, ausspülen; **2.** *med* aushusten, auswerfen. **spurgo** ['spurgo] ⟨-ghi⟩ *m* **1.** *(operazione)* Säuberung *f,* Ausspülung *f;* **2.** *(materiale)* Auswurf *m,* Schleim *m.*

sputacchiare [sputak'ki̯a:re] ⟨sputacchio, sputacchi⟩ **I.** *itr* spucken; **II.** *tr* bespukken. **sputacchiera** [...'ki̯ɛ:ra] *f* Spucknapf *m.*

sputare [spu'ta:re] **I.** *tr* spucken, speien; *(vulcano a.)* ausstoßen, -werfen; ~ **sangue** *fig* sich abmühen, sich abrackern; **II.** *itr* spucken, speien; ~ **su qc** *fam* auf etw. *(akk)* pfeifen *fam.* **sputasentenze** [...tasen'tɛntse] ⟨-⟩ *mf* Sprücheklopfer(in) *m(f) fam,* Klugscheißer(in) *m(f) fam.*

sputo ['spu:to] *m* Spucke *f,* Speichel *m; (escreto)* Schleim *m,* Auswurf *m.*

sputtanare [sputta'na:re] *volg* **I.** *tr* durch den Dreck *fam* (*o* durch die Scheiße *vulg*) ziehen; **II.** *rfl:* **-arsi** sich unmöglich machen; **essersi sputtanato** es verschissen haben *vulg,* unten durch sein *fam.*

squadra ['sku̯a:dra] *f* **1.** *(da disegno)* Winkel *m,* (Winkel)dreieck *n;* **2.** *(complesso di persone)* Gruppe *f; (sport a.)* Mannschaft *f,* Team *n;* **3.** *mil* Trupp *m,* Kommando *n;* **4.** *amm* Kommando *n,* Polizeieinheit *f;* **5.** *naut, aero* Geschwader *n;* ~ **di calcio** Fußballmannschaft *f;* ~ **mobile (***o* **volante)** Überfallkommando *n;* **essere fuori** ~ *(a. fig)* aus dem Lot sein.

squadrare [sku̯a'dra:re] *tr* **1.** *(foglio da disegno)* viereckig (*o* rechtwinklig) zuschneiden; **2.** *fig* mustern, beäugen.

squadriglia [sku̯a'driʎʎa] ⟨-glie⟩ *f* Geschwader *n.*

squadrone [sku̯a'dro:ne] *m* Schwadron *f;* ~ **della morte** Todesschwadron *f.*

squagliare [sku̯aʎ'ʎa:re] ⟨squaglio, squagli⟩ **I.** *tr* schmelzen, auflösen; **II.** *rfl:* **-arsi** schmelzen, flüssig werden; **squagliarsela** *fig fam* sich davonmachen, sich aus dem Staub machen.

squalifica [sku̯a'li:fika] *f* Disqualifizierung *f.* **squalificare** [...lifi'ka:re] **I.** *tr* disqualifizieren; **II.** *rfl:* **-arsi** sich disqualifizieren.

squallido, -a ['sku̯allido] *agg* trist, trostlos; *(luogo a.)* öde.

squallore [sku̯al'lo:re] *m* Trostlosigkeit *f; (di luogo a.)* Öde *f; (miseria a.)* Elend *n.*

squalo ['sku̯a:lo] *m* Hai(fisch) *m.*

squama ['sku̯a:ma] *f* Schuppe *f.* **squamare** [sku̯a'ma:re] **I.** *tr* (ab)schuppen; **II.** *rfl:* **-arsi** sich (ab)schuppen.

squarciagola [sku̯artʃa'go:la]: **a** ~ *avv* aus vollem Halse, aus voller Kehle.

squarciare [sku̯ar'tʃa:re] ⟨squarcio,

squarci⟩ I. *tr* zerreißen, zerfetzen; **il sole squarcia le nuvole** die Sonne durchbricht die Wolken; II. *rfl:* **-arsi** aufbrechen, aufgehen. **squarcio** ['skuartʃo] ⟨-ci⟩ *m* Riß *m; (ferita)* klaffende Wunde; ~ **di sole** Durchbruch *m* der Sonne.

squartare [skuar'ta:re] *tr* zerlegen, zerteilen; *(in quarti)* vierteilen.

squash [skwɔʃ] ⟨-⟩ *m* Squash *n.*

squattrinato, -a [skuattri'na:to] I. *agg* mittellos, abgebrannt *fam;* II. *m, f* Habenichts *m.*

squilibrare [skuili'bra:re] *tr* aus dem Gleichgewicht bringen. **squilibrato, -a** [...'bra:to] I. *agg* 1. *(alimentazione)* unausgewogen; 2. *med* verstört, geistesgestört; II. *m, f* verstörte (*o* geistesgestörte) Person. **squilibrio** [...'li:brio] ⟨-i⟩ *m* 1. *med* Verwirrung *f;* 2. *econ* Ungleichgewicht *n,* Unausgeglichenheit *f.*

squillante [skuil'lante] *agg* 1. *(voce)* schrill; 2. *(colore)* schreiend, grell.

squillare [skuil'la:re] *itr* ⟨*essere o avere*⟩ *(tromba)* schmettern; *(telefono, campanello)* klingeln.

squillo ['skuillo] I. *m (di tromba)* Schmettern *n; (di telefono, campanello)* Klingeln *n;* II. ⟨*inv*⟩ *agg:* **ragazza** ~ Callgirl *n.*

squinternato, -a [skuinter'na:to] I. *agg* 1. *(libro)* zerfleddert; 2. *(squilibrato)* wirr, verrückt; II. *m, f* Verrückte(r) *mf.*

squisito, -a [skui'zi:to] *agg* exquisit, erlesen; *(cibo a.)* köstlich.

squittire [skuit'ti:re] ⟨squittisco⟩ *itr* pfeifen, quieken.

sradicare [zradi'ka:re] ⟨sradico, sradichi⟩ *tr* 1. *(albero)* entwurzeln; 2. *fig (vizio)* ausrotten.

sragionare [zradʒo'na:re] *itr* unlogisch (*o* unvernünftig) denken; *(parlando)* dummes Zeug reden.

sregolatezza [zregola'tettsa] *f* 1. *(di vita, costumi)* Regellosigkeit *f;* 2. *(comportamento)* Unmäßigkeit *f,* Ausschweifung *f.* **sregolato, -a** [...'la:to] *agg* 1. *(senza regola)* regellos, ungeregelt; 2. *(smodato)* maßlos; 3. *(dissoluto)* ausschweifend, liederlich.

S.r.l. *abbr di* **Società a responsabilità limitata** GmbH *f* (*abk von* Gesellschaft mit beschränkter Haftung).

srotolare [zroto'la:re] *tr* ent-, ausrollen.

stabbio ['stabbio] ⟨-i⟩ *m* Stall *m.*

stabile ['sta:bile] I. *agg* 1. *meteo* beständig, gleichbleibend; 2. *teat* ständig; 3. *econ (beni)* unbeweglich; *(prezzi)* stabil; 4. *fig* fest, stabil; *(impiego)* fest; *(resistente)* widerstandsfähig; II. *m* 1. *arch* Gebäude *n;* 2. *teat* ständiges Theater; 3. ⟨*pl*⟩ *econ* Immobilien *f pl.*

stabilimento [stabili'mento] *m* 1. *(di pubblica utilità)* Anstalt *f;* 2. *(per industria)* Fabrik *f,* Fabrikgebäude *n,* Werk *n;* **franco** ~ *com* ab Werk; ~ **ospedaliero** Krankenanstalt *f.*

stabilire [stabi'li:re] ⟨stabilisco⟩ I. *tr* 1. *(decretare)* festsetzen, festlegen; 2. *(decidere)* beschließen, entscheiden; 3. *(dimora)* aufschlagen, nehmen; II. *rfl:* **-irsi** sich niederlassen.

stabilità [stabili'ta] ⟨-⟩ *f* 1. *(di edificio)* Festigkeit *f; (a. fin)* Stabilität *f;* 2. *(resistenza)* Widerstandsfähigkeit *f.* **stabilito, -a** [stabi'li:to] *agg* festgesetzt; ~ **dalla legge** gesetzlich festgelegt, gesetzlich vorgeschrieben; **entro il termine** ~ termingerecht, fristgerecht. **stabilizzante** [stabilid'dzante] *m chim* Stabilisator *m.* **stabilizzare** [...lid'dza:re] I. *tr* stabilisieren, festigen; II. *rfl:* **-arsi** sich stabilisieren, sich festigen; *(tempo)* beständig werden. **stabilizzazione** [...liddzat'tsio:ne] *f* Stabilisierung.

staccare [stak'ka:re] ⟨stacco, stacchi⟩ I. *tr* 1. *(francobollo, etichetta)* (ab-, los)lösen; 2. *(tirar giù)* abnehmen, -ziehen, -reißen; 3. *(cavalli, buoi)* ausspannen; 4. *ferr (vagone)* abhängen; 5. *(assegno, ricevuta)* ausstellen; 6. *sport* abhängen; 7. *(parole, sillabe)* einzeln aussprechen, skandieren; II. *itr* sich abheben (*su* von); III. *rfl:* **-arsi** 1. *(da muro, parete)* sich trennen, sich lösen; 2. *(bottone)* abspringen, abgehen; 3. *fig* sich trennen, sich lösen. **staccato, -a** [...'ka:to] I. *agg* 1. *(fascicolo)* lose, getrennt; 2. *mus* staccato gespielt; II. *m* Staccato *n.*

staccionata [stattʃo'na:ta] *f* Latten-, Bretterzaun *m.*

stacco ['stakko] ⟨-cchi⟩ *m* 1. *(intervallo)* Unterbrechung *f,* Zäsur *f;* 2. *sport* Absprung *m,* Abheben *n;* 3. *fig* Kontrast *m,* Bruch *m;* **fare** ~ sich abheben.

stadio ['sta:dio] ⟨-i⟩ *m* 1. *sport* Stadion *n;* 2. *fig* Stadium *n,* Phase *f,* Stufe *f;* 3. *tec, el* Stufe *f.*

staff ['staf] ⟨-⟩ *m* Stab *m; TV, film* (Film)-team *n.*

staffa ['staffa] *f* 1. *(di sella, anat)* Steigbügel *m;* 2. *tec* Spanneisen *n;* 3. *arch* Klammer *f,* Bügel *m;* **perdere le -e** *fig* aus der Fassung geraten; **tenere il piede in due -e** *fig* zwei Eisen im Feuer haben.

staffetta [staf'fetta] *f* 1. *sport* Staffel *f,* Staffellauf *m;* 2. *(persona)* Kurier *m,* Bote *m.*

stage [staʒ *o* steidʒ] ⟨-⟩ *m* Studien-, Ausbildungsaufenthalt *m,* Workshop *m.*

stagflazione [stagflat'tsio:ne] *f* Stagflation *f.*

stagionale [stadʒo'na:le] I. *agg* jahreszeitlich, saisonal, Saison-; II. *mf* Saisonarbeiter(in) *m(f).* **stagionalità** [...mali'ta] ⟨-⟩ *f com* Saisonabhängigkeit *f,* Saisonbedingtheit *f.*

stagionare [stadʒo'na:re] I. *tr* (ab)lagern; II. *rfl:* **-arsi** lagern, reifen. **stagionato, -a** [...'na:to] *agg* 1. *gastr (formaggio, prosciutto)* reif, gereift; *(vino)* abgelagert;

2. *(legname)* abgelagert; 3. *fig scherz* reif, spät.

stagione [sta'dʒo:ne] *f* Jahreszeit *f; (periodo)* Zeit *f,* Periode *f; teat* Spielzeit *f; (turistica, lirica, concertistica, ecc.)* Saison *f;* **alta/bassa** ~ Hoch-/Vor- (*o* Nach)saison *f;* ~ **morta** geschäftsarme Zeit, Sauregurkenzeit *f scherz;* **mezza** ~ Übergangszeit *f;* ~ **degli amori** *zoo* Brunftzeit *f.*

stagliarsi [staʎ'ʎarsi] ⟨mi staglio, ti stagli⟩ *rfl* sich abheben, sich abzeichnen.

stagnante [staɲ'ɲante] *agg* 1. *(acqua, aria)* stehend; 2. *econ (domanda, ecc.)* stagnierend.

stagnare[1] [staɲ'ɲa:re] I. *itr* 1. *(acqua)* stehen; 2. *(sangue)* zum Stillstand kommen; 3. *econ* stagnieren; II. *tr (sangue)* stillen.

stagnare[2] [staɲ'ɲa:re] *tr* 1. *(rivestire con stagno)* verzinnen; 2. *(rendere stagno)* abdichten.

stagnatura [...ɲa'tu:ra] *f* Verzinnung *f.*

stagno[1] ['staɲɲo] *m chim* Zinn *n.*

stagno[2] ['staɲɲo] *(d'acqua)* Teich *m.*

stagno, -a ['staɲɲo] *agg* (wasser)dicht.

stagnola [staɲ'ɲɔ:la] *f* Stanniol(papier) *n.*

stalagmite [stalag'mi:te] *f* Stalagmit *m.*

stalattite [stalat'ti:te] *f* Stalaktit *m.*

stalla ['stalla] *f* 1. *(per animali)* Stall *m;* 2. *fig* Schweinestall *m fam,* Saustall *m.*

stallo ['stallo] *m* 1. *(seggio)* Sitz *m,* Stuhl *m;* 2. *(negli scacchi)* Patt *n;* **-i da coro** Chorgestühl *n;* **essere in condizione di** ~ *fig* sich an einem toten Punkt befinden.

stallone [stal'lo:ne] *m* Zuchthengst *m.*

stamane, stamani, stamattina [sta'ma:ne, ...ni, ...mat'ti:na] *avv* heute morgen.

stambecco [stam'bekko] ⟨-cchi⟩ *m zoo* Steinbock *m.*

stamberga [stam'bɛrga] ⟨-ghe⟩ *f* elende (*o* ärmliche) Hütte.

stampa ['stampa] I. *f* 1. *tip* Druck *m; (tecnica a.)* Buchdruck *m;* 2. *(giornalismo)* Presse *f;* 3. *(riproduzione)* Druck *m; (incisione)* Stich *m;* 4. *fot* Abzug *m;* **-e** Drucksache *f;* **essere fuori** ~ vergriffen sein; **errore di** ~ Druckfehler *m;* **libertà di** ~ Pressefreiheit *f;* II. ⟨*inv*⟩ *agg* Presse-; **addetto** ~ Pressesprecher *m;* **comunicato** ~ Presseerklärung *f,* -meldung *f.*

stampaggio [stam'paddʒo] ⟨-ggi⟩ *m* Pressen *n,* Stanzen *n.*

stampante [stam'pante] *f inform* Drucker *m;* ~ **ad aghi** Nadeldrucker *m;* ~ **a getto d'inchiostro** Tintenstrahldrucker *m;* ~ **laser** Laserdrucker *m.*

stampare [stam'pa:re] I. *tr* 1. *(libro, giornale)* drucken; *inform* ausdrucken; 2. *(tessuto, ecc.)* bedrucken; 3. *fot* abziehen; 4. *(monete)* prägen; 5. *fig* aufdrükken, drücken, einprägen; 6. *tec* pressen, formpressen; II. *rfl:* **-arsi** sich einprägen. **stampatello** [...pa'tɛllo] *m* Druckbuchstabe *m;* **scrivere in** ~ in Druckschrift schreiben. **stampato, -a** [...'pa:to] I. *agg* 1. *(libro, foglio)* gedruckt; 2. *(tessuto)* bedruckt; 3. *fig* eingeprägt, eingeschrieben; II. *m* 1. *(opuscolo)* Broschüre *f,* Heft *n,* Druckschrift *f;* 2. *(modulo)* Formular *n,* Vordruck *m;* **-i** Briefdrucksache *f.* **stampatore, -trice** [...pa'to:re] I. *m, f* Drucker(in) *m(f);* II. *f film* Filmkopiermaschine *f.*

stampella [stam'pɛlla] *f* Krücke *f.*

stamperia [stampe'ri:a] ⟨-ie⟩ *f* Druckerwerkstatt *f.*

stampigliare [stampiʎ'ʎa:re] *tr* (ab)stempeln.

stampo ['stampo] *m* 1. *gastr (per torte, budini)* Form *f;* 2. *tec* Gußform *f;* 3. *fig* Schlag *m,* Art *f,* Charakter *m;* ~ **in alluminio** Aluform *f.*

stanare [sta'na:re] *tr (a. fig)* aufstöbern.

stanca ['staŋka] ⟨-che⟩ *f* Hochwasser *n,* höchster Pegelstand.

stancare [staŋ'ka:re] ⟨stanco, stanchi⟩ I. *tr* 1. *(rendere stanco)* ermüden, müde machen; 2. *mil, sport (avversario)* schwächen, zermürben; 3. *(infastidire)* stören; *(persona)* zur Last fallen (*qu* jdm); *(cosa, discorso)* ermüden; II. *rfl:* **-arsi** 1. *(affaticarsi)* ermüden *geh,* müde werden; 2. *(stufarsi):* ~ **di qc** etw. satt bekommen, etw. leid werden; **si è stancata di lui** sie hat ihn satt (*o* genug von ihm). **stanchezza** [...'kettsa] *f* Müdigkeit *f.*

stanco, -a ['staŋko] ⟨-chi, -che⟩ *agg* 1. *(affaticato)* müde, ermüdet; 2. *(stufo)* satt, leid; 3. *econ (mercato)* gesättigt, übersättigt; ~ **morto** *fam* todmüde, hundemüde *fam.*

stand [stænd] ⟨-⟩ *m* Stand *m.*

STANDA ['standa] *f acr di* **Società Tutti Articoli Nazionali dell'Arredamento e Abbigliamento** *italienische Kaufhauskette.*

standard ['standard] I. ⟨-⟩ *m* Standard *m;* II. ⟨*inv*⟩ *agg* Standard-. **standardizzare** [...did'dza:re] *tr* standardisieren. **standardizzazione** [...diddzat'tsio:ne] *f* Standardisierung *f.*

stand-by ['stændbai] ⟨-⟩ *m* 1. *aero* Standby *n;* 2. *inform, el* Stand-by *n,* Bereitschaft *f;* 3. *fin* Beistandskredit *m,* Stand-by-Kredit *m.*

stanga ['staŋga] ⟨-ghe⟩ *f* 1. *(legno)* Latte *f;* 2. *(di carro)* Deichsel *f;* 3. *fig fam* lange Latte.

stangare [staŋ'ga:re] ⟨stango, stanghi⟩ *tr* 1. *fig* übers Ohr hauen *fam,* hereinlegen; *(agli esami, ecc.)* durchfallen lassen; 2. *(colpire)* mit einer Latte schlagen. **stangata** [...'ga:ta] *f* 1. *(colpo di stanga)* Schlag *m* mit einer Latte; 2. *fig* Fehl-, Rückschlag *m;* 3. *sport* harter

Schuß aufs Tor. **stanghetta** [...'getta] *f* **1.** *(degli occhiali)* Bügel *m;* **2.** *mus* Taktstrich *m.*

stanotte [sta'nɔtte] *avv* diese Nacht, heute nacht.

stante ['stante] **I.** *agg* stehend; **a sé** ~ für sich; **seduta** ~ auf der Stelle, sofort; **II.** *prp* wegen *+dat o +gen,* aufgrund *+gen.*

stantio, -a [stan'ti:o] ⟨-ii, -ie⟩ *agg* **1.** *(pane)* alt; *(burro)* ranzig; **2.** *fig* überholt.

stantuffo [stan'tuffo] *m* Kolben *m.*

stanza ['stantsa] *f* Zimmer *n,* Raum *m.*

stanziamento [stantsi̯a'mento] *m* Bereitstellung *f.* **stanziare** [...'tsi̯a:re] ⟨stanzio, stanzi⟩ **I.** *tr* bereitstellen; **II.** *rfl:* **-arsi** sich niederlassen, sich festsetzen.

stanzino [stan'tsi:no] *m* Kammer *f,* Abstellraum *m.*

stappare [stap'pa:re] *tr* entkorken.

star [star] ⟨-⟩ *f* Star *m.*

stare ['sta:re] ⟨sto, stetti, stato⟩ *itr* ⟨*essere*⟩ **1.** *(essere)* sein; *(in un luogo a.)* sich befinden, *(restare)* bleiben; **2.** *(abitare)* wohnen; **3.** *(consistere)* bestehen (*in* in *+dat*); **4.** *(toccare)* liegen (*a* an *+dat*); *(dipendere)* abhängen (*in* von), liegen (*in* an *+dat*); **5.** *mat* sich verhalten (*a* zu); **6.** *(attenersi)* sich halten (*a* an *+akk*); **7.** *(resistere)* es aushalten; **8.** *(con gerundio):* **sto leggendo** ich lese gerade; **stavo guardando la TV** ich war dabei fernzusehen; *(con infinito):* **stiamo a vedere cosa succede** sehen wir zunächst (*o* erst) einmal, was geschieht; ~ **coi genitori/con la famiglia** bei den Eltern/der Familie wohnen; ~ **a sentire** zuhören; *(obbedire)* gehorchen; ~ **per fare qc** im Begriff sein, etw. zu tun; **non so se andare o** ~ ich weiß nicht, ob ich gehen oder bleiben soll; **sto qui ancora un po'** ich bleibe noch ein bißchen (da); ~ **in piedi** stehen; ~ **su (dritto)** sich gerade halten, gerade stehen (*o* sitzen); ~ **su** *(restar sveglio)* aufbleiben; **starci** *(essere d'accordo)* einverstanden sein, mitmachen; *(avere posto)* hineingehen, hineinpassen, Platz haben; **lasciar** ~ (sein) lassen; *(non dare fastidio)* in Ruhe lassen; *(tenere fuori) fig* aus dem Spiel lassen; ~ **bene** *(di salute)* gut gehen (jdm); *(di colore, abito, vestito, etc.)* stehen; *(di aspetto)* gut aussehen; *(essere opportuno)* sich gehören; *(essere conveniente)* recht sein; *(meritare)* recht geschehen; ~ **male** *(di salute)* schlecht gehen, nicht gut sein (jdm); *(di colore, abito, vestito)* nicht stehen; *(di aspetto)* schlecht aussehen; *(essere inopportuno)* sich nicht gehören; **in questo sta il difficile** darin besteht die Schwierigkeit; **fatto sta (*o* sta di fatto) che ...** Tatsache ist, daß ...; **sta a te decidere** es liegt an dir zu entscheiden, du mußt dich entscheiden; **non può** ~ **senza fumare/senza di lui** er (*o* sie) kann es ohne zu rauchen/ohne ihn nicht aushalten.

starna ['starna] *f* Rebhuhn *n.*

starnazzare [starnat'tsa:re] *itr* mit den Flügeln Staub (*o* den Boden) aufwirbeln; *fig* schnattern, gackern.

starnutare [starnu'ta:re] , **starnutire** [...'ti:re] ⟨starnutisco⟩ *itr* niesen. **starnuto** [...'nu:to] *m* Niesen *n;* **fare uno** ~ niesen.

starter ['starter] ⟨-⟩ *m* **1.** *mot* Anlasser *m;* **2.** *sport* Starter *m.*

stasare [sta'sa:re *o* ...'za:re] *tr* reinigen, frei machen.

stasera [sta'se:ra] *avv* heute abend.

stasi ['sta:zi] ⟨-⟩ *f* **1.** *med* Stauung *f,* Stase *f wissensch.;* **2.** *fin* Stillstand *m,* Flaute *f.*

statale [sta'ta:le] **I.** *agg* staatlich, Staats-; **II.** *mf* (Staats)beamte(r) *m,* -beamtin *f;* **III.** *f (strada statale)* Staatsstraße *f;* **IV.** *f pl* staatliche Schulen *f pl.* **statalizzare** [statalid'dza:re] *tr* verstaatlichen.

statica ['sta:tika] ⟨-che⟩ *f* Statik *f.* **statico, -a** [...ko] ⟨-ci, -che⟩ *agg* statisch; *(fig a.)* unbeweglich, starr.

station wagon ['steiʃən 'wœgən] ⟨-⟩ *f* Kombi(wagen) *m.*

statista [sta'tista] ⟨-i *m,* -e *f*⟩ *mf* Staatsmann *m.*

statistica [sta'tistika] ⟨-che⟩ *f* Statistik *f.* **statistico, -a** [...ko] ⟨-ci, -che⟩ **I.** *agg* statistisch; **II.** *m, f* Statistiker(in) *m(f).*

stato[1] ['sta:to] *pp di* **essere** *e* **stare.**

stato[2] ['sta:to] *m* **1.** *pol* Staat *m;* **2.** *amm (ceto)* Stand *m; fig* Status *m,* (gesellschaftliche) Stellung *f;* **3.** *fis, chim, med* Zustand *f; inform* Status *m;* **4.** *(condizione, a. fig)* Zustand *m,* Lage *f;* **5.** *mil:* ~ **maggiore** Stab *m;* **6.** *gram* Zustand *m;* ~ **d'assedio/d'emergenza** Belagerungs-/Ausnahmezustand *m;* ~ **d'animo** Gemütslage *f;* ~ **assistenziale** Wohlfahrtsstaat *m;* ~ **di diritto** Rechtsstaat *m;* ~ **civile (*o* di famiglia)** Familien-, Personenstand *m;* ~ **membro/non membro** Mitglied(s)-/Nicht-Mitglied(-s)staat *m;* ~ **sociale** Sozialstaat *m;* **essere in** ~ **d'accusa/arresto** *dir* unter Anklage/Arrest stehen; **essere in** ~ **interessante** in (anderen) Umständen sein; **gli Stati Uniti d'America** die Vereinigten Staaten von Amerika.

statu quo ['statu 'kuɔ] ⟨-⟩ *m* Status quo *m.*

statua ['sta:tua] *f* Statue *f,* Standbild *n.* **statuario, -a** [statu'a:ri̯o] ⟨-i, -ie⟩ *agg* statuarisch; *fig* stattlich, erhaben.

statunitense [statuni'tɛnse] **I.** *agg* nordamerikanisch; **II.** *mf* Nordamerikaner(in) *m(f),* US-Bürger(in) *m(f).*

statura [sta'tu:ra] *f* **1.** *(altezza)* Größe *f,* Statur *f;* **2.** *fig* Format *n.*

status symbol ['status 'simbol *o* 'steitəs 'simbəl] ⟨-⟩ *m* Statussymbol *n.*

statutario, -a [statu'ta:ri̯o] ⟨-i, -ie⟩ *agg*

1. *dir* satzungsmäßig; 2. *pol* verfassungsmäßig, statutarisch. **statuto** [...'tu:-to] *m* 1. *dir, com* Statut *n,* Satzung *f;* 2. *pol, hist* Statut *n,* Verfassung *f.*
stavolta [sta'vɔlta] *avv fam* diesmal, dieses Mal.
stazionamento [stattsiona'mento] *m* Parken *n;* **freno di ~** Handbremse *f,* Feststellbremse *f.* **stazionare** [...'na:re] *itr* 1. *mot* parken; 2. *(sostare)* sich aufhalten, stehenbleiben. **stazionario, -a** [...'na:rio] ⟨-i, -ie⟩ *agg* unverändert, gleichbleibend.
stazione [stat'tsio:ne] *f* 1. *ferr* Bahnhof *m;* 2. *radio, rel* Station *f;* 3. *amm* Dienststelle *f; (di polizia)* Wache *f;* 4. *mil* Wache *f;* 5. *(fermata)* Haltestelle *f,* Station *f;* 6. *inform* Station *f,* Platz *m;* ~ **di transito** (*o* **passaggio)/di testa** Durchgangs-/Kopf- (*o* Sack-)bahnhof *m;* ~ **di servizio/rifornimento** Service-station *f*/Tankstelle *f;* ~ **balneare/climatica/termale** Bade-/Luftkur-/Kurort *m;* ~ **astronomica/spaziale/meteorologica** Sternwarte *f*/Raum-/Wetterstation *f;* ~ **di lavoro** *inform* Arbeitsplatz *m,* Workstation *f.*
stazza ['stattsa] *f* Tonnage *f.*
stearina [stea'ri:na] *f* Stearin *n.*
stecca ['stekka] ⟨-cche⟩ *f* 1. *(di ombrello, ventaglio)* Stab *m,* Stange *f;* 2. *(di sigarette)* Stange *f;* 3. *med* Schiene *f;* 4. *mus* falscher Ton; ~ **da biliardo** Queue *n,* Billardstock *m.*
steccare [stek'ka:re] ⟨stecco, stecchi⟩ I. *tr* 1. *(cingere)* umzäunen, mit einem Lattenzaun versehen; 2. *med* schienen; 3. *mus* falsch singen (*o* spielen); II. *itr* 1. *mus* falsch singen; *(suonar male)* sich verspielen; 2. *(biliardo)* kicksen.
steccato [stek'ka:to] *m* (Latten)zaun *m.*
stecchetto [stek'ketto] *m:* **tenere a ~** kurzhalten.
stecchino [stek'ki:no] *m* Zahnstocher *m.*
stecchire [stek'ki:re] ⟨stecchisco⟩ *tr sl* kaltmachen *sl,* umlegen *sl.* **stecchito, -a** [...'ki:to] *agg* 1. *(rami, pianta)* verdörrt; 2. *fig* sehr erstaunt, verblüfft; **morto ~** auf der Stelle tot.
stecco ['stekko] ⟨-cchi⟩ *m* 1. *(ramoscello)* dürrer Zweig; 2. *(pezzetto di legno)* Stäbchen *n,* Stöckchen *n;* **essere (magro come) uno ~** *fam* ein Strich in der Landschaft sein *fam.*
stecconata [stekko'na:ta] *f* Jägerzaun *m.*
Stefania [ste'fa:nia] *(nome proprio femminile)* Stefanie, Stephanie.
Stefano ['ste:fano] *(nome proprio maschile)* Stefan, Stephan.
stele ['stɛ:le] ⟨- *o rar* -i⟩ *f* Stele *f.*
stella ['stella] *f* 1. *astr, fig* Stern *m;* 2. *film* Star *m;* ~ **alpina** Edelweiß *n;* ~ **di Natale** Weihnachtsstern *m;* ~ **filante** (*o* **cadente)** Sternschnuppe *f; (meteora)* Meteor *m;* ~ **filante** *(di carta)* Luftschlange *f;* **portare qu alle -e** jdn in den Himmel heben; **i prezzi sono saliti alle -e** die Preise sind ins Astronomische gestiegen; **vedere le -e** *fig* Sterne (*o* Sternchen) sehen. **stellare** [...'la:re] *agg* Stern(en)-, Stellar-. **stellato, -a** [...'la:to] *agg* Stern(en)-; *(cielo a.)* sternenbedeckt. **stelletta** [...'letta] *f* 1. ⟨*pl*⟩ *mil* Sterne *m pl;* 2. *(asterisco)* Sternchen *n.*
stelo ['stɛ:lo] *m* Stiel *m,* Stengel *m;* **lampada a ~** Stehlampe *f.*
stemma ['stɛmma] ⟨-i⟩ *m* Wappen *n,* Wappenbild *n.*
stemmo ['stemmo] *v.* **stare.**
stemperare [stempe'ra:re] *tr* verdünnen, in Wasser lösen.
stempiarsi [stem'piarsi] ⟨mi stempio, ti stempi⟩ *rfl* Geheimratsecken bekommen *fam.*
stendardo [sten'dardo] *m* Standarte *f,* Banner *n.*
stendere ['stɛndere] ⟨*irr*⟩ I. *tr* 1. *(braccia, gambe, mano)* ausstrecken; 2. *(biancheria)* aufhängen; 3. *(pasta)* ausrollen; 4. *(vernice, colori)* auftragen; *(burro)* schmieren; 5. *(persona)* hinlegen; *(con pugno, pallottola)* niederstrecken; 6. *amm* niederschreiben, verfassen; *(verbale)* führen; 7. *(tappeto, tovaglia)* ausbreiten; II. *rfl:* **-ersi** 1. *(allungarsi)* sich (aus)strecken; 2. *fig (estendersi)* sich erstrecken (*su* auf *+akk*).
stendibiancheria [stendibiaŋke'ri:a] ⟨-⟩ *m* Wäscheständer *m.* **stenditoio** [...i'to:io] ⟨-oi⟩ *m* 1. *(locale)* Trockenraum *m;* 2. *(attrezzo)* Wäscheständer *m.*
stenodattilografia [stenodattilogra'fi:a] *f* Stenotypieren *n.* **stenodattilografo, -a** [...'lɔ:grafo] *m, f* Stenotypist(in) *m(f).*
stenografare [stenogra'fa:re] *tr* stenographieren. **stenografia** [...'fi:a] *f* Stenographie *f,* Kurzschrift *f.* **stenografo, -a** [...'nɔ:grafo] *m, f* Stenograph(in) *m(f).*
stentare [sten'ta:re] *itr* 1. *(faticare)* Mühe haben, sich abmühen; 2. *(vivere male)* sich mühsam durchschlagen, entbehrungsreich leben; ~ **a leggere** mit Mühe (*o* nur mühsam) lesen (können). **stentato, -a** [...'ta:to] *agg* 1. *(lavoro)* mühsam; *(a. vita)* mühselig; 2. *(discorso, tema)* mühsam, gequält, gezwungen; 3. *(pianta)* kümmerlich.
stento ['stɛnto] *m* 1. *(fatica)* Mühe *f,* Anstrengung *f;* 2. ⟨*pl*⟩ *(disagio)* Entbehrungen *f pl,* Elend *n;* **a ~** mit Mühe.
steppa ['steppa] *f* 1. *geog* Steppe *f;* 2. *sl* Unterwelt *f,* Milieu *n sl.*
sterco ['stɛrko] ⟨-chi⟩ *m* Kot *m,* Mist *m.*
stereo ['stɛ:reo] I. ⟨-⟩ *m fam* Stereoanlage *f;* II. ⟨*inv*⟩ *agg* Stereo-. **stereofonico, -a** [...'fɔ:niko] ⟨-ci, -che⟩ *agg* Stereo-, stereophon.
stereotipato, -a [stereoti'pa:to] *agg* 1. *fig* stereotyp; 2. *tip* stereotypisch, Stereotyp-.

sterile [ˈstɛ:rile] *agg* **1.** *(infecondo)* steril; *(a. bot, agr)* unfruchtbar; **2.** *med* steril, keimfrei; **3.** *fig* unproduktiv; *(vano)* nichtssagend. **sterilità** [sterili'ta] ⟨-⟩ *f* **1.** *(di donna, uomo)* Sterilität *f; (a. bot, agr)* Unfruchtbarkeit *f;* **2.** *med* Sterilität *f,* Keimfreiheit *f;* **3.** *fig* Unproduktivität *f,* Sterilität *f.*

sterilizzare [sterilid'dza:re] *tr* sterilisieren. **sterilizzazione** [...dzat'tsio:ne] *f* Sterilisierung *f,* Sterilisation *f.*

sterlina [ster'li:na] *f* Pfund *n* (Sterling).

sterminare [stermi'na:re] *tr* vernichten; *(popolazioni a.)* ausrotten. **sterminato, -a** [...'na:to] *agg* endlos, unendlich, grenzenlos. **sterminio** [...'mi:nio] ⟨-i⟩ *m* **1.** *(distruzione)* Vernichtung *f,* Ausrottung *f;* **2.** *fig fam* Unzahl *f,* Unmenge *f;* **campo di** ~ Vernichtungslager *n.*

sterno ['stɛrno] *m* Brustbein *n.*

sterpo ['stɛrpo *o* 'ste...] *m* (ausgedörrter) Dornbusch *m.*

sterrare [ster'ra:re] *tr* ausheben. **sterratore** [...ra'to:re] *m* Erdarbeiter *m.*

sterzare [ster'tsa:re] *tr* lenken, steuern. **sterzata** [...'tsa:ta] *f* Lenken *n,* Lenkmanöver *n.*

sterzo ['stɛrtso] *m* Lenkung *f.*

stessi ['stessi] *v.* **stare.**

stesso, -a ['stesso] **I.** *agg* **1.** *(medesimo):* **lo ~, la -a** der-, die-, dasselbe; *(uguale)* der (*o* die *o* das) gleiche; **2.** *(in persona)* selbst, selber; **3.** *(proprio)* eben, gerade, genau; **4.** *(anche)* sogar, selbst; **lo farò io** ~ ich werde es selber machen; **ci vado oggi** ~ ich gehe noch heute hin; **in quello** ~ **momento** genau in diesem Moment; **II.** *avv:* **lo** ~ trotzdem, sowieso; **III.** *pron:* **lo ~, la -a** der-, die-, dasselbe; *(uguale)* der (*o* die *o* das) gleiche; **IV.** *m* dasselbe; **fa** (*o* **è**) **lo** ~ es ist (ganz) gleich.

steste, stesti ['steste, ...ti], *v.* **stare.**

stesura [ste'su:ra] *f* Niederschrift *f; (di contratto)* Aufsetzen *n; (versione)* Fassung *f.*

stetoscopio [stetos'kɔ:pio] ⟨-i⟩ *m* Stethoskop *n.*

stetti ['stetti] *p rem di* **stare.**

stia ['sti:a] *ecc. v.* **stare.**

stick [stɪk] ⟨-⟩ *m* Stift *m;* ~ **deodorante** Deostift *m.*

stigma ['stigma] ⟨-i⟩ *m* Stigma *n.*

stigmate ['stigmate] *f pl* Wundmale *n pl* (Christi). **stigmatizzare** [...tid'dza:re] *tr* brandmarken.

stilare [sti'la:re] *tr* aufsetzen, abfassen.

stile ['sti:le] *m* Stil *m;* ~ **direzionale** Führungsstil *m;* **con** ~ stilvoll; **mobili in** ~ Stilmöbel *n pl.*

stiletto [sti'letto] *m* Stilett *n.*

stilista [sti'lista] ⟨-i *m,* -e *f*⟩ *mf* Designer(in) *m(f),* Stylist(in) *m(f).*

stilistico, -a [sti'listiko] ⟨-ci, -che⟩ *agg* stilistisch.

stillare [stil'la:re] **I.** *itr* ⟨*essere*⟩ tropfen, tröpfeln; **II.** *tr* ⟨*avere*⟩ absondern, abgeben.

stillicidio [stilli'tʃi:dio] ⟨-i⟩ *m* ständige Wiederholung.

stilografica [stilo'gra:fika] *f* Füllfederhalter *m,* Füller *m.*

stima ['sti:ma] *f* **1.** *(apprezzamento)* Achtung *f,* Wertschätzung *f;* **2.** *econ* Schätzung *f,* Abschätzung *f;* **avere ~ di qu** vor jdm Achtung haben; **fare la ~ di qc** etw. schätzen. **stimare** [...'ma:re] *tr* **1.** *econ* schätzen, abschätzen; **2.** *(persona)* schätzen, achten; **3.** *(giudicare)* halten für, einschätzen (als).

stimolante [stimo'lante] **I.** *agg* anregend, stimulierend; **II.** *m* Stimulans *n.* **stimolare** [...'la:re] *tr* stimulieren, anregen, anreizen; *(incitare)* anspornen, antreiben. **stimolazione** [...lat'tsio:ne] *f* Stimulierung *f,* Anregung *f.* **stimolo** ['sti:molo] *m* **1.** *(impulso)* Anreiz *m,* Ansporn *m;* **2.** *anat* Trieb *m,* Reiz *m,* Stimulus *m wissensch.*

stinco ['stiŋko] ⟨-chi⟩ *m* Schienbein *n.*

stingere ['stindʒere] ⟨*irr*⟩ **I.** *tr* ausbleichen; **II.** *rfl:* **-ersi** abfärben.

stipare [sti'pa:re] **I.** *tr* drängen, zusammendrängen, -pferchen; **II.** *rfl:* **-arsi** sich quetschen, sich (zusammen)drängen.

stipendiare [stipen'dia:re] ⟨stipendio, stipendi⟩ *tr* Lohn zahlen (*qu* jdm). **stipendiato, -a** [...'dia:to] **I.** *agg* entlohnt; **II.** *m, f* Lohn-, Gehaltsempfänger(in) *m(f).* **stipendio** [...'pɛndio] ⟨-i⟩ *m* Lohn *m,* Gehalt *n;* ~ **netto/lordo** Netto-/Bruttogehalt *n;* **aumento di** ~ Gehaltserhöhung *f.*

stipite ['sti:pite] *m* (Tür)pfosten *m.*

stipulare [stipu'la:re] *tr* vereinbaren; *(contratto)* abschließen. **stipulazione** [...lat'tsio:ne] *f* Vereinbarung *f; (di contratto)* Abschluß *m.*

stiracalzoni [stirakal'tso:ni] ⟨-⟩ *m* Hosenbügler *m.*

stiracchiarsi [stirak'kia:rsi] ⟨stiracchio, stiracchi⟩ *rfl* sich recken, sich dehnen, sich ausstrecken. **stiracchiato, -a** [...'kia:to] *agg fig* gezwungen, gequält; *(a scuola):* **sufficienza -a** Gnadenvier *f.*

stiramento [stira'mento] *m* Zerrung *f.* **stirare** [...'ra:re] **I.** *tr* **1.** *(distendere)* strecken, dehnen, ziehen; **2.** *(col ferro caldo)* bügeln; **II.** *rfl:* **-arsi** sich recken, sich dehnen, sich ausstrecken. **stiratrice** [stira'tri:tʃe] *f tec* Bügelmaschine *f.*

Stiria ['sti:ria] *f* Steiermark *f.*

stiro ['sti:ro] *m* Bügeln *n;* **ferro/asse/tavolo da** ~ Bügeleisen *n*/-brett *n*/-tisch *m.*

stirpe ['stirpe] *f* **1.** *(complesso d'individui)* Stamm *m;* **2.** *(di famiglia)* Geschlecht *n,* Haus *n.*

stitichezza [stiti'kettsa] *f* Verstopfung *f,* Darmträgheit *f.* **stitico, -a** ['sti:tiko] ⟨-ci,

-che⟩ **I.** *agg* zu Verstopfung neigend; **II.** *m, f* an Verstopfung Leidende(r) *mf.*
stiva ['sti:va] *f* Laderaum *m.*
stivale [sti'va:le] *m* Stiefel *m.* **stivaletto** [...va'letto] *m* Stiefelette *f,* Halbstiefel *m.*
stivare [sti'va:re] *tr* (ver)stauen.
stizza ['stittsa] *f* Ärger *m.* **stizzire** [...'tsi:re] ⟨stizzisco⟩ **I.** *tr* ärgern; **II.** *rfl:* **-irsi** sich ärgern. **stizzoso, -a** [...'tso:so] *agg* **1.** *(persona)* reizbar; **2.** *(risposta)* ärgerlich.
sto [stɔ] *pr di* **stare.**
stoccafisso [stokka'fisso] *m* Stockfisch *m.*
stoccaggio [stok'kaddʒo] ⟨-ggi⟩ *m* Lagerung *f;* ~ **finale/temporaneo (***o* **provvisorio)** End-/Zwischenlagerung *f.*
Stoccarda [stok'karda] *f* Stuttgart *n.*
stoccare [stok'ka:re] ⟨stocco, stocchi⟩ *tr* lagern; ~ **definitivamente** endlagern.
stoccata [stok'ka:ta] *f* **1.** *sport (scherma)* Hieb *m; (calcio)* Torschuß *m;* **2.** *fig (allusione)* Anspielung *f,* Seitenhieb *m,* Stich *m.*
Stoccolma [stok'kolma] *f* Stockholm *n.*
stock [stɔk] ⟨-⟩ *m* Stock *m,* Lager *n;* ~ **di merci** Lagerbestand *m,* Warenvorrat *m.*
stoffa ['stɔffa] *f* **1.** *(tessuto)* Stoff *m,* Gewebe *n;* **2.** *fig* Zeug *n,* Talent *n;* **3.** *sl* Stoff *m sl;* **avere della** ~ Talent haben.
stoicismo [stoi'tʃizmo] *m* **1.** *filos* Stoizismus *m;* **2.** *fig* Gelassenheit *f.* **stoico, -a** ['stɔ:iko] ⟨-ci, -che⟩ **I.** *agg* **1.** *filos* stoisch; **2.** *fig* stoisch, gelassen, unerschütterlich; **II.** *m, f* **1.** *filos* Stoiker(in) *m(f);* **2.** *fig* gelassener Mensch.
stoino [sto'i:no] *m* Fußmatte *f.*
stola ['stɔ:la] *f* Stola *f.*
stoltezza [stol'tettsa] *f* Torheit *f,* Dummheit *f.* **stolto, -a** ['stolto] **I.** *agg* dumm, töricht; **II.** *m, f* Dummkopf *m,* Tor *m.*
stomacare [stoma'ka:re] ⟨stomaco, stomachi⟩ **I.** *tr* den Magen umdrehen (*qu* jdm), anekeln; **II.** *rfl:* **-arsi** sich ekeln (*di* vor +*dat*). **stomachevole** [...'ke:vole] *agg* ekelhaft, widerlich.
stomaco ['stɔ:mako] ⟨-chi *o* -ci⟩ *m* Magen *m;* **avere qc sullo** ~ etw. schwer im Magen liegen haben; **avere qu sullo** ~ *fig* jdn nicht ertragen können; **dar di** ~ sich übergeben.
stonare [sto'na:re] **I.** *tr* falsch spielen (*o* singen); **II.** *itr* nicht passen (*con* zu); *(colori a.)* sich beißen (*con* mit). **stonato, -a** [...'na:to] *agg* **1.** *mus (strumento)* verstimmt; *(persona)* falsch spielend (*o* singend); **2.** *(inadatto)* unpassend; **nota -a** *(a. fig)* Mißton *m.* **stonatura** [...na'tu:ra] *f* Falschspiel *n,* Verspielen *n; (il cantare)* Falschsingen *n; (nota)* Mißton *m.*
stop [stɔp] ⟨-⟩ *m* **1.** *(segnaletica)* Stoppschild *n;* **2.** *mot* Bremslicht *n;* **3.** *tel* Stop *n;* **4.** *(ordine)* Stoppruf *m,* Haltebefehl *m;* **5.** *sport* Stoppen *n.*
stoppa ['stoppa] *f* Werg *n.*
stoppare[1] [stop'pa:re] *tr (arrestare)* anhalten; *sport* stoppen.
stoppare[2] [stop'pa:re] *tr (otturare)* stopfen, verstopfen.
stoppia ['stoppi̯a] ⟨-ie⟩ *f* Stoppel *f.*
stoppino [stop'pi:no] *m (di candela)* Docht *m; (miccia)* Zündschnur *f.*
stopposo, -a [stop'po:so] *agg* **1.** *(secco)* strohig; **2.** *(limone, arancia)* saftlos; *(carne)* zäh.
storcere ['stɔrtʃere] ⟨*irr*⟩ **I.** *tr* **1.** *(chiave, chiodo)* verbiegen, krümmen; **2.** *(bocca)* verziehen; *(naso)* rümpfen; (occhi) verdrehen; **3.** *(piede, gamba, braccio)* verrenken; **4.** *fig (senso, significato)* entstellen; **II.** *rfl:* **-ersi** sich verbiegen; *(per il dolore)* sich winden, sich krümmen.
stordimento [stordi'mento] *m* Benommenheit *f.* **stordire** [...'di:re] ⟨stordisco⟩ **I.** *tr* betäuben; **II.** *rfl:* **-irsi** sich ablenken, sich zerstreuen; *(bevendo)* sich betäuben. **stordito, -a** [...'di:to] *agg* **1.** *(tramortito)* betäubt, benommen; **2.** *fig* durcheinander, verwirrt.
storia ['stɔ:ri̯a] ⟨-ie⟩ *f* Geschichte *f; fig (relazione amorosa)* Verhältnis *n;* ~ **antica/medievale/moderna** Alte/Mittlere/Neue Geschichte (*o* Geschichte des Altertums/des Mittelalters/der Neuzeit); ~ **naturale** Naturkunde *f;* **fare** ~ Geschichte machen; **passare alla** ~ in die Geschichte eingehen; **è sempre la solita** ~ es ist immer die alte Geschichte; **sono tutte -ie!** *fam* das sind alles Märchen!; **quante -ie!** *fam* so ein Unsinn!, so ein Theater!
storico, -a ['stɔ:riko] ⟨-ci, -che⟩ **I.** *agg* **1.** *st* historisch, geschichtlich; **2.** *(memorabile)* denkwürdig, historisch, geschichtsträchtig; **centro** ~ Altstadt *f;* **II.** *m, f* Historiker(in) *m(f).*
storiella [sto'ri̯ɛlla] *f* kurze Geschichte.
storiografia [stori̯ogra'fi:a] *f* Geschichtsschreibung *f,* Historiographie *f.*
storione [sto'ri̯o:ne] *m* Stör *m.*
stormire [stor'mi:re] ⟨stormisco⟩ *itr* rascheln.
stormo ['stormo] *m* Schwarm *m,* Schar *f.*
stornare [stor'na:re] *tr* **1.** *econ* stornieren; **2.** *(pericolo)* abwenden; **3.** *(distogliere)* abbringen, ablenken,
storno ['storno] *m* **1.** *zoo* Star *m;* **2.** *econ* Storno *m o n,* Umbuchung *f.*
storpiare [stor'pi̯a:re] ⟨storpio, storpi⟩ **I.** *tr* verkrüppeln; *(persona a.)* zum Krüppel machen; ~ **le parole** radebrechen; **II.** *rfl:* **-arsi** zum Krüppel werden. **storpiatura** [...i̯a'tu:ra] *f fig* Radebrechen *n.* **storpio, -a** ['stɔrpi̯o] ⟨-i, -ie⟩ **I.** *agg* verkrüppelt; **II.** *m, f* Krüppel *m.*
storta ['stɔrta] *f* **1.** *gener.* Krümmung *f,* Biegung *f;* **2.** *fam med* Verstauchung *f.*
storto, -a ['stɔrto] *agg* **1.** *(gambe)* krumm; **2.** *(righe)* schief, schräg; **3.** *fig*

verdreht, absurd; **andar** ~ *fig* schiefgehen. **stortura** [stor'tu:ra] *f* Krummheit *f*, Schiefheit *f*.

stoviglie [sto'viʎʎe] *f pl* Geschirr *n;* **lavare le** ~ (das Geschirr) spülen.

strabico, -a ['stra:biko] ⟨-ci, -che⟩ **I.** *agg* schielend; **essere** ~ schielen; **II.** *m, f* Schielende(r) *mf*.

strabiliare [strabi'lja:re] ⟨strabilio, strabili⟩ *tr* verblüffen.

strabismo [stra'bizmo] *m* Schielen *n*, Strabismus *m wissensch.*

strabuzzare [strabud'dza:re] *tr* verdrehen.

stracarico, -a [stra'ka:riko] *agg* überfüllt (*di* mit), überladen (*di* mit).

stracciare [strat'tʃa:re] ⟨straccio, stracci⟩ **I.** *tr* **1.** *(lettera, vestito)* zerreißen, zerfetzen; **2.** *fam sport* schlagen; **II.** *rfl:* **-arsi** (zer)reißen, zerfetzen.

stracciatella [strattʃa'tɛlla] *f* **1.** *(minestra)* Einlaufsuppe *f;* **2.** *(gelato)* Vanilleeis *n* mit Schokoladensplittern, Stracciatella(-eis *n*) *f*.

straccio ['strattʃo] ⟨-cci⟩ *m* **1.** *(cencio)* Lappen *m*, Lumpen *m;* **2.** ⟨*pl*⟩ *fam peg* Klamotten *f pl fam;* ~ **per i pavimenti** Bodentuch *n*, Putzlappen *m fam*, Aufwischlappen *m;* **ridursi/sentirsi uno** ~ *fam* sich abrackern/sich ganz kaputt (*o* erschöpft) fühlen; **prezzo** ~ Schleuderpreis *m*. **straccio, -a** ['strattʃo] ⟨-cci, -cce⟩ *agg* Lumpen-, Alt-; **carta -a** Altpapier *n*. **straccione, -a** [...'tʃo:ne] *m, f* zerlumpter Mensch. **straccivendolo, -a** [...tʃi'vendolo] *m, f* Lumpensammler(in) *m(f)*, -händler(in) *m(f)*.

stracotto, -a [stra'kɔtto] **I.** *agg* (zu) lange gekocht, verkocht; **II.** *m* Schmorbraten *m*. **stracuocere** [...'kuɔ:tʃere] ⟨*irr*⟩ *tr* (zu) lange kochen, verkochen lassen.

strada ['stra:da] *f* Straße *f; (cammino)* Weg *m;* ~ **di circonvallazione** Umgehungsstraße *f;* ~ **ferrata** Schienenweg *m*, Schienenstrecke *f;* ~ **traversa** Querstraße *f;* ~ **a senso unico** Einbahnstraße *f;* ~ **senza uscita** *(a. fig)* Sackgasse *f;* **codice della** ~ Straßenverkehrsordnung *f;* **utente della** ~ Verkehrsteilnehmer(in) *m(f);* **andare per la propria** ~ seine eigenen Wege gehen; **farsi** ~ Karriere machen, sich vorwärtskämpfen; **essere su una cattiva** ~ auf eine schlechte (*o* die schiefe) Bahn geraten sein; ~ **facendo** unterwegs; **a un'ora di** ~ nach einer Stunde (Wegs). **stradale** [stra'da:le] **I.** *agg* Straßen-, Verkehrs-; **carta** ~ Straßenkarte *f;* **incidente** ~ Verkehrsunfall *m;* **lavori -i** Straßenarbeiten *f pl;* **segnale** ~ Verkehrszeichen *n;* **targa** ~ Straßenschild *n;* **II.** *f* Verkehrspolizei *f*. **stradario** [...'da:rjo] ⟨-i⟩ *m* Straßenverzeichnis *n*. **stradino** [...'di:no] *m* Straßenarbeiter *m*. **stradone** [...'do:ne] *m* Allee *f*.

strafalcione [strafal'tʃo:ne] *m (errore)* großer (*o* dicker) Fehler, Schnitzer *m fam.*

strafare [stra'fa:re] ⟨strafaccio *o* strafò, *irr*⟩ *tr* übertreiben.

straforo [stra'fo:ro] *m:* **di** ~ *(di nascosto)* heimlich; *(di sfuggita)* flüchtig.

strafottente [strafot'tɛnte] *agg* unverschämt, unverfroren. **strafottenza** [...'tɛntsa] *f* Unverschämtheit *f*, Unverfrorenheit *f*.

strafottersene [stra'fottersene] *rfl volg* sich einen Dreck (*o* Scheiß) darum scheren *vulg*.

strage ['stra:dʒe] *f* **1.** *(uccisione)* Massaker *n*, Blutbad *n;* **2.** *fig fam* Haufen *m fam;* **fare una** ~ ein Blutbad anrichten.

stragrande [stra'grande] *agg fam fig* überwältigend.

stralciare [stral'tʃa:re] ⟨stralcio, stralci⟩ *tr* entfernen; *(depennare)* streichen. **stralcio** ['straltʃo] ⟨-ci⟩ *m* **1.** *(eliminazione)* Entfernung *f*, Streichung *f;* **2.** *(parte stralciata)* Auszug *m;* **3.** *econ* Liquidation *f;* **legge** ~ Gesetzesauszug *m;* **vendere a** ~ ausverkaufen.

stralunato, -a [stralu'na:to] *agg* **1.** *(occhi)* verdreht; **2.** *(persona)* aufgelöst.

stramaledire [stramale'di:re] ⟨*irr*⟩ *tr* in Grund und Boden verfluchen.

stramazzare [stramat'tsa:re] *itr* ⟨*essere*⟩ hinfallen, hinschlagen.

stramberia [strambe'ri:a] ⟨-ie⟩ *f* Sonderbarkeit *f*, Merkwürdigkeit *f*. **strambo, -a** ['strambo] *agg* sonderbar, komisch, merkwürdig.

strampalato, -a [strampa'la:to] *agg* verrückt.

stranezza [stra'nettsa] *f* Seltsamkeit *f*.

strangolamento [straŋgola'mento] *m* Erdrosseln *n*, Strangulieren *n*, Erwürgen *n*. **strangolare** [...'la:re] *tr* erdrosseln, erwürgen, strangulieren.

straniero, -a [stra'njɛ:ro] **I.** *agg* **1.** *(di altro paese)* fremd, ausländisch; **2.** *(nemico)* fremd, feindlich; **II.** *m, f* **1.** *(di altro stato)* Ausländer(in) *m(f)*, Fremde(r) *mf;* **2.** *(popolo nemico)* Feind *m*.

stranito, -a [stra'ni:to] *agg* verworren, durcheinander.

strano, -a ['stra:no] *agg* seltsam, merkwürdig, sonderbar.

straordinario, -a [straordi'na:rjo] **I.** *agg* außerordentlich, ungewöhnlich, Sonder-; **II.** *m* Überstunden *f pl*, Mehrarbeit *f;* **fare lo** ~ Überstunden machen.

strapagare [strapa'ga:re] *tr* über(be)zahlen, zu viel zahlen (*qu* jdm).

strapazzare [strapat'tsa:re] **I.** *tr* **1.** *(persone)* schlecht behandeln, mißhandeln; **2.** *(cose)* schlecht behandeln, strapazieren; **II.** *rfl:* **-arsi** sich strapazieren, sich abrackern. **strapazzata** [...'tsa:ta] *f* **1.** *(faticata)* Strapaze *f;* **2.** *(sgridata)* (schwerer) Verweis *m*, Anpfiff *m fam*.

strapazzato, -a [...'tsa:to] *agg:* **uova -e**

Rühreier *n pl.* **strapazzo** [...'pattso] *m* Strapaze *f*, Mühsal *f geh;* **da** ~ *(cosa)* minderwertig, Wegwerf-; *(autore, ecc.)* schlecht, trivial, nicht ernstzunehmen(d).

strapieno, -a [stra'pjɛ:no] *agg* überfüllt.

strapiombo [stra'pjombo] *m* Überhang *m;* **a** ~ überhängend, überragend.

strappalacrime [strappa'la:krime] ⟨*inv*⟩ *agg* rührselig, auf die Tränendrüsen drückend.

strappare [strap'pa:re] **I.** *tr* **1.** *(ramo, fiore)* abreißen, ausreißen; *(pagina)* herausreißen; *(carta)* zerreißen; **2.** *fig (cuore)* zerreißen; *(promessa)* abringen; *(confessione)* entreißen; **II.** *itr (frizione)* rupfen; **III.** *rfl:* **-arsi** (zer)reißen, kaputtgehen *fam.*

strappo ['strappo] *m* **1.** *(med, lacerazione)* Riß *m;* **2.** *fig* Verstoß *m* (*a* gegen); *(eccezione)* Ausnahme *f* (*a* von); **3.** *(trazione)* Ruck *m;* **dare uno** ~ **a qu** jdn im Auto mitnehmen.

strapuntino [strapun'ti:no] *m* Klappsitz *m.*

straricco, -a [stra'rikko] *agg fam* steinreich *fam.*

straripare [strari'pa:re] *itr* ⟨*essere o avere*⟩ über das (*o* die) Ufer treten.

Strasburgo [straz'burgo] *f* Straßburg *n.*

strascicare [straʃʃi'ka:re] ⟨strascico, strascichi⟩ **I.** *tr* **1.** *(piedi)* nachziehen; **2.** *(vestito, coperta)* (nach)schleifen; **3.** *fig (malattia)* verschleppen; **II.** *itr* schleifen; **III.** *rfl:* **-arsi** sich schleppen, sich hinziehen. **strascico** ['straʃʃiko] ⟨-chi⟩ *m* **1.** *(di abito)* Schleppe *f;* **2.** *(seguito)* Folge *f*, Nachwirkung *f.*

strass [stras] ⟨-⟩ *m* Straß *m.*

stratagemma [strata'dʒɛmma] ⟨-i⟩ *m* List *f*, Trick *m.*

strategia [strate'dʒi:a] ⟨-gie⟩ *f* Strategie *f.* **strategico, -a** [...'tɛ:dʒiko] ⟨-ci, -che⟩ *agg (a. fig)* strategisch.

stratificare [stratifi'ka:re] ⟨stratifico, stratifichi⟩ **I.** *tr* schichten, in Schichten anordnen; *geol* stratifizieren; **II.** *rfl:* **-arsi** sich schichten, in Schichten angeordnet sein. **stratificazione** [...kat'tsjo:ne] *f* Schichtung *f; (geol a.)* Stratifikation *f.*

strato ['stra:to] *m* **1.** *gener., fig* Schicht *f;* **2.** *meteo* Schichtwolke *f*, Stratus(wolke *f*) *m;* **a -i** in Schichten, schichtweise.

stratosfera [stratos'fɛ:ra] *f* Stratosphäre *f.*

strattone [strat'to:ne] *m* Ruck *m.*

stravagante [strava'gante] **I.** *agg* **1.** *(gusto)* außergewöhnlich, extravagant, ausgefallen; **2.** *(idea)* überspannt; **3.** *(comportamento)* exzentrisch, ungewöhnlich; **un tipo** ~ ein Original; **II.** *mf* Exzentriker(in) *m(f).* **stravaganza** [...'gantsa] *f* **1.** *(gusto)* Aufgefallenheit *f*, Extravaganz *f;* **2.** *(idea)* Überspanntheit *f;* **3.** *(comportamento)* Ungewöhnlichkeit *f*, Eigenheit *f*, Eigenwilligkeit *f.*

stravecchio, -a [stra'vɛkkjo] *agg* **1.** *(molto vecchio)* uralt; **2.** *gastr* gut abgelagert; *(vino, cognac)* alt.

stravedere [strave'de:re] ⟨*irr*⟩ *itr:* ~ **per qu** jdn blind lieben (*o* verehren), auf jdn voll abfahren *fam.*

stravincere [stra'vintʃere] ⟨*irr*⟩ **I.** *tr* restlos besiegen; **II.** *itr* mit großem Abstand (*o* haushoch *fam*) gewinnen.

stravolgere [stra'vɔldʒere] ⟨*irr*⟩ *tr* **1.** *fig (persone)* (stark) verwirren, (völlig) durcheinanderbringen; **2.** *(volto)* verzerren, entstellen. **stravolto, -a** [stra'vɔlto] *agg* **1.** *(volto)* verzerrt; **2.** *(mente)* verwirrt.

straziante [strat'tsjante] *agg* entsetzlich, schrecklich; *(grida)* herzzerreißend.

straziare [strat'tsja:re] ⟨strazio, strazi⟩ *tr* **1.** *(maltrattare)* quälen, peinigen, mißhandeln; **2.** *fig (affliggere)* weh tun (*qu* jdm), quälen. **strazio** ['strattsjo] ⟨-i⟩ *m* Qual *f*, Pein *f;* **che** ~! *fig* wie nervend!.

strega ['stre:ga] ⟨-ghe⟩ *f* Hexe *f.* **stregare** [stre'ga:re] ⟨strego, streghi⟩ *tr (a. fig)* verhexen. **stregone** [...'go:ne] *m* **1.** *(mago)* Magier *m*, Hexenmeister *m;* **2.** *(presso i popoli primitivi)* Medizinmann *m.*

stregua ['stre:gua] *f:* **alla** ~ **di** gleich wie, nach dem gleichen Maßstab wie.

stremo [s'trɛmo] *m:* **essere allo** ~ **delle proprie forze** am Rand seiner Kraft sein, völlig erschöpft sein.

strenna ['strɛnna] *f* (Weihnachts)geschenk *n.*

strenuo, -a ['strɛ:nuo] *agg* **1.** *(difesa)* tapfer; **2.** *(lavoratore)* unermüdlich.

strepitare [strepi'ta:re] *itr* **1.** *(parlare forte)* schreien, brüllen; **2.** *(produrre rumori)* Krach (*o* Lärm) machen. **strepitio** [...'ti:o] ⟨-ii⟩, **strepito** ['strɛ:pito] *m* Lärm *m*, Krach *m.* **strepitoso, -a** [...'to:so] *agg* **1.** *(rumoroso)* lärmend, lautstark; *(applausi)* tosend; **2.** *fig (clamoroso)* glänzend, großartig; **successo** ~ Bombenerfolg *m fam.*

stress [stres] ⟨-⟩ *m* Streß *m;* **privo di** ~ streßfrei; ~ **d'immagine** *psic* Profilneurose *f;* **essere sotto** ~ im Streß sein (*o* stehen). **stressante** [stres'sante] *agg* stressend, stressig *fam.* **stressare** [...'sa:re] *tr* stressen; **stressato, -a** [stres'sa:to] *agg* gestreßt, streßgeplagt.

stretching ['strɛttʃin(g) *o* 'stretʃiŋ] ⟨-⟩ *m sport* Stretching *n*, Dehnübungen *f pl.*

stretta ['stretta] *f* **1.** *(pressione)* Druck *m;* **2.** *fig (turbamento)* Beklemmung *f;* ~ **creditizia** Kreditrestriktion *f;* ~ **di mano** Handschlag *m*, Händedruck *m.* **essere/mettere alle -e** in der Klemme sitzen/in die Enge treiben.

strettezza [stret'tettsa] *f* **1.** *(dimensione scarsa)* Enge *f;* **2.** ⟨*pl*⟩ *(povertà)* Armut *f.* **stretto, -a** ['stretto] **I.** *pp di* **stringere; II.** *agg* **1.** *(tavolo, strada)* schmal; **2.** *(ve-*

stito) eng, knapp; **3.** *(serrato)* eng, fest; **4.** *(parenti)* nah(e); **5.** *(osservanza)* streng, strikt; **6.** *ling* geschlossen; **III.** *m* Meerenge *f.* **strettoia** [...'to:ja] ⟨-oie⟩ *f* Fahrbahnverengung *f; (a. fig)* Engpaß *m,* Engstelle *f.*

striato, -a [stri'a:to] *agg* gestreift.

stricnina [strik'ni:na] *f* Strychnin *n.*

stridente [stri'dɛnte] *agg fig* beißend, schreiend; *(contrasto a.)* kraß; *(colori a.)* grell.

stridere ['stri:dere] *itr* **1.** *zoo* kreischen; *(cicale)* zirpen; **2.** *(persona)* kreischen; **3.** *(porta, freni)* quietschen; *(oggetto caldo nell'acqua)* zischen; **4.** *fig (essere in contrasto)* sich nicht vertragen (*con* mit); *(colori)* sich beißen.

stridio [stri'di:o] ⟨-ii⟩ *m* Kreischen *n,* Quietschen *n.*

stridore [stri'do:re] *m* Quietschen *n,* Kreischen *n.*

stridulo, -a ['stri:dulo] *agg* schrill, kreischend; *(cicale)* zirpend.

striglia ['striʎʎa] ⟨-glie⟩ *f* Striegel *m.* **strigliare** [...'ʎa:re] ⟨striglio, strigli⟩ *tr* striegeln. **strigliata** [...'ʎa:ta] *f* **1.** *(passata di striglia)* Striegeln *n;* **2.** *fig fam* Abreibung *f.*

strillare [stril'la:re] *tr, itr* schreien, brüllen. **strillo** ['strillo] *m* Schrei *m.* **strillone, -a** [...'lo:ne] *m, f* Zeitungsverkäufer(in) *m(f).*

striminzito, -a [strimin'tsi:to] *agg* **1.** *(oggetto)* mick(e)rig; *(vestito)* knapp (geschnitten); **2.** *(persona)* dürr, mager, klapp(e)rig *fam.*

strimpellare [strimpel'la:re] *tr* klimpern auf *+dat.*

stringa ['striŋga] ⟨-ghe⟩ *f* **1.** Schnürsenkel *m;* **2.** *inform* String *m,* Zeichenfolge *f.*

stringare [striŋ'ga:re] ⟨stringo, stringhi⟩ *tr fig* kurz fassen, knapphalten. **stringato, -a** [...'ga:to] *agg fig* kurz, knapp, bündig.

stringere ['strindʒere] ⟨stringo, strinsi, stretto⟩ **I.** *tr* **1.** *(serrare)* drücken, zudrücken, schließen; *(tenere stretto)* festhalten, fest an sich drücken; **2.** *(tenaglie, due cose)* zusammendrücken; *(vite)* anziehen; **3.** *(denti)* zusammenbeißen; *(labbra)* zusammenkneifen, -pressen; *(pugni)* ballen; **4.** *(alleanza, amicizia)* schließen; **5.** *mot (curva)* (an)schneiden; **6.** *(vestito)* enger machen; **7.** *fig (riassumere)* straffen, kurz fassen; ~ **la mano a qu** jdm die Hand drücken; ~ **qu fra le braccia** jdn in die Arme schließen; **stringi stringi** *fam* letzten Endes, letztlich; **II.** *itr* drängen; **III.** *rfl:* **-ersi 1.** *(avvicinarsi)* sich (zusammen)drängen; **2.** *fig* sich zusammenziehen; ~ **al muro** sich an die Wand drücken; ~ **nelle spalle** die Schultern zucken.

strip[1] [strip] ⟨-⟩ *m (spogliarello)* Strip *m,* Striptease *m o n.*

strip[2] [strip] ⟨-⟩ *f (fumetto)* Comic (strip) *m.*

strip-tease ['strip ti:z] ⟨-⟩ *m* Striptease *m o n.*

striscia ['striʃʃa] ⟨-sce⟩ *f* **1.** *(di stoffa, carta, ecc.)* Streifen *m;* **2.** ⟨*pl*⟩: **-sce (pedonali)** Zebrastreifen *m;* **3.** *(fumetto)* Comic(strip) *m.*

strisciante [striʃ'ʃante] *agg* **1.** *zoo* kriechend, Kriech-; **2.** *fig peg* kriecherisch; **3.** *(inflazione)* schleichend.

strisciare [striʃ'ʃa:re] ⟨striscio, strisci⟩ **I.** *itr* **1.** *zoo* kriechen; *(serpente)* sich schlängeln; **2.** *(passare rasente)* streifen, schleifen; *(sfregare)* entlangstreifen (*contro* an *+dat*); **II.** *tr* **1.** *(piedi)* schleifen (lassen); **2.** *(sfiorare)* streifen. **strisciata** [...'ʃa:ta] *f* Streifen *m,* Schleifspur *f.* **striscio** ['striʃʃo] ⟨-sci⟩ *m med* Abstrich *m;* **colpire di** ~ streifen.

striscione [striʃ'ʃo:ne] *m* Transparent *n,* Spruchband *n.*

stritolare [strito'la:re] *tr* zermalmen *(a. fig).*

strizza ['strittsa] *f fam* Muffensausen *n sl.* **strizzare** [...'tsa:re] *tr* **1.** *(panni)* auswringen; **2.** *(limone)* (aus)pressen; ~ **l'occhio a qu** jdm zuzwinkern.

strofa, strofe ['strɔ:fa, ...fe] ⟨-⟩ *f* Strophe *f.*

strofinaccio [strofi'nattʃo] ⟨-cci⟩ *m* Wisch-, Putztuch *n,* Küchentuch *n.*

strofinare [strofi'na:re] **I.** *tr (tavolo, argenteria)* abreiben, polieren; *(pavimento)* scheuern; **-arsi gli occhi** sich *(dat)* die Augen reiben; **II.** *rfl:* **-arsi** (vorbei)-streifen, entlangstreichen.

strombazzare [strombat'tsa:re] **I.** *tr* ausposaunen, herausschreien; **II.** *itr* (mehrmals) hupen.

stroncare [stroŋ'ka:re] ⟨stronco, stronchi⟩ *tr* **1.** *(ramo)* abreißen, abbrechen; **2.** *fig (interrompere)* unterbinden, unterdrücken; **3.** *fig (criticando)* verreißen; ~ **sul nascere** im Keim ersticken. **stroncatura** [...ka'tu:ra] *f* Verriß *m.*

stronzata [stron'tsa:ta] *f volg* Scheiß *m fig vulg,* Mist *m fig fam.*

stronzio ['strontsio] *n* Strontium *n.*

stronzo, -a ['strontso] *volg* **I.** *m, f (parolaccia)* Arschloch *n vulg;* **II.** *m (escremento)* (Stück) Scheiße *f vulg.*

stropicciare [stropit'tʃa:re] ⟨stropiccio, stropicci⟩ *tr* **1.** *(mano)* reiben; **2.** *(vestito)* zerknautschen, zerknittern.

strozzare [strot'tsa:re] **I.** *tr* **1.** *(uccidere)* erwürgen, erdrosseln; **2.** *(tubo, condotto)* ab-, einklemmen; **II.** *rfl:* **-arsi** keine Luft mehr bekommen. **strozzatura** [...tsa'tu:ra] *f* **1.** *(di tubo)* Ab-, Einklemmen *n;* **2.** *(di strada)* Verengung *f,* Engpaß *m.* **strozzinaggio** [...tsi'naddʒo] ⟨-ggi⟩ *m* Wucher *m.* **strozzino, -a** [...'tsi:no] *m, f* Wucherer *m,* Wucherin *f,*

Halsabschneider(in) *m(f);* **prezzo da ~** Wucherpreis *m.*
struccare [struk'ka:re] **I.** *tr* abschminken; **II.** *rfl:* **-arsi** sich abschminken.
strudel ['stru:del] ⟨-⟩ *m* Strudel *m.*
struggere ['struddʒere] ⟨struggo, strussi, strutto⟩ **I.** *tr fig* verzehren, auszehren; **II.** *rfl:* **-ersi** *fig* vergehen (*di, da* vor +*akk*), sich verzehren (*di, da* vor +*dat*), sich aufreiben. **struggimento** [...dʒi'mento] *m* Verzehren *n,* Vergehen *n,* Aufreiben *n.*
strumentale [strumen'ta:le] *agg* instrumental, Instrumental-.
strumentalizzare [strumentalid'dza:re] *tr* zum Mittel (*o* Werkzeug) machen.
strumentare [strumen'ta:re] *tr* instrumentieren. **strumentazione** [...tat'tsio:ne] *f* **1.** *mus* Instrumentierung *f;* **2.** *tec* Instrumentenausrüstung *f.* **strumentista** [...'tista] ⟨-i *m,* -e *f*⟩ *mf* Instrumentalist(in) *m(f).*
strumento [stru'mento] *m* **1.** *mus* Instrument *n;* **2.** *tec* Instrument *n,* Gerät *n; (arnese)* Werkzeug *n;* **3.** *fig (mezzo)* Mittel *n,* Werkzeug *n;* **4.** *dir* Urkunde *f;* **-i a arco/corda/fiato/percussione** Streich-/Saiten-/Blas-/Schlaginstrumente *n pl.*
strusciare [struʃ'ʃa:re] ⟨struscio, strusci⟩ **I.** *tr* reiben, scheuern; **II.** *rfl:* **-arsi** sich reiben, sich scheuern.
strussi ['strussi] *p rem di* **struggere.**
strutto ['strutto] **I.** *pp di* **struggere; II.** *m* (Schweine)schmalz *n.*
struttura [strut'tu:ra] *f* **1.** *gener.* Struktur *f,* Aufbau *m;* **2.** *arch:* **~ portante** *(elemento)* Tragwerk *n; (insieme di elementi)* Traggerüst *n,* Tragkonstruktion *f;* **~ muraria** Mauerwerk *n;* **3.** *tec:* **~ meccanica** Mechanik *f;* **4.** ⟨*pl*⟩ Einrichtungen *f pl;* **-e pubbliche/sociali/sportive** öffentliche/soziale/sportliche Einrichtungen. **strutturare** [...tu'ra:re] *tr* strukturieren.
struzzo ['struttso] *m* Strauß *m;* **fare la politica dello ~** (eine) Vogel-Strauß-Politik betreiben.
stuccare [stuk'ka:re] ⟨stucco, stucchi⟩ *tr* kitten, spachteln.
stucchevole [stuk'ke:vole] *agg* **1.** *gastr.* füllend, stopfend; **2.** *fig* öde, anödend.
stucco ['stukko] ⟨-cchi⟩ *m* **1.** *(malta)* Kitt *m;* **2.** *(ornamento)* Stuck *m;* **rimanere di ~** *fig* verblüfft dastehen, wie vom Donner gerührt sein, baff sein *fam.*
studente, -essa [stu'dɛnte, ...den'tessa] *m, f* **1.** *gener.* Lernende(r) *mf;* **2.** *(di scuola)* Schüler(in) *m(f);* **3.** *(~ universitario)* Student(in) *m(f);* **casa dello ~** Studentenwohnheim *n.* **studentesco, -a** [...den'tesko] ⟨-schi, -sche⟩ *agg* studentisch, Studenten-.
studiare [stu'dia:re] ⟨studio, studi⟩ **I.** *tr* **1.** *(per imparare qc)* lernen; *(all'università)* studieren; **2.** *(esaminare)* studieren; *(indagare)* untersuchen; *(osservare)* beobachten; **3.** *(parole, mosse)* einstudieren; **II.** *rfl:* **-arsi** sich beobachten.
studio ['stu:dio] ⟨-i⟩ *m* **1.** *(lo studiare)* Lernen *n; (a. all'università, di solito al pl)* Studium *n;* **2.** *(saggio)* Studie *f* (*su* über +*akk*); **3.** *(progetto)* Plan *m,* Planung *f,* Projekt *n;* **4.** *(stanza)* Arbeitszimmer *n; (di professionista)* Praxis *f,* Büro *n; (di artista)* Atelier *n;* **5.** *film, TV, radio* Studio *n.* **studioso, -a** [stu'dio:so] **I.** *agg* fleißig; **II.** *m, f* Wissenschaftler(in) *m(f),* Forscher(in) *m(f).*
stufa ['stu:fa] *f* Ofen *m.*
stufare [stu'fa:re] **I.** *tr* **1.** *gastr* schmoren; **2.** *fig fam* langweilen, anöden *sl;* **II.** *rfl:* **-arsi** satt bekommen (*di qc* etw.); *(averne abbastanza)* satt haben (*o* sein) (*di qc* etw.). **stufato** [...'fa:to] *m* Schmorbraten *m.*
stufo, -a ['stu:fo] *agg:* **essere ~ di qu/qc** jdn/etw. satt haben, von jdm/etw. genug haben.
stunt-man ['stʌntmən] ⟨-⟩ *m* Stuntman *m.*
stuoia ['stuɔ:ia] ⟨-oie⟩ *f* Matte *f,* Geflecht *n.*
stuolo ['stuɔ:lo] *m* Schar *f,* Menge *f.*
stupefacente [stupefa'tʃɛnte] **I.** *agg* erstaunlich, verblüffend; **II.** *m* Rauschgift *n,* Rauschmittel *n;* ⟨*pl*⟩ Drogen *f pl.*
stupefare [stupe'fa:re] ⟨*irr*⟩ *tr* erstaunen, verblüffen.
stupendo, -a [stu'pɛndo] *agg* phantastisch, wunderbar, super *sl.*
stupidaggine [stupi'daddʒine], **stupidità** [...di'ta] ⟨-⟩ *f* Dummheit *f.* **stupido, -a** ['stu:pido] **I.** *agg* dumm, blöd(e); **II.** *m, f* Dummkopf *m.*
stupire [stu'pi:re] ⟨stupisco⟩ **I.** *tr* ⟨*avere*⟩ (ver)wundern, erstaunen; **II.** *itr* ⟨*essere*⟩, *rfl:* **-irsi** sich wundern, staunen.
stupore [stu'po:re] *m* Staunen *n,* Erstaunen *n.*
stupratore [stupra'to:re] *m* Vergewaltiger *m.*
stupro ['stu:pro] *m* Vergewaltigung *f.*
sturare [stu'ra:re] *tr* **1.** *(bottiglia)* entkorken; **2.** *(lavandino)* frei machen, die Verstopfung beseitigen.
stuzzicadenti [stuttsika'dɛnti] ⟨-⟩ *m* Zahnstocher *m.*
stuzzicare [stuttsi'ka:re] ⟨stuzzico, stuzzichi⟩ *tr* **1.** *(molestare)* reizen, ärgern; **2.** *(stimolare)* reizen; *(appetito)* anregen **3.** *(ferita)* reizen, immer wieder berühren.
styling ['stailiŋ] ⟨-⟩ *m* Styling *n.*
su [su] **I.** *prp* ⟨sul, sullo, sull', sulla, sui, sugli, sulle⟩ **1.** *(con contatto: stato)* auf +*dat; (moto)* auf +*akk;* **2.** *(senza contatto: stato)* über +*dat; (moto)* über +*akk;* **3.** *(di mezzi di trasporto: stato)* in +*dat; (moto)* in +*akk;* **4.** *(contro,*

verso) auf *+akk;* **5.** *(complemento d'argomento)* über *+akk;* **6.** *(complemento di modo)* auf *+akk,* nach *+dat;* **7.** *(circa)* um *+akk,* etwa, ungefähr; *(di tempo)* gegen *+akk;* **8.** *(di, fra)* von *+dat,* unter *+dat;* ~ **ordinazione** auf Bestellung; **sull'esempio di** nach dem Beispiel von; **sul lago/mare** am See/Meer; **Parigi è sulla Senna** Paris liegt an der Seine; **sette volte ~ dieci** sieben von zehn Mal; **sul momento ho reagito male** im ersten Moment habe ich falsch reagiert; **un uomo sulla sessantina** ein Mann um die Sechzig; **avere un gran vantaggio ~ qu** einen großen Vorteil gegenüber jdm haben; **commettere errori ~ errori** einen Fehler nach dem anderen machen; **giurare ~ qc/qu** auf etw./jdn schwören; **II.** *avv* **1.** *(in alto)* oben; **2.** *(verso l'alto)* nach oben, hinauf, aufwärts; **pensarci ~** darüber nachdenken; **metter ~ casa** einen eigenen Hausstand gründen; **dalle 10.000 lire in ~** von 10.000 Lire (an) aufwärts, ab 10.000 Lire; **~ le mani!** Hände hoch!; **~ con la vita!** Kopf hoch!; **III.** *interi* los, auf; **~ ragazzi, muoviamoci!** auf Jungs, Bewegung! *fam;* ~ ~ los, los!, auf, auf!

suadente [sua'dɛnte] *agg geh* **1.** *(convincente)* überzeugend; **2.** *(seducente)* verlockend, schmeichelnd.

sub [sub] ⟨-⟩ *mf* Taucher(in) *m(f).*

sub- [sub-] *(in parole composte)* Sub-, sub-, Unter-, unter-.

subacqueo, -a [-'akku̯eo] **I.** *agg* Unterwasser-, Untersee-, Tauch-; **II.** *m, f* Taucher(in) *m(f).* **subaffittare** [-affit'ta:re] *tr* untervermieten. **subaffitto** *m* Untermiete *f;* **stare in ~** in (*o* zur) Untermiete wohnen. **subalterno, -a** [-al'tɛrno] **I.** *agg* subaltern, untergeordnet; **II.** *m, f* Untergeordnete(r) *mf,* Subalterne(r) *mf.* **subappaltatore, -trice** [-appalta'to:re] *m, f* Subunternehmer(in) *m(f).*

subbuglio [sub'buʎʎo] ⟨-gli⟩ *m* Aufruhr *m,* Aufregung *f;* **mettere in ~ qu** jdn in Aufregung versetzen.

subconscio, -a [-'kɔnʃo] **I.** *agg* unterbewußt; **II.** *m* Unterbewußtsein *n.*

subcultura [-kul'tu:ra] *f* Subkultur *f.*

subdolo, -a ['subdolo] *agg* heimtückisch, hinterlistig.

subentrare [-en'tra:re] *itr* ⟨*essere*⟩ folgen (*a qu/qc* jdm/etw.), nachfolgen (*a qu in qc* jdn in etw. *+dat*).

subfornitore [-forni'to:re] *m* Zulieferer *m.*

subire [su'bi:re] ⟨subisco⟩ *tr (ingiuria, danni)* erleiden; *(operazione)* sich unterziehen (*qc* einer S. *dat*); *(conseguenza)* tragen.

subissare [subis'sa:re] *tr fig* überhäufen (*di* mit).

subitaneo, -a [subi'ta:neo] *agg* plötzlich, jäh.

subito ['su:bito] *avv* **1.** *(immediatamente)* sofort, unmittelbar; **2.** *(in un attimo)* sofort, gleich.

sublimare [subli'ma:re] *tr, itr* sublimieren. **sublimazione** [...mat'tsi̯o:ne] *f* Sublimation *f,* Sublimierung *f.*

sublime [sub'li:me] **I.** *agg* sublim; **II.** *m* Erhabene(s) *n,* Sublime(s) *n.*

subnormale [-nor'ma:le] **I.** *agg* (geistig) zurückgeblieben; **II.** *mf* Zurückgebliebene(r) *mf.*

subodorare [-odo'ra:re] *tr* wittern, ahnen.

subordinare [-ordi'na:re] *tr* unterordnen, abhängig machen (*a* von). **subordinato, -a** [...'na:to] **I.** *agg* untergeordnet; *(dipendente)* abhängig (*a* von); *gram* Neben-, subordiniert; **II.** *m, f* Abhängige(r) *mf,* Untergeordnete(r) *mf;* **III.** *f* Nebensatz *m.* **subordinazione** [...nat'tsi̯o:ne] *f* Abhängigkeit *f,* Unterordnung *f.*

subtropicale [-tropi'ka:le] *agg* subtropisch. **suburbano, -a** [-ur'ba:no] *agg* Vorstadt-, vorstädtisch.

succedaneo, -a [suttʃe'da:neo] **I.** *agg* Ersatz-; **II.** *m* Ersatz *m.*

succedere [sut'tʃɛ:dere] ⟨succedo, successi *o* succedei *o* succedetti, successo⟩ **I.** *itr* ⟨*essere*⟩ **1.** *(prendere il posto)* folgen, nachfolgen; **2.** *(venir dopo)* folgen (*a* auf *+akk*); **3.** *(avvenire)* geschehen, passieren; **che cosa ti succede?** was ist mit dir los?; **sono cose che succedono** so etwas passiert (eben); **II.** *rfl:* **-ersi** folgen, aufeinanderfolgen.

succeditrice *f v.* **successore.**

successi [sut'tʃɛssi] *p rem di* **succedere.**

successione [suttʃes'si̯o:ne] *f* **1.** *dir* (Nach)folge *f;* **2.** *(serie)* Folge *f,* Aufeinanderfolge *f,* Abfolge *f;* **imposta di ~** Erb(schafts)steuer *f.* **successivo, -a** [...tʃes'si:vo] *agg* folgend, nachfolgend, Folge-.

successo [su'tʃɛsso] **I.** *pp di* **succedere; II.** *m* Erfolg *m.*

successore, succeditrice [suttʃes'so:re, ...edi'tri:tʃe] *m, f* Nachfolger(in) *m(f).*

succhiare [suk'ki̯a:re] ⟨succhio, succhi⟩ *tr (latte)* saugen; *(caramella)* lutschen; ~ **il sangue a qu** *fig* jdn ausnutzen, jdn ausnehmen; **-arsi il dito** (am) Daumen lutschen.

succhiello [suk'ki̯ɛllo] *m* Nagelbohrer *m.*

succhiotto [suk'ki̯ɔtto] *m* Schnuller *m.*

succinto, -a [sut'tʃinto] *agg* **1.** *(vestito)* knapp; *(scollato)* weit ausgeschnitten; **2.** *(resoconto)* kurz, bündig, knapp.

succo ['sukko] ⟨-cchi⟩ *m* **1.** *(di frutta)* Saft *m;* **2.** *anat* Saft *m,* Sekret *n,* Flüssigkeit *f;* **3.** *fig* Kern *m,* Gehalt *m.* **succoso, -a** [...'ko:so] *agg* **1.** *(frutta)* saftig; **2.** *fig* gehaltvoll.

succube, succubo, -a ['sukkube, ...bo] **I.** *agg* unterworfen (*di qu* jdm), hörig (*di qu* jdm); **II.** *m, f* Hörige(r) *mf.*

succulento, -a [sukku'lɛnto] *agg* **1.** *(succoso)* saftig, köstlich; **2.** *bot* sukkulent.
succursale [sukkur'sa:le] *f* Filiale *f*, Zweigstelle *f*.
sud [sud] ⟨-⟩ *m* (*abbr* **S**) Süden *m*; **a ~ di** südlich von.
sudare [su'da:re] **I.** *itr* schwitzen; **II.** *tr* **1.** *(trasudare)* (aus)schwitzen; **2.** *fig (pane)* im Schweiße seines Angesichts verdienen. **sudario** [su'da:rio] ⟨-i⟩ *m* Schweißtuch *n*. **sudata** [su'da:ta] *f* **1.** *(il sudare)* Schwitzen *n*; **2.** *(fatica)* Anstrengung *f*, Mühe *f*, Strapaze *f*. **sudaticcio, -a** [suda'tittʃo] ⟨-cci, -cce⟩ *agg* schweißnaß, verschwitzt. **sudato, -a** [su'da:to] *agg* **1.** *(abito)* verschwitzt, naßgeschwitzt; **2.** *fig* im Schweiße seines Angesichts verdient.
suddetto, -a [sud'detto] *agg* obenerwähnt, -genannt, besagt.
sudditanza [suddi'tantsa] *f* Untertänigkeit *f*, starke Abhängigkeit *f*. **suddito, -a** ['suddito] *m, f* Untertan(in) *m(f)*.
suddividere [suddi'vi:dere] ⟨*irr*⟩ *tr* unterteilen, aufteilen. **suddivisione** [...vi'zio:ne] *f* Unterteilung *f*, Aufteilung *f*.
sud-est [su'dɛst] *m (abbr* **SE**) Südosten *m*.
sudiceria [suditʃe'ri:a] ⟨-ie⟩ *f* Dreck *m*; *fig* Schweinerei *f*. **sudicio, -a** ['su:ditʃo] ⟨-ci, -ce *o* -cie⟩ *agg* **1.** *(mani, vestito, luogo)* schmutzig, dreckig; **2.** *fig* schmutzig, unanständig; **sudicione, -a** [sudi'tʃo:ne] *m, f* Schmutzfink *m*, Dreckspatz *m fam*. **sudiciume** [...'tʃu:me] *m (a. fig)* Dreck *m*, Schweinerei *f*.
sudorazione [sudorat'tsio:ne] *f* Schwitzen *n*.
sudore [su'do:re] *m* Schweiß *m*; **col ~ della fronte** im Schweiße seines Angesichts.
sud-ovest [su'dɔ:vest] *m (abbr* **SO**) Südwesten *m*.
Suevia [su'ɛ:via] *f* Schwaben *n*.
sufficiente [suffi'tʃɛnte] *agg* **1.** *(che basta)* genügend, ausreichend; **2.** *fig peg* süffisant, überheblich. **sufficienza** [...'tʃɛntsa] *f* **1.** *(l'essere sufficiente)* Hinlänglichkeit *f*, Genüge *f*; **2.** *(votazione)* Ausreichend *n*; **3.** *fig peg* Süffisanz *f*, Überheblichkeit *f*; **a ~** zur Genüge.
suffisso [suf'fisso] *m* Suffix *n*.
suffragetta [suffra'dʒetta] *f scherz* Emanze *f fam pej*.
suffragio [suf'fra:dʒo] ⟨-gi⟩ *m* **1.** *dir* Wahlrecht *n*, Stimmrecht *n*; **2.** *rel* Fürbitte *f*.
suggellare [suddʒel'la:re] *tr fig* besiegeln.
suggerimento [suddʒeri'mento] *m* Empfehlung *f*, Hinweis *m*, Tip *m*. **suggerire** [...'ri:re] ⟨suggerisco⟩ *tr* **1.** *(risposta)* suggerieren; **2.** *teat* soufflieren; **3.** *(a scuola)* vorsagen; **4.** *(consigliare)* raten, empfehlen. **suggeritore, -trice** [...ri'to:re] *m, f* Souffleur *m*, Souffleuse *f*.
suggestionare [suddʒestio'na:re] **I.** *tr* beeinflussen; **II.** *rfl*: **-arsi** sich beeinflussen lassen.
suggestione [suddʒes'tio:ne] *f* **1.** *psic* Suggestion *f*; **2.** *fig* (tiefer) Eindruck *m*, Faszination *f*. **suggestivo, -a** [...'ti:vo] *agg* **1.** *fig* beeindruckend, eindrucksvoll, faszinierend; **2.** *(domanda)* Suggestiv-.
sughero ['su:gero] *m* **1.** *bot* Korkeiche *f*; **2.** *(oggetto, materiale)* Kork *m*; **3.** *(tappo)* Korken *m*.
sugli ['suʎʎi] *prp* **su** *con art gli*.
sugo ['su:go] ⟨-ghi⟩ *m* **1.** *(succo)* Saft *m*; **2.** *(salsa)* Sauce *f*, Soße *f*; **3.** *fig fam* Gehalt *m*, Substanz *f*; **4.** *fig (spirito, temperamento)* Pep *m*; **~ di pomodoro** Tomatensoße *f*. **sugoso, -a** [su'go:so] *agg* saftig.
sui ['su:i] *prp* **su** *con art i*.
suicida [sui'tʃi:da] ⟨-i *m*, -e *f*⟩ **I.** *mf* Selbstmörder(in) *m(f)*; **II.** *agg* selbstmörderisch, Selbstmörder-. **suicidarsi** [...tʃi'darsi] *rfl* Selbstmord begehen, sich *(dat)* das Leben nehmen; *(a. fig)* sich umbringen. **suicidio** [...'tʃi:dio] ⟨-i⟩ *m* Selbstmord *m*.
suino, -a [su'i:no] **I.** *agg* Schweine-; **II.** *m* Schwein *n*.
sul [sul] *prp* **su** *con art il*.
sulfureo, -a [sul'fu:reo] *agg* Schwefel-, schwef(e)lig, schwefelhaltig.
sull', sulla, sulle, sullo [sul, 'sulla, ...le, ...lo] *prp* **su** *con art l', la, le, lo*.
sultanina [sulta'ni:na] *f* Sultanine *f*.
sultano, -a [sul'ta:no] *m, f* Sultan(in) *m(f)*.
summit ['sʌmɪt] ⟨-⟩ *m* Gipfelkonferenz *f*, Gipfeltreffen *n*.
sunto ['sunto] *m* Abriß *m*, Zusammenfassung *f*.
suo, -a ['su:o] ⟨suoi, sue⟩ **I.** *agg* **1.** *(di lui)* sein; *(di lei)* ihr; **2.** *(forma di cortesia a.* **S~**) Ihr; **la -a voce** seine (*o* ihre) Stimme; **~ padre/zio** sein (*o* ihr) Vater/Onkel; **un ~ amico** ein Freund von ihm (*o* ihr); **sono parole sue** das sind seine (*o* ihre) Worte; **ne ha fatta una delle sue** er (*o* sie) hat schon wieder etwas angestellt; **in seguito alla Sua pregiata del ...** in Beantwortung Ihres freundlichen Schreibens vom ...; **essere dalla -a** auf seiner (*o* ihrer) Seite stehen; **dire la -a** seine eigene Meinung sagen; **stare sulle sue** zurückhaltend (*o* reserviert sein; **II.** *pron*: **il ~, la -a 1.** *(di lui)* seiner, seine, sein(e)s; *(di lei)* ihrer, ihre, ihr(e)s; **2.** *(forma di cortesia a.:* **S~**) Ihre(r, s); **III.** *m*: **il ~ 1.** *(di lui)* das Sein(ig)e; *(di lei)* das Ihr(ig)e; **2.** *(forma di cortesia a.:* **S~**) das Ihr(ig)e; **i suoi** *(di lui)* die Seinen *geh*; *(di lei)* die Ihren *geh (forma di cortesia a.:* **Suoi**) die Ihren *geh*.
suocero, -a ['suɔ:tʃero] *m, f* Schwiegervater *m*, -mutter *f*; **-i** Schwiegereltern *pl*.

suoi ['su̯ɔ:i] *v.* **suo.**
suola ['su̯ɔ:la] *f* Sohle *f.*
suole ['su̯ɔ:le] *ecc. v.* **solere.**
suolo ['su̯ɔ:lo] *m* Grund *m,* Boden *m,* Erde *f.*
suonare [su̯o'na:re] *ecc. v.* **sonare** *ecc.*
suono ['su̯ɔ:no] *m* **1.** *gener.* Ton *m,* Klang *m;* **2.** *fis* Schall *m;* **3.** *ling* Laut *m.*
suora ['su̯ɔ:ra] *f* Schwester *f,* Nonne *f.*
super ['su:per] **I.** ⟨-⟩ *f* Super *n fam,* Superbenzin *n;* **II.** ⟨*inv*⟩ *agg* Super-.
superaffollato, -a [superaffol'la:to] *agg* total überfüllt.
superamento [supera'mento] *m (a. fig)* Überwindung *f,* Überwinden *n.* **superare** [...'ra:re] *tr* **1.** *(per dimensioni, qualità, quantità)* übertreffen (*in* an *+akk*); *(di numero)* übersteigen; **2.** *mot (sorpassare)* überholen; **3.** *fig (età, velocità)* überschreiten; *(prova, esame)* bestehen; *(malattia, pericolo)* überstehen; *(difficoltà, ostacolo, crisi)* überwinden. **superato, -a** [...'ra:to] *agg (a. fig)* überholt.
superbia [su'pɛrbi̯a] ⟨-ie⟩ *f* Hochmut *m,* Überheblichkeit *f.* **superbo, -a** [su'pɛrbo] *agg* **1.** *peg* hochmütig, überheblich, eingebildet; **2.** *(orgoglioso)* stolz (*di* auf *+akk*); **3.** *fig* großartig.
superbollo [super'bollo] *m mot* Zusatzsteuer *f* (für Dieselfahrzeuge).
supercarcare [super'kartʃere] *m fam* Hochsicherheitsgefängnis *n.*
superconduttivo, -a [superkundut'ti:vo] *agg* supraleitend. **superconduttore** [...'to:re] *m* Supraleiter *m.*
superdose [super'dɔze] *f* Überdosis *f.*
superdotato, -a [-do'ta:to] *agg* hochdotiert; *fig* hochbegabt.
superficiale [superfi'tʃa:le] **I.** *agg* oberflächlich; *(strato a.)* Oberflächen-; **II.** *mf* oberflächlicher Mensch. **superficialità** [...tʃali'ta] ⟨-⟩ *f* Oberflächlichkeit *f.*
superficie [super'fi:tʃe] ⟨-ci⟩ *f* Oberfläche *f; (a. mat)* Fläche *f; (di acqua a.)* Spiegel *m.*
superfluo, -a [su'pɛrfluo] **I.** *agg* überflüssig; **II.** *m* Überfluß *m.*
Super-Io [supe'ri:o] ⟨-⟩ *m* Über-Ich *n.*
superiora [supe'ri̯o:ra] *f* Oberin *f.*
superiore [supe'ri̯o:re] **I.** ⟨*comp di* alto⟩ *agg* **1.** *(di posizione, a. anat)* obere(r, s), Ober-; **2.** *(maggiore)* höher, größer, über-; **3.** *(più alto, a. bot, zoo)* höher; **4.** *(migliore)* besser; **scuola media** ~ höhere Schule; ~ **alla media** überdurchschnittlich; **II.** *m* Vorgesetzte(r) *m.* **superiorità** [...i̯ori'ta] ⟨-⟩ *f* Überlegenheit *f.*
superlativo, -a [superla'ti:vo] **I.** *agg* **1.** *gener.* höchste(r, s); **2.** *fig* herausragen, hervorragend; **II.** *m* Superlativ *m.*
supermercato [-mer'ka:to] *m* Supermarkt *m.* **supernutrizione** [-nutrit'tsi̯o:ne] *f* Überernährung *f.* **superpetroliera** [-petri'li̯ɛ:ra] *f* Supertanker *m.* **superpotenza** [-po'tɛntsa] *f* Supermacht *f.* **supersonico, -a** [-'sɔ:niko] ⟨-ci, -che⟩ *agg* Überschall-.
superstite [su'pɛrstite] **I.** *agg* überlebend; **II.** *mf* Überlebende(r) *mf.*
superstizione [superstit'tsi̯o:ne] *f* Aberglaube *m.* **superstizioso, -a** [...'tsi̯o:so] **I.** *agg* abergläubisch; **II.** *m, f* abergläubischer Mensch.
superstrada [super'stra:da] *f* Schnellstraße *f.*
superteste [super'tɛste], **supertestimone** [-testi'mɔ:ne] *mf* Hauptzeuge *m,* -zeugin *f.*
supervisione [supervi'zi̯o:ne] *f* Oberaufsicht *f.* **supervisore, -a** [...'zo:re] *m, f* Leiter(in) *m(f).*
supino, -a [su'pi:no] *agg* auf dem Rükken, rücklings.
suppellettile [suppel'lɛttile] *f* **1.** *(arredamento)* Einrichtungsgegenstand *m;* **2.** *(in archeologia)* Gegenstand *m,* Gerät *n;* **-i di casa** Hausrat *m.*
suppergiù [supper'dʒu] *avv fam* mehr oder weniger, ungefähr.
supplementare [supplemen'ta:re] *agg* zusätzlich; *(numero, rivista)* Supplement-, Ergänzungs-; *mat* Supplement-. **supplemento** [...'mento] *m* **1.** *(a libro)* Supplement *n,* Ergänzungsband *m; (a giornale)* Beilage *f;* **2.** *ferr* Zuschlag *m;* ~ **rapido** IC-Zuschlag.
supplente [sup'plɛnte] **I.** *agg* (stell)vertretend; **II.** *mf* (Stell)vertreter(in) *m(f).* **supplenza** [...'plɛntsa] *f* Vertretung *f.*
suppletivo, -a [supple'ti:vo] *agg* zusätzlich, ergänzend, Ergänzungs-.
supplì [sup'pli] ⟨-⟩ *m* Reiskrokette *f.*
supplica ['supplika] ⟨-che⟩ *f* Flehen *n,* Bitten *n.* **supplicare** [...'ka:re] ⟨supplico, supplichi⟩ *tr* anflehen; *rel* flehen (zu). **supplichevole** [...'ke:vole] *agg* flehend, flehentlich.
supplire [sup'pli:re] ⟨supplisco⟩ **I.** *tr* vertreten; **II.** *itr* ausgleichen, wettmachen (*a qc* etw., *con* durch, mit); ~ **ad una mancanza** einem Mangel abhelfen.
supplizio [sup'plittsi̯o] ⟨-i⟩ *m* **1.** *fig* Qual *f,* Tortur *f;* **2.** *(pena)* Hinrichtung *f.*
supporre [sup'porre] ⟨*irr*⟩ *tr* vermuten, annehmen.
supporto [sup'pɔrto] *m* **1.** *(di strumento, dipinto)* Gestell *n,* Träger *m; (per sostenersi)* Halter *m; tec* Lager *n;* **2.** *fig* Stütze *f,* Halterung *f;* **3.** *inform* Datenträger *m.*
supposizione [suppozit'tsi̯o:ne] *f* Annahme *f,* Vermutung *f.*
supposta [sup'posta] *f* Zäpfchen *n,* Suppositorium *n wissensch.*
supremazia [supremat'tsi:a] ⟨-ie⟩ *f* Ober-, Vorherrschaft *f,* Supremat *m o n geh.*
supremo, -a [su'prɛ:mo] ⟨*superl di* alto⟩ *agg* oberste(r, s), höchste(r, s); *(fig a.)* größte(r, s).

surf [sə:f] ⟨-⟩ *m* (Wind)surfen *n; (tavola)* (Wind)surfbrett *n;* **praticare il** ~ surfen. **surfing** ['sə:fıŋ] ⟨-⟩ (Wind)surfen *n,* (Wind)surfing *n.* **surfista** [sur'fista] ⟨-i *m,* -e *f*⟩ *mf* (Wind)surfer(in) *m(f).*

surgelare [surdʒe'la:re] *tr* einfrieren, tiefkühlen. **surgelato, -a** [...'la:to] **I.** *agg* tiefgekühlt, tiefgefroren; **II.** *m pl* Tiefkühlkost *f.*

surplus [syr'ply] ⟨-⟩ *m* Überschuß *m,* Überangebot *n.*

surreale [surre'a:le] *agg* surreal.

surriscaldamento [surriskaldo'mento] Überhitzung *f.*

surriscaldare [surriskal'da:re] **I.** *tr* überhitzen; **II.** *rfl:* **-arsi** sich überhitzen.

surrogato [surro'ga:to] *m* Ersatz *m,* Surrogat *n.*

Susanna [su'zanna] *(nome proprio femminile)* Susanne.

suscettibile [suʃʃet'ti:bile] *agg* **1.** *(capace)* zugänglich (*di* für), empfänglich (*di* für), fähig (*di* zu); **2.** *(permaloso)* empfindlich, reizbar. **suscettibilità** [...tibili'ta] ⟨-⟩ *f* Reizbarkeit *f,* Empfindlichkeit *f.*

suscitare [suʃʃi'ta:re] *tr* wecken, hervorrufen, herausfordern.

susina [su'si:na *o* su'zi:na] *f* Pflaume *f,* Zwetsch(g)e *f.* **susino** [...no] *m* Pflaumenbaum *m.*

suspense [sə'spens] ⟨-⟩ *f* Spannung *f.*

susseguire [susse'gui:re] **I.** *tr* (nach)folgen *+dat,* folgen auf *+akk*; **II.** *rfl:* **-irsi** aufeinanderfolgen.

sussidiario, -a [sussi'dia:rio] ⟨-i, -ie⟩ **I.** *agg* Hilfs-; **II.** *m* Lehr- und Arbeitsbuch *n* (für die Grundschule).

sussidio [sus'si:dio] ⟨-i⟩ *m* **1.** *(in denaro)* Unterstützung *f,* (Bei)hilfe *f;* **2.** *(aiuto)* Hilfsmittel *n;* ~ **casa/malattia** Wohn-/Krankengeld *n;* ~ **di disoccupazione** Arbeitslosenunterstützung *f.*

sussiego [sus'siɛ:go] ⟨-ghi⟩ *m* (steife) Würde *f,* Haltung *f.*

sussistenza [susis'tɛntsa] *f* (Lebens)unterhalt *m,* Auskommen *n.*

sussistere [sus'sistere] ⟨sussisto, sussistei *o* sussistetti, sussistito⟩ *itr* ⟨*essere*⟩ bestehen, vorliegen.

sussultare [sussul'ta:re] *itr* auffahren, zusammenfahren, zusammenzucken. **sussulto** [...'sulto] *m* Auffahren *n.*

sussurrare [sussur'ra:re] **I.** *tr* flüstern, zuflüstern; **II.** *itr* munkeln (*contro* über *+akk*), hinter vorgehaltener Hand reden (*contro* über *+akk*). **sussurro** [...'surro] *m* Flüstern *n.*

sutura [su'tu:ra] *f med* Naht *f.*

suvvia [suv'vi:a] *interi* Kopf hoch.

svagare [zva'ga:re] **I.** *tr* ablenken; **II.** *rfl:* **-arsi** sich ablenken, sich zerstreuen. **svago** ['zva:go] *m* Ablenkung *f,* Zerstreuung *f.*

svaligiare [zvali'dʒa:re] ⟨svaligio, svaligi⟩ *tr* ausrauben. **svaligiatore, -trice** [...dʒa'to:re] *m, f* Einbrecher(in) *m(f),* -Dieb(in) *m(f).*

svalutare [zvalu'ta:re] **I.** *tr* abwerten, entwerten; **II.** *rfl:* **-arsi** an Wert verlieren. **svalutazione** [...tat'tsio:ne] *f* Ab-, Entwertung *f.*

svampito, -a [zvam'pi:to] **I.** *agg* (geistig) weggetreten *fam;* **II.** *m, f* Flattergeist *m.*

svanire [zva'ni:re] ⟨svanisco⟩ *itr* ⟨*essere*⟩ verschwinden; *(progetto)* sich in Luft (*o* nichts) auflösen; *(profumo)* verfliegen. **svanito, -a** [...'ni:to] *agg* **1.** *(scomparso)* verschwunden; **2.** *fig peg* verblödet; *(per vecchiaia)* verkalkt.

svantaggiato, -a [zvantad'dʒa:to] *agg* benachteiligt. **svantaggio** [...'taddʒo] *m* **1.** *(condizione)* Nachteil *m;* **2.** *sport* Rückstand *m.* **svantaggioso, -a** [...'dʒo:so] *agg* nachteilig, ungünstig.

svaporare [zvapo'ra:re] *itr* ⟨*essere*⟩ verfliegen.

svariato, -a [zva'ria:to] *agg* verschieden.

svasare [zva'za:re] *tr* **1.** *bot* umtopfen; **2.** *(gonna)* ausstellen, nach unten weiter machen. **svasato, -a** *agg* ausgestellt; **gonna -a** ausgestellter Rock (*o* Rock in Glockenform).

svastica ['zvastika] ⟨-che⟩ *f* Hakenkreuz *n.*

svedese [zve'de:se] **I.** *agg* schwedisch; **II.** *mf* Schwede *m,* Schwedin *f;* **III.** *m (fiammifero)* Streichholz *n.*

sveglia ['zveʎʎa] *f* **1.** *(lo svegliare)* Wekken *n;* **2.** *(segnale)* Weckruf *m,* Wecksignal *n;* **3.** *(orologio)* Wecker *m;* ~ **telefonica** telefonischer Weckdienst; ~! aufstehen!. **svegliare** [...'ʎa:re] **I.** *tr* **1.** *(dal sonno)* wecken, aufwecken; **2.** *fig (animare)* aufmuntern, aufrütteln; *(suscitare)* (er)wecken, wachrufen; **II.** *rfl:* **-arsi** **1.** *(dal sonno, fig)* aufwachen, wach werden; **2.** *fig (manifestarsi)* erwachen, aufkommen. **sveglio, -a** ['zveʎʎo] ⟨-gli, -glie⟩ *agg* **1.** *(non addormentato)* wach; **2.** *fig* aufgeweckt.

svelare [zve'la:re] *tr* enthüllen, offenlegen; *(segreto)* lüften.

sveltezza [zvel'tettsa] *f* **1.** *(rapidità)* Schnelligkeit *f,* Flinkheit *f;* **2.** *fig* Aufgewecktheit *f;* **3.** *(di linee, forma)* Schlankheit *f.*

sveltina [zvel'ti:na] *f volg* Quickie *m vulg.*

sveltire [zvel'ti:re] ⟨sveltisco⟩ **I.** *tr* beschleunigen; **II.** *rfl:* **-irsi** aufgeweckter werden, flotter werden.

svelto, -a ['zvɛlto] **I.** *agg* **1.** *(rapido)* schnell, flink, rasch; **2.** *fig* aufgeweckt, rege; **3.** *(forma, figura)* schlank, straff; **II.** *avv* schnell, rasch.

svenare [zve'na:re] **I.** *tr* die Adern aufschneiden (*qu* jdm); **II.** *rfl:* **-arsi** sich *(dat)* die Adern aufschneiden.

svendere ['zvendere] *tr* ausverkaufen.

svendita ['zvendita] *f* Ausverkauf *m;* -e

di fine stagione Schlußverkauf *m.*
svenevole [zve'ne:vole] *agg* süßlich, affektiert.
svenimento [zveni'mento] *m* Ohnmacht *f.* **svenire** [...'ni:re] ⟨*irr*⟩ *itr* ⟨*essere*⟩ in Ohnmacht fallen.
sventare [zven'ta:re] *tr* vereiteln.
sventatezza [zventa'tettsa] *f* **1.** *(distrazione)* Kopflosigkeit *f,* Zerstreutheit *f;* **2.** *(imprudenza)* Leichtsinn *m.* **sventato, -a** [...'ta:to] **I.** *agg* kopflos, leichtsinnig; **II.** *m, f* kopflose (*o* leichtsinnige) Person.
sventola ['zvɛntola] *f (colpo)* Ohrfeige *f;* **orecchie a** ~ abstehende Ohren *n pl,* Segelohren *n pl scherz.*
sventolare [zvento'la:re] **I.** *tr* schwingen, schwenken; **II.** *itr* flattern, wehen; **III.** *rfl:* **-arsi** sich *(dat)* Luft zufächeln.
sventrare [zven'tra:re] *tr* **1.** *(pollo, pesce)* ausnehmen; **2.** *(uccidere)* den Bauch aufschlitzen (*qu* jdm); **3.** *fig* niederreißen, abreißen.
sventura [zven'tu:ra] *f* Unglück *n;* **compagno di** ~ Leidensgefährte *m.* **sventurato, -a** [...tu'ra:to] **I.** *agg* unglücklich; **II.** *m, f* Unglückliche(r) *mf.*
sverginare [zverdʒi'na:re] *tr* entjungfern.
svergognare [zvergoɲ'ɲa:re] *tr* bloßstellen, blamieren. **svergognato, -a** [zvergoɲ'ɲ...a:to] **I.** *agg* schamlos; **II.** *m, f* Schamlose(r) *mf,* schamlose Person.
svernare [zver'na:re] *itr* überwintern.
svestire [zves'ti:re] **I.** *tr* ausziehen; **II.** *rfl:* **-irsi** sich ausziehen.
svettare [zvet'ta:re] *itr* empor-, aufragen.
Svevia ['zvɛ:vi̯a] *v.* **Suevia.**
Svezia ['zvɛttsi̯a] *f* Schweden *n.*
svezzamento [zvettsa'mento] *m* Entwöhnung *f.* **svezzare** [...'tsa:re] *tr* entwöhnen; *(bambino a.)* abstillen.
sviare [zvi'a:re] ⟨svio, svii⟩ **I.** *tr* **1.** *fig (distogliere)* ablenken; *(traviare)* verführen, auf Abwege bringen, ablenken; **2.** *(colpo, tiro)* ablenken, ableiten; *(attenzione)* zerstreuen; ~ **il discorso** dem Gespräch eine andere Richtung geben; **II.** *rfl:* **-arsi** *(a. fig.)* vom Weg abkommen; *peg* auf die schiefe Bahn geraten.
svicolare [zviko'la:re] *itr* ⟨*essere o avere*⟩ um die Ecke biegen; *fig* sich aus dem Staube machen.
svignarsela [zviɲ'ɲarsela] *itr* ⟨*essere*⟩ *fam* abhauen *sl,* sich aus dem Staub machen *fam.*
svilimento [zvili'mento] *m* Erniedrigung *f,* Herabsetzung *f.* **svilire** [...'li:re] ⟨svilisco⟩ *tr fig* erniedrigen, herabsetzen.
sviluppare [zvilup'pa:re] **I.** *tr* **1.** *(far crescere)* entwickeln, aufbauen; **2.** *(fis a.)* erzeugen; **3.** *fot* entwickeln; **4.** *mat* abwickeln; **5.** *fig (concetto)* entwickeln; *(progetto)* ausarbeiten; **II.** *rfl:* **-arsi** sich entwickeln. **sviluppo** [...'luppo] *m* Entwicklung *f; mat* Abwicklung *f;* **paese in via di** ~ Entwicklungsland *n.*
svincolare [zviŋko'la:re] **I.** *tr* **1.** *(liberare)* befreien; **2.** *econ* auslösen; **II.** *rfl:* **-arsi** sich befreien, sich (los)lösen. **svincolo** ['zviŋkolo] *m* **1.** *econ* Freigabe *f,* Auslösung *f;* **2.** *mot (entrata)* (Autobahn)auffahrt *f; (uscita)* (Autobahn)ausfahrt *f.*
sviolinata [zvioli'na:ta] *f fam* Schmeichelei *f,* Lobhudelei *f.*
svisare [zvi'za:re] entstellen.
sviscerare [zviʃʃe'ra:re] *tr* eingehend (*o* ausführlich) behandeln. **sviscerato, -a** [...'ra:to] *agg* heftig, leidenschaftlich; *peg* übertrieben.
svista ['zvista] *f* Versehen *n.*
svitare [zvi'ta:re] *tr* los-, abschrauben; *(vite)* lösen.
svitato, -a [zvi'ta:to] *fam* **I.** *agg* überdreht, verrückt; **II.** *m, f* Spinner(in) *m(f).*
Svizzera ['zvittsera] *f:* **(la)** ~ die Schweiz. **svizzero, -a** [...ro] **I.** *agg* schweizerisch, Schweizer; **II.** *m, f* Schweizer(in) *m(f).*
svogliatezza [zvoʎʎa'tettsa] *f* Lustlosigkeit *f.* **svogliato, -a** [...'ʎa:to] *agg* lustlos, träge.
svolazzare [zvolat'tsa:re] *itr* **1.** *(uccelli)* herumflattern, herumfliegen; *(insetti)* herumschwirren; **2.** *fig* umherschweifen; **3.** *(al vento)* flattern. **svolazzo** [...'lattso] *m (a. fig)* Schnörkel *m.*
svolgere ['zvɔldʒere] ⟨*irr*⟩ **I.** *tr* **1.** *(gomitolo)* abwickeln; *(pacco, regalo)* auswickeln, auspacken; **2.** *fig (tema)* ausbreiten, entfalten; *(programma, piano)* abwickeln; *(lavoro)* verrichten; *(attività, professione)* nachgehen (*qc* einer S. *dat);* **II.** *rfl:* **-ersi 1.** *(accadere)* sich ereignen, sich zutragen; **2.** *teat, letter* spielen, sich abspielen. **svolgimento** [zvoldʒi'mento] *m* **1.** *(di tema, tesi)* Ausarbeitung *f,* Behandlung *f,* Darstellung *f;* **2.** *fig* Abwicklung *f,* Entfaltung *f,* Entwicklung *f.*
svolta ['zvɔlta] *f* **1.** *(azione)* Abbiegen *n;* **2.** *(curva)* Kurve *f;* **3.** *fig* Wende *f.* **svoltare** [zvol'ta:re] *itr* abbiegen.
svuotamento [zvu̯ota'mento] *m* Entleerung *f.* **svuotare** [...'ta:re] *tr* **1.** *(vuotare)* leeren; **2.** *fig (di significato)* entleeren, berauben.
sweater ['swetə] ⟨-⟩ *m* (dicker) (Woll)-pullover *m.*

T

T, t [ti] ⟨-⟩ *f* T, t *n;* **t come Torino** T wie Theodor.

tabaccaio, -a [tabak'ka:jo] ⟨-ccai, -ccaie⟩ *m, f* Tabakwarenverkäufer(in) *m(f).* **tabaccheria** [...ke'ri:a] ⟨-ie⟩ *f* Tabakladen *m.* **tabacchiera** [...'kjɛ:ra] *f* Schnupftabak(s)dose *f.*

tabacco [ta'bakko] **I.** ⟨-cchi⟩ *m* Tabak *m;* ~ **dolce/forte** milder/starker Tabak; **II.** ⟨*inv*⟩ *agg* tabak(braun), tabakfarben.

tabagismo [taba'dʒi:zmo] *m* Nikotinvergiftung *f.* **tabagista** [...'dʒista] ⟨-i *m*, -e *f*⟩ *mf* an Nikotinvergiftung Erkrankte(r) *mf.*

tabella [ta'bɛlla] *f* **1.** *(tavoletta)* (Merk)-täfelchen *n;* **2.** *(prospetto, ab* **tab.***)* Tabelle *f,* Aufstellung *f,* Übersicht *f; (di fasi lavorative)* Dienstplan *m;* ~ **di marcia** Zeitplan *m;* ~ **dei prezzi** Preisliste *f.*

tabellone [tabel'lo:ne] *m* Anschlagtafel *f; (prospetto)* Schautafel *f; (di orari, punteggi)* Anzeigetafel *f.*

tabernacolo [taber'na:kolo] *m* Tabernakel *n o m.*

tabù [ta'bu] **I.** ⟨*inv*⟩ *agg* tabu; **II.** ⟨-⟩ *m* Tabu *n.*

tabula rasa [ta:bula 'ra:za] ⟨-⟩ *f:* **far** ~ tabula rasa machen, reinen Tisch machen.

tabulato [tabu'la:to] *m (a. inform)* Ausdruck *m.*

tabulatore [tabula'to:re] *m* Tabulator *m.*

TAC [tak] *f o m acr di* **tomografia assiale computerizzata** CT *f (abk von* Computertomographie).

tacca ['takka] ⟨-cche⟩ *f* **1.** *(incisione)* Kerbe *f;* **2.** *(di lama)* Scharte *f;* **3.** *fig (statura)* Statur *f;* **di mezza** ~ *fig* ohne Format.

taccagneria [takkaɲɲe'ri:a] ⟨-ie⟩ *f* Knauserigkeit *f.* **taccagno, -a** [...'kaɲɲo] **I.** *agg* geizig, knauserig *fam;* **II.** *m, f* Geizhals *m fam.*

taccheggio [tak'keddʒo] *m* Ladendiebstahl *m.*

tacchetto [tak'ketto] *m* dünner Absatz; *sport* Stollen *m.*

tacchino, -a [tak'ki:no] *m, f* Truthahn *m,* Puter *m,* Pute *f,* Truthenne *f;* **petto di** ~ Putenbrust *f.*

tacciare [tat'tʃa:re] ⟨taccio, tacci⟩ *tr* beschuldigen, bezichtigen; ~ **qu di tradimento (***o* **di traditore)** jdn des Verrats beschuldigen.

taccio ['tattʃo] *pr di* **tacere.**

tacco ['takko] ⟨-cchi⟩ *m* (Schuh)absatz *m;* ~ **alto/basso** hoher/flacher Absatz; **consumare i -cchi** die Absätze ablaufen.

taccuino [takku'i:no] *m (per appunti)* Notizbuch *n; (per abbozzi)* Skizzenbuch *n.*

tacere [ta'tʃe:re] ⟨taccio, taci, tacqui, taciuto⟩ **I.** *tr* verschweigen, nicht sagen; **II.** *itr* schweigen (*di* über *+akk, su* zu); **far** ~ zum Schweigen bringen; **taci!** sei still!.

tachicardia [takikar'di:a] ⟨-ie⟩ *f* Herzjagen *n,* Tachykardie *f wissensch.*

tachimetro [ta'ki:metro] *m* Tachometer *m o n.*

tachione [ta'kjo:ne] *m fis* Tachyon *n.*

tachipessi [taki'pɛssi], **tachipessia** [takipes'si:a] *f* Schockfrosten *n.*

tacito, -a ['ta:tʃito] *agg* **1.** *(silenzioso)* leise, still; *(a. persone)* schweigsam, schweigend; **2.** *(sottinteso)* stillschweigend.

taciturno, -a [tatʃi'turno] *agg* schweigsam, wortkarg.

taciuto [ta'tʃu:to] *pp di* **tacere.**

tacqui ['takkui] *p rem di* **tacere.**

tafano [ta'fa:no] *m zoo* Bremse *f.*

tafferuglio [taffe'ruʎʎo] ⟨-gli⟩ *m* Krawall *m,* Tumult *m.*

taffettà [taffet'ta] ⟨-⟩ *m* Taft *m.*

Tagikistan [tadʒiki'stan] *m* Tadschikistan *n.*

taglia ['taʎʎa] ⟨-glie⟩ *f* **1.** *(di corporatura, abito)* Größe *f;* **2.** *(ricompensa)* Kopfgeld *n;* **3.** *(tributo esoso)* Schutzgebühr *f;* ~ **unica** Einheitsgröße *f;* **abito di** ~ **calibrata** Kleid *n* (*o* Anzug *m*) in Übergröße.

tagliaboschi [-'bɔski] ⟨-⟩ *m* Holzfäller *m.* **tagliacarte** [-'karte] ⟨-⟩ *m* Papiermesser *n.* **taglialegna** [-'leɲɲa] ⟨-⟩ *m* Holzhakker *m,* -fäller *m.*

tagliando [taʎ'ʎando] *m* Abschnitt *m,* Coupon *m.*

tagliare [taʎ'ʎa:re] ⟨taglio, tagli⟩ **I.** *tr* **1.** *gener.* (ab)schneiden; *(legno)* hacken; *(albero)* fällen; *(erba)* mähen; *(stoffa)* zuschneiden; **2.** *med* abnehmen, amputieren; *(ferirsi)* aufschneiden; **3.** *(in parti)* auf-, zer-, durchschneiden; **4.** *(vino)* verschneiden; **5.** *(film, scena, ecc.)* kürzen; **6.** *(spese)* kürzen; **7.** *(strada)* abschneiden; ~ **fuori** ausschließen; ~ **in due/in quattro** halbieren/vierteln; ~ **la corda** *fig* sich aus dem Staub machen *fam,* Leine ziehen *fam,* abhauen *fam;* ~ **la testa al toro** *fig* (nach langer Überlegung) einen Entschluß fassen; ~ **le carte** abheben; ~ **le gambe a qu** *fig* jdm das Wasser abgraben; ~ **il traguardo** durchs

Ziel gehen; **II.** *itr* den kürzesten Weg nehmen; ~ **corto** *fig* es kurz machen.

tagliatelle [taʎʎa'tɛlle] *f pl* Bandnudeln *f pl.*

tagliato, -a [taʎ'ʎa:to] *agg* **1.** *gener.* geschnitten; *(modello)* zugeschnitten; **2.** *fig* geeignet (*per* für).

taglieggiare [taʎʎed'dʒa:re] ⟨taglieggio, taglieggi⟩ *tr* Kontributionen auferlegen (*qu* jdm); *(estorcere)* erpressen. **taglieggiatore, -trice** [...dʒa'to:re] *m, f (ricattatore)* Erpresser(in) *m(f).*

tagliente [taʎ'ʎɛnte] **I.** *agg* **1.** *(affilato)* scharf; **2.** *fig (mordace)* bissig, beißend; *(lingua)* spitz; *(critica)* scharf; **II.** *m* Schneide *f.*

tagliere [taʎ'ʎɛ:re] *m* Hackbrett *n.*

taglierina [taʎʎe'ri:na] *f* Schneidemaschine *f.*

taglierini [taʎʎe'ri:ni] *m pl* Suppennudeln *f pl.*

taglio ['taʎʎo] ⟨-gli⟩ *m* **1.** *gener.* Schnitt *m; (di alberi)* Fällen *n; (di erba)* Mähen *n; (di legna)* Hacken *n; (di stoffa)* Zuschnitt *m;* **2.** *(della lama)* Schneide *f;* **3.** *med* Amputation *f;* **4.** *(di vini)* Verschnitt *m;* **5.** *fig (di spese, film, scena)* Kürzung *f;* ~ **cesareo** Kaiserschnitt *m;* ~ **alla moicana** Irokesenschnitt *m;* **banconote di grosso/piccolo** ~ große/kleine Banknoten *f pl;* **pizza al** ~ Pizza *f* vom Blech; **diamogli un** ~! laßt uns ein Ende damit machen!; **a doppio** ~ zweischneidig. **tagliola** [...'ʎɔ:la] *f* Fangeisen *n.* **tagliuzzare** [...ʎut'tsa:re] *tr* zerschneiden, zerschnippeln *fam.*

tailandese [tailan'de:ze] **I.** *agg* thailändisch; **II.** *mf* Thailänder(in) *m(f),* Thai *mf fam.* **Tailandia** [...'landia] *f* Thailand *n.*

tailleur [ta'jœ:r] ⟨-⟩ *m* Kostüm *n;* ~ **pantalone** Hosenanzug *m.*

tal [tal] *v.* **tale.**

talamo ['ta:lamo] *m poet* Hochzeitsbett *n.*

talco ['talko] ⟨-chi⟩ *m* Talkum *n.*

tale ['ta:le] **I.** *agg* ⟨*davanti a consonante spesso* tal⟩ **1.** *(di questa specie)* solch, so(lch) ein, ein(e) derartige(r, s); **2.** *(questo)* diese(r, s); **3.** *(indefinito)* gewisse(r, s); **un** ~ **signore** ein gewisser Herr; **la tal persona** diese Person; **e** ~ **(e) quale suo padre** er ist genauso wie sein Vater; *(che ha grande somiglianza)* er ist seinem Vater wie aus dem Gesicht geschnitten; **a tal punto** an diesem Punkt; **in tal caso** in diesem Fall; **II.** *pron* **1.** *(persona già menzionata)* derjenige, diejenige, dasjenige; **2.** *(indefinito)* einer, eine; jemand; **3.** ⟨*pl*⟩ einige, manche; **quel** ~ der Betreffende, jener; **il tal dei -i** Herr Soundso; **un** ~ **vuol parlarti** jemand möchte dich sprechen.

talea [ta'lɛ:a] *f* Steckling *m.*

taleggio [ta'leddʒo] ⟨-ggi⟩ *m* Taleggio *m.*

talento [ta'lɛnto] *m* Begabung *f,* Talent *n;* **di** ~ talentiert.

talismano [taliz'ma:no] *m* Talisman *m; (fig a.)* Glücksbringer *m.*

talk show [tɔk'ʃo *o* 'tɔ:k ʃou] ⟨-⟩ Talkshow *f.*

tallonare [tallo'na:re] *tr* verfolgen, auf den Fersen sein (*qu* jdm); *sport* mit der Ferse zurückstoßen.

talloncino [tallon'tʃi:no] *m* Abschnitt *m,* Quittung(sschein *m*) *f.*

tallone [tal'lo:ne] *m* Ferse *f;* ~ **d'Achille** *fig* Achillesferse *f.*

talmente [tal'mente] *avv* so, derart, dermaßen.

talmud [tal'mud] *m* Talmud *m.*

talora [ta'lo:ra] *avv* manchmal, bisweilen.

talpa ['talpa] *f* **1.** *zoo, fig sl* Maulwurf *m;* **2.** *fig (stupido)* Schwachkopf *m;* **3.** *fig (spia)* Spitzel *m.*

talvolta [tal'vɔlta] *avv* manchmal, bisweilen.

tamarindo [tama'rindo] *m* **1.** *bot* Tamarinde *f;* **2.** *(bibita)* Tamarindengetränk *n.*

tambureggiamento [tambureddʒa'mento] *m* Trommeln *n, mil* Trommelfeuer *n.*

tamburellare [tamburel'la:re] *itr* das Tamburin schlagen; ~ **con le dita** mit den Fingern trommeln. **tamburello** [...'rɛllo] *m* **1.** *mus* Tamburin *n;* **2.** *(gioco)* Trommelballspiel *n.* **tamburino** [...'ri:no] *m* Trommler *m; fam (sui giornali)* Veranstaltungskalender *m.* **tamburo** [...'bu:ro] *m* **1.** *(strumento)* Trommel *f;* **2.** *(sonatore)* Trommler *m;* **3.** *arch* Tambour *m;* **4.** *(di orologio)* Federgehäuse *n;* ~ **del freno** Bremstrommel *f;* **a** ~ **battente** in aller Eile.

Tamigi [ta'mi:dʒi] *m* Themse *f.*

tamil ['ta:mil] ⟨-⟩ *mf* Tamile *m,* Tamilin *f.*

tamponamento [tampona'mento] *m* **1.** *(di veicoli)* Auffahrunfall *m;* **2.** *med (di ferita)* Tamponade *f;* ~ **a catena** Massenkarambolage *f.* **tamponare** [...'na:re] *tr* **1.** *(otturare)* (zu-, ver)stopfen; *tec* dichten; **2.** *mot* auffahren auf *+akk;* **3.** *med* tamponieren. **tampone** [...'po:ne] *m* **1.** *med* Tupfer *m,* Tampon *m; (assorbente)* Tampon *m;* **2.** *(per timbri)* Stempelkissen *n;* **3.** *(di carta assorbente)* Löscher *m,* Löschrolle *f.*

tamtam, tam-tam [tam'tam] ⟨-⟩ *m* Tamtam *n.*

tana ['ta:na] *f* **1.** *(di animali)* Höhle *f,* Bau *m;* **2.** *fig (nascondiglio)* Schlupfwinkel *m;* **3.** *(nei giochi per bambini)* Haus *n.*

tandem ['tandem] ⟨-⟩ *m* Tandem *n;* **lavorare in** ~ im Gespann zusammenarbeiten.

tanfo ['tanfo] *m* Modergeruch *m.*

tanga ['taŋga] ⟨-⟩ *m* Tanga *m; (slip)* Tangaslip *m.*

tangente [tan'dʒɛnte] **I.** *agg* tangierend; *mat* tangential, Tangens-; **II.** *f* **1.** *mat* Tangente *f;* **2.** *(quota)* Anteil *m;* **3.** *fig peg* Schmiergeld *n,* Schutzgeld *n.* **tangentopoli** [...dʒɛn'tɔ:poli] ⟨-⟩ *f* „Schmiergeldrepublik" *f.* **tangenza** [...'dʒɛntsa] *f* **1.** *mat* Tangentialpunkt *m;* **2.** *aero* Scheitelpunkt *m.* **tangenziale** [...dʒen'tsi̯a:le] **I.** *agg* tangential-, Tangens-; **II.** *f (strada)* Umgehungsstraße *f.*

tanghero ['taŋgero] *m* Tölpel *m,* Rüpel *m.*

tangibile [tan'dʒi:bile] *agg* fühlbar; *fig* greifbar.

tango ['taŋgo] ⟨-ghi⟩ *m* Tango *m.*

tanica ['ta:nika] ⟨-che⟩ *f* Kanister *m.*

tannino [tan'ni:no] *m* Gerbsäure *f,* Tannin *n.*

tantino [tan'ti:no] *avv:* **un** ~ ein bißchen, etwas, eine Idee *fam.*

tanto, -a ['tanto] **I.** *agg indef* **1.** *(così molto)* so viel; *(in senso astratto)* so groß; *(in senso temporale)* so lange; *(in senso spaziale)* so weit; **2.** *(molto)* soviel, viel; *(rel a tempo)* lange; **3.** *(in funzione correlativa):* ~ **... che** ... +*indicativo,* ~ **... da** ... +*inf* so(viel) ..., daß ...; *(in senso astratto)* so (groß) ..., daß ...; ~ **... quanto** ... genausoviel ... wie ..., genausogroß ... wie ..., so ... wie ...; **II.** *pron indef* **1.** *(così molto)* soviel; **2.** *(molto)* viel; **3.** ⟨*pl*⟩ *(molte persone)* viele; **quel** ~ **che basta** soviel, daß es reicht; **con** ~ **d'occhi** mit (so) großen Augen; **III.** *avv* **1.** *(molto intenso)* sehr; *(molto in quantità)* viel; *(molto tempo)* lange; **2.** *(assai)* so (sehr); **3.** *(così)* so (viel); **4.** *(altrettanto)* soviel; ~ **più che** ... um so mehr als ...; zumal, da ...; ~ **... quanto** ... so(viel) ... wie ...; **di** ~ **in** ~ von Zeit zu Zeit; **due volte** ~ zweimal soviel; ~ **per cambiare** zur Abwechslung; ~ **è lo stesso** es kommt auf dasselbe heraus.

tapiro [ta'pi:ro] *m* Tapir *m.*

tappa ['tappa] *f* **1.** *(sosta)* Rast *f,* Station *f;* **2.** *(percorso)* Etappe *f,* Station *f; sport* Etappe *f;* **a -e** etappenweise; **bruciare le -e** *fig* sich gewaltig ins Zeug legen.

tappabuchi [tappa'bu:ki] ⟨-⟩ *m* Lückenbüßer *m.*

tappare [tap'pa:re] **I.** *tr* zu-, verstopfen; *(bottiglia)* verkorken; *(finestra)* abdichten; ~ **la bocca a qu** *fig fam* jdm den Mund stopfen *fam;* **-arsi il naso** sich *(dat)* die Nase zuhalten; **-arsi le orecchie** *fig fam* die Ohren verschließen; **II.** *rfl:* **-arsi** sich einschließen.

tapparella [tappa'rɛlla] *f* Rolladen *m.*

tappeto [tap'pe:to] *m* **1.** *(per pavimenti)* Teppich *m;* **2.** *(per tavoli)* (Tisch)decke *f;* **3.** *sport* Matte *f; (per pugilato)* Bretter *n pl;* ~ **erboso** Rasen(teppich) *m;* ~ **persiano** Perser(teppich) *m;* **a** ~ flächendeckend; **mettere una questione sul** ~ eine Frage aufs Tapet bringen; **a** ~ flächendeckend.

tappezzare [tappet'tsa:re] *tr* **1.** *(pareti)* tapezieren; *(con tappeti)* verkleiden; *(con legno)* täfeln; **2.** *(mobili)* beziehen. **tappezzeria** [...tse'ri:a] ⟨-ie⟩ *f* **1.** *(per pareti)* Tapeten *f pl;* **2.** *(in legno)* Täfelung *f;* **3.** *(di mobili, auto)* Stoffüberzug *m,* Bezug *m;* **4.** *(tecnica)* Tapezierkunst *f.* **tappezziere, -a** [...'tsi̯ɛ:re] *m, f* Polsterer *m,* Polst(r)erin *f.*

tappo ['tappo] *m* **1.** *(di bottiglia)* Stöpsel *m; (di sughero)* Korken *m;* **2.** *scherz (persona piccola)* Gartenzwerg *m,* Stöpsel *m fam;* ~ **a corona** Kronkorken *m;* ~ **a vite** Schraubverschluß *m.*

TAR [tar] *m acr di* **Tribunale Amministrativo Regionale** regionales Verwaltungsgericht.

tara ['ta:ra] *f* **1.** *(peso)* Tara *f,* Verpackungsgewicht *n;* **2.** *(malattia)* Gebrechen *n;* **3.** *(difetto)* Fehler *m;* ~ **ereditaria** erbliche Belastung.

Taranto [ta'ranto] *f* Tarent *n.*

tarantola [ta'rantola] *f* Tarantel *f.*

tarare [ta'ra:re] *tr* **1.** *(detrarre la tara)* die Tara abziehen von; **2.** *(strumento)* eichen. **tarato, -a** [ta'ra:to] *agg* **1.** *(per malattia)* gebrechlich; **2.** *(moralmente)* gebrochen; **3.** *(strumento)* geeicht. **taratura** [tara'tu:ra] *f* Eichung *f.*

tarchiato, -a [tar'ki̯a:to] *agg* untersetzt.

tardare [tar'da:re] **I.** *itr* **1.** *(arrivare in ritardo)* sich verspäten; **2.** *(indugiare)* zögern (*a* mit); **3.** *(nel pagamento)* säumig sein; **II.** *tr* verzögern.

tardi ['tardi] *avv* **1.** *(a ora avanzata)* spät; **2.** *(in ritardo)* verspätet, zu spät; **far** ~ sich verspäten; *(di notte)* durchmachen; **più** ~ später; **a più** ~! bis später!; **sul** ~ gegen Abend.

tardigrado, -a [tar'di:grado] **I.** *agg* träge; **II.** *m, f* Faulpelz *m.*

tardivo, -a [tar'di:vo] *agg* **1.** *(primavera, sviluppo)* verspätet, spät, zu spät; *(pianta)* Spät-, spätreif; **2.** *fig (persona)* (geistig) zurückgeblieben.

tardo, -a ['tardo] *agg* **1.** *(nel tempo)* spät; **2.** *(lento)* langsam; *peg* träge. **tardona** [...'do:na] *f scherz* Möchtegern-Teenager *m fam.*

targa ['targa] ⟨-ghe⟩ *f* Schild *n,* Plakette *f; mot* Nummernschild *n;* ~ **di circolazione** (polizeiliches *o* amtliches) Kennzeichen *n;* ~ **internazionale** Nationalitätskennzeichen *n.* **targare** [...'ga:re] ⟨targo, targhi⟩ *tr* mit einem Nummernschild versehen, ein Nummernschild anbringen an. **targhetta** [...'getta] *f* Typenschild *n.*

tariffa [ta'riffa] *f* Tarif *m,* Preis *m,* Gebühr *f;* ~ **ordinaria/speciale** Normal-/Sondertarif *m;* ~ **telefonica** Telefongebühr *f,* Fernsprechtarif *m.* **tariffario, -a** [...'fa:ri̯o] ⟨-i, -ie⟩ **I.** *agg* Tarif-, tariflich;

negoziazioni -ie Tarifrunde *f,* Tarifverhandlungen *f pl;* **II.** *m* Gebührenverzeichnis *n,* Preisliste *f.*

tarlare [tar'la:re] **I.** *tr (legno)* wurmstichig machen; *(tessuto)* zerfressen; **II.** *itr, rfl:* **-arsi** *(legno)* wurmstichig werden; *(tessuto)* von Motten zerfressen werden.

tarlo ['tarlo] *m* **1.** *zoo* Holzwurm *m;* **2.** *fig* Nagen *n,* Stich *m.*

tarma ['tarma] *f* (Kleider)motte *f.* **tarmare** [...'ma:re] **I.** *tr* zerfressen; **II.** *rfl:* **-arsi** von Motten zerfressen werden.

taroccare [tarok'ka:re] ⟨tarocco, tarocchi⟩ *itr* **1.** *fam* zanken; **2.** *sl (falsificare)* fälschen.

tarpare [tar'pa:re] *tr* stutzen.

tartagliare [tartaʎ'ʎa:re] ⟨tartaglio, tartagli⟩ **I.** *tr* stammeln; **II.** *itr* stottern.

tartaro ['tartaro] *m* Kalkstein *m; (delle botti)* Weinstein *m; (dei denti)* Zahnstein *m.*

tartaro, -a ['tartaro] **I.** *agg* tatarisch; **II.** *m, f* Tatar(in) *m(f).*

tartaruga [tarta'ru:ga] ⟨-ghe⟩ *f* **1.** *zoo* Schildkröte *f;* **2.** *(materiale)* Schildpatt *n.*

tartassare [tartas'sa:re] *tr fam* schikanieren, piesacken *fam; (strumento)* malträtieren; *(a un esame)* schikanieren.

tartina [tar'ti:na] *f* belegte Schnitte.

tartufo [tar'tu:fo] *m* Trüffel *f.*

tasca ['taska] ⟨-sche⟩ *f* **1.** *(nei vestiti)* Tasche *f;* **2.** *anat* Beutel *m,* Sack *m;* **conoscere qc come le proprie -sche** etw. wie seine Westentasche kennen; **starsene con le mani in** ~ Däumchen drehen; **ne ho piene le -sche** *fam* ich habe die Nase voll (davon) *fam.* **tascabile** [...'ka:bile] **I.** *agg* Taschen-; **II.** *m* Taschenbuch *n.* **tascapane** [...ka'pa:ne] ⟨-⟩ *m* Wandertasche *f; mil* Brotbeutel *m.* **taschino** [...'ki:no] *m* (Westen)tasche *f.*

tassa ['tassa] *f* Abgabe *f; (tariffa)* Gebühr *f; (imposta)* Steuer *f;* ~ **di possesso** (*o* **di circolazione)** Kraftfahrzeugsteuer *f;* ~ **d'iscrizione** Aufnahme-, Einschreibegebühr *f;* ~ **di soggiorno** Kurtaxe *f;* ~ **sulla ricetta** Rezeptgebühr *f;* ~ **anticipi** Lombardsatz *m;* **pagare le -e** Steuern zahlen. **tassabile** [...'sa:bile] *agg* steuerpflichtig, steuerbar *adm.* **tassametro** [...'sa:metro] *m* Taxameter *m o n,* Fahrpreisanzeiger *m.* **tassare** [...'sa:re] *tr* **1.** *(redditi, ecc.)* besteuern; **2.** *(lettere)* mit einer Nachgebühr belegen. **tassativo, -a** [...sa'ti:vo] *agg* bindend, endgültig. **tassazione** [...sat'tsjo:ne] *f* Besteuerung *f.*

tassello [tas'sɛllo] *m* **1.** *tec* Dübel *m; (blocchetto)* Einsatzstück *n;* **2.** *fig* Mosaikstein *m.*

tassì [tas'si] ⟨-⟩ *m* Taxi *n;* ~ **aereo** Lufttaxi *n.* **tassista** [...'sista] ⟨-i *m,* -e *f*⟩ *mf* Taxifahrer(in) *m(f).*

tasso[1] ['tasso] *m com, fin* Satz *m,* Rate *f;* ~ **di crescita** Wachstumsrate *f;* ~ **di mortalità/natalità** Sterblichkeits-/Geburtenrate *f;* ~ **d'interesse/di sconto** Zins-/Diskontsatz *m;* ~ **d'inflazione** Inflationsrate *f.*

tasso[2] ['tasso] *m zoo* Dachs *m.*

tasso[3] ['tasso] *m bot* Eibe *f,* Taxus *m.*

tastare [tas'ta:re] *tr* (ab-, be)tasten, (be)fühlen; ~ **il polso a qu** jdm den Puls fühlen; *fig* jdm auf den Zahn fühlen.

tastatore [tasta'to:re] *m tec* Taster *m,* Fühler *m.*

tastiera [tas'tjɛ:ra] *f* **1.** *(a. inform)* Tastatur *f;* **2.** *mus (di pianoforte, ecc.)* Tastatur *f; (negli strumenti a corda)* Griffbrett *n; (nei complessi di musica moderna)* Keyboard *n;* **apparecchio a** ~ Tastentelefon *n;* ~ **multifunzionale** Multifunktionsschalter *m.*

tastierino *m:* ~ **numerico** *inform* Ziffernblock *m.*

tastierista *mf* Datentypist(in) *m(f).*

tasto ['tasto] *m* **1.** *(il tastare)* Tasten *n;* **2.** *tec, mus* Taste *f;* ~ **di annullamento (***o* **di cancellazione)** Löschtaste *f;* ~ **bistabile** Kippschalter *m;* ~ **di correzione (***o* **correttore)** Korrekturtaste *f;* ~ **di funzione (***o* **operativo)** Funktionstaste *f;* ~ **di ritorno indietro** Rücktaste *f;* ~ **Return (***o* **Enter),** ~ **di immissione** Return-, Enter-, Eingabetaste *f.* **tastoni** [...'to:ni] *avv:* **procedere a** ~ *fig* im dunkeln tappen.

tattica ['tattika] ⟨-che⟩ *f* Taktik *f;* ~ **dilatoria** Verzögerungstaktik *f.* **tattico, -a** [...ko] ⟨-ci, -che⟩ **I.** *agg* taktisch; **II.** *m* Taktiker *m.*

tattile [tat'ti:le] *agg* Tast-, taktil *wissensch.*

tatto ['tatto] *m* **1.** *(senso)* Tastsinn *m;* **2.** *fig* Takt *m,* Fingerspitzengefühl *n;* **mancanza di** ~ Taktlosigkeit *f.*

tatuaggio [tatu'addʒo] ⟨-ggi⟩ *m* Tätowierung *f.* **tatuare** [...u'a:re] *tr* tätowieren.

Tauri ['ta:uri] *m pl* Tauern *pl.*

taurino, -a [tau'ri:no] *agg* Stier-.

taverna [ta'vɛrna] *f* Taverne *f,* Schenke *f.*

tavola ['ta:vola] *f* **1.** *(mobile)* Tisch *m;* **2.** *(asse)* Brett *n; (lastra)* Tafel *f; (piastra)* Platte *f;* **3.** *(pittura)* Bild *n,* Gemälde *n; (illustrazione)* (Bild)tafel *f;* **4.** *(tabella)* Tabelle *f,* Übersicht *f;* ~ **allungabile** Ausziehtisch *m;* ~ **calda** Snackbar *f,* Imbißstube *f;* ~ **fredda** kalte Küche; ~ **rotonda** *fig* Konferenz *f* am runden Tisch; ~ **da surf (***o* **a vela)** Surfbrett *n;* **andare a** ~ zu Tisch gehen; **mettere a** ~ auftischen; **portare in** ~ auftragen; **sedersi (***o* **mettersi) a** ~ sich an den Tisch setzen; **il pranzo è in** ~ das Mittagessen steht auf dem Tisch. **tavolaccio** [tavo'lattʃo] ⟨-cci⟩ *m* Pritsche *f.* **tavolare** [...'la:re] *agg dir* Grundbuch-; **partita** ~ Grundbuchblatt *n.* **tavolata** [...'la:ta] *f* Tafelrunde *f,* Tischgesellschaft *f.* **tavola-**

to [...'la:to] *m* **1.** *(assito)* Holzboden *m;* *(parete)* Bretterwand *f;* **2.** *geog* Tafelberg *m,* Hochebene *f.* **tavoletta** [...'letta] *f* Täfelchen *n;* ~ **grafica** *inform* Grafiktablett *n;* **una ~ di cioccolata** eine Tafel Schokolade; **andare a ~** *mot* das Gaspedal durchtreten. **tavolino** [...'li:no] *m* Tischchen *n;* **stare a ~** *fig* über den Büchern sitzen. **tavolo** ['ta:volo] *m* Tisch *m;* ~ **da disegno/stiro** Reiß-/Bügelbrett *n;* ~ **di missaggio** Mischpult *n;* ~ **da ping-pong** Tischtennisplatte *f;* ~ **porta-computer** Computertisch *m;* ~ **delle trattive** Verhandlungstisch *m.* **tavolozza** [tavo'lɔttsa] *f* Palette *f.*

taxi ['taksi] ⟨-⟩ *m* Taxi *n.*

tazza ['tattsa] *f* Tasse *f;* **una ~ da caffè** eine Kaffeetasse; **una ~ di caffè** eine Tasse Kaffee. **tazzina** [tat'tsi:na] *f* Mokkatasse *f.*

tbc, TBC *m abbr di* **tubercolosi** Tbc (*abk von* Tuberkulose).

te [te] *pron pers 2ª pers sing* **1.** *(oggetto)* dich; *(con preposizione)* dich, dir, deiner; **2.** *(soggetto in forme comparative ed esclamative)* du; **3.** *(complemento di termine davanti a lo, la, li, le, ne)* dir; *(complemento oggetto davanti a lo, la, li, le, ne)* dich.

tè [tɛ] ⟨-⟩ *m* Tee *m;* **bustina di ~** Teebeutel *m;* **biscotti da ~** Teegebäck *n.*

tea ['tɛa] ⟨-ee⟩ *f* Teerose *f.*

team [ti:m] ⟨-⟩ *m* Team *n.*

teatrale [tea'tra:le] *agg* **1.** *(di, da teatro)* Theater-; **2.** *fig* theatralisch. **teatralità** [...trali'ta] ⟨-⟩ *f* Theatralik *f.*

teatro [te'a:tro] *m* Theater *n; fig* Schauplatz *m;* ~ **all'aperto** Freilufttheater *n;* ~ **dell'assurdo** absurdes Theater; ~ **della guerra (***o* **delle operazioni)** Kriegsschauplatz *m;* ~ **di posa** Filmstudio *n;* ~ **di prosa** Schauspielhaus *n;* **missili di ~** Abschreckungswaffen *f pl.*

teca ['tɛ:ka] ⟨-che⟩ *f* Reliquiar *n.*

tecnica ['tɛknika] ⟨-che⟩ *f* Technik *f;* ~ **delle communicazioni** Kommunikationstechnik *f.* **tecnicizzare** [teknitʃid'dza:re] *tr* technisieren, vertechnisieren *pej.* **tecnizzazione** [...dzat'tsio:ne] Technisierung *f.* **tecnico, -a** [...ko] ⟨-ci, -che⟩ **I.** *agg* technisch; **letteratura -a** Fachliteratur *f;* **linguaggio ~** Fachsprache *f;* **termine ~** Fachausdruck *m,* Fachterminus *m;* **(assistente) ~ sanitario** medizinisch-technischer Assistent; **II.** *m, f* Techniker(in) *m(f);* ~ **del suono** Toningenieur *m,* Tontechniker *m.*

tecnigrafo [tek'ni:grafo] Zeichenmaschine *f.*

tecnocrate [tek'nɔ:krate] *mf* Technokrat(in) *m(f).*

tecnologia [teknolo'dʒi:a] ⟨-gie⟩ *f* Technologie *f;* **alta ~** High Tech *n;* **-gie dolci** sanfte Technologien *f pl.* **tecnologico, -a** [...'lɔ:dʒiko] *agg* technologisch.

tedesco, -a [te'desko] ⟨-schi, -sche⟩ **I.** *agg* deutsch; **II.** *m, f* Deutsche(r) *mf;* è ~ er ist Deutscher; ~ **occidentale/orientale** West-/Ostdeutsche(r) *mf;* **III.** *m* Deutsch(e) *n;* **il ~ è una lingua difficile** Deutsch (*o* das Deutsche) ist eine schwierige Sprache; **come si dice in ~?** wie heißt das auf deutsch?; **parla ~?** sprechen Sie Deutsch?

tediare [te'dia:re] ⟨tedio, tedi⟩ *tr* *(annoiare)* langweilen; *(seccare)* belästigen. **tedio** ['tɛ:dio] ⟨-i⟩ *m* **1.** *(noia)* Langeweile *f;* **2.** *(fastidio)* Lästigkeit *f.* **tedioso, -a** [te'dio:so] *agg* **1.** *(noioso)* langweilig; **2.** *(fastidioso)* lästig.

teen-ager ['ti:neɪdʒə] ⟨-⟩ *mf* Teenager *m.*

tegame [te'ga:me] *m* (Brat)pfanne *f.*

teglia ['teʎʎa] ⟨-glie⟩ *f* Auflaufform *f.*

tegola ['te:gola] *f* (Dach)ziegel *m;* ~ **in testa** *fig* Schlag *m* ins Gesicht.

teiera [te'iɛ:ra] *f* Teekanne *f.*

teina [te'i:na] *f* T(h)ein *n.*

tela ['te:la] *f* **1.** *(tessuto)* Leinwand *f;* **2.** *(dipinto)* (Leinwand)gemälde *n;* **3.** *(sipario)* Vorhang *m;* **4.** *fig* Gewebe *n;* ~ **di ragno** Spinnengewebe *n,* -netz *n.*

telaio [te'la:io] ⟨-ai⟩ *m* **1.** *(per tessitura)* Webstuhl *m;* **2.** *fig* Gerüst *n,* Gestell *n;* *(di finestra)* Rahmen *m;* *(di auto)* Fahrgestell *n;* ~ **da ricamo** Stickrahmen *m.*

tele[1] ['tɛ:le] ⟨-⟩ *f fam* Fernsehen *n.*

tele[2] ['tɛ:le] ⟨-⟩ *m fot* Teleobjektiv *n.*

teleabbonato, -a [teleabbo'na:to] *m, f* Fernsehteilnehmer(in) *m(f).* **teleallarme** [-al'larme] *m* Funkalarm *m.* **telearma** [-'arma] ⟨-i⟩ *f mil* Fernlenkwaffe *f.* **telecabina** [-ka'bi:na] *f* Seilbahngondel *f.* **telecamera** [-'ka:mera] *f* Fernsehkamera *f.* **telecomandare** [-koman'da:re] *tr* fernsteuern, fernbedienen. **telecomando** [-ko'mando] *m* Fernsteuerung *f,* Fernbedienung *f.* **telecomunicazione** [-komunikat'tsio:ne] *f* Telekommunikation *f,* Fernmeldetechnik *f,* -wesen *n.* **teleconferenza** [-konfe'rɛntsa] *f* Videokonferenz *f.* **telecopia** [-'kɔ:pia] *f* Fernkopie *f,* Telekopie *f.* **telecopiare** [-ko'pia:re] ⟨telecopio, telecopi⟩ *tr* fernkopieren, (tele)faxen. **telecopiatore, -trice** [-kopia'to:re] *m, f* Fernkopierer *m,* Telekopierer *m,* Telefaxgerät *n.* **telecronaca** [-'krɔ:naka] *f* Fernsehreportage *f,* -bericht *m.* **telecronista** [-kro'nista] *mf* Fernsehreporter(in) *m(f).* **telediffusione** [-diffu'zio:ne] *f* Fernsehübertragung *f.* **teledipendente** [-dipen'dente] **I.** *agg* fernsehsüchtig; **II.** *mf* Fernsehsüchtige(r) *mf.* **teledipendenza** [-dipen'dentsa] *f* Fernsehabhängigkeit *f.* **teledrin** [-'drin] ⟨-⟩ Piepser *m fam.* **teleelaborazione** [-elaborat'tsio:ne] *f* Datenfernverarbeitung *f.* **telefax** [-'faks] *m* Telefax *n.*

teleferica [-'fɛ:rika] ⟨-che⟩ *f* Schwebebahn *f.* **telefilm** [-'film] *m* Fernsehfilm

m.
telefonare [telefo'na:re] **I.** *tr* anrufen, telefonieren mit; *(comunicare)* (telefonisch) durchgeben (*o* durchsagen); **II.** *itr* telefonieren (*a* mit), anrufen (*a qu* jdn). **telefonata** [...'na:ta] *f* (Telefon)anruf *m,* Telefongespräch *n;* ~ **interurbana/urbana** Fern-/Ortsgespräch *n;* ~ **in teleselezione** Selbstwählferngespräch *n;* **fare una** ~ **a qu** jdn anrufen. **telefonico, -a** [...'fɔ:niko] ⟨-ci, -che⟩ *agg* telefonisch, Fernsprech-, Telefon-; **cabina -a** Telefonzelle *f;* **centralino** ~ Telefonzentrale *f;* **elenco** ~ Telefonbuch *n.* **telefonino** [...fo'ni:no] *m* Mobiltelefon *n.* **telefonista** [...fo'nista] ⟨-i *m,* -e *f*⟩ *mf* Telefonist(in) *m(f); (operaio)* Fernmeldetechniker(in) *m(f).*
telefono [te'lɛ:fono] *m* Telefon *n,* Fernsprecher *m amm;* ~ **amico** Telefonseelsorge *f;* ~ **azzurro** Sorgentelefon *n* (des Kinderschutzbundes); ~ **cellulare** Mobiltelefon *n;* ~ **rosa** Notruftelefon *n* für mißhandelte Frauen; ~ **rosso** heißer Draht; ~ **a gettone** Münzfernsprecher *m;* ~ **a scheda (magnetica)** Kartentelefon *n;* ~ **a tastiera** Tastentelefon *n;* ~ **verde** Beratungstelefon *n* der Aidshilfe; **bolletta del** ~ Telefonrechnung *f;* **dare un colpo di** ~ **a qu** *fam* jdn kurz anrufen.
telegiornale [-dʒor'na:le] *m* (*abbr* **TG**) Tagesschau *f,* Fernsehnachrichten *f pl.*
telegrafare [-gra'fa:re] *tr, itr* telegrafieren. **telegrafico, -a** [...'gra:fiko] *agg* telegrafisch; **stile** ~ Telegrammstil *m.* **telegrafo** [te'lɛ:grafo] *m* **1.** *(apparecchio)* Telegraf *m;* **2.** *(ufficio)* Telegrafenamt *n;* ~ **morse** Morsegerät *n.* **telegramma** [tele'gramma] ⟨-i⟩ *m* Telegramm *n.*
teleguidare [-gui'da:re] *tr* fernlenken, fernsteuern. **telelavoro** [-la'vo:ro] *m* Bildschirmarbeit *f.* **telelibera** [-'li:bera] *f* privater Fernsehsender. **telematica** [-'ma:tika] *f inform* Telematik *f.* **telemessaggio** [-mes'saddʒo] ⟨-ggi⟩ *m* Fernsehansprache *f.* **telemetro** [te'lɛ:metro] *m* Entfernungsmesser *m.* **telenovela** [-no'vɛ:la] *f* Seifenoper *f fam; fig* Drama *n.* **teleobiettivo** [-objet'ti:vo] *m* Teleobjektiv *n.*
telepatia [-pa'ti:a] ⟨-ie⟩ *f* Telepathie *f.* **telepatico, -a** [...'pa:tiko] ⟨-ci, -che⟩ *agg* telepathisch.
Telepass® [-'pas] ⟨-⟩ *m* elektronische Maut, Autobahnkarte *f.*
telepredicatore, -trice [-predika'to:re] *m, f* Fernsehprediger(in) *m(f).*
teleprocessing [telɪ'prousesɪŋ] ⟨-⟩ *m* Datenfernverarbeitung *f.*
telequiz [-'kuits] *m* Fernsehquiz *n.* **teleriscaldamento** [-riskalda'mento] *m* Fernheizung *f.* **teleromanzo** [-ro'mandzo] *m* Romanverfilmung *f.* **telescatto** [-s'katto] *m fot* Fernauslöser *m.* **teleschermo** [-s'kermo *o* -s'kɛrmo] *m* Bildschirm *m.* **telescopio** [-s'kɔ:pio] ⟨-i⟩ *m* Fernrohr *n,* Teleskop *n.* **telescrivente** [-skri'vɛnte] **I.** *agg* fernschriftlich; **II.** *f* Fernschreiber *m.* **telescuola** [-s'kuɔ:la] *f* Schulfernsehen *n,* Telekolleg *n.* **teleselezione** [-selet'tsio:ne] *f* Selbstwählferndienst *m,* Durchwählverbindung *f.* **telespettatore, -trice** [-spetta'to:re] *m, f* Fernsehzuschauer(in) *m(f).* **telespia** [-'spi:a] *f tel* Abhörgerät *n.*
teletaxe® [tele'taks] ⟨-⟩ *m tel* Gebührenzähler *m.*
teletex [tele'tɛks] ⟨-⟩ *m* Teletex , Bürofernschreiben *n.*
teletext [tele'tɛkst] ⟨-⟩ *m* Teletext *m,* Videotext *m.*
teletrasmettere [-traz'mettere] ⟨*irr*⟩ *tr* im (*o* durch das) Fernsehen übertragen. **teletrasmissione** [...mis'sio:ne] *f* Fernsehübertragung *f.*
televendita [tele'vendita] *f* Teleshopping *n.*
televideo [-'vi:deo] *m* Videotext *m,* Bildschirmzeitung *f.*
televisione [-vi'zio:ne] *f* (*abbr* **TV**) **1.** *(sistema)* Fernsehen *n;* **2.** *fam (televisore)* Fernseher *m,* Fernsehen *n fam;* ~ **a colori** Farbfernsehen *n;* ~ **ad alta definizione** HDTV *n;* ~ **via cavo (*o* su cavo)** Kabelfernsehen *n;* ~ **a circuito chiuso** Fernseh-, Kameraüberwachung *f;* ~ **a pagamento** Pay-TV n. **televisivo, -a** [...'zi:vo] *agg* Fernseh-. **televisore** [...'zo:re] *m* Fernsehgerät *n.*
telex ['tɛ:leks] ⟨-⟩ *m* Telex *n,* Fernschreiben *n.*
tellurico, -a [tel'lu:riko] ⟨-ci, -che⟩ *agg* tellurisch.
telo ['te:lo] *m* (Stoff)bahn *f.* **telone** [te'lo:ne] *m* **1.** *(copertone)* Plane *f;* **2.** *(schermo)* Leinwand *f;* **3.** *(sipario)* Vorhang *m.*
tema ['tɛ:ma] ⟨-i⟩ *m* **1.** *(argomento)* Thema *n;* **2.** *(componimento scolastico)* Aufsatz *m;* **3.** *ling* Stamm *m;* **andare fuori** ~ das Thema verfehlen. **tematica** [te'ma:tika] ⟨-che⟩ *f* Thematik *f.* **tematico, -a** [...ko] ⟨-ci, -che⟩ *agg* **1.** *ling* Stamm-; **2.** *mus* thematisch. **tematizzare** [tematid'dza:re] *tr* thematisieren.
temerarietà [temerarie'ta] ⟨-⟩ *f* Tollkühnheit *f,* Verwegenheit *f.* **temerario, -a** [...'ra:rio] ⟨-i, -ie⟩ **I.** *agg* tollkühn; **II.** *m, f* Verwegene(r) *mf.*
temere [te'me:re] **I.** *tr* **1.** *(avere timore)* fürchten, Angst haben vor *+dat; (fig a.)* befürchten; **2.** *fig (freddo, ecc.)* scheuen, nicht vertragen können; **II.** *itr* **1.** *(essere preoccupato)* in Angst (*o* Sorge) sein (*per* um), Angst haben (*per* um), sich sorgen (*per* um); **2.** *(nutrire dubbi)* zweifeln (*di* an *+dat), fürchten;* **non** ~! keine Angst!
tempario [tem'pa:rio] ⟨-i⟩ *m* Arbeitsricht-

zeitentabelle *f.*

temperalapis, temperamatite [tempera'la:pis, -ma'ti:te] ⟨-⟩ *m* Bleistiftspitzer *m.*

temperamento [tempera'mento] *m* Temperament *n.*

temperante [tempe'rante] *agg* mäßig, enthaltsam. **temperanza** [...'rantsa] *f* Mäßigkeit *f,* Enthaltsamkeit *f.*

temperare [tempe'ra:re] *tr* **1.** *(mitigare)* (ab)mildern; *(moderare)* dämpfen; **2.** *(metallo)* härten; *(matita)* spitzen. **temperato, -a** [...'ra:to] *agg* gemäßigt, maßvoll; **acciaio ~** Edelstahl *m.*

temperatura [tempera'tu:ra] *f* Temperatur *f;* **~ in aumento/in diminuzione** (an)steigende/fallende (*o* sinkende) Temperatur; **~ di ebollizione** Siedepunkt *m;* **sbalzo di ~** Temperaturschwankung *f.*

temperino [tempe'ri:no] *m* **1.** *(per matita)* Spitzer *m;* **2.** *(coltello)* Taschenmesser *n.*

tempesta [tem'pɛsta] *f* Unwetter *n,* Sturm *m;* **~ di fischi** Pfeifkonzert *n;* **~ di neve** Schneesturm *m;* **~ di polvere (***o* **di sabbia)** Sandsturm *m;* **~ di proiettili** Kugelhagel *m.*

tempestare [tempes'ta:re] **I.** *tr fig* traktieren (*di* mit), bombardieren (*di* mit); **II.** *itr impers* stürmen. **tempestato, -a** [...'ta:to] *agg* übersät, dicht besetzt.

tempestività [tempestivi'ta] ⟨-⟩ *f* Rechtzeitigkeit *f.* **tempestivo, -a** [...'ti:vo] *agg* prompt.

tempestoso, -a [tempes'to:so] *agg (a. fig)* stürmisch; *(cielo)* sturmbewegt; *(vita a.)* bewegt.

tempia ['tɛmpia] ⟨-ie⟩ *f* Schläfe *f.*

tempificare ['tempifi'ka:re] ⟨tempifico, tempifichi⟩ *tr* timen, zeitlich einteilen.

tempio ['tɛmpio] ⟨-i *o* templi⟩ *m* Tempel *m.*

tempismo [tem'pizmo] *m* Timing *n.*

templi ['tɛmpli] *pl di* **tempio.**

tempo ['tɛmpo] *m* **1.** *gener.* Zeit *f;* **2.** *meteo* Wetter *n;* **3.** *gram* Tempus *n,* Zeit(-form) *f;* **4.** *mus* Takt *m;* **5.** *(di motore)* Takt *m;* **6.** *sport* Halbzeit *f,* Spielhälfte *f;* **7.** *(di spettacolo)* Teil *m;* **~ libero** Freizeit *f;* **-i supplementari** *sport* Spielverlängerung *f;* **~ di accesso** Zugriffszeit *f;* **~ da cani** (*o* **da lupi**) Hundewetter *n fam,* Sauwetter *n sl;* **~ di dimezzamento** Halbwertzeit *f;* **~ reale** Echtzeit *f;* **motore a due -i** Zweitakter *m,* Zweitaktmotor *m;* **previsioni del ~** Wettervorhersage *f;* **ammazzare il ~** die Zeit totschlagen; **andare a ~** im Takt bleiben; **andare fuori ~** aus dem Takt kommen; **dar ~ al ~** sich *(dat)* Zeit lassen; **fare il buono e il cattivo ~** *fig* den Ton angeben; **ha fatto il suo ~** er (*o* sie) hat abgewirtschaftet; **a ~ e luogo** bei passender Gelegenheit, zu gegebener Zeit; **perdere ~** Zeit verlieren; *(essere lento)* trödeln; **a ~ perso** zum Zeitvertreib; **a ~ parziale/pieno** Teilzeit-/Vollzeit-; **a suo ~** *(passato)* seinerzeit; *(futuro)* zu gegebener Zeit; **ai miei -i** zu meiner Zeit; **in ~** rechtzeitig; **in pari ~** gleichzeitig; **in un primo ~** zuerst, zunächst; **in ~ utile** rechtzeitig; **per ~** zeitig, früh; **un ~** früher, damals, einst *geh;* **~ fa** vor einiger Zeit; **con i -i che corrono** heutzutage; **ci è voluto molto ~** es hat lange gedauert, man hat lange dazu gebraucht; **quanto ~?** wie lange?

temporale[1] [tempo'ra:le] *agg* **1.** *(in senso temporale)* zeitlich; **2.** *rel, pol* weltlich; **3.** *gram* Temporal-, temporal.

temporale[2] [tempo'ra:le] *m meteo* Gewitter *n.*

temporalesco, -a [tenpora'lesko] ⟨-schi, -sche⟩ *agg* Gewitter-, gewittrig.

temporaneo, -a [tempo'ra:neo] *agg* vorübergehend, zeitweilig.

temporeggiare [tempored'dʒa:re] ⟨temporeggio, temporeggi⟩ *itr* Zeit gewinnen.

temporizzatore [temporiddza'to:re] *m* Zeitgeber *m; el* Intervallschaltung *f.*

tempra ['tɛmpra] *f* **1.** *gener., tec* Härten *n,* Härtung *f; (durezza)* Härte *f;* **2.** *fig* Schlag *m,* Art *f.* **temprare** [tem'pra:re] *tr* **1.** *gener., tec* härten; **2.** *fig* abhärten, stählen *geh.*

tenace [te'na:tʃe] *agg* **1.** *(sodo)* zäh; *(duro)* fest; **2.** *fig* hartnäckig, zäh. **tenacia** [te'na:tʃa] ⟨-cie⟩ *f* Zähigkeit *f.* **tenacità** [tenatʃi'ta] ⟨-⟩ *f* Festigkeit *f; (di lana, ecc. a.)* Reißfestigkeit *f.*

tenaglia [te'naʎʎa] ⟨-ie⟩ **1.** *tec* Zange *f;* **2.** *fam zoo* Schere *f.*

tenda ['tɛnda] *f* **1.** *(telo)* Vorhang *m; (di negozio)* Markise *f;* **2.** *(da campeggio)* Zelt *n;* **~ a ossigeno** Sauerstoffzelt *n.*

tendenza [ten'dɛntsa] *f* Neigung *f,* Tendenz *f,* Trend *m.* **tendenziosità** [...tsiosi'ta] ⟨-⟩ *f* Parteilichkeit *f.* **tendenzioso, -a** [...'tsio:so] *agg* tendenziös.

tendere ['tɛndere] ⟨tendo, tesi, teso⟩ **I.** *tr* **1.** *(tirare)* spannen; *(distendere)* aufspannen; *(muscoli)* anspannen; *(reti, ecc.)* auslegen; **2.** *(mano)* reichen, geben, hinstrecken; *(braccio)* (aus)strekken; **~ l'orecchio** die Ohren spitzen; **~ un tranello** eine Falle stellen; **II.** *itr* neigen (*a* zu), tendieren (*a* nach); *(colori)* übergehen (*a* in *+akk),* in Richtung ... gehen.

tendina [ten'di:na] *f* Gardine *f,* Vorhang *m.*

tendine ['tɛndine] *m* Sehne *f.*

tendone [ten'do:ne] *m* Plane *f; (di circo)* Zirkuszelt *n.*

tendopoli [ten'dɔ:poli] ⟨-⟩ *f* Zeltstadt *f.*

tenebre ['tɛ:nebre] *f pl* Finsternis *f; (fig a.)* Nacht *f,* Dunkel *n.* **tenebroso, -a** [tene'bro:so] *agg* finster, dunkel.

tenente [te'nɛnte] *m* Oberleutnant *m*.
tenere [te'ne:re] ⟨tengo, tenni, tenuto⟩ **I.** *tr* **1.** *(avere in mano)* halten; *(afferrare)* festhalten, behalten; **2.** *(mantenere)* einhalten; **3.** *(contenere)* fassen; **4.** *(discorso)* halten; *(conferenza)* (ab)halten; **5.** *fig (contegno, ecc.)* haben, an sich *(dat)* haben; **6.** *fig (occupare)* einnehmen; *(posto)* freihalten; ~ **la finestra aperta** das Fenster offen lassen; ~ **conto di qc** etw. berücksichtigen; ~ **qc da conto** etw. aufbewahren; ~ **al corrente** auf dem laufenden halten; ~ **la lingua a freno** die Zunge im Zaume halten; ~ **d'occhio qu** jdn im Auge behalten; ~ **al fresco** kühl aufbewahren; **-ersi amico qu** sich *(dat)* jds Freundschaft bewahren; ~ **compagnia** Gesellschaft leisten; ~ **la destra/sinistra** sich rechts/links halten; **la macchina tiene bene la strada** das Auto hat eine gute Straßenlage; **la malattia lo tiene a letto** die Krankheit fesselt ihn ans Bett; **II.** *itr* **1.** *gener.* halten; **2.** *(non lasciare fuoriuscire)* dicht sein; ~ **a qc** auf etw. *(akk)* Wert legen; **a questa cosa (ci) tengo molto** mir liegt viel an dieser Sache; **tengo a** *+inf* es liegt mir daran zu ...; ~ **duro** durchhalten; **III.** *rfl:* **-ersi 1.** *gener.* sich halten; **2.** *(reggersi)* sich festhalten; **3.** *fig (attenersi)* sich halten (*a* an *+akk*); **-ersi in piedi** sich auf den Beinen halten.
tenerezza [tene'rettsa] *f* **1.** *(l'essere tenero)* Zartheit *f*, Weichheit *f;* **2.** *fig* Zärtlichkeit *f*. **tenero, -a** ['tɛ:nero] **I.** *agg* zart, weich; *fig* zärtlich; *(età)* zart; **II.** *m* **1.** *(parte tenera)* Zarte(s) *n*, Weiche(s) *n;* **2.** *fig* zärtliches Gefühl, Zuneigung *f*.
tengo ['tɛŋgo] *pr di* **tenere.**
tenia ['tɛ:nia] ⟨-ie⟩ *f* Bandwurm *m*.
tenni ['tenni] *p rem di* **tenere.**
tennis ['tɛnnis] ⟨-⟩ *m* Tennis *n;* ~ **da tavolo** Tischtennis *n*. **tennista** [ten'nista] ⟨-i *m*, -e *f*⟩ *mf* Tennisspieler(in) *m(f)*. **tennistico, -a** [...'nistiko] ⟨-ci, -che⟩ *agg* Tennis-.
tenore [te'no:re] *m* **1.** *mus* Tenor *m;* **2.** *(quantità)* Gehalt *m;* **3.** *(modo)* Haltung *f; (espressione)* Ausdrucksweise *f; (tono)* Tenor *m; (contenuto)* Wortlaut *m;* ~ **di vita** Lebensstandard *m;* ~ **drammatico (***o* **di forza)** Heldentenor *m*.
tensioattivo [tensioat'ti:vo] *chim* **I.** *agg* oberflächenaktiv, grenzflächenaktiv; **II.** *m* Tensid *n*.
tensione [ten'sio:ne] *f* **1.** *gener., el* Spannung *f;* **2.** *fig* Erregung *f*, (An)spannung *f;* **alta/bassa** ~ Hoch-/Niederspannung *f;* **essere sotto** ~ *fig* unter Streß stehen.
tentacolo [ten'ta:kolo] *m* **1.** *zoo* Fühler *m; (di polipo)* Fangarm *m;* **2.** ⟨*pl*⟩ *fig* Fänge *m pl*.
tentare [ten'ta:re] *tr* **1.** *(provare)* versuchen; *(sperimentare)* (aus)probieren; **2.** *fig (indurre)* in Versuchung führen, versuchen *geh*. **tentativo** [...ta'ti:vo] *m* Versuch *m*. **tentatore, -trice** [...ta'to:re] **I.** *agg* verführerisch; **II.** *m, f* Versucher(in) *m(f) geh*, Verführer(in) *m(f)*. **tentazione** [...tat'tsio:ne] *f* Versuchung *f*.
tentennamento [tentenna'mento] *m (a. fig)* Schwanken *n*. **tentennare** [...'na:re] **I.** *tr (capo)* schütteln; **II.** *itr* **1.** *(vacillare)* wackeln, schwanken; **2.** *fig* schwanken, zögern.
tentone, tentoni [ten'to:ne, ...ni] *avv* tastend; *(fig a.)* blindlings; **camminare (a)** ~ sich vorwärtstasten.
tenue ['tɛ:nue] *agg* **1.** *(sottile)* dünn, fein; **2.** *fig (speranza, ecc.)* schwach; *(voce)* dünn; *(colore)* zart, matt; *(luce)* schwach, matt; **3.** *ling* stimmlos; **intestino** ~ Dünndarm *m*.
tenuta [te'nu:ta] *f* **1.** *(di recipiente)* Undurchlässigkeit *f; (capacità)* Fassungsvermögen *n;* **2.** *(possedimento agricolo)* Landgut *n;* **3.** *(abito)* (Dienst)anzug *m; mil* Uniform *f; sport* Trikot *n*, Dreß *m;* **a** ~ **d'acqua** wasserdicht, wasserundurchlässig; ~ **stagna** *tec* Dichte *f*, Dichtigkeit *f;* ~ **di strada** *mot* Straßenlage *f*.
teologia [teolo'dʒi:a] ⟨-gie⟩ *f* Theologie *f;* ~ **della liberazione** Befreiungstheologie *f*. **teologo, -a** [te'ɔ:logo] ⟨-gi, -ghe⟩ *m, f* Theologe *m*, Theologin *f*.
teorema [teo'rɛ:ma] ⟨-i⟩ *m* Lehrsatz *m*, Theorem *n*.
teoretico, -a [teo'rɛ:tiko] ⟨-ci, -che⟩ *agg* theoretisch.
teoria [teo'ri:a] ⟨-ie⟩ *f* Theorie *f; (dottrina)* Lehre *f;* **in** ~ theoretisch. **teorico, -a** [te'ɔ:riko] ⟨-ci, -che⟩ **I.** *agg* theoretisch; **II.** *m, f* Theoretiker(in) *m(f)*. **teorizzare** [teorid'dza:re] *itr* theoretisieren.
tepore [te'po:re] *m* milde Wärme, Lauheit *f*.
teppa ['teppa] *f* Abschaum *m*. **teppaglia** [...'paʎʎa] ⟨-glie⟩ *f* Verbrecherpack *n*. **teppismo** [...'pizmo] *m* Verbrechertum *n*, Rowdytum *n*. **teppista** [...'pista] ⟨-i *m*, -e *f*⟩ *mf* Gangster *m*.
terapeuta [tera'pɛ:uta] ⟨-i *m*, -e *f*⟩ *mf* Therapeut(in) *m(f)*. **terapeutico, -a** [-'pɛ:utiko] ⟨-ci, -che⟩ *agg* therapeutisch. **terapia** [...'pi:a] ⟨-ie⟩ *f* Therapie *f;* ~ **cellulare** Frischzellentherapie *f;* ~ **d'urto** Stoßtherapie *f*. **terapista** [...'pista] ⟨-i *m*, -e *f*⟩ *mf* Heilkundige(r) *mf*.
Teresa [te'rɛ:za] *(nome proprio femminile)* Therese.
tergi(lava)cristallo [terdʒi(lava)kris'tallo] *m* Scheibenwischer *m*. **tergi(lava)lunotto** [-lu'nɔtto] *m* Heckscheibenwischer *m*.
tergiversare [terdʒiver'sa:re] *itr* Ausflüchte machen (*o* suchen).
tergo ['tɛrgo] ⟨*ghi*⟩ *m* Rückseite *f;* **a** ~ hinten; *(nei rinvii)* auf der Rückseite;

vedi a ~ siehe Rückseite.

termale [ter'ma:le] *agg* Thermal-; **stazione** ~ Badeort *m;* **stabilimento** ~ Kurort *m.*

terme ['tɛrme] *f pl* Thermalbad *n; st* Thermen *f pl.*

termico, -a ['tɛrmiko] ⟨-ci, -che⟩ *agg* thermisch, Wärme-.

terminal ['tə:mɪnl] ⟨-⟩ *m* (Air)terminal *m o n.*

terminale [termi'na:le] **I.** *agg* End-, Grenz-; **malato** ~ Todkranke(r) *mf,* Sterbende(r) *mf;* **stazione** ~ Endstation *f;* **II.** *m* **1.** *(estremità)* Ende *n; tec* Anschluß(stück *n*) *m;* **2.** *inform* Terminal *n;* **3.** *aero* Terminal *m o n.*

terminare [termi'na:re] **I.** *tr* ⟨*avere*⟩ beenden, abschließen; *(lavoro)* fertigstellen; **II.** *itr* ⟨*essere*⟩ zu Ende gehen, aufhören, enden. **terminazione** [...nat'tsio:ne] *f* **1.** *(punto terminale)* Endpunkt *m;* **2.** *ling* Endung *f.*

termine ['tɛrmine] *m* **1.** *(limite)* Grenze *f;* **2.** *(confine)* Grenzlinie *f,* Grenzstein *m;* **3.** *(lasso di tempo)* Frist *f;* **4.** *(scadenza)* Fälligkeit *f,* Termin *m;* **5.** *(fine)* Ende *n,* Schluß *m;* **6.** *(vocabolo)* Terminus *m,* (Fach)ausdruck *m;* **7.** *mat* Glied *n,* Term *m wissensch.;* ~ **tecnico** Fachausdruck *m,* Terminus technicus *m;* **contratto a** ~ befristeter Vertrag, Zeitvertrag *m;* **condurre a** ~ zu Ende führen; **portare a** ~ etw. abschließen; **ridurre ai minimi -i** *mat* kürzen; *fig* auf ein Minimum reduzieren; **volgere al** ~ dem Ende zugehen; **a breve/medio/lungo** ~ kurz-/mittel-/langfristig; **a rigor di -i** streng (wörtlich) genommen; **a -i di legge** nach dem Wortlaut des Gesetzes.

terminologia [terminolo'dʒi:a] ⟨-gie⟩ *f* Terminologie *f.*

termite ['tɛrmite] *f* Termite *f.*

termoelettrico, -a [termoe'lɛttriko] *agg* thermoelektrisch; **centrale -a** Wärmekraftwerk *n.* **termoforo** [ter'mɔ:foro] *m* Heizkissen *n.* **termoisolante** [termoizo'lante] **I.** *m* Wärmedämmstoff *m,* Wärmeisolator *m;* **II.** *agg* wärmedämmend, wärmeisolierend.

termometro [ter'mɔ:metro] *m* Thermometer *n.* **termonucleare** [termonukle'a:re] *agg* thermonuklear.

termos ['tɛrmos] ⟨-⟩ *m* Thermosflasche® *f.* **termosifone** [termosi'fo:ne] *m* Heizkörper *m,* Heizung *f fam.* **termostampante** [-stam'pante] *f* Thermodrucker *m.* **termostato** [ter'mɔ:stato] *m* Thermostat *m.*

terna ['tɛrna] *f* Dreierreihe *f,* Dreieranzahl *f.* **ternario, -a** [ter'na:rio] ⟨-i, -ie⟩ *agg* **1.** *(di tre elementi)* dreifach, Drei(er)-; **2.** *(verso)* dreisilbig; **3.** *chim* ternär. **terno** ['tɛrno] *m* Terne *f;* **fare** ~ eine Dreierkombination haben; ~ **al lotto** Hauptgewinn *m* im Lotto; *fig* Glückstreffer *m.*

terra ['tɛrra] *f* **1.** *(pianeta)* Erde *f;* **2.** *(suolo)* Erde *f,* (Erd)boden *m;* **3.** *agr (campagna)* Land *n; (tenuta)* Ländereien *f pl,* Landbesitz *m;* **4.** *naut* (Fest)land *n;* **5.** *el* Erde *f,* Erdung *f;* ~ **di nessuno** Niemandsland *n;* **-e emerse** Land *n* der Kontinente und der Inseln; **personale di** ~ Bodenpersonal *n;* ~ ~ *fig* ohne Tiefgang; **avere una gomma a** ~ einen Plattfuß haben *fam;* **essere a** ~ *fig* am Boden zerstört sein; **mettere a** ~ erden; *fig* jdn fertig machen; **dormire per** ~ auf dem Boden schlafen; **sedersi in** ~ sich auf den Boden setzen; **toccar** ~ *(aereo)* landen; *(nave)* anlegen; **raso** ~ haarscharf über dem Boden.

terracotta [terra'kɔtta] ⟨terrecotte⟩ *f* **1.** *(materiale)* Ton(erde *f*) *m;* **2.** *(manufatto)* Terrakotta *f.* **terraferma** [-'ferma] ⟨-⟩ *f* Festland *n.*

terraglia [ter'raʎʎa] ⟨-glie⟩ *f* Steingut *n.*

terrapieno [terra'piɛ:no] *m* Erdwall *m,* -damm *m.*

terrazza [ter'rattsa] *f* Terrasse *f.* **terrazzo** [...tso] *m* **1.** *(terrazza)* Terrasse *f;* **2.** *(balcone)* Balkon *m.*

terrecotte *pl di* **terracotta.**

terremotato, -a [terremo'ta:to] **I.** *agg* erdbebengeschädigt; **II.** *m, f* Erdbebenopfer *n.*

terremoto [terre'mɔ:to] *m* **1.** *(vibrazione della terra)* Erdbeben *n;* **2.** *fig scherz (persona)* Wirbelwind *m,* Wildfang *m.*

terreno [ter're:no] *m* **1.** *gener.* Land *n,* Gelände *n;* **2.** *agr* Boden *m,* Land *n;* **3.** *(fondo)* Grundstück *n;* **4.** *(suolo)* Boden *m,* Erde *f;* **5.** *sport* (Spiel)feld *n;* **6.** *mil* Gelände *n;* **7.** *(piano)* Erdgeschoß *n;* **8.** *fig* Gebiet *n,* Terrain *n;* ~ **fabbricabile** Bauland *n,* Baugrundstück *n.*

terreno, -a [ter're:no] *agg* irdisch, weltlich; **pian** ~ Erdgeschoß *n.*

terreo, -a ['tɛrreo] *agg* erdfarben.

terrestre [ter'rɛstre] **I.** *agg* **1.** *(relativo alla terra)* Erd-; *(guerra, animale)* Land-; **2.** *fig rel* irdisch, weltlich; **II.** *mf* Erd(en)bewohner(in) *m(f).*

terribile [ter'ri:bile] *agg* schrecklich, fürchterlich, entsetzlich.

terriccio [ter'rittʃo] ⟨-cci⟩ *m* Gartenerde *f.*

terriero, -a [ter'riɛ:ro] *agg* Land-, Grund-.

terrificante [terrifi'kante] *agg* schreckenerregend.

terrina [ter'ri:na] *f* Schüssel *f,* Terrine *f.*

territoriale [territo'ria:le] *agg* territorial, Land(es)-, Gebiets-. **territorio** [...'tɔ:rio] ⟨-i⟩ *m* Gebiet *n,* Territorium *n.*

terrò [ter'rɔ] *v.* **tenere.**

terrone, -a [ter'ro:ne] *m, f peg* Süditaliener(in) *m(f) (Schimpfwort der Norditaliener für die Süditaliener).*

terrore [ter'ro:re] *m* Terror *m,* Schrecken *m; fig fam* Angst *f;* **il T~** *st* Schreckensherrschaft *f;* **avere il ~ dei serpenti** *fam* Angst vor Schlangen haben.

terrorismo [terro'rizmo] *m* Terrorismus *m;* **~ di destra (*o* nero)** Rechtsterrorismus *m;* **~ di sinistra (*o* rosso)** Linksterrorismus *m;* **~ psicologico** Psychoterror *m.* **terrorista** [...'rista] ⟨-i *m,* -e *f*⟩ *mf* Terrorist(in) *m(f).* **terroristico, -a** [...'ristiko] ⟨-ci, -che⟩ *agg (persone, attentati)* terroristisch; *(regime)* Terror-. **terrorizzare** [...d'dza:re] *tr* terrorisieren; *(spaventare)* in Schrecken versetzen, einschüchtern.

terroso, -a [ter'ro:so] *agg* erdig, Erd-.

terso, -a ['tɛrso] *agg* rein, klar.

terza[1] ['tɛrtsa] *f* **1.** *(classe elementare)* dritte Klasse; *(classe media)* achte Klasse; **2.** *mot* dritter Gang; **3.** *mus* Terz *f;* **4.** *mat* dritte Potenz.

terza[2] *f v.* **terzo.**

terzetto [ter'tsetto] *m* **1.** *mus* Terzett *n;* **2.** *(di persone)* Trio *n.*

terziario, -a [ter'tsja:rjo] ⟨-i, -ie⟩ **I.** *agg* tertiär; **II.** *m* **1.** *geol* Tertiär *n;* **2.** *com* Dienstleistungsbereich *m;* **III.** *m, f* Terziar(in) *m(f).*

terzina [ter'tsi:na] *f* **1.** *letter* Terzine *f;* **2.** *mus* Triole *f.*

terzino [ter'tsi:no] *m* Verteidiger *m.*

terzo, -a ['tɛrtso] **I.** *agg* dritte(r, s); **II.** *m, f (terza persona)* Dritte(r, s) *mfn;* **III.** *m pl fig (altri)* Dritte *pl,* andere *pl;* **per conto -i** auf fremde Rechnung; **IV.** *m (frazione)* Drittel *n,* dritter Teil; *v. a. quinto.*

tesa ['te:sa] *f* Krempe *f.*

teschio ['tɛskjo] ⟨-schi⟩ *m* Schädel *m; (dei cadaveri)* Totenkopf *m.*

tesi[1] ['tɛ:zi] ⟨-⟩ *f* **1.** *(proposizione)* These *f,* Lehrsatz *m;* **2.** *(di laurea)* Staatsexamensarbeit *f; (di ricerca)* Dissertation *f,* Doktorarbeit *f;* **3.** *mus* Thesis *f;* **sostenere/confutare una ~** eine These verfechten/widerlegen.

tesi[2] ['te:si] *p rem di* **tendere.**

tesina [te'zi:na] *f* Referat *n,* Seminararbeit *f.*

teso, -a ['te:so] **I.** *pp di* **tendere; II.** *agg* **1.** *(corda, muscoli)* gespannt; **2.** *fig* (an)gespannt; **rapporti -i** *fig* gespanntes Verhältnis.

tesoriere, -a [tezo'rjɛ:re] *m, f* **1.** *(custode)* Schatzmeister(in) *m(f);* **2.** *(di un ente)* Kassenverwalter(in) *m(f),* Kassierer(in) *m(f).*

tesorino [tezo'ri:no] *m* Schätzchen *n.*

tesoro [te'zɔ:ro] *m* **1.** *gener., fig* Schatz *m;* **2.** *(di una banca)* Tresor *m;* **fare ~ di qc** sich *(dat)* etw. zunutze machen.

tessera ['tɛssera] *f* **1.** *(documento)* Ausweis *m,* Mitgliedskarte *f; (d'identità)* (Personal)ausweis *m; (di partito)* Parteibuch *n;* **2.** *(del mosaico)* Mosaikstein *m; (del domino)* Dominostein *m;* **~ annonaria** Lebensmittelkarte *f;* **~ magnetica** Magnetkarte *f;* **~ di studente** Studentenausweis *m.* **tesserare** [tesse'ra:re] *tr* Mitgliedskarten (*o* Ausweise) ausstellen (*qu* jdm); *(per razionamento)* Bezugsscheine ausstellen (*o* zuteilen) (*qu* jdm). **tesserato, -a** [...'ra:to] *m, f* eingetragenes (*o* eingeschriebenes) Mitglied.

tessere ['tɛssere] *tr* **1.** *(nel telaio)* weben; *(stuoia, ecc.)* knüpfen, flechten; **2.** *fig (inganni)* spinnen; **~ le lodi di qu** jds Lob singen.

tessile ['tɛssile] **I.** *agg* Textil-, textil; **II.** *mf* Textilarbeiter(in) *m(f);* **III.** *m pl* Textilien *pl.*

tessitore, -trice [tessi'to:re] *m, f* Weber(in) *m(f).* **tessitura** [...'tu:ra] *f* Weben *n;(di stuoia, ecc.)* Knüpfen *n,* Flechten *n.*

tessuto [tes'su:to] *m* **1.** *(stoffa)* Gewebe *n,* Stoff *m;* **2.** *fig* Netz *n;* **3.** *biol, anat* Gewebe *n;* **4.** ⟨*pl*⟩ Textilien *pl.*

test [tɛst] ⟨-⟩ *m* Test *m;* **~ anti-Aids** Aidstest *m;* **~ di gravidanza** Schwangerschaftstest *m;* **~ di intelligenza** Intelligenztest *m.*

testa ['tɛsta] *f* **1.** *anat, tec, fig* Kopf *m;* **2.** *bot (d'aglio)* Knolle *f;* **3.** *fig (ingegno)* Kopf *m,* Geist *m;* **~ calda/dura/quadra** Hitzkopf *m*/Dickkopf *m*/kluger Kopf; **~ di cavolo (*o* ~ di rapa)** *fam* Schafskopf *m fam,* Holzkopf *m fam;* **~ di cuoio** *mil (della polizia tedesca)* Mitglied *n* der GSG 9; *gener.* Mitglied *n* einer Spezialeinheit; **colpo di ~** Kurzschlußhandlung *f;* **mal di ~** Kopfschmerzen *m pl;* **avere la ~ tra le nuvole** in den Wolken schweben; **dare alla ~** *(a. fig)* zu Kopfe steigen; **fare a ~ e croce** Kopf oder Zahl entscheiden lassen; **fare di ~ propria** seinen Kopf durchsetzen; **mettere la ~ a partito** Vernunft annehmen; **mettersi in ~ qc** sich etw. aufsetzen; *fig* sich *(dat)* etw. in den Kopf setzen; **mi è passato dalla ~** das ist mir entfallen; **rompersi la ~ per qc** sich *(dat)* über etw. *(akk)* den Kopf zerbrechen; **tenere ~ a qu** jdm die Stirn bieten; **a ~** pro Kopf; **a ~ alta** erhobenen Hauptes; **essere in ~** an der Spitze liegen; **in ~ alla classifica** an der Tabellenspitze.

testa-coda [testa'ko:da] ⟨-⟩ *m* Kehrtwendung *f.*

testamentario, -a [testamen'ta:rjo] ⟨-i, -ie⟩ *agg* Testaments-, testamentarisch. **testamento** [...'mento] *m* Testament *n; fig; (spirituale a.)* Vermächtnis *n;* **Nuovo/Vecchio T-** Neues/Altes Testament.

testardaggine [testar'daddʒine] *f* Dickköpfigkeit *f.* **testardo, -a** [tes'tardo] **I.** *agg* dickköpfig; **II.** *m, f* Dickkopf *m.*

testare [tes'ta:re] *tr* testen.

testata [tes'ta:ta] *f* **1.** *(colpo)* Kopfstoß

m; **2.** *(di letto)* Kopfteil *m,* Kopfende *n;* **3.** *(di motore)* (Zylinder)kopf *m;* **4.** *(di giornale)* (Zeitungs)kopf *m;* ~ **nucleare** *mil* Atomsprengkopf *m.*
teste ['tɛste] *mf* Zeuge *m,* Zeugin *f.*
testicolo [tes'tiːkolo] *m* Hoden *m.*
testiera [tes'ti̯ɛːra] *f* **1.** *(di cavallo)* Zaumzeug *n;* **2.** *(di letto)* Kopfende *n.*
testimone [testi'mɔːne] *mf* **1.** *(persona)* Zeuge *m,* Zeugin *f;* **2.** *sport* Staffelstab *m;* ~ **di nozze** Trauzeuge *m,* -zeugin *f;* ~ **oculare** Augenzeuge *m;* **T~ di Geova** *rel* Zeuge *m* Jehovas. **testimonianza** [...mo'ni̯antsa] *f* **1.** *dir* Zeugenaussage *f;* **2.** *(prova)* Beweis *m,* Zeugnis *n.* **testimoniare** [...mo'ni̯aːre] ⟨testimonio, testimoni⟩ **I.** *tr* bezeugen; ~ **il falso** falsch aussagen; **II.** *itr* zeugen (*di* von), Zeugnis ablegen (*di* von). **testimonio** [...'mɔːni̯o] ⟨-i⟩ *v.* **testimone.**
testina [tes'tiːna] *f* Köpfchen *n; tec, gastr* Kopf *m; (di macchina da scrivere)* Kugelkopf *m;* ~ **di registrazione** Tonkopf *m.*
testo ['tɛsto] *m* **1.** *(scritto)* Text *m;* **2.** *(libro)* Werk *n,* Buch *n;* **libri di** ~ Lehrbücher *n pl;* **far** ~ maßgebend (*o* richtungweisend) sein.
testone [tes'toːne] *m fig fam (persona testarda)* Dickkopf *m; (persona stupida)* Schafskopf *m fam.*
testosterone [testoste'roːne] *m* Testosteron *n.*
testuale [testu'aːle] *agg* **1.** *(del testo)* Text-; **2.** *fig (parole)* wörtlich.
testuggine [tes'tuddʒine] *f* Schildkröte *f.*
tetano ['tɛːtano] *m* Wundstarrkrampf *m,* Tetanus *m.*
tetro, -a ['tɛːtro] *agg* düster, finster.
tetta ['tetta] *f fam* Titte *f.* **tettarella** [tetta'rɛlla] *f* Sauger *m; (per calmare)* Schnuller *m.*
tetto ['tetto] *m* **1.** *arch* Dach *n;* **2.** *(di vettura)* Verdeck *n,* Dach *n;* **3.** *geol* Felsvorsprung *m;* **4.** *fig (casa)* Haus *n,* Heim *n;* **5.** *fig (limite massimo)* Höchstgrenze *f;* ~ **a due spioventi** Satteldach *n;* **senza** ~ obdachlos. **tettoia** [...'toːi̯a] ⟨-oie⟩ *f* Überdachung *f; (pensilina)* Schutzdach *n.*
tettuccio [tet'tuttʃo] ⟨-i⟩ *m: mot* ~ **apribile** (*o* **rigido**) Schiebedach *n;* ~ **ripiegabile** Klappverdeck *n.*
teutonico, -a [teu'tɔːniko] ⟨-ci, -che⟩ *agg* teutonisch.
Tevere ['teːvere] *m* Tiber *m.*
TG ⟨-⟩ *m abbr di* **Telegiornale** Fernsehnachrichten; **il** ~ **Uno/Due** die Nachrichten im ersten/zweiten (Fernseh)programm.
Thailandia [tai'landi̯a] *f v.* **Tailandia.**
the [tɛ] *v.* **tè.**
thermos ['tɛrmos] *v.* **termos.**
thriller ['triller *o* 'θrɪlə], **thrilling** ['trillin(g) *o* 'θrɪlɪŋ] ⟨-⟩ *m* Thriller *m.*

ti [ti] **I.** *pron pers 2ª pers sing* **1.** *(complemento di termine)* dir; **2.** *(complemento oggetto)* dich; **II.** *pron rfl 2ª pers sing* dich.
tiara ['ti̯aːra] *f* Tiara *f.*
tibia ['tiːbi̯a] ⟨-ie⟩ *f* Schienbein *n.*
tic [tik] ⟨-⟩ *m* Tick *m.*
ticchettio [tikket'tiːo] ⟨-ii⟩ *m* Ticken *n; (di macchina da scrivere)* Klappern *n.*
ticchio ['tikki̯o] ⟨-cchi⟩ *m* Anwandlung *f,* Laune *f.*
Ticino [ti'tʃiːno] *m (cantone)* Tessin *n; (fiume)* Tessin *m.*
ticket ['tiket *o* 'tɪkɪt] ⟨-⟩ *m med* Selbstbeteiligung *f* (an den Krankheitskosten); *(per medicinali a.)* Rezeptgebühr *f.*
tie-break ['tai breik] ⟨-⟩ *m sport* Tie-break *m.*
tiene, tieni ['ti̯ɛːne, ...ni] *v.* **tenere.**
tiepido, -a ['ti̯ɛːpido] *agg* **1.** *(poco caldo)* lau(warm), mild; **2.** *fig* kühl.
tifare [ti'faːre] *itr* schwärmen (*per* für), Fan sein (*per* von).
tifo ['tiːfo] *m* **1.** *med* Typhus *m;* **2.** *fig* Sportbegeisterung *f; peg* Fanatismus *m;* **fare il** ~ **per qu** begeisterter Anhänger von jdm sein.
tifone [ti'foːne] *m* Taifun *m.*
tifoseria [tifose'riːa] ⟨-ie⟩ *f* Fangemeinde *f.*
tifoso, -a [ti'foːso] **I.** *agg* sportbegeistert; *peg* fanatisch; **II.** *m, f* Sportbegeisterte(r) *mf,* Fan *m;* ~ **di calcio** Fußballfan *m,* -anhänger *m.*
tight [taɪt] ⟨-⟩ *m* Cut(away) *m.*
tiglio ['tiʎʎo] ⟨-gli⟩ *m* Linde *f.*
tiglioso, -a [tiʎ'ʎoːso] *agg* fas(e)rig, zäh.
tigna ['tiɲɲa] *f* Grind *m.*
tignola [tiɲ'ɲɔːla] *f* Motte *f.*
tignoso, -a [tiɲ'ɲoːso] *agg fam* knaus(e)rig *fam,* knickerig *fam.*
tigrato, -a [ti'graːto] *agg* getigert.
tigre ['tiːgre] *f* Tiger *m.*
tilde ['tilde] ⟨-⟩ *m o f* Tilde *f.*
tilt [tɪlt] ⟨-⟩ *m:* **andare in** ~ *fig* ausrasten *sl,* ausflippen *sl.*
timballo [tim'ballo] *m* Pastete *f,* Auflauf *m.*
timbrare [tim'braːre] *tr* (ab)stempeln; ~ **il cartellino** stechen.
timbro ['timbro] *m* **1.** *(marchio)* Stempel *m;* **2.** *(di suono)* Klangfarbe *f,* Timbre *n geh.*
timer ['taimə] ⟨-⟩ *m* Zeitschaltuhr *f.*
time sharing ['taim 'ʃæriŋ] ⟨-⟩ *m* Timesharing *n.*
timidezza [timi'dettsa] *f* Schüchternheit *f.* **timido, -a** ['tiːmido] *agg* schüchtern.
timing ['taimiŋ] ⟨-⟩ *m* Timing *n.*
timo¹ ['tiːmo] *m bot* Thymian *m.*
timo² ['tiːmo] *m anat* Thymus *m,* Thymusdrüse *f.*
timone [ti'moːne] *m* **1.** *naut, aero* Ruder *n,* Steuer *n;* **2.** *(di carro)* Deichsel *f;* **ruota del** ~ Steuerrad *n.* **timoniere, -a**

[timo'njɛ:re] *m, f* Steuermann *m,* Rudergänger(in) *m(f).*
timorato, -a [timo'ra:to] *agg* gewissenhaft; ~ **di Dio** gottesfürchtig.
timore [ti'mo:re] *m* **1.** *(paura)* Furcht *f,* Angst *f;* **2.** *(preoccupazione)* Befürchtung *f;* **3.** *(soggezione)* Ehrfurcht *f,* Respekt *m.* **timoroso, -a** [timo'ro:so] *agg* furchtsam, ängstlich.
timpanista [timpa'nista] ⟨-i *m,* -e *f*⟩ *mf* Paukenschläger(in) *m(f).*
timpano ['timpano] *m* **1.** *mus* Pauke *f;* **2.** *anat* Paukenhöhle *f,* Tympanum *n; (membrana)* Trommelfell *n;* **3.** *arch* Tympanon *n;* **rompere i -i a qu** *fam* jdm das Trommelfell platzen lassen *fam.*
tinello [ti'nɛllo] *m* Eßraum *m.*
tingere ['tindʒere] ⟨tingo, tingi, tinsi, tinto⟩ **I.** *tr* färben; ~ **di nero** schwarz färben; **II.** *rfl:* **-ersi 1.** *gener.* sich färben; **2.** *(con cosmetici)* sich schminken.
tino ['ti:no] *m* Bottich *m.* **tinozza** [ti'nɔttsa] *f* Kübel *m; (per il bucato)* Zuber *m.*
tinsi ['tinsi] *p rem di* **tingere.**
tinta ['tinta] *f* Farbe *f;* **mezza** ~ Zwischenton *n;* **in** ~ **unita** einfarbig; **dare una mano di** ~ **a qc** etw. überstreichen; **vedere tutto a -e fosche** alles in den schwärzesten Farben sehen. **tintarella** [-'rɛlla] *f* Sonnenbräune *f;* **prendere la** ~ sich von der Sonne bräunen lassen.
tintinnare [tintin'na:re] *itr* klingeln. **tintinnio** [...'ni:o] ⟨-ii⟩ *m* Geklingel *n.*
tinto ['tinto] *pp di* **tingere.**
tintore, -a [tin'to:re] *m, f* Färber(in) *m(f).* **tintoria** [...to'ri:a] ⟨-ie⟩ *f* Färberei *f; (per pulitura di abiti)* Reinigung *f.* **tintura** [...'tu:ra] *f* **1.** *(azione)* Färben *n;* **2.** *(risultato)* Färbung *f;* **3.** *(prodotto)* Färbemittel *n;* **4.** *chim* Tinktur *f.*
tipico, -a ['ti:piko] ⟨-ci, -che⟩ *agg* typisch, charakteristisch.
tipo ['ti:po] **I.** *m* **1.** *(carattere)* Typ *m,* Typus *m; (qualità)* Art *f,* Sorte *f;* **2.** *(persona)* Typ *m fam,* Type *f fam;* **confezione** ~ **famiglia** Familienpackung *f;* **sei proprio un bel** ~! du bist mir ja einer!; **sul** ~ **di** ähnlich *(dat),* -mäßig *fam;* **II.** ⟨*inv*⟩ *agg* durchschnittlich, Durchschnitts-; **famiglia** ~ Durchschnittsfamilie *f.*
tipografia [tipogra'fi:a] *f* **1.** *(arte)* Buchdruck *m,* Typographie *f;* **2.** *(procedimento)* Buchdruck *m;* **3.** *(laboratorio)* (Buch)druckerei *f;* Setzerei *f.* **tipografico, -a** [...'gra:fiko] *agg* Druck-, typographisch. **tipografo, -a** [ti'pɔ:grafo] *m, f* (Buch)drucker(in) *m(f).*
tipologia [tipolo'dʒi:a] ⟨-gie⟩ *f* Typologie *f.*
TIR [tir] ⟨-⟩ *m* LKW *m,* Brummi *m fam.*
tiraggio [ti'raddʒo] ⟨-ggi⟩ *m* Luftzufuhr *f.*
tiramisu [tirami'su] ⟨-⟩ *m* Tiramisu *n.*
tiranna *f v.* **tiranno.**
tiranneggiare [tiranned'dʒa:re] ⟨tiranneggio, tiranneggi⟩ **I.** *tr* tyrannisieren; **II.** *itr* Gewaltherrschaft ausüben, mit Gewalt herrschen. **tirannia** [...'ni:a] ⟨-ie⟩ *f* **1.** *pol* Tyrannei *f,* Gewaltherrschaft *f;* **2.** *fig* Druck *m,* Zwang *m.* **tirannico, -a** [ti'ranniko] ⟨-ci, -che⟩ *agg* tyrannisch, Tyrannen-. **tirannide** [ti'rannide] *f* Tyrannei *f.* **tiranno, -a** [ti'ranno] *m, f* Tyrann(in) *m(f).*
tiranteria [tirante'ri:a] ⟨-ie⟩ *f mot* Gestänge *n.*
tirare [ti'ra:re] **I.** *tr* **1.** *(tendere, trascinare)* ziehen; *(cassetto)* herausziehen, aufziehen; *(tenda)* zuziehen; **2.** *(fune)* spannen; **3.** *(dente, linea)* ziehen; **4.** *(lanciare)* werfen; **5.** *(sparare)* schießen; *(colpo)* abfeuern; **6.** *sport (ciclismo)* schleppen; **7.** *(calci)* versetzen; **8.** *tip* drucken; ~ **qc per le lunghe** etw. in die Länge ziehen; ~ **qu per i capelli** jdn an den Haaren ziehen; ~ **qc per i capelli** *fig* etw. an den Haaren herbeiziehen; ~ **le somme** summieren; *fig* das Fazit ziehen; ~ **a lucido** auf Glanz bringen; ~ **avanti** vorziehen, nach vorne ziehen; ~ **dentro** *(a. fig)* hineinziehen; ~ **fuori** herausziehen; *fig (aiutare)* herausholen; ~ **su** hochziehen; ~ **su le maniche** die Ärmel hochkrempeln; ~ **su i figli** die Kinder großziehen; ~ **su i capelli** die Haare hochstecken; **una parola tira l'altra** ein Wort gibt das andere; **II.** *itr* **1.** *gener.* ziehen; **2.** *(vento)* wehen, blasen; **3.** *(abito)* spannen, eng sitzen; **4.** *(camino)* ziehen; **5.** *(sparare)* schießen; ~ **a sorte** auslosen; ~ **sul prezzo** (um den Preis) handeln, feilschen; ~ **avanti** *fam fig* sich durchschlagen *fam;* ~ **dritto** (seinen Weg) weitergehen; **III.** *rfl:* **-arsi:** ~ **in là** rücken; ~ **su** wieder hochkommen; ~ **dietro** mitschleppen; ~ **indietro** *fig* sich zurückziehen, eine Rückzieher machen *fam.*
tirata [ti'ra:ta] *f* **1.** *(il tirare)* Ziehen *n; (a. fig)* Zug *m;* **2.** *(di pipa, sigaretta)* Zug *m;* **3.** *fig (discorso)* Tirade *f;* **fare una** ~ *mot* durchfahren. **tirato, -a** [...to] *agg* **1.** *gener.* gespannt; **2.** *fig (avaro)* geizig; **3.** *fig (volto)* abgespannt; **lavoro** ~ **via** schludrige Arbeit, Pfusch *m.* **tiratore, -trice** [tira'to:re] *m, f* **1.** *(lanciatore)* Werfer(in) *m(f);* **2.** *(con armi da fuoco)* Schütze *m,* Schützin *f;* **3.** *sport* Torschütze *m,* -schützin *f;* ~ **scelto** Scharfschütze *m.* **tiratura** [...'tu:ra] *f* **1.** *tip* Abzug *m;* **2.** *(numero di copie)* Auflage *f;* **a bassa/forte** ~ auflagenschwach/-stark.
tirchieria [tirkje'ri:a] ⟨-ie⟩ *f* Knauserei *f fam.* **tirchio, -a** ['tirkjo] ⟨-chi, -chie⟩ **I.** *agg* geizig; **II.** *m, f* Geizhals *m fam,* Pfennigfuchser *m.*
tiremmolla [tirem'mɔlla] *m* Hin und Her *n;* **fare a** ~ schwanken, sich nicht entscheiden können.
tiretto [ti'retto] *m* Schubfach *n.*

tiritera [tiri'tɛ:ra] *f fam* **1.** *(filastrocca)* Litanei *f fam;* **2.** *(discorso)* Geschwätz *n fam.*

tiro ['ti:ro] *m* **1.** *(il tirare)* Ziehen *n; (lo sparare)* Schießen *n; (il lanciare)* Werfen *n;* **2.** *(sparo)* Schuß *m;* **3.** *sport (lancio di mano)* Wurf *m; (di testa, col piede)* Schuß *m;* **4.** *fig* Versuch *m;* **5.** *(attacco di cavalli)* Gespann *n;* **6.** *(azione cattiva)* Streich *m;* **fare (***o* **giocare) un brutto ~ a qu** jdm einen bösen Streich spielen.

tirocinante [tirotʃi'nante] **I.** *agg* Lehrlings-; *(del tirocinio)* Lehr-; **II.** *mf* Lehrling *m; (di laureati)* Trainee *m.* **tirocinio** [...'tʃi:njo] ⟨-i⟩ *m* Lehre *f,* Lehrzeit *f.*

tiroide [ti'rɔ:ide] *f* Schilddrüse *f.*

tirolese [tiro'le:se] **I.** *agg* tirolisch, Tiroler-; **II.** *mf* Tiroler(in) *m(f).* **Tirolo** [ti'rɔ:lo] *m* Tirol *n.*

Tirreno [tir'rɛno] *agg m:* **mar ~** Tyrrhenisches Meer.

tisana [ti'za:na] *f* Aufguß *m,* Tee *m.*

tisi ['ti:zi] ⟨-⟩ *f* Lungentuberkulose *f.* **tisico, -a** ['ti:ziko] ⟨-ci, -che⟩ **I.** *agg* schwindsüchtig; **II.** *m, f* Schwindsüchtige(r) *mf.*

titanico, -a [ti'ta:niko] ⟨-ci, -che⟩ *agg* gigantisch.

titanio [ti'ta:njo] *m chim* Titan *n.*

titano [ti'ta:no] *m* Titan *m.*

titolare [tito'la:re] **I.** *agg* **1.** *gener.* berechtigt; **2.** *rel* Titular-; **3.** *(professore)* ordentlich; **II.** *mf* **1.** *gener.* Inhaber(in) *m(f);* **2.** *sport* Spieler(in) *m(f).*

titolo ['ti:tolo] *m* **1.** *(nome)* Titel *m; (intestazione a.)* Überschrift *f;* **2.** *dir (nei testi)* Absatz *m;* **3.** *com, fin* Wertpapier *n;* **4.** *(appellativo)* Name *m,* Bezeichnung *f,* Titel *m;* **5.** *(grado)* Grad *m,* Titel *m; (documento)* Abschluß(zeugnis *n*) *m;* **6.** *(merito)* Verdienst *n;* **~ azionario** Aktie *f;* **avere/conferire un ~** einen Titel führen/verleihen; **a ~ di curiosità** aus reiner Neugier; **a ~ d'informazione** zur Information; **a ~ di prestito** leihweise.

titubante [titu'bante] *agg* unschlüssig, unentschlossen. **titubanza** [...'bantsa] *f* Unschlüssigkeit *f.* **titubare** [...'ba:re] *itr* zögern.

tivù [ti'vu] ⟨-⟩ *f fam* Fernsehen *n;* **guardare la ~** Fernsehen gucken *fam.*

tizio, -a ['tittsjo] *m, f* (irgend) jemand, irgendwer; **un ~ qualunque** irgend jemand; **T~, Caio e Sempronio** Hinz und Kunz *fam.*

tizzone [tit'tso:ne] *m* brennendes Holz- (*o* Kohle)stück.

to' [tɔ] *interi* nanu, sieh (einer *o* mal) an; **~, tieni!** hier, nimm!

toast [toust] ⟨-⟩ *m* Toast *m.*

toboga [to'bɔ:ga] ⟨-⟩ *m* **1.** *(slitta)* Toboggan *m;* **2.** *(scivolo)* Rutschbahn *f.*

toccante [tok'kante] *agg* rührend, ergreifend.

toccare [tok'ka:re] ⟨tocco, tocchi⟩ **I.** *tr* ⟨*avere*⟩ **1.** *(sentire con la mano)* berühren, anfassen; **2.** *fig* berühren; *(cibo, ecc.)* anrühren; **3.** *(tasto)* drücken; **4.** *(giungere)* erreichen; **5.** *(argomento)* streifen; **6.** *naut (porto)* anlaufen; **7.** *(commuovere)* rühren, ergreifen; **8.** *(riguardare)* betreffen, angehen; **9.** *sport* touchieren; **~ terra** landen; **~ la sessantina** an die Sechzig sein; **~ con mano** *fig* mit Händen greifen; **II.** *itr* ⟨*essere*⟩ **1.** *(accadere)* zustoßen, widerfahren; **2.** *(essere obbligato)* obliegen *geh;* **3.** *(spettare)* zustehen; **mi tocca** *+inf* ich muß *+inf;* **tocca a me/te** ich bin/du bist an der Reihe; **a chi tocca tocca** wer dran ist, ist dran.

toccasana [tokka'sa:na] ⟨-⟩ *m (a. fig)* Allheilmittel *n.*

toccata [tok'ka:ta] *f* **1.** *(il toccare)* Berührung *f;* **2.** *mus* Tokkata *f.*

toccato, -a [tok'ka:to] *agg* **1.** *sport* getroffen, touchiert; **2.** *fig* gekränkt, verletzt; **3.** *fam (mattoide)* plemplem *fam;* **è un po' ~** er tickt nicht ganz richtig *fam.*

tocco[1] ['tokko] ⟨-cchi⟩ *m* **1.** *(pressione)* Berührung *f,* leichter Druck; **2.** *fig (di artista)* (Künstler)hand *f; (di pittore)* Pinselführung *f; mus* Anschlag *m;* **3.** *(di campana)* Läuten *n,* Glockenschlag *m; (di orologio)* Schlagen *n,* Schlag *m.*

tocco[2] ['tɔkko] ⟨-cchi⟩ *m (di pane, formaggio)* Brocken *m.*

toga ['tɔ:ga] ⟨-ghe⟩ *f* **1.** *st* Toga *f;* **2.** *dir* Talar *m,* Robe *f;* **prendere la ~** *fig* Richter werden. **togato, -a** [to'ga:to] *agg* **1.** *st* mit der Toga bekleidet; **2.** *dir* mit dem Talar bekleidet; **3.** *fig* feierlich.

togliere ['tɔʎʎere] ⟨tolgo, togli, tolsi, tolto⟩ **I.** *tr* **1.** *(rimuovere)* abnehmen, wegnehmen, entfernen; *(dente)* ziehen; *(vestito)* ausziehen; *(cappello)* abnehmen; **2.** *fig (non concedere più)* (weg)nehmen; *(parola)* entziehen; **3.** *fig (divieto, seduta)* aufheben; **4.** *fig (liberare)* befreien; **~ di mezzo qu** jdn aus dem Weg schaffen (*o* räumen); **-ersi la vita** sich *(dat)* das Leben nehmen; **ciò non toglie che** *+congv* das schließt nicht aus, daß ...; **II.** *rfl:* **-ersi** weggehen, sich entfernen.

toilette [twa'lɛt] ⟨-⟩ *f,* **toletta** [to'letta] *f* **1.** *(abito, acconciatura, stanza, operazione)* Toilette *f;* **2.** *(mobile)* Toilettentisch *m,* Frisierkommode *f.*

tolgo ['tɔlgo] *pr di* **togliere.**

tollerabilità [tollerabili'ta] ⟨-⟩ *f* Erträglichkeit *f; med* Verträglichkeit *f,* Toleranz *f wissensch.*

tollerante [tolle'rante] *agg* tolerant (*di* gegenüber). **tolleranza** [...'rantsa] *f* **1.** *(indulgenza)* Toleranz *f* (*per* gegenüber), Nachsicht *f* (*per* mit), Verständnis *n* (*per* für); **2.** *(sopportazione)* begrenzte Widerstandsfähigkeit (*per* gegenüber),

Verträglichkeit *f (per gen)*; **3.** *(dilazione)* Toleranz *f*, zulässige Verzögerung; *(scarto)* Toleranz *f*, zulässige Abweichung; **casa di** ~ Freudenhaus *n*. **tollerare** [...'ra:re] *tr* **1.** *(poter subire)* vertragen; **2.** *(sopportare)* ertragen, dulden; **3.** *(ammettere)* tolerieren, dulden.

tolsi ['tɔlsi] *p rem di* **togliere.**

tolto ['tɔlto] **I.** *pp di* **togliere; II.** *avv* abgesehen von *+dat*, ausgenommen *+akk*.

tomaia [to'ma:i̯a] ⟨-aie⟩ *f* Oberleder *n*, Obermaterial *n*.

tomba ['tomba] *f* Grab *n*; **silenzio di** ~ Grabesstille *f*; **essere una** ~ *fig* schweigen wie ein Grab; **avere un piede nella** ~ *fig* mit einem Fuß im Grabe stehen. **tombale** [...'ba:le] *agg* Grab(es)-. **tombarolo** [tomba'rɔ:lo] *m, f sl* Grabräuber(in) *m(f)*.

tombino [tom'bi:no] *m* Kanalschacht *m*, Gully *m*.

tombola ['tombola] *f* Zahlenlotto *n*.

tombolo ['tombolo] *m* **1.** *(lavorazione)* Klöppelkissen *n*; **2.** *fam scherz* Tonne *f*.

Tommaso [tom'ma:zo] *(nome proprio maschile)* Thomas.

tomo ['tɔ:mo] *m* **1.** *(volume)* Band *m*; **2.** *fig fam* Nummer *f fam*, Marke *f fam*.

tomografia [tomogra'fi:a] *f* Tomographie *f*; ~ **assiale computerizzata (***acr* **TAC)** Computertomographie *f*. **tomografo** [to'mɔ:grafo] *m* Tomograph *m*.

tonaca ['tɔ:naka] ⟨-che⟩ *f (di frate)* Kutte *f*; *(di prete)* Talar *m*; *(di monaca)* Ordenskleid *n*, Schwesterntracht *f*.

tonale [to'na:le] *agg* **1.** *mus* tonal; **2.** *(in pittura)* Ton-. **tonalità** [tonali'ta] ⟨-⟩ *f* **1.** *mus* Tonalität *f*; **2.** *(di colore)* (Farb)ton *m*.

tondeggiante [tonded'dʒante] *agg* rundlich.

tondo, -a ['tondo] **I.** *agg* rund, Rund-; **dire chiaro e** ~ rundheraus sagen; **II.** *m* Scheibe *f*, Kreis *m*; **girare in** ~ (sich) im Kreise drehen.

toner ['tɔ:ner *o* 'tounə] ⟨-⟩ *m* Toner *m*.

tonfo ['tonfo] *m* dumpfer Schlag, Plumps *m fam*; **fare un** ~ plumpsen *fam*.

tonico, -a ['tɔ:niko] ⟨-ci, -che⟩ **I.** *agg* kräftigend, anregend; *ling* betont; **II.** *m* Stärkungsmittel *n*; *(per la pelle)* Gesichtswasser *n*.

tonificare [tonifi'ka:re] ⟨tonifico, tonifichi⟩ *tr* **1.** *(irrobustire)* kräftigen, stärken; **2.** *(rinvigorire)* beleben, anregen.

tonnato, -a [ton'na:to] *agg*: **vitello** ~ Kalbfleisch in Thunfischsoße.

tonnellaggio [tonnel'laddʒo] ⟨-ggi⟩ *m* Tonnage *f*.

tonnellata [tonnel'la:ta] *f* (*abbr* **t**) Tonne *f*.

tonno ['tonno] *m* Thunfisch *m*.

tono ['tɔ:no] *m* **1.** *gener.*, *fig* Ton *m*; **2.** *med* Tonus *m*; **3.** *(di colore)* (Farb)ton *m*; **4.** *fig (modello)* Vorbild *n*; **rispondere a** ~ die passende Antwort geben; **darsi un certo** ~ eine steife Haltung annehmen; **se la prendi su questo** ~ **...** wenn du das so auffaßt ...

tonsilla [ton'silla] *f anat* Mandel *f*. **tonsillite** [...'li:te] *f* Mandelentzündung *f*.

tonsura [ton'su:ra] *f* Tonsur *f*.

tonto, -a ['tonto] *agg* einfältig, blöde.

top [tɔp] ⟨-⟩ *m* **1.** *(indumento)* Top *n*; **2.** *(vertice)* Spitze *f*.

topazio [to'pattsi̯o] ⟨-i⟩ *m* Topas *m*.

topless ['tɔplɪs] ⟨-⟩ *m* Monokini *m*, Oben-ohne-Badeanzug *m*.

top manager ['tɔp 'mænidʒə] ⟨-⟩ *mf* Topmanager(in) *m(f)*.

top model ['tɔp 'mɔdəl] ⟨-⟩ *f* Topmodel *f*.

topo ['tɔ:po] *m* Maus *f*; ~ **di biblioteca** *fig* Bücherwurm *m*.

topografia [topogra'fi:a] *f* Topographie *f*.

topolino [topo'li:no] *m* Mäuschen *n*; **T~** Mickymaus *f*.

toppa ['tɔppa] *f* **1.** *(serratura)* Schloß *n*; **2.** *(rappezzo)* Flicken *m*.

top secret ['tɔp 'si:krit] ⟨*inv*⟩ *agg* streng geheim, top secret.

top ten ['tɔp 'tɛn] ⟨-⟩ *f* Top ten *pl*, Hitparade *f*, Hitliste *f*.

torace [to'ra:tʃe] *m* Brustkorb *m*.

torba ['torba] *f* Torf *m*.

torbidezza [torbi'dettsa] *f* Trübung *f*. **torbido, -a** ['torbido] **I.** *agg* trübe; *fig* finster, dunkel; **II.** *m pl* Unruhen *f pl*, Wirren *pl*; **pescare nel** ~ *fig* im trüben fischen.

torcere ['tɔrtʃere] ⟨torco, torci, torsi, torto⟩ **I.** *tr* **1.** *(avvolgere)* (ver)drehen; *(piegare)* (um)drehen, krümmen; *(ferro, ecc.)* biegen; **2.** *(biancheria)* auswringen; **3.** *(bocca)* verziehen; *(collo)* umdrehen; **II.** *rfl*: **-ersi** sich winden, sich krümmen.

torchiare [tor'ki̯a:re] ⟨torchio, torchi⟩ *tr* **1.** *(spremere)* pressen; **2.** *fig* auspressen.

torchio ['tɔrki̯o] ⟨-chi⟩ *m tec, agr* Presse *f*.

torcia ['tɔrtʃa] ⟨-ce⟩ *f* Fackel *f*; ~ **elettrica** Taschenlampe *f*.

torcicollo [tortʃi'kɔllo] *m* steifer Hals.

tordo ['tordo] *m* Drossel *f*.

torero [to'rɛ:ro] *m* Stierkämpfer *m*, Torero *m*.

Torino [to'ri:no] *f* Turin *n*.

torma ['torma] *f* Schar *f*.

tormalina [torma'li:na] *f* Turmalin *m*.

tormenta [tor'menta] *f* Schneesturm *m*.

tormentare [tormen'ta:re] **I.** *tr (dolore, rimorso)* quälen; *(fastidio)* plagen, belästigen; **II.** *rfl*: **-arsi** sich quälen, sich plagen. **tormento** [...'mento] *m* Qual *f*, Schmerz *m*; *fig* Plage *f*, Belästigung *f*.

tornaconto [torna'konto] *m (vantaggio)* Vorteil *m*; *(utile)* Gewinn *m*.

tornado [tor'na:do] ⟨-⟩ *m* Wirbelsturm *m*, Tornado *m*.

tornante [tor'nante] *m* Kehre *f,* Haarnadelkurve *f.*
tornare [tor'na:re] **I.** *itr* ⟨*essere*⟩ **1.** *(ritornare)* zurückkommen, -kehren; **2.** *(venire di nuovo)* noch einmal kommen, wiederkommen; *(andare di nuovo)* noch einmal gehen, wieder gehen; **3.** *(ridiventare)* wieder werden; **4.** *(essere esatto, giusto)* stimmen, richtig sein; ~ **a diminuire** wieder sinken; ~ **a dire** wieder (*o* noch einmal) sagen; ~ **a proposito** wie gerufen kommen; ~ **di moda** wieder in Mode kommen; ~ **in sé** wieder zu sich *(dat)* kommen; **il conto torna** *(a. fig)* die Rechnung geht auf (*o* stimmt); **II.** *tr* ⟨*avere*⟩ *dial* zurückgeben, zurückbringen.
tornasole [torna'so:le] ⟨-⟩ *m* Lackmus *n o m.*
torneo [tor'nɛ:o] *m* Turnier *n.*
tornio ['tornio] ⟨-i⟩ *m* Drehbank *f.*
tornire [tor'ni:re] ⟨tornisco⟩ *tr* **1.** *tec* drechseln, drehen; **2.** *fig* (aus)feilen. **tornitore, -trice** [...ni'to:re] *m, f* Drechsler(in) *m(f),* Dreher(in) *m(f).*
torno ['torno] *m:* **levarsi di** ~ von hier verschwinden.
toro ['tɔ:ro] *m* **1.** *zoo* Stier *m;* **2.** *astr:* **T~** Stier *m;* **sono (del** *o* **un) T~** ich bin (ein) Stier.
torpedine[1] [tor'pɛ:dine] *f zoo* Zitterrochen *m.*
torpedine[2] [tor'pɛ:dine] *f mil* Seemine *f.*
torpediniera [torpedi'niɛ:ra] *f* Torpedoboot *n.*
torpedone [torpe'do:ne] *m* Reiseomnibus *m.*
torpido, -a ['tɔrpido] *agg* schlaff, benommen; *(pigro)* träge.
torpore [tor'po:re] *m* Schlaffheit *f,* Benommenheit *f; fig* Trägheit *f.*
torre ['tɔrre] *f* Turm *m;* ~ **di Babele** Turm *m* von Babel; *fig* Chaos *n;* ~ **di controllo** Kontrollturm *m;* ~ **di lancio** Startrampe *f.*
torrefare [torre'fa:re] ⟨*irr*⟩ *tr* rösten, brennen. **torrefazione** [...fat'tsio:ne] *f* **1.** *(azione)* Rösten *n,* Brennen *n;* **2.** *(locale)* Rösterei *f.*
torreggiare [torred'dʒa:re] ⟨torreggio, torreggi⟩ *itr* emporragen.
torrente [tor'rɛnte] *m* Wildbach *m; fig* Strom *m;* **a -i** in Strömen. **torrenziale** [torren'tsia:le] *agg* strömend; **pioggia** ~ Wolkenbruch *m.*
torrido, -a ['tɔrrido] *agg* glühend heiß; *(clima a.)* heiß.
torrione [tor'rio:ne] *m* Wachtturm *m.*
torrone [tor'ro:ne] *m weißer Nougat mit Mandeln, Honig und kandierten Früchten.*
torsi ['tɔrsi] *p rem di* **torcere.**
torsione [tor'sio:ne] *f* Verdrehung *f,* Torsion *f; (in ginnastica)* Drehung *f.*
torso ['torso] *m* **1.** *(nell'arte)* Torso *m;* **2.** *anat* Rumpf *m;* **3.** *bot (di cavolo)* Strunk *m; (di frutti)* Kerngehäuse *n.*
torsolo ['torsolo] *m (di mela)* Kerngehäuse *n; (di cavolo)* Strunk *m.*
torta ['tɔrta] *f* Torte *f,* Kuchen *m.*
tortellini [tortel'li:ni] *m pl* Tortellini *pl (ringförmige, mit Fleisch gefüllte Nudeln).* **tortelloni** [...'lo:ni] *m pl* Tortelloni *pl (größere, mit Ricotta und Gemüse gefüllte Nudeln).*
tortiera [tor'tiɛ:ra] *f* Torten-, Kuchenform *f.*
torto[1] ['tɔrto] *m* Unrecht *n;* **avere** ~ unrecht haben; **fare un** ~ **a qu** jdm Unrecht tun; **a** ~ zu Unrecht.
torto[2] ['tɔrto] *pp di* **torcere.**
tortora ['tortora] *f* Turteltaube *f.*
tortuosità [tortuosi'ta] ⟨-⟩ *f* Gewundenheit *f,* Krümmung *f; fig* krummer Weg *fam.* **tortuoso, -a** [...u'o:so] *agg* gewunden; *(strada a.)* kurvenreich; *fig* verschlungen.
tortura [tor'tu:ra] *f (a. fig)* Folter *f; (molestia)* Plage *f; fig* Qual *f,* Tortur *f.* **torturare** [...tu'ra:re] **I.** *tr* foltern; *fig* quälen, martern; **II.** *rfl:* **-arsi** sich quälen.
torvo, -a ['torvo] *agg* finster.
tosaerba [toza'ɛrba] ⟨-⟩ *f o m* Rasenmäher *m.*
tosare [to'za:re] *tr* **1.** *(pecore)* scheren; **2.** *scherz (capelli)* scheren; **3.** *(erba)* mähen; *(siepi)* stutzen, schneiden. **tosatura** [...'tu:ra] *f* **1.** *(operazione)* Scheren *n;* **2.** *(lana)* Schur-, Scherwolle *f.*
Toscana [tos'ka:na] *f* Toskana *f.*
tosse ['tosse] *f* Husten *m.* **tossicchiare** [...sik'kia:re] ⟨tossicchio, tossicchi⟩ *itr* hüsteln.
tossicità [tossitʃi'ta] ⟨-⟩ *f* Giftigkeit *f.* **tossico, -a** ['tɔssiko] ⟨-ci, -che⟩ **I.** *agg* giftig, toxisch; **II.** *m* Gift *n;* **III.** *m, f sl (tossicodipendente)* Drogenabhängige(r) *mf.*
tossicodipendente [tossikodipen'dɛnte] **I.** *agg* drogenabhängig; **II.** *mf* Drogenabhängige(r) *mf.* **tossicodipendenza** [...'dɛntsa] *f* Drogenabhängigkeit *f.*
tossicologia [tossikolo'dʒi:a] ⟨-gie⟩ *f* Toxikologie *f.* **tossicologico, -a** [tossiko'lɔ:dʒiko] ⟨-ci, -che⟩ *agg* toxikologisch. **tossicologo, -a** [...'kɔ:logo] ⟨-gi, -ghe⟩ *m, f* Toxikologe *m,* -login *f.*
tossicomane [tossi'kɔ:mane] **I.** *agg* drogen-, rauschgiftsüchtig; **II.** *mf* Drogen-, Rauschgiftsüchtige(r) *mf.* **tossicomania** [...koma'ni:a] *f* Drogen-, Rauschgiftsucht *f.*
tossina [tos'si:na] *f* Giftstoff *m,* Toxin *n.*
tossire [tos'si:re] ⟨tossisco *o* tosso⟩ *itr* husten.
tostapane [tosta'pa:ne] ⟨-⟩ *m* Toaster *m.*
tostare [tos'ta:re] *tr* rösten; *(pane a.)* toasten. **tostatura** [...ta'tu:ra] *f* Rösten *n; (del pane a.)* Toasten *n.*
tosto, -a ['tɔsto] *agg* **1.** *(testardo)* dickköpfig; **2.** *sl (eccezionale)* toll; **fac-**

cia ~ Unverschämtheit *f*, Unverfrorenheit *f*; **avere la faccia -a** unverschämt (*o* unverfroren) sein.

tot [tɔt] *fam, tec* **I.** ⟨*inv*⟩ *a* soundso viel; **II.** ⟨-⟩ *m* (bestimmte) (An)zahl *f*; *(somma)* (bestimmte) Summe *f*.

totale [to'ta:le] **I.** *agg* Gesamt-, völlig, total; **II.** *m* Gesamtsumme *f*, -betrag *m*; **III.** *f med* Vollnarkose *f*. **totalità** [totali'ta] ⟨-⟩ *f* Gesamtheit *f*, Vollständigkeit *f*. **totalitario, -a** [...'ta:rio] ⟨-i, -ie⟩ *agg* totalitär.

totalizzare [totalid'dza:re] *tr* insgesamt erzielen. **totalizzatore** [...dza'to:re] *m* Totalisator *m*.

totano ['tɔ:tano] *m* Tintenfisch *m*.

totocalcio [toto'kaltʃo] *m abbr di* **totalizzatore calcistico** Fußballtoto *n*. **totonero** [toto'ne:ro] *m* illegales Fußballtoto.

toupet [tu'pɛ] ⟨-⟩ *m* Toupet *n*.

tour de force ['tur də 'fɔrs] ⟨-⟩ *m* Gewaltaktion *f*, Tour de force *f*.

tournée [tur'ne] ⟨-⟩ *f* Tournee *f*.

tour operator ['tuə 'ɔpəreitə] ⟨-⟩ *mf* Reiseveranstalter(in) *m(f)*.

tovaglia [to'vaʎʎa] ⟨-glie⟩ *f* Tischtuch *n*, *u* -decke *f*. **tovagliolo** [...'ʎɔ:lo] *m* Serviette *f*; ~ **di carta** Papierserviette *f*.

tozzo ['tɔttso] *m (di pane)* Stück *n* (trokkenes) Brot.

tozzo, -a ['tɔttso] *agg* untersetzt, stämmig; *(cosa)* plump; *(edificio)* kompakt.

tra [tra] *prp* **1.** *gener.* zwischen *+dat*; *(in mezzo a due persone o cose)* zwischen *+dat*; *(moto a luogo)* zwischen *+akk*; *(in mezzo a più persone o cose, a. fig)* unter *+dat*; *(moto a luogo)* unter *+akk*; **2.** *(attraverso luogo)* nach *+dat*; **3.** *(partitivo)* von *+dat*, unter *+dat*; **4.** *(approssimativo)* alles in allem; **5.** *(temporale)* in *+dat*, innerhalb *+gen*; ~ **l'altro** unter anderem; ~ **breve** in Kürze; ~ **di noi** unter uns; ~ **sé e sé** bei sich, in seinem Inneren.

traballare [trabal'la:re] *itr* schwanken, taumeln; *(a. fig)* wackeln.

trabeazione [trabeat'tsio:ne] *f* Gebälk *n*.

trabiccolo [tra'bikkolo] *m scherz (auto malandata)* Schrottkiste *f*, -laube *f*, -bock *m*.

traboccare [trabok'ka:re] ⟨trabocco, trabocchi⟩ *itr* **1.** ⟨*essere*⟩ *(liquido)* überlaufen, überfließen; **2.** ⟨*avere*⟩ *(recipiente)* überlaufen.

trabocchetto [trabok'ketto] *m* **1.** *(congegno)* Falltür *f*; **2.** *fig* Falle *f*; **domanda** ~ Fangfrage *f*; **tendere un** ~ **a qu** jdm eine Falle stellen.

tracagnotto, -a [trakaɲ'ɲɔtto] *agg* untersetzt.

tracannare [trakan'na:re] *tr* hinunterstürzen, -gießen.

traccia ['trattʃa] ⟨-cce⟩ *f* **1.** *(impronta)* Spur *f*; *(di selvaggina)* Fährte *f*; **2.** *fig (ricordo)* Spur *f*; **3.** *(scia)* Kielwasser *n*; **4.** *(abbozzo)* Entwurf *m*, Skizze *f*; **essere sulle -cce di qu** jdm auf der Spur sein; **far perdere le proprie -cce** seine Spuren verwischen; **lasciare una** ~ eine Spur hinterlassen.

tracciare [trat'tʃa:re] ⟨traccio, tracci⟩ *tr* **1.** *(disegnare)* zeichnen; **2.** *(strade, ferrovie)* trassieren; **3.** *fig (progetto, piano)* entwerfen; (descrivere) umreißen.

tracciato [trat'tʃa:to] *m* **1.** *(disegno)* Graphik *f*; **2.** *(di strada)* Trasse *f*; ~ **dell'archivio** *inform* Verzeichnisstruktur *f*.

tracciatore [...tʃa'to:re] *m inform (di grafici)* Plotter *m*.

trachea [tra'kɛ:a] *f* Luftröhre *f*.

tracimare [tratʃi'ma:re] *itr* überlaufen, über die Ufer treten.

trackball [træ'kbɔ:l] *m inform* Trackball *m*.

tracolla [tra'kɔlla] *f* Schultergurt *m*, -riemen *m*; **a** ~ umgehängt; **borsa a** ~ Umhängetasche *f*.

tracollo [tra'kɔllo] *m* **1.** *fig* Zusammenbruch *m*; **2.** *(di ditta)* Pleite *f*; ~ **di borsa** Börsenkrach *m*.

tracotante [trako'tante] *agg* anmaßend, überheblich. **tracotanza** [...'tantsa] *f* Anmaßung *f*, Überheblichkeit *f*.

tradimento [tradi'mento] *m* Verrat *m*; *(di un coniuge)* Untreue *f*; **alto** ~ Hochverrat *m*; **a** ~ hinterrücks.

tradire [tra'di:re] ⟨tradisco⟩ **I.** *tr* **1.** *(venir meno alla fede)* verraten; **2.** *(coniuge)* betrügen; **3.** *(mancare)* verfehlen, nicht nachgehen (*qc* einer S. *dat*); **4.** *(speranze)* enttäuschen; **II.** *rfl*: **-irsi** sich verraten. **traditore, -trice** [...di'to:re] **I.** *m*, *f* Verräter(in) *m(f)*; **II.** *agg* verräterisch.

tradizionale [tradittsio'na:le] *agg* traditionell, herkömmlich; *(costumi a.)* überliefert.

tradizione [tradit'tsio:ne] *f* Überlieferung *f*, Tradition *f* **1.** *(consuetudine)* Brauch *m*; ~ **orale/scritta** mündliche/schriftliche Überlieferung.

tradotta [tra'dotta] *f* Militärzug *m*.

traducibile [tradut'ʃi:bile] *agg* übersetzbar; **difficilmente** ~ **in parole** schwer in Worte zu fassen.

tradurre [tra'durre] ⟨traduco, tradussi, tradotto⟩ *tr* **1.** *(testi)* übersetzen, übertragen; **2.** *(detenuti)* überführen; **3.** *fig (azioni, ecc.)* umsetzen; *(sentimenti)* ausdrücken; ~ **alla lettera/a senso** wörtlich/sinngemäß übersetzen; ~ **in parole povere** in einfache Worte kleiden. **traduttologia** [...duttolo'dʒi:a] *f* Übersetzungswissenschaft *f*. **traduttore, -trice** [...dut'to:re] *m*, *f* Übersetzer(in) *m(f)*; ~ **elettronico** elektronisches Wörterbuch, Übersetzungscomputer *m*. **traduzione** [...dut'tsio:ne] *f* **1.** *(di testi)* Übersetzung; *f*; **2.** *(di detenuti)* Überführung *f*.

trafelato, -a [trafe'la:to] *agg* atemlos,

keuchend, außer Atem.

trafficante [traffi'kante] *mf peg* Schieber(in) *m(f);* ~ **di droghe** Rauschgifthändler *m,* Dealer *m.*

trafficare [traffi'ka:re] ⟨traffico, traffichi⟩ **I.** *itr* **1.** *econ* handeln (*in* mit); **2.** *peg* schieben; **II.** *tr peg* verschachern, schieben mit.

traffico ['traffiko] ⟨-ci⟩ *m* **1.** *econ* Handel *m;* **2.** *(delle strade)* Verkehr *m;* ~ **aereo/cittadino/stradale** Luft-/Stadt-/Straßenverkehr *m;* ~ **degli stupefacenti** Drogenhandel *m;* ~ **di transito** Transitverkehr *m.*

trafiggere [tra'fiddʒere] ⟨trafiggo, trafiggi, trafissi, trafitto⟩ *tr* durchbohren.

trafila [tra'fi:la] *f* Zieheisen *n; fig* Reihe *f* von Hürden (*o* Hindernissen).

trafiletto [trafi'letto] *m* Kurzartikel *m,* Pressenotiz *f.*

trafissi [tra'fissi] *p rem di* **trafiggere.**

trafitto [tra'fitto] *pp di* **trafiggere.**

traforare [trafo'ra:re] *tr* ein Loch machen in, durchbohren, durchstechen. **traforo** [...'fo:ro] *m* **1.** *(atto, effetto)* (Durch)-bohrung *f; (intaglio)* Einschnitt *m,* Durchstich *m;* **2.** *(galleria)* Tunnel *m;* **3.** *(ricamo)* Lochstickerei *f.*

trafugamento [trafuga'mento] *m* Entwendung *f.* **trafugare** [...'ga:re] ⟨trafugo, trafughi⟩ *tr* entwenden.

tragedia [tra'dʒɛ:dia] ⟨-ie⟩ *f* **1.** *teat* Tragödie *f,* Trauerspiel *n;* **2.** *fig (avvenimento tragico)* Drama *n; (scenata)* Theater *n fam.*

traggo ['traggo] *pr di* **trarre.**

traghettare [traget'ta:re] *tr* **1.** *(cose, persone)* übersetzen; **2.** *(fiume)* überqueren. **traghettatore** [...ta'to:re] *m* Fährmann *m.* **traghetto** [...'getto] *m* Fähre *f,* Fährschiff *n;* ~ **per automobili** Autofähre *f;* ~ **spaziale** Raumfähre *f.*

tragicità [tradʒitʃi'ta] ⟨-⟩ *f* Tragik *f.*

tragico, -a ['tra:dʒiko] ⟨-ci, -che⟩ **I.** *agg* tragisch; *teat* Tragödien-; **II.** *m* Tragik *f,* Tragische(s) *n* (*di* an *+dat*).

tragicomico, -a [tradʒi'kɔ:miko] *agg* tragikomisch.

tragitto [tra'dʒitto] *m* (Weg)strecke *f,* Fahrt *f.*

traguardo [tra'guardo] *m* **1.** *(a. fig)* Ziel *n;* **2.** *(di arma)* Visier *n;* **tagliare il** ~ durchs Ziel gehen.

traiettoria [trajet'tɔ:ria] ⟨-ie⟩ *f* Flugbahn *f.*

trailer ['treilə] ⟨-⟩ *m* Trailer *m.*

trainare [trai'na:re] *tr* schleppen, ziehen; **farsi** ~ sich abschleppen lassen.

training ['treinin(g) *o* 'treiniŋ] ⟨-⟩ *m* Training *n;* ~ **autogeno** autogenes Training.

traino ['tra:ino] *m* **1.** *(il trainare)* Schleppen *n,* Ziehen *n;* **2.** *(carico)* Ladung *f,* Fuhre *f;* **3.** *(carro)* Schlitten *m,* Fuhre *f;* **fare da** ~ *econ* ein Zugpferd sein.

tralasciare [tralaʃ'ʃa:re] *tr* versäumen, unterlassen.

tralcio ['traltʃo] ⟨-ci⟩ *m* Trieb *m,* Schößling *m.*

traliccio [tra'littʃo] ⟨-cci⟩ *m* Gittermast *m.*

tralice [tra'li:tʃe]: **in** ~ *avv* schräg.

tram [tram] ⟨-⟩ *m* Straßenbahn *f.*

trama ['tra:ma] *f* **1.** *(di tessuto)* Schußfaden *m;* **2.** *(di un'opera)* Handlung *f;* **3.** *peg (macchinazione)* Intrige *f.*

tramandare [traman'da:re] *tr* überliefern.

tramare [tra'ma:re] *tr* anzetteln, aushekken *fam,* im Schilde führen.

trambusto [tram'busto] *m* Getümmel *n,* Durcheinander *n.*

tramestio [trames'ti:o] ⟨-ii⟩ *m* Durcheinander *n.*

tramezzino [tramed'dzi:no] *m* Sandwich *m o n.* **tramezzo** [...'mɛddzo] *m* Zwischenwand *f.*

tramite ['tra:mite] **I.** *m* Vermittler(in) *m(f); (via)* Verbindung *f;* **II.** *prp* durch *+akk,* mittels *+gen,* mit Hilfe von *+dat.*

tramontana [tramon'ta:na] *f* Nordwind *m;* **perdere la** ~ *scherz* den Kopf verlieren; **a** ~ nach Norden.

tramontare [tramon'ta:re] *itr* ⟨*essere*⟩ **1.** *astr* untergehen; **2.** *fig* schwinden, vergehen.

tramonto [tra'monto] *m* **1.** *astr* (Sonnen)untergang *m;* **2.** *fig* Abend *m geh.*

tramortire [tramor'ti:re] ⟨tramortisco⟩ **I.** *itr* ⟨*essere*⟩ die Besinnung verlieren, ohnmächtig werden; **II.** *tr* ⟨*avere*⟩ betäuben, bewußtlos machen.

trampolino [trampo'li:no] *m (per tuffi)* Sprungbrett *n; (per sci)* Sprungschanze *f;* ~ **di lancio** *fig* Sprungbrett *n.*

trampolo ['trampolo] *m* Stelze *f.*

tramutare [tramu'ta:re] **I.** *tr* verwandeln, verändern; **II.** *rfl:* **-arsi** sich verwandeln.

trancia ['trantʃa] ⟨-ce⟩ *f* **1.** *(tranciatrice)* Schneidemaschine *f;* **2.** *(fetta)* Scheibe *f,* Schnitte *f.* **tranciare** [...'tʃa:re] ⟨trancio, tranci⟩ *tr gastr* tranchieren; *tec* schneiden.

tranello [tra'nɛllo] *m* Falle *f;* **domanda a** ~ Fangfrage *f.*

trangugiare [traŋgu'dʒa:re] ⟨trangugio, trangugi⟩ *tr* verschlingen.

tranne ['tranne] *prp* außer *+dat,* abgesehen von *+dat.*

tranquillante [traŋkuil'lante] *m* Beruhigungsmittel *n,* Tranquilizer *m.* **tranquillità** [...li'ta] ⟨-⟩ *f* Ruhe *f,* Stille *f.* **tranquillizzare** [...lid'dza:re] *tr* beruhigen.

tranquillo, -a [traŋ'kuillo] *agg* **1.** *(calmo)* ruhig, still; **2.** *(sicuro)* ruhig, beruhigt, unbesorgt; **stia** ~! seien Sie unbesorgt!

trans- [trans-] *ecc. v. a.* **tras-** *ecc.*

transalpino, -a [-al'pi:no] *agg* transalpin(isch), jenseits der Alpen *(von Rom aus gesehen).*

transatlantico, -a [-at'lantiko] **I.** *agg* transatlantisch, Übersee-; **II.** *m* Überseedampfer *m.*

transatto [tran'satto] *pp di* **transigere.**

transazione [transat'tsi̯o:ne] *f* **1.** *dir* Vergleich *m;* **2.** *econ* Transaktion *f;* **accettare una** ~ einen Vergleich schließen.

transcodificazione [transkodifikat'tsi̯o:ne] *f* Umkodierung *f.*

transenna [tran'sɛnna] *f* Sperre *f,* Schranke *f.*

transessuale [transessu'a:le] **I.** *agg* transsexuell; **II.** *mf* Transsexuelle(r) *mf.*

transetto [tran'sɛtto] *m* Querschiff *n.*

transfer ['transfer *o* træns'fə:] ⟨-⟩ *m* Transfer *m.*

transfert ['transfert *o* trɑ̃s'fɛr] ⟨-⟩ *m econ, psic* Transfer *m,* Übertragung *f.*

transiberiano, -a [transibe'ri̯a:no] *agg* transsibirisch.

transigere [tran'si:dʒere] ⟨transigo, transigi, transigei *o* transigetti, transatto⟩ **I.** *tr* (durch Vergleich) beilegen; **II.** *itr* nachgeben; *dir* sich vergleichen.

transistor [tran'sistor] ⟨-⟩, **transistore** [...'to:re] *m* Transistor *m.*

transitabile [transi'ta:bile] *agg (a piedi)* begehbar; *(passo)* passierbar; *(strada)* befahrbar.

transitare [transi'ta:re] *tr* ⟨*essere*⟩ *(con veicolo)* befahren; *(a piedi)* begehen; *(passo)* passieren; *(attraversare)* durchqueren.

transitivo, -a [transi'ti:vo] *agg* transitiv.

transito ['transito] *m* Durchfahrt *f,* Durchgang *m,* Passage *f; (passaggio per un paese)* Transitverkehr *m;* **strada di** ~ Durchgangsstraße *f;* **divieto di** ~ Durchfahrt(s)verbot *n.*

transitorio, -a [transi'tɔ:ri̯o] ⟨-i, -ie⟩ *agg* vorübergehend, Übergangs-. **transizione** [...'tsi̯o:ne] *f* Übergang *m.*

transnazionale [transnattsi̯o'na:le] *agg* transnational.

tran tran, trantran [tran'tran] ⟨-⟩ *m* Trott *m.*

tranviario, -a [tran'vi̯a:ri̯o] ⟨-i, -ie⟩ *agg* Straßenbahn-. **tranviere** [...'vi̯ɛ:re] *mf* Straßenbahner(in) *mf.*

trapanare [trapa'na:re] *tr* (durch)bohren. **trapanazione** [...nat'tsi̯o:ne] *f* Bohrung *f,* Trepanation *f wissensch.* **trapano** ['tra:pano] *m* Bohrer *m; (med a.)* Trepan *m.*

trapassare [trapas'sa:re] **I.** *tr* ⟨*avere*⟩ durchdringen, durchbohren; *(a. fig)* überschreiten; **II.** *itr* ⟨*essere*⟩ (hin)durchgehen; *fig* durchdringen. **trapassato** [...'sa:to] *m:* ~ **prossimo** Vorvergangenheit *f;* ~ **remoto** Plusquamperfekt *n.* **trapasso** [...'passo] *m* Übertragung *f,* Übergang *m;* ~ **di proprietà** Eigentumsübertragung *f;* **di** ~ Übergangs-.

trapelare [trape'la:re] *itr* ⟨*essere*⟩ durchsickern.

trapezio [tra'pɛttsi̯o] ⟨-i⟩ *m* Trapez *n.* **trapezista** [...pet'tsista] ⟨-i *m,* -e *f*⟩ *mf* Trapezkünstler(in) *m(f).*

trapiantare [trapi̯an'ta:re] **I.** *tr* **1.** *agr, bot* um-, verpflanzen; **2.** *med* transplantieren; **II.** *rfl:* **-arsi** übersiedeln. **trapianto** [...'pi̯anto] *m* **1.** *agr, bot* Um-, Verpflanzung *f;* **2.** *med* Transplantation *f;* ~ **renale/cardiaco** Nieren-/Herztransplantation *f.*

trappola ['trappola] *f* **1.** *(a. fig)* Falle *f;* **2.** *fam (arnese mal funzionante)* Klapperkiste *f fam;* **cadere nella** ~ *fig* in die Falle gehen; **tendere una** ~ **a qu** *fig* jdm eine Falle stellen.

trapunta [tra'punta] *f* Steppdecke *f.* **trapuntato, -a** [trapun'ta:to] *agg* Stepp-, gesteppt.

trarre ['trarre] ⟨traggo, trassi, tratto⟩ **I.** *tr* **1.** *(ricavare)* (heraus)ziehen; *(cambiale)* ziehen, ausstellen; **2.** *(portare)* bringen; *(condurre)* führen; *(sospiro)* ausstoßen; **3.** *(derivare)* her-, ableiten, entnehmen; ~ **in inganno** täuschen; ~ **in arresto** verhaften; **II.** *rfl:* **-arsi** sich befreien.

tras- [tras-] *ecc. v. a.* **trans-** *ecc.*

trasalire [trasa'li:re] ⟨trasalisco⟩ *itr* ⟨*essere o avere*⟩ zusammenfahren.

trasandato, -a [trazan'da:to] *agg* ungepflegt, nachlässig.

trasbordare [trazbor'da:re] **I.** *tr* **1.** *(merci)* umladen; **2.** *(persone)* umsteigen lassen; *naut* auf ein anderes Schiff bringen; **II.** *itr* umsteigen; *naut* das Schiff wechseln. **trasbordo** [...'bordo] *m* **1.** *(di merci)* Umladung *f;* **2.** *(di persone)* Umsteigen *n; naut* Schiffwechsel *m.*

trascendentale [traʃʃenden'ta:le] *agg* transzendental; *fig* außergewöhnlich.

trascendere [traʃ'ʃendere] ⟨*irr*⟩ **I.** *tr* übersteigen; **II.** *itr* über das normale Maß hinausgehen.

trascinamento [traʃʃina'mento] *m inform* Transport *m;* ~ **automatico** automatischer Vorschub.

trascinare [traʃʃi'na:re] **I.** *tr* (mit)schleifen, (mit)schleppen; *fig* mitreißen; **II.** *rfl:* **-arsi 1.** *(persone)* sich schleppen; **2.** *(faccende)* sich hinziehen.

trascorrere [-'korrere] ⟨*irr*⟩ **I.** *tr* ⟨*avere*⟩ verbringen; **II.** *itr* ⟨*essere*⟩ vergehen.

trascorso [-'korso] *m* Fehler *m.*

trascrivere [tras'kri:vere] ⟨*irr*⟩ *tr* umschreiben; *(documento, ecc.)* abschreiben; *(su registro)* eintragen; *ling, mus* transkribieren. **trascrizione** [...krit'tsi̯o:ne] *f* Umschreibung *f; (copiatura)* Abschrift *f; (su registro)* Eintragung *f; ling, mus* Transkription *f;* ~ **fonetica** phonetische Umschrift.

trascurabile [trasku'ra:bile] *agg* unbedeutend, unerheblich.

trascurare [-ku'ra:re] **I.** *tr* **1.** *(non curare)* vernachlässigen; **2.** *(tralasciare)* versäumen, unterlassen; **3.** *(omettere)* übersehen, vergessen, außer acht lassen; **II.** *rfl:* **-arsi** sich vernachlässigen. **trascuratez-**

za [...ra'tettsa] *f* Nachlässigkeit *f* **trascurato, -a** [trasku'ra:to] *agg* verwahrlost, heruntergekommen; *(persona)* ungepflegt.

trasduttore [trasdut'to:re] *tec* Wandler *m,* Umformer *m.*

trasecolare [traseko'la:re] *itr* ⟨*essere o avere*⟩ verblüfft sein.

trasferibile [trasferibile] *agg* übertragbar.

trasferimento [trasferi'mento] *m* **1.** *(di persone)* Versetzung *f,* Versetzen *n; (di cose)* Verlegen *n;* **2.** *(trasloco)* Verlegung *f,* Umzug *m;* **3.** *fin* Transfer *m;* **4.** *dir (di diritto)* Übertragung *f;* ~ **bancario** Banküberweisung *f.* **trasferire** [...'ri:re] **I.** *tr* **1.** *(persone)* versetzen; *(cose)* verlegen; **2.** *dir (diritto)* übertragen; **3.** *(valuta)* transferieren; **II.** *rfl:* **-irsi** umziehen, übersiedeln.

trasferta [tras'fɛrta] *f* **1.** *amm* Dienstreise *f;* **2.** *sport* Auswärtsspiel *n;* **indennità di** ~ Reisespesen *pl;* **essere in** ~ auf Dienstreise sein.

trasfigurare [-figu'ra:re] *tr* **1.** *(cambiare)* verändern, verwandeln; **2.** *fig* verdrehen.

trasformare [-for'ma:re] **I.** *tr* verwandeln, umwandeln, verändern; *(prodotto)* (weiter)verarbeiten; *el* umspannen; **II.** *rfl:* **-arsi** sich verwandeln. **trasformatore** [...ma'to:re] *m* Transformator *m.* **trasformazione** [...mat'tsio:ne] *f* Verwandlung *f,* Umwandlung *f,* Veränderung *f; el* Umspannung *f; fis, scient* Transformation *f.*

trasfusione [-fu'zio:ne] *f* Blutübertragung *f,* Transfusion *f.*

trasgredire [trazgre'di:re] ⟨trasgredisco⟩ **I.** *tr* übertreten; **II.** *itr* zuwiderhandeln. **trasgressione** [...es'sio:ne] *f* **1.** *dir* Übertretung *f,* Zuwiderhandlung *f;* **2.** *fig* Überschreitung *f;* ~ **valutaria** Devisenvergehen *n.* **trasgressivo, -a 1.** *dir* regelwidrig, gesetzeswiedrig; **2.** *fig* überschreitend. **trasgressore, -greditrice** [...es'so:re, ...edi'tri:tʃe] *m, f* Rechtsbrecher(in) *m(f).*

traslato, -a [traz'la:to] **I.** *agg* bildlich, übertragen; **II.** *m* bildlicher Ausdruck. **traslazione** [...lat'tsio:ne] *f* **1.** *dir* Übertragung *f;* **2.** *fis, geol* Translation *f.*

traslocare [trazlo'ka:re] **I.** *tr* versetzen; **II.** *itr* umziehen. **trasloco** [...'lɔ:ko] ⟨-chi⟩ *m* Umzug *m,* Übersiedlung *f;* **fare il** ~ umziehen.

traslucido, -a [traz'lu:tʃido] *agg* durchscheinend, durchsichtig.

trasmettere [traz'mettere] ⟨*irr*⟩ **I.** *tr* **1.** *(diritto, malattia)* übertragen; **2.** *(notizia)* übermitteln; *(ordine)* weitergeben; **3.** *radio, TV* senden, übertragen; **II.** *rfl:* **-ersi 1.** *(di eredità)* sich vererben; **2.** *med* sich übertragen. **trasmettitore** [...ti'to:re] *m* Sender *m,* Sendestation *f.*

trasmigrazione [trazmigrat'tsio:ne] *f* Auswanderung *f.*

trasmissione [trazmis'sio:ne] *f* **1.** *gener.* Übertragung *f;* **2.** *tec* Kraftübertragung *f,* Transmission *f,* Übersetzung *f;* ~ **dati** Datenübertragung *f.*

trasmittente [trazmit'tɛnte] *f* **1.** *(stazione)* Sendestation *f,* Sender *m;* **2.** *(apparecchio)* Sendegerät *n.*

trasognato, -a [trasoɲ'ɲa:to] *agg* verträumt, traumverloren.

traspaio [tras'pa:io] *pr di* **trasparire.**

trasparente [traspa'rɛnte] *agg* durchsichtig, transparent; *fig* leicht zu durchschauen. **trasparenza** [...'rɛntsa] *f* Durchsichtigkeit *f,* Transparenz *f.*

trasparire [traspa'ri:re] ⟨traspaio *o* trasparisco, trasparii *o* trasparsi, trasparso *o* trasparito⟩ *itr* ⟨*essere*⟩ durchscheinen; *fig* ersichtlich werden; **lasciar** ~ durchblicken lassen **traspirare** [traspi'ra:re]; *itr* ⟨*essere*⟩ schwitzen, transpirieren; *fig* durchsickern. **traspirazione** [...rat'tsio:ne] *f* Schwitzen *n,* Transpiration *f.*

trasporre [-'porre] ⟨*irr*⟩ *tr* umstellen, umsetzen; *mus* transponieren.

trasportabile [-por'tabile] *agg* transportierbar; *(persona)* transportfähig.

trasportare [-por'ta:re] *tr* **1.** *gener.* (fort)tragen, (fort)bringen, fortschaffen; *(feriti, malati)* (weg)bringen; *(viaggiatori)* befördern; *(merci)* transportieren; *(per nave)* verschiffen; **2.** *econ* übertragen. **3.** *fig* versetzen; **4.** *mus* transporieren; **lasciarsi** ~ *fig* sich mitreißen lassen; *peg* sich überwältigen lassen. **trasportatore** [...ta'to:re] *m* Förderband *n.*

trasporto [-'pɔrto] *m* **1.** *(con veicolo, ecc.)* Beförderung *f,* Transport *m;* **2.** *fig (impeto)* Inbrunst *f;* ~ **aereo/marittimo** Transport *m* auf dem Luftweg/Seeweg; **-i pubblici** öffentliches Verkehrswesen; **mezzi di** ~ Beförderungs-, Transportmittel *n pl;* ~ **combinato strada-rotaia** Huckepackverkehr *m.*

trasposizione [-pozit'tsio:ne] *f* Umstellung *f,* Umsetzung *f.*

trassi ['trassi] *p rem di* **trarre.**

trastullare [trastul'la:re] **I.** *tr* unterhalten, die Zeit vertreiben (*qu* jdm); **II.** *rfl:* **-arsi 1.** *(divertirsi)* sich *(dat)* die Zeit vertreiben, sich unterhalten; **2.** *(perdere tempo)* (herum)trödeln. **trastullo** [...'tullo] *m* Zeitvertreib *m; fig (della sorte)* Spielball *m.*

trasudare [trasu'da:re] **I.** *itr* ⟨*essere*⟩ schwitzen; *med* nässen; **II.** *tr* ⟨*avere*⟩ ausschwitzen; *med* absondern.

trasversale [trazver'sa:le] **I.** *agg* quer, Quer-; *(in geometria)* transversal; **II.** *f* Transversale *f.*

tratta ['tratta] *f* **1.** *econ (cambiale)* (gezogener) Wechsel *m,* Tratte *f;* **2.** *(di persone)* (Menschen)handel *m;* **3.** *ferr* Strecke *f;* ~ **delle bianche** Mädchenhandel *m;* ~ **accettata** Akzept *n.*

trattabile [trat'ta:bile] **1.** *(prezzo, argomento, ecc.)* verhandelbar; **2.** *fig (persona)* umgänglich; **due milioni -i** Verhandlungsbasis 2 Millionen (Lire).

trattamento [tratta'mento] *m* **1.** *gener., med* Behandlung *f;* **2.** *(retribuzione)* Vergütung *f,* Lohn *m,* Gehalt *n;* **3.** *(servizio)* Bedienung *f,* Bewirtung *f;* **4.** *inform* Verarbeitung *f,* Bearbeitung *f;* ~ **di fine rapporto** *dir* Abfindung *f;* ~ **automatico delle informazioni** automatische Informationsverarbeitung. **trattare** [...'ta:re] **I.** *tr* **1.** *gener., med* behandeln; **2.** *(affari, accordi, prezzo)* verhandeln über *+akk* **3.** *(materiali)* bearbeiten; **4.** *(clientela)* bedienen, bewirten; **5.** *econ (articoli)* führen; **6.** *inform* verarbeiten; ~ **bene/male** gut/schlecht behandeln; **II.** *itr* handeln *(di* von); ~ **con** verhandeln mit; **III.** *rfl:* **-arsi** sich handeln *(di* um), gehen *(di* um); **di che cosa si tratta?** worum handelt es sich?.

trattativa [tratta'ti:va] *f* Verhandlung *f;* **-e per la pace/sul disarmo** Friedens-/Abrüstungsverhandlungen *f pl;* **avviare/rompere le -e** die Verhandlungen aufnehmen/abbrechen.

trattato [trat'ta:to] *m* **1.** *(opera)* Abhandlung *f,* Traktat *m o n;* **2.** *pol (accordo)* Abkommen *n,* (Staats)vertrag *m.*

trattazione [trattat'tsjo:ne] *f* **1.** *(di un argomento)* Behandlung *f;* **2.** *(scritto)* Abhandlung *f.*

tratteggiare [tratted'dʒa:re] ⟨tratteggio, tratteggi⟩ *tr* stricheln, schraffieren; *(a. fig)* skizzieren. **tratteggio** [...'teddʒo] ⟨-ggi⟩ *m* Schraffierung *f.*

trattenere [tratte'ne:re] ⟨*irr*⟩ **I.** *tr* **1.** *(persone)* zurückhalten, aufhalten; **2.** *(cose)* zurückbehalten; *(un importo)* einbehalten, abziehen *(su* von); **3.** *(riso, pianto)* unterdrücken; *(fiato)* anhalten; **II.** *rfl:* **-ersi 1.** *(astenersi)* sich zurückhalten, sich beherrschen; **2.** *(soffermarsi)* sich aufhalten, bleiben.

trattenimento [tratteni'mento] *m* Gesellschaftsabend *m,* unterhaltende Veranstaltung.

trattenuta [tratte'nu:ta] *f,* Abzug *m.*

trattino [trat'ti:no] *m* kleiner Strich; *(nel disegno)* Schraffierstrich *m.*

tratto[1] ['tratto] *m* **1.** *(linea)* Strich *m;* **2.** *(parte)* Stück *n,* Teil *m o n; (distanza)* Strecke *f;* **3.** *(di tempo)* Spanne *f;* **4.** *(comportamento)* Benehmen *n;* **5.** ⟨*pl*⟩ *(lineamenti)* (Gesichts)züge *m pl; (caratteristiche)* Merkmale *n pl,* Wesenszüge *m pl;* ~ **di strada** Wegstrecke *f;* **a grandi -i** *(a. fig)* in groben Zügen; **a un ~/d'un** ~ plötzlich.

tratto[2] ['tratto] *pp di* **trarre.**

trattore [trat'to:re] *m* Traktor *m,* Zugmaschine *f.*

trattoria [tratto'ri:a] ⟨-ie⟩ *f* Gastwirtschaft *f.*

trauma ['tra:uma] ⟨-i⟩ *m* Trauma *n.* **traumatico, -a** [trau'ma:tiko] ⟨-ci, -che⟩ *agg* traumatisch. **traumatizzare** [...matid-'dza:re] *tr* ein Trauma verursachen bei, traumatisieren *geh; fig* erschüttern. **traumatologico, -a** [...mato'lɔ:dʒiko] ⟨-ci, -che⟩ *agg* traumatologisch; **centro (***o* **reparto)** ~ Unfallstation *f.*

travagliare [travaʎ'ʎa:re] *tr* quälen, plagen. **travagliato, -a** [travaʎ'ʎa:to] *agg fig* schwer, mühselig. **travaglio** [...'vaʎʎo] *m* Sorge *f; (dolore)* Qual *f; med* Beschwerden *pl,* Schmerzen *m pl;* ~ **del parto** (Geburts)wehen *f pl.*

travasare [trava'za:re] *tr* umfüllen. **travaso** [...'va:zo] *m* Umfüllen *n; med* Erguß *m.*

travatura [trava'tu:ra] *f* Gebälk *n.*

trave ['tra:ve] *f* **1.** *arch* Balken *m; (struttura portante)* Träger *m;* **2.** *sport* Schwebebalken *m.*

traveggole [tra'veggole] *f pl:* **avere le** ~ sich täuschen.

traveller's cheque ['traveller 'tʃɛk] ⟨-⟩ *m* Reisescheck *m,* Travellerscheck *m.*

traversa [tra'vɛrsa] *f* **1.** *tec, arch* Querträger *m,* Traverse *f; (di binari)* Schwelle *f;* **2.** *sport (della porta)* (Quer)latte *f;* **3.** *(via)* Querstraße *f.*

traversata [...'sa:ta] *f* Überquerung *f; (di fiume, paese)* Durchquerung *f; naut* Überfahrt *f; aero* Überflug *m,* Überfliegen *n; (a nuoto)* Durchschwimmen *n.*

traversie [traver'si:e] *f pl* Widrigkeiten *f pl,* Unbilden *pl geh.* **traversina** [traver'si:na] *f* (Eisenbahn)schwelle *f.*

traverso [tra'vɛrso] **I.** *agg* quer, Quer-; **II.** *m* Querseite *f;* **di (***o* **per** *o* **a)** ~ quer; *(obliquamente)* schief; **per il** ~ der Breite nach; **mi è andato di ~ il vino** ich habe mich (am Wein) verschluckt; **andare di** ~ *fig* schiefgehen; **prendere qc di** ~ etw. in den falschen Hals bekommen.

travertino [traver'ti:no] *m* Travertin *m.*

travestimento [travesti'mento] *m* Verkleidung *f; fig* Verwandlung *f.* **travestire** [...'ti:re] **I.** *tr* verkleiden *(da* als); *fig* verwandeln *(da* in *+akk*), abwandeln; **II.** *rfl:* **-irsi** sich verkleiden *(da* als); *fig* sich verwandeln *(da* in *+akk*). **travestito** [...'ti:to] *m* Transvestit *m.*

traviare [travi'a:re] ⟨travio, travii⟩ **I.** *tr* vom rechten Weg abbringen, verführen; **II.** *rfl:* **-arsi** auf Abwege geraten, vom rechten Weg abkommen.

travisamento [traviza'mento] *m* Verdrehung *f,* Entstellung *f.* **travisare** [travi'za:re] *tr* verdrehen, entstellen.

travolgente [travol'dʒɛnte] *agg fig* unwiderstehlich, mitreißend.

travolgere [tra'vɔldʒere] ⟨*irr*⟩ *tr* **1.** *(trascinare via)* fortreißen; *(con veicolo)* überfahren; **2.** *fig* mitreißen, hinreißen.

trazione [trat'tsio:ne] *f* **1.** *gener.* Zug *m,* Ziehen *n;* **2.** *tec* Antrieb *m;* **3.** *med* Traktion *f;* ~ **anteriore/posteriore** Front-/Heckantrieb *m,* Vorderrad-/Hinterradantrieb *m;* ~ **integrale** Allradantrieb *m.*

tre [tre] **I.** *num* drei; **II.** ⟨-⟩ *m* **1.** *(numero)* Drei *f;* **2.** *(nelle date)* Dritte(r) *m;* **3.** *(voto scolastico)* ≃ Mangelhaft *n,* Ungenügend *n;* **III.** *f pl* drei Uhr; *v. a. cinque.*

trebbia ['trebbia] ⟨-ie⟩ *f* **1.** *(trebbiatrice)* Dreschmaschine *f;* **2.** *(trebbiatura)* Dreschen *n.* **trebbiare** [...'bia:re] ⟨trebbio, trebbi⟩ *tr* dreschen. **trebbiatrice** [...bia'tri:tʃe] *f* Dreschmaschine *f.*

treccia ['trettʃa] ⟨-cce⟩ *f* Zopf *m.*

trecentesco, -a [tretʃen'tesko] ⟨-schi, -sche⟩ *agg* das vierzehnte Jahrhundert betreffend. **trecento** [...'tʃɛnto] **I.** *num* dreihundert; **II.** *m* Dreihundert *f;* **il T~** das vierzehnte Jahrhundert.

tredicenne [tredi'tʃɛnne] **I.** *agg* dreizehnjährig; **II.** *mf* Dreizehnjährige(r) *mf.* **tredicesimo, -a** [...'tʃɛ:zimo] **I.** *agg* dreizehnte(r, s); **II.** *m, f* Dreizehnte(r, s) *mfn;* **III.** *m (frazione)* Dreizehntel *n,* dreizehnter Teil; **IV.** *f (retribuzione)* dreizehntes Monatsgehalt; *v. a. quinto.* **tredici** ['tre:ditʃi] **I.** *num* dreizehn; **II.** ⟨-⟩ *m* **1.** *(numero)* Dreizehn *f;* **2.** *(nelle date)* Dreizehnte(r) *m;* **III.** *f pl* dreizehn Uhr; *v. a. cinque.*

tregua ['tre:gua] *f* **1.** *mil* Waffenstillstand *m;* **2.** *fig* (Atem)pause *f.*

trekking ['trekiŋ] ⟨-⟩ *m sport* Trekking *n,* Wandern *n.*

tremare [tre'ma:re] *itr* beben, erzittern; *(fiamma)* flackern; *(voce)* zittern; *(persone)* zittern (*di* vor *+dat*); *fig* bangen (*per* um); ~ **come una foglia** wie Espenlaub zittern. **tremarella** [...ma'rɛlla] *f fam* Zittern *n; (paura)* Bammel *m fam,* großes Zittern *fam;* **avere la** ~ Zittern.

tremendo, -a [tre'mɛndo] *agg* furchtbar, entsetzlich, fürchterlich.

trementina [tremen'ti:na] *f* Terpentin *n.*

tremila [tre'mi:la] **I.** *num* dreitausend; **II.** ⟨-⟩ *m* Dreitausend *f.*

tremito ['trɛ:mito] *m* Zittern *n.*

tremolare [tremo'la:re] *itr* zittern, beben; *(luce)* flimmern; *(fiamma)* flackern.

tremolìo [tremo'li:o] ⟨-ii⟩ *m* Zittern *n.*

tremore [tre'mo:re] *m* **1.** *med* Muskelzittern *n,* Tremor *m wissensch.;* **2.** *fig* Erregung *f,* Aufregung *f; (paura)* Angst *f.*

tremulo, -a ['trɛ:mulo] *agg* zitternd, bebend.

trench [trentʃ] ⟨-⟩ *m* Trenchcoat *m.*

trend [trend] ⟨-⟩ *m* Trend *m.*

trenino [trenino] *m* Modell-, Spielzeugeisenbahn *f.*

treno ['trɛ:no] *m* Zug *m;* ~ **diretto (***abbr* **D)** Eilzug *m;* ~ **espresso** Expreß(zug) *m,* Schnellzug *m;* ~ **locale** Nahverkehrszug *m;* ~ **merci/viaggiatori** Güter-/Personenzug *m;* ~ **ultrarapido** Hochgeschwindigkeitszug *m;* **prendere/perdere il** ~ den Zug nehmen/verpassen; **viaggiare in** ~ mit dem Zug fahren; **cambiare** ~ umsteigen.

trenta ['trenta] **I.** *num* dreißig; **II.** ⟨-⟩ *m* **1.** *(numero)* Dreißig *f;* **2.** *(nelle date)* Dreißigste(r) *m; v. a. cinque.* **trentennale** [...ten'na:le] **I.** *agg* **1.** *(che dura 30 anni)* dreißig Jahre dauernd; **2.** *(che ricorre ogni 30 anni)* alle dreißig Jahre; **II.** *m* dreißigster Jahrestag. **trentenne** [...'tɛnne] **I.** *agg* dreißigjährig; **II.** *mf* Dreißigjährige(r) *mf.* **trentennio** [...'tɛnnio] ⟨-i⟩ *m* Zeitraum *m* von dreißig Jahren, dreißig Jahre. **trentesimo, -a** [...'tɛ:zimo] **I.** *agg* dreißigste(r, s); **II.** *m, f* Dreißigste(r, s) *mfn;* **III.** *m (frazione)* Dreißigstel *n,* dreißigster Teil; *v. a. quinto.* **trentina** [...'ti:na] *f:* **una** ~ **(di . . .)** (etwa) dreißig (. . .); **essere sulla** ~ an (*o* um) die Dreißig sein.

Trentino [tren'ti:no] *m* Trentino *n,* Südtirol *n;* **T~-Alto Adige** Trentino-Südtirol *n.*

Trento ['trɛnto] *f* Trient *n.*

trepidante [trepi'dante] *agg* sorgenvoll.

trepidare [trepi'da:re] *itr* sich sorgen (*per* um), bangen (*per* um).

treppiede, treppiedi [trep'piɛ:de, ...di] ⟨-⟩ *m* Dreifuß *m; fot* Stativ *n.*

trequarti [tre'kuarti] ⟨-⟩ *m (abito)* dreiviertellanger Mantel; *(giacca)* dreiviertellange Jacke.

tresca ['treska] ⟨-sche⟩ *f (relazione amorosa)* Verhältnis *n,* Techtelmechtel *n.*

trespolo ['trespolo] *m* **1.** *gener.* Gestell *n;* **2.** *fig scherz* Klapperkasten *m fam,* Klappergestell *n fam.*

Treviri ['trɛ:viri] *f* Trier *n.*

triangolare [triaŋgo'la:re] *agg* dreieckig, Dreieck-.

triangolo [tri'aŋgolo] *m* **1.** *gener., mat* Dreieck *n;* **2.** *mus* Triangel *m;* **3.** *fig* Dreiecksverhältnis *n;* ~ **d'emergenza** Warndreieck *n;* ~ **industriale** Industriedreieck *n (norditalienisches Industriegebiet zwischen Mailand, Turin und Genua).*

tribolare [tribo'la:re] *itr* leiden, viel durchmachen; **far** ~ Sorgen machen, Kummer bereiten.

tribordo [tri'bordo] *m* Steuerbord *n.*

tribù [tri'bu] ⟨-⟩ *f* **1.** *(gruppo sociale)* (Volks)stamm *m;* **2.** *scherz (famigliari)* Sippschaft *f.*

tribuna [tri'bu:na] *f* (Redner)tribüne *f; (negli stadi)* (Zuschauer)tribüne *f;* ~ **politica** politische Fernsehdiskussion.

tribunale [tribu'na:le] *m* Gericht *n;* ~ **internazionale** Internationaler Gerichtshof; ~ **supremo** oberster Gerichtshof; **chiamare in** ~ vorladen; **presentarsi in** ~ vor Gericht erscheinen.

tribuno [tri'bu:no] *m* Tribun *m.*

tributare [tribu'ta:re] *tr (onore)* erweisen; *(lodi)* zollen. **tributario, -a** [...'ta:rio] ⟨-i, -ie⟩ *agg* **1.** *(di tributo)* Steuer-, steuerlich; **2.** *(fiume)* zufließend, Neben-; **polizia -a** Steuerfahndung *f;* **riforma -a** Steuerreform *f.* **tributo** [...'bu:to] *m* **1.** *fin* Steuer *f,* Abgabe *f;* **2.** *fig* Tribut *m.*

tricheco [tri'kɛ:ko] ⟨-chi⟩ *m* Walroß *n.* **triciclo** [-'tʃi:klo] *m* Dreirad *n.* **tricolore** [triko'lo:re] **I.** *agg* dreifarbig; **II.** *m* Trikolore *f.* **tricorno** [-'kɔ:rno] *m* Dreispitz *m.* **tridente** [-'dɛnte] *m* Dreizack *m.* **tridimensionale** [-dimensio'na:le] *agg* dreidimensional.

trielina [trie'li:na] *f* Trichloräthylen *n.*

triennale [trien'na:le] **I.** *agg* **1.** *(che dura tre anni)* dreijährig; **2.** *(che ricorre ogni tre anni)* dreijährlich, Dreijahr(es)-; **II.** *f* Triennale *f.* **triennio** [tri'ɛnnio] ⟨-i⟩ *m* Zeitraum *m* von drei Jahren, drei Jahre *n pl,* Triennium *n geh.*

Trieste [tri'ɛste] *f* Triest *n.*

trifase [tri'fa:ze] *agg* dreiphasig. **trifoglio** [-'fɔʎʎo] *m* Klee *m.* **trifolato, -a** [trifolato] *agg gastr kleingeschnitten und in Öl mit Petersilie und Knoblauch gedünstet.* **trigemino, -a** [-'dʒɛ:mino] **I.** *agg* Drillings-; **II.** *m* Drillingsnerv *m,* Trigeminus *m scient.*

triglia ['triʎʎa] ⟨-glie⟩ *f* Meerbarbe *f.*

trigonometria [-gonome'tri:a] ⟨-ie⟩ *f* Trigonometrie *f.* **trilaterale** [-late'ra:le] *agg* dreiseitig. **trilione** [-'lio:ne] *m* Trillion *f.*

trillare [tril'la:re] *itr* trillern. **trillo** ['trillo] *m* Triller *m; (del campanello)* Klingeln *n.*

trilogia [trilo'dʒi:a] *f* Trilogie *f.*

trimestrale [-mes'tra:le] *agg* **1.** *(che dura tre mesi)* vierteljährig; **2.** *(ogni tre mesi)* vierteljährlich, Vierteljahr(es)-. **trimestre** [...'mɛstre] *m* Vierteljahr *n,* Trimester *n.*

trimotore [-mo'to:re] **I.** *agg* dreimotorig; **II.** *m* dreimotoriges Flugzeug.

trina ['tri:na] *f* Spitze *f.*

trincare [triŋ'ka:re] ⟨trinco, trinchi⟩ *tr fam* bechern *fam.*

trincea [trin'tʃɛ:a] *f* Schützengraben *m.*

trincerare [trintʃe'ra:re] **I.** *tr* verschanzen; **II.** *rfl:* **-arsi** sich verschanzen; **-arsi nel silenzio** sich in Schweigen hüllen.

trincetto [trin'tʃetto] *m* Schustermesser *n.*

trinciante [trint'ʃante] *m* Tranchiermesser *n.* **trinciapolli, trinciapollo** [trintʃa'polli, ...lo] ⟨-⟩ *m* Geflügelschere *f.*

trinciare [trin'tʃa:re] ⟨trincio, trinci⟩ *tr* zerkleinern, zerschneiden, zerlegen; *gastr* tranchieren.

trinità [trini'ta] ⟨-⟩ *f rel* Dreiheit *f; (religione cristiana)* Dreieinigkeit *f.*

trio ['tri:o] ⟨-ii⟩ *m* Trio *n.*

trionfale [trion'fa:le] *agg* triumphal, Triumph-. **trionfante** [...'fante] *agg* triumphierend. **trionfare** [...'fa:re] *itr* triumphieren; *(fig a.)* siegen. **trionfatore** [...fa'to:re] *m* Triumphator *m.*

trionfo [tri'onfo] *m* Triumph *m.*

trip [trɪp] ⟨-⟩ *m* (Rauschgift)trip *m.*

tripartitico, -a [tripar'ti:tiko] *agg* Dreiparteien-. **tripartito, -a** [...'ti:to] **I.** *agg* dreiteilig, Dreier-; **governo ~** Dreiparteienregierung *f;* **II.** *m* Dreiparteienregierung *f.*

triplicare [tripli'ka:re] ⟨triplico, triplichi⟩ *tr* verdreifachen. **triplice** ['tri:plitʃe] *agg* dreifach; **in ~ copia** in dreifacher Ausfertigung. **triplo, -a** ['tri:plo] **I.** *agg* dreimal soviel, dreifach; **II.** *m* Dreifache(s) *n.*

trippa ['trippa] *f* **1.** *gastr* Kutteln *f pl,* Kaldaunen *f pl;* **2.** *fam scherz (pancia)* Ranzen *m fam,* Schmerbauch *m fam.*

tripudio [tri'pu:dio] ⟨-i⟩ *m* Jubel *m.*

triregno [tri'reɲo] *m* Tiara *f.*

triste ['triste] *agg* traurig; *(fatto a.)* betrüblich. **tristezza** [...'tettsa] *f* Traurigkeit *f,* Trauer *f.*

tristo, -a ['tristo] *agg* **1.** *(cattivo)* böse, schlecht; **2.** *(misero)* dürftig, kläglich, kümmerlich.

tritacarne [trita'karne] ⟨-⟩ *m* Fleischwolf *m.*

tritare [tri'ta:re] *tr* zerkleinern; *(pestare)* zerstoßen; *(carne)* hacken. **tritatutto** [...ta'tutto] ⟨-⟩ *m* Küchenmaschine *f,* Mixgerät *n.* **trito, -a** ['tri:to] *agg* **1.** *(tritato)* zerkleinert; *(pestato)* zerstoßen; *(carne)* gehackt, Hack-; **2.** *(abito)* abgetragen; **~ e ritrito** *fig* abgedroschen.

tritone [tri'to:ne] *m* Schwanzlurch *m.*

trittico ['trittiko] ⟨-ci⟩ *m* **1.** *arch* Triptychon *n;* **2.** *letter* Trilogie *f.*

triturare [tritu'ra:re] *tr* zerkleinern, zermahlen.

triumvirato, triunvirato [triunvi'ra:to] *m* Triumvirat *n.*

trivella [tri'vɛlla] *f* (großer) Bohrer *m.* **trivellare** [trivel'la:re] *tr* (auf)bohren. **trivellazione** [...lat'tsio:ne] *f* Bohrung *f;* **torre di ~** Bohrturm *m.*

triviale [tri'via:le] *agg* vulgär, unflätig. **trivialità** [...viali'ta] ⟨-⟩ *f* Vulgarität *f.*

trofeo [tro'fɛ:o] *m* Trophäe *f; (monumento)* Siegessäule *f; (sport a.)* Siegespreis *m,* Pokal *m.*

troglodita [troglo'di:ta] ⟨-i *m,* -e *f*⟩ *mf* Höhlenmensch *m.*

trogolo ['trɔ:golo] *m* Trog *m.*

troia ['trɔ:ia] ⟨-ie⟩ *f* **1.** *zoo* Sau *f;* **2.** *fig* Hure *f,* Nutte *f.*

tromba ['tromba] *f* **1.** *mus* Trompete *f;* **2.** *(in acustica)* (Schall)trichter *m;* **~ uterina** Eileiter *m;* **~ d'Eustachio** Eustachische Röhre; **~ marina/d'aria** Wasser-/Windhose *f;* **~ delle scale** Treppenhaus *n;* **partire in ~** *fam* drauflosgehen *fam.* **trombettiere** [trombet'tiɛ:re] *m mil* Trompeter *m.* **trombettista** [...'tista] ⟨-i *m,* -e *f*⟩ *mf* Trompeter(in) *m(f).*

trombone [trom'bo:ne] *m* **1.** *mus* Posaune *f;* **2.** *fig peg* Angeber(in) *m(f),* Aufschneider(in) *m(f);* **3.** *bot* Narzisse *f,* Osterglocke *f.*

trombosi [trom'bo:zi] ⟨-⟩ *f* Thrombose *f.*

troncamento [troŋka'mento] *m* Abschneiden *n,* Abschlagen *n; (di discorso)* Abbrechen *n.* **troncare** [...'ka:re] ⟨tronco, tronchi⟩ *tr* **1.** *(tagliare)* abschneiden, abschlagen; **2.** *fig (interrompere)* abbrechen.

tronco ['troŋko] ⟨-chi⟩ *m* **1.** *bot* Stamm *m;* **2.** *anat* Rumpf *m;* **3.** *(tratto)* Abschnitt *m,* Strecke *f;* **4.** *mat* Stumpf *m;* **licenziamento in** ~ fristlose Kündigung.

tronco, -a ['troŋko] ⟨-chi, -che⟩ *agg* abgeschnitten; *fig* abgebrochen; *ling* endbetont.

troneggiare [troned'dʒa:re] ⟨troneggio, troneggi⟩ *itr* thronen.

tronfio, -a ['tronfio] ⟨-i, -ie⟩ *agg* aufgeblasen, überheblich; *(parole)* geschwollen.

trono ['trɔ:no] *m* Thron *m;* **successione al** ~ Thronfolge *f.*

tropicale [tropi'ka:le] *agg* tropisch, Tropen-. **tropico** ['trɔ:piko] ⟨-ci⟩ *m* **1.** *astr* Wendekreis *m;* **2.** ⟨*pl*⟩ *geog* Tropen *pl.*

troppo, -a ['trɔppo] **I.** *agg indef* zu viel; **fa** ~ **freddo** es ist zu kalt; **agisce con -a leggerezza** er (*o* sie) handelt zu leichtfertig; **II.** *pron indef* zuviel; ⟨*pl*⟩ zuviele; **questo è** ~ *fig* das geht zu weit; **III.** *avv* **1.** *(in quantità)* zuviel; *(in intensità)* zu sehr; **2.** *(con agg e avv)* zu; **ho mangiato** ~ ich habe zu viel gegessen; **mi sono affatica** ~ ich habe mich zu sehr angestrengt; **arriva sempre** ~ **tardi** er (*o* sie) kommt immer zu spät: **non** ~ nicht sehr, nicht besonders; **lo conosco anche (*o* fin)** ~ **bene** ich kenne ihn nur zu gut; **di** ~ zuviel; **IV.** *m* Zuviel *n,* Überflüssige(s) *n.*

trota ['trɔ:ta] *f* Forelle *f.*

trottare [trot'ta:re] *itr* traben; **far** ~ **qu** jdn auf Trab bringen. **trotterellare** [...terel'la:re] *itr (cavalli)* im leichten Trab laufen; *(persone)* trippeln.

trotto ['trɔtto] *m* Trab *m.*

trottola ['trɔttola] *f* Kreisel *m.*

troupe [trup] ⟨-⟩ *f; (di artisti)* Schauspielertruppe *f;* ~ **televisiva** Fernsehteam *n.*

trovare [tro'va:re] **I.** *tr* **1.** *gener.* finden; **2.** *(vedere, riconoscere)* vorfinden; **3.** *(sorprendere)* erwischen, ertappen; ~ **qc da ridire (su qc)** etw. auszusetzen haben (an etw. *(dat)*); **andare a** ~ **qu** jdn besuchen (gehen); **venire a** ~ **qu** jdn besuchen (kommen); **II.** *rfl:* **-arsi 1.** *(essere)* sich befinden; **2.** *(sentirsi)* sich fühlen; **3.** *(presentarsi)* sich einfinden; **4.** *(incontrarsi)* sich treffen; **-arsi bene con qu** mit jdm gut auskommen.

trovarobe [trova'rɔ:be] ⟨-⟩ *mf* Requisiteur(in) *m(f).*

trovata [tro'va:ta] *f* Geistesblitz *m,* Einfall *m;* ~ **pubblicitaria** Werbegag *m,* Werbeknüller *m.*

trovatello, -a [trova'tɛllo] *m, f* Findelkind *n.*

truccare [truk'ka:re] ⟨trucco, trucchi⟩ **I.** *tr* **1.** *(travestire)* verkleiden; **2.** *(con cosmetici)* schminken; **3.** *fig* (ver)fälschen; *(carte)* zinken; *(partita)* manipulieren; *(motore)* frisieren, tunen; **II.** *rfl:* **-arsi 1.** *(travestirsi)* sich verkleiden, sich maskieren; **2.** *(con cosmetici)* sich schminken. **truccatore, -trice** [...ka'to:re] *m, f* Maskenbildner(in) *m(f).*

trucco ['trukko] ⟨-cchi⟩ *m* **1.** *(maquillage)* Make-up *n,* Schminke *f;* **2.** *fig* Schwindel *m; (artificio)* Trick *m;* **3.** *film* Trickaufnahme *f;* ~ **leggero/pesante** leichtes/schweres Make-up.

truce ['tru:tʃe] *agg* finster, drohend.

trucidare [trutʃi'da:re] *tr* abschlachten.

truciolato [trutʃo'la:to] *m* Spanplatte *f.*

truciolo ['tru:tʃolo] *m* Span *m.*

truculento, -a [truku'lɛnto] *agg* blutrünstig.

truffa ['truffa] *f* Betrug *m.* **truffare** [...'fa:re] *tr* betrügen, prellen. **truffatore, -trice** [...fa'to:re] *m, f* Betrüger(in) *m(f).*

truppa ['truppa] *f* Truppe *f;* **-e d'occupazione** Besatzungstruppen *f pl.*

trust [trʌst] ⟨-⟩ *m* Trust *m;* ~ **dei cervelli** Brain-Trust *m.*

T-shirt ['ti: ʃə:t] ⟨-⟩ *f* T-Shirt *n.*

tu [tu] *pron pers 2ª pers sing* du; **dare del** ~ **a qu** jdn duzen, jdn mit „du" anreden; **parlare a** ~ **per** ~ ganz im Vertrauen sprechen; **trovarsi a** ~ **per** ~ sich *(dat)* plötzlich Auge in Auge gegenüberstehen.

tuba ['tu:ba] *f* **1.** *mus* Tuba *f;* **2.** *(cappello)* Zylinder *m;* **3.** *anat:* ~ **uditiva** Gehörgang *m;* ~ **uterina** Eileiter *m.*

tubare [tu'ba:re] *itr* gurren; *fig* turteln.

tubatura, tubazione [tuba'tu:ra, ...at'tsio:ne] *f* (Rohr)leitungen *f pl,* Leitungsnetz *n.*

tubercolosi [tuberku'lo:zi] ⟨-⟩ *f (abbr* **tbc, TBC**) Tuberkulose *f.*

tubero ['tu:bero] *m* Knolle *f.*

tubetto [tu'betto] *m* **1.** *(del dentifricio, ecc.)* Tube *f;* **2.** *(di aspirina, ecc.)* Röhrchen *n.*

Tubinga [tu'biŋga] *f* Tübingen *n.*

tubino [tu'bi:no] *m (abito)* Schlauchkleid *n,* enganliegendes Kleid.

tubo ['tu:bo] *m* Rohr *n,* Röhre *f; el, anat* Röhre *f; tec* Rohr *n;* ~ **di gomma** Schlauch *m;* ~ **di scappamento** Auspuffrohr *n;* ~ **digerente** Verdauungstrakt *m.* **tubolare** [tubo'la:re] **I.** *agg* röhrenförmig, Rohr-, Röhren-; **II.** *m* Schlauchreifen *m.*

tuffare [tuf'fa:re] **I.** *tr* eintauchen, tauchen; **II.** *rfl:* **-arsi 1.** *(immergersi)* (unter)tauchen; **2.** *fig (lanciarsi)* sich stürzen; *(dedicarsi)* sich vertiefen, sich versenken. **tuffo** ['tuffo] *m* **1.** *(il tuffare)*

(Ein)tauchen *n;* **2.** *(salto)* Kopfsprung *m,* Sprung *m* (ins Wasser); *(nel calcio, ecc.)* Hechtsprung *m;* **3.** *fig (emozione)* Herzklopfen *n.*

tufo ['tu:fo] *m* Tuff(stein) *m.*

tugurio [tu'gu:rjo] ⟨-i⟩ *m* (elende) Hütte *f.*

tulipano [tuli'pa:no] *m* Tulpe *f.*

tulle ['tulle] *m* Tüll *m.*

tumefazione [tumefat'tsjo:ne] *f* Schwellung *f.*

tumido, -a ['tu:mido] *agg* geschwollen; *(labbra a.)* fleischig.

tumore [tu'mo:re] *m* Geschwulst *f,* Tumor *m.*

tumulazione [tumulat'tsjo:ne] *f* Beisetzung *f.*

tumulo ['tu:mulo] *m* **1.** *geog* Erdhügel *m;* **2.** *(in archeologia)* Tumulus *m,* Hügelgrab *n.*

tumulto [tu'multo] *m* Tumult *m,* Unruhe *f; (fig a.)* Aufruhr *m.* **tumultuoso, -a** [...tu'o:so] *agg* stürmisch, ungestüm; *(fiume)* wild; *(folla, ecc.)* erregt; *(sentimenti)* aufgewühlt.

tuner ['tju:ner *o* 'tju:nə] ⟨-⟩ *m* Tuner *m.*

tunica ['tu:nika] ⟨-che⟩ *f* Tunika *f.*

tunnel ['tunnel] ⟨-⟩ *m* Tunnel *m.*

tuo, -a ['tu:o] ⟨tuoi, tue⟩ **I.** *agg* dein; **la -a voce/anima** deine Stimme/Seele; ~ **padre/zio** dein Vater/Onkel; **un** ~ **amico** einer deiner Freunde, ein Freund von dir *fam;* **II.** *pron:* **il** ~, **la -a** deiner, deine, dein(e)s; **III.** *m:* **il** ~ das Dein(ig)e; **i tuoi** die Deinen *geh,* deine Familie.

tuonare [tuo'na:re] **I.** *itr* ⟨*avere*⟩ **1.** *meteo* donnern; **2.** *fig* wettern; **II.** *itr impers* ⟨*essere o avere*⟩ donnern.

tuono ['tuɔ:no] *m (a. fig)* Donner *m.*

tuorlo ['tuɔrlo] *m* (Ei)dotter *m o n,* Eigelb *n.*

turacciolo [tu'rattʃolo] *m* Pfropfen *m; (di sughero)* Korken *m.*

turare [tu'ra:re] *tr* ver-, zustopfen; *(bottiglia)* zustöpseln; *(con sughero)* zu-, verkorken; *(falla)* abdichten; *(naso, orecchi)* zuhalten.

turba[1] ['turba] *f (di persone)* Menge *f; (peg a.)* Meute *f.*

turba[2] ['turba] *f med* Störung *f.*

turbamento [turba'mento] *m* Unruhe *f,* Verwirrung *f.*

turbante [tur'bante] *m* Turban *m.*

turbare [tur'ba:re] **I.** *tr* **1.** *(disturbare)* stören; **2.** *(sconvolgere)* verwirren, aus der Fassung bringen; **II.** *rfl:* **-arsi** sich beunruhigen, in Erregung geraten.

turbina [tur'bi:na] *f* Turbine *f.*

turbinare [turbi'na:re] *itr (a. fig)* wirbeln; *fig* schwirren.

turbine ['turbine] *m* Wirbelwind *m; (a. fig)* Wirbel *m.*

turbo ['turbo] ⟨*inv*⟩ *agg* Turbo-; **motore** ~ Turbomotor *m.* **turbocompressore** [-kompres'so:re] *m tec* Turbokompressor *m; mot* Turbolader *m;* ~ **a gas di scarico** Abgasturbolader *m.*

turbodiesel [-'di:zel] **I.** ⟨*inv*⟩ *agg* Turbodiesel-; **II.** ⟨-⟩ *m o f* Turbodiesel *m.*

turbolento, -a [turbo'lɛnto] *agg* turbulent; *(a. fig)* stürmisch. **turbolenza** [...'lɛntsa] *f* **1.** *meteo, chim, econ* Turbulenz *f;* **2.** *fig* Unruhe *f,* Aufruhr *m.*

turca *f v.* **turco.**

turchese [tur'ke:se] **I.** *f min* Türkis *m;* **II.** *m (colore)* Türkis *n.*

Turchia [tur'ki:a] *f:* **(la)** ~ die Türkei.

turchino, -a [tur'ki:no] *agg* tiefblau.

turco, -a ['turko] ⟨-chi, -che⟩ **I.** *agg* türkisch, Türken-; **sedere alla -a** im Schneidersitz sitzen; **II.** *m* Türkisch(e) *n;* **parlare in** ~ *fig* Chinesisch reden *fam,* so reden, daß es einem spanisch vorkommt *fam;* **III.** *m, f* Türke *m,* Türkin *f;* **bestemmiare come un** ~ wie ein Landsknecht fluchen; **fumare come un** ~ rauchen wie ein Schlot.

turgido, -a ['turdʒido] *agg* prall; *med* (an)geschwollen.

Turgovia [tur'gɔ:vja] *f* Thurgau *m.*

Turingia [tu'rindʒa] *f* Thüringen *n.*

turismo [tu'rizmo] *m* Tourismus *m,* Fremdenverkehr *m;* ~ **di massa** Massentourismus *m.*

turista [tu'rista] ⟨-i *m,* -e *f*⟩ *mf* Tourist(in) *m(f).* **turistico, -a** [tu'ristiko] ⟨-ci, -che⟩ *agg* touristisch, Touristen-; *(assegno, ufficio, agenzia)* Reise-.

Turkmenistan [turk'menistan] *m* Turkmenien *n.*

turlupinare [turlupi'na:re] *tr* hintergehen.

turnazione [turnat'tsjo:ne] *f* Schichtbetrieb *m.*

turnista [tur'nista] ⟨-i *m,* -e *f*⟩ *mf* Schichtarbeiter(in) *m(f).*

turno ['turno] *m* Reihenfolge *f,* Turnus *m; (di lavoro)* Schicht *f; mil* Dienst *m; sport* Runde *f;* ~ **di notte** Nachtschicht *f;* **medico di** ~ Bereitschaftsarzt *m,* diensthabender Arzt; **aspettare il proprio** ~ warten, bis man an der Reihe ist; **essere di** ~ Dienst haben; **fare a** ~ sich abwechseln; **a** ~ abwechselnd; *(lavorare)* schichtweise.

turpe ['turpe] *agg* unanständig, schamlos. **turpiloquio** [...pi'lɔkuio] ⟨-qui⟩ *m* obszöne Ausdrucksweise.

turrito, -a [tur'ri:to] *agg* mit Türmen versehen, turmreich.

TUT [tut] *f abbr di* **Tariffa Urbana a Tempo** Zeittakt *m.*

tuta ['tu:ta] *f* **1.** *(per lavoro)* Arbeitsanzug *m,* Overall *m;* **2.** *sport* Jogginganzug *m;* ~ **spaziale** Raumanzug *m;* ~ **blu** *fig* Arbeiter(in) *m(f).*

tutela [tu'tɛ:la] *f* **1.** *(difesa)* Schutz *m; (a. fig)* Wahrung *f;* **2.** *dir* Vormundschaft *f;* ~ **dell'ambiente** Umweltschutz *m;* ~ **del consumatore** Verbraucherschutz *m.*

tutelare [tute'la:re] **I.** *agg* **1.** *gener.*

schützend, Schutz-; **2.** *dir* vormundschaftlich, Vormundschafts-; **II.** *tr* schützen; *(a. fig)* wahren; ~ **i propri interessi** seine Interessen vertreten; **III.** *rfl:* **-arsi** sich schützen.

tutina [tu'ti:na] *f* **1.** *(per donna)* Gymnastikanzug *m;* **2.** *(per bambini)* Strampelanzug *m,* Strampelhose *f.*

tutore, -trice [tu'to:re] *m, f* **1.** *gener.* Hüter(in) *m(f);* **2.** *dir* Vormund *m;* **i -i dell'ordine pubblico** die Ordnungshüter *m pl.*

tuttavia [tutta'vi:a] *cong* dennoch, jedoch.

tutto, -a ['tutto] **I.** *agg* **1.** ⟨*sing*⟩ ganz, all; **2.** ⟨*pl*⟩ alle, sämtliche; **3.** *(con agg)* ganz, über-; **4.** *(ogni, qualsiasi)* jeder(e,s); ~ **il denaro** das ganze Geld, all das Geld; **-e le donne** alle Frauen; **è -a felice** sie ist überglücklich, sie ist ganz glücklich *fam;* **ho i capelli -i bagnati** meine Haare sind ganz naß; **-a la mia famiglia** meine ganze Familie; **-a la notte** die ganze Nacht; **-e le sere** jeden Abend; **-i e due** (alle) beide; **a tutt'oggi** bis (einschließlich) heute; **a -a velocità** mit voller Geschwindigkeit; ~ **compreso** alles inbegriffen; ~ **sommato** *fig* alles in allem; **tutt'altro** ganz im Gegenteil, überhaupt nicht; **tutt'altro che ...** alles andere als ...; **II.** *pron indef* **1.** ⟨*sing*⟩ alles; **2.** ⟨*pl*⟩ alle; **e non è** ~ und das ist längst noch nicht alles!; **-i risero** alle lachten, alles lachte *fam;* **prima di** ~ zunächst; **in** ~ insgesamt, in allem; **III.** *avv* ganz, ganz und gar; **del** ~ völlig, gänzlich; **tutt'al più** höchstens; *(nel peggiore dei casi)* schlimmstenfalls; **IV.** *m* Ganze(s) *n;* **rischiare (*o* tentare) (il)** ~ **per (il)** ~ alles aufs Spiel setzen.

tuttofare [tutto'fa:re] **I.** ⟨*inv*⟩ *agg* Allround-, für alles; **donna** ~ Haushaltshilfe *f;* **una segretaria** ~ ein Mädchen *n* für alles *fam;* **II.** ⟨-⟩ *mf* Haushaltshilfe *f.*

tuttologo, -a [tut'tɔ:logo] ⟨-gi *m* -ghe *f*⟩ *m, f iron scherz* Universalgenie *n scherz,* Alleswisser(in) *m(f) pej.*

tuttora [tut'to:ra] *avv* immer noch, noch (immer).

tutù [tu'tu] ⟨-⟩ *m* Ballettröckchen *n.*

TV [tiv'vu] ⟨-⟩ *f abbr di* **televisione** TV (*abk von* Television).

U

U, u [u] ⟨-⟩ *f* U, u *n;* **u come Udine** U wie Ulrich.

ubbidiente [ubbi'diεnte] *agg* **1.** *(chi ubbidisce)* gehorsam, folgsam; **2.** *(docile)* gefügig. **ubbidienza** [...'diεntsa] *f* **1.** *(l'ubbidire)* Gehorsam *m; (di bambini, animali a.)* Folgsamkeit *f;* **2.** *(sottomissione)* Ergebenheit *f,* Untertänigkeit *f.*

ubbidire [ubbi'di:re] ⟨ubbidisco⟩ *itr* **1.** *(ai genitori, al padrone)* folgsam (*o* gehorsam) sein, gehorchen (*a qu* jdm), folgen (*a qu* jdm); **2.** *(a un ordine)* befolgen (*a qc* etw.); **3.** *fig (macchine, strumenti)* gehorchen.

ubicazione [ubikat'tsio:ne] *f* **1.** *(posizione topografica)* Lage *f;* **2.** *(luogo)* Standort *m.*

ubiquità [ubikui'ta] ⟨-⟩ *f* Allgegenwart *f;* **non ho il dono dell'~!** *scherz* ich kann nicht überall gleichzeitig sein!

ubriaca *f v.* **ubriaco.**

ubriacare [ubria'ka:re] ⟨ubriaco, ubriachi⟩ **I.** *tr* **1.** *(inebriare)* betrunken machen; **2.** *fig (stordire)* betäuben, benommen machen; **II.** *rfl:* **-arsi** sich betrinken. **ubriacatura** [...ka'tu:ra] *f (a. fig)* Rausch *m.* **ubriachezza** [...'kettsa] *f* **1.** *(stato di alterazione)* (Be)trunkenheit *f;* **2.** *(vizio)* Trunksucht *f.* **ubriaco, -a** [...i'a:ko] ⟨-chi, -che⟩ **I.** *agg* **1.** *(ebbro)* betrunken; **2.** *fig (esaltato)* trunken, berauscht; **3.** *fig (stordito)* betäubt, benommen; ~ **fradicio** *fam* stockbetrunken *fam,* sternhagelvoll *fam;* ~ **di sonno** schlaftrunken; **II.** *m, f* Betrunkene(r) *mf.* **ubriacone, -a** [...ia'ko:ne] *m, f* Säufer(in) *m(f),* Trinker(in) *m(f).*

uccellatore, -trice [uttʃella'to:re] *m, f* Vogelfänger(in) *m(f),* -steller(in) *m(f)* . **uccelliera** [...'liε:ra] *f* Vogelhaus *n,* Voliere *f.*

uccello [ut'tʃεllo] *m* **1.** *zoo* Vogel *m;* **2.** *volg (pene)* Schwanz *m vulg;* **essere uccel di bosco** vogelfrei sein; **fare l'~ del malaugurio** den Teufel an die Wand malen.

uccidere [ut'tʃi:dere] ⟨uccido, uccisi, ucciso⟩ **I.** *tr* **1.** *(ammazzare)* töten, umbringen; *(affrettare la morte)* ins Grab bringen; *(debilitare)* (fast) umbringen *fam;* **2.** *fig (eliminare)* zerstören, umbringen *fam;* **II.** *rfl:* **-ersi 1.** *(suicidarsi)* sich umbringen, Selbstmord begehen; **2.** *(vicendevolmente)* sich umbringen (*o* töten); **3.** *(perdere la vita)* ums Leben kommen, umkommen.

uccisi [ut'tʃi:zi] *p rem di* **uccidere.**

uccisione [uttʃi'zio:ne] *f* Tötung *f.* **ucciso** [ut'tʃi:zo] *pp di* **uccidere.**

uccisore [uttʃi'zo:re] *m,* **ucciditrice** [...idi'tri:tʃe] *f* Mörder(in) *m(f),* Totschläger(in) *m(f).*

Ucraina *f* Ukraine *f.*

udienza [u'diεntsa] *f* **1.** *(ascolto)* Gehör *n;* **2.** *(colloquio)* Audienz *f,* Empfang *m;* **3.** *dir* (Gerichts)verhandlung *f;* **chiedere** ~ um Gehör bitten; **dare** ~ Gehör schenken

udire [u'di:re] ⟨odo, udii, udito⟩ *tr* **1.** *(sentire, comprendere)* hören, vernehmen; **2.** *lett (esaudire)* erhören. **udito** [u'di:to] *m* Gehör *n,* Gehörsinn *m.* **uditore, -trice** [...'to:re] *m, f* Zuhörer(in) *m(f),* Hörer(in) *m(f); (all'università)* (Gast)hörer(in) *m(f); dir* Referendar(in) *m(f).* **uditorio** [...'tɔ:rio] ⟨-i⟩ *m* (Zu)hörerschaft *f,* Auditorium *n geh.*

U.E. *f abbr di* **Unione Europea** *f* EU *f (abk von* Europäische Union).

U.E.O. *f abbr di* **Unione dell'Europa Occidentale** *f* WEU *f (abk von* Westeuropäische Union).

ufficiale [uffi'tʃa:le] **I.** *agg* offiziell; *(a. amm)* amtlich; **Gazzetta U~** Amtsblatt *n;* **visita** ~ *pol* Staatsbesuch *m;* **II.** *m* **1.** *amm* Beamte(r) *m,* Beamtin *f;* **2.** *mil* Offizier *m;* ~ **giudiziario** Gerichtsbeamte(r) *m;* **pubblico** ~ Amtsperson *f.* **ufficialità** [...tʃali'ta] ⟨-⟩ *f* Amtlichkeit *f,* offizieller Charakter. **ufficializzare** [uffitʃalid'dza:re] *tr* (offiziell) bekanntgeben.

ufficio [uf'fi:tʃo] ⟨-ci⟩ *m* **1.** *(posto di lavoro)* Büro *n; (settore)* Abteilung *f;* **2.** *amm (organo)* Amt *n;* **3.** *dir (funzioni, doveri)* (Amts)pflicht *f;* **4.** *rel* Offizium *n,* Messe *f,* Hochamt *n;* ~ **brevetti europeo** Europäisches Patentamt (*abk* EPA); ~ **contabilità** Buchhaltung *f;* ~ **divino** Chorgebet *n;* ~ **funebre** Totenmesse *f,* -amt *n;* ~ **informazioni/viaggi** Informations-/Reisebüro *n;* ~ **personale** Personalabteilung *f,* -büro *n;* ~ **postale** Postamt *n;* ~ **vendite** Verkaufsabteilung *f.* **ufficioso, -a** [uffi'tʃo:so] *agg* halbamtlich, inoffiziell.

ufo ['u:fo]: **a** ~ *avv* umsonst, unentgeltlich; *peg* auf Kosten anderer; **vivere a** ~ schmarotzen, zu Lasten anderer leben.

U.F.O., ufo ['u:fo] ⟨-⟩ *m* Ufo *n,* UFO *n.* **ufologia** [ufolo'dʒi:a] *f* Ufologie *f.* **ufologo, a** [u'fɔ:logo] ⟨-gi *m,* -ghe *f*⟩ Ufologe *m,* -login *f.*

ugello [u'dʒεllo] *m* Düse *f.*

uggia ['uddʒa] ⟨ugge⟩ *f lett (noia)* Langeweile *f; (molestia)* Lästigkeit *f*.
uggiolare [uddʒo'la:re] *itr* winseln, jaulen.
uggioso, -a [ud'dʒo:so] *agg* langweilig.
Ugo ['u:go] *(nome proprio maschile)* Hugo.
ugola ['u:gola] *f* **1.** *anat* (Gaumen)zäpfchen *n;* **2.** *fig* Kehle *f;* **avere un'~ d'oro** Gold in der Kehle haben.
uguaglianza [uguaʎ'ʎantsa] *f* **1.** *(identità, l'essere uguale)* Gleichheit *f; (mat a.)* Äquivalenz *f;* **2.** *(uniformità)* Gleichförmigkeit *f*, Gleichmäßigkeit *f*. **uguagliare** [...'ʎa:re] ⟨uguaglio, uguagli⟩ **I.** *tr* **1.** *(rendere uguale)* gleichmachen, angleichen; *(fig a.)* gleichstellen; **2.** *(rendere uniforme, regolare)* gleichförmig (*o* gleichmäßig) machen; **3.** *fig (essere pari)* gleichkommen (*qu in qc* jdm an etw.); **4.** *sport* egalisieren, einstellen; **II.** *rfl:* **-arsi 1.** *(giudicarsi uguale)* ebenbürtig sein (*a, con qu* jdm); **2.** *(bilancio)* sich ausgleichen.
uguale [u'gua:le] **I.** *agg* **1.** *(identico)* gleich; **2.** *(che rimane uguale)* gleichbleibend, gleichmäßig; **3.** *mat* gleich(-wertig), äquivalent; **4.** *(uniforme)* gleichförmig; **7 più 7 è ~ a 14** 7 plus 7 (ist) gleich 14; **II. 1.** *mf (gener. pl)* Ebenbürtige(r) *mf;* **2.** *n (gener. pl)* Gleiche *n;* **che tu vada o rimanga per me è ~** es ist mir egal (*o* gleich), ob du gehst oder bleibst; **III.** *avv* gleich, egal; **sono grandi ~i** sie sind gleich groß. **ugualmente** [ugual'mente] *avv* **1.** *(parimenti)* gleich, in gleicher Weise, gleichermaßen; **2.** *(tuttavia)* dennoch.
U.I.L. [uil] *f abbr di* **Unione Italiana del Lavoro** *italienischer Gewerkschaftsbund.*
ulcera ['ultʃera] *f* Geschwür *n; fam* Magengeschwür *n*. **ulcerazione** [...rat'tsio:ne] *f* Geschwürbildung *f*, Ulzeration *f wissensch.*
Ulisse [u'lisse] *(nome proprio maschile)* Odysseus.
uliva [u'li:va] *v.* **oliva.**
ulteriore [ulte'rio:re] *agg* weitere(r, s), zusätzlich.
ultima *f v.* **ultimo.**
ultimare [ulti'ma:re] *tr* beenden, zu Ende führen, abschließen.
ultimatum [ulti'ma:tum] ⟨-⟩ *m* Ultimatum *n.*
ultimissima [ulti'missima] *f* **1.** *(giornale)* neueste (*o* letzte) Ausgabe; **2.** ⟨*pl*⟩ *(notizie)* letzte Nachrichten *f pl* (*o* Meldungen *f pl).*
ultimo, -a ['ultimo] **I.** *agg* **1.** *(finale)* letzte(r, s); *(recente a.)* neueste(r, s); *(molto lontano a.)* fernste(r, s); *(origini)* erste(r, s); **2.** *fig (di minima importanza)* geringste(r, s), letzte(r, s); **3.** *(decisivo)* letzte(r, s), entscheidend; **4.** *(massimo)* höchste(r, s); **quest'~** *(persona)* letzterer; **avere l'~a parola** das letzte Wort haben; **l'~ grido della moda** der letzte (Mode)schrei; **all'~ momento** im letzten Moment; **II.** *m, f* **1.** *(della serie)* Letzte(r, s) *mfn;* **2.** *(il peggiore)* Schlechteste(r, s) *mfn;* **l'~ del mese** der Letzte des Monats; **all'~** zuletzt, am Ende; **da ~** als letztes, zu guter Letzt; **fino all'~** bis zuletzt; **in ~** am Ende, zu guter Letzt; **per ~** zuletzt, als letzte(r, s); **sull'~** gegen Ende.
ultra, ultrà ['ultra, ul'tra] **I.** ⟨- *o* -s⟩ *mf* **1.** *pol* Extremist(in) *m(f)*, Ultra *m;* **2.** *sport* Hooligan *m;* **II.** ⟨*inv*⟩ *agg* **1.** *scient* ultra-, Ultra-; **2.** *pol* extrem; **la destra ~** die Rechtsextremisten *m pl.* **ultramoderno, -a** [-mo'dɛrno] *agg* hypermodern, supermodern. **ultrarapido, -a** [-'ra:pido] *agg* **1.** *(velocità)* sehr schnell; **2.** *film, fot* hochempfindlich. **ultrasonico, -a** [-'sɔ:niko] ⟨-ci, -che⟩ *agg* **1.** *fis* Ultraschall-; **2.** *(supersonico)* Überschall-. **ultrasuono** [-'suɔ:no] *m* Ultraschall *m.* **ultraterreno, -a** [-ter're:no] *agg* überirdisch. **ultravioletto, -a** [-vio'letto] *agg* ultraviolett.
ululare [ulu'la:re] *itr* heulen. **ululato, ululo** [...'la:to, 'u:lulo] *m* Geheul *n; (a. fig)* Heulen *n.*
umanamente [umana'mente] *avv* **1.** *(dell'uomo)* menschlich; **2.** *fig (con umanità)* menschenwürdig, human.
umanista [uma'nista] ⟨-i *m*, -e *f*⟩ *mf* Humanist(in) *m(f).*
umanità [umani'ta] ⟨-⟩ *f* **1.** *(natura umana)* menschliche Natur, Menschsein *n;* **2.** *(sentimento)* Menschlichkeit *f*, Humanität *f;* **3.** *(genere umano)* Menschheit *f*. **umanitario, -a** [...'ta:rio] ⟨-i, -ie⟩ *agg* menschenfreundlich, humanitär.
umanizzare [umanid'dza:re] *tr* **1.** *(rendere più umano)* humanisieren, menschlicher machen (*o* gestalten); **2.** *(rendere più civile)* zivilisieren.
umano, -a [u'ma:no] **I.** *agg* **1.** *(dell'uomo)* menschlich, Menschen-; **2.** *fig* human, menschlich, menschenfreundlich; **II.** *m* Menschliche(s) *n*, Humane(s) *n.*
Umberto [um'bɛrto] *(nome proprio maschile)* Humbert.
Umbria ['umbria] *f* Umbrien *n.*
umettare [umet'ta:re] *tr* anfeuchten, befeuchten, benetzen *geh.*
umidificare [umidifi'ka:re] ⟨umidifico, umidifichi⟩ *tr* feucht machen; *(aria)* befeuchten, mit Feuchtigkeit anreichern. **umidificatore** [...ka'to:re] *m* (Luft)befeuchter *m.*
umidità [umidi'ta] ⟨-⟩ *f* Feuchtigkeit *f.*
umido, -a ['u:mido] **I.** *agg* feucht; **II.** *m* **1.** *(umidità)* Feuchtigkeit *f;* **2.** *gastr* Geschmorte(s) *n.*
umile ['u:mile] *agg* **1.** *(modesto)* bescheiden; **2.** *(sottomesso)* ehrerbietig, erge-

ben; **3.** *(che denota umiltà) a. rel* demütig; **4.** *(di modesto grado sociale)* niedrig, ärmlich; **5.** *(dimesso)* schlicht, einfach.

umiliare [umi'lia:re] ⟨umilio, umilii⟩ **I.** *tr* **1.** *(avvilire)* demütigen, erniedrigen; **2.** *(reprimere)* dämpfen, unterdrücken; **II.** *rfl:* **-arsi 1.** *(avvilirsi)* sich erniedrigen; **2.** *(fare atto di sottomissione)* sich auf die Knie werfen; *fig* sich beugen. **umiliazione** [...iat'tsio:ne] *f* Demütigung *f,* Erniedrigung *f.*

umiltà [umil'ta] ⟨-⟩ *f* **1.** *(modestia)* Demut *f,* Bescheidenheit *f;* **2.** *(deferenza)* Ergebenheit *f,* Ehrerbietung *f geh;* **3.** *(modesta condizione sociale)* Ärmlichkeit *f;* **4.** *(l'essere semplice)* Schlichtheit *f,* Einfachheit *f.*

umore [u'mo:re] *m* **1.** *bot* (Pflanzen)saft *m;* **2.** *(indole)* Wesensart *f,* Temperament *n,* Gemüt *n;* **3.** *(disposizione d'animo)* Laune *f,* (Gemüts)verfassung *f,* Stimmung *f;* **essere di buon/cattivo** ~ gute/schlechte Laune haben, guter/schlechter Laune sein.

umorismo [umo'rizmo] *m* Humor *m.* **umorista** [...'rista] ⟨-i *m,* -e *f*⟩ *mf* Humorist(in) *m(f).* **umoristico, -a** [...'ristiko] ⟨-ci, -che⟩ *agg* spaßig, witzig, humoristisch.

un' [un] *art indet f davanti a vocale* ein *m,* eine *f,* ein *n.*

un, -a [un, 'u:na] *art indet m e f* ein *m,* eine *f,* ein *n.*

una *v.* **un, uno.**

unanime [u'na:nime] *agg* einstimmig, einmütig, einhellig. **unanimità** [unanimi'ta] ⟨-⟩ *f* Einmütigkeit *f,* Einstimmigkeit *f;* **all'**~ einstimmig.

una tantum ['u:na 'tantum] **I.** ⟨*inv*⟩ *agg* einmalig; **II.** ⟨-⟩ *f* einmalige Sonderzahlung; *(imposta)* einmalige Sondersteuer.

uncinare [untʃi'na:re] *tr* mit einem Haken fassen (*o* packen). **uncinato, -a** [...'na:to] *agg* hakenförmig; *(con uncini)* mit Haken versehen; **croce -a** Hakenkreuz *n.*

uncinetto [untʃi'netto] *m* Häkelnadel *f.*

uncino [un'tʃi:no] *m* Haken *m.*

underground [ander'graund] **I.** ⟨*inv*⟩ *agg* Untergrund-; **II.** ⟨-⟩ *m* Underground *m.*

understatement [ander'steitment] ⟨-⟩ *m* Understatement *n,* Untertreibung *f.*

undicenne [undi'tʃɛnne] **I.** *agg* elfjährig; **II.** *mf* Elfjährige(r) *mf.* **undicesimo, -a** [...'tʃɛ:zimo] **I.** *agg* elfte(r, s); **II.** *m, f* Elfte(r, s) *mfn;* **III.** *m (frazione)* Elftel *n,* elfter Teil; *v. a. quinto.* **undici** ['unditʃi] **I.** *agg num* elf; **II.** ⟨-⟩ *m* **1.** *(numero)* Elf *f;* **2.** *(nelle date)* Elfte(r) *m;* **3.** *sport* Elf *f;* **III.** *f pl* elf Uhr; *v. a. cinque.*

ungere ['undʒere] ⟨ungo, ungi, unsi, unto⟩ **I.** *tr* **1.** *(con grasso)* einfetten; *tec* schmieren, ölen; *(con crema)* eincremen, einreiben; **2.** *(sporcare)* fettig machen; **3.** *fig peg* schmieren; **4.** *rel* salben; *rel* die Letzte Ölung geben (*qu* jdm); **II.** *rfl:* **-ersi 1.** *(mettersi dell'unto)* sich einfetten, sich einölen; **2.** *(sporcarsi d'unto)* sich fettig machen, sich mit Fett beschmieren.

ungherese [uŋge're:se] **I.** *agg* ungarisch; **II.** *mf* Ungar(in) *m(f).* **Ungheria** [...'ri:a] *f* Ungarn *n.*

unghia ['uŋgia] ⟨-ghie⟩ *f* **1.** *anat* Nagel *m;* **2.** *zoo (di uccello, gatto)* Kralle *f,* Klaue *f; (di cavallo)* Huf *m;* **3.** *(di attrezzi)* abgeschrägte Spitze, Kerbe *f;* **4.** *fig (minima grandezza, distanza)* Fingerbreit *m.* **unghiata** [uŋ'gia:ta] *f* Kratzer *m,* Kratzwunde *f.* **unghiolo** [uŋ'giɔ:lo] *m* Kralle *f.*

unguento [uŋ'guɛnto] *m med* Salbe *f.*

unicamerale [unikame'ra:le] *agg* Einkammer-.

unicità [unitʃi'ta] ⟨-⟩ *f* Einmaligkeit *f,* Einzigartigkeit *f.*

unico, -a ['u:niko] ⟨-ci, -che⟩ **I.** *agg* **1.** *(il solo esistente)* einzig; *(che avviene una volta sola)* einmalig; **2.** *(ineguagliabile)* einzigartig, einmalig; **II.** *m, f* Einzige(r, s) *mfn;* **III.** *f:* **l'unica** die einzige Lösung, der einzige Ausweg.

unificare [unifi'ka:re] ⟨unifico, unifichi⟩ *tr* **1.** *(ridurre a unità)* (ver)einigen; **2.** *(ridurre a tipo unico)* vereinheitlichen; *(standardizzare)* normieren, normen. **unificazione** [...kat'tsio:ne] *f* **1.** *(atto dell'unificare)* (Ver)einigung *f;* **2.** *(standardizzazione)* Vereinheitlichung *f,* Normierung *f.*

uniformare [-for'ma:re] **I.** *tr* **1.** *(unificare)* gleichmachen, gleichförmig gestalten; **2.** *(adeguare)* anpassen (*a* an +*akk);* **II.** *rfl:* **-arsi** sich anpassen (*a* an +*akk),* sich richten (*a* nach).

uniforme[1] [-'forme] *agg* **1.** *(uguale)* gleichförmig, gleichmäßig; *(piano)* eben; **2.** *fig (monotono)* einförmig, eintönig.

uniforme[2] [-'forme] *f* Uniform *f.*

uniformità [-formi'ta] ⟨-⟩ *f* **1.** *(l'essere uniforme)* Gleichförmigkeit *f,* Gleichmäßigkeit *f; (di superficie)* Ebenheit *f;* **2.** *(accordo)* Einstimmigkeit *f,* Übereinstimmung *f;* **3.** *(monotonia)* Eintönigkeit *f.*

unigenito [-'dʒɛ:nito] ⟨*inv*⟩ *agg (Cristo)* eingeboren.

unilaterale [-late'ra:le] *agg* **1.** *dir, pol* einseitig, unilateral; **2.** *fig peg* einseitig, parteiisch.

uninominale [-nomi'na:le] *agg* Einmann-; **elezione** ~ Persönlichkeitswahl *f;* **sistema** ~ Mehrheitswahlsystem *n.*

unione [u'nio:ne] *f* **1.** *(connessione)* Verbindung *f,* Vereinigung *f;* **2.** *fig (concordia)* Eintracht *f,* Einigkeit *f;* **3.** *pol* Bund *m,* Vereinigung *f,* Union *f;* **U~ Europea** Europäische Union; ~ **doganale** Zollunion *f;* ~ **economica e monetaria**

Wirtschafts- und Währungsunion *f;* **U~ Sovietica** *st* Sowjetunion *f;* **U~ delle Repubbliche Socialiste Sovietiche** (*abbr* **U.R.S.S.**) *st* Union *f* der Sozialistischen Sowjetrepubliken.

unipolare [-po'la:re] *agg* einpolig.

unire [u'ni:re] ⟨unisco⟩ **I.** *tr* **1.** *(congiungere, collegare)* verbinden, vereinigen; **2.** *(accostare)* zusammenfügen, -stellen, -legen; **3.** *(allegare)* beilegen, beifügen; **4.** *(persone)* verein(ig)en, verbinden; **II.** *rfl:* **-irsi 1.** *(legarsi)* sich verbinden; **2.** *(associarsi)* sich zusammenschließen, sich verbünden; **3.** *(accompagnarsi)* sich anschließen (*a* jdm/etw), sich hinzugesellen (*a* zu); **4.** *(armonizzarsi)* zusammenpassen, harmonisieren; **~irsi in matrimonio** eine Ehe eingehen.

unisex ['u:niseks *o* uni'sɛks] ⟨*inv*⟩ *agg* Unisex-, nicht geschlechtsspezifisch.

unisono [u'ni:sono] **I.** *agg* **1.** *mus* unison(o); **2.** *fig* übereinstimmend; **II.** *m* Einklang *m; mus* Unisono *n;* **all'~** *mus* unisono, im Einklang; *fig* übereinstimmend, im Einklang.

unità [uni'ta] ⟨-⟩ *f* **1.** *gener., mil* Einheit *f;* **2.** *(di misura)* Maßeinheit *f,* Maß *n;* **3.** *(concordia)* Übereinstimmung *f;* Zusammenhalt *m;* **4.** *inform* Einheit *f,* Gerät *n,* Laufwerk *n;* **~ centrale** Zentraleinheit *f;* **~ di controllo** Steuerwerk *n;* **~ floppy** Diskettenlaufwerk *n;* **~ di lettura** Lesegerät *n;* **~ di misura** Maßeinheit *f;* **~ a nastro magnetico** Bandlaufwerk *n;* **~ periferica** Peripheriegerät *n;* **~ sanitaria locale** örtlicher Gesundheitsdienst, Ortskrankenkasse *f;* **~ telefonica** Telefoneinheit *f;* **~ video** Bildschirmgerät *n,* Sichtgerät *n.*

unitario, -a [uni'ta:rio] ⟨-i, -ie⟩ *agg* einheitlich, Einheits-; **prezzo ~** Einheitspreis *m; (per un singolo elemento)* Stückpreis *m.*

unito, -a [u'ni:to] *agg* **1.** *(congiunto, collegato)* verbunden, zusammengefügt; **2.** *fig* verein(ig)t; *pol a.* geeint; **3.** *fig (concorde, solidale)* einig, einträchtig, solidarisch; **in tinta ~** einfarbig, uni(farben); **una famiglia molto ~** Familie mit großem Zusammenhalt; **la Germania ~a** das vereinigte Deutschland.

universale [univer'sa:le] **I.** *agg* **1.** *gener.* universell, Universal-; **2.** *(generale)* allgemein; **3.** *(mondiale)* Welt-, weltweit; **4.** *(che abbraccia tutto)* (all)umfassend; **concetto ~** allgemeingültiger Begriff; **erede ~** *dir* Universal-, Alleinerbe *m;* **diluvio ~** Sintflut *f;* **Giudizio ~** Jüngstes Gericht; **pace ~** Weltfriede(n) *m;* **storia ~** Weltgeschichte *f;* **suffragio ~** allgemeines Wahlrecht; **II.** *m filos* Allgemeine(s) *n;* ⟨*pl*⟩ Allgemeinbegriffe *m pl;* **~i linguistici** *ling* sprachliche Universalien *f pl.* **universalità** [...sali'ta] ⟨-⟩ *f* **1.** *(l'essere universale)* Universalität *f;* **2.** *lett (totalità)* Gesamtheit *f.*

università [universi'ta] ⟨-⟩ *f* Universität *f,* Hochschule *f;* **~ popolare** Volkshochschule *f.* **universitario, -a** [...'ta:rio] ⟨-i, -ie⟩ **I.** *agg* Universitäts-, Hochschul-; **II.** *m, f* **1.** *(docente)* (Hochschul)dozent(in) *m(f);* **2.** *(studente)* Student(in) *m(f).*

universo [uni'vɛrso] *m* **1.** *astr* Universum *n,* Weltall *n;* **2.** *fig* Welt *f.*

univoco, -a [u'ni:voko] ⟨-ci, -che⟩ *agg* eindeutig.

uno, una ['u:no] **I.** *art indet m davanti a s impura, gn, pn, ps, x, z ed art indet f davanti a consonante* ein *m,* eine *f,* ein *n;* **II.** *agg num* eins; **III.** *m* ⟨-⟩ **1.** *(numero)* Eins *f;* **2.** *(voto scolastico)* ≃ Mangelhaft *n,* Ungenügend *n;* **IV.** *f* **1.** *(di tempo)* eins, ein Uhr; **2.** *(in frasi enclitiche)* etwas; **è l'una** es ist eins (*o* ein Uhr); **ve ne racconto una** ich kann euch was erzählen; **V.** *pron* einer *m,* eine *f,* ein(e)s *n; (persona a.)* jemand; *impers* einer, man; *(con negazione)* keiner *m,* keine *f,* kein(e)s *n;* **a ~ a ~** einzeln; **~ e mezzo** eineinhalb, anderthalb; **non ~** keiner; **~ solo** nur einer, ein einziger; **~ per volta** jeweils einer, einer nach dem anderen; **si aiutano l'un l'altro** sie helfen sich gegenseitig.

unsi ['unsi] *p rem di* **ungere.**

unto ['unto] *m* Fett *n.*

unto, -a ['unto] **I.** *pp di* **ungere; II.** *agg* fettig, schmierig.

untuosità [untuosi'ta] ⟨-⟩ *f fig peg (modi melliflui, ipocriti)* Schmierigkeit *f,* Schleimigkeit *f.* **untuoso, -a** [...u'o:so] *agg* **1.** fettig, schmierig; **2.** *fig peg* schmierig, schleimig.

unzione [un'tsi̯o:ne] *f:* **l'estrema ~** die Letzte Ölung.

uomo ['u̯ɔ:mo] ⟨uomini⟩ *m* **1.** *gener.* Mensch *m;* **2.** *(di sesso maschile)* Mann *m;* **~ d'affari** Geschäftsmann *m;* **l'~ della strada** der Mann auf (*o* von) der Straße; **~ politico** Politiker *m;* **~ d'onore/di rispetto** *(a. iron, peg: mafioso)* Ehrenmann *m;* **un sant'~** ein herzensguter (*o* frommer) Mensch; **per soli uomini** nur für Herren.

uopo ['u̯ɔ:po] *m lett:* **essere d'~** notwendig sein; **all'~** bei Bedarf, wenn nötig.

uovo ['u̯ɔ:vo] ⟨*pl:* -a *f*⟩ *m* Ei *n;* **pasta all'~** Eiernudeln *f pl,* Eierteigwaren *f pl;* **~ sodo/à la coque (*o* bazzotto)** hart(gekocht)es/weiches Ei; **~ all'ostrica** Eidotter *m* mit Salz und Zitrone; **~ all'occhio di bue/al tegame** Spiegelei *n*/Setzei *n;* **-a affogate/strapazzate** verlorene Eier *n pl*/Rührei *n;* **essere l'~ di Colombo** das Ei des Kolumbus sein; **meglio l'~ oggi che la gallina domani** *prov* besser einen Spatz in der Hand als eine Taube auf dem Dach.

U.P.I.M., UPIM ['u:pim *o* up'im] *m o f acr*

di **Unico Prezzo Italiano di Milano** *italienische Warenhauskette.*

uragano [ura'ga:no] *m* **1.** *(ciclone)* Hurrikan *m; (tempesta)* (Wirbel)sturm *m;* **2.** *fig* Sturm *m;* ~ **di applausi** Beifallsstürme *m pl.*

Urali [u'ra:li] *m pl* Ural *m.*

urango [u'raŋgo] ⟨-ghi⟩ *m* Orang-Utan *m.*

uranio [u'ra:nio] *m* Uran *n.*

urbanesimo [urba'ne:zimo] *m* Verstädterung *f*

urbanista [urba'nista] ⟨-i *m*, -e *f*⟩ *mf* Städteplaner(in) *m(f)*, Städtebauer(in) *m(f)*. **urbanistica** [...'nistika] ⟨-che⟩ *f* Städtebau(wesen *n*) *m*, Städteplanung *f*. **urbanistico, -a** [...'nistiko] ⟨-ci, -che⟩ *agg* städtebaulich, Städtebau-.

urbanità [urbani'ta] ⟨-⟩ *f* Kultiviertheit *f; (cortesia)* Höflichkeit *f.*

urbanizzare [urbanid'dza:re] *tr* städtebaulich erschließen, urbanisieren. **urbanizzazione** [...dzat'tsio:ne] *f* Verstädterung *f*, Urbanisierung *f.*

urbano, -a [ur'ba:no] *agg* **1.** *(della città)* städtisch, Stadt-; **2.** *fig* kultiviert, gebildet; *(cortese)* höflich.

urgente [ur'dʒɛnte] *agg* dringend, dringlich; *(lettera, pacco)* Eil-. **urgenza** [ur'dʒɛntsa] *f* Dringlichkeit *f*, dringende Notwendigkeit; *(rapidità)* Eile *f;* **fare** ~ zur Eile drängen; **in caso d'**~ im Notfall; **ricoverare qu d'**~ jdn als Notfall (in die Klinik) einliefern.

urgere ['urdʒere] ⟨urgo, urgi, *mancano il p rem, il pp ed i tempi composti*⟩ **I.** *tr lett* drängen, bedrängen; **II.** *itr* dringend (nötig) sein, drängen.

urina [u'ri:na] *v.* **orina.**

urinare [uri'na:re] *v.* **orinare.**

urlare [ur'la:re] **I.** *itr* **1.** *(lupi, sirena, vento)* heulen; *(cani)* jaulen; **2.** *(uomo)* schreien, brüllen; *(di dolore a.)* aufschreien; **II.** *tr* **1.** *(dire a voce alta)* (heraus)schreien, brüllen; **2.** *(cantare a voce alta).* lauthals singen. **urlatore, -trice** [urla'to:re] **I.** *agg* Brüll-; **II.** *m, f* Schreier(in) *m(f)*, Schreihals *m.*

urlo ['urlo] *m* **1.** ⟨*pl:* -a *f*⟩ *(grido umano)* Schrei *m*, Geschrei *n;* **2.** ⟨*pl:* -i *m*⟩ *(di animale)* Schrei *m; (di lupi)* Heulen *n*, Geheul *n fam; (di cani)* Jaulen *n*, Gejaule *n fam;* **3.** ⟨*pl:* -a *f*⟩ *fig (di vento, sirene)* Heulen *n; (fragore)* Toben *n*, Getöse *n.*

urna ['urna] *f* Urne *f;* ~ **cineraria/elettorale** (Aschen)urne *f*/Wahlurne *f;* **andare alle -e** wählen (gehen).

urologia [urolo'dʒi:a] ⟨-gie⟩ *f* Urologie *f.* **urologo, -a** [u'rɔ:logo] ⟨-gi, -ghe⟩ *m, f* Urologe *m*, -login *f.*

urrà [ur'ra] **I.** *interi* hurra; **II.** ⟨-⟩ *m* Hurra *n*, Hurraruf *m.*

U.R.S.S. [urs] *f st abbr di* **Unione delle Repubbliche Socialiste Sovietiche** UdSSR *f* (*abk von* Union der Sozialistischen Sowjetrepubliken).

urtante [ur'tante] *agg* anstößig.

urtare [ur'ta:re] **I.** *tr* **1.** *(investire)* (an)stoßen; *(veicoli)* anfahren; **2.** *fig (indisporre)* ärgern, nervös machen, irritieren; ~ **di striscio** *(incidente)* streifen; ~ **i nervi** auf den Wecker/Geist/die Nerven gehen *fam;* **II.** *itr* **1.** *(sbattere contro)* (auf)prallen (*in* auf *+akk*, *contro* gegen), stoßen (*in* auf *+akk*, *contro* gegen); **2.** *fig (incappare)* stoßen (*contro* auf *+akk*); **III.** *rfl:* **-arsi 1.** *(scontrarsi)* aufeinanderstoßen, zusammenstoßen; *(veicoli)* zusammenstoßen, aufeinanderprallen; **2.** *fig (essere in contrasto)* aufeinanderprallen; **3.** *fig (irritarsi)* sich ärgern, sich aufregen *fam.*

urto ['urto] *m* **1.** *(colpo, spinta)* Stoß *m*, Schlag *m;* **2.** *(scontro, collisione)* Zusammenstoß *m*, Aufprall *m;* **3.** *mil (scontro)* Zusammenstoß *m*, Gefecht *n;* **4.** *fig* Gegensatz *m*, Widerspruch *m*, Aufeinanderprallen *n.*

u.s. *abbr di* **ultimo scorso** vergangenen Monats/Jahres, *ecc.*

U.S.A. ['u:za] *m pl* USA *pl.*

usa e getta ['u:za e 'dʒetta] **I.** ⟨-⟩ *m* Wegwerfartikel *m;* **II.** ⟨*inv*⟩ *agg* Wegwerf-, Einweg-.

usanza [u'zantsa] *f* **1.** *(consuetudine)* Brauch *m*, Gepflogenheit *f;* **2.** *(costume)* Sitte *f;* **3.** *(moda)* Mode *f.*

usare [u'za:re] **I.** *tr* ⟨*avere*⟩ **1.** *(adoperare)* verwenden, benutzen, gebrauchen; **2.** *fig (agire con)* üben, walten lassen; **3.** *(esercitare)* ausüben, anwenden; ~ **l'inganno** listig handeln; ~ **un diritto** von einem Recht Gebrauch machen; ~ **molta attenzione** mit großer Vorsicht vorgehen; **II.** *itr* **1.** ⟨*avere*⟩ *(usufruire)* Gebrauch machen (*di* von); **2.** ⟨*avere*⟩ *(avere l'abitudine)* pflegen *geh*, gewohnt sein; **3.** ⟨*avere*⟩ *(essere di moda)* in Mode sein, modern sein; **4.** *impers* ⟨*essere*⟩ Brauch (*o* Sitte) sein, üblich sein. **usato, -a** [u'za:to] **I.** *agg* **1.** *(non nuovo)* gebraucht, benutzt; *(com a.)* aus zweiter Hand; *(vestiti)* getragen; **2.** *lett (solito)* gewohnt; **automobili -e** Gebrauchtwagen *m pl;* **II.** *m* **1.** *(modo solito, consueto)* Gewohnte(s) *n;* **2.** *(non più nuovo)* Gebrauchte(s) *n;* **mercato dell'**~ Gebrauchtwarenmarkt *m; (di automobili)* Gebrauchtwagenmarkt *m.*

uscente [uʃ'ʃɛnte] *agg* **1.** *(periodo di tempo)* auslaufend, zu Ende gehend; **2.** *(persona)* ausscheidend, aus dem Amt scheidend.

usci *pl di* **uscio**

usciere, -a [uʃ'ʃɛ:re] *m, f* Amtsdiener(in) *m(f)*, Amtsgehilfe *m*, -gehilfin *f;* ~ **elettronico** elektronisches Informationssystem.

uscio ['uʃʃo] ⟨usci⟩ *m* Tür *f*, Tor *n.*

uscire [uʃ'ʃiːre] ⟨esco, esci, uscii, uscito⟩ *itr* ⟨*essere*⟩ **1.** *(andare fuori)* hinausgehen, gehen (*da* aus *+dat*); *(da veicolo)* aussteigen; *(dal letto)* aufstehen; *(al largo, in mare) naut* auslaufen; **2.** *(venire fuori)* herauskommen, kommen (*da* aus *+dat*); **3.** *(lasciare un luogo chiuso)* gehen *(a +inf)*; *(andare via da un luogo chiuso)* weggehen; *(con veicolo)* hinaus-, herausfahren (*in* mit *+dat*); **4.** *(per divertirsi)* ausgehen; **5.** *(fuoriuscire)* austreten, *(liquidi a.)* auslaufen; **6.** *fig (apparire inaspettatamente)* auftauchen; **7.** *(essere pubblicato)* erscheinen, herauskommen; **8.** *fig (esclamare, sbottare)* herausplatzen (*con* mit); **9.** *(essere sorteggiato)* gezogen werden, drankommen *fam;* **10.** *fig (cessare di essere in una condizione, situazione)* herauskommen (*da* aus *+dat*), entkommen (*da +dat*), aufgeben (da etw); *(dal carcere, dall'ospedale)* entlassen werden; *(da un partito)* austreten; **11.** *ling* enden (*in* auf *+akk*), auslauten (*in* in *+akk*); **12.** *fig (avere origine)* (ab)stammen; **13.** *inform* beenden; ~ **indenne da un incidente** bei einem Unfall heil davonkommen; ~ **dagli occhi** *fig* zu den Ohren herauskommen; ~ **dai gangheri** *fig* die Fassung verlieren; ~ **di bocca** entschlüpfen; ~ **di strada** vom Wege abkommen; ~ **per la porta/dalla porta centrale** zur Tür/durch die mittlere Tür hinausgehen; **da dove ti è uscita questa idea?** wie bist du darauf gekommen?. **uscita** [uʃ'ʃiːta] *f* **1.** *(che va fuori)* Hinausgehen *n; (che viene fuori)* Herauskommen *n; (di veicoli)* Heraus-, Hinausfahren *n; (da veicolo)* Aussteigen *n; naut* Auslaufen *n; teat* Abgang *m; (entrata in scena)* Auftritt *m;* **2.** *(di liquidi)* Auslaufen *n; (di gas)* Ausströmen *n;* **3.** *arch* Ausgang *m;* **4.** *(di pubblicazioni)* Erscheinen *n;* **5.** *ling (terminazione)* Endung *f,* Auslaut *m;* **6.** *(battuta, sbotto)* witzige (*o* geistreiche) Bemerkung; **7.** *fin (spesa, passivo)* Ausgabe *f;* **8.** *(periodo di libertà)* Ausgang *m;* **9.** *inform* Ausgabe *f;* ~ **di sicurezza** Notausgang *m;* ~ **principale/secondaria** Haupt-/Nebenausgang *m;* **via d'**~ Ausweg *m.*

usignolo [uziɲ'ɲɔːlo] *m* Nachtigall *f.*

U.S.L. [uɛs'ɛlle *o* usl] *f abbr di* **Unità Sanitaria Locale** Ortskrankenkasse.

uso ['uːzo] *m* **1.** *(l'adoperare)* Gebrauch *m,* Benutzung *f;* **2.** *(destinazione)* Verwendung(szweck *m*) *f;* **3.** *(impiego)* Anwendung *f,* Benutzung *f;* **4.** *(godimento)* Nutzung *f; dir* Nießbrauch *m,* Nutznießung *f;* **5.** *(esercizio)* (ständiger) Gebrauch *m,* Praxis *f,* Übung *f;* **6.** *(usanza)* Gepflogenheit *f,* Sitte *f,* Brauch *m;* **7.** *(moda)* Mode *f;* **-i e costumi** Sitten *f pl* und Gebräuche *m pl; (foto)* ~ **tessera** Paßbild *n,* Paßfoto *n;* **istruzioni per l'**~ Gebrauchsanweisung *f;* **ad** ~ **delle scuole** für den Schulgebrauch; **per** ~ **esterno** zur äußeren Anwendung; **per più -i** Mehrzweck-; **pronto per l'**~ gebrauchsfertig.

ustionare [ustio'naːre] **I.** *tr* verbrennen; **II.** *rfl:* **-arsi** sich verbrennen. **ustione** [us'tioːne] *f* Verbrennung *f.*

usuale [uzu'aːle] *agg* **1.** *(consueto)* üblich, gebräuchlich; **2.** *(ordinario)* gewöhnlich, alltäglich.

usufruire [uzufru'iːre] *itr* **1.** *dir* nutznießen, nießnutzen; **2.** *(giovarsi di qc)* sich *(dat)* zunutze machen (*di qc* etw.), nutzen (*di qc* etw.). **usufrutto** [...'frutto] *m* Nutznießung *f,* Nießbrauch *m.* **usufruttuario, -a** [...fruttu'aːrio] ⟨-i, -ie⟩ *m, f* Nutznießer(in) *m(f),* Nießbraucher(in) *m(f).*

usura[1] [u'zuːra] *f (strozzinaggio)* Wucher *m;* **a** ~ zu Wucherzinsen.

usura[2] [u'zuːra] *f tec* Abnutzung *f,* Verschleiß *m.*

usuraio, -a [uzu'raːio] ⟨-ai, -aie⟩ *m, f* **1.** *(strozzino)* Kredithai *m;* **2.** *(avido e avaro)* Geizhals *m.*

usurpare [uzur'paːre] *tr (prendere)* an sich reißen, sich *(dat)* unrechtmäßig aneignen, usurpieren; *(titolo)* sich *(dat)* unrechtmäßig zulegen. **usurpatore, -trice** [...pa'toːre] *m, f* Usurpator(in) *m(f).* **usurpazione** [...pat'tsioːne] *f dir* widerrechtliche Aneignung, Usurpation *f;* ~ **di funzioni pubbliche** Amtsanmaßung *f.*

utensile [uten'siːle] **I.** *agg* Werkzeug-; **II.** *m* Werkzeug *n;* **-i da cucina** Küchengeräte *n pl.* **utensileria** [utensile'riːa] ⟨-ie⟩ *f* **1.** *(complesso di utensili)* Geräte *n pl,* Werkzeug *n;* **2.** *(reparto di officina)* Werkzeugschlosserei *f.*

utente [u'tɛnte] *mf* Benutzer(in) *m(f); (inform a.)* Anwender(in) *m(f); (di gas, elettricità)* Abnehmer(in) *m(f);* ~ **del telefono/della strada** Fernsprech-/Verkehrsteilnehmer(in) *m(f).* **utenza** [u'tɛntsa] *f* **1.** *(fruizione)* Benutzung *f; (del gas, ecc.)* Abnahme *f; radio, TV, tel* Teilnahme *f;* **2.** *(utenti)* Benutzerkreis *m,* Verbraucher *m pl; radio, TV, tel* Teilnehmer *m pl; inform* Anwender *m pl,* Benutzer *m pl.*

uterino, -a [ute'riːno] *agg* Gebärmutter-, Uterus-. **utero** ['uːtero] *m* Gebärmutter *f,* Uterus *m.*

utile ['uːtile] **I.** *agg* **1.** *(che serve al bisogno)* nützlich; **2.** *(utilizzabile)* (be)nutzbar, brauchbar; **3.** *tec* Nutz-; **4.** *(vantaggioso)* nützlich, vorteilhaft; **5.** *(in formule di cortesia)* behilflich; **rendersi** ~ sich nützlich machen; **in tempo** ~ zur rechten Zeit, rechtzeitig; **II.** *m* **1.** *(ciò che serve)* Nützliche(s) *n;* **2.** *(vantaggio)* Vorteil *m;* **3.** *fin* Profit *m,* Gewinn *m,* Ertrag *m;* ~ **al lordo delle imposte/al**

netto delle imposte Gewinn *m* vor Steuern/nach Steuern; **partecipazione agli -i dell'azienda** betriebliche Gewinnbeteiligung. **utilità** [utili'ta] ⟨-⟩ *f* **1.** *(funzionalità)* Nützlichkeit *f,* Brauchbarkeit *f;* **2.** *(vantaggio)* Vorteil *m,* Nutzen *m.*

utilitaria [utili'ta:ri̯a] ⟨-ie⟩ *f* Kleinwagen *m.*

utilitario, -a [utili'ta:ri̯o] ⟨-i, -ie⟩ *agg* Nützlichkeits-, Gebrauchs-.

utilitarismo [utilita'rizmo] *m* Utilitarismus *m.* **utilitarista** [utilita'rista] ⟨-i *m,* -e *f*⟩ *mf* eigennütziger Mensch. **utilitaristico, -a** [...ta'ristiko] ⟨-ci, -che⟩ *agg* eigennützig.

utility [u'ti:liti] *m inform* Utility *n.*

utilizzare [utilid'dza:re] *tr* **1.** *(usare)* verwenden, gebrauchen, benutzen; **2.** *(sfruttare)* verwerten, nutzen. **utilizzazione** [...dʒat'tsi̯o:ne] *f* **1.** *(uso)* Verwendung *f,* Gebrauch *m,* Benutzung *f;* **2.** *(sfruttamento)* Verwertung *f,* Nutzung *f.* **utilizzo** [...'liddzo] *m* Inanspruchnahme *f,* Nutzung *f.*

utopia [uto'pi:a] ⟨-ie⟩ *f* Utopie *f.* **utopico, -a** [u'tɔ:piko] ⟨-ci, -che⟩ *agg* utopisch.

uva ['u:va] *f* (Wein)trauben *f pl;* ~ **bianca/nera** weiße/blaue Trauben *f pl;* ~ **passa** Rosinen *f pl;* ~ **spina** Stachelbeeren *f pl;* ~ **da tavola** Tafeltrauben *f pl;* **festa dell'**~ Winzerfest *n.*

uvetta [u'vetta] *f* Rosinen *f pl.*

Uzbekistan [uz'bɛ:kistan] *m* Usbekistan *n.*

V

V, v [vu] *f* V, v *n;* **v come Venezia** V wie Viktor; **v doppia** W, w *n;* **scollo a** ~ V-Ausschnitt *m;* **fatto a V** V-förmig.

V *abbr di* **volt** V.

va [va] *v.* **andare.**

vacante [va'kante] *agg* frei, unbesetzt, vakant.

vacanza [va'kantsa] *f* Ferien *pl,* Urlaub *m; (di sede, carica)* Vakanz *f;* **-e natalizie/pasquali/estive** Weihnachts-/Oster-/Sommerferien; **un giorno/mese di** ~ ein Tag/Monat Urlaub; **essere/andare in** ~ Ferien haben/in die Ferien fahren, Urlaub haben/in Urlaub fahren; **far** ~ Urlaub machen. **vacanziere, -a** [vakan'tsįɛ:re] *m, f* Urlauber(in) *m(f).* **vacanziero, -a** [...'tsįɛ:ro] *agg* Urlaubs-, Ferien-.

vacca ['vakka] ⟨-cche⟩ *f* **1.** *zoo* Kuh *f;* **2.** *volg* Nutte *f vulg,* Hure *f vulg.* **vaccaio** [...'ka:įo] ⟨-ccai⟩, **vaccaro** [...'ka:ro] *m* Kuhhirt(e) *m.*

vaccinare [vattʃi'na:re] *tr* impfen. **vaccinazione** [...nat'tsįo:ne] *f* Impfung *f;* ~**antinfluenzale** Grippeschutzimpfung *f;* ~ **antitetanica** Tetanusschutzimpfung *f;* ~ **per via orale** Schluckimpfung *f;* ~ **di richiamo** Wiederholungsimpfung; **farsi la** ~ sich impfen lassen. **vaccino** [...'tʃi:no] *m* Impfstoff *m;* ~ **antinfluenzale** Grippeschutzimpfstoff *m;* ~**antipertosse** Impfstoff *m* gegen Keuchhusten.

vacillare [vatʃil'la:re] *itr a. fig* (sch)wanken; *(fiamma)* flackern.

vacuità [vakui'ta] ⟨-⟩ *f* Leere *f.* **vacuo, -a** ['va:kuo] *agg* leer; *(a. persona)* hohl.

vada ['va:da] *v.* **andare.**

vademecum [vade'mɛ:kum] ⟨-⟩ *m* Leitfaden *m,* Lehrbuch *n,* Vademekum *n geh.*

vado ['va:do] *pr di* **andare.**

va e vieni ['va e v'vįɛ:ni] ⟨-⟩ *m* Kommen und Gehen *n.*

vaffanculo [vaffaŋ'ku:lo] *interi volg* leck mich doch (am Arsch)! *vulg,* du kannst/ihr könnt *etc.* mich mal . . . *vulg.*

vagabondaggio [vagabon'daddʒo] ⟨-ggi⟩ *m* **1.** *(di vagabondo)* Landstreicherei *f;* **2.** *(il girovagare)* Herumziehen *n.* **vagabondare** [...'da:re] *itr* **1.** *(fare il vagabondo)* vagabundieren; **2.** *(girovagare)* herumziehen (*per* in *+dat*); **3.** *fig* umherschweifen. **vagabondo, -a** [...'bondo] **I.** *agg* umherziehend, Vagabunden-; **II.** *m, f* **1.** *gener.* Vagabund(in) *m(f);* **2.** *peg* Landstreicher(in) *m(f),* Herumtreiber(in) *m(f).*

vagare [va'ga:re] ⟨vago, vaghi⟩ *itr* umherziehen (*per* in *+dat*), streifen (*per* durch); *(senza meta a.)* umherirren.

vagheggiare [vaged'dʒa:re] ⟨vagheggio, vagheggi⟩ *tr* herbeisehnen, herbeiwünschen.

vaghezza [va'gettsa] *f* Ungenauigkeit *f,* Verschwommenheit *f;* **accennare qc con** ~ etw. vage andeuten.

vagina [va'dʒi:na] *f* Scheide *f,* Vagina *f.*

vagire [va'dʒi:re] ⟨vagisco⟩ *itr* wimmern. **vagito** [va'dʒi:to] *m* Wimmern *n.*

vaglia ['vaʎʎa] ⟨-⟩ *m* Anweisung *f;* ~ **bancario/postale** Bank-/Postanweisung *f.*

vagliare [vaʎ'ʎa:re] ⟨vaglio, vagli⟩ *tr* **1.** *(proposta, ecc.)* abwägen, prüfen; **2.** *(grano, sabbia, ghiaia)* sieben. **vaglio** ['vaʎʎo] ⟨-gli⟩ *m* **1.** *fig* Abwägung *f,* Prüfung *f;* **2.** *tec* Sieb *n;* **passare al** ~ abwägen.

vago, -a ['va:go] ⟨-ghi, -ghe⟩ *agg* vag(e), unbestimmt, schwach, dunkel; **nervo** ~ Vagus *m.*

vagone [va'go:ne] *m* Wagen *m,* Waggon *m;* ~ **letto/ristorante** Schlaf-/Speisewagen *m.*

vai ['va:i] *v.* **andare.**

vaiolo [va'įɔ:lo] *m* Pocken *pl.*

valanga [va'laŋga] ⟨-ghe⟩ *f* **1.** *(di neve)* Lawine *f;* **2.** *fig* Berg *m,* Haufen *m fam.*

valchiria [val'ki:rįa] ⟨-ie⟩ *f* Walküre *f.*

Val d'Aosta [valda'ɔsta] *f* Aostatal *n.*

valdese [val'de:se] **I.** *mf* Waldenser(in) *m(f);* **II.** *agg* waldensisch.

valente [va'lɛnte] *agg* tüchtig, patent.

Valentina [valen'ti:na] *(nome proprio femminile)* Valentine.

Valentino [valen'ti:no] *(nome proprio maschile)* Valentin.

valenza [va'lɛntsa] *f* Valenz *f.*

valere [va'le:re] ⟨valgo, valsi, valso⟩ **I.** *itr* ⟨*essere*⟩, *tr* ⟨*avere*⟩ **1.** *(avere autorità; essere vero, ammesso o giusto)* gelten; **2.** *(avere capacità, qualità etc.)* gut sein, etwas können, fähig sein, etwas taugen; **3.** *(avere efficacia)* nützen; **4.** *(essere valido)* gültig sein, gelten; *(argomento)* stichhaltig sein; **5.** *(avere valore)* wert sein; **6.** *(essere uguale)* gleich sein; **7.** *econ* kosten; *fin* wert sein, stehen auf; ~ **la pena** sich lohnen; **non vale un gran che** *(cosa)* es ist nicht viel wert; *(persona)* er (*o* sie) taugt nicht viel; **far** ~ **un diritto** einen Anspruch (*o* ein Recht) geltend machen; **farsi** ~ sich *(dat)* Geltung verschaffen; **vale a dire**

das heißt, beziehungsweise; **tanto vale che non** *+congv,* **tanto vale non** *+inf* dann braucht man gar nicht erst (zu) *+inf;* **uno vale l'altro** es ist eins wie das andere, das bleibt sich *(dat)* gleich; **per quanto vale il biglietto?** wie lange gilt die Karte?; **quanto vale questa collana?** wieviel ist diese Halskette wert?; **II.** *tr* ⟨*avere*⟩ *(procurare)* einbringen, eintragen; **III.** *rfl:* **-ersi di qc** sich *(dat)* etw. zunutze machen, auf etw *(akk)* zurückgreifen; **-ersi di qu** sich jds bedienen.

valeriana [vale'rja:na] *f* Baldrian *m.*

Valerio [va'lɛ:rjo] *(nome proprio maschile)* Valerius.

valevole [va'le:vole] *agg* gültig.

valgo ['valgo] *pr di* **valere.**

valicare [vali'ka:re] ⟨valico, valichi⟩ *tr* übersteigen, überschreiten, passieren.

valico ['va:liko] ⟨-chi⟩ *m* (Berg)paß *m;* ~ **di frontiera** Grenzübergang *m.*

validità [validi'ta] ⟨-⟩ *f* **1.** *amm* Gültigkeit *f; (efficacia)* Wirksamkeit *f; dir* Rechtskraft *f;* **2.** *(di argomento, ecc.)* Stichhaltigkeit *f; (di ragione)* Triftigkeit *f.*

valido, -a ['va:lido] *agg* **1.** *(uomo)* tüchtig, fähig; *(fisico)* widerstandsfähig; **2.** *(tiro, colpo)* stark, fest; **3.** *(efficace)* wirksam; *(obiezione)* berechtigt; *(valevole)* gültig; *dir* rechtskräftig; **4.** *(opera, scrittore)* groß, bedeutend.

valigeria [validʒe'ri:a] ⟨-ie⟩ *f* **1.** *(assortimento)* Lederwaren *f pl;* **2.** *(negozio)* Lederwarengeschäft *n;* **3.** *(fabbrica)* Lederwarenfabrik *f.*

valigia [va'li:dʒa] ⟨-gie *o* -ge⟩ *f* Koffer *m;* **fare/disfare le -gie** (die Koffer) packen/auspacken.

vallata [val'la:ta] *f* Tal(ebene *f*) *n.*

valle ['valle] *f* Tal *n;* **a** ~ fluß-, stromabwärts; *(in basso, giù)* abwärts; **scendere a** ~ ins Tal hinabsteigen.

Vallese [val'le:se] *m* Wallis *n.*

valletta [val'letta] *f* Assistentin *f (bei Fernsehquizsendungen).*

valligiano, -a [valli'dʒa:no] *m, f* Talbewohner(in) *m(f).*

vallo ['vallo] *m* Wall *m.*

valore [va'lo:re] *m* **1.** *gener., fig* Wert *m;* **2.** *(validità)* Gültigkeit *f;* **3.** ⟨*pl*⟩ *(oggetti preziosi)* Wertsachen *f pl,* Wertgegenstände *m pl; fin* Wertpapiere *n pl;* **4.** *(capacità)* Fähigkeit *f,* Tüchtigkeit *f;* **5.** *(persona)* Kapazität *f;* **6.** *(coraggio)* Mut *m,* Tapferkeit *f;* **7.** *fig* Wert *m,* Bedeutung *f;* ~ **limite** Grenzwert *m;* ~ **nominale** Nominal-, Nennwert *m;* ~ **d'acquisto** Kaufwert *m;* **-i bollati** Wertmarken *f pl;* **un uomo di** ~ ein tüchtiger Mann. **valorizzare** [valorid'dza:re] *tr* **1.** *(far risaltare)* besser zur Geltung bringen/kommen lassen; verschönern; **2.** *(aumentare di valore)* aufwerten; *(immobile)* im Wert steigern. **valorizzazione** [...dzat'tsjo:ne] *f* **1.** *(risalto)* Verschönerung *f;* **2.** *(aumento di valore)* Aufwertung *f; (di immobile)* Wertsteigerung *f; (di zona)* Erschließung *f.* **valoroso, -a** [...'ro:so] *agg* **1.** *(coraggioso)* tapfer, mutig; **2.** *(abile)* tüchtig, fähig.

valsi ['valsi] *p rem di* **valere.**

valso ['valso] *pp di* **valere.**

valuta [va'lu:ta] *f* (*abbr* **val.**) **1.** *(moneta)* Währung *f;* **2.** *(data)* Valuta *f;* ~ **nazionale/estera** Landeswährung *f*/ausländische Währung; ~ **a corso legale** amtlicher Kurswert.

valutare [valu'ta:re] *tr* **1.** *econ* schätzen; **2.** *fig* abwägen; *(dir a.)* würdigen; ~ **troppo/poco qu** jdn zu hoch/zu gering schätzen, jdn über-/unterschätzen.

valutario, -a [valu'ta:rjo] ⟨-i, -ie⟩ *agg* Währungs-, Devisen-.

valutazione [valutat'tsjo:ne] *f* **1.** *econ* Schätzung *f;* **2.** *fig a. scuola* Bewertung *f.*

valva ['valva] *f* **1.** *zoo* Muschelschale *f;* **2.** *bot* Klappe *f,* Schließhäutchen *n.*

valvola ['valvola] *f* **1.** *tec* Ventil *n;* **2.** *el* Sicherung *f; (di televisione, ecc.)* Röhre *f;* **3.** *anat* Klappe *f;* ~ **di sicurezza** Sicherheitsventil *n;* ~ **a farfalla** Drosselklappe *f.* **valvoliera** [valvo'liɛ:ra] *f el* Sicherungskasten *m.*

valzer ['valtser] ⟨-⟩ *m* Walzer *m.*

vampa ['vampa] *f (del sole)* Glut *f; (del fuoco)* Flamme *f.* **vampata** [...'pa:ta] *f* **1.** *(di calore)* Hitze(welle) *f;* **2.** *(fiamma)* Stichflamme *f;* **3.** *fig* Glut *f.*

vampiro [vam'pi:ro] *m* **1.** *(zoo, spettro)* Vampir *m;* **2.** *fig peg* Blutsauger *m.*

vanagloria [vana'glɔ:rja] *f* Geltungssucht *f.* **vanaglorioso, -a** [...glo'rjo:so] *agg* geltungssüchtig.

vandalico, -a [van'da:liko] ⟨-ci, -che⟩ *agg* **1.** *st* wandalisch; **2.** *fig* zerstörungswütig. **vandalismo** [...da'lizmo] *m* Zerstörungswut *f,* Vandalismus *m.* **vandalo** ['vandalo] *m* Wandale *m.*

vaneggiamento [vaneddʒa'mento] *m* **1.** *(farneticazione)* Faselei *f,* Gelab(b)ere *n fam;* **2.** *lett (fantasia)* Phantasterei *f,* Phantasieren *n.* **vaneggiare** [...'dʒa:re] ⟨vaneggio, vaneggi⟩ *itr* **1.** *(farneticare)* faseln, daherreden, lab(b)ern *fam;* **2.** *lett (fantasticare)* phantasieren.

vanesio, -a [va'nɛ:zjo] ⟨-i, -ie⟩ *agg* aufgeblasen, eitel.

vanga ['vaŋga] ⟨-ghe⟩ *f* Spaten *m.* **vangare** [...'ga:re] ⟨vango, vanghi⟩ *tr* umgraben, umstechen.

Vangelo [van'dʒɛ:lo] *m* (*a. fig:* **v**~) Evangelium *n.*

vaniglia [va'niʎʎa] ⟨-glie⟩ *f* Vanille *f.* **vanigliato, -a** [...'ʎa:to] *agg* Vanille-.

vanillina [vanil'li:na] *f* Vanillin *n.*

vaniloquio [vani'lɔkujo] ⟨-qui⟩ *m* Blabla *n fam,* leeres Gerede.

vanità [vani'ta] ⟨-⟩ *f* **1.** *(di persona)* Eitelkeit *f,* Selbstgefälligkeit *f;* **2.** *(di sforzo,*

fatica) Erfolglosigkeit *f;* **3.** *(di cosa)* Vergänglichkeit *f.*
vanitoso, -a [vani'to:so] *agg* eitel, selbstgefällig.
vanno ['vanno] *v.* **andare.**
vano ['va:no] **I.** *m* **1.** *(stanza)* Raum *m,* Zimmer *n;* **2.** *(di porta, finestra)* Öffnung *f;* ~ **portabagagli** Kofferraum *m;* **II.** *agg* **1.** *fig (privo di contenuto)* leer, *(persona a.)* hohl; *(speranza)* eitel *geh,* trügerisch; **2.** *(inutile)* unnütz, nutzlos; *(tentativo)* erfolglos, ergebnislos.
vantaggio [van'taddʒo] ⟨-ggi⟩ *m* **1.** *(condizione favorevole)* Vorteil *m;* **2.** *sport* Vorsprung *m; (nel tennis)* Vorteil *m;* **3.** *(profitto)* Nutzen *m,* Gewinn *m;* **andare/portarsi in** ~ *(in un gioco o una partita)* in Führung gehen (*con* mit). **vantaggioso, -a** [...'dʒo:so] *agg (condizione, offerta)* vorteilhaft, günstig; *(posizione a.)* stark.
vantare [van'ta:re] **I.** *tr* **1.** *(persona, meriti)* loben, rühmen; **2.** *(diritto)* beanspruchen; **II.** *rfl:* **-arsi** sich loben (*di* für, wegen +*gen*), sich rühmen *(di qc* einer S. *gen).* **vanteria** [...te'ri:a] ⟨-ie⟩ *f* Angeberei *f,* Prahlerei *f.*
vanto ['vanto] *m* **1.** *(il vantare)* Prahlen *n,* Angeben *n;* **2.** *(motivo d'orgoglio)* Vorzug *m.*
vanvera ['vanvera] *f:* **a** ~ aufs Geratewohl, drauflos- *fam; peg* unüberlegt.
vapore [va'po:re] *m* **1.** *gener.* Dampf *m;* **2.** *naut* Dampfer *m;* ~ **acqueo** Wasserdampf *m;* **cuocere al** ~ dünsten; **a tutto** ~ mit Volldampf. **vaporetto** [vapo'retto] *m* kleines Motorschiff. **vaporizzare** [...rid'dza:re] **I.** *tr* ⟨*avere*⟩ **1.** *(liquido)* verdampfen; *(acqua a.)* verdunsten; *(nebulizzare)* zerstäuben; **2.** *(nella cosmesi)* vaporisieren; **II.** *itr* ⟨*essere*⟩ verdampfen. **vaporizzazione** [...riddzat'tsio:ne] *f* Verdampfung *f,* Verdunstung *f.* **vaporosità** [...rosi'ta] ⟨-⟩ *f fig* Leichtigkeit *f.* **vaporoso, -a** [...'ro:so] *agg fig* **1.** *(leggerissimo)* luftig, duftig, ganz leicht; **2.** *(vago)* verschwommen.
varamento [vara'mento] *m* Montage *f* von Fertigteilen.
varare [va'ra:re] *tr* **1.** *dir (legge)* verabschieden; **2.** *naut* vom Stapel lassen.
varcare [var'ka:re] ⟨varco, varchi⟩ *tr* überschreiten.
varco ['varko] ⟨-chi⟩ *m* Durchgang *m,* Weg *m;* **aspettare qu al** ~ jdm auflauern.
varec(c)hina [vare'ki:na (...k'ki:na)] *f* Bleichmittel *n.*
variabile [va'ria:bile] **I.** *agg* **1.** *(tempo)* veränderlich, wechselhaft, unbeständig; **2.** *(prezzi)* schwankend; **3.** *(umore)* wechselnd; **4.** *ling* veränderlich; **II.** *f mat* Variable *f.* **variabilità** [variabili'ta] ⟨-⟩ *f* **1.** *(di tempo)* Veränderlichkeit *f,* Unbeständigkeit *f;* **2.** *econ* Schwankung *f;* **3.** *(di umore)* Wechselhaftigkeit *f;* **4.** *ling* Veränderlichkeit.
variante [va'riante] *f* Variante *f.* **varianza** [va'riantsa] *f* Varianz *f.*
variare [va'ria:re] ⟨vario, vari⟩ **I.** *tr* ⟨*avere*⟩ abändern, variieren; **II.** *itr* ⟨*essere*⟩ sich (ver)ändern; *(tempo)* wechseln; *econ* schwanken.
variato, -a [va'ria:to] *agg* abwechslungsreich. **variazione** [...t'tsio:ne] *f* **1.** *gener.* (Ver-, Ab)änderung *f; (di colori, toni, ecc.)* Wechsel *m; (econ, di temperatura)* Schwankung *f;* **2.** *mus* Variation *f* (*su* über +*akk).*
varice [va'ri:tʃe] *f* Krampfader *f.*
varicella [vari'tʃɛlla] *f* Wind-, Wasserpocken *pl.*
varicoso, -a [vari'ko:so] *agg:* **vena -a** Krampfader *f.*
variegato, -a [varie'ga:to] *agg* gefleckt, marmoriert; *(foglie, fiori)* geflammt, panaschiert.
varietà[1] [varie'ta] ⟨-⟩ *f* **1.** *gener.* Vielfalt *f;* **2.** *(differenza)* Verschiedenartigkeit *f;* **3.** *zoo, bot* Varietät *f.*
varietà[2] [varie'ta, varje'te], **variété** ⟨-⟩ *m teat* Varieté *n.*
vario, -a ['va:rio] ⟨-i, -ie⟩ **I.** *agg* **1.** *(non monotono)* abwechslungsreich; *(molteplice)* verschiedenartig; **2.** *meteo* unbeständig, veränderlich, wechselhaft; **3.** *(umore)* wechselnd; **4.** ⟨*pl*⟩ mehrere, einige, manche, verschiedene; *(dopo il sostantivo a.)* unterschiedliche; **-ie ed eventuali** *amm* Verschiedene(s) *n,* Sonstige(s) *n;* **II.** ⟨*pl*⟩ *pron (molti)* einige.
variopinto, -a [vario'pinto] *agg* bunt.
varo ['va:ro] *m* **1.** *naut* Stapellauf *m;* **2.** *dir (di legge)* Verabschiedung *f.*
varrò [var'rɔ] *v.* **valere.**
Varsavia [var'sa:via] *f* Warschau *n.*
vasaio, -a [va'za:io] ⟨-ai, -aie⟩ *m, f* Töpfer(in) *m(f).*
vasca ['vaska] ⟨-sche⟩ *f* **1.** *gener.* Wanne *f,* Becken *n;* **2.** *sport* Bahn *f;* ~ **da bagno** Badewanne *f;* ~ **per i pesci** Fischbecken *n.*
vascello [vaʃ'ʃɛllo] *m* (Linien)schiff *n.*
vascolare [vasko'la:re] *agg med* Gefäß-.
vaselina [vaze'li:na] *f* Vaseline *f,* Vaselin *n.*
vasellame [vazel'la:me] *m* Geschirr *n.*
vasistas [vazis'tas] ⟨-⟩ *m* Klappfenster *n,* Oberlicht *n.*
vaso ['va:zo] *m* **1.** *gener.* Gefäß *n,* Topf *m; (di marmellata)* Glas *n; (decorativo)* Vase *f;* **2.** *fis, tec* Röhre *f;* **3.** *(del gabinetto)* Toilettenbecken *n,* -schüssel *f;* **4.** *anat* Gefäß *n;* ~ **da notte/da fiori** Nacht-/Blumentopf *m.*
vassoio [vas'so:io] ⟨-oi⟩ *m* Tablett *n.*
vastità [vasti'ta] ⟨-⟩ *f* **1.** *(ampiezza)* Weite *f;* **2.** *fig* Weitläufigkeit *f,* Breite *f.*
vasto, -a ['vasto] *agg* **1.** *(ampio)* weit; **2.** *fig* breit, groß, umfassend, umfang-

reich; **una ~a cultura** eine umfassende Bildung; **un ~ publico** ein breites Publikum; **di -a portata** von großer Tragweite; **su -a scala** in großem Rahmen.

vaticano, -a [vati'ka:no] **I.** *agg* vatikanisch, Vatikan-; **II.** *m:* **V~** Vatikan *m;* **la Città del V~** die Vatikanstadt.

vattelapesca [vattela'peska] *interi fam* weiß der Kuckuck *fam.*

Vaud [vo] *m* Waadt *n.*

V.(d.)F. *abbr di* **Vigili del Fuoco** Feuerwehr *f.*

ve [ve] *pron davanti a lo, la, li, le, ne v.* **vi.**

vecchiaia [vek'kia:ia] ⟨-aie⟩ *f* Alter *n;* **indice di ~** altersspezifische Ziffer (*o* Rate). **vecchietto, -a** [...'kietto] *m, f* Alterchen *n,* altes Mütterchen.

vecchio, -a ['vɛkkio] ⟨-cchi, -cchie⟩ **I.** *agg* **1.** *gener.* alt; **2.** *(usato)* alt, gebraucht; **3.** *fig* alt; *(esperto)* erfahren; *(di vecchia data)* langjährig; **città -a** Altstadt *f;* **commercio di libri/ferri -cchi** (Bücher)antiquariat *n*/Alteisenhandel *m;* **essere ~ del mestiere** berufserfahren sein; **è più -a di lui di tre anni** sie ist drei Jahre älter als er; **II.** *m, f* Alte(r) *mf,* alter Mann, alte Frau; **III.** *m* Alte(s) *n.* **vecchiume** [vek'kiu:me] *m* altes Zeug, alter Kram.

veccia ['vettʃa] ⟨-cce⟩ *f* Futterwicke *f.*

vece ['ve:tʃe] *f amm, lett* Stelle *f,* Statt *f geh;* **fare le -i di qu** jdn vertreten; **il padre o chi ne fa le -i** *amm* der Erziehungsberechtigte.

vedere [ve'de:re] ⟨vedo, vidi, visto *o* veduto⟩ **I.** *tr* **1.** *gener.* sehen; **2.** *(esaminare)* durchsehen, prüfen; **3.** *(tentare)* mal sehen; *(cercare)* zusehen (*di +inf* daß); **far ~** sehen lassen, zeigen; **farsi ~** sich blicken lassen; **farsi ~ dal medico** sich vom Arzt untersuchen lassen; **avere a che ~ con qc/qu** mit etw./jdm zu tun haben; **stare a ~** abwarten; **~ nero/rosa** schwarz/durch die rosarote Brille sehen; **vederci chiaro** durchblicken; **~ (*o* vederci) da un solo occhio** nur auf einem Auge sehen können; **non vederci più dalla fame/dalla sete** *fam* es vor Hunger/Durst nicht mehr aushalten können; **non vederci più per la rabbia** blind vor Wut sein; **non poter ~ qu** jdn nicht leiden (*o* ausstehen) können; **non vedo l'ora di** *+inf* ich kann es nicht erwarten zu *+inf;* **vedi sopra** (*abbr* **v.s.**)/**sotto** siehe oben/unten; **vedi retro** (*abbr* **v.r.**) bitte wenden; **questo è da ~** *fam* das wird sich noch zeigen, das muß sich erst herausstellen; **vuoi ~ che ...** *(essere convinto)* wetten, daß ...; **vieni a ~!** sieh mal!, guck mal! *fam;* **vediamo un po'!** (laß) mal sehen!; **vedi tu** mach du mal; **te la (*o* lo) faccio ~ io** ich werd's dir zeigen!, du kannst was erleben! *fam;* **cose mai viste** Unglaubliches *n;* **II.** *rfl:* **-ersi 1.** *(vedere se stessi, trovarsi)* sich sehen; **2.** *(incontrarsi)* sich sehen, sich treffen; **-ersi perduto** keinen Ausweg (mehr) sehen; **chi s'è visto, s'è visto** *fam* und damit Schluß (*o* basta) *fam;* **III.** *m* Sehen *n,* Betrachtung *f.*

vedetta [ve'detta] *f* **1.** *mil (luogo)* Wachtturm *m,* Ausguck *m; (sentinella)* Posten *m,* Wache *f;* **2.** *naut* kleines Kriegsschiff.

vedovanza [vedo'vantsa] *f* Witwenschaft *f.* **vedovo, -a** ['ve:dovo] **I.** *m, f* Witwer *m,* Witwe *f;* **II.** *agg* verwitwet.

veduta [ve'du:ta] *f* **1.** *(panorama)* Aussicht *f;* **2.** *(raffigurazione)* Ansicht *f;* **3.** ⟨*pl*⟩ *fig* Ansichten *f pl;* **~ aerea** Luftansicht *f.*

veemente [vee'mɛnte] *agg* ungestüm. **veemenza** [...'mɛntsa] *f* Ungestüm *n geh,* Heftigkeit *f;* **con ~** heftig.

vegetale [vedʒe'ta:le] **I.** *agg* **1.** *bot* pflanzlich, Pflanzen-; **2.** *gastr* vegetarisch, Pflanzen-; **brodo ~** Gemüsebrühe *f;* **II.** *m* Pflanze *f,* Gewächs *n.*

vegetare [vedʒe'ta:re] *itr* **1.** *bot* wachsen; **2.** *fig* (dahin)vegetieren.

vegetariano, -a [vedʒeta'ria:no] **I.** *agg* vegetarisch; **II.** *m, f* Vegetarier(in) *m(f).*

vegetativo, -a [vedʒeta'ti:vo] *agg* vegetativ; **sistema nervoso ~** vegetatives Nervensystem.

vegetazione [vedʒetat'tsio:ne] *f* Vegetation *f.*

vegeto, -a ['vɛ:dʒeto] *agg* **1.** *(persona)* kräftig, rüstig; **2.** *bot* üppig; **essere vivo e ~** gesund und munter sein.

veggente [ved'dʒɛnte] *mf* (Hell)seher(in) *m(f),* Wahrsager(in) *m(f).*

veglia ['veʎʎa] ⟨-glie⟩ *f* Wachen *n; (sorveglianza)* Wache *f.*

vegliare [veʎ'ʎa:re] ⟨veglio, vegli⟩ **I.** *tr (un malato, morto)* wachen bei; **II.** *itr* wach sein; *(stare vigile)* wachen (*su* über *+akk*).

veglione [veʎ'ʎo:ne] *m* großer (Masken)ball; **~ di fine d'anno** Silvesterball *m;* **~ di carnevale** großer Maskenball.

veicolo [ve'i:kolo] *m* **1.** *tec* Fahrzeug *n;* **2.** *med* Überträger *m;* **3.** *fig (mezzo)* Vehikel *n,* Mittel *n;* **~ spaziale (*o* cosmico)** Raumfahrzeug *n,* Raumschiff *n.*

vela ['ve:la] *f* **1.** *naut* Segel *n;* **2.** *sport* Segeln *n,* Segelsport *m;* **sport della ~** Segelsport *m;* **gare di ~** Segelregatten *f pl;* **andare a ~** segeln; **andare a gonfie -e** *fig* sehr gut vorankommen; **ammainare le -e** die Segel streichen.

velare [ve'la:re] **I.** *tr* **1.** *(coprire)* verhüllen, verschleiern; **2.** *fig (sguardo)* trüben (*di* von); *(voce)* dämpfen; *(sentimenti)* verbergen; **II.** *rfl:* **-arsi 1.** *(con velo)* sich verschleiern; **2.** *fig (offuscarsi)* sich trüben (*di* von). **velato, -a** [ve'la:to] *agg* **1.** *(donna)* verschleiert; **2.** *(luce, suono, voce)* gedämpft; **3.** *(molto trasparente)*

hauchdünn; **4.** *fig (nascosto)* indirekt, versteckt.
velatura [vela'tu:ra] *f naut* Segelwerk *n.*
veleggiare [veled'dʒa:re] ⟨veleggio, veleggi⟩ *itr* **1.** *naut* segeln; **2.** *aero* segelfliegen.
veleno [ve'le:no] *m* Gift *n;* **avere il ~ in corpo** von Haß erfüllt sein; **sputar ~** Gift und Galle spucken. **velenoso, -a** [vele'no:so] *agg (a. fig)* giftig; **avere una lingua -a** eine spitze Zunge haben.
veletta [ve'letta] *f* Hutschleier *m.*
velico, -a ['vɛ:liko] ⟨-ci, -che⟩ *agg* Segel-; **sport ~** Segelsport *m.* **veliero** [ve'li̯ɛ:ro] *m* Segler *m,* Segelschiff *n.*
velina [ve'li:na] **I.** *f* **1.** *(foglio)* Durchschlagpapier *n;* **2.** *(copia)* Durchschlag *m;* **II.** *agg* Durchschlag-.
velismo [ve'lizmo] *m* Segeln *n,* Segelsport *m.* **velista** [ve'lista] ⟨-i *m,* -e *f*⟩ *mf* Segler(in) *m(f),* Segelsportler(in) *m(f).*
velivolo [ve'li:volo] *m* Flugzeug *n.*
velleità [vellei'ta] ⟨-⟩ *f* Bestrebung *f,* Wunschvorstellung *f.* **velleitario, -a** [...'ta:ri̯o] ⟨-i, -ie⟩ *agg* unrealistisch; *(aspirazioni, ecc. a.)* überzogen, hochfliegend.
vello ['vɛllo] *m* Pelz *m.*
vellutato, -a [vellu'ta:to] *agg* **1.** *(simile al velluto)* samtig, samten; **2.** *fig (colore, voce)* samtig, zart, weich; **avere la pelle -a** eine Haut wie Samt haben. **velluto** [...'lu:to] *m* Samt *m;* **~ a coste/di cotone** Kord-/Baumwollsamt *m.*
velo ['ve:lo] *m* **1.** *gener.* Schleier *m;* **2.** *fig* Schleier *m; (leggero strato)* Hauch *m;* **3.** *fig (apparenza)* Deckmantel *m,* Schleier *m;* **4.** *bot* Häutchen *n,* Haut *f;* **~ da sposa (***o* **nuziale)** Brautschleier *m;* **~ palatino** Gaumensegel *n.*
veloce [ve'lo:tʃe] *agg* schnell. **velocipede** [velo'tʃi:pede] *m* Hochrad *n.* **velocista** [velo'tʃista] ⟨-i *m,* -e *f*⟩ *mf* Sprinter(in) *m(f).*
velocità [velotʃi'ta] ⟨-⟩ *f* Geschwindigkeit *f,* Schnelligkeit *f;* **~ massima/ridotta** Höchstgeschwindigkeit *f*/verringerte Geschwindigkeit; **~ consigliata/~ di calcolo/~ di crociera** Richt-/Rechen-/Reisegeschwindigkeit *f;* **eccesso di ~** Geschwindigkeitsüberschreitung *f;* **aumentare/diminuire la ~** die Geschwindigkeit erhöhen/drosseln (*o* verringern); **a tutta ~** mit voller Geschwindigkeit; **treno ad alta ~** Hochgeschwindigkeitszug *m.*
velodromo [ve'lɔ:dromo] *m* Radrennbahn *f,* Radrennhalle *f.*
vena ['ve:na] *f* **1.** *anat* Vene *f,* Ader *f;* **2.** *geog, min* Ader *f;* **3.** *(di legno, marmo)* Maserung *f,* Ader *f;* **4.** *fig* Stimmung *f,* Laune *f; (poetica, musicale)* Ader *f;* **~ cava/porta** Hohlvene *f*/Pfortader *f;* **avere la ~ poetica** eine dichterische Ader haben; **essere in ~ di generosità** in Spendierlaune sein; **essere in ~ di fare qc** zu etw. aufgelegt sein, in der Stimmung sein, etw. zu tun; **oggi mi sento in ~** heute bin ich in Stimmung; **tagliarsi le -e** sich *(dat)* die Pulsadern aufschneiden.
venale [ve'na:le] *agg* **1.** *econ (merce)* verkäuflich; *(prezzo, valore)* Verkaufs-; **2.** *fig peg* käuflich; *(persona a.)* bestechlich.
venato, -a [ve'na:to] *agg* **1.** *(legno)* gemasert; *(marmo)* geädert; **2.** *fig* durchzogen (*di* von).
venatorio, -a [vena'tɔ:ri̯o] ⟨-i, -ie⟩ *agg* Jagd-; **stagione -a** Jagdzeit *f.*
venatura [vena'tu:ra] *f* **1.** *(di marmo, foglio)* Äderung *f; (di legno)* Maserung *f;* **2.** *fig* Anklang *m,* Hauch *m.*
vendemmia [ven'demmi̯a] ⟨-ie⟩ *f* Weinlese *f,* -ernte *f;* **fare la ~** Weinlese halten, Wein ernten. **vendemmiare** [...'mi̯a:re] ⟨vendemmio, vendemmi⟩ **I.** *itr* Weinlese halten, Wein ernten; **II.** *tr* lesen, ernten. **vendemmiatore, -trice** [...mi̯a'to:re] *m, f* Winzer(in) *m(f).*
vendere ['vendere] **I.** *tr (a. fig)* verkaufen; **~ all'asta** versteigern; **~ sottobanco** schwarz verkaufen; **~ a prezzo di costo** zum Selbstkostenpreis verkaufen; **saper ~ la propria merce** *fig* sich gut verkaufen können; **averne da ~** davon in Hülle und Fülle haben; **articoli che si vendono bene** gutgehende Artikel *m pl;* **II.** *rfl:* **-ersi** sich verkaufen; *(donna)* sich prostituieren.
vendetta [ven'detta] *f* Rache *f;* **fare ~ di ...** Rache üben für ...; **giurare ~** Rache schwören; **~ trasversale** Blutrache *f;* **gridare ~ davanti a Dio (***o* **al cielo)** zum Himmel schreien.
vendicare [vendi'ka:re] ⟨vendico, vendichi⟩ **I.** *tr* rächen; **II.** *rfl:* **-arsi** sich rächen (*su qu di qc* an jdm für etw.). **vendicativo, -a** [...ka'ti:vo] *agg* rachsüchtig. **vendicatore, -trice** [...ka'to:re] *m, f* Rächer(in) *m(f).*
vendita ['vendita] *f* **1.** *econ* Verkauf *m; (smercio)* Absatz *m;* **2.** *(negozio)* Geschäft *n,* Laden *m;* **~ di fine stagione** Schlußverkauf *m;* **~ fallimentare** Liquidationsverkauf *m;* **~ per corrispondenza** Versandhandel *m;* **~ porta a porta** Haustürverkauf *m,* -geschäft *n;* **reparto -e** Verkaufsabteilung *f;* **addetto alle -e** Sachbearbeiter *m* im Verkauf; **essere in ~** im Handel sein, erhältlich sein; **~ all'ingrosso/al minuto** Groß-/Einzelhandel *m.* **venditore, -trice** [...'to:re] *m, f* Verkäufer(in) *m(f);* **~ ambulante** Straßenverkäufer(in) *m(f).*
venduto, -a [ven'du:to] *agg* **1.** *econ* verkauft; **2.** *fig peg* bestochen, gekauft.
venefico, -a [ve'nɛ:fiko] ⟨-ci, -che⟩ *agg* **1.** *(sostanza, aria)* giftig; **2.** *fig* böswillig.

venerabile, venerando, -a [vene'ra:bile, ...'rando] *agg* ehrwürdig, verehrungswürdig.

venerare [vene'ra:re] *tr* verehren. **venerazione** [...rat'tsio:ne] *f* Verehrung *f*.

venerdì [vener'di] ⟨-⟩ *m* Freitag *m;* **V~ Santo** Karfreitag *m;* **gli manca qualche (*o* un) ~** *scherz* bei ihm ist eine Schraube locker *fam;* **non avere tutti i ~** *scherz* nicht alle Tassen im Schrank haben *fam; v. a. lunedì.*

venere ['vɛ:nere] *f* **1.** *(dea, astr):* **V~** Venus *f;* **2.** *fig (donna bella)* Göttin *f;* **monte di ~** Venusberg *m.*

venereo, -a [ve'nɛ:reo] *agg* Geschlechts-, venerisch *wissensch.;* **malattie -e** Geschlechtskrankheiten *f pl.*

Veneto ['vɛ:neto] *m* Venetien *n.*

Venezia [ve'nɛttsia] *f* Venedig *n;* **~-Giulia** Julisch-Venetien *n.* **veneziano, -a** [venet'tsia:no] **I.** *agg* venezianisch; **II.** *m, f* Venezianer(in) *m(f);* **III.** *f (tenda)* Jalousie *f.*

venire [ve'ni:re] ⟨vengo, venni, venuto⟩; **I.** *itr* ⟨*essere*⟩ **1.** *gener.* kommen; **2.** *mat* herauskommen; **3.** *(ricorrere)* fallen (*di* auf +*akk*); **4.** *(numeri estratti)* gezogen werden; **5.** *(provenire)* kommen (*da* aus, von), abstammen (*da* aus, von); **6.** *(riuscire)* werden, ausfallen; **andare e ~** *m* Kommen und Gehen *n;* **~ a costare** kommen auf +*akk*, kosten; **~ a sapere** erfahren; **~ a trovare qu** jdn besuchen (kommen); **~ a conoscenza di qc** von etw. Kenntnis bekommen; **~ alla luce** *(bambino)* auf die Welt kommen; *fig* ans (Tages)licht kommen; **~ al sodo (*o* nocciolo *o* dunque)** zur Sache (*o* zum Kern der Sache) kommen; **~ a noia** langweilig werden; **~ in possesso di qc** in den Besitz einer S. *(gen)* kommen (*o* gelangen); **~ avanti** vortreten, nähertreten; *(entrare)* eintreten; **~ dentro/dietro/dopo** hereinkommen, eintreten/hinterherkommen/nachkommen; **~ fuori** *(sbucare)* herauskommen, hervorkommen; **~ giù** herunterkommen; **~ meno** ohnmächtig werden; **~ su** *(salire)* heraufkommen; *(crescere)* wachsen, gedeihen; **~ via** *(staccarsi)* abgehen; *(scomparire)* wegkommen, verschwinden; **far ~** *(mandare a chiamare)* kommen lassen, holen; *(causare)* verursachen; **viene da Firenze** *(è di Firenze)* er (*o* sie) ist (*o* kommt *o* stammt) aus Florenz; *(arriva da Firenze)* er (*o* sie) kommt aus Florenz (an); **non mi viene** *fam* mir fällt's nicht ein, ich komme nicht drauf *fam;* **mi è venuta un'idea** mir ist eine Idee gekommen; **mi viene da** +*inf (impulso)* ich muß +*inf;* **cosa ti viene in mente?** was fällt dir ein?; **mi sta venendo il raffreddore** ich bekomme einen Schnupfen; **ora viene il bello** nun (*o* jetzt) kommt das Schönste; **Pasqua viene sempre di domenica** Ostern fällt immer auf einen Sonntag; **quanto viene?** wieviel macht das?; **com'è venuto il lavoro?** wie ist die Arbeit geworden (*o* ausgefallen)?; **come viene, viene** wie's kommt, so kommt's; **a ~** künftig, kommende(r, s), nächste(r, s); **II.** *rfl:* **venirsene 1.** *(camminare)* daherkommen, herankommen; **2.** *fam:* **~ fuori** herausplatzen (*con* mit).

venoso, -a [ve'no:so] *agg* venös, Venen-.

ventaglio [ven'taʎʎo] ⟨-gli⟩ *m* Fächer *m;* **a ~** fächerartig.

ventata [ven'ta:ta] *f* **1.** *meteo* Windstoß *m;* **2.** *fig* Welle *f.*

ventennale [venten'na:le] **I.** *agg* **1.** *(che dura 20 anni)* zwanzigjährig; **2.** *(che ricorre ogni 20 anni)* zwanzigjährlich, Zwanzigjahr-; **II.** *m* zwanzigster Jahrestag. **ventenne** [...'tɛnne] **I.** *agg* zwanzigjährig; **II.** *mf* Zwanzigjährige(r) *mf.* **ventennio** [...'tɛnnio] ⟨-i⟩ *m* Zeitraum *m* von zwanzig Jahren, zwanzig Jahre *n pl.*

ventesimo, -a [ven'tɛ:zimo] **I.** *agg* zwanzigste(r, s); **II.** *m, f* Zwanzigste(r, s) *mfn;* **III.** *m (frazione)* Zwanzigstel *n*, zwanzigster Teil; *v. a. quinto.*

venti ['venti] **I.** *agg num* zwanzig; **II.** ⟨-⟩ *m* **1.** *(numero)* Zwanzig *f;* **2.** *(nelle date)* Zwanzigste(r) *m;* **III.** *f pl* zwanzig Uhr; *v. a. cinque.*

ventilare [venti'la:re] *tr* **1.** *(stanza, casa)* lüften; **2.** *agr* worfeln; **3.** *fig* vorschlagen, zur Diskussion stellen. **ventilato, -a** [...'la:to] *agg* luftig. **ventilatore** [...la'to:re] *m* Ventilator *m.* **ventilazione** [...lat'tsio:ne] *f* **1.** *(il ventilare)* Ventilation *f*, Lüftung *f;* **2.** *(movimento dell'aria)* Ventilation *f*, Luftbewegung *f;* **impianto di ~** Entlüftungsanlage *f.*

ventina [ven'ti:na] *f:* **una ~ (di ...)** (etwa) zwanzig (...); **essere sulla ~** an (*o* um) die Zwanzig sein.

ventiquattr'ore, ventiquattrore [ventikuat'tro:re] **I.** *f pl (periodo)* vierundzwanzig Stunden *f pl;* **II.** *f* **1.** *(valigetta)* Aktenkoffer *m;* **2.** *sport* Vierundzwanzigstundenrennen *n;* **~ su ventiquattro** rund um die Uhr.

ventitré [venti'tre] **I.** *agg num* dreiundzwanzig; **II.** ⟨-⟩ *m* **1.** *(numero)* Dreiundzwanzig *f;* **2.** *(nelle date)* Dreiundzwanzigste(r) *m;* **III.** *f pl* dreiundzwanzig Uhr; **portare il cappello sulle ~** den Hut schräg tragen; *v. a. cinque.*

vento ['vɛnto] *m* Wind *m;* **galleria del ~** Windkanal *m;* **navigare col ~ in poppa** Rückenwind haben; *fig* gut gehen; *(persona)* großen Erfolg haben; **parlare al ~** *fig* in den Wind reden; **tira ~** es zieht.

ventola ['vɛntola] *f* **1.** *(per il fuoco)* (Feuer)wedel *m;* **2.** *(del ventilatore)* Flügelrad *n.*

ventosa [ven'to:sa] *f* **1.** *med* Schröpfkopf *m;* **2.** *zoo* Saugnapf *m.*

ventoso, -a [ven'to:so] *agg* windig.
ventotto [ven'tɔtto] **I.** *agg num* achtundzwanzig; **II.** ⟨-⟩ *m* **1.** *(numero)* Achtundzwanzig *f;* **2.** *(nelle date)* Achtundzwanzigste(r) *m; v. a. cinque.*
ventre ['vɛntre] *m* **1.** *anat* Bauch *m,* Unterleib *m;* **2.** *fig* Bauch *m,* Leib *m,* Innere(s) *n.*
ventricolare [ventiko'la:re] *agg* Herzkammer-, ventrikulär *wissensch.* **ventricolo** [...'tri:kolo] *m* Kammer *f,* Ventrikel *m wissensch;* ~ **cardiaco** Herzkammer *f.*
ventriera [ven'trjɛ:ra] *f* Bauchbinde *f.*
ventriglio [ven'triʎʎo] ⟨-gli⟩ *m* Muskelmagen *m.*
ventriloquo, -a [ven'tri:lokuo] *m, f* Bauchredner(in) *m(f).*
ventunenne [ventu'nɛnne] **I.** *agg* einundzwanzigjährig; **II.** *mf* Einundzwanzigjährige(r) *mf.* **ventunesimo, -a** [...'nɛ:zimo] **I.** *agg* einundzwanzigste(r, s); **II.** *m, f* Einundzwanzigste(r, s) *mfn; v. a. quinto.* **ventuno** [...'tu:no] **I.** *agg num* einundzwanzig; **II.** ⟨-⟩ *m* **1.** *(numero)* Einundzwanzig *f;* **2.** *(nelle date)* Einundzwanzigste(r) *m;* **III.** *f pl* einundzwanzig Uhr; *v. a. cinque.*
ventura [ven'tu:ra] *f (sorte)* Schicksal *n,* Los *n; (buona fortuna)* Glück *n;* **alla** ~ aufs Geratewohl, auf gut Glück; **compagnie di** ~ *st* Landsknechtscharen *f pl.*
venturo, -a [ven'tu:ro] *agg* nächste(r, s), kommende(r, s).
venuta [ve'nu:ta] *f (arrivo)* Kommen *n,* Ankunft *f.*
venuto, -a [ve'nu:to] **I.** *pp di* **venire; II.** *agg* (an)gekommen; **III.** *m, f* Angekommene(r) *mf,* Ankömmling *m;* **nuovo** ~ Neuankömmling *m;* **il primo** ~ der erste, der erste beste; **non essere il primo** ~ *fig* nicht irgendwer sein.
vera ['ve:ra] *f* Ehe-, Trauring *m.*
verace [ve'ra:tʃe] *agg lett* wahrhaftig; *(persona)* wahrhaft.
veramente [vera'mente] *avv* wirklich, tatsächlich; **io, ~, non ci andrei** ich würde allerdings nicht hingehen.
veranda [ve'randa] *f* Veranda *f.*
verbale [ver'ba:le] **I.** *agg* **1.** *(orale)* mündlich, verbal; **2.** *gram* verbal, Verbal-; **II.** *m amm* Protokoll *n,* Niederschrift *f;* **mettere qc a** ~ etw. protokollieren. **verbalizzare** [verbalid'dza:re] *tr, itr amm* protokollieren, niederschreiben.
verbena [ver'bɛ:na] *f* Eisenkraut *n,* Verbene *f.*
verbo ['vɛrbo] *m* Verb *n,* Zeitwort *n;* **il ~ divino** das Wort Gottes.
verbosità [verbosi'ta] ⟨-⟩ *f* Redseligkeit *f; (di oratore, discorso)* Weitschweifigkeit *f,* Langatmigkeit *f.* **verboso, -a** [...'bo:so] *agg* redselig; *(oratore, discorso)* weitschweifig, langatmig.
verdastro, -a [ver'dastro] *agg* schmutziggrün, grünlich.
verde ['verde] **I.** *agg* grün; *(fig a.)* jung, unreif; **l'età ~, gli anni -i** die jungen Jahre *n pl;* **II.** *m* **1.** *(colore)* Grün *n;* **2.** *(zona, parte verde)* Grün *n,* Grüne(s) *n;* **benzina** ~ bleifreies Benzin; **carta** ~ *mot* grüne Versicherungskarte; **numero** (*o* **telefono**) ~ ≃ 0130; **essere** (*o* **ridursi** *o* **trovarsi**) **al** ~ *fam* blank (*o* abgebrannt) sein *fam;* **passare col** ~ bei Grün über die Ampel gehen (*o* fahren); **non c'è un filo di** ~ es gibt kein bißchen Natur (*o* Grün); **III.** *mf pol* Grüne(r) *mf.*
verdeggiante [-d'dʒante] *agg* grün(end).
verdeggiare [-d'dʒa:re] ⟨verdeggio, verdeggi⟩ *itr* grünen.
verderame [verde'ra:me] ⟨-⟩ *m* Grünspan *m.*
verdetto [ver'detto] *m* **1.** *dir* Urteilsspruch *m;* **2.** *(di gara, concorso) a. sport* Entscheidung *f;* **3.** *fig* Urteil *n;* ~ **di assoluzione/di condanna** Freispruch *m*/ Verurteilung *f.*
verdognolo, -a [ver'doɲɲolo] *agg* grünlich. **verdolino, -a** [...do'li:no] *agg* zartgrün. **verdone** [...'do:ne] *m* **1.** *(colore)* Knallgrün *n,* Giftgrün *n;* **2.** *zoo* Blauhai *m.*
verdura [ver'du:ra] *f* Gemüse *n.*
verecondia [vere'kondja] ⟨-ie⟩ *f* Schamhaftigkeit *f.* **verecondo, -a** [...'kondo] *agg* schamhaft.
verga ['verga] ⟨-ghe⟩ *f* **1.** *(bacchetta)* Gerte *f,* Rute *f; (del rabdomante)* Wünschelrute *f;* **2.** *(simbolo del potere)* Stab *m;* **3.** *(di metallo prezioso)* Barren *m;* **4.** *fam* Pimmel *m fam,* Schwanz *m vulg.*
vergare [ver'ga:re] ⟨vergo, verghi⟩ *tr lett* **1.** *(tessuto)* rippen; *(carta)* lin(i)ieren; **2.** *(lettera)* (mit der Hand) schreiben.
verginale [verdʒi'na:le] *agg (a. fig)* jungfräulich. **vergine** ['verdʒine] **I.** *f* **1.** *(donna, fanciulla)* Jungfrau *f;* **2.** *rel:* **V~** Jungfrau *f* (Maria); **3.** *astr:* **V~** Jungfrau *f;* **sono della** (*o* **una**) **V~** *astr* ich bin Jungfrau; **la Beata V~** die Heilige Jungfrau (Maria); **II.** *agg* **1.** *(illibata)* unberührt, jungfräulich; **2.** *(fig a.)* rein, pur; *(nastro ecc.)* nicht bespielt; **cassetta** ~ Leerkassette *f;* **olio ~ d'oliva** reines Olivenöl; **pura lana** ~ reine Schurwolle.
verginità [...dʒini'ta] ⟨-⟩ *f* **1.** *(di donna)* Jungfräulichkeit *f;* **2.** *fig* Unberührtheit *f,* Keuschheit *f.*
vergogna [ver'goɲɲa] *f* **1.** *gener.* Scham *f;* **2.** *(disonore)* Schande *f;* **3.** *(timidezza)* Hemmungen *f pl;* **4.** ⟨*pl*⟩ *fam* Schamteile *n pl;* **essere la ~ della famiglia** der Schandfleck der Familie sein; **avere ~ di qu/qc** sich vor jdm/etw. schämen (*o* genieren); **senza** ~ schamlos; **che ~!** welche Schande!, so eine Schande! **vergognarsi** [...'ɲarsi] *rfl* sich

schämen, sich genieren; ~ **di qu** sich vor jdm schämen; ~ **di/per qc** sich für etw schämen; **mi vergogno (io) per lui** ich schäme mich für ihn; ~ **come un ladro** sich in Grund und Boden schämen; **vergognati!** schäm dich! **vergognoso, -a** [...'ɲo:so] *agg* **1.** *(persona)* schamhaft, verschämt; *(timido)* schüchtern; **2.** *(azione, ecc.)* schändlich.

veridico, -a [ve'ri:diko] ⟨-ci, -che⟩ *agg* wahrheitsgetreu, glaubwürdig. **veridicità** [veriditʃi'ta] ⟨-⟩ *f* Wahrheitstreue *f.*

verifica [ve'ri:fika] ⟨-che⟩ *f* (Nach-, Über)-prüfung *f,* Kontrolle *f;* ~ **contabile** Rechnungsprüfung *f;* ~ **dei passaporti** Paßkontrolle *f.* **verificare** [verifi'ka:re] ⟨verifico, verifichi⟩ **I.** *tr* (nach-, über)prüfen, kontrollieren; **II.** *rfl:* **-arsi 1.** *(accadere)* sich ereignen, vorfallen; **2.** *(avverarsi)* eintreten.

verismo [ve'rizmo] *m* **1.** *letter* Verismus *m;* **2.** *fig (realismo)* Realismus *m.*

verità [veri'ta] ⟨-⟩ *f* **1.** *gener.* Wahrheit *f;* **2.** *rel* Offenbarung *f;* **la pura e semplice** ~ die reine Wahrheit; **giuro di dire la ~, tutta la ~, nient'altro che la** ~ *dir* ich schwöre, die Wahrheit zu sagen, nichts hinzuzufügen und nichts zu verschweigen; **in** ~ in Wahrheit (*o* Wirklichkeit), *(rel)* wahrlich; **a (*o* per) dire la** ~ ehrlich gesagt. **veritiero, -a** [...'tjɛ:ro] *agg* **1.** *(persona)* aufrichtig; **2.** *(notizia)* wahrheitsgetreu, richtig.

verme ['vɛrme] *m* **1.** *zoo, med* Wurm *m;* **2.** *fig* Würmchen *n,* Wurm *m;* ~ **solitario** Bandwurm *m;* **essere nudo come un** ~ splitternackt sein.

vermicelli [vermi'tʃɛlli] *m pl* Vermicelli *pl (etwas dünnere Spaghetti).*

vermifugo, -a [ver'mi:fugo] ⟨-ghi, -ghe⟩ **I.** *agg* wurmtötend; **II.** *m* Wurmmittel *n.*

vermiglio, -a [ver'miʎʎo] ⟨-gli, -glie⟩ **I.** *agg* leuchtendrot; **II.** *m* leuchtendes Rot.

vermouth, vermut ['vɛrmut] ⟨-⟩ *m* Wermut *m.*

vernice[1] [ver'ni:tʃe] *f* **1.** *gener.* Lack *m;* **2.** *(pelle)* Lackleder *n;* **scarpe di** ~ **marrone** braune Lackschuhe *m pl;* **dare una mano di** ~ **a qc** etw. lackieren (*o* streichen); ~ **fresca!** frisch gestrichen!

vernice[2] [ver'ni:tʃe] *f (vernissage)* Vernissage *f.*

verniciare [verni'tʃa:re] ⟨vernicio, vernici⟩ *tr* lackieren, streichen; ~ **a spruzzo** (lack)spritzen. **verniciatore, -trice** [...tʃa'to:re] **I.** *m, f* Lackierer(in) *m(f);* **II.** *m tec* Spritzpistole *f.* **verniciatura** [...tʃa'tu:ra] *f* **1.** *(operazione)* Lackieren *n,* (An)streichen *n;* **2.** *(strato)* Lackierung *f,* Lack *m.*

vernissage [vɛrni'sa:ʒ] ⟨-⟩ *m* Vernissage *f.*

vero, -a ['ve:ro] **I.** *agg* **1.** *gener.* wahr; *(giusto, esatto)* richtig; **2.** *(genuino)* echt; **3.** *(persona)* aufrichtig; *(affetto a.)* tief; **4.** *(effettivo, reale)* wirklich, eigentlich; **tant'è ~ che ...** so (sehr), daß ...; **è incredibile, ma** ~ (es ist) unglaublich, aber wahr; **com'è ~ (che c'è) Dio** so wahr mir Gott helfe; ~ **e proprio** regelrecht, ausgesprochen; **lo ama di ~ amore** er (*o* sie) liebt ihn wirklich; **non mi par ~!** das kann doch nicht wahr sein!; **se è ~?** ob das stimmt?; **non è ~?** ist es nicht so?, stimmt's nicht?; **fosse ~!** wenn es nur wahr wäre!, schön wär's!; **tu non c'eri, ~?** du warst nicht da, stimmt's (*o* oder)?; **lo sai, non è ~?** du weißt es, nicht wahr?; **II.** *m* **1.** *(verità)* Wahrheit *f,* Wahre(s) *n;* **2.** *(in arte)* Natur *f;* **a dire il** ~ um die Wahrheit zu sagen, offen gestanden; **disegnare/dipingere dal** ~ nach der Natur zeichnen/malen.

verosimiglianza [verosimiʎ'ʎantsa] *f* Wahrscheinlichkeit *f.* **verosimile** [...'si:mile] *agg* wahrscheinlich.

verricello [veri'tʃɛllo] *m* Winde *f.*

verro ['vɛrro] *m* Eber *m.*

verrò [ver'rɔ] *v.* **venire.**

verruca [ver'ru:ka] ⟨-che⟩ *f* Warze *f.*

versaccio [ver'sattʃo] ⟨-cci⟩ *m* Fratze *f;* **fare i -cci** Fratzen schneiden.

versamento [versa'mento] *m* **1.** *econ* Einzahlung *f;* **2.** *fin* Einlage *f;* **3.** *med* Erguß *m.*

versante [ver'sante] *m* Hang *m.*

versare [ver'sa:re] **I.** *tr* **1.** *(liquido)* (ein)-gießen; **2.** *(rovesciare)* verschütten, vergießen; **3.** *(sangue, lacrime)* vergießen; **4.** *(somma)* einzahlen; *econ (caparra)* erbringen; *(anticipo)* leisten; ~ **da bere** einschenken; **II.** *itr* **1.** *(perdere)* lecken, leck sein; **2.** *(trovarsi)* sich befinden, sein; **III.** *rfl:* **-arsi 1.** *(spargersi)* verschütten; **2.** *(fiume)* fließen, münden.

versatile [ver'sa:tile] *agg* vielseitig, flexibel. **versatilità** [...satili'ta] ⟨-⟩ *f* Vielseitigkeit *f,* Flexibilität *f.*

versato, -a [ver'sa:to] *agg* versiert.

verseggiare [versed'dʒa:re] ⟨verseggio, verseggi⟩ *tr, itr* dichten.

versetto [ver'setto] *m* Vers *m.*

versione [ver'sjo:ne] *f* **1.** *(traduzione)* Herübersetzung *f;* **2.** *(narrazione)* Darstellung *f,* Version *f;* **3.** *(film)* Version *f,* Fassung *f;* **4.** *tec* Ausführung *f.*

verso[1] ['vɛrso] *prp* **1.** *(direzione)* in Richtung *+gen,* in Richtung auf *+akk,* nach *+dat;* **2.** *(tempo)* gegen *+akk;* **3.** *(dalle parti di)* an *+dat,* bei *+dat,* in der Gegend von *+dat;* **4.** *(di età)* auf *+akk* (... zu); **5.** *(nei confronti di)* gegenüber *+dat;* **6.** *econ* gegen *+akk;* ~ **sera** gegen Abend; **andavo ~ la stazione** ich ging in Richtung Bahnhof; **veniva ~ di noi** er (*o* sie) kam auf uns zu; **abita ~ la periferia** er (*o* sie) wohnt am Stadtrand; **si avvia ~ la settantina** er (*o* sie) geht auf die Siebzig zu.

verso² ['vɛrso] *m* **1.** *letter* (*abbr* **V.**) Vers *m;* **2.** *zoo* Laut *m, Schrei m,* Ruf *m;* **3.** *(di persona)* Ruf *m;* Stöhnen *n;* **4.** *(di pelo, stoffa)* Strich *m,* Richtung *f;* **5.** *(movenza caratteristica)* Eigenart *f;* **6.** *(metodo)* Möglichkeit *f,* Weg *m;* **7.** *(parte, direzione)* Richtung *f;* **comporre -i** (Verse) dichten; **fare il ~ a qu** jdn nachahmen; **prendere qu per il suo ~/per il ~ sbagliato** jdn zu nehmen wissen/nicht zu nehmen wissen; **per un ~ o per un altro** irgendwie, auf die eine oder die andere Art.

verso³ ['vɛrso] **I.** *agg lett* umgedreht; **pollice ~** *(a. st)* umgedrehter Daumen; **II.** *m (di foglio, medaglia, moneta)* Rückseite *f.*

vertebra ['vɛrtebra] *f* Wirbel *m.* **vertebrale** [verte'bra:le] *agg* Wirbel-. **vertebrato, -a** [...'bra:to] **I.** *agg* Wirbel-; **II.** *m* Wirbeltier *n.*

vertenza [ver'tɛntsa] *f* Streit *m,* Streitfall *m;* **~ sindacale** Tarifkonflikt *m.*

vertere ['vɛrtere] ⟨*mancano il pp e le forme composte*⟩ *itr* laufen, sich abspielen, im Gange sein; **~ su** betreffen; **~ intorno a** sich handeln um.

verticale [verti'ka:le] **I.** *agg* senkrecht, vertikal, Vertikal-; **pianoforte ~** Giraffenklavier *n;* **II.** *f* **1.** *mat* Vertikale *f,* Senkrechte *f;* **2.** *sport* Handstand *m; (sulla testa)* Kopfstand *m.*

vertice ['vɛrtitʃe] *m* Spitze *f,* Höhepunkt *m,* Gipfel *m; (di montagna)* Gipfel *m,* Spitze *f; pol* Gipfel *m; mat* Scheitel(-punkt) *m; (di piramide)* Spitze *f;* **~ aziendale** Topmanagement *f;* **il ~ del partito** die Parteispitze *f;* **conferenza/incontro al ~** Gipfelkonferenz *f*/-treffen *n;* **raggiungere il ~ della carriera** den Höhepunkt der beruflichen Laufbahn erreichen.

vertigine [ver'ti:dʒine] *f* Schwindel(gefühl *n*) *m;* **ho le -i** mir ist schwind(e)lig. **vertiginoso, -a** [...tidʒi'no:so] *agg (a. fig)* schwindelerregend, schwindelnd.

verve [vɛrv] ⟨-⟩ *f* Schwung *m,* Elan *m.*

verza ['verdza] *f* Wirsing *m.*

vescica [veʃ'ʃi:ka] ⟨-che⟩ *f anat* Blase *f;* **~ urinaria** Harnblase *f.*

vescovado [vesko'va:do] *m* **1.** *(ufficio)* Bischofswürde *f,* Episkopat *n;* **2.** *(edificio)* Bischofssitz *m,* bischöfliche Residenz. **vescovile** [...'vi:le] *agg* bischöflich, Bischofs-.

vescovo ['veskovo] *m* Bischof *m.*

vespa ['vɛspa] *f zoo* Wespe *f;* **vitino di ~** Wespentaille *f.*

Vespa® ['vɛspa] *f* Vespa® *f,* Motorroller *m.*

vespaio [ves'pa:io] ⟨-ai⟩ *m (a. fig)* Wespennest *n;* **suscitare un ~** *fig* in ein Wespennest stechen.

vespasiano [vespa'zia:no] *m* Pissoir *n.*

vespro ['vɛspro] *m* **1.** *rel* Abendandacht *f,* Vesper *f;* **2.** *lett* Abend(stunde *f*) *m.*

vessare [ves'sa:re] *tr* schinden, schikanieren. **vessazione** [...sat'tsio:ne] *f* Unterdrückung *f; (atto)* Schikane *f.*

vessillo [ves'sillo] *m (a. fig)* Fahne *f,* Banner *m.*

vestaglia [ves'taʎʎa] ⟨-glie⟩ *f* Hausrock *m.* **vestaglietta** [...'ʎetta] *f* leichtes Hauskleid (*o* Sommerkleid).

vestale [ves'ta:le] *f* Vestalin *f.*

veste ['vɛste] *f* **1.** *gener.* Kleidung *f; (da donna)* Kleid *n; (abito solenne, ampio)* Gewand *n;* **2.** *tip* Bild *n,* Aufmachung *f;* **~ da camera** *(da donna)* Morgenrock *m; (da uomo)* Hausrock *m;* **in ~ (di)** als, in der Eigenschaft als *+nom.*

Vestfalia [vest'fa:lia] *f* Westfalen *n.*

vestiario [ves'tia:rio] ⟨-i⟩ *m* Kleidung *f,* Garderobe *f;* **capo di ~** Kleidungsstück *n.*

vestibolo [ves'ti:bolo] *m* Vorhalle *f,* Vestibül *n.*

vestigio [ves'ti:dʒo] ⟨*pl:* -gi *m o* -gia *f*⟩ **1.** ⟨*gener. pl*⟩ *fig (rovine)* Überrest *m;* **2.** *lett (traccia)* (Fuß)spur *f,* -abdruck *m.*

vestire [ves'ti:re] ⟨vesto⟩ **I.** *tr* **1.** *(persona)* anziehen, (an)kleiden *geh;* **2.** *(abito: portare indosso)* anhaben, tragen; *(mettersi indosso)* anziehen; **3.** *(ricoprire)* überziehen (*di* mit); **II.** *itr* sich kleiden; **~ di nero** sich in Schwarz kleiden; **~ a lutto** Trauer(kleidung) tragen; **veste sempre di chiaro** er (*o* sie) ist immer hell gekleidet; **~ alla moda** sich modisch kleiden; **III.** *rfl:* **-irsi 1.** *gener.* sich anziehen; **2.** *(mascherarsi)* sich verkleiden (*da* als *+nom/akk);* **3.** *(indossare)* anziehen (*di qc* etw.), anlegen (*di qc* etw.); **4.** *fig* sich kleiden (*di* in), sich schmücken (*di* mit); **come ti vesti oggi?** was ziehst du heute an?; **-irsi di bianco/seta** Weiß/Seide tragen; **-irsi in maschera** sich maskieren; **IV.** *m* Kleidung *f.*

vestito [ves'ti:to] *m* Kleidung *f,* Bekleidung *f;* **~ da uomo/donna** Herrenanzug *m*/Damenkleid *n;* **cambiare ~** sich umziehen.

Vesuvio [ve'zu:vio] *m* Vesuv *m.*

veterano, -a [vete'ra:no] **I.** *m, f* **1.** *fig* (Alt)meister(in) *m(f);* **2.** *sport* Veteran(in) *m(f);* **II.** *m mil* Veteran *m.*

veterinaria [veteri'na:ria] ⟨-ie⟩ *f* Tier-, Veterinärmedizin *f.* **veterinario, -a** [...io] ⟨-i, -ie⟩ **I.** *agg* tierärztlich; **medico ~** Tierarzt *m,* -ärztin *f;* **II.** *m, f* Tierarzt *m,* -ärztin *f,* Veterinär(in) *m(f).*

veto ['vɛ:to] ⟨-⟩ *m* Veto *n,* Einspruch *m;* **mettere (*o* porre *o* opporre) il ~** Widerspruch einlegen.

vetraio, -a [ve'tra:io] ⟨-ai, -aie⟩ *m, f* Glasarbeiter(in) *m(f); (per finestre)* Glaser(in) *m(f); (artigiano)* Glasbläser(in) *m(f).* **vetrario, -a** [ve'tra:rio] ⟨-i, -ie⟩ *agg* Glas-. **vetrata** [ve'tra:ta] *f* **1.** *(ampia fi-*

nestra) Glasfenster *n; (porta)* Glastür *f;* **2.** *(di chiesa)* Kirchenfenster *n.* ~ **isolante** Isolierverglasung *f.* **vetrato, -a** [...to] *agg* Glas-, aus Glas, gläsern; **carta -a** Glaspapier *n.* **vetreria** [vetre'ri:a] ⟨-ie⟩ *f* **1.** *(fabbrica)* Glasfabrik *f,* -hütte *f;* **2.** *(oggetti)* Glas(waren *f pl*) *n.* **vetrificare** [vetrifi'ka:re] ⟨vetrifico, vetrifichi⟩ **I.** *tr* ⟨*avere*⟩ verglasen; **II.** *itr* ⟨*essere*⟩, *rfl:* **-arsi** zu Glas werden.

vetrina [ve'tri:na] *f* **1.** *(di negozio)* Schaufenster *n,* Auslage *f;* **2.** *(mobile)* Vitrine *f,* Glasschrank *m;* **andare a vedere le -e** einen Schaufensterbummel machen. **vetrinista** [vetri'nista] ⟨-i *m,* -e *f*⟩ *mf* Schaufensterdekorateur(in) *m(f).*

vetrino [ve'tri:no] *m* Objektträger *m,* -glas *n.*

vetriolo [vetri'ɔ:lo] *m* Sulfat *n,* Vitriol *n.*

vetro ['ve:tro] *m* Glas *n; (di finestra)* (Fenster)scheibe *f;* ~ **bianco** Weißglas *n;* ~ **di Jena** Jenaer Glas; ~ **infrangibile** bruchfestes Glas; ~ **opalino (***o* **latte)** Milchglas *n;* ~ **piano** Flachglas *n;* ~ **solubile** Wasserglas *n;* ~ **stampato** Preßglas *n;* **fibra di** ~ Glasfaser *f;* **lastra di** ~ Glasscheibe *f,* -platte *f.* **vetroresina** [vetro'rɛ:zina] *f* Fiberglas *n.* **vetroso, -a** [ve'tro:so] *agg* glasartig, Glas-.

vetta ['vetta] *f (a. fig)* Gipfel *m.*

vettore, -trice [vet'to:re] **I.** *agg* **1.** *fis mat* vektoriell; **2.** *(razzo)* Träger-; **II.** *m* **1.** *fis, mat* Vektor *m;* **2.** *aero* Trägerrakete *f;* **3.** *(imprenditore)* Transportunternehmer *m;* **4.** *biol* Überträger *m.*

vettovagliamento [vettovaʎʎa'mento] *m* Lebensmittelversorgung *f,* Verpflegung *f.* **vettovaglie** [...'vaʎʎe] *f pl* Proviant *m.*

vettura [vet'tu:ra] *f* **1.** *mot* Wagen *m,* Auto(mobil) *n,* Fahrzeug *n;* **2.** *ferr* (Eisenbahn)wagen *m,* Waggon *m;* ~ **da dimostrazione** Vorführwagen *m;* ~ **di servizio** Dienstwagen *m;* ~ **due volumi** *mot* Steilheck *n.*

vetturino [vettu'ri:no] *m* Kutscher *m.*

vezzeggiamento [vettseddʒa'mento] *m* Verhätschelung *f.* **vezzeggiare** [...'dʒa:re] ⟨vezzeggio, vezzeggi⟩ *tr* verhätscheln. **vezzeggiativo, -a** [...dʒa'ti:vo] **I.** *agg* zärtlich; *(parola)* Kose-; **II.** *m* Kosewort *n,* Kosename *m; gram* Koseform *f.*

vezzo ['vettso] *m* **1.** *(modo abituale)* Angewohnheit *f;* **2.** ⟨*pl*⟩ *(leggiadria)* Reize *m pl;* **3.** ⟨*pl*⟩ *(smancerie)* Getue *n fam.* **vezzoso, -a** [...'tso:so] *agg* **1.** *(grazioso)* reizend, anmutig; **2.** *(lezioso)* geziert, affektiert.

V.F. *v.* **V.d.F.**

vi [vi] **I.** *pron pers* **1.** 2^a *pers pl* euch; **2.** *(forma di cortesia a.:* **Vi***) (complemento di termine)* Ihnen; *(complemento oggetto)* Sie; **II.** *pron rfl* **1.** 2^a *pers pl* euch; **2.** *(forma di cortesia a.:* **Vi)** sich; **III.** *pron dim* daran; **IV.** *avv* **1.** *(qui)* hier; *(moto)* her; **2.** *(lì)* dort; *(moto)* hin; **3.** *(per questo luogo)* hier vorbei.

via[1] ['vi:a] ⟨vie⟩ *f* **1.** *gener.* Weg *m; (strada)* Straße *f;* **2.** *anat, dir* Weg *m;* **3.** *fig (maniera)* Weg *m,* Möglichkeit *f; (mezzo)* Mittel *n; (procedimento)* Vorgehen *n;* ~ **lattea** Milchstraße *f;* **V**~ **Crucis** Kreuzweg *m;* ~ **libera** freie Bahn; **dare** ~ **libera** den Weg frei machen; *fig* freie Hand lassen; **vie respiratorie** Atemwege *m pl;* ~ **d'uscita** Ausweg *m,* Möglichkeit *f;* **vie di comunicazione/trasporto** Kommunikations-/Transportmittel *n pl;* **foglio di** ~ *amm* Ausreisegenehmigung *f; (per persona non grata)* Ausweisungsbescheid *m; mil* Entlassungsschein *m;* **per** ~ **aerea** auf dem Luftweg; *(lettere)* per Luftpost; **per** ~ **orale/rettale** oral/rektal; **per** ~ **di padre** väterlicherseits; **per vie traverse** auf Umwegen; **per** ~ **di** wegen, durch; **in** ~ **eccezionale** ausnahmsweise; **abitare in** ~ **Trento** in der Via Trento wohnen; **essere in** ~ **di guarigione** auf dem Weg der Besserung sein; **passare a vie di fatto** zu Tätlichkeiten übergehen, handgreiflich werden; **non vedo altra** ~ ich sehe keine andere Möglichkeit.

via[2] ['vi:a] **I.** *avv* weg, weg-; **andare/buttare/correre/mandare** ~ weggehen/-werfen/-laufen/-schicken; **e così** ~**, e** ~ **dicendo** und so weiter (*o* fort); ~ ~ **che** . . . (wie so) nach und nach . . .; **va'** ~**!** geh weg!; **II.** *interi* **1.** *sport* los; **2.** *(incoraggiamento)* komm, los; **3.** *(per cacciare)* weg; **pronti, attenti,** ~**!** Achtung, fertig, los!; ~**, facciamolo!** auf (geht's)!, packen wir's an!; ~ **di lì!** weg da!; **III.** *m* Startzeichen *n;* **IV.** *prp* über *+akk,* via *+akk,* per *+akk.*

viabilità [viabili'ta] ⟨-⟩ *f* **1.** *(transito)* Befahrbarkeit *f;* **2.** *(rete stradale)* Straßennetz *n.*

Viacard® [via'kard] ⟨-⟩ *f* Autobahnkarte *f,* Viacard *f.*

via crucis [vi:a 'krutʃis] ⟨vie crucis⟩ *f* **1.** *rel* Kreuzweg *m;* **2.** *fig* Leidensweg *m.*

viado [vi'ado] ⟨-s⟩ *m brasilianischer Transvestit, der sich auf der Straße prostituiert.*

viadotto [via'dotto] *m* Viadukt *m,* Überführung *f.*

viaggiare [viad'dʒa:re] ⟨viaggio, viaggi⟩ **I.** *itr* reisen; *(mezzo, linea)* fahren; ~ **in automobile/aeroplano/treno** mit dem Auto/Flugzeug/Zug reisen; ~ **per diporto** eine Vergnügungsreise machen; **il treno viaggia con 3 ore di ritardo** der Zug hat 3 Stunden Verspätung; **II.** *tr* bereisen; **ho viaggiato mezzo mondo** ich habe die halbe Welt bereist.

viaggiatore, -trice [viaddʒa'to:re] **I.** *agg* Reise-; **II.** *m, f* Passagier *m,* Fahrgast *m,* Reisende(r) *mf.*

viaggio [vi'addʒo] ⟨-ggi⟩ *m* **1.** *gener.* Reise *f,* Fahrt *f;* **2.** *fam* Gang *m; (con veicolo)* Fahrt *f;* **3.** *sl (dei drogati)* Trip *m sl;* ~ **aereo** Flugreise *f;* ~ **interplanetario** (*o* **spaziale)** Raumfahrt *f;* ~ **di piacere/nozze** Vergnügungs-/Hochzeitsreise *f;* ~ **di andata e ritorno** Hin- und Rückfahrt *f;* **essere in** ~ auf Reisen sein, unterwegs sein; **mettersi in** ~ sich auf den Weg machen; **buon** ~! gute Reise!

viale [vi'a:le] *m (abbr* **V.le**) Allee *f,* Parkweg *m.*

viandante [vian'dante] *mf* Wanderer *m,* Wand(e)rerin *f.*

viavai [via'va:i] ⟨-⟩ *m* Kommen und Gehen *n,* Hin und Her *n.*

vibrare [vi'bra:re] **I.** *tr (colpo)* versetzen; **II.** *itr* **1.** *fis* schwingen, vibrieren; **2.** *fig lett* zittern, (er)beben; **3.** *mot (sterzo)* flattern. **vibrato** [vi'bra:to] *m* Vibrato *n.* **vibratore** [vibra'to:re] **I.** *m* Vibrator *m;* **II.** *agg* Schwing-; **cuscinetto** ~ Massagekissen *n.* **vibratorio, -a** [...'tɔ:rio] ⟨-i, -ie⟩ *agg* Schwing-, Vibrations-. **vibrazione** [...at'tsio:ne] *f* Vibration *f,* Schwingung *f.*

vicariato [vika'ria:to] *m* Vikariat *n.* **vicario** [vi'ka:rio] ⟨-i⟩ *m* Vikar *m.*

vice ['vi:tʃe] ⟨-⟩ *mf* Stellvertreter(in) *m(f),* Vize *m fam.*

vice- [vitʃe-] *(in parole composte)* Vize-, stellvertretend.

vicenda [vi'tʃɛnda] *f* **1.** *(caso)* Ereignis *n,* (Wechsel)fall *m;* **2.** *(successione)* Folge *f;* **con alterne -e** abenteuerlich, unter Schwierigkeiten; **a** ~ abwechselnd, gegenseitig. **vicendevole** [vitʃen'de:vole] *agg* gegenseitig.

viceversa [vitʃe'vɛrsa] **I.** *avv* umgekehrt; **II.** *cong fam (e invece)* aber (dann).

vichingo, -a [vi'kiŋgo] ⟨-ghi, -ghe⟩ **I.** *agg* wikingisch, Wikinger-; **II.** *m, f st* Wikinger(in) *m(f);* **III.** *f scherz* Walküre *f.*

vicinanza [vitʃi'nantsa] *f* **1.** *gener., fig* Nähe *f;* **2.** ⟨*pl*⟩ *(dintorni)* Nähe *f,* Umgebung *f.* **vicinato** [...'na:to] *m* **1.** *(persone)* Nachbarschaft *f;* **2.** *(rapporti)* nachbarschaftliche Beziehungen *f pl.*

vicino, -a [vi'tʃi:no] **I.** *agg* **1.** *(città, ecc.)* nahe(liegend), nächste(r, s); *(case, ecc.)* nah(e), umliegend; *(popolo, persone)* benachbart, Nachbar-; **2.** *(di tempo)* nah(e), bevorstehend; **3.** *fig* nahe, nahestehend; *(somigliante)* ähnlich; **un parente** ~ ein naher Verwandter; **la stazione di rifornimento più -a** die nächste Tankstelle; **abitano nella casa -a** sie wohnen im Haus nebenan; **gli esami sono -i** die Prüfungen stehen bevor; **la fine è ormai -a** das Ende ist abzusehen; **è** ~ **ai sessant'anni** er geht auf die Sechzig zu; **essere/sentirsi** ~ **a qu** *fig* jdm nahe sein/sich jdm nahe fühlen; **II.** *m, f* Nachbar(in) *m(f);* **III.** *avv* **1.** *(a poca distanza)* nah(e), in der Nähe; **2.** *(da poca distanza)* aus der Nähe; **3.** *fig* näher, genauer; ~ **a** neben *+akk/dat,* bei *+dat,* an *+akk/dat,* in der Nähe von *+dat;* **stare** ~ ~ ganz nah(e) (*o* in der Nähe) sein, hautnah sein; **conoscere qu da** ~ jdn näher kennen; **guardare qc da** ~ etw. aus der Nähe betrachten; **ci sei andato** ~ du warst nah(e) daran; **vieni più** ~ komm näher.

vicissitudini [vitʃissi'tu:dini] *f pl* Wechselfälle *m pl.*

vicolo ['vi:kolo] *m* Gasse *f;* ~ **cieco** *(a. fig)* Sackgasse *f.*

videata [vide'a:ta] *f inform* Bildschirminhalt *m.*

video ['vi:deo] **I.** ⟨-⟩ *m* **1.** *tec, TV* Video *n;* **2.** *inform, TV (schermo)* Bildschirm *m;* **3.** *fam* Video(clip) *m;* **II.** ⟨*inv*⟩ *agg* Video-, video-; **apparecchio** ~ Videogerät *n.*

video- [video-] *(in parole composte)* Video-. **videocamera** [-'ka:mera] *f* Videokamera *f.* **videocassetta** [-kas'setta] *f* Videokassette *f.* **videocitofono** [-tʃi'tɔ:fono] *m* Sprechanlage *f* mit Monitor, Videosprechanlage *f.* **videoclip** [-'klip] ⟨-⟩ *m* Videoclip *m.* **videoconferenza** [-konfe'rɛntsa] *f* Videokonferenz *f.* **videocontrollo** [-kon'trɔllo] *m* Fernsehüberwachung *f.* **videodisco** [-'disko] ⟨-schi⟩ *m* Bildplatte *f;* **riproduttore di ~schi** Bildplattenspieler *m.* **videofilm** [-'film] ⟨-⟩ *m* Videofilm *m.* **videofono** [vide'ɔ:fono] *m* Bildtelefon *n.* **videogame** [video'geim] ⟨-⟩ *m* Videospiel *n,* Videogame *n.* **videogioco** [-'dʒɔ:ko] *m* Video-, Telespiel *n.* **videonoleggiatore, -trice** [-noleddʒa'to:re] *m, f* Videoverleiher(in) *m(f).* **videoscrittura** *f* Textverarbeitung *f.* **videoregistratore** [-redʒistra'to:re] *m* Videorecorder *m.* **videota** [vide'ɔ:ta] ⟨-i *m,* -e *f*⟩ *mf scherz* Fernsehabhängige(r) *mf.* **videoteca** [-tɛ:ka] ⟨-che⟩ *f* Videothek *f.* **videotelefono** [-te'lɛ:fono] *m* Bildtelefon *n.* **videoterminale** [-termi'na:le] *m* (Daten)sichtgerät *n,* Terminal *n.* **Videotel®** [-'tɛl] ⟨-⟩ *m* Bildschirmtext *m.* **Videotex®** [-'tɛks] ⟨-⟩ *m* Bildschirmtext *m;* Videotext *m.*

vidi ['vi:di] *p rem di* **vedere.**

vidimare [vidi'ma:re] *tr* **1.** *(convalidare)* mit einem Sichtvermerk versehen; **2.** *(autenticare)* beglaubigen. **vidimazione** [...mat'tsio:ne] *f* Sichtvermerk *m;* Beglaubigung *f.*

vie *pl di* **via**[1].

viene, vieni ['viɛ:ne, ...ni] *v.* **venire.**

Vienna ['viɛnna] *f* Wien *n.*

vietare [vie'ta:re] *tr* verbieten; ~ **a qu di fare qc** jdm verbieten, etw. zu tun; **nulla vieta che** *+congv* es steht dem nichts entgegen zu …; **(è) vietato fumare/sporgersi dai finestrini** Rauchen/Hinauslehnen verboten; **vietato l'ingresso** Eintritt verboten; **sosta vietata** Parken verboten.

Vietnam [vi̯et'nam] *m:* **il** ~ Vietnam *n.* **vietnamita** [-'mi:ta] ⟨-i *m,* -e *f*⟩ **I.** *agg* vietnamesisch; **II.** *mf* Vietnamese *m,* Vietnamesin *f.*

vieto, -a ['vi̯ɛ:to] *agg* **1.** *peg (inattuale)* überholt; **2.** *(trito)* abgedroschen *fam.*

vigente [vi'dʒɛnte] *agg dir* geltend; **in base alle -i leggi** nach den geltenden Gesetzen.

vigere ['vi:dʒere] ⟨*usato solo nelle terze persone sing e pl*⟩ *itr* gelten, in Kraft sein.

vigilante [vidʒi'lante] *agg* wachsam. **vigilantes** [-s] *m pl amm* Privatbewacher *m pl.* **vigilanza** [...'lantsa] *f* Überwachung *f.*

vigilare [vidʒi'la:re] **I.** *tr* überwachen; **II.** *itr* wachen. **vigilato, -a** [...'la:to] **I.** *agg* beaufsichtigt; **libertà -a** Polizeiaufsicht *f;* **II.** *m, f* unter Polizeiaufsicht Stehende(r) *mf.* **vigilatrice** [...la'tri:tʃe] *f* Aufseherin *f;* ~ **scolastica** Schulaufseherin *f.*

vigile ['vi:dʒile] **I.** *agg* wachsam, wachend; **II.** *mf* Schutzmann *m;* ~ **urbano** (Stadt)polizist *m;* **-i del fuoco** (*abbr* **V.(d.)F.**) Feuerwehr *f.* **vigilessa** [vidʒi'lessa] *f* Politesse *f.*

vigilia [vi'dʒi:li̯a] ⟨-ie⟩ *f* **1.** *gener.* Vortag *m,* Vorabend *m;* **2.** *rel* Fasten *n;* ~ **di Natale** Heiligabend *m;* ~ **di Pasqua** Ostersamstag *m.*

vigliaccheria [viʎʎakke'ri:a] ⟨-ie⟩ *f* Feigheit *f; (cattiveria)* Gemeinheit *f.* **vigliacco, -a** [...'ʎakko] ⟨-cchi, -cche⟩ **I.** *agg* feige; *(cattivo)* gemein, niederträchtig; **II.** *m, f* Feigling *m; (cattivo)* Schuft *m.*

vigna ['viɲɲa] *f* Weinberg *m,* Weingarten *m.* **vigneto** [...'ɲe:to] *m* Weinberg *m.*

vignetta [viɲ'ɲetta] *f* Karikatur *f,* Witzzeichnung *f.* **vignettista** [...'tista] ⟨-i *m,* -e *f*⟩ *mf* Karikaturist(in) *m(f),* Witzzeichner(in) *m(f).*

vigogna [vi'goɲɲa] *f* Vigogne *f.*

vigore [vi'go:re] *m* Kraft *f;* **essere nel pieno ~ delle proprie forze** im Vollbesitz seiner Kräfte sein; **entrare/essere in ~** in Kraft treten/sein. **vigorosità** [...rosi'ta] ⟨-⟩ *f* Kraft *f,* Stärke *f.* **vigoroso, -a** [...'ro:so] *agg* kräftig, kraftvoll.

vile ['vi:le] **I.** *agg* **1.** *(persona, azione)* gemein, niederträchtig; *(codardo)* feige; **2.** *fig* niedrig, nieder; **II.** *mf* gemeiner Mensch; *(codardo)* Feigling *m.*

vilipendio [vili'pɛndi̯o] ⟨-i⟩ *m dir* Verunglimpfung *f.*

villa ['villa] *f* **1.** *arch* Villa *f;* **2.** *(parco)* Park *m,* Garten *m;* ~ **comunale** Stadtpark *m.*

Villaco [vil'la:ko] *f* Villach *n.*

villaggio [vil'laddʒo] ⟨-ggi⟩ *m* Dorf *n;* ~ **olimpico** olympisches Dorf; ~ **turistico/residenziale** Feriendorf *n*/Wohnsiedlung *f.*

villanata [villa'na:ta] *f fam* Flegelei *f.* **villania** [...'ni:a] ⟨-ie⟩ *f* Flegelei *f,* Frechheit *f.* **villano, -a** [...'la:no] **I.** *agg* ungehobelt, rüpelhaft; **II.** *m, f* Rüpel *m,* Grobian *m.* **villanzone, -a** [...n'tso:ne] *m, f* Flegel *m.*

villeggiante [villed'dʒante] *mf* Feriengast *m,* Urlauber(in) *m(f).* **villeggiare** [...'dʒa:re] ⟨villeggio, villeggi⟩ *itr* Urlaub machen. **villeggiatura** [...dʒa'tu:ra] *f* (Sommer)urlaub *m,* -ferien *pl; (a. luogo)* Sommerfrische *f.*

villetta [vil'letta] *f* **1.** *(diminutivo di villa)* kleine Villa; **2.** *(casa)* Haus *n (o* Häuschen *n)* mit Garten; ~ **unifamiliare/bifamiliare** Ein–/Zweifamilienhaus *n;* ~ **a schiera** Reihenhaus *n.*

villoso, -a [vil'lo:so] *agg* **1.** *(peloso)* behaart, haarig; **2.** *anat, bot* zottig.

viltà [vil'ta] ⟨-⟩ *f* Gemeinheit *f; (codardia)* Feigheit *f.*

viluppo [vi'luppo] *m* **1.** *(di capelli, cavi)* Wirrwarr *m;* **2.** *fig* Wust *m.*

vimine ['vi:mine] *m* Weidengerte *f;* **cesto di -i** Weidenkorb *m;* **mobili di -i** Korbmöbel *n pl.*

vinaio, -a [vi'na:i̯o] ⟨-ai, -aie⟩ *m, f* Weinhändler(in) *m(f).*

Vincenzo [vin'tʃɛntso] *(nome proprio maschile)* Vinzenz.

vincere ['vintʃere] ⟨vinco, vinci, vinsi, vinto⟩ **I.** *tr* **1.** *(guerra, gara, elezioni)* gewinnen; *(nemico)* besiegen; **2.** *fig (difficoltà, ostacolo)* überwinden, meistern; *(passione)* bezwingen; **II.** *itr* siegen (*a* bei, in), gewinnen (*a* bei, in +*dat*); *(sport a.)* gewinnen; ~ **per tre a uno** drei zu eins gewinnen; **sicuro di** ~ siegessicher; **III.** *rfl:* **-ersi** sich überwinden.

vincita ['vintʃita] *f* **1.** *(vittoria)* Sieg *m;* **2.** *econ* Gewinn *m; (al lotto, ecc.)* Treffer *m.* **vincitore, -trice** [...'to:re] **I.** *agg* siegreich, Sieger-; **II.** *m, f* Gewinner(in) *m(f); mil, sport* Sieger(in) *m(f).*

vincolante [viŋko'lante] *agg* bindend, verbindlich.

vincolare [viŋko'la:re] *tr* **1.** *fig* binden; **2.** *econ, fin (somma)* fest anlegen, festlegen; **3.** *(essere d'impaccio)* einengen. **vincolato, -a** [...'la:to] *agg* fest angelegt, Fest-; **deposito** ~ Festgeld *n;* **prezzo** ~ gebundener Preis.

vincolo ['viŋkolo] *m* **1.** *fig* Band *n;* **2.** *dir, tec* Bindung *f;* ~ **di sangue** Blutsbande *n pl.*

vinicolo, -a [vi'ni:kolo] *agg* weinbaulich, Weinbau-, Wein-.

vinificazione [vinifikat'tsi̯o:ne] *f* Weinherstellung *f.*

vino ['vi:no] *m* Wein *m;* ~ **bianco/rosso** (*o* **nero**) Weiß-/Rotwein *m;* ~ **brûlé** Glühwein *m;* ~ **da pesce/arrosto** Wein *m* zum Fisch/zum Braten.

vinsi ['vinsi] *p rem di* **vincere.**

vinto, -a ['vinto] **I.** *pp di* **vincere; II.** *agg (battaglia, ecc.)* gewonnen; *(nemico, ecc.)* besiegt; **darsi per** ~ *(a. fig)* sich geschlagen geben; **averla -a** *fam* leichtes Spiel haben; **darla -a a qu** *fam* jdm nachgeben.

viola[1] [vi'ɔ:la] **I.** *f bot* Veilchen *n;* ~ **del pensiero** Stiefmütterchen *n;* **II.** ⟨*inv*⟩ *agg* violett, veilchenblau; **III.** ⟨-⟩ *m* Violett *n,* Veilchenblau *n.*

viola[2] [vi'ɔ:la] *f mus* Bratsche *f,* Viola *f;* ~ **da gamba** Gambe *f,* Viola *f* da gamba.

violacciocca [violat'tʃɔkka] ⟨-cche⟩ *f* Levkoje *f.*

violare [vio'la:re] *tr* **1.** *(legge, ecc.)* verletzen, brechen, verstoßen gegen; *(promessa)* brechen; **2.** *(territorio, ecc.)* verletzen; *(chiesa)* entweihen; *(tomba)* schänden; **3.** *(donna)* vergewaltigen. **violazione** [...lat'tsio:ne] *f* **1.** *(di legge, ecc.)* Verletzung *f,* Bruch *m,* Übertretung *f; (di promessa)* Bruch *m,* Nichteinhaltung *f;* **2.** *(di chiesa)* Entweihung *f; (di tomba)* Schändung *f;* ~ **di domicilio** Hausfriedensbruch *m.*

violentare [violen'ta:re] *tr (a. fig)* vergewaltigen.

violento, -a [vio'lɛnto] **I.** *agg* **1.** *(persona)* gewalttätig; **2.** *fig (tempesta, sommossa)* heftig, schwer; *(passione)* ungestüm; **3.** *(rapina, morte)* gewaltsam; **II.** *m, f* gewalttätiger Mensch.

violenza [vio'lɛntsa] *f* **1.** Gewalt *f; (azione)* Gewalttätigkeit *f;* **2.** *fig (di tempesta)* Gewalt *f,* Heftigkeit *f; (di passione)* Ungestüm *n,* Heftigkeit *f;* ~ **carnale** Notzucht *f;* **far ~ ad una donna** einer Frau Gewalt antun; **ricorrere alla** ~ Gewalt anwenden.

violetto, -a [vio'letto] **I.** *agg* violett; **II.** *m* Violett *n.*

violinista [violi'nista] ⟨-i *m,* -e *f*⟩ *mf* Geiger(in) *m(f),* Violinist(in) *m(f).* **violino** [...'li:no] *m* Geige *f,* Violine *f.*

violoncellista [violontʃel'lista] ⟨-i *m,* -e *f*⟩ *mf* Cellist(in) *m(f).* **violoncello** [...'tʃɛllo] *m* Cello *n,* Violoncello *n.*

viottolo [vi'ɔttolo] *m* Pfad *m,* Weg *m.*

V.I.P. [vip] ⟨-⟩ *m* VIP *f o m,* V.I.P. *f o m.*

vipera ['vi:pera] *f* **1.** *zoo* Viper *f,* Otter *f;* **2.** *fig peg* (Gift)schlange *f.*

viraggio [vi'raddʒo] ⟨-ggi⟩ *m* Abdrehen *n.*

virago [vi'ra:go] ⟨viragini⟩ *f* Mannweib *n.*

virale [vi'ra:le] *agg* Virus-, viral.

virare [vi'ra:re] **I.** *tr* wenden; **II.** *itr* abdrehen. **virata** [vi'ra:ta] *f* Abdrehen *n.*

virgola ['virgola] *f* **1.** *gram* Komma *n,* Beistrich *m;* **2.** *(di capelli)* Sechser(lokke *f*) *m;* ~ **fissa/mobile** *inform* Fest-/Gleitkomma *n;* **non modificare (***o* **togliere) una ~ a qc** etw. buchstabengetreu wiedergeben. **virgolette** [...'lette] *f pl* Anführungszeichen *n pl,* Gänsefüßchen *n pl fam;* **aprire/chiudere le** ~ Anführungszeichen unten/oben.

virile [vi'ri:le] *agg* **1.** *(maschile)* männlich, viril; **2.** *fig (forte)* mannhaft; *(saggezza, età, forza)* männlich, Mannes-. **virilità** [...li'ta] ⟨-⟩ *f* **1.** *biol* Virilität *f;* **2.** *fig* Männlichkeit *f; (coraggio)* Mannhaftigkeit *f.*

virologia [virolo'dʒi:a] ⟨-gie⟩ *f* Virologie *f.* **virologo, -a** [vi'rɔ:logo] ⟨-gi, -ghe⟩ *m, f* Virologe *m,* -login *f.*

virtù [vir'tu] ⟨-⟩ *f* **1.** *(pregio, a. rel)* Tugend *f;* **2.** *fig* Tapferkeit *f,* Mut *m; (potere, qualità)* Kraft *f,* Wirkung *f;* **in ~ di** kraft *+gen.*

virtuale [virtu'a:le] *agg* virtuell, potentiell, möglich; **realtà** ~ virtuelle Realität.

virtuosismo [virtuo'sizmo] *m* Virtuosität *f,* Meisterschaft *f,* Können *n.* **virtuoso, -a** [...u'o:so] **I.** *agg* tugendhaft; **II.** *m, f* **1.** *(artista)* Meister(in) *m(f); mus* Virtuose *m,* Virtuosin *f;* **2.** *(chi ha virtù)* tugendhafter Mensch.

virulento, -a [viru'lɛnto] *agg* virulent, ansteckend; *(velenoso)* giftig. **virulenza** [...'lɛntsa] *f* Ansteckungsfähigkeit *f,* Virulenz *f (a. fig); (di veleno)* Giftigkeit *f.*

virus ['vi:rus] ⟨-⟩ *m (a. inform)* Virus *m o n.*

visagista [viza'dʒista] ⟨-i *m,* -e *f*⟩ *mf* Visagist(in) *m(f).*

viscerale [viʃʃe'ra:le] *agg* **1.** *anat* Eingeweide-; **2.** *fig* innig, hingebungsvoll; **odio** ~ abgrundtiefer Haß. **viscere** ['viʃʃere] **I.** *m anat* inneres Organ; **II.** *f pl* **1.** *zoo* Eingeweide *n pl;* **2.** *fig* Innere(s) *n.*

vischio ['viskio] ⟨-schi⟩ *m* Mistel *f.*

vischioso, -a [vis'kio:so] *agg* klebrig; *(liquido)* zähflüssig, viskos.

viscidità [viʃʃidi'ta] ⟨-⟩ *f* **1.** *(di lumaca, pelle)* Glitschigkeit *f,* Schlüpfrigkeit *f;* **2.** *fig peg* schleimige (*o* schmierige) Art.

viscido, -a ['viʃʃido] *agg* **1.** *fig peg* schleimig, schmierig; **2.** *(lumaca, ecc.)* glitschig; *(anguilla)* glatt; **3.** *(fondo stradale)* glatt, rutschig; **4.** *(sostanza)* klebrig.

visconte, -essa [vis'konte, ...'tessa] *m, f* Vicomte *m,* Vicomtesse *f.*

viscosa [vis'ko:sa] *f* Viskose *f.*

viscosità [viskosi'ta] ⟨-⟩ *f* Zähflüssigkeit *f,* Viskosität *f.* **viscoso, -a** [...'ko:so] *agg* zähflüssig, viskos.

visibile [vi'zi:bile] *agg* sichtbar.

visibilio [vizi'bi:lio] ⟨-i⟩ *m:* **andare in ~** *fig* ganz begeistert sein, in Entzücken geraten.

visibilità [vizibili'ta] ⟨-⟩ *f* Sicht *f.*

visiera [vi'ziɛ:ra] *f* **1.** *(dell'elmo)* Visier *n;* **2.** *(di berretto)* Schirm *m.*

visionare [vizio'na:re] *tr* **1.** *(esaminare)* sich *(dat)* ansehen; **2.** *(film)* vorführen.

visionario, -a [vizio'na:rio] ⟨-i, -ie⟩ **I.** *agg* **1.** *psic* Trugbild-, halluzinatorisch; **2.** *rel, gener.* Erscheinungs-, Visions-, visionär; **3.** *fig* traumtänzerisch; **II.** *m, f* **1.** *psic* Halluzinant(in) *m(f);* **2.** *rel* Seher(in) *m(f);* **3.** *fig* Traumtänzer(in) *m(f),* Phantast *m.*

visione [vi'zio:ne] *f* **1.** *(atto, capacità del vedere)* Sehen *n;* **2.** *(apparizione)* Vision *f,* Erscheinung *f;* **3.** *film* Vorführung *f;* **4.** *psic* Trugbild *n,* Halluzination *f;* **5.** *(percezione)* Anschauung *f,* Auffassung *f;* **6.** *(esame)* Einsicht *f;* **7.** *(scena)* Anblick *m;* **prima** ~ *film* Ur-, Erstaufführung *f;* **prendere** ~ **di qc** in etw. Einsicht nehmen.

visir [vi'zir] ⟨-⟩ *m* Wesir *m.*

visita ['vi:zita] *f* **1.** *gener.* Besuch *m;* **2.** *(di città, museo)* Besichtigung *f;* **3.** *med* Untersuchung *f;* **4.** *mil sl* Musterung *f;* **5.** *econ* Prüfung *f,* Revision *f;* ~ **di controllo** *med* Routineuntersuchung *f;* ~ **fiscale** Steuerprüfung *f;* ~ **guidata** Führung *f;* **biglietto da** ~ Visitenkarte *f;* **andare in** ~ **da qu** bei jdm einen Besuch machen; **fare una** ~ **a qu** jdn besuchen, jdm einen Besuch abstatten; **marcar** ~ sich krank melden. **visitare** [vizi'ta:re] *tr* **1.** *gener.* besuchen; **2.** *(città, museo)* besichtigen; **3.** *med* untersuchen. **visitatore, -trice** [...ta'to:re] *m, f* Besucher(in) *m(f).*

visivo, -a [vi'zi:vo] *agg* visuell, Seh-, Blick-; **memoria -a** visuelle Erinnerung, visuelles Erinnerungsvermögen.

viso ['vi:zo] *m* Gesicht *n;* **far buon** ~ **a cattiva sorte** (*o* **cattivo gioco)** gute Miene zum bösen Spiel machen.

visone [vi'zo:ne] *m* Nerz *m.*

visore [vi'zo:re] *m (per diapositive)* Diabetrachter *m; (per microfilm)* Mikrofilmlesegerät *n.* **visorino** [vizo'ri:no] *m* Diabetrachter *m.*

vispo, -a ['vispo] *agg* aufgeweckt, munter, lebhaft.

vissi ['vissi] *p rem di* **vivere.**

vissuto, -a [vis'su:to] **I.** *pp di* **vivere; II.** *agg* erfahren, reif.

vista ['vista] *f* **1.** *(capacità visiva)* Sehfähigkeit *f,* Augenlicht *n geh;* **2.** *(visibilità)* Sicht *f;* **3.** *(panorama)* (Aus)sicht *f,* (Aus)blick *m;* **4.** *econ* Sicht *f;* **a** ~ **(***abbr* **av)** *econ* bei (*o* nach) Sicht; **tratta a** ~ Sichtwechsel *m;* **a** ~ **d'occhio** soweit das Auge reicht; **a prima** ~ auf den ersten Blick; **una camera con** ~ **sul mare** ein Zimmer *n* mit Blick aufs Meer; **essere in** ~ *(che si vede)* gut sichtbar sein; *fig (notorietà)* bekannt sein, im Blickfeld der Öffentlichkeit stehen; *(prevedere)* bevorstehen, in Sicht sein; **avere una** ~ **buona/debole** gute/schlechte Augen haben; **ha la** ~ **corta** er (*o* sie) ist kurzsichtig; **perdere di** ~ aus den Augen verlieren; **in** ~ **di** in (*o* im) Hinblick auf.

vistare [vis'ta:re] *tr* mit einem Sichtvermerk (*o* Visum) versehen.

visto, -a ['visto] **I.** *pp di* **vedere; II.** *agg* gesehen; **essere ben/mal** ~ gern/ungern gesehen sein; **mai** ~ einmalig, unglaublich; **-i i risultati** auf Grund der Ergebnisse; ~ **che ...** da ..., auf Grund dessen, daß ...; **III.** *m* Sichtvermerk *m; (permesso)* Visum *n.*

vistoso, -a [vis'to:so] *agg* **1.** *(sgargiante)* auffällig; **2.** *fig (ingente)* ansehnlich, beachtlich.

visuale [vizu'a:le] **I.** *agg* Sicht-, Seh-, visuell; *(angolo)* Gesichts-, Blick-; **II.** *f (veduta)* (Aus)sicht *f,* (Aus)blick *m.* **visualizzare** [vizualid'dza:re] *tr* **1.** *(rendere visibile)* sichtbar machen; **2.** *(con immagini)* graphisch darstellen, veranschaulichen (*qc con qc* etw. durch etw.); **3.** *TV* einblenden. **visualizzatore** [...dza'to:re] *m* Sichtgerät *n,* Display *n.* **visualizzazione** [...dzat'tsio:ne] *f* Visualisierung *f; inform* Anzeige *f.*

vita[1] ['vi:ta] *f* **1.** *biol* Leben *n;* **2.** *letter* Biographie *f,* Lebensgeschichte *f;* **l'altra** ~ das Jenseits; **la** ~ **di campagna/città** das Land-/Stadtleben; ~ **media** durchschnittliche Lebenserwartung; ~ **di relazione** zwischenmenschliche Beziehungen *f pl;* ~ **professionale** Berufsleben *n;* **il costo della** ~ die Lebenshaltungskosten; **ragazza (***o* **donna) di** ~ Strichmädchen *n fam;* **ragazzi di** ~ Jugendliche *pl* auf der schiefen Bahn; **avere una doppia** ~ ein Doppelleben führen; **essere in** ~ am Leben sein; **essere in fin di** ~ im Sterben liegen; **non dare segno di** ~ kein Lebenszeichen (mehr) von sich *(dat)* geben; **guadagnarsi la** ~ sich *(dat)* seinen Lebensunterhalt verdienen; **a** ~ auf Lebenszeit; *(a. dir)* lebenslänglich; ~ **natural durante** zeitlebens.

vita[2] ['vi:ta] *f anat* Taille *f;* **un vestito stretto in** ~ ein engtailliertes Kleid.

vitale [vi'ta:le] *agg* lebenswichtig, Lebens-; **linfa** ~ *fig* Lebenselixier *n,* Energiequelle *f;* **spazio** ~ Lebensraum *m.* **vitalità** [vitali'ta] ⟨-⟩ *f* **1.** *(di persona)* Lebenskraft *f,* Vitalität *f;* **2.** *med, fig* Lebensfähigkeit *f.*

vitalizio, -a [vita'littsio] **I.** *agg* auf Lebenszeit; **II.** *m* ⟨-i⟩ *m* Rente *f* auf Lebenszeit.

vitamina [vita'mi:na] *f* Vitamin *n.* **vitaminico, -a** [...'mi:niko] ⟨-ci, -che⟩ *agg* Vitamin-; **carenza -a** Vitaminmangel *m.* **vitaminizzare** [...minid'dza:re] *tr* mit Vitaminen anreichern, vitaminisieren.

vite[1] ['vi:te] *f bot* Weinstock *m,* Weinrebe *f.*

vite[2] ['vi:te] *f tec, aero, sport* Schraube *f;* **a** ~ dreh-, Dreh-; ~ **femmina** *tec* Mutter *f;* ~ **senza fine (***o* **perpetua)** Schnecke *f,* endlose Schraube; **dare un giro di** ~ *fig* die Schraube fester anziehen.

vitello [vi'tɛllo] *m* **1.** *zoo* Kalb *n;* **2.** *gastr* Kalbfleisch *n;* **3.** *(pelle)* Kalbsleder *n.* **vitellone** [vitel'lo:ne] *m* **1.** *zoo* Jungochse *m;* **2.** *fig peg* Nichtsnutz *m,* Müßiggänger *m.*

viticcio [vi'tittʃo] ⟨-cci⟩ *m* **1.** *bot* Ranke(n-

pflanze) *f;* **2.** *(motivo ornamentale)* Rankenornament *n,* -werk *n.*
viticoltore, viticultore, -trice [vitikol'to:re, ...kul'to:re] *m, f* Weinbauer *m,* Winzer(in) *m(f).* **viticoltura, viticultura** [...'tu:ra] *f* Weinbau *m.*
vitreo, -a ['vi:treo] *agg* **1.** *(di vetro)* gläsern, Glas-; **2.** *(simile al vetro)* glasartig, glasig; **3.** *(occhi, sguardo)* glasig.
vittima ['vittima] *f* Opfer *n;* ~ **della strada** Verkehrsopfer *n;* **le -e del terremoto/dell'incidente** die Erdbeben-/Unfallopfer *n pl.* **vittimismo** [...'mizmo] *m* Neigung *f* zum Selbstmitleid.
vitto ['vitto] *m* Kost *f,* Verpflegung *f;* ~ **e alloggio** Kost und Logis.
vittoria [vit'tɔ:ri̯a] ⟨-ie⟩ *f* Sieg *m;* **riportare la** ~ **sul nemico** den Sieg über den Feind davontragen.
Vittoria [vit'tɔ:ri̯a] *(nome proprio femminile)* Viktoria.
Vittorio [vit'tɔ:ri̯o] *(nome proprio maschile)* Viktor.
vittorioso, -a [vitto'ri̯o:so] *agg* siegreich, Sieger-.
vituperare [vitupe'ra:re] *tr* schwer beschimpfen, verunglimpfen. **vituperio** [...'pɛ:ri̯o] ⟨-i⟩ *m* **1.** *(ingiuria)* Beschimpfung *f,* schwere Beleidigung; **2.** *(disonore)* Schande *f,* Schandfleck *m.*
viuzza [vi'uttsa] *f* Gasse *f,* Gäßchen *n.*
viva ['vi:va] *interi* es lebe, hoch lebe; ~ **gli sposi!** hoch lebe das Brautpaar!
vivacchiare [vivak'ki̯a:re] ⟨vivacchio, vivacchi⟩ *itr fam* recht und schlecht leben; **"Si vivacchia."** „Es geht so."
vivace [vi'va:tʃe] *agg (persona, colore, conversazione)* lebhaft; *mus* vivace, lebhaft. **vivacità** [vivatʃi'ta] ⟨-⟩ *f* Lebhaftigkeit *f,* Lebendigkeit *f;* **con** ~ lebhaft. **vivacizzare** [...id'dza:re] *tr* beleben.
vivaio [vi'va:i̯o] ⟨-ai⟩ *m* **1.** *agr* Baumschule *f;* **2.** *(di pesci)* Fischteich *m;* **3.** *fig* Pflegestätte *f.*
vivanda [vi'vanda] *f* Speise *f.*
viva voce [vi:va vo:tʃe] ⟨-⟩ *m tel* Freisprecheinrichtung *f.*
vivente [vi'vɛnte] **I.** *agg* lebend, Lebe-; **gli esseri -i** die Lebewesen *n pl;* **II.** *m* Lebende(r) *mf.*
vivere ['vi:vere] ⟨vivo, vissi, vissuto⟩ **I.** *itr* ⟨*essere*⟩ **1.** leben; **2.** *fig* weiter-, fortleben; ~ **in campagna/città/all'estero** auf dem Land/in der Stadt/im Ausland leben; ~ **del proprio lavoro/di rendita** von seiner Arbeit/seinem Vermögen leben; ~ **fino a tarda età** ein hohes Alter erreichen; **avere di che** ~ das Notwendige zum Leben haben; **chi vivrà, vedrà** *prov* abwarten und Tee trinken *fam;* **II.** *tr* ⟨*avere*⟩ **1.** *(trascorrere)* leben, verleben; **2.** *(passare)* erleben; *(brutto momento)* durchmachen; **3.** *(sentire)* fühlen; **III.** *m* Leben *n.*
viveri ['vi:veri] *m pl* Lebensmittel *n pl.*
vivificare [vivifi'ka:re] ⟨vivifico, vivifichi⟩ *tr lett* **1.** *(rendere vivo)* beleben; **2.** *fig* erfrischen, beleben. **vivinatalità** [vivinatali'ta] ⟨-⟩ *f* (Zahl der) Lebendgeburten *f pl.* **viviparo, -a** [vi'vi:paro] *agg* lebendgebärend. **vivisezione** [viviset'tsi̯o:ne] *f* Vivisektion *f.*
vivo, -a ['vi:vo] **I.** *agg* **1.** *(vivente)* lebend, lebendig; *(lingua)* lebend; **2.** *fig (vivace)* lebendig, lebhaft; *(sentimenti)* stark, lebhaft; *(compassione)* tief; *(interesse, desiderio)* lebhaft; **3.** *(luce)* grell; *(carne)* roh; *(calce)* ungelöscht; **angolo** ~ scharfe Kante; **argento** ~ Quecksilber *n;* **o** ~ **o morto** tot oder lebendig; **farsi** ~ sich melden, ein Lebenszeichen geben; **cuocere a fuoco** ~ auf großer Flamme kochen; **vivissimi auguri** (aller)herzlichste Glückwünsche; **II.** ⟨*pl*⟩ *(persone)* Lebende(n) *pl,* Lebendige(n) *pl;* **III.** *m (carne viva)* rohes Fleisch; **colpire (***o* **pungere** *o* **toccare) nel (***o* **sul)** ~ an der empfindlichen Stelle treffen; **al** ~ naturgetreu; **trasmissione dal** ~ Live-Übertragung *f,* Live-Sendung *f.*
viziare [vit'tsi̯a:re] ⟨vizio, vizi⟩ **I.** *tr* **1.** *(bambini, ecc.)* verwöhnen, verziehen; **2.** *dir* ungültig machen; **3.** *fig* verderben; **II.** *rfl:* **-arsi** *(prendere vizi)* verwöhnt werden; *(deteriorarsi)* verderben, schlecht werden. **viziato, -a** [...'tsi̯a:to] *agg* **1.** *(persona)* verwöhnt, verzogen; **2.** *dir* fehlerhaft, ungültig; **3.** *fig (aria)* schlecht, verbraucht.
vizio ['vittsi̯o] ⟨-i⟩ *m* **1.** *peg* Laster *n,* schlechte Angewohnheit; **2.** *anat, dir* Fehler *m; (a. tec)* Mangel *m;* ~ **cardiaco** Herzfehler *m;* ~ **di fabbricazione** Fabrikationsfehler *m;* ~ **di forma** Formfehler *m;* **vivere nel** ~ lasterhaft leben. **vizioso, -a** [...'tsi̯o:so] **I.** *agg* **1.** *(persona, atto)* lasterhaft; **circolo** ~ Teufelskreis *m;* **2.** *(errato)* fehlerhaft, Fehl-; **II.** *m, f* lasterhafter Mensch.
vocabolario [vokabo'la:ri̯o] ⟨-i⟩ *m* **1.** *(dizionario)* Wörterbuch *n;* **2.** *(lessico)* Wortschatz *m,* Vokabular *n.*
vocabolo [vo'ka:bolo] *m* Wort *n,* Vokabel *f.*
vocale[1] [vo'ka:le] *agg* **1.** *anat* Stimm-, Sprach-; **2.** *mus* vokal, Vokal-.
vocale[2] [vo'ka:le] *f ling* Vokal *m,* Selbstlaut *m.*
vocalico, -a [vo'ka:liko] ⟨-ci, -che⟩ *agg* vokalisch. **vocalizzare** [vokalid'dza:re] *tr, itr* vokalisieren.
vocativo, -a [voka'ti:vo] **I.** *agg* Vokativ-, Anrede-; **II.** *m* Vokativ *m.*
vocazione [vokat'tsi̯o:ne] *f* **1.** *gener., rel* Berufung *f;* **2.** *fig* Veranlagung *f,* Begabung *f;* **avere** ~ **per qc** für etw. eine Begabung haben.
voce ['vo:tʃe] *f* **1.** *gener., mus* Stimme *f;* *(di strumento)* Klang *m;* **2.** *gram* Form *f;* **3.** *ling (lemma)* Stichwort *n; (parola)*

Wort *n,* Ausdruck *m;* **4.** *(su lista, bilancio)* Position *f,* Posten *m;* **5.** *fig* Gerücht *n,* Gerede *n;* **ad alta/a bassa** ~ mit lauter/leiser Stimme; **a quattro -i** vierstimmig; **parlare sotto** ~ flüstern, leise sprechen; **avere** ~ **in capitolo** mitzureden haben, etwas zu sagen haben; **dare una** ~ **a qu** *fam* jdn (herbei)rufen; **darsi la** ~ sich absprechen; **fare la** ~ **grossa** ein Machtwort sprechen; **corre** ~ **che . . .** es geht das Gerücht, daß . . .

vociare [vo'tʃa:re] ⟨vocio, voci⟩ **I.** *itr* krakeelen, herumschreien; **II.** ⟨-⟩ *m* Geschrei *n.*

vocio [vo'tʃi:o] ⟨-ii⟩ *m* Geschwätz *n.*

vodka ['vɔdka] ⟨-⟩ *f* Wodka *m.*

voga ['vo:ga] ⟨-ghe⟩ *f* **1.** *(moda, usanza)* Mode *f;* **2.** *naut* Rudern *n;* **essere in** ~ in Mode sein; *(persona)* beliebt (*o* in *fam*) sein.

vogare [vo'ga:re] ⟨vogo, voghi⟩ *itr* rudern. **vogata** [vo'ga:ta] *f* Ruderschlag *m,* Rudern *n.* **vogatore, -trice** [voga'to:re] **I.** *m, f* Ruderer *m,* Rud(r)erin *f;* **II.** *m* Ruderkasten *m.*

voglia ['vɔʎʎa] ⟨-glie⟩ *f* **1.** *(desiderio)* Lust *f* (*di* auf *+akk*); *(desiderio sessuale)* Begierde *f,* Lust *f,* Verlangen *n; (durante la gravidanza)* Heißhunger *m* (*di* auf *+akk*); **2.** *fam (macchia della pelle)* Muttermal *n;* **avere (una gran)** ~ **di fare qc** (große) Lust haben, etw. zu tun.

voglio ['vɔʎʎo] *pr di* **volere.**

voglioso, -a [voʎ'ʎo:so] *agg* begierig (*di* auf *+akk*), lüstern (*di* nach *+dat*).

voi ['vo:i] *pron pers* **1.** *2ª pers pl (soggetto)* ihr; *(oggetto)* euch; *(con preposizione)* euch, eurer; **2.** *(forma di cortesia a.:* **V~***) (soggetto)* Sie; *(oggetto)* Ihnen; *(con preposizione)* Sie, Ihnen, Ihrer. **voialtri** [vo'ialtri] *pron* ihr, ihr eurerseits.

volano [vo'la:no] *m* **1.** *sport* Federball *m;* **2.** *tec* Schwungrad *n.*

volant [vɔ'lã] ⟨-⟩ *m* Rüsche *f,* Volant *m.*

volante[1] [vo'lante] **I.** *agg (che vola)* fliegend, Flug-; **cervo** ~ (Flug)drachen *m;* **disco** ~ fliegende Untertasse; **II.** *f (polizia)* Überfallkommando *n,* mobiles Einsatzkommando.

volante[2] [vo'lante] *m mot* Steuer(rad) *n,* Lenkrad *n.*

volantinaggio [volanti'naddʒo] ⟨-ggi⟩ *m* Flugblattverteilen *n.*

volantinare [...'na:re] **I.** *tr* mit Flugblättern werben (*qc* für etw.); **II.** *itr* Flugblätter verteilen.

volantino[1] [...'ti:no] *m (manifestino)* Flugblatt *n,* Handzettel *m.*

volantino[2] [...ti:no] *m tec* Handrad *n.*

volare [vo'la:re] *itr* ⟨*essere o avere*⟩ **1.** *(nell'aria)* fliegen; **2.** *fig (veicolo, ecc.)* sausen, flitzen; *(persona a.)* eilen, rasen; *(tempo)* verfliegen, im Nu vergehen. **volata** [vo'la:ta] *f* **1.** *(volo)* kurzer Flug *m;* **2.** *fam (corsa veloce)* schnelle Fahrt; **3.** *sport* (End)spurt *m;* **fare qc di** ~ *fam* etw. im Eiltempo (*o* zack, zack *fam*) machen.

volatile [vo'la:tile] **I.** *agg* **1.** *chim* flüchtig; **2.** *zoo* fliegend, Flug-; **II.** *m* Vogel *m.* **volatilizzare** [...lid'dza:re] **I.** *tr* ⟨*avere*⟩ verflüchtigen; **II.** *itr* ⟨*essere*⟩ sich verflüchtigen; **III.** *rfl:* **-arsi 1.** *chim* sich verflüchtigen; **2.** *fam* sich in Luft auflösen *fam.*

vol-au-vent [vɔlo'vã] ⟨-⟩ *m* Blätterteigpastete *f,* ≃ (Königin)pastete *f.*

volente [vo'lɛnte] *agg:* ~ **o nolente** wohl oder übel, nolens volens *geh.* **volenteroso, -a** [volente'ro:so] *agg* (bereit)willig. **volentieri** [...'tjɛ:ri] *avv* gern(e).

volere [vo'le:re] ⟨voglio, volli, voluto⟩ **I.** *tr* **1.** *gener.* wollen; **2.** *(gradire)* mögen, *(desiderare)* wünschen; **3.** *(pretendere)* verlangen; *(chiedere di una persona)* sprechen wollen, verlangen *geh* (*qc* nach jdm); **4.** *econ* haben wollen (*per* für), verlangen (*per* für); **5.** *(essere necessario)* ~ **ci** nötig sein, brauchen, bedürfen *+gen geh;* **6.** *lett (ritenere)* halten für; *(affermare)* behaupten; ~ **dire** bedeuten; ~ **piuttosto** lieber wollen; ~ **bene/male a qu** jdn gern haben/nicht mögen (*o* nicht leiden können); **ti voglio bene** ich hab'dich gern, ich mag dich; **farsi** ~ **bene** sich lieb Kind machen; ~ **o no (***o* **o volare** *fam***)** wohl oder übel, ob man will oder nicht; **non volendo, senza** ~ ohne zu wollen, ungewollt, unabsichtlich; **vorrei tre metri di stoffa blu** ich möchte drei Meter blauen Stoff; **vorrebbe che tu venissi** er (*o* sie) möchte, daß du kommst; **c'è un signore che ti vuole** da ist ein Herr für dich; da ist ein Herr, der dich sprechen will; **ti vogliono al telefono** du wirst am Telefon verlangt; **ci vuole/ci vogliono . . .** es ist/sind . . . nötig, man braucht . . .; **qui ci vorrebbe un elettricista** hier wäre ein Elektriker nötig; **ci vuole un bel coraggio** *fam* es gehört ganz schön Mut dazu *fam;* **non ci vuol niente** *fig* das ist doch keine Kunst; **ci vuol altro!** dazu bedarf es mehr!; **ce n'è voluto!** es war wirklich nicht einfach!; **quanto ci vuole per andare a Monaco?** wie lange braucht man bis (*o* nach) München?; **volevo ben dire!** das dachte ich mir!; **non volermene!** sei mir (deshalb) nicht böse, mach mir (deshalb) keine Vorwürfe; **vuoi . . . vuoi . . .** *cong fam* mal . . . mal . . .; **II.** *rfl:* **-ersi bene** sich gern haben, sich lieben; **III.** *m* **1.** *(volontà)* Wille *m,* Wollen *n;* **2.** ⟨*pl*⟩ Wünsche *m pl,* Vorstellungen *f pl.*

Volga ['vɔlga] *m o f* Wolga *f.*

volgare [vol'ga:re] **I. 1.** *agg ling* vulgär, Volks-; **2.** *peg* vulgär, ordinär; *(a. triviale)* gewöhnlich; **II.** *m* Vulgärsprache *f.*

volgarità [...gari'ta] ⟨-⟩ *f* Vulgarität *f.*

volgarizzare [...garid'dza:re] *tr* **1.** *(rendere accessibile)* popularisieren, allgemeinverständlich darstellen; **2.** *letter* in die Vulgärsprache übertragen. **volgarmente** [...gar'mente] *avv* **1.** *peg* vulgär, gewöhnlich; **2.** *(comunemente)* gewöhnlich.

volgere ['vɔldʒere] ⟨volgo, volgi, volsi, volto⟩ **I.** *tr* **1.** *a. fig. (dirigere)* lenken (*verso* nach *+dat*), wenden (*verso* gegen *+akk*), richten (*verso* auf *+akk*, *contro* gegen *+akk*); **2.** *(voltare)* ab-, zukehren, ab-, zuwenden; **3.** *fig (mutare)* verkehren (*in* in *+akk*); ~ **in fuga il nemico** den Feind in die Flucht schlagen; ~ **le cose in burla** die Dinge ins Lächerliche ziehen; **II.** *itr* **1.** *(strada)* abbiegen (*a* nach); **2.** *(persone)* sich abwenden, sich abkehren; **3.** *(colore)* (über)gehen (*a* in *+akk*); **4.** *(evolversi)* sich kehren (*a* zu *+dat*), sich wenden (*a* zu *+dat*); ~ **al termine/alla fine** dem Ende zu gehen; **i nemici volsero in fuga** die Feinde ergriffen die Flucht; **il tempo volge al brutto** *lett* das Wetter wird schlecht; **III.** *rfl:* **-ersi 1.** *(girarsi)* sich wenden, sich drehen; **2.** *fig* sich zuwenden (*a* einer S. *dat*); **IV.** *m* Verlauf *m,* Lauf *m;* **con il ~ degli anni** im Laufe der Jahre.

volgo ['volgo] ⟨-ghi⟩ *m lett* **1.** *(popolo)* Volk *n,* Volksmassen *f pl;* **2.** *peg* Pöbel *m,* Masse *f.*

voliera [vo'ljɛ:ra] *f* Vogelhaus *n,* Voliere *f.*

volli ['vɔlli] *p rem di* **volere.**

volo ['vo:lo] *m* **1.** *gener.* Flug *m; (capacità a.)* Fliegen *n;* **2.** *(caduta)* Fall *m;* ~ **charter** Charterflug *m;* ~ **a delta** Drachenfliegen *n;* ~ **spaziale** Raumflug *m;* ~ **senza scalo** Direkt-, Nonstopflug *m;* **colpire la palla al** ~ den Ball aus der Luft (*o* volley) nehmen; **al** ~ im Nu, sofort; **alzarsi in** ~ auf-, hochfliegen; *aero* abheben; **fare un** ~ *fam* hinunterfallen, hinunterfliegen; **prendere il** ~ wegfliegen; *fig* die Flucht ergreifen, verschwinden; **spiccare il** ~ *(uccelli)* auf-, hochfliegen.

volontà [volon'ta] ⟨-⟩ *f* Wille *m; (a. gram)* Wollen *n;* **forza di** ~ Willenskraft *f;* **scrivere le ultime** ~ das Testament aufsetzen; **essere di buona** ~ guten Willens sein; **a** ~ nach Belieben, nach Wunsch; **contro la propria** ~ wider Willen; **privo di** ~ willenlos; **sia fatta la** ~ **di Dio** Gottes Wille geschehe.

volontariamente [volontaria'mente] *avv* freiwillig, aus freien Stücken. **volontariato** [...'ria:to] *m* **1.** *(prestazione di lavoro)* Volontariat *n;* **2.** *mil* freiwilliger Wehrdienst. **volontario, -a** [...'ta:rio] ⟨-i, -ie⟩ **I.** *agg* freiwillig; *anat* willkürlich; **II.** *m, f* Volontär(in) *m(f); (a. mil)* Freiwillige(r) *mf.*

volpe ['volpe] *f* **1.** *zoo* Fuchs *m;* **2.** *(pelliccia)* Fuchs(pelz) *m;* **3.** *fig* Fuchs *m.* **volpino, -a** [...'pi:no] **I.** *agg* Fuchs-; **cane** ~ Spitz *m;* **II.** *m* Spitz *m.*

volsi ['vɔlsi] *p rem di* **volgere.**

volt [vɔlt] ⟨-⟩ *m* (*abbr* **V**) Volt *n.*

volta[1] ['vɔlta] *f* **1.** *(momento, circostanza)* Mal *n; (turno a.)* Reihe *f;* **2.** *(giro)* Drehung *f; (svolta)* Biegung *f;* **una** ~ einmal; *(in un tempo passato)* einmal, früher, einst; **una** ~ **sola** einmal, ein einziges Mal; **una (buona)** ~ *fam* endlich (ein)mal; **una** ~ **tanto** ab und zu, gelegentlich; **una** ~ **per tutte** ein für allemal; **una** ~ **o l'altra** irgendwann, früher oder später; **un'altra** ~ ein andermal; **ancora una** ~ noch einmal; **molte (***o* **spesse) -e** recht oft, öfter; **poche (***o* **rare) -e** selten; **certe -e, delle -e** manchmal; *(spesso)* oft; **tutte le -e che ...** jedesmal (*o* immer) wenn ..., sooft ...; **tutto in una** ~ alles auf einmal, alles zusammen; **un po' alla** ~ nach und nach; **uno per** ~ jeweils einer; **di** ~ **in** ~ von Mal zu Mal; ~ **per** ~ je nach Fall; **a -e** manchmal, ab und zu; **a mia** ~ meinerseits, was mich angeht; **alla** ~ **di** in Richtung *+gen,* nach *+dat;* **c'era una** ~ es war einmal; **che sia la prima e l'ultima** ~ (ich hoffe,) das ist das erste und das letzte Mal; **tre -e tre fa nove** drei mal drei ist neun; **gli ha dato di** ~ **il cervello** *fam* er ist durchgedreht *fam,* er ist übergeschnappt *fam.*

volta[2] ['vɔlta] *f* **1.** *arch* Gewölbe *n;* **2.** *astr* Gewölbe *n,* Firmament *n;* **3.** *anat* Wölbung *f;* ~ **a crociera** Kreuzgewölbe *n;* **a** ~ gewölbt.

voltafaccia [volta'fattʃa] ⟨-⟩ *m (a. fig)* Kehrtwendung *f.* **voltafieno** [-'fiɛ:no] ⟨-⟩ *m* Heuwender *m.*

voltagabbana [voltagab'ba:na] ⟨-⟩ *mf fig* Wendehals *m;* **è un(a)** ~ er (sie) ist ein Wendehals, er (*o* sie) hängt sein (*o* ihr) Mäntelchen nach dem Wind.

voltaggio [vol'taddʒo] ⟨-ggi⟩ *m* Spannung *f.*

voltare [vol'ta:re] **I.** *tr* **1.** *(occhi, viso)* wenden, drehen; *(pagina, foglio)* umblättern, wenden; *(frittata)* wenden; **2.** *(angolo)* biegen um; ~ **le spalle a qu** jdm den Rücken (zu)kehren; **II.** *itr* abbiegen; **III.** *rfl:* **-arsi** sich (um)drehen, sich wenden; **-arsi e rivoltarsi nel letto** sich im Bett hin- und herwälzen; **non sapere da quale parte -arsi** *fig* nicht mehr ein noch aus wissen.

voltastomaco [voltas'tɔ:mako] *m* Übelkeit *f;* **ho il** ~ mir ist übel; **mi dà il** ~ *fig* das dreht mir den Magen um.

volteggiare [volted'dʒa:re] ⟨volteggio, volteggi⟩ *itr* **1.** *(volare)* kreisen; **2.** *sport* voltigieren.

volto ['volto] *m* Gesicht *n a. fig;* **ha rivelato il suo vero** ~ er (*o* sie) hat sein (*o* ihr) wahres Gesicht gezeigt.

volto, -a ['vɔlto] **I.** *pp di* **volgere; II.** *agg* gewendet, (um)gedreht.

volubile [vo'lu:bile] *agg* unbeständig, flatterhaft. **volubilità** [volubili'ta] ⟨-⟩ *f* Unbeständigkeit *f,* Flatterhaftigkeit *f.*

volume [vo'lu:me] *m* **1.** *mat* Rauminhalt *m,* Volumen *n;* **2.** *econ, fig* Umfang *m;* **3.** *(libro)* Band *m,* Buch *n;* **4.** *radio, TV* Lautstärke *f;* **5.** *(mole)* Ausmaß *n,* Umfang *m;* **6.** *inform* Speichereinheit *f;* **abbassare/alzare il** ~ leiser/lauter stellen; **a tutto** ~ in voller Lautstärke. **volumetrico, -a** [volu'mɛ:triko] *agg* **1.** *mat* Rauminhalts-, volumetrisch; **2.** *chim* Maß-. **voluminoso, -a** [volumi'no:so] *agg* umfangreich, voluminös, groß; **merce -a** Sperrgut *n.*

voluta [vo'lu:ta] *f* **1.** *arch* Volute *f;* **2.** *(spira)* Windung *f.*

voluto, -a [vo'lu:to] *agg* **1.** *(desiderato)* gewollt, gewünscht, beabsichtigt; **2.** *fig* gekünstelt, gewollt.

voluttà [volut'ta] ⟨-⟩ *f* **1.** *(sessuale)* Sinnlichkeit *f,* Wollust *f;* **2.** *(godimento)* Genuß *m.* **voluttuario, -a** [...tu'a:rio] ⟨-i, -ie⟩ *agg* Luxus-, Genuß-. **voluttuoso, -a** [...tu'o:so] *agg* sinnlich.

vomere ['vɔ:mere] *m* Pflugschar *f.*

vomitare [vomi'ta:re] **I.** *tr* (er)brechen; **II.** *itr* (sich) erbrechen, brechen, sich übergeben; **da far** ~ zum Kotzen *vulg.* **vomito** ['vɔ:mito] *m* (Er)brechen *n;* **far venire il** ~ **a qu** *(a. fig)* jdm die Galle hochkommen lassen; **mi viene il** ~ ich muß brechen, mir wird übel.

vongola ['voŋgola] *f* Venusmuschel *f.*

vorace [vo'ra:tʃe] *agg* gefräßig. **voracità** [voratʃi'ta] ⟨-⟩ *f* Gefräßigkeit *f.*

voragine [vo'ra:dʒine] *f* Erdloch *n,* Schlund *m.*

vorrò [vor'rɔ] *v.* **volere.**

vortice ['vɔrtitʃe] *m* Wirbel *m,* Strudel *m.* **vorticoso, -a** [vorti'ko:so] *agg* voller (Wasser)strudel.

vostro, -a ['vɔstro] **I.** *agg* (*abbr* **vs., Vs.**) euer *(forma di cortesia a.:* **V~***)* Ihr; **la -a speranza** eure Hoffnung; ~ **padre/zio** euer Vater/Onkel; **un** ~ **amico** ein Freund von euch; **ho ricevuto la Vostra del 21 c.m.** ich habe Ihr Schreiben vom 21. d. M. erhalten; **Vostra Eccellenza/Santità** Eure Exzellenz/Heiligkeit; **II.** *pron:* **il** ~**, la -a** eure(r, s) *(forma di cortesia a.:* **V~***)* Ihre(r, s); **III.** *m:* **il** ~ das Eur(ig)e *(forma di cortesia a.:* **V~***)* das Ihr(ig)e; **i -i** die Euren *geh (forma di cortesia a.:* **V~***)* die Ihren *geh.*

votante [vo'tante] *mf* Wahlberechtigte(r) *mf,* Wähler(in) *m(f).*

votare [vo'ta:re] **I.** *tr* **1.** *gener.* beschließen, abstimmen über *+akk;* **2.** *rel* weihen; **II.** *itr* stimmen, wählen; *(mettere ai voti)* abstimmen; **III.** *rfl:* **-arsi** *rel* sich weihen, sich hingeben. **votazione** [votat'tsio:ne] *f* **1.** *dir* Abstimmung *f; (dare il voto)* Stimmabgabe *f; (elezione)* Wahl *f;* **2.** *(nell'insegnamento)* Benotung *f,* Zensuren *f pl; (voto)* Note *f;* ~ **per alzata di mano** Abstimmung *f* durch Handaufheben; ~ **a scrutinio segreto** geheime Abstimmung; **passare alle -i** zur Abstimmung schreiten.

votivo, -a [vo'ti:vo] *agg* Votiv-, Weih-.

voto ['vo:to] *m* **1.** *rel* Gelübde *n,* Gelöbnis *n; (oggetto)* Weihgabe *f;* **2.** *dir* Votum *n,* Stimme *f;* **3.** *(nell'insegnamento)* Note *f,* Zensur *f;* **4.** ⟨*pl*⟩ *lett* Wille *m,* Wunsch *m;* **diritto di** ~ Wahlrecht *n;* ~ **di castità** Keuschheitsgelübde *n;* ~ **di fiducia/sfiducia** Vertrauens-/Mißtrauensvotum *n;* **essere promosso a pieni -i** die Höchstpunktzahl erreichen, die beste Note bekommen; **fare un** ~ ein Gelübde ablegen; **mettere ai -i** zur Abstimmung bringen.

voucher ['vautʃə] ⟨-⟩ *m (turismo)* Gutschein *m,* Coupon *m.*

v.r. *abbr di* **vedi retro** b.w. (*abk von* bitte wenden).

v.s. *abbr di* **vedi sopra** s.o. (*abk von* siehe oben).

vs., Vs. *abbr di* **vostro** ihr(e), Ihr(e).

V.T. *abbr di* **Vecchio Testamento** A.T. (*abk von* Altes Testament).

vu cumprà [vu kum'pra] ⟨-⟩ *mf peg, scherz* fliegende(r) Händler, fliegende Händlerin.

vulcanico, -a [vul'ka:niko] ⟨-ci, -che⟩ *agg* **1.** *geol* vulkanisch, Vulkan-; **2.** *fig (cervello, persona)* sprühend; **eruzione -a** Vulkanausbruch *m.*

vulcanizzare [vulkanid'dza:re] *tr* vulkanisieren. **vulcanizzazione** [vulkaniddzat'tsio:ne] *f* Vulkanisierung *f,* Vulkanisation *f.*

vulcano [vul'ka:no] *m* **1.** *geol* Vulkan *m;* **2.** *fig (persona)* Vulkan *m,* Naturereignis *n;* **essere seduto su un** ~ auf einem Pulverfaß sitzen.

vulnerabile [vulne'ra:bile] *agg* verwundbar, verletzbar; **lato** ~ empfindliche Stelle, wunder Punkt. **vulnerabilità** [...rabili'ta] ⟨-⟩ *f* Verletzbarkeit *f,* Verwundbarkeit *f.*

vulva ['vulva] *f* Schamlippen *f pl,* Vulva *f.*

vuoi, vuole ['vuɔ:i, 'vuɔ:le] *v.* **volere.**

vuotare [vuo'ta:re] **I.** *tr* (ent-, aus)leeren, leer machen; **II.** *rfl:* **-arsi** sich leeren.

vuoto, -a ['vuɔ:to] **I.** *agg* leer; **a stomaco** ~ mit leerem Magen, auf leeren Magen; **II.** *m* **1.** *fis* Vakuum *n;* **2.** *(spazio)* Leere *f,* Hohlraum *m;* **3.** *(recipiente)* Leergut *n,* Pfandflasche *f;* **4.** *fig* Loch *n,* Leere *f,* Lücke *f;* **assegno a** ~ ungedeckte(r) Scheck; **a mani ~e** mit leeren Händen; ~ **a perdere** Wegwerf-, Einwegflasche *f;* **confezionato sotto** ~ vakuumverpackt; **restituzione dei -i** Leergutrückgabe *f;* **colmare un** ~ ein Loch (*o* eine Lücke) füllen; **a** ~ *fin* ungedeckt; *tec, mot* im Leerlauf; **sotto** ~ **spinto** vakuumverpackt.

Vurtemberga [vurtem'bɛrga] *f* Württemberg *n.*

W

W, w [vu d'doppia] ⟨-⟩ *f* W, w *n;* **w come Washington** W wie Wilhelm.
W *abbr di* **watt** W.
wafer ['va:fer] ⟨-⟩ *m* Waffel *f.*
wagon-lit [vagɔ̃'li] ⟨-⟩ *m* Schlafwagen *m.*
walkie-talkie ['wɔ:kɪ'tɔ:kɪ] ⟨-⟩ *m* Walkie-talkie *n.*
walkman® ['wɔ:kmən] ⟨-⟩ *m* Walkman® *m.*
water-closet ['wɔ:təklɔzɪt] ⟨-⟩ *m* (*abbr* **wc**) Wasserklosett *n.*
watt [vat] ⟨-⟩ *m* (*abbr* **W**) Watt *n.* **wattora** [vat'to:ra] ⟨-⟩ *f* Wattstunde *f.*
wc [vi'tʃi] ⟨-⟩ *m* WC *n.*
week-end ['wi:kend] ⟨-⟩ *m* Wochenende *n.* **weekendista** [...'ista] ⟨-i *m,* -e *f*⟩ *mf fam* Wochenendurlauber(in) *m(f).*
western ['wɛstern] **I.** ⟨*inv*⟩ *agg* Western-; **II.** ⟨-⟩ *m* Western *m;* ~ **all'italiana** Italo-Western *m.*
whisky ['wɪskɪ] ⟨-⟩ *m* Whisky *m.*
windsurf ['wɪndsə:f] ⟨-⟩ *m* Windsurfen *n,* -surfing *n; (tavola)* Surfbrett *n;* **fare** ~ windsurfen. **windsurfer** ['windsə:fə] ⟨-⟩ *m v.* **windsurfista. windsurfing** ['windsə:fiŋ] ⟨-⟩ *m* Windsurfen *n.* **windsurfista** [windsur'fista] ⟨-i *m,* -e *f*] *mf* Windsurfer(in) *m(f).*
word processing ['wə:d 'prousesiŋ] ⟨-⟩ *m* Textverarbeitung *f;* **word processor** [...'prousesə] ⟨-⟩ *m* Textverarbeitungsprogramm *n.*
workshop ['wə:kʃɔp] ⟨-⟩ *m* Workshop *m.*
work station [wə:k 'steiʃən] ⟨-⟩ *f* Workstation *f.*
wurstel ['vurstəl] , **würstel** ['vʏrstəl] ⟨-⟩ *m* (Wiener) Würstchen *n,* Würstel *n dial.*

X

X, x [iks] ⟨-⟩ *m o f* X, x *n;* **x come xeres** X wie Xanthippe; **gambe a x** X-Beine *n pl;* **il signor x** Herr X; **l'ora/il giorno x** die Stunde/der Tag X; **raggi x** Röntgenstrahlen *m pl.*
xenofobia [ksenofo'bi:a] ⟨-ie⟩ *f* Fremdenhaß *m,* Ausländerfeindlichkeit *f,* Xenophobie *f geh.* **xenofobo, -a** [...'nɔ:fobo] **I.** *agg* fremden-, ausländerfeindlich; **II.** *m, f* Fremdenhasser(in) *m(f),* Ausländerfeind(in) *m(f).*
xeres ['ksɛ:res] ⟨-⟩ *m* Sherry *m.*
xerocopia [ksero'kɔ:pia] *f* Xerokopie *f.*
xerografia [kserogra'fi:a] *f* Xerographie *f.*
xilofonista [ksilofo'nista] ⟨-i *m,* -e *f*⟩ *mf* Xylophonspieler(in) *m(f).*
xilofono [ksi'lɔ:fono] *m* Xylophon *n.*
xilografia [ksilogra'fi:a] *f* **1.** *(arte)* Holzschneidekunst *f,* Xylographie *f;* **2.** *(copia)* Holzschnitt *m.*

Y

Y, y ['ipsilon] ⟨-⟩ *m o f* Y, y *n;* **y come yacht** Y wie Ypsilon.
yacht [jɔt] ⟨-⟩ *m* Jacht *f,* Yacht *f.* **yachting** ['jɔtɪŋ] ⟨-⟩ *m* Jachtsport *m; (a vela)* Segelsport *m.*
yang [jaŋ] ⟨-⟩ *m* Yang *n.*
yankee ['jɛnki] **I.** ⟨-⟩ *mf* Yankee *m;* **II.** ⟨*inv*⟩ *agg* Yankee-.
yeti ['iɛ:ti] *m* Yeti *m.*
yin [jiŋ] ⟨-⟩ *m* Yin *n.*
yoga ['iɔ:ga] **I.** ⟨-⟩ *m* Yoga *m o n;* **II.** ⟨*inv*⟩ *agg* Yoga-.
yogurt ['iɔ:gurt] *v.* **iogurt. yogurtiera** [iogur'tiɛ:ra] *f* Joghurtbereiter *m.*
yo yo [io'iɔ] ⟨-⟩ *m* Jo-Jo *n.*
yucca ['iukka] ⟨-cche⟩ *f* Yucca *f,* Palmlilie *f.*
yuppie ['iuppi] ⟨-⟩ *mf* Yuppie *m.*

Z

Z, z ['dzɛ:ta] ⟨- *mf o* -e *f*⟩ *m o f* Z, z *n;* **z come Zara** Z wie Zacharias.

zabaione [dzaba'io:ne] *m* Zabaione *f (Schaumcreme aus Ei, Zucker und Marsala).*

zaffata [tsaf'fa:ta] *f* übelriechende Dunstwolke.

zafferano [dzaffe'ra:no] *m* **1.** *bot* Safran *m;* **2.** *(colore)* Safran(gelb) *n.*

zaffiro [dzaf'fi:ro] *m* **1.** *min* Saphir *m;* **2.** *(colore)* Saphirblau *n.*

Zagabria [dza'ga:bria] *f* Zagreb *n.*

zaino ['dza:ino] *m* Rucksack *m; mil* Tornister *m.*

zampa ['tsampa] *f* **1.** *zoo (gamba)* Bein *n,* Lauf *m;* **2.** *zoo (piede)* Fuß *m; (di cane, gatto)* Pfote *f; (di fiera)* Pranke *f,* Tatze *f;* **3.** *gastr* Hachse *f,* Haxe *f;* **4.** *fam peg* Pfote *f fam;* **-e di gallina** *fig (scrittura illeggibile)* Gekrakel *n,* Gekritzel *n;* **a quattro -e** auf allen vieren; **giù le -e!** *fam* Pfoten weg! *fam.* **zampata** [...'pa:ta] *f* Pfoten-, Prankenhieb *m.*

zampettare [tsampet'ta:re] *itr* (herum)-trippeln.

zampillare [tsampil'la:re] *itr* ⟨*essere o avere*⟩ herausspritzen, -schießen. **zampillo** [...'pillo] *m* Strahl *m.*

zampino [tsam'pi:no] *m* kleine Pfote, Pfötchen *n;* **mettere (***o* **ficcare** *fam***) lo ~ in qc** *fig* seine Hand (*o* Hände) bei etw. im Spiel haben.

zampirone [dzampi'ro:ne] *m* Räucher-, Insektenvertilgungsspirale *f.*

zampogna [tsam'poɲɲa] *f* Sackpfeife *f.*

zampone [tsam'po:ne] *m* Pranke *f;* **~ di Modena** *gefüllter Schweinsfuß.*

zangola ['tsaŋgola *o* 'dza...] *f* Butterfaß *n.*

zanna ['tsanna] *f* **1.** *zoo* Stoßzahn *m,* Hauer *m;* **2.** ⟨*pl*⟩ *peg, scherz* Hauer *m pl.*

zanzara [dzan'dza:ra] *f* (Stech)mücke *f;* **sei peggio di una ~!** du bist lästiger als eine Fliege! **zanzariera** [...dza'riɛ:ra] *f* Mücken-, Moskitonetz *n.*

zappa ['tsappa] *f* Hacke *f;* **darsi la ~ sui piedi** *fig* sich *(dat)* ins eigene Fleisch schneiden. **zappare** [...'pa:re] *tr* hacken. **zappatore, -trice** [...pa'to:re] **I.** *m, f agr* Feldarbeiter(in) *m(f);* **II.** *m mil* Sappeur *m;* **III.** *f agr* Hackmaschine *f;* **~ rotante** (Boden)fräse *f.* **zappatura** [...pa'tu:ra] *f* (Um)hacken *n.*

zapping ['dzɛppiŋ] ⟨-⟩ *m* Zapping *n.*

zar [tsar] ⟨-⟩ *m,* **zarina** [...'ri:na] *f* Zar(in) *m(f).*

zattera ['tsattera *o* 'dza...] *f* Floß *n.*

zavorra [dza'vɔrra] *f* **1.** *naut, aero* Ballast *m;* **2.** *fig peg (cosa)* unnützes Zeug, Ballast *m.* **zavorrare** [...vor'ra:re] *tr* mit Ballast versehen (*o* beschweren).

zazzera ['tsattsera] *f* **1.** *peg, scherz* (Löwen)mähne *f;* **2.** *(capigliatura)* Langhaarschnitt *m,* schulterlanges Haar.

zebra ['dzɛ:bra] *f* **1.** *zoo* Zebra *n;* **2.** ⟨*pl*⟩ Zebrastreifen *m.* **zebrato, -a** [dze'bra:to] *agg* (schwarz und weiß) gestreift.

zebù [dze'bu] ⟨-⟩ *m* Zebu *m o n.*

zecca[1] ['tsekka] ⟨-cche⟩ *f (officina di conio)* Münzstätte *f,* Münze *f;* **nuovo di ~** *fig* nagelneu.

zecca[2] ['tsekka] ⟨-cche⟩ *f zoo* Zecke *f.*

zecchino [tsek'ki:no] *m* Zechine *f;* **oro ~** reinstes Gold, Dukatengold *n.*

zelante [dze'lante] *agg* eifrig, dienstbeflissen, gewissenhaft.

zelo ['dzɛ:lo] *m* Eifer *m;* **eccesso di ~** übermäßiger Eifer.

zen [dzɛn] **I.** ⟨-⟩ *m* Zen *n;* **II.** ⟨*inv*⟩ *agg* Zen-.

zenit ['dzɛ:nit] ⟨-⟩ *m* Zenit *m.*

zenzero ['dzendzero] *m* Ingwer *m.*

zeppa ['tseppa] *f* Keil *m.*

zeppo, -a ['tseppo] *agg* **1.** *(pieno)* vollgestopft (*di* mit), vollgepfropft (*di* mit); **2.** *fig* voll (*di* von), voller (*di +nom/ +gen);* **essere pieno ~** *fam* proppenvoll sein *fam.*

zerbino [dzer'bi:no] *m* Fußabtreter *m,* Fußmatte *f.*

zerbinotto [dzerbi'nɔtto] *m* Geck *m,* Stutzer *m obs.*

zero ['dzɛ:ro] **I.** ⟨-⟩ *m* **1.** *gener., mat* Null *f; (fis, fig a.)* Nullpunkt *m;* **2.** *(voto scolastico)* ≃ Ungenügend *n,* Sechs *f;* **3.** *(di capelli)* Kahlschnitt *m;* **essere ridotto a ~** *fam* völlig abgebrannt sein; **rapare a ~** kahlscheren; **3 gradi sotto ~** 3 Grad unter Null; **II.** *agg num* null; **crescita ~** Nullwachstum *n;* **opzione ~** Nullösung *f;* **l'ora ~** null Uhr, Mitternacht *f; fig* die Stunde Null.

zeta ['dzɛ:ta] *v.* **Z, z; dall'a alla zeta** *fig* von A bis Z.

zia ['tsi:a] ⟨zie⟩ *f* Tante *f.*

zibaldone [dzibal'do:ne] *m* **1.** *letter* Notizen-, Aphorismensammlung *f;* **2.** *peg* Sammelsurium *n,* Mischmasch *m.*

zibellino [dzibel'li:no] *m* Zobel *m.*

zibibbo [dzi'bibbo] *m muskatellerartige Weintraubensorte.*

zie *pl di* **zia.**

zigano, -a [tsi'ga:no] **I.** *m, f* Zigeuner(in) *m(f);* **II.** *agg* Zigeuner-.

zigomo ['dzi:gomo] *m* Jochbogen *m,* Wangenbein *n.*

zigrinare [dzigri'na:re] *tr* **1.** *(pelle)* chagrinieren, narben; **2.** *(moneta)* rändeln.

zigzag, zig-zag [dzig'dzag] ⟨-⟩ *m* Zickzack *m,* Zickzacklinie *f.* **zigzagare** [...'ga:re] ⟨zigzago, zigzaghi⟩ *itr* **1.** *(andare a zigzag)* im Zickzack gehen; **2.** *(svolgersi a zigzag)* im Zickzack verlaufen.

zii *pl di* **zio.**

Zimbabwe [dzim'ba(b)ve] *m* Simbabwe *n,* Zimbabwe *n.*

zimbello [tsim'bɛllo *o* dzi...] *m* **1.** *fig* Zielscheibe *f* des Spottes; **2.** *(uccello)* Lockvogel *m.*

zincare [tsiŋ'ka:re *o* dzi...] ⟨zinco, zinchi⟩ *tr* verzinken.

zinco ['tsiŋko *o* 'dzi...] *m* Zink *n.*

zingaresco, -a [tsiŋga'resko *o* dzi...] ⟨-schi, -sche⟩ *agg* Zigeuner-.

zingaro, -a ['tsiŋgaro *o* 'dzi...] *m, f* Zigeuner(in) *m(f).*

zio ['tsi:o] ⟨zii⟩ *m* Onkel *m;* **gli zii** *(zio e zia)* Onkel und Tante.

zip [dzip] ⟨-⟩ *m* Reißverschluß *m,* Zippverschluß *m A.*

zircone [dzir'ko:ne] *m* Zirkon *m.*

zirlare [dzir'la:re *o* tsi...] *itr* singen, pfeifen.

zit(t)ella [tsi'tɛlla *o* dzi... (...t'tɛlla)] *f* **1.** *(donna nubile)* ledige Frau; **2.** *peg* alte Jungfer. **zit(t)ellone** [...tel'lo:ne] *m scherz* (eingefleischter) Junggeselle *m.*

zittire [tsit'ti:re] ⟨zittisco⟩ **I.** *itr* schweigen, verstummen *geh;* **II.** *tr* **1.** *(a teatro)* auspfeifen, auszischen; **2.** *(far tacere)* zum Schweigen bringen.

zitto, -a ['tsitto] **I.** *agg* still, ruhig; **sta' ~!** *fam* sei still!; ~ ~ *fam* mucksmäuschenstill *fam;* **II.** *interi* ruhig, Ruhe.

zizzania [dzid'dza:nia] ⟨-ie⟩ *f* **1.** *fig* Zwietracht *f,* Unfrieden *m;* **2.** *bot* Taumellolch *m.*

zoccolo ['tsɔkkolo] *m* **1.** *(calzatura)* (Holz)pantine *f,* Holzschuh *m;* **2.** *zoo* Huf *m;* **3.** *arch* (Wand)sockel *m;* **4.** *(di colonna, monumento)* Fuß *m;* **5.** *geog* (Kontinental)sockel *m;* ~ **duro** *fig* der harte Kern *scherz.*

zodiacale [dzodia'ka:le] *agg* Tierkreis-. **zodiaco** [...'di:ako] ⟨-ci⟩ *m* Tierkreis *m;* **i segni dello** ~ die Tierkreiszeichen *n pl.*

zolfanello [tsolfa'nɛllo] *m* Zünd-, Streichholz *n.*

zolfo ['tsolfo] *m* Schwefel *m.*

zolla ['dzɔlla *o* 'tsɔ...] *f* (Erd)scholle *f.* **zolletta** [dzol'letta *o* tso..] *f* Würfelchen *n,* Stückchen *n;* **zucchero in ~e** Würfelzucker *m.*

zombi, zombie ['dzombi] ⟨-⟩ *m* Zombie *m.*

zona ['dzɔ:na] *f* **1.** *(regione)* Gebiet *n,* Zone *f; geog* Region *f,* Gegend *f; (climatica)* Zone *f;* **2.** *(parte di superficie)* Bereich *m;* **3.** *(area urbana)* Stadtbezirk *m;* **4.** *sport* (Spiel)bereich *m;* **5.** *tel (nastro ricevente)* Papierstreifen *m;* **6.** *radio* Bereich *m;* ~ **di assorbimento** *mot* Knautschzone *f;* ~ **d'influenza** *fig* Einflußbereich *m;* ~ **di montagna/desertica/collinare** Bergregion *f*/Wüstengegend *f*/Hügelland *n;* ~ **del silenzio** Zone *f* mit Hupverbot; ~ **blu** ≃ verkehrsberuhigter Bereich; ~ **calda** *fig* Krisengebiet *n;* ~ **denuclearizzata** atomwaffenfreie Zone; ~ **disco** Parken mit Parkscheibe; ~ **franca** Zollfreigebiet *n;* ~ **industriale** Gewerbegebiet *n;* ~ **pedonale** Fußgängerzone *f;* ~ **residenziale** Wohngebiet *n,* Wohnbezirk *m;* ~ **pranzo/notte** Eß-/Schlafbereich *m;* ~ **verde** Grünanlagen *f pl.*

zonzo ['dzondzo]**: andare a** ~ bummeln gehen.

zoo ['dzɔ:o] ⟨-⟩ *m* Zoo *m.*

zoologia [dzoolo'dʒi:a] ⟨-gie⟩ *f* Zoologie *f,* Tierkunde *f.* **zoologico, -a** [...'lɔ:dʒiko] *agg* zoologisch. **zoologo, -a** [dzo'ɔ:logo] ⟨-gi, -ghe⟩ *m, f* Zoologe *m,* Zoologin *f.*

zoom [zu:m] ⟨-⟩ *m* Zoom(objektiv) *n.* **zoomare** [dzu'ma:re] *tr itr* zoomen. **zoomata** [...'ma:ta] *f* Zooming *n,* Zoomen *n.*

zootecnico, -a [dzoo'tɛkniko] *agg* Vieh-, Viehzucht-.

zoppicante [tsoppi'kante] *agg* hinkend, lahmend; *(verso, periodo)* holp(e)rig.

zoppicare [tsoppi'ka:re] ⟨zoppico, zoppichi⟩ *itr* **1.** *(persona)* hinken, humpeln; *(animale)* lahmen, hinken; **2.** *(mobile, tavolino)* wackeln; **3.** *fig fam (persona)* schwach sein; *(periodo, verso)* holp(e)rig sein, hinken; *(ragionamento)* hinken, nicht stimmen.

zoppo, -a ['tsɔppo] **I.** *m, f* Hinkende(r) *mf,* Lahme(r) *mf;* **II.** *agg* **1.** *(persona, piede)* hinkend, lahm; **2.** *(tavolino, sedia)* wack(e)lig; **3.** *fig (verso, ragionamento)* nicht stimmig, hinkend.

zotico, -a ['dzɔ:tiko] ⟨-ci, -che⟩ *m, f* Grobian *m,* Flegel *m.*

zuavo, -a [dzu'a:vo] *agg:* **pantaloni alla -a** (Knie)bundhosen *f pl,* Knickerbocker *pl.*

zucca ['tsukka] ⟨-cche⟩ *f* **1.** *bot* Kürbis *m;* **2.** *fam scherz* Rübe *f fam,* Birne *f fam.*

zuccherare [tsukke'ra:re] *tr* zuckern, süßen. **zuccherato, -a** [...'ra:to] *agg* **1.** *(caffè, tè)* gezuckert, gesüßt; **2.** *fig* süßlich, honig-, zuckersüß.

zuccheriera [tsukke'rjɛ:ra] *f* Zuckerdose *f.* **zuccherificio** [...ri'fi:tʃo] ⟨-ci⟩ *m* Zuckerfabrik *f.*

zuccherino, -a [-'ri:no] **I.** *agg* zuckerhaltig, Zucker-; *(dolce)* (zucker)süß; **II.** *m* **1.** *(pezzetto di zucchero)* Zuckerstück *n;* **2.** *fig* Trostpflaster *n.*

zucchero ['tsukkero] *m* **1.** *(sostanza)* Zucker *m;* **2.** *fig* gutmütiger Mensch; ~

di canna/barbabietola Rohr-/Rübenzucker *m;* ~ **vanigliato/filato** Vanillezucker *m*/Zuckerwatte *f;* ~ **in polvere/zollette** Puder-/Würfelzucker *m;* **dolce come lo** ~ *(a. fig)* zuckersüß. **zuccheroso, -a** [...'ro:so] *agg* **1.** *(frutta)* zuckersüß; **2.** *fig (parole)* süßlich, (honig)süß; *(commedia, canzonetta)* schmalzig.

zucchina [tsuk'ki:na] *f*, **zucchino** [...no] *m* Zucchino *m;* **-e** *gastr* Zucchini *m pl.*

zuccone, -a [tsuk'ko:ne] **I.** *m, f (persona)* Hohlkopf *m fam,* Dummkopf *m; (testardo)* Dickkopf *m;* **II.** *m (testa grossa)* dicker (*o* großer) Kopf.

zuccotto [tsuk'kɔtto] *m Halbkugel aus Halbgefrorenem, gefüllt mit Sahne, kandierten Früchten und Schokoladenstückchen.*

zuffa ['tsuffa] *f* Rauferei *f,* Handgemenge *n.*

zufolo ['tsu:folo] *m* Hirtenflöte *f,* -pfeife *f.*

zumare [dzu'ma:re] *v.* **zoomare. zumata** [...'ma:ta] *v.* **zoomata.**

zuppa ['tsuppa] *f* **1.** *gastr* Suppe *f;* **2.** *fig* Mischmasch *m fam.* **zuppetta** [tsup'petta] *f:* **fare la** ~ in etw *(akk)* eintauchen, stippen. **zuppiera** [...'piɛ:ra] *f* Suppenschüssel *f,* -terrine *f.*

zuppo, -a ['tsuppo] *agg* klatschnaß *fam.*

Zurigo [dzu'ri:go] *f* Zürich *n.*

zuzzerellone, -a [dzuddzerel'lo:ne], **zuzzurullone, -a** [...dzurul'lo:ne] *m, f fam* Kindskopf *m fam.*

Unregelmäßige italienische Verben
Verbi irregolari italiani

Aufgeführt sind der Infinitiv und die unregelmäßigen Formen von Indikativ Präsens (*pr*), Indikativ Imperfekt (*imp*), Passato remoto (*p remoto*), Futur (*fut*), Konjunktiv Präsens (*conj pr*), Konjunktiv Imperfekt (*conj imp*). Konditional (*cond*), Imperativ (*imperat*), Gerundium (*ger*), Partizip Präsens (*p pr*), Partizip Perfekt und Passiv (*pp*).

accendere *p remoto* accesi, accendesti, accese, accendemmo, accendeste, accesero; *pp* acceso.
accludere *p remoto* acclusi, accludesti, accluse, accludemmo, accludeste, acclusero; *pp* accluso.
accorgersi *p remoto* mi accorsi, ti accorgesti, si accorse, ci accorgemmo, vi accorgeste, si accorsero; *pp* accorto.
addurre *v.* **condurre.**
affliggere *p remoto* afflissi, affliggesti, afflisse, affliggemmo, affliggeste, afflissero; *pp* afflitto.
alludere *p remoto* allusi, alludesti, alluse, alludemmo, alludeste, allusero; *pp* alluso.
andare *pr* vado, vai, va, andiamo, andate, vanno; *imp* andavo; *p remoto* andai; *fut* andrò; *conj pr* vada, vada, vada, andiamo, andiate, vadano; *conj imp* andassi; *cond* andrei; *imperat* va'! *o* vai!, vada!, andiamo!, andate!, vadano!; *ger* andando; *p pr* andante; *pp* andato.
annettere *p remoto* annettei *o* annessi, annettesti, annettè *o* annesse, annettemmo, annetteste, annetterono *o* annessero; *pp* annesso.
apparire *pr* appaio, appari, appare, appariamo, apparite, appaiono; *imp* apparivo; *p remoto* apparvi, apparisti, apparve, apparimmo, appariste, apparvero; *fut* apparirò; *conj pr* appaia, appaia, appaia, appariamo, appariate, appaiano; *conj imp* apparissi; *cond* apparirei; *imperat* appari!, appaia!, appariamo!, apparite!, appaiano!; *ger* apparendo; *p pr* apparente; *pp* apparso.
appendere *p remoto* appesi, appendesti, appese, appendemmo, appendeste, appesero; *pp* appeso.
aprire *p remoto* apersi *o* aprii, apristi, aperse o aprì, aprimmo, apriste, apersero o aprirono; *pp* aperto.
ardere *p remoto* arsi, ardesti, arse, ardemmo, ardeste, arsero; *pp* arso.
assistere *pp* assistito.
assolvere *p remoto* assolsi, assolvesti, assolse, assolvemmo, assolveste, assolsero; *pp* assolto.
assumere *p remoto* assunsi, assumesti, assunse, assumemmo, assumeste, assunsero; *pp* assunto.

bere *pr* bevo, bevi, beve, beviamo, bevete, bevono; *imp* bevevo; *p remoto* bevvi *o* bevei *o* bevetti, bevesti, bevve *o* bevè *o* bevette, bevemmo, beveste, bevvero *o* beverono *o* bevettero; *fut* berrò; *conj pr* beva; *conj imp* bevessi; *cond* berrei; *imperat* bevi!, beva!, beviamo!, bevete!, bevano!; *ger* bevendo; *p pr* bevente; *pp* bevuto.

cadere *p remoto* caddi, cadesti, cadde, cademmo, cadeste, caddero; *fut* cadrò; *cond* cadrei; *pp* caduto.
chiedere *p remoto* chiesi, chiedesti, chiese, chiedemmo, chiedeste, chiesero; *pp* chiesto.
chiudere *p remoto* chiusi, chiudesti, chiuse, chiudemmo, chiudeste, chiusero; *pp* chiuso.
cingere *p remoto* cinsi, cingesti, cinse, cingemmo, cingeste, cinsero; *pp* cinto.
cogliere *pr* colgo, cogli, coglie, cogliamo, cogliete, colgono; *imp* coglievo; *p remoto* colsi, cogliesti, colse, cogliemmo, coglieste, colsero; *fut* coglierò; *conj pr* colga, colga, colga, cogliamo, cogliate, colgano; *conj imp* cogliessi; *cond* coglierei; *pp* colto.
comparire *v.* **apparire.**
comprimere *p remoto* compressi, comprimesti, compresse, comprimemmo, comprimeste, compressero; *pp* compresso.

concedere *p remoto* concessi, concedesti, concesse, concedemmo, concedeste, concessero; *pp* concesso.
concludere *v.* **accludere.**
condurre *pr* conduco, conduci, conduce, conduciamo, conducete, conducono; *imp* conducevo; *p remoto* condussi, conducesti, condusse, conducemmo, conduceste, condussero; *fut* condurrò; *conj pr* conduca, conduca, conduca, conduciamo, conduciate, conducano; *conj imp* conducessi; *cond* condurrei; *imperat* conduci!, conduca!, conduciamo!, conducete!, conducano!, *ger* conducendo; *p pr* conducente; *pp* condotto.
connettere *pp* connesso.
conoscere *p remoto* conobbi, conoscesti, conobbe, conoscemmo, conosceste, conobbero; *pp* conosciuto.
consistere *pp* consistito.
coprire *v.* **aprire.**
correggere *v.* **leggere.**
correre *p remoto* corsi, corresti, corse, corremmo, correste, corsero; *pp* corso.
crescere *p remoto* crebbi, crescesti, crebbe, crescemmo, cresceste, crebbero; *pp* cresciuto.
cuocere *pr* cuocio, cuoci, cuoce, cociamo *o* cuociamo, cocete *o* cuocete, cuociono; *imp* cocevo *o* cuocevo; *p remoto* cossi, cocesti *o* cuocesti, cosse, cocemmo *o* cuocemmo, coceste *o* cuoceste, cossero; *fut* cocerò; *conj pr* cuocia, cuocia, cuocia, cociamo *o* cuociamo, cociate *o* cuociate, cuociano; *conj imp* cocessi *o* cuocessi; *cond* cocerei *o* cuocerei; *imperat* cuoci!, cuocia!, cociamo! *o* cuociamo!, cocete! *o* cuocete!, cuociano!; *ger* cocendo *o* cuocendo; *p pr* cocente; *pp* cotto.

dare *pr* do, dai, dà, diamo, date, danno; *imp* davo; *p remoto* diedi *o* detti, desti, diede *o* dette, demmo, deste, diedero *o* dettero; *fut* darò; *conj pr* dia, dia, dia, diamo, diate, diano; *conj imp* dessi; *cond* darei; *imperat* da'! *o* dai!, dia!, diamo!, date!, diano!; *ger* dando; *pp* dato.
decidere *p remoto* decisi, decidesti, decise, decidemmo, decideste, decisero; pp deciso.
dedurre *v.* **condurre.**
deludere *v.* **alludere.**
deprimere *v.* **comprimere.**
devolvere *pp* devoluto.
difendere *p remoto* difesi, difendesti, difese, difendemmo, difendeste, difesero; *pp* difeso.
dipendere *v.* **appendere.**
dipingere *p remoto* dipinsi, dipingesti, dipinse, dipingemmo, dipingeste, dipinsero; *pp* dipinto.
dire *pr* dico, dici, dice, diciamo, dite, dicono; *imp* dicevo; *p remoto* dissi, dicesti, disse, dicemmo, diceste, dissero; *fut* dirò; *conj pr* dica, dica, dica, diciamo, diciate, dicano; *conj imp* dicessi; *cond* direi; *imperat* di'!, dica!, diciamo!, dite!, dicano!; *ger* dicendo; *p pr* dicente; *pp* detto.
dirigere *p remoto* diressi, dirigesti, diresse, dirigemmo, dirigeste, diressero; *pp* diretto.
discutere *p remoto* discussi, discutesti, discusse, discutemmo, discuteste, discussero; *pp* discusso.
dissolvere *v.* **assolvere.**
dissuadere *v.* **persuadere.**
distinguere *p remoto* distinsi, distinguesti, distinse, distinguemmo, distingueste, distinsero; *pp* distinto.
dividere *p remoto* divisi, dividesti, divise, dividemmo, divideste, divisero; *pp* diviso.
dolere *pr* dolgo, duoli, duole, doliamo *o* dogliamo, dolete, dolgono; *p remoto* dolsi, dolesti, dolse, dolemmo, doleste, dolsero; *fut* dorrò; *conj pr* dolga, dolga, dolga, doliamo *o* dogliamo, doliate *o* dogliate, dolgano; *cond* dorrei; *imperat* duoli!, dolga!, doliamo! *o* dogliamo!, dolete!, dolgano!
dovere *pr* devo *o* debbo, devi, deve, dobbiamo, dovete, devono *o* debbono; *p remoto* dovei *o* dovetti, dovesti, dové *o* dovette, dovemmo, doveste, doverono *o* dovettero; *fut* dovrò; *conj pr* deva *o* debba, deva, deva, dobbiamo, dobbiate, devano *o* debbano; *cond* dovrei; *imperat u. p pr fehlen.*

eccellere *p remoto* eccelsi, eccellesti, eccelse, eccellemmo, eccelleste, eccelsero; *pp* eccelso.
elidere *p remoto* elisi *o* elidei, elidesti, elise *o* elidè, elidemmo, elideste, elisero *o* elidero; *pp* eliso.
emergere *p remoto* emersi, emergesti, emerse, emergemmo, emergeste, emersero; *pp* emerso.
erigere *v.* **dirigere.**
escludere *v.* **accludere.**
esistere *pp* esistito.
espellere *p remoto* espulsi, espellesti, espulse, espellemmo, espelleste, espulsero; *pp* espulso.
esplodere *p remoto* esplosi, esplodesti, esplose, esplodemmo, esplodeste, esplosero; *pp* esploso.
esprimere *v.* **comprimere.**
estinguere *v.* **distinguere.**
evadere *p remoto* evasi, evadesti, evase, evademmo, evadeste, evasero; *pp* evaso.
evolvere *pp* evoluto.

fare *pr* faccio, fai, fa, facciamo, fate, fanno; *imp* facevo; *p remoto* feci, facesti, fece, facemmo, faceste, fecero; *fut* farò; *conj pr* faccia, faccia, faccia, facciamo, facciate, facciano; *conj imp* facessi; *cond* farei; *imperat* fa'! *o* fai!, faccia!, facciamo!, fate!, facciano!; *ger* facendo; *p pr* facente; *pp* fatto.
figgere *p remoto* fissi, figgesti, fisse, figgemmo, figgeste, fissero; *pp* fitto.
fingere *p remoto* finsi, fingesti, finse, fingemmo, fingeste. finsero; *pp* finto.
flettere *pp* flesso.
fondere *p remoto* fusi, fondesti, fuse, fondemmo, fondeste, fusero; *pp* fuso.
frangere *p remoto* fransi, frangesti, franse, frangemmo, frangeste, fransero; *pp* franto.
friggere *v.* **figgere.**
fungere *v.* **fingere.**

giacere *v.* **piacere.**
giungere *v.* **fingere.**
godere *fut* godrò; *cond* godrei.

immergere *v.* **emergere.**
imprimere *v.* **comprimere.**
incidere *v.* **decidere.**
includere *v.* **accludere.**
incutere *v.* **discutere.**
indurre *v.* **condurre.**
infliggere *v.* **affliggere.**
insistere *pp* insistito.
introdurre *v.* **condurre.**
invadere *v.* **evadere.**

ledere *p remoto* lesi, ledesti, lese, ledemmo, ledeste, lesero; *pp* leso.
leggere *p remoto* lessi, leggesti, lesse, leggemmo, leggeste, lessero; *pp* letto.

mettere *p remoto* misi, mettesti, mise, mettemmo, metteste, misero; *pp* messo.
mordere *p remoto* morsi, mordesti, morse, mordemmo, mordeste, morsero; *pp* morso.
morire *pr* muoio, muori, muore, moriamo, morite, muoiono; *fut* morrò o morirò; *conj pr* muoia, muoia, muoia, moriamo, moriate, muoiano; *conj imp* morissi; *cond* morrei *o* morirei; *imperat* muori!, muoia!, moriamo!, morite!, muoiano!; *pp* morto.
mungere *v.* **fingere.**
muovere *p remoto* mossi, movesti *o* muovesti, mosse, movemmo *o* muovemmo, moveste *o* muoveste, mossero; *pp* mosso.
nascere *p remoto* nacqui, nascesti, nacque, nascemmo, nasceste, nacquero; *pp* nato.

nascondere *p remoto* nascosi, nascondesti, nascose, nascondemmo, nascondeste, nascosero; *pp* nascosto.
nuocere *pr* noccio *o* nuoccio, nuoci, nuoce, nociamo *o* nuociamo, nocete, nocciono *o* nuocciono; *imp* nocevo *o* nuocevo; *p remoto* nocqui, nocesti, nocque, nocemmo, noceste, nocquero; *fut* nocerò *o* nuocerò; *conj pr* noccia, noccia, noccia, nociamo, nociate, nocciano; *conj imp* nocessi; *cond* nocerei *o* nuocerei; *imperat* nuoci!, noccia!, nociamo!, nocete!, nocciano!; *ger* nocendo *o* nuocendo; *p pr* nocente *o* nuocente; *pp* nociuto.

offendere *v.* **difendere.**
offrire *p remoto* offersi *o* offrii, offristi, offerse *o* offrì, offrimmo, offriste, offersero *o* offrirono; *pp* offerto.
opprimere *v.* **comprimere.**

parere *pr* paio, pari, pare, paiamo, parete, paiono; *p remoto* parvi, paresti, parve, paremmo, pareste, parvero; *fut* parrò; *conj pr* paia, paia, paia, paiamo, paiate, paiano; *cond* parrei; *imperat fehlt; pp* parso.
percuotere *v.* **scuotere.**
perdere *p remoto* persi *o* perdei *o* perdetti, perdesti, perse *o* perdè *o* perdette, perdemmo, perdeste, persero *o* perderono *o* perdettero; *pp* perso *o* perduto.
persuadere *p remoto* persuasi, persuadesti, persuase, persuademmo, persuadeste, persuasero; *pp* persuaso.
piacere *pr* piaccio, piaci, piace, piacciamo *o* piaciamo, piacete, piacciono; *p remoto* piacqui, piacesti, piacque, piacemmo, piaceste, piacquero; *conj pr* piaccia, piaccia, piaccia, piacciamo *o* piaciamo, piacciate *o* piaciate, piacciano; *imperat* piaci!, piaccia!, piacciamo!, piacete!, piacciano!; *pp* piaciuto.
piangere *p remoto* piansi, piangesti, pianse, piangemmo, piangeste, piansero; *pp* pianto.
piovere *p remoto* piovve.
porgere *p remoto* porsi, porgesti, porse, porgemmo, porgeste, porsero; *pp* porto.
porre *pr* pongo, poni, pone, poniamo, ponete, pongono; *imp* ponevo; *p remoto* posi, ponesti, pose, ponemmo, poneste, posero; *fut* porrò; *conj pr* ponga, ponga, ponga, poniamo, poniate, pongano; *conj imp* ponessi; *cond* porrei; *imperat* poni!, ponga!, poniamo!, ponete!, pongano!; *ger* ponendo; *p pr* ponente; *pp* posto.
possedere *v.* **sedere.**
potere *pr* posso, puoi, può, possiamo, potete, possono; *fut* potrò; *conj pr* possa, possa, possa, possiamo, possiate, possano; *cond* potrei; *imperat fehlt.*
prendere *p remoto* presi, prendesti, prese, prendemmo, prendeste, presero; *pp* preso.
presumere *v.* **assumere.**
produrre *v.* **condurre.**
proteggere *v.* **leggere.**
pungere *v.* **fingere.**

radere *p remoto* rasi, radesti, rase, rademmo, radeste, rasero; *pp* raso.
recidere *v.* **decidere.**
redigere *p remoto* redassi, redigesti, redasse, redigemmo, redigeste, redassero; *pp* redatto.
redimere *p remoto* redensi, redimesti, redense, redimemmo, redimeste, redensero; *pp* redento.
reggere *v.* **leggere.**
rendere *v.* **prendere.**
reprimere *v.* **comprimere.**
resistere *pp* resistito.
ridere *p remoto* risi, ridesti, rise, ridemmo, rideste, risero; *pp* riso.
ridurre *v.* **condurre.**
riflettere *pp* riflesso *o* riflettuto.
rimanere *pr* rimango, rimani, rimane, rimaniamo, rimanete, rimangono; *p remoto* rimasi, rimanesti, rimase, rimanemmo, rimaneste, rimasero; *fut* rimarrò; *conj pr* rimanga, rimanga,

rimanga, rimaniamo, rimaniate, rimangano; *cond* rimarrei; *imperat* rimani!, rimanga!, rimaniamo!, rimanete!, rimangano!; *pp* rimasto.

risolvere *v.* **assolvere.**

rispondere *p remoto* risposi, rispondesti, rispose, rispondemmo, rispondeste, risposero; *pp* risposto.

rodere *p remoto* rosi, rodesti, rose, rodemmo, rodeste, rosero; *pp* roso.

rompere *p remoto* ruppi, rompesti, ruppe, rompemmo, rompeste, ruppero; *pp* rotto.

salire *pr* salgo, sali, sale, saliamo, salite, salgono; *conj pr* salga, salga, salga, saliamo, saliate, salgano; *imperat* sali!, salga!, saliamo!, salite!, salgano!

sapere *pr* so, sai, sa, sappiamo, sapete, sanno; *p remoto* seppi, sapesti, seppe, sapemmo, sapeste, seppero; *fut* saprò; *conj* pr sappia, sappia, sappia, sappiamo, sappiate, sappiano; *cond* saprei; *imperat* sappi!, sappia!, sappiamo!, sappiate!, sappiano!

scegliere *pr* scelgo, scegli, sceglie, scegliamo, scegliete, scelgono; *p remoto* scelsi, scegliesti, scelse, scegliemmo, sceglieste, scelsero; *conj pr* scelga, scelga, scelga, scegliamo, scegliate, scelgano; *imperat* scegli!, scelga!, scegliamo!, scegliete!, scelgano!; *pp* scelto.

scendere *p remoto* scesi, scendesti, scese, scendemmo, scendeste, scesero; *pp* sceso.

scindere *p remoto* scissi, scindesti, scisse, scindemmo, scindeste, scissero; *pp* scisso.

sciogliere *v.* **cogliere.**

scorgere *v.* **sorgere.**

scrivere *p remoto* scrissi, scrivesti, scrisse, scrivemmo, scriveste, scrissero; *pp* scritto.

scuotere *p remoto* scossi, scotesti o scuotesti, scosse, scotemmo *o* scuotemmo, scoteste *o* scuoteste, scossero; *pp* scosso.

sedere *pr* siedo, siedi, siede, sediamo, sedete, siedono; *conj pr* sieda, sieda, sieda, sediamo, sediate, siedano; *imperat* siedi!, sieda!, sediamo!, sedete!, siedano!

sedurre *v.* **condurre.**

soffrire *v.* **offrire.**

solere *pr* soglio, suoli, suole, sogliamo, solete, sogliono; *fut, cond, imperat fehlen; conj pr* soglia, soglia, soglia, sogliamo, sogliate, sogliano; *pp* solito.

sommergere *v.* **emergere.**

sopprimere *v.* **comprimere.**

sorgere *p remoto* sorsi, sorgesti, sorse, sorgemmo, sorgeste, sorsero; *pp* sorto.

sospendere v. **appendere.**

spargere *p remoto* sparsi, spargesti, sparse, spargemmo, spargeste, sparsero; *pp* sparso.

spegnere (spengere) *pr* spengo, spegni, spegne, spegniamo, spegnete, spengono; *p remoto* spensi, spegnesti (spengesti), spense, spegnemmo (spengemmo), spegneste (spengeste), spensero; *conj pr* spenga, spenga, spenga, spegniamo, spegniate, spengano; *pp* spento.

spendere *v.* **appendere.**

spingere *v.* **fingere.**

stare *pr* sto, stai, sta, stiamo, state, stanno; *p remoto* stetti, stesti, stette, stemmo, steste, stettero; *conj pr* stia, stia, stia, stiamo, stiate, stiano; *conj imp* stessi; *imperat* sta'! *o* stai!, stia!, stiamo!, state!, stiano!; *pp* stato.

stringere *p remoto* strinsi, stringesti, strinse, stringemmo, stringeste, strinsero; *pp* stretto.

struggere *v.* **leggere.**

succedere *v.* **concedere.**

tacere *pr* taccio, taci, tace, tacciamo *o* taciamo, tacete, tacciono; *p remoto* tacqui, tacesti, tacque, tacemmo, taceste, tacquero; *conj pr* taccia, taccia, taccia, tacciamo *o* taciamo, tacciate *o* taciate, tacciano; *imperat* taci!, taccia!, tacciamo!, tacete!, tacciano!; *pp* taciuto.

tendere *v.* **prendere.**

tenere *pr* tengo, tieni, tiene, teniamo, tenete, tengono; *p remoto* tenni, tenesti, tenne, tenemmo, teneste, tennero; *fut* terrò; *conj pr* tenga, tenga, tenga, teniamo, teniate, tengano; *cond* terrei; *imperat* tieni!, tenga!, teniamo!, tenete!, tengano!

tingere *v.* **fingere.**

togliere *v.* **cogliere.**

torcere *p remoto* torsi, torcesti, torse, torcemmo, torceste, torsero; *pp* torto.

tradurre *v.* **condurre.**
trarre *pr* traggo, trai, trae, traiamo, traete, traggono; *imp* traevo; *p remoto* trassi, traesti, trasse, traemmo, traeste, trassero; *fut* trarrò; *conj pr* tragga, tragga, tragga, traiamo, traiate, traggano; *conj imp* traessi; *cond* trarrei; *imperat* trai!, tragga!, traiamo!, traete!, traggano!; *ger* traendo; *p pr* traente; *pp* tratto.

uccidere *v.* **decidere.**
udire *pr* odo, odi, ode, udiamo, udite, odono; *fut* udirò *o* udrò; *conj pr* oda, oda, oda, udiamo, udiate, odano; *cond* udirei *o* udrei; *imperat* odi!, oda!, udiamo!, udite!, odano!
ungere *v.* **fingere.**
uscire *pr* esco, esci, esce, usciamo, uscite, escono; *conj pr* esca, esca, esca, usciamo, usciate, escano; *imperat* esci!, esca!, usciamo!, uscite!, escano!

valere *pr* valgo, vali, vale, valiamo, valete, valgono; *p remoto* valsi, valesti, valse, valemmo, valeste, valsero; *fut* varrò; *conj pr* valga, valga, valga, valiamo, valiate, valgano; *cond* varrei; *imperat* vali!, valga!, valiamo!, valete!, valgano!; *pp* valso.
vedere *p remoto* vidi, vedesti, vide, vedemmo, vedeste, videro; *fut* vedrò; *cond* vedrei; *pp* visto *o* veduto.
venire *pr* vengo, vieni, viene, veniamo, venite, vengono; *p remoto* venni, venisti, venne, venimmo, veniste, vennero; *fut* verrò; *conj pr* venga, venga, venga, veniamo, veniate, vengano; *cond* verrei; *imperat* vieni!, venga!, veniamo!, venite!, vengano!; *ger* venendo; *p pr* veniente *o* venente.
vincere *p remoto* vinsi, vincesti, vinse, vincemmo, vinceste, vinsero; *pp* vinto.
vivere *p remoto* vissi, vivesti, visse, vivemmo, viveste, vissero; *fut* vivrò; *cond* vivrei; *pp* vissuto.
volere *pr* voglio, vuoi, vuole, vogliamo, volete, vogliono; *p remoto* volli, volesti, volle, volemmo, voleste, vollero; *fut* vorrò; *conj pr* voglia, voglia, voglia, vogliamo, vogliate, vogliano; *cond* vorrei; *imperat* vogli!, voglia!, vogliamo!, vogliate!, vogliano!
volgere *p remoto* volsi, volgesti, volse, volgemmo, volgeste, volsero; *pp* volto.

Formenlehre der italienischen Sprache
Morfologia della lingua italiana

Die Nominalgruppe

Das Genus und der Numerus

Die Nominalgruppe hat zwei **Genusformen**:

Maskulinum *m*	il treno	der Zug
Femininum *f*	la strada	die Straße

- Das Genus ist eine Eigenschaft des Substantivs. Artikel und Adjektiv richten sich im Genus nach dem Substantiv.

Die Nominalgruppe hat zwei **Numerusformen**:

Singular *sing*	il treno	der Zug
Plural *pl*	i treni	die Züge

Das Substantiv

Plural der Substantive

1. Grundregel

	sing	*pl*
m	il treno	i treni
m, f	il mare la torre	i mari le torri
f	la strada	le strade

- Substantive auf *-o* (maskulin) und auf *-e* (maskulin oder feminin) bilden den Plural auf *-i*; Substantive auf *-a* (feminin) bilden den Plural auf *-e*.

2. Substantive auf *-co, -ca, -go, -ga*

sing	il buco	[-k-]	*pl*	i buchi	[-k-]
	la vacca			le vacche	
	il lago	[-g-]		i laghi	[-g-]
	il collega			i colleghi	
	la bottega			le botteghe	

- Vor allem bei den Substantiven mit Betonung auf der vorletzten Silbe wird im Plural hinter *-c-* und *-g-* des Singulars ein *-h-* geschrieben; die Aussprache [-k-] und [-g-] des Singulars bleibt erhalten.
  Ausnahme: l'amico [-k-] – gli amici [-tʃ-]

sing	il medico	[-k-]	*pl*	i medici	[-tʃ-]
	l'asparago	[-g-]		gli asparagi	[-dʒ-]

- Vor allem bei den Substantiven mit Betonung auf der drittletzten Silbe wird im Plural hinter *-c-* und *-g-* des Singulars kein *-h-* geschrieben; es besteht Alternanz der Aussprache zwischen [-k-] und [-tʃ-] sowie [-g-] und [-dʒ-].

3. Substantive auf *-io-*, *-ia*

sing	il pendio	*pl*	i pendii
	la bugia		le bugie

- Bei Substantiven mit betontem *-i-* wird die regelmäßige Pluralendung angefügt.

sing	il negozio	[-tsi̯o-]	*pl*	i negozi
	il bacio	[-tʃo-]		i baci
	il figlio	[-ʎʎo-]		i figli

- Bei Substantiven auf *-io-* mit unbetontem *-i-* oder bei Substantiven auf *-cio, -gio, -glio* steht im Plural einfaches *-i*.

sing	l'arancia	*pl*	le arance
	la goccia		le gocce
	la spiaggia		le spiagge
	la camicia		le camicie
	la valigia		le valigie
	la figlia		le figlie

- Bei Substantiven auf *-cia* und *-gia*, bei denen das *-i-* nicht betont ist, steht im Plural einfaches *-e*, wenn dem *-c-* oder dem *-g-* ein weiterer Konsonant vorausgeht; es steht meistens *-ie*, wenn ein Vokal vorausgeht. Bei Substantiven auf *-glia* steht *-ie*.

4. Maskuline Substantive auf *-a*

sing	il problema	*pl*	i problemi
	il geometra		i geometri

- Maskuline Substantive auf *-a-* bilden den Plural auf *-i*.

5. Substantive mit unveränderter Form des Plurals

sing	la città	*pl*	le città
	il film		i film
	il cinema		i cinema
	la foto		le foto
	la crisi		le crisi
	la serie		le serie
	il re		i re

- Ohne Kennzeichnung des Plurals bleiben: Substantive mit betontem Vokal im Auslaut, Substantive mit Konsonant im Auslaut, einige maskuline Substantive auf *-a*, einige feminine Substantive auf *-o*, Substantive auf *-i* und auf *-ie* (mit Ausnahmen wie *la moglie - le mogli*), Substantive auf Vokal mit nur einer Silbe.

6. Substantive mit mehreren Pluralformen

sing	il braccio	*pl*	i bracci	die Arme (eines Flusses) ...
			le braccia	die Arme (des Menschen) ...
	il labbro		i labbri	die Ränder (einer Vase) ...
			le labbra	die Lippen (eines Menschen) ...
	il muro		i muri	die Mauern (eines Hauses) ...
			le mura	die Stadtmauern
	...		...	

7. Zusammengesetzte Substantive

sing	l'arcobaleno	*pl*	gli arcobaleni
	il francobollo		i francobolli
	il grattacielo		i grattacieli
	il capostazione		i capistazione
	la cassaforte		le casseforti

- Zusammengesetzte Substantive haben häufig dieselbe Pluralbildung wie einfache Substantive. In besonderen Fällen werden andere Formen gebraucht, zum Beispiel mit der Kennzeichnung des Plurals am ersten Bestandteil des Substantivs (*capistazione*) oder mit der Kennzeichnung beider Bestandteile (*casseforti*).

Einzelfälle

sing	la mano	die Hand	*pl*	le mani
	l'uovo *m*	das Ei		le uova *f*
	l'uomo	der Mensch, der Mann		gli uomini

Das Adjektiv

Genus und Numerus des Adjektivs

sing		*pl*	
m	*f*	*m*	*f*
caldo	calda	caldi	calde
mite		miti	

- Das Adjektiv wird in Genus und Numerus verändert, und zwar in attributiver Stellung (*le belle case*), und, im Unterschied zum Deutschen, auch in prädikativer Stellung (*Queste case sono belle*).
- Auf die Adjektive auf *-co, -go, -io* sind im Plural die Regeln für die Schreibung der Substantive auf *-co*, ... anzuwenden.
- Sonderformen von **bello**, **buono**, **grande** und **santo**:

– **bello** hat vor maskulinen Substantiven die Formen **bel**, **bell'**, **bello**, **bei**, **begli** in derselben Verteilung wie die Formen des Artikels **quello**.

– **buono** hat im Singular von maskulinen Substantiven (außer vor *s + Konsonant, gn, pn, ps, x, z*) die Form **buon**.

– **grande** kann vor Konsonant des nachfolgenden Wortes (außer vor *s + Konsonant, gn, pn, ps, x, z*) zu **gran** verkürzt werden, vor Vokal zu **grand'**.

– **santo** wird vor Konsonant bei Namen männlicher Heiliger (außer vor *s + Konsonant*) zu **san** verkürzt, vor Vokal bei Heiligennamen zu **sant'**.

Steigerung des Adjektivs

Positiv *Komparativ* *relativer Superlativ*	una macchina veloce ein schnelles Auto una macchina più veloce ein schnelleres Auto la macchina più veloce del mondo das schnellste Auto der Welt
absoluter Superlativ	una macchina velocissima ein sehr schnelles Auto

- Einige Adjektive haben gelehrte absolute Superlative:
  celebre **celeberrimo**
  integro **integerrimo**
  misero **miserrimo**
  ...

  Im Allgemeinen werden statt des absoluten Superlativs dieser Adjektive Kombinationen mit Adverbien gebraucht:
  celebre **molto celebre**
  integro **perfettamente integro**
  ...

- **buono, cattivo, grande** und **piccolo** haben außer den regelmäßigen Formen (wie *più buono - il più buono - buonissimo*) auch noch unregelmäßige Steigerungsformen:
  buono **migliore, il migliore, ottimo**
  cattivo **peggiore, il peggiore, pessimo**
  grande **maggiore, il maggiore, massimo**
  piccolo **minore, il minore, minimo**

Der Artikel

Der Artikel ist, im Unterschied zu dem selbständig auftretenden Pronomen, Begleiter von Substantiv und Adjektiv in der Nominalgruppe.
In anderen Terminologien als der hier verwendeten werden einige Typen des Artikels auch als „Adjektiv" oder als „Pronomen" bezeichnet.

1. Bestimmter Artikel

m	*sing*	*pl*
allgemein vor *Konsonnant*	il treno	i treni
vor *s + Konsonant, gn, pn, ps, x z, i + Vokal*	lo sciopero lo zio	gli scioperi gli zii
vor *Vokal*	l'anno	gli anni
f		
vor *Konsonant*	la strada	le strade
vor *Vokal*	l'ora	le ore

- Artikel vor einem Adjektiv variieren entsprechend dem Anlaut des Adjektivs: *l'ultimo treno - gli ultimi treni.*

2. Verschmelzung von Präpositionen mit dem bestimmten Artikel

	il	lo	l'	la	i	gli	le
a	al	allo	all'	alla	ai	agli	alle
da	dal	dallo	dall'	dalla	dai	dagli	dalle
di	del	dello	dell'	della	dei	degli	delle
in	nel	nello	nell'	nella	nei	negli	nelle
su	sul	sullo	sull'	sulla	sui	sugli	sulle

3. Unbestimmter Artikel und Teilungsartikel

m	*sing*		*pl*
	zählbar	nicht zählbar	zählbar
allgemein vor *Konsonant*	un treno ein Zug	del sale Salz	dei treni Züge
vor *s + Konsonant, gn, pn, ps, x, z, i + Vokal*	uno sciopero ein Streik	dello zucchero Zucker	degli scioperi Streiks
vor *Vokal*	un anno ein Jahr	dell'aceto Essig	degli anni Jahre
f			
vor *Konsonant*	una casa ein Haus	della frutta Obst	delle case Häuser
vor *Vokal*	un'ora eine Stunde	dell'acqua Wasser	delle ore Stunden

- Den unbestimmten Artikel **un,** … gibt es, ähnlich wie im Deutschen *ein*, … nur im Singular bei zählbaren Substantiven. Im Singular bei nicht zählbaren Substantiven und im Plural bei zählbaren Substantiven (im Deutschen jeweils ohne Artikel) steht der „Teilungsartikel" - die Verschmelzungsform von *di* mit dem bestimmten Artikel.
- Im Plural kann das Substantiv auch, wie im Deutschen, ohne Artikel gebraucht werden:
  ho ancora dubbi ich habe noch Zweifel
  non ci sono treni per Milano es gibt keine Züge nach Mailand
- Die Formen von **nessun, nessuno,** … kein einziger haben dieselbe Verteilung wie diejenigen von **un, uno,** …

4. Demonstrativartikel

questo, … der hier, dieser	*m*	*sing*	*pl*
	vor *Konsonant* vor *Vokal*	questo treno quest'anno	questi treni questi anni
	f		
	vor *Konsonant* vor *Vokal*	questa casa quest'ora	queste case queste ore

quel, … der da, jener	*m*	*sing*	*pl*
	vor *Konsonant* vor *s + Konsonant,* *gn, pn, ps,x, z, i +* *Vokal* vor *Vokal*	quel treno quello zio quell'anno	quei trini quegli zii quegli anni
	f		
	vor *Konsonant* vor *Vokal*	quella casa quell'ora	quelle case quelle ore

5. Interrogativartikel

	sing		*pl*	
	m	*f*	*m*	*f*
welcher?	che			
	quale		quali	
wie viele?	quanto	quanta	quanti	quante

- *Beispiele:* Che libri leggi? Welche Bücher liest du?
  Quali intenzioni hai? Welche Absichten hast du?
  Quante persone sono? Wie viele Personen sind es?

6. Relativartikel

	sing		*pl*	
	m	*f*	*m*	*f*
dessen/deren	il cui	la cui	i cui	le cui

- *Beispiele:* La Toscana i cui vini sono ottimi … Die Toskana, deren Weine sehr gut sind, ...

7. Possessivartikel

Person des Besitzers		**Genus und Numerus des Substantivs, das den Besitz bezeichnet**			
		m		*f*	
		sing	*pl*	*sing*	*pl*
sing	**1. Pers.**	il mio mein	i miei	la mia	le mie
	2. Pers.	il tuo dein	i tuoi	la tua	le tue
	3. Pers.	il suo sein, ihr	i suoi	la sua	le sue
pl	**1. Pers.**	il nostro unser	i nostri	la nostra	le nostre
	2. Pers	il vostro euer	i vostri	la vostra	le vostre
	3. Pers	il loro ihr	i loro	la loro	le loro

- Die **Höflichkeitsform** ist im Singular die 3. Person, oft mit Großschreibung: **il Suo, …**; im Plural ist es die 2. Person, seltener die 3. Person: **il Vostro, …, il Loro, …**
- **Vor Verwandtschaftsbezeichnungen** wie *madre, padre, sorella, fratello, nonna, nonno, zia, zio, nipote, …* stehen die Possessivartikel im Singular in einer verkürzten Form: *mia madre, nostro zio, …* Die volle Form steht im Plural, bei affektiven Bezeichnungen, bei Präfix- oder Suffixerweiterungen, bei näherer Bestimmung und beim Artikel *loro: i suoi fratelli, la mia mamma, il tuo bisnonno, la nostra zietta, la tua nonna diletta / di Torino, la loro sorella, …*
- Der Possessivartikel steht im allgemeinen **vor** dem Substantiv, in einigen Ausdrücken aber auch danach: *a casa mia, per colpa sua, …*

Das Pronomen

Das Pronomen kann, im Unterschied zu dem unselbständigen Artikel, die Nominalgruppe allein ausfüllen.

1. Personalpronomen

Unbetontes Personalpronomen

<table>
<tr><td rowspan="3"></td><td colspan="5">sing</td><td colspan="5">pl</td></tr>
<tr><td>1. Pers</td><td>2. Pers</td><td colspan="3">3. Pers</td><td>1. Pers</td><td>2. Pers</td><td colspan="3">3. Pers</td></tr>
<tr><td></td><td></td><td>m</td><td>f</td><td>rfl</td><td></td><td></td><td>m</td><td>f</td><td>rfl</td></tr>
<tr><td>direktes Objekt (wen?)</td><td rowspan="2">mi</td><td rowspan="2">ti</td><td>lo</td><td>la</td><td rowspan="2">si</td><td rowspan="2">ci</td><td rowspan="2">vi</td><td>li</td><td>le</td><td rowspan="2">si</td></tr>
<tr><td>indirektes Objekt (wem?)</td><td>gli</td><td>le</td><td colspan="2">loro / gli</td></tr>
</table>

Betontes Personalpronomen

<table>
<tr><td rowspan="3"></td><td colspan="5">sing</td><td colspan="5">pl</td></tr>
<tr><td>1. Pers</td><td>2. Pers</td><td colspan="3">3. Pers</td><td>1. Pers</td><td>2. Pers</td><td colspan="3">3. Pers</td></tr>
<tr><td></td><td></td><td>m</td><td>f</td><td>rfl</td><td></td><td></td><td>m</td><td>f</td><td>rfl</td></tr>
<tr><td>Subjekt (wer?)</td><td>io</td><td>tu</td><td>lui
esso</td><td>lei
essa</td><td></td><td>noi</td><td>voi</td><td>loro
essi</td><td>loro
esse</td><td></td></tr>
<tr><td>direktes Objekt (wen?)</td><td>me</td><td>te</td><td>lui</td><td>lei</td><td>sé</td><td>noi</td><td>voi</td><td>loro</td><td>loro</td><td>sé</td></tr>
<tr><td>indirektes Objekt (wem?)</td><td>a me</td><td>a te</td><td>a lui
a esso</td><td>a lei
a essa</td><td>a sé</td><td>a noi</td><td>a voi</td><td>a loro
a essi</td><td>a loro
a esse</td><td>a sé</td></tr>
</table>

- Die **Höflichkeitsform** ist im Singular die feminine 3. Person: **La, Le, Lei, a Lei;** im Plural ist es die 2. Person: **Vi, Voi, a Voi,** seltener die 3. Person: **Li, Le, Loro, a Loro.**
- Im allgemeinen steht in der Subjektstelle kein Personalpronomen und in der Objektstelle das unbetonte Personalpronomen.
- Das betonte Personalpronomen wird verwendet, wenn die Person besonders hervorgehoben werden soll:
  Tu vieni. Du kommst.
  Vedo te. Ich sehe dich.
  Scrivo a te. Ich schreibe dir.
- Das unbetonte Personalpronomen steht vor dem Verb (Ti vedo. Ich sehe dich. - Mi fate un piacere. Ihr tut mir einen Gefallen.) oder es wird beim Infinitiv, beim Gerundium, beim Partizip und beim bejahten Imperativ der 2. Person Singular und der 1. und 2. Person Plural an das Verb angehängt (Bisogna farlo. Man muß es tun. - Fatemi un piacere! Tut mir einen Gefallen!). **Loro** steht immer nach dem Verb.

- Die Objektformen des betonten Personalpronomens stehen nach dem Verb:
  Vedo te. Ich sehe dich.
- Bei den betonten Formen wird **lui, lei, loro** für Personen oder Tiere verwendet, **esso, ...** für Tiere und Sachen oder Sachverhalte.
- Die Form **lo** kann einen neutralen Wert haben:
  Lo so. Ich weiß es.
- Die Formen **lo** und **la** können vor *Vokal* oder *h* durch **l'** ersetzt werden:
  L'avete visto? Habt ihr ihn gesehen?
  L'ho salutato. Ich habe ihn gegrüßt.

Die Pronomen *ci* und *ne*

ci	Ci puoi contare. Du kannst damit rechnen. Andrò a Roma; ci vado spesso. Ich werde nach Rom fahren; ich fahre oft dorthin.
ne	Non ho più notizie di lui. Non ne ho più notizie. Ich habe nichts mehr von ihm gehört. Sei stato alla stazione? - Sì, ne vengo ora. Bist du am Bahnhof gewesen? - Ja, ich komme gerade von dort.

- *ci* wird statt der Verbindung von Präpositionen wie *a* und *su* mit dem Personalpronomen der 3. Person, vor allem mit neutralem Wert, in der Bedeutung „damit, davon, daran ..." und als Lokaladverb in der Bedeutung „dort, dorthin" verwendet.
- *ne* wird statt der Verbindung von Präpositionen wie *di* und *da* mit dem Personalpronomen der 3. Person in der Bedeutung „von ihm, von ihr, von ihnen" und als Lokaladverb in der Bedeutung „von dort" verwendet.

Kombinationsformen des unbetonten Personalpronomens

	lo	la	li	le	ne
mi	me lo	me la	me li	me le	me ne
ti	te lo	te la	te li	te le	te ne
gli / le	glielo	gliela	glieli	gliele	gliene
ci	ce lo	ce la	ce li	ce le	ce ne
vi	ve lo	ve la	ve li	ve le	ve ne
si	se lo	se la	se li	se le	se ne

- zu **loro,** das immer nach dem Verb steht, gibt es keine Kombinationsformen.

2. Indefinitpronomen

	m	*f*	*neutral*
einer	uno	una	
irgendeiner	qualcuno	qualcuna	
etwas			qualche cosa / qualcosa
keiner	nessuno	nessuna	
nichts			niente / nulla

3. Demonstrativpronomen

	sing			*pl*	
	m	*f*	*neutral*	*m*	*f*
dieser (hier)	questo	questa	questo / ciò	questi	queste
der da	quello	quella	quello / ciò	quelli	quelle

- Weitere Demonstrativpronomen sind **tale, lo stesso, il medesimo.**

4. Relativpronomen

	sing		*pl*	
	m	*f*	*m*	*f*
als Subjekt / direktes Objekt	che			
nach Präpositionen	cui			
in jeder Position	il quale	la quale	i quali	le quali

- *Beispiele:* le donne che vengono die Frauen, die kommen
  le donne che vedo die Frauen, die ich sehe
  la donna di cui parliamo die Frau, von der wir sprechen
  le donne le quali si sono presentate die Frauen, die sich vorgestellt haben

5. Interrogativpronomen

Person	**Sache / Sachverhalt**	**Menge**			
		sing		*pl*	
		m	*f*	*m*	*f*
chi?	che cosa?	quanto?	quanta?	quanti?	quante?

- *Beispiele:* Chi è venuto? – A chi scrivi?
  Wer ist gekommen? Wem schreibst du?
  Che cosa vuoi? – A che cosa pensi?
  Was willst du? Woran denkst du?
  Quanto costa? – Delle arance. Quante sono?
  Wieviel kostet es? Apfelsinen. Wieviele sind es?

6. Possessivpronomen

Das Possessivpronomen **il mio, …** entspricht in seinen Formen dem Possessivartikel **il mio, …**

- *Beispiel:* La tua casa è molto grande, la nostra è più piccola.
  Dein Haus ist sehr groß, unseres ist kleiner.

Bei *essere* + Possessivpronomen in der Bedeutung „gehören" wird die verkürzte Form **mio, …** verwendet.

- *Beispiel:* Di chi sono questi libri? Sono miei.
  Wem gehören diese Bücher? Mir.

Die Verbalgruppe

Die Diathese, der Modus und das Tempus

Für die **Diathese** werden unterschieden:

Aktiv	amo ich liebe
Passiv	sono amato ich werde geliebt

Für den **Modus** werden unterschieden:

Finiter Modus	Indikativ	(lui) ama er liebt
	Konjunktiv	(lui) ami er liebe, er soll lieben
	Konditional	amerebbe er würde lieben
	Imperativ	ama! liebe!
Infiniter Modus	Infinitiv	amare lieben
	Partizip	amante liebend
	Gerundium	amando beim Lieben

Für das **Tempus** werden unterschieden:

Präsens	ama er liebt
Imperfekt	amava er liebte, er hat geliebt
Passato remoto	amò er liebte, er hat geliebt
Futur	amerà er wird lieben
Perfekt (Passato prossimo)	ha amato er hat geliebt, er liebte
Plusquamperfekt	aveva amato er hatte geliebt
Futur II	avrà amato er wird geliebt haben

Das Verb

1. Aktiv Indikativ

Präsens

		-are	**-ere**	**-ire**	
		amare lieben	vendere verkaufen/ godere genießen	partire abreisen	capire verstehen
sing	**1. Pers**	amo ich liebe	vendo	parto	capisco
	2. Pers	ami du liebst	vendi	parti	capisci
	3. Pers	ama er/sie/es liebt	vende	parte	capisce
pl	**1. Pers**	amiamo wir lieben	vendiamo	partiamo	capiamo
	2. Pers	amate ihr liebt	vendete	partite	capite
	3. Pers	amano sie lieben	vendono	partono	capiscono

- Die **Höflichkeitsform** ist die 3. Person des Singulars, wenn nur eine Person angesprochen wird; es ist die 2. Person des Plurals, seltener die 3. Person des Plurals, wenn mehrere Personen angesprochen werden.
- Die Verben auf *-ere* werden im Infinitiv teils auf der drittletzten Silbe, teils auf der vorletzten Silbe betont (*vendere, godere*); die übrigen Formen dieser Verben stimmen miteinander überein.

- Einige Verben auf *-ire* haben im Präsens Sonderformen mit Einschub von *-isc- (capire).*
- Bei Verben auf *-care* und *-gare* wird vor *e* und *i* der Endung *-ch-* und *-gh-* geschrieben:
  mancare **manco, manchi, manca, manchiamo, …, mancherò, …**
  pagare **pago, paghi, paga, paghiamo, …, pagherò, …**

  Die Aussprache [-k-] und [-g-] bleibt erhalten.
- Bei Verben auf *-cere* und *-gere* variiert die Aussprache von *-c-* und *-g-* je nach der Endung. Beim Partizip wird vor der Endung *-uto* ein *i* als Schreibzeichen eingeschoben:
  vincere [-tʃ-] **vinco** [-k-], **vinci** [-tʃ-], …
  conoscere [-ʃʃ-] **conosco** [-sk-], **conosci** [-ʃʃ-], …, **conosciuto** [-ʃʃ-]
  leggere [-ddʒ-] **leggo** [-gg-], **leggi** [-ddʒ-], …
- Bei Verben auf *-iare* entfällt unbetontes *i* vor dem *i* der Endung:
  studiare **studio, studi, studia, studiamo, …**
  Betontes *i* bleibt erhalten:
  inviare **invio, invii, …**
  sciare **scio, scii, …**
- Bei Verben auf *-ciare* und *-giare* entfällt das Schreibzeichen *i* vor *i* und *e* der Endung:
  cominiciare **comincio, cominci, comincia, …, comincerò, …**
  mangiare **mangio, mangi, mangia, …, mangerò, …**
- Einige Verben auf *-are* werden im Präsens Singular auf der drittletzten Silbe betont, in der 3. Person Plural auf der viertletzten:
  telefonare **telefono, telefoni, telefona, telefoniamo, telefonate, telefonano**

Imperfekt

sing	**1. Pers**	amavo	vendevo	partivo
	2. Pers	amavi	vendevi	partivi
	3. Pers	amava	vendeva	partiva
pl	**1. Pers**	amavamo	vendevamo	partivamo
	2. Pers	amavate	vendevate	partivate
	3. Pers	amavano	vendevano	partivano

Passato remoto

sing	**1. Pers**	amai	vendei	partii
	2. Pers	amasti	vendesti	partisti
	3. Pers	amò	vendè / vendette	partì
pl	**1. Pers**	amammo	vendemmo	partimmo
	2. Pers	amaste	vendevate	partiste
	3. Pers	amarono	venderono	partirono

Futur

sing	**1. Pers**	amerò	venderò	partirò
	2. Pers	amerai	venderai	partirai
	3. Pers	amerà	venderà	partirà
pl	**1. Pers**	ameremo	venderemo	partiremo
	2. Pers	amerete	venderete	partirete
	3. Pers	ameranno	venderanno	partiranno

Perfekt (Passato prossimo)

sing	1. Pers	ho	amato / venduto / capito	sono	partito / partita
	2. Pers	hai		sei	
	3. Pers	ha		è	
pl	1. Pers	abbiamo		siamo	partiti / partite
	2. Pers	avete		siete	
	3. Pers	hanno		sono	

Plusquamperfekt

sing	1. Pers	avevo amato / venduto / capito	ero partito / partita
…		…	…

Futur II

sing	1. Pers	avrò amato / venduto / capito	sarò partito / partita
…		…	…

- Perfekt, Plusquamperfekt und Futur II werden mit dem Hiflsverb *avere* gebildet *(ho amato, …)*; bei Verben der Bewegung oder der Veränderung eines Zustandes stehen die Formen von *essere (sono partito, …)*, ebenso bei reflexiven Verben *(mi sono lavato, …)* und dem Verb *essere* selbst *(sono stato, …)*.

2. Aktiv Konjunktiv

Präsens

sing	1. Pers	che io	ami	venda	parta	capisca
	2. Pers	che tu	ami	venda	parta	capisca
	3. Pers	che lui	ami	venda	parta	capisca
pl	1. Pers	che noi	amiamo	vendiamo	partiamo	capiamo
	2. Pers	che voi	amiate	vendiate	partiate	capiate
	3. Pers	che loro	amino	vendano	partano	capiscano

Imperfekt

sing	1. Pers	che io	amassi	vendessi	partissi
	2. Pers	che tu	amassi	vendessi	partissi
	3. Pers	che lui	amasse	vendesse	partisse
pl	1. Pers	che noi	amassimo	vendessimo	partissimo
	2. Pers	che voi	amaste	vendeste	partiste
	3. Pers	che loro	amassero	vendessero	partissero

3. Aktiv Konditional

sing	1. Pers	amerei	venderei	partirei
	2. Pers	ameresti	venderesti	partiresti
	3. Pers	amerebbe	venderebbe	partirebbe
pl	1. Pers	ameremmo	venderemmo	partiremmo
	2. Pers	amereste	vendereste	partireste
	3. Pers	amerebbero	venderebbero	partirebbero

4. Aktiv Imperativ

sing	**2. Pers**	ama! liebe!	vendi!	parti!	capisci!
	3. Pers	ami! lieben Sie!	venda!	parta!	capisca!
pl	**1. Pers**	amiamo! lieben wir!	vendiamo!	partiamo!	capiamo!
	2. Pers	amate! liebt!, lieben Sie!	vendete!	partite!	capite!
	3. Pers	amino! lieben Sie!	vendano!	partano!	capiscano!

5. Passiv

Das Passiv wird mit den Formen von *essere* und dem Partizip Passiv gebildet:

sono amato / amata ich werde geliebt
ero amato / amata ich wurde geliebt
…

Daneben gibt es die Formen mit *venire* und dem Partizip Passiv:

vengo informato ich werde informiert, ich bekomme eine Information
vengo aiutato mir wird geholfen, ich erhalte Hilfe

6. Infinitiv, Partizip und Gerundium

Infinitiv		amare	vendere	partire
Partizip	**Präsens**	amante	vendente	partente
	Perfekt und Passiv	amato	venduto	partito
Gerundium		amando	vendendo	partendo

Die Hilfsverben

avere

Indikativ					
		Präsens	**Imperfekt**	**Passato remoto**	**Futur**
sing	**1. Pers**	ho	avevo	ebbi	avrò
	2. Pers	hai	avevi	avesti	avrai
	3. Pers	ha	aveva	ebbe	avrà
pl	**1. Pers**	abbiamo	avevamo	avemmo	avremo
	2. Pers	avete	avevate	aveste	avrete
	3. Pers	hanno	avevano	ebbero	avranno
		Perfekt	**Plusquamperfekt**		**Futur II**
sing	**1. Pers**	ho avuto	avevo avuto		avrò avuto
	...	...	...		...

		Konjunktiv		**Konditional**	**Imperativ**
		Präsens	**Imperfekt**		
sing	**1. Pers**	abbia	avessi	avrei	
	2. Pers	abbia	avessi	avresti	abbi!
	3. Pers	abbia	avesse	avrebbe	abbia!
pl	**1. Pers**	abbiamo	avessimo	avremmo	abbiamo!
	2. Pers	abbiate	aveste	avreste	abbiate!
	3. Pers	abbiano	avessero	avrebbero	abbiano!

Infinitiv	**Partizip**		**Gerundium**
	Präsens	**Perfekt**	
avere	avente	avuto	avendo

essere

Indikativ					
		Präsens	**Imperfekt**	**Passato remoto**	**Futur**
sing	**1. Pers**	sono	ero	fui	sarò
	2. Pers	sei	eri	fosti	sarai
	3. Pers	è	era	fu	sarà
pl	**1. Pers**	siamo	eravamo	fummo	saremo
	2. Pers	siete	eravate	foste	sarete
	3. Pers	sono	erano	furono	saranno
		Perfekt	**Plusquamperfekt**		**Futur II**
sing	**1. Pers**	sono stato/stata	ero stato/stata		sarò stato/stata
	...	...	...		...

		Konjunktiv		Konditional	Imperativ
		Präsens	**Imperfekt**		
sing	**1. Pers**	sia	fossi	sarei	
	2. Pers	sia	fossi	saresti	sii!
	3. Pers	sia	fosse	sarebbe	sia!
pl	**1. Pers**	siamo	fossimo	saremmo	siamo!
	2. Pers	siate	foste	sareste	siate!
	3. Pers	siano	fossero	sarebbero	siano!

Infinitiv	Partizip Perfekt	Gerundium
essere	stato	essendo

Das Adverb

Adverb mit eigener Form:

oggi heute	qui hier	forse vielleicht	…

Adverb als Ableitung vom Adjektiv:

Adjektiv	auf **-o / -a**	auf **-e**	auf **-le, -re**
	perfetto / -a	veloce	facile
Adverb	perfettamente	velocemente	facilmente

- Sonderformen: **leggermente, violentemente** (zu **leggero / -a, violento / -a**)
  bene (zu **buono / -a**)
- Steigerung: **facilmente, più facilmente, facilissimamente**
  tardi, più tardi, tardissimo
  …

  Ausnahmen:
  bene **meglio, benissimo, ottimamente**
  male **peggio, malissimo, pessimamente**
  molto **più, moltissimo**
  poco **meno, pochissimo**

Zahlwörter Numerali

Grundzahlen / Numeri cardinali

0 zero *null*
1 uno *eins*
2 due *zwei*
3 tre *drei*
4 quattro *vier*
5 cinque *fünf*
6 sei *sechs*
7 sette *sieben*
8 otto *acht*
9 nove *neun*
10 dieci *zehn*
11 undici *elf*
12 dodici *zwölf*
13 tredici *dreizehn*
14 quattordici *vierzehn*
15 quindici *fünfzehn*
16 sedici *sechzehn*
17 diciassette *siebzehn*
18 diciotto *achtzehn*
19 diciannove *neunzehn*
20 venti *zwanzig*
21 ventuno *einundzwanzig*
22 ventidue *zweiundzwanzig*
23 ventitré *dreiundzwanzig*
24 ventiquattro *vierundzwanzig*
25 venticinque *fünfundzwanzig*
26 ventisei *sechsundzwanzig*
27 ventisette *siebenundzwanzig*
28 ventiotto *achtundzwanzig*
29 ventinove *neunundzwanzig*
30 trenta *dreißig*
31 trentuno *einunddreißig*
32 trentadue *zweiunddreißig*
40 quaranta *vierzig*
50 cinquanta *fünfzig*
60 sessanta *sechzig*
70 settanta *siebzig*
80 ottanta *achtzig*
90 novanta *neunzig*
100 cento *(ein)hundert*
101 cent(o)uno *(ein)hunderteins, hundert(und)eins*
102 centodue *(ein)hundertzwei, hundert(und)zwei*
108 cent(o)otto *(ein)hundertacht, hundert(und)acht*
120 centoventi *(ein)hundertzwanzig*
200 duecento *zweihundert*
300 trecento *dreihundert*
543 cinquecentoquarantatré *fünfhundertdreiundvierzig*
1000 mille *(ein)tausend*
1001 milleuno, mille e uno *(ein)tausendeins, tausend(und)eins*
1100 mille cento *(ein)tausendeinhundert, elfhundert*
2000 duemila *zweitausend*
2001 duemila (e) uno *zweitausend(und)eins*
20 000 ventimila *zwanzigtausend*
31 616 trentunmila seicentosedici *einunddreißigtausendsechshundert-sechzehn*
100 000 centomila *(ein)hunderttausend*
1 000 000 un milione *eine Million*
2 000 000 due milioni *zwei Millionen*
1 000 000 000 un miliardo *eine Milliarde*

Ordnungszahlen / Numeri ordinali

1° primo *erste*
2° secondo *zweite*
3° terzo *dritte*
4° quarto *vierte*
5° quinto *fünfte*
6° sesto *sechste*
7° settimo *siebte*
8° ottavo *achte*
9° nono *neunte*
10° decimo *zehnte*
11° undicesimo *elfte*
12° dodicesimo *zwölfte*
13° tredicesimo *dreizehnte*
14° quattordicesimo *vierzehnte*
15° quindicesimo *fünfzehnte*
16° sedicesimo *sechzehnte*
17° diciassettesimo *siebzehnte*
18° diciottesimo *achtzehnte*
19° diciannovesimo *neunzehnte*
20° ventesimo *zwanzigste*
21° ventunesimo *einundzwanzigste*
22° ventiduesimo *zweiundzwanzigste*
28° ventottesimo *achtundzwanzigste*
30° trentesimo *dreißigste*
40° quarantesimo *vierzigste*
100° centesimo *(ein)hundertste*
101° centunesimo *(ein)hunderterste*
102° centoduesimo *(ein)hundertzweite*
103° centotreesimo *(ein)hundertdritte*
200° duecentesimo *zweihundertste*

1000° millesimo *(ein)tausendste*
1001° millesimo primo *(ein)tausenderste*
2000° duemillesimo *zweitausendste*
100 000° centomillesimo *(ein)hunderttausendste*
1 000 000° milionesimo *millionste*

Jahrhunderte / Secoli

il Novecento
il '900
il ventesimo secolo
il secolo XX *(ventesimo)*
} *das 20. Jahrhundert, das zwanzigste Jahrhundert*

Bruchzahlen / Numeri frazionari

$^1/_2$	mezzo *ein halb*
$^1/_3$	un terzo *ein Drittel*
$^1/_4$	un quarto *ein Viertel*
$^1/_{20}$	un ventesimo *ein Zwanzigstel*
$^1/_{100}$	un centesimo *ein Hundertstel*
$^1/_{1000}$	un millesimo *ein Tausendstel*
$^2/_5$	due quinti *zwei Fünftel*
$^4/_7$	quattro settimi *vier Sieb(en)tel*
$1^1/_2$	uno e mezzo *eineinhalb, anderthalb*
$2^3/_8$	due e tre ottavi *zweidreiachtel*

Maße und Gewichte Misure e pesi

Längenmaße / Misure di lunghezza

mm	millimetro *Millimeter*	**m**	metro *Meter*
cm	centimetro *Zentimeter*	**km**	kilometro *Kilometer*
dm	decimetro *Dezimeter*		

Flächenmaße / Misure di superficie

mm², mmq	millimetro quadrato *Quadratmillimeter*	**m², mq**	metro quadrato *Quadratmeter*
cm², cmq	centimetro quadrato *Quadratzentimeter*	**km², kmq**	kilometro quadrato *Quadratkilometer*
dm², dmq	decimetro quadrato *Quadratdezimeter*	**a**	ara *Ar*
		ha	ettaro *Hektar*

Raummaße / Misure di volume

mm³, mmc	millimetro cubo	**m³, mc**	metro cubo *Kubikmeter*
cm³, cmc	centimetro cubo *Kubikzentimenter*	**TSL**	tonnellata di stazza lorda *Bruttoregistertonne*
dm³, dmc	decimetro cubo *Kubikdezimeter*		

Hohlmaße / Misure di capacità

cl	centilitro *Zentiliter*	**l**	litro *Liter*
dl	decilitro *Deziliter*	**hl**	ettolitro *Hektoliter*

Gewichte / Pesi

mg	milligrammo *Milligramm*	**q**	quintale *Doppelzentner*
cg	centigrammo *Zentigramm*	**mezzo quintale**	*Zentner*
dg	decigrammo *Dezigramm*	**t**	tonnellata *Tonne*
g	grammo *Gramm*	**100 g**	un etto(grammo)
kg	kilogrammo *Kilogramm*	**200 g**	due etti

Geläufige italienische Vornamen
Nomi propri italiani più frequenti

Frauen- und Mädchennamen / Nomi propri femminili

Ada ['a:da]	
Adriana [adri'a:na]	Adriane
Agata ['a:gata]	Agathe
Agnese [aɲ'ɲɛ:ze]	Agnes
Albertina [alber'ti:na]	Albertine
Alda ['alda]	
Alessandra [ɑles'sɑndrɑ]	Alexandra
Alice [ɑ'li:tʃe]	Alice
Andreina [andre'i:na]	Andrea
Angela ['andʒela]	Angela
Angelica [an'dʒɛ:lika]	Angelika
Anita [a'ni:ta]	Anita
Anna ['anna]	Anna, Anne
Antonia [an'tɔ:ni̯a]	Antonia, Antonie
Augusta [au'gusta]	Auguste
Barbara ['barbara]	Barbara
Beatrice [bea'tri:tʃe]	Beatrix
Carla ['karla]	Karla
Caterina [kate'ri:na]	Katharina, Käthe
Cecilia [tʃe'tʃi:li̯a]	Cäcilie
Chiara ['ki̯a:ra], Carla ['ka:rla]	Klara
Claudia ['kla:udi̯a]	Claudia
Cristina [kris'ti:na]	Christine
Daniela [da'ni̯ɛ:la]	Daniela, Daniele
Diana ['dia:na]	Diana
Dorotea [doro'tɛ:a]	Dorothee, Dorothea
Elena ['ɛ:lena]	Helene, Ellen
Eleonora [eleo'nɔ:ra]	Eleonore
Elisa [e'li:za]	El(i)se
Elisabetta [eliza'bɛtta]	Elisabeth
Emma ['ɛmma]	Emma
Eva ['ɛ:va]	Eva
Fabrizia [fa'brittsi̯a]	
Fausta ['fa:usta]	
Federica [fede'ri:ka]	Friederike
Ferdinanda [ferdi'nanda]	
Flavia ['fla:vi̯a]	
Flora ['flɔ:ra]	Flora
Franca ['fraŋka]	
Francesca [fran'tʃeska]	Franziska
Gabriella [gabri'ɛlla]	Gabriele, Gabriela, Gabi
Gianna ['dʒanna]	Hanna(h), Hanne
Gina ['dʒi:na]	
Giorgia ['dʒordʒa]	
Giovanna [dʒo'vanna]	Johanna
Gisella [dʒi'zɛlla]	Gisela
Giuditta [dʒu'ditta]	Judith
Giulia ['dʒu:li̯a]	Julia, Julie
Giuliana [dʒu'li̯a:na]	Juliane
Giuseppina [dzuzep'pi:na]	Josefine, Josephine

Grazia ['grattsi̯a]	
Guglielmina [guʎʎel'miːna]	Wilhelmine
Ida ['iːda]	Ida
Irene [i'rɛːne]	Irene
Isotta [i'zɔtta]	Isolde
Laura [laːura]	Laura
Lina ['liːna]	Lina
Lisa ['liːza]	Lisa
Loredana [lore'daːna]	
Lucia [lu'tʃiːa]	Luzia, Luzie
Luisa [lu'iːza]	Luise
Maddalena [madda'leːna]	Magdalena, Magdalene
Marcella [mar'tʃella]	
Margherita [marge'riːta]	Margarete, Margret
Maria [ma'riːa]	Maria, Marie
Marisa [ma'riːza]	
Marta ['marta]	Martha
Maura ['maːura]	
Michela [mi'kɛːla]	Michaela
Milena [mi'lɛːna]	
Mirella [mi'rɛlla]	
Monica ['mɔːnika]	Monika
Nadia ['naːdi̯a]	Nadja
Natalia [na'taːli̯a]	Natalie
Nicoletta [niko'letta]	Nicole, Nicola
Olga ['ɔlga]	Olga
Ottavia [ot'taːvi̯a]	Oktavia
Paola ['paːola]	Paula
Patrizia [pa'trittsi̯a]	Patrizia, Patricia
Piera ['pi̯ɛːra]	Petra
Rachele [ra'kɛːle]	Pachel
Raffaella [raffa'ɛlla]	Raphaela, Rafalea
Renata [re'naːta]	Renate
Rita ['riːta]	Rita
Roberta [ro'bɛrta]	Roberta
Rosa ['rɔːza]	Rosa
Rosalia [roza'liːa]	Rosalia
Sabina [sa'biːna]	Sabine
Sandra ['sandra]	Sandra
Sara ['saːra]	Sara(h)
Silvana [sil'vaːna]	
Silvia ['silvi̯a]	Silvia, Sylvia
Simona [si'moːna]	Simone
Simonetta [simo'netta]	
Stefania [ste'faːni̯a]	Stefanie, Stephanie
Susanna [su'zanna]	Susanne
Teresa [te'rɛːza]	Therese
Valentina [valen'tiːna]	Valentine
Valeria [va'lɛːri̯a]	Valeria
Veronica [ve'rɔːnika]	Veronika
Vilma ['vilma]	Wilma
Virginia [vir'dʒiːni̯a]	Virginia
Vittoria [vit'tɔːri̯a]	Viktoria

Männer- und Jungennamen / Nomi propri maschili

Adamo [a'da:mo]	Adam
Adriano [adri'a:no]	Adrian
Agostino [agos'ti:no]	Augustin
Alberto [al'bɛrto]	Albert
Aldo ['aldo]	
Alessandro [ales'sandro]	Alexander
Alfonso [al'fɔnso]	Alfons, Alphons
Alfredo [al'fre:do]	Alfred
Andrea [an'drɛ:a]	Andreas
Angelo ['andʒelo]	
Antonino [anto'ni:no], Antonio [an'tɔ:ni̯o]	Anton, Antonius
Augusto [au'gusto]	August
Benedetto [bene'detto]	Benedikt
Bernardo [ber'nardo]	Bernhard, Bernd
Camillo [ka'millo]	
Carlo ['karlo]	Karl
Cesare ['tʃe:zare]	Cäsar
Claudio ['kla:udi̯o]	Claudius
Corrado [kor'ra:do]	Konrad
Cristiano [kris'ti̯a:no]	Christian
Daniele [da'ni̯ɛ:le]	Daniel
Dario ['da:ri̯o]	
Davide ['da:vide]	David
Dino ['di:no]	
Domenico [do'me:niko]	
Edoardo [edo'ardo]	Eduard
Elia [e'li:a], Elio ['ɛ:li̯o]	Elias
Emilio [e'mi:li̯o]	Emil
Enrico [en'ri:ko]	Heinrich
Enzo ['ɛntso]	Heinz
Ernesto [ɛr'nɛsto]	Ernst
Ettore ['ɛttore]	Hektor
Eugenio [eu'dʒɛ:ni̯o]	Eugen
Ezio ['ɛttsi̯o]	
Fabio ['fa:bi̯o]	
Fabrizio [fa'brittsi̯o]	Fabritius
Fausto ['fa:usto]	
Federico [fede'ri:ko]	Friedrich
Ferdinando [ferdi'nando]	Ferdinand
Fernando [fer'nando]	
Filippo [fi'lippo]	Philipp
Flavio ['fla:vi̯o]	
Francesco [fran'tʃesko]	Franz, Franziskus
Franco ['fraɲko]	Frank
Gabriele [gabri'ɛ:le]	Gabriel
Geremia [dʒere'mi:a]	Jeremias
Giacobbe [dʒa'kɔbbe]	Jakob
Giacomo ['dʒa:komo]	
Gianni ['dʒanni]	Hans
Gino ['dʒi:no] → Luigi	
Gioacchino [dʒoak'ki:no]	Joachim
Giorgio ['dʒordʒo]	Georg
Giovanni [dʒo'vanni]	Johann(es)
Giulio ['dʒu:li̯o]	Julius

Giuliano [dʒu'li̯a:no]	Julian
Giuseppe [dʒu'zɛppe]	Josef, Joseph
Graziano [grat'tsi̯a:no]	
Gualtiero [gual'ti̯ɛ:ro]	Walt(h)er
Guglielmo [guʎ'ʎɛlmo]	Wilhelm
Guido ['gu̯i:do]	Guido
Italo ['i:talo]	
Ivo ['i:vo]	Ivo
Lanfranco [lan'fraŋko]	
Leonardo [leo'nardo]	Leon(h)ard
Lino ['li:no]	
Lodovico [lodo'vi:ko]	Ludwig
Lorenzo [lo'rɛntso]	Lorenz
Luca ['lu:ka]	Lukas
Luciano [lu'tʃa:no]	
Luigi [lu'i:dʒi]	Ludwig
Marcello [mar'tʃɛllo]	
Marco ['marko]	Markus
Mario ['ma:ri̯o]	Marius
Massimiliano [massimi'li̯a:no]	Maximilian
Massimo ['massimo]	Max
Matteo [mat'tɛ:o]	Matthäus
Mattia [mat'ti:a]	Matthias
Maurizio [mau'rittsi̯o]	Moritz
Mauro ['ma:uro]	
Michele [mi'kɛ:le]	Michael
Nicola, [ni'kɔ:la] Nicolò [niko'lɔ]	Klaus
Oreste [o'rɛste]	Orest
Orlando [or'lando]	Roland
Otello [o'tɛllo]	Othello
Ottone [ot'to:ne]	Otto
Paolo ['pa:olo]	Paul, Paulus
Pasquale [pas'ku̯a:le]	Pascal
Patrizio [pa'trittsi̯o]	
Piero ['pi̯ɛ:ro]	Peter
Pietro ['pi̯ɛ:tro]	Peter, Petrus
Raffaele [raffa'ɛ:le]	Raphael, Rafael
Renato [re'na:to]	
Renzo ['rɛntso] → Lorenzo	
Riccardo [rik'kardo]	Richard
Roberto [ro'bɛrto]	Robert
Rocco ['rɔkko]	
Rodolfo [ro'dɔlfo]	Rudolf
Ruggero [rud'dʒɛ:ro]	Rüdiger
Sandro ['sandro]	
Sebastiano [sebas'ti̯a:no]	Sebastian
Sergio ['sɛrdʒo]	
Silvano [sil'va:no]	
Silvio ['silvi̯o]	
Simone [si'mo:ne]	Simon
Stefano ['ste:fano]	Stefan, Stephan
Teodoro [teo'dɔro]	Theodor
Tommaso [tom'ma:zo]	Thomas
Ugo ['u:go]	Hugo
Ulisse [u'lisse]	Odysseus
Umberto [um'bɛrto]	Humbert

Valentino [valen'tiːno]	Valentin
Valerio [va'lɛri̯o]	Valerius
Vincenzo [vin'tʃɛntso]	Vinzenz
Vittorio [vit'tɔːri̯o]	Viktor

Italienische Regionen und Hauptstädte
Regioni italiane e loro capoluoghi

Abruzzo	L'Aquila
Basilicata	Potenza
Calabria	Catanzaro
Campania	Napoli
Emilia-Romagna	Bologna
Friuli-Venezia Giulia	Trieste
Lazio	Roma
Liguria	Genova
Lombardia	Milano
Marche	Ancona
Molise	Campobasso
Piemonte	Torino
Puglia	Bari
Sardegna	Cagliari
Sicilia	Palermo
Toscana	Firenze
Trentino - Alto Adige	Trento
Umbria	Perugia
Valle d'Aosta	Aosta
Veneto	Venezia

Italienische Kraftfahrzeugkennzeichen
Targhe automobilistiche italiane

AG	Agrigento
AL	Alessandria
AN	Ancona
AO	Aosta
AP	Ascoli Piceno
AQ	L'Aquila
AR	Arezzo
AT	Asti
AV	Avellino
BA	Bari
BG	Bergamo
BI	Biella
BL	Belluno
BN	Benevento
BO	Bologna
BR	Brindisi
BS	Brescia
BZ	Bolzano
CA	Cagliari
CB	Campobasso
CE	Caserta
CH	Chieti
CL	Caltanisetta
CN	Cuneo
CO	Como
CR	Cremona
CS	Cosenza
CT	Catania
CZ	Catanzaro
EN	Enna
FE	Ferrara
FG	Foggia
FI	Firenze
FO	Forlì-Cesena
FR	Frosinone
GE	Genova
GO	Gorizia
GR	Grosseto
IM	Imperia
IS	Isernia
KR	Crotone
LE	Lecce
LI	Livorno
LO	Lodi
LT	Latina
LU	Lucca
MC	Macerata
ME	Messina
MI	Milano
MN	Mantova
MO	Modena
MS	Massa-Carrara
MT	Matera
NA	Napoli
NO	Novara
NU	Nuoro
OR	Oristano
PA	Palermo
PC	Piacenza
PD	Padova
PE	Pescara
PG	Perugia
PI	Pisa
PN	Pordenone
PR	Parma
PS	Pesaro e Urbino
PT	Pistoia
PV	Pavia
PZ	Potenza
RA	Ravenna
RC	Reggio Calabria
RE	Reggio Emilia
RG	Ragusa
RI	Rieti
RN	Rimini
RO	Rovigo
ROMA	Roma
SA	Salerno
SI	Siena
SO	Sondrio
SP	La Spezia
SR	Siracusa
SS	Sassari
SV	Savona
TA	Taranto
TE	Teramo
TN	Trento
TO	Torino
TP	Trapani
TR	Terni
TS	Trieste
TV	Treviso
UD	Udine
VA	Varese
VB	Verbano – Cusio – Ossola
VC	Vercelli
VI	Vicenza
VR	Verona
VT	Viterbo
VV	Vibo Valentia

Italienisches Alphabet Alfabeto italiano

	Benennung denominazione	italienisch italiano	international internazionale	Luftfahrt aviazione
A, a	[a]	Ancona	Amsterdam	Alfa
B, b	[bi]	Bologna	Baltimore	Bravo
C, c	[tʃi]	Catania	Casablanca	Charlie
D, d	[di]	Domodossola	Danemark	Delta
E, e	[e]	Empoli	Edison	Echo
F, f	['ɛffe]	Firenze	Florida	Foxtrot
G, g	[dʒi]	Genova	Gallipoli	Golf
H, h	['akka]	Hotel	Havana	Hotel
I, i	[i]	Imola	Italia	India
J, j	[il l'uŋgɑ]	i lunga, Jersey	Jerusalem	Juliet
K, k	['kappa]	kappa, Kursaal	Kilogramme	Kilo
L, l	['ɛlle]	Livorno	Liverpool	Lima
M, m	['ɛmme]	Milano	Madagaskar	Mike
N, n	['ɛnne]	Napoli	New York	November
O, o	[ɔ]	Otranto	Oslo	Oscar
P, p	[pi]	Padova	Paris	Papa
Q, q	[ku]	Quarto	Quebec	Quebec
R, r	['ɛrre]	Roma	Roma	Romeo
S, s	['ɛsse]	Savona	Santiago	Sierra
T, t	[ti]	Torino	Tripoli	Tango
U, u	[u]	Udine	Upsala	Uniform
V, v	[vu *o* vi]	Venezia	Valencia	Victor
W, w	[vu d'doppi̯ɑ]	vu doppia, Washington	Washington	Whisky
X, x	[iks]	Xilofono	Xanthippe	X-ray
Y, y	['ipsilon]	Yacht	Yokohama	Yankee
Z, z	['dzɛːta]	Zara	Zürich	Zulu

PONS

Kompaktwörterbuch
für alle Fälle

Italienisch – Deutsch
Deutsch – Italienisch

Teil 2: Deutsch – Italienisch

Ernst Klett Verlag
Stuttgart · Düsseldorf · Leipzig

PONS - Kompaktwörterbuch für alle Fälle Deutsch - Italienisch
von Birgit Klausmann-Molter und Veronika Schnorr

Unter Mitarbeit von: Carmelino Borelli, Marianne Koch
Phonetik: Arthur Wagner †
Grammatischer Anhang: Wolfgang Rettig
Neuwörter: Chiara de Manzini Himmrich
Koordination: Kornelia Kuhle

Neubearbeitung 1995:
Bearbeitet von: Ismaele Longo, Laura Kraft, Kirsten Fenner
Neuwörter: Federica Campregher
unter Mitwirkung und Leitung der Redaktion PONS Wörterbücher

SOMMARIO

Guida all'uso del dizionario tedesco – italiano	IV	Hinweise zur Benutzung des Wörterbuches Deutsch – Italienisch	IV
Ortografia	XV	Rechtschreibung	XV
Divisione in sillabe in tedesco	XV	Deutsche Silbentrennung	XIV
Osservazioni sulla pronuncia tedesca	XVI	Anmerkungen zur deutschen Aussprache	XVI
Segni usati per la trascrizione fonetica	XVIII	Liste der Lautschriftzeichen	XVIII
Abbreviazioni	XIX	Abkürzungen	XIX
Vocabolario Tedesco – Italiano	1–534	Deutsch – Italienisches Wörterverzeichnis	1–534

INHALT

Appendice / Anhang

Verbi irregolari tedeschi	535	Unregelmäßige deutsche Verben	535
Morfologia della lingua tedesca	539	Formenlehre der deutschen Sprache	539
Numerali	557	Zahlwörter	557
Misure e pesi	558	Maße und Gewichte	558
Nomi propri tedeschi più frequenti	559	Geläufige deutsche Vornamen	559
Stati Federali della Repubblica Federale Tedesca e dell'Austria	565	Bundesländer der Bundesrepublik Deutschland und Österreich	565
Cantoni svizzeri	566	Schweizer Kantone	566
Alfabeto tedesco	567	Deutsches Alphabet	567

Guida all'uso del dizionario tedesco – italiano

Hinweise zur Benutzung des Wörterbuchs Deutsch – Italienisch

1. Caratteri usati

nero
per il lemma e per rimandi diretti ad un altro lemma

neretto
per gli esempi e modi di dire in tedesco e per le cifre

tondo
per le traduzioni in italiano

corsivo
per le categori grammaticali, i generi ecc.

per spiegazioni e definizioni, marcature, sinonimi ed altre aggiunte
per rimandi indiretti alla fine della voce

1. Schriftarten

Fettdruck
für Stichwörter und direkte Verweise auf ein anderes Stichwort

Halbfettdruck
für deutsche Anwendungsbeispiele und Redewendungen sowie für Ziffern

Grundschrift
für die italienischen Übersetzungen

Kursivschrift
für grammatische Angaben wie Wortart, Genus usw.
für Erklärungen und Definitionen, Markierungen, Synonyme und andere Zusätze
für indirekte Verweise am Ende eines Eintrags

Esempi: *Beispiele:*

rot [ro:t] ⟨-er *o* röter, -este *o* röteste⟩ *adj* rosso; *(Haar a.)* rossiccio; *(Gesicht a.)* rubicondo; **~e Bete** rapa rossa; **der ~e Faden** *fig* il filo conduttore; **das R~e Kreuz** la Croce Rossa; **das R~e Meer** il Mar Rosso; **~ werden** arrossire; **einen ~en Kopf kriegen** arrossire, diventare rosso come un peperone; *s. a. blau.*

geschwollen [gəˈʃvɔlən] **I.** *pp von* **schwellen; II.** *adj* **1.** *med* gonfio, gonfiato; **2.** *(Stil)* gonfio, ampolloso.

2. Interpunzione e simboli

, divide diverse varianti di ugual valore, ordinate alfabeticamente
divide la forma maschile di una parola da quella femminile
divide diverse traduzioni di ugual valore

; tra diverse traduzioni, evidenzia una differenza di significato, che di regola, viene ulteriormente commentata da un aggiunta esplicativa:

. sta alla fine di un articolo

2. Satzzeichen und Symbole

, trennt gleichwertige, alphabetisch aufeinanderfolgende Stichwortvarianten
trennt maskuline und feminine Form eines Wortes
trennt gleichwertige Übersetzungen

; zwischen Übersetzungen zeigt einen Bedeutungsunterschied an, der in der Regel durch einen erklärenden Zusatz erläutert ist:

. steht am Ende eines Artikels

: quando precede una locuzione, segnala che la voce, di regola, viene usata solo in quella locuzione

/ indica strutture analoghe

~ sostituisce, negli esempi per l'uso ed in espressioni idiomatiche, la voce che precede; in caso di voci con desinenza in parentesi, tale tilde sostituisce la parola fino alla parentesi esclusa. Nel caso che ci siano dei cambiamenti dalla grafia maiuscola a quella minuscola o viceversa, la lettera iniziale viene ulteriormente ripetuta.

\- sostituisce una parte del lemma; se si trova in parentesi uncinate, lo sostituisce completamente

– negli esempi per l'uso, distingue tra due parlanti

= viene usato per indicare la fusione di due parole

≃ segnala una traduzione approssimativa in caso di mancanza di una perfetta equivalenza culturale

ø indica un sostantivo tedesco senza plurale

· nei verbi tedeschi caratterizza un prefisso separabile

( ) in parentesi tonde vengono posti
- elementi la cui omissione non cambia il significato. In concomitanza con *o* indicano la sostituzione di uno o più elementi mediante altri.
- aggiunte e chiarificazioni in corsivo
- derivazioni femminili in *-in* di sostantivi tedeschi

⟨ ⟩ le parentesi uncinate racchiudono indicazioni grammaticali e morfologiche

[ ] le parentesi quadre vengono usate per le indicazioni fonetiche

: vor einer Wendung zeigt an, daß das Stichwort in der Regel nur in dieser Wendung gebraucht wird

/ zeigt analoge Strukturen an

~ ersetzt in Anwendungsbeispielen und Redewendungen das vorhergehende Stichwort, bei Stichwörtern mit geklammerter Endung das Wort bis zur Klammer. Bei Wechsel von Groß- und Kleinschreibung wird zusätzlich der Anfangsbuchstabe wiederholt.

\- ersetzt einen Teil des Stichworts, in spitzen Klammern auch das vollständige Stichwort

– unterscheidet in Anwendungsbeispielen zwischen zwei Sprechern

= steht bei einer Zusammenziehung zweier Wörter

≃ steht bei einer ungefähren Entsprechung aufgrund kultureller Unterschiede

ø steht, wenn ein deutsches Substantiv keinen Plural hat

· kennzeichnet bei deutschen Verben ein abtrennbares Präfix

( ) in runden Klammern stehen
- Elemente, durch deren Weglassen sich die Bedeutung nicht ändert. In Verbindung mit *o* zeigen sie den Ersatz eines oder mehrerer Elemente durch andere an.
- kursive Zusätze und Erklärungen
- feminine Ableitungen deutscher Substantive auf *-in*

⟨ ⟩ in spitzen Klammern stehen grammatische und morphologische Angaben

[ ] in eckigen Klammern stehen phonetische Angaben

3. Ordine dei lemmi – Macrostruttura

Tutti i lemmi sono **ordinati alfabeticamente.** Nell'ordine alfabetico, per i lemmi a più elementi, non si è tenuto conto degli spazi tra gli elementi stessi.

Le **vocali raddolcite** *ä, ö, ü* vengono considerate alla stessa stregua delle vocali semplici corrispondenti; così *ß* viene trattata come *ss.* Nelle coppie di lemmi che si distinguono fra loro solo per il raddolcimento della vocale, la parola con la vocale raddolcita segue quella con vocale semplice, la parola con *ß* quella con *ss.*
Nelle coppie di omografi la lettera iniziale minuscola precede quella maiuscola.

Se due **varianti ortografiche** di una stessa parola non si susseguono in ordine alfabetico, ciascuna viene presentata come lemma a sé. Di regola segue un **rimando** alla variante trattata con maggiore ampiezza.

Anche le lettere in **parentesi** di un lemma sottostanno all'ordine alfabetico. Così, per esempio, *neb(e)lig* si trova sotto la voce *nebelig, blöd(e)* sotto *blöde,* e *erste(r,s)* sotto *...erster.*

Nell'ordine alfabetico non si tiene conto delle desinenze in parentesi di sostantivi femminili del tipo *Schüler(in).*

Nelle indicazioni di persona la **forma femminile** viene trattata di regola sotto quella maschile e viene poi ripresa nuovamente come lemma a sé e con un **rimando,** nel caso in cui essa disti più di due voci da quella maschile:

3. Stichwortanordnung – Makrostruktur

Alle Stichwörter sind **alphabetisch angeordnet.** Wortzwischenräume bei mehrgliedrigen Stichwörtern bleiben dabei unberücksichtigt.

Die **Umlaute** *ä, ö, ü* werden wie die entsprechenden nicht umgelauteten Vokale behandelt, *ß* wie *ss.* Bei Wörtern mit ansonsten gleicher Schreibung folgt das Wort mit Umlaut dem ohne Umlaut, das Wort mit *ß* dem mit *ss.*
Stichwörter mit großen Anfangsbuchstaben folgen bei gleicher Schreibung solchen mit kleinen Anfangsbuchstaben.

Wo zwei **orthographische Varianten** eines Wortes alphabetisch nicht unmittelbar aufeinanderfolgen, wird jede als eigenes Stichwort behandelt. Es erfolgt in der Regel ein **Verweis** zu der ausführlich dargestellten Variante.

In **Klammern** stehende Buchstaben in einem Stichwort unterliegen ebenfalls der Alphabetisierung. So findet man z.B. *neb(e)lig* bei *nebelig* und *erste(r,s)* bei *...erster.*

In Klammern stehende Endungen femininer Substantive vom Typ *Schüler(in)* werden bei der Alphabetisierung ignoriert.

Bei Personenbezeichnungen ist die **feminine Form** in der Regel bei der maskulinen abgehandelt und wird nur dann noch einmal als eigenes Stichwort mit **Verweis** aufgenommen, wenn sie alphabetisch mehr als zwei Einträge von der maskulinen Form entfernt stehen würde:

Autor(in) *m(f)...*
Autoradio *n ...*
Autoreisezug *m ...*
Autorennen *n ...*
Autorin *f s.* **Autor.**

I **sostantivi composti** o i **lemmi a più elementi,** mantengono la loro posizione in ordine alfabetico. **Sintagmi fissi** e **locuzioni,** come *blinder Passagier* o *Kost und Logis* vengono in genere registrati alla voce del primo elemento fraseologico più significativo.

Komposita und **mehrgliedrige Stichwörter** stehen an ihrer Stelle im Alphabet. **Feste Syntagmen** und **mehrgliedrige Ausdrücke** wie *blinder Passagier* oder *Kost und Logis* sind im allgemeinen unter dem ersten wichtigen bedeutungstragenden Element in der Phraseologie des entsprechenden Stichworts eingeordnet.

Le **forme abbreviate,** le **abbreviazioni,** i **nomi propri** e le **denominazioni geografiche** vengono riportati come lemmi nel corpo del dizionario in ordine alfabetico. Nomi propri e denominazioni geografiche che sono intraducibili (p.es. *Birgit, Jürgen, Düsseldorf*) o uguali in entrambe le lingue (p.es. *Barbara),* non vengono qui riportati. Un elenco dei nomi propri più frequenti si trova nell'appendice.

Kurzwörter, Abkürzungen, Eigennamen und **geographische Bezeichnungen** sind an alphabetischer Stelle als Stichwörter im Wörterverzeichnis zu finden. Hier werden Vornamen und geographische Bezeichnungen, die unübersetzbar (z.B. *Birgit, Jürgen, Düsseldorf*) bzw. in beiden Sprachen gleich sind (z.B. *Barbara),* nicht berücksichtigt. Eine Liste geläufiger Vornamen befindet sich im Anhang.

Nelle denominazioni geografiche non vengono esplicitamente riportate le indicazioni degli abitanti delle singole città, bensì come esempio **Roma** e di **Berlin**. Fanno eccezione certe particolarità, p.es. termini gastronomici derivati, come *Wiener* o *Hamburger.*

Bei den **geographischen Bezeichnungen** sind Städtebewohner nicht gesondert aufgeführt, sondern exemplarisch bei **Rom** und **Berlin** dargestellt. Ausnahmen sind bestimmte Besonderheiten, z.B. abgeleitete gastronomische Begriffe wie *Wiener* oder *Hamburger.*

Le **lingue** di regola non vengono registrate separatamente, poiché esse sono derivabili dall'aggettivo corrispondente. Fanno eccezione certe particolarità come p.es. *Chinesisch.* Alle voci **Deutsch** e **Italienisch** vengono riportati esempi per l'uso generale dei nomi delle lingue.

Sprachen sind in der Regel nicht gesondert aufgeführt, da sie sich vom entsprechenden Adjektiv ableiten lassen. Ausnahmen sind bestimmte Besonderheiten, wie z.B bei *Chinesisch.* Ausführlichere Anwendungsbeispiele mit Sprachennamen sind exemplarisch bei **Deutsch** und **Italienisch** dargestellt.

Alle voci **September, Freitag, blau** e **vier, vier-, vierte(r,s), vierzig** vengono riportati esempi per l'uso generale di determinazioni di **mesi, giorni della settimana, colori** e **numeri.** Nelle altre voci analoghe poi è introdotto un rinvio.

Ausführlichere Anwendungsbeispiele von **Monaten, Wochentagen, Farben** und **Zahlen** sind exemplarisch bei **September, Freitag, blau** und **vier, vier-, vierte(r,s), vierzig** dargestellt, worauf in den entsprechenden analogen Einträgen verwiesen wird.

Aggettivi e verbi sostantivati, avverbi tedeschi identici per forma all'aggettivo corrispondente ed aggettivi facilmente derivabili da una forma del participio del verbo spesso non vengono riportati come voci a sé stanti. In questi casi è possibile risalire alla traduzione per mezzo dell'aggettivo o verbo corrispondenti.

Substantivierte Adjektive und Verben, deutsche Adverbien, die formgleich mit dem entsprechenden Adjektiv sind, und Adjektive, die sich leicht aus einer Partizipform des Verbs ableiten lassen, sind oft nicht als eigenes Stichwort aufgeführt. Wo ein solches Wort nicht als selbständiger Eintrag erscheint, kann auf die beim jeweiligen Adjektiv- oder Verbeintrag angegebene Übersetzung zurückgegriffen werden.

Le **forme irregolari** (forme irregolari del plurale del sostantivo, forme di comparazione dell'aggettivo e dell'avverbio, forme irregolari del verbo) che vengono riportate per esteso nelle parentesi uncinate, vengono riprese di regola ancora una volta, secondo l'ordine alfabetico, come lemma a sé, con un **rimando** alla forma di base, nel caso in cui non si trovino in posizione immediatamente vicina alla forma di base stessa:

Unregelmäßige Formen (unregelmäßige Plurale der Substantive, Steigerungsformen der Adjektive und Adverbien, unregelmäßige Verbformen), die in voller Form in der spitzen Klammer angegeben sind, werden in der Regel dann noch einmal an entsprechender Stelle als Stichwort mit einem **Verweis** auf ihre Grundform aufgenommen, wenn sie alphabetisch nicht unmittelbar neben dieser Form stehen würden:

Epen *pl von* **Epos.**
ging [gɪŋ] *imp von* **gehen.**

Gli **omografi** (parole diverse con la stessa grafia) vengono contrassegnati da un esponente in cifre arabe:

Homographen (verschiedene Wörter gleicher Schreibung) werden durch hochgestellte arabische Ziffern unterschieden:

Kiefer[1] ['ki:fɐ] ⟨-s,-⟩ *m anat* mascella *f.*
Kiefer[2] ['ki:fɐ] ⟨-, -n⟩ *f bot* pino *m.*

Schloß[1] [ʃlɔs] ⟨Schlosses, Schlösser⟩ *n (Gebäude)* castello *m.*
Schloß[2] [ʃlɔs] ⟨Schlosses, Schlösser⟩ *n (Verschluß)* serratura *f;* ...

umfahren[1] ['ʊmfa:rən] ⟨*irr*⟩ *tr (niederfahren)*...
umfahren[2] [ʊm'fa:rən] ⟨*irr, ohne ge-*⟩ *tr (herumfahren um)* ...

4. Sviluppo delle voci – Microstruttura

4. Aufbau der Wörterbuchartikel – Mikrostruktur

Le singole voci possono esser ulteriormente suddivise in capitoli, contrassegnati da numeri.
Le **cifre romane** contrassegnano diverse parti del discorso, diverse categorie grammaticali e diverse possibilità di costruzione di un verbo *(tr, itr, rfl):*

Die einzelnen Artikel können durch Zahlen weiter untergliedert sein.
Dabei kennzeichnen **römische Ziffern** verschiedene Wortarten, verschiedene grammatische Kategorien und verschiedene Konstruktionsmöglichkeiten eines Verbs *(tr, itr, rfl):*

schön [ʃø:n] **I.** *adj* bello; ... **II.** *adv* bene; *fam (ziemlich)* abbastanza; ... **III.** *interj* bene, bravo; *(einverstanden)* d'accordo.

boxen ['bɔksən] **I.** *itr* boxare, fare del pugilato; **II.** *tr* dare dei pugni a; **III.** *rfl:* **sich** ~ fare a pugni.

Le **cifre arabe** contrassegnano significati diversi del lemma:

Arabische Ziffern kennzeichnen verschiedene Bedeutungen des Stichworts:

Lösung ⟨-, -en⟩ *f* **1.** *(Los~)* distacco *m;* **2.** *chem, mat, fig* soluzione *f;* **3.** *(von Beziehungen)* scioglimento *m.*

Alla descrizione grammaticale e semantica di ogni categoria grammaticale, suddivisa in parti contrassegnate da cifre romane, segue la rispettiva descrizione fraseologica. Qui vengono riportati i **sintagmi fissi**, le locuzioni, gli **esempi**, i **modi di dire** ed i **proverbi** rilevanti per la categoria.

Di regola essi vengono registrati alla voce del primo elemento fraseologico più significativo. In casi dubbi si dovrebbe comunque cercare sotto le altre voci in questione.

Der grammatischen und semantischen Beschreibung jeder durch römische Ziffern gegliederten grammatischen Kategorie folgt ihre phraseologische Beschreibung. Hier sind die für die Kategorie relevanten **festen Syntagmen** und **mehrgliedrigen Ausdrükke, Anwendungsbeispiele, Redewendungen** und **Sprichwörter** aufgeführt.
In der Regel sind sie unter dem Stichwort eingeordnet, das als erstes wichtiges bedeutungstragendes Element fungiert. Im Zweifelsfall sollte aber auch unter den anderen möglichen Suchwörtern nachgeschlagen werden.

5. Aggiunte esplicative – Commenti

Sia nella lingua di partenza che in quella d'arrivo, il significato e l'uso di una parola possono venir chiariti ulteriormente da aggiunte esplicative:

aggiunte in parentesi per sinonimi e definizioni, per soggetti ed oggetti tipici e per altre spiegazioni integrative

indicazioni sui linguaggi specialistici quando si voglia distinguere tra diversi significati

indicazioni sulla diffusione regionale per evidenziare tutte le parole, significati e locuzioni di uso regionale. Se tale uso non può essere esattamente circoscritto (p.es. *A, CH, mer, tosc* ecc.) viene riportata l'indicazione più generale *dial.* Tali indicazioni sono presenti sia nella lingua di partenza che in quella d'arrivo

indicazioni di stile per evidenziare tutte le parole, tutti i significati e le locuzioni che non apparatengono ad un livello di stile neutro: *fam, sl volg, amm, lett, letter, poet, obs.* Le indicazioni sono presenti sia nella lingua di partenza che in quella d'arrivo. Le indicazioni di stile all'inizio di ogni registrazione o categoria si riferiscono a tutti i significati e locuzioni all'interno di esse

indicazioni retoriche se viene marcato un particolare atteggiamento linguistico: *iron, peg, scherz.* Le indicazioni sono riportate solamente per la lingua di partenza, ma si riferiscono anche alla traduzione.

Nella lista delle abbreviazioni sono ampiamente riportate tutte le marcature.

5. Erklärende Zusätze – Kommentierungen

Sowohl in der Ausgangs- als auch in der Zielsprache können erklärende Zusätze Bedeutung und Anwendung eines Wortes näher bestimmen:

in Klammern stehende Zusätze für Synonyme und Definitionen, für typische Subjekte und Objekte und andere Erklärungen

Fachgebietsangaben, wenn verschiedene Bedeutungen unterschieden werden

Angaben zur regionalen Verbreitung, zur Markierung aller Wörter, Bedeutungen und Wendungen, die einem regionalen Gebrauch unterliegen. Läßt sich dieser nicht genau abgrenzen (z.B. *A, CH, mer, tosc* etc.), steht die allgemeine Markierung *dial.* Die Angaben stehen in Ausgangs- und Zielsprache

Stilangaben zur Markierung aller Wörter, Bedeutungen und Wendungen, die keiner neutralen Stilebene angehören: *fam, sl, vulg, adm, geh, lit, poet, obs.* Die Angaben stehen in Ausgangs- und Zielsprache. Stilangaben zu Beginn eines Eintrags oder einer Kategorie beziehen sich auf alle Bedeutungen und Wendungen innerhalb dieses Eintrags oder dieser Kategorie

rhetorische Angaben, wenn eine besondere Sprechhaltung markiert wird: *iron, pej, scherz.* Die Angaben stehen nur auf der Ausgangssprachenseite, beziehen sich aber auch auf die Übersetzung.

Die vollständige Liste der Markierungen ist dem Abkürzungsverzeichnis zu entnehmen.

6. Indicazioni morfologiche

Sostantivi

Per tutti i sostantivi viene fornita un'**indicazione di genere.** L'attribuzione del genere grammaticale con *m* (maschile), *f* (femminile) o *n* (neutro) o la loro combinazione indica che si tratta di un sostantivo.

6. Morphologische Angaben

Substantive

Alle Substantive sind mit einer **Genusangabe** versehen. Die Bezeichnung des grammatischen Geschlechts als *m* (Maskulinum), *f* (Femininum) oder *n* (Neutrum) bzw. deren Kombination kennzeichnet ein Wort als Substantiv.

Dopo il lemma o la sua trascrizione fonetica; in parentesi uncinate vengono riportate le **desinenze della flessione** e cioè il genitivo singolare ed il nominativo plurale. Nel caso che per i sostantivi composti e per quelli con prefisso tali indicazioni manchino, valgono anche qui le indicazioni grammaticali della voce semplice:

Nach dem Stichwort bzw. der Phonetikangabe werden in spitzen Klammern die **Flexionsendungen** im Genitiv Singular und im Nominativ Plural angegeben. Fehlen bei zusammengesetzten und präfigierten Substantiven diese Angaben, so gelten auch hier die grammatischen Angaben des Grundworts:

Hase ⟨-n, -n⟩ *m*
Staat ⟨-(e)s, -en⟩ *m*
Kuß ⟨Kusses, Küsse⟩ *m*
Globus ⟨- *o* -ses, Globen *o* -busse⟩ *m*
Zone ⟨-, -n⟩ *f*
Knautschzone *f*

Un - senza desinenza significa che la forma corrispondente è identica a quella del nominativo singolare:

Ein - ohne Endung bedeutet, daß die betreffende Form mit der im Nominativ gegebenen Grundform identisch ist:

Birne ⟨-, -n⟩ *f*
Knoten ⟨-s, -⟩ *m*

Per sostantivi che non formano il plurale viene riportato il segno ø:

Bei Substantiven, die keinen Plural bilden, steht das Zeichen ø:

Glück ⟨-(e)s, ø⟩ *n*
Ausgeglichenheit ⟨-, ø⟩ *f*

I singoli significati di un sostantivo con l'indicazione ⟨*sing*⟩ vengono usati solo al singolare:

Einzelne Bedeutungen eines Substantivs mit der Angabe ⟨*sing*⟩ werden nur im Singular gebraucht:

Mangel[1] ['maŋəl] ⟨-s, Mängel⟩ *m* **1.** ⟨*sing*⟩ *(Fehlen)* mancanza *f (an +dat* di*)*, insufficienza *f* *(an* *+dat* di); **2.** ⟨*sing*⟩ *(Knappheit)* scarsità *f (an +dat* di), penuria *f (an +dat* di)*; (a. med)* carenza *f (an +dat* di)*;* **3.** *(Fehler)* difetto *m; …*

Sostantivi o singoli significati di un sostantivo con l'indicazione ⟨*pl*⟩ vengono usati solo al plurale:

Substantive oder einzelne Bedeutungen eines Substantivs mit der Angabe ⟨*pl*⟩ werden nur im Plural gebraucht:

Kosten ⟨*pl*⟩
Leute ⟨*pl*⟩

I sostantivi tedeschi che vengono declinati come aggettivi sono riportati nella loro forma determinata e cosi presentati:

Deutsche Substantive, die wie Adjektive dekliniert werden, werden in der bestimmten Form angegeben und so dargestellt:

Gute ⟨ein -s, -n, ø⟩ *n*
Beamte ⟨ein -r, -n, -n⟩ *m*

Angestellte ⟨ein -r, -n, -n⟩ *mf*

der Angestellte, ein Angestellter *(nom sing)*
des/eines Angestellten *(gen sing)*
die Angestellten *(nom pl)*

La forma femminile è sempre:

Die feminine Form lautet dann immer:

die/eine Angestellte *(nom sing)*
der/einer Angestellten *(gen sing)*
die Angestellten *(nom pl)*

e non viene riportata in parentesi uncinate.

und wird in der spitzen Klammer nicht berücksichtigt.

Per tutti i sostantivi tedeschi che abbiano un genere naturale e che designino persone, la **forma femminile** viene registrata accanto a quella **maschile.**
Tutti i sostantivi femminili con la desinenza *-in* presentano la flessione regolare ⟨-, -nen⟩ e perciò non rientrano nelle parentesi uncinate. Sostantivi del tipo *Schüler(in)* fanno al maschile *Schüler* e al femminile *Schülerin:*

Für alle deutschen Substantive, die ein natürliches Geschlecht haben und Personen bezeichnen, wird die **feminine** neben der **maskulinen Form** angegeben.
Alle femininen Substantive mit der Endung *-in* haben die regelmäßige Flexion ⟨-, -nen⟩ und bleiben daher in der spitzen Klammer unberücksichtigt. Substantive vom Typ *Schüler(in)* lauten in der maskulinen Form *Schüler,* in der femininen Form *Schülerin:*

Friseur ⟨-s, -e⟩ *m,* **Friseuse** ⟨-, -n⟩ *f*
Arzt ⟨-es, Ärzte⟩ *m,* **Ärztin** *f*
Oberarzt *m,* **-ärztin** *f*
Schüler(in) ⟨-s, -⟩ *m(f)*

Di regola ambedue le forme vengono trattate sotto quella maschile. Nel caso in cui la forma femminile disti più di due voci da quella maschile nell'ordine alfabetico, essa viene registrata come lemma a sé con un rimando alla forma maschile.

In der Regel sind beide Formen unter der maskulinen Form abgehandelt. Wo die feminine Form in der alphabetischen Reihenfolge mehr als zwei Einträge von der maskulinen entfernt stehen würde, wird sie zusätzlich als eigenes Stichwort mit einem Verweis auf die maskuline Form angegeben.

Per i sostantivi che reggono determinate **preposizioni,** la preposizione in questione ed il suo corrispondente vengono riportati dopo la traduzione italiana:

Bei Substantiven, die mit bestimmten **Präpositionen** verbunden werden, sind die zugehörige präpositionale Ergänzung und ihre Entsprechung nach der italienischen Übersetzung angegeben:

Freude [ˈfrɔydə] ⟨-, -n⟩ *f* gioia *f (über +akk* per); *(Vergnügen)* piacere *m (über +akk* di); *(Fröhlichkeit)* letizia *f (über +akk* per); …

Aggettivi ed avverbi

Gli aggettivi tedeschi vengono registrati nella forma indeclinata. Quelli che non presentano una forma indeclinata vengono registrati secondo il modello *erste(r,s).*

Gli aggettivi invariati vengono registrati con ⟨*inv*⟩:

Adjektive und Adverbien

Deutsche Adjektive sind in ihrer unflektierten Form angegeben. Adjektive, die keine unflektierte Form haben, werden nach dem Muster *erste(r, s)* dargestellt.

Unveränderliche Adjektive werden mit ⟨*inv*⟩ gekennzeichnet:

rosa ⟨*inv*⟩

Le **forme irregolari del comparativo e del superlativo** e quelle che presentino particolarità morfologiche, come p. es. il raddolcimento della vocale radicale vengono riportate in parentesi uncinate. La prima è quella del comparativo, la seconda quella del superlativo:

Unregelmäßige Steigerungsformen und solche mit morphologischen Besonderheiten, wie z. B Umlautung des Stammvokals, werden in spitzen Klammern angegeben. Die erste der Formen bezeichnet den Komparativ, die zweite den Superlativ:

gut ⟨besser, beste⟩
hoch ⟨höher, höchste⟩
rot ⟨-er *o* röter, -este *o* röteste⟩
gern ⟨lieber, am liebsten⟩

Per gli aggettivi che reggono determinate **preposizioni,** la preposizione in questione ed il suo corrispondente vengono riportati dopo la traduzione italiana:

Bei Adjektiven, die mit bestimmten **Präpositionen** verbunden werden, sind die zugehörige präpositionale Ergänzung und ihre Entsprechung nach der italienischen Übersetzung angegeben:

gierig *adj* avido (*nach* di), bramoso (*nach* di), cupido (*nach* di); …

La definizione di aggettivo *(adj)* in tedesco implica che la parola in questione possa venir usata nella stessa forma anche come avverbio *(adv)*. Per questa ragione, gli avverbi sono stati registrati come lemma a sé solo nel caso in cui l'uso avverbiale sia più frequente, quando l'avverbio abbia un significato diverso da quello dell'aggettivo, o quando si tratti di un avverbio con forma autonoma come *gern, höchst, oft, sehr, wohl* ecc.

Die Bezeichnung eines deutschen Worts als Adjektiv *(adj)* schließt ein, daß das Wort in gleicher Form auch als Adverb *(adv)* gebraucht werden kann. Deshalb sind Adverbien als eigene Einträge in der Regel nur da unterschieden worden, wo der adverbiale Gebrauch häufig ist, das Adverb vom Adjektiv abweichende Bedeutungen hat oder wo es sich um Adverbien mit autonomer Form wie *gern, höchst, oft, sehr wohl* etc. handelt.

Verbi

L'indicazione grammaticale *tr, itr* o *rfl* è caratteristica per il verbo. Se un verbo presenta diverse possibilità di costruzione, la voce risulta articolata in modo corrispondente:

Verben

Die grammatische Angabe *tr, itr* oder *rfl* kennzeichnet ein Stichwort als Verb. Wird ein Verb in mehreren dieser Konstruktionsmöglichkeiten gebraucht, ist der Eintrag entsprechend gegliedert:

boxen ['bɔksən] **I.** *itr* boxare, fare del pugilato; **II.** *tr* dare dei pugni a; **III.** *rfl:* **sich** ~ fare a pugni.

Nei verbi tedeschi un prefisso separabile viene caratterizzato da • :

Bei deutschen Verben wird ein abtrennbares Präfix durch • gekennzeichnet:

ab•schirmen *tr*
auseinander•setzen **I.** *rfl:* **sich** ~…; **II.** *tr* …
wieder•gut•machen *tr*

Dopo il lemma o la sua trascrizione fonetica seguono in parentesi uncinate le indicazioni sulle **forme irregolari del verbo.** Vengono riportate la terza persona singolare del presente e dell'imperfetto ed il participio passato:

Auf das Stichwort bzw. die Phonetikangabe folgen in spitzen Klammern die Angaben zu **unregelmäßigen Verbformen.** Es werden die 3. Person Singular Präsens und Imperfekt und das Partizip Perfekt angegeben:

lesen[1] ⟨liest, las, gelesen⟩
gehen ⟨geht, ging, gegangen⟩
melken ⟨melkt, melkte *o rar* molk, gemolken *o rar* gemelkt⟩

Mancano invece indicazioni sulle forme di cui sopra per verbi composti e per quelli con prefisso che già siano registrati come lemma a sé nella forma semplice. Essi vengono segnalati con ⟨*irr*⟩ e le loro forme irregolari vengono riportate sotto il corrispondente verbo semplice:

Die Angabe der Stammformen fehlt bei zusammengesetzten und präfigierten Verben, die in ihrer einfachen Form als selbständiger Eintrag erscheinen. Unregelmäßige Verben werden dann mit ⟨*irr*⟩ gekennzeichnet, ihre Stammformen sind beim Simplex angegeben:

vor·lesen ⟨*irr*⟩
weg·gehen ⟨*irr*⟩
entgehen ⟨*irr, ohne ge-*⟩

L'indicazione ⟨*reg*⟩ caratterizza, nei verbi con coniugazione regolare ed irregolare, le forme regolari:

Die Bezeichnung *(reg)* kennzeichnet bei einem Verb mit regelmäßiger und unregelmäßiger Konjugation regelmäßige Formen:

ab·hängen I. ⟨*reg*⟩ *tr* ...; **II.** ⟨*irr*⟩ *itr*...
auf·wenden ⟨*irr o reg*⟩ *tr* ...

Nell'appendice si trova una lista dei verbi irregolari tedeschi più frequenti. Le tabelle di coniugazione dei verbi possono esser consultate, sempre in appendice, nella parte dedicata alla morfologia tedesca.

Eine Liste der häufigsten unregelmäßigen deutschen Verben befindet sich im Anhang. Konjugationstabellen zu Verben ebenfalls dort in der deutschen Formenlehre.

I verbi tedeschi che formano il **participio** senza *ge-* o *-ge-* vengono registrati come segue:

Deutsche Verben, die das Partizip ohne *ge-* bzw. *-ge-* bilden, sind so dargestellt:

studieren ⟨*ohne ge-*⟩
beweisen ⟨*irr, ohne ge-*⟩
ab·gewinnen ⟨*irr, ohne ge-*⟩

Tutti i verbi tedeschi che non formino tutti i **tempi composti** esclusivamente con *haben* presentano, dopo l'indicazione della voce, l'aggiunta ⟨*sein*⟩, ⟨*haben o sein*⟩ oppure ulteriori spiegazioni. Talvolta la scelta tra *haben o sein* è legata a una differenza nella costruzione o nel significato. In questo caso l'indicazione viene di volta in volta riportata nella voce, secondo la suddivisione corrispondente. Se tale indicazione manca, la formazione dei tempi composti avviene con *haben.* I verbi riflessivi formano di regola i tempi composti con *haben;* per questa ragione nel lemma tale informazione non compare:

Alle deutschen Verben, die die **zusammengesetzten Zeiten** nicht ausschließlich mit *haben* bilden, haben nach der Wortangabe den Zusatz ⟨*sein*⟩, ⟨*haben o sein*⟩ bzw. weitere Erklärungen. Gelegentlich ist die Bildung mit *haben* oder *sein* mit einem Unterschied in der Konstruktionsweise oder der Bedeutung verbunden. In diesem Fall steht die Angabe jeweils nach der entsprechenden Einteilung im Eintrag. Fehlt die Angabe, so erfolgt die Bildung mit *haben.* Reflexive Verben bilden die zusammengesetzten Zeiten regelmäßig mit *haben;* deshalb wird hier auf die Angabe verzichtet:

laufen ... **I.** *itr* ⟨*sein*⟩ ...; **II.** *tr* ***1.*** ⟨*sein*⟩ *(Strecke)* fare, percorrere; **2.** ⟨*haben*⟩: **sich** *(dat)* **etw.** ~ *(Blase, Loch in den Strumpf)* farsi venire qc (dal gran camminare); ...; **III.** *rfl:* **sich warm** ~ riscaldarsi.

schwimmen ... **I.** *itr* ⟨*sein*⟩ **1.** *sport* nuotare; **2.** *(Sachen)* galleggiare; ~ **gehen** andare a nuotare; **über einen Fluß** ~ attraversare un fiume a nuoto; **II.** *tr* ⟨*haben o sein*⟩ nuotare.

Il **pronome riflessivo** «sich» si intende in accusativo quando non venga ulteriormente caratterizzato; al dativo esso viene segnalato con *(dat)*.

Le **preposizioni** rette da verbi e la loro **reggenza** vengono registrate con i corrispondenti italiani dopo la traduzione, nel caso che l'uso nelle due lingue sia divergente:

Das **Reflexivpronomen** «sich» steht ohne Bezeichnung im Akkusativ, im Dativ wird es als *(dat)* gekennzeichnet.

Die **Präpositionen,** mit denen Verben verbunden sein können, und ihre **Rektion** sind mit ihrer italienischen Entsprechung nach der Übersetzung dann angegeben, wenn der Gebrauch beider Sprachen voneinander abweicht:

verlieben ⟨*ohne ge-*⟩ *rfl:* **sich** ~ innamorasi (*in +akk* di).
applaudieren … *itr* applaudire *(jdm* qu).

Preposizioni

Se una preposizione viene trattata come lemma a sé, viene dato il caso che essa regge:

Präpositionen

Ist eine Präposition Stichwort, wird der von ihr regierte Kasus angegeben:

angesichts *prp +gen*
wegen *prp +gen o +dat*

Per le preposizioni *an, auf, hinter, in, neben, über, unter, vor* e *zwischen* che reggono il dativo o l'accusativo, i due casi vengono indicati come segue:

Bei den Präpositionen *an, auf, hinter, in, neben, über, unter, vor* und *zwischen*, die den Dativ oder den Akkusativ regieren, werden beide Kasus so angegeben:

unter *prp +dat/+akk*

Ortografia

Rechtschreibung

Per l'ortografia tedesca in questo dizionario si è seguito il *Duden*; per l'ortografia italiana ci si è attenuti ai principi seguiti dai dizionari più usati.

Grundlage für die deutsche Rechtschreibung in diesem Wörterbuch ist die Schreibweise des *Duden*, für die italienische Rechtschreibung die Schreibweise der gebräuchlichsten italienischen Wörterbücher.

Divisione in sillabe in tedesco

1. Una consonante semplice fa sillaba con la vocale che segue: *ge-ben, lie-ben, Ra-te*
   - Viene scritta con la vocale che segue anche *h*, indicatrice di lunghezza della vocale che precede: *nä-hen*
   - Hanno valore di consonante semplice i grafemi *ß, x, z: Grü-ße, bo-xen, rei-zen*
   - Seguono lo stesso modello anche le combinazioni di grafemi *ch, sch, st: Wa-che, Wä-sche, We-sten*
2. Nei gruppi di due o più consonanti (ad eccezione del gruppo *-st-* indivisibile) l'ultima va con la vocale che segue: *gel-ten, En-de, gest-rig; Fen-ster*
   - Ha valore di consonante unica *z: Kat-zen*
   - Seguono lo stesso modello anche le combinazioni di grafemi che rappresentano un solo suono (ad eccezione di *ch, sch* indivisibili): *Fin-ger, Was-ser, Städ-ter; man-cher, Wün-sche*
   - La combinazione *-ck* diventa *-k-k-: Zucker* diventa *Zuk-ker*
3. I dittonghi non si dividono: *Mau-er*
4. Le parole derivate con prefisso o suffisso e le parole composte si dividono secondo il loro modello di derivazione e composizione: *be-streiten, ver-edeln, Häs-chen, liebes-toll, Lebens-art, Weihnachts-abend*
   - I suffissi che cominciano con vocale fanno eccezione a questo modello: *Freun-din* (suffisso *-in*), *Lüf-tung* (suffisso *-ung*)

Osservazioni sulla pronuncia tedesca

Si seguono in generale le norme ed il sistema di trascrizione fonetica del *DUDEN Aussprachewörterbuch, 2ª ed., Mannheim 1974.* I segni fonetici sono i simboli compresi nell'alfabeto dell'Associazione Fonetica Internazionle (si veda **Segni usati per la trascrizione fonetica).**
La trascrizione fonetica completa è indicata per tutte le parole semplici e le forme irregolari dei verbi. Per quanto riguarda determinate forme flessive, voci derivate e composte, è indicata la trascrizione parziale. Questa viene seguita o preceduta da un trattino quando un elemento è omesso per intero, p.es. **Blindschleiche** [-ʃl̯aiçə], **Findelkind** ['fɪndəl-], mentre nelle voci derivate di cui è omessa solo una parte della parola, sono usati tre punti, p.es. **Skandal** [skan'da:l], **skandalös** [...da'lø:s].
La trascrizione fonetica è omessa nelle voci omofone della stessa famiglia di parole. Sono omesse anche le voci derivate con prefissi non accentati (si veda la lista a pagina XVII), parole terminanti in determinati suffissi e desinenze (si veda la lista a pagina XVII) accentate nella prima sillaba, e le parole composte di cui gli elementi sono registrati con trascrizione fonetica.
Nel caso delle **varianti di pronuncia** la seconda variante viene preceduta da *o,* p.es. **Kaffee** ['kafe *o* ka'fe:].
La trascrizione delle **desinenze femminili** viene indicata accanto a quella delle forme maschili segnalando anche le modificazioni delle consonanti finali e dell'accento, p.es. **Artist(in)** [ar'tɪst(ɪn)], **König(in)** ['kø:nɪç(...gɪn)], **Professor(in)** [pro'fɛso:ɐ̯ (...'so:rɪn)].
Normalmente non è segnalata la trascrizione dei **plurali**, anche se comportano determinate modificazioni morfologiche o fonetiche: cambio della vocale *(«Umlaut»),* cambio delle consonanti sonore che in posizione finale si realizzano come le sorde corrispondenti, cambio del suffisso *-ig* e cambio della *«r vocalizzata»* [ɐ̯] dopo vocale lunga o dittongo, p.es.:

Kalb [kalp]	**Kälber** ['kɛlbɐ]
Trog [tro:k]	**Tröge** ['trøgə]
Mund [mʊnt]	**Münder** ['mʏndɐ]
Haus [hau̯s]	**Häuser** ['hɔʏ̯zɐ]
Archiv [ar'çi:f]	**Archive** [ar'çi:və]
König ['kø:nɪç]	**Könige** ['kø:nɪgə]
Meer [me:ɐ̯]	**Meere** ['me:rə].

Invece viene segnalata la trascrizione fonetica delle forme del plurale di quelle voci, in generale di origine straniera, per cui si possono avere incertezze, p.es.: **Adverb** [at'vɛrp], **Demokratie** [demokra'ti:, ...i:ən], **Agitator(in)** [...'ta:toɐ̯ (...ta'to:rɪn), ...ta'to:rən].

Come s'è già notato, non viene indicata la trascrizione delle **voci composte** di cui gli elementi siano registrati con trascrizione fonetica. Come nei plurali, non si segnalano i cambi delle consonanti finali dei primi elementi e l'uso del «colpo di glottide» ['] che precede ogni vocale iniziale dei secondi elementi, p. es.:

Meer [me:ɐ̯], **Arm** [arm] – **Meeresarm** [me:rəs'arm]
Maus [mau̯s], **Falle** ['falə] – **Mausefalle** ['mau̯zəfalə]

Per quanto riguarda **l'accento** di parola, viene segnalato solo l'accento prinicipale delle voci polisillabe. Il segno d'accento ['] precede la sillaba accentata. Quando nella trascrizione parziale non è indicato l'accento tonico, questo cade sull'elemento omesso. p.es. **Karfreitag** [ka:ɐ̯-], **keilförmig** [-fœrmɪç].
Sono anche registrate le parole con due accenti tonici ad eccezione di parole composte con *-falls, -maßen* e *-weise.*
Quando ci sono parole che si distinguono per la diversa accentazione, è indicata per intero la trascrizione fonetica delle due parole, p. es.:

übersetzen[1] ['y:bɐzɛt̮sən]
übersetzen[2] [y:bɐ'zɛt̮sən]

Lista dei prefissi non accentati

be-	[bə]	ge-	[gə]
ent-	[ɛnt]	ver-	[fɛɐ̯]
er-	[ɛɐ̯]	zer-	[t͜sɛɐ̯]

Lista dei suffissi e delle desinenze

-bar	[ba:ɐ̯]	-igte	[ɪçtə]
-e	[ə]	-in	[ɪn]
-el	[əl]	-isch	[ɪʃ]
-eln	[əln]	-keit	[ka͜it]
-elnd	[əlnt]	-ler(in)	[lɐ (lərɪn)]
-elt	[əlt]	-lich	[lɪç]
-en	[ən]	-los	[lo:s]
-end	[ənt]	-lung	[lʊŋ]
-ende	[əndə]	-n	[n]
-ens	[əns]	-nis	[nɪs]
-erer(in)	[ərɐ (ərərɪn)]	-s	[s]
-er(in)	[ɐ (ərɪn)]	-sam	[za:m]
-erisch	[ərɪʃ]	-schaft	[ʃaft]
-ern	[ɐn]	-st	[st]
-ernd	[ɐnt]	-ste	[stə]
-ert	[ɐt]	-stel	[stəl]
-erung	[ərʊŋ]	-stens	[stəns]
-es	[əs]	-t	[t]
-et	[ət]	-te	[tə]
-haft	[haft]	-tel	[təl]
-heit	[ha͜it]	-tens	[təns]
-ig	[ɪç]	-tum	[tu:m]
-ige	[ɪgə]	-tümer	[ty:mɐ]
-igen	[ɪgən]	-ung	[ʊŋ]
-igt	[ɪçt]		

Segni usati per la trascrizione fonetica

Liste der Lautschriftzeichen

Vokale/Vocali

[a] K**a**mm
[a:] T**a**g, S**aa**l, B**ah**n
[ɐ] Leb**er**
[ɐ̯] meh**r**
[ã:] Ch**an**son
[ã:] Ch**an**ce, Ens**em**ble
[ɑ:] H**ar**dware
[æ] G**a**ngway
[ʌ] P**u**blic Relations
[e] **e**gal
[e:] W**e**g, B**ee**t, g**eh**en
[ɛ] f**ä**llen, B**e**tt
[ɛ:] B**ä**r, w**äh**len
[ɛ̃:] Refr**ain**, P**oin**te
[ə] Katz**e**
[ə:] Callg**ir**l
[i] pr**i**vat, v**ie**lleicht
[i:] B**i**bel, b**ie**ten, z**ieh**en, **ih**nen
[i̯] Stud**ie**
[ɪ] b**i**tten
[o] M**o**ral
[o:] **O**fen, B**oo**t, B**oh**ne
[o̯] l**o**yal
[õ] F**on**due
[õ:] Bonb**on**
[ɔ] **o**ffen
[ɔ:] C**a**llgirl
[ø] **Ö**kologie
[ø:] **Ö**l, H**öh**le
[œ] **ö**ffnen
[u] z**u**letzt
[u:] P**u**te, K**uh**
[u̯] akt**u**ell
[ʊ] B**u**tter
[y] B**ü**ro, Ph**y**sik
[y:] T**ü**te, fr**üh**, T**y**p
[y̆] H**y**äne
[ʏ] H**ü**tte, H**y**mne

Dittonghi/Diphthonge

[ai̯] H**ai**, m**ei**n, R**ei**he, B**ay**ern
[au̯] M**au**s, r**au**h
[ɔy̯] H**äu**ser, n**eu**, B**oi**ler, B**oy**kott

Konsonanten/Consonanti

[b] **B**all, E**bb**e
[ç] i**ch**, Köni**g**
[d] **d**och, a**dd**ieren
[d͡ʒ] **Dsch**ungel, **J**azz
[f] au**f**, A**ff**e, **v**iel, **Ph**ilologe
[g] **g**eben, Ro**gg**en
[h] **h**aben
[j] **j**agen
[k] **k**alt, De**ck**e, We**g**, O**ch**se, **Q**ual, **C**afé
[l] **l**eben, a**ll**e
[m] **m**ehr, Ka**mm**er
[n] **n**e**nn**en
[ŋ] fa**ng**en, A**n**ker
[p] Pa**pp**e, gel**b**
[p͡f] **Pf**ahl
[r] fah**r**en, Na**rr**
[s] au**s**, la**ss**en, sto**ß**en
[ʃ] **sch**auen, **S**tein
[t] Hu**t**, Go**tt**, Ba**d**, Sta**dt**, **Th**ron
[t͡s] **Z**oo, Lo**ts**e, Ka**tz**e, Ski**zz**e
[t͡ʃ] Ma**tsch**
[θ] **Th**riller
[v] **W**ein, **V**okal, Q**u**al
[w] Gang**w**ay
[x] Na**ch**t
[z] Ha**s**e
[ʒ] **G**enie

Altri segni / Sonstige Zeichen

[:] segno della lunghezza vocale/Längezeichen
[ˀ] occlusivo laringale («colpo di glottide»)/Knacklaut (precede ogni vocale iniziale delle parole e, all'interno delle voci derivate o composte, le vocali iniziali dei morfemi lessicali, p. es. *überall* [y:bɐˈˀal]. Nella trascrizione questo suono non è indicato all'inizio di parola.)
[ˈ] accento tonico / Betonungszeichen

Abbreviazioni — Abkürzungen

Abbreviazioni		Abkürzungen
anche	*a.*	auch
Austria, austriaco	*A*	Österreich, österreichisch
abbreviazione	*abbr*, *abk*	Abkürzung
acronimo	*acr*	Akronym
accusativo	*acc*	Akkusativ
aggettivo	*adj*	Adjektiv
amministrazione, linguaggio burocratico	*admin*	Verwaltung, bürokratisch
avverbio	*adv*	Adverb
aeronautica	*aero*	Luftfahrt
aggettivo	*agg*	Adjektiv
agricoltura	*agr*	Landwirtschaft
accusativo	*akk*	Akkusativ
acronimo	*akr*	Akronym
generalmente	*allg*	allgemein
amministrazione, linguaggio burocratico	*amm*	Verwaltung, bürokratisch
anatomia	*anat*	Anatomie
architettura	*arch*	Architektur
articolo	*art*	Artikel
astronomia, astrologia	*astr*	Astronomie, Astrologie
attributivo, attributivamente	*attr*	attributiv
avverbio	*avv*	Adverb
specialmente	*bes.*	besonders
determinativo	*best*	bestimmt
biologia	*biol*	Biologie
botanica	*bot*	Botanik
Svizzera, svizzero	*CH*	Schweiz, schweizerisch
chimica	*chem*, *chim*	Chemie
commercio	*comm*	Handel
comparativo	*comp*	Komparativ
congiunzione	*cong*	Konjunktion
congiuntivo	*congv*	Konjunktiv
dativo	*dat*	Dativ
dimostrativo	*dem*	demonstrativ, Demonstrativ-
dialettale	*dial*	mundartlich
dimostrativo	*dim*	demonstrativ, Demonstrativ-
diritto, giurisprudenza	*dir*	Recht(swissenschaft)
ferrovia	*eisenb*	Eisenbahn
elettronica	*el*	Elektronik
ecc., eccetera	*ecc.*, ecc., *etc.*, etc.	et cetera, usw.
economia	*econ*	Wirtschaft
esclamativo, esclamazione	*escl*	ausrufend, Ausruf
qualcosa	*etw*, etw	etwas
femminile	*f*	Femininum
familiare, familiarmente	*fam*	umgangssprachlich
ferrovia	*ferr*	Eisenbahn
figurato, figurativamente	*fig*	figurativ, übertragen

film, cinematografia	*film*	Film, Kino
filosofia	*filos*	Philosophie
finanza	*fin*	Finanzwesen
fiorentino	*fior*	florentinisch
fisica	*fis*	Physik
fotografia	*fot*	Fotografie
gastronomia	*gastr*	Gastronomie
linguaggio elevato	*geh*	gehobene Ausdrucksweise
genitivo	*gen*	Genitiv
generalmente	*gener.*	allgemein
genovese	*genov*	genuesisch
geografia	*geog*	Geographie
geologia	*geol*	Geologie
grammatica	*gram*	Grammatik
storia, storico	*hist*	Geschichte, historisch
imperfetto	*imp*	Imperfekt
impersonale	*impers*	unpersönlich
indicativo	*ind*	Indikativ
indefinito	*indef*	Indefinit-
indeterminativo	*indet*	unbestimmt
infinito	*inf*	Infinitiv
elaborazione di dati, informatica	*inform*	Datenverarbeitung, Informatik
interiezione	*interi, interj*	Interjektion
interrogativo	*interr*	interrogativ, Interrogativ-
invariabile	*inv*	unveränderlich
ironico, ironicamente	*iron*	ironisch
irregolare	*irr*	unregelmäßig
intransitivo	*itr*	intransitiv
qualcuno	*jd*, jd	jemand
a qualcuno	*jdm*, jdm	jemandem
qualcuno	*jdn*, jdn	jemanden
di qualcuno	*jds*, jds	jemandes
diritto, giurisprudenza	*jur*	Recht(swissenschaft)
comparativo	*komp*	Komparativ
congiunzione	*konj*	Konjunktion
congiuntivo	*konjv*	Konjunktiv
letterario	*lett*	literarisch, gehobene Ausdrucksweise
letteratura	*letter*	Literatur
linguistica	*ling*	Linguistik
letteratura	*lit*	Literatur
lombardo	*lomb*	lombardisch
maschile	*m*	Maskulinum
matematica	*mat*	Mathematik
medicina	*med*	Medizin
meridionale	*mer*	süditalienisch
meteorologia	*meteo*	Meteorologie
militare (scienza e tecnica)	*mil*	Militär(wesen)
mineralogia	*min*	Mineralogie

motori, traffico	*mot*	Motor-, Kraftfahrwesen
musica	*mus*	Musik
neutro	*n*	Neutrum
napoletano	*napol*	neapolitanisch
navigazione, nautica	*naut*	Schiffahrt, Nautik
nominativo	*nom*	Nominativ
numerale	*num*	Zahlwort
o	*o*	oder
obsoleto, poco usato	*obs*	obsolet
economia	*ökon*	Wirtschaft
ottica	*opt, ott*	Optik
parlamento	*parl*	Parlament
peggiorativo, peggiorativamente	*peg, pej*	pejorativ
persona, personale	*pers*	Person, Personal-
piemontese	*piem*	piemontesisch
filosofia	*philos*	Philosophie
fisica	*phys*	Physik
plurale	*pl*	Plural
poetico, letterario	*poet*	poetisch
politica	*pol*	Politik
possessivo	*poss*	possessiv, Possessiv-
participio passato	*pp*	Partizip Perfekt
presente	*pr*	Präsens
passato remoto	*p rem*	historisches Perfekt
pronome	*pron*	Pronomen
proverbio, proverbiale	*prov*	Sprichwort, sprichwörtlich
preposizione	*prp*	Präposition
psicologia	*psic, psych*	Psychologie
qualcosa	*qc,* qc	etwas
qualcuno	*qu,* qu	jemand
radiofonia	*radio*	Rundfunk
raro, raramente	*rar*	selten
regolare	*reg*	regelmäßig
religione; relativo	*rel*	Religion; relativ, Relativ-
riflessivo	*rfl*	reflexiv, Reflexiv-
vedi	*s.*	siehe
cosa	*S.,* S.	Sache
scherzoso, scherzosamente	*scherz*	scherzhaft
scienza, scientifico	*scient*	Wissenschaft, wissenschaftlich
settentrionale	*sett*	norditalienisch
siciliano	*sicil*	sizilianisch
singolare	*sing*	Singular
slang, gergo	*sl*	Slang, Jargon
sociologia	*soc, soz*	Soziologie
specialmente	*spec.*	besonders
sport	*sport*	Sport
storia, storico	*st*	Geschichte, historisch
superlativo	*superl*	Superlativ

tecnica	*tec*	Technik
teatro	*teat*	Theater
telefonia, telegrafia	*tel*	Telefon, Nachrichtenwesen
teatro	*theat*	Theater
stampa, tipografia	*tip*	Druckwesen
toscano	*tosc*	toskanisch
transitivo	*tr*	transitiv
televisione	*TV*	Fernsehen
stampa, tipografia	*typ*	Druckwesen
e	*u.*, u.	und
indefinito	*unbest*	unbestimmt
impersonale	*unpers*	unpersönlich
vedi	*v.*	siehe
veneziano	*venez*	venezianisch
volgare, volgarmente	*volg*, *vulg*	vulgär
scienza, scientifico	*wissensch.*	Wissenschaft, wissenschaftlich
per esempio	*z. B.*	zum Beispiel
zoologia	*zoo*	Zoologie
marchio registrato	®	eingetragenes Warenzeichen

A

A, a [a:] ⟨-, -(s)⟩ *n* **1.** *(Buchstabe)* A, a *f;* **2.** *mus* la *m;* **A wie Anton** A come Ancona; **das A und (das) O** l'alfa e l'omega; **von A bis Z** dall'a alla zeta; **wer A sagt, muß auch B sagen** *prov* quando si è in ballo, bisogna ballare *prov.*

a *abk von* **Ar** a (*abbr di* ara).

A 1. *abk von* **Ampere** A (*abbr di* ampere); **2.** *abk von* **Autobahn** A (*abbr di* autostrada); **3.** *abk von* **Austria** A.

Aa [a'ʔa] ⟨-, ø⟩ *n (Kindersprache)* cacca *f;* ~ **machen** fare la cacca.

AA *abk von* **Auswärtiges Amt** Ministero degli Affari Esteri tedesco.

Aachen ['a:xən] *n* Aquisgrana *f.*

Aal [a:l] ⟨-(e)s, -e⟩ *m* anguilla *f.*

aalen *rfl:* **sich in der Sonne** ~ crogiolarsi al sole.

aalglatt *adj pej* viscido, infido.

Aargau ['a:ɐgau] *m* Argovia *f.*

Aas [a:s] ⟨-es, -e⟩ *n (a. fig fam pej)* carogna *f;* **es war kein** ~ **da** *fam* non c'era anima viva. **Aasgeier** *m* **1.** *zoo* avvoltoio *m* perenottero; **2.** *fig* avvoltoio *m.*

ab [ap] **I.** *adv* **1.** *(~getrennt)* staccato; **2.** *(herunter, hinunter)* giù, abbasso; **3.** *theat* esce; **Köln** ~ **7.15** partenza da Colonia alle 7.15; **Jugendliche** ~ **16 (Jahren)** ragazzi dai 16 anni in poi; **von jetzt** ~ d'ora in poi; ~ **und zu (***o* **an)** ogni tanto, di quando in quando; ~ **ins Bett!** avanti, a letto!; **II.** *prp +dat (räumlich)* da; *(zeitlich)* (a partire) da, da . . . in poi; *com* franco.

ab·ändern *tr* modificare, mutare, cambiare; *(umarbeiten)* rimaneggiare.

Abänderung *f* modifica *f,* cambiamento *m; (Umarbeitung)* rimaneggiamento *m.*

ab·arbeiten I. *tr (Schuld)* estinguere, ammortizzare lavorando; **II.** *rfl:* **sich** ~ esaurirsi (*o* logorarsi) lavorando.

Abart *f* varietà *f.* **abartig** *adj* anormale, anomalo.

Abb. *abk von* **Abbildung** fig. (*abbr di* figura).

Abbau ⟨-(e)s, ø⟩ *m* **1.** *min* estrazione *f;* **2.** *(Zerlegung)* smontaggio *m;* **3.** *(von Beständen, Preisen, Personal)* riduzione *f,* diminuzione *f;* **4.** *(von Maßnahme, Einrichtung)* soppressione *f;* **5.** *chem* decomposizione *f,* degradazione *f.* **abbaubar** *adj:* **biologisch** ~ biodegradabile.

ab·bauen I. *tr* **1.** *(Maschine, Zelt, Gerüst, Stand)* smontare; **2.** *min* estrarre; **3.** *(Bestände, Lohn)* ridurre, diminuire; **4.** *(Personal)* licenziare; **5.** *(Maßnahme)* sopprimere, abolire; **6.** *chem* decomporre, degradare; **II.** *itr* andare giù.

ab·beißen ⟨*irr*⟩ *tr* staccare con un morso; **sich** *(dat)* **lieber die Zunge** ~ **als** *+inf fam* tagliarsi la lingua piuttosto che *+inf fam.*

ab·beizen *tr* togliere con corrosivi.

ab·bekommen ⟨*irr, ohne ge-*⟩ *tr* **1.** *(erhalten)* ricevere; *(Schlag)* prendere; **2.** *(losbekommen)* riuscire a togliere; **etw.** ~ *(verletzt, beschädigt werden)* subire un danno.

ab·berufen ⟨*irr, ohne ge-*⟩ *tr* richiamare.

ab·bestellen ⟨*ohne ge-*⟩ *tr* disdire; *(Zeitung)* disdire l'abbonamento a; *com* annullare l'ordinazione di; **jdn** ~ dire a qu di non venire.

ab·bezahlen ⟨*ohne ge-*⟩ *tr* **1.** *(ganz)* finire di pagare, estinguere; **2.** *(in Raten)* pagare a rate.

ab·biegen ⟨*irr*⟩ **I.** *itr* ⟨*sein*⟩ svoltare, deviare; *(Straße)* diramarsi; **II.** *tr* ⟨*haben*⟩ **1.** *(biegen)* piegare; **2.** *fig* sviare.

Abbiegespur *f* corsia *f* di canalizzazione (del traffico prima dell'incrocio).

Abbild *n* immagine *f.*

ab·bilden *tr (Personen)* ritrarre; *(Dinge)* rappresentare.

Abbildung *f* (*abk* **Abb.**) illustrazione *f,* rappresentazione *f;* **mit** ~**en** illustrato.

ab·binden ⟨*irr*⟩ **I.** *tr* **1.** *(losbinden)* slegare; **2.** *med (Arm)* legare; *(Arterie)* comprimere; **II.** *itr (Beton)* far presa.

Abbitte *f* scusa *f;* ~ **leisten (***o* **tun)** porgere le proprie scuse.

ab·blasen ⟨*irr*⟩ *tr* **1.** *(mil, von Jagd)* suonare la fine di; **2.** *fig fam (Veranstaltung, Streik)* sospendere, annullare, revocare.

ab·blättern *itr sein* sfaldarsi.

ab·blenden I. *tr* **1.** *(Fenster, Lampe)* schermare; **2.** *fot* diaframmare; **3.** *mot (Scheinwerfer)* abbassare; **II.** *itr* **1.** *mot* abbassare i fari abbaglianti; **2.** *film* chiudere in dissolvenza.

Abblendlicht *n* (fari *m pl*) anabbaglianti *m pl.*

ab·blitzen *itr sein* : **jdn** ~ **lassen** *fam* respingere qu.

ab·brechen ⟨*irr*⟩ **I.** *tr haben* **1.** *(Zweig, Stiel)* rompere, spezzare; **2.** *(Gebäude)* demolire; *(Zelt)* smontare; **3.** *fig (Verhandlungen, Beziehungen)* rompere; *(Tätigkeit)* interrompere; *(a. Streik)* sospendere; **4.** *inform* cancellare; **II.** *itr* **1.** ⟨*sein*⟩ rompersi, spuntarsi; **2.** ⟨*haben*⟩ *fig (aufhören)* interrompersi.

ab·brennen ⟨*irr*⟩ **I.** *tr* ⟨*haben*⟩ incendiare, bruciare; *(Haus)* dar fuoco a; *(absengen)* abbruciacchiare; *(Feuerwerk)* accendere; **II.** *itr* ⟨*sein*⟩ bruciare; *(Gebäude)* essere ridotto in cenere; *(Kerze)* consumarsi.
ab·bringen ⟨*irr*⟩ *tr:* **jdn von etw.** ~ distogliere qu da qc; **jdn von seiner Meinung** ~ far cambiare idea a qu.
ab·bröckeln *itr* ⟨*sein*⟩ scrostarsi.
Abbruch *m* **1.** *(von Lager, Zelt)* smontaggio *m; (von Gebäude)* demolizione *f;* **2.** *fig (von Beziehungen, Verhandlungen)* rottura *f; (von Wettkampf)* sospensione *f;* **einer S.** *(dat)* ~ **tun** recar danno a qc, nuocere a qc. **abbruchreif** *adj* da demolire, da abbattere.
ab·buchen *tr com* defalcare, detrarre; **einen Betrag vom Konto** ~ addebitare il conto di un importo.
Abbuchung *f* detrazione *f,* defalco *m.*
ab·büßen *tr (bes. jur)* scontare; *(bes. rel)* espiare.
Abc [a:be:'t͜se:] ⟨-, -⟩ *n* alfabeto *m,* abbiccì *m;* **nach dem** ~ **ordnen** mettere in ordine alfabetico.
ab·checken ['aptʃɛkən] *tr* verificare, controllare.
Abc-Schütze *m* scolaretto *m* alle prime armi. **ABC-Waffen** *f pl* armi *f pl* atomiche, biologiche e chimiche.
ab·danken *itr (Minister, etc.)* dimettersi; *(Herrscher)* abdicare.
Abdankung ⟨-, -en⟩ *f (von Minister, etc.)* dimissioni *f pl; (von Herrscher)* abdicazione *f.*
ab·decken *tr* **1.** *(freilegen)* levare la coperta da, scoprire; **2.** *(ab-, ver-, zudekken)* coprire; **3.** *(Haus)* scoperchiare.
ab·dichten *tr* turare; *(mit Dichtung)* applicare una guarnizione a; *(Tür, Fenster)* turare gli spifferi di.
Abdichtung *f* **1.** *(Vorgang)* render *m* stagno; **2.** *naut* calafataggio *m.*
ab·drehen **I.** *tr* ⟨*haben*⟩ **1.** *(Wasser, Gas)* chiudere; *(Licht, Radio)* spegnere; **2.** *(Film)* finire di girare; **II.** *itr* ⟨*haben o sein*⟩ cambiare rotta, virare.
Abdruck[1] ⟨-(e)s, -drücke⟩ *m (Finger~, etc.)* impronta *f; (Gips~)* calco *m.*
Abdruck[2] ⟨-(e)s, -drucke⟩ *m typ* stampa *f,* pubblicazione *f; (Gedrucktes)* copia *f.*
ab·drucken *tr* pubblicare, stampare.
ab·drücken **I.** *tr* **1.** *(Gewehr)* scaricare; **2.** *(nachbilden)* fare un calco di; **II.** *rfl:* **sich** ~ *(in Weiches)* imprimersi.
ab·dunkeln *tr* oscurare.
ab·ebben *itr* ⟨*sein*⟩ **1.** *(Flut)* decrescere; **2.** *fig* diminuire.
abend ['a:bənt] *adv:* **heute/gestern/morgen/Freitag** ~ questa/ieri/domani/venerdì sera; **bis heute** ~**!** a stasera!
Abend ⟨-s, -e⟩ *m* sera *f; (Veranstaltung)* serata *f;* **zu** ~ **essen** cenare; **am** ~**, des** ~**s** di (*o* (al)la) sera; **eines** ~**s** una sera; **jeden** ~ ogni sera; **guten** ~**!** buona sera!; **der Heilige** ~ la vigilia di Natale. **Abendbrot, -essen** *n* cena *f.* **abendfüllend** *adj* che occupa l'intera serata. **Abendgymnasium** *n* liceo *m* serale. **Abendkasse** *f* cassa *f,* botteghino *m.* **Abendkleid** *n* abito *m* da sera. **Abendkurs** *m* corso *m* serale. **Abendland** *n:* **das** ~ l'Occidente *m.* **abendländisch** [-lɛndɪʃ] *adj* occidentale. **Abendmahl** *n rel* comunione *f; (in Kunst)* cenacolo *m.* **Abendrot** *n* rosso *m* di sera.
abends ['a:bənt͜s] *adv* di (*o* la) sera.
Abendschule *f* scuola *f* serale.
Abenteuer ['a:bəntɔ͜yɐ] ⟨-s, -⟩ *n* avventura *f.* **Abenteuerferien** *pl* vacanze *f pl* avventurose. **abenteuerlich** *adj* **1.** *(gefährlich)* avventuroso; **2.** *(seltsam)* strano, fantastico. **Abenteuerroman** *m* romanzo *m* d'avventure. **Abenteuerspielplatz** *m* parco *m* Robinson. **Abenteurer(in)** ['a:bəntɔ͜yrɐ (...ərɪn)] ⟨-s, -⟩ *m(f)* avventuriero, -a *m, f.*
aber ['a:bɐ] **I.** *konj* **1.** *(Gegensatz)* ma, invece; **2.** *(Einschränkung)* però, tuttavia; **3.** *(Verstärkung)* ma; **II.** *adv:* ~ **und** ~**mals** ripetutamente; **tausend und** ~ **tausend, Tausende und** ~ **Tausende** migliaia e migliaia. **Aber** ⟨-s, -⟩ *n* ma *m;* **nach vielen Wenn und** ~ dopo molti se e ma.
Aberglaube *m* superstizione *f.*
abergläubisch [-glɔ͜ybɪʃ] *adj* superstizioso.
ab·erkennen ⟨*irr, ohne ge-*⟩ *tr* non riconoscere (*jdm etw.* qc a qu); *jur* privare (*jdm etw.* qu di qc).
Aberkennung ⟨-, -en⟩ *f* disconoscimento *m; jur* privazione *f.*
abermals [-ma:ls] *adv* di nuovo, un'altra volta.
aberwitzig *adj* folle, pazzo.
ab·fackeln *tr (gas)* pulire alla fiamma.
ab·fahren ⟨*irr*⟩ **I.** *itr* ⟨*sein*⟩ **1.** *allg.* partire (*nach* per); *(Schiff)* salpare; **2.** *(Skiläufer)* scendere; **II.** *tr* ⟨*haben*⟩ **1.** *(Last)* portare via; **2.** *(abtrennen)* troncare; **3.** *(Strecke)* percorrere; **4.** *(Reifen, Fahrkarte)* consumare.
Abfahrt *f* **1.** *allg.* partenza *f;* **2.** *(Ski~)* discesa *f; (Piste)* pista *f* di discesa; **3.** *(Autobahn~)* uscita *f.* **Abfahrt(s)zeit** *f* (orario *m* di) partenza *f.*
Abfall[1] ⟨-(e)s, -fälle⟩ *m (Reste)* residuo *m; (a. radioaktiver ~)* scoria *f; (Küchen~)* rifiuti *m pl* (domestici), immondizie *f pl.*
Abfall[2] ⟨-(e)s, ø⟩ *m* **1.** *(Glaubens~)* apostasia *f,* rinnegamento *m; (Partei~)* defezione *f,* abbandono *m;* **2.** *(Abnahme)* calo *m,* diminuzione *f;* **3.** *(Neigung)* pendenza *f,* pendio *m.*
Abfallbeseitigung *f* eliminazione *f* dei rifiuti. **Abfalleimer** *m* secchio *m* della spazzatura, pattumiera *f.*

ab·fallen ⟨*irr*⟩ *itr* ⟨*sein*⟩ **1.** *(herunterfallen)* cadere, staccarsi; **2.** *(abnehmen)* calare, diminuire; *(bes. sport)* crollare; **3.** *(Gelände)* digradare; *(Straße)* scendere; **4.** *fig (a. von Partei)* abbandonare (*von jdm/etw.* qu/qc); *(von Glauben)* rinnegare (*von etw.* qc). **abfallend** *adj* in declivio, in pendenza.

abfällig *adj (Urteil, Kritik)* sfavorevole; *(Bemerkung)* sprezzante.

Abfallprodukt *n* prodotto *m* di scarto, sottoprodotto *m*, cascame *m*. **Abfallvermeidung** *f* riduzione *f* dei rifiuti. **Abfallverwertung** *f* riciclaggio *m* dei rifiuti.

ab·fangen ⟨*irr*⟩ *tr* **1.** *(Brief, Agenten)* intercettare; *(Funkspruch)* captare; **2.** *(Stoß)* attutire; *(Schlag)* parare.

ab·färben *itr* stingere, lasciare il colore (*auf +akk* su); **auf jdn** ~ *fig* influenzare qu.

ab·fassen *tr* redigere, stendere.

ab·fertigen *tr* **1.** *(Briefe, Pakete)* spedire; **2.** *(zollamtlich)* ispezionare; **3.** *(Kunden)* servire; **4.** *fam (unfreundlich behandeln)* liquidare (con poche parole).

Abfertigung *f* **1.** *(Versand)* spedizione *f*; **2.** *(zollamtlich)* visita *f;* **3.** *fam* sbrigare *m*, liquidare *m*. **Abfertigungsschalter** *m* check point *m*, sportello *m* controllo viaggiatori.

ab·feuern *tr (Waffe)* scaricare; *(Schuß)* sparare.

ab·finden ⟨*irr*⟩ **I.** *tr* compensare, indennizzare; **II.** *rfl:* **sich** ~ rassegnarsi (*mit* a).

Abfindung ⟨-, -en⟩ *f* indennizzo *m*, liquidazione *f*.

ab·flauen *itr* ⟨*sein*⟩ calare; *(Geschäfte)* ristagnare.

ab·fliegen ⟨*irr*⟩ **I.** *itr* ⟨*sein*⟩ *(Flugzeug)* decollare; *(Personen)* partire con l'aereo (*nach* per); **II.** *tr* ⟨*haben*⟩ **1.** *(mit Flugzeug)* sgomberare con l'aereo; **2.** *(einen Raum)* sorvolare.

ab·fließen ⟨*irr*⟩ *itr* ⟨*sein*⟩ scorrere fuori; *(a. Geld)* defluire.

Abflug *m aero* decollo *m*.

Abfluß *m* **1.** *(Vorgang)* deflusso *m; (Öffnung)* scarico *m;* **2.** *(von Kapital)* fuga *f*. **Abflußrohr** *n* tubo *m* di scarico.

ab·fragen *tr* interrogare (*jdn etw.* qu in *o* su qc).

Abfuhr ['apfu:ɐ̯] ⟨-, -en⟩ *f* sgombero *m*, rimozione *f; fig* rabbuffo *m;* **jdm eine ~ erteilen** opporre un rifiuto a qu.

ab·führen **I.** *tr* **1.** *(Gefangene)* condurre via; **2.** *(fig, a. Weg)* sviare (*von* da); *(vom Thema)* far deviare (*von* da); **II.** *itr med* purgare.

Abführmittel *n* purgante *m*, lassativo *m*.

ab·füllen *tr* travasare; *(in Flaschen)* imbottigliare.

Abfüllung *f* travaso *m; (in Flaschen)* imbottigliamento *m*.

Abgabe *f* **1.** *(Ablieferung)* consegna *f;* **2.** *(Verkauf)* vendita *f;* **3.** ⟨*meist pl*⟩ *(Steuern)* tasse *f pl,* imposte *f pl;* **4.** *sport* passaggio *m;* **5.** *(Ausströmen, Ausstrahlen)* emissione *f*, emanazione *f*. **abgabenfrei** *adj* esente da tasse (*o* imposte). **abgabenpflichtig** *adj* tassabile, imponibile.

Abgang *m* **1.** *(Abfahrt)* partenza *f;* **2.** *(Absendung)* invio *m;* **3.** *fig (von Stellung, Arbeit)* ritiro *m*, abbandono *m;* **4.** *theat* uscita *f;* **5.** *med* espulsione *f; (Fehlgeburt)* aborto *m;* **6.** *(Absatz)* smercio *m;* **7.** *com (Verlust)* calo *m*. **Abgangszeugnis** *n* certificato *m* finale.

Abgas *n* gas *m* di scarico. **abgasarm** *adj* a scarsa emissione di gas nocivi, ecologico. **Abgasgrenzwert** *m* limite *m* (di tolleranza) dei gas di scarico. **Abgassonderuntersuchung** *f* analisi *f* dei gas di scarico.

abgearbeitet *adj* spossato, esaurito.

ab·geben ⟨*irr*⟩ *tr* **1.** *(Brief, Schriftstück)* consegnare; **2.** *(Erklärung)* rilasciare; **3.** *(Amt)* dimettersi da; **4.** *(Gepäck)* depositare; **5.** *(darstellen)* rappresentare; **6.** *sport* passare; **7.** *phys (Wärme)* emanare; *(Strahlungsenergie)* dare; *(Schuß)* sparare; **sich mit etw./jdm** ~ occuparsi di qc/qu; **abgegebene Stimmen** voti espressi (*o* dati); **sein Urteil über etw.** *(akk)* ~ esprimere il proprio giudizio su qc.

abgebrannt *adj fig fam* al verde *fig*.

abgebrüht *adj fig fam* smaliziato.

abgedroschen *adj* vuoto, banale; **~e Redensart** luogo comune.

abgefeimt ['apgəfaimt] *adj* furbo, matricolato.

abgegriffen *adj* logoro.

abgehackt *adj (Sprechweise)* stentato.

abgehärtet *adj* resistente (*gegen* a), temprato (*gegen* a).

ab·gehen ⟨*irr*⟩ *itr* ⟨*sein*⟩ **1.** *(abfahren, a. Post)* partire; **2.** *(aus Amt)* ritirarsi; *(frühzeitig von Schule, abbrechen)* abbandonare (*von etw.* qc); **3.** *(Knopf, etc.)* staccarsi; **4.** *(Schauspieler)* uscire (di scena); **5.** *(Ware)* vendersi, smerciarsi; **6.** *(abzweigen)* diramarsi; **7.** *(von Prinzip)* derogare (*von* a); *(von Forderung)* rinunciare (*von* a); **er geht mir sehr ab** mi manca molto; **es gehen drei Mark ab** vanno dedotti tre marchi.

abgekämpft *adj* esausto, spossato.

abgekartet ['apgəkartət] *adj:* **~e Sache** cosa combinata; **~es Spiel** cosa concertata.

abgelegen *adj* appartato, fuori mano.

abgemacht *adj* concordato, convenuto, pattuito; **~!** d'accordo!

abgeneigt *adj* avverso, sfavorevole, contrario.

abgenutzt *adj* logoro, consumato.

Abgeordnete ['apgəˀɔrdnətə] ⟨ein -r, -n, -n⟩ *mf* delegato, -a *m, f; pol* deputato, -a *m, f.* **Abgeordnetenbezüge** *pl* indennità *f* parlamentare.

abgeschieden *adj* appartato, solitario. **Abgeschiedenheit** ⟨-, ø⟩ *f* isolamento *m,* solitudine *f.*

abgeschlafft ['apgəʃlaft] *adj fam* spompato *fam.*

abgesehen *adv:* ~ **von** a prescindere da, eccetto; **davon** ~ a parte questo; **von einigen Ausnahmen** ~ tranne qualche eccezione; **es auf etw./jdn** ~ **haben** aver preso di mira qc/qu.

abgespannt *adj* spossato, esaurito. **Abgespanntheit** *f* spossatezza *f.*

abgestanden *adj* guasto; *(Luft)* viziato; *(Wasser)* stantio.

abgestumpft *adj* ottuso (*gegen* a), insensibile (*gegen* a).

ab·gewinnen ⟨*irr, ohne ge-*⟩ *tr* **1.** *(Geld)* vincere (*jdm etw.* qc a qu); **2.** *(Achtung, Vertrauen)* guadagnarsi; **einer S.** *(dat)* **Geschmack** ~ provar gusto in qc; **jdm ein Lächeln** ~ strappare un sorriso a qu.

ab·gewogen ['apgəvo:gən] *pp von* **abwägen, abwiegen.**

ab·gewöhnen ⟨*ohne ge-*⟩ *tr:* **jdm etw.** ~ disabituare qu da qc, far perdere a qu l'abitudine (*o* il vizio) di qc; **sich** *(dat)* **das Rauchen** ~ levarsi il vizio di fumare.

Abgott *m* idolo *m.*

ab·grasen *tr* **1.** *(abweiden)* brucare l'erba di, pascolare; **2.** *fig* sfruttare.

ab·grenzen *tr* **1.** *(begrenzen)* delimitare; **2.** *fig* determinare, definire.

Abgrenzung ⟨-, -en⟩ *f* **1.** *(Begrenzung)* delimitazione *f;* **2.** *fig* determinazione *f,* definizione *f.*

Abgrund *m* abisso *m,* precipizio *m.*

ab·gucken *tr* **1.** *(Trick)* apprendere (*jdm etw.* qc da qu); **2.** *(Schüler: abschreiben)* copiare (*von* da).

ab·hacken *tr* troncare, tagliare.

ab·halten ⟨*irr*⟩ *tr* **1.** *(fernhalten)* tenere lontano (*von* da); **2.** *(hindern)* impedire; *(von Arbeit)* distogliere (*von* da); **3.** *(Sitzung)* tenere; *(Gottesdienst)* celebrare; **4.** *(Kind)* far fare i bisogni a; **Unterricht** ~ fare lezione.

ab·handeln *tr* **1.** *(abkaufen)* ottenere trattando (*jdm etw.* qc da qu); **2.** *(vom Preis)* ottenere una riduzione di; **3.** *fig (schriftlich)* trattare.

abhanden [ap'handən] *adv:* ~ **kommen** andare smarrito (*o* perduto).

Abhandlung *f* trattato *m* (*über +akk* su).

Abhang *m* pendio *m.*

ab·hängen I. ⟨*reg*⟩ *tr* **1.** *(herunternehmen)* staccare; **2.** *Eisenb., mot* sganciare; **3.** *fig, sport* distaccare; **II.** ⟨*irr*⟩ *itr* dipendere (*von* da); *(Fleisch)* frollare.

abhängig *adj* dipendente (*von* da); **etw.** ~ **machen von** subordinare qc a; **von jdm** ~ **sein** dipendere da qu. **Abhängigkeit** ⟨-, -en⟩ *f* dipendenza *f* (*von* da); **gegenseitige** ~ interdipendenza *f.*

ab·härten *tr* rendere resistente (*gegen* a); *(a. fig)* temprare (*gegen* contro).

ab·hauen ⟨*irr*⟩ *itr* ⟨*sein*⟩ *fam* andarsene, tagliare la corda *fam.*

ab·heben ⟨*irr*⟩ **I.** *tr* **1.** *(hochheben)* togliere; *(Hörer)* staccare; *(Spielkarten)* alzare; **2.** *fin* prelevare; **II.** *itr aero* decollare; **III.** *rfl:* **sich** ~ delinearsi (*von* su, contro), distinguersi (*von* da).

ab·heften *tr* mettere in un classificatore.

ab·helfen ⟨*irr*⟩ *itr* rimediare; *(Schwierigkeit)* togliere di mezzo; **dem kann abgeholfen werden** per questo c'è rimedio.

ab·hetzen *rfl:* **sich** ~ affannarsi, affaticarsi.

Abhilfe *f* rimedio *m,* riparo *m;* ~ **schaffen** trovar rimedio (*in etw. (dat)* a qc).

Abholdienst *m* servizio *m* di presa a domicilio.

ab·holen *tr (Person)* andare a prendere; *(Gegenstand)* ritirare.

Abholmarkt *m* (magazzino *m*) cash and carry *m.*

ab·holzen *tr* disboscare.

ab·horchen *tr* **1.** *med* auscultare; **2.** *tel, radio* intercettare.

ab·hören *tr* **1.** *(aufsagen lassen)* far dire; **2.** *tel, radio* intercettare; **3.** *med* auscultare.

Abi ['abi] ⟨-s, -s⟩ *n fam,* **Abitur** [abi'tu:ɐ] ⟨-s, -e⟩ *n* maturità *f.*

Abiturient(in) [...tu'rjɛnt(ɪn)] ⟨-en, -en⟩ *m(f)* **1.** *(vor, im Abitur)* maturando, -a *m, f;* **2.** *(nach Abitur)* maturato, -a *m, f.*

ab·kapseln I. *tr* incapsulare; **II.** *rfl:* **sich** ~ isolarsi (*von* da).

ab·kaufen *tr* **1.** *com* acquistare (*jdm etw.* qc da qu); **2.** *fam (glauben)* credere (*jdm etw.* qc a qu); **diese Geschichte kaufe ich dir nicht ab!** non me la dai d'intendere! *fam.*

ab·kehren *rfl:* **sich** ~ scostarsi (*von* da).

ab·klappern *tr fam* percorrere (*etw. nach etw.* qc in cerca di qc), battere (*etw. nach etw.* qc in cerca di qc).

ab·klären *tr fig* chiarire.

Abklatsch ⟨-(e)s, -e⟩ *m* imitazione *f.*

ab·klingen ⟨*irr*⟩ *itr* ⟨*sein*⟩ *(Schmerz, Erregung)* calmarsi; *(Krankheit)* essere in via di guarigione.

ab·knöpfen *tr* **1.** *(Kleidung)* sbottonare; **2.** *fig fam* spillare.

ab·kochen *tr (Wasser)* far bollire; *(Kartoffeln)* lessare.

ab·kommen ⟨*irr*⟩ *itr* ⟨*sein*⟩ **1.** *(vom Weg)* deviare (*von* da); **2.** *(loskommen)* liberarsi (*von* da); **vom Thema** ~ deviare dall'argomento; **vom Weg** ~ allontanarsi dalla strada, smarrirsi.

Abkommen ⟨-s, -⟩ *n* accordo *m; pol* convenzione *f* (*über +akk* su), patto *m* (*über +akk* su).

abkömmlich ['apkœmlɪç] *adj* disponibile, libero.

Abkömmling ['apkœmlıŋ] ⟨-s, -e⟩ *m* discendente *mf.*
ab·kratzen I. *tr* ⟨*haben*⟩ **1.** *(Schmutz, Farbe)* togliere grattando; **2.** *(Gegenstand)* raschiare; **II.** *itr* ⟨*sein*⟩ *vulg* tirare le cuoia *volg.*
ab·kriegen *fam s.* **abbekommen.**
ab·kühlen I. *tr* fare (*o* lasciare) raffreddare; **II.** *rfl:* **sich** ~ raffreddarsi; *(Wetter)* rinfrescare; *(Mensch: sich erfrischen)* rinfrescarsi.
Abkühlung *f* raffreddamento *m.*
ab·kupfern *tr fam* prendere lo spunto di, ispirarsi a.
ab·kürzen *tr* accorciare; *(Wort)* abbreviare.
Abkürzung *f* accorciamento *m; (kürzerer Weg)* accorciatoia *f; (Wort)* abbreviazione *f.*
ab·laden ⟨*irr*⟩ *tr* scaricare.
Ablage *f* **1.** *(von Akten)* archiviazione *f;* **2.** *(Ort)* deposito *m,* magazzino *m; (Akten~)* archivio *m; (Kleider~)* guardaroba *m.* **Ablagefach** *n mot* vano *m* portaoggetti. **Ablagefläche** *f* appoggio *m.*
ab·lagern I. *tr* ⟨*haben*⟩ depositare; **II.** *itr* ⟨*sein*⟩ stagionare; *(Wein)* invecchiare; **III.** *rfl:* **sich** ~ depositarsi.
Ablagerung *f* **1.** *geol* sedimentazione *f;* **2.** *(Abgelagertes)* deposito *m;* **3.** *(Lagerung)* stagionatura *f,* invecchiamento *m.*
Ablaß ['aplas] ⟨-lasses, -lässe⟩ *m* indulgenza *f.*
ab·lassen ⟨*irr*⟩ **I.** *tr* **1.** *(Flüssigkeit)* far defluire; *(Gas)* scaricare; **2.** *(Faß, Teich)* (s)vuotare; **3.** *com* scontare; **II.** *itr:* **von etw.** ~ desistere da qc; **von jdm** ~ lasciare qu.
Ablauf *m* **1.** *(das Ablaufen)* deflusso *m; (Ausguß)* scarico *m;* **2.** *(von Vorgang)* (de)corso *m; (von Frist, Vertrag)* scadenza *f,* termine *m;* **nach** ~ **der Frist** alla scadenza.
ab·laufen ⟨*irr*⟩ **I.** *itr* ⟨*sein*⟩ **1.** *(abfließen)* defluire, scorrere; **2.** *(sich entleeren)* svuotarsi; **3.** *(Vorgang, a. Tonband)* svolgersi; *(Film)* venir proiettato; **4.** *fig (zu Ende gehen)* andare a finire; *(Frist, Vertrag)* scadere, spirare; **II.** *tr* ⟨*haben*⟩ **1.** *(Schuhe)* consumare; **2.** *(Strecke)* percorrere.
ab·legen I. *tr* **1.** *(hinlegen)* deporre; *(Kleider)* levarsi; **2.** *(Gewohnheit)* togliersi; **3.** *(Brief, Akten)* classificare; **4.** *(Eid)* prestare; *(Prüfung, Geständnis)* fare; **Rechenschaft** ~ rendere conto (*über +akk* di); **Zeugnis** ~ prestare testimonianza (*über +akk* di); **II.** *itr* levarsi (*o* togliersi) i vestiti.
Ableger ⟨-s, -⟩ *m bot* propaggine *f.*
ab·lehnen *tr* rifiutare; *(Einladung, Wahl)* declinare; *(Antrag)* respingere; **jdn** ~ respingere qu. **ablehnend** *adj* contrario, sfavorevole; *(Antwort)* negativo; **sich** ~ **verhalten** mostrarsi sfavorevole (*gegenüber* a).
Ablehnung ⟨-, -en⟩ *f* rifiuto *m; (von Antrag)* rigetto *m.*
ab·leiten *tr* **1.** *(umleiten)* deviare; **2.** *ling, mat, el, fig* derivare; **3.** *(folgern)* dedurre, trarre.
Ableitung *f* **1.** *(Vorgang)* deviazione *f;* **2.** *(Folgerung)* deduzione *f;* **3.** *ling, el, fig* derivazione *f; mat* derivata *f.*
ab·lenken *tr* **1.** *(in andere Richtung lenken)* deviare; **2.** (zerstreuen) distrarre; *(Gedanken, Aufmerksamkeit)* distogliere; *(Verdacht)* allontanare.
Ablenkung *f* **1.** *(Umleitung)* deviazione *f;* **2.** *(Zerstreuung)* distrazione *f,* svago *m.*
Ablenkungsmanöver *n* manovra *f* diversiva.
Ablesegerät *n tec* strumento *m* indicatore, indicatore *m.*
ab·lesen ⟨*irr*⟩ *tr* leggere.
ab·liefern *tr* consegnare.
Ablieferung *f* consegna *f.*
ab·lösen I. *tr* **1.** *(entfernen)* staccare (*von* da); **2.** *(bei Arbeit)* dare il cambio (*mit* a), alternarsi (*mit* con); *(im Amt)* sostituire; **II.** *rfl:* **sich** ~ *(Farbe)* staccarsi; *(Haut)* squamarsi.
Ablösesumme *f sport* riscatto *m.*
Ablösung *f* **1.** *(das Loslösen)* stacco *m;* **2.** *(bei Tätigkeit)* cambio *m; (a. mil)* rilevamento *m; (im Amt)* sostituzione *f.*
Abluft *f* aria *f* di scarico.
ABM [ɑ:be:ɛm] *abk von* **Arbeitsbeschaffungsmaßnahme** *f* provvedimento *m* (*o* misura *f*) di creazione di posti di lavoro.
ab·machen[1] *tr (wegmachen)* togliere, staccare.
ab·machen[2] *tr (vereinbaren)* concordare; **das sollen sie unter sich** ~! si arrangino!; **abgemacht!** d'accordo!
Abmachung ⟨-, -en⟩ *f* accordo *m.*
ab·magern *itr* ⟨*sein*⟩ dimagrire.
Abmagerungskur *f* cura *f* dimagrante.
ab·malen *tr* dipingere; *(kopieren)* copiare.
ab·melden I. *tr* **1.** *(von Schule)* ritirare; **2.** *(Besuch, Zeitung, Telefon)* disdire; **II.** *rfl:* **sich** ~ **1.** *(bes. mil)* congedarsi; **2.** *(polizeilich)* notificare il cambiamento di residenza (*bei* a, presso).
ab·messen ⟨*irr*⟩ *tr* misurare.
ab·montieren ⟨*ohne ge-*⟩ *tr* smontare.
ab·mühen *rfl:* **sich** ~ darsi pena (*mit* con).
ab·nabeln I. *tr* tagliare il cordone ombelicale a; **II.** *rfl:* **sich** ~ *fig* staccarsi.
Abnahme ['apna:mə] ⟨-, -n⟩ *f* **1.** *(Wegnahme)* asportazione *f,* rimozione *f;* **2.** *(Verringerung)* diminuzione *f,* calo *m;* **3.** *com* acquisto *m;* **4.** *(Prüfung)* collaudo *m;* ~ **finden** trovare smercio.
ab·nehmen ⟨*irr*⟩ **I.** *tr* **1.** *(Bild, Telefonhörer)* staccare; *(Wäsche)* levare; *(Hut, Brille, Verband)* togliere; **2.** *med* ampu-

tare, asportare; **3.** *(rauben)* rubare; **4.** *(prüfen)* controllare; *(Neubau, Maschine)* collaudare; **5.** *(abkaufen)* acquistare; **6.** *(an Gewicht)* dimagrire (di); **die Parade** ~ passare in rivista le truppe; **jdm ein Versprechen** ~ far promettere qc a qu; **II.** *itr* **1.** *(kleiner werden)* diminuire; *(kürzer werden)* accorciarsi; *(Mond)* decrescere; **2.** *(an Gewicht)* dimagrire.

Abnehmer(in) ⟨-s, -⟩ *m(f)* acquirente *mf* compratore, -trice *m, f.*

Abneigung *f* avversione *f* (*gegen* per), antipatia *f* (*gegen* per).

abnorm [ap'nɔrm] *adj* anormale, abnorme.

ab·nutzen I. *tr* consumare, logorare; **II.** *rfl:* **sich** ~ consumarsi, logorarsi.

Abnutzung *f* usura *f,* logorio *m,* consumo *m.*

Abo ['abo] ⟨-s, -s⟩ *n fam abk von* **Abonnement** abbonamento *m.*

Abonnement [abɔnə'mã:] ⟨-s, -s⟩ *n* abbonamento *m* (*auf +akk* a); **ein ~ haben** essere abbonato.

Abonnent(in) [...'nɛnt(ɪn)] ⟨-en, -en⟩ *m(f)* abbonato, -a *m, f.*

abonnieren [...'ni:rən] ⟨*ohne ge-*⟩ **I.** *tr* abbonare; **II.** *itr:* **etw. abonniert haben** essere abbonato a qc.

Abordnung *f* delegazione *f; pol* deputazione *f.*

Abort[1] [a'bɔrt] ⟨-s, -e⟩ *m obs (WC)* gabinetto *m,* ritirata *f.*

Abort[2] [a'bɔrt] ⟨-s, -e⟩ *m med* aborto *m.*

ab·passen *tr* **1.** *(Person)* appostare; **2.** *(Gelegenheit)* attendere.

ab·pfeifen ⟨*irr*⟩ *tr:* **das Spiel** ~ fischiare la fine del gioco.

Abpfiff *m* fischio *m* finale.

ab·prallen *itr* ⟨*sein*⟩ **1.** *(Ball)* rimbalzare (*an + dat, von* contro); **2.** *fig (Vorwürfe)* rimanere senza effetto.

ab·putzen *tr* pulire.

ab·rackern ['aprakɐn] *rfl:* **sich** ~ *fam* sfacchinare *fam.*

Abraham ['a:braham] *(männlicher Vorname)* Abramo.

ab·raten ⟨*irr*⟩ *itr* sconsigliare (*jdm von etw.* qc a qu), dissuadere (*jdm von etw.* qu da qc).

ab·räumen *tr* **1.** *(Sachen)* sgomb(e)rare; **2.** *(Tisch)* sparecchiare.

ab·reagieren ⟨*ohne ge-*⟩ **I.** *tr* sfogare (*an +dat* su), scaricare (*an +dat* su); **II.** *rfl:* **sich** ~ scaricarsi (*an +dat* su).

ab·rechnen I. *itr* chiudere il conto; **mit jdm** ~ *fig* fare i conti con qu; **II.** *tr (abziehen)* detrarre, dedurre.

Abrechnung *f* **1.** *(Rechnungsabschluß)* liquidazione *f;* **2.** *fig* resa *f* dei conti; **3.** *(Abzug)* deduzione *f,* detrazione *f,* defalco *m;* **nach ~ von ...** dedotto ..., defalcato ... **Abrechnungszeitraum** *m* periodo *m* di bilancio.

ab·regen *rfl:* **sich** ~ *fam* calmarsi, quietarsi, darsi una calmata.

ab·reiben ⟨*irr*⟩ *tr* **1.** *(beseitigen)* sfregare; **2.** *(säubern)* pulire (strofinando); **3.** *(trocknen)* frizionare.

Abreibung *f* **1.** *med* frizione *f;* **2.** *fam (Prügel)* bastonate *f pl.*

Abreise *f* partenza *f* (*nach* per).

ab·reisen *itr* ⟨*sein*⟩ partire (*nach* per).

ab·reißen ⟨*irr*⟩ **I.** *tr* ⟨*haben*⟩ **1.** *(Plakat, Blatt)* staccare, strappare; **2.** *(Gebäude)* abbattere; **II.** *itr* ⟨*sein*⟩ **1.** *(Knopf, Faden)* staccarsi, strapparsi; **2.** *(Verbindung)* interrompersi.

ab·richten *tr* addestrare.

Abriß *m* **1.** *(Abbruch)* demolizione *f;* **2.** *(Skizze)* schizzo *m,* abbozzo *m;* **3.** *(kurze Darstellung)* compendio *m.*

ab·rollen I. *tr* ⟨*haben*⟩ srotolare, svolgere; **II.** *itr* ⟨*sein*⟩ srotolarsi; *(Programm, Leben)* svolgersi.

abrufbar *adj inform* disponibile in registro, registrato. **abrufbereit** *adj* a disposizione.

ab·rufen ⟨*irr*⟩ *tr inform* richiamare.

ab·runden *tr* **1.** *(Summe)* arrotondare; **2.** *(vervollkommnen)* perfezionare.

abrupt [ap'rʊpt] *adj* improvviso, repentino.

ab·rüsten *tr, itr* disarmare.

Abrüstung *f* disarmo *m.* **Abrüstungsgespräche** *n pl* trattative *f pl* per il disarmo. **Abrüstungskonferenz** *f* conferenza *f* per il (*o* sul) disarmo. **Abrüstungsverhandlungen** *pl* trattative *f pl* sul disarmo.

ab·rutschen *itr* ⟨*sein*⟩ scivolare giù (*o* via).

Abruzzen [a'brʊtsən] ⟨*pl*⟩ Abruzzo *m,* Abruzzi *m pl.*

ABS [ɑ:be:ɛs] *n abk von* **Antiblockiersystem** ABS *m,* sistema *m* antibloccaggio.

Abs. *abk von* **Absender** mitt. (*abbr di* mittente).

Absage *f* **1.** *(Antwort)* risposta *f* negativa; **2.** *(Ablehnung)* rifiuto *m.*

ab·sagen I. *tr* disdire; **II.** *itr* scusarsi di non poter venire (*jdm* da *o* presso qu).

ab·sägen *tr* **1.** *(Ast)* segare; **2.** *fig fam (kündigen)* liquidare, silurare.

ab·sahnen I. *tr* **1.** *(Milch)* scremare; **2.** *fam (Geld)* far man bassa di; **II.** *itr fam* far man bassa.

Absatz *m* **1.** *typ* paragrafo *m; (a. jur)* capoverso *m;* **2.** *(Treppen~)* pianerottolo *m;* **3.** *(Schuh~)* tacco *m;* **4.** *(Verkauf)* smercio *m,* vendita *f;* ~ **finden** *com* trovare collocamento, vendersi; **reißenden ~ finden** andare a ruba; **neuer ~** *(beim Diktat)* a capo. **Absatzgebiet** *n* zona *f* di smercio. **Absatzmarkt** *m* mercato *m,* sbocco *m.*

ab·saugen *tr* **1.** *(wegsaugen)* aspirare; **2.** *(säubern)* pulire con l'aspirapolvere.

ab·schaffen *tr (aufheben)* abolire, sopprimere; *(Gesetz)* abrogare; *(Dinge)* rinunciare a, eliminare.
Abschaffung *f* abolizione *f*, soppressione *f; jur* abrogazione *f; (von Dingen)* eliminazione *f*.
ab·schalten **I.** *tr* disinserire; *(Radio, Motor)* spegnere; **II.** *itr fam* distrarsi.
ab·schätzen *tr* stimare; *(berechnend)* valutare.
abschätzig *adv:* **von jdm ~ sprechen** parlare con disprezzo di qu.
Abschaum *m* feccia *f*.
Abscheu ⟨-(e)s, ø⟩ *m* ripugnanza *f*, ripulsione *f*. **abscheulich** [ap'ʃɔylɪç] *adj* orribile, ripugnante; *(Verbrechen)* atroce; *(Mensch)* detestabile.
ab·schicken *tr* spedire; *(a. inform)* inviare.
ab·schieben ⟨*irr*⟩ *tr* **1.** *(abrücken)* scostare (*von* da); **2.** *(Verantwortung)* allontanare; **3.** *(Flüchtlinge, Ausländer)* espellere.
Abschied ['apʃi:t] ⟨-(e)s, -e⟩ *m* addio *m; (Trennung)* separazione *f; mil* congedo *m; (Ausscheiden aus Amt)* dimissioni *f pl;* **von jdm ~ nehmen** congedarsi da qu, accomiatarsi da qu; **zum ~** come addio. **Abschiedsfeier** *f* festa *f* d'addio. **Abschiedskuß** *m* bacio *m* d'addio.
ab·schießen ⟨*irr*⟩ *tr* **1.** *(Schuß)* sparare; *(Pfeil)* scoccare; *(Gewehr)* scaricare; *(Rakete)* lanciare; **2.** *(Flugzeug, Vogel)* abbattere; **3.** *fig fam* silurare.
ab·schirmen *tr* schermare (*gegen* da).
ab·schlagen ⟨*irr*⟩ *tr* **1.** *(entfernen)* staccare; **2.** *fig* rifiutare.
abschlägig ['apʃlɛ:gɪç] *adj* negativo.
ab·schleifen ⟨*irr*⟩ *tr* **1.** *(entfernen)* togliere molando; **2.** *(glätten)* molare, levigare.
Abschleppdienst *m* servizio *m* ricovero officina, soccorso *m* stradale.
ab·schleppen *tr* rimorchiare.
Abschleppseil *n* cavo *m* da rimorchio. **Abschleppstange** *f* barra *f* (di accoppiamento) per rimorchio. **Abschleppwagen** *m* carro *m* attrezzi.
ab·schließen ⟨*irr*⟩ **I.** *tr* **1.** *(zuschließen)* chiudere a chiave; **2.** *fig (beenden)* terminare, finire; *(erledigen)* regolare; **3.** *(Geschäft, Rede, Brief)* concludere; *(Versicherung, Vertrag)* stipulare; *(Wette)* fare; **II.** *itr (enden)* chiudere, finire. **abschließend** **I.** *adj* conclusivo; **II.** *adv* per concludere, in conclusione.
Abschluß *m* **1.** *(Ende)* fine *f*, termine *m*, conclusione *f;* **2.** *(Geschäfts~, Vertrags~)* conclusione *f;* **zum ~** a conclusione; **zum ~ bringen** portare a termine. **Abschlußprüfung** *f* **1.** *(in Schule)* esame *m* finale (*o* di licenza); **2.** *com* revisione *f* del bilancio di chiusura. **Abschlußzeugnis** *n* diploma *m* (di licenza).
ab·schmecken *tr* **1.** *(probieren)* assaggiare; **2.** *(würzen)* condire (*ein Gericht mit etw.* un piatto con qc).
ab·schminken **I.** *tr* togliere il trucco a; **II.** *rfl:* **sich ~** togliersi il trucco; **sich** *(dat)* **etw. ~** *fam* togliersi qc dalla testa.
ab·schmirgeln *tr* smerigliare.
ab·schnallen **I.** *tr (Schlittschuhe)* slacciare; *(Skier)* togliere; **II.** *itr fam* restar di stucco.
ab·schneiden ⟨*irr*⟩ **I.** *tr* tagliare; *fig (Wort)* troncare; **jdm den Weg ~** sbarrare la strada a qu; **II.** *itr:* **schlecht/gut ~** avere un cattivo/buon risultato.
Abschnitt *m* **1.** *(Teilstück)* parte *f*, (ri)taglio *m;* **2.** *typ* passaggio *m*, capitolo *m;* **3.** *(Kontroll~)* tagliando *m* di controllo; *fin* cedola *f;* **4.** *(Zeit~)* epoca *f; (Lebens~)* periodo *m;* **5.** *mat* segmento *m;* **6.** *(Bau~)* tronco *m*.
ab·schöpfen *tr* togliere, levare; **das Fett (von der Soße) ~** sgrassare il sugo; **den Rahm (von der Milch) ~** scremare il latte.
abschotten *rfl:* **sich ~** proteggersi, ritirarsi in sé stesso.
ab·schrauben *tr* svitare.
ab·schrecken *tr* **1.** *(Person)* intimorire, intimidire; **2.** *gastr* raffreddare in acqua; **sich durch nichts ~ lassen** non lasciarsi scoraggiare da nulla. **abschreckend** *adj* scoraggiante; *(abscheuerregend)* repellente; **ein ~es Beispiel** un esempio ammonitore.
Abschreckung ⟨-, -en⟩ *f* intimidazione *f;* **nukleare/atomare ~** strategia *f* d'intimidazione nucleare/atomica.
ab·schreiben ⟨*irr*⟩ **I.** *tr* **1.** *(Text)* copiare; *(neu schreiben)* ricopiare; **2.** *com* disdire, dedurre; **3.** *fig (nicht mehr rechnen mit)* considerare perduto; **II.** *itr (in Schule)* scopiazzare.
Abschreibung *f* deduzione *f; (Wertminderung)* deprezzamento *m*, ammortamento *m*.
Abschrift *f* copia *f*.
ab·schürfen *tr* escoriare.
Abschuß *m* **1.** *(Abfeuern)* sparo *m; (von Rakete, Torpedo)* lancio *m;* **2.** *(von Flugzeug)* abbattimento *m*.
abschüssig ['apʃʏsɪç] *adj* erto, ripido.
Abschußrampe *f* rampa *f* di lancio.
ab·schütteln *tr* **1.** *(Obst)* far cadere (scuotendo); **2.** *fig* sbarazzarsi (*etw.* di qc); *(Müdigkeit, Verfolger)* scuotersi di dosso.
ab·schwächen *tr* attenuare, mitigare; *(Stoß, Geräusch, Farbe)* smorzare.
ab·schweifen *itr* ⟨*sein*⟩ *(vom Thema)* divagare (*von* da).
absehbar *adj* prevedibile; **in ~er Zeit** in un prossimo futuro.
ab·sehen ⟨*irr*⟩ *tr, itr:* **es auf jdn/etw. abgesehen haben** prendere di mira qu/qc; **von etw. ~** prescindere da qc; **jdm etw. an den Augen ~** leggere qc negli occhi

di qu; **es ist noch kein Ende abzusehen** non si vede ancora la fine.

abseits ['apzaits] **I.** *prp +gen* lontano da; **II.** *adv* in disparte; *(Fußball)* fuori gioco. **Abseits** [-, ø] *n* fuorigioco *m.*

ab·senden ⟨*irr*⟩ *tr* inviare, spedire, mandare.

Absender(in) *m(f)* (*abk* **Abs.**) mittente *mf* (*abbr* mitt.).

absetzbar *adj* **steuerlich** ~ deducibile dalle tasse.

ab·setzen I. *tr* **1.** *(hin~)* deporre, posare; **2.** *(Hut, Brille)* togliersi; **3.** *(Beamte)* dimettere; *(Minister, Monarch)* deporre; **4.** *(Passagier)* far scendere; **5.** *fin* dedurre (*von* da), detrarre (*von* da); **6.** *com* smerciare, svendere; **7.** *(von Tagesordnung, Haushaltsplan)* eliminare; *(von Spielplan)* togliere dal programma; **II.** *rfl:* **sich** ~ **1.** *(sich ablagern)* depositarsi; *chem* precipitare; **2.** *(sich entfernen)* allontanarsi; **3.** *fig* contrastare.

Absetzung ⟨-, -en⟩ *f* destituzione *f.*

ab·sichern I. *tr* rendere sicuro (*gegen* contro); **II.** *rfl:* **sich** ~ assicurarsi (*gegen* da).

Absicht ⟨-, -en⟩ *f* **1.** *(Vorsatz)* intenzione *f;* **2.** *(Ziel)* scopo *m,* fine *m;* **in der** ~ *+inf* con l'intenzione di *+inf,* a fine di *+inf;* **mit** ~ intenzionalmente, di proposito; **das war nicht meine** ~ non l'ho fatto apposta. **absichtlich** *adj* intenzionale; *(vorsätzlich)* premeditato.

absolut [apzo'lu:t] *adj* **1.** *allg., mat, philos* assoluto; **2.** *(völlig, total)* totale.

Absolution [abzolu'tsio:n] ⟨-, -en⟩ *f* assoluzione *f.*

Absolutismus [...'tɪsmʊs] ⟨-, ø⟩ *m* assolutismo *m.*

absolutistisch [...'tɪstɪʃ] *adj* assolutista.

absolvieren [apzɔl'vi:rən] ⟨*ohne ge-*⟩ *tr* *(Schule)* frequentare e concludere; *(Pensum)* sbrigare; *(Examen)* superare.

ab·sondern I. *tr* **1.** *(Menschen)* isolare, separare; **2.** *(Eiter)* secernere; **II.** *rfl:* **sich** ~ segregarsi.

Absonderung ⟨-, -en⟩ *f* **1.** *(von Menschen)* isolamento *m,* segregazione *f;* **2.** *biol, med* secrezione *f.*

absorbieren [apzɔr'bi:rən] ⟨*ohne ge-*⟩ *tr* assorbire.

ab·sparen *tr:* **sich** *(dat)* etw. vom Munde ~ togliersi il pane di bocca per qu.

ab·specken *itr fam* dimagrire, diminuire (*o* calare) di peso.

abspenstig ['apʃpɛnstɪç] *adj:* ~ **machen** sottrarre; *(Freunde, Kunden)* portare via.

ab·sperren *tr* **1.** *(Straße)* sbarrare; **2.** *(Tür, tec)* chiudere (a chiave).

ab·spielen I. *tr* **1.** *(Platte)* (far) suonare; **2.** *(vom Blatt)* suonare a vista; **3.** *sport* passare; **II.** *rfl:* **sich** ~ svolgersi.

Absprache *f* accordo *m,* intesa *f.*

ab·sprechen ⟨*irr*⟩ **I.** *tr* **1.** *(verabreden)* accordarsi (*etw. mit jdm* con qu su qc), concordare (*etw. mit jdm* qc con qu); **2.** *(aberkennen)* disconoscere, contestare; **II.** *rfl:* **sich** ~ accordarsi.

ab·springen ⟨*irr*⟩ *itr* ⟨*sein*⟩ **1.** *(von Pferd, Fahrzeug)* saltare (giù); **2.** *(mit Fallschirm)* lanciarsi con il paracadute; **3.** *(Lack, Knopf)* staccarsi; **4.** *fig* staccarsi.

Absprung *m* salto *m,* slancio *m; (mit Fallschirm)* lancio *m* con il paracadute.

ab·spülen *tr* sciacquare; *(Geschirr)* rigovernare, lavare.

ab·stammen *itr* ⟨*sein*⟩ discendere *(von* da) *(Wort)* derivare *(von* da).

Abstammung ⟨-, -en⟩ *f* discendenza *f,* origine *f.*

Abstand *m* **1.** *(räumlich, fig)* distanza *f; (zeitlich)* intervallo *m;* **2.** *fig (Unterschied)* differenza *f; (innerer ~)* distacco *m;* **von etw.** ~ **nehmen** desistere da qc; **mit** ~ di gran lunga.

ab·statten ['apʃtatən] *tr geh:* **jdm einen Besuch** ~ fare visita a qu; **jdm seinen Dank** ~ rendere grazie a qu *lett.*

ab·stauben *tr* **1.** *(Möbel)* spolverare; **2.** *fig fam* grattare *fam.*

ab·stechen ⟨*irr*⟩ **I.** *tr* **1.** *(Rasen)* tagliare (via); **2.** *(Tier)* scannare; **II.** *itr (sich abheben)* contrastare (*gegen, von* con); *(bes. Farben)* spiccare (*von* su).

Abstecher ⟨-s, -⟩ *m* scappata *f.*

ab·stehen ⟨*irr*⟩ *itr (vorspringen)* sporgere, essere sporgente; **~de Ohren** orecchie a sventola.

Absteige ⟨-, -n⟩ *f fam pej* stamberga *f; (Stundenhotel)* albergo *m* a ore.

ab·steigen ⟨*irr*⟩ *itr* ⟨*sein*⟩ **1.** *(heruntersteigen)* scendere *(von* da); *(in Gasthof)* scendere *(in +dat* a); **2.** *sport* retrocedere.

ab·stellen *tr* **1.** *(hinstellen)* deporre, posare; *(Fahrzeug)* parcheggiare; **2.** *(abschalten)* fermare, arrestare; *(Wasser, Gas)* chiudere; *(Radio, Motor)* spegnere; **3.** *fig (unterbinden)* eliminare, sopprimere.

Abstellgleis *n* binario *m* morto. **Abstellraum** *m* ripostiglio *m.*

ab·stempeln *tr* **1.** *(Briefmarke)* timbrare; **2.** *fig (bezeichnen)* bollare (*als* come).

ab·sterben ⟨*irr*⟩ *itr* ⟨*sein*⟩ **1.** *(Pflanzen)* morire, deperire; **2.** *(Glieder)* intorpidirsi.

Abstieg ['apʃti:k] ⟨-(e)s, -e⟩ *m* **1.** *allg.* discesa *f;* **2.** *fig (Niedergang)* decadenza *f,* declino *m;* **3.** *sport* retrocessione *f.*

ab·stimmen I. *itr* votare (*über etw. (akk)* qc); **über etw.** ~ **lassen** mettere qc ai voti; **II.** *tr* **1.** *(mus, fig, Farben)* accordare; **2.** *(aufeinander ~)* armonizzare; *(Termine, Ziele.)* fissare.

Abstimmung *f* **1.** *(bei Wahl)* votazione *f;* **2.** *fig* adattamento *m,* armonizzazione *f; mus* accordatura *f; (von Farben, fig)* in-

tonazione *f*.
abstinent [apsti'nɛnt] *adj* astinente; *(im Alkoholgenuß)* astemio.
Abstinenz [...'nɛnts] ⟨-, ø⟩ *f* astinenza *f*.
Abstinenzler(in) [...'nɛntslɐ (...ərɪn)] ⟨-s, -⟩ *m(f)* astemio, -a *m, f*.
ab·stoßen ⟨*irr*⟩ **I.** *tr* **1.** *(wegstoßen)* scostare; **2.** *(beschädigen)* rompere, danneggiare; *(Ecken)* smussare; **3.** *(Fußball)* rinviare; **4.** *com* smerciare; **5.** *(anekeln)* ripugnare, disgustare; **II.** *rfl:* **sich** ~ respingersi (*von* da). **abstoßend** *adj* repellente, ripugnante.
Abstoßung *f med* rigetto *m*.
ab·stottern *tr fam* pagare a rate.
abstrahieren [apstra'hi:rən] ⟨*ohne ge-*⟩ *tr, itr* astrarre.
ab·strahlen *tr* **1.** *phys* irradiare; **2.** *tec (mit Sand)* sabbiare, granigliare.
abstrakt [ap'strakt] *adj* astratto.
ab·streiten ⟨*irr*⟩ *tr* negare.
Abstrich *m* **1.** *med* striscio *m;* **2.** *fig* riduzione *f;* ~**e machen** *fig* accontentarsi di poco.
ab·stufen *tr* **1.** *(Gelände)* terrazzare; **2.** *(Farben)* sfumare; *(Gehälter)* classificare.
Abstufung ⟨-, -en⟩ *f (von Farben)* sfumatura *f; (von Gehältern)* classificazione *f*.
ab·stumpfen **I.** *itr* ⟨*sein*⟩ **1.** *(Schneide)* perdere il filo; **2.** *fig (unempfindlich werden)* diventare insensibile; **II.** *tr* ⟨*haben*⟩ **1.** *(Schneide)* smussare; **2.** *fig (gefühllos machen)* rendere insensibile.
Absturz *m* caduta *f*.
ab·stürzen *itr* ⟨*sein*⟩ precipitare, cadere.
ab·stützen *tr* puntellare.
ab·suchen *tr (Menschen, Tier)* esaminare (*nach* alla ricerca di); *(Gelände)* perlustrare; *(Stadt, Geschäft)* girare (*nach etw.* per trovare qc); **etw. nach etw.** ~ cercare dappertutto qc.
absurd [ap'zʊrt] *adj* assurdo.
Abszeß [aps'tsɛs] ⟨Abszesses, Abszesse⟩ *m* ascesso *m*.
Abt [apt] ⟨-(e)s, Äbte⟩ *m* abate *m*.
ab·tasten *tr* frugare; *med* palpare.
ab·tauen **I.** *tr* ⟨*haben*⟩ **1.** *(Kühlschrank)* sbrinare; **2.** *(Eis)* far sciogliere; **II.** *itr* ⟨*sein*⟩ **1.** *(Kühlschrank)* sbrinarsi; *(See)* disgelare, disgelarsi; **2.** *(Eis)* sciogliersi.
Abtei [ap'tai] ⟨-, -en⟩ *f* abbazia *f*.
Abteil [ap'tail] *n* scompartimento *m*.
ab·teilen *tr* **1.** *(aufteilen)* (sud)dividere; **2.** *(durch Zwischenwände)* separare.
Abteilung [ap'tailʊŋ] *f* reparto *m; adm* dipartimento *m,* divisione *f*. **Abteilungsleiter(in)** *m(f) adm* caposezione *mf,* capodivisione *mf; com* caporeparto *mf*.
Äbtissin [ɛp'tɪsɪn] *f* badessa *f*.
ab·tragen ⟨*irr*⟩ *tr* **1.** *(Speisen)* levare; **2.** *(Schutt)* spalare; *(Gelände)* spianare; **3.** *(Kleidung)* logorare; **4.** *(Schulden)* estinguere.
abträglich ['aptrɛ:klɪç] *adj geh* **1.** *(nachteilig)* svantaggioso (*einer S. (dat)* per qc), pregiudizievole (*einer S. (dat)* per qc); **2.** *(schädlich)* nocivo (*einer S. (dat)* per qc).
Abtransport *m* **1.** *(von Material)* sgombero *m,* rimozione *f;* **2.** *(von Gefangenen)* trasporto *m*.
ab·transportieren ⟨*ohne ge-*⟩ *tr* **1.** *(Material)* sgomberare, rimuovere; **2.** *(Gefangene)* trasportare.
ab·treiben ⟨*irr*⟩ **I.** *tr* ⟨*haben*⟩ **1.** *naut, aero* far deviare; **2.** *med* abortire; **II.** *itr* ⟨*sein*⟩ **1.** *naut, aero* andare alla deriva; **2.** *med* abortire.
Abtreibung ⟨-, -en⟩ *f* (procurato) aborto *m*. **Abtreibungsbefürworter(in)** *m(f)* abortista *mf*. **Abtreibungsgegner(in)** *m(f)* antiabortista *mf*. **Abtreibungspille** *f* pillola *f* per abortire.
ab·trennen *tr* **1.** *(loslösen)* staccare; **2.** *(abteilen)* separare.
ab·treten ⟨*irr*⟩ **I.** *tr* ⟨*haben*⟩ **1.** *(Schuhe)* pulire; **2.** *(überlassen)* cedere; **3.** *(abnutzen)* consumare; **II.** *itr* ⟨*sein*⟩ **1.** *(von Amt)* dimettersi; **2.** *theat* uscire di scena.
Abtretung ⟨-, -en⟩ *f* cessione *f*.
ab·trocknen *tr* asciugare.
ab·tropfen *itr* ⟨*sein*⟩ sgocciolare.
abtrünnig ['aptrʏnɪç] *adj* infedele; *rel, pol* rinnegato.
ab·tun ⟨*irr*⟩ *tr* **1.** *fam (ablegen)* togliersi, levarsi; **2.** *(beiseite schieben)* liquidare; **etw. mit einer Handbewegung/einem Achselzucken** ~ non interessarsi di qc.
ab·wägen ['apvɛ:gən] ⟨wägt ab, wog ab *o* wägte ab, abgewogen *o* abgewägt⟩ *tr* ponderare, soppesare; **zwei Dinge gegeneinander** ~ confrontare due cose fra loro.
ab·wählen *tr* rimuovere da un ufficio (tramite votazione).
ab·wandeln *tr* variare.
Abwart ['apvart] ⟨-s, -e⟩ *m,* **Abwärtin** ['apvɛrtɪn] *f CH* portinaio, -a *m, f*.
ab·warten *tr, itr* attendere, aspettare; ~ **und Tee trinken** *fam* calma e sangue freddo!
abwartend *adj*: **sich** ~ **verhalten** temporeggiare.
abwärts ['apvɛrts] *adv* giù, in giù, verso il basso; ~ **fahren/gehen** scendere; **mit ihm geht's** ~ va di male in peggio. **Abwärtstrend** *m* tendenza *f* al ribasso.
Abwasch ['apvaʃ] ⟨-(e)s, ø⟩ *m (Geschirr)* stoviglie *f pl* sporche; *(Handlung)* rigovernatura *f*.
abwaschbar *adj* lavabile.
ab·waschen ⟨*irr*⟩ **I.** *tr* **1.** *allg.* lavare; **2.** *(Geschirr)* rigovernare, lavare; **3.** *(Schmutz)* lavare via; **II.** *itr (Geschirr* ~*)* lavare i piatti.
Abwaschwasser *n* (acqua *f* di) rigovernatura *f*.
Abwasser ⟨-s, Abwässer⟩ *n* acqua *f* di scarico (*o* di scolo). **Abwasserkanal** *m*

canale *m* di scarico, fognatura *f.*

ab·wechseln I. *itr* alternare, variare; **II.** *rfl:* **sich** ~ alternarsi; *(sich ablösen)* darsi il cambio (*bei* in, a). **abwechselnd I.** *adj* alternativo; **II.** *adv* alternativamente, a turno; ~ **reden** alternarsi nel discorso.

Abwechslung ['apvɛkslʊŋ] ⟨-, -en⟩ *f* cambiamento *m; (Mannigfaltigkeit)* varietà *f;* **zur** ~ per cambiare un po'; **in diesem Dorf gibt es wenig** ~ in questo paese la vita è monotona. **abwechslungsreich** *adj* (s)variato, vario.

Abwege *m pl:* **auf** ~ **geraten** mettersi sulla cattiva strada.

abwegig *adj* errato.

Abwehr ['apve:ɐ] ⟨-, ø⟩ *f* **1.** *allg., mil, sport* difesa *f;* **2.** *(Widerstand)* resistenza *f;* **3.** *(Ablehnung)* rifiuto *m.* **Abwehrkräfte** *f pl* anticorpi *m pl.*

ab·wehren *tr (Schlag, Stoß)* parare; *(Angriff)* respingere; *(Besucher)* allontanare; *(Gefahr)* stornare.

Abwehrspieler(in) *m(f)* difensore, -a *m, f.*

ab·weichen ⟨*irr*⟩ *itr* ⟨*sein*⟩ *allg., fig, naut, aero* deviare; *(vom Thema)* allontanarsi; *(voneinander ~)* differire, essere differente.

Abweichung ⟨-, -en⟩ *f allg., fig, naut, aero* deviazione *f; (Unregelmäßigkeit)* irregolarità *f.*

ab·weisen ⟨*irr*⟩ *tr* rifiutare; *(a. jur)* respingere; *(Gesuch)* rigettare; *(Bewerber)* non ammettere; *(Besucher)* non ricevere. **abweisend** *adj* brusco, poco affabile.

ab·wenden ⟨*irr o reg*⟩ **I.** *tr* **1.** *(Gesicht)* volgere altrove; *(Blick, Gedanken)* distogliere; **2.** *(Unheil)* evitare, impedire; **II.** *rfl:* **sich** ~ allontanarsi.

ab·werben ⟨*irr*⟩ *tr* sottrarre, soffiare *fam.*

ab·werfen ⟨*irr*⟩ *tr* **1.** *(Reiter)* disarcionare; **2.** *(Gegenstände)* lanciare; **3.** *com* fruttare, rendere; **4.** *(Geweih)* perdere, mutare; **5.** *(Nadeln, Blätter)* perdere; **mit dem Fallschirm** ~ paracadutare.

ab·werten *tr* **1.** *fin* svalutare; **2.** *fig* deprezzare.

Abwertung *f* **1.** *fin* svalutazione *f;* **2.** *fig* deprezzamento *m.*

abwesend ['apve:zənt] *adj* assente; *fig (geistes~)* distratto. **Abwesende** ⟨ein -r, -n, -n⟩ *mf* assente *mf.*

Abwesenheit ['apve:zənhait] ⟨-, ø⟩ *f* assenza *f; fig (Zerstreutheit)* distrazione *f;* **in** ~ **verurteilt werden** essere condannato in contumacia.

ab·wickeln 1. *allg.* srotolare; *(Wolle, Garn)* dipanare; *(Verband)* sfasciare; **2.** *fig (durchführen)* effettuare; *(Prozeß)* condurre; *(Geschäft)* sbrigare.

ab·wiegen ⟨*irr*⟩ *tr* pesare.

ab·wischen *tr* **1.** *(Gegenstand, Mund)* pulire; **2.** *(Staub)* togliere (*von* da); **sich** *(dat)* **die Stirn/die Tränen** ~ asciugarsi la fronte/le lacrime.

Abwurf *m* **1.** *aero* lancio *m;* **2.** *sport* rinvio *m,* rimando *m.*

ab·würgen *tr* **1.** *(töten)* strozzare, strangolare; **2.** *mot* bloccare; **3.** *fig (unterdrücken)* reprimere, soffocare.

ab·zahlen *tr* saldare; *(in Raten)* pagare a rate.

ab·zählen *tr* contare (*an den Fingern* sulle dita); **das läßt sich an den Fingern** ~ *fam* la cosa è evidente.

Abzahlung *f (Tilgung)* saldo *m; (Ratenzahlung)* pagamento *m* rateale. **Abzahlungskredit** *m* credito *m* rimborsabile a rate.

Abzählvers *m* conta *f.*

Abzeichen *n* distintivo *m.*

ab·zeichnen I. *tr* **1.** *(abmalen)* ritrarre, disegnare; **2.** *(signieren)* firmare; **II.** *rfl:* **sich** ~ **1.** *(sich abheben)* spiccare; **2.** *(erkennbar werden)* delinearsi.

Abziehbild *n* decalcomania *f.*

ab·ziehen ⟨*irr*⟩ **I.** *tr* ⟨*haben*⟩ **1.** *(wegziehen)* togliere, levare; **2.** *(Ring)* sfilarsi; **3.** *mat* detrarre, dedurre; **4.** *(Truppen)* ritirare; **5.** *fot* tirare; **6.** *(Tier)* scuoiare; **7.** *(Messer)* affilare; **das Bett** ~ cambiare la biancheria del letto; **II.** *itr* ⟨*sein*⟩ *(Rauch)* uscire, fuoriuscire; *(Truppen)* ripiegare; *fam (gehen)* andarsene.

Abzug *m* **1.** *allg.* partenza *f; (a. mil)* ritiro *m;* **2.** *(von Rauch)* uscita *f;* **3.** *com* deduzione *f,* detrazione *f;* ⟨*pl*⟩ trattenute *f pl (vom Lohn* sullo stipendio); **4.** *fot* copia *f; typ* bozza *f;* **5.** *(~svorrichtung)* sfiato *m,* sfiatatoio *m;* **6.** *(Gewehr~)* grilletto *m.* **Abzugshaube** *f* cappa *f.*

abzüglich ['aptsy:klɪç] *prp +gen* detratto.

ab·zweigen I. *itr* ⟨*sein*⟩ diramarsi, biforcarsi; **II.** *tr* ⟨*haben*⟩ *fig fam* mettere da parte (*o* via).

Abzweigung ⟨-, -en⟩ *f* diramazione *f.*

ach [ax] *interj* **1.** *(Klage)* ahimè; **2.** *(Erstaunen, Bedauern)* oh, ah; ~ **nein!** *(Ablehnung)* ah no!; *(Erstaunen)* ma no!, veramente!; ~ **so!** ah ecco, (ora) capisco!; ~ **was!,** ~ **wo!** ma no!, macché!

Achat [a'xa:t] ⟨-(e)s, -e⟩ *m* agata *f.*

Achim ['axɪm] *s.* **Joachim.**

Achse ['aksə] ⟨-, -n⟩ *f* asse *m;* **auf** ~ **sein** *fam* essere in giro.

Achsel ['aksəl] ⟨-, -n⟩ *f* **1.** *(Schulter)* spalla *f;* **2.** *(~höhle)* ascella *f;* **die (*o* mit den) ~n zucken** alzare le spalle. **Achselhöhle** *f* ascella *f.* **Achselzucken** ⟨-s, ø⟩ *n* alzata *f* di spalle.

acht [axt] *num* otto; **alle** ~ **Tage** ogni settimana; **heute/Montag in** ~ **Tagen** oggi/lunedì a otto; *s. a. vier.*

Acht[1] [axt] ⟨-, -en⟩ *f (Zahl)* otto *m.*

Acht[2] [axt] ⟨-, ø⟩ *f:* **außer a~ lassen** non prendere in considerazione; **sich in a~nehmen** stare in guardia (*vor +dat* da).

Acht[3] [axt] ⟨-, ø⟩ *f (Bann)* bando *m.*

Acht-, acht- *s. a. Vier-, vier-.*

achtbar *adj* rispettabile, degno di

rispetto.
achte *s.* **achte(r, s).**
Achtel ['axtəl] ⟨-s, -⟩ *n* ottavo *m.*
achten ['axtən] **I.** *itr* badare (*auf +akk* a); **darauf ~, daß ...** badare che *+congv;* **II.** *tr (Eltern)* stimare; *(Gesetz, Gefühle)* rispettare.
ächten ['ɛçtən] *tr* **1.** *hist* bandire, proscrivere; **2.** *fig* esiliare, mettere al bando.
achtens ['axtəns] *adv* (in) ottavo (luogo).
Achterbahn *f* montagne *f pl* russe, otto *m* volante.
achte(r, s) *adj* ottavo, -a; *(bei Datumsangaben)* otto; *s. a. vierte(r, s).*
acht·geben ⟨*irr*⟩ *itr* badare (*auf +akk* a); **gib acht, daß du nicht fällst!** fa attenzione a non cadere!
achthundert ['axt'hundɐt] *num* ottocento.
achtlos I. *adj (unaufmerksam)* sbadato; *(gleichgültig)* indifferente; **II.** *adv* senza fare attenzione. **Achtlosigkeit** ⟨-, ø⟩ *f (Unaufmerksamkeit)* sbadataggine *f; (Gleichgültigkeit)* indifferenza *f.*
Acht-Minuten-Takt [-mi'nu:tən-] *m* tariffa *f* urbana e interurbana a tempo (otto minuti) ≃ TUT *f* (*abbr di* Tariffa Urbana a Tempo). **Achtstundentag** [-'ʃtundən-] *m* giornata *f* (lavorativa) di otto ore. **achttägig** [-tɛ:gɪç] *adj* di otto giorni.
achttausend ['axt'tauzənt] *num* ottomila.
Achtung ⟨-, ø⟩ *f (Hochschätzung)* stima *f; (Respekt)* rispetto *m* (*vor +dat* di); ~! attenzione!; *mil* attenti!; **alle ~!** bravo!, congratulazioni!; **~, fertig, los!** ai vostri posti, pronti, via!; ~ **Stufe!** attenzione al gradino!
achtzehn *num* diciotto. **achtzehnte(r, s)** *adj* diciottesimo, -a; *(bei Datumsangaben)* diciotto; *s. a. vierte(r, s).*
achtzig ['axtsɪç] *num* ottanta; *s. a. vierzig.* **achtzigjährig** *adj* ottantenne, ottuagenario. **Achtzigjährige** ⟨ein -r, -n, -n⟩ *mf* ottantenne *mf.* **Achtzigstel** ⟨-s, -⟩ *n* ottantesimo *m.* **achtzigste(r, s)** *adj* ottantesimo, -a; *s. a. vierte(r, s).*
ächzen ['ɛçtsən] *itr* **1.** *(Mensch)* gemere (*vor* da); **2.** *fig* scricchiolare.
Acker ['akɐ] ⟨-s, Äcker⟩ *m* campo *m* (coltivato). **Ackerbau** ⟨-(e)s, ø⟩ *m* agricoltura *f.*
ackern *itr fam* lavorare faticosamente.
Acryl- [a'kry:l...] *(in Zusammensetzungen)* acrilico. **Acrylfarbe** *f* colore *m* acrilico. **Acrylglas** *n* vetro *m* acrilico, plexiglas *m.*
a. D. [a:'de:] *abk von* **außer Dienst** a r. (*abbr di* a riposo).
A. D. *abk von* **Anno Domini** A. D.
ADAC [a:de:a:'tse:] ⟨-(s), ø⟩ *m abk von* **Allgemeiner Deutscher Automobil-Club** *automobile club tedesco.*
Adam ['a:dam] *(männlicher Vorname)* Adamo. **Adamsapfel** *m* pomo *m* d'Adamo. **Adamskostüm** *n fam scherz* costume *m* adamitico.
Actionfilm ['ækʃən-] *m* film *m* d'azione.
Adapter [a'daptɐ] ⟨-s, -⟩ *m* adattatore *m.*
adäquat [adɛ'kva:t] *adj* adeguato.
addieren [a'di:rən] ⟨*ohne ge-*⟩ *tr* addizionare, sommare.
Addition [adi'tsio:n] ⟨-, -en⟩ *f* somma *f.*
Additiv *n chem* additivo *m.*
ade [a'de:] *interj* addio.
Adel ['a:dəl] ⟨-s, ø⟩ *m* aristocrazia *f; (a. fig)* nobilità *f.*
ad(e)lig *adj* aristocratico; *(a. fig)* nobile. **Ad(e)lige** ⟨ein -r, -n, -n⟩ *mf* nobile *mf.*
adeln *tr* nobilitare.
Ader ['a:dɐ] ⟨-, -n⟩ *f* **1.** *anat, min, fig* vena *f;* **2.** *(in Holz, Gestein)* venatura *f; bot* nervatura *f.* **Aderlaß** [-las] ⟨-lasses, -lässe⟩ *m* salasso *m.*
Adjektiv ['atjɛkti:f] ⟨-s, -e⟩ *n* aggettivo *m.*
adjektivisch ['atjɛkti:vɪʃ *o* ...'ti:vɪʃ] *adj* aggettivale.
Adler ['a:dlɐ] ⟨-s, -⟩ *m* aquila *f.* **Adlerauge** *n fig* occhio *m* di lince. **Adlernase** *f* naso *m* aquilino.
adlig *etc. s.* **ad(e)lig.**
Admiral [atmi'ra:l] ⟨-s, -e *o* ¨-e⟩ *m* ammiraglio *m.*
Admiralität [...rali'tɛ:t] ⟨-, -en⟩ *f* ammiragliato *m.*
Adolf, Adolph ['a:dɔlf] *(männlicher Vorname)* Adolfo.
adoptieren [adɔp'ti:rən] ⟨*ohne ge-*⟩ *tr* adottare.
Adoption [...'tsio:n] ⟨-, -en⟩ *f* adozione *f.*
Adoptiveltern [...'ti:f'ɛltɐn] genitori adottivi. **Adoptivkind** *n* figlio, -a *m, f* adottivo, -a.
Adrenalin [adrena'li:n] ⟨-s, ø⟩ *n* adrenalina *f.* **Adrenalinspiegel** *m* tasso *m* di adrenalina.
Adressat(in) [adrɛ'sa:t(ɪn)] ⟨-en, -en⟩ *m(f)* destinatario, -a *m, f.*
Adreßbuch *n* elenco *m* degli indirizzi; *(privat)* agenda *f.*
Adresse [a'drɛsə] ⟨-, -n⟩ *f (a inform)* indirizzo *m.*
adressieren [...'si:rən] ⟨*ohne ge-*⟩ *tr* indirizzare.
adriatisch [adri'a:tɪʃ] *adj* adriatico; **A~es Meer** (mare *m*) Adriatico *m.*
Advent [at'vɛnt] ⟨-(e)s, -e⟩ *m* Avvento *m.* **Adventskalender** *m* calendario *m* dell'Avvento. **Adventskranz** *m* corona *f* dell'Avvento.
Adverb [at'vɛrp, ...biən] ⟨-s, -ien⟩ *n* avverbio *m.*
adverbial [...'bia:l] *adj* avverbiale.
Advokat [atvo'ka:t] ⟨-en, -en⟩ *m* avvocato *m.*
Aerobic [ɛ'ro:bɪk] ⟨-s, ø⟩ *n* ginnastica *f (o* danza *f)* aerobica.
Aerodynamik [aero-] *f* aerodinamica *f.* **aerodynamisch** *adj* aerodinamico.
Affäre [a'fɛ:rə] ⟨-, -n⟩ *f* **1.** *(Angelegenheit)* faccenda *f;* **2.** *(Liebschaft)* relazio-

ne *f* amorosa; **sich aus der ~ ziehen** tirarsi dall'impiccio.
Affe ['afə] ⟨-n, -n⟩ *m* **1.** *zoo* scimmia *f;* **2.** *fig fam pej* damerino *m;* **du alter ~!** *fam pej* vecchia bertuccia! *fam;* **du eingebildeter ~!** *fam pej* pallone gonfiato! *fam.*
Affekt [a'fɛkt] ⟨-(e)s, -e⟩ *m* eccitazione *f;* **im ~ handeln** *jur* compiere un delitto passionale.
affektiert [...'ti:ɐt] *adj* affettato.
Affenschande *f fam* vergogna *f.* **Affentempo** *n,* **-zahn** *m fam:* **in** (*o* **mit**) **einem ~** come un fulmine.
affig *adj fam (eitel)* vanitoso; *(affektiert)* affettato.
afghanisch [af'ga:nɪʃ] *adj* afgano.
Afghanistan [...nɪsta:n] *n* Afganistan *m;* **in ~** nell'Afganistan.
Afrika ['a:frika] *n* Africa *f.*
Afrikaner(in) [afri'ka:nɐ (...ərɪn)] ⟨-s, -⟩ *m(f)* africano, -a *m, f.*
afrikanisch *adj* africano.
After ['aftɐ] ⟨-s, -⟩ *m* ano *m.*
After-shave ['a:ftəʃeɪv] *n* dopobarba *m.*
AG [a:'ge:] ⟨-, -s⟩ *f* **1.** *abk von* **Aktiengesellschaft** S.p.A. (*abbr di* Società per Azioni); **2.** *abk von* **Arbeitsgemeinschaft, Arbeitsgruppe** gruppo *m* di lavoro.
Agent(in) [a'gɛnt(ɪn)] ⟨-en, -en⟩ *m(f)* **1.** *pol* agente *mf* segreto, -a; **2.** *com* agente *mf,* rappresentante *mf.*
Agentur [...'tu:ɐ] ⟨-, -en⟩ *f* agenzia *f.*
Aggregat [agre'ga:t] ⟨-(e)s, -e⟩ *n* aggregato *m.*
Aggression [agrɛ'sio:n] ⟨-, -en⟩ *f* aggressione *f.*
aggressiv [...'si:f] *adj* aggressivo.
Aggressivität [...sivi'tɛ:t] ⟨-, -en⟩ *f* aggressività *f.*
agieren [a'gi:rən] ⟨*ohne ge-*⟩ *itr* agire; *theat* sostenere la parte (*als* di).
Agio ['a:dʒo, 'a:giən] ⟨-s, -s *o* Agien⟩ *n ökon* sovrapprezzo *m,* premio *m* d'emissione, aggio *m.*
Agitation [agita'tsio:n] ⟨-, -en⟩ *f* agitazione *f.*
Agitator(in) [...'ta:to:ɐ (...ta'to:rɪn), ...ta'to:rən] ⟨-s, -en⟩ *m(f)* agitatore, -trice *m, f.*
Agnes ['agnɛs] *(weiblicher Vorname)* Agnese.
Agrarminister(in) [a'gra:ɐ-] *m(f)* ministro *m* dell'agricoltura. **Agrarreform** *f* riforma *f* agraria. **Agrarstaat** *m* paese *m* agricolo; *(Staatsform)* stato *m* agrario. **Agrarerzeugnis** *n* derrata *f* agricola, prodotto *m* agricolo. **Agrarüberschuß** *m* eccedenza *f* agraria.
Ägypten [ɛ'gʏptən] *n* Egitto *m;* **in ~** nell'Egitto.
ägyptisch *adj* egiziano.
ah [a:] *interj* ah.
äh [ɛ:] *interj* **1.** *(Ausruf des Ekels)* puà, puh; **2.** *(bei Sprechpausen)* ehm.
aha [a'ha: *o* a'ha] *interj* ah, ecco. **Aha-Erlebnis** *n* illuminazione *f.*
Ahle ['a:lə] ⟨-, -n⟩ *f* lesina *f.*
Ahn [a:n] ⟨-s *o* -en, -en⟩ *m,* **Ahne** ['a:nə] ⟨-, -n⟩ *f* antenato, -a *m, f,* avo, -a *m, f.*
ahnden ['a:ndən] *tr* **1.** *(bestrafen)* punire; **2.** *(rächen)* vendicare.
ähneln ['ɛ:nəln] *itr* assomigliare.
ahnen ['a:nən] *tr* **1.** *(Vorgefühl haben)* presentire, avere il presentimento (*etw.* di qc); **2.** *(vermuten)* immaginare, sospettare; **das konnte ich nicht ~** non potevo prevederlo; **der Himbeergeschmack war nur zu ~** il sapore di lampone bisognava immaginarselo.
ähnlich ['ɛ:nlɪç] *adj* **1.** *(teilweise übereinstimmend)* simile, analogo; **2.** *(gleichartig)* similare, affine; **3.** *(ähnelnd)* somigliante; **~ wie ...** simile a ...; **jdm ~ sehen** assomigliare a qu; **das sieht dir ~** questa è una delle tue! *fam.*
Ähnlichkeit ⟨-, -en⟩ *f* (ras)somiglianza *f.*
Ahnung ⟨-, -en⟩ *f* **1.** *(Vorgefühl)* presentimento *m;* **2.** *(Vorstellung)* idea *f;* **(ich habe) keine ~!** non ne ho idea!. **ahnungslos I.** *adj* ignaro; **II.** *adv* senza rendersene conto. **Ahnungslosigkeit** ⟨-, -en⟩ *f* essere *m* ignaro, inconsapevolezza *f.*
Ahorn ['a:hɔrn] ⟨-s, -e⟩ *m* acero *m.*
Ähre ['ɛ:rə] ⟨-, -n⟩ *f* spiga *f.*
Aids, [eɪdz] ⟨-, ø⟩ *n akr von* **Acquired Immune Deficiency Syndrome** Aids *f o m.* AIDS *f o m.* **Aids-Hilfe** *f* centro *m* di assistenza contro l'Aids. **aidsinfiziert** *adj* infetto da Aids. **aidskrank** *adj* ammalato, di Aids. **Aidskranke** *mf* malato, -a *m, f* di Aids, sieropositivo, -a *m, f.* **aidspositiv** *adj* sieropositivo. **Aids-Test** *m* test *m* di sieropositività. **Aids-Virus** *n* virus *m* dell'Aids.
Airbag ['ɛəbæg] ⟨-s, -s⟩ *m* airbag *m,* cuscino *m* d'aria. **Airbus** ['ɛ:ɐ-] *m* airbus *m,* aerobus *m.*
Ajatollah [aja'tɔla] ⟨-(s), s⟩ *m* ayatollah *m.*
Akademie [akade'mi:, ...i:ən] ⟨-, -n⟩ *f* accademia *f.*
Akademiker(in) [...'de:mikɐ (...ərɪn)] ⟨-s, -⟩ *m(f)* laureato, -a *m, f.*
akademisch *adj* accademico.
Akazie [a'ka:tsiə] ⟨-, -n⟩ *f* acacia *f.*
akklimatisieren [aklimati'zi:rən] ⟨*ohne ge-*⟩ *rfl:* **sich ~** acclimatarsi.
Akkord [a'kɔrt] ⟨-(e)s, -e⟩ *m* **1.** *mus* accordo *m;* **2.** *(~arbeit)* cottimo *m.* **Akkordarbeit** *f* lavoro *m* a cottimo. **Akkordarbeiter(in)** *m(f)* cottimista *mf.*
Akkordeon [a'kɔrdeɔn] ⟨-s, -s⟩ *n* fisarmonica *f.*
akkurat [aku'ra:t] *adj* accurato, preciso.
Akkusativ ['akuzati:f] ⟨-s, -e⟩ *m* accusativo *m.*
Akne ['aknə] ⟨-, -n⟩ *f* acne *f.*

Akrobat(in) [akro'ba:t(ın)] ⟨-en, -en⟩ *m(f)* acrobata *mf.*
akrobatisch *adj* acrobatico.
Akt [akt] ⟨-(e)s, -e⟩ *m* **1.** *allg.* azione *f; (a. theat)* atto *m;* **2.** *(Zirkus)* numero *m;* **3.** *(Geschlechts~)* coito *m;* **4.** *(Kunst)* nudo *m;* **ein feierlicher** ~ una cerimonia solenne.
Akte ['aktə] ⟨-, -n⟩ *f* atto *m,* documento *m;* **zu den ~n legen** mettere agli atti; *(a. fig)* archiviare. **Aktenkoffer** *m* borsa *f* portadocumenti. **aktenkundig** *adj (Person)* conosciuto dalla polizia; *(Fall)* registrato dalla polizia. **Aktennotiz** *f* promemoria *m.* **Aktenordner** *m* classificatore *m.* **Aktentasche** *f* cartella *f.* **Aktenzeichen** *n (abk* **AZ, Az.**) numero *m* di protocollo.
Aktie ['aktsiə] ⟨-, -n⟩ *f* azione *f.* **Aktiengesellschaft** *f (abk* **AG**) società *f* per azioni (*o* anonima). **Aktienindex** *m* indice *m* azionario. **Aktienkapital** *m* capitale *m* azionario. **Aktienkurs** *m* corso *m* delle azioni. **Aktienpaket** *n* pacchetto *m* di azioni.
Aktion [ak'tsio:n] ⟨-, -en⟩ *f* **1.** *allg., mil* azione *f;* **2.** *(Werbe~)* campagna *f;* **3.** *(bes. CH: Sonderangebot)* offerta *f* speciale. **Aktionspreis** *m* offerta *f* speciale, prezzo *m* promozionale.
Aktionär(in) [aktsio'nɛ:ɐ (...rın)] ⟨-s, -e⟩ *m(f)* azionista *mf.*
aktiv [ak'ti:f *o* 'akti:f] *adj* **1.** *(tätig)* attivo; **2.** *(wirksam)* efficace.
Aktiv ['akti:f] ⟨-s, -s *o* -e⟩ *n ling* attivo *m.*
Aktiva [ak'ti:va] ⟨*pl*⟩ attivo *m.*
aktivieren [akti'vi:rən] ⟨*ohne ge-*⟩ *tr* **1.** *allg., a. chem* attivare; **2.** *pol* mobilitare; **3.** *com* portare in attivo.
Aktivität [...vi'tɛ:t] ⟨-, -en⟩ *f* attività *f.*
aktualisieren [aktuali'zi:rən] ⟨*ohne ge-*⟩ *tr (Nachschlagewerk, inform)* aggiornare.
Aktualität [aktuali'tɛ:t] ⟨-, -en⟩ *f* attualità *f.*
aktuell [ak'tuɛl] *adj* attuale; *(Buch)* d'attualità.
Akupressur [akuprɛ'su:ɐ] ⟨-, en⟩ *f* agopressione *f.*
Akupunktur [akupʊŋk'tu:ɐ] ⟨-, -en⟩ *f* agopuntura *f.*
Akustik [a'kʊstık] ⟨-, ø⟩ *f* acustica *f.* **Akustikkoppler** ⟨-s, -⟩ *m inform* accoppiatore *m* acustico.
akustisch *adj* acustico.
akut [a'ku:t] *adj* **1.** *med* acuto; **2.** *(Problem, Frage)* scottante.
AKW [a:ka:'ve:] ⟨-(s), -s⟩ *n abk von* **Atomkraftwerk** centrale *f* atomica.
Akzent [ak'tsɛnt] ⟨-(e)s, -e⟩ *m* accento *m.*
akzeptabel [aktsɛp'ta:bəl] *adj* accettabile.
Akzeptanz [aktsɛp'tants] ⟨-, ø⟩ *f* accettazione *f.*
akzeptieren [...'ti:rən] ⟨*ohne ge-*⟩ *tr* accettare.
Alarm [a'larm] ⟨-(e)s, -e⟩ *m* allarme *m;* ~ **schlagen** dare l'allarme. **Alarmanlage** *f* impianto *m* d'allarme. **Alarmbereitschaft** *f:* **in** ~ **sein** essere in stato d'allarme.
alarmieren [...'mi:rən] ⟨*ohne ge-*⟩ *tr* dare l'allarme a; *(a. fig)* allarmare.
Albanien [al'ba:niən] *n* Albania *f.*
Albatros ['albatrɔs] ⟨-, -se⟩ *m* albatro *m.*
Alben *pl von* **Album.**
albern ['albɐn] **I.** *adj* sciocco; **~es Zeug** sciocchezze *f pl;* **II.** *itr* fare sciocchezze.
Albert ['albɛrt] *(männlicher Vorname)* Alberto.
Album ['albʊm, ...bən] ⟨-s, Alben⟩ *n* album *m.*
Alemanne [alə'manə] ⟨-n, -n⟩ *m,* **Alemannin** [...nın] *f* alemanno, -a *m, f.*
alemannisch *adj* alemannico.
Alexander [alɛ'ksandɐ] *(männlicher Vorname)* Alessandro.
Alfred ['alfre:t] *(männlicher Vorname)* Alfredo.
Alge ['algə] ⟨-, -n⟩ *f* alga *f.*
Algebra ['algebra] ⟨-, ø⟩ *f* algebra *f.*
algebraisch [...'bra:ıʃ] *adj* algebrico.
Algerien [al'ge:riən] *n* Algeria *f.*
algerisch *adj* algerino.
algorithmisch [algo'rıtmıʃ] *adj* algoritmico.
Algorithmus [algo'rıtmʊs] ⟨-, Algorithmen⟩ *m* algoritmo *m.*
Alibi ['a:libi] ⟨-s, -s⟩ *n* alibi *m.* **Alibifrau** *f* donna *f* di copertura; donna *f* scelta per evitare l'accusa di antifemminismo. **Alibifunktion** *f* funzione *f* diversiva.
Alimente [ali'mɛntə] ⟨*pl*⟩ alimenti *m pl.*
Alkohol ['alkoho:l *o* ...'ho:l] ⟨-s, -e⟩ *m* alcol *m.* **Alkoholeinfluß** *m:* **unter** ~ **stehen** essere sotto l'influsso dell'alcol. **alkoholfrei** *adj* analcolico.
Alkoholiker(in) [...'ho:likɐ (...ərın)] ⟨-s, -⟩ *m(f)* alcolizzato, -a *m, f.*
alkoholisch *adj* alcolico; **~e Getränke** alcolici *m pl.*
Alkoholismus *m* alcolismo *m.*
Alkoholmißbrauch *m* abuso *m* di bevande alcoliche. **Alkoholspiegel** *m* tasso *m* alcolico (nel sangue). **Alkoholsünder(in)** *m(f) fam* persona *f* sorpresa alla guida in stato di etilismo. **Alkoholtest** *m* prova *f* dell'alcol. **Alkoholverbot** *n* divieto *m* di consumare alcol. **Alkoholvergiftung** *f (akute)* intossicazione *f* da alcol; *(chronische)* etilismo *m.*
All [al] ⟨-s, ø⟩ *n* universo *m,* cosmo *m.*
Allah ['ala] ⟨-s, ø⟩ *m* Allah *m.*
alle ['alə] **I.** *adv fam* finito; **II.** *pron s.* **alle(r, s).**
Allee [a'le:, ...e:ən] ⟨-, -n⟩ *f* viale *m* (alberato).
allein [a'lain] **I.** ⟨*inv*⟩ *adj* solo; *(ohne Hilfe, selbst)* da solo; *(einsam)* solitario; **von** ~ da solo; **II.** *adv (nur)* solo, sola-

mente; ~ **der Gedanke** il solo pensiero; **nicht ~ ..., sondern auch ...** non solo ..., ma anche ...; **III.** *konj poet (jedoch)* però, ma. **alleinerziehend** *adj* solo. **Alleinerziehende** ⟨ein -r, -n, -n⟩ *mf* padre *m* solo, madre *f* sola. **Alleinerbe** *m,* **-erbin** *f* erede *mf* universale. **Alleingang** *m:* **im ~** da solo, senza aiuto.

alleinig *adj (Gegner, Mittel)* unico; *(Erbe)* universale; *(Vertreter)* esclusivo.

Alleinsein *n* solitudine *f.* **alleinstehend** *adj (ohne Familie)* solo; *(unverheiratet) (Mann)* celibe; *(Frau)* nubile. **Alleinunterhalter(in)** *m(f)* showman *m,* showgirl *f; fig* istrione, -a *m, f.*

allenfalls *adv* **1.** *(höchstens)* tutt'al più; **2.** *(gegebenenfalls)* semmai, eventualmente.

ualler *s.* **alle(r, s).**

aller- *(in Zusammensetzungen mit Superlativ zur Verstärkung)* (il, la) più ... **allerbeste(r, s)** ['alɐ'bɛstə] *adj* (il/la) migliore di tutti/tutte; **es ist das ~ zu ...** è meglio *+inf.* **allerdings** ['alɐ'dɪŋs] *adv* **1.** *(einschränkend)* ma, però, tuttavia; **2.** *(bekräftigend)* ma certo, certamente. **allererste(r, s)** ['alɐ'ʔɛrstə] **I.** *adj* (il) primo/(la) prima di tutti/tutte, (il/la) primissimo, -a; **II.** *adv:* **zu allererst** per primo.

Allergie [alɛr'gi:, ...i:ən] ⟨-, -n⟩ *f* allergia *f* *(gegen* a). **Allergiepass** *m* elenco *m* (*o* libretto *m*) delle allergie. **Allergietest** *m* esame *m* allergologico.

Allergiker(in) [a'lɛrgikɐ (...ərɪn)] ⟨-s, -⟩ *m(f)* allergico, -a *m, f.*

allergisch *adj* allergico *(gegen* a); ~ **auf etw.** *(akk)* **reagieren** *(a. fig)* essere allergico a qc.

allerhand ['alɐ'hant] ⟨*inv*⟩ *adj* **1.** *fam (viel)* molto, tanto; **2.** *s.* **allerlei; das ist ja ~!** questo è un po' troppo!

Allerheiligen ['alɐ'hailɪgən] ⟨-, ø⟩ *n* Ognissanti *m.*

allerlei ['alɐ'lai] ⟨*inv*⟩ *adj (attributiv)* di ogni genere (*o* specie), diverso; *(substantivisch)* molte cose. **Allerlei** ⟨-s, -s⟩ *n* miscuglio *m;* **Leipziger ~** *gastr* verdura *f* mista.

allerletzte(r, s) ['alɐ'lɛtstə] *adj* ultimo, -a di tutti, -e, ultimissimo, -a. **allerliebst** ['alɐ'li:pst] *adj (reizend)* graziosissimo; **am ~en** più di ogni altra cosa.

alle(r, s) ['alə] *pron* tutto, ogni; ⟨*pl*⟩ tutti, -e *m, f;* ~ **zwei Wochen** ogni quindici giorni; ~ **beide** entrambi, -e *m, f;* ~ **fünf/zehn** tutti e cinque/dieci; **~s in ~m** tutto sommato; **mit ~r Deutlichkeit** con tutta chiarezza; **vor ~m** soprattutto; **er ist mein ein und ~s** è tutto per me; **wer war ~s da?** chi c'era?; **~s Gute!** buona fortuna!. **Allerseelen** ['alɐ'ze:lən] ⟨-, ø⟩ *n* giorno *m* dei morti. **allerseits** ['alɐ'zaits] *adv* **1.** *(an alle)* a tutti (quanti); **2.** *(von allen)* da ogni parte. **allerwenigste(r, s)** ['alɐ've:nɪçstə] *adj* minimo, -a, (il) meno di tutto; **das wissen die ~n** lo sanno i meno. **Allerwerteste** ['alɐ've:ɐ̯təstə] ⟨ein -r, -n, -n⟩ *m scherz (Gesäß)* sedere *m.*

alles *s.* **alle(r, s).**

allesamt ['alə'zamt] *pron* tutti quanti.

Alleskleber ⟨-s, -⟩ *m* adesivo *m* universale, attaccatutto *m.* **Allesschneider** *m* tagliatutto *m.*

allfällig *adj CH (eventuell)* eventuale.

Allgäu ['algɔy] *n* Algovia *f.*

allgegenwärtig *adj* onnipresente.

allgemein ['algə'main] (*abk* **allg.**) **I.** *adj (alle betreffend)* generale, universale; *(allen gemeinsam)* comune; *(nicht speziell)* generale; **im ~en** generalmente, in generale; **II.** *adv* generalmente; *(überall)* dappertutto; ~ **üblich/zugänglich/verbreitet** generalmente in uso/accessibile a tutti/comunemente diffuso. **Allgemeinbildung** *f* cultura *f* generale. **Allgemeinheit** ⟨-, ø⟩ *f* comunità *f.* **allgemeinverständlich** *adj* comprensibile a tutti.

Allgemeinwohl *n* bene *m* comune, interesse *m* pubblico, pubblica utilità *f.*

Allheilmittel [-'hail-] *n* toccasana *m.*

Allianz [a'liants] ⟨-, -en⟩ *f* alleanza *f.*

Alliierte [ali'i:ɐ̯tə] ⟨ein -r, -n, -n⟩ *mf* alleato, -a *m, f.*

alljährlich ['al'jɛ:ɐ̯lɪç] **I.** *adj* annuale; **II.** *adv* tutti gli anni.

Allmacht *f* onnipotenza *f.*

allmächtig [-'mɛçtɪç] *adj* onnipotente.

allmählich [-'mɛ:lɪç] **I.** *adj* graduale; **II.** *adv* a poco a poco.

Allopath(in) [alo'pa:t(ɪn)] ⟨-en, -en⟩ *m(f)* medico *m* allopatico, allopatico, -a *m, f.*

Allopathie [...pa'ti:] ⟨-, ø⟩ *f* allopatia *f.*

Allradantrieb *m mot* trazione *f* integrale, 4x4 *sl.*

Alltag *m* vita *f* di tutti i giorni, vita *f* quotidiana.

alltäglich [-'tɛ:klɪç] *adj* di ogni giorno, quotidiano; *fig* comune, ordinario; **nicht ~** fuori dal comune.

alltags ['alta:ks] *adv* nei giorni di lavoro (*o* feriali).

allwissend ['al'vɪsənt] *adj* onnisciente.

allzu, allzusehr ['altsu, 'altsu'se:ɐ] *adv* troppo, eccessivamente. **allzuviel** ['altsu'fi:l] *adj* troppo; ~ **ist ungesund** *prov* il troppo stroppia *prov.*

Allzweck- *(in Zusammensetzungen)* per tutti gli usi, pluriuso.

Alm [alm] ⟨-, -en⟩ *f* pascolo *m* montano.

Almosen ['almo:zən] ⟨-s, -⟩ *n* elemosina *f.*

Alpen ['alpən] ⟨*pl*⟩ Alpi *f pl.* **Alpenglühen** ⟨-s, -⟩ *n* rosseggiare *m* delle vette alpine. **Alpenpaß** *m* passo *m* alpino.

Alphabet [alfa'be:t] ⟨-(e)s, -e⟩ *n* alfabeto *m.*

alphabetisch **I.** *adj* alfabetico; **II.** *adv:* ~ **geordnet** in ordine alfabetico.

alphanumerisch [alfanu'me:rɪʃ] *adj* alfanumerico.
Alphorn ['alp-] *n* corno *m* alpino.
alpin [al'pi:n] *adj* alpino.
Alpinist(in) [alpi'nɪst(ɪn)] ⟨-en, -en⟩ *m(f)* alpinista *mf.*
Alptraum ['alp-] *m* incubo *m.*
als [als] *konj* **1.** *(Eigenschaft)* come, da; **2.** *(Vergleich)* di, che; **3.** *(gleichzeitig)* quando; *(vorzeitig)* dopo che, dopo *+inf;* **4.** *(~ ob)* come se *+congv;* ~ **Geschenk** in regalo; ~ **Kind** da bambino; **100 DM ~ Belohnung erhalten** ricevere 100 marchi quale compenso; **so tun, ~ ob man ...** fingere di *+inf,* far finta di *+inf;* **zu stolz, ~ daß ...** troppo fiero per *+inf (o* perché *+congv);* **erst ~** non prima di *+inf (o* che *+congv);* **eines Tages, ~ ...** un giorno che ...; **um so mehr, ~ ...** tanto più che ...
also ['alzo] *konj* quindi, dunque, perciò; *(als Füllwort)* allora, dunque; **na ~!** ecco!
alt [alt] ⟨älter, älteste⟩ *adj* vecchio; ~ **aussehen** *fam* fare la figura dello stupido; **mein älterer Bruder** il mio fratello maggiore; **ein älterer Herr** un signore anziano; **die ~en Römer** gli antichi romani; **alles beim ~en lassen** lasciare tutto immutato, non cambiare nulla; ~ **machen** invecchiare; ~ **werden** invecchiare, diventare vecchio; **20 Jahre ~ werden/sein** compiere/avere vent'anni; **er ist immer noch der ~e** è sempre il solito; **er ist so ~ wie ich** ha la mia età.
Alt [alt] ⟨-s, -e⟩ *m mus* contralto *m.*
Altar [al'ta:ɐ̯] ⟨-(e)s, Altäre⟩ *m* altare *m.*
Altbau ⟨-(e)s, -ten⟩ *m* vecchia costruzione *f.* **Altbausanierung** *f* risanamento *m* dei vecchi edifici. **Altbauwohnung** *f* appartamento *m* in centro storico *(o* in una vecchia costruzione). **altbewährt** *adj* provato *(o* sperimentato) da tempo, collaudato. **Altbier** *n* birra *f* scura.
Alte ⟨ein -r, -n, -n⟩ *mf* vecchio, -a *m, f.*
Alteisen *n* ferri *m pl* vecchi, rottami *m pl* di ferro.
Altenheim *n* casa *f* per anziani, ospizio *m* per vecchi, ricovero *m.* **Altenpflege** *f* assistenza *f* agli anziani. **Altenpflegeheim** *n* clinica *f* geriatrica. **Altenwohnheim** *n* casa *f* di riposo (per anziani).
Alter ['altɐ] ⟨-s, -⟩ *n* età *f; (hohes ~)* vecchiaia *f;* **im ~ von ...** all'età di ...; **im besten ~** nel fiore degli anni; **er ist in meinem ~** è della mia età, ha la mia età.
altern *itr* ⟨*sein*⟩ diventare vecchio, invecchiare.
alternativ [altɛrna'ti:f] *adj* **1.** *(a. pol)* alternativo; **2.** *(umweltbewußt)* ecologico; **~e Energien** energie *f pl* alternative.
Alternativ- *(in Zusammensetzungen)* alternativo.
Alternative [...'ti:və] ⟨-, -n⟩ *f* alternativa *f.*
Alternative ⟨ein -r, -n, -n⟩ *mf* praticante *mf* di modelli di vita alternativi.
Altersgenosse *m,* **-genossin** *f* coetaneo, -a *m, f.* **Altersgrenze** *f* limite *m* d'età; **flexible ~** età *f* di pensionamento flessibile. **Altersheim** *s.* **Altenheim. Altersschwäche** *f* decrepitezza *f;* **an ~ sterben** morire di vecchiaia. **Altersunterschied** *m* differenza *f* d'età *(o* di anni). **Altersvorsorge** *f* previdenza *f* (per la) vecchiaia.
Altertum ['altɐtu:m] ⟨-s, ø⟩ *n* antichità *f.*
Altertümer [...ty:mɐ] *n pl* oggetti *m pl* antichi, antichità *f pl.*
altertümlich ['altɐty:mlɪç] *adj* antiquato.
Altglas *n* vetro *m* (usato). **Altglascontainer** *m* contenitore *m* per (la raccolta del) vetro.
altklug *adj* saputello.
Altlasten *f pl* rifiuti *(o* residui) *m pl* pericolosi accumulati nel passato; *fig* eredità *f* pesante, problema *m* del passato non risotto.
ältlich ['ɛltlɪç] *adj* vecchiotto *fam.*
Altmetall *n* metallo *m* vecchio. **altmodisch** *adj* fuori moda. **Altpapier** *n* carta *f* vecchia. **Altpapierbehälter** *m* contenitore *m* per la (raccolta della) carta. **Altpapiersammlung** *f* raccolta *f* della carta (straccia). **Altphilologe** *m,* **-philologin** *f* filologo, -a *m, f* di lingue classiche. **altsprachlich** *adj* di *(o* delle) lingue classiche. **Altstadt** *f* città *f* vecchia, centro *m* storico. **Altstadtsanierung** *f* risanamento *m* della città vecchia. **Altstimme** *f* (voce *f* di) contralto *m.* **Altweiberfastnacht** [-'vaibɐ-] *f* giovedì *m* grasso. **Altweibersommer** [-'vaibɐ-] *m* estate *f* di San Martino.
Alu ['ɑ:lu] ⟨-s, ø⟩ *n (abk von* **Aluminium**) alluminio *m.*
Alufolie *f* foglio *m* d'alluminio. **Aluform** *f* stampo *m* in alluminio.
Aluminium [alu'mi:ni̯ʊm] ⟨-s, ø⟩ *n* alluminio *m.*
am [am] = **an dem** *s.* **an;** ~ **Abend** di sera; ~ **Himmel** in cielo; ~ **Lager** in magazzino; ~ **Leben** in vita; ~ **17. Juni 1961** il diciasette giugno 1961; **das ist ~ besten** è la cosa migliore.
a. M. *abk von* **am Main** sul Meno.
Amalgam [amal'ga:m] ⟨-s, -e⟩ *n* amalgama *f.*
Amateur(in) [ama'tø:ɐ̯ (...rɪn)] ⟨-s, -e⟩ *m(f)* dilettante *mf; (Liebhaber)* amatore, -trice *m, f.* **Amateurfunker(in)** *m(f)* radioamatore, -trice *m, f.*
Ambiente *n* ambiente *m.*
Amboß ['ambɔs] ⟨-bosses, -bosse⟩ *m* incudine *f.*
ambulant [ambu'lant] *adj* ambulante; ~ **behandeln** curare in ambulatorio.
Ambulanz [...'lants] ⟨-, -en⟩ *f* **1.** *(Krankenwagen)* (auto)ambulanza *f;* **2.** *(Station)* ambulatorio *m.*
Ameise ['amaizə] ⟨-, -n⟩ *f* formica *f.*

Ameisenbär *m* formichiere *m.* **Ameisenhaufen** *m* formicaio *m.* **Ameisensäure** *f* acido *m* formico.
amen ['a:mɛn] *interj* amen, così sia; **zu allem ja und ~ sagen** acconsentire a tutto.
Amerika [a'me:rika] *n* America *f.*
Amerikaner(in) [ameri'ka:nɐ (...ərɪn)] ⟨-s, -⟩ *m(f)* americano, -a *m, f.*
amerikanisch *adj* americano; *(in bezug auf USA)* statunitense.
Aminosäure [a'mi:no-] *f* amminoacido *m.*
Amme ['amə] ⟨-, -n⟩ *f* balia *f.*
Ammoniak [amo'ni̯ak *o* 'am...] ⟨-s, ø⟩ *n* ammoniaca *f.*
Amnestie [amnɛs'ti:, ...i:ən] ⟨-, -n⟩ *f* amnistia *f.*
Amöbe [a'mø:bə] ⟨-, -n⟩ *f* ameba *f.*
Amok ['a:mɔk *o* a'mɔk] ⟨-s, ø⟩ *m,* **Amoklaufen** ⟨-s, ø⟩ *n* furia *f* (*o* ossessione *f*) omicida. **Amokläufer(in)** *m(f)* folle *mf* omicida.
Ampel ['ampəl] ⟨-, -n⟩ *f* **1.** *(Verkehrs~)* semaforo *m;* **2.** *(Hängelampe)* lampada *f* sospesa; **3.** *(Blumen~)* vaso *m* da fiori sospeso. **Ampelkoalition** *f pol coalizione di socialdemocratici, liberali e verdi.*
Ampere [am'pɛ:ɐ̯] ⟨-(s), -⟩ *n* (*abk* **A**) ampere *m.*
Amphetamin [amfeta'mi:n] *n* anfetamina *f.*
Amphibie [am'fi:bi̯ə] ⟨-, -n⟩ *f* anfibio *m.*
Ampulle [am'pulə] ⟨-, -n⟩ *f* fiala *f.*
Amputation [amputa't͡si̯o:n] ⟨-, -en⟩ *f* amputazione *f.*
amputieren [...'ti:rən] ⟨*ohne ge-*⟩ *tr* amputare.
Amsel ['amzəl] ⟨-, -n⟩ *f* merlo *m.*
Amt [amt] ⟨-(e)s, Ämter⟩ *n* **1.** *(Stellung)* carica *f; (a. ~spflicht)* ufficio *m;* **2.** *(Aufgabe)* funzione *f,* compito *m;* **3.** *(Behörde)* ufficio *m;* **4.** *tel* centralino *m;* **das Auswärtige ~** (*abk* **AA**) il Ministero Degli (Affari) Esteri tedesco; **im ~** in carica; **von ~s wegen** d'ufficio.
amtieren [am'ti:rən] ⟨*ohne ge-*⟩ *itr* adempiere la funzione (*als* di). **amtierend** *adj* in carica.
amtlich *adj* ufficiale; **das Fahrzeug mit dem ~en Kennzeichen TR-MZ 96** la vettura con la targa TR-MZ 96.
Amtsarzt *m,* **-ärztin** *f* ufficiale *m* sanitario. **Amtsgericht** *n* tribunale *m* di prima istanza; *(a. Gebäude)* pretura *f.* **Amtshandlung** *f* atto *m* ufficiale. **Amtsmißbrauch** *m* abuso *m* (in atto) ufficio. **Amtsniederlegung** *f* dimissioni *f pl.* **Amtsrichter(in)** *m(f)* giudice *mf* di prima istanza, (donna *f*) pretore *m.* **Amtssprache** *f* lingua *f* ufficiale. **Amtsweg** *m:* **den ~ einhalten** seguire l'iter burocratico; **auf dem ~** per via burocratica. **Amtszeit** *f* permanenza *f* in carica.
Amulett [amu'lɛt] ⟨-(e)s, -e⟩ *n* amuleto *m.*
amüsant [amy'zant] *adj* divertente; *(Gesellschafter, Abend)* piacevole.
amüsieren [...'zi:rən] ⟨*ohne ge-*⟩ **I.** *tr* divertire; **II.** *rfl:* **sich ~** divertirsi; **sich über etw.** *(akk)* **~** farsi beffe di qc.
Amüsierviertel *n* rione *m* dei locali notturni.
an [an] **I.** *prp +dat/+akk* **1.** *(räumlich)* a, in, per; *(auf)* su; **2.** *(zeitlich)* a, di, in; **am Feuer** vicino al fuoco; **~ einer Stelle** in un punto; **~ der Straße** sul bordo della strada; **~ die See fahren** andare al mare; **am Tisch sitzen** sedere a tavola; **etw. ~ die Wand stellen/werfen** mettere/gettare qc contro la parete; **Frankfurt liegt am Main** Francoforte si trova sul Meno; **am Samstag** sabato; **ein Brief ~ jdn** una lettera per (*o* indirizzata a) qu; **der Gedanke ~ die Kinder** il pensiero dei bambini; **~ den Fingern abzählen** contare sulle dita; **~ Krücken gehen** camminare con le grucce; **~s Telefon gehen** rispondere al telefono; **~ etw.** *(dat)* **leiden/sterben** soffrire/morire di qc; **jdn ~ die Hand nehmen** prendere qu per la mano; **sich ~ jdn wenden** rivolgersi a qu; **das Schönste ~ der Sache ist . . .** il più bello (della cosa) è . . .; **viele Grüße ~ deine Frau** tanti saluti a tua moglie; **II.** *adv:* **~ die 100** circa cento; **von jetzt ~** d'ora in poi; **von morgen ~** a partire da domani; **von Anfang ~** fin dall'inizio; **~ Stuttgart** arrivo a Stoccarda; **~ (und für) sich** in fondo; *s. a. anhaben, ansein.*
Anabolikum [ana'bo:likum] *n* ⟨-s, -ka⟩ anabolizzante *m.*
anal *adj* anale.
analog [ana'lo:k] *adj* analogo (*zu* a); (*inform*) analogico.
Analogie [...lo'gi:, ...i:ən] ⟨-, -n⟩ *f* analogia *f;* **in ~ zu** in analogia a.
Analogrechner *m* calcolatore *m* analogico.
Analphabet(in) [an?alfa'be:t(ɪn) *o* 'an...] ⟨-en, -en⟩ *m(f)* analfabeta *mf.*
Analphabetismus ⟨-, ø⟩ *m* analfabetismo *m.*
Analyse [ana'ly:zə] ⟨-, -n⟩ *f* analisi *f.*
analysieren [...ly'zi:rən] ⟨*ohne ge-*⟩ *tr* analizzare.
analytisch [...'ly:tɪʃ] *adj* analitico.
Ananas ['ananas] ⟨-, - *o* -se⟩ *f* ananas *m.*
Anarchie [anar'çi:, ...i:ən] ⟨-, -n⟩ *f* anarchia *f.*
Anarchist(in) [...'çɪst(ɪn)] ⟨-en, -en⟩ *m(f)* anarchico, -a *m, f.*
anarchistisch *adj* anarchico.
Anarcho [...'ço:] *m* ⟨-s, -s⟩ *fam* anarcoide *mf.*
Anästhesie [anɛste'zi:, ...i:ən] ⟨-, -n⟩ *f* anestesia *f.*
Anästhesist(in) [...'zist(ɪn)] ⟨-en, -en⟩

m(f) anestesista *mf.*

Anatomie [anato'mi:, ...i:ən] ⟨-, -n⟩ *f* anatomia *f.*

anatomisch [...'to:mɪʃ] *adj* anatomico.

an·bahnen **I.** *tr* avviare; **II.** *rfl:* **sich** ~ profilarsi.

an·bändeln ['anbɛndəln] *itr fam (flirten, kokettieren)* tentare (*o* fare) degli approcci.

Anbau[1] ⟨-(e)s, -ten⟩ *m (Gebäude)* fabbricato *m* aggiunto; *(Flügel)* ala *f.*

Anbau[2] ⟨-(e)s, ø⟩ *m agr* coltivazione *f.*

an·bauen[1] *tr arch* aggiungere.

an·bauen[2] *tr agr (Getreide)* coltivare; *(Pflanzen)* piantare.

Anbaufläche *f* terreno *m* coltivabile.

anbei [an'baj] *adv* qui accluso, in allegato.

an·beißen ⟨*irr*⟩ **I.** *tr* dare un morso a; **II.** *itr* abboccare.

an·belangen ⟨*ohne ge-*⟩ *tr* concernere, riguardare; **was mich anbelangt** per quanto mi concerne, quanto a me.

an·beraumen ['anbəraumən] ⟨*ohne ge-*⟩ *tr* fissare, stabilire.

an·beten *tr* adorare.

Anbetracht *m:* **in** ~ *+gen* in considerazione di, tenuto conto di; **in** ~ **dessen, daß ...** visto che ...

Anbetung ⟨-, ø⟩ *f* adorazione *f.*

an·bieten ⟨*irr*⟩ **I.** *tr* offrire; *(vorschlagen)* proporre; **II.** *rfl:* **sich** ~ *(Gelegenheit)* presentarsi; *(Person)* offrirsi, prestarsi.

an·binden ⟨*irr*⟩ *tr* legare, attaccare; **kurz angebunden sein** *fig* essere brusco e laconico.

Anblick *m (Anblicken)* vista *f; (Bild)* spettacolo *m.*

an·blicken *tr* guardare.

an·braten ⟨*irr*⟩ *tr* scottare, rosolare.

an·brechen ⟨*irr*⟩ **I.** *tr* ⟨*haben*⟩ *(Packung)* cominciare (ad usare); *(Vorräte)* intaccare; **II.** *itr* ⟨*sein*⟩ *(beginnen)* cominciare; *(Tag)* spuntare; *(a. Nacht)* farsi.

an·brennen ⟨*irr*⟩ *itr* ⟨*sein*⟩ accendersi; *(Speisen)* attaccarsi.

an·bringen ⟨*irr*⟩ *tr* **1.** *(befestigen)* fissare, attaccare; *tec* montare, installare; **2.** *(Beschwerde)* presentare; *(Kenntnisse)* dare prova di; **3.** *fam (herbeibringen)* portare.

Anbruch *m* inizio *m*, principio *m;* **bei** ~ **des Tages** allo spuntar del giorno; **bei** ~ **der Nacht** sul fare della notte; **bei** ~ **der Dunkelheit** verso sera, quando si fa sera, all' imbrunire.

Andacht ['andaxt] ⟨-, -en⟩ *f* **1.** *(innere Haltung)* raccoglimento *m;* **2.** *(Gottesdienst)* funzione *f.*

andächtig ['andɛçtɪç] *adj* **1.** *rel* devoto, pio; **2.** *fig (konzentriert)* (tutto) assorto; *(feierlich)* solenne.

an·dauern *itr* continuare, perdurare; *(Wetter)* mantenersi; *(hartnäckig)* persistere. **andauernd** **I.** *adj* continuo, persistente; **II.** *adv* di continuo.

Andenken ⟨-s, -⟩ *n* **1.** *(Erinnerung)* ricordo *m;* **2.** *(Souvenir)* ricordino *m*, souvenir *m;* **zum** ~ **an** in memoria di.

anderenfalls *adv* in caso contrario, altrimenti, se no.

andere(r, s) ['andərə] **I.** *adj* altro, -a; *(verschieden)* diverso, -a, differente; **am ~n Tag** il giorno dopo; **mit ~n Worten** in altre parole; **von ~r Seite** da altri; **ein ums** ~ **Mal** una volta su due; **II.** *pron* altro; **alles** ~ tutto il resto; **alles** ~ **als ...** tutt'altro che ...; **der eine ..., der** ~ **...** l'uno ..., l'altro ...; **einer nach dem ~n** uno dopo l'altro; *(abwechselnd)* a vicenda; **unter ~m** (*abk* **u. a.**) tra l'altro; **zum ~n** d'altra parte; **und vieles** ~ **mehr** (*abk* **u. v. a. m.**) e molte altre cose; **das ist etw. ganz ~s** è tutta un'altra cosa; **es verging ein Monat nach dem ~n** passavano mesi e mesi.

and(e)rerseits ['and(ə)rə'zaits] *adv* d'altra parte, d'altronde; **einerseits ...,** ~ **...** da una parte ..., dall'altra ...

ändern ['ɛndɐn] **I.** *tr* cambiare; *(wechseln)* mutare; *(ver~)* alterare; *(ab~)* modificare; *(Kleidung)* apportare modifiche a; **seine Meinung** ~ cambiare idea (*o* opinione); **daran ist nichts zu** ~ non c'è più nulla da fare *fam;* **II.** *rfl:* **sich** ~ cambiare, mutare.

anders ['andɐs] *adv* in altro modo, altrimenti; *(unterschiedlich)* diversamente; ~ **ausgedrückt** in altre parole; **irgendwo/nirgendwo** ~ in qualche altro/in nessun altro posto; **wer** ~ **(als er)?** chi altro (se non lui)?; **ich kann nicht ~, ich muß lachen** non posso fare a meno di ridere. **andersartig** *adj* diverso, differente. **Andersdenkende** ⟨ein -r, -n, -n⟩ *mf* persona *f* che la pensa in modo diverso. **andersherum** *adv* dall'altra parte.

anderswo ['andɐs'vo:] *adv* in altro luogo, altrove.

anderthalb ['andɐt'halp] *num* uno e mezzo; ~ **Jahre** un anno e mezzo.

Änderung ⟨-, -en⟩ *f* cambiamento *m*, mutamento *m; (Ab~)* modifica *f.*

anderweitig **I.** *adj* altro, ulteriore; **II.** *adv* in altro modo, altrimenti.

an·deuten *tr* accennare; *(zu verstehen geben)* lasciare intendere, far capire.

Andeutung *f* (ac)cenno *m* (*auf +akk* a), allusione *f* (*auf +akk* a). **andeutungsweise** *adv* per accenni, per allusioni; *(indirekt)* indirettamente.

Andrang *m (Gedränge)* ressa *f.*

Andrea [an'dre:a] *(weiblicher Vorname)* Andreina.

Andreas [an'dre:as] *(männlicher Vorname)* Andrea.

an·drehen *tr (Licht, Radio)* accendere; *(Gas)* aprire; **jdm etw.** ~ *fam* rifilare qc a qu *fam.*

andrerseits ['andrɐ'zaits] *s.* **andererseits.**

androgyn [andro'gyːn] *a* androgino, ermafrodito.
an·drohen *tr* minacciare (*jdm etw.* qu di qc).
an·ecken *itr fam:* **bei jdm ~** offendere qu, urtare qu.
an·eignen *rfl:* **sich** *(dat)* **etw. ~** appropriarsi di qc, impossessarsi di qc; *(widerrechtlich)* usurpare qc; *(Kenntnisse)* acquisire qc; *(Sprache)* impadronirsi di qc.
aneinander [anʔai̯'nandɐ] *adv* l'uno all'altro; *(räumlich)* l'uno accanto all'altro. **aneinander·geraten** *irr itr* ⟨*sein*⟩ litigare (*mit jdm* con qu). **aneinander·reihen I.** *tr* mettere in fila, allineare; **II.** *rfl:* **sich ~** allinearsi. **aneinander·stoßen** ⟨*irr*⟩ *itr* ⟨*sein*⟩ scontrarsi.
Anekdote [anɛk'doːtə] ⟨-, -n⟩ *f* aneddoto *m.*
an·ekeln *tr* disgustare, nauseare.
Anemone [ane'moːnə] ⟨-, -n⟩ *f* anemone *m.*
anerkannt ['anʔɛɐ̯kant] *adj* apprezzato, riconosciuto.
an·erkennen ⟨*irr, ohne ge-*⟩ *tr* riconoscere (*als* come, quale); *jur* legittimare; *(würdigen)* apprezzare. **anerkennend** *adj* di lode, di approvazione.
Anerkennung ⟨-, -en⟩ *f jur* legittimazione *f; (Billigung, Zustimmung)* approvazione *f;* **~ finden** essere apprezzato.
an·fachen ['anfaxən] *tr* attizzare.
an·fahren ⟨*irr*⟩ **I.** *tr* ⟨*haben*⟩ **1.** *(her~)* trasportare; **2.** *(anstoßen: Fahrzeug)* urtare contro; *(Fußgänger)* investire; **3.** *(ansteuern)* viaggiare verso; **4.** *fig (zurechtweisen)* sgridare; **II.** *itr* ⟨*sein*⟩ *(losfahren)* partire; *(Fahrzeug)* mettersi in moto.
Anfahrt *f (~szeit, ~sstrecke)* tragitto *m.*
Anfall *m med* attacco *m; fig* accesso *m;* **epileptischer ~** crisi *f* epilettica.
an·fallen ⟨*irr*⟩ **I.** *tr* ⟨*haben*⟩ aggredire, attentare a; **II.** *itr* ⟨*sein*⟩ risultare.
anfällig *adj:* **für Erkältungen ~ sein** prendersi facilmente un raffreddore.
Anfang ['anfaŋ] ⟨-(e)s, -fänge⟩ *m* principio *m,* inizio *m;* **~ Mai** ai primi di maggio; **den ~ machen mit** (in)cominciare con; **am (***o* **im** *o* **zu) ~** all'inizio, al principio; **aller ~ ist schwer** *prov* tutto sta nel cominciare *prov.*
an·fangen ⟨*irr*⟩ **I.** *tr* **1.** *(beginnen)* (in)cominciare, iniziare; **2.** *(tun)* fare; **Streit mit jdm ~** attaccare briga con qu; **II.** *itr* (in)cominciare (*zu* a); **das fängt ja gut an!** cominciamo bene! *fam;* **fang nicht wieder davon an!** *fam* cambia disco! *fam.*
Anfänger(in) ['anfɛŋɐ (...ərɪn)] ⟨-s, -⟩ *m(f)* principiante *mf.*
anfänglich ['anfɛŋlɪç] **I.** *adj.* iniziale; **II.** *adv* dapprima, da principio.
anfangs ['anfaŋs] *adv* dapprima, da principio. **Anfangsbuchstabe** *m* (lettera *f*) iniziale *f;* **großer/kleiner ~** maiuscola *f*/minuscola *f.* **Anfangsstadium** *n* fase *f* iniziale, primo stadio *m.*
an·fassen *tr* **1.** *(berühren)* toccare; **2.** *(bei der Hand nehmen)* prendere per mano; **3.** *(in Angriff nehmen)* affrontare; **4.** *(behandeln)* trattare.
an·fechten ⟨*irr*⟩ *tr (Richtigkeit)* contestare; *(Meinung)* confutare; *jur* impugnare.
an·fertigen *tr* fare; *(Waren)* fabbricare; *(Anzug)* confezionare; *(Schriftstück)* stendere.
an·feuchten *tr* inumidire, umettare.
an·feuern *tr fig* incitare.
an·flehen *tr* implorare, supplicare.
an·fliegen ⟨*irr*⟩ **I.** *itr* ⟨*sein*⟩ avvicinarsi (volando); **II.** *tr* ⟨*haben*⟩ **1.** *(Ort)* volare verso, puntare su; **2.** *(landen auf, in)* atterrare su; **Rom wird von der Lufthansa angeflogen** Roma è servita dalla Lufthansa.
Anflug *m* **1.** *aero* avvicinamento *m,* arrivo *m;* **2.** *fig (Hauch)* ombra *f,* traccia *f.*
an·fordern *tr* richiedere.
Anforderung *f* **1.** *(Erfordernis)* richiesta *f,* ordinazione *f;* **2.** *(Anspruch)* esigenza *f;* **hohe ~en an jdn stellen** pretendere molto da qu.
Anfrage *f* **1.** *allg.* domanda *f,* richiesta *f;* **2.** *inform* consultazione *f;* **3.** *parl* interpellanza *f.*
an·fragen *itr:* **bei jdm nach etw. ~** informarsi presso qu di qc.
an·freunden *rfl:* **sich ~** diventare amico (*mit* di); **sich mit etw. ~** *fig* abituarsi a qc.
an·fühlen *rfl:* **sich hart/weich ~** essere duro/morbido al tatto.
an·führen *tr* **1.** *(führen)* guidare, condurre; *mil* comandare; **2.** *fig (zitieren)* citare; *(Grund)* addurre; *(Beispiel)* dare; **3.** *(täuschen)* imbrogliare.
Anführer(in) *m(f)* capo *m,* guida *f; pej* caporione *m.*
Anführungszeichen *n pl* virgolette *f pl.*
Angabe[1] *f* **1.** *(Hinweis)* indicazione *f; (Auskunft)* informazione *f; (Behauptung)* affermazione *f; tec* dato *m;* **2.** *sport* battuta *f;* **nähere ~n zu ...** dettagli particolari su ...; **nach seinen ~n** a detta di lui.
Angabe[2] *f (Prahlerei)* vanteria *f.*
an·geben[1] ⟨*irr*⟩ *tr* **1.** *(Preis)* indicare; *(Namen)* dare; *(Wert, Einkommen)* dichiarare; *(Gründe)* addurre; *(bestimmen: Tempo, Richtung)* stabilire; **2.** *(anzeigen: Diebstahl, Mitschüler)* denunciare; **3.** *sport* battere.
an·geben[2] ⟨*irr*⟩ *itr (prahlen)* vantarsi.
Angeber(in) *m(f)* spaccone, -a *m, f fam,* millantatore, -trice *m, f.*
Angeberei [angeːbə'rai̯] ⟨-, -en⟩ *f* **1.** *(Worte)* vanteria *f,* millanteria *f;* **2.** *(Taten)* spacconata *f fam.*

angeblich ['ange:plıç] **I.** *adj* **1.** *(vorgeblich)* preteso; **2.** *(vermeintlich)* presunto; **II.** *adv* secondo quel che si dice.
angeboren *adj* innato; *(Fehler, Krankheit)* congenito.
Angebot *n* offerta *f;* **unverbindliches ~** offerta *f* senza impegno. **Angebotspreis** *m* prezzo *m* d'offerta.
angebracht *adj* opportuno, conveniente.
angegossen *adj:* **wie ~ sitzen** stare a pennello *fam.*
angeheitert ['angəhaitɐt] *adj* brillo, alticcio.
an·gehen ⟨*irr*⟩ **I.** *tr* ⟨*haben*⟩ **1.** *(betreffen)* riguardare, concernere; **2.** *(anpacken: Problem)* affrontare; **was mich angeht** quanto a me; **das geht mich nichts an** non è affare mio; **II.** *itr* ⟨*sein*⟩ **1.** *fam (beginnen)* (in)cominciare; **2.** *(Feuer, Licht)* accendersi; **3.** *(bekämpfen)* lottare (*gegen* contro); **4.** *(erträglich sein)* essere sopportabile; *(leidlich sein)* essere passabile. **angehend** *adj* principiante, esordiente.
an·gehören ⟨*ohne ge-*⟩ *itr* appartenere (*+dat* a).
Angehörige ⟨ein -r, -n, -n⟩ *mf* **1.** *(Verwandte)* parente *mf,* congiunto, -a *m, f;* **2.** *(Mitglied)* appartenente *mf,* membro *m.*
Angeklagte ⟨ein -r, -n, -n⟩ *mf* accusato, -a *m, f,* imputato, -a *m, f.*
Angel[1] ['aŋəl] ⟨-, -n⟩ *f (~rute)* canna *f* da pesca.
Angel[2] ['aŋəl] ⟨-, -n⟩ *f (Tür~)* cardine *m;* **aus den ~n heben** scardinare.
Angelegenheit *f* affare *m,* faccenda *f.*
angelernt *adj:* **~er Arbeiter** operaio qualificato.
Angelhaken *m* amo *m.*
angeln ['aŋəln] *tr, itr* pescare (con l'amo); **sich** *(dat)* **einen Mann ~** *fam* accalappiare un marito *fam.* **Angeln** ⟨-, ø⟩ *n* pesca *f* (con l'amo).
Angelrute *f* canna *f* da pesca.
Angelsachse ['aŋəl-] *m,* **-sächsin** *f* anglosassone *mf.*
Angelschein *m* licenza *f* di pesca. **Angelschnur** *f* lenza *f.*
angemessen *adj* adeguato, conveniente.
angenehm ['angəne:m] *adj* gradito, piacevole; *(Mensch)* simpatico; **~e Reise!** buon viaggio!; **sehr ~!** piacere!, molto lieto!
angenommen I. *adj* **1.** *(hypothetisch)* supposto, ipotetico; **2.** *(Name)* falso; *(Kind)* adottato; **II.** *konj:* **~, daß ...** supposto che *+congv.*
angeregt *adj* animato, vivace.
angesehen *adj* stimato, rispettabile.
Angesicht *n geh, poet* volto *m;* **von ~ zu ~** a faccia a faccia; **im Schweiße seines ~s** col sudore della propria fronte.
angesichts ['angəzıçts] *prp +gen* considerato, in considerazione di.
Angestellte ['angəʃtɛltə] ⟨ein -r, -n, -n⟩ *mf* impiegato, -a *m, f;* **die ~n** il personale; **leitender ~r** dirigente *m.*
angestrengt *adv* intensamente, assiduamente.
angetan *adj:* **von jdm ~ sein** essere infatuato di qu.
angetrunken *adj* brillo, alticcio.
angewiesen *adj:* **auf jdn/etw. ~ sein** dipendere da qu/qc.
an·gewöhnen ⟨*ohne ge-*⟩ *rfl:* **sich** *(dat)* **~ zu ...** abituarsi a ..., prendere l'abitudine di ...
Angewohnheit *f* abitudine *f;* **aus ~** per abitudine.
Angina [aŋ'gi:na, ...nən] ⟨-, -ginen⟩ *f* angina *f.*
an·gleichen ⟨*irr*⟩ **I.** *tr (anpassen)* adattare (*an +akk* a), conformare (*an +akk* a); **II.** *rfl:* **sich ~** adattarsi.
Angler(in) ['aŋlɐ (...ərın)] ⟨-s, -⟩ *m(f)* pescatore, -trice *m, f* (con la lenza).
an·gliedern *tr* annettere, aggregare.
Anglist(in) [aŋ'glıst(ın)] ⟨-en, -en⟩ *m(f)* anglista *mf.*
Anglistik [aŋ'glıstık] ⟨-, ø⟩ *f* anglistica *f.*
Angorawolle [aŋ'go:ra-] *f* lana *f* d'angora.
an·greifen ⟨*irr*⟩ *tr* **1.** *allg., fig, sport, mil* attaccare, assalire; **2.** *(schwächen)* indebolire; *(ermüden)* affaticare; **3.** *(Reserven, Vorrat)* intaccare; **4.** *(Problem)* affrontare; **5.** *chem* corrodere.
Angreifer(in) ⟨-s, -⟩ *m(f) sport, mil* attaccante *mf; pol* aggressore *m,* aggreditrice *f.*
an·grenzen *itr* confinare (*an +akk* con); *(Zimmer)* essere attiguo.
Angriff *m allg., sport, fig, mil* attacco *m; (a. pol)* aggressione *f; mil* assalto *m,* carica *f;* **in ~ nehmen** porre mano a, (in)cominciare. **angriffslustig** *adj* aggressivo.
Angst [aŋst] ⟨-, Ängste⟩ *f* paura *f* (*vor +dat* di), timore *m* (*vor +dat* di); *(innere Unruhe)* ansia *f;* **~ haben vor/um** avere paura di/per. **Angsthase** *m fam scherz* fifone, -a *m, f fam.*
ängstigen ['ɛŋstıgən] **I.** *tr* spaventare; **II.** *rfl:* **sich ~** aver paura (*vor +dat* di); *(sich sorgen)* stare in pensiero (*um* per); **sich zu Tode ~** morire di paura.
ängstlich ['ɛŋstlıç] *adj* timoroso, pauroso; *(besorgt)* ansioso.
Angstschweiß *m* sudore *m* freddo.
an·gucken *s.* **ansehen.**
an·haben[1] ⟨*irr*⟩ *tr (Kleidungsstück)* portare addosso.
anhaben[2] ⟨*irr*⟩ *tr:* **jdm etw./nichts ~ können** poter/non poter danneggiare qu; *fig* non poter toccare qu.
an·halten ⟨*irr*⟩ **I.** *itr* **1.** *(stehenbleiben)* fermarsi, arrestarsi; **2.** *(andauern)* continuare, (per)durare; **um jdn ~** chiedere la mano di qu; **II.** *tr* **1.** *(stoppen)* ferma-

re, arrestare; *(Atem)* trattenere; **2.** *(ermahnen)* esortare, sollecitare *(jdn zu etw.* qu a qc); **halt die Luft an!** *fam* stai zitto!. **anhaltend** *adj* continuo, incessante, durevole.

Anhalter(in) *m(f)* autostoppista *mf;* **per ~ fahren** fare l'autostop.

Anhaltspunkt ['anhalts-] *m* punto *m* di riferimento.

anhand [an'hant] *prp +gen* in base a.

Anhang *m* **1.** *(zu Buch)* appendice *f; (zu Vertrag)* allegato *m;* **2.** *(Familie)* famiglia *f;* **ohne ~** senza congiunti.

an·hängen *tr* **1.** *allg.* appendere *(an +akk* a), attaccare *(an +akk* a); *mot* agganciare *(an +akk* a); **2.** *(hinzufügen)* aggiungere *(an +akk* a); **jdm etwas ~** *fam* diffamare qu, denigrare qu.

Anhänger ⟨-s, -⟩ *m* **1.** *(Schmuck)* pendente *m,* ciondolo *m;* **2.** *mot* rimorchio *m.*

Anhänger(in) ⟨-s, -⟩ *m(f)* aderente *mf; (Befürworter)* sostenitore, -trice *m, f; (von Lehre)* discepolo, -a *m, f; rel, philos* seguace *mf.*

Anhängerkupplung *f* gancio *m* di traino.

Anhängerschaft ⟨-, -en⟩ *f* aderenti *m pl,* sostenitori *m pl; rel, philos* seguaci *m pl.*

anhänglich ['anhɛŋlɪç] *adj* attaccato; *(treu)* fedele.

an·häufen I. *tr* ammucchiare; *(a. fig)* accumulare; **II.** *rfl:* **sich ~** accumularsi.

Anhäufung ⟨-, -en⟩ *f* accumulamento *m; (Ergebnis)* accumulo *m.*

an·heben ⟨*irr*⟩ *tr* sollevare; *(Preis)* rialzare.

anheim·stellen [an'haim-] *tr geh (überlassen)* rimettere; **das stelle ich Ihnen anheim** mi rimetto al Suo giudizio.

an·heizen *tr fam:* **die Stimmung ~** riscaldare l'atmosfera.

an·heuern ['anhɔyən] *tr naut fam* ingaggiare.

Anhieb *m:* **auf ~** di primo acchito, subito.

an·himmeln *tr fam* ammirare perdutamente.

Anhöhe *f* altura *f,* collina *f.*

an·hören I. *tr* **1.** *(zuhören)* ascoltare; **2.** *(anmerken)* riconoscere, sentire (dalla voce); **II.** *rfl:* **sich gut/schlecht ~** suonare bene/male; **das hört sich (so) an, als ob ...** si direbbe che *+congv.*

Anhörung ⟨-, -en⟩ *f pol* hearing *m.*

Anilin [ani'li:n] ⟨-s, ø⟩ *n* anilina *f.*

Animateur(in) [anima'tø:ɐ (...rɪn)] ⟨-s, -e⟩ *m(f)* animatore, -trice *m, f.*

Animierdame *f* entraîneuse *f.*

animieren [ani'mi:rən] ⟨*ohne ge-*⟩ *tr* incitare, stimolare.

Anis [a'ni:s] ⟨-es, -e⟩ *m* anice *m.*

Ankauf *m* acquisto *m,* compera *f.*

an·kaufen *tr* acquistare, comperare.

ankehrig ['anke:rɪç] *adj CH (geschickt)* abile.

Anker ['aŋkɐ] ⟨-s, -⟩ *m* ancora *f;* **vor ~ liegen** essere ancorato.

ankern *itr* **1.** *(vor Anker gehen)* ancorarsi; **2.** *(vor Anker liegen)* essere ancorato.

an·ketten *tr* incatenare.

Anklage *f* accusa *f.* **Anklagebank** ⟨-, -bänke⟩ *f* banco *m* degli accusati.

an·klagen *tr* accusare *(wegen* di).

Anklagepunkt *m* punto *m* d'accusa.

Ankläger(in) *m(f)* accusatore, -trice *m, f;* **öffentlicher ~** Pubblico Ministero *m.*

Anklageschrift *f* atto *m* d'accusa.

Anklang *m* **1.** *fig (Erinnerung)* reminiscenza *f poet (an +akk* di); **2.** *(Zustimmung, Beifall)* approvazione *f,* consenso *m;* **~ finden** incontrare il favore *(bei* di).

an·kleben *tr* appiccicare, incollare; **A~ verboten!** vietata l'affissione!

Ankleidekabine *f* spogliatoio *m.*

an·kleiden *geh* **I.** *tr* vestire; **II.** *rfl:* **sich ~** vestirsi.

an·klopfen *itr* bussare.

an·kommen[1] ⟨*irr*⟩ *itr* ⟨*sein*⟩ **1.** *(eintreffen)* giungere, arrivare; **2.** *fig (Anklang finden)* incontrare favore; *(Erfolg haben)* incontrare successo; *(Witz)* fare ridere.

an·kommen[2] ⟨*irr*⟩ *itr* ⟨*sein*⟩ **1.** *(wichtig sein)* essere importante *(darauf, daß ...* che *+congv);* **2.** *(abhängig sein)* dipendere *(auf +akk* da); **es darauf ~ lassen** affidarsi al caso; **darauf soll es nicht ~** non sarà questa la difficoltà; **es kommt darauf an** dipende.

Ankömmling ['ankœmlɪŋ] ⟨-s, -e⟩ *m* nuovo, -a arrivato, -a *(o* venuto, -a) *m, f.*

an·kotzen *tr vulg* **1.** *(anspeien)* sputare *(o* vomitare) addosso a; **2.** *fig (anwidern)* ripugnare a.

an·kreuzen *tr* segnare con una crocetta.

an·kündigen I. *tr* annunciare, rendere noto; **II.** *rfl:* **sich ~** annunciarsi, manifestarsi.

Ankündigung *f* annuncio *m,* avviso *m.*

Ankunft ['ankʊnft] ⟨-, ø⟩ *f* arrivo *m,* venuta *f.*

an·kurbeln *tr* **1.** *(Motor)* avviare, mettere in moto; **2.** *fig* incrementare.

Ankurbelung ⟨-, -en⟩ *f fig* rilancio *m.*

an·lachen *tr* sorridere a; **sich** *(dat)* **jdn ~** *fam* abbordare qu *fam.*

Anlage *f* **1.** *(Anordnung)* disposizione *f,* impostazione *f,* piano *m;* **2.** *(Bau)* costruzione *f; (Einrichtung)* impianto *m,* installazione *f;* **3.** *(Grün~)* parco *m,* giardini *m pl;* **4.** *(Veranlagung)* disposizione *f; (Begabung)* attitudine *f (zu* a), talento *m (zu* per); *med* predisposizione *f (zu* a); **5.** *fin* investimento *m,* capitale *m* d'impiego; **6.** *(abk* **Anl.**) *(in Schreiben)* allegato *m (abbr* all.); **als ~** qui *(o* in) accluso, in allegato.

Anlageberater(in) *m(f)* consulente *mf*

per gli investimenti. **Anlagepapier** *n* titolo *m* (*o* valore *m*) d'investimento. **Anlagevermögen** *n* immobilizzazioni *f pl*, capitale *m* fisso (*o* immobilizzato), beni *m pl* patrimoniali.

Anlagenbau *m* impiantistica *f*.

Anlaß ['anlas] ⟨-lasses, -lässe⟩ *m* **1.** *(Ursache)* causa *f; (Beweggrund)* motivo *m;* **2.** *(Gelegenheit)* occasione *f;* **3.** *CH* manifestazione *f;* **aus** ~ *s.* **anläßlich;** ~ **geben zu** dar luogo (*o* origine) a; ~ **haben zu** avere tutte le ragioni di (*o* per) +*inf*.

an·lassen ⟨*irr*⟩ *tr* **1.** *(Kleidung)* tenere addosso; *(Licht, Radio)* lasciare acceso; **2.** *tec, mot* mettere in moto, avviare.

Anlasser ⟨-s, -⟩ *m* starter *m*.

anläßlich ['anlɛslɪç] *prp* +*gen* in occasione di.

Anlauf *m allg., sport* rincorsa *f*, slancio *m; fig (Versuch)* tentativo *m; (Ansatz)* inizio *m;* **(einen)** ~ **nehmen** prendere la rincorsa.

an·laufen ⟨*irr*⟩ **I.** *itr* ⟨*sein*⟩ **1.** *(her~)* accorrere; **2.** *sport* prendere la rincorsa; **3.** *fig (beginnen)* incominciare, iniziare; **4.** *(beschlagen)* appannarsi; *(Metall)* ossidarsi; **blau/rot** ~ diventare livido/rosso (*vor* di, per); **II.** *tr* ⟨*haben*⟩ *naut* far scalo a, toccare.

Anlaufstelle *f* centro *m* informazioni.

Anlaut *m* (suono *m*) iniziale *f*.

an·läuten *itr CH (anrufen)* telefonare (*jdm* a qu).

an·legen **I.** *tr* **1.** *(Schmuck)* mettere; *(Kleidung)* indossare; *(Verband)* applicare; **2.** *(Stadt)* fondare; *(Gebäude)* erigere; *(Garten, Fabrik)* impiantare; *(Weg)* tracciare; *(Kanal)* scavare; *(Sammlung, Kartei)* costituire; **3.** *fin* investire, impiegare; **4.** *(Gewehr)* puntare (*auf* +*akk* su); **es darauf** ~ **zu ...** aver di mira ...; **II.** *itr naut* approdare (*an* +*dat* a); **in einem Hafen** ~ far scalo in un porto.

Anlegeplatz *m*, **-stelle** *f* approdo *m*.

an·lehnen **I.** *tr* **1.** *(Gegenstand)* appoggiare (*an* +*akk* a), addossare (*an* +*akk* a); **2.** *(Tür, Fenster)* accostare, socchiudere; **II.** *rfl:* **sich** ~ appoggiarsi, addossarsi.

Anlehnungsbedürfnis *n* bisogno *m* d'affetto.

an·leiern *tr fam* iniziare, avviare.

Anleihe ['anlaiə] ⟨-, -n⟩ *f* prestito *m; (gewährte)* credito *m*.

an·leiten *tr* istruire.

Anleitung *f (Unterweisung)* istruzione *f;* **unter** ~ **von** sotto la guida di.

an·lernen *tr* istruire, addestrare.

an·liegen ⟨*irr*⟩ *itr* **1.** *(Programmpunkt sein)* essere in programma; **2.** *(Kleidungsstück)* aderire (*an* +*dat* a); **eng** ~ essere attillato.

Anliegen ⟨-s, -⟩ *n (Wunsch)* desiderio *m; (Bitte)* preghiera *f*, richiesta *f*.

Anlieger(in) ⟨-s, -⟩ *m(f)* proprietario di terreno (*o* di casa) adiacenti alla strada; *(Nachbar)* confinante *mf*.

an·locken *tr* attirare; *(in böser Absicht, a. fig)* adescare.

an·lügen ⟨*irr*⟩ *tr* mentire a.

Anmache *f sl (Belästigung)* abbordaggio *m*, molestia *f*.

an·machen *tr* **1.** *(einschalten)* avviare, mettere in moto; *(Licht, Radio)* accendere; *(Wasser)* aprire; **2.** *(Salat)* condire; *(Mörtel, Teig)* impastare; **3.** *fig sl (erregen)* invogliare, far(e) andare su di giri *fam*, eccitare; *(beschimpfen, belästigen)* non lasciare in pace, insultare; *(ansprechen)* abbordare.

an·malen *tr* dipingere.

an·maßen ['anma:sən] *rfl:* **sich** *(dat)* **etw.** ~ usurpare qc, arrogarsi qc; **ich maße mir nicht an, darüber zu urteilen** non pretendo di pronunciare un giudizio in merito. **anmaßend** *adj* presuntuoso; *(unverschämt)* arrogante.

Anmeldeformular *n* modulo *m* di notifica. **Anmeldefrist** *f* termine *m* delle iscrizioni. **Anmeldegebühr** *f* tassa *f* di registrazione, tassa *f* di deposito (di una domanda).

an·melden **I.** *tr* **1.** *(ankündigen)* annunciare; **2.** *(bei Schule, Kurs)* iscrivere; **3.** *(geltend machen)* far valere; **Konkurs** ~ dichiarare fallimento; **II.** *rfl:* **sich** ~ **1.** *(sich ankündigen)* annunciarsi; **2.** *(bei Schule, Kurs)* iscriversi; **sich polizeilich** ~ notificare la propria residenza.

Anmeldung *f* **1.** *(Ankündigung)* annuncio *m;* **2.** *adm* notifica *f;* **3.** *(~szimmer)* ufficio *m* di ricezione.

an·merken *tr (schriftlich)* annotare; *(mündlich)* osservare; **sich** *(dat)* **nichts** ~ **lassen** far finta di nulla; **man merkt ihm seine Verlegenheit an** il suo imbarazzo è visibile.

Anmerkung ⟨-, -en⟩ *f (schriftlich)* annotazione *f*, nota *f; (mündlich)* osservazione *f*.

Anmut ['anmu:t] ⟨-, ø⟩ *f geh* grazia *f*. **anmutig** *adj* grazioso.

an·nähen *tr* attaccare (cucendo).

annähernd **I.** *adj* approssimativo; **II.** *adv* approssimativamente, press'a poco.

Annäherung ⟨-, -en⟩ *f* avvicinamento *m* (*an* +*akk* a). **Annäherungsversuch** *m* tentativo *m* di avvicinamento, approccio *m*.

Annahme ['anna:mə] ⟨-, -n⟩ *f* **1.** *(das Annehmen)* accettazione *f; (von Kind, Namen, Lehre)* adozione *f;* **2.** *(Vermutung)* supposizione *f*, ipotesi *f;* **in der ~, daß ...** supponendo che +*congv;* ~ **verweigert!** respinto!

annehmbar *adj* accettabile; *(Preis, Bedingung)* conveniente; *(leidlich)* passabile.

an·nehmen ⟨*irr*⟩ **I.** *tr* **1.** *allg.* accettare; *(Kind, Namen)* adottare; *(Antrag)* accogliere; *(Rat)* seguire; *(Farbe, Haltung)* prendere; *(Gewohnheit)* contrarre; **2.** *(vermuten)* supporre, presumere; **II.** *rfl:* **sich jds ~** prendersi cura di qu; **sich einer S.** *(gen)* **~** interessarsi (*o* incaricarsi) di una cosa.

Annehmlichkeit ⟨-, -en⟩ *f* agio *m,* comodità *f.*

annektieren [anɛk'tiːrən] ⟨*ohne ge-*⟩ *tr* annettere.

Annette [a'nɛtə] *(weiblicher Vorname)* Annetta.

Annonce [a'nõːsə] ⟨-, -n⟩ *f* annuncio *m,* inserzione *f.*

annoncieren [anõ'siːrən] ⟨*ohne ge-*⟩ **I.** *itr* mettere (*o* fare) un annuncio (*o* un'inserzione) (sul giornale); **II.** *tr* fare un inserzione per vendere.

annullieren [anʊ'liːrən] ⟨*ohne ge-*⟩ *tr* annullare.

Annullierung ⟨-, -en⟩ *f* annullamento *m.*

an·öden ['anˀøːdən] *tr fam* annoiare, stuccare.

anomal ['anomaːl *o* ...'maːl] *adj* anomalo.

Anomalie [...ma'liː, ...iːən] ⟨-, -n⟩ *f* anomalia *f.*

anonym [ano'nyːm] *adj* anonimo; **A ~e Alkoholiker** *pl* alcolisti *pl* anonimi.

anonymisieren ⟨*ohne ge-*⟩ *tr (Fragebögen, Daten)* rendere anonimo.

Anonymität [...nymi'tɛːt] ⟨-, ø⟩ *f* anonimato *m.*

Anorak ['anorak] ⟨-s, -s⟩ *m* giacca *f* a vento.

an·ordnen *tr* ordinare, disporre.

Anordnung *f* ordine *m,* disposizione *f;* **auf ~ von ...** per ordine di ...

anorganisch *adj* inorganico.

an·packen *tr* afferrare; *(Arbeit, Problem)* affrontare.

an·passen I. *tr* adattare (*an +akk* a), adeguare (*an +akk* a); **II.** *rfl:* **sich ~** adattarsi (*an +akk* a), conformarsi (*an +akk* a).

Anpassung ⟨-, -en⟩ *f* adattamento *m; (a. fig)* adeguamento *m.* **anpassungsfähig** *adj* capace di adattarsi.

an·peilen *tr* **1.** *radio* reperire, rilevare; *naut* puntare verso; **2.** *fig fam* guardare.

an·pfeifen ⟨*irr*⟩ **I.** *tr* **1.** *sport* fischiare l'inizio di; **2.** *fam (zurechtweisen)* sgridare; **II.** *itr sport* fischiare l'inizio.

Anpfiff *m* **1.** *sport* fischio *m* d'inizio; **2.** *fam* rabbuffo *m,* sgridata *f.*

an·pflanzen *tr* piantare.

an·prangern *tr (a. fig)* mettere alla gogna.

an·preisen ⟨*irr*⟩ *tr* lodare, vantare; **jdm etw. ~** vantare qc a qu, lodare qc con qu.

Anprobe *f* prova *f.*

an·probieren ⟨*ohne ge-*⟩ *tr* provare.

an·pumpen *tr fig fam* spillare denaro a.

an·rechnen *tr* **1.** *(berechnen)* mettere in conto, conteggiare; **2.** *(gutschreiben)* accreditare (*auf +akk* su); **3.** *(abziehen)* detrarre; **4.** *fig (werten)* ascrivere (*als* a); **jdm etw. hoch ~** dare un gran merito a qu di qc.

Anrecht *n* diritto *m* (*auf +akk* di).

Anrede *f* **1.** *(das Anreden)* (modo *m* di) rivolgere *m* la parola; **2.** *(Titel)* titolo *m;* **„Signora" ist die italienische ~ für eine Frau** Signora è l'appellativo italiano per una donna.

an·reden *tr* rivolgere la parola a, rivolgersi a; **jdn mit „du/Sie" ~** dare del tu/Lei a qu.

an·regen *tr* **1.** *biol* stimolare; *(Phantasie)* eccitare; **2.** *(vorschlagen)* proporre. **anregend** *adj* stimolante; *(Buch, Gespräch)* interessante.

Anregung *f* **1.** *biol* stimolazione *f;* **2.** *(Anstoß)* impulso *m,* stimolo *m; (Denkanstoß)* ispirazione *f,* spunto *m;* **3.** *(Vorschlag)* proposta *f.*

an·reichern ['anrai̯çən] *tr* arricchire.

Anreiz *m* impulso *m,* stimolo *m.*

an·rempeln ['anrɛmpəln] *tr fam* urtare.

Anrichte ['anrɪçtə] ⟨-, -n⟩ *f* credenza *f.*

an·richten *tr* **1.** *(Speise)* preparare; *(Platte)* guarnire; *(Salat)* condire; **2.** *(verursachen)* causare; **da hast du aber etwas Schönes angerichtet!** l'hai combinata bella! *fam.*

anrüchig ['anrʏçɪç] *adj* malfamato.

Anruf *m* chiamata *f; (bes. tel)* telefonata *f.* **anrufbar** *adj*: **~e Telefonzelle** cabina *f* telefonica con numero richiamabile.

Anrufbeantworter ⟨-s, -⟩ *m* segreteria *f* telefonica; **~ mit Fernabfrage** segreteria *f* telefonica con richiamo a distanza; **~ mit Gesprächsaufzeichnung** segreteria *f* telefonica con registrazione di chiamate.

an·rufen ⟨*irr*⟩ *tr* **1.** *allg.* chiamare; **2.** *tel* telefonare a; **3.** *(Gott)* invocare; *(um Gnade, Hilfe)* implorare; **4.** *(Gericht)* appellarsi a.

an·rühren *tr* **1.** *(berühren, a. fig)* toccare; **2.** *(Farbe)* mescolare; *(Mörtel, Teig)* impastare; *gastr* rimestare.

Ansage *f* annuncio *m.*

an·sagen *tr* annunciare; *(Konkurs)* dichiarare; **jdm den Kampf ~** dichiarare guerra a qu; **schnelles Handeln ist angesagt** bisogna agire velocemente; **pink ist angesagt** va di moda il rosa; **Spaß ist angesagt** c'è da divertirsi.

Ansager(in) ⟨-s, -⟩ *m(f)* annunciatore, -trice *m, f.*

an·sammeln I. *tr* accumulare, ammassare; **II.** *rfl:* **sich ~** accumularsi; *(sich versammeln)* adunarsi, raccogliersi.

Ansammlung *f* accumulo *m,* ammasso *m; (Menschen~)* assembramento *m,* folla *f.*

ansässig ['anzɛsɪç] *adj* domiciliato, residente.

Ansatz *m* **1.** *(Schicht)* deposito *m;* **2.** *(Haar~)* attaccatura *f;* **3.** *(Beginn)* inizio *m; (Versuch)* prova *f.* **Ansatzpunkt** *m* punto *m* di partenza.

an·schaffen *tr* procurare; *(kaufen)* acquistare.

Anschaffung ⟨-, -en⟩ *f* acquisto *m.* **Anschaffungskosten** ⟨*pl*⟩ costi *m pl* d'acquisto.

an·schalten *tr* accendere.

an·schauen *s.* **ansehen.**

an·schaulich *adj* chiaro, evidente; *(lebendig)* vivo.

Anschauung ⟨-, -en⟩ *f (Überzeugung)* idea *f; (Meinung)* opinione *f; (Auffassung)* concezione *f;* **aus eigener ~** per propria esperienza. **Anschauungsmaterial** *n* materiale *m* illustrativo; *(Lehrmittel)* materiale *m* didattico.

Anschein *m* apparenza *f;* **dem ~ nach** a quanto pare; **es hat den ~, als ob ...** sembra che *+congv.*

anscheinend *adv* evidentemente, a quanto pare.

an·schicken *rfl:* **sich ~** accingersi (*etw. zu tun* a fare qc).

an·schieben ⟨*irr*⟩ *tr* spingere.

an·schießen ⟨*irr*⟩ *tr* ferire (leggermente).

Anschlag *m* **1.** *(~zettel)* avviso *m,* affisso *m;* **2.** *(Attentat)* attentato *m;* **3.** *(bei Schreibmaschine)* battuta *f; (bei Klavier)* tocco *m.*

an·schlagen ⟨*irr*⟩ **I.** *tr* **1.** *(Bekanntmachung)* affiggere; **2.** *(Klavier, Saite)* toccare; *fig (Ton)* assumere; **3.** *(Faß)* spillare; **4.** *(beschädigen)* ammaccare; **40 Maschen ~** iniziare il primo ferro con 40 maglie; **II.** *itr* **1.** *(Hund)* abbaiare; **2.** *(wirken)* fare effetto (*bei* su).

an·schließen ⟨*irr*⟩ **I.** *tr* **1.** *tec* allacciare; *el* collegare; **2.** *(hinzufügen)* aggiungere; **II.** *rfl:* **sich ~** associarsi; **sich einer Partei ~** aderire ad un partito; **III.** *itr* far seguito (*an +akk* a). **anschließend** *adj* successivo; *(räumlich)* adiacente.

Anschluß *m* **1.** *(Wasser~, Gas~, Strom~)* allacciamento *m; el* collegamento *m;* **2.** *tel (Verbindung)* collegamento *m; (Apparat)* giunto *m,* raccordo *m;* **3.** *Eisenb., aero* coincidenza *f;* **4.** *fig, pol* annessione *f;* **im ~ an** in seguito a; **~ suchen** cercare di far conoscenza. **Anschlußflug** *m* coincidenza *f.* **Anschlußkabel** *n* cavo *m* di allacciamento.

anschmiegsam *adj* affettuoso.

an·schnallen *tr* allacciare; **sich ~** *mot, aero* allacciare la cintura.

Anschnallpflicht *f* obbligo *m* di allacciare la cintura (di sicurezza).

an·schneiden ⟨*irr*⟩ *tr* **1.** *(Brot, Braten)* incominciare a tagliare; **2.** *fig (Frage)* intavolare; *(Thema)* toccare; **3.** *fig (Kurve)* tagliare.

an·schrauben *tr* avvitare.

an·schreiben ⟨*irr*⟩ *tr* **1.** *(an Tafel, Wand)* scrivere; **2.** *(auf Kredit)* mettere in conto; **3.** *(jdn ~)* scrivere a.

an·schreien ⟨*irr*⟩ *tr* apostrofare, rimproverare gridando.

Anschrift *f* indirizzo *m.*

Anschuldigung ['anʃʊldɪgʊŋ] ⟨-, -en⟩ *f* accusa *f,* imputazione *f.*

an·schwellen ⟨*irr*⟩ *itr* ⟨*sein*⟩ **1.** *(Körperteil)* gonfiarsi; **2.** *(Lärm)* crescere; **3.** *(Fluß)* ingrossare.

an·sehen ⟨*irr*⟩ *tr* **1.** *(anblicken)* guardare; *(lange)* contemplare; *(besichtigen)* visitare; **2.** *(halten für)* considerare; *(beurteilen)* giudicare; **etw. mit ~** *(dabeisein)* assistere a qc; *(dulden)* tollerare qc; **man sieht es ihm an, daß ...** gli si legge in faccia che ...; **sieh mal (einer) an!** *fam* ma guarda un po! *fam.*

Ansehen ⟨-s, ø⟩ *n (Achtung)* considerazione *f,* stima *f; (Ruf)* reputazione *f,* credito *m;* **jdn vom ~ her kennen** conoscere qu di vista.

ansehnlich ['anse:nlɪç] *adj* **1.** *(gutaussehend)* di bell'aspetto; *(stattlich)* prestante; **2.** *(beträchtlich)* considerevole.

an·seilen *rfl:* **sich ~** legarsi in cordata.

an·sein ⟨*irr*⟩ *itr* ⟨*sein*⟩ essere acceso.

an·setzen I. *tr* **1.** *(an Mund)* mettere (*an +akk* a); *(Glas)* accostare (*an +akk* a); *(Flöte)* imboccare; **2.** *(anfügen)* aggiungere; **3.** *(veranschlagen)* preventivare; *(vorausberechnen)* calcolare; *(festsetzen)* fissare, stabilire; **Fett ~** ingrassare; **Schimmel ~** ammuffire; **jdn auf etw.** *(akk)* **~** far intervenire qu per qc; **II.** *itr* **1.** *(beginnen)* apprestarsi (*zu* a), accingersi (*zu* a); **2.** *(anbrennen)* attaccarsi.

Ansicht ⟨-, -en⟩ *f* **1.** *(Meinung)* opinione *f,* parere *m;* **2.** *(Anblick)* veduta *f;* **3.** *(Prüfung)* esame *m;* **der ~ sein, daß ...** essere dell'avviso che *+congv;* **meiner ~ nach** a mio avviso, secondo me; **zur ~** *com* in visione. **Ansichtskarte** *f* cartolina *f* illustrata. **Ansichtssache** *f:* **das ist ~** qui siamo nel campo dell'opinabile.

an·siedeln ['anzi:dəln] *rfl:* **sich ~** insediarsi; *(sich niederlassen)* stabilirsi, domiciliarsi.

Ansiedlung *f* insediamento *m; (Stelle)* colonia *f.*

an·spannen *tr* tendere; *(Pferde)* attaccare.

Anspannung *f (Einsatz)* impiego *m; (Anstrengung)* sforzo *m.*

Anspiel *n* inizio *m* del gioco.

an·spielen I. *itr* **1.** *sport* iniziare il gioco; *(beim Kartenspiel)* giocare di prima mano; **2.** *fig (hinweisen)* alludere (*auf +akk* a); **II.** *tr sport* passare la palla a.

Anspielung ⟨-, -en⟩ *f* allusione *f* (*auf +akk* a).

an·spitzen *tr* **1.** *(Bleistift)* fare la punta a; **2.** *fig fam (antreiben)* incitare.

Ansporn *m* stimolo *m*, incitamento *m*.
an·spornen *tr* stimolare, incitare.
Ansprache *f* discorso *m*, allocuzione *f*.
ansprechbar *adj* accessibile, avvicinabile.
an·sprechen ⟨*irr*⟩ **I.** *tr* **1.** *(reden mit)* rivolgere la parola a; **2.** *(erwähnen)* trattare, affrontare; **3.** *(gefallen)* piacere a; **jdn auf etw.** *(akk)* ~ interpellare qu su qc; **II.** *itr (reagieren)* reagire, rispondere (*auf +akk* a). **ansprechend** *adj* piacevole, gradevole, attraente.
Ansprechpartner(in) *m(f)* interlocutore, -trice *m, f* competente.
an·springen ⟨*irr*⟩ **I.** *itr* ⟨*sein*⟩ **1.** *(her~)* arrivare saltando; **2.** *mot* avviarsi; **II.** *tr* ⟨*haben*⟩ saltare addosso a.
Anspruch *m* **1.** *(Recht)* diritto *m* (*auf +akk* di, a); **2.** *(Forderung)* pretesa *f*, esigenza *f*; *jur* rivendicazione *f*; ~ **auf etw.** *(akk)* **erheben** rivendicare un diritto a (*o* di) qc; **hohe Ansprüche stellen** avere grandi pretese; **jdn in ~ nehmen** ricorrere a qu; **etw.** *(akk)* **in ~ nehmen** servirsi di qc; *(Person)* rivolgersi a; **sehr in ~ genommen sein** essere molto occupato. **anspruchslos** *adj* senza pretese, modesto. **Anspruchslosigkeit** ⟨-, ø⟩ *f* modestia *f*, semplicità *f*. **anspruchsvoll** *adj* esigente, pretenzioso.
an·spucken *tr* sputare addosso a.
Anstalt ['anʃtalt] ⟨-, -en⟩ *f* istituto *m*; *(Heil~)* sanatorio *m*; *(Irren~)* manicomio *m*.
Anstalten *f pl (Vorbereitungen)* preparativi *m pl*, disposizioni *f pl*; ~ **machen (*o* treffen) zu** *+inf* accingersi a *+inf*, prepararsi a *+inf*.
Anstand[1] ['anʃtant] ⟨-(e)s, ø⟩ *m (gutes Benehmen)* educazione *f*, buona creanza *f*; *(Schicklichkeit)* decenza *f*, decoro *m*.
Anstand[2] ['anʃtant] ⟨-(e)s, -stände⟩ *m (Jagd~)* posta *f*.
anständig ['anʃtɛndɪç] **I.** *adj* **1.** *(schicklich)* decente; **2.** *(ehrbar)* onesto; **3.** *fam (zufriedenstellend)* sufficiente, discreto; *(beträchtlich)* considerevole; **habt Ihr kein ~es Glas?** *fam* non avete un bicchiere decente?; **II.** *adv* decentemente, come conviene. **Anständigkeit** ⟨-, ø⟩ *f* **1.** *(Schicklichkeit)* decenza *f*, decoro *m*; **2.** *(Ehrlichkeit)* onestà *f*, correttezza *f*.
Anstandsbesuch *m* visita *f* di cortesia. **anstandshalber** *adv* per la forma, per il decoro. **anstandslos** *adv* senza esitazione, senza far storie.
an·starren *tr* guardare fisso, fissare.
anstatt [an'ʃtat] **I.** *prp +gen o +dat* invece di, al posto di; **II.** *konj:* ~ **zu** *+inf*, ~ **daß ...** invece di *+inf*.
an·stechen ⟨*irr*⟩ *tr* pungere; *(Faß)* spillare.
an·stecken I. *tr* **1.** *(feststecken)* fermare (con spilli); *(Brosche)* appuntare; *(Ring)* infilare; **2.** *(anzünden)* accendere; *(in Brand stecken)* appiccare il fuoco a; **3.** *med, fig* contagiare; **II.** *rfl:* **sich** ~ contagiarsi (*bei* da); **III.** *itr (a. fig)* essere contagioso. **ansteckend** *adj* contagioso.
Ansteckung ⟨-, -en⟩ *f* contagio *m*. **Ansteckungsgefahr** *f* pericolo *m* di contagio.
an·stehen ⟨*irr*⟩ *itr* **1.** *(Schlange stehen)* fare la coda; **2.** *(auf dem Programm stehen)* essere in programma.
an·steigen ⟨*irr*⟩ *itr* ⟨*sein*⟩ **1.** *(Straße, Wasser, Temperatur)* salire; **2.** *fig (zunehmen)* aumentare, crescere.
ansteigend *adv* ascendente.
anstelle [an'ʃtɛlə] *prp +gen s.* **Stelle.**
an·stellen I. *tr* **1.** *(einschalten: Maschine)* avviare, mettere in moto; *(Radio)* accendere; *(Wasser)* aprire; **2.** *(beschäftigen)* impiegare; **3.** *(anlehnen)* mettere (*an +akk* contro), appoggiare (*an +akk* a); **4.** *(Vergleich, Versuch, Dummheit)* fare; **was hast du da wieder angestellt?** *fam* che hai combinato di nuovo?; **wie hast du das angestellt?** *fam* come hai fatto?; **II.** *rfl:* **sich** ~ **1.** *(Schlange stehen)* fare la coda; **2.** *fam (sich verhalten)* comportarsi; **sich dumm** ~ *fam* fare lo sciocco; **stell dich doch nicht so an!** *fam* non fare tante storie!
Anstellung *f* impiego *m*, posto *m*.
Anstieg ['anʃti:k] ⟨-(e)s, -e⟩ *m* **1.** *(auf Berg)* salita *f*, ascesa *f*; **2.** *fig* aumento *m*.
an·stiften *tr* spingere, istigare, sobillare.
Anstiftung *f* sobillazione *f*; *jur* istigazione *f*.
an·stimmen *tr* intonare; **ein Geschrei** ~ prorompere in grida.
Anstoß *m* **1.** *sport* calcio *m* d'inizio; **2.** *fig (Antrieb)* impulso *m*, spinta *f*; *(Ärgernis)* scandalo *m*; **zu etw. den ~ geben** dare l'avvio a qc; **an etw.** *(dat)* ~ **nehmen** scandalizzarsi di qc.
an·stoßen ⟨*irr*⟩ **I.** *itr* **1.** ⟨*sein*⟩ urtare (*an +akk* contro); **2.** ⟨*haben*⟩ *(angrenzen)* confinare (*an +akk* con); **3.** ⟨*haben*⟩ *sport* dare il calcio d'inizio; **4.** ⟨*haben*⟩ *(mit Gläsern)* brindare (*auf +akk* a); **II.** *tr* urtare; *(in Bewegung setzen)* mettere in movimento.
Anstösser ['anʃtø:sɐ] ⟨-s, -⟩ *m CH (Anlieger)* confinante *m*.
anstößig ['anʃtø:sɪç] *adj* indecente, scandaloso. **Anstößigkeit** ⟨-, -en⟩ *f* indecenza *f*.
an·strahlen *tr* **1.** *(beleuchten)* illuminare; **2.** *(strahlend anblicken)* guardare con occhi raggianti.
an·streichen ⟨*irr*⟩ *tr* **1.** *(mit Farbe)* pitturare, verniciare; **2.** *(kennzeichnen)* segnare.
Anstreicher(in) ⟨-s, -⟩ *m(f)* imbianchino, -a *m, f*.
an·strengen I. *tr* **1.** *(ermüden)* affaticare; *(Augen)* stancare; **2.** *(Geist, Verstand)*

sforzare; **3.** *(Prozeß)* intentare; **II.** *rfl:* **sich ~** sforzarsi, applicarsi. **anstrengend** *adj* faticoso.

Anstrengung ⟨-, -en⟩ *f* **1.** *(Bemühung)* sforzo *m*, fatica *f*; **2.** *(Strapaze)* strapazzo *m*.

Anstrich *m* **1.** *(Farbschicht)* tinta *f*; *(Überzug)* mano *f*; **2.** *(Anschein)* apparenza *f*, aria *f*.

Ansturm *m (Andrang)* ressa *f*; *(von Kunden)* affluenza *f*.

an·stürmen *itr* ⟨*sein*⟩ assalire (*gegen etw.* qc), scagliarsi (*gegen* su, contro).

Antarktis [ant'ʔarktɪs] *f* Antartide *f*.

antarktisch *adj* antartico.

Anteil *m* **1.** *allg.* parte *f*, quota *f*; *com* partecipazione *f*; **2.** *(Teilnahme)* partecipazione *f*; **an etw.** *(dat)* **~ nehmen** prender parte a qc; *fig (Mitgefühl haben)* partecipare a qc. **anteilig** *adj* proporzionale. **anteilmäßig** *adv* proporzionalmente. **Anteilnahme** [-na:mə] ⟨-, ø⟩ *f* partecipazione (*an +dat* a).

Antenne [an'tɛnə] ⟨-, -n⟩ *f* antenna *f*.

Antialkoholiker(in) [antiʔalko'ho:likɐ (...ərɪn) *o* 'anti-] *m(f)* antialcolista *mf*. **Anti-Atomkraft-Bewegung** *f* movimento *m* antinucleare. **antiautoritär** [-ʔauto-ri'tɛ:ɐ] *adj* antiautoritario. **Antibabypille** [-'be:bi-] *f* pillola *f* anticoncezionale. **Antibiotikum** [-'bio:tikʊm, ...ka] ⟨-s, -tika⟩ *n* antibiotico *m*. **Antiblockiersystem** *n (abk* **ABS**) sistema *m* antibloccaggio. **Antidepressivum** [-deprɛ'si:vʊm, ...va] ⟨-s, -siva⟩ *n* antidepressivo *m*. **Antifaschist(in)** [-fa'ʃɪst(ɪn)] ⟨-en, -en⟩ *m(f)* antifascista *mf*. **antifaschistisch** *adj* antifascista. **antihaftbeschichtet** *adj* dotato di rivestimento antiaderente. **Antihistaminikum** [-hɪsta'mi:nikʊm] ⟨-s, -ka⟩ *n (für Allergiker)* antistaminico *m*.

antik [an'ti:k] *adj* antico.

Antike ⟨-, ø⟩ *f* antichità *f*.

Antiklopfmittel [anti'klɔpf-] *n* antidetonante *m*. **Antikörper** ['anti-] *m med* anticorpo *m*.

Antipathie [antipa'ti:, ...i:ən] ⟨-, -n⟩ *f* antipatia *f* (*gegen* per).

Antiquariat [antikva'ria:t] ⟨-s, -e⟩ *n* antiquariato *m*; *(Buchladen)* libreria *f* d'antiquariato.

antiquarisch [-'kva:rɪʃ] *adj* d'occasione, di seconda mano.

Antiquität [-kvi'tɛ:t] ⟨-, -en⟩ *f* antichità *f*, oggetto *m* antico. **Antiquitätenhändler(in)** *m(f)* antiquario, -a *m, f*.

Antisemitismus [antizemi'tɪsmʊs] ⟨-, ø⟩ antisemitismo *m*. **Antiseptikum** [-'zeptikʊm, ...ka] ⟨-s, -tika⟩ *n med* antisettico *m*. **antistatisch** [-'ʃta:tɪʃ] *adj* antistatico.

Antlitz ['antlɪts] ⟨-es, -e⟩ *n poet* volto *m*.

Anton ['anto:n] *(männlicher Vorname)* Antonio.

Antrag ['antra:k] ⟨-(e)s, -träge⟩ *m (Gesuch)* domanda *f*, istanza *f*; *(parlamentarisch)* mozione *f*; *(Heirats~)* proposta *f* (di matrimonio); *(Formular)* modulo *m* (di domanda); **auf ~** su proposta. **Antragsteller(in)** ⟨-s, -⟩ *m(f)* richiedente *mf*.

an·treffen ⟨*irr*⟩ *tr* **1.** *(treffen)* incontrare; **2.** *(vorfinden)* trovare.

an·treiben ⟨*irr*⟩ **I.** *tr* ⟨*haben*⟩ **1.** *(vor~, a. fig)* incitare; **2.** *fig (veranlassen)* indurre (*zu* a); **3.** *(in Bewegung setzen)* mettere in moto, azionare; **II.** *itr* ⟨*sein*⟩ essere portato dall'acqua.

an·treten ⟨*irr*⟩ **I.** *tr* ⟨*haben*⟩ *(Reise)* cominciare *(Amt)* assumere; *(Stellung)* insediarsi in; *(Strafe)* cominciare a scontare; *(Erbschaft)* adire; *(Beweis)* presentare; **II.** *itr* ⟨*sein*⟩ *(a. mil)* presentarsi.

Antrieb *m* **1.** *tec* forza *f* motrice; *(bes. mot, naut, aero)* propulsione *f*; **2.** *fig (Impuls)* impulso *m*; *(Beweggrund)* movente *m*; **aus eigenem ~** di propria iniziativa (*o* volontà). **Antriebswelle** *f* albero *m* di trasmissione.

Antritt *m* **1.** *(Beginn: Reise~)* inizio *m*; **2.** *(Amts~, Regierungs~)* assunzione *f*. **Antrittsbesuch** *m* visita *f* di presentazione. **Antrittsrede** *f* discorso *m* inaugurale.

an·tun ⟨*irr*⟩ *tr* fare; *(zufügen)* cagionare; **es jdm ~** affascinare qu; **sich** *(dat)* **etw. ~** suicidarsi, uccidersi.

an·turnen ['antœrnən] *tr sl* **1.** *(in einen Drogenrausch versetzen)* inebriare; **2.** *(in Erregung, Rausch versetzen)* eccitare, mandare in estasi.

Antwerpen [ant'vɛrpən] *n* Anversa *f*.

Antwort ['antvɔrt] ⟨-, -en⟩ *f* risposta *f*; **als ~ auf** *+akk* in risposta a; **um ~ wird gebeten** (*abk* **u. A. w. g.**) si prega di rispondere.

Antwortcoupon *m* coupon *m* (*o* modulo *m*) di risposta.

antworten *itr* rispondere (*auf +akk* a), dare una risposta (*auf +akk* a).

Antwortschein *m*: **internationaler ~** ricevuta *f* di ritorno internazionale.

an·vertrauen ⟨*ohne ge-*⟩ **I.** *tr* **1.** *(geben)* affidare; **2.** *(mitteilen)* confidare; **II.** *rfl:* **sich jdm ~** confidarsi con qu.

an·wachsen ⟨*irr*⟩ *itr* ⟨*sein*⟩ **1.** *(Pflanze)* mettere radici, attecchire; *(festwachsen)* attaccarsi; **2.** *(zunehmen)* aumentare, crescere.

Anwalt ['anvalt] ⟨-(e)s, -wälte⟩ *m*, **Anwältin** ['anvɛltɪn] *f* **1.** *(Rechts~)* avvocato, -essa *m, f*; *(Staats~)* procuratore, -trice *m, f*; **2.** *fig (Fürsprecher)* difensore *m*, difenditrice *f*. **Anwaltskosten** ⟨*pl*⟩ spese *f pl* legali.

Anwandlung *f* accesso *m*; *(Laune)* capriccio *m*.

Anwärter(in) *m(f)* candidato, -a *m, f* (*auf +akk* a), aspirante *mf* (*auf +akk* a).

Anwartschaft ['anvartʃaft] ⟨-, -en⟩ *f* candidatura *f* (*auf +akk* a).

an·weisen ⟨*irr*⟩ *tr* **1.** *(zuweisen)* assegnare; **2.** *(anleiten)* avviare; *(belehren)* istruire; **3.** *(befehlen)* ordinare, comandare; **4.** *fin* dare ordine di pagare.

Anweisung *f* **1.** *(Anordnung)* disposizione *f;* **2.** *(Bank~)* ordine *m* di pagamento, assegno *m* bancario; *(Post~)* vaglia *m;* **3.** *(Anleitung)* istruzione *f,* guida *f;* **4.** *(Zuweisung)* assegnazione *f;* **auf ärztliche ~** su (*o* dietro) prescrizione medica; **auf ~ von** su ordine di.

an·wenden ⟨*irr o reg*⟩ *tr* utilizzare, adoperare, usare; *(a. Gewalt)* impiegare; *(Gesetz, Prinzip)* applicare (*auf +akk* a).

Anwender(in) ⟨-s, -⟩ *m(f)* utente *mf.* **Anwenderprogramm** *n* programma *m* applicativo.

Anwendung *f* utilizzazione *f,* uso *m,* impiego *m; (von Bestimmung, Gesetz)* applicazione *f;* **~ finden, zur ~ kommen** essere utilizzato (*bei, in +dat* per), trovare applicazione (*bei, in +dat* in). **Anwendungsprogramm** *n* programma *m* applicativo, applicazione *f.* **Anwendungsprogrammierer(in)** *m(f)* programmatore, -trice *m, f* di applicazioni.

an·werben ⟨*irr*⟩ *tr (Arbeiter)* ingaggiare; *(Mitglieder, a. mil)* reclutare.

Anwerbung *f* assunzione *f,* ingaggio *m; (a. mil)* reclutamento *m.*

Anwesen *n* podere *m,* tenuta *f.*

anwesend ['anve:zənt] *adj* presente. **Anwesende** ⟨*pl*⟩ presenti *m pl;* **(sehr) verehrte ~!** signore e signori!

Anwesenheit ⟨-, ø⟩ *f* presenza *f;* **in ~ von** alla presenza di. **Anwesenheitsliste** *f* elenco *m* delle presenze.

an·widern ['anvi:dɐn] *tr* disgustare, ripugnare.

Anzahl *f* numero *m,* quantità *f.*

an·zahlen *tr com* pagare un acconto (*auf +akk* per); *(Gegenstand)* dare un acconto per.

Anzahlung *f* acconto *m.*

an·zapfen *tr* **1.** *(Faß)* spillare; **2.** *tel* inserirsi abusivamente su.

Anzeichen *n* segno *m,* indizio *m.*

Anzeige ['antsaigə] ⟨-, -n⟩ *f* **1.** *allg., tec* indicazione *f;* **2.** *(bei Behörde)* dichiarazione *f,* notifica *f; jur* denuncia *f;* **3.** *inform* visualizzazione *f;* **4.** *(Zeitungs~)* inserzione *f,* annuncio *m; (Werbung)* comunicato *m,* pubblicità *f;* **~ gegen jdn erstatten** denunciare qu.

an·zeigen *tr* **1.** *(bezeichnen)* indicare; **2.** *(bei Behörde)* dichiarare, notificare; *jur* denunciare; **3.** *(inform)* visualizzare; **4.** *(ankündigen, a. in Zeitung)* annunciare; *(Familienereignis)* partecipare.

Anzeigenkampagne *f* campagna *f* di annunci (pubblicitari). **Anzeigenteil** *m* parte *f* pubblicitaria.

an·zetteln *tr pej* ordire.

an·ziehen ⟨*irr*⟩ **I.** *tr* **1.** *(Kleidung)* mettere; *(Person)* vestire; **2.** *(spannen)* tirare; *(Schraube, Bremse)* serrare; **3.** *fig, phys* attirare; **II.** *rfl:* **sich ~** vestirsi; **III.** *itr com, fin* salire. **anziehend** *adj* attraente, seducente, avvincente.

Anziehung *f* attrazione *f.* **Anziehungskraft** *f* **1.** *phys* forza *f* d'attrazione; **2.** *fig* attrazione *f,* attrattiva *f.*

Anzug *m* vestito *m,* abito *m,* completo *m;* **im ~ sein** avvicinarsi; **ein Gewitter ist im ~** si prepara un temporale.

anzüglich ['antsy:klɪç] *adj* equivoco, indecente.

an·zünden *tr* accendere; *(in Brand stekken)* dar fuoco a, incendiare.

an·zweifeln *tr* mettere in dubbio, dubitare di.

apart [a'part] *adj* attraente, speciale.

Apartheid [a'pa:ɐthait] ⟨-, ø⟩ *f* apartheid *m.*

Apathie [apa'ti:, ...i:ən] ⟨-, -n⟩ *f* apatia *f.*

apathisch [a'pa:tɪʃ] *adj* apatico.

Apennin [apɛ'ni:n] *m* Appennino *m;* **die ~en** gli Appennini.

aper ['a:pɐ] *adj (süddeutsch, CH, A: schneefrei)* senza neve, libero dalla neve.

Aperitif [aperi'ti:f] ⟨-s, -s *o* -e⟩ *m* aperitivo *m.*

Apfel ['apfəl] ⟨-s, Äpfel⟩ *m* mela *f;* **in den sauren ~ beißen** *fam* inghiottire la pillola; **der ~ fällt nicht weit vom Stamm** *prov* quale il padre, tale il figlio *prov.* **Apfelbaum** *m* melo *m.* **Apfelmus** *n* purè *m* di mele. **Apfelsaft** *m* succo *m* di mele.

Apfelsine [apfəl'zi:nə] ⟨-, -n⟩ *f* arancia *f.*

APO, Apo ['a:po] ⟨-, ø⟩ *f akr von* **außerparlamentarische Opposition** opposizione *f* extraparlamentare.

Apostel [a'pɔstəl] ⟨-s, -⟩ *m* apostolo *m.*

Apostroph [apo'stro:f] ⟨-s, -e⟩ *m* apostrofo *m.*

apostrophieren [...stro'fi:rən] ⟨*ohne ge-*⟩ *tr gram* apostrofare.

Apotheke [apo'te:kə] ⟨-, -n⟩ *f* farmacia *f.*

Apotheker(in) ⟨-s, -⟩ *m(f)* farmacista *mf.*

Apparat [apa'ra:t] ⟨-(e)s, -e⟩ *m* **1.** *(technisches Gerät)* macchina *f; (a. tel, fot)* apparecchio *m;* **2.** *(Ausrüstung, a. ling, anat)* apparato *m;* **am ~!** *tel* sono io!; **bleiben Sie am ~!** *tel* rimanga in linea!

Apparatemedizin *f* medicina *f* tecnologica.

Apparatur [...ra'tu:ɐ] ⟨-, -en⟩ *f* apparecchiatura *f.*

Appartement [apartə'mã:] ⟨-s, -s⟩ *n* appartamento *m.* **Appartementhaus** *n* residence *m.*

Appell [a'pɛl] ⟨-s, -e⟩ *m* appello *m* (*an +akk* a).

appellieren [apɛ'li:rən] ⟨*ohne ge-*⟩ *itr geh* appellarsi (*an +akk* a).

Appetit [ape'ti:t] ⟨-(e)s, ø⟩ *m* appetito *m* (*auf +akk* di); **der ~ kommt beim Essen** *prov* l'appetito vien mangiando *prov.* **appetitlich** *adj* appetitoso. **Appetitlosigkeit** ⟨-, ø⟩ *f* inappetenza *f*, anoressia *f scient.* **Appetitzügler** [-tsy:glɐ] ⟨-s, -⟩ *m* anoressizzante *m*.

applaudieren [aplau'di:rən] ⟨*ohne ge-*⟩ *itr* applaudire (*jdm* qu).

Applaus [a'plaus] ⟨-es, ø⟩ *m* applauso *m*.

Aprikose [apri'ko:zə] ⟨-, -n⟩ *f* albicocca *f*.

April [a'prɪl] ⟨-(s), -e⟩ *m* aprile *m*; **jdn in den ~ schicken** fare un pesce d'aprile a qu; *s. a. September.* **Aprilscherz** *m* pesce *m* d'aprile. **Aprilwetter** *n* tempo *m* di marzo.

apropos [apro'po:] *adv* parlando di ...

Apsis ['apsɪs, a'psi:dən] ⟨-, Apsiden⟩ *f* abside *f*.

Apulien [a'pu:liən] *n* Puglia *f*.

Aquädukt [akvɛ'dʊkt] ⟨-(e)s, -e⟩ *m o n* acquedotto *m*.

Aquaplaning [akva'pla:nɪŋ] ⟨-s, ø⟩ *n* acquaplaning *m*.

Aquarell [akva'rɛl] ⟨-s, -e⟩ *n* acquerello *m*.

Aquarium [a'kva:riʊm, ...iən] ⟨-s, -rien⟩ *n* acquario *m*.

Äquator [ɛ'kva:to:ɐ] ⟨-s, ø⟩ *m* equatore *m*.

Ar [a:ɐ] ⟨-s, -e *o bei Maßangaben:* -⟩ *m o n* (*abk* **a**) ara *f*.

Ära ['ɛ:ra, 'ɛ:rən] ⟨-, *rar* Ären⟩ *f* era *f*.

Araber(in) ['a:rabɐ (...ərɪn) *o* 'ar...] ⟨-s, -⟩ *m(f)* arabo, -a *m, f*.

Arabien [a'ra:biən] *n* Arabia *f*.

arabisch *adj* arabo.

Arbeit ['arbait] ⟨-, -en⟩ *f* **1.** (*a. ~sstelle, ~serzeugnis*) lavoro *m*; **2.** (*Beschäftigung*) impiego *m*; **3.** (*Mühe*) fatica *f*; (*Anstrengung*) sforzo *m*; **4.** (*Werk*) opera *f*; **5.** (*Klassen~*) tema *m*, compito *m*; **etw.** (*akk*) **in ~ geben/haben** dare/avere qc in lavorazione; **jdm ~ machen** dar da fare a qu.

arbeiten I. *itr* lavorare; (*beschäftigt sein*) essere occupato; (*Maschine*) essere in moto; (*Organ*) funzionare; (*Holz*) incurvarsi, imbarcarsi; (*Kapital*) fruttare; **die ~de Bevölkerung** la popolazione attiva; **II.** *tr* fare.

Arbeiter(in) ⟨-s, -⟩ *m(f)* lavoratore, -trice *m, f*; (*Fabrik~, Standesangehöriger*) operaio, -a *m, f*. **Arbeiterbewegung** *f* movimento *m* operaio. **Arbeiterschaft** ⟨-, -en⟩ *f* lavoratori *m pl*; (*Belegschaft*) personale *m* dipendente; (*Stand*) classe *f* operaia. **Arbeiterviertel** *n* quartiere *m* operaio.

Arbeitgeber *m* datore *m* di lavoro. **Arbeitgeberverband** *m* sindacato *m* dei datori di lavoro. **Arbeitnehmer(in)** ⟨-s, -⟩ *m(f)* prestatore, -trice *m, f* d'opera, salariato, -a *m, f*.

Arbeitsamt *n* ufficio *m* del lavoro (*o* di collocamento). **Arbeitsbedingungen** *f pl* condizioni *f pl* di lavoro. **Arbeitsbeschaffungsmaßnahme** *f* (*abk* **ABM**) misure *f pl* occupazionali. **Arbeitsbeschaffungsprogramm** *n* programma *m* di creazione di posti di lavoro. **Arbeitserlaubnis** *f* permesso *m* di lavoro. **arbeitsfähig** *adj* atto (*o* abile) al lavoro. **Arbeitsfähigkeit** *f* idoneità *f* (*o* abilità *f*) al lavoro. **Arbeitsfläche** *f* (*in Küche*) piano *m* di lavoro. **Arbeitsgang** *m* fase *f* (*o* processo *m*) di lavoro. **Arbeitsgemeinschaft** *f* (*abk* **AG**) gruppo *m* di lavoro; (*an Schule, Universität*) gruppo *m* di studio. **Arbeitsgericht** *n* tribunale *m* del lavoro. **Arbeitskleidung** *f* vestito *m* (*o* tuta *f*) da lavoro. **Arbeitsklima** *n* ambiente *m* di lavoro. **Arbeitskraft** *f* **1.** (*von Mensch*) capacità *f* lavorativa; (*von Maschine*) potenza *f*; **2.** (*Arbeiter*) lavoratore, -trice *m, f*; ⟨*pl*⟩ manodopera *f*. **Arbeitskräftemangel** *m* carenza *f* di manodopera, mancanza *f* di personale. **Arbeitskreis** *m s.* **Arbeitsgemeinschaft. Arbeitslager** *n* campo *m* di lavoro. **arbeitslos** *adj* senza lavoro, disoccupato. **Arbeitslose** ⟨ein -r, -n, -n⟩ *mf* disoccupato, -a *m, f*. **Arbeitslosengeld** *n* indennità *f* (*o* sussidio *m*) di disoccupazione. **Arbeitslosenhilfe** *f* assistenza *f* ai disoccupati. **Arbeitsloseninitiative** *f* iniziativa *f* contro la disoccupazione. **Arbeitslosenquote** *f* percentuale *f* di disoccupati, tasso *m* di disoccupazione. **Arbeitslosenversicherung** *f* assicurazione *f* contro la disoccupazione. **Arbeitslosigkeit** ⟨-, ø⟩ *f* disoccupazione *f*. **Arbeitsmarkt** *m* mercato *m* del lavoro. **Arbeitsniederlegung** *f* sospensione *f* del lavoro. **Arbeitsordnung** *f* regolamento *m* del lavoro. **Arbeitsplatz** *m* **1.** (*räumlich*) posto *m* di lavoro; **2.** (*Stelle*) posto *m*, impiego *m*. **Arbeitsplatzbeschreibung** *f* descrizione *f* del posto di lavoro. **Arbeitsplatzrechner** *m* calcolatore *m* (*o* elaboratore *m*) d'ufficio. **Arbeitsplatzteilung** *f* divisione *f* (*o* suddivisione *f*) del posto di lavoro. **Arbeitsplatzwechsel** *m* cambiamento *m* d'impiego (*o* del posto di lavoro). **Arbeitsrecht** *n* diritto *m* del lavoro. **arbeitsscheu** *adj* restio a lavorare. **Arbeitsspeicher** *m inform* memoria *f* principale (*o* interna). **Arbeit(s)suchende** ⟨ein -r, -n, -n⟩ *mf* persona *f* in cerca di lavoro. **Arbeitstag** *m* giornata *f* lavorativa. **Arbeitsteilung** *f* divisione *f* del lavoro. **arbeitsunfähig** *adj* inabile al lavoro. **Arbeitsunfähigkeit** *f* inabilità *f* al lavoro. **Arbeitsunfall** *m* infortunio *m* sul lavoro. **Arbeitsvermittlung** *f* collocamento *m*, mediazione *f* di lavoro. **Arbeitsvertrag** *m* contratto *m* di lavoro; **einen ~ kündigen** disdire (*o* rescindere) un contratto di lavoro; **befristeter ~** contratto di lavoro a tempo determinato. **Arbeitsweise** *f* **1.** (*von Person*) modo *m* di lavorare; **2.** *tec* funzionamento *m*. **Arbeitszeit** *f* orario *m* di lavoro; (*Ar-*

beitsstunden) ore *f pl* lavorative; **gleitende** ~ orario *m* flessibile. **Arbeitszeitverkürzung** *f* riduzione *f* dell'orario lavorativo. **Arbeitszeugnis** *n* attestato *m* (*o* certificato *m*) di lavoro. **Arbeitszimmer** *n* studio *m*.

archaisch [ar'ça:ɪʃ] *adj* arcaico.

Archäologe [arçɛo'lo:gə] ⟨-n, -n⟩ *m*, **Archäologin** [...gɪn] *f* archeologo, -a *m, f*.

Archäologie [...lo'gi:] ⟨-, ø⟩ *f* archeologia *f*.

Arche ['arçə] ⟨-, -n⟩ *f*: ~ **(Noah)** arca *f* (di Noè).

Architekt(in) [arçi'tɛkt(ɪn)] ⟨-en, -en⟩ *m(f)* architetto, -a *m, f*.

architektonisch [...'to:nɪʃ] *adj* architettonico.

Architektur [...'tu:ɐ] ⟨-, -en⟩ *f (a. inform)* architettura *f*.

Archiv [ar'çi:f] ⟨-s, -e⟩ *n* archivio *m*. **archivieren** [arçi'vi:rən] ⟨ohne ge-⟩ *tr inform* archiviare.

Arena [a're:na, ...nən] ⟨-, Arenen⟩ *f* arena *f*.

arg [ark] **I.** ⟨ärger, ärgste⟩ *adj* **1.** *(schlimm)* grave; *(böse)* cattivo; **2.** *(stark)* grande; **mein ärgster Feind** il mio peggior nemico; **im ~en liegen** trovarsi in cattive condizioni; **II.** ⟨ärger, am ärgsten⟩ *adv* molto, gravemente; **es zu ~ treiben** esagerare.

Argentinien [argɛn'ti:ni̯ən] *n* Argentina *f*.

Ärger ['ɛrgɐ] ⟨-s, ø⟩ *m* **1.** *(Verdruß)* dispiacere *m; (Unwillen)* irritazione *f; (Zorn)* rabbia *f;* **2.** *(Unannehmlichkeiten)* noie *f pl*, contrarietà *f pl*.

ärgerlich *adj* **1.** *(Mensch)* irritato, arrabbiato (*auf +akk* con, *über +akk* per); **2.** *(Sache)* spiacevole, increscioso; **wie ~!** che seccatura!

ärgern I. *tr* irritare, far arrabbiare; **II.** *rfl:* **sich ~** irritarsi, arrabbiarsi (*über +akk* per).

Ärgernis ⟨-ses, -se⟩ *n* **1.** *(Ärger)* dispiacere *m*, contrarietà *f;* **2.** *(Anstoß)* scandalo *m;* **Erregung öffentlichen ~ses** oltraggio *m* al pudore.

Arglist ['arklɪst] *f* malignità *f*, perfidia *f*. **arglistig** *adj* maligno, perfido.

arglos ['arklo:s] *adj* **1.** *(harmlos)* privo di malizia; **2.** *(vertrauensselig)* ingenuo.

Argument [argu'mɛnt] ⟨-(e)s, -e⟩ *n* argomento *m*.

argumentieren [...'ti:rən] ⟨*ohne ge-*⟩ *itr* argomentare, ragionare.

Argwohn ['arkvo:n] ⟨-(e)s, ø⟩ *m* diffidenza *f; (Verdacht)* sospetto *m*. **argwöhnisch** ['arkvø:nɪʃ] *adj* sospettoso, diffidente.

a. Rh. *abk von* **am Rhein** sul Reno.

Arie ['a:ri̯ə] ⟨-, -n⟩ *f* aria *f*.

Aristokrat(in) [arɪsto'kra:t(ɪn)] ⟨-en, -en⟩ *m(f)* aristocratico, -a *m, f*.

Aristokratie [arɪstokra'ti:, ...i:ən] ⟨-, -n⟩ *f* aristocrazia *f*.

aristokratisch *adj* aristocratico.

Arithmetik [arɪt'me:tɪk] ⟨-, ø⟩ *f* aritmetica *f*.

arithmetisch *adj* aritmetico.

Arkade [ar'ka:də] ⟨-, -n⟩ *f* arcata *f;* ⟨*pl*⟩ *(Bogengang)* portico *m*.

Arktis ['arktɪs] *f* Artide *f*.

arktisch *adj* artico.

arm [arm] ⟨ärmer, ärmste⟩ *adj* povero (*an +dat* di); *(bedürftig)* indigente, bisognoso; *fig (bedauernswert)* misero.

Arm [arm] ⟨-(e)s, -e⟩ *m* braccio *m; (von Polyp)* tentacolo *m; (Fluß~)* ramo *m;* ~ **in** ~ a braccetto; **jdm unter die ~e greifen** *fig* aiutare qu; **jdn auf den ~ nehmen** prendere in braccio qu; *fig* prendere in giro qu; **jdn in die ~e nehmen** abbracciare qu.

Armatur [arma'tu:ɐ] ⟨-, -en⟩ *f* armatura *f; (Hahn, Leitung)* rubinetteria *f*. **Armaturenbrett** *n* cruscotto *m; (aero, naut a.)* pannello *m* portastrumenti.

Armband ⟨-(e)s, -bänder⟩ *n* braccialetto *m*. **Armbanduhr** *f* orologio *m* da polso.

Armee [ar'me:, ...e:ən] ⟨-, -n⟩ *f* esercito *m*, armata *f*.

Ärmel ['ɛrməl] ⟨-s, -⟩ *m* manica *f;* **etw.** *(akk)* **aus dem ~ schütteln** *fig* fare qc con la più grande facilità. **Ärmelkanal** *m* (canale *m* della) Manica *f*.

Armenien [ar'me:ni̯ən] ⟨-s, ø⟩ *n* Armenia *f*.

Armenviertel *n* quartiere *m* dei poveri.

Armlehne *f* bracciolo *m; (im Auto)* appoggiabraccio *m*. **Armleuchter** *m* **1.** *(Kerzenleuchter)* candelabro *m;* **2.** *sl* cretino, -a *m, f*.

ärmlich ['ɛrmlɪç] *adj* povero; *(schäbig)* misero.

Armreif *m* braccialetto *m*.

Armut ['armu:t] ⟨-, ø⟩ *f* povertà *f*, miseria *f*. **Armutsgrenze** *f* orlo *m* della miseria. **Armutszeugnis** *n:* **sich** *(dat)* **ein ~ ausstellen** dimostrare la propria incapacità.

Aroma [a'ro:ma, ...mən *o* ...mas] ⟨-s, -men *o* -mas⟩ *n* aroma *m*. **Aromatherapie** *f* aromaterapia *f*.

aromatisch [aro'ma:tɪʃ] *adj* aromatico.

Arrest [a'rɛst] ⟨-(e)s, -e⟩ *m jur* sequestro *m; mil* arresti *m pl*.

arrogant [aro'gant] *adj* arrogante. **Arroganz** [aro'gants] ⟨-, ø⟩ *f* arroganza *f*.

Arsch [arʃ] ⟨-(e)s, Ärsche⟩ *m vulg* culo *m fam;* **leck mich am ~!** vaffanculo!. **Arschkriecher(in)** ⟨-s, -⟩ *m(f) vulg* leccapiedi *mf*. **Arschloch** *n vulg* buco *m* del culo *fam;* **du ~!** *vulg* faccia da culo! *volg*.

Arsen [ar'ze:n] ⟨-s, ø⟩ *n* arsenico *m*.

Art [a:ɐt] ⟨-, -en⟩ *f* **1.** *(Weise)* modo *m*, maniera *f;* **2.** *(Wesen)* natura *f*, carattere *m;* **3.** *(Sorte)* sorta *f; zoo, bot* specie *f;* **aller ~** di ogni genere; **auf diese (*o* in dieser) ~** in questa maniera, così; **das**

ist sonst nicht ihre ~ non è nel suo carattere; **Steak nach** ~ **des Hauses** bistecca alla maniera della casa.
Artenschutz *m* protezione *f* delle specie.
Arterie [ar'te:riə] ⟨-, -n⟩ *f* arteria *f.* **Arterienverkalkung** *f* arteriosclerosi *f.*
artig *adj* ubbidiente, buono, bravo; **sei schön** ~! fa il bravo!
Artikel [ar'ti:kəl] ⟨-s, -⟩ *m* articolo *m; (Aufsatz)* saggio *m.*
artikulieren [artiku'li:rən] ⟨*ohne ge-*⟩ *tr* articolare.
Artillerie [artılə'ri:, ...i:ən] ⟨-, -n⟩ *f* artiglieria *f.*
Artischocke [arti'ʃɔkə] ⟨-, -n⟩ *f* carciofo *m.* **Artischockenböden** *m pl* fondi *m pl* di carciofi.
Artist(in) [ar'tıst(ın)] ⟨-en, -en⟩ *m(f)* artista *mf* (di circo *o* di varietà).
artistisch *adj* artistico.
Artothek *f* collezione *f* di opere d'arte concesse in prestito.
Arznei [a:ɐts'nai] ⟨-, -en⟩ *f,* **Arzneimittel** *n* farmaco *m,* medicina *f,* medicamento *m.* **Arzneimittelabhängigkeit** *f* farmacodipendenza *f.* **Arzneimittelmißbrauch** *m* abuso *m* di medicinali (*o* farmaci).
Arzt [a:ɐtst] ⟨-es, Ärzte⟩ *m,* **Ärztin** ['ɛɐtstın] *f* medico *m,* dottore, -essa *m, f.*
Ärztekammer ['ɛ:ɐtstə-] *f* Ordine *m* dei medici. **Ärztemuster** *n* campione *m* medico. **Ärzteschaft** ⟨-, ø⟩ *f* corpo *m* dei medici.
Arzthelfer(in) *m(f)* infermiere, -a *m, f,* assistente *mf* (del medico).
Ärztin *f s.* **Arzt.**
ärztlich ['ɛ:ɐtstlıç] *adj* medico; **in** ~**er Behandlung sein** essere in cura da un medico.
As [as] ⟨-ses, -se⟩ *n* asso *m.*
Asbest [as'bɛst] ⟨-(e)s, -e⟩ *m* amianto *m,* asbesto *m.*
Asche ['aʃə] ⟨-, *rar* -n⟩ *f* cenere *f; (von Toten)* ceneri *f pl.* **Aschenbahn** *f* pista *f* di carbonella. **Aschenbecher** *m* portacenere *m.* **Aschenbrödel** [-brø:dəl] ⟨-s, -⟩ *n,* **-puttel** [-pʊtl] ⟨-s, -⟩ *n* Cenerentola *f.* **Aschermittwoch** [aʃɐ'mıtvɔx] *m* (mercoledì *m* delle) Ceneri *f pl.*
ASCII-Code ⟨-s, -s⟩ *m* codice *m* standard ASCII.
Ascorbinsäure [askɔrbi:n...] ⟨-, ø⟩ *f* acido *m* ascorbico.
Aserbaidschan [azɛrbai'dʒa:n] *n* Azerbaijan *m.*
Asiate [a'zia:tə] ⟨-n, -n⟩ *m,* **Asiatin** [...tın] *f* asiatico, -a *m, f.*
asiatisch *adj* asiatico.
Asien ['a:ziən] *n* Asia *f.*
asozial ['azotsia:l] *adj* asociale.
Aspekt [as'pɛkt] ⟨-(e)s, -e⟩ *m* aspetto *m.*
Asphalt [as'falt] ⟨-(e)s, -e⟩ *m* asfalto *m.* **Asphaltdecke** *f* manto *m* di asfalto.
asphaltieren [...'ti:rən] ⟨*ohne ge-*⟩ *tr* asfaltare.
Aspirin® [aspi'ri:n] ⟨-s, ø⟩ *n* aspirina® *f.*
aß [a:s] *imp von* **essen.**
Assembler [ə'sɛmblə] ⟨-s, -⟩ *m* assemblatore *m.*
Assistent(in) [asıs'tɛnt(ın)] ⟨-en, -en⟩ *m(f)* assistente *mf.*
Assistenzarzt [...'tɛnts-] *m,* **-ärztin** *f* assistente *mf* medico.
assistieren [...'ti:rən] ⟨*ohne ge-*⟩ *itr* assistere (*bei* in).
Assoziation [asotsia'tsio:n] ⟨-, -en⟩ *f* associazione *f.*
Ast [ast] ⟨-(e)s, Äste⟩ *m* ramo *m; (im Holz)* nodo *m.*
AStA ['asta, ...tən] ⟨-(s), Asten⟩ *m akr von* **Allgemeiner Studentenausschuß** *comitato generale studentesco.*
Aster ['astɐ] ⟨-, -n⟩ *f* astro *m.*
Ästhet(in) [ɛs'te:t(ın)] ⟨-en, -en⟩ *m(f)* esteta *mf.*
Ästhetik [ɛs'te:tık] ⟨-, -en⟩ *f* estetica *f.*
ästhetisch *adj* estetico.
Asthma ['astma] ⟨-s, ø⟩ *n* asma *f.*
Asthmatiker(in) [...'ma:tikɐ (...ərın)] ⟨-s, -⟩ *m(f)* asmatico, -a *m, f.*
asthmatisch *adj* asmatico.
astrein *adj fam (prima)* perfetto.
Astrologe [astro'lo:gə] ⟨-n, -n⟩ *m,* **Astrologin** [...gın] *f* astrologo, -a *m, f.*
Astrologie [...lo'gi:] ⟨-, ø⟩ *f* astrologia *f.*
Astronaut(in) [astro'naut(ın)] ⟨-en, -en⟩ *m(f)* astronauta *mf.*
Astronomie [astrono'mi:] ⟨-, ø⟩ *f* astronomia *f.*
astronomisch [...'no:mıʃ] *adj* astronomico.
ASU ['a:zu] ⟨-⟩ *f akr von* **Abgassonderuntersuchung** analisi *f* dei gas di scarico.
Asyl [a'zy:l] ⟨-s, -e⟩ *n pol* asilo *m; (Heim)* ospizio *m,* ricovero *m;* **um** ~ **bitten** chiedere asilo (politico).
Asylant(in) [azy'lant(ın)] ⟨-en, -en⟩ *m(f)* persona *f* che richiede asilo politico.
Asylantenwohnheim *n* alloggio *m* per profughi.
Asylantrag *m* richiesta *f* di asilo politico. **Asylbewerber(in)** *m(f)* persona *f* che richiede asilo politico. **Asylrecht** *n* diritto *m* d'asilo.
Asymmetrie [azʏme'tri:] *f* asimmetria *f.*
asymmetrisch ['azʏme:trıʃ] *adj* asimmetrico.
A. T. *abk von* **Altes Testament** A.T. (*abbr di* Antico Testamento).
Atelier [ate'lie:] ⟨-s, -s⟩ *n* studio *m,* atelier *m.*
Atem ['a:təm] ⟨-s, ø⟩ *m (Atmung)* respirazione *f; (~zug)* respiro *m; (Luft)* fiato *m;* **außer** ~ senza fiato; **jdn in** ~ **halten** tenere (in) sospeso qu. **atemberaubend** *adj* che mozza il respiro. **atemlos** *adj* **1.** *(keuchend)* ansante, trafelato; **2.** *(schnell)* vertiginoso; ~**e Stille** silenzio di morte. **Atemnot** *f* insufficienza *f*

respiratoria, affanno *m*. **Atempause** *f* intervallo *m* nella respirazione; *fig* pausa *f*. **Atemwege** *m pl* vie *f pl* respiratorie. **Atemzug** *m* respiro *m*; **in einem** ~ *fig* nello stesso momento.

Atheismus [ate'ɪsmʊs] ⟨-, ø⟩ *m* ateismo *m*.

Atheist(in) [...'ɪst(ɪn)] ⟨-en, -en⟩ *m(f)* ateo, -a *m, f*.

atheistisch *adj* ateo.

Athen [a'te:n] *n* Atene *f*.

Äther ['ɛ:tɐ] ⟨-s, -⟩ *m* etere *m*.

ätherisch [ɛ'te:rɪʃ] *adj* etereo; ~**e Öle** oli essenziali.

Athlet(in) [at'le:t(ɪn)] ⟨-en, -en⟩ *m(f)* atleta *mf*.

Atlanten *pl von* **Atlas**.

Atlantik [at'lantɪk] *m* oceano *m* Atlantico.

atlantisch *adj* atlantico.

Atlas ['atlas, ...sə *o* at'lantən] ⟨- *o* -ses, -se *o* Atlanten⟩ *m* atlante *m*.

atmen ['a:tmən] *tr, itr* respirare.

Atmosphäre [atmo'sfɛ:rə] ⟨-, -n⟩ *f* atmosfera *f*.

atmosphärisch *adj* atmosferico.

Atmung ⟨-, ø⟩ *f* respirazione *f*.

Ätna ['ɛ:tna] *m* Etna *m*.

Atoll [a'tɔl] ⟨-s, -e⟩ *n* atollo *m*.

Atom [a'to:m] ⟨-s, -e⟩ *n* atomo *m*.

Atom- *(in Zusammensetzungen)* atomico, nucleare; *s. a.* *Kern-*.

atomar [ato'ma:ɐ̯] *adj* atomico, nucleare.

Atombombe *f* bomba *f* atomica, bomba *f* A. **atombombensicher** *adj* antiatomico. **Atombunker** *m* rifugio *m* antiatomico. **Atomenergie** *f* energia *f* atomica (*o* nucleare). **Atomexplosion** *f* esplosione *f* atomica. **Atomforschung** *f* ricerca *f* nucleare. **Atomgewicht** *n* peso *m* atomico.

atomisieren [atomi'zi:rən] ⟨*ohne ge-*⟩ *tr* atomizzare.

Atomkern *m* nucleo *m* atomico. **Atomkraftbefürworter(in)** *m(f)* filonuclearista *mf*. **Atomkraftgegner(in)** *m(f)* antinuclearista *mf*. **Atomkraftwerk** *n* (*abk* **AKW**) centrale *f* atomica (*o* nucleare). **Atomkrieg** *m* guerra *f* atomica. **Atommacht** *f* potenza *f* atomica. **Atommüll** *m* scorie *f pl* radioattive, rifiuti *m pl* nucleari (*o* radioattivi). **Atommülldeponie** *f* discarica *f* per rifiuti radioattivi. **Atommüll(l)agerung** *f* stoccaggio *m* di rifiuti radioattivi. **Atompilz** *m* fungo *m* atomico. **Atomreaktor** *m* reattore *m* nucleare. **Atomschmuggel** *m* contrabbando *m* radioattivo. **Atomsprengkopf** *m* testata *f* nucleare. **Atomsprengstoff** *m* esplosivo *m* nucleare. **Atomteststopp** *m* blocco *m* degli esperimenti nucleari. **Atom-U-Boot** *n* sommergibile *m* (*o* sottomarino *m*) atomico. **Atomuhr** *f* orologio *m* atomico. **Atomwaffen** *f pl* armi *f pl* atomiche. **atomwaffenfrei** *adj* denuclearizzato. **Atomwaffensperrvertrag** *m* trattato *m* di non-proliferazione delle armi nucleari. **Atomzeitalter** *n* era *f* atomica.

ätsch [ɛ:tʃ] *interj fam* ben ti sta *fam*.

Attentat ['atənta:t] ⟨-(e)s, -e⟩ *n* attentato *m* (*auf +akk* contro).

Attentäter(in) *m(f)* attentatore, -trice *m, f*.

Attest [a'tɛst] ⟨-(e)s, -e⟩ *n* certificato *m*, attestato *m*.

Attraktion [atrak'tsi̯o:n] ⟨-, -en⟩ *f* attrazione *f*.

attraktiv [...'ti:f] *adj* attraente.

Attrappe [a'trapə] ⟨-, -n⟩ *f* imitazione *f*.

Attribut [atri'bu:t] ⟨-(e)s, -e⟩ *n* attributo *m*.

attributiv [...bu'ti:f] *adj* attributivo.

ätzen ['ɛtsən] *tr* **1.** *chem* corrodere; **2.** *med* cauterizzare.

ätzend *adj* **1.** *fig (beissend)* pungente; **2.** *fig fam (abscheulich, fürchterlich)* orrendo, schifoso; **der Film ist** ~! *fam* il film fa schifo (*o* è orrendo)!; **die Musik/der Typ ist** ~ *fam* questa musica/questo tipo è una lagna; **echt** ~! *fam* che seccatura!

au [au̯] *interj* ahi.

Au *s.* **Aue**.

aua ['au̯a] *s.* **au**.

Aubergine [obɛr'ʒi:nə] ⟨-, -n⟩ *f* melanzana *f*.

auch [au̯x] **I.** *konj* anche, pure; **ohne** ~ **nur zu fragen** senza neppur domandare; **wie dem** ~ **sei** comunque sia; **wo er** ~ **sein mag** dovunque sia; **wenn er** ~ **reich ist** sebbene sia ricco; **so reich du** ~ **sein magst** per quanto tu sia ricco; **stimmt das** ~ **wirklich**? è proprio vero?; **und wenn** ~! che importa!; **II.** *adv* persino; **ich** ~ anch'io; **ich** ~ **nicht** neanch'io; **ich kenne ihn** ~ **nicht** non lo conosco nemmeno io; ~ **das noch!** ci mancava anche questa! *fam;* ~ **gut!** e va bene!

Audienz [au̯'di̯ɛnts] ⟨-, -en⟩ *f* udienza *f*.

Audiogramm [au̯di̯o'gram] ⟨-s, -e⟩ *n* audiogramma *m*.

Audiokassette *f* audiocassetta *f*.

audiovisuell [au̯di̯ovi'zu̯ɛl] *adj* audiovisivo.

Au(e) ['au̯(ə)] ⟨-, -en⟩ *f poet* prato *m* lungo un fiume.

Auerhahn ['au̯ɐ-] *m* gallo *m* cedrone. **Auerochse** *m* uro *m*.

auf [au̯f] **I.** *prp +dat/+akk* **1.** *(örtlich)* a, in, per, sopra, su; **2.** *(zeitlich)* a, di, per; **3.** *(Art und Weise)* in, di, per; ~ **dem Bahnhof/der Post** alla stazione/posta; ~ **dem Boden** in (*o* per) terra; ~ **den Boden** a terra; ~ **dem Land** in campagna; ~ **dem Markt** *com* sul mercato; ~ **der Straße** in strada; ~ **der Welt** *(am Leben)* al mondo; ~ **der ganzen Welt** in tutto il mondo; ~ **dem Zimmer** in camera; ~ **einmal** *(plötzlich)* improvvisamente; *(alles)* d'un tratto; **bis** ~ **ihn**

tranne lui; ~ **eine Tasse Kaffee hereinkommen** venire a prendere una tazza di caffè; ~ **Wiedersehen!** arrivederci!; ~ **diese Art** in questo modo; ~ **deutsch** in tedesco; ~ **Anfrage/Befehl** su domanda/per ordine; ~ **Besuch/der Flucht/der Reise** in visita/fuga/viaggio; ~ **jeden Fall** in ogni caso; ~ **dem Klavier spielen** suonare al pianoforte; ~ **sechs Jungen kommt ein Mädchen** c'è una ragazza ogni sei ragazzi; **II.** *adv* **1.** *(offen)* aperto; **2.** *(nicht liegend)* alzato; ~! *(los!)* avanti!; ~ **und ab** su e giù; **sich ~ und davon machen** *fam* tagliare la corda *fam;* **III.** *konj:* ~ **daß** ... affinché *+congv,* perché *+congv.*

auf·arbeiten *tr* rinnovare.

auf·atmen *itr* mandare un sospiro di sollievo, sentirsi sollevato.

auf·bahren *tr* comporre nella bara.

Aufbau ⟨-(e)s, -ten⟩ *m* **1.** *(Tätigkeit)* costruzione *f; tec* montaggio *m;* **2.** *fig (Schaffung)* organizzazione *f;* **3.** *(Gefüge, Struktur)* struttura *f; chem, biol* composizione *f;* **4.** *(Teil)* sovrastruttura *f.*

auf·bauen I. *tr* **1.** *(bauen)* costruire; *(errichten)* erigere; *tec* montare; **2.** *fig* creare, organizzare; *(aufstellen)* disporre; **3.** *(strukturieren, gliedern)* strutturare; **4.** *(Existenz)* fondare; *(Beziehungen)* creare; **II.** *itr* fondarsi, basarsi *(auf +dat* su); **III.** *rfl:* **sich ~** comporsi; *fam (sich aufstellen)* piantarsi *(vor +dat* davanti a).

auf·bäumen ['aufbɔymən] *rfl:* **sich ~ 1.** *(Pferd)* impennarsi; **2.** *fig* ribellarsi *(gegen* a).

auf·bauschen *tr fig* esagerare.

auf·begehren ⟨*ohne ge-*⟩ *itr* insorgere.

auf·behalten ⟨*irr, ohne ge-*⟩ *tr:* **den Hut ~** tenere il cappello in capo.

auf·bereiten ⟨*ohne ge-*⟩ *tr (Erze, Kohle)* preparare, trattare; *(a. Trinkwasser)* depurare; *(Statistiken)* elaborare.

auf·bessern *tr* aumentare.

auf·bewahren ⟨*ohne ge-*⟩ *tr* conservare, *(bewachen)* custodire; *(lagern)* immagazzinare.

Aufbewahrung ⟨-, ø⟩ *f* **1.** conservazione *f; (Verwahrung)* custodia *f;* **2.** *(~sort)* deposito *m.*

auf·bieten ⟨*irr*⟩ *tr* mobilitare; *(Kraft, Eifer, Einfluß)* impiegare.

auf·blähen *tr* gonfiare.

aufblasbar *adj* gonfiabile.

auf·blasen ⟨*irr*⟩ *tr* gonfiare.

auf·bleiben ⟨*irr*⟩ *itr* ⟨*sein*⟩ *fam* **1.** *(nicht zu Bett gehen)* rimanere alzato; **2.** *(offenbleiben)* rimanere aperto.

auf·blenden *itr* **1.** *mot* accendere gli abbaglianti; **2.** *film* aprire in dissolvenza.

auf·blicken *itr* **1.** *(nach oben)* levare gli occhi, sollevare lo sguardo; **2.** *fig* ammirare *(zu jdm* qu).

auf·blühen *itr* ⟨*sein*⟩ **1.** *(Blume)* sbocciare; **2.** *fig (Handel)* fiorire; *(Mensch)* diventar bello.

auf·bocken *tr* sollevare con il cric.

auf·brauchen *tr* consumare, esaurire.

auf·brausen *itr* ⟨*sein*⟩ *fig (Mensch)* andare in bestia *fam* (*o* in collera).

auf·brechen ⟨*irr*⟩ **I.** *tr* ⟨*haben*⟩ *(Schloß, Tür)* forzare; *(Kiste, Auto)* scassinare; **II.** *itr* ⟨*sein*⟩ **1.** *(aufreißen)* screpolarsi; *(Wunde)* aprirsi; *(Knospe)* sbocciare; **2.** *(weggehen)* mettersi in cammino, avviarsi.

auf·bringen ⟨*irr*⟩ *tr* **1.** *(Geld)* procurare; *(Mut)* trovare; *(Verständnis)* mostrare; **2.** *(Mode)* introdurre, lanciare; **3.** *(in Wut bringen)* irritare; *(aufwiegeln)* istigare *(gegen* contro).

Aufbruch *m* partenza *f.*

auf·brummen *tr:* **jdm etw. ~** *fam* appioppare qc a qu *fam.*

auf·bürden *tr:* **jdm etw.** ~ caricare (*o* addossare) qc a qu.

auf·decken *tr* scoprire.

auf·donnern *rfl:* **sich ~** *fam* mettersi in ghingheri *fam.*

auf·drängen I. *tr* imporre *(jdm etw.* qc a qu); **II.** *rfl:* **sich ~** essere invadente *(jdm* presso *o* con qu); *(a. fig: Gedanke, Erinnerung, Verdacht)* imporsi *(jdm* a qu).

auf·drehen I. *tr* **1.** *(Wasserhahn, Verschluß)* aprire; **2.** *(Haar)* mettere in piega; **3.** *(Uhr)* caricare; **II.** *itr fam* accelerare, aumentare la velocità; *(in Stimmung kommen)* andare su di giri *fam.*

aufdringlich *adj* importuno, invadente.

Aufdringlichkeit ⟨-, -en⟩ *f* importunità *f,* invadenza *f.*

Aufdruck ⟨-(e)s, -e⟩ *m* dicitura *f; (Firmen~)* intestazione *f.*

auf·drücken *tr* **1.** *(Stempel, Siegel)* imprimere, apporre; **2.** *(öffnen)* aprire (premendo).

aufeinander [aufʔaiˈnandɐ] *adv* **1.** *(räumlich)* l'uno sopra l'altro; **2.** *(zeitlich)* l'uno dopo l'altro. **aufeinander·folgen** *itr* succedersi, susseguirsi. **aufeinander·legen** *tr* sovrapporre. **aufeinander·prallen** *itr* ⟨*sein*⟩ *(a. fig)* scontrarsi (l'uno contro l'altro).

Aufenthalt ['aufʔɛnthalt] ⟨-(e)s, -e⟩ *m* **1.** *(Zeit)* soggiorno *m,* permanenza *f;* **2.** *(bei Flug, Zugfahrt)* fermata *f;* **wir haben 5 Minuten ~** ci fermiamo 5 minuti. **Aufenthaltsgenehmigung** *f* permesso *m* di soggiorno. **Aufenthaltsort** *m* luogo *m* di soggiorno. **Aufenthaltsraum** *m* soggiorno *m.*

auf·erlegen ⟨*ohne ge-*⟩ *tr (Verpflichtung)* imporre; *(Strafe)* infliggere.

auf·erstehen ⟨*irr, ohne ge-*⟩ *itr* ⟨*sein*⟩ risorgere, risuscitare.

Auferstehung ⟨-, ø⟩ *f* resurrezione *f.*

auf·essen ⟨*irr*⟩ *tr:* **alles ~** mangiare tutto; **die Suppe ~** mangiare tutta la minestra.

auf·fahren ⟨*irr*⟩ **I.** *tr* ⟨*haben*⟩ **1.** *(Geschütz)* mettere in postazione; **2.** *fam (Getränke, Speisen)* portare in tavola; **II.** *itr* ⟨*sein*⟩ **1.** *mot* urtare (*auf +akk* contro); *(auf anderes Auto)* tamponare (*auf etw. (akk)* qc); *(dicht ~)* tallonare; **2.** *(hochschrecken)* sobbalzare; *(aus Schlaf)* svegliarsi di soprassalto; **3.** *(zum Himmel)* ascendere.
Auffahrt *f* **1.** *(Aufstieg)* ascesa *f,* salita *f;* **2.** *(~sstraße)* rampa *f* d'accesso; *(Autobahn~)* raccordo *m* (autostradale); **3.** *CH (Himmelfahrt)* Ascensione *f.*
Auffahrunfall *m* tamponamento *m.*
auf·fallen ⟨*irr*⟩ *itr* ⟨*sein*⟩ **1.** *(ins Auge fallen)* dare nell'occhio *fam;* **2.** *(hervorstechen)* farsi notare, essere vistoso; **das ist mir noch nicht aufgefallen** non me ne sono ancora accorto.
auffällig *adj (Farbe, Kleidung, Aufmachung)* vistoso; *(Benehmen)* sorprendente.
Auffangbecken *n* bacino *m* di raccolta.
auf·fangen ⟨*irr*⟩ *tr* **1.** *(Ball)* prendere al volo, afferrare; **2.** *(Flüssigkeit)* raccogliere; **3.** *(Erschütterung)* smorzare, attutire.
Auffanglager *n* campo *m* profughi.
auf·fassen *tr (begreifen)* comprendere, afferrare; *(deuten)* interpretare.
Auffassung *f* opinione *f,* parere *m.* **Auffassungsgabe** *f* (facoltà *f* di) comprensione *f,* intelligenza *f.*
auf·fliegen ⟨*irr*⟩ *itr* ⟨*sein*⟩ **1.** *(Tür)* spalancarsi all'improvviso; **2.** *fig fam (entdeckt werden)* essere scoperto.
auf·fordern *tr* **1.** *(bitten)* pregare (*zu* di), invitare (*zu* a); **2.** *(ermahnen)* esortare (*zu* a); **3.** *(anhalten)* sollecitare (*zu* a); **4.** *(befehlen)* intimare *(zu* di), ingiungere *(zu* di).
Aufforderung *f* preghiera *f,* invito *m; (Ermahnung)* esortazione *f; (Befehl)* intimazione *f.*
auf·forsten *tr* rimboscare.
Aufforstung ⟨-, -en⟩ *f* rimboschimento *m.*
auf·fressen ⟨*irr*⟩ *tr:* **alles ~** mangiare (*o* divorare) tutto.
auf·frischen *tr* ⟨*haben*⟩ rinnovare; *(Farben, Erinnerungen)* ravvivare; *(Kenntnisse)* rinfrescare; *(Vorräte)* completare.
auf·führen I. *tr* **1.** *theat* rappresentare; *mus* eseguire; **2.** *(anführen)* citare, addurre; *(Beispiel)* portare; *(nennen)* produrre; *(aufzählen)* enumerare; **II.** *rfl:* **sich ~** comportarsi.
Aufführung *f* **1.** *theat* rappresentazione *f; mus* esecuzione *f;* **2.** *(Betragen)* comportamento *m,* condotta *f;* **zur ~ bringen** *theat* mettere in scena; *mus* eseguire.
auf·füllen *tr* **1.** *(Gefäß)* riempire; **2.** *(Loch, Lücke)* colmare.
Aufgabe *f* **1.** *(Pflicht)* dovere *m; (Auftrag)* incarico *m,* incombenza *f; (Tätigkeit)* funzione *f;* **2.** *(Schul~: schriftlich)* compito *m; (mündlich)* lezione *f; mat* problema *m;* **3.** *(Verzicht, Beendigung, a. sport)* abbandono *m; (Amts~, Besitz~)* rinuncia *f; (Geschäfts~)* cessazione *f,* liquidazione *f;* **4.** *(Gepäck~, Post~)* consegna *f.*
auf·gabeln *tr fam* scovare *fam,* pescare *fam.*
Aufgabenbereich *m* sfera *f* di competenza.
Aufgang *m* **1.** *astr* sorgere *m;* **2.** *(Treppen~)* scala *f.*
auf·geben ⟨*irr*⟩ **I.** *tr* **1.** *(Paket, Telegramm)* spedire; *(Brief)* impostare; *(Inserat)* pubblicare; *(a. Bestellung)* fare; *(Gepäck)* consegnare; **2.** *(Schulaufgabe)* assegnare; *(Rätsel)* proporre; **3.** *(verzichten auf)* rinunciare a; *(a. Hoffnung)* abbandonare; *(Amt, Stelle)* dimettersi da; *(Geschäft)* chiudere; **II.** *itr (a. sport)* darsi per vinto.
Aufgebot *n* **1.** *(Aufbietung)* impiego *m* (*an* di); *(von Menschen, a. Polizei~)* spiegamento *m* (*an* di); **2.** *(zur Eheschließung)* pubblicazioni *f pl* di matrimonio; **unter ~ aller Kräfte** con il massimo sforzo.
aufgebracht *adj* adirato, irritato, indignato.
aufgedonnert *adj pej* agghindato.
aufgedreht *adj:* **~ sein** *fam* essere su di giri *fam.*
aufgedunsen ['aufgədʊnzən] *adj* tumefatto, gonfio.
auf·gehen ⟨*irr*⟩ *itr* ⟨*sein*⟩ **1.** *astr* sorgere, levarsi; **2.** *(Vorhang)* alzarsi; **3.** *(Teig)* lievitare; **4.** *(Samen)* germinare; *(Knospe)* germogliare; *(Blume)* sbocciare; **5.** *(Geschwür)* aprirsi; **6.** *(Haar, Knoten)* sciogliersi; **7.** *(Naht)* sdrucirsi, scucirsi; **8.** *mat* essere divisibile (senza resto); **9.** *(Knopf)* sbottonarsi; **in der Arbeit ~** essere assorbito dal lavoro; **in Flammen ~** andare in fiamme.
aufgehoben *adj:* **bei jdm gut ~ sein** essere in buone mani presso qu.
aufgeklärt *adj* **1.** *hist, philos* illuminato; **2.** *(sexualkundlich)* che ha avuto un'educazione sessuale.
aufgekratzt *adj fam* euforico.
Aufgeld *n:* **gegen (geringes) ~ von ...** dietro un (modico) supplemento di ...
aufgelegt *adj:* **~ sein, etw. zu tun** avere voglia di fare qc *fam;* **gut/schlecht ~ sein** essere di buon/cattivo umore.
aufgeregt *adj* eccitato, agitato. **Aufgeregtheit** ⟨-, ø⟩ *f* eccitazione *f,* agitazione *f.*
aufgeschlossen *adj (empfänglich)* ricettivo (*für* a); *(zugänglich)* accessibile; **~ für** sensibile a.
aufgeschmissen *adj fam* spacciato.
aufgeweckt *adj* sveglio.
auf·gießen ⟨*irr*⟩ *tr:* **Kaffee/Tee ~** fare il caffè/tè.

auf·greifen ⟨*irr*⟩ *tr* **1.** *(festnehmen)* acciuffare, catturare; **2.** *(Thema, Gedanken)* cogliere; *(wiederaufnehmen)* riprendere.

aufgrund [auf'grʊnt] *prp +gen s.* **Grund.**

Aufguß *m* infusione *f*, infuso *m; (in Sauna)* vaporizzazione *f.* **Aufgußbeutel** *m* bustina *f* (per infusione).

auf·haben ⟨*irr*⟩ *fam* **I.** *tr* **1.** *(Kopfbedekkung)* avere sul capo (*o* in testa); **2.** *(offen haben)* avere aperto; **3.** *(Schularbeiten)* dover fare; **II.** *itr (Geschäft)* essere aperto.

auf·halten ⟨*irr*⟩ **I.** *tr* **1.** *(offenhalten)* tenere aperto; **2.** *(anhalten)* fermare, arrestare; **3.** *fig (hemmen)* frenare, impedire; **II.** *rfl:* **sich ~ 1.** *(sich befinden)* trovarsi, soggiornare; **2.** *fig (verweilen)* soffermarsi (*bei* su).

auf·hängen *tr* **1.** *(an Haken)* appendere, attaccare; *(an Decke)* sospendere; *(Wäsche)* stendere; **2.** *fam (erhängen)* impiccare.

Aufhänger ⟨-s, -⟩ *m* **1.** *(an Kleidung)* laccetto *m;* **2.** *fig* appiglio *m.*

auf·heben ⟨*irr*⟩ **I.** *tr* **1.** *(vom Boden)* raccogliere, raccattare; *(hochheben)* alzare; **2.** *(aufbewahren)* conservare, serbare; **3.** *(beenden: Belagerung, Versammlung)* terminare; *(Sitzung, etc.)* levare, togliere; **4.** *(abschaffen)* abolire, sopprimere; *(ungültig machen)* revocare; *(Urteil)* annullare; *(Gesetz)* abrogare; **bei jdm gut aufgehoben sein** essere in buone mani presso qu; **II.** *rfl:* **sich ~** *(sich ausgleichen)* compensarsi; *(a. chem.)* neutralizzarsi.

Aufheben ⟨-s, ø⟩ *n:* **viel ~(s) um (***o* **von) etw. machen** dare grande importanza a qc.

Aufhebung *f* **1.** *(Beendigung)* porre *m* termine; **2.** *(Abschaffung)* abolizione *f*, soppressione *f;* **3.** *(Außerkraftsetzen)* revoca *f; (von Urteil)* annullamento *m; (von Gesetz)* abrogazione *f.*

auf·heitern I. *tr* allietare, rasserenare; **II.** *rfl:* **sich ~** rasserenarsi.

Aufheiterung ⟨-, -en⟩ *f* rasserenamento *m.*

auf·hellen I. *tr* **1.** *(heller machen)* schiarire; **2.** *(klären)* chiarire; **II.** *rfl:* **sich ~ 1.** *(Himmel)* schiarirsi; **2.** *(Gesicht)* illuminarsi.

auf·hetzen *tr* istigare, aizzare, sobillare.

auf·holen I. *tr* ricuperare; **II.** *itr sport* riguadagnare terreno.

auf·horchen *itr:* **jdn ~ lassen** attirare l'attenzione di qu.

auf·hören *itr* **1.** *(nicht weitermachen)* smettere, finire; **2.** *(enden)* terminare; **mit etw. ~** finire qc; **da hört doch alles auf!** è il colmo!; **hör auf damit!** smettila!; **hör auf zu weinen!** smettila di piangere!

auf·kaufen *tr* acquistare in blocco; *(hamstern)* incettare, accaparrare.

auf·keimen *itr* ⟨*sein*⟩ *fig* nascere, sorgere.

auf·klappen *tr (Messer, Buch)* aprire; *(Verdeck)* decappottare.

auf·klären I. *tr* **1.** *(erhellen)* chiarire; *(Geheimnis, Verbrechen)* fare luce su; **2.** *(erklären)* informare (*über +akk* su); *(sexuell)* dare un'educazione sessuale a; **3.** *mil* esplorare; *mil aero* passare in ricognizione; **ist euer Sohn schon aufgeklärt?** vostro figlio è già stato informato in materia di sesso?; **II.** *rfl:* **sich ~ 1.** *(Irrtum, Geheimnis)* chiarirsi; *(Himmel, Gesicht)* schiarirsi; **2.** *meteo* tornare sereno.

Aufklärer ⟨-s, -⟩ *m* **1.** *hist* illuminista *m;* **2.** *mil aero* ricognitore *m.*

Aufklärung *f* **1.** *(Klärung)* schiarimento *m*, spiegazione *f; (von Verbrechen)* scoprire *m* l'autore di un delitto; **2.** *(Unterrichtung)* informazione *f;* **3.** *(sexuelle ~)* educazione *f* sessuale; **4.** *hist* illuminismo *m;* **5.** *mil* esplorazione *f*, ricognizione *f.*

auf·kleben *tr* incollare (*auf +akk* su), attaccare (*auf +akk* su).

Aufkleber ⟨-s, -⟩ *m* (auto)adesivo *m.*

auf·knöpfen *tr* sbottonare.

auf·kochen *tr (kurz kochen lassen)* far bollire, portare all'ebollizione; *(nochmals kochen)* ricuocere.

auf·kommen ⟨*irr*⟩ *itr* ⟨*sein*⟩ **1.** *(Gewitter, Wind)* levarsi; **2.** *(Zweifel)* sorgere; **3.** *(Mode)* diventare di moda; **für etw. ~** rispondere di qc; **für den Schaden ~** pagare il danno; **keinen Zweifel ~ lassen** dileguare ogni dubbio; **für jdn ~ müssen** avere qu a carico.

auf·krempeln *tr* rimboccare.

auf·kreuzen *itr* ⟨*sein*⟩ *fam* capitare.

auf·laden ⟨*irr*⟩ *tr* **1.** *allg., el* caricare; **2.** *fig (aufbürden)* addossare.

Auflage *f* **1.** *(Buch~)* edizione *f;* **2.** *(Bedingung)* condizione *f; (amtlich)* ordine *m;* **jdm etw. zur ~ machen** obbligare qu a far qc. **Auflagenhöhe** *f* tiratura *f.* **auflagenschwach** *adj (von Zeitung, Buch)* a bassa tiratura. **auflagenstark** *adj (von Zeitung, Buch)* ad alta tiratura.

auf·lassen ⟨*irr*⟩ *tr fam* **1.** *(offenlassen)* lasciar aperto; **2.** *(Hut)* tenere in testa.

auf·lauern *itr:* **jdm ~** appostare qu.

Auflauf *m* **1.** *(Menschen~)* affollamento *m;* **2.** *gastr* sformato *m.*

auf·laufen ⟨*irr*⟩ *itr* ⟨*sein*⟩ incagliarsi (*auf +akk* in).

Auflaufform *f* pirofila *f* (*o* stampo *m*) per sformati.

auf·leben *itr* ⟨*sein*⟩ rivivere; **wieder ~** *fig* rinascere; *(Gespräch)* rianimarsi; **Erinnerungen wieder ~ lassen** far rivivere i ricordi; **in letzter Zeit ist er richtig aufgelebt** negli ultimi tempi si è proprio ripreso.

auf·legen *tr* **1.** *(Gedeck, Platte, Tisch-*

decke) mettere; *(Telefonhörer)* riattaccare; *(Pflaster)* applicare; **2.** *(Buch)* stampare; **3.** *(Wertpapiere)* emettere.
auf·lehnen *rfl:* **sich** ~ rivoltarsi (*gegen* contro), ribellarsi (*gegen* a).
auf·lesen ⟨*irr*⟩ *tr* **1.** *(sammeln)* raccogliere; **2.** *fam (aufgabeln)* scovare.
auf·leuchten *itr* ⟨*haben o sein*⟩ accendersi; *(a. fig)* risplendere.
auflisten *tr* elencare; *inform* listare.
auf·lockern *tr* **1.** *(Erde)* smuovere; **2.** *(Muskeln)* sciogliere; *fig (Programm)* alleggerire; **in aufgelockerter Atmosphäre** in un'atmosfera rilassata.
auf·lösen I. *tr* sciogliere; *(Beziehungen)* troncare; *(Geschäft)* liquidare; *(Konto)* chiudere; *phys* disintegrare; **in Tränen aufgelöst** sciolto in lacrime; **II.** *rfl:* **sich** ~ sciogliersi; *(chem, a. Nebel)* dissolversi.
Auflösung *f* **1.** *allg.* scioglimento *m; (von Beziehungen)* rottura *f; (von Geschäft)* liquidazione *f; (von Konto)* chiusura *f;* **2.** *mat, chem* soluzione *f; mus* risoluzione *f; TV (Bild~)* definizione *f;* **3.** *(von Rätsel)* soluzione *f.* **Auflösungszeichen** *n mus* bequadro *m.*
auf·machen I. *tr* aprire; *(Flasche)* stappare; *(Verschnürtes)* slacciare; **II.** *rfl:* **sich** ~ mettersi in cammino (*nach* per andare in *o* a), partire (*nach* per).
Aufmachung ⟨-, -en⟩ *f* **1.** *(von Person)* modo *m* di presentarsi; **2.** *(von Ware)* presentazione *f;* **in großer** ~ con gran pompa.
auf·marschieren ⟨*ohne ge-*⟩ *itr* ⟨*sein*⟩ schierarsi; *(zum Gefecht)* spiegarsi; *(bei Parade)* sfilare; ~ **lassen** far comparire.
aufmerksam ['au̯fmɛrkza:m] *adj* attento (*auf +akk* a); *(zuvorkommend)* premuroso, gentile; **jdn auf etw.** *(akk)* ~ **machen** richiamare l'attenzione di qu su qc, far notare qc a qu. **Aufmerksamkeit** ⟨-, -en⟩ *f* **1.** ⟨*sing*⟩ attenzione *f; (Höflichkeit)* cortesia *f,* premura *f;* **2.** *(Geschenk)* regalino *m,* pensierino *m;* **eine** ~ **des Hauses** un omaggio della casa.
auf·muntern *tr* **1.** *(aufheitern)* rallegrare, sollevare; **2.** *(ermutigen)* incoraggiare, esortare.
Aufmunterung ⟨-, -en⟩ *f* incoraggiamento *m,* esortazione *f.*
aufmüpfig ['au̯fmʏp͜fɪç] *adj fam* disubbidiente, indocile.
Aufnahme ['au̯fna:mə] ⟨-, -n⟩ *f* **1.** *(Empfang)* accoglienza *f;* **2.** *(Zulassung)* ammissione *f; (Eingliederung)* integrazione *f; (a. in Liste)* inserimento *m;* **3.** *(Beginn)* inizio *m; (von Verhandlungen a.)* apertura *f; (von Beziehungen)* allacciamento *m;* **4.** *(~zimmer)* sala *f* d'accettazione; **5.** *(von Protokoll)* stesura *f,* redazione *f;* **6.** *film* ripresa *f; fot* fotografia *f; radio* incisione *f;* **Achtung,** ~! ciac, si gira!. **aufnahmefähig** *adj* ricettivo. **Aufnahmegebühr** *f* tassa *f* d'ammissione. **Aufnahmegerät** *n* **1.** *fot* macchina *f* fotografica; **2.** *film* macchina *f* da presa, cinepresa *f;* **3.** *(Tonbandgerät)* registratore *m,* magnetofono *m.* **Aufnahmelager** *n (für Flüchtlinge)* campo *m* profughi. **Aufnahmeland** *n* paese *m* che offre asilo. **Aufnahmeprüfung** *f* esame *m* d'ammissione. **Aufnahmestudio** *n* studio *m* di registrazione.
auf·nehmen ⟨*irr*⟩ *tr* **1.** *(hochnehmen)* alzare, sollevare; **2.** *(empfangen)* accogliere; *(unterbringen)* ospitare; *(einreihen)* includere; *(in Schule, Verein)* ammettere; *(Klausel)* inserire; **3.** *(aufsaugen)* assorbire; *(Eindrücke)* ricevere; **4.** *(beginnen)* iniziare; *(wieder~)* riprendere; *(Verhandlungen)* avviare; *(Beziehungen)* stabilire, allacciare; **5.** *fin (Geld)* prendere in prestito; *(Anleihe)* contrarre; *(Hypothek, Schulden)* accendere; **6.** *(Protokoll)* stendere, redigere; **7.** *film* riprendere, girare; *fot* fotografare; *radio* incidere; **8.** *(Maschen)* riprendere; **9.** *(Menge)* contenere; **es mit jdm** ~ tener testa a qu.
auf·opfern *rfl:* **sich** ~ sacrificarsi.
auf·passen *itr* **1.** *(aufmerksam, vorsichtig sein)* stare attento; *(achtgeben)* far attenzione (*auf etw. (akk)* a qc); **2.** *(beaufsichtigen)* badare (*auf +akk* a); **aufgepaßt!** attenzione!
Aufpasser(in) ⟨-s, -⟩ *m(f)* sorvegliante *mf.*
auf·peitschen *tr* **1.** *(Meer)* sollevare, agitare; **2.** *(erregen)* eccitare; *(Kaffee)* stimolare.
auf·peppen *tr fam* vivacizzare.
Aufprall ['au̯fpral] ⟨-(e)s, -e⟩ *m (von Ball)* rimbalzo *m; (Stoß)* urto *m.*
auf·prallen *itr* ⟨*sein*⟩ *(aufschlagen)* rimbalzare; *(dagegenprallen)* urtare (*auf +akk* contro).
Aufpreis *m* soprapprezzo *m;* **gegen** ~ **von** con un supplemento di.
auf·pumpen *tr* gonfiare.
auf·putschen *tr* eccitare. **Aufputschmittel** *n* eccitante *m,* stimolante *m.*
auf·raffen *rfl:* **sich** ~ decidersi (*zu* a).
auf·räumen I. *tr* (ri)mettere in ordine; *(Zimmer a.)* fare *fam; (wegräumen)* mettere via; **II.** *itr* fare ordine; **mit etw.** ~ far piazza pulita di qc, farla finita con qc.
Aufräumungsarbeiten *f pl* lavori *m pl* di sgombero.
aufrecht *adj* d(i)ritto, eretto. **aufrecht·erhalten** ⟨*irr, ohne ge-*⟩ *tr (Kontakt)* mantenere; *(Behauptung)* sostenere.
auf·regen I. *tr* eccitare, agitare; *(beunruhigen)* turbare, allarmare; *(ärgern)* irritare; **II.** *rfl:* **sich** ~ agitarsi, allarmarsi.
Aufregung *f* eccitazione *f; (Unruhe)* turbamento *m; (Verwirrung)* confusione *f.*
aufreibend *adj* snervante, estenuante.
auf·reißen ⟨*irr*⟩ **I.** *tr* ⟨*haben*⟩ **1.** *(zerrei-*

ßen) lacerare, strappare; *(Straße)* disfare; **2.** *(Fenster, Augen)* spalancare; **jdn** ~ *sl* rimorchiare qu *sl;* **II.** *itr* ⟨*sein*⟩ *(Naht)* scucirsi; *(Wunde)* aprirsi.

auf·reizen *tr (erregen)* eccitare. **aufreizend** *adj* eccitante, provocante.

auf·richten I. *tr* **1.** *(in die Höhe)* sollevare, (ri)alzare; **2.** *(errichten)* erigere; **3.** *(moralisch)* confortare, rinfrancare; **II.** *rfl:* **sich** ~ alzarsi.

aufrichtig *adj* sincero. **Aufrichtigkeit** *f* sincerità *f.*

Aufriß *m* prospetto *m.*

Aufrollautomatik *f* dispositivo *m* di avvolgimento automatico.

auf·rollen *tr* **1.** *(zusammenrollen)* arrotolare; **2.** *(auseinanderrollen)* spiegare, srotolare; **3.** *fig (Prozeß)* rifare.

auf·rücken *itr* ⟨*sein*⟩ avanzare; *(Platz machen)* serrare le file.

Aufruf *m* chiamata *f; inform* richiamo *m; (Appell)* appello *m* (*an +akk* a), invito *m* (*an +akk* a).

auf·rufen ⟨*irr*⟩ *tr* chiamare; *inform* richiamare; *(auffordern)* invitare (*zu* a), esortare (*zu* a); *(Zeugen)* citare a deporre.

Aufruhr ['aufru:ɐ] ⟨-(e)s, -e⟩ *m* **1.** *(Auflehnung)* rivolta *f;* **2.** *(Erregung)* tumulto *m*, agitazione *f.*

auf·rühren *tr* rimestare, rimescolare; *(aufwühlen, -wiegeln)* sollevare.

Aufrührer(in) ⟨-s, -⟩ *m(f)* rivoltoso, -a *m, f,* ribelle *mf.* **aufrührerisch** *adj* **1.** *(Ideen)* sovversivo; **2.** *(Volksmenge)* ribelle.

auf·runden *tr (Zahl)* arrotondare (*auf* a).

auf·rüsten *tr, itr* riarmare.

Aufrüstung *f* riarmo *m.*

auf·rütteln *tr* scuotere.

auf·sagen *tr* recitare.

auf·sammeln *tr* raccogliere.

aufsässig ['aufzɛsɪç] *adj* rivoltoso, sedizioso; *(bes. Kind)* ostinato, caparbio.

Aufsatz *m* **1.** *(Schul~)* componimento *m*, tema *m; (Abhandlung)* saggio *m;* **2.** *(an Möbeln)* alzata *f.*

auf·schauen *s.* **aufblicken.**

auf·scheuchen *tr* spaventare.

auf·schieben ⟨*irr*⟩ *tr* rimandare, aggiornare.

Aufschlag *m* **1.** *(an Ärmel, Mantel Hose)* risvolto *m;* **2.** *(Aufprall)* urto *m*, colpo *m;* **3.** *(Preis~)* aumento *m;* **4.** *sport* servizio *m.*

auf·schlagen ⟨*irr*⟩ **I.** *itr* **1.** ⟨*sein*⟩ *(beim Fall)* battere (cadendo) (*auf +akk* su), picchiare (*auf +akk* contro), urtare (*auf +akk* contro); **2.** ⟨*haben*⟩ *(Preise)* aumentare, rincarare; **3.** ⟨*haben*⟩ *sport* servire; **II.** *tr* ⟨*haben*⟩ **1.** *(Nuß, Ei)* spaccare; **2.** *(Buch, Augen)* aprire; **3.** *(Zelt)* montare; *(Lager)* impiantare; *(Wohnsitz)* prendere; **4.** *(Ärmel)* rimboccare; *(Kragen)* alzare; **sich** *(dat)* **das Knie** ~ scorticarsi il ginocchio.

auf·schließen ⟨*irr*⟩ *tr* aprire (con la chiave).

aufschlitzen *tr (mit Messer a.)* squarciare, aprire tagliando; **jdm den Bauch** ~ sbudellare qu, sventrare qu.

Aufschluß *m:* **jdm über etw.** *(akk)* ~ **geben** spiegare qc a qu, fornire schiarimenti a qu su qc. **aufschlußreich** *adj* istruttivo, informativo.

auf·schneiden[1] ⟨*irr*⟩ *tr* **1.** *(öffnen)* tagliare; *med* incidere; **2.** *(in Scheiben)* affettare.

auf·schneiden[2] ⟨*irr*⟩ *itr fam (prahlen)* fare lo spaccone.

Aufschneider(in) *m(f) fam* spaccone, -a *m, f fam.*

Aufschnitt *m* affettato *m.*

auf·schnüren *tr (Schuhe, Korsett)* slacciare; *(Paket)* slegare.

auf·schrauben *tr* svitare.

auf·schrecken I. *tr* ⟨*haben*⟩ far sobbalzare; **II.** *itr* ⟨*sein*⟩ sobbalzare; **aus dem Schlaf** ~ svegliarsi di soprassalto.

Aufschrei *m* grido *m* (improvviso).

auf·schreiben ⟨*irr*⟩ *tr* scrivere, mettere per iscritto; *(notieren)* prendere nota di; **jdn** ~ *mot* prendere le generalità di qu.

auf·schreien ⟨*irr*⟩ *itr* gridare, mandare un urlo.

Aufschrift *f* scritta *f*, iscrizione *f.*

Aufschub *m* **1.** *(Verschieben)* rinvio *m; (Fristverlängerung)* proroga *f*, dilazione *f;* **2.** *(Verzögerung)* ritardo *m*, indugio *m.*

auf·schütten *tr* gettare; *(anhäufen)* ammassare; *(Damm)* rialzare.

Aufschwung *m* **1.** *fig* miglioramento *m; (Fortschritt)* progresso *m;* **2.** *com* incremento *m*, boom *m*, ripresa *f;* **3.** *sport* volata *f.*

auf·sehen ⟨*irr*⟩ *s.* **aufblicken.**

Aufsehen ⟨-s, ø⟩ *n* sensazione *f;* ~ **erregen** suscitare la curiosità e l'interesse; *(bes. Lärm, Entrüstung)* far scalpore; **um (jedes)** ~ **zu vermeiden** per evitare uno scandalo. **aufsehenerregend** *adj* sensazionale.

Aufseher(in) *m(f)* sorvegliante *mf; (Gefängnis~)* guardiano, -a *m, f; (Museums~)* custode *mf.*

auf·sein ⟨*irr*⟩ *itr* ⟨*sein*⟩ *fam* **1.** *(geöffnet sein)* essere aperto; **2.** *(aufgestanden sein)* essere alzato.

auf·setzen I. *tr* **1.** *(Brille, Hut)* mettere; **2.** *(Miene)* assumere; **3.** *(Fuß)* appoggiare; **4.** *(abfassen)* scrivere; *(a. jur)* redigere, stendere; **II.** *itr aero* atterrare.

Aufsicht *f* controllo *m*, sorveglianza *f; (polizeiliche ~)* vigilanza *f; (Mensch)* custode *mf;* **über etw.** *(akk)* ~ **führen** soprintendere a qc, sorvegliare qc; **unter** ~ sotto controllo. **Aufsichtsrat** *m* consiglio *m* d'amministrazione.

auf·sitzen ⟨*irr*⟩ *itr* ⟨*sein*⟩ **1.** *(auf Pferd)* montare a cavallo; *(auf Fahrzeug)* montare; **2.** *fig fam* lasciarsi abbindolare *(jdm* da qu).

auf·spannen *tr* tendere; *(Schirm)* aprire.

auf·sparen *tr* serbare, riservare.

auf·sperren *tr* **1.** *(aufreißen)* spalancare; **2.** *fam (aufschließen)* aprire; **Mund und Nase ~** *fam* rimanere a bocca aperta.

auf·spielen *rfl:* **sich ~** *fam* darsi delle arie *fam; (sich ausgeben)* atteggiarsi *(als* a).

auf·spießen *tr* infilzare; *(durchbohren)* trafiggere; *(mit Gabel)* inforcare; *(auf Hörner)* incornare.

auf·springen ⟨*irr*⟩ *itr* ⟨*sein*⟩ **1.** *(hochspringen)* balzare in piedi, saltare su; *(Ball)* rimbalzare; **2.** *(auf etw. ~)* saltare *(auf +akk* su); **3.** *(sich öffnen: Tür, Schloß)* aprirsi di scatto; *(Haut)* screpolarsi.

auf·spüren *tr* rintracciare; *(Wild)* braccare.

auf·stacheln *tr* aizzare, incitare *(zu* a).

Aufstand *m* sollevazione *f,* insurrezione *f.*

Aufständische ['aufʃtɛndɪʃə] ⟨ein -r, -n, -n⟩ *mf* ribelle *mf,* insorto, -a *m, f.*

auf·stapeln *tr* accatastare, ammucchiare.

auf·stehen ⟨*irr*⟩ *itr* **1.** ⟨*sein*⟩ alzarsi; **2.** ⟨*haben*⟩ *(offen sein)* essere aperto.

auf·steigen ⟨*irr*⟩ *itr* ⟨*sein*⟩ **1.** *(auf Pferd)* montare in sella; *(auf Fahrzeug)* salire; **2.** *(in Luft)* alzarsi; *(Flugzeug)* alzarsi in volo, prendere quota; *(Nebel, Dunst)* levarsi; **3.** *(Gefühl)* nascere; *(Erinnerungen)* affiorare; **4.** *(beruflich)* far carriera, avanzare *(zu* a); *sport* passare di categoria; **in mir stieg der Verdacht auf, daß ...** mi venne il sospetto che ...

Aufsteiger(in) *m(f)* arrampicatore, -trice *m, f* sociale.

auf·stellen **I.** *tr* **1.** *(anordnen, zusammenstellen)* disporre, collocare, mettere; *(Posten)* appostare; *(Mannschaft)* formare; *(Liste, Rechnung)* compilare; *(Programm)* formulare; *(Kandidat)* presentare; **2.** *(aufbauen)* erigere, costruire; *(Bett)* montare; *(Maschine)* installare; *(Leiter)* alzare; *(Falle)* tendere; **3.** *fig (Rekord)* stabilire; *(Lehrsatz)* enunciare; **4.** *(wieder ~)* rialzare; **II.** *rfl:* **sich ~** mettersi; *mil* schierarsi; **sich im Halbkreis ~** disporsi a mezzo cerchio.

Aufstellung *f* **1.** *(von Denkmal, etc.)* erezione *f,* innalzamento *m;* **2.** *(Anordnung)* disposizione *f,* collocazione *f;* **3.** *(von Liste)* compilazione *f; (von Programm)* formulazione *f; (von Kandidat)* presentazione *f; sport* formazione *f;* **4.** *(Liste)* lista *f.*

Aufstieg ['aufʃti:k] ⟨-(e)s, -e⟩ *m* **1.** *(Weg)* salita *f; (auf Berg)* ascensione *f;* **2.** *fig* ascesa *f; (beruflich, sport)* promozione *f* *(zu* a, *in +akk* in). **Aufstiegsspiel** *n* incontro *m* per la promozione.

auf·stöbern *tr* scovare.

auf·stoßen ⟨*irr*⟩ **I.** *tr* ⟨*haben*⟩ **1.** *(öffnen)* aprire con una spinta; **2.** *(verletzen)* escoriare; **II.** *itr* **1.** ⟨*sein*⟩ battere *(auf +akk* contro); **2.** ⟨*haben*⟩ *(rülpsen)* ruttare.

auf·stützen **I.** *tr* appoggiare; **II.** *rfl:* **sich ~** appoggiarsi.

auf·suchen *tr* andare a trovare; *(Arzt)* consultare.

auf·takeln *rfl:* **sich ~** *fam* vestirsi in modo vistoso *(o* eccentrico), bardarsi *scherz.*

Auftakt *m* **1.** *fig* inizio *m (zu* di), preludio *m (zu* a); **2.** *mus* arsi *f.*

auf·tanken **I.** *itr* fare il pieno; **II.** *tr* rifornire di carburante.

auf·tauchen *itr* ⟨*sein*⟩ **1.** *(emportauchen)* emergere, venir a galla; *(U-Boot)* riemergere; **2.** *fig (sichtbar werden)* apparire; *(unerwartet)* saltare fuori; **wieder ~** ricomparire.

auf·tauen **I.** *tr* ⟨*haben*⟩ disgelare; *(Tiefkühlkost)* scongelare; **II.** *itr* ⟨*sein*⟩ sciogliersi.

auf·teilen *tr* **1.** *(einteilen)* (sud)dividere, spartire; **2.** *(verteilen)* distribuire.

Aufteilung *f* **1.** *(Verteilung)* spartizione *f,* divisione *f,* distribuzione *f;* **2.** *(Einteilung)* distribuzione *f,* suddivisione *f.*

auf·tischen *tr* **1.** *(Speisen, Getränke)* mettere in tavola; **2.** *fig (Lügen)* scodellare.

Auftrag ['auftra:k] ⟨-(e)s, -träge⟩ *m* **1.** *(Aufgabe)* incarico *m; (a. Verpflichtung)* compito *m;* **2.** *(Anweisung, Bestellung)* ordine *m;* **3.** *(das Auftragen)* applicazione *f;* **bei jdm etw. in ~ geben** ordinare *(o* commissionare) qc presso qu; **im ~ von ...** *(abk* **i. A.**) per incarico di ..., incaricato da ...

auf·tragen ⟨*irr*⟩ *tr* **1.** *(Speisen)* portare in tavola, servire; **2.** *(Farbe, Salbe)* applicare; **jdm etw. ~** incaricare qu di fare qc; **dick ~** *fam* caricare le tinte *fam.*

Auftraggeber(in) *m(f)* committente *mf; jur* mandante *mf.* **Auftragnehmer(in)** *m(f)* mandatario, -a *m, f,* commissionario, -a *m, f.*

Auftragsabwicklung *f* esecuzione *f* degli ordini. **Auftragsbestätigung** *f* conferma *f* d'ordine. **Auftragsbuch** *n* libro *m* delle ordinazioni *(o* delle commissioni). **Auftragseingang** *m* afflusso *m* di ordini, andamento *m* delle ordinazioni. **Auftragslage** *f* ordinativi *m pl.*

auf·treiben ⟨*irr*⟩ *tr fam (finden)* pescare *fam; (beschaffen)* procurarsi.

auf·treten ⟨*irr*⟩ **I.** *itr* ⟨*sein*⟩ **1.** *(erscheinen)* presentarsi; *theat (Bühne betreten)* entrare in scena; *(in einer Rolle)* prodursi *(als* nella parte di); **2.** *(sich benehmen)* comportarsi *(wie* da); **3.** *fig (Krankheit)* comparire; *(Schwierigkeit, Zweifel)* sorgere; **4.** *(mit Fuß)* poggiare (il piede) a terra, camminare; **als Zeuge ~** comparire come testimone; **II.** *tr* ⟨*ha-*

ben⟩ aprire con una pedata. **Auftreten** ⟨-s, ø⟩ *n* **1.** *(Benehmen)* condotta *f*, contegno *m;* **2.** *(Vorkommen)* presenza *f; (von Krankheit)* manifestarsi *m*.

Auftrieb *m* **1.** *phys* spinta *f* aereostatica; *(aero)* forza *f* ascensionale, portanza *f;* **2.** *fig (Schwung)* impulso *m*, slancio *m*.

Auftritt *m theat (Erscheinen)* entrata *f* in scena; *(Szene)* scena *f;* **es kam zu einem peinlichen** ~ c'era da vergognarsi.

auf·tun ⟨*irr*⟩ **I.** *tr* **1.** *(öffnen)* aprire; **2.** *fam (ausfindig machen)* trovare, pescare *fam;* **II.** *rfl:* **sich** ~ **1.** *(Abgrund)* aprirsi; **2.** *(Möglichkeit)* offrirsi.

auf·wachen *itr* ⟨*sein*⟩ svegliarsi.

auf·wachsen ⟨*irr*⟩ *itr* ⟨*sein*⟩ crescere.

Aufwand ['aufvant] ⟨-(e)s, ø⟩ *m* **1.** *(Kosten)* spesa *f;* **2.** *(Einsatz)* dispendio *m* (*an* di); **3.** *(Luxus, Pomp)* lusso *m*, pompa *f*. **Aufwandsentschädigung** *f* indennità *f* (per spese).

auf·wärmen I. *tr* riscaldare; *fig fam (alte Geschichten)* rivangare; **II.** *rfl:* **sich** ~ riscaldarsi.

aufwärts ['aufvɛrts] *adv* verso l'alto, in alto; *(a. fig)* in su; **von fünf Personen** ~ dalle 5 persone in su. **Aufwärtstrend** *m* tendenza *f* al rialzo.

Aufwasch ['aufvaʃ] ⟨-(e)s, ø⟩ *m* stoviglie *f pl* (*o* piatti *m pl*) da lavare; **in einem** ~ *fig* in una volta.

auf·wecken *tr* svegliare.

auf·weisen ⟨*irr*⟩ *tr* presentare.

auf·wenden ⟨*irr o reg*⟩ *tr* impiegare; *(Geld)* spendere; *(Sorgfalt)* usare.

aufwendig *adj (kostspielig)* dispendioso; *(üppig)* rigoglioso.

Aufwendung *f* **1.** *(Aufbietung)* impiego *m;* **2.** ⟨*pl*⟩ *(Ausgaben)* spese *f pl*.

auf·werfen ⟨*irr*⟩ *tr* **1.** *(Damm)* rialzare, costruire; **2.** *(Tür, Fenster)* spalancare; **3.** *fig (Frage, Problem)* sollevare, avanzare.

auf·werten *tr* rivalutare.

Aufwertung *f* rivalutazione *f*.

auf·wickeln *tr* avvolgere, arrotolare.

auf·wiegeln ['aufvi:gəln] *tr* sobillare, istigare.

auf·wiegen ⟨*irr*⟩ *tr* compensare, pareggiare.

Aufwind *m* corrente *f* ascendente.

auf·wirbeln *tr* sollevare in vortice; **(viel) Staub** ~ *fig* suscitare scalpore.

auf·wischen *tr* pulire (con lo strofinaccio).

auf·wühlen *tr* **1.** *(Erde)* scavare; *(See)* agitare; **2.** *fig* scuotere.

auf·zählen *tr* enumerare.

Aufzählung *f* enumerazione *f*.

auf·zeichnen *tr* **1.** *(aufschreiben)* annotare, segnare; *(Plan, Weg)* disegnare; **2.** *radio, TV* registrare.

Aufzeichnung *f* **1.** *(Notiz)* annotazione *f;* **2.** *radio, TV* registrazione *f; (keine Live-Sendung)* trasmissione *f* differita.

auf·zeigen *tr* **1.** *(hinweisen)* mostrare, indicare; **2.** *(erklären)* dimostrare, spiegare.

auf·ziehen ⟨*irr*⟩ **I.** *tr* ⟨*haben*⟩ **1.** *(her~)* tirare su, alzare, sollevare; **2.** *(öffnen)* aprire (tirando); **3.** *(großziehen)* allevare; **4.** *(Uhr)* caricare; *(Perlen)* infilare; *(Foto)* montare, incollare; **5.** *fam (veranstalten)* organizzare, allestire; **6.** *fam (hänseln)* prendere in giro; **II.** *itr* ⟨*sein*⟩ **1.** *(Wolken)* alzarsi; *(Gewitter)* avvicinarsi; **2.** *mil* montare.

Aufzug *m* **1.** *(Fahrstuhl)* ascensore *m;* **2.** *(Aufmarsch)* corteo *m;* **3.** *theat* atto *m;* **4.** *pej (Kleidung)* abito *m*.

auf·zwingen ⟨*irr*⟩ *tr* imporre.

Augapfel *m* globo *m* oculare; **etw. wie seinen** ~ **hüten** custodire qc come la pupilla dei propri occhi.

Auge ['augə] ⟨-s, -n⟩ *n* **1.** *anat* occhio *m;* **2.** *(Punkt bei Spielen)* punto *m;* **3.** *bot* gemma *f;* **mit einem blauen** ~ **davonkommen** *fig fam* cavarsela a buon mercato *fam;* **blaue/graue** ~**n haben** avere gli occhi azzurri/grigi; **gute/schlechte** ~**n haben** avere occhi buoni/deboli; **große** ~**n machen** fare tanto d'occhi *fam*, sgranare gli occhi; **jdm etw. aufs** ~ **drücken** *fig fam* imporre qc a qu; **jdm etw. vor** ~**n führen** far vedere qc a qu, dimostrare qc a qu; **etw. im** ~ **haben** *fig* mirare a qc; **jdn nicht aus den** ~**n lassen** non perdere di vista qu; **ins** ~ **gehen** *fig fam* andare a finire male; **einer Gefahr ins** ~ **sehen** affrontare un pericolo; **etw. mit anderen** ~**n sehen** vedere qc con tutt'altri occhi; **in die** ~**n springen** *fig* dare nell'occhio, saltare all'occhio; **jdn aus den** ~**n verlieren** perdere di vista qu; **mit bloßem** ~ a occhio nudo; **unter vier** ~**n** a quattr'occhi; **so weit das** ~ **reicht** a perdita d'occhio. **Augenarzt** *m*, **-ärztin** *f* oculista *mf*. **Augenaufschlag** *m* battito *m* di ciglia.

Augenblick *m* momento *m*, istante *m*, attimo *m;* **sie muß jeden** ~ **kommen** deve venire da un momento all'altro. **augenblicklich I.** *adj* **1.** *(derzeitig)* attuale; **2.** *(sofortig)* istantaneo, immediato; **3.** *(plötzlich)* improvviso; **4.** *(vorübergehend)* momentaneo; **II.** *adv* **1.** *(gegenwärtig)* al (*o* per il) momento; **2.** *(sofort)* subito.

Augenbraue *f* sopracciglio *m*. **Augenbrauenstift** *m* matita *f* per sopracciglia. **Augenhöhe** *f:* **in** ~ all'altezza degli occhi. **Augenklappe** *f* benda *f* (di protezione per gli occhi). **Augenlicht** *n* vista *f*. **Augenmaß** *n* misura *f* ad occhio; *fig* senso *m* delle proporzioni; **ein gutes** ~ **haben** avere buon occhio; **nach** ~ ad occhio. **Augenmerk** [-mɛrk] ⟨-(e)s, ø⟩ *n:* **sein** ~ **auf etw.** *(akk)* **richten** rivolgere l'attenzione a (*o* su) qc. **Augenschein** *m* apparenza *f;* **etw. in** ~ **nehmen** esaminare qc; *jur* fare il sopralluogo di qc. **augenscheinlich** *adj* manifesto, ovvio, evidente. **Augentropfen** *m pl* collirio *m*, gocce *f pl* per gli occhi. **Augenweide** *f* delizia *f* degli occhi. **Augenwinkel** *m* coda *f* dell'occhio. **Augenwischerei** [-vɪʃəraj] ⟨-, -en⟩ *f fam* bidonata *f fam.* **Augenzeuge** *m*, **-zeugin** *f* testimone *mf* oculare. **Augenzeugenbericht** *m* testimonianza *f* oculare. **Augenzwinkern** ⟨-s, ø⟩ *n* strizzata *f* d'occhi.

Augsburg ['auksbʊrk] *n* Augusta *f.*

August[1] ['augʊst] *(männlicher Vorname)* Augusto; **dummer** ~ pagliaccio *m.*

August[2] [au'gʊst] ⟨-(e)s *o* -, -e⟩ *m (Monat)* agosto *m; s. a. September.*

Auktion [auk'tsjo:n] ⟨-, -en⟩ *f* asta *f* pubblica, incanto *m.*

Auktionator(in) [...tsjo'na:to:ɐ(...to:rɪn), ...na'to:rən] ⟨-s, -en⟩ *m,f* ufficiale *m,f* (*o* commissario *m*) delle aste pubbliche.

Aula ['aula, ...lən *o* ...las] ⟨-, Aulen *o* -s⟩ *f* aula *f* magna.

aus I. *prp +dat* **1.** *(räumlich)* da; **2.** *(zeitlich)* di; **3.** *(Beschaffenheit)* di; **4.** *(Abstammung)* da, di; **5.** *(Ursache)* per; **ich komme ~ Deutschland/Rom** vengo dalla Germania/da Roma; ~ **dem Italienischen** dall'italiano; **ich bin ~ Krefeld** sono di Krefeld; ~ **Erfahrung/Überzeugung/Versehen** per esperienza/convinzione/sbaglio; ~ **Leibeskräften** a più non posso; ~ **dem Gebrauch** fuori uso; ~ **der Mode** fuori moda; **was ist ~ ihm geworden?** che ne è stato di lui?; **II.** *adv* **1.** *(zu Ende)* finito; **2.** *(gelöscht: Feuer, Licht)* spento; **3.** *fam (~gegangen)* uscito; **4.** fuori (campo); **von Haus** ~ originalmente; **von hier** ~ da qui; **von mir** ~ per conto mio, per me.

Aus ⟨-, ø⟩ *n* fuori campo *m.*

aus·arbeiten *tr* elaborare.

Ausarbeitung ⟨-, -en⟩ *f* elaborazione *f.*

aus·arten *itr* ⟨*sein*⟩ degenerare (*in +akk* in).

aus·atmen I. *tr* espirare; **II.** *itr* spirare.

aus·baden *tr fam* scontare (la colpa di un altro), subire le conseguenze.

aus·baggern *tr* dragare, scavare con la draga.

Ausbau ⟨-(e)s, -ten⟩ *m* **1.** *arch (Erweiterung)* ampliamento *m; (Umbau)* trasformazione *f;* **2.** *tec* smontaggio *m;* **3.** ⟨*sing*⟩ *fig (Erweiterung)* potenziamento *m; (Entwicklung)* sviluppo *m.*

aus·bauen *tr* **1.** *arch (erweitern)* ampliare; *(umbauen)* trasformare (*zu* in); **2.** *(herausnehmen)* smontare; **3.** *fig (erweitern)* potenziare, estendere; *(entwikkeln)* sviluppare.

ausbaufähig *adj* ampliabile; *fig (Talent)* coltivabile.

aus·bedingen ⟨bedingt aus, bedingte aus, ausbedungen⟩ *tr:* **sich** *(dat)* **etw.** ~ riservarsi qc.

aus·bessern *tr* accomodare, aggiustare; *(flicken)* rattoppare; *(stopfen)* rammendare.

aus·beulen *tr* spianare.

Ausbeute *f* rendimento *m* (*an* in).

aus·beuten *tr* sfruttare.

Ausbeutung ⟨-, ø⟩ *f* sfruttamento *m.*

aus·bezahlen ⟨*ohne ge-*⟩ *tr* **1.** *(Geld)* pagare; **2.** *(Menschen)* tacitare.

aus·bilden I. *tr* addestrare, formare, istruire; *(Fähigkeiten)* sviluppare; **II.** *rfl:* **sich** ~ formarsi; *(sich entwickeln)* svilupparsi; **er läßt sich in Gesang** ~ studia canto.

Ausbilder(in) ⟨-s, -⟩ *m(f)* istruttore, -trice *m, f.*

Ausbildung *f* addestramento *m; (beruflich, a. Herausbildung)* formazione *f* professionale; *(Schul~)* istruzione *f; (Lehrzeit)* tirocinio *m.* **Ausbildungsförderung** *f* promozione *f* dell'istruzione. **Ausbildungsplatz** *m* posto *m* d'apprendistato.

aus·bitten ⟨*irr*⟩ *tr:* **sich** *(dat)* **etw.** ~ esigere qc.

aus·blasen ⟨*irr*⟩ *tr* spegnere (soffiando); *(Ei)* vuotare (soffiando).

aus·bleiben ⟨*irr*⟩ *itr* ⟨*sein*⟩ **1.** *(nicht eintreten)* non verificarsi, mancare; **2.** *(fernbleiben)* non venire; **lange** ~ *(überfällig sein)* ritardare; **es konnte nicht ~, daß ...** era inevitabile che *+congv.*

Ausblick *m* **1.** *(Aussicht)* panorama *m* (*auf +akk* di), vista *f* (*auf +akk* su); **2.** *fig (Vorausschau)* previsione *f* (*auf +akk* per).

aus·borgen *s.* **borgen.**

aus·brechen ⟨*irr*⟩ **I.** *itr* ⟨*sein*⟩ **1.** *(aus Gefängnis, Käfig)* evadere, scappare; **2.** *(Feuer, Krieg, Krankheit)* scoppiare; *(Vulkan)* erompere, entrare in eruzione; *(Schweiß)* venire; **in Gelächter/Tränen** ~ scoppiare a ridere/in lacrime; **II.** *tr* ⟨*haben*⟩ **1.** *(Steine)* cavare; **2.** *(Nahrung)* vomitare.

Ausbrecher(in) ⟨-s, -⟩ *m(f)* evaso, -a *m, f.*

aus·breiten I. *tr (Gefaltetes)* stendere; *(Flügel, Waren)* spiegare; *(Arme)* allargare; **II.** *rfl:* **sich** ~ allargarsi; *(sich erstrecken)* estendersi; *(Geruch, Rauch)* espandersi; *(Feuer)* propagarsi; *(Krankheit, Unsitte, Nachricht)* diffondersi.

Ausbreitung ⟨-, ø⟩ *f* propagazione *f.*

Ausbruch *m* **1.** *(Flucht)* evasione *f;* **2.** *fig (Krankheits~)* insorgenza *f*, comparsa *f; (Kriegs~)* scoppio *m; (Gefühls~)* sfogo *m*, impeto *m; (Fieber~, Zornes~)* accesso *m; (Freuden~)* trasporto *m; (Vulkan~)* eruzione *f.*

aus·brüten *tr (a. fig)* covare.

Ausbund *m:* **ein ~ an Bosheit** un abisso di malvagità; **ein ~ an Tugend** un modello di virtù.

aus·bürgern *tr* privare della cittadinanza.

Ausbürgerung ⟨-, -en⟩ *f* privazione *f* della cittadinanza.

aus·bürsten *tr* **1.** *(Kleidungsstück)* spazzolare; **2.** *(Staub)* togliere con la spazzola.

Auschwitzlüge ⟨-, ø⟩ *f* negazione *f* dell'Olocausto.

Ausdauer *f* costanza *f*, perseveranza *f*. **ausdauernd** *adj* perseverante, costante; *(zäh)* tenace.

aus·dehnen I. *tr* **1.** *(vergrößern)* estendere; *phys* dilatare; *(verlängern)* allungare; *(zeitlich)* prolungare; **2.** *fig (einbeziehen)* estendere (*auf +akk* su); **II.** *rfl:* **sich** ~ estendersi; *phys* dilatarsi; *(sich verlängern)* allungarsi.

Ausdehnung ⟨-, -en⟩ *f* estensione *f; (Vorgang)* distensione *f; (Vergrößerung)* espansione *f; phys* dilatazione *f; (zeitlich)* prolungamento *m.*

aus·denken ⟨*irr*⟩ *tr:* **sich** *(dat)* **etw.** ~ *(sich vorstellen)* immaginarsi qc; *(erfinden)* escogitare qc, inventare qc.

aus·drehen *tr (Licht)* spegnere; *(Gas)* chiudere.

Ausdruck[1] ⟨-(e)s, -drücke⟩ *m* **1.** *(allg., fig, Gesichts~)* espressione *f;* **2.** *(Wort)* parola *f*, termine *m*, voce *f;* **zum** ~ **bringen** esprimere, manifestare; **zum** ~ **kommen** manifestarsi, esprimersi; **das ist gar kein** ~! *fam* non ci sono parole per esprimere questo!

Ausdruck[2] ⟨-(e)s, -e⟩ *m (Computer~)* tabulato *m*, elaborato *m.*

aus·drucken *tr inform* stampare.

aus·drücken I. *tr* **1.** *(Zitrone, Saft)* spremere; *(Zigarette)* spegnere (premendo); **2.** *(zum Ausdruck bringen)* esprimere, manifestare; **anders ausgedrückt** in altre parole; **II.** *rfl:* **sich** ~ **1.** *(verbal)* esprimersi; **2.** *(Gefühl)* manifestarsi.

ausdrücklich *adj* esplicito.

ausdruckslos I. *adj* inespressivo; **II.** *adv* senza espressione. **ausdrucksvoll I.** *adj* espressivo; **II.** *adv* con espressione. **Ausdrucksweise** *f* modo *m* di esprimersi (*o* di parlare); *(Stil)* stile *m*, linguaggio *m.*

auseinander [aus'ʔaiˈnandɐ] *adv (entfernt)* lontani (*o* discosti) l'uno dall'altro; *(getrennt)* separatamente, a parte; ~ **schreiben** scrivere staccato; **wir sind 10 Jahre** ~ tra di noi c'è una differenza d'età di dieci anni. **auseinander·brechen** ⟨*irr*⟩ **I.** *itr* ⟨*sein*⟩ rompersi, spezzarsi; **II.** *tr* ⟨*haben*⟩ rompere, spezzare. **auseinander·bringen** ⟨*irr*⟩ *tr* riuscire a separare (*o* staccare) l'uno dall'altro; *(Freundschaft)* separare. **auseinander·fallen** ⟨*irr*⟩ *itr* ⟨*sein*⟩ disfarsi, cadere in pezzi. **auseinander·gehen** ⟨*irr*⟩ *itr* ⟨*sein*⟩ **1.** *(sich trennen)* separarsi, lasciarsi; **2.** *(Meinungen)* divergere, differire; **3.** *(aus den Fugen gehen)* disfarsi; **4.** *fam (dick werden)* ingrassare. **auseinander·halten** ⟨*irr*⟩ *tr* distinguere. **auseinander·nehmen** ⟨*irr*⟩ *tr* disfare, scomporre; *tec* smontare. **auseinander·setzen I.** *rfl:* **sich** ~ *(sich befassen)* occuparsi (*mit* di); **sich mit jdm** ~ avere una discussione con qu; **II.** *tr* spiegare, esporre.

Auseinandersetzung ⟨-, -en⟩ *f* discussione *f; (Streit)* contrasto *m*, diverbio *m; (Kampfhandlung)* conflitto *m.*

auserlesen *adj* scelto, eletto; *(Speise)* squisito, eccellente.

auserwählt [ˈausʔɛɐ̯vɛːlt] *adj* (pre)scelto; *(bes. rel)* eletto.

aus·fahren ⟨*irr*⟩ **I.** *itr* ⟨*sein*⟩ uscire (in macchina); *(spazierenfahren)* uscire a passeggio; **II.** *tr* ⟨*haben*⟩ **1.** *(spazierenfahren)* condurre (*o* portare) a passeggio, portare fuori; **2.** *(Waren)* distribuire; **3.** *(Fahrgestell)* far uscire; **ein Auto (voll)** ~ sfruttare una macchina.

Ausfahrt *f* **1.** *(Hinausfahren, Autobahn~, Garagen~)* uscita *f;* **2.** *(Abfahrt)* partenza *f;* **3.** *(Spazierfahrt)* gita *f* (in macchina), passeggiata *f* (in macchina); ~ **freihalten** passo *m* carrabile.

Ausfall *m* **1.** *(Verlust)* perdita *f; (Einbuße)* mancanza *f; (Haar~)* caduta *f; tec, mot* guasto *m;* **2.** *(Nichtstattfinden)* soppressione *f;* **3.** *mil* sortita *f;* **4.** *(Beleidigung)* affronto *m*, insulto *m.*

aus·fallen ⟨*irr*⟩ *itr* ⟨*sein*⟩ **1.** *(Haare, Zähne)* cadere; **2.** *tec, mot* arrestarsi, fermarsi; **3.** *(Veranstaltung)* non aver luogo, cadere; *(a. Zug)* essere soppresso; **4.** *(fehlen)* mancare, essere assente; **5.** *(ein Ergebnis zeigen)* andare, riuscire; **heute fällt die Schule aus** oggi non c'è scuola.

ausfallend, ausfällig *adj* offensivo, ingiurioso.

Ausfallstraße *f* strada *f* d'uscita.

aus·feilen *tr fig* perfezionare.

aus·fertigen *tr (Paß, Quittung)* rilasciare; *(Vertrag)* redigere, stendere.

Ausfertigung *f* **1.** *(von Vertrag)* redazione *f*, stesura *f; (von Paß)* rilascio *m;* **2.** *(Exemplar)* esemplare *m; (Abschrift)* copia *f;* **in doppelter/dreifacher** ~ in due/tre copie, in duplice/triplice copia.

ausfindig *adj:* ~ **machen** trovare, scoprire.

aus·flippen [ˈausflɪpən] *itr* ⟨*sein*⟩ *sl* **1.** *(durch Drogen)* partire, fare un viaggio; **2.** *(aus Gesellschaft)* essere sballati *sl;* **3.** *(die Nerven verlieren)* andare in tilt *sl.*

Ausflucht ⟨-, -flüchte⟩ *f* scusa *f*, pretesto *m.*

Ausflug *m* gita *f*, escursione *f.*

Ausflügler(in) [ˈausflyːglɐ (...ərɪn] ⟨-s, -⟩ *m(f)* escursionista *mf*, gitante *mf.*

Ausfluß *m* **1.** *(das Ausfließen)* efflusso *m*, scolo *m;* **2.** *(~stelle, Abfluß)* scarico *m;* **3.** *med* perdita *f.*

aus·fragen *tr:* **jdn über etw.** *(akk)* ~ cercare di sapere qc da qu.

aus·fransen *itr* ⟨*sein*⟩ sfilacciare, sfilacciarsi.
aus·fressen ⟨*irr*⟩ *tr* vuotare (mangiando), ripulire; **etw.** ~ *fig fam* combinare qc *fam.*
Ausfuhr ['ausfu:ɐ] ⟨-, -en⟩ *f* esportazione *f.* **Ausfuhrbeschränkung** *f* limitazione *f* (*o* restrizione *f*) all'esportazione. **Ausfuhrbestimmungen** *f pl* disposizioni *f pl* per l'esportazione. **Ausfuhrland** *n* paese *m* esportatore. **Ausfuhrpapiere** *n pl* documenti *m pl* d'esportazione.
aus·führen *tr* **1.** *(spazierenführen)* portare fuori; **2.** *com* esportare; **3.** *(durchführen)* effettuare, attuare; *(Auftrag, Bestellung)* eseguire; *(Plan)* realizzare; **4.** *(darlegen)* esporre, svolgere; *(erläutern)* spiegare.
ausführlich ['ausfy:ɐlɪç *o* ...'fy:ɐlɪç] *adj* dettagliato; **über etw.** *(akk)* ~ *sprechen* parlare per esteso di qc. **Ausführlichkeit** ⟨-, ø⟩ *f*: **in aller** ~ dettagliatamente, per esteso.
Ausführung *f* **1.** *(Durchführung)* effettuazione *f; (von Auftrag)* esecuzione *f; (von Plan)* realizzazione *f;* **2.** *(Fertigstellung)* compimento *m;* **3.** *(Anfertigung)* confezione *f; (Typ)* modello *m;* **4.** *(Darlegung)* esposizione *f;* ⟨*pl*⟩ argomentazioni *f pl.*
Ausfuhrverbot *n* divieto *m* d'esportazione. **Ausfuhrzoll** *m* dazio *m* d'esportazione.
aus·füllen *tr* **1.** *(Loch, Lücke)* riempire, colmare; **2.** *(Posten)* occupare, ricoprire; **3.** *(Formular)* compilare, riempire; **4.** *fig (befriedigen)* soddisfare.
Ausgabe *f* **1.** *(Verteilung)* distribuzione *f; (Aushändigung)* consegna *f; (von Banknoten, Briefmarken)* emissione *f; (Fahrkarten~)* vendita *f;* **2.** *(Geld~)* spesa *f;* **3.** *(von Zeitschrift, Buch, Fernsehsendung)* edizione *f;* **4.** *inform* uscita *f;* **5.** *(Modell)* modello *m.* **Ausgabegerät** *n inform* unità *f* di uscita.
Ausgang *m* uscita *f; (Ende)* fine *f,* termine *m; (Ergebnis)* esito *m,* risultato *m; inform* uscita *f;* ~ **haben** avere libera uscita; *(Hausangestellte)* avere una giornata libera. **Ausgangsbasis** *f* base *f* di partenza. **Ausgangspunkt** *m* punto *m* di partenza. **Ausgangssprache** *f (beim Übersetzen)* lingua *f* di partenza. **Ausgangsstellung** *f* posizione *f* iniziale.
aus·geben ⟨*irr*⟩ **I.** *tr* **1.** *(verteilen)* distribuire; *(aushändigen)* consegnare; **2.** *(Geld)* spendere; **einen** ~ *fam* pagare da bere, offrire un bicchiere; **II.** *rfl:* **sich für jdn**~ spacciarsi per qu, farsi passare per qu.
ausgebucht *adj:* al completo, esaurito.
ausgebufft ['ausgəbʊft] *adj* **1.** *fam (erledigt)* rovinato, finito; **2.** *(erschöpft)* sfinito, esausto, stanco morto; **3.** *(trickreich, raffiniert)* scaltro, astuto.
ausgedehnt *adj* esteso, vasto, ampio; *(zeitlich)* lungo.
ausgedient *adj* fuori uso; *(Kleidungsstück)* smesso.
ausgefallen *adj* stravagante, strano.
ausgeglichen *adj* **1.** *(Mensch)* equilibrato; *(seelisch)* posato; **2.** *(Bilanz, Spiel)* pareggiato. **Ausgeglichenheit** ⟨-, ø⟩ *f* equilibrio *m; (seelisch)* posatezza *f.*
aus·gehen ⟨*irr*⟩ *itr* ⟨*sein*⟩ **1.** *(weggehen)* andare fuori; *(a. abends)* uscire; *(spazierengehen)* andare a passeggio; **2.** *(Haare, Zähne)* cadere; **3.** *(Feuer)* spegnersi; **4.** *(Vorrat)* esaurirsi; *(Geld)* venire a mancare; *(Kräfte, Strom)* venir meno; **5.** *(enden)* finire, concludersi; **leer** ~ rimanere a mani vuote *fam* (*o* a bocca asciutta *fam*); **von falschen Voraussetzungen** ~ partire da presupposti sbagliati; **wir können davon** ~**, daß ...** possiamo partire dal presupposto che ...
ausgehungert *adj* affamato; **ich bin total** ~ ho una fame da lupi.
ausgeklügelt ['ausgəkly:gəlt] *adj* ingegnoso, ben congegnato, studiato.
ausgekocht *adj fig fam* scaltro, furbo.
ausgelassen *adj* allegro; *(wild)* scatenato. **Ausgelassenheit** ⟨-, ø⟩ *f* allegria *f,* sfrenatezza *f.*
ausgemacht *adj* **1.** *(abgemacht)* convenuto, pattuito; **2.** *fam (vollkommen)* perfetto.
ausgenommen **I.** *prp +akk* eccetto, tranne, ad eccezione di; **Anwesende** ~ presenti esclusi; **II.** *konj:* ~**, daß . . .** a meno che *+congv,* sempre che *+congv.*
ausgepowert ['ausgəpauərt] *adj fam* stanco morto, sfinito, K.O. *fam,* cotto, fuso *fam.*
ausgeprägt *adj* spiccato, marcato.
ausgerechnet *adv* proprio.
ausgeschlossen *adj (unmöglich)* escluso, impossibile; ~! nemmeno per sogno! *fam.*
ausgeschnitten *adj (Kleid)* scollato.
ausgesprochen **I.** *adj* spiccato, particolare; **II.** *adv* particolarmente.
ausgestorben *adj (Art)* estinto; **wie** ~ *fig* deserto.
ausgewachsen *adj* adulto, sviluppato; **ein** ~**er Blödsinn** *fig fam* una stupidaggine bell'e buona *fam.*
ausgewogen *adj* equilibrato, armonioso.
ausgezeichnet *adj* eccellente, ottimo; *(köstlich)* squisito; **mir geht es** ~ sto benissimo.
ausgiebig ['ausgi:bɪç] *adj (reichlich)* abbondante, copioso; *(ausgedehnt)* lungo.
aus·gießen ⟨*irr*⟩ *tr* **1.** *(Flüssigkeit)* versare; **2.** *(Gefäß)* vuotare.
Ausgleich ['ausglaiç] ⟨-(e)s, -e⟩ *m* **1.** *(von Gegensätzlichkeiten)* appianamento *m,* accomodamento *m; (Gegengewicht)* correttivo *m;* **2.** *jur* aggiustamento *m;* **3.** *(Steuer~, Lohn~)* conguaglio *m;*

5. *(Entschädigung)* risarcimento *m*, indennizzo *m;* 6. *sport* pareggio *m;* **zum ~ für** in compenso di.
aus·gleichen ⟨*irr*⟩ I. *tr* 1. *(Unterschiede)* livellare, appianare; 2. *(Gleichgewicht)* equilibrare, bilanciare; 3. *(wettmachen)* compensare; 4. *com* saldare; II. *itr* 1. *sport* pareggiare; 2. *(vermitteln)* accomodare, comporre; III. *rfl:* **sich ~** *(sich aufheben)* equilibrarsi, bilanciarsi.
Ausgleichsabgabe *f* tassa *f* di compensazione (*o* conguaglio). **Ausgleichssport** *m* sport *m* che serve da correttivo (*für* a). **Ausgleichstor** *n*, **-treffer** *m* rete *f* del pareggio.
aus·graben ⟨*irr*⟩ *tr* dissotterrare; *(a. archäologisch)* disseppelire; *(a. Loch)* scavare.
Ausgrabungen *f pl* scavi *m pl.*
aus·grenzen *tr* escludere.
Ausguß *m (Becken)* acquaio *m; (Abfluß)* scarico *m.*
aus·haben ⟨*irr*⟩ *tr fam* 1. *(Kleidung, Schuhe)* essersi tolto (*o* levato); 2. *(Buch)* aver finito di leggere; 3. *(Teller)* aver finito di mangiare; *(Glas)* aver finito di bere; 4. *(Schule)* aver finito.
aus·halten ⟨*irr*⟩ I. *tr* 1. *(ertragen)* sopportare; 2. *(standhalten)* reggere a; 3. *(unterhalten)* mantenere; **ich halte es nicht mehr aus** non ne posso più; **es ist nicht zum A~** è insopportabile; II. *itr (durchhalten)* resistere.
aus·handeln *tr* negoziare.
aus·händigen ['aushɛndɪgən] *tr* consegnare.
Aushang *m* avviso *m*, comunicato *m.*
aus·hängen I. ⟨reg⟩ *tr* 1. *(Bekanntmachung)* esporre; 2. *(Tür, Fenster)* scardinare; II. ⟨*irr*⟩ *itr* essere affisso. **Aushängeschild** *n* insegna *f; fig* richiamo *m.*
aus·heben ⟨*irr*⟩ *tr* 1. *(Graben)* scavare; 2. *(Tür)* scardinare; 3. *(Nest)* depredare; *fig (Verbrechernest)* snidare; 4. *(Truppen)* arruolare, reclutare.
aus·hecken ['aushɛkən] *tr fam* ideare.
aus·helfen ⟨*irr*⟩ *itr* 1. aiutare *(jdm* qu); 2. *(einspringen)* supplire, sostituire *(jdm* qu); **er hat mir mit zehn Mark ausgeholfen** mi ha prestato dieci marchi.
Aushilfe *f* aiuto *m*, ausiliare *mf;* **eine Stenotypistin zur ~** una dattilografa ausiliaria. **Aushilfskellner** *m* aiuto cameriere *m.* **Aushilfskraft** *f* ausiliare *mf.* **aushilfsweise** *adv* per supplire.
aus·höhlen *tr* scavare, incavare; *fig* minare.
aus·holen *itr (mit Arm)* sollevare (*o* alzare) il braccio (per colpire); **weit ~** *fig* cominciare da lontano, pigliarla larga.
aus·horchen *tr:* **jdn (über etw.** *(akk)*) ~ cercare di sapere qc da qu.
aus·kennen ⟨*irr*⟩ *rfl:* **sich ~** 1. *(an Ort)* conoscere bene un posto, essere pratico di un luogo; 2. *fig (auf Gebiet)* intendersi (*in +dat, mit* di), essere esperto (*in +dat, mit* in); **sich nicht mehr ~** non saper più che partito prendere.
aus·klammern *tr* escludere, non prendere in considerazione.
Ausklang *m* fine *f*, conclusione *f;* **zum ~ des Abends** a conclusione della serata.
ausklappbar *adj* pieghevole, ribaltabile.
aus·kleiden *tr* 1. *geh (entkleiden)* svestire, spogliare; 2. *(Fläche, Raum)* ricoprire, rivestire.
aus·klingen ⟨*irr*⟩ *itr* ⟨*sein*⟩ 1. *(Ton)* smorzarsi, svanire; 2. *fig* concludersi, finire.
aus·kochen *tr* far bollire; *(steril machen)* sterilizzare.
aus·kommen ⟨*irr*⟩ *itr* ⟨*sein*⟩*:* **mit jdm ~** andare d'accordo con qu; **mit etw. ~** arrivare (*o* campare) con qc; *(mit Geld)* farcela *fam;* **ohne etw. nicht ~ können** non poter fare a meno di qc; **wir kommen mit den Vorräten nicht aus** le provviste non ci bastano. **Auskommen** *n:* **sein ~ haben** aver di che vivere; **sein gutes ~ haben** essere in condizioni agiate; **es ist kein ~ mit ihm** con lui non si può andare d'accordo.
aus·kosten *tr* gustare, assaporare.
aus·kratzen *tr (wegkratzen)* grattare via; *(leerkratzen)* vuotare (grattando); **jdm die Augen ~** cavare gli occhi a qu.
aus·kundschaften *tr (Gebiet, a. mil)* esplorare; *(Geheimnis)* indagare su.
Auskunft ['auskunft] ⟨-, -künfte⟩ *f* 1. *(Mitteilung)* informazione *f; (nähere ~)* particolari *m pl;* 2. *(~stelle)* centro *m* informazioni; *tel* servizio *m* informazioni; **nähere ~ erteilt/erteilen ...** per maggiori ragguagli rivolgersi a ...
aus·lachen *tr* deridere.
aus·laden[1] ⟨*irr*⟩ *tr (Ladung)* scaricare; *(Passagiere)* sbarcare.
aus·laden[2] ⟨*irr*⟩ *tr (Gast)* ritirare (*o* disdire) l'invito a.
ausladend *adj arch* aggettante; *(Handbewegung)* ampio.
Auslage *f* 1. *(Waren)* merce *f* esposta; 2. *(Schaufenster)* vetrina *f.*
Auslagen *f pl (Unkosten)* spese *f pl.*
Ausland ⟨-(e)s, ø⟩ *n* estero *m.*
Ausländer(in) ['auslɛndɐ (...ərɪn)] ⟨-s, -⟩ *m(f)* straniero, -a *m, f.* **Ausländerbeauftragte** ⟨ein -r, -n, -n⟩ *mf* incaricato, -a *m,f* per gli stranieri. **ausländerfeindlich** *adj* xenofobo. **Ausländerfeindlichkeit** *f* xenofobia *f.*
ausländisch *adj* estero; *(a. Mensch)* straniero.
Auslandsabteilung *f* reparto *m* estero, ufficio *m* estero. **Auslandsaufenthalt** *m* soggiorno *m* all'estero. **Auslandsbeziehungen** *f pl* relazioni *f pl* (*o* rapporti *m pl*) con l'estero. **Auslandskorrespondent(in)** *m(f)* corrispondente *mf* dall'estero. **Auslandskrankenschein** *m* modu-

lo *m* di cassa malattia per l'estero. **Auslandsvertretung** *f* rappresentanza *f* all'estero.

aus·lassen ⟨*irr*⟩ **I.** *tr* **1.** *(weglassen)* omettere, tralasciare; **2.** *(Fett)* struggere, sciogliere; **3.** *(Kleidung)* allargare, allungare; *(nicht anziehen)* non indossare; **seine Wut an jdm ~** sfogare la propria ira su qu; **II.** *rfl:* **sich über etw.** *(akk)* ~ *fam* pronunciarsi su qc, esprimersi su qc.

Auslassungspunkte *m pl* puntini *m pl* di sospensione. **Auslassungszeichen** *n* apostrofo *m.*

Auslauf *m (Bewegungsfreiheit)* movimento *m.*

aus·laufen ⟨*irr*⟩ *itr* ⟨*sein*⟩ **1.** *(Flüssigkeit)* scolare, fuoriuscire; *(Farben)* spargersi, dilatarsi; **2.** *(Behälter)* svuotarsi; **3.** *naut* uscire dal porto; **4.** *(zum Stillstand kommen)* fermarsi, arrestarsi; *sport* smorzare lentamente la velocità; **5.** *(enden)* finire; *(Vertrag)* scadere; *(Produktion)* esaurirsi.

Ausläufer *m bot* stolone *m; (von Gebirge)* contrafforte *m; meteo* diramazione *f.*

Auslaut *m* finale *f.*

aus·lecken *tr* vuotare leccando; *(Speise)* mangiare tutto (leccando).

aus·leeren *tr* vuotare.

aus·legen *tr* **1.** *(Waren)* esporre; *(Köder)* collocare; **2.** *(auskleiden)* rivestire; *(mit Fliesen)* piastrellare; *(mit Holz)* intarsiare; **3.** *(Geld)* sborsare; **4.** *(deuten)* interpretare; *(erklären)* spiegare; **5.** *(technisch ausstatten)* progettare, predisporre, studiare (*für* per).

Auslegung ⟨-, -en⟩ *f* interpretazione *f,* commento *m.*

aus·leiern *fam* **I.** *itr* slargarsi; **II.** *tr* slargare.

Ausleihe ⟨-, -n⟩ *f* **1.** *(Tätigkeit)* prestito *m;* **2.** *(Raum)* servizio *m* prestito.

aus·leihen ⟨*irr*⟩ *tr* **1.** *(verleihen)* (im)prestare, dare in prestito; **2.** *(entleihen)* prendere in (*o* a) prestito (*bei* da); *(von Person)* farsi prestare (*bei, von* da).

Auslese *f* **1.** *(Auswahl)* scelta *f; (a. biol)* selezione *f;* **2.** *(Elite)* élite *f;* **3.** *(Wein)* vino *m* scelto.

aus·lesen ⟨*irr*⟩ *tr* **1.** *(aussondern)* selezionare, assortire; *(auswählen)* scegliere; **2.** *(zu Ende lesen)* finire (di leggere).

aus·liefern *tr* **1.** *(Ware)* consegnare; **2.** *(Verbrecher)* consegnare nelle mani della giustizia; **jdm/einer S.** *(dat)* **ausgeliefert sein** essere in balia di qu/qc.

Auslieferung *f* **1.** *(von Waren)* consegna *f,* distribuzione *f;* **2.** *jur* estradizione *f.*

aus·liegen ⟨*irr*⟩ *itr* **1.** *(Waren)* essere esposto; **2.** *(zur Einsichtnahme)* essere per visione.

aus·losen *tr* estrarre (*o* tirare) a sorte, sorteggiare.

aus·lösen *tr* **1.** *(hervorrufen)* suscitare, destare; **2.** *(verursachen)* causare, provocare; **3.** *(Knochen)* togliere.

Auslöser ⟨-s, -⟩ *m* **1.** *fot* (dispositivo *m* di) scatto *m;* **2.** *fig* molla *f.*

Auslosung *f* sorteggio *m,* estrazione *f.*

aus·machen *tr* **1.** *fam (Feuer, Licht, Radio)* spegnere; **2.** *(verabreden)* convenire, pattuire; *(vereinbaren)* stabilire, fissare; **3.** *(betragen)* ammontare a; *(einen Teil bilden)* formare, costituire; *(a. zum Inhalt haben)* rappresentare; **würde es Ihnen etw. ~, wenn ...?** Le spiacerebbe se *+congv* **es macht (gar) nichts aus, wenn ...** non fa niente se ...

aus·malen I. *tr* **1.** *(mit Farbe)* colorare; **2.** *fig (schildern)* dipingere, descrivere; **II.** *rfl:* **sich** *(dat)* **etw.** ~ immaginarsi qc, raffigurarsi qc.

Ausmaß *n* **1.** misura *f; (a. fig)* dimensione *f;* **2.** *fig* proporzione *f; (von Liebe)* grandezza *f;* **in geringem** ~ in misura minima.

aus·merzen ['ausmɛrtsən] *tr (Fehler)* eliminare, estirpare; *(aus Erinnerung)* cancellare.

aus·messen ⟨*irr*⟩ *tr* misurare, prendere le misure di.

Ausnahme ['ausna:mə] ⟨-, -n⟩ *f* eccezione *f;* **mit ~ von** ad eccezione di, eccetto. **Ausnahmefall** *m* caso *m* eccezionale. **Ausnahmezustand** *m* stato *m* d'emergenza. **ausnahmslos** *adj, adv* senza eccezione. **ausnahmsweise** *adv* in via eccezionale, eccezionalmente.

aus·nehmen ⟨*irr*⟩ **I.** *tr* **1.** *(Nest)* depredare; **2.** *(Wild, Fisch)* sventrare; *(Geflügel)* svuotare; **3.** *fam (schröpfen)* pelare *fam;* **4.** *(ausschließen)* escludere; **II.** *rfl:* **sich** ~ presentarsi.

aus·nutzen *tr (Gelegenheit)* approfittare di; *(Sache)* trarre vantaggio da; *(Person)* sfruttare.

aus·packen I. *tr (Eingepacktes)* levare (*aus* da); *(Koffer)* disfare; **II.** *itr fam (alles sagen)* spifferare, spiattellare.

aus·pfeifen ⟨*irr*⟩ *tr* fischiare.

aus·plaudern *tr* propalare.

aus·plündern *tr (Person)* depredare, derubare; *(Land, Häuser)* saccheggiare; *(Geschäft)* svaligiare.

aus·posaunen ⟨*ohne ge-*⟩ *tr fig fam* strombazzare *fig,* gridare ai quattro venti.

aus·probieren ⟨*ohne ge-*⟩ *tr* provare, tentare; *(erproben)* sperimentare.

Auspuff ['auspʊf] ⟨-(e)s, -e⟩ *m* scappamento *m.* **Auspuffrohr** *n* tubo *m* di scappamento. **Auspufftopf** *m* marmitta *f.*

aus·pumpen *tr (Wasser)* pompare; *(Behälter)* vuotare con la pompa; **den Magen ~** fare la lavanda gastrica.

aus·quartieren ⟨*ohne ge-*⟩ *tr* sloggiare.

aus·quetschen *tr* **1.** *(Frucht)* spremere; **2.** *fig fam (ausfragen)* torchiare.

aus·radieren ⟨*ohne ge-*⟩ *tr* cancellare; *fig*

(völlig zerstören) radere al suolo.
aus·rangieren ⟨*ohne ge-*⟩ *tr* eliminare, scartare.
aus·rasten *itr* **1.** *tec* disinnestarsi; **2.** *fam (zornig werden)* uscire dai gangheri.
aus·rauben *s.* **ausplündern.**
aus·räumen *tr* **1.** *(Dinge)* rimuovere *(aus* da) sgomberare *(aus* da) **2.** *(Schrank, Wohnung)* vuotare; **3.** *fig (Bedenken, Zweifel)* eliminare.
aus·rechnen *tr* calcolare; **das kannst du dir leicht** ~ te lo puoi ben immaginare.
Ausrede *f (Entschuldigung)* scusa *f; (Vorwand)* pretesto *m.*
aus·reden I. *tr:* **jdm etw.** ~ sconsigliare qc a qu, dissuadere qu dal fare qc; **II.** *itr* finire di parlare.
aus·reichen *itr* bastare, essere sufficiente. **ausreichend** *adj* sufficiente; *(Schulnote)* ≃ sei.
Ausreise *f* **1.** *(Grenzübertritt)* passaggio *m* di confine; **2.** *(Verlassen des Landes)* espatrio *m.* **Ausreiseantrag** *m* domanda *f* d'uscita. **Ausreiseerlaubnis** *f,* **-genehmigung** *f* permesso *m* d'espatrio. **Ausreisevisum** *n* visto *m* d'uscita.
aus·reisen *itr* ⟨*sein*⟩ andare all'estero.
aus·reißen ⟨*irr*⟩ **I.** *tr* ⟨*haben*⟩ *(Haare, Unkraut)* strappare; *(mit Wurzeln)* sradicare; *(Zähne)* cavare, estrarre; **II.** *itr* ⟨*sein*⟩ **1.** *(sich abtrennen)* staccarsi; *(einreißen)* strapparsi; **2.** *fam (weglaufen)* scappare.
Ausreißer(in) *m(f)* scappato, -a *m, f* di casa.
aus·reiten ⟨*irr*⟩ *itr* ⟨*sein*⟩ uscire a cavallo.
aus·renken ['ausrɛŋkən] *tr* slogare, lussare.
aus·richten I. *tr* **1.** *(in eine Reihe stellen)* allineare; **2.** *(übermitteln)* portare; **3.** *(veranstalten)* allestire; **4.** *(erreichen)* ottenere; *(zuwege bringen)* concludere, riuscire a fare; **kann ich etw.** ~? posso fare un'ambasciata?; **richte ihm aus, daß . . .** digli da parte mia che . . .; **II.** *rfl:* **sich** ~ *mil, fig* allinearsi, schierarsi.
Ausritt *m* passeggiata *f* a cavallo.
aus·rollen *tr* srotolare; *(Teig)* spianare.
aus·rotten ['ausrɔtən] *tr* **1.** *(Ungeziefer, Unkraut)* estirpare; **2.** *fig (vernichten)* sterminare.
Ausrottung ⟨-, ø⟩ *f* **1.** *(von Ungeziefer, Unkraut)* estirpazione *f;* **2.** *fig (Vernichtung)* sterminio *m,* eliminazione *f.*
aus·rücken I. *tr* ⟨*haben*⟩ disinserire, disinnestare; **II.** *itr* ⟨*sein*⟩ **1.** *mil* mettersi in marcia, partire; *(Polizei)* entrare in azione; **2.** *fam (weglaufen)* scappare.
Ausruf *m* esclamazione *f.*
aus·rufen ⟨*irr*⟩ *tr* **1.** *(bekanntgeben)* annunciare; **2.** *(Waren, Zeitungen)* offrire ad alta voce; **3.** *(proklamieren)* proclamare.
Ausrufe-, Ausrufungszeichen *n* punto *m* esclamativo.
aus·ruhen I. *tr* riposare; **II.** *rfl:* **sich** ~ riposarsi; *(ausspannen)* rilassarsi.
aus·rüsten *tr* equipaggiare *(mit* di); *fig* munire *(mit* di).
Ausrüstung *f* equipaggiamento *m.*
aus·rutschen *itr* ⟨*sein*⟩ sdrucciolare, scivolare.
Ausrutscher ⟨-s, -⟩ *m fam* scivolone *m fam.*
Aussaat *f* semina *f.*
Aussage *f* **1.** *(Behauptung)* dichiarazione *f,* affermazione *f;* **2.** *jur* deposizione *f;* **3.** *fig (von Kunstwerk)* messaggio *m;* ~ **gegen** ~ la parola di uno contro quella di un altro; **die** ~ **verweigern** rifiutare la deposizione; **nach jds** ~ a detta di qu. **Aussagekraft** *f* forza *f* espressiva.
aus·sagen *tr* **1.** *(ausdrücken)* esprimere; *(a. Kunstwerk)* dire; **2.** *jur* deporre *(über +akk* su), testimoniare *(über +akk* su); **3.** *(Meinung)* dichiarare, affermare.
Aussatz ['auszats] ⟨-es, ø⟩ *m* lebbra *f.*
aussätzig ['auszɛtsɪç] *adj* lebbroso.
aus·schalten *tr* **1.** *(Licht, Radio)* spegnere; *(Strom)* interrompere; *mot* disinserire; **2.** *fig* escludere; *(Gegner, Fehlerquelle)* eliminare.
Ausschank ['ausʃaŋk] ⟨-(e)s, -schänke⟩ *m* **1.** *(Ausschenken)* mescita *f;* **2.** *(Schanktisch)* banco *m* di mescita.
Ausschau *f:* **nach jdm/etw.** ~ **halten** cercare qu/qc con gli occhi.
aus·schauen *itr* **1.** *(Ausschau halten):* **nach jdm** ~ cercare qu con gli occhi; **2.** *dial s.* **aussehen.**
aus·scheiden ⟨*irr*⟩ **I.** *tr* ⟨*haben*⟩ **1.** *(Körper)* espellere; *(Drüsen)* secernere; **2.** *(aussondern)* eliminare; **II.** *itr* ⟨*sein*⟩ **1.** *(aus Verein)* uscire, ritirarsi; *(aus Firma)* lasciare; **2.** *sport* essere eliminato; **3.** *(nicht in Betracht kommen)* essere fuori discussione.
Ausscheidung *f* **1.** *biol* escrezione *f; (Aussondern)* eliminazione *f;* **2.** *sport (~skampf)* gara *f* eliminatoria *f;* **3.** ⟨*pl*⟩ escrementi *m pl.* **Ausscheidungskampf** *m* gara *f* eliminatoria.
aus·schenken *tr* versare; *(im Lokal)* vendere.
aus·scheren *itr* ⟨*sein*⟩ uscire dalla colonna.
aus·schildern *tr* munire di indicazioni *(o* segnali).
aus·schimpfen *tr* sgridare.
aus·schlachten *tr* **1.** *(Tier)* tagliare, scannare; **2.** *fam mot (brauchbare Teile ausbauen)* demolire ricavando i pezzi utilizzabili.
Ausschlachter *m* demolitore *m,* sfasciacarrozze *m.*
aus·schlafen ⟨*irr*⟩ **I.** *itr, rfl:* **sich** ~ dormire abbastanza, fare una bella dormita; **II.** *tr:* **seinen Rausch** ~ smaltire la sbornia.

Ausschlag *m* **1.** *med (Haut~)* eruzione *f* (cutanea); **2.** *(von Pendel)* oscillazione *f; (von Kompaß)* deviazione *f;* **einer S.** *(dat)* **den ~ geben** essere decisivo per qc.

aus·schlagen ⟨*irr*⟩ **I.** *tr* ⟨*haben*⟩ **1.** *(Zahn, etc.)* cavare; **2.** *(mit Stoff, etc.)* rivestire (*mit* di), foderare (*mit* di); **3.** *fig (ablehnen)* respingere, rifiutare; **II.** *itr* **1.** ⟨*haben*⟩ *(Pferd)* tirare calci; **2.** ⟨*haben o sein*⟩ *(Zeiger)* deviare; *(Pendel)* oscillare; **3.** ⟨*haben o sein*⟩ *bot* germogliare, spuntare.

ausschlaggebend *adj* decisivo, determinante.

aus·schließen ⟨*irr*⟩ *tr* **1.** *allg.* chiudere (*o* lasciar) fuori; **2.** *(nicht teilhaben lassen)* escludere; *(ausstoßen)* espellere, scacciare; **3.** *(Zweifel, etc.)* eccettuare.

ausschließlich I. *adj* esclusivo; **II.** *adv (nur)* esclusivamente, soltanto, solamente.

aus·schlüpfen *itr* ⟨*sein*⟩ *(aus Ei)* sgusciare, uscire dall'uovo.

Ausschluß *m* esclusione *f; (Partei~)* espulsione *f;* **unter ~ der Öffentlichkeit** a porte chiuse.

aus·schmücken *tr* ornare, adornare; *fig (Erzählung)* infiorare, abbellire.

aus·schneiden ⟨*irr*⟩ *tr (her~)* tagliare fuori; *(adj. durch Her~ herstellen)* ritagliare.

Ausschnitt *m* **1.** *(Teil)* frammento *m,* squarcio *m; (Film~)* sequenza *f; (Gemälde~)* dettaglio *m,* particolare *m; (Zeitungs~)* ritaglio *m;* **2.** *(Kleider~)* scollatura *f.*

aus·schöpfen *tr* **1.** *(Wasser)* cavar fuori; **2.** *(Gefäß)* vuotare; **3.** *fig (Thema)* esaurire; *(Möglichkeiten)* sfruttare.

aus·schreiben ⟨*irr*⟩ *tr* **1.** *(Wort, Zahl)* scrivere in (tutte) lettere; *(Namen)* scrivere per intero; **2.** *(Rechnung, Wechsel)* emettere; **3.** *(Stelle, Amt)* mettere a concorso; *(Wahlen)* indire; *(Wettbewerb)* bandire.

Ausschreibung *f (von Wettbewerb)* bando *m; (von Stelle)* concorso *m; (von Bauvorhaben)* appalto *m;* **öffentliche ~** gara *f* pubblica.

Ausschreitungen *f pl* eccessi *m pl* (*o* atti *m pl*) di violenza.

Ausschuß *m* **1.** *(Kommission)* commissione *f; (Komitee)* comitato *m;* **2.** *(minderwertige Ware)* merce *f* di scarto.

aus·schütten *tr* **1.** *(Flüssigkeit)* versare; *(verschütten)* rovesciare; **2.** *(Gefäß)* vuotare; **3.** *fin* distribuire, pagare; **jdm sein Herz ~** *fig* aprire il cuore a qu, sfogarsi con qu; **sich (vor Lachen) ~** sganasciarsi dalle risa *fam.*

Ausschüttung ⟨-, -en⟩ *f* distribuzione *f.*

ausschweifend *adj* sfrenato; *(sittenlos)* licenzioso, dissoluto.

Ausschweifung ⟨-, -en⟩ *f* **1.** *(Maßlosigkeit)* sfrenatezza *f;* **2.** *(Sittenlosigkeit)* dissolutezza *f,* sregolatezza *f.*

aus·sehen ⟨*irr*⟩ *itr* apparire; *(scheinen)* sembrare (*wie jd/etw* qu/qc), parere (*wie/als ob* come se *+congv*); *(ähnlich sein)* (ras)somigliare (*wie* a); **gesund ~** aver l'aspetto sano; **sie sieht gut aus** è una bella donna; **vergnügt ~** aver l'aria allegra; **es sieht ganz danach aus, als ob ...** pare proprio che *+congv;* **es sieht nicht gut für ihn aus** le cose non gli vanno bene; **so siehst du aus!** *fam iron* ti piacerebbe!

Aussehen ⟨-s, ø⟩ *n* **1.** *(äußere Erscheinung)* aspetto *m;* **2.** *(Anschein)* apparenza *f.*

aus·sein ⟨*irr*⟩ *itr* ⟨*sein*⟩ *fam* **1.** *(zu Ende sein)* essere finito; **2.** *(Licht, Ofen, Radio, TV)* essere spento; **3.** *(ausgegangen sein)* essere uscito; **4.** *sport* essere fuori (campo); **auf etw.** *(akk)* **~** mirare a qc.

außen ['au̯sən] *adv* (di) fuori, all'esterno; **~ vor bleiben** essere lasciato fuori, non essere (*o* venire) considerato. **Außenaufnahmen** *f pl* riprese *f pl* esterne, esterni *m pl.* **Außenbezirk** *m* quartiere *m* di periferia. **Außenbordmotor** *m* (motore *m*) fuoribordo *m.*

aus·senden ⟨*irr o reg*⟩ *tr* inviare; *(Strahlen)* emanare; *(Signal)* emettere.

Außendienst *m* servizio *m* esterno. **Außendienstmitarbeiter(in)** *m(f)* collaboratore, -trice *m, f* esterno, -a. **Außenhandel** *m* commercio *m* estero. **Außenminister(in)** *m(f)* ministro *m* degli (affari) esteri. **Außenministerium** *n* ministero *m* degli (affari) esteri. **Außenpolitik** *f* politica *f* estera. **Außenseite** *f* lato *m* esterno; *(von Haus, fig)* facciata *f.* **Außenseiter(in)** ⟨-s, -⟩ *m(f)* persona *f* che fa parte a sé; *sport* outsider *m; soz* persona *f* emarginata. **Außenspiegel** *m* specchietto *m* (*o* retrovisore *m*) esterno. **Außenstände** [-ʃtɛndə] ⟨*pl*⟩ crediti *m pl.* **Außenstehende** ⟨ein -r, -n, -n⟩ *mf* estraneo, -a *m, f.* **Außentemperatur** *f* temperatura *f* esterna. **Außenwerbung** *f* pubblicità *f* esterna. **Außenzoll** *m* dazio *m* esterno.

außer ['au̯sɐ] **I.** *prp +dat, rar +gen* **1.** *(ausgenommen)* all'infuori di, eccetto, tranne; **2.** *(neben)* oltre; *(zusätzlich zu)* in aggiunta a; **3.** *(örtlich)* fuori; **~ sich** *(dat)* **sein** essere fuori di sé (*vor Freude* dalla gioia); *(vor Zorn)* essere fuori dai gangheri *fam;* **~ Betrieb, ~ Dienst** fuori servizio; **II.** *konj:* **~ wenn ...** a meno che (non) *+congv;* **~ daß ...** salvo (*o* tranne) che *+congv.* **außerdem** ['au̯sɐde:m *o* ...'de:m] *adv* oltre a ciò, inoltre, in più. **außerdienstlich** *adj, adv* fuori servizio.

Äußere ['ɔy̯sərə] ⟨ein -s, -n, ø⟩ *n* aspetto *m* (esteriore), apparenza *f.*

außerehelich *adj* extraconiugale; *(Kind)*

illegittimo, naturale.
äußere(r, s) ['ɔysərə] *adj* **1.** *(von, nach draußen)* esteriore; **2.** *(außen befindlich, von außen kommend)* esterno, -a; **3.** *(auswärtig)* estero, -a.
außergewöhnlich ['ausegə'vø:nlıç] *adj* insolito, eccezionale, straordinario. **außerhalb I.** *adv (draußen)* fuori; ~ **wohnen** abitare fuori città; **II.** *prp +gen* fuori di; *(zeitlich)* al di fuori di.
äußerlich *adj* esteriore; *(scheinbar)* apparente. **Äußerlichkeit** ⟨-, -en⟩ *f* esteriorità *f*, formalità *f*.
äußern ['ɔysen] **I.** *tr* esprimere, esternare; **II.** *rfl:* **sich** ~ **1.** *(sich zeigen)* manifestarsi; **2.** *(seine Meinung sagen)* esprimersi, pronunciarsi.
außerordentlich ['ause'ʔordəntlıç] **I.** *adj* straordinario; **II.** *adv* molto, oltremodo. **außerparlamentarisch** *adj* extraparlamentare. **außerplanmäßig** *adj* fuori programma; *(Professor)* fuori organico.
äußerst ['ɔysest] *adv* molto, oltremodo.
außerstande [-'ʃtandə] *adv:* ~ **sein, etw. zu tun** non essere in grado di fare qc.
außertariflich *adj:* ~ **bezahlt werden** essere (*o* venire) pagato non conformemente alle tariffe.
Äußerste ⟨ein -s, -n, ø⟩ *n* estremo *m;* **aufs** ~ **gefaßt sein** aspettarsi il peggio; **jdn zum** ~**n treiben** fare perdere la pazienza a qu.
äußerste(r, s) ⟨*superl von* äußere⟩ *adj* estremo, -a.
Äußerung ⟨-, -en⟩ *f* **1.** *(Ausspruch)* dichiarazione *f; (Bemerkung)* osservazione *f;* **2.** *(Zeichen)* espressione *f*, manifestazione *f*.
aus·setzen I. *tr* **1.** *(Kind, a. preisgeben)* esporre, abbandonare; **2.** *(Belohnung)* istituire; *(Erbe)* destinare; **3.** *jur* sospendere; **4.** *(bemängeln)* criticare (*etw. an jdm* qu per qc), avere da ridire su (*etw. an jdm* qc di qu); **die Strafe zur Bewährung** ~ sospendere condizionalmente la pena; **auf seinen Kopf sind 10.000 DM ausgesetzt** sulla sua testa pende una taglia di 10.000 DM; **II.** *itr* **1.** *(stocken)* arrestarsi, fermarsi; *mot* perdere colpi; **2.** *(unterbrechen)* cessare (*mit etw.* qc), smettere (*mit etw.* qc); *(zeitweise)* sospendere (*mit etw.* qc).
Aussicht *f* **1.** *(Blick)* vista *f* (*auf +akk* su), veduta *f* (*auf +akk* su); **2.** *(Fernsicht)* panorama *m;* **3.** *fig (Zukunftsmöglichkeit)* prospettiva *f; (Chance)* probabilità *f; (Hoffnung)* speranza *f;* **etw. in** ~ **haben** avere in vista qc, aspettarsi qc; **jdm etw. in** ~ **stellen** fare sperare qc a qu. **aussichtslos** *adj* senza speranza; *(Lage)* disperato; *(ohne Zukunftsmöglichkeit)* senza prospettive per l'avvenire. **Aussichtslosigkeit** ⟨-, ø⟩ *f* condizione *f* disperata; *(ohne Möglichkeiten)* mancanza *f* di prospettive; *(Vergeblichkeit)* inutilità *f*. **aussichtsreich** *adj* promettente, che promette bene. **Aussichtsturm** *m* torre *f* panoramica, belvedere *m*.
Aussiedler(in) *m(f)* evacuato, -a *m, f*.
aussitzen ⟨*irr*⟩ *tr (Problem)* temporeggiare, indugiare a risolvere.
Aussitzen *n* immobilismo *m*.
aus·söhnen ['auszø:nən] **I.** *rfl:* **sich** ~ riconciliarsi, fare la pace; *fig* rassegnarsi; **II.** *tr* conciliare, pacificare.
aus·sortieren ⟨*ohne ge-*⟩ *tr* **1.** *(ausscheiden)* scartare; **2.** *(auswählen)* selezionare, scegliere.
aus·spannen I. *tr* (di)stendere; **II.** *itr (ausruhen)* concedersi un po' di riposo; *(sich entspannen)* rilassarsi.
aus·sperren *tr* chiudere fuori; *(Arbeiter)* fare la serrata di.
Aussperrung *f* serrata *f*.
aus·spielen I. *tr* **1.** *(Karte)* giocare; **2.** *(Pokal)* mettere in palio; **3.** *(zu Ende spielen)* finire di giocare; *mus* finire di suonare; **4.** *(Erfahrung, Wissen)* far valere; **jdn gegen jdn** ~ servirsi di qu contro qu; **II.** *itr (im Kartenspiel)* avere la mano; **wer spielt aus?** a chi tocca la mano?
aus·spionieren ⟨*ohne ge-*⟩ *tr* venir a sapere (a forza di spiare); *(Person)* spiare.
Aussprache *f* **1.** *ling* pronuncia *f; (Tonfall)* accento *m;* **2.** *(klärendes Gespräch)* spiegazione *f*, discussione *f*.
aus·sprechen ⟨*irr*⟩ **I.** *tr* **1.** *(äußern)* esprimere, manifestare; **2.** *(ling, a. Urteil)* pronunciare; *(artikulieren)* articolare; **II.** *itr (zu Ende sprechen)* finire di parlare; **III.** *rfl:* **sich** ~ **1.** *(seine Meinung sagen)* esprimersi, esprimere un giudizio; **2.** *(sein Herz ausschütten)* aprire il cuore, sfogarsi; **sich für/gegen etw.** ~ dichiararsi a favore di/contro qc; **sich mit jdm** ~ avere una spiegazione con qu.
Ausspruch *m* **1.** *(Sinnspruch)* detto *m*, massima *f;* **2.** *(Bemerkung)* osservazione *f*.
aus·spucken *tr* **1.** sputare; **2.** *fig fam (Produkte, Daten)* sfornare *fam*, buttare fuori *fam*.
aus·spülen *tr* sciacquare, risciacquare.
aus·staffieren ['ausʃtafi:rən] ⟨*ohne ge-*⟩ *tr (ausstatten)* fornire (*mit* di), munire (*mit* di); *(herausputzen)* azzimare.
Ausstand *m (Streik)* sciopero *m;* **seinen** ~ **feiern** festeggiare il congedo dal posto di lavoro; **in den** ~ **treten** scendere in sciopero.
aus·statten ['ausʃtatən] *tr* **1.** *(ausrüsten)* attrezzare (*mit* di), equipaggiare (*mit* con); **2.** *(versehen)* fornire (*mit* di), provvedere (*mit* di); **3.** *(einrichten)* arredare.
Ausstattung ⟨-, -en⟩ *f* **1.** *(Ausrüstung)* equipaggiamento *m; (mit Geräten, Werkzeugen)* dotazione *f;* **2.** *(Einrich-*

tung) arredamento *m; (von Auto)* carrozzeria *f;* **3.** *(von Buch)* veste *f* tipografica.

aus·stechen ⟨*irr*⟩ *tr* **1.** *(Graben)* scavare; *(Rasen, Teig)* tagliare; **2.** *fig (übertreffen)* superare; *(verdrängen)* soppiantare.

aus·stehen ⟨*irr*⟩ **I.** *tr* sopportare, soffrire; **große Angst ~** provare grande paura; **II.** *itr* mancare.

aus·steigen ⟨*irr*⟩ *itr* ⟨*sein*⟩ **1.** *(aus Fahrzeug)* scendere (*aus* da), smontare (*aus* da); **2.** *fam (aus Geschäft, Gesellschaft)* uscire (*aus* da).

Aussteiger(in) ⟨-s, -⟩ *m(f)* drop-out *mf.*

aus·stellen *tr* **1.** *(Waren, Kunstwerke)* esporre; **2.** *(ausschalten)* spegnere; **3.** *(Paß, Zeugnis, Quittung)* rilasciare; *(Rechnung, Scheck)* emettere; *(Rezept)* fare; *(Urkunde)* stendere, redigere; *(Wechsel)* trarre, emettere (*auf +akk* sopra).

Aussteller(in) ⟨-s, -⟩ *m(f)* **1.** *(auf Messe, Ausstellung)* espositore, -trice *m, f;* **2.** *(von Scheck, Wechsel)* emittente *mf,* traente *mf.*

Ausstellfenster *n* deflettore *m.*

Ausstellung *f* **1.** *(von Waren, Bildern)* esposizione *f,* mostra *f;* **2.** *(von Schriftstück)* stesura *f; (von Paß)* rilascio *m; (von Scheck, Wechsel)* emissione *f.* **Ausstellungsfläche** *f* superficie *f* espositiva. **Ausstellungshalle** *f* sala *f* d'esposizione. **Ausstellungsstück** *n* oggetto *m* di esposizione.

aus·sterben ⟨*irr*⟩ *itr* ⟨*sein*⟩ estinguersi, scomparire; **wie ausgestorben** come morto.

Aussteuer ⟨-, -n⟩ *f* dote *f; (Wäsche)* corredo *m.*

Ausstieg ['a͟usʃti:k] ⟨-s, -e⟩ *m* uscita *f; (aus Kernenergie)* ritiro *m (aus* da); *(aus Gesellschaft)* uscita *f* (*aus* da); *fig* rinuncia *f,* fuoriuscita *f.*

aus·stopfen *tr (Tiere)* impagliare; *(Kissen)* imbottire.

aus·stoßen ⟨*irr*⟩ *tr* **1.** *(hin~)* gettare fuori; **2.** *(Seufzer)* mandare; *(Fluch)* prorompere in; *(Drohung)* proferire; *(Schrei)* emettere; **3.** *(herstellen)* produrre, mandar fuori; **4.** *(ausschließen)* espellere.

aus·strahlen *tr* **1.** *(Wärme, Licht, a. fig)* irradiare; **2.** *radio, TV* trasmettere, mettere in onda; **3.** *fig* emanare, diffondere.

Ausstrahlung *f* **1.** *allg.* emanazione *f; (von Licht, Wärme)* diffusione *f; phys* (ir)radiazione *f;* **2.** *radio, TV* trasmissione *f,* messa *f* in onda, diffusione *f;* **3.** *fig (Wirkung)* influsso *m,* influenza *f.*

aus·strecken I. *tr (Arm, Bein)* (di)stendere, allungare; *(Hand)* stendere; *(Fühler)* tendere, allungare; **II.** *rfl:* **sich ~** sdraiarsi, (di)stendersi.

aus·strömen I. *itr* ⟨*sein*⟩ **1.** *(Wasser)* sgorgare; *(Gas)* fuoriuscire; *(Duft, Dampf)* esalare; **2.** *fig* emanare; **II.** *tr* ⟨*haben*⟩ **1.** *(Wärme)* emettere, emanare; *(Licht)* diffondere; **2.** *fig* emanare.

aus·suchen *tr* scegliere.

Austausch *m* scambio *m; tec* sostituzione *f.* **austauschbar** *adj* intercambiabile.

aus·tauschen *tr* **1.** *(ersetzen)* sostituire (*durch* con); **2.** *(tauschen)* scambiare (*gegen* contro, per).

Austauschmotor *m* motore *m* di ricambio. **Austauschschüler(in)** *m(f)* studente, -essa *m, f* medio, -a che partecipa ad uno scambio internazionale.

aus·teilen *tr* distribuire.

Auster ['a͟ustɐ] ⟨-, -n⟩ *f* ostrica *f.*

Austernpilz *m* gelone *m.*

aus·toben *rfl:* **sich ~** sfogarsi.

aus·tragen ⟨*irr*⟩ *tr* **1.** *(Brot, Milch)* portare nelle case; *(Briefe)* recapitare; *(Zeitungen)* distribuire; **2.** *sport* disputare; *(Streit)* decidere; **ein Kind ~** portare a compimento una gravidanza.

Australien [a͟us'tra:li̯ən] *n* Australia *f.*

Australier(in) ⟨-s, -⟩ *m(f)* australiano, -a *m, f.*

australisch *adj* australiano.

aus·treiben ⟨*irr*⟩ **I.** *tr* scacciare; **ich werde dir deine Frechheit schon ~!** ti farò passare la tua insolenza!; **II.** *itr (Pflanzen)* germogliare.

aus·treten ⟨*irr*⟩ **I.** *itr* ⟨*sein*⟩ **1.** *(aus Gemeinschaft)* uscire, ritirarsi; **2.** *(zur Toilette gehen)* andare al gabinetto; **3.** *(Flüssigkeit)* sgorgare, travasarsi; *(Gas)* fuoriuscire; **II.** *tr* ⟨*haben*⟩ **1.** *(Feuer)* spegnere con i piedi; **2.** *(Schuhe)* allargare (camminando); *(Treppe)* consumare (a furia di camminarvi sopra); *(Pfad)* battere.

Austritt *m* **1.** *(Verlassen)* ritiro *m;* **2.** *(von Gas)* fuoriuscita *f,* fuga *f; (von Blut)* travaso *m.*

aus·trocknen I. *tr* ⟨*haben*⟩ (dis)seccare, asciugare; **II.** *itr* ⟨*sein*⟩ asciugarsi, (dis)seccarsi.

aus·tüfteln *tr fam* escogitare.

aus·üben *tr* esercitare; *(Wirkung)* avere; *(Einfluß)* usare.

Ausübung *f* esercizio *m,* pratica *f;* **in ~ seines Dienstes** nell'adempimento del proprio ufficio.

Ausverkauf *m* liquidazione *f,* svendita *f.*

aus·verkaufen ⟨*ohne ge-*⟩ *tr* liquidare. **ausverkauft** *adj* esaurito.

Auswahl *f* **1.** *(Wahl)* scelta *f; (a. sport)* selezione *f;* **2.** *(Warenangebot)* assortimento *m* (*an* di); **zur ~ stehen** essere a scelta. **Auswahlverfahren** *n* sistema *m* di scelta; *ökon* campionamento *m.*

aus·wählen *tr* scegliere (*unter* fra).

Auswanderer *m,* **Auswanderin** *f* emigrante *mf.* **aus·wandern** *itr* ⟨*sein*⟩ emigrare (*nach* in). **Auswanderung** *f* emigrazione *f.*

auswärtig ['a͟usvɛrtɪç] *adj* esterno; *(aus-*

ländisch) estero; *(von auswärts)* da fuori; **das A~e Amt** (*abk* **AA**) il ministero degli (affari) esteri.
auswärts ['ausvɛrts] *adv* **1.** *(nicht zu Hause)* fuori (casa); **2.** *(nicht am Ort)* in (un) altro luogo. **Auswärtsspiel** *n* partita *f* (*o* incontro *m*) in trasferta.
aus·waschen ⟨*irr*⟩ *tr* **1.** *(Kleidung, Wunde, Gläser)* lavare; *(ausspülen)* sciacquare; **2.** *geol* dilavare; *(Gestein)* erodere; **3.** *(Farben)* scolorire; *(ausbleichen)* schiarire.
aus·wechseln *tr* cambiare (*gegen* con); *(a. ersetzen)* sostituire (*gegen* con).
Auswechselspieler(in) *m(f)* riserva *f.*
Auswechs(e)lung ⟨-, -en⟩ *f* (ri)cambio *m; (Ersatz)* sostituzione *f.*
Ausweg *m* via *f* d'uscita (*o* di scampo), espediente *m.* **ausweglos** *adj* senza via d'uscita; *(Lage)* disperato.
aus·weichen ⟨*irr*⟩ *itr* ⟨*sein*⟩ schivare (*jdm* qu), scansare (*jdm* qu); *(meiden)* evitare (*jdm* qu); *(einer Frage)* eludere (*einer S. (dat)* qc); **auf etw.** *(akk)* **anderes ~** ripiegare su un'altra cosa; **nach rechts ~** piegare a destra. **ausweichend** *adj* evasivo.
Ausweichmanöver *n* **1.** *mot* manovra *f* di scansamento; **2.** *fig* manovra *f* diversiva. **Ausweichmöglichkeit** *f* **1.** *mot* possibilità *f* di scansamento; **2.** *(Alternative)* alternativa *f.*
aus·weinen *rfl:* **sich ~** sfogarsi nel piangere; **sich** *(dat)* **die Augen ~** piangere a calde lacrime; **sich bei jdm ~** sfogarsi piangendo con qu.
Ausweis ['ausvais] ⟨-es, -e⟩ *m* documento *m; (Personal~)* carta *f* (*o* documento *m*) d'identità.
aus·weisen ⟨*irr*⟩ **I.** *tr* **1.** *(hin~)* cacciare; *(aus Land)* espellere, esiliare; **2.** *(identifizieren)* identificare; **II.** *rfl:* **sich ~** legittimarsi (*als* come).
Ausweiskontrolle *f* controllo *m* passaporti (*o* documenti). **Ausweispapiere** *n pl* documenti *m pl* di legittimazione.
Ausweisung *f* espulsione *f.*
aus·weiten I. *tr* allargare; *fig* estendere; *(Produktion)* aumentare; **II.** *rfl:* **sich ~** allargarsi; *fig* svilupparsi (*auf +akk* su), trasformarsi (*zu* in).
auswendig *adj:* **~ können/lernen** sapere/imparare a memoria; **in- und ~** *fam* a fondo.
aus·werfen ⟨*irr*⟩ *tr* **1.** *(hin~)* gettar fuori; **2.** *(Angel, Netz)* gettare; *(Anker)* calare; **3.** *(Schleim)* espettorare, sputare; **4.** *(Prämien)* assegnare; **5.** *(produzieren)* sfornare, buttare fuori.
aus·werten *tr* **1.** *(Angaben)* analizzare, interpretare; **2.** *(verwerten)* utilizzare; *com* sfruttare.
Auswertung *f* **1.** *(Bewertung)* analisi *f,* interpretazione *f;* **2.** *(Verwertung)* utilizzazione *f; com* sfruttamento *m.*
aus·wirken *rfl:* **sich ~** ripercuotersi (*auf +akk* su), influire (*auf +akk* su).
Auswirkung *f* effetto *m,* ripercussione *f.*
aus·wischen *tr* **1.** *(säubern)* pulire; **2.** *(an Tafel)* cancellare; **jdm eins ~** *fam* giocare un brutto tiro a qu *fam.*
aus·wringen ['ausvrɪŋən] ⟨wringt aus, wrang aus, ausgewrungen⟩ *tr* strizzare, torcere.
Auswuchs *m* **1.** *(Wucherung)* escrescenza *f;* **2.** ⟨*pl*⟩ *fig* aberrazioni *f pl,* eccessi *m pl.*
aus·wuchten *tr mot* equilibrare, bilanciare.
Auswurf *m* sputo *m; med* espettorazione *f.*
aus·zahlen I. *tr* pagare; *(Arbeiter)* liquidare; **II.** *rfl:* **sich ~** valere la pena.
aus·zählen *tr* contare; *(Stimmen)* fare lo spoglio di; *(Boxer)* dichiarare fuori combattimento.
aus·zeichnen I. *tr* **1.** *(Waren)* contrassegnare, marcare; **2.** *(ehren)* onorare; **3.** *typ* porre in evidenza; **jdn mit einem Preis ~** conferire un premio a qu; **II.** *rfl:* **sich ~** eccellere (*durch* in), distinguersi (*durch* per).
Auszeichnung *f* **1.** *(von Waren)* contrassegno *m;* **2.** *(Ehrung)* distinzione *f,* onorificenza *f; mil* decorazione *f;* **die Prüfung mit ~ bestehen** passare gli esami con lode.
ausziehbar *adj* estraibile, sfilabile.
aus·ziehen ⟨*irr*⟩ **I.** *tr* ⟨*haben*⟩ **1.** *(her~)* tirar fuori, cavare; *(chem, Zähne)* estrarre; *(Haar)* strappare; **2.** *(Tisch)* allungare; **3.** *(Kleider)* togliersi, levarsi; **II.** *itr* ⟨*sein*⟩ partire; *(aus Wohnung)* sloggiare (*aus* da); **III.** *rfl:* **sich ~** spogliarsi, svestirsi.
Ausziehtisch *m* tavola *f* allungabile.
Auszubildende ['austsubɪldəndə] ⟨ein -r, -n, -n⟩ *mf* (*abk* **Azubi**) tirocinante *mf,* apprendista *mf.*
Auszug *m* **1.** *(chem, Konto~)* estratto *m; (Buch~)* passo *m,* brano *m;* **2.** *(Abriß)* sommario *m; (Zusammenfassung)* riassunto *m;* **3.** *(aus Wohnung)* sgombero *m,* trasloco *m;* **4.** *(Ausmarsch)* partenza *f.*
autark [au'tark] *adj* autarchico.
authentisch [au'tɛntɪʃ] *adj* autentico.
Autismus [au'tɪsmʊs] *m* autismo *m.*
autistisch *adj* autistico.
Auto ['auto] ⟨-s, -s⟩ *n* auto *f,* macchina *f;* **ein ~ fahren** guidare una macchina; **mit dem ~ fahren** andare in macchina. **Autoabgase** *n pl mot* gas *m pl* di scarico. **Autoatlas** *m* atlante *m* stradale (per automobilisti). **Autobahn** *f* (*abk* **A**) autostrada *f.* **Autobahnauffahrt** *f* raccordo *m* di entrata. **Autobahnausfahrt** *f* uscita *f* autostradale. **Autobahndreieck** *n* svincolo *m* autostradale. **Autobahngebühr** *f* pedaggio *m.* **Autobahnkreuz** *n* crocevia

m autostradale. **Autobahnraststätte** *f* autogrill® *m*. **Autobahnzubringer** *m* raccordo *m* autostradale.
Autobiographie [autobiogra'fi:] *f* autobiografia *f*.
Autobombe *f* autobomba *f*. **Autobus** *m* *(in der Stadt)* autobus *m; (zwischen Städten)* corriera *f*, pullman *m*.
Autodidakt(in) [autodi'dakt(ɪn)] ⟨-en, -en⟩ *m(f)* autodidatta *mf*.
autodidaktisch *adj* autodidattico.
Autofähre *f* nave *f* traghetto, ferry-boat *m*. **Autofahrer(in)** *m(f)* automobilista *mf*. **Autofahrt** *f* viaggio *m* in automobile. **Autofriedhof** *m* cimitero *m* delle automobili. **Autogas** *n* gas *m* di petrolio liquefatto.
autogen [auto'ge:n] *adj* autogeno; ~**es Training** training *m* autogeno.
Autogramm [auto'gram] ⟨-s, -e⟩ *n* autografo *m*.
Autohändler *m* concessionario *m* di automobili. **Autohaus** *n* autosalone *m*, concessionaria *f*. **Autokino** *n* cineparco *m*, autocinema *m*, drive-in *m*.
Automat [auto'ma:t] ⟨-en, -en⟩ *m* apparecchio *m* automatico; *(Waren~)* distributore *m* a gettone.
Automatik [...'ma:tɪk] ⟨-, -en⟩ *f* automatismo *m; mot* cambio *m* automatico. **Automatikgurt** *m* cintura *f* di sicurezza automatica. **Automatikschaltung** *f* cambio *m* automatico. **Automatikwagen** *m* vettura *f* a trasmissione automatica.
automatisch [...'ma:tɪʃ] *adj* automatico.
automatisieren [...mati'zi:rən] ⟨*ohne ge-*⟩ *tr* automatizzare.
Automechaniker(in) *s.* **Autoschlosser(in)**.
Automobil [automo'bi:l] ⟨-s, -e⟩ *n* automobile *f*. **Automobilausstellung** *f* fiera *f* dell' automobile. **Automobilindustrie** *f* industria *f* automobilistica.
autonom [auto'no:m] *adj* autonomo.
Autonome ⟨ein -r, -n, -n⟩ *mf pol* autonomo, -a *m, f*.
Autonomie [...no'mi:] ⟨-, ø⟩ *f* autonomia *f*.
Autonummer *f* numero *m* di targa. **Autopilot** *m* autopilota *m*.
Autopsie [autɔ'psi:, ...i:ən] ⟨-, -n⟩ *f* autopsia *f*.
Autor(in) ['auto:ɐ (au'to:rɪn), au'to:rən] ⟨-s, -en⟩ *m(f)* autore *m*, autrice *f*.
Autoradio *n* autoradio *f*. **Autoreifen** *m* pneumatico *m* d'autovettura. **Autoreisezug** *m* treno *m* navetta. **Autorennen** *n* corsa *f* (*o* gara *f*) automobilistica.
Autorenfilm *m* film *m* d'autore. **Autorenlesung** *f* lettura *f* dell' autore.
Autorin *f s.* **Autor**.
Auto(reparatur)werkstatt *f* auto(o)fficina *f*.
Autoreverse ['ɔ:tərɪvɜ:s] ⟨-, ø⟩ *n* autoreverse *m*.
autorisieren [autori'zi:rən] ⟨*ohne ge-*⟩ *tr* autorizzare (*zu* a).
autoritär [autori'tɛ:ɐ] *adj* autoritario.
Autorität [autori'tɛ:t] ⟨-, -en⟩ *f* autorità *f*.
Autoschalter *m* sportello *m* (di una banca) a cui il cliente accede in automobile. **Autoschlosser(in)** *m(f)* meccanico, -a *m, f* d'automobili. **Autoschlüssel** *m* chiave *f* della macchina. **Autoskooter** ['autosku:tɐ] ⟨-s, -⟩ *m* autoscontro *m*. **Autostrich** *m sl* viale *m* delle puttane *sl*.
Autosuggestion [autozʊgɛs'tio:n] *f* autosuggestione *f*.
Autotelefon *n* autotelefono *m*. **Autoverkehr** *m* traffico *m* automobilistico. **Autovermietung** *f* noleggio *m* di automobili. **Autowaschanlage** *f* (impianto *m* di) autolavaggio *m*. **Autozubehör** *n* accessori *m pl* per l'auto.
avancieren [avã'si:rən] ⟨*ohne ge-*⟩ *itr* ⟨*sein*⟩ avanzare (*zu* a).
Avantgarde [avã'gardə] ⟨-, -n⟩ *f* avanguardia *f*.
avantgardistisch [...'dɪstɪʃ] *adj* avanguardista, d'avanguardia.
Axt [akst] ⟨-, Äxte⟩ *f* ascia *f*, scure *f*.
Ayatollah *s.* **Ajatollah**.
Azubi [a'tsu:bi] ⟨-s, -s⟩ *m u.* ⟨-, -s⟩ *f fam abk von* **Auszubildende(r)** apprendista *mf*, tirocinante *mf*.

B

B, b [be:] ⟨-, -(s)⟩ *n* **1.** *(Buchstabe)* B, b *f;* **2.** *mus* si *m* bemolle; **B wie Berta** B come Bologna.

B *abk von* **Bundesstraße** ≃ S. S. (*abbr di* Strada Statale).

Baby ['be:bi] ⟨-s, -s⟩ *n* bebè *m,* neonato, -a *m, f.*

Babylon ['ba:bylɔn] *n* Babilonia *f.*

babylonisch [...'lo:nɪʃ] *adj* babilonese.

Babynahrung *f* alimenti *m pl* per neonati.

babysitten [-sɪtən *o* -zɪtən] *itr* custodire i bambini, fare da baby-sitter (*bei* a). **Babysitter(in)** ⟨-s, -⟩ *m(f)* baby-sitter *mf.* **Babyspeck** *m fam* ciccia *f fam.* **Babystrich** *m sl* prostituzione *f* infantile.

Bach [bax] ⟨-(e)s, Bäche⟩ *m* ruscello *m.* **Bachstelze** *f* ballerina *f.*

Backblech *n* teglia *f* del forno.

Backbord ['bak-] *n* babordo *m.*

Backe ['bakə] ⟨-, -n⟩ *f (Wange)* guancia *f; (Gesäß~)* natica *f.*

backen ['bakən] ⟨bäckt *o* backt, backte *o obs* buk, gebacken⟩ *tr (im Ofen)* cuocere (in forno); *(in der Pfanne)* friggere.

Backenzahn *m* molare *m.*

Bäcker(in) ['bɛkɐ (. . . ərɪn)] ⟨-s, -⟩ *m(f)* fornaio, -a *m, f,* panettiere, -a *m, f.*

Bäckerei [bɛkə'rai̯] ⟨-, -en⟩ *f* panetteria *f.*

Backfisch *m* **1.** *gastr* pesce *m* fritto; **2.** *fig obs* ragazza *f,* adolescente *f.* **Backform** *f* stampo *m* per dolci. **Backobst** *n* frutta *f* secca (*o* essiccata). **Backofen** *m* forno *m.* **Backpfeife** *f dial* schiaffo *m,* ceffone *m,* scapaccione *m.* **Backpflaume** *f* prugna *f* secca. **Backpulver** *n* lievito *m* (in polvere). **Backstein** *m* mattone *m,* laterizio *m.*

backt, bäckt [bakt, bɛkt] *pr von* **backen.**

backte ['baktə] *imp von* **backen.**

Backup [bæk'ʌp] ⟨-s, -s⟩ *n inform* backup *m.*

Bad [ba:t] ⟨-(e)s, Bäder⟩ *n* **1.** *(das Baden, fot: Entwicklungs~)* bagno *m;* **2.** *(~ewanne)* vasca *f; (~ezimmer)* bagno *m;* **3.** *(Schwimm~)* piscina *f;* **4.** *(~eort)* stazione *f* termale; *(See~)* stazione *f* balneare; **ein ~ nehmen** fare il bagno. **Badeanstalt** *f* stabilimento *m* balneare, piscina *f.* **Badeanzug** *m* costume *m* da bagno. **Badegast** *m* **1.** *(im Kurort)* ospite *m* di una stazione termale; **2.** *(im Schwimmbad)* bagnante *m.* **Badehose** *f* calzoncini *m pl* da bagno. **Badekappe** *f* cuffia *f* da bagno. **Bademantel** *m* accappatoio *m.* **Bademeister(in)** *m(f)* bagnino, -a *m, f.* **Bademütze** *s.* **Badekappe.**

baden ['ba:dən] **I.** *tr* fare il bagno a; **II.** *itr, rfl:* **sich ~** fare il bagno; *(im Freien)* bagnarsi.

Badeort *m* località *f* balneare. **Badesalz** *n* sali *m pl* da bagno. **Badetuch** *n* asciugamano *m* da bagno. **Badewanne** *f* vasca *f* da bagno. **Badezimmer** *n* bagno *m,* stanza *f* da bagno. **Badezusatz** *m* prodotto *m* per il bagno.

baff [baf] *adj fam:* **~ sein** rimanere di stucco.

Bafög, BAFÖG ['ba:fœk] ⟨-(s), ø⟩ *n abk von* **Bundesausbildungsförderungsgesetz** *legge per il sostegno dell'istruzione scolastica ed universitaria nella R.F.T.* **~ bekommen** *fam* ≃ ricevere il presalario.

Bagatelle [baga'tɛlə] ⟨-, -n⟩ *f* bagatella *f,* inezia *f.*

bagatellisieren [...li'zi:rən] ⟨*ohne ge-*⟩ *tr* minimizzare.

Bagatellschaden *m* danno *m* lieve.

Bagger ['bagɐ] ⟨-s, -⟩ *m* escavatore *m,* escavatrice *f; (Schwimm~)* draga *f.*

baggern *itr* scavare, dragare; *fam (arbeiten):* **~ wie blöde** *sl* lavorare come un forsennato.

Baggersee *m* laghetto *m* di cava.

Baguette [ba'gɛt] ⟨-s, -s⟩ *n* baguette *f,* filone *m.*

Bahn [ba:n] ⟨-, -en⟩ *f* **1.** *(Weg, a. fig)* via *f,* strada *f; (Fahr~)* carreggiata *f; sport* pista *f; (eines einzelnen Wettkämpfers)* corsia *f;* **2.** *(Eisen~)* treno *m,* ferrovia *f; (Straßen~)* tram *m; (Verkehrsnetz, Strecke)* linea *f;* **3.** *astr* orbita *f; phys* percorso *m; (Elektronen~)* orbita *f; (Flug~)* traiettoria *f;* **4.** *(Stoff~)* telo *m; (Tapeten~)* lista *f;* **freie ~ haben** avere via libera. **Bahnbeamte** *m,* **-beamtin** *f* impiegato, -a *m, f* delle ferrovie, ferroviere *m.* **bahnbrechend** *adj* rivoluzionario. **BahnCard** [...ka:d] *f carta ferroviaria di sconto.* **Bahndamm** *m* argine *m* (*o* terrapieno *m*) della ferrovia.

bahnen ['ba:nən] *tr* aprire, spianare.

Bahnfahrt *f* viaggio *m* in treno.

Bahnhof *m* (*abk* **Bhf.**) stazione *f.* **Bahnhofsgaststätte** *f* ristorante *m* della stazione. **Bahnhofshalle** *f* atrio *m* (*o* hall *f*) della stazione. **Bahnhofsmission** *f* organizzazione *f* (*o* centro *m*) assistenziale operante nelle stazioni. **Bahnhofsvorsteher(in)** *m(f)* capostazione *mf.*

bahnlagernd *adv* fermo (*o* giacente) in stazione. **Bahnpolizei** *f* polizia *f* ferroviaria. **Bahnsteig** [-ʃtai̯k] ⟨-(e)s, -e⟩ *m* marciapiede *m.* **Bahnübergang** *m:* **schienengleicher** ~ passaggio *m* a livello; **beschrankter/unbeschrankter** ~ passaggio *m* a livello custodito/incustodito. **Bahnverbindung** *f* collegamento *m* ferroviario.

Bahre ['ba:rə] ⟨-, -n⟩ *f* barella *f,* lettiga *f; (Toten~)* bara *f.*

Bai [bai] ⟨-, -en⟩ *f (Bucht)* baia *f,* golfo *m; (kleine)* insenatura *f.*

Baiser [bɛ:'ze:] ⟨-s, -s⟩ *n* meringa *f.*

Baisse ['bɛsə] ⟨-, -n⟩ *f fin* ribasso *m.*

Bakterie [bak'te:riə] ⟨-, -n⟩ *f* batterio *m,* microbo *m.*

bakteriell [...te'riɛl] *adj* batterico.

Bakteriologe [bakterio'lo:gə] ⟨-n, -n⟩ *m,* **Bakteriologin** [...gın] *f* batteriologo, -a *m, f.*

Bakteriologie [...lo'gi:] ⟨-, ø⟩ *f* batteriologia *f.*

bakteriologisch [...'lo:gıʃ] *adj* batteriologico.

Balance [ba'lã:sə] ⟨-, -n⟩ *f* equilibrio *m.* **Balanceakt** *m fig* gioco *m* di equilibrio.

balancieren [balã'si:rən] ⟨*ohne ge-*⟩ **I.** *tr* ⟨*haben*⟩ bilanciare, equilibrare; *(Ball)* far stare in equilibrio; **II.** *itr* ⟨*sein*⟩ stare in equilibrio.

bald [balt] *adv* **1.** *(in naher Zukunft, früh, schnell)* presto; **2.** *(beinahe)* quasi; ~ ..., ~ ... ora ..., ora ...; ~ **da,** ~ **dort** talvolta qui, talvolta là; un po' dovunque; ~ **darauf** poco dopo; **möglichst** ~, **so** ~ **als** *(o* **wie) möglich** il più presto possibile; **ich wäre** ~ **hingefallen** ci è mancato poco che cadessi.

Baldachin ['baldaxi:n] ⟨-s, -e⟩ *m* baldacchino *m.*

Baldrian ['baldria:n] ⟨-s, -e⟩ *m* valeriana *f.*

Balg[1] [balk] ⟨-(e)s, Bälge⟩ *m* **1.** *(Tierhaut)* pelle *f;* **2.** *(Blase~, Orgel~)* mantice *m.*

Balg[2] [balk] ⟨-(e)s, Bälger⟩ *m o n pej fam (Kind)* marmocchio *m,* monello *m.*

balgen ['balgən] *rfl:* **sich** ~ accapigliarsi, azzuffarsi.

Balgerei [balgə'rai] ⟨-, -en⟩ *f* zuffa *f,* rissa *f.*

Balkan ['balka:n] *m* Balcani *m pl;* **auf dem** ~ nei Balcani. **Balkanhalbinsel** *f* penisola *f* balcanica.

Balken ['balkən] ⟨-s, -⟩ *m* trave *f,* traversa *f; (von Waage)* giogo *m* (della bilancia). **Balkencode** *m* codice *m* a barre. **Balkendiagramm** *n* diagramma *m* a colonne, istogramma *m.*

Balkon [bal'kɔŋ, ...'kɔŋs *o* ...'ko:nə] ⟨-s, -s *o* -e⟩ *m* balcone *m,* terrazzo *m; theat, film* balconata *f,* galleria *f.* **Balkontür** *f* porta *f* finestra.

Ball[1] [bal] ⟨-(e)s, Bälle⟩ *m (zum Spielen)* palla *f; (großer, Fuß~)* pallone *m;* ~ **spielen** giocare a palla; **am** ~ **bleiben** non perdere il treno, non essere tagliati fuori.

Ball[2] [bal] ⟨-(e)s, Bälle⟩ *m (Tanz)* ballo *m;* **auf dem** ~ al ballo.

Ballade [ba'la:də] ⟨-, -n⟩ *f* ballata *f.*

Ballast [ba'last *o* 'ba...] ⟨-(e)s, ø *o rar* -e⟩ *m* zavorra *f.* **Ballaststoffe** *m pl* sostanze *f pl* non assimilabili.

ballen ['balən] **I.** *tr (Faust)* serrare; **II.** *rfl:* **sich** ~ ammassarsi, accumularsi; *(Wolken)* addensarsi.

Ballen ⟨-s, -⟩ *m* **1.** *com* balla *f;* **2.** *anat (Hand~)* eminenza *f; (Fuß~)* soprosso *m.*

Ballerina [balə'ri:na, ...nən] ⟨-, -rinen⟩ *f* ballerina *f,* danzatrice *f.*

ballern ['baln] *itr fam (schießen)* sparare, tirare.

Ballett [ba'lɛt] ⟨-(e)s, -e⟩ *n* balletto *m.* **Ballettänzer(in)** *m(f)* ballerino, -a *m, f.* **Ballettkorps** [-ko:ɐ, ...s] ⟨-, -⟩ *n* corpo *m* di ballo. **Ballettröckchen** [-rœkçən] ⟨-s, -⟩ *n* tutù *m.* **Ballettschuhe** *m pl* scarpette *f pl* da ballo. **Ballettschule** *f* scuola *f* di danza. **Balletttruppe** *f s.* **Ballettkorps.**

Ballistik [ba'lıstık] ⟨-, ø⟩ *f* balistica *f.*

Balljunge *m,* **-mädchen** *f* raccattapalle *mf.*

Ballon [ba'lɔŋ, ...'lɔŋs *o* ...'lo:nə] ⟨-s, -s *o* -e⟩ *m* **1.** *(Luftfahrzeug)* pallone *m* aerostatico, aerostato *m;* **2.** *(Luft~)* pallone *m;* **3.** *(~flasche)* damigiana *f.*

Ballsaal *m* sala *f* da ballo.

Ballspiel *n* gioco *m* della (*o* con la) palla.

Ballungsgebiet *n* regione *f* (*o* zona *f*) ad alta concentrazione urbana ed industriale, agglomerato *m* urbano.

Ballwechsel *m* cambio *m* delle palle.

Balsam ['balza:m] ⟨-s, -e⟩ *m (a. fig)* balsamo *m.*

Balte ['baltə] ⟨-n, -n⟩, **Baltin** [...tın] *f* abitante *mf* dei Paesi baltici. **Baltikum** *nt* Paesi *m pl* baltici.

Balustrade [balus'tra:də] ⟨-, -n⟩ *f* balaustra *f.*

Balz [balts] ⟨-, -en⟩ *f,* **Balzzeit** *f* stagione *f* degli accoppiamenti.

balzen *itr* essere in amore.

Bambus ['bambus] ⟨- *o* -ses, -se⟩ *m* bambù *m.* **Bambussprossen** *f pl* germogli *m pl* di bambù.

Bammel ['baməl] ⟨-s, ø⟩ *m fam* fifa *f fam.*

banal [ba'na:l] *adj* banale.

Banalität [banali'tɛ:t] ⟨-, -en⟩ *f* banalità *f.*

Banane [ba'na:nə] ⟨-, -n⟩ *f* banana *f.* **Bananenstecker** *m el* spina *f* a banana.

Banause [ba'nauzə] ⟨-n, -n⟩ *m* uomo *m* gretto e limitato, borghesuccio *m.*

band [bant] *imp von* **binden.**

Band[1] [bant] ⟨-(e)s, Bänder⟩ *n* **1.** *(aus Stoff, etc.)* nastro *m;* **2.** *(Förder~)* nastro *m* (trasportatore); **3.** *(Ton~)* nastro *m* (magnetico); **4.** *radio (Bereich)* banda *f;* **5.** *anat (Gelenk~)* legamento *m* articolare, tendine *m;* **am laufenden** ~ a catena; *fig fam* ininterrottamente.

Band² [bant] ⟨-(e)s, -e⟩ *n fig (innere Bindung)* legame *m,* vincolo *m.*

Band³ [bant] ⟨-(e)s, Bände⟩ *m* (*abk* **Bd.**) *(Buch~)* volume *m,* tomo *m;* **das spricht Bände** *fig* questo dice tutto.

Band⁴ [bɛnt] ⟨-, -s⟩ *f (Kapelle)* orchestra *f,* band *f.*

Bandage [ban'da:ʒə] ⟨-, -n⟩ *f* bendaggio *m,* fasciatura *f,* benda *f;* **mit harten ~n kämpfen** *fig* lottare duramente.

bandagieren [...da'ʒi:rən] ⟨*ohne ge-*⟩ *tr* bendare, fasciare.

Bandaufnahme *f* registrazione *f* su nastro. **Bandbreite** *f radio* larghezza *f* di banda; *fig (von Gehältern)* margine *m* di fluttuazione (*o* variazione); *(von Meinungen)* gamma *f.*

Bande¹ ['bandə] ⟨-, -n⟩ *f fam (Gruppe, Schar)* banda *f fam,* compagnia *f; (Verbrecher~)* banda *f,* masnada *f.*

Bande² ['bandə] ⟨-, -n⟩ *f sport (von Stadion)* margine *m; (von Eisbahn)* barriera *f; (beim Billard)* sponda *f,* mattonella *f.*

Banderole [bandə'ro:lə] ⟨-, -n⟩ *f* banderuola *f,* bandierina *f; (Zigarren~)* fascetta *f* fiscale.

Bänderriß ['bɛndɐ-] *m med* strappo *m* ai legamenti. **Bänderzerrung** *f med* distorsione *f* ai legamenti.

bändigen ['bɛndɪgən] *tr (zähmen)* domare, addomesticare *fig; (Leidenschaft)* contenere, dominare.

Bandit [ban'di:t] ⟨-en, -en⟩ *m* bandito *m,* brigante *m; (Räuber)* rapinatore, -trice *m, f.*

Bandlaufwerk *n inform* unità *f* a nastro magnetico.

Bandmaß *n* metro *m* a nastro. **Bandnudeln** *f pl* tagliatelle *f pl.* **Bandscheibe** *f anat* disco *m* intervertebrale. **Bandwurm** *m* verme *m* solitario, tenia *f.*

bang(e) ['baŋ(ə)] ⟨banger *o* bänger, bangste *o* bängste⟩ *adj* pauroso, timoroso; *(besorgt)* preoccupato, inquieto, ansioso; **in ~er Erwartung** in ansiosa attesa; **davor ist mir nicht ~e** di ciò non ho paura; **jdm ~ machen** fare (*o* mettere) paura a qu.

Bange *f:* **(haben Sie) keine ~!** non abbia paura!, non si preoccupi!

bangen ['baŋən] *itr* aver paura (*vor +dat* di), temere (*vor etw. (dat)* qc); *(sich sorgen)* trepidare, temere (*um* per).

Bank¹ [baŋk] ⟨-, Bänke⟩ *f* **1.** *(Sitz~)* panchina *f; (Schul~, Kirchen~, im Parlament, Anklage~)* banco *m;* **2.** *(Werk~)* banco *m* di lavoro; *(Dreh~)* tornio *m;* **3.** *(Wolken~, Sand~, Austern~, Nebel~)* banco *m;* **durch die** ~ tutti, nessuno eccettuato.

Bank² [baŋk] ⟨-, -en⟩ *f fin* banca *f; (Spiel~)* casinò *m,* casa *f* da gioco.

-bank *f (in Zusammensetzungen) med* banca *f.*

Bankangestellte *mf* impiegato, -a *m, f* di banca. **Bankautomat** *m* bancomat *m.* **Bankbeamte** *m,* **-beamtin** *f* impiegato, -a *m, f* di banca. **Bankfach** *n* **1.** *(Beruf)* ramo *m* bancario; **2.** *(Schließfach)* cassetta *f* di sicurezza. **Bankgeheimnis** *n* segreto *m* bancario. **Bankguthaben** *n* saldo *m.*

Bankier [baŋ'ki̯e:] ⟨-s, -s⟩ *m* banchiere *m,* finanziere *m.*

Bankkaufmann *m,* **-kauffrau** *f* impiegato, -a *m, f* di banca, bancario, -a *m, f.* **Bankkonto** *n* conto *m* bancario. **Bankleitzahl** *f* (*abk* **BLZ**) codice *m* di istituto di credito. **Banknote** *f* banconota *f,* biglietto *m* di banco.

Bankomat [baŋko'ma:t] ⟨-s, -en⟩ *m* bancomat *m,* sportello *m* automatico.

Bankraub *m* rapina *f* a una banca. **Bankräuber(in)** *m(f)* rapinatore, -trice *m, f* di (una) banca.

bankrott [baŋ'krɔt] *adj* fallito. **Bankrott** ⟨-(e)s, -e⟩ *m* bancarotta *f; (a. fig)* fallimento *m;* ~ **machen** *(a. fig)* fare fallimento. **Bankrotterklärung** *f com* dichiarazione *f* di fallimento; *fig* fallimento *m.* **Bankrotteur(in)** ['baŋkrɔtœ:r] *m(f)* bancarottiere *mf.*

Bankschalter *m* sportello *m* di banca. **Bankschließfach** *n* cassetta *f* di sicurezza. **Banküberfall** *m* rapina *f* a una banca. **Banküberweisung** *f* bonifico *m* bancario. **Bankverbindung** *f* recapito *m* bancario.

Bann [ban] ⟨-(e)s, -e⟩ *m* **1.** *hist* bando *m,* esilio *m; rel* scomunica *f;* **2.** *fig (Zauber)* incantesimo *m,* fascino *m.*

bannen ['banən] *tr* **1.** *(Geister, Teufel)* scacciare, esorcizzare; *(Gefahr)* allontanare; **2.** *(fesseln)* immobilizzare, inchiodare; **(wie) gebannt auf etw.** *(akk)* **starren** guardare fisso qc.

Banner ['banɐ] ⟨-s, -⟩ *n* stendardo *m,* vessillo *m; (a. fig)* bandiera *f.*

Bannkreis *m* sfera *f* di influenza.

bar [ba:ɐ̯] **I.** *adj* **1.** *poet (unbedeckt)* nudo; **2.** *poet +gen* privo di, senza; **3.** *fin* contante, in contanti; **~es Geld** (denaro *m*) contante *m;* **~er Unsinn** pure sciocchezze *f pl;* **II.** *adv fin* in contanti; **gegen ~, (in) ~ zahlen** pagare in contanti.

Bar [ba:ɐ̯] ⟨-, -s⟩ *f (Theke)* bar *m,* banco *m; (Nachtlokal)* night(-club) *m.*

Bär(in) [bɛ:ɐ̯ ('bɛ:rɪn)] ⟨-en, -en⟩ *m(f)* orso, -a *m, f;* **der Große/Kleine** ~ *astr* l'Orsa maggiore/minore; **jdm einen ~en aufbinden** darla ad intendere a qu.

Baracke [ba'rakə] ⟨-, -n⟩ *f* baracca *f.*

Barbar(in) [bar'ba:ɐ̯ (...rɪn)] ⟨-en, -en⟩ *m(f)* barbaro, -a *m, f.*

Barbarei [barba'rai̯] ⟨-, -en⟩ *f* barbarie *f.*

barbarisch *adj* barbaro.

Barbiturat [barbitu'ra:t] ⟨-s, -e⟩ *n* barbi-

turato *m.*
Bardame *f* barmaid *f.*
Bärendienst *m:* **jdm/einer S.** *(dat)* **einen ~ erweisen** rendere un cattivo servizio a qu/qc. **Bärenhaut** *f:* **auf der ~ liegen** *fam* fare una vita da poltrone. **Bärenhunger** *m fam:* **einen ~ haben** avere una fame da lupo *fam.* **Bärenkräfte** *f pl* forza *f* da leone.
barfuß, barfüßig ['ba:ɐ̯fu:s, ...fy:sɪç] *adj* a piedi nudi.
barg [bark] *imp von* **bergen.**
Bargeld *n* denaro *m* contante (*o* in contanti). **bargeldlos** *adj* con assegno; **~er Zahlungsverkehr** pagamenti *m pl* a mezzo assegno (*o* accreditamento).
Barhocker *m* sgabello *m* di bar.
Bärin *f s.* **Bär.**
Bariton ['ba:rɪtɔn, ...to:nə] ⟨-s, -e⟩ *m* baritono *m.*
Barkasse [bar'kasə] ⟨-, -n⟩ *f* barcaccia *f.*
Barkauf *m* acquisto *m* in contanti.
Barke ['barkə] ⟨-, -n⟩ *f* barca *f.*
Barkeeper [-ki:pɐ] ⟨-s, -⟩ *m,* **Barmann** *m* barman *m,* barista *m.*
barmherzig [barm'hɛrtsɪç] *adj* misericordioso, caritatevole; **~er Gott!** misericordia!, santo Iddio!. **Barmherzigkeit** ⟨-, ø⟩ *f* misericordia *f,* pietà *f,* carità *f;* **~ üben** avere misericordia.
barock [ba'rɔk] *adj (Kunst)* barocco; *fig (überladen)* barocco; *fig (bizarr: Ideen)* bizzarro, stravagante; **eine ~e Figur** *scherz* una figura abbondante. **Barock** ⟨-s, ø *o* -⟩ *n o m* barocco *m.*
Barometer [baro'me:tɐ] ⟨-s, -⟩ *n* barometro *m.*
Baron(in) [ba'ro:n(ɪn)] ⟨-s, -e⟩ *m(f)* barone *m,* baronessa *f.*
Barrel ['bɛrəl] ⟨-s, -s⟩ *n* **1.** *(Hohlmaß)* barile *m;* **2.** *(Faß)* barile *m,* botte *f.*
Barren ['barən] ⟨-s, -⟩ *m* **1.** *(Metall~)* lingotto *m,* barra *f;* **2.** *sport* parallele *f pl.*
Barriere [ba'ri̯ɛ:rə] ⟨-, -n⟩ *f* barriera *f.*
Barrikade [bari'ka:də] ⟨-, -n⟩ *f* barricata *f;* **auf die ~n gehen** *fig* ribellarsi, arrabbiarsi.
barsch [barʃ] *adj (Mensch, Antwort, Umgangston)* sgarbato; *(Ablehnung, Befehl)* brusco.
Barsch [ba:ɐ̯ʃ] ⟨-(e)s, -e⟩ *m* pesce *m* persico.
Barscheck *m* assegno *m* ordinario (*o* pagabile in contanti).
barst [barst] *imp von* **bersten.**
Bart [ba:ɐ̯t] ⟨-(e)s, Bärte⟩ *m* **1.** *(von Mensch, Tier)* barba *f;* **2.** *bot* filamento *m* di radice; **3.** *(Schlüssel~)* ingegno *m;* **jdm um den ~ gehen** adulare qu, lisciare qu.
bärtig ['bɛ:ɐ̯tɪç] *adj* barbuto.
Barzahlung *f* pagamento *m* in contanti (*o* a pronti).
Basalt [ba'zalt] ⟨-(e)s, -e⟩ *m* basalto *m.*
Basar [ba'za:ɐ̯] ⟨-s, -e⟩ *m* bazar *m.*
Base¹ ['ba:zə] ⟨-, -n⟩ *f dial (Kusine)* cugina *f.*
Base² ['ba:zə] ⟨-, -n⟩ *f chem* base *f.*
Baseball ['beɪsbɔ:l] ⟨-s, ø⟩ *m* baseball *m.*
Basel ['ba:zəl] *n* Basilea *f.*
Basen *pl von* **Base** *u.* **Basis.**
basieren [ba'zi:rən] ⟨*ohne ge-*⟩ **I.** *tr* basare (*auf +dat* su), fondare (*auf +dat* su); **II.** *itr* basarsi (*auf +dat* su), fondarsi (*auf +dat* su).
Basilika [ba'zi:lika, ...kən] ⟨-, -liken⟩ *f* basilica *f.*
Basilikum [ba'zi:likum] ⟨-s, ø⟩ *n* basilico *m.*
Basis ['ba:zɪs, ...zən] ⟨-, Basen⟩ *f* **1.** *arch* base *f,* zoccolo *m;* **2.** *mat, fig, pol* base *f.*
basisch ['ba:zɪʃ] *adj chem* basico.
Basisdemokratie *f* democrazia *f* di base. **Basisgruppe** *f pol* gruppo *m* di base. **basisnah** *adj (Politiker)* vicino alla base (*o* agli elettori). **Basiswissen** *n* cognizioni *f pl* di base.
Baske ['baskə] ⟨-n, -n⟩ *m,* **Baskin** [...kɪn] *f* basco, -a *m, f.* **Baskenland** *n* Paesi *m pl* baschi. **Baskenmütze** *f* basco *m,* berretto *m* basco.
Basketball ['ba:skət-] *m* basket *m,* pallacanestro *f.*
Baskin *f s.* **Baske.**
baskisch ['baskɪʃ] *adj* basco.
Baß [bas] ⟨Basses, Bässe⟩ *m* **1.** *(Stimme, Sänger)* basso *m;* **2.** *(Instrument)* contrabbasso *m.*
Bassin [ba'sɛ̃:] ⟨-s, -s⟩ *n* **1.** *geol, geog* bacino *m;* **2.** *(Schwimmbecken)* piscina *f.*
Bassist(in) [ba'sɪst(ɪn)] ⟨-en, -en⟩ *m(f)* **1.** *(Spieler)* contrabbassista *mf;* **2.** *(Sänger)* basso *m.*
Baßschlüssel *m* chiave *f* di basso.
Bast [bast] ⟨-(e)s, -e⟩ *m* rafia *f.*
Bastard ['bastart] ⟨-(e)s, -e⟩ *m* bastardo *m.*
Bastelei [bastə'lai̯] ⟨-, -en⟩ *f,* **Basteln** ⟨-s, ø⟩ *n* bricolage *m.*
basteln ['bastəln] **I.** *itr* fare lavori di bricolage; **II.** *tr* fare.
Bastion [bas'ti̯o:n] ⟨-, -en⟩ *f* bastione *m.*
bat [ba:t] *imp von* **bitten.**
BAT [be:a:'te:] *abk von* **Bundesangestelltentarif** *retribuzione del pubblico impiego in Germania.*
Bataillon [batal'jo:n] ⟨-s, -e⟩ *n* battaglione *m.*
Batik ['ba:tɪk] ⟨-, -en⟩ *f* batik *m.*
Batist [ba'tɪst] ⟨-(e)s, -e⟩ *m* tela *f* batista.
Batterie [batə'ri:, ...i:ən] ⟨-, -n⟩ *f el* batteria *f,* pila *f; mot* batteria *f* (per accensione). **batteriebetrieben** *adj* alimentato a batteria.
Bau [bau̯, 'bau̯tən] *m* **1.** ⟨-(e)s, ø⟩ *(Tätigkeit)* costruzione *f,* edificazione *f;* **2.** ⟨-(e)s, -ten⟩ *(Gebäude)* edificio *m,* fabbricato *m,* costruzione *f;* **3.** ⟨-(e)s, -e⟩ *zoo* tana *f;* **4.** ⟨-(e)s, ø⟩ *(Gefüge, Gliederung)* architettura *f,* struttura *f,* organiz-

zazione *f;* **5.** ⟨-(e)s, ø⟩ *(Körper~)* corporatura *f;* **auf dem ~ arbeiten** lavorare in cantiere; **im ~ (befindlich)** in corso (*o* via) di costruzione (*o* edificazione), in cantiere. **Bauabschnitt** *m* lotto *m* dei lavori. **Bauarbeiten** *f pl* lavori *m pl* edili; **(Achtung) ~!** attenzione, lavori in corso!. **Bauarbeiter(in)** *m(f)* lavoratore, -trice *m, f* edile, muratore *m.* **Bauart** *f* sistema *m* (*o* tipo *m*) di costruzione; *tec* costruzione *f.*

Bauch [bau̯x] ⟨-(e)s, Bäuche⟩ *m* ventre *m,* pancia *f; (Unterleib)* addome *m; (dicker ~)* pancione *m; (von Gefäß, Instrument)* pancia *f;* **einen ~ haben** avere la pancia; **sich** *(dat)* **den ~ vollschlagen** *fam* mangiare a quattro palmenti *fam.* **Bauchbinde** *f* **1.** *med* panciera *f,* ventriera *f;* **2.** *(für Frack)* fascia *f* di seta; **3.** *fam (von Zigarre)* fascetta *f.* **Bauchfell** *n* peritoneo *m.* **Bauchhöhle** *f* cavità *f* addominale. **bauchig** *adj* panciuto, convesso. **Bauchladen** *m* cassetta *f* da venditore ambulante. **Bauchlandung** *f aero* atterraggio *m* senza carrello; *(im Schwimmbad, etc.)* panciata *f fam.* **Bauchnabel** *m* ombelico *m.* **Bauchredner(in)** *m(f)* ventriloquo, -a *m, f.* **Bauchspeicheldrüse** *f* pancreas *m.* **Bauchspiegelung** *f* laparoscopia *f.* **Bauchtanz** *m* danza *f* del ventre. **Bauchtänzerin** *f* danzatrice *f* del ventre. **Bauchweh** ⟨-s, ø⟩ *n* mal *m* di pancia.

Baudarlehen *n* mutuo *m* edilizio. **Baudenkmal** *n* monumento *m* architettonico.

bauen ['bau̯ən] **I.** *tr* **1.** *(er~)* costruire, fabbricare; *(errichten)* erigere; *(Tunnel)* scavare; *(Nest)* fare; **2.** *fam (Unfall)* avere; **II.** *itr (ein Haus ~)* fare (*o* costruire) una casa; **auf jdn ~** *(vertrauen)* contare su qu, fare affidamento su qu.

Bauer[1] ['bau̯ɐ] ⟨-n *o rar* -s, -n⟩ *m* **1.** *(Landmann)* contadino *m; (Landwirt)* agricoltore *m,* coltivatore *m* diretto; **2.** *fig pej* villano, -a *m, f;* **3.** *(Schach)* pedone *m;* **4.** *(Spielkarte)* fante *m.*

Bauer[2] ['bau̯ɐ] ⟨-s, -⟩ *n o m (Käfig)* gabbia *f* (per uccelli).

Bäuerin ['bɔyərɪn] *f* contadina *f.*

bäuerlich ['bɔy̯ɐlɪç] *adj* contadinesco, campagnolo; *(ländlich)* rurale.

Bauernbrot *n* pane *m* casereccio. **Bauernfängerei** [-fɛŋə'rai̯] ⟨-, ø⟩ *f fam* gabbamento *m.* **Bauernfrühstück** *n colazione a base di patate arrostite, uova strapazzate e pancetta.* **Bauernhaus** *n,* **-hof** *m* podere *m,* fattoria *f,* casa *f* rurale; **Ferien (*o* Urlaub) auf dem Bauernhof** agriturismo *m.* **Bauernkriege** *m pl hist* guerre *f pl* dei contadini. **Bauernmöbel** *n pl* mobili *m pl* rustici. **bauernschlau** *adj* scaltro, furbo, malizioso.

Bauerwartungsland *n terreno agricolo, che si prevede possa diventare area fabbricabile.*

baufällig *adj* cadente, pericolante. **Baufälligkeit** *f* essere *m* pericolante. **Baufirma** *f* ditta *f* costruttrice. **Bauführer(in)** *m(f)* assistente *mf* edile, capocantiere *m.* **Baugelände** *n* terreno *m* fabbricabile. **Baugenehmigung** *f* permesso *m* di costruzione, licenza *f* edilizia. **Baugerüst** *n* impalcatura *f,* armatura *f,* ponte(ggio) *m.* **Baugesellschaft** *f* società *f* immobiliare. **Bauherr** *m* committente *m* (*o* proprietario *m*) della costruzione. **Bauingenieur(in)** *m(f)* ingegnere, -a *m, f* edile (*o* civile). **Baujahr** *n* anno *m* di costruzione; *(von Auto)* anno *m* di fabbricazione. **Baukasten** *m* scatola *f* (*o* gioco *m*) delle costruzioni. **Baukastensystem** *n* sistema *m* modulare. **Baukostenzuschuß** *m* contributo *m* per le spese di costruzione. **Bauland** *n* terreno *m* fabbricabile. **Bauleitung** *f* direzione *f* dei lavori. **baulich** *adj* architettonico, costruttivo.

Baum [bau̯m] ⟨-(e)s, Bäume⟩ *m* albero *m;* **ich könnte Bäume ausreißen** mi sento un leone (*o* ercole). **Baumbestand** *m* patrimonio *m* forestale. **baumbestanden** *adj* piantato ad alberi, alberato.

Baumeister(in) *m(f)* costruttore *m* edile; *(Erbauer)* architetto, -a *m, f.*

baumeln ['bau̯məln] *itr* penzolare, ciondolare.

Baumgrenze *f* limite *m* della vegetazione arborea. **Baumgruppe** *f* boschetto *m.* **Baumkrone** *f* chioma *f* (*o* corona *f*) dell'albero. **baumlang** *adj:* **ein ~er Kerl** un tipo molto alto, un tipo lungo come una pertica *fam.* **baumlos** *adj* senza alberi. **Baumschule** *f* vivaio *m* di piante arboree. **Baumstamm** *m* tronco *m* (d'albero), fusto *m.* **Baumsterben** *n* moria *f* dei boschi. **Baumstumpf** *m* ceppo *m.* **Baumwolle** *f* cotone *m.* **baumwollen** *adj* di cotone.

Bauplan *m* progetto *m* (*o* disegno *m*) di costruzione. **Bauplatz** *m* terreno *m* (*o* area *f*) fabbricabile; *(nach Beginn der Arbeiten)* cantiere *m* edile. **Baupolizei** *f* genio *m* civile. **Bauruine** *f* rudere *m.*

Bausch [bau̯ʃ] ⟨-(e)s, -e *o* Bäusche⟩ *m (Watte~)* batuffolo *m;* **in ~ und Bogen** in blocco.

Bauschutt *m* calcinacci *m pl,* rifiuti *m pl* edili.

bau·sparen *itr* risparmiare sulla base di un contratto di risparmio immobiliare. **Bausparer(in)** *m(f)* persona *f* che ha stipulato un contratto di risparmio immobiliare. **Bausparkasse** *f* cassa *f* di risparmio per la costruzione edilizia. **Bausparvertrag** *m* contratto *m* di risparmio immobiliare.

Baustein *m* **1.** pietra *f* da costruzione; **2.** *(Spielzeug)* cubetto *m* per costruzioni; **3.** *inform:* **elektronischer ~** chip *m;* **4.** *fig* elemento *m* costitutivo. **Baustelle**

f cantiere *m;* ~! lavori in corso!; **Betreten der ~ verboten!** vietato l'ingresso ai non addetti ai lavori. **Baustoff** *m* materiale *m* da costruzione. **Baustopp** *m* blocco *m* dell'edilizia. **Bausubstanz** *f* struttura *f* muraria. **Bauteil** *m* **1.** *(Teil eines Bauwerks)* parte *f* dell'edificio; **2.** *(Bauelement)* elemento *m* strutturale, componente *m.* **Bauunternehmer(in)** *m(f)* imprenditore, -trice *m, f* edile. **Bauvorhaben** *n* progetto *m* di costruzione. **Bauweise** *f* sistema *m* costruttivo. **Bauwerk** *n* edificio *m,* fabbricato *m,* costruzione *f.* **Bauwirtschaft** *f* edilizia *f,* industria *f* edile.

Bauxit [bau̯'ksi:t *o* ...'ksɪt] ⟨-s, -e⟩ *m* bauxite *f.*

Bauzaun *m* palizzata *f.*

Bayer(in) ['baɪ̯ɐ (...ərɪn)] ⟨-n, -n⟩ *m(f)* bavarese *mf.*

bay(e)risch ['baɪ̯(ə)rɪʃ] *adj* bavarese.

Bayern ['baɪ̯ɐn] *n* Baviera *f.*

bayrisch *s.* **bayerisch.**

Bazillus [ba'tsɪlʊs, ...lən] ⟨-, -zillen⟩ *m* bacillo *m.*

Bd. *abk von* **Band** vol. *(abbr di* volume).

Bde. *abk von* **Bände** voll. *(abbr di* volumi).

BE *abk von* **Broteinheit** *unità di misura idrati di carbonio (nelle diete).*

beabsichtigen [bə'ʔapzɪçtɪgən] ⟨*ohne ge-*⟩ *tr* avere l'intenzione (*etw. zu tun* di fare qc); **das hatte ich nicht beabsichtigt** non l'ho fatto apposta. **beabsichtigt** *adj* intenzionale; **die ~e Wirkung** l'effetto voluto.

beachten ⟨*ohne ge-*⟩ *tr* **1.** *(bemerken)* fare attenzione a, badare a; **2.** *(berücksichtigen)* tener conto di, considerare; **3.** *(Rat)* seguire, ascoltare; *(Regel, Vorschrift)* osservare, rispettare; **etw. nicht ~** ignorare qc, non osservare qc. **beachtlich** *adj* apprezzabile, considerevole.

Beachtung *f* **1.** *(Aufmerksamkeit)* attenzione *f;* **2.** *(Berücksichtigung)* considerazione *f;* **3.** *(von Rat)* seguire *m,* ascoltare *m; (von Regel, Vorschrift)* osservanza *f,* rispetto *m;* ~ **finden** essere considerato.

Beamte [bə'ʔamtə] ⟨ein -r, -n, -n⟩ *m,* **Beamtin** [...tɪn] *f* impiegato, -a *m, f,* agente *mf; (Staats~)* funzionario, -a *m, f,* impiegato, -a *m, f* statale.

Beamtenanwärter(in) *m(f)* aspirante *mf* funzionario (*o* ad un impiego pubblico). **Beamtenlaufbahn** *f* carriera *f* del pubblico impiego. **Beamtenrecht** *n* normativa *f* sul pubblico impiego. **Beamtentum** ⟨-s, ø⟩ *n* **1.** *(Vertreter, Stand)* funzionari *m pl;* **2.** *(Eigenschaft)* mentalità *f* dei funzionari; *(Beamtetsein)* carica *f* di funzionario. **Beamtenverhältnis** *n:* **im ~ sein** essere di ruolo; **ins ~ übernommen werden** passare di ruolo. **beamtet** *adj* impiegato.

Beamtin *f s.* **Beamte.**

beängstigend *adj* inquietante, allarmante.

beanspruchen ⟨*ohne ge-*⟩ *tr* **1.** *(fordern: Recht)* rivendicare, reclamare; **2.** *(erfordern: Zeit, Geld)* richiedere; *(Geduld)* richiedere, esigere; *(Platz)* occupare; *(Kraft, Aufmerksamkeit)* esigere; **3.** *(ausnutzen: Einrichtungen)* sfruttare; *(Gastfreundschaft, Geduld, Hilfe)* approfittare di; **4.** *(strapazieren: Material, Stoff, Maschine)* usare; *(Menschen)* strapazzare; *(Nerven)* logorare; **etw. ~ können** *(berechtigt sein)* poter pretendere qc; **jdn stark ~** tenere qu molto occupato, pretendere molto da qu.

Beanspruchung ⟨-, *rar* -en⟩ *f* **1.** *(Forderung)* rivendicazione *f;* **2.** *(Ausnutzung)* sfruttamento *m;* **3.** *(Belastung, Abnutzung)* uso *m; (von Menschen)* sfruttamento *m; (beruflich)* strapazzo *m; (nervlich)* logoramento *m.*

beanstanden ⟨*ohne ge-*⟩ *tr* criticare.

Beanstandung ⟨-, -en⟩ *f* reclamo *m,* critica *f;* **ohne ~** senza obiezioni.

beantragen ⟨*ohne ge-*⟩ *tr* chiedere; *jur* proporre.

beantworten ⟨*ohne ge-*⟩ *tr* rispondere a.

Beantwortung ⟨-, -en⟩ *f* risposta *f* (*einer S. (gen)* a qc).

bearbeiten ⟨*ohne ge-*⟩ *tr* **1.** *(arbeiten an)* lavorare a, trattare; *(ausarbeiten, inform)* elaborare; *(gestalten)* formare; *(redigieren)* redigere; *(überarbeiten)* rielaborare, rimaneggiare, rifare; *theat, film, radio, TV* adattare (*für* per); **2.** *tec* lavorare, foggiare; *agr* coltivare; **3.** *(Fall)* trattare; *(Akte, Antrag)* evadere, (di)sbrigare; *(Bestellung)* sbrigare; **4.** *fig fam (zu überreden suchen)* cercare di convincere, lavorare *fam.*

Bearbeitung ⟨-, -en⟩ *f* **1.** *(Arbeit an)* lavorazione *f; (Redigieren)* redazione *f; (Überarbeiten)* revisione *f; theat, film, radio, TV (Vorgang)* adattamento *m; (bearbeitete Fassung)* nuova versione *f;* **2.** *tec* lavorazione *f; agr* coltivazione *f;* **3.** *(von Fall, Akte, Antrag, Bestellung)* disbrigo *m,* evasione *f;* **in ~** in preparazione. **Bearbeitungsgebühr** *f* tassa *f* di cancelleria.

beargwöhnen [bə'arkvø:nən] ⟨*ohne ge-*⟩ *tr* sospettare di.

Beate [be'a:tə] *(weiblicher Vorname)* Beata.

beatmen ⟨*ohne ge-*⟩ *tr (künstlich)* praticare la respirazione artificiale su.

Beatmung *f:* **künstliche ~** respirazione *f* artificiale.

beaufsichtigen [bə'ʔau̯fzɪçtɪgən] ⟨*ohne ge-*⟩ *tr* sorvegliare, controllare, ispezionare.

Beaufsichtigung ⟨-, -en⟩ *f* sorveglianza *f,*

ispezione *f*, controllo *m*.
beauftragen ⟨*ohne ge-*⟩ *tr* **1.** *(Auftrag erteilen)* incaricare *(jdn mit etw.* qu di qc); **2.** *(anweisen)* delegare *(jdn mit etw.* qu a qc). **Beauftragte** ⟨ein -r, -n, -n⟩ *mf* incaricato, -a *m, f* (d'affari), mandatario, -a *m, f*, delegato, -a *m, f*.
bebauen ⟨*ohne ge-*⟩ *tr* **1.** *arch* costruire su; **2.** *(Acker)* coltivare. **bebaut** *adj* edificato.
Bebauungsplan *m* piano *m* regolatore.
beben ['be:bən] *itr* tremare, fremere.
Becher ['bɛçɐ] ⟨-s, -⟩ *m (ohne Henkel)* calice *m*, coppa *f; (mit Henkel)* tazza *f*, ciotola *f; (Glas~, Plastik~)* bicchiere *m; (Joghurt~)* vasetto *m; (Würfel~)* bossolo *m*.
bechern *itr scherz fam* trincare *fam*.
Becken ['bɛkən] ⟨-s, -⟩ *n* **1.** *(flaches Gefäß)* catino *m;* **2.** *(Bassin, a. Hafen~, geog)* bacino *m;* **3.** *(Schwimm~)* piscina *f;* **4.** *(Wasch~)* lavandino *m;* **5.** *anat* bacino *m;* **6.** *mus* piatti *m pl*.
Becquerel [bɛkə'rɛl] ⟨-, -⟩ *n* becquerel *m*.
bedächtig [bə'dɛçtɪç] **I.** *adj (besonnen)* riflessivo; *(gesetzt)* posato; *(vorsichtig)* prudente; **II.** *adv* con cautela.
bedanken ⟨*ohne ge-*⟩ *rfl:* **sich ~** ringraziare *(bei jdm für etw.* qu di (*o* per) qc).
Bedarf [bə'darf] ⟨-(e)s, ø⟩ *m (Bedürfnis)* fabbisogno *m;* **~ haben an** avere bisogno di; **bei ~** in caso di bisogno, se occorre; **den ~ decken** coprire il fabbisogno, soddisfare la richiesta; **nach ~** a seconda del fabbisogno.
bedauerlich [bə'dauɐlɪç] *adj* spiacevole, deplorevole.
bedauern [bə'dauɐn] ⟨*ohne ge-*⟩ *tr* **1.** *(Sache)* dispiacersi per; *(beklagen)* deplorare; **2.** *(Menschen)* compiangere, compatire; **(ich) bedau(e)re** spiacente!; **ich bedau(e)re (es), daß sie nicht gekommen ist** mi rincresce che non sia venuta. **Bedauern** ⟨-s, ø⟩ *n* dispiacere *m*. **bedauernswert** *adj (Mensch)* che desta compassione; *(Lage)* spiacevole, pietoso; *(Zustand)* deplorevole, pietoso.
bedecken ⟨*ohne ge-*⟩ **I.** *tr* **1.** *allg.* (ri)coprire (*mit* di); **2.** *(verbergen)* nascondere; **3.** *(schützen)* proteggere; **II.** *rfl:* **sich ~** coprirsi.
bedenken ⟨*irr, ohne ge-*⟩ *tr* **1.** *(erwägen)* considerare, pensare a, riflettere su; **2.** *(beachten)* tener conto di; **wenn man bedenkt, daß ...** e dire che ...
Bedenken ⟨-s, -⟩ *n* **1.** ⟨*sing*⟩ *(Erwägung)* riflessione *f*, considerazione *f;* **2.** *(Zweifel, Befürchtung)* dubbi *m pl*, scrupoli *m pl;* **ohne ~** senza esitazione. **bedenklich** *adj (besorgniserregend)* inquietante; *(ernst)* serio, grave. **Bedenkzeit** *f* tempo *m* per riflettere; **drei Tage ~** tre giorni per riflettere.
bedeuten ⟨*ohne ge-*⟩ *tr* significare, voler dire; **etwas ~** *(wichtig sein)* essere importante; **jdm etwas ~** *(wert sein)* significare qc per qu; **das bedeutet nichts Gutes** questo non fa prevedere nulla di buono. **bedeutend I.** *adj* **1.** *(wichtig)* importante; *(hervorragend)* eminente, illustre; **2.** *(beachtlich, beträchtlich)* notevole, ragguardevole; **II.** *adv* considerevolmente, sensibilmente. **bedeutsam** *adj* significativo, rivelatore.
Bedeutung *f* **1.** *(Sinn)* significato *m*, senso *m;* **2.** *(Vorbedeutung)* auspicio *m;* **3.** *(Wichtigkeit)* importanza *f; (Tragweite)* portata *f;* **~ haben** importare *(für etw.* per qc). **bedeutungslos** *adj* insignificante. **Bedeutungslosigkeit** ⟨-, ø⟩ *f* irrilevanza *f*.
bedienen ⟨*ohne ge-*⟩ **I.** *tr* **1.** *(Menschen, a. bei Tisch)* servire; *tec (Apparat, Maschine)* manovrare; **2.** *(Kartenspiel)* rispondere a; **II.** *rfl:* **sich ~** servirsi *(einer S. (gen)* di qc).
Bediener(in) *m(f) inform* utente *mf*. **Bedienerführung** *f inform* guida *f* dell'operatore (*o* dell'utente).
Bedienstete [bə'di:nstətə] ⟨ein -r, -n, -n⟩ *mf* impiegato, -a *m, f*.
Bedienung ⟨-, -en⟩ *f* **1.** ⟨*sing*⟩ *(Tätigkeit)* servizio *m; tec* manovra *f*, maneggio *m;* **2.** *(Personal)* servitù *f*, personale *m* di servizio; *(Kellnerin)* cameriera *f*. **Bedienungsanleitung, -vorschrift** *f* istruzioni *f pl* per l'uso.
bedingen [bə'dɪŋən] ⟨*ohne ge-*⟩ *tr* **1.** *(voraussetzen)* presupporre; **2.** *(verursachen)* causare, determinare, avere come conseguenza. **bedingt I.** *adj* condizionato; *(jur)* condizionale; *(beschränkt)* limitato; **~ durch** dovuto a; **II.** *adv* con riserva; **~ gültig** valido (solo) in parte.
Bedingung ⟨-, -en⟩ *f* **1.** *(Voraussetzung)* condizione *f;* **2.** *(Erfordernis)* esigenza *f;* **3.** ⟨*pl*⟩ *(Verhältnisse)* condizioni *f pl*, circostanze *f pl*, modalità *f pl;* **unter der ~, daß ...** a condizione di *+inf* (*o* che *+congv*). **bedingungslos** *adj (Kapitulation, Liebe)* incondizionato; *(Gehorsam)* assoluto.
bedrängen ⟨*ohne ge-*⟩ *tr (Gegner)* incalzare; *(belästigen)* assillare.
Bedrängnis ⟨-, -se⟩ *f* situazione *f* penosa; *(Notlage)* difficoltà *f pl;* **in äußerster ~ sein** non avere via di scampo.
bedrohen ⟨*ohne ge-*⟩ *tr* minacciare.
bedrohlich *adj* minaccioso.
bedroht *adj:* **~e Völker** popoli (*o* razze) in via di estinzione; **~e Arten** specie in pericolo (*o* a rischio).
Bedrohung *f* minaccia *f*.
bedrucken ⟨*ohne ge-*⟩ *tr* stampare.
bedrücken ⟨*ohne ge-*⟩ *tr* opprimere.
bedürfen ⟨*irr, ohne ge-*⟩ *itr geh* aver bisogno (*einer S. (gen)* di qc); *(erfordern)* occorrere (*einer S. (gen)* qc), richiedere (*einer S. (gen)* qc), esigere (*einer S.*

(gen) qc); **es bedarf nur eines Wortes** basta una parola.

Bedürfnis ⟨-ses, -se⟩ *n* bisogno *m.* **Bedürfnisanstalt** *f* gabinetto *m* pubblico.

bedürftig *adj* indigente, bisognoso.

Beefsteak ['bi:f-] *n* bistecca *f.*

beehren ⟨*ohne ge-*⟩ **I.** *tr* onorare; **II.** *rfl:* **sich** ~ avere l'onore (*etw. zu tun* di fare qc), pregiarsi (*etw. zu tun* di fare qc).

beeilen ⟨*ohne ge-*⟩ *rfl:* **sich** ~ affrettarsi, spicciarsi (*etw. zu tun* a fare qc).

Beeilung *f* fretta *f;* ~! presto!

beeindrucken ⟨*ohne ge-*⟩ *tr* impressionare.

beeinflussen ⟨*ohne ge-*⟩ *tr* influenzare, influire su.

Beeinflussung ⟨-, -en⟩ *f* influenza *f* (*gen* su).

beeinträchtigen [bə'ʔaintrɛçtɪgən] ⟨*ohne ge-*⟩ *tr* pregiudicare, nuocere a.

Beeinträchtigung ⟨-, -en⟩ *f* pregiudizio *m,* danno *m.*

beenden ⟨*ohne ge-*⟩ *tr* **1.** *(Schluß machen mit)* terminare, finire; *inform* terminare, finalizzare; **2.** *(vollenden)* compiere, completare, ultimare.

Beendigung ⟨-, ø⟩ *f (Beenden)* finire *m; (Fertigstellung)* ultimazione *f,* completamento *m; (Ende)* fine *f.*

beengen ⟨*ohne ge-*⟩ *tr (Kleidung)* stringere; *(Raum)* limitare; *fig (Menschen)* opprimere; ~**de Kleidung** vestiti *m pl* stretti; **beengt leben** vivere ristretto.

Beengtheit ⟨-, ø⟩ *f (räumlich)* ristrettezza *f; fig* oppressione *f.*

beerben ⟨*ohne ge-*⟩ *tr:* **jdn** ~ ereditare da qu, essere l'erede di qu.

beerdigen [bə'ʔe:ɐdɪgən] ⟨*ohne ge-*⟩ *tr* seppellire.

Beerdigung ⟨-, -en⟩ *f* seppellimento *m,* sepoltura *f; (feierliche Handlung)* funerali *m pl.* **Beerdigungsinstitut** *n* (impresa *f* di) pompe *f pl* funebri.

Beere ['be:rə] ⟨-, -n⟩ *f* bacca *f; (Wein~)* acino *m* (dell'uva). **Beerenauslese** *f (Wein)* vino *m* pregiato.

Beet [be:t] ⟨-(e)s, -e⟩ *n* aiola *f; (Rabatte)* bordura *f* (di aiola).

befähigen [bə'fɛ:ɪgən] ⟨*ohne ge-*⟩ *tr* rendere atto, abilitare. **befähigt** *adj* atto (*zu* a), capace (*zu* di), qualificato (*zu* per).

befahl [bə'fa:l] *imp von* **befehlen.**

befahrbar *adj (Straße)* praticabile, carrozzabile.

befahren ⟨*irr, ohne ge-*⟩ **I.** *tr* percorrere; *naut* navigare in; **II.** *adj (Straße)* battuto, percorso.

befallen ⟨*irr, ohne ge-*⟩ *tr* **1.** *(Ungeziefer)* infestare; **2.** *(Krankheit)* colpire; **3.** *(Furcht)* cogliere.

befangen *adj* **1.** *(schüchtern, verlegen)* imbarazzato, intimidito; **2.** *(voreingenommen)* prevenuto; **in einem Irrtum** ~ **sein** essere prigioniero di un errore. **Befangenheit** ⟨-, ø⟩ *f* **1.** *(Verlegenheit)* imbarazzo *m,* timidezza *f;* **2.** *(Voreingenommenheit)* prevenzione *f,* contrasto *m* di interessi.

befassen ⟨*ohne ge-*⟩ *rfl:* **sich** ~ **1.** *(sich beschäftigen)* occuparsi (*mit* di), dedicarsi (*mit* a); **2.** *(handeln von)* trattare (*mit* di).

Befehl [bə'fe:l] ⟨-(e)s, -e⟩ *m* ordine *m,* comando *m;* **auf** ~ per ordine.

befehlen ⟨befiehlt, befahl, befohlen⟩ **I.** *tr* ordinare (*jdm etw.* qc a qu), comandare (*jdm etw.* qc a qu), dare (l')ordine (*etw. zu tun* di fare qc); **II.** *itr (den Befehl haben)* avere il comando (*über +akk* di), essere (il) padrone (*über +akk* di); **wie Sie** ~! come vuole!

Befehlsfolge *f inform* sequenza *f* (*o* stringa *f*) di comandi. **Befehlsform** *f* imperativo *m.* **Befehlshaber** [-ha:bɐ] ⟨-s, -⟩ *m* comandante *m.* **Befehlssprache** *f inform* linguaggio *m* (*o* termini *m pl*) di comando. **Befehlsverweigerung** *f mil* rifiuto *m* di obbedienza. **Befehlszeile** *f inform* linea *f* di comando.

befestigen [bə'fɛstɪgən] ⟨*ohne ge-*⟩ *tr* **1.** *(festmachen)* fissare (*an +dat* a), attaccare (*an +dat* a); **2.** *mil* fortificare.

Befestigung ⟨-, -en⟩ *f* **1.** *(Festmachen)* fissaggio *m; tec* serraggio *m;* **2.** *mil* fortificazione *f.*

befeuchten ⟨*ohne ge-*⟩ *tr* inumidire, umettare.

befiehlt [bə'fi:lt] *pr von* **befehlen.**

befinden ⟨*irr, ohne ge-*⟩ **I.** *tr geh (erachten)* stimare, giudicare; **II.** *itr jur (entscheiden)* giudicare (*über jdn/etw. (akk)* qu/qc), decidere (*über etw. (akk)* qc); **III.** *rfl:* **sich** ~ **1.** *(örtlich)* trovarsi, essere; *geog* essere situato; **2.** *(gesundheitlich)* stare, sentirsi.

Befinden ⟨-s, ø⟩ *n* **1.** *geh (Meinung)* parere *m,* stima *f,* opinione *f;* **2.** *(gesundheitlich)* (stato *m* di) salute *f.*

befindlich *adj:* **im Bau** ~ in costruzione.

beflaggen ⟨*ohne ge-*⟩ *tr* pavesare.

beflecken ⟨*ohne ge-*⟩ *tr* macchiare (*mit* di); *(beschmutzen)* sporcare; *fig* contaminare, insudiciare.

beflissen [bə'flɪsən] *adj* zelante, diligente, solerte.

beflügeln ⟨*ohne ge-*⟩ *tr fig* mettere le ali a; *(Schritte)* accelerare.

befohlen [bə'fo:lən] *pp von* **befehlen.**

befolgen ⟨*ohne ge-*⟩ *tr (Rat)* seguire; *(Anweisung)* osservare, eseguire.

Befolgung ⟨-, ø⟩ *f* osservanza *f.*

befördern ⟨*ohne ge-*⟩ *tr* **1.** *(transportieren)* trasportare; *(Post, Waren, Gepäck)* spedire; **2.** *(im Rang, beruflich)* promuovere (*zu(m)* a); **befördert werden** essere promosso, avanzare.

Beförderung *f* **1.** *(Transport)* trasporto *m; (von Post, Waren, Gepäck)* spedizione *f;* **2.** *(in Rang, beruflich)* promozione *f* (*zu* a), avanzamento *m.* **Beförde-**

rungsbedingungen *f pl* condizioni *f pl* di trasporto. **Beförderungsmittel** *n* mezzo *m* di trasporto.

befragen ⟨*ohne ge-*⟩ *tr* **1.** *(Menschen)* interrogare; *(Zeugen a.)* sentire; *(Wörterbuch)* consultare; **2.** *(um Rat fragen)* consultare.

Befragung ⟨-, -en⟩ *f* **1.** *(von Menschen)* interrogazione *f; (von Zeugen a.)* interrogatorio *m;* **2.** *(um Rat)* consultazione *f* (*gen* di); **3.** *(Umfrage)* sondaggio *m,* inchiesta *f.*

befreien ⟨*ohne ge-*⟩ **I.** *tr* **1.** *(frei machen)* liberare; *(Sklaven)* affrancare; *(Gefangene)* scarcerare, rilasciare; *(aus Abhängigkeit)* emancipare (*aus* da); *(aus Gefahr, Zwangslage)* salvare (*aus* da); **2.** *(erlassen)* dispensare (*von* da); *(freistellen)* esentare (*von* da); **3.** *(von Schmerzen, Sorgen)* liberare, sollevare; *(von Last)* liberare, sgravare; **ein ~des Lachen** una risata liberatrice; **II.** *rfl:* **sich ~** liberarsi (*aus, von* di), sbarazzarsi (*von, aus* di).

Befreiung ⟨-, -en⟩ *f* **1.** *(allg., fig, von Menschen)* liberazione *f;* **2.** *(Erlassen)* dispensa *f* (*von* da); *(Freistellung)* esenzione *f* (*von* da); *mil* esonero *m* (*von* da); **3.** *(von Schmerzen, Sorgen)* sollievo *m; (von Last)* sgravio *m; (Erleichterung)* sollievo *m.* **Befreiungsfront** *f pol* fronte *m* di liberazione.

befremden ⟨*ohne ge-*⟩ *tr* stupire, sconcertare. **Befremden** ⟨-s, ø⟩ *n,* **Befremdung** ⟨-, ø⟩ *f* disagio *m* pieno di stupore. **befremdend, befremdlich** *adj* strano.

befreunden ⟨*ohne ge-*⟩ *rfl:* **sich ~** fare amicizia (*mit* con). **befreundet** *adj (Familien, Länder)* amico; **ein ~es Land** un paese amico; **ich bin mit ihm ~** sono suo amico.

befriedigen [bəˈfriːdɪgən] ⟨*ohne ge-*⟩ **I.** *tr* soddisfare **II.** *rfl:* **sich (selbst) ~** masturbarsi. **befriedigend** *adj* **1.** *allg.* soddisfacente; **2.** *(Schulnote)* ≃ sette.

Befriedigung ⟨-, ø⟩ *f* soddisfazione *f; (von Begierde, Neugier, etc.)* soddisfazione *f,* appagamento *m; (von Gläubiger)* soddisfare *m.*

befristen ⟨*ohne ge-*⟩ *tr* fissare un termine per. **befristet** *adj* a scadenza fissa, a termine; **kurz ~** a breve termine.

befruchten ⟨*ohne ge-*⟩ *tr* fecondare.

Befruchtung ⟨-, -en⟩ *f* fecondazione *f,* inseminazione *f;* **künstliche ~** inseminazione *f* artificiale.

Befugnis [bəˈfuːknɪs] ⟨-, -se⟩ *f (Recht)* diritto *m,* facoltà *f; (Zuständigkeit)* competenza *f.*

befugt [bəˈfuːkt] *adj* autorizzato (*zu* a).

befühlen ⟨*ohne ge-*⟩ *tr* palpare, tastare.

Befund *m* risultato *m;* **ohne ~** (*abk* **o. B.)** risultato negativo.

befürchten ⟨*ohne ge-*⟩ *tr* temere, aver paura di.

Befürchtung ⟨-, -en⟩ *f* timore *m,* paura *f.*

befürworten ⟨*ohne ge-*⟩ *tr (empfehlen)* consigliare, raccomandare; *(gut finden)* approvare.

Befürworter(in) ⟨-s, -⟩ *m(f)* sostenitore, -trice *m, f,* fautore, -trice *m, f.*

begabt [bəˈgaːpt] *adj* dotato (*für* per).

Begabung [bəˈgaːbʊŋ] ⟨-, -en⟩ *f* talento *m.*

begann [bəˈgan] *imp von* **beginnen.**

Begattung ⟨-, -en⟩ *f* accoppiamento *m.*

begeben ⟨*irr, ohne ge-*⟩ *rfl geh:* **sich ~** **1.** *(gehen, fahren)* recarsi (*nach* a, in), andare (*nach* a, in); **2.** *(sich ereignen)* accadere; **sich in Gefahr ~** incorrere in un pericolo; **sich zur Ruhe ~** andare a letto; **sich in ärztliche Behandlung ~** mettersi in trattamento medico.

Begebenheit ⟨-, -en⟩ *f* avvenimento *m,* evento *m.*

begegnen [bəˈgeːgnən] ⟨*ohne ge-*⟩ *itr* ⟨*sein*⟩ **1.** *(treffen)* incontrare (*jdm* qu); *(Schwierigkeiten)* urtare (*einer S. (dat)* contro qc); **2.** *fig (entgegentreten)* prevenire (*einer S. (dat)* qc), ovviare (*einer S. (dat)* a qc).

Begegnung ⟨-, -en⟩ *f (a. sport)* incontro *m.* **Begegnungsstätte** *f* luogo *m* d'incontro, ritrovo *m.*

begehen ⟨*irr, ohne ge-*⟩ *tr* **1.** *(Weg)* percorrere; **2.** *(Tat, Verbrechen)* compiere; *(a. Sünde)* commettere; **3.** *(Fest)* celebrare, festeggiare; **eine Dummheit/einen Fehler ~** fare una sciocchezza/commettere un errore; **feierlich ~** *(Tag)* commemorare; **Selbstmord ~** suicidarsi.

begehren [bəˈgeːrən] ⟨*ohne ge-*⟩ *tr* desiderare, bramare. **Begehren** ⟨-s, *rar* -⟩ *n* desiderio *m.* **begehrenswert** *adj* desiderabile.

begehrt *adj* richiesto.

begeistern ⟨*ohne ge-*⟩ **I.** *tr* entusiasmare, appassionare; **II.** *rfl:* **sich ~** entusiasmarsi, appassionarsi. **begeistert** *adj (Mensch)* entusiasta, appassionato; *(Brief, Bericht)* entusiasta.

Begeisterung ⟨-, ø⟩ *f* entusiasmo *m* (*über +akk, für +akk* per).

Begierde [bəˈgiːɐ̯də] ⟨-, -n⟩ *f (Wunsch, sexuell)* desiderio *m,* voglia *f; (nach Macht, Einfluß)* brama *f* (*nach* di), sete *f* (*nach* di).

begierig *adj (Blicke, Mensch)* voglioso, desideroso; *(lüstern)* concupiscente; *(Leser, Zuhörer)* avido, zelante; *(gespannt)* curioso.

begießen ⟨*irr, ohne ge-*⟩ *tr* **1.** *(mit Flüssigkeit)* annaffiare; *(Braten)* pillottare; **2.** *fam (feiern)* festeggiare con una bevuta.

Beginn [bəˈgɪn] ⟨-(e)s, ø⟩ *m (Anfang)* inizio *m,* principio *m; (Ursprung)* origine *f; (Ausgangspunkt)* (punto *m* di) partenza *f;* **zu ~** all'inizio.

beginnen ⟨beginnt, begann, begonnen⟩ *tr, itr* **1.** *(anfangen)* cominciare, iniziare;

2. *(unternehmen)* intraprendere, fare; **mit der Arbeit** ~ cominciare il lavoro.

beglaubigen [bəˈglaubɪgən] ⟨*ohne ge-*⟩ *tr* attestare, autenti(fi)care, certificare; *(Unterschrift)* vidimare, legalizzare; *(Diplomaten)* accreditare.

Beglaubigung ⟨-, -en⟩ *f* attestazione *f; (von Unterschrift)* vidimazione *f,* autenticazione *f; (von Diplomaten)* accreditamento *m.* **Beglaubigungsschreiben** *n* credenziali *f pl.*

begleichen ⟨*irr, ohne ge-*⟩ *tr* pagare, regolare, saldare.

begleiten ⟨*ohne ge-*⟩ *tr (a. mus)* accompagnare *(auf dem Klavier* al piano).

Begleiter(in) ⟨-s, -⟩ *m(f) (a. mus)* accompagnatore, -trice *m, f;* **ständiger** ~ *(Freund)* l'accompagnatore fisso.

Begleiterscheinung *f* fenomeno *m* concomitante. **Begleitmusik** *f* musica *f* d'accompagnamento. **Begleitschein** *m* bolletta *f* di transito (*o* cauzione *f* doganale).

Begleitung ⟨-, -en⟩ *f* **1.** *(a. mus)* accompagnamento *m;* **2.** *(Gefolge)* compagnia *f,* scorta *f,* seguito *m.*

beglücken ⟨*ohne ge-*⟩ *tr* rendere felice.

beglückwünschen [bəˈglʏkvʏnʃən] ⟨*ohne ge-*⟩ *tr:* **jdn** ~ felicitarsi con qu (*zu* per).

begnadet *adj* dotato (*mit* di).

begnadigen [bəˈgna:dɪgən] ⟨*ohne ge-*⟩ *tr* graziare, amnistiare.

Begnadigung ⟨-, -en⟩ *f* grazia *f; (Straferlaß)* condono *m,* amnistia *f.*

begnügen [bəˈgny:gən] ⟨*ohne ge-*⟩ *rfl:* **sich** ~ (ac)contentarsi (*mit* di).

begonnen [bəˈgɔnən] *pp von* **beginnen.**

begraben ⟨*irr, ohne ge-*⟩ *tr* **1.** *(beerdigen)* seppellire, sotterrare; **2.** *fig (bes. Hoffnungen)* abbandonare, perdere; *(Streit)* dimenticare; **dort möchte ich nicht** ~ **sein** non ci starei neanche da morto, -a.

Begräbnis [bəˈgrɛ:pnɪs] ⟨-ses, -se⟩ *n* sepoltura *f; (~feier)* funerale *m.*

begreifen ⟨*irr, ohne ge-*⟩ *tr, itr* comprendere, capire, afferrare; **~, daß** ... *(einsehen)* realizzare (*o* capire) che ... **begreiflich** *adj* comprensibile, intelligibile; **jdm etw.** ~ **machen** far capire qc a qu.

begrenzen ⟨*ohne ge-*⟩ *tr* **1.** *(Gebiet)* limitare, tracciare i confini di; **2.** *(einschränken)* limitare.

Begrenzung ⟨-, -en⟩ *f* **1.** *(Grenzziehung)* demarcazione *f;* **2.** *(Einschränkung)* limitazione *f; (Geschwindigkeits~)* limite *m;* **3.** *(Grenze)* confine *m,* delimitazione *f.*

Begriff ⟨-(e)s, -e⟩ *m* **1.** *(Ausdruck)* concetto *m;* **2.** *(Vorstellung)* idea *f,* immagine *f;* **sich** *(dat)* **keinen** ~ **von etw. machen** non avere la minima idea di qc; **schwer von** ~ **sein** *fam* essere duro di comprendonio *fam;* **im** ~ **zu** ... in procinto di *+inf,* sul punto di *+inf;* **ist dir das ein** ~? questo ti dice qualcosa?. **begriffsstutzig** *adj fam* duro di comprendonio *fam.*

begründen ⟨*ohne ge-*⟩ *tr* **1.** *(gründen)* fondare, costituire, creare; **2.** *(den Grund angeben für)* motivare; *(bes. Anspruch)* giustificare (*damit, daß* ... dicendo che ...). **begründet** *adj* motivato; *(bewiesen)* fondato; *(berechtigt)* giustificato.

Begründer(in) *m(f)* fondatore, -trice *m, f,* creatore, -trice *m, f.*

Begründung *f* **1.** *(Gründung)* fondazione *f;* **2.** *(Erklärung)* spiegazione *f,* giustificazione *f.*

begrünen ⟨*ohne ge-*⟩ *tr (Stadtteil)* creare spazi verdi in.

begrüßen ⟨*ohne ge-*⟩ *tr* **1.** *(Gast)* salutare; **2.** *(gutheißen)* approvare, accogliere (*o* vedere) con (molto) favore.

Begrüßung ⟨-, -en⟩ *f* saluto *m.*

begünstigen [bəˈgʏnstɪgən] ⟨*ohne ge-*⟩ *tr* **1.** *(gut sein für)* favorire, avvantaggiare, privilegiare; **2.** *(fördern)* promuovere; *(unterstützen)* appoggiare; **3.** *jur (Verbrechen)* favoreggiare.

Begünstigung ⟨-, -en⟩ *f* **1.** *(Bevorteilung)* favorire *m,* avvantaggiare *m,* privilegiare *m;* **2.** *(Förderung)* incremento *m,* appoggio *m;* **3.** *jur* favoreggiamento *m.*

begutachten ⟨*ohne ge-*⟩ *tr* esaminare; *(fachmännisch)* fare una perizia di (*o* su).

Begutachtung ⟨-, -en⟩ *f* parere *m,* giudizio *m; (fachmännisch)* perizia *f.*

behaart *adj (a. bot)* peloso.

behäbig [bəˈhɛ:bɪç] *adj (Mensch: dick)* grasso, corpulento; *(langsam)* lento; *(Redeweise)* flemmatico.

behagen [bəˈha:gən] ⟨*ohne ge-*⟩ *itr* piacere. **Behagen** ⟨-s, ø⟩ *n* piacere *m.*

behaglich *adj (Zuhause)* confortevole, accogliente; *(Wärme)* piacevole, gradito; *(Leben, Möbel)* comodo; **sich** ~ **fühlen** sentirsi a proprio agio. **Behaglichkeit** ⟨-, ø⟩ *f* comodità *f; (Gemütlichkeit)* atmosfera *f (o* ambiente *m)* accogliente (*o* confortevole).

behalten ⟨*irr, ohne ge-*⟩ *tr (nicht weggeben)* tenere; *(Wert, Farbe)* conservare; *(im Gedächtnis)* tenere a mente; *(Stellung, Namen, Nationalität, Ruhe)* mantenere; *(nicht wegwerfen)* serbare; *(Schaden, Schock)* riportare; **etw. für sich** ~ *(nicht weitersagen)* tenere qc per sé.

Behälter [bəˈhɛltɐ] ⟨-s, -⟩ *m* contenitore *m; (a. für Flüssigkeiten)* recipiente *m.*

behandeln ⟨*ohne ge-*⟩ *tr* **1.** *(Menschen, Thema)* trattare; **2.** *(Kranke, Wunde)* curare; **3.** *(Material)* lavorare; *(handhaben)* maneggiare.

Behandlung *f* **1.** *allg.* trattamento *m;* **2.** *med* cura *f* (*o* assistenza *f*) medica, terapia *f;* **3.** *(Handhabung)* maneggio *m,* uso *m,; (von Material)* lavorazione *f;* **in ~** in cura.

beharren [bə'harən] ⟨*ohne ge-*⟩ *itr* persistere (*auf +dat, in +dat* in), perseverare (*auf +dat, in +dat* in); *(auf Meinung)* insistere (*auf +dat* in, su), ostinarsi (*auf +dat* a). **beharrlich** *adj (Mensch)* perseverante, costante; *(Fragen, Arbeiten)* insistente, tenace; *(Liebe, Glauben)* tenace, ostinato. **Beharrlichkeit** ⟨-, ø⟩ *f* perseveranza *f,* costanza *f,* continuità *f.*

behaupten [bə'hauptən] ⟨*ohne ge-*⟩ **I.** *tr* **1.** *(die Behauptung aufstellen)* pretendere, asserire; **2.** *(erfolgreich verteidigen)* mantenere, conservare; *(Markt)* sostenere; *(Recht)* difendere; *(Ansichten)* sostenere; **II.** *rfl:* **sich ~** affermarsi.

Behauptung ⟨-, -en⟩ *f* **1.** *(Aussage)* affermazione *f,* asserzione *f;* **2.** ⟨*sing*⟩ *(Haltung, Wahrung)* mantenimento *m,* ordine *m;* **die ~ aufstellen, daß ...** affermare (*o* pretendere) che *+congv.*

Behausung ⟨-, -en⟩ *f* abitazione *f,* dimora *f;* **ärmliche ~** tugurio *m.*

beheben ⟨*irr, ohne ge-*⟩ *tr* eliminare; *(Mißstand a.)* togliere; *(Schaden)* riparare.

beheizen ⟨*ohne ge-*⟩ *tr* riscaldare.

Behelf [bə'hɛlf] ⟨-(e)s, -e⟩ *m* espediente *m,* ripiego *m.*

behelfen ⟨*irr, ohne ge-*⟩ *rfl:* **sich ~** arrangiarsi (*mit* con).

Behelfs- *(in Zusammensetzungen)* provvisorio, di fortuna.

beherbergen ⟨*ohne ge-*⟩ *tr* alloggiare, ospitare.

beherrschen ⟨*ohne ge-*⟩ **I.** *tr* **1.** *pol* dominare, regnare su; **2.** *fig (großen Einfluß haben)* esercitare un forte ascendente su; **3.** *(in der Gewalt haben)* dominare, vincere, controllare; **4.** *(Kunst, Sprache)* padroneggiare, possedere; **II.** *rfl:* **sich ~** dominarsi, controllarsi. **Beherrschtheit** ⟨-, ø⟩ *f* dominio *m* di se stesso, autocontrollo *m.*

Beherrschung ⟨-, ø⟩ *f (Macht über)* dominio *m* (*+gen* su); *(Selbst~)* autocontrollo *m; (von Gefühlen, etc.)* controllo *m* (*+gen* di), dominio *m* (*+gen* su); *(von Markt)* controllo *m* (*+gen* di); *(Können)* padronanza *f* (*+gen* di), conoscenza *f* perfetta (*+gen* di).

beherzigen [bə'hɛrtsɪgən] ⟨*ohne ge-*⟩ *tr* prendere a cuore; *(Rat)* seguire.

behilflich [bə'hɪlflɪç] *adj* di aiuto, utile; **jdm ~ sein** aiutare qu (*bei etw.* in qc).

behindern ⟨*ohne ge-*⟩ *tr* ostacolare; *(Sportler)* trattenere; *(Verkehr)* intralciare, congestionare, bloccare. **behindert** *adj:* **geistig/körperlich ~** minorato mentalmente/fisicamente. **Behinderte** ⟨ein -r, -n, -n⟩ *mf* handicappato, -a *m, f,* minorato, -a *m, f,* invalido, -a *m, f.* **Behindertenausweis** *m* tessera *f* di invalidità. **behindertengerecht** *adj, adv* a misura degli (*o* adatto agli) handicappati. **Behindertenolympiade** *f* olimpiadi *f pl* (*o* giochi *m pl* olimpici) dei disabili. **Behindertensport** *m* sport *m* per disabili. **Behindertenwerkstatt** *f* laboratorio *m* per handicappati.

Behinderung ⟨-, -en⟩ *f* **1.** *(Erschwerung)* impedimento *m; (von Sportler)* trattenimento *m; (von Verkehr)* intralcio *m,* congestionamento *m;* **2.** *(körperliche ~, geistige ~)* handicap *m.*

Behörde [bə'hø:ɐ̯də] ⟨-, -n⟩ *f* autorità *f,* amministrazione *f;* **~n** pubblici poteri *m pl.*

behördlich *adj* ufficiale, amministrativo.

behüten ⟨*ohne ge-*⟩ *tr* **1.** *(bewachen)* custodire, sorvegliare, badare a; **2.** *(beschützen)* proteggere (*vor +dat* da); **Gott behüte!** Dio ci guardi!

behutsam [bə'hu:tza:m] **I.** *adj* cauto, circospetto, prudente; **II.** *adv* con cautela (*o* precauzione).

bei [bai] *prp +dat* **1.** *(örtlich)* presso, vicino a, nei pressi di; **2.** *(zeitlich)* a, durante, al momento di; **3.** *(in Hinblick, mit Rücksicht auf)* in considerazione di, tenendo conto di, dato; **4.** *(trotz)* malgrado, nonostante, a dispetto di, con; **~ jdm (in der Wohnung)** presso qu; **die Schlacht ~ Marathon** la battaglia di Maratona; **~ Paris** nei pressi di Parigi; **etw. ~ sich** *(dat)* **haben** avere qc con sé; **~ meiner Ankunft** al mio arrivo; **~ meinem Besuch** durante la mia visita; **~m Lesen** leggendo; **~m Mittagessen** a (*o* durante il) pranzo; **~ Tag/Nacht** di giorno/notte; **er ist ~ einem Unfall ums Leben gekommen** è morto in un incidente; **~ deiner Erkältung** raffreddato come sei; **~ so vielen Schwierigkeiten** con tante difficoltà; **~m besten Willen** con tutta la buona volontà; **~m Bäcker** dal panettiere; **~ den Chinesen** presso i cinesi; **~ Dante** in Dante; **~ guter/schlechter Laune** di buon/cattivo umore; **~ gutem/schlechtem Wetter** col (*o* in caso di) bel/brutto tempo; **ich dachte ~ mir** pensavo fra me e me.

bei·bringen ⟨*irr*⟩ *tr* **1.** *(lehren)* insegnare; **2.** *(Unterlagen)* fornire, presentare; *(Zeugen)* produrre; **3.** *(zufügen)* cagionare, procurare, infliggere.

Beichte ['baiçtə] ⟨-, -n⟩ *f* confessione *f.*

beichten I. *tr* confessare; **II.** *itr* confessarsi.

Beichtgeheimnis *n* segreto *m* confessionale. **Beichtstuhl** *m* confessionale *m.* **Beichtvater** *m* confessore *m.*

beide ['baidə] *adj, pron* tutti, -e e due, entrambi, -e; **die ~n** i due; **alle ~** tutt'e due; **wir ~** noi due; **meine ~n Brüder** i miei due fratelli; **~s** tutt'e due le cose, entrambe le cose; **einer/eins von ~n** o l'uno o l'altro, uno dei due; **keiner von ~n** nessuno dei due, né l'uno né l'altro.

beidemal *adv* tutt'e due le volte. **beiderlei** ['baidɐ'lai] ⟨*inv*⟩ *adj* di entrambe le specie; ~ **Geschlechts** di ambo i sessi, dell'uno e dell'altro sesso. **beiderseitig** [-zaitɪç] *adj (von beiden Seiten)* entrambe le parti; *(bes. Vertrag)* bilaterale; *(gegenseitig)* reciproco, vicendevole. **beiderseits** ['baidɐ'zaits] *adv* da ambedue le parti; *(gegenseitig)* reciprocamente. **beides** *s.* **beide.**

beieinander [baiˀai'nandɐ] *adv (zusammen)* insieme; *(nebeneinander)* l'uno vicino all'altro.

Beifahrer(in) *m(f) (im Auto)* passeggero, -a *m, f* (anteriore); *(in LKW, bei Autorennen)* secondo, -a autista *mf; (auf Motorrad)* compagno, -a *m, f*. **Beifahrersitz** *m (in Auto)* sedile *m* del compagno di guida; *(auf Motorrad)* sedile *m* (*o* sellino *m*) posteriore.

Beifall *m (durch Klatschen)* applauso *m*, applausi *m pl; (durch Zurufe)* acclamazione *f; (Zustimmung)* approvazione *f*, consenso *m;* ~ **klatschen (***o* **spenden)** applaudire.

beifällig *adj:* ~ **nicken** fare un cenno d'approvazione col capo.

bei·fügen *tr* aggiungere; *(bes. im Brief)* allegare, annettere.

beige [be:ʃ *o* 'bɛ:ʒə] ⟨*inv*⟩ *adj* beige.

bei·geben ⟨*irr*⟩ **I.** *tr* aggiungere, allegare; **II.** *itr:* **klein** ~ cedere, darsi per vinto.

Beigeschmack *m* **1.** *gastr* sapore *m* strano e poco convincente; *(von Wein)* retrogusto *m;* **2.** *fig* sfumatura *f*.

Beiheft *n* supplemento *m*.

Beihilfe *f* **1.** *(finanzielle Unterstützung)* sussidio *m;* **2.** *jur* concorso *m*, complicità *f;* ~ **zum Mord** concorso *m* in omicidio.

bei·kommen ⟨*irr*⟩ *itr* ⟨*sein*⟩ *(Schwierigkeiten)* vincere (*einer S. (dat)* qc), venire a capo (*einer S. (dat)* di qc).

Beil [bail] ⟨-(e)s, -e⟩ *n* scure *f*.

Beilage *f* allegato *m; (zur Zeitung)* supplemento *m; gastr* contorno *m*.

beiläufig ['bailɔyfɪç] **I.** *adj* detto per inciso (*o* fra parentesi), casuale; **II.** *adv* incidentalmente, per inciso.

bei·legen *tr* **1.** *(dazulegen)* accludere, allegare; **2.** *(zuschreiben, beimessen)* attribuire; **3.** *(Titel)* conferire; **4.** *(Streit)* comporre.

beileibe [bai'laibə] *adv:* ~ **nicht!** niente affatto!

Beileid *n* condoglianze *f pl;* **(mein) herzliches** ~**!** *(a. iron)* le (mie) più sincere condoglianze!

bei·liegen ⟨*irr*⟩ *itr* essere accluso (*einer S. (dat)* a qc). **beiliegend I.** *adj* allegato; **II.** *adv* in allegato, qui unito.

beim [baim] = **bei dem.**

bei·messen ⟨*irr*⟩ *tr (Bedeutung, Wert)* attribuire, ascrivere.

bei·mischen *tr* mescolare.

Bein [bain] ⟨-(e)s, -e⟩ *n* **1.** *(von Mensch, Tisch, Stuhl)* gamba *f; (von Tier)* zampa *f;* **2.** ⟨*sing*⟩ *(Knochensubstanz)* osso *m;* **wieder auf die** ~**e bringen** *(Kranken)* far guarire; **wieder auf den** ~**en sein** essere ristabilito; **immer auf den** ~**en sein** essere sempre in piedi; **jdm** ~**e machen** *fam* far correre (*o* filare *fam*) qu; **auf eigenen** ~**en stehen** essere indipendente; **mit beiden** ~**en auf der Erde stehen** *fig* stare coi piedi sulla (*o* per) terra; **jdm ein** ~ **stellen** *(a. fig)* fare lo sgambetto a qu; **etw. auf die** ~**e stellen** mettere in piedi qc.

beinah(e) ['baina:(ə) *o* ...'na:(ə)] *adv* quasi; **ich wäre** ~ **gefallen** è mancato poco che cadessi.

Beiname *m* soprannome *m*.

Beinbruch *m* frattura *f* della gamba; **das ist kein** ~ *fig fam* non è così terribile, non è poi la morte; **Hals- und** ~**!** *fig fam* in bocca al lupo *fam*.

Beinfreiheit *f mot* spazio *m* per le gambe.

beinhalten [bəˈˀɪnhaltən] ⟨*ohne ge-*⟩ *tr* contenere, comprendere.

Beipackzettel *m med* foglietto *m* illustrativo.

bei·pflichten *itr:* **jdm/einer S. (***dat***)** ~ essere d'accordo con qu/su qc, concordare con qu/qc.

Beirat *m (Person)* consigliere *m* aggiunto; *(Gremium)* comitato *m* consultivo.

beisammen [bai'zamən] *adv* insieme. **Beisammensein** *n* riunione *f*.

Beischlaf *m* coito *m*.

Beisein *n:* **im** ~ **von** alla presenza di.

beiseite [bai'zaitə] *adv* da parte, in disparte; ~ **lassen** lasciare da parte; ~ **legen** *(a. sparen)* mettere da parte; ~ **schaffen** mettere in disparte, far sparire; *(ermorden)* sopprimere, togliere di mezzo; **Scherz (***o* **Spaß)** ~**!** bando agli scherzi!

bei·setzen *tr* seppellire.

Beisetzung ⟨-, -en⟩ *f* seppellimento *m*.

Beisitzer(in) ⟨-s, -⟩ *m(f) (in Ausschuß)* (donna *f*) membro *m* di commissione; *(bei Prüfung)* assistente *mf*.

Beispiel *n* esempio *m;* **sich** *(dat)* **an jdm ein** ~ **nehmen** prendere esempio da qu; **mit gutem** ~ **vorangehen** dare il buon esempio; **zum** ~ **(***abk* **z. B.)** per esempio. **beispielhaft** *adj* esemplare. **beispiellos** *adj* senza pari, senza precedenti; *(unvergleichlich)* incomparabile, inaudito. **beispielsweise** *adv* per esempio.

beißen ['baisən] ⟨beißt, biß, gebissen⟩ **I.** *tr, itr* **1.** *(mit Zähnen)* mordere, morsicare; *(kauen)* masticare; **2.** *(brennen)* bruciare; **der Hund hat ihn (***o* **ihm) ins Bein gebissen** il cane gli ha morso una gamba; **in etw.** *(akk)*~ addentare qc, dare un morso a qc; **in den Augen** ~ bruciare gli occhi; **sich** *(dat)* **auf die Zunge/Lippen** ~ mordersi la lingua/le labbra; **II.** *rfl:* **sich** ~ *(Farben)* stonare, stridere. **beißend** *adj* **1.** *(Geruch, etc.)* mordente, pungente; **2.** *fig* mordace, pungente, caustico.

Beistand *m* **1.** *(Hilfe)* aiuto *m,* assistenza *f;* **2.** *jur* patrocinatore *m,* difensore *m; (Rechts~)* consulente *m* legale; **jdm ~ leisten** soccorrere qu.

bei·stehen ⟨*irr*⟩ *itr* assistere (*jdm* qu), aiutare (*jdm* qu), soccorrere (*jdm* qu).

bei·steuern I. *tr (Summe)* contribuire con; **II.** *itr* contribuire (*zu* a).

bei·stimmen *itr* acconsentire (*jdm* a qu), essere d'accordo (*jdm* con qu).

Beistrich *m (Komma)* virgola *f.*

Beitrag ['baitra:k] ⟨-(e)s, Beiträge⟩ *m* **1.** *(Anteil)* contributo *m; (Aufsatz, bes. in Zeitung)* articolo *m;* **2.** *(Mitglieds~)* quota *f,* contributo *m; (Versicherungs~)* premio *m;* **einen ~ zu etw. leisten** contribuire a qc.

bei·tragen ⟨*irr*⟩ *tr, itr* contribuire (*zu* a).

Beitragsbemessungsgrenze *f* massimale *m* di contributo. **beitragspflichtig** *adj* contribuente. **Beitragssatz** *m* aliquota *f* contributiva (*o* di contribuzione).

bei·treten ⟨*irr*⟩ *itr* ⟨*sein*⟩ aderire (*+dat* a), entrare (*+dat* in); **der EU ~** entrare a far parte della UE, entrare nella UE.

Beitritt *m* adesione *f* (*zu* a), entrata *f* (*zu* in).

Beiwagen *m (am Motorrad)* carrozzino *m,* side-car *m.*

bei·wohnen *itr* assistere, essere presente, partecipare; **einem Treffen ~** intervenire (*o* partecipare) ad un incontro.

Beiz [baits] ⟨-, -en⟩ *f (A, CH, süddeutsch)* osteria *f.*

Beize ['baitsə] ⟨-, -n⟩ *f* **1.** *chem* mordente *m; (für Metall)* decapaggio *m; (Holz~)* verniciatura *f; (Gerberei, Tabak~)* concia *f;* **2.** *gastr* marinata *f.*

beizeiten [bai'tsaitən] *adv* **1.** *(früh)* presto, di buon'ora; **2.** *(rechtzeitig)* a tempo (debito), tempestivamente.

beizen ['baitsən] *tr* **1.** *chem* corrodere; *(Metall)* decapare; *(Gerberei, Tabak)* conciare; *(Holz)* verniciare; **2.** *gastr* marinare.

bejahen [bə'ja:ən] ⟨*ohne ge-*⟩ *tr* rispondere affermativamente a. **bejahend** *adj* affermativo.

bejahrt [bə'ja:ɐt] *adj geh* avanzato negli anni, attempato.

bekämpfen ⟨*ohne ge-*⟩ **I.** *tr (a. fig: Meinung)* combattere; *(a. fig: Verbrechen)* lottare contro; **II.** *rfl:* **sich ~** combattersi, lottare l'uno contro l'altro.

Bekämpfung ⟨-, ø⟩ *f* lotta *f* (*+gen* contro).

bekannt [bə'kant] *adj* **1.** *(Person)* noto, conosciuto (*als* come, *für* per, *bei* da); *(Sache)* notorio, pubblicamente noto; **2.** *(berühmt)* celebre, famoso, rinomato; **jdn mit jdm ~ machen** presentare qu a qu; **jdn mit etw. ~ machen** *(mit Aufgabe, Problem, Gebiet)* mettere al corrente qu di qc; **dafür ~ sein, daß ...** essere conosciuto per *+inf;* **mit jdm ~ sein/werden** conoscere qu/fare la conoscenza di qu; **das ist mir nicht ~** non lo so, non mi risulta. **Bekannte** ⟨ein -r, -n, -n⟩ *mf* conoscente *mf.* **Bekanntenkreis** *m* cerchia *f* di conoscenze, conoscenti *m pl.* **Bekanntgabe** *f* comunicazione *f,* notificazione *f.* **bekannt·geben** ⟨*irr*⟩ *tr* comunicare, notificare, annunciare. **Bekanntheitsgrad** *m* notorietà *f.* **bekanntlich** *adv* com'è noto. **bekannt·machen** *tr* comunicare, pubblicare, rendere noto. **Bekanntmachung** ⟨-, -en⟩ *f* comunicato *m,* avviso *m,* pubblicazione *f.* **Bekanntschaft** ⟨-, -en⟩ *f* **1.** *(Kennen)* conoscenza *f;* **2.** *(Personenkreis)* conoscenti *m pl,* conoscenze *f pl.*

bekehren ⟨*ohne ge-*⟩ *tr rel* convertire (*zu* a); *fig* convincere (*zu* a).

Bekehrung ⟨-, -en⟩ *f rel, fig* conversione *f* (*zu* a).

bekennen ⟨*irr, ohne ge-*⟩ **I.** *tr* confessare; **II.** *rfl:* **sich ~** professare (*zu etw.* qc); **sich schuldig ~** riconoscersi colpevole.

Bekennerbrief *m* lettera *f* che rivendica un attentato.

Bekenntnis [bə'kɛntnɪs] ⟨-ses, -se⟩ *n* **1.** *(a. rel)* confessione *f;* **2.** *(Schuld~)* ammissione *f* (di una colpa).

beklagen ⟨*ohne ge-*⟩ **I.** *tr* rammaricarsi di, deplorare; **II.** *rfl:* **sich ~** lamentarsi.

beklagenswert *adj (Mensch)* commiserevole; *(Los, Zustand)* deplorevole.

Beklagte ⟨ein -r, -n, -n⟩ *mf jur* imputato, -a *m, f.*

bekleiden ⟨*ohne ge-*⟩ *tr* **1.** *(mit Kleidung, Stoff)* vestire; **2.** *fig (Amt)* ricoprire, occupare, detenere.

Bekleidung *f* abbigliamento *m.*

beklemmen ⟨*ohne ge-*⟩ *tr* opprimere, angosciare.

Beklemmung ⟨-, -en⟩ *f,* **Beklommenheit** [bə'klɔmənhait] ⟨-, ø⟩ *f* oppressione *f,* angoscia *f.*

bekloppt [bə'klɔpt] *adj sl* picchiato *sl,* picchiatello *sl.*

bekommen ⟨*irr, ohne ge-*⟩ **I.** *tr* ⟨*haben*⟩ **1.** *(erhalten)* ricevere; *(durch Bemühung)* ottenere; **2.** *(Mann, Stellung)* trovare; **3.** *(Krankheit)* prendere, prendersi, contrarre; **4.** *(Zug, Bus)* riuscire a prendere; **graue Haare ~** diventar grigio di capelli; **ein Kind ~** *(schwanger sein)* aspettare un bambino; **Zähne ~** mettere i denti; **er bekommt Fieber/Hunger** gli viene la febbre/fame; **ich habe es geschenkt ~** l'ho avuto in regalo; **es ist nirgends zu ~** non lo si trova in nessun posto; **was ~ Sie?** *(wünschen)* che cosa desidera?; **was (*o* wieviel) ~ Sie?** quanto Le devo?; **II.** *itr* **1.** ⟨*sein*⟩*:* **jdm ~** far bene a qu; **2.** ⟨*haben*⟩*:* **~ Sie schon?** è già servito?; **wohl bekomm's!** salute!, buon pro'!

bekömmlich [bə'kœmlıç] *adj* sano; *(Speise a.)* digeribile. **Bekömmlichkeit** ⟨-, ø⟩ *f* digeribilità *f.*

beköstigen [bə'kœstıgən] ⟨*ohne ge-*⟩ *tr* dare il vitto a. **Beköstigung** ⟨-, ø⟩ *f* vitto *m,* mantenimento *m.*

bekräftigen ⟨*ohne ge-*⟩ *tr* confermare, convalidare; **jdn in etw.** *(dat)* ~ confermare qu in qc. **Bekräftigung** ⟨-, ø⟩ *f* conferma *f,* convalida *f.*

bekreuzigen ⟨*ohne ge-*⟩ *rfl:* **sich** ~ farsi il segno della croce.

bekriegen ⟨*ohne ge-*⟩ *tr* fare la guerra a.

bekümmern ⟨*ohne ge-*⟩ *tr (besorgt machen)* preoccupare, inquietare; *(traurig machen)* affliggere, rattristare. **bekümmert** *adj (besorgt)* preoccupato; *(traurig)* triste, afflitto.

bekunden [bə'kundən] ⟨*ohne ge-*⟩ *tr* **1.** *(zeigen)* manifestare, (di)mostrare; **2.** *(sagen)* dichiarare, deporre.

beladen ⟨*irr, ohne ge-*⟩ *tr* caricare (*mit* di).

Belag [bə'la:k] ⟨-(e)s, Beläge⟩ *m (Schicht)* strato *m; (Straßen~)* rivestimento *m; (auf Spiegel, Zahn~, Zungen~)* patina *f; (auf Pizza, Brot)* ripieno *m; (auf Torte)* guarnizione *f; (Brems~)* guarnizione *f.*

belagern ⟨*ohne ge-*⟩ *tr* assediare.

Belagerung *f* assedio *m.*

Belang [bə'laŋ] ⟨-(e)s, -e⟩ *m:* **~e** *pl* interessi *m pl;* **von** ~ importante; **nicht von** ~, **ohne** ~ senza importanza.

belangen ⟨*ohne ge-*⟩ *tr:* **gerichtlich** ~ citare in giudizio.

belanglos *adj* senza importanza, insignificante, irrilevante. **Belanglosigkeit** ⟨-, -en⟩ *f* banalità *f; (belanglose Sache)* cosa *f* di poca importanza.

belassen ⟨*irr, ohne ge-*⟩ *tr* lasciare; **es dabei** ~ lasciar perdere (*o* stare).

belastbar *adj* **1.** *(Brücke, Fahrzeug)* che ha una portata (*mit* di); **2.** *(Mensch)* resistente; *(mit Arbeit)* che ha (una) capacità lavorativa; **3.** *(Organismus)* resistente; *(Leitungsnetz)* caricabile; *(Umwelt)* che ha un limite d'inquinamento.

belasten ⟨*ohne ge-*⟩ **I.** *tr* **1.** *(mit Gewicht)* caricare (*mit* di); **2.** *(Menschen)* caricare; *(körperlich, nervlich)* logorare; *(a. Organe, etc)* sforzare; *(Gedächtnis)* gravare; **3.** *(bedrücken)* opprimere; *(Gewissen)* opprimere, pesare su; **4.** *(Leitungsnetz, mit Strahlung, etc.)* caricare; *(Umwelt)* inquinare; *(Budget, etc.)* gravare; **5.** *jur* far cadere in sospetto, deporre a carico di; **6.** *(Konto, Kontoinhaber)* gravare, addebitare; *(mit Hypothek)* ipotecare; **II.** *rfl:* **sich** ~ **1.** *(mit Arbeit)* caricarsi; *(nervlich)* logorarsi; *(körperlich adj.)* sforzarsi; *(mit Sorgen)* preoccuparsi; **2.** *jur* accusarsi, incriminarsi.

belastend *adj:* **~es Material** *jur* prove *f pl* a carico.

belästigen [bə'lɛstıgən] ⟨*ohne ge-*⟩ *tr* **1.** *(behelligen)* importunare, incomodare, molestare; **2.** *(stören)* disturbare.

Belästigung ⟨-, -en⟩ *f* molestia *f,* disturbo *m.*

Belastung ⟨-, -en⟩ *f* **1.** *(mit Gewicht)* carico *m;* **2.** *(von Menschen, Körper)* carico *m; (körperlich, nervlich)* logorio *m; (durch Verantwortung)* peso *m; (von Gedächtnis)* gravare *m;* **3.** *(Gewissen, Sorge)* peso *m,* oppressione *f;* **4.** *(von Leitungsnetz, durch Radioaktivität)* carico *m; (von Umwelt)* inquinamento *m; (Budget)* onere *m;* **5.** *fin (von Konto)* addebito *m; (mit Hypothek)* onere *m;* **erbliche** ~ tara *f* ereditaria. **Belastungsprobe** *f* prova *f* di carico. **Belastungszeuge** *m,* **-zeugin** *f* testimone *mf* a carico.

belaufen ⟨*irr, ohne ge-*⟩ *rfl:* **sich** ~ **auf** *+akk* ammontare a.

belauschen ⟨*ohne ge-*⟩ *tr* origliare, ascoltare di nascosto.

beleben ⟨*ohne ge-*⟩ **I.** *tr* animare; **II.** *rfl:* **sich** ~ (ri)animarsi. **belebend** *adj* vivificante, stimolante.

belebt *adj (verkehrsreich)* animato, movimentato.

Belebung ⟨-, ø⟩ *f* animazione *f; com* ripresa *f.*

Beleg [bə'le:k] ⟨-(e)s, -e⟩ *m* **1.** *(für Zahlung)* ricevuta *f,* quietanza *f;* **2.** *(Beweis)* prova *f; (Beweisstück)* pezza *f* d'appoggio (*o bes. com* giustificativa), documento *m;* **3.** *(Beispiel)* esempio *m.*

belegen ⟨*ohne ge-*⟩ *tr* **1.** *(bedecken)* coprire (*mit* di); *(verkleiden, überziehen)* rivestire (*mit* di); *(Brötchen)* imbottire (*mit* di); **2.** *(Platz)* riservare, occupare; *(Vorlesung)* iscriversi a; **3.** *fig (durch Schriftstück beweisen)* dimostrare, documentare; **den zweiten Platz** ~ *sport* piazzarsi secondo.

Belegexemplar *n* copia *f* dell'autore.

Belegschaft ⟨-, -en⟩ *f* personale *m* (dipendente), maestranze *f pl.*

belegt *adj* **1.** *(Platz)* riservato; *(a. tel)* occupato; **2.** *(Stimme)* velato; *(Zunge)* patinoso, sporco.

belehren ⟨*ohne ge-*⟩ *tr* **1.** *(unterweisen)* istruire; **2.** *(aufklären)* informare (*jdn über etw. (akk)* qu di qc).

Belehrung ⟨-, -en⟩ *f* **1.** *(Instruktion)* insegnamento *m,* istruzione *f;* **2.** *jur (von Zeugen, Angeklagten)* ammonimento *m,* avvertimento *m;* **3.** *(Zurechtweisung)* lezione *f,* rimprovero *m.*

beleibt [bə'laipt] *adj geh* corpulento, pingue.

beleidigen [bə'laidıgən] ⟨*ohne ge-*⟩ *tr* offendere; *(mündlich)* insultare. **beleidigt** *adj* offeso; **gleich (*o* leicht)** ~ **sein** offendersi per niente.

Beleidigung ⟨-, -en⟩ *f* offesa *f; (münd-*

lich) insulto *m.*

beleihen ⟨*irr, ohne ge-*⟩ *tr (Geldgeber)* prestare (*o* anticipare) su; *(Geldnehmer)* fare un prestito su, dare in pegno.

belesen *adj* erudito, colto.

beleuchten ⟨*ohne ge-*⟩ *tr* **1.** *(mit Licht)* illuminare; **2.** *fig (Thema, Problem)* illustrare.

Beleuchtung ⟨-, -en⟩ *f* illuminazione *f.*

Belgien ['bɛlgiən] *n* Belgio *m;* **in** ~ nel Belgio.

Belgier(in) ⟨-s, -⟩ *m(f)* belga *mf.*

belgisch *adj* belga.

Belgrad ['bɛlgra:t] *n* Belgrado *f.*

belichten ⟨*ohne ge-*⟩ *tr* impressionare, esporre (alla luce).

Belichtung ⟨-, -en⟩ *f* esposizione *f,* posa *f.* **Belichtungsautomatik** *f* regolazione *f* automatica del tempo di esposizione. **Belichtungsmesser** ⟨-s, -⟩ *m* esposimetro *m.* **Belichtungszeit** *f* tempo *m* di posa.

belieben ⟨*ohne ge-*⟩ *itr geh* degnarsi (*zu tun* di fare), accondiscendere (*zu tun* a fare); **wie es Ihnen beliebt** come Lei vuole, con Suo comodo. **Belieben** ⟨-s, ø⟩ *n* piacimento *m,* gradimento *m;* **nach** ~ a piacere, a volontà.

beliebig I. *adj* qualsiasi; *(wahlfrei)* facoltativo; **jeder** ~**e** chiunque sia; **II.** *adv (nach Belieben)* a piacere, a volontà; ~ **oft** tanto si vuole.

beliebt *adj (Mensch)* benvoluto, amato; *(Sache)* richiesto, preferito; **sich** ~ **machen** farsi benvolere (*bei jdm* da qu). **Beliebtheit** ⟨-, ø⟩ *f* popolarità *f.*

beliefern ⟨*ohne ge-*⟩ *tr* fornire (*jdn mit etw.* qc a qu).

bellen ['bɛlən] *itr* abbaiare.

Belletristik [bɛle'trɪstɪk] ⟨-, ø⟩ *f* letteratura *f* amena.

belohnen ⟨*ohne ge-*⟩ *tr* ricompensare (*für* per), retribuire (*für* per).

Belohnung ⟨-, -en⟩ *f* ricompensa *f;* **zur** ~ come ricompensa; **zur** ~ **für** in ricompensa per.

belügen ⟨*irr, ohne ge-*⟩ *tr* mentire a, dire bugie a; **sich selbst** ~ ingannare se stesso.

belustigen [bə'lʊstɪgən] ⟨*ohne ge-*⟩ *tr* divertire, rallegrare, allietare.

Belustigung ⟨-, -en⟩ *f* divertimento *m.*

bemächtigen [bə'mɛçtɪgən] ⟨*ohne ge-*⟩ *rfl:* **sich einer S.** *(gen)* ~ impossessarsi di qc; **sich jds** ~ *(fangen)* catturare qu; *fig (Schlaf, Gedanke)* impadronirsi di qu.

bemalen ⟨*ohne ge-*⟩ *tr* dipingere.

bemängeln [bə'mɛŋəln] ⟨*ohne ge-*⟩ *tr* criticare (*etw. an jdm* qc in qu), trovare da ridire (*etw. an jdm* qc in qu).

bemannt *adj* con equipaggio; ~**e Raumfahrt** volo *m* spaziale con equipaggio (*o* uomini a bordo).

bemerkbar *adj* sensibile, percettibile; **sich** ~ **machen** farsi notare.

bemerken ⟨*ohne ge-*⟩ *tr* **1.** *(wahrnehmen)* notare, osservare; *(plötzlich)* accorgersi di; **2.** *(äußern)* dire; *(erwähnen)* menzionare. **bemerkenswert** *adj* notevole, degno di nota.

Bemerkung ⟨-, -en⟩ *f* osservazione *f.*

Bemessungsgrenze *f* massimale *m.* **Bemessungsgrundlage** *f* imponibile *m,* base *f* d'imposizione.

bemitleiden ⟨*ohne ge-*⟩ *tr* avere (*o* provare) compassione (*o* pietà) per, compiangere.

bemühen ⟨*ohne ge-*⟩ **I.** *tr* incomodare, disturbare; *(Arzt, Anwalt)* rivolgersi a; **etw.** ~ *(anführen)* citare qc, riferirsi a qc; **II.** *rfl:* **sich** ~ sforzarsi (*um* di), impegnarsi (*um* per); ~ **Sie sich nicht!** non s'incomodi!

Bemühung ⟨-, -en⟩ *f* sforzo *m,* premura *f;* **ärztliche** ~**en** assistenza *f* medica.

bemuttern ⟨*ohne ge-*⟩ *tr* coccolare *fam.*

benachbart *adj* vicino (di casa); *(Land)* confinante; *(Gebiet)* limitrofo.

benachrichtigen [bə'na:xrɪçtɪgən] ⟨*ohne ge-*⟩ *tr* informare, avvertire, avvisare.

Benachrichtigung ⟨-, -en⟩ *f* informazione *f,* avviso *m;* **ohne vorherige** ~ senza preavviso.

benachteiligen [bə'na:xtaɪlɪgən] ⟨*ohne ge-*⟩ *tr* svantaggiare, danneggiare.

Benachteiligung ⟨-, -en⟩ *f* svantaggio *m,* pregiudizio *m.*

benebeln ⟨*ohne ge-*⟩ *tr* annebbiare.

Benefizvorstellung [bene'fi:ts-] *f* spettacolo *m* di beneficenza.

benehmen ⟨*irr, ohne ge-*⟩ *rfl:* **sich** ~ comportarsi (*wie, als* come, da). **Benehmen** ⟨-s, ø⟩ *n* comportamento *m,* condotta *f; (Manieren)* buone maniere *f pl;* **er hat kein** ~ è maleducato.

beneiden ⟨*ohne ge-*⟩ *tr* invidiare (*jdn um etw.* qu per qc); **er beneidet dich um dein Glück** invidia la tua felicità. **beneidenswert** *adj* invidiabile.

Beneluxländer ['be:nelʊks-] *n pl,* **-staaten** *m pl* paesi *m pl* del Benelux, (stati *m pl*) Benelux *m.*

benennen ⟨*irr, ohne ge-*⟩ *tr* **1.** *(Menschen, Dinge)* denominare, dare un nome a; *(Straße, Platz)* intitolare; **2.** *(vorschlagen)* proporre (*als* come).

Bengel ['bɛŋəl] ⟨-s, - *o* -s⟩ *m fam* monello *m,* birba *f fam.*

Benjamin ['bɛnjami:n] *(männlicher Vorname)* Beniamino.

benommen [bə'nɔmən] *adj* stordito, intontito, intorpidito. **Benommenheit** ⟨-, ø⟩ *f* stordimento *m,* intontimento *m.*

benötigen ⟨*ohne ge-*⟩ *tr* aver bisogno di, necessitare di.

Benotung ⟨-, -en⟩ *f (Benoten)* valutazione *f; (Noten)* voto *m.*

benutzen, benützen ⟨*ohne ge-*⟩ *tr* **1.** *(gebrauchen)* utilizzare, usare; **2.** *(Ge-*

brauch machen von) servirsi di; **3.** *(Weg, Fahrzeug)* prendere; **4.** *(ausnutzen)* approfittare di.

Benutzer(in) ⟨-s, -⟩ *m(f)* utente *mf.* **benutzerfreundlich** *adj* di facile uso. **Benutzerhandbuch** *n* manuale *m* per l'utente. **Benutzeroberfläche** *f inform* **1.** *gener.* interfaccia *f* utente/sistema; **2.** *(ambiente grafico)* scrivania *f* (elettronica).

Benutzung *f* utilizzazione *f,* uso *m,* impiego *m.* **Benutzungsgebühr** *f* tassa *f* per l'uso; *(Straßen~)* pedaggio *m.*

Benzin [bɛnˈtsi:n] ⟨-s, -e⟩ *n* benzina *f.* **Benzingutschein** *m* buono *m* per la benzina. **Benzinkanister** *m* tanica *f* di riserva. **Benzinstand** *m* livello *m* della benzina.

Benzol [bɛnˈtso:l] ⟨-s, -e⟩ *n* benzolo *m,* benzene *m.*

beobachten [bəˈˀo:baxtən] ⟨*ohne ge-*⟩ *tr* **1.** *(sehen, überwachen, a. Patienten)* osservare; *(genau)* esaminare, scrutare; *(heimlich)* spiare; *(polizeilich)* sorvegliare; **2.** *(bemerken)* notare; *(feststellen)* constatare.

Beobachter(in) ⟨-s, -⟩ *m(f)* osservatore, -trice *m, f.*

Beobachtung ⟨-, -en⟩ *f* osservazione *f; (polizeilich)* sorveglianza *f; (Feststellung)* constatazione *f;* **eine (***o* **die)** ~ **machen** osservare; **unter** ~ *med* in osservazione; **unter** ~ **stehen** essere sorvegliato. **Beobachtungssatellit** *m mil, meteo* satellite *m* d'osservazione.

bepacken ⟨*ohne ge-*⟩ *tr* caricare.

bepflanzen ⟨*ohne ge-*⟩ *tr* piantare (*mit* a).

bequem [bəˈkve:m] *adj (Sache)* comodo; *(behaglich)* confortevole; *(Weg)* agevole; *(Ausrede)* (troppo) facile, comodo; *(Mensch: umgänglich)* affabile; *fam (träge)* pigro; **es sich** *(dat)* ~ **machen** mettersi comodo; **machen Sie es sich** ~**!** si accomodi!

bequemen ⟨*ohne ge-*⟩ *rfl:* **sich** ~ acconsentire (*zu* a).

Bequemlichkeit ⟨-, -en⟩ *f* **1.** *(Angenehmheit)* comodità *f,* agio *m; (Behaglichkeit)* comfort *m;* **2.** ⟨*sing*⟩ *(Trägheit)* pigrizia *f,* indolenza *f.*

beraten ⟨*irr, ohne ge-*⟩ **I.** *tr* **1.** *(Rat geben)* consigliare; **2.** *(besprechen)* discutere, consigliarsi su; **II.** *itr, rfl:* **sich** ~ *(beratschlagen)* discutere (*über +akk* di), deliberare (*über +akk* su). **beratend** *adj (Stimme, Funktion, Ausschuß)* consultivo; *(Arzt)* consulente.

Berater(in) ⟨-s, -⟩ *m(f)* consigliere, -a *m, f.*

beratschlagen *s.* **beraten.**

Beratung ⟨-, -en⟩ *f* discussione *f,* deliberazione *f,* dibattito *m; (bes. jur)* consultazione *f;* ~**s- und Prozeßkosten** *pl* spese *f pl* processuali (e di consulenza); **ärztliche** ~ consulto *m* medico. **Beratungsstelle** *f* ufficio *m* di consulenza; *med* consultorio *m.*

berauben ⟨*ohne ge-*⟩ *tr* derubare, spogliare; *fig (eines Rechts, eines Vorteils)* privare.

berauschen ⟨*ohne ge-*⟩ **I.** *tr* ubriacare, inebriare; *fig* entusiasmare, appassionare; **II.** *rfl:* **sich** ~ *(a. fig)* ubriacarsi (*an +dat* di), inebriarsi (*an +dat* di). **berauschend** *adj (a. fig)* inebriante; **nicht (gerade)** ~ *iron* non proprio sconvolgente.

Berber(in) [ˈbɛrbɐ] ⟨-s, -⟩ *m(f)* **1.** *(Volkszugehöriger)* berbero, -a *m, f;* **2.** *sl (Nichtseßhafter)* persona *f* senza fissa dimora.

berechenbar [bəˈrɛçənba:ɐ̯] *adj (Kosten)* calcolabile; *(Mensch, Verhalten)* prevedibile.

berechnen ⟨*ohne ge-*⟩ *tr* **1.** *(Kosten, Größe)* calcolare; **2.** *fig* misurare; **3.** *(anrechnen)* mettere in conto; **4.** *(vorsehen, kalkulieren)* calcolare. **berechnend** *adj* calcolatore, interessato.

Berechnung *f* **1.** *(von Kosten, Größe)* calcolo *m;* **2.** *(Anrechnung)* conteggio *m;* **3.** *(Absicht, Eigeninteresse)* calcolo *m;* **gegen** ~ a pagamento.

berechtigen [bəˈrɛçtɪgən] ⟨*ohne ge-*⟩ **I.** *tr* autorizzare, dare il diritto a; **II.** *itr* dare diritto (*zu* a). **berechtigt** *adj* giusto, fondato, giustificato; *(befugt)* autorizzato (*zu* a).

Berechtigung ⟨-, -en⟩ *f* **1.** *(Befugnis)* autorizzazione *f (zu* a), diritto *m* (*zu* di); **2.** *(Rechtmäßigkeit)* fondatezza *f.* **Berechtigungsschein** *m* foglio *m* (*o* documento *m*) d'autorizzazione.

bereden ⟨*ohne ge-*⟩ **I.** *tr* **1.** *(besprechen)* parlare di, discutere di (*o* su); **2.** *(überreden)* persuadere; **II.** *rfl:* **sich** ~ conferire (*mit jdm über etw. (akk)* con qu su qc).

Beredsamkeit ⟨-, ø⟩ *f* eloquenza *f.*

beredt [bəˈre:t] *adj (Mensch)* eloquente; *(vielsagend)* significativo, espressivo.

Bereich [bəˈraiç] ⟨-(e)s, -e⟩ *m* **1.** *(Gebiet)* regione *f,* zona *f;* **2.** *(Sachgebiet)* campo *m,* ramo *m,* materia *f;* **3.** *(Aufgaben~)* ambito *m,* sfera *f;* **im** ~ **des Möglichen liegen** rientrare nell'ambito delle possibilità.

bereichern [bəˈraiçɐn] ⟨*ohne ge-*⟩ **I.** *tr* arricchire; **II.** *rfl:* **sich** ~ arricchirsi (*an jdm* a spese di qu).

Bereicherung ⟨-, -en⟩ *f (a. fig)* arricchimento *m.*

bereifen ⟨*ohne ge-*⟩ *tr mot* munire di pneumatici; *(Fässer)* cerchiare.

Bereifung ⟨-, -en⟩ *f mot* pneumatici *m pl.*

bereinigen ⟨*ohne ge-*⟩ *tr (Angelegenheit)* sistemare; *(Mißverständnisse)* chiarire.

bereisen ⟨*ohne ge-*⟩ *tr:* **ein Land** ~ viaggiare in un paese.

bereit [bəˈrait] *adj (Mensch)* pronto (*zu* a), disposto (*zu* a); *(Sache: verfügbar)* disponibile.

bereiten ⟨*ohne ge-*⟩ *tr* **1.** *(vor-, zu~)* preparare; *(herstellen)* fare, fabbricare; **2.** *(verursachen)* causare, recare, procurare; **jdm Kummer** ~ affliggere qu.

bereit·halten ⟨*irr*⟩ *tr* tenere pronto. **bereit·legen** *tr* preparare. **bereit·liegen** ⟨*irr*⟩ *itr* essere a disposizione. **bereit·machen** *tr* preparare.

bereits [bə'raits] *adv* già.

Bereitschaft ⟨-, ø⟩ *f* disposizione *f*, disponibilità *f;* ~ **haben** *mil* essere di picchetto; **in** ~ in allarme. **Bereitschaftsarzt** *m*, **-ärztin** *f* medico *m* di turno (*o* di servizio). **Bereitschaftsdienst** *m mil* servizio *m* di picchetto (*o* di riserva); **ärztlicher** ~ turno *m* medico. **Bereitschaftspolizei** *f* (nuclei di) pronto intervento *m*, (squadra *f*) volante.

bereit·stehen ⟨*irr*⟩ *itr* essere pronto (*zu* a); *(verfügbar sein)* essere disponibile. **bereit·stellen** *tr* preparare (*jdm* per qu); *(zur Verfügung stellen)* mettere a disposizione (*jdm* di qu). **bereitwillig** *adj* pronto, premuroso. **Bereitwilligkeit** ⟨-, ø⟩ *f* premura *f*, prontezza *f*.

bereuen ⟨*ohne ge-*⟩ *tr* pentirsi di.

Berg [bɛrk] ⟨-(e)s, -e⟩ *m* **1.** monte *m;* **2.** *fig (Menge)* montagna *f;* **die ~e** *(Gebirge)* la montagna; **über den** ~ **sein** *fig* aver superato il peggio, essere a cavallo; **er ist über alle ~e** è già lontano un miglio. **bergab** [-'ʔap] *adv* all'ingiù, in discesa; *(beim Abstieg)* durante la discesa; ~ **gehen** *(Geschäft)* essere (*o* andare) alla deriva. **Bergarbeiter** *m* minatore *m*. **bergauf** [-'ʔauf] *adv* in salita, in su; *(beim Aufstieg)* durante la salita; **es geht mit ihm** ~ *(geschäftlich)* i suoi affari vanno bene; *(gesundheitlich)* è in via di guarigione. **Bergbau** ⟨-(e)s, ø⟩ *m* industria *f* mineraria.

bergen ['bɛrgən] ⟨birgt, barg, geborgen⟩ *tr* **1.** *(retten)* salvare; *(in Sicherheit bringen)* mettere al sicuro (*o* al riparo); *(Tote, Verschüttete)* ricuperare, estrarre; **2.** *fig (enthalten)* contenere, racchiudere, comportare.

Bergführer(in) *m(f)* guida *f* alpina. **bergig** *adj* montagnoso, montuoso. **Bergkette** *f* catena *f* di montagne. **Bergkristall** *m* cristallo *m* di rocca. **Bergmann** ⟨-(e)s, -leute *o rar* -männer⟩ *s.* **Bergarbeiter. Bergpredigt** *f* sermone *m* (*o* discorso *m*) della montagna. **Bergrettungswacht** *f* soccorso *m* alpino. **Bergschuhe** *m pl* scarpe *f pl* da montagna. **Bergstation** *f* stazione *f* a monte. **Bergsteigen** ⟨-s, ø⟩ *n* alpinismo *m*. **Bergsteiger(in)** *m(f)* alpinista *mf*. **Bergtour** *f* escursione *f* in montagna.

Bergung ⟨-, -en⟩ *f* salvataggio *m; (von Toten, Verschütteten)* ricupero *m*. **Bergungsarbeiten** *f pl* opera *f* di ricupero; *(bei Menschen)* operazioni *f pl* di salvataggio. **Bergungsdienst** *m* servizio *m* di ricupero (*o* salvataggio). **Bergungsmannschaft** *f* squadra *f* di soccorso.

Bergwacht [-vaxt] ⟨-, -en⟩ *f* servizio *m* di soccorso alpino. **Bergwerk** *n* miniera *f*.

Bericht [bə'rɪçt] ⟨-(e)s, -e⟩ *m* rapporto *m; (längerer)* relazione *f; (Zeitungs~)* cronaca *f; (Korrespondenten~)* corrispondenza *f; radio* (radio)cronaca *f*.

berichten ⟨*ohne ge-*⟩ **I.** *tr* riferire; *(erzählen)* raccontare; *(amtlich)* comunicare; **II.** *itr* riferire (*über etw.* qc); *(mündlich)* raccontare.

Berichterstatter(in) [-ʔɛɐ̯ʃtatɐ (...ərɪn)] ⟨-s, -⟩ *m(f)* cronista *mf; (im Ausland)* corrispondente *mf*. **Berichterstattung** *f* rapporto *m*, relazione *f; (in Zeitung)* corrispondenza *f; radio* radiocronaca *f*.

berichtigen [bə'rɪçtɪgən] ⟨*ohne ge-*⟩ *tr* correggere, rettificare; *tec* mettere a punto (*o* in ordine), regolare.

Berichtigung ⟨-, -en⟩ *f* correzione *f*, rettifica *f; tec* messa *f* a punto, regolazione *f*.

berieseln ⟨*ohne ge-*⟩ *tr* irrigare; *fig pej (mit Musik, Reklame)* inondare (*mit* di).

beritten *adj* a cavallo.

Berlin [bɛr'li:n] *n* Berlino *f*.

Berliner ⟨*inv*⟩ *adj attr* berlinese.

Berliner(in) ⟨-s, -⟩ *m(f)* abitante *mf* di Berlino.

Bern [bɛrn] *n (Stadt)* Berna *f; (Kanton)* Berna *m*.

Bernhardiner(hund) [bɛrnhar'di:nɐ] ⟨-s, -⟩ *m* cane *m* (di) san Bernardo.

Bernstein ['bɛrn-] *m* ambra *f* (gialla).

bersten ['bɛrstən] ⟨birst *o obs* berstet, barst, geborsten⟩ *itr* ⟨*sein*⟩ *(brechen)* spaccarsi; *(auf-, zerbrechen)* rompere, spezzare; *(zerplatzen)* scoppiare; *(zerspringen)* fendersi; **zum B~ voll** strapieno.

berüchtigt [bə'rʏçtɪçt] *adj* famigerato.

berücksichtigen [bə'rʏkzɪçtɪgən] ⟨*ohne ge-*⟩ *tr* considerare; *(Alter, Krankheit)* considerare; *(Bewerber, Antrag)* prendere in considerazione; **berücksichtigt werden** *(bedacht)* entrare in considerazione.

Berücksichtigung ⟨-, ø⟩ *f* considerazione *f;* **ohne** ~ **von** senza riguardo per; **unter** ~ **von** in considerazione di, tenendo conto di, con riguardo a.

Beruf [bə'ru:f] ⟨-(e)s, -e⟩ *m* professione *f; (Gewerbe)* mestiere *m;* **von** ~ di professione.

berufen[1] ⟨*irr, ohne ge-*⟩ **I.** *tr* nominare (*zu jdm* qu), designare (*zu jdm* qu); **II.** *rfl:* **sich** ~ **auf** *+akk* richiamarsi a, appellarsi a.

berufen[2] *adj* **1.** *(befähigt)* qualificato; **2.** *(zuständig)* competente; *(befugt)* autorizzato; **zu etw.** ~ **sein** essere chiamato a qc, avere la vocazione per qc.

beruflich *adj* professionale; **er ist** ~ **viel unterwegs** è molto in giro per lavoro.

Berufsarmee *f* esercito *m* (composto) di

militari di carriera. **Berufsausbildung** *f* formazione *f* professionale, addestramento *m* professionale. **Berufsaussichten** *f pl* prospettive *f pl* (*o* sbocchi *m pl*) professionali. **Berufsberater(in)** *m(f)* orientatore, -trice *m, f* professionale. **Berufsberatung** *f* orientamento *m* professionale. **Berufsbezeichnung** *f* denominazione *f* della professione. **Berufsbild** *n* profilo *m* professionale. **Berufserfahrung** *f* esperienza *f* professionale. **Berufsgeheimnis** *n* segreto *m* professionale. **Berufsgruppe** *f* categoria *f* professionale. **Berufsheer** *n* esercito *m* professionale. **Berufskrankheit** *f* malattia *f* professionale. **Berufsleben** *n* vita *f* professionale; **im ~ stehen** esercitare una professione. **Berufsschule** *f* scuola *f* d'avviamento professionale. **Berufssoldat** *m* soldato *m* di carriera (*o* di ruolo). **berufstätig** *adj:* **~e Bevölkerung** popolazione attiva; **~ sein** lavorare, esercitare una professione. **Berufstätige** ⟨ein -r, -n, -n⟩ *mf* lavoratore, -trice *m, f.* **Berufsverbot** *n* divieto *m* di esercitare una professione. **Berufsverkehr** *m* traffico *m* (delle ore) di punta. **Berufsvorbereitungsjahr** *n* anno *m* di preparazione al lavoro. **Berufswahl** *f* scelta *f* della professione.

Berufung ⟨-, -en⟩ *f* **1.** *(innere)* vocazione *f;* **2.** *(Ernennung)* nomina *f,* designazione *f;* **3.** *jur* appello *m,* ricorso *m;* **eine ~ als Professor annehmen** accettare una cattedra; **~ einlegen, in die ~ gehen** *jur* interporre ricorso, ricorrere in appello; **unter (***o* **mit) ~ auf** *+akk* in riferimento a. **Berufungsgericht** *n* corte *f* d'appello.

beruhen ⟨*ohne ge-*⟩ *itr:* **~ auf** *+dat* fondarsi su, basarsi su, essere fondato su; *(seine Ursache haben in)* dipendere da; **auf einem Irrtum ~** nascere da un errore; **die Sache auf sich ~ lassen** lasciare la cosa com'è; **das beruht auf Gegenseitigkeit** è reciproco.

beruhigen [bə'ruːɪgən] ⟨*ohne ge-*⟩ **I.** *tr* calmare; *(Zorn, Naturgewalten)* placare; *(weinendes Kind, besorgten Menschen)* tranquillizzare, rassicurare; **dann bin ich ja beruhigt!** allora sono tranquillo!; **II.** *rfl:* **sich ~** calmarsi, tranquillizzarsi; *(Wind)* cadere. **beruhigend** *adj* tranquillizzante; *(Wissen)* rassicurante; *med* calmante, sedativo.

Beruhigung ⟨-, ø⟩ *f (von Zorn, Sturm, etc.)* placamento *m; (von Baby, besorgtem Menschen)* consolazione *f,* conforto *m; (von Nerven)* rilassamento *m,* distensione *f; (von Gewissen)* tranquillizzare *m; (von Lärm, Verkehr)* acquietamento *m;* **zu Ihrer ~ kann ich Ihnen sagen ...** per tranquillizzarLa posso dirLe ... **Beruhigungsmittel** *n* tranquillante *m,* sedativo *m.*

berühmt [bə'ryːmt] *adj* celebre, famoso, noto. **berühmt-berüchtigt** *adj scherz* malfamato. **Berühmtheit** ⟨-, -en⟩ *f* celebrità *f.*

berühren ⟨*ohne ge-*⟩ **I.** *tr* **1.** *(anfassen)* toccare; *mat* essere tangente a; **2.** *(grenzen an)* confinare con; **3.** *(kurz erwähnen)* accennare a, menzionare; **4.** *(bewegen)* commuovere; *(betreffen)* toccare, riguardare, concernere; **II.** *rfl:* **sich ~** toccarsi; *fig* incontrarsi.

Berührung ⟨-, -en⟩ *f* toccare *m,* contatto *m;* **mit etw. in ~ kommen** venire a contatto con qc. **Berührungsangst** *f* paura *f* di affrontare qu *o* qc.

bes. *abk von* **besonders** spec. (*abk von* specialmente).

besagen ⟨*ohne ge-*⟩ *tr* voler dire, significare. **besagt** *adj* summenzionato, suddetto.

besänftigen [bə'zɛnftɪgən] ⟨*ohne ge-*⟩ *tr* calmare, placare.

Besatz *m* guarnizione *f.*

Besatzung *f* **1.** *(Garnison)* guarnigione *f; (Truppen)* truppe *f pl* d'occupazione; **2.** *naut, aero* equipaggio *m.* **Besatzungsmacht** *f* potenza *f* occupante. **Besatzungszone** *f* zona *f* d'occupazione.

besaufen ⟨*irr, ohne ge-*⟩ *rfl fam:* **sich ~** ubriacarsi, prendersi una sbronza *fam.*

beschädigen ⟨*ohne ge-*⟩ *tr* danneggiare.

Beschädigung ⟨-, -en⟩ *f* **1.** *(Vorgang)* danneggiamento *m,* deterioramento *m;* **2.** *(Zustand)* danno *m,* avaria *f.*

beschaffen[1] ⟨*ohne ge-*⟩ *tr* procurare, fornire; **sich** *(dat)* **etw. ~** procurarsi qc.

beschaffen[2] *adj:* **gut/schlecht ~** in buone/cattive condizioni; **so ~, daß ...** tale da *+inf* (*o* che *+congv*). **Beschaffenheit** ⟨-, ø⟩ *f (von Material)* caratteristica *f,* natura *f,* qualità *f; (Zusammensetzung)* composizione *f; (von Mensch)* costituzione *f,* fisico *m.*

Beschaffung ⟨-, ø⟩ *f* procurare *m.* **Beschaffungskriminalität** *f* criminalità *f* legata al traffico di stupefacenti.

beschäftigen [bə'ʃɛftɪgən] ⟨*ohne ge-*⟩ **I.** *tr* occupare (*mit* in, con); *(als Arbeitskraft)* impiegare; *fig (geistig)* impegnare; **II.** *rfl:* **sich ~** occuparsi (*mit* di); *(sich befassen)* interessarsi (*mit* di). **beschäftigt** *adj* occupato (*mit* con), impegnato (*mit* in); *(angestellt)* impiegato; **sehr ~** assorbito (*mit* da).

Beschäftigung ⟨-, -en⟩ *f* occupazione *f; (durch Arbeitgeber)* impiego *m; (Arbeit)* lavoro *m,* attività *f; (Befassen)* interessamento *m.* **Beschäftigungstherapie** *f med* ergoterapia *f; fig* terapia *f* occupazionale.

beschämen ⟨*ohne ge-*⟩ *tr* svergognare, umiliare, confondere. **beschämt** *adj* vergognoso.

beschatten ⟨*ohne ge-*⟩ *tr* **1.** *geh (Schatten werfen auf)* ombreggiare, fare ombra a; *fig (trüben)* gettare un'ombra su; **2.** *(überwachen)* pedinare, tallonare.

beschaulich *adj* contemplativo; *(ruhig)* pacifico.

Bescheid [bəˈʃait] ⟨-(e)s, -e⟩ *m* informazione *f; (Mitteilung)* avviso *m,* comunicazione *f; (Antwort)* risposta *f;* **jdm ~ geben** avvisare qu, informare qu, dare una risposta a qu; **jdm gehörig (*o* tüchtig) ~ sagen** *fam* dire il fatto suo a qu *fam,* dirne quattro a qu *fam;* **~ wissen** essere informato (*über +akk* di).

bescheiden[1] [bəˈʃaidən] *adj* modesto; *(anspruchslos)* semplice; *(mäßig)* moderato.

bescheiden[2] [bəˈʃaidən] ⟨*irr, ohne ge-*⟩ *rfl:* **sich ~** *geh* accontentarsi (*mit* di), limitarsi (*mit* a).

Bescheidenheit ⟨-, ø⟩ *f* modestia *f,* umiltà *f,* discrezione *f; (Mäßigung)* moderazione *f;* **in aller ~** in tutta umiltà.

bescheinigen [bəˈʃainıgən] ⟨*ohne ge-*⟩ *tr* attestare, certificare; **den Empfang eines Briefes ~** accusare ricevuta di una lettera.

Bescheinigung ⟨-, -en⟩ *f* **1.** *(Vorgang)* attestazione *f;* **2.** *(Schriftstück)* attestato *m,* certificato *m.*

bescheißen ⟨*irr, ohne ge-*⟩ *vulg tr* **1.** sporcare di merda *volg;* **2.** *fig (betrügen)* fregare *fam.*

beschenken ⟨*ohne ge-*⟩ *tr* fare un regalo a.

bescheren ⟨*ohne ge-*⟩ *tr* **1.** *(beschenken);* **jdn (mit etw.) ~** regalare qc a qu (per Natale); **2.** *(zuteil werden lassen):* **jdm etw. ~** concedere (*o* accordare) qc a qu.

Bescherung ⟨-, -en⟩ *f* distribuzione *f* dei regali (di Natale); **das ist ja eine schöne ~!, da haben wir die ~!** *iron fam* che bel regalo!, che guaio!

bescheuert [bəˈʃɔyɐt] *adj sl* deficiente *fam.*

beschichten *tr tec* rivestire, coprire.

beschießen ⟨*irr, ohne ge-*⟩ *tr* far fuoco contro, tirare su.

beschimpfen ⟨*ohne ge-*⟩ *tr* insultare, ingiuriare.

Beschimpfung ⟨-, -en⟩ *f* insulto *m,* ingiuria *f.*

beschissen [bəˈʃısən] *adj vulg* **1.** sporco di merda *volg;* **2.** *fig (Lage)* di merda *volg; (Person)* stronzo *volg.*

Beschlag *m* **1.** *(Metall)* borchia *f,* guarnizione *f;* **2.** *(Hufeisen)* ferratura *f;* **3.** *(Feuchtigkeit)* appannamento *m;* **mit ~ belegen** *jur, naut, mil* confiscare, sequestrare; *fig* requisire.

beschlagen[1] ⟨*irr, ohne ge-*⟩ **I.** *tr* ⟨*haben*⟩ **1.** *(Möbel, Türen)* guarnire; *(mit Nägeln)* chiodare; **2.** *(Pferd)* ferrare; **II.** *itr* ⟨*sein*⟩ *(Glas)* appannarsi.

beschlagen[2] *adj fig (Mensch)* versato (*in +dat* in), ferrato (*in +dat* in); **in seinem Fach/auf seinem Gebiet sehr ~ sein** essere molto in gamba nel proprio mestiere/essere esperto in materia.

Beschlagnahme [-naːmə] ⟨-, -n⟩ *f* confisca *f,* sequestro *m.*

beschlagnahmen [-naːmən] ⟨*ohne ge-*⟩ *tr* confiscare, sequestrare; *fig fam* tenere occupato.

beschleunigen [bəˈʃlɔynıgən] ⟨*ohne ge-*⟩ *tr, itr* accelerare.

Beschleunigung ⟨-, -en⟩ *f* accelerazione *f.*

beschließen ⟨*irr, ohne ge-*⟩ **I.** *tr* **1.** *(beenden)* terminare, concludere; *(Reihe)* chiudere; **2.** *(entscheiden)* decidere, deliberare; **II.** *itr* decidere (*über etw. (akk)* qc), deliberare (*über +akk* su); *(übereinstimmen)* convenire (*zu* di); *jur* decretare.

Beschluß *m* decisione *f.* **beschlußfähig** *adj* atto a deliberare, in numero legale.

beschmieren ⟨*ohne ge-*⟩ *tr* imbrattare *fam.*

beschmutzen ⟨*ohne ge-*⟩ *tr* insudiciare, sporcare.

beschneiden ⟨*irr, ohne ge-*⟩ *tr* **1.** *(zurechtschneiden)* tagliare; **2.** *rel* circoncidere; **3.** *fig* restringere, ridurre.

Beschneidung ⟨-, -en⟩ *f* **1.** *rel* circoncisione *f;* **2.** *fig* restrizione *f,* riduzione *f.*

beschnüffeln ⟨*ohne ge-*⟩ **I.** *tr (beriechen)* annusare, fiutare; *fig fam (untersuchen)* ficcare il naso in *fam; (kennenlernen)* imparare a conoscere; **II.** *rfl:* **sich ~** *(Hunde)* annusarsi; *fig fam (Menschen)* imparare a conoscersi.

beschnuppern ⟨*ohne ge-*⟩ **I.** *tr* annusare; **II.** *rfl:* **sich ~** annusarsi.

beschönigen [bəˈʃøːnıgən] ⟨*ohne ge-*⟩ *tr* abbellire, far apparire migliore.

Beschönigung ⟨-, -en⟩ *f* abbellimento *m.*

beschränken [bəˈʃrɛŋkən] ⟨*ohne ge-*⟩ **I.** *tr* limitare (*auf +akk* a), restringere (*auf +akk* a); **II.** *rfl:* **sich ~** limitarsi.

beschrankt [bəˈʃraŋkt] *adj* con sbarre.

beschränkt *adj* limitato, ristretto; *(geistig)* ottuso.

Beschränkung ⟨-, -en⟩ *f* limitazione *f,* restrizione *f;* **mengenmäßige ~** limitazione *f* (*o* restrizione *f*) quantitativa.

beschreiben ⟨*irr, ohne ge-*⟩ *tr* **1.** *(Papier)* scrivere su; **2.** *(schildern)* descrivere, dipingere.

Beschreibung *f* descrizione *f.*

beschriften ⟨*ohne ge-*⟩ *tr* mettere una scritta (*o* iscrizione) su.

Beschriftung ⟨-, -en⟩ *f* **1.** *(Tätigkeit)* mettere *m* una scritta (*gen* su); **2.** *(Aufschrift)* scritta *f,* iscrizione *f.*

beschuldigen [bəˈʃʊldıgən] ⟨*ohne ge-*⟩ *tr* incolpare (*einer S. (gen)* di qc), accusare (*einer S. (gen)* di qc).

Beschuldigung ⟨-, -en⟩ *f* imputazione *f,* accusa *f.*

beschummeln ⟨*ohne ge-*⟩ *fam* **I.** *tr* infinocchiare *fam;* **II.** *itr* barare.

Beschuß *m* fuoco *m,* tiro *m;* **unter ~ geraten** *fig* capitare sotto tiro; **jdn unter ~ nehmen** *fig* prendere di mira qu.

beschützen ⟨*ohne ge-*⟩ *tr* proteggere.
Beschützer(in) ⟨-s, -⟩ *m(f)* protettore, -trice *m, f.*
Beschwerde [bəˈʃveːɐdə] ⟨-, -n⟩ *f* **1.** *obs, geh (Mühe)* fatica *f; (Bürde)* peso *m;* **2.** *(Klage)* lagnanza *f,* lamentela *f; (a. com)* reclamo *m; jur* ricorso *m;* **3.** ⟨*pl*⟩ *(körperliche)* disturbi *m pl,* malanni *m pl.*
beschweren [bəˈʃveːrən] ⟨*ohne ge-*⟩ **I.** *tr* mettere un peso su; *fig* (ag)gravare, appesantire; **II.** *rfl:* **sich ~** lamentarsi (*bei* presso, con, *über +akk* di), lagnarsi (*bei* presso, *über +akk* di); *(a. com)* reclamare (*bei* presso, *über +akk* contro).
beschwerlich *adj (lästig, mühsam)* penoso; *(ermüdend)* faticoso, gravoso.
beschwichtigen [bəˈʃvɪçtɪgən] ⟨*ohne ge-*⟩ *tr* calmare, placare.
beschwingt *adj* allegro, gaio; *(Gang)* leggero.
beschwipst [bəˈʃvɪpst] *adj fam* brillo, alticcio.
beschwören ⟨*irr, ohne ge-*⟩ *tr* **1.** *jur* giurare; **2.** *(Geister)* esorcizzare; *(Schlangen)* incantare; **3.** *(anflehen)* supplicare, implorare.
besehen ⟨*irr, ohne ge-*⟩ *tr* guardare; *(genau)* esaminare.
beseitigen [bəˈzaitɪgən] ⟨*ohne ge-*⟩ *tr* **1.** *(wegschaffen)* rimuovere; **2.** *(entfernen)* allontanare; *(Flecken)* togliere; *(Fehler)* eliminare; **3.** *(beheben)* eliminare; *(Zweifel)* dissipare; *(Schwierigkeiten)* appianare; **4.** *(töten)* uccidere, far fuori *fam.*
Beseitigung ⟨-, ø⟩ *f* **1.** *(Wegschaffen, Entfernen)* rimozione *f;* **2.** *(Behebung)* eliminazione *f; (von Schwierigkeiten)* appianamento *m.*
Besen [ˈbeːzən] ⟨-s, -⟩ *m* scopa *f;* **ich fresse einen ~, wenn ...** *fam* che mi venga un accidente se ... *volg.* **Besenschrank** *m* portascope *m.*
besessen [bəˈzɛsən] *adj* **1.** *(innerlich erfüllt)* ossessionato (*von* da); *pej* maniaco; **2.** *(vom bösen Geist)* posseduto (dal demonio), indemoniato. **Besessene** ⟨ein -r, -n, -n⟩ *mf* ossesso, -a *m, f;* **wie ein ~r arbeiten** lavorare come un dannato. **Besessenheit** ⟨-, ø⟩ *f* ossessione *f.*
besetzen ⟨*ohne ge-*⟩ *tr* **1.** *(mit Besatz)* guarnire (*mit* di); **2.** *(Platz)* occupare; **3.** *mil* occupare (militarmente); **4.** *(Posten)* affidare (*mit* a), assegnare (*mit* a); **5.** *theat, film (Rollen)* distribuire (*o* assegnare) le parti di (*mit* a). **besetzt** *adj* occupato; *(Fahrzeug, Hotel)* completo. **Besetztzeichen** *n* segnale *m* di occupato.
Besetzung ⟨-, -en⟩ *f* **1.** ⟨*sing*⟩ *(von Stelle)* affidare *m; (von Rolle)* distribuzione *f* (*o* assegnazione *f)* delle parti; **2.** *theat (Schauspieler)* interpreti *m pl; sport (Mannschaft)* formazione *f,* schieramento *m;* **3.** *mil* occupazione *f.*
besichtigen [bəˈzɪçtɪgən] ⟨*ohne ge-*⟩ *tr* **1.** *(Sehenswürdigkeit)* visitare; **2.** *(prüfend)* esaminare, controllare.
Besichtigung ⟨-, -en⟩ *f* **1.** *(von Sehenswürdigkeit)* visita *f;* **2.** *(Prüfung)* verifica *f,* esame *m.*
besiedeln [bəˈziːdəln] ⟨*ohne ge-*⟩ *tr* colonizzare; *(bevölkern)* popolare.
Besied(e)lung *f* colonizzazione *f,* popolamento *m.*
besiegeln ⟨*ohne ge-*⟩ *tr* suggellare; *(entscheiden)* decidere; **sein Schicksal ist besiegelt** il suo destino è segnato.
besiegen ⟨*ohne ge-*⟩ *tr* vincere; *fig* superare, dominare.
besingen ⟨*irr, ohne ge-*⟩ *tr* **1.** *fig (rühmen)* (de)cantare, celebrare; **2.** *(Schallplatte)* incidere una canzone su; *(Band)* registrare una canzone su.
besinnen ⟨*irr, ohne ge-*⟩ *rfl:* **sich ~ 1.** *(nachdenken)* riflettere; **2.** *(sich erinnern)* ricordarsi; **3.** *(zu sich kommen)* rinvenire, riaversi, tornare in sé; **sich anders ~** cambiare idea; **ohne sich zu ~** senza pensarci.
besinnlich *adj (Mensch)* pensoso, meditativo; *(Abend)* intimo, raccolto.
Besinnung ⟨-, ø⟩ *f:* **jdn zur ~ bringen** ricondurre qu alla ragione; **(wieder) zur ~ kommen** riprendere conoscenza; *(a. fig)* tornare in sé; **die ~ verlieren** perdere i sensi (*o* la conoscenza); *fig* perdere la testa; **die ~ auf alte Werte** il riflettere su vecchi valori. **besinnungslos** *adj* privo di sensi, svenuto.
Besitz ⟨-es, ø⟩ *m* **1.** possesso *m,* proprietà *f;* **2.** *(Grundbesitz)* proprietà *f* (terriera), fondo *m,* podere *m,* tenuta *f;* **3.** *(Vermögen)* patrimonio *m,* fortuna *f;* **4.** *jur (Waffe)* detenzione *f;* **im ~ einer Sache sein** essere in possesso di qc; **von etw. ~ ergreifen, etw. in ~ nehmen** prendere possesso di qc. **besitzanzeigend** *adj:* **~es Fürwort** pronome possessivo. **Besitzanspruch** *m* rivendicazione *f* del possesso.
besitzen ⟨*irr, ohne ge-*⟩ *tr* possedere, essere in possesso di; *(innehaben, haben)* avere.
Besitzer(in) ⟨-s, -⟩ *m(f)* proprietario, -a *m, f; (Inhaber)* portatore, -trice *m, f.* **besitzergreifend** *adj fig* possessivo. **Besitzergreifung** *f* appropriazione *f,* occupazione *f,* presa *f* di possesso. **besitzlos** *adj* nullatenente.
Besitztum ⟨-s, -tümer⟩ *n* proprietà *f.*
besoffen [bəˈzɔfən] *adj fam* sbronzo *fam;* **total ~** ubriaco fradicio *fam.*
besohlen ⟨*ohne ge-*⟩ *tr* ris(u)olare.
besolden [bəˈzɔldən] ⟨*ohne ge-*⟩ *tr* stipendiare, retribuire; *mil* pagare il soldo a.
Besoldung ⟨-, -en⟩ *f* retribuzione *f; mil* soldo *m.*

besondere(r, s) [bə'zɔndərə] *adj* **1.** *(speziell)* speciale, particolare; **2.** *(gesondert)* separato, -a, individuale; **3.** *(unterschiedlich)* distinto, -a, differente; **4.** *(eigentümlich)* singolare; **5.** *(ungewöhnlich)* eccezionale; **etwas B~s** qualcosa di speciale; **im ~n** in particolare.

Besonderheit ⟨-, -en⟩ *f* specialità *f*, particolarità *f; (einzelne)* caratteristica *f*, singolarità *f; (Ungewöhnlichkeit)* eccezionalità *f*.

besonders [bə'zɔndɐs] *adv* (*abk* **bes.**) *(insbesondere)* specialmente, particolarmente; *(hauptsächlich)* soprattutto, principalmente; *(außerordentlich)* eccezionalmente, straordinariamente; *(ausdrücklich)* espressamente; **nicht ~ (gut)** non tanto (buono *o* bene).

besonnen [bə'zɔnən] *adj* riflessivo; *(vernünftig)* ragionevole; *(vorsichtig)* prudente, circospetto; *(umsichtig)* avveduto, accorto. **Besonnenheit** ⟨-, ø⟩ *f* posatezza *f; (Umsichtigkeit)* avvedutezza *f*, accortezza *f*.

besorgen ⟨*ohne ge-*⟩ *tr* **1.** *(beschaffen)* procurare; *(einkaufen)* comprare; **2.** *(erledigen)* sbrigare, eseguire, fare; **3.** *(betreuen)* aver cura di, attendere a, occuparsi di.

Besorgnis ⟨-, -se⟩ *f* apprensione *f*, inquietudine *f*, preoccupazione *f*. **besorgniserregend** *adj* inquietante, preoccupante.

besorgt *adj* inquieto, preoccupato. **Besorgtheit** ⟨-, ø⟩ *f* inquietudine *f*, apprensione *f*, preoccupazione *f*.

Besorgung ⟨-, -en⟩ *f* **1.** *(Erledigung)* disbrigo *m;* **2.** *(Beschaffung)* produrre *m*, fornitura *f; (Einkauf)* acquisto *m*, spesa *f;* **~en machen** fare la spesa.

Bespannung *f* **1.** ⟨*sing*⟩ *(mit Stoff)* rivestire *m; (mit Saiten)* incordatura *f;* **2.** *(Material)* rivestimento *m*, copertura *f; (Saiten)* corde *f pl; (Fäden)* fili *m pl.*

bespielen ⟨*ohne ge-*⟩ *tr* **1.** *(Schallplatte, Tonband)* incidere su (*mit etw.* qc); **2.** *sport (Platz)* giocare in.

besprechen ⟨*irr, ohne ge-*⟩ **I.** *tr* **1.** *(sprechen über)* parlare, discutere di; *(rezensieren)* recensire, fare la critica di; **2.** *(beraten)* consigliarsi su, deliberare su; **3.** *(Schallplatte, Tonband)* incidere su (*mit etw.* qc); **wie besprochen** come d'accordo; **II.** *rfl:* **sich ~** consultarsi.

Besprechung ⟨-, -en⟩ *f* **1.** *(Unterredung)* colloquio *m; (Konferenz)* conferenza *f;* **2.** *(Rezension)* critica *f*, recensione *f*.

besser ['bɛsɐ] ⟨*Komparativ von* gut⟩ **I.** *adj* migliore; **jdn eines B~en belehren** far ricredere qu; **~ werden** migliorare, migliorarsi; **es ist ~, du kommst sofort** è meglio che tu venga subito; **~ ist ~** non si sa mai; **II.** *adv* meglio; **um so ~** tanto meglio; **~ gesagt** per meglio dire; **~ (daran) tun** far meglio; **tu das ~ nicht!** è meglio che tu non lo faccia.

besser·gehen ⟨*irr*⟩ *itr* ⟨*sein*⟩*:* **es geht ihm/der Firma besser** lui sta meglio/la ditta va meglio.

bessern I. *tr (sittlich)* emendare; **II.** *rfl:* **sich ~** migliorarsi; *(bes. sittlich)* emendarsi, correggersi; *(Wetter)* rimettersi al bello.

Besserung ⟨-, -ø⟩ *f* miglioramento *m; (gesundheitlich)* guarigione *f*, ristabilimento *m;* **gute ~!** pronta guarigione!

Besserverdienende ⟨ein -r, -n, -n⟩ *mf* benestante *mf*. **Besserwisser** ⟨-s, -⟩ *m* saccente *mf*.

Bestand *m* **1.** *(Bestehen)* esistenza *f; (Fortdauer)* continuità *f*, durata *f;* **2.** *(Tier~, Forst~)* patrimonio *m; (Lager~)* giacenza *f*, riserva *f; (Kassen~)* fondo *m* cassa; **(den) ~ aufnehmen** fare l'inventario, inventariare; **~ haben, von ~ sein** avere durata.

beständig I. *adj* **1.** *(dauerhaft)* durevole; *tec* resistente, inattaccabile; *(Farbe)* indelebile, inalterabile; **2.** *(andauernd)* continuo, persistente; **3.** *(gleichbleibend)* costante; *chem, meteo, fin* stabile; **II.** *adv (immer)* costantemente, continuamente. **Beständigkeit** ⟨-, ø⟩ *f* **1.** *(Dauerhaftigkeit)* durevolezza *f; tec* resistenza *f;* **2.** *(Dauer)* continuità *f*, persistenza *f;* **3.** *(Gleichheit)* costanza *f; chem, meteo, fin* stabilità *f*.

Bestandsaufnahme *f* inventario *m*.

Bestandteil *m (Element)* elemento *m; (Bau-, Einzelteil)* parte *f; chem* componente *m o f;* **etw. in seine ~e zerlegen** smontare qc, scomporre qc.

bestärken ⟨*ohne ge-*⟩ *tr:* **jdn in etw.** *(dat)* **~** rafforzare (*o* confermare) qu in qc.

bestätigen [bə'ʃtɛːtɪgən] ⟨*ohne ge-*⟩ **I.** *tr* **1.** *allg.* confermare; **2.** *(bescheinigen)* attestare, certificare; **3.** *(anerkennen)* riconoscere; **4.** *com (Brief)* accusare ricevuta di; **II.** *rfl:* **sich ~** risultare vero; **sich selbst ~** confermarsi.

Bestätigung ⟨-, -en⟩ *f* **1.** *(von Verdacht, Hypothese)* conferma *f*, convalida *f;* **2.** *(Bescheinigung)* attestazione *f; (Dokument)* certificato *m;* **3.** *(Anerkennung)* riconoscimento *m;* **4.** *com* accusare *m* ricevuta, conferma *f*.

bestatten [bə'ʃtatən] ⟨*ohne ge-*⟩ *tr* inumare, seppellire.

Bestattung ⟨-, -en⟩ *f* inumazione *f*, sepoltura *f; (Feier)* funerale *m*, esequie *f pl.*

Bestäubung [bə'ʃtɔʏbʊŋ] ⟨-, *rar* -en⟩ *f bot* impollinazione *f*.

bestaunen ⟨*ohne ge-*⟩ *tr* guardare con stupore.

beste *s.* **beste(r, s).**

bestechen ⟨*irr, ohne ge-*⟩ *tr* **1.** *(mit Geld)* corrompere; *(Zeugen)* comprare; **2.** *fig (beeindrucken)* sedurre, affascinare.

bestechlich *adj* corruttibile, venale. **Bestechlichkeit** ⟨-, ø⟩ *f* corruttibilità *f*, venalità *f*.

Bestechung ⟨-, -en⟩ *f* corruzione *f; (von Zeugen)* subornazione *f.* **Bestechungsgelder** *n pl* bustarelle *f pl,* tangenti *f pl.*

Besteck [bəˈʃtɛk] ⟨-(e)s, -e⟩ *n* **1.** *(Eß~)* posate *f pl;* **2.** *med* ferri *m pl* chirurgici.

bestehen ⟨*irr, ohne ge-*⟩ **I.** *tr (Kampf, Probe)* sostenere; *(Prüfung)* passare, superare; **II.** *itr (existieren)* esistere, essere, esserci; **auf etw.** *(dat)* ~ insistere su qc, ostinarsi in qc; ~ **aus** constare di, essere costituito da. **bestehend** *adj* esistente; *(gegenwärtig)* attuale; *(Gesetz)* vigente, in vigore.

bestehlen ⟨*irr, ohne ge-*⟩ *tr* derubare (*um* di).

bestellen ⟨*ohne ge-*⟩ **I.** *tr* **1.** *(Ware, im Restaurant)* ordinare; *(reservieren lassen)* (far) riservare, prenotare; *(kommen lassen: Ware, Menschen)* far venire; *(abonnieren)* abbonare; **2.** *(Grüße)* portare, trasmettere; *(Nachricht)* comunicare; **3.** *(ernennen)* nominare; **4.** *agr (Land)* coltivare, lavorare; **auf 2 Uhr bestellt sein** avere un appuntamento alle 2; **ich stand da wie bestellt und nicht abgeholt** *fam* me ne stavo là imbambolato; **bestell ihm (von mir), daß ...** riferiscigli che ...; **es ist schlecht um sie bestellt** le cose vanno male per lei; **II.** *itr (im Restaurant)* ordinare.

Bestellschein *m* bolletta *f* d'ordinazione.

Bestellung *f* **1.** *(Bestellen)* ordine *m,* ordinazione *f; (Sendung)* consegna *f,* distribuzione *f;* **2.** *(Nachricht)* ambasciata *f;* **3.** *(Ernennung)* nomina *f;* **4.** *agr* coltivazione *f;* **auf** ~ su ordinazione.

bestenfalls *adv* nel migliore dei casi; *(höchstens)* tutt'al più, al massimo.

bestens [ˈbɛstəns] *adv* nel modo migliore; *(sehr gut)* benissimo.

beste(r, s) [ˈbɛstə] ⟨*superl von* gut⟩ **I.** *adj* migliore, ottimo, -a; **der/die B~** il/la migliore; **das B~** il meglio; **der/die/das erste (*o* nächste)** ~ il/la primo/-a venuto/-a, il/la primo/-a che capita; **meine ~ Freundin** la mia miglior amica; **etw. zum ~n geben** *(erzählen)* raccontare qc; **jdn zum ~n halten (*o* haben)** canzonare qu; **sein B~s tun (*o* geben)** fare del proprio meglio; **es wäre das ~, jetzt zu gehen** la cosa migliore sarebbe andarsene adesso; **ich will nur dein B~s** voglio solo il tuo bene; **wollen wir das B~ hoffen!** speriamo bene!; **~n Dank!** *(a. iron)* tante grazie!; **II.** *adv:* **am ~n** meglio, la cosa migliore; **es ist am ~n, wenn ich gehe, am ~n gehe ich** è meglio che me ne vada.

besteuern ⟨*ohne ge-*⟩ *tr* tassare, mettere un'imposta su.

Bestform *f (bes. sport)* ottima forma *f.*

Bestie [ˈbɛstiə] ⟨-, -n⟩ *f* bestia *f* feroce; *(a. fig)* belva *f.*

bestimmen ⟨*ohne ge-*⟩ **I.** *tr* **1.** *(festsetzen)* decidere, fissare; **2.** *(anordnen)* stabilire, ordinare; **3.** *(genau festlegen)* precisare; *(Begriff)* definire; *(Pflanze)* classificare; **4.** *(prägen: Landschaft)* caratterizzare; *(beeinflussen: Preis, Zahl)* determinare, stabilire; *(Entwicklung, Stil)* influenzare, caratterizzare; **5.** *(ernennen)* nominare, designare; **6.** *(zudenken)* destinare (*für* a); *(zuweisen)* assegnare; **II.** *itr* **1.** *(verfügen)* disporre (*über +akk* di); **2.** *(entscheiden)* decidere (*über +akk* di, su).

bestimmt **I.** *adj* **1.** *(festgelegt)* stabilito; *(a. Zeitpunkt, Preis)* fissato; **2.** *gram (Artikel)* determinato; **3.** *(entschieden)* deciso, risoluto, fermo; **4.** *(gewiß)* certo; **5.** *(zugedacht)* destinato (*für* a), previsto (*für* per); **II.** *adv (sicherlich)* certamente, di certo, senz'altro; *(wahrscheinlich)* probabilmente; **ich werde es ganz ~ tun** lo farò di sicuro. **Bestimmtheit** ⟨-, ø⟩ *f* **1.** *(Sicherheit)* certezza *f;* **2.** *(Entschiedenheit)* fermezza *f.*

Bestimmung ⟨-, -en⟩ *f* **1.** *(Vorschrift)* disposizione *f,* norma *f, (gesetzliche Vorschrift)* disposizione *f* (*o* norma *f*) di legge; *(Vertrags~)* convenzione *f;* **2.** *(Verwendungszweck)* scopo *m,* fine *m;* **3.** *(Schicksal)* destino *m,* sorte *f;* **4.** *gram* complemento *m;* **5.** ⟨*sing*⟩ *(Bestimmen)* stabilire *m; (Festlegen)* fissare *m; (Begriffs~)* definizione *f; (von Pflanzen)* classificazione *f; (Ernennung)* designazione *f; (Beeinflussung)* influsso *m,* influenza *f;* **gesetzliche ~en** *pl* legislazione *f.* **Bestimmungsland** *n* paese *m* di destinazione (*o* destinatario). **Bestimmungsort** *m* (luogo *m* di) destinazione *f.*

Bestleistung *f* prestazione *f* migliore, primato *m,* record *m.* **bestmöglich** [ˈbɛstˈmøːklɪç] **I.** *adj* il (la) miglior possibile; **II.** *adv* nel migliore dei modi.

Best.-Nr. *abk von* **Bestellnummer** numero *m* di ordinazione.

bestrafen ⟨*ohne ge-*⟩ *tr* punire.

Bestrafung ⟨-, -en⟩ *f* punizione *f.*

bestrahlen ⟨*ohne ge-*⟩ *tr* illuminare; *med* curare con i raggi; *phys* irradiare.

Bestrahlung *f* irradiazione *f; (med a.)* cura *f* dei raggi; **radioaktive ~** irradiamento *m* radioattivo.

Bestreben *n* sforzo *m,* premura *f,* aspirazione *f.*

bestrebt *adj:* ~ **sein, etw. zu tun** cercare (*o* sforzarsi) di fare qc.

bestreichen ⟨*irr, ohne ge-*⟩ *tr* spalmare (*mit* di); **mit Butter ~** imburrare.

bestreiken ⟨*ohne ge-*⟩ *tr (Betrieb)* scioperare in.

bestreiten ⟨*irr, ohne ge-*⟩ *tr* **1.** *(streitig machen)* contestare, confutare; **2.** *(abstreiten)* negare, smentire; **3.** *(Kosten)* sostenere, provvedere a; *(Unterhalt)* far fronte (*etw.* a qc); **die Unterhaltung ~** sostenere la conversazione.

bestreuen ⟨*ohne ge-*⟩ *tr:* **etw. mit Sand** *etc.* ~ spargere sabbia *ecc.* su qc; **etw. mit Salz/Zucker/Mehl** ~ cospargere qc di sale/zucchero/farina.

Bestseller ['bɛstzɛlɐ] ⟨-s, -⟩ *m* bestseller *m.* **Bestsellerautor(in)** *m(f)* bestsellerista *mf.* **Bestsellerliste** *f* elenco *m* dei bestseller.

bestürmen ⟨*ohne ge-*⟩ *tr* assalire, dare l'assalto a; *fig* assediare, tempestare.

bestürzen ⟨*ohne ge-*⟩ *tr* costernare, sgomentare.

Bestürzung ⟨-, ø⟩ *f* costernazione *f,* sgomento *m.*

Bestzeit *f* tempo *m* migliore (*o* di record).

Besuch [bə'zu:x] ⟨-(e)s, -e⟩ *m (a. Besichtigung)* visita *f; (regelmäßiger)* frequenza *f; (Gast)* ospite *mf;* **auf (***o* **zu)** ~ in visita.

besuchen ⟨*ohne ge-*⟩ *tr* fare visita a, andare a trovare; *(a. med, com)* visitare; *(häufig, eifrig)* frequentare; **die Schule** ~ frequentare la scuola.

Besucher(in) *m(f)* visitatore, -trice *m, f; (Gast)* ospite *mf; theat, film, etc.* spettatore, -trice *m, f.*

Besuchszeit *f* orario *m* delle visite.

Betablocker ['be:tablɔkɐ] ⟨-s, -⟩ *m med* betabloccante *m.*

betagt [bə'ta:kt] *adj* attempato, anziano.

betätigen ⟨*ohne ge-*⟩ **I.** *tr* azionare; **II.** *rfl:* **sich** ~ *(sich beschäftigen)* svolgere un'attività, occuparsi; **sich politisch** ~ essere attivo in politica.

Betätigung ⟨-, -en⟩ *f* **1.** ⟨*sing*⟩ *tec* comando *m,* azionamento *m;* **2.** *(Beschäftigung)* attività *f,* occupazione *f.* **Betätigungsfeld** *n* campo *m* d'attività.

betäuben [bə'tɔybən] ⟨*ohne ge-*⟩ *tr (durch Lärm)* assordare, stordire; *(Schmerz, Gefühl)* attenuare, attutire; *(Gewissen)* far tacere; *med* anestetizzare, narcotizzare.

Betäubung ⟨-, -en⟩ *f (a. fig)* stordimento *m; med* anestesia *f,* narcosi *f.* **Betäubungsmittel** *n* narcotico *m,* anestetico *m.*

beteiligen [bə'tailɪgən] ⟨*ohne ge-*⟩ **I.** *tr* far partecipare (*an +dat* a), (co)interessare (*an +dat* a); *(finanziell)* interessare, associare; **II.** *rfl:* **sich** ~ partecipare (*an +dat* a), prender parte (*an +dat* a); **Beteiligte** ⟨ein -r, -n, -n⟩ *mf* partecipante *mf; (Teilhaber)* interessato, -a *m, f; (an Verbrechen)* complice *mf.*

Beteiligung ⟨-, -en⟩ *f* partecipazione *f* (*an +dat* a); *com* interessenza *f* (*an +dat* a); *(Mitwirkung)* collaborazione *f,* cooperazione *f; (an Verbrechen)* complicità *f.*

beten ['be:tən] **I.** *itr* dire le preghiere, pregare; **zu Gott** ~ pregare Dio; **II.** *tr (Gebet)* dire, recitare.

beteuern [bə'tɔyɐn] ⟨*ohne ge-*⟩ *tr (Unschuld)* affermare; *(Liebe)* dichiarare.

Bethlehem ['be:tlehɛm] *n* Betlemme *f.*

betiteln ⟨*ohne ge-*⟩ *tr (Werk)* intitolare, dare un titolo a; *(Menschen)* chiamare, dare del ... a *fam.*

Beton [be'tɔŋ *o* bə'tõ: *o* be'to:n] ⟨-s, -s⟩ *m* calcestruzzo *m.*

betonen [bə'to:nən] ⟨*ohne ge-*⟩ *tr* accentare, porre l'accento su; *(hervorheben)* accentuare, sottolineare, mettere in rilievo; *(sagen)* insistere su.

betonieren [beto'ni:rən] ⟨*ohne ge-*⟩ *tr* betonare.

Betonklotz *m* **1.** *(Klotz aus Beton)* blocco *m* di calcestruzzo; **2.** *pej (häßlicher Bau)* blocco *m* di cemento. **Betonmischmaschine** *f* betoniera *f,* impastatrice *f* per calcestruzzo.

betont **I.** *adj* marcato, accentuato; **II.** *adv* marcatamente.

Betonung ⟨-, -en⟩ *f (von Wort)* accentazione *f; (Akzent)* accento *m; (Hervorhebung, Gewicht)* rilievo *m,* risalto *m; (Beteuerung)* enfasi *f.*

betören [bə'tø:rən] ⟨*ohne ge-*⟩ *tr (bezaubern)* incantare, affascinare; *(verführen)* sedurre.

betr. *abk von* **betreffend** ogg. (*abbr di* oggetto).

Betracht [bə'traxt] ⟨-(e)s, ø⟩ *m:* **etw. außer** ~ **lassen** non tener conto di qc; **in** ~ **kommen** essere in questione, interessare; **etw. in** ~ **ziehen** prendere in considerazione qc, tener conto di qc.

betrachten ⟨*ohne ge-*⟩ *tr* **1.** *(ansehen)* guardare, contemplare; **2.** *(halten für)* ritenere, considerare (*als* come); **genau betrachtet** tutto sommato (*o* considerato).

Betrachter(in) ⟨-s, -⟩ *m(f)* spettatore, -trice *m, f.*

beträchtlich [bə'trɛçtlɪç] *adj* considerevole, rilevante, notevole.

Betrachtung ⟨-, -en⟩ *f* **1.** *(Ansehen)* contemplazione *f,* osservazione *f; (Prüfen)* esame *m;* **2.** *(Überlegung)* considerazione *f,* riflessione *f;* ~**en anstellen** riflettere; **bei näherer** ~ a un esame più attento.

Betrag [bə'tra:k] ⟨-(e)s, Beträge⟩ *m* importo *m,* somma *f;* **im** ~ **von** dell'importo di; ~ **erhalten** *(Quittungsformel)* per quietanza.

betragen ⟨*irr, ohne ge-*⟩ **I.** *itr* essere di, ammontare a; **II.** *rfl:* **sich** ~ comportarsi. **Betragen** ⟨-s, ø⟩ *n* comportamento *m; (a. im Schulzeugnis)* condotta *f.*

betreffen ⟨*irr, ohne ge-*⟩ *tr* concernere, riguardare; **betrifft** *(im Brief)* oggetto; **was das betrifft** in quanto a ciò; **was mich betrifft** per quanto mi concerne; **das betrifft mich nicht** ciò non mi riguarda. **betreffend** *adj* (*abk* **betr.**) in questione; ~ **Ihren Brief vom ...** in riferimento alla Sua (lettera) del ...

betreiben ⟨*irr, ohne ge-*⟩ *tr (Beruf, Hobby)* esercitare; *(Geschäft)* condurre; *(Politik)* fare; *(Studien)* proseguire.
Betreiber(in) *m(f)* esercente *mf*, gestore, -trice *m, f.*
betreten[1] ⟨*irr, ohne ge-*⟩ *tr (Raum)* entrare, mettere piede in; *(Rasen)* calpestare; **B~ verboten!** vietato l'ingresso; **B~ des Rasens verboten!** è proibito calpestare il prato.
betreten[2] *adj fig (verlegen)* imbarazzato, confuso.
betreuen [bəˈtrɔyən] ⟨*ohne ge-*⟩ *tr* curare, aver cura di; *(beaufsichtigen)* sorvegliare, controllare; *(leiten)* occuparsi di.
Betreuer(in) ⟨-s, -⟩ *m(f) (von Kindern, Gruppen)* accompagnatore, -trice *m, f; (von Alten, Kranken)* assistente *mf; (von Sportlern)* allenatore, -trice *m, f.*
Betreuung ⟨-, ø⟩ *f* assistenza *f.*
Betrieb [bəˈtriːp] *m* **1.** *(Firma)* azienda *f; (a. Handwerks~)* impresa *f;* **2.** *(Tätigkeit)* attività *f; (von Maschine)* funzionamento *m*, esercizio *m;* **3.** *(Betriebsamkeit)* movimento *m; (Verkehr)* traffico *m*, movimento *m;* **landwirtschaftlicher ~** azienda agricola; **außer ~** fuori esercizio (*o* servizio); *(nicht betriebsfähig)* guasto. **Betriebsangehörige** *mf* dipendente *mf* d'azienda. **Betriebsarzt** *m*, **-ärztin** *f* medico aziendale. **Betriebsausflug** *m* gita *f* aziendale. **betriebsblind** *adj pej* che non vede i difetti nel proprio ambito professionale. **betriebseigen** *adj* (di proprietà) dell'azienda. **Betriebsferien** ⟨*pl*⟩ ferie *f pl* annuali, chiusura *f* annuale. **Betriebsgeheimnis** *n* segreto *m* aziendale; **Verletzung des ~es** violazione *f* del segreto d'azienda. **betriebsintern** *adj, adv* all'interno dell'azienda. **Betriebskantine** *f* mensa *f* aziendale. **Betriebsklima** *n* ambiente *m* di lavoro. **Betriebskosten** ⟨*pl*⟩ spese *f pl* d'esercizio. **Betriebsprüfung** *f* revisione *f* della contabilità aziendale, verifica *f* dei conti. **Betriebsrat** *m (Gremium)* consiglio *m* di fabbrica, commissione *f* interna. **Betriebsrat** *m*, **-rätin** *f*, **Betriebsratsmitglied** *n* consigliere, -a *m, f* di fabbrica, (donna *f*) membro *m* della commissione interna. **Betriebsstörung** *f* anomalia *f* di funzionamento. **Betriebsstunden** *f pl inform* ore *f pl* di utilizzo. **Betriebssystem** *n inform* sistema *m* operativo. **Betriebsunfall** *m* infortunio *m* sul lavoro. **Betriebsversammlung** *f* riunione *f* aziendale. **Betriebswirt(in)** *m(f)* specialista *mf* di economia aziendale. **Betriebswirtschaft** *f* economia *f* aziendale.
betrinken ⟨*irr, ohne ge-*⟩ *rfl:* **sich ~** ubriacarsi.
betroffen [bəˈtrɔfən] *adj* **1.** *(in Frage kommend)* interessato, in questione; **2.** *(Reaktion, Schweigen)* compreso, sbigottito; *(Blick)* turbato. **Betroffene** ⟨ein -r, -n, -n⟩ *mf* interessato, -a *m, f.* **Betroffenheit** ⟨-, ø⟩ *f* sbigottimento *m*, turbamento *m.*
betrüben ⟨*ohne ge-*⟩ *tr* rattristare, affliggere. **betrüblich** *adj* triste, doloroso; *(bedauerlich)* spiacevole. **betrübt** *adj* triste, afflitto.
Betrug *m* inganno *m*, imbroglio *m; (Täuschung)* frode *f*, truffa *f; (im Spiel)* barare *m; jur* dolo *m.*
betrügen ⟨*irr, ohne ge-*⟩ *tr (a. in der Liebe)* ingannare; *(geschäftlich)* truffare, frodare (*jdn um etw.* qc a qu); *(im Spiel)* barare.
Betrüger(in) ⟨-s, -⟩ *m(f) (geschäftlich)* imbroglione, -a *m, f*, impostore, -a *m, f; (im Spiel)* baro, -a *m, f; (Hochstapler)* truffatore, -trice *m, f.*
betrügerisch *adj (Mensch)* ingannatore, imbroglione; *(Praktiken, a. jur)* doloso, fraudolento.
betrunken *adj* ubriaco. **Betrunkene** ⟨ein -r, -n, -n⟩ *mf* ubriaco, -a *m, f.*
Bett [bɛt] ⟨-(e)s, -en⟩ *n* **1.** *(zum Schlafen)* letto *m;* **2.** *(Fluß~)* letto *m*, alveo *m;* **zu ~ bringen** mettere a letto; **zu (*o* ins) ~ gehen** andare a letto; **mit jdm ins ~ gehen** *fig* andare a letto con qu; **im ~** a letto. **Bettbezug** *m* biancheria *f* da letto. **Bettcouch** *f* divano-letto *m.* **Bettdecke** *f* coperta *f* da letto.
bettelarm [ˈbɛtəlˈʔarm] *adj* poverissimo, povero in canna *fam.*
Bettelei [bɛtəˈlai] ⟨-, *rar* -en⟩ *f* mendicità *f*, accattonaggio *m.*
Bettelmönch *m* frate *m* mendicante (*o* questuante).
betteln [ˈbɛtəln] *itr* **1.** *(um Geld)* mendicare (*um etw.* qc), chiedere l'elemosina; **2.** *(bitten)* chiedere insistentemente.
betten I. *tr (legen)* mettere (a letto); *(Verletzten)* adagiare; *(Kopf)* appoggiare; **II.** *rfl:* **sich ~** stendersi, coricarsi; **wie man sich bettet, so liegt man** *prov* ciascuno è artefice della propria fortuna *prov.*
Bettgestell *n* lettiera *f.* **Betthupferl** [-hʊpfəl] ⟨-s, -⟩ *n* dolcetto *m* della buona notte. **bettlägerig** [-lɛːgərɪç] *adj* costretto a letto. **Bettlägerigkeit** ⟨-, ø⟩ *f* stare *m* a letto per malattia. **Bettlaken** *n* lenzuolo *m.* **Bettlektüre** *f* lettura *f* prima di addormentarsi.
Bettler(in) [ˈbɛtlɐ (...ərɪn)] ⟨-s, -⟩ *m(f)* mendicante *mf*, accattone, -a *m, f.*
Bettnässen ⟨-s, ø⟩ *n* enuresi *f* notturna. **Bettnässer(in)** ⟨-s, -⟩ *m(f)* affetto, -a *m, f* da enuresi. **bettreif** *adj* stanco morto *fam.* **Bettruhe** *f* riposo *m* a letto. **Bettschwere** ⟨-, ø⟩ *f fam:* **die nötige ~ haben/bekommen** essersi conciliato/conciliarsi lo stato di sonnolenza.
Bettuch *s.* **Bettlaken.**
Bettwäsche *f* biancheria *f* da letto. **Bettzeug** *n* lenzuola *f pl* e coperte *f pl.*

betucht [bə'tu:xt] *adj fam* agiato, abbiente.

beugen ['bɔygən] **I.** *tr* piegare; *gram* flettere; **II.** *rfl:* **sich** ~ piegarsi; *(sich ver~)* chinarsi (*vor +dat* davanti a, di fronte a, *zu* su, verso); *(sich unterwerfen)* sottomettersi.

Beugung ⟨-, -en⟩ *f* **1.** *(von Körper, etc.)* piegamento *m*, flessione *f; (Krümmung)* incurvamento *m;* **2.** *gram* flessione *f.*

Beule ['bɔylə] ⟨-, -n⟩ *f (Schwellung)* gonfiore *m*, rigonfiamento *m*, bernoccolo *m; (Delle)* ammaccatura *f.*

beunruhigen [bə'ʔʊnru:ɪgən] ⟨*ohne ge-*⟩ **I.** *tr* inquietare; **II.** *rfl:* **sich** ~ inquietarsi (*über +acc* per), preoccuparsi (*über +acc* di, per).

Beunruhigung ⟨-, -en⟩ *f* inquietudine *f.*

beurkunden ⟨*ohne ge-*⟩ *tr (schriftlich)* certificare, attestare; *(urkundlich belegen)* comprovare, certificare con documento; ~ **lassen** far autenticare.

beurlauben ⟨*ohne ge-*⟩ *tr* **1.** *(Urlaub geben)* mandare in congedo (*o* licenza); **2.** *(suspendieren: Beamten)* sospendere (temporaneamente).

beurteilen ⟨*ohne ge-*⟩ *tr* giudicare; *(abschätzen)* stimare, valutare.

Beurteilung ⟨-, -en⟩ *f* giudizio *m; (Kritik)* critica *f.*

Beute ['bɔytə] ⟨-, ø⟩ *f allg., mil* bottino *m; (Raub)* rapina *f; (von Raubtieren)* preda *f; (Fang)* cattura *f; naut* preda *f,* cattura *f; fig (Opfer)* vittima *f.*

Beutel ['bɔytəl] ⟨-s, -⟩ *m* **1.** *(Tasche, a. Trage~)* borsa *f,* sacchetto *m; (Geld~)* borsellino *m; (zur Verpackung)* sacchetto *m; (Tabaks~)* borsa *f; (Tee~)* bustina *f;* **2.** *zoo* marsupio *m.*

bevölkern [bə'fœlkɐn] ⟨*ohne ge-*⟩ *tr* popolare.

Bevölkerung ⟨-, *rar* -en⟩ *f* **1.** ⟨*sing*⟩ *(Besiedlung)* popolamento *m;* **2.** *(Einwohner)* popolazione *f,* abitanti *m pl;* **eingesessene** ~ indigeni *m pl.* **Bevölkerungsdichte** *f* densità *f* di popolazione. **Bevölkerungsentwicklung** *f* sviluppo *m* demografico. **Bevölkerungsexplosion** *f* esplosione *f* demografica. **Bevölkerungsgruppe** *f* gruppo *m* demografico. **Bevölkerungszahl** *f* numero *m* degli abitanti. **Bevölkerungszunahme** *f* incremento *m* demografico.

bevollmächtigen [bə'fɔlmɛçtɪgən] ⟨*ohne ge-*⟩ *tr* dare la procura (*o* il mandato) a; *com* conferire una procura a; *(ermächtigen)* autorizzare. **Bevollmächtigte** ⟨ein -r, -n, -n⟩ *mf* mandatario, -a *m, f; com* procuratore, -trice *m, f; pol* plenipotenziario, -a *m, f.*

bevor [bə'fo:ɐ̯] *konj* prima che *+congv,* prima di *+inf.* **bevormunden** [-mʊndən] ⟨*ohne ge-*⟩ *tr* esercitare la tutela su; *fig* trattare come un bambino. **Bevormundung** ⟨-, -en⟩ *f* tutela *f.* **bevor·stehen** ⟨*irr*⟩ *itr* essere imminente; **ihm steht eine Überraschung bevor** lo attende (*o* aspetta) una sorpresa. **bevorzugen** [-tsu:gən] ⟨*ohne ge-*⟩ *tr* preferire, prediligere; *(begünstigen)* favorire. **Bevorzugung** ⟨-, -en⟩ *f* preferenza *f,* predilezione *f.*

bewachen ⟨*ohne ge-*⟩ *tr* sorvegliare, custodire; **bewachter Parkplatz** posteggio custodito.

bewachsen *adj* ricoperto (*mit* di).

Bewachung ⟨-, -en⟩ *f* custodia *f,* sorveglianza *f.*

bewaffnen [bə'vafnən] ⟨*ohne ge-*⟩ *tr* armare (*mit* di), equipaggiare (*mit* di). **bewaffnet** *adj* armato; *(Überfall)* a mano armata.

Bewaffnung ⟨-, -en⟩ *f* **1.** ⟨*sing*⟩ *(Vorgang)* armamento *m;* **2.** *(Waffen)* armi *f pl.*

bewahren ⟨*ohne ge-*⟩ *tr* **1.** *(schützen)* proteggere (*vor +dat* da), preservare (*vor +dat* da); **2.** *(auf~)* custodire; **3.** *(erhalten, nicht verlieren)* conservare, mantenere; **etw. in guter Erinnerung** ~ avere un buon ricordo di qc; **(Gott) bewahre!** Dio ce ne guardi!

bewähren [bə'vɛ:rən] ⟨*ohne ge-*⟩ *rfl:* **sich** ~ dare buona prova; **sich nicht** ~ non resistere alla prova.

bewahrheiten ⟨*ohne ge-*⟩ *rfl:* **sich** ~ risultare vero, avverarsi.

bewährt *adj* **1.** *(Methode, Produkt)* sperimentato, provato; **2.** *(Mitarbeiter)* esperto.

Bewährung ⟨-, -en⟩ *f* prova *f; jur* (sospensione *f*) condizionale *f.* **Bewährungsfrist** *f jur* periodo *m* di prova (*o* di sospensione) condizionale della pena. **Bewährungshelfer(in)** *m(f)* persona *f* che assume la tutela di un condannato durante la sospensione della pena.

bewältigen [bə'vɛltɪgən] ⟨*ohne ge-*⟩ *tr* **1.** *(Arbeit)* venire a capo di, portare a compimento; **2.** *(Schwierigkeit)* superare; **3.** *(Strecke)* compiere.

bewandert [bə'vandɐt] *adj (Mensch)* versato (*in +dat* in), esperto (*in +dat* di).

Bewandtnis [bə'vantnɪs] ⟨-, -se⟩ *f:* **damit hat es folgende** ~ la cosa sta così.

bewässern ⟨*ohne ge-*⟩ *tr* irrigare.

Bewässerung ⟨-, -en⟩ *f* irrigazione *f.*

bewegen¹ [bə've:gən] ⟨*ohne ge-*⟩ **I.** *tr* **1.** *(regen, fort~)* muovere; *(a. fig)* agitare; **2.** *(in Gang bringen, bes. tec)* azionare, mettere in moto (*o* in movimento *o* in azione); **3.** *fig* commuovere, toccare; *(erregen)* agitare, eccitare, irritare; **II.** *rfl:* **sich** ~ muoversi; *(Fahrzeug)* mettersi in moto; *(sich fort~)* far moto, spostarsi; *(Preise)* aggirarsi; **sich frei** ~ **können** avere libertà di movimento; **sich nicht von der Stelle** ~ non muoversi, restare sul posto; **in den Verhandlungen bewegt sich nichts** le trattative sta-

gnano (*o* sono in fase di stasi); **es bewegt sich etwas** *fig* qualcosa si muove.
bewegen² [bə've:gən] ⟨bewegt, bewog, bewogen⟩ *tr (zu einem Entschluß bringen)* spingere (*zu* a).
Beweggrund *m* motivo *m*, motivazione *f; jur* movente *m*.
beweglich *adj* **1.** *(Sache)* mobile, movibile; *(transportierbar)* trasportabile, ambulante; *jur* mobile; **2.** *(Mensch: gelenkig, flexibel)* flessibile, agile; *(geistig)* vivo, vivace, versatile; *(Geist)* vivo, vivace, attivo; **3.** *tec* articolato. **Beweglichkeit** ⟨-, ø⟩ *f* **1.** *(von Gegenstand)* mobilità *f;* **2.** *(Gelenkigkeit)* agilità *f; (Flexibilität a.)* flessibilità *f; (geistig)* vivacità *f*, versatilità *f*.
bewegt *adj* **1.** *(unruhig: Wasser, See)* mosso, agitato; *(Zeit, Leben)* movimentato, agitato; **2.** *(gerührt)* commosso.
Bewegung ⟨-, -en⟩ *f* **1.** *(Regung, Fort~, a. pol, soc)* movimento *m; (Hand~)* gesto *m; phys, tec* moto *m;* **2.** *(Unruhe)* agitazione *f;* **3.** *(Ergriffenheit)* emozione *f*, commozione *f;* **in** ~ in movimento (*o* in moto); **etw. kommt in** ~ qc si muove; **bei der geringsten** ~ al minimo gesto; **keine** ~! fermo! nessun movimento!. **Bewegungsfreiheit** *f* libertà *f* di movimento; *fig* libertà *f* di azione (*o* di manovra). **bewegungslos** *adj* immobile, immoto.
Beweis [bə'vais] ⟨-es, -e⟩ *m* prova *f; mat, philos* dimostrazione *f; (~stück)* documento *m* probatorio; *(Zeichen)* testimonianza *f*, segno *m;* **etw. unter ~ stellen** dare (*o* fare) prova di qc; **als (*o* zum) ~ für** a prova di. **Beweisaufnahme** *f* istruzione *f* probatoria.
beweisen ⟨*irr, ohne ge-*⟩ *tr* provare; *(a. mat)* dimostrare; *(zeigen)* dare prova di, mostrare, manifestare.
beweiskräftig *adj* probativo, probante, convincente. **Beweismaterial** *n* prove *f pl*.
bewerben ⟨*irr, ohne ge-*⟩ *rfl:* **sich** ~ aspirare (*um* a); *(um Amt, Stelle)* far domanda (*um* per), concorrere (*um* a).
Bewerber(in) ⟨-s, -⟩ *m(f)* aspirante *mf; (um Stelle)* concorrente *mf; (Freier)* pretendente *m*.
Bewerbung *f* aspirazione *f; (um Stelle)* concorso *m; (~sschreiben)* domanda *f* d'impiego. **Bewerbungsgespräch** *n* colloquio *m* (d'impiego *o* di assunzione). **Bewerbungsschreiben** *n* domanda *f* d'assunzione. **Bewerbungsunterlagen** *f pl* documenti *m pl* allegati alla domanda d'impiego (*o* di concorso).
bewerfen ⟨*irr, ohne ge-*⟩ *tr (Fassade)* coprire (*mit* di); **jdn/etw. mit Steinen/Schmutz** ~ gettare sassi/sporcizia contro qu/qc.
bewerkstelligen [bə'vɛrkʃtɛlıgən] ⟨*ohne ge-*⟩ *tr* effettuare, realizzare, attuare.
bewerten ⟨*ohne ge-*⟩ *tr* valutare, stimare; *(in Schule)* dare un voto a; *(a. sport)* classificare.
Bewertung *f* stima *f*, valutazione *f; (in Schule)* voto *m; sport* graduatoria *f*.
bewilligen [bə'vılıgən] ⟨*ohne ge-*⟩ *tr (Urlaub, fin, allg.)* accordare, concedere; *(Antrag)* accogliere, accettare; *adm, parl* approvare.
Bewilligung ⟨-, -en⟩ *f* concessione *f; (von Antrag)* accettazione *f; adm, parl* approvazione *f*.
bewirken ⟨*ohne ge-*⟩ *tr* **1.** *(verursachen)* causare, provocare; **2.** *(erreichen)* raggiungere, ottenere.
bewirten ⟨*ohne ge-*⟩ *tr* invitare a (*mit etw.* qc); *(zu Hause)* ospitare; *(als Kellner)* servire.
bewirtschaften ⟨*ohne ge-*⟩ *tr* **1.** *agr* coltivare, lavorare; **2.** *(Betrieb)* amministrare, dirigere; *(Gaststätte)* gestire.
Bewirtung ⟨-, ø⟩ *f (das Bewirten)* servizio *m*, servire *m; (Essen und Getränke)* mangiare *m* e bere *m*.
bewog [bə'vo:k] *imp von* **bewegen²**.
bewogen [bə'vo:gən] *pp von* **bewegen²**.
bewohnen ⟨*ohne ge-*⟩ *tr* abitare (in).
Bewohner(in) ⟨-s, -⟩ *m(f)* abitante *mf; (von Haus)* inquilino, -a *m, f*.
bewölken [bə'vœlkən] ⟨*ohne ge-*⟩ *rfl:* **sich** ~ *(a. fig)* (r)annuvolarsi. **bewölkt** *adj* nuvoloso, rannuvolato.
Bewölkung ⟨-, ø⟩ *f* nuvolosità *f*.
Bewunderer(in) ⟨-s, -⟩ *m(f)* ammiratore, -trice *m, f*.
bewundern ⟨*ohne ge-*⟩ *tr* ammirare. **bewundernswert** *adj* ammirevole.
Bewunderung ⟨-, ø⟩ *f* ammirazione *f*.
bewußt [bə'vʊst] **I.** *adj* **1.** *philos, psych* cosciente; **2.** *(Leben)* consapevole, cosciente; *(Mensch)* conscio, consapevole; **3.** *(bekannt, besagt)* in questione; **4.** *(absichtlich)* intenzionale, voluto; **sich** *(dat)* **einer S.** *(gen)* ~ **sein** aver coscienza di qc; **am ~en Tag** quel certo giorno; **II.** *adv* **1.** *(wissend, überlegt)* consapevolmente, coscientemente; **2.** *(absichtlich)* di proposito, apposta, con intenzione. **bewußtlos** *adj* privo di sensi, svenuto; ~ **werden** perdere la conoscenza (*o* i sensi), svenire. **Bewußtlosigkeit** ⟨-, ø⟩ *f* svenimento *m*. **bewußt·machen** *tr:* **jdm etw.** ~ rendere cosciente qu di qc. **Bewußtsein** *n* coscienza *f; (Wissen a.)* consapevolezza *f;* **jdm etw. zum ~ bringen** rendere qu cosciente di qc; **wieder zu(m) ~ kommen** riprendere i sensi; **das ~ verlieren** perdere la conoscenza, svenire; **bei vollem** ~ in piena coscienza; **es kam mir zum** ~ me ne resi conto.
bewußtseinsverändernd *adj (Droge)* che provoca modificazioni dell'equilibrio psichico.
bezahlen ⟨*ohne ge-*⟩ *tr* **1.** *(a. fig)* pagare;

(Rechnung, Schuld) regolare, saldare, liquidare; **2.** *(entlohnen)* rimunerare, retribuire, compensare; **sich bezahlt machen** valere la pena, convenire; **bitte ~!** il conto, per favore!

Bezahlung *f* **1.** *(Bezahlen)* pagamento *m; (von Rechnung)* saldo *m*, liquidazione *f*, rimborso *m;* **2.** *(Lohn)* rimunerazione *f*, retribuzione *f*, compenso *m.*

bezaubern ⟨*ohne ge-*⟩ *tr* incantare, affascinare. **bezaubernd** *adj* affascinante, incantevole.

bezeichnen ⟨*ohne ge-*⟩ *tr* **1.** *(kennzeichnen)* (contras)segnare; *(mit Zeichen a.)* marcare; **2.** *(benennen, bedeuten)* denominare, designare; **3.** *(nennen)* chiamare (*als etw.* qc), definire (*als* come). **bezeichnend** *adj* significativo, caratteristico, tipico.

Bezeichnung *f* **1.** *(Zeichen)* contrassegno *m*, marcatura *f; (a. mat, mus)* segno *m;* **2.** *(Ausdruck)* denominazione *f*, designazione *f*, nome *m;* **3.** *(Benennung)* qualifica *f* (*als* di); **4.** *(Angabe)* indicazione *f.*

bezeugen ⟨*ohne ge-*⟩ *tr* testimoniare di (*o* su), attestare.

bezichtigen [bəˈtsɪçtɪgən] *s.* **beschuldigen.**

beziehen ⟨*irr, ohne ge-*⟩ **I.** *tr* **1.** *(überziehen, bedecken)* ricoprire (*mit* di), rivestire (*mit* di); *(Bett)* cambiare le lenzuola di; *(Kopfkissen)* mettere una federa a; **2.** *(Wohnung, Haus)* andare ad abitare in, entrare in; **3.** *(bekommen)* percepire, riscuotere; *(Ware)* acquistare; *(Zeitung)* essere abbonato a; **etw. auf etw.** *(akk)* **~** riferire qc a qc; **II.** *rfl:* **sich ~** *(Himmel)* coprirsi, rannuvolarsi; **sich auf etw.** *(akk)* **~** *(a. gram)* riferirsi a qc; *(Sache)* concernere qc, riguardare qc.

Beziehung *f* **1.** *(Zusammenhang)* relazione *f* (*zwischen +dat* fra), rapporto *m* (*zwischen +dat* fra); **2.** *(Verhältnis, a. mat, philos)* rapporto *m* (*zu* con), relazione *f* (*zu* con); *(Liebes~)* relazione *f* (amorosa); **3.** ⟨*pl*⟩ *(Verbindungen)* relazioni *f pl*, appoggi *m pl;* **4.** *(Hinsicht)* riguardo *m*, aspetto *m;* **(diplomatische) ~en unterhalten mit** intrattenere relazioni (diplomatiche) con; **ich habe keine ~ zur modernen Kunst/Musik** l'arte/la musica moderna non mi dice niente. **Beziehungskiste** *f fam* rapporto *m.* **beziehungslos** *adj* incoerente, senza connessione (*o* legame). **beziehungsweise** *konj* (*abk* **bzw.**) **1.** *(im anderen Fall)* rispettivamente; **2.** *(oder aber)* o, oppure; **3.** *(besser gesagt)* o meglio.

Bezirk [bəˈtsɪrk] ⟨-(e)s, -e⟩ *m (Verwaltungs~)* distretto *m*, circoscrizione *f; (Gebiet)* zona *f*, regione *f; (Stadt~)* quartiere *m*, rione *m.*

Bezug [bəˈtsuːk] ⟨-(e)s, Bezüge⟩ *m* **1.** *(Überzug)* rivestimento *m*, guarnizione *f; (Hülle)* fodera *f; (Kissen~)* federa *f; (Bett~)* coperta *f;* **2.** *(Erhalt)* percezione *f*, esazione *f*, riscossione *f; (von Waren)* acquisto *m; (von Zeitung)* abbonamento *m;* **3.** ⟨*pl*⟩ *(Einkommen)* entrate *f pl*, reddito *m; (Gehalt)* stipendio *m; (Lohn)* salario *m*, paga *f;* **4.** *(Zusammenhang) s.* **Beziehung 1.; auf etw.** *(akk)* **~ nehmen** riferirsi a qc; **den ~ zur Wirklichkeit verlieren** perdere il contatto con la realtà; **bei ~ von** *com* acquistando; **in b~ auf** riguardo a, in relazione a.

bezüglich [bəˈtsyːklɪç] **I.** *adj* concernente (*auf etw.* qc); *gram* relativo; **II.** *prp +gen* (*abk* **bzgl.**) per quanto riguarda, per quanto a.

Bezugsperson *f* persona *f* di riferimento. **Bezugsquelle** *f* fonte *f* (*o* luogo *m)* d'acquisto.

bezuschussen [bəˈtsuːʃʊsn] *tr* sovvenzionare, dare un contributo (*o* una sovvenzione) a.

bezwecken ⟨*ohne ge-*⟩ *tr* avere per scopo (*o* meta), mirare a, tendere a.

bezweifeln ⟨*ohne ge-*⟩ *tr* dubitare di, mettere in dubbio.

BGB [beːgeːˈbeː] ⟨-(s), ø⟩ *n abk von* **Bürgerliches Gesetzbuch** ≃ C.C. (*abk von* Codice Civile).

BH [beˈhaː] ⟨-(s), -(s)⟩ *m fam abk von* **Büstenhalter** reggiseno *m.*

Bhagwan [ˈbagvan] *m rel* Bhagwan *m.*

Bhf. *abk von* **Bahnhof** staz. (*abk von* stazione).

Biathlon [ˈbiːatlɔn] ⟨-s, -s⟩ *n* biathlon *m.*

Bibel [ˈbiːbəl] ⟨-, -n⟩ *f:* **die ~** la Bibbia, la Sacra scrittura; *fig* la bibbia, il vangelo. **bibelfest** *adj* ferrato in materia di Bibbia. **Bibelstelle** *f* passo *m* della Bibbia.

Biber [ˈbiːbɐ] ⟨-s, -⟩ *m (a. Pelz)* castoro *m.*

Bibliographie [bibliograˈfiː, ...iːən] ⟨-, -n⟩ *f* bibliografia *f.*

Bibliothek [biblioˈteːk] ⟨-, -en⟩ *f* biblioteca *f.*

Bibliothekar(in) [...teˈkaːɐ̯ (...rɪn)] ⟨-s, -e⟩ *m(f)* bibliotecario, -a *m, f.*

biblisch [ˈbiːblɪʃ] *adj* biblico.

Bidet [biˈdeː] ⟨-s, -s⟩ *n* bidet *m.*

bieder [ˈbiːdɐ] *adj* bravo, onesto, probo; *pej* convenzionale, conservativo.

biegen [ˈbiːgən] ⟨biegt, bog, gebogen⟩ **I.** *tr* ⟨*haben*⟩ piegare; *(krümmen)* (in)curvare; *tec* centinare; **II.** *itr* ⟨*sein*⟩ (s)voltare (*um etw.* qc), girare (*um etw.* qc); **auf B~ oder Brechen** ad ogni costo; **III.** *rfl:* **sich ~** piegarsi, curvarsi; **sich ~ vor Lachen** sbellicarsi dalle risate.

biegsam *adj* flessibile, pieghevole; *(Körper, Gelenke)* flessuoso.

Biegung ⟨-, -en⟩ *f (Krümmung)* piegamento *m; (Kurve)* curva *f*, svolta *f.*

Biel [biːl] *n* Bienne *f.*

Biene ['bi:nə] ⟨-, -n⟩ *f* ape *f*. **Bienenhaus** *n* alveare *m*. **Bienenhonig** *m* miele *m* d'api. **Bienenkönigin** *f* ape *f* regina. **Bienenkorb** *m* arnia *f*. **Bienenstich** *m* **1.** *(von Biene)* puntura *f* d'ape; **2.** *(Gebäck) pasta lievitata con ripieno di crema e ricoperta da uno strato di mandorle finemente tritate.* **Bienenwachs** *n* cera *f* d'api.

Bier [bi:ɐ̯] ⟨-(e)s, -e *o bei Mengenangabe* -⟩ *n* birra *f*; **zwei ~ bitte!** due birre, per favore; **das ist nicht mein ~** *fig fam* non sono affari miei, chi se ne frega? *fam.* **Bierbauch** *m fam* pancione *m* (da birra), trippone *m fam.* **Bierbrauerei** *f* birrificio *m*. **Bierdeckel** *m* sottobicchiere *m*. **Bierdose** *f* lattina *f* di birra. **bierernst** *adj fam* molto serio. **Bierfilz** *m s.* **Bierdeckel. Bierflasche** *f* bottiglia *f* di birra. **Biergarten** *m* birreria *f* all'aperto. **Bierglas** *n* bicchiere *m* da birra. **Bierhefe** *f* lievito *m* di birra. **Bierkrug** *m* brocca *f* per la birra. **Biertrinker(in)** *m(f)* bevitore, -trice *m, f* di birra. **Bierzelt** *n* capannone *m* per la mescita di birra.

Biest [bi:st] ⟨-(e)s, -er⟩ *n fam pej* **1.** *(Tier)* bestia(ccia) *f*; **2.** *(Mensch)* carogna *f fam.*

bieten ['bi:tən] ⟨bietet, bot, geboten⟩ **I.** *tr* **1.** *(an~)* offrire; *(Gelegenheit)* presentare, offrire; **2.** *(geben)* dare, offrire; **3.** *(zeigen: Anblick)* presentare, offrire; *(Leistung)* dare; **4.** *(bei Versteigerungen)* fare un'offerta di; **II.** *itr (bei Versteigerung)* fare un'offerta (*auf +acc* per); **höher ~ als jdm** fare un'offerta maggiore di qu; **III.** *rfl:* **sich ~** offrirsi, presentarsi; **sich** *(dat)* **etw. ~ lassen** tollerare qc, sopportare qc; **das lasse ich mir nicht ~** questo non lo accetto.

Bigamie [biga'mi:, ...i:ən] ⟨-, -n⟩ *f* bigamia *f*.

Bikini [bi'ki:ni] ⟨-s, -s⟩ *m* bikini *m*, due pezzi *m*.

Bilanz [bi'lants] ⟨-, -en⟩ *f (a. fig)* bilancio *m*; **die ~ ziehen** *(a. fig)* fare il bilancio.

bilateral [bilate'ra:l *o* 'bi:...] *adj* bilaterale.

Bild [bɪlt] ⟨-(e)s, -er⟩ *n* **1.** *(a. fot, film, TV)* immagine *f*; *(Gemälde)* quadro *m*, dipinto *m*; *(Abbildung)* illustrazione *f*; *(a. auf Spielkarten)* figura *f*; *(Licht~)* fotografia *f*; **2.** *theat* quadro *m*; **3.** *(Sinn~)* simbolo *m*; *(Gleichnis)* parabola *f*; *(Metapher)* metafora *f*; **4.** *(Vorstellung)* idea *f*; **ein ~ des Jammers bieten** offrire (*o* presentare) una scena desolante; **im ~e sein** essere informato (*über +akk* su, di), vederci chiaro; **sich** *(dat)* **ein ~ von etw. machen** farsi un'idea di qc; **du machst dir kein ~ davon** non puoi immaginartelo. **Bildauflösung** *f TV, inform* dissolvenza *f* dell'immagine. **Bildband** ⟨-(e)s, -bände⟩ *m* volume *m* illustrato. **Bildbetrachter** *m (für Dias)* visore *m* per diapositive, visorino *m*.

bilden ['bɪldən] **I.** *tr* **1.** *(gestalten)* formare, plasmare, modellare; **2.** *(schaffen)* creare; **3.** *gram (Wort, Satz)* formare, fare; **4.** *(zusammenstellen, organisieren)* costituire, comporre, combinare; **5.** *(Menschen)* educare, istruire; *(Geist, Verstand)* formare; **6.** *(darstellen, sein)* costituire, essere; **II.** *rfl:* **sich ~ 1.** *(entstehen)* formarsi, svilupparsi; **2.** *(Mensch)* farsi una cultura; *(lernen)* istruirsi. **bildend** *adj* **1.** *(gestaltend)* formativo; **2.** *(belehrend, erzieherisch)* istruttivo, educativo; **die ~en Künste** le arti figurative.

Bilderbogen *m* foglio *m* illustrato. **Bilderbuch** *n* libro *m* illustrato. **Bilderbuchkarriere** *f* carriera *f* esemplare. **Bilderrahmen** *m* cornice *f*. **Bilderrätsel** *n* rebus *m*.

Bildfläche *f* piano *m* (dell'immagine); *film* schermo *m*; **auf der ~ erscheinen** *fig* apparire in scena. **Bildgeschichte** *f* storia *f* illustrata, fumetto *m*. **bildhaft** *adj* metaforico. **Bildhauer(in)** ⟨-s, -⟩ *m(f)* scultore, -trice *m, f*. **Bildhauerei** [-haṷəraɪ̯] ⟨-, ø⟩ *f* scultura *f*. **bildhübsch** ['bɪlt'hʏpʃ] *adj* bellissimo.

bildlich I. *adj* figurato, simbolico, metaforico; **~er Ausdruck** espressione metaforica, metafora *f*; **~e Darstellung** figurazione *f*; **II.** *adv* in senso figurato (*o* metaforico), metaforicamente.

Bildmischer(in) ⟨-s, -⟩ *m(f)* tecnico *m* del missaggio. **Bildplatte** *f* videodisco *m*. **Bildplattenspieler** *m* riproduttore *m* di videodischi. **Bildpunkt** *m* elemento *m* (*o* punto *m*) d'immagine. **Bildröhre** *f* tubo *m* catodico. **Bildschärfe** *f opt, TV* nitidezza *f* (*o* definizione *f*) dell'immagine. **Bildschirm** *m* schermo *m*; *TV* teleschermo *m*. **Bildschirmabstrahlung** *f* radiazione *f* (*o* radiazioni *f pl*) dello schermo. **Bildschirmarbeit** *f* lavoro *m* al terminale. **Bildschirmarbeitsplatz** *m* posto *m* di lavoro al terminale. **Bildschirmgerät** *n* visualizzatore *m*. **Bildschirminhalt** *m inform* schermata *f*, videata *f*. **Bildschirmterminal** *n* videoterminale *m*, terminale *m*. **Bildschirmtext** *m* (*abk* **Btx**) Videotex® *m*, Videotel® *m*. **bildschön** ['bɪlt'ʃø:n] *adj* bellissimo. **Bildstörung** *f* interferenza *f*. **Bildsuchlauf** *m (von Videorecordern)* ricerca *f* delle immagini. **Bildtelefon** *n* videotelefono *m*, videofono *m*.

Bildung ⟨-, -en⟩ *f* **1.** *(Vorgang, Zustand)* formazione *f*; *(Entwicklung)* sviluppo *m*, evoluzione *f*; *(Schaffung)* creazione *f*, costituzione *f*; *(Gründung)* fondazione *f*; **2.** *(Erziehung)* educazione *f*, cultura *f*; *(allgemeine ~)* cultura *f* generale; *(Wissen)* istruzione *f*, conoscenze *f pl.* **Bildungsbürgertum** *n* borghesia *f* culturale. **Bildungsgut** *n* bagaglio *m* culturale. **Bildungshunger** *m* sete *f* di cultura.

Bildungslücke *f* lacuna *f* culturale. **Bildungsurlaub** *m* vacanze *f pl* culturali. **Bildungsweg** *m* corso *m* di studi; **der zweite** ~ la via di formazione per adulti, le scuole superiori serali; **er hat sein Abitur auf dem zweiten** ~ **gemacht** ha conseguito la maturità frequentando le scuole superiori serali.

Bildverarbeitung *f inform* eidomatica® *f*. **Bildwörterbuch** *n* dizionario *m* illustrato.

Billard ['bɪljart] ⟨-s, -e⟩ *n* biliardo *m*. **Billardkugel** *f* palla *f* da biliardo. **Billardtisch** *m* biliardo *m*.

Billet [bɪl'jɛt] ⟨-(e)s, -s *o* -e⟩ *n CH* biglietto *m*. **Billeteur** [bɪljɛ'tø:ɐ̯] ⟨-s, -e⟩ *m*, **Billeteuse** [...'tø:zə] ⟨-, -n⟩ *f CH* bigliettaio, -a *m, f; (im Zug)* controllore *m*.

Billiarde [bɪ'li̯ardə] ⟨-, -n⟩ *f* quadrilione *m*.

billig ['bɪlɪç] *adj* **1.** *(nicht teuer)* a buon mercato, modico; **2.** *fig (Ausrede, Trost)* magro; *(Trick)* meschino; *(Kleidung)* scadente; **3.** *(gerecht)* giusto. **Billiganbieter** *m* miglior offerente *m*.

billigen ['bɪlɪgən] *tr* approvare.

Billigland *n* paese *m* economico. **Billigtarif** *m* tariffa *f* ridotta.

Billigung ⟨-, ø⟩ *f* approvazione *f*, accettazione *f*.

Billion [bɪ'li̯o:n] ⟨-, -en⟩ *f* bilione *m*.

Bimetall ['bi:-] *n* bimetallo *m*.

Bimsstein ['bɪms-] *m* pietra *f* pomice.

bin [bɪn] *pr von* **sein**[1].

binär [bi'nɛ:ɐ̯] *adj* binario.

Binde ['bɪndə] ⟨-, -n⟩ *f* **1.** *med* benda *f; (Verband)* fasciatura *f; (Arm~)* fascia *f*, bracciale *m; (Augen~)* benda *f; (Monats~)* assorbente *m* (igienico); **2.** *(Band)* nastro *m*, fascia *f*; **sich** *(dat)* **einen hinter die** ~ **gießen** *fam* bere un bicchierino.

Bindegewebe *n* tessuto *m* connettivo. **Bindeglied** *n* anello *m* (*o* elemento *m*) di collegamento. **Bindehaut** *f* congiuntiva *f*. **Bindehautentzündung** *f* congiuntivite *f*.

binden ⟨bindet, band, gebunden⟩ **I.** *tr* **1.** *(zusammen~, a. chem, mus, ling)* legare; *(befestigen)* attaccare; *(Besen, Schleife)* fare; *(Krawatte)* fare il nodo a, annodare; *(Blumen)* fare un mazzo di; *(Buch)* rilegare; **2.** *gastr* far legare (*o* ispessire); **3.** *(Kräfte, Geldmittel, Menschen)* impegnare; **II.** *rfl:* **sich** ~ *fig* impegnarsi (*jdm gegenüber* con qu), vincolarsi (*jdm gegenüber* con qu); **sich an jdn** ~ legarsi a qu. **bindend** *adj fig* impegnativo, vincolante; ~ **sein** far legge (*o* testo).

Bindestrich *m* lineetta *f*. **Bindewort** ⟨-(e)s, -wörter⟩ *n* congiunzione *f*.

Bindfaden *m* spago *m*.

Bindung ⟨-, -en⟩ *f* **1.** *(Beziehung)* legame *m* (*an +akk* con); **2.** *(Verpflichtung)* obbligo *m* (*an +akk* di), impegno *m* (*an +akk* di); **3.** *(Ski~)* attacchi *m pl;* **4.** *chem* legame *m*.

binnen ['bɪnən] *prp +dat o geh +gen* entro, fra, nello spazio di. **Binnenhafen** *m* porto *m* interno (*o* fluviale). **Binnenmarkt** *m:* **europäischer** ~ mercato *m* unico europeo. **Binnenmeer** *n* mare *m* interno. **Binnenschiffahrt** *f* navigazione *f* interna (*o* fluviale). **Binnensee** *m* lago *m* interno. **Binnenwanderung** *f* migrazione *f* interna.

Binse ['bɪnzə] ⟨-, -n⟩ *f* giunco *m;* **in die ~n gehen** *fig fam* andare a monte (*o* rotoli *fam*). **Binsenwahrheit** *f* verità *f* lapalissiana.

Bio- [bio-] *(in Zusammensetzungen)* bio-. **Biochemie** [-çe'mi:] *f* biochimica *f*. **Biochemiker(in)** *m(f)* biochimico, -a *m, f*. **Biochip** [-tʃɪp] *m* biochip *m*. **biodynamisch** [-dy'na:mɪʃ] *adj* biodinamico. **Biogas** *n* biogas *m*, gas *m* naturale. **Biogemüse** ['bi:o-] *n* verdura *f* coltivata senza concimi chimici. **biogenetisch** [-ge'ne:tɪʃ] *adj* biogenetico.

Biographie [-grafi:, ...i:ən] ⟨-, -n⟩ *f* biografia *f*.

biographisch [-'gra:fɪʃ] *adj* biografico.

Bioladen *m fam* bottega *f* che vende prodotti naturali.

Biologe [-'lo:gə] ⟨-n, -n⟩ *m*, **Biologin** [...gɪn] *f* biologo, -a *m, f*.

Biologie [-lo'gi:] ⟨-, ø⟩ *f* biologia *f*.

biologisch [-'lo:gɪʃ] *adj* biologico; ~ **abbaubar** biodegradabile; **~e Abwasserreinigung** depurazione *f* biologica delle acque di scolo; **~e Kläranlage** impianto *m* di depurazione biologica.

Biomasse *f chem* biomassa *f*. **Biomüll** *m* rifiuti *m pl* biologici. **Biophysik** [bio-fy'zi:k] *f* biofisica *f*. **Biorhythmus** ['bi:o-] *m* bioritmo *m*. **Biotechnik** [bio'tɛçnɪk] *f* biotecnica *f*. **biotechnisch** *adj* biotecnico. **Biotechnologie** *f* biotecnologia *f*. **Biotop** [bio'to:p] ⟨-s, -e⟩ *n* biotopo *m*. **Biotreibstoff** *m* combustibile *m* naturale. **Biowaschmittel** *n* detersivo *m* biodegradabile.

birgt [bɪrkt] *pr von* **bergen.**

Birke ['bɪrkə] ⟨-, -n⟩ *f* betulla *f*.

Birnbaum *m (a. Holz)* pero *m*.

Birne ['bɪrnə] ⟨-, -n⟩ *f* **1.** *(Frucht)* pera *f;* **2.** *el* lampadina *f;* **3.** *fam (Kopf)* zucca *f*.

birst [bɪrst] *pr von* **bersten.**

bis [bɪs] **I.** *prp, adv* fino, sino a; ~ **jetzt** finora; ~ **jetzt noch nicht** non ancora; **von Anfang** ~ **Ende** dal principio alla fine; **von . . .** ~ da . . . a; ~ **wann**? fino a quando?; ~ **bald/gleich**! a presto/dopo!; ~ **hier(her)** *(a. fig)* fin qui; ~ **auf** *(außer)* tranne, eccetto, salvo; ~ **zu** *(Reihenfolge)* fino a; **II.** *konj (a.:* ~ **daß)** finché, fino al momento in cui, fino a che.

Bisamratte ['bi:zam-] *f* topo *m* muschiato.

Bischof ['bɪʃɔf *o* 'bɪʃo:f] ⟨-s, Bischöfe⟩ *m*, **Bischöfin** *f* vescovo *m*, donna *f* vescovo.

bischöflich ['bɪʃœflɪç *o* 'bɪʃø:f...] *adj* vescovile.

Bischofsmütze *f* mitra *f*. **Bischofssitz** *m* sede *f* vescovile, vescovado *m*. **Bischofsstab** *m* pastorale *m*.

bisexuell [bizɛ'ksu̯ɛl *o* 'bi:...] *adj* bisessuale.

bisher [bɪs'he:ɐ̯] *adv* finora, fino adesso; ~ **noch nicht** non ancora. **bisherig** *adj attr* finora; **der ~e Minister** il ministro in carica finora.

Biskuit [bɪs'kvi:t] ⟨-(e)s, -s *o* -e⟩ *n o m* pandispagna *m*, pan *m* di Spagna.

bislang [bɪs'laŋ] *s.* **bisher.**

Bison ['bi:zɔn] ⟨-s, -s⟩ *m* bisonte *m*.

biß [bɪs] *imp von* **beißen.**

Biß [bɪs] ⟨Bisses, Bisse⟩ *m* morso *m; ~* **haben** *fig* avere polso, avere mordente.

bißchen ['bɪsçən] **I.** ⟨*inv*⟩ *adj*: **ein** ~ ... un poco di ..., un po' di ...; **das** ~ ... quel po' di ...; **ein klein(es)** ~ ... un pochettino di ...; **kein** ~ ..., **nicht ein** ~ ... nemmeno un po' di ...; **II.** *adv:* **ein** ~ un po'; **III.** *n:* **ein** ~ un po'; **kein** ~ nemmeno un po'.

Bissen ['bɪsən] ⟨-s, -⟩ *m (a. fig)* boccone *m*.

bissig *adj* **1.** *(Hund)* mordace; **2.** *(Bemerkung)* pungente, caustico.

Bißwunde *f* morsicatura *f*, morso *m*.

bist [bɪst] *pr von* **sein** [1].

Bistum ['bɪstu:m] ⟨-s, Bistümer⟩ *n* episcopato *m; (Diözese)* diocesi *f*.

bisweilen [bɪs'vai̯lən] *adv* talvolta, a volte, di tanto in tanto.

Bit [bɪt] ⟨-(s), -(s)⟩ *n inform* bit *m*.

bitte ['bɪtə] *interj* **1.** *(bittend, auffordernd)* per favore, per piacere, prego; **2.** *(als Antwort auf danke)* prego; **3.** *(fragend)* per favore, per piacere; **4.** *(sarkastisch, wütend: na gut)* ecco, visto; ~ ~ **machen** *fam (Kind)* giungere le mani in segno di preghiera per chiedere qc; **(wie)** ~? come (ha detto)?; ~ **(, Sie wünschen)**? prego (, desidera)?; ~ **schön!** prego!; **ja** ~! si, prego.

Bitte ⟨-, -n⟩ *f (Wunsch)* preghiera *f; (Aufforderung, Anliegen)* domanda *f*, richiesta *f;* **ich habe eine ~ an Sie** vorrei chiederLe un favore.

bitten ⟨bittet, bat, gebeten⟩ *tr, itr* **1.** *(Wunsch äußern)* pregare *(jdn, etw. zu tun* qu di fare qc); **2.** *(fragen)* domandare *(jdn um etw.* qc a qu), chiedere *(jdn um etw.* qc a qu); **jdn dringend (*o* inständig *o* flehentlich)** ~ implorare qu, supplicare qu, scongiurare qu, sollecitare da qu *(um etw.* qc); **ich bitte (Sie) darum** La prego; **darf ich** ~? *(zum Tanz)* posso invitarLa a questo ballo?; **darf ich (Sie) um das Salz** ~? per favore, mi passa il sale?; **wenn ich ~ darf** per favore.

bitter ['bɪtɐ] *adj* **1.** *(Geschmack)* amaro; **2.** *fig* amaro; *(Ernst)* grande; *(Hohn, Spott)* crudele; *(Kälte, Frost)* pungente; *(Not)* duro; **etw. ~ nötig haben** avere assolutamente (*o* estremo) bisogno di qc; **es ist ~ kalt** fa un freddo terribile.

bitterböse ['bɪtɐ'bø:zə] *adj* molto adirato. **bitterernst** ['bɪtɐ'ˀɛrnst] *adj* molto serio. **bitterlich** *adv* amaramente.

Bittschrift *f* supplica *f*.

Biwak ['bi:vak] ⟨-s, -s *o* -e⟩ *n* bivacco *m*.

bizarr [bi'tsar] *adj* bizzarro, stravagante.

Bizeps ['bi:tsɛps] ⟨-es, -e⟩ *m* bicipite *m*.

Blackout ['blɛkau̯t] ⟨-s, -s⟩ *m* **1.** *(Gedächtnisverlust)* lacuna *f* di memoria, dimenticanza *f;* **2.** *tec* blackout *m*.

blähen ['blɛ:ən] **I.** *tr* gonfiare; **II.** *itr* provocare meteorismo (*o* flatulenza); **III.** *rfl:* **sich** ~ *(a. fig)* gonfiarsi.

Blähungen *f pl* flatulenze *f pl*.

blamabel [bla'ma:bəl] *adj* umiliante, vergognoso.

Blamage [...'ma:ʒə] ⟨-, -n⟩ *f* mortificazione *f*, vergogna *f*.

blamieren [...'mi:rən] ⟨*ohne ge-*⟩ **I.** *tr* far fare una brutta figura a, rendere ridicolo; **II.** *rfl:* **sich** ~ rendersi ridicolo, fare una brutta figura.

blanchieren [blã'ʃi:rən] ⟨*ohne ge-*⟩ *tr* sbollentare.

blank [blaŋk] *adj* **1.** *(glänzend)* lucido, lustro, luccicante; **2.** *(sauber)* pulito; **3.** *(rein: Hohn, Neid)* puro; ~ **sein** *fig fam* essere al verde (*o* in bolletta *fam*).

blanko ['blaŋko] ⟨*inv*⟩ *adj* in bianco, allo scoperto. **Blankoscheck** *m* assegno *m* in bianco.

Blase ['bla:zə] ⟨-, -n⟩ *f* **1.** *(Luft~)* bolla *f;* **2.** *anat, med* vescica *f;* **sich** *(dat)* **~n laufen** camminare fino a farsi venire le vesciche ai piedi.

Blasebalg ⟨-(e)s, -bälge⟩ *m* soffietto *m*, mantice *m*.

blasen ['bla:zən] ⟨bläst, blies, geblasen⟩ *tr, itr* **1.** *allg. (a. Glas)* soffiare; **2.** *mus* suonare.

Blasenentzündung *f* cistite *f*. **Blasenschwäche** *f* incontinenza *f* vescicale. **Blasenspiegelung** *f* cistoscopia *f*.

Bläser(in) ['blɛ:zɐ (...ərɪn)] ⟨-s, -⟩ *m(f)* **1.** *mus* suonatore, -trice *m, f* (di strumento a fiato); **2.** *tec* soffiatore, -trice *m, f*.

blasiert [bla'zi:ɐ̯t] *adj* blasé, indifferente, altezzoso.

Blasinstrument *n* strumento *m* a fiato. **Blaskapelle** *f*, **-orchester** *n* orchestra *f* di fiati.

Blasphemie [blasfe'mi:, ...i:ən] ⟨-, -n⟩ *f* bestemmia *f*.

blaß [blas] ⟨blasser *o rar* blässer, blasseste *o rar* blässeste⟩ *adj* **1.** *(Haut, Gesichtsfarbe)* pallido; **2.** *(Farbe, Inschrift)* smorto, sbiadito; **3.** *fig (schwach)* pallido; *(farblos: Schilderung)* incolore, scialbo; ~ **werden** impallidire; **vor Neid ~ werden** essere verde (*o* livido) d'invidia.

Blässe ['blɛsə] ⟨-, ø⟩ *f* pallore *m.*

bläst [blɛ:st] *pr von* **blasen.**

Blatt [blat] ⟨-(e)s, Blätter⟩ *n* **1.** *bot* foglia *f;* **2.** *(Papier)* foglio *m; (Seite)* pagina *f;* **3.** *(Zeitung)* giornale *m;* **4.** *(Säge~)* lama *f; (Ruder~, Propeller~)* pala *f;* **5.** *(Kartenspiel)* carta *f;* **ein gutes ~ haben** avere una buona combinazione di carte; **kein ~ vor den Mund nehmen** non avere peli sulla lingua *fig;* **ein unbeschriebenes ~ sein** *fig* essere un'incognita; **vom ~** *mus* a prima vista; **das steht auf einem anderen ~** è un'altra faccenda, è un altro paio di maniche *fam;* **das ~ hat sich gewendet** la situazione è cambiata.

blättern ['blɛtən] *itr* sfogliare (*in einem Buch* un libro).

Blätterteig *m* pasta *f* sfoglia.

Blattgold *n* oro *m* in foglie. **Blattgrün** *n* clorofilla *f.*

blau [blau̯] *adj* **1.** azzurro; *(marine~, Blut)* blu; *(himmelblau)* celeste; **2.** *(Auge, Lippen)* livido; **3.** *fig fam (betrunken)* sbronzo *fam;* **~er Anton** *fam* tuta *f* blu (da meccanico); **~es Auge** *fig* occhio livido (*o* pesto); **~er Brief** *fam (von Schule) lettera che informa i genitori che il loro figlio (o la loro figlia) deve ripetere un anno;* **~er Fleck** *med* livido *m;* **~ sein** *fig fam* essere ubriaco (*o* sbronzo *fam*); **Forelle ~** *gastr* trota al blu; **~ anlaufen** illividire, diventare livido; **~ färben** tingere di blu; **sein ~es Wunder erleben** avere una brutta sorpresa. **Blau** ⟨-(s), - *o fam* -s⟩ *n* blu *m;* **die Farbe ~** il colore blu; **in ~ gekleidet** vestito di blu; *s. a. Blaue.* **blauäugig** [-ˀɔy̯gɪç] *adj* dagli occhi azzurri (*o* blu); *fig (naiv)* ingenuo, credulone. **Blaubeere** *f* mirtillo *m.* **blaublütig** [-bly:tɪç] *adj* di sangue blu.

Blaue ⟨-n, ø⟩ *n:* **ins ~ hinein reden** parlare a vanvera; **Fahrt ins ~** gita *f* senza meta; **das ~ vom Himmel versprechen** promettere mari e monti.

Blauhelm *m* casco *m* blu (dell'ONU).

bläulich ['blɔy̯lɪç] *adj* bluastro, azzurrognolo.

Blaulicht *n* luce *f* lampeggiante. **blau·machen** *fam* **I.** *itr* stare a casa, far vacanza *fam; (in Schule)* far sega; **II.** *tr:* **den Montag ~** non andare a lavorare il lunedì. **Blausäure** *f* acido *m* cianidrico (*o* prussico). **Blaustrumpf** *m fig* bas bleu *f.*

Blazer ['ble:zɐ] ⟨-s, -⟩ *m* blazer *m.*

Blech [blɛç] ⟨-(e)s, -e⟩ *n* **1.** *(Material)* latta *f; (Weiß~)* lamiera *f* stagnata; *(von Auto)* lamiera *f;* **2.** *(Kuchen~)* piastra *f;* **3.** *fig fam (Quatsch)* sciocchezze *f pl.* **Blechblasinstrument** *n* strumento *m* a fiato d'ottone. **Blechbüchse** *f,* **-dose** *f* barattolo *m* di latta.

blechen *tr fam (bezahlen)* sborsare, pagare.

Blechlawine *f fam* fila *f* interminabile (di automezzi). **Blechnapf** *m* gamella *f.* **Blechschaden** *m* danni *m pl* alla carrozzeria.

Blei [blai̯] ⟨-(e)s, -e⟩ *n* **1.** *(Metall)* piombo *m;* **2.** *(Lot)* filo *m* a piombo, piombino *m; naut* sonda *f;* **das liegt wie ~ im Magen** è un mattone sullo stomaco.

Bleibe ['blai̯bə] ⟨-, ø *o rar* -n⟩ *f* **1.** *(Zuflucht)* rifugio *m;* **2.** *(Unterkunft)* alloggio *m,* dimora *f.*

bleiben ['blai̯bən] ⟨bleibt, blieb, geblieben⟩ *itr* ⟨*sein*⟩ **1.** *(nicht gehen, sich nicht ändern)* restare, rimanere; **2.** *(andauern)* permanere; **3.** *(beharren)* persistere (*bei* in); **4.** *(übrig~)* avanzare; **dabei ~, daß ...** rimanere intesi che ...; **gesund ~** stare bene, mantenersi sano; **bei der Wahrheit ~** attenersi al vero; **das bleibt abzuwarten** stiamo a vedere; **wo bleibt er nur?** dove sarà?; **wo bleibt mein Kaffee?** e il mio caffè?; **wo ist mein Hut geblieben?** dov'è andato a finire il mio cappello?; **dabei bleibt's!, es bleibt dabei!, ~ wir dabei!** siamo intesi!. **bleibend** *adj* durevole, duraturo, permanente. **bleiben·lassen** ⟨*irr*⟩ *tr* lasciare stare, smettere; **laß das bleiben!** smettila!

bleich [blai̯ç] *adj* smorto, smunto; *(blaß)* pallido; ~ **werden** impallidire.

bleichen *tr* imbiancare; *(Haare)* ossigenare.

Bleichgesicht *n scherz* viso *m* pallido.

bleiern *adj (a. fig)* di piombo.

bleifrei *adj (Benzin)* senza piombo. **bleihaltig** [-haltɪç] *adj* piombifero. **bleischwer** ['blai̯'ʃve:ɐ̯] *adj fig* pesante come il piombo. **Bleistift** *m* matita *f,* lapis *m.* **Bleistiftspitzer** *m* appuntalapis *m,* temperalapis *m.*

Blende ['blɛndə] ⟨-, -n⟩ *f* **1.** *(Lichtschirm)* schermo *m,* paralume *m;* **2.** *fot* diaframma *m;* **3.** *(Mineral)* blenda *f.*

blenden ['blɛndən] *tr* **1.** *(blind machen, a. fig)* accecare; *(vorübergehend durch Licht, fig)* abbagliare; **2.** *fig (täuschen)* ingannare. **blendend** *adj* **1.** *(Licht, etc.)* accecante, abbagliante; **2.** *fig* brillante; *fam (ausgezeichnet)* formidabile, eccezionale. **Blender** *m (Aufschneider)* simulatore, -trice *m, f.* **blendfrei** *adj mot:* **~er Rückspiegel** specchietto *m* retrovisore antiabbagliante (*o* anabbagliante).

Blesse ['blɛsə] ⟨-, -n⟩ *f* macchia *f* bianca.

Blick [blɪk] ⟨-(e)s, -e⟩ *m* **1.** *(Blicken)* sguardo *m; (kurzer, rascher)* colpo *m* d'occhio; *(Augen, Augenausdruck)* occhiata *f;* **2.** *(An~, Aus~)* vista *f,* veduta *f;* **3.** *(Urteilsfähigkeit)* giudizio *m;* **böser ~** malocchio *m;* **einen ~ werfen auf** dare un'occhiata a; **auf den ersten ~** a prima vista, alla prima occhiata; **mit ~ auf** con vista su; **mit einem (*o* auf einen) ~** con un solo sguardo.

blicken *itr* guardare (*auf jdn, nach jdm* qu); **sich ~ lassen** farsi vedere; **tief ~ lassen** far capire tante cose.

Blickfang *m* attrazione *f,* richiamo *m.* **Blickfeld** *n* **1.** *opt* campo *m* visivo; **2.** *fig* vista *f,* orizzonte *m;* **ein weites ~ haben** essere di larghe vedute. **Blickkontakt** *m* contatto *m* visivo. **Blickpunkt** *m (Gesichtspunkt)* punto *m* di vista; **im ~ stehen** *fig* essere al centro dell'attenzione. **Blickwinkel** *m* **1.** *opt* angolo *m* visuale; **2.** *fig* angolatura *f,* punto *m* di vista; **etw. aus einem anderen ~ betrachten** considerare qc da un altro punto di vista.

blieb [bli:p] *imp von* **bleiben.**

blies [bli:s] *imp von* **blasen.**

blind [blɪnt] **I.** *adj* **1.** *(nicht sehend, a. fig)* cieco (*gegen, für* per); **2.** *(glanzlos)* opaco, appannato; **3.** *(Alarm)* falso; **~ werden** perdere la vista; **~er Passagier** passeggero clandestino; **II.** *adv s.* **blindlings.**

Blinddarm *m* intestino *m* cieco; *fam (Wurmfortsatz)* appendice *f.* **Blinddarmentzündung** *f* appendicite *f.* **Blinddarmoperation** *f* appendicectomia *f.*

Blinde ⟨ein -r, -n, -n⟩ *mf* cieco, -a *m, f.*

Blindekuh(spiel *n) f* mosca *f* cieca.

Blindenhund *m* cane *m* (guida) per ciechi. **Blindenschrift** *f* scrittura *f* Braille.

Blindflug *m* **1.** *aero* volo *m* cieco (*o* strumentale); **2.** *fig* salto *m* nel buio. **Blindgänger** [-gɛŋɐ] ⟨-s, -⟩ *m mil* proiettile *m* inesploso. **Blindheit** ⟨-, ø⟩ *f (a. fig)* cecità *f;* **mit ~ geschlagen** *fig* accecato. **blindlings** ['blɪntlɪŋs] *adv* alla cieca; *(aufs Geratewohl)* a caso. **Blindschleiche** [-ʃlai̯çə] ⟨-, -n⟩ *f* orbettino *m.*

blinken ['blɪŋkən] *itr* luccicare, scintillare; *(Blinkzeichen geben)* fare segnali ottici; *(Auto)* mettere la freccia, lampeggiare.

Blinker ⟨-s, -⟩ *m* segnalatore *m* luminoso; *mot* lampeggiatore *m.*

Blinklicht *n* luce *f* intermittente.

blinzeln ['blɪnt̮səln] *itr* socchiudere gli occhi; *(schelmisch, verliebt)* ammiccare.

Blitz [blɪt̮s] ⟨-es, -e⟩ *m* fulmine *m,* lampo *m; fot* flash *m;* **ein ~ aus heiterem Himmel** un fulmine a ciel sereno; **wie der ~** *fam* come un fulmine. **Blitzableiter** *m (a. fig)* parafulmine *m.* **Blitzaktion** *f* blitz *m.* **blitzartig I.** *adj* fulmineo; **II.** *adv* con velocità fulminea.

blitzen *itr (funkeln)* scintillare, luccicare; *(Augen)* brillare; **es blitzt** lampeggia.

Blitzgerät *n fot* flash *m.* **Blitzlicht** *n fot* flash *m.* **Blitzlichtwürfel** *m fot* cuboflash *m.* **blitzsauber** ['blɪt̮s'zau̯bɐ] *adj fam* pulitissimo. **Blitzschlag** *m* colpo *m* di fulmine. **blitzschnell** ['blɪt̮s'ʃnɛl] **I.** *adj* fulmineo; **II.** *adv* in un lampo. **Blitzstreik** *m* sciopero *m* a sorpresa, sciopero *m* lampo.

Block¹ [blɔk] ⟨-(e)s, Blöcke⟩ *m* blocco *m.*

Block² [blɔk] ⟨-(e)s, Blöcke *o* -s⟩ *m* **1.** *(Notiz-, Zeichen~)* blocco *m,* taccuino *m; (Briefmarken~)* foglio *m; (Fahrkarten~)* blocchetto *m;* **2.** *(Häuser~)* isolato *m;* **3.** *pol* blocco *m.*

Blockade [blɔ'ka:də] ⟨-, -n⟩ *f* blocco *m.*

Blockdiagramm *n* stereogramma *m.* **Blockflöte** *f* flauto *m* a becco, flauto *m* dolce. **blockfrei** *adj pol* neutralistico, non allineato; **~e Staaten** Paesi non alleati (*o* allineati). **Blockfreiheit** *f pol* non allineamento *m.* **Blockhaus** *n* casa *f* in legno.

blockieren [blɔ'ki:rən] ⟨*ohne ge-*⟩ *tr, itr* bloccare.

Blocksatz *m typ* margine *m* giustificato. **Blockschrift** *f* (scrittura *f* in) stampatello *m.*

blöd(e) ['blø:t (...də)] *adj* **1.** *(dumm)* imbecille, scemo; *(albern)* sciocco; **2.** *(schwachsinnig)* deficiente, debole di mente; **3.** *CH (schüchtern)* timido, goffo; **4.** *fam (dumm, ärgerlich)* spiacevole, fastidioso.

blödeln *itr* dire sciocchezze.

Blödheit ⟨-, -en⟩ *f* **1.** *(Dummheit)* sciocchezza *f,* scemenza *f;* **2.** *(Schwachsinn)* deficienza *f,* imbecillità *f.* **Blödsinn** *m* **1.** *(Schwachsinn)* imbecillità *f,* deficienza *f;* **2.** *(Unsinn)* sciocchezze *f pl,* nonsenso *m;* **so ein ~!** che idiozia!. **blödsinnig** *adj* **1.** *(schwachsinnig)* imbecille, idiota; **2.** *(dumm)* stupido, sciocco.

blöken ['blø:kən] *itr (Schaf)* belare; *(Rind)* muggire.

blond [blɔnt] *adj* biondo.

blondieren [blɔn'di:rən] ⟨*ohne ge-*⟩ *tr* ossigenare.

Blondine [blɔn'di:nə] ⟨-, -n⟩ *f* bionda *f,* biondina *f.*

bloß [blo:s] **I.** *adj* **1.** *(nackt)* nudo; *(unbedeckt)* scoperto; **2.** *(rein, nichts als)* puro, solo, semplice; **~er Anblick/Verdacht** semplice vista/sospetto; **der ~e Gedanke** già solo il pensiero; **mit ~em Auge** ad occhio nudo; **mit ~en Füßen** a piedi nudi (*o* scalzi), scalzo; **II.** *adv* **1.** *(nur)* solamente, semplicemente, puramente; **2.** *(in abgeschwächter Bedeutung)* proprio, mai *o. unübersetzt;* **wo bleibst du ~?** ma dove sei?; **~ jetzt nicht!** proprio adesso no!

Blöße ['blø:sə] ⟨-, -n⟩ *f* nudità *f; fig* punto *m* debole; **sich** *(dat)* **eine ~ geben** *fig* mostrare il proprio lato debole.

bloß·stellen *tr* far fare una brutta figura a, compromettere.

Bluejeans ['blu:dʒi:ns] ⟨*pl*⟩ blue-jeans *m pl.*

Bluff [blʊf] ⟨-s, -s⟩ *m* bluff *m.*

bluffen *itr* bluffare.

blühen ['bly:ən] *itr (a. fig)* fiorire; **wer weiß, was uns noch blüht!** chissà che cosa ci aspetta. **blühend** *adj* fiorito, in fiore; *fig* florido, fiorente; *(Schönheit)* splendente; *(Phantasie)* fervido.

Blume ['blu:mə] ⟨-, -n⟩ *f* **1.** *bot* fiore *m;* **2.** *(Bierschaum)* schiuma *f; (des Weines)* bouquet *m;* **durch die ~** metaforicamente, velatamente; **danke für die ~n!** *fig iron* grazie. **Blumenbeet** *n* aiola *f* di fiori. **Blumenkasten** *m* fioriera *f.* **Blumenkohl** *m* cavolfiore *m.* **Blumenkübel** *m* fioriera *f.* **Blumenstrauß** *m* mazzo *m* di fiori; *(großer)* fascio *m* di fiori. **Blumentopf** *m* vaso *m* da fiori. **Blumenvase** *f* vaso *m* da fiori; *(kleine)* portafiori *m.* **Blumenzwiebel** *f* bulbo *m.*

blumig *adj (Parfüm)* di fiori; *(Wein)* profumato; *(Stil)* fiorito, ornato.

Bluse ['blu:zə] ⟨-, -n⟩ *f* camicetta *f,* blusa *f.*

Blut [blu:t] ⟨-(e)s, ø⟩ *n* sangue *m;* **~ geleckt haben** *fig fam* provarci gusto; **~ und Wasser schwitzen** sudare sangue; **bis aufs ~** a sangue, a morte; **(immer) ruhig ~!** calma e sangue freddo!; **das liegt mir im ~** ce l'ho nel sangue. **blutarm** *adj* anemico. **Blutarmut** *f* anemia *f.* **Blutbank** ⟨-, -en⟩ *f* banca *f* del sangue. **Blutbild** *n* quadro *m* ematologico. **blutbildend** *adj* emopoietico. **Blutdruck** ⟨-(e)s, ø⟩ *m* pressione *f* (sanguigna), tensione *f* arteriosa *scient;* **hoher ~** ipertensione *f;* **niedriger ~** ipotensione *f.* **blutdrucksenkend** *adj* ipotensivo.

Blüte ['bly:tə] ⟨-, -n⟩ *f* **1.** *bot* fiore *m;* **2.** *(Zeit)* fioritura *f;* **3.** *fig (Höhepunkt)* periodo *m* aureo (*o* di maggior splendore); **4.** *fam (falscher Geldschein)* banconota *f* falsa.

Blutegel [-ʔe:gəl] ⟨-s, -⟩ *m* sanguisuga *f.*

bluten *itr* sanguinare (*aus* da), perdere sangue (*aus* da); *(Bäume)* colare, lacrimare; **meine Nase blutet** mi esce sangue dal naso.

Blütenblatt *n* petalo *m.* **Blütenstaub** *m* polline *m.*

Blutentnahme *f* prelievo *m* di sangue.

Bluter ⟨-s, -⟩ *m* emofiliaco *m.*

Bluterguß ['blu:tɛɐ̯gʊs] ⟨-sses, -güsse⟩ *m* travaso *m* di sangue, ematoma *m.*

Bluterkrankheit *f* emofilia *f.*

Blütezeit *f* (periodo *m* di) fioritura *f; fig* periodo *m* aureo (*o* di massimo splendore), apogeo *m.*

Blutgefäß *n* vaso *m* sanguigno. **Blutgerinnsel** *n* coagulo *m,* trombo *m.* **Blutgruppe** *f* gruppo *m* sanguigno. **Bluthund** *m* bracco *m.*

blutig *adj* **1.** *(blutbefleckt)* insanguinato, macchiato di sangue; **2.** *(Kampf)* sanguinoso; **~er Anfänger** *fam* semplice principiante.

blutjung ['blu:tjʊŋ] *adj* giovanissimo.

Blutkonserve *f* **1.** *(Blut)* sangue *m* conservato (per trasfusioni); **2.** *(Behälter)* flacone *m* della banca del sangue. **Blutkörperchen** [-kœrpəçən] ⟨-s, -⟩ *n* globulo *m* (del sangue). **Blutkreislauf** *m* circolo *m* sanguigno. **Blutlache** *f* pozza *f* di sangue. **blutleer** *adj* esangue, dissanguato. **Blutorange** *f* arancia *f* sanguigna. **Blutprobe** *f* prelievo *m* (*o* esame *m*) del sangue. **Blutrache** *f* vendetta *f* di sangue. **Blutrausch** *m* delirio *m* omicida. **blutreinigend** *adj* depurativo del sangue. **blutrot** ['blu:t'ro:t] *adj* rosso sanguigno. **blutrünstig** [-rʏnstɪç] *adj* sanguinario. **Blutschande** *f* incesto *m.* **Blutsenkung** *f* sedimentazione *f* sanguigna. **Blutspender(in)** *m(f)* donatore, -trice *m, f* di sangue. **blutstillend** *adj* emostatico.

blutsverwandt *adj* consanguineo. **Blutsverwandte** *mf* consanguineo, -a *m, f.*

Bluttransfusion *f* trasfusione *f* di sangue.

blutüberströmt [-ʔy:bɐʃtrø:mt] *adj* intriso di sangue. **Blutübertragung** *f* trasfusione *f* di sangue.

Blutung ⟨-, -en⟩ *f* emorragia *f; (Monats~)* mestruazione *f.*

blutunterlaufen *adj* ecchimotico. **Blutvergießen** ⟨-s, ø⟩ *n* spargimento *m* di sangue. **Blutvergiftung** *f* avvelenamento *m* del sangue, setticemia *f scient.* **Blutverlust** *m* perdita *f* di sangue. **Blutwurst** *f* sanguinaccio *m.* **Blutzuckerspiegel** *m* glicemia *f.*

BLZ *abk von* **Bankleitzahl** C.A.B. *m* (*acr di* Codice di avviamento bancario).

BMX-Rad *n* bicicletta *f* BMX.

Bö [bø:] ⟨-, -en⟩ *f* raffica *f* di vento, folata *f.*

Boa ['bo:a] ⟨-, -s⟩ *f* boa *m.*

Bob [bɔp] ⟨-s, -s⟩ *m sport* bob *m.*

Bock [bɔk] ⟨-(e)s, Böcke⟩ *m* **1.** *(Ziegen~)* caprone *m,* becco *m; (Schafs~)* montone *m; (Reh~)* capriolo *m* (maschio); **2.** *tec (Gestell)* cavalletto *m; (a. Säge~)* supporto *m;* **3.** *(Turngerät)* cavallina *f;* **4.** *(Kutsch~)* cassetta *f;* **geiler ~** *sl* tipo caldo (*o* arrapato); **einen ~ schießen** *fig fam* pigliare un granchio *fig (o* una cantonata *fig);* **auf etw.** *(akk)* **~ haben** *fam* avere voglia di qc; **keinen ~ haben, etw. zu tun** *fam* non avere nessuna voglia di fare qc. **Bockbier** *n* birra *f* forte (*o* di marzo).

bocken *itr (Pferd)* impennarsi; *fig* impuntarsi.

bockig *adj fam* cocciuto.

Bockshorn *n:* **jdn ins ~ jagen** intimidire qu; **sich nicht ins ~ jagen lassen** non lasciarsi intimidire. **Bockspringen** ⟨-s, ø⟩ *n* salto *m* della cavallina. **Bockwurst** *f* würstel *m.*

Boden ['bo:dən] ⟨-s, Böden⟩ *m* **1.** *(Erd~)* suolo *m; (a. Fläche, Acker~)* terreno *m;* **2.** *(Meeres~, von Gefäß)* fondo *m;* **3.** *(Fuß~)* pavimento *m;* **4.** *(Dach~)* soffitta *f*, granaio *m; (Heu~)* fienile *m;* **5.** *fig (Grundlage)* base *f;* **zu ~ gehen** *sport* andare al tappeto; **(an) ~ gewinnen/verlieren** guadagnare/perdere terreno; **sich auf den ~ der Tatsachen stellen** attenersi ai fatti; **den ~ unter den Füßen verlieren** sentirsi mancare il terreno sotto i piedi; **auf festem ~** sulla terra ferma; **auf französischem ~** sul territorio francese; **mit doppeltem ~** a doppio fondo; *fig* a due facce. **Bodenbelag** *m* (copertura *f* del) pavimento *m.* **Bodenbelastung** *f* inquinamento *m* del suolo. **Bodenfrost** *m* gelo *m.* **Bodenhaftung** *f mot* aderenza *f* al terreno. **bodenlos** *adj* senza fondo; *fig (unerhört)* inaudito. **Bodenpersonal** *n* personale *m* a terra (*o* non navigante). **Bodenreform** *f* riforma *f* agraria. **Bodensatz** *m* **1.** *chem* residuo *m,* sedimento *m;* **2.** *(in Faß)* fondiglio *m; (von Wein, Bier)* deposito *m,* feccia *f.* **Bodenschätze** *m pl* risorse *f pl* minerarie (*o* del sottosuolo). **Bodensee** *m* Lago *m* di Costanza. **bodenständig** *adj* autoctono. **Bodenstation** *f* stazione *f* di terra. **Bodenturnen** *n* ginnastica *f* a terra. **Bodenverschmutzung** *f* inquinamento *m* del suolo.

Body ['bɔdi] *m s.* **Bodysuit.**

Bodybuilder(in) ['bɔdibɪldɐ] ⟨-s, -⟩ *m(f)* culturista *mf.* **Bodybuilding** ['bɔdibɪldɪŋ] ⟨-s, ø⟩ *n* culturismo *m.*

Bodysuit [-sju:t] ⟨-s, -s⟩ *m* body *m.*

Böe ['bø:ə] *s.* **Bö.**

bog [bo:k] *imp von* **biegen.**

Bogen ['bo:gən] ⟨-s, - *o* Bögen⟩ *m* **1.** *mat, arch, sport, mil* arco *m; arch (Gewölbe~)* arcata *f; (Kurve)* curva *f; (Biegung)* curvatura *f,* gomito *m; (beim Skilaufen)* voltata *f;* **2.** *(Geigen~)* archetto *m;* **3.** *(Papier)* foglio *m;* **einen (großen) ~ um jdn machen** girare al largo da qu, evitare qu; **den ~ überspannen** *fig* tirare troppo la corda, esagerare. **bogenförmig** [-fœrmɪç] *adj* ad arco, a volta. **Bogengang** *m* arcata *f,* portico *m.* **Bogenschießen** ⟨-s, ø⟩ *n* tiro *m* con l'arco. **Bogenschütze** *m,* **-schützin** *f mil* arciere, -a *m, f; sport* tiratore, -trice *m, f* d'arco.

Bohle ['bo:lə] ⟨-, -n⟩ *f* pancone *m,* tavolone *m.*

Böhmen ['bø:mən] *n* Boemia *f.*

böhmisch *adj* boemo; **das sind ~e Dörfer für mich** *fam* questo per me è turco *fam* (*o* arabo *fam*).

Bohne ['bo:nə] ⟨-, -n⟩ *f* **1.** *bot* fagiolo *m;* **2.** *(Kaffee~)* chicco *m;* **grüne ~n** fagiolini *m pl;* **nicht die ~!** *fam* niente affatto!. **Bohnenkaffee** *m* caffè *m* in chicchi. **Bohnenkraut** *n* santoreggia *f.* **Bohnenstange** *f* bastoncino *m* di sostegno per piante di fagioli; *fig fam* spilungone *m.*

bohnern ['bo:nɐn] *tr* lustrare con la cera.

Bohnerwachs *n* cera *f* per pavimenti.

bohren ['bo:rən] **I.** *tr* **1.** *(Material)* perforare, trapanare; **2.** *(Brunnen, Tunnel)* scavare; **3.** *(hinein~)* far penetrare; **II.** *itr* **1.** *tec* trapanare (*an +dat (o in +dat) etw.* qc); *(nach Erdöl)* trivellare; **2.** *fig (quälen)* tormentare (*in jdm* qu); **ein Loch ~** fare un foro (*in* in), forare; **(mit dem Finger) in der Nase ~** mettersi le dita nel naso. **bohrend** *adj (Schmerz)* acuto, pungente, penetrante; *(Fragen)* indagatore; *(Blick)* penetrante, indagatore; *(Reue, Zweifel)* tormentoso, che rode.

Bohrer ⟨-s, -⟩ *m (Gerät)* trapano *m.*

Bohrinsel *f* piattaforma *f* per trivellazioni. **Bohrloch** *n* foro *m* (di trivellazione). **Bohrmaschine** *f* trapano *m* meccanico, perforatrice *f.* **Bohrprobe** *f* carota *f,* carotaggio *m.* **Bohrturm** *m* torre *f* di trivellazione.

Bohrung ⟨-, -en⟩ *f* trapanazione *f,* perforazione *f; (Erdöl~)* trivellazione *f; (Probe~)* prospezione *f.*

böig ['bø:ɪç] *adj* a raffiche.

Boiler ['bɔ͜ylɐ] ⟨-s, -⟩ *m* boiler *m.*

Boje ['bo:jə] ⟨-, -n⟩ *f* boa *f,* gavitello *m.*

Bollwerk ['bɔl-] *n (a. fig)* baluardo *m.*

Bolschewist(in) [bɔlʃe'vɪst(ɪn)] ⟨-en, -en⟩ *m(f)* bolscevico, -a *m, f.*

Bolzen ['bɔlt͡sən] ⟨-s, -⟩ *m* bullone *m; (mit Gewinde)* vite *f.*

bombardieren [bɔmbar'di:rən] ⟨*ohne ge-*⟩ *tr* bombardare.

Bombardierung ⟨-, -en⟩ *f* bombardamento *m.*

bombastisch [bɔm'bastɪʃ] *adj* ampolloso; *(überladen)* sovraccarico.

Bombe ['bɔmbə] ⟨-, -n⟩ *f* bomba *f.* **Bombenangriff** *m* bombardamento *m,* incursione *f* aerea. **Bombenanschlag** *m,* **-attentat** *n* attentato *m* dinamitardo. **Bombenerfolg** *m fam* successone *m fam.* **Bombengeschäft** *n fam* affarone *m;* **~e machen** fare affari d'oro. **Bombenleger(in)** *m(f)* bombarolo, -a *m, f.* **bombensicher** ['bɔmbən'zɪçɐ] *adj* **1.** *tec* a prova di bomba; **2.** *fig fam* certissimo, fuor d'ogni dubbio. **Bombenstimmung** *f fam* baldoria *f.*

Bomber ⟨-s, -⟩ *m* aereo *m* da bombardamento, bombardiere *m.*

Bon [bɔŋ *o* bõ:] ⟨-s, -s⟩ *m* **1.** *(Gutschein)* buono *m;* **2.** *(Kassenzettel)* scontrino *m.*

Bonbon [bɔŋ'bɔŋ *o* bõ'bõ:] ⟨-s, -s⟩ *m o n* caramella *f.*

Bonität [boni'tɛ:t] *f* **1.** *ökon (von Firmen)* solidità *f; (von Schuldnern)* solvibilità *f;* **2.** *agr (Bodengüte)* bontà *f.*

Bonn [bɔn] *n* Bonn *f.*

Bonner ⟨*inv*⟩ *adj attr* di Bonn.

Bonner(in) ⟨-s, -⟩ *m(f)* abitante *mf* di Bonn.

Bonus ['bo:nʊs] ⟨- *o* -ses, - *o* -se⟩ *m* **1.** *com* premio *m;* **2.** *(Versicherungs~)* bonus *m* assicurativo; **3.** *(für Studien-*

platz) condizioni *f pl* preferenziali di accesso al posto di studio.

boomen ['bu:mən] *itr fam* essere in rapida crescita, avere un successo eccezionale; **die Baubranche boomt** nell'edilizia c'è il boom.

Boot [bo:t] ⟨-(e)s, -e⟩ *n* barca *f*, imbarcazione *f*; **wir sitzen alle in einem** ~ *fig* siamo tutti nella stessa barca.

Bor [bo:ɐ] ⟨-s, ø⟩ *n chem* boro *m*.

Bord[1] [bɔrt] ⟨-(e)s, -e⟩ *n dial (Bücherbrett)* mensola *f*.

Bord[2] [bɔrt] ⟨-(e)s, -e⟩ *m (Schiffsrand)* bordo *m;* **an** ~ a bordo; **an** ~ **bringen** imbarcare; **über** ~ **gehen** (*o* **fallen)** cadere in mare; **über** ~ **werfen** gettare in mare; *fig* rinunciare (*etw.* a qc).

Bordell [bɔr'dɛl] ⟨-s, -e⟩ *n* bordello *m*, casa *f* chiusa.

Bordkarte *f* carta *f* d'imbarco. **Bordpersonal** *n naut, aero* equipaggio *m*. **Bordstein** *m* (pietra *f* del) cordone *m*.

borgen ['bɔrgən] *tr* **1.** *(leihen)* prestare, dare in prestito; **2.** *(entleihen)* farsi prestare.

Borke ['bɔrkə] ⟨-, -n⟩ *f* corteccia *f*, scorza *f*.

borniert [bɔr'ni:ɐt] *adj* limitato, ottuso.

Börse ['bœrzə] ⟨-, -n⟩ *f* **1.** *fin (a. Gebäude)* borsa *f;* **2.** *(Geldbeutel)* borsellino *m*, portamonete *m*. **Börsenbericht** *m* bollettino *m (o* listino *m)* di borsa. **Börsenkurs** *m* quotazione *f* di (*o* in) borsa. **Börsenmakler(in)** *m(f)* agente *mf* di cambio (*o* di borsa). **Börsennotierung** *f* prezzo *m* (*o* corso *m*) di borsa. **Börsenspekulant** *m* speculatore *m* di borsa, borsista. **Börsensturz** *m* crollo *m* in Borsa.

Borste ['bɔrstə] ⟨-, -n⟩ *f* setola *f*.

Borte ['bɔrtə] ⟨-, -n⟩ *f* passamano *m*, gallone *m*.

Borwasser *n* acqua *f* borica.

bösartig *adj* **1.** *(Mensch, Bemerkung)* cattivo, malvagio; **2.** *med* maligno. **Bösartigkeit** ⟨-, -en⟩ *f* **1.** *(von Mensch, Bemerkung)* cattiveria *f*, malvagità *f;* **2.** *med* carattere *m* maligno.

Böschung ['bœʃʊŋ] ⟨-, -en⟩ *f (Straßen~)* scarpata *f; (Fluß~)* argine *m*.

böse ['bø:zə] *adj* **1.** *(bösartig)* cattivo, maligno, malvagio; *(unartig)* maleducato; **2.** *(ärgerlich)* arrabbiato, irritato; **3.** *(schlimm)* brutto; *(Krankheit)* pericoloso; **~r Geist** spirito maligno, demone *m;* ~ **Zunge** malalingua *f*, linguaccia *f;* **auf jdn (*o* mit jdm)** ~ **sein** essere arrabbiato con qu, avercela con qu; ~ **werden** arrabbiarsi, montare in collera.

Böse[1] ⟨ein -r, -n, -n⟩ *mf* cattivo, -a *m, f*, malvagio, -a *m, f*.

Böse[2] ⟨ein -s, -n, ø⟩ *n* male *m;* **sich** *(dat)* **bei etw. nichts ~s denken** non pensar male di qc.

Bösewicht ⟨-(e)s, -er *o* -e⟩ *m* **1.** *(Schurke)* malvagio *m*, scellerato *m;* **2.** *fam scherz (Schlingel)* briccone, -a *m, f*, furfante *mf*.

boshaft ['bo:shaft] *adj* cattivo, maligno, malvagio.

Bosheit ['bo:shait] ⟨-, -en⟩ *f* malignità *f; (a. Handlung)* malvagità *f*, cattiveria *f*.

Bosnien ['bɔsniən] *n* Bosnia f. **Bosnien-Herzegowina** [-hɛrtse'go:vina] *n* Bosnia-Erzegovina *f*.

Bosnier(in) ['bɔsniɐ(...ərɪn)] ⟨-s, -⟩ *m(f)* bosniaco *m*, bosniaca *f*.

bosnisch *adj* bosniaco.

Boß [bɔs] ⟨Bosses, Bosse⟩ *m fam* capo *m*.

böswillig I. *adj* malevolo, malintenzionato; *jur* intenzionale; **II.** *adv* con malevolenza, in malafede; ~ **verlassen** *jur* abbandonare intenzionalmente. **Böswilligkeit** ⟨-, -en⟩ *f* malevolenza *f*.

bot [bo:t] *imp von* **bieten.**

Botanik [bo'ta:nɪk] ⟨-, ø⟩ *f* botanica *f*.

Botaniker(in) ⟨-s, -⟩ *m(f)* botanico, -a *m, f*.

botanisch *adj* botanico.

Bote ['bo:tə] ⟨-n, -n⟩ *m*, **Botin** ['bo:tɪn] *f* messaggero, -a *m, f; (~njunge)* fattorino, -a *m, f; (Dienstmann)* facchino, -a *m, f*.

Botschaft ⟨-, -en⟩ *f* **1.** *(Nachricht)* messaggio *m;* **2.** *pol (a. Gebäude)* ambasciata *f*.

Botschafter(in) ⟨-s, -⟩ *m(f)* ambasciatore, -trice *m, f*.

Bottich ['bɔtɪç] ⟨-(e)s, -e⟩ *m (Bade~)* tinozza *f; (Wasch~)* mastello *m*.

Bouillon [bʊl'jɔŋ *o* ...'jõ:] ⟨-, -s⟩ *f* brodo *m*, consommé *m*.

Boulevardpresse [bulə'va:ɐ-] *f* stampa *f* scandalistica.

Bowle ['bo:lə] ⟨-, -n⟩ *f bevanda a base di vino, frutta e spumante.*

Box [bɔks] ⟨-, -en⟩ *f* box *m*.

boxen ['bɔksən] **I.** *itr* boxare, fare del pugilato; **II.** *tr* dare dei pugni a; **III.** *rfl:* **sich** ~ fare a pugni. **Boxen** ⟨-s, ø⟩ *n* boxe *f*.

Boxer ⟨-s, -⟩ *m (Hund)* boxer *m*.

Boxer(in) ⟨-s, -⟩ *m(f) (Sportler)* pugile *mf*. **Boxer-shorts** ['bɔkse-ʃɔrts] *pl* boxer *m pl*.

Boxhandschuh *m* guanto *m* da pugilato, guantone *m*. **Boxkampf** *m* incontro *m* di pugilato (*o* boxe). **Boxsport** *m* pugilato *m*, boxe *f*.

Boykott [bɔy'kɔt] ⟨-(e)s, -s *o* -e⟩ *m* boicottaggio *m*.

boykottieren [...'ti:rən] ⟨*ohne ge-*⟩ *tr* boicottare.

Bozen ['bo:tsən] *n* Bolzano *f*.

brach [bra:x] *imp von* **brechen.**

brach·liegen ⟨*irr*⟩ *itr* **1.** *(Feld)* stare a maggese; **2.** *fig* rimanere improduttivo (*o* inattivo *o* inadoperato).

brachte ['braxtə] *imp von* **bringen.**

Brainstorming ['breɪnstɔ:mɪŋ] ⟨-s⟩ *n*

brain-storming *m.*
Branche ['brã:ʃə] ⟨-, -n⟩ *f* **1.** *com* ramo *m,* branca *f;* **2.** *(Fach)* campo *m.* **Branchenführer** *m* caposettore *m.* **Branchenkenntnis** *f* cognizioni *f pl* del ramo. **Branchenverzeichnis** *n* pagine *f pl* gialle.
Brand [brant] ⟨-(e)s, Brände⟩ *m* **1.** *(Feuer)* fuoco *m; (Feuersbrunst)* incendio *m;* **2.** *med* cancrena *f;* **3.** *fam* gran sete *f,* arsura *f;* **in ~ geraten** prendere fuoco, infiammarsi; **etw. in ~ setzen (*o* stecken)** incendiare qc. **Brandbekämpfung** *f* lotta *f* antincendio (*o* contro gli incendi). **Brandblase** *f* vescica *f* ustoria. **Brandbombe** *f* bomba *f* incendiaria. **brandeilig** ['brant'ʔaiḷɪç] *adj fam* bruciante *fam;* **es ~ haben** avere una gran fretta.
branden ['brandən] *itr (Wellen)* infrangersi (*gegen* contro); *(tosen)* scrosciare.
Brandmal ⟨-(e)s, -e⟩ *n* segno *m* di bruciatura; *(bei Tier)* marchio *m* a fuoco; *fig* marchio *m* d'infamia. **brandmarken** ['brantmarkən] *tr (a. fig)* bollare. **Brandsalbe** *f* pomata *f* contro le scottature. **Brandstifter(in)** *m(f)* incendiario, -a *m, f.* **Brandstiftung** *f* incendio *m* colposo (*o* doloso).
Brandung ⟨-, -en⟩ *f* frangente *m,* risacca *f.*
Brandwunde *f* ustione *f.*
brannte ['brantə] *imp von* **brennen.**
Branntwein ['brant-] *m* acquavite *f.*
Brasilianer(in) [brazi'li̯a:nɐ (...ərɪn)] ⟨-s, -⟩ *m(f)* brasiliano, -a *m, f.*
brasilianisch *adj* brasiliano.
Brasilien [bra'zi:li̯ən] *n* Brasile *m;* **in ~** nel Brasile.
brät [brɛ:t] *pr von* **braten.**
Bratapfel *m* mela *f* al forno.
braten ['bra:tən] ⟨brät, briet, gebraten⟩ *tr, itr (Fleisch)* arrostire; *(in der Pfanne)* friggere; *(im Ofen)* far cuocere; *(auf dem Rost)* fare ai ferri; **braun ~** arrostire bene; **(in der Sonne) ~** *fig fam* arrostirsi.
Braten ⟨-s, -⟩ *m* arrosto *m.* **Bratensaft** *m* sugo *m* dell'arrosto.
Brathähnchen *n* pollo *m* arrosto. **Brathering** *m* aringa *f* fritta. **Bratkartoffeln** *f pl* patate *f pl* arrosto. **Bratpfanne** *f* padella *f.* **Bratrost** *m* griglia *f,* gratella *f.*
Bratsche ['bra:tʃə] ⟨-, -n⟩ *f* viola *f.*
Bratwurst *f* salsiccia *f* arrostita; *(roh)* salsiccia *f* da arrostire.
Brauch [brau̯x] ⟨-(e)s, Bräuche⟩ *m* uso *m,* usanza *f;* **das ist so ~** questo è l'uso.
brauchbar *adj* **1.** *(benutzbar: Gerät, Material)* utilizzabile, usabile; *(Plan)* utilizzabile; *(nützlich: Material, Gegenstand)* utile; **2.** *(tauglich: Schüler, Mitarbeiter)* abile, capace; *(Idee)* ragionevole.
brauchen ['brau̯xən] *tr* **1.** *(benutzen)* servirsi di, usare; **2.** *(nötig haben)* aver bisogno di; **3.** *(verbrauchen)* consumare; **4.** *(müssen)* dovere; **lange ~, um zu ...** metterci molto per *+inf;* **zwei Stunden ~, um zu ...** impiegare due ore per *+inf;* **ich brauche Ihnen nicht zu sagen, daß ...** non devo dirLe che ..., è inutile che Le dica che ...; **man braucht nur (zu) läuten** basta suonare.
Braue ['brau̯ə] ⟨-, -n⟩ *f* sopracciglio *m.*
brauen ['brau̯ən] *tr (Bier)* produrre *fam; (Getränk)* preparare.
Brauerei [brau̯ə'rai̯] ⟨-, -en⟩ *f,* **Brauhaus** *n* fabbrica *f* di birra, birrificio *m.*
braun [brau̯n] *adj* bruno, marrone; *(Haar)* scuro; *(Augen)* marrone, scuro; *(kastanien~)* castano; *(Pferd)* baio; *(~gebrannt)* abbronzato; *s. a. blau.*
Bräune ['brɔy̯nə] ⟨-, ø⟩ *f* tinta *f* bruna; *(Sonnen~)* abbronzatura *f.*
bräunen **I.** *tr* **1.** *(Haut)* abbronzare; **2.** *gastr* rosolare; **II.** *itr (in der Sonne)* abbronzarsi.
braungebrannt *adj* abbronzato.
Brause ['brau̯zə] ⟨-, -n⟩ *f* **1.** *(Dusche)* doccia *f;* **2.** *(~kopf)* fungo *m;* **3.** *(Getränk)* gassosa *f.*
brausen ['brau̯zən] **I.** *itr* **1.** ⟨*haben*⟩ *(lärmen)* rumoreggiare; *(Wasser, Beifall)* scrosciare; *(Meer)* mugghiare; **2.** ⟨*sein*⟩ *(Fahrzeug)* sfrecciare, correre; **II.** *rfl:* **sich ~** fare la doccia.
Braut [brau̯t] ⟨-, Bräute⟩ *f* fidanzata *f; (am Hochzeitstag)* sposa *f.*
Bräutigam ['brɔy̯tɪgam] ⟨-s, -e⟩ *m* fidanzato *m; (am Hochzeitstag)* sposo *m.*
Brautjungfer *f* damigella *f* d'onore della sposa. **Brautkleid** *n* abito *m* da sposa (*o* nuziale). **Brautpaar** *n* (coppia *f* di) sposi *m pl.* **Brautschleier** *m* velo *m* nunziale. **Brautstrauß** *m* bouquet *m* della sposa.
brav [bra:f] *adj* **1.** *(lieb)* bravo, buono; **2.** *(rechtschaffen)* onesto, retto.
bravo ['bra:vo] *interj* bravo. **Bravoruf** *m* bravo *m.*
BRD [be:ɛr'de:] ⟨-, ø⟩ *f abk von* **Bundesrepublik Deutschland** R.F.T. *f* (*abbr di* Repubblica Federale Tedesca).
Brechbohnen *f pl* fagiolini *m pl.*
brechen ['brɛçən] ⟨bricht, brach, gebrochen⟩ **I.** *tr* ⟨*haben*⟩ **1.** *(entzwei~)* spezzare, rompere; *(in Stücke ~)* frantumare; **2.** *(Steine)* cavare; **3.** *(Blumen, Obst)* cogliere; **4.** *med (Knochen)* fratturare; **5.** *(sich übergeben)* vomitare; **6.** *opt* rifrangere; **7.** *fig (Frieden, Eid, Gesetz)* violare; *(Vertrag)* rompere; *(Gelübde)* infrangere; *(Versprechen, sein Wort)* non mantenere; *(Widerstand)* vincere; **die Ehe ~** commettere adulterio; **den Rekord ~** battere il record; **den Streik ~** non prendere parte allo sciopero, fare il crumiro; **II.** *itr* **1.** ⟨*sein*⟩ *(zer~)* rompersi, spezzarsi; *(Stoff)* trinciarsi, lacerarsi; **2.** ⟨*haben*⟩ *(sich übergeben)* vomitare; **3.** ⟨*haben*⟩ *fig (sich entzweien)* rompere (*mit jdm* con qu); **zum B~ (*o***

~**d) voll sein** essere pieno come un uovo; **III.** *rfl:* **sich** ~ *(Wellen)* infrangersi (*an +dat* contro); *(Licht)* rifrangersi.

Brechmittel *n* emetico *m;* **er/das ist ein ~ für mich** lui/questo mi fa schifo (*o* senso). **Brechreiz** *m* conato *m* di vomito, nausea *f.* **Brechstange** *f* piede *m* di porco.

Bregenz ['bre:gɛnts] *n* Bregenza *f.*

Brei [brai] ⟨-(e)s, -e⟩ *m* **1.** *(Speise)* pappa *f; (fester ~)* pastone *m; (Kartoffel-, Erbs~)* purè *m,* purea *f; (bes. von Obst)* passato *m;* **2.** *tec (Masse)* pasta *f;* **um den heißen ~ herumreden** non venire al dunque; **zu ~ schlagen** *fig fam* fare polpette di *fam.* **breiig** *adj* pastoso.

Breisgau ['braisgau] *m* Brisgovia *f.*

breit [brait] *adj* largo; *(weit, ausgedehnt)* ampio, vasto; *(Publikum)* vasto; *(a. Angebot, Interessen)* grande; *(Lachen)* sguaiato; **1 m ~ liegen** *(Stoff)* essere largo 1 m. **Breitbandkabel** *m* cavo *m* multigamma (*o* a larga banda). **breitbeinig** *adv* a gambe larghe.

Breite ⟨-, -n⟩ *f* larghezza *f; (Weite, Ausdehnung)* ampiezza *f,* vastezza *f,* estensione *f; (Stoff~)* altezza *f; geog, astr* latitudine *f;* **etw. in aller ~ erklären** spiegare qc dettagliatamente; **in die ~ gehen** *fam (dick werden)* ingrassare. **Breitengrad** *m* grado *m* di latitudine.

breit·machen *rfl:* **sich** ~ *fam (viel Platz beanspruchen)* occupare molto posto; *(sich häuslich niederlassen)* installarsi.

breit·schlagen ⟨*irr*⟩ *tr fam:* **sich ~ lassen** lasciarsi convincere (*o* persuadere).

breitschult(e)rig *adj* dalle spalle larghe.

breit·treten ⟨*irr*⟩ *tr fig* trattare per le lunghe.

Bremen ['bre:mən] *n* Brema *f.*

Bremsbelag *m* pastiglie *f pl* dei freni.

Bremse[1] ['brɛmzə] ⟨-, -n⟩ *f tec, fig* freno *m.*

Bremse[2] ['brɛmzə] ⟨-, -n⟩ *f (Insekt)* tafano *m.*

bremsen ['brɛmzən] *tr, itr (a. fig)* frenare; **er ist nicht zu ~** *fam* non si riesce a fermarlo.

Bremsflüssigkeit *f* fluido *m* per freni. **Bremsklotz** *m* ceppo *m* del freno. **Bremslicht** *n* luce *f* di arresto, stop *m.* **Bremspedal** *n* pedale *m* del freno. **Bremsrakete** *f aero* razzo *m* deceleratore (*o* frenante), retrorazzo *m.* **Bremsschlauch** *m mot* tubo *m* flessibile del freno. **Bremsspur** *f* traccia *f* della frenata. **Bremsweg** *m* spazio *m* di frenata.

brennbar *adj* combustibile; *(entzündlich)* infiammabile. **Brennelement** *n* elemento *m* di combustione.

brennen ['brɛnən] ⟨brennt, brannte, gebrannt⟩ **I.** *itr* **1.** *(Feuer, Material)* bruciare, ardere; *(Licht, Ofen)* essere acceso; **2.** *(Haut, Wunde, Augen)* bruciare; **3.** *(heiß sein)* scottare; **darauf ~, etw. zu tun** ardere dal desiderio di fare qc; **das Streichholz brennt nicht** (*o* **will nicht ~**) il fiammifero non si accende; **es brennt!** al fuoco!; **wo brennt's?** *fig fam* cos'è successo?; **II.** *tr* bruciare; *(Porzellan, Kalk, Ton)* cuocere; *(Kaffee)* torrefare, tostare; *(Branntwein)* distillare.

brennend *adj* **1.** *(Haus)* in fiamme; *(Feuer, Holz)* ardente, che brucia; *(Zigarette, Licht)* acceso; **2.** *(Wunde, Augen)* che brucia; *(Schmerz)* cocente; **3.** *fig (Durst)* terribile; *(Haß)* che consuma (*o* rode); *(Interesse)* vivo.

Brenner[1] ['brɛnɐ] *m geog* Brennero *m.*

Brenner[2] ['brɛnɐ] ⟨-s, -⟩ *m (Gerät)* bruciatore *m; (Gas~)* becco *m* a gas.

Brennerei [brɛnə'rai] ⟨-, -en⟩ *f (Schnaps~)* distilleria *f.*

Brennessel *f* ortica *f.*

Brennglas *n* lente *f* convergente. **Brennholz** *n* legna *f* da ardere. **Brennpunkt** *m phys, fig* fuoco *m; fig* centro *m;* **im ~ stehend** *fig* centrale. **Brennspiritus** *m* spirito *m* da ardere. **Brennstab** *m* barra *f* combustibile. **Brennstoff** *m* combustibile *m; mot, aero* carburante *m.*

Brett [brɛt] ⟨-(e)s, -er⟩ *n* **1.** *(Holz~)* asse *m,* tavola *f; (Regal~)* mensola *f; (Bücher~)* (ri)piano *m;* **2.** ⟨*pl*⟩ *(Skier)* sci *m pl; (Boxring)* ring *m; theat (Bühne)* palcoscenico *m,* scena *f;* **3.** *(Schach~)* scacchiera *f; (Dame~)* damiera *f;* **Schwarzes ~** bacheca *f,* tabellone *m;* **ein ~ vor dem Kopf haben** *fig* non veder più in là del proprio naso. **Brettspiel** *n* gioco *m* da tavola.

Brevier [bre'vi:ɐ] ⟨-s, -e⟩ *n* breviario *m.*

bricht [brɪçt] *pr von* **brechen.**

Brief [bri:f] ⟨-(e)s, -e⟩ *m* lettera *f.* **Briefbeschwerer** ⟨-s, -⟩ *m* fermacarte *m.* **Briefbogen** *m* foglio *m* di carta da lettere. **Briefbombe** *f* pacco *m* esplosivo. **Briefdrucksache** *f* lettera *f* inviata come stampe. **Brieffreund(in)** *m(f)* amico, -a *m, f* di penna. **Briefgeheimnis** *n* segreto *m* epistolare.

Briefing ['bri:fɪŋ] *n (Informationsgespräch)* briefing *m,* colloquio *m* informativo.

Briefkasten *m (der Post)* cassetta *f* postale, buca *f* delle lettere; *(Haus~)* cassetta *f* della posta; **in den ~ stecken** (*o* **werfen**) imbucare; **elektronischer ~** mailbox *m.* **Briefkastengesellschaft** *f ökon* società *f* di comodo. **Briefkopf** *m* intestazione *f* della lettera. **Briefmarke** *f* francobollo *m.* **Briefmarkensammler(in)** *m(f)* filatelista *mf.* **Briefmarkensammlung** *f* collezione *f* di francobolli. **Brieföffner** *m* aprilettere *m.* **Briefpapier** *n* carta *f* da lettere. **Briefschreiber(in)** *m(f)* persona *f* che scrive lettere; **ein eifriger ~** un fervido corrispondente. **Brieftasche** *f* portafoglio *m.* **Brieftaube** *f* piccione *m* viaggiatore. **Briefträger(in)** *m(f)*

postino, -a *m, f*. **Briefumschlag** *m* busta *f* (da lettera). **Briefwaage** *f* bilancia *f* per corrispondenza. **Briefwahl** *f* votazione *f* per corrispondenza. **Briefwechsel** *m* corrispondenza *f* (epistolare). **Briefwerbung** *f* pubblicità *f* per corrispondenza.
briet [bri:t] *imp von* **braten.**
Brigade [bri'ga:də] ⟨-, -n⟩ *f* brigata *f*.
Brigitte [bri'gɪtə] *(weiblicher Vorname)* Brigida, Brigitta.
Brikett [bri'kɛt] ⟨-s, -s *o rar* -e⟩ *n* bricchetta *f*, mattonella *f* di carbone.
brillant [brɪl'jant] *adj* brillante, splendido, eccellente.
Brillant ⟨-en, -en⟩ *m* brillante *m*.
Brille ['brɪlə] ⟨-, -n⟩ *f* (paio *m* di) occhiali *m pl; (Klosett~)* sedile *m*. **Brillenetui** *n* astuccio *m* per occhiali. **Brillengestell** *n* montatura *f* (per occhiali). **Brillenschlange** *f* **1.** *zoo* serpente *m* dagli occhiali, naia *f*; **2.** *fig fam* donna *f* occhialuta. **Brillenträger(in)** *m(f)* persona *f* con gli occhiali, persona *f* che porta gli occhiali, occhialuto, -a *m, f scherz;* ~ **sein** portare gli occhiali.
bringen ['brɪŋən] ⟨bringt, brachte, gebracht⟩ *tr* **1.** *(transportieren, befördern)* (tras)portare; *(herbei~, mit~)* portare; *(begleiten)* accompagnare; *(im Auto fahren)* portare; **2.** *(ein~: Geld, Gewinn)* rendere, fruttare; *(Sorgen, Vorteile)* causare, portare; **3.** *(veröffentlichen)* pubblicare; *(senden)* trasmettere; **4.** *(in Zustand versetzen)* rendere; **Glück** ~ portare fortuna; **in Gang** ~ mettere in moto, avviare; **in Sicherheit** ~ mettere al sicuro; **jdn zum Lachen/Weinen** ~ far ridere/piangere qu; **jdn um etw.** ~ far perdere qc a qu; *(berauben)* derubare (*o* frodare) qu di qc; **jdn um den Verstand** ~ far perdere il senno a qu; **es dahin (*o* so weit)** ~**, daß . . .** arrivare a . . ., far sì che . . .; **mit sich** *(dat)* ~ *(zur Folge haben)* avere come conseguenza, comportare; **es über sich** ~**, etw. zu tun** decidersi a fare qc; **was** ~ **die Zeitungen darüber**? cosa ne dicono i giornali?; **wir** ~ **Nachrichten** abbiamo notizie; **das bringt nichts** *fam* non serve a niente; **er bringt es nicht** *fam (taugt nichts)* è un buono a nulla.
brisant [bri'zant] *adj* di scottante attualità, esplosivo.
Brisanz [...'zants] ⟨-, ø⟩ *f* esplosività *f*.
Brise ['bri:zə] ⟨-, -n⟩ *f* brezza *f*.
Britannien [bri'taniən] *n* Britannia *f*.
Brite ['brɪtə *o* 'bri:tə] ⟨-n, -n⟩ *m*, **Britin** [...tɪn] *f* britanno, -a *m, f*.
britisch *adj* britannico.
Brixen ['brɪksən] *n* Bressanone *f*.
bröckeln ['brœkəln] *itr* ⟨*sein*⟩ sbriciolarsi, sgretolarsi.
Brocken ['brɔkən] ⟨-s, -⟩ *m (a. fig)* briciolo *m; (Stückchen)* pezzo *m*, frammento *m;* **harter** ~ *fig* osso *m* duro *fam;* **ein paar** ~ **Latein** qualche parola di latino.
brodeln ['bro:dəln] *itr (a. fig)* ribollire.
Brokat [bro'ka:t] ⟨-(e)s, -e⟩ *m* broccato *m*.
Brokkoli *pl* broccolo *m*.
Brom [bro:m] ⟨-s, ø⟩ *n chem* bromo *m*.
Brombeere ['brɔm-] *f* mora *f*.
Bronchitis [brɔn'çi:tɪs, ...çi'ti:dən] ⟨-, -tiden⟩ *f* bronchite *f*.
Bronchien ['brɔnçiən] *f pl* bronchi *m pl*.
Bronze ['brõ:sə] ⟨-, -n⟩ *f* bronzo *m*. **Bronzemedaille** *f* medaglia *f* di bronzo. **bronzen** *adj* di bronzo, bronzeo. **Bronzezeit** *f* età *f* del bronzo.
Brosche ['brɔʃə] ⟨-, -n⟩ *f* fermaglio *m*, spilla *f*.
Broschur [brɔ'ʃu:r] *f (~einband)* legatura *f* in brossura.
Broschüre [brɔ'ʃy:rə] ⟨-, -n⟩ *f* brossura *f*, opuscolo *m*.
Brot [bro:t] ⟨-(e)s, -e⟩ *n* pane *m; (~laib a.)* pagnotta *f; (~scheibe)* fetta *f* di pane; *(belegtes ~)* tartina *f; (zusammengeklappt)* panino *m* imbottito.
Brötchen ['brø:tçən] ⟨-s, -⟩ *n* panino *m;* **belegtes** ~ panino *m* imbottito, sandwich *m*.
Broteinheit *f* (*abk* **BE**) *unità di misura idrati di carbonio (nelle diete)*. **Brotmesser** *n* coltello *m* per il pane. **Brotrinde** *f* crosta *f* del pane.
BRT *abk von* **Bruttoregistertonne** T.S.L. (*abbr di* tonnellata di stazza lorda).
Bruch [brʊx] ⟨-(e)s, Brüche⟩ *m* **1.** *(Brechen, a. fig)* rottura *f*; **2.** *(Zerbrochenes)* frantumi *m pl;* **3.** *(~stelle)* frattura *f*; **4.** *med (Knochen~)* frattura *f; (Eingeweide~)* ernia *f*; **5.** *mat* frazione *f*; **6.** *(Spaltung, Zerwürfnis)* scissione *f*; **sich einen** ~ **heben** farsi venire un'ernia alzando un peso; **zu** ~ **gehen** rompersi, andare in pezzi; **in die Brüche gehen** *fig* fallire. **Bruchbude** *f fam* catapecchia *f*.
brüchig ['brʏçɪç] *adj* **1.** *(zerbrechlich)* fragile; *(bröckelig)* friabile, sfaldabile; **2.** *fig* fatiscente; *(Stimme)* stridulo.
Bruchlandung *f* atterraggio *m* di fortuna. **Bruchrechnen** *n* calcolo *m* con numeri frazionari. **Bruchstrich** *m* segno *m* di frazione. **Bruchstück** *n* frammento *m*. **bruchstückhaft** *adv* a frammenti, frammentariamente. **Bruchteil** *m* frazione *f*. **Bruchzahl** *f* frazione *f*.
Brücke ['brʏkə] ⟨-, -n⟩ *f* **1.** *(arch, med, sport, tec, el)* ponte *m; (Fußgänger~, naut)* passerella *f*; **2.** *(Teppich)* passatoia *f*; **alle ~n hinter sich** *(dat)* **abbrechen** tagliare i ponti; **eine** ~ **schlagen** *(a. fig)* gettare un ponte.
Bruder ['bru:dɐ] ⟨-s, Brüder⟩ *m* **1.** *(a. allg.: Mitmensch, Freund)* fratello *m; rel (Ordens~)* frate(llo) *m*; **2.** *fam pej* soggetto *m*, tipo *m*.
brüderlich ['bry:dɐlɪç] *adj* fraterno.
Bruderschaft ⟨-, -en⟩ *f* confraternita *f*,

congregazione *f.* **Brüderschaft** ⟨-, ø⟩ *f* fraternità *f*, fratellanza *f;* **mit jdm ~ trinken** bere insieme per darsi del "tu" con qu.

Brühe ['bry:ə] ⟨-, -n⟩ *f* **1.** *(Fleisch~)* brodo *m;* **2.** *pej (Schmutzwasser)* acque *f pl* luride; *(Getränk)* brodaglia *f.*

Brühwürfel *m* dado *m* per (*o* da) brodo.

brüllen ['brʏlən] *itr (Rind)* muggire; *(Löwe)* ruggire; *(Mensch)* urlare; *(weinen)* piangere forte.

brummen ['brʊmən] **I.** *itr* **1.** *(Bär, Mensch)* brontolare; *(Insekt, Kreisel, Flugzeug)* ronzare; *mot* rombare; **2.** *fam (in Gefängnis)* stare al fresco *fam;* **mir brummt der Schädel (*o* Kopf)** la testa mi ronza; **II.** *tr (Mensch)* borbottare, mormorare.

brummig *adj* brontolone, borbottone.

Brummschädel *m fam:* **einen ~ haben** avere la testa stordita.

Brunch ['bran(t)ʃ] ⟨-(e)s, -(e)s *o* -(e)⟩ *m* colazione *f* all'americana.

Bruneck [bru'nɛk] *n* Brunico *f.*

brünett [bry'nɛt] *adj* bruno, moro.

Brunnen ['brʊnən] ⟨-s, -⟩ *m (Spring~)* fontana *f; (Zieh~)* pozzo *m; (Heilquelle)* (sorgente *f* di) acque *f pl* minerali.

Brunst [brʊnst] ⟨-, Brünste⟩ *f* calore *m,* fregola *f.*

brünstig ['brʏnstɪç] *adj* in calore, in fregola.

brüsk [brʏsk] *adj* brusco, sgarbato.

brüskieren [...'ki:rən] ⟨*ohne ge-*⟩ *tr* bistrattare, offendere.

Brüssel ['brʏsəl] *n* Bruxelles *f.*

Brust [brʊst] ⟨-, Brüste⟩ *f* petto *m; (Busen)* seno *m; (~korb, ~kasten, von Insekt)* torace *m;* **sich in die ~ werfen** *fig* andare pettoruto, darsi delle arie; **aus voller ~** a squarciagola. **Brustbein** *n* sterno *m.* **Brustbeutel** *m* borsellino *m* appeso al collo.

brüsten ['brʏstən] *rfl:* **sich ~** darsi delle arie; **sich mit etw. ~** vantarsi di qc.

Brustfell *n* pleura *f.* **Brustkorb** *m* gabbia *f* toracica, torace *m.* **Brustkrebs** *m* carcinoma *m* mammario, cancro *m* al seno. **Brustschwimmen** *n* nuoto *m* a rana.

Brüstung ⟨-, -en⟩ *f* parapetto *m,* balaustrata *f.*

Brustwarze *f* capezzolo *m.*

Brut [bru:t] ⟨-, -en⟩ *f* **1.** *(das Brüten)* cova(tura) *f; (maschinell, fig)* incubazione *f;* **2.** *(Eier, Vogeljunge)* covata *f,* nidiata *f; (Fisch~)* avannotti *m pl;* **3.** *fig pej (von Menschen)* razza *f,* genia *f.*

brutal [bru'ta:l] *adj* brutale.

Brutalität [...tali'tɛ:t] ⟨-, -en⟩ *f* brutalità *f.*

brüten ['bry:tən] *itr* covare, *phys* rigenerare; **über etw.** *(dat)* **~** *fig* meditare su qc.

Brüter ⟨-s, -⟩ *m:* **schneller ~** reattore *m* autofertilizzante.

Brutkasten *m* incubatrice *f.*

brutto ['brʊto] *adv* lordo. **Bruttoeinkommen** *n* prodotto *m* lordo. **Bruttogehalt** *n* stipendio *m* lordo, retribuzione *f* lorda. **Bruttoregistertonne** *f* (*abk* **BRT**) tonnellata *f* di stazza lorda. **Bruttosozialprodukt** *n* prodotto *m* nazionale lordo, prodotto *m* sociale.

Btx [be:te:'ˀɪks] *abk von* **Bildschirmtext** Videotel® *m,* Videotex® *m.* **Btx-Gerät** *n* apparecchio *m* Videotel®.

Bub [bu:p] ⟨-en, -en⟩ *m dial* ragazzo *m,* ragazzetto *m.*

Bubikopf ['bu:bi-] *m (Frisur)* caschetto *m.*

Buch [bu:x] ⟨-(e)s, Bücher⟩ *n* **1.** libro *m;* **2.** ⟨*meist pl*⟩ *com* registro *m,* libro *m;* **3.** *(zu einer Oper)* libretto *m; (Dreh~)* copione *m;* **über etw.** *(akk)* **~ führen** registrare qc; **reden wie ein ~** parlare come un libro stampato; **zu ~e schlagen** avere il proprio peso; **wie es/er/sie im ~ steht** come si deve, coi fiocchi *fam.* **Buchbinder(in)** ⟨-s, -⟩ *m(f)* (ri)legatore, -trice *m, f* di libri. **Buchbinderei** [-bɪndə'rai] ⟨-, -en⟩ *f* **1.** *(Werkstatt)* legatoria *f;* **2.** *(Gewerbe)* rilegatura *f.* **Buchclub** *m* club *m* del libro. **Buchdruck** ⟨-(e)s, ø⟩ *m* stampa *f* di libri. **Buchdrukker(in)** *m(f)* stampatore, -trice *m, f,* tipografo, -a *m, f.* **Buchdruckerei** *f* tipografia *f,* stamperia *f.*

Buche ['bu:xə] ⟨-, -n⟩ *f* faggio *m.*

Buchecker ['bu:xˀɛkɐ] ⟨-, -n⟩ *f* faggiola *f.*

buchen ['bu:xən] *tr* registrare, contabilizzare; *(Platz, Zimmer)* prenotare, riservare.

Bücherbus *m* bibliobus *m.*

Bücherei [by:çə'rai] ⟨-, -en⟩ *f* biblioteca *f.*

Büchergutschein *m* buono *m* libri. **Bücherregal** *n* scaffale *m.* **Bücherschrank** *m* libreria *f.* **Bücherwurm** *m* **1.** *zoo* tarlo *m* dei libri; **2.** *scherz* topo *m* di biblioteca *fam.*

Buchfink *m* fringuello *m.*

Buchführung *f* contabilità *f.* **Buchhalter(in)** *m(f)* contabile *mf,* ragioniere, -a *m, f.* **Buchhaltung** *s.* **Buchführung. Buchhandel** *m* commercio *m* librario. **Buchhändler(in)** *m(f)* libraio, -a *m, f.* **Buchhandlung** *f* libreria *f.* **Buchmacher** ⟨-s, -⟩ *m sport* allibratore *m.* **Buchmesse** *f* fiera *f* del libro. **Buchprüfung** *f* revisione *f* contabile, verifica *f* dei conti. **Buchrücken** *m* costola *f.*

Buchs(baum) ['bʊks(baum)] ⟨-es, -e⟩ *m* bosso *m.*

Buchse ['bʊksə] ⟨-, -n⟩ *f tec* manicotto *m.*

Büchse ['bʏksə] ⟨-, -n⟩ *f* **1.** *(Behälter)* barattolo *m,* vasetto *m; (Dose)* lattina *f; (Sammel~)* bossolo *m;* **2.** *(Jagdgewehr)* fucile *m,* schioppo *m.* **Büchsenmilch** *f* latte *m* condensato. **Büchsenöffner** *m* apriscatole *m.*

Buchstabe ['bu:xʃta:bə] ⟨-ns *o rar* -n, -n⟩ *m* lettera *f,* carattere *m.*

buchstabieren [...ʃta'bi:rən] ⟨*ohne ge-*⟩ *tr* compitare, sillabare.

buchstäblich ['bu:xʃtɛ:plɪç] **I.** *adj* letterale; **II.** *adv fig (geradezu)* letteralmente, alla lettera.

Buchstütze *f* reggilibri *m.*

Bucht [bʊxt] ⟨-, -en⟩ *f* baia *f; (kleine)* insenatura *f.*

Buchung ⟨-, -en⟩ *f* **1.** *com (Eintrag)* registrazione *f;* **2.** *(Vorbestellung)* prenotazione *f.* **Buchungssystem** *n* sistema *m* di registrazione (contabile).

Buchweizen *m* grano *m* saraceno.

Buchwert *m ökon* valore *m* di carico (*o* contabile).

Buckel ['bʊkəl] ⟨-s, -⟩ *m* **1.** *fam (Rücken)* dorso *m,* schiena *f;* **2.** *(Höcker, a. med)* gobba *f,* gibbosità *f;* **du kannst mir den ~ runterrutschen!** *fam* me ne infischio *fam.* **buck(e)lig** *adj (Fläche)* gibboso; *(Mensch)* gobbo.

bücken ['bʏkən] *rfl:* **sich ~** piegarsi (*nach etw.* per raccogliere qc), chinarsi (*nach etw.* per raccogliere qc).

bucklig *s.* **buckelig.**

Buddhismus [bʊ'dɪsmʊs] ⟨-, ø⟩ *m* buddismo *m.*

buddhistisch *adj* buddista.

Bude ['bu:də] ⟨-, -n⟩ *f* **1.** *pej* baracca *f;* **2.** *(Verkaufsstand)* bancarella *f;* **3.** *fam (Zimmer)* stanza *f,* camera *f.*

Budget [bʏ'dʒe:] ⟨-s, -s⟩ *n* bilancio *m,* budget *m.*

Büfett [by'fɛt] ⟨-(e)s, -s *o* -e⟩ *n* **1.** *(Anrichte)* credenza *f,* buffet *m;* **2.** *(Schanktisch)* banco *m;* **kaltes ~** buffet freddo.

Büffel ['bʏfəl] ⟨-s, -⟩ *m* bufalo *m.*

büffeln *fam* **I.** *itr* sgobbare; **II.** *tr* sgobbare su, studiare.

Buffet [bʏ'fe:] ⟨-s, -s⟩ *n* **1.** *s.* **Büfett;** **2.** *CH (Bahnhofsgaststätte)* buffet *m* della stazione.

Bug¹ [bu:k] ⟨-(e)s, Büge *o rar* -e⟩ *m (Schulterteil)* spalla *f.*

Bug² [bu:k] ⟨-(e)s, -e⟩ *m naut* prua *f.*

Bug³ [bʌg] ⟨-s, -s⟩ *m inform* bug *m.*

Bügel ['by:gəl] ⟨-s, -⟩ *m* **1.** *(Kleider~)* gruccia *f,* ometto *m;* **2.** *(von Handtasche)* cerniera *f; (Griff)* manico *m; (Brillen~)* stanghetta *f; (von Gewehr)* ponticello *m; (am Skilift, Steig~)* staffa *f.*

Bügelbrett *n* asse *m* da stiro. **Bügeleisen** *n* ferro *m* da stiro. **Bügelfalte** *f* piega *f* dei calzoni. **bügelfrei** *adj* che non si stira.

bügeln ['by:gəln] *tr, itr* stirare.

buhlen ['bu:lən] *itr obs:* **um jds Gunst ~** cattivarsi il favore di qu.

Bühne ['by:nə] ⟨-, -n⟩ *f* **1.** *theat, fig* scena *f;* **2.** *(Theater)* teatro *m;* **3.** *(~nbretter)* palcoscenico *m;* **4.** *(Gerüst)* palco *m,* tribuna *f;* **5.** *(Hebe~)* ponte *m* sollevatore; **über die ~ gehen** *fig fam* svolgersi, aver luogo. **Bühnenbild** *n* scenografia *f,* scenario *m.* **Bühnenbildner(in)** [-bɪldnɐ (...ərɪn)] ⟨-s, -⟩ *m(f)* scenografo, -a *m, f.*

Buhruf ['bu:-] *m* borbottio *m* (*o* rumorio *m*) di disapprovazione.

buk [bu:k] *obs imp von* **backen.**

Bukarest ['bu:karɛst] *n* Bucarest *f.*

Bulgare [bʊl'ga:rə] ⟨-n, -n⟩ *m,* **Bulgarin** [...rɪn] *f* bulgaro, -a *m, f.*

Bulgarien [...ri̯ən] *n* Bulgaria *f.*

bulgarisch *adj* bulgaro.

Bulimie [buli'mi:] *f med* bulimia *f.*

Bullauge ['bʊl-] *n* **1.** *arch* occhio *m* di bue; **2.** *naut, aero* oblò *m.*

Bulldogge ['bʊl-] *f* bulldog *m.*

Bulldozer ['bʊldo:zɐ] ⟨-s, -⟩ *m* bulldozer *m.*

Bulle ['bʊlə] ⟨-n, -n⟩ *m* **1.** *(Stier)* toro *m; (männliches Tier)* maschio *m;* **2.** *fam pej (Polizist)* piedipiatti *m sl.*

Bulletin [bʏl'tɛ̃:] ⟨-s, -s⟩ *n* bollettino *m.*

Bumerang ['bu:məraŋ *o* 'bʊm...] ⟨-s, -e *o* -s⟩ *m (a. fig)* bumerang *m.*

Bummel ['bʊməl] ⟨-s, -⟩ *m* giretto *m.*

bummeln *itr* **1.** ⟨*sein*⟩ *(umherschlendern)* bighellonare, gironzolare; **2.** ⟨*haben*⟩ *(trödeln)* gingillarsi.

Bummelstreik *m* sciopero *m* bianco. **Bummelzug** *m fam* treno *m* accelerato.

bums [bʊms] *interj* patatrac.

bumsen ['bʊmzən] **I.** *itr* **1.** ⟨*sein*⟩ *fam (prallen)* cozzare; **2.** ⟨*haben*⟩ *fam:* **als er fiel, bumste es fürchterlich** quando cadde si udì un tonfo terribile; **es hat gebumst** *(Autounfall)* c'è stato un tamponamento; **3.** ⟨*haben*⟩ *sl* chiavare *volg;* **II.** *tr sl:* **jdn ~** chiavare qu *volg.*

Bund¹ [bʊnt] ⟨-(e)s, Bünde⟩ *m* **1.** *(Freundschafts~)* legame *m,* vincolo *m; (Vereinigung, Bündnis)* unione *f,* alleanza *f; (Staaten~)* confederazione *f; (zu einem bestimmten Zweck)* coalizione *f;* **2.** *pol (Bundesstaat)* governo *m* federale; **3.** *fam (~eswehr)* esercito *m;* **4.** *(an Kleid, Hose)* cintura *f;* **im ~e mit** unito a, alleato con.

Bund² [bʊnt] ⟨-(e)s, -e⟩ *n* **1.** *(Stroh~, Gemüse~)* fascio *m;* **2.** *(Garn~)* matassa *f;* **3.** *(Holz~)* fastello *m.*

Bündchen ['bʏntçən] ⟨-s, -⟩ *n (Arm~)* polsino *m; (Hals~)* collo *m; (unterer Pulloverrand)* bordo *m.*

Bündel ['bʏndəl] ⟨-s, -⟩ *n* **1.** *(Heu~, Stroh~)* fardello *m; (Reisig~)* fascina *f;* **2.** *(Packen)* fagotto *m; (von Banknoten)* rotolo *m; (Akten~)* incartamento *m,* dossier *m.*

bündeln *tr (Zeitungen)* legare; *(Garben, Stroh)* affastellare; *(Karotten, Radieschen)* fare mazzetti di; *(Strahlen)* proiettare.

Bundes- ['bʊndəs-] *(in Zusammensetzungen)* federale. **Bundesangestelltentarif** *m* (*abk* **BAT**) *retribuzione del pubblico impiego nella R.F.T.* **Bundesausbildungsförderungsgesetz** *n* (*abk*

BAFÖG, Bafög) *legge per il sostegno dell'istruzione scolastica ed universitaria nella R.F.T.* **Bundesbank** ⟨-, -en⟩ *f* banca *f* centrale della R.F.T. **Bundesbürger(in)** *m(f)* cittadino, -a *m, f* della R.F.T. **Bundesdatenschutzbeauftragte** ⟨ein -r, -n, -n⟩ *mf* responsabile *mf* federale della protezione dati. **Bundesdatenschutzgesetz** *n* legge *f* federale per la protezione dei dati. **bundesdeutsch** *adj* della Repubblica Federale Tedesca. **Bundesebene** *f*: **auf ~** a livello nazionale (della R.F.T.). **Bundesgebiet** *n* territorio *m* federale. **Bundesgrenzschutz** *m* guardia *f* statale di confine. **Bundeskanzler** *m (BRD, Österreich)* cancelliere *m* federale; *(Schweiz)* cancelliere *m* della Confederazione elvetica. **Bundesland** *n (BRD)* Land *m; (Österreich)* provincia *f*. **Bundesliga** *f (BRD)* massima divisione *f* calcistica della R.F.T. **Bundesminister(in)** *m(f)* ministro *m*. **Bundesnachrichtendienst** *m* (*abk* **BND**) *organo della R.F.T. competente per i servizi segreti.* **Bundespräsident** *m (BRD, Österreich)* presidente *mf* della Repubblica federale; *(Schweiz)* presidente *mf* della Confederazione. **Bundesrat** *m (BRD, Österreich)* camera *f* alta; *(Schweiz)* consiglio *m* federale. **Bundesregierung** *f* governo *m* federale. **Bundesrepublik** *f* repubblica *f* federale; **die ~ Deutschland** (*abk* **BRD**) la Repubblica Federale Tedesca. **Bundesstaat** *m* stato *m* federale. **Bundesstraße** *f* strada *f* statale. **Bundestag** *m (BRD)* camera *f* dei deputati; Bundestag *m*, parlamento *m*. **Bundestagsabgeordnete** ⟨ein -r, -n, -n⟩ *mf* deputato, -a *m, f* al parlamento federale. **Bundestagswahlen** *f pl* elezioni *f pl* politiche federali. **Bundestrainer** *m (BRD)* allenatore, -trice *m, f* della nazionale della R.F.T. **Bundesverfassungsgericht** *n (BRD)* corte *f* costituzionale federale. **Bundeswehr** *f (BRD)* forze *f pl* armate della R.F.T. **bundesweit** *adj adv* in tutta la Germania, su tutto il territorio federale.

Bundfaltenhose *f* pantaloni *m pl* con le pinces. **Bundhose** *f* pantaloni *m pl* alla zuava.

bündig ['bʏndɪç] *adj* **1.** *(kurz u. ~)* conciso, stringato; **2.** *(überzeugend)* convincente, concludente.

Bündnis ['bʏntnɪs] ⟨-ses, -se⟩ *n* alleanza *f*; **~ 90/Die Grünen** *nome di un partito tedesco.*

Bungalow ['bʊŋgalo] ⟨-s, -s⟩ *m* bungalow *m*.

Bungee-Springen ['bʌndʒi-] ⟨-s, ø⟩ *n* bungee jumping *m*.

Bunker ['bʊŋkɐ] ⟨-s, -⟩ *m* **1.** *naut (Kohlen~)* carbonaia *f*; **2.** *mil* bunker *m*, casamatta *f*; *(Luftschutz~)* rifugio *m*.

bunt [bʊnt] **I.** *adj* **1.** *(mehrfarbig)* variopinto, multicolore; policromo *scient; (farbig)* colorato, a colori; **2.** *fig (verschiedenartig, gemischt)* (s)variato, mischiato; *(verworren)* confuso; **~er Abend** serata di varietà (*o* con passatempi vari); **~es Programm** programma vario; **in ~er Reihenfolge** in successione disordinata; **das wird mir zu ~!** questo è troppo!; **II.** *adv (~ durcheinander)* alla rinfusa; **es zu ~ treiben** eccedere (*o* passare) la misura, trascendere. **Buntstift** *m* matita *f* colorata. **Buntwäsche** *f* biancheria *f* colorata.

Bürde ['bʏrdə] ⟨-, -n⟩ *f* carico *m; (a. fig)* peso *m*.

Burg [bʊrk] ⟨-, -en⟩ *f* rocca(forte) *f*, castello *m*.

Bürge ['bʏrgə] ⟨-n, -n⟩ *m allg.* garante *m*, mallevadore *m; fin* fideiussore *m*.

bürgen *itr* garantire (*für* per), rispondere (*für* di), farsi garante (*für* di); **für einen Wechsel ~** avallare una cambiale.

Bürger(in) ['bʏrgɐ (...ərɪn)] ⟨-s, -⟩ *m(f)* cittadino, -a *m, f*. **Bürgerbegehren** *n* richiesta *f* di referendum. **Bürgerinitiative** *f* iniziativa *f* civica. **Bürgerkrieg** *m* guerra *f* civile. **bürgerlich** *adj allg., jur* civile; *hist, soc* borghese; *pej* da piccolo borghese; **B~es Gesetzbuch** (*abk* **BGB**) codice civile; **gut ~e Küche** cucina *f* alla casalinga. **Bürgermeister(in)** *m(f)* sindaco *m; (BRD)* borgomastro *m*. **bürgernah** *adj (Politiker)* vicino (*o* aperto) alle esigenze dei cittadini. **Bürgerrecht** *n* diritto *m* di cittadinanza. **Bürgerrechtler(in)** *m(f)* esponente *mf* del movimento per i diritti civili. **Bürgerrechtsbewegung** *f* movimento *m* per la difesa dei diritti civili. **Bürgerschaft** ⟨-, *rar* -en⟩ *f* cittadinanza *f*, cittadini *m pl*. **Bürgersteig** [-ʃtai̯k] ⟨-(e)s, -e⟩ *m* marciapiede *m*. **Bürgertum** ⟨-s, ø⟩ *n* borghesia *f*. **Bürgerwehr** *f* guardia *f* civica, milizia *f* comunale .

Bürgschaft ⟨-, -en⟩ *f* garanzia *f*; *fin* fideiussione *f*.

Büro [by'ro:] ⟨-s, -s⟩ *n* ufficio *m; (Geschäftsstelle)* agenzia *f*. **Büroangestellte** *mf* impiegato, -a *m, f* d'ufficio. **Büroarbeit** *f* lavoro *m* d'ufficio. **Büroautomation** *f* automazione *f* dell'ufficio. **Bürobedarf** *m* materiale *m* per ufficio. **Bürohaus** *n* palazzo *m* per uffici. **Bürohengst** *m hum* lavoratore *m* di penna. **Büroklammer** *f* graffetta *f*. **Bürokommunikation** *f* comunicazione *f* aziendale. **Bürokommunikationssystem** *n* sistema *m* di comunicazione d'ufficio (*o* interna).

Bürokrat(in) *m(f)* burocrate *mf*.

Bürokratie [byrokra'ti:, ...i:ən] ⟨-, -n⟩ *f* burocrazia *f*.

bürokratisch [...'kra:tɪʃ] *adj* burocratico.

Büromöbel *n pl* mobili *m pl* d'ufficio.

Bursche ['bʊrʃə] ⟨-n, -n⟩ *m* **1.** *(Knabe,*

Junge) ragazzo *m; (junger Mann)* giovane *m;* **2.** *(Lauf~)* fattorino *m,* galoppino *m;* **3.** *fam pej (Kerl)* tipo *m fam.*

burschikos [bʊrʃi'ko:s] *adj* **1.** *(jungenhaft)* da maschiaccio; **2.** *(unbekümmert, lässig)* trascurato, noncurante.

Bürste ['bʏrstə] ⟨-, -n⟩ *f* spazzola *f.*

bürsten *tr* spazzolare.

Bus[1] [bʊs] ⟨-ses, -se⟩ *m* (auto)bus *m.*

Bus[2] [bʊs] ⟨-ses, -se⟩ *m inform* bus *m,* canale *m* di communicazione.

Busbahnhof *m* stazione *f* autolinee. **Busfahrer(in)** *m(f)* conducente *mf* (*o* conduttore, -trice *m, f*) di autobus. **Bushaltestelle** *f* fermata *f* dell' autobus.

Busch [bʊʃ] ⟨-es, Büsche⟩ *m* **1.** *(Strauch)* arbusto *m; (Gebüsch)* cespuglio *m;* **2.** *(in den Tropen)* savana *f;* **3.** *(Feder~)* ciuffo *m;* **mit etw. hinter dem ~ halten** *fam* tenere nascosto qc; **sich in die Büsche schlagen** *fam* sparire dalla circolazione; **auf den ~ klopfen** *fig fam* tastare (*o* sondare) il terreno.

Büschel ['bʏʃəl] ⟨-s, -⟩ *n* ciuffo *m.*

buschig *adj* folto; *(Augenbrauen)* cespuglioso.

Buschmann ⟨-(e)s, -männer *o* -leute⟩ *m* boscimano *m.* **Buschmesser** *n* coltello *m* da boscaglia, machete *m.* **Buschwindröschen** [-vɪntrø:sçən] ⟨-s, -⟩ *n* anemone *m.*

Busen ['bu:zən] ⟨-s, -⟩ *m* **1.** *(weiblicher)* seno *m,* petto *m;* **2.** *(Meer~)* insenatura *f,* golfo *m;* **am ~ der Natur** *hum* in seno alla natura. **Busenfreund(in)** *m(f)* amico, -a *m, f* intimo, -a (*o* del cuore).

Bussard ['bʊsart] ⟨-s, -e⟩ *m* poiana *f.*

Buße ['bu:sə] ⟨-, -n⟩ *f (bes. rel)* penitenza *f; (Sühne)* espiazione *f; jur (Geld~)* ammenda *f,* multa *f.*

büßen ['by:sən] *tr, itr* espiare; **das sollst du mir ~!** me la pagherai!

Büßer(in) ⟨-s, -⟩ *m(f)* penitente *mf.*

Bußgeld *n* multa *f,* contravvenzione *f.* **Bußgeldbescheid** *m* notifica *f* di contravvenzione.

Büste ['bʏstə] ⟨-, -n⟩ *f (Brust)* petto *m,* seno *m; (in Kunst)* busto *m.* **Büstenhalter** *m* (*abk* **BH** *fam*) reggiseno *m.*

Bustier [bʏs'tie:] ⟨-s, -s⟩ *n* corsetto *m,* bustino *m.*

Butangas [bu'ta:n-] *n* butano *m.*

Butt [bʊt] ⟨-(e)s, -e⟩ *m* rombo *m.*

Bütte ['bʏtə] ⟨-, -n⟩ *f* mastello *m,* tinozza *f.* **Büttenpapier** *n* carta *f* a mano.

Butter ['bʊtɐ] ⟨-, ø⟩ *f* burro *m;* **mit ~ bestreichen** imburrare; **es ist alles in ~** *fam* tutto è a posto. **Butterberg** *m scherz* montagna *f* di burro. **Butterblume** *f* ranuncolo *m.* **Butterbrot** *n* pane *m* imburrato; **für ein ~** *fig fam* per un tozzo di pane *fam.* **Butterbrotpapier** *n* carta *f* oleata. **Butterdose** *f* burriera *f.* **Butterfaß** *n* zangola *f.* **Butterkeks** *m* petit beurre *m (biscotto a base di burro).* **Butterkrem** [-kre:m] ⟨-, -s⟩ *f* crema *f* al burro. **Buttermilch** *f* latticello *m.*

buttern **I.** *tr* imburrare; **Geld in etw.** *(akk)* **~** *fam* investire soldi in qc; **II.** *itr* fare il burro.

butterweich ['bʊtɐ'vaiç] *adj* molle come il burro.

Button ['bʌtn] ⟨-s, -s⟩ *m* borchia *f.*

Butzenscheibe ['bʊtsən-] *f* vetro *m* a tondi (*o* a occhi).

b. w. *abk von* **bitte wenden** v. r. (*abbr di* vedi retro).

Bypass-Operation ['baipas-] *f med* bypass *m.*

Byte [bait] ⟨-s, -s⟩ *n inform* byte *m.*

bzgl. *abk von* **bezüglich** per quanto riguarda, per quanto a.

bzw. *abk von* **beziehungsweise** risp. (*abbr di* rispettivamente).

C

C, c [tse:] ⟨-, -(s)⟩ *n* **1.** *(Buchstabe)* C, c *f;* **2.** *mus* do *m;* **C wie Cäsar** C come Catania.

C *abk von* **Celsius** C.

ca. *abk von* **circa** *(ungefähr)* c (*abbr di* circa).

Cache ['kæʃ] ⟨-s, ø⟩ *m inform* memoria *f* cache.

CAD *n abk von* **Computer Aided Design** progettazione *f* assistita dal computer, progettazione *f* computerizzata.

Café [ka'fe:] ⟨-s, -s⟩ *n* caffè *m*, bar *m*.

Cafeteria [kafetə'ri:a] ⟨-, -s⟩ *f* self-service *m*, tavola *f* calda.

CAI *abk von* **Computer Aided Instruction** istruzione *f* assistita dal computer.

cal *abk von* **Kalorie** cal (*abbr di* piccola caloria).

CAL *abk von* **Computer Aided Learning** *s.* **CAI.**

Callboy ['kɔ:lbɔy] ⟨-s, -s⟩ *m* call-boy *m*. **Callgirl** ['kɔ:lgə:l] ⟨-s, -s⟩ *n* ragazza *f* squillo, callgirl *f*. **Callgirlring** *m* giro *m* di ragazze squillo.

CAM *abk von* **Computer Aided Manufacturing** produzione *f* assistita dal computer.

Camcorder ['kɛmkɔrdɐ] ⟨-s, -⟩ *m* camcorder *m*.

Camion ['kamjõ:] ⟨-s, -s⟩ *m CH (Lkw)* camion *m*.

Camionneur ['kamjɔnø:ɐ] ⟨-s, -e⟩ *m CH (Spediteur)* spedizioniere *m*.

campen ['kɛmpən] *itr* campeggiare.

Camper(in) ⟨-s, -⟩ *m(f)* campeggiatore, -trice *m, f*.

Camping ['kɛmpɪŋ] ⟨-s, ø⟩ *n* camping *m*, campeggio *m*. **Campingbus** *m* camper *m*. **Campingplatz** *m* campeggio *m*, camping *m*.

Caravan ['karavan *o* ...'va:n] ⟨-s, -s⟩ *m* roulotte *f*.

Cartoon [kar'tu:n] ⟨-(s), -s⟩ *m o n* **1.** *(Karikatur)* vignetta *f*; **2.** ⟨*pl*⟩ fumetti *m pl*. **Cartoonist(in)** [...ɪst(ɪn)] ⟨-en, en⟩ *m(f)* vignettista *mf*.

Cash-flow ['kɛʃ'flou] *m ökon* cash flow *m*, flusso *m* di cassa.

Cäsium *n chem* cesio *m*.

Caterpillar ['kɛtəpɪlɐ] *m* caterpillar *m*.

CB-Funker(in) [tse'be:-] *m(f)* radioamatore, -trice *m, f*.

cbm *abk von* **Kubikmeter** mc (*abbr di* metro cubo).

ccm *abk von* **Kubikzentimeter** cc (*abbr di* centimetro cubo).

CD [tse'de:-] *f* compact disc *m*. **CD-ROM** ⟨-, -s⟩ *f* CD-ROM *m*. **CD-ROM-Laufwerk** *n inform* lettore *m* (per) CD-ROM. **CD-Spieler** *m* lettore *m* compact disc.

CDU [tse:de:'ʔu:] ⟨-, ø⟩ *f abk von* **Christlich-Demokratische Union** *partito democristiano nella R.F.T.*

Celli *pl von* **Cello.**

Cellist(in) [tʃɛ'lɪst(ɪn) *o* ʃɛ...] ⟨-en, -en⟩ *m(f)* violoncellista *mf*.

Cello ['tʃɛlo *o* 'ʃɛlo, ...los *o* ...li] ⟨-s, -s *o* Celli⟩ *n* violoncello *m*.

Cellophan® [tsɛlo'fa:n] ⟨-s, ø⟩ *n* cellofan *m*.

Celsius ['tsɛlzius] *n* (*abk* **C**) Celsius, grado *m* centigrado.

CH *abk von* **Confoederatio Helvetica** CH.

Chamäleon [ka'mɛ:leɔn] ⟨-s, -s⟩ *n* camaleonte *m*.

Champagner [ʃam'panjɐ] ⟨-s, -⟩ *m* (vino *m*) champagne *m*.

Champignon ['ʃampɪnjɔŋ] ⟨-s, -s⟩ *m* champignon *m; (Wiesen~)* prataiolo *m*.

Chance ['ʃã:sə *o* ʃã:s] ⟨-, -n⟩ *f (Gelegenheit)* occasione *f* (favorevole), chance *f; (Aussicht)* prospettiva *f*, possibilità *f*. **Chancengleichheit** *f* uguaglianza *f* di prospettive, parità *f* di condizioni. **chancenlos** *adj* **1.** *(Spieler, Partei)* perdente in partenza; **2.** *(Plan, Produkt)* destinato a fallire (*o* a fare fiasco).

Chanson [ʃã'sõ:] ⟨-s, -s⟩ *n* canzone *f*, chanson *f*.

Chaos ['ka:ɔs] ⟨-, ø⟩ *n* caos *m*.

Chaot(in) [ka'o:t(ɪn)] ⟨-en, -en⟩ *m(f)* **1.** *fam* confusionario, -a *m, f*, persona *f* caotica; **2.** *pol sl* anarchico, -a *m, f*, radicale *mf*.

chaotisch *adj* caotico.

Charakter [ka'rakte, ...'te:rə] ⟨-s, -e⟩ *m* carattere *m*, natura *f*. **charakterfest** *adj* di carattere fermo.

charakterisieren [...teri'zi:rən] ⟨*ohne ge-*⟩ *tr* caratterizzare.

Charakterisierung ⟨-, -en⟩ *f* caratterizzazione *f*.

Charakteristikum [...te'rɪstɪkum, ...ka] ⟨-s, -ka⟩ *n* caratteristica *f*, tratto *m* caratteristico.

charakteristisch [...te'rɪstɪʃ] *adj* caratteristico (*für* di); **~e Eigenschaft** peculiarità *f*.

Charakterzug *m* **1.** *(Eigenart)* caratteristica *f*, tratto *m* caratteristico; **2.** *(Charaktereigenschaft)* qualità *f* (*o* dote *f*) morale.

Charisma ['çɑ:rɪsma] ⟨-s, -smen⟩ *n rel*

carisma *m (a. fig).*
charismatisch *adj* carismatico.
Charlotte [ʃar'lɔtə] *(weiblicher Vorname)* Carlotta.
charmant [ʃar'mant] *adj* affascinante.
Charme [ʃarm] ⟨-s, ø⟩ *m* fascino *m*, charme *m*.
Charta ['karta] ⟨-, -s⟩ *f* carta *f* (costituzionale).
Charterflug ['tʃartɐ- *o* 'ʃa...] *m* volo *m* charter. **Charterflugzeug** *n*, **-maschine** *f* charter *m*.
chartern ['tʃartɐn *o* 'ʃa...] *tr* noleggiare, prendere a noleggio.
Chassis [ʃa'si:] ⟨-, -⟩ *n mot* autotelaio *m*, telaio *m*, chassis *m*.
Chauffeur [ʃɔ'fø:ɐ] ⟨-s, -e⟩ *m* autista *m* (personale).
Chauvi ['ʃo:vi] ⟨-s, -s⟩ *m fam pej* sciovinista *m*, fallocrate *m*.
Chauvinismus [ʃovi'nɪsmʊs] ⟨-, ø⟩ *m* sciovinismo *m; pej (männlicher ~)* fallocrazia *f*.
Chauvinist(in) [...'nɪst(ɪn)] ⟨-en, -en⟩ *m(f)* sciovinista *mf; pej (männlicher ~)* fallocrate *m*.
chauvinistisch *adj* sciovinistico; *pej* fallocratico.
checken ['tʃɛkn] *tr* **1.** *(überprüfen)* controllare, verificare; **2.** *fam (begreifen)* capire, afferrare.
Check-in *m aero* check-in *m*.
Checkliste ['tʃɛk-] *f* lista *f* di controllo.
Chef(in) ['ʃɛf(ɪn)] ⟨-s, -s⟩ *m(f)* padrone, -a *m, f*, principale *mf; (Vorgesetzte)* capo *mf*. **Chefarzt** *m*, **-ärztin** *f* (medico) primario, -a *m, f*. **Chefetage** *f* piano *m* della direzione, piano nobile *scherz*. **Chefkoch** *m*, **-köchin** *f* capocuoco, -a *m, f*; chef *m*. **Chefredakteur(in)** *m(f)* redattore, -trice *m, f* capo. **Chefsekretär(in)** *m(f)* segretario, -a *m, f* del principale (*o* del direttore), primo, -a segretario, -a *m, f*.
Chemie [çe'mi:] ⟨-, ø⟩ *f* chimica *f*. **Chemieabfall** *m* rifiuti *m pl* chimici. **Chemiefaser** *f* fibra *f* sintetica. **Chemieunfall** *m* disastro *m* chimico. **Chemiewaffe** *f* arma *f* chimica.
Chemikalien [çemi'ka:li̯ən] *f pl* prodotti *m pl* chimici.
Chemiker(in) ['çe:mikɐ (...ərɪn)] ⟨-s, -⟩ *m(f)* chimico, -a *m, f*.
Cheminée ['ʃmɪne] ⟨-s, -s⟩ *n CH (Kamin)* camino *m*.
chemisch ['çe:mɪʃ] *adj* chimico; **~e Kampfstoffe** aggressivi *m pl* chimici; **~e Reinigung** pulitura *f* (*o* lavaggio *m*) a secco; *(Geschäft)* lavanderia *f* a secco, lavasecco *f*.
Chemotherapie [çemo-] *f* chemioterapia *f*.
chic [ʃɪk] *s.* **schick.**
Chicorée [ʃiko're: *o* 'ʃɪk...] ⟨-, ø⟩ *f o* ⟨-s, ø⟩ *m* cicoria *f*.
Chiffon ['ʃɪfõ *o* ʃɪ'fõ:] ⟨-s, -s *o A* -e⟩ *m* chiffon *m*.
Chiffre ['ʃɪfrə *o* 'ʃɪfɐ] ⟨-, -n⟩ *f* cifra *f; (Anzeige~)* numero *m*.
chiffrieren [ʃɪ'fri:rən] ⟨*ohne ge-*⟩ *tr* cifrare, tradurre in cifra.
China ['çi:na] *n* Cina *f*. **Chinarestaurant** *n* ristorante *m* cinese.
Chinese [çi'ne:zə] ⟨-n, -n⟩ *m*, **Chinesin** [...zɪn] *f* cinese *mf*.
chinesisch *adj* cinese.
Chinesisch *n* cinese *m;* **das ist für mich ~** per me è arabo; *s. a. Deutsch.*
Chip [tʃɪp] ⟨-s, -s⟩ *m* **1.** *(Spielmarke)* gettone *m;* **2.** ⟨*meist pl*⟩ *(Kartoffel~)* patatine *f pl* (fritte); **3.** *el, inform* chip *m*.
Chirurg(in) [çi'rʊrk (...gɪn)] ⟨-en, -en⟩ *m(f)* chirurgo, -a *m, f*.
Chirurgie [çirʊr'gi:, ...i:ən] ⟨-, -n⟩ *f* chirurgia *f*.
chirurgisch *adj* chirurgico.
Chlor [klo:ɐ] ⟨-s, ø⟩ *n* cloro *m*. **Chlorbleiche** *f* varechina *f*, candeggina *f*.
chlorhaltig [-haltɪç] *adj* contenente cloro.
Chloroform [kloro'fɔrm] ⟨-s, ø⟩ *n* cloroformio *m*.
Chlorophyll [kloro'fʏl] ⟨-s, ø⟩ *n* clorofilla *f*.
Choke [tʃoʊk] ⟨-s, -s⟩ *m* valvola *f* dell'aria, starter *m*.
Cholera ['ko:lera] ⟨-, ø⟩ *f* colera *m;* **Schutzimpfung gegen ~** anticolerica *f*.
Choleriker(in) [ko'le:rikɐ (...ərɪn)] ⟨-s, -⟩ *m(f)* collerico, -a *m, f*.
cholerisch *adj* **1.** *med* collerico; **2.** *fig* irascibile.
Cholesterin [çoleste'ri:n *o* ko...] ⟨-s, ø⟩ *n* colesterina *f*, colesterolo *m*.
Chor [ko:ɐ] ⟨-(e)s, Chöre⟩ *m* coro *m;* **im ~** in coro; **im ~ sprechen** far coro.
Choral [ko'ra:l] ⟨-s, Choräle⟩ *m* corale *m*.
Choreograph(in) [...'gra:f(ɪn)] ⟨-en, -en⟩ *m(f)* coreografo, -a *m, f*.
Choreographie [koreogra'fi:, ...i:ən] ⟨-, -n⟩ *f* coreografia *f*.
Chose ['ʃo:zə] ⟨-, -n⟩ *f fam (Sache, Angelegenheit)* cosa *f*, affare *m*, faccenda *f*.
Chr. *abk von* **Christus** C (*abbr di* Cristo); **600 v. ~** 600 a.C. (avanti Cristo).
Christ(in) ['krɪst(ɪn)] ⟨-en, -en⟩ *m(f)* cristiano, -a *m, f*.
Christa ['krɪsta] *weiblicher Vorname.*
Christbaum *m* albero *m* di Natale.
Christenheit ⟨-, ø⟩ *f* cristianità *f*, cristiani *m pl*. **Christentum** ⟨-s, ø⟩ *n* cristianesimo *m*.
Christian ['krɪsti̯a:n] *(männlicher Vorname)* Cristian(o).
Christiane [krɪs'ti̯a:nə] *(weiblicher Vorname)* Cristiana.
Christin *f s.* **Christ.**
Christine [krɪs'ti:nə] *(weiblicher Vorname)* Cristina.
Christkind *n* Gesù Bambino *m*. **christlich** *adj* cristiano. **Christmesse** *f*, **Christmet-**

te *f* messa *f* di mezzanotte *(alla vigilia di Natale).*
Christoph ['krɪstɔf] *(männlicher Vorname)* Cristoforo.
Christrose *f* rosa *f* di Natale. **Christstollen** *m dolce natalizio con mandorle, uvetta e cedro di forma bassa e allungata.*
Christus ['krɪstʊs, ...ti, ...to, ...tʊm] ⟨*gen Christi, dat - o geh* Christo, *akk - o geh* Christum, ø⟩ *m* Cristo *m.*
Chrom [kro:m] ⟨-s, ø⟩ *n* cromo *m.*
Chromosom [kromo'zo:m] ⟨-s, -en⟩ *n* cromosoma *m.*
Chronik ['kro:nɪk] ⟨-, -en⟩ *f* cronaca *f.*
chronisch *adj* cronico.
Chronologie [kronolo'gi:, ...i:ən] ⟨-, -n⟩ *f* cronologia *f.*
chronologisch [...'lo:gɪʃ] *adj* cronologico.
Chur [ku:ɐ] *n* Coira *f.*
CI *abk von* **Corporate Identity** corporate identity.
CIM *abk von* **Computer Integrated Manufacturing** produzione *f* computerizzata integrale.
circa ['ts̲ɪrka] *adv* (*abk* **ca.**) circa, press'a poco.
cl *abk von* **Zentiliter** cl (*abk von* centilitro).
clever ['klɛvɐ] *adj fam* **1.** *(schlau)* furbo, scaltro, astuto; **2.** *(geschickt)* bravo, abile, capace.
Clinch [klɪntʃ] ⟨-(e)s⟩ *m* **1.** *sport* clink *m,* corpo a corpo *m;* **2.** *fig fam:* **mit jdm im ~ liegen** essere ai ferri corti con qu, essere sul piede di guerra con qu.
Clique ['klɪkə *o* 'kli:kə] ⟨-, -n⟩ *f* cricca *f,* combriccola *f.*
Clochard [klɔ'ʃɑ:r] ⟨-(s), -(s)⟩ *m fam (Landstreicher)* vagabondo, -a *m, f,* barbone *m.*
Clou [klu:] ⟨-s, -s⟩ *m fam* punto *m* culminante, clou *m.*
Clown [kla̲u̲n] ⟨-s, -s⟩ *m* clown *m,* pagliaccio *m.*
cm *abk von* **Zentimeter** cm (*abbr di* centimetro).
C-Netz *n* rete *f* cellulare nazionale.
Co, Co. *abk von* **Kompanie** *(Gesellschaft)* C.ia (*abbr di* compagnia).
Cockpit ['kɔkpɪt] ⟨-s, -s⟩ *n* cabina *f* di pilotaggio.
Cocktail ['kɔkteɪl] ⟨-s, -s⟩ *m* cocktail *m.*
Code ['ko:t] ⟨-s, -s⟩ *m* codice *m; biol* **genetischer ~** codice genetico.
Coiffeur [ko̯a'fø:ɐ] ⟨-s, -e⟩ *m,* **Coiffeuse** [...ø:zə] ⟨-, -en⟩ *f CH (Friseur)* parucchiere, -a *m, f.*
Collage [kɔ'lɑ:ʒə] ⟨-, -n⟩ *f* collage *m.*
Collagen *s.* **Kollagen.**
Comeback [kam'bɛk] ⟨-(s), -s⟩ *n* rentrée *f;* **ein ~ erleben** ritornare alla ribalta.
Comicheft *n* fumetto *m,* giornalino *m fam.*
Comics ['kɔmɪks] *m pl* fumetti *m pl.*
Compact-Disc [kəm'pækt dɪsk] ⟨-, -s⟩ *f* compact disc *m.*
Compiler [kɔm'pailɐ] ⟨-s, -⟩ *m inform* compilatore *m.*
Computer [kɔm'pju:tɐ] ⟨-s, -⟩ *m* computer *m,* calcolatore *m* elettronico. **Computerarbeitsplatz** *m* posto *m* di lavoro computerizzato. **Computerfreak** *m fam* fanatico, -a *m, f* (*o* patito, -a *m, f*) dell' informatica. **computergesteuert** *adj* computerizzato. **computergestützt** *adj* basato su computer. **Computergrafik** *f* videografica *f,* grafica *f* computerizzata. **computerisieren** *tr* computerizzare. **Computerkriminalität** *f* criminalità *f* (*o* pirateria *f*) informatica. **computerlesbar** *adj* leggibile elettronicamente. **Computerlinguistik** *f* linguistica *f* computazionale. **Computer-Reservierungssystem** *n* sistema *m* di prenotazione computerizzato. **Computerschrott** *m* computer *m pl* inutilizzabili. **Computersimulation** *f* simulazione *f* al computer. **Computerspiel** *n* gioco *m* elettronico. **Computertisch** *m* tavolo *m* (*o* mobile *m*) portacomputer. **Computertomographie** *f* (*abk* **CTG**) tomografia *f* assiale computerizzata. **computerunterstützt** *adj:* **~er Unterricht** istruzione *f* assistita dal computer, insegnamento *m* aiutato dal computer. **Computervirus** *m* virus *m* del computer. **Computerzeitschrift** *f* rivista *f* d'informatica.
Conférencier [kõferã'si̯e:] ⟨-s, -s⟩ *m* presentatore *m,* annunciatore *m.*
Container [kɔn'te:nɐ] ⟨-s, -⟩ *m (zum Transport)* container *m,* contenitore *m; (für Bauschutt)* cassone *m* per materiali di rifiuto; *(für Pflanzen)* fioriera *f,* cassetta *f* di fiori. **Containerdorf** *n* baraccopoli *f.* **Containerschiff** *n* (nave) portacontainers *f.*
Contergan® [kɔntɛr'ga:n] ⟨-s, ø⟩ *n* Contergan® *m.* **Contergankind** *n fam* bambino *m* focomelico.
cool ['ku:l] *adj fam* calmo, tranquillo, distaccato.
Copyright ['kɔpira̲i̲t] ⟨-s, -s⟩ *n* copyright *m.*
Cord [kɔrt] ⟨-s, -s⟩ *m* cord *m.*
Corner ['kɔ:nə] ⟨-s, -⟩ *m A sport (Eckball)* calcio *m* d'angolo.
Cornflakes ['kɔ:nfleɪks] ⟨*pl*⟩ fiocchi *m pl* di granturco.
Cornichon [kɔrni'ʃõ:] ⟨-s, -s⟩ *n* ⟨*meist pl*⟩ cetriolino *m.*
Couch [ka̲u̲tʃ, ...tʃɪs *o* ...tʃən] ⟨-, -es *o fam* -en⟩ *f* divano *m.* **Couchgarnitur** *f* salotto *m.* **Couchtisch** *m* tavolino *m* da salotto.
Countdown ['ka̲u̲nt'da̲u̲n] ⟨-(s), -s⟩ *m o n* conto *m* alla rovescia, count down *m.*
Coupon [ku'põ:] ⟨-s, -s⟩ *m* cedola *f,* tagliando *m,* coupon *m;* buono *m; fin* cedola *f.*
Courage [ku'rɑ:ʒə] *f fam* coraggio *m.*

Cousin [ku'zɛ̃:] ⟨-s, -s⟩ *m* cugino *m.*
Cousine [ku'zi:nə] ⟨-, -n⟩ *f* cugina *f.*
Covergirl ['kavɐgø:ɐ̯l] ⟨-s, -s⟩ *n* ragazza-copertina *f.*
Cowboystiefel ['kau̯bɔy-] *m* stivaletto *m* da cowboy.
Crack [krɛk] *m* **1.** ⟨-s, -s⟩ *(Spitzensportler)* campione, -essa *m, f,* asso *m;* **2.** ⟨-, -s⟩ *(gutes Rennpferd)* crack *m,* favorito *m;* **3.** ⟨-⟩ *(Droge)* crack *m.*
Creme [kre:m *o* krɛ:m] ⟨-, -s⟩ *f (a. fig)* crema *f;* **die** ~ *fig (das Beste)* il fior fiore. **cremefarben** *adj* color crema.
Crew [kru:] ⟨-, -s⟩ *f naut, aero* equipaggio *m; fig* équipe *f.*
Croissant [kro̯a'sɑ̃:] ⟨-(s), -s⟩ *n* croissant *m,* cornetto *m.*
Cromargan® [kromar'ga:n] ⟨-s, ø⟩ *n* acciaio *m* inossidabile.
Croupier [kru'pi̯e:] ⟨-s, -s⟩ *m* croupier *m.*
Crux [krʊks] ⟨-, ø⟩ *f:* **das ist die** ~ **an der Sache** questo è il punto dolente; **es ist eine** ~ **mit ihm** è una vera croce.
CSU [t͟se:ɛs'ʔu:] ⟨-, ø⟩ *f abk von* **Christlich-Soziale Union** *partito Cristiano-Sociale nella R.F.T.*
Currywurst ['kœri-] *f* salsiccia *f* con salsa al curry.
Cursor ['kœ:sə] ⟨-s, -⟩ *m inform* cursore *m.*
Cut(away) ['kœt(əve) *o* 'kat...] ⟨-s, -s⟩ *m* tight *m.*
cutten ['katən] *tr film, radio, TV* tagliare.
Cutter(in) ⟨-s, -⟩ *m(f) film, radio, TV* montatore, -trice *m, f.*
CVJM [tse:fau̯jɔt'ʔɛm] ⟨-(s), ø⟩ *abk von* **Christlicher Verein Junger Männer (***o* **Menschen)** *Associazione cristiana dei giovani.*
Cyberspace [sɑıbə'speıs] ⟨-⟩ *m inform* ciberspazio *m,* cyberspace *m.*

D

D, d [de:] ⟨-, -(s)⟩ *n* **1.** *(Buchstabe)* D, d *f;* **2.** *mus* re *m;* **D wie Dora** D come Domodossola.

D *abk von* **Deutschland** D.

da [da:] **I.** *adv* **1.** *(örtlich: dort)* lì, là; *(hier)* qui, qua; **2.** *(zeitlich: damals)* allora, in quel tempo; *(dann)* allora; **3.** *fam (in diesem Fall, dieser Lage)* allora, in quel (questo) caso; **4.** *(vorhanden)* presente; ~ **draußen** là fuori; ~ **hinaus** fuori di lì; ~ **drüben** di là, da quella parte; ~ **oben** lassù; ~ **unten** laggiù; ~, **wo** laddove; **hier und** ~, ~ **und dort** qua e là; ~ **ist/sind** c'è/ci sono; ~ **ist er** eccolo; ~ **(hast du)** qua (prendi); **ich bin gleich wieder** ~ torno subito; **es ist niemand** ~ non c'è nessuno; **hallo, du** ~! ehi, tu, ciao! *fam;* **weg** ~! via di qua!; **sieh** ~! toh, guarda!; **wer ist** ~? chi c'è?; **von** ~ **an** fin da allora, da allora in poi; ~ **kann man nichts machen** in questo caso non c'è niente da fare; ~ **fragst du noch?** e domandi ancora?; **II.** *konj (weil)* poiché, perché, siccome.

DAAD [de:a:a:'de:] ⟨-(s), ø⟩ *m abk von* **Deutscher Akademischer Austauschdienst** *organismo delle università della R.F.T. per lo scambio internazionale di ricercatori e studenti.*

dabei [da'bai, *hinweisend:* 'da:bai] *adv* **1.** *(örtlich)* accanto, vicino, appresso; **2.** *(gleichzeitig)* nello stesso tempo; **3.** *(damit, daran, darin)* con (*o* in) questo, ci, vi; **4.** *fam (außerdem)* oltre a ciò, per di più; **er aß und arbeitete** ~ mangiava e lavorava contemporaneamente; **es bleibt** ~, **daß ...** resta inteso (*o* stabilito) che ...; **ich bleibe** ~, **daß ...** insisto nel dire che ...; **was ist (denn) schon** ~! *fam* che male c'è!; **es ist nichts** ~ *(es ist nicht schwer)* non è difficile, non ci vuole nulla; **es ist zu laut,** ~ **kann ich nicht arbeiten** c'è troppo rumore, così non posso lavorare; **wir haben ihn** ~ **gesehen, wie ...** l'abbiamo visto come ...; **ist die Gebrauchsanweisung** ~? ci sono anche le istruzioni per l'uso?; **was hast du dir** ~ **gedacht?** ma cosa ti è venuto in mente? *(o* saltato in testa? *fam);* **er ist schön und** ~ **noch reich** è bello e per di più (*o* per giunta) ricco; **ich bin zu spät gekommen,** ~ **habe ich mich so beeilt!** sono arrivato troppo tardi malgrado mi fossi affrettato.

dabei·sein ⟨*irr*⟩ *itr* ⟨*sein*⟩ **1.** esserci; *(anwesend)* essere presente; **2.** *(im Begriff sein):* **(gerade)** ~ **zu ...** stare per *+inf;* **ich bin schon dabei, zu ...** ho già cominciato a *+inf.*

da·bleiben ⟨*irr*⟩ *itr* restare, rimanere (sul posto), trattenersi.

Dach [dax] ⟨-(e)s, Dächer⟩ *n* tetto *m;* **unter** ~ **und Fach bringen** mandare in porto; **kein** ~ **über dem Kopf haben** essere senza tetto; **eins aufs** ~ **kriegen** *fig fam* prendersi una lavata di capo *fam;* **jdm aufs** ~ **steigen** *fig fam* dare una lavata di capo a qu *fam;* **mit jdm unter einem** ~ **wohnen** vivere sotto lo stesso tetto con qu. **Dachbalken** *m* trave *f* maestra. **Dachboden** *m* soffitta *f,* solaio *m.* **Dachdecker(in)** ⟨-s, -⟩ *m(f)* copritetto *mf.* **Dachfenster** *n* abbaino *m,* lucernario *m.* **Dachfirst** *m* comignolo *m.* **Dachgarten** *m* giardino *m* pensile. **Dachgepäckträger** *m* portabagagli *m.* **Dachkammer** *f* soffitta *f,* mansarda *f.* **Dachorganisation** *f* organizzazione *f* suprema (*o* dirigente), capogruppo *m.* **Dachrinne** *f* grondaia *f.*

Dachs [daks] ⟨-es, -e⟩ *m* tasso *m.*

Dachschaden *m fam:* **du hast wohl einen** ~! ma sei matto! *fam.* **Dachstuhl** *m* cavalletto *m* del tetto.

dachte ['daxtə] *imp von* **denken.**

Dachwohnung *f* mansarda *f.* **Dachziegel** *m* tegola *f.*

Dackel ['dakəl] ⟨-s, -⟩ *m* bassotto *m.*

dadurch [da'durç, *hinweisend:* 'da:durç] *adv* **1.** *(örtlich)* per di là, per (*o* attraverso) quel luogo; **2.** *(kausal)* per questa ragione, per questo; **3.** *(durch diese Art und Weise)* in tal modo, così, con ciò; ~, **daß ...** per il fatto che ...; **er rettete sich** ~, **daß er aus dem Fenster sprang** si salvò saltando dalla finestra.

dafür [da'fy:ɐ, *hinweisend:* 'da:fy:ɐ] *adv* **1.** *(für das)* per questo; **2.** *(zum Ersatz)* in cambio; *(als Gegenleistung)* in compenso; **3.** *(statt dessen)* ma invece; ~ **sein** essere favorevole (a qc); *(bei Abstimmungen)* votare in favore (di qc); **ich bin** ~, **daß ...** *(ich bin der Meinung)* credo (*o* sono dell'avviso) che *+congv;* **alles spricht** ~, **daß ...** tutto sembra indicare che ...; ~, **daß ...** *(wenn man bedenkt, daß ...)* se si tien conto che ...; **er kann nichts** ~ non ne ha colpa.

dagegen [da'ge:gən, *hinweisend:* 'da:ge:gən] **I.** *adv* **1.** *(örtlich, fig)* contro; **2.** *(Ablehnung)* (in) contrario; **3.** *(verglichen damit)* in confronto; **4.** *(als Gegenwert)* in cambio, in compenso; **etw. ~ haben** avere qc in contrario; **nichts ~ tun können** non poter farci niente; **~ sein** essere contrario, opporsi; **~ stimmen** votare contro; **wenn Sie nichts ~ haben** se non Le dispiace, se permette; **II.** *konj* al contrario, invece. **dagegen·halten** ⟨*irr*⟩ *tr* **1.** *(vergleichen)* mettere a confronto con, contrapporre a; **2.** *(einwenden)* replicare.

daheim [da'haim] *adv* a casa.

daher [da'he:ɐ, *hinweisend:* 'da:he:ɐ] **I.** *adv* **1.** *(örtlich)* di lì, da quella parte; **2.** *fig (Ursache)* da ciò; **~ kommt es, daß ...** è questo il motivo per cui ... **II.** *konj (deshalb)* perciò, per questo motivo. **daher·reden** *tr, itr* parlare a vanvera.

dahin [da'hın, *hinweisend:* 'da:hın] *adv* **1.** *(örtlich)* lì, là; **2.** *(zeitlich: bis ~) (Vergangenheit)* fino a quel tempo; *(a. Futur)* fino allora; **3.** *(vorbei)* passato, finito; *poet (tot)* morto; **jdn ~ bringen, daß ...** indurre qu a *+inf.* **dahingehend** ['da:hın-] *adv:* **sich ~ äußern, daß ...** esprimersi in tal senso che ... **dahin·stellen** *tr:* **das mag dahingestellt bleiben** questo è ancora da vedere.

dahinten [da'hıntən, *hinweisend:* 'da:hıntən] *adv* là dietro.

dahinter [da'hıntɐ, *hinweisend:* 'da:hıntɐ] *adv* (lì *o* là) dietro; *fig* sotto. **dahinter·kommen** ⟨*irr*⟩ *itr* ⟨*sein*⟩ *fam* scoprire (qc). **dahinter·stecken** *itr fam:* **da** (*o* **es**) **steckt etw. dahinter** qui gatta ci cova *fam;* **es steckt nichts dahinter** non c'è sotto nulla.

dahin·vegetieren ⟨*ohne ge-*⟩ *itr pej* vegetare.

Dahlie ['da:li̯ə] ⟨-, -n⟩ *f* dalia *f.*

Daktylo ['daktylo] ⟨-s, -s⟩ *f CH* dattilografa *f.*

damalig ['da:ma:lıç] *adj* di allora, di quel tempo.

damals ['da:ma:ls] *adv* allora.

Damast [da'mast] ⟨-(e)s, -e⟩ *m* damasco *m.*

Dame ['da:mə] ⟨-, -n⟩ *f* **1.** *allg.* signora *f;* **2.** *(beim Sport)* donna *f;* **3.** *(Karte, Schach)* regina *f;* **4.** *(im ~spiel)* dama *f;* **junge ~** signorina; **die ~ des Hauses** la padrona di casa; **meine ~n und Herren!** signore e signori!. **Damenbegleitung** *f:* **in ~** in compagnia di una signora. **Damenbesuch** *m* visita *f* femminile. **Damendoppel** *n* doppio *m* femminile. **Dameneinzel** *n* singolo *m* femminile. **Damen(fahr)rad** *n* bicicletta *f* da donna. **Damenmode** *f* moda *f* femminile. **Damensitz** *m:* **im ~ reiten** cavalcare all'amazzone. **Damentoilette** *f* toilette *f* per signora. **Damenwahl** *f:* **~!** ora scelgono le dame.

Damespiel *n* gioco *m* della dama, dama *f.*

damit [da'mıt, *hinweisend:* 'da:mıt] **I.** *adv* con ciò, con questo; **ich bin ~ zufrieden** ne sono contento; **das hat nichts ~ zu tun** questo non c'entra; **was soll ich ~?** che cosa me ne faccio?; **was wollen Sie ~ sagen?** come sarebbe a dire?, cosa vuole dire con questo?; **wie wäre es ~, wenn ...?** come sarebbe se ...?; **hör auf ~!** piantala!, finiscila!; **II.** *konj* affinché *+congv,* perché *+congv.*

dämlich ['dɛ:mlıç] *adj fam* sciocco, imbecille.

Damm [dam] ⟨-(e)s, Dämme⟩ *m* **1.** *(Deich)* argine *m; (am Meer)* diga *f;* **2.** *(Bahn~, Straßen~)* terrapieno *m;* **3.** *anat* perineo *m;* **nicht auf dem ~ sein** *fig fam* non essere in buona salute.

dämmerig ['dɛmərıç] *adj* semibuio, in penombra; *(Licht)* crepuscolare.

dämmern ['dɛmɐn] *itr* **1.** *(abends)* imbrunire; **2.** *(morgens)* albeggiare; **jetzt dämmert es (bei) mir** *fig fam* ora incomincio a capire (*o* a ricordarmi).

Dämmerung ⟨-, -en⟩ *f* crepuscolo *m; (Abend~)* imbrunire *m; (Morgen~)* alba *f;* **in der ~** *(abends)* sull'imbrunire; *(morgens)* all'alba.

Dämmstoff *m* **1.** *allg.* materiale *m* isolante; **2.** *(schallisolierend)* materiale *m* insonorizzante; **3.** *(wärmeisolierend)* materiale *m* coibente, isolante *m* termico.

Dämon ['dɛ:mɔn, dɛ'mo:nən] ⟨-s, -en⟩ *m* demone *m.*

dämonisch [dɛ'mo:nıʃ] *adj* demoniaco.

Dampf [dampf] ⟨-(e)s, Dämpfe⟩ *m* vapore *m;* **~ hinter etw.** *(dat)* **machen** *fig fam* sollecitare qc. **Dampfbad** *n* bagno *m* a vapore.

dampfen *itr* esalare vapori, fumare.

dämpfen ['dɛmpfən] *tr* **1.** *gastr* cucinare a vapore; **2.** *(bügeln)* stirare con panno umido; **3.** *fig (Ton, Licht)* smorzare, mitigare; *(Stimme)* abbassare; *(Stoß)* attutire; **mit gedämpfter Stimme** sottovoce.

Dampfer ⟨-s, -⟩ *m* piroscafo *m,* vapore *m.*

Dämpfer ⟨-s, -⟩ *m mus* sordina *f;* **jdm einen ~ aufsetzen** *fam* smorzare qu.

Dampfkochtopf *m* pentola *f* a pressione. **Dampflokomotive** *f* locomotiva *f* a vapore. **Dampfmaschine** *f* macchina *f* a vapore. **Dampfschiff** *n s.* **Dampfer. Dampfschiffahrt** *f* navigazione *f* a vapore. **Dampfwalze** *f* rullo *m* a vapore.

danach [da'na:x, *hinweisend:* 'da:na:x] *adv* **1.** *(zeitlich: dann)* poi, quindi; *(später)* dopo; **2.** *(dementsprechend)* in conformità a ciò, in modo corrispondente a ciò; **3.** *(Reihenfolge)* dopo; **~ aussehen** averne l'aria (*o* l'aspetto); **sich ~ richten** prenderlo per norma; **~ habe ich nicht gefragt** questo non l'ho chiesto.

Däne ['dɛ:nə] ⟨-n, -n⟩ *m,* **Dänin** [...nın] *f* danese *mf.*

daneben [da'ne:bən, *hinweisend:* 'da:ne:bən] *adv* **1.** *(örtlich)* accanto, lì vicino; **2.** *(zusätzlich)* inoltre, oltre a ciò; **3.** *(im Vergleich damit)* in confronto a ciò. **daneben·benehmen** ⟨*irr, ohne ge-*⟩ *rfl:* **sich** ~ *fam* comportarsi male. **daneben·gehen** ⟨*irr*⟩ *itr* ⟨*sein*⟩ **1.** *(Schuß)* non cogliere il bersaglio; **2.** *fig fam (fehlschlagen)* fallire, andare a vuoto.

Dänemark *n* Danimarca *f.*

Daniel ['da:nie:l *o* ...iɛl] *(männlicher Vorname)* Daniele.

Daniela, Daniele [da'nie:la, ...lə] *(weiblicher Vorname)* Daniela.

Dänin *f s.* **Däne.**

dänisch *adj* danese.

dank [daŋk] *prp +gen o +dat* grazie a.

Dank ⟨-(e)s, ø⟩ *m* ringraziamento *m; (~barkeit)* gratitudine *f; (Erkenntlichkeit)* riconoscenza *f;* **zum ~ für** in ricompensa per; **vielen (***o* **schönen** *o* **besten) ~!** molte (*o* tante) grazie!

dankbar I. *adj* **1.** *(Mensch)* grato, riconoscente; **2.** *(lohnend)* gratificante, che dà soddisfazione; *(Publikum)* eccellente; *(Rolle)* di molto effetto; **II.** *adv* con gratitudine, con riconoscenza. **Dankbarkeit** ⟨-, ø⟩ *f* gratitudine *f,* riconoscenza *f;* **aus ~ für** in riconoscenza per.

danke *interj* grazie; ~ **schön (***o* **sehr** *o* **vielmals)!** grazie!, grazie tanto!

danken I. *itr* **1.** *(sich bedanken)* ringraziare (*jdm für etw.* qu di (*o* per) qc); **2.** *(ablehnen)* rifiutare ringraziando (*für etw.* qc); **Betrag ~d erhalten** *com* somma ricevuta, per quietanza; **nichts zu ~!** non c'è di che; **II.** *tr* **1.** *(verdanken)* dovere; **2.** *(lohnen)* ricompensare; **jdm etw. schlecht ~** ripagare male qu per qc.

Danksagung ⟨-, -en⟩ *f* **1.** *(Schreiben)* biglietto *m* di ringraziamento; **2.** *rel* preghiera *f* di ringraziamento.

dann [dan] *adv* **1.** *(später, danach)* dopo, poi, quindi; *(zu dem Zeitpunkt)* allora; **2.** *(außerdem)* poi, inoltre; **3.** *(in diesem Fall)* allora, in questo (*o* quel) caso; ~ **und wann** di quando in quando; ~ **(eben) nicht!** allora no!; **und (***o* **was) ~?** e poi?; **wenn nicht er, wer ~?** se non lui, chi allora?

daran [da'ran, *hinweisend:* 'da:ran], *fam* **dran** *adv* **1.** *(örtlich)* ci, vi, ne; **2.** *fig* in questo; **3.** *(zeitlich):* **im Anschluß ~** in seguito a ciò; **wenn du ~ vorbeikommst, ...** se ci passi, ...; ~ **denken/glauben** pensarci/crederci; **ich bin ~** tocca a me; **ich bin nicht ~ schuld** non ne ho colpa; **ich war nahe ~ zu fallen** ci mancava poco che io cadessi; **das Beste ~ ist, daß ...** la cosa migliore di ciò è che ... **daran·gehen** ⟨*irr*⟩ *itr* ⟨*sein*⟩ mettersi (*etw. zu tun* a fare qc), cominciare (*etw. zu tun* a fare qc). **daran·setzen I.** *tr (einsetzen)* metterci, mettere in gioco; **alles ~ zu ...** fare ogni sforzo possibile per *+inf;* **II.** *rfl:* **sich ~** *s.* **darangehen.**

darauf [da'rauf, *hinweisend:* 'da:rauf], *fam* **drauf** *adv* **1.** *(örtlich)* su questo, sopra questo, (qua) sopra; **2.** *(zeitlich)* dopo poi, quindi; **3.** *(infolgedessen)* perciò, quindi, così; **4.** *(als Reaktion auf)* come reazione a; **gleich ~** subito dopo; **am Tag ~** il giorno dopo (*o* seguente); **~ achten** badarci; **stolz ~ sein** esserne fiero; **sich ~ verlassen** contarci; **das kommt ~ an** dipende; **~ kommt es nicht an** questo non importa; **~ steht die Todesstrafe** è soggetto a pena di morte; **ich freue mich schon ~!** me ne rallegro già!; **wie kommst du ~?** come mai ti viene quest'idea?. **daraufhin** [-'hın, *hinweisend:* 'da:r...] *adv* **1.** *(infolgedessen)* in conseguenza di ciò, in seguito a ciò; **2.** *(danach)* dopo, poi, quindi; **3.** *(unter diesem Gesichtspunkt)* sotto questo aspetto.

daraus [da'raus, *hinweisend:* 'da:raus], *fam* **draus** *adv* **1.** *(räumlich)* da ciò, di qui; **2.** *(aus Material)* da questo; **3.** *fig* ne; **kann man ~ trinken?** si può bere da qui?; **~ folgt, daß ...** ne (con)segue che ...; **~ wird nichts** non se ne farà nulla.

darben ['darbən] *itr poet* penare; *(hungern)* stentare la vita.

dar·bieten ['da:ɐ-] ⟨*irr*⟩ **I.** *tr* (rap)presentare; **II.** *rfl:* **sich ~** *(sichtbar werden)* offrirsi; *(sich anbieten)* presentarsi.

Darbietung ⟨-, -en⟩ *f* **1.** *(Angebot)* offerta *f;* **2.** *(Veranstaltung)* spettacolo *m; theat* rappresentazione *f,* recita *f; (von Musikstücken)* esecuzione *f.*

darein [da'rain, *hinweisend:* 'da:rain], *fam* **drein** *adv* là (*o* qua) dentro, dentro, ci, vi.

darf [darf] *pr von* **dürfen.**

darin [da'rın, *hinweisend:* 'da:rın], *fam* **drin** *adv* **1.** *(örtlich)* qua (*o* là) dentro, dentro, vi, ci; **2.** *fig* in questo, in ciò; *(in dieser Hinsicht)* in questo senso; **~ inbegriffen** ivi compreso; **~ haben Sie recht/irren Sie sich** in quanto a ciò ha ragione/si sbaglia; **der Unterschied liegt ~, daß ...** la differenza consiste nel *+inf;* **ich stimme mit Ihnen ~ überein, daß ...** sono d'accordo con Lei che ...

dar·legen ['da:ɐ-] *tr* esporre; *(erklären)* spiegare.

Darlehen ['da:ɐle:ən] ⟨-s, -⟩ *n* prestito *m,* mutuo *m.*

Darm [darm] ⟨-(e)s, Därme⟩ *m* **1.** *anat* intestino *m;* **2.** *(Wursthaut)* budello *m.* **Darmflora** [-flo:rə, ...rən] ⟨-, -floren⟩ *f* flora *f* intestinale. **Darminfektion** *f* infezione *f* intestinale. **Darmspiegelung** *f* endoscopia *f* dell'intestino. **Darmverschluß** *m* ileo *m.*

dar·reichen ['da:ɐ-] *tr poet* offrire, presentare.

dar·stellen ['da:ɐ-] *tr* **1.** *(abbilden)* rappresentare; **2.** *(wiedergeben)* raffigurare, rappresentare; *theat* interpretare (la parte di); **3.** *(beschreiben)* descrivere; **4.** *fam (bedeuten)* rappresentare; **dieses Bild stellt ihn als König dar** questo quadro lo ritrae nelle vesti di re. **Darsteller(in)** ⟨-s, -⟩ *m(f)* interprete *mf,* attore, -trice *m, f.*

Darstellung *f* **1.** *(Schilderung)* descrizione *f; (von Sachverhalt)* esposizione *f;* **2.** *(Wiedergabe)* raffigurazione *f; inform, theat* rappresentazione *f.*

darüber [da'ry:bɐ, *hinweisend:* 'da:ry:bɐ], *fam* **drüber** *adv* **1.** *(räumlich)* al di sopra, qua (*o* là) sopra, (di) sopra; **2.** *(in dieser Hinsicht, über diese Angelegenheit)* in quanto a ciò, su ciò, ne; **3.** *(über ein Maß hinaus)* (di) più, oltre; **sich ~ freuen** rallegrarsene; **es geht nichts ~** non c'è niente di meglio.

darum [da'rʊm, *hinweisend:* 'da:rʊm], *fam* **drum** *adv* **1.** *(räumlich)* intorno (a ciò), attorno (a ciò); **2.** *(deshalb)* perciò, per questo; **3.** *fig* di questo, ne; **warum hast du das getan? – ~!** *fam* perché hai fatto questo? – perché sì!; **ich bitte dich ~** te ne prego; **es geht ~, daß ...** si tratta di *+inf,* il problema è che ...

darunter [da'rʊntɐ, *hinweisend:* 'da:rʊntɐ], *fam* **drunter** *adv* **1.** *(räumlich)* (di) sotto, qua (*o* lì) sotto, sotto questo; **2.** *(weniger)* meno; **3.** *(unter einer Anzahl)* fra cui; **~ leiden** soffrirne; **was verstehen Sie ~?** cosa intende con ciò?

das [das] **I.** *(nom u. akk von best art n) s.* **der; II.** *rel pron (n) s.* **der; III.** *pron* ciò, questo, quello; *dem pron* questo, quello; **~ bin ich** questo sono io; **auch ~ noch!** ci mancava solo questo!; **~, was ...** quel(lo) che ...

da·sein ⟨*irr*⟩ *itr* ⟨*sein*⟩ **1.** *(anwesend sein)* essere presente, esserci; **2.** *(vorhanden sein)* esserci, esistere; **für jdn ~** *(vorhanden sein)* essere a disposizione di qu; *(sorgen)* badare a qu; **da bin ich!** eccomi qua! *fam;* **das ist noch nicht dagewesen!** non si è mai vista una cosa simile!; **es ist alles schon (einmal) dagewesen** sono cose già capitate; **ist jemand dagewesen?** è venuto qualcuno?; *s.a. da.* **Dasein** *n* **1.** *(Anwesenheit)* presenza *f;* **2.** *(Leben)* vita *f,* esistenza *f.* **Daseinsberechtigung** *f (von Dingen)* ragione *f* d'essere; *(von Personen)* diritto *m* all'esistenza.

dasjenige *s.* **derjenige.**

daß [das] *konj* **1.** *allg.* che; *(bei Subjektgleichheit)* di *+inf;* **2.** *fam (damit)* affinché *+congv,* perché *+congv,* per *+inf;* **als ~** perché *+congv,* per *+inf;* **bis ~** finché *+congv;* **so ~** cosicché, in modo che, in modo da *+inf;* **es sei denn, ~** a meno che *+congv;* **entschuldigen Sie, ~ ich Sie störe** mi scusi se La disturbo; **~ du mir ja nicht drangehst!** guai (a te) se lo tocchi!

dasselbe *s.* **derselbe.**

da·stehen ⟨*irr*⟩ *itr* ⟨*haben o sein*⟩ **1.** *(Mensch)* starsene lì; **2.** *(in Buch)* trovarsi.

DAT [de:a:'te:] *n abk von* **Digital Audio Tape** nastro *m* a registrazione digitale.

Datei [da'tai̯] ⟨-, -en⟩ *f inform* file *m,* archivio *m.* **Dateiname** *m* nome *m* del file.

Daten *pl von* **Datum. Datenausgabe** *f* uscita *f* di dati. **Datenaustausch** *m* scambio *m* (*o* interscambio *m*) di dati. **Datenautobahn** *f* autostrada *f* informatica. **Datenbank** ⟨-, -en⟩ *f inform* banca *f* dei dati, archivio *m* dati. **Datenbestand** *m* insieme *m* di dati. **Datenerfassung** *f* raccolta *f* dei dati. **Datenfernübertragung** *f* (*abk* **DFÜ**) teletrasmissione *f.* **Datenfernverarbeitung** *f* teleelaborazione *f,* teleprocessing *m.* **Datenhandschuh** *m* data glove *m.* **Datenkompression** *f* compressione *f* dati. **Datenmißbrauch** *m* abuso *m* (*o* uso *m* illecito) di dati. **Datenschutz** *m* protezione *f* dati, sicurezza *f* e riservatezza *f* dei dati. **Datenschutzbeauftragte** ⟨ein -r, -n, -n⟩ *mf* incaricato, -a *m, f* della sicurezza e riservatezza dei dati. **Datenschutzgesetz** *n* legge *f* sulla protezione dei dati. **Datensicherheit** *f* sicurezza *f* dei dati, integrità *f* dei dati. **Datensicherung** *f* memorizzazione *f* dei dati. **Datensichtgerät** *n* visualizzatore *m* dei dati, videoterminale *m.* **Datenträger** *m* supporto *m* dati, volume *m.* **Datentypist(in)** [...ty'pɪst(ɪn)] ⟨-en, -en⟩ *m(f)* dattilografo, -a *m, f,* tastierista *mf.* **Datenverarbeitung** *f* (*abk* **DV**) elaborazione *f* (dei) dati; **elektronische ~** (*abk* **EDV**) elaborazione *f* elettronica (dei) dati.

datieren [da'ti:rən] ⟨*ohne ge-*⟩ **I.** *tr* datare; **II.** *itr* **1.** *(Datum tragen)* portare la data (*von* di); **2.** *(bestehen)* datare (*von* da).

Dativ ['da:ti:f] ⟨-s, -e⟩ *m* (caso *m*) dativo *m.*

Dattel ['datəl] ⟨-, -n⟩ *f* dattero *m.*

Datum ['da:tʊm, ...tən] ⟨-s, Daten⟩ *n* data *f;* **technische Daten** dati tecnici; **welches ~ haben wir heute?** quanti ne abbiamo oggi?

Dauer ['dau̯ɐ] ⟨-, ø⟩ *f* durata *f; (Zeitspanne)* periodo *m,* tempo *m;* **von ~ sein** essere duraturo; **auf die ~** a lungo andare. **Dauerauftrag** *m* autorizzazione *f* permanente di addebito. **Dauerbrenner** *m fig fam* prodotto *m* sempre di moda; *(Film o Buch)* film *m* (*o* libro *m*) di costante successo. **dauerhaft** *adj* duraturo, durevole. **Dauerlauf** *m* corsa *f* di resistenza (*o* di fondo). **Dauerlutscher** *m* caramella *f* da succhiare.

dauern *itr* durare; **es dauerte lange, bis er kam** ci voleva molto prima che venisse; **es dauert mir zu lange** l'attesa per me è troppo lunga; **wie lange dauert es,**

bis Sie ...? quanto Le manca (*o* ci vuole) per *+inf*?. **dauernd I.** *adj (an~)* permanente; *(ständig)* continuo, costante; **II.** *adv* in continuazione, continuamente.

Dauerregen *m* pioggia *f* continua. **Dauerwelle(n** *pl*) *f* permanente *f*. **Dauerzustand** *m* stato *m* (*o* condizione *f*) permanente.

Daumen ['daumən] ⟨-s, -⟩ *m* pollice *m;* **jdm die ~ drücken** *fam* incrociare le dita per qu *fam;* **ich drücke dir die ~!** *fam* in bocca al lupo! *fam.*

Daunen ['daunən] *f pl* piume *f pl.* **Daunenjacke** *f* piumino *m,* duvet *m.*

davon [da'fɔn, *hinweisend:* 'da:fɔn] *adv* **1.** *(Teil)* di questo, di ciò, ne; **2.** *(räumlich)* di là, di lì; **3.** *(dadurch)* da questo, da ciò, ne; **4.** *(Trennung)* via; **das kommt ~, wenn ...** ecco quel che succede, se ...; **was habe ich ~?** che vantaggio ne ho io?. **davon·kommen** ⟨*irr*⟩ *itr* ⟨*sein*⟩ scamparla, cavarsela; *(sich retten)* salvarsi; **mit heiler Haut/dem Leben ~** salvare la pelle *fam*/la vita. **davon·laufen** ⟨*irr*⟩ *itr* ⟨*sein*⟩ scappare (via), fuggire; **es ist zum D~!** *fam* è una disperazione!. **davon·machen** *rfl:* **sich ~** svignarsela *fam,* scappare. **davon·tragen** ⟨*irr*⟩ *tr* **1.** *(wegtragen)* portare via; **2.** *fig (Verletzungen, Sieg)* riportare; *(Krankheit)* contrarre.

davor [da'fo:ɐ̯, *hinweisend:* 'da:fo:ɐ̯] *adv* **1.** *(örtlich)* davanti (a questo), dinanzi (a questo); **2.** *(zeitlich)* prima (di ciò); **3.** *(vor dieser Sache)* di ciò, ne; **ich habe Angst ~** ne ho paura.

DAX ['daks] *m akr von* **Deutscher Aktienindex** indice *m* azionario tedesco.

dazu [da'tsu:, *hinweisend:* 'da:tsu:] *adv* **1.** *(zu diesem Zweck)* per questo, a questo scopo; **2.** *(darüber, zu diesem Thema)* su ciò (*o* questo); **3.** *(dabei, damit)* con ciò (*o* questo), insieme a ciò; **4.** *(außerdem)* oltre a ciò; **5.** *(räumlich)* a questo, vi; **~ gehört ...** ci vuole ..., è necessario *+inf;* **~ kommt, daß ...** a ciò si aggiunge che ...; **im Gegensatz ~** invece, al contrario; **klug und schön ~** non solo intelligente ma anche bello; **ich habe keine Lust/Zeit ~** non ne ho voglia/il tempo; **was sagen Sie ~?** cosa ne dice?; **wie kommen Sie ~?** *(wieso haben Sie das?)* come l'ha avuto?; *(was erlauben Sie sich?)* come si permette?. **dazu·gehören** *itr* appartenervi. **dazugehörig** *adj* rispettivo, relativo. **dazu·kommen** ⟨*irr*⟩ *itr* sopravvenire.

dazumal ['da:tsuma:l] *adv:* **anno ~** *scherz* a quei tempi.

dazu·tun ⟨*irr*⟩ *tr* aggiungere. **Dazutun** *n:* **ohne mein ~** senza il mio intervento.

dazwischen [da'tsvɪʃən, *hinweisend:* 'da:tsvɪʃən] *adv* **1.** *(örtlich)* in mezzo; *(a. darunter)* tra questi; **2.** *(zeitlich)* nel frattempo; **3.** *(Beziehung)* fra loro. **dazwischen·kommen** ⟨*irr*⟩ *itr* ⟨*sein*⟩ capitare; *(Person)* sopraggiungere; **wenn nichts dazwischenkommt** se tutto va bene, salvo imprevisti; **mir ist etw. dazwischengekommen** c'è stato un imprevisto per me.

DB [de:'be:] ⟨-, ø⟩ *f abk von* **Deutsche Bahn** ferrovie tedesche.

DDR [de:de:'ʔɛr] ⟨-, ø⟩ *f hist abk von* **Deutsche Demokratische Republik** R.D.T. *f* (*abbr di* Repubblica Democratica Tedesca).

Deal ['di:l] ⟨-s, -s⟩ *m fam* affare *m.*

dealen ['di:lən] *itr fam (Drogen)* spacciare droga.

Dealer(in) ['di:lɐ (...ərɪn)] ⟨-s, -⟩ *m(f)* spacciatore, -trice *m, f.*

Debatte [de'batə] ⟨-, -n⟩ *f* discussione *f; (bes. pol)* dibattito *m;* **etw. steht zur ~** qc è in discussione; **das steht überhaupt nicht zur ~** è ovvio, non se ne discute proprio.

debil [de'bi:l] *adj* debole di mente.

Debüt [de'by:] ⟨-s, -s⟩ *n* debutto *m; (a. fig)* esordio *m;* **sein ~ geben als** debuttare come.

Deck [dɛk] ⟨-(e)s, -s⟩ *n* ponte *m,* coperta *f;* **alle Mann an ~!** tutti in coperta!

Decke ['dɛkə] ⟨-, -n⟩ *f* **1.** *(Bett~)* coperta *f; (Tisch~)* tovaglia *f;* **2.** *(Zimmer~)* soffitto *m;* **3.** *(Überzug)* rivestimento *m; (Schicht)* strato *m;* **an die ~ gehen** *fig fam* andare (*o* montare) su tutte le furie; **mit jdm unter einer ~ stecken** *fig* essere in combutta con qu; **sich nach der ~ strecken** *fig* fare il passo secondo la gamba; **mir fällt die ~ auf den Kopf** *fam* mi sento in gabbia.

Deckel ['dɛkəl] ⟨-s, -⟩ *m* **1.** *allg.* coperchio *m; (zum Aufschrauben)* chiusino *m;* **2.** *(Buch~)* copertina *f;* **einen auf den ~ kriegen** *fig fam* ricevere una lavata di capo *fam.*

decken I. *tr* **1.** *(be~)* coprire; *(überziehen)* ricoprire (*mit* con), rivestire (*mit* di); **2.** *(Bedarf, Kosten)* coprire; **3.** *mil* coprire; *sport* marcare; **einen Schaden/Verlust ~** riparare ad un danno/compensare una perdita; **den Tisch ~** apparecchiare la tavola; **II.** *rfl:* **sich ~** coincidere.

Deckmantel *m fig:* **unter dem ~ von** sotto il manto di. **Deckname** *m* pseudonimo *m.*

Deckung ⟨-, -en⟩ *f* **1.** *allg., fig, fin* copertura *f;* **2.** *mil* riparo *m,* protezione *f;* **3.** *sport (Spieler, von Spieler)* difesa *f; (von Raum)* marcatura *f; (Boxen, Fechten)* guardia *f;* **4.** *(Übereinstimmung)* accordo *m;* **5.** *mat* coincidenza *f;* **jdm ~ geben** coprire qu; **in ~ gehen** *mil* mettersi al coperto (*o* al riparo); *sport* mettersi in guardia. **deckungsgleich** *adj*

congruente.
Decoder [di:'koʊdə] ⟨-s, -⟩ *m inform* decodificatore *m; TV* decoder *m.*
defekt [de'fɛkt] *adj* difettoso, guasto. **Defekt** ⟨-(e)s, -e⟩ *m* danno *m; mot* guasto *m.*
defensiv [defɛn'zi:f] *adj* difensivo.
Defensive [...'zi:və] ⟨-, -n⟩ *f* difensiva *f;* **in der ~** sulla difensiva.
definieren [defi'ni:rən] ⟨*ohne ge-*⟩ *tr* definire.
Definition [...ni'tsi̯o:n] ⟨-, -en⟩ *f* definizione *f.*
definitiv [...ni'ti:f] **I.** *adj* **1.** *(endgültig)* definitivo, conclusivo; **2.** *(bestimmt)* definito, determinato; **II.** *adv* **1.** *(endgültig)* definitivamente; **2.** *(ein für allemal)* una volta per tutte (*o* per sempre); **3.** *(unwiderruflich)* irrevocabilmente; **etw. ~ abklären** chiarire definitivamente (*o* una volta per tutte) qc.
Defizit ['de:fitsɪt] ⟨-s, -e⟩ *n* deficit *m* (*an +akk* su), disavanzo *m* (*an +akk* su).
Deflation [defla'tsi̯o:n] ⟨-, -en⟩ *f* deflazione *f.*
Defloration [deflora'tsi̯o:n] ⟨-, -en⟩ *f* deflorazione *f.*
Degen ['de:gən] ⟨-s, -⟩ *m* spada *f.*
degenerieren [degene'ri:rən] ⟨*ohne ge-*⟩ *itr* ⟨*sein*⟩ degenerare.
dehnbar *adj* estendibile, estensibile; *(elastisch, a. fig: Begriff)* elastico; *phys* dilatabile; *(Metall)* duttile.
dehnen ['de:nən] **I.** *tr (Material)* tendere; *(Glieder)* stirare; *(Laut)* allungare; **II.** *rfl:* **sich ~** *(Material)* dilatarsi; *(Mensch)* distendersi; *(Strecke, Zeit)* prolungarsi.
Deich [dai̯ç] ⟨-(e)s, -e⟩ *m* diga *f,* argine *m.*
dein [dai̯n] *poss pron (adjektivisch von* du*)* tuo, -a *m, f,* tuoi *m pl,* tue *f pl;* **herzliche Grüße, D~ Otto** cari saluti dal tuo Otto.
deiner *pers pron (gen von* du*)* di te; *s. a. deine(r, s).*
deine(r, s) *poss pron (substantivisch von* du*)* il tuo, la tua, i tuoi *pl,* le tue *pl.*
deinerseits ['dai̯nɐ'zai̯ts] *adv* da parte tua.
deinesgleichen ['dai̯nəs'glai̯çən] ⟨*inv*⟩ *pron* tuo pari, uno *m (o* gente *f,* tipi *m pl)* come te.
deinetwegen ['dai̯nət've:gən] *adv* per causa tua, per te; *(negativ)* per colpa tua.
deinetwillen ['dai̯nət'vɪlən] *adv:* **um ~** per te, per amor tuo.
deins *s.* **deine(r, s).**
dekadent [deka'dɛnt] *adj* decadente.
Dekadenz [...'dɛnts] ⟨-, ø⟩ *f* decadenza *f.*
Dekan [de'ka:n] ⟨-s, -e⟩ *m* **1.** *rel* decano *m;* **2.** *(an Universität)* preside *m* di facoltà.
Dekanat [deka'na:t] ⟨-(e)s, -e⟩ *n* decanato *m.*
deklamieren [dekla'mi:rən] ⟨*ohne ge-*⟩ *tr* declamare.
deklarieren [dekla'ri:rən] ⟨*ohne ge-*⟩ *tr* dichiarare.
Deklination [deklina'tsi̯o:n] ⟨-, -en⟩ *f* declinazione *f.*
deklinieren [...'ni:rən] ⟨*ohne ge-*⟩ *tr* declinare.
dekodieren [deko'di:rən] ⟨*ohne ge-*⟩ *tr* decodificare.
Dekolleté [dekɔl'te:] ⟨-s, -s⟩ *n* scollatura *f,* décolleté *m.*
Dekorateur(in) [dekora'tø:ɐ̯ (...rɪn)] ⟨-s, -e⟩ *m(f)* decoratore, -trice *m, f; (Schaufenster~)* vetrinista *mf; theat* scenografo, -a *m, f.*
Dekoration [...'tsi̯o:n] ⟨-, -en⟩ *f* decorazione *f; (Schaufenster~)* decorazione *f* di vetrina; *theat* scenario *m.*
dekorativ [...'ti:f] *adj* decorativo, esornativo.
dekorieren [...'ri:rən] ⟨*ohne ge-*⟩ *tr* decorare.
Dekret [de'kre:t] ⟨-(e)s, -e⟩ *n* decreto *m.*
Delegation [delega'tsi̯o:n] ⟨-, -en⟩ *f* delegazione *f.*
delegieren [...'gi:rən] ⟨*ohne ge-*⟩ *tr* delegare.
delikat [deli'ka:t] *adj* **1.** *(lecker)* delizioso; **2.** *(auserlesen, fein)* squisito, prelibato; **3.** *(heikel)* delicato, scabroso; **eine ~e Angelegenheit** una situazione difficile, un caso delicato.
Delikatesse [...ka'tɛsə] ⟨-, -n⟩ *f* **1.** *(Lekkerbissen)* leccornia *f;* **2.** *fig (Zartgefühl)* delicatezza *f,* tatto *m.* **Delikatessengeschäft** *n* negozio *m* di specialità gastronomiche.
Delikt [de'lɪkt] ⟨-(e)s, -e⟩ *n* reato *m,* delitto *m.*
Delirium [de'li:ri̯ʊm, ...i̯ən] ⟨-s, -rien⟩ *n* delirio *m.*
Delphin [dɛl'fi:n] ⟨-s, -e⟩ *m* delfino *m.*
dem [de:m] *best art (dat von* der, das*);* **wenn ~ so ist** se è così; **wie ~ auch sei** comunque sia.
Demagoge [dema'go:gə] ⟨-n, -n⟩ *m,* **Demagogin** [...gɪn] *f* demagogo, -a *m, f.*
Demagogie [...go'gi:] ⟨-, ø⟩ *f* demagogia *f.*
demagogisch *adj* demagogico.
demaskieren [demas'ki:rən] ⟨*ohne ge-*⟩ *tr* smascherare.
dementieren [demɛn'ti:rən] ⟨*ohne ge-*⟩ *tr* smentire.
dementsprechend ['de:mˀɛnt'ʃprɛçənt] **I.** *adj* corrispondente, conforme; **II.** *adv* in corrispondenza, come tale.
demnächst ['de:m'nɛ:çst] *adv* prossimamente, fra poco.
Demo ['de:mo] ⟨-, -s⟩ *f fam (a. inform)* dimostrazione *f.*
Demo-Diskette *f inform* dischetto *m* dimostrativo.
Demokrat(in) [demo'kra:t(ɪn)] ⟨-en, -en⟩

m(f) democratico, -a *m, f.*
Demokratie [...kra'ti:, ...i:ən] ⟨-, -n⟩ *f* democrazia *f.*
demokratisch *adj* democratico.
demolieren [demo'li:rən] ⟨*ohne ge-*⟩ *tr* demolire.
Demonstrant(in) [demɔn'strant(ɪn)] ⟨-en, -en⟩ *m(f)* dimostrante *mf,* manifestante *mf.*
Demonstration [...stra'tsio:n] ⟨-, -en⟩ *f* **1.** *(Kundgebung)* dimostrazione *f,* manifestazione *f;* **2.** *(Bekundung)* prova *f; (Darstellung)* dimostrazione *f.* **Demonstrationsmaterial** *n* materiale *m* illustrativo.
demonstrativ [...stra'ti:f] *adj* **1.** *(anschaulich)* dimostrativo; **2.** *(auffallend)* ostentato. **Demonstrativpronomen** *n* pronome *m* dimostrativo.
demonstrieren [...'stri:rən] ⟨*ohne ge-*⟩ **I.** *tr* dimostrare; **II.** *itr* dimostrare, manifestare; **gegen etw.** ~ dimostrare (*o* manifestare) contro qc, fare (*o* partecipare a) una dimostrazione (*o* manifestazione) contro qc.
demoralisieren [demorali'zi:rən] ⟨*ohne ge-*⟩ *tr* demoralizzare, scoraggiare.
Demoskopie [demosko'pi:, ...i:ən] ⟨-, -n⟩ *f* demoscopia *f.*
demoskopisch [...'sko:pɪʃ] *adj* demoscopico.
demselben *pron* (*dat von* derselbe, dasselbe).
Demut ['de:mu:t] ⟨-, ø⟩ *f* umiltà *f.*
demütig ['de:my:tiç] *adj* umile.
demütigen **I.** *tr* umiliare, mortificare; **II.** *rfl:* **sich** ~ umiliarsi, abbassarsi.
Demütigung ⟨-, -en⟩ *f* umiliazione *f,* mortificazione *f.*
den [de:n] *best art (akk von* der *u. dat von* die *pl).*
denen [de:nən] **I.** *dem pron (dat von* die *pl);* **II.** *rel pron (dat von* die *pl).*
Den Haag [de:n 'ha:k] *n* L'Aia *f.*
Denkanstoß *m* spunto *m* (di riflessione).
denkbar **I.** *adj (möglich)* possibile; **II.** *adv (sehr)* oltremodo; **auf die ~ einfachste Art** nel modo più semplice possibile.
denken ['dɛŋkən] ⟨denkt, dachte, gedacht⟩ **I.** *itr* **1.** *(nach~, meinen)* pensare (*an +akk* a, *über +akk, von* di); *(logisch ~)* ragionare; **2.** *(sich erinnern)* pensare (*an +akk* a); **3.** *(nicht vergessen)* tenere in (*o* a) mente, ricordare *(an etw. (akk)* qc); **gar nicht daran ~ zu ...** non pensare minimamente di *+inf;* **wo ~ Sie hin!** ma no!, ma che dice!; **denkste!** *fam* stai fresco! *fam;* **II.** *tr* pensare; **das hast du dir so gedacht!** *fam* ti sarebbe piaciuto!; **wer hätte das gedacht?** chi l'avrebbe immaginato?; **III.** *rfl:* **sich** *(dat)* ~ *(sich vorstellen)* immaginarsi, credere; **ich habe mir nichts Böses dabei gedacht** l'ho fatto in buona fede; **das habe ich mir gedacht!** me l'aspettavo, c'era da immaginarselo *fam.* **Denken** ⟨-s, ø⟩ *n* pensiero *m; (Nach~)* riflessione *f; (logisches ~)* ragionamento *m; (Denkart)* modo *m* di pensare, mentalità *f.*
Denkfabrik *f fig (Forschungszentrum, Universität)* fucina *f* d'ingegno. **Denkfehler** *m* errore *m* di ragionamento.
Denkmal ⟨-s, -mäler *o rar* -e⟩ *n* monumento *m.* **Denkmal(s)schutz** *m* tutela *f* dei monumenti; **unter ~ stehen** essere monumento nazionale.
Denksport(aufgabe *f*) *m* rompicapo *m.*
Denkweise *f* modo *m* di pensare, forma mentis *f.* **Denkzettel** *m* lezione *f;* **jdm einen ~ geben (***o* **verpassen)** dare una bella lezione a qu.
denn [dɛn] **I.** *konj (kausal)* perché, poiché; **es sei ~, daß ...** tranne che *+congv,* a meno che *+congv;* **mehr ~ je** più che mai; **II.** *adv (in Fragesätzen verstärkend)* mai, poi, ma, allora, *manchmal unübersetzt;* **warum ~ nicht?** e perché no?; **wieso ~?** e come mai?; **wo bist du ~?** ma dove sei?
dennoch ['dɛnɔx] *adv* tuttavia, ciò nondimeno, però.
denselben *pron (akk von* derselbe, *dat von* dieselben).
Denunziant(in) [denʊn'tsiant(ɪn)] ⟨-en, -en⟩ *m(f)* delatore, -trice *m, f.*
denunzieren [...'tsi:rən] ⟨*ohne ge-*⟩ *tr* denunciare.
Deo ['de:o] ⟨-s, -s⟩ *n,* **Deodorant** [deˀodo'rant] ⟨-s, -e *o* -s⟩ *n* deodorante *m.* **Deoroller** *m* deodorante *m* a sfera. **Deospray** *n* deodorante *m* spray. **Deostift** *m* stick *m* deodorante.
Departement [departə'mã:] ⟨-s, -s⟩ *n CH* dipartimento *m.*
deplaziert [depla'tsi:rt] *adj* **1.** *(unangebracht: Bemerkung)* inopportuno; **2.** *(fehl am Platz)* fuori posto (*o* luogo).
Deponie [depo'ni:] ⟨-, -n⟩ *f* discarica *f* pubblica (per rifiuti solidi); **wilde ~** discarica *f* illegale.
deponieren ⟨*ohne ge-*⟩ *tr* depositare.
Depot [de'po:] ⟨-s, -s⟩ *n* deposito *m.*
Depression [deprɛ'sio:n] ⟨-, -en⟩ *f* depressione *f.*
depressiv [...'si:f] *adj* **1.** *psych* depresso, oppresso, affranto; **2.** *ökon* depresso.
deprimieren [depri'mi:rən] ⟨*ohne ge-*⟩ *tr* deprimere, abbattere.
der [de:ɐ] *best art (gen von* die *sing u. pl, dat* von die *sing).*
der, die, das, *pl* **die** [de:ɐ, di:, das] **I.** *best art* il *m,* lo *m;* la *f;* l' *mf; pl* i, gli, le; **II.** *dem pron s.* **diese(r, s), jene(r, s), derjenige; III.** *rel pron s.* **welche(r, s).**
derart ['de:ɐˈˀa:ɐt] *adv* tanto, così, talmente; **~, daß ...** di modo che ...
derartig *adj* siffatto, tale.
derb [dɛrp] *adj* **1.** *(fest)* solido, sodo; *(kräftig)* robusto, vigoroso; **2.** *fig (grob)*

rozzo, grossolano.
deren ['de:rən] **I.** *dem pron (gen von* die *pl);* **II.** *rel pron (gen von* die *sing u. pl).*
derentwegen ['de:rənt've:gən] *adv* per cui, a causa di cui.
derentwillen ['de:rənt'vɪlən] *adv:* **um** ~ *(sing)* per cui (*o* il/la quale); *(pl)* per i (*o* le quali).
derer ['de:rɐ] *pron (gen von* die *pl).*
dergleichen ['de:ɐ̯'glaiçən] ⟨*inv*⟩ (*abk* **dgl.**) **I.** *adj* tale, simile, siffatto; **II.** *pron (derartiges)* qualcosa di simile (*o* del genere); **nichts** ~ nulla di tutto questo; **und** ~ **(mehr)** e simili.
derjenige, diejenige, dasjenige, *pl* **diejenigen** ['de:ɐ̯je:nɪgə, 'di:..., 'das...] *pron* colui, colei, quello, quella; ⟨*pl*⟩ coloro, quelli, quelle; ~, **welcher . . .** quello che . . .
dermaßen *adv* tanto; ~, **daß** talmente che.
Dermatologe [dɛrmato'lo:gə] ⟨-n, -n⟩ *m,* **Dermatologin** [...gɪn] *f* dermatologo, -a *m, f.*
Dermatologie [...lo'gi:] ⟨-, ø⟩ *f* dermatologia *f.*
derselbe, dieselbe, dasselbe, *pl* **dieselben** [de:ɐ̯'zɛlbə, di:..., das...] *pron* il medesimo, la medesima, lo stesso, la stessa; ⟨*pl*⟩ i medesimi, le medesime, gli stessi, le stesse; **das ist ein und dasselbe** è lo stesso.
derzeit *adv (jetzt)* attualmente, (per) ora.
derzeitig *adj* **1.** *(gegenwärtig)* attuale, del momento; **2.** *(damalig)* di allora, di quel tempo.
des [dɛs] *best art (gen von* der, das*).*
Desaster [de'zastɐ] ⟨-s, -⟩ *n* disastro *m.*
desensibilisieren [dezɛnzibili'zi:rən] ⟨*ohne ge-*⟩ *tr* desensibilizzare.
Deserteur(in) [dezɛr'tø:ɐ̯ (...rɪn)] ⟨-s, -e⟩ *m(f)* disertore, -trice *m, f.*
desertieren [...'ti:rən] ⟨*ohne ge-*⟩ *itr* ⟨*haben o sein*⟩ disertare.
desgleichen ['dɛs'glaiçən] *adv* (*abk* **dgl.**) parimenti.
deshalb ['dɛs'halp] *adv* perciò; **eben** ~ proprio per questo; ~, **weil** perché.
Design [di'zain] ⟨-, -s⟩ *n* design *m.*
Designer(in) ⟨-s, -⟩ *m(f)* designer *mf.* **Designerklamotten** *f pl fam, scherz* abiti *m pl* di stile.
desillusionieren [dɛsˀɪluzjoni:rən *o* dezɪ...] ⟨*ohne ge-*⟩ *tr* **1.** *(enttäuschen)* deludere; **2.** *(ernüchtern)* disilludere.
Desinfektion [dɛsˀɪnfɛk'tsjo:n *o* dezɪ...] *f* disinfezione *f.* **Desinfektionsmittel** *n* disinfettante *m.*
desinfizieren [...fi'tsi:rən] ⟨*ohne ge-*⟩ *tr* disinfettare.
Desinteresse ['dɛsˀɪntərɛsə] *n* disinteresse *m.*
Desktop Publishing [dɛsk-tɔp- 'pablɪʃɪŋ] ⟨-, ø⟩ *n* editoria *f* da tavolo (*o* personale), desktop publishing *m.*
desodorieren [dɛsˀodo'ri:rən *o* dezo..] ⟨*ohne ge-*⟩ *tr* deodorare.
Despot(in) [dɛs'po:t(ɪn)] ⟨-en, -en⟩ *m(f)* despota *mf.*
desselben *pron (gen von* der, das*).*
dessen ['dɛsən] **I.** *dem pron (gen von* der, das*);* **II.** *rel pron (gen von* der, das*);* **ich bin mir** ~ **bewußt** ne sono consapevole, me ne rendo conto.
dessenungeachtet ['dɛsənˀʊngə'ˀaxtət] *adv* malgrado ciò, ciò nonostante, nondimeno.
Dessert [dɛ'sɛ:ɐ̯ *o* dɛ'sɛrt] ⟨-s, -s⟩ *n* dolce *m,* dessert *m.* **Dessertteller** *m* piatto *m* da frutta (*o* da dolce).
Dessin [dɛ'sɛ̃:] ⟨-s, -s⟩ *n* motivo *m.*
destillieren [dɛstɪ'li:rən] ⟨*ohne ge-*⟩ *tr* distillare.
Destillierkolben *m* alambicco *m,* storta *f.*
desto ['dɛsto] *konj* tanto; **je . . .,** ~ (quanto) più . . ., (tanto) più.
destruktiv [destrʊk'ti:f] *adj* distruttivo.
deswegen ['dɛs've:gən] *s.* **deshalb.**
Detail [de'tai *o* de'ta:j] ⟨-s, -s⟩ *n* dettaglio *m,* particolare *m;* **ins** ~ **gehen** entrare nei dettagli.
detailliert [deta'ji:rt] **I.** *adj* dettagliato; **II.** *adv* dettagliatamente, in dettaglio.
Detonation [detona'tsjo:n] ⟨-, -en⟩ *f* detonazione *f.*
detonieren [...'ni:rən] ⟨*ohne ge-*⟩ *itr* ⟨*sein*⟩ detonare.
deuten ['dɔytən] **I.** *tr (auslegen)* interpretare; *(erklären)* spiegare; **II.** *itr* **1.** *(mit Finger, Hand)* indicare (*auf etw. (akk)* qc); **2.** *fig (hinweisen)* far presagire; **alles deutet darauf (hin), daß . . .** tutto fa supporre che . . .
deutlich *adj* chiaro; *(gut unterscheidbar)* distinto; *(spürbar)* sensibile; *(ausgeprägt)* marcato; **sich** ~ **ausdrücken** parlare chiaramente; **jdm etw.** ~ **machen** far capire qc a qu. **Deutlichkeit** ⟨-, -en⟩ *f* chiarezza *f.*
deutsch [dɔytʃ] *adj* tedesco; *(bes. hist)* germanico; *(a. scherz pej)* teutonico; **D~e Mark** (*abk* **DM**) marco tedesco; **~-italienisch** tedesco-italiano; *(in bezug auf Tirol)* italo-tedesco; **auf** ~ in tedesco.
Deutsch ⟨ø, ø⟩ *n,* **Deutsche** ⟨-n, ø⟩ *n* tedesco *m;* **die Schwierigkeiten des ~en** le difficoltà del tedesco; **(kein)** ~ **sprechen/verstehen** (non) parlare/capire il tedesco; **das ~e ist schwer** il tedesco è (una lingua) difficile; **er hat in** ~ **eine Zwei** ha (un) otto in tedesco.
Deutsche ⟨ein -r, -n, -n⟩ *mf* tedesco, -a *m, f.*
Deutschland *n* (*abk* **D**) Germania *f.*
deutschsprachig *adj (Mensch, Land)* di lingua tedesca; *(Literatur)* in lingua tedesca.
Deutung ⟨-, -en⟩ *f* interpretazione *f,* spiegazione *f.*
Devise [de'vi:zə] ⟨-, -n⟩ *f* massima *f,* mot-

to *m.*

Devisen [de'vi:zən] ⟨*pl*⟩ valuta *f* estera. **Devisenbeschaffung** *f* procacciamento *m* di divise. **Devisenbilanz** *f* bilancia *f* valutaria. **Devisenhandel** *m* commercio *m* delle divise. **Devisenmarkt** *m* mercato *m* valutario.

Dezember [de'tsɛmbɐ] ⟨-(s), -⟩ *m* dicembre *m; s. a. September.*

dezent [de'tsɛnt] **I.** *adj (Farbe)* discreto; *(Musik)* smorzato; **II.** *adv (leicht)* leggermente, appena.

dezentral *adj* decentrato, decentralizzato.

Dezernent(in) [detsɛr'nɛnt(ɪn)] ⟨-en, -en⟩ *m(f)* caposervizio *mf.*

Deziliter [detsi'li:tɐ *o* 'de:tsi...] *m* (*abk* **dl**) decilitro *m.*

dezimal [detsi'ma:l] *adj* decimale. **Dezimalstelle** *f* (posto *m*) decimale *m;* **auf zwei ~n genau** esatto al centesimo. **Dezimalsystem** *n* sistema *m* decimale.

Dezimeter [detsi'me:tɐ *o* 'de:tsi...] *m* (*abk* **dm**) decimetro *m.*

DFB [de:ɛf'be:] ⟨-(s), ø⟩ *m abk von* **Deutscher Fußball-Bund** *federazione del gioco del calcio tedesca.*

DFÜ [de:ɛf'y:] ⟨-⟩ *f abk von* **Datenfernübertragung** teletrasmissione *f.*

DGB [de:ge:'be:] ⟨-(s), ø⟩ *m abk von* **Deutscher Gewerkschaftsbund** *federazione dei sindacati della R.F.T.*

dgl. *abk von* **der-, desgleichen** e sim. (*abbr di* e simili).

d. h. *abk von* **das heißt** cioè.

Dia ['di:a] ⟨-s, -s⟩ *n* diapositiva *f.* **Diabetrachter** *m* visore *m* per diapositive, visorino *m.*

Diabetes [dia'be:tɛs] ⟨-, ø⟩ *m* diabete *m.*

Diabetiker(in) [...'be:tɪkɐ (...ərɪn)] ⟨-s, -⟩ *m(f)* diabetico, -a *m, f.*

diabolisch [dia'bo:lɪʃ] *adj* diabolico.

Diadem [dia'de:m] ⟨-s, -e⟩ *n* diadema *m.*

Diagnose [dia'gno:zə] ⟨-, -n⟩ *f* diagnosi *f.*

diagonal [diago'na:l] *adj* diagonale; **ein Buch ~ lesen** dare una scorsa ad un libro. **Diagonale** ⟨-, -n⟩ *f* diagonale *f.*

Dialekt [dia'lɛkt] ⟨-(e)s, -e⟩ *m* dialetto *m.*

Dialektik [dia'lɛktɪk] ⟨-, ø⟩ *f* dialettica *f.*

Dialog [dia'lo:k] ⟨-(e)s, -e⟩ *m* dialogo *m.*

Dialyse [dia'ly:zə] ⟨-, -n⟩ *f* dialisi *f.*

Diamant [dia'mant] ⟨-en, -en⟩ *m* diamante *m.*

Diaprojektor *m* proiettore *m* per diapositive.

Diät [di'ɛ:t] ⟨-, -en⟩ *f* dieta *f,* regime *m;* **nach (einer) ~ leben, ~ halten** stare a dieta.

Diäten ⟨*pl*⟩ indennità *f* parlamentare.

Diätkost *f* alimentazione *f* dietetica. **Diätmargarine** *f* margarina *f* dietetica.

Diavortrag *m* conferenza *f* con diapositive.

dich [dɪç] **I.** *pers pron (akk von* du*) (betont)* te; *(unbetont)* ti; **II.** *rfl pron* ti.

dicht [dɪçt] **I.** *adj* **1.** *(gedrängt)* fitto, folto, serrato; **2.** *(Nebel, Wald, Stoff)* fitto; *(Haar, Laub)* folto; *(Bevölkerung, Verkehr)* denso; **3.** *(undurchlässig)* ermetico, a tenuta stagna; *(wasser~)* impermeabile; *(luft~)* a tenuta d'aria; **du bist wohl nicht ganz ~!** *fam* non hai tutti i venerdì *fam;* **II.** *adv* **1.** *(nahe)* vicinissimo; **2.** *(stark)* molto; **~ auffahren** avvicinarsi troppo alla macchina che precede; **~ gefolgt von** seguito a ruota da.

Dichte *f* **1.** ⟨-, ø⟩ fittezza *f,* foltezza *f; (Undurchlässigkeit)* tenuta *f* stagna; *(Wasserundurchlässigkeit)* impermeabilità *f;* **2.** ⟨-, -n⟩ *phys* densità *f.*

dichten ['dɪçtən] **I.** *tr* comporre, scrivere; **II.** *itr* comporre (*o* scrivere) versi.

Dichter(in) ⟨-s, -⟩ *m(f)* poeta, -tessa *m, f.*

dichterisch *adj* poetico.

dicht·halten ⟨*irr*⟩ *itr fam* tenere il becco chiuso *fam.* **dicht·machen** *tr, itr fam* chiudere.

Dichtung[1] ⟨-, -en⟩ *f lit* poesia *f.*

Dichtung[2] ⟨-, -en⟩ *f tec* guarnizione *f.*

dick [dɪk] *adj* **1.** *allg.* grasso, grosso; *(dem Durchmesser nach)* spesso; *(dem Umfang nach)* voluminoso; **2.** *(korpulent)* corpulento; **3.** *(geschwollen)* gonfio; **4.** *(~flüssig)* denso; **~e Freunde** *fam* amici per la pelle *fam;* **ein ~es Lob** *fam* una gran lode; **~ machen** ingrassare.

Dickdarm *m* intestino *m* crasso.

Dicke ⟨-, -n⟩ *f* **1.** *allg.* grassezza *f,* grossezza *f;* **2.** *(Stärke, Durchmesser)* spessore *m.*

Dickerchen ['dɪkɐçən] ⟨-s, -⟩ *n fam* cicciottino, -a *m, f fam.*

dickflüssig *adj* denso, viscoso. **Dickhäuter** [-hɔytɐ] ⟨-s, -⟩ *m zoo, fig* pachiderma *m.*

Dickicht ['dɪkɪçt] ⟨-s, -e⟩ *n* bosco *m* folto, boscaglia *f.*

Dickkopf *m (Mensch)* testone, -a *m, f,* testardo, -a *m, f;* **einen ~ haben** avere la testa dura. **Dickmilch** *f* latte *m* rappreso (*o* cagliato).

Didaktik [di'daktɪk] ⟨-, ø⟩ *f* didattica *f.*

didaktisch *adj* didattico; *(belehrend, bes. Theater)* didascalico.

die [di:] **I.** *best art (nom u. akk von f sing u. pl) s.* **der; II.** *rel pron s.* **der; III.** *dem pron s.* **diese(r, s), jene(r, s).**

Dieb(in) [di:p (...bɪn)] ⟨-(e)s, -e⟩ *m(f)* ladro, -a *m, f;* **haltet den ~!** al ladro!. **diebisch** *adj* **1.** *(Mensch)* ladresco; **2.** *fig (Freude, Vergnügen)* pazzesco, matto. **Diebstahl** ⟨-(e)s, -stähle⟩ *m* furto *m.*

diejenige(n) *s.* **derjenige.**

Diele ['di:lə] ⟨-, -n⟩ *f* **1.** *(Brett)* asse *f;* **2.** *(Hausflur)* ingresso *m.*

dienen ['di:nən] *itr* **1.** *allg.* servire (*jdm* qu, *zu* a); **2.** *(in Stellung sein)* essere in servizio (*bei* presso); **3.** *mil* fare il servizio militare; **als etw. ~** servire da qc; **da-**

mit ist mir nicht gedient ciò non mi giova a nulla; **womit kann ich (Ihnen)** ~? in che cosa posso servirLa?

Diener ⟨-s, -⟩ *m (Verbeugung)* inchino *m*, reverenza *f*.

Diener(in) ⟨-s, -⟩ *m(f)* domestico, -a *m, f; fig* servo, -a *m, f*.

Dienerschaft ⟨-, -en⟩ *f* servitù *f*.

dienlich *adj (nützlich)* conveniente.

Dienst [di:nst] ⟨-(e)s, -e⟩ *m* **1.** *allg., mil* servizio *m;* **2.** *(Amt)* ufficio *m*, carica *f; (Stelle)* posto *m*, impiego *m;* **öffentlicher** ~ servizio pubblico; ~ **haben** essere di servizio; **jdm einen** ~ **erweisen** rendere un servizio a qu; **außer** ~ fuori servizio, *(im Ruhestand, abk* **a. D.***)* a riposo; in pensione; **Chef/Offizier vom** ~ segretario di redazione/ufficiale di servizio (*o* di picchetto); **seine Beine versagten ihm den** ~ le gambe non gli reggevano; **was steht zu ~en?** in che cosa posso servirLa?; ~ **nach Vorschrift** sciopero *m* bianco.

Dienstag ['di:nsta:k] *m* martedì *m; s. a. Freitag.*

Dienstbote *m*, **-botin** *f* domestico, -a *m, f*. **diensteifrig** *adj* zelante, premuroso. **Dienstgeheimnis** *n* segreto *m* d'ufficio. **Dienstgespräch** *n* telefonata *f (o* conversazione *f)* di servizio. **Dienstgrad** *m* grado *m* (di servizio). **diensthabend** *adj* **1.** *(Arzt)* di turno; **2.** *mil* di picchetto. **Dienstleistung** *f* **1.** *(Tätigkeit)* (prestazione *f* di) servizio *m;* **2.** *(~sgewerbe)* servizi *m pl.* **Dienstleistungsabend** *m* giorno infrasettimanale a orario prolungato. **Dienstleistungsgewerbe** *n* terziario *m*. **dienstlich I.** *adj* di servizio, di ufficio, ufficiale; **II.** *adv* per ragioni di servizio (*o* di ufficio). **Dienstmädchen** *n* domestica *f*, collaboratrice *f* domestica. **Dienstreise** *f* viaggio *m* (per ragioni) di servizio. **Dienststelle** *f* ufficio *m*. **Dienststunden** *f pl* ore *f pl* d'ufficio. **Dienstwagen** *m* vettura *f* di servizio. **Dienstweg** *m* via *f* gerarchica. **Dienstwohnung** *f* abitazione *f* di servizio. **Dienstzeit** *f* orario *m* di servizio.

dies [di:s] *dem pron* questo; ~ **ist/sind** ... ecco ...

diesbezüglich I. *adj* relativo (a ciò); **II.** *adv* al riguardo.

diese *s.* **diese(r, s).**

Diesel ['di:zəl] ⟨-s, -⟩ *m* diesel *m*.

dieselbe(n) *s.* **derselbe.**

Dieselmotor *m* motore *m* diesel.

diese(r, s) ['di:zə] *dem pron* questo, -a; **am 21. dieses Monats** il 21 del corrente mese; **von diesem und jenem sprechen** parlare del più e del meno.

diesig ['di:zıç] *adj* nebbioso, caliginoso.

diesjährig *adj* di quest'anno. **diesmal** *adv* questa volta. **diesseits** [-zaits] **I.** *adv* da questa parte; **II.** *prp +gen* al di qua di.

Dieter, Dietrich ['di:tɐ, 'di:trıç] *(männlicher Vorname)* Teodorico.

Dietrich ['di:trıç] ⟨-s, -e⟩ *m (Nachschlüssel)* grimaldello *m*.

diffamieren [dıfa'mi:rən] ⟨*ohne ge-*⟩ *tr* diffamare, calunniare.

Differential [dıfərɛn'tsia:l] ⟨-s, -e⟩ *n* differenziale *m*. **Differentialrechnung** *f* calcolo *m* differenziale.

Differenz [dıfə'rɛnts] ⟨-, -en⟩ *f* **1.** differenza *f; com* ammanco *m;* **2.** *(Meinungsverschiedenheit)* contrasto *m*, divergenza *f*.

differenzieren [...'tsi:rən] ⟨*ohne ge-*⟩ *tr* differenziare; *(unterscheiden)* distinguere.

digital [digi'ta:l] *adj* digitale.

Digitalanzeige *f* display *m* digitale. **Digitalaufnahme** *f* registrazione *f* digitale.

digitalisieren [digitali'zi:rən] ⟨*ohne ge-*⟩ *tr* digitalizzare.

Digitaltechnik *f* tecnica *f* digitale. **Digitaluhr** *f* orologio *m* digitale.

Diktat [dık'ta:t] ⟨-(e)s, -e⟩ *n* **1.** *(Nachschrift)* dettato *m; (Diktieren)* dettatura *f;* **2.** *fig (Befehl)* imposizione *f;* **ein** ~ **aufnehmen** scrivere sotto dettatura.

Diktator(in) [dık'ta:to:ɐ̯ (...ta'to:rın), ...ta'to:rən] ⟨-s, -en⟩ *m(f)* dittatore, -trice *m, f*.

diktatorisch [...ta'to:rıʃ] *adj* dittatoriale.

Diktatur [...ta'tu:ɐ̯] ⟨-, -en⟩ *f* dittatura *f*.

diktieren [dık'ti:rən] ⟨*ohne ge-*⟩ *tr* dettare. **Diktiergerät** *n* dittafono *m*.

Dilemma [di'lɛma, -s *o* -ta] ⟨-s, -s *o* -ta⟩ *n* dilemma *m*.

Dill [dıl] ⟨-s, -e⟩ *m* aneto *m*.

Dimension [dimɛn'zio:n] ⟨-, -en⟩ *f* dimensione *f*.

Dimmer ['dımɐ] ⟨-s, -⟩ *m el* regolatore *m* della luminosità.

DIN® [di:n] *akr von* **Deutsche Industrie-Norm(en)** *norma industriale tedesca;* **ein ~-A4-Blatt** un foglio di protocollo.

Ding [dıŋ] *n* **1.** ⟨-(e)s, -e⟩ cosa *f; (Gegenstand)* oggetto *m;* **2.** ⟨-s, -er⟩ *fam (unbestimmtes Etwas)* coso *m fam;* **dummes/junges** ~ *fam* sciocchina *f*, ragazzetta *f;* **ein** ~ **drehen** *sl* fare un bel colpo; **guter ~e sein** essere di buon umore; **vor allen ~en** innanzitutto; **das ist ein** ~ **der Unmöglichkeit** è una cosa impossibile.

dingfest *adj:* **jdn** ~ **machen** arrestare qu.

Dings [dıŋs] ⟨-, ø⟩ *n*, **Dingsbums** [-bʊms] ⟨-, ø⟩ *n*, **Dingsda** ⟨-, ø⟩ *n fam (Gegenstand)* coso *m fam; (Mensch)* tizio *m*.

Diode [di'o:də] ⟨-, -n⟩ *f inform, el* diodo *m*.

Dioptrie [diɔp'tri:] ⟨-, -n⟩ *f* diottria *f*.

Dioxin [diɔ'ksi:n] ⟨-s, -e⟩ *n* diossina *f*. **dioxinhaltig** *adj* contenente diossina.

Dip [dıp] ⟨-s, -s⟩ *m* salsa *f*, salsetta *f*.

Diphtherie [dıfte'ri:, ...i:ən] ⟨-, -n⟩ *f* difterite *f*.

Diphthong [dıf'tɔŋ] ⟨-s, -e⟩ *m* dittongo *m*.

Dipl.-Ing. *abk von* **Diplomingenieur** ingegnere *m* (laureato).
Diplom [di'plo:m] ⟨-(e)s, -e⟩ *n* **1.** *(Zertifikat)* diploma *m;* **2.** *(Universitätsdiplom)* laurea *f.* **Diplomarbeit** *f* tesi *f* di laurea.
Diplomat(in) [...'ma:t(ɪn)] ⟨-en, -en⟩ *m(f)* diplomatico, -a *m, f.*
Diplomatie [diploma'ti:] ⟨-, ø⟩ *f* diplomazia *f.*
diplomatisch *adj* diplomatico.
Diplomingenieur(in) *m(f)* (*abk* **Dipl.-Ing.**) ingegnere *m* (laureato).
Dipschalter *m* contenitore *m* dip (switch).
dir [di:ɐ̯] *pers pron (dat von* du*) (betont)* (a) te; *(unbetont)* ti.
direkt [di'rɛkt] **I.** *adj* diretto; *(unmittelbar)* immediato; *(unverblümt)* nudo e crudo, vero e proprio; **II.** *adv* direttamente; *(sofort)* immediatamente; *fam (geradezu)* veramente, proprio.
Direktion [dirɛk'tsi̯o:n] ⟨-, -en⟩ *f* direzione *f.*
Direktmarketing *n* marketing *m* diretto.
Direktor(in) [di'rɛkto:ɐ̯ (...'to:rɪn), ...'to:rən] ⟨-s, -en⟩ *m(f)* direttore, -trice *m, f; (Geschäftsführer)* dirigente *mf; (von Schule)* preside *mf;* **stellvertretender** ~ vicedirettore *m.*
Direktübertragung *f radio* trasmissione *f* diretta; *TV* ripresa *f* diretta. **Direktverkauf** *m* vendita *f* diretta, vendita *f* dal produttore al consumatore. **Direktvertrieb** *m* vendita *f* diretta. **Direktzugriff** *m* accesso *m* diretto. **Direktzugriffsspeicher** *m* memoria *f* ad accesso diretto.
Dirigent(in) [diri'gɛnt(ɪn)] ⟨-en, -en⟩ *m(f)* direttore, -trice *m, f* (d'orchestra).
dirigieren [...'gi:rən] ⟨*ohne ge-*⟩ *tr* dirigere.
Dirndl(kleid) ['dɪrndəl(klai̯t)] ⟨-s, -⟩ *n* costume *m* (*o* vestito *m*) tirolese.
Dirne ['dɪrnə] ⟨-, -n⟩ *f* prostituta *f.*
Disken *pl von* **Diskus.**
Diskette [dis'kɛtə] ⟨-, -n⟩ *f* dischetto *m.*
Diskettenlaufwerk *n* drive *m* per dischetti (*o* floppy disk).
Diskjockey ['dɪsk-] *m* disc-jockey *m.*
Diskkamera *f* fotocamera *f* per floppy disk.
Disko ⟨-, -s⟩ *f* discoteca *f.*
Diskont [dɪs'kɔnt] ⟨-s, -e⟩ *m* sconto *m.*
Diskothek [dɪsko'te:k] ⟨-, -en⟩ *f* discoteca *f.*
Diskrepanz [dɪskre'pants] ⟨-, -en⟩ *f* discrepanza *f.*
diskret [dɪs'kre:t] *adj* discreto.
Diskretion [...kre'tsi̯o:n] ⟨-, -en⟩ *f* discrezione *f.*
diskriminieren [dɪskrimi'ni:rən] ⟨*ohne ge-*⟩ *tr* discriminare.
Diskriminierung ⟨-, -en⟩ *f* discriminazione *f.*
Diskus ['dɪskʊs, ...kən *o* ...kʊsə] ⟨- *o* -ses, Disken *o* -se⟩ *m* disco *m.*
Diskussion [dɪskʊ'si̯o:n] ⟨-, -en⟩ *f* discussione *f*, dibattito *m;* **zur ~ stehen** essere in discussione; **zur ~ stellen** mettere in discussione.
Diskuswerfen ⟨-s, ø⟩ *n* (lancio *m* del) disco *m.*
diskutieren [dɪsku'ti:rən] ⟨*ohne ge-*⟩ *tr, itr* discutere (*über +akk* su, di).
Display [dɪs'pleɪ] ⟨-s, -s⟩ *n inform* display *m,* visualizzatore *m.*
disponieren [dɪspo'ni:rən] ⟨*ohne ge-*⟩ *itr* disporre (*über +akk* di).
Disposition [...pozi'tsi̯o:n] ⟨-, -en⟩ *f* **1.** *(Verfügung, Maßnahme)* disposizione *f;* **2.** *(Gliederung, Plan)* suddivisione *f;* **3.** *med (Anlage)* predisposizione *f.*
Disqualifikation [dɪs-] ⟨-, -en⟩ *f* squalifica *f.*
disqualifizieren ⟨*ohne ge-*⟩ *tr* squalificare.
Dissertation [dɪsɛrta'tsi̯o:n] ⟨-, -en⟩ *f* tesi *f* (di ricerca).
Dissident(in) [dɪsi'dɛnt(ɪn)] ⟨-en, -en⟩ *m(f)* dissidente *mf.*
Dissonanz [dɪso'nants] ⟨-, -en⟩ *f* dissonanza *f.*
Distanz [dɪs'tants] ⟨-, -en⟩ *f* distanza *f.*
distanzieren [...'tsi:rən] ⟨*ohne ge-*⟩ *rfl:* **sich von jdm/etw.** ~ *fig* prendere le distanze da qu/qc.
Distel ['dɪstəl] ⟨-, -n⟩ *f* cardo *m.*
Distrikt [dɪs'trɪkt] ⟨-(e)s, -e⟩ *m* distretto *m.*
Disziplin [dɪstsi'pli:n] ⟨-, -en⟩ *f* disciplina *f; (Gebiet)* branca *f.*
disziplinarisch [...pli'na:rɪʃ] **I.** *adj* **1.** disciplinare; **2.** *fig (streng)* rigoroso, severo; **II.** *adv* in materia disciplinare; **~e Maßnahmen** provvedimenti *m pl* disciplinari; ~ **vorgehen** *jur* procedere con atto disciplinare (*gegen jdn* contro qu).
Disziplinarstrafe [...pli'na:ɐ̯-] *f* sanzione *f* (*o* pena *f*) disciplinare.
diszipliniert [...pli'ni:ɐ̯t] *adj* disciplinato.
disziplinlos *adj* indisciplinato.
Diva ['di:va, ...vas *o* ...vən] ⟨-, -s *o* -ven⟩ *f* diva *f.*
divers [di'vɛrs] *adj geh* **1.** *(verschieden)* diverso, differente; **2.** *pl (mehrere)* diversi, vari.
Diversifikation [divɛrzifika'tsi̯o:n] ⟨-, ø⟩ *f* diversificazione *f.*
Dividend [divi'dɛnt] ⟨-en, -en⟩ *m* dividendo *m.*
Dividende [...'dɛndə] ⟨-, -n⟩ *f* dividendo *m.*
dividieren [...'di:rən] ⟨*ohne ge-*⟩ *tr* dividere (*durch* per).
Division [...'zi̯o:n] ⟨-, -en⟩ *f* divisione *f.*
Diwan ['di:va:n] ⟨-s, -e⟩ *m* divano *m.*
DKP [de:ka:'pe:] ⟨-, ø⟩ *f abk von* **Deutsche Kommunistische Partei** *partito comunista della R.F.T.*
dl *abk von* **Deziliter** dl (*abbr di* decilitro).

DLRG [de:ɛlʔɛr'ge:] ⟨-, ø⟩ *f akr von* **Deutsche Lebens-Rettungs-Gesellschaft** *società tedesca per il salvataggio a nuoto.*
dm *abk von* **Dezimeter** dm (*abbr di* decimetro).
DM *abk von* **Deutsche Mark** DM.
DNS [de:ɛn'ʔɛs] ⟨-, ø⟩ *f abk von* **Desoxyribonukleinsäure** DNA *m* (*abk di* acido deossiribonucleico).
doch [dɔx] *adv, konj* **1.** *(dennoch, jedoch)* però, ciò nonostante, tuttavia; **2.** *(aber)* ma, pure, eppure; **3.** *(bei negativer Frage)* ma sì!; **du weißt ~, daß ...** ma tu lo sai che ...; **hast du das nicht gewußt? – ~!** non lo sapevi? – certo!; **also ~!** ma allora sì!, lo sapevo!; **ja ~!** ma sì!; **nicht ~!** ma no!; **tu's ~!** fallo dunque!; **kommen Sie ~ herein!** entri pure!; **wenn er ~ käme!** almeno venisse!
Docht [dɔxt] ⟨-(e)s, -e⟩ *m* stoppino *m,* lucignolo *m.*
Dock [dɔk] ⟨-s, -s⟩ *n* dock *m,* cantiere *m* navale; *(Trocken~)* bacino *m* di carenaggio.
Dogge ['dɔgə] ⟨-, -n⟩ *f* alano *m.*
Dogma ['dɔgma, ...mən] ⟨-s, -men⟩ *n* dogma *m.*
dogmatisch [...'ma:tɪʃ] *adj* dogmatico.
Doktor(in) ['dɔkto:ɐ (...'to:rɪn), ...'to:rən] ⟨-s, -en⟩ *m(f)* (*abk* **Dr.**) dottore, -essa *m, f;* ~ **der Medizin** (*abk* **Dr. med.**)/**der Philosophie** (*abk* **Dr. phil.**) dottore *m* in medicina/in filosofia; **den** (*o* **seinen**) ~ **machen** laurearsi; **Frau ~!** dottoressa!; **Herr ~!** dottore!
Doktorand(in) [dɔkto'rant (...dɪn)] ⟨-en, -en⟩ *m(f)* laureando, -a *m, f.*
Doktorarbeit *f* tesi *f* di ricerca. **Doktorvater** *m* professore *m* rilasciante la tesi di ricerca.
Doktrin [dɔk'tri:n] ⟨-, -en⟩ *f* dottrina *f.*
Dokument [doku'mɛnt] ⟨-(e)s, -e⟩ *n (a. inform)* documento *m.*
Dokumentarfilm [...'ta:ɐ-] *m* documentario *m.* **dokumentarisch** [...'ta:rɪʃ] *adj* documentario.
Dokumentation [...ta'tsio:n] ⟨-, -en⟩ *f* documentazione *f; (Beweis)* dimostrazione *f.*
dokumentenecht *adj (Papier)* uso protocollo; *(Tinte)* indelebile.
dokumentieren [...'ti:rən] ⟨*ohne ge-*⟩ *tr* documentare, dimostrare.
Dolch [dɔlç] ⟨-(e)s, -e⟩ *m* pugnale *m.*
Dolde ['dɔldə] ⟨-, -n⟩ *f* ombrella *f.*
Dollar ['dɔla:ɐ] ⟨-(s), -s⟩ *m* dollaro *m.*
dolmetschen ['dɔlmɛtʃən] **I.** *tr* interpretare, tradurre (a voce); **II.** *itr* fare da interprete.
Dolmetscher(in) ⟨-s, -⟩ *m(f)* interprete *mf.*
Dolomiten [dolo'mi:tən] ⟨*pl*⟩ Dolomiti *f pl.*
Dom [do:m] ⟨-(e)s, -e⟩ *m* duomo *m.*
Domäne [do'mɛ:nə] ⟨-, -n⟩ *f fig* campo *m* di competenza.
dominant [domi'nant] *adj* dominante.
Dominante ⟨-, -n⟩ *f mus* nota *f* dominante.
Domino ['do:mino] ⟨-s, -s⟩ *n* domino *m.*
Dompfaff ['do:mpfaf] ⟨-en *o* -s, -en⟩ *m* ciuffolotto *m.*
Dompteur [dɔmp'tø:ɐ] ⟨-s, -e⟩ *m,* **Dompteuse** [...'tø:zə] ⟨-, -n⟩ *f* domatore, -trice *m, f.*
Donau ['do:nau] *f* Danubio *m.*
Donner ['dɔnɐ] ⟨-s, -⟩ *m* tuono *m;* **wie vom ~ gerührt** come fulminato.
donnern *itr* tuonare.
Donnerstag *m* giovedì *m; s. a. Freitag.*
Donnerwetter *n:* **(zum) ~!** accidenti!
doof [do:f] *adj fam* stupido, scemo, ottuso. **Doofmann** *m fam* scemo *m.*
dopen ['dɔpən *o* 'do:pən] *tr* drogare, dopare.
Doping ['dɔpɪŋ *o* 'do:pɪŋ] ⟨-s, -s⟩ *n* doping *m,* drogaggio *m.* **Dopingkontrolle** *f* controllo *m* anti-doping, antidoping *m.*
Doppel ['dɔpəl] ⟨-s, -⟩ *n* **1.** *(Duplikat)* duplicato *m,* copia *f;* **2.** *sport* doppio *m.* **Doppelagent(in)** *m(f)* doppiogiochista *mf.* **Doppelbelastung** *f* doppio peso *m.* **Doppelbeschluß** *m* doppia risoluzione *f.* **Doppelbett** *n* (letto *m*) matrimoniale *m.* **Doppeldecker** ⟨-s, -⟩ *m* **1.** *aero* biplano *m;* **2.** *(Bus)* autobus *m* a due piani. **Doppelgänger(in)** [-gɛŋɐ (...ərɪn)] ⟨-s, -⟩ *m(f)* sosia *mf.* **Doppelhaus** *n* doppia casa *f.* **Doppelkinn** *n* doppio mento *m.* **Doppelmord** *m* duplice omicidio *m.* **Doppelname** *m* doppio nome *m.* **Doppelpunkt** *m* due punti *m pl.* **Doppelrolle** *f* doppione *m,* doppia parte *f.* **Doppelstecker** *m* spina *f* doppia.
doppelt I. *adj* doppio; **ein ~es Spiel treiben** fare il doppio gioco; **II.** *adv* il doppio, doppiamente; ~ **soviel** due volte tanto; ~ **soviel bezahlen** pagare il doppio; ~ **und dreifach** due e tre volte; ~ **genäht** (*o fam* **gemoppelt) hält besser** *prov* la prudenza non è mai troppa *prov.*
Doppelverdiener *m pl (Ehepaar)* coppia *f* con doppio reddito. **Doppelzentner** *m* quintale *m.* **Doppelzimmer** *n (Zweibettzimmer)* camera *f* doppia (*o* a due letti); *(mit Doppelbett)* (camera *f*) matrimoniale *f.*
Dorf [dɔrf] ⟨-(e)s, Dörfer⟩ *n* villaggio *m; (Ortschaft)* paese *m.* **Dorfbewohner(in)** *m(f)* paesano, -a *m, f.* **Dorfschaft** ⟨-, -en⟩ *f CH* villaggio *m.*
Dorn [dɔrn] *m* **1.** ⟨-(e)s, -en⟩ *bot, fig* spina *f;* **2.** ⟨-(e)s, -e⟩ *(an Schnalle)* puntale *m;* **jdm ein ~ im Auge sein** essere una spina nell'occhio per qu.
dornig *adj* spinoso.
Dornröschen [-'rø:sçən] ⟨-s, ø⟩ *n* bella *f* addormentata nel bosco.

dörren ['dœrən] **I.** *tr* ⟨*haben*⟩ (dis)seccare; **II.** *itr* ⟨*sein*⟩ (dis)seccarsi. **Dörrobst** *n* frutta *f* secca (*o* essiccata).

Dorsch [dɔrʃ] ⟨-(e)s, -e⟩ *m* merluzzo *m*.

dort [dɔrt] *adv* là, lì; **da und** ~ qua e là; ~ **drüben/hinten** là dietro/là in fondo. **dorther** ['dɔrt'he:ɐ̯, *hinweisend:* 'dɔrthe:ɐ̯] *adv* di là, di lì. **dorthin** ['dɔrt'hɪn, *hinweisend:* 'dɔrthɪn] *adv* lì, là. **dorthinaus** ['dɔrthɪ'naus, *hinweisend:* 'dɔrthɪnaus] *adv* là fuori; **er ist unverschämt bis** ~ *fam* è smisuratamente sfacciato. **dorthinein** ['dɔrthɪ'nain, *hinweisend:* 'dɔrthɪnain] *adv* là dentro. **dortig** *adj* di là, del luogo.

Dose ['do:zə] ⟨-, -n⟩ *f* **1.** *(Büchse)* scatola *f*, barattolo *m; (Blech~)* latta *f;* **2.** *el (Steck~)* presa *f* (di corrente).

Dosen *pl von* **Dose** *und* **Dosis. Dosenbier** *n* birra *f* in lattina.

dösen ['dø:zən] *itr fam* sonnecchiare.

Dosenmilch *f* latte *m* (condensato) in scatola. **Dosenöffner** *m* apriscatole *m*.

dosieren [do'zi:rən] ⟨*ohne ge-*⟩ *tr* dosare.

Dosierspender *m* dispenser *m*, distributore *m* (di liquidi) con dosatore.

Dosierung ⟨-, -en⟩ *f* dosaggio *m*.

Dosis ['do:zɪs, ...zən] ⟨-, Dosen⟩ *f* dose *f*.

dotieren [do'ti:rən] ⟨*ohne ge-*⟩ *tr* dotare (*mit* di).

Dotter ['dɔtɐ] ⟨-s, -⟩ *m o n* tuorlo *m* (d'uovo). **Dotterblume** *f* calta *f* palustre.

Double ['du:bəl] ⟨-s, -s⟩ *n film* controfigura *f*.

down [daʊn] *adj fam (bedrückt)* giù di morale, giù *fam*.

Dozent(in) [do'tsɛnt(ɪn)] ⟨-en, -en⟩ *m(f)* docente *mf*.

dozieren [do'tsi:rən] ⟨*ohne ge-*⟩ *tr, itr* insegnare (*über etw. (akk)* qc).

Dr. *abk von* **Doktor** Dr. (*abbr di* Dottore, Dottoressa); ~ **jur./med./phil./rer. pol.** dottore in giurisprudenza/medicina/filosofia/scienze politiche.

Drache ['draxə] ⟨-n, -n⟩ *m (Fabeltier)* drago *m*.

Drachen ['draxən] ⟨-s, -⟩ *m* **1.** *(Papier~)* aquilone *m*, cervo *m* volante; *sport* deltaplano *m;* **2.** *fam pej (Frau)* megera *f*. **Drachenfliegen** ⟨-s, ø⟩ *n* volo *m* a delta. **Drachenflieger(in)** *m(f)* deltaplanista *mf*.

Dragee [dra'ʒe:] ⟨-s, -s⟩ *n* confetto *m*.

Draht [dra:t] ⟨-(e)s, Drähte⟩ *m* filo *m* metallico; **per** ~ per telegrafo, telegraficamente; **auf** ~ **sein** *fam* essere in gamba; **einen** ~ **zu jdm haben** *fam* essere in buoni rapporti con qu. **Drahtesel** *m fam scherz* bici *f fam*. **drahtlos I.** *adj* senza fili; **II.** *adv* via (*o* per) radio. **Drahtseil** *n* fune *f* metallica. **Drahtseilakt** *m* **1.** *(im Zirkus)* esercizio *m* acrobatico; **2.** *fig* impresa *f* azzardata. **Drahtzieher(in)** ⟨-s, -⟩ *m(f) (Hintermann)* mandante *mf;* **der** ~ **sein** tirare i fili.

drall [dral] *adj (Person)* robusto, rotondetto; *(Körperteil)* sodo.

Drama ['dra:ma, ...mən] ⟨-s, -men⟩ *n* dramma *m*.

Dramatiker(in) [dra'ma:tɪkɐ (...ərɪn)] ⟨-s, -⟩ *m(f)* drammaturgo, -a *m, f*.

dramatisch *adj* drammatico.

dramatisieren [dramati'zi:rən] ⟨*ohne ge-*⟩ *tr* drammatizzare.

dran [dran] *fam s. a. daran;* **gut** ~ **sein** essere in buone condizioni; **schlecht** ~ **sein** essere a mal partito; **man weiß nicht, wie man mit ihm** ~ **ist** non si sa cosa attendersi da lui; **jetzt bist du (aber)** ~**!** adesso tocca a te (morire), è la tua ora!; **wer ist** ~**?** a chi tocca?

drang [draŋ] *imp von* **dringen.**

Drang ⟨-(e)s, *rar* Dränge⟩ *m* **1.** *(Trieb, Streben)* (impellente) necessità *f*, impulso *m* (*nach* a, di); **2.** *(Druck, Bedrängnis)* pressione *f*, spinta *f*.

Drängelei [drɛŋə'lai] ⟨-, -en⟩ *f fam* **1.** *(Schubsen)* pigia pigia *m;* **2.** *(Bettelei)* insistenze *f pl*.

drängeln ['drɛŋəln] *tr, itr fam* **1.** *(vor~)* spingere; **2.** *(betteln)* insistere (con).

drängen ['drɛŋən] **I.** *itr* **1.** *(antreiben)* insistere (*auf +akk* per); **2.** *(schieben, drücken)* spingere; **die Sache drängt** la cosa urge; **die Zeit drängt** il tempo stringe; **II.** *tr* **1.** *(schieben, drücken)* spingere; **2.** *(antreiben)* incitare (*zu* a), sollecitare (*zu* a); **III.** *rfl:* **sich** ~ spingersi, far ressa (*um* attorno a, *an +akk* su). **Drängen** ⟨-s, ø⟩ *n (Bitten)* insistenza *f*, sollecitazione *f*, pressione *f*.

Drangsal ['draŋza:l] ⟨-, -e⟩ *f poet* tormento *m*, tribolazione *f*.

drangsalieren [draŋza'li:rən] ⟨*ohne ge-*⟩ *tr fam* tormentare.

dran·kommen ⟨*irr*⟩ *itr* ⟨*sein*⟩ *fam (beim Arzt)* venir trattato; *(im Unterricht)* venir interrogato; **ich komme dran** tocca a me. **dran·nehmen** ⟨*irr*⟩ *tr fam (Schüler)* interrogare; *(Patienten)* prendere.

drastisch ['drastɪʃ] *adj* **1.** *(wirksam)* drastico; **2.** *(anschaulich)* crudo.

drauf [drauf] *fam s. a. darauf;* ~ **und dran sein zu** *+inf* essere sul punto di *+inf*. **Draufgänger(in)** [-gɛŋɐ (...ərɪn)] ⟨-s, -⟩ *m(f)* persona *f* spavalda (*o* impetuosa). **drauf·gehen** ⟨*irr*⟩ *itr* ⟨*sein*⟩ **1.** *fam (Sache)* esaurirsi, consumarsi; *(Geld)* spendersi; **2.** *sl (sterben)* crepare *vulg*. **drauf·haben** *tr fam (beherrschen)* sapere.

drauflos·reden [drauf'lo:s-] *itr fam* parlare a vanvera.

drauf·machen *tr:* **einen** ~ *fam* fare baldoria. **drauf·setzen** *tr fam:* **noch eins (*o* einen)** ~ *fig* aggiungere ancora dell'altro. **drauf·zahlen** *itr fam* pagare in più.

draus [draus] *fam s.* **daraus.**

draußen ['drausən] *adv* fuori; **weit** ~ molto fuori.

drechseln ['drɛksəln] *tr* tornire.
Dreck [drɛk] ⟨-(e)s, ø⟩ *m* **1.** *(Schmutz)* sudiciume *m,* sporcizia *f; (Straßenschmutz)* fango *m,* melma *f;* **2.** *fam (Kleinigkeit)* bazzecola *f;* **~ am Stecken haben** *fig* averne fatte di cotte e di crude *fam;* **jdn durch den ~ ziehen** *fig* trascinare qu nel fango; **jdn wie den letzten ~ behandeln** *fam* trattare qu come una pezza da piedi *fam;* **das geht dich einen ~ an!** *vulg* che te ne frega! *volg.*
dreckig *adj* **1.** *(schmutzig)* sporco, sudicio; *(Straße)* melmoso, fangoso; **2.** *(unanständig)* volgare; *(Bemerkung, Lachen)* perfido; **es geht mir ~** *fam* sto male; **lach nicht so ~!** *fam* non ridere in modo così perfido!
Dreck(s)kerl *m vulg* porco *m volg.* **Dreckspatz** *m fam* sudicione, -a *m, f fam.*
Dreharbeiten *f pl film* riprese *f pl.* **Drehbank** ⟨-, -bänke⟩ *f* tornio *m.* **Drehbuch** *n* sceneggiatura *f.* **Drehbuchautor(in)** *m(f)* sceneggiatore, -trice *m, f.*
drehen ['dre:ən] **I.** *tr* (far) girare; *(Kopf)* volgere; *(Zigarette)* farsi; *(Film)* girare; **jdm den Rücken ~** voltare le spalle a qu; **II.** *itr* girare, girarsi; **III.** *rfl:* **sich ~** girare, girarsi *(um* attorno a); **sich um etw. ~** *(Gespräch, Handlung)* trattarsi di qc; **alles drehte sich (nur) um sie** *fig* era il perno di tutto, tutto ruotava intorno a lei; **mir dreht sich alles (im Kopf)** mi gira la testa, ho il capogiro.
Dreher(in) ⟨-s, -⟩ *m(f)* tornitore, -trice *m, f.*
Drehkreuz *n* tornella *f.* **Drehorgel** *f* organino *m.* **Drehstrom** *m* corrente *f* trifase. **Drehstromlichtmaschine** *f* alternatore *m.*
Drehung ⟨-, -en⟩ *f* giro *m; (um Achse)* rotazione *f.*
Drehwurm *m fam:* **einen (*o* den) ~ haben** avere le vertigini. **Drehzahlmesser** ⟨-s, -⟩ *m* contagiri *m.*
drei [drai̯] *num* tre; **nicht bis ~ zählen können** *fig* non saper contare fino a dieci (*o* sulle dita della mano); *s. a. vier.*
Drei ⟨-, -en⟩ *f* tre *m; (Schulnote: befriedigend)* ≃ sette *m; (Buslinie)* tre *m.*
Drei-, drei- *s. a. Vier-, vier-.* **dreidimensional** [-dimɛnzi̯ona:l] *adj* a tre dimensioni; **~er Film** film tridimensionale. **Dreieck** *n* triangolo *m.* **dreieckig** *adj* triangolare. **Dreiecksverhältnis** *n* ménage *m* a tre. **Dreieinigkeit** [-'ʔai̯nıçkai̯t] *f* trinità *f.* **dreifach** *adj* triplo; *s. a. vierfach.* **Dreifaltigkeit** [-'faltıçkai̯t] *s.* **Dreieinigkeit.**
dreihundert ['drai̯'hʊndɐt] *num* trecento.
dreijährig *adj* **1.** *(drei Jahre alt)* di tre anni; **2.** *(drei Jahre lang)* triennale. **Dreikampf** *m* triatlon *m.* **Dreikäsehoch** [-'kɛ:zəho:x] ⟨-s, -(s)⟩ *m scherz:* **ein ~ sein** essere alto come tre soldi di cacio. **Dreikönigsfest** [-'kø:nıçs-] *n* epifania *f.*
drein [drai̯n] *fam s.* **darein.**
Dreipunktsicherheitsgurt *m* cintura *f* di sicurezza a tre punti di ancoraggio. **Dreirad** *n* **1.** *(Kinderfahrrad)* triciclo *m;* **2.** *(Lieferwagen)* furgoncino *m.* **Dreisatz** *m* regola *f* del tre semplice.
dreißig ['drai̯sıç] *num* trenta; *s. a. vierzig.* **dreißigjährig** *adj* **1.** *(dreißig Jahre alt)* di trent'anni, trentenne; **2.** *(dreißig Jahre lang)* trentennale; **der D~e Krieg** la guerra dei trent'anni. **Dreißigjährige** ⟨ein -r, -n, -n⟩ *mf* uomo *m* (donna *f*) sulla trentina, trentenne *mf.*
Dreißigstel ⟨-s, -⟩ *n* trentesimo *m.*
dreißigste(r, s) *adj* trentesimo, -a; *(bei Datumsangaben)* trenta; *s. a. vierte(r, s).*
dreist [drai̯st] *adj (frech)* sfacciato, impertinente, impudente.
dreistellig *adj* di tre cifre.
Dreistigkeit ⟨-, -en⟩ *f (Frechheit)* sfacciataggine *f,* sfrontatezza *f,* impudenza *f.*
dreistöckig [-ʃtœkıç] *adj* a (*o* di) tre piani. **dreitägig** [-tɛ:gıç] *adj* di tre giorni.
dreitausend ['drai̯'tau̯zənt] *num* tremila.
dreiteilig *adj (Kleid, Set)* in tre pezzi; *(Roman)* in tre parti.
Dreivierteltakt [-'fırtəl-] *m* misura *f* di tre quarti.
Dreiwege-Katalysator *m* catalizzatore *m* a tre vie.
Dreizack [-tsak] ⟨-(e)s, -e⟩ *m* tridente *m.*
dreizehn *num* tredici; **jetzt schlägt's aber ~!** *fam* questo è il colmo! *fam.* **Dreizehntel** *n* tredicesimo *m.* **dreizehnte(r, s)** *adj* tredicesimo, -a; *(bei Datumsangaben)* tredici; **~s Monatsgehalt** tredicesima *f; s. a. vierte(r, s).*
Dreizimmerwohnung [-'tsımɐ-] *f* appartamento *m* di tre camere.
dreschen ['drɛʃən] ⟨drischt, drosch, gedroschen⟩ *tr* trebbiare.
dressieren [drɛ'si:rən] ⟨*ohne ge-*⟩ *tr* addestrare; *(für Kunststücke)* ammaestrare.
Dressing ['drɛsıŋ] ⟨-s, -s⟩ *n* condimento *m.*
Dressman ['drɛsmən, ...mən] ⟨-s, Dressmen⟩ *m* indossatore *m.*
Dressur [drɛ'su:ɐ̯] ⟨-, -en⟩ *f* addestramento *m; (für Kunststücke)* ammaestramento *m.*
dribbeln ['drıbəln] *itr* dribblare.
Drill [drıl] ⟨-(e)s, ø⟩ *m* addestramento *m.*
Drillich ['drılıç] ⟨-s, -e⟩ *m* traliccio *m,* fustagno *m.*
Drilling ['drılıŋ] ⟨-s, -e⟩ *m* **1.** *(Kind)* trigemino *m;* **2.** *(Jagdgewehr)* fucile *m* a tre canne; **~e** gemelli trigemini.
drin [drın] *adv fam s. a. darin, drinnen;* **das ist nicht ~** non è possibile; **ganz ~ sein in etw.** *(dat) fig* essere nel bel mezzo di qc; **da ist noch alles ~** tutto è ancora possibile.

dringen ['drɪŋən] ⟨dringt, drang, gedrungen⟩ *itr* **1.** ⟨*sein*⟩*:* **in etw.** *(akk)* ~ penetrare in qc; **durch etw.** ~ penetrare qc, passare attraverso qc; **in jdn** ~ *fig* far pressione su qu, sollecitare qu; **2.** ⟨*haben*⟩*:* **auf etw.** *(akk)* ~ insistere su qc (*o* per avere qc). **dringend** *adj* urgente, stringente, impellente; *(Bitte)* pressante; *(Verdacht)* grave; *(Rat)* importante; **in ~en Fällen** in casi d'urgenza; **es (***o* **die Sache) ist (sehr)** ~ la cosa urge.

Dringlichkeit *f* urgenza *f.*

drinnen ['drɪnən] *adv* dentro.

drischt [drɪʃt] *pr von* **dreschen.**

dritte *s.* **dritte(r, s).**

Dritte ⟨ein -r, -n, -n⟩ *mf* terzo, -a *m, f;* **der lachende** ~ il terzo che gode; **der** ~ **im Bunde sein** essere il terzo; **wenn zwei sich streiten, freut sich der** ~ *prov* fra due litiganti il terzo gode *prov; s. a. Vierte.*

Drittel ⟨-s, -⟩ *n* terzo *m.*

drittens *adv* (in) terzo (luogo).

dritte(r, s) ['drɪtə] *adj* terzo, -a; *(bei Datumsangaben)* tre; **die D~ Welt** il Terzo Mondo; **aus ~r Hand** da terzi; *s. a. vierte(r, s).* **Dritte-Welt-Laden** [-'vɛlt-] *m* negozio *m* di articoli del terzo mondo.

Drittland ['drɪt'lant] *n* paese *m* terzo (*o* non allineato).

DRK [de:ɛr'ka:] ⟨-(s), ø⟩ *n abk von* **Deutsches Rotes Kreuz** Croce Rossa Tedesca.

droben ['dro:bən] *adv obs, poet* lassù, in alto.

Droge ['dro:gə] ⟨-, -n⟩ *f* droga *f.* **drogenabhängig** *adj* tossicodipendente. **Drogenabhängige** ⟨ein -r, -n, -n⟩ *mf* tossicodipendente *mf,* bucato, -a *m, f sl.* **Drogenabhängigkeit** *f* tossicomania *f.* **Drogenbekämpfung** *f* lotta *f* contro la droga. **Drogenberatung** *f* **1.** *(Besprechung)* consulenza *f* ai drogati; **2.** *(~stelle)* centro *m* di consulenza per drogati. **Drogenfahnder(in)** *m(f)* agente *mf* della sezione narcotici. **Drogenhandel** *m* traffico *m* della droga. **Drogenkonsum** *m* consumo *m* di droga. **Drogenmißbrauch** *m* abuso *m* di droga. **Drogenszene** *f* mondo *m* della droga. **Drogentote** ⟨ein -r, -n, -n⟩ *mf* vittima *f* della droga.

Drogerie [drogə'ri:, ...i:ən] ⟨-, -n⟩ *f* drogheria *f.*

Drogist(in) [dro'gɪst(ɪn)] ⟨-en, -en⟩ *m(f)* droghiere, -a *m, f.*

drohen ['dro:ən] *itr* minacciare (*jdm* qu).

Drohne ['dro:nə] ⟨-, -n⟩ *f* fuco *m.*

dröhnen ['drø:nən] *itr* rimbombare; *(a. fig)* rintronare.

Drohung ⟨-, -en⟩ *f* minaccia *f.*

drollig ['drɔlɪç] *adj* buffo.

Dromedar [drome'da:ɐ] ⟨-s, -e⟩ *n* dromedario *m.*

Drops [drɔps] ⟨-, -⟩ *m o n:* **saure** ~ caramelle *f pl* alla frutta.

drosch [drɔʃ] *imp von* **dreschen.**

Droschke ['drɔʃkə] ⟨-, -n⟩ *f (Pferde~)* vettura *f* di piazza, fiacchere *m.*

Drossel ['drɔsəl] ⟨-, -n⟩ *f* tordo *m.*

drosseln *tr tec* strozzare; *(Tempo)* diminuire; *(Einfuhr)* limitare.

drüben ['dry:bən] *adv* dall'altra parte, (al) di là; **hier/da** ~ di qua, da questa parte/di là, da quella parte.

drüber ['dry:bɐ] *fam s.* **darüber.**

Druck[1] [drʊk] ⟨-(e)s, Drücke⟩ *m* **1.** *phys, tec, fig* pressione *f;* **2.** *(Zwang)* oppressione *f;* **jdn unter** ~ **setzen** mettere qu sotto pressione; **ich bin unheimlich in** ~ *fam* sono molto sotto pressione *fam.*

Druck[2] [drʊk] ⟨-(e)s, -e⟩ *m typ* impressione *f; (Vorgang, Kunst~)* stampa *f; (Auflage)* edizione *f;* **etw. in** ~ **geben** dare qc alle stampe.

Druckausgleich *m* compensazione *f* della pressione.

Druckbuchstabe *m* carattere *m* tipografico.

Drückeberger ['drʏkəbɛrgɐ] ⟨-s, -⟩ *m fam pej* scansafatiche *m; (Feigling)* vigliacco, -a *m, f.*

drucken ['drʊkən] *tr* stampare; **neu** ~ ristampare.

drücken ['drʏkən] **I.** *tr* **1.** *(pressen)* premere (*auf +akk* su); *(zusammen~)* spremere; *(Knopf, Taste)* schiacciare; *fam (umarmen)* stringere, abbracciare; **2.** *fig (Preise)* ribassare; *(Rekord)* abbassare; **3.** *fig (bedrücken)* opprimere, angustiare; **jdm die Hand** ~ stringere la mano a qu; **II.** *itr* **1.** *(lasten)* pesare (*auf +akk* su); **2.** *(Kleidung, Schuh)* stringere; **III.** *rfl:* **sich** ~ *fam* svignarsela *fam,* squagliarsela *fam;* **sich vor etw.** *(dat)* ~ sottrarsi a qc. **drückend** *adj* opprimente; *(Hitze)* soffocante.

Drucker *m inform* stampante *f.*

Drucker(in) ⟨-s, -⟩ *m(f)* stampatore, -trice *m, f; (für Bücher)* tipografo, -a *m, f.*

Drücker ⟨-s, -⟩ *m (Türklinke)* maniglia *f,* saliscendi *m;* **am** ~ **sitzen** *fig fam* stare nella stanza dei bottoni; **auf den letzten** ~ *fig fam* all'ultimo momento.

Druckerei [drʊkə'rai] ⟨-, -en⟩ *f* stamperia *f; (für Bücher)* tipografia *f.*

Druckerlaubnis *f* imprimatur *m.*

Druckerschwärze *f* inchiostro *m* da stampa.

Druckfehler *m* errore *m* di stampa. **druckfertig** *adj* pronto per la stampa.

Druckformatvorlage *f* foglio *m* di stile, style sheet *m.*

Druckknopf *m* **1.** *(an Kleidung)* (bottone *m*) automatico *m;* **2.** *tec* pulsante *m.*

Drucklegung ⟨-, -en⟩ *f* messa *f* in macchina.

Druckmittel *n* mezzo *m* di pressione (*o* coercitivo).

druckreif *s.* **druckfertig. Drucksache** *f* stampa *f;* „~" "stampe". **Druckschrift** *f*

1. *typ (Schriftart)* stampatello *m;* 2. *(Werk)* stampato *m;* **in ~** in stampatello.

drum [drʊm] *fam s. a. darum;* **das D~ und Dran** gli annessi e connessi *m pl;* **sei's ~!** e sia.

drunten ['drʊntən] *adv obs, poet* laggiù.

drunter ['drʊntɐ] *fam s. a. darunter;* **es geht alles ~ und drüber** tutto va a catafascio.

Drüse ['dry:zə] ⟨-, -n⟩ *f* ghiandola *f.*

Dschungel ['dʒʊŋəl] ⟨-s, -⟩ *m* giungla *f.*

Dschunke ['dʒʊŋkə] ⟨-, -n⟩ *f* giunca *f.*

dt. *abk von* **deutsch** tedesco.

DTP [de:te:pe:] ⟨-⟩ *n abk von* **Desktop publishing** editoria *f* da tavolo (*o* personale), desktop publishing *m.*

Dtzd. *abk von* **Dutzend** dozz. (*abbr di* dozzina).

du [du:] *pers pron 2. pers sing* tu; **jdn mit ~ anreden** dare del tu a qu; **mit jdm per ~ sein** darsi del tu con qu; **~, ich muß dich was fragen** (tu) senti, devo chiederti qc; **wenn ich ~ wäre, ...** se fossi in te, ...; **~ Ärmste/Ekel!** o che poveretta/essere odioso!

d. U. *abk von* **der Unterzeichnete** il sottoscritto.

dual [du'a:l] *adj* duale; **D~es System (Deutschland)** (*abk* **DSD)** *sistema di raccolta e smaltimento degli imballaggi effettuati dal Comune e da una società privata.*

Dübel ['dy:bəl] ⟨-s, -⟩ *m* tassello *m.*

Dublin ['dablɪn] *n* Dublino *f.*

ducken ['dʊkən] **I.** *rfl:* **sich ~** *allg., fig* piegarsi; *(niederkauern)* accovacciarsi, rannicchiarsi; **II.** *tr* **1.** *(senken)* abbassare, piegare; **2.** *fig pej (demütigen)* umiliare.

Duckmäuser ['dʊkmɔyzɐ] ⟨-s, -⟩ *m fam* vigliacco, -a *m, f.*

Dudelsack ['du:dəl-] *m* cornamusa *f,* zampogna *f.*

Duell [du'ɛl] ⟨-s, -e⟩ *n* duello *m.*

duellieren [...'li:rən] ⟨*ohne ge-*⟩ *rfl:* **sich ~** battersi a duello.

Duett [du'ɛt] ⟨-(e)s, -e⟩ *n* duetto *m.*

Duft [dʊft] ⟨-(e)s, Düfte⟩ *m* profumo *m,* fragranza *f.*

duften *itr* **1.** *(Duft verbreiten)* odorare; **2.** *(nach etw. riechen)* avere un profumo (*nach* di). **duftend** *adj* profumato, odoroso, aromatico. **duftig** *adj* arioso.

dulden ['dʊldən] *tr* **1.** *(zulassen)* ammettere; *(bes. rel, pol)* tollerare; **2.** *(ertragen)* sopportare; *(über sich ergehen lassen)* subire.

dumm [dʊm] ⟨dümmer, dümmste⟩ *adj* **1.** *(Mensch)* stupido; *(unwissend)* ignorante; *(einfältig, albern)* sciocco; **2.** *(Bemerkung, Gerede)* sciocco; *(ärgerlich)* seccante; **eine ~e Geschichte** una brutta faccenda; **ein ~es Gesicht machen** fare una faccia da stupido *fam;* **der D~e sein** essere lo stupido di turno *fam;* **das ist (aber) ~!** peccato!; **das wird mir zu ~!** ne ho abbastanza!. **Dummheit** ⟨-, -en⟩ *f* **1.** *(Mangel an Intelligenz)* stupidità *f; (Unwissenheit)* ignoranza *f;* **2.** *(Handlung)* stupidaggine *f,* sciocchezza *f.* **Dummkopf** *m fam* stupido, -a *m, f,* sciocco, -a *m, f.*

dumpf [dʊmpf] *adj (Ton)* cupo, sordo; *(Ahnung, Erinnerung)* vago.

Dumping-Preis ['dampɪŋ-] *m* prezzo *m* di dumping.

Düne ['dy:nə] ⟨-, -n⟩ *f* duna *f.*

Dung [dʊŋ] ⟨-(e)s, ø⟩ *m* letame *m,* concime *m* (animale).

Düngemittel *n s.* **Dünger.**

düngen ['dʏŋən] **I.** *tr* concimare; **II.** *itr* dare concime.

Dünger ⟨-s, -⟩ *m* concime *m.*

dunkel ['dʊŋkəl] *adj* **1.** *allg.* buio; *(a. fig)* oscuro; *(Farbe)* scuro; *(Vokal)* sordo; **2.** *fig (unbestimmt)* vago, indistinto; **3.** *fig (verdächtig)* losco; **jdn im ~n lassen** lasciare qu all'oscuro; **bei etw. im ~n tappen** *fig* essere all'oscuro di qc.

dunkel- *(in Zusammensetzungen)* scuro; **dunkelblau** blu scuro.

Dunkel ⟨-s, ø⟩ *n* oscurità *f; (a. fig)* tenebre *f pl.*

dunkelblond *adj* castano. **dunkelhäutig** [-hɔytɪç] *adj* moro, di carnagione scura.

Dunkelheit ⟨-, -en⟩ *f* oscurità *f,* buio *m.* **Dunkelkammer** *f* camera *f* oscura. **Dunkelziffer** *f* dati *m pl* non rilevati dalle statistiche.

dünn [dʏn] *adj* **1.** *allg.* sottile, fine; *(Stoff, Luft)* leggero; **2.** *(schlank)* snello; *(mager)* magro, scarno; **3.** *(fein)* fino. **Dünndarm** *m* intestino *m* tenue. **dünnflüssig** *adj* fluido. **Dünnsäure** *f* scarichi *m pl* industriali. **Dünnsäureverklappung** [-fɛɐ̯klapʊŋ] ⟨-, -en⟩ *f* immissione *f* abusiva (nelle acque) di scarichi industriali.

Dunst [dʊnst] ⟨-(e)s, Dünste⟩ *m* **1.** *(Nebel)* foschia *f,* nebbia *f;* **2.** *(Dampf)* vapore *m;* **3.** *(Rauch)* fumo *m.* **Dunstabzugshaube** *f* cappa *f* di estrazione.

dünsten ['dʏnstən] *tr* cucinare a vapore.

Dunstglocke *f* cappa *f* di smog.

dunstig *adj (neblig)* nebbioso, caliginoso; *(verräuchert)* fumoso, pieno di fumo.

Duplikat [dupli'ka:t] ⟨-(e)s, -e⟩ *n* duplicato *m.*

Dur [du:ɐ̯] ⟨-, ø⟩ *n* modo *m* (*o* tono *m*) maggiore; **F-~** fa *m* maggiore.

durch [dʊrç] **I.** *prp +akk* **1.** *(örtlich)* attraverso, per; **2.** *(vermittels)* per mezzo di; *(dank)* grazie a; **3.** *(infolge)* in seguito a; **~ den Fluß schwimmen** attraversare il fiume a nuoto; **~ die Nase sprechen** parlare col naso; **~ Zufall** per caso; **16 (geteilt) ~ 4** 16 diviso (per) 4; **II.** *adv:* **~ und ~** completamente; **~**

sein *(fertig)* aver finito (*mit etw.* qc); *(Hose)* essere logorato; *(Fleisch)* essere cotto; **es ist zwei Uhr** ~ sono già le due passate; **Sie dürfen hier nicht** ~ non può passare per di qua.

durch·arbeiten I. *tr* **1.** *(Buch)* studiare a fondo; **2.** *(ausarbeiten)* elaborare; **II.** *itr (ohne Unterbrechung)* lavorare senza interruzione; **die (ganze) Nacht** ~ lavorare tutta la notte. **durch·atmen** *itr* respirare profondamente.

durchaus [dʊrç'ʔaus o 'dʊrç'ʔaus] *adv* **1.** *(vollständig)* del tutto; **2.** *(unbedingt)* assolutamente; ~ **nicht** non ... affatto, per niente; **ich bin** ~ **Ihrer Meinung** sono perfettamente d'accordo con Lei.

durch·blättern ['dʊrçblɛtən] *tr,* **durchblättern** [dʊrç'blɛtən] ⟨*ohne ge-*⟩ *tr* sfogliare, scorrere (leggendo).

Durchblick *m fam:* **keinen/den** ~ **haben** non sapere niente/capirci molto.

durch·blicken *itr* **1.** *(durch etw. hindurch)* guardare attraverso; **2.** *fam (etw. verstehen)* capire; ~ **lassen** lasciare intravedere, far capire.

Durchblutung [dʊrç'blu:tʊŋ] *f* irrorazione *f* sanguigna. **Durchblutungsstörungen** *f pl* disturbi *m pl* d'irrorazione sanguigna.

durch·bohren[1] ['dʊrçbo:rən] **I.** *tr* forare da parte a parte, perforare; **II.** *rfl:* **sich** ~ penetrare forando.

durchbohren[2] [dʊrç'bo:rən] ⟨*ohne ge-*⟩ *tr* trafiggere; *(Kugel)* traforare.

durch·braten ⟨*irr*⟩ *tr* arrostire (*o* cuocere) bene; **durchgebraten** ben cotto.

durch·brechen[1] ['dʊrçbrɛçən] ⟨*irr*⟩ **I.** *tr* ⟨*haben*⟩ rompere (in due parti), spezzare in due; **II.** *itr* ⟨*sein*⟩ **1.** *(entzweibrechen)* rompersi, spezzarsi; **2.** *fig (sich zeigen)* svelarsi, mostrarsi; *(Sonne, Zahn)* spuntare, apparire.

durchbrechen[2] [dʊrç'brɛçən] ⟨*irr, ohne ge-*⟩ *tr* **1.** *(durchstoßen)* forzare, sfondare; *(Wand)* aprire un passaggio in; **2.** *fig (Prinzip, Konvention)* trasgredire, violare.

durch·brennen ⟨*irr*⟩ *itr* ⟨*sein*⟩ **1.** *(Sicherung, Glühbirne)* fulminarsi; **2.** *fig fam (ausreißen)* scappare.

durch·bringen ⟨*irr*⟩ *tr* **1.** *(Kranke)* salvare; *(ernähren)* sostentare, mantenere; **2.** *(Geld)* sperperare, scialacquare.

durchbrochen [dʊrç'brɔxən] *adj* traforato, a giorno.

Durchbruch *m* apertura *f,* breccia *f; (von Zahn)* spuntare *m;* **zum** ~ **kommen** farsi strada, affermarsi.

durch·denken ['dʊrçdɛŋkən] ⟨*irr*⟩ *tr,* **durchdenken** [dʊrç'dɛŋkən] ⟨*irr, ohne ge-*⟩ *tr* ponderare bene, approfondire.

durch·drehen I. *tr (Fleisch)* tritare; **II.** *itr* **1.** *fam (Mensch)* impazzire; **2.** *(Räder)* slittare.

durchdringen[1] [dʊrç'drɪŋən] ⟨*irr, ohne ge-*⟩ *tr* penetrare, trapassare; *(ganz eindringen in)* infiltrarsi in, impregnare; **von etw. durchdrungen** *fig* pervaso da qc.

durch·dringen[2] ['dʊrçdrɪŋən] ⟨*irr*⟩ *itr* ⟨*sein*⟩ penetrare, spingersi; *(Gerücht)* trapelare.

durch·drücken *tr* **1.** *allg.* far passare spremendo; **2.** *fig fam (durchsetzen)* far accettare; *(Plan)* far valere; *(Willen)* imporre; **die Knie** ~ stendere le gambe.

durcheinander [dʊrçʔai'nandɐ] *adv* **1.** *(ungeordnet)* sottosopra, disordinato; **2.** *fam (verwirrt)* confuso. **Durcheinander** ⟨-s, ø⟩ *n* **1.** *(Verwirrung)* confusione *f;* **2.** *(Unordnung)* disordine *m.* **durcheinander·bringen** ⟨*irr*⟩ *tr* **1.** *(in Unordnung bringen)* mettere in disordine, scompigliare; **2.** *(verwirren)* confondere; **3.** *(verwechseln)* scambiare, confondere.

durchfahren[1] [dʊrç'fa:rən] ⟨*irr, ohne ge-*⟩ *tr* **1.** *(durchqueren)* attraversare; *(Strekke)* percorrere; **2.** *fig (Schreck)* assalire, cogliere; *(Gedanke)* passare per la mente di.

durch·fahren[2] ['dʊrçfa:rən] ⟨*irr*⟩ *itr* ⟨*sein*⟩ **1.** *(hin~)* passare attraverso; **2.** *(nicht anhalten)* passare senza fermarsi; *(nicht umsteigen)* passare senza scendere; **3.** *(ohne Unterbrechung fahren)* fare una tirata.

Durchfahrt *f* **1.** *(das Durchfahren)* passaggio *m;* **2.** *(Durchreise)* transito *m;* **3.** *(Torweg)* portone *m;* **auf der** ~ **sein** essere di passaggio.

Durchfall *m* diarrea *f.*

durch·fallen ⟨*irr*⟩ *itr* ⟨*sein*⟩ **1.** *(hin~)* cadere; **2.** *fig (versagen)* non avere successo; *(bei Prüfung)* essere bocciato; *theat* fare fiasco.

durch·fließen[1] ['dʊrçfli:sən] ⟨*irr*⟩ *itr* ⟨*sein*⟩ scorrere (*durch* attraverso).

durchfließen[2] [dʊrç'fli:sən] ⟨*irr, ohne ge-*⟩ *tr* **1.** *(Fluß)* attraversare scorrendo; **2.** *phys* percorrere.

durchforschen [dʊrç'fɔrʃən] ⟨*ohne ge-*⟩ *tr* studiare, esaminare.

durch·fragen *rfl:* **sich** ~ trovare la strada chiedendo.

durchführbar *adj* eseguibile, attuabile, realizzabile.

durch·führen I. *tr* **1.** *(durchleiten)* guidare, condurre; **2.** *(ausführen)* eseguire, effettuare; *(verwirklichen)* realizzare; *(veranstalten)* organizzare; **3.** *(vollenden)* compiere, portare a termine; **II.** *itr* passare attraverso.

Durchführung *f* **1.** *(Ausführung)* esecuzione *f; (Verwirklichung)* attuazione *f,* realizzazione *f;* **2.** *(Vollendung)* compimento *m.*

Durchgang *m* **1.** *(Passage)* passaggio *m;* **2.** *(bei Produktion, Versuch)* prova *f; (bei Wahl)* tornata *f.*

durchgängig *adj* generale, corrente;

(konstant) senza eccezioni.
Durchgangsstraße *f* strada *f* di transito.
Durchgangsverkehr *m* (traffico *m* di) transito *m*.
durch·geben ⟨*irr*⟩ *tr* trasmettere.
durch·gehen ⟨*irr*⟩ **I.** *itr* ⟨*sein*⟩ **1.** *(hin~)* passare (*durch* per); **2.** *eisenb.*, *aero* andare senza fermarsi (*bis* fino a); **3.** *(Pferd)* sfuggir di mano; *(ausreißen)* scappare; **4.** *(Antrag)* essere approvato; **jdm etw. ~ lassen** lasciar passare qc a qu; **der Schrank geht nicht durch die Tür (durch)** l'armadio non passa dalla porta; **sein Temperament ging mit ihm durch** perse il controllo, non riuscì a dominarsi; **II.** *tr* ⟨*haben o sein*⟩ *(durchsehen)* percorrere; *(prüfend ~)* esaminare, controllare. **durchgehend** *adj* continuato, ininterrotto; *(Zug)* diretto; **~ geöffnet** ad orario continuato.
durch·greifen ⟨*irr*⟩ *itr* intervenire (energicamente).
durch·halten ⟨*irr*⟩ **I.** *itr* tener duro, resistere; **II.** *tr* resistere a.
durch·kämmen¹ ['dʊrçkɛmən] *tr (Haar)* pettinare bene.
durchkämmen² [dʊrç'kɛmən] ⟨*ohne ge-*⟩ *tr (Gegend)* rastrellare.
durch·kommen ⟨*irr*⟩ *itr* ⟨*sein*⟩ (riuscire a) passare; *(Zahn, Sonne)* spuntare; *(hin~)* passare attraverso; *(erfolgreich sein)* spuntarla; *(genesen)* scamparla.
durch·kreuzen¹ ['dʊrçkrɔ̯ʏtsən] *tr* cancellare con una croce.
durchkreuzen² [dʊrç'krɔ̯ʏtsən] ⟨*ohne ge-*⟩ *tr (Plan, Absicht)* intralciare, contrastare.
durch·lassen ⟨*irr*⟩ *tr* **1.** *(hin~)* lasciar passare; **2.** *fig fam (nicht rügen)* lasciar correre.
durchlässig *adj (wasser~)* che lascia passare l'acqua; *(a. fig)* permeabile, poroso; *(licht~)* trasparente, diafano.
durch·laufen¹ ['dʊrçlaufən] ⟨*irr*⟩ **I.** *itr* ⟨*sein*⟩ **1.** *(hin~)* passare correndo (*durch* attraverso); **2.** *(Flüssigkeit)* passare, colare; **II.** *tr* ⟨*haben*⟩ *(Schuhe)* consumare (a furia di camminare).
durchlaufen² [dʊrç'laufən] ⟨*irr, ohne ge-*⟩ *tr* **1.** *(Strecke)* (per)correre; *(Gebiet)* attraversare; **2.** *fig (Schauder)* pervadere, assalire; **3.** *fig (absolvieren)* compiere.
Durchlauferhitzer ⟨-s, -⟩ *m* scaldaacqua *m* istantaneo.
durch·lesen ⟨*irr*⟩ *tr* leggere.
durchleuchten [dʊrç'lɔʏçtən] ⟨*ohne ge-*⟩ *tr* **1.** *med* fare una radiografia di; **2.** *fig (analysieren)* esaminare.
durch·machen **I.** *tr* **1.** *(durchlaufen)* fare, compiere; **2.** *(erdulden)* soffrire, patire; **viel ~** *fam* passarne tante; **II.** *itr* **1.** *(durcharbeiten)* lavorare ininterrottamente; **2.** *fam (durchfeiern)* festeggiare.
Durchmesser ⟨-s, -⟩ *m* diametro *m*.
durchnäßt [dʊrç'nɛst] *adj* bagnato fradicio.
durch·nehmen ⟨*irr*⟩ *tr (im Unterricht)* trattare.
durchqueren [dʊrç'kve:rən] ⟨*ohne ge-*⟩ *tr* attraversare.
Durchreise *f* passaggio *m*; **auf der ~** di passaggio.
durch·reißen ⟨*irr*⟩ **I.** *tr* ⟨*haben*⟩ strappare, stracciare; **II.** *itr* ⟨*sein*⟩ spezzarsi.
durch·ringen ⟨*irr*⟩ *rfl:* **sich zu einer Überzeugung/einem Entschluß ~** arrivare con sforzo a una convinzione/decisione.
durch·rosten *itr* arruginirsi completamente.
Durchsage *f* comunicato *m*.
durch·sagen *tr* trasmettere, comunicare.
durch·sägen *tr* segare in due.
durchschauen [dʊrç'ʃauən] ⟨*ohne ge-*⟩ *tr (Absichten, Motive)* capire; *(Personen)* capire (*o* indovinare) le intenzioni di, smascherare.
durch·scheinen ⟨*irr*⟩ *itr* trasparire.
durchscheinend *adj* traslucido; *(transparent)* trasparente; *fig* diafano.
durch·schlafen ⟨*irr*⟩ *itr* dormire senza interruzione.
Durchschlag *m* **1.** *(Kopie)* copia *f*; **2.** *(Sieb)* setaccio *m*.
durch·schlagen¹ ['dʊrçʃla:gən] ⟨*irr*⟩ **I.** *tr* ⟨*haben*⟩ **1.** *(entzweischlagen)* spaccare; **2.** *(Nagel)* conficcare (*durch* in); **3.** *(durch Sieb)* passare; **II.** *itr* ⟨*sein*⟩ **1.** *(Geschoß)* passare (*durch* attraverso), sfondare (*durch etw.* qc); **2.** *(Nässe, Farbe)* penetrare (*durch etw.* in qc), passare (*durch etw.* qc); *fig (Temperament, Charakter, Untugend)* mostrarsi (*bei jdm* in qu); **3.** *el (Sicherung)* bruciarsi, fondersi; **III.** *rfl:* **sich ~** cavarsela.
durchschlagen² [dʊrç'ʃla:gən] ⟨*irr, ohne ge-*⟩ *tr (Geschoß)* perforare, sfondare.
durchschlagend *adj (wirksam)* efficace; *(entscheidend)* decisivo, determinante; *(überzeugend)* convincente.
durch·schleusen *tr fig* far passare.
durch·schneiden ⟨*irr*⟩ *tr* tagliare (in due).
Durchschnitt *m* media *f*; **im ~** in media. **durchschnittlich** **I.** *adj* medio; *(gewöhnlich)* ordinario; **II.** *adv* in media.
Durchschnittsalter *n* età *f* media. **Durchschnittseinkommen** *n* reddito *m* medio. **Durchschnittsgeschwindigkeit** *f* velocità *f* media.
Durchschrift *f* copia *f* (carbone).
durch·schwitzen *tr* bagnare di sudore.
durch·sehen ⟨*irr*⟩ **I.** *itr* guardare attraverso; **II.** *tr* **1.** *(flüchtig ~)* scorrere, dare un'occhiata a; **2.** *(prüfen)* verificare, controllare.
durch·setzen¹ ['dʊrçzɛtsən] **I.** *tr (Willen)* imporre; *(Gesetz)* far approvare (*o* passare); **es ~, daß ...** ottenere che *+congv;* **II.** *rfl:* **sich ~** **1.** *(Mensch)* imporsi, affermarsi; **2.** *fig* farsi strada.

durchsetzen² [dʊrçˈzɛt͡sən] ⟨*ohne ge-*⟩ *tr:* **etw. mit etw.** ~ mescolare qc con qc.
Durchsetzungsvermögen ⟨-s, ø⟩ *n* capacità *f* di imporsi.
durchseuchen ⟨*ohne ge-*⟩ *tr (Gebiet)* appestare, contaminare.
Durchsicht *f* verifica *f; (Prüfung)* esame *m;* **zur** ~ in esame.
durchsichtig *adj* trasparente; *(Flüssigkeit)* limpido.
durch·sickern *itr* ⟨*sein*⟩ *fig (Nachricht, Geheimnis)* trapelare.
durch·sprechen ⟨*irr*⟩ *tr* discutere, trattare.
durch·stehen ⟨*irr*⟩ *tr* sopportare, superare.
durch·stoßen¹ [ˈdʊrçʃtoːsən] ⟨*irr*⟩ **I.** *itr* ⟨*sein*⟩ penetrare, avanzare; **II.** *tr* ⟨*haben*⟩ *(abnutzen)* consumare, logorare.
durchstoßen² [dʊrçˈʃtoːsən] ⟨*irr, ohne ge-*⟩ *tr* sfondare, rompere.
durch·streichen ⟨*irr*⟩ *tr* **1.** *(Geschriebenes)* cancellare; **2.** *(durch Sieb)* passare.
durchsuchen [dʊrçˈzuːxən] ⟨*ohne ge-*⟩ *tr* frugare; *(bes. amtlich)* perquisire (*nach* in cerca di).
Durchsuchung [dʊrçˈzuːxʊŋ] ⟨-, -en⟩ *f* perquisizione *f.* **Durchsuchungsbefehl** *m* mandato *m* (*o* ordine *m*) di perquisizione.
durch·treten ⟨*irr*⟩ *tr (Schuhsohlen, Fußboden)* consumare; *(Gaspedal)* premere a fondo.
durchtrieben [dʊrçˈtriːbən] *adj* scaltro, astuto. **Durchtriebenheit** ⟨-, ø⟩ *f* scaltrezza *f,* astuzia *f.*
durchwachsen [dʊrçˈvaksən] *adj* **1.** *(Fleisch)* misto di grasso e di magro; **2.** *fam scherz (mittelmäßig)* così così *fam.*
Durchwahlnummer *f* numero *m* diretto.
durchweg(s) [ˈdʊrçvɛk (...veːks) *o* ...ˈvɛk (...ˈveːks)] *adv* **1.** *(in allen Fällen)* sempre e dappertutto; **2.** *(gänzlich)* del tutto, completamente; **3.** *(ausnahmslos)* senza eccezione.
durch·winken ⟨*irr*⟩ *tr:* **jdn an der Grenze** ~ fare cenno a qu di passare (senza controllare).
durch·ziehen¹ [ˈdʊrçt͡siːən] ⟨*irr*⟩ *tr* **1.** infilare, (far) passare; **2.** *fam (beenden, erledigen)* terminare, fare.
durchziehen² [dʊrçˈt͡siːən] ⟨*irr, ohne ge-*⟩ *tr (Land)* percorrere; *(linienförmig)* solcare.
Durchzug *m* **1.** *(Passage)* passaggio *m;* **2.** *(Zugluft)* corrente *f* d'aria.
dürfen [ˈdʏrfən] ⟨darf, durfte, gedurft *o modales Hilfsverb* dürfen⟩ *itr* potere; *(in verneinten Sätzen)* dovere; *(Erlaubnis haben)* essere permesso; *(berechtigt sein)* essere autorizzato; **das dürfte stimmen** dovrebbe essere giusto; **wenn ich bitten darf** per favore; **das darf doch (wohl) nicht wahr sein!** non è possibile!; **darf ich?** è permesso?, permette?; **was darf es sein?** (cosa) desidera?
dürftig [ˈdʏrftɪç] *adj* **1.** *(armselig)* misero, povero; **2.** *(ungenügend)* scarso, insufficiente.
dürr [dʏr] *adj* **1.** *(vertrocknet)* secco; **2.** *pej (mager)* magro, scarno.
Dürre ⟨-, -n⟩ *f (Trockenheit)* secchezza *f; (Periode)* siccità *f.*
Durst [dʊrst] ⟨-(e)s, ø⟩ *m* sete *f* (*nach* di); **einen über den ~ trinken** *fam* alzare un po' il gomito.
dürsten [ˈdʏrstən] *tr, itr (a. fig)* avere sete (*nach* di).
durstig *adj* assetato (*nach* di); ~ **machen** metter sete a.
durstlöschend, durststillend *adj* dissetante. **Durststrecke** *f fig* tempi *m pl* di magra.
Dusche [ˈdʊʃə *o* ˈduːʃə] ⟨-, -n⟩ *f* doccia *f;* **kalte** ~ *(a. fig)* doccia fredda; **eine ~ nehmen** fare (*o* farsi) una doccia.
duschen I. *itr, rfl:* **sich** ~ fare (*o* farsi) la doccia; **II.** *tr* fare la doccia a.
Duschgel [ˈdʊʃgeːl] ⟨-s, -s⟩ *n* docciaschiuma *f,* gel *m* da doccia. **Duschhaube** *f* cuffia *f* (per fare la doccia). **Duschkabine** *f* cabina *f* della doccia. **Duschvorhang** *m* tenda *f* per doccia.
Düse [ˈdyːzə] ⟨-, -n⟩ *f* **1.** *(von Rohrleitung)* ugello *m;* **2.** *mot* iniettore *m;* **3.** *(Zerstäubungs~)* spruzzatore *m.*
düsen *itr fam* precipitarsi.
Düsenantrieb *m aero* propulsione *f* a reazione; **mit** ~ a reazione. **Düsenflugzeug** *n* aereo *m* a reazione.
düster [ˈdyːstɐ] *adj* **1.** *(dunkel)* (o)scuro; *(Farben, fig)* cupo; **2.** *fig (Gedanken)* fosco; *(Zukunft)* triste.
Duty-free-Shop [ˈdjuːtɪˈfriːˈʃɔp] ⟨-s, -s⟩ *m* duty free shop *m.*
Dutzend [ˈdʊt͡sənt] ⟨-s, -e⟩ *n* (*abk* **Dtzd.**) dozzina *f;* **~e** *(viele)* molti; **im ~ billiger** con sconto sulla dozzina; **zu ~en** a dozzine. **dutzendemal** [ˈdʊt͡səndəˈmaːl] *adv* decine di volte. **dutzendweise** *adv* a dozzine.
duzen [ˈduːt͡sən] *tr* dare del tu a; **sich** ~ darsi del tu.
DV [deːˈfau̯] ⟨-, ø⟩ *f abk von* **Datenverarbeitung** ED (*abbr di* elaborazione dati).
Dynamik [dyˈnaːmɪk] ⟨-, ø⟩ *f* dinamica *f.*
dynamisch *adj* dinamico.
Dynamit [dynaˈmiːt *o* ...ˈmɪt] ⟨-s, ø⟩ *n* dinamite *f.*
Dynamo(maschine *f*) [dyˈnaːmo- *o* ˈdyːnamo-] ⟨-s, -s⟩ *m* dinamo *f.*
Dynastie [dynasˈtiː] ⟨-, -n⟩ *f* dinastia *f.*
dz *abk von* **Doppelzentner** q (*abbr di* quintale).
D-Zug [ˈdeː-] *m* ≃ Espr. (*abbr di* espresso).

E

E, e [e:] ⟨-, -(s)⟩ *n* **1.** *(Buchstabe)* E, e *f;* **2.** *mus* mi *m;* **E wie Emil** E come Empoli.

E 1. *abk von* **Eilzug** ≃ D, Dir. (*abbr di* diretto); **2.** *abk von* **Europastraße** E (*abbr di* itinerario europeo).

EAN-Code [e:a:'ɛn-] ⟨-s, ø⟩ *m* codifica *f* (a barre) europea dei prodotti.

Eau de toilette ['o: də toa'lɛt] ⟨-, Eaux de toilette⟩ *n* acqua *f* da toilette.

Ebbe ['ɛbə] ⟨-, -n⟩ *f* bassa marea *f;* **es ist** ~ la marea è bassa.

eben ['e:bən] **I.** *adj* piano; *(flach)* piatto; **zu ~er Erde** a pianterreno; **II.** *adv* **1.** *(zeitlich: so~)* appena, proprio ora; **2.** *(genau, nun einmal)* proprio; **3.** *(gerade noch)* appunto, proprio, infatti; **ich konnte den Bus ~ noch erreichen** presi l'autobus proprio per un pelo; **ich wollte ~ sagen ...** stavo per dire ...; **komm mal ~** vieni appunto; **(na) ~!** appunto!

Ebenbild *n* immagine *f,* ritratto *m;* **er ist das ~ seines Vaters** è il ritratto vivente di suo padre. **ebenbürtig** [-bʏrtɪç] *adj* **1.** *(von gleicher Geburt)* eguale per nascita; **2.** *(gleichwertig)* eguale, pari; **sie ist ihm ~** vale quanto lui.

Ebene ['e:bənə] ⟨-, n⟩ *f* pianura *f; fig* livello *m; mat* piano *m.*

ebenerdig *adj* a livello del suolo; *(im Erdgeschoß)* a pianterreno. **ebenfalls** *adv* **1.** *(auch)* anche; *(bei Verneinungen)* neanche, nemmeno; **2.** *(gleichfalls)* altrettanto. **Ebenholz** *n* (legno *m* di) ebano *m.*

ebenso *adv* **1.** *(genauso)* allo stesso modo, ugualmente; **2.** *(ebenfalls)* altrettanto; ~ **wie** così come; ~ **... wie ...** tanto ... quanto ... **ebensogut** *adv* altrettanto bene; ~ **könnte man sagen, daß** tanto varrebbe dire che. **ebensooft** *adv* così spesso. **ebensosehr, ebensoviel** *adv* altrettanto (*wie* che). **ebensowenig** *adv* tanto poco (*wie* quanto).

Eber ['e:bɐ] ⟨-s, -⟩ *m* cinghiale *m.* **Eberesche** *f* sorbo *m.*

Eberhard ['e:bɐhart] *(männlicher Vorname)* Everardo.

ebnen ['e:bnən] *tr* appianare, livellare; **jdm den Weg ~** spianare la strada a qu.

ec [e:tse:] *abk von* Eurocheque *m* eurocheque *m.*

EC [e:tse:] *abk von* **Eurocity(-Zug)** *m* (treno *m*) eurocity *m.*

Echo ['ɛço] ⟨-s, -s⟩ *n* eco *f o m.* **Echographie** [ɛçogra'fi:] ⟨-, n⟩ *f med* ecografia *f.*

Echse ['ɛksə] ⟨-, -n⟩ *f* sauro *m.*

echt [ɛçt] **I.** *adj* **1.** *allg.* vero; *(Haar)* naturale; *(Urkunde)* autentico; **2.** *fig* schietto; *(Gefühle)* sincero; *(typisch)* tipico, vero, autentico; **II.** *adv fam* veramente, realmente; **(meinst du das) ~?** lo dici sul serio?. **Echtheit** ⟨-, ø⟩ *f* **1.** *allg.* genuinità *f; (von Urkunde)* autenticità *f;* **2.** *fig* sincerità *f,* schiettezza *f.*

Eck [ɛk] ⟨-(e)s, -e *o süddeutsch, A* -en⟩ *n s.* **Ecke; über ~** in senso diagonale. **Eckball** *m* calcio *m* d'angolo. **Eckbank** *f* panca *f* ad angolo.

Ecke ⟨-, -n⟩ *f* **1.** *allg.* angolo *m; sport (Fußball)* calcio *m* d'angolo; **2.** *(Spitze)* spigolo *m;* **3.** *(Käse~)* pezzo *m;* **Augustenstraße ~ Schwabstraße** angolo Augustenstraße – Schwabstraße; **an allen ~n und Enden** dappertutto, ovunque; **jdn um die ~ bringen** *fig fam* far fuori qu *fam.*

eckig *adj* angolare; *(bes. Körper)* angoloso; *fig (Bewegung)* goffo; **~e Klammern** *typ* parentesi *f* quadra.

Ecklohn *m* salario *m* di riferimento. **Eckstein** *m* **1.** *arch* pietra *f* angolare; **2.** *(Kartenfarbe)* quadri *m pl.* **Eckzahn** *m* (dente *m*) canino *m.* **Eckzins** *m fin* interesse *m* di riferimento.

Economyklasse [ɪ'kɔnəmɪ-] *f* classe *f* turistica.

ECU [e'ky:] ⟨-, -⟩ *m akr von* **European Currency Unit** ECU *m.*

edel ['e:dəl] *adj* **1.** *(Mensch, Tat)* nobile; **2.** *(kostbar)* pregiato. **Edelgas** *n* gas *m* nobile. **Edelmann** ⟨-es, -leute⟩ *m* nobile *m,* gentiluomo *m.* **Edelmetall** *n* metallo *m* prezioso. **Edelmut** *m* nobilità *f* (di animo *o* di cuore). **Edelstahl** *m* acciaio *m* temperato. **Edelstein** *m* pietra *f* preziosa; *(geschliffener ~)* gemma *f.* **Edelweiß** ⟨-(es), -(e)⟩ *n* stella *f* alpina.

Edikt [e'dɪkt] ⟨-(e)s -e⟩ *n* editto *m.*

editieren ⟨*ohne ge-*⟩ *tr* editare.

Edition [edi'tsio:n] ⟨-, -en⟩ *f* (*abk* **Ed.**) edizione *f.*

Editor ['e:ditɔr] ⟨-s, -en⟩ *m inform* editor *m.*

Eduard ['e:duart] *(männlicher Vorname)* Edoardo.

EDV [e:de:'fau] ⟨-, ø⟩ *f abk von* **Elektronische Datenverarbeitung** E.E.D. (*abbr di* elaborazione elettronica dati). **EDV-Anlage** *f* impianto *m* di E.E.D. **EDV-Branche** *f* settore *m* informatico (*o* dell'informatica).

EEG [e:e:'ge:] ⟨-s, -e⟩ *n abk von* **Elektroenzephalogramm** elettroencefalo-

gramma *m.*
Efeu ['e:fɔy] ⟨-s, ø⟩ *m* edera *f.*
Effeff [ɛf'ʔɛf] ⟨-, ø⟩ *n fam:* **etw. aus dem ~ beherrschen (*o* können)** conoscere qc a menadito.
Effekt [ɛ'fɛkt] ⟨-(e)s, -e⟩ *m* effetto *m.* **Effekthascherei** [-haʃə'rai] ⟨-, -en⟩ *f pej* pura ricerca *f* dell'effetto.
effektiv [ɛfɛk'ti:f] **I.** *adj* **1.** *(wirksam)* efficace; **2.** *(wirklich, tatsächlich)* effettivo, reale; **II.** *adv* veramente. **Effektivität** [...tivi'tɛ:t] ⟨-, ø⟩ *f* effettività *f.*
effizient [ɛfi'tsiɛnt] *adj* efficiente.
EFTA ['efta] ⟨-, ø⟩ *f akr von* **European Free Trade Area** EFTA *f.*
EG [e:'ge:] ⟨-, ø⟩ *f abk von* **Europäische Gemeinschaft** *hist* C.E. *f* (*abbr di* Comunità Europea).
egal [e'ga:l] *adj* **1.** *(gleichartig)* uguale, identico; **2.** *fam (gleichgültig)* non importante; **das ist ~** *fam* è lo stesso; **das ist mir ganz ~** *fam* non me ne importa nulla.
Egge ['ɛgə] ⟨-, -n⟩ *f* erpice *m.*
Egoismus [ego'ɪsmʊs] ⟨-, ø⟩ *m* egoismo *m.*
Egoist(in) [...'ɪst(ɪn)] ⟨-en, -en⟩ *m(f)* egoista *mf.*
egoistisch *adj* egoistico, egoista.
ehe ['e:ə] *konj* prima che *+congv,* prima di *+inf.*
Ehe ⟨-, -n⟩ *f* matrimonio *m;* **wilde ~** concubinato *m;* **ein Kind aus erster/zweiter ~** un figlio di primo/secondo letto; **die ~ brechen** commettere adulterio. **eheähnlich** *adj:* **~e Gemeinschaft** convivenza *f.* **Eheberater(in)** *m(f)* consulente *mf* matrimoniale. **Eheberatung** *f* **1.** *(das Beraten)* consulenza *f* (pre)matrimoniale; **2.** *(~sstelle)* consultorio *m* matrimoniale. **Ehebett** *n* letto *m* matrimoniale. **Ehebrecher(in)** ⟨-s, -⟩ *m(f)* adultero, -a *m, f.* **Ehebruch** *m* adulterio *m.* **Ehefrau** *f* moglie *f.* **Ehekrach** *m* lite *f* fra coniugi. **Eheleute** ⟨*pl*⟩ coniugi *m pl.* **ehelich** *adj* coniugale; *(bes. jur, in bezug auf den Ehemann)* maritale; *(Kind)* legittimo.
ehemalig *adj* ex, di una volta; **mein E~er** *scherz* il mio ex. **ehemals** *adv* un tempo, in passato.
Ehemann *m* marito *m.* **Ehepaar** *n* (coppia *f* di) coniugi *m pl,* sposi *m pl.* **Ehepartner** *m* consorte *mf,* sposo, -a *m, f.*
eher ['e:ɐ] *adv* **1.** *(früher)* prima, più presto; **2.** *(lieber)* meglio; *(a. vielmehr)* piuttosto; **je ~, desto besser** quanto prima, tanto meglio; **nicht ~ als (*o* bis)** non prima che *+congv.*
Ehering *m* fede *f.* **Ehescheidung** *f* divorzio *m.* **Eheschließung** *f geh* (celebrazione *f* del) matrimonio *m.* **Ehevermittlungsinstitut** *n* agenzia *f* matrimoniale.
ehrbar *adj* **1.** *(Mensch)* onorato, stimato, rispettato; *(ehrenwert)* rispettabile; **2.** *(Benehmen)* onesto, decente, dignitoso.
Ehre ['e:rə] ⟨-, -n⟩ *f* onore *m; (Ruhm)* onori *m pl; (Berufs~, Ehrgefühl)* prestigio *m;* **sich** *(dat)* **die ~ geben** avere l'onore, pregiarsi; **der Wahrheit die ~ geben** rendere omaggio alla verità; **jdn in ~n halten** tenere qu in grande considerazione; **auf ~ und Gewissen** sull'onore ed in piena coscienza; **jdm zu ~n** in onore di qu; **zu ~n von ...** in onore di ..; **seine Meinung in allen ~n, aber ...** sarà come dice lui, ma ...; **was verschafft mir die ~?** a che debbo l'onore?; **mit wem habe ich die ~?** con chi ho l'onore di parlare?
ehren *tr* **1.** *(ver~)* onorare, rendere onore a; **2.** *(achten)* onorare, rispettare.
Ehrenamt *n* carica *f* onorifica. **ehrenamtlich I.** *adj* onorario; **II.** *adv* a titolo onorario. **Ehrenbürger(in)** *m(f)* cittadino, -a *m, f* onorario, -a. **Ehrendoktor** *m* dottore *m* honoris causa. **ehrenhaft I.** *adj* onesto; **II.** *adv* con onore. **Ehrenmann** *m* uomo *m* d'onore, galantuomo *m.* **Ehrenplatz** *m* posto *m* d'onore. **Ehrenrettung** *f* riabilitazione *f.* **Ehrenrunde** *f* giro *m* d'onore. **Ehrensache** *f* questione *f* d'onore; **~!** *fam* parola d'onore!. **Ehrentag** *m* **1.** *(Gedenktag)* giornata *f* commemorativa; **2.** *(besonderer Tag)* gran giorno *m.* **Ehrenurkunde** *f* attestato *m* di benemerenza. **ehrenwert** *adj* onorato, rispettabile, stimato. **Ehrenwort** ⟨-(e)s, -e⟩ *n* parola *f* (d'onore); **~!** *fam* parola (d'onore)!
ehrerbietig ['e:ɐ̯ʔɛɐ̯bi:tɪç] *adj geh* rispettoso. **Ehrfurcht** *f* **1.** *(Verehrung)* venerazione *f* (*vor +dat* per); **2.** *(Achtung)* (profondo) rispetto *m* (*vor +dat* di, per); **aus ~ vor** *+dat* per rispetto di. **ehrfürchtig** ['e:ɐ̯fʏrçtɪç], **ehrfurchtsvoll** *adj* rispettoso, riverente. **Ehrgefühl** *n* (senso *m* dell') onore *m; (Stolz)* amor *m* proprio. **Ehrgeiz** *m* ambizione *f.* **ehrgeizig** *adj* ambizioso.
ehrlich I. *adj* onesto; *(rechtschaffen)* retto, leale; *(aufrichtig)* sincero; **~ währt am längsten** *prov* chi va diritto non fallisce strada *prov;* **II.** *adv* onestamente, francamente, sinceramente; **es ~ meinen** essere in buona fede; **~ gesagt (*o* gestanden)** a dire il vero; **das ist ~ wahr** *fam* è proprio vero. **Ehrlichkeit** ⟨-, ø⟩ *f* onestà *f,* probità *f; (Aufrichtigkeit)* sincerità *f,* schiettezza *f,* franchezza *f.*
ehrlos *adj* disonesto; *(gemein)* vile. **Ehrlosigkeit** ⟨-, ø⟩ *f* disonestà *f; (Gemeinheit)* viltà *f.*
Ehrung ⟨-, -en⟩ *f* onore *m,* omaggio *m.*
Ehrwürden: **Euer ~!** reverendo!. **ehrwürdig** *adj* venerabile, rispettabile; *(Alter)* venerando; *(Geistlicher)* reverendo.
Ei [ai] ⟨-(e)s, -er⟩ *n* **1.** uovo *m;* **2.** *biol* ovulo *m;* **3.** ⟨*pl*⟩ *sl (Mark)* marchi *m pl;* **4.** ⟨*pl*⟩ *sl (Hoden)* palle *f pl sl;* **jdn wie**

ein rohes ~ behandeln trattare qu coi guanti; **sich** *(dat)* **gleichen wie ein ~ dem anderen** assomigliarsi come due gocce d'acqua; **wie aus dem ~ gepellt sein** *fam* essere tutto agghindato; **ach, du dickes ~!** *fam* accidenti! *fam;* **~er von freilaufenden Hühnern** uova di galline ruspanti; **nicht gerade das Gelbe vom ~ sein** *fig* non essere proprio il meglio.

Eibe ['aibə] ⟨-, -n⟩ *f* tasso *m.*

Eichamt *n* ufficio *m* di (verifica di) pesi e misure.

Eiche ['aiçə] ⟨-, -n⟩ *f* quercia *f.*

Eichel ['aiçəl] ⟨-, -n⟩ *f* **1.** *bot* ghianda *f;* **2.** *anat* glande *m.* **Eichelhäher** [-hɛ:ɐ] ⟨-s, -⟩ *m* ghiandaia *f.*

eichen ['aiçən] *tr (Meßgeräte)* tarare; *(Gefäße)* stazzare; *(Maß)* verificare.

Eichhörnchen ['aiçhœrnçən] ⟨-s, -⟩ *n* scoiattolo *m.*

Eid [ait] ⟨-(e)s, -e⟩ *m* giuramento *m;* **an ~es Statt** in vece (*o* in luogo) del giuramento. **eidbrüchig** *adj* spergiuro.

Eidechse ['aidɛksə] *f* lucertola *f.*

eidesstattlich *adj:* **~e Erklärung** dichiarazione *f* in luogo del giuramento.

Eidgenossenschaft *f:* **Schweizerische ~** Confederazione *f* elvetica.

Eierbecher *m* portauovo *m.* **Eierkocher** *m* apparecchio *m* per far bollire le uova. **Eierkopf** *m fam pej* **1.** *(Intellektueller)* testa *f* d'uovo; **2.** *(eiförmiger Kopf)* pera *f fam.* **Eierkuchen** *m* omelette *f.* **Eierlikör** *m* liquore *m* all'uovo. **Eierlöffel** *m* cucchiaino *m* per uova.

eiern *itr fam* **1.** ⟨*haben*⟩ *(Rad, Schallplatte)* girare oscillando; **2.** ⟨*sein*⟩ *(wakkelnd gehen)* barcollare.

Eierschale *f* guscio *m* d'uovo. **Eierstock** *m* ovaia *f.* **Eieruhr** *f* clessidra *f* per uova.

Eifer ['aifɐ] ⟨-s, ø⟩ *m* zelo *m; (Inbrunst)* fervore *m; (Begeisterung)* entusiasmo *m;* **im ~ des Gefechts** nel calore della mischia; **blinder ~ schadet nur** *prov* il troppo zelo nuoce *prov.*

Eifersucht *f* gelosia *f.* **eifersüchtig** *adj* geloso (*auf +akk* di); **jdn ~ machen** far ingelosire qu.

eifrig ['aifrıç] **I.** *adj* zelante, diligente; *(inbrünstig)* fervido; *(unermüdlich)* assiduo, instancabile; **II.** *adv* con zelo.

Eigelb *n* tuorlo *m* (*o* rosso *m*) d'uovo.

eigen ['aigən] *adj* **1.** *(gehörig zu)* proprio; **2.** *(gesondert)* a parte, separato; *(selbständig)* indipendente; **3.** *(typisch)* tipico (*jdm/einer S. (dat)* di qu/qc), particolare (*jdm/einer S. (dat)* di qu/qc); **4.** *(~artig)* singolare, strano; **sich** *(dat)* **etw. zu ~ machen** appropriarsi di qc; **etw. sein ~ nennen** *geh* possedere qc; **mit der ihr ~en Disziplin** con la disciplina che le è propria.

Eigenart *f* particolarità *f,* tratto *m* caratteristico; *(Sonderbarkeit)* stranezza *f.* **eigenartig** *adj (sonderbar)* strano, singolare. **Eigenbedarf** *m* fabbisogno *m* proprio, bisogno *m* proprio. **Eigenbrötler(in)** [-brø:tlɐ (...ərın)] ⟨-s, -⟩ *m(f) pej* misantropo *m.* **eigenhändig** [-hɛndıç] *adj, adv* di propria mano; *(Schriftstück)* di proprio pugno. **Eigenheim** *n* casa *f* in proprietà. **Eigenkapital** *n* capitale *m* proprio (*o* d'esercizio), patrimonio *m* netto (di una società). **Eigenliebe** *f* amor *m* proprio. **eigenmächtig I.** *adj* arbitrario; **II.** *adv* di propria iniziativa, arbitrariamente. **Eigenname** *m* nome *m* proprio. **eigennützig** [-nʏtsıç] **I.** *adj* interessato, egoistico; **II.** *adv* per interesse, egoisticamente.

eigens *adv* appositamente, espressamente.

Eigenschaft ⟨-, -en⟩ *f* qualità *f; (Merkmal)* caratteristica *f; wissensch.* proprietà *f; biol* carattere *m;* **in seiner ~ als** in qualità di. **Eigenschaftswort** ⟨-(e)s, -wörter⟩ *n* aggettivo *m.*

Eigensinn *m* caparbietà *f,* ostinazione *f.* **eigensinnig** *adj* caparbio, ostinato.

eigentlich ['aigəntlıç] **I.** *adj* **1.** *(wirklich, wahr)* vero, proprio; *(Bedeutung)* letterale; **2.** *(ursprünglich)* originale; **II.** *adv* propriamente, veramente; *(in Wirklichkeit)* in realtà; *(im Grunde)* in fondo; *(überhaupt)* insomma; **was willst du ~?** insomma, cosa vuoi?

Eigentor *n* autorete *f,* autogol *m;* **ein ~ schießen** *fig* darsi la zappa sui piedi.

Eigentum ⟨-s, ø⟩ *n* proprietà *f;* **geistiges ~** proprietà intellettuale. **Eigentümer(in)** ['aigənty:mɐ (...ərın)] ⟨-s, -⟩ *m(f)* proprietario, -a *m, f.*

eigentümlich ['aigənty:mlıç] *adj* strano, peculiare. **Eigentümlichkeit** ⟨-, -en⟩ *f* **1.** *(Charakterzug)* particolarità *f,* caratteristica *f;* **2.** *(Merkwürdigkeit)* stranezza *f.*

Eigentumswohnung *f* appartamento *m* in condominio.

eigenwillig *adj* **1.** *(eigensinnig)* ostinato, caparbio; **2.** *(unkonventionell)* eccentrico.

eignen ['aignən] *rfl:* **sich ~** essere adatto (*o* idoneo) (*für, zu* a, *als* come).

Eignung ⟨-, -en⟩ *f* idoneità *f.* **Eignungsprüfung** *f,* **-test** *m* esame *m* di idoneità.

Eilbote *m* fattorino *m* degli espressi; **per ~n!** per espresso. **Eilbrief** *m* (lettera *f*) espresso *m.*

Eile ['ailə] ⟨-, ø⟩ *f* **1.** *(Hast)* fretta *f;* **2.** *(Schnelligkeit)* velocità *f;* **3.** *(Dringlichkeit)* urgenza *f;* **~ haben** *(Personen)* avere fretta; *(Sachen)* essere urgente.

Eileiter *m* ovidotto *m,* tuba *f.*

eilen *itr* **1.** ⟨*sein*⟩ *(Mensch)* andare in fretta, andare di corsa *fam; poet (Zeit)* passare in fretta; **2.** ⟨*haben*⟩ *(dringend sein)* premere, essere urgente; **jdm zu Hilfe ~** accorrere in aiuto di qu; **damit**

eilt es nicht non c'è fretta (per questo); **eilt!** *(auf Postsendungen)* urgente.

Eilgut *n* merce *f* a grande velocità.

eilig *adj* **1.** *(schnell)* frettoloso, affrettato; **2.** *(dringend)* urgente; **es ~ haben** avere fretta (*mit* di).

Eilsendung *f* spedizione *f* per espresso. **Eilzustellung** *f* posta *f* celere. **Eilzug** *m* (treno *m*) diretto *m*.

Eimer ['aimɐ] ⟨-s, -⟩ *m* secchio *m;* **im ~** *fam* andato a monte *fam.*

ein[1]**, eine, ein** [ain, 'ainə] **I.** *num* uno, -a *m, f; s. a. eins;* **~ und derselbe/dieselbe/dasselbe** lo stesso/la stessa/lo stesso, la stessa cosa; **~ für allemal** una volta per sempre; **jds ~ und alles sein** essere tutto per qu; **in ~em fort** continuamente; **es ist ~ Uhr** è l'una; **II.** *pron:* **~e(r), ~(e)s** uno, -a *m, f;* **~en trinken** *fam* bersi un bicchierino *fam;* **jdm ~e kleben** *fam* dare uno schiaffo a qu; **was für ~er/~e/~(e)s?** *fam* quale?; **du bist (mir) ~er!** *fam* sei un bel tipo! *fam;* **darauf soll ~er kommen!** *fam* ci si deve proprio arrivare!; **sieh mal ~er an!** *fam* guarda qua! *fam;* **~s sag' ich dir!** *fam* ti dico una cosa; **noch ~s, bevor ich's vergesse!** ancora una cosa, prima che me ne dimentichi!; **III.** *unbest art* un(o) *m;* una *f,* un' *f.*

ein[2] [ain] *adv* **1.** *(auf Geräten)* acceso; **2.** *(hin~, her~)* avanti; **bei jdm ~ und aus gehen** essere di casa da qu; **nicht mehr ~ noch aus wissen** non saper che pesci pigliare.

Ein-, ein- *s. a. Vier-, vier-.* **Einakter** ⟨-s, -⟩ *m* atto *m* unico.

einander [ai'nandɐ] *pron* l'uno l'altro, l'uno all'altro, reciprocamente.

ein·arbeiten I. *tr* **1.** *(Lehrlinge, neue Mitarbeiter)* iniziare (*in +akk* in), introdurre (*in +akk* in); **2.** *(einfügen)* inserire, introdurre; **II.** *rfl:* **sich ~** far pratica (*in +akk* in), impratichirsi (*in +akk* di).

Einarbeitungszeit *f* periodo *m* di pratica.

einarmig *adj* a un (solo) braccio; *(Mensch)* monco di un braccio.

ein·äschern ['ain?ɛʃɐn] *tr* cremare.

Einäscherung ⟨-, -en⟩ *f* cremazione *f.*

ein·atmen *tr* inspirare, respirare.

einäugig ['ain?ɔygɪç] *adj* monocolo, con un occhio solo.

Einbahnstraße *f* strada *f (o* via *f)* a senso unico, senso *m* unico.

Einband ⟨-(e)s, -bände⟩ *m* copertina *f.*

einbändig ['ainbɛndɪç] *adj* in un solo volume.

Einbau ⟨-(e)s, -ten⟩ *m* montaggio *m,* installazione *f; fig* inserimento *m.*

ein·bauen *tr (hin~)* installare; *fig* inserire; *(montieren)* montare.

Einbauküche *f* cucina *f* americana, cucina *f* componibile.

Einbaum *m* piroga *f.*

Einbaumöbel *n pl* mobilia *f* a muro.

Einbauschrank *m* armadio *m* a muro.

ein·berufen ⟨*irr, ohne ge-*⟩ *tr* convocare; *mil* chiamare alle armi.

Einberufung *f* convocazione *f; mil* chiamata *f* alle armi.

ein·betonieren ⟨*ohne ge-*⟩ *tr* incassare.

Einbettzimmer *n* camera *f* ad un letto, singola *f.*

ein·beulen *tr* ammaccare, acciaccare.

ein·biegen ⟨*irr*⟩ **I.** *itr* ⟨*sein*⟩ svoltare; **II.** *tr* ⟨*haben*⟩ *(verbiegen)* piegare in dentro.

ein·bilden *rfl:* **sich** *(dat)* **~ 1.** *(sich vorstellen)* immaginarsi, figurarsi; **2.** *(glauben)* credere, pensare; **ein eingebildeter Kranker** un malato immaginario; **sich** *(dat)* **etw./nichts auf etw.** *(akk)* **~** darsi/non darsi delle arie per qc *fam;* **ich bilde mir nicht ein, die beste Ehefrau zu sein** non pretendo di essere la moglie migliore; **was bildest du dir eigentlich ein?** *fam* ma cosa credi?; **bilde dir nicht ein, daß ...** non illuderti che ... *+congv.*

Einbildung *f* **1.** *(Vorstellung)* immaginazione *f; (falsche Vorstellung)* idea *f,* fissazione *f; (Trugbild)* illusione *f;* **2.** *(Überheblichkeit)* presunzione *f.* **Einbildungskraft** *f* immaginazione *f,* fantasia *f.*

ein·blenden *tr* aprire in dissolvenza.

Einblick *m:* **sich** *(dat)* **~ in etw.** *(akk)* **verschaffen** prendere visione di qc; **einen ~ in etw.** *(akk)* **gewinnen** farsi un'idea di qc; **~ in etw.** *(akk)* **haben** avere conoscenza di qc.

ein·brechen ⟨*irr*⟩ **I.** *itr* **1.** ⟨*sein*⟩ *(einstürzen)* crollare; *(durchbrechen)* sprofondare; **2.** ⟨*a. haben*⟩ *(Einbruch verüben)* fare un furto, rubare; **3.** ⟨*sein*⟩ *(einfallen)* irrompere, far irruzione; **4.** ⟨*sein*⟩ *(beginnen)* calare; **bei uns ist eingebrochen worden** hanno rubato da noi; **II.** *tr* ⟨*haben*⟩ sfondare, bucare.

Einbrecher(in) ⟨-s, -⟩ *m(f)* scassinatore, -trice *m, f.*

Einbrettski *m* monosci *m.*

ein·bringen ⟨*irr*⟩ **I.** *tr* **1.** *(Geld)* rendere; *(Nutzen, Zinsen)* fruttare; **2.** *(Gesetzesantrag)* presentare; **3.** *(fig: integrieren)* integrare; **II.** *rfl:* **sich ~** integrarsi (*in +akk* in); **jdm etw. ~** rendere qc a qc; **das bringt nichts ein** non rende niente, non vale la pena.

ein·brocken *tr (Brot)* spezzettare; **sich** *(dat)* **eine schöne Suppe ~** *fam* mettersi in un bell'impiccio.

Einbruch *m* **1.** *(in Haus)* scasso *m; (in Land)* invasione *f;* **2.** *(Einsturz)* crollo *m;* **3.** *fig (von Nacht)* calare *m.* **einbruch(s)sicher** *adj* a prova di scasso, antifurto.

ein·bürgern I. *tr* naturalizzare; **II.** *rfl:* **sich ~** naturalizzarsi; *fig* diventare corrente (*o* di uso comune).

Einbuße *f* perdita *f* (*an +dat* di).

ein·büßen *tr* perdere, rimetterci.
ein·checken ['ai̯n'tsɛkn] *itr (am Flughafen)* fare il check-in.
ein·cremen *tr* spalmare la crema su; **sich** *(dat)* **die Hände** ~ spalmarsi le mani di crema.
ein·dämmen ['ai̯ndɛmən] *tr* arginare.
ein·decken I. *tr fam (überhäufen)* caricare (*mit* di); **II.** *rfl:* **sich** ~ rifornirsi (*mit* di), approvvigionarsi (*mit* di).
Eindecker ⟨-s, -⟩ *m* monoplano *m.*
eindeutig ['ai̯ndɔy̯tıç] *adj (klar)* chiaro; *(offensichtlich)* evidente; *(nicht mehrdeutig)* univoco.
ein·dringen ⟨*irr*⟩ *itr* ⟨*sein*⟩ penetrare, entrare; *(Wasser, Gas)* infiltrarsi; *mil* invadere; **auf jdn** ~ *fig* far pressione su qu.
eindringlich *adj* insistente; *(überzeugend)* convincente.
Eindringling ⟨-s, -e⟩ *m* intruso, -a *m, f.*
Eindruck ⟨-(e)s, -drücke⟩ *m* impressione *f; (Spur)* pronta *f;* **auf jdn ~ machen** impressionare qu.
ein·drücken *tr* imprimere; *(einbeulen)* ammaccare; *(Abdrücke hinterlassen)* imprimere.
eindrucksvoll *adj* impressionante, imponente; *(überzeugend)* convincente.
eine *s.* **ein**[1].
eineiig ['ai̯nˀai̯ıç] *adj:* **~e Zwillinge** gemelli monocoriali.
eineinhalb ['ai̯n'ai̯n'halp] *s.* **anderthalb.**
Einelternfamilie *f* famiglia *f* monogenitore.
ein·engen *tr* stringere; *fig* limitare.
einer *s.* **ein**[1].
Einer ⟨-s, -⟩ *m sport* singolo *m; (Boot)* monoposto *m.*
einerlei ['ai̯nɐ'lai̯] ⟨*inv*⟩ *adj* **1.** *(gleichgültig)* indifferente, uguale; **2.** *(dasselbe)* lo stesso, la stessa cosa; **~, was/wann/wo/wie** non importa cosa/quando/dove/come. **Einerlei** ⟨-s, ø⟩ *n* monotonia *f,* uniformità *f.*
einerseits ['ai̯nɐ'zai̯ts] *adv* da un lato, da una parte.
ein(e)s *s.* **ein**[1], **eins.**
einfach ['ai̯nfax] **I.** *adj* **1.** *(nicht doppelt, schlicht)* semplice; **2.** *(leicht)* facile; **II.** *adv (verstärkend)* davvero; **etw. ~ tun** fare senz' altro qc; *s. a. vierfach.* **Einfachheit** ⟨-, ø⟩ *f* semplicità *f;* facilità *f;* **der ~ halber** per semplificare.
ein·fädeln ['ai̯nfɛ:dəln] **I.** *tr* **1.** *(Nadel, Faden)* infilare; **2.** *fig fam* avviare; **II.** *rfl:* **sich** ~ *mot* infilarsi.
ein·fahren ⟨*irr*⟩ **I.** *tr* ⟨*haben*⟩ **1.** *(Ernte)* mettere al coperto; **2.** *(Fahrgestell)* retrarre; **3.** *(Auto)* rodare; **II.** *itr* ⟨*sein*⟩ **1.** *min* scendere (nel pozzo); **2.** *Eisenb.* entrare (in stazione).
Einfahrt *f* entrata *f; (Tor)* ingresso *m;* **~ freihalten!** passo carrabile, lasciar libero il passaggio.
Einfall *m* **1.** *(Gedanke)* idea *f; (witziger ~)* arguzia *f;* **2.** *(Licht~)* incidenza *f;* **3.** *mil* invasione *f,* calata *f;* **ihm kommt der ~, etw. zu tun** gli viene l'idea di fare qc.
ein·fallen ⟨*irr*⟩ *itr* ⟨*sein*⟩ **1.** *(in den Sinn kommen)* venire in mente; **2.** *(einstürzen)* crollare, rovinare; **3.** *(Licht)* cadere; **4.** *mil* invadere (*in +akk* qc); **5.** *(Wangen, Augen)* infossarsi; **6.** *mus (einstimmen)* entrare (*in +akk* in); attaccare (*in +akk* qc); **sich** *(dat)* **etw. ~ lassen** farsi venire una buona idea; **sein Name fällt mir nicht mehr ein** non ricordo più il suo nome; **was fällt dir (überhaupt) ein?** cosa ti salta in mente?
Einfallslosigkeit ⟨-, ø⟩ *f* povertà *f* di idee.
Einfallswinkel *m* angolo *m* d'incidenza.
einfältig ['ai̯nfɛltıç] *adj* **1.** *(naiv)* ingenuo; **2.** *(dumm)* sempliciotto.
Einfaltspinsel ['ai̯nfalts-] *m pej* minchione, -a *m, f fam,* babbeo, -a *m, f.*
Einfamilienhaus *n* casa *f* unifamiliare.
einfarbig *adj* in tinta unita.
ein·fassen *tr (umgeben)* circondare (*mit* di), cingere (*mit* di); *(Naht, Knopfloch)* bordare, orlare; *(Schmuck)* incastonare.
Einfassung *f* **1.** *allg.* recinto *m;* **2.** *(Saum)* guarnizione *f;* **3.** *(von Edelstein)* montatura *f.*
ein·fetten *tr* ungere; *tec* lubrificare.
ein·finden ⟨*irr*⟩ *rfl:* **sich** ~ trovarsi.
ein·flößen ['ai̯nflø:sən] *tr* **1.** *(Flüssigkeit)* somministrare a gocce; **2.** *fig (Angst)* incutere; *(Vertrauen)* ispirare; *(Bewunderung)* suscitare.
Einflugschneise *f* corridoio *m* aereo.
Einfluß *m* influsso *m,* influenza *f; (Wirkung)* azione *f,* effetto *m;* **unter dem ~ von jdm stehen** subire l'influsso di qu. **Einflußbereich** *m* zona *f* (*o* sfera *f*) d'influenza. **einflußreich** *adj* influente, potente.
einförmig ['ai̯nfœrmıç] *adj* uniforme; *fig* monotono. **Einförmigkeit** ⟨-, ø⟩ *f* uniformità *f; fig* monotonia *f.*
ein·frieren ⟨*irr*⟩ **I.** *itr* ⟨*sein*⟩ gelare; **II.** *tr* ⟨*haben*⟩ congelare; **das E~ der Preise/Löhne** il blocco dei prezzi/dei salari.
ein·fügen I. *tr* inserire; **II.** *rfl:* **sich** ~ inserirsi; *(sich anpassen)* adattarsi.
ein·fühlen *rfl:* **sich** ~ *(in Dinge)* immedesimarsi; *(in Personen)* mettersi nei panni (*in +akk* di), mettersi al posto (*in +akk* di). **Einfühlungsvermögen** *n* capacità *f* di immedesimazione; *(Verständnis)* comprensione *f.*
Einfuhr ['ai̯nfu:ɐ̯] ⟨-, -en⟩ *f* importazione *f.* **Einfuhrbestimmungen** *f pl* norme *f pl* (*o* disposizioni *f pl*) per l'importazione. **Einfuhrerlaubnis** *f* permesso *m* d'importazione.
ein·führen *tr* **1.** *(Waren)* importare; **2.** *(vorstellen: Menschen)* presentare (*bei* a), introdurre (*bei* in); *com* lanciare; **3.** *(anleiten)* avviare, iniziare; *(in Amt)*

insediare; **4.** *(hineinstecken)* introdurre, infilare; **ein paar ~de Worte** due parole d'introduzione.

Einfuhrkontingent *n* contingente *m* d'importazione.

Einführung *f* **1.** *(Einleitung)* introduzione *f*, presentazione *f;* **2.** *(Anleitung)* avviamento *m;* **3.** *(Amts~)* insediamento *m;* **4.** *(Vorstellung)* introduzione *f*, presentazione *f;* **5.** *(Hineinstecken)* introduzione *f* (*in* +*akk* in). **Einführungspreis** *m* prezzo *m* di promozione (*o* propaganda), prezzo *m* d'introduzione.

Einfuhrverbot *n* divieto *m* d'importazione. **Einfuhrzoll** *m* dazio *m* d'importazione.

Eingabe *f* **1.** *(Antrag)* petizione *f*, domanda *f;* **2.** *inform (Daten~)* entrata *f*, immissione *f; (durch Tasten)* digitalizzazione *f*. **Eingabegerät** *n* unità *f* di input (*o* di entrata). **Eingabetaste** *f* tasto *m* di entrata.

Eingang *m* **1.** *(von Gebäude)* ingresso *m*, entrata *f;* **2.** *(Eintreffen)* arrivo *m*, ricevimento *m;* **wir bestätigen den ~ Ihres Schreibens vom ...** accusiamo ricevuta della Sua/Vostra (lettera) del ... **Eingangsbestätigung** *f* conferma *f* di ricevuta.

ein·geben ⟨*irr*⟩ *tr* **1.** *(Arznei)* somministrare; **2.** *inform (Daten)* entrare; **3.** *(Gesuch)* presentare; **4.** *fig (Gedanken)* suggerire.

eingebildet *adj* **1.** *(nicht wirklich)* immaginario, irreale; **2.** *(hochmütig)* presuntuoso; *(eitel)* vanitoso.

eingeboren *adj* indigeno, originario. **Eingeborene** ⟨ein -r, -n, -n⟩ *mf* indigeno, -a *m, f*.

Eingebung ⟨-, -en⟩ *f* ispirazione *f*, suggerimento *m*.

eingefallen *adj (Augen, Wangen)* infossato; *(Gesicht)* smunto.

eingefleischt ['a͜ingəfla͜iʃt] *adj* per la pelle *fam;* **~er Junggeselle** scapolo *m* impenitente.

ein·gehen ⟨*irr*⟩ **I.** *itr* ⟨*sein*⟩ **1.** *(ankommen)* arrivare, giungere; **2.** *(einlaufen, schrumpfen)* restringersi, ritirarsi; **3.** *(sterben)* morire (*an* +*dat* per); *fam (Geschäft)* cessare di esistere, sciogliersi; **4.** *(sich auseinandersetzen mit)* entrare (*auf* +*akk* in); **5.** *(Verständnis zeigen für)* dare ascolto (*auf* +*akk* a); **6.** *(zustimmen)* accettare (*auf* +*akk* qc); **7.** *(erhören)* ascoltare (qc), aderire (a); **8.** *fig (einfließen)* penetrare (*in* +*akk* in); **dieser Wahlkampf wird in die Geschichte ~** questa campagna elettorale entrerà nella storia; **es will mir einfach nicht ~, daß ...** *fam* non mi vuole entrare in testa che ...; **bei dieser Hitze geht man ja ein!** *fam* con questo caldo si muore!; **auf jds Bitte ~** aderire alle preghiere di qu; **II.** *tr* ⟨*sein*⟩ concludere; *(Verpflichtung, Ehe)* contrarre; *(Wette)* fare; *(Risiko)* correre. **eingehend I.** *adj* **1.** *(eintreffend)* in arrivo; **2.** *(gründlich)* approfondito, minuzioso; **3.** *(sorgfältig)* accurato, attento; **II.** *adv* **1.** *(gründlich)* a fondo; **2.** *(sorgfältig)* accuratamente, attentamente.

Eingemachte ['a͜ingəmaxtə] ⟨ein -s, -n, ø⟩ *n* conserva *f; (in Essig)* sottaceti *m pl;* **ans ~ gehen** *fam* intaccare le proprie riserve (*o* scorte).

ein·gemeinden ⟨*ohne ge-*⟩ *tr* incorporare in un comune.

eingenommen *adj:* **für/gegen etw. ~ sein** essere favorevole a qc/essere prevenuto contro qc; **von sich** *(dat)* **~ sein** essere presuntuoso.

eingeschnappt *adj:* **immer gleich ~ sein** *fam* prendersela per un nonnulla.

eingeschrieben *adj* **1.** *(Brief)* raccomandato; **2.** *(Mitglied)* iscritto.

eingesessen *adj* del luogo.

ein·gestehen ⟨*irr, ohne ge-*⟩ *tr* ammettere, riconoscere, confessare.

eingetragen *adj* registrato, depositato; **~er Verein** (*abk* **e.V.**) associazione *f* registrata.

Eingeweide ['a͜ingəva͜idə] ⟨-s, -⟩ *n* viscere *f pl; zoo* interiora *f pl*.

eingeweiht *adj* iniziato (*in* +*akk* in), addentro (*in* +*akk* a). **Eingeweihte** ⟨ein -r, -n, -n⟩ *mf* iniziato, -a *m, f*.

eingleisig *adj* ad un binario.

ein·gliedern I. *tr* includere, incorporare; *(einordnen)* inserire, integrare, inquadrare; **II.** *rfl:* **sich ~** inserirsi, inquadrarsi.

ein·graben ⟨*irr*⟩ **I.** *tr* **1.** *(vergraben)* sotterrare; **2.** *(hin~)* interrare; **II.** *rfl:* **sich ~ 1.** *(sich vergraben)* interrarsi, nascondersi sotto terra; **2.** *fig* incidersi, scolpirsi.

eingreifen ⟨*irr*⟩ *itr* **1.** *fig (einschreiten)* intervenire (*in* +*akk* in); **2.** *tec* ingranare, innestarsi.

Eingriff *m* **1.** *med* operazione *f; (a. mil)* intervento *m;* **2.** *fig (Einmischung)* intromissione *f*.

ein·gruppieren ⟨*ohne ge-*⟩ *tr* classificare.

ein·haken I. *tr* agganciare; **II.** *itr fig fam (bei Gespräch)* intervenire; **III.** *rfl:* **sich bei jdm ~** prendere a braccetto qu.

Einhalt *m:* **einer S.** *(dat)* **~ gebieten** *geh* contenere qc, arrestare qc.

ein·halten ⟨*irr*⟩ **I.** *tr (allg., a. Versprechen)* mantenere; *(Bedingung, Vertrag)* adempi(e)re; *(Frist, Regeln)* osservare; **II.** *itr* fermarsi.

Einhaltung *f* mantenimento *m; (von Frist, Regeln)* osservanza *f; (von Bedingung, Vertrag)* adempimento *m*.

ein·handeln *tr:* **sich** *(dat)* **etw. ~** *fig fam* fare un bell'acquisto (*o* affare) *fam*.

ein·hängen I. *tr (Hörer)* appendere; *(Tür, Fenster)* incardinare; **II.** *itr* riattaccare (il ricevitore); **III.** *rfl:* **sich bei jdm ~** prendere a braccetto qu.

einheimisch *adj* indigeno, nativo; *(Ware)* nazionale. **Einheimische** ⟨ein -r, -n, -n⟩ *mf* nativo, -a *m, f.*

ein·heimsen ['ainhaimzən] *tr fam* raccogliere, mietere.

ein·heiraten *itr* imparentarsi (con); **in eine Firma ~** divenire col matrimonio proprietario, -a di un'azienda.

Einheit ⟨-, -en⟩ *f* unità *f; (Gesamtheit)* totalità *f.*

einheitlich *adj* **1.** *(eine Einheit bildend)* unito, unitario; **2.** *(unterschiedslos)* uniforme; **3.** *(genormt)* unificato. **Einheitlichkeit** ⟨-, ø⟩ *f* **1.** *(Einheit)* unità *f;* **2.** *(Gleichheit)* uniformità *f.*

Einheitspreis *m* prezzo *m* unico.

einhellig ['ainhɛlıç] **I.** *adj* unanime, concorde; **II.** *adv* all'unanimità, di comune accordo.

ein·holen *tr* **1.** *(erreichen)* raggiungere; *(aufholen, ausgleichen)* ricuperare; **2.** *(her~)* raccogliere; *(Fahne, Segel)* ammainare; *(Netze)* tirare; **3.** *(Genehmigung)* (ri)chiedere; *(Auskünfte, Angebote)* raccogliere; **4.** *dial s.* **einkaufen; ärztlichen Rat ~** consultare un medico.

Einhorn *n* unicorno *m.*

einhundert ['ain'hʊndɐt] *num* cento.

einig ['ainıç] *adj* **1.** *(einer Meinung)* unanime; **2.** *(geeint)* unito; **sich** *(dat)* **~ sein** essere d'accordo *(über +akk* su, in).

einigen ['ainıgən] **I.** *tr* unire; *pol* unificare; **II.** *rfl:* **sich ~** accordarsi *(auf +akk* su); **sich dahin(gehend) ~, daß ...** accordarsi sul fatto che *+congv.*

einigermaßen ['ainıgə'ma:sən] *adv* **1.** *(ziemlich)* piuttosto, alquanto; **2.** *(ungefähr)* in certo qualmodo, circa; **wie geht es dir? – so ~!** come stai? – così così!

einige(r, s) ['ainıgə] *pron* **1.** ⟨*sing*⟩ *(etwas)* qualche ⟨*inv, sing*⟩; **~s** qualcosa, qualche cosa; **2.** ⟨*pl*⟩ qualche ⟨*inv, sing*⟩, alcuni, -e *m, f pl;* **dazu gehört (schon) ~ Energie/~r Mut** ci vuole una certa energia/un certo coraggio.

Einigkeit ⟨-, ø⟩ *f* unità *f,* unanimità *f; (Übereinstimmung)* concordia *f.*

Einigung ⟨-, -en⟩ *f* accordo *m; (Versöhnung)* conciliazione *f; (Einmütigkeit)* unanimità *f.* **Einigungsvertrag** *m pol* contratto *m* della riunificazione delle due Germanie.

ein·impfen *tr* inculcare.

einjährig *adj* **1.** *(ein Jahr alt)* di un anno; **2.** *(ein Jahr dauernd, a. bot)* annuale, annuo.

ein·kalkulieren ⟨*ohne ge-*⟩ *tr* mettere in conto; *(a. fig)* tener conto di.

ein·kassieren ⟨*ohne ge-*⟩ *tr* incassare, riscuotere.

Einkauf *m* **1.** *(Einkaufen)* compera *f, (a. Gekauftes)* acquisto *m;* **2.** ⟨*sing*⟩ *(~sabteilung)* servizio *m* (*o* reparto *m*) acquisti; **Einkäufe machen** fare la spesa.

ein·kaufen I. *tr* comprare, acquistare; **II.** *itr* fare la spesa; *com* fare acquisti; **~ gehen** andare a far la spesa.

Einkäufer(in) *m(f)* agente *mf* compratore, -trice.

Einkaufsbummel *m:* **einen ~ machen** fare il giro dei negozi. **Einkaufspassage** [-pa'sa:ʒə] ⟨-, -n⟩ *f* galleria *f* con negozi. **Einkaufspreis** *m* prezzo *m* di costo (*o* d'acquisto). **Einkaufswagen** *m* carrello *m* da supermercato. **Einkaufszentrum** *n* shopping center *m.*

Einkehr ['ainke:ɐ] ⟨-, ø⟩ *f* **1.** *(in Gasthaus)* sosta *f;* **2.** *(innere)* raccoglimento *m.*

ein·kehren *itr* ⟨*sein*⟩ **1.** *(in Gasthaus)* fermarsi (in un locale); **2.** *(Ruhe, Frieden)* venire.

ein·kellern *tr* mettere in cantina.

ein·klammern *tr* mettere fra parentesi.

Einklang *m* armonia *f,* accordo *m.*

ein·kleiden *tr* vestire; **sich neu ~** rivestirsi.

ein·klemmen *tr* incastrare, rinserrare.

ein·kochen I. *tr* ⟨*haben*⟩ *(Obst, Gemüse)* mettere in conserva, conservare; **II.** *itr* ⟨*sein*⟩ *(Soße)* ispessirsi cuocendo.

Einkommen ⟨-s, -⟩ *n* reddito *m,* entrata *f.* **Einkommensschicht** *f* categoria *f* di reddito. **einkommensschwach** *adj* di basso reddito. **einkommensstark** *adj* di alto reddito. **Einkommen(s)steuer** *f* imposta *f* sul reddito. **Einkommen(s)steuererklärung** *f* denuncia *f* dei redditi.

ein·kreisen *tr* accerchiare.

Einkünfte ['ainkʏnftə] ⟨*pl*⟩ entrate *f pl,* redditi *m pl.*

ein·laden[1] ⟨*irr*⟩ *tr (Gäste)* invitare.

ein·laden[2] ⟨*irr*⟩ *tr (Ladung)* caricare.

einladend *adj* invitante; *(verführerisch)* seducente.

Einladung *f* invito *m (zu* a).

Einlage *f* **1.** *allg.* inserimento *m; (Zahn~)* otturazione *f; (Schuh~)* supporto *m,* rinforzo *m;* **2.** *theat* intermezzo *m;* **3.** *(Spar~)* deposito *m; (Kapital~)* quota *f* di investimento; **Suppe mit ~** pastina in brodo.

Einlaß ['ainlas] ⟨-lasses, -lässe⟩ *m (Zutritt)* accesso *m.*

ein·lassen ⟨*irr*⟩ **I.** *tr* **1.** *(her~)* lasciar entrare (*o* passare), ammettere; *(Wasser)* far scorrere; **2.** *(einfügen)* incastrare, inserire, incassare; **sich** *(dat)* **ein Bad ~** prepararsi un bagno; **II.** *rfl:* **sich auf etw.** *(akk)* **~** mettersi in qc; **sich mit jdm in ein Gespräch ~** impegolarsi in una discussione con qu; **ich lasse mich auf keine Diskussion mehr ein!** di discussioni non voglio saperne più (niente)!

ein·laufen ⟨*irr*⟩ **I.** *itr* ⟨*sein*⟩ **1.** *(Zug)* essere in arrivo; *(Schiff)* entrare in porto; *sport* entrare in campo; **2.** *(Wasser)*

scorrere; **3.** *(Stoff)* restringersi; **II.** *tr* ⟨*haben*⟩ *(Schuhe)* abituarsi a portare; **III.** *rfl:* **sich** ~ *sport* scaldarsi correndo.
ein·leben *rfl:* **sich** ~ **in** *(+dat/akk)* ambientarsi in, abituarsi a.
ein·legen *tr* **1.** *(hin~)* mettere; *(Film)* introdurre; **2.** *(Gurken)* mettere sotto aceto; *(Heringe a.)* marinare; *(Haare)* mettere in piega; **3.** *fin (Geld)* depositare, versare; **eine Pause** ~ fare una pausa; **den Rückwärtsgang** ~ *mot* inserire la retromarcia; **ein gutes Wort für jdn** ~ dire una buona parola in favore di qu.
ein·leiten *tr* **1.** *(einführen)* introdurre; **2.** *(Verhandlungen, Debatte)* avviare; *(Geburt)* pilotare, avviare; **3.** *(beginnen)* cominciare; *(a. Rede)* iniziare. **einleitend I.** *adj* introduttivo, preliminare; **II.** *adv:* ~ **möchte ich sagen** ... per cominciare vorrei dire ...
Einleitung *f* introduzione *f; (von Buch)* prefazione *f; (Vorrede)* preambolo *m; mus, fig* preludio *m.*
ein·lenken *itr* (s)voltare; *fig* cedere, far marcia indietro *fig.*
ein·leuchten *itr* essere (*o* apparire) chiaro (*o* evidente); **das leuchtet mir ein** mi convince. **einleuchtend** *adj* evidente, plausibile.
ein·liefern *tr* consegnare; *(ins Krankenhaus)* ricoverare; *(ins Gefängnis)* tradurre.
Einlieferung *f* consegna *f; (ins Krankenhaus)* ricovero *m; (ins Gefängnis)* traduzione *f.*
Einliegerwohnung *f* abitazione *f* del fittavolo (*o* dell'inquilino).
ein·lösen *tr* liberare, svincolare; *(Pfand)* disimpegnare; *(Scheck)* riscuotere; *(Wechsel)* onorare, pagare; *(Wort, Versprechen)* mantenere.
ein·machen *tr* mettere in conserva; *(in Essig)* mettere sotto aceto. **Einmachglas** *n* vaso *m* per conserve.
einmal *adv* una volta; *(einst)* un tempo; *(irgendwann)* un giorno; **auf** ~ *(zugleich)* in una volta, insieme; *(plötzlich)* improvvisamente; **nicht** ~ nemmeno; **noch** ~ ancora una volta; **wenn** ~ una volta che; **es war** ~ ... c'era una volta ...; ~ **drei ist drei** tre per uno è uguale a tre; ~ **sagt er dies,** ~ **das** una volta dice questo, una volta quell'altro; **warst du schon** ~ **in Florenz?** sei già stato a Firenze?
Einmaleins ['ainma:l'ʔains] ⟨-, ø⟩ *n* tavola *f* pitagorica.
einmalig *adj* **1.** *(nur einmal vorkommend)* unico; *(nur einmal nötig)* solo; **2.** *(einzigartig)* unico, eccezionale. **Einmaligkeit** ⟨-, ø⟩ *f* unicità *f,* eccezionalità *f.*
Einmannbetrieb *m* azienda *f* individuale.
Einmarsch *m* entrata *f.*
ein·marschieren ⟨*ohne ge-*⟩ *itr* ⟨*sein*⟩ entrare (marciando) (*in +akk* in).
ein·massieren ⟨*ohne ge-*⟩ *tr* applicare con massaggi (*o* massaggiando).
ein·mischen *rfl:* **sich** ~ immischiarsi.
Einmischung *f* intromissione *f,* ingerenza *f.*
einmotorig *adj* monomotore.
ein·münden *itr* ⟨*sein*⟩ sboccare.
einmütig ['ainmy:tɪç] **I.** *adj* unanime, comune; **II.** *adv* all'unanimità, di comune accordo. **Einmütigkeit** ⟨-, ø⟩ *f* **1.** *(Einstimmigkeit)* unanimità *f;* **2.** *(Eintracht)* concordia *f,* armonia *f.*
Einnahme ['ainna:mə] ⟨-, -n⟩ *f* **1.** ⟨*meist pl*⟩ *com, fin* entrata *f,* incasso *m;* **2.** ⟨*sing*⟩ *med* prendere *m;* **3.** ⟨*sing*⟩ *mil (von Stadt)* conquista *f,* presa *f.* **Einnahmequelle** *f* fonte *f* di guadagno.
ein·nehmen ⟨*irr*⟩ *tr* **1.** *(Mahlzeit, Arznei, a. mil)* prendere; **2.** *(Geld)* incassare; **3.** *(Raum, Stellung)* occupare; *(Haltung)* assumere; **jdn für sich** ~ accattivarsi le simpatie di qu, conquistare qu; **jds Stelle** ~ rimpiazzare qu; **von sich** *(dat)* **eingenommen sein** *pej* essere presuntuoso. **einnehmend** *adj* attraente, affascinante; ~**es Wesen** modi *m pl* piacevoli.
ein·nicken *itr* ⟨*sein*⟩ *fam* appisolarsi.
ein·nisten *rfl:* **sich** ~ annidarsi.
Einöde *f* luogo *m* deserto.
ein·ordnen I. *tr* ordinare, classificare; **II.** *rfl:* **sich** ~ **1.** *(sich anpassen)* inserirsi, integrarsi; **2.** *mot* mettersi in corsia (*o* in fila).
ein·packen I. *tr* impacchettare; *(zum Versand)* imballare; **jdn warm** ~ *fam* coprire ben bene qu; **II.** *itr fam* far fagotto *fam.*
ein·parken *tr, itr* parcheggiare.
ein·passen *tr* incastrare (*in +akk* in), adattare (*in +akk* a).
ein·pendeln I. *itr* fare il pendolare; **II.** *rfl:* **sich** ~ *fig* regolarizzarsi.
Einpersonenhaushalt *m* nucleo *m* familiare composto di una sola persona.
einphasig *adj* monofase.
ein·prägen I. *tr* imprimere; *fig* inculcare; **sich** *(dat)* **etw.** ~ imprimersi qc nella mente; **II.** *rfl:* **sich** ~ imprimersi.
einprägsam *adj* facilmente ricordabile.
ein·quartieren ⟨*ohne ge-*⟩ **I.** *tr* alloggiare; **II.** *rfl:* **sich** ~ prendere alloggio.
ein·rahmen *tr* incorniciare.
ein·rasten *itr* ⟨*sein*⟩ scattare.
ein·räumen *tr* **1.** *(Bücher, Wäsche, Spielzeug)* disporre; *(a. Schrank)* mettere in ordine; **2.** *fig (Recht, Kredit)* concedere; *(Frist)* accordare; **3.** *(zugeben)* ammettere.
ein·reden I. *tr:* **jdm etw.** ~ far credere (*o* dare ad intendere) qc a qu; **sich** *(dat)* ~, **daß** ... mettersi in testa che ... *fam;* **II.** *itr:* **auf jdn** ~ parlare ininterrottamente a qu.

ein·reiben ⟨*irr*⟩ *tr* sfregare; *med* frizionare.

ein·reichen *tr* presentare; *(Abschied)* dare, rassegnare.

Einreise *f* entrata *f*. **Einreisebestimmungen** *f pl* disposizioni *f pl* d'entrata. **Einreiseerlaubnis** *f*, **-genehmigung** *f* permesso *m* d'entrata.

ein·reisen *itr* ⟨*sein*⟩ entrare.

Einreiseverbot *n* divieto *m* d'entrata.

ein·reißen ⟨*irr*⟩ **I.** *tr* ⟨*haben*⟩ **1.** *(Gebäude)* demolire; **2.** *(Stoff)* lacerare, fare uno strappo a; *(Papier)* strappare; *(Fingernagel)* rompere; **II.** *itr* ⟨*sein*⟩ **1.** *(Stoff, Papier)* strapparsi; *(Fingernagel)* rompersi; **2.** *fig fam (Unsitte)* diventare un'abitudine.

ein·renken [ˈa̲inrɛŋkən] *tr* **1.** rimettere a posto; **2.** *med* ridurre; **das renkt sich schon wieder ein** si rimette a posto.

ein·richten **I.** *tr* **1.** *(Wohnung)* arredare; *(Werkstatt)* impiantare, installare; **2.** *(gründen)* fondare, istituire; *(Konto)* aprire; **3.** *tec (justieren)* aggiustare; *(einstellen, vorbereiten)* preparare, allestire; **4.** *med* ridurre; **5.** *fig (möglich machen, arrangieren)* fare in modo che *+congv* (*o* di *+inf*); **II.** *rfl:* **sich ~ 1.** *(sich möblieren)* arredare la casa (*o* l'appartamento); **2.** *(sich vorbereiten)* prepararsi (*auf +akk* a); **sie ist sehr modern eingerichtet** ha arredato la casa con mobili moderni.

Einrichtung *f* **1.** *(Wohnungs~)* arredamento *m;* **2.** *(das Einrichten)* allestimento *m;* **3.** *(Institution)* istituzione *f*, istituto *m;* **4.** *(Gründung)* istituzione *f*, fondazione *f; (von Konto)* apertura *f;* **5.** *tec (Justierung)* aggiustamento *m; (Einstellung)* messa *f* a punto.

ein·ritzen *tr* scalfire (*in +akk* su).

ein·rollen **I.** *tr* arrotolare, avvolgere; *(Haar)* piegare in dentro; **II.** *rfl:* **sich ~** arrotolarsi.

ein·rosten *itr* ⟨*sein*⟩ arrugginire; *(a. fig)* arrugginirsi.

ein·rücken **I.** *itr* ⟨*sein*⟩ *(einmarschieren)* entrare, far ingresso; **II.** *tr* ⟨*haben*⟩ *(Anzeige)* mettere, inserire; *(Zeile)* arretrare, far rientrare.

eins [a̲ins] *num* uno; **~ a** (*geschrieben* **Ia**) di prima qualità; **die beiden Begriffe sind ~** i due concetti sono identici; *s. a. ein[1], vier.* **Eins** ⟨-, -en⟩ *f* (numero *m*) uno *m; (Schulnote: sehr gut)* ≃ nove *m; (Buslinie)* uno *m*.

ein·sacken[1] *tr* ⟨*haben*⟩ **1.** *(Kartoffeln)* insaccare; **2.** *fam (einstecken)* mettersi in tasca.

ein·sacken[2] *itr* ⟨*sein*⟩ *(einsinken)* sprofondare.

einsam *adj* **1.** *(Mensch)* solo, solitario; *(verlassen)* abbandonato; **2.** *(Ort)* deserto; **~e Spitze!** *fam* che cima!. **Einsamkeit** ⟨-, ø⟩ *f* solitudine *f*.

ein·sammeln *tr* raccogliere.

Einsatz *m* **1.** *(Teil)* aggiunta *f*, inserto *m; (Topf~, Koffer~)* parte *f* intercambiabile (*o* scomponibile); **2.** *(Spiel~)* puntata *f*, posta *f;* **3.** *(An-, Aufwendung)* impiego *m; (Engagement)* dedizione *f;* **4.** *mil* azione *f*, operazione *f; aero* missione *f;* **5.** *mus* attacco *m; (theat a.)* entrata *f;* **im ~ sein** essere in azione; **unter ~ des (eigenen) Lebens** a rischio della vita.

einsatzbereit *adj* pronto all'azione. **Einsatzbereitschaft** *f* prontezza *f* all'azione; *mil* approntamento *m*. **einsatzfreudig** *adj* intraprendente, dinamico.

ein·scannen [a̲inˈskɛnən] *tr* scannerizzare.

ein·schalten **I.** *tr* **1.** *(dazwischenschieben)* inserire, intercalare; **2.** *(Licht, Radio)* accendere; *(Motor)* avviare; *(Strom)* inserire, mettere in circuito; *(Gang, Maschine)* innestare, ingranare; **jdn ~** far intervenire qu (*bei etw.* per qc); **II.** *rfl:* **sich ~** intervenire.

Einschaltquote *f* indice *m* di ascolto, share *m*.

Einschaltung *f* **1.** *(Einschub)* inserimento *m;* **2.** *(von Licht, Radio)* accensione *f; (von Motor)* avviamento *m; (von Strom)* inserzione *f; (von Maschine)* innesto *m;* **3.** *fig (Hinzuziehung)* interessamento *m*.

ein·schärfen *tr* inculcare.

ein·schätzen *tr* stimare; *(bewerten)* valutare.

ein·schenken **I.** *tr* versare; **die Gläser/Tassen ~** riempire i bicchieri/le tazze; **II.** *itr* versare da bere.

ein·schicken *tr* inviare, spedire.

ein·schieben ⟨*irr*⟩ *tr* **1.** *(hin~)* infilare, introdurre; **2.** *(einfügen)* inserire, intercalare.

ein·schiffen **I.** *tr* imbarcare; **II.** *rfl:* **sich ~** imbarcarsi.

Einschiffung ⟨-, -en⟩ *f* imbarco *m*.

ein·schlafen ⟨*irr*⟩ *itr* ⟨*sein*⟩ **1.** *(Mensch)* addormentarsi; *(Arm, Bein)* intorpidirsi, addormentarsi *fam;* **2.** *(allmählich aufhören)* raffreddarsi, spegnersi; *(nachlassen)* scemare, diminuire.

ein·schläfern [ˈa̲inʃlɛːfərn] *tr* **1.** *(zum Schlafen bringen, a. fig)* (far) addormentare; **2.** *(Tiere)* uccidere (con un iniezione mortale). **einschläfernd** *adj* che fa venir sonno; *med* narcotico; *(a. fig)* soporifero.

Einschlag *m* **1.** *(von Blitz)* colpo *m*, caduta *f; (von Geschoß)* impatto *m*, scoppio *m;* **2.** *fig (Anteil, Zusatz)* impronta *f*, vena *f; ling* inflessione *f*.

ein·schlagen ⟨*irr*⟩ **I.** *tr* **1.** *(Nagel, Pfahl)* (con)ficcare, piantare; **2.** *(Tür)* sfondare; *(Scheibe)* frantumare; *(a. Zähne, Schädel)* rompere; **3.** *(Stoff)* ripiegare; **4.** *(einwickeln)* avvolgere, imballare; **5.** *fig (Weg, Richtung)* prendere, imboccare; *(Laufbahn)* intraprendere; **6.** *(Steuer)* girare; **II.** *itr (Blitz, Geschoß)* colpire (*in +akk etw.* qc); *fig (Erfolg haben)* avere successo; **auf jdn ~** bastonare qu; **die Nachricht schlug wie eine Bombe ein** la notizia arrivò come un fulmine a ciel sereno; **schlag ein!** qua la mano! *fam.*

einschlägig ['ai̯nʃlɛgıç] *adj* relativo, sull'argomento; *(Geschäft)* del ramo.

ein·schleichen ⟨*irr*⟩ *rfl:* **sich ~** introdursi, penetrare; *fig* insinuarsi; *(Fehler)* sfuggire.

ein·schließen ⟨*irr*⟩ *tr* **1.** *(in Zimmer)* chiudere (a chiave); **2.** *(umgeben)* circondare; *(umzäunen)* recingere; *(Festung)* assediare; **3.** *fig (enthalten)* includere, comprendere.

einschließlich **I.** *adv* compreso; **bis Sonntag ~** fino a domenica compresa; **II.** *prp +gen* compreso.

ein·schmeicheln *rfl:* **sich bei jdm ~** cattivarsi le simpatie di qu. **einschmeichelnd** *adj* insinuante; *(angenehm)* carezzevole.

ein·schmieren *tr (mit Fett)* ungere (*mit* di); *tec, mot* lubrificare.

ein·schmuggeln *tr* introdurre clandestinamente (*o* di contrabbando).

ein·schnappen *itr* ⟨*sein*⟩ **1.** *tec* scattare, chiudersi a scatto; **2.** *fig fam (beleidigt sein)* prendersela *fam.*

ein·schneiden ⟨*irr*⟩ **I.** *tr (a. fig)* incidere (*in +akk* su), intagliare (*in +akk* in); **II.** *itr* entrare (*in +akk* in), penetrare (*in +akk* in). **einschneidend** *adj* incisivo, decisivo; *(Maßnahme)* radicale, energico.

Einschnitt *m* **1.** intaglio *m; (a. med)* incisione *f;* **2.** *fig (Zäsur)* solco *m* profondo.

ein·schränken ['ai̯nʃrɛŋkən] **I.** *tr* limitare; **~d muß ich allerdings sagen ...** restrittivamente devo comunque dire ...; **II.** *rfl:* **sich ~** limitarsi.

Einschränkung ⟨-, -en⟩ *f* **1.** *(Beschränkung)* limitazione *f,* riduzione *f;* **2.** *(Vorbehalt)* riserva *f.*

Einschreib(e)brief *m* (lettera *f*) raccomandata *f;* **als ~** per raccomandata.

ein·schreiben ⟨*irr*⟩ **I.** *tr* **1.** *(hin~)* scrivere (*in +akk* in); **2.** *(in Liste)* iscrivere; **3.** *(Post)* spedire raccomandato; **II.** *rfl:* **sich ~** iscriversi.

Einschreiben *n s.* **Einschreib(e)brief.**

Einschreibung *f* iscrizione *f.*

ein·schreiten ⟨*irr*⟩ *itr* ⟨*sein*⟩ intervenire, prendere delle misure.

ein·schrumpfen *itr* ⟨*sein*⟩ raggrinzirsi.

ein·schüchtern *tr* intimidire.

Einschuß *m* **1.** *(~stelle)* foro *m* d'entrata; *(~wunde)* ferita *f;* **2.** *(beim Weben)* trama *f.*

ein·schütten *tr* versare.

ein·schweißen *tr (in Folie)* incellofanare, confezionare (in plastica).

ein·sehen ⟨*irr*⟩ *tr* **1.** *(hin~)* guardar dentro a, dare un'occhiata a; *(Akten)* prendere visione di; **2.** *fig (begreifen)* comprendere, capire; *(Fehler)* riconoscere. **Einsehen** ⟨-s, ø⟩ *n:* **ein ~ haben mit** avere comprensione per.

ein·seifen *tr* insaponare.

einseitig *adj allg., jur, med* unilaterale; *(parteiisch)* parziale. **Einseitigkeit** ⟨-, ø⟩ *f* unilateralità *f; fig* parzialità *f,* ristrettezza *f* di vedute.

ein·senden ⟨*irr*⟩ *tr* inviare, spedire. **Einsender** *m* mittente *m.* **Einsendeschluß** *m* ultimo termine *m* di consegna.

ein·setzen **I.** *tr* **1.** *(hin~)* mettere dentro (*in +akk* a); *(Pflanze)* piantare; *(Flikken)* applicare; *(Fensterscheibe, Tür)* montare; **2.** *(Person in Amt)* insediare; *(Erben)* istituire; **3.** *(verwenden)* impiegare; **II.** *itr* cominciare; *mus* attaccare; **III.** *rfl:* **sich für etw./jdn ~** adoperarsi per qc/qu.

Einsetzung ⟨-, -en⟩ *f (in Amt)* insediamento *m; (von Erben)* istituzione *f.*

Einsicht *f* **1.** *(Sicht)* vista *f;* **2.** *(Verständnis)* comprensione *f,* discernimento *m; (Vernunft)* giudizio *m; (Erkenntnis)* convinzione *f;* **3.** *(~nahme)* visione *f* (*in +akk* di), esame *m* (*in +akk* di); **zur ~** *adm* in visione; **zu der ~ kommen, daß ...** convincersi che ... **einsichtig** *adj* **1.** *(vernünftig)* ragionevole; *(verständnisvoll)* comprensivo; **2.** *(verständlich)* ragionevole, comprensibile. **Einsichtnahme** [-na:mə] ⟨-, -n⟩ *s.* **Einsicht.**

Einsiedler(in) *m(f)* eremita *mf.*

einsilbig *adj* **1.** *gram* monosillab(ic)o; **2.** *fig (wortkarg)* di poche parole.

ein·sinken ⟨*irr*⟩ *itr* ⟨*sein*⟩ sprofondare.

ein·spannen *tr* **1.** *(in Rahmen, Maschine)* mettere; **2.** *fig fam (Menschen)* mettere sotto *fam;* **jdn für etw. ~** incaricare qu di collaborare a qc.

ein·sparen *tr* risparmiare.

ein·speisen *tr* **1.** *el* alimentare, applicare; **2.** *inform* immettere, introdurre.

ein·sperren *tr* **1.** *allg.* (rin)chiudere; **2.** *fam (ins Gefängnis)* imprigionare.

ein·spielen **I.** *tr* **1.** *film, theat (Geld)* rendere; **2.** *(Gerät, a. mus)* provare; **II.** *rfl:* **sich ~ 1.** *sport* allenarsi; *mus, theat* esercitarsi, provare; **2.** *fig (Gewohnheit werden)* prender piede, stabilirsi; **der normale Tagesablauf wird sich bald wieder ~** si ristabilirà presto il normale ritmo giornaliero; **sich aufeinander ~** affiatarsi.

ein·springen ⟨*irr*⟩ *itr* ⟨*sein*⟩ aiutare; **für jdn ~** rimpiazzare (*o* sostituire) qu.

Einspritzdüse *f mot* iniettore *m.* **Einspritzmotor** *m* motore *m* ad iniezione.

Einspruch *m* obiezione *f,* opposizione *f,* protesta *f; jur* ricorso *m,* reclamo *m; parl* veto *m;* **(ich erhebe) ~! – (~) abgelehnt!/(dem ~ wird) stattgegeben!** *jur* protesto! – obiezione respinta!/obiezione accolta!

einspurig *adj* a una corsia.

einst [ainst] *adv* in passato, una volta.

Einstand *m sport* punteggio *m* pari; **seinen ~ geben** festeggiare l'entrata in servizio.

ein·stecken *tr* **1.** *(hin~)* mettere dentro (*in +akk* a), introdurre (*in +akk* in); **2.** *(in Tasche)* intascare; **3.** *(Brief)* imbucare, impostare; **4.** *fig fam (hinnehmen müssen)* subire; *(Schläge)* incassare *fam; (Beleidigung, Kritik)* mandar giù *fam,* sopportare.

ein·stehen ⟨*irr*⟩ *itr* rispondere (*für* di); *(garantieren)* garantire (*für* per).

ein·steigen ⟨*irr*⟩ *itr* ⟨*sein*⟩ **1.** *(in Fahrzeug)* salire; **2.** *(in Schiff, Flugzeug)* salire a bordo (*in +akk* di), imbarcarsi (*in +akk* su); **3.** *fam (in Geschäft)* imbarcarsi *fig* (*in +akk* su, in).

ein·stellen I. *tr* **1.** *(hin~)* mettere dentro (*in +akk* a); **2.** *tec (regulieren)* sintonizzare (*auf +akk* su), mettere a punto; *(radio, TV)* regolare; *(Zündung)* mettere in fase; *fot* mettere a fuoco; *(Fernglas)* puntare; **3.** *(Arbeiter)* assumere; *(Angestellte)* impiegare; **4.** *(beenden)* terminare, cessare; *(Verfahren, Zahlung)* sospendere; *(Rekord)* battere; **II.** *rfl:* **sich ~** manifestarsi; **sich auf etw.** *(akk)* **~** prepararsi a qc, aspettare qc.

einstellig *adj* di una (sola) cifra.

Einstellung *f* **1.** *tec* registrazione *f,* regolazione *f;* **2.** *(Anstellung)* impiego *m,* assunzione *f;* **3.** *(Beendigung)* cessazione *f,* sospensione *f;* **4.** *(Haltung)* atteggiamento *m* (*zu* verso). **Einstellungssperre** *f* blocco *m* delle assunzioni.

Einstieg ['ainʃti:k] ⟨-(e)s, -e⟩ *m* **1.** *(das Einsteigen)* entrata *f;* **2.** *(~sstelle)* accesso *m;* **3.** *(geistiger Zugang)* approccio *m.* **Einstiegsdroge** *f* droga *f* leggera, droga propedeutica all'uso di altre droghe.

ein·stimmen *itr* intonare (*in +akk* qc).

einstimmig I. *adj* **1.** *mus* per una sola voce, monodico; **2.** *(ohne Gegenstimme)* all'unisono; *(einmütig)* concorde, unanime; **II.** *adv* all'unanimità. **Einstimmigkeit** ⟨-, ø⟩ *f* unanimità *f.*

einstöckig ['ainʃtœkıç] *adj* di (*o* a) un (solo) piano.

Einstrahlung *f (Sonnen~)* irradiazione *f.*

ein·strömen *itr* ⟨*sein*⟩ affluire.

ein·studieren ⟨*ohne ge-*⟩ *tr* provare.

ein·stufen *tr* **1.** *(einordnen, a. fig)* classificare; **2.** *(bewerten)* valutare.

Einstufung ⟨-, -en⟩ *f* **1.** *(Einordnung)* classificazione *f;* **2.** *(Bewertung)* valutazione *f.*

einstündig ['ainʃtʏndıç] *adj* (della durata) di un'ora.

Einsturz *m* crollo *m.*

ein·stürzen *itr* ⟨*sein*⟩ crollare; **auf jdn ~** *(Eindrücke)* colpire qu; *(Ereignis)* travolgere qu.

Einsturzgefahr *f* pericolo *m* di crollo; **~!** attenzione, edificio pericolante!

einstweilen ['ainst'vailən] *adv* **1.** *(vorläufig)* per ora, per il momento; **2.** *(unterdessen)* intanto.

einstweilig ['ainst'vailıç] *adj (vorläufig)* temporaneo; *(provisorisch)* provvisorio.

eintägig ['aintε:gıç] *adj* di un giorno.

Eintagsfliege *f* **1.** *zoo* mosca *f* effimera; **2.** *fig* cosa *f* effimera.

ein·tauchen I. *tr* ⟨*haben*⟩ **1.** *(untertauchen)* immergere, tuffare; **2.** *(eintunken)* intingere; **II.** *itr* ⟨*sein*⟩ immergersi.

ein·tauschen *tr* cambiare (*gegen* con), dare in cambio (*gegen* di).

eintausend ['ain'tauzənt] *num* mille.

ein·teilen *tr* **1.** *(unterteilen)* (sud)dividere; *(in Klassen)* classificare; **2.** *(haushalten mit)* disporre; **3.** *(für Aufgabe)* assegnare.

Einteilung *f* **1.** *(Unterteilung)* (sud)divisione *f; (in Klassen)* classificazione *f;* **2.** *(Organisation)* economia *f;* **3.** *(Zuweisung)* assegnazione *f.*

eintönig ['aintø:nıç] *adj* monotono. **Eintönigkeit** ⟨-, ø⟩ *f* monotonia *f.*

Eintopf(gericht *n*) *m* minestrone *m* (con svariati ingredienti); *(Gemüse)* misto *m* (di verdure).

Eintracht ['aintraxt] ⟨-, ø⟩ *f* concordia *f;* **~ (Frankfurt/Braunschweig)** *sport* unione *f* (Frankfurt/Braunschweig).

einträchtig [...trεçtıç] **I.** *adj* concorde; **II.** *adv* in concordia, in buon'armonia.

Eintrag ['aintra:k] ⟨-(e)s, -träge⟩ *m* **1.** *(in Liste, Buch)* registrazione *f,* iscrizione *f; (in Wörterbuch)* entrata *f;* **2.** *adm (Vermerk, Notiz)* nota *f.*

ein·tragen ⟨*irr*⟩ **I.** *tr* **1.** *(in Buch, Liste)* registrare, iscrivere; **2.** *(einbringen)* rendere, portare, fruttare; **II.** *rfl:* **sich ~** iscriversi.

einträglich ['aintrε:klıç] *adj* fruttuoso, redditizio.

Eintragung ⟨-, -en⟩ *f s.* **Eintrag.**

ein·treffen ⟨*irr*⟩ *itr* ⟨*sein*⟩ **1.** *(ankommen)* arrivare; **2.** *(Prophezeiung)* avverarsi; *(Katastrophe)* accadere.

ein·treiben ⟨*irr*⟩ *tr (Geld)* riscuotere.

ein·treten ⟨*irr*⟩ **I.** *itr* ⟨*sein*⟩ **1.** *(hineingehen)* entrare (*in +akk* in); **2.** *(beitreten)* aderire (*in +akk* a); **3.** *(geschehen)* verificarsi; *(einsetzen, beginnen)* iniziare, cominciare; **für jdn/etw. ~** *(sich einsetzen)* prendere le parti di qu/sostenere qc; *(verteidigen)* difendere (la causa di) qu/difendere qc; **treten Sie (bitte) ein!** si accomodi (*o* entri), prego!; **II.** *tr* ⟨*haben*⟩ sfondare (con un calcio).

ein·trichtern *tr:* **jdm etw. ~** *fam* propinare qc a qu.

Eintritt *m* **1.** *(das Eintreten)* entrata *f; (in Partei, ~sgeld)* ingresso *m;* **2.** *(Beginn)* inizio *m.* **Eintrittskarte** *f* biglietto *m* d'ingresso. **Eintrittspreis** *m* prezzo *m* d'ingresso.

ein·üben *tr* studiare; *theat* provare.

ein·verleiben ['ainfɛɐ̯laibən] ⟨*ohne ge-*⟩ *tr* incorporare (*dat* in), inglobare (*dat* in); **sich** *(dat)* **etw.** ~ *scherz (Nahrung)* mangiarsi qc; *fig* imparare qc.

Einvernehmen *n* concordia *f,* armonia *f,* accordo *m;* **im ~ mit** d'accordo con; **in gutem ~** in buoni rapporti.

einverstanden *adj:* **mit etw./jdm ~ sein** essere d'accordo su qc/con qu, approvare qc/qu; ~! d'accordo!, intesi!

Einverständnis *n* **1.** *(Billigung)* approvazione *f,* assenso *m;* **2.** *(Übereinstimmung)* consenso *m,* accordo *m.*

Einwand ['ainvant] ⟨-(e)s, -wände⟩ *m* obiezione *m.*

Einwanderer *m,* **Einwandrerin** *f* immigrante *mf; (Eingewanderter)* immigrato, -a *m, f.*

ein·wandern *itr* ⟨*sein*⟩ immigrare.

Einwanderungsland *n* paese *m* d'immigrazione.

einwandfrei *adj (Benehmen)* irreprensibile, impeccabile; *(Gegenstand)* senza difetti.

einwärts ['ainvɛrts] *adv* in dentro.

Einwegflasche *f* vuoto *m* a perdere. **Einwegrasierer** ⟨-s, -⟩ *m* rasoio *m* monouso. **Einwegspritze** *f* siringa *f* monouso. **Einwegverpackung** *f* imballaggio *m* a perdere.

ein·weichen *tr* mettere a bagno; *(Wäsche)* mettere a mollo; *(Brot)* inzuppare.

Einweichmittel *n* ammorbidente *m.*

ein·weihen *tr* inaugurare; *rel* consacrare; **jdn in etw.** ~ *(einführen)* iniziare qu a qc; *(in Geheimnis)* mettere a parte qu di qc.

Einweihung ⟨-, -en⟩ *f* **1.** *(Eröffnung)* inaugurazione *f;* **2.** *(in Geheimnis)* iniziazione *f* (*in +akk* a).

ein·weisen ⟨*irr*⟩ *tr* **1.** *(in Krankenhaus)* ricoverare; *(in Anstalt)* internare; **2.** *(in Amt)* insediare; **3.** *(in Tätigkeit)* addestrare; **4.** *(in Parklücke)* dirigere (nella manovra).

Einweisung *f* **1.** *(in Krankenhaus)* ricovero *m; (in Anstalt)* internamento *m;* **2.** *(in Amt)* insediamento *m;* **3.** *(in Tätigkeit)* addestramento *m;* **4.** *(in Parklücke)* dirigere *m.*

ein·wenden ⟨*irr*⟩ *tr* obiettare (*gegen* su), ridire (*gegen* su).

ein·werfen ⟨*irr*⟩ **I.** *tr* **1.** *(Brief)* imbucare; *(Geld)* introdurre; **2.** *(Fenster)* frantumare; **3.** *(Ball)* rimettere in gioco; **4.** *fig (Bemerkung)* uscirsene con *fam,* buttar lì *fam;* **II.** *itr* **1.** *sport* rimettere in gioco la palla; **2.** *fig (in Gespräch)* obiettare, osservare.

ein·wickeln *tr* avvolgere, incartare.

ein·willigen *itr* (ac)consentire (*in +akk* a), accettare (*in etw. (akk)* qc).

Einwilligung ⟨-, -en⟩ *f* consenso *m.*

ein·wirken *itr* agire (*auf +akk* su); *(beeinflussen)* influire (*auf +akk* su), influenzare (*auf etw. (akk)* qc).

Einwirkung *f* azione *f* (*auf +akk* su), effetto (*auf +akk* su).

Einwohner(in) ⟨-s, -⟩ *m(f)* abitante *mf.* **Einwohnermeldeamt** *n* anagrafe *m.* **Einwohnerzahl** *f* numero *m* di abitanti, popolazione *f.*

Einwurf *m* **1.** *(für Briefe)* buca *f; (Münz~)* fessura *f;* **2.** *(das Einwerfen)* impostazione *f;* **3.** *fig (Bemerkung)* osservazione *f;* **4.** *sport (Ball)* rimessa *f* in gioco.

Einzahl *f gram* singolare *m.*

ein·zahlen *tr* pagare, versare. **Einzahlung** *f* versamento *m.* **Einzahlungsbeleg** *m* ricevuta *f* di versamento. **Einzahlungsformular** *n* modulo *m* di versamento.

ein·zäunen ['aintsɔynən] *tr* recintare.

Einzel ['aintsəl] ⟨-s, -⟩ *n* singolo *m.* **Einzelausstellung** *f* esposizione *f* individuale. **Einzelbett** *n* letto *m* singolo. **Einzelblatteinzug** *m (von Drucker)* caricatore *m* (*o* inseritore *m*) automatico di fogli singoli. **Einzelfahrschein** *m* biglietto *m* singolo. **Einzelfall** *m* caso *m* singolo (*o* particolare). **Einzelgänger(in)** [-gɛŋɐ (...ərɪn)] ⟨-s, -⟩ *m(f)* solitario, -a *m, f.* **Einzelhaft** *f* segregazione *f* cellulare. **Einzelhandel** *m* commercio *m* al minuto (*o* dettaglio). **Einzelhändler(in)** *m(f)* commerciante *mf* al minuto. **Einzelheit** ⟨-, -en⟩ *f* particolare *m,* dettaglio *m.* **Einzelkind** *n* figlio, -a *m, f* unico, -a.

einzellig *adj* unicellulare, monocellulare.

einzeln **I.** *adj* **1.** *(alleinig)* solo, unico; **2.** *(Sonder-)* particolare, speciale; **3.** *(getrennt)* separato, distinto; **der ~e** l'individuo; **~e** *(einige, wenige)* alcuni, qualche *(mit sing);* **ein ~er Strumpf** una calza sola; **im ~en** in particolare; **II.** *adv* **1.** *(für sich betrachtet)* singolarmente, ad uno ad uno; **2.** *(getrennt)* separatamente; **bitte ~ eintreten** per favore, entrare uno alla (*o* per) volta.

Einzelstück *n* pezzo *m* unico. **Einzelteil** *n* pezzo *m* staccato. **Einzelzimmer** *n* camera *f* singola.

ein·ziehen ⟨*irr*⟩ **I.** *tr* ⟨*haben*⟩ **1.** *(Faden, Band)* infilare; **2.** *(Krallen)* ritirare; *(Kopf, Bauch, Antenne, Fahrgestell)* far rientrare; *(Fahne, Segel)* ammainare; **3.** *(Gelder)* riscuotere; **4.** *(beschlagnahmen)* confiscare, sequestrare; **5.** *(Rekruten)* arruolare; **Erkundigungen über jdn ~** prendere informazioni su qu; **II.** *itr* ⟨*sein*⟩ **1.** *(Einzug halten)* entrare; **2.** *(in Wohnung, Haus)* andare ad abitare; **3.** *(Flüssigkeit, Creme)* penetrare (*in +akk* in), essere assorbito (*in +akk* da).

Einziehung *f* **1.** *mil* coscrizione *f,* richiamo *m* alle armi; **2.** *(von Außenständen)* riscossione *f*, ricupero *m; (von Steuern)* esazione *f;* **3.** *(Beschlagnahmung)* confisca *f*, sequestro *m.*

einzig I. *adj* unico, solo; *(~artig)* eccezionale; **das ~e, was wir tun können** la sola cosa che possiamo fare; **es war eine ~e Katastrophe** *fam* è stata una vera e propria catastrofe; **II.** *adv:* **~ (und allein)** unicamente. **einzigartig** *adj* unico (nel suo genere), straordinario.

Einzimmerwohnung *f* monolocale *m*, miniappartamento *m.*

Einzug *m* ingresso *m.* **Einzugsermächtigung** *f* autorizzazione *f* a riscuotere (*o* incassare). **Einzugsgebiet** *m* **1.** *geog* bacino *m* idrografico; **2.** *(Versorgungsgebiet)* area *f* d'approvvigionamento. **Einzugsverfahren** *n fin* procedimento *m* di riscossione.

Eis [ais] ⟨-es, ø⟩ *n* ghiaccio *m; (Speise~)* gelato *m;* **etw. auf ~ legen** mettere qc in ghiaccio; *fig (zurückstellen)* accantonare qc. **Eisbahn** *f* pista *f* di pattinaggio. **Eisbär** *m* orso *m* bianco. **Eisbecher** *m* coppa *f* di gelato. **Eisbein** *n* zampetto *m* di porco. **Eisberg** *m* iceberg *m.* **Eisblumen** *f pl* fiori *m pl* di ghiaccio (sui vetri delle finestre). **Eisbombe** *f* bomba *f* di gelato. **Eisbrecher** ⟨-s, -⟩ *m* (nave *f*) rompighiaccio *m.* **Eiscreme** ⟨-, -s⟩ *f* gelato *m* (di crema). **Eisdiele** *f* gelateria *f.*

Eisen ['aizən] ⟨-s, -⟩ *n* ferro *m;* **ein heißes ~ anfassen** *fig* toccare una questione scottante; **zwei ~ im Feuer haben** *fig* mettere molta carne al fuoco *fig;* **zum alten ~ gehören** *fig* essere un rottame *fig.*

Eisenbahn *f* ferrovia *f; (Zug)* treno *m.* **Eisenbahner** ⟨-s, -⟩ *m* ferroviere *m.* **Eisenbahngesellschaft** *f* compagnia *f* ferroviaria. **Eisenbahnunglück** *n* sciagura *f* ferroviaria. **Eisenbahnwagen** *m* carrozza *f* ferroviaria.

Eisendraht *m* filo *m* di ferro. **Eisenerz** *n* minerale *m* di ferro. **eisenhaltig** *adj* ferruginoso. **Eisenmangel** *m* carenza *f* di ferro. **Eisenoxyd** *n* ossido *m* ferrico. **Eisenwarenhändler** *m* negoziante *m* di ferramenta. **Eisenwarenhandlung** *f* negozio *m* di ferramenta.

eisern *adj* di ferro; *fig* ferreo; **~e Lunge** polmone d'acciaio; **~e Ration** razione *f* d'emergenza; **E~er Vorhang** *pol* cortina di ferro; **~ bleiben** essere inflessibile (*o* irremovibile).

Eisfach *n* freezer *m.* **eisfrei** *adj* libero dal ghiaccio. **eisgekühlt** *adj* ghiacciato. **Eisheilige** *m pl* gelo *m* di maggio. **Eishokkey** [-hɔki *o* -hɔke] ⟨-s, ø⟩ *n* hockey *m* su ghiaccio. **eisig** ['aiziç] *adj* gelido. **Eiskaffee** *m* caffè *m* freddo con gelato e panna. **eiskalt** *adj* gelido, freddissimo. **Eiskübel** *m* secchiello *m* del ghiaccio. **Eiskunstlauf** *m* pattinaggio *m* artistico. **eis·laufen** ⟨*irr*⟩ *itr* ⟨*sein*⟩ pattinare. **Eisläufer(in)** *m(f)* pattinatore, -trice *m, f.* **Eismeer** *n* mare *m* di ghiaccio. **Eispickel** *m* piccozza *f* alpina.

Eisprung *m* ovulazione *f.*

Eisschnellauf *m* pattinaggio *m* di velocità. **Eisscholle** *f* lastrone *m* di ghiaccio. **Eisschrank** *m* frigorifero *m.* **Eisstadion** *n* stadio *m* del ghiaccio. **Eisverkäufer(in)** *m(f)* gelataio, -a *m, f.* **Eiswürfel** *m* cubetto *m* di ghiaccio. **Eiszapfen** *m* ghiacciolo *m.* **Eiszeit** *f* epoca *f* glaciale.

eitel ['aitəl] *adj* **1.** *(Mensch)* vanitoso; **2.** *poet (rein)* puro. **Eitelkeit** ⟨-, -en⟩ *f* vanità *f.*

Eiter ['aitɐ] ⟨-s, ø⟩ *m* pus *m.* **eit(e)rig** *adj* purulento. **eitern** *itr* suppurare.

Eiweiß ⟨-es, -e⟩ *n* **1.** *(von Ei)* bianco *m* dell'uovo; *wissensch.* albume *m;* **2.** *chem* albumina *f;* proteina *f.* **eiweißreich** *adj* ricco di proteine. **Eizelle** *f* ovulo *m.*

ejakulieren [ejaku'li:rən] ⟨*ohne ge-*⟩ *itr* eiaculare.

Ekel[1] ['e:kəl] ⟨-s, ø⟩ *m* nausea *f* (*vor +dat* di); *(Widerwille)* schifo *m* (*vor +dat* di); **~ erregen** nauseare.

Ekel[2] ['e:kəl] ⟨-s, -⟩ *n fam* persona *f* schifosa; **du ~!** odioso, -a!

ekelerregend, ekelhaft, ek(e)lig *adj* schifoso, nauseante. **ekeln I.** *tr, itr:* **mich (***o* **mir) ekelt (es) vor etw.** *(dat)* ho nausea di qc, qc mi fa schifo, qc mi disgusta; **II.** *rfl:* **sich ~** sentirsi disgustato (*vor +dat* di).

EKG, Ekg [e:ka:'ge:] ⟨-(s), -s⟩ *n abk von* **Elektrokardiogramm** E.C.G. (*abbr di* elettrocardiogramma).

eklatant [ekla'tant] *adj* eclatante.

Ekstase [ɛk'sta:zə] ⟨-, -n⟩ *f* estasi *f.*

Ekzem [ɛk'tse:m] ⟨-s, -e⟩ *n* eczema *m.*

Elan [e'la:n *o* e'lã:] ⟨-s, ø⟩ *m* slancio *m.*

elastisch [e'lastɪʃ] *adj* elastico.

Elastizität [...titsi'tɛ:t] ⟨-, ø⟩ *f* elasticità *f.*

Elbe ['ɛlbə] *f* Elba *f.*

Elch [ɛlç] ⟨-(e)s, -e⟩ *m* alce *m.*

Electronic Banking [ɪlɛktrɔnɪk 'bɛŋkɪŋ] ⟨-, ø⟩ *n* electronic banking *m.*

Elefant [ele'fant] ⟨-en, -en⟩ *m* elefante *m.*

elegant [ele'gant] *adj* elegante.

Eleganz [...'gants] ⟨-, ø⟩ *f* eleganza *f.*

Elektriker(in) [e'lɛktrikɐ (...ərɪn)] ⟨-s, -⟩ *m(f)* elettricista *mf*, elettrotecnico, -a *m, f.*

elektrisch [e'lɛktrɪʃ] *adj* elettrico.

elektrisieren [...tri'si:rən] ⟨*ohne ge-*⟩ *tr* elettrizzare.

Elektrizität [...tritsi'tɛ:t] ⟨-, ø⟩ *f* elettricità *f.* **Elektrizitätswerk** *n* centrale *f* elettrica.

Elektroauto [e'lɛktro-] *n* auto *f* elettrica.

Elektrode [elɛk'tro:də] ⟨-, -n⟩ *f* elettrodo *m.*

Elektrogerät *n* apparecchio *m* elettrico; *(Haushalts~)* elettrodomestico *m.* **Elektrogeschäft** *n* negozio *m* di elettrodomestici. **Elektroherd** *m* cucina *f* elettri-

ca. **Elektroingenieur(in)** *m(f)* (donna *f*) ingegnere *m* elettrotecnico. **Elektroinstallateur(in)** *m(f)* elettricista *mf*.
Elektrolyse [-'ly:zə] ⟨-, -n⟩ *f* elettrolisi *f*.
Elektromotor *m* motore *m* elettrico, elettromotore *m*.
Elektron ['e:lɛktrɔn *o* elɛk'tro:n, ...'tro:-nən] ⟨-s, -en⟩ *n* elettrone *m*.
Elektronen- *(in Zusammensetzungen)* elettronico. **Elektronenblitz** *m* lampo *m* elettronico, flash *m*. **Elektronenmikroskop** *n* microscopio *m* elettronico.
Elektronik [elɛk'tro:nɪk] ⟨-, ø⟩ *f* elettronica *f*. **Elektronikschrott** *m* rottami *m pl* elettronici.
elektronisch *adj* elettronico; **~e Datenverarbeitung (***abk* **EDV)** elaborazione *f* elettronica dati (*abbr* E.E.D.).
Elektrorasenmäher *m* falciatrice *f* elettrica. **Elektrorasierer** ⟨-s, -⟩ *m* rasoio *m* elettrico. **Elektroschock** *m* elettroshock *m*, elettrochoc *m*. **Elektroschockbehandlung** *f* elettroshockterapia *f*. **Elektrotechnik** *f* elettrotecnica *f*.
Element [ele'mɛnt] ⟨-(e)s, -e⟩ *n* elemento *m*.
elementar [...'ta:ɐ] *adj* elementare; *(grundlegend a.)* fondamentale.
elend ['e:lɛnt] *adj* **1.** *(armselig)* misero, povero; **2.** *(kümmerlich)* miserabile, infelice; **3.** *fam (kränklich)* malaticcio; **4.** *pej (gemein)* infame; **du ~er Betrüger!** *fam* misero imbroglione!. **Elend** ⟨-(e)s, ø⟩ *n* miseria *f*, indigenza *f*; **wie das leibhaftige ~ aussehen** *fam* sembrare la morte in vacanza *fam*; **wie ein Häufchen ~** *fam* come uno straccio *fam*. **Elendsviertel** *n* quartiere *m* povero.
elf [ɛlf] *num* undici; *s. a. vier.*
Elf ⟨-, -en⟩ *f (Zahl)* undici *m*; *(Buslinie)* undici *m*; *sport* undici *m*, squadra *f* di calcio.
Elf-, elf- *s. a. Vier-, vier-.*
Elfe ['ɛlfə] ⟨-, -n⟩ *f* silfide *f*.
Elfenbein ['ɛlfənbai̯n] *n* avorio *m*.
Elfmeter [-'me:tɐ] ⟨-s, -⟩ *m* tiro *m* (*o* calcio *m*) di rigore. **Elfmeterschießen** ⟨-, ø⟩ *n* calci *m pl* di rigore.
elfte *s.* **elfte(r, s).**
Elfte ⟨ein -r, -n, -n⟩ *mf* undicesimo, -a *m, f*; *s. a. Vierte.*
Elftel ⟨-s, -⟩ *n* undicesimo *m*.
elftens *adv* (in) undicesimo (luogo).
elfte(r, s) *adj* undicesimo, -a; *(bei Datumsangaben)* undici; s. a. vierte(r, s).
eliminieren [elimi'ni:rən] ⟨*ohne ge-*⟩ *tr* eliminare.
Elisabeth [e'li:zabɛt] *(weiblicher Vorname)* Elisabetta.
elitär [eli'tɛ:ɐ] *adj* di elite, scelto.
Elite [e'li:tə] ⟨-, -n⟩ *f* élite *f*, fior fiore *m*.
Elixier [elɪ'ksi:ɐ] ⟨-s, -e⟩ *n* elisir *m*.
Ellbogen *s.* **Ellenbogen. Ellbogengesellschaft** *f pej* società *f* senza scrupoli.
Elle ['ɛlə] ⟨-, -n⟩ *f anat* ulna *f*; *(a. Maß)* cubito *m*.
Ell(en)bogen ⟨-s, -⟩ *m* gomito *m*. **Ell(en)bogenfreiheit** *f fig* libertà *f* di movimento. **ellenlang** *adj fam* lunghissimo.
Ellipse [ɛ'lɪpsə] ⟨-, -n⟩ *f* **1.** *mat* ellisse *f*; **2.** *ling* ellissi *f*.
elliptisch [ɛ'lɪptɪʃ] *adj* ellittico.
Elster ['ɛlstɐ] ⟨-, -n⟩ *f* gazza *f*.
elterlich *adj* **1.** *(von den Eltern kommend)* dei genitori, parentale; **2.** *(den Eltern gehörend)* paterno.
Eltern ['ɛltɐn] ⟨*pl*⟩ genitori *m pl*. **Elternabend** *m* riunione *f* dei genitori. **Elternhaus** *n* **1.** *(Vaterhaus)* casa *f* paterna; **2.** *fig* famiglia *f*. **Elternliebe** *f* amore *m* dei genitori. **elternlos I.** *adj* orfano (di padre e di madre); **II.** *adv* senza genitori. **Elternsprechtag** *m* giorno *m* per il colloquio con i genitori.
Email [e'mai̯ *o* e'ma:j] ⟨-s, -s⟩ *n*, **Emaille** [e'maljə *o* e'mai̯] ⟨-, -n⟩ *f* smalto *m*.
emaillieren [ema'ji:rən *o* emal'ji:rən] ⟨*ohne ge-*⟩ *tr* smaltare.
Emanze [e'mant͜sə] ⟨-, -n⟩ *f fam pej* femminista *f*.
Emanzipation [emant͜sipa't͜si̯o:n] ⟨-, -en⟩ *f* emancipazione *f*.
emanzipatorisch [...'to:rɪʃ] *adj* emancipatore.
emanzipieren [...'pi:rən] ⟨*ohne ge-*⟩ **I.** *tr* emancipare; **II.** *rfl:* **sich ~** emanciparsi.
Embargo [ɛm'bargo] ⟨-s, -s⟩ *n* embargo *m*.
Embolie [ɛmbo'li:, ...i:ən] ⟨-, -n⟩ *f* embolia *f*.
Embryo ['ɛmbryo, ...y'o:nən] ⟨-s, -nen⟩ *m* embrione *m*.
Emigrant(in) [emi'grant(ɪn)] ⟨-en, -en⟩ *m(f)* *(Auswanderer)* emigrante *mf*; *(Ausgewanderter)* emigrato, -a *m, f*.
Emigration [...gra't͜si̯o:n] ⟨-, -en⟩ *f* emigrazione *f*.
emigrieren [...'gri:rən] ⟨*ohne ge-*⟩ *itr* ⟨*sein*⟩ emigrare.
Emil ['e:mi:l] *(männlicher Vorname)* Emilio.
Emission [emɪ'si̯o:n] ⟨-, -en⟩ *f* **1.** *phys, fin* emissione *f*; **2.** *CH (Rundfunksendung)* trasmissione *f*.
Emotion [emo't͜si̯o:n] ⟨-, -en⟩ *f* emozione *f*.
emotional, emotionell [emot͜si̯o'na:l, ...'nɛl] *adj* emozionale, emotivo.
empfahl [ɛm'p͜fa:l] *imp von* **empfehlen.**
empfand [ɛm'p͜fant] *imp von* **empfinden.**
Empfang [ɛm'p͜faŋ] ⟨-(e)s, Empfänge⟩ *m* **1.** *allg., radio, TV* ricezione *f*; *(a. festliche Veranstaltung)* ricevimento *m*; **2.** *(Aufnahme)* accoglienza *f*; *(von Post)* ricevimento *m*, ricevere *m*; **3.** *(im Hotel)* reception *f*; **etw.** *(akk)* **in ~ nehmen** prendere in consegna qc, ricevere qc; **jdn in ~ nehmen** accogliere qu.

empfangen ⟨empfängt, empfing, empfangen⟩ *tr* **1.** *allg., fig, radio, TV* ricevere; *(Person)* accogliere; **2.** *geh (schwanger werden)* concepire.
Empfänger [ɛm'pfɛŋɐ] ⟨-s, -⟩ *m (Gerät)* apparecchio *m* ricevente, ricevitore *m.*
Empfänger(in) ⟨-s, -⟩ *m(f) (von Post)* destinatario, -a *m, f; (von Ware)* consegnatario, -a *m, f; (von Summe)* ricevitore, -trice *m, f;* ~ **unbekannt** *(auf Briefen)* sconosciuto all'indirizzo.
empfänglich *adj* sensibile (*für* a).
Empfängnis ⟨-, -se⟩ *f* concepimento *m,* concezione *f.* **empfängnisfähig** *adj* fecondo. **Empfängnisverhütung** *f* contraccezione *f.*
Empfangsbescheinigung *f,* **-bestätigung** *f* ricevuta *f,* quietanza *f.* **Empfangschef(in)** *m(f)* direttore, -trice *m, f,* maître, -tresse *m, f.* **Empfangszimmer** *n* salotto *m* da ricevimento.
empfängt [ɛm'pfɛŋt] *pr von* **empfangen.**
empfehlen [ɛm'pfe:lən] ⟨empfiehlt, empfahl, empfohlen⟩ **I.** *tr* raccomandare, consigliare; **II.** *rfl:* **sich** ~ *(sich verabschieden)* prendere congedo, accomiatarsi; **es empfiehlt sich zu ...** conviene *+inf.* **empfehlenswert** *adj* raccomandabile.
Empfehlung ⟨-, -en⟩ *f* raccomandazione *f; (Referenz)* referenze *f pl;* **auf** ~ **von** dietro raccomandazione di; **meine** ~ **an Ihre Frau Mutter!** *geh* i miei saluti (*o* rispetti) a Sua madre!
empfiehlt [ɛm'pfi:lt] *pr von* **empfehlen.**
empfinden [ɛm'pfɪndən] ⟨empfindet, empfand, empfunden⟩ *tr* sentire; *(Zuneigung, Respekt)* provare.
empfindlich *adj* **1.** *allg., fot, tec* sensibile (*für, gegen* a); **2.** *(zart, leicht zu beschädigen)* delicato; **3.** *(leicht verletzbar)* suscettibile; *(reizbar)* irritabile; **4.** *(spürbar, schmerzlich)* doloroso. **Empfindlichkeit** ⟨-, ø⟩ *f* **1.** *allg., tec, fot* sensibilità *f;* **2.** *fig* suscettibilità *f,* irritabilità *f.*
empfindsam *adj* sensibile, delicato d'animo; *(gefühlvoll)* emotivo, sentimentale. **Empfindsamkeit** ⟨-, ø⟩ *f* sensibilità *f;* emotività *f,* sentimentalità *f.*
Empfindung ⟨-, -en⟩ *f* **1.** *(Wahrnehmung)* sensazione *f;* **2.** *(Gefühl)* sentimento *m.*
empfing [ɛm'pfɪŋ] *imp von* **empfangen.**
empfohlen [ɛm'pfo:lən] *pp von* **empfehlen.**
empfunden [ɛm'pfʊndən] *pp von* **empfinden.**
empor [ɛm'po:ɐ̯] *adv poet* verso l'alto, all'insù.
Empore [ɛm'po:rə] ⟨-, -n⟩ *f (in Kirche)* cantoria *f,* matroneo *m; (in Theater)* galleria *f.*
empören [ɛm'pø:rən] ⟨*ohne ge-*⟩ **I.** *tr* indignare; **II.** *rfl:* **sich** ~ **1.** *(sich entrüsten)* indignarsi, arrabbiarsi (*über +akk* per); **2.** *(sich auflehnen)* ribellarsi (*gegen* a), rivoltarsi (*gegen* contro). **empörend** *adj* vergognoso.
Emporkömmling [-kœmlɪŋ] ⟨-s, -e⟩ *m* arrivista *mf,* parvenu *m.*
Empörung ⟨-, -en⟩ *f* indignazione *f* (*über +akk* per).
emsig ['ɛmzɪç] *adj* **1.** *(fleißig)* diligente; **2.** *(unermüdlich)* assiduo.
Emulation [emula'tsi̯o:n] *f* emulazione *f.*
Endausscheidung *f* finalissima *f.*
Ende ['ɛndə] ⟨-s, -n⟩ *n* fine *f; (Endpunkt)* estremità *f; (von Weg, Fahrt)* termine *m; (Ausgang)* esito *m;* ~ **Mai** alla fine di maggio; **letzten** ~**s** alla fin fine; **zu** ~ **gehen** stare per finire; *(Frist)* scadere; **zu** ~ **sein** essere finito, finire; **am** ~ alla fine; *(schließlich, im Grunde)* in fin dei conti, finalmente, dopo tutto; *(vielleicht, etwa)* magari; **am** ~ **der Welt** in capo al mondo; **er ist** ~ **dreißig** è alla fine dei trenta; ~ **gut, alles gut** *prov* tutto è bene quel che finisce bene *prov.*
Endeffekt *m:* **im** ~ *fam* alla fin fine.
Endemie [ɛnde'mi:] ⟨-, -n⟩ *f* endemia *f.*
endemisch *adj* endemico.
enden *itr* finire; *(a. ausgehen)* terminare; *(Frist)* scadere; *gram* terminare (*auf +akk* in).
Endergebnis *n* risultato *m* finale. **endgültig** *adj* definitivo.
Endivie [ɛn'di:vi̯ə] ⟨-, -n⟩ *f* indivia *f,* cicoria *f.*
Endkampf *m* finale *f.* **endlagern** ⟨*endge-*⟩ *tr* stoccare definitivamente (scorie radioattive). **Endlagerung** *f* deposito *m* definitivo (*o* stoccaggio *m* finale) di scorie radioattive.
endlich I. *adj* finito; **II.** *adv* in fine, alla fine; **na,** ~**!** *fam* finalmente!
endlos *adj* **1.** *(räumlich)* infinito; **2.** *(zeitlich)* interminabile; **das dauert ja** ~ **lange** non finisce più. **Endlospapier** *n* (carta a) modulo *m* continuo.
Endprodukt *n* prodotto *m* finito. **Endrunde** *f* girone *m* finale, ultima ripresa *f.* **Endspiel** *n* finale *f.* **Endspurt** *m* sprint *m; (Radsport)* volata *f.* **Endstadium** *n* fase *f* finale. **Endstation** *f* stazione *f* terminale, capolinea *m.*
Endung ⟨-, -en⟩ *f* desinenza *f.*
Endverbraucher *m* consumatore, -trice *m, f* (finale).
Energie [enɛr'gi:, ...i:ən] ⟨-, -n⟩ *f* energia *f.* **energiebewußt** *adj* attento al risparmio energetico. **Energieeinsparung** ⟨-, -en⟩ *f* risparmio *m* energetico. **Energieknappheit** *f* scarsità *f* (*o* penuria *f*) di energia. **Energiekrise** *f* crisi *f* energetica. **Energiequelle** *f* fonte *f* (*o* sorgente *f*) energetica. **energiesparend** *adj* che risparmia energia. **Energiesparmaßnahmen** *f pl* misure *f pl* (*o* provvedimenti *m pl*) per il risparmio energetico. **Energieträger** *m* fonte *f* energetica. **Energieverschwendung** *f* spreco *m* di energia.

Energieversorgung *f* distribuzione *f* energetica, rifornimento *m* energetico. **Energieversorgungsunternehmen** *n* società *f* produttrice e distributrice di energia elettrica.

energisch [e'nɛrgɪʃ] *adj* energico; *(entschlossen)* fermo, risoluto, deciso.

eng [ɛŋ] *adj* **1.** *allg.* stretto; **2.** *(~anliegend)* attillato, aderente; **3.** *fig (eingeschränkt)* limitato, ristretto; **4.** *(Beziehungen)* intimo, stretto; **~er machen** restringere; **in die ~ere Wahl kommen** entrare in ballottaggio; **im ~sten Familienkreis** nell'intimità della famiglia; **das darf man nicht so ~ sehen** *fam* non si devono prendere le cose troppo alla lettera.

Engadin ['ɛŋgadi:n] *n* Engadina *f.*

Engagement [ãgaʒə'mã:] ‹-s, -s› *n* **1.** *(Einsatz, Bindung)* impegno *m;* **2.** *theat* scrittura *f,* ingaggio *m.*

engagieren [...'ʒi:rən] ‹*ohne ge-*› **I.** *tr theat* scritturare, ingaggiare; *(anstellen)* assumere; **II.** *rfl:* **sich ~** impegnarsi, adoperarsi. **engagiert** *adj* impegnato.

Enge ['ɛŋə] ‹-, -n› *f* **1.** *(Engsein)* strettezza *f,* angustia *f lett;* **2.** *(Stelle)* strettoia *f; (Meeres~, Land~)* stretto *m;* **jdn in die ~ treiben** mettere qu alle strette.

Engel ['ɛŋəl] ‹-s, -› *m* angelo *m.* **Engelsgeduld** *f* pazienza *f* di un santo (*o* di Giobbe).

engherzig *adj* gretto, meschino. **Engherzigkeit** ‹-, -en› *f* grettezza *f,* meschinità *f.*

England ['ɛŋlant] *n* Inghilterra *f.*

Engländer ['ɛŋlɛndɐ] ‹-s, -› *m tec* chiave *f* inglese.

Engländer(in) ‹-s, -› *m(f)* inglese *mf.*

englisch ['ɛŋlɪʃ] **I.** *adj* inglese; **II.** *adv* **1.** *allg.* inglese, all'inglese; **2.** *gastr* al sangue.

englischsprechend *adj* anglofono.

engmaschig *adj* fitto, a maglie fitte.

Engpaß *m* **1.** *geog* passo *m* (*o* valico *m*) stretto; *(verengte Stelle)* strettoia *f;* **2.** *fig* difficoltà *f,* impasse *f.*

en gros [ã'gro] *adv com* all'ingrosso.

engstirnig *adj* **1.** *(einseitig)* di vedute limitate; **2.** *(kleinlich)* gretto, meschino. **Engstirnigkeit** ‹-, ø› *f* **1.** *(Einseitigkeit)* limitatezza *f* di vedute; **2.** *(Kleinlichkeit)* meschinità *f.*

Enkel(in) ['ɛŋkəl(ɪn)] ‹-s, -› *m(f),* **Enkelkind** *n* nipote *mf* (di nonno, -a).

enorm [e'nɔrm] *adj* enorme.

Ensemble [ã'sã:bəl] ‹-s, -s› *n* **1.** *theat* ensemble *m,* complesso *m;* **2.** *(Kleidung)* completo *m.*

entarten ‹*ohne ge-*› *itr* ‹*sein*› degenerare (*in, zu* in).

entbehren [ɛnt'be:rən] ‹*ohne ge-*› *tr* **1.** *(vermissen)* sentire la mancanza di, mancare di; **2.** *(verzichten)* fare a meno di. **entbehrlich** *adj* superfluo, non necessario.

Entbehrung ‹-, -en› *f* **1.** *(Verzicht)* privazione *f;* **2.** *(Not)* bisogno *m.*

entbinden ‹*irr, ohne ge-*› **I.** *tr* **1.** *(von Pflicht)* liberare (*von* da), sciogliere (*von* da); **2.** *med* far partorire.

Entbindung *f* **1.** *fig* dispensa *f* (*von* da), esenzione *f* (*von* da); **2.** *med* parto *m.*

Entbindungsklinik *f* clinica *f* ostetrica.

Entbindungspfleger(in) *m(f)* assistente *mf* ostetrico, -a *m, f.* **Entbindungsstation** *f* (reparto *m*) maternità *f.*

entblößen [ɛnt'blø:sən] ‹*ohne ge-*› *tr* scoprire, mettere a nudo.

entbrennen ‹*irr, ohne ge-*› *itr* ‹*sein*› *(a. fig)* accendersi.

entdecken ‹*ohne ge-*› *tr* scoprire.

Entdecker(in) ‹-s, -› *m(f)* scopritore, -trice *m, f.*

Entdeckung *f* scoperta *f.* **Entdeckungsreise** *f* viaggio *m* di esplorazione.

Ente ['ɛntə] ‹-, -n› *f* **1.** *zoo* anatra *f;* **2.** *fig (Zeitungs~)* canard *m,* frottola *f;* **3.** *fig fam (Citroën 2 CV)* due cavalli *f;* **kalte ~** *bevanda con vino, spumante e limone.*

entehren ‹*ohne ge-*› *tr* **1.** disonorare; *(entwürdigen)* degradare; **2.** *(entjungfern)* violare, sedurre.

enteignen ‹*ohne ge-*› *tr* espropriare.

Enteignung *f* espropriazione *f,* esproprio *m.*

enterben ‹*ohne ge-*› *tr* diseredare.

Enterich ['ɛntərɪç] ‹-s, -e› *m* maschio *m* dell'anatra.

entern ['ɛntɐn] **I.** *tr* ‹*haben*› arrembare; **II.** *itr* ‹*sein*› arrampicarsi (all'arrembaggio).

Entertainer(in) ['ɛntɐteɪnɐ (...ərɪn)] ‹-s, -› *m(f)* intrattenitore, -trice *m, f.*

Enter-Taste ['ɛntɐ-] *f inform* tasto *m* enter (*o* di entrata).

entfachen [ɛnt'faxən] ‹*ohne ge-*› *tr* accendere, attizzare.

entfahren ‹*irr, ohne ge-*› *itr* ‹*sein*› sfuggire.

entfallen ‹*irr, ohne ge-*› *itr* ‹*sein*› **1.** *geh* sfuggire (*den Händen* di mano); *(aus Gedächtnis a.)* uscire di mente; **2.** *(Anteil)* spettare (*auf +akk* a), toccare (*auf +akk* a); **3.** *(wegfallen)* venir meno, venire a mancare; **entfällt** *(auf Formularen)* non interessa, tralasciare.

entfalten ‹*ohne ge-*› **I.** *tr* (di)spiegare; *(fig a.)* sviluppare, svolgere; **II.** *rfl:* **sich ~** **1.** *(Blume)* schiudersi, sbocciare; **2.** *fig* svilupparsi.

Entfaltung ‹-, ø› *f* **1.** *allg.* spiegamento *m;* **2.** *fig* sviluppo *m,* svolgimento *m.*

entfärben ‹*ohne ge-*› **I.** *tr* decolorare, scolorire; **II.** *rfl:* **sich ~** scolorirsi.

entfernen ‹*ohne ge-*› **I.** *tr (wegnehmen, -tun)* togliere; *(wegräumen)* rimuovere; *(Personen)* allontanare; **II.** *rfl:* **sich ~** **1.** *(räumlich)* allontanarsi (*von* da);

(weggehen) andarsene, partire; **2.** *fig (abweichen)* (di)scostarsi (*von* da). **entfernt** *adj* lontano, distante; **~e Ähnlichkeit** vaga somiglianza.
Entfernung ⟨-, -en⟩ *f* **1.** *(Abstand)* distanza *f;* **2.** *(das Entfernen)* allontanamento *m; (Wegschaffen)* eliminazione *f; (aus Amt)* licenziamento *m;* **auf eine ~ von** a una distanza di; **aus der ~** da lontano. **Entfernungsmesser** ⟨-s, -⟩ *m* telemetro *m.*
entfesseln ⟨*ohne ge-*⟩ *tr* scatenare, suscitare.
entfeuchten [ɛntˈfɔyçtn̩] ⟨*ohne ge-*⟩ *tr* deumidificare.
entfremden ⟨*ohne ge-*⟩ **I.** *tr* straniare, alienare; **II.** *rfl:* **sich ~** straniarsi, alienarsi.
Entfremdung ⟨-, ø⟩ *f* estraniamento *m,* alienazione *f.*
Entfroster [ɛntˈfrɔste] ⟨-s, -⟩ *m* sbrinatore *m,* visiera *f* termica.
entführen ⟨*ohne ge-*⟩ *tr* rapire, sequestrare.
Entführer(in) *m(f)* rapitore, -trice *m, f.*
Entführung *f* rapimento *m.*
entgegen [ɛntˈgeːgən] **I.** *adv* (in)contro, verso; **II.** *prp +dat* contrariamente a, in opposizione a. **entgegen·bringen** ⟨*irr*⟩ *tr* portare (incontro), presentare; *fig* (di)mostrare; *(Gefühle)* nutrire (*jdm etw.* qc per qu). **entgegen·fiebern** *itr* aspettare con ansia (*einer S. (dat)* qc); **sie fiebert seiner Ankunft entgegen** non vede l'ora che arrivi. **entgegen·gehen** ⟨*irr*⟩ *itr* ⟨*sein*⟩ *(a. fig)* andare incontro; **seinem Ende ~** avvicinarsi alla fine. **entgegengesetzt** *adj* contrario, opposto. **entgegen·halten** ⟨*irr*⟩ *tr* **1.** *(Gegenstand)* (s)tendere; **2.** *(einwenden)* obiettare. **entgegen·kommen** ⟨*irr*⟩ *itr* ⟨*sein*⟩ venire incontro; *(fig a.)* mostrarsi premuroso (*o* compiacente) (*jdm* con, verso qu); **das kommt mir sehr entgegen** ciò mi conviene. **Entgegenkommen** *n* compiacenza *f,* accondiscendenza *f;* cortesia *f.* **entgegenkommend** *adj* cortese, gentile. **entgegen·nehmen** ⟨*irr*⟩ *tr* ricevere. **entgegen·sehen** ⟨*irr*⟩ *itr:* **einer S.** *(dat)* **~** *(erwarten)* attendere qc. **entgegen·setzen** *tr* opporre. **entgegen·stehen** ⟨*irr*⟩ *itr:* **dem steht nichts entgegen** non c'è nulla in contrario. **entgegen·treten** ⟨*irr*⟩ *itr* ⟨*sein*⟩ farsi incontro, opporsi.
entgegnen [ɛntˈgeːgnən] ⟨*ohne ge-*⟩ *tr* rispondere, replicare.
Entgegnung ⟨-, -en⟩ *f* risposta *f,* replica *f.*
entgehen ⟨*irr, ohne ge-*⟩ *itr* ⟨*sein*⟩ sfuggire; **sich** *(dat)* **etw. ~/nicht ~ lassen** lasciarsi/non lasciarsi sfuggire qc.
entgeistert *adj* allibito, sbigottito.
Entgelt [ɛntˈgɛlt] ⟨-(e)s, -e⟩ *n* compenso *m; (Lohn)* paga *f; (Gebühr)* contributo *m.*
Entgiftung ⟨-, -en⟩ *f* **1.** *med* disintossicazione *f;* **2.** *phys, chem* decontaminazione *f.*
entgleisen ⟨*ohne ge-*⟩ *itr* ⟨*sein*⟩ **1.** *Eisenb.* deragliare; **2.** *fig (Mensch)* sviarsi, traviarsi.
Entgleisung ⟨-, -en⟩ *f* **1.** *Eisenb.* deragliamento *m;* **2.** *fig* sbandamento *m,* traviamento *m.*
entgräten ⟨*ohne ge-*⟩ *tr* spinare, togliere le spine a.
enthaaren ⟨*ohne ge-*⟩ *tr* depilare.
Enthaarungsmittel *n* depilatorio *m.*
enthalten ⟨*irr, ohne ge-*⟩ **I.** *tr* contenere; **II.** *rfl:* **sich ~** astenersi; **sich einer S.** *(gen)* **nicht ~ können** non potersi trattenere dal fare qc.
enthaltsam *adj* morigerato, astinente; *(im Essen)* sobrio; *(im Trinken)* astemio; *(geschlechtlich)* continente, casto. **Enthaltsamkeit** ⟨-, ø⟩ *f* morigeratezza *f,* astinenza *f; (im Essen)* sobrietà *f; (im Trinken)* essere *m* astemio; *(geschlechtlich)* continenza *f.*
Enthärter [ɛntˈhɛrte] ⟨-s, -⟩ *m* addolcitivo *m,* dolcificatore *m* d'acqua.
enthaupten ⟨*ohne ge-*⟩ *tr* decapitare.
Enthauptung ⟨-, -en⟩ *f* decapitazione *f.*
entheben ⟨*irr, ohne ge-*⟩ *tr:* **jdn seines Amtes ~** destituire qu dalla sua carica; **jdn einer Verpflichtung ~** esentare qu da un obbligo.
enthemmen ⟨*ohne ge-*⟩ *tr* disinibire.
enthüllen ⟨*ohne ge-*⟩ *tr* **1.** *(Denkmal)* scoprire; **2.** *fig (Geheimnis)* svelare, rivelare.
Enthüllung ⟨-, -en⟩ *f* **1.** *(von Denkmal)* scoprimento *m,* inaugurazione *f;* **2.** *fig* rivelazione *f.*
Enthusiasmus [ɛntuˈzi̯asmʊs] ⟨-, ø⟩ *m* entusiasmo *m.*
enthusiastisch [...ˈzi̯astɪʃ] *adj* entusiasta (*über +akk* di, per).
entjungfern ⟨*ohne ge-*⟩ *tr* deflorare, sverginare.
entkalken ⟨*ohne ge-*⟩ *tr* decalcificare.
entkleiden ⟨*ohne ge-*⟩ *geh* **I.** *tr* **1.** spogliare, svestire; **2.** *fig (entheben)* destituire; **II.** *rfl:* **sich ~** spogliarsi, svestirsi.
entkoffeiniert [ɛntkɔfeiˈniːrt] *adj* decaffeinato.
entkommen ⟨*irr, ohne ge-*⟩ *itr* ⟨*sein*⟩ (s)fuggire, scappare.
entkorken ⟨*ohne ge-*⟩ *tr* stappare.
entkräften [entˈkrɛftən] ⟨*ohne ge-*⟩ *tr* **1.** *(Mensch)* estenuare; **2.** *fig (Argument)* confutare; *jur* infirmare.
Entkräftung ⟨-, -en⟩ *f* **1.** *(von Mensch)* estenuazione *f;* **2.** *fig* confutazione *f; jur* invalidamento *m.*
entladen ⟨*irr, ohne ge-*⟩ **I.** *tr* scaricare; **II.** *rfl:* **sich ~** scaricarsi.
entlang [ɛntˈlaŋ] *adv, prp (nachgestellt akk, rar dat; vorgestellt dat, rar gen)* lungo; **hier ~** per di qua. **entlang·fahren** ⟨*irr*⟩ *itr* ⟨*sein*⟩, **entlang·gehen** ⟨*irr*⟩ *itr*

⟨*sein*⟩ percorrere (*an +dat* qc), costeggiare (*an +dat* qc).
entlarven [ɛnt'larfən] ⟨*ohne ge-*⟩ *tr* smascherare.
entlassen ⟨*irr, ohne ge-*⟩ *tr (Schüler, Arbeitnehmer)* licenziare; *(Beamte)* destituire, sollevare dalle (sue) funzioni; *(aus Krankenhaus)* dimettere; *(aus Haft)* rilasciare, liberare; *mil* congedare.
Entlassung ⟨-, -en⟩ *f* **1.** *(Kündigung)* licenziamento *m;* **2.** *(Amtsenthebung)* destituzione *f;* **3.** *(aus Krankenhaus)* rilascio *m; (aus Gefängnis)* scarcerazione *f.* **Entlassungszeugnis** *n* licenza *f.*
entlasten ⟨*ohne ge-*⟩ *tr* **1.** *(von Last befreien)* alleviare (*von* da), alleggerire (*von* da); **2.** *fig, tec, arch* scaricare; **3.** *(von Verpflichtung, etc.)* liberare (*von* da), esonerare (*von* da); **4.** *(Angeklagte)* deporre a discarico (*o* a favore) di.
Entlastung ⟨-, -en⟩ *f* **1.** *allg.* alleggerimento *m; (a. fig)* sgravio *m;* **2.** *jur* discarico *m,* discolpa *f.* **Entlastungszeuge** *m,* **-zeugin** *f* testimone *mf* a discarico.
entleeren ⟨*ohne ge-*⟩ *tr* (s)vuotare.
entlegen *adj* distante, fuor di mano.
entleihen ⟨*irr, ohne ge-*⟩ *tr* prendere a prestito (*von* da), farsi prestare (*von* da).
entlocken ⟨*ohne ge-*⟩ *tr* **1.** *(Töne einem Instrument)* trarre (*dat* da); **2.** *(Geheimnis)* strappare (*dat* a).
entlohnen ⟨*ohne ge-*⟩ *tr, CH* **entlöhnen** [ɛnt'lø:nən] ⟨ohne ge-⟩ *tr* pagare, rimunerare.
Entlohnung ⟨-, -en⟩ *f, CH* **Entlöhnung** ⟨-, -en⟩ *f* pagamento *m,* rimunerazione *f.*
Entlüftung *f* aerazione *f,* ventilazione *f; phys, chem* disaerazione *f.*
entmachten ⟨*ohne ge-*⟩ *tr* esautorare.
entmündigen [ɛnt'mʏndɪgən] ⟨*ohne ge-*⟩ *tr* interdire, mettere sotto curatela.
Entmündigung ⟨-, -en⟩ *f* interdizione *f,* messa *f* sotto curatela.
entmutigen [ɛnt'mu:tɪgən] ⟨*ohne ge-*⟩ *tr* scoraggiare.
Entmutigung ⟨-, -en⟩ *f* scoraggiamento *m.*
Entnahme [ɛnt'na:mə] ⟨-, -n⟩ *f* prelevamento *m; (a. Blut~)* prelievo *m.*
entnehmen ⟨*irr, ohne ge-*⟩ *tr* **1.** *(wegnehmen)* prendere (*dat* da); **2.** *(Probe)* prelevare (*dat* da); **3.** *(ersehen)* apprendere (*aus* da), desumere (*aus* da); *(folgern)* dedurre (*aus* da).
entpuppen ⟨*ohne ge-*⟩ *rfl:* **er entpuppte sich als ...** si rivelò un ...
entreißen ⟨*irr, ohne ge-*⟩ *tr* **1.** strappare (di mano); **2.** *fig (Geständnis)* estorcere.
entrichten ⟨*ohne ge-*⟩ *tr* **1.** *(Betrag)* pagare, versare; **2.** *geh (Dank, Gruß)* porgere.
entrinnen ⟨*irr, ohne ge-*⟩ *itr* ⟨*sein*⟩ sfuggire.
entrosten ⟨*ohne ge-*⟩ *tr* togliere la ruggine a.
entrümpeln [ɛnt'rʏmpəln] ⟨*ohne ge-*⟩ *tr* sgomberare (da robe vecchie).
entrüsten ⟨*ohne ge-*⟩ **I.** *tr* indignare; **II.** *rfl:* **sich ~** indignarsi (*über +akk* per). **entrüstet** *adj* indignato, sdegnato.
Entrüstung *f* indignazione *f,* sdegno *m.*
Entsafter ⟨-s, -⟩ *m* spremiagrumi *m* elettrico.
entsagen ⟨*ohne ge-*⟩ *itr geh* rinunciare; *rel* abiurare; *pol* abdicare.
entsann [ɛnt'zan] *imp von* **entsinnen.**
entschädigen ⟨*ohne ge-*⟩ *tr* **1.** *allg., fin* risarcire (*für* di); **2.** *fig* ripagare (*für* di), ricompensare (*für* di).
Entschädigung ⟨-, -en⟩ *f* **1.** *(Vorgang)* risarcimento *m,* indennizzo *m;* **2.** *(Schadenersatz)* risarcimento *m,* danni *m pl;* **3.** *(Summe)* indennità *f;* **als ~ für** a titolo d'indennizzo per.
entschärfen ⟨*ohne ge-*⟩ *tr* **1.** *(Mine, Bombe)* disinnescare; **2.** *fig* appianare.
Entscheid [ɛnt'ʃait] ⟨-(e)s, -e⟩ *m* decisione *f.* **entscheiden** ⟨*irr, ohne ge-*⟩ **I.** *tr* decidere; **II.** *itr* decidere (*über +akk* di), deliberare (*über +akk* qc); **III.** *rfl:* **sich ~** decidersi. **entscheidend** *adj* decisivo, determinante; **der ~e Augenblick** il momento cruciale; **das E~e dabei ist ...** l'essenziale è che ...
Entscheidung *f* decisione *f; (Entschluß)* deliberazione *f,* risoluzione *f.* **Entscheidungsfindung** ⟨-, ø⟩ *f* processo *m* decisionale. **entscheidungsfreudig** *adj* facile alle decisioni. **Entscheidungsgewalt** *f* potere *m* decisionale (*o* di decisione). **Entscheidungskriterium** ⟨-s, -en⟩ *n* fattore *m* (*o* criterio *m*) decisionale. **Entscheidungsspiel** *n* partita *f* decisiva, bella *f.*
entschieden [ɛnt'ʃi:dən] *adj* **1.** *(Sache)* deciso; **2.** *(Person: energisch)* energico, fermo; *(entschlossen)* risoluto, determinato; **3.** *(Ton)* perentorio; **4.** *(eindeutig)* netto, evidente; **das geht ~ zu weit** le cose stanno andando decisamente troppo in là. **Entschiedenheit** ⟨-, ø⟩ *f* risolutezza *f,* fermezza *f.*
entschlacken [ɛnt'ʃlakən] ⟨*ohne ge-*⟩ *tr med* purgare.
Entschlackung *f med* purgamento *m.*
entschlafen ⟨*irr, ohne ge-*⟩ *itr* ⟨*sein*⟩ *geh* spirare.
entschließen ⟨*irr, ohne ge-*⟩ *rfl:* **sich ~** decidersi (*zu* a), risolversi (*zu* a); **sich anders ~** cambiare idea.
entschlossen [ɛnt'ʃlɔsən] *adj* fermo, energico; **kurz ~** senza esitare; **zu allem ~ sein** essere pronto a tutto. **Entschlossenheit** ⟨-, ø⟩ *f* risolutezza *f,* fermezza *f.*
Entschluß *m* decisione *f,* risoluzione *f.* **entschlußfreudig** *adj* risoluto, determinato.
entschlüsseln ⟨*ohne ge-*⟩ *tr* decifrare.
entschuldbar *adj* scusabile, perdonabile.
entschuldigen [ɛnt'ʃʊldɪgən] ⟨*ohne ge-*⟩

II. *tr* scusare; *(verzeihen)* perdonare; *(rechtfertigen)* giustificare; **sein Verhalten ist durch nichts zu ~** il suo comportamento non è affatto giustificabile (*o* scusabile); **III.** *itr* scusare; **~ Sie (bitte)!** (mi) scusi!; **IV.** *rfl:* **sich ~** scusarsi (*wegen* di); *(sich rechtfertigen)* giustificarsi.

Entschuldigung ⟨-, -en⟩ *f* scusa *f; (Rechtfertigung)* giustificazione *f; (Vorwand)* pretesto *m; (~sschreiben)* lettera *f* di scuse; **als ~ für** a giustificazione di; **jdm um ~ bitten** chiedere scusa a qu; **zu seiner ~ kann man sagen ...** a suo discarico si può dire ...

entschwefeln [ɛnt'ʃve:fəln] ⟨*ohne ge-*⟩ *tr* desolforare.

Entschwefelung *f* desolforazione *f.* **Entschwefelungsanlage** *f* impianto *m* di desolforazione.

entsetzen ⟨*ohne ge-*⟩ **I.** *tr (erschrecken)* far inorridire, spaventare; *(schockieren)* indignare; **II.** *rfl:* **sich ~** inorridire (*über +akk* per), spaventarsi (*über +akk* per). **Entsetzen** ⟨-s, ø⟩ *n* spavento *m,* orrore *m.*

entsetzlich I. *adj* **1.** spaventoso, orribile; **2.** *fam* terribile; **II.** *adv fam (sehr)* terribilmente.

entseuchen [ɛnt'zɔyçən] ⟨*ohne ge-*⟩ *tr* **1.** *phys* decontaminare, disinquinare; **2.** *med* disinfettare.

Entseuchung ⟨-, -en⟩ *f* **1.** *phys* decontaminazione *f,* disinquinamento *m;* **2.** *med* disinfezione *f.*

entsichern ⟨*ohne ge-*⟩ *tr (Waffe)* togliere la sicura a; *(Bombe, etc.)* disinnescare.

entsinnen [ɛnt'zɪnən] ⟨entsinnt, entsann, entsonnen⟩ *rfl:* **sich ~** ricordarsi, rammentarsi.

entsorgen ⟨*ohne ge-*⟩ *tr:* **eine Stadt ~** smaltire e trattare i rifiuti di una città.

Entsorgung ⟨-, ø⟩ *f* eliminazione *f,* smaltimento *m.* **Entsorgungspark** *m:* **nuklearer ~** impianto *m* di smaltimento delle scorie radioattive.

entspannen ⟨*ohne ge-*⟩ **I.** *tr* **1.** *(Lage, Atmosphäre)* distendere, appianare; **2.** *(Körper, Muskeln)* rilasciare; **II.** *rfl:* **sich ~ 1.** *(Mensch)* rilasciarsi; *(sich ausruhen)* riposarsi; **2.** *(Lage)* distendersi.

Entspannung *f (a. pol)* distensione *f;* rilassamento *m; fig* riposo *m,* relax *m.* **Entspannungspolitik** *f* politica *f* di distensione.

entspinnen ⟨*irr, ohne ge-*⟩ *rfl:* **sich ~** svilupparsi.

entsprechen ⟨*irr, ohne ge-*⟩ *itr* **1.** *(übereinstimmen)* corrispondere (*dat* a); **2.** *(einem Wunsch)* (ac)condiscendere (*dat* a), soddisfare (*einer S. (dat)* qc); **3.** *(genügen)* soddisfare (*einer S. (dat)* qc). **entsprechend I.** *adj (übereinstimmend)* corrispondente; *(angemessen)* conforme; *(gleichwertig)* equivalente; **II.** *adv* conformemente; adeguatamente; **III.** *prp +dat (in Übereinstimmung mit)* conformemente a; *(in bezug auf)* in relazione a.

Entsprechung ⟨-, -en⟩ *f (Übereinstimmung)* corrispondenza *f,* conformità *f; (Analogie)* analogia *f; (Äquivalent)* equivalente *m.*

entspringen ⟨*irr, ohne ge-*⟩ *itr* ⟨*sein*⟩ **1.** *(Fluß)* nascere; **2.** *fig (herrühren)* provenire (*dat* da), derivare (*dat* da).

entstehen ⟨*irr, ohne ge-*⟩ *itr* ⟨*sein*⟩ **1.** *allg.* nascere (*aus* da); **2.** *(sich bilden)* formarsi; **3.** *(sich ergeben)* risultare (*aus* da), derivare (*aus* da); **4.** *(verursacht werden: Feuer)* svilupparsi (*durch* per); *(Schaden, Krieg)* essere causato (*durch* da); *(Kosten)* derivare (*durch* da), provocare (*durch* da); **im E~ begriffen** in via di formazione (*o* di sviluppo).

Entstehung ⟨-, -en⟩ *f* **1.** *allg.* nascita *f,* inizio *m;* **2.** *(Ursprung)* origine *f;* **3.** *(Bildung)* formazione *f.*

entsteinen ⟨*ohne ge-*⟩ *tr* snocciolare.

entstellen ⟨*ohne ge-*⟩ *tr* **1.** *(verunstalten)* sfigurare, deformare; **2.** *fig* alterare, travisare.

Entstellung *f* **1.** *(von Menschen)* deformazione *f,* deturpazione *f;* **2.** *fig (von Sachverhalten)* travisamento *m,* alterazione *f.*

entsticken [ɛnt'ʃtɪkən] ⟨*ohne ge-*⟩ *tr tec* denitrare.

Entstickungsanlage *f* impianto *m* di denitrazione.

entstören ⟨*ohne ge-*⟩ *tr* schermare; **das Radio ~** eliminare radiodisturbi; **das Telefon/die Leitung ~** sopprimere l'eco.

enttäuschen ⟨*ohne ge-*⟩ *tr* deludere; *(desillusionieren)* disilludere.

Enttäuschung *f* delusione *f,* disinganno *m.*

entthronen ⟨*ohne ge-*⟩ *tr* detronizzare.

entwaffnen [ɛnt'vafnən] ⟨*ohne ge-*⟩ *tr* disarmare; **ein ~des Lächeln** un sorriso disarmante.

entwarnen ⟨*ohne ge-*⟩ *itr* dare il segnale di cessato allarme.

Entwarnung *f* segnale *m* di cessato allarme.

entwässern ⟨*ohne ge-*⟩ *tr (Boden)* prosciugare; *(Sumpf)* bonificare; *(a. med)* drenare; *chem* disidratare.

Entwässerung ⟨-, -en⟩ *f* prosciugamento *m,* bonifica *f; (a. med)* drenaggio *m; chem* disidratazione *f.*

entweder ['ɛntve:dɐ *o* ɛnt've:dɐ] *konj:* **~ ... oder ...** o ... o (*o* oppure) ...; **~ oder!** *fam* o l'uno o l'altro!

entweichen ⟨*irr, ohne ge-*⟩ *itr* ⟨*sein*⟩ *(ausströmen)* fuoriuscire.

entweihen ⟨*ohne ge-*⟩ *tr* profanare.

Entweihung ⟨-, -en⟩ *f* profanazione *f.*

entwenden ⟨*ohne ge-*⟩ *tr geh* sottrarre, rubare.

entwerfen ⟨*irr, ohne ge-*⟩ *tr* **1.** *(gedanklich)* progettare; *(Modell)* ideare; **2.** *(Vertrag)* abbozzare; **3.** *(zeichnerisch)* schizzare.
entwerten ⟨*ohne ge-*⟩ *tr* **1.** *(ungültig machen)* annullare; **2.** *(im Wert mindern)* svalorizzare, deprezzare; **3.** *fin* svalutare.
Entwerter ⟨-s, -⟩ *m* obliteratrice *f.*
Entwertung *f* annullamento *m; fig* svalorizzazione *f; fin* svalutazione *f.*
entwickeln ⟨*ohne ge-*⟩ **I.** *tr* **1.** *allg., fig, fot, chem* sviluppare; **2.** *(erfinden, erarbeiten)* realizzare; *(Plan)* concepire, elaborare; **3.** *(Phantasie, Energie)* mostrare; **II.** *rfl:* **sich ~ 1.** *allg., chem, fig* svilupparsi (*aus* da); **2.** *biol* evolversi (*aus* da); **3.** *(sich bilden)* diventare (*aus* da); **sich zu etw. ~** farsi qc.
Entwickler ⟨-s, -⟩ *m fot* rivelatore *m,* sviluppatore *m.*
Entwicklung ⟨-, -en⟩ *f* **1.** *allg., fig, fot, chem* sviluppo *m;* **2.** *(Verwirklichung)* realizzazione *f; (von Plan, Projekt)* concezione *f,* elaborazione *f;* **3.** *biol* evoluzione *f.* **Entwicklungsdienst** *m* servizio *m* di sviluppo. **Entwicklungshelfer(in)** *m(f)* cooperatore, -trice *m, f* tecnico, -a per i paesi in via di sviluppo. **Entwicklungshilfe** *f* aiuto *m* ai paesi in via di sviluppo. **Entwicklungsland** *n* paese *m* in via di sviluppo. **Entwicklungsstadium** *n* stadio *m* di sviluppo. **Entwicklungsstufe** *f* stadio *m* di sviluppo.
entwirren ⟨*ohne ge-*⟩ *tr* districare, sbrogliare.
entwischen ⟨*ohne ge-*⟩ *itr* ⟨*sein*⟩ *fam* scappare, sfuggire.
entwöhnen [ɛnt'vøːnən] ⟨*ohne ge-*⟩ *tr* disabituare; *(Süchtige)* disintossicare; *(Säugling)* svezzare, slattare.
Entwurf *m* abbozzo *m; (Plan)* piano *m,* progetto *m; (Zeichnung)* disegno *m; (Skizze)* schizzo *m; (das Entwerfen)* progettazione *f,* ideazione *f.*
entwurzeln ⟨*ohne ge-*⟩ *tr* sradicare, estirpare.
entziehen ⟨*irr, ohne ge-*⟩ **I.** *tr* **1.** *(wegnehmen)* sottrarre, privare (*jdm etw.* qu di qc); *(Führerschein)* ritirare; *(Freundschaft, Hilfe)* rifiutare, negare; **2.** *chem* estrarre; **II.** *itr fam (Alkohol, Drogen)* diassuefare; **III.** *rfl:* **sich ~** sottrarsi; *(einer Verpflichtung a.)* schivare (*einer S. (dat)* qc); **das entzieht sich meiner Kenntnis** *geh* ciò sfugge alla mia conoscenza.
Entziehung *f* **1.** *(das Entziehen)* sottrazione *f; (von Medikamenten, Rauschgift, Alkohol)* disassuefazione *f;* **2.** *(Wegnahme)* privazione *f; (bes. von Führerschein)* ritiro *m.* **Entziehungskur** *f* cura *f* di disassuefazione.
entziffern ⟨*ohne ge-*⟩ *tr* decifrare; **nicht zu ~** indecifrabile.
entzücken ⟨*ohne ge-*⟩ *tr* affascinare, estasiare; *(begeistern)* entusiasmare; **entzückt sein über** *+akk*/**von** *+dat* essere rapito (*o* estasiato) da qc. **Entzücken** ⟨-s, ø⟩ *n* rapimento *m,* estasi *f;* **jdn in (helles) ~ versetzen** mandare qu in visibilio. **entzückend** *adj* affascinante, delizioso.
Entzug *m* **1.** *(Führerschein~)* ritiro *m;* **2.** *(Alkohol~)* divieto *m; (Medikamenten~, Rauschgift~)* disassuefazione *f;* **3.** *(Behandlung)* cura *f* di disassuefazione. **Entzugserscheinung** *f* sintomo *m* di disassuefazione (*o* di astinenza).
entzündbar *adj* infiammabile; infiammatorio.
entzünden ⟨*ohne ge-*⟩ **I.** *tr* **1.** dar fuoco a; *(a. fig)* accendere; **2.** *med* infiammare; **II.** *rfl:* **sich ~ 1.** *allg.* incendiarsi, prender fuoco; *(a. fig)* accendersi; **2.** *med* infiammarsi. **entzündet** *adj* infiammato. **entzündlich** *adj* **1.** *(a. fig)* infiammabile; **2.** *med* infiammatorio.
Entzündung *f* infiammazione *f.* **entzündungshemmend** *adj med* antinfiammatorio, antiflogistico.
entzwei [ɛnt'tsvai] *adv* **1.** *(in Stücke)* a (*o* in) pezzi; **2.** *(zerbrochen)* rotto; **3.** *(zerrissen)* strappato, lacerato. **entzwei·brechen** ⟨*irr*⟩ **I.** *itr* ⟨*sein*⟩ spezzarsi, rompersi; **II.** *tr* ⟨*haben*⟩ spezzare, rompere. **entzweien** ⟨*ohne ge-*⟩ **I.** *tr* separare, dividere; **II.** *rfl:* **sich ~** separarsi, dividersi. **entzwei·gehen** ⟨*irr*⟩ *itr* ⟨*sein*⟩ andare in pezzi, rompersi.
Enzian ['ɛntsiaːn] ⟨-s, -e⟩ *m* genziana *f.*
Enzyklopädie [ɛntsyklopɛ'diː, ...iːən] ⟨-, -n⟩ *f* enciclopedia *f.*
Enzym [ɛn'tʃyːm] ⟨-s, -e⟩ *n* enzima *m,* fermento *m.*
Epen *pl von* **Epos.**
Epidemie [epide'miː, ...iːən] ⟨-, -n⟩ *f* epidemia *f.*
Epidemiologe [epidemio'logə] ⟨-n, -n⟩ *m,* **Epidemiologin** [...gɪn] *f* epidemiologo, -a *m, f.*
Epidemiologie [...lo'giː] *f med* epidemiologia *f.*
epidemiologisch *adj* epidemiologico.
Epilepsie [epilɛ'psiː, ...iːən] ⟨-, -n⟩ *f* epilessia *f.*
Epileptiker(in) [...'lɛptikɐ (...ərɪn)] ⟨-s, -⟩ *m(f)* epilettico, -a *m, f.*
Epilog [epi'loːk] ⟨-s, -e⟩ *m* epilogo *m.*
episch ['eːpɪʃ] *adj* epico.
Episode [epi'zoːdə] ⟨-, -n⟩ *f* episodio *m.*
Epoche [e'pɔxə] ⟨-, -n⟩ *f* epoca *f.* **epochemachend** *adj* che fa epoca, d'importanza storica.
Epos ['eːpɔs, 'eːpən] ⟨-, Epen⟩ *n* poema *m* epico.
EPZ [eːpeːtsɛt] *abk von* **Europäische Politische Zusammenarbeit** collaborazione *f* politica europea.
Equalizer ['iːkwəlaɪzə] ⟨-s, -⟩ *m* equalizzatore *m.*
er [eːɐ̯] *pers pron 3. pers sing* **1.** *(in be-*

zug auf Menschen) (unbetont) meist nicht übersetzt; egli; *(betont)* lui; **2.** *(in bezug auf Dinge) (unbetont) meist nicht übersetzt;* esso; *(betont)* lui; **da ist ~** eccolo.

erachten ⟨*ohne ge-*⟩ *tr:* **~ für (*o* als)** giudicare. **Erachten** ⟨-s, ø⟩ *n:* **meines ~s** (*abk* **m. E.**) a mio avviso (*o* giudizio), secondo me.

erarbeiten ⟨*ohne ge-*⟩ *rfl:* **sich** *(dat)* **etw. ~** guadagnarsi (*o* farsi) qc col proprio lavoro.

Erbanlage ['ɛrp-] *f* carattere *m* (*o* fattore *m*) ereditario.

erbarmen [ɛɐ̯'barmən] ⟨*ohne ge-*⟩ *rfl:* **sich jds ~** avere pietà di (*o* compassione per) qu. **Erbarmen** ⟨-s, ø⟩ *n* pietà *f,* compassione *f;* **zum ~** da far pietà.

erbärmlich [ɛɐ̯'bɛrmlɪç] **I.** *adj* **1.** *(erbarmenswert)* miserevole, misero; *(Zustand)* pietoso; **2.** *pej (unzulänglich, schlecht)* scarso, cattivo, pessimo; **3.** *pej (gemein)* meschino, riprovevole; **II.** *adv fam (sehr)* terribile, enorme.

erbarmungslos *adj* spietato, crudele.

erbauen ⟨*ohne ge-*⟩ **I.** *tr (a. fig)* edificare; **von etw. erbaut sein** essere entusiasta di qc; **II.** *rfl:* **sich ~** edificarsi, elevarsi.

Erbauer(in) ⟨-s, -⟩ *m(f)* costruttore, -trice *m, f.*

erbaulich *adj* edificante.

Erbauung ⟨-, -en⟩ *f* **1.** costruzione *f; (Gründung)* fondazione *f;* **2.** *fig* edificazione *f.*

Erbe[1] ['ɛrbə] ⟨-s, ø⟩ *n* eredità *f.*

Erbe[2] ['ɛrbə] ⟨-n, -n⟩ *m,* **Erbin** ['ɛrbɪn] *f* erede *mf.*

erbeben ⟨*ohne ge-*⟩ *itr* ⟨*sein*⟩ tremare; *fig* fremere (*vor* di).

erben *tr, itr* ereditare.

erbeuten ⟨*ohne ge-*⟩ *tr* far bottino di, predare.

Erbfaktor ['ɛrp-] *m* fattore *m* ereditario. **Erbfolge** *f* (ordine *m* di) successione *f.* **Erbgut** *n* patrimonio *m* ereditario (*o* genetico). **erbgutschädigend** *adj* dannoso (*o* nocivo) per il patrimonio genetico. **Erbgutveränderung** *f* variazione *f* (*o* mutamento) del patrimonio genetico (*o* ereditario).

Erbin *f s.* **Erbe**[2].

erbitten ⟨*irr, ohne ge-*⟩ *tr* chiedere.

erbittert *adj* esasperato; *(Kampf)* accanito.

Erbkrankheit ['ɛrp-] *f* malattia *f* ereditaria.

erblassen [ɛɐ̯'blasən] ⟨*ohne ge-*⟩ *itr* ⟨*sein*⟩ impallidire (*vor +dat* per).

Erblasser(in) ['ɛrplase (...ərɪn)] ⟨-s, -⟩ *m(f)* testatore, -trice *m, f.*

erblich ['ɛrplɪç] *adj* ereditario; **~ belastet** affetto da una tara ereditaria.

erblicken ⟨*ohne ge-*⟩ *tr* scorgere, vedere; *(entdecken)* scoprire.

erblinden ⟨*ohne ge-*⟩ *itr* ⟨*sein*⟩ diventare cieco, perdere la vista.

Erblindung ⟨-, -en⟩ *f* perdita *f* della vista; *(Blindheit)* cecità *f.*

erblühen ⟨*ohne ge-*⟩ *itr* ⟨*sein*⟩ fiorire, schiudersi; *(a. fig)* sbocciare.

Erbmasse ['ɛrp-] *f* **1.** *jur* asse *m* ereditario; **2.** *biol* genotipo *m.*

erbrechen ⟨*irr, ohne ge-*⟩ **I.** *tr* **1.** *(Tür)* aprire a forza, forzare; *(Schloß)* scassinare; **2.** *(Mageninhalt)* vomitare; **bis zum E~** *fig fam* fino alla nausea *fam;* **II.** *rfl:* **sich ~** vomitare.

Erbrecht ['ɛrp-] *n* diritto *m* ereditario (*o* all'eredità).

erbringen [ɛɐ̯'brɪŋən] ⟨*irr, ohne ge-*⟩ *tr:* **den Beweis ~** fornire la prova.

Erbschaft ['ɛrp-] ⟨-, -en⟩ *f* eredità *f,* successione *f.* **Erbschaft(s)steuer** *f* imposta *f* di successione. **Erbschleicher(in)** ⟨-s, -⟩ *m(f)* (pro)cacciatore, -trice *m, f* di eredità.

Erbse ['ɛrpsə] ⟨-, -n⟩ *f* pisello *m.*

Erbstück ['ɛrp-] *n* oggetto *m* ereditato. **Erbsünde** *f* peccato *m* originale.

Erdachse *f* asse *m* della terra. **Erdanziehung** *f* gravitazione *f* (*o* attrazione *f*) terrestre. **Erdatmosphäre** *f* atmosfera *f* terrestre. **Erdbeben** *n* terremoto *m.* **Erdbebenopfer** *n* terremotato, -a *m, f.* **Erdbebenzone** *f* zona *f* sismica. **Erdbeere** *f* fragola *f.* **Erdboden** *m* suolo *m,* terra *f;* **dem ~ gleichmachen** radere al suolo; **wie vom ~ verschluckt** come inghiottito dalla terra.

Erde ['e:ɐ̯də] ⟨-, -n⟩ *f* **1.** *(Welt)* terra *f,* mondo *m;* **2.** *(Erdboden)* terra *f,* suolo *m;* **3.** *el, radio* presa *f* di terra, collegamento *m* a terra; **auf die ~ fallen** cadere per (*o* a) terra; **unter der ~** sottoterra.

erden *tr* mettere (*o* collegare) a terra (*o* massa).

Erdenbürger(in) *m(f)* abitante *mf* della terra; *poet* mortale *mf.*

erdenken ⟨*irr, ohne ge-*⟩ *tr* escogitare, inventare.

erdenklich *adj:* **alles ~ Gute** tutto il bene possibile; **alles E~e tun** fare tutto il possibile.

Erdgas *n* gas *m* naturale. **Erdgasleitung** *f* metanodotto *m.* **Erdgeschoß** *n* pianterreno *m.* **Erdkunde** *f* geografia *f.* **Erdmittelpunkt** *m* centro *m* della terra. **Erdnuß** *f* arachide *f,* nocciolina *f* americana. **Erdoberfläche** *f* superficie *f* terrestre. **Erdöl** *n* petrolio *m* (greggio). **erdölexportierend** *adj* esportatore di petrolio. **Erdölindustrie** *f* industria *f* petrolifera. **Erdölvorkommen** *n* giacimento *m* petrolifero. **Erdreich** *n* terra *f,* terreno *m.*

erdreisten [ɛɐ̯'draistən] ⟨*ohne ge-*⟩ *rfl:* **sich ~, etw. zu tun** avere l'ardire (*o* l'impudenza) di fare qc.

erdrosseln ⟨*ohne ge-*⟩ *tr* strangolare, strozzare.

erdrücken ⟨*ohne ge-*⟩ *tr* schiacciare.

Erdrutsch *m* frana *f*, smottamento *m*. **Erdrutschsieg** *m* clamoroso successo *m* elettorale. **Erdstoß** *m* scossa *f* tellurica (*o* sismica). **Erdstrahlen** *m pl* irradiazioni *f pl* terrestri. **Erdteil** *m* continente *m*.

erdulden ⟨*ohne ge-*⟩ *tr* subire, patire; *(aushalten)* sopportare.

Erdumdrehung *f* rotazione *f* della terra. **Erdumkreisung** ⟨-, -en⟩ *f* volo *m* orbitale. **Erdumlaufbahn** *f* orbita *f* terrestre. **Erdumseg(e)lung** ⟨-, -en⟩ *f* circumnavigazione *f* della terra. **Erdwärme** *f* calore *m* terrestre.

ereifern [ɛɐ̯'ʔai̯fɐn] ⟨*ohne ge-*⟩ *rfl:* **sich** ~ infervorarsi, accalorarsi.

ereignen [ɛɐ̯'ʔai̯gnən] ⟨*ohne ge-*⟩ *rfl:* **sich** ~ avvenire, accadere, succedere.

Ereignis ⟨-ses, -se⟩ *n* avvenimento *m*, evento *m*. **ereignisreich** *adj* ricco di avvenimenti (*o* eventi), movimentato.

Erektion [erɛk'tsi̯o:n] ⟨-, -en⟩ *f* erezione *f*.

Eremit [ere'mi:t] ⟨-en, -en⟩ *m* eremita *m*.

erfahren[1] ⟨*irr, ohne ge-*⟩ *tr* **1.** *(hören)* venire a sapere, apprendere; **2.** *(erleben)* provare, vivere; *(erleiden)* subire.

erfahren[2] *adj (bewandert)* esperto, versato; *(geübt)* pratico.

Erfahrung ⟨-, -en⟩ *f* esperienza *f*; *(praktische ~)* pratica *f*; **etw. in ~ bringen** venire a sapere qc; **aus (eigener) ~** per esperienza. **erfahrungsgemäß** *adv* per esperienza. **Erfahrungswert** *m* valore *m* sperimentale.

erfassen ⟨*ohne ge-*⟩ *tr* **1.** *(mit Händen)* prendere, afferrare; **2.** *(Angst, etc.)* cogliere, prendere; **3.** *(verstehen)* capire, comprendere, afferrare; **4.** *(registrieren)* registrare; *(a. inform)* rilevare; **5.** *(berücksichtigen)* considerare; *(einbeziehen)* includere, comprendere; **von einem Lastwagen erfaßt werden** essere investito (*o* travolto) da un camion.

Erfassung *f* registrazione *f*; *(a. Daten~)* rilevamento *m*.

erfinden ⟨*irr, ohne ge-*⟩ *tr* inventare.

Erfinder(in) *m(f)* inventore, -trice *m, f*.

erfinderisch *adj* inventivo; *(findig)* ingegnoso.

Erfindung ⟨-, -en⟩ *f* invenzione *f*. **Erfindungsreichtum** *m* inventiva *f*.

Erfolg [ɛɐ̯'fɔlk] ⟨-(e)s, -e⟩ *m* successo *m*; **mit dem ~, daß** ... con il risultato che ...; **viel ~!** buona fortuna!

erfolgen ⟨*ohne ge-*⟩ *itr* ⟨*sein*⟩ **1.** *(geschehen)* avvenire, succedere; *(stattfinden)* aver luogo; *(Zahlung)* essere effettuato; **2.** *(als Folge eintreten)* seguire, risultare.

erfolglos *adj (Mensch)* sfortunato; *(Versuch)* infruttuoso; *(nutzlos)* inutile. **Erfolglosigkeit** ⟨-, ø⟩ *f (von Mensch)* insuccesso *m*; *(von Versuch)* inutilità *f*, vanità *f*.

erfolgreich I. *adj (Person)* di successo; *(Versuch)* felice; *(Unternehmen)* coronato di successo, fortunato; **II.** *adv* con successo.

Erfolgsaussichten *f pl* possibilità *f pl* di successo. **Erfolgsautor(in)** *m(f)* autore, -trice *m, f* di successo. **Erfolgsdenken** *n* logica *f* del successo. **Erfolgserlebnis** *n* esperienza *f* gratificante. **Erfolgskontrolle** *f* verifica *f*. **Erfolgsmeldung** *f* annuncio *m* di un successo. **Erfolgsrezept** *n* formula *f* di successo.

erfolgversprechend *adj* promettente, che promette bene.

erforderlich *adj* occorrente, necessario; **soweit ~** in caso di bisogno, se necessario.

erfordern ⟨*ohne ge-*⟩ *tr* esigere, rendere necessario.

Erfordernis ⟨-ses, -se⟩ *n* esigenza *f*, necessità *f*; *(Voraussetzung)* requisito *m*, condizione *f*.

erforschen ⟨*ohne ge-*⟩ *tr* ricercare, studiare; *(Land)* esplorare; *(Meinung, Geheimnis)* sondare; *(Gewissen)* interrogare.

Erforschung *f* indagine *f*, ricerca *f*, studio *m*; *(von Land)* esplorazione *f*; *(von Meinung)* sondaggio *m*.

erfragen ⟨*ohne ge-*⟩ *tr* informarsi di (*o* su); **zu ~ bei** per informazioni rivolgersi a.

erfreuen ⟨*ohne ge-*⟩ **I.** *tr* rallegrare, far piacere a; **ich bin darüber sehr erfreut** me ne rallegro molto; **sehr erfreut!** piacere!; **II.** *rfl:* **sich an etw.** *(dat)* ~ rallegrarsi di qc; **sich guter Gesundheit ~** godere di buona salute.

erfreulich *adj* lieto; *(angenehm)* gradito, piacevole; **es ist ~ zu** ... fa piacere ... *+inf*. **erfreulicherweise** *adv* fortunatamente.

erfrieren ⟨*irr, ohne ge-*⟩ *itr* ⟨*sein*⟩ **1.** *(Mensch, Tier)* morire assiderato (*o* di freddo); **2.** *(Körperteil)* congelarsi; **3.** *(Pflanze)* gelare.

erfrischen ⟨*ohne ge-*⟩ **I.** *tr* rinfrescare; *(beleben)* ristorare, ricreare; **II.** *rfl:* **sich** ~ rinfrescarsi; *(sich erholen)* ristorarsi. **erfrischend** *adj* rinfrescante; *fig* vivificante.

Erfrischung ⟨-, -en⟩ *f* **1.** *(das Erfrischen)* rinfrescata *f*; **2.** *(Speise, Getränk)* rinfresco *m*; **3.** *(Erholung)* ristoro *m*. **Erfrischungsgetränk** *n* bibita *f*. **Erfrischungsraum** *m* buvette *f*, bar *m*. **Erfrischungstuch** *n* salvietta *f* imbevuta.

erfüllen ⟨*ohne ge-*⟩ **I.** *tr* **1.** *(aus-, anfüllen)* riempire, colmare; **2.** *(Pflicht, Aufgabe)* adempiere; *(Versprechen)* mantenere; *(Wunsch, Bitte)* esaudire; *(Zweck)* raggiungere; *(Bedingung, Voraussetzung)* soddisfare; **II.** *rfl:* **sich ~** adempiersi, avverarsi.

Erfüllung *f* **1.** *(von Aufgabe, Pflicht)* adempimento *m*; *(von Wunsch, Hoffnung)* appagamento *m*, realizzazione *f*; *(von Versprechen)* mantenimento *m*;

(Befriedigung) soddisfazione *f;* **2.** *(Vollendung)* compimento *m;* **in ~ gehen** avverarsi, realizzarsi.

ergänzen [ɛɐ̯'gɛntsən] ⟨*ohne ge-*⟩ **I.** *tr* completare, integrare; **~d** per completare; **II.** *rfl:* **sich (*o* einander) ~** completarsi.

Ergänzung ⟨-, -en⟩ *f* **1.** *(Vervollständigung)* completamento *m; (Zusatz)* supplemento *m;* **2.** *gram* complemento *m.* **Ergänzungsabgabe** *f (zur Einkommenssteuer)* imposta *f* complementare.

ergattern [ɛɐ̯'gatɐn] ⟨*ohne ge-*⟩ *tr fam* pescare *fam.*

ergeben[1] ⟨*irr, ohne ge-*⟩ **I.** *tr* produrre, generare; *(einbringen)* rendere, fruttare; *mat* dare come risultato; **II.** *rfl:* **sich ~** **1.** *(kapitulieren)* arrendersi; *(a. fig)* capitolare; *(in Schicksal)* rassegnarsi (*in +akk* a); **2.** *(dem Laster)* abbandonarsi, cedere; **3.** *(folgen)* risultare (*aus* da), derivare (*aus* da); **daraus ergibt sich, daß ...** ne (con)segue che ...; **die Umfrage hat ~, daß ...** il sondaggio ha rivelato che ...

ergeben[2] *adj (demütig)* devoto; *(gehorsam)* ubbidiente; *(unterwürfig)* sottomesso, umile; *(gefaßt)* rassegnato; **einem Laster ~ sein** essere incline ad un vizio. **Ergebenheit** ⟨-, ø⟩ *f* **1.** *(Hingabe)* devozione *f,* attaccamento *m;* **2.** *(Gefaßtheit)* rassegnazione *f.*

Ergebnis ⟨-ses, -se⟩ *n* risultato *m; (Ausgang)* esito *m; sport* punteggio *m; (Folge)* conseguenza *f.* **ergebnislos** *adj* senza risultato, infruttuoso.

ergehen ⟨*irr, ohne ge-*⟩ **I.** *itr* ⟨*sein*⟩ *(geschickt werden)* essere inviato; *(erlassen werden)* essere diramato; *(bekanntgegeben werden)* essere pubblicato; **etw. über sich ~ lassen** sopportare (*o* subire) qc; **wie ist es dir ergangen?** come ti è andata?; **II.** *rfl:* **sich ~** diffondersi (*in +dat* in), abbandonarsi (*in +dat* a).

ergiebig [ɛɐ̯'gi:bɪç] *adj* fertile, produttivo; *(Thema)* vasto; *(ertragreich)* abbondante, copioso; *(einträglich)* redditizio; *(bes. Geschäft)* lucroso.

Ergometer [ɛrgo-] ⟨-s, -⟩ *n* ergometro *m.*

Ergonomie [ɛrgono'mi:] ⟨-, ø⟩ ergonomia *f.*

ergonomisch *adj* ergonomico.

ergrauen ⟨*ohne ge-*⟩ *itr* ⟨*sein*⟩ incanutire; *fig* invecchiare.

ergreifen ⟨*irr, ohne ge-*⟩ *tr* **1.** *(fassen)* afferrare; *fig (Wort, Initiative, Maßnahmen, Flucht)* prendere; *(Beruf)* abbracciare; *(Gelegenheit)* cogliere; **2.** *(festnehmen)* arrestare, catturare; **3.** *fig (rühren)* toccare, commuovere; *(erschüttern)* scuotere. **ergreifend** *adj* commovente, toccante.

Ergreifung ⟨-, ø⟩ *f (Festnahme)* cattura *f,* arresto *m.*

ergriffen [ɛɐ̯'grɪfən] *adj* commosso.

Erguß [ɛɐ̯'gʊs] *m* **1.** *med* versamento *m; (Blut~)* travaso *m;* **2.** *(Samen~)* eiaculazione *f;* **3.** *fig pej (Gefühls~)* effusione *f,* sfogo *m; (Wortschwall)* fiume *m* di parole.

erhaben [ɛɐ̯'ha:bən] *adj* **1.** *(erhöht)* rialzato, saliente; **2.** *fig* eminente, sublime; **über jeden Verdacht ~ sein** essere al di sopra di ogni sospetto. **Erhabenheit** ⟨-, ø⟩ *f* sublimità *f,* eminenza *f.*

erhalten ⟨*irr, ohne ge-*⟩ *tr* **1.** *(bekommen)* ricevere; *(durch Bemühungen)* ottenere; **2.** *(bewahren)* conservare; *(a. unterhalten)* mantenere; **gut/schlecht ~ sein** essere in buono/cattivo stato (di conservazione).

erhältlich [ɛɐ̯'hɛltlɪç] *adj* in vendita.

Erhaltung *f (Bewahrung)* conservazione *f; (a. Versorgung)* mantenimento *m.*

erhängen ⟨*ohne ge-*⟩ **I.** *tr* impiccare; **II.** *rfl:* **sich ~** impiccarsi.

erhärten ⟨*ohne ge-*⟩ **I.** *tr fig* convalidare, rafforzare; *(These)* avvalorare, corroborare; **II.** *rfl:* **sich ~** indurirsi; *fig* convalidare, rafforzarsi, venire rafforzato.

erheben ⟨*irr, ohne ge-*⟩ **I.** *tr* **1.** *(hochheben)* alzare, levare; **2.** *(Gebühr, Steuern)* riscuotere; *(Betrag)* esigere; **II.** *rfl:* **sich ~** **1.** *(aufstehen)* alzarsi; *(a. emporragen)* levarsi; **2.** *(aufkommen)* nascere, sorgere; *(Wind)* alzarsi; **3.** *(rebellieren)* insorgere, sollevarsi. **erhebend** *adj* edificante.

erheblich *adj* considerevole, notevole; *(bedeutend)* importante.

Erhebung *f* **1.** *(Boden~)* elevazione *f;* **2.** *(Umfrage)* rilevamento *m,* indagine *f;* **3.** *(Aufstand)* insurrezione *f,* sommossa *f.*

erheitern ⟨*ohne ge-*⟩ **I.** *tr* rallegrare, rasserenare; **II.** *rfl:* **sich ~** rasserenarsi (*über +akk* per). **erheiternd** *adj* divertente.

Erheiterung ⟨-, ø⟩ *f* divertimento *m,* diletto *m;* **zur allgemeinen ~** divertendo tutti.

erhitzen ⟨*ohne ge-*⟩ **I.** *tr* riscaldare; **II.** *rfl:* **sich ~** riscaldarsi.

erhoffen ⟨*ohne ge-*⟩ *tr* sperare in, aspettarsi.

erhöhen ⟨*ohne ge-*⟩ **I.** *tr* **1.** *(höher machen)* (ri)alzare; **2.** *(steigern, vermehren)* aumentare (*um* di); **II.** *rfl:* **sich ~** aumentare (*um* di); *(Anzahl)* salire (*auf* a).

Erhöhung ⟨-, -en⟩ *f* **1.** *(a. fig)* elevazione *f; (a. arch)* rialzamento *m;* **2.** *(Anhöhe)* altura *f;* **3.** *fig (Vermehrung)* accrescimento *m; (Preis~)* aumento *m.*

erholen ⟨*ohne ge-*⟩ *rfl:* **sich ~** **1.** *(von Krankheit)* ristabilirsi, rimettersi; *(von Schreck, Überraschung)* riaversi (*von* da); **2.** *(sich ausruhen)* riposarsi; **3.** *fig (Preise, Markt)* riprendersi; *(Börse)* essere in ripresa.

erholsam *adj* riposante.

Erholung ⟨-, ø⟩ *f* **1.** *(von Krankheit)* ristabilimento *m;* **2.** *(Ruhe)* riposo *m; (Entspannung)* distensione *f,* rilassamento *m;* **gute ~!** buon riposo!. **erholungsbedürftig** *adj* bisognoso di riposo. **Erholungsgebiet** *n* luogo *m* di villeggiatura. **Erholungsheim** *n* casa *f* di riposo.

erhören ⟨*ohne ge-*⟩ *tr* esaudire.

Erich ['e:rɪç] *(männlicher Vorname)* Erico.

erinnern [ɛɐ̯'ʔɪnɐn] ⟨*ohne ge-*⟩ **I.** *tr:* **jdn an etw.** *(akk)* ~ (far) ricordare qc a qu; **jdn daran ~, etw. zu tun** ricordare a qu di fare qc; **II.** *rfl:* **sich an etw.** *(akk)* ~ ricordarsi (di) qc; **sich nur noch dunkel ~** ricordarsi solo vagamente; **wenn ich mich recht erinnere** se ho buona memoria; **III.** *itr:* **an etw.** *(akk)* ~ ricordare qc.

Erinnerung ⟨-, -en⟩ *f* **1.** *(Gedächtnis)* memoria *f* *(an +akk* di); **2.** *(Andenken)* ricordo *m* *(an +akk* di); **in ~ an** *+akk* a ricordo di; **zur ~ an** *+akk* in memoria di.

erkälten ⟨*ohne ge-*⟩ *rfl:* **sich ~** raffreddarsi; **erkältet sein** essere raffreddato.

Erkältung ⟨-, -en⟩ *f* raffreddore *m,* infreddatura *f.*

erkämpfen ⟨*ohne ge-*⟩ *tr* ottenere (combattendo); *(a. fig)* conquistare; *(Sieg)* riportare.

erkennbar *adj* riconoscibile; *(wahrnehmbar)* percettibile; *(mit bloßem Auge)* discernibile, distinguibile; **ohne ~en Grund** senza ragione apparente.

erkennen ⟨*irr, ohne ge-*⟩ **I.** *tr* **1.** riconoscere *(an +dat* da); **2.** *(wahrnehmen)* distinguere; **3.** *(erfassen)* comprendere; **4.** *(einsehen)* ammettere *(als, für* per); **sich zu ~ geben** farsi (ri)conoscere; **jdm zu ~ geben, daß ...** fare capire a qu che ...; **II.** *itr:* ~ **auf** *jur* emettere la sentenza di.

erkenntlich *adj:* **sich ~ zeigen** mostrarsi riconoscente.

Erkenntnis *f* **1.** *(Erkennen)* conoscenza *f;* **2.** *(Einsicht)* riconoscimento *m;* **3.** *(Kenntnis)* cognizione *f,* nozione *f.* **Erkenntnisstand** ⟨-(e)s, ø⟩ *m* livello *m* delle conoscenze.

Erkennungsdienst *m* (polizia *f*) scientifica *f.* **Erkennungszeichen** *n* (contras)segno *m* di riconoscimento.

Erker ['ɛrkɐ] ⟨-s, -⟩ *m* bow-window *m.*

erklären ⟨*ohne ge-*⟩ **I.** *tr* **1.** *(erläutern)* spiegare; *(auslegen, deuten)* interpretare; **2.** *(begründen)* provare, motivare; **3.** *(aussagen)* dichiarare; *(verkünden a.)* proclamare; **jdm den Krieg ~** dichiarare guerra a qu; **II.** *rfl:* **sich ~ 1.** *(begründen)* spiegarsi; **2.** *(sich aussprechen)* dichiararsi, pronunciarsi *(für* a favore di, *gegen* contro). **erklärt** *adj* dichiarato, esplicito.

Erklärung *f* **1.** *(das Erklären)* spiegazione *f;* **2.** *(Erläuterung)* commento *m,* illustrazione *f;* **3.** *(Bekanntgabe)* dichiarazione *f; (Verkündung a.)* proclamazione *f.*

erklingen ⟨*irr, ohne ge-*⟩ *itr* ⟨*sein*⟩ (ri)sonare.

erkranken ⟨*ohne ge-*⟩ *itr* ⟨*sein*⟩ ammalarsi *(an +dat* di).

Erkrankung ⟨-, -en⟩ *f* malattia *f.*

erkunden ⟨*ohne ge-*⟩ *tr* esplorare; **das Gelände ~** *mil, fig* sondare il terreno.

erkundigen [ɛɐ̯'kʊndɪgən] ⟨*ohne ge-*⟩ *rfl:* **sich bei jdm nach etw. ~** informarsi di qc presso qu.

Erkundigung ⟨-, -en⟩ *f* informazione *f* *(über +akk* su).

Erkundung ⟨-, -en⟩ *f* esplorazione *f.*

erlangen ⟨*ohne ge-*⟩ *tr (erreichen)* raggiungere; *(durch Bemühungen)* ottenere; *(Ruhm, Bedeutung)* acquisire.

Erlaß [ɛɐ̯'las] ⟨-lasses, -lasse⟩ *m* **1.** *(Verfügung)* emanazione *f; pol* decreto *m,* ordinanza *f;* **2.** *(Straf~, Schulden~)* condono *m,* remissione *f.*

erlassen ⟨*irr, ohne ge-*⟩ *tr* **1.** *(verordnen)* emanare; **2.** *(Steuer, etc.)* esonerare *(jdm etw.* qu da qc); *(Strafe, Schuld)* condonare *(jdm etw.* qc a qu), *(Schulden)* rimettere *(jdm etw.* qc a qu).

erlauben [ɛɐ̯'laubən] ⟨*ohne ge-*⟩ **I.** *tr* permettere; **~ Sie (bitte)!** scusi!; **II.** *rfl:* **sich** *(dat);* ~ permettersi; **was erlaubst du dir (eigentlich)?** come ti permetti?

Erlaubnis ⟨-, ø⟩ *f* permesso *m.*

erläutern ⟨*ohne ge-*⟩ *tr* spiegare; *(Text)* interpretare, commentare.

Erläuterung ⟨-, -en⟩ *f* spiegazione *f; (Kommentar)* commento *m,* interpretazione *f.*

Erle ['ɛrlə] ⟨-, -n⟩ *f* ontano *m.*

erleben ⟨*ohne ge-*⟩ *tr* **1.** *(durchmachen)* vivere, vedere; *(erfahren)* fare l'esperienza di, provare; **2.** *(kennenlernen, dabeisein)* vedere, conoscere; **das möchte ich noch ~** non voglio morire senza averlo visto; **der kann was ~!** *fam* la vedrà brutta *fam;* **so habe ich dich noch nie erlebt** così non sei mai stato; **hat man so was schon erlebt?** *fam* si è mai visto una cosa simile?

Erlebnis ⟨-ses, -se⟩ *n* esperienza *f; (aufregendes ~)* avventura *f.*

erledigen [ɛɐ̯'le:dɪgən] ⟨*ohne ge-*⟩ **I.** *tr* **1.** *(Arbeit)* compiere, sbrigare; *(Auftrag)* eseguire; *(Angelegenheit)* regolare, risolvere; **2.** *fam (ermüden)* sfinire, spossare; **3.** *sl (ruinieren)* rovinare; **4.** *sl (umbringen)* togliere di mezzo *sl;* **du bist für mich erledigt!** *fam* per me sei finito *fam* (*o* spacciato); **II.** *rfl:* **sich (von selbst) ~** risolversi da sé.

Erledigung ⟨-, -en⟩ *f* compimento *m,* esecuzione *f; (Besorgung)* disbrigo *m.*

erlegen ⟨*ohne ge-*⟩ *tr (Wild)* abbattere.
erleichtern ⟨*ohne ge-*⟩ *tr fig* facilitare, agevolare; *(Gewissen)* sgravare; **jdn um etw.** ~ *scherz* alleggerire qu di qc; **erleichtert sein** essere sollevato.
Erleichterung ⟨-, -en⟩ *f* **1.** *(das Erleichtern)* alleggerimento *m; fig* facilitazione *f,* agevolazione *f;* **2.** *(Gefühl der ~)* sollievo *m.*
erleiden ⟨*irr, ohne ge-*⟩ *tr* sopportare; *fig (Niederlage, Verlust)* subire.
erlernen ⟨*ohne ge-*⟩ *tr* imparare, apprendere.
erlesen *adj* squisito.
erleuchten ⟨*ohne ge-*⟩ *tr* illuminare.
Erleuchtung ⟨-, -en⟩ *f* illuminazione *f;* **eine plötzliche ~ haben** avere un lampo di genio *fam.*
erliegen ⟨*irr, ohne ge-*⟩ *itr* ⟨*sein*⟩ *(einer Krankheit, Verletzung)* soccombere; *(einer Versuchung)* cedere; *(einem Irrtum)* cadere (*dat* in).
erlischt [ɛɐ̯'lɪʃt] *pr von* **erlöschen.**
Erlös [ɛɐ̯'lø:s] ⟨-es, -e⟩ *m* ricavato *m.*
erlöschen [ɛɐ'lœʃən] ⟨erlischt, erlosch, erloschen⟩ *itr* ⟨*sein*⟩ **1.** *(Feuer, Gefühle)* spegnersi; **2.** *(Visum)* scadere.
erlösen ⟨*ohne ge-*⟩ *tr* liberare; *rel* redimere.
Erlösung *f* liberazione *f; rel* redenzione *f.*
ermächtigen [ɛɐ̯'mɛçtɪgən] ⟨*ohne ge-*⟩ *tr* autorizzare (*zu* a); *jur* delegare (*zu* a).
Ermächtigung ⟨-, -en⟩ *f* autorizzazione *f; jur* delega *f.*
ermahnen ⟨*ohne ge-*⟩ *tr* ammonire.
Ermahnung *f* ammonizione *f; (Worte)* rimproveri *m pl.*
Ermangelung ⟨-, ø⟩ *f:* **in** ~ in mancanza (+*gen* di).
ermäßigen ⟨*ohne ge-*⟩ *tr* ribassare, ridurre; *(Preise)* scontare.
Ermäßigung ⟨-, -en⟩ *f* riduzione *f,* ribasso *m; (Preisnachlaß)* sconto *m.*
ermatten ⟨*ohne ge-*⟩ *geh* **I.** *tr* ⟨*haben*⟩ stancare, affaticare; *(erschöpfen)* spossare; **II.** *itr* ⟨*sein*⟩ stancarsi, affaticarsi.
ermessen ⟨*irr, ohne ge-*⟩ *tr* misurare, valutare. **Ermessen** ⟨-s, ø⟩ *n* giudizio *m;* **nach jds** ~ a giudizio di qu. **Ermessensfrage** *f* questione *f* giudicabile a discrezione.
ermitteln [ɛɐ̯'mɪtəln] ⟨*ohne ge-*⟩ **I.** *tr* **1.** *(erforschen)* ricercare, indagare; **2.** *(herausfinden)* rintracciare, scoprire; **3.** *(feststellen)* determinare, rilevare; **II.** *itr* indagare (*gegen* su).
Ermittlung ⟨-, -en⟩ *f* ricerca *f,* indagine *f; (polizeiliche ~)* rilevamento *m.* **Ermittlungsausschuß** *m* commissione *f* d'inchiesta. **Ermittlungsverfahren** *n* istruttoria *f.*
ermöglichen ⟨*ohne ge-*⟩ *tr* rendere possibile; **jdm ~, etw. zu tun** permettere a qu di fare qc.
ermorden ⟨*ohne ge-*⟩ *tr* assassinare.
Ermordung ⟨-, -en⟩ *f* assassinio *m.*
ermüden ⟨*ohne ge-*⟩ **I.** *tr* ⟨*haben*⟩ stancare, affaticare; **II.** *itr* ⟨*sein*⟩ stancarsi, affaticarsi. **ermüdend** *adj* faticoso; *(a. fig)* stancante.
Ermüdung ⟨-, ø⟩ *f* fatica *f; (a. fig)* affaticamento *m.* **Ermüdungserscheinung** *f* sintomo *m* di stanchezza.
ermuntern ⟨*ohne ge-*⟩ *tr* **1.** *(aufmuntern)* rallegrare; **2.** *(auffordern)* esortare; *(ermutigen)* incoraggiare (*zu* a).
ermutigen [ɛɐ̯'mu:tɪgən] ⟨*ohne ge-*⟩ *tr* incoraggiare (*zu* a).
Ermutigung ⟨-, -en⟩ *f* incoraggiamento *m.*
ernähren ⟨*ohne ge-*⟩ **I.** *tr* **1.** nutrire; *(verpflegen)* alimentare; **2.** *fig (versorgen)* mantenere, sostentare; **II.** *rfl:* **sich** ~ nutrirsi (*von* di); *fig* mantenersi (*von* con, a), vivere (*von* di).
Ernährer(in) ⟨-s, -⟩ *m(f)* sostegno *m* (della famiglia).
Ernährung ⟨-, ø⟩ *f* **1.** *(das Ernähren)* nutrizione *f;* **2.** *(Nahrung)* alimentazione *f;* **3.** *fig (Versorgung)* mantenimento *m,* sostentamento *m.* **Ernährungswissenschaft** *f* scienza *f* dell'alimentazione. **Ernährungswissenschaftler(in)** *m(f)* alimentarista *mf.*
ernennen ⟨*irr, ohne ge-*⟩ *tr* nominare; *(bes. Beamte)* designare; *(Erben)* istituire.
Ernennung ⟨-, -en⟩ *f* nomina *f; (bes. von Beamten)* designazione *f.*
erneuerbar *adj* rinnovabile; ~ **Energiequellen** fonti *f pl* di energia rinnovabili.
erneuern [ɛɐ̯'nɔyɐn] ⟨*ohne ge-*⟩ *tr* rinnovare; *(ersetzen, auswechseln)* cambiare, sostituire; *(wiederherstellen)* riparare, riaggiustare.
Erneuerung *f* rinnovo *m,* rinnovamento *m.*
erneut [ɛɐ̯'nɔyt] **I.** *adj* rinnovato, nuovo; *(wiederholt)* ripetuto; **II.** *adv* di nuovo.
erniedrigen [ɛɐ̯'ni:drɪgən] ⟨*ohne ge-*⟩ **I.** *tr* umiliare; *(a. mus)* abbassare; **II.** *rfl:* **sich** ~ umiliarsi, abbassarsi.
Erniedrigung ⟨-, -en⟩ *f* umiliazione *f,* avvilimento *m.*
ernst [ɛrnst] *adj* serio; *(Lage)* grave; *(Absicht)* fermo; *(Gesicht, Worte)* severo; **es ~ meinen** fare sul serio; ~ **nehmen** prendere sul serio.
Ernst[1] [ɛrnst] ⟨-es, ø⟩ *m* serietà *f; (Würde, Gefährlichkeit)* gravità *f; (Aufrichtigkeit)* sincerità *f;* **allen ~es** in tutta serietà; **der ~ des Lebens** il lato serio della vita; **das ist mein (voller** *o* **völliger)** ~ dico proprio sul serio; **im** ~ sul serio.
Ernst[2] [ɛrnst] *(männlicher Vorname)* Ernesto.
Ernstfall *m* caso *m* di emergenza.
ernsthaft *adj* serio. **Ernsthaftigkeit** ⟨-, ø⟩ *f* serietà *f.*
ernstlich *adv* seriamente, sul serio.

Ernte ['ɛrntə] ⟨-, -n⟩ *f* **1.** *(das Ernten)* raccolta *f;* **2.** *(~ertrag)* raccolto *m; (von Getreide)* mietitura *f,* messe *f.* **Erntedankfest** *n* festa *f* di ringraziamento per il raccolto.

ernten I. *tr (a. fig)* raccogliere; **II.** *itr* fare la raccolta.

ernüchtern ⟨*ohne ge-*⟩ *tr* far passare la sbornia a; *fig* disincantare, disilludere.

Ernüchterung ⟨-, -en⟩ *f* uscire *m* dallo stato d'ubriachezza; *fig* disincantamento *m,* disinganno *m.*

Eroberer ⟨-s, -⟩ *m,* **Eroberin** *f* conquistatore, -trice *m, f.*

erobern [ɛr'ʔo:bɐn] ⟨*ohne ge-*⟩ *tr* conquistare.

Eroberung ⟨-, -en⟩ *f* conquista *f.*

eröffnen ⟨*ohne ge-*⟩ *tr* **1.** *(öffnen)* aprire; *(feierlich)* inaugurare; **2.** *(mitteilen)* far sapere, rivelare.

Eröffnung *f* **1.** *(Öffnung)* apertura *f,* inizio *m; (feierliche ~)* inaugurazione *f;* **2.** *(Mitteilung)* comunicazione *f,* rivelazione *f.*

erogen [ero'ge:n] *adj* erogeno; **~e Zonen** zone *f pl* erogene.

erörtern [ɛɐ̯'ʔœrtɐn] ⟨*ohne ge-*⟩ *tr* discutere, dibattere.

Erörterung ⟨-, -en⟩ *f* discussione *f,* dibattito *m.*

Erotik [e'ro:tɪk] ⟨-, ø⟩ *f* erotismo *m.*

erotisch *adj* erotico.

Erpel ['ɛrpəl] ⟨-s, -⟩ *m* maschio *m* dell'anatra.

erpicht [ɛɐ̯'pɪçt] *adj:* **auf etw.** *(akk)* **~ sein** essere avido di qc.

erpressen ⟨*ohne ge-*⟩ *tr* **1.** *(Personen)* ricattare; **2.** *(Geld)* estorcere (*von* a); *(Geständnis)* strappare (*von* a).

Erpresser(in) ⟨-s, -⟩ *m(f)* ricattatore, -trice *m, f.*

Erpressung ⟨-, -en⟩ *f* ricatto *m.*

erproben ⟨*ohne ge-*⟩ *tr* provare; *tec* collaudare; *fig* mettere alla prova.

Erprobung ⟨-, -en⟩ *f* prova *f; tec* collaudo *m.*

erquicken [ɛɐ̯'kvɪkən] ⟨*ohne ge-*⟩ *tr poet* ristorare.

erraten ⟨*irr, ohne ge-*⟩ *tr* indovinare.

errechnen ⟨*ohne ge-*⟩ *tr* calcolare.

erregbar *adj* eccitabile, irritabile.

erregen ⟨*ohne ge-*⟩ **I.** *tr* **1.** *(emotional, sexuell)* eccitare; **2.** *(hervorrufen)* suscitare, provocare, causare; *(Begierde, Neid)* destare; *(Mitleid, Aufsehen)* fare; **II.** *rfl:* **sich ~** eccitarsi (*über +akk* per), irritarsi (*über +akk* per).

Erreger ⟨-s, -⟩ *m* agente *m* patogeno.

erregt *adj* eccitato; *(zornig)* irritato; *(Diskussion)* vivace, infocato.

Erregung *f* eccitazione *f.*

erreichbar *adj* raggiungibile; *(Mensch)* reperibile; *(zugänglich)* accessibile; **telefonisch ~** raggiungibile per telefono.

erreichen ⟨*ohne ge-*⟩ *tr* **1.** *allg.* raggiungere; *(heranreichen, hinkommen)* arrivare a; *(Ziel, Absicht)* ottenere, conseguire; **2.** *(durchsetzen)* far valere, imporre; **3.** *(gleichkommen)* eguagliare; **den Zug ~** riuscire a prendere il treno.

errichten ⟨*ohne ge-*⟩ *tr* **1.** *(Gebäude)* costruire, edificare; *(Denkmal)* erigere; **2.** *fig* fondare.

Errichtung *f* **1.** *(von Gebäude)* costruzione *f,* edificazione *f; (von Denkmal)* erezione *f;* **2.** *fig* fondazione *f.*

erringen ⟨*irr, ohne ge-*⟩ *tr* conseguire; *(Sieg)* riportare.

erröten ⟨*ohne ge-*⟩ *itr* ⟨*sein*⟩ arrossire (*über +akk, vor* per, di).

Errungenschaft [ɛɐ̯'rʊŋənʃaft] ⟨-, -en⟩ *f* conquista *f.*

Ersatz [ɛɐ̯'zats] ⟨-es, ø⟩ *m* **1.** *(Auswechslung)* sostituzione *f;* **2.** *(Erstattung)* restituzione *f; (Schaden~)* risarcimento *m,* indennizzo *m;* **als** (*o* **zum**) **~ für** in sostituzione di. **Ersatzdienst** *m* servizio *m* civile. **Ersatzkasse** *f* cassa *f* malattia ausiliaria. **Ersatzmann** ⟨-s, -leute *o* -männer⟩ sostituto *m,* supplente *m; sport* riserva *m.* **Ersatzreifen** *m* pneumatico *m* di ricambio (*o* riserva *o* scorta). **Ersatzteil** *n* (pezzo *m* di) ricambio *m.* **ersatzweise** *adv* in cambio (*für* di).

ersaufen ⟨*irr, ohne ge-*⟩ *itr* ⟨*sein*⟩ *vulg (ertrinken)* annegare.

ersäufen [ɛɐ̯'zɔyfən] ⟨*ohne ge-*⟩ *tr* annegare.

erschaffen ⟨*irr, ohne ge-*⟩ *tr* creare.

Erschaffung ⟨-, -en⟩ *f* creazione *f.*

erschallen ⟨*reg, ohne ge- o* erschallt, erscholl, erschollen⟩ *itr* ⟨*sein*⟩ *geh* risonare.

erscheinen ⟨*irr, ohne ge-*⟩ *itr* ⟨*sein*⟩ apparire; *(an bestimmtem Ort)* comparire; *(vor Gericht)* presentarsi; *(Buch)* essere pubblicato, uscire; **es erscheint mir merkwürdig, daß ...** mi sembra strano che ... **Erscheinen** ⟨-s, ø⟩ *n* apparizione *f; (a. jur)* comparsa *f; (von Buch)* pubblicazione *f,* uscita *f.*

Erscheinung ⟨-, -en⟩ *f* **1.** *(Geister~)* apparizione *f; (Vision)* visione *f;* **2.** *(Tatsache)* fatto *m,* fenomeno *m;* **3.** *(Gestalt)* figura *f;* **äußere ~** aspetto *m* esteriore; **in ~ treten** mostrarsi, presentarsi, manifestarsi. **Erscheinungsbild** *n* fenotipo *m.* **Erscheinungstermin** *m* termine *m* (*o* data *f*) di pubblicazione.

erschießen ⟨*irr, ohne ge-*⟩ *tr* uccidere (con un colpo di arma da fuoco); *(hinrichten)* fucilare; **erschossen sein** *fig fam* essere stanco morto *fam.*

Erschießung ⟨-, -en⟩ *f* fucilazione *f;* **standrechtliche ~** esecuzione militare.

erschlaffen ⟨*ohne ge-*⟩ *itr* ⟨*sein*⟩ divenire floscio, afflosciarsi.

Erschlaffung ⟨-, ø⟩ *f* afflosciamento *m.*

erschlagen ⟨*irr, ohne ge-*⟩ *tr* ammazzare; **vom Blitz ~ werden** essere colpito dal fulmine; ~ **sein** *fam* essere sfinito.

erschließen ⟨*irr, ohne ge-*⟩ *tr* **1.** *(zugänglich machen)* aprire; *(Land)* esplorare; *(Reisegebiet)* rendere accessibile; *(Baugelände)* sfruttare; *(Einnahmequelle)* scoprire; **2.** *(folgern)* dedurre.

Erschließung *f* apertura *f; (von Land)* esplorazione *f; (von Bauland)* sfruttamento *m.* **Erschließungskosten** *pl* spese *f pl* di valorizzazione.

erscholl, erschollen [ɛɐ̯'ʃɔl, -ən] *imp, pp von* **erschallen.**

erschöpfen ⟨*ohne ge-*⟩ **I.** *tr* esaurire; **II.** *rfl:* **sich** ~ **1.** esaurirsi; **2.** *fig* limitarsi (*in +dat* a). **erschöpfend** *adj* esauriente; **etw.** ~ **behandeln** trattare qc a fondo. **erschöpft** *adj* **1.** *(Mensch)* esausto; **2.** *fig (Geduld)* finito; *(Kräfte, Mittel)* esaurito.

Erschöpfung ⟨-, ø⟩ *f* **1.** *(Müdigkeit)* esaurimento *m,* spossatezza *f;* **2.** *fig* impoverimento *m.*

erschrecken ⟨*ohne ge-*⟩ **I.** ⟨*reg*⟩ **tr** spaventare; **II.** ⟨*reg*⟩ **rfl: sich** ~ spaventarsi (*über +akk, vor +dat* per, di); **III.** ⟨erschrickt, erschrak, erschrocken⟩ *itr* ⟨*sein*⟩ spaventarsi (*über, vor* per, di).

erschreckend *adj* spaventoso, spaventevole.

erschüttern [ɛɐ̯'ʃʏtɐn] ⟨*ohne ge-*⟩ *tr* **1.** *(erzittern lassen)* scuotere, far tremare; **2.** *fig (ergreifen)* sconvolgere, scuotere. **erschütternd** *adj* sconvolgente.

Erschütterung ⟨-, -en⟩ *f* **1.** scossa *f; (a. phys)* vibrazione *f;* **2.** *fig (Ergriffenheit)* choc *m,* sconvolgimento *m.*

erschweren ⟨*ohne ge-*⟩ *tr* aggravare, rendere più difficile.

erschwinglich [ɛɐ̯'ʃvɪŋlɪç] *adj* accessibile, a buon mercato.

ersehen ⟨*irr, ohne ge-*⟩ *tr* desumere (*aus* da).

ersetzen ⟨*ohne ge-*⟩ *tr* **1.** *(auswechseln)* sostituire, cambiare; **2.** *(als Ersatz dienen, an jds Stelle treten)* sostituire, rimpiazzare; *(vertreten)* supplire; **3.** *(Geld)* rimborsare; *(Verlust, Schaden)* risarcire, riparare; **jdm etw.** ~ risarcire qu (di) qc.

ersichtlich *adj* chiaro, evidente.

ersparen ⟨*ohne ge-*⟩ *tr* **1.** *(Geld)* risparmiare; **2.** *fig (Arbeit, Mühe)* (far) risparmiare, evitare.

Ersparnis ⟨-, -se⟩ *f* risparmio *m,* economia *f.*

erst [e:ɐ̯st] *adv* **1.** *(zuerst)* prima; *(als erstes)* in primo luogo; **2.** *(anfangs)* all'inizio; **3.** *(nicht mehr als)* solo, appena, soltanto; **eben (***o* **gerade)** ~ appena, or ora, proprio in questo momento; ~ **gestern** non più tardi di ieri; ~ **als . . .** non prima che . . ., solo quando . . .; ~ **wenn . . .** solo se . . .; **ich kann** ~ **morgen kommen** posso venire solo domani, non posso venire prima di domani; **wenn ich** ~ **mal weg bin** quando sarò partito; **jetzt** ~ **recht!** ora più che mai!; *s. a. erste(r,s).*

erstarren ⟨*ohne ge-*⟩ *itr* ⟨*sein*⟩ **1.** *allg., fig* irrigidirsi (*vor* da, per); *(vor Kälte)* intirizzire (*vor* per); **2.** *(Flüssiges, Weiches)* solidificarsi, rapprendersi; **3.** *fig (Blut)* gelare; *(Mensch)* agghiacciare (*vor Schreck* per lo spavento); *(Lächeln)* gelarsi.

erstatten [ɛɐ̯'ʃtatən] ⟨*ohne ge-*⟩ *tr* **1.** *(Kosten)* rimborsare; **2.** *(Bericht, Meldung)* fare.

Erstattung ⟨-, -en⟩ *f* rimborso *m.*

Erstaufführung *f* prima *f.*

erstaunen ⟨*ohne ge-*⟩ **I.** *tr* ⟨*haben*⟩ stupire; **II.** *itr* ⟨*sein*⟩ stupirsi (*über +akk* di). **Erstaunen** ⟨-s, ø⟩ *n* stupore *m;* **zu meinem größten** ~ con mia somma sorpresa. **erstaunlich** *adj (Staunen erregend)* sorprendente; *(Bewunderung erregend)* stupendo.

Erstausgabe *f* prima edizione *f.* **erstbeste(r, s)** ['e:ɐ̯st'bɛstə] *s.* **erste(r, s).**

erste *s.* **erste(r, s).**

Erste ⟨ein -r, -n, -n⟩ *mf* primo, -a *m, f; s. a. Vierte.*

erstechen ⟨*irr, ohne ge-*⟩ *tr* trafiggere, pugnalare.

erstehen ⟨*irr, ohne ge-*⟩ **I.** *tr* ⟨*haben*⟩ comperare, acquistare; **II.** *itr* ⟨*sein*⟩ *geh* **1.** *(entstehen)* sorgere; **2.** *(auf~)* risorgere.

ersteigern ⟨*ohne ge-*⟩ *tr* acquistare all'asta.

Ersteigung *f* scalata *f,* ascensione *f.*

erstellen ⟨*ohne ge-*⟩ *tr* fare, eseguire; *(Gutachten, Angebot)* compilare.

erstens *adv* (in) primo (luogo).

erste(r, s) ['e:ɐ̯stə] *adj* primo, -a; **E~ Hilfe** pronto soccorso; **der** ~ **beste** il primo venuto; **als ~s** per prima cosa, in primo luogo; **fürs** ~ per ora; **zum ~n, zum zweiten, zum dritten!** *(bei Auktion)* per la prima, per la seconda, per la terza volta; *s. a. vierte(r, s).*

ersticken [ɛɐ̯'ʃtɪkən] ⟨*ohne ge-*⟩ **I.** *tr* ⟨*haben*⟩ soffocare, asfissiare; **II.** *itr* ⟨*sein*⟩ soffocare, asfissiare; *(a. fig)* essere soffocato (*an +dat* per, *in +dat* da). **Ersticken** ⟨-s, ø⟩ *n,* **Erstickung** ⟨-, ø⟩ *f* soffocamento *m,* asfissia *f.*

erstklassig *adj* eccellente. **erstmalig I.** *adj* primo; **II.** *adv* per la prima volta. **erstmals** *adv* per la prima volta.

erstrebenswert *adj* desiderabile, auspicabile.

erstrecken ⟨*ohne ge-*⟩ *rfl:* **sich** ~ estendersi (*bis (an)* fino a, *über +akk* su (un arco di)); **sich auf etw.** *(akk)* ~ *fig* riguardare qc, concernere qc.

Erstschlag *m:* **nuklearer** ~ offensiva *f* nucleare.

ersuchen ⟨*ohne ge-*⟩ *tr geh* **1.** *(bitten)* chiedere (*jdn um etw.* qc a qu); **2.** *(auf-*

fordern) invitare (*jdn etw. zu tun* qu a fare qc). **Ersuchen** ⟨-s, ø⟩ *n* domanda *f*, richiesta *f*.

ertappen [ɛɐ̯'tapən] ⟨*ohne ge-*⟩ *tr* sorprendere, cogliere; **jdn dabei ~, wie ...** sorprendere qu mentre ...; **auf frischer Tat ertappt** colto sul fatto (*o* in flagrante).

erteilen ⟨*ohne ge-*⟩ *tr* dare; *(Befehl, Unterricht)* impartire; *(Erlaubnis)* dare, concedere; *(Auftrag)* trasmettere; *(Vollmacht)* conferire.

ertönen ⟨*ohne ge-*⟩ *itr* ⟨*sein*⟩ risuonare.

Ertrag [ɛɐ̯'tra:k] ⟨-(e)s, -träge⟩ *m* rendita *f*; *(Gewinn)* rendimento *m*, guadagno *m*; *(Einnahme)* provento *m*, utile *m*.

ertragen ⟨*irr, ohne ge-*⟩ *tr* **1.** *(aushalten)* sopportare; **2.** *(dulden)* tollerare; **nicht zu ~** insopportabile, intollerabile.

ertragfähig *adj* produttivo. **Ertragfähigkeit** *f* produttività *f*.

erträglich [ɛɐ̯'trɛ:klɪç] *adj* sopportabile.

ertragreich *adj* produttivo, fruttifero.

ertränken ⟨*ohne ge-*⟩ **I.** *tr* annegare; *(a. fig)* affogare; **II.** *rfl:* **sich ~** annegarsi.

ertrinken ⟨*irr, ohne ge-*⟩ *itr* ⟨*sein*⟩ annegare, affogare, morire annegato. **Ertrinken** ⟨-s, ø⟩ *n* annegamento *m*.

Ertüchtigung [ɛɐ̯'tʏçtɪgʊŋ] ⟨-, -en⟩ *f* irrobustimento *m*, invigorimento *m*; *sport* allenamento *m*.

erübrigen [ɛɐ̯'ʔy:brɪgən] ⟨*ohne ge-*⟩ **I.** *tr* *(Geld)* risparmiare, economizzare; *(Zeit)* tenere libero (*o* riservare); **II.** *rfl:* **sich ~** essere superfluo (*o* inutile).

erwachen ⟨*ohne ge-*⟩ *itr* ⟨*sein*⟩ svegliarsi (*aus dem Schlaf* dal sonno). **Erwachen** ⟨-s, ø⟩ *n (a. fig)* risveglio *m*; **beim ~** al risveglio.

erwachsen *adj* cresciuto, adulto. **Erwachsene** ⟨ein -r, -n, -n⟩ *mf* adulto, -a *m, f*. **Erwachsenenbildung** *f* istruzione *f* per adulti, formazione *f* permanente.

erwägen [ɛɐ̯'vɛ:gən] ⟨erwägt, erwog, erwogen⟩ *tr* ponderare; *(prüfen)* esaminare (attentamente).

Erwägung ⟨-, -en⟩ *f* riflessione *f*, considerazione *f*; **etw. in ~ ziehen** prendere in considerazione qc.

erwähnen [ɛɐ'vɛ:nən] ⟨*ohne ge-*⟩ *tr* menzionare. **Erwähnung** ⟨-, en⟩ *f* menzione *f*.

erwärmen ⟨*ohne ge-*⟩ **I.** *tr* riscaldare; **II.** *rfl:* **sich ~** riscaldarsi; **sich für etw. ~** infervorirsi per qc.

Erwärmung ⟨-, -en⟩ *f* riscaldamento *m*.

erwarten ⟨*ohne ge-*⟩ *tr* **1.** *(warten auf)* aspettare, attendere; **2.** *(rechnen mit)* contare su; **wider E~** contro ogni aspettativa; **ich kann es kaum ~, daß ich ...** non vedo l'ora di *+inf;* **es ist zu ~, daß ...** è probabile che *+congv.*

Erwartung ⟨-, -en⟩ *f* attesa *f*; *(Hoffnung)* speranza *f*, aspettativa *f*. **Erwartungsdruck** *m* ansia *f* di soddisfare le aspettative. **Erwartungshorizont** *m* aspettative *f pl*. **erwartungsvoll** *adj* impaziente (per l'attesa).

erwecken ⟨*ohne ge-*⟩ *tr* svegliare; *(Vertrauen)* ispirare; *(Mitleid)* fare; *(Eindruck)* dare; *(Hoffnung)* suscitare.

erwehren ⟨*ohne ge-*⟩ *rfl:* **sich ~** difendersi (*gen* da); *fig* trattenere (*einer S. (gen)* qc); **sich des Eindrucks nicht ~ können, daß ...** non riuscire a reprimere l'impressione che *+congv.*

erweichen ⟨*ohne ge-*⟩ *tr fig* intenerire, commuovere.

erweisen ⟨*irr, ohne ge-*⟩ **I.** *tr* **1.** *(beweisen)* dimostrare, provare; **2.** *(Dankbarkeit)* mostrare, manifestare; *(Dienst, Ehre)* rendere; *(Gefallen)* fare; **II.** *rfl:* **sich ~** mostrarsi (*als etw.* qc, come qc); *(sich herausstellen)* risultare (*als etw.* qc, come qc).

erweiterbar *adj inform* ampliabile.

erweitern ⟨*ohne ge-*⟩ **I.** *tr* **1.** *(weiter machen)* allargare, slargare, ampliare; **2.** *fig (ausdehnen)* estendere, ampliare; *(Kenntnisse, Horizont)* allargare; *(Geschäft)* ingrandire; *(Sammlung)* arricchire; **II.** *rfl:* **sich ~** allargarsi; *fig* estendersi, ampliarsi, ingrandirsi.

Erweiterung ⟨-, -en⟩ *f* allargamento *m*, slargamento *m*; *fig* ampliamento *m*; *inform* espansione *f*. **Erweiterungskarte** *f* scheda *f* di espansione.

Erwerb [ɛɐ̯'vɛrp] ⟨-(e)s, -e⟩ *m* **1.** *(Anschaffung, Kauf)* acquisto *m*; **2.** *(Lohn, Verdienst)* guadagno *m*, profitto *m*; **3.** *(Beruf)* lavoro *m*, mestiere *m*.

erwerben ⟨*irr, ohne ge-*⟩ *tr* **1.** *(kaufen)* acquistare; **2.** *(Recht, Kenntnisse)* acquisire; **3.** *(verdienen)* guadagnare.

Erwerbsarbeit *f* lavoro *m* retributivo. **erwerbsfähig** *adj* in grado di lavorare; **~es Alter** età *f* lavorativa. **Erwerbsleben** *n* vita *f* professionale. **erwerbslos** *adj* disoccupato. **erwerbstätig** *adj* che esercita una professione. **erwerbsunfähig** *adj* inabile al lavoro.

Erwerbung *f* **1.** *(das Erwerben)* acquisizione *f*; **2.** *(Kauf)* acquisto *m*.

erwidern [ɛɐ̯'vɪ:dɐn] ⟨*ohne ge-*⟩ **I.** *tr* **1.** *(antworten)* rispondere, replicare; **2.** *(Besuch)* ricambiare; *(Liebe)* corrispondere a; *(Beleidigung)* ritorcere; **II.** *itr* rispondere (*auf +akk* a), replicare (*auf +akk* a).

Erwiderung ⟨-, -en⟩ *f* **1.** *(Antwort)* risposta *f*; **2.** *fig* ricambio *m*; *(a. von Gruß)* restituzione *f*.

erwiesenermaßen [ɛɐ̯'vi:zənɐ'ma:sən] *adv* come dimostrato.

Erwin ['ɛrvi:n] *(männlicher Vorname)* Ervino.

erwischen ⟨*ohne ge-*⟩ *tr fam* **1.** *(fassen, ergreifen)* acciuffare; **2.** *(ertappen)* sorprendere, cogliere; **3.** *(gerade noch erreichen)* (riuscire a) prendere; **ihn hat's**

erwischt *(er ist verliebt)* s'è preso una cotta (*o* beccata) *fam; (er ist krank)* se l'è presa *fam; (er ist gestorben)* c'è rimasto *fam.*

erwog, erwogen [ɛɐ̯'vo:k, ɛɐ̯'vo:gən] *imp, pp von* **erwägen.**

erwünscht *adj* **1.** desiderato, auspicato; *(von Qualifikationen)* desiderato, atteso; **2.** *(willkommen)* gradito.

erwürgen ⟨*ohne ge-*⟩ *tr* strozzare, strangolare.

Erz [e:ɐ̯ts] ⟨-es, -e⟩ *n* minerale *m* metallico.

Erz- ['ɛrts-] *(in Zusammensetzungen) rel, hist* arci-.

erzählen ⟨*ohne ge-*⟩ *tr* raccontare, narrare; **erzähl mir nichts (*o* keine Märchen)!** *fam* non raccontarmi frottole! *fam,* ma a chi vuoi darla d'intendere? *fam;* **dem werd' ich was ~!** *fam* mi sentirà!

Erzähler(in) *m(f)* narratore, -trice *m, f.*

Erzählung *f* racconto *m.*

Erzbischof *m* arcivescovo *m.* **Erzengel** *m* arcangelo *m.*

erzeugen ⟨*ohne ge-*⟩ *tr* **1.** *(herstellen)* produrre; **2.** *fig (hervorrufen)* creare, far nascere; *(verursachen)* causare.

Erzeuger ⟨-s, -⟩ *m* **1.** *biol* procreatore *m,* genitore *m;* **2.** *agr, com* produttore *m; tec* generatore *m.*

Erzeugnis ⟨-ses, -se⟩ *n* prodotto *m.*

Erzeugung *f* produzione *f.*

Erzfeind(in) *m(f)* nemico, -a *m, f* giurato, -a (*o* mortale). **Erzherzog(in)** *m(f)* arciduca, -duchessa *m, f.*

erziehbar *adj:* **schwer ~** difficile da educare.

erziehen ⟨*irr, ohne ge-*⟩ *tr* allevare; *(a. geistig)* educare.

Erzieher(in) ⟨-s, -⟩ *m(f)* educatore, -trice *m, f; (Lehrer)* maestro, -a *m, f; (Hauslehrer)* precettore, -trice *m, f,* istitutore, -trice *m, f.*

Erziehung *f* educazione *f.* **Erziehungsberechtigte** ⟨ein -r, -n, -n⟩ *mf adm* persona *f* che esercita la patria potestà. **Erziehungsgeld** *n* indennità *f* concessa durante il congedo per la nascita di un figlio. **Erziehungsmethode** *f* metodo *m* educativo. **Erziehungsurlaub** *m* congedo *m* per la nascita di un figlio. **Erziehungswesen** *n* istruzione *f* pubblica. **Erziehungswissenschaft** *f* pedagogia *f.* **Erziehungswissenschaftler(in)** *m(f)* pedagogista *mf.*

erzielen ⟨*ohne ge-*⟩ *tr* raggiungere, ottenere; *(Gewinn)* realizzare; *(Erfolg)* ottenere; *(Tor)* segnare, fare.

erzürnen [ɛɐ̯'tsʏrnən] ⟨*ohne ge-*⟩ **I.** *tr* fare andare (*o* mandare) in collera, (far) adirare; **II.** *rfl:* **sich ~** adirarsi (*über jdn* con qu, *über etw. (akk)* per qc), andare in collera (*über jdn* con qu, *über etw. (akk)* per qc).

erzwingen ⟨*irr, ohne ge-*⟩ *tr* ottenere con la forza; *(Entscheidung, Versprechen)* estorcere (*etw. von jdm* qc a qu).

es [ɛs] *pers pron* **1.** *nom 3. pers sing (in bezug auf Menschen) (unbetont) meist nicht übersetzt;* egli *m,* ella *f; (betont)* lui *m,* lei *f; (in bezug auf Dinge) (unbetont) meist nicht übersetzt;* esso, -a *m, f; (betont)* lui *m,* lei *f;* **2.** *akk von* es *(unbetont)* lo *m,* la *f,* l' *m, f; (betont)* lui *m,* lei *f;* **3.** *(in unpersönlichen Ausdrükken) meist nicht übersetzt;* **~ gut haben** stare bene; ⟨*sing*⟩ **~ gibt . . .** c'è . . .; ⟨*pl*⟩ ci sono . . .; **~ klopft** bussano; **~ regnet** piove; **~ ist zwei Uhr** sono le due; **~ freut mich, daß . . .** mi fa piacere che *+congv;* **~ lebe die Gerechtigkeit!** evviva la giustizia!; **sind Sie der Vater/die Mutter? – ja, ich bin ~** Lei è il padre/la madre? – sì, lo sono; **wer ist da? – ich bin ~** chi è? – sono io.

ESA [e:sa:] *f akr von* **European Space Agency** E.S.A *f.*

Esche ['ɛʃə] ⟨-, -n⟩ *f* frassino *m.*

Esel(in) ['ezəl(ɪn)] ⟨-s, -⟩ *m(f)* asino, -a *m, f;* **(du/Sie) ~!** *fam pej* pezzo *m* d'asino! *fam.* **Eselsbrücke** *f fam* espediente *m* mnemonico. **Eselsohr** *n (im Buch)* orecchia *f.*

Eskalation [ɛskala'tsi̯o:n] ⟨-, -en⟩ *f* escalation *f.*

eskalieren [...'li:rən] ⟨*ohne ge-*⟩ *itr* ⟨*sein o haben*⟩ sfociare (*zu* in).

Eskimo ['ɛskimo] ⟨-s, -s⟩ *m* eschimese *mf.*

Eskorte [ɛs'kɔrtə] ⟨-, -n⟩ *f* scorta *f.*

Esoterik [ezo'te:rɪk] ⟨-, ø⟩ *f* esoterismo *m.*

esoterisch *adj* esoterico.

Espe ['ɛspə] ⟨-, -n⟩ *f* (pioppo *m*) tremulo *m.* **Espenlaub** *n:* **zittern wie ~** tremare come una foglia.

Esprit [ɛs'pri:] ⟨-s, ø⟩ *m* spirito *m,* esprit *m.*

eßbar *adj* mangiabile; *(genießbar, bes. Pilz)* mangereccio, commestibile. **Eßbesteck** *n* posate *f pl.*

essen ['ɛsən] ⟨ißt, aß, gegessen⟩ *tr, itr* mangiare; **zu Abend/Mittag ~** cenare/desinare (*o* pranzare); **gegessen sein** *fig fam* aver perso d'attualità.

Essen ⟨-s, -⟩ *n* **1.** *allg.* mangiare *m;* **2.** *(Nahrung)* cibo *m,* alimento *m;* **3.** *(Mahlzeit)* pasto *m; (Mittag~)* pranzo *m; (Abend~)* cena *f;* **4.** *(Gericht)* piatto *m,* pietanza *f.* **Essen(s)marke** *f* buono *m* pranzo. **Essenszeit** *f* ora *f* di mangiare (*o* del pasto).

Essenz [ɛ'sɛnts] ⟨-, -en⟩ *f* essenza *f.*

Eßgewohnheiten *f pl* abitudini *f pl* alimentari.

Essig ['ɛsɪç] ⟨-s, -e⟩ *m* aceto *m.* **Essiggurke** *f* cetriolino *m* sott'aceto. **Essigsäure** *f* acido *m* acetico.

Eßkastanie *f* castagna *f,* marrone *m.* **Eßlöffel** *m* cucchiaio *m* da tavola; **ein ~**

(voll von) ... una cucchiaiata di ... **Eßtisch** *m* tavola *f*, tavolo *m* da pranzo. **Eßwaren** *f pl* commestibili *m pl*, derrate *f pl* (alimentari). **Eßzimmer** *n* sala *f* da pranzo.

Estland ['ɛstlant] *n* Estonia *f*.

estnisch *adj* estone.

Estragon ['ɛstragɔn] ⟨-s, ø⟩ *m* dragoncello *m*.

etablieren [eta'bli:rən] ⟨*ohne ge-*⟩ **I.** *tr* stabilire; **II.** *rfl:* **sich ~** stabilirsi. **etabliert** *adj* solido, stabile; *(gesellschaftlich)* arrivato.

Etage [e'ta:ʒə] ⟨-, -n⟩ *f* piano *m*. **Etagenbad** *n* bagno *m* ai piani. **Etagenbett** *n* letto *m* a castello. **Etagendusche** *f* doccia *f* ai piani. **Etagenheizung** *f* riscaldamento *m* autonomo (per un piano). **Etagenkellner(in)** *m(f)* cameriere, -a *m, f* ai piani. **Etagenwohnung** *f* appartamento *m*.

Etappe [e'tapə] ⟨-, -n⟩ *f* tappa *f*.

Etat [e'ta:] ⟨-s, -s⟩ *m* bilancio *m*, budget *m*.

etc. *abk von* **et cetera** *(und so weiter)* ecc., etc. (*abbr di* eccetera, et cetera).

etepetete [e:təpe'te:tə] ⟨*inv*⟩ *adj fam* affettato.

Ethik ['e:tɪk] ⟨-, ø *o rar* -en⟩ *f* etica *f*.

ethisch *adj* etico.

ethnisch ['ɛtnɪʃ] *adj:* **~e Minderheit** minoranza *f* etnica.

Ethnologie [ɛtnolo'gi:, ...i:ən] ⟨-, -n⟩ *f* etnologia *f*.

Etikett [eti'kɛt] ⟨-(e)s, -e(n) *o* -s⟩ *n* etichetta *f*, cartellino *m; com* marchio *m*.

Etikette [eti'kɛtə] ⟨-, -n⟩ *f* etichetta *f*.

etikettieren [...'ti:rən] ⟨*ohne ge-*⟩ *tr* etichettare; *(a. fig)* mettere un'etichetta su.

etliche(r, s) ['ɛtlɪçə] *pron (sing)* parecchio, -a; *(pl)* alcuni, parecchi.

Etsch [ɛtʃ] *f* Adige *m*.

Etui [ɛt'vi:] ⟨-s, -s⟩ *n* fodero *m*, guaina *f*.

etwa ['ɛtva] *adv* **1.** *(ungefähr)* circa, all'incirca; **2.** *(vielleicht)* forse; *(womöglich)* per caso; **3.** *(zum Beispiel)* per esempio, diciamo; **~ hundert** un centinaio.

etwaig ['ɛtvaɪç *o* ɛt'va:ɪç] *adj* eventuale.

etwas ['ɛtvas] **I.** *pron* **1.** *(substantivisch)* qualcosa; **2.** *(adjektivisch)* un po' di; **das gewisse E~** quel certo non so che; **~ Schönes** qualcosa di bello; **das ist ~ anderes** è un'altra cosa; **so ~** una cosa simile (*o* del genere); **II.** *adv* alquanto, un po'.

Etymologie [etymolo'gi:, ...i:ən] ⟨-, -n⟩ *f* etimologia *f*.

etymologisch [...'lo:gɪʃ] *adj* etimologico.

EU [e:'u:] *f abk von* **Europäische Union** U.E. *f* (*abbr di* Unione Europea).

EU-Behörde *f* organo *m* della Unione Europea. **EU-Beitritt** *m* adesione alla U.E. **EU-Binnenmarkt** *m* mercato *m* unico europeo. **EU-Bürger(in)** *m(f)* cittadino, -a *(m, f)* europeo, -a.

euch [ɔʏç] **I.** *pers pron* **1.** *akk von* ihr *2. pers pl (betont)* voi; *(unbetont)* vi; **2.** *dat von* ihr *2. pers pl (betont)* a voi; *(unbetont)* vi; **II.** *rfl pron* vi; **freut ihr ~?** siete contenti?

euer ['ɔʏɐ] **I.** *pers pron (gen von* ihr *2. pers pl)* di voi; **II.** *poss pron (adjektivisches von* ihr *2. pers pl)* vostro, -a *m, f*, vostri, -e *m pl, f pl*.

eu(e)re(r, s) ['ɔʏ(ə)rə] *poss pron (substantivisch von* ihr *2. pers pl)* il vostro, la vostra, i vostri *m pl*, le vostre *f pl*.

EU-Führerschein *m* patente *f* europea.

EuGH [e: u: ge: ha:] *abk von* **Europäischer Gerichtshof** corte *f* di giustizia europea.

EU-Gipfel *m* vertice U.E.. **EU-Haushalt** *m* bilancio *m* della U.E. **EU-Kommission** *f* commissione *f* della U.E.

Eule ['ɔʏlə] ⟨-, -n⟩ *f* civetta *f*, gufo *m*.

EU-Ministerrat *m* consiglio *m* dei ministri della U.E. **EU-Mitgliedsland** *m* paese *m* membro della U.E. **EU-Norm** *f* norma *f* U.E.

EURATOM [ɔʏra'to:m] *f akr von* **Europäische Atomgemeinschaft** EURATOM.

eurerseits ['ɔʏre'zaɪts] *adv* da parte vostra.

euresgleichen ['ɔʏrəs'glaɪçən] ⟨*inv*⟩ *pron* vostro pari, gente *f* come voi.

euretwegen ['ɔʏrət've:gən] *adv* per causa vostra, per voi; *(negativ)* per colpa vostra.

euretwillen ['ɔʏrət'vɪlən] *adv:* **um ~** per voi, per amor vostro.

Eurocheque ['ɔʏroʃɛk] *m s.* **Euroscheck.**

Eurocity(-Zug) [ɔʏro'siti-] ⟨-, -s *o* -cities⟩ *m* (treno *m*) eurocity *m*.

Euro-Norm ['ɔʏro-] *f* norma *f* (*o* direttiva *f*) europea.

Europa [ɔʏ'ro:pa] *n* Europa *f*. **Europacup** [-kap] ⟨-s, -s⟩ *m (Europapokal)* coppa *f* Europa.

Europäer(in) [ɔʏro'pɛ:ɐ (...ərɪn)] ⟨-s, -⟩ *m(f)* europeo, -a *m, f*.

europäisch *adj* europeo; **E~e Union** *(abk* **EU***)* Unione Europea *(abbr* **U.E.***);* **E~e Wirtschaftsgemeinschaft** *(abk* **EWG***)* Comunità Economica Europea *(abbr* **CEE***);* **E~e Gemeinschaft** *(abk* **EG***) hist* Comunità Europea; **~e Artikelnummer** *(abk* **EAN***)* codifica (a barre) europea dei prodotti; **~es Sicherheitssystem** sistema di sicurezza europeo; **~er Binnenmarkt** mercato unico europeo.

Europameister(in) *m(f)* campione, -essa *m, f* d'Europa. **Europameisterschaft** *f* campionato *m* europeo. **Europaparlament** *n* Parlamento *m* Europeo. **Europapokal** *m* coppa *f* europea. **Europarat** *m* Consiglio *m* d'Europa. **Europastraße** *f* (*abk* **E**) itinerario *m* europeo. **Europawahlen** *f pl* elezioni *f pl* europee.

Euroscheck ['ɔyro-] *m* eurocheque *m*. **Euroscheckkarte** *f* carta *f* di eurocheque. **Eurotunnel** *m* tunnel *m* (sotto il canale) della Manica. **Eurovision** [ɔyrovi'zio:n] ⟨-, ø⟩ *f* eurovisione *f*.

EU-Staat *m* Stato *m* della U.E.

Euter ['ɔyte] ⟨-s, -⟩ *n* mammella *f*.

Euthanasie [ɔytana'zi:] ⟨-, ø⟩ *f* eutanasia *f*.

e. V. [e:'fau] *abk von* **eingetragener Verein** associazione registrata.

evakuieren [evaku'i:rən] ⟨*ohne ge-*⟩ *tr* **1.** *(Gebiet)* evacuare; **2.** *(Menschen)* sfollare.

Evakuierung ⟨-, -en⟩ *f* **1.** *(von Gebiet)* evacuazione *f*; **2.** *(von Menschen)* sfollamento *m*.

evangelisch [evaŋ'ge:lɪʃ] *adj* evangelico; *(protestantisch)* protestante.

Evangelist [...ge'lɪst] ⟨-en, -en⟩ *m* evangelista *m*.

Evangelium [...'ge:lium, ...iən] ⟨-s, -lien⟩ *n* Vangelo *m*.

Eventualität [evɛntuali'tɛ:t] ⟨-, -en⟩ *f* eventualità *f*.

eventuell [...'tuɛl] *adj* (*abk* **evtl.**) eventuale.

evtl. *abk von* **eventuell** eventualmente.

EWG [e:ve:'ge:] ⟨-, ø⟩ *f abk von* **Europäische Wirtschaftsgemeinschaft** C.E.E. *f* (*abbr di* Comunità Economica Europea).

ewig ['e:vɪç] *adj* **1.** *rel, philos* eterno; **2.** *fam (dauernd)* continuo; **auf ~** in eterno, per sempre; **das dauert ja ~!** *fam* dura un'eternità!

Ewigkeit ⟨-, *rar* -en⟩ *f* eternità *f*; **in (alle) ~** in eterno.

EWR [e:ve:'ɛr] *abk von* **Europäischer Wirtschaftsraum** area *f* economica europea.

EWS [e:ve:'ɛs] *n abk von* **Europäisches Währungssystem** SME *m* (*abbr di* Sistema *m* Monetario Europeo).

EWU [e:ve:'u:] *abk von* **Europäische Währungsunion** unione *f* monetaria europea.

exakt [ɛ'ksakt] *adj* esatto, preciso. **Exaktheit** ⟨-, ø⟩ *f* esattezza *f*, precisione *f*.

Examen [ɛ'ksa:mən, ...mina] ⟨-s, - *o rar* -mina⟩ *n* esame *m*. **Examensangst** *f* paura *f* degli esami. **Examenskandidat(in)** *m(f)* esaminando, -a *m, f*.

examinieren [ɛksami'ni:rən] ⟨*ohne ge-*⟩ *tr* esaminare.

Exekution [ɛkseku'tsio:n] ⟨-, -en⟩ *f* esecuzione *f*.

Exekutive [ɛkseku'ti:və] ⟨-, -n⟩ *f* (potere *m*) esecutivo *m*.

Exemplar [ɛksɛm'pla:ɐ] ⟨-s, -e⟩ *n* esemplare *m*; *(Buch)* copia *f*.

exemplarisch I. *adj* esemplare; **II.** *adv* in modo esemplare.

exerzieren [ɛksɛr'tsi:rən] ⟨*ohne ge-*⟩ **I.** *tr* esercitare; **II.** *itr* esercitarsi, fare le esercitazioni.

Exhibitionist(in) [ɛkshibitsio'nɪst(ɪn)] ⟨-en, -en⟩ *m(f)* esibizionista *mf*.

exhumieren [ɛkshu'mi:rən] ⟨*ohne ge-*⟩ *tr* riesumare.

Exil [ɛ'ksi:l] ⟨-s, -e⟩ *n* esilio *m*.

Existenz [ɛksɪs'tɛnts] ⟨-, -en⟩ *f* **1.** *(Dasein, Leben)* esistenza *f*; **2.** *(Lebensunterhalt)* sostentamento *m*; **3.** *(Mensch)* figura *f*. **Existenzangst** *f* angoscia *f* esistenziale. **Existenzbedrohung** *f* minaccia *f* mortale (*o* esistenziale). **Existenzberechtigung** *f* ragione *f* d'essere. **Existenzgründer(in)** *m(f)* imprenditore, -trice che inizia un'attività. **Existenzgrundlage** *f* base *f* di sostentamento. **Existenzgründung** *f* fondazione *f* di un' impresa. **Existenzkampf** *m* lotta *f* per l'esistenza. **Existenzminimum** *n* minimo *m* di vita.

existieren [...'ti:rən] ⟨*ohne ge-*⟩ *itr* esistere, esserci.

exklusiv [ɛksklu'zi:f] *adj* esclusivo. **Exklusivrecht** *n* diritto *m* esclusivo.

Exklusivität [...vi'tɛ:t] ⟨-, ø⟩ *f* esclusività *f*.

exkommunizieren [ɛkskɔmuni'tsi:rən] ⟨*ohne ge-*⟩ *tr* scomunicare.

Exkremente [ɛkskre'mɛntə] *n pl geh* escrementi *m pl*.

Exkurs [ɛks'kurs] ⟨-es, -e⟩ *m* excursus *m*.

Exmatrikulation [ɛksmatrikula'tsio:n] ⟨-, -en⟩ *f* cancellazione *f* dal registro dell'università.

exmatrikulieren [...'li:rən] ⟨*ohne ge-*⟩ **I.** *tr* cancellare dalla matricola (universitaria); **II.** *rfl:* **sich ~** farsi cancellare dalla matricola (universitaria).

exotisch [ɛ'kso:tɪʃ] *adj* esotico.

Expansion [ɛkspan'zio:n] ⟨-, -en⟩ *f* espansione *f*.

Expedition [ɛkspedi'tsio:n] ⟨-, -en⟩ *f* spedizione *f*.

Experiment [ɛksperi'mɛnt] ⟨-(e)s, -e⟩ *n* esperimento *m*; *fig* esperienza *f*.

experimentell [...'tɛl] *adj* sperimentale.

experimentieren [...'ti:rən] ⟨*ohne ge-*⟩ *itr* sperimentare (*mit etw.* qc, *an etw. (dat)* su qc).

Experte [ɛks'pɛrtə] ⟨-n, -n⟩ *m*, **Expertin** [...tɪn] *f* esperto, -a *m, f*, perito, -a *m, f*.

Expertensystem *n* sistema *m* esperto.

Expertise [...'ti:zə] ⟨-, -n⟩ *f* perizia *f*.

explodieren [ɛksplo'di:rən] ⟨*ohne ge-*⟩ *itr* ⟨*sein*⟩ esplodere; *(a. fig)* scoppiare.

Explosion [...'zio:n] ⟨-, -en⟩ *f* esplosione *f*; *(a. fig)* scoppio *m*. **explosionsgeschützt** *adj* antideflagrante.

explosiv [...'zi:f] *adj* esplosivo.

Exponent [ɛkspo'nɛnt] ⟨-en, -en⟩ *m* esponente *m*.

exponieren [...'ni:rən] ⟨*ohne ge-*⟩ **I.** *tr* esporre; **II.** *rfl:* **sich ~** esporsi.

Export [ɛks'pɔrt] ⟨-(e)s, -e⟩ *m (a. inform)* esportazione *f*. **Exportabteilung** *f* ufficio *m* (*o* reparto *m*) esportazioni.

Exportfirma *f* ditta *f* esportatrice. **Exporthandel** *m* commercio *m* delle esportazioni.
exportieren [...'ti:rən] ⟨*ohne ge-*⟩ *tr* esportare.
Expreß [ɛks'prɛs] ⟨-presses, Expreßzüge⟩ *m* rapido *m;* **per** ~ per espresso.
Expressionismus [ɛksprɛsi̯o'nɪsmʊs] ⟨-, ø⟩ *m* espressionismo *m.*
exquisit [ɛkskvi'zi:t] *adj* squisito, eccellente.
Extension [ɛkstɛn'zi̯o:n] *f (a. von Dateiname)* estensione *f.*
extra ['ɛkstra] ⟨*inv*⟩ **I.** *adj fam (gesondert, separat)* separato, a parte; **II.** *adv* **1.** *(eigens)* proprio; **2.** *(gesondert)* speciale, extra; **3.** *(zusätzlich)* in più, in aggiunta; **4.** *fam (absichtlich)* appositamente. **Extraausstattung** *f* optional *m pl.* **Extrablatt** *n* edizione *f* straordinaria. **extrafein** *adj* extrafino, sopraffino. **extrakorporal** *adj:* ~**e Befruchtung** inseminazione *f* extracorporale.
Extrakt [ɛks'trakt] ⟨-(e)s, -e⟩ *m o n* estratto *m.*
extravagant [-va'gant *o* 'ɛkstra-] *adj* stravagante.
Extravaganz [-va'gants *o* 'ɛkstra-] ⟨-, -en⟩ *f* stravaganza *f.*
extravertiert [-vɛr'ti:ɐ̯t] *adj* estroverso.
extrem [ɛks'tre:m] *adj* estremo. **Extrem** ⟨-s, -e⟩ *n* estremo *m;* **von einem** ~ **ins andere fallen** passare da un estremo all'altro. **Extremfall** *m* caso *m* estremo; **im** ~ alla peggio, nel peggiore dei casi.
Extremismus [ɛkstre'mɪsmʊs] ⟨-, ø⟩ *m* estremismo *m.*
Extremist(in) [...'mɪst(ɪn)] ⟨-en, -en⟩ *m(f)* estremista *mf.*
Extremitäten [ɛkstremi'tɛ:tən] *f pl* estremità *f pl.*
Extremsport(art *f***)** *m* sport *m* estremo.
extrovertiert [ɛkstrovɛr'ti:ɐ̯t] *s.* **extravertiert.**
Exzellenz [ɛkstsɛ'lɛnts] ⟨-, -en⟩ *f* eccellenza *f.*
exzentrisch [ɛks'tsɛntrɪʃ] *adj* eccentrico.
Exzeß [ɛks'tsɛs] ⟨-zesses, -zesse⟩ *m* eccesso *m.*
exzessiv [...'si:f] *adj* eccessivo.
Eyeliner ['aɪlaɪnə] ⟨-, -⟩ *m* matita *f* per gli occhi.

F

F, f [ɛf] ⟨-, -(s)⟩ *n* **1.** *(Buchstabe)* F, f *f;* **2.** *mus* fa *m;* **F wie Friedrich** F come Firenze.

F *abk von* **Fahrenheit** F.

Fabel ['fa:bəl] ⟨-, -n⟩ *f* favola *f.* **fabelhaft** *adj* fantastico, incredibile; *(wunderbar)* magnifico, stupendo. **Fabeltier** *n* animale *m* favoloso.

Fabian ['fa:bia:n] *(männlicher Vorname)* Fabiano.

Fabrik [fa'bri:k] ⟨-, -en⟩ *f* **1.** *(allg., a. Belegschaft)* fabbrica *f;* **2.** *(~gebäude)* stabilimento *m.* **fabrikneu** *adj* nuovo di zecca.

Fabrikant(in) [fabri'kant(ɪn)] ⟨-en, -en⟩ *m(f)* fabbricante *mf.*

Fabrikat [...'ka:t] ⟨-(e)s, -e⟩ *n* prodotto *m,* manufatto *m.*

Fabrikation [...ka'tsio:n] ⟨-, -en⟩ *f* fabbricazione *f,* manifattura *f.* **Fabrikationsfehler** *m* difetto *m* di fabbricazione (*o* di fabbrica).

fabrizieren [...'tsi:rən] ⟨*ohne ge-*⟩ *tr (a. fam)* fabbricare.

Fach [fax] ⟨-(e)s, Fächer⟩ *n* **1.** *(in einem Behälter, bes. einer Tasche, einem Koffer)* (s)compartimento *m,* scomparto *m; (in Büchergestell)* scaffale *m,* ripiano *m; (Schub~)* cassetto *m; (Post~)* casella *f;* **2.** *(Berufszweig)* mestiere *m; (Zweig)* ramo *m; (Gebiet)* campo *m,* settore *m; (Lehr~, Unterrichts~)* materia *f;* **vom ~ sein** essere del mestiere. **Facharbeiter(in)** *m(f)* operaio, -a *m, f* specializzato, -a. **Facharzt** *m,* **-ärztin** *f* specialista *mf.* **Fachausdruck** *m* termine *m* tecnico.

Fächer ['fɛçɐ] ⟨-s, -⟩ *m* ventaglio *m.*

Fachfrau *f* esperta *f,* specialista *f.* **Fachgeschäft** *n* negozio *m* specializzato. **Fachhandel** *m* commercio *m* specializzato. **Fachhändler(in)** *m(f)* commerciante *m(f)* specializzato, -a. **Fachhochschule** *f* istituto *m* politecnico. **Fachidiot(in)** *m(f)* esperto, -a *m, f* con i paraocchi. **Fachkenntnisse** *f pl* cognizioni *f pl* tecniche, conoscenze professionali. **fachkundig I.** *adj* esperto, competente; **II.** *adv* da esperto, in modo competente. **fachlich** *adj* professionale, tecnico; **die ~en Voraussetzungen erfüllen** essere qualificato. **Fachliteratur** *f* letteratura *f* specialistica. **Fachmann** ⟨-(e)s, -leute⟩ *m* esperto *m,* specialista *m.* **fachmännisch** [-mɛnɪʃ] **I.** *adj* specialistico; *(fachgerecht)* a regola d'arte; **II.** *adv* da specialista; *(fachgerecht)* a regola d'arte. **Fachmesse** *f* fiera *f* settoriale (*o* specializzata. **Fachpresse** ⟨-, ø⟩ *f* stampa *f* specialistica *o* settoriale. **Fachschule** *f* istituto *m* tecnico (*o* professionale). **fachsimpeln** [-zɪmpəln] *itr fam* parlare di questioni tecniche (*o* professionali) (annoiando i presenti). **Fachsprache** *f* linguaggio *m* tecnico. **Fachwerk** *n* traliccio *m.* **Fachwerkhaus** *n* casa *f* con travature a traliccio. **Fachwissen** *n* conoscenze *f pl* (*o* nozioni *f pl* tecniche (*o* specialistiche).

Fackel ['fakəl] ⟨-, -n⟩ *f* fiaccola *f.*

fackeln *itr fam:* **nicht lange ~** non perdere tempo, non aver scrupoli.

Factoring ['fæktərɪŋ] ⟨-s, ø⟩ *n* factoring *m.*

fad(e) [fa:t ('fa:də)] *adj* **1.** *(Speise)* insipido; **2.** *fig (langweilig, geistlos)* noioso, scialbo, insulso.

Faden ['fa:dən] ⟨-s, Fäden⟩ *m* **1.** *allg., bot, fig* filo *m;* **2.** *(Faser)* filo *m; (a. el)* filamento; **3.** ⟨*pl*⟩ *med:* punti *m pl;* **den ~ verlieren** *fig* perdere il filo; **die Fäden in der Hand haben (*o* halten)** *fig* manovrare i fili, tenere in mano le fila; **keinen trockenen ~ am Leibe haben** *fam* essere bagnato fradicio; **an einem (seidenen) ~ hängen** *fig* essere sospeso a un filo. **fadenscheinig** *adj (Vorwand)* magro, scarso.

Fadheit ⟨-, ø⟩ *f* **1.** *(von Essen)* insipidezza *f;* **2.** *(Langweiligkeit)* noiosità *f.*

fähig ['fɛ:ɪç] *adj* **1.** *(tüchtig, tauglich)* capace (*zu* di), bravo; *(imstande)* capace (*zu* di); **2.** *(begabt)* dotato (*zu* di); **3.** *(geschickt)* abile; **4.** *(befähigt)* qualificato (*zu* a); **5.** *(geeignet)* atto, adatto, idoneo (*zu* a); **er ist zu allem ~!** è capace di tutto. **Fähigkeit** ⟨-, -en⟩ *f* **1.** *(das Imstandesein)* capacità *f,* abilità *f;* **2.** *(Begabung)* dote *f,* talento *m; (geistig)* facoltà *f.*

fahnden ['fa:ndən] *itr:* **nach jdm ~** ricercare qu.

Fahndung ⟨-, -en⟩ *f* ricerca *f* (*nach* di), indagini *f pl* (*nach* su).

Fahne ['fa:nə] ⟨-, -n⟩ *f* **1.** *(Flagge, etc.)* bandiera *f;* **2.** *typ* bozza *f* (in colonna); **eine ~ haben** *fam* puzzare di alcool; **mit fliegenden ~n** a bandiere spiegate. **Fahnenflucht** *f* diserzione *f.*

Fahrbahn *f,* **Fahrdamm** *m dial* carreggiata *f.* **Fahrbahnverengung** *f* strettoia *f.*

Fähre ['fɛ:rə] ⟨-, -n⟩ *f* traghetto *m.*

fahren ['fa:rən] ⟨fährt, fuhr, gefahren⟩ **I.** *itr* ⟨*sein*⟩ **1.** *allg.* andare; **2.** *(ab~)* partire; **3.** *(reisen)* viaggiare; **rechts ~** tenere la destra; **rückwärts ~** fare marcia indietro; **über Mailand ~** passare per Milano; **zur See** ~ navigare; *(Seemann sein)* fare il marinaio; **durch eine Stadt** ~ attraversare una città; **mit dem Auto/der Bahn/dem Schiff** ~ andare in macchina/in treno/in (*o* con la) nave; **sich** *(dat)* **mit der Hand über die Stirn** ~ passarsi la mano sulla fronte; **der Schreck fuhr ihm in die Glieder** lo spavento gli entrò nelle ossa; **Sie** ~ **billiger dabei** *fam* in questo modo spende (di) meno; **was ist bloß in dich gefahren?** ma che ti piglia? *fam;* **II.** *tr* **1.** ⟨*haben*⟩ *(lenken)* guidare; **2.** ⟨*haben*⟩ *(befördern)* trasportare; **3.** ⟨*haben o sein*⟩ *(zurücklegen)* percorrere; **Ski** ~ sciare; **jdn nach Hause** ~ portare qu a casa (in macchina).

Fahrer(in) ⟨-s, -⟩ *m(f)* **1.** *(als Beruf)* autista *mf;* **2.** *(Auto~)* conducente *mf,* automobilista *mf; (Motorrad~)* motociclista *mf; (Rad~)* ciclista *mf.* **Fahrerflucht** *f* fuga *f* del conducente (dopo l'incidente). **Fahrersitz** *m* sedile *m* del conducente.

Fahrgast *m* passeggero *m.* **Fahrgeld** *n* prezzo *m* del biglietto. **Fahrgemeinschaft** *f gruppo di persone che compie abitualmente lo stesso tragitto con una sole autovettura (per dividere le spese di viaggio).* **Fahrgestell** *n* **1.** *mot* telaio *m;* **2.** *aero* carrello *m.* **Fahrkarte** *f* biglietto *m.* **Fahrkartenautomat** *m* distributore *m* automatico di biglietti.

fahrlässig *adj* trascurato, negligente; **~e Körperverletzung** lesione colposa. **Fahrlässigkeit** ⟨-, -en⟩ *f* **1.** *allg.* negligenza *f,* trascuratezza *f;* **2.** *jur* colpa *f.*

Fahrlehrer(in) *m(f)* istruttore, -trice *m, f* (*o* maestro, -a *m, f*) di guida. **Fahrleistung** *f mot* prestazione *f* su strade. **Fahrplan** *m* orario *m.* **Fahrplanauszug** *m* estratto *m* orario ferroviario. **fahrplanmäßig** *adj* in orario, puntuale. **Fahrpreis** *m* prezzo *m* del biglietto (*o* della corsa). **Fahrpreisermäßigung** *f* riduzione *f* sul prezzo del biglietto. **Fahrprüfung** *f* esame *m* di guida. **Fahrrad** *n* bicicletta *f.* **Fahrradfahrer(in)** *m(f)* ciclista *mf.* **Fahrradständer** *m* posteggio *m* per biciclette. **Fahrradweg** *m* pista *f* ciclabile. **Fahrschein** *m s.* **Fahrkarte. Fahrscheinentwerter** ⟨-s, -⟩ *m* obliteratrice *f.* **Fahrschule** *f* autoscuola *f,* scuolaguida *f.* **Fahrschüler(in)** *m(f)* allievo, -a *m, f* di una scuolaguida (*o* di un'autoscuola). **Fahrstuhl** *m* ascensore *m.*

Fahrt [fa:ɐ̯t] ⟨-, -en⟩ *f* **1.** *(Fahren)* marcia *f;* **2.** *(Ausflug)* gita *f,* escursione *f; (Reise)* viaggio *m;* **auf der** ~ in viaggio (*nach* per); **in voller** ~ in piena corsa; **in** ~ *fam (in guter Stimmung)* in vena; *(in Wut)* in collera; **gute** ~! buon viaggio!.

fährt [fɛ:ɐ̯t] *pr von* **fahren.**

Fährte ['fɛ:ɐ̯tə] ⟨-, -n⟩ *f* traccia *f,* pista *f;* **jdn auf die richtige** ~ **bringen** mettere qu sulla pista giusta.

Fahrtkosten *pl* spese *f pl* di trasporto (*o* di viaggio).

Fahrtrichtungsanzeiger *m* indicatore *m* di direzione.

Fahrtunterbrechung *f* interruzione *f* del viaggio.

Fahrverbot *n* ritiro *m* della patente.

Fahrzeug ⟨-(e)s, -e⟩ *n* veicolo *m,* vettura *f.* **Fahrzeugbrief** *m* libretto *m* di circolazione. **Fahrzeughalter(in)** *m(f)* proprietario, -a *m, f* del veicolo. **Fahrzeugpapiere** *n pl* documenti *m pl* di circolazione.

fair [fɛ:ɐ] *adj* leale. **Fairneß** [...-nɛs] *f* lealtà *f,* correttezza *f.*

Fakten *pl von* **Faktum.**

Faktor ['fakto:ɐ,...'to:rən] ⟨-s, -en⟩ *m* fattore *m.*

Faktum ['faktʊm,...tən] ⟨-s, Fakten⟩ *n* fatto *m.*

fakturieren [faktu'ri:rən] ⟨*ohne ge-*⟩ *tr* fatturare, mettere in conto.

Fakultät [fakʊl'tɛ:t] ⟨-, -en⟩ *f* facoltà *f.*

fakultativ [...ta'ti:f] *adj* facoltativo.

Falke ['falkə] ⟨-n, -n⟩ *m* falco *m.*

Fall [fal] ⟨-(e)s, Fälle⟩ *m* **1.** *(das Fallen, a. phys, fig)* caduta *f;* **2.** *(Angelegenheit, a. gram, jur)* caso *m;* **jdn zu** ~ **bringen** far cadere qu; **auf alle Fälle, auf jeden** ~ in ogni caso, in tutti i casi; *(unbedingt)* assolutamente; **auf keinen** ~ in nessun caso; **für alle Fälle** per ogni eventualità; **für den** ~ **(*o* im Falle), daß ...** nel caso in cui *+congv* (*o* che *+congv*); **gesetzt den** ~, **daß ...** poniamo il caso che *+congv;* **in diesem (*o* dem)** ~ in questo caso; **von** ~ **zu** ~ caso per caso, secondo le circostanze; **das ist der** ~ è così, le cose stanno così; **das ist nicht mein** ~ *fam* questo non fa al caso mio; **klarer** ~! *fam* chiaro!

Falle ['falə] ⟨-, -n⟩ *f* trappola *f;* **jdm eine** ~ **stellen** tendere una trappola a qu; **jdm in die** ~ **gehen** cadere nella trappola tesa da qu.

fallen ['falən] ⟨fällt, fiel, gefallen⟩ *itr* ⟨*sein*⟩ **1.** *(allg., fig, mil, Blick, Verdacht, Wahl, Regen, Schnee, etc.)* cadere; **2.** *(sinken)* diminuire; **3.** *(Licht)* penetrare (*in +akk* in); **4.** *(unter Gesetz)* essere contemplato (*unter +akk* da); *(unter Begriff)* rientrare (*unter +akk* in); **5.** *(Entscheidung)* essere preso; **6.** *(Schuß)* partire; **über etw.** *(akk)* ~ cadere su qc, inciampare in qc; **zu Boden** ~ cadere a terra; **auf einen Sonntag** ~ cadere di domenica; **immer auf den gleichen Tag** ~ cadere sempre nello stesso giorno; **jdm ins Wort** ~ interrompere qu; **jdm um den Hals** ~ gettarsi al collo di qu; **einen Teller/eine Masche** ~ **lassen** lasciar cadere un piatto/perdere una maglia; **das fällt mir schwer** mi riesce difficile; **sie ist nicht auf den Kopf/**

Mund gefallen *fam* non è una stupida/ ha sempre la risposta pronta; **es fielen nur zwei Tore** furono segnati solo due go(a)l; *s. a. fallenlassen.*

fällen ['fɛlən] *tr* **1.** *(Baum)* abbattere; **2.** *(Urteil)* pronunciare.

fallen·lassen ⟨*irr, mit o ohne ge-*⟩ *tr* **1.** *(verlassen)* lasciare, abbandonare; **2.** *(Sache, Wort)* lasciar cadere.

fällig ['fɛlɪç] *adj* **1.** *fin* che scade, scaduto; *(zahlbar)* pagabile; *(Schuld, Steuern, Kredite)* esigibile; **2.** *(notwendig, erforderlich)* necessario; ~ **werden** scadere; **das war schon lange ~!** *fam* era necessario da tempo!. **Fälligkeit** ⟨-, ø⟩ *f fin* scadenza *f; (von Zinsen)* maturazione *f.* **Fälligkeitsdatum** *n* data *f* di scadenza.

Fallout ['fɔ:l-aʊt] ⟨-s, -s⟩ *m* fall-out *m,* ricaduta *f* radioattiva.

falls [fals] *konj* nel caso che (*o* in cui) *+congv,* qualora *+congv.*

Fallschirm *m* paracadute *m;* **etw. mit dem ~ abwerfen** paracadutare qc, lanciare qc col paracadute. **Fallschirmjäger** *m* paracadutista *m.* **Fallschirmspringen** ⟨-s, ø⟩ *n* paracadutismo *m.* **Fallschirmspringer(in)** *m(f)* paracadutista *mf.*

fällt [fɛlt] *pr von* **fallen.**

falsch [falʃ] *adj* **1.** *allg.* falso; **2.** *(verkehrt)* sbagliato; *(irrtümlich)* erroneo; *(unkorrekt u. unvorschriftsmäßig)* scorretto; *(unzutreffend)* improprio; **3.** *(nachgemacht, unecht: Haare, Bart, etc.)* posticcio; *(Zähne)* finto; *(künstlich)* artificiale; *(gefälscht)* falsificato, contraffatto; **4.** *(unaufrichtig)* bugiardo, insincero; *(heuchlerisch)* ipocrita; *(hinterhältig)* subdolo; *(heimtückisch)* perfido; ~ **schreiben** sbagliare nello scrivere; ~ **spielen** *mus* stonare; *(beim Kartenspiel)* barare; **etw. ~ anfangen** cominciare male qc; **etw. ~ machen** sbagliare qc; **etw. ~ aussprechen/verstehen** pronunciare/capire male qc; **an den F~en geraten** rivolgersi alla persona sbagliata; **meine Uhr geht ~** il mio orologio non va bene (*o* non è esatto).

fälschen ['fɛlʃən] *tr* falsificare; *(bes. Banknoten, Unterschrift)* falsificare, contraffare.

Fälscher(in) ⟨-s, -⟩ *m(f)* falsario, -a *m, f,* falsificatore, -trice *m, f.*

Falschgeld *n* denaro *m* falso.

Falschheit ⟨-, ø⟩ *f* **1.** *(das Falschsein)* falsità *f;* **2.** *(Unaufrichtigkeit, Unwahrheit)* falsità *f; (Heuchelei)* ipocrisia *f; (Hinterhältigkeit)* perfidia *f.*

fälschlich *adj* falso, erroneo.

Falschparker(in) *m(f)* chi parcheggia in divieto di sosta.

Fälschung ⟨-, -en⟩ *f* **1.** *(Tätigkeit)* falsificazione *f,* contraffazione *f;* **2.** *(Ergebnis)* falso *m.* **fälschungssicher** *adj* infalsificabile.

Faltblatt *n* dépliant *m.*

Falte ['faltə] ⟨-, -n⟩ *f* **1.** *allg.* piega *f;* **2.** *(Haut~)* ruga *f;* **~n bekommen** fare (brutte) pieghe; *(vom Alter)* divenire rugoso; **in ~n legen** pieghettare.

falten *tr* (ri)piegare; *(Hände)* congiungere.

Faltenrock *m* gonna *f* a pieghe.

Falter ['faltɐ] ⟨-s, -⟩ *m* farfalla *f.*

faltig *adj* **1.** *(Stoff, etc.)* a pieghe; **2.** *(Gesicht, etc.)* rugoso.

Falz [falts] ⟨-es, -e⟩ *m* **1.** *tec* aggraffatura *f;* **2.** *(Buchbinderei)* piega *f.*

falzen *tr* **1.** *tec* aggraffare; **2.** *(Papier)* piegare.

familiär [fami'li̯ɛ:ɐ̯] *adj* familiare.

Familie [fa'mi:li̯ə] ⟨-, -n⟩ *f* famiglia *f; (Verwandtschaft)* parentado *m;* ~ **Schmitz** la famiglia Schmitz; **das liegt in der ~** è di famiglia. **Familienangehörige** *mf* familiare *mf.* **Familienanschluß** *m:* **mit ~** possibilità di convivere con la famiglia. **Familienkreis** *m:* **im ~** in seno alla famiglia; **im engsten ~** in una cerchia ristretta. **Familienleben** *n* vita *f* di famiglia. **Familienname** *m* cognome *m.* **Familienoberhaupt** *n* capofamiglia *mf.* **Familienplanung** *f* pianificazione *f* familiare. **Familienstand** *m* stato *m* civile. **Familienunternehmen** *n* impresa *f* a conduzione familiare. **Familienvater** *m* padre *m* di famiglia. **Familienzusammenführung** *f ricongiungimento dei membri di una famiglia dispersi in guerra o in seguito ad eventi bellici.*

Fan [fɛn] ⟨-s, -s⟩ *m film, mus* fan *mf; (Fußball~)* tifoso, -a *m, f.* **Fanclub** *m* club *m* di fan.

fanatisch [fə'na:tɪʃ] *adj* fanatico.

Fanatismus [fana'tɪsmʊs] ⟨-, ø⟩ *m* fanatismo *m.*

fand [fant] *imp von* **finden.**

Fanfare [fan'fa:rə] ⟨-, -n⟩ *f* fanfara *f.*

Fang[1] [faŋ] ⟨-(e)s, ø⟩ *m* **1.** *(Tätigkeit)* cattura *f,* presa *f;* **2.** *(Beute)* preda *f; (beim Fischen)* pesca *f;* **einen guten ~ machen** fare buona preda; *fig* fare un buon acquisto.

Fang[2] [faŋ] ⟨-(e)s, Fänge⟩ *m zoo (Zahn)* zanna *f; (Kralle)* artiglio *m.*

Fangarm *m zoo* tentacolo *m.*

fangen ⟨fängt, fing, gefangen⟩ **I.** *tr* **1.** *(Ball, etc.)* prendere, pigliare; **2.** *(festnehmen)* catturare, acchiappare; **II.** *rfl:* **sich ~ 1.** *(das Gleichgewicht wiederfinden)* riacquistare l'equilibrio; *(seelisch)* riprendersi, riaversi; **2.** *(sich ver~)* impigliarsi, imbrogliarsi.

Fangflotte *f* flotta *f* di pescherecci. **Fangfrage** *f* domanda *f* a tranello.

fängt [fɛŋt] *pr von* **fangen.**

Farbabzug *m* fotocopia *f* a colori. **Farbband** ⟨-(e)s, -bänder⟩ *n (von Schreibmaschine)* nastro *m.*

Farbe ['farbə] ⟨-, -n⟩ *f* **1.** *allg.* colore *m; (Gesichts~)* colorito *m;* **2.** *(Färbemittel)*

tinta *f;* **3.** *(Mal~, Anstreich~)* pittura *f;* *(Lack~)* vernice *f;* **4.** *(Farbstoff)* colorante *m;* **5.** *(Spielkarten~)* seme *m;* ~ **bekennen** *fam* mettere le carte in tavola.
farbecht *adj* indelebile.
färben ['fɛrbən] **I.** *tr* tingere; **II.** *itr (ab~)* stingere; **III.** *rfl:* **sich** ~ tingersi, colorarsi; **sich blau/rot** ~ tingersi di blu/di rosso; **sich gelb** ~ ingiallire.
farbenblind *adj* daltonico. **farbenfroh** *adj* dai colori vivaci. **Farbenpracht** *f* sfarzo *m* dei colori. **farbenprächtig** *adj* dai colori vistosi.
Färberei [fɛrbə'rai] ⟨-, -en⟩ *f* tintoria *f.*
Farbfernsehen *n* televisione *f* a colori. **Farbfilm** *m* pellicola *f* a colori. **Farbfoto** *n* foto *f* a colori.
farbig *adj* **1.** *(bunt)* colorato; **2.** *(Hautfarbe)* di colore; **3.** *fig (anschaulich)* colorito. **Farbige** ⟨ein -r, -n, -n⟩ *mf* uomo *m* (donna *f*) di colore.
Farbkopierer *m* fotocopiatrice *f* a colori.
farblos *adj* incolore. **Farbstift** *m* matita *f* colorata, pastello *m.* **Farbstoff** *m* (sostanza *f*) colorante *m.* **Farbton** *m* tinta *f.*
Färbung ⟨-, -en⟩ *f* **1.** *(das Färben)* colorazione *f;* **2.** *(Tönung)* tonalità *f.*
Farm [farm] ⟨-, -en⟩ *f* fattoria *f.*
Farn [farn] ⟨-s, -e⟩ *m* felce *f.*
Fasan [fa'za:n] ⟨-(e)s, -e(n)⟩ *m* fagiano *m.*
Fasching ['faʃɪŋ] ⟨-s, -e *o* -s⟩ *m* carnevale *m.*
Faschismus [fa'ʃɪsmʊs] ⟨-, ø⟩ *m* fascismo *m.*
faschistisch [fa'ʃɪstɪʃ] *adj* fascista.
faseln ['fa:zəln] *fam* **I.** *itr* vaneggiare, sragionare; **II.** *tr* fantasticare.
Faser ['fa:zɐ] ⟨-, -n⟩ *f* fibra *f.* **Faserschreiber** *m* pennarello *m.*
fas(e)rig *adj* fibroso, filamentoso.
fasern *itr* sfilacciarsi.
Faß [fas] ⟨Fasses, Fässer⟩ *n* **1.** *(großes)* botte *f;* **2.** *(kleines)* barile *m;* **3.** *(für Industrie, aus Stahlblech)* fusto *m;* **Bier vom** ~ birra alla spina; **Wein vom** ~ vino sciolto; **ein** ~ **ohne Boden** *fig* una botte senza fondo; **das schlägt dem** ~ **den Boden aus!** *fam* questo è il colmo!
Fassade [fa'sa:də] ⟨-, -n⟩ *f* facciata *f.*
faßbar *adj* comprensibile.
fassen ['fasən] **I.** *tr* **1.** *(ergreifen)* afferrare, prendere; **2.** *(festnehmen)* arrestare; **3.** *(aufnehmen)* contenere; **4.** *(ein~)* incastonare; *(einrahmen)* incorniciare; **5.** *(verstehen)* capire, comprendere; **ich kann es nicht** ~ non riesco a capacitarmene; **das ist nicht zu** ~**!** è incredibile!; **II.** *rfl:* **sich** ~ calmarsi; **sich kurz** ~ essere breve.
Fässer *pl von* **Faß.**
Fassung ⟨-, -en⟩ *f* **1.** *(Ein~)* montatura *f;* *(von Edelsteinen)* incastonatura *f;* **2.** *(Gestaltung, Bearbeitung)* stesura *f;* *(Übersetzung, a. film)* versione *f;* **3.** *(Ruhe, Beherrschung)* calma *f,* controllo *m;* **die** ~ **bewahren** conservare la padronanza di sé; **die** ~ **verlieren** perdere la pazienza (*o* la calma); **jdn aus der** ~ **bringen** far perdere la calma a qu; **in dieser** ~ sotto questa forma. **fassungslos** *adj* sconcertato, esterrefatto.
Fassungsvermögen *n* volume *m,* capacità *f.*
fast [fast] *adv* quasi, pressoché; **ich wäre** ~ **gefallen** a momenti cadevo.
fasten ['fastən] *itr* digiunare. **Fastenzeit** *f* quaresima *f.*
Fast-Food ['fa:st'fu:d] ⟨-, -s⟩ *n* fast food *m.*
Fastnacht ⟨-, ø⟩ *f* **1.** *(Fasching)* carnevale *m;* **2.** *(~sdienstag)* martedì *m* grasso.
Faszination [fastsina'tsio:n] ⟨-, -en⟩ *f* fascino *m.*
faszinieren [...'ni:rən] ⟨*ohne ge-*⟩ *tr* affascinare; ~**d** affascinante.
fatal [fa'ta:l] *adj* fatale.
faul [faul] *adj* **1.** *(träge)* pigro, poltrone; **2.** *(verdorben)* guasto, marcio, putrido; **3.** *fig fam (verdächtig)* sospetto, dubbioso; *(fragwürdig)* dubbio, incerto; **eine** ~**e Ausrede** *fam* una magra scusa; **auf der** ~**en Haut liegen** *fam* poltrire nell'ozio; **an der Sache ist was** ~ *fig fam* c'è qc di sospetto nella faccenda.
faulen *itr* ⟨*sein o haben*⟩ marcire, imputridire.
faulenzen ['faulɛntsən] *itr* poltrire.
Faulenzer(in) ⟨-s, -⟩ *m(f)* poltrone, -a *m, f,* fannullone, -a *m, f.*
Faulenzerei [...ə'rai] ⟨-, -en⟩ *f,* **Faulheit** ⟨-, ø⟩ *f* pigrizia *f,* poltroneria *f.*
faulig *adj* putrido, marcio.
Fäulnis ['fɔylnɪs] ⟨-, ø⟩ *f* putrefazione *f,* marciume *m.*
Faust [faust] ⟨-, Fäuste⟩ *f* pugno *m;* **auf eigene** ~ di propria iniziativa; **das paßt wie die** ~ **aufs Auge** *fam (paßt nicht)* è un pugno in un occhio *fam.*
Fäustchen ['fɔystçən] ⟨-s, -⟩ *n:* **sich** *(dat)* **ins** ~ **lachen** *fam* ridersela sotto i baffi *fam.*
faustdick ['faust'dɪk] *adj:* **es** ~ **hinter den Ohren haben** *fam* essere un furbo matricolato *fam.* **Fausthandschuh** *m* (guanto *m* a) manopola *f.*
Favorit(in) [favo'ri:t(ɪn)] ⟨-en, -en⟩ *m(f)* favorito, -a *m, f.*
Fax [faks] ⟨-, e⟩ *n* fax *m.*
faxen *tr* faxare, mandare (*o* inviare) per fax.
Fazit ['fa:tsɪt] ⟨-s, -e *o* -s⟩ *n* **1.** *(Ergebnis)* risultato *m* (finale); **2.** *(Schlußfolgerung)* conclusione *f;* **aus etw. das** ~ **ziehen** tirare le somme di qc.
FCKW [ɛftse:ka've:] *m abk von* **Fluorchlorkohlenwasserstoff** CFC (*abbr di* clorofluorocarburo).
FDJ [ɛfde:'jɔt] ⟨-, ø⟩ *f hist abk von* **Freie Deutsche Jugend** *associazione della gioventù nella ex R.D.T.*

FDP, F.D.P. [ɛfde:'pe:] ⟨-, ø⟩ *f abk von* **Freie Demokratische Partei** *partito liberal-democratico nella R.F.T.*

Februar ['fe:brua:ɐ̯] ⟨-(s), -e⟩ *m* febbraio *m; s. a. September.*

fechten ['fɛçtən] ⟨ficht, focht, gefochten⟩ *itr* tirare di scherma. **Fechten** ⟨-s, ø⟩ *n* scherma *f.* **Fechter(in)** ⟨-s, -⟩ *m(f)* schermitore, -trice *m, f.*

Feder ['fe:dɐ] ⟨-, -n⟩ *f* **1.** *(Vogel~, Stahl~, Schreib~)* penna *f; (Flaum~)* piuma *f;* **2.** *tec* molla *f;* **sich mit fremden ~n schmücken** coprirsi con le penne del pavone. **Federball** *m* **1.** *(Ball)* palla *f* del volano; **2.** *(Spiel)* (gioco *m* del) volano *m.* **Federbett** *n* piumino *m.* **Federhalter** *m* portapenne *m.* **Federkernmatratze** *f* materasso *m* a molle. **federleicht** ['fe:dɐ'la̯içt] *adj* leggero come una piuma.

federn I. *itr sport* molleggiarsi, flettersi; **II.** *tr tec* molleggiare. **federnd** *adj* elastico.

Federung ⟨-, -en⟩ *f* molleggio *m; (von Fahrzeug)* sospensione *f* (elastica), sospensioni *f pl.*

Fee [fe:, 'fe:ən] ⟨-, -n⟩ *f* fata *f.*

Feedback ['fi:dbæk] ⟨-s, -s⟩ *n* feedback *m.*

Fegefeuer *n* purgatorio *m.*

fegen ['fe:gən] **I.** *tr* ⟨*haben*⟩ *(a. Schornstein)* spazzare, scopare; **II.** *itr* **1.** ⟨*haben*⟩ passare la scopa, scopare; **2.** ⟨*sein*⟩ *fam (rasen)* sfrecciare.

Fehde ['fe:də] ⟨-, -n⟩ *f* faida *f.*

fehl [fe:l] *adv:* ~ **am Platz** fuori luogo, inopportuno. **Fehlanzeige** *f* rapporto *m* negativo. **Fehlbetrag** *m* deficit *m,* disavanzo *m.* **Fehleinschätzung** *f* valutazione *f* errata.

fehlen ['fe:lən] *itr* **1.** *(mangeln)* mancare; **2.** *(nicht anwesend sein)* essere assente, mancare; **es an nichts ~ lassen** non far mancare nulla; **es fehlt mir an Erfahrung** manco di esperienza; **es hätte nicht viel gefehlt und er hätte verloren** poco ci mancava (*o* mancò) che perdesse, per poco non avrebbe perso; **mir fehlt nichts** sto bene; **du fehlst mir sehr** mi manchi molto; **was fehlt dir?, wo fehlt es?** cosa c'è che non va?; **das hat gerade noch gefehlt!** *fam iron* ci voleva anche questo!; **weit gefehlt!** sbagliato in pieno!

Fehler ⟨-s, -⟩ *m* **1.** *allg., gram, mot* errore *m; (Irrtum a.)* sbaglio *m; (grober ~, Schnitzer)* strafalcione *m;* **2.** *(Mangel, Defekt, a. Charakter~, Körper~)* difetto *m; (menschliche Schwäche)* vizio *m;* **3.** *(Schuld)* colpa *f;* **null ~** nessun errore. **fehleranfällig** *adj* difettoso. **fehlerfrei** *adj* **1.** *(ohne Fehler)* corretto, senza errori; **2.** *(einwandfrei)* senza difetti. **fehlerhaft** *adj* **1.** *(mangelhaft)* difettoso, imperfetto; **2.** *(unrichtig)* scorretto, errato. **Fehlermeldung** *f* messaggio *m* errori. **Fehlerquelle** *f* fonte *f* di errori. **Fehlerquote** *f* tasso *m* (*o* frequenza *f*) di errore.

Fehlgeburt *f* aborto *m.* **Fehlgriff** *m* sbaglio *m.* **Fehlkalkulation** *f* calcolo *m* sbagliato. **Fehlkonstruktion** *f* costruzione *f* sbagliata. **Fehlprognose** *f* prognosi *f* errata (*o* sbagliata). **Fehlschlag** *m (Mißerfolg)* insuccesso *m,* fiasco *m.* **fehl·schlagen** ⟨*irr*⟩ *itr* ⟨*sein*⟩ *(mißlingen)* fallire, non riuscire. **Fehlstart** *m sport* falsa partenza *f.* **Fehltritt** *m* passo *m* falso. **Fehlurteil** *n* giudizio *m* errato, sentenza *f* errata. **Fehlzündung** *f* accensione *f* difettosa.

Feier ['fa̯iɐ] ⟨-, -n⟩ *f* **1.** *(Festlichkeit)* festa *f;* **2.** *(feierliche Handlung)* festeggiamento *m,* cerimonia *f,* celebrazione *f;* **zur ~ des Tages** per celebrare il giorno. **Feierabend** *m* **1.** *(abendliche Freizeit)* riposo *m* serale; **2.** *(Arbeitsschluß)* cessazione *f* del lavoro; **~ machen** cessare di lavorare; **am** (*o* **nach**) **~** dopo il lavoro, nel tempo libero; **schönen ~!** buona serata!; **jetzt ist aber ~!** *fam* adesso basta!

feierlich *adj* **1.** *(festlich)* festivo; **2.** *(würdevoll)* solenne; **3.** *(förmlich)* ufficiale, formale; **das ist nicht mehr ~** *fam* questo è troppo!

feiern I. *tr (Fest, Menschen, etc.)* festeggiare; *(festlich begehen)* celebrare; **II.** *itr* far festa.

Feiertag *m* **1.** *allg.* (giorno *m* di) festa *f; (freier Tag a.)* vacanza *f;* **2.** *rel* festa *f* religiosa; **gesetzlicher ~** festa ufficiale.

feig(e) [fa̯ik ('fa̯igə)] *adj* vigliacco; *(gemein)* infame.

Feige ['fa̯igə] ⟨-, -n⟩ *f* fico *m.* **Feigenblatt** *n* foglia *f* di fico.

Feigheit ⟨-, ø⟩ *f* vigliaccheria *f.*

Feigling ['fa̯iklɪŋ] ⟨-s, -e⟩ *m* vigliacco, -a *m, f,* vile *mf.*

Feile ['fa̯ilə] ⟨-, -n⟩ *f* lima *f.*

feilen *tr* limare (*an etw.* qc).

feilschen ['fa̯ilʃən] *itr* mercanteggiare (*um* su).

fein [fa̯in] *adj* **1.** *(dünn, zart, ~sinnig)* sottile; *(von zartem Aussehen)* fine, grazioso, aggraziato; *(einfühlsam)* sensibile; **2.** *(nicht grob)* fino, raffinato; **3.** *(Sinn: scharf)* acuto, fine; **4.** *(Instrument: genau)* preciso, esatto, di precisione; **5.** *(sorgfältig)* esatto, accurato; **6.** *(exquisit)* squisito, ottimo; *(erlesen)* scelto, pregiato; **7.** *(vornehm)* distinto; **8.** *(anständig)* garbato; **9.** *fam (erfreulich, lobenswert)* splendido, grandioso; **ein ~er Kerl** *fam* un tipo garbato; **~ (he)raussein** *fam* essersela cavata bene; **sich ~ machen** farsi bello.

Feind(in) [fa̯int (...dɪn)] ⟨-(e)s, -e⟩ *m(f)* nemico, -a *m, f; (Gegner)* avversario, -a *m, f.* **Feindbild** *n* concetto *m* di nemico.

feindlich *adj (bes. mil)* nemico; *(gegnerisch)* contrario; *(feindselig)* ostile. **Feindschaft** ⟨-, -en⟩ *f* inimicizia *f*, ostilità *f*. **feindselig** *adj* nemico, ostile. **Feindseligkeit** ⟨-, -en⟩ *f* ostilità *f*.

feinfühlig [-fy:lɪç] *adj* sensibile. **Feingefühl** *n* sensibilità *f; (Takt)* tatto *m*.

Feinheit ⟨-, -en⟩ *f* **1.** *(Zartheit)* finezza *f;* **2.** *(Spitzfindigkeit)* sottigliezza *f;* **3.** *(Genauigkeit)* esattezza *f*, precisione *f;* **4.** *(Vornehmheit)* distinzione *f;* **5.** *(Anständigkeit)* garbatezza *f*.

Feinkostgeschäft *n* negozio *m* di specialità gastronomiche. **Feinmechanik** *f* meccanica *f* di precisione. **Feinschmekker(in)** ⟨-s, -⟩ *m(f)* buongustaio, -a *m, f*. **Feinwäsche** *f* **1.** *(Wäschestücke)* capi *m pl* delicati; **2.** *(Waschgang)* programma *m* per capi delicati. **Feinwaschmittel** *n* detersivo *m* per capi delicati.

feist [faist] *adj* grasso.

Feld [fɛlt] ⟨-(e)s, -er⟩ *n* **1.** *allg., fig* campo *m;* **2.** *(auf Spielbrett)* casella *f;* **3.** *inform* campo *m;* **das ~ räumen** cedere il campo; **Gründe ins ~ führen** accampare ragioni; **das ist ein weites ~** questo è un argomento vasto. **Feldbett** *n* branda *f*. **Feldflasche** *f* borraccia *f*. **Feldherr** *m* generale *m*. **Feldsalat** *m* lattughella *f*, dolcetta *f*. **Feldspat** [-ʃpa:t] ⟨-(e)s, -e *o* -späte⟩ *m min* feldspato *m*. **Feldstecher** [-ʃtɛçɐ] ⟨-s, -⟩ *m* binocolo *m*, cannocchiale *m*. **Feldwebel** [-ve:bəl] ⟨-s, -⟩ *m* maresciallo *m*. **Feldzug** *m* campagna *f* militare.

Felge ['fɛlgə] ⟨-, -n⟩ *f* cerchione *m*.

Felix ['fe:lɪks] *(männlicher Vorname)* Felice.

Fell [fɛl] ⟨-(e)s, -e⟩ *n (allg., a. ~besatz)* pelo *m; (a. Pelz)* pelliccia *f; (von Pferd)* mantello *m;* **ein dickes ~ haben** *fig fam* avere la pelle dura *fam;* **jdm das ~ über die Ohren ziehen** *fam* imbrogliare qu.

Fels [fɛls] ⟨-en, -en⟩ *m*, **Felsen** ['fɛlzən] ⟨-s, -⟩ *m* roccia *f; (~hang, ~wand)* rupe *f; (~block, ~gestein)* masso *m*. **felsenfest** *adj fig* irrevocabile; **~ an etw.** *(akk)* **glauben** credere fermamente in qc.

felsig *adj* roccioso.

feminin [femi'ni:n] *adj* **1.** *gram* femminile; **2.** *(Frau)* femminino; *(Mann)* effeminato, femmineo.

Femininum [femi'ni:nʊm *o* 'fe:m..., ...na] ⟨-s, -nina⟩ *n* (genere *m*) femminile *m*.

Feminismus [femi'nɪsmʊs] ⟨-, ø⟩ *m* femminismo *m*.

Feminist(in) [...'nɪst(ɪn)] ⟨-en, -en⟩ *m(f)* femminista *mf*. **feministisch** *adj* femminista.

Fenchel ['fɛnçəl] ⟨-s, ø⟩ *m* finocchio *m*.

Fenster ['fɛnstɐ] ⟨-s, -⟩ *n* **1.** *(a. inform)* finestra *f* **2.** *(Eisenbahn~, Auto~)* finestrino *m;* **zum ~ hinausschauen** guardare dalla finestra. **Fensterbank** ⟨-, -bänke⟩ *f* davanzale *m*. **Fenster(brief)umschlag** *m* busta *f* con finestra. **Fensterglas** *n* vetro *m* per finestra. **Fensterheber** [-he:bɐ] ⟨-s,-⟩ *m* alzacristallo *m***Fensterladen** *m* persiana *f*. **Fensterleder** *n* pelle *f* di daino (per vetri). **Fensterplatz** *m* posto *m* al (*o* vicino al) finestrino. **Fensterputzer(in)** ⟨-s, -⟩ *m(f)* pulitore, -trice *m, f* di vetri. **Fensterscheibe** *f* vetro *m* della finestra.

Ferdinand ['fɛrdinant] *(männlicher Vorname)* Fernando, Ferdinando.

Ferien ['fe:riən] ⟨*pl*⟩ vacanze *f pl; (jur a.)* ferie *f pl;* **die großen ~** le vacanze estive; **in die ~ fahren** andare in ferie. **Feriendorf** *n* villaggio *m* turistico. **Ferienhaus** *n* casa *f* per le vacanze. **Ferienheim** *n* casa *f* per le vacanze; *(Kinder~)* colonia *f*. **Ferienkurs** *m* corso *m* estivo. **Ferienzeit** *f* periodo *m* di vacanza, vacanze *f pl*.

Ferkel ['fɛrkəl] ⟨-s, -⟩ *n* **1.** *zoo* porcellino *m*, maialetto *m;* **2.** *fig fam* sudicione *m fam*, porcellone *m scherz*.

Ferment [fɛr'mɛnt] ⟨-(e)s, -e⟩ *n* fermento *m*.

fern [fɛrn] **I.** *adj* **1.** *allg.* lontano; **2.** *(weit zurückliegend)* remoto; **3.** *(in weiter Zukunft liegend)* in un lontano futuro; **II.** *adv* lontano, alla lontana; **~ von** lontano da. **Fernamt** *n* ufficio *m* telefonico interurbano. **Fernauslöser** *m* scatto *m* a distanza, telescatto *m*. **Fernbedienung** *f* telecomando *m*.

Ferne ⟨-, ø⟩ *f* lontananza *f;* **aus der ~** da lontano; **in der ~** *(räumlich)* in lontananza; **das liegt noch in weiter ~** è ancora di là da venire.

ferner ⟨*Komparativ von* fern⟩ **I.** *adj* più lontano, più distante; **II.** *adv (außerdem)* inoltre, in più; **unter „~ liefen" kommen** non classificarsi fra i primi.

Fernfahrer(in) *m(f)* camionista *mf*. **ferngelenkt** *adj* teleguidato, telecomandato. **Ferngespräch** *n* comunicazione *f* (*o* telefonata *f*) interurbana. **ferngesteuert** *s.* **ferngelenkt. Fernglas** *n* binocolo *m*, cannocchiale *m*. **fern·halten** ⟨*irr*⟩ *tr* tener lontano (*von* di); **sich von jdm ~** schivare qu. **Fernheizung** *f* riscaldamento *m* centrale (per più edifici o quartieri). **Fernkopie** *f* telecopia *f*. **fernkopieren** ⟨*ohne ge-*⟩ *tr* telecopiare. **Fernkopierer** *m* telecopiatrice *f*. **Fernleitung** *f* linea *f* interurbana. **Fernlenkung** *f* teleguida *f*, telecomando *m*. **fern·liegen** ⟨*irr*⟩ *itr:* **das liegt mir fern** lungi da me un simile pensiero. **Fernmeldesatellit** *m* satellite *m* per telecomunicazioni. **Fernmeldetechnik** *f* tecnica *f* delle telecomunicazioni, telecommunicazioni *f pl*. **Fernmeldewesen** *n* telecomunicazioni *f pl*. **fernmündlich I.** *adj* telefonico; **II.** *adv* telefonicamente, per telefono. **Fernost** ['fɛrn'ʔɔst] *m:* **aus/in/nach ~** dall'/in/in Estremo Oriente. **Fernrohr** *n (Teleskop)* telescopio *m*. **Fernschreiben** *n* telex *m*. **Fernschreiber** *m (Apparat)* telescrivente *f*. **fernschriftlich** *adj* per telex.

Fernsehansager(in) *m(f)* annunciatore, -trice *m, f* della televisione. **Fernsehantenne** *f* antenna *f* televisiva. **Fernsehapparat** *m* televisore *m*. **Fernsehbericht** *m* telecronaca *f*, documentario *m*. **fern·sehen** ⟨*irr*⟩ *itr* guardare la televisione. **Fernsehen** ⟨-s, ø⟩ *n* televisione *f*; **im ~ übertragen** teletrasmettere, trasmettere per televisione; **heute abend kommt ein Krimi im ~** stasera c'è un film giallo alla televisione. **Fernseher** *m (Gerät)* televisore *m*. **Fernsehfilm** *m* telefilm *m*. **Fernsehgebühren** *f pl* canone *m* televisivo. **Fernsehnachrichten** *f pl* telegiornale *m*. **Fernsehprogramm** *n* programma *m* televisivo. **Fernsehsatellit** *m* satellite *m* televisivo. **Fernsehsender** *m* stazione *f* televisiva, teletrasmittente *f*. **Fernsehsendung** *f* trasmissione *f* televisiva. **Fernsehspiel** *n* dramma *m* televisivo. **Fernsehteilnehmer(in)** *m(f)* abbonato, -a *m, f* alla televisione. **Fernsehturm** *m* torre *f* della televisione. **Fernsehübertragung** *f* trasmissione *f* televisiva. **Fernsehzeitschrift** *f* periodico *m* televisivo.

Fernsicht *f* **1.** *allg.* vista *f*; **2.** *(klare Sicht)* visibilità *f*.

Fernsprechamt *n* centralino *m* (telefonico). **Fernsprechanlage** *f* impianto *m* telefonico. **Fernsprechapparat** *m*, **Fernsprecher** *m* telefono *m*, apparecchio *m* telefonico. **Fernsprechgebühr** *f* tariffa *f* telefonica. **Fernsprechteilnehmer(in)** *m(f)* utente *mf* del telefono. **Fernsprechverkehr** *m* servizio *m* telefonico.

fern·stehen ⟨*irr*⟩ *itr:* **jdm/einer S.** *(dat)* **~** essere estraneo a qu/qc. **Fernsteuerung** *f* telecomando *m*, telecontrollo *m*. **Fernstudium** *n* corsi *m pl* (universitari) per corrispondenza. **Fernverkehr** *m* **1.** *(Eisenbahn- und Fahrzeug~)* trasporti *m pl* interurbani; **2.** *tel* traffico *m* interurbano. **Fernwärme** *f* teleriscaldamento *m*. **Fernweh** ⟨-(e)s, ø⟩ *n* nostalgia *f* di terre lontane.

Ferse ['fɛrzə] ⟨-, -n⟩ *f anat* calcagno *m*; *(Strumpf~, Schuh~ a.)* tallone *m*; **jdm auf den ~n sein** stare alle calcagna di qu, tallonare qu.

fertig ['fɛrtɪç] *adj* **1.** *(beendet)* finito, terminato; *(vollendet)* compiuto; **2.** *(bereit)* pronto (*zu* per); **3.** *fam (erschöpft)* sfinito, esausto; **4.** *fam (erledigt)* finito, rovinato; **mit etw. ~ sein** aver finito qc; **mit etw. ~ werden** *(beenden)* finire qc; *fig (darüber hinwegkommen)* superare qc; **mit jdm ~ werden** tenere testa a qu *fam;* **das Essen ist ~** il mangiare è pronto; **ich bin gleich ~** ho quasi finito; **sieh zu, wie du damit ~ wirst** arrangiati *fam;* **damit wären wir ~** ecco fatto; **bist du ~?** sei pronto?; **du bleibst zu Hause und ~!** *fam* resti a casa e basta!; **mit dir bin ich endgültig ~!** *fam* di te non ne voglio più sapere.

Fertigbau ⟨-s, -ten⟩ *m* costruzione *f* ad elementi prefabbricati.

fertig·bringen ⟨*irr*⟩ *tr* **1.** *(zum Abschluß bringen)* finire; **2.** *(schaffen)* concludere, combinare; *(zustande bringen)* riuscire (*etw.* in qc *o* a fare qc); **3.** *(imstande sein)* essere capace di; **sie bringt es doch glatt fertig und ...** *fam* non ha problemi a ...

fertigen *tr* fabbricare, produrre.

Fertiggericht *n* precotto *m*. **Fertighaus** *n* casa *f* prefabbricata.

Fertigkeit ⟨-, -en⟩ *f* **1.** *(Geschicklichkeit)* abilità *f*, capacità *f*; **2.** *(Kenntnis)* conoscenza *f*, cognizione *f*; *(Fähigkeit)* capacità *f*.

fertig·machen *tr* **1.** *(fertigstellen)* terminare, completare, ultimare; **2.** *(bereit machen)* preparare; **3.** *fig fam (müde, nervös, etc. machen)* sfinire, esaurire; *(zurechtweisen)* sgridare, riprendere; *(ruinieren)* rovinare; *(umbringen)* far fuori *fam*.

Fertigprodukt *n* prodotto *m* finito.

fertig·stellen *tr* ultimare, finire.

Fertigteil *n* elemento *m* prefabbricato.

Fertigung ⟨-, -en⟩ *f allg.* produzione *f*, fabbricazione *f*.

Fertigware *f* prodotto *m* finito.

Fessel ['fɛsəl] ⟨-, -n⟩ *f* **1.** *anat* caviglia *f*; *(von Tieren)* pastoia *f*; **2.** *(Kette)* catena *f*; **jdn in ~n legen** incatenare qu, mettere qu in catene. **Fesselballon** *m* pallone *m* frenato.

fesseln *tr* **1.** *(Gefangene etc.)* mettere in catene, incatenare; *(binden)* legare; **2.** *fig (faszinieren)* avvincere; **jdn an Händen und Füßen ~** legare a qu mani e piedi; **durch die Krankheit war er vier Wochen ans Bett gefesselt** la malattia lo costrinse a letto per quattro settimane. **fesselnd** *adj* **1.** *(spannend)* avvincente; **2.** *(faszinierend)* affascinante.

fest [fɛst] *adj* **1.** *(nicht flüssig)* solido; **2.** *(nicht weich)* forte; *(hart)* duro, sodo; *(schwer zerreißbar)* robusto; **3.** *(nicht lose)* compatto, fitto; *(schwer lösbar)* forte; *(stramm)* sodo; **4.** *(ständig, festliegend: Wohnung, Arbeitsplatz, Preise)* fisso; *(Gewohnheiten)* inveterato, radicato; *(Freund)* fisso; **5.** *fig (energisch)* energico; *(unerschütterlich, bestimmt)* fermo; **~ bleiben** tener duro; **~ schlafen** dormire profondamente; **etw. ~ versprechen** promettere fermamente qc; **die Tür ~ schließen** chiudere bene la porta; **~ davon überzeugt sein, daß ...** avere la ferma convinzione che +*congv;* **sich** *(dat)* **~ vornehmen, etw. zu tun** avere il fermo proposito di fare qc.

Fest [fɛst] ⟨-(e)s, -e⟩ *n* festa *f*; **frohes ~!**

buone feste!. **Festakt** *m* cerimonia *f.*
festangestellt *adj* (impiegato) fisso, in pianta stabile.
fest·binden ⟨*irr*⟩ *tr* legare saldamente.
Festessen *n* banchetto *m.*
fest·fahren ⟨*irr*⟩ *rfl:* **sich** ~ *naut, fig* arenarsi; **festgefahren sein** essere affondato.
festgesetzt *adj:* **zur ~en Zeit** all'ora fissata.
fest·halten ⟨*irr*⟩ **I.** *tr* **1.** *(nicht loslassen)* tener fermo (*o* stretto), reggere; **2.** *(gefangen-, zurückhalten)* trattenere; **3.** *fig (in Bild, Ton, etc.)* fissare, registrare; *(notieren)* annotare; **II.** *itr* attenersi (*an +dat* a); *(beharren)* perseverare (*an +dat* in); **III.** *rfl:* **sich** ~ tenersi, reggersi.
festigen I. *tr* consolidare; *(stählen, stärken)* rafforzare, fortificare; **II.** *rfl:* **sich** ~ consolidarsi, stabilizzarsi.
Festiger ⟨-s, -⟩ *m (Haar~)* fissatore *m,* lacca *f.*
Festigkeit ⟨-, ø⟩ *f* **1.** *allg.* solidità *f,* saldezza *f;* **2.** *fin, fig* stabilità *f;* **3.** *(Widerstandsfähigkeit)* resistenza *f;* **4.** *fig (Standfestigkeit)* fermezza *f; (Entschlossenheit)* risolutezza *f.*
Festigung ⟨-, ø⟩ *f* consolidamento *m; fig* rafforzamento *m; fin* stabilizzazione *f.*
Festival ['fɛstivəl *o* 'fɛstival] ⟨-s, -s⟩ *n* festival *m.*
Festland *n* **1.** *(nicht Meer)* terraferma *f;* **2.** *(Kontinent)* continente *m.*
fest·legen I. *tr* **1.** *(festsetzen)* fissare, stabilire; **2.** *(bestimmen)* stabilire, definire; **II.** *rfl:* **sich** ~ *(sich binden)* vincolarsi (*auf +akk* a), impegnarsi (*auf +akk* a).
festlich I. *adj* festivo, di festa; *(feierlich)* solenne; *(glanzvoll)* grandioso, splendido; **II.** *adv:* **etw.** ~ **begehen** festeggiare qc; ~ **gekleidet** vestito a festa.
fest·machen *tr* **1.** *(befestigen)* fermare, fissare; **2.** *(binden)* legare; **3.** *(abmachen, vereinbaren)* combinare, fissare, stabilire; **4.** *naut* attraccare.
Festmahl *s.* **Festessen.**
fest·nageln *tr* fissare con chiodi; (*a. fig*) inchiodare (*auf +akk* a).
Festnahme [-na:mə] ⟨-, -n⟩ *f* arresto *m; (vorläufige ~)* fermo *m; (Gefangennahme)* cattura *f.*
fest·nehmen ⟨*irr*⟩ *tr (verhaften)* prendere, arrestare, fermare; *(gefangennehmen)* catturare.
Festplatte *f* disco *m* fisso (*o* rigido), hard disk *m.* **Festplattenlaufwerk** *n* drive *m* per dischi rigidi.
Festpreis *m* prezzo *m* bloccato, prezzo *m* fisso.
fest·schrauben *tr* avvitare.
fest·setzen I. *tr* **1.** *(gefangennehmen)* arrestare, imprigionare; **2.** *(festlegen)* fissare (*auf +akk,* a); **3.** *(schätzen)* valutare; **II.** *rfl:* **sich** ~ **1.** *(Staub, etc.)* infiltrarsi; **2.** *fig (Gedanke)* fissarsi.
fest·sitzen ⟨*irr*⟩ *itr* **1.** *(haften)* essere fisso (*o* fermo); **2.** *(nicht von der Stelle kommen)* essere bloccato; *naut* essere incagliato; *fig fam (keine Lösung mehr wissen)* non (saper più) andare avanti.
Festspiele *n pl* festival *m.* **Festspielhaus** *n* teatro *m* del festival.
fest·stehen ⟨*irr*⟩ *itr* **1.** *fig (bestimmt, festgelegt sein)* essere fissato; **2.** *(unumstößlich sein)* essere certo; **es steht fest, daß ...** è certo che ...
fest·stellen *tr* **1.** *tec (arretieren)* bloccare, arrestare; **2.** *fig (konstatieren)* constatare, rendersi conto di; *(beobachten)* osservare; *(ermitteln)* accertare, verificare; **jds Personalien** ~ accertare le generalità di qu.
Feststellung *f (Ermittlung)* accertamento *m; (bes. ökon, jur)* verifica *f; (Konstatierung)* constatazione *f; (Beobachtung)* osservazione *f; (Aussage)* dichiarazione *f.*
Festtag *m* giorno *m* festivo (*o* di festa); *rel* festa *f.*
Festung ⟨-, -en⟩ *f* fortezza *f.*
festverzinslich *adj* a tasso fisso.
Festzug *m* corteo *m.*
Feten *pl von* **Fetus.**
Fetisch ['fe:tɪʃ] ⟨-(e)s, -e⟩ *m* feticcio *m.*
Fetischismus [fetɪ'ʃɪsmʊs] ⟨-, ø⟩ *m* feticismo *m.* **Fetischist(in)** [...'ʃɪst(ɪn)] ⟨-en, -en⟩ *m(f)* feticista *mf.*
fett [fɛt] *adj* **1.** *allg.* grasso; **2.** *fig (üppig)* ricco, abbondante; **3.** *fig fam (gewinnbringend)* redditizio; **4.** *typ* (in) nero; ~ **kochen** cucinare con molti grassi.
Fett ⟨-(e)s, -e⟩ *n* **1.** *allg.* grasso *m;* **2.** *chem* lipide *m;* ~ **ansetzen** ingrassare; **sein** ~ **(ab)bekommen** (*o* **(ab)kriegen)** *fam* ricevere una punizione (meritata). **fettarm** *adj (Speise)* dietetico, magro. **Fettauge** *n* occhio *m* (di grasso). **Fettdruck** *m* stampa *f* in grassetto.
fetten *tr* ingrassare; *(ein~)* ungere.
Fettfleck *m* macchia *f* di grasso (*o* di unto). **Fettgehalt** *m* contenuto *m* di grassi. **fetthaltig** *adj* grasso; *(Gewebe, etc.)* adiposo. **fettleibig** *adj* grasso, pingue; *med* obeso. **Fettnäpfchen** [-nɛpfçən] ⟨-s, -⟩ *n:* **ins** ~ **treten** *fig fam* fare una gaffe *fam.* **Fettsäure** *f* acido *m* grasso. **Fettschicht** *f* strato *m* di grasso. **Fettsucht** *f* obesità *f.*
Fetus ['fe:tʊs, ...tʊsə *o* ...tən *o* 'fɛ:tən] ⟨- *o* ses, -se *o* Feten⟩ *m* feto *m.*
Fetzen ['fɛtsən] ⟨-s, -⟩ *m* **1.** *(abgerissenes Stück)* pezzetto *m;* **2.** *(zerschlissener Stoff)* straccio *m;* **3.** *(zusammenhangloses Stück)* frammento *m.*
fetzig ['fɛtsɪç] *adj fam* stravagante.
feucht [fɔyçt] *adj* umido; *(angefeuchtet)* inumidito. **Feuchtbiotop** *n* biotopo *m* umido. **Feuchtgebiet** *n* zona *f* umida (*o* paludosa). **Feuchtigkeit** ⟨-, ø⟩ *f* umidità *f.* **Feuchtigkeitscreme** *f* crema *f* idra-

tante.

feudal [fɔy'da:l] **I.** *adj* **1.** *hist, pol* feudale; **2.** *fig fam (prächtig)* magnifico, splendido; **II.** *adv fam (vornehm)* da gran signore; **wir waren gestern ganz ~ essen** *fam* ieri siamo andati a mangiare in un locale di lusso.

Feuer ['fɔyɐ] ⟨-s, -⟩ *n* fuoco *m;* **~ fangen** prendere fuoco; *fig (sich begeistern)* infiammarsi, entusiasmarsi; **jdm ~ geben** dare del fuoco a qu; **für jdn durchs ~ gehen** gettarsi nel fuoco per qu; **mit dem ~ spielen** scherzare col fuoco; **~ und Flamme für etw. sein** essere entusiasta per qc; **haben Sie ~?** ha da accendere?, mi fa accendere?. **Feueralarm** *m* allarme *m* in caso di incendio. **Feuerbefehl** *m* ordine *m* di aprire il fuoco. **feuerbeständig** *adj* resistente al fuoco; *wissensch* refrattario. **Feuerbestattung** *f* cremazione *f.* **Feuereifer** *m* zelo *m,* fervore *m.* **feuerfest** *adj* resistente al fuoco, refrattario. **Feuergasse** *f* passaggio *m* pompieri. **Feuergefahr** *f* pericolo *m* d'incendio. **feuergefährlich** *adj* infiammabile. **Feuerleiter** *f* scala *f* d'emergenza. **Feuerlöscher** ⟨-s, -⟩ *m* estintore *m.* **Feuermelder** ⟨-s, -⟩ *m* segnalatore *m* d'incendio.

feuern I. *itr* **1.** *(heizen)* fare il fuoco *(mit* con); **2.** *mil* sparare *(auf +akk* su); **II.** *tr* **1.** *(Ofen)* accendere; **2.** *fam (entlassen)* buttare fuori *fam,* mandar via; **du kriegst gleich eine gefeuert!** *fam* ti arriva subito una sberla!; *fam.*

Feuerpause *f* cessare *m* il fuoco, sospensione *f* dei combattimeni. **feuerrot** ['fɔyɐ'ro:t] *adj* **1.** *(Farbbezeichnung)* rosso fuoco; **2.** *(errötet)* rosso come il fuoco. **Feuerschaden** *m* danno *m* causato dal fuoco, danno *m* da incendio; **gegen ~ versichert sein** essere assicurato contro gli incendi. **Feuerschlucker(in)** ⟨-s, -⟩ *m(f)* mangiafuoco *mf.* **feuerspeiend** *adj (Berg)* che vomita fuoco; *(Drache)* che sputa fuoco. **Feuerstein** *m* **1.** *(Zündstein)* pietra *f* focaia; **2.** *geol* selce *f.* **Feuerversicherung** *f* assicurazione *f* contro gli incendi. **Feuerwaffe** *f* arma *f* da fuoco. **Feuerwehr** ⟨-, -en⟩ *f* corpo *m* dei vigili del fuoco, pompieri *m pl.* **Feuerwehrauto** *n* macchina *f* dei pompieri, autopompa *f.* **Feuerwehrfrau** *f* donna *f* pompiere *(o* vigile *f* del fuoco). **Feuerwehrmann** ⟨-(e)s, -männer *o* -leute⟩ *m* pompiere *m,* vigile *m* del fuoco. **Feuerwerk** *n* fuochi *m pl* d'artificio. **Feuerwerker(in)** ⟨-s, -⟩ *m(f)* pirotecnico, -a *m, f.* **Feuerwerkskörper** *m* razzo *m* pirotecnico. **Feuerzeug** ⟨-(e)s, -e⟩ *n* accendino *m.*

Feuilleton ['fœjətõ *o* ...'tõ:] ⟨-s, -s⟩ *n* **1.** *(Zeitungsteil)* terza pagina *f;* **2.** *(Zeitungsartikel, TV)* feuilleton *m.*

feurig ['fɔyrıç] *adj* **1.** *(brennend)* infocato, di fuoco; **2.** *fig (temperamentvoll)* focoso; *(inbrünstig)* ardente; *(leidenschaftlich)* appassionato.

Fiaker ['fi̯akɐ] ⟨-s, -⟩ *m* **1.** *(Droschke)* fiacre *m;* **2.** *(Kutscher)* fiaccheraio *m.*

Fiasko ['fi̯asko] ⟨-s, -s⟩ *n* fiasco *m,* insuccesso *m;* **ein ~ erleben** fare fiasco.

Fibel ['fi:bəl] ⟨-, -n⟩ *f* **1.** *(Lesebuch)* abbiccì *m;* **2.** *(Lehrbuch)* manuale *m.*

ficht [fıçt] *pr von* **fechten.**

Fichte ['fıçtə] ⟨-, -n⟩ *f* abete *m* rosso.

ficken ['fıkən] *tr vulg* chiavare *volg.*

fidel [fi'de:l] *adj fam* allegro.

Fieber ['fi:bɐ] ⟨-s, *rar* -⟩ *n* febbre *f;* **(39 Grad) ~ haben** avere la febbre (a 39). **fieberfrei** *adj* senza febbre, sfebbrato. **fieberhaft** *adj* febbrile. **fieb(e)rig** ['fi:b(ə)rıç] *adj* febbrile; *(fiebernd)* febbricitante. **Fieberkurve** *f* diagramma *m* della febbre. **fiebersenkend** *adj* febbrifugo, antipiretico, antifebbrile. **Fieberthermometer** *n* termometro *m.*

fiebrig *s.* **fieberig.**

fiel [fi:l] *imp von* **fallen.**

fies [fi:s] *adj fam* **1.** *(Arbeit, Geruch)* ripugnante; **2.** *(Charakter)* infido, subdolo.

Figur [fi'gu:ɐ̯] ⟨-, -en⟩ *f* figura *f; (in Film, Buch)* personaggio *m;* **eine gute ~ haben** avere una bella figura; **keine/eine gute ~ machen** fare (una) brutta/bella figura.

Filet [fi'le:] ⟨-s, -s⟩ *n* filetto *m.* **Filetsteak** *n* bistecca *f* di filetto.

Filiale [fi'li̯a:lə] ⟨-, -n⟩ *f* filiale *f,* succursale *f.* **Filialleiter(in)** *m(f)* dirigente *mf* di una succursale.

Film [fılm] ⟨-(e)s, -e⟩ *m* **1.** *fot* pellicola *f;* **2.** *film* film *m,* pellicola *f* cinematografica; *(~wesen)* cinematografia *f,* cinema *m;* **3.** *(dünne Schicht)* film *m,* strato *m* sottile; **in einen ~ gehen** andare a vedere un film; **sie ist beim ~** è nel cinema. **Filmarchiv** *n* cineteca *f.* **Filmaufnahme** *f* ripresa *f* cinematografica. **Filmemacher(in)** ⟨-s, -⟩ *m(f)* cineasta *mf.*

filmen I. *tr* filmare, riprendere; **II.** *itr* girare un film.

Filmfestspiele *n pl* festival *m* cinematografico *(o* del cinema). **Filmkamera** *f* cinepresa *f,* macchina *f* da presa. **Filmkritiker(in)** *m(f)* critico *m* cinematografico. **Filmkunst** *f* arte *f* cinematografica. **Filmproduzent(in)** *m(f)* produttore, -trice *m, f* cinematografico, -a. **Filmreportage** *f* cinereportage *m.* **Filmschauspieler(in)** *m(f)* attore, -trice *m, f* cinematografico, -a. **Filmstar** *m* divo, -a *m, f* del cinema. **Filmverleih** *m* casa *f* di distribuzione cinematografica. **Filmvorführgerät** *n* proiettore *m* cinematografico. **Filmvorschau** ⟨-, -en⟩ *f* prossimamente *m.*

Filter ['fıltɐ] ⟨-s, -⟩ *m o n* filtro *m.* **Filtereinsatz** *m* cartuccia *f* del filtro. **Filterkaffee** *m* caffè *m* da filtro. **Filtermundstück**

n bocchino *m* con filtro.
filtern *tr* filtrare, passare al filtro.
Filterpapier *n* carta *f* da filtro. **Filterzigarette** *f* sigaretta *f* con filtro.
Filz [fɪlts] ⟨-es, -e⟩ *m* **1.** *(Gewebe)* feltro *m;* **2.** *fig (in der Politik, etc.)* corruzione *f* e nepotismo *m.*
filzen I. *itr (Wolle, etc.)* feltrare; **II.** *tr fam (durchsuchen)* frugare.
Filzlaus *f* pidocchio *m* del pube, piattola *f.* **Filzschreiber** *m,* **Filzstift** *m* pennarello *m.*
Fimmel ['fɪməl] ⟨-s, -⟩ *m fam* mania *f,* pallino *m fam;* **einen ~ haben** avere il pallino *(für* di) *fam.*
Finale [fi'na:lə] ⟨-s, - *o* -s⟩ *n* finale *m.*
Finanz [fi'nants] ⟨-, -en⟩ *f* finanza *f.* **Finanzamt** *n* ufficio *m* imposte. **Finanzbeamte** *m,* **-beamtin** *f* impiegato, -a *m, f* alle imposte. **Finanzberater(in)** *m(f)* consulente *mf* finanziario, -a.
finanziell [...'tsiɛl] *adj* finanziario.
finanzieren [...'tsi:rən] ⟨*ohne ge-*⟩ *tr* finanziare.
Finanzierung ⟨-, -en⟩ *f* finanziamento *m;* **kurzfristige ~** finanziamento a breve termine. **Finanzierungsgesellschaft** *f* società *f* di finanziamento, finanziaria. **Finanzplanung** *f* pianificazione *f* finanziaria. **Finanzspritze** *f* incentivo *m* economico.
Findelkind ['fɪndəl-] *n* trovatello, -a *m, f.*
finden ['fɪndən] ⟨findet, fand, gefunden⟩ **I.** *tr* trovare; **nicht zu ~ sein** essere irreperibile; **das finde ich nicht nett von dir** non lo trovo gentile da parte tua; **II.** *rfl:* **sich ~ 1.** *(zum Vorschein kommen)* ritrovarsi; **2.** *(in Ordnung kommen)* rientrare nell'ordine; **3.** *geh (sich fügen)* adattarsi *(in +dat* a), rassegnarsi *(in +dat* a); **das wird sich schon ~** la cosa si accomoderà; **es fand sich niemand, der ...** non si trovò nessuno che *+congv.*
Finder(in) ⟨-s, -⟩ *m(f)* ritrovatore, -trice *m, f.* **Finderlohn** *m* ricompensa *f.*
findig *adj* ingegnoso; *(gewitzt)* furbo.
fing [fɪŋ] *imp von* **fangen.**
Finger ['fɪŋɐ] ⟨-s, -⟩ *m* dito *m;* **kleiner ~** (dito *m*) mignolo *m;* **die ~ von etw./jdm lassen** *fam* lasciare stare qc/qu, non toccare qc/qu; **keinen ~ krumm machen** non muovere un dito; **sich** *(dat)* **die ~ verbrennen** scottarsi le dita; *fig* rimaner scottato; **sich** *(dat)* **die ~ nach etw. lecken** *fam* morire dalla voglia di avere qc; **sich** *(dat)* **(mit etw.) nicht die ~ schmutzig machen** *fam* non immischiarsi in qc; **sich** *(dat)* **etw. aus den ~n saugen** *fam* inventare qc di sana pianta; **jdm auf die ~ klopfen** redarguire qu; **jdm auf die ~ sehen** tener d'occhio qu; **etw. an den ~n abzählen** contare qc sulle dita; **etw. mit spitzen ~n anfassen** prendere qc con la punta delle dita; *fig* trattare qc coi guanti bianchi; **mit dem ~ auf jdn zeigen** additare qu; **den kann man um den ~ wickeln** *fig fam* si può far di lui quello che si vuole; **wenn ich den noch mal in die ~ kriege!** *fam* se mi capita a tiro un'altra volta! *fam;* **~ weg!** *fam* giù le mani!.
Fingerabdruck *m* impronta *f* digitale; **genetischer ~** impronta *f* genetica. **fingerfertig** *adj* dalle dita agili (*o* svelte). **Fingerhut** *m* **1.** *(zum Nähen)* ditale *m;* **2.** *bot* digitale *f.* **Fingernagel** *m* unghia *f.* **Fingerspitze** *f* punta *f* del dito. **Fingerspitzengefühl** *n* sensibilità *f* raffinata, tatto *m.*
fingieren [fɪŋ'gi:rən] ⟨*ohne ge-*⟩ *tr* fingere, simulare.
Fink [fɪnk] ⟨-en, -en⟩ *m* fringuello *m.*
Finne ['fɪnə] ⟨-n, -n⟩ *m,* **Finnin** ['fɪnɪn] *f* finlandese *mf.*
finnisch *adj* finlandese.
Finnland ['fɪnlant] *n* Finlandia *f.*
finster ['fɪnstɐ] *adj* **1.** *(dunkel)* buio, oscuro; **2.** *fig (zwielichtig)* ambiguo; **3.** *fig (mürrisch)* burbero, scontroso; **4.** *fig (unheimlich)* sinistro, losco, sospetto; **das ~e Mittelalter** l'oscuro Medioevo; **~e Nacht** notte fonda. **Finsternis** ⟨-, -se⟩ *f* oscurità *f; (a. fig)* tenebre *f pl; astr* eclissi *f.*
Finte ['fɪntə] ⟨-, -n⟩ *f* **1.** *(Vorwand)* pretesto *m; (Täuschung)* finzione *f;* **2.** *sport* finta *f.*
Firma ['fɪrma, ...mən] ⟨-, Firmen⟩ *f* (*abk* **Fa.**) **1.** *(Betrieb)* ditta *f,* azienda *f;* **2.** *(Name)* ragione *f* sociale.
Firmament [fɪrma'mɛnt] ⟨-(e)s, -e⟩ *n* firmamento *m.*
firmen ['fɪrmən] *tr* cresimare.
Firmen *pl von* **Firma. Firmenansehen** *n* reputazione *f* della ditta. **Firmengründung** *f* costituzione *f* (*o* fondazione *f*) di una ditta. **Firmenname** *m* nome *m* (*o* denominazione *f*) della ditta, ragione *f* sociale. **Firmenschild** *n* insegna *f* dell'impresa, insegna *f* commerciale. **Firmenschließung** *f* chiusura *f* della ditta (*o* azienda). **Firmenwagen** *m* vettura *f* della ditta. **Firmenzeichen** *n* marchio *m* di fabbrica.
Firmling ['fɪrmlɪŋ] ⟨-s, -e⟩ *m* cresimando, -a *m, f.*
Firmung ⟨-, -en⟩ *f* cresima *f.*
Firnis ['fɪrnɪs] ⟨-ses, -se⟩ *m* vernice *f.*
First [fɪrst] ⟨-es, -e⟩ *m (Dach~)* colmo *m,* sommità *f* del tetto.
Fisch [fɪʃ] ⟨-(e)s, -e⟩ *m* pesce *m;* **~e** *astr* Pesci *m pl;* **weder ~ noch Fleisch** né carne né pesce; **munter wie ein ~ im Wasser sein** essere contento come una Pasqua *fam;* **er** (*o* **sie**) **ist (ein) ~** è dei Pesci. **Fischbein** *n* osso *m* di balena.
fischen *tr, itr* pescare.
Fischer(in) ⟨-s, -⟩ *m(f)* pescatore, -trice *m, f.*

Fischerei [fɪʃəˈrai̯] ⟨-, ø⟩ *f* pesca *f.*
Fischfang *m* pesca *f.* **Fischgeschäft** *n* pescheria *f.* **Fischgräte** *f* lisca *f.* **Fischhändler(in)** *m(f)* pescivendolo, -a *m, f.* **Fischlaich** *m* uova *f pl* di pesce. **Fischotter** *m* lontra *f.* **Fischsuppe** *f* zuppa *f* di pesce. **Fischteich** *m* vivaio *m.* **Fischzucht** *f* pescicoltura *f.*
Fiskus [ˈfɪskʊs, ...kən *o* ...kʊsə] ⟨-, ø⟩ *m* fisco *m.*
Fisole [fiˈzoːlə] ⟨-, -n⟩ *A (grüne Bohne)* fagiolino *m.*
fit [fɪt] *adj* **1.** *fam (in Form)* in forma, in gamba *fam;* **2.** *fig* ferrato; **3.** *sport* in piena forma; **in etw.** *(dat)* ~ **sein** essere ferrato in qc.
Fitneß [ˈfɪtnɛs] ⟨-, ø⟩ *f* salute *f* fisica. **Fitneßcenter** [-sɛntɐ] ⟨-s, -⟩ *n* fitness *m* club, palestra *f.*
fix [fɪks] *adj* **1.** *(fest)* fisso; **2.** *fam (schnell)* svelto, veloce; *(flink, gewandt)* svelto; ~ **und fertig** *fam* bell'e pronto; *(erschöpft)* sfinito.
Fixa *pl von* **Fixum.**
fixen [ˈfɪksən] *itr sl* drogarsi, bucarsi *sl.*
Fixer(in) ⟨-s, -⟩ *m(f) sl* drogato, -a *m, f.*
Fixierbad *n* bagno *m* fissatore.
fixieren [fɪˈksiːrən] ⟨*ohne ge-*⟩ *tr* fissare; **auf etw.** *(akk)* **fixiert sein** essere fissato su qc.
Fixum [ˈfɪksʊm, ...sa] ⟨-s, Fixa⟩ *n* (stipendio *m*) fisso *m.*
FKK [ɛfkaːˈkaː] *abk von* **Freikörperkultur** nudismo *m.* **FKK-Strand** *m* spiaggia *f* riservata ai nudisti. **FKK-Anhänger(in)** *m(f)* nudista *mf.*
flach [flax] *adj* **1.** *(eben)* piano; *(a. platt)* piatto; **2.** *(nicht tief)* basso; **3.** *fig (oberflächlich)* superficiale; *(nichtssagend)* scialbo, piatto; ~**es Land** pianura *f;* **mit der** ~**en Hand** con la mano aperta. **Flachbildschirm** *m* schermo *m* piatto. **Flachdach** *n* tetto *m* piano.
Fläche [ˈflɛçə] ⟨-, -n⟩ *f* **1.** *(Oberfläche, Gebiet, mat)* superficie; **2.** *(Ebene)* pianura *f.* **Flächenmaß** *n* misura *f* di superficie.
Flachland *n* pianura *f.*
Flachs [flaks] ⟨-es, ø⟩ *m* lino *m.*
flachsen [ˈflaksən] *itr fam (sich necken)* motteggiare, scherzare.
flackern [ˈflakɐn] *itr (Flamme)* guizzare; *(Licht)* vacillare, tremolare.
Fladen [ˈflaːdən] ⟨-s, -⟩ *m* **1.** *gastr* focaccia *f;* **2.** *(Kuh~)* sterco *m* di vacca.
Flagge [ˈflagə] ⟨-, -n⟩ *f* bandiera *f;* **die italienische** ~ **führen, unter italienischer** ~ **segeln** navigare battendo bandiera italiana.
Flaggschiff *n* nave *f* ammiraglia.
flagranti [flaˈgranti] *adv:* **in** ~ in flagrante.
Flak [flak] ⟨-, -(s)⟩ *f* **1.** *(Waffe)* cannone *m* antiaereo; **2.** *(Einheit)* artiglieria *f* contraerea.
flambieren [flamˈbiːrən] ⟨*ohne ge-*⟩ *tr* flambare.
Flamingo [flaˈmɪŋgo] ⟨-s, -s⟩ *m* fiammingo *m,* fenicottero *m.*
Flamme [ˈflamə] ⟨-, -n⟩ *f* fiamma *f;* **eine alte** ~ **von mir** *fam* una mia vecchia fiamma; **in** ~**n aufgehen** incendiarsi, andare in fiamme; **in** ~**n stehen** essere in fiamme, ardere. **flammend** *adj* **1.** *(brennend)* ardente; **2.** *(~rot)* fiammante; **3.** *fig (Rede, etc.)* infiammato. **Flammenwerfer** ⟨-s, -⟩ *m* lanciafiamme *m.*
Flanell [flaˈnɛl] ⟨-s, -e⟩ *m* flanella *f.*
Flanke [ˈflaŋkə] ⟨-, -n⟩ *f* **1.** *allg., anat* fianco *m;* **2.** *sport (Fußball)* cross *m.*
flankieren [...ˈkiːrən] ⟨*ohne ge-*⟩ *tr* fiancheggiare, stare di fianco a.
Flansch [flanʃ] ⟨-(e)s, -e⟩ *m* flangia *f.*
Flasche [ˈflaʃə] ⟨-, -n⟩ *f* **1.** *(Gefäß)* bottiglia *f;* *(Saug~)* biberon *m;* **2.** *fam pej (Mensch)* schiappa *f fam;* **zur** ~ **greifen** darsi al bere. **Flaschenbier** *n* birra *f* in bottiglia. **Flaschenkürbis** *m* zucca *f* da vino. **Flaschenöffner** *m* apribottiglie *m.* **Flaschenpfand** *n* cauzione *f* per il vuoto. **Flaschenpost** *f* messaggio *m* in bottiglia. **Flaschenzug** *m* paranco *m.*
flatterhaft *adj* volubile.
flattern [ˈflatɐn] *itr* **1.** ⟨*sein*⟩ *(Tier)* svolazzare; **2.** ⟨*haben*⟩ *(Fahne, Blatt)* sventolare; **3.** ⟨*haben*⟩ *(Augenlider)* tremolare; *(Hände)* tremare.
flau [flau̯] *adj* **1.** *(schlaff, weich)* fiacco, molle; **2.** *(schwach)* debole, spento; *(Wind)* debole, leggero; **3.** *fin* stagnante, calmo; **mir wird** ~ mi sento male.
Flaum [flau̯m] ⟨-(e)s, ø⟩ *m* **1.** *(~federn)* piume *f pl;* **2.** *(~haare)* peluria *f.* **flaumig** *adj* **1.** *(aus, mit Flaum)* coperto di lanugine; **2.** *(flaumweich)* morbido come una piuma, piumoso.
Flausch [flau̯ʃ] ⟨-(e)s, -e⟩ *m* ratina *f.* **flauschig** *adj* morbido, soffice.
Flausen [ˈflau̯zən] *f pl fam* frottole *f pl;* *(Unsinn)* idee *f pl* bizzarre; **er hat nur** ~ **im Kopf** ha solo stupidaggini per la testa *fam.*
Flaute [ˈflau̯tə] ⟨-,-n⟩ *f* **1.** *naut* bonaccia *f,* calma *f;* **2.** *fin* ristagno *m.*
Flechte [ˈflɛçtə] ⟨-, -n⟩ *f* **1.** *bot* lichene *m;* **2.** *med* eczema *m,* psoriasi *f.*
flechten ⟨flicht, flocht, geflochten⟩ *tr* **1.** *(Zopf)* intrecciare; **2.** *(Flechtwerk)* intessere; *(Stuhl)* impagliare.
Fleck [flɛk] ⟨-(e)s, -e *o* -en⟩ *m,* **Flecken** ⟨-s, -⟩ *m* **1.** *(Flicken, Stück)* pezza *f,* toppa *f;* **2.** *(Schmutz~, Farb~)* macchia *f,* chiazza *f;* **3.** *(Stelle, Ort)* punto *m,* luogo *m,* posto *m;* **blauer** ~ livido *m;* **nicht vom** ~ **kommen** non muoversi di un dito *fam;* **das Herz auf dem rechten** ~ **haben** aver buon cuore. **Fleckenwasser** *n* smacchiatore *m.*
Fleckfieber *n* febbre *f* petecchiale.
fleckig *adj* picchiettato; *(schmutzig)*

macchiato.
Fledermaus ['fle:dɐ-] *f* pipistrello *m.*
Flegel ['fle:gəl] ⟨-s, -⟩ *m pej* villano *m.*
Flegelei [...'lai̯] ⟨-, -en⟩ *f* villania *f.*
flegelhaft *adj* zotico, villano. **Flegeljahre** *n pl* pubertà *f,* età *f* ingrata; **in den ~n sein** essere nell'età ingrata.
flehen ['fle:ən] *itr* supplicare (*zu jdm um etw.* qu per qc), implorare (*zu jdm um etw.* qc da qu). **Flehen** ⟨-s, ø⟩ *n* preghiera *f,* supplica *f.*
Fleisch [flai̯ʃ] ⟨-(e)s, ø⟩ *n* carne *f; (Frucht~)* polpa *f;* **sich ins eigene ~ schneiden** *fig* darsi la zappa sui piedi. **Fleischbrühe** *f* brodo *m* di carne.
Fleischer(in) ⟨-s, -⟩ *m(f)* macellaio, -a *m, f.*
Fleischerei [flai̯ʃə'rai̯] ⟨-, -en⟩ *f* macelleria *f,* salumeria *f.*
fleischfarben *adj* color carne, incarnato. **fleischfressend** *adj* carnivoro. **fleischig** *adj* carnoso; *bot* polposo. **Fleischklößchen** [-klø:sçən] ⟨-s, -⟩ *n* polpetta *f* (di carne). **fleischlos** *adj (Kost)* senza carne; *rel* di magro. **Fleischpastete** *f* pâté *m* di carne. **Fleischtomate** *f* pomodoro *m* tutta polpa. **Fleischvergiftung** *f* intossicazione *f* da carne. **Fleischwolf** *m* tritacarne *m.* **Fleischwunde** *f* ferita *f* nella carne.
Fleiß [flai̯s] ⟨-es, ø⟩ *m* diligenza *f; (Eifer)* zelo *m;* **ohne ~ kein Preis** *prov* chi non semina non raccoglie *prov.* **fleißig** *adj* diligente; *(eifrig)* assiduo, zelante, sollecito.
fletschen ['flɛtʃən] *tr:* **die Zähne ~** digrignare i denti.
flexibel [flɛ'ksi:bəl] *adj* flessibile; **~e Arbeitszeit** orario flessibile.
Flexibilität [flɛksibili'tɛ:t] ⟨-, ø⟩ *f* **1.** *allg.* flessibilità *f;* **2.** *(Anpassungsfähigkeit)* adattabilità *f.*
Flexion [flɛ'ksi̯o:n] ⟨-, -en⟩ *f gram* flessione *f.*
flicht [flɪçt] *pr von* **flechten.**
flicken ['flɪkən] *tr* **1.** *(ausbessern)* raccomodare; *(Schuhe, Kleider)* rattoppare; *(stopfen)* rammendare; **2.** *fig (Ehe)* salvare.
Flicken ⟨-s, -⟩ *m* rappezzo *m.*
Flickzeug ⟨-(e)s, -e⟩ *n* occorrente *m* per rattoppare.
Flieder ['fli:dɐ] ⟨-s, -⟩ *m* lillà *m.*
Fliege ['fli:gə] ⟨-, -n⟩ *f* **1.** *zoo* mosca *f;* **2.** *(Krawatte)* (cravatta *f* a) farfalla *f;* **zwei ~n mit einer Klappe schlagen** *fam* prendere due piccioni con una fava; **keiner ~ etw. zuleide tun (können)** non far male a una mosca; **sie fielen um wie die ~n** morirono come mosche.
fliegen ['fli:gən] ⟨fliegt, flog, geflogen⟩ **I.** *itr* ⟨*sein*⟩ **1.** *allg.* volare; **2.** *(mit Flugzeug)* andare in aereo; **3.** *(geworfen werden)* essere scagliato (*o* scaraventato); **4.** *fam (hinausgeworfen werden)* venire licenziato; **5.** *fam (hin~)* cadere; **auf jdn/etw. ~** *fam* essere attratto da qu/qc; **in die Luft ~** *(explodieren)* saltare in aria, esplodere; **II.** *tr* ⟨*haben*⟩ pilotare, guidare; *(Person)* trasportare in aereo.
Fliegenfänger ⟨-s, -⟩ *m* pigliamosche *m.* **Fliegengitter** *n* retina *f* metallica contro le mosche. **Fliegenpilz** *m* ovolaccio *m.*
Flieger(in) ⟨-s, -⟩ *m(f)* pilota *mf,* aviatore, -trice *m, f; mil* aviere *m.* **Fliegeralarm** *m* allarme *m* aereo.
fliehen ['fli:ən] ⟨flieht, floh, geflohen⟩ *itr* ⟨*sein*⟩ fuggire (*vor +akk* di fronte a); *(von zu Hause)* scappare (*aus, von* da); *(aus Gefängnis)* evadere (*aus, von* da). **fliehend** *adj (Stirn, etc.)* sfuggente.
Fliehkraft *f* forza *f* centrifuga.
Fliese ['fli:zə] ⟨-, -n⟩ *f* piastrella *f,* mattonella *f.* **Fliesenleger(in)** ⟨-s, -⟩ *m(f)* piastrellista *mf.*
Fließband ⟨-(e)s, -bänder⟩ *n* catena *f* di montaggio.
fließen ['fli:sən] ⟨fließt, floß, geflossen⟩ *itr* ⟨*sein*⟩ (s)correre; *(münden)* sboccare (*in +akk* in); *(hervorquellen)* sgorgare; **der Schweiß floß mir von der Stirn** la fronte mi grondava di sudore. **fließend** *adj allg.* scorrente; *(Wasser)* corrente; *(Grenze)* fluttuante; **~ Italienisch sprechen** parlare italiano correntemente.
Fließheck *n* fastback *f,* coda *f* tronca. **Fließsatz** *m* testo *m* continuo.
flimmern ['flɪmɐn] *itr* **1.** *(Licht, Luft)* tremolare; **2.** *film, TV* sfarfallare; **es flimmert mir vor den Augen** mi trema la vista.
flink [flɪŋk] *adj* **1.** *(schnell)* svelto, lesto; **2.** *(geschickt)* abile, agile.
Flinte ['flɪntə] ⟨-, -n⟩ *f* fucile *m,* schioppo *m fam;* **die ~ ins Korn werfen** *fam* abbandonare la lotta.
Flip-Chart ['flɪptʃɑ:t] ⟨-s, -s⟩ *n* lavagna *f* a fogli mobili.
Flipper ['flɪpɐ] ⟨-s, -⟩ *m* flipper *m.*
flippern *itr* giocare a flipper.
flippig ['flɪpiç] *adj fam* bizzarro, eccentrico.
Flirt [flœrt *o* flɪrt] ⟨-(e)s, -s⟩ *m* flirt *m.*
flirten *itr* flirtare.
Flittchen ['flɪtçən] ⟨-s, -⟩ *n fam pej* puttanella *f fam.*
Flitter ['flɪtɐ] ⟨-s, -⟩ *m (Tand)* orpello *m.* **Flitterwochen** *f pl* luna *f* di miele.
flitzen ['flɪtsən] *itr* ⟨*sein*⟩ *fam* sfrecciare.
flocht [flɔxt] *imp von* **flechten.**
Flocke ['flɔkə] ⟨-, -n⟩ *f* fiocco *m.* **flockig** *adj* fioccoso.
flog [flo:k] *imp von* **fliegen.**
floh [flo:] *imp von* **fliehen.**
Floh [flo:] ⟨-(e)s, Flöhe⟩ *m* pulce *f;* **jdm einen ~ ins Ohr setzen** mettere una pulce nell'orecchio a qu. **Flohmarkt** *m* mercato *m* delle pulci.
Flokati [flo'ka:ti] ⟨-s, -s⟩ *m* tappeto *m* di lana pettinata.

Flop [flɔp] ⟨-s, -s⟩ *m* fiasco *m*, fallimento *m*, insuccesso *m*.
Florenz [flo'rɛnt̮s] *n* Firenze *f*.
Florett [flo'rɛt] ⟨-(e)s, -e⟩ *n* fioretto *m*.
Florian ['flo:ri̯a:n] *(männlicher Vorname)* Floriano.
florieren [flo'ri:rən] ⟨*ohne ge-*⟩ *itr* fiorire, prosperare.
Floskel ['flɔskəl] ⟨-, -n⟩ *f* frase *f* retorica (*o* vuota).
floß [flɔs] *imp von* **fließen.**
Floß [flo:s] ⟨-es, Flöße⟩ *n* zattera *f*.
Flosse ['flɔsə] ⟨-, -n⟩ *f zoo, sport* pinna *f*; *aero* (piano *m*) stabilizzatore *m*.
Flöte ['flø:tə] ⟨-, -n⟩ *f* flauto *m*.
flöten *itr* suonare il flauto.
flöten·gehen ⟨*irr*⟩ *itr* ⟨*sein*⟩ *fam* andar perduto, andare a farsi friggere *fam*. **Flötenspieler(in)** *m(f)*, **Flötist(in)** [flø'tɪst(ɪn)] ⟨-en, -en⟩ *m(f)* flautista *mf*. **Flötenton** *m:* **jdm die Flötentöne beibringen** *fam* fare una paternale a qu.
flott [flɔt] *adj* **1.** *(schnell)* svelto; **2.** *(schick)* carino; **3.** *(lebenslustig)* spensierato; **4.** *naut* galleggiante.
Flotte ['flɔtə] ⟨-, -n⟩ *f* flotta *f*. **Flottenstützpunkt** *m* base *f* navale.
flott·machen *tr (Schiff)* disincagliare; *(Auto)* rimettere a posto.
Flöz [flø:t̮s] ⟨-es, -e⟩ *n* strato *m*, filone *m* orizzontale.
Fluch [flu:x] ⟨-(e)s, Flüche⟩ *m* **1.** *(Verwünschung, Unheil)* maledizione *f*; **2.** *(Schimpfwort)* bestemmia *f*.
fluchen *itr* bestemmiare, imprecare (*auf +akk* contro).
Flucht [flʊxt] ⟨-, -en⟩ *f* **1.** *(Fliehen)* fuga *f*; *(Ausbrechen)* evasione *f* (*aus* da); **2.** *arch (Häuser~)* serie *f*, fila *f*; *(Zimmer~)* fuga *f*; **die ~ ergreifen** prendere la fuga; **auf der ~ sein** essere in fuga. **fluchtartig** *adv* precipitosamente, in fretta e furia.
flüchten ['flʏçtən] **I.** *itr* ⟨*sein*⟩ fuggire (*vor +dat* davanti a); *(Schutz suchen)* rifugiarsi; **II.** *rfl:* **sich ~** rifugiarsi.
Fluchthelfer(in) *m(f)* complice *mf* dell'evasione (*o* nella fuga). **Fluchthilfe** *f* complicità *f* dell'evasione.
flüchtig *adj* **1.** *(fliehend)* fuggente, fuggitivo; **2.** *(schnell vergehend)* fugace, fuggevole; **3.** *(oberflächlich)* superficiale; *(Eindruck)* vago; *(nachlässig)* impreciso; **4.** *chem, inform* volatile; **etw. ~ lesen** scorrere qc. **Flüchtigkeit** ⟨-, ø⟩ *f* **1.** *(Oberflächlichkeit)* superficialità *f*; **2.** *(Ungenauigkeit)* imprecisione *f*; **3.** *chem* volatilità *f*. **Flüchtigkeitsfehler** *m* disattenzione *f*, svista *f*.
Flüchtling ['flʏçtlɪŋ] ⟨-s, -e⟩ *m* profugo, -a *m, f*. **Flüchtlingslager** *n* campo *m* (di) profughi.
Fluchtversuch *m* tentativo *m* di fuga. **Fluchtweg** *m* via *f* di scampo.
Flug [flu:k] ⟨-(e)s, Flüge⟩ *m* volo *m*; **die Zeit verging (wie) im ~(e)** il tempo volò via. **Flugangst** *f* paura *f* di volare. **Flugaufkommen** ⟨-s, ø⟩ *n* traffico *m* aereo. **Flugbegleiter(in)** *m(f)* assistente *mf* di volo. **Flugbenzin** *n* benzina *f* avio (*o* per aerei). **Flugblatt** *n* volantino *m*. **Flugdatenschreiber** *m* registratore *m* di volo. **Flugdauer** *f* durata *f* del volo. **Flugdrachen** *m* deltaplano *m*.
Flügel ['fly:gəl] ⟨-s, -⟩ *m* **1.** *allg., fig* ala *f*; **2.** *(Windmühlen~)* pala *f*; *(Tür-, Fenster~)* battente *m*; *(Altar~)* sportello *m* (di trittico); **3.** *mus* pianoforte *m* a coda. **Flügelmutter** *f* dado *m* ad alette (*o* a farfalla). **Flügelschlag** *m* colpo *m* d'ala, batter *m* d'ali. **Flügelschraube** *f* vite *f* ad alette. **Flügeltür** *f* porta *f* a battenti.
Fluggast *m* passeggero *m* (d'aereo).
flügge ['flʏgə] *adj* atto a volare; **~ werden** *fig* diventare indipendente.
Fluggeschwindigkeit *f* velocità *f* di volo (*o* crociera). **Fluggesellschaft** *f* compagnia *f* aerea. **Flughafen** *m* aeroporto *m*, scalo *m* aereo. **Flughöhe** *f* quota *f*, altezza *f* di volo. **Fluginformationstafel** *f* tabellone *m* degli arrivi e delle partenze. **Flugkapitän** *m* capitano *m* pilota. **Fluglinie** *f* linea *f* aerea, aerolinea *f*. **Fluglotse** *m* controllore *m* di volo. **Flugnummer** *f* numero *m* di volo. **Flugobjekt** *n:* **unbekanntes ~** (*akr* **Ufo, UFO**) ufo *m*. **Flugpersonal** *n* personale *m* navigante. **Flugplan** *m* orario *m* aereo. **Flugplatz** *m* **1.** *(Flugfeld)* campo *m* d'aviazione, aerodromo *m*; **2.** *(Flughafen)* aeroporto *m*. **Flugroute** *f* rotta *f*. **Flugschein** *m* **1.** *(von Pilot)* brevetto *m* di pilota; **2.** *(von Passagier)* biglietto *m* aereo. **Flugsicherung** *f* controllo *m* del traffico aereo. **Flugsimulator** [-zimula:tɔr, -...'to:rən] ⟨-s, -en⟩ *m* simulatore *m* di volo. **Flugstrecke** *f* distanza *f* (coperta in volo), chilometri *m pl* percorsi. **Flugticket** *n* biglietto *m* aereo. **Flugverkehr** *m* traffico *m* aereo. **Flugzeit** *f* durata *f* del volo.
Flugzeug ⟨-(e)s, -e⟩ *n* aereo *m*, aeroplano *m*, aviogetto *m*. **Flugzeugabsturz** *m* caduta *f* di un aereo. **Flugzeugbau** ⟨-(e)s, ø⟩ *m* costruzioni *f pl* aeronautiche. **Flugzeugentführer(in)** *m(f)* dirottatore, -trice *m, f* (di un aereo), pirata *mf* dell'aria. **Flugzeugentführung** *f* dirottamento *m* (di un aereo). **Flugzeughalle** *f* aviorimessa *f*, hangar *m*. **Flugzeugmechaniker(in)** *m* meccanico *m* di aeroplani. **Flugzeugträger** *m* portaerei *f*; **auf einem ~ landen** appontare. **Flugzeugunglück** *n* sciagura *f* aerea.
Fluktuation [flʊktua't̮sio:n] ⟨-, -en⟩ *f* fluttuazione *f*.
fluktuieren [...tu'i:rən] ⟨*ohne ge-*⟩ *itr (schwanken)* oscillare; *(Zahl, Preise)* fluttuare.

flunkern ['flʊŋkən] *itr fam* raccontar frottole.

Fluor ['flu:ɔr] ⟨-s, ø⟩ *n* fluoro *m*. **Fluorchlorkohlenwasserstoff** *m* (*abk* **FCKW**) clorofluorocarburo *m* (*abbr* CFC).

fluoreszieren [fluorɛs'tsi:rən] ⟨*ohne ge-*⟩ *itr* essere fluorescente.

Flur [flu:ɐ] ⟨-(e)s, -e⟩ *m (Haus~)* ingresso *m; (Korridor)* corridoio *m*.

Flurbereinigung *f* ricomposizione *f* fondiaria. **Flurschaden** *m* danno *m* alle colture.

Fluß [flʊs] ⟨Flusses, Flüsse⟩ *m* **1.** *(Gewässer)* fiume *m;* **2.** *(Fließen)* scorrere *m;* **3.** *fig, med, phys* flusso *m;* **im ~ sein** essere nel vago. **flußabwärts** [-'ʔapvɛrts] *adv* a valle. **flußaufwärts** [-'ʔaufvɛrts] *adv* a monte. **Flußbett** *n* letto *m* (*o* alveo *m*) di fiume. **Flußdiagramm** *n* diagramma *m* di flusso.

flüssig ['flʏsɪç] *adj* **1.** *allg., fin* liquido; *(Stil)* fluido; **2.** *(geschmolzen, bes. Metall)* fuso; **ich bin im Moment nicht ~** al momento non ho soldi. **Flüssiggas** *n* gas *m* liquido. **Flüssigkeit** ⟨-, -en⟩ *f* **1.** *(Stoff)* liquido *m;* **2.** *(Zustand)* fluidità *f*. **Flüssigkristallanzeige** *f* visualizzatore (*o* display) *m* a cristalli liquidi. **flüssig·machen** *tr* rendere disponibile.

Flußkrebs *m* gambero *m* di fiume. **Flußlauf** *m* corso *m* del fiume. **Flußpferd** *n* ippopotamo *m*. **Flußschiffahrt** *f* navigazione *f* fluviale. **Flußufer** *n* riva *f* del fiume.

flüstern ['flʏstɐn] *tr, itr* bisbigliare, sussurrare; **das kann ich dir ~!** *fam* puoi fidarti!; **dem werd' ich was ~!** *sl* gliene dirò quattro! *fam*. **Flüsterpropaganda** *f* propaganda *f* in sordina.

Flut [flu:t] ⟨-, -en⟩ *f* **1.** *(Gezeitenstand)* alta marea *f*, marea *f* montante; **2.** ⟨*pl*⟩ *(Wassermassen)* acque *f pl*, flutti *m pl;* **3.** *fig (Menge)* diluvio *m*, torrente *m*, marea *f; (von Tränen, Worten)* torrente *m*, diluvio *m;* **eine ~ von Briefen/Anrufen/Blumen** una valanga di lettere/telefonate/una marea di fiori; **es ist ~** c'è l'alta marea. **Flutlicht** *n* luce *f* a largo fascio luminoso (*o* da proiettori). **Flutwelle** *f* onda *f* di alta marea.

focht [fɔxt] *imp von* **fechten**.

Föderalismus [fødera'lɪsmʊs] ⟨-, ø⟩ *m pol* federalismo *m*.

föderalistisch [...'lɪstɪʃ] *adj* federalistico, federativo.

Fohlen ['fo:lən] ⟨-s, -⟩ *n* puledro, -a *m, f*.

Föhn [fø:n] ⟨-(e)s, -e⟩ *m* föhn *m*.

Föhre ['fø:rə] ⟨-, -n⟩ *f* pino *m* silvestre.

Folge ['fɔlgə] ⟨-, -n⟩ *f* **1.** *(Ergebnis)* seguito *m*, conseguenza *f*, risultato *m;* **2.** *(Wirkung)* effetto *m;* **3.** *(Reihen~, Ab~)* successione *f*, serie *f;* **4.** *TV, radio (von Sendung)* puntata *f; (von Zeitschrift: Nummer)* numero *m;* **~n haben** avere un seguito; **etw. zur ~ haben** avere come conseguenza; **einer S.** *(dat)* **~ leisten** *geh* seguire qc; **er starb an den ~n des Unfalls** morì per le conseguenze dell'incidente. **Folgeerscheinung** *f* effetto *m*, conseguenza *f*.

folgen *itr* **1.** ⟨*sein*⟩ *(a. fig: geistig)* seguire (*jdm* qu, *einer S. (dat)* qc); *(zeitlich)* venire dopo (*auf +akk etw.* qc); **2.** ⟨*haben*⟩ *(gehorchen)* ubbidire; **3.** ⟨*haben*⟩ *(resultieren)* risultare (*aus* da); **daraus folgt, daß ...** ne segue che ...; **wie folgt** come segue. **folgend** *adj* seguente, successivo; **~es** quanto segue, le cose seguenti; **er schreibt ~es** ecco ciò che scrive; **im ~en** in seguito. **folgendermaßen** *adv* nel modo seguente.

folgenlos *adj* senza conseguenze. **folgenschwer** *adj* grave, gravido di conseguenze.

folgerichtig *adj* conseguente, logico.

folgern *tr* dedurre (*aus* da), concludere (*aus* da).

Folgerung ⟨-, -en⟩ *f* conclusione *f* (*aus* da), deduzione *f* (*aus* da).

folglich *adv* per conseguenza, perciò; *(also)* quindi.

folgsam *adj* ubbidiente, docile.

Folie ['fo:liə] ⟨-, -n⟩ *f* sfoglia *f*, lamina *f*, pellicola *f*.

Folklore [fɔlk'lo:rə *o* 'fɔlk...] ⟨-, ø⟩ *f* folclore *m*.

Folter ['fɔltɐ] ⟨-, -n⟩ *f* **1.** *(~bank)* cavalletto *m* di tortura; **2.** *(Folterung)* tortura *f; fig* supplizio *m*, tormento *m;* **jdn auf die ~ spannen** *fig* tenere qualcuno sulle spine.

foltern *tr* torturare.

Folterung ⟨-, -en⟩ *f* tortura *f*.

Fön® [fø:n] ⟨-(e)s, -e⟩ *m* asciugacapelli *m*, fon *m*.

Fonds [fõ:, fõ:s] ⟨-, -⟩ *m* fondo *m*, capitale *m*.

Fondue [fõ'dy:] ⟨-s, -s⟩ *n* fonduta *f*.

Fönfestiger *m* fissatore *m* per il fon.

Font [fɔnt] *m (Zeichensatz)* font *m*.

Fontäne [fɔn'tɛ:nə] ⟨-, -n⟩ *f* fontana *f* zampillante, zampillo *m*.

foppen ['fɔpən] *tr* schernire, beffare.

forcieren [fɔr'si:rən] ⟨*ohne ge-*⟩ *tr* forzare.

Förderer ⟨-s, -⟩ *m*, **Förderin** *f* promotore, -trice *m, f*, fautore, -trice *m, f*.

Förderkorb *m* gabbia *f* d'estrazione. **Förderkurs** *m* corso *m* di perfezionamento. **Förderland** *n (Öl~)* paese *m* produttore di petrolio. **Förderleistung** *f* produzione *f* di una miniera.

förderlich *adj* propizio; *(nützlich)* utile.

fordern ['fɔrdɐn] *tr* **1.** *(verlangen)* (ri)chiedere, domandare; *(Anspruch erheben auf)* rivendicare; **2.** *(er~)* esigere; **von jdm Rechenschaft ~** chiedere ragione (*o* conto) a qu; **viele Opfer ~** costare molte vittime.

fördern ['fœrdɐn] *tr* **1.** *(weiterbringen, unterstützen)* promuovere, favorire; **2.** *min* estrarre.
Förderstaaten *m pl (Erdöl~)* stati *m pl* produttori di petrolio.
Förderturm *m* torre *f* d'estrazione.
Forderung ⟨-, -en⟩ *f* **1.** *(Verlangen)* domanda *f* (*nach* di), richiesta *f* (*nach* di); **2.** *(Anspruch)* pretesa *f* (*nach* di); **3.** *com* credito *m;* **hohe ~en an jdn stellen** esigere molto da qu.
Förderung ⟨-, -en⟩ *f* **1.** *(Voranbringen)* promozione *f,* incremento *m; (Unterstützung)* sostegno *m,* incoraggiamento *m;* **2.** *min* estrazione *f.*
Forelle [fo'rɛlə] ⟨-, -n⟩ *f* trota *f.*
Form [fɔrm] ⟨-, -en⟩ *f* **1.** *allg.* forma *f;* **2.** *tec* modello *m,* stampo *m;* **die ~ wahren** salvare le apparenze; **einer S.** *(dat)* **~ geben** dare forma a qc; **(feste) ~(en) annehmen** prender corpo; **gefährliche ~en annehmen** prendere una piega pericolosa; **in ~** in forma; **in ~ von ...** in (*o* a *o* sotto) forma di .. ; **in aller ~** con tutte le regole.
formal [fɔr'ma:l] *adj* formale.
Formaldehyd ['fɔrmaldehy:t] ⟨-s, ø⟩ *m* formaldeide *f,* aldeide *f* formica.
Formalität [...mali'tɛ:t] ⟨-, -en⟩ *f* formalità *f.*
Format [fɔr'ma:t] ⟨-(e)s, -e⟩ *n* **1.** *(Bild~, Buch~, etc.)* formato *m;* **2.** *typ* sesto *m;* **3.** *fig* statura *f,* levatura *f;* **ein Mann von ~** un uomo di gran levatura (*o* di rilievo).
formatieren [fɔrma'ti:rən] ⟨*ohne ge-*⟩ *tr* formattare. **Formatierung** ⟨-, -en⟩ *f* formattazione *f.*
formbar *adj* plasmabile. **Formblatt** *n* modulo *m.*
Formel ['fɔrməl] ⟨-, -n⟩ *f* formula *f.* **Formel-1-Rennen** *n* gara *f* (automobilistica) di formula 1.
formell [fɔr'mɛl] *adj (Sache)* formale; *(Person)* formalista; **er ist immer sehr ~** è sempre molto formale.
formen *tr* formare; *(modellieren)* modellare, plasmare.
Formfehler *m* errore *m* (*o jur* vizio *m*) di forma.
formieren [fɔr'mi:rən] ⟨*ohne ge-*⟩ *tr* formare; *mil* schierare.
förmlich ['fœrmlɪç] **I.** *adj* **1.** *(in den gehörigen Formen)* formale, fatto con tutte le regole; **2.** *(steif)* formalistico; **3.** *(regelrecht, wirklich)* vero e proprio; **II.** *adv (fast)* addirittura, letteralmente. **Förmlichkeit** ⟨-, -en⟩ *f* formalità *f;* **ohne ~en** senza cerimonie.
formlos *adj* **1.** *(unförmig)* informe; **2.** *(zwanglos)* non formale, senza cerimonie; **ein ~er Antrag** una richiesta non formale. **Formsache** *f* questione *f* di forma, formalità *f.*
Formular [fɔrmu'la:ɐ̯] ⟨-s, -e⟩ *n* modulo *m,* formulario *m.*
formulieren [...'li:rən] ⟨*ohne ge-*⟩ *tr* formulare; *(ausdrücken)* esprimere.
Formulierung ⟨-, -en⟩ *f* formulazione *f.*
formvollendet *adj* di forma perfetta.
forsch [fɔrʃ] *adj (mutig)* audace; *(resolut)* risoluto; *(energisch)* energico.
forschen ['fɔrʃən] *itr* ricercare (*nach etw. (dat)* qc), indagare (*nach etw. (dat)* qc), fare indagini (*nach etw. (dat)* su qc); *(wissenschaftlich)* ricercare.
Forscher(in) ⟨-s, -⟩ *m(f)* ricercatore, -trice *m, f.*
Forschung ⟨-, -en⟩ *f* indagine *f,* ricerca *f.* **Forschungsergebnis** *n* risultato *m* delle ricerche. **Forschungsreise** *f* viaggio *m* di esplorazione. **Forschungssatellit** *m* satellite *m* per la ricerca. **Forschungssemester** *n* semestre *m* di ricerca. **Forschungszentrum** *n* centro *m* di ricerche.
Forst [fɔrst] ⟨-(e)s, -e(n)⟩ *m* foresta *f.* **Forstamt** *n* ufficio *m* forestale. **Forstarbeiter(in)** *m(f)* silvicoltore, -trice *m, f.*
Förster(in) ['fœrstɐ (...ərɪn)] ⟨-s, -⟩ *m(f)* guardaboschi *mf.*
Forstwirtschaft *f* selvicoltura *f.*
fort [fɔrt] *adv* **1.** *(weg)* via; **2.** *(verschwunden)* perduto; **in einem ~** ininterrottamente; **und so ~** e così via; **~ (mit dir)!** vattene!
Fortbestand ['fɔrt-] *m* continuità *f,* continuazione *f,* ulteriore durata *f;* **der ~ gefährdeter Tierarten** la sopravvivenza delle specie animali in pericolo (*o* in via d'estinzione).
fort·bestehen ⟨*irr, ohne ge-*⟩ *itr* continuare ad esistere (*o* a sussistere).
fort·bewegen ⟨*ohne ge-*⟩ **I.** *tr* rimuovere, spostare; **II.** *rfl:* **sich ~** muoversi, avanzare.
Fortbewegung *f* avanzamento *m.*
fort·bilden I. *tr* perfezionare; **II.** *rfl:* **sich ~** perfezionarsi.
Fortbildung *f* aggiornamento *m,* perfezionamento *m.* **Fortbildungskurs** *m* corso *m* di perfezionamento.
fort·bringen ⟨*irr*⟩ *tr* **1.** *(wegbringen)* portar via; **2.** *(bewegen)* rimuovere.
Fortdauer *f* continuità *f,* durata *f.*
fort·dauern *itr* continuare, durare.
Fortentwicklung *f* sviluppo *m,* evoluzione *f;* **dieses Modell ist eine ~ seines Vorgängers** questo modello è un perfezionamento del precedente.
fort·fahren ⟨*irr*⟩ **I.** *itr* **1.** ⟨*sein*⟩ *(wegfahren)* partire; **2.** ⟨*haben o sein*⟩ *(weitermachen)* continuare (*mit etw.* qc, *etw. zu tun* a fare qc), proseguire (*mit etw.* qc, *etw. zu tun* a fare qc); **II.** *tr* ⟨*haben*⟩ portar via.
fort·fallen ⟨*irr*⟩ *itr* ⟨*sein*⟩ **1.** *(wegfallen)* cadere; *(aufhören)* cessare; **2.** *(abgeschafft werden)* essere soppresso.
fort·führen I. *tr* **1.** *(fortsetzen)* continua-

re, proseguire; **2.** *(wegführen)* condurre via; **II.** *itr* continuare.
Fortgang *m* **1.** *(Weggang)* partenza *f;* **2.** *fig (Verlauf)* sviluppo *m.*
fortgeschritten *adj* progredito, avanzato; **Kurs für F~e** corso superiore; **zu ~er Stunde** tardi, a tarda ora; **eine Krankheit im ~en Stadium** una malattia in stadio avanzato.
fortgesetzt *adj* continuo, continuato.
fort·kommen ⟨*irr*⟩ *itr* ⟨*sein*⟩ **1.** *(wegkommen)* andar via; *(weggebracht werden)* essere portato via; **2.** *(vorwärtskommen)* avanzare; **3.** *(abhanden kommen)* andare smarrito; **machen Sie, daß Sie ~!** se ne vada!. **Fortkommen** *n (Weiterkommen)* avanzamento *m; fig (Laufbahn)* carriera *f.*
fort·laufen ⟨*irr*⟩ *itr* ⟨*sein*⟩ *(weglaufen)* correr via; *(entlaufen)* scappare. **fortlaufend** *adj* continuo; *(numerieren)* progressivo.
fort·pflanzen *rfl:* **sich ~ 1.** *biol* riprodursi; **2.** *phys, fig* propagarsi.
Fortpflanzung *f* riproduzione *f.* **fortpflanzungsfähig** *adj* riproduttivo.
fort·schaffen *tr* portare via, evacuare.
fort·schicken *tr (Personen)* mandare via; *(Dinge)* spedire.
fortschreitend *adj* progressivo.
Fortschritt *m* progresso *m,* sviluppo *m;* **~e machen** fare progressi, progredire. **fortschrittlich** *adj (Mensch)* progressista; *(Dinge)* progressivo. **Fortschrittlichkeit** ⟨-, ø⟩ *f* progressismo *m.*
fort·setzen *tr* continuare, proseguire.
Fortsetzung ⟨-, -en⟩ *f* **1.** *(Vorgang)* continuazione *f;* **2.** *(Folge)* puntata *f,* seguito *m;* **in ~en** a puntate; **~ folgt** continua. **Fortsetzungsroman** *m* romanzo *m* a puntate. **Fortsetzungsserie** *f* serie *f* a puntate.
fortwährend I. *adj* continuo, ininterrotto; **II.** *adv* continuamente.
fort·werfen ⟨*irr*⟩ *tr* gettare via.
fossil [fɔ'si:l] *adj* fossile; **~e Brennstoffe** combustibili fossili.
Fossil [fɔ'si:l, -iən] ⟨-s, -ien⟩ *n* fossile *m.*
Foto¹ ['fo:to] ⟨-s, -s⟩ *n (~grafie)* foto *f.*
Foto² ['fo:to] ⟨-s, -s⟩ *m (~apparat)* macchina *f* fotografica.
Fotoalbum *n* album *m* di fotografie. **Fotoapparat** *m* macchina *f* fotografica. **Foto-CD** ⟨-, -s⟩ *f* foto *f* CD.
fotogen [foto'ge:n] *adj* fotogenico.
Fotograf(in) [foto'gra:f(ɪn)] ⟨-en, -en⟩ *m(f)* fotografo, -a *m, f.*
Fotografie [fotogra'fi:, ...i:ən] ⟨-, -n⟩ *f* fotografia *f.*
fotografieren [...'fi:rən] ⟨*ohne ge-*⟩ *tr, itr* fotografare; **sich ~ lassen** farsi fotografare.
fotografisch *adj* fotografico.
Fotokopie [fotoko'pi:, ...i:ən] *f* fotocopia *f.*
fotokopieren [...'pi:rən] ⟨*ohne ge-*⟩ *tr* fare una fotocopia di, fotocopiare.
Fotokopierer *m* fotocopiatrice *f.*
Fotolabor *n* laboratorio *m* fotografico. **Fotomodell** *n* fotomodello, -a *m, f.* **Fotomontage** *f* fotomontaggio *m.* **Fotoreportage** *f* servizio *m* (*o* reportage *m*) fotografico. **Fotosatz** *m* fotocomposizione *f.* **Fotozelle** *f* cellula *f* fotoelettrica, fotocellula *f.*
Fötus ['fø:tʊs, 'fø:tən] ⟨*-o* -ses, -se *o* Föten⟩ *m* feto *m.*
Foul [faul] ⟨-s, -s⟩ *n* fallo *m,*irregolarità *f.*
foulen *itr (regelwidrig spielen)* giocare irregolarmente, commettere irregolarità.
Fr. *abk von* **Frau** Sig.ra (*abbr di* Signora).
Fracht [fraxt] ⟨-, -en⟩ *f* **1.** *(Ladung)* carico *m;* **2.** *(~gebühr)* porto *m; naut* nolo *m.* **Frachtbrief** *m* lettera *f* di vettura; *naut* polizza *f* di carico.
Frachter ⟨-s, -⟩ *m* nave *f* da carico.
Frachtgut *n* merce *f* a piccola velocità; **als ~ schicken** spedire a piccola velocità. **Frachtkahn** *m* chiatta *f* da carico. **Frachtkosten** ⟨*pl*⟩ spese *f pl* di trasporto. **Frachtstück** *n* collo *m.* **Frachtverkehr** *m* movimento *m* di merci.
Frack [frak] ⟨-(e)s, Fräcke *o* -s⟩ *m* frac *m.*
Frage ['fra:gə] ⟨-, -n⟩ *f* domanda *f; (bes. gram)* interrogazione *f; (Problem, Angelegenheit)* problema *m,* questione *f;* **in ~ kommen** essere preso in considerazione; **etw. in ~ stellen** mettere qc in dubbio (*o* in forse); **ohne ~** senza dubbio, certamente; **das ist die ~** è questa la questione; **das ist noch die ~** questo è ancora dubbio; **das kommt (überhaupt) nicht in ~!** non se ne parla nemmeno, nemmeno per sogno (*o* idea *fam*); **das ist eine andere ~** questa è un'altra questione; **das steht außer ~** su questo non c'è dubbio, è fuori discussione; **es ist nur eine ~ der Zeit, ob ...** è solo (una) questione di tempo se ... **Fragebogen** *m* questionario *m.*
fragen I. *tr* domandare (*jdn nach etw.* qc a qu), chiedere (*jdn nach etw.* qc a qu); *(be~)* interrogare; **jdn nach dem Weg ~** domandare la strada a qu; **darf ich Sie etwas ~?** posso farLe una domanda?; **da fragst du mich zuviel!** *fam* mi chiedi troppo!; **II.** *itr* domandare, chiedere, porre (*o* fare) domande; **III.** *rfl:* **sich ~** domandarsi, chiedersi; **es fragt sich, ob ...** si tratta di vedere se ...
Fragesatz *m* (proposizione *f*) interrogativa *f.* **Fragestellung** *f* **1.** *(Formulierung)* formulazione *f* della domanda; **2.** *(Problem)* problematica *f.* **Fragezeichen** *n* punto *m* interrogativo.
fraglich *adj* **1.** *(in Frage kommend)* in questione; **2.** *(ungewiß)* dubbio, incerto; *(zweifelhaft)* discutibile.
fraglos *adv* indubbiamente.

Fragment [fra'gmɛnt] ⟨-(e)s, -e⟩ *n* frammento *m*.
fragmentarisch [...'ta:rɪʃ] *adj* frammentario.
fragwürdig *adj* dubbio, problematico.
Fraktion [frak'tsio:n] ⟨-, -en⟩ *f* frazione *f*, gruppo *m* parlamentare. **Fraktionsführer(in)** *m(f)* capo *m* di un gruppo parlamentare.
Franchising ['fræntʃaɪzɪŋ] ⟨-s, ø⟩ *n* franchising *m*.
Frank [fraŋk] *(männlicher Vorname)* Franco.
Franken ['fraŋkən] ⟨-s, -⟩ *m (Währungseinheit)* franco *m* svizzero.
Frankfurt ['fraŋkfʊrt]: ~ **am Main/ an der Oder** Francoforte sul Meno/sull'Oder.
frankieren [fraŋ'ki:rən] ⟨*ohne ge-*⟩ *tr* affrancare.
franko ['fraŋko] *adv* franco (di porto).
Frankreich ['fraŋkraiç] *n* Francia *f*.
Franse ['franzə] ⟨-, -n⟩ *f* frangia *f*.
fransig *adj* **1.** *(mit Fransen)* frangiato; **2.** *(ausgefranst)* sfilacciato.
Franz [frants] *(männlicher Vorname)* Francesco.
Franziska [fran'tsɪska] *(weiblicher Vorname)* Francesca.
Franzose [fran'tso:zə] ⟨-n, -n⟩ *m*, **Französin** [...'tsø:zɪn] *f* francese *mf*.
französisch *adj* francese; **die ~e Schweiz** la Svizzera francese; **~es Bett** letto ad una piazza e mezza; **sich (auf) ~ empfehlen (*o* verabschieden)** filare all'inglese *fam*. **französischsprechend** *adj* francofono.
fräsen ['frɛ:zən] *tr* fresare. **Fräsmaschine** *f* fresatrice *f*.
fraß [fra:s] *imp von* **fressen**.
Fraß ⟨-es, -e⟩ *m fam* roba *f* da porci *fam*, porcheria *f fam*.
Fratze ['fratsə] ⟨-, -n⟩ *f* **1.** *(häßliches Gesicht)* grinta *f*; **2.** *(Grimasse)* smorfia *f*; **~n schneiden** fare smorfie.
Frau [frau] ⟨-, -en⟩ *f* (*abk* **Fr.**) **1.** *allg.* donna *f*; **2.** *(Ehe~)* moglie *f*; **3.** *(Anrede)* signora *f*; ~ **X** la signora X; *(Anrede)* signora X; ~ **Doktor/Direktor X** (signora) dottoressa/direttrice X; **meine/Ihre** ~ mia/Sua moglie.
Frauenarbeitslosigkeit *f* disoccupazione *f* femminile. **Frauenarzt** *m*, **-ärztin** *f* ginecologo, -a *m, f*. **Frauenbeauftragte** *f* rappresentante *f* delle donne. **Frauenbewegung** *f* movimento *m* di liberazione della donna. **frauenfeindlich** *adj* misogino. **Frauenförderung** *f* promozione *f* del lavoro femminile. **Frauengruppe** *f* gruppo *m* di donne (femministe). **Frauenhaus** *n* casa *f* per le donne maltrattate. **Frauenheilkunde** *f* ginecologia *f*. **Frauenheld** *m* dongiovanni *m*. **Frauenklinik** *f* clinica *f* ginecologica. **Frauenquote** *f pol* quota *f* femminile. **Frauenrechtler(in)** ⟨-s, -⟩ *m(f)* femminista *mf*. **Frauenwahlrecht** *n* diritto *m* di voto della donna. **Frauenzeitschrift** *f* rivista *f* femminile. **Frauenzimmer** *n (meist pej)* donna *f*, donnetta *f pej*.
Fräulein ['frɔylain] ⟨-s, -⟩ *n* (*abk* **Frl.**) *obs* signorina *f*; ~ **X** la signorina X; *(Anrede)* signorina X; ~, **bitte zahlen!** signorina, il conto per favore!
fraulich *adj* femminile, da donna.
Freak [fri:k] ⟨-s, -s⟩ *m fam* patito, -a *m, f*; *(Anhänger)* fissato, -a *m, f*.
frech [frɛç] *adj* impertinente, sfacciato, insolente; ~ **wie Dreck (*o* Oskar)** *fam* molto sfacciato. **Frechdachs** *m fam* sfacciato *m*, facciatosta *f fam*. **Frechheit** ⟨-, -en⟩ *f* sfacciataggine *f*, insolenza *f*, impertinenza *f*; **so eine ~!** che sfacciataggine!
Fregatte [fre'gatə] ⟨-, -n⟩ *f* fregata *f*.
frei [frai] *adj* **1.** *allg.* libero (*von* da); *(in Freiheit)* in libertà; **2.** *(unabhängig)* indipendente; **3.** *(befreit)* esente (*von* da); *(von Sorgen)* privo (*von* di); **4.** *(offen, unbedeckt)* aperto; **5.** *(verfügbar)* disponibile; *(Arbeitsplatz)* vacante; **6.** *(kostenlos)* gratuito; **7.** *(Ansichten, Kunst)* liberale; *(Benehmen)* disinvolto; **8.** *(~mütig, offen)* franco, aperto; **~er Mitarbeiter** libero collaboratore; **~er Tag** giornata libera (*o* di congedo); ~ **lassen** *(nicht beschreiben)* lasciare in bianco; ~ **werden** *(Energie, Kräfte)* liberarsi; **(die) ~e Wahl haben** avere libera scelta; **sich ~ machen** *(ausziehen)* svestirsi, spogliarsi; *(von Idee, Vorstellung, etc.)* liberarsi (*von* da); **unter ~em Himmel** all'aperto; ~ **nach Schiller** tratto liberamente da Schiller; **ich habe erst um 3 Uhr** ~ prima delle 3 non sono libero; **wir liefern ~ Haus** consegniamo franco domicilio; **haben Sie noch ein Zimmer ~?** ha ancora una camera libera?; **Verzeihung, ist der Stuhl noch ~?** mi scusi, è ancora libera questa sedia?; **ich bin so ~!** permette?
Freibad *n* piscina *f* all'aperto. **freiberuflich I.** *adj* di libero professionista, libero, indipendente; **II.** *adv* da (*o* come) libero professionista; ~ **tätig sein** fare il libero professionista. **Freibetrag** *m* reddito *m* non imponibile. **Freibier** *n* birra *f* gratis.
Freiburg ['fraibʊrk] Friburgo *f*.
Freie ⟨ein -s, -n, ø⟩ *n*: **im ~en** all'aperto; **im ~n schlafen** dormire all'addiaccio.
Freier ⟨-s, -⟩ *m* **1.** *obs* corteggiatore *m*; **2.** *sl (von Prostituierter)* cliente *m*.
Freiexemplar *n* copia *f* gratuita (*o* in omaggio). **frei·geben** ⟨*irr*⟩ **I.** *tr* **1.** *(Gefangene)* rilasciare; *fig (Ehepartner, etc.)* lasciare libero; **2.** *(Eigentum)* liberare, sbloccare; **3.** *(Film)* lasciar passare, approvare; **für den Verkehr** ~ aprire al traffico; **II.** *itr*: **jdm** ~ lasciare libero qu.
freigebig *adj* liberale, generoso; **sehr** ~

munifico; **mit etw. sehr ~ sein** non lesinare qc. **Freigebigkeit** ⟨-, -en⟩ *f* liberalità *f*, generosità *f*; **große ~** munificenza *f*. **Freigeist** *m* libero pensatore *m*. **Freigepäck** *n* bagaglio *m* in franchigia. **frei·haben** ⟨*irr*⟩ *itr (bei Arbeit)* esser libero, non lavorare; *(in Schule)* non aver scuola. **frei·halten** ⟨*irr*⟩ **I.** *tr (Einfahrt, etc.)* lasciare libero (*o* sgombro); *(Stuhl, Platz)* tenere libero, riservare; **II.** *rfl:* **sich ~** *(von Verpflichtung, etc.)* tenersi libero (*von* da); *(von Vorurteil, etc.)* essere libero (*von* da).

Freihandelszone *f* zona *f* di libero scambio.

Freiheit ⟨-, -en⟩ *f* libertà *f*; **jdm volle ~ lassen** lasciare a qu completa libertà; **jdn in ~ setzen** mettere qu in libertà; **sich** *(dat)* **die ~ nehmen, etw. zu tun** prendersi la libertà di fare qc. **freiheitlich** *adj* liberale. **Freiheitsberaubung** ⟨-, -en⟩ *f* privazione *f* della libertà (personale). **Freiheitsdrang** *m* desiderio *m* ardente di libertà. **Freiheitsentzug** *m* privazione *f* della libertà. **Freiheitskrieg** *m* guerra *f* d'indipendenza. **Freiheitsstrafe** *f* pena *f* detentiva; **zu einer ~ verurteilt werden** venire condannato alla reclusione.

Freikarte *f* biglietto *m* gratuito. **frei·kaufen** *tr* riscattare. **Freikörperkultur** *f* (*abk* **FKK**) nudismo *m*. **Freilandgemüse** *n* verdura *f* in pieno campo. **frei·lassen** ⟨*irr*⟩ *tr* (ri)mettere in libertà, rilasciare (*aus* da). **Freilassung** ⟨-, -en⟩ *f* liberazione *f*, rilascio *m*. **Freilauf** *m* ruota *f* libera. **frei·legen** *tr allg.* mettere allo scoperto (*o* a nudo); *(bei Ausgrabungen)* esumare. **Freileitung** *f* linea *f* aerea.

freilich *adv* **1.** *(allerdings)* a dire il vero, è vero che; *(einschränkend)* però; **2.** *(selbstverständlich)* certo, naturalmente.

Freilichtbühne *f*, **-theater** *n* teatro *m* all'aperto. **Freilos** *n* biglietto *m* di lotteria gratuito. **frei·machen I.** *tr* **1.** *(frankieren)* affrancare; **2.** *fam (nicht arbeiten)* prendere vacanze; **ich habe eine Woche freigemacht** *fam* ho preso una settimana di vacanze; **II.** *itr fam* fare vacanza; **III.** *rfl:* **sich ~** *(freie Zeit finden)* rendersi libero. **Freimaurer** *m* (fram)massone *m*. **Freimaurerei** [-maurə'rai] ⟨-, ø⟩ *f* massoneria *f*. **freimütig** [-my:tıç] *adj* franco, aperto, sincero. **frei·nehmen** ⟨*irr*⟩ *tr:* **(sich** *dat***) (einen Tag) ~** prendersi (un giorno) libero. **Freischärler(in)** [-ʃɛ:ɐlɐ (...ərın)] ⟨-s, -⟩ *m(f)* franco, -a tiratore, -trice *m, f*. **frei·sprechen** ⟨*irr*⟩ *tr jur* assolvere *(jdn von etw.* qu da qc). **Freispruch** *m* assoluzione *f*. **frei·stehen** ⟨*irr*⟩ *itr (leerstehen)* essere vuoto; **es steht Ihnen frei zu ...** (Lei) è libero di ... **frei·stellen** *tr* **1.** *(anheimstellen)* rimettere *(jdm etw.* qc a qu), lasciare decidere *(jdm etw.* qc a qu); **2.** *(befreien, ausnehmen)* dispensare *(jdn von etw.* qu da qc). **Freistoß** *m* (calcio *m* di) punizione *f*.

Freitag *m* venerdì *m*; **~ abend/morgen/nachmittag** venerdì sera/mattina/pomeriggio; **~ abends/morgens/nachmittags** le sere/le mattine/i pomeriggi del venerdì, il venerdì sera/venerdì mattina/venerdì pomeriggio; **eines ~s** un venerdì; **jeden ~** ogni venerdì; **letzten ~** venerdì scorso; **~ in acht Tagen** venerdì fra otto giorni; **~ vor 14 Tagen** due settimane fa, venerdì; **die Nacht von ~ auf Samstag** la notte dal venerdì al sabato; **am ~** venerdì; **den ganzen ~ (über)** durante tutto il venerdì; **heute ist ~, der 11. November** oggi è venerdì undici novembre. **freitags** *adv* di (*o* il) venerdì.

Freitod *m* suicidio *m*. **Freitreppe** *f* scalinata *f*. **Freiumschlag** *m* busta *f* affrancata.

freiwillig *adj* volontario; *(Veranstaltung, bes. Unterricht)* facoltativo. **Freiwilligkeit** ⟨-, ø⟩ *f* libera volontà *f*, spontaneità *f*.

Freizeichen *n pl* segnale *m* di libero.

Freizeit *f* tempo *m* libero, ore *f pl* libere. **Freizeitausgleich** *m* compensazione *f* in tempo libero del lavoro straordinario. **Freizeit(be)kleidung** *f* abbigliamento *m* sportivo. **Freizeitgestaltung** *f* impiego *m* del tempo libero. **Freizeitzentrum** *n* centro *m* ricreativo.

freizügig [-tsy:gıç] *adj* **1.** *(großzügig)* elastico, libero; **2.** *(moralisch)* non rigido, libero.

fremd [frɛmt] *adj* **1.** *(ausländisch)* straniero; **2.** *(~artig)* strano, singolare; **3.** *(unbekannt)* estraneo, sconosciuto; **4.** *(anderen gehörend)* altrui, d'altri; **~es Eigentum** proprietà di terzi (*o* altrui); **sich ~ fühlen** sentirsi estraneo; **sich** *(dat)* **(o einander) ~ werden** diventare estranei (l'uno all'altro). **fremdartig** *adj (ungewöhnlich)* strano; *(fremd)* estraneo.

Fremde[1] ['frɛmdə] ⟨-, ø⟩ *f (nicht Heimat)* estero *m*.

Fremde[2] ['frɛmdə] ⟨ein -r, -n, -n⟩ *mf* straniero, -a *m, f*.

Fremdenführer(in) *m(f)* guida *f* turistica, cicerone *m*. **Fremdenverkehr** *m* turismo *m*. **Fremdenverkehrszentrum** *n* centro *m* turistico.

fremdgehen *itr fam* fare una scappatella.

Fremdkörper *m* corpo *m* estraneo. **Fremdling** ['frɛmtlıŋ] ⟨-s, -e⟩ *m* straniero, -a *m, f*, forestiero, -a *m, f*. **Fremdsprache** *f* lingua *f* straniera. **Fremdsprachenkorrespondent(in)** *m(f)* corrispondente *mf* in lingue straniere. **Fremdsprachensekretär(in)** *m(f)* segretario, -a *m, f* per l'estero. **fremdsprachig** *adj* di lingua straniera; *(Literatur)* in lingua straniera.

fremdsprachlich *adj* di lingua straniera. **Fremdwährung** *f* valuta *f* estera, divisa estera. **Fremdwort** ⟨-(e)s, -wörter⟩ *n* parola *f* straniera.

frenetisch [fre'ne:tɪʃ] *adj (Beifall)* frenetico, strepitoso, sfrenato.

Frequenz [fre'kvɛnts] ⟨-, -en⟩ *f* frequenza *f.*

Fresko ['frɛsko, ...kən] ⟨-s, Fresken⟩ *n* affresco *m.*

Fresse ['frɛsə] ⟨-, -n⟩ *f vulg* **1.** *(Mund)* bocca *f;* **2.** *(Gesicht)* muso *m sl;* **halt die ~!** chiudi il becco! *fam.*

fressen ⟨frißt, fraß, gefressen⟩ *tr, itr* **1.** *(Tier, a. vulg: Menschen)* mangiare; **2.** *fig (Neid, Rost)* corrodere; **Löcher in etw.** *(akk)* **~** fare buchi in qc; **jdn zum F~ gern haben** *fam* essere innamorato pazzo di qu; **an jdm einen Affen (***o* **Narren) gefressen haben** *fam* aver preso una cotta per qu *fam;* **er frißt wie ein Scheunendrescher** *fam pej* mangia a quattro palmenti. **Fressen** ⟨-s, ø⟩ *n* pasto *m,* cibo *m;* **das war ein gefundenes ~ für mich** non chiedevo di meglio.

Freßnapf *m* scodella *f.*

Frettchen ['frɛtçən] ⟨-s, -⟩ *n* furetto *m.*

Freude ['frɔydə] ⟨-, -n⟩ *f* gioia *f* (*über +akk* per); *(Vergnügen)* piacere *m* (*über +akk* di); *(Fröhlichkeit)* letizia *f* (*über +akk* per); **die kleinen ~n des Alltags** le piccole gioie della vita quotidiana; **~ an etw.** *(dat)* **haben** trovar diletto in qc; **jdm ~ machen (***o* **bereiten)** far piacere a qu; **mit ~n** con piacere; **geteilte ~ ist doppelte ~** *prov* gioia comune è doppia gioia. **Freudenhaus** *n* bordello *m,* casa *f* chiusa. **Freudenmädchen** *n* prostituta *f,* ragazza *f* di vita. **freudestrahlend** *adj* raggiante di gioia.

freudig *adj* **1.** *(froh)* gioioso; *(fröhlich)* allegro; **2.** *(beglückend)* lieto; *(Nachricht, Überraschung)* bello.

freuen ['frɔyən] **I.** *rfl:* **sich ~** essere contento (*o* lieto) (*auf +akk, über +akk* di, per), rallegrarsi (*auf +akk, über +akk* di, per); **er freut sich wie ein Kind** gioisce come un bambino; **ich freue mich für dich, daß ...** sono contento per te che *+congv;* **da hast du dich zu früh gefreut!** ti sei rallegrato troppo presto!; **II.** *tr:* **das freut mich** questo mi fa piacere; **es hat mich gefreut, Sie kennenzulernen** è stato un piacere conoscerLa.

Freund(in) [frɔynt ('frɔyndɪn)] ⟨-(e)s, -e⟩ *m(f)* **1.** *(Kamerad)* amico, -a *m, f;* **2.** *(Anhänger)* amante *mf;* **3.** *(Geliebter)* ragazzo, -a *m, f fam;* **ein guter ~ von mir** un mio buon amico; **kein ~ von etw. sein** non amare qc; **unter ~en** fra amici.

freundlich *adj* **1.** *(liebenswürdig, nett)* gentile, cortese; *(herzlich)* cordiale; **2.** *(Wohnung)* accogliente; **3.** *(Gegend)* ridente; **das ist sehr ~ von Ihnen** è molto gentile da parte Sua; **seien Sie so ~ und ...** abbia la cortesia di *+inf.* **Freundlichkeit** ⟨-, -en⟩ *f* **1.** *(Verhalten)* cortesia *f;* gentilezza *f;* **2.** *(Handlung)* favore *m,* piacere *m.*

Freundschaft ⟨-, -en⟩ *f* amicizia *f;* **mit jdm ~ schließen** stringere (*o* fare) amicizia con qu. **freundschaftlich** *adj* amichevole, da amico; **~e Beziehungen, ~es Verhältnis** rapporti *m pl* d'amicizia. **Freundschaftsspiel** *n* partita *f* amichevole.

Frevel ['fre:fəl] ⟨-s, -⟩ *m geh* misfatto *m* (*gegen* contro); *rel* sacrilegio *m* (*gegen* contro); *(Verbrechen)* delitto *m* (*an +dat* contro).

Friaul [fri'aul] *n* Friuli *m.*

Friede ['fri:də] ⟨-ns, -n⟩ *m geh, obs,* **Frieden** ⟨-s, -⟩ *m* pace *f;* **Frieden schließen** concludere (*o* fare) la pace; **um des lieben Friedens willen** *fam* per amor di pace; **Friede sei mit euch!** la pace sia con voi; **laß mich in Frieden!** *fam* lasciami in pace!. **Friedensbewegung** *f* movimento *m* pacifista. **Friedensforschung** *f* ricerca *f* per la pace. **Friedensinitiative** *f (Gruppe)* gruppo *m* pacifista. **Friedenskonferenz** *f* conferenza *f* per la pace. **Friedensnobelpreis** *m* premio *m* Nobel per la pace. **Friedenspfeife** *f* pipa *f* della pace. **Friedensverhandlungen** *f pl* trattative *f pl* di pace. **Friedenszeit** *f:* **in ~en** in tempi di pace.

Friederike [fri:də'ri:kə] *(weiblicher Vorname)* Federica.

Friedhof *m* cimitero *m,* camposanto *m.*

friedlich *adj* **1.** *(friedfertig)* pacifico; **2.** *(ruhig)* calmo, tranquillo.

friedliebend *adj* pacifico, amante della pace.

Friedrich ['fri:drɪç] *(männlicher Vorname)* Federico.

frieren ['fri:rən] ⟨friert, fror, gefroren⟩ *itr* **1.** ⟨*sein*⟩ *(ge~)* gelarsi, congelarsi; **2.** ⟨*haben*⟩ *(Mensch, Tier)* gelare, aver freddo; **es friert** gela; **ich friere, mich friert, es friert mich** ho freddo.

Fries [fri:s] ⟨-es, -e⟩ *m arch* fregio *m.*

Frisbee® ['frɪzbɪ] *f* frisbee® *m.*

friesisch ['fri:zɪʃ] *adj* frisone.

Friesland ['fri:slant] *n* Frisia *f.*

frigid(e) [fri'gi:t (...i:də)] *adj* frigido.

Frikadelle [frika'dɛlə] ⟨-, -n⟩ *f* (bistecca *f* alla) svizzera *f,* hamburger *m.*

frisch [frɪʃ] *adj* **1.** *(Nahrungsmittel, etc., a. kühl)* fresco; **2.** *(munter)* vivace, vispo; **3.** *(unverbraucht, neu)* nuovo; **~e Luft** aria aperta; **~e Wäsche** biancheria pulita; **das Bett ~ beziehen** cambiare le lenzuola (*o* la biancheria del letto); **jdn auf ~er Tat ertappen** cogliere qu in flagrante (*o* sul fatto); **~, fromm, fröhlich, frei** *fam scherz* sano, credente, allegro e libero; **~ gewagt ist halb gewonnen** *prov* chi ben comincia è a metà dell'opera *prov.*

Frische ⟨-, ø⟩ *f* **1.** *(allg., a. Kühle)* freschezza *f;* **2.** *(Munterkeit)* vivacità *f.*

frischgebacken *adj fig fam* fresco fresco; **ein ~es Ehepaar** una coppia di sposini novelli. **Frischgemüse** *n* verdura *f* fresca. **Frischhaltedatum** *n* data *f* di conservazione. **Frischhaltefolie** *f* pellicola *f* trasparente. **Frischkäse** *m* formaggio *m* fresco. **Frischzellentherapie** *f* celluloterapia *f* con cellule di recente prelievo.

Friseur [fri'zø:ɐ̯] ⟨-s, -e⟩ *m,* **Friseuse** [...ø:zə] ⟨-, -n⟩ *f* parrucchiere, -a *m, f,* barbiere *m.*

frisieren [...'zi:rən] ⟨*ohne ge-*⟩ *tr* **1.** *(kämmen)* pettinare, acconciare; **2.** *fig (Auto, Bilanzen)* truccare.

frißt [frɪst] *pr von* **fressen.**

Frist [frɪst] ⟨-, -en⟩ *f* **1.** *(Zeitpunkt)* termine *m;* **2.** *(Zeitraum)* tempo *m* (determinato *o* stabilito); **3.** *ökon, fin (Aufschub)* proroga *f,* dilazione *f; jur* rinvio *m;* **einen Monat ~ haben** avere un mese di tempo; **innerhalb kürzester ~** al più presto; **nach Ablauf der ~** dopo la scadenza; **die ~ läuft (am 12.) ab** il termine scade (il 12).

fristen *tr:* **kümmerlich sein Leben ~** vivacchiare.

fristlos *adj, adv* senza (pre)avviso.

Frisur [fri'zu:ɐ̯] ⟨-, -en⟩ *f* pettinatura *f,* acconciatura *f.*

Friteuse [fri'tø:zə] ⟨-, -n⟩ *f* friggitrice.

fritieren [fri'ti:rən] *tr* friggere.

Fritz [frɪt͡s] *s.* **Friedrich.**

frivol [fri'vo:l] *adj* **1.** *(leichtfertig)* frivolo; **2.** *(schlüpfrig)* indecente.

Frl. *abk von* **Fräulein** Sig.na (*abbr di* signorina).

froh [fro:] *adj* **1.** *(heiter)* allegro; *(erfreut)* lieto, contento, felice; **2.** *(erfreulich)* piacevole; **seines Lebens nicht mehr ~ werden** non avere più voglia di vivere; **ich bin ~ (darüber), daß ...** sono lieto che *+congv;* **~e Ostern/Weihnachten!** buona Pasqua!/buon Natale!

fröhlich ['frø:lɪç] *adj* allegro, lieto, gaio. **Fröhlichkeit** ⟨-, ø⟩ *f* allegria *f,* allegrezza *f.*

frohlocken [-'lɔkən] ⟨*ohne ge-*⟩ *itr* gioire, esultare.

Frohsinn *m* gaiezza *f.*

fromm [frɔm] ⟨-er *o* frömmer, frommste *o* frömmste⟩ *adj* pio, devoto, religioso.

Frömmigkeit ['frœmɪçka͜it] ⟨-, ø⟩ *f* pietà *f,* devozione *f,* religiosità *f.*

Fron ['fro:n] ⟨-, -en⟩ *f hist* corvée *f.*

frönen ['frø:nən] *itr* essere schiavo (*dat* di).

Fronleichnam [fro:n'la͜içna:m] *m* Corpus Domini *m.*

Front [frɔnt] ⟨-, -en⟩ *f* **1.** *arch* facciata *f;* **2.** *mil, pol, fig, meteo* fronte *m;* **die ~en wechseln** *(a. fig)* fare un voltafaccia; **klare ~en schaffen** mettere in chiaro le cose; **auf breiter ~** su largo (*o* ampio) fronte.

frontal [...'ta:l] *adj* frontale. **Frontalzusammenstoß** *m* urto *m* frontale.

Frontantrieb *m* trazione *f* anteriore.

Frontspoiler [frɔnt'ʃpɔʏlɐ] ⟨-s, -⟩ *m* spoiler *m* anteriore.

fror [fro:ɐ̯] *imp von* **frieren.**

Frosch [frɔʃ] ⟨-(e)s, Frösche⟩ *m* rana *f;* **einen ~ im Hals haben** *fam* essere rauco; **sei kein ~!** *fam* non fare la femminuccia! *fam.* **Froschmann** *m* uomo *m* rana, sommozzatore *m.* **Froschperspektive** *f* prospettiva *f* da sotto in su. **Froschschenkel** *m* coscia *f* di rana.

Frost [frɔst] ⟨-(e)s, Fröste⟩ *m* gelo *m;* **eisiger (*o* klirrender) ~** gelo intenso, gran freddo. **Frostbeule** *f* gelone *m.*

frösteln ['frœstəln] *itr* aver freddo; **mich fröstelt** ho (i) brividi di freddo.

frostempfindlich *adj* sensibile al gelo.

frostig *adj* glaciale, freddo. **Frostschaden** *m* danno *m* causato dal gelo. **Frostschutzmittel** *n* antigelo *m.*

Frottee [frɔ'te:] ⟨-(s), -s⟩ *n o m* spugna *f.*

frottieren [frɔ'ti:rən] ⟨*ohne ge-*⟩ *tr* fregare, frizionare.

Frucht [frʊxt] ⟨-, Früchte⟩ *f* frutto *m;* **Früchte tragen** *(a. fig)* fruttare.

fruchtbar *adj* fertile, fecondo, produttivo. **Fruchtbarkeit** ⟨-, ø⟩ *f* fertilità *f,* fecondità *f.*

fruchten *itr* fruttare, giovare; **nichts ~** non servire a nulla.

Fruchtfleisch *n* polpa *f* del frutto. **fruchtig** *adj* aromatico, che sa di frutta fresca.

fruchtlos *adj* infruttuoso, inutile, inefficace. **Fruchtpresse** *f* spremifrutta *m.* **Fruchtsaft** *m* succo *m* (*o* spremuta *f*) di frutta.

früh [fry:] **I.** *adj* **1.** *(nicht spät)* presto, primo; **2.** *(vorzeitig)* precoce, prematuro; **3.** *(Gemüse, Obst)* primaticcio; **~e Kindheit** prima infanzia; **am ~en Morgen** di prima mattina, al mattino presto; **II.** *adv* presto, di buon'ora; **gestern ~** ieri mattina; **heute ~** stamattina; **von ~ bis spät** dalla mattina alla sera; **zu ~** troppo presto.

Frühe ⟨-, ø⟩ *f:* **in der ~** il (*o* al) mattino, di mattina; **in aller ~** di buon mattino.

früher ⟨*komp von* früh⟩ **I.** *adj* **1.** *(eher)* prima; **2.** *(ehemalig)* ex, di prima, precedente; **der ~e Besitzer des Schlosses** l'ex proprietario del castello; **in ~en Zeiten** in tempi passati; **II.** *adv* **1.** *(eher)* prima; **2.** *(damals)* prima, una volta, un tempo; **wie ~** come prima; **~ habe ich jeden Tag Tennis gespielt** una volta giocavo a tennis tutti i giorni; **~ oder später** prima o poi; **da mußt du ~ aufstehen** *fig fam* devi darti una mossa *fam.*

Früherkennung ⟨- ø⟩ *f* diagnosi *f* precoce.

frühestens *adv* al più presto.

früheste(r, s) ⟨*superl von* früh⟩ *adj* primo, -a, remoto, -a.
Frühgeburt *f* 1. *(Vorgang)* parto *m* prematuro; 2. *(Kind)* (neonato *m*) prematuro *m*. **Frühgemüse** *n* primizie *f pl*. **Frühjahr** *n* primavera *f*. **Frühjahrsmüdigkeit** *f* stanchezza *f* primaverile.
Frühling ['fry:lɪŋ] ⟨-s, -e⟩ *m* primavera *f*. **Frühlingsrolle** *f* involtino *m* primavera.
frühmorgens [-'mɔrgəns] *adv* di buon mattino, di buon'ora. **Frühobst** *n* frutta *f* primaticcia. **Frühpensionierung** *f* prepensionamento *m*. **frühreif** *adj* primaticcio; *(a. fig)* precoce. **Frühschicht** *f* 1. *(Arbeit)* primo turno *m;* 2. *(Mannschaft)* squadra *f* del primo turno.
Frühstück *n* colazione *f*.
frühstücken I. *itr* far colazione; II. *tr* mangiare per (*o* a) colazione.
Frühstücksfernsehen *n* televisione *f* del mattino.
Frust [frʊst] ⟨-(e)s, ø⟩ *m fam* frustrazione *f*. **frusten** *tr fam* frustrare.
frustrieren [...'tri:rən] ⟨*ohne ge-*⟩ *tr* frustrare.
Fuchs [fʊks] ⟨-es, Füchse⟩ *m*, **Füchsin** ['fʏksɪn] *f* 1. *(Tier, Pelz)* volpe *f*, volpe *f* femmina; 2. *(Pferd)* sauro *m;* **alter** (*o* **schlauer)** ~ volpone *m fam*. **Fuchsschwanz** *m* 1. *bot, zoo* coda *f* di volpe; 2. *(Säge)* saracco *m*. **fuchsteufelswild** ['fʊks'tɔyfəls'vɪlt] *adj fam* furioso, furibondo.
fuchteln ['fʊxtəln] *itr fam:* **mit den Armen** ~ agitare le braccia, gesticolare.
Fuge[1] ['fu:gə] ⟨-, -n⟩ *f tec, arch, ling* commettitura *f;* **aus den ~n gehen** sconnettersi, scompaginarsi.
Fuge[2] ['fu:gə] ⟨-, -n⟩ *f mus* fuga *f*.
fügen ['fy:gən] I. *tr (setzen)* aggiungere, disporre; *tec* commettere, congiungere; II. *rfl:* **sich** ~ 1. *(sich ein~)* conformarsi (*in +akk* a); 2. *(sich unterordnen)* sottomettersi; **es fügte sich, daß** ... *geh* successe (*o* avvenne) che ...
fügsam *adj* docile.
fühlbar *adj* sensibile.
fühlen ['fy:lən] I. *tr* 1. *(tasten)* palpare, tastare; 2. *(empfinden)* sentire, provare; II. *rfl:* **sich** ~ sentirsi; **sich nicht wohl** ~ non sentirsi bene; **wie fühlst du dich?** come stai?, come ti senti?
Fühler ⟨-s, -⟩ *m* antenna *f;* **die** ~ **ausstrecken** *fig fam* tastare il terreno.
fuhr [fu:ɐ̯] *imp von* **fahren**.
Fuhre ['fu:rə] ⟨-, -n⟩ *f* 1. *(Ladung)* carrata *f;* 2. *(Fahrt)* trasporto *m*.
führen ['fy:rən] I. *tr* 1. *(geleiten)* guidare, portare, accompagnare; 2. *(leiten)* condurre; *(Betrieb, Geschäft)* dirigere; 3. *adm (Auto)* guidare; *(Flugzeug)* pilotare; 4. *(transportieren)* avere (*o* portare) con sé; *(Fluß: Geröll, Eis)* trascinare; 5. *ökon (Artikel)* avere, tenere; 6. *(Ehe, Namen, Titel)* avere; *(Prozeß)* fare; **den Haushalt** ~ attendere al governo della casa; **Verhandlungen** ~ negoziare; **etw. zu Ende** ~ terminare (*o* finire) qc; **was führt Sie zu mir?** in che cosa posso esserLe utile?; II. *itr* 1. *(an erster Stelle stehen)* essere in testa; *sport* condurre; 2. *(verlaufen, hin~)* portare; **das führt zu nichts** questo non porta a nessun risultato (*o* a niente); **das würde zu weit** ~ questo porterebbe troppo lontano; **wohin soll das (noch)** ~? dove si va a finire?; III. *rfl:* **sich** ~ *adm, geh* comportarsi. **führend** *adj* 1. *(Persönlichkeit)* di primo piano, eminente; 2. *(Geschäft)* (il) più rinomato (*o* conosciuto); *(Hotel)* (il) migliore.
Führer(in) ⟨-s, -⟩ *m(f)* 1. *allg.* guida *f; pol* capo *m; mil* conduttore *m*, capitano *m; (Geschäfts~)* direttore, -trice *m, f;* 2. *adm (von Auto)* autista *mf; (von öffentlichen Verkehrsmitteln)* conducente *mf;* 3. *(Reise~, Fremden~, a. Buch)* guida *f;* **der** ~ *hist* il Führer. **Führerschein** *m* patente *f* (di guida); **seinen** ~ **machen** prendere la patente. **Führerscheinprüfung** *f* esame *m* per la patente di guida.
Fuhrmann ⟨-(e)s, -leute⟩ *m* carrettiere *m*. **Fuhrpark** *m* parco *m* rotabile (*o* di vetture).
Führung ⟨-, -en⟩ *f* 1. *(das Führen)* tenuta *f; (Handhaben)* maneggio *m*, uso *m;* 2. *(Leitung, a. pol)* guida *f*, direzione *f; pol* leadership *f; (Verwaltung)* amministrazione *f;* 3. *(Besichtigung)* visita *f* guidata; 4. *(von Fahrzeugen)* guida *f;* 5. *(Benehmen)* condotta *f*, comportamento *m;* 6. *(führende Position)* primo posto *m;* **die** ~ **übernehmen** assumere la direzione; *sport* passare in testa; **in** ~ **liegen** essere in testa. **Führungskraft** *f* dirigente *mf;* ⟨*pl*⟩ quadri *m pl*. **Führungsqualität** *f* qualità *f* di gestione. **Führungsstil** *m* stile *m* direzionale. **Führungszeugnis** *n* certificato *m* di buona condotta.
Fülle ['fʏlə] ⟨-, ø⟩ *f* 1. *(Menge)* quantità *f; (Überfluß)* abbondanza *f*, profusione *f;* 2. *(Körper~)* corpulenza *f;* **eine** ~ **von Eindrücken** un mucchio di impressioni.
füllen *tr* 1. *(Gefäß, etc.)* riempire; 2. *(Flüssigkeit)* versare; 3. *gastr* farcire; 4. *(Zahn)* otturare, piombare; **in Flaschen** ~ imbottigliare; **in einen Sack** (*o* **in Säcke)** ~ insaccare.
Füller ⟨-s, -⟩ *m*, **Füllfederhalter** *m* penna *f* stilografica.
Füllung ⟨-, -en⟩ *f* 1. *(das Füllen)* riempimento *m*, riempitura *f; (mit Luft, Gas)* gonfiatura *f;* 2. *(Füllmaterial)* riempitivo *m; gastr* ripieno *m; (von Zahn)* (im)piombatura *f*.
fummeln ['fʊməln] *itr fam* lavoricchiare *fam; (palpare)* palpeggiare.
Fund [fʊnt] ⟨-(e)s, -e⟩ *m* 1. *(Finden)* ritro-

vamento *m; (archäologischer ~)* scoperta *f;* **2.** *(~stück)* oggetto *m* ritrovato; *(archäologischer ~)* reperto *m;* **einen ~ machen** fare una scoperta.

Fundament [fʊnda'mɛnt] ⟨-(e)s, -e⟩ *n* **1.** *arch* fondamenta *f pl;* **2.** *fig* base *f,* fondamento *m;* **das ~ legen** *(a. fig)* gettare le basi *(zu* di, per).

fundamental [...'ta:l] *adj* fondamentale.

Fundamentalist(in) [...ta'lɪst] *m(f)* fondamentalista *mf.* **fundamentalistisch** [...'lɪstɪʃ] *adj* fondamentalista.

Fundbüro *n* ufficio *m* (degli) oggetti smarriti. **Fundgrube** *f* miniera *f,* fonte *f* inesauribile.

Fundi ['fʊndi] ⟨-s, -s⟩ *m* verde *mf* fondamentalista.

fundieren [fʊn'di:rən] ⟨*ohne ge-*⟩ *tr* consolidare, fondare.

fünf [fʏnf] *num* cinque; **~(e) gerade sein lassen** *fam* non guardar troppo per il sottile *fam; s. a. vier.*

Fünf ⟨-, -en⟩ *f* cinque *m; (Schulnote: ungenügend)* ≃ cinque *m; (Buslinie etc.)* cinque *m; s. a. Vier.*

Fünf-, fünf- *s. a. Vier-, vier-.* **Fünfeck** *n* pentagono *m.*

fünfhundert ['fʏnf'hʊndɐt] *num* cinquecento.

Fünfjahresplan [-'ja:rəs-] *m* piano *m* quinquennale.

Fünfkampf *m* pentathlon *m.*

fünfmal *adv* cinque volte.

Fünfmarkstück [-'mark-] *n* moneta *f* da cinque marchi.

Fünftagewoche [-'ta:gə-] *f* settimana *f* corta.

fünftausend ['fʏnf'tau̯zənt] *num* cinquemila.

Fünftel ⟨-s, -⟩ *n* quinto *m.*

fünftens *adv* (in) quinto (luogo).

fünfte(r, s) *adj* quinto, -a; *(bei Datumsangaben)* cinque; **das ~ Rad am Wagen sein** essere l'ultima (*o* la quinta) ruota del carro *fam; s. a. vierte(r, s).*

fünfzehn *num* quindici.

Fünfzehntel *n* quindicesimo *m.*

fünfzehnte(r, s) *adj* quindicesimo, -a; *(bei Datumsangaben)* quindici; *s. a. vierte(r, s).*

fünfzig ['fʏnftsɪç] *num* cinquanta; *s. a. vierzig.*

Fünfziger(in) ⟨-s, -⟩ *m(f)* cinquantenne *mf.*

Fünfzigmarkschein [-'mark-] *m* biglietto *m* da cinquanta marchi.

fünfzigste(r, s) *adj* cinquantesimo, -a; *s. a. vierte(r, s).*

fungieren [fʊŋ'gi:rən] ⟨*ohne ge-*⟩ *itr* fare le funzioni (*als* di).

Funk [fʊŋk] ⟨-s, ø⟩ *m* radio *f.*

Funke ['fʊŋkə] ⟨-ns, -n⟩ *m,* **Funken** ⟨-s, -⟩ *m* scintilla *f;* **der zündende Funke** la scintilla; **Funken sprühen** fare scintille.

funkeln *itr* luccicare, scintillare.

funkelnagelneu ['fʊŋkəl'na:gəl'nɔy̆] *adj fam* nuovo di zecca.

funken I. *tr* radiotrasmettere; **II.** *itr (senden)* trasmettere per radio; **na, hat es endlich bei dir gefunkt?** *fam* hai capito finalmente?; **zwischen den beiden hat es gefunkt** *fam* i due si sono innamorati.

Funken *s.* **Funke.**

Funker(in) ⟨-s, -⟩ *m(f)* radiotelegrafista *mf.*

Funkgerät *n* apparecchio *m* radiotrasmittente (*o für Empfang* radioricevente). **Funkhaus** *n* stazione *f* radio; *(Gebäude)* studi *m pl* radio. **Funksignal** *n* segnale *m* radio. **Funkspruch** *m* radiomessaggio *m.* **Funkstation** *f* stazione *f* radio, emittente *f.* **Funkstille** *f* interruzione *f* delle trasmissioni radio. **Funkstreife** *f* pattuglia *f* radioequipaggiata. **Funkstreifenwagen** *m* autoradio *f* (*o* auto *f* radiocomandata) della polizia. **Funktaxi** *n* radiotassì *m.* **Funktelefon** *n* radiotelefono *m.*

Funktion [fʊŋk'tsi̯o:n] ⟨-, -en⟩ *f* funzione *f;* **in ~ treten** entrare in funzione.

Funktionär(in) [...tsi̯o'nɛ:ɐ̯ (...rɪn)] ⟨-s, -e⟩ *m(f)* funzionario, a *m, f.*

funktionieren [...tsi̯o'ni:rən] ⟨*ohne ge-*⟩ *itr* funzionare; **gut ~** *tec* essere a punto.

funktionsfähig *adj* funzionante, efficiente. **Funktionstaste** *f* tasto *m* di funzione.

Funkturm *m* torre *f* della radio. **Funkverbindung** *f* collegamento *m* radio; **in ~ stehen** essere in contatto radio.

für [fy:ɐ̯] *prp +akk* **1.** *(zugunsten von)* per, a favore di; **2.** *(in bezug auf)* per; quanto a; **3.** *(im Verhältnis zu)* per; **4.** *(gegen, bes. von Medikamenten)* per, contro; **5.** *(anstelle von)* al posto di, invece di, in cambio di; **6.** *(als)* per; **ich ~ meine Person ...** quanto a (*o* per) me ...; **an und ~ sich** di per sé; **~ diesmal** per questa volta; **~ mich genügt es** per me basta; **das ist das beste ~ dich** è la miglior soluzione per te; **~ jdn bezahlen** pagare al posto di qu; **ich habe ihm ein Buch ~ das Bild gegeben** gli ho dato un libro in cambio dell'immagine; **Schritt ~ Schritt** passo passo; **Tag ~ Tag** giorno per giorno; **ich halte ihn ~ ein Genie** lo ritengo un genio; **das halte ich ~ richtig** mi sembra giusto; **~ einen Ausländer spricht er gut Deutsch** per essere straniero parla bene tedesco; **was ~ ein Glück!** che fortuna!. **Für** *n:* **das ~ und (das) Wider** il pro e il contro.

Furan [fu'ran] ⟨-s, -e⟩ *n* furano *m.*

Furche ['fʊrçə] ⟨-, -n⟩ *f* **1.** *(Acker~)* solco *m; (Wagenspur a.)* scanalatura *f;* **2.** *(Gesichts~)* ruga *f.*

Furcht [fʊrçt] ⟨-, ø⟩ *f (Angst)* paura *f; (Ängstlichkeit)* timore *m; (Befürchtung)* apprensione *f,* ansia *f;* **aus ~ vor** per paura di.

furchtbar *adj* **1.** *(schrecklich)* terribile,

spaventoso; **2.** *fam (sehr, groß, unangenehm)* enorme, tremendo; **das ist ~ einfach** *fam* è la cosa più semplice del mondo; **das ist ~ nett von Ihnen** *fam* è veramente molto gentile da parte Sua.

fürchten ['fʏrçtən] **I.** *tr* temere, aver paura di; **er fürchtet, zu spät zu kommen** teme di essere in ritardo; **II.** *itr (sich Sorgen machen)* essere in apprensione (*um* per); **III.** *rfl:* **sich ~** aver paura (*vor +dat* di).

fürchterlich *s.* **furchtbar.**

furchtlos *adj* impavido, intrepido. **furchtsam** *adj* pauroso, timoroso.

füreinander [-ʔai̯'nandɐ] *adv* l'uno per l'altro.

Furie ['fu:ri̯ə] ⟨-, -n⟩ *f* furia *f.*

Furnier [fʊr'ni:ɐ̯] ⟨-s, -e⟩ *n* (foglio *m* per) impiallacciatura *f.*

Fürsorge *f* **1.** *(Betreuung)* cure *f pl,* sollecitudine *f;* **2.** *(Sozialhilfe)* assistenza *f;* **von der ~ leben** vivere della previdenza sociale.

Fürsorger(in) ['fy:ɐ̯zɔrgɐ (...ərɪn)] ⟨-s, -⟩ *m(f)* assistente *mf* sociale.

Fürsprache *f* intercessione *f;* **~ für jdn einlegen** intercedere per qu.

Fürst(in) ['fʏrst(ɪn)] ⟨-en, -en⟩ *m(f)* principe, -essa *m, f.* **Fürstentum** ⟨-s, -tümer⟩ *n* principato *m.* **fürstlich I.** *adj* principesco; **II.** *adv* da principe.

Furunkel [fu'rʊŋkəl] ⟨-s, -⟩ *m o n* foruncolo *m.*

Fürwort ⟨-(e)s, -wörter⟩ *n* pronome *m.*

Furz [fʊrt͡s] ⟨-es, Fürze⟩ *m vulg* peto *m volg,* scorreggia *f volg.*

furzen *itr vulg* fare un peto *volg.*

Fusel ['fu:zəl] ⟨-s, -⟩ *m fam pej* acquavite *f* di qualità scadente.

Fusion [fu'zi̯o:n] ⟨-, -en⟩ *f* fusione *f.*

fusionieren [fuzi̯o'ni:rən] ⟨*ohne ge-*⟩ **I.** *tr* fondere; **II.** *itr* fondere.

Fusionsreaktor *m* reattore *m* a fusione.

Fuß [fu:s] ⟨-es, Füße⟩ *m* piede *m; (zoo a.)* zampa *f;* **(festen) ~ fassen** prender piede; **kalte Füße bekommen** *fig fam* tirarsi indietro (da un'impresa); **auf großem ~(e) leben** fare una vita da gran signore; **jdn auf freien ~ setzen** mettere qu in libertà; **auf eigenen Füßen stehen** essere indipendente; **mit jdm auf gutem ~ stehen** essere in buoni rapporti con qu; **jdn/etw mit Füßen treten** *fig* trattare male qu/qc; **zu ~ gehen** andare a piedi; **gut/schlecht zu ~ sein** essere un buon/cattivo camminatore; **am ~e des Berges** ai piedi della montagna; **alle Männer lagen ihr zu Füßen** aveva tutti gli uomini ai suoi piedi.

Fußball *m* **1.** *(Spiel)* (gioco *m* del) calcio *m;* **2.** *(Ball)* pallone *m.* **Fußballmannschaft** *f* squadra *f* di calcio. **Fußballplatz** *m* campo *m* di calcio. **Fußballrowdy** ⟨-s, -s *o* -rowdies⟩ *m* teppista *m* (*o* hooligan *m*) del calcio. **Fußballspiel** *n* (gioco *m* del) calcio *m.* **Fußballspieler(in)** *m(f)* calciatore, -trice, *m, f.*

Fußbank ⟨-, -bänke⟩ *f* poggiapiedi *m.* **Fußboden** *m* pavimento *m.* **Fußbodenheizung** *f* riscaldamento *m* a pannelli radianti dal pavimento. **Fußbremse** *f* freno *m* a pedale.

fußen ['fu:sən] *itr* basarsi (*auf +dat* su).

Fußende *n (von Bett)* piedi *m pl* del letto. **Fußgänger(in)** [-gɛŋɐ (...ərɪn)] ⟨-s, -⟩ *m(f)* pedone *mf.* **Fußgängerüberweg** *m* strisce *f pl* pedonali. **Fußgängerzone** *f* zona *f* (*o* isola *f*) pedonale. **Fußgelenk** *n* articolazione *f* del piede. **Fußmatte** *f* stoino *m,* zerbino *m.* **Fußnote** *f* nota *f* in calce. **Fußpflege** *f* pedicure *m o f.* **Fußpfleger(in)** *m(f)* pedicure *mf.* **Fußspitze** *f* punta *f* del piede. **Fußspur** *f* orma *f* (del piede). **Fuß(s)tapfen** [-(ʃ)tap͡fən] ⟨-s, -⟩ *m* orma *f* del piede; **in jds ~ treten** *fig* seguire le orme di qu. **Fußtritt** *m* calcio *m,* pedata *f; fig* schiaffo *m* morale. **Fußweg** *m* **1.** *(Weg)* via *f* pedonale; **2.** *(Entfernung)* cammino *m;* **5 Minuten ~** 5 minuti a piedi.

Futon ['fu:tɔn] ⟨-s, -s⟩ *m* futon *m.*

futsch [fʊt͡ʃ] *adj fam* perduto, sparito.

Futter[1] ['fʊtɐ] ⟨-s, ø⟩ *n (Fressen)* foraggio *m,* pastura *f; (für kleinere Haustiere)* becchime *m,* mangime *m.*

Futter[2] ['fʊtɐ] ⟨-s, -⟩ *n (von Kleidungsstücken)* fodera *f; tec* rivestimento *m.*

Futteral [fʊtə'ra:l] ⟨-s, -e⟩ *n* astuccio *m; (Brillen~ a.)* custodia *f.*

füttern[1] ['fʏtɐn] *tr* **1.** *(Menschen)* imboccare; **2.** *(Tier)* dare da mangiare a.

füttern[2] ['fʏtɐn] *tr (Kleid)* foderare.

Futternapf *m* scodella *f.* **Futterneid** *m* **1.** invidia *f* del cibo altrui; **2.** *fig* gelosia *f,* invidia *f.*

Fütterung ⟨-, -en⟩ *f* dare *m* da mangiare; **die ~ der Raubtiere beginnt um 10.30 Uhr** alle 10,30 si comincia a dare da mangiare agli animali rapaci.

Futur [fu'tu:ɐ̯] ⟨-s, -e⟩ *n* futuro *m.*

futuristisch [futu'rɪstɪʃ] *adj* futurista.

G

G, g [ge:] ⟨-, -(s)⟩ *n* **1.** *(Buchstabe)* G, g *f;* **2.** *mus* sol *m;* **G wie Gustav** G come Genova.

g *abk von* **Gramm** g (*abbr di* grammo).

gab [ga:p] *imp von* **geben.**

Gabe ['ga:bə] ⟨-, -n⟩ *f* **1.** *(Geschenk)* dono *m; (Opfer~)* offerta *f; (milde ~)* carità *f,* piccola offerta *f;* **2.** *fig (Talent)* dote *f,* dono *m;* **3.** *CH* premio *m,* vincita *f.*

Gabel ['ga:bəl] ⟨-, -n⟩ *f* **1.** *(Eß~)* forchetta *f;* **2.** *(von Telefon, Ast~, Rad~)* forcella *f;* **3.** *(Heu~, Mist~)* forcone *m.*

gabeln *rfl:* **sich** ~ biforcarsi.

Gabelstapler [-ʃta:plɐ] ⟨-s, -⟩ *m* (carrello *m)* elevatore *m* a forca.

Gabi ['ga:bi] *s.* **Gabriele, Gabriela.**

Gabriele, Gabriela [gabri'e:lə, ...la] *(weiblicher Vorname)* Gabriella.

gackern ['gakɐn] *itr (Henne)* schiamazzare.

gaffen ['gafən] *itr* guardare a bocca aperta.

Gaffer(in) ⟨-s, -⟩ *m(f)* curioso, -a *m, f.*

Gag [gɛk] ⟨-s, -s⟩ *m (im Film)* gag *m; (Werbe~)* trovata *f* pubblicitaria; *fam (Witz)* frizzo *m,* arguzia *f.*

Gage ['ga:ʒə] ⟨-, -n⟩ *f* cachet *m,* compenso *m.*

gähnen ['gɛ:nən] *itr* **1.** *(Mensch)* sbadigliare; **2.** *fig (Abgrund)* spalancarsi; ~**de Leere** vuoto assoluto.

Gala ['gala *o* 'ga:la] ⟨-, ø⟩ *f:* **in** ~ in gran gala, in ghingheri *fam.*

galaktisch [ga'laktɪʃ] *adj* galattico.

galant [ga'lant] *adj* galante, cavalleresco.

Galavorstellung *f* serata *f* di gala.

Galeere [ga'le:rə] ⟨-, -n⟩ *f* galera *f.*

Galerie [galə'ri:, ...i:ən] ⟨-, -n⟩ *f* galleria *f.*

Galgen ['galgən] ⟨-s, -⟩ *m* **1.** *(zur Hinrichtung)* patibolo *m;* **2.** *(für Mikrophon)* giraffa *f.* **Galgenfrist** *f* ultima dilazione *f.* **Galgenhumor** *m* umorismo *m* amaro.

Galle ['galə] ⟨-, -n⟩ *f* **1.** *(Organ)* cistifellea *f; (Flüssigkeit)* bile *f,* fiele *m;* **2.** *fig (Bosheit)* rabbia *f,* collera *f.* **Gallenblase** *f* cistifellea *f.* **Gallenkolik** *f* colica *f* biliare. **Gallenleiden** *n* affezione *f* biliare. **Gallenstein** *m* calcolo *m* biliare.

Galopp [ga'lɔp] ⟨-s, -s *o* -e⟩ *m* galoppo *m;* **im** ~ al galoppo.

galoppieren [...'pi:rən] ⟨*ohne ge-*⟩ *itr* ⟨*sein*⟩ galoppare, andare al galoppo; ~**de Inflation** inflazione galoppante.

galt [galt] *imp von* **gelten.**

galvanisieren [galvani'zi:rən] ⟨*ohne ge-*⟩ *tr* galvanizzare.

Gamasche [ga'maʃə] ⟨-, -n⟩ *f* ghetta *f; (hohe)* gambale *m.*

Gammastrahlen ['gama-] *m pl* raggi *m pl* gamma.

gammelig *adj fam (Eßwaren)* avariato; *(Äußeres)* trasandato.

gammeln ['gaməln] *itr fam* **1.** fare il capellone; **2.** oziare.

gang [gaŋ] *adj:* ~ **und gäbe** corrente.

Gang ⟨-(e)s, Gänge⟩ *m* **1.** *(~art)* andatura *f,* modo *m* di camminare; **2.** *(Besorgung)* commissione *f;* **3.** *fig (Verlauf)* moto *m,* corso *m; (von Geschäften)* andamento *m;* **4.** *(mot, von Fahrrad)* marcia *f; tec (von Maschine)* funzionamento *m;* **5.** *(Flur)* corridoio *m; (offener Durch~)* passaggio *m; (in Eisenbahnwagen, im Flugzeug)* corridoio *m; (zwischen Sitzreihen)* corsia *f; (in Kirche)* navata *f;* **6.** *sport* ripresa *f; (Fechten)* assalto *m;* **7.** *gastr* piatto *m,* portata *f;* **in** ~ **bringen** avviare, mettere in moto; **in** ~ **kommen** iniziare, mettersi in moto; **in den ersten/zweiten** ~ **schalten** innestare la prima/seconda; **im** ~**(e)** in corso; **in vollem** ~**(e)** in pieno corso; **es geht alles seinen** ~ ogni cosa segue il suo corso. **Gangart** *f* passo *m,* andatura *f.*

gängeln ['gɛŋəln] *tr fig* tenere al guinzaglio.

gängig ['gɛŋɪç] *adj* **1.** *(gebräuchlich)* usato, comune; **2.** *(Ware)* richiesto.

Gangschaltung *f mot* cambio *m* di marcia; *(am Fahrrad)* cambio *m.*

Gangway ['gæŋweɪ] ⟨-, -s⟩ *f* passerella *f.*

Ganove [ga'no:və] ⟨-n, -n⟩ *m fam* malfattore *m,* furfante *m.*

Gans [gans] ⟨-, Gänse⟩ *f (a. fig pej)* oca *f.*

Gänseblümchen ['gɛnzəbly:mçən] ⟨-s, -⟩ *n* margheritina *f,* pratolina *f.* **Gänsefüßchen** *n pl* virgolette *f pl.* **Gänsehaut** *f* pelle *f* d'oca. **Gänseklein** ⟨-s, ø⟩ *n* rigaglie *f pl* d'oca. **Gänseleberpastete** *f* pasticcio *m* di fegato d'oca. **Gänsemarsch** *m:* **im** ~ **gehen** camminare in fila indiana. **Gänserich** ['gɛnzərɪç] ⟨-s, -e⟩ *m* maschio *m* dell'oca.

ganz [gants] **I.** *adj* **1.** *(ungeteilt, in der Gesamtheit)* tutto, intero; *(vollständig)* completo; *mat (Zahl)* intero; **2.** *mus (Note, Pause)* semibreve; **3.** *(alles: Zeit, Kraft, Freude, Geld)* tutto; **4.** *fam (unbeschädigt)* intero, intatto; **5.** *fam (nur)* solo, soltanto; **die** ~**e Belegschaft** tutti i dipendenti; ~ **Europa/Rom** tutta l'Europa/Roma; **mein** ~**es Geld** tutti i miei soldi; **ein** ~**er Kuchen** un dolce intero;

eine ~e Menge un bel po' *fam;* **die ~e Zeit** *(andauernd)* continuamente; **~e zwei Wochen** *(nicht kürzer)* due settimane intere; *(nur)* solo due settimane; **etwas ~ Schönes** qualcosa di bellissimo; **etw. wieder ~ machen** *fam* mettere qc a posto; **im ~en genommen** tutto sommato, in fondo; **II.** *adv* **1.** *(völlig)* completamente; **2.** *(ausnahmslos, vollständig)* completamente, del tutto, interamente; **3.** *(ziemlich)* abbastanza; **4.** *(sehr: traurig, froh)* molto; **~ allein** tutto solo, solo soletto; **~ gewiß (*o* sicher)** certamente, sicuramente; **~ vorn/hinten** molto avanti/indietro; **~ wenig/viel** pochissimo/moltissimo; **~ und gar** del tutto, assolutamente; **~ und gar nicht** per niente, nient'affatto; **nicht ~** non completamente, non del tutto; **er ist ~ der Vater** è tutto suo padre; **ich bin ~ Ihrer Meinung** la penso esattamente come Lei; **~ wie Sie meinen** come crede; **~ genau!** esattamente!; **~ richtig!** esatto!, giusto!

Ganze ⟨ein -s, -n, ø⟩ *n (Ungeteiltes)* intero *m,* tutto *m; (alles zusammen)* tutto *m;* **aufs ~ gehen** *fam* mirare al tutto; **es geht ums ~** è in gioco tutto.

Ganzheit ⟨-, -en⟩ *f (Einheit)* tutto *m,* totalità *f; (Vollständigkeit)* completezza *f,* interezza *f.*

ganzheitlich *adj* complessivo.

gänzlich ['gɛntslıç] *adv* del tutto.

ganztägig [-tɛ:gıç] *adj, adv* full time.

Ganztagsschule *f* scuola *f* a tempo pieno.

gar[1] [ga:ɐ] *adj (Speise)* cotto, pronto.

gar[2] [ga:ɐ] *adv (so~)* addirittura, persino; *(vor Negationen)* non ... affatto; *(etwa)* magari, forse; *(nicht etwa: vor Negationen)* mica; **~ keiner** nessuno; **~ kein** non ... affatto; **~ nicht** per niente, nient'affatto; **(rein) ~ nichts** proprio nulla, niente di niente *fam.*

Garage [ga'ra:ʒə] ⟨-, -n⟩ *f* (auto)rimessa *f,* garage *m.*

Garant [ga'rant] ⟨-en, -en⟩ *m* garante *mf* *(für* per).

Garantie [...'ti:, ...'ti:ən] ⟨-, -n⟩ *f* garanzia *f* *(für* per).

garantieren [...'ti:rən] ⟨*ohne ge-*⟩ **I.** *tr* garantire; **II.** *itr:* **für etw. ~** garantire per qc.

Garantieschein *m* certificato *m* di garanzia.

Garbe ['garbə] ⟨-, -n⟩ *f (Getreide~)* covone *m; (Geschoß~)* raffica *f.*

Gardasee ['gardaze:] *m* lago *m* di Garda.

Garde ['gardə] ⟨-, -n⟩ *f* guardia *f.*

Garderobe [gardə'ro:bə] ⟨-, -n⟩ *f* guardaroba *m; theat* camerino *m;* **für ~ wird nicht gehaftet** non si risponde del guardaroba. **Garderobenfrau** *f* guardarobiera *f.* **Garderobenmarke** *f* marchetta *f* guardaroba. **Garderobenständer** *m* attaccapanni *m.*

Gardine [gar'di:nə] ⟨-, -n⟩ *f* tenda *f,* tendina *f,* cortina *f;* **hinter schwedischen ~n sitzen** *fam* essere in gattabuia *fam.*

gären ['gɛ:rən] ⟨gärt, gärte *o* gor, gegärt *o* gegoren⟩ *itr* ⟨*haben o sein*⟩ fermentare, essere in fermentazione.

Garn [garn] ⟨-(e)s, -e⟩ *n* filo *m.*

Garnele [gar'ne:lə] ⟨-, -n⟩ *f* gamberetto *m.*

garnieren [gar'ni:rən] ⟨*ohne ge-*⟩ *tr* guarnire (*mit* con).

Garnitur [garni'tu:ɐ] ⟨-, -en⟩ *f* **1.** *(zusammengehörige Teile)* insieme *m,* completo *m; (von Tischen)* set *m; (von Bettwäsche)* parure *f;* **2.** *(Unterwäsche)* coordinato *m* di biancheria intima; **die erste ~** *fig* la prima scelta.

garstig ['garstıç] *adj* **1.** *(häßlich)* brutto; *(abstoßend)* schifoso; **2.** *(böse)* cattivo.

Garten ['gartən] ⟨-s, Gärten⟩ *m allg.* giardino *m; (Nutz~)* orto *m; (Obst~)* frutteto *m.* **Gartenbau** ⟨-(e)s, ø⟩ *m* giardinaggio *m; (von Nutzgärten)* orticoltura *f.* **Gartenfest** *n* festa *f* in giardino, garden-party *m.* **Gartengrill** *m* barbecue *m.* **Gartenhaus** *n* padiglione *m* nel giardino. **Gartenlokal** *n* ristorante *m* con giardino. **Gartenmöbel** *n pl* mobili *m pl* da giardino. **Gartenschere** *f* cesoie *f pl* per potare, forbici *f pl* da giardiniere. **Gartenzaun** *m* recinto *m* del giardino. **Gartenzwerg** *m* nanetto *m* (per ornamento di giardini).

Gärtner(in) ['gɛrtnɐ (...ərın)] ⟨-s, -⟩ *m(f)* giardiniere, -a *m, f.*

Gärtnerei [gɛrtnə'rai] ⟨-, -en⟩ *f* **1.** *(Unternehmen)* azienda *f* di floricoltura; **2.** *(Gartenbau)* giardinaggio *m.*

Gärung ⟨-, -en⟩ *f* fermentazione *f.*

Gas [ga:s] ⟨-es, -e⟩ *n* gas *m;* **~ geben** *mot* accelerare; **~ wegnehmen** *mot* rallentare. **Gasanzünder** *m* accendigas *m.* **Gasfeuerzeug** *n* accendino *m* a gas. **Gasflasche** *f* bombola *f* del gas. **gasförmig** [-fœrmıç] *adj* gassoso, aeriforme. **Gashahn** *m* rubinetto *m* del gas; **den ~ aufdrehen** *fig* suicidarsi col gas. **Gasheizung** *f* riscaldamento *m* a gas. **Gasherd** *m* cucina *f* a gas. **Gaskammer** *f* camera *f* a gas. **Gasmann** *m* letturista *m* (del gas). **Gasmaske** *f* maschera *f* antigas. **Gaspedal** *n* pedale *m* dell'acceleratore.

Gasse ['gasə] ⟨-, -n⟩ *f* viuzza *f,* vicolo *m;* **etw. über die ~ verkaufen** *A, CH* vendere qc da portar via.

Gast [gast] ⟨-es, Gäste⟩ *m* ospite *mf,* invitato, -a *m, f; (Tisch~)* convitato, -a *m, f; (Fremder)* forestiero, -a *m, f; (Besucher)* frequentatore, -trice *m, f; (in Gaststätte, Hotel)* cliente *mf; (in Pension)* pensionante *mf; (Hospitant)* uditore, -trice *m, f;* **bei jdm zu ~ sein, jds ~ sein** essere ospite di qu. **Gastarbeiter(in)** *m(f)* lavoratore, -trice *m, f* straniero, -a.

Gästebuch ['gɛstə-] *n* libro *m* degli ospiti. **Gästezimmer** *n* camera *f* degli ospiti.
gastfreundlich **I.** *adj* ospitale; **II.** *adv* in modo ospitale. **Gastfreundschaft** *f* ospitalità *f.* **Gastgeber(in)** *m(f)* ospite *mf,* ospitante *mf,* chi invita. **Gasthaus** *n,* **-hof** *m* locanda *f,* albergo *m.* **Gasthörer(in)** *m(f)* uditore, -trice *m, f.*
gastieren [gas'ti:rən] ⟨*ohne ge-*⟩ *itr* fare una recita straordinaria.
gastlich **I.** *adj* ospitale; **II.** *adv* in maniera ospitale.
Gastronom(in) [gastro'no:m] ⟨-en, -en⟩ *m(f)* gastronomo, -a *m, f.*
Gastronomie [gastrono'mi:] ⟨-, ø⟩ *f* gastronomia *f.*
Gastspiel *n* **1.** *theat* spettacolo *m* straordinario; *sport* partita *f* fuori casa; **2.** *fam (vorübergehendes Erscheinen)* comparsa *f;* **3.** *(vorübergehende Beschäftigung)* occupazione *f* temporanea. **Gaststätte** *f* ristorante *m,* trattoria *f.* **Gastwirt(in)** *m(f)* oste, -essa *m,f; (bes. Schankwirt)* albergatore, -trice *m, f; (Speisewirt)* gestore, -trice *m, f* di trattoria.
Gasuhr *f* contatore *m* del gas. **Gasvergiftung** *f* avvelenamento *m* da gas. **Gasversorgung** *f* rifornimento *m* e distribuzione *f* di gas. **Gaswerk** *n* centrale *f* del gas. **Gaswolke** *f* nuvola *f* di gas. **Gaszähler** *m* contatore *m* del gas.
GATT ['gat] *n akr von* **General Agreement on Tariffs and Trade** G.A.T.T. *m.*
Gatte ['gatə] ⟨-n, -n⟩ *m,* **Gattin** ['gatɪn] *f geh, adm* coniuge *mf adm,* consorte *mf lett.*
Gatter ['gatɐ] ⟨-s, -⟩ *n* steccato *m,* recinto *m.*
Gattung ['gatʊŋ] ⟨-, -en⟩ *f* genere *m.*
GAU [gau̯] ⟨-(s), -s⟩ *m abk von* **größter anzunehmender Unfall** catastrofe *f* atomica.
Gaul [gau̯l] ⟨-(e)s, Gäule⟩ *m pej* ronzino *m;* **einem geschenkten ~ schaut man nicht ins Maul** *prov* a caval donato non si guarda in bocca *prov.*
Gaumen ['gau̯mən] ⟨-s, -⟩ *m* palato *m.*
Gauner(in) ['gau̯nɐ (...ərɪn)] ⟨-s, -⟩ *m(f)* **1.** *(Betrüger)* imbroglione, -a *m, f;* **2.** *fam (durchtriebener Mensch)* furfante *mf.*
geb. *abk von* **geboren(e)** nato, -a.
Gebäck [gə'bɛk] ⟨-(e)s, -e⟩ *n* biscotti *m pl,* paste *f pl,* dolci *m pl.*
Gebälk [gə'bɛlk] ⟨-(e)s, ø⟩ *n* impalcatura *f,* travatura *f.*
geballt *adj (Faust)* serrato, chiuso; *fig (Energie, Ladung)* concentrato.
gebar [gə'ba:ɐ̯] *imp von* **gebären.**
Gebärde [gə'bɛ:ɐ̯də] ⟨-, -n⟩ *f* gesto *m.*
gebärden *rfl* comportarsi, portarsi.
gebären [gə'bɛ:rən] ⟨gebiert, gebar, geboren⟩ *tr* partorire; **geboren werden** nascere, essere nato.
Gebärmutter *f* utero *m.*
Gebäude [gə'bɔy̯də] ⟨-s, -⟩ *n* **1.** *(Bau)* edificio *m,* fabbricato *m;* **2.** *fig (Aufbau)* sistema *m.* **Gebäudekomplex** *m* complesso *m* edile, fabbricato *m.*
Gebein [gə'bai̯n] ⟨-s, -e⟩ *n* **1.** *(Glieder)* membra *f pl;* **2.** ⟨*pl*⟩ *(Skelett) geh* ossa *f pl.*
geben ['ge:bən] ⟨gibt, gab, gegeben⟩ **I.** *tr* **1.** *allg.* dare; *(reichen)* porgere *(jdm etw.* qc a qu); *(schenken)* regalare *(jdm etw.* qc a qu), donare *(jdm etw.* qc a qu); **2.** *(zuteilen, gewähren, verleihen)* dare; *(Rabatt, Kredit)* fare; **3.** *(ergeben)* dare come risultato, produrre; **4.** *(veranstalten)* dare; *TV* dare, trasmettere; **5.** *(unterrichten: Fach, Nachhilfeunterricht)* insegnare; *(Unterricht)* dare; **6.** *fam (irgendwohin tun)* mettere; **viel/nicht viel auf etw.** *(akk)* ~ tenere molto/non molto a qc; **etw. von sich** *(dat)* ~ *(Laut)* proferire qc; *(Meinung)* esprimere qc; *(Lebenszeichen)* dare qc; *(Nahrung)* vomitare qc, rimettere qc; ~ **Sie mir bitte ein Pfund Äpfel** mi dia mezzo chilo di mele, per favore; ~ **Sie mir bitte Frau Schnorr** *tel* mi passi la signora Schnorr, per favore; **es gibt jemanden, der ...** c'è qualcuno che ...; **es gibt viele Menschen, die ...** ci sono molte persone che ...; **es wird Regen/Ärger** ~ pioverà/ci saranno noie; **was gibt's?** *fam* che c'è?; **was gibt's zum Mittagessen/im Kino?** che c'è a pranzo?/che cosa danno al cinema?; **das gibt's (doch) nicht** non è possibile; **da gibt's nichts!** *fam* non c'è niente da dire; **Sachen gibt's, die gibt's gar nicht!** *fam* incredibile!, inaudito!; **gib's ihm!** *fam* dagliele! *fam;* **II.** *itr (Karten ~)* distribuire, dare; **wer gibt?** chi distribuisce?; **G~ ist seliger denn Nehmen** *prov* è meglio dare che prendere *prov;* **III.** *rfl:* **sich ~ 1.** *(nachlassen: Kälte, Eifer, Wut)* diminuire; *(Schmerzen)* calmarsi, placarsi; *(aufhören: Probleme)* smettere; **2.** *(sich benehmen)* comportarsi; **sich gelassen/heiter ~** mostrarsi tranquillo/sereno; **sich geschlagen ~** darsi per vinto; **sich zu erkennen ~** farsi riconoscere; **das wird sich schon ~** la cosa si risolverà.
Geber(in) ⟨-s, -⟩ *m(f)* donatore, -trice *m, f; (bes. in Zusammensetzungen)* datore, -trice *m, f.*
Gebet [gə'be:t] ⟨-(e)s, -e⟩ *n* preghiera *f.*
gebeten *pp von* **bitten.**
gebiert [gə'bi:ɐ̯t] *pr von* **gebären.**
Gebiet [gə'bi:t] ⟨-(e)s, -e⟩ *n* **1.** *(Region)* regione *f,* zona *f; adm, pol* territorio *m;* **2.** *fig (Fach~)* campo *m,* materia *f; (Bereich)* sfera *f;* **auf allen ~en** *fig* in tutti i campi.
Gebilde [gə'bɪldə] ⟨-s, -⟩ *n (Ding, Gegenstand)* cosa *f,* oggetto *m; (Form, Struktur)* forma *f,* struttura *f; (Schöpfung,*

Werk) creazione *f,* opera *f; (Konstruktion)* costruzione *f; (Einrichtung)* arredamento *m.*
gebildet *adj* colto, istruito.
Gebirge [gəˈbɪrgə] ⟨-s, -⟩ *n* montagna *f,* montagne *f pl,* monti *m pl;* **ins ~ fahren** andare in montagna; **im ~** in montagna. **Gebirgsjäger** *m mil* alpino *m; hist* cacciatore *m* delle Alpi.
Gebiß [gəˈbɪs] ⟨-bisses, -bisse⟩ *n (natürliches)* dentatura *f,* denti *m pl; (künstliches)* dentiera *f.*
gebissen [gəˈbɪsən] *pp von* **beißen.**
Gebläse [gəˈblɛːzə] ⟨-s, -⟩ *n* compressore *m; mot* ventilatore *m.*
geblieben [gəˈbliːbən] *pp von* **bleiben.**
gebogen [gəˈboːgən] **I.** *pp von* **biegen; II.** *adj* piegato, curvato, curvo.
geboren [gəˈboːrən] **I.** *pp von* **gebären; II.** *adj* (*abk* **geb.**) nato; **~er Deutscher** tedesco di nascita; **Frau X, ~e Y** la signora X, nata Y; **sie ist die ~e Lehrerin** è nata per fare l'insegnante.
geborgen [gəˈbɔrgən] **I.** *pp von* **bergen; II.** *adj* al sicuro (*vor +dat* da), al coperto (*vor +dat* di); **sich (bei jdm) ~ fühlen** sentirsi sicuro da (*o* presso) qu. **Geborgenheit** ⟨-, ø⟩ *f* sicurezza *f.*
geborsten [gəˈbɔrstən] *pp von* **bersten.**
Gebot [gəˈboːt] ⟨-(e)s, -e⟩ *n* **1.** *(Befehl)* comando *m,* ordine *m;* **2.** *rel* comandamento *m; (gesetzlich)* precetto *m;* **3.** *(bei Auktion)* offerta *f.*
geboten [gəˈboːtən] *pp von* **bieten.**
Gebr. *abk von* **Gebrüder** F.lli (*abbr di* fratelli).
gebracht [gəˈbraxt] *pp von* **bringen.**
gebrannt [gəˈbrant] **I.** *pp von* **brennen; II.** *adj:* **~e Mandeln** mandorle tostate; **ein ~es Kind scheut das Feuer** *prov* can scottato all'acqua calda ha paura della fredda *prov.*
Gebrauch [gəˈbraux] ⟨-(e)s, Gebräuche⟩ *m* **1.** ⟨*sing*⟩ *(Anwendung)* uso *m,* impiego *m;* **2.** ⟨*meist pl*⟩ *(Brauch)* usanza *f,* costume *m;* **außer ~** fuori uso; **in ~** in uso; **von etw. ~ machen** usare qc.
gebrauchen ⟨*ohne ge-*⟩ *tr (Werkzeug)* utilizzare, usare; *(Waffe, Gewalt, Verstand, List, Wort, Wendung)* usare; **jdn zu etw. ~** *(mißbrauchen)* approfittare di qu per qc; **zu nichts zu ~ sein** non essere buono a nulla; **nicht mehr zu ~** inservibile; **das könnte ich gut ~** mi farebbe comodo; **ich könnte jetzt etwas zu essen ~** mangerei volontieri qc.
gebräuchlich [gəˈbrɔʏçlɪç] *adj (üblich)* usato, in uso; *(Ausdruck)* corrente; *(gewöhnlich)* comune, usuale; **nicht mehr ~** fuori uso.
Gebrauchsanweisung *f* istruzioni *f pl* per l'uso. **Gebrauchsartikel** *m* articolo *m* di prima necessità. **gebrauchsfertig** *adj* pronto all'uso. **Gebrauchsgegenstand** *m* oggetto *m* d'uso comune. **Gebrauchsgüter** *pl* beni *m pl* di uso.
gebraucht *adj* usato; *(Kleider)* smesso; **etw. ~ kaufen** comprare qc di seconda mano. **Gebrauchtwagen** *m* automobile *f* usata (*o* di seconda mano).
gebrechlich [gəˈbrɛçlɪç] *adj (schwächlich)* malaticcio, debole; *(altersschwach)* decrepito; *(zerbrechlich)* fragile; **alt und ~** vecchio e decrepito.
gebrochen [gəˈbrɔxən] **I.** *pp von* **brechen; II.** *adj* **1.** *(niedergedrückt: Mensch)* affranto, abbattuto; *(Stimme)* rotto, spezzato; **2.** *(fehlerhaft: Deutsch, etc.)* stentato.
Gebrüder [gəˈbryːdɐ] ⟨*pl*⟩ (*abk* **Gebr.**) fratelli *m pl* (*abbr* **f.lli**); **~ Müller** fratelli Müller.
Gebrüll [gəˈbrʏl] ⟨-(e)s, ø⟩ *n (von Rind)* muggito *m; (von Menschen)* grida *f pl,* urli *m pl; (von wildem Tier)* ruggito *m.*
Gebühr [gəˈbyːɐ] ⟨-, -en⟩ *f* ⟨*meist pl*⟩ *(Abgabe)* tassa *f; (Telefon~)* tariffa *f; (Fernseh~, Rundfunk~)* canone *m; (Straßenbenutzungs~)* pedaggio *m; (Beitrag)* contributo *m,* quota *f; (Vermittlungs~)* provvigione *f; (Honorar)* onorario *m,* competenze *f pl;* **nach ~** a dovere, secondo il merito; **über ~** più del giusto; **~ bezahlt Empfänger** tassa a carico del destinatario.
gebühren ⟨*ohne ge-*⟩ *geh* **I.** *itr:* **jdm ~** spettare a qu, essere dovuto a qu; **II.** *rfl unpers:* **sich ~** convenirsi, addirsi; **wie es sich gebührt** come si deve. **gebührend** *adj* **1.** *(verdient)* dovuto; **2.** *(gehörig)* conveniente.
Gebühreneinheit *f tel* scatto *m.* **Gebühreneinzugszentrale** *f* (*abk* **GEZ**) *ufficio centrale per la riscossione dei canoni radiotelevisivi.* **gebührenfrei** *adj* esente da tasse; *(Postsendung)* franco di porto. **Gebührenordnung** *f* tariffario *m.* **gebührenpflichtig** *adj* soggetto a tassa, tassabile; *(Autobahn)* a pagamento. **Gebührenzähler** *m tel* contatore *m* telefonico, contascatti *m.*
gebunden [gəˈbʊndən] **I.** *pp von* **binden; II.** *adj* **1.** *(verpflichtet)* vincolato (*an +akk* a), legato (*an +akk* a); **2.** *(Kapital)* vincolato; *(Preise)* controllato.
Geburt [gəˈbuːɐt] ⟨-, -en⟩ *f* **1.** *(von Lebewesen)* nascita *f; (Entbindung)* parto *m;* **2.** *(Abstammung, Ursprung)* origine *f;* **Deutscher von ~** tedesco di nascita; **von ~ an** dalla nascita; **das war eine schwere ~** *(a. fig)* è stato un parto difficile. **Geburtenkontrolle** *f,* **-regelung** *f* controllo *m* delle nascite. **Geburtenrückgang** *m* calo *m* delle nascite. **geburtenschwach** *adj (Jahrgang)* con basso tasso di natalità. **geburtenstark** *adj (Jahrgang)* con alto tasso di natalità. **Geburtenziffer** *f* natalità *f.*
gebürtig [gəˈbʏrtɪç] *adj:* **~er Römer** romano di nascita.

Geburtsanzeige *f (Karte)* partecipazione *f; (in Zeitung)* annuncio *m* di nascita. **Geburtsdatum** *n* data *f* di nascita. **Geburtsfehler** *m* difetto *m* congenito (*o* di nascita). **Geburtshelfer(in)** *m(f)* ostetrico, -a *m, f.* **Geburtshilfe** *f* ostetricia *f.* **Geburtsjahr** *n* anno *m* di nascita. **Geburtsort** *m* luogo *m* di nascita. **Geburtsstadt** *f* città *f* natale.

Geburtstag *m* **1.** *(Tag der Geburt)* data *f* di nascita; **2.** *(Fest)* compleanno *m;* **ich habe heute ~** oggi è il mio compleanno; **herzlichen Glückwunsch zum ~!** tanti auguri di buon compleanno. **Geburtstagskind** *n* festeggiato, -a *m, f.*

Geburtsurkunde *f* atto *m* di nascita.

Gebüsch [gə'bʏʃ] ⟨-(e)s, -e⟩ *n* cespuglio *m,* boscaglia *f.*

gedacht [gə'daxt] **I.** *pp von* **denken; II.** *adj* immaginario, fittizio.

Gedächtnis [gə'dɛçtnɪs] ⟨-ses, -se⟩ *n* **1.** *(Erinnerungsvermögen)* memoria *f;* **2.** *(Andenken)* ricordo *m;* **aus dem ~** a memoria; **zum ~** in ricordo (*an +akk* di), in memoria (*an +akk* di). **Gedächtnislücke** *f* vuoto *m* di memoria. **Gedächtnisschwund** perdità *f* della memoria, amnesia *f.*

gedämpft *adj (Schall, Farbe, Licht, Stimme)* smorzato.

Gedanke [gə'daŋkə] ⟨-ns, -n⟩ *m* **1.** *(Überlegung, Erinnerung)* pensiero *m;* **2.** *(Einfall, Vorstellung, Plan, Absicht)* idea *f;* **3.** *(Begriff)* concetto *m;* **4.** *(Absicht)* intenzione *f;* **5.** *(~ngang)* ragionamento *m;* **der bloße ~, schon der ~** solo a pensarci; **~n lesen** leggere nel pensiero; **sich** *(dat)* **~n machen** preoccuparsi (*über +akk* di, per); **auf den ~n kommen zu** avere l'idea di; **jdn auf andere ~n bringen** distrarre qu; **jdn auf den ~n bringen, daß ...** fare pensare a qu che ...; **mit dem ~n umgehen** (*o* **spielen**) **zu ...** rimuginare l'idea di; **in ~n (versunken)** assorto in pensieri; **mir kam der ~ zu ...** mi venne l'idea di. **Gedankenaustausch** *m* scambio *m* di idee (*o* di vedute). **Gedankenblitz** *m* lampo *m* di genio. **Gedankengang** *m* ragionamento *m.* **Gedankengut** *n* pensiero *m; (ideologisch)* bagaglio *m* ideologico. **gedankenlos** *adj (zerstreut)* distratto; *(unüberlegt)* sconsiderato; *(mechanisch)* meccanico. **Gedankenlosigkeit** *f* distrattezza *f,* sconsideratezza *f.* **Gedankenstrich** *m* lineetta *f,* trattino *m.* **Gedankenübertragung** *f* telepatia *f.*

Gedärm [gə'dɛrm] ⟨-(e)s, -e⟩ *n* intestino *m,* visceri *m pl.*

Gedeck [gə'dɛk] ⟨-(e)s, -e⟩ *n* coperto *m.*

Gedeih [gə'dai̯] *m:* **auf ~ und Verderb** nella buona e nella cattiva sorte.

gedeihen ⟨gedeiht, gedieh, gediehen⟩ *itr* ⟨*sein*⟩ *allg.* crescere (bene), prosperare; *(sich gut entwickeln)* prosperare; *(Pflanze)* attecchire; *(gut vorangehen)* progredire, andare avanti bene; **die Sache ist so weit gediehen, daß ...** la cosa è giunta al punto che ... **Gedeihen** ⟨-s, ø⟩ *n (von Firma, Wirtschaft)* prosperare *m; (von Pflanze, Kind)* crescita *f; (Gelingen)* riuscita *f.*

gedenken ⟨*irr, ohne ge-*⟩ *itr* **1.** *(feiern):* **jds ~** commemorare qu; **2.** *(beabsichtigen):* **etw. zu tun ~** avere l'intenzione di fare qc. **Gedenken** ⟨-s, ø⟩ *n* memoria *f;* **zum ~ an jdn** in memoria di qu.

Gedenkfeier *f* commemorazione *f.* **Gedenktag** *m* giorno *m* di commemorazione.

Gedicht [gə'dɪçt] ⟨-(e)s, -e⟩ *n* **1.** *(Werk)* poesia *f,* poema *m;* **2.** *fam (etwas besonders Schönes)* sogno *fam; (bes. kulinarisch)* squisitezza *f.*

gediegen [gə'di:gən] *adj* **1.** *(rein: Metall)* puro; **2.** *(zuverlässig)* saldo, fermo; **3.** *(qualitativ gut)* di buona qualità; *(sorgfältig)* accurato.

gedieh [gə'di:] *imp von* **gedeihen.**

gediehen [gə'di:ən] *pp von* **gedeihen.**

Gedränge [gə'drɛŋə] ⟨-s, ø⟩ *n (Menschenmenge)* folla *f; (Drängelei)* pigia pigia *m fam;* **ins ~ kommen** *fig* essere messo alle strette.

gedroschen [gə'drɔʃən] *pp von* **dreschen.**

gedrungen [gə'drʊŋən] **I.** *pp von* **dringen; II.** *adj* tarchiato.

Geduld [gə'dʊlt] ⟨-, ø⟩ *f* pazienza *f; (Nachsicht)* indulgenza *f* (*mit* con); *(Ausdauer)* perseveranza *f;* **~ haben** *(warten)* pazientare.

gedulden ⟨*ohne ge-*⟩ *rfl:* **sich ~** pazientare, aver pazienza.

geduldig *adj* paziente; *(nachsichtig)* indulgente, tollerante.

Geduldsprobe *f:* **jdn auf eine (harte) ~ stellen** mettere a (dura) prova la pazienza di qu. **Geduldsspiel** *n* gioco *m* di pazienza.

gedurft [gə'dʊrft] *pp von* **dürfen.**

geehrt *adj* stimato, onorato; *(geachtet)* riverito; **sehr geehrter Herr Schmidt** *(Briefanrede)* egregio signor Schmidt; **sehr geehrte Frau/geehrtes Fräulein Müller** *(Briefanrede)* gentile signora/signorina Müller; **sehr ~e Damen und Herren** gentili signore e signori; **sehr ~e Damen, sehr ~e Herren** *(im Brief)* gentili Signore, egregi Signori.

geeignet *adj* **1.** *(Mensch)* adatto (*zu, für* a, per), idoneo (*zu, für* a, per); **2.** *(zweckmäßig)* opportuno, appropriato.

Gefahr [gə'fa:ɐ̯] ⟨-, -en⟩ *f* pericolo *m,* rischio *m; (Bedrohung)* minaccia *f* (*für* di); **~ laufen** correre il rischio (*zu* di); **auf die ~ hin, daß ...** a costo di *+inf;* **auf eigene ~** a proprio rischio e pericolo; **außer ~** fuori pericolo; **bei ~** in caso

di pericolo.
gefährden [gəˈfɛːɐ̯dən] ⟨*ohne ge-*⟩ *tr* mettere in pericolo; *(Ruf, Stellung)* compromettere; *(aufs Spiel setzen)* mettere a repentaglio. **gefährdet** *adj* in pericolo, minacciato.
Gefährdung ⟨-, ø⟩ *f* minaccia *f*.
Gefahrenquelle *f* fonte *f* di pericoli (*o* rischi). **Gefahrenzulage** *f* indennità *f* di rischio, premio *m* di rischio.
Gefahrgut *n* merce *f* pericolosa.
gefährlich [gəˈfɛːɐ̯lɪç] *adj* pericoloso; *(riskant)* rischioso; *(gewagt)* azzardato; *(ernst)* serio, grave. **Gefährlichkeit** ⟨-, ø⟩ *f* pericolosità *f*, rischio *m; (von Krankheit)* gravità *f*.
Gefährte [gəˈfɛːɐ̯tə] ⟨-n, -n⟩ *m*, **Gefährtin** [...tɪn] *f geh* compagno, -a *m, f*.
gefahrvoll *adj* rischioso.
Gefälle [gəˈfɛlə] ⟨-s, -⟩ *n (Neigung)* pendenza *f; (von Straße)* discesa *f; phys* gradiente *m; (Unterschied)* differenza *f*.
gefallen[1] ⟨*irr, ohne ge-*⟩ *itr* piacere (*dat* a), andare a genio (*dat* a); **sich** *(dat)* ~ **in** compiacersi di; **sich** *(dat)* **alles** ~ **lassen** sopportare ogni cosa; **das gefällt mir (gut)** mi piace; **das gefällt mir gar nicht** non mi piace per niente (*o* affatto); *(paßt mir nicht)* la cosa non mi va; *(ist verdächtig)* la faccenda puzza *fam;* **wie gefällt Ihnen der Film?** come trova il film?
gefallen[2] *adj (Soldat, Engel)* caduto.
Gefallen[1] ⟨-s, -⟩ *m (Freundschaftsdienst)* piacere *m*, favore *m*, cortesia *f*.
Gefallen[2] ⟨-s, ø⟩ *n (Freude)* piacere *m*, diletto *m;* **an etw.** *(dat)* ~ **finden** trovare piacere (*o* diletto) in qc.
Gefallene ⟨ein -r, -n, -n⟩ *m* caduto *m*.
gefällig *adj* **1.** *(angenehm)* piacevole, gradevole; **2.** *(hilfsbereit)* cortese, gentile; *(zuvorkommend)* premuroso; **jdm** ~ **sein** fare un favore a qu; **Kaffee** ~? desidera un caffè?. **Gefälligkeit** ⟨-, -en⟩ *f* **1.** *(Freundschaftsdienst)* piacere *m*, favore *m;* **2.** ⟨*sing*⟩ *(Hilfsbereitschaft)* compiacenza *f*, cortesia *f;* **3.** ⟨*sing*⟩ *(ansprechende Art)* piacevolezza *f;* **aus** ~ per far piacere. **gefälligst** *adv fam* per piacere.
Gefangene ⟨ein -r, -n, -n⟩ *mf* prigioniero, -a *m, f; (Inhaftierter)* detenuto, -a *m, f*.
gefangen·halten ⟨*irr*⟩ *tr* tenere prigioniero; *fig (bannen)* avvincere. **Gefangennahme** [-naːmə] ⟨-, -n⟩ *f* cattura *f*. **gefangen·nehmen** ⟨*irr*⟩ *tr* prendere; *(a. mil)* catturare; *(verhaften)* arrestare; *fig (fesseln)* avvincere. **Gefangenschaft** ⟨-, ø⟩ *f (bes. mil)* prigionia *f; (Haft)* detenzione *f; (von Tieren, Sklaven)* cattività *f;* **in** ~ **geraten** cadere prigioniero.
Gefängnis [gəˈfɛŋnɪs] ⟨-ses, -se⟩ *n (Ort)* prigione *f; (a. Strafe)* carcere *m;* **ins** ~ **kommen** finire in prigione; **jdn zu einem Jahr** ~ **verurteilen** condannare qu ad un anno di reclusione. **Gefängnisstrafe** *f* pena *f* detentiva; **zu einer** ~ **von zwei Jahren verurteilen** condannare a due anni di reclusione.
Gefasel [gəˈfaːzəl] ⟨-s, ø⟩ *n pej* discorsi *m pl* insulsi.
Gefäß [gəˈfɛːs] ⟨-es, -e⟩ *n* **1.** *(Behälter)* recipiente *m*, vaso *m;* **2.** *anat* vaso *m*.
gefaßt *adj (ruhig)* calmo, tranquillo; **auf etw.** *(akk)* ~ **sein** aspettarsi qc; **auf alles (***o* **aufs Schlimmste)** ~ **sein** rassegnarsi al peggio; **sich auf etw.** *(akk)* ~ **machen** aspettarsi qc; **du kannst dich auf was** ~ **machen!** *fam* stai fresco! *fam*.
Gefecht [gəˈfɛçt] ⟨-(e)s, -e⟩ *n (Kampf)* combattimento *m; (Zusammenstoß)* scontro *m*. **Gefechtskopf** *m* testata *f* esplosiva.
gefeit [gəˈfaɪ̯t] *adj:* **gegen etw.** ~ **sein** essere immune da qc.
Gefieder [gəˈfiːdɐ] ⟨-s, -⟩ *n* piumaggio *m*, penne *f pl*.
geflissentlich [gəˈflisəntliç] *adv (überhören, übersehen)* volutamente, intenzionalmente.
geflochten [gəˈflɔxtən] *pp von* **flechten**.
geflogen [gəˈfloːgən] *pp von* **fliegen**.
geflohen [gəˈfloːən] *pp von* **fliehen**.
geflossen [gəˈflɔsən] *pp von* **fließen**.
Geflügel [gəˈflyːgəl] ⟨-s, ø⟩ *n* volatili *m pl*, pollame *m*.
geflügelt [gəˈflyːgəlt] *adj* alato; **~e Worte** parole alate.
Geflügelzucht *f* pollicoltura *f*.
Geflüster [gəˈflʏstɐ] ⟨-s, ø⟩ *n* bisbiglio *m*, mormorio *m*.
gefochten [gəˈfɔxtən] *pp von* **fechten**.
Gefolge [gəˈfɔlgə] ⟨-s, *rar* -⟩ *n* seguito *m*.
Gefolgschaft ⟨-, -en⟩ *f* seguito *m; pol (Anhänger)* seguaci *m pl; (Schüler, Jünger)* discepoli *m pl*.
gefragt *adj (begehrt)* richiesto.
gefräßig [gəˈfrɛːsɪç] *adj* ingordo, vorace.
Gefräßigkeit *f* voracità *f*.
gefrieren ⟨*irr, ohne ge-*⟩ *itr* ⟨*sein*⟩ (con)gelare, ghiacciare.
Gefrierfach *n* freezer *m*, congelatore *m*. **Gefrierfleisch** *n* carne *f* congelata. **gefriergetrocknet** *adj* liofilizzato. **Gefrierpunkt** *m* punto *m* di congelamento; **auf/über/unter dem** ~ al/sopra/sotto il punto di congelamento. **Gefrierschrank** *m*, **Gefriertruhe** *f* congelatore *m*.
gefroren [gəˈfroːrən] **I.** *pp von* **frieren; II.** *adj* (con)gelato.
gefügig [gəˈfyːgɪç] *adj* docile, malleabile.
Gefühl [gəˈfyːl] ⟨-(e)s, -e⟩ *n* **1.** *(körperliche Wahrnehmung)* sensazione *f;* **2.** *(seelische Empfindung)* sentimento *m*, emozione *f; (Empfindsamkeit)* sentimento *m*, sensibilità *f;* **3.** *(Ahnung)* sensazione *f;* **4.** *(Gespür, Verständnis)* senso *m* (*für* di); *(Takt)* tatto *m;* **mit** ~ con sentimento; **ich habe das ~, daß er uns nicht mag** ho l'impressione che non gli

piacciamo; **das ist das höchste der ~e** *fam (prima)* è fantastico; *(Grenze)* è il massimo. **gefühllos** *adj* **1.** *(Gliedmaßen)* intorpidito, insensibile; **2.** *(hartherzig)* insensibile, senza cuore; *(grausam)* crudele.

gefühlsbetont *adj (Mensch)* sentimentale; *(Rede)* carico di emozioni. **Gefühlsduselei** [-du:zəˈlai̯] ⟨-, -en⟩ *f fam pej* sentimentalismo *m.* **Gefühlsleben** *n* vita *f* sentimentale. **gefühlsmäßig I.** *adj (Reaktion)* emotivo; **II.** *adv* sul piano dei sentimenti; **etw. rein ~ erfassen** cogliere qc intuitivamente.

gefüllt *adj* **1.** *(voll)* pieno, riempito; **2.** *gastr* farcito, ripieno.

gefunden [gəˈfʊndən] *pp von* **finden.**

gegangen [gəˈgaŋən] *pp von* **gehen.**

gegeben *adj (bestimmt)* determinato; **unter ~en Umständen** in determinate circostanze; **zu ~er Zeit** a tempo debito.

gegebenenfalls *adv* eventualmente, in caso.

Gegebenheit [gəˈge:bənhai̯t] ⟨-, -en⟩ *f* **1.** *(Tatsache, Umstand)* circostanza *f,* fatto *m;* **2.** ⟨*pl*⟩ *(Lage)* situazione *f,* condizioni *f pl.*

gegen [ˈge:gən] *prp +akk* **1.** *(feindlich, entgegen, angelehnt, im Verhältnis zu)* contro; **2.** *(in Beziehung zu Personen)* verso, con; **3.** *(im Austausch)* dietro, contro; **4.** *(als Entgelt für)* per, in cambio di; **5.** *(auf ... zu)* verso, in direzione di; *(zeitlich)* verso; **6.** *(etwa)* all'incirca, circa; **7.** *(im Gegensatz zu)* contrariamente a; **8.** *(im Vergleich zu)* in confronto a; **9.** *(~ eine Krankheit)* per, contro; **~ etw. sein** essere contrario a *(o* contro) qc; **~ Quittung** dietro ricevuta; **~ 4 Uhr** verso le 4; **ich wette zehn ~ eins** scommetto dieci contro uno.

Gegenangriff *m* contrattacco *m.* **Gegenanzeige** *f med* controindicazione *f.* **Gegenbeweis** *m* controprova *f;* **den ~ liefern** provare il contrario.

Gegend [ˈge:gənt] ⟨-, -en⟩ *f* **1.** *(Landschaft)* paesaggio *m;* **2.** *(Gebiet)* regione *f,* contrada *f,* paese *m; (Körper~)* regione *f;* **3.** *(Wohn~)* quartiere *m;* **4.** *(nähere Umgebung)* vicinanze *f pl,* paraggi *m pl.*

Gegendarstellung *f (Presse)* rettifica *f.*

gegeneinander [-ˀai̯ˈnandɐ] *adv* l'un l'altro; *(im Austausch)* l'uno per l'altro.

Gegenfahrbahn *f* corsia *f* contromano. **Gegenfrage** *f:* **mit einer ~ antworten** rispondere con un'altra domanda. **Gegengewicht** *n* contrappeso *m (zu* a); **das ~ zu etw. sein** controbilanciare qc. **Gegengift** *n* antidoto *m,* contravveleno *m.* **Gegenleistung** *f* contraccambio *m,* compenso *m;* **als ~ für** in compenso di. **Gegenlicht** *n* controluce *f.* **Gegenlichtaufnahme** *f* fotografia *f* in controluce. **Gegenliebe** *f* amore *m* ricambiato; *(Anklang)* simpatia *f.* **Gegenmaßnahme** *f* contromisura *f; (vorbeugend)* misura *f* preventiva; *(Vergeltung)* rappresaglia *f.* **Gegenmittel** *n med* rimedio *m (gegen* contro); *fig* antidoto *m (gegen* a). **Gegenoffensive** *f (a. fig)* controffensiva *f.* **Gegenrichtung** *f* direzione *f* opposta.

Gegensatz *m (Unterschied)* contrasto *m (zu* con); *(Widerspruch)* contraddizione *f (zu* con); **im ~ stehen** contrastare *(zu* con); **im ~ zu** in contrasto con, a differenza di; **Gegensätze ziehen sich an** gli opposti si attraggono.

gegensätzlich [-zɛtslɪç] *adj (entgegengesetzt)* contrario, opposto; *(widersprüchlich)* contradditorio.

Gegenschlag *m* contrattacco *m.* **Gegenseite** *f* **1.** *(räumlich)* parte *f* opposta, lato *m* opposto; **2.** *pol* opposizione *f;* **3.** *jur* controparte *f.* **gegenseitig** *adj* reciproco, mutuo; **sich** *(dat)* **~ helfen** aiutarsi a vicenda; **in ~em Einvernehmen** di comune accordo. **Gegenseitigkeit** ⟨-, ø⟩ *f* reciprocità *f;* **auf ~ beruhen** essere reciproco. **Gegenspieler(in)** *m(f)* antagonista *mf,* avversario, -a *m, f.* **Gegensprechanlage** *f* citofono *m.*

Gegenstand *m* **1.** *(Ding)* oggetto *m,* cosa *f; fig (des Hasses, der Liebe)* oggetto *m;* **2.** *(Thema)* soggetto *m,* materia *f.*

gegenständlich [-ʃtɛntlɪç] *adj* concreto.

gegenstandslos *adj (ungültig)* nullo; *(unbegründet)* infondato.

gegen·steuern *itr* controsterzare.

Gegenstimme *f* voto *m* contrario.

Gegenstück *n* **1.** *(Pendant)* pendant *m,* oggetto *m (o* pezzo *m)* di riscontro; **2.** *(Gegensatz)* opposto *m (zu* di).

Gegenteil *n* contrario *m (von* di), opposto *m (von* di); **im ~** al contrario, anzi; **ins ~ umschlagen** rovesciarsi, capovolgersi. **gegenteilig** *adj* contrario.

gegenüber [ge:gənˈˀy:bɐ] **I.** *adv* di fronte *(von* a); **II.** *prp +dat* **1.** *(örtlich)* di fronte a, di faccia a, dirimpetto a; **2.** *(im Vergleich mit)* in confronto a, paragonato a; **3.** *(in bezug auf)* nei confronti *(o* riguardi) di, relativamente a; *(angesichts)* in vista di; **mir ~** *(im Umgang mit mir)* con me, nei miei confronti. **Gegenüber** ⟨-s, -⟩ *n (Mensch)* persona *f* di fronte. **gegenüberliegend** *adj* di fronte, di faccia. **gegenüber·stehen** ⟨*irr*⟩ **I.** *rfl:* **sich** *(dat)* **~** star di fronte; **II.** *itr:* **jdm feindlich/freundlich ~** essere ostile a/ben disposto verso qu. **gegenüber·stellen** *tr* **1.** *(räumlich)* mettere di fronte *(+dat* a); **2.** *(konfrontieren, bes. jur)* confrontare *(+dat* con), mettere a confronto *(+dat* con); **3.** *(vergleichen)* confrontare *(+dat* con), paragonare *(+dat* a); **4.** *(entgegensetzen)* contrapporre *(+dat* a). **Gegenüberstellung** *f* confronto *m.*

Gegenverkehr *m* traffico *m* in senso opposto (*o* contrario). **Gegenvorschlag** *m* controproposta *f.*

Gegenwart ['ge:gənvart] ⟨-, ø⟩ *f* **1.** *(Anwesenheit)* presenza *f;* **2.** *(jetzige Zeit, a. gram)* presente *m.*

gegenwärtig ['ge:gənvɛrtɪç *o* ...'vɛrtɪç] **I.** *adj* **1.** *(anwesend)* presente; **2.** *(jetzig)* presente, attuale; **3.** *(aus dieser Zeit)* contemporaneo; **4.** *(vorherrschend)* prevalente; **5.** *(heutig)* odierno; **II.** *adv* **1.** *(momentan)* al momento, attualmente; **2.** *(heutzutage)* oggigiorno.

Gegenwert *m* controvalore *m,* equivalente *m.* **Gegenwind** *m* vento *m* contrario. **gegen·zeichnen** *tr* controfirmare.

gegessen [gə'gɛsən] *pp von* **essen.**

geglichen [gə'glɪçən] *pp von* **gleichen.**

geglitten [gə'glɪtən] *pp von* **gleiten.**

geglommen [gə'glɔmən] *pp von* **glimmen.**

Gegner(in) ['ge:gnɐ (...ərɪn)] ⟨-s, -⟩ *m(f)* avversario, -a *m, f,* antagonista *mf; (Feind)* nemico, -a *m, f; sport* avversario, -a *m, f; (von Meinung, Methode, a. jur)* oppositore, -trice *m, f* (*+gen* di). **gegnerisch** *adj* avversario; *(feindlich)* ostile, nemico.

gegolten [gə'gɔltən] *pp von* **gelten.**

gegoren [gə'go:rən] *pp von* **gären.**

gegossen [gə'gɔsən] *pp von* **gießen.**

gegriffen [gə'grɪfən] *pp von* **greifen.**

Gehackte [gə'haktə] ⟨ein -s, -n, ø⟩ *n gastr* carne *f* tritata (*o* macinata).

Gehalt[1] [gə'halt] ⟨-(e)s, -e⟩ *m* **1.** *(Anteil)* contenuto *m* (*an* di); *(Alkohol~)* percentuale *f; (von Edelmetall)* titolo *m,* tenore *m;* **2.** *fig (geistiger Inhalt)* contenuto *m; (innerer Wert)* valore *m* intrinseco.

Gehalt[2] [gə'halt] ⟨-(e)s, Gehälter⟩ *n* stipendio *m.*

Gehaltsempfänger(in) *m(f)* stipendiato, -a *m, f.* **Gehaltserhöhung** *f* aumento *m* dello stipendio. **Gehaltsstufe** *f* categoria *f* (*o* classe *f*) di stipendio. **Gehaltszulage** *f* supplemento *m* di stipendio.

gehaltvoll *adj* sostanzioso, di grande valore.

gehangen [gə'haŋən] *pp von* **hängen.**

gehässig [gə'hɛsɪç] *adj* maligno.

Gehässigkeit *f* malignità *f.*

Gehäuse [gə'hɔyzə] ⟨-s, -⟩ *n* **1.** *(Umhüllung)* involucro *m; (Uhr~)* cassa *f; (von technischen Geräten)* scatola *f,* rivestimento *m,* involucro *m,* alloggiamento *m; (von Motor)* basamento *m; (von Radio)* alloggiamento *m; (von Kamera)* custodia *f; (von Computer)* châssis *m;* **2.** *(Kern~)* torsolo *m.*

gehbehindert *adj* handicappato.

geheim [gə'haim] *adj* segreto; **im ~en** in segreto; **streng ~!** segreto!; *(auf Dokumenten)* riservato. **Geheimagent(in)** *m(f)* agente *mf* segreto. **Geheimdienst** *m* servizio *m* segreto. **geheim·halten** ⟨*irr*⟩ *tr* tenere segreto (*o* nascosto); *(verheimlichen)* celare (*vor jdm* a qu).

Geheimnis ⟨-ses, -se⟩ *n* segreto *m; (nicht Erforschbares)* mistero *m,* arcano *m;* **ein offenes ~** un segreto di Pulcinella. **Geheimniskrämerei** [-krɛ:mə'rai] ⟨-, -en⟩ *f* smania *f* di fare misteri. **geheimnisvoll** *adj* misterioso; ~ **tun** fare il misterioso.

Geheimnummer *f* numero *m* (*o* codice *m*) segreto. **Geheimpolizei** *f* polizia *f* segreta. **Geheimzahl** *s.* **Geheimnummer.**

gehemmt *adj (Mensch, Benehmen)* inibito.

gehen ['ge:ən] ⟨geht, ging, gegangen⟩ ⟨*sein*⟩ **I.** *itr* **1.** *allg.* andare; *(zu Fuß)* camminare, andare a piedi; **2.** *(weg~)* andar via, andarsene; *(Zug, Schiff: abfahren)* partire; **3.** *tec (Maschine)* funzionare; *(Uhr)* andare; **4.** *(Ware)* vendersi; *(Geschäft)* andare bene; **5.** *(Teig)* crescere, alzarsi; **6.** *(reichen)* arrivare (*bis* fino a); **7.** *(hinein~, passen)* entrare (*in +akk* in); **8.** *(andauern)* durare; **9.** *(möglich sein)* essere possibile; ~ **auf** *(Fenster)* dare su; **essen ~** andare a mangiare; **gut ~** *ökon* vendersi bene, trovare smercio; **bei jdm aus und ein ~** frequentare spesso qu; **in sich ~** *(sein Gewissen prüfen)* fare l'esame di coscienza; **mit jdm ~** *(begleiten)* accompagnare qu; *(mit einem Mädchen, Jungen)* andare con qu, frequentare qu; **nach dem Äußeren ~** giudicare dalle apparenze; **zu jdm ~** *(besuchen)* andare da qu, fare una visita a qu; **zum Arzt ~** andare dal medico; **zum Friseur/Bäcker ~** andare dal parrucchiere/dal panettiere; **endlich geht er an die Arbeit** finalmente si mette al lavoro; **nach dem, was er sagt, kann man nicht ~** non ci si può regolare in base a quello che dice; **es geht** *(a. gesundheitlich)* va bene; *(ich brauche keine Hilfe)* ce la faccio da solo; **es geht mir gut** sto bene; **es geht mir schlecht** sto male; **es geht schon, es wird schon ~** andrà bene; **es geht (so** *o* **einigermaßen)** *fam* non c'è male, va così così; **es geht nicht anders** non si può fare diversamente; **wenn es nach mir ginge** se dipendesse da me; **das geht nicht** non si può fare così, così non va; **das geht zu weit** questo è troppo; **so gut es geht** il meglio possibile; **es geht sich schlecht hier** qui si cammina male; **es geht nichts über ...** non c'è di meglio che ...; **es geht um ...** *(es handelt sich darum)* si tratta di ...; *(steht auf dem Spiel)* è in gioco; **geht es so/morgen?** va bene così/domani?; **wie geht es Ihnen?** come sta?; **II.** *tr (Strecke)* percorrere.

gehen·lassen ⟨*irr, ohne ge-*⟩ **I.** *tr* lasciar andare; **II.** *rfl:* **sich ~** *(im Benehmen)* perdere il controllo di se stesso; *(in der Kleidung)* lasciarsi andare, trascurarsi.

geheuer [gəˈhɔyɐ] *adj:* **nicht ~ sein** *(verdächtig)* essere sospetto; *(gruselig, beängstigend)* essere sinistro (*o* pauroso); *(unbehaglich)* essere spiacevole; **das ist mir nicht ~** ciò mi insospettisce, ciò non mi piace.

Gehilfe [gəˈhɪlfə] ⟨-n, -n⟩ *m,* **Gehilfin** [...fɪn] *f* **1.** *(Helfer)* aiuto *m,* assistente *mf;* **2.** *(nach Lehre)* garzone *m;* **3.** *(Komplize)* complice *mf.*

Gehirn [gəˈhɪrn] ⟨-(e)s, -e⟩ *n* cervello *m.* **Gehirnerschütterung** *f* commozione *f* cerebrale. **Gehirnhautentzündung** *f* meningite *f.* **Gehirnschlag** *m* apoplessia *f* cerebrale. **Gehirnwäsche** *f* lavaggio *m* del cervello.

gehoben [gəˈhoːbən] **I.** *pp von* **heben; II.** *adj* **1.** *(Stil, Ausdrucksweise)* elevato, sostenuto; **2.** *(anspruchsvoll)* sofisticato; **3.** *(Stellung)* elevato; **4.** *(Stimmung)* allegro, brioso.

geholfen [gəˈhɔlfən] *pp von* **helfen.**

Gehör [gəˈhøːɐ̯] ⟨-(e)s, ø⟩ *n* **1.** *(~sinn)* udito *m;* **2.** *(Tonempfindung)* orecchio *m;* **3.** *(Beachtung)* ascolto *m;* **~ finden** trovare ascolto (*bei jdm* presso qu); **sich** *(dat)* **~ verschaffen** farsi ascoltare; **ein gutes ~ haben** aver l'udito fine; **nach ~** a orecchio.

gehorchen ⟨*ohne ge-*⟩ *itr* ubbidire (*jdm* a qu); **jdm nicht ~** disubbidire a qu.

gehören ⟨*ohne ge-*⟩ **I.** *itr* **1.** *(als Eigentum)* appartenere (*dat* a), essere (*dat* di); **2.** *(als Teil)* fare parte (*zu* di); *(zu einer Zahl)* essere (*zu* di, tra); **3.** *(an bestimmten Platz)* andare messo, dover stare; **4.** *(zustehen: Achtung)* spettare (*jdm* a qu); **das gehört mir** questo è mio; **du gehörst ins Bett** dovresti essere a letto; **diese Frage gehört nicht hierher** questo non c'entra; **sie gehört zu denen, die ...** è tra quelle che ...; **dazu gehört nicht viel** non ci vuole molto; **II.** *rfl:* **sich ~** convenire, addirsi; **das gehört sich nicht** non si fa; **wie es sich gehört** *(sich schickt)* come si addice; *(ordentlich)* come si deve.

gehörig I. *adj* **1.** *(gehörend)* appartenente (*jdm* a qu, *zu etw.* a qc); **2.** *(gebührend)* dovuto, spettante; **3.** *(erforderlich)* necessario, richiesto; **4.** *fam (gründlich)* bello, grande; *(bes. Strafe, Prügel)* forte; **II.** *adv* **1.** *(gebührend)* a dovere, doverosamente; **2.** *(gründlich)* per bene.

gehörlos *adj* sordo.

gehorsam [gəˈhoːɐ̯zaːm] *adj* ubbidiente. **Gehorsam** ⟨-s, ø⟩ *m* ubbidienza *f,* obbedienza *f.*

Gehsteig [ˈgeːʃtaik] ⟨-(e)s, -e⟩ *m,* **-weg** *m* marciapiede *m.*

Geier [ˈgaiɐ] ⟨-s, -⟩ *m* avvoltoio *m;* **weiß der ~!** *sl* ma che ne so io! *fam.*

Geige [ˈgaigə] ⟨-, -n⟩ *f* violino *m;* **die erste ~ spielen** *fig* essere il numero uno.

Geigenbauer(in) ⟨-s, -⟩ *m(f)* liutaio, -a *m, f,* violinaio, -a *m, f.*

Geiger(in) ⟨-s, -⟩ *m(f)* violinista *mf.*

Geigerzähler *m* contatore *m* (di) Geiger.

geil [gail] *adj* **1.** *(lüstern)* lussurioso, libidinoso, lascivo; **2.** *fam (toll)* fantastico, formidabile, eccezionale; **er ist ~ nach Erfolg** è avido di successo; **das ist echt ~!** *sl* è fantastico!. **Geilheit** ⟨-, ø⟩ *f* libidine *f.*

Geisel [ˈgaizəl] ⟨-, -n⟩ *f* ostaggio *m;* **jdn als ~ nehmen** prendere qu in ostaggio. **Geiselnahme** [-naːmə] ⟨-, -n⟩ *f* presa *f* in ostaggio. **Geiselnehmer(in)** ⟨-s, -⟩ *m(f)* persona *f* che tiene in ostaggio qu, sequestratore *m.*

Geißel [ˈgaisəl] ⟨-, -n⟩ *f* flagello *m.*

geißeln *tr* **1.** *(mit Geißel schlagen)* frustare; *rel* flagellare; **2.** *fig (anprangern)* criticare severamente, stimmatizzare.

Geist [gaist] ⟨-(e)s, -er⟩ *m* **1.** ⟨*sing*⟩ *(Denken, Vernunft)* spirito *m,* ingegno *m;* **2.** ⟨*sing*⟩ *(Intellekt, Witz)* spirito *m;* **3.** *(Denker, Genie)* spirito *m;* **4.** ⟨*sing*⟩ *(Seele)* anima *f,* spirito *m;* **5.** *(Gespenst)* spirito *m,* fantasma *m,* spettro *m;* **6.** *(Gesinnung, Sinn)* spirito *m,* intenzione *f;* **der Heilige ~** lo Spirito Santo; **kleine ~er** *(ungebildet)* gli ignoranti; *(engstirnig)* la gente limitata; **seinen ~ aufgeben** *(sterben)* rendere l'anima a Dio; *fam (nicht mehr funktionieren)* smettere di funzionare; **in jds ~e handeln** operare secondo le intenzioni di qu; **etw. im ~(e) vor sich** *(dat)* **sehen** vedere qc davanti a sé col pensiero; **von allen guten ~ern verlassen sein** *fam* aver perso la testa *fam.*

Geisterbahn *f* galleria *f* degli orrori. **Geisterfahrer(in)** *m(f)* automobilista *mf* che imbocca l'autostrada contromano.

geistesabwesend *adj* distratto, svagato. **Geistesabwesenheit** *f* distrazione *f.* **Geistesblitz** *m* lampo *m* di genio. **Geistesgegenwart** *f* presenza *f* di spirito. **geistesgegenwärtig** *adj* lucido, pronto. **geistesgestört** *adj* alienato (di mente), malato di mente. **geisteskrank** *adj* malato di mente. **Geisteskrankheit** *f* malattia *f* mentale; *(Psychose)* psicosi *f.* **geistesverwandt** *adj* spiritualmente affine (*mit* a). **Geisteswissenschaften** ⟨*pl*⟩ scienze *f pl* umane. **Geisteszustand** *m* stato *m* mentale.

geistig *adj* **1.** *(gedanklich)* intellettuale; *(verstandesmäßig)* mentale; **2.** *(innerlich)* spirituale, interiore; **3.** *(unkörperlich)* immateriale.

geistlich *adj* spirituale; *mus* sacro; *(kirchlich)* ecclesiastico; *(klerikal)* clericale. **Geistliche** ⟨ein -r, -n, -n⟩ *m* ecclesiastico *m;* *(Priester)* prete *m,* sacerdote *m;* *(Pastor)* pastore *m.*

geistlos *adj (einfallslos)* privo d'ingegno; *(dumm)* stupido, sciocco; *(fade)* insulso, piatto, insipido; *(langweilig)* noioso.

Geistlosigkeit ⟨-, -en⟩ *f* **1.** ⟨*sing*⟩ *(Einfallslosigkeit)* futilità *f; (Dummheit)* sciocchezza *f; (Fadheit)* scipitaggine *f; (Langweiligkeit)* monotonia *f;* **2.** *(Äußerung)* insulsaggine *f.* **geistreich** *adj* spiritoso; *(einfallsreich)* ingegnoso, geniale. **geisttötend** *adj* noioso, monotono. **geistvoll** *adj (Mensch)* spiritoso; *(Unterhaltung)* brillante; *(Äußerung)* arguto.

Geiz [gaits] ⟨-es, ø⟩ *m* avarizia *f.*

geizen *itr* essere avaro (*mit* con), lesinare (*mit* su); *fig* lesinare (*mit etw.* qc), essere parco (*mit* di).

Geizhals *m* avaro *m,* spilorcio *m.*

geizig *adj* avaro (*mit* di); *(zu sparsam)* parsimonioso (*mit* di).

Geizkragen *m fam* avaro *m,* tirchione *m fam.*

Gejammer [gəˈjamɐ] ⟨-s, ø⟩ *n* lamenti *m pl,* lamentele *f pl,* lagna *f fam.*

gekannt [gəˈkant] *pp von* **kennen.**

geklungen [gəˈklʊŋən] *pp von* **klingen.**

geknickt *adj fam* abbacchiato *fam,* avvilito.

gekniffen [gəˈknɪfən] *pp von* **kneifen.**

gekonnt [gəˈkɔnt] **I.** *pp von* **können; II.** *adj* ben fatto, azzeccato; **etw. ~ machen** fare qc magistralmente.

Gekritzel [gəˈkrɪtsəl] ⟨-s, ø⟩ *n* scarabocchi *m pl.*

gekrochen [gəˈkrɔxən] *pp von* **kriechen.**

gekünstelt [gəˈkʏnstəlt] *adj (unnatürlich, geziert)* affettato; *(Sprache, Stil)* ricercato.

Gel [geːl] ⟨-s, -e⟩ *n* gel *m.*

Gelächter [gəˈlɛçtɐ] ⟨-s, -⟩ *n* risata *f.*

gelackmeiert [gəˈlakmaiɐt] *adj fam* fregato *fam.*

Gelage [gəˈlaːgə] ⟨-s, -⟩ *n* banchetto *m; (bes. Zech~)* gozzoviglia *f.*

gelähmt *adj* paralizzato; *(Mensch)* paralitico.

Gelände [gəˈlɛndə] ⟨-s, -⟩ *n* **1.** *(freies Land, bes. mil: Terrain)* terreno *m;* **2.** *(Grundstück)* terreno *m,* area *f; (Fabrik~)* zona *f (o* area *f)* di un'industria/una ditta; *(Schul~)* area *f* della scuola; *(Bau~)* terreno *m* fabbricabile; **mitten im ~** in un posto impensato. **geländegängig** *adj* adatto per tutti i terreni.

Geländer [gəˈlɛndɐ] ⟨-s, -⟩ *n (Treppen~)* ringhiera *f; (Brüstung)* balaustra *f,* parapetto *m.*

Geländewagen *m* fuoristrada *m.*

gelang [gəˈlaŋ] *imp von* **gelingen.**

gelangen [gəˈlaŋən] ⟨*ohne ge-*⟩ *itr* ⟨*sein*⟩ arrivare (*zu, nach* a), giungere (*zu, nach* a), pervenire (*zu, nach* a); **in den Besitz einer S.** *(gen)* **~** entrare in possesso di qc.

gelangweilt *adj* annoiato.

gelassen I. *adj (ruhig)* calmo, pacato, tranquillo; *(gleichmütig)* imperturbabile; *(gefaßt)* composto; **~ bleiben** mantenere la calma; **II.** *adv* con calma, tranquillamente.

Gelatine [ʒelaˈtiːnə] ⟨-, ø⟩ *f* gelatina *f.*

geläufig [gəˈlɔʏfɪç] *adj* corrente; **jdm ~ sein** essere familiare a qu.

gelaunt [gəˈlaunt] *adj* disposto; **gut/schlecht ~** di buon/cattivo umore.

gelb [gɛlp] *adj* giallo; **G~e Seiten** le pagine *f pl* gialle; **G~er Sack** sacco *m* (giallo) per la raccolta differenziata; *s. a. blau.*

Gelb ⟨-(s), - *o fam* -s⟩ *n* giallo *m;* **bei ~ über die Ampel fahren** passare col giallo; **die Ampel springt auf ~** il semaforo diventa giallo; *s. a. Blau.*

Gelbe [ˈgɛlbə] ⟨ein -s, -n, ø⟩ *n (Eigelb)* tuorlo *m;* **das ist nicht das ~ vom Ei** *fig* non è il non plus ultra.

Gelbfieber *n* febbre *f* gialla.

gelblich *adj* giallognolo, giallastro.

Gelbsucht *f* itterizia *f,* ittero *m.*

Geld [gɛlt] ⟨-(e)s, -er⟩ *n* denaro *m,* soldi *m pl; (Klein~)* spiccioli *m pl,* moneta *f; (Vermögen, Kapital)* denaro *m,* capitale *m,* fondi *m pl;* **öffentliche ~er** fondi pubblici; **ins ~ gehen** diventar caro (*o* costoso); **zu ~ machen** vendere; **~ regiert die Welt** *prov* il denaro è il re del mondo *prov.* **Geldautomat** *m* sportello *m* automatico. **Geldbeutel** *m* borsellino *m.* **Geldbuße** *f* multa *f,* contravvenzione *f.* **Geldgeber(in)** *m(f)* finanziatore, -trice *m, f.* **geldgierig** *adj* avido di denaro. **Geldinstitut** *n* istituto *m* finanziario. **Geldquelle** *f* risorsa *f* finanziaria; *(Verdienstquelle)* fonte *f* di guadagno. **Geldschein** *m* banconota *f.* **Geldspende** *f* offerta *f* in denaro. **Geldstrafe** *f* multa *f,* contravvenzione *f;* **jdn mit einer ~ belegen** multare qu. **Geldstück** *n* moneta *f.* **Geldverlegenheit** *f* difficoltà *f pl* finanziarie. **Geldverschwendung** *f* spreco *m* di denaro. **Geldwäsche** *f* riciclaggio *m* di denaro. **Geldwechsel** *m* cambio *m* (monetario); *(Stelle)* ufficio *m* di cambio. **Geldwechsler** [-vɛkslɐ] ⟨-s, -⟩ *m* automatico *m* per cambio di monete.

Gelee [ʒeˈleː *o* ʒəˈleː] ⟨-s, -s⟩ *n o m* gelatina *f.*

gelegen [gəˈleːgən] **I.** *pp von* **liegen; II.** *adj* **1.** *(örtlich)* situato, posto; **2.** *(passend)* comodo, opportuno; **mir ist daran ~, daß ...** mi importa (*o* preme) che *+congv.*

Gelegenheit ⟨-, -en⟩ *f* **1.** *(Anlaß, günstige ~)* occasione *f* (*zu* di); **2.** *(Möglichkeit)* occasione *f,* possibilità *f,* modo *m* (*zu* di); **3.** *(Ort)* posto *m* (*zu* per); **~ haben zu** aver l'occasione (*o* modo) di; **bei ~** all'occasione, al momento opportuno; **bei dieser ~** in quest'occasione; **~ macht Diebe** *prov* l'occasione fa l'uomo ladro *prov.* **Gelegenheitsarbeiter(in)** *m(f)* avventizio, -a *m, f.* **Gelegenheitskauf** *m* acquisto *m* d'occasione.

gelegentlich [gəˈleːgəntlɪç] **I.** *adj* occasionale; *(zeitweilig)* temporario; **II.** *adv (bei Gelegenheit)* all'occasione, occasionalmente; *(manchmal)* ogni tanto.

gelehrt *adj* dotto, erudito. **Gelehrte** ⟨ein -r, -n, -n⟩ *mf* erudito, -a *m, f; (Wissenschaftler)* studioso, -a *m, f,* scienziato, -a *m, f.*

Geleit [gəˈlait] ⟨-(e)s, -e⟩ *n (Begleitung)* accompagnamento *m; (zum Schutz)* scorta *f; naut, mil* convoglio *m;* **jdm das ~ geben** scortare qu; **jdm freies** (*o* **sicheres**) **~ geben** dare a qu un salvacondotto; *(bei Geiselnahme)* dare via libera a qu.

geleiten ⟨*ohne ge-*⟩ *tr geh* accompagnare, scortare.

Geleitschutz *m* scorta *f.*

Gelenk [gəˈlɛŋk] ⟨-(e)s, -e⟩ *n* **1.** *anat* giuntura *f,* articolazione *f;* **2.** *tec* giunto *m,* snodo *m.* **Gelenkentzündung** *f* artrite *f.* **gelenkig** *adj (beweglich)* agile, sciolto.

gelernt *adj (Arbeiter)* qualificato.

geliebt *adj* amato, caro. **Geliebte** ⟨ein -r, -n, -n⟩ *mf* amante *mf; geh (Anrede)* amore *m.*

geliefert *adj fam:* **~ sein** essere spacciato.

geliehen [gəˈliːən] *pp von* **leihen.**

gelinde *adv:* **~ gesagt** a dir poco.

gelingen [gəˈlɪŋən] ⟨gelingt, gelang, gelungen⟩ *itr* ⟨*sein*⟩ *(Unternehmen)* riuscire; **es gelingt mir** riesco (*zu* a).

gelitten [gəˈlɪtən] *pp von* **leiden.**

gellen [ˈgɛlən] *itr* risuonare. **gellend** *adj* squillante, stridulo, acuto.

Gelöbnis [gəˈløːpnɪs] ⟨-ses, -se⟩ *n* promessa *f* (solenne), voto *m.*

gelogen [gəˈloːgən] *pp von* **lügen.**

Gelse [ˈgɛlzə] ⟨-, -n⟩ *f A* zanzara *f.*

gelten [ˈgɛltən] ⟨gilt, galt, gegolten⟩ **I.** *itr (gültig sein)* essere valido; *(Gesetz, Regel)* essere in vigore, valere, vigere; **~ als** *(angesehen werden als)* passare per; **jdm ~** *(betreffen)* riguardare (*o* concernere) qu; **einer S.** *(dat)* **~** *(gewidmet sein)* essere dedicato a qc; **für jdn ~** *(zutreffen)* valere per qu; **für etw. ~** valere per qc; **jdn/etw. ~ lassen** riconoscere qu/qc; **was er sagt, das gilt** quello che dice, si fa; **das gilt nicht!** *(ist unerlaubt)* non vale!, non è corretto!; **das gilt mir** questo tocca a me; **dasselbe gilt für ...** lo stesso vale per ...; **II.** *tr* **1.** *(wert sein)* valere, aver valore; **2.** *(nötig sein)* essere necessario; **bei jdm viel/wenig/etwas/nichts ~** avere molta/poca/un po' di/(non) ... nessuna influenza su qu. **geltend** *adj (gültig)* valido; *(Gesetz, Bestimmung)* vigente; *(Preise)* corrente; *(herrschend, allgemein)* dominante, generale; **~ machen** far valere; *(durchsetzen)* affermare; **sich ~ machen** *(bemerkbar werden)* manifestarsi.

Geltung ⟨-, ø⟩ *f* **1.** *(Gültigkeit)* validità *f;* **2.** *(Ansehen)* considerazione *f;* **3.** *(Bedeutung)* evidenza *f,* risalto *m;* **sich** *(dat)* **~ verschaffen** farsi valere; **zur ~ bringen** mettere in risalto; **zur ~ kommen** farsi valere; *(hervorstechen)* risaltare. **Geltungsbedürfnis** *n* ambizione *f,* desiderio *m* di mettersi in luce.

Gelübde [gəˈlʏpdə] ⟨-s, -⟩ *n* voto *m.*

gelungen [gəˈlʊŋən] **I.** *pp von* **gelingen; II.** *adj* **1.** *(geglückt)* riuscito (bene); **2.** *(zum Lachen)* buffo, comico.

GEMA [ˈgeːma] ⟨-, ø⟩ *f abk von* **Gesellschaft für musikalische Aufführungs- und mechanische Vervielfältigungsrechte** *società per i diritti di riproduzione meccanica e di esecuzione delle opere musicali.*

gemächlich [gəˈmɛːçlɪç] *adj* comodo, calmo.

gemacht *adj:* **für etw. ~ sein** *(geschaffen)* essere fatto per qc; **ein ~er Mann sein** *(erfolgreich)* essere un uomo arrivato; **sich ins ~e Bett legen** trovare la pappa scodellata; **(ist) ~!** *(einverstanden)* d'accordo!

Gemahl(in) [gəˈmaːl(ɪn)] ⟨-(e)s, -e⟩ *m(f) geh* marito *m,* consorte *mf lett;* **Ihre Frau Gemahlin** la Sua signora.

Gemälde [gəˈmɛːldə] ⟨-s, -⟩ *n* quadro *m,* dipinto *m.*

gemasert [gəˈmaːzɐt] *adj* marezzato.

gemäß [gəˈmɛːs] **I.** *prp +dat* **1.** *(entsprechend)* secondo, in conformità a, conformemente a; **2.** *(laut, bes. jur)* ai sensi di, a norma di; **Ihrem Wunsch ~** secondo il Suo/Vostro desiderio; **~ den bestehenden Bestimmungen** in conformità alle vigenti disposizioni; **II.** *adj (würdig)* degno (*dat* di).

gemäßigt *adj a. pol* moderato; *(Klima)* temperato.

gemein [gəˈmain] *adj* **1.** *(böse)* cattivo, malvagio, perfido; *(niederträchtig)* meschino; **2.** *(ordinär)* volgare; *(unanständig)* sporco, indecente; **3.** *(verbreitet)* comune, corrente; *(all~)* comune, generale; *(öffentlich)* pubblico; **4.** *(einfach)* semplice; *(niedrigen Standes)* basso, comune, popolare; *(Soldat, mat: Bruch)* semplice; **5.** *fam (unangenehm)* terribile, orribile; **~er Kerl** villano *m;* **etw. mit jdm ~ haben** avere qc in comune con qu.

Gemeinde [gəˈmaində] ⟨-, -n⟩ *f* **1.** *(Kommune)* comune *m; (bes. Dorf)* municipio *m;* **2.** *(Einwohner)* abitanti *m pl* di un comune; **3.** *rel* comunità *f; (beim Gottesdienst)* fedeli *m pl; (Pfarr~)* parrocchia *f.* **Gemeinderat** *m* **1.** ⟨*pl* -räte⟩ *(Körperschaft)* consiglio *m* comunale; **2.** ⟨*f* -rätin⟩ *(Person)* consigliere *mf* comunale. **Gemeindeschwester** *f* diaconessa *f.* **Gemeindewahl** *f* elezioni *f pl* comunali.

gemeingefährlich *adj* che costituisce un pericolo pubblico; ~**er Mensch** pericolo pubblico.
Gemeingut *n* bene *m* pubblico.
Gemeinheit ⟨-, -en⟩ *f* **1.** ⟨*sing*⟩ *(Gesinnung)* perfidia *f*, malvagità *f*; *(Niedertracht)* meschinità *f*; **2.** *(gemeine Handlung)* cattiveria *f*, malvagità *f*.
gemeinnützig [-nʏtsɪç] *adj* di pubblica utilità, di interesse collettivo.
Gemeinplatz *m* luogo *m* comune.
gemeinsam I. *adj* comune; **II.** *adv (mehrere betreffend)* in comune; *(zusammen)* insieme, assieme. **Gemeinsamkeit** ⟨-, -en⟩ **1.** ⟨*sing*⟩ *(Übereinstimmung)* sintonia *f*; **2.** *(gemeinsame Eigenschaft)* comunanza *f*.
Gemeinschaft ⟨-, -en⟩ *f* **1.** ⟨*sing*⟩ *(Zusammensein)* comunità *f*; *(Verbundenheit)* unione *f*; **2.** *(Personengruppe)* comunità *f*, associazione *f*, società *f*; *(religiöse ~)* comunità *f*; **die Europäische** ~ (*abk* **EG**) *hist* la Comunità europea; **in ~ mit** in cooperazione con. **Gemeinschaftsantenne** *f* antenna *f* collettiva. **Gemeinschaftsarbeit** *f* lavoro *m* di gruppo, cooperazione *f*. **Gemeinschaftskunde** *f* educazione *f* civica. **Gemeinschaftspraxis** *f* studio *m* comunitario. **Gemeinschaftsproduktion** *f* coproduzione *f*.
Gemeinwohl *n* bene *m* comune.
Gemenge [gə'mɛŋə] ⟨-s, -⟩ *n* **1.** *(Gemisch)* miscuglio *m*, mescolanza *f*, misto *m*; **2.** *fig (Durcheinander)* confusione *f*; **3.** *(Hand~)* mischia *f*.
Gemetzel [gə'mɛtsəl] ⟨-s, -⟩ *n* massacro *m*, strage *f*.
gemieden [gə'miːdən] *pp von* **meiden.**
Gemisch [gə'mɪʃ] ⟨-(e)s, -e⟩ *n allg., mot* miscela *f*; *(a. fig)* miscuglio *m*.
gemischt *adj* mescolato, misto, mischiato; *(männlich u. weiblich)* misto; *fig (Gefühle)* contrastante; **ein ~er Salat** un'insalata mista; **es war ~** *fam (nicht sehr gut)* è stato così così *fam*; **mit ~en Gefühlen** con sentimenti contrastanti.
gemocht [gə'mɔxt] *pp von* **mögen.**
gemolken [gə'mɔlkən] *pp von* **melken.**
Gemse ['gɛmzə] ⟨-, -n⟩ *f* camoscio *m*.
Gemüse [gə'myːzə] ⟨-s, -⟩ *n* verdura *f*, legumi *m pl*, ortaggi *m pl*; **gemischtes ~** verdura mista; **junges ~** *fig fam* i giovani. **Gemüsegarten** *m* orto *m*. **Gemüsehändler(in)** *m(f)* erbivendolo, -a *m, f*. **Gemüsesuppe** *f* minestra *f* di verdura.
gemußt [gə'mʊst] *pp von* **müssen.**
gemustert *adj* a disegni.
Gemüt [gə'myːt] ⟨-(e)s, -er⟩ *n (Psyche)* animo *m*, cuore *m*; *(Gefühl)* sentimento *m*; *(Seele)* anima *f*; *(Veranlagung)* indole *f*, natura *f*, temperamento *m*; **die ~er** gli animi; **sich** *(dat)* **etw. zu ~e führen** *(essen, trinken)* mangiare/bere qc con gusto; *(Buch)* concedersi qc; *(beherzigen)* prendersi qc a cuore; **sie hat zuviel ~** è tutta sentimento; **du hast ein sonniges ~** *iron* sei proprio ingenuo!
gemütlich *adj (behaglich)* accogliente; *(bequem)* comodo, confortevole; *(in aller Ruhe)* calmo, tranquillo; *(angenehm)* piacevole; *(familiär)* intimo, caldo; *(Mensch)* affabile, gioviale, alla buona; **es sich** *(dat)* **~ machen** mettersi a proprio agio. **Gemütlichkeit** ⟨-, ø⟩ *f (Behaglichkeit)* comodità *f*; *(Traulichkeit)* aria *f* di casa; *(Ruhe)* quiete *f*, tranquillità *f*; *(Familiarität)* familiarità *f*, intimità *f*; *(von Menschen)* affabilità *f*, cordialità *f*, giovialità *f*.
Gemütsbewegung *f* emozione *f*; *(Rührung)* commozione *f*. **gemütskrank** *adj* nevrotico; *(schwermütig)* malinconico; *(wahnsinnig)* pazzo. **Gemütskrankheit** *f* psicosi *f* emotiva. **Gemütsmensch** *m* persona *f* di cuore, buona pasta *f fam*; **du bist vielleicht ein ~!** *fam iron* sai che sei un bel tipo?. **Gemütsruhe** *f* impertubabilità *f*.
Gen [geːn] ⟨-s, -e⟩ *n* gene *m*.
genannt [gə'nant] *pp von* **nennen.**
genau [gə'nau] **I.** *adj* **1.** *(exakt)* esatto; *(a. bestimmt)* preciso; **2.** *(sorgfältig)* accurato; **3.** *(ausführlich)* dettagliato; **4.** *(pünktlich)* puntuale; **5.** *(streng)* severo, rigoroso; **peinlich ~** pignolo, pedante; **II.** *adv* **1.** *(exakt)* esattamente, precisamente; **2.** *(pünktlich)* in punto; **3.** *(gerade)* proprio, esattamente; **~ gehen** *(Uhr)* andare bene, essere preciso; **~ passen** andare bene, stare a pennello; **jdn ~ kennen** conoscere bene qu; **es mit etw. ~ nehmen** prendere qc alla lettera (*o* sul serio); **es mit etw. nicht so ~ nehmen** prendere qc sottogamba; **~ um drei Uhr** alle tre precise (*o* in punto); **das ist ~ dasselbe** è proprio la stessa cosa; **~!** *(stimmt)* esatto!. **genaugenommen** *adv* a rigore, in realtà, veramente.
Genauigkeit ⟨-, ø⟩ *f* **1.** *(Exaktheit)* precisione *f*, esattezza *f*; **2.** *(Sorgfalt)* accuratezza *f*; **3.** *(Strenge)* rigore *m*; **4.** *(peinliche ~)* meticolosità *f*; **5.** *(in der Wiedergabe)* fedeltà *f*.
genauso *adv* altrettanto.
Genbank *f* banca *f* di geni.
genehmigen [gə'neːmɪgən] ⟨*ohne ge-*⟩ **I.** *tr (Antrag, Änderung, Bau, Bauplan)* approvare; *(Veröffentlichung, Durchreise, Einfuhr)* autorizzare; *(Bitte)* acconsentire a; *(erlauben: Ausgang, Besuch)* permettere; *(zugestehen: Recht, Gefühle)* riconoscere; **genehmigt** *(auf Antrag)* approvato; *(gesprochen)* permesso, concesso; **II.** *rfl:* **sich** *(dat)* **etw. ~** concedersi qc.
Genehmigung ⟨-, -en⟩ *f* **1.** ⟨*sing*⟩ *(Erlaubnis)* permesso *m*; *(von Antrag, Änderung, Bau)* approvazione *f*; *(von Veröffentlichung, Durchreise, Einfuhr)* au-

torizzazione *f; (von Bitte)* approvazione *f; (behördliche Zulassung)* ammissione *f;* **2.** *(Schriftstück)* permesso *m,* autorizzazione *f.*

geneigt *adj* **1.** *(abfallend)* inclinato; *(abschüssig)* in pendenza; **2.** *(gebeugt)* chino, chinato; *(gesenkt)* abbassato; **3.** *fig (wohlgesonnen)* ben disposto (*zu* a), incline (*zu* a).

General [genəˈraːl] ⟨-s, -e *o* Generäle⟩ *m* generale *m.* **Generalkonsulat** *n* consolato *m* generale. **Generalprobe** *f* prova *f* generale. **Generalsekretär(in)** *m(f)* segretario, -a *m, f* generale. **Generalstaatsanwalt** *m,* **-anwältin** *f* [-ˈʃtaːts-] procuratore, -trice *m, f* generale. **Generalstab** *m* stato *m* maggiore. **Generalversammlung** *f* assemblea *f* generale.

Generation [genəraˈtsi̯oːn] ⟨-, -en⟩ *f* generazione *f.* **Generationenkonflikt** *m* conflitto *m* generazionale.

Generator [genəˈraːtoːɐ̯, ...raˈtoːrən] ⟨-s, -en⟩ *m* generatore *m.*

generell [genəˈrɛl] *adj* generale, generico.

genesen [gəˈneːzən] ⟨genest, genas, genesen⟩ *itr* ⟨*sein*⟩ guarire.

Genesung ⟨-, ø⟩ *f geh* guarigione *f,* convalescenza *f.*

Genetik [geˈneːtɪk] ⟨-, ø⟩ *f* genetica *f.*

Genetiker(in) ⟨-s, -⟩ *m(f)* genetista *mf.*

genetisch *adj* genetico.

Genf [gɛnf] *n* Ginevra *f.*

Genfer ⟨*inv*⟩ *adj attr* di Ginevra; **der ~ See** il Lago Lemano (*o* di Ginevra).

Genforscher(in) *m(f)* genetista *mf.*

Genforschung *f* genetica *f* sperimentale.

genial [geˈni̯aːl] *adj* geniale, ingegnoso; *(Sache)* ingegnoso.

Genialität [geni̯aliˈtɛːt] ⟨-, ø⟩ *f* genialità *f,* genio *m.*

Genick [gəˈnɪk] ⟨-(e)s, -e⟩ *n* nuca *f; fig fam* collo *m;* **sich** *(dat)* **das ~ brechen** rompersi l'osso del collo; *fig* rovinarsi.

Genie [ʒeˈniː] ⟨-s, -s⟩ *n* genio *m.*

genieren [ʒeˈniːrən] ⟨*ohne ge-*⟩ **I.** *rfl:* **sich ~** *(Hemmungen haben)* sentirsi imbarazzato (*o* a disagio); *(sich schämen)* vergognarsi; **II.** *tr (peinlich berühren)* dar fastidio a, infastidire; **das geniert mich nicht** *fam* questo non mi interessa *fam.*

genießbar *adj (Speise)* mangiabile, commestibile, mangereccio; *(Getränk)* bevibile; **nicht ~** *fig (unausstehlich)* insopportabile.

genießen [gəˈniːsən] ⟨genießt, genoß, genossen⟩ *tr (Speise)* gustare; *fig* godere; *(Erziehung)* avere; **nicht zu ~** *(Speise)* immangiabile; *(Getränk)* imbevibile; *(Mensch)* insopportabile.

Genießer(in) ⟨-s, -⟩ *m(f)* gaudente *mf; (Feinschmecker)* buongustaio, -a *m, f.*

genießerisch *adj* godereccio, voluttuoso.

Genitalien [geniˈtaːli̯ən] ⟨*pl*⟩ (organi *m pl*) genitali *m pl.*

Genitiv [ˈgeːnitiːf *o* geniˈtiːf] ⟨-s, -e⟩ *m* genitivo *m.*

Genmanipulation *f* manipolazione *f* genetica.

Genom [gəˈnoːm] ⟨-s, -e⟩ *n* genoma *m.*

genommen [gəˈnɔmən] *pp von* **nehmen.**

genormt *adj* standardizzato.

genoß [gəˈnɔs] *imp von* **genießen.**

Genosse [gəˈnɔsə] ⟨-n, -n⟩ *m,* **Genossin** [...sɪn] *f* **1.** *(Gefährte, a. pol)* compagno, -a *m, f;* **2.** *(Mitglied einer ~nschaft)* membro *m;* **3.** *(Komplize)* complice *mf.*

genossen [gəˈnɔsən] *pp von* **genießen.**

Genossenschaft ⟨-, -en⟩ *f* cooperativa *f.*

genötigt *adj:* **~ sein, etw. zu tun** essere costretto a fare qc.

Gentechnik *f* ingegneria *f* genetica. **Gentechniker(in)** *m(f)* ingegnere *mf* genetico. **gentechnisch** *adj* dell'ingegneria genetica. **Gentechnologie** *f* ingegneria *f* (*o* tecnologia *f*) genetica.

Genua [ˈgeːnu̯a] *n* Genova *f.*

genug [gəˈnuːk] *adv* abbastanza, a sufficienza; **~ haben von ...** averne abbastanza di ...; **laß es ~ sein!** finiscila!; **~ davon!** basta!

Genüge [gəˈnyːgə] ⟨-, ø⟩ *f:* **zur ~** abbastanza, a sufficienza.

genügen ⟨*ohne ge-*⟩ *itr* bastare, essere sufficiente; **den Anforderungen ~** (corr)ispondere alle esigenze; **das genügt!** questo basta!. **genügend** *adv* sufficientemente, abbastanza.

genügsam *adj* parco, sobrio.

Genugtuung [-tuːʊŋ] ⟨-, ø⟩ *f* soddisfazione *f.*

Genuß [gəˈnʊs] ⟨-nusses, -nüsse⟩ *m* **1.** ⟨*sing*⟩ *(Verzehr, von Drogen, Tabak, Alkohol)* consumo *m;* **2.** *(Vergnügen)* piacere *m,* godimento *m,* gioia *f;* **3.** ⟨*sing*⟩ *(Nutznießung)* beneficio *m; (von Rechten);* **in den ~ einer S.** *(gen)* **kommen** beneficiare di qc.

genüßlich [gəˈnʏslɪç] *adj* con voluttà.

Genußmittel *pl* generi *m pl* voluttuari.

Geograph(in) [geoˈgraːf(ɪn)] ⟨-en, -en⟩ *m(f)* geografo, -a *m, f.*

Geographie [geograˈfiː] ⟨-, ø⟩ *f* geografia *f.*

geographisch [...ˈgraːfɪʃ] *adj* geografico.

Geologe [geoˈloːgə] ⟨-n, -n⟩ *m,* **Geologin** [...gɪn] *f* geologo, -a *m, f.*

Geologie [...loˈgiː] ⟨-, ø⟩ *f* geologia *f.*

geologisch [...ˈloːgɪʃ] *adj* geologico.

Geometrie [geomeˈtriː, ...iːən] ⟨-, -n⟩ *f* geometria *f.*

geometrisch [...ˈmeːtrɪʃ] *adj* geometrico.

Geophysik [geofyˈziːk] *f* geofisica *f.*

geordnet *adj (Leben)* ordinato; *(Zustände, Verhältnisse)* stabile.

Georg [geˈɔrk *o* ˈgeːɔrk] *(männlicher Vorname)* Giorgio.

Georgien [geˈɔrgi̯ən] Georgia *f.*

Gepäck [gəˈpɛk] ⟨-(e)s, ø⟩ *n* bagaglio *m;*

mil equipaggiamento *m;* **diplomatisches ~** valigia *f* diplomatica. **Gepäckabfertigung** *f* spedizione *f* bagagli. **Gepäckannahme** *f* accettazione *f* bagagli. **Gepäckaufbewahrung** *f* deposito *m* bagagli. **Gepäckausgabe** *f* consegna *f* bagagli. **Gepäcknetz** *n* rete *f* portabagagli. **Gepäckstück** *n* collo *m,* bagaglio *m.* **Gepäckträger** *m* **1.** *(Person)* facchino *m,* portabagagli *m;* **2.** *(an Fahrzeugen)* portabagagli *m.* **Gepäckwagen** *m* bagagliaio *m.*

gepfeffert *adj fam* **1.** *(Preise, Mieten, Rechnung)* salato *fam;* **2.** *(grob: Brief, Antwort, Kritik)* grossolano; **3.** *(schwierig)* difficile.

gepfiffen [gə'pfɪfən] *pp von* **pfeifen.**

gepflegt I. *adj* **1.** *(nicht vernachlässigt)* curato; **2.** *(kultiviert: Atmosphäre, Unterhaltung)* raffinato, sofisticato; *(Restaurant)* raffinato; *(Ausdrucksweise, Stil)* scelto, accurato; **II.** *adv (kultiviert)* in modo raffinato; **ich will mal wieder ~ essen/tanzen gehen** *fam* voglio andare a mangiare/ballare in un bel locale.

Gepflegtheit ⟨-, ø⟩ *f* **1.** *(Ordentlichkeit)* cura *f;* **2.** *(Kultiviertheit)* raffinatezza *f.*

Gepflogenheit [gə'pflo:gənhaɪt] ⟨-, -en⟩ *f* abitudine *f,* uso *m.*

Geplänkel [gə'plɛŋkəl] ⟨-s, -⟩ *n* **1.** *mil* scaramuccia *f;* **2.** *fig (Wortgefecht)* schermaglia *f.*

Geplapper [gə'plapɐ] ⟨-s, ø⟩ *n* chiacchierio *m,* cicaleccio *m.*

Geplätscher [gə'plɛtʃɐ] ⟨-s, ø⟩ *n* mormorio *m,* gorgoglio *m.*

gepriesen [gə'pri:zən] *pp von* **preisen.**

gequält *adj (Lachen, Miene, Gesang, Stimme)* sforzato; **~ lächeln/zuhören** sforzarsi di sorridere/di ascoltare.

gequollen [gə'kvɔlən] *pp von* **quellen.**

gerade [gə'ra:də] **I.** *adj* **1.** *(geradlinig)* diritto; **2.** *(aufrecht)* eretto; **3.** *fig (unmittelbar)* diretto; **4.** *(Charakter)* schietto, leale, onesto; **5.** *(Zahl)* pari; **II.** *adv* **1.** *(soeben)* appena; *(im Moment, jetzt)* adesso, in questo momento; **2.** *(genau, besonders, ausgerechnet)* proprio; **3.** *(knapp)* appena; **~ zur rechten Zeit** giusto in tempo; **ich bin ~ gekommen** sono appena arrivato; **ich will ~ gehen** sto per andarmene; **das fällt mir ~ ein** a proposito, mi viene in mente; **das ist es ja ~!** proprio di questo si tratta!; **das fehlte ~ noch!** ci mancava anche questo; **~ darum!** proprio per questo; **nun ~!** ora più che mai; **nun ~ nicht!** a questo punto proprio no!, questa non ci voleva!

Gerade ⟨-n, -n⟩ *f* **1.** *(gerade Linie)* linea *f* retta; **2.** *sport* rettilineo *m; (Boxhieb)* diretto *m.*

geradeaus [-'ʔaus] *adv* d(i)ritto.

gerade·biegen ⟨*irr*⟩ *tr* raddrizzare; *fig* mettere a posto, sistemare.

geradeheraus [-hɛ'raus] *adv* francamente, chiaro e tondo *fam.*

gerade·stehen ⟨*irr*⟩ *itr (aufrecht stehen)* stare diritto (*o* eretto); **für etw. ~** *fig* rispondere di qc.

geradewegs [-ve:ks] *adv (ohne Umweg)* d(i)ritto; *(ohne Umschweife)* direttamente, chiaramente.

geradezu *adv* **1.** *(beinahe)* quasi; **2.** *(tatsächlich)* veramente, proprio; **3.** *(ohne Umschweife)* direttamente.

Geradheit ⟨-, ø⟩ *f (a. fig)* dirittura *f; (Rechtschaffenheit)* rettitudine *f.*

g(e)radlinig *adj* lineare, rettilineo.

Geranie [ge'ra:ni̯ə] ⟨-, -n⟩ *f* geranio *m.*

gerannt [gə'rant] *pp von* **rennen.**

Gerät [gə'rɛ:t] ⟨-(e)s, -e⟩ *n (Werkzeug)* attrezzo *m,* strumento *m; (bes. für Feinmechanik)* utensile *m,* arnese *m; (Vorrichtung)* congegno *m; (Apparat)* apparecchio *m; (Ausrüstung)* equipaggiamento *m; inform* device *m.*

geraten ⟨*irr, ohne ge-*⟩ *itr* ⟨*sein*⟩ **1.** *(zufällig gelangen)* capitare (*in +akk, nach* in), finire (*in +akk, nach* a, in); **2.** *(gelingen)* riuscire; *(gedeihen)* prosperare, crescere; **gut/schlecht ~** *(Sache)* riuscire bene/male; *(Kind)* crescer bene/male; **an etw.** *(akk)* **~** *(bekommen)* ricevere qc; **an jdn ~** imbattersi in qu, incontrare qu; **außer sich** *(dat)* **~** essere fuori di sé; **in Gefahr ~** trovarsi in pericolo; **in Schulden ~** indebitarsi; **in Wut ~** infuriarsi; **in schlechte Gesellschaft ~** frequentare cattive compagnie; **nach jdm ~** assomigliare a qu.

Geratewohl [gəra:tə'vo:l *o* gə'ra:tə...] *n:* **aufs ~** a caso, a casaccio *fam.*

geräumig [gə'rɔymɪç] *adj* spazioso, ampio, vasto.

Geräusch [gə'rɔyʃ] ⟨-(e)s, -e⟩ *n* rumore *m.* **geräuscharm** *adj* tranquillo, silenzioso. **geräuschempfindlich** *adj* sensibile al rumore. **Geräuschkulisse** *f film, radio* fondo *m* (*o* sottofondo *m*) sonoro; *fig* rumori *m pl* di sottofondo. **geräuschlos** *adj* silenzioso. **Geräuschpegel** *m* livello *m* del rumore. **geräuschvoll** *adj* rumoroso.

gerben ['gɛrbən] *tr* conciare.

Gerbsäure *f* acido *m* tannico.

Gerd [gɛrt] *s.* **Gerhard.**

gerecht [gə'rɛçt] *adj* **1.** *(rechtgemäß)* giusto; *(~fertigt)* giustificato; *(rechtschaffen)* onesto, probo; **2.** *(berechtigt)* giustificato, fondato; **3.** *(verdient)* meritato; **~ urteilen** giudicare secondo giustizia; **jdm ~ werden** rendere giustizia a qu; **einer S.** *(dat)* **~ werden** *(bewältigen)* essere all'altezza di qc.

Gerechtigkeit ⟨-, ø⟩ *f* giustizia *f; (Rechtschaffenheit)* onestà *f.*

Gerede [gə're:də] ⟨-s, ø⟩ *n (Geschwätz)* chiacchiere *f pl; (Klatsch)* pettegolezzi *m pl.*

geregelt *adj (Arbeits-, Mahlzeit)* regolare; *(Leben)* regolato.
gereizt *adj* irritato, arrabbiato.
Gerhard ['ge:ɐ̯hart] *(männlicher Vorname)* Gerardo.
Gericht[1] [gə'rɪçt] ⟨-(e)s, -e⟩ *n jur (Behörde)* tribunale *m; (bes. ~sstand)* foro *m; (~shof)* corte *f*, tribunale *m; (Gebäude)* tribunale *m*, palazzo *m* di giustizia; *(die Richter)* giudici *m pl*, corte *f;* **jdn vor ~ bringen** citare qu in giudizio; **mit jdm ins ~ gehen** *fig (kritisieren)* criticare aspramente qu; *(bestrafen)* giudicare severamente qu; **Hohes ~!** *(Anrede)* signori della Corte.
Gericht[2] [gə'rɪçt] ⟨-(e)s, -e⟩ *n (Speise)* piatto *m*.
gerichtlich I. *adj* 1. *(rechtlich)* legale, giudiziario; 2. *(des Gerichts)* del tribunale, della corte; II. *adv* legalmente, per vie legali; **jdn ~ belangen (*o* verfolgen)** procedere per via legale contro qu.
Gerichtsbarkeit ⟨-, ø⟩ *f* giurisdizione *f*, competenza *f* giudiziaria. **Gerichtsdiener** *m* usciere *m* del tribunale. **Gerichtshof** *m* corte *f* di giustizia. **Gerichtskosten** ⟨*pl*⟩ spese *f pl* legali (*o* giudiziarie). **Gerichtsmedizin** *f* medicina *f* legale. **Gerichtssaal** *m* sala *f* delle udienze. **Gerichtsstand** *m* foro *m*. **Gerichtstermin** *m* data *f* d'udienza. **Gerichtsverfahren** *n* procedimento *m* legale. **Gerichtsverhandlung** *f* dibattimento *m*, udienza *f*. **Gerichtsvollzieher** ⟨-s, -⟩ *m* ufficiale *m* giudiziario.
gerieben [gə'ri:bən] *pp von* **reiben.**
gering [gə'rɪŋ] *adj* 1. *(klein)* piccolo; *(knapp)* scarso; *(beschränkt)* limitato; *(wenig)* poco; *(schwach)* debole; *(niedrig: Preis, Temperatur)* basso; 2. *(unbedeutend)* insignificante, futile; 3. *(minderwertig)* scadente, cattivo; **kein G~erer als ...** nientemeno che ...; **nicht im ~sten** per niente, minimamente.
geringfügig [-fy:gɪç] I. *adj (unbedeutend)* insignificante; *(klein)* esiguo, scarso; *(leicht)* leggero; II. *adv* poco, scarsamente; *(leicht)* leggermente.
geringschätzig [-ʃɛt͟sɪç] I. *adj* sprezzante; II. *adv* con disprezzo.
gerinnen ⟨*irr, ohne ge-*⟩ *itr* ⟨*sein*⟩ coagulare, coagularsi; *(Milch)* cagliare; **zum G~ bringen** coagulare.
Gerinnsel [gə'rɪnzəl] ⟨-s, -⟩ *n (Blut~)* coagulo *m*, grumo *m*.
Gerinnung ⟨-, ø⟩ *f* coagulazione *f*.
Gerippe [gə'rɪpə] ⟨-s, -⟩ *n* 1. *(Skelett, magerer Mensch)* scheletro *m; (die Knochen)* ossatura *f;* 2. *(von Schiff, Flugzeug)* ossatura *f;* 3. *fig (Grundplan)* schema *m*.
gerissen [gə'rɪsən] I. *pp von* **reißen;** II. *adj (schlau)* scaltro, furbo.
geritten [gə'rɪtən] *pp von* **reiten.**
Germ [gɛrm] ⟨-, ø⟩ *f A* lievito *m*.
Germane [gɛr'ma:nə] ⟨-n, -n⟩ *m*, **Germanin** [...nɪn] *f* germano, -a *m, f*.
germanisch *adj* germanico.
Germanist(in) [gɛrma'nɪst(ɪn)] ⟨-en, -en⟩ *m(f)* germanista *mf*.
Germanistik [...'nɪstɪk] ⟨-, ø⟩ *f* germanistica *f*.
germanistisch *adj* germanistico.
gern [gɛrn] ⟨lieber, am liebsten⟩ *adv* volentieri, con piacere; **jdn ~ haben** voler bene a qu; **ich mag/tue das ~** mi piace/lo faccio volentieri; **ich glaube es ~** lo credo bene; **ich reise ~** mi piace viaggiare; **ich hätte ~ ...** vorrei ...; **~ geschehen!** non c'è di che; **du kannst mich mal ~ haben!** *fam* me ne infischio di te *fam*.
gerochen [gə'rɔxən] *pp von* **riechen.**
Geröll [gə'rœl] ⟨-(e)s, -e⟩ *n* detriti *m pl*.
geronnen [gə'rɔnən] *pp von* **rinnen.**
Gerontologe [geronto'lo:gə] ⟨-en, -en⟩ *m*, **Gerontologin** [...gɪn] *f* gerontologo, -a *m, f*.
Gerontologie [gerontolo'gi:] ⟨-, ø⟩ *f* gerontologia *f*.
Gerste ['gɛrstə] ⟨-, ø⟩ *f* orzo *m*. **Gerstenkorn** *n med* orzaiolo *m*.
Gerte ['gɛrtə] ⟨-, -n⟩ *f (Stock)* verga *f; (Peitsche)* frusta *f; (Reit~)* frustino *m*.
Gertrud ['gɛrtru:t] *(weiblicher Vorname)* Geltrude, Gertrude.
Geruch [gə'rʊx] ⟨-(e)s, Gerüche⟩ *m* 1. *(Sinneseindruck)* odore *m;* 2. *(~ssinn)* odorato *m*, olfatto *m*. **geruchlos** *adj* inodore, senza odore; *(duftlos)* senza profumo. **Geruchssinn** *m* (senso *m* dell')olfatto *m*, odorato *m*.
Gerücht [gə'rʏçt] ⟨-(e)s, -e⟩ *n* voce *f;* **das halte ich für ein ~!** *fam* secondo me è una diceria.
Gerüchteküche *f fam* voci *f pl*.
geruhsam *adj geh* tranquillo, pacifico.
Gerümpel [gə'rʏmpəl] ⟨-s, ø⟩ *n* ciarpame *m*.
gerungen [gə'rʊŋən] *pp von* **ringen.**
Gerüst [gə'rʏst] ⟨-(e)s, -e⟩ *n* 1. *(Bau~)* impalcatura *f*, armatura *f;* 2. *(Aufbau, a. fig: Grundplan)* struttura *f*.
gesalzen *adj fig fam (Preis)* salato *fam; (Witz)* piccante, spinto.
gesamt [gə'zamt] *adj* 1. *(ganz)* tutto; 2. *(völlig)* totale, intero, globale; 3. *(vollständig)* completo.
Gesamt- *(in Zusammensetzungen)* complessivo, totale. **Gesamtausgabe** *f* edizione *f* completa. **gesamtdeutsch** *adj* pangermanico. **gesamthaft** *CH* I. *adj* totale; II. *adv* in totale. **Gesamtheit** ⟨-, ø⟩ *f* totalità *f*, totale *m; (von Menschen)* collettività *f;* **in seiner ~** nel suo complesso. **Gesamthochschule** *f* università *f* unificata. **Gesamtschule** *f modello di scuola media e media superiore che attua l'integrazione di Haupt-, Realschule e Gymnasium.* **Gesamtübersicht** *f* vi-

sta *f* d'insieme, prospetto *m* generale. **Gesamtwert** *m* valore *m* complessivo.
gesandt [gə'zant] *pp von* **senden. Gesandte** ⟨ein -r, -n, -n⟩ *mf,* **Gesandtin** *f* inviato, -a *m, f,* delegato, -a *m, f; (Botschafter)* ambasciatore, -trice *m, f;* **päpstlicher ~r** legato *m* pontificio. **Gesandtschaft** ⟨-, -en⟩ *f* legazione *f.*
Gesang [gə'zaŋ] ⟨-(e)s, Gesänge⟩ *m* canto *m.*
Gesäß [gə'zɛ:s] ⟨-es, -e⟩ *n* sedere *m,* posteriore *m.* **Gesäßtasche** *f* tasca *f* posteriore.
Geschädigte [gə'ʃɛ:dɪgtə] ⟨ein-r, -n, -n⟩ *mf* parte *f* lesa.
Geschäft [gə'ʃɛft] ⟨-(e)s, -e⟩ *n* **1.** *(Gewerbe, Handel)* affare *m;* **2.** *(~sabschluß)* affare *m;* **3.** *(Firma)* ditta *f,* impresa *f,* azienda *f; (Laden)* negozio *m;* **4.** *(Beruf)* mestiere *m,* professione *f;* **5.** *(Aufgabe)* dovere *m,* mansione *f;* **6.** *fam (Notdurft)* bisogno *m;* **ein (gutes) ~ machen** fare un buon affare; **ein schlechtes ~ gemacht haben** aver fatto un cattivo affare; **mit jdm ins ~ kommen** entrare in rapporti d'affari con qu; **sein ~ verstehen** sapere il fatto proprio; **wie geht das ~?** come vanno gli affari?; **~ ist ~** gli affari sono affari.
geschäftig *adj* affaccendato, operoso.
geschäftlich I. *adj* d'affari; *(beruflich)* professionale; **II.** *adv* per affari; **jdn ~ sprechen** parlare a qu d'affari; **~ verreisen** partire per affari; **~ verhindert** impedito per ragioni d'affari.
Geschäftsabschluß *m* **1.** *(Abschluß eines Geschäfts)* conclusione *f* di un affare; **2.** *(Abschluß eines Geschäftsjahres)* resoconto *m* annuale. **Geschäftsbedingungen** *f pl* condizioni *f pl* contrattuali. **Geschäftsbericht** *m* resoconto *m.* **Geschäftsbeziehungen** *f pl* relazioni *f pl* commerciali. **Geschäftsbrief** *m* lettera *f* commerciale. **Geschäftsessen** *n* pranzo *m* (*o* cena *f*) di lavoro (*o* d'affari). **Geschäftsfrau** *f* donna *f* d'affari; *(Kauffrau)* commerciante *f.* **Geschäftsfreund** *m* amico *m* d'affari. **geschäftsführend** *adj (leitend)* gerente; *(amtierend)* in carica. **Geschäftsführer(in)** *m(f)* gerente *mf; (von Fabrik)* direttore, -trice *m, f; (von Gesellschaft)* amministratore, -trice *m, f,* delegato, -a *m, f.* **Geschäftsführung** *f* **1.** ⟨*sing*⟩ *(Vorgang)* gestione *f* (*o* amministrazione *f*) d'affari; **2.** *(Personal)* dirigenti *m pl.* **Geschäftsjahr** *n* anno *m* d'esercizio (*o* finanziario), esercizio *m.* **Geschäftslage** *f* andamento *m* degli affari, situazione *f* economica. **Geschäftsleitung** *s.* **Geschäftsführung. Geschäftsmann** ⟨-(e)s, -leute *o* -männer⟩ *m* uomo *m* d'affari; *(Kaufmann)* commerciante *m.* **geschäftsmäßig** *adj* secondo la prassi commerciale; *fig (sachlich)* distaccato. **Geschäftsordnung** *f* regolamento *m* interno. **Geschäftspartner(in)** *m(f)* socio, -a *m, f* (d'affari). **Geschäftsreise** *f* viaggio *m* d'affari; **auf ~** in viaggio d'affari. **Geschäftsschluß** *m* chiusura *f* (di negozi e uffici); **nach ~** dopo l'ora di chiusura. **Geschäftsstelle** *f* ufficio *m.* **Geschäftsstunden** *f pl* ore *f pl* d'ufficio. **Geschäftsträger** *m* incaricato *m* d'affari. **geschäftstüchtig** *adj* abile negli affari. **Geschäftsviertel** *n* quartiere *m* commerciale. **Geschäftszeit** *f (von Büro)* ore *f pl* d'ufficio; *(von Laden)* orario *m* d'apertura.
geschah [gə'ʃa:] *imp von* **geschehen.**
geschätzt *adj (geachtet)* stimato; *(Brief)* pregiato.
geschehen [gə'ʃe:ən] ⟨geschieht, geschah, geschehen⟩ *itr* ⟨*sein*⟩ **1.** *(passieren)* succedere, accadere; *(zufällig)* capitare; **2.** *(getan werden)* esser (*o* venir) fatto; **als wenn nichts ~ wäre** come se non fosse successo nulla; **es muß etwas ~** bisogna fare qualcosa; **was auch ~ mag** qualunque cosa avvenga (*o* succeda); **ist ihm etw. ~?** gli è successo qc?; **(das ist) gern ~!** non c'è di che; **das geschieht dir (ganz) recht (so)!** ti sta bene, ben ti sta; **was ~ ist, ist ~** cosa fatta capo ha *prov.*
Geschehen ⟨-s, -⟩ *n* avvenimento *m.*
gescheit [gə'ʃait] *adj (klug)* intelligente; *fam (vernünftig)* ragionevole, assennato; **nichts G~es** *fam* niente di buono.
Geschenk [gə'ʃɛŋk] ⟨-(e)s, -e⟩ *n* dono *m,* regalo *m.* **Geschenkgutschein** *m* buono *m* regalo. **Geschenkpapier** *n* carta *f* da regalo.
Geschichte [gə'ʃɪçtə] ⟨-, -n⟩ *f* storia *f;* **Alte/Mittlere/Neuere/Neueste ~** storia antica/medievale/moderna/contemporanea; **Biblische ~** Sacra Scrittura. **geschichtlich** *adj* storico. **Geschichtsschreiber** *m* storiografo *m.*
Geschick[1] [gə'ʃɪk] ⟨-(e)s, -e⟩ *n geh (Schicksal)* destino *m,* sorte *f.*
Geschick[2] [gə'ʃɪk] ⟨-(e)s, ø⟩ *n (Begabung)* talento *m.*
Geschicklichkeit ⟨-, ø⟩ *f* destrezza *f; (a. fig)* abilità *f.*
geschickt *adj (gewandt)* abile; *(tüchtig)* bravo (*in +dat* in), capace (*in +dat* in).
geschieden [gə'ʃi:dən] **I.** *pp von* **scheiden; II.** *adj* divorziato; **wir sind ~e Leute** *fig* non abbiamo più niente a che fare l'uno con l'altro.
geschieht [gə'ʃi:t] *pr von* **geschehen.**
geschienen [gə'ʃi:nən] *pp von* **scheinen.**
Geschirr [gə'ʃɪr] ⟨-(e)s, -e⟩ *n* **1.** *(Küchen~)* stoviglie *f pl,* piatti *m pl; (Tafel~)* vasellame *m,* servizio *m* (da tavola); **2.** *(Pferde~)* finimenti *m pl.* **Geschirrschrank** *m* credenza *f.* **Geschirrspülmaschine** *f* lavastoviglie *f,* lavapiatti

f fam. **Geschirrspülmittel** *n* detersivo *m* per stoviglie. **Geschirrtuch** *n* canovaccio *m.*

geschissen [gə'ʃɪsən] *pp von* **scheißen.**

Geschlecht [gə'ʃlɛçt] ⟨-(e)s, -er⟩ *n* **1.** *biol (a. ~sorgan)* sesso *m;* **2.** *(Gattung, a. gram)* genere *m;* **3.** *(Generation)* generazione *f;* **4.** *(Familie)* stirpe *f,* famiglia *f;* **das schöne ~** il gentil sesso; **das schwache/starke ~** il sesso debole/forte; **beiderlei ~s** di entrambi i sessi. **geschlechtlich** *adj* sessuale. **Geschlechtshormon** *n* ormone *m* sessuale. **Geschlechtskrankheit** *f* malattia *f* venerea. **Geschlechtsorgan** *n* organo *m* genitale. **Geschlechtsreife** *f* maturità *f* sessuale. **Geschlechtsteile** *n pl* (organi *m pl*) genitali *m pl.* **Geschlechtsverkehr** *m* rapporti *m pl* sessuali. **Geschlechtswort** ⟨-(e)s, -wörter⟩ *n* articolo *m.*

geschlichen [gə'ʃlɪçən] *pp von* **schleichen.**

geschliffen [gə'ʃlɪfən] *pp von* **schleifen**[1].

geschlossen [gə'ʃlɔsən] **I.** *pp von* **schließen; II.** *adj* **1.** *(zu)* chiuso; **2.** *(Front, Reihe)* compatto; **3.** *(ohne Ausnahme)* compatto; *(einstimmig)* all'unanimità; **~e Gesellschaft** riunione privata; **~e Ortschaft** centro abitato; **~ hinter jdm stehen** sostenere solidariamente qu.

geschlungen [gə'ʃlʊŋən] *pp von* **schlingen**[1] *und* **schlingen**[2].

Geschmack [gə'ʃmak] ⟨-(e)s, Geschmäkke *o scherz* Geschmäcker⟩ *m* gusto *m* (*nach* di); **~ haben** aver gusto; **an etw.** *(dat)* **~ finden** trovare gusto in qc; **das ist nicht mein ~** questo non è di mio gusto; **über ~ läßt sich (nicht) streiten** *prov* tutti i gusti sono gusti *prov.*

geschmacklos *adj* **1.** *(Speise)* insapore, privo di gusto; *(fade)* insipido; **2.** *fig (Kleidung)* di cattivo gusto; *(Bemerkung)* senza tatto; *(Witz)* che non sa di niente; **sich ~ anziehen (*o* kleiden)** vestirsi senza gusto. **Geschmacklosigkeit** ⟨-, -en⟩ *f* **1.** ⟨*sing*⟩ *(von Speise, Bemerkung)* mancanza *f* di gusto; *(Fadheit)* insipidezza *f; (Taktlosigkeit)* mancanza *f* di tatto; **2.** *(Gegenstand)* cosa *f* (*o* oggetto *m*) di cattivo gusto; *(Bemerkung)* osservazione *f* di cattivo gusto; *(Handlung)* azione *f* di cattivo gusto.

geschmackvoll I. *adj* di buon gusto; **II.** *adv* con buon gusto; **~ gekleidet** vestito con gusto.

geschmeidig [gə'ʃmaidɪç] *adj* **1.** *(glatt und weich)* liscio e morbido; **2.** *(elastisch)* elastico; *(Haar)* soffice; *(Körper)* agile; **3.** *fig (anpassungsfähig)* flessibile, duttile.

geschmissen [gə'ʃmɪsən] *pp von* **schmeißen.**

geschmolzen [gə'ʃmɔltsən] *pp von* **schmelzen.**

Geschnatter [gə'ʃnatɐ] ⟨-s, ø⟩ *n (von Gänsen)* schiamazzo *m; (von Menschen)* cicaleccio *m.*

geschnitten [gə'ʃnɪtən] *pp von* **schneiden.**

geschoben [gə'ʃo:bən] *pp von* **schieben.**

gescholten [gə'ʃɔltən] *pp von* **schelten.**

Geschöpf [gə'ʃœpf] ⟨-(e)s, -e⟩ *n (Lebewesen, Mensch)* creatura *f; fig (Produkt)* creazione *f,* frutto *m.*

geschoren [gə'ʃo:rən] *pp von* **scheren**[1].

Geschoß[1] [gə'ʃɔs] ⟨-schosses, -schosse⟩ *n (Wurf~, Rakete)* proiettile *m; (Gewehr~)* pallottola *f.*

Geschoß[2] [gə'ʃɔs] ⟨-schosses, -schosse⟩ *n (Stockwerk)* piano *m.*

geschossen [gə'ʃɔsən] *pp von* **schießen.**

Geschrei ⟨-s, ø⟩ *n* grida *f pl,* urli *m pl.*

geschrieben [gə'ʃri:bən] *pp von* **schreiben.**

geschrie(e)n [gə'ʃri:(ə)n] *pp von* **schreien.**

geschritten [gə'ʃrɪtən] *pp von* **schreiten.**

geschunden [gə'ʃʊndən] *pp von* **schinden.**

Geschütz [gə'ʃʏts] ⟨-es, -e⟩ *n* pezzo *m* d'artiglieria, cannone *m;* **schwere ~e auffahren** *fig* usare la maniera forte.

geschützt *adj* protetto.

Geschwätz [gə'ʃvɛts] ⟨-es, ø⟩ *n* chiacchiere *f pl.* **geschwätzig** *adj* chiacchierone, pettegolo, linguacciuto.

geschweige [gə'ʃvaigə] *konj:* **~ denn** tanto meno, meno che mai.

geschwiegen [gə'ʃvi:gən] *pp von* **schweigen.**

geschwind [gə'ʃvɪnt] *adj (obs, süddeutsch: schnell)* veloce, rapido.

Geschwindigkeit ⟨-, -en⟩ *f (bes. phys, mot)* velocità *f; (Schnelligkeit)* rapidità *f;* **mit einer ~ von ...** ad una velocità di ... **Geschwindigkeitsbegrenzung** *f* limite *m* di velocità. **Geschwindigkeitskontrolle** *f* controllo *m* della velocità. **Geschwindigkeitsüberschreitung** ⟨-, -en⟩ *f* eccesso *m* di velocità.

Geschwister [gə'ʃvɪstɐ] ⟨*pl*⟩ fratelli *m pl* e sorelle *f pl.*

geschwollen [gə'ʃvɔlən] **I.** *pp von* **schwellen; II.** *adj* **1.** *med* gonfio, gonfiato; **2.** *(Stil)* gonfio, ampolloso.

geschwommen [gə'ʃvɔmən] *pp von* **schwimmen.**

geschworen [gə'ʃvo:rən] *pp von* **schwören. Geschworene** ⟨ein -r, -n, -n⟩ *mf* giurato, -a *m, f.*

Geschwulst [gə'ʃvʊlst] ⟨-, Geschwülste⟩ *f med (Anschwellung)* gonfiore *m,* tumefazione *f; (Tumor)* tumore *m.*

geschwunden [gə'ʃvʊndən] *pp von* **schwinden.**

geschwungen [gə'ʃvʊŋən] *pp von* **schwingen.**

Geschwür [gə'ʃvy:ɐ] ⟨-(e)s, -e⟩ *n med* ulcera *f,* ascesso *m; fig* piaga *f.*

Geselle [gə'zɛlə] ⟨-n, -n⟩ *m,* **Gesellin**

[...lɪn] *f* **1.** *(Handwerks~)* garzone *m*, lavorante *mf* (artigiano, -a); **2.** *(Kerl)* tipo *m*, persona *f*.

gesellen ⟨*ohne ge-*⟩ *rfl:* **sich ~ zu ...** unirsi a ...

gesellig *adj (Mensch, Tier)* socievole; *(unterhaltsam)* lieto, gaio; **~es Beisammensein** riunione amichevole. **Geselligkeit** ⟨-, ø⟩ *f* **1.** *(Verkehr mit Menschen)* vita *f* di società; **2.** *(Beisammensein)* trattenimento *m*.

Gesellschaft ⟨-, -en⟩ *f* **1.** *allg., soc* società *f;* **2.** *(Vereinigung)* società *f*, associazione *f*, unione *f;* **3.** *(Umgang)* compagnia *f;* **4.** *(Fest)* trattenimento *m; (Abend~)* ricevimento *m* serale; *(Gäste)* invitati *m pl;* **~ mit beschränkter Haftung** (*abk* **GmbH**) società a responsabilità limitata; **jdm ~ leisten** fare compagnia a qu; **in guter/schlechter ~** in buona /cattiva compagnia.

Gesellschafter(in) *m(f)* socio, -a *m, f*.

gesellschaftlich *adj* sociale; *(die höhere Gesellschaft betreffend)* mondano, di società.

Gesellschaftsordnung *f* ordinamento *m* (*o* struttura *f*) sociale. **Gesellschaftsreise** *f* viaggio *m* in comitiva. **Gesellschaftsschicht** *f* strato *m* sociale. **Gesellschaftsspiel** *n* gioco *m* di società.

gesessen [gəˈzɛsən] *pp von* **sitzen.**

Gesetz [gəˈzɛts] ⟨-es, -e⟩ *n (a. fig)* legge *f*. **Gesetzbuch** *n* codice *m*. **Gesetzentwurf** *m* progetto *m* (*o* disegno *m*) di legge. **Gesetzeslücke** *f* lacuna *f* della legge, carenza *f* legislativa. **Gesetzesvorlage** *f* progetto *m* (*o* disegno *m*) di legge. **gesetzgebend** *adj* legislativo. **Gesetzgeber** *m* legislatore *m*. **Gesetzgebung** ⟨-, ø⟩ *f* legislazione *f*.

gesetzlich *adj* legale, di legge; *(gesetzmäßig)* conforme alla legge; *(rechtmäßig)* legittimo, legale; **~er Erbe** erede legittimo; **~er Feiertag** festa ufficiale; **~ geschützt** (*abk* **ges. gesch.**) brevettato.

gesetzmäßig *adj* **1.** *jur* conforme alla legge, legale; *(rechtmäßig)* legittimo; **2.** *wissensch* regolare. **Gesetzmäßigkeit** ⟨-, -en⟩ *f* **1.** ⟨*sing*⟩ *jur* legalità *f; (Rechtmäßigkeit)* legittimità *f;* **2.** *wissensch* regolarità *f*.

gesetzt I. *adj (ruhig, besonnen)* posato, composto, calmo; *(ernst)* serio; **II.** *konj:* **~ den Fall, daß ...** poniamo il caso che *+congv.*

gesetzwidrig *adj* illegale.

ges. gesch. *abk von* **gesetzlich geschützt** brev. (*abbr di* brevettato).

Gesicht [gəˈzɪçt] ⟨-(e)s, -er⟩ *n* **1.** *(vordere Kopfseite)* faccia *f*, viso *m;* **2.** *(~sausdruck, Miene)* viso *m*, volto *m;* **3.** *fig (Aussehen)* aspetto *m*, volto *m;* **das ~ verlieren** perdere la faccia; **das ~ wahren** salvare la faccia; **ein langes ~ machen** fare un viso lungo, fare la faccia lunga *fam;* **jdm etw. ins ~ sagen** dire qc in faccia a qu; **den Tatsachen ins ~ sehen** guardare in faccia la realtà; **zu ~ bekommen** riuscire a vedere; **jdm wie aus dem ~ geschnitten sein** essere il ritratto di qu.

Gesichtsausdruck *m* espressione *f* del volto. **Gesichtspflege** *f* cura *f* del viso. **Gesichtspunkt** *m* punto *m* di vista, aspetto *m*. **Gesichtsstraffung** *f* lifting *m*. **Gesichtswasser** *n* lozione *f* (*o* tonico *m*) per il viso. **Gesichtszüge** [-tsy:gə] *m pl* lineamenti *m pl.*

Gesindel [gəˈzɪndəl] ⟨-s, ø⟩ *n* gentaglia *f*, canaglia *f*.

gesinnt *adj (nur in Zusammensetzungen)* disposto, intenzionato; **wohl/übel ~** ben/mal intenzionato; **jdm feindlich ~ sein** essere ostile a qu.

Gesinnung [gəˈzɪnʊŋ] ⟨-, -en⟩ *f (Denkweise)* modo *m* di pensare, idee *f pl*, opinione *f; (Grundeinstellung)* principi *m pl;* **politische ~** idee politiche. **Gesinnungswandel** *m* cambiamento *m* d'opinione.

gesittet *adj* costumato, educato.

gesoffen [gəˈzɔfən] *pp von* **saufen.**

gesogen [gəˈzo:gən] *pp von* **saugen.**

gesondert [gəˈzɔndɐt] *adj* separato.

gesotten [gəˈzɔtən] *pp von* **sieden.**

gespalten *adj* **1.** *(Lippen, Rachen)* spaccato; *(Huf)* fesso; *(Zunge, a. fig)* biforcuto; **2.** *(Bewußtsein)* diviso; *(Verhältnis)* contrastato.

Gespann [gəˈʃpan] ⟨-(e)s, -e⟩ *n* **1.** *(Zugtiere, Gefährt)* tiro *m; (Wagen)* carrozza *f;* **2.** *fig (Paar)* coppia *f*.

gespannt *adj* **1.** *(an~, a. fig)* teso; *(Feder)* sotto carico; **2.** *fig (neugierig)* curioso (*auf +akk* di); **3.** *(aufmerksam: Zuhörer, Zuhören)* attento; **ich bin ~, was er berichten wird** sono curioso di sapere cosa racconterà.

Gespenst [gəˈʃpɛnst] ⟨-(e)s, -er⟩ *n* spettro *m*, fantasma *m*, spirito *m; (von Toten)* spirito *m; fig* spettro *m;* **~er sehen** *fig fam* avere timori infondati. **gespenstisch** *adj* spettrale, tetro, sinistro.

gespie(e)n [gəˈʃpi:(ə)n] *pp von* **speien.**

gesponnen [gəˈʃpɔnən] *pp von* **spinnen.**

Gespött [gəˈʃpœt] ⟨-(e)s, ø⟩ *n* beffa *f*, burla *f*, scherno *m; (Gegenstand des Spottes)* zimbello *m*.

Gespräch [gəˈʃprɛ:ç] ⟨-(e)s, -e⟩ *n* conversazione *f; (Unterredung, bes. pol)* colloquio *m; (Zwie~)* dialogo *m; tel* conversazione *f*, comunicazione *f; (Sprechen)* discorso *m;* **das ~ auf etw. bringen** far cadere il discorso su qc; **mit jdm ein ~ führen** avere un colloquio con qu.

gesprächig *adj* loquace, comunicativo.

Gesprächspartner(in) *m(f)* interlocutore, -trice *m, f*. **Gesprächsthema** *n* argomento *m* (*o* tema *m*) di conversazione. **Gesprächstherapie** *f psych* psicoterapia *f*.

gespritzt *adj (Obst, Gemüse)* trattato.
gesprochen [gəˈʃprɔxən] *pp von* **sprechen.**
gesprossen [gəˈʃprɔsən] *pp von* **sprießen.**
gesprungen [gəˈʃprʊŋən] *pp von* **springen.**
Gespür [gəˈʃpy:ɐ̯] ⟨-s, ø⟩ *n* fiuto *m.*
Gestagen [gɛstaˈge:n] ⟨-s, -e⟩ *n* gestagene *m.*
Gestalt [gəˈʃtalt] ⟨-, -en⟩ *f* forma *f; (a. lit)* figura *f; (äußere Erscheinung)* aspetto *m; (Körperbau)* corporatura *f; (Wuchs)* statura *f; (Persönlichkeit)* personaggio *m;* **in ~ von** in forma di, sotto l'aspetto di; *(Person)* in veste di.
gestalten ⟨*ohne ge-*⟩ **I.** *tr* dare forma a; *(entwerfen)* progettare; *(Programm)* preparare; *(Schaufenster)* allestire; *(einrichten)* disporre; *(Vorstellung, Freizeit, Leben)* organizzare; *(schöpferisch ~)* creare; **II.** *rfl:* **sich ~** prendere forma; *(sich entwickeln)* svilupparsi.
Gestaltpsychologie *f* gestaltismo *m.*
Gestaltung ⟨-, -en⟩ *f (Formgebung)* forma *f; (Entwurf)* progetto *m; (von Programm)* preparazione *f; (von Schaufenster)* allestimento *m; (Einrichtung)* disposizione *f; (von Veranstaltung, Freizeit, Leben)* organizzazione *f; (schöpferische ~)* creazione *f.*
gestanden [gəˈʃtandən] *pp von* **stehen.**
Geständnis [gəˈʃtɛntnɪs] ⟨-ses, -se⟩ *n* confessione *f.*
Gestank [gəˈʃtaŋk] ⟨-(e)s, ø⟩ *m* puzzo *m,* cattivo odore *m.*
gestatten [gəˈʃtatən] ⟨*ohne ge-*⟩ *tr* permettere *(jdm etw.* qc a qu); *(gewähren)* accordare *(jdm etw.* qc a qu); **~ (Sie)?** permette?, permesso?
Geste [ˈgɛstə *o* ˈge:stə] ⟨-, -n⟩ *f (a. fig)* gesto *m.*
gestehen ⟨*irr, ohne ge-*⟩ *tr (bekennen)* confessare; *(zugeben)* ammettere; *(Gefühle)* dichiarare.
Gestein ⟨-(e)s, -e⟩ *n* roccia *f.*
Gestell [gəˈʃtɛl] ⟨-(e)s, -e⟩ *n (Stütze)* supporto *m; (Regal)* scaffale *m; (Bock)* cavalletto *m; (Bett~)* lettiera *f, mot* telaio *m; aero* carrello *m* (d'atterraggio); *(Brillen~)* montatura *f.*
gestern [ˈgɛstɐn] *adv* ieri; **~ früh (***o* **morgen)/abend** ieri mattina/sera; **~ vor acht Tagen** nove giorni fa; **nicht von ~ sein** *fig fam* non essere nato ieri *fam.*
gestiegen [gəˈʃti:gən] *pp von* **steigen.**
gestikulieren [gɛstikuˈli:rən] ⟨*ohne ge-*⟩ *itr* gesticolare.
Gestirn [gəˈʃtɪrn] ⟨-(e)s, -e⟩ *n (Himmelskörper)* astro *m; (Stern)* stella *f; (Sternbild)* costellazione *f.*
gestoben [gəˈʃto:bən] *pp von* **stieben.**
gestochen [gəˈʃtɔxən] *pp von* **stechen.**
gestohlen [gəˈʃto:lən] *pp von* **stehlen.**
gestorben [gəˈʃtɔrbən] *(abk* **gest***) pp von* **sterben.**
gestört [gəˈʃtø:ɐ̯t] *adj allg., radio* disturbato; *(belastet)* turbato; *(geistig ~)* squilibrato; **ein ~es Verhältnis zu jdm/etw. haben** avere un rapporto difficile con qu/qc.
gestreßt [gəˈʃtrɛst] *adj* stressato.
gestrichen [gəˈʃtrɪçən] **I.** *pp von* **streichen; II.** *adj (Löffel)* pieno; **~ voll** *(Maß)* pieno raso (*o* colmo).
gestritten [gəˈʃtrɪtən] *pp von* **streiten.**
Gestrüpp [gəˈʃtrʏp] ⟨-(e)s, -e⟩ *n* sterpaglia *f; fig* confusione.
gestunken [gəˈʃtʊŋkən] *pp von* **stinken.**
Gestüt [gəˈʃty:t] ⟨-(e)s, -e⟩ *n* scuderia *f.*
Gesuch [gəˈzu:x] ⟨-(e)s, -e⟩ *n* domanda *f; jur* istanza *f; (Bittschrift)* petizione *f.*
gesucht *adj* ricercato.
gesund [gəˈzʊnt] ⟨gesünder, gesündeste⟩ *adj* sano; *(Luft, Klima)* sano, salubre; *(heilsam: Erfahrung, Lehre)* salutare; **~ machen** guarire; **(wieder) ~ werden** guarire; **jdn ~ schreiben** dichiarare qu guarito; **~ und munter** sano e vegeto; **das ist für ihn ganz ~** questo gli fa molto bene.
Gesundheit ⟨-, ø⟩ *f* salute *f; (Zuträglichkeit)* salubrità *f; fig (von Wirtschaft, Unternehmen)* prosperità *f;* **~!** salute!
gesundheitlich *adj (die Gesundheit betreffend)* della salute, igienico; *(der Gesundheit dienend)* salutare; **aus ~en Gründen** per ragioni di salute.
Gesundheitsamt *n* ufficio *m* d'igiene. **gesundheitsschädlich** *adj* dannoso (*o* nocivo) alla salute. **Gesundheitswesen** *n* sanità *f.* **Gesundheitszeugnis** *n* certificato *m* medico (sullo stato di salute). **Gesundheitszustand** *m* stato *m* di salute; **schlechter ~** condizioni *f pl* di salute precarie.
gesund·schrumpfen I. *tr* ⟨*haben*⟩ *ökon* risanare; **II.** *itr* ⟨*sein*⟩ risanarsi.
gesungen [gəˈzʊŋən] *pp von* **singen.**
gesunken [gəˈzʊŋkən] *pp von* **sinken.**
getan [gəˈta:n] *pp von* **tun.**
Getöse [gəˈtø:zə] ⟨-s, ø⟩ *n* frastuono *m,* fracasso *m; (von Wellen)* fragore *m.*
Getrampel [gəˈtrampəl] ⟨-s, ø⟩ *n* scalpiccio *m.*
Getränk [gəˈtrɛŋk] ⟨-(e)s, -e⟩ *n* bevanda *f,* bibita *f.* **Getränkeautomat** *m* distributore *m* automatico di bevande. **Getränkemarkt** *m* mercato *m* delle bevande.
Getreide [gəˈtraidə] ⟨-s, -⟩ *n* cereali *m pl,* granaglie *f pl; (Korn)* grano *m.* **Getreideanbau** *m* cerealicoltura *f.* **Getreidemühle** *f* mulino *m* per cereali.
getrennt I. *adj* separato; **II.** *adv* separatamente; *(bezahlen)* alla romana; *(berechnen)* a parte.
Getriebe [gəˈtri:bə] ⟨-s, -⟩ *n* **1.** *tec* meccanismo *m; (Räder~)* rotismo *m; (Triebwerk)* trasmissione *f; mot* ingranaggio *m;* **2.** *fig (lebhaftes Treiben)* viavai *m,*

movimento *m.*
getrieben [gə'tri:bən] *pp von* **treiben.**
getroffen [gə'trɔfən] *pp von* **treffen, triefen.**
getrogen [gə'tro:gən] *pp von* **trügen.**
getrost [gə'tro:st] **I.** *adj (zuversichtlich)* fiducioso; **II.** *adv (ohne Bedenken)* tranquillamente.
getrunken [gə'truŋkən] *pp von* **trinken.**
Getue [gə'tu:ə] ⟨-s, ø⟩ *n (Wichtigtuerei)* arie *f pl; (Geziertheit)* smancerie *f pl;* **vornehmes** ~ arie aristocratiche.
Getümmel [gə'tʏməl] ⟨-s, -⟩ *n* trambusto *m,* tafferuglio *m; (Tumult)* tumulto *m,* baraonda *f.*
geübt *adj* pratico, esperto.
Gewächs [gə'vɛks] ⟨-es, -e⟩ *n* **1.** *(Pflanze)* pianta *f,* vegetale *m;* **2.** *(Geschwulst)* tumore *m.*
gewachsen *adj*.; **jdm/einer S.** *(dat)* ~ **sein** essere all'altezza di qu/qc.
Gewächshaus *n* serra *f.*
gewagt *adj* **1.** *(kühn)* audace, arrischiato; *(gefährlich)* rischioso; **2.** *(unanständig)* spinto.
gewählt *adj* scelto, ricercato; *(elegant)* raffinato.
Gewähr [gə'vɛ:ɐ̯] ⟨-, ø⟩ *f* garanzia *f,* assicurazione *f;* **ohne** ~ senza garanzia.
gewähren ⟨*ohne ge-*⟩ *tr* **1.** *(Kredit, Rabatt)* accordare, concedere; **2.** *fig (geben, verschaffen)* dare (*jdm etw.* qc a qu), procurare (*jdm etw.* qc a qu); **3.** *(Bitte)* esaudire.
gewährleisten ⟨*ohne ge-*⟩ *tr* garantire.
Gewahrsam [gə'va:ɐ̯za:m] ⟨-s, ø⟩ *m* **1.** *(Obhut)* custodia *f;* **2.** *(Haft)* arresto *m;* **in** ~ **nehmen** *(Sache)* prendere in custodia; *(Person)* arrestare.
Gewalt [gə'valt] ⟨-, -en⟩ *f* **1.** ⟨*sing*⟩ *(Zwang)* costrizione *f; (~tätigkeit, ~samkeit)* violenza *f;* **2.** *(Macht)* potere *m; (Machtbefugnis, Autorität)* autorità *f* (*über +akk* su); *(Kontrolle)* controllo *m* (*über +akk* di); **3.** *(Heftigkeit)* forza *f,* violenza *f,* furia *f; (Natur~)* forza *f,* furia *f;* **elterliche** ~ patria potestà; ~ **anwenden** impiegare la forza; **höhere** ~ *jur* forza *f* maggiore; **jdm** ~ **antun** usare violenza a qu; *(vergewaltigen)* violentare qu; **jdn in seine** ~ **bringen** impadronirsi di qu; **in jds** ~ **sein** essere in potere di qu; **sich in der** ~ **haben** dominarsi, controllarsi; **mit** ~ con la forza; **mit aller** ~ con tutta forza; *fig* a tutti i costi. **Gewaltanwendung** *f* uso *m* (*o* impiego *m*) della forza. **Gewaltenteilung** *f* divisione *f* dei poteri. **gewaltfrei** *adj* non violento. **Gewaltherrschaft** *f* tirannia *f,* dispotismo *m.*
gewaltig **I.** *adj* **1.** *(riesig)* enorme, gigantesco; **2.** *(heftig)* violento; *(a. stark)* forte; **3.** *(mächtig)* potente; **4.** *(eindrucksvoll)* impressionante; **5.** *(großartig)* grandioso; **6.** *(groß)* grande, forte; **II.** *adv* **1.** *(riesig)* enormemente; **2.** *(heftig, stark)* violentemente, fortemente; **3.** *(großartig)* straordinariamente; **4.** *fam (sehr)* fortemente, molto; **da irren Sie sich** ~ qui si sbaglia di grosso.
gewaltlos *adj* non violento, senza violenza.
gewaltsam **I.** *adj* violento; **~er Umsturz** rivoluzione sanguinosa; **II.** *adv* violentemente, con la forza; ~ **öffnen** *(Tür, Fenster)* forzare.
Gewalttat *f* atto *m* di violenza.
Gewalttäter(in) *m(f)* violento, -a *m, f,* bruto *m; (Verbrecher)* criminale *mf.*
gewalttätig *adj* violento, brutale. **Gewalttätigkeit** *f* **1.** ⟨*sing*⟩ *(Eigenschaft)* violenza *f;* **2.** *(Tat)* atto *m* di violenza. **Gewaltverbrechen** *n* crimine *m,* delitto *m.* **Gewaltverzicht** *m* rinuncia *f* all'uso della forza.
Gewand [gə'vant] ⟨-(e)s, Gewänder⟩ *n geh* veste *f,* abbigliamento *m.*
gewandt[1] [gə'vant] *pp von* **wenden.**
gewandt[2] [gə'vant] *adj (geschickt)* abile (*in +dat* in); *(flink)* agile; *(Stil)* elegante, raffinato.
gewann [gə'van] *imp von* **gewinnen.**
Gewässer [gə'vɛsɐ] ⟨-s, -⟩ *n* acqua *f; (bes. naut)* acque *f pl.* **Gewässerverseuchung** *f* contaminazione *f* (*o* inquinamento *m*) delle acque.
Gewebe [gə've:bə] ⟨-s, -⟩ *n* tessuto *m.*
Gewehr [gə've:ɐ̯] ⟨-(e)s, -e⟩ *n* fucile *m;* ~ **bei Fuß stehen** *fig fam* stare sul chi va là *fam.*
Geweih [gə'vai̯] ⟨-(e)s, -e⟩ *n* corna *f pl.*
Gewerbe [gə'vɛrbə] ⟨-s, -⟩ *n allg.* lavoro *m,* attività *f; (Beruf)* professione *f; (Handwerk)* mestiere *m; (kleiner Betrieb)* commercio *m.* **Gewerbeaufsichtsamt** *n* Ispettorato *m* del Lavoro. **Gewerbegebiet** *n* zona *f* industriale (*o* commerciale). **Gewerbeschein** *m* licenza *f* d'esercizio. **Gewerbeschule** *f* scuola *f* industriale. **Gewerbesteuer** *f* imposta *f* su industrie e commerci.
gewerblich *adj* commerciale; *(industriell)* industriale; *(beruflich)* professionale; ~ **nutzen** utilizzare ad uso industriale o commerciale.
Gewerkschaft [gə'vɛrkʃaft] ⟨-, -en⟩ *f* sindacato *m.* **Gewerkschaft(l)er(in)** ⟨-s, -⟩ *m(f)* sindacalista *mf.* **gewerkschaftlich** *adj* sindacale. **Gewerkschaftsbund** ⟨-(e)s, -bünde⟩ *m* confederazione *f* sindacale. **Gewerkschaftsmitglied** *n* iscritto, -a *m, f* al sindacato.
gewesen [gə've:zən] *pp von* **sein**[1].
gewichen [gə'vɪçən] *pp von* **weichen**[1].
Gewicht [gə'vɪçt] ⟨-(e)s, -e⟩ *n* peso *m; fig (Wichtigkeit)* importanza *f;* **ins** ~ **fallen** essere importante, aver peso; **nach** ~ a peso.
Gewichtung ⟨-, -en⟩ *f* ponderazione *f.*
gewieft, gewiegt [gə'vi:ft] *adj fam*

(schlau) furbo, scaltro.

gewiesen [gə'vi:zən] *pp von* **weisen.**

gewillt [gə'vɪlt] *adj:* ~ **sein** essere intenzionato (*zu* a).

Gewimmel [gə'vɪməl] ⟨-s, ø⟩ *n* brulichio *m,* formicolio *m.*

Gewinde [gə'vɪndə] ⟨-s, -⟩ *n tec* filetto *m.*

Gewinn [gə'vɪn] ⟨-(e)s, -e⟩ *m* **1.** *(Vorteil)* vantaggio *m; (Nutzen)* profitto *m;* **2.** *(Verdienst)* guadagno *m; (Ertrag)* utile *m,* provento *m,* ricavo *m; (im Spiel, durch Spekulation)* vincita *f; (in der Lotterie)* premio *m;* ~ **und Verlust** profitti e perdite; ~ **bringen** dare un utile, rendere. **Gewinnanteil** *m* partecipazione *f* agli utili, dividendo *m.* **Gewinnbeteiligung** *f* partecipazione *f* agli utili. **gewinnbringend** *adj* redditizio, lucrativo.

gewinnen ⟨gewinn, gewann, gewonnen⟩ **I.** *tr* **1.** *(Spiel, Kampf)* vincere; **2.** *(erlangen: Preis, Medaille)* vincere; *(Sympathie, Vorteil)* ottenere; *(jds Herz)* conquistare; **3.** *(verdienen)* guadagnare; **4.** *(erzeugen: Strom, Energie, etc.)* ricavare; *(Erz, Kohle)* estrarre; *(durch Verarbeitung)* ricavare; **Zeit** ~ temporeggiare; **jdn für etw.** ~ ottenere l'adesione di qu a qc; **damit ist nicht viel gewonnen** non se ne ricava molto; **wie gewonnen, so zerronnen** *prov* tanti presi, tanti spesi *prov;* **II.** *itr* **1.** *(siegen)* vincere (*bei, in +dat* in); **2.** *(profitieren)* approfittare; *(besser werden)* migliorare; **an etw.** *(dat)* ~ guadagnare in qc. **gewinnend** *adj (Äußeres)* attraente; *(Wesen)* simpatico.

Gewinner(in) ⟨-s, -⟩ *m(f)* vincitore, -trice *m, f.*

Gewinnmitnahme *f* prese *f pl* di beneficio, realizzi *m pl* di beneficio. **Gewinnspanne** *f* margine *m* di utile (*o* di guadagno).

Gewinnung ⟨-, -en⟩ *f min, chem* estrazione *f.*

Gewinn- und Verlustrechnung *f* conto *m* economico.

Gewinnzahl *f* numero *m* vincente.

Gewirr [gə'vɪr] ⟨-(e)s, ø⟩ *n (von Fäden)* garbuglio *m; (von Straßen)* labirinto *m; (von Stimmen)* brusio *m; (von Paragraphen)* guazzabuglio *m; fig (Durcheinander)* confusione *f.*

gewiß [gə'vɪs] **I.** *adj* **1.** *(sicher)* sicuro; **2.** *attr (bestimmt)* certo; **ein gewisser N.** un certo N.; **II.** *adv (sicher)* certamente, sicuramente, di sicuro; *(zweifellos)* indubbiamente, senza dubbio; **ganz** ~ non c'è dubbio; ~ **nicht** certamente no; ~! ma certo!

Gewissen [gə'vɪsən] ⟨-s, -⟩ *n* coscienza *f* (morale); **ein schlechtes** ~ **haben** avere la coscienza sporca; **jdn/etw. auf dem** ~ **haben** avere qu/qc sulla coscienza; **ein gutes** ~ **ist ein sanftes Ruhekissen** *prov* chi ha la coscienza a posto dorme sonni tranquilli. **gewissenhaft** *adj* coscienzioso, scrupoloso; *(peinlich genau)* meticoloso. **gewissenlos** *adj* senza scrupuli; *(verantwortungslos)* irresponsabile. **Gewissensbisse** *m pl* rimorsi *m pl.* **Gewissensfrage** *f* questione *f* di coscienza.

gewissermaßen *adv* in certo qual modo, per così dire.

Gewißheit ⟨-, -en⟩ *f* certezza *f,* sicurezza *f; (innere* ~*)* convinzione *f;* **sich** *(dat)* ~ **über etw.** *(akk)* **verschaffen** accertarsi di qc.

Gewitter [gə'vɪtɐ] ⟨-s, -⟩ *n* temporale *m.* **gewitt(e)rig** [gə'vɪt(ə)rɪç] *adj* temporalesco. **gewittern** ⟨*ohne ge-*⟩ *itr* esserci un temporale. **Gewitterwolke** *f* nuvola *f* temporalesca.

gewitzt [gə'vɪtst] *adj* smaliziato.

gewoben [gə'vo:bən] *pp von* **weben.**

gewogen [gə'vo:gən] *pp von* **wiegen**[1]**.**

gewöhnen [gə'vø:nən] ⟨*ohne ge-*⟩ **I.** *tr* abituare (*an +akk* a); **II.** *rfl:* **sich** ~ **an** abituarsi a.

Gewohnheit [gə'vo:nhaɪt] ⟨-, -en⟩ *f* abitudine *f;* **aus** ~ per abitudine. **Gewohnheitsmensch** *m* abitudinario, -a *m, f,* consuetudinario, -a *m, f.* **Gewohnheitsrecht** *n* diritto *m* consuetudinario. **Gewohnheitsverbrecher(in)** *m(f)* delinquente *mf* abituale.

gewöhnlich **I.** *adj* **1.** *(gewohnt)* abituale, consueto; *(üblich)* solito; **2.** *(alltäglich)* ordinario; **3.** *(mittelmäßig)* comune; **4.** *pej (unfein, gemein)* grossolano, volgare; **II.** *adv (normalerweise)* di solito, di consueto.

gewohnt [gə'vo:nt] *adj* abituale, usuale; **etw.** ~ **sein** essere abituato a qc.

Gewöhnung ⟨-, ø⟩ *f* assuefazione *f.*

Gewölbe [gə'vœlbə] ⟨-s, -⟩ *n* volta *f; (Raum)* ambiente *m* a volta.

gewollt *pp von* **wollen**[1]**.**

gewonnen [gə'vɔnən] *pp von* **gewinnen.**

geworben [gə'vɔrbən] *pp von* **werben.**

geworden [gə'vɔrdən] *pp von* **werden.**

geworfen [gə'vɔrfən] *pp von* **werfen.**

Gewühl [gə'vy:l] ⟨-(e)s, ø⟩ *n (Durcheinander)* confusione *f,* trambusto *m; (Gedränge)* ressa *f,* calca *f; (a. sport)* mischia *f.*

gewunden [gə'vʊndən] **I.** *pp von* **winden**[1]; **II.** *adj* **1.** *(gedreht)* contorto; **2.** *(Weg)* tortuoso; *(Fluß)* sinuoso; **3.** *fig* contorto.

gewunken [gə'vʊŋkən] *pp von* **winken.**

Gewürz [gə'vʏrts] ⟨-es, -e⟩ *n* **1.** *(Substanz)* spezie *f pl,* droghe *f pl;* **2.** *(Kräutersorte)* erbe *f pl* aromatiche; **3.** *(Würze)* condimento *m.* **Gewürzgurke** *f* cetriolo *m* sott'aceto. **Gewürzregal** *n* mensola *f* portaspezie.

gewußt [gə'vʊst] *pp von* **wissen.**

gez. *abk von* **gezeichnet** f.to (*abbr di* firmato).

Gezeiten [gə'tsaɪtən] ⟨*pl*⟩ maree *f pl.* **Ge-**

zeitenkraftwerk *n* centrale *f* mareomotrice. **Gezeitenwechsel** *m* alternanza *f* delle maree.
Gezeter [gə'tse:tɐ] ⟨-s, ø⟩ *n* grida *f pl.*
gezielt *adj (Frage, Vorgehen)* specifico; *(Hilfe)* ben diretto; *(Indiskretion, Beleidigung)* voluto, intenzionale; ~ **fragen** domandare in modo diretto, senza allusioni.
geziert *adj* affettato, lezioso.
gezogen [gə'tso:gən] *pp von* **ziehen.**
Gezwitscher [gə'tsvɪtʃɐ] ⟨-s, ø⟩ *n* cinguettio *m.*
gezwungen [gə'tsvʊŋən] **I.** *pp von* **zwingen; II.** *adj* forzato; ~ **lachen/lächeln** ridere/sorridere forzamente.
ggf(s). *abk von* **gegebenenfalls** eventualmente.
Ghetto ['gɛto] ⟨-s, -s⟩ *n* ghetto *m.*
ghettoisieren [gɛtoi'zi:rən] ⟨*ohne ge-*⟩ *tr* ghettizzare.
Ghostwriter ['goʊstraɪtə] ⟨-s, -⟩ *m* ghostwriter *m,* negro *m sl.*
gibt [gi:pt] *pr von* **geben.**
Gicht [gɪçt] ⟨-, ø⟩ *f* gotta *f.*
Giebel ['gi:bəl] ⟨-s, -⟩ *m* frontone *m.*
Gier [gi:ɐ] ⟨-, ø⟩ *f (Begierde)* avidità *f* (*nach* di), brama *f* (*nach* di); *(Freß~)* voracità *f.*
gieren *itr:* **nach etw.** ~ bramare qc, essere avido di qc.
gierig *adj* avido (*nach* di), bramoso (*nach* di), cupido (*nach* di); *(freß~)* vorace; ~ **essen/trinken** mangiare/bere avidamente.
gießen ['gi:sən] ⟨gießt, goß, gegossen⟩ **I.** *tr* **1.** *(schütten)* versare, rovesciare; *(verschütten)* versare; **2.** *(Blumen, Rasen)* annaffiare; **3.** *(Glas, Metall)* fondere, colare; *(Bildwerk)* gettare; **II.** *itr* piovere dirottamente; **es gießt wie aus Kübeln (*o* in Strömen)** piove a dirotto (*o* a catinelle).
Gießerei [gi:sə'rai] ⟨-, -en⟩ *f* **1.** ⟨*sing*⟩ *(Vorgang)* fusione *f;* **2.** *(Betrieb)* fonderia *f.*
Gießkanne *f* annaffiatoio *m.*
Gift [gɪft] ⟨-(e)s, -e⟩ *n (a. fig)* veleno *m;* ~ **und Galle speien** *fam* sputare veleno *fam;* **darauf können Sie** ~ **nehmen** *fam* può starne certo, ci può contare.
giften *itr fam* inveire (*gegen* contro).
Giftgas *n* gas *m* tossico. **giftgrün** *adj* verde bandiera (*o* brillante). **giftig** *adj (a. fig)* velenoso; *zoo* velenifero; *bot, min* venefico. **Giftmüll** *m* rifiuti *m pl* tossici. **Giftmüllexport** *m* esportazione *f* di rifiuti tossici. **Giftmüllkippe** *f* discarica *f* di rifiuti tossici. **Giftpilz** *m* fungo *m* velenoso. **Giftschlange** *f* serpente *m* velenoso. **Giftstoff** *m* sostanza *f* velenosa (*o* tossica); *med* tossina *f.* **Giftwolke** *f* nuvola *f* tossica. **Giftzahn** *m* dente *m* del veleno.
Gigabyte [giga'baɪt] *n* gigabyte *m.*
gigantisch *adj* gigantesco.
gilt [gɪlt] *pr von* **gelten.**
ging [gɪŋ] *imp von* **gehen.**
Ginster ['gɪnstɐ] ⟨-s, -⟩ *m* ginestra *f.*
Gipfel ['gɪpfəl] ⟨-s, -⟩ *m* **1.** *(von Berg)* cima *f,* vetta *f;* **2.** *fig (Höhepunkt)* apice *m,* culmine *m,* apogeo *m;* **der** ~ **der Frechheit** il colmo dell'insolenza; **das ist (doch) der** ~**!** questo è il colmo. **Gipfelkonferenz** *f* conferenza *f* al vertice.
gipfeln *itr fig* culminare (*in +dat* in).
Gipfeltreffen *n* vertice *m.*
Gips [gɪps] ⟨-es, -e⟩ *m* gesso *m.* **Gipsabdruck** *m* calco *m* in gesso. **Gipsbein** *n fam* gamba *f* ingessata.
gipsen *tr (a. med)* ingessare.
Gipser(in) ⟨-s, -⟩ *m(f)* stuccatore, -trice *m, f.*
Gipsfigur *f* figurina *f* di gesso. **Gipsverband** *m* ingessatura *f.*
Giraffe [gi'rafə] ⟨-, -n⟩ *f* giraffa *f.*
girieren [ʒi'ri:rən] ⟨*ohne ge-*⟩ *tr* girare.
Girlande [gɪr'landə] ⟨-, -n⟩ *f* ghirlanda *f.*
Giro ['ʒi:ro] ⟨-s, -s⟩ *n* giro *m,* girata *f.* **Girokonto** *n* giroconto *m,* conto *m* corrente. **Giroverkehr** *m* bancogiro *m.* **Girozentrale** *f* ufficio *m* di compensazione (*o* trasferimento).
Gischt [gɪʃt] ⟨-(e)s, -e⟩ *m o* ⟨-, -en⟩ *f (Wellenschaum)* schiuma *f; (spritzendes Wasser)* spruzzi *m pl.*
Gisela ['gi:zəla] *(weiblicher Vorname)* Gisella.
Gitarre [gi'tarə] ⟨-, -n⟩ *f* chitarra *f.*
Gitarrist(in) [...'rɪst(ɪn)] ⟨-en, -en⟩ *m(f)* chitarrista *mf.*
Gitter ['gɪtɐ] ⟨-s, -⟩ *n (an Fenster)* inferriata *f; (an Ablauf, Straßen)* grata *f; (für Pflanzen)* graticcio *m; (Draht~)* reticolato *m; (Schutz~)* griglia *f* (di protezione); *chem (Kristall~)* reticolo *m; el* rete *f;* **hinter** ~**n** *fam* dietro le sbarre *fam.*
G-Kat [ge:'kat] *m kurz für* **Geregelter Katalysator** catalizzatore *m* a tre vie.
Glace ['glasə] ⟨-, -n⟩ *f CH* gelato *m.*
Glacéhandschuhe [gla'se:-] *m pl* guanti *m pl* di pelle lucida; **jdn mit** ~**n anfassen** trattare qu coi guanti.
Glanz [glants] ⟨-es, ø⟩ *m* **1.** *(blendender, a. fig)* splendore *m; (von glatter Fläche, Haaren, Seide)* lucentezza *f; (Schimmer)* luccichio *m,* scintillio *m;* **2.** *fig (Pracht, Herrlichkeit)* splendore *m,* fulgore *m; (Pomp)* magnificenza *f,* pompa *f.*
glänzen ['glɛntsən] *itr* **1.** *(Glanz haben)* brillare; *(schimmern, leuchten)* luccicare, scintillare; *(strahlen)* splendere; **2.** *fig (in einem Fach)* eccellere (*durch, mit* per), brillare (*durch, mit* per). **glänzend** *adj* **1.** *(Glanz habend)* brillante; *(schimmernd)* luccicante, scintillante; *(leuchtend)* splendente; *(Metall, Papier, Leder)* lucido; **2.** *fig* splendido, brillante; **eine** ~**e Idee** un'idea formidabile; **mir**

geht es ~ sto magnificamente bene.

Glarus ['gla:rʊs] *n (Stadt)* Glarona *f; (Kanton)* Glarona *m.*

Glas [gla:s] ⟨-es, Gläser *o bei Maßangabe* -⟩ *n* **1.** *(Material, Fenster~, Spiegel~)* vetro *m;* **2.** *(Trink~)* bicchiere *m; (~behälter)* recipiente *m; (Marmeladen~, etc.)* vasetto *m;* **3.** *(Brillen~)* lente *f; (Fern~, Opern~)* binocolo *m;* **zu tief ins ~ gucken** (*o* **schauen)** alzare il gomito. **Glasauge** *n* occhio *m* di vetro (*o* artificiale). **Glasbläser** *m* soffiatore *m* del vetro. **Glasbläserei** [-blɛ:zə'rai] ⟨-, -en⟩ *f* **1.** ⟨*sing*⟩ *(Handwerk)* soffiatura *f* del vetro; **2.** *(Betrieb)* vetreria *f.* **Glascontainer** *m* contenitore *m* (per la raccolta) del vetro.

Glaser(in) ['gla:zɐ (...ərɪn)] ⟨-s, -⟩ *m* vetraio *m.*

gläsern ['glɛ:zɐn] *adj* di vetro.

Glasfaser *f* fibra *f* di vetro. **Glasfaserkabel** *n* cavo *m* a fibre ottiche. **Glasfaseroptik** *f* ottica *f* delle fibre di vetro. **Glashaus** *n* serra *f;* **wer (selbst) im ~ sitzt, soll nicht mit Steinen werfen** *prov* chi ha la testa di vetro non vada a battaglia di sassi *prov.*

glasieren [gla'zi:rən] ⟨*ohne ge-*⟩ *tr* **1.** *tec* smaltare, invetriare; **2.** *gastr* glassare.

glasig *adj* vitreo.

glasklar *adj (Wasser, Himmel)* limpido; *fig (offensichtlich)* palese. **Glasscheibe** *f* lastra *f* di vetro. **Glasscherbe** *f* coccio *m* di vetro. **Glastür** *f* (porta *f*) vetrata *f.*

Glasur [gla'zu:ɐ̯] ⟨-, -en⟩ *f* **1.** *tec* smaltatura *f,* smalto *m; (von Porzellan)* vetrina *f;* **2.** *gastr* glassa(tura) *f.*

glatt [glat] **I.** ⟨-er *o fam* glätter, -este *o fam* glätteste⟩ *adj* **1.** *(eben)* piano, piatto; *(nicht rauh, nicht gewellt, ohne Falten, Knicke)* liscio; *(nicht kompliziert: Bruch)* semplice; **2.** *(rutschig)* scivoloso; **3.** *(komplikationslos: Landung, Ablauf)* perfetto; **4.** *pej (Worte)* mellifluo; *(Manieren)* viscido, strisciante; *(Mensch)* viscido; **5.** *fam (eindeutig: Lüge, Provokation, Unsinn)* bell' e buono *fam; (Absage, Weigerung)* netto, categorico; **das kostet ~e 100 Mark** *fam* costa 100 marchi tondi *fam;* **II.** ⟨-er *o fam* glätter, am -esten *o fam* am glättesten⟩ *adv* **1.** *(gewandt, geschickt)* abilmente, destramente; **2.** *(völlig, ganz)* completamente, del tutto; **3.** *(rundheraus: leugnen, ablehnen)* apertamente; **das habe ich ~ vergessen** l'ho proprio dimenticato.

Glätte ['glɛtə] ⟨-, -n⟩ *f* **1.** *(Ebenheit)* esser *m* piano (*o* piatto); *(mangelnde Rauheit, von Haaren)* esser *m* liscio; *(Faltenlosigkeit)* mancanza *f* di rughe (*o* pieghe); **2.** *(Rutschigkeit)* scivolosità *f.*

Glatteis *n* vetrato *m,* ghiaccio *m;* **jdn aufs ~ führen** *fig* tendere un'insidia a qu, raggirare qu; **bei ~** in caso di ghiaccio. **Glatteisgefahr** *f* pericolo *m* di strada ghiacciata.

glätten I. *tr (glattmachen)* lisciare, levigare; *(Kleidung)* stirare; *(Falten, Holz)* spianare; **II.** *rfl:* **sich ~** *(Stirn, Gesicht)* spianarsi; *(Meer, Wellen)* calmarsi.

Glatze ['glat͡sə] ⟨-, -n⟩ *f* testa *f* calva, calvizie *f,* pelata *f scherz;* **eine ~ haben** essere calvo.

Glatzkopf *m fam* testa *f* pelata.

Glaube ['glaʊ̯bə] ⟨-ns, *rar* -n⟩ *m* **1.** *(Vertrauen, a. rel)* credenza *f* (*an +akk* in), fede *f* (*an +akk* in); **2.** *(Überzeugung)* convinzione *f; (Meinung)* opinione *f;* **3.** *(Zuversicht)* fiducia *f* (*an +akk* in); **in gutem ~n** in buona fede; **im ~n, daß ...** credendo che *+congv.*

glauben I. *tr* **1.** *(für wahr halten)* credere a; **2.** *(vermuten, annehmen)* pensare, credere, ritenere; **das ist nicht (***o* **kaum) zu ~** è incredibile; **II.** *itr* **1.** *(a. rel)* credere (*an +akk* in, a); **2.** *(Glauben schenken)* prestar fede (*dat, an +akk* a); **3.** *(vertrauen auf)* aver fiducia (*an +akk* in); **dran ~ müssen** *fig fam (sterben)* andarci di mezzo *fam;* **man könnte ~, daß ...** si direbbe che ... *+congv.*

Glaubensbekenntnis *n* professione *f* (*o* testimonianza *f*) di fede, credo *m.* **Glaubenskrieg** *m* guerra *f* religiosa (*o* di religione).

glaubhaft *adj* credibile, attendibile.

gläubig ['glɔ̯ybɪç] *adj* **1.** *rel* credente; *(fromm)* pio; **2.** *(vertrauend)* fiducioso. **Gläubige** ⟨ein -r, -n, -n⟩ *mf rel* fedele *mf,* credente *mf.*

Gläubiger(in) ⟨-s, -⟩ *m(f) ökon* creditore, -trice *m, f.* **Gläubigerbank** *f* banca *f* creditrice. **Gläubigerland** *n* paese *m* creditore.

glaubwürdig *adj* credibile, attendibile.

gleich [glaɪ̯ç] **I.** *adj (~wertig, a. mat)* uguale; *(identisch)* identico, stesso; *(~artig)* affine; *(ähnlich)* simile; **das ~e tun** fare la medesima cosa; **jdm/einer S.** *(dat)* **~ sein** essere uguale a qu/qc; **G~es mit G~em vergelten** rendere pan per focaccia; **im ~en Augenblick** nello stesso momento; **es ist mir ~** per me fa lo stesso; **er ist mir ~** mi è indifferente; **2 mal 5 ~ 10** 2 per 5 uguale 10; **das läuft aufs ~e hinaus** fa lo stesso; **~ und ~ gesellt sich gern** *prov* Dio li fa e poi li accompagna *prov;* **II.** *adv* **1.** *(vor Adjektiven: ebenso)* altrettanto, ugualmente; **2.** *(sofort)* subito, immediatamente; **3.** *(bald)* presto, fra poco; **~ breit/groß/hoch** della stessa larghezza/grandezza (*o* statura)/altezza; **~ viel** *(die ~e Menge)* altrettanto; **~ wie** non importa come; **~ darauf** subito dopo; **~ heute** oggi stesso; **~ zu Anfang** fin dal principio; **~ als ...** appena ...; **~ bei/an** *(+dat)* ... proprio a .. ; **~, ob er kommt** che venga o no; **wie war doch ~ Ihr Name?** come ha detto che si chiama? **das dachte ich mir** ~ c'era da immaginarselo, lo sospettavo; ~! un momento!; **bis** ~! a presto!

gleichaltrig [-altrıç] *adj* coetaneo, della stessa età. **gleichartig** *adj* simile, affine. **gleichbedeutend** *adj* equivalente (*mit* a), sinonimo (*mit* di). **gleichberechtigt** *adj* equiparato. **Gleichberechtigung** *f* equiparazione *f* dei diritti. **gleich·bleiben** ⟨*irr, sein*⟩ **I.** *itr (Situation, Mensch, Temperaturen, Kurse)* rimanere inalterato; **II.** *rfl:* **sich** *(dat)* ~ rimanere tale quale; **das bleibt sich gleich** è lo stesso, è uguale.

gleichen ⟨gleicht, glich, geglichen⟩ *itr (ähneln)* assomigliare.

gleichermaßen, gleicherweise *adv* ugualmente, allo stesso modo.

gleichfalls *adv* parimenti, altrettanto; **danke,** ~! grazie, altrettanto!. **gleichgesinnt** *adj* che ha affinità di vedute e interessi.

Gleichgewicht *n* equilibrio *m;* **aus dem** ~ **bringen** squilibrare; **ins** ~ **bringen** equilibrare. **Gleichgewichtsstörung** *f* alterazione *f* dell'equilibrio.

gleichgültig *adj* **1.** *(ohne Anteilnahme)* indifferente (*gegenüber* a); **2.** *(belanglos, unwichtig)* insignificante; **3.** *(uninteressiert)* disinteressato; **das ist mir** ~ per me è indifferente, non m'importa. **Gleichgültigkeit** *f* **1.** *(mangelnde Anteilnahme)* indifferenza *f* (*gegenüber* nei confronti di); **2.** *(Desinteresse)* disinteressamento *m (gegenüber)* nei confronti di, per).

Gleichheit ⟨-, ø⟩ *f* uguaglianza *f; (Gleichberechtigung)* parità *f; (Gleichartigkeit)* affinità *f.* **Gleichheitszeichen** *n* segno *m* d'uguaglianza.

gleich·kommen ⟨*irr*⟩ *itr* ⟨*sein*⟩ uguagliare (*jdm an etw. (dat)* qu in qc); *(entsprechen, fast gleich sein)* equivalere (*einer S. (dat)* a qc). **gleich·machen** *tr* render uguale, livellare; **dem Erdboden** ~ radere al suolo.

gleichmäßig *adj* **1.** *(zu gleichen Teilen)* uguale, uniforme; **2.** *(regelmäßig, nicht variierend)* regolare, stabile; **3.** *(ausgeglichen)* equilibrato; **4.** *(ebenmäßig)* simmetrico; ~ **verteilt** distribuito uniformemente. **Gleichmäßigkeit** *f* **1.** *(gleiche Verteilung)* uniformità *f;* **2.** *(Regelmäßigkeit)* regolarità *f;* **3.** *(Ausgeglichenheit)* equilibrio *m;* **4.** *(Ebenmaß)* simmetria *f.*

Gleichnis ⟨-ses, -se⟩ *n* parabola *f.*

Gleichrichter *m el* raddrizzatore *m* di corrente; *radio* rettificatore *m.*

gleichsam *adv* per così dire.

gleichschenk(e)lig *adj mat* isoscele. **Gleichschritt** *m* passo *m* cadenzato; **im** ~ al passo. **gleichseitig** *adj mat* equilatero. **gleich·stellen** *tr* equiparare. **Gleichstrom** *m* corrente *f* continua.

gleich·tun ⟨*irr*⟩ *tr:* **es jdm** ~ uguagliare qu.

Gleichung ⟨-, -en⟩ *f* equazione *f.*

gleichwertig *adj* di ugual valore; *(a. chem)* equivalente.

gleichwink(e)lig *adj* equiangolo.

gleichzeitig I. *adj* contemporaneo, simultaneo; **II.** *adv* contemporaneamente, nello stesso tempo. **Gleichzeitigkeit** ⟨-, ø⟩ *f* simultaneità *f,* sincronismo *m.*

Gleis [glais] ⟨-es, -e⟩ *n* binario *m;* **aus dem** ~ **kommen** *fig* uscire dalla carreggiata (*o* dalla retta via); **etw. wieder ins (rechte)** ~ **bringen** *fig* rimettere qc in carreggiata.

gleiten ['glaitən] ⟨gleitet, glitt, geglitten⟩ *itr* ⟨*sein*⟩ **1.** *(schweben: Vogel, Flugzeug)* planare; *(sich fortbewegen)* scivolare; *(Hand)* passare (*über +akk* su); *(Blick)* scorrere (*über +akk* su); *tec (in Vorrichtung, entlang Schiene)* scorrere; **2.** *(rutschen)* slittare, scivolare; *(Auto)* slittare; **3.** *(ent~)* scivolare (*aus* di), sfuggire (*aus* di); ~**de Arbeitszeit** orario flessibile; ~**de Löhne** salari mobili (*o* a scala mobile); **aus der Hand** ~ scivolare di mano.

Gleitflug *m* volo *m* planato (*o* librato). **Gleitschirm** *m* parapendio *m.* **Gleitzeit** *f* orario *m* flessibile.

Gletscher ['glɛtʃɐ] ⟨-s, -⟩ *m* ghiacciaio *m.* **Gletscherspalte** *f* crepaccio *m.*

glich [glıç] *imp von* **gleichen.**

Glied [gli:t] ⟨-(e)s, -er⟩ *n* **1.** *anat* membro *m,* arto *m; (Finger~, Zehen~)* falange *f; (Penis)* membro *m;* **2.** *(Ketten~)* maglia *f,* anello *m;* **3.** *(Teil)* parte *f,* sezione *f,* segmento *m; mat (von Gleichung)* termine *m;* **4.** *(Mit~)* membro *m.*

gliedern I. *tr (ordnen)* ordinare (*in +akk* in), organizzare (*in +akk* in), strutturare (*in +akk* in); *(einteilen, unter~)* (sud)-dividere (*in +akk* in); **II.** *rfl:* **sich** ~ **in** *(+akk) (zerfallen in)* (sud)dividersi in; *(bestehen aus)* articolarsi in, consistere in.

Gliederung ⟨-, -en⟩ *f* **1.** ⟨*sing*⟩ *(Einteilung)* divisione *f; (Unterteilung)* suddivisione *f;* **2.** *(Aufbau)* struttura *f.*

Gliedmaßen ⟨*pl*⟩ membra *f pl,* arti *m pl.*

glimmen ['glımən] ⟨glimmt, glomm, geglommen⟩ *itr* ardere senza fiamma; *(unter Asche)* covare.

glimpflich ['glımpflıç] *adv:* ~ **davonkommen** cavarsela a buon mercato *fam;* **das ist noch** ~ **ausgegangen** è finita bene, è andata a finir bene.

glitt [glıt] *imp von* **gleiten.**

glitzern ['glıtsɐn] *itr* scintillare.

global *adj* globale.

Globus ['glo:bʊs, ...bən *o* ...bʊsə] ⟨- *o* -ses, Globen *o* -busse⟩ *m* globo *m,* mappamondo *m.*

Glocke ['glɔkə] ⟨-, -n⟩ *f* **1.** *(Kirchturm~)* campana *f;* **2.** *(Klingel)* campanello *m;*

3. *(Käse~, Kuchen~)* campana *f; fig (Dunst~)* campana *f,* calotta *f;* **etw. an die große ~ hängen** strombazzare qc ai quattro venti. **Glockenblume** *f* campanula *f,* campanella *f.* **Glockenschlag** *m* (rin)tocco *m* della campana; **auf den ~, mit dem ~** *fam* puntualissimo. **Glokkenspiel** *n* carillon *m.* **Glockenturm** *m* campanile *m,* torre *f* campanaria.

glomm [glɔm] *imp von* **glimmen.**

glotzen ['glɔts̮ən] *itr (starr)* guardare con gli occhi fissi; *(dumm)* sgranare gli occhi.

Glück [glʏk] ⟨-(e)s, ø⟩ *n (~sfall, Zufall)* fortuna *f; (Erfolg)* successo *m; (Glücklichsein)* felicità *f;* **~ bringen** portare fortuna; **~ haben** essere fortunato, avere fortuna; **von ~ sagen können, daß ...** potersi dire fortunato che *+congv;* **auf gut ~** a caso; **zum ~** per fortuna; **viel ~!** buona fortuna!; **~ und Glas, wie leicht bricht das!** *prov* la fortuna è fragile; **sein ~ versuchen** tentare la fortuna.

glücken *itr ⟨sein⟩* riuscire; **es ist mir geglückt** sono riuscito (*zu* a); **das ist nicht geglückt** non è riuscito.

gluckern ['glʊkən] *itr* gorgogliare.

glücklich I. *adj* **1.** *(vom Glück gesegnet, erfolgreich)* fortunato; *(erfreulich)* buono, piacevole; **2.** *(froh)* felice; **~ machen** rendere felice; **sich ~ schätzen** ritenersi fortunato; **II.** *adv* **1.** *(mit Glück)* fortunatamente; *(erfreulich)* bene, piacevolmente; **2.** *(froh, beglückt)* felicemente; **3.** *fam (endlich)* finalmente. **glücklicherweise** *adv* fortunatamente, per fortuna.

Glücksfall *m* caso *m* fortunato, colpo *m* di fortuna. **Glückskind,** *n,* **Glückspilz** *m* fortunato, -a *m, f,* figlio, -a *m, f* della fortuna. **Glückssache** *f:* **das ist ~** è questione di fortuna. **Glücksspiel** *n* gioco *m* d'azzardo.

Glückwunsch *m* augurio *m,* felicitazione *f,* congratulazione *f;* **herzlichen ~!, herzliche Glückwünsche!** tanti (*o* cordiali). **Glückwunschkarte** *f* cartolina *f* (*o* biglietto *m*) d'auguri. **Glückwunschtelegramm** *m* telegramma *m* d'auguri.

Glühbirne *f* lampadina *f.*

glühen ['gly:ən] *itr* **1.** *(Metall)* essere incandescente; *(Kohle)* essere ardente; *(Feuer, Zigarette)* ardere; **2.** *fig (vor Fieber)* bruciare; *(Gesicht)* essere in fiamme (*o* infiammato). **glühend** *adj* **1.** *(Metall)* incandescente; *(Feuer, Kohle)* ardente; *(Zigarette)* accesa; **2.** *(Gesicht, Augen)* sfavillante; **3.** *(heiß)* scottante; **4.** *fig* ardente.

Glühlampe *f* lampadina *f.* **Glühwein** *m* vino *m* brûlé. **Glühwürmchen** [-vʏrmçən] ⟨-s, -⟩ *n* lucciola *f.*

Glut [glu:t] ⟨-, -en⟩ *f* **1.** *(Feuer)* brace *f; (von Zigarette, etc.)* cenere *f* ardente; *(Hitze)* calura *f,* gran caldo *m;* **2.** *geh (Leidenschaft)* ardore *m,* fervore *m.*

Glykol [gly'ko:l] ⟨-s, -e⟩ *n* glicol *m.*

Glyzerin [glyts̮e'ri:n] ⟨-s, ø⟩ *n* glicerina *f.*

GmbH [ge':ɛmbe:'ha:] ⟨-, -s⟩ *f abk von* **Gesellschaft mit beschränkter Haftung** S.r.l. (*abbr di* Società a responsabilità limitata).

Gnade ['gna:də] ⟨-, -n⟩ *f* **1.** *allg., jur, rel* grazia *f;* **2.** *(Gunst)* favore *m;* **3.** *(Erbarmen)* misericordia *f; (Milde, Nachsicht)* clemenza *f;* **um ~ bitten** chiedere grazia (*jdn* a qu); **~ vor Recht ergehen lassen** usare clemenza; **ohne ~** senza pietà (*o* misericordia); **~!** pietà!. **Gnadengesuch** *n* domanda *f* di grazia. **gnadenlos** *adj* spietato. **Gnadenstoß** *m (a. fig)* colpo *m* di grazia.

gnädig ['gnɛ:dıç] *adj* **1.** *(gütig)* benigno; *(barmherzig)* misericordioso; **2.** *(wohlwollend)* benevolo; *(mild, nachsichtig)* indulgente, clemente; *(günstig gesinnt)* bendisposto; **3.** *(herablassend)* condiscendente; **~e Frau/~es Fräulein** gentile signora/signorina; **~er Herr** gentile (*o* egregio) signore.

Gold [gɔlt] ⟨-(e)s, ø⟩ *n* oro *m;* **nicht mit ~ aufzuwiegen sein, ~ wert sein** valere tant'oro quanto pesa; **es ist nicht alles ~, was glänzt** *prov* non è tutto oro quel che luccica *prov.*

golden *adj (aus Gold)* d'oro; *(goldfarbig, vergoldet)* dorato; *fig* d'oro; **der ~e Mittelweg** il giusto mezzo.

Goldfasan *m* fagiano *m* dorato. **Goldfisch** *m* pesce *m* rosso. **Goldgehalt** *m* titolo *m* dell'oro. **goldgelb** *adj* giallo oro; *gastr* dorato.

goldig *adj fam (niedlich)* carino.

Goldmedaille *f* medaglia *f* d'oro; *(olympische ~)* oro *m.* **goldrichtig** [-'rıçtıç] *adj fam* giusto, adeguato. **Goldschmied(in)** *m(f)* orafo, -a *m, f.* **Goldschnitt** *m* taglio *m* dorato. **Goldstück** *n* **1.** *(Goldmünze)* moneta *f* d'oro; **2.** *fig scherz* tesoro *m.* **Goldwaage** *f* bilancina *f* dell'orafo; **jedes Wort auf die ~ legen** *(sich vorsichtig ausdrücken)* pesare ogni parola; *(überempfindlich sein)* essere ipersensibile. **Goldwährung** *f* valuta *f* aurea.

Golf[1] [gɔlf] ⟨-(e)s, -e⟩ *m geog* golfo *m.*

Golf[2] [gɔlf] ⟨-s, ø⟩ *n sport* golf *m.*

Golfkrieg *m hist* guerra *f* del Golfo. **Golfplatz** *m* campo *m* da golf. **Golfschläger** *m* mazza *f* da golf. **Golfspieler(in)** *m(f)* giocatore, -trice *m, f* di golf, golfista *mf.*

Golfstaaten *m pl* stati *m pl* del Golfo.

Golfstrom *m* corrente *f* del Golfo.

Gondel ['gɔndəl] ⟨-, -n⟩ *f* gondola *f.*

gönnen ['gœnən] **I.** *tr* non invidiare (*jdm etw.* qc a qu), concedere (*jdm etw.* qc a qu); **jdm etw. nicht ~** invidiare qc a qu; **ich gönne es dir** te lo auguro di cuore; **II.** *rfl:* **sich** *(dat)* **~** *(sich leisten)* concedersi, permettersi.

Gönner(in) ⟨-s, -⟩ *m(f) (Wohltäter)* benefattore, -trice *m, f; (von Künstler)* mecenate *mf.* **gönnerhaft I.** *adj* condiscendente; **II.** *adv* con condiscendenza.

Gonorrhö(e) [gonɔ'rø:, ...ø:ən] ‹-, -en› *f med* genorrea *f,* blenorragia *f.*

gor [go:ɐ] *imp von* **gären.**

Gör [gøɐ] ‹-(e)s, -en› *n,* **Göre** ['gø:rə] ‹-, -n› *f pej (kleines Kind)* marmocchio *m; (freches Mädchen)* saputella *f.*

Gorilla [go'rɪla] ‹-s, -s› *m* gorilla *m.*

goß [gɔs] *imp von* **gießen.**

Gosse ['gɔsə] ‹-, -n› *f (Straßenrinne)* cunetta *f; fig (Verkommenheit)* fango *m;* **in der ~ enden** finire nel fango.

Gotik ['go:tɪk] ‹-, ø› *f* (stile *m*) gotico *m.*

gotisch *adj* gotico.

Gott [gɔt] ‹-es, Götter› *m (christlich)* Dio *m; (heidnisch)* dio *m,* divinità *f;* **ein Bild für die Götter** *fam* uno spettacolo unico; **den lieben ~ einen guten Mann sein lassen** *fam* tirare a campare; **über ~ und die Welt reden** *fam* parlare di tutto; **wie ~ in Frankreich leben** vivere (*o* stare) come un papa *fam;* **leider ~es** purtroppo, disgraziatamente; **so ~ will** se Dio vuole; **um ~es willen** per l'amor di Dio; **~ und die Welt waren unterwegs** *fam* tutti erano in giro; **er spielt Tennis wie ein junger ~** *fam* gioca a tennis come un dio *fam* (*o* divinamente); **großer ~!, mein ~!** Dio mio!; **weiß ~!** Dio sa!; **das wissen die Götter!** *fam* lo sa Iddio; **~ sei Dank!** grazie a Dio.

Gottesanbeterin *f (Insekt)* mantide *f* religiosa. **Gottesdienst** *m* messa *f.* **Gotteshaus** *n* casa *f* di Dio. **Gotteslästerung** ‹-, -en› *f* blasfemia *f,* bestemmia *f.*

Gottfried ['gɔtfri:t] *(männlicher Vorname)* Goffredo.

Göttin ['gœtɪn] *f* dea *f,* divinità *f.*

Göttingen ['gœtɪŋən] *n* Gottinga *f.*

göttlich ['gœtlɪç] *adj* divino.

gottlob [-'lo:p] **I.** *interj* Dio sia lodato; **II.** *adv (glücklicherweise)* per fortuna.

gottlos *adj (Gott leugnend)* senza Dio, ateo; *(Gott nicht achtend)* empio; *(ruchlos)* scellerato. **gottverlassen** ['gɔtfɛɐ'lasən] *adj fam (abgelegen)* desolato. **Gottvertrauen** *n* fiducia *f* (*o* fede *f*) in Dio.

Gourmet [gʊr'me:] ‹-s, -s› *mf (Feinschmecker)* buongustaio, -a *m, f; (Weinkenner)* intenditore, -trice *m, f* di vini.

Grab [gra:p] ‹-(e)s, Gräber› *n* tomba *f; (~denkmal)* sepolcro *m;* **sich** *(dat)* **sein (eigenes) ~ schaufeln** *fig* scavarsi la fossa con le proprie mani; **mit einem Bein** (*o* **Fuß) im ~e stehen** *fam* avere un piede nella fossa *fam;* **jdn zu ~e tragen** seppellire qu; **schweigen wie ein ~** essere (muto come) una tomba.

graben ['gra:bən] ‹gräbt, grub, gegraben› **I.** *tr* scavare; **II.** *itr* scavare, vangare; **nach etw. ~** *(nach Kohle, Erz)* scavare alla ricerca di qc; *(nach archäologischen Funden)* scavare qc; **III.** *rfl:* **sich in etw. ~** *(Tier)* scavarsi un buco in qc; *(Fingernägel, Zähne, Baggerschaufeln)* affondare in qc.

Graben ‹-s, Gräben› *m (Wasser~, Festungs~)* fossato *m,* fosso *m; mil* trincea *f; geol* fossa *f.*

Grabhügel *m* tumulo *m.* **Grabinschrift** *f* iscrizione *f* sepolcrale, epitaffio *m.* **Grabmal** ‹-(e)s, -mäler *o geh* -e› *n* monumento *m* sepolcrale; *(Grabstein)* lapide *f* sepolcrale. **Grabrede** *f* orazione *f* funebre. **Grabschänder(in)** ‹-s, -› *m, f* profanatore, -trice *m, f* (*o* violatore, -trice *m, f*) di sepolcro. **Grabstein** *m* pietra *f* tombale, lapide *f* sepolcrale.

gräbt [grɛ:pt] *pr von* **graben.**

Grabung ‹-, -en› *f* scavo *m.*

Grad [gra:t] ‹-(e)s, -e *o bei Maßangaben* -› *m* grado *m; (Stärke)* intensità *f;* **akademischer ~** titolo *m* accademico; **bis zu einem gewissen ~** fino a un certo punto; **in hohem ~(e)** in abbondanza; **im höchsten ~e** al massimo (*o* in sommo) grado; **bei drei ~ Celsius/Wärme/Kälte** a tre gradi centigradi/sopra zero/sotto zero. **Gradeinteilung** *f* graduazione *f.*

Graf [gra:f] ‹-en, -en› *m,* **Gräfin** ['grɛ:fɪn] *f* conte *m,* contessa *f.*

Graffiti [gra'fi:ti] *pl* graffito *m.*

Grafschaft ‹-, -en› *f* contea *f.*

grämen ['grɛ:mən] *rfl:* **sich ~** affliggersi (*über +akk* per), crucciarsi (*über +akk* per, di).

Gramm [gram] ‹-s, -e *o bei Maßangaben* -› *n* (*abk* **g**) grammo *m.*

Grammatik [gra'matɪk] ‹-, -en› *f* grammatica *f.*

grammatikalisch [...ti'ka:lɪʃ] *adj* grammaticale.

Granat [gra'na:t] ‹-(e)s, -e› *m* granato *m.* **Granatapfel** *m* melagrana *f.*

Granate [gra'na:tə] ‹-, -n› *f* granata *f; (Hand~)* bomba *f* a mano.

Granit [gra'ni:t] ‹-s, -e› *m* granito *m.*

Grapefruit ['gre:pfru:t] ‹-, -s› *f* pompelmo *m.*

Graphik ['gra:fɪk] ‹-, -en› *f* grafica *f.* **Graphikbildschirm** *m* schermo *m* grafico. **Graphikkarte** *f* scheda *f* grafica. **Graphiktablett** *n* tavoletta *f* grafica.

Graphiker(in) ‹-s, -› *m(f) (Zeichner, Techniker)* grafico, -a *m, f,* disegnatore, -trice *m, f* grafico, -a; *(Künstler)* artista *mf* dedito, -a all'arte grafica.

graphisch *adj* grafico; **~e Darstellung** rappresentazione *f* grafica, grafico *m;* **~es Gewerbe** industria poligrafica.

Graphit [gra'fi:t] ‹-(e)s, -e› *m* grafite *f,* piombaggine *f.*

Graphologie [grafolo'gi:] ‹-, ø› *f* grafologia *f.*

Gras [gra:s] ‹-es, Gräser› *n* erba *f;* **ins ~ beißen (müssen)** *sl* morire; **das ~**

wachsen hören *scherz* fare il sapientone; **über etw.** *(akk)* ~ **wachsen lassen** *fig* mettere una pietra sopra qc; **darüber ist längst** ~ **gewachsen** *fam* è acqua passata.
grasen ['gra:zən] *itr* pascolare.
Grashalm *m* filo *f* d'erba. **Grashüpfer** [-hʏpfɐ] ⟨-s, -⟩ *m* cavalletta *f.*
grassieren [gra'si:rən] ⟨*ohne ge-*⟩ *itr* imperversare.
gräßlich ['grɛslɪç] *adj* **1.** *(abscheulich, schrecklich)* atroce, orrendo; **2.** *fam (sehr schlecht, schlimm)* terribile.
Grat [gra:t] ⟨-(e)s, -e⟩ *m (Berg~)* cresta *f; (Dach~)* linea *f* di colmo.
Gräte ['grɛ:tə] ⟨-, -n⟩ *f* lisca *f,* spina *f* di pesce.
gratinieren [grati'ni:rən] ⟨*ohne ge-*⟩ *tr gastr* gratinare.
gratis ['gra:tɪs] *adv* gratuitamente, gratis. **Gratisprobe** *f* campione *m* gratuito (*o* in omaggio).
Gratulant(in) [gratu'lant(ɪn)] ⟨-en, -en⟩ *m(f)* persona *f* che si congratula.
Gratulation [...la'tsio:n] ⟨-, -en⟩ *f* congratulazioni *f pl,* felicitazioni *f pl.*
gratulieren [...'li:rən] ⟨*ohne ge-*⟩ *itr:* **jdm zu etw.** ~ congratularsi con qu per qc; **jdm zum Geburtstag** ~ fare a qu gli auguri di buon compleanno; **ich gratuliere Ihnen herzlich** Le faccio le mie più sentite congratulazioni.
grau [grau] *adj* grigio; *fig (trostlos, öde)* triste, tetro; **darüber lasse ich mir keine ~en Haare wachsen** non mi dispero per questo; *s. a. blau.*
Grau ⟨-(s), - *o fam* -s⟩ *n (graue Farbe)* grigio *m; (Trostlosigkeit, Ödheit)* grigiore *m; s. a. Blau.* **Graubrot** *n* pane *m* misto.
Graubünden [grau'bʏndən] *n* Grigioni *m pl.*
grauen ['grauən] *itr:* **mir graut davor, zu ...** provo orrore (*o* inorridisco) all'idea di *+inf.* **Grauen** ⟨-s, ø⟩ *n* orrore *m.* **grauenhaft, grauenvoll** *adj* orribile, orrendo, spaventoso; *(übertreibend)* terribile.
grauhaarig *adj* dai capelli grigi.
gräulich ['grɔylɪç] *adj* grigiastro.
graumeliert *adj (Haar)* brizzolato.
Graupe ['graupə] ⟨-, -n⟩ *f* orzo *m* mondato.
Graupeln ['graupəln] *f pl* gragnola *f.*
grausam ['grauza:m] *adj* **1.** *(gefühllos)* crudele, spietato; **2.** *(schrecklich, furchtbar)* terribile, atroce; **3.** *fam (schlimm)* terribile. **Grausamkeit** ⟨-, -en⟩ *f* crudeltà *f.*
grausen ['grauzən] *itr unpers:* **mir graust, es graust mir** ho orrore (*vor +dat* di).
Graveur(in) [gra'vø:ɐ (...rɪn)] ⟨-s, -e⟩ *m(f)* incisore *mf.*
gravieren [gra'vi:rən] ⟨*ohne ge-*⟩ *tr* incidere. **gravierend** *adj (Umstände)* aggravante; *(Fehler)* grave.
Gravur [gra'vu:ɐ] ⟨-, -en⟩ *f* incisione *f.*
Grazie ['gra:tsiə] ⟨-, -n⟩ *f* **1.** ⟨*sing*⟩ *(Anmut)* grazia *f,* leggiadria *f;* **2.** *(Mythologie)* Grazia *f.*
graziös [gra'tsiø:s] *adj* grazioso, leggiadro.
Gregor ['gre:gɔr] *(männlicher Vorname)* Gregorio.
greifbar *adj* **1.** *(zur Hand)* a portata di mano; **2.** *fig (konkret, real)* concreto, tangibile.
greifen ['graifən] ⟨greift, griff, gegriffen⟩ **I.** *tr* prendere, pigliare; *(packen)* afferrare; **II.** *itr* **1.** *(die Hand ausstrecken)* stendere la mano (*nach* per prendere, per toccare); **2.** *(einrasten, nicht rutschen)* fare presa; **3.** *fig (wirksam werden)* essere efficace, convincere; *(erfolgreich sein)* riscuotere successo; **um sich** ~ *fig* propagarsi, estendersi; **zu etw.** ~ *fig* ricorrere a qc; **zum G~ nahe** *fig* vicinissimo.
Greis(in) [grais (...zɪn)] ⟨-es, -e⟩ *m(f)* vecchio, -a *m, f,* vegliardo, -a *m, f lett.*
grell [grɛl] *adj (Farbe)* vivo, stridente; *(Licht)* abbagliante, accecante; *(Ton)* stridulo, acuto, penetrante; *fig (scharf)* netto.
Gremium ['gre:mium, ...iən] ⟨-s, Gremien⟩ *n* organo *m,* commissione *f.*
Grenze ['grɛntsə] ⟨-, -n⟩ *f* confine *m; (Landes~)* frontiera *f; fig* limite *m;* **keine ~n kennen** *fig* non conoscere limiti; **sich in ~n halten** stare nei limiti; **an der** ~ alla frontiera; *fig* al limite; **alles hat seine ~n** tutto ha un limite.
grenzen *itr:* ~ **an** confinare con, essere vicino (*o* attiguo) a; *fig* rasentare (*an etw. (akk)* qc), avvicinarsi a.
grenzenlos *adj (Land, Weite)* sconfinato; *fig* smisurato.
Grenzfall *m* caso *m* limite. **Grenzgänger** [-gɛŋɐ] ⟨-s, -⟩ *m* frontaliere *m.* **Grenzkontrolle** *f* controllo *f* al confine, alla dogana. **Grenzschutz** *m* **1.** *(Vorgang)* protezione *f* del confine; **2.** *(Truppen)* guardie *f pl* confinarie. **Grenzsoldat** *m* guardia *f* confinaria. **Grenzstein** *m* pietra *f* di confine. **Grenzübergang** *m (Ort)* valico *m.* **Grenzübertritt** *m* passaggio *m* del confine. **Grenzverkehr** *m* traffico *m* di frontiera. **Grenzwert** *m* valore *m* limite; *mat* limite *m.*
Greuel ['grɔyəl] ⟨-s, -⟩ *m* **1.** *(Abscheu)* orrore *m* (*vor +dat* di); **2.** ⟨*meist pl*⟩ *(Gewalttat)* orrori *m pl,* atrocità *f pl;* **er/das ist mir ein** ~ lui/ciò mi ripugna.
greulich ['grɔylɪç] *adj (gräßlich, entsetzlich)* orribile, atroce; *(ekelhaft)* raccapricciante; *(furchtbar)* terribile.
Griebe ['gri:bə] ⟨-, -n⟩ *f* cicciolo *m.*
Grieche ['gri:çə] ⟨-n, -n⟩ *m,* **Griechin** [...çɪn] *f* greco, -a *m, f.*

Griechenland *n* Grecia *f.*
griechisch *adj* greco, ellenico *lett.*
griesgrämig ['gri:sgrɛ:mɪç] *adj* burbero, scontroso, tetro.
Grieß [gri:s] ⟨-es, -e⟩ *m* **1.** *gastr* semolino *m;* **2.** *med* renella *f.*
griff [grɪf] *imp von* **greifen.**
Griff ⟨-(e)s, -e⟩ *m* **1.** *(Stiel, Messer~, an Saiteninstrument)* manico *m; (Knauf)* pomo *m; (Klinke)* maniglia *f; (von Lenkstange, Pistolen~)* impugnatura *f;* **2.** ⟨*sing*⟩ *(das Greifen)* prendere (*nach* qc), afferrare *m* (*nach* qc); **3.** *(Hand~)* presa *f; sport* mossa *f,* appiglio *m;* **4.** *mus (Fingerstellung)* diteggiatura *f;* **einen guten ~ tun mit** fare un bel colpo con *fam;* **jdn/etw. im ~ haben** avere qu/qc sotto controllo; *(geistig)* conoscere bene qu/qc; **jdn/etw. in den ~ bekommen** avere in mano qu/qc.
griffbereit *adj* a portata di mano.
Griffel ['grɪfəl] ⟨-s, -⟩ *m (a. bot)* stilo *m.*
Grill [grɪl] ⟨-s, -s⟩ *m* griglia *f;* **vom ~** ai ferri.
Grille ['grɪlə] ⟨-, -n⟩ *f (zoo, fig: Laune)* grillo *m.*
grillen I. *tr* cuocere sulla griglia, fare ai ferri; **II.** *itr* fare il barbecue.
Grimasse [gri'masə] ⟨-, -n⟩ *f* smorfia *f;* **~n schneiden** fare le smorfie.
grimmig ['grɪmɪç] *adj* **1.** *(Mensch)* rabbioso, stizzoso; *(Gesicht)* truce; **2.** *fig (Kälte)* atroce.
grinsen ['grɪnzən] *itr* (sog)ghignare; *(mit breitem Mund)* sghignazzare. **Grinsen** ⟨-s, ø⟩ *n* ghigno *m.*
grippal [grɪ'pa:l] *adj* influenzale.
Grippe ['grɪpə] ⟨-, -n⟩ *f* influenza *f.* **Grippeschutzimpfung** *f* vaccinazione *f* antinfluenza.
Grips [grips] ⟨ø, ø⟩ *m fam* cervello *m,* zucca *f fam.*
grob [gro:p] ⟨gröber, gröbste⟩ *adj* **1.** *(nicht fein: Leinen, Papier)* grosso, grossolano; *(Sand, Zucker)* grosso; *(Arbeit)* pesante, faticoso; **2.** *(schlimm: Verstoß, Fahrlässigkeit)* grave; *(Fehler)* grossolano, madornale; **3.** *(brutal: Behandlung, Mensch)* brutale, rude, rozzo; *(unhöflich)* sgarbato; **4.** *(ungefähr)* approssimativo; **~e Beleidigung** offesa spudorata; **~e Fahrlässigkeit** *jur* colpa grave; **gegen jdn ~ werden** *(brutal)* maltrattare qu; *(ausfällig)* inveire contro qu; **das Gröbste ist getan** il grosso è fatto.
Grobheit ⟨-, -en⟩ *f* **1.** ⟨*sing*⟩ *(Roheit)* grossolanità *f,* rozzezza *f;* **2.** *(Unhöflichkeit)* villania *f,* sgarbatezza *f; (grobe Äußerung, Handlung)* sgarbo *m;* **jdm ~en an den Kopf werfen** dire delle sgarbataggini a qu.
Grobian ['gro:bia:n] ⟨-es, -e⟩ *m* uomo *m* rozzo (*o* grossolano), maleducato *m.*
Gröden ['grø:dən] *n* Gardena *f.*
grölen ['grø:lən] *itr fam (schreien)* gridare, vociare; *(singen)* cantare a squarciagola.
Groll [grɔl] ⟨-(e)s, ø⟩ *m* rancore *m; (Verbitterung)* risentimento *m* (*gegen* nei confronti di, per).
grollen *itr geh* **1.** *(Groll haben)* avere (*o* portare) rancore (*jdm* verso *o* a qu); **2.** *(donnern)* rimbombare.
Grönland ['grø:nlant] *n* Groenlandia *f.*
Gros [gro:, gro:s] ⟨-, -⟩ *n* massa *f; mil, sport* grosso *m.*
Groschen ['grɔʃən] ⟨-s, -⟩ *m* **1.** *A (Münze)* groschen *m;* **2.** *fam (10 Pfennig)* monetina *f; fig (Geld)* quattrini *m pl,* soldi *m pl;* **der ~ ist gefallen** *fig* ci è arrivato.
groß [gro:s] ⟨größer, größte⟩ *adj* **1.** *allg.* grande; *(~ u. dick)* grosso; *(ausgedehnt)* vasto, ampio; *(geräumig)* spazioso; **2.** *(lang, zeitlich)* lungo; **3.** *(hoch)* alto; *(hochgewachsen)* di alta statura; **4.** *(erwachsen)* cresciuto, adulto; **5.** *(wichtig, bedeutend)* importante; *(berühmt)* famoso; **6.** *(älter)* maggiore; **7.** *(~ geschrieben)* maiuscolo; **8.** *(~mütig, selbstlos)* magnanimo; **eine größere Summe** una somma piuttosto grossa; **~ und klein** grandi e piccoli (*o* piccini); **G~es leisten** fare grandi cose; **jdn ~ ansehen** guardare qu con tanto d'occhi *fam;* **~ (o größer) werden** diventare più grande, crescere; **größer machen** ingrandire; *(weiten)* allargare; **nur ~es Geld haben** non avere moneta; **im ~en (und) ganzen** nell'insieme, in generale; **wie ~ bist du**? quanto sei alto?; **was soll man da ~ machen/sagen**? *fam* non c'è molto da fare/dire.
großartig *adj* grandioso, imponente; *(herrlich)* magnifico; *(ausgezeichnet)* eccellente; **das ist (ja) ~!** *(a. iron)* è magnifico.
Großaufnahme *f* primo piano *m.* **Großauftrag** *m* grosso ordine *m,* grossa ordinazione *f.* **Großbildschirm** *m* schermo *m* grande. **Großbritannien** [gro:sbri'tanjən] *n* Gran Bretagna *f.* **Großbuchstabe** *m* (lettera *f*) maiuscola *f.*
Größe ['grø:sə] ⟨-, -n⟩ *f* **1.** *allg., fig, mat, phys, astr* grandezza *f; (Ausdehnung, Umfang)* estensione *f; (Weite)* ampiezza *f; (Fassungsvermögen)* capienza *f;* **2.** *(Länge, a. zeitlich)* lunghezza *f;* **3.** *(Höhe)* altezza *f; (Körper~)* statura *f;* **4.** *(Kleidungs~)* taglia *f; (Hut~, Handschuh~, Schuh~)* misura *f,* numero *m;* **5.** *(Stärke)* forza *f,* intensità *f;* **6.** *(Erhabenheit)* sublimità *f,* magnificenza *f;* **7.** *(berühmte Person)* celebrità *f;* **unbekannte ~** *mat* incognita *f.*
Großeltern ⟨*pl*⟩ nonni *m pl.*
Größenordnung *f* ordine *m* di grandezza.
großenteils ['gro:sən'tails] *adv* in gran parte.
Größenwahn *m* mania *f* di grandezza,

megalomania *f.* **größenwahnsinnig** *adj* megalomane.

Großglockner [gro:s'glɔknɐ *o* 'gro:s...] *m* Gran Campanaro *m.*

Großgrundbesitzer(in) *m(f)* latifondista *mf.* **Großhandel** *m* commercio *m* all'ingrosso. **Großhändler(in)** *m(f)* commerciante *mf* all'ingrosso, grossista *mf.* **Großhandlung** *f* negozio *m* all'ingrosso. **großherzig** *adj* magnanimo, generoso. **Großmacht** *f* grande potenza *f.* **Großmarkt** *m* mercato *m* all'ingrosso. **Großmaul** *n fam* spaccone *m,* fanfarone *m.* **Großmut** ⟨-, ø⟩ *f* magnanimità *f,* generosità *f.* **großmütig** [-my:tɪç] *adj* magnanimo, generoso.

Großmutter *f* nonna *f.* **Großneffe** *m* pronipote *m.* **Großnichte** *f* pronipote *f.* **Großonkel** *m* prozio *m.*

Großputz *m* pulizia *f* generale. **Großraum** *m:* **im ~ Stuttgart** nell'hinterland di Stoccarda. **Großraumbüro** *n* grande locale *m* d'ufficio suddiviso a scomparti. **Großraumflugzeug** *n* aereo *m* tipo jumbo. **Großraumwagen** *m* grande vagone *m* (senza scompartimenti). **Großrechner** *m* maxicalcolatore *m.* **großspurig I.** *adj* tronfio; **II.** *adv* in modo tronfio. **Großstadt** *f* grande città *f,* metropoli *f.* **Großstädter(in)** *m(f)* abitante *mf* di una grande città. **großstädtisch** *adj* di (una) grande città, metropolitano.

Großtante *f* prozia *f.*

größtenteils ['grø:stən'tails] *adv* in massima parte.

Großvater *m* nonno *m.*

groß·ziehen ⟨*irr*⟩ *tr (aufziehen)* allevare, tirar su *fam.*

großzügig *adj* **1.** *(in der Form, Gestaltung)* in grande stile, grandioso; **2.** *(in den Ansichten)* di larghe vedute; **3.** *(freigebig)* generoso. **Großzügigkeit** ⟨-, ø⟩ *f* **1.** *(von Form, Gestaltung)* grandiosità *f;* **2.** *(von Gesinnung)* larghezza *f* di vedute; **3.** *(Freigebigkeit)* generosità *f.*

grotesk [gro'tɛsk] *adj* grottesco.

grub [gru:p] *imp von* **graben.**

Grübchen ['gry:pçən] ⟨-s, -⟩ *n* fossetta *f.*

Grube ['gru:bə] ⟨-, -n⟩ *f* fossa *f; min* miniera *f; (offene ~)* cava *f;* **wer andern eine ~ gräbt, fällt selbst hinein** *prov* l'inganno va a casa dell'ingannatore *prov.*

grübeln ['gry:bəln] *itr* fantasticare *(über +akk* su), almanaccare *(über +akk* su).

grüezi ['gry:ɛtsi] *interj CH* ciao, salve.

Gruft [grʊft] ⟨-, Grüfte⟩ *f* tomba *f,* sepolcro *m; (Krypta)* cripta *f.*

Grufti [grʊfti:] ⟨-s, -s⟩ *m fam* metusa *m.*

grün [gry:n] *adj* **1.** *(Farbe)* verde; **2.** *pol* verde, ecologista; **3.** *(unreif: Obst)* verde, acerbo; *pej (unerfahren)* inesperto; **~er Junge** sbarbatello *m fam;* **~es Licht** *(von Ampel)* il verde; *fig (Zustimmung)* il permesso; **die ~e Minna** *fam* la cellulare (della polizia); **~e Welle** *(von Ampeln)* onda verde; **~ im Gesicht werden** farsi pallido; **jdn ~ und blau schlagen** *fam* bastonare qu di santa ragione; **auf keinen ~en Zweig kommen** non avere fortuna (*o* successo); **G~er Punkt** *bollino verde con cui vengono contrassegnati gli imballaggi riciclabili;* **~e Karte** *(Versicherung)* carta *f* verde; *s. a. blau.*

Grün ⟨-(s), - *o fam* -s⟩ *n* (colore *m*) verde *m;* **bei ~ über die Ampel fahren** passare col verde; **die Ampel steht auf ~** il semaforo è verde; **das ist dasselbe in ~** *fam* è la stessa cosa; *s. a. Grüne, Blau.*

Grünanlage *f* parco *m.*

Grund [grʊnt] ⟨-(e)s, Gründe⟩ *m* **1.** ⟨*sing*⟩ *(tiefste Stelle, Boden)* fondo *m;* **2.** ⟨*sing*⟩ *(Erdboden)* suolo *m,* terreno *m;* **3.** ⟨*sing*⟩ *(~lage)* fondamento *m,* base *f;* **4.** *fig (Ursache)* causa *f; (Beweg~, Anlaß)* motivo *m,* ragione *f; (Beweis~)* argomento *m,* prova *f;* **(allen) ~ haben zu ...** aver motivo di ...; **einer S.** *(dat)* **auf den ~ gehen** andare fino in fondo a qc; **auf ~ von** in base a, a causa di; **auf eigenem ~ und Boden** sul proprio (fondo); **aus diesem ~(e)** per questa ragione, perciò; **im ~e (genommen)** in fondo, in sostanza, in fin dei conti; **von ~ auf (***o* **aus)** interamente, del tutto, radicalmente; **es besteht ~ zu ...** c'è motivo di ...; **das ist kein ~ zum Lachen** c'è poco da ridere; **ich habe meine Gründe (dafür)** ho le mie buone ragioni. **Grundausstattung** *f* attrezzatura *f* elementare, di base. **Grundbedeutung** *f* **1.** *(wesentlichste Bedeutung)* significato *m* fondamentale; **2.** *ling* significato *m* originario (*o* primitivo). **Grundbedingung** *f* condizione *f* principale (*o* essenziale). **Grundbegriff** *m* **1.** *(elementarer Begriff)* concetto *m* fondamentale; **2.** ⟨*meist pl*⟩ *(Basiswissen)* principi *m pl* basilari. **Grundbesitz** *m* proprietà *f* terriera (*o* fondiaria). **Grundbestandteil** *m* elemento *m* fondamentale. **Grundbuch** *n* catasto *m.*

gründen ['grʏndən] **I.** *tr* **1.** *(Stadt, Unternehmen, Verein, Partei)* fondare; *(stiften)* istituire; *(ins Leben rufen)* creare; **eine Familie ~** farsi una famiglia; **2.** *fig (stützen)* basare *(auf +akk* su); **II.** *itr* basarsi *(in +dat* su); **III.** *rfl:* **sich ~ auf** basarsi su, poggiare su.

Gründer(in) ⟨-s, -⟩ *m(f)* fondatore, -trice *m, f.*

Grundfläche *f mat* base *f.* **Grundform** *f (Hauptform)* forma *f* fondamentale (*o* tipica); *(ursprüngliche Form)* forma *f* primitiva (*o* originaria); *gram* infinito *m.* **Grundgebühr** *f* tassa *f* fissa. **Grundgehalt** *n* stipendio *m* base. **Grundgesetz** *n (Verfassung)* costituzione *f.*

grundieren [grʊn'di:rən] ⟨*ohne ge-*⟩ *tr*

tec dare la mano di fondo a.
Grundkenntnisse *f pl* nozioni *f pl* (*o* conoscenze *f pl*) di base (*o* fondamentali). **Grundlage** *f* **1.** *(Basis)* fondamento *m*, base *f;* **2.** *(Voraussetzung)* presupposto *m.* **Grundlagenforschung** *f* ricerca *f* scientifica di base (*o* fondamentale). **grundlegend** *adj* basilare; *(wichtig)* fondamentale.
gründlich ['grʏntlɪç] **I.** *adj (tiefgehend)* profondo; *(sorgfältig)* accurato; *(gewissenhaft)* coscienzioso; **II.** *adv* a fondo; **er hat sich ~ blamiert** *fam* ha fatto una figuraccia.
grundlos *adj* **1.** *(Tiefe)* senza fondo; **2.** *fig (unbegründet)* infondato.
Grundnahrungsmittel *n* alimento *m* di base.
Gründonnerstag [-'dɔnɐsta:k] *m* giovedì *m* santo.
Grundrechte *n pl* diritti *m pl* fondamentali.
Grundriß *m* **1.** *mat* proiezione *f* orizzontale; **2.** *arch* pianta *f;* **3.** *(Schema)* compendio *m.*
Grundsatz *m* principio *m.*
grundsätzlich [-zɛts̲lɪç] **I.** *adj* **1.** *(aus Prinzip)* di principio, di massima; **2.** *(wesentlich)* fondamentale; **II.** *adv* **1.** *(aus Prinzip)* per principio, per massima; **2.** *(im Prinzip)* essenzialmente, sostanzialmente.
Grundschule *f* scuola *f* elementare (*o* primaria). **Grundschullehrer(in)** maestro, -a *m, f* di scuola elementare. **Grundstein** *m* prima pietra *f;* **den ~ legen zu** *(a. fig)* porre la prima pietra per. **Grundstoff** *m* **1.** *chem (Element)* elemento *m;* **2.** *tec (Rohstoff)* materia *f* prima. **Grundstück** *n* fondo *m*, terreno *m.* **Grundstücksmakler(in)** *m(f)* agente *mf* immobiliare.
Gründung ⟨-, -en⟩ *f* fondazione *f; (Schaffung)* creazione *f; (Stiftung)* istituzione *f.*
grundverschieden ['grʊntfɛɐ̯'ʃi:dən] *adj* totalmente diverso.
Grundwasser *n* acqua *f* freatica (*o* del sottosuolo). **Grundzug** *m (Charakteristikum)* tratto *m* fondamentale, caratteristica *f.*
Grüne[1] ⟨ein -r, -n, -n⟩ *mf pol* appartenente *mf* al movimento dei verdi; **die ~n** i verdi.
Grüne[2] ⟨ein -s, -n, ø⟩ *n* **1.** *(von Gemüse)* verde *m; (Gemüse u. Salat)* verdura *f;* **2.** *(Natur)* verde *m*, natura *f;* **im ~n** nel verde; **ins ~ fahren** andare in campagna, fare una scampagnata.
Grünfläche *f* zona *f* verde. **Grünfutter** *n* foraggio *m* fresco. **Grünkohl** *m* cavolo *m* riccio. **grünlich** *adj* verdastro. **Grünschnabel** *m* sbarbatello *m*, pivello *m.* **Grünspan** *m* verderame *m;* **~ ansetzen** dare il verderame. **Grünstreifen** *m* spartitraffico *m* (verde). **Grünzeug** *n fam* verdura *f.*
grunzen ['grʊnts̲ən] *itr* grugnire.
Gruppe ['grʊpə] ⟨-, -n⟩ *f* **1.** *allg.* gruppo *m; (von Arbeitern, Sportlern)* squadra *f;* **2.** *(Klasse)* classe *f*, categoria *f;* **in der ~** in gruppo; **in ~n** a gruppi. **Gruppenarbeit** *f* lavoro *m* di gruppo (*o* d'équipe). **Gruppendynamik** *f psych* dinamica *f* di gruppo. **Gruppenreise** *f* viaggio *m* in comitiva. **Gruppensex** *m* sesso *m* di gruppo, ammucchiata *f fam.* **Gruppentherapie** *f* terapia *f* di gruppo.
gruppieren [grʊ'pi:rən] ⟨*ohne ge-*⟩ **I.** *tr* disporre in gruppi, raggruppare; *(klassifizieren)* classificare; **II.** *rfl:* **sich ~** raggrupparsi.
Gruppierung ⟨-, -en⟩ *f* **1.** ⟨*sing*⟩ *(Anordnen)* disposizione *f* in gruppi, raggruppamento *m;* **2.** *(Konstellation, bes. pol)* raggruppamento *m; (Gruppe)* gruppo *m.*
gruselig ['gru:zəlɪç] *adj* raccapricciante.
gruseln ['gru:zəln] **I.** *tr, itr:* **mir (***o* **mich) gruselt es** rabbrividisco (*vor +dat* a, per); **II.** *rfl:* **ich grus(e)le mich** rabbrividisco (*vor +dat* a, per).
Gruß [gru:s] ⟨-es, Grüße⟩ *m* saluto *m;* **~ aus X** *(auf Andenken)* saluti da X; **viele Grüße** tanti saluti (*an +akk* a); **mit freundlichen Grüßen** *(Briefschluß)* distinti (*o* cordiali) saluti.
grüßen ['gry:sən] *tr* salutare; *mil* fare il saluto militare a; **jdn ~ lassen** mandare i saluti a qu; **~ Sie ihn von mir!** gli porti i miei saluti!; **grüß Gott!** *(süddeutsch)* buon giorno.
Grütze ['grʏts̲ə] ⟨-, -n⟩ *f (Brei)* pappa *f* di tritello; **rote ~** dolce *m* di semolino e succo di frutta.
gucken ['gʊkən] *itr fam* guardare; **guck mal!** guarda un po'!
Guckloch *n* spioncino *m.*
Guerilla[1] [ge'rɪlja] ⟨-, -s⟩ *f* **1.** *(~krieg)* guerriglia *f;* **2.** *(~einheit)* bande *f pl* di guerriglieri.
Guerilla[2] [ge'rɪlja] ⟨-(s), -s⟩ *m*, **Guerillakämpfer(in)** *m(f)* guerrigliero, -a *m, f.*
Güggeli ['gʏgəli] ⟨-s, -⟩ *n CH* pollo *m* allo spiedo.
Gulasch ['gʊlaʃ] ⟨-(e)s, -e *o* -s⟩ *n o m* gulasch *m*, spezzatino *m.*
Gully ['gʊli] ⟨-s, -s⟩ *m o n* tombino *m.*
gültig ['gʏltɪç] *adj allg., jur* valido; *(Fahrschein)* valevole; *(gesetzlich)* in vigore, vigente; **für ~ erklären** dichiarare valido, convalidare. **Gültigkeit** ⟨-, ø⟩ *f* validità *f; jur* forza *f* legale, validità *f.* **Gültigkeitsdauer** *f* validità *f.*
Gummi ['gʊmi] ⟨-s, -(s)⟩ *n o m* gomma *f.* **Gummiband** ⟨-(e)s, -bänder⟩ *n* (nastro *m*) elastico *m.* **Gummibaum** *m* albero *m* gommifero, ficus *m.*
gummieren [gʊ'mi:rən] ⟨*ohne ge-*⟩ *tr* gommare.
Gummihandschuh *m* guanto *m* di gom-

ma. **Gummiknüppel** *m* manganello *m* (di gomma). **Gummistiefel** *m pl* stivali *m pl* di gomma. **Gummistrumpf** *m* calza *f* elastica. **Gummizug** *m* elastico *m*.

Gunst [gʊnst] ⟨-, ø⟩ *f* favore *m; (Wohlwollen)* benevolenza *f; (von Schicksal)* favore *m;* **zu jds ~en** a favore di qu.

günstig ['gʏnstɪç] *adj* **1.** *(geeignet, gut)* favorevole; *(bes. Moment)* propizio; **2.** *(vorteilhaft)* vantaggioso; *(bes. Preis)* conveniente. **günstigstenfalls** *adv* nella migliore delle ipotesi.

Gurgel ['gʊrgəl] ⟨-, -n⟩ *f* gola *f*.

gurgeln *itr* **1.** *(med)* fare i gargarismi; **2.** *(gluckern)* gorgogliare.

Gurke ['gʊrkə] ⟨-, -n⟩ *f* cetriolo *m; (kleine ~)* cetriolino *m;* **saure ~n** cetriolini sott'aceto.

gurren ['gʊrən] *itr* tubare.

Gurt [gʊrt] ⟨-(e)s, -e⟩ *m (Riemen)* cintura *f*, cinghia *f; (Sicherheits~)* cintura *f; (Sattel~)* sottopancia *m; mil* cinturone *m; (Trag~)* spallaccio *m*.

Gürtel ['gʏrtəl] ⟨-s, -⟩ *m* **1.** *(an Kleidung)* cintura *f*, cinghia *f;* **2.** *(geog, fig: Zone)* zona *f; (Absperrung)* cordone *m;* **den ~ enger schnallen** *fig* stringere la cinghia. **Gürtellinie** *f* cintola *f;* **ein Schlag unter die ~** un colpo basso. **Gürtelreifen** *m* (pneumatico *m*) cinturato *m*. **Gürtelrose** *f* erpete *m* (*o* herpes *m*) zoster. **Gürteltier** *n* armadillo *m*.

Gurtmuffel ['gʊrtmʊfəl] ⟨-s, -⟩ *m fam* chi non soffre la cintura di sicurezza.

Guru ['gu:ru] ⟨-s, -s⟩ *m* guru *m*.

GUS [ge:u:'ɛs] *f abk von* **Gemeinschaft Unabhängiger Staaten** CSI (*abbr di* Comunità di Stati Indipendenti).

Guß [gʊs] ⟨Gusses, Güsse⟩ *m* **1.** *(Gießen)* colata *f;* **2.** *(Wasserstrahl)* getto *m;* **3.** *(Regen~)* acquazzone *m*, rovescio *m;* **aus einem ~** di un solo pezzo; *fig* tutto d'un pezzo. **Gußeisen** *n* ghisa *f*. **gußeisern** *adj* di ghisa. **Gußform** *f* forma *f* da fonderia.

Gustav ['gʊstaf] *(männlicher Vorname)* Gustavo.

gut [gu:t] **I.** ⟨besser, beste⟩ *adj* **1.** *allg.* buono; **2.** *(sittlich ~, rechtschaffen a.)* probo, virtuoso; **3.** *(richtig)* corretto, giusto; **4.** *(nützlich)* utile; **5.** *(förderlich, heilsam)* giovevole (*für* a), salutare (*für* per); **6.** *(vorteilhaft)* vantaggioso; **7.** *(~ erhalten)* in buono stato; **8.** *(reichlich)* abbondante; **9.** *(Schulnote)* ≃ otto; **sehr ~** *(Schulnote)* ≃ nove; **ein ~es Gewissen** la coscienza pulita (*o* a posto); **~es Wetter** bel tempo; **mehr als ~ ist** più del ragionevole; **es ist ~, daß ...** meno male che ..., per fortuna che ...; **seien Sie so ~ und ...** abbia la cortesia di *+inf;* **wozu ist das ~ (*o* soll das ~ sein)?** a che serve?; **lassen wir es ~ sein!** lasciamo perdere; **II.** ⟨besser, am besten⟩ *adv* **1.** *allg.* bene; **2.** *(günstig)* favorevolmente; **3.** *(richtig, einwandfrei)* correttamente; **4.** *(ausreichend)* sufficientemente, esaurientemente; **5.** *(reichlich)* abbondantemente, ampiamente; **~ riechen** avere un buon odore; **es ~ haben** star bene; **~ (daran) tun zu ...** fare bene a ...; **~ und gern** per lo meno; **so ~ wie** quasi, pressoché; **so ~ wie möglich** nel miglior modo possibile; **mir ist nicht ~** non sto bene; **Sie haben ~ reden/lachen** ha un bel dire/ridere; **~ (so)!** bene così; *(es genügt)* basta così!; **(es ist ja) schon ~!** va bene; *s. a. Gute*.

Gut ⟨-(e)s, Güter⟩ *n* **1.** *(Besitz)* proprietà *f; (a. geistig)* bene *m;* **2.** *(Land~)* proprietà *f* terriera; *(Pacht~)* podere *m* in affitto; **3.** ⟨*pl*⟩ *(Waren)* merci *f pl*.

Gutachten [-ˀaxtən] ⟨-s, -⟩ *n* perizia *f*. **Gutachter(in)** ⟨-s, -⟩ *m(f)* perito, -a *m, f*, esperto, -a *m, f*.

gutartig *adj* **1.** *(Tier)* mansueto; *(Mensch, Wesen)* buono; **2.** *med* benigno.

gutaussehend *adj* di bell'aspetto, bello.

gutbürgerlich *adj* perbene; **~e Küche** cucina *f* tradizionale.

Gutdünken [-dʏŋkən] ⟨-s, ø⟩ *n:* **nach ~** a discrezione.

Gute ⟨ein -s, -n, ø⟩ *n (gute Seite)* lato *m* buono; *(gute Taten)* bene *m*, buone azioni *f pl;* **des ~n zuviel sein/tun** essere troppo/esagerare; **im g~n** *(sich trennen)* amichevolmente, con le buone; **alles ~!** *(für Zukunft)* buona fortuna!; *(Glückwunsch)* auguri!; **es hat alles sein ~s** non tutto il male vien per nuocere *prov*.

Güte ['gy:tə] ⟨-, ø⟩ *f* **1.** *(von Menschen, Gefälligkeit)* bontà *f;* **2.** *(von Ware)* qualità *f;* **in aller ~** con le buone; **(ach) du meine ~!** Dio mio! **Güteklasse** *f* classe *f*. **Gütesiegel** *m* sigillo *m* di qualità.

Gutenachtgeschichte [-'naxt-] *f* fiaba *f* della buona notte.

Güterbahnhof *m* scalo *m* merci. **Gütergemeinschaft** *f* comunione *f* dei beni. **Gütertrennung** *f* (regime *m* della) separazione *f* dei beni. **Güterverkehr** *m* circolazione *f* delle merci, traffico *m* delle merci. **Güterwagen** *m* carro *m* (*o* vagone *m*) merci. **Güterzug** *m* treno *m* merci.

gut·gehen ⟨*irr*⟩ *itr* ⟨*sein*⟩ andar bene; **es geht jdm gut** qu sta bene; **wenn das (mal) gutgeht** se funzionerà, speriamo che vada bene. **gutgehend** *adj (Geschäft)* ben avviato.

gutgelaunt *adj* di buon umore. **gutgemeint** *adj* detto (*o* fatto) con buone intenzioni. **gutgläubig** *adj* in buona fede; *(leichtgläubig)* ingenuo, credulo.

gut·haben ⟨*irr*⟩ *tr* avere un credito di. **Guthaben** ⟨-s, -⟩ *n* credito *m*.

gut·heißen ⟨*irr*⟩ *tr* approvare.

gütig *adj* buono, benevolo; *(freundlich)* gentile; *(nachsichtig)* indulgente.
gütlich *adj* amichevole; **sich an etw.** *(dat)* ~ **tun** gustare qc, godersi qc.
gut·machen *tr (Fehler, Schaden)* riparare; **das kann ich gar nicht wieder** ~ non potrò mai ripagare.
gutmütig [-myːtɪç] *adj* bonario, buono; **ein ~er Mensch** una pasta d'uomo *fam.* **Gutmütigkeit** ⟨-, *rar* -en⟩ *f* bonarietà *f,* bontà *f.*
Gutschein *m* buono *m.* **gut·schreiben** ⟨*irr*⟩ *tr:* **jdm etw.** ~ accreditare qc a qu. **Gutschrift** *f* accredito *m.*
gutsituiert *adj* agiato, benestante.
Gutsverwalter(in) *m(f)* fattore, -essa *m, f* (*o* amministratore, -trice *m, f*) di una tenuta.
gut·tun ⟨*irr*⟩ *itr* far bene, giovare; **jdm** ~ far del bene a qu.
Gymnasiallehrer(in) *m(f)* professore, -essa *m, f* di liceo.
Gymnasiast(in) [gʏmnaˈzi̯ast(ɪn)] ⟨-en, -en⟩ *m(f)* liceale *mf.*
Gymnasium [...ˈnaːzi̯ʊm, ...i̯ən] ⟨-s, -sien⟩ *n* liceo *m,* ginnasio *m.*
Gymnastik [gʏmˈnastɪk] ⟨-, ø⟩ *f* ginnastica *f.*
gymnastisch *adj* ginnico.
Gynäkologe [gynɛkoˈloːge] ⟨-n, -n⟩ *m,* **Gynäkologin** [... gɪn] *n* ginecologo, -a *m, f.*
Gynäkologie [...loˈgiː] ⟨-, ø⟩ *f* ginecologia *f.*
gynäkologisch [...ˈloːgɪʃ] *adj* ginecologico.

H

H, h [ha:] ⟨-, -(s)⟩ *n* **1.** *(Buchstabe)* H, h *f;* **2.** *mus* si *m;* **H wie Heinrich** H come hotel.

ha *interj* ah, oh.

Haar [ha:ɐ] ⟨-(e)s, -e⟩ *n* **1.** *(Kopf~)* capello *m;* **2.** *(Bart~, Körper~, Tier~, Pflanzen~)* pelo *m;* **immer ein ~ in der Suppe finden** trovare sempre qc da ridire; **an jdm kein gutes ~ lassen** tagliare i panni addosso a qu; **um ein ~** per un pelo; **da stehen einem die ~e zu Berge** si rizzano i capelli; **das ist an den ~en herbeigezogen** questo è tirato per i capelli; **sie gleichen sich aufs ~** si assomigliano come due gocce d'acqua. **Haaransatz** *m* attaccatura *f* dei capelli. **Haarausfall** *m* caduta *f* dei capelli.

haaren *itr, rfl:* **sich ~** perdere il pelo.

Haarfestiger *m* fissatore *m.* **haargenau** ['ha:ɐgə'nau] *adv* esattamente.

haarig *adj* **1.** *(behaart)* peloso; **2.** *fam (schwierig)* difficile; *(heikel)* scabroso; *(schlimm)* brutto.

Haarklammer *f* fermaglio *m* per capelli. **Haarlack** *m* lacca *f.* **Haarnadel** *f* forcina *f.* **Haarnadelkurve** *f* tornante *m.* **haarscharf** ['ha:ɐ'ʃarf] **I.** *adj* esattissimo; **II.** *adv* **1.** *(sehr genau)* con la massima precisione; **2.** *(ganz dicht)* a un pelo; **der Schuß ging ~ an ihm vorbei** il colpo lo rasentò. **Haarschleife** *f* fiocco *m.* **Haarschnitt** *m* taglio *m.* **Haarspalterei** [ha:ɐʃpaltə'rai] ⟨-, -en⟩ *f pej* cavillosità *f;* **~ treiben** cavillare. **Haarspange** *f* fermacapelli *m,* fermaglio *m.* **Haarspray** *n o m* lacca *f* per capelli. **haarsträubend** *adj* che fa rizzare i capelli, orripilante, raccapricciante. **Haartrockner** ⟨-s, -⟩ *m* asciugacapelli *m,* fon *m.* **Haarwaschmittel** *n* shampoo *m.* **Haarwasser** *n* lozione *f* per capelli. **Haarwuchs** *m* **1.** *(Vorgang: von Kopfhaar)* crescita *f* dei capelli; *(von Körperhaar)* crescita *f* dei peli; **2.** *(Zustand: beim Menschen)* capigliatura *f; (bei Tieren)* pelo *m.*

Hab [ha:p] *n:* **mein (ganzes) ~ und Gut** tutti i miei averi.

haben ['ha:bən] ⟨hat, hatte, gehabt⟩ **I.** *tr* avere; *(besitzen)* possedere; *(erhalten ~)* ricevere (*von* da); **lieber ~** preferire; **Zeit ~** avere tempo; **nichts dagegen ~** non aver nulla in contrario; **etw. ~ wollen** desiderare qc; *(fordern)* richiedere qc, esigere qc; **gegen jdn etwas ~** essere contro qu, avercela con qu *fam;* **mit jdm etwas ~** *fam* filare con qu *fam;* **es mit jdm zu tun ~** aver a che fare con qu; **jdn zum Freund ~** aver qu per amico; **noch zu ~ sein** essere ancora libero, -a (*o* scapolo *m,* nubile *f*); **bei sich** *(dat)* **~** avere con sé; **etw. für sich ~** avere i propri lati positivi (*o* vantaggi); **es im Hals ~** avere mal di gola; **wir ~ jetzt Winter** siamo in inverno ora; **wir ~ den 10. Juni** è il 10 giugno; **er hat es sehr gern** gli piace molto; **am liebsten hat er Gemüse** più di tutto gli piace la verdura; **ich hätte gern ...** vorrei ...; **beinahe hätte ich ...** ci è mancato poco che *+congv;* **ich habe zu tun** ho da fare; **dafür bin ich immer zu ~** ci sto sempre *fam;* **was habe ich (denn) davon?** che vantaggio ne ho?, cosa ci guadagno?; **welche Größe/Nummer ~ Sie?** che taglia/numero porta?; **ich hab's!** ci sono!, ho capito!; **da ~ wir's!** ci siamo!, lo sapevo!; **II.** *rfl:* **sich ~** *fam* **1.** *(sich anstellen)* fare lo smorfioso; **2.** *(Aufhebens machen)* essere esagerato; **und damit hat sich's** non c'è altro da dire, amen *fam.*

Haben ⟨-s, ø⟩ *n* avere *m.* **Habensaldo** *m* saldo *m* creditore.

Habgier *f* avidità *f,* cupidigia *f.*

habgierig *adj* avido.

Habicht ['ha:bıçt] ⟨-s, -e⟩ *m* astore *m.*

Habseligkeiten *f pl* quisquilie *f pl.*

Hackbraten *m* polpettone *m.*

Hacke[1] ['hakə] ⟨-, -n⟩ *f (Ferse)* calcagno *m.*

Hacke[2] ['hakə] ⟨-, -n⟩ *f (Picke)* zappa *f.*

hacken **I.** *tr* **1.** *(Boden)* zappare; **2.** *(Holz)* spaccare, tagliare; **3.** *(Petersilie, Zwiebeln)* tritare; **II.** *itr (mit Schnabel)* beccare.

Hackfleisch *n* carne *f* tritata (*o* macinata).

hadern ['ha:dɐn] *itr geh:* **mit jdm ~** prendersela con qu; **mit seinem Schicksal ~** lamentarsi della propria sorte.

Hafen ['ha:fən] ⟨-s, Häfen⟩ *m* porto *m.* **Hafenarbeiter(in)** *m(f)* lavoratore, -trice *m, f* del porto, portuale *mf.* **Hafenrundfahrt** *f* giro *m* turistico del porto. **Hafenstadt** *f* città *f* portuale, porto *m.*

Hafer ['ha:fɐ] ⟨-s, ø⟩ *m* avena *f;* **ihn sticht der ~** *fam* diventa spavaldo. **Haferflokken** *f pl* fiocchi *m pl* d'avena.

Haft [haft] ⟨-, ø⟩ *f* **1.** *(Gefängnis~)* detenzione *f,* reclusione *f;* **2.** *(Verhaftung)* arresto *m;* **jdn aus der ~ entlassen** rilasciare qu; **jdn in ~ nehmen** arrestare qu. **Haftanstalt** *f* penitenziario *m,* prigione *f.*

haftbar *adj* responsabile; **jdn für etw. ~ machen** rendere qu responsabile di qc.

Haftbefehl *m* mandato *m* d'arresto.

haften[1] *itr* **1.** *(festsitzen)* aderire (*an +dat* a), rimanere attaccato (*an +dat* a); **2.** *fig (Blicke)* essere fisso (*auf +dat* su).
haften[2] *itr* **1.** *(bürgen)* garantire (*für* per); **2.** *(verantwortlich sein)* rispondere (*für* di).
haften·bleiben *irr itr* **1.** *(hängenbleiben)* restare attaccato (*o* appiccicato); **2.** *fig:* **im Gedächtnis ~** rimanere scolpito nella memoria (*o* mente).
Häftling ['hɛftlɪŋ] ⟨-s, -e⟩ *m* detenuto, -a *m, f.*
Haftpflicht *f* responsabilità *f* civile (*für* per). **Haftpflichtversicherung** *f* assicurazione *f* della responsabilità civile (verso terzi).
Haftrichter(in) *m(f)* giudice *mf* istruttore.
Haftstrafe *f* pena *f* detentiva.
Haftung ⟨-s, ø⟩ *f* **1.** *(Verantwortlichkeit)* responsabilità *f;* **2.** *(Bürgschaft)* garanzia *f.*
Hagebutte ['ha:gəbʊtə] ⟨-, -n⟩ *f* frutto *m* di rosa canina, cinorrodo *m.*
Hagel ['ha:gəl] ⟨-s, ø⟩ *m* grandine; *f.* **Hagelkorn** *n* chicco *m* di grandine.
hageln *tr, itr* grandinare; **es hagelte Vorwürfe** piovvero rimproveri.
hager ['ha:gɐ] *adj* magro, secco, scarno.
Hahn [ha:n] ⟨-(e)s, Hähne⟩ *m* **1.** *zoo* gallo *m;* **2.** *tec* rubinetto *m; (Gewehr~)* grilletto *m;* **~ im Korb sein** fare il gallo nel pollaio; **danach kräht kein ~** *fam* non se ne cura nessuno.
Hähnchen ['hɛ:nçən] ⟨-s, -⟩ *n* galletto *m; gastr* pollo *m.*
Hahnenfuß *m* ranuncolo *m.*
Hai(fisch) ['hai̯-] ⟨-(e)s, -e⟩ *m* pescecane *m,* squalo *m.*
häkeln ['hɛ:kəln] *tr* lavorare all'uncinetto. **Häkelnadel** *f* uncinetto *m.*
Haken ['ha:kən] ⟨-s, -⟩ *m* **1.** *tec, sport* gancio *m;* **2.** *(Kleider~)* attaccapanni *m;* **3.** *(Angel~)* amo *m;* **einen ~ schlagen** fare uno scarto; **die Sache hat einen ~** *fam* c'è un intoppo. **Hakenkreuz** *n* croce *f* uncinata, svastica *f.* **Hakennase** *f* naso *m* adunco.
halb [halp] **I.** *adj* mezzo, metà *f* (di); **eine ~e Note** una mezza nota; **~ Rom** mezza Roma; **um ~ drei** alle due e mezza; **das ist nichts H~es und nichts Ganzes** non è né carne né pesce; **II.** *adv* mezzo, (a) metà; **~ und ~** mezzo e mezzo, a metà; **~ öffnen** *(Tür)* socchiudere; **ich habe mich ~ totgelacht** *fam* sono quasi morto, -a dal ridere *fam;* **das ist ~ so schlimm** non e poi così grave; **das ist nicht ~ so gut wie ...** non è di gran lunga così buono come ... **halbamtlich** *adj* ufficioso, semiufficiale. **Halbdunkel** *n* penombra *f,* chiaroscuro *m.*
Halbe ['halbə] ⟨ein -r, -n, -n⟩ *m o f o n (Bier)* mezzo litro *m* di birra.
halber ['halbɐ] *prp +gen* per, a causa di; **der Ehre ~** per l'onore.
-halber *adv:* **vorsichts~** per precauzione.
Halbfabrikat *n* prodotto *m* semilavorato (*o* semifinito). **Halbfinale** *n* semifinale *f.* **Halbgott** *m* semidio *m.* **Halbheit** ⟨-, -en⟩ *f* imperfezione *f,* insufficienza *f; (halbe Maßnahmen)* mezze misure *f pl.* **halbherzig** *adj* tiepido, poco entusiasta.
halbieren [hal'bi:rən] ⟨*ohne ge-*⟩ *tr* dividere in due, fare a metà.
Halbinsel *f* penisola *f.* **Halbjahr** *n* semestre *m.* **halbjährlich I.** *adj* semestrale; **II.** *adv* ogni sei mesi. **Halbkreis** *m* semicerchio *m.* **Halbkugel** *f* semisfera *f,* mezza sfera *f; geog* emisfero *m.* **Halbleiter** *m* semiconduttore *m.* **halbmast** *adv:* **auf ~** a mezz'asta; **~ flaggen** alzare la bandiera a mezz'asta. **Halbmond** *m* mezzaluna *f.* **halbnackt** *adj* seminudo, mezzo nudo. **halboffen** *adj* semiaperto, socchiuso. **Halbpension** *f* mezza pensione *f.* **Halbschlaf** *m* dormiveglia *m.* **Halbschrittaste** *f* tasto *m* di mezza interlinea. **Halbschuh** *m* scarpa *f* bassa. **Halbstiefel** *m* stivaletto *m.* **halbtags** *adv* a mezza giornata. **Halbtagsbeschäftigung** *f* lavoro *m* (*o* impiego *m*) part-time. **Halbtagskraft** *f* lavoratore, -trice *m, f* (*o* impiegato, -a *m, f*) part-time. **halbtot** *adj* mezzo morto. **Halbwaise** *f* orfano, -a *m, f* di padre (*o* di madre). **halbwegs** ['halp've:ks] *adv* press'a poco, più o meno, abbastanza. **Halbwelt** *f* demi-monde *m.* **Halbwert(s)zeit** *f* tempo *m* di dimezzamento, periodo *m* radioattivo. **Halbwüchsige** [-vy:ksigə] ⟨ein -r, -n, -n⟩ *mf* adolescente *mf.* **Halbzeit** *f* tempo *m;* **erste ~** primo tempo; **zweite ~** ripresa *f.*
Halde ['haldə] ⟨-, -n⟩ *f* **1.** *geol* ghiaione *m;* **2.** *min* discarica *f.*
half [half] *imp von* **helfen.**
Hälfte ['hɛlftə] ⟨-, -n⟩ *f* metà *f;* **meine bessere ~** *scherz* la mia dolce metà; **zur ~** a metà.
Halle ['halə] ⟨-, -n⟩ *f (Hotel~)* hall *f; theat* foyer *m; (Bahnhofs~)* atrio *m; arch* galleria *f; (Fabrik~, Lager~, Markt~)* capannone *m; (Sport~)* palestra *f.*
hallen ['halən] *itr* risonare, rimbombare, riecheggiare.
Hallenbad *n* piscina *f* coperta. **Hallensport** *m* sport *m* da palestra.
hallo [ha'lo: *o* 'halo] *interj* **1.** *(Zuruf)* ohé, ehi; **2.** *(am Telefon)* pronto; **3.** *(Begrüßung)* ciao.
Halluzination [halut̲si̲na't̲si̲o:n] ⟨-, -en⟩ *f* allucinazione *f.*
Halm [halm] ⟨-(e)s, -e⟩ *m* gambo *m,* stelo *m; (Getreide~)* fuscello *m; (Gras~)* filo *m* d'erba.
Halogenleuchte [halo'ge:n-] *f* lampada *f* alogena. **Halogenscheinwerfer** *m* proiettore *m* alogeno.
Hals [hals] ⟨-es, Hälse⟩ *m* **1.** *(anat, Flaschen~, Noten~)* collo *m;* **2.** *(Kehle)* gola *f;* **3.** *(Geigen~)* manico *m;* **steifer ~**

torcicollo *m;* **sich jdm an den ~ werfen** gettarsi al collo di qu; **jdn/etw. auf dem ~ haben** avere qu sulle spalle/avere qc alle costole (*o* alle calcagna); **sich** *(dat)* **etw./jdn vom ~ schaffen** levarsi di dosso qc/liberarsi di qu; **aus vollem ~ lachen** ridere di gusto (*o* cuore); **~ über Kopf** a precipizio, a rotta di collo, a rompicollo; **aus vollem ~(e)** a squarciagola, a piena gola; **bis an den ~, bis zum ~** fino al collo, sopra i capelli; **das hängt mir zum ~ heraus** *fig fam* ne ho fin sopra i capelli. **Halsabschneider** *m fam pej* strozzino *m.* **Halsband** ⟨-(e)s, -bänder⟩ *n (Schmuck)* collana *f; (Hunde~)* collare *m.* **halsbrecherisch** *adj* spericolato. **Halsentzündung** *f* infiammazione *f* della gola. **Halskette** *f* collana *f.* **Hals-Nasen-Ohren-Arzt** ['hals'na:zən-'ʔo:rən-] *m,* **-Ärztin** *f* (*abk* **HNO-Arzt**) otorinolaringoiatra *mf.* **Halsschlagader** *f* carotide *f.* **Halsschmerzen** *m pl* mal *m* di gola. **halsstarrig** [-ʃtarıç] *adj* ostinato, testardo. **Halstuch** *n* fazzoletto *m* (da collo), foulard *m.* **Halswirbel** *m* vertebra *f* cervicale.

halt [halt] *interj* **1.** *(stehenbleiben)* fermo; **2.** *(genug)* basta, stop; **3.** *(Moment mal)* un momento, aspetta.

Halt ⟨-(e)s, -e *o* -s⟩ *m* **1.** *(Stillstand)* arresto *m;* **2.** *(Anhalten)* fermata *f;* **3.** *(für Hände)* appiglio *m; (für Füße)* appoggio *m;* **4.** *(Stütze, Unterstützung)* sostegno *m; (a. fig: Rück~)* appoggio *m;* **den ~ verlieren** *fig* perdere il controllo; **ohne ~** senza sosta, senza fermarsi.

hält [hɛlt] *pr von* **halten.**

haltbar *adj* **1.** *(Lebensmittel)* non deperibile, che si mantiene; **2.** *(beständig)* durevole, duraturo; **3.** *(widerstandsfähig)* resistente; **4.** *fig (meist verneint: Argument, Theorie)* sostenibile; **Lebensmittel ~ machen** conservare alimenti. **Haltbarkeit** ⟨-, ø⟩ *f* **1.** *(von Lebensmitteln)* inalterabilità *f,* durata *f,* conservibilità *f;* **2.** *(Beständigkeit, Dauerhaftigkeit)* durevolezza *f,* durata *f;* **3.** *(Widerstandsfähigkeit)* resistenza *f;* **geringe ~** deperibilità *f.* **Haltbarkeitsdatum** *n* data *f* di scadenza.

halten ['haltən] ⟨hält, hielt, gehalten⟩ **I.** *tr* **1.** *allg., mil, mus* tenere; **2.** *(stützen, fest~)* sostenere, sorreggere; **3.** *(an~)* fermare; **4.** *(zurück~)* trattenere; **5.** *(Rekord)* detenere; **6.** *(Versprechen)* mantenere; **7.** *(besitzen, unter~)* avere; **8.** *(meinen)* ritenere, credere; **9.** *(betrachten)* considerare; **eine Predigt ~** fare una predica; **etwas auf sich ~** tenere alla propria persona; **jdn für etw./jdn ~** considerare (*o* prendere) qu per qc/qu; *(irrtümlich)* prendere qu per qc/qu; **jdn für zwanzig ~** *fam* dare vent'anni a qu; **etw. für recht/wahr/nötig ~** ritenere (*o* credere) qc giusto/vero/necessario; **nichts von etw. ~** tenere in poco (*o* nessun) conto qc; **von Höflichkeit hält er nicht viel** non è un esempio d'educazione; **was ~ Sie davon?** che ne pensa?; **halt den Mund!** chiudi la bocca!, taci!; **II.** *itr* **1.** *(an~, stehenbleiben)* fermarsi; *(mit Auto)* sostare; **2.** *(fest~, zusammen~)* tenere; *(nicht zusammenbrechen)* reggere; **3.** *(dauern)* durare; **4.** *(widerstandsfähig sein)* essere resistente; **5.** *(Wert legen)* tenere (*auf* a); **an sich ~** controllarsi, dominarsi; **zu jdm ~** stare dalla parte di qu; **III.** *rfl:* **sich ~ 1.** *(sich aufrecht ~)* sorreggersi; **2.** *(dauern)* conservarsi; *(bleiben)* mantenersi; **3.** *(sich fest~)* tenersi (*an +dat* a); **4.** *(sich stützen)* reggersi; **5.** *(sich richten)* attenersi (*an +akk* a); **sich gerade ~** stare d(i)ritto; **sich nicht (*o* schlecht) ~** *(Lebensmittel)* non conservarsi bene.

Halter ⟨-s, -⟩ *m* **1.** *(Halterung, Haltegriff)* sostegno *m,* supporto *m; (Handtuch~)* portasciugamani *m;* **2.** *(Feder~)* cannello *m;* **3.** *(Kerzen~)* candeliere *m.*

Halter(in) ⟨-s, -⟩ *m(f) jur (Kraftfahrzeug~)* proprietario, -a *m, f; (Tier~)* allevatore, -trice *m, f.*

Haltestelle *f* fermata *f; (Zug~)* stazione *f.* **Halteverbot** *n* divieto *m* di sosta; *(Stelle)* zona *f* di sosta vietata.

haltlos *adj* **1.** *(Mensch)* instabile, volubile, incostante; **2.** *(Behauptung: unbegründet)* infondato, inconsistente; *(unhaltbar)* insostenibile.

halt·machen *itr* fermarsi.

Haltung ⟨-, -en⟩ *f* **1.** *(Körper~)* portamento *m; (Stellung)* posizione *f;* **2.** *(Auftreten, Einstellung)* atteggiamento *m* (*gegenüber* di fronte a); **3.** *(Benehmen)* comportamento *m,* condotta *f;* **4.** ⟨*sing*⟩ *(Fassung)* contegno *m,* controllo *m;* **(stramme) ~ annehmen** mettersi sull'attenti. **Haltungsschäden** *m pl* difetti *m pl* di portamento.

Halunke [ha'lʊŋkə] ⟨-n, -n⟩ *m* **1.** *fig* mascalzone *m,* furfante *m;* **2.** *scherz* briccone *m,* birbante *m.*

Hamburg ['hambʊrk] *n* Amburgo *f.*

Hamburger ['hambʊrgɐ] ⟨-s, -⟩ *m gastr* hamburger *m.*

Hamburger(in) ⟨-s, -⟩ *m(f)* amburghese *mf.*

hämisch ['hɛ:mıʃ] *adj* **1.** *(schadenfroh)* maligno; **2.** *(hinterhältig)* perfido.

Hammel ['haməl] ⟨-s, -⟩ *m* **1.** *zoo* montone *m;* **2.** *fig pej (Dummkopf)* babbeo *m,* scemo *m.* **Hammelherde** *f (a. pej)* branco *m* di pecore. **Hammelsprung** *m parl* votazione *f* per divisione.

Hammer ['hamɐ] ⟨-s, Hämmer⟩ *m* martello *m; (Schmiede~)* maglio *m;* **~ und Sichel** falce e martello; **unter den ~ kommen** essere messo all'asta; **das ist ja ein ~!** *sl (positiv)* che bella sorpresa!, è magnifico; *(negativ)* che vergogna!

hämmern ['hɛmɐn] **I.** *tr* martellare, lavorare col martello; **II.** *itr* martellare; *(bes. Herz, Puls)* battere.
Hammerwerfen ⟨-s, ø⟩ *n* lancio *m* del martello.
Hammondorgel ['hæmənd-] *f* organo *m* Hammond.
Hämorrhoiden [hɛmɔro'i:dən] *f pl* emorroidi *m pl.*
Hampelmann ['hampəl-] *m* marionetta *f; (a. fig)* burattino *m.*
Hamster ['hamste] ⟨-s, -⟩ *m* criceto *m.* **Hamsterkauf** *m* incetta *f.*
hamstern I. *tr* incettare, accaparrare; **II.** *itr* accaparrarsi.
Hand [hant] ⟨-, Hände⟩ *f* mano *f;* **hohle/flache ~** cavo/palmo della mano; **rechter/linker ~** a destra/a sinistra; **meine rechte ~** *fig* il mio braccio destro; **letzte ~ an etw.** *(akk)* **legen** dare l'ultima mano a qc; **seine ~ für etw. ins Feuer legen** *fig* mettere la mano sul fuoco per qc; **die Hände über dem Kopf zusammenschlagen** alzare le braccia al cielo; **die Hände in den Schoß legen** *fig* stare con le mani in mano; **alle Hände voll zu tun haben** essere molto affaccendato, avere molto da fare; **sich** *(dat)* **die Hände schmutzig machen** sporcarsi le mani; **bei etw. (mit) ~ anlegen** dare una mano a qc; **jdn an (***o* **bei) der ~ nehmen** prendere qu per mano; **jdm an die (***o* **zur) ~ gehen** dare una mano a qu; **jdm aus der ~ fressen** mangiare dalla mano di qu; *fig* essere succube di qu; **etw. aus der ~ geben** dar via qc; **jdn in der ~ haben** avere in mano qu; **um jds ~ anhalten** chiedere la mano di qu; **von der ~ in den Mund leben** vivere alla giornata; **von langer ~ vorbereiten** preparare da lungo tempo; **etw. zur ~ haben/nehmen** avere qc sottomano (*o* a portata di mano)/prendere qc in mano; **jdn auf Händen tragen** *fig* tenere qu in palmo di mano; **mit Händen und Füßen reden** *fam* parlare gesticolando; **sich mit Händen und Füßen dagegen wehren, daß ...** difendersi con le unghie e con i denti per non *+inf;* **an ~ von** *(o gen)* in base a, sulla scorta di; **aus erster/zweiter ~** di prima/seconda mano; **von ~ zu ~** di mano in mano; **zu Händen von ...** (*abk* **z. H., z. Hd.**) all'attenzione di ...; **man kann die ~ nicht vor den Augen sehen** non si vede più in là del proprio naso; **das hat weder ~ noch Fuß** non ha né capo né coda; **das liegt auf der ~** è evidente; **er hat es in der ~ zu ...** è sua facoltà *+inf;* **die Arbeit geht ihm leicht von der ~** il lavoro gli riesce facilmente; **Hände hoch!** mani in alto!; **Hände weg!** giù le mani!; **eine ~ wäscht die andere** *prov* una mano lava l'altra *prov.*
Handarbeit *f* **1.** *(Tätigkeit)* lavoro *m* manuale; **2.** *(Produkt)* lavoro *m* (fatto) a mano, lavorazione *f* a mano; manufatto *m;* **3.** *(Nadelarbeit)* lavori *m pl* di cucito (*o* di ricamo *o* di maglia); *(Schulfach)* attività *f pl* manuali e pratiche. **Handball** *m* palla *f* a mano. **Handbewegung** *f* movimento *m* della mano, gesto *m.* **Handbremse** *f* freno *m* a mano. **Handbuch** *n* manuale *m,* prontuario *m.*
Handel ['handəl] ⟨-s, ø⟩ *m* **1.** *(Gewerbe)* commercio *m;* **2.** *(einzelner Vorgang)* affare *m,* transazione *f;* **3.** *(Tausch~)* commercio *m* di scambio, baratto *m;* **mit jdm ~ treiben** commerciare con qu, esercitare il commercio con qu.
Händel ['hɛndəl] ⟨*pl*⟩ lite *f;* **mit jdm ~ suchen** attaccare lite con qu.
handeln *itr* **1.** *(agieren, verfahren)* agire, operare; **2.** *(Handel treiben)* commerciare (*mit* in, con); **3.** *(feilschen)* contrattare (*um* su), trattare (*um* su); **4.** *(Buch, Film)* trattare (*von* di), avere per argomento; **es handelt sich um ...** si tratta di .... **Handeln** ⟨-s, ø⟩ *n* **1.** *(Feilschen)* contrattazione *f,* mercanteggiamento *m;* **2.** *(Handeltreiben)* commerciare *m;* **3.** *(Verhalten)* comportamento *m.*
Handelsabkommen *n* accordo *m* (*o* trattato *m*) commerciale. **Handelsbeziehungen** *f pl* relazioni *f pl* commerciali. **Handelsbilanz** *f* bilancia *f* commerciale. **handelseinig** *adj:* **mit jdm ~ sein/werden** essere d'accordo/accordarsi con qu. **Handelsembargo** *n* embargo *m* commerciale. **Handelsgesellschaft** *f* società *f* commerciale; **offene ~** (*abk* **OHG**) società a (*o* in) nome collettivo. **Handelskammer** *f* camera *f* di commercio. **Handelsmacht** *f* potenza *f* commerciale. **Handelspartner(in)** *m(f)* partner *mf* commerciale. **Handelsschule** *f* scuola *f* commerciale. **handelsüblich** *adj* (d'uso) commerciale. **Handelsware** *f* articolo *m* di commercio, merce *f.*
Handeltreibende ⟨ein -r, -n, -n⟩ *mf* commerciante *mf.*
händeringend I. *adj* disperato; **II.** *adv (flehentlich)* implorando; *(verzweifelt)* disperatamente.
Handfeger ⟨-s, -⟩ *m* scopetta *f.* **Handfeuerwaffe** *f* arma *f* da fuoco portatile. **Handfläche** *f* palma *f* della mano. **Handgelenk** *n* (articolazione *f* del) polso *m;* **etw. aus dem ~ schütteln** *fig* fare qc facilmente (*o* senza difficoltà). **handgemacht** *adj* fatto a mano. **Handgemenge** *n* rissa *f,* zuffa *f,* tafferuglio *m.* **Handgepäck** *n* bagaglio *m* a mano. **handgeschrieben** *adj* scritto a mano. **Handgranate** *f* bomba *f* a mano.
handgreiflich *adj* **1.** *(offensichtlich)* evidente, manifesto; **2.** *(Auseinandersetzung, Streit)* violento; **~ werden** venire alle mani.
Handgriff *m* **1.** *(zum Anfassen, Festhalten, Tragen)* maniglia *f,* manico *m;*

2. *(Bewegung)* movimento *m* (della mano); **3.** *(kleine Verrichtung)* lavoretto *m;* **mit einem ~, mit ein paar ~en** *fig* in quattro e quattr'otto *fam.*

Handhabe ⟨-, -n⟩ *f* pretesto *m* (*gegen* per), motivo *m* (*gegen* di).

handhaben *tr* **1.** *(behandeln)* maneggiare, impiegare; **2.** *(bedienen)* far funzionare, manovrare, azionare; **3.** *(gebrauchen)* adoperare, usare; **4.** *(anwenden)* applicare; *(Recht)* amministrare.

Handikap ['hɛndikɛp] ⟨-s, -s⟩ *n* handicap *m.*

Handkuß *m* baciamano *m;* **jdm einen ~ geben** baciare la mano a qu, fare il baciamano a qu; **mit ~** *fig fam* con gran piacere. **Handlanger** [-laŋɐ] ⟨-s, -⟩ *m* **1.** *(Arbeiter)* manovale *m;* **2.** *pej* tirapiedi *m,* portaborse *m.*

Händler(in) ['hɛndlɐ (...ərɪn)] ⟨-s, -⟩ *m(f)* commerciante *mf,* negoziante *mf; (ambulanter ~)* venditore, -trice *m, f* ambulante.

handlich *adj* maneggevole, pratico, comodo. **Handlichkeit** ⟨-, ø⟩ *f* maneggevolezza *f,* comodità *f.*

Handlung ['handlʊŋ] ⟨-, -en⟩ *f* **1.** *(Tat)* azione *f;* **2.** *theat, film* trama *f,* storia *f;* **3.** *(Laden)* negozio *m,* bottega *f.* **Handlungsbevollmächtigte** *mf* mandatario, -a *m, f,* procuratore, -trice *m, f.* **handlungsfähig** *adj* capace d'agire. **Handlungsfreiheit** *f* libertà *f* d'azione. **handlungsunfähig** *adj* incapace d'agire. **Handlungsweise** *f* modo *m* d'agire.

Handpflege *f* cura *f* delle mani. **Handrükken** *m* dorso *m* della mano. **Handschellen** *f pl* manette *f pl.* **Handschrift** *f* **1.** *(von Mensch)* scrittura *f,* calligrafia *f;* **2.** *fig (Charakteristik)* mano *f,* stile *m;* **3.** *(handgeschriebener Text)* manoscritto *m.* **handschriftlich I.** *adj* scritto a mano, manoscritto; **II.** *adv* per iscritto. **Handschuh** *m* guanto *m.* **Handschuhfach** *n* cassetto *m* portaoggetti (*o* vano *m*). **Handstand** *m* verticale *f* (sulle mani). **Handtasche** *f* borsetta *f.* **Handtuch** *n* asciugamano *m;* **das ~ werfen** *fig* gettare la spugna. **Handtuchhalter** *m* portasciugamani *m.* **Handumdrehen** ⟨-s, ø⟩ *n:* **im ~** in un batter d'occhio, in quattro e quattr'otto *fam.* **Handvoll** ⟨-, -⟩ *f:* **eine ~** *+gen* una manciata di. **Handwäsche** *f* bucato *m* a mano.

Handwerk *n* **1.** *(Tätigkeit)* artigianato *m;* **2.** *fig (Beruf)* mestiere *m;* **jdm das ~ legen** *fig* mettere fine ai maneggi (*o* alle malefatte) di qu; **jdm ins ~ pfuschen** (*o* **reden**) immischiarsi nei fatti altrui. **Handwerker(in)** ⟨-s, -⟩ *m(f)* **1.** *(Kunst~)* artigiano, -a *m, f;* **2.** *(Arbeiter)* operaio, -a *m, f.* **Handwerksbetrieb** *m* azienda *f* artigiana. **Handwerkskammer** *f* camera *f* dell'artigianato. **Handwerkszeug** *n* arnesi *m pl* (o utensili *m pl*) dell'artigiano.

Handy ['hændɪ] *n (Mobiltelefon)* cellulare *m.*

Handzettel *m* volantino *m.*

hanebüchen ['ha:nəby:çən] *adj* inaudito, incredibile, scandaloso.

Hanf [hanf] ⟨-(e)s, ø⟩ *m* canapa *f.*

Hänfling ['hɛnflɪŋ] ⟨-s, -e⟩ *m* fanello *m.*

Hang [haŋ] ⟨-(e)s, Hänge⟩ *m* **1.** *(Ab~)* pendio *m,* declivio *m;* **2.** ⟨*sing*⟩ *fig (Neigung, Tendenz)* inclinazione *f* (*zu* a), tendenza *f* (*zu* a), disposizione *f* (*zu* a); **3.** ⟨*sing*⟩ *fig (Vorliebe)* predilezione *f* (*für* per). **Hanglage** *f* pendenza *f,* inclinazione *f.*

Hängematte *f* amaca *f.*

hängen ['hɛŋən] **I.** *tr* ⟨hängt, hängte, gehängt⟩ **1.** *(auf~)* appendere; **2.** *(befestigen)* attaccare, fissare; *(an Haken)* agganciare; **3.** *(henken)* impiccare; **II.** *itr* ⟨hängt, hing, gehangen⟩ **1.** *(herunter~)* pendere; **2.** *(befestigt sein)* essere appeso (*an +dat* a); **3.** *(haften)* essere attaccato (*o* fisso); **4.** *(schief sein)* pendere (*nach einer Seite* da una parte), essere inclinato; **5.** *(gehenkt werden)* venire impiccato; **sehr an etw.** *(dat)* **~** tenere molto a qc; **mit H~ und Würgen** *fam* a stento, a malapena.

hängen·bleiben ⟨*irr*⟩ *itr* ⟨*sein*⟩ **1.** *(sich verhaken)* rimanere attaccato (*an +dat* a), impigliarsi (*an +dat* in); **2.** *(haftenbleiben)* rimanere attaccato; *fig (Verdacht)* gravare; **3.** *(in Erinnerung bleiben)* rimanere impresso; **4.** *fam (nicht wegfinden)* fermarsi, arenarsi; **an mir bleibt wieder alles ~!** *fam* devo fare tutto io!

hängend *adj* pendente, sospeso.

hängen·lassen ⟨*irr, a. ohne ge-*⟩ **I.** *tr* **1.** *(vergessen)* dimenticare; **2.** *fam (im Stich lassen)* piantare in asso; **II.** *rfl:* **sich ~** buttarsi giù, trascurarsi.

Hängeschrank *m* (mobiletto *m*) pensile *m.*

Hanna(h), Hanne ['hana, 'hanə] *(weiblicher Vorname)* Gianna.

Hannover [ha'no:fɐ] *n* Annover *f.*

Hans [hans] *(männlicher Vorname)* Gianni; **~ im Glück** persona nata con la camicia.

Hansdampf [hans'dampf *o* 'hans...] ⟨-(e)s, -e⟩ *m:* **~ in allen Gassen** faccendone, -a *m, f.*

Hanse ['hanzə] ⟨-, ø⟩ *f* Ansa *f.*

hänseln ['hɛnzəln] *tr* prendere in giro.

Hansestadt *f* città *f* anseatica.

Hanswurst [hans'vʊrst *o* 'hans...] ⟨-(e)s, -e *o scherz* -würste⟩ *m* **1.** *theat* arlecchino *m;* **2.** *fig* buffone *m,* pagliaccio *m.*

Hantel ['hantəl] ⟨-, -n⟩ *f* manubrio *m.*

hantieren [han'ti:rən] ⟨*ohne ge-*⟩ *itr* **1.** *(handhaben)* maneggiare *(mit etw.* qc), manipolare (*mit* con); **2.** *(sich zu schaffen machen)* darsi da fare (*an etw. (dat)* intorno a qc).

hapern ['ha:pɐn] *itr* mancare (*an +dat o mit etw.* qc); **es hapert bei ihm mit der Rechtschreibung** zoppica in ortografia; **woran hapert es?** dov'è l'intoppo?

Happen ['hapən] ⟨-s, -⟩ *m* boccone *m; (bes. leckerer ~)* bocconcino *m.*

Happy-End ['hɛpi'ʔɛnt] ⟨-(s), -s⟩ *n* lieto fine *m,* happy end *m.*

Hardliner ['hɑ:dlaɪnə] ⟨-s, -⟩ *m pol* intransigente *mf.*

Hardware ['hɑ:dvɛə] ⟨-, -s⟩ *f* hardware *m.*

Harfe ['harfə] ⟨-, -n⟩ *f* arpa *f.*

Harke ['harkə] ⟨-, -n⟩ *f* rastrello *m.*

harmlos ['harmlo:s] *adj* **1.** *(arglos, unschuldig)* innocente; **2.** *(ungefährlich)* innocuo.

Harmonie [harmo'ni:, ...i:ən] ⟨-, -n⟩ *f* armonia *f.*

harmonieren [...'ni:rən] ⟨*ohne ge-*⟩ *itr* armonizzare, andare d'accordo, accordarsi; *mus* essere armonizzato.

harmonisch [har'mo:nɪʃ] *adj* **1.** *mus, phys* armonico; **2.** *fig* armonioso.

Harmonium [har'mo:nium, ...iums *o* ...iən] ⟨-s, -s *o* -nien⟩ *n* armonium *m.*

Harn [harn] ⟨-(e)s, -e⟩ *m* urina *f,* orina *f.* **Harnblase** *f* vescica *f.*

Harnisch ['harnɪʃ] ⟨-(e)s, -e⟩ *m* armatura *f; (Brust~)* corazza *f;* **in ~ geraten** uscire dai gangheri *fam.*

Harnleiter *m* uretere *m.* **Harnröhre** *f* uretra *f.* **Harnsäure** *f* acido *m* urico.

Harpune [har'pu:nə] ⟨-, -n⟩ *f* arpione *m,* fiocina *f.*

hart [hart] **I.** ⟨härter, härteste⟩ *adj* **1.** *allg., fig* duro; **2.** *(fest)* solido; *(bes. Eier)* sodo; *(Brot)* raffermo; *(Wasser)* calcareo; **3.** *(widerstandsfähig)* resistente; **4.** *(streng)* severo, rigido; **5.** *(~herzig)* duro, insensibile; **6.** *(schwer, mühsam)* difficile, duro; *(anstrengend)* faticoso; *(Kampf)* accanito; **~e Droge** droga pesante; **~e Landung** atterraggio duro; **~e Währung** valuta dura; **~ machen** indurire; *(a. fig)* rendere duro; **~ werden** indurirsi; *(a. fig)* diventare duro; **sie ist ~ im Nehmen** è una buona incassatrice; **II.** ⟨härter, am härtesten⟩ *adv* **1.** *allg., fig* duramente; **2.** *(streng)* severamente; **3.** *(~herzig)* duramente; **4.** *(schwer, mühsam)* duramente; **~ arbeiten** lavorare sodo; **~ an** *(+dat)* rasente a, vicino a; **es geht ~ auf ~** si combatte accanitamente.

Härte ['hɛrtə] ⟨-, -n⟩ *f* **1.** *allg., fig, phys* durezza *f; (von Stahl)* tempra *f;* **2.** *(Widerstandsfähigkeit)* resistenza *f;* **3.** *(Strenge)* rigore *m,* severità *f;* **4.** *(Gefühllosigkeit)* insensibilità *f; (Grausamkeit)* crudeltà *f;* **5.** *(Heftigkeit)* violenza *f.* **Härtefall** *m* caso *m* di rigore.

härten I. *tr* indurire; *(Stahl)* temp(e)rare; **II.** *rfl:* **sich ~** indurirsi, diventare duro.

Härtetest *m* prova *f* di durezza.

Hartfaserplatte *f* lastra *f* di truciolato. **hartgefroren** *adj* ghiacciato. **hartgekocht** *adj* sodo. **Hartgeld** *n* moneta *f* metallica. **hartgesotten** *adj* indurito, incallito. **hartherzig** *adj* duro d'animo, inumano, spietato.

hartnäckig [-nɛkɪç] *adj* **1.** *(eigensinnig)* testardo, caparbio; **2.** *(Krankheit)* ostinato; **3.** *(verbissen)* accanito; **4.** *(ausdauernd)* resistente, tenace; **~ auf etw.** *(dat)* **bestehen** ostinarsi in qc. **Hartnäckigkeit** ⟨-, ø⟩ *f* **1.** *(Eigensinn)* testardaggine *f,* caparbietà *f;* **2.** *(von Krankheit)* persistenza *f;* **3.** *(Verbissenheit)* accanimento *m;* **4.** *(Ausdauer)* resistenza *f,* tenacia *f.*

Harz[1] [ha:ɐts] ⟨-es, -e⟩ *n (Baum~)* resina *f.*

Harz[2] [ha:ɐts] *m geog* Selva *f* Ercinia.

harzig *adj* resinoso.

Hasch [haʃ] ⟨-s, ø⟩ *n fam* hascisc *m.*

Haschee [ha'ʃe:] ⟨-s, -s⟩ *n* (piatto *m* di) carne *f* macinata.

Häschen ['hɛ:sçən] ⟨-s, -⟩ *n* **1.** *zoo* leprotto *m;* **2.** *(Kosename)* tesoro *m.*

Haschisch ['haʃɪʃ] ⟨-(s), ø⟩ *n o m* hascisc *m.*

Hase ['ha:zə] ⟨-n, -n⟩ *m* lepre *f;* **alter ~** *fig* vecchia volpe; **falscher ~** *gastr* polpettone *m;* **da liegt der ~ im Pfeffer!** *fam* qui casca l'asino! *fam.*

Hasel(busch *m*) ['ha:zəl] ⟨-, -n⟩ *f* nocciolo *m.* **Haselnuß** *f* nocciola *f.*

Hasenfuß *m pej* vigliacco *m,* coniglio *m.* **Hasenpfeffer** *m* lepre *f* in salmì. **Hasenscharte** *f* labbro *m* leporino.

Haß [has] ⟨Hasses, ø⟩ *m* **1.** *(Gefühl)* odio *m* (*gegen* contro); **2.** *fam (Zorn)* collera *f;* **einen ~ auf jdn haben** *fam* essere in collera con qu.

hassen I. *tr* odiare; *(verabscheuen)* detestare; **II.** *rfl:* **sich ~** odiarsi.

haßerfüllt *adj* pieno d'odio.

häßlich ['hɛslɪç] *adj* **1.** *(a. fig)* brutto; *(abstoßend)* orribile, ripugnante; **2.** *(gemein, böse)* cattivo; **~ wie die Nacht** brutto come il peccato. **Häßlichkeit** ⟨-, -en⟩ *f* **1.** *(a. fig)* bruttezza *f;* **2.** *(von Gesinnung)* cattiveria *f.*

Haßliebe *f* amore-odio *m* (*zu* per).

Hast [hast] ⟨-, ø⟩ *f* **1.** *(Eile)* fretta *f,* furia *f;* **2.** *(Überstürzung)* precipitazione *f;* **in wilder ~** in fretta e furia.

hasten *itr* ⟨*sein*⟩ *geh* precipitarsi.

hastig *adj* **1.** *(eilig)* affrettato; *(a. flüchtig)* frettoloso; **2.** *(überstürzt)* precipitoso.

hat [hat] *pr von* **haben.**

hatschi [ha'tʃi: *o* 'hatʃi] *interj* ecci(ù), atciù, etciù.

hatte ['hatə] *imp von* **haben.**

Haube ['haubə] ⟨-, -n⟩ *f* **1.** *(Kopfbedekkung)* cuffia *f;* **2.** *(bei Vögeln)* ciuffo *m;* **3.** *(Motor~)* cofano *m.*

Hauch [haux] ⟨-(e)s, ø⟩ *m* **1.** *(Atem)* fiato

m, alito *m;* **2.** *(Luft~)* aria *f*, soffio *m* (*o* alito *m*) di vento; **3.** *(Duft)* profumo *m;* **4.** *(Anflug, Andeutung)* ombra *f*, parvenza *f*, traccia *f;* **5.** *(Flair)* aria *f*, atmosfera *f*.

hauchdünn ['haux'dʏn] *adj* sottilissimo, leggerissimo.

hauchen I. *itr* **1.** *(mit Atem)* respirare; **2.** *(Wind)* alitare; **II.** *tr* sussurare a fior di labbra.

Haudegen *m* spadaccino *m* provetto.

Haue ['hauə] ⟨-, -n⟩ *f* **1.** *(A, süddeutsch: Hacke)* zappa *f;* **2.** ⟨*sing*⟩ *fam (Schläge)* botte *f pl*.

hauen ⟨haut, haute *o* hieb, gehauen⟩ **I.** *tr* **1.** *(schlagen)* battere, colpire; *(Holz)* spaccare; *(Loch)* scavare; *(Nagel)* piantare, conficcare; **2.** *(prügeln)* bastonare; *(mit Peitsche)* frustare; **II.** *rfl:* **sich** ~ *(sich schlagen)* picchiarsi.

Haufen ['haufən] ⟨-s, -⟩ *m* **1.** *(Anhäufung)* mucchio *m; (Stapel)* pila *f; (bes. Holz~)* catasta *f;* **2.** *fig fam (Menge)* montagna *f*, sacco *m;* **3.** *(Schar)* massa *f;* **einen ~ ausgeben** *fam* spendere un sacco (di soldi); **über den ~ werfen** mandare a monte, buttare all'aria; **jdn über den ~ fahren** *fam* stendere a terra qu con un veicolo *fam*.

häufen ['hɔyfən] **I.** *tr* ammucchiare, accumulare, ammassare; **ein gehäufter Eßlöffel Mehl** un cucchiaio colmo di farina; **II.** *rfl:* **sich** ~ accumularsi, ammucchiarsi; **diese Vorfälle ~ sich** questi casi sono in aumento.

häufig ['hɔyfɪç] **I.** *adj* **1.** *(oft)* frequente; **2.** *(wiederholt)* ripetuto; **3.** *(weitverbreitet)* diffuso; **II.** *adv* spesso, frequentemente. **Häufigkeit** ⟨-, *rar* -en⟩ *f* frequenza *f*.

Haupt [haupt] ⟨-(e)s, Häupter⟩ *n* **1.** *geh (Kopf)* capo *m;* **2.** *fig* capo *m*, testa *f*.

Haupt- *(in Zusammensetzungen)* **1.** *(hauptsächlich)* principale, centrale, generale; **2.** *(wesentlich)* fondamentale, essenziale. **Hauptaltar** *m* altar(e) *m* maggiore. **hauptamtlich** *adj* a tempo pieno. **Hauptanliegen** *n* obiettivo *m* principale. **Hauptaugenmerk** *n* maggiore attenzione *f;* **sein ~ auf etw.** *(akk)* **richten** rivolgere l'attenzione principalmente a qu. **Hauptbahnhof** *m* (*abk* **Hbf.**) stazione *f* centrale. **Hauptberuf** *m* professione *f* principale. **hauptberuflich I.** *adj* di professione principale; **II.** *adv* come professione principale. **Hauptdarsteller(in)** *m(f)* protagonista *mf*, interprete *mf* principale. **Haupteigenschaft** *f* qualità *f* (*o* caratteristica *f*) fondamentale. **Haupteingang** *m* entrata *f* principale. **Haupteslänge** *f:* **jdn um ~ überragen** superare di gran lunga qu. **Hauptfach** *n* materia *f* principale. **Hauptgebäude** *n* edificio *m* principale. **Hauptgericht** *n* piatto *m* principale. **Hauptgeschäftsstelle** [-gəˈʃɛfts-] *f* sede *f* centrale. **Hauptgeschäftszeit** [-gəˈʃɛfts-] *f* ore *f pl* di punta. **Hauptgewinn** *m* primo premio *m*.

Häuptling ['hɔyptlɪŋ] ⟨-s, -e⟩ *m* capo *m* (di una tribù).

Hauptperson *f* **1.** *film, theat* protagonista *mf;* **2.** *fig* personaggio *m* principale. **Hauptpost**(**amt** *n*) *f* posta *f* centrale. **Hauptquartier** *n* quartiere *m* generale. **Hauptrolle** *f film, theat* parte *f* del protagonista; *fig* parte *f* principale.

Hauptsache *f* cosa *f* principale, essenziale *m;* **das ist die ~** questa è la cosa più importante; **die ~ dabei ist zu ...** il tutto sta nel *+inf;* **~, es geht dir gut** la cosa principale è che tu stia bene.

hauptsächlich I. *adj* **1.** *(wichtig)* principale, fondamentale; **2.** *(wesentlich)* essenziale, sostanziale; **II.** *adv* principalmente, soprattutto.

Hauptsaison *f* alta stagione *f*. **Hauptsatz** *m* **1.** *gram* proposizione *f* principale; **2.** *mus* tema *m* principale. **Hauptschlagader** *f* aorta *f*. **Hauptschlüssel** *m* passepartout *m*. **Hauptschuld** *f* colpa *f* maggiore. **Hauptschule** *f* scuola *f* secondaria inferiore. **Hauptseminar** *n* seminario *m*. **Hauptsendezeit** *f* fascia *f* d'orario a maggiore utenza radiotelevisiva. **Hauptspeicher** *m* memoria *f* principale. **Hauptstadt** *f* capitale *f*. **Hauptstraße** *f* **1.** *(Geschäftsstraße)* corso *m;* **2.** *(Durchgangsstraße)* strada *f* principale. **Haupttreffer** *m* primo premio *m*. **Hauptverhandlung** *f* dibattimento *m*. **Hauptverkehrsstraße** *f* strada *f* principale. **Hauptverkehrszeit** *f* ore *f pl* di punta. **Hauptversammlung** *f* assemblea *f* generale. **Hauptverwaltung** *f* amministrazione *f* generale. **Hauptwaschgang** *m* fase *f* principale di lavaggio. **Hauptwaschmittel** *n* detersivo *m* principale. **Hauptwort** ⟨-(e)s, -wörter⟩ *n* sostantivo *m*.

Haus [haus] ⟨-es, Häuser⟩ *n* **1.** *allg.* casa *f;* **2.** *(Gebäude a.)* edificio *m;* **3.** *parl (Kammer)* camera *f;* **4.** *(Schnecken~)* guscio *m;* **5.** *astr* casa *f;* **6.** *fam scherz (Person)* tipo *m;* **ein Freund des ~es** un amico di famiglia; **jdm das ~ verbieten** proibire a qu di frequentare la propria casa; **außer ~ essen** mangiare fuori (di) casa; **jdm ins ~ stehen** *fig* prospettarsi a qu; **sich (ganz) wie zu ~e fühlen** sentirsi come a casa propria; **in etw.** *(dat)* **zu ~e sein** *fig* essere versato in qc; **in Rom zu ~ sein** abitare a Roma; **vor vollem ~ spielen** *theat* recitare davanti ad un teatro pieno; **aus gutem ~(e)** di buona famiglia; **frei ~** franco domicilio; **nach ~e** a casa; **von ~ aus** *(von der Familie her)* di casa, di famiglia; *(seinem Wesen nach)* per natura; *(ursprünglich)* originariamente; **von ~ zu ~** di casa in casa;

zu ~e a casa; **tun Sie (ganz), als ob Sie zu ~e wären** faccia come a casa Sua; **wo sind Sie zu ~?** dove sta di casa?; **hallo, Raimund/Bärbel, (du) altes ~!** *fam* ciao Raimondo/Barbara, vecchio/-a mio/-a! *fam.*

Hausangestellte *mf* domestico, -a *m, f.* **Hausapotheke** *f* farmacia *f* domestica. **Hausarbeit** *f* **1.** *(im Haushalt)* lavori *m pl* di casa, faccende *f pl* domestiche; **2.** *(für Schule)* compito *m* (a casa). **Hausarrest** *m* arresto *m* domiciliare. **Hausarzt** *m,* **-ärztin** *f* medico *m* di famiglia (*o* di casa). **Hausaufgabe** *f* compito *m* (a casa). **hausbacken** *adj* terra terra *fam,* banale. **Hausbesetzer(in)** ⟨-s, -⟩ *m(f)* occupante *mf* abusivo, -a di edifici. **Hausbesetzung** *f* occupazione *f* abusiva di edifici. **Hausbesitzer(in)** *m(f)* proprietario, -a *m, f* di una casa, padrone, -a *m, f* di una casa. **Hausbesuch** *m* visita *f* domiciliare. **Hausbewohner(in)** *m(f)* inquilino, -a *m, f.* **Hausboot** *n* cabinato *m.*

Häuschen ['hɔysçən] ⟨-s, -⟩ *n* **1.** *(kleines Haus)* casetta *f;* **2.** *fam (Toilette)* posticino *m fam;* **ganz aus dem ~ sein** *fig fam* esultare, non stare in sé dalla gioia.

Hausdurchsuchung *f* perquisizione *f* domiciliare.

hausen ['hau̯zən] *itr* **1.** *(wohnen)* alloggiare, abitare; **2.** *fig (wüten)* devastare (*in etw. (dat)* qc).

Hausflur *m* andito *m.* **Hausfrau** *f* casalinga *f,* donna *f* di casa. **Hausfriedensbruch** *m* violazione *f* di domicilio. **Hausgeburt** *f* parto *m* in casa. **Hausgehilfin** *f* colf *f,* collaboratrice *f* domestica. **hausgemacht** *adj (aus eigener Herstellung)* casalingo, casereccio, fatto in casa. **Hausgemeinschaft** *f* condominio *m.*

Haushalt [-halt] ⟨-(e)s, -e⟩ *m* **1.** *(Hausgemeinschaft)* casa *f,* ménage *m;* **2.** *(~sführung)* (governo *m* della) casa *f;* **3.** *ökon (Etat)* bilancio *m;* **jds ~ (*o* jdm den ~) führen** accudire alla casa di qu.

haus·halten ⟨*irr*⟩ *itr* far economia (*mit etw.* di), risparmiare (*mit etw.* qc).

Haushälterin [-hɛltərɪn] *f* governante *f.*

Haushalt(s)artikel *m pl* articoli *m pl* per la casa. **Haushaltsdebatte** *f* discussione *f* del bilancio pubblico. **Haushaltsgeld** *n* denaro *m* per le spese di casa. **Haushalt(s)gerät** *n* utensile *m* domestico. **Haushaltshilfe** *f* collaboratrice *f* domestica, colf *m.* **Haushaltsjahr** *n* anno *m* (*o* esercizio *m*) finanziario. **Haushaltslücke** *f* deficit *m* (*o* disavanzo *m*) del bilancio pubblico. **Haushaltsplan** *m pol* bilancio *m* dello Stato (*o* pubblico); *ökon* bilancio *m* preventivo.

Hausherr(in) *m(f)* padrone, -a *m, f* di casa.

haushoch ['hau̯s'ho:x] *adj* altissimo, enorme; *(Sieg)* netto; *(überragend)* nettamente superiore; **~ gewinnen** riportare una brillante vittoria; **~ verlieren** perdere in modo clamoroso.

hausieren [hau̯'zi:rən] ⟨*ohne ge-*⟩ *itr* **1.** *(~ gehen)* vendere di casa in casa (*mit etw.* qc); **2.** *fig* raccontare a tutti (*mit etw.* qc); **H~ verboten!** vietato l'ingresso ai venditori ambulanti!

Hausierer(in) ⟨-s, -⟩ *m(f)* venditore, -trice *m, f* ambulante.

häuslich ['hɔyslɪç] *adj* **1.** *(das Zuhause betreffend)* domestico, di casa, della casa; *(die Familie betreffend)* familiare; **2.** *(das Zuhause, das Familienleben liebend)* che ama stare in casa, casalingo; **sich ~ einrichten** installarsi comodamente; **sich ~ bei jdm einrichten** *fam* piantare le tende in casa di qu *fam.*

Hausmädchen *n* donna *f* di servizio, domestica *f.* **Hausmann** *m* casalingo *m.* **Hausmannskost** *f* cucina *f* casalinga. **Hausmeister(in)** *m(f)* **1.** *(in Wohnblock)* portinaio, -a *m, f,* portiere, -a *m, f;* **2.** *CH (Eigentümer)* padrone, -a *m, f* di casa; **3.** *(in Schule)* bidello, -a *m, f.* **Hausmitteilung** *f* comunicato *m* interno. **Hausmittel** *n* rimedio *m* casalingo. **Hausmüll** *m* rifiuti *m pl* domestici, rifiuti *m pl* solidi urbani. **Hausnummer** *f* numero *m* di casa. **Hausordnung** *f* regolamento *m* della casa; *(für Anstalten, Betriebe)* regolamento *m* interno. **Hausputz** *m* pulizia *f* della casa. **Hausratversicherung** *f* assicurazione *f* sulle suppellettili domestiche. **Hausschlüssel** *m* chiave *f* di casa. **Hausschuhe** *m pl* pantofole *f pl.*

Hausse ['ho:sə *o* o:s] ⟨-, -n⟩ *f* rialzo *m.*

Haussprechanlage *f* citofono *m.* **Hausstand** *m* casa *f,* famiglia *f;* **einen ~ gründen** mettere su casa. **Haussuchung** ⟨-, -en⟩ *f* perquisizione *f* domiciliare. **Haustelefon** *n* telefono *m* interno. **Haustier** *n* animale *m* domestico. **Haustür** *f* porta *f* di casa. **Haustürgeschäft** *n* vendita *f* door-to-door. **Hausverbot** *n* divieto *m* di entrare in casa (*o* in locale, pubblico); **jdm ~ erteilen** proibire a qu di entrare in casa (*o* in locale pubblico). **Hauswirt(in)** *m(f)* padrone, -a *m, f* di casa. **Hauszelt** *n* tenda *f* a casetta.

Haut [hau̯t] ⟨-, Häute⟩ *f* **1.** *(Tier~, Menschen~)* pelle *f,* cute *f;* **2.** *(von Frucht)* buccia *f;* **3.** *(Schicht)* pellicola *f;* **aus der ~ fahren** *fam* uscire dai gangheri, andare in bestia *fam;* **mit heiler ~ davonkommen** *fam (unverletzt)* salvare la pelle *fam,* uscirne illeso; *(ungestraft)* passarla liscia; **mit ~ und Haaren** *fam* completamente, tutto quanto; **sie ist bloß noch ~ und Knochen** *fam* è ridotta pelle ed ossa; **niemand kann aus seiner ~ (heraus)** *fam* non si può essere diversi da quello che si è; **mir ist nicht wohl in meiner ~** *fam* non sono tranquillo; **ich möchte nicht in seiner ~**

stecken non vorrei essere nei suoi panni. **Hautabschürfung** *f* escoriazione *f*. **Hautarzt** *m*, **-ärztin** *f* dermatologo, -a *m*, *f*.

Häutchen ['hɔytçən] ⟨-s, -⟩ *n* **1.** *(Überzug)* pellicina *f*; **2.** *(auf Flüssigkeit)* velo *m*, pellicola *f*; **3.** *anat* membrana *f*; *(Nagel~)* pellicina *f*, pipita *f*.

Hautcreme *f* crema *f* per la pelle.

häuten ['hɔytən] **I.** *tr* spellare, scuoiare, scorticare; **II.** *rfl:* **sich ~** spellarsi, cambiare pelle; *(Schlange)* gettare la spoglia.

hauteng *adj* attillato, aderente.

Hautevolee [ho:tvo'le: *o* o:t...] ⟨-, ø⟩ *f* alta società *f*.

Hautfarbe *f* colore *m* della pelle, carnagione *f*. **Hautklinik** *f* clinica *f* dermatologica. **Hautkrankheit** *f* malattia *f* della pelle, dermatosi *f*. **Hautkrebs** *m* tumore *m* alla pelle. **hautnah** *adj* vicinissimo. **Hautpflege** *f* cura *f* della pelle.

Häutung ⟨-, -en⟩ *f* spellatura *f*; *zoo* muta *f*; *(bes. von Schlangen)* getto *m* della spoglia.

Havarie [hava'ri:, ...i:ən] ⟨-, -n⟩ *f* avaria *f*.

Hbf. *abk von* **Hauptbahnhof** C.le *(abbr di* stazione centrale).

h. c. [ha:'tse:] *abk von* **honoris causa** *(ehrenhalber)* h. c.

he [he:] *interj* eh, ehi.

Hearing ['hɪərɪŋ] ⟨-s, -s⟩ *n* hearing *m*, udienza *f*.

Hebamme ['he:pʔamə *o* 'he:bamə] ⟨-, -n⟩ *f* levatrice *f*, ostetrica *f*.

Hebel ['he:bəl] ⟨-s, -⟩ *m* leva *f*; **alle ~ in Bewegung setzen** *fig fam* muovere cielo e terra; **am längeren ~ sitzen** essere in vantaggio.

heben ['he:bən] ⟨hebt, hob, gehoben⟩ **I.** *tr* **1.** *(hoch~)* (sol)levare; **2.** *(Stimme, Augen, Hände)* alzare; **3.** *(Schiff)* ricuperare; **4.** *(Schatz)* scavare; **5.** *fig (vermehren)* aumentare, elevare; *(verbessern)* migliorare; *(Stimmung)* accrescere; **einen ~** *fam* bere un bicchierino; **II.** *rfl:* **sich ~** *(steigen)* salire; *(sich aufrichten)* alzarsi; *(sich emporheben)* sollevarsi.

hebräisch [he'brɛ:ɪʃ] *adj* ebreo.

Hebräisch *n* ebraico *m*, lingua *f* ebraica; *s. a. Deutsch.*

Hebung ⟨-, -en⟩ *f* **1.** *(von Schiff)* ricupero *m*; *(von Schatz)* scavo *m*; **2.** *fig (Steigern)* incremento *m*, aumento *m*, crescita *f*; **3.** *fig (Förderung)* promozione *f*; **4.** *lit* arsi *f*.

Hecht [hɛçt] ⟨-(e)s, -e⟩ *m* luccio *m*. **Hechtsprung** *m* tuffo *m*.

Heck [hɛk] ⟨-(e)s, -e *o* -s⟩ *n naut* poppa *f*; *aero* coda *f*; *mot* parte *f* posteriore. **Heckantrieb** *m* trazione *f* posteriore.

Hecke ['hɛkə] ⟨-, -n⟩ *f* siepe *f*. **Heckenrose** *f* rosa *f* selvatica. **Heckenschere** *f* cesoie *f pl* (per siepi). **Heckenschütze** *m* franco tiratore *m*.

Heckfenster *n* finestrino *m* posteriore. **Heckklappe** *f* coperchio *m* del bagagliaio. **Heckmotor** *m* motore *m* posteriore. **Heckscheibe** *f* lunotto *m*. **Heckscheibenheizung** *f* lunotto *m* termico. **Heckscheibenwischer** *m* tergilunotto *m*. **Heckspoiler** *m* spoiler *m* posteriore. **Hecktür** *f* sportello *m* posteriore.

heda ['he:da] *interj* ehi.

Hedwig ['he:tvɪç] *(weiblicher Vorname)* Edvige.

Heer [he:ɐ̯] ⟨-(e)s, -e⟩ *n* esercito *m*. **Heerscharen** *f pl* esercito *m*, legioni *f pl*; **die himmlischen ~** le legioni celesti.

Hefe ['he:fə] ⟨-, -n⟩ *f* lievito *m*, fermento *m*. **Hefeteig** *m* pasta *f* lievitata.

Heft[1] [hɛft] ⟨-(e)s, -e⟩ *n* **1.** *(Schreib~)* quaderno *m*; *(Notiz~)* taccuino *m*; **2.** *(Büchlein)* libretto *m*; **3.** *(Broschüre)* fascicolo *m*.

Heft[2] [hɛft] ⟨-(e)s, -e⟩ *n (Griff)* manico *m*.

heften *tr* **1.** *(befestigen)* attaccare, fissare; *(mit Klammern)* agganciare; *(mit Stecknadeln, Reißzwecken)* appuntare; **2.** *(beim Nähen)* imbastire; **3.** *(beim Buchbinden)* rilegare; **4.** *(in einen Ordner ab~)* mettere in un classificatore; **sich an jds Fersen ~** stare alle calcagna di qu.

Hefter ⟨-s, -⟩ *m* raccoglitore *m*.

heftig ['hɛftɪç] *adj* **1.** *(stark, gewaltig)* forte; *(wuchtig)* violento, veemente; *(Schmerz)* acuto, atroce; *(Kälte)* intenso; *(Worte)* aspro; *(Regen, Weinen)* dirotto; **2.** *(stürmisch, leidenschaftlich)* impetuoso, appassionato; **~ werden** adirarsi, infiammarsi. **Heftigkeit** ⟨-, -en⟩ *f* **1.** *(Wucht, Gewalt)* violenza *f*, veemenza *f*; **2.** *(heftiges Wesen)* impetuosità *f*; **3.** *(Schärfe)* asprezza *f*.

Heftklammer *f (Büroklammer)* fermaglio *m*, clip *m*. **Heftpflaster** *n* cerotto *m*. **Heftzwecke** *f* puntina *f* da disegno, cimice *f*.

hegen ['he:gən] *tr* **1.** *(Wild)* conservare; *(Pflanzen)* curare; **2.** *fig (Gefühle, Hoffnung, Verdacht)* nutrire, avere; *(Groll, Haß)* nutrire, serbare; **jdn ~ und pflegen** avere gran cura di qu.

Hehl [he:l] ⟨-s, ø⟩ *n o m:* **kein(en) ~ aus etw. machen** non nascondere qc, non fare un mistero di qc.

Hehler(in) ['he:lɐ (...ərɪn)] ⟨-s, -⟩ *m(f)* ricettatore, -trice *m*, *f*.

Hehlerei [he:lə'rai̯] ⟨-, -en⟩ *f* ricettazione *f*.

Heide[1] ['hai̯də] ⟨-, -n⟩ *f* **1.** *bot (~kraut)* erica *f*; **2.** *(~land)* brughiera *f*.

Heide[2] ['hai̯də] ⟨-n, -n⟩ *m*, **Heidin** [...dɪn] *f rel* pagano, -a *m*, *f*.

Heidekraut *n* erica *f*.

Heidelbeere ['hai̯dəl-] *f (Pflanze)* mirtillo *m*; *(Frucht)* mirtillo *m* nero.

Heidenangst ['hai̯dən'ʔaŋst] *f fam* paura *f* matta *fam*, fifa *f fam*. **Heidenarbeit**

['haidən'ʔarbait] *f:* **das ist eine** ~ *fam* è un lavoro faticoso. **Heidengeld** ['haidən-'gɛlt] *n:* **ein** ~ **kosten** *fam* costare un sacco di soldi. **Heidenlärm** ['haidən-'lɛrm] *m fam* fracasso *m* infernale. **Heidenspaß** ['haidən'ʃpa:s] *m fam* piacere *m* folle.

Heidentum ⟨-s, ø⟩ *n* paganesimo *m.*

Heidin *f s.* **Heide**².

heidnisch ['haidnɪʃ] *adj* pagano.

heikel ['haikəl] *adj* **1.** *(Angelegenheit)* scabroso, spinoso; *(Frage, Thema)* delicato; **2.** *dial (Person)* schizzinoso.

heil [hail] *adj* **1.** *(unversehrt)* illeso; *(~ und gesund)* sano e salvo; *(geheilt)* guarito; **2.** *(ganz)* intero, intatto; **die ~e Welt** un mondo ideale; **sie hat den Unfall ~ überstanden** è uscita illesa dall'incidente.

Heil ⟨-(e)s, ø⟩ *n* **1.** *(Rettung)* salvezza *f;* **2.** *(Wohlergehen)* benessere *m,* prosperità *f; (a. Glück)* fortuna *f;* **3.** *rel (Gnade)* grazia *f;* ~ **dem König!** evviva il re!; **Ski/Petri ~!** in bocca al lupo!/buona pesca!

Heiland ['hailant] ⟨-(e)s, -e⟩ *m* Salvatore *m,* Redentore *m.*

Heilanstalt *f* **1.** *(Sanatorium)* sanatorio *m,* casa *f* di cura; **2.** *(Nerven~)* manicomio *m.* **Heilbad** *n* bagno *m* termale, bagni *m pl* termali, terme *f.* **heilbar** *adj* guaribile, curabile. **heilbringend** *adj* salutare, benifico.

Heilbutt ['hailbʊt] ⟨-(e)s, -e⟩ *m* ippoglosso *m.*

heilen I. *tr* ⟨*haben*⟩ guarire (*von* da); **II.** *itr* ⟨*sein*⟩ guarire.

Heilerfolg *m* efficacia *f* della cura.

Heilgymnastik *f* cinesiterapia *f,* ginnastica *f* terapeutica. **Heilgymnast(in)** [-gym'nast(ɪn)] ⟨-en, en⟩ *m(f)* cinesiterapista *mf.*

heilig ['hailɪç] *adj* (*abk* **hl.**) **1.** *rel* santo; *(vor männlichen Eigennamen)* San; *(geweiht)* sacro; *(unverletzlich)* inviolabile, sacro, sacrosanto; **2.** *fig (ernst)* solenne; *(Pflicht)* sacrosanto; *(Ernst, Eifer, Zorn)* grande; **3.** *fig fam (groß)* grande, incredibile; **h~er Antonius** Sant'Antonio; **H~e Jungfrau Maria** Santa Maria Vergine; **der H~e Vater** il Santo Padre; **(ach du) ~er Strohsack (*o* Bimbam)!** *fam* Dio mio!

Heiligabend [-'ʔa:bənt] *m* vigilia *f* di Natale.

Heilige ⟨ein -r, -n, -n⟩ *mf* santo, -a *m, f.*

Heiligenschein *m* aureola *f,* nimbo *m.*

Heiligkeit ⟨-, ø⟩ *f rel, fig* santità *f; (Unverletzlichkeit)* inviolabilità *f.*

heilig·sprechen ⟨*irr*⟩ *tr* canonizzare.

Heiligtum ⟨-s, -tümer⟩ *n* **1.** *(Stätte)* luogo *m* sacro, santuario *m;* **2.** *(Gegenstand)* cosa *f* sacra.

Heilkraft *f* virtù *f* terapeutica, potere *m* curativo. **Heilkräuter** *n pl* erbe *f pl* medicinali (*o* officinali). **Heilkunde** *f* medicina *f,* scienza *f* medica.

heillos *adj* terribile, inaudito; **im Zimmer herrscht ~es Durcheinander** nella stanza c'è un putiferio.

Heilmittel *n* rimedio *m,* farmaco *m,* medicina *f.* **Heilpflanze** *f* pianta *f* medicinale (*o* officinale). **Heilpraktiker(in)** *m(f)* medico *m* naturalista. **heilsam** *adj* salutare, utile.

Heilsarmee *f* esercito *m* della salvezza.

Heilung ⟨-, -en⟩ *f* **1.** ⟨*sing*⟩ *(Heilen)* cura *f;* **2.** *(Gesundwerden)* guarigione *f; (von Wunde)* cicatrizzazione *f.* **Heilungsprozeß** *m* processo *m* di guarigione.

heim [haim] *adv* **1.** *(nach Hause)* a casa; **2.** *(ins Heimatland)* in patria.

Heim ⟨-(e)s, -e⟩ *n (Zuhause, öffentliche Einrichtung)* casa *f; (Waisen~)* orfanotrofio *m; (Alten~)* ricovero *m; (Erziehungs~)* istituto *m.*

Heimarbeit *f* lavoro *m* a domicilio.

Heimat ['haima:t] ⟨-, ø⟩ *f* **1.** *(~land)* patria *f;* **2.** *(~ort)* città *f* (*o* paese *m*) natale. **Heimatdichter(in)** *m(f)* poeta *m* regionale. **Heimatfilm** *m* film *m* a sfondo regionale e patriottico. **Heimatland** *n* patria *f,* terra *f* natale. **heimatlich** *adj* **1.** *(zur Heimat gehörend)* natale, natio, della patria, del proprio paese; **2.** *(an die Heimat erinnernd)* familiare, che ricorda il proprio paese. **Heimatlose** [-lo:zə] ⟨ein -r, -n, -n⟩ *mf* persona *f* senza patria; *(Staatenlose)* apolide *mf.* **Heimatstadt** *f* città *f* natale. **Heimatvertriebene** [-fɛɐ̯-tri:bənə] ⟨ein -r, -n, -n⟩ *mf* profugo, -a *m, f.*

Heimcomputer *m* calcolatore *m* (*o* computer *m*) domestico.

heim·fahren ⟨*irr*⟩ *itr* ⟨*sein*⟩ andare a casa. **Heimfahrt** *f* viaggio *m* verso casa; *(Rückfahrt)* viaggio *m* di ritorno; **auf der** ~ nel viaggio di ritorno.

Heimkehr ['haimke:ɐ] ⟨-, ø⟩ *f* **1.** *(nach Hause)* ritorno *m* a casa; **2.** *(in die Heimat)* ritorno *m* in patria. **heim·kehren** *itr* ⟨*sein*⟩ **1.** *(nach Hause)* tornare a casa, rincasare, rientrare; **2.** *(in die Heimat)* tornare in patria, rimpatriare.

Heimkind *n* bambino *m* affidato a istituto. **Heimleiter(in)** *m(f)* direttore, -trice *m, f* di un istituto.

heimlich I. *adj* **1.** *(geheim, unerlaubt)* segreto; **2.** *(verborgen)* nascosto; *(Gedanken, Wünsche)* recondito; **3.** *(verstohlen)* furtivo; **II.** *adv* **1.** *(geheim, unerlaubt)* segretamente; **2.** *(verborgen)* di nascosto; **3.** *(verstohlen)* furtivamente. **Heimlichkeit** ⟨-, -en⟩ *f* **1.** ⟨*sing*⟩ segretezza *f;* **2.** *(Geheimnis)* segreto *m;* **3.** *(Verborgenheit)* clandestinità *f;* **in aller ~ weggehen** andarsene di nascosto.

Heimreise *f* viaggio *m* di ritorno (*o* a casa), rientro *m.* **heim·schicken** *tr* **1.** *(nach Hause)* mandare a casa; **2.** *(in Heimat)* rimpatriare. **Heimspiel** *n* incontro *m* in casa. **heim·suchen** *tr (Katastrophen)* colpire; *(Krankheiten)* affliggere. **Heimtrainer** *m* cyclette *f*.

heimtückisch *adj* subdolo, perfido, falso; *(Krankheit)* maligno.

Heimweg *m* ritorno *m* a casa; **auf dem ~** ritornando a casa; **sich auf den ~ machen** mettersi sulla via del ritorno. **Heimweh** ⟨-s, ø⟩ *n* nostalgia *f* (*nach* di). **Heimwerker(in)** [-vɛrkɐ (...ərɪn)] ⟨-s, s⟩ *m(f)* chi fa piccoli lavori di riparazione in casa; *(Bastler)* chi si dedica al bricolage.

heim·zahlen *tr:* **jdm etw. ~** farla pagare cara a qu.

Heinrich, Heinz ['haɪnrɪç, haɪnts] *(männlicher Vorname)* Enrico, Enzo.

Heirat ['haɪra:t] ⟨-, -en⟩ *f* matrimonio *m*.

heiraten I. *tr* sposare; **II.** *itr* sposarsi; *(Frau a.)* maritarsi; *(Mann a.)* ammogliarsi.

Heiratsantrag *m* proposta *f* di matrimonio. **Heiratsanzeige** *f* **1.** *(Mitteilung)* partecipazione *f* di matrimonio; **2.** *(in Zeitung)* annuncio *m* matrimoniale. **heiratsfähig** *adj:* **im ~en Alter** in età da sposarsi. **Heiratsschwindler(in)** *m(f)* corteggiatore, -trice *m, f* a scopo di lucro. **Heiratsurkunde** *f* atto *m* di matrimonio. **Heiratsvermittler(in)** *m(f)* mediatore, -trice *m, f* di matrimonio.

heiser ['haɪzɐ] *adj* rauco, roco, fioco; **sich ~ schreien** gridare tanto da diventare rauco; **~ werden** arrochire, diventare rauco. **Heiserkeit** ⟨-, *rar* -en⟩ *f* raucedine *f*.

heiß [haɪs] *adj* **1.** *allg.* (molto) caldo, caldissimo; *(Flüssigkeiten)* bollente; *geog* torrido; *(Sonne)* cocente; *(glühend)* che scotta; **2.** *fig (innig)* fervido; *(a. leidenschaftlich)* ardente; **3.** *fig (Thema)* scottante; **4.** *fig (Auseinandersetzung)* acceso; *(Kampf)* accanito; **5.** *fig (geil)* libidinoso; **~er Draht** linea calda; **~e Musik** *fam* musica eccitante; **~e Spur** traccia (*o* indizio) importante; **~ machen** (ri)scaldare; **~ werden** (ri)scaldarsi; **es ist ~** fa un gran caldo; **mir ist ~** ho molto caldo; **beim Fußballspiel ging es ~ her** la partita di calcio fu molto combattuta. **heißblütig** [-bly:tɪç] *adj* focoso, impetuoso.

heißen ['haɪsən] ⟨heißt, hieß, geheißen⟩ **I.** *itr* **1.** *(Namen haben)* chiamarsi; **2.** *(Bedeutung haben)* significare, voler dire; **das heißt** (*abk* **d. h.**) *(mit anderen Worten)* cioè, vale a dire; *(einschränkend)* o meglio, s'intende; **das soll nicht ~, daß ...** ciò non significa che ...; **es heißt, daß ...** si dice che *+congv*, corre voce che *+congv;* **was soll das ~?** che significa questo?; **wie heißt das auf italienisch?** come si dice questo in italiano?; **wie heißt es noch (so schön) bei Dante?** com'è che dice Dante?; **II.** *tr geh* **1.** *(nennen)* chiamare, nominare; **2.** *obs (befehlen)* ordinare; **hier heißt es schnell handeln** qui bisogna agire in fretta.

heißgeliebt *adj* amatissimo.

Heißhunger *m* voglia *f* matta (*auf etw. (akk)* di mangiare qc). **heiß·laufen** ⟨*irr*⟩ *itr* ⟨*sein*⟩ (sur)riscaldarsi. **Heißluft** *f* aria *f* calda. **Heißluftherd** *m* forno *m* ad aria calda. **Heißwasserspeicher** *m* scaldacqua *m*.

heiter ['haɪtɐ] *adj (Mensch, Wetter)* sereno; *(bes. Abend, Gesellschaft)* gaio; *(bes. Musik)* allegro; **aus ~em Himmel** a ciel sereno; **das kann ja ~ werden!** *fam* ne vedremo delle belle! *fam.* **Heiterkeit** ⟨-, ø⟩ *f* **1.** *(Fröhlichkeit)* allegria *f*, gaiezza *f;* **2.** *(Gelächter)* ilarità *f*.

Heizdecke *f* termocoperta *f*.

heizen ['haɪtsən] **I.** *tr* (ri)scaldare; **II.** *itr* (ri)scaldare (*mit* con, a); **wir ~ mit Erdöl** abbiamo il riscaldamento a petrolio.

Heizkissen *n* termoforo *m*. **Heizkörper** *m* radiatore *m*, calorifero *m*. **Heizkosten** *f pl* spese *f pl* di riscaldamento. **Heizkostenpauschale** *f* forfait *m* (*o* importo *m* forfettario) per spese di riscaldamento. **Heizkraftwerk** *n* centrale *f* termoelettrica. **Heizlüfter** ⟨-s, -⟩ *m* termoventilatore *m*. **Heizmaterial** *n* combustibile *m*. **Heizöl** *n* olio *m* combustibile. **Heizsonne** *f* radiatore *m* parabolico.

Heizung ⟨-, -en⟩ *f* **1.** ⟨*sing*⟩ *(Heizen)* riscaldamento *m;* **2.** *(Anlage)* impianto *m* di riscaldamento; *(Heizkörper)* radiatore *m*. **Heizungsanlage** *f* impianto *m* di riscaldamento. **Heizungskeller** *m* locale *m* per caldaia.

Hektar ['hɛkta:ɐ̯ *o* ...'ta:ɐ̯] ⟨-s, -e *o bei Maßangaben* -⟩ *n o m* ettaro *m*.

Hektik ['hɛktɪk] ⟨-, ø⟩ *f* attività *f* febbrile, corri corri *m fam.*

hektisch *adj* febbrile, nervoso.

Hektoliter [hɛkto'li:tɐ *o* 'hɛkto-] *n o m* (*abk* **hl**) ettolitro *m*.

Held(in) ['hɛlt (...dɪn)] ⟨-en, -en⟩ *m(f)* **1.** *allg.* eroe *m*, eroina *f;* **2.** *theat, lit, TV* protagonista *mf;* **3.** *fam scherz (Könner)* campione, -essa *m, f*, cannone *m*. **heldenhaft, heldenmütig** [-my:tɪç] *adj* eroico. **Heldensage** *f* leggenda *f* epica, saga *f*. **Heldentat** *f* atto *m* eroico, impresa *f* eroica. **Heldentum** ⟨-s, ø⟩ *n* eroismo *m*.

Helene [he'le:nə] *(weiblicher Vorname)* Elena.

helfen ['hɛlfən] ⟨hilft, half, geholfen⟩ *itr* **1.** *(Hilfe leisten)* aiutare (*jdm* qu), soccorrere (*jdm* qu); *(beistehen)* assistere (*jdm* qu); *(behilflich sein)* dare una mano (*jdm* a qu); **2.** *(nützen)* giovare (*jdm* a qu), servire (*jdm* qu); **3.** *(fördern)* promuovere, favorire; **4.** *(heilsam sein)* fare bene (*gegen* per), essere un buon rimedio (*gegen* contro); **sich** *(dat)* **zu ~ wissen** sapersi arrangiare; **ich weiß mir nicht mehr zu ~** non so che pesci pigliare; **das hilft nichts** non serve a nulla; **es hilft nichts, du mußt** *+inf* non c'è niente da fare, devi *+inf;* **hilf dir selbst, so hilft dir Gott** *prov* chi si aiuta, Dio l'aiuta *prov.*

Helfer(in) ⟨-s, -⟩ *m(f)* **1.** *(Gehilfe)* assistente *mf,* aiuto *m;* **2.** *(Retter)* soccorritore, -trice *m, f.* **Helfershelfer** *m fig* complice *m.*

Helga ['hɛlga] *(weiblicher Vorname)* Elga.

hell [hɛl] *adj* **1.** *(Licht, Farbe, Stimme, Feuer, Bier)* chiaro; *(Haar)* chiaro, biondo; *(Hautfarbe)* chiaro; **2.** *(voller Licht)* luminoso, pieno di luce; *(beleuchtet)* illuminato; **3.** *(Töne)* limpido, sonoro; **4.** *fig (groß, stark)* grande, forte; *(Verzweiflung, Freude)* il colmo di, grandissimo; **ein ~er Kopf** *fam* un tipo intelligente; **seine ~e Freude an etw.** *(dat)* **haben** provare una gran gioia per qc; **am ~en Tag** in pieno giorno; **es ist schon ~** si è già fatto giorno; **ein H~es, bitte!** una birra chiara per favore!

hell- *(in Zusammensetzungen vor Farbbezeichnungen)* chiaro. **hellauf** *adv:* **~ begeistert** estremamente (*o* oltremodo) entusiasta. **hellblau** *adj* azzurro chiaro, celeste. **hellblond** *adj* biondo chiaro. **Helldunkel** *n* chiaroscuro *m.* **hellhörig** *adj* **1.** *(Mensch)* di udito fine; **2.** *(Wohnung, Wände)* senza insonorizzazione; **als Sie davon sprach, wurde ich ~** quando ne parlò, tesi le orecchie.

hellicht ['hɛl'lɪçt] *adj:* **am ~en Tage** a giorno fatto, in pieno giorno.

Helligkeit ⟨-, *astr* -en⟩ *f* **1.** *allg., astr* chiarezza *f;* **2.** *(Lichtfülle)* luminosità *f;* **3.** *(Lichtstärke)* intensità *f* luminosa.

Hellseher(in) *m(f)* chiaroveggente *mf.*

hellwach *adj* sveglio, desto.

Helm [hɛlm] ⟨-(e)s, -e⟩ *m* **1.** *mil* elmo *m,* elmetto *m;* **2.** *(Schutz~, Sturz~)* casco *m;* **3.** *arch* cupola *f.* **Helmpflicht** *f:* **es besteht ~** c'è l'obbligo di mettere il casco.

Hemd [hɛmt] ⟨-(e)s, -en⟩ *n* **1.** *(Ober~)* camicia *f;* **2.** *(Unter~)* maglia *f; (für Männer)* canottiera *f; (für Frauen)* camiciola *f.* **Hemdbluse** *f* camicetta *f.* **hemdsärm(e)lig** [-ˀɛrm(ə)lɪç] *adj* in maniche di camicia; *fig (salopp)* sbracato, sguaiato.

Hemisphäre [hemi'sfɛ:rə] *f* emisfero *m.*

hemmen ['hɛmən] *tr* **1.** *(bremsen, anhalten)* frenare, arrestare, bloccare; **2.** *(verlangsamen)* rallentare, ritardare; **3.** *fig (hindern)* ostacolare, impedire, intralciare; **4.** *fig (Widerstand entgegensetzen)* resistere *(etw. (akk)* a qc); **5.** *psych* inibire.

Hemmschuh *m* scarpa *f* (d'arresto), cuneo; *fig* impedimento *m.* **Hemmschwelle** *f* barriera *f* psicologica.

Hemmung ⟨-, -en⟩ *f* **1.** *(Verlangsamung)* rallentamento *m;* **2.** *(Verhinderung)* ostacolamento *m,* impedimento *m;* **3.** *(Bedenken)* scrupolo *m;* **4.** *psych* inibizione *f;* ⟨*pl*⟩ *(Schüchternheit)* timidezza *f;* **~en/keine ~en haben** avere/non avere scrupoli. **hemmungslos** *adj* **1.** *(zügellos)* sfrenato; **2.** *(leidenschaftlich)* appassionato; **3.** *(ohne Bedenken)* senza scrupoli; **~ weinen** piangere senza ritegno.

Hengst [hɛŋst] ⟨-es, -e⟩ *m (Pferd)* stallone *m; (Esel)* asino *m.*

Henkel ['hɛŋkəl] ⟨-s, -⟩ *m* manico *m.*

henken ['hɛŋkən] *tr* impiccare.

Henker ⟨-s, -⟩ *m* carnefice *m,* boia *m.*

Henne ['hɛnə] ⟨-, -⟩ *f* gallina *f.*

Henriette [hɛnri'ɛtə] *(weiblicher Vorname)* Enrichetta.

her [he:ɐ̯] *adv* **1.** *(örtlich)* qui, qua; **2.** *(kausal)* per, a causa di; **um . . . ~** attorno a; **von . . . ~** da; *(zeitlich)* da, fin da; **es ist ein Jahr ~, daß . . .** è (passato) un anno che . . .; **wie lange ist es ~, daß . . .?** quanto tempo è che . . .?; **wo hast du (denn) das ~?** come l'hai avuto?; **Geld ~!** *fam* fuori i soldi!; **~ damit!** *fam* dà (*o* date) qua!

herab [hɛ'rap] *adv* giù, in basso. **herab·blicken** *itr (a. fig)* guardare dall'alto in basso (*auf etw./jdn* qc/qu). **herab·fallen** ⟨*irr*⟩ *itr* ⟨*sein*⟩ cadere giù. **herab·lassen** ⟨*irr*⟩ **I.** *tr (Vorhang, Seil)* calare, abbassare; **II.** *rfl:* **sich ~ 1.** *(an Seil)* calarsi giù; **2.** *fig:* **sich ~, etw. zu tun** degnarsi di fare qc. **herablassend** *adj* presuntuoso, borioso. **herab·sehen** ⟨*irr*⟩ *s.* **herabblicken. herab·setzen** *tr* **1.** *fig (Preis, Strafe)* diminuire, ridurre; **2.** *fig (schmälern)* sminuire.

Heraldik [he'raldɪk] ⟨-, ø⟩ *f* araldica *f.*

heran [hɛ'ran] *adv* **1.** *(örtlich)* vicino, avanti; **2.** *(zeitlich)* vicino; **rechts/links ~** a destra/sinistra. **heran·kommen** ⟨*irr*⟩ *itr* ⟨*sein*⟩ **1.** *allg., fig* avvicinarsi (*an +akk* a); **2.** *fig (sich vergleichen können)* raggiungere (*an jdn* qu); **3.** *fig (bekommen)* ottenere (*an etw. (akk)* qc); **die Dinge an sich ~ lassen** prendere tempo, temporeggiare. **heran·reichen** *itr fig (gleichkommen)* uguagliare (*an jdn* qu). **heran·wachsen** ⟨*irr*⟩ *itr* ⟨*sein*⟩ crescere, diventare grande; **die ~de Generation** la generazione che viene su ora; **zum Mann ~** diventare (*o* farsi) uomo. **Heranwachsende** ⟨ein -r, -n, -n⟩ *mf* adolescente *mf.* **heran·ziehen** ⟨*irr*⟩ **I.** *tr* ⟨*haben*⟩ **1.** *(näher holen)* avvicinare (tirando); **2.** *(großziehen)* allevare; **3.** *(ausbilden)* formare, educare; **4.** *(einsetzen)* impiegare; *(Arzt, Sachverständigen)* consultare, chiamare; **5.** *(geltend machen)* far valere, citare; **II.** *itr* ⟨*sein*⟩ av-

vicinarsi.
herauf [hɛˈrauf] *adv* su, sopra; **den Berg** ~ su per la montagna; **die Treppe** ~ su per la scala. **herauf·beschwören** ⟨*irr, ohne ge-*⟩ *tr* **1.** *(wachrufen)* evocare; **2.** *(verursachen)* provocare, causare, suscitare. **herauf·holen** *tr* fare venire su, portare su. **herauf·kommen** ⟨*irr*⟩ *itr* ⟨*sein*⟩ salire, venire su.
heraus [hɛˈraus] *adv* fuori; **aus ...** ~ fuori da ...; **von innen** ~ dal di dentro; **das ist noch nicht** ~ non è ancora sicuro; ~ **damit!** fuori!, dà (*o* date) qua!.
heraus·bekommen ⟨*irr, ohne ge-*⟩ *tr* **1.** *(Fleck)* togliere, levare; **2.** *fig (herausfinden)* venire a sapere; *(Geheimnis)* riuscire a scoprire; *(Rätsel)* riuscire a risolvere; *(entziffern)* riuscire a decifrare; *(Rechenaufgabe)* trovare; **3.** *(Wechselgeld)* ricevere di resto; **aus ihm bekommt man nichts** ~ non gli si cava una parola di bocca; **ich bekomme drei Mark** ~ mi spettano tre marchi di resto.
heraus·bringen ⟨*irr*⟩ *tr* **1.** *(nach draußen bringen)* portare fuori; **2.** *fam (Fleck)* riuscire a togliere (*o* a levare); **3.** *(Ware)* lanciare (sul mercato); *(Buch)* pubblicare; **4.** *fam (in Erfahrung bringen)* venire a sapere, riuscire a scoprire; **aus jdm kein Wort** ~ non riuscire a cavare una parola di bocca a qu *fam;* **kein Wort** ~ non riuscire a proferire parola.
heraus·fordern *tr* **1.** *allg., sport* sfidare (*zu* a); **2.** *(Schicksal)* provocare. **herausfordernd** *adj* provocatorio; *(bes. Blicke)* provocante. **Herausforderung** *f* **1.** *allg., sport* sfida *f;* **2.** *fig* provocazione *f.*
heraus·geben ⟨*irr*⟩ *tr* **1.** *(herausreichen)* passare fuori, porgere; **2.** *(zurückgeben)* restituire; **3.** *(Garderobe, Gefangene)* consegnare; **4.** *(Wechselgeld)* dare di resto; **5.** *(Buch)* curare l'edizione di; *(veröffentlichen)* pubblicare; **6.** *(Münzen, Aktien)* emettere; *(Vorschriften)* emanare.
Herausgeber(in) *m(f)* (*abk* **Hg., Hrsg.**) **1.** *(von Buch)* curatore, -trice *m, f; (Verleger)* editore, -trice *m, f;* **2.** *(von Zeitung)* direttore, -trice *m, f.*
heraus·gehen ⟨*irr*⟩ *itr* ⟨*sein*⟩ **1.** *(nach draußen gehen)* uscire; **2.** *(sich herausziehen lassen)* venir fuori; **3.** *(Fleck)* andare via; **aus sich** *(dat)* ~ aprirsi, sbottonarsi *fam.*
heraus·holen *tr* **1.** *(nach draußen holen)* portare fuori (*aus* da); **2.** *(befreien)* far uscire (*aus* da); **3.** *fig fam (verdienen)* ricavare (*aus* da); **4.** *fig (durch Fragen)* far dire (*aus jdm* a qu); *(Geheimnis)* strappare (*aus jdm* a qu); **das Letzte aus sich** *(dat)* ~ dare il massimo di se stesso.
heraus·kommen ⟨*irr*⟩ *itr* ⟨*sein*⟩ **1.** *(nach draußen kommen)* venire fuori, uscire (*aus* da); **2.** *(sich ergeben)* risultare (*aus* di); **3.** *(Wahrheit)* venire a galla; **4.** *(Buch)* venire pubblicato; **ganz groß** ~ avere un gran successo; **das kommt auf eins** (*o* **dasselbe**) **heraus** è la stessa cosa; **dabei kommt nichts heraus** non se ne ricava nulla.
heraus·kriegen *fam s.* **herausbekommen.**
heraus·nehmen ⟨*irr*⟩ **I.** *tr* **1.** *(aus dem Inneren holen)* prendere (*o* levare) fuori (*aus* da); **2.** *(entfernen)* togliere; *(operativ)* asportare; **II.** *rfl:* **sich** *(dat)* **(jdm gegenüber) etw.** ~ permettersi qc (nei confronti di qu); **sich** *(dat)* **ein Recht** ~ arrogarsi un diritto.
heraus·rücken I. *tr* ⟨*haben*⟩ **1.** *(Stuhl)* mettere fuori; **2.** *fig fam (Geld)* sborsare; **II.** *itr* ⟨*sein*⟩ **1.** *(räumlich)* spostare; **2.** *fig fam:* **mit etw.** ~ tirare fuori qc.
heraus·rutschen *itr* **1.** *(entgleiten)* scivolare fuori, uscire, venire fuori; **2.** *fig (entfahren)* scappare di bocca.
heraus·stellen I. *tr* **1.** *(nach draußen stellen)* mettere fuori; **2.** *fig (hervorheben)* mettere in luce (*o* in risalto); **II.** *rfl:* **sich** ~ risultare (*als etw.* qc), rivelarsi (*als etw.* qc); **die Nachricht hat sich als falsch herausgestellt** la notizia si è rivelata falsa.
heraus·ziehen ⟨*irr*⟩ *tr* tirare fuori (*aus* da), estrarre (*aus* da).
herb [hɛrp] *adj* **1.** *(Geschmack)* acerbo; *(Wein)* aspro; **2.** *fig (Worte, Schönheit)* duro; *(Enttäuschung)* amaro; *(Verlust)* doloroso.
herbei [hɛɐ̯ˈbai] *adv* qui, qua. **herbei·führen** *tr (bewirken)* causare, provocare. **herbei·rufen** ⟨*irr*⟩ *tr* chiamare, far venire.
Herberge [ˈhɛrbɛrgə] ⟨-, -n⟩ *f allg.* alloggio *m,* locanda *f; (Jugend~)* ostello *m* (della gioventù).
Herbert [ˈhɛrbɛrt] *(männlicher Vorname)* Erberto.
Herbizid [hɛrbiˈtsiːt] ⟨-(e)s, -e⟩ *n* erbicida *m.*
Herbst [hɛrpst] ⟨-(e)s, -e⟩ *m* autunno *m.* **herbstlich** *adj* d'autunno, autunnale. **Herbstzeitlose** ⟨-n, -n⟩ *f* colchico *m.*
Herculaneum [hɛrkuˈlaːneʊm] *n* Ercolano *m.*
Herd [heːɐ̯t] ⟨-(e)s, -e⟩ *m* **1.** *(Feuerstelle)* focolare *m;* **2.** *(Küchen~)* cucina *f;* **3.** *fig* focolaio *m;* **am häuslichen** ~ nell'intimità della famiglia; **eigener** ~ **ist Goldes wert** *prov* casa mia, casa mia, benché piccola tu sia, tu mi sembri una badia *prov.*
Herde [ˈheːɐ̯də] ⟨-, -n⟩ *f* gregge *m.*
Herdplatte *f* piastra *f* della cucina.
herein [hɛˈrain] *adv* dentro; ~! avanti!; **hier** ~, **bitte!** per di qua!. **herein·brechen** ⟨*irr*⟩ *itr* ⟨*sein*⟩ *(Unglück)* colpire (*über jdm* qu); *(Nacht)* calare. **herein·fallen** ⟨*irr*⟩ *itr* ⟨*sein*⟩ **1.** *(nach innen fallen)* cadere dentro; *(Licht)* penetrare;

2. *fig fam (betrogen werden)* cascarci *fam*, farsi imbrogliare; **auf jdn** ~ *fam* lasciarsi abbindolare da qu *fig*. **herein·holen** *tr* portare dentro; *(Person)* far entrare. **herein·kommen** ⟨*irr*⟩ *itr* ⟨*sein*⟩ entrare. **herein·lassen** ⟨*irr*⟩ *tr* lasciare (*o* fare) entrare. **herein·legen** *tr* **1.** *(nach innen legen)* mettere dentro; **2.** *fig fam (betrügen)* imbrogliare.

her·fallen ⟨*irr*⟩ *itr* ⟨*sein*⟩*:* **über jdn** ~ aggredire qu; *(mit Fragen)* tempestare qu; **über etw.** *(akk)* ~ gettarsi su qc.

Hergang *m* **1.** *(Verlauf)* svolgimento *m;* **2.** *(Einzelheiten)* particolari *m pl.*

her·geben ⟨*irr*⟩ **I.** *tr* **1.** *(geben)* dare; **2.** *(weggeben)* dare via; **3.** *(zurückgeben)* restituire; **das Thema gibt viel/nichts her** il tema offre molto/non offre niente; **II.** *rfl:* **sich zu etw.** ~ prestarsi per qc.

her·halten ⟨*irr*⟩ **I.** *tr* porgere; **II.** *itr* dover scontare (*für* per).

Hering ['he:rɪŋ] ⟨-s, -e⟩ *m* **1.** *zoo* aringa *f;* **2.** *(Zeltpflock)* picchetto *m.*

her·kommen ⟨*irr*⟩ *itr* ⟨*sein*⟩ **1.** *(hierhin kommen)* venire qui; *(sich nähern)* avvicinarsi; **2.** *(herrühren)* derivare (*von* da); *(herstammen)* provenire.

herkömmlich ['he:ɐ̯kœmlɪç] *adj* tradizionale.

Herkunft ['he:ɐ̯kʊnft] ⟨-⟩ *f* **1.** *(Abstammung)* nascita *f,* discendenza *f; (soziale* ~*)* estrazione *f;* **2.** *(Ursprung)* origine *f; (com a.)* provenienza *f.* **Herkunftsland** *n* paese *m* di origine (*o* provenienza).

her·leiten I. *tr* **1.** *fig (ableiten)* derivare (*von* da); **2.** *(an diesen Ort leiten)* condurre qua; **II.** *rfl:* **sich** ~ trarre origine (*von* da).

Hermann ['hɛrman] *(männlicher Vorname)* Ermanno.

hermetisch [hɛr'me:tɪʃ] *adj* ermetico.

Heroin [hero'i:n] *n* eroina *f.*

Herold ['he:rɔlt] ⟨-(e)s, -e⟩ *m* **1.** *hist* araldo *m;* **2.** *fig* messaggero *m.*

Herpes ['hɛrpɛs] ⟨-, -⟩ *m med* herpes *m,* erpete *m.*

Herr [hɛr] ⟨-n *o rar* -en, -en⟩ *m* (*abk* **Hr.**) **1.** *allg., hist* signore *m;* **2.** *(vor Eigennamen)* signor *m;* **3.** *(beim Tanz)* cavaliere *m;* **4.** *(Gebieter, Eigentümer, Arbeitgeber)* padrone *m; (Vorgesetzter)* superiore *m;* **5.** *(Herrscher)* sovrano *m;* **(Gott) der** ~ Signore *m,* Dio *m;* ~ **im Hause sein** essere padrone in casa; ~ **der Lage sein** essere padrone della situazione; **sein eigener** ~ **sein** non dipendere da nessuno; **einer S.** *(gen)* ~ **werden** riuscire a dominare qc; **mein** ~! signore!; **meine** ~**en!** signori!; ~ **General!** signor generale!; ~ **Doktor** (signor) dottore; ~ **Müller** il signor Müller; *(als Anrede)* signor Müller; **niemand kann zwei** ~**en dienen** *prov* non si possono servire due padroni *prov.*

Herrenausstatter ⟨-s, -⟩ *m (Geschäft)* negozio *m* di articoli da uomo. **Herrenbegleitung** *f:* **in** ~ in compagnia maschile. **Herrenbesuch** *m* visita *f* maschile. **Herrendoppel** *n* doppio *m* maschile. **Herreneinzel** *n* singolo *m* maschile. **Herren(fahr)rad** *n* bicicletta *f* da uomo. **herrenlos** *adj* abbandonato, non reclamato; *(Tier)* randagio; ~**es Gut** res nullius. **Herrenmode** *f* moda *f* maschile. **Herrentoilette** *f* gabinetto *m* per uomini. **Herrenwitz** *m* barzelletta *f* spinta.

Herrgott *m dial, fam* Signore *m,* Dio *m;* ~ **noch mal!** *fam* accidenti! *fam;* **in aller** ~**sfrühe** *fam* di buon mattino, di buon'ora.

her·richten *tr* **1.** *(vorbereiten)* preparare; **2.** *(instand setzen)* sistemare.

Herrin ['hɛrɪn] *f* **1.** *(Gebieterin)* signora *f,* padrona *f;* **2.** *(Haus*~*)* padrona *f.*

herrisch *adj* imperioso, dispotico; **ein** ~**es Auftreten** un'aria arrogante.

herrlich *adj (großartig)* magnifico, splendido; *(wunderbar)* meraviglioso; *(ausgezeichnet)* eccellente.

Herrschaft ⟨-, -en⟩ *f* **1.** ⟨*sing*⟩ *(Beherrschung)* dominio *m* (*über +akk* su); *(a. fig)* controllo *m* (*über +akk* di); *(Befehlsgewalt)* potere *m,* autorità *f* (*über +akk* su); *(Herrschergewalt)* sovranità *f* (*über +akk* su); **2.** *obs (Dienst*~*)* padroni *m pl,* signori *m pl;* **meine** ~**en!** signore e signori!; **was wünschen die** ~**en?** che cosa desiderano i signori?

herrschen ['hɛrʃən] *itr* **1.** *(Herr sein)* dominare (*über +akk* su); *(Fürst)* regnare (*über +akk* su); **2.** *fig* esserci; *(Krankheit, Not)* infuriare; *(Ordnung, Ruhe)* regnare; *(Angst, Ungewißheit, Chaos)* esserci, regnare; *(Meinung, Ansicht)* predominare.

Herrscher(in) ⟨-s, -⟩ *m(f)* **1.** *(Gebieter)* dominatore, -trice *m, f;* **2.** *(Landesherr)* sovrano, -a *m, f;* **3.** *(regierender Fürst)* principe, -essa *m, f* (regnante).

herrschsüchtig *adj* avido di potere.

her·rühren *itr* provenire (*von* da).

her·sein ⟨*irr*⟩ *itr* ⟨*sein*⟩ **1.** *(zeitlich)* essere già (da); **2.** *(herstammen)* essere (*von, aus* di); **es ist 10 Jahre her, daß ...** sono già 10 anni che ...; **hinter jdm/etw.** ~ rincorrere qu/qc.

her·stellen *tr* **1.** *(an einen Platz)* mettere qua; **2.** *(produzieren)* produrre, fabbricare; **3.** *(schaffen)* creare; **4.** *(Verbindung, Beziehung)* stabilire; **5.** *fig (wieder*~*)* ristabilire.

Hersteller(in) ⟨-s, -⟩ *m(f)* fabbricante *mf,* produttore, -trice *m, f.*

Herstellung *f* fabbricazione *f,* produzione *f.* **Herstellungsland** *n* paese *m* produttore.

herüber [hɛ'ry:bɐ] *adv* di qua, da questa parte. **herüber·kommen** ⟨*irr*⟩ *itr* ⟨*sein*⟩ venire di qua.

herum [hɛ'rʊm] *adv* intorno, attorno; **um ... ~** *(räumlich)* intorno a ...; *(zeitlich)* verso; *(bei Zahlenangaben)* circa; **im Kreise ~** in cerchio.
herum·ärgern *rfl:* **sich ~ mit** arrabbiarsi con.
herum·drehen I. *tr* girare; **den Schlüssel zweimal ~** dare due giri di chiave; **II.** *rfl:* **sich ~** girarsi.
herum·fahren ⟨*irr*⟩ *itr* ⟨*sein*⟩ **1.** *(um etw. ~)* girare (*um* intorno a); *(um Kap)* doppiare (*um etw.* qc); **2.** *(ohne Ziel)* girare, andare in giro; **3.** *(sich herumdrehen)* girarsi di scatto.
herum·gehen ⟨*irr*⟩ *itr* ⟨*sein*⟩ **1.** *(um etw. ~)* girare (*um etw.* qc); **2.** *(ziellos)* girellare; **3.** *(Pokal, Fotos)* fare il giro; **4.** *(Zeit)* passare; **etw.** *(akk)* **~ lassen** far circolare qc; **das geht mir im Kopf herum** ci penso e ripenso.
herum·irren *itr* ⟨*sein*⟩ girovagare.
herum·kommen ⟨*irr*⟩ *itr* ⟨*sein*⟩ *fam* **1.** *(um Ecke)* voltare (*um etw.* qc), girare (*um etw.* qc); **2.** *(herumgehen können)* poter girare; **3.** *(reisen)* girare, andare in giro; **um etw. ~** *(vermeiden können)* poter evitare qc.
herum·kriegen *tr fam* riuscire a convincere.
herum·laufen ⟨*irr*⟩ *itr* ⟨*sein*⟩ *fam* **1.** *(ziellos)* correre (*o* andare) in giro; **2.** *(um etw. ~)* circondare (*um etw.* qc); **so kannst du doch nicht ~!** non puoi andare in giro così!
herum·liegen ⟨*irr*⟩ *itr fam* **1.** *(um etw. ~)* giacere (*um* attorno a); **2.** *(unordentlich)* essere sparso (dappertutto).
herum·lungern [-lʊŋɐn] *itr fam* bighellonare, andare a zonzo.
herum·reichen *tr* far circolare.
herum·schlagen ⟨*irr*⟩ *rfl:* **sich mit jdm/etw. ~** *fig* essere alle prese con qu/qc.
herum·schnüffeln *itr fam* ficcare il naso (*in +dat* in) *fam.*
herum·sitzen ⟨*irr*⟩ *itr fam* ⟨*haben o sein*⟩ **1.** *(um etw. ~)* sedere (*um* intorno a); **2.** *fig (nichts tun)* starsene (seduto) senza far niente.
herum·sprechen ⟨*irr*⟩ *rfl:* **sich ~** diffondersi, spargersi.
herum·stehen ⟨*irr*⟩ *itr* ⟨*sein*⟩ **1.** *(um etw. ~)* stare (*um* attorno a); **2.** *(lässig)* starsene senza far niente (*o* in ozio); **3.** *(Sachen)* essere fuori posto.
herum·stöbern *itr fam* frugare (*in +dat* in).
herum·treiben ⟨*irr*⟩ *rfl:* **sich ~** *fam* bighellonare.
herum·werfen ⟨*irr*⟩ *tr* **1.** *(achtlos)* gettare qua e là, sparpagliare; **2.** *(Steuer)* dare un giro a.
herunter [hɛ'rʊntɐ] *adv* giù; **von ... ~** giù da ...; **von oben ~** dall'alto in basso; **ich kann nicht ~** non posso scendere. **herunter·fallen** ⟨*irr*⟩ *itr* ⟨*sein*⟩ cadere (giù); *(Haare)* scendere. **herunter·gehen** ⟨*irr*⟩ *itr* ⟨*sein*⟩ **1.** *(räumlich)* scendere, andare giù; **2.** *(Fieber)* diminuire; **mit den Preisen ~** ribassare i prezzi. **herunter·handeln** *tr fam* tirare sul prezzo (*um* di). **herunter·hauen** ⟨*irr*⟩ *tr fam:* **jdm eine ~** mollare (*o* dare) un ceffone a qu *fam.* **herunter·klappen** *tr* abbassare. **herunter·kommen** ⟨*irr*⟩ *itr* ⟨*sein*⟩ **1.** *(von oben)* venire giù, scendere; **2.** *fam (gesundheitlich)* deperire; *(sittlich)* decadere, cadere in basso. **herunter·schlucken** *tr* **1.** *(Bissen, Pille)* inghiottire; **2.** *fig fam (Vorwürfe, Kritik)* ingoiare, mandar giù *fam.* **herunter·wirtschaften** *tr fam* mandare in rovina.
hervor [hɛɐ'fo:ɐ] *adv* (in) fuori; **unter dem Bett ~** fuori da sotto il letto.
hervor·bringen ⟨*irr*⟩ *tr* **1.** *(erzeugen)* produrre; *(a. fig)* dare; *(schaffen)* creare; **2.** *(Ton, Wort)* dire, proferire; **3.** *(bewirken)* causare.
hervor·gehen ⟨*irr*⟩ *itr* ⟨*sein*⟩ **1.** *(sich ergeben)* risultare; **2.** *(überstehen)* uscire (*aus* da); **daraus geht hervor, daß ...** da ciò risulta che ...
hervor·heben ⟨*irr*⟩ *tr* **1.** *(räumlich)* dare rilievo a, far spiccare; **2.** *fig (betonen)* accentuare, sottolineare.
hervor·holen *tr* tirare fuori.
hervor·ragen *itr* **1.** *(räumlich)* sporgere fuori (*aus* da), emergere (*aus* da); **2.** *fig* emergere, distinguersi. **hervorragend** *adj* **1.** *(räumlich)* sporgente, prominente; **2.** *fig* straordinario, eccezionale; *(Wissenschaftler)* eminente; *(Wein)* eccellente.
hervor·rufen ⟨*irr*⟩ *tr (verursachen)* suscitare; *(Bewunderung)* causare; *(med)* provocare.
hervor·treten ⟨*irr*⟩ *itr* ⟨*sein*⟩ **1.** *(räumlich)* uscire, sporgere; **2.** *(sich abheben)* risaltare, spiccare; **3.** *(erscheinen)* apparire; *(sich hervortun)* manifestarsi; **~ lassen** dare risalto a.
hervor·tun ⟨*irr*⟩ *rfl:* **sich ~** distinguersi, segnalarsi; *(bewußt)* mettersi in mostra (*mit* per).
Herz [hɛrts] ⟨-ens, -en⟩ *n* **1.** *anat, fig* cuore *m;* **2.** ⟨*sing*⟩ *fig (Gemüt, Seele a.)* animo *m;* **3.** *(Kern, Mittelpunkt a.)* centro *m;* **4.** ⟨*sing*⟩ *(beim Kartenspiel)* cuori *m pl;* **das ~ auf der Zunge haben** avere il cuore sulle labbra; **ein ~ und eine Seele sein** essere un cuore e un'anima sola; **alle ~en gewinnen** guadagnarsi l'affetto di tutti; **jdm ans ~ gewachsen sein** essere molto affezionato a qu; **etw. auf dem ~en haben** avere un peso sul cuore; **jdn in sein ~ geschlossen haben** nutrire un grande affetto per qu; **es nicht übers ~ bringen zu ...** non avere il coraggio di ...; **sich** *(dat)* **etw. zu ~en nehmen** prendersi a cuore qc; **im ~en Deutschlands** nel cuore della Germa-

nia; **von ~en gern** molto volentieri. **Herzanfall** *m* attacco *m* cardiaco. **Herzbeschwerden** *f pl* disturbi *m pl* cardiaci.
Herzensbrecher(in) ⟨-s, -⟩ *m(f)* rubacuori *mf*. **Herzenslust** *f*: **nach ~** a piacere. **Herzenswunsch** *m* desiderio *m* profondo.
herzerfrischend *adj* gradevole. **herzergreifend** *adj* commovente, toccante. **Herzfehler** *m* vizio *m* (*o* difetto *m*) cardiaco, insufficienza *f* cardiaca. **Herzflattern** ⟨-s, ø⟩ *n* flutter *m* cardiaco. **herzförmig** [-fœrmıç] *adj* cuoriforme. **herzhaft** *adj* **1.** *(kräftig)* forte; **2.** *(tüchtig, gehörig)* bello, buono; ~ **lachen** ridere di cuore.
her·ziehen ⟨*irr*⟩ **I.** *itr* ⟨*sein*⟩ *(herankommen)* avvicinarsi; **über jdn ~** ⟨*haben*⟩ *fam* tagliare i panni addosso a qu; **II.** *tr* ⟨*haben*⟩ *(heranziehen)* tirare (*zu* verso).
herzig *adj* grazioso, carino.
Herzinfarkt *m* infarto *m* cardiaco. **Herzkammer** *f* ventricolo *m* (del cuore). **Herzklappe** *f* valvola *f* cardiaca. **Herzklappenfehler** *m* vizio *m* valvolare. **Herzklopfen** ⟨-s, ø⟩ *n* batticuore *m; med* palpitazioni *f pl*. **herzkrank** *adj* cardiopatico. **Herzkrankheit** *f* malattia *f* di cuore; *wissensch.* cardiopatia *f*. **Herz-Kreislauf-Erkrankung** *f* malattia *f* cardiocircolatoria (*o* cardiovascolare).
herzlich I. *adj* **1.** *(in Gruß- u. Wunschformeln)* cordiale; **2.** *(aufrichtig)* sincero; **3.** *(Mensch, Wesen)* affettuoso; **4.** *(Bitte)* fervido; *(Gruß)* cordiale; *(Empfang)* affettuoso; **(mit) ~e(n) Grüße(n)** cordiali saluti; **~e Grüße an deine Mutter** cari saluti a tua madre; **II.** *adv* cordialmente, di cuore; ~ **gern** ben volentieri, di cuore. **Herzlichkeit** ⟨-, ø⟩ *f* cordialità *f*.
herzlos *adj* senza cuore, insensibile; *(grausam)* spietato, crudele. **Herz-Lungen-Maschine** ['hɛrts'lʊŋən-] *f* macchina *f* cuore-polmoni. **Herzmuskel** *m* miocardio *m*.
Herzog(in) ['hɛrtso:k (...gın)] ⟨-(e)s, Herzöge *o* -e⟩ *m(f)* duca *m*, duchessa *f*. **Herzogtum** ⟨-(e)s, -tümer⟩ *n* ducato *m*.
Herzoperation *f* operazione *f* al cuore (*o* cardiaca). **Herzrhythmusstörung** *f* aritmia *f* cardiaca.
Herzschlag *m* **1.** *(einzelner Schlag)* battito *m* del cuore; **2.** *(Herztätigkeit)* pulsazioni *f pl* (cardiache); **3.** *(Herzstillstand)* colpo *m* apoplettico, sincope *f* cardiaca. **Herzschrittmacher** *m* pacemaker *m*, apparecchio *m* stimolatore cardiaco. **Herzstillstand** *m* arresto *m* cardiaco. **Herzstück** *n* parte *f* vitale. **Herzton** *m* tono *m* cardiaco. **Herztransplantation** *f* trapianto *m* cardiaco. **Herzversagen** *n* colpo *m* apoplettico, sincope *f* cardiaca. **herzzerreißend** *adj* straziante.
Hesse ['hɛsə] ⟨-n, -n⟩ *m*, **Hessin** ['hɛsın] *f* assiano, -a *m, f*.
Hessen ['hɛsən] *n* Assia *f*.
hessisch *adj* assiano.
heterogen [hetero'ge:n] *adj* eterogeneo.
heterosexuell *adj* eterosessuale.
Hetze ['hɛtsə] ⟨-, -n⟩ *f* **1.** ⟨*sing*⟩ *(Eile)* fretta *f*, furia *f*; **2.** ⟨*sing*⟩ *(Hetzkampagne)* campagna *f* di sobillazione.
hetzen I. *tr* ⟨*haben*⟩ **1.** *(Wild)* dare la caccia a; **2.** *(Hund)* aizzare (*auf +akk* contro); **3.** *(Menschen)* inseguire, perseguitare; **4.** *fig (zur Eile antreiben)* fare fretta a, sollecitare; **II.** *itr* **1.** ⟨*sein*⟩ *(eilen)* correre; **2.** ⟨*haben*⟩ *(sich beeilen)* affrettarsi; **3.** ⟨*haben*⟩ *pej* sobillare (*gegen* contro), aizzare (*gegen* contro); **4.** ⟨*haben*⟩ *(hastig vorgehen, agieren)* fare in fretta.
Heu [hɔy] ⟨-(e)s, ø⟩ *n bot* fieno *m*; **Geld wie ~ haben** avere soldi a palate.
Heuchelei [hɔyçə'lai] ⟨-, -en⟩ *f* ipocrisia *f*; *(Scheinheiligkeit)* fariseismo *m*; *(Verstellung)* (dis)simulazione *f*.
heucheln ['hɔyçəln] **I.** *tr* simulare, fingere; **II.** *itr* fare l'ipocrita.
Heuchler(in) ⟨-s, -⟩ *m(f)* ipocrita *mf*; *(Scheinheilige)* fariseo, -a *m, f*; *(jd., der sich verstellt)* (dis)simulatore, -trice *m, f*. **heuchlerisch** *adj* ipocrita; *(scheinheilig)* farisaico; *(vorgetäuscht)* finto, (dis)-simulato.
heuer ['hɔyɐ] *adv (süddeutsch, A, CH)* quest'anno.
heulen ['hɔylən] *itr* **1.** *(Sirenen)* urlare; *(Wölfe, Hunde)* ululare; **2.** *fam (heftig weinen)* piangere.
Heurige ['hɔyrıgə] ⟨ein -r, -n, -n⟩ *m (bes. A)* vino *m* nuovo.
Heuschnupfen *m* raffreddore *m* da fieno. **Heuschober** *m*, **-stadel** [-ʃta:dəl] ⟨-s, -⟩ *m (süddeutsch, A, CH)* fienile *m*. **Heuschrecke** [-ʃrɛkə] ⟨-, -n⟩ *f* cavalletta *f*, locusta *f*.
heute ['hɔytə] *adv* oggi; **die Jugend von ~** la gioventù d'oggi; ~ **abend/nacht** stasera/stanotte; ~ **morgen** stamattina; ~ **(nach)mittag** questo pomeriggio; ~ **vormittag** stamattina; ~ **in acht/vierzehn Tagen** oggi tra otto/quindici giorni; **ab ~, von ~ ab** (*o* **an**) a partire da oggi, da oggi in poi; **noch ~** oggi stesso; *(noch immer)* ancora oggi; **von ~ auf morgen** dall'oggi al domani.
heutig *adj* di oggi; *(gegenwärtig)* odierno; *(modern)* moderno.
heutzutage ['hɔyttsuta:gə] *adv* oggi (giorno).
Hexe ['hɛksə] ⟨-, -n⟩ *f* strega *f*.
hexen *itr* fare stregonerie; **ich kann doch nicht ~** *fam* non posso fare miracoli.
Hexenschuß *m* lombaggine *f*. **Hexenverbrennung** *f* rogo *m* delle streghe.
hg. *abk von* **herausgegeben von** Ed. (*abbr di* editore).

Hickhack ['hikhak] ⟨-s, ø⟩ *n* **1.** *(Hinundhergerede)* chiacchiere *f pl* a vuoto; **2.** *(Streiterei)* discordia *f*, dissidio *m*.
hieb [hi:p] *rar imp von* **hauen.**
Hieb ⟨-(e)s, -e⟩ *m* **1.** *(Schlag)* colpo *m;* **2.** *(Wunde, Narbe)* taglio *m;* **3.** ⟨*pl*⟩ *(Prügel)* botte *f pl;* **4.** *fig (bissige Bemerkung)* frecciata *f*. **hieb- und stichfest** *adj* inconfutabile.
hielt [hi:lt] *imp von* **halten.**
hier [hi:ɐ̯] *adv* **1.** *(an diesem Ort)* qui, qua, in questo posto; *(auf Erden)* in questo mondo; **2.** *(in diesem Augenblick)* a questo punto; *(bei diesen Worten)* a queste parole; **dieser** ~ questo qui; **der (***o* **dieser) Brief** ~ questa lettera qui; ~ **und da** qua e là; **von** ~ da qui; **von** ~ **an** da qui in poi; ~ **ist/sind . . .** ecco . . .; ~ **bin ich** eccomi qua; **ich bin nicht von** ~ non sono di qui.
Hierarchie [hierar'çi:, ...i:ən] ⟨-, -n⟩ *f* gerarchia *f*.
hierarchisch [...'rarçıʃ] *adj* gerarchico.
hierauf ['hi:'rauf, *hinweisend:* 'hi:rauf] *adv* **1.** *(räumlich)* qui, su di ciò; **2.** *(zeitlich)* dopo di ciò, poi; *(infolgedessen)* quindi.
hierdurch ['hi:ɐ̯'dʊrç, *hinweisend:* 'hi:ɐ̯dʊrç] *adv* **1.** *(örtlich)* per di qua; **2.** *fig* da ciò, con ciò, così.
hierfür ['hi:ɐ̯'fy:ɐ̯, *hinweisend:* 'hi:ɐ̯fy:ɐ̯] *adv* per ciò, per questo; *(als Gegenleistung)* in cambio di ciò.
hierher ['hi:ɐ̯'he:ɐ̯, *hinweisend:* 'hi:ɐ̯he:ɐ̯] *adv* qua, qui; **bis** ~ *(örtlich)* fin qui; *(zeitlich)* finora, fino adesso; **das gehört nicht** ~ questo non c'entra; ~! (vieni) qua!, a me!
hierhin ['hi:ɐ̯'hın, *hinweisend:* 'hi:ɐ̯hın] *adv* qui; **bis** ~ fin qui.
hiermit ['hi:ɐ̯'mıt, *hinweisend:* 'hi:ɐ̯mıt] *adv* con questo, con ciò; *(im Brief)* con la presente.
hierzu ['hi:ɐ̯'tsu:, *hinweisend:* 'hi:ɐ̯tsu:] *adv* **1.** *(zu diesem)* a ciò, a questo; **2.** *(zu diesem Zweck)* a questo scopo; **3.** *(zu diesem Punkt)* a questo proposito; ~ **kommt noch, daß . . .** a ciò si aggiunge che . . .; **vgl.** ~ **Seite 87** cfr. in merito pagina 87.
hierzulande ['hi:ɐ̯tsu'landə] *adv* (qui) da noi, in questo paese.
hiesig ['hi:zıç] *adj* locale, di qui; *(einheimisch)* indigeno, nativo.
hieß [hi:s] *imp von* **heißen.**
Hi-Fi ['haifi *o* 'haı'faı] *abk von* **High-Fidelity** hi-fi. **Hi-Fi-Anlage** *f* impianto *m* hi-fi.
high [haı] ⟨*inv*⟩ *adj sl (von Rauschgift)* flippato, high *sl.*
Highlife ['hailaif] ⟨-s, ø⟩ *n* high life *f;* ~ **machen** *fam* festeggiare, fare baldoria.
High-Tech ['hai'tɛk] ⟨-s, ø⟩ *n* alta tecnologia *f*.
Hildegard ['hıldəgart] *(weiblicher Vorname)* Ildegarda.
Hilfe ['hılfə] ⟨-, -n⟩ *f (a. Hilfsperson, Hilfsmittel)* aiuto *m; (Unterstützung)* appoggio *m; (Beistand, bes. med)* assistenza *f; inform (~funktion, ~system)* help *m;* **Erste** ~ pronto soccorso; **jdn um** ~ **bitten** chiedere aiuto a qu; **um** ~ **rufen** invocare aiuto; **jdm zu** ~ **kommen** venire in aiuto (*o* soccorso) a qu; **mit** ~ **von** con l'aiuto di, per mezzo di; **(zu)** ~! aiuto!. **Hilferuf** *m* **1.** *(Schrei)* grido *m* di aiuto; **2.** *fig (Bitte um Hilfe)* chiamata *f* di soccorso.
hilflos *adj* **1.** *(allein)* privo d'aiuto, impotente; **2.** *(ratlos)* perplesso. **hilfreich** *adj* caritatevole.
Hilfsarbeiter(in) *m(f)* manovale *mf*, bracciante *mf*, operaio, -a *m*, *f* ausiliario, -a. **hilfsbedürftig** *adj* bisognoso d'aiuto, indigente. **hilfsbereit** *adj* pronto ad aiutare, servizievole. **Hilfskraft** *f* aiuto *m*, assistente *mf;* **wissenschaftliche** ~ assistente *mf* ricercatore, -trice. **Hilfsmittel** *n* aiuto *m*, ausilio *m*, mezzo *m*. **Hilfsorganisation** organizzazione (*o* iniziativa) *f* umanitaria. **Hilfsverb** *n* (verbo *m*) ausiliare *m*.
hilft [hılft] *pr von* **helfen.**
Himbeere ['hım-] *f* lampone *m*. **Himbeergeist** *m* distillato *m* di lamponi. **Himbeerstrauch** *m* lampone *m*.
Himmel ['hıməl] ⟨-s, *rar* -⟩ *m* **1.** *(a. fig)* cielo *m;* **2.** *(Thron~, Altar~)* baldacchino *m;* **der** ~ **auf Erden** il paradiso (*o* il cielo) in terra; ~ **und Erde (***o* **Hölle) in Bewegung setzen** muovere cielo e terra, far fuoco e fiamme *fam;* **jdn/etw. in den** ~ **heben (***o* **loben)** portare qu/qc alle stelle; **am** ~ in cielo; **im** ~ in paradiso; **das schreit zum** ~ grida vendetta; **das stinkt zum** ~ *fam* è uno scandalo, ciò grida vendetta davanti a Dio; **(das) weiß der** ~! *fam* lo sa il cielo; **du lieber** ~! santo cielo!; **um** ~**s willen!** per l'amor del cielo (*o* di Dio)!. **himmelangst** ['hıməl'ʔaŋst] *adj:* **mir ist** ~ ho una paura del diavolo *fam.* **Himmelbett** *n* letto *m* a cielo (*o* a baldacchino). **himmelblau** *adj* celeste. **Himmelfahrt** *f rel:* **Christi** ~ Ascensione *f;* **Mariä** ~ Assunzione *f*. **himmelhoch** ['hıməl'ho:x] *adj* altissimo; ~ **jauchzend, zu Tode betrübt sein** alternare momenti di esaltazione a fasi depressive. **Himmelreich** *n* regno *m* dei cieli. **Himmelskörper** *m* corpo *m* celeste; *(Gestirn)* stella *f*. **Himmelsrichtung** *f* punto *m* cardinale.
himmlisch ['hımlıʃ] *adj* **1.** *(göttlich)* celeste, del cielo; **2.** *fig (wunderbar)* celestiale.
hin [hın] **I.** *adv* **1.** *(örtlich)* là, verso quel luogo; **2.** *(zeitlich)* per; **das H~ und Her** il viavai, l'andirivieni; ~ **und her gehen** andare qua e là; ~ **und her überlegen** riflettere a lungo, ponderare; ~-

und hergerissen sein (*o* **werden)** *fig* essere sospeso tra sentimenti opposti; ~ **und her** qua e là, su e giù; ~ **und wieder** di quando in quando, di tanto in tanto; ~ **und zurück** *(Fahrkarte)* andata e ritorno; **auf ihre Aussage** ~ alla sua dichiarazione; **auf ihre Veranlassung** ~ per sua iniziativa; **auf ihre Vermittlung** ~ in seguito al suo intervento; **auf die Gefahr** ~, **daß ...** a rischio di *+inf;* **nach langem** (*o* **vielem) H~ und Her** *fam* dopo un lungo tiremmolla *fam;* **wo gehst du** ~? *fam* dove vai?; **wo ist er** ~? dov'è andato?; **Dankbarkeit** ~, **Dankbarkeit her!** gratitudine o non gratitudine!; **II.** *adj fam* **1.** *(verflossen)* finito, passato; **2.** *(kaputt)* rotto; **3.** *(begeistert)* senza parole.

hinab [hɪˈnap] *s.* **hinunter.**

hin·arbeiten *itr:* **auf etw.** *(akk)* ~ mirare a qc, sforzarsi di raggiungere qc.

hinauf [hɪˈnauf] *adv* in su, in alto; **da** ~ su per di qua. **hinauf·fahren** ⟨*irr*⟩ **I.** *itr* ⟨*sein*⟩ andare su, salire; *(einen Fluß)* risalire; **II.** *tr* ⟨*haben*⟩ portare su. **hinauf·gehen** ⟨*irr*⟩ *itr* ⟨*sein*⟩ andare su; *(Preis, Fieber)* salire.

hinaus [hɪˈnaus] *adv* fuori; **da** (*o* **hier)** ~ fuori (per) di qua; **darüber** ~ oltre, più in là; *fig* oltre a ciò; **über** *(+akk)* ... ~ *(räumlich)* al di là di ...; *(zeitlich, mehr als)* oltre; **zum Fenster/zur Tür** ~ fuori dalla finestra/porta; **wo geht es** ~? dov'è l'uscita?; ~ **mit Ihnen!** esca!, fuori!, se ne vada!. **hinaus·begleiten** ⟨*ohne ge-*⟩ *tr* accompagnare fuori. **hinaus·gehen** ⟨*irr*⟩ *itr* ⟨*sein*⟩ **1.** *(nach draußen gehen)* andare fuori, uscire; **2.** *(Zimmer, Fenster)* dare *(auf +akk, nach* su); **3.** *fig (überschreiten)* superare *(über +akk* qc). **hinaus·laufen** ⟨*irr*⟩ *itr* ⟨*sein*⟩ *(nach draußen laufen)* correre fuori, uscire di corsa; **auf etw.** *(akk)* ~ *fig* andare a finire in qc, portare a qc; **auf eins** (*o* **dasselbe)** ~ essere la stessa cosa. **hinaus·lehnen** *rfl:* **sich** ~ sporgersi. **hinaus·schieben** ⟨*irr*⟩ *tr (aufschieben)* rimandare, differire. **hinaus·werfen** ⟨*irr*⟩ *tr* **1.** *(Sache)* gettare (*o* buttare) fuori; **2.** *fam (unliebsame Person)* buttare fuori; *(entlassen)* licenziare; *(kündigen)* sfrattare, sbatter fuori *fam.* **hinaus·wollen** ⟨*irr*⟩ *itr (nach draußen wollen)* voler uscire *(aus* da); **hoch** ~ mirare in alto; **auf etw.** *(akk)* ~ *fig* mirare a qc, tendere a qc; **worauf wollen Sie hinaus?** dove vuole andare a parare?

Hinblick *m:* **in** (*o* **im)** ~ **auf** *+akk* riguardo a, in considerazione di; **im** ~ **darauf, daß ...** in considerazione del fatto che ..., tenendo conto che ...

hindern [ˈhɪndɐn] *tr* **1.** *(abhalten)* impedire *(an +dat* di); **2.** *(hemmen)* ostacolare *(bei* in).

Hindernis ⟨-ses, -se⟩ *n* **1.** *allg., fig, sport* ostacolo *m;* **2.** *(Behinderung, a. jur)* impedimento *m.*

Hindu [ˈhɪndu] ⟨-(s), -(s)⟩ *m* indù *m.*

hindurch [hɪnˈdʊrç] *adv* **1.** *(örtlich)* attraverso; **2.** *(zeitlich)* per, durante; **das ganze Jahr** ~ per (*o* durante) tutto l'anno; **Jahre** ~ per anni.

hinein [hɪˈnain] *adv* dentro; **mitten in etw.** *(akk)* ~ dentro/in mezzo a qc, nel bel mezzo di qc; **bis tief in die Nacht** ~ fino a notte avanzata.

hinein·denken ⟨*irr*⟩ *rfl:* **sich** ~ immedesimarsi; **sich in jds Lage** ~ mettersi nei panni di qu.

heinein·fressen ⟨*irr*⟩ *tr fam* ingoiare, ingozzare; *fig (Ärger)* mandare giù, sopportare.

hinein·gehen ⟨*irr*⟩ *itr* ⟨*sein*⟩ **1.** *(in etw. ~)* andare dentro, entrare; **2.** *(nach innen gehen)* penetrare; **3.** *(hineinpassen)* starci.

hinein·legen *tr* **1.** *(nach innen legen)* mettere dentro; **2.** *fig (Gefühl, Ehrgeiz)* metterci.

hinein·passen *itr* **1.** *(Platz haben)* trovar posto *(in +akk* in); **2.** *fig* essere adatto *(in +akk* a, per).

hinein·stecken *tr* **1.** *(hineinlegen, -setzen, -stellen)* mettere dentro; *(Stecker, Nadel)* infilare; **2.** *fam (Geld)* investire; *(Zeit, Mühe, Arbeit)* investire, impiegare.

hinein·steigern *rfl:* **sich in etw.** *(akk)* ~ lasciarsi trasportare a qc.

hinein·versetzen ⟨*ohne ge-*⟩ *rfl:* **sich in jdn** (*o* **jds Lage)** ~ mettersi nei panni di qu.

hin·fahren ⟨*irr*⟩ **I.** *itr* ⟨*sein*⟩ andare là, andarci; *(wegfahren)* andare via; **II.** *tr* ⟨haben⟩ condurre, portare là.

Hinfahrt *f* (viaggio *m* di) andata *f;* **Hin- und Rückfahrt** andata *f* e ritorno *m;* **auf der** ~ all'andata.

hin·fallen ⟨*irr*⟩ *itr* ⟨*sein*⟩ cadere (per terra); **lang** (*o* **der Länge nach)** ~ cadere lungo disteso.

hinfällig *adj* **1.** *(altersschwach)* cadente; *(kränklich)* malaticcio, debole; **2.** *(ungültig)* non valido, nullo.

hing [hɪŋ] *imp von* **hängen.**

Hingabe *f (Widmung)* dedizione *f; (Begeisterung)* fervore *m; (Leidenschaft)* passione *f; (Eifer)* zelo *m;* **mit** ~ **tanzen** ballare con passione.

hin·geben ⟨*irr*⟩ **I.** *tr* sacrificare; **II.** *rfl:* **sich einer S.** *(dat)* ~ dedicarsi a qc; **sich jdm** ~ darsi a qu.

hingegen [hɪnˈgeːgən] *adv* invece.

hin·gehen ⟨*irr*⟩ *itr* ⟨*sein*⟩ **1.** *(räumlich)* andare là, andarci; **2.** *(Zeit)* passare; **diesmal mag es noch** ~ per questa volta passi.

hingerissen *adj* entusiasta, incantato.

hin·halten ⟨*irr*⟩ *tr* **1.** *(entgegenstrecken)* tendere, porgere; **2.** *fig (warten lassen)* tenere a bada. **Hinhaltetaktik** *f* tattica *f* di rinvio.

hin·hauen ⟨*irr*⟩ *fam* **I.** *tr (Arbeit)* buttar giù *fam;* **II.** *itr* **1.** *(klappen)* riuscire; **2.** *(gutgehen)* andare bene; **3.** *(ausreichen)* bastare; **das haut hin!** è a posto, è in ordine.

hin·hören *itr* ascoltare.

hinken ['hɪŋkən] *itr* ⟨*haben o bei Fortbewegung sein*⟩ essere zoppo, zoppicare; **mit (o auf) dem linken Fuß** ~ zoppicare dal piede sinistro.

hin·knien *itr* ⟨*sein*⟩, *rfl:* **sich** ~ inginocchiarsi, mettersi in ginocchio.

hinlänglich I. *adj* bastante, sufficiente; **II.** *adv* abbastanza, sufficientemente.

hin·legen I. *tr* (de)porre, posare; **II.** *rfl:* **sich** ~ sdraiarsi; *(zu Bett gehen)* coricarsi.

hin·nehmen ⟨*irr*⟩ *tr (Tatsache)* accettare, prendere; *(erdulden)* sopportare; *(Beleidigung)* ingoiare.

Hinreise *f* (viaggio *m* d')andata *f;* **auf der** ~ all'andata.

hin·reißen ⟨*irr*⟩ *tr:* **sich zu etw.** ~ **lassen** lasciarsi trasportare (*o* trascinare) a fare qc. **hinreißend** *adj* affascinante, meraviglioso.

hin·richten *tr* giustiziare.

Hinrichtung *f* esecuzione *f* capitale.

Hinschied ['hɪnʃi:t] ⟨-(e)s, -e⟩ *m CH* decesso *m.*

hin·schmeißen ⟨*irr*⟩ *tr fam* buttare (*o* gettare) là (*o* per terra); *(Arbeit)* mandare a quel paese *fam.*

hin·sehen ⟨*irr*⟩ *itr* guardare (*zu* verso).

hin·setzen I. *rfl:* **sich** ~ sedersi; **II.** *tr* mettere (*o* porre) là.

Hinsicht *f:* **in** ~ **auf** *+akk* riguardo (*o* quanto) a; **in dieser** ~ sotto questo aspetto; **in gewisser** ~ sotto certi aspetti; **in jeder** ~ sotto tutti gli aspetti. **hinsichtlich** *prp +gen* riguardo a, per quanto concerne, quanto a.

hin·stellen I. *tr* **1.** *(Gegenstand)* mettere, porre lì, collocare; **2.** *fig (darstellen)* presentare (*als* come); **II.** *rfl:* **sich** ~ **1.** *(Mensch)* mettersi (*vor +akk* davanti a); **2.** *fig* darsi (*als* per).

hinten ['hɪntən] *adv* **1.** *(räumlich)* (di) dietro; **2.** *(im Hintergrund)* sullo sfondo; **3.** *(hinter anderen)* indietro; **4.** *(am Ende)* in coda, alla fine; **5.** *(weit entfernt)* lontano; **6.** *(auf der Rückseite)* di dietro; **nach** ~ indietro, all'indietro; **das stimmt** ~ **und vorne nicht** *fam* non è affatto vero; **das Geld reicht** ~ **und vorn(e) nicht** *fam* i soldi non bastano assolutamente.

hinter ['hɪntɐ] *prp +dat/+akk* **1.** *(örtlich)* dietro; **2.** *(in der Reihenfolge)* dopo; ~ **die Wahrheit kommen** scoprire la verità; ~ **sich** *(dat)* dietro di sé; ~ **sich** *(dat)* **lassen** *(überholen)* sorpassare; *(übertreffen)* superare; **etw.** *(akk)* ~ **sich bringen** compiere (*o* superare) qc; **etw.** ~ **sich** *(dat)* **haben** aver passato (*o* superato) qc; **sie hat ein bewegtes Leben** ~ **sich** *(dat)* ha avuto una vita movimentata. **Hinterachse** *f* assale *m* posteriore. **Hinterbein** *n* gamba *f* (*o* zampa *f*) posteriore; **sich auf die** ~**e stellen** impennarsi; *fig* impuntarsi, puntare i piedi. **Hinterbliebene** [-'bli:bənə] ⟨ein -r, -n, -n⟩ *mf* superstite *mf.*

hintereinander [-ʔa͜i'nandɐ] *adv* **1.** *(örtlich)* uno dietro l'altro, in fila; **2.** *(zeitlich)* uno dopo l'altro; *(Reihenfolge)* successivamente; ~ **gehen** andare in fila; **sich** ~ **aufstellen** mettersi in fila; **fünfmal** ~ cinque volte di fila; **zwei Jahre** ~ due anni di fila (*o* consecutivi).

hintere(r, s) *adj* posteriore, di dietro, ultimo, -a.

Hintergedanke *m* pensiero *m* segreto, secondo fine *m.*

Hintergrund *m* sfondo *m; theat, fig* retroscena *m; (sozialer, kultureller)* retroterra *m,* background *m;* **im** ~ **bleiben** *fig* restare nell'ombra; **in den** ~ **treten** *fig* passare in seconda linea (*o* in secondo piano). **hintergründig** [-grʏndɪç] *adj* recondito, nascosto.

Hinterhalt *m* imboscata *f,* agguato *m.* **hinterhältig** [-hɛltɪç] *adj* subdolo, perfido.

hinterher [-'he:ɐ̯ *o* 'hɪntɐ-] *adv* **1.** *(räumlich)* (di) dietro; **2.** *(zeitlich)* dopo, poi, in seguito. **hinterher·laufen** ⟨*irr*⟩ *itr* ⟨*sein*⟩*:* **jdm** ~ correr dietro a qu.

Hinterhof *m* cortile *m* interno. **Hinterkopf** *m* occipite *m.* **Hinterland** *n* retroterra *m,* entroterra *m.*

hinterlassen *tr* **1.** *(Erbe)* lasciare in eredità; **2.** *(Nachricht)* lasciare detto.

hinterlegen [-'le:gən] ⟨*ohne ge-*⟩ *tr* depositare.

Hinterlist *f* perfidia *f,* malignità *f.*

hinterlistig *adj* perfido, maligno.

Hintern ⟨-s, -⟩ *m fam* didietro *m,* culo *m fam.*

Hinterrad *n* ruota *f* posteriore. **Hinterradantrieb** *m* trazione *f* posteriore.

hinterste(r, s) ⟨*superl von* hintere⟩ *adj* ultimo, -a.

Hinterteil *n* **1.** *allg.* parte *f* posteriore; **2.** *scherz (Gesäß)* sedere *m.*

hintertreiben [-'tra͜ibən] ⟨*irr, ohne ge-*⟩ *tr* mandare a monte, render vano.

Hintertupfing(en) [-'tʊpfɪŋ(ən)] ⟨-s, ø⟩ *n fam* paesetto *m* sperduto.

Hintertür *f* porta *f* posteriore; *fig* scappatoia *f;* **sich** *(dat)* **eine** ~ **(o ein Hintertürchen) offenlassen** lasciarsi aperta una via di scampo.

hinterziehen [-'tsi:ən] ⟨*irr, ohne ge-*⟩ *tr (Geld)* sottrarre; *(Steuern, Zoll)* frodare, evadere.

hinüber [hɪ'ny:bɐ] *adv* di là, dall'altra parte; **da** ~ per di qua; **über etw.** *(akk)*

~ al di sopra di qc, dall'altra parte di qc. **hinüber·springen** ⟨*irr*⟩ *itr* ⟨*sein*⟩ saltare di là, passare di là con un salto.

hinunter [hɪ'nʊntə] *adv* giù, abbasso; **den Berg** ~ giù per la montagna. **hinunter·fahren** ⟨*irr*⟩ *itr* ⟨*sein*⟩ scendere (con un veicolo). **hinunter·fallen** ⟨*irr*⟩ *itr* ⟨*sein*⟩ cadere giù. **hinunter·gehen** ⟨*irr*⟩ *itr* ⟨*sein*⟩ scendere. **hinunter·schlucken** *s.* **herunterschlucken. hinunter·werfen** ⟨*irr*⟩ *tr* gettare (*o* buttare) giù; **jdn die Treppe** ~ gettare qu giù dalle scale.

Hinweg ['hɪnve:k] *m* andata *f;* **auf dem** ~ all'andata.

hinweg·gehen [hɪn'wɛk-] ⟨*irr*⟩ *itr* ⟨*sein*⟩*:* **über etw.** *(akk)* ~ *fig* ignorare qc, passare sopra a qc. **hinweg·kommen** ⟨*irr*⟩ *itr* ⟨*sein*⟩*:* **über etw.** *(akk)* ~ *fig* superare qc, non pensare più a qc. **hinweg·sehen** ⟨*irr*⟩ *itr* **1.** *(räumlich)* guardare (*über +akk* al di sopra di); **2.** *fig (ignorieren)* passare (*über +akk* sopra). **hinweg·setzen** *rfl:* **sich über etw.** *(akk)* ~ non tener conto di qc.

Hinweis ['hɪnvais] ⟨-es, -e⟩ *m* **1.** *(Rat, Anhaltspunkt)* indicazione *f,* informazione *f,* avvertimento *m;* **2.** *(Verweis)* rimando *m* (*auf +akk* a); **3.** *(Anspielung)* allusione *f* (*auf +akk* a), accenno *m* (*auf +akk* a); **unter** ~ **auf** *+akk* accennando a, facendo presente.

hin·weisen ⟨*irr*⟩ **I.** *tr:* **jdn auf etw.** *(akk)* ~ far notare qc a qu, richiamare l'attenzione di qu su qc; **II.** *itr:* **auf etw.** *(akk)* ~ indicare qc, accennare qc, segnalare qc; **darauf** ~, **daß** . . . far notare che . . .

hin·ziehen ⟨*irr*⟩ *rfl:* **sich** ~ *(zeitlich)* protrarsi, andare per le lunghe; **sich zu jdm hingezogen fühlen** sentirsi attratto da qu; **sich zu etw. hingezogen fühlen** avere inclinazione per qc.

hinzu [hɪn'tsu:] *adv* **1.** *(örtlich)* vi; **2.** *(außerdem)* inoltre; **3.** *(obendrein)* per di più. **hinzu·fügen** *tr* aggiungere (*zu* a). **hinzu·kommen** ⟨*irr*⟩ *itr* ⟨*sein*⟩ **1.** *(Personen)* sopraggiungere; *(Dinge, Tatsachen)* aggiungersi.

Hiobsbotschaft ['hi:ɔps-] *f* annuncio *m* funesto, notizia *f* infausta.

Hirn [hɪrn] ⟨-(e)s, -e⟩ *n* cervello *m.* **hirngeschädigt** *adj* cerebroleso. **Hirngespinst** [-gəʃpɪnst] ⟨-(e)s, -e⟩ *n* fantasticheria *f,* fantasia *f,* chimera *f.* **Hirnhaut** *f* meninge *f.* **Hirnhautentzündung** *f* meningite *f.* **hirnrissig, hirnverbrannt** [-fɛɐ̯brant] *adj fam* pazzo, folle. **Hirnschlag** *m* colpo *m* apoplettico. **Hirntod** *m* morte *f* cerebrale.

Hirsch [hɪrʃ] ⟨-(e)s, -e⟩ *m* cervo *m.* **Hirschkuh** *f* cerva *f.*

Hirse ['hɪrzə] ⟨-, *rar* -n⟩ *f* miglio *m.*

Hirt(in) ['hɪrt(ɪn)] ⟨-en, -en⟩ *m(f)* pastore, -a *m, f.* **Hirtenbrief** *m* lettera *f* pastorale.

hissen ['hɪsən] *tr (Fahne)* issare; *(Segel)* alzare.

Historiker(in) [hɪs'to:rɪkɐ (...ərɪn)] ⟨-s, -⟩ *m(f)* storico, -a *m, f.*

historisch *adj* storico.

Hit [hɪt] ⟨-s, -s⟩ *m* hit *m.* **Hitliste** *f* classifica *f* delle canzoni di successo. **Hitparade** *f* hitparade *f.*

Hitze ['hɪtsə] ⟨-, ø⟩ *f* **1.** *allg.* gran caldo *m,* gran calura *f;* **2.** *fig (Leidenschaft)* ardore *m; (Eifer)* fervore *m;* **bei mittlerer** ~ **backen** cuocere in forno a temperatura media. **hitzebeständig** *adj* resistente al calore, refrattario. **Hitzebläschen** [-blɛ:sçən] ⟨-s, -⟩ *n* sudamina *f.* **hitzeempfindlich** *adj* sensibile al calore. **Hitzeschild** *m* scudo *m* termico.

hitzig *adj* **1.** *(leicht erregbar)* irritabile, irascibile; *(heftig)* violento; **2.** *(Debatte)* acceso.

Hitzschlag *m* colpo *m* di calore.

HIV [ha:ʔi:'fau] *n* (*abk von* **Human Immunodeficiency Virus)** HIV *m.* **HIV-negativ** *adj* sieronegativo. **HIV-positiv** *adj* sieropositivo. **HIV-Positive** ⟨ein -r, -n, -n⟩ *mf* sieropositivo, -a *m, f.*

Hiwi ['hi:vi] ⟨-(s), -s⟩ *m sl (an Universität)* assistente *m* universitario.

hl. *abk von* **heilig** S. (*abbr di* santo).

hm *interj* ehm.

H-Milch ['ha:-] *f* latte *m* sterilizzato a lunga conservazione.

HNO-Arzt [ha:ɛn'ʔo:-] *m,* **-Ärztin** *f* otorinolaringoiatra *mf,* otorino *m fam.*

hob [ho:p] *imp von* **heben.**

Hobby ['hɔbi] ⟨-s, -s⟩ *n* hobby *m,* svago *m* preferito.

Hobel ['ho:bəl] ⟨-s, -⟩ *m* pialla *f.*

hobeln *tr* piallare; **wo gehobelt wird, da fallen Späne** *prov* non si fanno frittate senza rompere le uova *prov.*

hoch [ho:x] **I.** ⟨höher, höchste⟩ *adj* **1.** *(räumlich)* alto; **2.** *(Ton)* acuto; **3.** *(Zahl, Preis)* elevato; *(Alter)* avanzato; **4.** *(Strafe)* duro; *(Geldstrafe)* forte; **5.** *(erhaben)* sublime; *(Ehre)* grande; **6.** *(hervorragend)* eminente; **hoher Feiertag** festa solenne; **das Hohe Gericht** l'Alta corte; **hoher Offizier** ufficiale superiore; **im hohen Norden** all'estremo nord; **in hohem Maße** in alto grado; **das ist mir zu** ~ *fam* questo è troppo difficile per me; **II.** ⟨höher, am höchsten⟩ *adv* molto, altamente, ben; ~ **erfreut sein** essere molto lieto; ~ **und heilig versprechen** promettere solennemente; **6** ~ **4** sei elevato alla quarta potenza; ~ **oben** su in alto; ~ **am Himmel** alto nel cielo; **wenn es** ~ **kommt** *fam* tutt'al più, al massimo; **es geht** ~ **her** si fa baldoria; **wie** ~ **schätzen Sie . . .?** quanto vale secondo Lei . . .?; ~ **lebe der König!** (ev)viva il re!; **er lebe** ~**!** viva!

Hoch ⟨-s, -s⟩ *n* **1.** *meteo* zona *f* di alta pressione, anticiclone *m;* **2.** *(Ruf)* evviva *m.*

Hochachtung *f* stima *f,* rispetto *m,* considerazione *f;* **mit vorzüglicher** ~ *geh* con la massima stima. **hochachtungsvoll** *adv* distinti saluti.

Hochaltar *m* altar(e) *m* maggiore. **Hochamt** *n* messa *f* grande (*o* solenne). **hoch·arbeiten** *rfl:* **sich** ~ farsi strada (lavorando). **hochauflösend** *adj (Bildschirm)* ad alta definizione. **hochbegabt** *adj attr* molto dotato. **Hochbetrieb** *m* massima attività *f.* **hochbrisant** *adj* di grande attualità. **Hochburg** *f* roccaforte *f.* **hochdeutsch** *adj* alto tedesco, tedesco puro (*o* scritto). **hochdotiert** *adj* rimunerato lautamente. **Hochdruck** ⟨-(e)s, ø⟩ *m phys, meteo* alta pressione *f; fig* pressione *f.* **Hochebene** *f* altopiano *m.* **hochfliegend** *adj fig* ambizioso. **Hochform** *f* ottima forma *f.* **Hochgebirge** *n* alta montagna *f.* **Hochgefühl** *n* euforia *f.*

hoch·gehen ⟨*irr*⟩ *itr* ⟨*sein*⟩ **1.** *(nach oben gehen)* salire; *(Vorhang)* alzarsi, levarsi; *(Mine)* esplodere; **2.** *fam (zornig werden)* montare su tutte le furie *fam.*

Hochgenuß *m* godimento *m* ineffabile, voluttà *f.* **Hochgeschwindigkeitszug** *m* treno *m* ultrarapido. **hochgradig** *adj* forte, intenso. **Hochhaus** *n* grattacielo *m.* **hoch·heben** ⟨*irr*⟩ *tr* alzare, sollevare. **hochkant** [-kant] *adv* per (*o* a) coltello, di costa. **Hochkonjunktur** *f* congiuntura *f* favorevole. **Hochland** ⟨-(e)s, -länder *o* -e⟩ *n* altopiano *m.* **Hochleistungssport** *m* sport *m* agonistico. **Hochlohnland** *n* paese *m* ad alto livello salariale. **hochmodern** *adj* modernissimo.

Hochmut *m* superbia *f,* arroganza *f.*

hochmütig [-my:tıç] *adj* superbo, arrogante. **hochnäsig** [-nɛ:ziç] *adj fam pej* presuntuoso, borioso.

Hochofen *m* altoforno *m.* **hochprozentig** *adj* ad alta percentuale; *(Alkohol)* ad alta gradazione alcolica. **hochqualifiziert** *adj* altamente qualificato.

hoch·rechnen I. *tr* prevedere (sulla base di proiezioni parziali); **II.** *itr* fare delle previsioni. **Hochrechnung** *f* previsione *f* (in base a proiezioni parziali), estrapolazione *f.*

Hochsaison *f* alta stagione *f.*

Hochschule *f* istituto *m* superiore, università *f.* **Hochschüler(in)** *m(f)* studente, -essa *m, f* universitario, -a. **Hochschullehrer(in)** *m(f)* professore, -essa *m, f* universitario, -a. **Hochschulreife** *f* maturità *f,* licenza *f* liceale.

hochschwanger *adj* negli ultimi mesi di gravidanza.

Hochsee *f* alto mare *m.* **Hochsicherheitstrakt** *m (im Gefängnis)* supercarcere *m.* **Hochsommer** *m* piena estate *f.* **Hochspannung** *f* alta tensione *f.* **Hochspannungsmast** *m* traliccio *m* di elettrodotto d'alta tensione. **Hochsprung** *m* salto *m* in alto.

höchst [hø:çst] *adv* molto, assai, estremamente, sommamente.

Höchst- *(in Zusammensetzungen)* massimo.

Hochstapler(in) [-ʃta:plɐ (...ərın)] ⟨-s, -⟩ *m(f)* cavaliere *m* d'industria, filibustiere, -a *m, f,* imbroglione, -a *m, f.*

Höchstbetrag *m* importo *m* massimo; **bis zum** ~ **von** fino all'ammontare di.

höchstens *adv* al massimo, tutt'al più.

höchste(r, s) ['hø:çstə] ⟨*superl von* hoch⟩ *adj* **1.** *(räumlich)* (il, la) più alto, -a; **2.** *fig (äußerste)* estremo, -a, massimo, -a, sommo, -a; **das** ~, **was ich tun kann** il massimo che io possa fare; **Freiheit gilt ihm als das** ~ considera la libertà come il massimo bene; **es ist** ~ **Zeit** è proprio ora.

Höchstgeschwindigkeit *f* velocità *f* massima. **höchstpersönlich** [...pɛr'zø:nlıç] *adv* in (*o* di) persona. **höchstwahrscheinlich** [...va:ɐ'ʃainlıç] *adv* con tutta probabilità.

hochstylen [-stailən] *rfl fam:* **sich** ~ farsi un look alla grande.

Hochtechnologie *f* alta tecnologia *f.* **Hochtöner** *m* tweeter *m.* **hochtrabend** ['ho:xtrɐ:bənt] *adj* pomposo, ampolloso. **Hochverrat** *m* alto tradimento *m.* **Hochwasser** *n* **1.** *(bei Flut)* alta marea *f;* **2.** *(von Fluß)* piena *f;* **3.** *(Überschwemmung)* inondazione *f.* **hochwertig** *adj* di gran valore (*o* pregio), prezioso.

Hochzeit ['hɔxtsait] *f* nozze *f pl,* sposalizio *m;* **silberne/goldene/diamantene** ~ nozze d'argento/d'oro/di diamante. **Hochzeitskleid** *n* abito *m* da sposa (*o* nunziale). **Hochzeitsnacht** *f* prima notte *f* di matrimonio. **Hochzeitsreise** *f* viaggio *m* di nozze. **Hochzeitstag** *m* **1.** *(Tag der Eheschließung)* giorno *m* delle nozze; **2.** *(Jahrestag)* anniversario *m* delle nozze.

hocken ['hɔkən] *itr* **1.** *(in Hocke)* essere accoccolato, stare accovacciato; **2.** *fam (sitzen)* stare (seduto).

Hocker ⟨-s, -⟩ *m* sgabello *m.*

Höcker ['hœkɐ] ⟨-s, -⟩ *m* **1.** *(Buckel)* gobba *f;* **2.** *med* gibbosità *f;* **3.** *(Auswuchs)* protuberanza *f,* escrescenza *f.*

Hode ['ho:də] ⟨-, -n⟩ *f,* **Hoden** ⟨-s, -⟩ *m* testicolo *m.* **Hodensack** *m* scroto *m.*

Hof [ho:f] ⟨-(e)s, Höfe⟩ *m* **1.** *(Innen~, Schul~)* cortile *m;* **2.** *(Bauern~)* fattoria *f;* **3.** *(Gerichts~, Fürsten~)* corte *f;* **4.** *astr* alone *m;* **jdm den** ~ **machen** fare la corte a qu, corteggiare qu.

hoffen ['hɔfən] *tr, itr* sperare (*auf +akk* in); **ich hoffe es** lo spero; **ich hoffe nicht** spero di no; ~ **wir das Beste!** speriamo (in) bene.

Hoffnung ['hɔfnʊŋ] ⟨-, -en⟩ *f* speranza *f* (*auf +akk* in); *(Erwartung)* attesa *f* (*auf +akk* di); *(Aussicht)* probabilità *f* (*auf +akk* di); **guter** ~ **sein** *geh* essere in stato interessante; **sich** *(dat)* ~**en machen**

farsi illusioni; **jdm ~ auf etw. machen** far sperare qc a qu; **seine ~ auf etw./jdn setzen** riporre le proprie speranze in qc/qu; **in der ~** nella speranza (*zu* di), sperando (*daß* ... che +*congv*). **hoffnungslos** *adj* senza speranza; *(aussichtslos)* disperato. **Hoffnungsschimmer** *m* barlume *m* di speranza. **Hoffnungsträger(in)** *m(f)* speranza *f.*

höflich ['hø:flıç] *adj* cortese, gentile. **Höflichkeit** ⟨-, -en⟩ *f* cortesia *f*, gentilezza *f.*

hohe *s.* **hoch.**

Höhe ['hø:ə] ⟨-, -n⟩ *f* **1.** *allg., mat, mus* altezza *f; aero* quota *f;* **2.** *(An~)* altura *f*, elevazione *f; (Gipfel~)* vetta *f;* **3.** *(von Betrag)* ammontare *m; (von Steuer, Satz)* tasso *m;* **nicht auf der ~ sein** *fig fam* non essere in forma; **wieder auf der ~ sein** *fig* essere ristabilito; **auf der ~ von** all'altezza di; **auf (***o* **in) halber ~** a mezza costa; **in der (***o* **die) ~** in alto; **das ist (doch) die ~!** *fam* è il colmo! *fam.*

Hoheit ['ho:hait] ⟨-, -en⟩ *f* **1.** ⟨*sing*⟩ *(Erhabenheit)* maestà *f* (*über* +*akk* su); **2.** *(Majestät)* altezza *f; (Anrede)* Sua Altezza. **Hoheitsgebiet** *n* territorio *m* nazionale. **Hoheitsgewässer** *n pl* acque *f pl* territoriali.

Höhenmesser ⟨-s, -⟩ *m* altimetro *m.* **Höhensonne** *f* lampada *f* al quarzo. **Höhenunterschied** *m* dislivello *m.*

Höhepunkt *m* **1.** *allg.* punto *m* culminante; **2.** *(Gipfel)* cima *f*, vetta *f*, culmine *m;* **3.** *fig* apice *m*, vertice *m; (bes. med)* acme *f;* **4.** *fam* colmo *m fam.*

höher ['hø:ɐ] ⟨*komp von* hoch⟩ *adj* più alto (*als* di); *(~liegend)* più elevato (*als* di); *fig* superiore (*als* a); **~e Gewalt** forza maggiore; **~e Schule** scuola secondaria (*o* superiore).

hohe(r, s) ['ho:ə] *s.* **hoch.**

hohl [ho:l] *adj* **1.** *(leer)* cavo; **2.** *(Augen)* infossato; *(Wangen)* incavato; **3.** *(Klang)* cupo; **4.** *fig* vuoto, vacuo; *(nichtssagend)* insulso; *(Gerede)* vuoto, insulso; *(Blick)* vuoto; **aus der ~en Hand trinken** bere dal cavo della mano.

Höhle ['hø:lə] ⟨-, -n⟩ *f* **1.** *(Erd~, Fels~)* caverna *f*, grotta *f;* **2.** *(Hohlraum, a. med)* cavità *f; (Augen~)* orbita *f;* **3.** *(Tier~)* tana *f.* **Höhlenbewohner(in)** *m(f)* cavernicolo, -a *m, f.* **Höhlenforscher(in)** *m(f)* speleologo, -a *m, f.* **Höhlenforschung** *f*, **-kunde** *f* speleologia *f.* **Höhlenmalerei** *f* pittura *f* parietale.

Hohlheit ⟨-, *rar* -en⟩ *f* vacuità *f.* **Hohlkörper** *m* corpo *m* cavo. **Hohlkreuz** *n* lordosi *f* lombosacrale. **Hohlmaß** *n* misura *f* di capacità. **Hohlraum** *m* cavità *f; geol* vacuolo *m.* **Hohlraumversiegelung** *f mot* sigillatura *f* delle cavità.

Hohn [ho:n] ⟨-(e)s, ø⟩ *m* scherno *m; (Spott)* derisione *f; (bitterer ~)* sarcasmo *m.*

höhnen ['hø:nən] **I.** *itr* farsi beffe (*über* +*akk* di); **II.** *tr geh* schernire.

höhnisch I. *adj* derisorio, beffardo, sarcastico; *(Lachen)* sardonico; **II.** *adv* in modo canzonatorio.

Hokuspokus [ho:kʊs'po:kʊs] ⟨-, ø⟩ *m* **1.** *(Zauberformel)* abracadabra *m;* **2.** *pej (fauler Zauber)* raggiro *m;* **3.** *pej (Getue)* sciocchezze *f pl.*

Holding ['hoʊldıŋ] ⟨-, -s⟩ *f* holding *f*, società *f* finanziaria (di controllo).

holen ['ho:lən] *tr* andare (*o* venire) a prendere; **Atem ~** prender fiato; **etw. ~ lassen** mandare a prendere qc; **jdn ~ lassen** mandare a chiamare qu, far venire qu; **sich** *(dat)* **eine Abfuhr ~** ricevere un rabbuffo; **sich** *(dat)* **eine Krankheit ~** *fam* buscarsi (*o* beccarsi) una malattia; **sich** *(dat)* **einen Schnupfen ~** *fam* pigliarsi (*o* prendersi) un raffreddore *fam;* **sich** *(dat)* **bei jdm Rat ~** chiedere consiglio a qu; **da ist nichts zu ~** non se ne ricava nulla.

Holland ['hɔlant] *n* Olanda *f.*

Holländer(in) ['hɔlɛndɐ (...ərın)] ⟨-s, -⟩ *m(f)* olandese *mf.*

holländisch *adj* olandese.

Hölle ['hœlə] ⟨-, ø⟩ *f* inferno *m;* **in die ~ kommen** andare all'inferno; **jdm das Leben zur ~ machen** *fam* rendere la vita insopportabile a qu; **jdm die ~ heiß machen** *fam* non dar tregua a qu; **das ist die ~ auf Erden** è un inferno; **in der Chefetage ist die ~ los** sul piano del capo sta succedendo un pandemonio. **Höllenlärm** ['hœlən'lɛrm] *m* baccano *m* infernale. **Höllenstein** *m* pietra *f* infernale.

höllisch *adj* **1.** *(die Hölle betreffend)* infernale, dell'inferno, d'inferno; **2.** *fam (riesig)* enorme; **~ aufpassen** *fam* stare attentissimo; **das tut ~ weh** *fam* fa un male cane *fam.*

Hollywoodschaukel ['hɔlıwʊd-] *f* divano *m* a dondolo.

Holocaust ['ho:lokaust] ⟨-s, ø⟩ *m* olocausto *m.*

Holographie [hologra'fi:] *f* olografia *f.*

holp(e)rig ['hɔlp(ə)rıç] *adj* **1.** *(Weg)* accidentato, ineguale; **2.** *fig (Stil)* scabro; *(Vers)* zoppicante.

Holunder [ho'lʊndɐ] ⟨-s, -⟩ *m*, **Holunderbaum** *m* sambuco *m.*

Holz [hɔlts] ⟨-es, Hölzer⟩ *n (Material, Stück)* legno *m; (Brenn~)* legna *f; (Nutz~)* legname *m;* **aus einem anderen ~ (geschnitzt) sein** *fig* essere di (ben) altra tempra; **aus demselben ~ (geschnitzt) sein** *fig* essere della stessa tempra; **(viel) ~ vor der Hütte haben** *fam scherz* avere un bel davanzale *fam.* **Holzbein** *n* gamba *f* di legno.

hölzern ['hœltsɐn] *adj* **1.** *(aus Holz)* di legno, ligneo; **2.** *(holzartig)* legnoso; **3.** *fig (Haltung)* rigido; *(schwerfällig)* pesante.

Holzfäller ⟨-s, -⟩ *m* boscaiolo *m*. **holzfrei** *adj* che non contiene cellulosa. **Holzhammer** *m* mazzuolo *m*.
holzig *adj* legnoso.
Holzklotz *m* ceppo *m*. **Holzkohle** *f* carbone *m* di legna. **Holzscheit** *n* (pezzo *m* di) legno *m*. **Holzschnitt** *m* silografia *f*. **Holzschuh** *m* zoccolo *m*. **Holzstich** *m* silografia *f*. **Holzstoß** *m* catasta *f* di legna. **Holzweg** *m*: **auf dem ~ sein** *fam* sbagliarsi di grosso. **Holzwolle** *f* lana *f* di legno. **Holzwurm** *m* tarlo *m*.
Homecomputer ['hoʊmkɔm'pju:tɐ] ⟨-s, -⟩ *m* personal *m*. **Hometrainer** ['hoʊm-'treɪnɐ] ⟨-s, -⟩ *m s.* **Heimtrainer**.
homogen [homo'ge:n] *adj* omogeneo.
homogenisieren [...geni'zi:rən] ⟨*ohne ge-*⟩ *tr* omogeneizzare.
homonym [homo'ny:m] *adj* omonimo. **Homonym** ⟨-(e)s, -e⟩ *n* omonimo *m*.
Homöopath(in) [homøo'pat(ɪn)] ⟨-en, -en⟩ *m(f)* omeopatista *mf*, medico *m* omeopatico.
Homöopathie [homøopa'ti:] ⟨-, ø⟩ *f* omeopatia *f*.
homöopathisch *adj* omeopatico.
homosexuell [homo-] *adj* omosessuale.
Homosexuelle ⟨ein -r, -en, -en⟩ *mf* omosessuale *mf*.
Honig ['ho:nɪç] ⟨-s, ø⟩ *m* miele *m*; **jdm ~ ums Maul schmieren** *fam* essere tutto miele con qu; **mit ~ gesüßt** mielato. **Honigkuchen** *m* panpepato *m*. **Honigmelone** *f* melone *m*. **Honigwabe** *f* favo *m*.
Honorar [hono'ra:ɐ̯] ⟨-s, -e⟩ *n* onorario *m*.
Honoratioren [honora'tsio:rən] ⟨*pl*⟩ notabili *m pl*.
honorieren [hono'ri:rən] ⟨*ohne ge-*⟩ *tr* **1.** *(Anwalt, Arzt)* pagare un onorario a, retribuire; *(Wechsel)* onorare; **2.** *fig (würdigen)* onorare.
Hooligan ['hu:lɪgn̩] ⟨-s, -s⟩ *m* hooligan *m*, teppista *mf*.
Hopfen ['hɔpfən] ⟨-s, -⟩ *m* luppolo *m*; **da ist ~ und Malz verloren** *fam* è fatica sprecata.
hoppeln ['hɔpəln] *itr* ⟨*sein*⟩ saltellare.
hoppla ['hɔpla] *interj fam* opplà.
hopsen ['hɔpsən] *itr* saltellare.
hopsgehen *itr fam* **1.** *(verschwinden)* andare in fumo, sparire; **2.** *(zerbrechen)* rompersi; **3.** *(sterben)* andare al creatore.
hörbar *adj* udibile, percettibile.
horchen ['hɔrçən] *itr* ascoltare (*auf etw./jdn* qc/qu); *(heimlich)* stare in ascolto (*o* a sentire); **an der Tür ~** origliare; **horch!** ascolta!
Horde ['hɔrdə] ⟨-, -n⟩ *f* orda *f*.
hören ['hø:rən] **I.** *tr* **1.** *allg.* udire, sentire; **2.** *(hin~, zu~)* ascoltare; **3.** *(erfahren)* apprendere, sentire (parlare), venire a sapere; **eine Vorlesung ~** assistere a una lezione universitaria; **ich will nichts mehr von Fußball ~** non ne voglio più sapere del calcio; **II.** *itr* **1.** *allg.* udire, sentire; **2.** *(hin~, zu~)* ascoltare (*auf etw./jdn* qc/qu); **3.** *(gehorchen)* ubbidire (*auf +akk* a), dar retta (*auf +akk* a); **gut ~** sentire bene, avere un udito fine; **schwer (*o* schlecht) ~** essere sordo (*o* duro d'orecchi); **nur auf einem Ohr ~** essere sordo da un orecchio; **nichts von sich** *(dat)* **~ lassen** non dare notizie di sé, non farsi vivo; **sie hört auf den Namen Maria** si chiama Maria; **er hört sich gern reden** gli piace parlare; **dabei wird ihm H~ und Sehen vergehen** rimarrà senza fiato; **das läßt sich (schon) ~** questo è positivo; **Sie werden (noch) von mir ~** avrete mie notizie; *(als Drohung)* sentirete (ancora) parlare di me!; **hör mal!** senti un po'!; **(na) ~ Sie mal!** che cosa Le salta in mente!; **wer nicht ~ will, muß fühlen** *prov* chi non vuole ascoltare consigli, dovrà imparare a sue spese.
Hörensagen *n*: **vom ~** per sentito dire.
Hörer ⟨-s, -⟩ *m (Telefon~)* ricevitore *m*; *(Kopf~)* (ricevitore *m* a) cuffia *f*.
Hörer(in) ⟨-s, -⟩ *m(f) (Radio~)* ascoltatore, -trice *m, f*; *(Universitäts~)* uditore, -trice *m, f*. **Hörerschaft** ⟨-, *rar* -en⟩ *f* uditorio *m*.
Hörgerät *n* apparecchio *m* acustico.
hörig *adj* **1.** *hist* asservito, soggetto a servitù; **2.** *psych* succubo; **jdm ~ sein** dipendere (sessualmente) da qu.
Horizont [hori'tsɔnt] ⟨-(e)s, -e⟩ *m* orizzonte *m*; **am ~** all'orizzonte; **das geht über meinen ~** non ci arrivo *fam*.
horizontal [...'ta:l] *adj* orizzontale. **Horizontale** ⟨-, -n⟩ *f* (linea *f*) orizzontale *f*.
Hormon [hɔr'mo:n] ⟨-s, -e⟩ *n* ormone *m*. **Hormonbehandlung** *f* trattamento *m* ormonale. **Hormonhaushalt** *m* equilibrio *m* ormonale.
Horn [hɔrn] ⟨-(e)s, Hörner⟩ *n a. mus* corno *m*; **jdm Hörner aufsetzen** *fam* mettere le corna a qu *fam*; **sich** *(dat)* **die Hörner abstoßen** *fig fam* rompersi le corna *fam*; **ins gleiche ~ stoßen** *fig fam* avere grande affinità d'idee.
Hornhaut *f* **1.** *(Schwiele)* callosità *f*, durone *m*; **2.** *(am Auge)* cornea *f*.
Hornisse [hɔr'nɪsə] ⟨-, -n⟩ *f* calabrone *m*.
Hornist(in) [hɔr'nɪst(ɪn)] ⟨-en, -en⟩ *m(f)* suonatore, -trice *m, f* di corno.
Horoskop [horo'sko:p] ⟨-s, -e⟩ *n* oroscopo *m*.
Hörprothese *f* protesi *f* acustica, audioprotesi *f*.
Horror ['hɔrɔr] ⟨-s, ø⟩ *m* orrore *m* (*vor +dat* di, per). **Horrorfilm** *m* film *m* dell'orrore. **Horrorszene** *f* scena *f* terrificante (*o* agghiacciante). **Horrortrip** *m sl* **1.** *(Rauschgift~)* viaggio *m* allucinante; **2.** *fig* esperienza *f* allucinante.
Hörsaal *m* uditorio *m*. **Hörspiel** *n* radio-

dramma *m*.

Horst [hɔrst] ⟨-(e)s, -e⟩ *m* **1.** *(Adler~)* nido *m* (di uccello rapace); **2.** *(Flieger~)* base *f* aerea.

Hörsturz *m* ipoacusia *f* improvvisa.

Hort [hɔrt] ⟨-(e)s, -e⟩ *m (Kinder~)* asilo *m* infantile.

horten ['hɔrtən] *tr* accumulare.

Höschen ['hø:sçən] ⟨-s, -⟩ *n* mutandine *f pl*, slip *m*. **Höschenwindel** *f* pannolino-mutandina *m*.

Hose ['ho:zə] ⟨-, -n⟩ *f* pantaloni *m pl*, calzoni *m pl; (kurze ~, Knie~)* calzoncini *m pl*, pantaloni *m pl* corti; *(Unter~)* mutande *f pl;* **die ~n anhaben** *fig fam* portare i calzoni, comandare; **sich** *(dat)* **(vor Angst) in die ~n machen** *fig fam* farsela addosso (per la paura) *volg;* **das Baby hat in die ~ gemacht (***o* **hat die ~ voll)** il bambino se l'è fatta addosso *fam;* **die Prüfung ist in die ~n gegangen** *sl* l'esame è andato male; **tote ~ sein** *fam* essere una barba, essere una pizza. **Hosenanzug** *m* tailleur *m* pantalone. **Hosenrock** *m* gonna-pantalone *f*. **Hosenträger** *m pl* bretelle *f pl*.

Hostess, Hosteß [hɔs'tɛs *o* 'hɔs...] ⟨-, -stessen⟩ *f* hostess *f*.

Hostie ['hɔstiə] ⟨-, -n⟩ *f* ostia *f*, particola *f*.

Hotel [ho'tɛl] ⟨-s, -s⟩ *n* albergo *m*, hotel *m*. **Hotelboy** [-bɔy] ⟨-s, -s⟩ *m* ragazzo *m* d'albergo. **Hotelfachschule** *f* scuola *f* alberghiera. **Hotelier** [hotə'lie:] ⟨-s, -s⟩ *m* albergatore *m*. **Hotelverzeichnis** *n* elenco *m* degli alberghi. **Hotelzimmer** *n* camera *f* d'albergo.

Hr. *abk von* **Herr** Sig. *(abbr di* signore).

hü [hy:] *interj* uh; **einmal ~ und einmal hott sagen** *fam* cambiare continuamente idea.

Hubert ['hu:bɛrt] *(männlicher Vorname)* Uberto.

Hubraum ['hu:p-] *m* cilindrata *f*.

hübsch [hʏpʃ] **I.** *adj* bello; *(niedlich)* carino; *(reizend)* grazioso; **eine (ganz) ~e Summe** *fam* una bella somma; **sich ~ machen** farsi bello; **na, ihr beiden H~en!** *fam* allora, bellezze! *fam;* **II.** *adv fam (ziemlich)* abbastanza; **es ~ bleibenlassen** *fam* guardarsene bene.

Hubschrauber ['hu:pʃraubɐ] ⟨-s, -⟩ *m* elicottero *m*.

Huckepacksatellit ['hʊkəpak-] *m* satellite *m* trasportato. **Huckepackverkehr** *m mot* trasporto *m* combinato strada-rotaia.

Huf [hu:f] ⟨-(e)s, -e⟩ *m* zoccolo *m*, unghia *f*. **Hufeisen** *n* ferro *m* di cavallo. **Hufschmied** *m* maniscalco *m*.

Hüfte ['hʏftə] ⟨-, -n⟩ *f* anca *f;* **mit den ~n wackeln** ancheggiare; **bis an die ~** fino ai fianchi. **Hüftgelenk** *n* articolazione *f* dell'anca. **Hüfthalter** *m* guaina *f*.

Hügel ['hy:gəl] ⟨-s, -⟩ *m* colle *m; (kleiner)* collina *f; (Grab~)* tumulo *m*. **hügelig** *adj* collinoso.

Hugo ['hu:go] *(männlicher Vorname)* Ugo.

Huhn [hu:n] ⟨-(e)s, Hühner⟩ *n (Art)* pollo *m; (Gattung)* pollame *m; (Henne)* gallina *f;* **mit den Hühnern aufstehen** *fam* alzarsi con i polli; **du verrücktes/dummes ~!** *fam* (sei) pazzo/(sei un) imbecille!

Hühnchen ['hy:nçən] ⟨-s, -⟩ *n* pollastro *m; gastr* pollo *m;* **mit jdm (noch) ein ~ zu rupfen haben** *fam* avere dei conti da regolare con qu.

Hühnerauge ['hy:nɐ-] *n* occhio *m* di pernice, callo *m*. **Hühnerei** [-ˀai] *n* uovo *m* di gallina. **Hühnerfarm** *f* stabilimento *m* avicolo. **Hühnerhof** *m* bassa corte *f*. **Hühnerleiter** *f* scaletta *f* del pollaio. **Hühnerstall** *m* pollaio *m*.

Hülle ['hʏlə] ⟨-, -n⟩ *f allg.* involucro *m; (Schallplatten~)* copertina *f*, custodia *f; (Cellophan~)* custodia *f;* **in ~ und Fülle** in gran quantità, a bizzeffe.

hüllen *tr* avvolgere (*in +akk* in), coprire (*in +akk* di); **sich in Schweigen (über etw.** *(akk)***) ~** chiudersi nel silenzio (riguardo a qc).

Hülse ['hʏlzə] ⟨-, -n⟩ *f* **1.** *bot* baccello *m; (Schale)* buccia *f;* **2.** *(Geschoß~)* bossolo *m*. **Hülsenfrüchte** *f pl* **1.** *(Pflanzen)* leguminose *f pl;* **2.** *(Früchte)* legumi *m pl*.

human [hu'ma:n] *adj* **1.** *(menschlich)* umano; **2.** *(menschenfreundlich)* umanitario.

Humanismus [huma'nɪsmʊs] ⟨-, ø⟩ *m* umanesimo *m*.

humanistisch *adj* umanista; *hist* umanistico; *(Bildung)* classico.

Humanität [...ni'tɛ:t] ⟨-, ø⟩ *f* umanità *f*.

Hummel ['hʊməl] ⟨-, -n⟩ *f* bombo *m*.

Hummer ['hʊmɐ] ⟨-s, -⟩ *m* gambero *m* di mare.

Humor [hu'mo:ɐ̯] ⟨-s, ø⟩ *m* umorismo *m; (Sinn für ~)* senso *m* dell'umorismo, humour *m;* **~ haben** avere il senso dell'umorismo. **humorlos** *adj* privo di umorismo. **humorvoll** *adj* ricco di umorismo; *(witzig)* spiritoso.

humpeln ['hʊmpəln] *itr* ⟨*haben o bei Fortbewegung sein*⟩ zoppicare.

Hund [hʊnt] ⟨-(e)s, -e⟩ *m*, **Hündin** [['hʏndɪn] *f* cane *m*, cagna *f;* **auf den ~ kommen** *fam* cadere in miseria; **vor die ~e gehen** *fam* andare in rovina; **bekannt sein wie ein bunter ~** *fam* essere conosciuto dappertutto; **wie ~ und Katze leben** *fam* vivere come cane e gatto; **damit lockt man keinen ~ hinterm Ofen hervor** *fam* con ciò non si cava un ragno dal buco; **das ist ein dicker ~!** *fam* è un'indecenza; **Vorsicht, bissiger ~!** attenti al cane!, (attenzione,) cane mordace!; **du gemeiner ~!** *sl* vigliacco!, cane!; **~e, die bellen, beißen nicht** *prov* can che abbaia non morde *prov.*

hundeelend ['hʊndə'ʔe:lɛnt] *adj:* **mir ist ~** *fam* mi sento da cani *fam.* **Hundehütte** *f* canile *m.* **Hundekuchen** *m* biscotto *m* per cani. **Hundeleben** *n fam* vita *f* da cani *fam.* **Hundeleine** *f* guinzaglio *m.*

hundemüde ['hʊndə'my:də] *adj fam* stanco morto *fam,* stracco *tosc.*

hundert ['hʊndɐt] *num* cento; **ungefähr ~** un centinaio; **einige/mehrere ~** alcune/parecchie centinaia; *s. a. vier, vierzig.*

Hundert[1] ⟨-s, -e⟩ *n (Maßeinheit)* cento *m,* centinaio *m;* **zu ~en** a centinaia; **vom ~** (*abk* **v. H.**) per cento.

Hundert[2] ⟨-, -en⟩ *f (Zahl)* cento *m.*

Hunderter ⟨-s, -⟩ *m* **1.** *mat* centinaio *m;* **2.** *fam (Geldschein)* biglietto *m* da cento.

Hundertjahrfeier [-'ja:ɐ̯-] *f* centenario *m.*

hundertjährig *adj* centenario, secolare; **der H~e Krieg** la guerra dei cent'anni.

Hundertjährige ⟨ein -r, -n, -n⟩ *mf* centenario, -a *m, f.*

hundertmal *adv* cento volte.

hundertprozentig *adj, adv* al (*o* del) cento per cento.

Hundertstel ⟨-s, -⟩ *n* centesimo *m,* centesima parte *f.*

hundertste(r, s) *adj* centesimo, -a; **vom H~n ins Tausendste kommen** saltare di palo in frasca *fam.*

hunderttausend ['hʊndɐt'ta͜uzənt] *num* centomila; **H~e** centinaia di migliaia.

Hündin *f s.* **Hund.**

hündisch ['hʏndɪʃ] *adj fig* servile.

Hunger ['hʊŋɐ] ⟨-s, ø⟩ *m* fame *f; fig (Verlangen)* sete *f* (*nach* di); **~/keinen ~ haben** avere/non avere fame; **~ auf etw.** *(akk)* **haben** avere voglia di qc; **~ ist der beste Koch** *prov* la fame è il miglior cuoco *prov.* **Hungerkur** *f* cura *f* del digiuno. **Hungerlohn** *m* paga *f* di fame; **für einen ~ arbeiten** lavorare per una miseria.

hungern *itr* **1.** *(Hunger leiden)* patire la fame; **2.** *(fasten)* digiunare; **3.** *fig geh (verlangen)* aver fame (*nach* di).

Hungersnot *f* carestia *f.* **Hungerstreik** *m* sciopero *m* della fame. **Hungertod** *m* morte *f* per inanizione. **Hungertuch** *n:* **am ~ nagen** fare la fame.

hungrig ['hʊŋrɪç] *adj* che ha fame (*nach* di), affamato (*nach* di); *fig geh (gierig)* assetato (*nach* di).

Hupe ['hu:pə] ⟨-, -n⟩ *f* clacson *m.*

hupen *itr* sonare il clacson.

hüpfen ['hʏpfən] *itr* ⟨*sein*⟩ saltellare.

Hürde ['hʏrdə] ⟨-, -n⟩ *f sport, fig* ostacolo *m.*

Hure ['hu:rə] ⟨-, -n⟩ *f vulg* puttana *f volg.*

hurra [hʊ'ra: *o* 'hʊra] *interj* urrà; **~ rufen** gridare evviva.

huschen ['hʊʃən] *itr* ⟨*sein*⟩ guizzare; *fig* scivolare (*über +akk* su).

hüsteln ['hy:stəln] *itr* tossicchiare.

husten ['hu:stən] *itr* tossire, avere la tosse. **Husten** ⟨-s, ø⟩ *m* tosse *f.* **Hustenanfall** *m* colpo *m* di tosse. **Hustenbonbon** *m* pastiglia *f* per la tosse. **Hustenreiz** *m* stimolo *m* della tosse. **Hustensaft** *m* sciroppo *m* per la tosse.

Hut[1] [hu:t] ⟨-(e)s, Hüte⟩ *m* cappello *m;* **etw. unter einen ~ bringen** *fig* mettere d'accordo qc; **das ist ein alter ~** *fig fam* non è nulla di nuovo; **dein Geld kannst du dir an den ~ stecken!** *fam* i tuoi soldi puoi tenerteli!

Hut[2] [hu:t] ⟨-, ø⟩ *f geh:* **auf der ~ (vor etw.** *(dat)***) sein** stare in guardia (da qc).

hüten ['hy:tən] **I.** *tr* sorvegliare, guardare; *(Geheimnis)* custodire; *(Vieh)* pascolare; **II.** *rfl:* **sich ~ vor** guardarsi da; **sich ~, etw. zu tun** guardarsi bene dal fare qc *fam;* **das Bett ~ (müssen)** (dover) stare a letto (per malattia); **das Haus ~** stare in casa, non uscire di casa.

Hutgeschäft *n* cappelleria *f.* **Hutmacher(in)** *m(f)* cappellaio, -a *m, f,* modista *f.*

Hütte ['hʏtə] ⟨-, -n⟩ *f* **1.** *(Haus)* capanna *f,* casupola *f; (elende)* baracca *f,* catapecchia *f; (im Gebirge)* baita *f,* rifugio *m; (Jagd~)* capanna *f; (Hunde~)* canile *m,* cuccia *f;* **2.** *tec (~nwerk)* stabilimento *m* metallurgico; *(Eisen~)* ferriera *f; (Schmelz~)* fonderia *f.* **Hüttenkäse** *m* cottage cheese *m.*

Hyäne ['hy̆ɛ:nə] ⟨-, -n⟩ *f* iena *f.*

Hyazinthe [hy̆a'ts̮ɪntə] ⟨-, -n⟩ *f* giacinto *m.*

Hydrant [hy'drant] ⟨-en, -en⟩ *m* idrante *m,* bocca *f* d'acqua (*o* antincendio).

hydraulisch [hy'dra͜ulɪʃ] *adj* idraulico.

Hydrokultur [hydrokʊl'tu:ɐ̯] *f* idrocultura *f.*

Hygiene [hy'gie:nə] ⟨-, ø⟩ *f* igiene *f.* **Hygienepapier** *n* carta *f* igienica.

hygienisch *adj* igienico.

Hymne ['hʏmnə] ⟨-, -n⟩ *f* inno *m.*

Hyperbel [hy'pɛrbəl] ⟨-, -n⟩ *f* iperbole *f.*

Hypnose [hʏp'no:zə] ⟨-, -n⟩ *f* ipnosi *f.*

Hypnotiseur(in) [hypnoti'zø:ɐ̯(...rɪn)] ⟨-s, -e⟩ *m(f)* ipnotizzatore, -trice *m, f.*

hypnotisieren [...noti'zi:rən] ⟨*ohne ge-*⟩ *tr* ipnotizzare.

Hypochonder [hypo'xɔndɐ] ⟨-s, -⟩ *m* ipocondriaco *m.*

Hypothek [hypo'te:k] ⟨-, -en⟩ *f* ipoteca *f* (*auf +akk* su).

Hypothese [hypo'te:zə] ⟨-, -n⟩ *f* ipotesi *f.*

hypothetisch [...'te:tɪʃ] *adj* ipotetico.

Hysterie [hʏste'ri:, ...i:ən] ⟨-, -n⟩ *f* isteria *f,* isterismo *m.*

hysterisch [...'te:rɪʃ] *adj* isterico.

I

I, i [i:] ⟨-, -(s)⟩ *n* I, i *f;* **I wie Ida** I come Imola.
i [i:] *interj* oh, eh; ~ **bewahre!** niente affatto!, macché!; ~ **wo!** ma va! *fam.*
I *abk von* **Italien** I.
i. A. *abk von* **im Auftrag** per incarico di.
IC [i:'tse:] ⟨-(s), -(s)⟩ *m abk von* **Intercity-Zug** intercity *m.*
IC-Zuschlag *m* supplemento *m* intercity.
ICE [i: tse: 'ʔe:] ⟨-, -s⟩ *m abk von* **Intercity Express** treno *m* intercity espresso.
ich [ıç] *pers pron 1. pers sing* io; ~ **auch nicht** neppure io; ~ **für meine Person** quanto a me, per me; ~ **selbst** io stesso; ~ **bin's** sono io; **hier bin** ~! eccomi!; ~ **Ärmster!** povero me!; ~ **Idiot!** che stupido sono!. **Ich** ⟨-(s), -(s)⟩ *n:* **das** ~ l'io *m;* **mein zweites** ~ il mio alter ego.
ideal [ide'a:l] *adj* ideale. **Ideal** ⟨-s, -e⟩ *n* ideale *m.* **Idealfall** *m* caso *m* ideale. **Idealgewicht** *n* peso *m* ideale.
Idealismus [...'lısmʊs] ⟨-, ø⟩ *m* idealismo *m.*
Idealist(in) ⟨-en, -en⟩ *m(f)* idealista *mf.*
idealistisch *adj* idealistico, idealista.
Idee [i'de:, ...e:ən] ⟨-, -n⟩ *f* idea *f;* **eine ~ (Salz)** un'idea (*o* un po') (di sale); **das bringt mich auf eine** ~! mi fa venire un'idea!; **auf die ~ kommen, etw. zu tun** avere (*o* venire) l'idea di fare qc.
Identifikation [idɛntifika'tsio:n] ⟨-, -en⟩ *f* identificazione *f.* **Identifikationsfigur** *f* modello *m* ideale, persona *f* nella quale ci si identifica.
identifizieren [...'tsi:rən] ⟨*ohne ge-*⟩ *tr* identificare.
identisch [i'dɛntıʃ] *adj* identico (*mit* a).
Identität [...ti'tɛ:t] ⟨-, ø⟩ *f* identità *f.* **Identitätskrise** *f* crisi *f* d'identità.
Ideologie [ideolo'gi:, ...i:ən] ⟨-, -n⟩ *f* ideologia *f.*
ideologisch *adj* ideologico.
idiomatisch [idio'ma:tıʃ] *adj* idiomatico.
Idiot(in) [i'dio:t(ın)] ⟨-en, -en⟩ *m(f)* idiota *mf; fam* stupido, -a *m, f.* **Idiotenhügel** *m fam scherz* pendio *m* per principianti. **idiotensicher** *adj fam scherz* di semplicissimo impiego.
Idiotie [idio'ti:, ...i:ən] ⟨-, -n⟩ *f* idiozia *f.*
idiotisch *adj* idiota; *fam* stupido.
Idol [i'do:l] ⟨-s, -e⟩ *n* idolo *m.*
Idyll [i'dʏl] ⟨-s, -e⟩ *n* idillio *m.*
idyllisch *adj* idilliaco.
Igel ['i:gəl] ⟨-s, -⟩ *m* riccio *m.*
igitt [i'gıt] *interj* oh, che schifo.
Ignoranz [igno'rants] ⟨-, ø⟩ *f* ignoranza *f.*
Ignorant(in) ⟨-en, -en⟩ *m(f)* ignorante *mf.*
ignorieren [ıgno'ri:rən] ⟨*ohne ge-*⟩ *tr* **1.** *(nicht wissen wollen)* ignorare; **2.** *(nicht beachten)* trascurare.
IHK [i:ha:'ka:] ⟨-, ø⟩ *f abk von* **Industrie- und Handelskammer** camera *f* dell'industria e del commercio.
ihm [i:m] *pers pron (dat von* er, es) *(betont)* a lui; *(unbetont)* gli.
ihn [i:n] *pers pron (akk von* er) *(betont)* lui; *(unbetont)* lo, l'.
ihnen ['i:nən] *pers pron (dat von* sie *pl) (betont)* a loro; *(unbetont)* loro, gli.
Ihnen *pers pron* **1.** *(dat von* Sie *sing) (betont)* a Lei; *(unbetont)* Le; **2.** *(dat von* Sie *pl) (betont)* a Loro; *(unbetont)* Loro, Vi.
ihr [i:ɐ] **I.** *pers pron* **1.** *(2. pers pl)* voi; **2.** *(dat von* sie *sing) (betont)* a lei; *(unbetont)* le; **II.** *poss pron (adjektivisch)* **1.** *(von* sie *sing)* suo, -a *m, f,* suoi *m pl,* sue *f pl;* **2.** *(von* sie *pl)* loro.
Ihr *poss pron (adjektivisch)* **1.** *(von* Sie *sing)* Suo, -a *m, f,* Suoi *m pl,* Sue *f pl;* **2.** *(von* Sie *pl)* Loro, Vostro.
ihrer *pers pron* **1.** *(gen von* sie *sing)* di lei; **2.** *(gen von* sie *pl)* di essi *m,* di esse *f s. a. ihre(r, s).*
Ihrer *pers pron* **1.** *(gen von* Sie *sing)* di Lei; **2.** *(gen von* Sie *pl)* di Loro, di Voi *s. a. Ihre(r, s).*
ihre(r, s) ['i:rə] *poss pron (substantivisch)* **1.** *(von* sie *sing)* il suo, la sua, i suoi *pl,* le sue *pl;* **2.** *(von* sie *pl)* il loro, la loro, i loro *pl,* le loro *pl.*
Ihre(r, s) *poss pron (substantivisch)* **1.** *(von* Sie *sing)* il Suo, la Sua, i Suoi *pl,* le Sue *pl;* **2.** *(von* Sie *pl)* il Loro (*o* Vostro), la Loro (*o* Vostra), i Loro (*o* Vostri) *pl,* le Loro (*o* Vostre) *pl;* **auf das** ~! *(Trinkspruch entgegnend)* alla Sua!
ihrerseits [-zaits] *adv* **1.** ⟨*sing*⟩ da parte sua; **2.** ⟨*pl*⟩ da parte loro.
Ihrerseits *adv* da parte Sua.
ihresgleichen ['i:rəs'glaiçən] ⟨*inv*⟩ *pron* **1.** ⟨*sing*⟩ suo pari, gente *f* come lei; **2.** ⟨*pl*⟩ loro pari, gente *f, etc.* come loro.
Ihresgleichen ⟨*inv*⟩ *pron* pari Suo, gente *f, etc.* come Lei.
ihretwegen ['i:rət've:gən] *adv* **1.** ⟨*sing*⟩ per causa sua, per lei; *(negativ)* per colpa sua; **2.** ⟨*pl*⟩ per (causa) loro; *(negativ)* per colpa loro.
Ihretwegen *adv* per causa Sua, per Lei; *(negativ)* per colpa Sua.
ihretwillen ['i:rət'vılən] *adv:* **um** ~ **1.** ⟨*sing*⟩ per lei, per amor suo; **2.** ⟨*pl*⟩ per loro, per amor loro.

Ihretwillen *adv:* **um** ~ per Lei, per amor Loro.
illegal ['ılega:l *o* ...'ga:l] *adj* illegale.
Illegalität [ılegali'tɛ:t *o* 'ıl...] *f* illegalità *f.*
Illusion [ilu'zio:n] ⟨-, -en⟩ *f* illusione *f;* **sich** *(dat)* **~en machen über** *+akk* farsi illusioni su, illudersi su.
illusorisch *adj* illusorio.
Illustration [ılustra'tsio:n] ⟨-, -en⟩ *f* illustrazione *f.*
illustrieren [...'tri:rən] ⟨*ohne ge-*⟩ *tr* illustrare. **Illustrierte** ⟨-n, -n⟩ *f* giornale *m* illustrato.
Iltis ['ıltıs] ⟨-ses, -se⟩ *m* puzzola *f.*
im [ım] = **in dem.**
Image ['ımıtʃ *o* 'ımıdʒ, ...ıtʃs *o* ...ıdʒiz] ⟨-(s), -s⟩ *n* immagine *f.* **Imagepflege** *f* cura *f* della propria immagine. **Imageverlust** *m* perdita *f* di immagine.
Imbiß ['ımbıs] ⟨-bisses, -bisse⟩ *m* spuntino *m.* **Imbißstube** *f* tavola *f* calda.
Imitation [imita'tsio:n] ⟨-, -en⟩ *f* imitazione *f.*
imitieren [...'ti:rən] ⟨*ohne ge-*⟩ *tr* imitare.
Imker(in) ['ımkɐ (...ərın)] ⟨-s, -⟩ *m(f)* apicoltore, -trice *m, f.*
Immatrikulation [ımatrikula'tsio:n] ⟨-, -en⟩ *f* immatricolazione *f.*
immatrikulieren [...'li:rən] ⟨*ohne ge-*⟩ **I.** *tr* immatricolare, iscrivere; **II.** *rfl:* **sich ~ (lassen)** immatricolarsi.
immens [i'mɛns] *adj* immenso, enorme.
immer ['ımɐ] *adv* sempre; **was auch ~** qualunque cosa *+congv;* **wer auch ~** chiunque *+congv;* **wie auch ~** in qualunque modo *+congv;* **wo auch ~** dovunque *+congv;* **für ~** per sempre; **noch ~, ~ noch** ancora (sempre); **schon ~** da sempre; **~ mehr** sempre più; **~, wenn ...** ogni volta che ..., tutte le volte che ...; **~ wieder** sempre; **er kommt ~ noch nicht** non giunge ancora; **es waren ~ zehn in einer Packung** *fam* ce n'erano sempre dieci in un pacchetto; **~ schön ruhig bleiben!** *fam* mantenersi sempre calmi!, restare calmi!
immerhin ['ımɐ'hın] *adv (jedenfalls)* comunque, in ogni caso; *(wenigstens)* almeno; **das ist ~ etwas** è qualcosa; **er hat sich ~ entschuldigt** comunque si è scusato.
immerzu ['ımɐ'tsu:] *adv* sempre, continuamente, ininterrottamente.
Immigrant(in) [ımi'grant(ın)] ⟨-en, -en⟩ *m(f)* immigrante *mf,* immigrato, -a *m, f.*
Immigration [...gra'tsio:n] ⟨-, -en⟩ *f* immigrazione *f.*
immigrieren [...'gri:rən] ⟨*ohne ge-*⟩ *itr* ⟨*sein*⟩ immigrare.
Immissionen [ımı'sio:nən] *f pl* immissoni *f pl* (di sostanze inquinanti).
Immobilien [ımo'bi:liən] *f pl* immobili *m pl,* beni *m pl* immobili (*o* immobiliari *o* fondiari). **Immobilienleasing** *n* leasing *m* immobiliare. **Immobilienmakler(in)** *m(f)* agente *mf* immobiliare, sensale *mf.*
immun [ı'mu:n] *adj* immune (*gegen* da).
Immunität [...'tɛ:t] ⟨-, ø⟩ *f* immunità *f.*
Immunologe [ımuno'lo:gə] ⟨-en, -en⟩ *m,* **Immunologin** [...gın] *f* immunologo, -a *m, f.*
Immunologie [...lo'gi:] ⟨-, ø⟩ *f* immunologia *f.*
immunologisch [...'lo:gıʃ] *adj* immunologico.
Immunschwäche *f* immunodeficienza. *f.*
Immunschwächekrankheit *f* sindrome *f* da immunodeficienza. **Immunsystem** *n* sistema *m* immunitario.
Imperativ ['ımperati:f] ⟨-s, -e⟩ *m* imperativo *m.*
Imperfekt ['ımperfɛkt] *n* imperfetto *m.*
Imperialismus [ımperia'lısmus] ⟨-, ø⟩ *m* imperialismo *m.*
impfen ['ımpfən] *tr* vaccinare.
Impfling ['ımpflıŋ] ⟨-s, -e⟩ *m* persona *f* che deve essere vaccinata. **Impfpflicht** *f* vaccinazione *f* obbligatoria. **Impfpistole** *f* pistola *f* per vaccinazione. **Impfstoff** *m* vaccino *m.*
Impfung ⟨-, -en⟩ *f* vaccinazione *f.*
implementieren [ımplemɛn'ti:rən] *tr* implementare.
imponieren [ımpo'ni:rən] ⟨*ohne ge-*⟩ *itr* colpire, fare effetto (*jdm* su qu). **imponierend** *adj* imponente.
Imponiergehabe *n* prepotenza *f,* arroganza *f.*
Import [ım'pɔrt] ⟨-(e)s, -e⟩ *m (a. inform)* importazione *f.*
importieren [...'ti:rən] ⟨*ohne ge-*⟩ *tr* importare *(a. inform).*
imposant [ımpo'zant] *adj* **1.** *(eindrucksvoll)* impressionante; **2.** *(großartig)* imponente, grandioso.
impotent ['ımpotɛnt] *adj* impotente.
Impotenz [...nts] ⟨-, ø⟩ *f* impotenza *f.*
imprägnieren [ımprɛg'ni:rən] *tr* impregnare (*mit* di).
Impressionismus [ımprɛsio'nısmus] ⟨-, ø⟩ *m* impressionismo *m.*
improvisieren [ımprovi'zi:rən] ⟨*ohne ge-*⟩ *tr, itr* improvvisare.
Impuls [ım'puls] ⟨-es, -e⟩ *m* impulso *m.*
impulsiv [...'zi:f] *adj* impulsivo.
imstande [ım'ʃtandə] *adj:* **~ sein, etw. zu tun** *(fähig)* essere capace di fare qc; *(in der Lage)* essere in grado di fare qc.
in¹ [ın] *adj fam:* **~ sein** essere in.
in² [ın] *prp +akk/+dat* in, a; **ins Kino/Museum/Theater gehen** andare al cinema/al museo/a teatro; **~ der Mühlenstraße wohnen** abitare nella Mühlenstraße; **im Regen** sotto la pioggia; **im ersten Stock** al primo piano; **~ der Hand/Tasse/Kiste** in mano/nella tazza/nella cassa; **~ dem (*o* im) Zimmer/Haus/Gebiet/Land** in camera/in casa/nella regione/nel paese; **~ der Stadt** *allg.* nella città; *(nicht zu Hause)* in città; **~ Rom**

a Roma; ~ **Deutschland** in Germania; **im Deutschland der Nachkriegszeit** nella Germania del dopoguerra; **im Osten** a est; **im Alter von ...** all'età di ...; ~ **der Nacht** nella (*o* durante la *o* di) notte; ~ **der nächsten Woche** la settimana prossima; **im Mai** in (*o* a) maggio; **im Frühling** in (*o* a) primavera; **im Sommer/Herbst/Winter** d'(*o* in) estate/autunno/inverno; ~ **diesem Jahr** quest'anno; ~ **zehn Jahren** *(nach Ablauf von)* tra dieci anni; *(während)* in dieci anni; **im Jahre 1970** nel 1970; ~ **drei Teile teilen** dividere in tre (parti); ~ **strengem Ton** con tono severo; **dieses Rätsel hat es ~ sich** *(dat)* questo enigma è difficile; **der Schnaps hat es ~ sich** *(dat)*! *fam* l'acquavite è forte.

inaktiv ['ɪnʔakti:f *o* ...'ti:f] *adj* inattivo.

inakzeptabel [ɪnaktsɛp'ta:bəl] *adj* inaccettabile.

Inanspruchnahme [ɪn'ʔanʃpruxna:mə] ⟨-, -n⟩ *f* **1.** *(von Gegenstand)* utilizzazione *f* (*von* di); *(von Geld)* utilizzo *m* (*von* di); *(von Hilfsquellen)* fruizione *f* (*von* di); **2.** *(von Menschen)* ricorso *m* (*von* a).

Inbegriff *m* incarnazione *f,* modello *m;* **der ~ der Dummheit** la stupidità personificata (*o* in persona).

inbegriffen *adj* compreso, incluso.

inbrünstig ['ɪnbrʏnstɪç] *adj* fervido, ardente.

indem [ɪn'de:m] *konj* **1.** *(während)* mentre; **2.** *(dadurch, daß)*: **er bleibt in Form, ~ er ständig trainiert** si mantiene in forma allenandosi continuamente; ~ **er das sagte, ...** dicendo ciò ...

Inder(in) ['ɪndɐ (...ərɪn)] ⟨-s, -⟩ *m(f)* indiano, -a *m, f,* indù *mf.*

indes(sen) [ɪn'dɛs(ən)] *adv* **1.** *(zeitlich)* intanto, nel frattempo; **2.** *(einräumend)* tuttavia, nondimeno; **3.** *geh (jedoch)* ma, però, invece.

Index ['ɪndɛks, ...dɛksə *o* ...ditse:s] ⟨-(es), -e *o* Indizes⟩ *m* **1.** *mat, com* indice *m;* **2.** *rel* elenco *m.*

Indianer(in) [ɪn'dia:nɐ (...ərɪn)] ⟨-s, -⟩ *m(f)* indiano, -a *m, f.*

Indien ['ɪndiən] *n* India *f,* Indie *f pl.*

Indikation [ɪndika'tsio:n] ⟨-, -en⟩ *f* indicazione *f;* **medizinische/soziale ~** indicazione clinica/sociale.

Indikativ ['ɪndikati:f] ⟨-s, -e⟩ *m* indicativo *m.*

indirekt ['ɪndirɛkt *o* ...'rɛkt] *adj* indiretto; **~e Rede** discorso indiretto.

indisch ['ɪndɪʃ] *adj* indiano, indù, delle Indie; **der I~e Ozean** l'Oceano *m* Indiano.

indiskret ['ɪndɪskre:t *o* ...'kre:t] *adj* indiscreto.

Indiskretion [ɪndɪskre'tsio:n *o* 'ɪn...] ⟨-, -en⟩ *f* indiscrezione *f.*

indiskutabel ['ɪndɪskuta:bəl] *adj* indiscutibile.

Individualist(in) [ɪndividua'lɪst(ɪn)] ⟨-en, -en⟩ *m(f)* individualista *mf.*

Individualität [...li'tɛ:t] ⟨-, -en⟩ *f* individualità *f.*

Individualverkehr *m* trasporto *m* privato, traffico *m* individuale.

individuell [...'duɛl] *adj* individuale.

Individuum [indi'vi:duum] ⟨-s, Individuen⟩ *n* individuo *m.*

Indizes *pl von* **Index.**

Indizien [ɪn'di:tsiən] *n pl* indizi *m pl.* **Indizienbeweis** *m* prova *f* indiziaria.

indogermanisch ['ɪndogɛr'ma:nɪʃ] *adj* indoeuropeo.

industrialisieren [ɪndustriali'zi:rən] ⟨*ohne ge-*⟩ *tr* industrializzare.

Industrialisierung ⟨-, ø⟩ *f* industrializzazione *f.*

Industrie [ɪndus'tri:, ...i:ən] ⟨-, -n⟩ *f* industria *f;* **eisen-/holzverarbeitende ~** industria siderurgica/della lavorazione del legno. **Industrieabwässer** *n pl* acque *f pl* di scarico industriali. **Industrieanlage** *f* impianto *m* (*o* stabilimento *m*) industriale. **Industriearbeiter(in)** *m(f)* lavoratore, -trice *m, f* industriale. **Industriebetrieb** *m* azienda *f* industriale. **Industrieerzeugnis** *n* prodotto *m* industriale, manufatto *m.* **Industriegebiet** *n* zona *f* industriale. **Industrieland** *n* paese *m* industriale.

industriell [...tri'ɛl] *adj* industriale.

Industrielle ⟨ein -r, -en, -en⟩ *mf* industriale *mf.*

Industrie- und Handelskammer *f* (*abk* **IHK**) camera *f* dell'industria e del commercio.

Industriemüll *m* rifiuti *m pl* industriali. **Industrieroboter** *m* robot *m* industriale. **Industriespionage** *f* spionaggio *m* industriale. **Industriezweig** *m* branca *f* dell'industria.

ineinander [ɪnʔai'nandɐ] *adv* l'uno, -a nell'altro; gli, le uni, -e negli, nelle altri, -e.

infam *adj* infame.

Infanterie ['ɪnfantəri: *o* ...'ri:, ...i:ən] ⟨-, -n⟩ *f* fanteria *f.*

Infanterist [...rɪst] ⟨-en, -en⟩ *m* fante *m,* soldato *m* di fanteria.

infantil *adj* infantile.

Infarkt [ɪn'farkt] ⟨-(e)s, -e⟩ *m* infarto *m.*

Infektion [ɪnfɛk'tsio:n] ⟨-, -en⟩ *f* infezione *f.* **Infektionskrankheit** *f* malattia *f* infettiva.

Infinitiv ['ɪnfɪniti:f *o* ...'ti:f] ⟨-s, -e⟩ *m* infinito *m.*

infizieren [ɪnfi'tsi:rən] ⟨*ohne ge-*⟩ *tr* infettare.

Infizierung *f (Ansteckung)* contagio *m.*

Inflation [ɪnfla'tsio:n] ⟨-, -en⟩ *f* inflazione *f.* **Inflationsrate** *f* tasso *m* d'inflazione.

inflatorisch [ɪnfla'to:rɪʃ] *adj* inflazionistico.

Info ⟨-, -s⟩ *f fam* informazione *f.*
infolge [ɪnˈfɔlgə] *prp gen* in seguito a, a causa di.
infolgedessen [-ˈdɛsən] *adv* perciò, per questa ragione.
Infomaterial *n* materiale *m* informativo.
Informant(in) *m(f)* informatore, -trice *m, f.*
Informatik [ɪnfɔrˈmaːtɪk] ⟨-, ø⟩ *f* informatica *f.*
Informatiker(in) ⟨-s, -⟩ *m(f)* informatico, -a *m, f.*
Information [ɪnfɔrmaˈtsjoːn] ⟨-, -en⟩ *f* informazione *f; (Nachricht)* notizia *f.* **Informationsaustausch** *m* scambio *m* d'informazioni (*o* di notizie). **Informationsfluß** *m* flusso *m* d'informazioni. **Informationsgesellschaft** *f* società *f* dell'informazione. **Informationsmaterial** *n* materiale *m* informativo. **Informationsquelle** *f* fonte *f* d'informazione (*o* informativa). **Informationssystem** *n* sistema *m* informativo. **Informationstechnologie** *f* tecnologia *f* dell'informazione. **Informationsverarbeitung** *f* elaborazione *f* delle informazioni. **Informationsvorsprung** *m:* **einen ~ haben** essere informato in anticipo.
informieren [...ˈmiːrən] ⟨*ohne ge-*⟩ **I.** *tr* informare (*über +akk* di), mettere al corrente (*über +akk* di); **über etw.** *(akk)* **informiert sein** essere a conoscenza di qc; **II.** *rfl:* **sich ~** informarsi (*über +akk* su).
infrarot [ˈɪnfraroːt] *adj* infrarosso. **Infrarotbestrahlung** *f* applicazione *f* di raggi infrarossi.
Infrastruktur [ˈɪnfra-] *f* infrastruttura *f.*
Infusion [ɪnfuˈzjoːn] ⟨-, -en⟩ *f* **1.** *med* fleboclisi *f,* ipodermoclisi *f;* **2.** *chem* infusione *f.*
Ingenieur(in) [ɪnʒeˈnjøːɐ̯ (...rɪn)] ⟨-s, -e⟩ *m(f)* (*abk* **Ing.**) ingegnere *m.*
Ingwer [ˈɪŋvɐ] ⟨-s, ø⟩ *m* zenzero *m.*
Inhaber(in) ⟨-s, -⟩ *m(f)* (*abk* **Inh.**) **1.** *allg.* proprietario, -a *m, f; (Besitzer)* possessore *m,* posseditrice *f;* **2.** *(von Amt, Titel, Urkunde, Ausweis)* titolare *mf; (von Berechtigung, Aktie)* detentore, -trice *m, f; fin* portatore, -trice *m, f.*
inhaftieren [ɪnhafˈtiːrən] ⟨*ohne ge-*⟩ *tr* arrestare, imprigionare.
inhalieren [ɪnhaˈliːrən] ⟨*ohne ge-*⟩ **I.** *tr* inalare; **II.** *itr* fare inalazioni.
Inhalt [ˈɪnhalt] ⟨-(e)s, -e⟩ *m* **1.** *allg.* contenuto *m; mat (Raum~)* volume *m; (Flächen~)* area *f;* **2.** *(~sverzeichnis)* indice *m;* **zum ~ haben** avere per soggetto. **inhaltlich I.** *adj* contenutistico; **II.** *adv* per quanto riguarda il contenuto, di contenuto. **Inhaltsangabe** *f* sommario *m,* riassunto *m.* **inhalt(s)los** *adj* vuoto, superficiale. **Inhaltsverzeichnis** *n* indice *m.*
Initiative [initsjaˈtiːvə] ⟨-, -n⟩ *f* **1.** *(Anstoß)* iniziativa *f;* **2.** ⟨*sing*⟩ *(Unternehmungsgeist)* spirito *m* d'iniziativa; **3.** *CH (Volksbegehren)* iniziativa *f* popolare.
Injektion [ɪnjɛkˈtsjoːn] ⟨-, -en⟩ *f* iniezione *f,* puntura *f.*
injizieren [ɪnjiˈtsiːrən] ⟨*ohne ge-*⟩ *tr* iniettare.
Inkasso [ɪnˈkaso] ⟨-s, -s⟩ *n* incasso *m.*
inklusive [ɪnkluˈziːvə] *prp +gen* (*abk* **inkl.**) incluso, compreso.
inkognito [ɪnˈkɔgnito] *adv* in incognito. **Inkognito** ⟨-s, -s⟩ *n* incognito *m.*
inkompatibel [ˈɪnkɔmpatiːbl̩] *adj* **1.** *(unvereinbar)* incompatibile, inconciliabile; **2.** *jur, med, inform, rel* incompatibile.
inkompetent [ˈɪnkɔmpetɛnt] *adj* incompetente.
Inkompetenz [ˈɪnkɔmpetɛnts] ⟨-, -en⟩ *f* incompetenza *f.*
inkonsequent *adj* inconseguente.
Inkrafttreten [ɪnˈkraft-] ⟨-s, ø⟩ *n* entrata *f* in vigore.
Inkubationszeit [ɪnkubaˈtsjoːns-] *f* periodo *m* d'incubazione.
Inland *n* interno *m* (del paese).
inländisch [ˈɪnlɛndɪʃ] *adj* interno; *(Erzeugnis)* nazionale, del paese.
Inlandsflug *m* volo *m* nazionale.
inmitten [ɪnˈmɪtən] *prp +gen* in mezzo a.
Inn [ɪn] *m* Eno *m.*
inne·haben [ˈɪnə-] ⟨*irr*⟩ *tr allg.* avere; *(Titel)* detenere; *(Amt, Stellung a.)* occupare. **inne·halten** ⟨*irr*⟩ *itr* arrestarsi; **~ mit ...** cessare di *+inf.*
innen [ˈɪnən] *adv* all'interno, dentro; **nach/von ~** verso/dall'interno. **Innenarchitekt(in)** *m(f)* architetto, -a *m, f,* arredatore, -trice *m, f.* **Innenarchitektur** *f* architettura *f* interna. **Innenausstattung** *f* arredamento *m* interno. **Innendienst** *m* servizio *m* interno. **Innenleben** *n* vita *f* interiore, interiore *m.* **Innenminister(in)** *m(f)* ministro *m* degli interni. **Innenministerium** *n* ministero *m* degli interni. **Innenpolitik** *f* politica *f* interna. **Innenseite** *f* faccia *f* interna, lato *m* interno. **Innenspiegel** *m* retrovisore *m* (*o* specchietto *m*) interno. **Innenstadt** *f* centro *m* (della città).
innerbetrieblich [ˈɪnɐ-] *adj* interaziendale; *(a. adv)* all'interno dell'azienda.
Innere ⟨ein -s, -n, ø⟩ *n* **1.** *(räumlich)* interno *m;* **2.** *fig (von Mensch)* cuore *m,* anima *f;* **im ~n von** all'interno di; **in meinem ~n** nel mio intimo.
Innereien [ɪnəˈraiən] *f pl* interiora *f pl.*
innere(r, s) [ˈɪnərə] *adj* **1.** *(räumlich, adm, med)* interno, -a; **2.** *(körperlich)* interno, -a; **3.** *(geistig, seelisch)* intimo, -a; **~r Monolog** monologo interiore; **~r Wert** valore intrinseco; **vor meinem ~n Auge** alla mia vista interiore.
innerhalb *prp +gen* **1.** *(örtlich)* all'interno di, entro, in; **2.** *(zeitlich)* nello spazio di, entro, in.

innerlich I. *adj* **1.** *(körperlich)* interiore, interno; **2.** *(seelisch)* intimo; **II.** *adv* nel proprio intimo, intimamente; ~ **anzuwenden** per uso interno.
Innerste ⟨ein -s, -n, ø⟩ *n:* **das** ~ il centro, il nucleo; **tief im** ~**n** nel più profondo, nell'intimo.
innerste(r, s) ⟨*superl von* innere⟩ *adj* **1.** *(räumlich)* (il, la) più profondo, -a; **2.** *fig* intimo, -a; (il, la) più profondo, -a (*o* segreto, -a).
innig ['ɪnɪç] *adj* **1.** *(tief, herzlich)* cordiale; **2.** *(stark, heiß)* fervido, ardente; **3.** *(zärtlich)* tenero.
Innovation [ɪnova'tsi̯o:n] ⟨-, -en⟩ *f* innovazione *f.*
innovativ [ɪnova'ti:f] *adj* innovativo.
Innung ['ɪnʊŋ] ⟨-, -en⟩ *f* corporazione *f* (artigianale *o* d'arti e mestieri).
inoffiziell ['ɪnˀɔfitsi̯ɛl *o* ...'tsi̯ɛl] *adj* non ufficiale.
ins [ɪns] = **in das.**
Insasse ['ɪnzasə] ⟨-n, -n⟩ *m,* **Insassin** [...sɪn] *f* **1.** *(von Anstalt)* pensionante *mf,* ospite *mf;* **2.** *(von Fahrzeug)* occupante *mf.*
insbesondere [ɪnsbə'zɔndərə] *adv* soprattutto, particolarmente.
Inschrift *f* iscrizione *f.*
Insekt [ɪn'zɛkt] ⟨-(e)s, -en⟩ *n* insetto *m.* **Insektenkunde** *f* entomologia *f.* **Insektenstich** *m* puntura *f* d'insetto. **Insektenvertilgungsmittel** *n* insetticida *m.*
Insel ['ɪnzəl] ⟨-, -n⟩ *f* isola *f;* **auf einer** ~ in (*o* su) un'isola.
Inserat [ɪnze'ra:t] ⟨-(e)s, -e⟩ *n* inserzione *f,* annuncio *m.*
inserieren [...'ri:rən] ⟨*ohne ge-*⟩ *itr* fare un'inserzione.
insgeheim *adv* in segreto.
insgesamt [ɪnsgə'zamt] *adv* **1.** *(zusammen)* (tutti) insieme, complessivamente; **2.** *(im ganzen)* in tutto.
Insider ['ɪnsaɪdə] ⟨-s, -⟩ *m* iniziato, -a *m, f.*
insofern, insoweit [ɪnzo'fɛrn, *hinweisend:* ɪn'zo:..., ɪnzo'vai̯t, *hinweisend:* ɪn'zo:...] **I.** *adv* fino a questo punto, a tale riguardo; ~**, als** . . . nella misura in cui . . ., in quanto . . .; **II.** *konj* per quanto, nella misura in cui.
Insolvenz ['ɪnzɔlvɛnts] ⟨-, -en⟩ *f* insolvenza *f,* insolvibilità *f.*
Inspektion [ɪnspɛk'tsi̯o:n] ⟨-, -en⟩ *f* ispezione *f; (Prüfung, mot)* controllo *m.*
Inspiration [ɪnspira'tsi̯o:n] ⟨-, -en⟩ *f* ispirazione *f.*
inspirieren [...'ri:rən] ⟨*ohne ge-*⟩ *tr* ispirare.
Installateur(in) [ɪnstala'tø:ɐ̯ (...rɪn)] ⟨-s, -e⟩ *m(f)* installatore, -trice *m, f.*
Installation [...'tsi̯o:n] ⟨-, -en⟩ *f* installazione *f (a. inform).*
installieren [...'li:rən] ⟨*ohne ge-*⟩ *tr* installare; *tec* equipaggiare; *inform* installare.
instand [ɪn'ʃtant] *adj* a posto, in ordine; **etw.** ~ **halten** tenere qc in buono stato, provvedere alla manutenzione di qc; **etw.** ~ **setzen** ripristinare qc, rimettere a nuovo qc, riparare qc.
inständig ['ɪnʃtɛndɪç] **I.** *adj* pressante, insistente; **II.** *adv:* ~ **bitten** pregare insistentemente (*jdn um etw.* qu di *o* per qc), implorare (*jdn um etw.* qc da qu); ~ **hoffen** sperare intensamente.
Instantkaffee ['ɪnstant-] *m* caffè *m* solubile (*o* istantaneo).
Instanz [ɪn'stants] ⟨-, -en⟩ *f* **1.** *jur* istanza *f;* **2.** *adm* autorità *f.*
Instinkt [ɪn'stɪŋkt] ⟨-(e)s, -e⟩ *m* istinto *m;* **aus** ~ per istinto, istintivamente.
instinktiv [...'ti:f] *adj* istintivo.
Institut [ɪnsti'tu:t] ⟨-(e)s, -e⟩ *n (a. Lehr~)* istituto *m,* istituzione *f; (Anstalt)* ente *m.*
Institution [...tu'tsi̯o:n] ⟨-, -en⟩ *f* istituzione *f.*
Instruktion [ɪnstrʊk'tsi̯o:n] ⟨-, -en⟩ *f* istruzione *f.*
Instrument [ɪnstru'mɛnt] ⟨-(e)s, -e⟩ *n* strumento *m; (Werkzeug a.)* attrezzo *m.*
Insulin [ɪnzu'li:n] ⟨-s, ø⟩ *n* insulina *f.*
inszenieren [ɪnstse'ni:rən] ⟨*ohne ge-*⟩ *tr* **1.** *theat, film* mettere in scena; **2.** *fig* montare, inscenare.
Inszenierung ⟨-, -en⟩ *f* **1.** *theat, film* allestimento *m,* messa *f* in scena; **2.** *fig* montatura *f,* messa *f* in scena.
intakt [ɪn'takt] *adj* intatto.
integer [ɪn'te:gɐ] *adj* integro.
Integralhelm [ɪnte'gra:l-] *m* casco *m* integrale. **Integralrechnung** *f* calcolo *m* integrale.
Integration [ɪntegra'tsi̯o:n] ⟨-, -en⟩ *f* **1.** *allg.* integrazione *f;* **2.** *ling* integrazione *f* linguistica. **Integrationsfigur** *f* moderatore, -trice *m, f,* mediatore, -trice *m, f.*
integrieren [ɪnte'gri:rən] ⟨*ohne ge-*⟩ *tr* integrare.
Intellekt [ɪntɛ'lɛkt] ⟨-(e)s, ø⟩ *m* intelletto *m.*
intellektuell [...'tu̯ɛl] *adj* intellettuale.
Intellektuelle ⟨ein -r, -en, -en⟩ *mf* **1.** *(Verstandesmensch)* intellettualista *mf;* **2.** *(Gebildeter)* intellettuale *mf;* **3.** *pl* classe *f* intellettuale, intellighenzia *f.*
intelligent [ɪntɛli'gɛnt] *adj* intelligente.
Intelligenz [...'gɛnts] ⟨-, -en⟩ *f* intelligenza *f.* **Intelligenzquotient** *m* (*abk* **IQ**) quoziente *m* d'intelligenza. **Intelligenztest** *m* test *m* d'intelligenza.
Intendant(in) [ɪntɛn'dant(ɪn)] ⟨-en, -en⟩ *m(f)* intendente *mf.*
Intensität [ɪntɛnzi'tɛ:t] ⟨-, ø⟩ *f* intensità *f.*
intensiv [...'zi:f] *adj* intenso; *(bes. agr, tec)* intensivo.
intensivieren [...zi'vi:rən] ⟨*ohne ge-*⟩ *tr* intensificare.
Intensivkurs *m* corso *m* intensivo. **Inten-**

sivstation *f* reparto *m* cure intensive.

Intention *f* intenzione *f*.

interaktiv *adj* interattivo.

Intercity(-Zug) [ɪnte'sɪti] ⟨-s, -s⟩ *m* (*abk* **IC**) intercity *m*.

interessant [ɪntərɛ'sant] *adj* interessante.

Interesse [...'rɛsə] ⟨-s, -n⟩ *n* interesse *m* (*an +dat* a, *für* per); **an etw.** *(dat)* (*o* **für etw.** *(akk)*) ~ **haben** interessarsi di qc, essere interessato a qc; **das ~ an etw.** *(dat)* **verlieren** disinteressarsi di qc; **jds ~n vertreten** difendere gli interessi di qu; **in jds ~ liegen** essere nell'interesse di qu. **Interessengemeinschaft** *f* comunione *f* d'interessi. **Interessenkonflikt** *m* conflitto *m* di interessi.

Interessent(in) [ɪntərɛ'sɛnt(ɪn)] ⟨-en, -en⟩ *m(f)* interessato, -a *m, f*.

interessieren [...'si:rən] ⟨*ohne ge-*⟩ *tr* interessare; **sich für jdn/etw.** ~ interessarsi di qu/qc.

Interjektion [ɪntejɛk'tsio:n] ⟨-, -en⟩ *f* interiezione *f*.

intern [ɪn'tɛrn] *adj* interno.

Internat [ɪnte'na:t] ⟨-(e)s, -e⟩ *n* internato *m*, collegio *m*, convitto *m*.

international [ɪnte-] *adj* internazionale; **I~er Währungsfond** (*abk* **IWF**) Fondo Monetario Internazionale (*abbr* FMI).

Internierung [ɪnte'ni:rʊŋ] ⟨-, -en⟩ *f* internamento *m*.

Internist(in) [ɪnte'nɪst(ɪn)] ⟨-en, -en⟩ *m(f)* internista *mf*.

Interpret(in) [ɪnte'pre:t(ɪn)] ⟨-en, -en⟩ *m(f)* interprete *mf*.

Interpreter [ɪnte'prɛ:tɐ] *m* ⟨-s, -⟩ *inform* interprete *m*.

Interpretation [...preta'tsio:n] ⟨-, -en⟩ *f* interpretazione *f*.

interpretieren [...'ti:rən] ⟨*ohne ge-*⟩ *tr* interpretare.

Interpunktion [ɪntepʊŋk'tsio:n] *f* interpunzione *f*.

Interrail-Karte ['ɪntəreɪl-] *f* biglietto *m* interrail.

Intervall [ɪnte'val] ⟨-s, -e⟩ *n* intervallo *m*. **Intervallschaltung** *f* temporizzatore *m*.

intervenieren [ɪnteve'ni:rən] ⟨*ohne ge-*⟩ *itr* intervenire.

Intervention [...vɛn'tsio:n] ⟨-, -en⟩ *f* intervento *m*.

Interview ['ɪntevju *o* ...'vju:] ⟨-s, -s⟩ *n* intervista *f*.

interviewen ⟨*ohne ge-*⟩ *tr* intervistare.

Interviewer(in) ⟨-s, -⟩ *m(f)* intervistatore, -trice *m, f*.

intim [ɪn'ti:m] *adj* intimo; *(vertraut)* familiare; *(sexuell)* sessuale.

Intimität [ɪntimi'tɛ:t] ⟨-, -en⟩ *f* intimità *f*.

Intimkontakt *m* rapporto *m* intimo. **Intimpartner(in)** *m(f)* partner *mf* intimo, -a. **Intimsphäre** *f* intimo *m*. **Intimverkehr** *m* rapporto *m* intimo.

intolerant ['ɪntolerant *o* ...'rant] *adj* intollerante. **Intoleranz** [...nts] *f* intolleranza *f*.

intransitiv ['ɪn-] *adj* intransitivo.

Intrige [ɪn'tri:gə] ⟨-, -n⟩ *f* intrigo *m*, cabala *f*.

intrigieren [ɪntri'gi:rən] ⟨*ohne ge-*⟩ *itr* intrigare, brigare.

introvertiert [ɪntrovɛr'ti:ɐt] *adj* introverso.

Intuition [intui'tsio:n] ⟨-, en⟩ *f* **1.** *(intuitives Erkennen)* intuizione *f*; **2.** *(Fähigkeit)* intuito *m*, intuizione *f*.

intuitiv [ɪntui'ti:f] *adj* intuitivo.

Invalide [ɪnva'li:də] ⟨-n, -n⟩ *m*, **Invalidin** [...dɪn] *f* invalido, -a *m, f*; *mil* mutilato, -a *m, f*.

Invalidität ⟨-, ø⟩ *f* invalidità *f*.

Invasion [ɪnva'zio:n] ⟨-, -en⟩ *f* invasione *f*.

Inventar [ɪnvɛn'ta:ɐ] ⟨-s, -e⟩ *n* inventario *m*.

Inventur [...'tu:ɐ] ⟨-, -en⟩ *f* inventario *m*; ~ **machen** fare l'inventario.

Inversionswetterlage *f* inversione *f* termica.

investieren [ɪnvɛs'ti:rən] ⟨*ohne ge-*⟩ *tr* investire.

Investition [...ti'tsio:n] ⟨-, -en⟩ *f* investimento *m*. **Investitionsgüter** *n pl* beni *m pl* d'investimento.

In-vitro-Fertilisation [ɪn'vi:tro fɛrtiliza'tsio:n] ⟨-, -en⟩ *f* fecondazione *f* in provetta.

inwiefern, inwieweit [ɪnvi'fɛrn, ...'vait] *adv* quanto, fino a che punto.

Inzest [ɪn'tsɛst] ⟨-(e)s, -e⟩ *m* incesto *m*.

Inzucht *f* **1.** *(bei Tieren)* riproduzione *f* fra consanguinei; **2.** *(bei Menschen)* unione *f* consanguinea.

inzwischen [ɪn'tsvɪʃən] *adv* intanto, frattanto, nel frattempo.

Ion [io:n] ⟨-s, -en⟩ *n* ione *m*.

I-Punkt ['i:-] *m* puntino *m* sulla i.

IQ [i:'ku: *o* aɪ'kju:] ⟨-(s), -s⟩ *m abk von* **Intelligenzquotient** Q.I. (*abbr di* quoziente d'intelligenza).

Irak [i'ra:k] *m*: **(der)** ~ l'Iraq *m*; **im** ~ nell'Iraq.

irakisch *adj* iracheno.

Iran [i'ra:n] *m*: **(der)** ~ l'Iran *m*; **im** ~ nell'Iran.

iranisch *adj* iraniano, iranico.

irdisch ['ɪrdɪʃ] *adj* terrestre; *(nicht himmlisch)* terreno.

Ire ['i:rə] ⟨-n, -n⟩ *m*, **Irin** ['i:rɪn] *f* irlandese *mf*.

irgend ['ɪrgənt] *adv*: ~ **etwas** qualunque cosa; ~ **jemand** qualcuno, uno qualunque; **. . . oder ~ so etwas** o qualcosa del genere; **so gut es ~ geht** il meglio possibile; **wenn ~ möglich, wenn es ~ geht** se mai è possibile. **irgendein** *pron (adjektivisch)* uno, -a qualunque, uno, -a qualsiasi. **irgendeine(r, s)** ['ɪrgənt'ʔainə] *pron* qualcuno, -a, uno, -a. **irgendwann** ['ɪrgənt'van] *adv* una volta o l'altra, prima o poi. **irgendwie** ['ɪrgənt'vi:] *adv* in qualche modo, in un modo o nell'altro. **irgendwo** ['ɪrgənt'vo:] *adv* in qualche posto, da qualche parte.

Iriden *pl von* **Iris[1]**.

Irin *f s.* **Ire.**

Iris[1] ['i:rɪs, 'i:rɪs *o* i'ri:dən] ⟨-, -, *o* Iriden⟩ *f anat, opt* iride *f*.

Iris[2] ['i:rɪs] ⟨-, -⟩ *f bot* iris *f*.

irisch ['i:rɪʃ] *adj* irlandese.

Irland ['ɪrlant] *n* Irlanda *f*.

Ironie [iro'ni:, ...i:ən] ⟨-, -n⟩ *f* ironia *f*.

ironisch [i'ro:nɪʃ] *adj* ironico.

irrational ['ɪratsi̯ona:l *o* ...'na:l] *adj* irrazionale.

irr(e) ['ɪr(ə)] *adj* **1.** *(verrückt)* folle, pazzo, alienato; **2.** *sl (ausgefallen, toll)* straordinario, pazzesco; **ein ~er Typ** *sl* un tipo stravagante (*o* originale); **an jdm ~ werden** perdere la fiducia in qu.

Irre[1] ⟨-, ø⟩ *f*: **in die ~ führen** fuorviare; *fig (täuschen)* sviare, ingannare.

Irre[2] ⟨ein -r, -n, -n⟩ *mf* pazzo, -a *m, f*, demente *mf*, alienato, -a *m, f*.

irreal ['ɪrea:l] *adj* irreale.

irre·führen *tr fig* trarre in inganno. **irreführend** *adj* che trae in inganno; *(Werbung)* menzognero. **Irreführung** *f* sviamento *m*.

irrelevant ['ɪrelevant *o* ...'vant] *adj* irrilevante, trascurabile.

irre·machen *tr* confondere.

irren I. *itr* **1.** ⟨*sein*⟩ *(umher~)* errare; *fig täuschen)* errare, sbagliare; **~ ist menschlich** *prov* errare è umano *prov;* **II.** *rfl:* **sich ~** sbagliarsi (*in etw. (dat)* in qc, *in jdm* sul conto di qu), ingannarsi (*in etw. (dat)* su qc, *in jdm* su qu); **sich gewaltig (*o* schwer) ~** *fam* prendere un granchio enorme; **wenn ich mich nicht irre** se non erro, se non mi sbaglio.

Irrenanstalt *f*, **-haus** *n* manicomio *m*.

Irrfahrt *f* peregrinazione *f*, odissea *f*. **Irrgarten** *m* labirinto *m*, dedalo *m*.

irrig *adj geh* erroneo, falso.

irritieren [ɪri'ti:rən] ⟨*ohne ge-*⟩ *tr* **1.** *(verwirren)* confondere; **2.** *geh (reizen)* irritare, molestare.

Irrsinn *m* follia *f*. **irrsinnig** *adj* **1.** *(verrückt)* folle; **2.** *(groß, stark)* grande; *(Schmerzen)* tremendo.

Irrtum ⟨-s, Irrtümer⟩ *m* **1.** *(falsche Meinung)* errore *m;* **2.** *(Mißverständnis)* malinteso *m*, equivoco *m; (Versehen)* svista *f*, sbaglio *m;* **sich im ~ befinden, im ~ sein** essere in errore; **da sind Sie im ~** Lei si sbaglia; **das ist ein ~** vi è un malinteso; **~!** *fam* è uno sbaglio!

irrtümlich ['ɪrty:mlɪç] *adj* erroneo.

ISBN [i: ˀɛs be: 'ˀɛn] *f abk von* **Internationale Standardbuchnummer** ISBN codifica *f* standard internazionale per libri.

Ischias ['ɪʃias *o* 'ɪsçias] ⟨-, ø⟩ *m o n o rar f* sciatica *f*.

ISDN [i: ˀɛs de: 'ˀɛn] *n abk von* **Integrated Services Digital Network** *rete numerica di servizi integrati che trasporta insieme voce, dati e immagini su linea telefonica.*

Islam [ɪs'la:m *o* 'ɪslam] ⟨-s, ø⟩ *m* islam(ismo) *m*.

islamisch *adj* islamico.

Islamisierung ⟨-, -en⟩ *f* islamizzazione *f*.

Island ['i:slant] *n* Islanda *f*.

isländisch ['i:slɛndɪʃ] *adj* islandese.

Isolation [izola'tsi̯o:n] ⟨-, -en⟩ *f* isolamento *m*. **Isolationshaft** *f* segregazione *f* cellulare.

Isolde [i'zɔldə] *(weiblicher Vorname)* Isotta.

Isolierband ⟨-(e)s, -bänder⟩ *n* nastro *m* isolante.

isolieren [izo'li:rən] ⟨*ohne ge-*⟩ *tr* isolare.

Isolierkanne *f* thermos *m*. **Isolierstation** *f* reparto *m* di isolamento.

Isomatte *f* materassino *m* isolante.

Israel ['ɪsrae:l *o* ...aɛl] *n* Israele *m;* **in ~** nell'Israele.

Israeli [...'e:li] ⟨-(s), -(s)⟩ *mf*, **Israelin** [...lɪn] *f* israeliano, -a *m, f*.

israelisch *adj* israeliano.

Israelit(in) [...e'li:t(ɪn)] ⟨-en, -en⟩ *m(f)* israelita *mf*.

israelitisch *adj* israelitico, ebraico.

ist [ɪst] *pr von* **sein[1]**.

ißt [ɪst] *pr von* **essen.**

Italien [i'ta:li̯ən] *n* Italia *f*.

Italiener(in) [ita'li̯e:nɐ (...ərɪn)] ⟨-s, -⟩ *m(f)* italiano, -a *m, f*.

italienisch *adj* italiano.

Italienisch ⟨-(s), ø⟩ *n*, **Italienische** ⟨-n, ø⟩ *n* italiano *m;* **die Schwierigkeiten des Italienischen** le difficoltà dell'italiano; **Italienisch sprechen/verstehen** parlare/capire l'italiano; **kein Italienisch sprechen/verstehen** non parlare/capire l'italiano; **das ~(e) ist schwer** l'italiano è (una lingua) difficile; **er hat in Italienisch eine Zwei** ha un otto in italiano.

I-Tüpfelchen ['i:tʏpfəlçən] ⟨-s, -⟩ *n* puntino *m* sulla i; *fig* cacio *m* sui maccheroni *fam*.

i. V. [i:'fau̯] *abk von* **in Vertretung** p. (*abbr di* per).

IWF [i: ve: 'ˀef] *m abk von* **Internationaler Währungsfond** FMI (*abbr di* Fondo Monetario Internazionale).

J

J, j [jɔt] ⟨-, -(s)⟩ *n* J, j *f;* **J wie Julius** i lunga.

J *abk von* **Joule** J (*abbr di* joule).

ja [ja:] *adv* **1.** *(zustimmend)* sì; **2.** *(fragend: wirklich?)* ah sì; *fam* eh, vero; **3.** *(nachdrücklich)* ma; **4.** *(sogar)* anzi, perfino; ~ **sagen** dire di sì; **zu allem** ~ **und amen sagen** *fam* acconsentire a tutto; **mit Ja antworten** rispondere affermativamente; **mit Ja stimmen** votare per ...; **ich glaube** ~ penso di sì; **ich habe es** ~ **gesagt** ma l'ho detto; **sie wissen** ~, **daß ...** Lei sa bene che ...; **glaube** ~ **nicht, daß ...** e non credere che ...; **da bist du** ~! eccoti qua!; **das ist** ~ **furchtbar!** ma è terribile!; **das ist** ~ **eine schöne Geschichte!** *iron* bell'affare!; **aber** ~! *fam,* ~ **doch!** ma sì!; **na** ~! *fam* sì, sì; **nun** ~! e va bene.

Jacht [jaxt] ⟨-, -en⟩ *f* yacht *m.*

Jacke ['jakə] ⟨-, -n⟩ *f* giacca *f; (Strick~)* cardigan *m.*

Jackett [ʒa'kɛt] ⟨-(e)s, -s⟩ *n* giacca *f.*

Jagd [ja:kt] ⟨-, -en⟩ *f* caccia *f; (Verfolgung a.)* inseguimento *m* (*auf +akk* a); **auf die** ~ **gehen** andare a caccia; **auf etw.** *(akk)* ~ **machen** dare la caccia a qc. **Jagdbeute** *f* cacciagione *f.* **Jagdbomber** *m* cacciabombardiere *m.* **Jagdschein** *m* licenza *f* di caccia. **Jagdzeit** *f* stagione *f* venatoria (*o* della caccia).

jagen ['ja:gən] **I.** *tr* ⟨*haben*⟩ **1.** *(Wild)* cacciare; **2.** *fig (verfolgen)* inseguire, dare la caccia a; **damit kannst du mich** ~! *fam* mi fa schifo *fam;* **II.** *itr* **1.** ⟨*haben*⟩ *(auf die Jagd gehen)* cacciare, andare a caccia; **2.** ⟨*sein*⟩ *(dahin~)* andare di corsa.

Jäger(in) ['jɛ:gɐ (...ərɪn)] ⟨-s, -⟩ *m(f)* **1.** *allg.* cacciatore, -trice *m, f;* **2.** *mil aero* pilota *m* da caccia.

Jägerzaun *m* steccato *m.*

Jaguar ['ja:gu̯a:ɐ̯] ⟨-s, -e⟩ *m* giaguaro *m.*

jäh [jɛ:] *adj* **1.** *(steil)* ripido, erto, scosceso; **2.** *(plötzlich)* improvviso, repentino; **3.** *(überstürzt)* precipitato.

Jahr [ja:ɐ̯] ⟨-(e)s, -e⟩ *n (Zeiteinheit)* anno *m; (in bezug auf Verlauf)* annata *f;* **jedes** ~ ogni anno, annualmente; **ein dreiviertel/halbes** ~ nove/sei mesi; **alle zwei** ~**e** ogni due anni; **die dreißiger** ~**e** gli anni trenta; **die besten** ~**e (des Lebens)** gli anni più belli (della vita); **ein Mann in den besten** ~**en** un uomo nel fiore degli anni; **in die** ~**e kommen** cominciare a invecchiare; **viele** ~**e lang** per anni; ~ **für** ~ anno per anno; **das ganze** ~ **(hindurch** *o* **über)** (per) tutto l'anno; **in einem** ~ *(ab jetzt)* fra un anno; *(im Verlauf eines* ~*es)* in un anno, nel corso di un anno; **im** ~**e 1981** nel(l'anno) 1981; **einmal im** ~ una volta all'anno; **von** ~ **zu** ~ di anno in anno; **im Alter von 3** ~**en** a 3 anni; **vor einem** ~ un anno fa; **vor** ~**en** anni fa.

jahraus [-'ʔau̯s] *adv:* ~, **jahrein** anno per anno.

Jahrbuch *n* annuario *m,* almanacco *m.*

jahrelang I. *adj* di anni, che dura da anni; **II.** *adv* per anni.

Jahresabschluß *m* bilancio *m* di chiusura (*o* d'esercizio). **Jahresbeitrag** *m* rata *f* annuale, versamento *m* annuale. **Jahresbericht** *m* relazione *f* annuale (*o* di bilancio), rendiconto *m* annuo (*o* annuale). **Jahresbilanz** *f* bilancio *m* annuo (*o* annuale). **Jahresdurchschnitt** *m* media *f* annua. **Jahreseinkommen** *n* reddito *m* annuo. **Jahrestag** *m* anniversario *m.* **Jahresurlaub** *m* vacanze *f pl* annuali. **Jahreswechsel** *m,* **-wende** *f* capodanno *m.* **Jahreszahl** *f* data *f.* **Jahreszeit** *f* stagione *f.* **jahreszeitlich** *adj:* ~**e Schwankungen** oscillazioni stagionali.

Jahrgang *m* **1.** *(von Geburt)* generazione *f;* **2.** *(in Schule)* classe *f;* **3.** *(von Wein, Zeitschrift)* annata *f.*

Jahrhundert [-'hʊndɐt] ⟨-s, -e⟩ *n* (*abk* **Jh.**) secolo *m.* **Jahrhundertwende** *f* passaggio *m* da un secolo all'altro.

-jährig [-jɛ:rɪç] *adj (in Zusammensetzungen)* di ... anni.

Jahrmarkt *m* fiera *f.*

Jahrtausend [-'tau̯zənt] ⟨-s, -e⟩ *n* millennio *m.*

Jahrzehnt [-'tse:nt] ⟨-(e)s, -e⟩ *n* decennio *m.*

Jähzorn *m* **1.** *(Eigenschaft)* temperamento *m* collerico, irascibilità *f;* **2.** *(Ausbruch)* accesso *m (o* impeto *m)* di collera. **jähzornig** *adj* irascibile, iracondo, collerico.

Jakob ['ja:kɔp] *(männlicher Vorname)* Giacomo; *(in Bibel)* Giacobbe.

Jalousie [ʒalu'zi:, ...i:ən] ⟨-, -n⟩ *f* veneziana *f,* persiana *f.*

Jammer ['jamɐ] ⟨-s, ø⟩ *m* **1.** *(Elend)* miseria *f,* indigenza *f;* **2.** *(Klagen)* lamenti *m pl;* **es ist ein** ~, **daß ...** è un peccato che *+congv.*

jämmerlich ['jɛmɐlɪç] *adj (elend)* misero; *(erbärmlich)* miserabile, pietoso; *(mitleiderregend)* compassionevole.

jammern *itr* lamentarsi (*über +akk* di, *um* per); *(klagen)* lagnarsi (*über +akk* di, *um* per); **nach jdm/etw.** ~ reclamare qu/qc con tono lamentoso.
jammerschade ['jamɐ'ʃa:də] *adj fam:* **das ist** ~! è un gran peccato!
Januar ['janu̯a:ɐ̯] ⟨-(s), -e⟩ *m* gennaio *m; s. a. September.*
Japan ['ja:pan] *n* Giappone *m.*
Japaner(in) [ja'pa:nɐ (...ərın)] ⟨-s, -⟩ *m(f)* giapponese *mf.*
japanisch *adj* giapponese.
Jargon [ʒar'gõ:] ⟨-s, -s⟩ *m* gergo *m.*
Jasmin [jas'mi:n] ⟨-s, -e⟩ *m* gelsomino *m.*
Jastimme *f* voto *m* favorevole.
Jauche ['jau̲xə] ⟨-, -n⟩ *f* liquame *m.*
jauchzen ['jau̲xtsən] *itr* levare grida di gioia, esultare, giubilare.
jaulen ['jau̲lən] *itr* guaire, mugolare.
Jause ['jau̲zə] ⟨-, -n⟩ *f (A, süddeutsch)* merenda *f,* spuntino *m.*
jawohl [ja'vo:l] *adv* sì certo, sissignore.
Jawort *n:* **jdm das (***o* **sein)** ~ **geben** *(bei Trauung)* pronunciare il sì.
Jazz [dʒɛs *o* jats] ⟨-, ø⟩ *m* jazz *m.*
je[1] [je:] **I.** *adv* **1.** *(~mals)* mai; **2.** *(~weils)* ogni, alla volta; *(bei Personen)* ciascuno *(nachgestellt);* **seit eh und** ~ da sempre; **ich gebe euch** ~ **2 Mark** vi do 2 marchi ciascuno; **es ist schlimmer denn** ~ è peggio che mai; **II.** *konj:* ~ **. . ., desto . . .** quanto . . . tanto . . .; ~ **eher, desto lieber** quanto prima tanto meglio; ~ **mehr, desto besser** più ce n'è tanto meglio; ~ **nach . . .** secondo . . .; ~ **nachdem** a seconda delle circostanze; ~ **nachdem, ob . . .** a seconda se . . .; **III.** *prp +akk (pro)* per, a.
je[2] [je:] *interj:* **ach (***o* **oh)** ~! ahimè!, oh Dio!, mamma mia!
Jeans [dʒi:nz] ⟨*pl*⟩ jeans *m pl.* **Jeansrock** *m* gonna *f* jeans.
jedermann *pron* ognuno, tutti.
jede(r, s) ['je:də] *pron* **1.** *(adjektivisch)* ogni; **2.** *(substantivisch)* ognuno, -a, tutti; ~ **zweite/dritte . . .** ogni . . . due/tre . . .; ~**r von uns** ognuno di noi; **ohne** ~**n Grund/Sinn** senza alcun motivo/senso; **er kann** ~**n Augenblick hereinkommen** può entrare da un momento all'altro.
jederzeit ['je:dɐ'tsai̲t] *adv* in qualsiasi momento, sempre.
jedesmal ['je:dəs'ma:l] *adv* ogni volta.
jedoch [je'dɔx] **I.** *adv* però, tuttavia; **II.** *konj* ma, però.
jeher ['je:he:ɐ̯ *o* 'je:'he:ɐ̯] *adv:* **von** ~ da sempre, da molto tempo.
jemals ['je:ma:ls] *adv* mai; **hat man** ~ **so etwas gesehen?** si è mai visto qualcosa di simile?
jemand ['je:mant] *pron* qualcuno; *(verneinend)* nessuno; ~ **anders** qualcun altro; **ohne** ~**en zu fragen** senza chiedere a nessuno; **es ist** ~ **da** c'è qualcuno.
jene(r, s) ['je:nə] *dem pron geh* **1.** *(adjektivisch)* quel(lo) *m,* quella *f,* quei *m pl,* quegli *m pl,* quelle *f pl;* **2.** *(substantivisch)* quello *m,* quella *f,* quelli *m pl,* quelle *f pl.*
jenseits ['je:nzai̲ts *o* 'jɛn...] **I.** *adv* di là, dall'altra parte; **II.** *prp +gen* al di là di, di là da. **Jenseits** ⟨-, ø⟩ *n:* **das** ~ l'al di là *m,* l'altro mondo *m.*
Jerusalem [je'ru:zalɛm] *n* Gerusalemme *f.*
Jesuit [je'zu̯i:t] ⟨-en, -en⟩ *m* gesuita *m.*
Jesus ['je:zʊs, ...zu, ...zʊm] ⟨Jesu, *dat - o* Jesu, *akk - o* Jesum⟩ Gesù.
Jet-set ['dʒɛtsɛt] ⟨-s, ø⟩ *m* jet-set *m.*
jetten ['dʒɛtən] *itr* ⟨*haben o sein*⟩ spostarsi con il jet.
jetzig ['jɛtsıç] *adj* attuale, presente.
jetzt [jɛtst] *adv* adesso, ora, attualmente; *(dann)* allora; **bis** ~ finora; **erst** ~ solo ora, soltanto adesso; **gerade** ~ proprio ora; **von** ~ **an** d'ora in poi, d'ora innanzi; ~ **oder nie!** ora o mai!
jeweilig ['je:'vai̲lıç] *adj* rispettivo, vigente; *(betreffend)* in questione.
jeweils ['je:'vai̲ls] *adv (jedesmal)* ogni volta; **es können** ~ **8 Personen teilnehmen** possono prendervi parte 8 persone per volta.
Jh. *abk von* **Jahrhundert** sec. (*abbr di* secolo).
Joachim ['jo:axım *o* jo'axım] *(männlicher Vorname)* Gioacchino.
Job [dʒɔp] ⟨-s, -s⟩ *m* **1.** *fam* lavoro *m;* **2.** *inform* job *m.*
jobben ['dʒɔbən] *itr fam* lavorare (occasionalmente).
Jobsharing [-ʃɛ:rıŋ] ⟨-(s), ø⟩ *n* jobsharing *m,* lavoro *m* a tempo pieno diviso a part time fra due persone.
Joch [jɔx] ⟨-(e)s, -e⟩ *n allg., fig* giogo *m.*
Jockei, Jockey ['dʒɔke *o* -ki] ⟨-s, -s⟩ *m* jockey *m,* fantino *m.*
Jod [jo:t] ⟨-(e)s, ø⟩ *n* iodio *m.*
jodeln ['jo:dəln] *itr* fare lo jodel.
Joga ['jo:ga] ⟨-(s), ø⟩ *m o n* yoga *m.*
joggen ['dʒɔgən] **I.** *itr* ⟨*sein*⟩ praticare il jogging; **II.** *tr* ⟨*haben o sein*⟩*:* **er ist (***o* **hat) 2000 Meter gejoggt** ha corso per 2000 metri.
Jogging ['dʒɔgıŋ] ⟨-(s), ø⟩ *n* jogging *m.* **Jogginganzug** *m* tuta *f* da ginnastica.
Joghurt ['jo:gʊrt] ⟨-(s), -(s)⟩ *m o n* yogurt *m.*
Johanna [jo'hana] *(weiblicher Vorname)* Giovanna; **(die heilige)** ~ **von Orléans** la Pulzella d'Orléans.
Johann(es) [jo'han(əs) *o* 'jo:han] *(männlicher Vorname)* Giovanni; ~ **der Täufer** San Giovanni Battista.
Johannisbeere [jo'hanıs-] *f* ribes *m;* **schwarze/rote** ~ ribes nero/rosso.
johlen ['jo:lən] *itr* urlare, gridare.
Joint [dʒɔınt] ⟨-s, -s⟩ *m sl* spinello *m.*
Joint-venture ['dʒɔınt-'vɛntʃə] *m ökon*

joint-venture *f*.

Jongleur(in) [ʒõ'glø:ɐ (...rın)] ⟨-s, -e⟩ *m(f)* giocoliere, -a *m, f*.

jonglieren [ʒõ'gli:rən] ⟨*ohne ge-*⟩ *itr* fare giochi di destrezza.

Josef, Joseph ['jo:zɛf] *(männlicher Vorname)* Giuseppe.

Joule [dʒu:l *o* dʒaul] ⟨-(s), -⟩ *n* (*abk* **J**) joule *m*.

Jour fixe [ʒu:ɐ fıks] *m* giorno *m* fisso di ricevimento

Journalismus [ʒurna'lısmʊs] ⟨-, ø⟩ *m* giornalismo *m*.

Journalist(in) [...'lıst(ın)] ⟨-en, -en⟩ *m(f)* giornalista *mf*.

jovial [jo'via:l] *adj* gioviale.

Joystick ['dʒɔıstık] *m* joystick *m*, leva *f* di comando, manetta *f*.

jr. *abk von* **junior** jr.

Jubel ['ju:bəl] ⟨-s, ø⟩ *m* giubilo *m*, esultanza *f; (~schreie)* grida *f pl* di giubilo; **~, Trubel, Heiterkeit** *fam* confusione ed allegria.

jubeln *itr* giubilare, esultare.

Jubilar(in) [jubi'la:ɐ (...rın)] ⟨-s, -e⟩ *m(f)* festeggiato, -a *m, f*, chi festeggia un anniversario.

Jubiläum [...'lɛ:ʊm, ...ɛ:ən] ⟨-s, -läen⟩ *n* giubileo *m;* **fünfzigjähriges ~** cinquantenario *m*.

jucken ['jʊkən] **I.** *itr, tr (Körperstelle)* prudere (*jdn* a qu); **es juckt mich** mi prude; **II.** *rfl fam:* **sich ~** grattarsi.

Juckreiz *m* prurito *m*.

Jude ['ju:də] ⟨-n, -n⟩ *m*, **Jüdin** ['jy:dın] *f* ebreo, -a *m, f*. **Judentum** ⟨-s, ø⟩ *n* ebraismo *m*. **Judenverfolgung** *f* persecuzione *f* degli ebrei.

jüdisch ['jy:dıʃ] *adj* ebreo, ebraico; *hist* giudaico.

Judith ['ju:dıt] *(weiblicher Vorname)* Giuditta.

Judo ['ju:do] ⟨-(s), ø⟩ *n* judo *m*.

Jugend ['ju:gənt] ⟨-, ø⟩ *f* **1.** *(Jungsein)* gioventù *f*, giovinezza *f;* **2.** *(Kindheit)* infanzia *f; (~alter)* adolescenza *f;* **die ~ von heute** la gioventù d'oggi; **von (früher) ~ an** dalla (prima) giovinezza. **Jugendarbeitslosigkeit** *f* disoccupazione *f* giovanile. **Jugendaustausch** *m* interscambio *m* giovani. **Jugendbuch** *n* libro *m* per ragazzi. **jugendfrei** *adj* consentito ai giovani. **Jugendfreund(in)** *m(f)* amico, -a *m, f* di gioventù. **jugendgefährdend** *adj:* **~e Schriften** *jur* scritti pericolosi per la gioventù. **Jugendgruppe** *f* gruppo *m* giovanile. **Jugendherberge** *f* ostello *m* della gioventù. **Jugendkriminalität** *f* delinquenza *f* minorile.

jugendlich *adj* **1.** *(jung wirkend)* giovanile; **2.** *(jung)* giovane, adolescente. **Jugendliche** ⟨ein -r, -n, -n⟩ *mf* minorenne *mf;* **~ unter 16 Jahren haben keinen Zutritt** vietata l'entrata ai minori di sedici anni.

Jugendschutz *m* protezione *f* della gioventù. **Jugendstil** *m* liberty *m*. **Jugendzeit** *f* gioventù *f*, adolescenza *f*. **Jugendzentrum** *n* centro *m* per la gioventù.

Juli ['ju:li] ⟨-(s), -s⟩ *m* luglio *m; s. a. September.*

jun. *abk von* **junior** jr.

jung [jʊŋ] ⟨jünger, jüngste⟩ *adj* giovane; *fig* nuovo; **~ und alt** giovani e vecchi; **in ~en Jahren** in giovane età; **von ~ auf** fin da giovane.

Junge[1] ⟨-n, -n *o fam* Jungs *o* -ns⟩ *m* ragazzo *m*, giovane *m;* **kleiner ~** ragazzino *m;* **~, ~!** *fam* ahi ahi ahi! *fam.*

Junge[2] ⟨ein -s, -n, -n⟩ *n* piccolo *m;* **~ werfen** *itr* figliare.

jünger ['jʏŋɐ] ⟨*komp von* jung⟩ *adj* più giovane; *(bei Geschwistern)* minore; **Cranach der J~e** Cranach il giovane; **er ist fünf Jahre ~ als ich** ha cinque anni meno di me; **er sieht ~ aus, als er ist** non dimostra la sua età, sembra più giovane.

Jünger ⟨-s, -⟩ *m* discepolo *m*.

Jungfer ['jʊŋfɐ] ⟨-, -n⟩ *f pej:* **alte ~** vecchia zitella *f*. **Jungfernfahrt** *f* viaggio *m* inaugurale. **Jungfernhäutchen** *n* imene *m*.

Jungfrau *f* **1.** *allg.* vergine *f;* **2.** *astr* Vergine *f;* **er/sie ist ~** è (della *o* una) Vergine.

jungfräulich [-frɔylıç] *adj* vergine, verginale.

Junggeselle *m*, **-gesellin** *f* scapolo *m*, celibe *m*, nubile *f*.

Jüngling ['jʏŋlıŋ] ⟨-s, -e⟩ *m obs, poet* adolescente *m*, efebo *m poet*, giovincello *m poet, scherz.*

jüngste(r, s) ['jʏŋstə] ⟨*superl von* jung⟩ *adj* (il, la) più giovane; *(letzter)* ultimo, -a; **der/die J~** *(Bruder o Schwester)* il/la più piccolo/-a; **das J~ Gericht, der J~ Tag** il giudizio universale.

Juni ['ju:ni] ⟨-(s), -s⟩ *m* giugno *m; s. a. September.*

junior ['ju:niɔr] *adj (nachgestellt)* (*abk* **jr., jun.**) junior *m*, figlio *m*. **Juniorchef(in)** *m(f)* figlio, -a *m, f* del principale. **Junior-Paß** *m* tessera *f* (per) studenti.

Junkie ['dʒʌŋkı] ⟨-s, -s⟩ *m sl* tossicodipendente *mf* drogato, -a *m, f* tossico, -a *m, f fam.*

Jupe [ʒʏ:p] ⟨-, -s⟩ *f o* ⟨-s, -s⟩ *m CH* gonna *f*.

Jura[1] ['ju:ra] *(ohne Artikel) (die Rechte):* **~ studieren** studiare legge.

Jura[2] ['ju:ra] ⟨-s, ø⟩ *m geog:* **der ~** il Giura; **der Schweizer ~** il Giura francosvizzero.

Jura[3] ['ju:ra] ⟨-s, ø⟩ *m geol* giurassico *m*.

Jurist(in) [ju'rıst(ın)] ⟨-en, -en⟩ *m(f)* giurista *mf; (Student)* studente, -essa *m, f* in legge.

juristisch *adj* giuridico; **~e Fakultät** facoltà di legge.

Jury [ʒy'ri: *o* 'ʒy:ri:] ⟨-, -s⟩ *f* giurì *m*, giuria

f.
Jus [ʒy:] ⟨-, -⟩ *m CH* succo *m* di frutta (*o* di verdura).
Justiz [jʊs'ti:ts] ⟨-, ø⟩ *f* giustizia *f.* **Justizbeamte** *m,* **-beamtin** *f* magistrato *m* (giudiziario), donna *f* magistrato. **Justizgebäude** *n* palazzo *m* di giustizia. **Justizirrtum** *m* errore *m* giudiziario. **Justizminister(in)** *m(f)* ministro *m* della giustizia. **Justizopfer** *n* vittima *f* della giustizia. **Justizvollzugsanstalt** *f* carcere *m* giudiziario.
Jute ['ju:tə] ⟨-, ø⟩ *f* **1.** *bot* iuta *f;* **2.** *(Gewebe)* tessuto *m* di iuta, iuta *f.*
Juwel [ju've:l] ⟨-s, -en *o fig* -e⟩ *m o fig n* gioiello *m.*
Juwelier(in) [juve'li:ɐ̯(ɪn)] ⟨-s, -e⟩ *m(f)* gioielliere, -a *m, f.* **Juweliergeschäft** *n,* **-laden** *m* gioielleria *f.*
Jux [jʊks] ⟨-es, -e⟩ *m fam* scherzo *m,* celia *f;* **aus** ~ per scherzo.

K

K, k [ka:] ⟨-, -(s)⟩ *n* K, k *f;* **K wie Kaufmann** kappa.
Kabarett [kaba'rɛt] ⟨-s, -s⟩ *n* cabaret *m.*
Kabarettist(in) [...'tɪst(ɪn)] ⟨-en, -en⟩ *m(f)* artista *mf* di cabaret.
Kabel ['ka:bəl] ⟨-s, -⟩ *n* cavo *m.* **Kabelanschluß** *m* allacciamento *m* via cavo. **Kabelfernsehen** *n* televisione *f* via cavo. **Kabelkanal** *m* canale *m* via cavo.
Kabeljau ['ka:bəljau̯] ⟨-s, -e *o* -s⟩ *m* merluzzo *m.*
Kabine [ka'bi:nə] ⟨-, -n⟩ *f* cabina *f.*
Kabinett [kabi'nɛt] ⟨-s, -e⟩ *n pol* gabinetto *m.* **Kabinettssitzung** *f* seduta *f* dei ministri. **Kabinettsumbildung** *f* rimpasto *m* ministeriale.
Kabrio ['ka:brio] ⟨-s, -s⟩ *n,* **Kabriolett** [kabrio'lɛt] ⟨-s, -s⟩ *n* decappottabile *f.*
Kachel ['kaxəl] ⟨-, -n⟩ *f* piastrella *f.*
kacheln *tr* piastrellare.
Kachelofen *m* stufa *f* di ceramica.
Kacke ['kakə] ⟨-, ø⟩ *f vulg* merda *f volg.*
Kadaver [ka'da:vɐ] ⟨-s, -⟩ *m (Tier~)* carogna *f.*
Kader ['ka:dɐ] ⟨-s, -⟩ *m* quadri *m pl.*
Kadmium ['katmi̯ʊm] ⟨-s, ø⟩ *n* cadmio *m.*
Käfer ['kɛ:fɐ] ⟨-s, -⟩ *m* coleottero *m.*
Kaff [kaf] ⟨-s, -s *o* -e⟩ *n fam pej* paesucolo *m.*
Kaffee ['kafe *o* ka'fe:] ⟨-s, -s *o bei Mengenangaben* -⟩ *m* caffè *m;* **jdn zum ~ einladen** *(zu sich nach Hause)* invitare qu a prendere il caffè; **das ist kalter ~!** *fam* è vecchia!. **Kaffeebohne** *f* chicco *m* di caffè. **Kaffee-Ersatz** *m* surrogato *m* di caffè. **Kaffeefahrt** *f* gita *f* con pranzo, regalo e dimostrazione di vendita. **Kaffeefilter** *m* filtro *m* per il caffè. **Kaffeehaus** [ka'fe:-] *n (bes. A)* caffè *m.* **Kaffeekanne** *f* caffettiera *f.* **Kaffeeklatsch** *m fam* riunione *f* (di signore) per il caffè. **Kaffeelöffel** *m* cucchiaino *m* da caffè. **Kaffeemaschine** *f* macchina *f* del caffè. **Kaffeemühle** *f* macinacaffè *m.* **Kaffeepause** *f* pausa *f* (per il caffè), break *m.* **Kaffeesatz** *m* fondo *m* del caffè. **Kaffeetasse** *f* tazza *f* (*o* tazzina *f*) da caffè.
Käfig ['kɛ:fɪç] ⟨-s, -e⟩ *m* gabbia *f.* **Käfighaltung** *f* allevamento *m* in gabbia.
kahl [ka:l] *adj* **1.** *(haarlos)* pelato, calvo; **2.** *(unbewachsen, schmucklos)* brullo, spoglio; *(Wand)* nudo; **~ scheren** rasare (*o* rapare *fam*) a zero; **~ werden** *(Kopf)* stempiarsi. **kahl·fressen** ⟨*irr*⟩ *tr* divorare il fogliame di. **Kahlheit** ⟨-, ø⟩ *f* **1.** *(Kahlköpfigkeit)* calvizie *f;* **2.** *(Kahlsein)* nudità *f.*
Kahn [ka:n] ⟨-(e)s, Kähne⟩ *m* barca *f; (Schlepp~)* chiatta *f.*
Kai [kai̯] ⟨-s, -e *o* -s⟩ *m naut* banchina *f,* molo *m.*
Kaiser(in) ['kai̯zɐ (...ərɪn)] ⟨-s, -⟩ *m(f)* imperatore, -trice *m, f.* **kaiserlich** *adj* imperiale. **Kaiserreich** *n* impero *m.* **Kaiserschmarren** *m A gastr frittata dolce sminuzzata.* **Kaiserschnitt** *m* taglio *m* cesareo.
Kajüte [ka'jy:tə] ⟨-, -n⟩ *f* cabina *f,* camerino *m.*
Kakao [ka'kau̯ *o* ka'ka:o] ⟨-s, ø⟩ *m* **1.** *(Pflanze, Pulver)* cacao *m;* **2.** *(Getränk)* cioccolata *f;* **jdn durch den ~ ziehen** *fig fam* prendere in giro qu. **Kakaobaum** *m* cacao *m.*
Kakerlak ['ka:kɐlak] ⟨-s *o* -en, -en⟩ *m* scarafaggio *m.*
Kaktee [kak'te:ə] ⟨-, -n⟩ *f,* **Kaktus** ['kaktʊs] ⟨- *o* -ses, -teen *o* -se⟩ *m* cactus *m.*
Kalabrien [ka'la:briən] *n* Calabria *f.*
Kalb [kalp] ⟨-(e)s, Kälber⟩ *n* vitello *m.* **Kalbfleisch** *n* carne *f* di vitello. **Kalb(s)leder** *n* (pelle *f* di) vitello *m.*
Kaldaunen [kal'dau̯nən] *f pl* trippa *f.*
Kalender [ka'lɛndɐ] ⟨-s, -⟩ *m* calendario *m.* **Kalenderjahr** *n* anno *m* civile.
Kali ['ka:li] ⟨-s, -s⟩ *n* **1.** *chem* potassio *m; (~lauge)* potassa *f* caustica; **2.** *min* sale *m* potassico.
Kaliber [ka'li:bɐ] ⟨-s, -⟩ *n* calibro *m.*
Kalium ['ka:li̯ʊm] ⟨-s, ø⟩ *n* potassio *m.*
Kalk [kalk] ⟨-(e)s, -e⟩ *m* **1.** *allg.* calce *f;* **2.** *(~stein)* calcare *m;* **3.** *anat* calcio *m;* **ungelöschter/gelöschter ~** calce viva/spenta. **Kalkbildung** *f* calcificazione *f.*
kalken *tr* imbiancare.
kalkhaltig *adj* calcareo. **Kalkmangel** *m* **1.** *med* mancanza *f* di calcio; **2.** *(von Boden)* mancanza *f* di carbonato di calcio. **Kalkstein** *m* pietra *f* calcarea.
Kalkulation [kalkula'tsi̯o:n] ⟨-, -en⟩ *f* **1.** *(a. fig)* calcolo *m;* **2.** *(Kostenvoranschlag)* preventivo *m.*
kalkulieren [...'li:rən] ⟨*ohne ge-*⟩ *tr* calcolare; *(a. fig: abschätzen)* valutare.
Kalorie [kalo'ri:, ...i:ən] ⟨-, -n⟩ *f* (*abk* **cal**) caloria *f.* **kalorienarm** *adj* ipocalorico. **Kalorienbombe** *f fam* bomba *f fam,* concentrato *m* di calorie *fam.* **Kaloriengehalt** *m* contenuto *m* calorico. **kalorienreich** *adj* ipercalorico.
kalt [kalt] ⟨kälter, kälteste⟩ *adj* **1.** *allg.* freddo; *(eisig~)* freddissimo, ghiacciato; **2.** *fig* freddo; *(unempfindlich, gefühl-*

los) insensibile; *(gleichgültig)* indifferente; *(unfreundlich)* duro, secco; **~er Krieg** guerra fredda; **~ werden** *(Wetter)* fare freddo; *(Speise)* raffreddarsi; **es ist ~** fa freddo; **mir ist ~** ho freddo; **es lief mir ~ über den Rücken, es überlief mich ~** mi vennero i brividi. **kaltblütig** [-bly:tɪç] *adj, adv* a sangue freddo.

Kälte ['kɛltə] ⟨-, ø⟩ *f* **1.** *allg.* freddo *m;* **2.** *fig (Gefühls~)* freddezza *f; (Gleichgültigkeit)* indifferenza *f;* **bei dieser ~** con questo freddo. **kältebeständig** *adj* resistente al freddo. **Kälteeinbruch** *m* freddo *m* improvviso. **kälteempfindlich** *adj* sensibile al freddo. **Kälteschutzmittel** *n* anticongelante *m; (bes. mot)* antigelo *m.*

kalt·lassen ⟨*irr*⟩ *tr:* **das läßt mich kalt** ciò non mi fa né caldo né freddo. **Kaltmiete** *f* affitto *m* escluse le spese. **kaltschnäuzig** [-ʃnɔytsɪç] *adj fam* freddo, insensibile. **Kaltstart** *m (a. inform)* partenza *f* a freddo. **Kaltstartautomatik** *f* starter *m.*

Kalzium ['kaltsiʊm] ⟨-s, ø⟩ *n* calcio *m.*

kam [ka:m] *imp von* **kommen.**

Kamel [ka'me:l] ⟨-(e)s, -e⟩ *n* **1.** *(Tier)* cammello *m;* **2.** *fam pej* imbecille *m.* **Kamelhaar** *n* pelo *m* di cammello.

Kamera ['kaməra] ⟨-, -s⟩ *f* **1.** *film* cinepresa *f; TV* telecamera *f;* **2.** *fot* macchina *f* fotografica.

Kamerad(in) [kamə'ra:t (...dɪn)] ⟨-en, -en⟩ *m(f)* **1.** *(bes. Mitschüler, Lebensgefährte)* compagno, -a *m, f,* camerata *m;* **2.** *mil* commilitone *m.* **Kameradschaft** ⟨-, ø⟩ *f* cameratismo *m.* **kameradschaftlich** *adj* cameratesco.

Kamerafrau *f* operatrice *f* cinematografica. **Kameraführung** *f* ripresa *f.* **Kameramann** ⟨-(e)s, -männer *o* -leute⟩ *m* cameraman *m,* operatore *m* cinematografico.

Kamille [ka'mɪlə] ⟨-, -n⟩ *f* camomilla *f.*

Kamin [ka'mi:n] ⟨-s, -e⟩ *m* camino *m,* caminetto *m;* **am ~** accanto al camino. **Kaminfeger(in)** ⟨-s, -⟩ *m(f)* spazzacamino *m.*

Kamm [kam] ⟨-(e)s, Kämme⟩ *m* **1.** *(Haar~)* pettine *m;* **2.** *(Hahnen~, Wellen~, Gebirgs~)* cresta *f;* **alles über einen ~ scheren** *fig* fare di ogni erba un fascio.

kämmen ['kɛmən] **I.** *tr* pettinare; **II.** *rfl:* **sich ~** pettinarsi.

Kammer ['kamɐ] ⟨-, -n⟩ *f* camera *f.*

Kampagne [kam'panjə] ⟨-, -n⟩ *f (Werbe~, Wahl~)* campagna *f.*

Kampanien [kam'pa:niən] *n* Campania *f.*

Kampf [kampf] ⟨-(e)s, Kämpfe⟩ *m* **1.** *allg.* lotta *f (um* per); **2.** *(~handlung)* combattimento *m; (Schlacht)* battaglia *f;* **3.** *(Streit)* controversia *f; (Schlägerei)* rissa *f;* **4.** *(Wett~)* gara *f,* competizione *f;* **jdm den ~ ansagen** dichiarare guerra a qu.

kämpfen ['kɛmpfən] *itr* **1.** *allg.* lottare *(für, um* per); **2.** *(bes. mil)* combattere *(gegen* contro), essere alle prese *(mit* con); **3.** *(im Wettkampf)* gareggiare *(mit* con); **mit den Tränen ~** cercare di trattenere le lacrime; **mit Schwierigkeiten zu ~ haben** essere alle prese con delle difficoltà.

Kampfer ['kampfɐ] ⟨-s, ø⟩ *m* canfora *f.*

Kämpfer(in) ⟨-s, -⟩ *m(f) mil* combattente *mf; (a. fig, sport)* lottatore, -trice *m, f.*

kämpferisch *adj* combattivo.

Kampfflugzeug *n* aereo *m* da combattimento. **Kampfgeist** *m* spirito *m* combattivo. **Kampfhandlung** *f* operazione *f* militare. **Kampfhund** *m* cane *m* da combattimento. **Kampfpause** *f* tregua *f.* **Kampfrichter(in)** *m(f)* arbitro, -a *m, f.* **Kampfsport** *m* arti *m pl* marziali.

kampieren [kam'pi:rən] ⟨*ohne ge-*⟩ *itr* accamparsi.

Kanada ['kanada] *n* Canada *m;* **in ~** nel Canada.

kanadisch [ka'na:dɪʃ] *adj* canadese.

Kanal [ka'na:l] ⟨-s, Kanäle⟩ *m* **1.** *allg.* canale *m;* **2.** *(Abwasser~)* canale *m* di scolo; **3.** *geog (Ärmel~)* Canale *m* della Manica. **Kanaldeckel** *m* tombino *m.*

Kanalisation [kanaliza'tsio:n] ⟨-, -en⟩ *f* canalizzazione *f* di scarico, fognatura *f.*

kanalisieren [...'zi:rən] ⟨*ohne ge-*⟩ *tr* canalizzare.

Kanaltunnel *m* tunnel *m* (sotto il Canale) della Mancia.

Kanarienvogel [ka'na:riən-] *m* canarino *m.*

Kanarische Inseln [ka'na:rɪʃə 'ɪnzəln] *f pl* Canarie *f pl.*

Kandidat(in) [kandi'da:t(ɪn)] ⟨-en, -en⟩ *m(f)* candidato, -a *m, f (für* a).

Kandidatur [...da'tu:ɐ] ⟨-, -en⟩ *f* candidatura *f.*

kandidieren [...'di:rən] ⟨*ohne ge-*⟩ *itr* candidarsi.

kandieren [kan'di:rən] ⟨*ohne ge-*⟩ *tr gastr* candire; **kandierte Früchte** *f pl* frutta *f* candita.

Kandis(zucker) ['kandɪs] ⟨-, ø⟩ *m* zucchero *m* candito.

Känguruh ['kɛŋguru] ⟨-s, -s⟩ *n* canguro *m.*

Kaninchen [ka'ni:nçən] ⟨-s, -⟩ *n* coniglio *m.*

Kanister [ka'nɪstɐ] ⟨-s, -⟩ *m* bidone *m.*

kann [kan] *pr von* **können.**

Kännchen ['kɛnçən] ⟨-s, -⟩ *n* bricchetto *m.*

Kanne ['kanə] ⟨-, -n⟩ *f (Kaffee~, Tee~)* bricco *m; (große ~)* bidone *m.*

kannte ['kantə] *imp von* **kennen.**

Kanone [ka'no:nə] ⟨-, -n⟩ *f* **1.** *(Geschütz)* cannone *m,* pezzo *m* d'artiglieria; **2.** *fig fam (bes. sport)* asso *m,* campione *m;* **3.** *sl (Revolver)* pistola *f,* revolver *m;* **mit ~n auf Spatzen schießen** *fig* sparare ai passeri col cannone; **das ist unter**

aller ~ *fam* è pessimo.

Kante ['kantə] ⟨-, -n⟩ *f* spigolo *m; (Rand)* bordo *m; (Saum)* orlo *m;* **Geld auf die hohe ~ legen** *fam* mettere soldi da parte, risparmiare soldi.

kantig *adj* angoloso; *(bes. Gesicht)* spigoloso.

Kantine [kan'ti:nə] ⟨-, -n⟩ *f (Werks~)* mensa *f; (Kasernen~, Internats~)* refettorio *m.*

Kanton [kan'to:n] ⟨-s, -e⟩ *m (Verwaltungsbezirk)* cantone *m.*

Kanu ['ka:nu *o* ka'nu:] ⟨-s, -s⟩ *n* canoa *f.*

Kanüle [ka'ny:lə] ⟨-, -n⟩ *f* **1.** *(an Spritze)* ago *m* (della siringa); **2.** *(Röhrchen)* cannula *f.*

Kanusport *m* canottaggio *m.*

Kanzel ['kantsəl] ⟨-, -n⟩ *f* **1.** *rel* pulpito *m;* **2.** *aero* cabina *f* (di pilotaggio).

Kanzlei [kants'lai] ⟨-, -en⟩ *f* **1.** *(von Rechtsanwalt)* ufficio *m,* studio *m;* **2.** *(von Behörde)* cancelleria *f,* segreteria *f.*

Kanzler(in) ['kantslɐ (...ərɪn)] ⟨-s, -⟩ *m(f)* **1.** *pol* (donna *f*) cancelliere *m;* **2.** *(von Universität)* economo, -a *m, f.* **Kanzleramt** *n* cancellierato *m; (Gebäude)* cancelleria *f.*

Kap [kap] ⟨-s, -s⟩ *n* capo *m.*

Kap. *abk von* **Kapitel** cap. (*abbr di* capitolo).

Kapazität [kapatsi'tɛ:t] ⟨-, -en⟩ *f* **1.** *(Fassungsvermögen)* capacità *f;* **2.** *(Experte a.)* esperto, -a *m, f,* autorità *f.*

Kapelle [ka'pɛlə] ⟨-, -n⟩ *f* **1.** *rel* cappella *f;* **2.** *mus* banda *f,* orchestrina *f,* complesso *m* (musicale). **Kapellmeister** *m* **1.** *(Orchesterdirigent)* direttore *m* d'orchestra; **2.** *(Leiter einer Kapelle)* capobanda *m.*

Kaper ['ka:pɐ] ⟨-, -n⟩ *f* cappero *m.*

kapieren [ka'pi:rən] ⟨*ohne ge-*⟩ *tr fam* capire, comprendere, afferrare; **kapiert?** ci siamo intesi?

Kapital [kapi'ta:l, ...lə *o* ...li̯ən] ⟨-s, -e *o* -ien⟩ *n* **1.** *allg., fig* capitale *m;* **2.** *(Geldmittel)* capitali *m pl,* fondi *m pl;* ~ **aus etw. schlagen** *fig* trarre profitto da qc. **Kapitalabfluß** *m* deflusso *m* di capitale. **Kapitalanlage** *f* investimento *m* (di capitale). **Kapitalanlagegesellschaft** *f* società *f* di investimenti. **Kapitalbeteiligungsgesellschaft** *f* società *f* di partecipazione, società *f* finanziaria. **Kapitalerhöhung** *f* aumento *m* del capitale sociale. **Kapitalertrag** *m* reddito *m* di capitale. **Kapitalertragssteuer** *f* (*abk* **KESt**) imposta *f* sul reddito dei capitali. **Kapitalflucht** *f* fuga *f* dei capitali. **Kapitalgesellschaft** *f* società *f* di capitali.

Kapitalismus [kapita'lɪsmʊs] ⟨-, ø⟩ *m* capitalismo *m.*

kapitalistisch *adj* capitalista, capitalistico.

Kapitalverbrechen *n* delitto *m* capitale.

Kapitän [kapi'tɛ:n] ⟨-s, -e⟩ *m* **1.** *naut, sport* capitano *m;* **2.** *aero* comandante *m;* ~ **zur See** capitano di vascello.

Kapitel [ka'pɪtəl] ⟨-s, -⟩ *n* capitolo *m; fig (Angelegenheit)* questione *f,* faccenda *f;* **das ist ein ~ für sich** questa è una questione a parte; **ein dunkles ~ in seinem Leben** un capitolo oscuro nella sua vita.

Kapitell [kapi'tɛl] ⟨-s, -e⟩ *n* capitello *m.*

Kapitol [kapi'to:l] ⟨-s, ø⟩ *n* campidoglio *m.*

Kapitulation [kapitula'tsi̯o:n] ⟨-, -en⟩ *f* capitolazione *f.*

kapitulieren [kapitu'li:rən] ⟨*ohne ge-*⟩ *itr* capitolare; *(a. fig)* arrendersi.

Kaplan [ka'pla:n] ⟨-s, ¨-e⟩ *m* cappellano *m.*

Kappe ['kapə] ⟨-, -n⟩ *f* **1.** *(Kopfbedekkung)* berretto *m,* berretta *f;* **2.** *(am Schuh)* punta *f;* **3.** *(Deckel)* coperchio *m;* **etw. auf seine ~ nehmen** assumersi la responsabilità di qc.

Kapsel ['kapsəl] ⟨-, -n⟩ *f* **1.** *bot, anat* capsula *f;* **2.** *(Tablette)* cachet *m;* **3.** *(Behälter)* scatoletta *f.*

kaputt [ka'put] *adj fam* **1.** *(zerbrochen)* rotto, scassato *fam; (beschädigt)* rovinato; *(defekt)* guasto; **2.** *fig (erschöpft)* sfinito, stanco morto *fam;* **ein ~er Typ** *sl* un relitto (umano). **kaputt·gehen** ⟨*irr*⟩ *itr* ⟨*sein*⟩ *fam* **1.** *(entzweigehen)* rompersi, scassarsi *fam; (verderben)* rovinarsi, guastarsi; *(Pflanzen: eingehen)* morire; **2.** *fig (zugrunde gehen)* rovinarsi, andare in rovina. **kaputt·lachen** *rfl:* **sich** ~ *fam* sbellicarsi dalle risa. **kaputt·machen** *fam* **I.** *tr* **1.** *(zerbrechen)* rompere, scassare *fam;* **2.** *(ruinieren, a. wirtschaftlich)* rovinare; **II.** *rfl:* **sich** ~ rovinarsi.

Kapuze [ka'pu:tsə] ⟨-, -n⟩ *f* cappuccio *m.*

Karambolage [karambo'la:ʒə] ⟨-, -n⟩ *f* **1.** *(Zusammenstoß)* collisione *f,* scontro *m;* **2.** *(Billard)* carambola *f.*

Karamel [kara'mɛl] ⟨-s, ø⟩ *m* caramello *m.*

Karat [ka'ra:t] ⟨-(e)s, -e⟩ *n* carato *m.*

Karate [ka'ra:tə] ⟨-(s), ø⟩ *n* karatè *m.*

-karätig [-karɛ:tɪç] *adj* di . . . carati.

Karawane [kara'va:nə] ⟨-, -n⟩ *f* carovana *f.*

Kardanwelle [kar'da:n-] *f* albero *m* cardanico.

Kardinal [kardi'na:l] ⟨-s, Kardinäle⟩ *m* cardinale *m.*

Kardinal- *(in Zusammensetzungen)* fondamentale, sostanziale. **Kardinalzahl** *f* numero *m* cardinale.

Karenztag *m primo giorno di malattia per il quale il prestatore di lavoro non percepisce retribuzione.*

Karfiol [kar'fi̯o:l] ⟨-s, ø⟩ *m A (Blumenkohl)* cavolfiore *m.*

Karfreitag [ka:ɐ̯-] *m* venerdì *m* santo.

karg [kark] ⟨-er *o rar* kärger, -ste *o rar* kärgste⟩ *adj* **1.** *(gering bemessen)* scarso, magro; *(bes. Worte)* parco (*mit* di); **2.** *(armselig)* misero, povero; **3.** *(unfruchtbar)* povero.

kärglich ['kɛrklɪç] *adj (dürftig)* magro; *(Mahl)* frugale; *(a. armselig)* misero; povero; **in ~en Verhältnissen leben** vivere poveramente.

kariert [ka'ri:ɐt] *adj (Papier)* a quadretti; *(Stoff)* a quadri.

Karies ['ka:riɛs] ⟨-, ø⟩ *f* carie *f.*

Karikatur [karika'tu:ɐ] ⟨-, -en⟩ *f* caricatura *f; (in Zeitung)* vignetta *f.*

Karikaturist(in) [karikatu'rɪst(ɪn)] ⟨-en, -en⟩ *m(f)* caricaturista *mf.*

karikieren [...'ki:rən] ⟨*ohne ge-*⟩ *tr* fare la caricatura di.

Karl [karl] *(männlicher Vorname)* Carlo; ~ **der Große** Carlo Magno.

Karneval ['karnəval] ⟨-s, -e *o* -s⟩ *m* carnevale *m.*

Kärnten ['kɛrntən] *n* Carinzia *f.*

Karo ['ka:ro] ⟨-s, -s⟩ *n* **1.** *(Quadrat)* quadrato *m;* **2.** *(Raute)* losanga *f,* rombo *m;* **3.** *(von ~muster)* quadro *m;* **4.** ⟨*sing*⟩ *(beim Kartenspiel)* quadri *m pl.*

Karosserie [karɔsə'ri:, ...i:ən] ⟨-, -n⟩ *f* carrozzeria *f.*

Karotte [ka'rɔtə] ⟨-, -n⟩ *f* carota *f.*

Karpfen ['karpfən] ⟨-s, -⟩ *m* carpa *f.*

Karren ['karən] ⟨-s, -⟩ *m* carretto *m,* carrello *m; (Schub~)* carriola *f;* **den ~ aus dem Dreck ziehen** *fig fam* sbrogliare la matassa.

Karriere [ka'riɛ:rə] ⟨-, -n⟩ *f (Laufbahn)* carriera *f;* ~ **machen** fare carriera. **Karriereberater(in)** *m(f)* consulente *mf* professionale. **Karrierefrau** *f* donna *f* in carriera. **Karriereknick** *m* intoppo *m* nella carriera.

Karte ['kartə] ⟨-, -n⟩ *f* **1.** *allg.* carta *f;* **2.** *(Fahr~, Eintritts~)* biglietto *m; (Visiten~)* biglietto *m* da visita; *(Kartei~)* scheda *f;* **3.** *(Speise~)* menù *m,* carta *f; (Wein~)* lista *f* dei vini; **4.** *(Ansichts~, Post~)* cartolina *f* (illustrata, postale); **5.** *inform* scheda *f;* **~n spielen** giocare a carte; **alles auf eine ~ setzen** *fig* puntare tutto su una carta.

Kartei [kar'tai] ⟨-, -en⟩ *f* schedario *m.* **Karteikarte** *f* scheda *f,* cartellino *m.* **Karteikasten** *m* schedario *m.*

Kartell [kar'tɛl] ⟨-s, -e⟩ *n* cartello *m.* **Kartellamt** *n* ufficio *m* dei cartelli.

Kartenhaus *n* **1.** *naut* sala *f* nautica; **2.** *(aus Spielkarten, fig)* castello *m* di carte; **wie ein ~ zusammenfallen** crollare come un castello di carte. **Kartenleger(in)** ⟨-s, -⟩ *m(f)* cartomante *mf.* **Kartenspiel** *n* **1.** *(Spiel)* partita *f* a (*o* di) carte; **2.** *(Spielkarten)* mazzo *m* di carte. **Kartentelefon** *n* telefono *m* a scheda (magnetica). **Kartenvorverkauf** *m theat* vendita *f* anticipata, prevendita *f* dei biglietti. **Kartenvorverkaufsstelle** *f* punto *m* di vendita dei biglietti.

kartieren [kar'ti:rən] ⟨*ohne ge-*⟩ *tr (Gebiet)* schedare.

Kartoffel [kar'tɔfəl] ⟨-, -n⟩ *f* patata *f.* **Kartoffelbrei** *m* purè *m* di patate. **Kartoffelchips** *m pl* patatine *f pl.* **Kartoffelkäfer** *m* dorifora *f* della patata. **Kartoffelpuffer** *m* frittella *f* di patate. **Kartoffelpüree** *n s.* **Kartoffelbrei. Kartoffelsalat** *m* insalata *f* di patate.

Karton [kar'tɔŋ *o* ...'to:n] ⟨-s, -s *o* -e⟩ *m* **1.** *(Pappe)* cartone *m; (leichter ~)* cartoncino *m;* **2.** *(Schachtel)* scatola *f* di cartone.

Karussell [karʊ'sɛl] ⟨-s, -s *o* -e⟩ *n* giostra *f,* carosello *m.*

Karwoche ['ka:ɐ-] *f* settimana *f* santa.

karzinogen [kartsino'ge:n] *adj* cancerogeno.

Karzinom [kartsi'no:m] ⟨-s, -e⟩ *n* carcinoma *m.*

kaschieren [ka'ʃi:rən] ⟨*ohne ge-*⟩ *tr* **1.** *(überdecken)* coprire; **2.** *fig (bemänteln)* celare, ammantare; **3.** *(Bucheinband)* ricoprire (con copertina).

Käse ['kɛ:zə] ⟨-s, -⟩ *m* **1.** *gastr* formaggio *m,* cacio *m;* **2.** *fig fam (Unsinn)* sciocchezze *f pl,* cretinate *f pl fam.* **Käseglokke** *f* campana *f* per formaggio. **Käsekuchen** *m* torta *f* di ricotta. **Käseplatte** *f* piatto *m* di formaggi vari (*o* assortiti).

Kaserne [ka'zɛrnə] ⟨-, -n⟩ *f* caserma *f.*

Kasino [ka'zi:no] ⟨-s, -s⟩ *n* **1.** *(Spiel~)* casinò *m;* **2.** *(Speiseraum)* mensa *f; (Offiziers~)* mensa *f* ufficiali.

Kaskoversicherung ['kasko-] *f* assicurazione *f* contro tutti i rischi.

Kaspar ['kaspar] *(männlicher Vorname)* Gaspare.

Kasperle ['kaspələ] ⟨-s, -⟩ *n o m* **1.** *(im ~theater)* ≃ Arlecchino *m;* **2.** *fam* pagliaccio *m,* buffone, -a *m, f.* **Kasper(le)theater** *n* teatrino *m* dei burattini.

Kasse ['kasə] ⟨-, -n⟩ *f* **1.** *allg.* cassa *f;* **2.** *(Zahlstelle)* ufficio *m* cassa; **3.** *(für Eintritts-, Fahrkarten)* biglietteria *f; theat, film* botteghino *m;* **4.** *(Bank)* banca *f;* **5.** *(Kranken~)* mutua *f,* cassa *f* malati; **(gut) bei ~ sein** *fam* stare bene a quattrini *fam;* **knapp bei ~ sein** *fam* essere a corto di quattrini *fam;* **jdn zur ~ bitten** chiedere il pagamento a qu. **Kassenarzt** *m,* **-ärztin** *f* medico *m* (dottoressa *f*) della mutua. **Kassenbestand** *m* giacenza *f* (*o* fondo *m o* effettivo *m*) di cassa. **Kassenbon** *m* scontrino *m.* **Kassenpatient(in)** *m(f)* (paziente *mf*) mutuato, -a *m, f.* **Kassensturz** *m:* ~ **machen** verificare la cassa. **Kassenzettel** *m* scontrino *m.*

Kassette [ka'sɛtə] ⟨-, -n⟩ *f* **1.** *allg.* cassetta *f; (Musik~)* musicassetta *f;* **2.** *fot (Filmbehälter)* caricatore *m.* **Kassettendeck** *n* piastra *f* di registrazione. **Kassettenrecorder** [-rekɔrdɐ] ⟨-s, -⟩ *m* registratore *m* a cassette.

kassieren [ka'si:rən] ⟨*ohne ge-*⟩ **I.** *tr*

1. *(ein~)* incassare *(bei jdm* da qu); 2. *fig fam (wegnehmen)* sottrarre; *(beschlagnahmen)* sequestrare; **II.** *itr* 1. *(abrechnen)* fare i conti; 2. *sl (verdienen, Geld machen)* far soldi *fam;* **darf ich ~, bitte?** posso chiederLe di pagare?

Kassierer(in) ⟨-s, -⟩ *m(f)* cassiere, -a *m, f.*

Kastanie [kas'ta:niə] ⟨-, -n⟩ *f* 1. *(Baum: Edel~)* castagno *m; (Roß~)* ippocastano *m,* castagno *m* d'India; 2. *(Frucht)* castagna *f;* **für jdn die ~n aus dem Feuer holen** *fig* cavare le castagne dal fuoco per qu *fam.* **kastanienbraun** *adj* castano.

Kästchen ['kɛstçən] ⟨-s, -⟩ *n* 1. *(Behälter)* cassettina *f; (Schmuck~)* scrigno *m;* 2. *(Viereck)* quadretto *m.*

Kasten ['kastən] ⟨-s, Kästen *o* -⟩ *m* 1. *(Kiste)* cassa *f; (großer ~, Truhe)* cassone *m; (Schachtel)* scatola *f;* 2. *sport (Turngerät)* plinto *m;* 3. *fam (häßliches Gebäude)* catapecchia *f.*

kastrieren [kas'tri:rən] ⟨*ohne ge-*⟩ *tr* castrare.

Katakombe [kata'kɔmbə] ⟨-, -n⟩ *f* catacomba *f.*

Katalog [kata'lo:k] ⟨-(e)s, -e⟩ *m* catalogo *m.*

Katalysator [kataly'za:to:ɐ̯, ...za'to:rən] ⟨-s, -en⟩ *m chem, fig* catalizzatore *m; mot* marmitta *f* catalitica.

Katapult [kata'pʊlt] ⟨-(e)s, -e⟩ *n o m* catapulta *f.*

katapultieren [...'ti:rən] ⟨*ohne ge-*⟩ *tr aero, fig* catapultare.

Katarrh [ka'tar] ⟨-s, -e⟩ *m* catarro *m.*

katastrophal [katastro'fa:l] *adj* catastrofico.

Katastrophe [...'tro:fə] ⟨-, -n⟩ *f* catastrofe *f,* disastro *m.* **Katastrophenalarm** *m* allarme *m* (in caso di catastrofe imminente). **Katastrophengebiet** *n* zona *f* sinistrata. **Katastrophenopfer** *n* vittima *f* della catastrofe. **Katastrophenschutz** *m* 1. *(Organisation)* protezione *f* civile; 2. *(Maßnahme)* misure *f pl* anticatastrofe.

Katechismus [katɛ'çɪsmʊs, ...mən] ⟨-, -men⟩ *m* catechismo *m.*

Kategorie [katego'ri:, ...i:ən] ⟨-, -n⟩ *f* categoria *f.*

kategorisch [...'go:rɪʃ] *adj* categorico.

Kater ['ka:tɐ] ⟨-s, -⟩ *m* 1. *zoo* gatto *m;* 2. *fig fam (Katzenjammer)* malessere *m,* mal *m* di testa dopo una sbornia. **Katerfrühstück** *n fam* colazione *f* per smaltire la sbornia.

Katharina, Käthe [kata'ri:na, 'kɛ:tə] *(weiblicher Vorname)* Caterina.

Katheder [ka'te:dɐ] *n* cattedra *f.*

Kathedrale [kate'dra:lə] ⟨-, -n⟩ *f* cattedrale *f.*

Katheter [ka'te:tɐ] ⟨-s, -⟩ *m* catetere *m.*

Kathode [ka'to:də] ⟨-, -n⟩ *f* catodo *m.*

Katholik(in) [kato'li:k(ɪn)] ⟨-en, -en⟩ *m(f)* cattolico, -a *m, f.*

katholisch [ka'to:lɪʃ] *adj* cattolico.

Katholizismus [katoli'tsɪsmʊs] ⟨-, ø⟩ *m* cattolicesimo *m.*

Katze ['katsə] ⟨-, -n⟩ *f* gatto *m; (nur weiblich)* gatta *f;* **die ~ im Sack kaufen** *fig* comprare a occhi chiusi (*o* a scatola chiusa); **die ~ aus dem Sack lassen** *fig* spiattellare il segreto; **wie die ~ um den heißen Brei herumgehen** rigirare le parole per non venire al sodo; **das ist für die Katz** *fam* è fatica sprecata; **die ~ läßt das Mausen nicht** *prov* il lupo perde il pelo ma non il vizio *prov;* **in der Nacht (*o* nachts) sind alle ~n grau** *prov* di notte non si vedono i particolari. **katzenartig** *adj* felino. **Katzenauge** *n (Rückstrahler)* catarifrangente *m.* **Katzenjammer** *m fam* 1. *(nach Alkoholgenuß)* postumi *m pl* di una sbornia; 2. *(depressive Stimmung)* abbattimento *m.* **Katzensprung** *m fam:* **das ist nur ein ~ (von hier)** è a due passi (da qui).

Kauderwelsch ['kaudɐvɛlʃ] ⟨-(s), ø⟩ *n* linguaggio *m* incomprensibile e scorretto; **ein ~ aus Italienisch und Deutsch** un miscuglio di italiano e tedesco.

kauen ['kauən] **I.** *tr* masticare; **II.** *itr* masticare; **an den Nägeln ~** rosicchiarsi (*o* mangiarsi) le unghie.

kauern ['kauɐn] **I.** *itr* stare accovacciato; **II.** *rfl:* **sich ~** accovacciarsi, rannicchiarsi.

Kauf [kauf] ⟨-(e)s, Käufe⟩ *m* acquisto *m,* comp(e)ra *f;* **etw. in ~ nehmen** accettare qc. **Kaufabsicht** *f* intenzione *f* di acquisto. **Kaufanreiz** *m* stimolo *m* (*o* incentivazione *f*) all'acquisto.

kaufen *tr* comp(e)rare, acquistare.

Käufer(in) ['kɔyfɐ (...ərɪn)] ⟨-s, -⟩ *m(f)* compratore, -trice *m, f,* acquirente *mf.*

Kauffrau *f* commerciante *f.* **Kaufhaus** *n* grande magazzino *m.* **Kaufhausdetektiv(in)** *m(f)* controllore *m* dei grandi magazzini. **Kaufkraft** *f* potere *m* d'acquisto.

käuflich ['kɔyflɪç] *adj* 1. *(zum Verkauf angeboten)* da vendersi, in vendita; 2. *fig (Liebe)* venale; *(a. bestechlich)* corruttibile; **~ erwerben** *adm* comp(e)rare, acquistare.

Kaufmann ⟨-(e)s, -leute⟩ *m* (*abk* **Kfm.**) 1. *(a. Geschäftsmann)* commerciante *m;* 2. *(Krämer)* bottegaio *m;* 3. *(Einzelhandels~)* negoziante *m.*

kaufmännisch [-mɛnɪʃ] *adj* commerciale, di commercio; **~er Angestellter** impiegato di commercio.

Kaufrausch *m:* **im ~ sein** essere in preda alla smania degli acquisti. **Kaufverhalten** *n* comportamento *m* d'acquisto. **Kaufvertrag** *m* contratto *m* di compravendita.

Kaugummi *m o n* gomma *f* da masticare (*o* americana), chewing gum *m.*

Kaulquappe ['kau̯lkvapə] ⟨-, -n⟩ *f* girino *m*.

kaum [kau̯m] *adv* **1.** *(fast nicht)* appena; *(noch nicht einmal)* non appena; **2.** *(nur mit Mühe)* a malapena; **3.** *(wahrscheinlich nicht)* probabilmente non ...; **ich glaube ~** non credo; **ich kann es ~ glauben** stento a crederlo, pare impossibile; **ich kann es ~ erwarten** non (ne) vedo l'ora; **~ hatte er ..., als ...** aveva appena ... che ...

Kaution [kau̯'tsi̯o:n] ⟨-, -en⟩ *f* cauzione *f;* **eine ~ hinterlegen** depositare una cauzione.

Kautschuk ['kau̯tʃʊk] ⟨-s, -e⟩ *m* caucciù *m,* gomma *f* elastica.

Kauz [kau̯ts] ⟨-es, Käuze⟩ *m* civetta *f;* **komischer ~** *fam* tipo *m* strano.

Kavalier [kava'li:ɐ] ⟨-s, -e⟩ *m* cavaliere *m.* **Kavaliersdelikt** *n* peccatuccio *m.*

Kaviar ['ka:vi̯ar] ⟨-s, -e⟩ *m* caviale *m.*

KB [ka:be:] *abk von* **Kilobyte** Kbyte *m.*

kcal *abk von* **Kilokalorie** kcal, Cal (*abbr di* grande caloria).

Kegel ['ke:gəl] ⟨-s, -⟩ *m* **1.** *mat* cono *m;* **2.** *(Spiel~)* birillo *m;* **3.** *(Berg~)* conoide *m.* **Kegelbahn** *f* pista *f* dei birilli, bowling *m.* **kegelförmig** [-fœrmɪç] *adj* conico.

kegeln *itr* giocare ai birilli.

Kehle ['ke:lə] ⟨-, -n⟩ *f* **1.** *anat* gola *f;* **2.** *arch* scanalatura *f.*

Kehlkopf *m* laringe *f.*

kehren[1] ['ke:rən] *tr, itr (fegen)* scopare.

kehren[2] ['ke:rən] **I.** *tr, itr (wenden)* voltare, girare; **das Oberste zuunterst ~** mettere tutto sottosopra (*o* a soqquadro); **in sich gekehrt** rinchiuso in sé stesso; **II.** *rfl:* **sich ~ 1.** *(sich wenden)* voltarsi, girarsi; **2.** *(sich kümmern)* occuparsi (*an +akk* di).

Kehricht ['ke:rɪçt] ⟨-s, ø⟩ *m o n* spazzatura *f.*

Kehrmaschine *f* (macchina *f*) spazzatrice *f.*

Kehrreim *m* ritornello *m.*

Kehrseite *f* **1.** *(Rückseite)* retro *m,* rovescio *m;* **2.** *fam scherz (Rücken)* spalle *f pl;* *(Gesäß)* didietro *m fam;* **die ~ der Medaille** il rovescio della medaglia.

kehrt·machen ['ke:ɐt-] *itr* fare dietrofront. **Kehrtwendung** *f* **1.** *mil* dietrofront *m;* **2.** *fig* voltafaccia *m.*

keifen ['kai̯fən] *itr* strillare, gridare.

Keil [kai̯l] ⟨-(e)s, -e⟩ *m* **1.** *allg., tec* cuneo *m,* chiavetta *f;* **2.** *(Bremsklotz)* ceppo *m* del freno. **keilförmig** [-fœrmɪç] *adj* cuneiforme. **Keilriemen** *m* cinghia *f* trapezoidale.

Keim [kai̯m] ⟨-(e)s, -e⟩ *m* germe *m;* **etw. im ~ ersticken** soffocare qc sul nascere. **Keimdrüse** *f* ghiandola *f* germinale (*o* genitale).

keimen *itr* **1.** *(Pflanzen)* germogliare, germinare; **2.** *fig (Verdacht)* sorgere.

keimfrei *adj (Milch)* sterilizzato; *(aseptisch)* asettico. **Keimling** ['kai̯mlɪŋ] ⟨-s, -e⟩ *m bot* germoglio *m.* **keimtötend** *adj* antisettico, germicida.

Keimzelle *f* cellula *f* germinale.

kein, keine, kein [kai̯n] *pron* non ... (un, una); *(~ einziger)* nessuno, -a, alcuno, -a; *(nicht einmal)* nemmeno; **~ Mensch** *fam* nessuno, non anima viva *fam;* **~e 20 Leute/2 Mark/4 Stunden** neanche 20 persone/2 marchi/4 ore; **~ anderer als ...** nessunaltro che ...; **~ bißchen** *fam* per niente, neanche un pò; **~ einziges Mal** neanche una volta; **~ ... mehr** non più ...

keinerlei ['kai̯nɐ'lai̯] ⟨*inv*⟩ *adj* non ... alcuno, non ... di sorta.

keine(r, s) ['kai̯nə] nessuno, -a *m, f;* **~r von beiden** nessuno dei due.

keinesfalls ['kai̯nəs'fals] *adv* in nessun caso.

keineswegs ['kai̯nəs've:ks] *adv* in nessun modo, non ... affatto.

keins *s.* **keine(r, s)**.

Keks [ke:ks] ⟨-(es), -(e)⟩ *m o n* biscotto *m,* biscottino *m;* **jdm auf den ~ gehen** *fam* stare sulle scatole a qu, rompere le scatole a qu.

Kelch [kɛlç] ⟨-(e)s, -e⟩ *m* calice *m;* **der ~ ist (noch einmal) an mir vorübergegangen** l'ho scampata bella.

Kelle ['kɛlə] ⟨-, -n⟩ *f* **1.** *(Schöpf~)* mestolo *m,* ramaiolo *m;* **2.** *(Maurer~)* cazzuola *f;* **3.** *(Signalstab)* paletta *f.*

Keller ['kɛlɐ] ⟨-s, -⟩ *m* cantina *f;* *(~geschoß)* scantinato *m.* **Kellerassel** [-asəl] ⟨-, -n⟩ *f* onisco *m* delle cantine. **Kellerwohnung** *f* appartamento *m* seminterrato.

Kellner(in) ['kɛlnɐ (...ərɪn)] ⟨-s, -⟩ *m(f)* cameriere, -a *m, f.*

Kelter ['kɛltɐ] ⟨-, -n⟩ *f* torchio *m.*

keltern *tr (Weintrauben)* pigiare.

kennen ['kɛnən] ⟨kennt, kannte, gekannt⟩ *tr* **1.** *allg.* conoscere; *(wissen a.)* sapere; **2.** *fig (Grenzen, Mitleid)* avere; **keine Rücksicht ~** non avere riguardo; **sich vor Wut nicht mehr ~** essere fuori di sé dalla rabbia; **~ Sie sich schon?** vi conoscete già?. **kennen·lernen** *tr* conoscere, fare la conoscenza di; **sich ~** conoscersi; **es freut mich, Sie kennenzulernen** lieto di fare la Sua conoscenza; **du wirst (*o* sollst) mich noch ~!** *fam* ancora non mi conosci!

Kenner(in) ⟨-s, -⟩ *m(f)* conoscitore, -trice *m, f,* intenditore, -trice *m, f;* *(a. Fachmann)* esperto, -a *m, f.*

kenntlich ['kɛntlɪç] *adj* riconoscibile (*an +dat* da); **~ machen** *(kennzeichnen)* contrassegnare; *(erkennbar machen)* far riconoscere.

Kenntnis ['kɛntnɪs] ⟨-, -se⟩ *f* **1.** *allg.* conoscenza *f;* **2.** ⟨*pl*⟩ *(Fach~)* cognizioni *f pl,* nozioni *f pl;* **von etw. ~ erhalten** venir a conoscenza di qc, avere notizia di qc; **etw. zur ~ nehmen** prendere atto di qc.

Kennwort ⟨-(e)s, -wörter⟩ *n* **1.** *(Erkennungszeichen)* parola *f* di riconoscimento; **2.** *inform* password *f;* **3.** *mil* parola *f* d'ordine.

Kennzeichen *n* **1.** *(Merkmal)* segno *m* (particolare) (*für* di), caratteristica *f* (*für* di); **2.** *(Unterscheidungszeichen)* contrassegno *m;* **3.** *(Abzeichen)* distintivo *m;* **4.** *mot* targa *f;* **besondere ~** *(Paßvermerk)* segni particolari; **ein Auto mit Münchner ~** un'auto targata Monaco.

kennzeichnen *tr* **1.** *(mit Zeichen)* contrassegnare; *(schriftlich)* segnare; **2.** *(charakterisieren)* caratterizzare; *(erkennen lassen)* evidenziare; **3.** *(bezeichnen)* definire. **kennzeichnend** *adj* caratteristico (*für* di).

Kennziffer *f* numero *m* di riferimento.

kentern ['kɛntɐn] *itr* ⟨*sein*⟩ ribaltarsi, capovolgersi.

Keramik [ke'ra:mɪk] ⟨-, -en⟩ *f* ceramica *f; (Erzeugnisse)* ceramiche *f pl.*

keramisch *adj* ceramico; *(aus Ton)* di (*o* in) ceramica.

Kerbe ['kɛrbə] ⟨-, -n⟩ *f* tacca *f,* intaccatura *f; (bes. tec)* intaglio *m.*

Kerker ['kɛrkɐ] ⟨-s,-⟩ *m* carcere *m.*

Kerl [kɛrl] ⟨-(e)s, -e *o* -s⟩ *m* **1.** *fam (Mann)* uomo *m; (a. pej)* tipo *m;* **2.** *pej* individuo *m,* soggetto *m;* **armer ~** poveraccio *m,* povero diavolo; **blöder** (*o* **dämlicher** *o* **dummer) ~** cretino *m,* imbecille *m;* **gemeiner ~** vigliacco *m.*

Kern [kɛrn] ⟨-(e)s, -e⟩ *m* **1.** *allg., fig* nocciolo *m; (von Birnen, Äpfeln)* seme *m; (von Trauben)* acino *m,* chicco *m; (Nuß~)* gheriglio *m;* **2.** *(Zell~, Atom~)* nucleo *m;* **3.** *(~punkt)* centro *m,* cuore *m;* **4.** *fig (Wesen)* sostanza *f,* essenza *f;* **5.** *fig (bester, wichtigster Teil)* anima *f,* nerbo *m;* **der harte ~** il nucleo duro; **zum ~ der Sache vordringen** venire al dunque (*o* al nocciolo) della questione; **er hat einen guten ~** in fondo è buono. **Kernarbeitszeit** *f* orario *m* fisso (nell'ambito dell'orario flessibile). **Kernbrennstoff** *m* combustibile *m* nucleare. **Kernenergie** *f* energia *f* nucleare. **Kernforschung** *f* ricerca *f* nucleare. **Kernforschungszentrum** *n* centro *m* per la ricerca nucleare (*o* atomica). **Kernfusion** *f* fusione *f* nucleare. **Kerngehäuse** *n* torsolo *m.* **kerngesund** ['kɛrngə'zʊnt] *adj* sano come un pesce *fam,* sanissimo.

kernig *adj* **1.** *(Frucht)* granuloso; **2.** *(kräftig)* vigoroso, forte, robusto; **3.** *(markig, bes. Ausspruch)* incisivo.

Kernkraft *f* energia *f* atomica (*o* nucleare). **Kernkraftbefürworter(in)** *m(f)* sostenitore, -trice *m, f* (*o* fautore, -trice *m, f*) dell'energia atomica. **Kernkraftgegner(in)** *m(f)* antinucleare *mf.* **Kernkraftwerk** *n* (*abk* **KKW**) centrale *f* nucleare. **Kernobst** *n* frutta *f* con semi. **Kernphysik** *f* fisica *f* nucleare. **Kernreaktor** *m* reattore *m* nucleare. **Kernschmelze** *f* fusione *f* del nucleo atomico. **Kernseife** *f* sapone *m* da bucato. **Kernspaltung** *f* fissione *f* (*o* scissione *f*) nucleare. **Kernspeicher** *m* memoria *f* a nuclei. **Kernstück** *n* parte *f* essenziale, anima *f.* **Kernteilung** *f* mitosi *f.* **Kernwaffen** *f pl* armi *f pl* nucleari.

Kerze ['kɛrtsə] ⟨-, -n⟩ *f allg., mot, sport* candela *f; (Altar~)* cero *m.* **kerzengerade** ['kɛrtsəngə'ra:də] *adj* diritto come un fuso. **Kerzenhalter** *m* candeliere *m,* portacandele *m.* **Kerzenleuchter** *m* candeliere *m.*

keß [kɛs] *adj* **1.** *(Mensch)* spigliato; **2.** *(Kleidung)* chic, carino; **3.** *(frech)* impertinente.

Kessel ['kɛsəl] ⟨-s, -⟩ *m* **1.** *(Wasser~, Heiz~)* caldaia *f; (großer ~)* calderone *m; (Kupfer~)* paiolo *m; (kleiner ~, Tee~)* bollitore *m;* **2.** *(Tal~)* conca *f;* **3.** *mil* sacca *f.*

Ketchup ['kɛtʃap *o* 'kɛtʃəp] ⟨-(s), -s⟩ *m o n* ketchup *m.*

Kette ['kɛtə] ⟨-, -n⟩ *f* **1.** *allg., fig* catena *f;* **2.** *(Schmuck~)* catenina *f; (Hals~)* collana *f;* **3.** *(von Raupenfahrzeugen)* cingolo *m;* **4.** *fig (Reihe)* serie *f,* fila *f.*

ketten *tr* incatenare (*an +akk* a); *fig* legare (*an +akk* a).

Kettenfahrzeug *n* (veicolo *m*) cingolato *m.* **Kettenraucher(in)** *m(f)* fumatore, -trice *m, f* accanito, -a. **Kettenreaktion** *f* reazione *f* a catena. **Kettensäge** *f* motosega *f.*

Ketzer(in) ['kɛtsɐ (...ərɪn)] ⟨-s, -⟩ *m(f)* eretico, -a *m, f.*

Ketzerei [kɛtsə'rai] ⟨-, -en⟩ *f* eresia *f.*

ketzerisch *adj* eretico.

keuchen ['kɔyçən] *itr* **1.** ⟨*haben*⟩ *(geräuschvoll, schwer atmen)* ansimare; **2.** ⟨*sein*⟩ *(sich fortbewegen)* muoversi ansimando. **Keuchhusten** *m* pertosse *f,* tosse *f* canina (*o* asinina).

Keule ['kɔylə] ⟨-, -n⟩ *f* **1.** *(Waffe, Sportgerät)* clava *f;* **2.** *(Rinds~, Schweine~, Geflügel~)* coscia *f; (Lamm~, Hammel~, Wild~)* cosciotto *m.*

keusch [kɔyʃ] *adj* casto; *(schamhaft)* pudico. **Keuschheit** ⟨-, ø⟩ *f* castità *f; (Schamhaftigkeit)* pudicizia *f.*

Keyboard ['ki:bɔ:d] ⟨-s, -s⟩ *n* tastiera *f.*

Kfm. *abk von* **Kaufmann** commerciante *m.*

Kfz [ka:ɛf'tsɛt] ⟨-(s), -(s)⟩ *n abk von* **Kraftfahrzeug** autoveicolo *m.*

kg *abk von* **Kilogramm** kg (*abbr di* chilogrammo).

KG [ka:'ge:] ⟨-, -s⟩ *f abk von* **Kommanditgesellschaft** S.acc. (*abbr di* Società in accomandita).

Khaki ['ka:ki] ⟨-(s), ø⟩ *n (Farbe)* color *m* cachi.

KI *abk von* **Künstliche Intelligenz** IA (*abbr di* intelligenza artificiale).
Kichererbse ['kɪçɐ-] *f* cece *m.*
kichern ['kɪçɐn] *itr* ridacchiare, ridere sotto i baffi.
Kid [kɪt] *n* ⟨-s, -s⟩ *sl (Kind, Jugendliche)* ragazzino, -a *m, f,* ragazzo, -a *m, f.*
kidnappen ['kɪtnɛpən] *tr* rapire, sequestrare.
Kidnapper(in) *m(f)* kidnapper *mf,* sequestratore, -trice *m, f.*
Kidnapping ['kɪtnɛpɪŋ] *n* kidnapping *m,* sequestro *m* di persona.
Kiefer[1] ['ki:fɐ] ⟨-s, -⟩ *m anat* mascella *f.*
Kiefer[2] ['ki:fɐ] ⟨-, -n⟩ *f bot* pino *m.*
Kiel[1] [ki:l] ⟨-(e)s, -e⟩ *m (Schiffs~)* chiglia *f,* carena *f.*
Kiel[2] [ki:l] ⟨-(e)s, -e⟩ *m (Feder~)* cannello *m* della penna.
Kieme ['ki:mə] ⟨-, -n⟩ *f* ⟨*meist pl*⟩ branchia *f.*
Kies [ki:s] ⟨-es, -e⟩ *m* ghiaia *f; (grober ~)* pietrisco *m.*
Kiesel ['ki:zəl] ⟨-s, -⟩ *m* ciottolo *m.*
kiffen ['kɪfən] *itr sl* farsi uno spinello *sl.*
kikeriki [kikəri'ki:] *interj* chicchirichì.
Killer(in) ['kɪlɐ (...ərɪn)] ⟨-s, -⟩ *m(f) sl* sicario *m,* killer *mf.*
Kilo ['ki:lo] ⟨-s, -s *o bei Maßangaben* -⟩ *n* chilo *m.*
Kilobyte ['kilobaɪt] ⟨-s, -s⟩ *n* (*abk* **KB**) kilobyte *m.*
Kilogramm [-'gram] *n* (*abk* **kg**) chilogrammo *m.*
Kilojoule [-'dʒu:l *o* -'dʒaul] *n* (*abk* **kJ**) chilo *m* joule.
Kilokalorie [-kalo'ri:] *f* (*abk* **kcal**) grande caloria *f,* chilocaloria *f.*
Kilometer [-'me:tɐ] *m* (*abk* **km**) chilometro *m;* ~ **pro Stunde** (*abk* **km/h, km/st**) chilometri orari; **mit 100 ~n in der Stunde fahren** andare a 100 (chilometri) all'ora. **Kilometergeld** *n* indennità *f* per chilometro. **Kilometerzähler** *m* contachilometri *m.*
Kilowatt [-'vat] *n* (*abk* **kW**) chilowatt *m.* **Kilowattstunde** *f* (*abk* **kWh**) chilowattora *m.*
Kind [kɪnt] ⟨-(e)s, -er⟩ *n* **1.** *(a. Klein~)* bambino *m; (a. Koseform)* bimbo *m;* **2.** *(Sohn, Tochter)* figlio, -a *m, f;* **sich bei jdm lieb ~ machen** *fam* entrare nelle grazie di qu; **mit ~ und Kegel** *fam scherz* con tutta la famiglia; **von ~ auf** fin dall'infanzia, (fin) da piccolo; **das weiß jedes ~** lo sanno tutti; **so, ~er, jetzt ...!** *fam (so, Leute ...)* allora, ragazzi, adesso ...! *fam;* **das ~ mit dem Bade ausschütten** *prov* buttare via il buono col cattivo; **aus ~ern werden Leute** *prov* i figli crescono. **Kinderarbeit** *f* lavoro *m* minorile. **Kinderarzt** *m,* **-ärztin** *f* pediatra *mf.* **Kinderbett** *n* lettino *m.* **Kinderbuch** *n* libro *m* per bambini.
Kinderei [kɪndə'rai] ⟨-, -en⟩ *f* **1.** *(Streich)* bambinata *f;* **2.** *(albernes Benehmen)* comportamento *m* sciocco.
Kinderfahrkarte *f* biglietto *m* ridotto (per bambini). **kinderfeindlich** *adj* ostile ai bambini. **Kinderfreibetrag** *m* detrazione *f* per carico di famiglia. **Kindergarten** *m* scuola *f* materna, giardino *m* d'infanzia, asilo *m.* **Kindergärtner(in)** *m(f)* maestro, -a *m, f* di scuola materna. **Kindergeld** *n* assegno *m* familiare. **Kinderheim** *n* **1.** *(für Waisenkinder)* orfanotrofio *m;* **2.** *(Erholungsheim)* colonia *f.* **Kinderhort** [-hɔrt] ⟨-(e)s, -e⟩ *m* doposcuola *m.* **Kinderklinik** *f* clinica *f* pediatrica. **Kinderkrankheit** *f* malattia *f* d'infanzia (*o* dei bambini). **Kinderlähmung** *f* poliomielite *f.* **kinderleicht** ['kɪndɐ'laiçt] *adj* facilissimo; **das ist ~** è un gioco da ragazzi. **kinderlieb** *adj:* **~ sein** essere amante dei bambini. **kinderlos** *adj* senza figli. **Kindermädchen** *n* bambinaia *f.* **kinderreich** *adj:* **~e Familie** famiglia numerosa. **Kindermißhandlung** *f* maltrattamento *m* di minore. **Kinderpornographie** pornografia *f* infantile. **Kindersitz** *m* seggiolino *m* (per bambini). **Kinderspiel** *n* gioco *m* per bambini; **das ist ein ~** è un giochetto *fam.* **Kindersterblichkeit** *f* mortalità *f* infantile. **Kinderstube** *f fig:* **eine gute/schlechte ~ haben** essere ben/mal educato. **Kindertagesstätte** *f* asilo *m* nido. **Kinderteller** *m* porzione *f* per bambini. **Kinderwagen** *m* carrozzina *f.* **Kinderzimmer** *n* stanza *f* dei bambini.
Kindesalter *n* infanzia *f.* **Kindesmißhandlung** *f* maltrattamento *m* di bambini.
kindgerecht *adj* adatto ai bambini, adeguato alle esigenze dei bambini.
Kindheit ⟨-, ø⟩ *f* infanzia *f; (von 6 bis 13)* fanciullezza *f.*
kindisch *adj* infantile, puerile; **sei nicht ~!** non fare il bambino!
kindlich *adj* infantile; *(Gesicht)* di (*o* da) bambino; *fig (naiv)* ingenuo.
Kindskopf *m* zuzzurullone *m.*
kinetisch [ki'ne:tɪʃ] *adj* cinetico.
Kinn [kɪn] ⟨-(e)s, -e⟩ *n* mento *m.* **Kinnlade** [-la:də] ⟨-, -n⟩ *f (Unterkiefer)* mandibola *f; (Kiefer)* mascella *f.*
Kino ['ki:no] ⟨-s, -s⟩ *n* cinema *m.*
Kiosk ['ki:ɔsk *o* kiɔsk] ⟨-(e)s, -e⟩ *m (Verkaufsbude)* chiosco *m; (Zeitungsstand)* edicola *f.*
Kipferl ['kɪpfəl] ⟨-s, -n⟩ *n (A, süddeutsch)* chifel *m,* cornetto *m.*
Kippe ['kɪpə] ⟨-, -n⟩ *f* **1.** *fam (Zigarettenstummel)* mozzicone *m,* cicca *f;* **2.** *sport* kippe *f;* **3.** *(Ablagerungsstelle, Müll~)* scarico *m;* **auf der ~ stehen** *fig (unsicher sein)* essere incerto.
kippen I. *tr* ⟨*haben*⟩ **1.** *(um~)* rovesciare, ribaltare; **2.** *(schütten)* versare; **einen ~** *fam* bere un bicchierino; *fig (umstoßen)*

capovolgere; **II.** *itr* ⟨*sein*⟩ *(um~)* rovesciarsi, ribaltarsi; *(fallen)* cadere.

Kirche ['kɪrçə] ⟨-, -n⟩ *f* **1.** *(Gebäude, Einrichtung)* chiesa *f;* **2.** *(Gottesdienst)* funzione *f; (Messe)* messa *f;* **in die ~ gehen** andare in chiesa; **die ~ im Dorf lassen** *prov* non esagerare. **Kirchenchor** *m* coro *m* parrocchiale. **Kirchendiener** *m* sagrestano *m.* **Kirchenjahr** *n* anno *m* ecclesiastico. **Kirchenlied** *n* canto *m* liturgico. **Kirchenstaat** *m hist* stato *m* pontificio; *(Vatikanstaat)* Stato *m* del Vaticano. **Kirchensteuer** *f* imposta *f* per la Chiesa.

kirchlich *adj* **1.** *(die Kirche betreffend)* ecclesiastico, della chiesa; *(a. religiös)* religioso; **2.** *(geistlich)* sacro; **3.** *(klerikal)* clericale; **~e Trauung** matrimonio religioso; **sich ~ trauen lassen** sposarsi in chiesa.

Kirchturm *m* campanile *m.* **Kirchweih** [-vai̯] ⟨-, -en⟩ *f* sagra *f.*

Kirschbaum *m* ciliegio *m.* **Kirschblüte** *f* fiore *m* di ciliegio; *(Blütezeit)* fioritura *f* dei ciliegi.

Kirsche ['kɪrʃə] ⟨-, -n⟩ *f* ciliegia *f;* **mit ihm ist nicht gut ~n essen** *fig* è meglio non aver a che fare con lui. **Kirschwasser** *n* kirsch *m,* acquavite *f* di ciliegie.

Kissen ['kɪsən] ⟨-s, -⟩ *n* cuscino *m; (bes. Kopf~)* guanciale *m.* **Kissenbezug** *m* federa *f.*

Kiste ['kɪstə] ⟨-, -n⟩ *f* **1.** *(Truhe)* cassa *f; (für Obst, Wein, Bier)* cassetta *f; (Zigarren~)* scatola *f;* **2.** *fam (Auto)* trabiccolo *m fam,* macinino *m fam; (Schiff, Flugzeug)* carcassa *f fig;* **3.** *fam (Bett)* letto *m; (Sarg)* bara *f;* **4.** *fam (Fernseher)* tivù *f fam.*

Kitsch [kɪtʃ] ⟨-(e)s, ø⟩ *m* arte *f* di cattivo gusto, kitsch *m; (Werk)* opera *f* di cattivo gusto. **kitschig** *adj* di poco gusto, pacchiano; *(rührselig)* sdolcinato, sentimentale, lacrimevole.

Kitt [kɪt] ⟨-(e)s, -e⟩ *m (Fenster~)* mastice *m,* stucco *m; (Bindemittel)* cemento *m.*

Kittchen ['kɪtçən] ⟨-s, -⟩ *n fam* gattabuia *f fam,* galera *f fam.*

Kittel ['kɪtəl] ⟨-s, -⟩ *m* **1.** *(Arbeits~)* camice *m;* **2.** *(weite Bluse)* camiciotto *m; (langes Hemd)* casacca *f.* **Kittelschürze** *f* camice *m* senza maniche.

kitten *tr* **1.** *(Fenster)* stuccare, applicare il mastice a; **2.** *(kleben)* incollare; **3.** *fig (Ehe, Beziehung)* accomodare.

Kitz [kɪts] ⟨-es, -e⟩ *n (Reh~)* caprioletto *m; (Ziegen~)* capretto *m.*

kitz(e)lig ['kɪts(ə)lɪç] *adj* **1.** *(Mensch)* che soffre il solletico; *(Stelle)* sensibile al solletico; **2.** *fam (heikel)* scabroso, delicato.

kitzeln I. *tr* fare il solletico a; *(a. fig)* solleticare; **es kitzelt mich, etw. zu machen** ho voglia di fare qc; **II.** *itr (jucken)* dare prurito; **hör auf, das kitzelt!** smettila, fa il solletico!

Kiwi ['ki:vi] ⟨-, -s⟩ *f* kiwi *m.*

KKW [ka:ka:'ve:] ⟨-(s), -s⟩ *n abk von* **Kernkraftwerk** centrale *f* nucleare.

klaffen ['klafən] *itr* spalancarsi.

kläffen ['klɛfən] *itr* abbaiare, latrare.

klaffend *adj (Wunde)* aperto; *(Abgrund)* spalancato.

Klage ['kla:gə] ⟨-, -n⟩ *f* **1.** *(Weh~)* lamento *m;* **2.** *(Beschwerde)* lagnanza *f* (*über +akk* su), lamento *m* (*über +akk* contro); *(bes. jur)* querela *f;* **3.** *jur (~ verfahren)* causa *f* (*wegen* per), azione *f* (*wegen* per); **gegen jdn ~ erheben** sporgere querela contro qu, intentare un'azione contro qu; **das ist kein Grund zur ~** non è un motivo per lamentarsi; **eine ~ abweisen** respingere una querela (*o* un'azione); **eine ~ zurückziehen** ritirare una querela; **einer ~ stattgeben** accogliere una querela.

klagen *itr* **1.** *(sich beschweren, jammern)* lamentarsi (*über +akk* di); **2.** *(trauern)* piangere (*um jdn/etw.* qu/qc), lamentare (*um jdn/etw.* qu/qc); **3.** *jur* sporgere querela (*auf etw. (akk)* per qc), intentare un'azione legale (*auf etw. (akk)* per qc); **auf Schadenersatz ~** chiedere il risarcimento dei danni; **über Kopfschmerzen ~** accusare mal di testa.

Kläger(in) ['klɛ:gɐ (...ərɪn)] ⟨-s, -⟩ *m(f)* querelante *mf,* attore, -trice *m, f.*

kläglich ['klɛ:klɪç] *adj* **1.** *(beklagenswert)* pietoso; **2.** *(jämmerlich)* misero, miserabile; **der Versuch ist ~ mißlungen** il tentativo è fallito miseramente.

klamm [klam] *adj* **1.** *(kalt und feucht)* umido e freddo; **2.** *(starr vor Kälte)* irrigidito (per il freddo).

Klammer ['klamɐ] ⟨-, -n⟩ *f* **1.** *(Wäsche~, Haar~)* molletta *f; (Büro~)* fermaglio *m; (Heft~, Wund~, Zahn~)* graffetta *f; (Hosen~)* molletta *f,* fermapantaloni *m; (Bau~)* grappa *f;* **2.** *typ* parentesi *f; (geschweifte ~)* graffa *f;* **runde/eckige ~** parentesi tonda/quadra; **~ auf/zu** aperta/chiusa parentesi.

klammern I. *tr* **1.** *(befestigen)* fissare (con graffe); **2.** *med* chiudere con graffette; **II.** *rfl:* **sich ~** aggrapparsi (*an +akk* a).

klammheimlich ['klam'hai̯mlɪç] *fam* **I.** *adj* furtivo; **II.** *adv* di soppiatto.

Klamotten [kla'mɔtən] *f pl fam* cianfrusaglie *f pl; (Kleidung)* vesititi *m pl.*

klang [klaŋ] *imp von* **klingen.**

Klang [klaŋ] ⟨-(e)s, Klänge⟩ *m* suono *m; (bes. von Stimme)* timbro *m; (Ton)* tono *m; (Klingen)* tintinnio *m;* **beim ~ seiner Schritte** al rumore dei suoi passi. **Klang(farbe)regler** *m* regolatore *m* di suono (*o* di tonalità). **klangvoll** *adj* sonoro; *fig (berühmt)* altisonante.

Klappe ['klapə] ⟨-, -n⟩ *f* **1.** *(Deckel)* coperchio *m* (ribaltabile); *mus* chiavetta *f;*

tec (Drossel) (valvola *f* a) farfalla *f;* **2.** *(Herz~)* valvola *f;* **3.** *film* ciac *m;* **4.** *fam (Mund)* becco *m fam;* **eine große ~ haben** *fam* fare lo sbruffone (*o* smargiasso); **~ zu, Affe tot!** *fam* è fatta! *fam.*

klappen I. *tr (nach oben, unten, vorn, hinten ~)* ribaltare; **II.** *itr* sbattere; *(gelingen)* andare bene; *(funktionieren)* funzionare.

Klappentext *m* risvolto *m.*

Klapper ['klapɐ] ⟨-, -n⟩ *f* sonaglio *m; (Knarre)* raganella *f.*

klapp(e)rig ['klap(ə)rɪç] *adj* **1.** *(Fahrzeug)* scassato *fam;* **2.** *(Mensch, Tier)* decrepito; **3.** *(wenig solide)* fragile.

klappern *itr* strepitare (*mit* con); *(Tür, Fenster)* sbattere; *(Geschirr)* acciottolare; **mit den Zähnen ~** battere i denti.

Klapperschlange *f* **1.** *zoo* serpente *m* a sonagli; **2.** *fam* vipera *f fam.* **Klapperstorch** *m* cicogna *f.*

Klappfahrrad *n* bicicletta *f* pieghevole, Graziella® *f fam.* **Klappmesser** *n* coltello *m* a serramanico. **Klappsitz** *m* sedile *m* ribaltabile, strapuntino *m.* **Klappstuhl** *m* sedia *f* pieghevole; *(kleiner)* seggiolino *m* pieghevole.

Klaps [klaps] ⟨-es, -e⟩ *m fam* pacca *f;* **einen ~ haben** essere un po' tocco *fam.*

klar [kla:ɐ] *adj* **1.** *allg.* chiaro; **2.** *(Wetter, Himmel)* sereno; *(Farben)* schietto; *(durchsichtig)* limpido, trasparente; **3.** *(bei vollem Bewußtsein)* lucido; **4.** *(fertig)* pronto; **eine ~e Ochsenschwanzsuppe** un brodo lungo di coda di bue; **mit etw. ins ~e kommen** venire a capo di qc; **sich** *(dat)* **über etw.** *(akk)* **im ~en sein** rendersi conto di qc; **~ wie Kloßbrühe** *fam* chiaro come il sole; **~ zum Gefecht/Start** pronto al (*o* per il) combattimento/alla (*o* per la) partenza; **na ~!** *fam* certo!, chiaro!

Klara ['kla:ra] *(weiblicher Vorname)* Chiara, Clara.

Kläranlage *f* impianto *m* di depurazione.

klären ['klɛ:rən] **I.** *tr* **1.** *(reinigen)* chiarificare; *(bes. Luft)* purificare; *(bes. Wasser)* depurare; **2.** *(Frage, Sachlage)* chiarire, mettere in chiaro; **II.** *rfl:* **sich ~** chiarirsi.

Klarheit ⟨-, ø⟩ *f* **1.** *(Deutlichkeit)* chiarezza *f;* **2.** *(Reinheit, Schärfe)* limpidezza *f;* **3.** *(von Verstand)* lucidità *f.*

Klarinette [klari'nɛtə] ⟨-, -n⟩ *f* clarinetto *m.*

klar·kommen ⟨*irr*⟩ *itr* ⟨*sein*⟩ *fam* venire a capo (*mit* di). **klar·machen I.** *tr* **1.** *(erklären)* spiegare, esporre; **2.** *naut* approntare; **jdm etw. ~** far capire qc a qu; **II.** *itr naut* essere pronto. **klar·legen** *tr* spiegare dettagliatamente.

Klärschlamm *m* deposito *m* di filtrazione.

klar·sehen ⟨*irr*⟩ *itr* vedere chiaro.

Klarsichtfolie *f* foglio *m* trasparente. **Klarsichthülle** *f* involucro *m* trasparente. **klar·stellen** *tr* chiarire, mettere in chiaro. **Klartext** *m:* **mit jdm ~ reden** *fig fam* parlar chiaro e tondo con qu; **im ~** in parole povere.

Klärung ⟨-, -en⟩ *f* **1.** *(Reinigung)* chiarificazione *f; (von Luft)* purificazione *f; (von Abwasser)* depurazione *f;* **2.** *(von Frage, Sachverhalt)* chiarimento *m.*

Klasse ['klasə] ⟨-, -n⟩ *f* **1.** *allg.* classe *f;* **2.** *(Kategorie, a. sport)* categoria *f; (Rang)* ordine *m;* **3.** *(Qualität)* qualità *f;* **erster/zweiter ~ fahren** viaggiare in prima/seconda classe; **in ~n einteilen** classificare; **(das ist) ~!** (è) magnifico!. **Klassenarbeit** *f* compito *m* in classe. **Klassenkampf** *m* lotta *f* di classe. **Klassenlehrer(in)** *m(f)* docente *mf* di classe. **Klassensprecher(in)** *m(f)* capoclasse *mf.* **Klassenzimmer** *n* aula *f,* classe *f.*

klassifizieren [klasifi'tsi:rən] ⟨*ohne ge-*⟩ *tr* classificare.

Klassik ['klasɪk] ⟨-, ø⟩ *f* **1.** *(klassisches Altertum)* periodo *m* classico, epoca *f* classica; **2.** *(Kunstperiode)* classicismo *m;* **3.** *(klassische Ausführung)* classicità *f.* **Klassiker(in)** ⟨-s, -⟩ *m(f)* classico, -a *m, f.* **klassisch** *adj* classico.

Klatsch [klatʃ] ⟨-(e)s, -e⟩ *m* **1.** *fam (Tratsch)* pettegolezzi *m pl;* **2.** *(Plauderei)* chiacchiere *f pl.* **Klatschbase** *f* pettegola *f.*

klatschen ['klatʃən] **I.** *itr* **1.** ⟨*haben*⟩ *(mit den Händen)* battere le mani; **2.** ⟨*sein*⟩ *(aufschlagen)* battere; *(Regen)* scrosciare; **3.** ⟨*haben*⟩ *fam (tratschen)* spettegolare (*über +akk* di), sparlare (*über +akk* di); **in die Hände ~** battere le mani; **II.** *tr:* **jdm Beifall ~** applaudire qu; **den Takt ~** battere il tempo (con le mani).

Klatschmohn *m* papavero *m* selvatico.

klatschnaß ['klatʃ'nas] *adj* bagnato fradicio; *(Mensch)* bagnato come un pulcino *fam* (*o* fino alle ossa *fam*). **Klatschspalte** *f* cronaca *f* mondana (*o* rosa).

Klaue ['klauə] ⟨-, -n⟩ *f* **1.** *(von Tier)* artiglio *m;* **2.** *fam pej (Handschrift)* scrittura *f* illeggibile.

klauen ['klauən] *tr fam* sgraffignare *fam.*

Klaus [klaus] *(männlicher Vorname)* Nicola, Nicolò.

Klausel ['klauzəl] ⟨-, -n⟩ *f* clausola *f.*

Klausur [klau'su:ɐ] ⟨-, -en⟩ *f* **1.** *rel* clausura *f;* **2.** *(~arbeit)* prova *f* scritta.

Klavier [kla'vi:ɐ] ⟨-s, -e⟩ *n* pianoforte *m,* piano *m.* **Klavierspieler(in)** *m(f)* pianista *mf.*

Klebeband *n s.* **Kleb(e)streifen.**

kleben ['kle:bən] **I.** *itr* **1.** *(haften)* essere attaccato; **2.** *(klebefähig sein)* attaccare; **3.** *(an~)* appiccicarsi, attaccarsi; **nicht ~** non rimanere attaccato; **II.** *tr* incollare, attaccare; *(Anschlagzettel)* affiggere;

jdm eine ~ *fam* mollare uno schiaffo a qu *fam.*

Kleb(e)streifen *m* nastro *m* adesivo.

klebrig ['kle:brıç] *adj* colloso.

Klebstoff *m* adesivo *m,* colla *f.*

kleckern ['klɛkɐn] *itr* **1.** *(Flecken machen)* macchiare; *(sich be~)* sbrodolarsi; **2.** *fam (stückchenweise tun)* procedere lentamente.

Klecks [klɛks] ⟨-es, -e⟩ *m* **1.** *(Fleck)* macchia *f; (Farb~)* schizzo *m* di colore; **2.** *fam (kleine Menge)* cucchiaiata *f.*

klecksen *itr* fare macchie; **der Füller kleckst** la penna perde.

Klee [kle:] ⟨-s, ø⟩ *m* trifoglio *m;* **jdn über den grünen** ~ **loben** portare qu alle stelle. **Kleeblatt** *n* (foglia *f* di) trifoglio *m; (vierblättriges ~)* quadrifoglio *m.*

Kleid [klait] ⟨-(e)s, -er⟩ *n* **1.** *(Damen~)* vestito *m;* **2.** ⟨*pl*⟩ *(Kleidungsstücke)* vestiti *m pl;* **~er machen Leute** *prov* vesti un ciocco pare un fiocco *prov.*

Kleiderablage *f* guardaroba *m.* **Kleiderbügel** *m* gruccia *f.* **Kleiderschrank** *m* armadio *m* (per vestiti). **Kleiderständer** *m* attaccapanni *m.*

Kleidung ⟨-, -en⟩ *f* vestiti *m pl,* vestiario *m,* abbigliamento *m.* **Kleidungsstück** *n* vestito *m.*

Kleie ['klaiə] ⟨-, -n⟩ *f* crusca *f.*

klein [klain] *adj* **1.** *allg., fig* piccolo; *(Buchstabe)* minuscolo; **2.** *(kurz)* breve; *(~gewachsen)* basso; **3.** *(eng)* stretto; **4.** *(jünger)* minore; **5.** *fig (unbedeutend)* insignificante; *(bescheiden)* modesto; *(beschränkt)* limitato; ~ **anfangen** cominciare con poco (*o* dal basso); ~ **beigeben** cedere (*o* piegare) la testa; **die Flamme auf** ~ **stellen** abbassare la fiamma; **von** ~ **auf** fin da piccolo; **ein** ~ **wenig** un pochino; **~, aber oho** *fam* piccolo, ma in gamba *fam.* **Kleinanzeige** *f* annuncio *m,* inserzione *f;* ⟨*pl*⟩ piccola pubblicità *f,* annunci *m pl* (*o* avvisi *m pl*) economici. **Kleinasien** [-'ʔa:ziən] *n* Asia *f* Minore. **Kleinbetrieb** *m* piccola impresa (*o* azienda). **Kleinbildkamera** *f* microcamera *f.* **Kleinbuchstabe** *m* (lettera *f*) minuscola *f.* **kleinbürgerlich** *adj pej* di corte vedute. **Kleinbus** *m* minibus *m.* **Kleingedruckte** ⟨-n, ø⟩ *n:* **das** ~ clausole *f pl* contrattuali scritte in caratteri piccoli. **Kleingeld** *n* moneta *f* spicciola, spiccioli *m pl.* **Kleinheit** ⟨-, ø⟩ *f* piccolezza *f,* minutezza *f.*

Kleinigkeit ⟨-, -en⟩ *f* **1.** *(Gegenstand)* piccolezza *f,* sciocchezza *f;* **2.** *(Bagatelle)* inezia *f,* bagattella *f;* **3.** *(ein bißchen)* un poco, un po'; **eine** ~ **essen** mangiare un boccone; **sich über jede** ~ **aufregen** irritarsi per un nonnulla; **das ist keine** ~ *(das ist wichtig)* è una cosa importante; *(das ist nicht so einfach)* non è una sciocchezza; **(das ist eine)** ~**!** è un gioco da bambini *fam.*

kleinkariert *adj* **1.** *(Stoff)* a quadrettini; **2.** *fam pej (kleinlich)* meschino, gretto. **Kleinkind** *n* bambino, -a *m, f,* bimbo, -a *m, f.* **Kleinkunst** *f* cabaret *m.* **kleinlaut** *adj* mogio mogio.

kleinlich *adj* **1.** *(engherzig)* gretto, meschino; *(knauserig)* avaro; **2.** *(engstirnig)* limitato; **3.** *(pedantisch)* pedante, meticoloso.

klein·schneiden ⟨*irr*⟩ *tr* sminuzzare.

Kleinstadt *f* cittadina *f.* **Kleinwagen** *m* utilitaria *f.*

Kleister ['klaistɐ] ⟨-s, -⟩ *m* colla *f* (d'amido).

kleistern *tr* incollare.

Klemme ['klɛmə] ⟨-, -n⟩ *f* **1.** *(bes. Haar~)* molletta *f; el* morsetto *m; med* graffetta *f;* **2.** *fig* guaio *m,* impiccio *m,* pasticcio *m;* **in der** ~ **sein** (*o* **sitzen**) *fam* essere nei guai.

klemmen I. *tr* **1.** *(Draht)* serrare; **2.** *(Bücher, Heft)* stringere (*unter den Arm* sotto il braccio); *(Monokel)* applicare; **3.** *(quetschen)* incastrare; **II.** *itr* incepparsi, bloccarsi; **III.** *rfl:* **sich** ~ schiacciarsi, incepparsi; **sich** *(dat)* **den Finger** ~ schiacciarsi il dito; **sich hinter etw.** *(akk)* ~ *fam* arrabattarsi dietro a (*o* per) qc.

Klempner(in) ['klɛmpnɐ (...ərın)] ⟨-s, -⟩ *m(f)* idraulico *m,* lattoniere *m.*

Kleptomane [klɛpto'ma:nə] ⟨-n, -n⟩ *m,* **Kleptomanin** [...nın] *f* cleptomane *mf.*

Kleptomanie [klɛptoma'ni:] ⟨-, ø⟩ *f* cleptomania *f.*

klerikal [kleri'ka:l] *adj* clericale.

Klerus ['kle:rʊs] ⟨-, ø⟩ *m* clero *m.*

Klette ['klɛtə] ⟨-, -n⟩ *f* **1.** *bot* lappola *f;* **2.** *fam pej (Mensch)* piattola *f fam.*

klettern ['klɛtɐn] *itr* ⟨*sein*⟩ arrampicarsi (*auf +akk* su), scalare (*auf etw. (akk)* qc); *(steigen, a. fig)* salire.

Klettverschluß ['klɛt-] *m* chiusura *f* a strappo.

klicken ['klıkn] *itr (mit Maus)* cliccare.

Klient(in) [kli'ɛnt(ın)] ⟨-en, -en⟩ *m(f)* cliente *mf.*

Klima ['kli:ma, ...mas *o* kli'ma:tə] ⟨-s, -s *o* -te⟩ *n* clima *m.* **Klimaanlage** *f* impianto *m* di aria condizionata, climatizzazione *f;* **mit (einer)** ~ **(ausgestattet)** ad aria condizionata. **Klimaforscher(in)** *m(f)* climatologo, -a *m, f.* **Klimaforschung** *f* climatologia *f.*

Klimakterium [klimak'te:riʊm] ⟨-s, -rien⟩ *n* climaterio *m.*

klimatisch [kli'ma:tıʃ] *adj* climatico.

klimatisieren [...mati'zi:rən] ⟨*ohne ge-*⟩ *tr* dotare di condizionamento d'aria, climatizzare.

Klimaveränderung *f* cambiamento *m* del clima; **globale** ~ generale cambiamento *m* delle condizioni atmosferiche.

klimpern ['klımpɐn] *itr* **1.** *(Geld)* tintinnare; **2.** *mus pej* strimpellare (*auf +dat*

qc); **mit den Wimpern** ~ *fam* sbattere gli occhi.
Klinge ['klɪŋə] ⟨-, -n⟩ *f* lama *f.*
Klingel ['klɪŋəl] ⟨-, -n⟩ *f* campanello *m.*
klingeln *itr* suonare; **es klingelt** suonano (il campanello *o* alla porta); **das Telefon klingelt** squilla il telefono.
klingen ['klɪŋən] ⟨klingt, klang, geklungen⟩ *itr* **1.** *(Töne hervorbringen)* mandare un suono, sonare; **2.** *(sich anhören)* avere un suono; **es klingt ja, als ob du ...** sentendoti si ha l'impressione che *+congv;* **das klingt wie ein Vorwurf** ha l'aria di un rimprovero; **mir** ~ **die Ohren** mi fischiano le orecchie.
Klinik ['kli:nɪk] ⟨-, -en⟩ *f* clinica *f.*
klinisch *adj* clinico; ~ **tot** clinicamente morto.
Klinke ['klɪŋkə] ⟨-, -n⟩ *f (Tür~)* maniglia *f.*
klipp [klɪp] *adv:* ~ **und klar** chiaro e tondo *fam.*
Klippe ['klɪpə] ⟨-, -n⟩ *f* scoglio *m.*
klirren ['klɪrən] *itr (Glas)* tintinnare; *(Metall, Waffen)* stridere; ~**de Kälte** freddo intenso (*o* pungente).
Klischee [kli'ʃe:] ⟨-s, -s⟩ *n typ, fig* cliché *m.*
Klitoris ['kli:tɔrɪs, ...rɪs *o* kli'to:ride:s] ⟨-, - *o* -torides⟩ *f* clitoride *m o f.*
klitschnaß ['klɪtʃ'nas] *adj fam* bagnato fradicio.
Klo [klo:] ⟨-s, -s⟩ *n fam* gabinetto *m.*
klobig ['klo:bɪç] *adj (Möbel)* massiccio; *(Mensch)* tozzo.
Klon [klo:n] *m (a. inform)* clone *m.* **klonen** ['klo:nən] *tr* clonare.
klopfen ['klɔpfən] **I.** *itr* **1.** *(an Tür)* bussare (*an +akk* a); *(bes. hauen)* picchiare; *(a. Herz)* battere; **2.** *mot* battere in testa; **es klopft** bussano (alla porta); **II.** *tr* **1.** *(Steine)* spaccare; **2.** *(Teppich, Fleisch)* battere.
Klops [klɔps] ⟨-es, -e⟩ *m dial (Kloß)* polpetta *f* (di carne).
Klosett [klo'zɛt] ⟨-s, -e *o* -s⟩ *n* gabinetto *m.* **Klosettbürste** *f* spazzola *f* per il gabinetto. **Klosettpapier** *n* carta *f* igienica.
Kloß [klo:s] ⟨-es, Klöße⟩ *m gastr (Mehl~, Kartoffel~)* gnocco *m; (Fisch~, Fleisch~)* polpetta *f;* **einen** ~ **im Hals haben** *fig fam* avere un nodo alla gola.
Kloster ['klo:stɐ] ⟨-s, Klöster⟩ *n* convento *m,* monastero *m.*
Klotz [klɔts] ⟨-es, Klötze *o* Klötzer⟩ *m* **1.** *(Holz~)* ceppo *m; (zur Bearbeitung, Beton~)* blocco *m; (Spielzeug~)* cubetto *m;* **2.** *fam pej (grober Mensch)* zoticone, -a *m, f;* **ein** ~ **am Bein sein** *fam* essere una palla al piede *fam.*
klotzen ['klɔtsən] *itr fam* **1.** *(viel ausgeben)* sborsare molti quattrini; **2.** *(hart arbeiten)* lavorare sodo.
Klub [klʊp] ⟨-s, -s⟩ *m* circolo *m,* club *m.* **Klubsessel** *m* poltrona *f* in pelle.
Kluft [klʊft] ⟨-, Klüfte⟩ *f* **1.** *(Felsspalte)* crepaccio *m; (Schlucht)* gola *f;* **2.** *fig* abisso *m.*
klug [klu:k] ⟨klüger, klügste⟩ *adj (intelligent)* intelligente; *(scharfsinnig)* sagace, perspicace; *(vernünftig)* sensato, ragionevole; *(schlau)* astuto; *(erfinderisch)* ingegnoso; **daraus werde ich nicht** ~ non ci capisco niente; **das war sehr** ~ **von dir** hai fatto bene (*zu* a); **der Klügere gibt nach** *prov* chi ha più senno cede.
Klugheit ⟨-, ø⟩ *f (Intelligenz)* intelligenza *f; (Scharfsinn)* sagacia *f; (Verständigkeit)* giudizio *m; (Schlauheit)* astuzia *f.*
Klumpen ['klʊmpən] ⟨-s, -⟩ *m* **1.** *(Erd~)* zolla *f;* **2.** *(Blut~)* grumo *m* (di sangue); **3.** *(Gold~)* massello *m;* ~ **bilden** raggrumarsi.
km *abk von* **Kilometer** km (*abbr di* chilometro).
km/h *abk von* **Kilometer pro Stunde** km/h (*abbr di* chilometri orari).
knabbern ['knabɐn] *tr, itr* sgranocchiare; **an etw.** *(dat)* **zu** ~ **haben** *fig fam* aver da penare per qc.
Knabe ['kna:bə] ⟨-n, -n⟩ *m lit, geh, obs* ragazzo *m,* fanciullo *m;* **na, alter** ~**!** *fam* allora, vecchio mio! *fam.*
Knäckebrot ['knɛkə-] *n* pane *m* croccante (di segale).
knacken ['knakən] **I.** *itr* **1.** ⟨*haben*⟩ *(geräuschvoll ~)* scricchiolare; *(Radio, Holz)* crepitare; **2.** ⟨*sein*⟩ *(brechen, reißen)* spezzarsi; **II.** *tr* ⟨*haben*⟩ **1.** *(Nüsse)* schiacciare; **2.** *fam (Geldschrank)* scassinare; *(Auto)* forzare; **3.** *fig fam (Rätsel, Code)* sciogliere, risolvere.
Knacker ['knakɐ] ⟨-s, -⟩ *m:* **alter** ~ *fam* vecchio cucco (*o* bacucco).
knackig ['knakɪç] *adj* **1.** *(Salat)* croccante; **2.** *(Mensch)* attraente; *(Figur, Rock, Hose)* sexy.
Knackpunkt *m* punto *m* cruciale.
Knacks [knaks] ⟨-es, -e⟩ *m fam* incrinatura *f;* **er hat einen seelischen** ~ ha un disturbo psichico; **diese Ehe hatte schon vorher einen** ~ questo matrimonio era già incrinato prima.
Knall [knal] ⟨-(e)s, -e⟩ *m* scoppio *m; (bes. von Geschoß)* colpo *m; (von Peitsche)* schiocco *m; (von Explosion)* detonazione *f;* **einen** ~ **haben** *fam* essere tocco *fam;* ~ **und Fall** *fam* su due piedi.
knallen I. *itr* **1.** ⟨*haben*⟩ *(Geräusch machen)* scoppiare; *(Peitsche)* schioccare; *(Tür)* sbattere; *(Explosion)* detonare; *(Sektkorken)* schioccare, scoppiare; **2.** ⟨*haben*⟩ *fam (Sonne)* picchiare *fam;* **3.** ⟨*sein*⟩ *(prallen)* andare a sbattere; **II.** *tr* ⟨*haben*⟩ tirare, sbattere; **jdm eine** ~ *fam* mollare uno schiaffo a qu *fam.* **Knallerbse** *f* castagnola *f.* **Knallfrosch** *m* petardo *m.* **knallhart** ['knal'hart] *adj fam (rücksichtslos)* brutale, spietato. **knallig** *adj fam (Farben)* acceso, vivace.

knallrot ['knal'ro:t] *adj* rosso sgargiante.

knapp [knap] **I.** *adj* **1.** *(nicht ausreichend)* scarso; *(dürftig)* misero; **2.** *(Sieg, Mehrheit)* di stretta misura; *(beschränkt)* limitato; *(vor Zahlen)* poco meno di; **3.** *(nicht ganz, kaum)* scarso; **4.** *(Stil)* conciso; **eine ~e Stunde** un'ora scarsa; **~ werden** *(Ware, Geld)* cominciare a scarseggiare; **II.** *adv* **1.** *(nicht reichlich)* scarsamente; **2.** *(gerade so eben)* appena; **3.** *(nicht ganz)* meno di; **4.** *(kurz und bündig)* concisamente, in modo conciso; **er ist ~ an mir vorbeigefahren** mi è passato vicinissimo; **meine Zeit/mein Geld ist ~ bemessen** ho poco tempo/ho pochi soldi; **(aber) nicht zu ~!** *fam* e parecchio!

Knappheit ⟨-, ø⟩ *f* **1.** *(Mangel)* scarsità *f* (*an +dat* di), mancanza *f* (*an +dat* di), penuria *f* (*an +dat* di); **2.** *(Dürftigkeit)* ristrettezza *f;* **3.** *(Enge)* strettezza *f;* **4.** *(von Stil)* concisione *f.*

knarren ['knarən] *itr* scricchiolare.

Knast [knast] ⟨-(e)s, Knäste *o* -e⟩ *m sl* galera *f fam,* gattabuia *f fam.*

Knäuel ['knɔyəl] ⟨-s, -⟩ *m o n (Garn~, Woll~)* gomitolo *m.*

Knauf [knauf] ⟨-(e)s, Knäufe⟩ *m (Tür~, Stock~)* pomello *m; (Degen~)* pomo *m.*

knaus(e)rig ['knauz(ə)rıç] *adj fam* spilorcio, taccagno.

knausern *itr fam* fare lo (*o* essere) spilorcio (*mit etw.* con qc), lesinare (*mit etw.* (su) qc).

knautschen ['knautʃən] **I.** *tr (bes. Kleid)* sgualcire, spiegazzare; **II.** *itr* sgualcirsi. **Knautschzone** *f* zona *f* di assorbimento.

knebeln ['kne:bəln] *tr* imbavagliare.

kneifen ['knaifən] ⟨kneift, kniff, gekniffen⟩ **I.** *tr (zwicken)* pizzicare; *(a. zusammenpressen)* stringere; **II.** *itr* **1.** *(Kleidungsstücke)* stringere, essere (troppo) stretto; **2.** *fam pej (sich drükken)* sottrarsi (*vor +dat* a).

Kneipe ['knaipə] ⟨-, -n⟩ *f fam* osteria *f,* bettola *f.*

Kneipenbummel *m* giro *m* delle osterie (*o* dei bar).

kneten ['kne:tən] *tr* impastare. **Knetmasse** *f* plastilina *f.*

Knick [knık] ⟨-(e)s, -e⟩ *m* **1.** *(Falte, bes. in Papier)* piega *f; (in Metall)* gomito *m;* **2.** *(Biegung)* svolta *f.*

knicken **I.** *tr* ⟨*haben*⟩ **1.** *(falten)* piegare; **2.** *(brechen)* spezzare; **II.** *itr* ⟨*sein*⟩ *(brechen)* spezzarsi.

Knicks [knıks] ⟨-es, -e⟩ *m* inchino *m.*

Knie [kni:] ⟨-s, -⟩ *n* **1.** *anat* ginocchio *m;* **2.** *(Fluß~)* ansa *f;* **weiche ~ haben** avere le ginocchia che fanno giacomo giacomo *fam;* **jdn übers ~ legen** sculacciare qu; **etw. übers ~ brechen** *fig* precipitare qc; **auf den ~n** in ginocchio. **Kniebundhose** *f* pantaloni *m pl* alla zuava.

knien [kni:n *o* 'kni:ən] **I.** *itr* stare in ginocchio; **II.** *rfl:* **sich ~** inginocchiarsi, mettersi in ginocchio.

Kniescheibe *f* rotula *f* del ginocchio, patella *f.* **Kniestrumpf** *m* calzettone *m.*

kniff [knıf] *imp von* **kneifen.**

Kniff [knıf] ⟨-(e)s, -e⟩ *m* **1.** *(Kneifen)* pizzico *m,* pizzicotto *m;* **2.** *(Falte)* piega *f,* piegatura *f;* **3.** *fig (Kunstgriff)* artificio *m; (Trick)* trucco *m.*

kniff(e)lig ['knıf(ə)lıç] *adj fam (schwierig)* difficoltoso; *(heikel)* spinoso.

knipsen ['knıpsən] **I.** *tr* **1.** *(Schalter)* far scattare; **2.** *fam fot* scattare una fotografia (*jdn* a qu); **3.** *(lochen)* forare; **II.** *itr fot fam* fare (*o* scattare) fotografie.

Knirps [knırps] ⟨-es, -e⟩ *m (kleiner Junge)* bambino *m* piccolo, bambinetto *m; (kleiner Mann)* omino *m; pej (unbedeutender ~)* omiciattolo *m.*

knirschen ['knırʃən] *itr* scricchiolare, stridere; **mit den Zähnen ~** digrignare i denti.

knistern ['knısten] *itr (Feuer)* crepitare; *(Papier)* scricchiolare; *(Haar, Stoff)* frusciare.

knitterfrei *adj* ingualcibile.

knittern ['knıten] *itr* sgualcirsi, spiegazzarsi.

knobeln ['kno:bəln] *itr* **1.** *(würfeln)* giocare ai dadi; **2.** *(losen)* tirare a sorte.

Knoblauch ['kno:plaux] *m* aglio *m.*

Knoblauchpresse *f* schiacciaaglio *m.*

Knöchel ['knœçəl] ⟨-s, -⟩ *m (Fuß~)* caviglia *f,* malleolo *m; (Finger~)* nocca *f.*

Knochen ['knɔxən] ⟨-s, -⟩ *m* osso *m;* **ihm sitzt die Angst noch in den ~** ha ancora paura. **Knochenarbeit** *f fam* lavoro *m* faticoso (*o* duro). **Knochenbau** *m* ossatura *f.* **Knochenbruch** *m* frattura *f* ossea. **Knochengerüst** *n* scheletro *m,* ossatura *f.* **Knochenmark** *n* midollo *m* osseo.

knöchern ['knœçen] *adj* osseo, d'osso.

knochig *adj* scarno.

Knödel ['knø:dəl] ⟨-s, -⟩ *m* gnocco *m.*

Knolle ['knɔlə] ⟨-, -n⟩ *f bot* bulbo *m,* tubero *m.* **Knollenblätterpilz** *m* amanita *f,* tignosa *f.*

Knopf [knɔpf] ⟨-(e)s, Knöpfe⟩ *m* bottone *m.*

knöpfen ['knœpfən] *tr* abbottonare.

Knopfloch *n* occhiello *m.* **Knopfzelle** *f* pila *f* a bottone.

Knorpel ['knɔrpəl] ⟨-s, -⟩ *m* cartilagine *f.*

knorp(e)lig *adj* cartilaginoso.

Knospe ['knɔspə] ⟨-, -n⟩ *f (Blatt~)* gemma *f; (Blüten~)* boccio *m,* bocciolo *m;* **~n treiben** germogliare.

knoten ['kno:tən] *tr* fare un nodo a; *(zusammen~)* annodare. **Knoten** ⟨-s, -⟩ *m* **1.** *allg.* nodo *m;* **2.** *(Haar~)* crocchia *f.* **Knotenpunkt** *m* nodo *m,* punto *m* di congiunzione (*o* di incrocio); *mot* nodo *m* stradale; *Eisenb.* nodo *m* ferroviario.

knotig *adj* a nodi, nodoso.

Know-how [noʊ'haʊ] ⟨-s, ø⟩ *n* know-how *m.*

Knüller ['knʏlɐ] ⟨-s, -⟩ *m fam* sensazione *f.*

knüpfen ['knʏpfən] **I.** *tr* **1.** *(Schuhbänder, a. fig: Freundschaft)* stringere; *(Knoten)* annodare; *(Netz)* intrecciare; *(Teppiche)* tessere; **2.** *fig (Bedingungen, Hoffnungen)* collegare (*an +akk* a), far dipendere (*an +akk* da); **3.** *fig (ver~)* unire (*an +akk* a); **etw. an eine Bedingung** ~ far dipendere qc da una condizione; **II.** *rfl:* **sich** ~ essere legato (*an +akk* a).

Knüppel ['knʏpəl] ⟨-s, -⟩ *m* **1.** *(Rundholz)* tondello *m;* **2.** *(Stock)* bastone *m,* randello *m; (Polizei~)* manganello *m;* **3.** *aero (Steuer~)* barra *f* di comando; *mot (Schalt~)* leva *f* del cambio; **jdm (einen) ~ zwischen die Beine werfen** *fig* mettere a qu i bastoni fra le ruote. **Knüppelschaltung** *f* cambio *m* a cloche.

knurren ['knʊrən] *itr* **1.** *(Tier)* ringhiare; **2.** *(Magen, Mensch)* brontolare.

knusp(e)rig ['knʊsp(ə)rɪç] *adj (Braten, Brötchen)* croccante.

knutschen ['knu:tʃən] *itr fam* sbaciucchiarsi. **Knutschfleck** *m fam* succhiotto *m sl.*

k.o. [ka:'ʔo:] *adj* **1.** *sport* k.o., fuori combattimento; **2.** *fam (erschöpft)* sfinito; **jdn ~ schlagen** mettere qu k.o. (*o* fuori combattimento).

koalieren [koa'li:rən] ⟨*ohne ge-*⟩ *itr pol* coalizzarsi.

Koalition [...li'tsio:n] ⟨-, -en⟩ *f* coalizione *f.*

Kobalt ['ko:balt] ⟨-s, ø⟩ *n* cobalto *m.*

Koblenz ['ko:blɛnts] *n* Coblenza *f.*

Kobold ['ko:bɔlt] ⟨-(e)s, -e⟩ *m* coboldo *m,* folletto *m.*

Koch [kɔx] ⟨-(e)s, Köche⟩ *m,* **Köchin** ['kœçɪn] *f* cuoco, -a *m, f;* **viele Köche verderben den Brei** *prov* troppi cuochi guastano la minestra. **Kochbuch** *n* libro *m* di cucina, ricettario *m.*

kochen **I.** *itr* **1.** *(Flüssigkeit, fig)* bollire; *(Speise)* cuocere; **2.** *(Speisen zubereiten)* cucinare, far da mangiare *fam;* **vor Wut** ~ bollire di rabbia; **II.** *tr* **1.** *(Flüssigkeit, Wäsche)* far bollire; *(Speise)* cuocere, far cuocere; **2.** *(zubereiten)* cucinare, preparare; *(Kaffee)* fare. **kochend** *adj (a. fig)* bollente; *(~heiß)* molto caldo, che scotta.

Kocher ⟨-s, -⟩ *m* fornello *m.*

Köcher ['kœçɐ] ⟨-s, -⟩ *m* faretra *f.*

Kochfeld *n (Glaskeramik~)* piastra *f* di cottura (in vetro cermica). **Kochgelegenheit** *f* possibilità *f* di cucinare; *(Kochecke)* angolo *m* di cottura.

Köchin *f s.* **Koch.**

Kochkunst *f* arte *f* culinaria. **Kochlöffel** *m* ramaiolo *m.* **Kochnische** *f* cucinino *m.* **Kochsalz** *n* sale *m* da cucina. **Kochtopf** *m* pentola *f,* casseruola *f.* **Kochwäsche** *f* biancheria *f* da bucato.

Köder ['kø:dɐ] ⟨-s, -⟩ *m* esca *f.*

ködern *tr* adescare; *(a. fig)* allettare.

Kodierung [ko'di:rʊŋ] ⟨-, -en⟩ *f* codificazione *f.*

Koexistenz ['ko:- *o* koʔɛksɪs'tɛnts] *f* coesistenza *f.*

Koffein [kɔfe'i:n] ⟨-s, ø⟩ *n* caffeina *f.* **koffeinfrei** *adj* decaffeinato.

Koffer ['kɔfɐ] ⟨-s, -⟩ *m (Hand~)* valigia *f; (Schrank~)* baule *m;* **seine ~ packen** fare le valigie; *fig fam* andarsene. **Kofferradio** *n* radio *f* portatile. **Kofferraum** *m* portabagagli *m.*

Kohl[1] [ko:l] ⟨-(e)s, -e⟩ *m* **1.** *bot* cavolo *m;* **2.** *(~gericht)* cavoli *m pl;* **das macht den ~ auch nicht fett** *fam* questo non cambia nulla.

Kohl[2] [ko:l] ⟨-(e)s, ø⟩ *m fam (Geschwätz, Unsinn)* sciocchezze *f pl.*

Kohldampf *m fam* fame *f* da lupi *fam.*

Kohle ['ko:lə] ⟨-, -n⟩ *f* **1.** *allg.* carbone *m;* **2.** *(Zeichen~)* carboncino *m;* **3.** *sl (Geld)* grana *f sl;* **(wie) auf (glühenden *o* heißen) ~n sitzen** stare sulle spine. **Kohlekraftwerk** *n* centrale *f* a carbone.

Kohlendioxid [-'di:ɔksi:t] *n* anidride *f* carbonica. **Kohle(n)hydrate** [-hydra:tə] *n pl* idrati *m pl* di carbonio. **Kohlenkeller** *m* carbonaia *f.* **Kohlenmonoxid** [-'mo:nɔksi:t] *n* ossido *m* di carbonio. **Kohlenofen** *m* stufa *f* a carbone. **Kohlenpott** [-pɔt] ⟨-(e)s, ø⟩ *m fam* bacino *m* carbonifero della Ruhr. **Kohlensäure** *f* acido *m* carbonico. **Kohlenstoff** *m* carbonio *m.* **Kohlenwasserstoff** *m* idrocarburo *m.* **Kohlepapier** *n* carta *f* carbone. **Kohlezeichnung** *f* disegno *m* a carboncino.

Kohlkopf *m* testa *f* di cavolo.

kohl(raben)schwarz ['ko:l('ra:bən)-'ʃvarts] *adj* nero come il carbone.

Kohlrabi [-'ra:bi] ⟨-(s), -(s)⟩ *m* cavolo *m* rapa.

Kohlrübe *f* navone *m,* rapa *f* da foraggio.

Kohlsprossen *f pl A (Rosenkohl)* cavolino *m* di Bruxelles. **Kohlweißling** [-vaislɪŋ] ⟨-s, -e⟩ *m* cavolaia *f.*

Koitus ['ko:itʊs] ⟨-, -⟩ *m* coito *m.*

Koje ['ko:jə] ⟨-, -n⟩ *f* **1.** *naut* cuccetta *f;* **2.** *fam (Bett)* cuccia *f fam.*

Kokain [koka'i:n] ⟨-s, ø⟩ *n* cocaina *f.*

kokett [ko'kɛt] *adj* civettuolo.

kokettieren [...'ti:rən] ⟨*ohne ge-*⟩ *itr* civettare; *(flirten)* flirtare.

Kokolores [koko'lo:rɛs] ⟨-, ø⟩ *m fam (Unsinn)* scemenze *f pl,* stupidaggini *f pl.*

Kokon [ko'kõ:] ⟨-s, -s⟩ *m* bozzolo *m.*

Kokosfett ['ko:kɔs-] *n* grasso *m* di cocco. **Kokosnuß** *f* noce *f* di cocco. **Kokosöl** *n* olio *m* di cocco. **Kokospalme** *f* (palma *f* del) cocco *m.*

Koks [ko:ks] ⟨-es, -e⟩ *m* coke *m.*

Kolben ['kɔlbən] ⟨-s, -⟩ *m* **1.** *tec (Motor~)* stantuffo *m*, pistone *m;* **2.** *chem (Destillier~)* alambicco *m;* **3.** *(Gewehr~)* calcio *m* (del fucile); **4.** *bot* pannocchia *f*. **Kolbenfresser** ⟨-s, -⟩ *m mot fam* grippaggio *m* del pistone.

Kolibakterien [koli-] *f pl* colibacilli *m pl*.

Kolik ['ko:lɪk *o* ko'li:k] ⟨-, -en⟩ *f* colica *f*.

Kollagen [kɔla'ge:n] ⟨-s, -e⟩ *n* collageno *m*.

Kollaps ['kɔlaps *o* kɔ'laps] ⟨-es, -e⟩ *m* collasso *m*.

Kollege [kɔ'le:gə] ⟨-n, -n⟩ *m*, **Kollegin** [...gɪn] *f* collega *mf;* **Herr ~!** caro collega!

kollegial [kɔle'gi̯a:l] *adj* collegiale.

Kollegium [kɔ'le:gi̯ʊm, ...i̯ən] ⟨-s, -ien⟩ *n* collegio *m; (Lehrer~)* corpo *m* insegnante.

Kollektion [kɔlɛk'tsi̯o:n] ⟨-, -en⟩ *f* collezione *f*.

Kollektiv [...'ti:f] ⟨-s, -e *o* -s⟩ *n* **1.** *pol* collettivo *m;* **2.** *(Gemeinschaft)* comunità *f; (Produktionsgemeinschaft)* gruppo *m* di produzione.

kollidieren [kɔli'di:rən] ⟨*ohne ge-*⟩ *itr* scontrarsi (*mit* con).

Kollision [...'zi̯o:n] ⟨-, -en⟩ *f* scontro *m; (von Schiffen, fig)* collisione *f*.

Köln [kœln] *n* Colonia *f*.

kolonial [kolo'ni̯a:l] *adj* coloniale. **Kolonialherrschaft** *f* dominio *m* coloniale. **Kolonialmacht** *f* potenza *f* coloniale.

Kolonie [kolo'ni:, ...i:ən] ⟨-, -n⟩ *f* colonia *f*.

Kolonne [ko'lɔnə] ⟨-, -n⟩ *f* **1.** *mil, mat, typ* colonna *f;* **2.** *(Auto~)* (auto)colonna *f;* **~ fahren** marciare (*o* andare) in colonna (*o* fila).

Kolorit [kolo'ri:t *o* ...'rɪt] ⟨-(e)s, -e⟩ *n* colorito *m*, colore *m; (Lokal~)* atmosfera *f*, carattere *m*.

Koloß [ko'lɔs] ⟨-losses, -losse⟩ *m* colosso *m*.

kolossal [...'sa:l] **I.** *adj* colossale; **II.** *adv* moltissimo.

Kolumbien [ko'lʊmbi̯ən] *n* Colombia *f*.

Kolumne [ko'lʊmnə] ⟨-, -n⟩ *f* **1.** *typ* colonna *f;* **2.** *(in Zeitung)* rubrica *f*.

Kolumnist(in) [kolʊm'nɪst(ɪn)] ⟨-en, -en⟩ *m(f)* colonnista *mf*.

Koma ['ko:ma, -s *o* -ta] ⟨-s, -s *o* -ta⟩ *n* coma *m*.

Kombination [kɔmbina'tsi̯o:n] ⟨-, -en⟩ *f* **1.** *(Verbindung)* combinazione *f;* **2.** *(Vermutung)* supposizione *f;* **3.** *(Kleidung)* completo *m; (Arbeitsanzug)* tuta *f*.

kombinieren [...'ni:rən] ⟨*ohne ge-*⟩ **I.** *tr* combinare; **II.** *itr (folgern)* dedurre.

Kombiwagen ['kɔmbi-] *m* vettura *f* familiare, giardinetta *f*.

Komfort [kɔm'fo:ɐ̯] ⟨-s, ø⟩ *m* comfort *m*, comodità *f;* **mit allem ~** con tutte le comodità.

komfortabel [...fɔr'ta:bəl] *adj* comodo, confortevole.

Komfortwohnung *f* appartamento *m* con tutti i comfort.

Komik ['ko:mɪk] ⟨-, ø⟩ *f* comicità *f*.

Komiker(in) ⟨-s, -⟩ *m(f)* attore *m*, -trice *f* comico, -a; *fig pej* buffone, -a *m, f*.

komisch *adj* **1.** *(lustig)* comico; *(bes. Aussehen)* buffo; **2.** *(seltsam)* strano; **3.** *(lächerlich)* ridicolo.

Komitee [komi'te:] ⟨-s, -s⟩ *n* comitato *m*.

Komma ['kɔma, -s *o* -ta] ⟨-s, -s *o* -ta⟩ *n* virgola *f*.

kommandieren [kɔman'di:rən] ⟨*ohne ge-*⟩ *tr, itr* comandare.

Kommanditgesellschaft [kɔman'di:t-] *f* (*abk* **KG**) *ökon* società *f* in accomandita (*abbr* s. acc.).

Kommando [kɔ'mando] ⟨-s, -s⟩ *n* comando *m*.

kommen ['kɔmən] ⟨kommt, kam, gekommen⟩ **I.** *itr* ⟨*sein*⟩ **1.** *allg.* venire; *(an~)* arrivare; **2.** *(hin~, gelangen)* giungere (*nach* a); *(erreichen können)* raggiungere, arrivare; **3.** *(herbei~)* avvicinarsi; **4.** *(besuchen ~)* venire a trovare (*zu jdm* qu); **5.** *(hingehören: Gegenstände)* andare (messo); **6.** *(stammen, her~)* venire (*aus* da); *(Ware a.)* provenire (*aus* da); **7.** *(herrühren)* provenire (*von* da), essere dovuto (*von* a); **8.** *(sich zutragen)* succedere, accadere; **9.** *(an der Reihe sein)* toccare; **10.** *sl (einen Orgasmus haben)* venire *sl;* **gegangen/gefahren/geflogen/gelaufen ~** arrivare a piedi/in macchina/in aereo (*o* in volo)/di corsa; **jdn/etw. ~ lassen** chiamare (*o* far venire) qu/ordinare qc; **auf jdn nichts ~ lassen** non permettere che si parli male di qu; **ans Licht (*o* an den Tag) ~** venire alla luce; **durch Mailand ~** passare per Milano; **hinter etw.** *(akk)* **~** *fam* scoprire qc; **ums Leben ~** perdere la vita; **zu nichts ~** non combinare nulla; **(wieder) zu sich** *(dat)* **~** tornare in sé; **auf etw.** *(akk)* **zu sprechen ~** venire a parlare di qc; **das habe ich ~ sehen** *fam* l'ho sempre detto; **als nächstes komme ich (dran)** *fam* il prossimo sono io, poi tocca a me; **ich komme (einfach) nicht auf seinen Namen** *fam* non mi viene in mente il suo nome; **das Beste kommt (erst) noch** *fam* non è ancora tutto; **daher kommt es, daß ...** ecco perché ...; **es kommt noch soweit, daß ...** si arriverà (fino) al punto che ...; **das kommt von ...** ciò viene (*o* deriva *o* dipende) da ...; **ich komme nicht dazu zu ...** non trovo il tempo di *+inf;* **wenn Sie mir so ~ ...** se mi parla (*o* tratta) così ...; **wie kommst du darauf?** come ti è venuta quest'idea?; **wie kommt es, daß ...?** come mai ...?, com'è che ...?; **wie komme ich zu ...?** come faccio ad arrivare a ...?; **komm, komm!** andiamoci piano!; **komm (her)!** vieni qui (*o* qua)!; **da kommt er!** eccolo che arriva!; **das mußte ja so ~!** non poteva essere altrimenti; **das kommt davon!** *fam* ecco cosa succede!; ~ **Sie mir nicht damit!** *fam* non cominci con questa storia!, non voglio sentire queste cose!; **darauf wäre ich nie gekommen!** non ci sarei mai arrivato!; **II.** *tr* ⟨*sein*⟩ *fam (kosten)* venire; **das kommt 5 Mark** questo viene 5 marchi.

Kommen ⟨-s, ø⟩ *n* venuta *f;* **ein ständiges ~ und Gehen** un continuo viavai (*o* andirivieni).

kommend *adj* **1.** *(nächste)* prossimo; **2.** *(zukünftig)* a venire, futuro.

Kommentar [kɔmɛn'ta:ɐ̯] ⟨-s, -e⟩ *m* commento *m* (*zu* a). **kommentarlos** *adj* senza commento.

kommentieren [...'ti:rən] ⟨*ohne ge-*⟩ *tr* commentare; *(Bemerkungen machen zu)* far commenti su.

kommerziell [kɔmɛr'tsi̯ɛl] *adj* commerciale.

Kommissar(in) [kɔmɪ'sa:ɐ̯ (...rɪn)] ⟨-s, -e⟩ *m(f)* commissario, -a *m, f.*

Kommissariat [kɔmɪsa'ri̯a:t] ⟨-(e)s, -e⟩ *n* commissariato *m.*

kommissarisch [...'sa:rɪʃ] **I.** *adj* commissariale, provvisorio; **II.** *adv* per incarico.

Kommission [kɔmɪ'si̯o:n] ⟨-, -en⟩ *f* commissione *f.* **Kommissionsware** *f* merce *f* spedita in conto deposito.

Kommode [kɔ'mo:də] ⟨-, -n⟩ *f* comò *m,* cassettone *m.*

kommunal [kɔmu'na:l] *adj* comunale, municipale. **Kommunalpolitik** *f* politica *f* comunale.

Kommune [kɔ'mu:nə] ⟨-, -n⟩ *f* **1.** *(Gemeinde)* comune *m;* **2.** *(Wohngemeinschaft)* comune *f.*

Kommunikation [kɔmunika'tsi̯o:n] ⟨-, -en⟩ *f* comunicazione *f.* **Kommunikationsmittel** *n* mezzo *m* di comunicazione. **Kommunikationssatellit** *m* satellite *m* per comunicazioni.

Kommunion [kɔmu'ni̯o:n] ⟨-, -en⟩ *f (Abendmahl)* eucarestia *f; (~feier a.)* comunione *f.*

Kommuniqué [kɔmyni'ke: *o* kɔmun...] ⟨-s, -s⟩ *n* comunicato *m.*

Kommunismus [kɔmu'nɪsmʊs] ⟨-, ø⟩ *m* comunismo *m.*

Kommunist(in) [...'nɪst(ɪn)] ⟨-en, -en⟩ *m(f)* comunista *mf.*

kommunistisch *adj* comunista.

Komödie [ko'mø:di̯ə] ⟨-, -n⟩ *f* **1.** *allg.* commedia *f;* **2.** *(~nhaus)* teatro *m* di prosa.

Kompagnon [kɔmpan'jõ: *o* 'kɔmpanjõ] ⟨-s, -s⟩ *m ökon* socio *m.*

kompakt [kɔm'pakt] *adj* **1.** *(festgefügt)* compatto, denso; **2.** *fam (gedrungen)* tarchiato.

Kompanie [kɔmpa'ni:, ...i:ən] ⟨-, -n⟩ *f* compagnia *f.*

Komparativ ['kɔmparati:f *o* ...'ti:f] ⟨-s, -e⟩ *m* comparativo *m.*

Kompaß ['kɔmpas] ⟨-passes, -passe⟩ *m* bussola *f.*

kompatibel [kɔmpa'ti:bəl] *adj* compatibile.

Kompensation [kɔmpɛnza'tsi̯o:n] ⟨-, -en⟩ *f* **1.** *(Ausgleich)* compensazione *f;* **2.** *(Entschädigung)* compenso *m.*

kompensieren [...'zi:rən] ⟨*ohne ge-*⟩ *tr* compensare.

kompetent [kɔmpe'tɛnt] *adj* competente.

Kompetenz [...'tɛnts] ⟨-, -en⟩ *f* competenza *f; jur* giurisdizione *f.*

kompilieren [kɔmpi'li:rən] *tr (a. inform)* compilare.

komplett [kɔm'plɛt] *adj* **1.** *(vollständig)* completo; **2.** *(vollzählig)* al completo; **3.** *(völlig, absolut)* perfetto, completo.

komplex [kɔm'plɛks] *adj* complesso.

Komplex ⟨-es, -e⟩ *m* complesso *m.*

Komplikation [kɔmplika'tsi̯o:n] ⟨-, -en⟩ *f a. med* complicazione *f.*

Kompliment [kɔmpli'mɛnt] ⟨-(e)s, -e⟩ *n* complimento *m;* **jdm wegen etw. ~e machen** fare i complimenti a qu per qc; **mein ~!** complimenti!

Komplize [kɔm'pli:tsə] ⟨-n, -n⟩ *m,* **Komplizin** [...tsɪn] *f* complice *mf.*

komplizieren [kɔmpli'tsi:rən] ⟨*ohne ge-*⟩ *tr* complicare. **kompliziert** *adj* complicato.

Komplott [kɔm'plɔt] ⟨-(e)s, -e⟩ *n* complotto *m.*

Komponente [kɔmpo'nɛntə] ⟨-, -n⟩ *f* componente *f.*

komponieren [kɔmpo'ni:rən] ⟨*ohne ge-*⟩ *tr, itr* comporre.

Komponist(in) [...'nɪst(ɪn)] ⟨-en, -en⟩ *m(f)* compositore, -trice *m, f.*

Komposition [...zi'tsi̯o:n] ⟨-, -en⟩ *f* composizione *f.*

Kompost [kɔm'pɔst] ⟨-(e)s, -e⟩ *m* composta *f,* terricciato *m.* **Komposthaufen** *m* mucchio *m* di composta.

Kompostieranlage *f* impianto *m* per il compostaggio. **Kompostierung** *f* produzione *f* di composta.

Kompott [kɔm'pɔt] ⟨-(e)s, -e⟩ *n* frutta *f* cotta, conserva *f* di frutta.

komprimieren [kɔmpri'mi:rən] ⟨*ohne ge-*⟩ *tr* comprimere.

Kompromiß [kɔmpro'mɪs] ⟨-misses, -misse⟩ *m* compromesso *m;* **einen ~ schließen** venire ad un compromesso. **kompromißbereit** *adj* disposto a scendere a compromessi, favorevole ad un compromesso. **Kompromißbereitschaft** *f* atteggiamento *m* conciliante. **Kompromißlösung** *f* soluzione *f* di compromesso.

kompromittieren [...mɪ'ti:rən] ⟨*ohne ge-*⟩ **I.** *tr* compromettere; **II.** *rfl:* **sich ~** compromettersi.

Kondensator [kɔnˈdɛnˈza:to:ɐ, ...zaˈto:-rən] ⟨-s, en⟩ *m* condensatore *m*.
Kondensmilch [kɔnˈdɛns-] *f* latte *m* condensato. **Kondensstreifen** *m* scia *f* di condensazione. **Kondenswasser** *n* condensa *f*, acqua *f* di condensazione.
Kondition [kɔndiˈtsio:n] ⟨-, -en⟩ **1.** *geh (Bedingung)* condizione *f;* **2.** ⟨*sing*⟩ *(sport)* forma *f*.
Konditor(in) [kɔnˈdi:to:ɐ(...rın), ...diˈto:-rən] ⟨-s, -en⟩ *m* pasticciere, -a *m, f*.
Konditorei [...ditoˈrai] ⟨-, -en⟩ *f* pasticceria *f*.
Kondom [kɔnˈdo:m] ⟨-s, -e⟩ *n o m* preservativo *m*.
Kondukteur [kɔndʊkˈtø:ɐ] ⟨-s, -e⟩ *m CH* controllore *m*.
Konfektion [kɔnfɛkˈtsio:n] ⟨-, -en⟩ *f* **1.** *(Herstellung)* confezione *f* di abiti in serie; **2.** *(Kleidung)* confezioni *f pl*, abiti *m pl* confezionati. **Konfektionsgröße** *f* taglia *f*. **Konfektionskleidung** *f* abbigliamento *m* di confezione, pret-à-porter *m*.
Konferenz [kɔnfeˈrɛnts] ⟨-, -en⟩ *f* conferenza *f*, congresso *m; (Besprechung)* consiglio *m; (Lehrer~)* consiglio *m* di classe. **Konferenzschaltung** *f* sistema *m* telefonico collettivo. **Konferenzzimmer** *n* stanza *f* delle conferenze.
Konfession [kɔnfɛˈsio:n] ⟨-, -en⟩ *f* confessione *f*.
konfessionell [...sioˈnɛl] *adj* confessionale, religioso.
konfessionslos *adj* senza confessione.
Konfetti [kɔnˈfɛti] ⟨*pl*⟩ coriandoli *m pl*.
Konfiguration [kɔnfiguraˈtsio:n] *f (a. inform)* configurazione *f*.
Konfirmand(in) [kɔnfırˈmant (...dın)] ⟨-en, -en⟩ *m(f)* cresimando, -a *m, f*.
Konfirmation [...maˈtsio:n] ⟨-, -en⟩ *f* cresima *f*, confermazione *f*.
konfirmieren [...ˈmi:rən] ⟨*ohne ge-*⟩ *tr* cresimare, confermare.
Konfiserie [kõfizəˈri: *o* kɔn..., ...i:ən] ⟨-, -n⟩ *f CH* pasticceria *f*.
konfiszieren [kɔnfısˈtsi:rən] ⟨*ohne ge-*⟩ *tr* confiscare, sequestrare.
Konfitüre [kɔnfiˈty:rə] ⟨-, -n⟩ *f* confettura *f*, conserva *f*, marmellata *f*.
Konflikt [kɔnˈflıkt] ⟨-(e)s, -e⟩ *m* conflitto *m;* **in ~ mit jdm/etw. geraten** entrare in conflitto con qu/qc.
konform [kɔnˈfɔrm] *adj* conforme (*mit* a), in conformità (*mit* con); **~ gehen mit** essere d'accordo con.
konfrontieren [kɔnfrɔnˈti:rən] ⟨*ohne ge-*⟩ *tr* mettere di fronte (*mit* a).
konfus [kɔnˈfu:s] *adj* confuso; *(Person)* sconcertato; **jdn ~ machen** confondere qu.
Kongreß [kɔnˈgrɛs] ⟨-gresses, -gresse⟩ *m* congresso *m*.
König(in) [ˈkø:nıç (...gın)] ⟨-(e)s, -e⟩ *m(f)* re *m*, regina *f;* **die Heiligen Drei ~e** i re Magi.
königlich [ˈkø:nıklıç] **I.** *adj* reale, regio; *(einem König gemäß)* regale; *(a. hoheitsvoll)* maestoso; **II.** *adv fig fam (außerordentlich)* moltissimo; **sich ~ amüsieren** divertirsi un mondo *fam*.
Königreich [ˈkø:nık-] *n* regno *m*. **Königsadler** *m* aquila *f* reale.
Konjugation [kɔnjugaˈtsio:n] ⟨-, -en⟩ *f* coniugazione *f*.
konjugieren [...ˈgi:rən] ⟨*ohne ge-*⟩ *tr* coniugare.
Konjunktion [kɔnjʊŋkˈtsio:n] ⟨-, -en⟩ *f* congiunzione *f*.
Konjunktiv [ˈkɔnjʊŋkti:f *o* ...ˈti:f] ⟨-s, -e⟩ *m* congiuntivo *m*.
Konjunktur [kɔnjʊŋkˈtu:ɐ] ⟨-, -en⟩ *f* congiuntura *f*. **Konjunkturabschwung** *m* ristagno *m* della congiuntura. **Konjunkturaufschwung** *m* ripresa *f* economica. **Konjunkturbelebung** *f* rilancio *m* economico. **Konjunktureinbruch** *m* recessione *f*. **konjunkturell** [...tuˈrɛl] *adj* congiunturale. **Konjunkturrückgang** *m* regressione *f* economica. **Konjunkturtief** *n* depressione *f* economica. **Konjunkturzyklus** *m* ciclo *m* congiunturale.
konkav [kɔnˈka:f] *adj* concavo.
konkret [kɔnˈkre:t] *adj* concreto, reale.
Konkurrent(in) [kɔnkʊˈrɛnt(ın)] ⟨-en, -en⟩ *m(f) (a. sport)* concorrente *mf; ökon* rivale *mf*.
Konkurrenz [...ˈrɛnts] ⟨-, -en⟩ *f* **1.** *(~kampf)* concorrenza *f;* **2.** *(Wettbewerb)* concorso *m; (a. sport)* competizione *f*, gara *f;* **3.** *(Konkurrenten)* concorrenti *m pl;* **jdm ~ machen** fare concorrenza a qu; **außer ~** fuori concorso. **Konkurrenzdruck** *m* pressione *f* della concorrenza. **konkurrenzfähig** *adj* competitivo, concorrenziale. **konkurrenzlos** *adj* senza concorrenza. **Konkurrenzprodukt** *n* prodotto *m* concorrente.
konkurrieren [...ˈri:rən] ⟨*ohne ge-*⟩ *itr* **1.** *ökon* concorrere (*um* a, *mit* con); **2.** *sport* competere; *(sich messen)* misurarsi (*mit* con); **miteinander ~** farsi concorrenza.
Konkurs [kɔnˈkʊrs] ⟨-es, -e⟩ *m* **1.** *(Bankrott)* fallimento *m*, bancarotta *f;* **2.** *(~verfahren)* procedimento *m* fallimentare; **in ~ gehen** fallire, fare fallimento. **Konkursmasse** *f* massa *f* attiva (in concorso). **Konkursverwalter(in)** *m(f)* liquidatore, -trice *m, f*.
können [ˈkœnən] ⟨kann, konnte, gekonnt *o modales Hilfsverb* können⟩ *tr, itr* **1.** *(imstande sein, vermögen)* potere; *(in der Lage sein)* essere in grado di; **2.** *(beherrschen)* sapere; **3.** *(dürfen)* essere autorizzato a, avere il permesso di; *(erlaubt sein)* essere permesso che *+congv;* **4.** *(die Möglichkeit haben)* avere la possibilità di; *(möglich sein)* essere possibile che *+congv;* **nicht anders ~ als ...** non poter fare a meno di *+inf;*

so gut ich (es) kann come meglio posso; **ich kann nicht mehr** *(nicht mehr aushalten)* non ne posso più *fam,* non ce la faccio più *fam; (nicht weitermachen)* non posso continuare; *fam (nichts mehr essen)* non posso mandar giù più niente *fam;* **ich kann es Ihnen nicht sagen** non glielo so dire; **das hätte ich Ihnen gleich sagen** ~ glieL'avrei potuto dire subito; **ich kann nichts dafür** *fam* non è colpa mia; **kann sein** *fam* può darsi *fam;* **er kann kein Italienisch** non sa l'italiano; **er kann sich noch so anstrengen ...** per quanto si sforzi ...; **man könnte meinen, daß ...** si direbbe che *+congv;* **was kannst du alles?** quante cose sai?; **wer kann das getan haben?** chi può averlo fatto?; **du kannst mich mal!** *sl* vaffanculo! *volg.*

Können ⟨-s, ø⟩ *n* **1.** *(Fähigkeit)* capacità *f,* bravura *f;* **2.** *(Kunstfertigkeit)* arte *f.*

konnte [ˈkɔntə] *imp von* **können.**

Konrad [ˈkɔnraːt] *(männlicher Vorname)* Corrado.

Konrektor(in) [ˈkɔnrɛktoːɐ (...oːrɪn) *a.* ...ˈtoːrən] *m(f)* vicepreside *mf.*

konsequent [kɔnzeˈkvɛnt] *adj* coerente, conseguente; ~ **durchgreifen** intervenire di conseguenza.

Konsequenz [...ˈkvɛnts] ⟨-, -en⟩ *f* **1.** *(Folgerichtigkeit)* logicità *f,* coerenza *f;* **2.** *(Unbeirrbarkeit)* costanza *f,* perseveranza *f;* **3.** *(Folge)* conseguenza *f;* **4.** *(Schlußfolgerung)* conclusione *f;* **die ~en ziehen** tirare le conseguenze, agire di conseguenza.

konservativ [kɔnzɛrvaˈtiːf] *adj* **1.** *(am Hergebrachten festhaltend)* tradizionalista; **2.** *pol* conservatore.

Konserve [kɔnˈzɛrvə] ⟨-, -n⟩ *f* conserva *f.* **Konservenbüchse** *f,* **-dose** *f* scatola *f* di conserva.

konservieren [...ˈviːrən] ⟨*ohne ge-*⟩ *tr* conservare; *(Lebensmittel a.)* mettere in conserva.

Konservierungsstoffe *m pl* conservanti *m pl.*

Konsole [kɔnˈzoːlə] *f (a. inform)* console *f.*

Konsonant [kɔnzoˈnant] ⟨-en, -en⟩ *m* consonante *f.*

konstant [kɔnˈstant] *adj* costante.

Konstantin [ˈkɔnstantiːn] *(männlicher Vorname)* Costantino.

Konstanz [ˈkɔnstants] *n* Costanza *f.*

Konstitution [kɔnstituˈtsjoːn] ⟨-, -en⟩ *f* costituzione *f.*

konstruieren [kɔnstruˈiːrən] ⟨*ohne ge-*⟩ *tr* **1.** *(bauen)* costruire; **2.** *(entwerfen)* ideare, progettare.

Konstrukteur(in) [kɔnstrʊkˈtøːɐ (...øːrɪn)] ⟨-s, -e⟩ *m(f)* costruttore, -trice *m, f.*

Konstruktion [...ˈtsjoːn] ⟨-, -en⟩ *f* **1.** *(Bau)* costruzione *f;* **2.** *(Entwurf)* progetto *m.*

konstruktiv [kɔnstrʊkˈtiːf] *adj fig* costruttivo.

Konsul(in) [ˈkɔnzʊl(ɪn)] ⟨-s, -n⟩ *m(f)* console *mf.*

Konsulat [kɔnzuˈlaːt] ⟨-(e)s, -e⟩ *n* consolato *m.*

Konsum [kɔnˈzuːm] ⟨-s, ø⟩ *m* **1.** *(Verbrauch)* consumo *m;* **2.** *(~genossenschaft)* cooperativa *f* di consumo.

Konsumation [kɔnzumaˈtsjoːn] ⟨-, -en⟩ *f CH* consumazione *f.*

Konsumdenken *n* consumismo *m.*

Konsument(in) [...ˈmɛnt(ɪn)] ⟨-en, -en⟩ *m(f)* consumatore, -trice *m, f.*

Konsumgesellschaft *f* società *f* dei consumi. **Konsumtempel** *m* tempio *m* dei consumi.

Kontakt [kɔnˈtakt] ⟨-(e)s, -e⟩ *m* contatto *m;* **mit jdm ~ aufnehmen, mit jdm in ~ treten** prendere (*o* entrare in) contatto con qu; **mit jdm ~ haben, mit jdm in ~ stehen** essere in contatto con qu. **Kontaktanzeige** *f* inserzione *f* per allacciare contatti (*o* conoscenze). **kontaktarm** *adj* poco comunicativo. **Kontaktbildschirm** *m* schermo *m* sensibile al tatto. **kontaktfreudig** *adj* socievole.

kontaktieren [kɔntakˈtiːrən] ⟨*ohne ge-*⟩ *tr* contattare, mettersi in contatto con.

Kontaktlinsen *f pl* lenti *f pl* a contatto. **Kontaktperson** *f* intermediario, -a *m, f; med* persona *f* sospetta di contagio.

Konten *pl von* **Konto.**

konterkarieren [kɔntɐkaˈriːrən] ⟨*ohne ge-*⟩ *tr* controbattere.

Kontinent [kɔntiˈnɛnt *o* ˈkɔn...] ⟨-(e)s, -e⟩ *m* continente *m.*

kontinental [...ˈtaːl] *adj* continentale.

Kontingent [kɔntɪŋˈgɛnt] ⟨-(e)s, -e⟩ *n* contingente *m,* quota *f.*

kontinuierlich [kɔntinuˈiːɐlɪç] *adj* continuo, continuativo.

Kontinuität [kɔntinuiˈtɛːt] ⟨-, ø⟩ *f* continuità *f.*

Konto [ˈkɔnto, ...tən] ⟨-s, Konten⟩ *n* conto *m;* **das geht auf sein ~** *fam* è colpa sua. **Kontoauszug** *m* estratto *m* conto. **Kontoauszugsdrucker** *m* stampante *f* automatica di estratto conto. **Kontobewegung** *f* movimento *m* di conto. **Kontoführung** *f* tenuta *f* dei conti. **Kontoinhaber(in)** *m(f)* intestatario, -a *m, f* (*o* titolare *mf*) del conto. **Kontokorrent** [kɔntokɔˈrɛnt] ⟨-s, -e⟩ *n* conto *m* corrente. **Kontonummer** *f* numero *m* del conto. **Kontostand** *m* situazione *f* del conto.

Kontraindikation [ˈkɔntraˀɪndikatsjoːn] *f* controindicazione *f.*

Kontrahent(in) [kɔntraˈhɛnt(ɪn)] ⟨-en, -en⟩ *m(f)* contraente *mf.*

kontraproduktiv *adj* controproducente.

Kontrast [kɔnˈtrast] ⟨-(e)s, -e⟩ *m* contrasto *m.* **Kontrastmittel** *n med* mezzo *m* di contrasto.

kontrastieren [...'ti:rən] ⟨*ohne ge-*⟩ *itr* contrastare (*mit* con); *(sich abheben)* staccarsi (*mit* da).
Kontrollabschnitt *m* tagliando *m* di controllo.
Kontrollampe *f* spia *f.*
Kontrolle [kɔn'trɔlə] ⟨-, -n⟩ *f* **1.** *(Beherrschung)* controllo *m* (*über +akk* di); **2.** *(Prüfung)* verifica *f; (Paß~, Polizei~)* controllo *m; (Zoll~)* controllo *m* (*o* ispezione *f*) (doganale).
Kontrolleur(in) [...'lø:ɐ (...rɪn)] ⟨-s, -e⟩ *m(f)* controllore *m.*
kontrollierbar *adj* controllabile.
kontrollieren [...'li:rən] ⟨*ohne ge-*⟩ *tr* **1.** *allg.* controllare; **2.** *(überwachen)* sorvegliare; **3.** *(prüfen)* verificare, esaminare; *(überprüfen)* ispezionare.
Kontrollzentrum *n* centro *m* di controllo.
Kontur [kɔn'tu:ɐ] ⟨-, -en⟩ *f o* ⟨-s, -en⟩ *m* profilo *m,* sagoma *f,* contorno *m.*
Konvention [kɔnvɛn'tsi̯o:n] ⟨-, -en⟩ *f* convenzione *f.*
Konventionalstrafe [...tsi̯o'na:l-] *f* (multa *f*) penale *f.*
konventionell [...tsi̯o'nɛl] *adj* convenzionale.
Konversation [kɔnvɛrza'tsi̯o:n] ⟨-, -en⟩ *f* conversazione *f.* **Konversationslexikon** *n* enciclopedia *f,* dizionario *m* enciclopedico.
konvertieren [kɔnvɛr'ti:rən] *tr inform* convertire.
konvex [kɔn'vɛks] *adj* convesso.
Konzentrat [kɔntsɛn'tra:t] ⟨-s, -e⟩ *n* concentrato *m.*
Konzentration [kɔntsɛntra'tsi̯o:n] ⟨-, -en⟩ *f* concentrazione *f.* **Konzentrationslager** *n* (*abk* **KZ**) campo *m* di concentramento.
konzentrieren [...'tri:rən] ⟨*ohne ge-*⟩ **I.** *tr* concentrare (*auf +akk* su); **II.** *rfl:* **sich ~** concentrarsi (*auf +akk* su).
konzentrisch [kɔn'tsɛntrɪʃ] *adj* concentrico.
Konzept [kɔn'tsɛpt] ⟨-(e)s, -e⟩ *n* **1.** *(von Rede)* abbozzo *m,* traccia *f;* **2.** *(Entwurf)* progetto *m; (Rohentwurf)* minuta *f,* brutta copia *f;* **3.** *(Begriff, Vorstellung)* concetto *m,* idea *f;* **jdn aus dem ~ bringen** fare perdere il filo a qu; **das paßt mir nicht ins ~** non mi va *fam.*
Konzern [kɔn'tsɛrn] ⟨-(e)s, -e⟩ *m* gruppo *m* industriale (*o* commerciale).
Konzert [kɔn'tsɛrt] ⟨-(e)s, -e⟩ *n* concerto *m.*
Konzession [kɔntsɛ'si̯o:n] ⟨-, -en⟩ *f* **1.** *(Zugeständnis)* concessione *f;* **2.** *(Gewerbeerlaubnis)* licenza *f,* permesso *m.*
Konzil [kɔn'tsi:l, -ə *o* -i̯ən] ⟨-s, -e *o* -ien⟩ *n* concilio *m.*
konzipieren [kɔntsi'pi:rən] ⟨*ohne ge-*⟩ *tr* **1.** *(Rede, Aufsatz)* concepire; **2.** *(planen)* progettare.
Kooperation [ko?opera'tsi̯o:n] ⟨-, -en⟩ *f* cooperazione *f.*
kooperativ [ko?opera'ti:f] *adj* cooperativo.
Koordination [ko?ɔrdina'tsi̯o:n] ⟨-, -en⟩ *f* coordinazione *f.*
koordinieren [...'ni:rən] ⟨*ohne ge-*⟩ *tr* coordinare.
Kopenhagen [ko:pən'ha:gən] *n* Copenaghen *f.*
Kopf [kɔpf] ⟨-(e)s, Köpfe⟩ *m* **1.** *allg., fig, tec* testa *f; (a. fig: Anführer)* capo *m;* **2.** *(Spitze, Ende)* punta *f,* estremità *f; (Brief~)* intestazione *f; (Nadel~, Nagel~)* capocchia *f; (von Münze)* testa *f; (Zeitungs~)* testata *f;* **3.** *fig (Person)* uomo *m,* persona *f;* **4.** *fig (Verstand)* mente *f,* testa *f;* **den ~ hängen lassen** *fig* avvilirsi, perdersi d'animo; **den ~ verlieren** perdere la testa; **~ und Kragen riskieren** *fam* rischiare la pelle; **jdm den ~ verdrehen** far perdere la testa a qu; **jdm den ~ waschen** *fig fam* fare una lavata di capo a qu *fam;* **einen ~ größer sein als jd** superare qu di una testa; **ein kluger ~ sein** essere un tipo capace; **einen klaren (*o* kühlen) ~ behalten (*o* bewahren)** conservare la calma, non perdere la testa; **einen schweren ~ haben** sentirsi la testa pesante; **nicht wissen, wo einem der ~ steht** non sapere dove sbattere la testa; **auf dem ~ stehen** *(umgekehrt sein)* essere sottosopra; **auf den ~ stellen** *(umkehren)* capovolgere; *(in Unordnung bringen)* mettere a soqquadro; **Geld auf den ~ hauen** *sl* spendere un sacco di quattrini *fam;* **jdm etw. auf den ~ zusagen** dire qc in faccia a qu; **jdm etw. an den ~ werfen** *fig fam* rinfacciare qc a qu; **im ~ behalten** tenere a mente; **im ~ haben** *fam* avere in mente; **im ~ rechnen** calcolare a mente; **jdn vor den ~ stoßen** *fig* offendere qu; **wie vor den ~ geschlagen sein** *fam* rimanere di stucco *fam;* **sich** *(dat)* **etw. durch den ~ gehen lassen** (ri)pensare a qc; **sich** *(dat)* **etw. in den ~ setzen** mettersi qc in mente; **sich** *(dat)* **etw. aus dem ~ schlagen** *fam* levarsi (*o* togliersi) qc dalla testa; **am ~ von** *fig* alla testa di; **~ an ~** stretti stretti *fam,* testa a testa; **aus dem ~** *(auswendig)* a memoria; **pro ~** a testa, pro capite; **von ~ bis Fuß** da capo a piedi; **er hat nur Autos im ~** *fam* ha solo automobili in (*o* per la) testa; **die Arbeit wächst ihm über den ~** è carico di lavoro fin sopra i capelli *fam;* **~ hoch!** animo!, coraggio!
Kopf-an-Kopf-Rennen *n* corsa *f* testa a testa. **Kopfbahnhof** *m* stazione *f* di testa. **Kopfball** *m* testata *f.* **Kopfbedeckung** *f* copricapo *m.*
Köpfchen ['kœpfçən] ⟨-s, -⟩ *n fam scherz:* **~, ~!** ci vuole un po' di cervello.
köpfen ['kœpfən] *tr* **1.** *(enthaupten)* decapitare; **2.** *(Ball)* tirare di testa.

Kopfende *n (von Bett)* testata *f; (von Tisch)* capotavola *m*. **Kopfgeld** *n* taglia *f*. **Kopfhaut** *f* cuoio *m* capelluto. **Kopfhörer** *m* cuffia *f*. **Kopfkissen** *n* guanciale *m*, cuscino *m*. **kopflastig** *adj* **1.** *(Flugzeug)* appruato; **2.** *fig* cervellotico. **kopflos** *adj* sbadato, sventato. **Kopfrechnen** *n* calcolo *m* mentale. **Kopfsalat** *m* lattuga *f*. **Kopfschmerzen** *m pl* mal *m* di testa (*o* di capo); ~ **haben** avere mal di testa; **sich** *(dat)* **um etw.** ~ **machen** preoccuparsi di qc. **Kopfschütteln** ⟨-s, ø⟩ *n* scrollata *f* di testa. **Kopfsprung** *m* tuffo *m* (con la testa in avanti); **einen** ~ **machen** tuffarsi a capofitto. **kopf·stehen** ⟨*irr*⟩ *itr* ⟨*haben o sein*⟩ **1.** *(auf dem Kopf stehen)* fare la verticale; **2.** *fig (durcheinander sein)* essere sottosopra (*vor +dat* per). **Kopfsteinpflaster** *n* acciottolato *m*. **Kopfstütze** *f* poggiatesta *m*. **Kopftuch** *n* fazzoletto *m* (da testa), foulard *m*. **kopfüber** [-'ʔyːbɐ] *adv* a capofitto. **Kopfzerbrechen** ⟨-s, ø⟩ *n* rompicapo *m*; **das bereitet mir** ~ ciò mi dà dei grattacapi.

Kopie [ko'piː, ...iːən] ⟨-, -n⟩ *f* **1.** *allg.* copia *f (a. inform)*; **2.** *(Nachahmung)* imitazione *f*.

kopieren [ko'piːrən] ⟨*ohne ge-*⟩ *tr* **1.** *allg.* copiare *(a. inform)*; **2.** *(abschreiben)* trascrivere; **3.** *(Fotokopie machen)* fotocopiare; **4.** *(imitieren)* imitare.

Kopiergerät *n* copiatrice *f*. **Kopierschutz** *m inform* protezione *f* dei programmi.

koppeln ['kɔpəln] *tr* **1.** *allg.* accoppiare (*mit* con, a); *(a. fig: verbinden)* abbinare (*mit* a); **2.** *(anhängen)* attaccare; *(Fahrzeuge)* agganciare.

Kopp(e)lung ⟨-, -en⟩ *f* **1.** *(Verbindung, a. el)* accoppiamento *m*; **2.** *(von Fahrzeugen)* agganciamento *m*; **3.** *tec* collegamento *m*; **4.** *fig* abbinamento *m*.

Koprozessor ['kopro'tsɛsoːɐ̯] *m* coprozessore *m*.

Koralle [ko'ralə] ⟨-, -n⟩ *f* corallo *m*.

Koran [ko'raːn] ⟨-s, -e⟩ *m* Corano *m*.

Korb [kɔrp] ⟨-(e)s, Körbe⟩ *m* **1.** *(Behälter)* cesto *m*; *(a. Brot~, Wäsche~)* cesta *f*; *(bes. Henkel~)* paniere *m*, canestro *m*; *(Trag~)* gerla *f*; **2.** *(~geflecht)* vimini *m pl*; **3.** *sport (Gerät, ~wurf)* canestro *m*; **4.** *fam (Ablehnung)* rifiuto *m*; **jdm einen** ~ **geben** dire di no a qu. **Korbball** *m* pallacanestro *f*. **Korbflasche** *f* fiasco *m*; *(große ~)* damigiana *f*. **Korbmöbel** *n pl* mobili *m pl* di vimini.

Kord [kɔrt] ⟨-(e)s, -e *o* -s⟩ *m* cord *m*.

Kordel ['kɔrdəl] ⟨-, -n⟩ *f* cordoncino *m*, cordicella *f*.

Korinthe [ko'rɪntə] ⟨-, -n⟩ *f* uvetta *f*, uva *f* passa.

Kork [kɔrk] ⟨-(e)s, -e⟩ *m* sughero *m*.

Korken ⟨-s, -⟩ *m* turacciolo *m*, tappo *m* di sughero. **Korkenzieher** ⟨-s, -⟩ *m* cavatappi *m*.

Korn [kɔrn] ⟨-(e)s, Körner⟩ *n* **1.** *allg.* chicco *m*; *(Samen~)* seme *m*, grano *m*; *(Pfeffer~)* grano *m*; *(Salz~)* grano *m*, granello *m*; *(Sand~, Staub~)* granello *m*; **2.** *(Getreide)* grano *m*, cereali *m pl*, granaglie *f pl*; **3.** *(an Gewehr)* mirino *m*; **jdn aufs** ~ **nehmen** tener d'occhio qu. **Kornblume** *f* fiordaliso *m*.

Körper ['kœrpɐ] ⟨-s, -⟩ *m* corpo *m*. **Körperbau** ⟨-(e)s, ø⟩ *m* corpo *m*, corporatura *f*. **körperbehindert** *adj* minorato fisico, handicappato; *(invalide)* invalido. **Körpergewicht** *n* peso *m*. **Körpergröße** *f* statura *f*.

körperlich *adj* **1.** *(leiblich)* corporeo, corporale; *(a. geschlechtlich)* fisico; **2.** *(Arbeit)* manuale; **~e Ertüchtigung** allenamento fisico.

Körperpflege *f* cura *f* (*o* igiene *f*) del corpo.

Körperschaft ⟨-, -en⟩ *f* corporazione *f*, organo *m*, ente *m*, corpo *m*; **gesetzgebende** ~ corpo legislativo; ~ **des öffentlichen Rechts** ente pubblico. **Körperschaft(s)steuer** *f* imposta *f* sul reddito delle società (*o* sugli enti collettivi).

Körpersprache *f* linguaggio *m* del corpo. **Körperteil** *m* parte *f* del corpo. **Körpertemperatur** *f* temperatura *f* del corpo. **Körperverletzung** *f* lesione *f* corporale; **fahrlässige/schwere** ~ lesione colposa/grave.

korpulent [kɔrpu'lɛnt] *adj* corpulento, obeso.

korrekt [kɔ'rɛkt] *adj* **1.** *(richtig)* giusto; **2.** *(Normen entsprechend)* corretto. **Korrektheit** ⟨-, ø⟩ *f* **1.** *(Richtigkeit)* esattezza *f*; **2.** *(von Benehmen)* correttezza *f*.

Korrektor(in) [kɔ'rɛktoːɐ̯ (...'toːrɪn), ...'toːrən] ⟨-s, -en⟩ *m(f)* correttore, -trice *m, f* di bozze.

Korrektur [...'tuːɐ̯] ⟨-, -en⟩ *f* correzione *f*; ~ **lesen** correggere le bozze. **Korrekturband** *n* nastro *m* correttore. **Korrekturflüssigkeit** *f* correttore *m* fluido. **Korrekturspeicher** *m* memoria *f* di correzione. **Korrekturtaste** *f* tasto *m* di cancellazione.

Korrespondent(in) [kɔrɛspɔn'dɛnt(ɪn)] ⟨-en, -en⟩ *m(f)* corrispondente *mf*.

Korrespondenz [...'dɛnts] ⟨-, -en⟩ *f* corrispondenza *f*.

korrespondieren [...'diːrən] ⟨*ohne ge-*⟩ *itr* **1.** *(in Briefwechsel stehen)* corrispondere (*mit* con), essere in corrispondenza (*mit* con); **2.** *(übereinstimmen)* corrispondere (*mit* con).

korrigieren [kɔri'giːrən] ⟨*ohne ge-*⟩ *tr (Text)* correggere; *(berichtigen)* modificare, rettificare; *(Ansichten)* rivedere.

Korrosion [kɔro'zi̯oːn] ⟨-, -en⟩ *f* corrosione *f*. **korrosionsbeständig** *adj* anticorrosivo.

korrumpieren [kɔrum'piːrən] ⟨*ohne ge-*⟩

tr corrompere.

Korruption [kɔrʊp'tsjo:n] ⟨-, -en⟩ *f* corruzione *f.*

Korsett [kɔr'zɛt] ⟨-(e)s, -e *o* -s⟩ *n* busto *m,* corsetto *m.*

Korsika ['kɔrzika] *n* Corsica *f.*

korsisch *adj* corso.

Kortison [kɔrti'zo:n] ⟨-s, ø⟩ *n* cortisone *m.*

koscher ['ko:ʃɐ] *adj rel* kasher; **nicht ~** *fam (bedenklich)* losco, sospetto.

Kosename *m* vezzeggiativo *m.*

Kosinus ['ko:zinʊs] *m* coseno *m.*

Kosmetik [kɔs'me:tɪk] ⟨-, ø⟩ *f* cosmesi *f,* cosmetica *f.*

Kosmetika [...ka] *n pl* cosmetici *m pl,* prodotti *m pl* di bellezza.

Kosmetiker(in) ⟨-s, -⟩ *m(f)* estetista *mf.*

Kosmetikkoffer *m* beauty-case *m.* **Kosmetiktuch** *n* kleenex® *m.*

kosmetisch *adj* cosmetico; **~e Chirurgie** chirurgia *f* plastica.

kosmisch ['kɔsmɪʃ] *adj* cosmico.

Kosmos ['kɔsmɔs] ⟨-, ø⟩ *m* cosmo *m.*

Kost [kɔst] ⟨-, ø⟩ *f* **1.** *(Nahrung)* cibo *m,* cibi *m pl,* cucina *f;* **2.** *(Verpflegung)* vitto *m;* **schwere ~** cucina grassa; *fig* cosa difficile da capire; **~ und Logis** vitto e alloggio.

kostbar *adj* prezioso; *(teuer)* caro. **Kostbarkeit** ⟨-, -en⟩ *f* **1.** *(Gegenstand)* cosa *f* preziosa; **2.** ⟨*sing*⟩ *(Wert)* pregio *m,* valore *m.*

kosten[1] ['kɔstən] *tr, itr (Preis haben, fig: erfordern)* costare; **es sich** *(dat)* **etwas ~ lassen** non badare a spese; **was kostet das?** quanto costa questo?; **koste es, was es wolle!** costi quel che costi!

kosten[2] ['kɔstən] *tr, itr (Speisen)* assaggiare, provare.

Kosten ⟨*pl*⟩ *(Un~)* costo *m,* spesa *f; (Auslagen)* spese *f pl;* **~ mit sich** *(dat)* **bringen** comportare delle spese; **auf seine ~ kommen** *fig* essere soddisfatto (*bei* di); **auf ~ von** a spese di; *fig* a scapito di; **auf eigene ~** a proprie spese. **Kostenaufwand** *m* costi *m pl;* **mit einem ~ von ...** con una spesa di ... **kostendeckend** *adj* che copre le spese; **~ arbeiten** lavorare pareggiando costi e ricavi. **Kostendämpfung** *f* contenimento *m* dei costi. **Kostenersparnis** *f* risparmio *m* di costi. **Kostenexplosion** *f* esplosione *f* dei costi. **Kostenfaktor** *m* fattore *m* costi (*o* costo). **Kostenfrage** *f* questione *f* di costi. **kostenlos** *adj* gratuito. **Kosten-Nutzen-Analyse** *f* analisi *f* dei costi e dei ricavi. **kostenpflichtig** *adj* a pagamento. **Kostenrechnung** *f* calcolo *m* dei costi. **Kostenstelle** *f* voce *f* di costo. **Kostenvoranschlag** *m* preventivo *m.* **kostenwirksam** *adj* che si ripercuote sui costi.

köstlich ['kœstlɪç] *adj* **1.** *(Genuß)* delizioso; *(Speise)* squisito, eccellente; **2.** *obs (herrlich)* splendido; **3.** *(amüsant)* divertente; **sich ~ amüsieren** divertirsi un mondo *fam.*

Kostprobe *f (a. fig)* assaggio *m; (von Wein)* degustazione *f.*

kostspielig *adj* costoso, dispendioso.

Kostüm [kɔs'ty:m] ⟨-s, -e⟩ *n* **1.** *(Damen~)* tailleur *m;* **2.** *(Verkleidung)* costume *m.* **Kostümball** *m,* **-fest** *n* ballo *m* in maschera.

Kot [ko:t] ⟨-(e)s, ø⟩ *m (Exkremente)* feci *f pl,* escrementi *m pl; (Tier~)* sterco *m.*

Kotelett [kotə'lɛt] ⟨-s, -s *o* -e⟩ *n* costoletta *f,* cotoletta *f.*

Koteletten ⟨*pl*⟩ basette *f pl.*

Köter ['kø:tɐ] ⟨-s, -⟩ *m pej* cagnaccio *m.*

Kotflügel *m* parafango *m.*

kotzen ['kɔtsən] *itr vulg* vomitare; **es ist zum K~** è uno schifo *fam.*

KP [ka:'pe:] ⟨-, -s⟩ *f abk von* **Kommunistische Partei** P.C. *m* (*abbr di* Partito comunista).

Krabbe ['krabə] ⟨-, -n⟩ *f zoo (Taschenkrebs)* granchio *m; (Garnele)* gambero *m.*

krabbeln ['krabəln] *itr* ⟨*sein*⟩ *(Tiere)* strisciare; *(Kleinkinder)* camminare carponi.

Krach [krax] ⟨-(e)s, -e *o* -s *o* Kräche⟩ *m* **1.** ⟨*sing*⟩ *(Lärm)* chiasso *m,* baccano *m,* fracasso *m; (Schlag)* schianto *m;* **2.** *fam (Streit)* lite *f;* **~ machen** *fam* fare chiasso; **~ schlagen** *fam* protestare.

krachen *itr* **1.** ⟨*haben*⟩ *(Donner)* tuonare; *(Schuß)* scoppiare; *(Holz)* scricchiolare; *(Tür)* sbattere; **2.** ⟨*sein*⟩ *fam (platzen)* scoppiare; *(brechen: Eis)* spaccarsi; **3.** ⟨*sein*⟩ *fam (aufprallen)* schiantarsi (*gegen* su); **auf dieser Kreuzung kracht es dauernd** *fam* a questo incrocio succedono sempre incidenti.

krächzen ['krɛçtsən] *itr* gracchiare, gracidare.

kraft [kraft] *prp +gen geh* in forza di.

Kraft [kraft] ⟨-, Kräfte⟩ *f* **1.** *allg.* forza *f;* **2.** *(Wirksamkeit)* efficacia *f; (Gültigkeit)* vigore *m;* **3.** *(Hilfs~, Arbeits~)* manovale *mf,* operaio, -a *m, f; (Lehr~)* insegnante *mf;* **in ~ sein/treten** *jur* essere/entrare in vigore; **außer ~ setzen** annullare, dichiarare invalido; *(Gesetz)* abolire, abrogare; *(zeitweilig)* sospendere; **wieder zu Kräften kommen** rimettersi in forze; **aus eigener ~** con le proprie forze, da solo; **mit aller ~** con tutte le forze; **mit letzter ~** con le ultime forze; **nach Kräften** facendo tutto il possibile; **volle ~ voraus!** *naut* avanti a tutta forza!. **Kraftakt** *m* sforzo *m.* **Kraftausdruck** *m* parolaccia *f; (Fluch)* bestemmia *f.* **Kraftbrühe** *f* consommé *m.*

Kraftfahrer(in) *m(f)* conducente *mf,* autista *mf.* **Kraftfahrzeug** *n* (*abk* **Kfz**) autoveicolo *m.* **Kraftfahrzeugbrief** *m* libretto *m* di circolazione. **Kraftfahrzeugkennzeichen** *n* (*abk* **Kfz-Kennzeichen**) targa *f.* **Kraftfahrzeugschein** *m* carta *f* di circolazione. **Kraftfahrzeugsteuer** *f* tassa *f* di circolazione. **Kraftfahrzeugversicherung** *f* assicurazione *f* automobilistica.

kräftig ['krɛftɪç] **I.** *adj* **1.** *(stabil gebaut)* robusto, forte; *(kraftvoll, stark)* forte; *(groß)* grande; **2.** *(Farben)* violento; **3.** *(Nahrung)* sostanzioso; **einen ~en Schluck nehmen** *fam* bere un bel sorso; **II.** *adv* **1.** *(stark)* forte, fortemente; **2.** *(sehr)* molto; **~ regnen** piovere forte; **~ schütteln** agitare bene.

kräftigen *tr* rinforzare, rinvigorire.

kraftlos *adj* svigorito. **Kraftprobe** *f* prova *f* (*o* atto *m*) di forza. **Kraftrad** *n* motociclo *m*. **Kraftstoff** *m mot* carburante *m*. **kraftvoll** *adj* pieno di forza, forte. **Kraftwagen** *m* automobile *f*, autoveicolo *m*. **Kraftwerk** *n* centrale *f* elettrica.

Kragen ['kra:gən] ⟨-s, - *o* Krägen⟩ *m* *(Hemd~)* colletto *m*, collo *m; (Kleider~, Mantel~)* bavero *m;* **jdn beim ~ packen** prendere qu per il collo; **da platzt einem ja der ~** *fam* questo mi fa andare in bestia *fam.* **Kragenweite** *f* misura *f* del collo.

Krähe ['krɛ:ə] ⟨-, -n⟩ *f* cornacchia *f*.

krähen ['krɛ:ən] *itr (Hahn)* cantare; *fig (Mensch)* gracidare.

Kralle ['kralə] ⟨-, -n⟩ *f (von Raubtieren, Vögeln, a. fam pej: Fingernägel)* artiglio *m; (von Katzen)* unghia *f*.

Kram [kra:m] ⟨-(e)s, ø⟩ *m fam pej* **1.** *(Zeug)* cose *f pl*, roba *f fam; (Plunder, Schund)* ciarpame *m fam;* **2.** *(Angelegenheit)* faccenda *f*, storia *f;* **den ganzen ~ hinschmeißen** mandare tutto all'aria; **das paßt mir nicht in den ~** non mi va a genio.

kramen I. *itr* frugare (*in +dat* in, *nach etw. (dat)* per trovare qc), rovistare (*in +dat* in, *nach etw. (dat)* per trovare qc); **II.** *tr:* **etw. aus etw. ~** tirare fuori qc da qc.

Krampf [krampf] ⟨-(e)s, Krämpfe⟩ *m* **1.** *med* crampo *m*, spasmo *m*, convulsioni *f pl;* **2.** *fam pej (Unsinn)* sciocchezze *f pl.* **Krampfader** *f* vena *f* varicosa, varice *f*.

krampfen I. *rfl:* **sich ~ 1.** *med* contrarsi (convulsivamente); **2.** *(sich festhalten)* aggrapparsi (*an +akk* a); *(Finger)* stringersi (*um* a); **II.** *itr CH (hart arbeiten)* lavorare sodo, sgobbare *fam.*

krampfhaft *adj* **1.** *med* spasmodico, convulsivo; **2.** *fam (unnatürlich)* forzato; *(angestrengt)* sforzato; *(Anstrengungen)* disperato.

Kran [kra:n] ⟨-(e)s, Kräne *o* -e⟩ *m* gru *f*. **Kranführer** *m* gruista *m*.

Kranich ['kra:nɪç] ⟨-s, -e⟩ *m* gru *f*.

krank [kraŋk] ⟨kränker, kränk(e)ste⟩ *adj* ammalato (*an +dat* di); *(bes. Organe)* malato; *(dauernd)* infermo; *(leidend)* sofferente (*an +dat* di); **~ machen** far ammalare; **~ werden** ammalarsi; **sich ~ melden** mettersi in mutua; *mil* marcare visita; **jdn ~ schreiben** rilasciare un certificato di malattia a qu; **~ geschrieben sein** essere in mutua; **deine Fragen machen mich noch ~** *fam* le tue domande mi danno ai nervi *fam.*

Kranke ⟨ein -r, -n, -n⟩ *mf* (am)malato, -a *m, f*, infermo, -a *m, f; (Patient)* paziente *mf*.

kränkeln ['krɛŋkəln] *itr* essere malaticcio.

kranken *itr fig* risentire (*an +dat* di); **das krankt daran, daß ...** (ciò) risente del fatto che ...

kränken ['krɛŋkən] *tr* offendere.

Krankenakte *f* pratica *f* di malattia; **eine ~ anlegen** aprire una pratica di malattia. **Krankenbericht** *m* rapporto *m* di malattia. **Krankengymnast(in)** [-gym'nast(ɪn)] ⟨-en, -en⟩ *m(f)* fisioterapista *mf*. **Krankengymnastik** *f* fisioterapia *f*. **Krankenhaus** *n* ospedale *m; (Klinik)* clinica *f*. **Krankenkasse** *f* mutua *f*, cassa *f* malati. **Krankenpflege** *f* assistenza *f* al malato. **Krankenpfleger(in)** *m(f)* infermiere, -a *m, f*. **Krankenschein** *m* modulo *m* per la mutua, foglio *m* di malattia. **Krankenschwester** *f* infermiera *f*. **Krankenversichertenkarte** *f* tessera *f* sanitaria. **Krankenversicherung** *f* assicurazione *f* malattia (*o* contro le malattie). **Krankenversicherungsbescheinigung** *f:* **~ E 111** modello *m* E 111 per l'assicurazione sanitaria all'estero (durante un soggiorno). **Krankenwagen** *m* ambulanza *f*.

krank·feiern *itr fam* darsi malato.

krankhaft *adj* patologico; *(a. fig)* morboso.

Krankheit ⟨-, -en⟩ *f* malattia *f; (Erkrankung)* affezione *f; (Schmerz, Leiden)* male *m;* **eine ~ bekommen, sich** *(dat)* **eine ~ zuziehen** prendere una malattia. **Krankheitsbild** *n* quadro *m* clinico. **Krankheitserreger** *m* agente *m* patogeno. **Krankheitsverlauf** *m* decorso *m* della malattia.

krank·lachen *rfl:* **sich ~** *fam* morire dal ridere *fam.* **Krankmeldung** *f* foglio *m* (*o* certificato *m*) di malattia.

kränklich ['krɛnklɪç] *adj* malaticcio.

Kränkung ⟨-, -en⟩ *f* offesa *f*.

Kranz [krants] ⟨-es, Kränze⟩ *m* corona *f; (aus Blumen a.)* ghirlanda *f*.

kraß [kras] *adj* **1.** *(extrem)* estremo; *(Egoist)* grande; **2.** *(auffallend)* sorprendente; *(Widerspruch)* stridente; *(Unterschied)* grande; **3.** *(unerhört)* incredibile, inaudito.

Krater ['kra:tɐ] ⟨-s, -⟩ *m* cratere *m*.

kratzen ['kratsən] **I.** *tr* **1.** *allg.* grattare; *(mit Nägeln, Krallen)* graffiare; **2.** *(ab~)* raschiare, raspare; **3.** *(einritzen)* incidere; **4.** *fam (stören)* irritare, disturbare; **es kratzt mich (*o* mir) im Hals** sento un raschio alla gola; **II.** *itr* **1.** *(Geräusch)* scricchiolare; **2.** *(Pullover)* dare prurito; **III.** *rfl:* **sich** ~ grattarsi.

Kratzer ⟨-s, -⟩ *m (a. Kratzspur)* graffiatura *f; (a. Kratzwunde)* graffio *m.*

kraulen[1] ['kraulən] *tr (streicheln)* accarezzare, lisciare.

kraulen[2] ['kraulən] *tr, itr ⟨haben o sein⟩ (schwimmen)* nuotare a crawl; **sie hat (***o* **ist) die 100 m in Rekordzeit gekrault** ha percorso a crawl i 100 m in tempo di record.

kraus [kraus] *adj* **1.** *(Haar)* riccio, crespo; *(Stirn)* rugoso; *(Stoff)* sgualcito; **2.** *fig (Gedanken)* confuso; **die Nase/ Stirn ~ ziehen** arricciare il naso/corrugare la fronte.

kräuseln ['krɔyzəln] *tr (Haare)* arricciare; *(Stoff, Wasser)* increspare; *(Stirn)* corrugare.

Kraut [kraut] ⟨-(e)s, Kräuter⟩ *n* **1.** *(Pflanze)* erba *f;* **2.** *(von Rüben, Kartoffeln)* foglie *f pl;* **3.** *⟨sing⟩ (Kohl)* cavolo *m; (Sauer~)* crauti *m pl;* **4.** *pej fam (Tabak)* tabacco *m* scadente; **mit Kräutern** *gastr* alle erbe; **wie ~ und Rüben** *fam* sottosopra, alla rinfusa; **dagegen ist kein ~ gewachsen** non c'è rimedio, non si può far nulla.

Kräuterbutter ['krɔyte-] *f* burro *m* aromatizzato. **Kräuterlikör** *m* liquore *m* alle erbe. **Kräutertee** *m* infuso *m* d'erbe; *(bes. Beruhigungs~)* tisana *f.*

Krawall [kra'val] ⟨-s, -e⟩ *m* **1.** *(Aufruhr)* tumulto *m,* disordine *m;* **2.** *fam pej (Lärm)* baccano *m.*

Krawatte [kra'vatə] ⟨-, -n⟩ *f* cravatta *f.*

Kreation [krea'tsio:n] ⟨-, -en⟩ *f (Mode)* creazione *f.*

kreativ [krea'ti:f] *adj* creativo.

Kreativität [kreativi'tɛ:t] ⟨-, ø⟩ *f* creatività *f.*

Krebs [kre:ps] ⟨-es, -e⟩ *m* **1.** *zoo* gambero *m; (Taschen~)* granchio *m;* **2.** *med, bot* cancro *m;* **3.** *astr* Cancro *m;* **er/sie ist (ein) ~** è (del *o* un) Cancro. **krebserregend** *adj* cancerogeno. **Krebserreger** *m* cancerogeno *m.* **Krebsforschung** *f* cancerologia *f.* **Krebsfrüherkennung** ⟨-, ø⟩ *f* diagnosi *f* precoce del cancro. **Krebsgang** *m:* **den ~ gehen** fare come i gamberi. **Krebsgeschwür** *n* ulcerazione *f* cancerosa. **Krebsklinik** *f* clinica *f* oncologica. **krebskrank** *adj* malato di cancro. **Krebsnachsorge** *f* terapia *f* oncologica postoperatoria. **krebsrot** *adj* rosso come un gambero. **Krebsvorsorge** *f* prevenzione *f* del cancro. **Krebsvorsorgeuntersuchung** *f* visita *f* preventiva di controllo del cancro.

Kredit [kre'di:t *o* ...'dɪt] ⟨-(e)s, -e⟩ *m (fin, a. Glaubwürdigkeit)* credito *m;* **auf ~** a credito. **Kreditgeber(in)** *m(f)* creditore, -trice *m, f.* **Kredithai** *m* usuraio, -a *m, f.* **Kreditinstitut** *n* istituto *m* di credito. **Kreditkarte** *f* carta *f* di credito. **Kreditlinie** *f* facilitazione *f* creditizia. **Kreditnehmer(in)** ⟨-s, -⟩ *m(f)* beneficiario, -a *m, f.* **kreditwürdig** *adj* solvibile.

Kreide ['kraidə] ⟨-, -n⟩ *f* **1.** *(Gestein)* creta *f;* **2.** *(Schreib~)* gesso *m;* **ein Stück ~** un gessetto; **bei jdm (tief) in der ~ stehen (***o* **sein)** *fam* essere indebitato (fino al collo) con qu. **kreidebleich** ['kraidə'blaiç] *adj* bianco come un panno lavato (*o* un cencio). **Kreidefelsen** *m* roccia *f* cretacea. **Kreidezeichnung** *f* disegno *m* a gessetto. **Kreidezeit** *f* cretaceo *m.*

kreieren [kre'i:rən] ⟨*ohne ge-*⟩ *tr* creare.

Kreis [krais] ⟨-es, -e⟩ *m* **1.** *allg.* circolo *m; (a. fig, mat)* cerchio *m; (~linie)* circonferenza *f;* **2.** *(Lebens~, Bereich)* ambito *m;* **3.** *fig (Personen~)* cerchia *f;* **4.** *(Verwaltungsbezirk)* distretto *m;* **(weite) ~e ziehen** *fig* estendersi; **sich im ~ drehen** girare, rotare; **im ~** in cerchio; **im ~e von** in seno a; **in gutunterrichteten ~en** in ambienti (*o* circoli) ben informati. **Kreisbahn** *f* orbita *f* (circolare).

kreischen ['kraiʃən] *itr* strillare; *(Vögel, Bremsen)* stridere; **~d** *(Stimme)* stridulo; *(Bremsen)* stridente.

Kreisel ['kraizəl] ⟨-s, -⟩ *m* trottola *f.*

kreisen ['kraizən] *itr ⟨haben o sein⟩* **1.** *allg.* girare (*um* intorno), ruotare (*um* intorno a); **2.** *(Vögel, Flugzeug)* volteggiare; **3.** *(Blut, Geld)* circolare; **in der Runde ~** *(Becher)* fare il giro; **das Gespräch kreiste um ...** la conversazione si incentrava su ...

kreisförmig [-fœrmɪç] **I.** *adj* circolare; **II.** *adv* in cerchio, in circolo. **Kreislauf** *m* **1.** *(Blut~, Geld~)* circolazione *f;* **2.** *(Natur~)* ciclo *m.* **Kreislaufkollaps** *m* collasso *m* circolatorio. **Kreislaufstörungen** *f pl* disturbi *m pl* circolatori. **Kreissäge** *f* sega *f* circolare.

Kreißsaal ['krais-] *m* sala *f* parto.

Kreisstadt *f* capoluogo *m* distrettuale. **Kreisverkehr** *m* circolazione *f* rotatoria.

Kreml ['kre:məl *o* 'krɛməl] ⟨-(s), -⟩ *m* Cremlino *m.*

Krempe ['krɛmpə] ⟨-, -n⟩ *f* tesa *f.*

Krempel ['krɛmpəl] ⟨-s, ø⟩ *m fam pej* roba *f,* cianfrusaglie *f pl;* **den ganzen ~ hinwerfen** *fig* buttare tutto all'aria.

Kren [kre:n] ⟨-(e)s, ø⟩ *m A (Meerrettich)* rafano *m,* crèn *m.*

krepieren [kre'pi:rən] ⟨*ohne ge-*⟩ *itr ⟨sein⟩* **1.** *(Tiere, vulg: Menschen)* crepare; **2.** *(Bombe, Granate)* scoppiare.

Krepp [krɛp] ⟨-s, -s *o* -e⟩ *m* crespo *m.* **Kreppapier** *n* carta *f* crespata. **Kreppsohle** *f* suola *f* di para.

Kresse ['krɛsə] ⟨-, -n⟩ *f* crescione *m.*

kreuz [krɔyts] *adv:* **~ und quer** a destra e sinistra, in tutti i sensi.

Kreuz [krɔyts] ⟨-es, -e⟩ *n* **1.** *allg., rel* croce *f; (~zeichen a.)* segno *m* della croce; **2.** *mus* diesis *m;* **3.** *⟨sing⟩ (beim Karten-*

spiel) fiori *m pl;* **4.** *fig (Leid)* tormento *m,* afflizione *f;* **5.** *anat* schiena *f,* reni *m pl;* **jdn aufs ~ legen** *fig sl* gabbare qu; **etw. über ~ legen** mettere in croce qc; **zu ~e kriechen** umiliarsi (*vor +dat* davanti a), andare a Canossa; **es ist ein ~** *fam* è un calvario; **es ist ein ~ mit ihm** *fam* è una croce con lui *fam.*

kreuzen I. *tr* ⟨*haben*⟩ **1.** *(Arme, Beine, Wege, Blicke, a. biol)* incrociare; **2.** *(überschreiten)* attraversare; **II.** *itr* ⟨*haben o sein*⟩ *naut* incrociare; *(beim Segeln)* bordeggiare; **III.** *rfl:* **sich ~** *(Straßen)* tagliarsi; *(Wege, Blicke)* incrociarsi.

Kreuzer ⟨-s, -⟩ *m naut* incrociatore *m.*

Kreuzfahrt *f* crociera *f.* **Kreuzfeuer** *n* **1.** *mil* fuoco *m* incrociato; **2.** *fig* fuoco *m* di fila; **im ~ der Kritik stehen** essere al centro della critica. **Kreuzgang** *m* chiostro *m.*

kreuzigen *tr* crocifiggere.

Kreuzigung ⟨-, -en⟩ *f* crocifissione *f.*

Kreuzotter *f* vipera *f* comune.

Kreuzschlitzschraubenzieher *m* cacciavite *m* (*o* giravite *m*) a croce. **Kreuzschlüssel** *m* chiave *f* a croce.

Kreuzung ⟨-, -en⟩ *f* incrocio *m.*

Kreuzverhör *n* interrogatorio *m* in contradditorio; **jdn ins ~ nehmen** interrogare qu in contradditorio. **Kreuzweg** *m* **1.** *(Wegkreuzung)* incrocio *m,* crocicchio *m;* **2.** *rel, fig* via *f* crucis. **Kreuzworträtsel** *n* parole *f pl* incrociate, cruciverba *m.* **Kreuzzug** *m* crociata *f.*

kribbeln ['krɪbəln] **I.** *itr* **1.** *(jucken)* prudere; *(prickeln)* essere frizzante; **II.** *tr fam (kitzeln)* fare il solletico a.

kriechen ['kri:çən] ⟨kriecht, kroch, gekrochen⟩ *itr* ⟨*sein*⟩ strisciare; *fig (Fahrzeuge)* procedere lentamente; **vor jdm ~** *fig* leccare i piedi a qu.

Kriechspur *f* corsia *f* lenta. **Kriechtempo** *n fam* passo *m* di lumaca.

Krieg [kri:k] ⟨-(e)s, -e⟩ *m* guerra *f;* **gegen jdn ~ führen** fare la guerra contro qu; **im ~** in guerra.

kriegen ['kri:gən] *tr fam (bekommen, erhalten)* ricevere, ottenere; *(Krankheit)* prendersi, buscarsi; **ein Kind ~** *(erwarten)* aspettare un bambino; **nicht genug ~ (können)** non averne mai abbastanza; **ich kriege Hunger/Durst** mi viene fame/sete; **sie hat ein Kind gekriegt** ha avuto un bambino; **da kriegst du es mit mir zu tun** avrai a che fare con me; **wenn ich das sehe, kriege ich zuviel** quando vedo ciò mi sento male.

Krieger(in) ⟨-s, -⟩ *m(f)* guerriero, -a *m, f.*

kriegführend *adj* belligerante. **Kriegführung** *f* condotta *f* di guerra; *(Strategie)* strategia *f,* tattica *f.* **Kriegsbeschädigte** ⟨ein -r, -n, -n⟩ *mf* invalido, -a *m, f* di guerra. **Kriegsdienstverweigerer** ⟨-s, -⟩ *m* obiettore *m* di coscienza. **Kriegsfall** *m:* **im ~** in caso di guerra. **Kriegsfuß** *m:* **mit jdm auf (dem) ~ stehen** *scherz* essere sul piede di guerra con qu; **mit etw. auf (dem) ~ stehen** *scherz* non conoscere bene qc, avere difficoltà con qc. **Kriegsgebiet** *n* zona *f* bellica. **Kriegsgefangene** *mf* prigioniero, -a *m, f* di guerra. **Kriegsgefangenschaft** *f* prigionia *f* (di guerra). **Kriegsopfer** *n* vittima *f* della guerra. **Kriegsspielzeug** *n* gioco *m* di guerra. **Kriegsverbrechen** *n* crimine *m* di guerra. **Kriegsverbrecher** *m* criminale *m* di guerra. **Kriegszustand** *m* stato *m* di guerra; **sich im ~ befinden** essere in guerra.

Krimi ['kri:mi *o* 'krɪmi] ⟨-s, -s⟩ *m fam* giallo *m fam.*

Kriminalbeamte [krimi'na:l-] *m,* **-beamtin** *f* funzionario, -a *m, f* della polizia giudiziaria. **Kriminalfilm** *m* (film *m*) giallo *m.*

Kriminalistik [krimina'lɪstɪk] ⟨-, ø⟩ *f* criminologia *f.*

Kriminalität [...li'tɛ:t] ⟨-, ø⟩ *f* criminalità *f,* delinquenza *f.*

Kriminalpolizei *f* polizia *f* giudiziaria. **Kriminalroman** *m* romanzo *m* poliziesco (*o* giallo), giallo *m.*

kriminell [krimi'nɛl] *adj* criminale.

Kriminelle [krɪmi'nɛlə] ⟨ein -r, -n, -n⟩ *mf* criminale *mf.*

Krimskrams ['krɪmskrams] ⟨-(es), ø⟩ *m fam* cianfrusaglie *f pl.*

Kripo ['kri:po] ⟨-, -s⟩ *f fam abk von* **Kriminalpolizei** polizia *f* giudiziaria.

Krippe ['krɪpə] ⟨-, -n⟩ *f* **1.** *(Futter~)* mangiatoia *f,* greppia *f;* **2.** *(Weihnachts~)* presepio *m;* **3.** *(Kinder~)* asilo *m* nido.

Krise ['kri:zə] ⟨-, -n⟩ *f* crisi *f.*

kriseln *itr:* **es kriselt** c'è (in vista) una crisi.

krisenfest *adj* stabile. **Krisengebiet** *n* focolaio *m* di crisi. **Krisenherd** *m* focolaio *m.* **Krisenmanagement** *n* gestione *f* della crisi. **Krisenstab** *m* comitato *m* d'emergenza.

Kristall[1] [krɪs'tal] ⟨-s, -e⟩ *m (Körper)* cristallo *m.*

Kristall[2] [krɪs'tal] ⟨-s, ø⟩ *n (Glas)* cristallo *m.* **Kristallglas** *n* **1.** *(Material)* cristallo *m;* **2.** *(Gefäß)* bicchiere *m* di cristallo.

kristallisieren [...li'zi:rən] ⟨*ohne ge-*⟩ **I.** *tr, itr* cristallizzare; **II.** *rfl:* **sich ~** cristallizzarsi.

kristallklar *adj* cristallino.

Kriterium [kri'te:rium, ...iən] ⟨-s, -rien⟩ *n* criterio *m.*

Kritik [kri'ti:k] ⟨-, -en⟩ *f* critica *f* (*an +dat* a, di); **unter aller ~ sein** *fam* essere molto scadente.

Kritiker(in) ['kri:tikɐ (...ərɪn)] ⟨-s, -⟩ *m(f)* critico *mf,* recensore, -a *m, f.*

kritiklos *adj* acritico.

kritisch ['kri:tɪʃ] *adj* critico.

kritisieren [kriti'zi:rən] ⟨*ohne ge-*⟩ *tr* criticare.

kritzeln ['krɪtsəln] *tr, itr* scarabocchiare.

Kroate [kro'a:tə] ⟨-n, -n⟩ *m,* **Kroatin** [kro'a:tɪn] *f* croato, -a *m, f.* **Kroatien** [kro'a:tsiən] *n* Croazia *f.* **kroatisch** *adj* croato.

kroch [krɔx] *imp von* **kriechen.**

Krokette [kro'kɛtə] ⟨-, -n⟩ *f (Kartoffel~, Reis~)* crocchetta *f; (Fisch~, Fleisch~)* polpettina *f.*

Krokodil [kroko'di:l] ⟨-s, -e⟩ *n* coccodrillo *m.* **Krokodilstränen** *f pl* lacrime *f pl* di coccodrillo.

Krokus ['kro:kʊs] ⟨-, -(se)⟩ *m* croco *m.*

Krone ['kro:nə] ⟨-, -n⟩ *f* **1.** *(allg., fin, tec)* corona *f; (Zahn~)* capsula *f; (Baum~)* chioma *f;* **2.** *fig (Krönung, Höhepunkt)* colmo *m,* massimo *m,* coronamento *m;* **die ~ der Schöpfung** la corona del creato; **einen in der ~ haben** *fam* essere sbronzo *fam;* **dabei fällt dir keine Perle (***o* **kein Stein) aus der ~** *fam* non ci rimetti niente; **das setzt doch allem die ~ auf!** *fam* questo è il colmo.

krönen ['krø:nən] *tr* **1.** *(a. fig)* incoronare; **2.** *(abschließen)* coronare; **der ~de Abschluß** la fine in gloria; **von Erfolg gekrönt sein** essere coronato dal successo.

Kronkorken *m* tappo *m* a corona. **Kronleuchter** *m* lampadario *m* a corona.

Krönung ⟨-, -en⟩ *f* incoronazione *f; fig (Höhepunkt)* coronamento *m,* massimo *m.*

Kronzeuge *m,* **-zeugin** *f* teste *mf* principale.

Kropf [krɔpf] ⟨-(e)s, Kröpfe⟩ *m* gozzo *m.*

Kröte ['krø:tə] ⟨-, -n⟩ *f* **1.** *zoo, fig pej* rospo *m;* **2.** ⟨*pl*⟩ *sl (Geld)* quattrini *m pl fam.*

Krücke ['krʏkə] ⟨-, -n⟩ *f* **1.** *(zum Gehen)* gruccia *f,* stampella *f;* **2.** *sl pej (Versager)* schiappa *f;* **an ~n gehen** camminare con le grucce.

Krug ['kru:k] ⟨-(e)s, Krüge⟩ *m* brocca *f;* **der ~ geht so lange zum Brunnen, bis er bricht** *prov* tanto va la gatta al lardo che ci lascia lo zampino *prov.*

Krümel ['kry:məl] ⟨-s, -⟩ *m* briciola *f.* **krüm(e)lig** *adj* friabile.

krümeln *itr* sbriciolarsi.

krumm [krʊm] *adj* **1.** *(schief, a. Beine)* storto; *(Nase)* adunco; *(verkrümmt)* contorto; *(bogenförmig)* curvo; **2.** *fig sl (unrechtmäßig)* disonesto; *(Geschäfte)* losco, poco pulito; **~e Dinger drehen** *sl* far qc di proibito; **~ werden** piegarsi, incurvarsi; **auf die ~e Tour** *sl* in modo poco pulito, per vie traverse.

krümmen ['krʏmən] **I.** *tr (biegen)* (in)curvare, piegare; **ihm wurde kein Haar gekrümmt** non gli è stato torto un capello; **II.** *rfl:* **sich ~ 1.** *(sich beugen)* (in)curvarsi, piegarsi; *(Straße, Fluß)* (in)curvare, piegare; **2.** *(sich winden)* (con)torcersi; **sich vor Schmerzen ~** piegarsi in due dai dolori.

krumm·nehmen ⟨*irr*⟩ *tr fam (übelnehmen)* prendere in mala parte.

Krümmung ⟨-, -en⟩ *f* incurvamento *m; (Biegung, a. anat, mat)* curvatura *f; (Straßen~, Fluß~)* curva *f.*

Krüppel ['krʏpəl] ⟨-s, -⟩ *m* storpio *m;* **jdn zum ~ machen** storpiare qu.

Kruste ['krʊstə] ⟨-, -n⟩ *f* crosta *f.* **Krustentier** *n* crostaceo *m.*

Kruzifix [krutsi'fɪks *o* 'kru:ts...] ⟨-es, -e⟩ *n* crocifisso *m.*

Krypta ['krʏpta, ...tən] ⟨-, -ten⟩ *f* cripta *f.*

KSZE [ka:ˀɛsˀtsɛtˀe:] ⟨-, ø⟩ *f abk von* **Konferenz für Sicherheit und Zusammenarbeit in Europa** C. S. C. E. *(abbr di* Conferenza sulla Sicurezza e Collaborazione in Europa).

Kübel ['ky:bəl] ⟨-s, -⟩ *m* mastello *m,* tinozza *f; (Eimer)* secchio *m.*

Kubikmeter [ku'bi:k-] *n o m* (*abk* **cbm**) metro *m* cubo. **Kubikzahl** *f* potenza *f* cubica. **Kubikzentimeter** *n o m* (*abk* **ccm**) centimetro *m* cubo.

Küche ['kʏçə] ⟨-, -n⟩ *f* cucina *f;* **gutbürgerliche ~** cucina casalinga; **kalte ~** piatti freddi.

Kuchen ['ku:xən] ⟨-s, -⟩ *m* dolce *m,* torta *f,* focaccia *f.* **Kuchenblech** *n* piastra *f* del forno.

Küchenchef *m* chef *m,* capocuoco *m.*

Kuchenform *f* forma *f* per torte. **Kuchengabel** *f* forchetta *f* da dessert.

Küchenmaschine *f* robot *m* da cucina. **Küchenmesser** *n* coltello *m* da cucina. **Küchenschabe** *f* scarafaggio *m,* blatta *f.*

Kuchenteig *m* pasta *f* per (*o* da) torte (*o* dolci). **Kuchenteller** *m* piatto *m* da dessert.

kuckuck ['kʊkʊk] *interj* cucù. **Kuckuck** ⟨-s, -e⟩ *m* cuculo *m;* **das weiß der ~!** *fam* lo sa il diavolo *fam;* **zum ~ (noch mal)!** *fam* al diavolo! *fam.* **Kuckucksuhr** *f* (orologio *m* a) cucù *m.*

Kufe ['ku:fə] ⟨-, -n⟩ *f* pattino *m; (Schlittschuh~)* lama *f.*

Kugel ['ku:gəl] ⟨-, -n⟩ *f* **1.** *allg.* palla *f;* **2.** *mat* sfera *f;* **3.** *(Gewehr~)* pallottola *f; (Kanonen~)* palla *f;* **4.** *(Kegel~)* boccia *f; (Billard~)* biglia *f; sport (Stoß~)* peso *m;* **sich** *(dat)* **eine ~ durch den Kopf jagen** *fam* bruciarsi le cervella. **Kugelhagel** *m* pioggia *f* di pallottole. **Kugelkopfschreibmaschine** *f* macchina *f* da scrivere a testina rotante. **Kugellager** *n* cuscinetto *m* a sfere. **kugelrund** ['ku:gəl'rʊnt] *adj* sferico, tondo. **Kugelschreiber** *m* penna *f* a sfera, biro *f fam.* **kugelsicher** *adj* a prova di proiettile. **Kugelstoßen** ⟨-s, ø⟩ *n* lancio *m* del peso.

Kuh [ku:] ⟨-, Kühe⟩ *f* **1.** *(Tier)* vacca *f,* mucca *f;* **2.** *fig pej (weibliche Person)* stupida *f,* cretina *f.* **Kuhhandel** *m fam pej* mercanteggiamento *m,* mercimonio

m.

kühl [ky:l] *adj* **1.** *(mäßig kalt)* fresco; **2.** *fig (Empfang, Blick)* freddo; ~ **aufbewahren (*o* lagern)** tenere al fresco, conservare in luogo fresco. **Kühlanlage** *f* impianto *m* frigorifero (*o* di refrigerazione). **Kühlbox** *f* freezer *m.*

Kühle ⟨-, ø⟩ *f* **1.** *(Kälte)* fresco *m*, frescura *f;* **2.** *fig* freddezza *f.*

kühlen *tr* **1.** *(~ lassen)* raffreddare; *(kalt stellen)* mettere in ghiaccio; **2.** *(erfrischen)* rinfrescare; **3.** *phys, tec* refrigerare.

Kühler ⟨-s, -⟩ *m* **1.** *mot* radiatore *m; (~haube)* cofano *m;* **2.** *(Sekt~)* secchiello *m.*

Kühlhaus *n* magazzino *m* frigorifero. **Kühlmittel** *m* refrigerante *m.* **Kühlraum** *m* cella *f* frigorifera. **Kühlschrank** *m* frigorifero *m*, frigo *m fam.* **Kühltasche** *f* borsa *f* termica. **Kühltruhe** *f* congelatore *m.* **Kühlturm** *m* torre *f* di raffreddamento.

Kühlung ⟨-, ø⟩ *f* **1.** *(Vorgang)* raffreddamento *m;* **2.** *(Vorrichtung)* dispositivo *m* di raffreddamento.

kühn [ky:n] *adj* audace, ardito; *(toll~)* temerario; *(riskant)* rischioso; *fig (Behauptung)* avventato. **Kühnheit** ⟨-, -en⟩ *f* audacia *f*, ardimento *m*, temerarietà *f; fig (von Gedanke, Theorie)* arditezza *f.*

Kuhstall *m* stalla *f* delle mucche.

Küken ['ky:kən] ⟨-s, -⟩ *n* **1.** *(Tier)* pulcino *m;* **2.** *fam (junges Mädchen)* pollastrella *f fam;* **das** ~ *(Nesthäkchen)* il (*o* la) più giovane della famiglia.

Kukuruz ['kʊkurʊts *o* 'ku:k...] ⟨-(es), ø⟩ *m A (Mais)* mais *m*, gran(o)turco *m.*

kulant [ku'lant] *adj* accomodante.

kulinarisch [kuli'na:rɪʃ] *adj* culinario.

Kulisse [ku'lɪsə] ⟨-, -n⟩ *f* quinta *f;* **hinter den ~n** *(a. fig)* dietro le quinte.

Kult [kʊlt] ⟨-(e)s, -e⟩ *m* culto *m;* **einen ~ mit etw. treiben** avere un culto per qc, idolatrare qc. **Kultfigur** *f* idolo *m.* **Kultfilm** *m* classico *m* del cinema.

kultivieren [kʊlti'vi:rən] ⟨*ohne ge-*⟩ *tr* **1.** *agr, fig* coltivare; **2.** *fig (verfeinern)* affinare. **kultiviert** *adj fig (vornehm, gebildet)* colto, istruito; *(Geschmack, Sprache)* raffinato; **ein ~er Herr** un uomo colto; **könnt Ihr Euch nicht etwas ~er unterhalten?** non potreste discutere un po' più educatamente?

Kultur [kʊl'tu:ɐ̯] ⟨-, -en⟩ *f* **1.** *agr, biol* coltura *f;* **2.** *(geistige, künstlerische ~)* cultura *f; (Lebensform)* civiltà *f.* **Kulturaustausch** *m* scambi *m pl* culturali. **Kulturbanause** *m* zotico, -a *m, f.* **Kulturbeutel** *m* nécessaire *m* da toeletta. **Kulturdenkmal** *n* monumento *m* nazionale.

kulturell [kʊltu'rɛl] *adj* culturale.

Kulturgeschichte *f* storia *f* della civiltà. **Kulturhauptstadt** *f:* ~ **Europas** capitale *f* culturale d'Europa. **Kulturreferent(in)** *m(f)* **1.** *(Beauftragter)* incaricato, -a *m, f* culturale; **2.** *(im diplomatischen Dienst)* addetto, -a *m, f* alla cultura. **Kulturrevolution** *f* rivoluzione *f* culturale. **Kulturschock** *m* choc *m* culturale. **Kulturvolk** *n* popolo *m* civile. **Kulturzentrum** *n* centro *m* culturale.

Kultusminister(in) ['kʊltʊs-] *m(f)* ministro *m* della pubblica istruzione.

Kümmel ['kʏməl] ⟨-s, -⟩ *m* **1.** *bot* comino *m;* **2.** *(Branntwein)* Kümmel *m.*

Kummer ['kʊmɐ] ⟨-s, ø⟩ *m* dispiacere *m*, pena *f*, afflizione *f;* **jdm ~ bereiten (*o* machen)** dare dei dispiaceri a qu; **ich bin (an) ~ gewöhnt** *fam* sono abituato a soffrire; **hast du ~?** hai preoccupazioni?

kümmerlich ['kʏmɐlɪç] *adj* **1.** *(elend)* misero; *(erbärmlich)* pietoso; *(ärmlich, dürftig)* povero, scarso; **2.** *(schwächlich)* deboluccio.

kümmern ['kʏmɐn] **I.** *rfl:* **sich ~ 1.** *(sich annehmen)* prendersi cura (*um* di); **2.** *(sich befassen)* preoccuparsi (*um* di); **~ Sie sich (doch) um Ihre eigenen Angelegenheiten!** badi (*o* pensi) ai fatti Suoi!; **~ Sie sich nicht um ...** non pensi a ..., non si impicci di ...; **II.** *tr* interessare (*jdn* a qu), importare (*jdn* a qu); **was kümmert mich das?** che me ne importa?

kummervoll *adj* afflitto.

kündbar ['kʏntba:ɐ̯] *adj* **1.** *(Vertrag)* denunciabile; **2.** *(Geld)* rimborsabile, revocabile; **3.** *(Arbeitnehmer)* licenziabile.

Kunde[1] ['kʊndə] ⟨-, -n⟩ *f* **1.** *geh, obs (Nachricht)* notizia *f;* **2.** *(Lehre)* scienza *f.*

Kunde[2] ['kʊndə] ⟨-n, -n⟩ *m*, **Kundin** [...dɪn] *f* cliente *mf*, avventore, -trice *m, f.* **Kundendienst** *m* servizio *m* di assistenza ai clienti. **Kundenkredit** *m* credito *m* al consumatore (*o* alla clientela). **Kundenkreis** *m* clientela *f.* **Kundennummer** *f* codice *m* clienti.

Kundgebung ⟨-, -en⟩ *f* **1.** *pol* manifestazione *f*, dimostrazione *f;* **2.** *obs (Äußerung)* espressione *f.*

kündigen ['kʏndɪgən] **I.** *tr (Wohnung, Mitgliedschaft, Abonnement)* disdire; *(Stellung)* lasciare; *(Freundschaft)* rifiutare; *(Vertrag)* denunciare; *(Darlehen)* chiedere la restituzione di; *(Hypothek)* denunciare il rimborso di; **II.** *itr* **1.** *(Arbeitgeber)* licenziare (*jdm* qu); *(Arbeitnehmer)* licenziarsi; **2.** *(Mieter, Vermieter)* dare la disdetta (*jdm* a qu); **ihm ist gekündigt worden** è stato licenziato.

Kündigung ⟨-, -en⟩ *f* **1.** *(von Vertrag)* disdetta *f*, rescissione *f;* **2.** *(von Darlehen, Hypothek)* riscatto *m;* **3.** *(von Arbeitgeber)* licenziamento *m; (von Arbeitnehmer)* dimissioni *f pl;* **mit monatlicher ~** con preavviso di un mese. **Kündigungsfrist** *f* **1.** *(Zeitpunkt)* termine *m* di disdetta; **2.** *(Zeitraum)* preavviso *m.* **Kündi-**

gungsschutz *m (in Mietvertrag)* protezione *f* dei locatori contro l'evizione.
Kundin *f s.* **Kunde**[2].
Kundschaft ⟨-, ø⟩ *f ökon* clientela *f,* clienti *m pl.*
kundschaften *itr* andare in ricognizione.
künftig ['kʏnftɪç] **I.** *adj* futuro; **II.** *adv* in avvenire; *(von jetzt ab)* d'ora innanzi.
Kunst [kʊnst] ⟨-, Künste⟩ *f* **1.** *allg.* arte *f;* **2.** *(Geschicklichkeit)* abilità *f,* destrezza *f;* **die schönen Künste** le belle arti; **die Schwarze ~** la negromanzia, la magia nera; **das ist keine ~!** non è difficile.
Kunstakademie *f* accademia *f* di (*o* delle) belle arti. **Kunstausstellung** *f* mostra *f* (*o* esposizione *f*) d'arte.
Kunstdünger *m* concime *m* chimico.
Kunstfaser *f* fibra *f* sintetica.
Kunstfehler *m (ärztlicher ~)* errore *m* professionale (*o* tecnico). **Kunstgegenstand** *m* oggetto *m* d'arte. **Kunstgeschichte** *f* storia *f* dell'arte. **Kunstgewerbe** *n* arte *f* applicata (*o* industriale).
Kunstgriff *m* artificio *m,* stratagemma *m.*
Kunstharz *m* resina *f* sintetica. **Kunstherz** *n* cuore *m* artificiale.
Kunstdruck ⟨-(e)s, -e⟩ *m* riproduzione *f* artistica. **Kunsthistoriker(in)** *m(f)* storico, -a *m, f* dell'arte.
Kunstleder *n* cuoio *m* artificiale.
Künstler(in) ['kʏnstlɐ (...ərɪn)] ⟨-s, -⟩ *m(f)* artista *mf.* **künstlerisch** *adj* artistico.
Künstlername *m* nome *m* d'arte.
künstlich ['kʏnstlɪç] *adj* **1.** *(nicht natürlich)* artificiale; **2.** *chem* sintetico; **3.** *(gekünstelt)* artificioso; *(geheuchelt)* affettato; **jdn ~ ernähren** nutrire qu artificialmente; **K~e Intelligenz** (*abk* **KI**) intelligenza *f* artificiale (*abbr* **IA**); **~e Befruchtung** fecondazione *f* artificiale; **~e Fortpflanzung** riproduzione *f* artificiale.
Kunstseide *f* seta *f* artificiale. **Kunststoff** *m* materia *f* sintetica, plastica *f.* **kunststoffbeschichtet** *adj* plastificato.
kunst·stopfen *tr* rammendare in modo invisibile.
Kunststück *n* gioco *m* di prestigio; **~e vorführen** fare giochi di destrezza; **das ist kein ~!** *fam* bell'abilità!
Kunstturnen *n* ginnastica *f* artistica. **Kunstverständnis** *n* sensibilità *f* artistica, senso *m* dell'arte. **Kunstwerk** *n* opera *f* d'arte.
kunterbunt ['kʊntɐ-] *adj* **1.** *(bunt)* multicolore, variopinto; **2.** *fig (abwechslungsreich)* vario; *(ungeordnet)* disordinato, confuso.
Kupfer ['kʊp̯fɐ] ⟨-s, ø⟩ *n* rame *m.* **kupfern** *adj* di rame. **Kupferschmied** *m* ramaio *m.* **Kupferstich** *m* incisione *f* su rame.
Kuppel ['kʊpəl] ⟨-, -n⟩ *f* cupola *f.*
Kuppelei [kʊpə'la̯i] ⟨-, -en⟩ *f* lenocinio *m.*
kuppeln ['kʊpəln] **I.** *tr* **1.** *fig, tec* accoppiare, appaiare; **2.** *Eisenb.* agganciare; **II.** *itr* **1.** *mot* innestare la frizione; **2.** *(als Kuppler)* fare da mezzano, -a.
Kuppler(in) ⟨-s, -⟩ *m(f)* mezzano, -a *m, f,* lenone, -a *m, f.*
Kupplung ['kʊplʊŋ] ⟨-, -en⟩ *f* **1.** *tec* accoppiamento *m; Eisenb.* agganciamento *m;* **2.** *tec (Vorrichtung)* giunto *m; mot* frizione *f.*
Kur [ku:ɐ̯] ⟨-, -en⟩ *f* cura *f,* trattamento *m.*
Kür [ky:ɐ] ⟨-, -en⟩ *f* esercizio *m* libero.
Kurbel ['kʊrbəl] ⟨-, -n⟩ *f* manovella *f.*
kurbeln **I.** *itr* girare la manovella; **II.** *tr* tirare girando una manovella.
Kurbelwelle *f* albero *m* a gomiti.
Kürbis ['kʏrbɪs] ⟨-ses, -se⟩ *m* zucca *f.*
Kurgast *m* ospite *mf* di un luogo di cura.
Kurhaus *n* stabilimento *m* termale (*o* di cura).
Kurie ['ku:riə] ⟨-, ø⟩ *f* curia *f.*
Kurierdienst *m* servizio *m* di corriere.
kurieren [ku'ri:rən] ⟨*ohne ge-*⟩ *tr* **1.** *(ärztlich behandeln)* curare; **2.** *(heilen)* guarire.
kurios [ku'ri̯o:s] *adj* curioso, strano.
Kuriosität [kuri̯ozi'tɛ:t] ⟨-, -en⟩ *f* **1.** *(Eigenart)* curiosità *f,* stranezza *f;* **2.** *(Gegenstand)* rarità *f.*
Kurlaub ['ku:ɐ̯la̯up] *m* vacanza *f* abbinata ad un soggiorno di cura.
Kurort *m* luogo *m* di cura, stazione *f* climatica (*o* balneare *o* termale). **Kurpackung** *f* balsamo *m* per capelli.
Kurpfuscher(in) [-p̯fʊʃɐ (...ərɪn)] ⟨-s, -⟩ *m(f) fam pej* medicastro, -a *m, f,* ciarlatano, -a *m, f.*
Kurpfuscherei [-p̯fʊʃə'ra̯i] ⟨-, ø⟩ *f* ciarlataneria *f.*
Kurs [kʊrs] ⟨-es, -e⟩ *m* **1.** *naut, aero* rotta *f;* **2.** *fig, pol* corso *m;* **3.** *(Aktien~)* quotazione *f; (Wechsel~)* cambio *m;* **4.** *(Lehrgang)* corso *m* (*für, in +dat* di, per); **hoch im ~ stehen** *(a. fig)* essere molto quotato; **vom ~ abkommen** andare fuori corso; **zum ~ von** *fin* al cambio di. **Kursbuch** *n* orario *m* ferroviario.
kursieren [kʊr'zi:rən] ⟨*ohne ge-*⟩ *itr* circolare.
kursiv [kʊr'zi:f] *adj typ* corsivo.
Kursrisiko *n* rischio *m* di cambio (*o* di perdita sui cambi). **Kursrückgang** *m* abbassamento *m* dei corsi (*o* delle quotazioni). **Kursschwankungen** *f pl* oscillazione *f* delle quotazioni. **Kurssturz** *m* crollo *m* delle quotazioni. **Kursverlust** *m* perdita *f* sul cambio. **Kurswagen** *m* carrozza *f* diretta. **Kurszettel** *m* listino *m* di borsa.
Kurtaxe *f* tassa *f* di soggiorno.
Kurve ['kʊrvə *o* 'kʊrfə] ⟨-, -n⟩ *f* **1.** *allg., mat* curva *f;* **2.** *(Straßen~)* svolta *f;* **3.** *fig* parabola *f;* **die ~ kratzen** *fam* svignarsela *fam;* **nicht die ~ kriegen** *fam* non farcela.
kurven *itr* ⟨*sein*⟩ curvare. **kurvenreich** *adj (Straße)* pieno di curve.

kurz [kurts] **I.** ⟨kürzer, kürzeste⟩ *adj* **1.** *(räumlich)* corto; **2.** *(zeitlich)* breve; **kürzer machen** (r)accorciare; **kürzer werden** (r)accorciarsi; **den kürzeren ziehen** avere la peggio; **binnen ~em** entro breve tempo, in poco tempo; **(bis) vor ~em** (fino a) poco (tempo) fa; **~ danach** poco dopo; **über ~ oder lang** presto o tardi, prima o poi; **II.** ⟨kürzer, am kürzesten⟩ *adv* in breve, brevemente, (per) poco; **sich ~ fassen** essere breve; **etw. ~ und klein schlagen** fracassare qc, fare a pezzi qc; **bei etw. zu ~ kommen** scapitarci in qc; **~ gesagt, ~ und gut** per farla breve, in poche parole, insomma; **~ und bündig** brevemente, in modo conciso; **mach's ~!** falla breve!, taglia corto! *fam.* **Kurzarbeit** *f* lavoro *m* a orario ridotto. **Kurzarbeitergeld** *n* assegno *m* della cassa integrazione. **kurzärm(e)lig** *adj* a maniche corte. **kurzatmig** *adj* **1.** *(mit Atembeschwerden)* con fiato corto; **2.** *fig* dal (*o* che ha il) fiato corto. **Kurzberichterstattung** *f* resoconto *m* sommario, rapporto *m.* **Kurzbrief** *m* messaggio *m* d'accompagnamento.

Kürze ['kʏrtsə] ⟨-, -n⟩ *f* **1.** *(räumlich)* cortezza *f; (a. zeitlich)* brevità *f;* **2.** *(des Ausdrucks)* concisione *f,* stringatezza *f;* **3.** *lit* breve *f;* **in ~** tra poco (*o* breve); **in aller ~** brevemente, succintamente.

kürzen *tr* **1.** *(kürzer machen)* (r)accorciare; **2.** *(ab~)* abbreviare; **3.** *(verringern: Gehälter, Ausgaben)* diminuire; *(a. mat)* ridurre; *(Kredit)* tagliare.

kurzerhand ['kurtsɐ'hant] *adv* senza esitare (*o* pensarci troppo).

Kurzfassung *f* edizione *f* ridotta. **Kurzfilm** *m* cortometraggio *m.* **kurzfristig I.** *adj* **1.** *(kurze Zeit dauernd)* a breve termine; **2.** *(ohne lange Vorbereitung)* dell'ultimo momento; **3.** *(in kurzer Zeit)* sollecito; **II.** *adv* **1.** *(ohne lange Vorbereitung)* all'ultimo momento; **2.** *(in kurzer Zeit)* in breve tempo. **Kurzgeschichte** *f* storia *f* breve. **kurzlebig** *adj* dalla vita breve; *fig* di breve durata, effimero.

kürzlich *adv* recentemente, poco tempo fa, l'altro giorno.

Kurzparkzone *f* zona *f* disco. **Kurzreferat** *n* relazione *f* breve. **Kurzreise** *f* viaggio *m* breve. **Kurzschluß** *m* corto circuito *m.* **Kurzschlußhandlung** *f* azione *f* avventata. **Kurzschrift** *f* stenografia *f.* **kurzsichtig** *adj* miope. **Kurzsichtigkeit** ⟨-, ø⟩ *f* miopia *f.* **Kurzstreckenflug** *m* volo *m* a breve distanza. **Kurzstreckenrakete** *f* missile *m* a breve gittata.

Kürzung ⟨-, -en⟩ *f* **1.** *allg.* (r)accorciamento *m;* **2.** *(Ab~)* abbreviazione *f;* **3.** *(Verringerung)* diminuzione *f;* **4.** *mat, (a. von Buch)* riduzione *f;* **5.** *fin* taglio *m.*

Kurzwaren *f pl* mercerie *f pl.* **kurzweilig** *adj* divertente. **Kurzwelle** *f* (*abk* **KW**) **1.** *phys* onda *f* corta; **2.** *radio* onde *f pl* corte. **Kurzzeitgedächtnis** *n* memoria *f* corta. **Kurzzeitspeicher** *m* memoria *f* intermedia.

kuscheln ['kuʃəln] *rfl:* **sich ~** raggomitolarsi (*an +akk* su, *in +akk* in).

Kusine [ku'zi:nə] ⟨-, -n⟩ *f* cugina *f.*

Kuß [kus] ⟨Kusses, Küsse⟩ *m* bacio *m.*

kußecht *adj* indelebile.

küssen ['kʏsən] *tr* baciare.

Küste ['kʏstə] ⟨-, -n⟩ *f* costa *f,* litorale *m,* riva *f* del mare; **an der ~** sulla costa. **Küstengebiet** *n* territorio *m* costiero, litorale *m.* **Küstenschiffahrt** *f* navigazione *f* costiera, cabotaggio *m.* **Küstenschutz** *m* opere *f pl* di protezione costiera. **Küstenverschmutzung** *f* inquinamento *m* dei litorali (*o* delle coste).

Küster ['kʏstɐ] ⟨-s, -⟩ *m* sagrestano *m.*

Kutsche ['kutʃə] ⟨-, -n⟩ *f* carrozza *f.*

Kutscher ⟨-s, -⟩ *m* cocchiere *m.*

Kutte ['kutə] ⟨-, -n⟩ *f* saio *m.*

Kutteln ['kutəln] ⟨*pl*⟩ trippa *f.*

Kuvert [ku've:ɐ̯ *o* ku'vɛ:ɐ̯] ⟨-(e)s, -e *o* -s⟩ *n* busta *f.*

kW *abk von* **Kilowatt** kW (*abbr di* chilowatt).

KW *abk von* **Kurzwelle** OC (*abbr di* onde corte).

kwh *abk von* **Kilowattstunde** kWh (*abbr di* chilowattora).

Kybernetik [kybɛr'ne:tɪk] ⟨-, ø⟩ *f* cibernetica *f.*

KZ [ka:'tsɛt] ⟨-(s), -s⟩ *n abk von* **Konzentrationslager** campo *m* di concentramento.

L

L, l [ɛl] ⟨-, -(s)⟩ *n* L, l *f;* **L wie Ludwig** L come Livorno.
l *abk von* **Liter** l (*abbr di* litro).
labil [la'bi:l] *adj* labile, instabile.
Labilität [labili'tɛ:t] ⟨-, ø⟩ *f* labilità *f*, instabilità *f*.
Labor [la'bo:ɐ̯] ⟨-s, -s *o* -e⟩ *n* laboratorio *m*. **Laborbefund** *m* risultato *m* delle analisi cliniche.
Laborant(in) [labo'rant(ɪn)] ⟨-en, -en⟩ *m(f)* assistente *mf* di laboratorio.
Labyrinth [laby'rɪnt] ⟨-(e)s, -e⟩ *n* labirinto *m*.
Lache ['laxə *o* 'la:xə] ⟨-, -n⟩ *f* pozza *f; (Wasser~)* pozzanghera *f*.
lächeln ['lɛçəln] *itr* sorridere; *fig (Glück)* arridere (*jdm* a qu). **Lächeln** ⟨-s, ø⟩ *n* sorriso *m*.
lachen ['laxən] *itr* **1.** *allg.* ridere (*über +akk* di, per); **2.** *(jdm günstig sein)* arridere (*jdm* a qu); **hämisch ~** (sog)ghignare; **nichts zu ~ haben** aver poco da ridere; **da gibt's nichts zu ~** c'è poco da ridere; **daß ich nicht lache!** non farmi ridere, mi fai proprio ridere; **Sie haben gut ~!** ha un bel ridere; **das wäre ja gelacht, wenn . . .!** sarebbe davvero da ridere se . . .; **wer zuletzt lacht, lacht am besten** *prov* ride bene chi ride ultimo *prov.* **Lachen** ⟨-s, ø⟩ *n* riso *m; (Gelächter)* risata *f;* **sich** *(dat)* **das ~ nicht verbeißen (*o* verkneifen) können** non potersi trattenere dal ridere; **sich biegen (*o* kugeln) vor ~** ridere a crepapelle, piegarsi in due dal ridere (*o* dalle risate); **jdn zum ~ bringen** far ridere qu; **das ist nicht zum ~** non sono cose da ridere; **mir ist (gar) nicht zum ~ (zumute)** non ho affatto voglia di ridere; **dir wird das ~ (schon) noch vergehen** ti passerà la voglia di ridere.
lächerlich ['lɛçəlɪç] *adj* ridicolo; *(Preis)* irrisorio; **sich ~ machen** rendersi ridicolo; **jdn ~ machen** rendere ridicolo qu, ridicolizzare qu; **etw. ~ machen** volgere qc al ridicolo.
Lachgas *n* gas *m* esilarante.
lachhaft *adj* ridicolo.
Lachs [laks] ⟨-es, -e⟩ *m* salmone *m*. **Lachsforelle** *f* trota *f* salmonata. **Lachsschinken** *m* arista *f* di maiale affumicata.
Lack [lak] ⟨-(e)s, -e⟩ *m* **1.** *(~farbe)* vernice *f; (Nagel~)* smalto *m;* **2.** *(~ierung)* verniciatura *f*. **Lackaffe** *m fam* bellimbusto *m*.
lackieren [la'ki:rən] ⟨*ohne ge-*⟩ *tr* laccare; *(Auto, Möbel)* verniciare.
Lackmus ['lakmʊs] ⟨-, ø⟩ *m o n* tornasole *m*. **Lackmuspapier** *n* carta *f* al tornasole.
Lackschuh *m* scarpa *f* di vernice.
Ladefläche *f* superficie *f* per il carico. **Ladegerät** *n* caricabatteria *m*.
laden ['la:dən] ⟨lädt, lud, geladen⟩ *tr* **1.** *allg., el, inform, phys, mil, fig* caricare; **2.** *geh (ein~)* invitare; **3.** *(vor~) jur* citare; **(schwere) Schuld auf sich ~** addossarsi una (grave) colpa; **geladen sein** *fig fam* essere furibondo.
Laden ['la:dən] ⟨-s, Läden⟩ *m* **1.** *(Kauf~)* negozio *m*, bottega *f;* **2.** *(Fenster~)* imposta *f; (Rolladen)* avvolgibile *m;* **den ~ schmeißen** *fam* mandare avanti la baracca *fam;* **wie läuft der ~?** *fam* come vanno le cose?. **Ladenbesitzer(in)** *m(f)* proprietario, -a *m, f* di un negozio, negoziante *mf*. **Ladendieb(in)** *m(f)* taccheggiatore, -trice *m, f*. **Ladendiebstahl** *m* taccheggio *m*. **Ladeneinrichtung** *f* arredo *m* per negozi. **Ladenhüter** ⟨-s, -⟩ *m fig* fondo *m* di bottega. **Ladenpreis** *m* prezzo *m* (di vendita) al minuto. **Ladenschluß** *m* chiusura *f* dei negozi. **Ladenschlußgesetz** *n* legge *f* sull'orario di chiusura dei negozi. **Ladenschlußzeit** *f* orario *m* ufficiale di chiusura dei negozi. **Ladentisch** *m* banco *m* di vendita.
Laderampe *f* rampa *f* di carico.
lädt [lɛ:t] *pr von* **laden.**
Ladung ⟨-, -en⟩ *f* **1.** *(Fracht)* carico *m;* **2.** *(Munition, a. el, fig)* carica *f;* **3.** *jur (Vor~)* citazione *f*.
lag [la:k] *imp von* **liegen.**
Lage ['la:gə] ⟨-, -n⟩ *f* **1.** *(Position, geog, Ton~)* posizione *f;* **2.** *(Situation, Umstände)* situazione *f*, condizione *f;* **3.** *(Schicht)* strato *m;* **4.** *fam (Runde)* giro *m;* **5.** *mus (Stimm~)* registro *m;* **die ~ erkunden (*o* peilen** *fam)* tastare il terreno; **in der ~ sein, etw. zu tun** essere in grado (*o* condizione) di fare qc; **in einer schwierigen ~ sein** essere in una situazione precaria; **sich in jds ~ versetzen** mettersi nei panni di qu; **nach ~ der Dinge** date le circostanze.
Lager ['la:gɐ] ⟨-s, -⟩ *n* **1.** *allg. (Unterkunft)* accampamento *m;* **2.** *(Vorrats~)* deposito *m*, magazzino *m; (gelagerter Vorrat)* stock *m;* **3.** *geh, poet (Schlafstätte)* giaciglio *m*, letto *m;* **4.** *fig (Partei, Seite)* campo *m*, schieramento *m*, partito *m;* **5.** *tec* cuscinetto *m;* **sein ~ aufschlagen** mettere il campo, accamparsi; **etw. auf ~ haben** avere qc in ma-

gazzino; *fig fam (Witz, etc.)* avere in serbo qc; **ab** ~ franco magazzino. **Lagerbestand** *m* stock *m*, scorta *f* disponibile. **Lagerfeuer** *n* fuoco *m* da bivacco *m*, falò *m*. **Lagerhalle** *f* capannone *m*. **Lagerhaltung** *f* stoccaggio *m*, magazzinaggio *m*.

lagern I. *itr* **1.** *(liegen)* essere sdraiato (*o* coricato); **2.** *(kampieren, a. mil)* essere accampato; **3.** *(Vorrat, Waren)* essere depositato (*o* immagazzinato); *(Wein)* stagionare; **II.** *tr* **1.** *(legen)* posare, adagiare; **2.** *(aufbewahren)* immagazzinare; **dieser Fall ist ähnlich gelagert** questo caso presenta analogie.

Lagerung ⟨-, -en⟩ *f* **1.** *(Lagern)* immagazzinamento *m;* **2.** *(Gelagertsein)* magazzinaggio *m*.

Lagune [la'gu:nə] ⟨-, -n⟩ *f* laguna *f*.

lahm [la:m] *adj* **1.** *(gelähmt)* paralitico; *(a. fig)* paralizzato; *(hinkend)* zoppo; **2.** *fam (kraftlos, schlaff)* debole, fiacco; **3.** *fig fam* magro, insufficiente; *(Entschuldigung)* misero.

Lahmarsch *m vulg* smidollato *m*.

lahmen *itr* essere zoppo; *(hinken)* zoppicare.

lähmen ['lɛ:mən] *tr* paralizzare.

lahm·legen *tr* paralizzare.

Lähmung ⟨-, -en⟩ *f* paralisi *f;* **halbseitige** ~ emiplegia *f*.

Laib [la̯ip] ⟨-(e)s, -e⟩ *m* **1.** *(Brot~)* pagnotta *f;* **2.** *(Käse~)* forma *f*.

Laich [la̯iç] ⟨-(e)s, -e⟩ *m* uova *f pl* di pesci e anfibi. **laichen** *itr* deporre le uova.

Laie ['la̯iə] ⟨-n, -n⟩ *m* **1.** *(Nichtfachmann)* profano *m*, dilettante *mf;* **2.** *rel* laico *m*. **Laiendarsteller(in)** *m(f)* attore, -trice *m, f* dilettante (*o* filodrammatico, -a). **laienhaft** *adj, adv* da profano, da incompetente.

Lake ['la:kə] ⟨-, -n⟩ *f* salamoia *f*.

Laken ['la:kən] ⟨-s, -⟩ *n* lenzuolo *m*.

Lakritze [la'krɪt̮sə] ⟨-, -n⟩ *f* liquirizia *f*.

lallen ['lalən] *itr, tr* balbettare.

Lamelle [la'mɛlə] ⟨-, -n⟩ *f* **1.** *bot* lamella *f;* **2.** *tec* aletta *f*.

laminieren [lami'ni:rən] ⟨*ohne ge-*⟩ *tr* laminare.

Lamm [lam] ⟨-(e)s, Lämmer⟩ *n* agnello *m; (gastr. a.)* abbacchio *m*. **Lammfell** *n* pelliccia *f* d'agnello, agnellino *m*. **lammfromm** ['lam'frɔm] *adj* docile come un agnello.

Lampe ['lampə] ⟨-, -n⟩ *f* lampada *f*. **Lampenfieber** *n* febbre *f* della ribalta. **Lampenschirm** *m* paralume *m*.

Lampion [lam'pi̯ɔŋ *o* 'lam...] ⟨-s, -s⟩ *m* lampioncino *m* (alla veneziana).

LAN [la:n] ⟨-(s), -(s)⟩ *n (abk von* Local Area Network) rete *f* locale.

lancieren [lã'si:rən] ⟨*ohne ge-*⟩ *tr fig, ökon, pol* lanciare.

Land [lant] ⟨-(e)s, Länder⟩ *n* **1.** *(nicht Wasser)* terra *f;* **2.** *(Staat)* paese *m;* **3.** *(Bundesland der BRD)* regione *f*, Land *m;* **4.** *(nicht Stadt)* campagna *f;* **5.** *(Acker~)* terreno *m;* **das Gelobte** (*o* **Heilige)** ~ la Terra Promessa (*o* Santa); ~ **und Leute** il paese e i suoi abitanti; **jdn des ~es verweisen** esiliare qu; **wieder im ~e sein** *fam* essere tornato; **an ~ gehen** toccare terra, approdare; **sich** *(dat)* **etw./jdn an ~ ziehen** *fig fam* conquistare qc/qu; **auf dem ~(e)** in campagna; **zu ~e und zu Wasser** per mare e per terra; **aus aller Herren Länder** da tutti i paesi del mondo. **Landarbeiter(in)** *m(f)* lavoratore, -trice *m, f* agricolo, -a, agricoltore, -trice *m, f*. **Landbesitz** *m* proprietà *f* terriera. **Landbesitzer(in)** *m(f)* proprietario, -a *m, f* terriero, -a, possidente terriero, -a. **Landbevölkerung** *f* popolazione *f* rurale.

Landeanflug *m* volo *m* di avvicinamento. **Landebahn** *f* pista *f* di atterraggio.

landeinwärts [-'ʔa̯invɛrt̮s] *adv* verso l'interno del paese.

landen ['landən] **I.** *itr* ⟨*sein*⟩ **1.** *naut* toccare terra, approdare, sbarcare; **2.** *aero* atterrare; *(auf Flugzeugträger)* appontare; *(auf Mond)* allunare; **3.** *fam (ankommen)* arrivare, giungere; *(unvorhergesehen ankommen)* capitare, andare a finire; **nach seinem Sturz landete er auf dem Bauch** *fam* dopo la sua caduta cadde bocconi; **damit kannst du bei mir nicht ~!** *fam* con me non attacca! *fam;* **du landest noch einmal im Gefängnis, wenn du so weitermachst!** *fam* finirai in galera se continui a comportarti così!; **II.** *tr* ⟨*haben*⟩ *fam (Schlag)* assestare; *(Sieg, Erfolg)* conseguire, riportare.

Landeplatz *m* **1.** *naut* approdo *m;* **2.** *aero* terreno *m* d'atterraggio; *(kleiner Flugplatz)* campo *m* d'aviazione; ~ **für Hubschrauber** eliporto *m*.

Ländereien [lɛndə'ra̯iən] ⟨*pl*⟩ proprietà *f* terriera, terre *f pl*.

Landesfarben *m pl* colori *m pl* nazionali. **Landeshauptstadt** *f (von Staat)* capitale *f; (von Region)* capoluogo *m*. **Landesinnere** *n* interno *m* del paese; **tief ins ~ vorstoßen** spingersi fino all'interno del paese. **Landeskunde** *f* corografia *f*. **Landesregierung** *f* **1.** *(von Staat)* governo *m* nazionale; **2.** *(von Bundesland)* governo *m* regionale (*o* del Land). **Landessprache** *f* lingua *f* nazionale (*o* del paese).

Landesteg *m* pontile *m* d'approdo.

Landflucht *f* esodo *m* dalla campagna. **Landfriedensbruch** *m jur* violazione *f* dell'ordine pubblico. **Landgericht** *n* tribunale *m* provinciale. **landgestützt** *adj mil (Raketen)* terra-terra. **Landgut** *n* proprietà *f* terriera, podere *m* (rurale). **Landhaus** *n* casa *f* di campagna, villa *f*. **Landkarte** *f* carta *f* geografica. **Landkreis** *m* distretto *m* provinciale. **landläu-**

fig [-lɔyfɪç] *adj* corrente, usuale, comune; **nach ~er Meinung** secondo l'opinione corrente.

ländlich ['lɛntlɪç] *adj* rurale, campagnolo, rustico.

Landschaft ⟨-, -en⟩ *f* paesaggio *m*. **landschaftlich** *adj* paesistico; *(regional)* regionale. **Landschaftsgärtner(in)** *m(f)* architetto *mf* paesaggista. **Landschaftsschutz** *m* tutela *f* del paesaggio naturale.

Landsmann ⟨-(e)s, -leute⟩ *m*, **-männin** [-mɛnɪn] *f* compatriota *mf*, connazionale *mf*, compaesano, -a *m, f;* **was für ein ~ sind Sie?** di che paese è Lei?; **wir sind Landsleute** siamo dello stesso Paese.

Landstraße *f* strada *f* maestra. **Landstreicher(in)** ⟨-s, -⟩ *m(f)* vagabondo, -a *m, f,* girovago, -a *m, f.* **Landstreicherei** [-ʃtrai̯çə'rai̯] ⟨-, *rar* -en⟩ *f* vagabondaggio *m*. **Landstrich** *m* regione *f*, zona *f*. **Landtag** *m* **1.** *(Institution)* assemblea *f* regionale; **2.** *(~sgebäude)* sede *f* dell'assemblea regionale. **Landtagswahlen** *pl* elezioni *f pl* regionali.

Landung ⟨-, -en⟩ *f* **1.** *aero* atterraggio *m; (Mond~)* allunaggio *m;* **2.** *naut* approdo *m*.

Landvermessung *f* agrimensura *f*. **Landweg** *m:* **auf dem ~** via terra.

Landwirt(in) *m(f)* agricoltore, -trice *m, f,* coltivatore, -trice *m, f.* **Landwirtschaft** *f* agricoltura *f*, economia *f* rurale. **landwirtschaftlich** *adj* agricolo, agrario.

Landzunge *f* lingua *f* di terra.

lang [laŋ] **I.** ⟨länger, längste⟩ *adj* **1.** *allg.* lungo; **2.** *(hochgewachsen)* alto; **~er Donnerstag** apertura *f* prolungata (dei negozi) il giovedì; **~er Samstag** *s.* **verkaufsoffen; des ~en und (des) breiten** per le lunghe, minutamente; **etw. ~ und breit erklären** spiegare qc in lungo e in largo; **vor ~er Zeit** tanto tempo fa; **gleich/verschieden ~** *(räumlich)* della stessa/di diversa lunghezza; *(zeitlich)* della stessa/di diversa durata; **II.** *adv* ⟨länger, am längsten⟩*:* **~ erwartet** lungamente (*o* a lungo) atteso; **den ganzen Tag ~** per tutta la giornata; **zehn Jahre ~** per dieci anni; *s.a. entlang.*

lange ['laŋə] ⟨länger, am längsten⟩ *adv* **1.** *(~ Zeit)* (a) lungo, lungamente, per molto tempo; **2.** *(längst, bei weitem)* molto; **~ dauern** durare a lungo; **~ brauchen, um etw. zu tun** impiegare molto (tempo) per fare qc; **nicht ~ darauf** poco dopo; **schon ~** da molto tempo; **so ~ wie** (per tanto tempo) quanto; **es ist schon ~ her** è già da un pezzo; **es ist noch ~ nicht gesagt, daß ...** non è detto che *+congv;* **wie ~?** (per) quanto (tempo)?; **warten Sie schon ~?** è molto che aspetta?; **was er kann, (das) kann ich schon ~!** *fam* quello che sa fare lui, lo so fare già da un pezzo.

Länge ['lɛŋə] ⟨-, -n⟩ *f* **1.** *allg., sport, mat* lunghezza *f;* **2.** *geog, astr* longitudine *f;* **3.** *(Dauer)* durata *f;* **4.** *(lange Silbe)* sillaba *f* lunga; **5.** *fig (langweilige Stelle)* lungaggine *f;* **der ~ nach** per il lungo, in lunghezza; **etw. in die ~ ziehen** *fig* tirare in lungo qc; **von zehn Meter ~** lungo dieci metri; **der ~ nach hinfallen** cadere lungo disteso; **sich in die ~ ziehen** andare per le lunghe.

langen *fam dial* **I.** *itr* **1.** *(ausreichen)* bastare; **2.** *(greifen)* prendere (*nach etw. (dat)* qc), allungare la mano (*nach etw. (dat)* verso qc); **3.** *(sich erstrecken)* allungarsi; **mir langt's!, jetzt langt's (mir) aber!** *fam* ne ho abbastanza!, ora basta!; **das langt** basta così; **II.** *tr* **1.** *(reichen)* porgere; **2.** *(nehmen, holen)* prendere; **jdm eine ~** *fam* mollare un ceffone a qu *fam.*

Längengrad *m* grado *m* di longitudine. **Längenmaß** *n* misura *f* di lunghezza.

länger ['lɛŋɐ] **I.** ⟨*komp von* lang⟩ *adj* **1.** più lungo; **2.** *(ziemlich lang)* prolungato; **etw. ~ machen** allungare qc; **~ werden** allungarsi; **II.** ⟨*komp von* lange⟩ *adv* più (a lungo), per lungo tempo; **einen Tag ~** un giorno in più; **je ~, desto besser** più dura meglio è.

Langeweile ⟨- *o* Langenweile, *dat - o* Langerweile, ø⟩ *f* noia *f;* **~ haben** annoiarsi; **aus (*o* vor) ~** di noia.

langfristig *adj, adv* a lunga scadenza, a lungo termine. **langhaarig** *adj (Mensch)* con i capelli lunghi; *(Tier)* a pelo lungo. **langjährig** *adj:* **~er Mitarbeiter** nostro collaboratore da anni. **Langlauf** *m* sci *m* di fondo. **Langläufer(in)** *m(f)* fondista *m(f)*. **Langlaufski** *m* sci *m* da fondo. **langlebig** *adj* **1.** *(lange lebend)* longevo; **2.** *(lange Zeit dauernd)* duraturo, durevole.

länglich ['lɛŋlɪç] *adj* allungato, oblungo.

längs [lɛŋs] **I.** *prp +gen o +dat* lungo *nom;* **II.** *adv* per (il) lungo.

langsam I. *adj* lento; **II.** *adv* **1.** *(nicht schnell)* lentamente, a poco a poco; **2.** *fam (allmählich, endlich)* piano piano; **~er fahren/gehen** rallentare (il passo); **~, aber sicher** *fam* lento, ma sicuro; **~ wird es Zeit, daß ...** *fam* è quasi ora che *+congv;* **immer schön ~!** *fam* adagio!, con calma!. **Langsamkeit** ⟨-, ø⟩ *f* lentezza *f.*

Langschläfer(in) *m(f)* dormiglione, -a *m, f.* **Langspielplatte** *f* (*abk* **LP**) long-playing *m*, ellepì *m fam.*

längst [lɛŋst] *adv:* **schon ~** già da molto tempo (*o* da un pezzo); **~ nicht so wie ...** molto meno di ..., di gran lunga non così come ...; **noch ~ nicht** molto meno.

längstens ['lɛŋstəns] *adv* **1.** *(höchstens)* al massimo; **2.** *(spätestens)* al più tardi.

Langstreckenflug *m* volo *m* a lungo percorso. **Langstreckenrakete** *f* missile *m* a lunga gittata.

Languste [laŋ'gʊstə] ⟨-, -n⟩ *f* aragosta *f.*

langweilen **I.** *tr* annoiare; **II.** *rfl:* **sich ~** annoiarsi.

langweilig *adj* noioso; *(eintönig)* monotono.

Langwelle *f* (*abk* **LW**) onda *f* lunga.

langwierig [-vi:rɪç] *adj* lungo e complicato. **Langzeitarbeitslose** *mf* disoccupato, -a *m, f* cronico, -a (*o* permanente). **Langzeitstudie** *f* lavoro *m* di ricerca a lungo termine. **Langzeitwirkung** *f* effetto *m* prolungato (*o* duraturo).

Lanze ['lantsə] ⟨-, -n⟩ *f* lancia *f.*

Lappalie [la'pa:liə] ⟨-, -n⟩ *f* bagatella *f,* bazzecola *f,* inezia *f.*

Lappen ['lapən] ⟨-s, -⟩ *m (Stück Stoff)* cencio *m,* straccio *m; (Wisch~)* strofinaccio *m; (Wasch~)* manopola *f* (per lavarsi); **jdm durch die ~ gehen** *fam* sfuggire a qu.

läppisch ['lɛpɪʃ] *adj* sciocco, ridicolo; *(kindisch)* infantile.

Lapsus ['lapsʊs] ⟨-, -⟩ *m geh* lapsus *m.*

Laptop ['lɛptɔp] ⟨-s, -s⟩ *m* laptop *m.*

Lärche ['lɛrçə] ⟨-, -n⟩ *f bot* larice *m.*

Lärm [lɛrm] ⟨-(e)s, ø⟩ *m* rumore *m; (Krach)* chiasso *m,* baccano *m;* **viel ~ um nichts** molto rumore per nulla. **Lärmbekämpfung** *f* lotta *f* contro i rumori. **Lärmbelästigung** *f* disturbo *m* da rumore. **Lärmbelastung** *f* inquinamento *m* da rumore.

lärmen *itr* far chiasso (*o* rumore).

Lärmpegel *m* decibel *m.* **Lärmschutz** *m* protezione *f* dai rumori. **Lärmschutzmaßnahmen** *f pl* provvedimenti *m pl* (*o* misure *f pl*) contro i rumori. **Lärmschutzwall** *m* barriera *f* insonorizzante.

Larve ['larfə] ⟨-, -n⟩ *f zoo* larva *f.*

las [la:s] *imp von* **lesen.**

lasch [laʃ] *adj (schlaff)* molle; *(a. fig)* fiacco.

Lasche ['laʃə] ⟨-, -n⟩ *f* **1.** *tec* coprigiunto *m;* **2.** *(Schuh~)* linguetta *f.*

Laser ['leɪzə] ⟨-s, -⟩ *m* laser *m.* **Laserdrukker** *m* stampante *f* laser. **Laserstrahl** *m* raggio *m* laser. **Lasertechnik** *f* tecnica *f* (dei) laser.

lassen ['lasən] ⟨läßt, ließ, gelassen *o modales Hilfsverb* lassen⟩ *tr, itr* **1.** *allg.* lasciare; **2.** *(zu~, gestatten)* permettere (*etw. (akk) tun* di fare qc); **3.** *(veran~)* fare (*etw. (akk) tun* fare qc); **4.** *(nicht tun)* non fare; *(unter~)* omettere; *(verzichten auf)* rinunciare (*etw. (akk)* a qc); **5.** *(ver~, zurück~)* abbandonare; **jdn kommen/warten ~** far venire/aspettare qu; **etw.** *(akk)* **(einfach) nicht ~ können** non poter fare a meno di qc; **sich** *(dat)* **die Haare schneiden/wachsen ~** farsi tagliare/crescere i capelli; **er läßt nicht mit sich** *(dat)* **reden/handeln** con lui non si può ragionare/trattare; **das muß man ihr ~** questo bisogna concederglielo; **laß das (sein)!** lascia perdere!, smettila!, piantala!; **laß(t) uns gehen** andiamo; **~ wir das!** non parliamone più!; **~ Sie sich nicht stören!** non si disturbi!

lässig ['lɛsɪç] *adj* **1.** *(ungezwungen)* disinvolto; **2.** *(gleichgültig)* indolente; **3.** *(nach~)* negligente, trascurato.

läßt [lɛst] *pr von* **lassen.**

Last [last] ⟨-, -en⟩ *f* **1.** *allg., el, fig* carico *m;* **2.** *(Gewicht, a. fig)* peso *m;* **3.** *(undankbare Arbeit)* corvé *f,* sfacchinata *f;* **4.** ⟨*pl*⟩ *(Abgaben)* oneri *m pl; (Steuern)* imposte *f pl;* **jdm zur ~ fallen** *(lästig sein)* molestare qu; **jdm etw. zur ~ legen** imputare qu di qc; **zu ~en von** a carico di.

lasten *itr* gravare (*auf +dat* su).

Laster[1] ['lastɐ] ⟨-s, -⟩ *m fam s.* **Last(kraft)wagen.**

Laster[2] ['lastɐ] ⟨-s, -⟩ *n* vizio *m.*

lasterhaft *adj* vizioso, depravato.

Lästermaul *n fam* malalingua *f.*

lästern ['lɛstɐn] **I.** *itr* sparlare (*über +akk* di); **II.** *tr (Gott)* bestemmiare.

lästig ['lɛstɪç] *adj (unangenehm)* fastidioso, noioso, molesto; *(unbequem)* scomodo; **jdm ~ fallen (*o* sein)** dare fastidio a qu, importunare qu.

Last(kraft)wagen *m* (*abk* **LKW, Lkw**) autocarro *m,* camion *m.* **Lastschrift** *f* addebito *m.* **Lastwagenfahrer(in)** *m(f)* camionista *mf.*

Latein [la'taɪn] ⟨-s, ø⟩ *n* latino *m;* **mit seinem ~ am Ende sein** *fam* non saper più andare avanti.

lateinisch *adj* latino.

latent [la'tɛnt] *adj* **1.** *(verborgen)* latente, nascosto, celato; **2.** *med* latente.

Laterne [la'tɛrnə] ⟨-, -n⟩ *f* lanterna *f; (Straßen~)* lampione *m.* **Laternenpfahl** *m* palo *m* del lampione.

Latium ['la:tsiʊm] *n* Lazio *m.*

Latsche ['latʃə] ⟨-, -n⟩ *f* pino *m* mugo.

latschen ['la:tʃən] *itr* ⟨*sein*⟩ *fam (schlurfen)* ciabattare; *(gehen)* andare.

Latschen ⟨-s, -⟩ *m* ciabatta *f;* **aus den ~ kippen** *fam* perdere le staffe *fig.*

Latte ['latə] ⟨-, -n⟩ *f* **1.** *(Holz~)* assicella *f;* **2.** *sport (Hand-, Fußball)* traversa *f; (Leichtathletik)* asticella *f;* **3.** *fam (großer Mensch)* stanga *f fam;* **eine lange ~ von ...** *fam* una lunga lista di ... **Lattenzaun** *m* staccionata *f,* steccato *m.*

Latz [lats] ⟨-es, Lätze⟩ *m* **1.** *(Brust~)* pettorina *f;* **2.** *(Hosen~)* patta *f.*

Lätzchen ['lɛtsçən] ⟨-s, -⟩ *n* bavaglino *m.*

Latzhose *f* pantaloni *m pl* con pettorina (*o* con patta), salopette *f.*

lau [laʊ] *adj* tiepido.

Laub [laʊp] ⟨-(e)s, ø⟩ *n* fogliame *m.* **Laubbaum** *m* latifoglio *m,* albero *m* a foglie caduche. **Laubfrosch** *m* raganella *f.* **Laubsäge** *f* sega *f* da traforo.

Lauch [laux] ⟨-(e)s, -e⟩ *m* porro *m.*

Lauer ['lauɐ] ⟨-, ø⟩ *f:* **auf der ~ liegen (***o* **sein)** stare in agguato; **sich auf die ~ legen** appostarsi.

lauern *itr* **1.** *(warten)* fare la posta; *(bes. auf Wild)* appostare (*auf +akk* qc); **2.** *(angespannt warten)* attendere (*auf etw./jdn* qc/qu).

Lauf [lauf] ⟨-(e)s, Läufe⟩ *m* **1.** *(das Laufen, a. Wett~)* corsa *f;* **2.** *(Ver~, a. Fluß~)* corso *m;* **3.** *tec* funzionamento *m; (a. mot)* marcia *f;* **4.** *astr* orbita *f;* **5.** *(Gewehr~)* canna *f;* **6.** *(Jägersprache)* zampa *f,* gamba *f;* **seinen ~ nehmen** compiersi, svolgersi; **den Dingen ihren ~ lassen** lasciare andare le cose per il loro verso; **einer S.** *(dat)* **freien ~ lassen** dare libero corso a qc; **im ~(e) des Gesprächs/des Jahres** nel corso del colloquio/dell'anno; **im ~(e) der Zeit** col tempo.

Laufbahn *f* **1.** *(Karriere)* carriera *f;* **2.** *(Sport)* pista *f.*

laufen ['laufən] ⟨läuft, lief, gelaufen⟩ **I.** *itr* ⟨*sein*⟩ **1.** *allg.* correre; **2.** *fam (gehen)* camminare, andare a piedi; **3.** *(in Betrieb sein)* funzionare; *(a. Motor)* marciare; *(Fahrzeug)* andare; **4.** *(fließen)* scorrere; **5.** *(undicht sein)* perdere; **6.** *(Film)* essere in programma; *(als Vorführung)* venire proiettato; **7.** *fig (im Gange sein)* essere in corso, svolgersi; **8.** *(ver~)* andare, correre, passare; **9.** *jur, fin* decorrere (*ab* da); **auf (***o* **unter) jds Namen ~** essere a nome di qu, essere intestato a qu; **gelaufen kommen** venire di corsa; **die Sache ist gelaufen** *sl* la cosa è andata *fam;* **ich weiß genau, wie das läuft** *fam* so esattamente come vanno le cose; **ihm läuft die Nase** gli cola il naso *fam;* **im Kino läuft ein neuer Film** al cinema è in programma un nuovo film; **II.** *tr* **1.** ⟨*sein*⟩ *(Strecke)* fare, percorrere; **2.** ⟨*haben*⟩*:* **sich** *(dat)* **etw. ~** *(Blase, Loch in den Strumpf)* farsi venire qc (dal gran camminare); **Rollschuh/Schlittschuh ~** pattinare; **Ski ~** sciare; **hundert Meter ~** fare i cento metri piani; **Gefahr ~, etw. zu tun** correre il pericolo di fare qc; **III.** *rfl:* **sich warm ~** riscaldarsi. **laufend I.** *adj* corrente; **am ~en Band** *fig* ininterrottamente; **auf dem ~en bleiben** essere aggiornato; **auf dem ~en sein** essere al corrente (*über +akk* su); **jdn auf dem ~en halten** tenere qu al corrente; **II.** *adv* continuamente, in continuazione.

Läufer ['lɔyfɐ] ⟨-s, -⟩ *m* **1.** *(beim Schach)* alfiere *m;* **2.** *(Teppich)* passatoia *f;* **3.** *tec* rotore *m.*

Läufer(in) ['lɔyfɐ (...ərɪn)] ⟨-s, -⟩ *m(f) (Leichtathletik)* corridore, -a *m, f; (Fußball)* mediano, -a *m, f.*

läufig ['lɔyfɪç] *adj* in calore.

Laufmasche *f* smagliatura *f;* **~n bekommen** smagliarsi. **Laufpaß** *m:* **jdm den ~ geben** *fam* mandare a spasso qu *fam.* **Laufrichtung** *f (von Rädern)* senso *m* di rotazione. **Laufstall** *m* box *m* (per bambini). **Laufsteg** *m* passerella *f.*

läuft [lɔyft] *pr von* **laufen.**

Laufwerk *n* drive *m.* **Laufzettel** *m (Rundschreiben)* circolare *f.*

Lauge ['laugə] ⟨-, -n⟩ *f* **1.** *(Seifen~)* liscivа *f;* **2.** *chem* soluzione *f* caustica.

Laune ['launə] ⟨-, -n⟩ *f* **1.** *(Stimmung)* umore *m;* **2.** *(spontaner Einfall)* capriccio *m;* **gute/schlechte ~ haben, guter/schlechter ~ sein** essere di buon/cattivo umore; **jdm die ~ verderben** far passare il buon umore a qu. **launenhaft, launisch** *adj* **1.** *(von Stimmungen abhängig)* lunatico; **2.** *(unberechenbar)* imprevedibile.

Laus [laus] ⟨-, Läuse⟩ *f* pidocchio *m;* **ist dir eine ~ über die Leber gelaufen?** *fam* sei di cattivo umore?

Lausanne [lo'zan] *n* Losanna *f.*

lauschen ['lauʃən] *itr* **1.** *(zuhören)* ascoltare attentamente (*einer S. (dat)* qc); **2.** *(heimlich)* origliare.

lauschig *adj* intimo, romantico.

Lausebengel *m,* **-junge** *m fam* monello *m,* briccone *m.*

lausig *adj fam (schäbig)* misero; *(armselig)* miserabile; **es ist ~ kalt** fa un freddo cane *fam.*

laut[1] [laut] **I.** *adj* **1.** *(nicht leise)* alto; *(~stark, kräftig)* forte, intenso; **2.** *(lärmerfüllt)* rumoroso, chiassoso; **~ werden** *(bekanntwerden)* diventare noto, divulgarsi; **das Radio ~er stellen** alzare il volume della radio; **II.** *adv* **1.** *(vernehmlich)* chiaramente, distintamente; **2.** *(kräftig)* forte; **3.** *(mit ~er Stimme)* ad alta voce; **~ denken** parlare da solo; **~er sprechen** parlare più forte; **etw.** *(akk)* **~ vorlesen** leggere a voce alta qc.

laut[2] [laut] *prp +gen o +dat* secondo, conformemente a.

Laut ⟨-(e)s, -e⟩ *m* suono *m; (Geräusch)* rumore *m.*

lauten *itr* **1.** *(klingen)* (ri)sonare; **2.** *(einen Wortlaut, Inhalt haben)* essere; *(besagen)* dire; **der Titel lautet ...** il titolo è ...; **das Urteil lautet auf ...** è una sentenza di ...

läuten ['lɔytən] *itr* **1.** *(a. tr) (Glocken)* suonare; **2.** *(Telefon, Wecker)* squillare; **es hat geläutet** hanno s(u)onato; **er hat davon (etwas) ~ hören** *fam* ne ha sentito parlare.

lauter ['lautɐ] *adv (nur)* solo, non ... (altro) che; **vor ~ Angst/Freude/Glück** per la gran paura/gioia/fortuna; **das sind ~ Lügen** sono tutte bugie.

läutern ['lɔytɐn] *tr* **1.** *chem* depurare, chiarificare; *tec* (r)affinare; **2.** *fig geh* purificare, nobilitare.

Lautlehre *f* fonetica *f.* **Lautschrift** *f* tra-

scrizione *f* fonetica.
Lautsprecher *m* altoparlante *m*. **Lautsprecherbox** *f* cassa *f* acustica.
lautstark I. *adj* alto, forte; *(heftig)* violento; **II.** *adv* ad alta voce. **Lautstärke** *f* livello *m* sonoro, sonorità *f; radio, TV* volume *m*. **Lautstärkeregler** *m* regolatore *m* del volume.
lauwarm *adj* tiepido.
Lava ['la:va, ...vən] ⟨-, *rar* -ven⟩ *f* lava *f*.
Lawine [la'vi:nə] ⟨-, -n⟩ *f* valanga *f*. **Lawinengefahr** *f* pericolo *m* di valanghe. **lawinensicher** *adj (Ort)* protetto dalle valanghe, al sicuro dalle valanghe.
lax [laks] *adj* molle; *(a. fig)* rilassato.
Layout [leɪ'aʊt *o* 'leɪ...] ⟨-s, -s⟩ *n* lay-out *m*.
Lazarett [latsa'rɛt] ⟨-(e)s, -e⟩ *n* ospedale *m* militare.
LCD [ɛltse:'de:] ⟨-s, -s⟩ *abk von* **liquid crystal display** display *m* (*o* visualizzatore *m*) a cristalli liquidi. **LCD-Anzeige** *f*, **LCD-Display** *n* display *m* a cristalli liquidi.
leasen ['li:zən] *tr* noleggiare.
Leasing ['li:zɪŋ] ⟨-s, -s⟩ *n* leasing *m*.
leben ['le:bən] *tr, itr* vivere; **gut/schlecht** ~ vivere bene/male; **noch/nicht mehr** ~ essere ancora/non essere più in vita; **lebst du (auch) noch?** *fam scherz* sei ancora vivo? *fam;* ~ **Sie wohl!** *obs, geh* addio! *lett;* **man lebt nur einmal!** si vive una volta sola; **es lebe die Freiheit!** viva la libertà!
Leben ⟨-s, -⟩ *n* vita *f; (Lebhaftigkeit, Betriebsamkeit a.)* animazione *f*, vivacità *f*, vitalità *f;* **sich** *(dat)* **das** ~ **nehmen** togliersi la vita, suicidarsi; **am** ~ **bleiben/sein** restare/essere in vita; **etw.** *(akk)* **ins** ~ **rufen** dare vita a qc; **ums** ~ **bringen** uccidere, ammazzare; **ums** ~ **kommen** perdere la vita; **auf** ~ **und Tod** per la vita e la morte; **aus dem** ~ **gegriffen** tratto dal vivo; **nie im** ~ *fam* mai e poi mai; **für mein** ~ **gern würde ich ...** pagherei non so che per ... **lebend** *adj* vivente; *(Sprache)* vivo; **die L~en** i vivi; **das ist der ~e Beweis** è la prova lampante, è l'esempio vivo.
lebendig [le'bɛndɪç] *adj* **1.** *(lebend, a. Erinnerung)* vivo; **2.** *(lebhaft)* vivace; **bei ~em Leib verbrennen** essere bruciato vivo. **Lebendigkeit** ⟨-, ø⟩ *f* vitalità *f; (Lebhaftigkeit)* vivacità *f*.
Lebensarbeitszeit *f* vita *f* lavorativa. **Lebensbedingungen** *f pl* condizioni *m pl* di vita. **Lebensdauer** *f* (durata *f* della) vita *f; tec* durata *f*. **Lebenserfahrung** *f* esperienza *f*. **Lebenserwartung** *f* vita *f* media. **lebensfähig** *adj* vitale. **Lebensgefahr** *f* pericolo *m* di morte; **außer** ~ **sein** essere fuori pericolo; **unter** ~ a rischio della vita; **Vorsicht,** ~**!** pericolo di morte!. **lebensgefährlich** *adj* pericolosissimo, rischioso; *(Brücke, Auto, etc.)* pericolosissimo; *(Verletzung, Unfall, etc.)* mortale. **Lebenshaltungsindex** *m* indice *m* del costo della vita. **Lebenshaltungskosten** ⟨*pl*⟩ costo *m* della vita. **Lebenslage** *f* situazione *f* (della vita); **in jeder** ~ in ogni situazione. **lebenslänglich** *adj* a vita; *(Rente, etc. a.)* vitalizio; **~e Haft** ergastolo *m;* **sie bekam „~"** *fam* è stata condannata all'ergastolo. **Lebenslauf** *m* **1.** *(Verlauf)* corso *m* della vita; **2.** *(geschriebener)* curriculum *m* vitae. **lebenslustig** *adj* gaio, allegro. **Lebensmittel** *n pl* generi *m pl* alimentari, viveri *m pl*. **Lebensmittelbestrahlung** *f* contaminazione *f* radioattiva degli alimenti. **Lebensmittelvergiftung** *f* intossicazione *f* (*o* avvelenamento *m*) alimentare.
lebensmüde *adj* stanco della vita (*o* di vivere). **Lebensqualität** *f* qualità della vita. **Lebensretter(in)** *m(f)* salvatore, -trice *m, f* (chi salva la vita a qu). **Lebensstandard** *m* tenore *m* di vita. **Lebensunterhalt** *m* sostentamento *m;* **sich** *(dat)* **seinen** ~ **verdienen** guadagnare la propria vita. **Lebensversicherung** *f* assicurazione *f* sulla vita. **Lebenswandel** *m* (condotta *f* di) vita *f*. **Lebensweise** *f* modo *m* di vivere, costume *m* di vita. **lebenswert** *adj* degno di essere vissuto. **lebenswichtig** *adj* (di importanza) vitale. **Lebenszeichen** *n* segno *m* di vita; **kein** ~ **von sich geben** non dare segni di vita. **Lebenszeit** *f:* **auf** ~ a vita.
Leber ['le:bɐ] ⟨-, -n⟩ *f* fegato *m;* **frisch von der** ~ **weg** *fam* francamente. **Leberfleck** *m* macchia *f* epatica. **Leberkäse** *m* ≃ polpettone *m*. **Leberknödel** *m* gnocchetto *m* di fegato. **Leberpastete** *f* paté *m* di fegato. **Lebertran** *m* olio *m* di fegato di merluzzo. **Leberwurst** *f* salsiccia *f* di fegato; **die beleidigte** ~ **spielen** *fam* fare l'offeso.
Lebewesen *n* essere *m* vivente; *(einzelliges ~ a.)* organismo *m*.
Lebewohl [-'vo:l] ⟨-(e)s, -s *o* -e⟩ *n* addio *m*.
lebhaft *adj* **1.** *(Mensch, Unterhaltung, etc.)* vivace; **2.** *(Phantasie, Farbe, Erinnerung)* vivo; **3.** *(Handel, Verkehr)* intenso; **4.** *(deutlich, klar)* chiaro; **ich kann mir** ~ **vorstellen, wie ...** mi posso ben immaginare come ... **Lebhaftigkeit** ⟨-, ø⟩ *f* **1.** *(Munterkeit)* vivacità *f;* **2.** *(Bewegtheit)* animazione *f;* **3.** *(Deutlichkeit)* vivezza *f*.
Lebkuchen ['le:p-] *m* panpepato *m*.
leblos *adj* **1.** *(wie tot)* senza vita, inanimato; **2.** *fig* inerte, languido.
Lebtag *m fam:* **das habe ich mein** ~ **noch nie gesehn** non ho mai visto niente di simile in vita mia. **Lebzeiten** *f pl:* **zu** ~ **von** ai tempi di; **zu seinen** ~ quand'era vivo.
Lecithin ['lɛtsi'ti:n] ⟨-s, -e⟩ *n* lecitina *f*.

leck [lɛk] *adj:* ~ **sein** *(undicht sein)* perdere; *(Schiff)* fare acqua. **Leck** ⟨-(e)s, -s⟩ *n* perdita *f; (naut a.)* fuga *f.*

lecken[1] ['lɛkən] **I.** *tr* leccare; **II.** *itr* leccare *(an +dat* qc).

lecken[2] ['lɛkən] *itr (undicht sein)* perdere, colare; *(Schiff)* fare acqua.

lecker ['lɛkɐ] *adj (a. fig)* gustoso, appetitoso. **Leckerbissen** *m,* **Leckerei** [lɛkə'rai̯] ⟨-, -en⟩ *f* ghiottoneria *f,* leccornia *f.*

led. *abk von* **ledig** *(Frauen)* nubile; *(Männer)* celibe.

Leder ['le:dɐ] ⟨-s, -⟩ *n* **1.** *allg.* cuoio *m,* pelle *f;* **2.** *fam sport (Fußball)* pallone *m.*

Leder- *(in Zusammensetzungen)* di pelle. **Lederhose** *f* pantaloni *m pl* di pelle. **Lederindustrie** *f* industria *f* del cuoio. **Lederwaren** *f pl* pelletterie *f pl,* articoli *m pl* di pelle.

ledig ['le:dɪç] *adj* **1.** (*abk* **led.**) *(unverheiratet)* celibe, scapolo; *(Frau)* nubile; **2.** *geh* libero (*+gen* da). **Ledige** ['le:dɪgə] ⟨ein -r, -n, -n⟩ *mf* celibe *m,* nubile *f.*

lediglich ['le:dɪklɪç] *adv* soltanto, solamente, unicamente.

leer [le:ɐ̯] **I.** *adj* **1.** *allg.* vuoto; **2.** *(unbeschrieben)* bianco; **3.** *el (Batterie)* scarico; **4.** *(nicht möbliert)* non ammobiliato; **5.** *(unbesetzt)* libero, vacante; **6.** *fig (nichtssagend, ausdruckslos)* inespressivo; *(Worte)* vuoto; *(Versprechung)* vano; **mit ~en Händen** a mani vuote; **II.** *adv tec* al minimo; *mot* in folle; *fig* a vuoto; ~ **ausgehen** andarsene (*o* restare) a mani vuote; ~ **machen** svuotare; ~ **stehen** essere vuoto (*o* libero *o* sfitto).

Leere ['le:rə] ⟨-, ø⟩ *f* **1.** *(das Leersein)* vuoto *m;* **2.** *fig* vacuità *f.*

leeren **I.** *tr* vuotare; **II.** *rfl:* **sich** ~ svuotarsi.

Leerformel *f* frase *f* vuota. **Leergut** *n* (recipienti *m pl*) vuoti *m pl.* **Leerlauf** *m tec* funzionamento *m* a vuoto (*o* al minimo); *mot* marcia *f* in folle. **leerlaufen** *itr (auslaufen)* svuotarsi. **Leertaste** *f* barra *f* spaziatrice.

Leerung ⟨-, -en⟩ *f allg.* svuotamento *m; (von Briefkasten)* levata *f* della posta.

legal [le'ga:l] *adj* legale.

legalisieren [legali'zi:rən] ⟨*ohne ge-*⟩ *tr* legalizzare.

Legalität [...i'tɛ:t] ⟨-, ø⟩ *f* legalità *f.*

Legasthenie [legaste'ni:] ⟨-, ø⟩ *f* legastenia *f.*

Legebatterie *f* batteria *f* per l'allevamento di polli.

legen ['le:gən] **I.** *tr* **1.** *allg.* mettere, adagiare; **2.** *(nieder~)* posare, deporre; **3.** *(ausbreiten)* stendere *(über +akk* su); **4.** *(Eier)* deporre; **einen Brand** ~ appiccare il fuoco a qc; **II.** *rfl:* **sich** ~ **1.** *(sich ausstrecken, ausruhen)* distendersi; *(zu Bett)* coricarsi; **2.** *(nachlassen)* calmarsi, placarsi; **sich auf den Bauch/die Seite** ~ coricarsi sulla pancia/sul fianco.

legendär [legɛn'dɛ:ɐ̯] *adj* leggendario, favoloso.

Legende [le'gɛndə] ⟨-, -n⟩ *f* **1.** *(Sage)* leggenda *f;* **2.** *(erklärender Text a.)* didascalia *f.*

leger [le'ʒe:ɐ̯ *o* le'ʒɛ:ɐ̯] *adj* **1.** *(ungezwungen)* naturale; **2.** *(Kleidung)* informale; **3.** *(oberflächlich)* superficiale.

Leggings ['lɛgɪŋs] *pl* fuseaux *m pl,* pantacalza *f.*

legieren [le'gi:rən] ⟨*ohne ge-*⟩ *tr* legare.

Legierung ⟨-, -en⟩ *f* lega *f.*

Legislative [legɪsla'ti:və] ⟨-, -n⟩ *f* **1.** *(gesetzgebende Gewalt)* potere *m* legislativo; **2.** *(Versammlung)* assemblea *f* legislativa.

Legislaturperiode [...'tu:ɐ̯-] *f* legislatura *f.*

Legitimation [legitima'tsi̯o:n] ⟨-, -en⟩ *f* legittimazione *f.*

legitimieren [...'mi:rən] ⟨*ohne ge-*⟩ **I.** *tr* legittimare; **II.** *rfl:* **sich** ~ *(sich ausweisen)* dimostrare la propria identità.

Lehm [le:m] ⟨-(e)s, -e⟩ *m* argilla *f,* creta *f.* **lehmig** *adj* argilloso.

Lehne ['le:nə] ⟨-, -n⟩ *f allg. (Stütze)* appoggio *m,* sostegno *m; (Rücken~)* spalliera *f; (Arm~)* bracciolo *m.*

lehnen **I.** *tr* appoggiare *(an +akk* a); **II.** *itr* poggiare *(an +dat* a), essere appoggiato *(an +dat* a); **III.** *rfl:* **sich** ~ appoggiarsi *(an +akk* a); **sich aus dem Fenster** ~ sporgersi dal finestrino; *(von Haus)* sporgersi dalla finestra.

Lehnsessel *m,* **-stuhl** *m* poltrona *f.*

Lehramt *n* insegnamento *m.* **Lehramtsanwärter(in)** *m(f)* candidato, -a *m, f* all'insegnamento. **Lehranstalt** *f* istituto *m* scolastico. **Lehrbuch** *n* (libro *m* di) testo *m,* manuale *m.*

Lehre[1] ['le:rə] ⟨-, -n⟩ *f* **1.** *(Unterweisung)* insegnamento *m; (Handwerks~)* apprendistato *m,* tirocinio *m;* **2.** *wissensch.* scienza *f;* **3.** *(Theorie, Lehrmeinung)* teoria *f; rel, philos* dottrina *f;* **4.** *(Erfahrung)* lezione *f; (Warnung)* monito *m;* **jdm eine ~ sein** servire di lezione a qu; **aus etw. eine ~ ziehen** trarre un insegnamento da qc; **bei jdm in die ~ gehen** andare a fare (il) tirocinio presso qu.

Lehre[2] ['le:rə] ⟨-, -n⟩ *f tec* calibro *m.*

lehren *tr, itr* insegnare.

Lehrer(in) ⟨-s, -⟩ *m(f) allg.* insegnante *mf; (Volksschul~)* maestro, -a *m, f; (Gymnasial~, Universitäts~)* professore, -essa *m, f.* **Lehrerschaft** ⟨-, -en⟩ *f* corpo *m* insegnante, insegnanti *m pl.* **Lehrerzimmer** *n* sala *f* dei docenti (*o* professori).

Lehrgang *m* corso *m.* **Lehrjahr** *n* anno *m* di tirocinio (*o* di apprendistato); ⟨*pl*⟩ *fig* tirocinio *m,* noviziato *m.* **Lehrkörper** *m* *adm* corpo *m* insegnante. **Lehrkraft** *f adm* insegnante *mf.* **Lehrling** ['le:ɐlɪŋ] ⟨-s, -e⟩ *m* apprendista *mf.* **Lehrmittel** *n* ⟨*meist pl*⟩ materiale *m* didattico. **Lehrmittelfreiheit** *f* gratuità *f* dei libri scolastici. **Lehrplan** *m* programma *m* scolastico. **lehrreich** *adj* istruttivo. **Lehrsatz** *m allg.* tesi *f; mat, phys* teorema *m.* **Lehrstelle** *f* posto *m* di apprendistato. **Lehrstellenmarkt** *m* mercato *m* dei posti di apprendista. **Lehrstuhl** *m* cattedra *f* (*für* di).

Leib [laip] ⟨-(e)s, -er⟩ *m geh* **1.** *(Körper)* corpo *m;* **2.** *(Bauch)* ventre *m,* pancia *f;* **etw. am eigenen ~(e) erfahren** imparare qc a proprie spese; **am ganzen ~(e) zittern** tremare da capo a piedi; **sich** *(dat)* **jdn vom ~e halten** tenere alla larga qu; **einer S.** *(dat)* **zu ~e gehen** (*o* **rücken)** affrontare qc; **mit ~ und Seele** anima e corpo.

leibhaftig [-'haftɪç] *adj* in persona, in carne ed ossa.

leiblich *adj* **1.** *(körperlich)* corporale, fisico; **2.** *(blutsverwandt)* consanguineo; **sein ~er Sohn** suo figlio carnale.

Leiche ['laiçə] ⟨-, -n⟩ *f* cadavere *m,* salma *f;* **über ~n gehen** *fig* essere senza scrupoli; **nur über meine ~!** *fam* dovranno prima passare sul mio cadavere!. **leichenblaß** ['laiçən'blas] *adj* pallido come un morto. **Leichenhalle** *f,* **-haus** *n* camera *f* mortuaria. **Leichenschauhaus** *n* obitorio *m.* **Leichenwagen** *m* carro *m* funebre.

Leichnam ['laiçna:m] ⟨-(e)s, -e⟩ *m geh* salma *f* , cadavere *m.*

leicht [laiçt] **I.** *adj* **1.** *(nicht schwer, geringfügig)* leggero; **2.** *(nicht schwierig)* facile; **es nicht ~ haben** non avere una vita facile; **II.** *adv (schnell, unversehens, mühelos)* facilmente; **etw. ~ salzen** salare qc leggermente; **das ist ~ möglich** è possibilissimo; **das ist ~er gesagt als getan** tra il dire ed il fare c'è di mezzo il mare *prov.*

Leichtathletik *f* atletica *f* leggera.

leicht·fallen ⟨*irr*⟩ *itr* ⟨*sein*⟩ essere (*o* riuscire) facile; **es fällt mir nicht leicht, das zu tun** non mi riesce facile fare ciò.

leichtfertig I. *adj* **1.** *(unbekümmert)* spensierato; **2.** *(leichtsinnig)* leggero, sconsiderato; **II.** *adv* **1.** *(unbekümmert)* spensieratamente; **2.** *(unbedacht)* alla leggera.

leichtgläubig *adj* credulone.

leichthin ['laiçt'hɪn] *adv* **1.** *(ohne lange zu überlegen)* senza riflettere, alla leggera; **2.** *(flüchtig)* di sfuggita.

Leichtigkeit ⟨-, ø⟩ *f* **1.** *(Leichtsein)* leggerezza *f;* **2.** *(Mühelosigkeit)* facilità *f;* **mit ~** facilmente.

Leichtkraftrad *n* motociclo *m.*

leichtlebig [-le:bɪç] *adj (oberflächlich)* fatuo, frivolo.

leicht·machen *tr:* **jdm etw. ~** agevolare qc a qu; **es sich** *(dat)* **~** prendersela comoda.

Leichtmetall *n* metallo *m* leggero.

leicht·nehmen ⟨*irr*⟩ *tr* prendere alla leggera.

Leichtsinn *m* **1.** *(Unvorsichtigkeit)* leggerezza *f,* sventatezza *f; (Unbesonnenheit)* irriflessione *f,* sconsideratezza *f;* **2.** *(Unbekümmertheit)* spensieratezza *f.* **leichtsinnig** *adj* **1.** *(unvorsichtig)* leggero; *(unbesonnen)* sventato; *(unbedacht)* sconsiderato; **2.** *(sorglos)* spensierato.

Leichtwasserreaktor *m* reattore *m* ad acqua leggera.

leid [lait] *adj:* **~ tun** (di)spiacere; **er tut mir ~** mi fa pena; **es tut mir ~, daß ...** mi spiace che ...; **ich bin es ~ zu ...** ne ho abbastanza di ...

Leid ⟨-(e)s, ø⟩ *n* **1.** *(seelischer Schmerz)* pena *f,* afflizione *f,* sofferenza *f; (Schmerz)* dolore *m; (Kummer)* dispiacere *m;* **2.** *(Unrecht)* torto *m,* ingiustizia *f;* **jdm ein ~ (an)tun (***o* **zufügen)** fare un torto a qu; **jdm sein ~ klagen** sfogare il proprio dolore con qu; **geteiltes ~ ist halbes ~** *prov* mal comune, mezzo gaudio *prov.*

leiden ['laidən] ⟨leidet, litt, gelitten⟩ **I.** *itr* soffrire (*an +dat, unter +dat* di); **an Krebs ~** soffrire di cancro; **II.** *tr* **1.** *(erdulden, ertragen)* patire; **2.** *geh (zulassen)* tollerare; **Not ~** essere in miseria; **jdn nicht ~ können** non poter soffrire qu; **ich mag ihn gut ~** mi è simpatico, mi piace. **Leiden** ⟨-s, -⟩ *n* **1.** *allg.* sofferenza *f;* **2.** *(Schmerz)* dolore *m;* **3.** *(Krankheit)* malattia *f; (Erkrankung)* affezione *f.*

Leidenschaft ⟨-, -en⟩ *f* passione *f.* **leidenschaftlich** *adj* **1.** *(begeistert)* appassionato; **2.** *(emotional)* passionale; **etw. ~ gern tun** fare qc molto volentieri.

leider ['laidɐ] *adv* purtroppo; *(unglücklicherweise)* disgraziatamente, sfortunatamente; **~ muß ich sagen, daß ...** mi dispiace di dover dire che ...; **~ Gottes** sfortunatamente.

Leidtragende ⟨ein -r, -n, -n⟩ *mf* **1.** *(Hinterbliebene)* familiare *mf* del defunto; **2.** *(Benachteiligte)* vittima *f.* **Leidwesen** *n:* **zu meinem ~** con mio rincrescimento.

Leier ['laiɐ] ⟨-, -n⟩ *f* lira *f; (Dreh~)* ghironda *f;* **das ist immer die alte ~** *fam* è sempre la solita solfa *fig.* **Leierkasten** *m* organetto *m.*

Leiharbeit *f* lavoro *m* interinale. **Leiharbeiter(in)** *m(f)* lavoratore, -trice interinale. **Leihbibliothek** *f,* **-bücherei** *f* biblioteca *f* per il prestito.

leihen ['laiən] ⟨leiht, lieh, geliehen⟩ *tr* **I.** prestare (*jdm etw.* qc a qu); **II.** *rfl:* **sich** *(dat)* **~** farsi prestare (*etw. von jdm* qc da qu).

Leihgabe *f* prestito *m.* **Leihmutter** *f* donna *f* che porta a compimento una gravidanza per conto terzi. **Leihwagen** *m* automobile *f* da noleggio.

Leim [laim] ⟨-(e)s, -e⟩ *m* **1.** *(Klebstoff)* colla *f;* **2.** *(Vogel~)* vischio *m;* **jdm auf den ~ gehen** *fam* farsi abbindolare da qu.

leimen *tr* **1.** *(kleben)* incollare; **2.** *sl (hereinlegen)* abbindolare.

Leine ['lainə] ⟨-, -n⟩ *f allg.* funicella *f; (a. Wäsche~)* corda *f; (Hunde~)* guinzaglio *m; (Angel~)* lenza *f;* **~ ziehen** *fam* tagliar la corda *fam.*

Leinen ['lainən] ⟨-s, -⟩ *n* **1.** *(Gewebe)* lino *m;* **2.** *(Bucheinband)* tela *f.*

Leinsamen *m* seme *m* di lino.

Leintuch *n* lenzuolo *m.* **Leinwand** *f* **1.** *allg. (a. Malerei)* tela *f;* **2.** *film* schermo *m.*

Leipzig ['laiptsıç] *n* Lipsia *f.*

leise ['laizə] **I.** *adj* **1.** *(still)* basso, sommesso; **2.** *(leicht, schwach)* leggero; **3.** *(sanft)* delicato; **~r stellen** abbassare; **nicht die ~ste Ahnung haben** non avere la più pallida idea; **II.** *adv* **1.** *(mit leiser Stimme)* sottovoce, piano; *(nicht laut)* silenziosamente; **2.** *(leicht)* leggermente; **3.** *(sanft)* delicatamente.

Leiste ['laistə] ⟨-, -n⟩ *f* **1.** *allg.* lista *f,* listello *m;* **2.** *arch* modanatura *f;* **3.** *anat* inguine *m.*

leisten ['laistən] **I.** *tr* **1.** *(tun, schaffen)* fare; *(hervorbringen)* compiere; **2.** *tec* rendere; *(a. mot)* avere un rendimento; **3.** *(Zahlung)* effettuare; **4.** *(Hilfe, Eid)* prestare; **jdm Gesellschaft ~** far compagnia a qu; **II.** *rfl:* **sich** *(dat)* **~ 1.** *(gönnen)* concedersi; **2.** *(finanziell)* permettersi (il lusso di); **3.** *(sich herausnehmen)* prendersi la libertà di, permettersi.

Leistenbruch *m* ernia *f* inguinale.

Leistung ⟨-, -en⟩ *f* **1.** *allg.* prestazione *f; (sport a.)* exploit *m; (von Arbeiter)* rendimento *m; (von Schüler)* profitto *m;* **2.** *(Geleistetes)* lavoro *m,* opera *f;* **3.** *(von Maschine, Fabrik)* capacità *f* di produzione, efficienza *f;* **4.** *(Zahlung)* pagamento *m; (Beitrag)* contributo *m;* **große ~** grande opera; *sport* prodezza *f,* exploit *m;* **soziale ~en** prestazioni *f* sociali. **Leistungsdruck** ⟨-(e)s, ø⟩ *m* pressione *f* a produrre di più. **Leistungsgesellschaft** *f* società *f* efficientistica. **Leistungskurs** *m* seminario *m.* **Leistungssport** *m* agonismo *m.* **Leistungstest** *m* test *m* di valutazione. **Leistungszulage** *f* premio *m* di rendimento (*o* di produttività).

leiten ['laitən] *tr* **1.** *(führen)* condurre, guidare; **2.** *(verantwortlich ~)* dirigere; *(den Vorsitz haben von)* presiedere; **3.** *(lenken)* dirigere; *(um~)* deviare; *(Gewässer, fig)* incanalare; **4.** *el, phys* condurre; **sich von etw. ~ lassen** lasciarsi guidare da qc. **leitend** *adj* **1.** *(Stellung)* direttivo; *(Angestellter)* dirigente; **2.** *fig (Gedanke)* dominante; **3.** *el, phys* conduttore; **~e(r) Angestellte(r)** dirigente *mf.*

Leiter[1] ['laitɐ] ⟨-, -n⟩ *f* scala *f* (a pioli); **die ~ zum Erfolg** la scala verso il successo.

Leiter[2] ['laitɐ] ⟨-s, -⟩ *m el, phys* conduttore *m.*

Leiter(in) ['laitɐ (...ərın)] ⟨-s, -⟩ *m(f) allg.* guida *f,* capo *m; (Betriebs~, Schul~, Orchester~)* direttore, -trice *m, f; (Geschäfts~)* gerente *mf; (Abteilungs~)* caporeparto *mf.*

Leiterplatte *f inform* piastra *f* a circuito stampato, piastrina *f.*

Leitmotiv *n* leitmotiv *m.*

Leitplanke *f* guardrail *m.*

Leitung ⟨-, -en⟩ *f* **1.** *(Führung)* guida *f,* conduzione *f; (von Betrieb, Schule, Orchester)* direzione *f;* **2.** *(Verwaltung)* gestione *f,* amministrazione *f;* **3.** *(Vorsitz)* direzione *f;* **4.** *(die Leitenden)* direzione *f; (von Parteien)* direttivo *m;* **5.** *tec (Gas~, Wasser~)* tubazione *f;* **6.** *el, tel* linea *f; (Kabel)* cavo *m;* **eine lange ~ haben** *fig fam* essere duro di comprendonio *fam;* **unter der ~ von** sotto la direzione di. **Leitungsrohr** *n* tubazione *f,* conduttura *f.* **Leitungswasser** *n* acqua *f* di rubinetto.

Leitzins *m* interesse *m* guida (*o* pilota).

Lektion [lɛk'tsio:n] ⟨-, -en⟩ *f* lezione *f;* **jdm eine ~ erteilen** dare una lezione a qu.

Lektor(in) ['lɛkto:ɐ (...rın), ...'to:rən] ⟨-s, -en⟩ *m(f)* **1.** *(Universitäts~)* lettore, -trice *m, f;* **2.** *(Verlags~)* consulente *mf* editoriale.

Lektüre [lɛk'ty:rə] ⟨-, -n⟩ *f* lettura *f.*

Lende ['lɛndə] ⟨-, -n⟩ *f* lombo *m.* **Lendenschurz** [-ʃʊrts] ⟨-es, -e⟩ *m* perizoma *m.*

Lenkcomputer *m* computer *m* di bordo.

lenken ['lɛŋkən] *tr* **1.** *allg., fig* guidare; *aero* pilotare; *naut* governare; **2.** *(führen)* condurre; **3.** *(adm, Wirtschaft)* pianificare; **4.** *(Gedanken, Blick)* volgere; **auf sich ~** attirare su di sé; **jds Aufmerksamkeit auf etw.** *(akk)* **~** richiamare l'attenzione di qu su qc.

Lenker ⟨-s, -⟩ *m (Lenkstange)* manubrio *m; (Lenkrad)* volante *m.*

Lenkrad *n* volante *m* (di guida). **Lenkradschaltung** *f* cambio *m* al volante. **Lenkradschloß** *n* bloccasterzo *m.* **Lenkstange** *f* manubrio *m.*

Lenkung ⟨-, -en⟩ *f* **1.** *allg., mot* guida *f;* **2.** *(Führung)* direzione *f,* conduzione *f;* **3.** *mot (Vorrichtung)* sterzo *m.*

Leon(h)ard ['le:ɔn(h)art] *(männlicher Vorname)* Leonardo.

Leopard [leo'part] ⟨-en, -en⟩ *m* leopardo *m.*

Lepra ['le:pra] ⟨-, ø⟩ *f* lebbra *f.*

Lerche ['lɛrçə] ⟨-, -n⟩ *f* allodola *f.*

lernbehindert *adj* con difficoltà d'apprendimento. **Lernprogramm** *n*, **Lernsoftware** *f* software *m* didattico. **Lernziel** *n* obiettivo *m* didattico.

lernen ['lɛrnən] **I.** *tr* imparare (*etw. von jdm* qc da qu, *etw. zu tun* a fare qc, *aus etw.* da qc), apprendere (*etw. von jdm* qc da qu, *etw. zu tun* a fare qc, *aus etw.* (*dat*) da qc); **von ihr kannst du noch etw.** ~ lei ti può insegnare qc; **II.** *itr* **1.** *(Kenntnisse erwerben)* studiare; **2.** *(in der Lehre sein)* imparare un mestiere.

Lesart *f* **1.** *(Fassung)* versione *f; (andere ~)* variante *f;* **2.** *(Deutung)* interpretazione *f.*

Lesbe ['lɛsbə] ⟨-, -n⟩ *f fam,* **Lesbierin** ⟨-, -nen⟩ *f* lesbica *f.*

lesbisch *adj* lesbico.

Lese ['le:zə] ⟨-, -n⟩ *f* raccolta *f; (Wein~)* vendemmia *f.*

Lesegerät *n inform, tec* lettore *m.* **Lesekopf** *m inform* testina *f* di lettura.

lesen[1] ['le:zən] ⟨liest, las, gelesen⟩ **I.** *tr* **1.** *allg.* leggere *(a. inform);* **2.** *fig (Gedanke)* indovinare, leggere; **II.** *itr* **1.** *allg.* leggere; **2.** *(an Universität)* tenere un corso (*über +akk* su).

lesen[2] ['le:zən] ⟨liest, las, gelesen⟩ *tr* **1.** *(sammeln)* raccogliere; *(Ähren)* spigolare; **2.** *(pflücken)* cogliere; *(Trauben)* vendemmiare; **3.** *(aus~, ver~)* cernere.

Leser(in) ⟨-s, -⟩ *mf* lettore, -trice *m, f.* **Leserbrief** *m* lettera *f* al direttore.

leserlich *adj* leggibile.

Leserschaft ⟨-, ø⟩ *f* lettori *m pl.*

Lesung ⟨-, -en⟩ *f* lettura *f.*

Lettland ['lɛtlant] *n* Lettonia *f.*

Letzt [lɛtst] *f:* **zu guter** ~ alla fin fine.

letzte *s.* **letzte(r, s).**

letztendlich ['lɛtst'ʔɛntlıç] *adv* alla fin fine.

letztens *adv* **1.** *(kürzlich)* recentemente; **2.** *(als letzter Punkt)* infine, in ultimo luogo.

letztere(r, s) ['lɛtstərə] *adj* quest'ultimo, -a.

letzte(r, s) ['lɛtstə] *adj* **1.** *(in Reihenfolge)* ultimo, -a; *(abschließend)* finale; **2.** *(neueste)* (il/la) più recente; **3.** *(äußerste)* estremo, -a; **der** ~ **Schrei** l'ultimo grido; **der L~ Wille** le ultime volontà; ~ **Woche** la settimana scorsa; **jdn wie den ~n Dreck behandeln** *fam* trattare qu come una pezza da piedi; **~n Endes** in fin dei conti; **bis aufs** ~ fino in fondo; **in den ~n Jahren/Tagen** negli ultimi anni/giorni; **das wäre das L~!** sarebbe la fine; **den ~n beißen die Hunde** *prov* chi tardi arriva male alloggia *prov.*

letztlich *adv* alla fine.

Leuchtbake [-ba:kə] ⟨-, -n⟩ *f,* **-boje** *f* boa *f* luminosa. **Leuchtdiode** *f* (*abk* **LED**) diodo *m* luminoso, led *m.*

Leuchte ['lɔyçtə] ⟨-, -n⟩ *f* **1.** *(Licht)* lume *m; (Lampe)* lampada *f;* **2.** *fig fam (kluger Mensch)* luminare *m.*

leuchten ['lɔyçtən] *itr* **1.** *(Licht abgeben)* dar luce; **2.** *(be~)* far luce, illuminare; **3.** *(glänzen)* splendere; *(a. strahlen)* brillare; *(Augen)* luccicare, essere raggianti. **leuchtend** *adj* luminoso; *(Farbe)* vivo; *(strahlend)* raggiante; **~es Vorbild** esempio luminoso.

Leuchter ⟨-s, -⟩ *m (Kerzen~)* candeliere *m; (Arm~)* candelabro *m; (Wand~)* applique *f; (Kron~)* lampadario *m.*

Leuchtfarbe *f* colore *m* luminescente. **Leuchtrakete** *f* razzo *m* illuminante. **Leuchtreklame** *f* insegna *f* luminosa. **Leuchtstift** *m* evidenziatore *m.* **Leuchtstoffröhre** *f* tubo *m* fluorescente. **Leuchtturm** *m* faro *m.* **Leuchtzifferblatt** *n* quadrante *m* luminoso.

leugnen ['lɔygnən] *tr* negare; *(bestreiten)* contestare; **es kann nicht geleugnet werden, daß ...** è innegabile che ...

Leukämie [lɔykɛ'mi:, ...i:ən] ⟨-, -n⟩ *f* leucemia *f.*

Leumund ['lɔymʊnt] ⟨-(e)s, ø⟩ *m* reputazione *f,* nome *m.*

Leute ['lɔytə] ⟨*pl*⟩ **1.** *allg.* gente *f;* **2.** *(Arbeitskräfte, Soldaten)* uomini *m pl;* **alle** ~ tutti; **junge/alte** ~ i giovani/i vecchi; **kleine** ~ *fig* la gente semplice; **meine** ~ *fam (Familie)* i miei *fam; (Mannschaft, Arbeiter, etc.)* i miei uomini *m pl,* i miei operai *m pl;* **unter die** ~ **bringen** diffondere, divulgare; **unter/wieder unter (die)** ~ **gehen** andare/ritornare in società; **ich kenne meine** ~ conosco i miei polli *fam;* **es waren mindestens zehn** ~ **da** c'erano per lo meno dieci persone; **liebe** ~! *fam* miei cari!

Leutnant ['lɔytnant] ⟨-s, -s⟩ *m* tenente *m.*

leutselig *adj* affabile, alla mano.

Level [lɛvl] ⟨-s, -s⟩ *m* livello *m.*

Leviten [le'vi:tən] ⟨*pl*⟩ *:* **jdm die** ~ **lesen** *fam* dare una lavata di capo a qu.

Lexika *pl von* **Lexikon.**

lexikalisch [lɛksi'ka:lıʃ] *adj* lessicale.

Lexikographie [lɛksikogra'fi:] ⟨-, ø⟩ *f* lessicografia *f.*

Lexikologie [lɛksikolo'gi:] ⟨-, ø⟩ *f* lessicologia *f.* **lexikologisch** [...'lo:gıʃ] *adj* lessicologico.

Lexikon ['lɛksikɔn, ...ka *o* ...kən] ⟨-s, -ka *o* -ken⟩ *n (Nachschlagewerk)* enciclopedia *f.*

LF [ɛl'ɛf] *abk von* **Lichtschutzfaktor** coefficiente *m* di filtrazione.

lfd. *abk von* **laufend** c. (*abbr di* corrente).

Libelle [li'bɛlə] ⟨-, -n⟩ *f* **1.** *zoo* libellula *f;* **2.** *tec* livella *f.*

liberal [libe'ra:l] *adj* liberale.

liberalisieren [...rali'zi:rən] ⟨*ohne ge-*⟩ *tr* liberalizzare.

Liberalismus [...ra'lısmʊs] ⟨-, ø⟩ *m* liberalismo *m.*

Libero ['li:bero] ⟨-s, -s⟩ *m sport* (battitore

m) libero *m*.

licht [lɪçt] *adj* **1.** *geh (hell)* chiaro; **2.** *(dünn, spärlich)* rado.

Licht [lɪçt] ⟨-(e)s, -er⟩ *n* luce *f; (Helligkeit, ~schein)* chiarore *m;* ~ **machen** accendere la luce; ~ **in etw.** *(akk)* **bringen** far luce su qc; **das ~ der Welt erblicken** schiudere gli occhi alla luce, nascere; **ans ~ kommen** essere scoperto (*o* svelato); **etw. gegen das ~ halten** tenere qc contro luce; **jdn hinters ~ führen** imbrogliare qu, abbindolare qu, dar la baia a qu; **bei** ~ alla luce; **bei ~ besehen** (*o* **betrachtet)** esaminato più da vicino; **jetzt geht mir ein ~ auf** ora comincio a capire; **er ist kein großes** ~ *fam* non è una cima. **Lichtbild** *n* **1.** *adm (Paßbild)* fotografia *f;* **2.** *obs (Diapositiv)* diapositiva *f.* **Lichtbildervortrag** *m* conferenza *f* con diapositive. **Lichtblick** *m fig* (barlume *m* di) speranza *f.* **lichtdurchlässig** *adj* trasparente, diafano. **lichtecht** *adj* resistente (*o* solido) alla luce. **lichtempfindlich** *adj* **1.** *allg.* sensibile alla luce; **2.** *fot, biol* fotosensibile.

lichten[1] **I.** *tr (ausdünnen, a. fig)* diradare; **II.** *rfl:* **sich** ~ *(Nebel, Wald, Wolken, Haare)* diradarsi; *(Bestände)* diminuire.

lichten[2] *tr:* **den Anker** ~ levare l'ancora.

lichterloh ['lɪçtɐ'lo:] *adv:* ~ **brennen** essere in fiamme.

Lichtermeer *n* mare *m* di luci.

Lichtgeschwindigkeit *f* velocità *f* della luce. **Lichtgriffel** *m inform* penna *f* luminosa. **Lichthof** *m* **1.** *arch* cortile *m* a lucernario; **2.** *fot, astr* alone *m.* **Lichthupe** *f* lampeggiatore *m.* **Lichtjahr** *n* anno *m* luce. **Lichtmaschine** *f* dinamo *f.* **Lichtmeß** ['lɪçtmɛs] *(ohne Artikel)* Candelora *f.* **Lichtschacht** *m* lucernario *m.* **Lichtschalter** *m* interruttore *m* della luce. **lichtscheu** *adj* che teme la luce; *fig* losco, sinistro; **~es Gesindel** *fam* losca canaglia *fam.* **Lichtschutzfaktor** *m* coefficiente *m* di filtrazione.

Lichtung ⟨-, -en⟩ *f* radura *f.*

Lid [li:t] ⟨-(e)s, -er⟩ *n* palpebra *f.* **Lidschatten** *m* ombretto *m.*

lieb [li:p] *adj* **1.** *(geschätzt, teuer)* caro; **2.** *(geliebt)* diletto; **3.** *(angenehm)* piacevole; **4.** *(nett)* gentile; *(liebenswürdig)* amabile; **5.** *(artig, brav)* bravo, buono; **den ~en langen Tag** *fam* tutto il santo giorno *fam;* **das ist mir ganz** ~ mi va proprio bene; **es wäre mir ~(er), wenn ...** preferirei che *+congv;* **wenn dir dein Leben ~ ist** se ti è cara la vita; **seien Sie so ~ und ...** abbiate la cortesia di *+inf;* **mein L~er!** mio caro!; **~e Maria/Verwandte/Gäste!** cara Maria/cari parenti/cari ospiti!; **(ach,) du ~er Himmel** (*o* **~e Zeit** *o* **~es bißchen)!** *fam* oh cielo!, oh Dio!; *s. a. lieber, liebste(r, s).*

liebäugeln [-ˀɔygəln] *itr:* **mit etw.** ~ vagheggiare qc.

Liebe ['li:bə] ⟨-, *rar* -n⟩ *f* **1.** *(Gefühl)* amore *m* (*zu* per); **2.** *(Gefallen)* favore *m;* **3.** *fam (geliebter Mensch)* amato, -a *m, f;* **aus ~ zu** per amore di; **meine erste** ~ il mio primo amore; ~ **macht blind** *prov* l'amore è cieco *prov;* ~ **geht durch den Magen** *prov* il marito si prende per la gola; **alte ~ rostet nicht** *prov* il primo amore non si scorda mai *prov;* **wo die ~ hinfällt ...** *prov* al cuore non si comanda *prov.*

Liebelei [li:bə'la͟i] ⟨-, -en⟩ *f* flirt *m.*

lieben *tr* amare; **etw. ~d gern tun** far qc con gran piacere; **was sich liebt, das neckt sich** *prov* l'amore non è bello se non è stuzzicarello *prov.* **Liebende** ⟨ein -r, -n, -n⟩ *mf* innamorato, -a *m, f.*

liebenswert *adj* amabile, piacevole. **liebenswürdig** *adj* gentile; **das ist sehr ~ von Ihnen** è molto gentile da parte Sua; **wären Sie so ~ und ...?** mi farebbe la cortesia di *+inf?.* **Liebenswürdigkeit** ⟨-, -en⟩ *f* gentilezza *f,* cortesia *f.*

lieber ['li:bɐ] **I.** ⟨*komp von* lieb⟩; **II.** ⟨*komp von* gern⟩ *adv* **1.** *(eher, vorzugsweise)* piuttosto; **2.** *(besser, klugerweise)* meglio; ~ **haben** preferire; **etw. ~ tun** preferire fare qc; ~ **nicht** è meglio di no; **nichts ~ als das** *fam* niente di meglio; **je länger, je** ~ più dura, meglio è; **das habe ich ~, das ist mir** ~ preferisco questo; **ich würde ~ gehen** preferirei andare; **ich hätte ~ gehen sollen** avrei fatto meglio ad andarmene; **tu es ~ nicht!** è meglio che tu non lo faccia.

Liebesbrief *m* lettera *f* d'amore. **Liebesentzug** *m* privazione *f* dell'affetto. **Liebeserklärung** *f* dichiarazione *f* d'amore; **jdm eine ~ machen** dichiararsi a qu. **Liebesgeschichte** *f* storia *f* d'amore. **Liebeskummer** *m* dispiaceri *m pl* amorosi, pene *f pl* d'amore. **Liebesleben** *n* vita *f* sessuale. **Liebesmüh(e)** *f:* **verlorene** (*o* **vergebliche)** ~ fatica *f* sprecata. **Liebespaar** *n* coppia *f* d'innamorati.

liebevoll *adj* **1.** *(zärtlich)* amoroso, affettuoso; **2.** *(sorgfältig)* con cura (*o* amore).

lieb·gewinnen ⟨*irr, ohne ge-*⟩ *tr* affezionarsi a.

lieb·haben ⟨*irr*⟩ *tr* amare.

Liebhaberei [-ha:bə'ra͟i] ⟨-, -en⟩ *f* passione *f,* hobby *m.*

Liebhaber(in) ⟨-s, -⟩ *m(f)* **1.** *(Geliebte)* amante *mf;* **2.** *(Interessent, Kenner)* amatore, -trice *m, f* (*von* di); **3.** *(Sammler)* collezionista *mf* (*von* di); **4.** *theat* amoroso, -a *m, f.* **Liebhaberstück** *n* pezzo *m* da collezionista. **Liebhaberwert** *m* valore *m* d'affezione.

lieblich *adj (Mensch)* grazioso; *(Duft, Töne)* soave; *(Landschaft)* ameno.

Liebling ['li:plɪŋ] ⟨-s, -e⟩ *m* **1.** *(bevorzugter Mensch)* beniamino, -a *m, f,* idolo *m;* **2.** *(Kosewort)* tesoro *m.*

Lieblings- *(in Zusammensetzung)* preferito, prediletto.

lieblos *adj (ohne Liebe)* senza amore (*o* cuore); *(ohne Sorgfalt)* senza cura; *(herzlos)* freddo.

liebste(r, s) ['li:pstə] **I.** ⟨*superl von* lieb⟩; **II.** ⟨*superl von* gern⟩ *adv:* **am ~n** più di tutto; **am ~n spiele ich Tennis** giocare a tennis mi piace più di tutto; **am ~n würde ich jetzt schlafen** adesso avrei proprio voglia di dormire.

Liechtenstein ['lɪçtənʃtain] *n* Liechtenstein *m;* **in ~** nel Liechtenstein.

Lied [li:t] ⟨-(e)s, -er⟩ *n allg.* canzone *f; (a. Volks~)* canto *m; (Kunst~)* lied *m;* **davon kann ich ein ~ singen** *fig fam* ne so qualcosa; **es ist immer das alte ~** *fig fam* è sempre la solita musica *fam;* **das ist das Ende vom ~** *fig fam* doveva finire così. **Liederabend** *m* serata *f* liederistica. **Liederbuch** *n* raccolta *f* di canzoni.

liederlich ['li:dɐlɪç] *adj (unmoralisch)* dissoluto, sregolato; *(unordentlich)* disordinato; *(Arbeit)* raffazzonato, abborracciato.

Liedermacher(in) ⟨-s, -⟩ *m(f)* cantautore, -trice *m, f.*

lief [li:f] *imp von* **laufen.**

Lieferant(in) [lifə'rant(ɪn)] ⟨-en, -en⟩ *m(f)* fornitore, -trice *m, f.*

lieferbar *adj* disponibile; **jederzeit (*o* sofort) ~** pronto alla consegna. **Lieferbedingungen** *f pl* condizioni *f pl* di consegna. **Lieferfrist** *f* termine *m* di consegna.

liefern ['li:fɐn] *tr* **1.** *(Ware)* fornire, consegnare; **2.** *(Wasser, Strom)* erogare; **Beweise ~** fornire delle prove.

Lieferschein *m* bolletta *f* (*o* buono *m*) di consegna.

Lieferung ⟨-, -en⟩ *f allg.* fornitura *f,* consegna *f;* **bei/nach ~** alla consegna/dopo la consegna.

Lieferwagen *m* furgone *m; (kleiner ~)* furgoncino *m.* **Lieferzeit** *f* tempo *m* di consegna.

Liege ['li:gə] ⟨-, -n⟩ *f* **1.** *(Couch)* divano *m;* **2.** *(Garten~, etc.)* sedia *f* a sdraio.

liegen ['li:gən] ⟨liegt, lag, gelegen⟩ *itr* **1.** *(flach ~, etc.)* essere disteso (*o* coricato *o* sdraiato), giacere; **2.** *(sich befinden)* trovarsi, essere, esserci; **3.** *(gelegen sein, geog)* essere situato; *(Zimmer)* dare *(nach* su), essere esposto (*nach* a); **4.** *fig (lasten)* pesare (*auf jdm* su qu), gravare (*auf +dat* su); **5.** *(abhängen)* dipendere (*an +dat* da); **6.** *(zusagen, gefallen)* piacere (*jdm* a qu), essere del gusto (*jdm* di qu); **hart/weich ~** stare sul duro/morbido; **im Bett ~** essere a letto; **über/unter dem Durchschnitt ~** essere superiore/inferiore alla media; **das liegt mir nicht** non è di mio gusto; **das liegt an Ihnen** dipende da Lei; **das liegt ganz bei dir (zu ...)** sta a te (di *+inf*); **daran soll's nicht ~** *fam* non sarà questo a impedirlo; **das liegt daran, daß ...** questo dipende dal fatto che ...; **es liegt mir viel/wenig daran, daß ...** mi preme molto/poco che ...; **es liegt mir (viel) daran, Ihnen zu sagen ...** ci tengo molto a dirLe ...; **das lag nicht in meiner Absicht** non era mia intenzione; **(so) wie die Dinge ~ ...** (così) come stanno le cose ...; **zehn Jahre ~ zwischen ... und ...** dieci anni separano ... da ...; **woran liegt das?** da che dipende?; **wo liegt Regensburg?** dove si trova Ratisbona?

liegen·bleiben ⟨*irr*⟩ *itr* ⟨*sein*⟩ **1.** *(nicht aufstehen)* rimanere disteso; *(im Bett)* restare coricato (*o* a letto); **2.** *(vergessen werden)* essere dimenticato; **3.** *(unerledigt bleiben)* rimanere interrotto (*o* incompiuto); **4.** *(nicht verkauft werden)* rimanere invenduto; **5.** *(Auto, etc.)* rimanere per strada.

liegen·lassen ⟨*irr, meist ohne ge-*⟩ *tr* **1.** *allg.* lasciare lì; **2.** *(vergessen)* dimenticare, lasciare; **3.** *(unerledigt lassen: Arbeit)* interrompere; *(Briefe, etc.)* non scrivere; **jdn links ~** *fam* trascurare qu; **alles stehen- und ~** *fam* lasciare tutto com'è.

Liegesitz *m* **1.** *mot* sedile *m* ribaltabile; **2.** *Eisenb.* cuccetta *f.* **Liegewagen** *m* carrozza *f* con cuccette; *(~platz)* cuccetta *f.*

lieh [li:] *imp von* **leihen.**

ließ [li:s] *imp von* **lassen.**

liest [li:st] *pr von* **lesen.**

Lift [lɪft] ⟨-(e)s, -e *o* -s⟩ *m* **1.** *(Aufzug)* ascensore *m,* lift *m;* **2.** *(Ski~)* sciovia *f.*

liften *tr:* **sich das Gesicht ~ lassen** farsi fare il lifting al viso, farsi stirare la pelle del viso.

Liga ['li:ga, ...gən] ⟨-, Ligen⟩ *f* **1.** *pol* lega *f;* **2.** *sport* serie *f,* lega *f.*

light [laɪt] *adj (kalorienreduziert)* light, leggero.

Ligurien [li'gu:riən] *n* Liguria *f.*

Ligurisches Meer *n* Mare *m* Ligure.

Likör [li'kø:ɐ] ⟨-s, -e⟩ *m* liquore *m.*

lila ['li:la] ⟨*inv*⟩ *adj* lilla; *s. a. blau.* **Lila** ⟨-(s), - *o fam* -s⟩ *n* (colore *m*) lilla *m; s. a. Blau.*

Lilie ['li:liə] ⟨-, -n⟩ *f* giglio *m.*

Liliputaner(in) [lilipu'ta:nɐ (...ərɪn)] ⟨-s, -⟩ *m(f)* lillipuziano, -a *m, f.*

Limit ['lɪmɪt] ⟨-s, -s *o* -e⟩ *n* limite *m.*

Limonade [limo'na:də] ⟨-, -n⟩ *f* gassosa *f,* limonata *f.*

Linde ['lɪndə] ⟨-, -n⟩ *f* tiglio *m.*

lindern ['lɪndɐn] *tr* alleviare; *(Schmerz)* lenire.

Linderung ⟨-, ø⟩ *f* **1.** *(Milderung)* mitigazione *f;* **2.** *(Erleichterung)* sollievo *m,* alleviamento *m;* **jdm ~ verschaffen** dare sollievo a qu.

Lineal [line'a:l] ⟨-s, -e⟩ *n* riga *f.*

Linguist(in) [lɪŋ'guɪst(ɪn)] ⟨-en, -en⟩ *m(f)*

linguista *mf.*

Linguistik [lɪŋ'gʊɪstɪk] ⟨-, ø⟩ *f* linguistica *f.*

linguistisch *adj* linguistico.

Linie ['li:ni̯ə] ⟨-, -n⟩ *f* linea *f;* **auf die schlanke ~ achten** badare alla linea; **auf der ganzen ~** su tutta la linea; **in erster/zweiter ~** in primo/secondo luogo. **Linienblatt** *n* falsariga *f.* **Linienrichter(in)** *m(f)* guardalinee *mf.* **Linienverkehr** *m* servizio *m* regolare (*o* di linea).

lin(i)ieren [li'ni:rən (lini'i:rən)] ⟨*ohne ge-*⟩ *tr* rigare.

link [lɪŋk] *adj fam* sinistro, malvagio, bieco *fam;* **ein ~es Ding drehen** farne una grossa *fam;* **auf die (ganz) ~e Tour** in modo (molto) bieco; *s. a. linke(r, s).*

Linke[1] ⟨ein -r, -n, -n⟩ *mf (Mensch)* uno, -a *m, f* di sinistra.

Linke[2] ⟨-n, -n⟩ *f allg., pol* sinistra *f;* **zur ~n** a sinistra.

linken ['lɪŋkən] *tr fam:* **jdn ~** abbindolare qu, imbrogliare qu, menare per il naso qu.

linke(r, s) ['lɪŋkə] *adj* sinistro, -a; *pol (Mensch)* di (*o* della) sinistra; **~ Seite** *(von Stoff, etc.)* rovescio *m;* **mein ~r Nebenmann** il mio vicino di sinistra.

linkisch *adj* maldestro, impacciato.

links ['lɪŋks] *adv* a (*o* sulla) sinistra; **~ sein (*o* stehen)** *pol* essere (*o* stare) a sinistra; **sich ~ einordnen** disporsi sulla corsia di sinistra; **sich ~ halten** mantenersi sulla (*o* a) sinistra; **~ vom (*o* neben dem) Haus** a sinistra della casa; **~ gehen (*o* fahren)** andare a (*o* tenere la) sinistra; **etw.** *(akk)* **mit ~ machen** *fam* fare qc ad occhi chiusi *fam;* **den Pullover (auf) ~ anziehen** mettersi il maglione alla rovescia; **~ von mir** alla mia sinistra; **nach/von ~** a (*o* verso)/da sinistra. **Linksabbieger** ⟨-s, -⟩ *m* persona che svolta a sinistra. **Linksabbiegerspur** *f* preselezione *f* a sinistra. **Linksaußen** [-'ʔau̯sən] ⟨-, -⟩ *m* ala *f* sinistra. **Linksdrehung** *f* rotazione *f* sinistrorsa. **Linksextremist(in)** *m(f)* estremista *mf* di sinistra. **Linkshänder(in)** [-hɛndɐ (...ərɪn)] ⟨-s, -⟩ *m(f)* mancino, -a *m, f.* **linksherum** *adv* a sinistra. **Linkskurve** *f* curva *f* a sinistra. **linksradikal** *adj* radicale di (estrema) sinistra. **Linksverkehr** *m* circolazione *f* a sinistra.

Linoleum [li'no:leʊm] ⟨-s, ø⟩ *n* linoleum *m.*

Linse ['lɪnzə] ⟨-, -n⟩ *f* **1.** *bot, gastr* lenticchia *f;* **2.** *opt* lente *f;* **3.** *fam fot (Objektiv)* obiettivo *m;* **4.** *anat* cristallino *m.*

Liparische Inseln [li'pa:rɪʃə 'ɪnzəln] *f pl* Eolie *f pl,* (isole *f pl*) Lipari *f pl.*

Lippe ['lɪpə] ⟨-, -n⟩ *f* labbro *m;* **kein Wort über die ~n bringen** non (riuscire a) proferire parola. **Lippenbekenntnis** *n* professione *f* (di fede) formale. **Lippenstift** *m* rossetto *m* (per le labbra).

lispeln ['lɪspəln] *itr* bisbigliare, avere la lisca; *(a. tr: flüstern)* sussurrare.

Lissabon ['lɪsabɔn *o* ...'bɔn] *n* Lisbona *f.*

List [lɪst] ⟨-, *rar* -en⟩ *f* **1.** *(Schlauheit)* astuzia *f,* furbizia *f;* **2.** *(listige Handlung)* stratagemma *m;* **zu einer ~ greifen** ricorrere a un'astuzia; **mit ~ und Tücke** *fam* a gran fatica.

Liste ['lɪstə] ⟨-, -n⟩ *f* lista *f,* elenco *m; (Wahl~)* lista *f* elettorale; *(Preis~)* listino *m.*

listig *adj* astuto, furbo.

Litanei [lita'nai̯] ⟨-, -en⟩ *f* litania *f.*

Litauen ['lɪtau̯ən] *n* Lituania *f.*

Liter ['li:tɐ *o* 'lɪtɐ] ⟨-s, -⟩ *m o n* (*abk* **l**) litro *m.* **Literflasche** *f* bottiglia *f* da un litro.

literarisch [lɪtə'ra:rɪʃ] *adj* letterario.

Literatur [...ra'tu:ɐ̯] ⟨-, -en⟩ *f* letteratura *f; (einschlägige ~)* bibliografia *f.* **Literaturangaben** *f pl* indicazioni *f pl* bibliografiche. **Literaturpreis** *m* premio *m* letterario. **Literaturwissenschaft** *f* lettere *f pl.*

Litfaßsäule ['lɪtfas-] *f* colonna *f* delle affissioni.

litt [lɪt] *imp von* **leiden.**

Liturgie [litʊr'gi:, ...i:ən] ⟨-, -n⟩ *f* liturgia *f.*

liturgisch [li'tʊrgɪʃ] *adj* liturgico.

Litze ['lɪtsə] ⟨-, -n⟩ *f* cordoncino *m,* passamano *m; tec* liccio *m; el* cavetto *m.*

live [lai̯f] ⟨*inv*⟩ *adj, adv TV, radio* in diretta. **Live-Sendung** *f* trasmissione *f* in diretta.

Lizenz [li'tsɛnts] ⟨-, -en⟩ *f* licenza *f;* **in ~** in concessione.

LKW, Lkw [ɛlka:'ve: *o* 'ɛl...] ⟨-(s), -(s)⟩ *m abk von* **Lastkraftwagen** autocarro *m,* TIR *m.* **LKW-Fahrer(in)** *m(f)* conducente *mf* di autocarri, camionista *mf.* **LKW-Verkehr** *m* traffico *m* di mezzi pesanti.

Lob [lo:p] ⟨-(e)s, ø⟩ *n* lode *f,* elogi *m pl; (~rede)* elogio *m;* **ein ~ verdient haben** essere degno di lode; **voll des ~es über etw.** *(akk)* **sein** lodare qc con entusiasmo; **zu jds ~** in lode di qu.

Lobby ['lɔbi] ⟨-, -s *o* Lobbies⟩ *f* lobby *f.*

loben ['lo:bən] *tr* lodare, elogiare; *(überschwenglich)* vantare, esaltare; *(Gott)* glorificare; **da lobe ich mir doch mein eigenes Bett** benedico proprio il mio letto; **das lob' ich mir!** questo sì che mi piace!. **lobend** *adj* laudativo; **etw. ~ erwähnen** citare qc in modo lusinghiero. **lobenswert, löblich** ['lø:plɪç] *adj* lodevole, degno di lode.

Loch [lɔx] ⟨-(e)s, Löcher⟩ *n* **1.** *allg.* buco *m; (Öffnung)* apertura *f;* **2.** *(Höhle)* tana *f;* **3.** *(Erd~, Schlag~)* buca *f;* **4.** *(Riß)* strappo *m; (in Reifen)* foro *m;* **5.** *(beim Billard)* bilia *f;* **6.** *sl pej (schlechte Wohnung)* buco *m;* **7.** *sl (Gefängnis)* galera *f fam;* **Löcher in die Luft gucken** *fam* guardare nel vuoto; **jdm ein ~ (*o* Löcher) in den Bauch fragen** *fam* riempire gli orecchi a qu; **auf (*o* aus) dem**

letzten ~ pfeifen *fam* essere allo stremo.
lochen *tr* **1.** *allg.* bucare, forare; **2.** *inform* perforare.
Locher ⟨-s, -⟩ *m* perforatore *m.*
Lochstreifen *m* nastro *m* perforato.
Locke ['lɔkə] ⟨-, -n⟩ *f* riccio *m,* ciocca *f.*
locken[1] ['lɔkən] *tr* **1.** *(Tier)* chiamare; **2.** *fig (reizen, anziehen)* attirare, allettare; **jdm das Geld aus der Tasche ~** *fam* spillare soldi a qu; **jdn in einen Hinterhalt ~** tendere un agguato a qu.
locken[2] ['lɔkən] *rfl:* **sich ~** arricciarsi.
Lockenstab *m* ferro *m* arricciante (per capelli). **Lockenwickler** ⟨-s, -⟩ *m* bigodino *m.*
locker ['lɔkɐ] *adj* **1.** *(Schraube, Knoten, Seil)* lento; *(wackelnd)* traballante; **2.** *(Teig, Backware, Boden)* molle, soffice; **3.** *fig (Lebenswandel)* sregolato, libertino; *(leichtfertig)* leggero; **4.** *sl (lässig)* comodo; **~ sitzen** *tec* avere gioco; **~ werden** *(schlaff)* rilassarsi; *(sich lokkern, a. fig)* allentarsi; *(Zahn)* scalzarsi; **das mach' ich doch ~!** *sl* lo faccio ad occhi chiusi *fam.* **locker·lassen** ⟨*irr*⟩ *itr fam:* **nicht ~** non mollare, tener duro; **er ließ nicht locker, bis man ihm das Geld zurückerstattete** tenne duro fino a quando gli restituirono i soldi.
lockern *tr* **1.** *allg., fig* allentare; **2.** *(Erde)* smuovere; **3.** *(Muskeln)* rilassare.
lockig *adj* ricciuto.
Lockmittel *n* richiamo *m,* esca *f.*
Lockung ⟨-, -en⟩ *f* **1.** *(Reiz)* allettamento *m,* attrazione *f;* **2.** *(Versuchung)* tentazione *f.*
Lodenmantel ['lo:dən-] *m* (cappotto *m* di) loden *m.*
Löffel ['lœfəl] ⟨-s, -⟩ *m* **1.** *(allg., a. med)* cucchiaio *m;* **2.** *(~ voll)* cucchiaiata *f;* **3.** *(fam, Jägersprache)* orecchio *m;* **den ~ abgeben (*o* aus der Hand legen)** *sl (sterben)* tirare il calzino *sl.*
löffeln *tr, itr* mangiare col cucchiaio.
log [lo:k] *imp von* **lügen.**
Logarithmus [loga'rɪtmʊs, ...mən] ⟨-, -men⟩ *m* logaritmo *m.*
Loge ['lo:ʒə] ⟨-, -n⟩ *f* **1.** *theat* palco *m;* **2.** *(Pförtner~)* portineria *f;* **3.** *(Freimaurer~)* loggia *f* (massonica). **Logenplatz** *m* palco *m.*
Logik ['lo:gɪk] ⟨-, ø⟩ *f* logica *f.*
Logis [lo'ʒi:, ...i:s] ⟨-, -⟩ *n* alloggio *m.*
logisch ['lo:gɪʃ] *adj* logico.
Logo ['lo:go] ⟨-s, -s⟩ *n o m* logotipo *m.*
Logopäde [logo'pɛ:də] ⟨-n, -n⟩ *m,* **Logopädin** [...dɪn] *f* logopedista *mf.*
Lohn [lo:n] ⟨-(e)s, Löhne⟩ *m* **1.** *allg.* salario *m; (von Arbeiter a.)* paga *f;* **2.** *fig (Belohnung)* ricompensa *f;* **zum ~ für** in ricompensa per. **Lohnabbau** *m* riduzione *f* salariale. **Lohnabrechnung** *f* busta *f* paga. **Lohnausgleich** *m* conguaglio *m* salariale. **Lohnempfänger(in)** *m(f)* lavoratore, -trice *m,f* salariato, -a.
lohnen I. *tr* **1.** *(be~)* ricompensare *(jdm etw.* qu di qc); **2.** *(wert sein, rechtfertigen)* valere, compensare; **das Ergebnis lohnt die Mühe** il risultato compensa la fatica; **II.** *rfl:* **sich ~** rendere; *fig* valere la pena; **es lohnt sich nicht** non ne vale la pena. **lohnend** *adj* **1.** *(vorteilhaft)* vantaggioso, proficuo; **2.** *(einträglich)* redditizio.
Lohnerhöhung *f* aumento *m* salariale. **Lohngefälle** *n* disparità *f* salariale. **Lohnkosten** *pl* costi *m pl* del lavoro (*o* della manodopera), costi *m pl* salariali. **Lohnniveau** *n* livello *m* salariale. **Lohn-Preis-Spirale** *f* spirale *f* dei prezzi e dei salari. **Lohnsteuer** *f* imposta *f* sui redditi. **Lohnsteuerkarte** *f* cartella *f* delle imposte sui redditi. **Lohnsteuerjahresausgleich** *m* conguaglio *m* annuale dell'imposta sui redditi. **Lohnvereinbarung** *f* accordo *m* salariale. **Lohnverhandlungen** *f pl* trattative *f pl* (sindacali) sui salari.
Loipe ['lɔy̯pə] ⟨-, -n⟩ *f* pista *f* (per sci) di fondo.
Lok [lɔk] ⟨-, -s⟩ *f abk von* **Lokomotive.**
lokal [lo'ka:l] *adj* locale; **~es Netzwerk** *inform* rete *f* locale.
Lokal ⟨-(e)s, -e⟩ *n* locale *m* pubblico.
lokalisieren [lokali'zi:rən] ⟨*ohne ge-*⟩ *tr* localizzare.
Lokalität [...i'tɛ:t] ⟨-, -en⟩ *f* località *f.*
Lokalnachrichten *f pl* cronaca *f* (*o* notiziario *m* (locale). **Lokalpatriotismus** *m* campanilismo *m.* **Lokalradio** *n* radio *f* locale. **Lokalsender** *m* trasmettitore *m* locale. **Lokaltermin** *m jur* sopralluogo *m.*
Lokomotive [lokomo'ti:və] ⟨-, -n⟩ *f* locomotiva *f;* **elektrische ~** locomotrice *f,* locomotore *m.* **Lokomotivführer(in)** *m(f)* macchinista *mf.*
Lombardei [lɔmbar'da̯i] *f* Lombardia *f.*
Lombardsatz *m* tasso *m* anticipi (*o* anticipazioni).
London ['lɔndɔn] *n* Londra *f.*
Longdrink ['lɔŋdrɪŋk] ⟨-(s), -s⟩ *m* long drink *m.*
Look [lʊk] ⟨-s, -s⟩ *m* stile *m,* moda *f;* **ein Kleid im Trachten-~** vestito *m* di foggia folcloristica.
Lorbeer ['lɔrbe:ɐ̯] ⟨-s, -en⟩ *m* alloro *m; poet* lauro *m;* **~en ernten** *fig* raccogliere allori; **(sich) auf seinen ~en ausruhen** riposare (*o* dormire) sugli allori. **Lorbeerbaum** *m* alloro *m.* **Lorbeerkranz** *m* corona *f* d'alloro.
Lore ['lo:rə] ⟨-, -n⟩ *f* vagoncino *m.*
los [lo:s] **I.** *adj* **1.** *(abgegangen, -gerissen, -gebrochen)* staccato, strappato; **2.** *(lokker) s.* **lose; etw./jdn ~ sein** *fam* essersi liberato (*o* sbarazzato *fam)* di qc/qu; **~ sein** *fam (geschehen)* succedere; **in dieser Stadt ist nach 10 Uhr nichts mehr ~** *fam* questa città dopo le 10 di sera è

un mortorio; **mit dem ist nicht viel ~** *fam pej* non vale molto, non è un gran che; **was ist mit dir ~?** *fam* che cosa hai? *fam;* **was ist (denn) hier ~?** che cosa succede?; **II.** *adv* **1.** *(Aufforderung):* **~!** avanti!, forza!, via!; **2.** *(weg)* libero, staccato; **wir müssen heute früh ~** *fam* dobbiamo andare (via) presto oggi; **na, ~!** *fam (zier dich nicht)* su, coraggio!

Los [lo:s] ⟨-es, -e⟩ *n* **1.** ⟨*sing*⟩ *geh (Schicksal)* sorte *f,* destino *m;* **2.** *(Lotterie~)* biglietto *m* della lotteria; **das Große ~ ziehen** vincere il primo premio; *fig* vincere un terno al lotto; **das ~ entscheiden lassen** tirare a sorte, sorteggiare; **sie hat ein schweres ~** ha un duro destino.

los·binden ⟨*irr*⟩ *tr* sciogliere, slegare.

los·brechen ⟨*irr*⟩ **I.** *itr* ⟨*sein*⟩ scoppiare, scatenarsi; **II.** *tr* ⟨*haben*⟩ rompere.

Löschblatt *n* carta *f* assorbente.

löschen[1] ['lœʃən] **I.** *tr* **1.** *(Feuer, Licht, Durst)* spegnere; **2.** *(Schrift, Namen, Tonband)* cancellare; **II.** *itr (Feuerwehr)* spegnere il fuoco.

löschen[2] ['lœʃən] *tr naut* sbarcare.

Löschfahrzeug *n* autopompa *f.* **Löschmannschaft** *f* squadra *f* antincendi. **Löschpapier** *n* carta *f* assorbente. **Löschtaste** *f inform* tasto *m* di annullamento (*o* cancellazione).

lose ['lo:zə] *adj* **1.** *(locker)* lento, allentato; **2.** *(unverpackt)* sciolto; **3.** *(leichtfertig)* leggero, frivolo; **4.** *(frech, dreist)* impertinente, sfacciato; **~ Reden führen** fare discorsi frivoli; **das Band hing ~ herunter** la fascia pendeva giù sciolta.

Lösegeld *n* riscatto *m.*

losen ['lo:zən] *itr* tirare a sorte (*um etw.* qc), sorteggiare (*um etw.* qc).

lösen ['lø:zən] **I.** *tr* **1.** *(allg., chem, losmachen, auf~)* sciogliere; *(aufbinden)* slegare; **2.** *(abtrennen)* staccare (*von* da); **3.** *(Problem, Rätsel, Gleichung)* risolvere; **4.** *(Fahrkarte)* comp(e)rare; **II.** *rfl:* **sich ~ 1.** *allg., chem* sciogliersi; **2.** *(ab-, losgehen)* staccarsi; *(Schuß)* partire; **3.** *(sich frei machen)* liberarsi (*von, aus* da); **4.** *(sich aufklären)* risolversi.

los·gehen ⟨*irr*⟩ *itr* ⟨*sein*⟩ **1.** *(aufbrechen)* mettersi in cammino; *(weggehen)* andarsene; **2.** *(Schuß)* partire; **3.** *fam (anfangen)* cominciare; **auf jdn ~** *(angreifen)* gettarsi su qu; **gleich geht's los!** *fam* comincia subito!

los·lassen ⟨*irr*⟩ *tr* **1.** *(nicht mehr festhalten)* lasciare andare, mollare; **2.** *(freilassen)* rilasciare; *(Hunde)* sguinzagliare (*auf +akk* contro); **3.** *fam (verlauten lassen)* raccontare, dire, annunciare; **jdn auf jdn ~** *fig fam* aizzare qu contro qu; **das Buch/die Frage läßt mich nicht mehr los** il libro/la domanda non mi dà più pace; **wehe, wenn sie losgelassen!** *fam scherz* guai a lasciarli, -le liberi, -e.

löslich *adj* solubile.

los·machen I. *tr* sciogliere, slegare; **II.** *rfl:* **sich ~** svincolarsi; *(a. fig)* liberarsi.

los·reißen ⟨*irr*⟩ **I.** *tr* strappare (*von* da); *(a. fig)* staccare; **II.** *rfl:* **sich ~** strapparsi; *(a. fig)* staccarsi.

los·sagen *rfl:* **sich ~** separarsi (*von* da), staccarsi (*von* da).

Losung ['lo:zʊŋ] ⟨-, -en⟩ *f* parola *f* d'ordine.

Lösung ⟨-, -en⟩ *f* **1.** *(Los~)* distacco *m;* **2.** *chem, mat, fig* soluzione *f;* **3.** *(von Beziehungen)* scioglimento *m.* **Lösungsmittel** *n chem* solvente *m.*

los·werden ⟨*irr*⟩ *tr* ⟨*sein*⟩ **1.** *allg.* liberarsi di, sbarazzarsi di; **2.** *fam (verkaufen)* vendere; **ich werde den Gedanken nicht los** non riesco a togliermi quest'idea dalla testa.

Lot [lo:t] ⟨-(e)s, -e⟩ *n* **1.** *(Senkblei)* filo *m* a piombo, piombino *m;* **2.** *naut* scandaglio *m;* **3.** *mat (Senkrechte)* perpendicolare *f,* verticale *f;* **etw. wieder ins rechte ~ bringen** sistemare (*o* accomodare) qc.

löten ['lø:tən] *tr* saldare; *(hart ~)* brasare.

Lothar ['lo:tar] *(männlicher Vorname)* Lotario.

Lotion [lo'tsi̯o:n] ⟨-, -en⟩ *f* lozione *f.*

Lötkolben *m* saldatoio *m.*

Lotse ['lo:tsə] ⟨-n, -n⟩ *m naut* pilota *m; aero (Flug~)* radioassistente *m.*

lotsen *tr* **1.** *naut* pilotare; *aero* dirigere; **2.** *fig fam* trascinare.

Lotsenboot *n* pilotina *f.* **Lotsendienst** *m* servizio *m* di pilotaggio.

Lötstelle *f* (punto *m* di) saldatura *f.*

Lotterie [lɔtə'ri:, ...i:ən] ⟨-, -n⟩ *f* lotteria *f.*

Lotterleben ['lɔte-] *n* vita *f* sregolata (*o* dissoluta).

Lotto ['lɔto] ⟨-s, -s⟩ *n* lotto *m.* **Lottoschein** *m* schedina *f* del lotto.

Löwe ['lø:və] ⟨-n, -n⟩ *m* **1.** *zoo* leone *m;* **2.** *astr* Leone *m;* **sich in die Höhle des ~n wagen (*o* begeben)** *fig fam* osare entrare nella tana del lupo *fam;* **er/sie ist (ein) ~** è (del *o* un) Leone. **Löwenanteil** *m:* **sich** *(dat)* **den ~ nehmen** *fig fam* assicurarsi la parte *f* del leone. **Löwenmaul** *n,* **-mäulchen** [-mɔylçən] ⟨-s, -⟩*n bot* bocca *f* di leone. **Löwenzahn** *m bot* dente *m* di leone. **Löwin** ['lø:vɪn] *f* leonessa *f.*

loyal [loa'ja:l] *adj* leale.

Loyalität [...jali'tɛ:t] ⟨-, ø⟩ *f* lealtà *f.*

LP [ɛl'pe:] ⟨-, -s⟩ *f abk von* **Langspielplatte** LP *m* (*abbr di* long-playing).

Lübeck ['ly:bɛk] *n* Lubecca *f.*

Luchs [lʊks] ⟨-es, -e⟩ *m* lince *f.*

Lücke ['lʏkə] ⟨-, -n⟩ *f* **1.** *(leere Stelle, a. fig)* vuoto *m;* **2.** *fig* lacuna *f; (Mangel)* carenza *f,* difetto *m.* **Lückenbüßer** *m* **1.** *(Person)* tappabuchi *m;* **2.** *(Sache)* riempitivo *m.* **lückenhaft** *adj* **1.** *(voller Lücken)* pieno di lacune, lacunoso; **2.** *fig (unvollständig)* incompleto.

lud [lu:t] *imp von* **laden.**

Luder ['lu:dɐ] ⟨-s, -⟩ *n fam* carogna *f.*

Ludwig ['lu:tvɪç] *(männlicher Vorname)* Lodovico, Luigi.

Luft [lʊft] ⟨-, *poet, geh* Lüfte⟩ *f* **1.** *allg.* aria *f;* **2.** ⟨*sing*⟩ *(Atem)* fiato *m,* respiro *m;* **3.** *fam (Platz, Spielraum)* spazio *m;* **dicke ~** *fam* aria di tempesta *fam,* atmosfera tesa; **~ holen** prendere fiato; **tief ~ holen** respirare profondamente; **keine ~ kriegen** soffocare; **die ~ aus etw. herauslassen** sgonfiare qc; **seinem Ärger ~ machen** sfogare la propria rabbia; **für jdn ~ sein** non esistere per qu; **an die (frische) ~ gehen** andare all'aria aperta; **jdn an die ~ setzen** *fam* mettere qu alla porta; **in die ~ jagen** *(sprengen)* far saltare; **in der ~ liegen** essere nell'aria; **(völlig) in der ~ hängen** *fam* essere in una situazione molto incerta; **schnell** (*o* **leicht) in die ~ gehen** *fam* andare in bestia facilmente *fam;* **sich in ~ auflösen** *fam* *(Person)* svanire nel nulla; *(Ding)* andare in fumo; **nach ~ schnappen** boccheggiare; **die ~ ist rein** *fig fam* è tutto a posto; **das ist völlig aus der ~ gegriffen** è inventato di sana pianta. **Luftangriff** *m* attacco *m* aereo, incursione *f* aerea. **Luftballon** *m* **1.** *(Spielzeug)* palloncino *m;* **2.** *aero* aerostato *m.* **Luftbelastung** *f* inquinamento *m* atmosferico (*o* dell'aria). **Luftblase** *f* bolla *f* d'aria. **Luftbrücke** *f* ponte *m* aereo. **luftdicht** *adj* ermetico. **Luftdruck** ⟨-(e)s, ø⟩ *m* pressione *f* atmosferica.

lüften ['lʏftən] *tr* **1.** *(a. itr) (Zimmer)* aerare; *(Bett, Kleidung)* dare aria a, mettere all'aria; **2.** *(Vorhang)* sollevare; *(Hut)* alzare; **3.** *fig (Geheimnis)* svelare.

Luftfahrt *f* aviazione *f,* aeronautica *f.* **Luftfahrtgesellschaft** *f* compagnia *f* di navigazione aerea. **Luftfeuchtigkeit** *f* umidità *f* atmosferica. **luftgestützt** *adj mil* aria-aria. **Luftgewehr** *n* fucile *m* ad aria compressa.

luftig *adj* **1.** *(Raum)* arioso; *(frisch)* aerato; **2.** *(Kleidung)* vaporoso.

Luftkissenboot *n* hovercraft *m.* **Luftkühlung** *f* raffreddamento *m* ad aria. **Luftkurort** *m* stazione *f* climatica. **luftleer** *adj* vuoto *m* d'aria; **~er Raum** vuoto *m.* **Luftlinie** *f* linea *f* d'aria. **Luftloch** *n* **1.** *tec* foro *m* d'aerazione; **2.** *fam* vuoto *m* d'aria. **Luftmatratze** *f* materasso *m* pneumatico, materassino *m* (gonfiabile). **Luftpirat(in)** *m(f)* pirata *mf* dell'aria. **Luftpost** *f* posta *f* aerea; **mit ~** per posta aerea. **Luftpostbrief** *m* lettera *f* per posta aerea. **Luftreinhaltung** *f* depurazione *f* dell'aria. **Luftreiniger** ⟨-s, -⟩ *m* depuratore *m* (*o* filtro *m*) dell'aria. **Luftrettungsdienst** *m* aerosoccorso *m.* **Luftröhre** *f* trachea *f.* **Luftschacht** *m* pozzo *m* di ventilazione. **Luftschiff** *n* dirigibile *m,* aeronave *f.* **Luftschlange** *f* stella *f* filante. **Luftschloß** *n* castello *m* in aria; **Luftschlösser bauen** fare castelli in aria. **Luftschutz** *m* protezione *f* antiaerea; **ziviler ~** difesa *f* antiaerea civile. **Luftschutzbunker** *m,* **-keller** *m,* **-raum** *m* rifugio *m* antiaereo. **Luftsicherheitsgebühr** *f* tassa *f* per la sicurezza di volo. **Luftspieg(e)lung** *f* miraggio *m.* **Luftsprung** *m* salto *m* di gioia. **Luftstreitkräfte** *f pl* forze *f pl* aeree.

Lüftung ⟨-, -en⟩ *f* aerazione *f,* ventilazione *f.*

Luftveränderung *f* cambiamento *m* d'aria. **Luftverkehr** *m* traffico *m* aereo. **Luftverschmutzung** *f* inquinamento *m* atmosferico. **Luftwaffe** *f* aeronautica *f* (*o* aviazione *f*) militare. **Luftweg** *m:* **auf dem ~** per via aerea.

Lüge ['ly:gə] ⟨-, -n⟩ *f* bugia *f,* menzogna *f;* **jdn ~n strafen** smentire qu; **~n haben kurze Beine** *prov* le bugie hanno le gambe corte *prov.*

lügen ⟨lügt, log, gelogen⟩ *itr* mentire, dire una bugia; **~ wie gedruckt** *fam* spararle grosse *fam,* mentire spudoratamente; **wer einmal lügt, dem glaubt man nicht, und wenn er auch die Wahrheit spricht** *prov* il bugiardo conosciuto, da nessuno è mai creduto *prov.*

Lügendetektor [-detɛktɔr, ...to:rən] ⟨-s, -en⟩ *m* macchina *f* della verità, lie detector *m.*

Lügner(in) ['ly:gnɐ (...ərɪn)] ⟨-s, -⟩ *m(f)* bugiardo, -a *m, f,* mentitore, -trice *m, f.*

lügnerisch *adj* bugiardo, menzognero.

Luise ['lu̯i:zə] *(weiblicher Vorname)* Luisa.

Lukas ['lu:kas] *(männlicher Vorname)* Luca.

Luke ['lu:kə] ⟨-, -n⟩ *f (Dach~)* abbaino *m; naut* boccaporto *m.*

lukrativ [lukra'ti:f] *adj* lucrativo.

Lümmel ['lʏməl] ⟨-s, -⟩ *m* villano *m.*

Lump [lʊmp] ⟨-en, -en⟩ *m* farabutto *m,* mascalzone *m.*

Lumpen ['lʊmpən] ⟨-s, -⟩ *m* straccio *m,* cencio *m.* **Lumpensammler** *m* **1.** *(Mensch)* cenciaiolo *m;* **2.** *fig scherz (Bahn, Bus)* ultima corsa *f.*

lumpig *adj* **1.** *(niederträchtig)* meschino, vile; **2.** *(zerlumpt)* cencioso; **3.** *fam (unbedeutend)* misero.

Lunchpaket ['lʌntʃ-] *n* colazione *f* al sacco.

Lüneburg ['ly:nəbʊrk] *n* Luneburgo *f;* **~er Heide** Lande *f pl* di Luneburgo.

Lunge ['lʊŋə] ⟨-, -n⟩ *f* polmone *m, meist* polmoni *m pl.* **Lungenentzündung** *f* polmonite *f.* **Lungenfellentzündung** *f* pleurite *f.* **Lungenkrankheit** *f* affezione *f* polmonare. **Lungenkrebs** *m* cancro *m* ai polmoni. **Lungenzug** *m* tirata *f* (con

aspirazione del fumo).
Lupe ['lu:pə] ⟨-, -n⟩ *f* lente *f;* **etw./jdn unter die ~ nehmen** *fam* esaminare qc/qu attentamente.
Lurch [lʊrç] ⟨-(e)s, -e⟩ *m* anfibio *m.*
Lust [lʊst] ⟨-, Lüste⟩ *f* **1.** *(Freude)* gioia *f; (Vergnügen)* piacere *m;* **2.** *(Verlangen)* voglia *f (auf +akk, nach* di), desiderio *m (auf +akk, nach* di); **3.** *(Sinnes~)* voluttà *f;* **~/keine ~ haben zu arbeiten** avere/non avere voglia di lavorare; **mit ~ und Liebe** con piacere, con grande entusiasmo; **nach ~ und Laune** a capriccio; **wenn Sie ~ dazu haben** se ne ha voglia.
Lüsterklemme *f* connettore *m* multiplo, morsettiera *f* (ad elementi multipli).
lüstern ['lʏstɐn] *adj* **1.** *(begierig)* avido *(auf +akk, nach* di), bramoso *(auf +akk, nach* di); **2.** *(geil)* cupido, lascivo.
lustig *adj* **1.** *(vergnügt)* allegro, gaio; **2.** *(erheiternd)* divertente, piacevole; **sich über jdn ~ machen** prendere in giro qu; **sich über etw.** *(akk)* **~ machen** burlarsi di qc.
Lüstling ['lʏstlɪŋ] ⟨-s, -e⟩ *m* libertino *m.*
lustlos *adj* **1.** *(Mensch)* svogliato; **2.** *fig (Geschäfte, Börse)* fiacco. **Lustmolch** *m fam scherz* libidinoso *m.* **Lustmord** *m* omicidio *m* con violenza carnale. **Lustmörder(in)** *m(f)* omicida *mf* sessuale. **Lustobjekt** *n* oggetto *m* di piacere. **Lustschloß** *n* castello *m* di campagna. **Lustspiel** *n* commedia *f.*
lutschen ['lʊtʃən] *tr, itr* succhiare *(an +dat* qc).
Lutscher ⟨-s, -⟩ *m* lecca-lecca *m.*
Lutschtablette *f* pastiglia *f* da sciogliere in bocca.
Luxemburg ['lʊksəmbʊrk] *n* Lussemburgo *m;* **in ~** nel Lussemburgo.
Luxemburger(in) ⟨-s, -⟩ *m(f)* lussemburghese *mf.*
luxemburgisch *adj* lussemburghese.
luxuriös [lʊksu'ri̯ø:s] *adj* lussuoso, di lusso.
Luxus ['lʊksʊs] ⟨-, ø⟩ *m* lusso *m.*
Luxus- *(in Zusammensetzungen)* di lusso. **Luxusartikel** *m* articolo *m* di lusso. **Luxusausführung** *f* modello *m* di lusso.
Luzern [lu'tsɛrn] *n* Lucerna *f.*
LW *abk von* **Langwelle** OL *(abbr di* onde lunghe).
Lymphdrainage [-drɛna:ʒə] ⟨-, -n⟩ *f* drenaggio *m* linfatico. **Lymphdrüse** *f* ghiandola *f* linfatica.
Lymphe ['lʏmfə] ⟨-, -n⟩ *f* linfa *f.*
Lymphknoten *m* linfoghiandola *f.*
lynchen ['lʏnçən] *tr* linciare.
Lyrik ['ly:rɪk] ⟨-, ø⟩ *f* lirica *f.*
Lyriker(in) ⟨-s, -⟩ *m(f)* poeta, -essa *m, f* lirico, -a.
lyrisch *adj* lirico.

M

M, m [ɛm] ⟨-, -(s)⟩ *n* M, m *f;* **M wie Martha** M come Milano.
m *abk von* **Meter** m (*abbr di* metro).
MA *abk von* **Mittelalter** M.E. (*abbr di* medioevo).
M. A. *abk von* **Magister Artium** *titolo di studio universitario per le materie umanistiche.*
Machart *f* fattura *f,* confezione *f.* **machbar** *adj* fattibile; *(Plan)* realizzabile.
Mache ['maxə] ⟨-, ø⟩ *f fam:* **in der ~ sein** essere in lavorazione.
machen ['maxən] **I.** *tr* **1.** *(tun)* fare; **2.** *(herstellen)* produrre, fabbricare; **3.** *(bewirken, verursachen)* causare; **4.** *(in einen Zustand versetzen)* rendere; **5.** *(veranstalten)* organizzare; **6.** *(ernennen)* nominare (*zu etw.* qc); **7.** *fam (ergeben)* fare; *(kosten)* costare; **Licht ~** accendere la luce; **Mühe ~** costare fatica; **das macht nichts** non fa niente; **was macht deine Arbeit/dein Mann?** come va il tuo lavoro/come sta tuo marito?; **mach's gut!** *fam* ciao, stammi bene!; **du machst mich ganz nervös!** mi rendi nervoso!; **wird gemacht!** *fam* sarà fatto; **II.** *rfl:* **sich ~ 1.** *fam (gedeihen)* crescere, svilupparsi; **2.** *(passen, aussehen)* stare; **sich gut ~** stare bene; **sich an etw.** *(akk)* **~** mettersi (*o* accingersi) a fare qc; **ich mache mir nichts aus Kuchen** i dolci non mi piacciono; **ich mache mir nichts/viel daraus** non me ne importa niente/me ne importa molto; **mach dir nichts draus!** *fam* non te la prendere; **mach dich nicht schmutzig!** non sporcarti!; **in die Hose ~** *fam* farsela addosso *fam;* **nun mach schon!** *fam* sbrigati!, spicciati!
Machenschaften *f pl* manovre *f pl,* intrighi *m pl.*
Macher ['maxɐ] ⟨-s, -⟩ *m fam:* persona *f* energica.
Macho ['matʃo] ⟨-s, -s⟩ *m pej* maschilista *mf.*
Macht [maxt] ⟨-, Mächte⟩ *f (Gewalt)* potere *m; (Stärke)* forza *f;* **in jds ~ liegen** dipendere da qu; **alles, was in meiner ~ steht** tutto quello che posso. **Machtbereich** *m* area *f* d' influenza. **Machtergreifung** *f* presa *f* (*o* conquista *f*) del potere. **Machthaber(in)** ⟨-s, -⟩ *m(f)* uomo *m* (donna *f*) al potere, potente *mf.*
mächtig ['mɛçtɪç] **I.** *adj* **1.** *(machtvoll)* potente, possente; **2.** *(sehr groß)* enorme; **einer Sprache ~ sein** *geh* possedere (*o* padroneggiare) una lingua; **seiner Sinne ~ sein** *geh* dominare i propri sensi; **II.** *adv fam (sehr)* molto, assai.
Machtkampf *m* lotta *f* per il potere.
machtlos *adj* impotente; **dagegen ist man ~** non ci si può far nulla. **Machtprobe** *f* prova *f* di forza. **Machtstellung** *f* predominio *m.* **Machtübernahme** *f* avvento *m* al potere. **machtvoll** *adj* potente. **Machtwechsel** *m* cambio *m* al potere. **Machtwort** ⟨-(e)s, -e⟩ *n:* **ein ~ sprechen** fare la voce grossa *fam.*
Macke ['makə] ⟨-, -n⟩ *f fam:* **1.** *(von Gegenstand)* difetto *m;* **2.** *fig (von Person)* grillo *m;* **eine ~ haben** *fig* essere un po' matto (*o* picchiato) *fam.*
Macker ['makɐ] ⟨-s, -⟩ *m sl* ragazzo *m,* tipo *m.*
Mädchen ['mɛ:tçən] ⟨-s, -⟩ *n* **1.** *(Kind)* bambina *f; (Jugendliche)* ragazza *f;* **2.** *(Haus~)* domestica *f; (Zimmer~)* cameriera *f;* **~ für alles** ragazza, -o *f, m* tuttofare, factotum *m.* **mädchenhaft** **I.** *adj* da fanciulla; *(Kleid)* govanile; **II.** *adv* come una fanciulla. **Mädchenname** *m* **1.** *(weiblicher Vorname)* nome *m* di ragazza; **2.** *(von verheirateter Frau)* nome *m* da ragazza.
Made ['ma:də] ⟨-, -n⟩ *f* verme *m; (bes. Obst~)* baco *m;* **wie die ~ im Speck leben** *fam* far vita da papi.
mag [ma:k] *pr von* **mögen.**
Magazin [maga'tsi:n] ⟨-s, -e⟩ *n* **1.** *(fot, Lager)* magazzino *m;* **2.** *(Zeitschrift)* rivista *f; TV, radio* programma *m* d'attualità; **3.** *(von Waffe)* caricatore *m.*
Magd [ma:kt] ⟨-, Mägde⟩ *f obs* serva *f.*
Magen ['ma:gən] ⟨-s, Mägen *o* -⟩ *m* stomaco *m;* **auf nüchternen ~** a stomaco vuoto, a digiuno. **Magenbitter** ⟨-s, -⟩ *m* amaro *m* (digestivo). **Magen-Darm-Grippe** *f* influenza *f* gastroenterica. **Magengeschwür** *n* ulcera *f* gastrica. **Magengrube** *f* bocca *f* dello stomaco, epigastrio *m scient.* **Magenknurren** ⟨-s, ø⟩ *n* borborismo *m.* **Magenschmerzen** *m pl* dolori *m pl* (*o* mal *m*) di stomaco. **Magenspiegelung** *f* gastroscopia *f*
mager ['ma:gɐ] *adj* magro; *(fig a.)* scarso; **~ werden** dimagrire. **Magerkeit** ⟨-, ø⟩ *f* magrezza *f.* **Magermilch** *f* latte *m* magro (*o* scremato). **Magerquark** *m* ricotta *f* magra. **Magersucht** *f* anoressia *f* (nervosa). **magersüchtig** *adj* anoressico.
Magie [ma'gi:] ⟨-, ø⟩ *f* magia *f.*
Magier ['ma:giɐ] ⟨-s, -⟩ *m* mago *m.*
magisch *adj* magico.
Magistrat [magɪs'tra:t] ⟨-(e)s, -e⟩ *m*

1. *hist* magistrato *m; (Amt)* magistratura *f; (Stadtverwaltung)* municipalità *f.*

Magnesium [ma'gne:zi̯ʊm] ⟨-s, ø⟩ *n chem* magnesio *m.*

Magnet [ma'gne:t] ⟨-(e)s *o* -en, -e *o rar* -en⟩ *m* magnete *m.* **Magnetbahn** *f* ferrovia *f* a levitazione (*o* sospensione) magnetica. **Magnetband** *n* nastro *m* magnetico. **Magnetfeld** *n* campo *m* magnetico.

magnetisch *adj* magnetico.

magnetisieren [magneti'zi:rən] ⟨*ohne ge-*⟩ *tr* magnetizzare.

Magnetkarte *f* scheda *f* magnetica. **Magnetstreifen** *m* nastro *m* magnetico. **Magnettafel** *f* lavagna *f* magnetica.

Mahagoni [maha'go:ni] ⟨-s, ø⟩ *n* mogano *m.*

Mähdrescher ['mɛ:drɛʃɐ] ⟨-s, -⟩ *m* mietitrebbiatrice *f.*

mähen ['mɛ:ən] *tr* mietere, falciare.

Mahl [ma:l] ⟨-(e)s, -e *o* Mähler⟩ *n obs, geh* pasto *m,* pranzo *m; (Fest~)* banchetto *m.*

mahlen ['ma:lən] ⟨mahlt, mahlte, gemahlen⟩ *tr* triturare, tritare; *(Körner)* macinare.

Mahlzeit *f* pasto *m;* **(gesegnete) ~!** buon appetito!

Mähmaschine *f* falciatrice *f,* mietitrice *f.*

Mähne ['mɛ:nə] ⟨-, -n⟩ *f* criniera *f; pej (von Mensch a.)* zazzera *f.*

mahnen ['ma:nən] *tr* **1.** *(zurechtweisen)* ammonire; **2.** *(erinnern)* rammentare (*an +akk a*); **3.** *(Schuldner)* sollecitare; **4.** *jur* intimare.

Mahnmal ⟨-(e)s, -e *o rar* -mäler⟩ *n* monumento *m* commemorativo.

Mahnung ⟨-, -en⟩ *f* **1.** *(Er~)* ammonimento *m;* **2.** *(von Schuldner)* sollecitazione *f; (Mahnbrief)* sollecito *m;* **3.** *jur* intimazione *f,* diffida *f.*

Mahnwache *f* veglia *f* dimostrativa.

Mai [mai̯] ⟨-(e)s *o* -, -e⟩ *m* maggio *m; s. a. September.* **Maiglöckchen** [-glœkçən] ⟨-s, -⟩ *n* mughetto *m.* **Maikäfer** *m* maggiolino *m.*

Mailand ['mai̯lant] *n* Milano *f.*

Mailbox ['meɪlbɔks] ⟨-, -en⟩ *f* mailbox *m.*

Main [mai̯n] *m* Meno *m.*

Mainz [mai̯nts] *n* Magonza *f.*

Mais [mai̯s] ⟨-es, ø⟩ *m* mais *m,* gran(o)turco *m.* **Maiskolben** *m* pannocchia *f.*

Majestät [majɛs'tɛ:t] ⟨-, -en⟩ *f* maestà *f.*

majestätisch *adj* maestoso.

Major [ma'jo:ɐ̯] ⟨-s, -e⟩ *m* maggiore *m.*

Majoran ['ma:joran *o* majo'ra:n] ⟨-s, -e⟩ *m* maggiorana *f.*

Majorität [majori'tɛ:t] ⟨-, -en⟩ *f* maggioranza *f.*

makaber [ma'ka:bɐ] *adj* macabro.

Make-up [me:k'ap] ⟨-s, -s⟩ *n* make-up *m.*

Makel ['ma:kəl] ⟨-s, -⟩ *m geh* difetto *m.* **makellos** *adj* senza difetto (*o* macchia); *fig* impeccabile.

Makler(in) ['ma:klɐ (...ərɪn)] ⟨-s, -⟩ *m(f)* mediatore, -trice *m, f; (Börsen~, Grundstücks~)* agente *mf.* **Maklergebühr** *f* diritti *m pl* di mediazione.

Makrele [ma'kre:lə] ⟨-, -n⟩ *f* sgombro *m.*

Makrone [ma'kro:nə] ⟨-, -n⟩ *f* ≃ amaretto *m.*

Makulatur [makula'tu:ɐ̯] ⟨-, -en⟩ *f* carta *f* da macero.

mal[1] [ma:l] *adv fam s. a. einmal;* **sieh ~!, schau ~!** guarda!; **versuchen Sie es ~!** ci provi un po'!

mal[2] [ma:l] *adv* per; **2 ~ 2 ist 4** 2 per 2 fa 4.

Mal[1] ⟨-(e)s, -e⟩ *n (zeitlich)* volta *f;* **mit einem ~** ad un tratto; **es wird von ~ zu ~ komplizierter** diventa di volta in volta più complicato.

Mal[2] ⟨-(e)s, -e *o* Mäler⟩ *n* **1.** *(Merk~)* segno *m;* **2.** *(Mutter~)* neo *m.*

malen ['ma:lən] *tr* dipingere; *(zeichnen)* disegnare; *(porträtieren)* fare il ritratto a.

Maler(in) ⟨-s, -⟩ *m(f)* **1.** *(Kunst~)* pittore, -trice *m, f;* **2.** *(Anstreicher)* imbianchino, -a *m, f.*

Malerei [ma:lə'rai̯] ⟨-, -en⟩ *f* pittura *f.*

malerisch *adj* pittoresco.

Malkasten *m* cassetta *f* dei colori.

mal·nehmen ⟨*irr*⟩ *tr, itr* moltiplicare (*mit* per).

malochen [ma'lo:xən] ⟨*ohne ge-*⟩ *itr sl* lavorare.

Malocher(in) [ma'lo:xɐ(... [ərɪn)] ⟨-s, -⟩ *m (f) sl* lavoratore, -trice *m, f.*

Malta ['malta] *n* Malta *f.*

Malz [malts] ⟨-es, ø⟩ *n* malto *m.* **Malzbier** *n* birra *f* di malto. **Malzkaffee** *m* caffè *m* d'orzo (*o* di malto).

Mama [ma'ma: *o* 'mama] ⟨-, -s⟩ *f fam* mamma *f.*

Mami ['mami] ⟨-, -s⟩ *f fam* mammina *f.*

Mammographie [mamogra'fi:, ...i:ən] ⟨-, -n⟩ *f* mammografia *f.*

Mammut ['mamʊt] ⟨-s, -e *o* -s⟩ *n* mammut *m.*

mampfen ['mampfən] *tr, itr fam* mangiare a quattro palmenti.

man [man] *pron* si.

Management ['mænɪdʒmənt] ⟨-s, -s⟩ *n* management *m.*

managen ['mɛnɪdʒən] *tr fam* organizzare, sistemare; *(Person)* essere il manager di.

Manager(in) ⟨-s, -⟩ *m(f)* manager *mf.* **Managerkrankheit** *f* surmenage *m.*

manche(r, s) ['mançə] **I.** *pron* qualcuno, -a *m, f,* alcuni, -e *m pl, f pl,* parecchi, -cchie *m pl, f pl;* **~s** alcune (*o* parecchie) cose; **II.** *adj* qualche, alcuni, -e *m pl, f pl.*

manchmal *adv* talvolta, qualche volta.

Mandant(in) [man'dant(ɪn)] ⟨-en, -en⟩ *m(f)* mandante *mf.*

Mandarine [manda'ri:nə] ⟨-, -n⟩ *f* mandarino *m*.

Mandat [man'da:t] ⟨-(e)s, -e⟩ *n* mandato *m*. **Mandatsträger(in)** *m (f)* mandatario, -a *m, f*.

Mandel ['mandəl] ⟨-, -n⟩ *f* **1.** *bot* mandorla *f*; **2.** *anat* tonsilla *f*. **Mandelentzündung** *f* tonsillite *f*. **mandelförmig** [-fœrmıç] *adj* a forma di mandorla. **Mandelkleie** *f* polvere *f* di mandorle.

Mandoline [mando'li:nə] ⟨-, -n⟩ *f* mandolino *m*.

Manege [ma'ne:ʒə] ⟨-, -n⟩ *f* maneggio *m*; *(im Zirkus)* arena *f*.

Mangel[1] ['maŋəl] ⟨-s, Mängel⟩ *m* **1.** ⟨*sing*⟩ *(Fehlen)* mancanza *f (an +dat* di), insufficienza *f* (*an* +*dat* di); **2.** ⟨*sing*⟩ *(Knappheit)* scarsità *f* (*an* +*dat* di), penuria *f* (*an* +*dat* di); *(a. med)* carenza *f* (*an* +*dat* di); **3.** *(Fehler)* difetto *m*; ~ **haben an** +*dat* mancare di; **aus** ~ **an** +*dat* per insufficienza di.

Mangel[2] ['maŋəl] ⟨-, -n⟩ *f (Wäsche~)* mangano *m*; **jdn in die ~ nehmen** *fam* spremere ben bene qu *fam*.

Mangelerscheinung *f* fenomeno *m* di carenza. **mangelhaft** *adj (unzureichend)* insufficiente; *(fehlerhaft)* difettoso, manchevole; *(Schulnote)* ≃ cinque.

mangeln[1] *itr geh*: **es mangelt ihm an etw.** *(dat)* gli manca qc.

mangeln[2] *tr, itr (Wäsche)* manganare.

Mängelrüge ['mɛŋəl-] *f* reclamo *m*.

mangels *prp* +*gen geh* per mancanza (*o* insufficienza) di.

Mango ['maŋgo] ⟨-, -s⟩ *f* mango *m*.

Manie [ma'ni:, ...i:ən] ⟨-, -n⟩ *f* mania *f*.

Manier [ma'ni:ɐ̯] ⟨-, -en⟩ *f* modo *m*, maniera *f*; **keine ~en haben** essere maleducato. **manierlich** *adv* educatamente, come si deve.

Manifest [mani'fɛst] ⟨-es, -e⟩ *n* manifesto *m*.

Maniküre [mani'ky:rə] ⟨-, -n⟩ *f* manicure *f*. **maniküren** ⟨*ohne ge-*⟩ *tr* fare la manicure a.

Manipulation [manipula'tsio:n] ⟨-, -en⟩ *f* manipolazione *f*. **manipulieren** [...'li:rən] ⟨*ohne ge-*⟩ *tr* manipolare.

Manko ['maŋko] ⟨-s, -s⟩ *n* mancanza *f*, difetto *m*; *(Fehlbetrag)* ammanco *m*, deficit *m*.

Mann [man] ⟨-(e)s, Männer *o Teilnehmer von Mannschaft:* Leute⟩ *m* uomo *m*; *(Ehe~)* marito *m*; *(junger ~)* giovanotto *m*; **seinen ~ stehen** sapere il fatto suo; **seine Ware an den ~ bringen** *fam* piazzare la propria merce; ~ **gegen** ~ corpo a corpo; **pro** ~ a testa; **von** ~ **zu** ~ da uomo a uomo; **(mein lieber) ~!** *fam* caro mio!; **ein ~, ein Wort!** *prov* ogni promessa è debito *prov*.

Männchen ['mɛnçən] ⟨-s, -⟩ *n* **1.** *(Männlein)* ometto *m*, omino *m*; **2.** *zoo* maschio *m*; ~ **machen** drizzarsi sulle zampe posteriori.

Mannequin ['manəkɛ̃] ⟨-s, -s⟩ *n* mannequin *f*, indossatrice *f*.

mannigfach, mannigfaltig ['manıç-] *adj geh* **1.** *(vielfach)* molteplice; **2.** *(abwechslungsreich)* vario, svariato.

männlich ['mɛnlıç] *adj* virile; *biol, bot* maschio; *gram* maschile. **Männlichkeit** ⟨-, ø⟩ *f* virilità *f*.

Mannsbild *n fam* pezzo *m* d'uomo.

Mannschaft ⟨-, -en⟩ *f* **1.** *sport* squadra *f*; **2.** *aero, naut* equipaggio *m*.

mannshoch *adj* dell'altezza di un uomo.

mannstoll *adj* ninfomane. **Mannweib** *n* virago *f*.

Manometer [mano'me:tɐ] ⟨-s, -⟩ *n* manometro *m*; **~!** *fam* accidenti! *fam*.

Manöver [ma'nø:vɐ] ⟨-s, -⟩ *n* **1.** *mar, aero, mot* manovra *f*; **2.** *mil* manovre *f pl*; **3.** *fig pej (Kunstgriff)* stratagemma *m*.

manövrieren [manø:'vri:rən] ⟨*ohne ge-*⟩ *tr, itr* manovrare.

Mansarde [man'zardə] ⟨-, -n⟩ *f* mansarda *f*.

Manschette [man'ʃɛtə] ⟨-, -n⟩ *f* **1.** *(an Kleidung)* polsino *m*; **2.** *tec* manicotto *m*. **Manschettenknopf** *m* gemello *m*.

Mantel ['mantəl] ⟨-s, Mäntel⟩ *m* **1.** *(Kleidung)* cappotto *m*; **2.** *tec* rivestimento *m*, involucro *m*; *(Reifen~)* copertone *m*.

Manteltarif(vertrag) *m* contratto *m* collettivo di lavoro. **Manteltasche** *f* tasca *f* del cappotto.

manuell [ma'nu̯ɛl] **I.** *adj* manuale; **II.** *adv* a mano.

Manuskript [manu'skrıpt] ⟨-(e)s, -e⟩ *n* (*abk* **Ms., Mskr.**) manoscritto *m*.

Mappe ['mapə] ⟨-, -n⟩ *f* **1.** *(Akten~, Schul~, Zeichen~)* cartella *f*; **2.** *(Sammel~)* raccoglitore *m*.

Maracuja [mara'ku:ja] ⟨-, -s⟩ *f* maracuja *m*.

Märchen ['mɛ:ɐ̯çən] ⟨-s, -⟩ *n* **1.** *lit* fiaba *f*, favola *f*; **2.** *fig pej* storia *f*, frottola *f*. **Märchenbuch** *n* libro *m* di fiabe. **märchenhaft** *adj* fiabesco; *fig (schön, zauberhaft)* favoloso, fantastico. **Märchenprinz** *m* principe *m* azzurro.

Marder ['mardɐ] ⟨-s, -⟩ *m* martora *f*.

Margaret(h)e [marga're:tə] *(weiblicher Vorname)* Margherita.

Margarine [marga'ri:nə] ⟨-, -n⟩ *f* margarina *f*.

Margerite [margə'ri:tə] ⟨-, -n⟩ *f* margherita *f* (dei campi). **Margret** ['margre:t] *s.* **Margaret(h)e.**

Marienkäfer [ma'ri:ən-] *m* coccinella *f*.

Marihuana [mari'hu̯a:na] ⟨-s, ø⟩ *n* marijuana *f*.

Marille [ma'rılə] ⟨-, -n⟩ *f A (Aprikose)* albicocca *f*.

Marinade [mari'na:də] ⟨-, -n⟩ *f* marinata *f*.

Marine [ma'ri:nə] ⟨-, -n⟩ *f* marina *f*. **marineblau** *adj* blu *m* marino.

marinieren [mari'ni:rən] ⟨*ohne ge-*⟩ *tr* marinare.
Marionette [mari̯o'nɛtə] ⟨-, -n⟩ *f* marionetta *f.* **Marionettentheater** *n* teatro *m* delle marionette.
Mark[1] [mark] ⟨-(e)s, ø⟩ *n anat, bot, fig* midollo *m;* **durch ~ und Bein gehen** penetrare nelle ossa.
Mark[2] [mark] ⟨-, - *o* -stücke⟩ *f (Währung)* marco *m;* **Deutsche ~ (***abk* **DM)** marco tedesco.
markant [mar'kant] *adj (auffallend)* notevole; *(ausgeprägt)* spiccato, marcato.
Marke ['markə] ⟨-, -n⟩ *f* **1.** *(Fabrikat)* marca *f; (Schutz~)* marchio *m* (di fabbrica); **2.** *(Brief~)* francobollo *m;* **3.** *(Lebensmittel~, Essens~)* bollino *m;* **4.** *(Erkennungs~)* contrassegno *m; mil* piastrina *f* di riconoscimento; **5.** *(Spiel~, Automaten~)* gettone *m.*
Marken ⟨*pl*⟩ *geog* Marche *f pl.*
Markenartikel *m* articolo *m* di marca.
markerschütternd *adj* straziante.
Marketing ['markətɪŋ] ⟨- *o* -s, ø⟩ *n* marketing *m.*
markieren [mar'ki:rən] ⟨*ohne ge-*⟩ *tr* **1.** *(kennzeichnen)* marcare; *(Weg)* (contras)segnare; **2.** *fam (vortäuschen, spielen)* simulare, fingere.
Markierung ⟨-, -en⟩ *f* **1.** *(Kennzeichnung)* marcatura *f;* **2.** *(Zeichen)* (contras)segno *m.*
markig *adj* energico, vigoroso.
Markise [mar'ki:zə] ⟨-, -n⟩ *f* tenda *f* avvolgibile per finestra.
Markknochen *m* osso *m* ricco di midollo.
Markstein *m fig* pietra *f* miliare.
Markstück *n* (pezzo *m* da un) marco *m.*
Markt [markt] ⟨-(e)s, Märkte⟩ *m* mercato *m.* **Marktanteil** *m* quota *f* di mercato. **Marktbude** *f* bancarella *f,* chiosco *m.* **marktfähig** *adj* commerciabile. **Marktflecken** *m geh, obs* borgo *m,* borgata *f.* **Marktforschung** *f* sondaggio *m* (*o* indagine *f*) di mercato. **Marktfrau** *f* rivenditrice *f* del mercato. **Marktführer(in)** *m (f)* leader *m* del mercato. **Markthalle** *f* mercato *m* coperto. **Marktlage** *f* situazione *f* del mercato. **Marktlücke** *f* vuoto *m* di mercato. **Marktplatz** *m* piazza *f* del mercato. **Marktpreis** *m* prezzo *m* corrente (*o* commerciale) **marktreif** *adj (Produkt)* pronto per essere immesso sul mercato. **Marktwert** *m* valore *m* corrente. **Marktwirtschaft** *f* economia *f* di mercato.
Markus ['markʊs] *(männlicher Vorname)* Marco.
Marlene [mar'le:nə] *(weiblicher Vorname)* Marilena.
Marmelade [marmə'la:də] ⟨-, -n⟩ *f* marmellata *f.*
Marmor ['marmo:ɐ̯] ⟨-s, -e⟩ *m* marmo *m.*
marmorieren [...mo'ri:rən] ⟨*ohne ge-*⟩ *tr* marmorizzare.
Marmorierung ⟨-, ø⟩ *f* marmorizzatura *f.*
Marokko [ma'rɔko] *n* Marocco *m;* **in ~** nel Marocco.
Marone [ma'ro:nə] ⟨-, -n⟩ *f* marrone *m.*
Marotte [ma'rɔtə] ⟨-, -n⟩ *f* mania *f,* fissazione *f.*
Mars [mars] ⟨-, ø⟩ *m* Marte *m.*
Marsch [marʃ] ⟨-(e)s, Märsche⟩ *m* marcia *f;* **sich in ~ setzen** mettersi in marcia, avviarsi.
Marschall ['marʃal] ⟨-s, Marschälle⟩ *m* maresciallo *m.*
Marschbefehl *m* ordine *m* di marcia. **marschbereit** *adj* pronto a partire. **Marschflugkörper** *m* missile *m* da crociera. **Marschgepäck** *n* equipaggiamento *m* da marcia.
marschieren [mar'ʃi:rən] ⟨*ohne ge-*⟩ *itr* ⟨*sein*⟩ marciare.
Marschmusik *f* musica *f* militare. **Marschordnung** *f* ordine *m* di marcia; **sich in ~ aufstellen** mettersi in colonna. **Marschrichtung** *f* direzione *f* di marcia. **Marschverpflegung** *f* razioni *f pl* di marcia.
Marsmensch *m* marziano, -a *m, f.*
Marter ['martɐ] ⟨-, -n⟩ *f* tormento *m.*
martern *tr geh* torturare; *(seelisch)* tormentare.
Marterpfahl *m* palo *m* della tortura.
Martin ['marti:n] *(männlicher Vorname)* Martino.
Märtyrer(in) ['mɛrtyrɐ (...ərɪn)] ⟨-s, -⟩ *m(f)* martire *mf.*
Martyrium [mar'ty:ri̯ʊm, ...iən] ⟨-s, -rien⟩ *n* martirio *m.*
Marxismus [mar'ksɪsmʊs] ⟨-, ø⟩ *m* marxismo *m.*
marxistisch *adj* marxista.
März [mɛrts] ⟨-(en), -e⟩ *m* marzo *m; s. a. September.*
Marzipan [martsi'pa:n *o* 'mar...] ⟨-s, -e⟩ *n o m* marzapane *m.*
Masche ['maʃə] ⟨-, -n⟩ *f* **1.** *(bei Handarbeit)* maglia *f;* **2.** *fam (Trick)* trucco *m; (Idee)* trovata *m;* **rechte/linke ~** maglia diritta/rovescia. **Maschendraht** *m* rete *f* metallica.
Maschine [ma'ʃi:nə] ⟨-, -n⟩ *f* **1.** *(Schreib~, Näh~, Wasch~)* macchina *f;* **2.** *(Flugzeug)* apparecchio *m;* **3.** *fam (Motorrad)* moto *f;* **auf (***o* **mit) der ~ schreiben** scrivere a macchina.
maschinell [maʃi'nɛl] **I.** *adj* meccanico; **II.** *adv* meccanicamente, a macchina.
Maschinenbau ⟨-(e)s, ø⟩ *m* **1.** *(das Bauen)* costruzione *f* di macchine; **2.** *(Lehrfach)* (ingegneria *f*) meccanica *f.* **Maschinencode** *m* codifica *f* in linguaggio macchina. **maschinengeschrieben** *adj* scritto *a* macchina. **Maschinengewehr** *n* (*abk* **MG**) mitragliatrice *f.* **maschinenlesbar** *adj (Ausweis)* leggibile dalla macchina. **Maschinenpistole** *f* pistola *f* mitragliatrice. **Maschinenraum** *m* sala *f*

macchine. **Maschinenschlosser(in)** *m(f)* meccanico *m,* donna *f* meccanico, aggiustatore, - trice *m, f.* **Maschinenschrift** *f* scrittura *f* a macchina; **in ~** dattiloscritto.

Maschinerie [maʃinə'ri:, ...i:ən] ⟨-, -n⟩ *f* **1.** *tec* macchinario *m;* **2.** *fig* meccanismo *m.*

Maschinist(in) [...'nɪst(ɪn)] ⟨-en, -en⟩ *m(f)* macchinista *mf.*

Masern ['ma:zɐn] ⟨*pl*⟩ morbillo *m.*

Maserung ['ma:zərʊŋ] ⟨-, -en⟩ *f* marezzatura *f.*

Maske ['maskə] ⟨-, -n⟩ *f* maschera *f.* **Maskenball** *m* ballo *m* in maschera. **Maskenbildner(in)** [-bɪldnɐ (...ərɪn)] ⟨-s, -⟩ *m(f)* truccatore, -trice *m, f.*

Maskerade [maskə'ra:də] ⟨-, -n⟩ *f* mascherata *f.*

maskieren [mas'ki:rən] ⟨*ohne ge-*⟩ **I.** *tr* mascherare; **II.** *rfl:* **sich ~** mascherarsi (*als* da).

Maskierung ⟨-, -en⟩ *f* mascheramento *m.*

Maskottchen [mas'kɔtçən] ⟨-s, -⟩ *n* mascotte *f.*

Maskulinum [masku'li:nʊm *o* 'mas..., ...na] ⟨-s, Maskulina⟩ *n* (genere *m*) maschile *m.*

Masochismus [mazɔ'xɪsmʊs] ⟨-, ø⟩ *m* masochismo *m.* **Masochist(in)** [...'xɪst(ɪn)] ⟨-en, -en⟩ *m(f)* masochista *mf.*

maß [ma:s] *imp von* **messen.**

Maß [ma:s] ⟨-es, -e⟩ *n* misura *f;* **ein gewisses ~ an** *+dat* ... una certa quantità di ...; **~ nehmen** prender le misure; **etw. in (***o* **mit) ~en tun** fare qc con moderazione; **nach ~** su misura; **in hohem ~** in alto grado, in larga scala; **in vollem ~e** molto, grandemente; **in dem ~e, daß ...** a tal punto che ...; **mit zweierlei ~ messen** usare due pesi e due misure; **das ~ ist voll!** questo è il colmo!

Massage [ma'sa:ʒə] ⟨-, -n⟩ *f* massaggio *m.* **Massagepraxis** *f* sala *f* per massaggi.

Massaker [ma'sa:kɐ] ⟨-s, -⟩ *n* massacro *m.*

Maßanzug *m* abito *m* su misura. **Maßarbeit** *f* lavorazione *f* su misura; *fig* lavoro *m* perfetto.

Masse ['masə] ⟨-, -n⟩ *f* **1.** *allg., el, phys, jur* massa *f;* **2.** *(Menge)* gran quantità *f; (Menschen)* folla *f; (oft pej)* massa *f;* **die breite (***o* **große) ~** la massa.

Maßeinheit *f* unità *f* di misura.

Massekabel *n el* cavo *m* di massa.

Massenandrang *m* affluenza *f* in massa, ressa *f* di gente. **Massenarbeitslosigkeit** *f* disoccupazione *f* di massa. **Massenartikel** *m* articolo *m* in serie (*o* di gran consumo). **Massenbewegung** *f* movimento *m* di massa. **Massenentlassung** *f* licenziamento *m* in massa (*o* in blocco). **Massenfabrikation** *f* produzione *f* in massa. **Massengrab** *n* fossa *f* comune. **massenhaft** *adj, adv* in gran numero, in massa. **Massenkarambolage** *f* tamponamento *m* a catena. **Massenkundgebung** *f* manifestazione *f* (*o* dimostrazione *f*) di massa. **Massenmedien** *n pl* mass media *m pl.* **Massenmord** *m* eccidio *m,* strage *f.* **Massenproduktion** *f* produzione *f* di massa. **Massenspeicher** *m* memoria *f* di massa. **Massentierhaltung** *f* allevamento *m* intensivo di bestiame. **Massentourismus** *m* turismo *m* di massa. **Massenvernichtungswaffe** *f* arma *f* di distruzione massiccia.

Masseur [ma'sø:ɐ̯] ⟨-s, -e⟩ *m,* **Masseurin** [...ø:rɪn] *f* massaggiatore, -trice *m, f.*

maßgebend, maßgeblich *adj* determinante.

maßgeschneidert *adj* fatto su misura.

maß·halten ⟨*irr*⟩ *itr* moderarsi, osservare la misura.

massieren [ma'si:rən] ⟨*ohne ge-*⟩ *tr* massaggiare.

massig I. *adj* massiccio; **II.** *adv fam* in massa, in gran quantità.

mäßig ['mɛ:sɪç] *adj* **1.** *(gemäßigt)* moderato; *(niedrig, bes. Preis)* modico; **2.** *(genügsam)* sobrio; **3.** *(mittel~)* mediocre.

mäßigen I. *tr* moderare; **II.** *rfl:* **sich ~** moderarsi.

Mäßigkeit ⟨-, ø⟩ *f* **1.** *(Maßhalten)* moderazione *f; (Genügsamkeit)* sobrietà *f;* **2.** *(Mittel~)* mediocrità *f.*

Mäßigung ⟨-, ø⟩ *f* moderazione *f.*

massiv [ma'si:f] *adj* massiccio.

Maßkrug *m* boccale *m* (da un litro).

maßlos I. *adj* smisurato; *(unmäßig)* smodato; *(übermäßig)* eccessivo; **II.** *adv (außerordentlich)* molto. **Maßlosigkeit** ⟨-, ø⟩ *f* smisuratezza *f; (Unmäßigkeit, Übermaß)* eccesso *m.*

Maßnahme [-na:mə] ⟨-, -n⟩ *f* misura *f,* provvedimento *m.*

maßregeln *tr* **1.** *(tadeln)* biasimare; **2.** *(strafen)* punire (disciplinarmente).

Maßstab *m* **1.** *(Karten~)* scala *f;* **2.** *fig* metro *m,* norma *f,* criterio *m;* **im ~ 1 : 100.000** scala 1 : 100.000; **in großem/kleinem ~** su vasta/piccola scala.

maßstab(s)gerecht, maßstab(s)getreu I. *adj* conforme alla scala; **II.** *adv* in scala.

maßvoll *adj* moderato.

Mast[1] [mast] ⟨-(e)s, -en *o* -e⟩ *m naut* albero *m; el, tel* pilone *m,* traliccio *m.*

Mast[2] [mast] ⟨-, -en⟩ *f (von Tieren)* ingrasso *m.*

Mastdarm *m* (intestino *m*) retto *m.*

mästen ['mɛstən] *tr* ingrassare.

Mastkorb *m* coffa *f.*

Masturbation [masturba'tsio:n] ⟨-, -en⟩ *f* masturbazione *f.*

Match [mɛtʃ] ⟨-(e)s, -s *o* -e⟩ *n sport* match *m,* gara *f.* **Matchball** ['mɛtʃ-] *m* palla *f* partita.

Material [mate'ria:l, -iən] ⟨-s, -ien⟩ *n*

1. *allg.* materiale *m;* 2. *fig (Unterlagen)* documenti *m pl,* documentazione *f;* 3. *jur (Beweis~)* prove *f pl.* **Materialfehler** *m* difetto *m* di materiale.
Materialismus [materia'lɪsmʊs] ⟨-, ø⟩ *m* materialismo *m.*
materialistisch *adj* materialistico, materialista.
Materialkosten ⟨*pl*⟩ costo *m* del materiale.
Materie [ma'te:riə] ⟨-, -n⟩ *f* materia *f; (Thema)* soggetto *m.*
materiell [mate'riɛl] *adj* materiale; *(oft pej: materialistisch)* materialistico, materialista.
Mathematik [matema'ti:k] ⟨-, ø⟩ *f* matematica *f.*
Mathematiker(in) [...'ma:tikɐ (...ərɪn)] ⟨-s, -⟩ *m(f)* matematico, -a *m, f.*
mathematisch [...'ma:tɪʃ] *adj* matematico.
Matjeshering ['matjəs-] *m* aringa *f* giovane.
Matratze [ma'tratsə] ⟨-, -n⟩ *f* materasso *m.*
Mätresse [mɛ'trɛsə] ⟨-, -n⟩ *f obs, pej* amante *f.*
Matriarchat [matriar'ça:t] ⟨-(e)s, -e⟩ *n* matriarcato *m.*
Matrix ['ma:trɪks] ⟨-, Matrizes *o* Matrizen⟩ *f* matrice *f.* **Matrixdrucker** *m* stampante *f* a matrice di punti.
Matrize [ma'tri:tsə] ⟨-, -n⟩ *f* matrice *f.*
Matrone [ma'tro:nə] ⟨-, -n⟩ *f* matrona *f.*
Matrose [ma'tro:zə] ⟨-n, -n⟩ *m* marinaio *m; mil* soldato *m* di marina.
Matsch [matʃ] ⟨-(e)s, ø⟩ *m fam* poltiglia *f; (Schlamm)* fanghiglia *f.* **matschig** *adj fam* poltiglioso; *(schlammig)* fangoso.
matt [mat] *adj* 1. *(Blick, Augen, Stimme)* spento; *(Metall, Spiegel)* opaco; *(Glas)* smerigliato; 2. *(schwach)* debole; *(schlaff, abgespannt)* stanco, spossato; **jdn ~ setzen** *(Schach, fig)* dare scacco matto a qu.
Matte ['matə] ⟨-, -n⟩ *f* 1. *allg.* stuoia *f; (Fuß~)* stoino *m,* zerbino *m;* 2. *sport* tappeto *m;* 3. *CH, poet, obs (Bergwiese)* prato *m* alpino; **auf der ~ stehen** *fig fam* essere pronto (ad entrare in azione).
Matterhorn ['matɐhɔrn] *n* (Monte *m*) Cervino *m.*
Matthäus [ma'tɛ:ʊs] *(männlicher Vorname)* Matteo.
Matthias [ma'ti:as] *(männlicher Vorname)* Mattia.
Mattigkeit ⟨-, ø⟩ *f (Müdigkeit, Erschöpfung)* stanchezza *f,* spossatezza *f; (Schwäche)* debolezza *f,* fiacchezza *f.*
Mattscheibe *f fam (Fernseher)* tivù *fam;* **~ haben** *fam* avere la mente annebbiata.
Matura [ma'tu:ra] ⟨-, ø⟩ *f A, CH (Abitur)* maturità *f.*
Maturand(in) [matu'rant (...dɪn)] ⟨-en, -en⟩ *m(f) CH* maturando, -a *m, f.*
mau [mau] *adj fam (unwohl)* male.
Mauer ['mauɐ] ⟨-, -n⟩ *f* muro *m.* **Mauerblümchen** [-bly:mçən] ⟨-s, -⟩ *n:* **~ sein** *fam* far da tappezzeria.
mauern *tr, itr* costruire (un muro).
Mauervorsprung *m* sporto *m.*
Maul [maul] ⟨-(e)s, Mäuler⟩ *n* muso *m;* **ein großes ~ haben** *vulg* essere uno spaccone; **halt's ~!** *vulg* chiudi il becco! *vulg.*
maulen *itr fam* brontolare.
Maulesel *m* mulo *m.* **Maulkorb** *m* museruola *f.* **Maultier** *n* mulo *m.* **Maulwurf** *m* talpa *f.*
Maurer(in) ['maurɐ (...ərɪn)] ⟨-s, -⟩ *m(f)* (donna *f*) muratore *m.*
Maus [maus] ⟨-, Mäuse⟩ *f* 1. *(Tier)* topo *m;* 2. *inform* mouse *m;* 3. ⟨*pl*⟩ *sl (Geld)* grana *f sl.*
Mausefalle *f* trappola *f* per i topi. **Mauseloch** *n* buco *m* di topi.
mausen ['mauzən] I. *tr fam scherz (stibitzen)* sgraffignare *fam;* II. *itr dial, obs (Mäuse fangen)* pigliare i topi.
Mauser ['mauzɐ] ⟨-, ø⟩ *f* muda *f.*
mausern *rfl:* **sich ~** mutare le penne; **sich zu etw. ~** diventare (*o* farsi) qc.
mausetot ['mauzə'to:t] *adj fam* (morto) stecchito *fam.*
Mausoleum [mauzo'le:ʊm, ...e:ən] ⟨-s, -leen⟩ *n* mausoleo *m.*
Maussteuerung *f inform* comando *m* tramite mouse, spostamento *m* del cursore tramite mouse.
Maut(gebühr) ['maut] ⟨-, -en⟩ *f (A, süddeutsch)* pedaggio *m.* **Mautstelle** *f A* casello *m* riscossione pedaggio.
Max [maks] *(männlicher Vorname)* Massimo.
Maxima *pl von* **Maximum.**
maximal [maksi'ma:l] I. *adj* massimo; II. *adv (höchstens)* al massimo.
Maxime [ma'ksi:mə] ⟨-, -n⟩ *f* massima *f.*
Maximum ['maksimʊm, ...ma] ⟨-s, Maxima⟩ *n* massimo *m* (*an +dat* di).
Mayonnaise [majɔ'nɛ:zə] ⟨-, -n⟩ *f* maionese *f.*
Mazedonien [matse'do:niən] *n* Macedonia *f.*
Mäzen [mɛ'tse:n] ⟨-s, -e⟩ *m,* **Mäzenin** *f,* [mɛ'tse:nɪn], **Mäzenatin** [mɛtse'na:tɪn] *f* mecenate *mf.*
MB [ɛmbe:] *abk von* **Megabyte** megabyte *m.*
m. E. *abk von* **meines Erachtens** a mio parere.
Mechanik [me'ça:nɪk] ⟨-, -en⟩ *f* meccanica *f.*
Mechaniker(in) ⟨-s, -⟩ *m(f)* meccanico *m,* donna *f* meccanico.
mechanisch *adj* meccanico.
Mechanismus [meça'nɪsmʊs, ...mən] ⟨-, -men⟩ *m* meccanismo *m.*

meckern ['mɛkɐn] *itr* **1.** *(Ziege)* belare; **2.** *fam pej* brontolare, trovare da ridire (*über +akk* su).

Medaille [me'daljə] ⟨-, -n⟩ *f* medaglia *f.*

Medaillon [medal'jõ:] ⟨-s, -s⟩ *n* medaglione *m.*

Medien *pl von* **Medium. Medienforschung** *f* scienza *f* dei mass media. **Medienkonzern** *m* gruppo *m* di mass-media. **Medienlandschaft** *f* mondo *m* dei mass-media. **Medienrummel** *m* scalpore *m* dei mass-media. **medienwirksam** *adj* mediagenico.

Medikament [medika'mɛnt] ⟨-(e)s, -e⟩ *n* medicamento *m,* farmaco *m.* **Medikamentenabhängigkeit** *f* farmacodipendenza *f.* **Medikamentensucht** *f* tossicomania *f* da medicinali.

medikamentös [...'tø:s] *adj* medicamentoso.

Meditation [medita'tsi̯o:n] ⟨-, -en⟩ *f* meditazione *f.*

meditieren [...'ti:rən] ⟨*ohne ge-*⟩ *itr* meditare (*über +akk* su).

Medium ['me:di̯ʊm,...i̯ən] ⟨-s, Medien⟩ *n* **1.** *allg., phys, chem* mezzo *m;* **2.** ⟨*pl*⟩ *(Massenmedien)* media *m pl;* **3.** *(Parapsychologie)* medium *m.*

Medizin [medi'tsi:n] ⟨-, -en⟩ *f* medicina *f.* **Medizinball** *m* palla *f* medica.

Mediziner(in) ⟨-s, -⟩ *m(f)* **1.** *(Arzt)* dottore, -essa *m, f;* **2.** *(Student)* studente, -essa *m, f* di medicina.

medizinisch *adj* **1.** *(ärztlich)* (del) medico; **2.** *(arzneilich)* medicinale.

Medizinmann *m* stregone *m.*

Meer [me:ɐ̯] ⟨-(e)s, -e⟩ *n* mare *m;* **ein ~ von Blumen** un mare di fiori. **Meerbusen** *m* golfo *m.* **Meerenge** *f* stretto *m* di mare, canale *m.*

Meeresarm *m* braccio *m* di mare. **Meeresboden** *m* fondo *m* marino. **Meeresfrüchte** *f pl* frutti *m pl* di mare. **Meeresgrund** *m poet* fondo *m* marino. **Meereskunde** *f* oceanografia *f.* **Meeresspiegel** *m* livello *m* del mare; **36 m über dem ~** a 36 m sul livello del mare.

Meerrettich *m* rafano *m.* **Meerschweinchen** [-ʃvai̯nçən] ⟨-s, -⟩ *n* porcellino *m* d'India, cavia *f.* **Meerwasser** *n* acqua *f* marina.

Megabyte [mega'bait] ⟨-(s), -(s)⟩ *n* megabyte *m.* **Megahertz** *n* (*abk* **MHz**) megaciclo *m* al secondo. **Megaphon** [-'fo:n] ⟨-s, -e⟩ *n* megafono *m.* **Megawatt** [-'vat] *n* (*abk* **MW**) megawatt *m.*

Mehl [me:l] ⟨-(e)s, *rar* -e⟩ *n* farina *f.* **mehlig** *adj* farinoso, farinaceo. **Mehlschwitze** [-ʃvɪtsə] ⟨-, -n⟩ *f* soffritto *m* di farina. **Mehlspeise** *f* dolce *m.* **Mehltau** *m* oidio *m.*

mehr [me:ɐ̯] ⟨*komp von* viel⟩ *adv, pron* **1.** *(vor Substantiv)* più; **2.** *(nach Substantiv)* in più, di più; **3.** *(alleinstehend)* (di) più; **~ als ...** più di ...; **~ ... als ...** più ... che ...; **~ und ~, immer ~** sempre più; **um so ~, als ...** tanto più che ...; **je ~ ..., desto ...** (quanto) più ..., (tanto) più ...; **nichts/etw./viel ~** più nulla/un po' di più/molto di più; **es war ~ oder weniger dasselbe** era più o meno la stessa cosa; **es war niemand/nichts ~ da** non c'era più nessuno/niente; **was wollen Sie ~?** che altro vuole?

Mehr ⟨-(s), ø⟩ *n* soprappiù *m,* eccedenza *f.* **Mehrbelastung** *f* sovraccarico *m.* **Mehrbetrag** *m* importo *m* eccedente, eccedenza *f.* **mehrdeutig** [-dɔytɪç] *adj* ambiguo, equivoco. **Mehrdeutigkeit** ⟨-, ø⟩ *f* ambiguità *f.*

mehren ['me:rən] *rfl:* **sich ~** aumentare, accrescersi.

mehrere ['me:rərə] *pron pl* parecchi, *m pl,* parecchie *f pl.*

mehrfach I. *adj* molteplice; *(a. tec)* multiplo; *(wiederholt)* ripetuto; **II.** *adv* ripetutamente, a più riprese. **Mehrfachstekker** *m* spina *f* multipla. **Mehrfamilienhaus** *n* casa *f* plurifamiliare. **mehrfarbig** *adj* a più colori. **mehrgleisig** *adj (a. fig)* a più binari.

Mehrheit ⟨-, -en⟩ *f* maggioranza *f;* **in der ~** maggioritario. **Mehrheitsbeschluß** *m* deliberazione *f* presa a maggioranza. **mehrheitsfähig** *adj* in grado di raggiungere la maggioranza. **Mehrheitswahlrecht** *n* sistema *m* maggioritario.

mehrjährig *adj* di più anni, pluriennale; *bot* plurienne. **Mehrkosten** ⟨*pl*⟩ spese *f pl* eccedenti, sovraccosto *m.* **mehrmalig** *adj* ripetuto, reiterato. **mehrmals** *adv* più volte, ripetutamente. **Mehrparteiensystem** *n* sistema *m* a più partiti. **mehrphasig** *adj* polifase. **mehrplatzfähig** *adj inform* multiposto, multistazione. **Mehrplatzrechner** *m* calcolatore *m* (*o* elaboratore *m*) multistazione. *m* **mehrpolig** *adj* multipolare. **mehrsilbig** *adj* polisillabo. **mehrsprachig** *adj* plurilingue; *(Person)* poliglotta. **mehrstellig** *adj* di (*o* a) più cifre. **mehrstimmig** *adj* polifonico; *(adv a.)* a più voci. **mehrstündig** [-ʃtʏndɪç] *adj* di parecchie ore. **mehrtägig** [-tɛ:gɪç] *adj* di parecchi giorni. **Mehrweg-** *(in Zusammensetzungen)* riutilizzabile. **Mehrwegflasche** *f* bottiglia *f* riutilizzabile. **Mehrwert** *m* **1.** *(marxistisch)* plusvalore *m;* **2.** *fin* valore *m* aggiunto. **mehrwertig** *adj* polivalente. **Mehrwertsteuer** *f* (*abk* **MwSt., MWSt.**) imposta *f* sul valore aggiunto (*abbr* I.V.A).

Mehrzahl *f* **1.** *(Mehrheit)* maggioranza *f,* maggior parte *f;* **2.** *gram* plurale *m.* **Mehrzweck-** *(in Zusammensetzungen)* universale, per vari usi. **Mehrzweckfahrzeug** *n* veicolo *m* promiscuo.

meiden ['mai̯dən] ⟨meidet, mied, gemieden⟩ *tr* evitare, (s)fuggire.

Meile ['mailə] ⟨-, -n⟩ *f* miglio *m.* **Meilenstein** *m a. fig* pietra *f* miliare. **meilenweit** *adj: fig* **vom Thema ~ entfernt sein** essere distante le mille miglia dal tema.

mein [main] *poss pron (adjektivisch von* ich*)* mio, -a *m, f,* miei *m pl,* mie *f pl;* **~e Damen und Herren!** Signore e Signori!

meine *s.* **meine(r, s).**

Meineid ['main?ait] *m* spergiuro *m.* **meineidig** *adj* spergiuro; **~ werden** spergiurare.

meinen ['mainən] *tr* **1.** *(denken)* pensare; *(glauben)* credere; **2.** *(sagen wollen)* volere dire; **etw. ernst ~** dire qc sul serio; **das war nicht so gemeint** non volevo dire questo; **es war nicht böse gemeint** non c'era alcuna cattiva intenzione; **damit sind Sie gemeint** questo è per Lei; **was ~ Sie damit?** cosa intende dire?; **wen ~ Sie?** a chi si riferisce?; **das will ich ~!** *fam* lo credo bene!; **man könnte (***o* **sollte) ~ . . .** si direbbe . . .; **wie Sie ~!** come pare a Lei.

meiner *pers pron (gen von* ich*)* di me; *s. a. meine(r, s).*

meine(r, s) ['mainə] *poss pron (substantivisch von* ich*)* il mio, la mia, i miei *pl,* le mie *pl.*

meinerseits ['maine'zaits] *adv* da parte mia, per conto mio; **ganz ~!** il piacere è tutto mio!

meinesgleichen ['mainəs'glaiçən] *pron* mio pari, uno *m* (*o* gente *f*) come me.

meinetwegen ['mainət've:gən] *adv* **1.** *(wegen mir)* per causa mia; per colpa mia; **2.** *(von mir aus)* per me.

meinetwillen ['mainət'vılən] *adv:* **um ~** per me, per amor mio.

meins *s.* **meine(r, s).**

Meinung ⟨-, -en⟩ *f* **1.** *(Ansicht)* opinione *f,* parere *m;* **2.** *(Standpunkt)* punto *m* di vista; **3.** *(Urteil)* giudizio *m;* **seine ~ ändern** cambiare opinione (*o* parere); **jdm die ~ sagen** *fam* dire il fatto suo a qu *fam;* **anderer ~ sein** essere di altro avviso; **der gleichen ~ sein wie, einer ~ sein mit** condividere il parere di; **meiner ~ nach** a mio parere (*o* giudizio), secondo la mia opinione. **Meinungsäußerung** *f* manifestazione *f* della propria opinione. **Meinungsaustausch** *m* scambio *m* di opinioni (*o* di idee). **Meinungsbildung** *f* formazione *f* dell'opinione pubblica. **Meinungsforscher(in)** *m (f)* demoscopo, -a *m, f.* **Meinungsforschung** *f* sondaggio *m* dell'opinione pubblica, indagine *f* demoscopica. **Meinungsfreiheit** *f* libertà *f* d'opinione. **Meinungsumfrage** *f* sondaggio *m* dell'opinione pubblica. **Meinungsverschiedenheit** *f* **1.** *(Unterschiedlichkeit)* divergenza *f* (*o* contrasto *m*) d'opinioni; **2.** *(Streit)* controversia *f,* dissidio *m.* **Meinungsvielfalt** *f* molteplicità *f* d'opinioni.

Meise ['maizə] ⟨-, -n⟩ *f* cinciallegra *f.*

Meißel ['maisəl] ⟨-s, -⟩ *m* scalpello *m.*

meißeln I. *itr* lavorare con lo scalpello; **II.** *tr* **1.** *(bearbeiten)* scalpellare; **2.** *(schaffen)* scolpire.

meist [maist] *s.* **meistens.**

meistbietend *adj* che offre di più; **der M~e** il maggior offerente.

meiste *s.* **meiste(r, s).**

meisten *adv:* **am ~** più di tutto (*o* tutti).

meistens *adv* per lo più, di solito.

meister *s.* **meiste(r, s).**

Meister(in) ['maiste (...ərın)] ⟨-s, -⟩ *m(f)* **1.** *(Handwerks~)* mastro, -a *m, f;* **2.** *(in Betrieb)* capo *m;* **3.** *fig (Könner)* maestro, -a *m, f;* **4.** *sport* campione, -essa *m, f;* **es ist noch kein ~ vom Himmel gefallen** *prov* maestri non si nasce *prov,* nessuno nasce maestro *prov.* **Meisterbrief** *m* diploma *m* di maestro (*o* di mastro). **meisterhaft I.** *adj* magistrale, perfetto; **II.** *adv* da maestro, magistralmente. **Meisterin** *f s.* **Meister**; *obs (Frau von Meister)* moglie *f* del principale.

meistern *tr* venire a capo di; *(Schwierigkeit)* superare.

Meisterprüfung *f* esame *m* di maestro (*o* di mastro).

meiste(r, s) ['maistə] ⟨*superl von* viel⟩ *pron* **1.** *(adjektivisch):* **die ~n Leute** la maggior parte delle persone; **2.** *(meist)* per lo più; **in den ~n Fällen** nella maggior parte dei casi; **1.** *(substantivisch):* **der/die/das ~** il/la/il più; **die ~n** i più, la maggior parte.

Meisterschaft ⟨-, -en⟩ *f* **1.** *(Können)* maestria *f;* **2.** *sport (Veranstaltung)* campionato *m.* **Meisterstück** *n,* **-werk** *n* capolavoro *m.*

Melancholie [melaŋko'li:, ...i:ən] ⟨-, -n⟩ *f* malinconia *f.*

melancholisch [...'ko:lıʃ] *adj* malinconico.

Meldefrist *f* termine *m* di denuncia.

melden ['mɛldən] **I.** *tr* **1.** *(ankündigen)* annunciare; **2.** *adm* notificare, denunciare; **3.** *(mitteilen)* informare (*jdm etw.* qu di qc), comunicare (*jdm etw.* qc a qu); **er hat hier nichts zu ~** *fam* non ha voce in capitolo; **II.** *rfl:* **sich ~ 1.** *(an~)* annunciarsi (*bei* presso, *zu* per); **2.** *(vorstellen)* presentarsi (*für* per); **3.** *(in Schule)* alzare la mano; **4.** *(am Telefon)* rispondere (al telefono); **5.** *(von sich hören lassen)* farsi vivo; **es meldet sich niemand** non risponde nessuno; **wenn du etw. brauchst, mußt du dich ~** se hai bisogno di qualcosa, dillo.

Meldepflicht *f* **1.** *(für Person)* iscrizione *f* obbligatoria; **2.** *(für Dinge)* obbligo *m* di notifica (*o* denuncia). **meldepflichtig** *adj* **1.** *(Person)* soggetto a iscrizione; **2.** *(Dinge)* da dichiarare (*o* notificare). **Meldeschein** *m* modulo *m* di notifica. **Meldeschluß** *m* termine *m* ultimo d'i-

scrizione.
Meldung ⟨-, -en⟩ *f* **1.** *allg.* annuncio *m;* **2.** *(Mitteilung)* comunicazione *f;* **3.** *TV, radio* notizia *f;* **4.** *(Angabe)* notifica *f,* denuncia *f;* **5.** *mil* rapporto *m;* **6.** *sport* iscrizione *f.*
meliert [me'li:ɐt] *adj* screziato; *(Haar)* brizzolato.
melken ['mɛlkən] ⟨melkt, melkte *o rar* molk, gemolken *o rar* gemelkt⟩ *tr* mungere.
Melker(in) ⟨-s, -⟩ *m(f)* mungitore, -trice *m, f.*
Melodie [melo'di:, ...i:ən] ⟨-, -n⟩ *f* melodia *f.*
melodiös [...'di̯ø:s] *adj* melodioso.
melodisch [me'lo:dɪʃ] *adj* melodico.
Melone [me'lo:nə] ⟨-, -n⟩ *f* **1.** *bot* melone *m; (Wasser~)* cocomero *m;* **2.** *fam (Hut)* bombetta *f.*
Membran [mɛm'bra:n] ⟨-, -en⟩ *f,* **Membrane** [...nə] ⟨-, -n⟩ *f* membrana *f; (bes. tel)* diaframma *m.*
Memoiren [me'mo̯a:rən] ⟨*pl*⟩ memorie *f pl.*
Menagerie [menaʒə'ri:, ...i:ən] ⟨-, -n⟩ *f* serraglio *m.*
Menge ['mɛŋə] ⟨-, -n⟩ *f* quantità *f; (große Anzahl)* moltitudine *f,* gran numero *m; (Menschen~)* folla *f;* **eine (ganze) ~ ...** *fam* (tutt')un mucchio di ... *fam;* **in großen** (*o fam* **rauhen) ~n** a mucchi *fam,* a profusione; **in kleinen ~n** in piccole quantità; **davon gibt es jede ~** *fam* ce n'è a non finire.
Mengenlehre *f* teoria *f* degli insiemi. **Mengenrabatt** *m* sconto *m* per grandi quantità.
Meniskus [me'nɪskʊs] ⟨-, Menisken⟩ *m* menisco *m.*
Mensa ['mɛnza, ...zas *o* ...zən] ⟨-, -s *o* Mensen⟩ *f* mensa *f.*
Mensch [mɛnʃ] ⟨-en, -en⟩ *m* **1.** *(Gattung)* uomo *m,* essere *m* umano; **2.** *(Person)* persona *f; (Mann)* uomo *m; (Frau)* donna *f;* **kein ~** nessuno; **~ (Meier!)** *fam* accidenti! *fam;* **~, das habe ich ganz vergessen!** *fam* accidenti, l'ho completamente dimenticato! *fam.*
Menschenaffe *m* antropoide *m.* **Menschenfresser** ⟨-s, -⟩ *m* antropofago *m,* cannibale *m.* **menschenfreundlich** *adj* filantropico. **Menschengedenken** *n:* **seit ~** a memoria d'uomo. **Menschenhandel** *m* mercato *m* illegale di persone, tratta *f.* **Menschenkenner(in)** *m(f)* conoscitore, -trice *m, f* dell'animo umano. **Menschenkenntnis** *f* conoscenza *f* degli uomini. **Menschenkette** *f* catena *f* umana (di protesta). **Menschenleben** *n* vita *f* umana. **menschenleer** *adj* spopolato, deserto. **Menschenmasse** *f,* **-menge** *f* massa *f,* folla *f.* **menschenmöglich** ['mɛnʃən'mø:klɪç] *adj* umanamente possibile; **das ~e tun** fare tutto il possibile. **Menschenraub** *m* rapimento *m* (*o* sequestro *m*) di persona. **Menschenrechte** *n pl* diritti *m pl* dell'uomo. **Menschenrechtskommission** *f* commissione *f* dei diritti umani. **Menschenrechtskonvention** *f* convenzione *f* (per la tutela) dei diritti umani. **Menschenrechtsverletzung** *f* violazione *f* dei diritti umani. *m* **menschenscheu** *adj (ungesellig)* insocievole; *(schüchtern)* timido. **Menschenschlag** *m* specie *f (o* razza *f)* di uomini. **Menschenseele** *f:* **es war keine ~ zu sehen** non c'era anima viva. **Menschenskind** *n:* **~!** *fam* figlio mio! *fam* mama mia! *fam.* **menschenunwürdig** *adj* inumano. **menschenverachtend** *adj* disumano. **Menschenverstand** *m:* **der gesunde ~** il buon senso.
Menschheit ⟨-, ø⟩ *f* umanità *f.*
menschlich *adj* umano. **Menschlichkeit** ⟨-, ø⟩ *f* umanità *f.*
Menschwerdung ⟨-, ø⟩ *f rel* incarnazione *f.*
Mensen *pl von* **Mensa.**
Menstruation [mɛnstrua'tsi̯o:n] ⟨-, -en⟩ *f* mestruazione *f.*
mental [mɛn'ta:l] *adj* mentale.
Mentalität [...alitɛ:t] ⟨-, -en⟩ *f* mentalità *f.*
Menü, Menu *CH* [me'ny:] ⟨-s, -s⟩ *n gastr, inform* menu *m.* **Menüführung** *f* guida *f* tramite menu. **menügesteuert** *adj* guidato da menu. **Menüleiste** *f,* **Menüzeile** *f* opzione (*o* barra) *f* del menu.
Menuett [me'nu̯ɛt] ⟨-(e)s, -e *o* -s⟩ *n* minuetto *m.*
Meran [me'ra:n] *n* Merano *f.*
Merchandising ['mə:tʃəndaɪzɪŋ] ⟨-s, ø⟩ *n* merchandising *m.*
Merkblatt *n* **1.** *(mit Verordnungen)* (foglio *m* d')istruzioni *f pl;* **2.** *(Notizzettel)* foglio *m* d'appunti.
merken ['mɛrkən] *tr* **1.** *(be~, an~)* notare; **2.** *(wahrnehmen)* accorgersi di; **3.** *(spüren)* sentire; **4.** *(erkennen)* riconoscere (*an +dat* da); **jdn etw. ~ lassen** far capire qc a qu; **sich** *(dat)* **etw. ~** ritenere qc, tenere a mente qc.
merklich *adj* **1.** *(fühlbar)* sensibile; **2.** *(sichtlich)* visibile; **3.** *(beträchtlich)* notevole.
Merkmal ⟨-(e)s, -e⟩ *n* segno *m* caratteristico, caratteristica *f; biol* carattere *m; (Unterscheidungs~)* criterio *m.*
merkwürdig *adj* strano, singolare. **Merkwürdigkeit** ⟨-, -en⟩ *f* stranezza *f,* singolarità *f.*
meßbar *adj* misurabile. **Meßbecher** *m* misurino *m.*
Meßbuch *n* messale *m.* **Meßdiener(in)** *m(f)* chierichetto *m.*
Messe¹ ['mɛsə] ⟨-, -n⟩ *f rel* messa *f;* **in die** (*o* **zur) ~ gehen** andare a messa.
Messe² ['mɛsə] ⟨-, -n⟩ *f ökon (Ausstellung)* fiera *f.*

Messe³ ['mɛsə] ⟨-, -n⟩ *f naut (Speiseraum)* mensa *f.*
Messegelände *n* area *f* della fiera.
messen ['mɛsən] ⟨mißt, maß, gemessen⟩ **I.** *tr, itr* misurare; **II.** *rfl:* **sich mit jdm** ~ misurarsi con qu, cimentarsi con qu.
Messer ['mɛsɐ] ⟨-s, -⟩ *n* coltello *m; tec* lama *f;* **jdn jdm ans ~ liefern** *fam* consegnare qu nelle mani di qu. **Messerklinge** *f* lama *f* del coltello. **Messerrükken** *m* costa *f* del coltello. **messerscharf** *adj* taglientissimo; *fig* pungente. **Messerspitze** *f:* **eine ~ ...** un pizzico di ...
Messestand *m* stand *m* in fiera.
Meßfehler *m* errore *m* di misurazione. **Meßgerät** *n* strumento *m* (*o* apparecchio *m*) di misura.
Messias [mɛ'si:as] ⟨-, ø⟩ *m* Messia *m.*
Messing ['mɛsɪŋ] ⟨-s, ø⟩ *n* ottone *m.*
Meßinstrument *n* strumento *m* di misurazione. **Meßlatte** *f* mira *f.*
Meßopfer *n* sacrificio *m* della messa.
Messung ⟨-, -en⟩ *f* **1.** *(Tätigkeit)* misurazione *f;* **2.** *(Ergebnis)* rilevamento *m.*
Meßwein *m* vino *m* da messa.
Metall [me'tal] ⟨-s, -e⟩ *n* metallo *m.* **Metallindustrie** *f* industria *f* metallurgica, industria *f* metalmeccanica.
metallic [me'talɪk] *adj* metallizzato.
metallisch *adj* metallico.
Metamorphose [metamɔr'fo:zə] ⟨-, -n⟩ *f* metamorfosi *f.*
Metapher [me'tafɐ] ⟨-, -n⟩ *f* metafora *f.*
metaphysisch [meta'fy:zɪʃ] *adj* metafisico.
Metastase [meta'sta:zə] ⟨-, -n⟩ *f* metastasi *f.*
Meteor [mete'o:ɐ̯] ⟨-s, -e⟩ *m* meteora *f.*
Meteorologe [meteoro'lo:gə] ⟨-n, -n⟩ *m,* **Meteorologin** [...gɪn] *f* meteorologo, -a *m, f.*
Meteorologie [...lo'gi:] ⟨-, ø⟩ *f* meteorologia *f.*
Meter ['me:tɐ] ⟨-s, -⟩ *m o n* (*abk* **m**) metro *m;* **am laufenden** ~ *fig fam* ininterrottamente. **Metermaß** *n* metro *m.*
Methode [me'to:də] ⟨-, -n⟩ *f* metodo *m.*
methodisch *adj* metodico.
Metrik ['me:trɪk] ⟨-, -en⟩ *f* metrica *f.*
Metropole [metro'po:lə] ⟨-, -n⟩ *f* metropoli *f.*
Mett [mɛt] ⟨-(e)s, ø⟩ *n* carne *f* di maiale macinata.
Mette ['mɛtə] ⟨-, -n⟩ *f (Früh~)* mattutino *m; (Mitternachts~)* messa *f* di mezzanotte.
Metzger(in) ['mɛtsgɐ (...ərɪn)] ⟨-s, -⟩ *m(f)* macellaio, -a *m, f.*
Metzgerei [mɛtsgə'rai̯] ⟨-, -en⟩ *f* macelleria *f.*
Meuchelmord ['mɔy̯çəl-] *m pej* assassinio *m* proditorio.
Meute ['mɔy̯tə] ⟨-, -n⟩ *f* **1.** *(bei Jagd)* muta *f;* **2.** *fig pej* masnada *f fam,* orda *f.*
Meuterei [mɔy̯tə'rai̯] ⟨-, -en⟩ *f* ammutinamento *m.*
Meuterer ['mɔy̯tərɐ] ⟨-s, -⟩ *m* ammutinato *m.*
meutern ['mɔy̯tɐn] *itr* ammutinare.
Mexikaner(in) [mɛksi'ka:nɐ (...ərɪn)] ⟨-s, -⟩ *m(f)* messicano, -a *m, f.*
mexikanisch *adj* messicano.
Mexiko ['mɛksiko] *n* Messico *m;* **in** ~ nel Messico.
MEZ *abk von* **mitteleuropäische Zeit** tempo dell'Europa centrale.
mg *abk von* **Milligramm** mg (*abbr di* milligrammo).
MG [ɛm'ge:] ⟨-(s), -s⟩ *n abk von* **Maschinengewehr** mitragliatrice *f.*
MHz *abk von* **Megahertz** MHz.
miau [mi'au̯] *interj* miao.
miauen ⟨*ohne ge-*⟩ *itr* miagolare.
mich [mɪç] **I.** *pers pron (akk von* ich*) (betont)* me; *(unbetont)* mi; **II.** *rfl pron* mi.
Michael ['mɪçae:l *o* ...aɛl] *(männlicher Vorname)* Michele.
mick(e)rig ['mɪk(ə)rɪç] *adj fam* scarso, magro.
mied [mi:t] *imp von* **meiden.**
Mieder ['mi:dɐ] ⟨-s, -⟩ *n* **1.** *(Unterwäsche)* busto *m,* corsetto *m;* **2.** *(an Kleid)* corsetto *m.* **Miederwaren** *f pl* corsetteria *f.*
Mief [mi:f] ⟨-(e)s, ø⟩ *m fam pej* aria *f* cattiva (*o* viziata).
miefen *itr fam pej* puzzare (*nach* di); **hier mieft's** qui puzza di stantio.
Miene ['mi:nə] ⟨-, -n⟩ *f* (espressione *f* del) viso *m,* faccia *f;* **gute ~ zum bösen Spiel machen** far buon viso a cattiva sorte; **keine ~ verziehen** restare impassibile. **Mienenspiel** *n* mimica *f* facciale.
mies [mi:s] *adj fam* brutto, cattivo.
Miesepeter ['mi:zəpe:tɐ] ⟨-s, -⟩ *m,* **Miesmacher(in)** *m(f) fam* disfattista *mf,* criticone, -a *m, f.*
Miesmuschel ['mi:s-] *f* mitilo *m,* cozza *f.*
Mietauto *n* auto *f* a noleggio.
Miete¹ ['mi:tə] ⟨-, -n⟩ *f (Wohnungs~)* affitto *m,* locazione *f jur;* **zur ~ wohnen** essere in affitto.
Miete² ['mi:tə] ⟨-, -n⟩ *f agr* silo *m* (sotterraneo).
mieten *tr (Wohnung)* affittare (*von* da), prendere in affitto (*von* da); *(Auto, Boot)* noleggiare.
Mieter(in) ⟨-s, -⟩ *m(f) (von Wohnung)* locatario, -a *m, f,* inquilino, -a *m, f; (von Auto, Boot)* noleggiatore, -trice *m, f.*
Mieterhöhung *f* aumento *m* dell'affitto.
Mieterschutz *m* tutela *f* degli inquilini.
Mietkauf *m* leasing *m.* **Mietpreisbindung** *f* regime *m* del blocco dei canoni d'affitto. **Mietshaus** *n* casa *f* d'affitto. **Mietskaserne** *f pej* casermone *m.* **Mietspiegel** *m* indice *m* dei canoni d'affitto. **Mietvertrag** *m* contratto *m* d'affitto (*o* di lo-

cazione). **Mietwagen** *m* automobile *f* da noleggio; *(Taxi)* tassì *m.* **Mietwohnung** *f* appartamento *m* d'affitto. **Mietwucher** *m* usura *f.*

Mieze ['mi:tsə] ⟨-, -n⟩ *f* **1.** *fam (Katze)* micio *m fam;* **2.** *sl (Mädchen)* donna *f.*

Migräne [mi'grɛ:nə] ⟨-, -n⟩ *f* emicrania *f.*

Mikro ['mi:kro] ⟨-s, -s⟩ *n fam* (*abk von* **Mikrophon**) microfono *m.* **Mikrochip** ['mi:krotʃɪp] ⟨-s, -s⟩ *m* microchip *m.* **Mikrocomputer** *m* microcomputer *m.* **Mikroelektronik** [mikro-] *f* microelettronica *f.* **Mikrofiche** ['mi:krofiʃ] ⟨-s, -s⟩ *m o n* microfiche *f.* **Mikrofilm** ['mi:kro-] *m* microfilm *m.*

Mikrofon, Mikrophon [-'fo:n] ⟨-s, -e⟩ *n* microfono *m.*

Mikroprozessor [-pro'tsɛso:ɐ,...'so:rən] ⟨-s, -en⟩ *m* microprocessore *m.*

Mikroskop [-'sko:p] ⟨-s, -e⟩ *n* microscopio *m.*

mikroskopisch [-'sko:pɪʃ] *adj* microscopico.

Mikrowellenherd ['mi:kro-] *m* forno *m* a microonde.

Milbe ['mɪlbə] ⟨-, -n⟩ *f* acaro *m.*

Milch [mɪlç] ⟨-, ø⟩ *f* latte *m; bot* lattice *m.* **Milchbar** *f* milk-bar *m.* **Milchflasche** *f* bottiglia *f* del latte; *(für Babies)* poppatoio *m,* biberon *m.* **Milchgebiß** *n* denti *m pl* di latte. **Milchglas** *n* **1.** *(Glasscheibe)* vetro *m* smerigliato; **2.** *(zum Trinken)* bicchiere *m* da latte.

milchig *adj* latteo, lattiginoso.

Milchkaffee *m* caffellatte *m.* **Milchkanne** *f* bidone *m* del latte. **Milchkuh** *f* mucca lattifera (*o* da latte). **Milchmädchenrechnung** *f fam* illusioni *f pl;* **das ist eine ~** non sono altro che illusioni. **Milchmann** *m* lattaio *m.* **Milchpulver** *n* latte *m* in polvere. **Milchreis** *m* riso *m* al latte. **Milchsäure** *f* acido *m* lattico. **Milchschokolade** *f* cioccolato *m* al latte. **Milchstraße** *f* via *f* lattea. **Milchsuppe** *f* pappa *f* di latte. **Milchzahn** *m* dente *m* di latte.

mild(e) [mɪlt ('mɪldə)] *adj* **1.** *(sanft)* dolce; *(Klima)* mite; *(Farbe)* tenue; *(Strafe)* lieve; **2.** *(~tätig)* mite, caritatevole; *(gütig)* benevolo, benigno; *(nachsichtig)* clemente, indulgente; **3.** *(Käse)* dolce; *(Tabak)* leggero; *(Wein)* soave; **~e Gabe** elemosina *f.*

Milde ⟨-, ø⟩ *f* **1.** *(Sanftheit)* dolcezza *f; (von Klima a.)* mitezza *f; (von Farben)* tenuità *f; (von Strafe)* lievità *f;* **2.** *(Güte)* mitezza *f,* benevolenza *f; (Nachsicht)* clemenza *f,* indulgenza *f.*

mildern *tr (Urteil, Strafe)* attenuare; *(Schmerz)* lenire.

Milderung ⟨-, ø⟩ *f (von Urteil)* attenuazione *f; (von Schmerzen)* lenimento *m.*

mildtätig *adj* caritatevole.

Milieu [mi'liø:] ⟨-s, -s⟩ *n* ambiente *m.*

militant [mili'tant] *adj* militante.

Militär[1] [mili'tɛ:ɐ] ⟨-s, ø⟩ *n* **1.** *(Soldaten)* militari *m pl;* **2.** *(Heer)* forze *f pl* armate; **3.** *(~dienst)* servizio *m* militare; **beim ~ sein** essere sotto le armi.

Militär[2] [mili'tɛ:ɐ] ⟨-s, -s⟩ *m* militare *m,* ufficiale *m.*

Militärdienst *m* servizio *m* militare. **Militärdiktatur** *f* dittatura *f* militare. **Militärgericht** *n* tribunale *m* militare.

militärisch *adj* militare.

Militarismus [milita'rɪsmʊs] ⟨-, ø⟩ *m* militarismo *m.*

militaristisch [...'rɪstɪʃ] *adj* militaristico.

Militärkapelle *f* banda *f* militare. **Militärregierung** *f* governo *m* militare.

Miliz [mi'li:ts] ⟨-, -en⟩ *f* milizia *f.*

Milliardär(in) [mɪliar'dɛ:ɐ (...rɪn)] ⟨-s, -e⟩ *m(f)* miliardario, -a *m, f.*

Milliarde [mɪ'liardə] ⟨-, -n⟩ *f* (*abk* **Mia., Mrd.**) miliardo *m.*

Millibar [mɪli'ba:ɐ] ⟨-s, -⟩ *n* (*abk* **mb**) millibar *m.*

Milligramm [mɪli'gram] *n* (*abk* **mg**) milligrammo *m.*

Millimeter [mɪli'me:tɐ] *m o n* (*abk* **mm**) millimetro *m.* **Millimeterpapier** *n* carta *f* millimetrata.

Million [mɪ'lio:n] ⟨-, -en⟩ *f* (*abk* **Mill., Mio.**) milione *m.*

Millionär(in) [mɪlio'nɛ:ɐ (...rɪn)] ⟨-s, -e⟩ *m(f)* milionario, -a *m, f.*

Millionengeschäft *n* affare *m* di milioni. **Millionengewinn** *m* guadagno *m* di milioni. **millionenschwer** *adj fam* straricco *fam.* **Millionenstadt** *f* città *f* di milioni di abitanti.

Millirem ['mɪlirɛm] ⟨-s, -s⟩ *n* millirem *m.*

Milz [mɪlts] ⟨-, -en⟩ *f* milza *f.*

Mimik ['mi:mɪk] ⟨-, ø⟩ *f* mimica *f.*

mimisch *adj* mimico.

Mimose [mi'mo:zə] ⟨-, -n⟩ *f* **1.** *bot* mimosa *f;* **2.** *fig* persona *f* ipersensibile.

min, Min. *abk von* **Minute** min. (*abbr di* minuto).

minder ['mɪndɐ] *adv* meno. **minderbemittelt** *adj* meno abbiente; **geistig ~** *sl pej* deficiente.

mindere(r, s) ['mɪndərə] *adj* minore, inferiore; *(Ware, Qualität)* scadente.

Minderheit ⟨-, -en⟩ *f* minoranza *f.* **Minderheitenschutz** *m* tutela *f* delle minoranze.

minderjährig *adj* minorenne. **Minderjährige** ⟨ein -r, -n, -n⟩ *mf* minorenne *mf.* **Minderjährigkeit** ⟨-, ø⟩ *f* minorità *f.*

mindern *tr* **1.** *(verringern)* diminuire; *(abschwächen)* attenuare, mitigare; **2.** *(herabsetzen)* ridurre, abbassare.

Minderung ⟨-, -en⟩ *f* **1.** *(Verringerung)* diminuzione *f; (Abschwächung)* attenuazione *f;* **2.** *(Herabsetzung)* riduzione *f; (im Wert)* deprezzamento *m.*

minderwertig *adj* inferiore; *(Ware)* scadente. **Minderwertigkeit** *f* inferiorità *f; (von Qualität, Ware)* qualità *f* scadente.

Minderwertigkeitskomplex *m* complesso *m* di inferiorità.

Mindestabstand ['mɪndəst-] *m* distanza *f* minima. **Mindestalter** *n* età *f* minima. **Mindestanforderung** *f* requisito *m* minimo. **Mindesteinkommen** *n* reddito *m* minimo.

mindestens *adv* per lo meno, almeno; ~ **haltbar bis** ... da consumarsi preferibilmente entro ...

mindeste(r, s) ['mɪndəstə] *adj* minimo, -a, (il, la) più piccolo, -a; **nicht im ~n** per niente, non ... affatto; **zum ~n** per lo meno.

Mindesthaltbarkeitsdatum *n (von Lebensmitteln)* data *f* di conservazione minima. **Mindestmaß** *n* minimo *m* (*an +dat* di). **Mindestrente** *f* pensione *f* minima, minima *f fam.* **Mindeststrafe** *f* minimo *m* della pena.

Mine ['mi:nə] ⟨-, -n⟩ *f* **1.** *(mil, Bleistift~)* mina *f; (Kugelschreiber~)* ricambio *m;* **2.** *min* miniera *f.* **Minenfeld** *n* campo *m* minato. **Minensuchgerät** *n* cercamine *m.* **Minenwerfer** ⟨-s, -⟩ *m* lanciamine *m.*

Mineral [mine'ra:l, -ə *o* -iən] ⟨-s, -e *o* -*ien*⟩ *n* minerale *m.* **Mineralbad** *n* bagno *m* d'acque minerali.

Mineralogie [mineralo'gi:] ⟨-, ø⟩ *f* mineralogia *f.*

Mineralöl *n* olio *m* minerale; *(Erdöl)* petrolio *m.* **Mineralölsteuer** *f* tassa *f* sull' olio minerale (*o* petrolio). **Mineralwasser** *n* acqua *f* minerale.

Miniatur [mini̯a'tu:ɐ̯] ⟨-, -en⟩ *f* miniatura *f.*

Minibar *f (in Hotelzimmer)* frigobar *m.* **Minigolf** ['mɪni-] *n* minigolf *m.* **Minikassette** *f* minicassetta *f* **Minikleid** *n* vestito *m* mini.

Minima *pl von* **Minimum.**

minimal [mini'ma:l] *adj* minimale, minimo.

Minimum ['mi:nimʊm, ...ma] ⟨-s, -nima⟩ *n* minimo *m* (*an +dat* di).

Minipille ['mɪni-] *f* minipillola *f.* **Minirock** *m* minigonna *f.*

Minister(in) [mi'nɪstɐ (...ərɪn)] ⟨-s, -⟩ *m(f)* ministro *m.*

ministeriell [minɪste'ri̯ɛl] *adj* ministeriale.

Ministerium [minɪs'te:ri̯ʊm, ...i̯ən] ⟨-s, -rien⟩ *n* ministero *m.*

Ministerpräsident(in) *m(f)* primo ministro *m; (in Italien)* presidente *m* del consiglio. **Ministerrat** *m* consiglio *m* dei ministri; ~ **der Europäischen Union** consiglio *m* dei ministri europeo.

Minorität [minori'tɛ:t] ⟨-, -en⟩ *f* minoranza *f.*

minus ['mi:nʊs] *adv* **1.** *mat* meno; **2.** *el* negativo; **bei ~ 10 Grad** a 10 gradi sotto zero. **Minus** ⟨-, -⟩ *n* **1.** *ökon* ammanco *m,* deficit *m;* **2.** *el* polo *m* negativo; **3.** *fig (Nachteil)* svantaggio *m.* **Minuspunkt** *m* punto *m* a sfavore (*o* a svantaggio). **Minuszeichen** *n* (segno *m* di) meno *m.*

Minute [mi'nu:tə] ⟨-, -n⟩ *f* (*abk* **min, Min.**) minuto *m; (Augenblick)* attimo *m,* istante *m;* **auf die letzte (*o* in letzter) ~** all'ultimo minuto (*o* momento). **minutenlang** **I.** *adj* di alcuni minuti; **II.** *adv* per alcuni minuti. **Minutenzeiger** *m* lancetta *f* dei minuti.

minutiös [minu'tsi̯ø:s] *adj* minuzioso.

Minze ['mɪntsə] ⟨-, -n⟩ *f* menta *f.*

mir [mi:ɐ̯] *pers pron (dat von* ich*) (betont)* (a) me; *(unbetont)* mi; **von ~ aus** per me, per conto mio; **~ nichts, dir nichts** *fam* di punto in bianco.

Mischbatterie *f* (rubinetto *m*) miscelatore *m.* **Mischbrot** *n* pane *m* misto.

mischen ['mɪʃən] **I.** *tr* **1.** mescolare; *(Karten a.)* mischiare; *(Gift)* preparare; *(Cocktail)* fare; *(Wein)* tagliare; **2.** *film, radio, TV* missare; **II.** *rfl:* **sich ~ 1.** mischiarsi, mescolarsi; **2.** *(sich ein~)* immischiarsi (*in +akk* in); **III.** *itr (beim Kartenspiel)* mischiare.

Mischgewebe *n* tessuto *m* misto. **Mischling** ['mɪʃlɪŋ] ⟨-s, -e⟩ *m (Mensch)* meticcio, -a *m, f; (Tier)* bastardo, -a *m, f.*

Mischmasch ['mɪʃmaʃ] ⟨-(e)s, -e⟩ *m fam pej* miscuglio *m.* **Mischpult** *n* tavolo *m* di missaggio.

Mischung ⟨-, -en⟩ *f* **1.** ⟨*sing*⟩ *(das Mischen)* mescolamento *m,* mescolatura *f;* **2.** *(Gemisch)* miscuglio *m* , mescolanza *f.*

Mischwald *m* bosco *m* misto.

miserabel [mizə'ra:bəl] *adj* **1.** *(schlecht)* pessimo; *(Zustand)* pietoso, miserabile; **2.** *(nichtswürdig)* ignobile.

Misere [mi'ze:rə] ⟨-, -n⟩ *f* situazione *f* precaria.

Mispel ['mɪspəl] ⟨-, -n⟩ *f* **1.** *(Frucht)* nespola *f;* **2.** *(Baum)* nespolo *m.*

mißachten [mɪs'ʔaxtən] ⟨*ohne ge-*⟩ *tr* **1.** *(ignorieren)* trascurare, non osservare; **2.** *(verachten)* disprezzare.

Mißachtung *f* **1.** *(Nichteinhaltung)* mancato rispetto *m; (von Gesetz a.)* inosservanza *f;* **2.** *(Geringschätzung)* disprezzo *m,* spregio *m.*

Mißbehagen *n* disagio *m.*

Mißbildung *f* malformazione *f,* deformità *f.*

mißbilligen [mɪs'bɪlɪgən] ⟨*ohne ge-*⟩ *tr* disapprovare.

Mißbilligung *f* disapprovazione *f.*

Mißbrauch *m* abuso *m.*

mißbrauchen [mɪs'brau̯xən] ⟨*ohne ge-*⟩ *tr (Vertrauen)* abusare di; *(Dinge)* fare uso indebito (*o* cattivo uso) di.

missen ['mɪsən] *tr:* **etw. nicht ~ mögen (*o* können)** *geh* non voler (*o* non poter) fare a meno di qc.

Mißerfolg *m* insuccesso *m,* fallimento *m.*

Missetat ['mɪsəta:t] *f geh* misfatto *m; (Streich)* tiro *m* birbone *fam.*

Missetäter(in) *m(f) geh* malfattore, -trice *m, f.*
mißfallen [mɪs'falən] ⟨*irr, ohne ge-*⟩ *itr* non piacere, spiacere. **Mißfallen** ['mɪs-] ⟨-s, ø⟩ *n* malcontento *m,* disapprovazione *f.*
Mißgeburt *f* essere *m* deforme.
Mißgeschick *n* sfortuna *f,* disavventura *f.*
mißglücken [mɪs'glʏkən] ⟨*ohne ge-*⟩ *itr* ⟨*sein*⟩ non riuscire, fallire.
Mißgriff *m* passo *m* falso, mossa *f* sbagliata.
Mißgunst *f* invidia *f,* gelosia *f.*
mißgünstig *adj* invidioso, geloso.
mißhandeln [mɪs'handəln] ⟨*ohne ge-*⟩ *tr* maltrattare.
Mißhandlung [mɪs'handlʊŋ] *f* maltrattamento *m.*
Mission [mɪ'sjo:n] ⟨-, -en⟩ *f* missione *f.*
Missionar(in) [mɪsjo'na:ɐ (...rɪn)] ⟨-s, -e⟩ *m(f)* missionario, -a *m, f.*
missionarisch *adj* missionario.
Mißklang *m* **1.** *mus* dissonanza *f,* stonatura *f;* **2.** *ling* cacofonia *f;* **3.** *fig* disaccordo *m.*
Mißkredit *m* discredito *m;* **jdn in ~ bringen** screditare qu.
mißlang [mɪs'laŋ] *imp von* **mißlingen.**
mißlich ['mɪslɪç] *adj geh* spiacevole, sgradevole.
mißlingen [mɪs'lɪŋən] ⟨mißlingt, mißlang, mißlungen⟩ *itr* ⟨*sein*⟩ non riuscire, fallire.
Mißmanagement ⟨-s, ø⟩ *n* disamministrazione *f.*
Mißmut *m* malumore *m,* malcontento *m.*
mißmutig *adj* di malumore, di cattivo umore.
mißraten[1] [mɪs'ra:tən] ⟨*irr, ohne ge-*⟩ *itr* ⟨*sein*⟩ non riuscire, fallire.
mißraten[2] [mɪs'ra:tən] *adj* non riuscito; *(Mensch)* maleducato, screanzato.
Mißstand *m* male *m,* inconveniente *m.*
Mißstimmung *f* malumore *m.*
mißt [mɪst] *pr von* **messen.**
mißtrauen [mɪs'traʊən] ⟨*ohne ge-*⟩ *itr* non fidarsi (*jdm/einer S.* di qu/qc), diffidare (*jdm/einer S.* di qu/qc). **Mißtrauen** ['mɪstraʊən] ⟨-s, ø⟩ *n* diffidenza *f* (*gegen* verso), sfiducia *f* (*gegen* verso). **Mißtrauensantrag** *m* mozione *f* di sfiducia. **Mißtrauensvotum** [-vo:tʊm, ...tən *o* ...ta] ⟨-s, -ten *o* -ta⟩ *n* voto *m* di sfiducia.
mißtrauisch *adj* diffidente; *(argwöhnisch)* sospettoso.
Mißverhältnis *n* sproporzione *f,* squilibrio *m,* disparità *f.*
mißverständlich *adj* equivoco, ambiguo.
Mißverständnis *n* malinteso *m,* equivoco *m.* **mißverstehen** ⟨*irr, ohne ge-*⟩ *tr* capire male, fraintendere.
Mißwahl ['mɪs-] *f* concorso *m* di bellezza.
Mißwirtschaft *f* cattiva amministrazione *f.*
Mist [mɪst] ⟨-(e)s, ø⟩ *m* **1.** *(Tier~)* letame *m;* *(~haufen)* letamaio *m;* **2.** *fig (Schund)* porcheria *f,* robaccia *f;* **3.** *fig (Unsinn)* sciocchezze *f pl,* stupidaggini *f pl;* **da hat einer ~ gemacht (*o* gebaut)** *sl* qualcuno ha fatto un pasticcio; **das ist nicht auf seinem ~ gewachsen** *fam* non è farina del suo sacco.
Mistel ['mɪstəl] ⟨-, -n⟩ *f* vischio *m.*
Mistgabel *f* forcone *m* (da letame). **Misthaufen** *m* letamaio *m.* **Miststück** *n,* **-vieh** *n vulg* farabutto, -a *m, f.*
mit [mɪt] **I.** *prp +dat* **1.** *(in Begleitung von)* (insieme) con, assieme a; **2.** *(mit Hilfe von)* con, per; *(Verkehrsmittel a.)* a, in; **3.** *(versehen mit, Eigenschaft)* con, a, da; *(Alter)* a, all'età di; **4.** *(auf Art und Weise)* con, a; **eine Pizza ~ Salami** una pizza al salame; **~ dem Auto/Flugzeug/Zug** in automobile/aereo/treno; **~ blauen Augen** dagli occhi blu; **~ leiser Stimme** a voce bassa; **~ zwanzig Jahren** a (*o* all'età di) venti anni; **II.** *adv:* **etw. ~ berücksichtigen** tenere conto anche di qc; **~ dabeisein** esserci; **ich habe keinen Schirm ~** *fam* non ho con me l'ombrello.
Mitangeklagte *mf* coimputato, -a *m, f.*
Mitarbeit *f* collaborazione *f,* cooperazione *f;* **unter ~ von ...** con la collaborazione di ..., hanno collaborato ...
mit·arbeiten *itr* collaborare (*an (dat)* a), cooperare (*an (dat)* a).
Mitarbeiter(in) *m(f)* collaboratore, -trice *m, f,* cooperatore, -trice *m, f.*
Mitarbeiterstab *m* staff *m* di collaboratori.
mit·bekommen ⟨*irr, ohne ge-*⟩ *tr* **1.** *(Verpflegung)* ricevere (da portar via); *(als Mitgift)* ricevere in dote; **2.** *fam (bemerken, wahrnehmen)* notare, accorgersi di; *(verstehen)* comprendere.
mit·benutzen ⟨*ohne ge*⟩ *tr* usare in comune.
Mitbestimmung *f* cogestione *f.*
Mitbewerber(in) *m(f)* concorrente *mf.*
Mitbewohner(in) *m(f) (von Wohnung)* coabitatore, -trice *m, f; (von Haus)* coinquilino, -a *m, f.*
mit·bringen ⟨*irr*⟩ *tr* portare (con sé).
Mitbringsel ['mɪtbrɪŋzəl] ⟨-s, -⟩ *n fam* regalino *m; (von Reise)* pensierino *m.*
Mitbürger(in) *m(f)* concittadino, -a *m, f.*
Miteigentümer(in) *m(f)* comproprietario, -a *m, f.*
miteinander [mɪtʔaɪ'nandɐ] *adv* **1.** *(einer mit dem anderen)* l'uno con l'altro; **2.** *(gemeinsam)* insieme, assieme.
mit·erleben ⟨*ohne ge-*⟩ *tr* **1.** *(erleben)* vivere, vedere; **2.** *(dabeisein)* assistere a, partecipare a.
Mitesser ⟨-s, -⟩ *m med* comedone *m,* punto *m* nero *fam.*
mit·fahren ⟨*irr*⟩ *itr* ⟨*sein*⟩ andare (*mit* con *o* insieme a); **jdn ~ lassen** *(im Au-*

to) dare un passaggio a qu.

Mitfahrerzentrale *f organizzazione che procura passaggi in macchina.* **Mitfahrgelegenheit** *f* passaggio *m.*

mit·fühlen I. *tr* condividere, partecipare; **II.** *itr:* **mit jdm ~** condividere i sentimenti di qu. **mitfühlend** *adj* compassionevole.

mit·geben ⟨*irr*⟩ *tr* dare.

Mitgefühl *n* **1.** *(Verständnis)* simpatia *f* (*mit* per); **2.** *(Mitleid)* compassione *f* (*mit* per).

mit·gehen ⟨*irr*⟩ *itr* ⟨*sein*⟩ **1.** andare (*mit* insieme a); *(begleiten)* accompagnare (*mit jdm* qu); **2.** *fig (sich mitreißen lassen)* venire trasportato (*mit* con); **etw. ~ lassen** *fam* far sparire qc.

mitgenommen *adj allg.* deperito, patito; *(Sache)* consunto, logoro; *(körperlich, seelisch)* colpito, provato.

Mitgift ['mɪtgɪft] ⟨-, -en⟩ *f* dote *f.*

Mitglied *n* membro *m.* **Mitgliedsausweis** *m* tessera *f* di socio. **Mitgliedsbeitrag** *m* quota *f* sociale. **Mitgliedschaft** ⟨-, *rar* -en⟩ *f* appartenenza *f.* **Mitgliedsstaat** *m* stato *m* membro.

mit·helfen ⟨*irr*⟩ *itr* collaborare (*bei* a), cooperare (*bei* a).

Mithilfe *f* collaborazione *f,* cooperazione *f.*

mit·hören I. *tr* ascoltare; *(belauschen)* ascoltare di nascosto, origliare; **II.** *itr* stare in ascolto; *(lauschen)* origliare; **Feind hört mit!** il nemico è in ascolto.

Mitinhaber(in) *m(f)* comproprietario, -a *m, f,* contitolare *mf.*

mit·kommen ⟨*irr*⟩ *itr* ⟨*sein*⟩ **1.** venire (*mit* insieme a); *(begleiten)* accompagnare (*mit jdm* qu); **2.** *fig (Schritt halten)* tener dietro; *(geistig)* seguire; **da komme ich nicht mehr mit** *fig fam* non riesco a capire.

mit·kriegen *fam s.* **mitbekommen.**

Mitläufer *m* seguace *m* pedissequo, pecorone *m.*

Mitlaut *m* consonante *f.*

Mitleid *n* compassione *f* (*mit* per), pietà *f* (*mit* per).

Mitleidenschaft *f:* **etw. in ~ ziehen** danneggiare qc.

mitleiderregend *adj* che suscita compassione, pietoso.

mitleidig *adj* pietoso, compassionevole.

mit·machen I. *tr* **1.** *(Veranstaltung)* partecipare a, prendere parte a; *(Kurs, Mode)* seguire; **2.** *(durchmachen, erleiden)* passare, subire; **das mache ich nicht länger mit!** *fam* non ci sto più! *fam;* **II.** *itr (sich beteiligen)* partecipare (*bei* a); **ich mache mit** ci sto.

Mitmensch *m* prossimo *m,* simile *m.*

Mitnahmepreis ['mitna:mə-] *m* prezzo *m* del ritiratelo da voi.

mit·nehmen ⟨*irr*⟩ *tr* **1.** *allg.* prendere (*o* portare) con sé; *(fortnehmen)* portare via; **2.** *fam (stehlen)* sgraffignare *fam;* **3.** *fig (körperlich, seelisch)* affaticare, esaurire; **Pizza zum M~** pizza da portar via; **bis Köln (im Auto) ~** portare (in macchina) fino a Colonia.

mitnichten [mɪt'nɪçtən] *adv geh* niente affatto.

mit·reden *itr* partecipare alla discussione; **da habe ich auch noch ein Wort mitzureden** *fam* anch'io ho voce in capitolo.

Mitreisende *mf* compagno, -a *m, f* di viaggio.

mitsamt [mɪt'zamt] *prp +dat* insieme a.

mit·schicken *tr* spedire (*o* mandare) (*mit* insieme a); *(beifügen)* allegare.

mit·schreiben ⟨*irr*⟩ **I.** *itr* prendere appunti; **schreiben Sie mit: ...** scriva: ...; **II.** *tr* **1.** *(Diktat)* scrivere; **2.** *(Klassenarbeit)* partecipare a.

Mitschuld *f* correità *f* (*an +dat* in), complicità *f* (*an +dat* in). **mitschuldig** *adj* correo (*an +dat* di), complice (*an +dat* di).

Mitschüler(in) *m(f)* compagno, -a *m, f* di scuola.

mit·spielen *itr* **1.** *(bei Spiel)* prendere parte a un gioco; *(sport a.)* giocare (*mit* insieme a); *theat* recitare (*mit* insieme a); *mus* suonare (*mit* insieme a); **2.** *fig (Gründe)* concorrere, essere in gioco; **jdm übel ~** giocare un brutto tiro a qu.

Mitspieler(in) *m (f)* partecipante *m f.*

Mitsprache *f* parola *f.* **Mitspracherecht** *n* diritto *m* di essere interpellato.

mittag ['mɪta:k] *adv* a mezzogiorno; **Freitag ~** venerdì a mezzogiorno. **Mittag** *m* mezzogiorno *m;* **zu ~ essen** pranzare. **Mittagessen** *n* pranzo *m.*

mittags *adv* a mezzogiorno; **(um) 12 Uhr ~** a mezzogiorno; **(um) 1 Uhr ~** alle 1 di pomeriggio. **Mittagspause** *f* pausa *f* (*o* intervallo *m*) di mezzogiorno. **Mittagsruhe** *f* riposo *m* pomeridiano, siesta *f.* **Mittagsschlaf** *m* pisolino *m* pomeridiano. **Mittagszeit** *f* mezzogiorno *m;* **in der ~** sul mezzogiorno.

Mittäter(in) *m(f)* correo, -a *m, f,* complice *mf.*

Mitte ['mɪtə] ⟨-, -n⟩ *f* **1.** *allg.* mezzo *m,* metà *f;* **2.** *(pol, Mittelpunkt)* centro *m;* **~ Januar** a metà gennaio; **in der ~** nel mezzo, al centro; **er ist ~ Vierzig** è sui quarantacinque anni.

mit·teilen *tr* comunicare, informare (*jdm etw.* qu di qc); *adm* notificare.

mitteilsam *adj* comunicativo, espansivo.

Mitteilung *f* comunicazione *f; (a. adm)* comunicato *m; (Bekanntmachung)* avviso *m; adm* notifica(zione) *f (vertraulich)* confidenza *f.*

Mittel ['mɪtəl] ⟨-s, -⟩ *n* **1.** *allg.* mezzo *m;* **2.** *(Hilfs~, Heil~)* rimedio *m;* **3.** *mat* media *f;* **4.** ⟨*pl*⟩ *fin* mezzi *m pl* (finanziari), fondi *m pl;* **~ und Wege finden** trovare mezzo e modo; **ihm ist jedes ~ recht** a lui va bene ogni mezzo; **ein ~ zum Zweck sein** rappresentare un mezzo per raggiungere lo scopo.

Mittelalter *n* (*abk* **MA**) medioevo *m*. **mittelalterlich** *adj* medievale. **Mittelamerika** *n* America *f* centrale. **mittelbar** *adj* mediato, indiretto. **Mittelding** *n fam* cosa *f (o* via *f)* di mezzo. **Mitteleuropa** *n* Europa *f* centrale. **mitteleuropäisch** *adj:* **~e Zeit** (*abk* **MEZ**) tempo dell'Europa centrale. **Mittelfeld** *n* centro campo *m*. **Mittelfinger** *m* (dito *m*) medio *m*. **mittelfristig I.** *adj* a medio termine; **II.** *adv* nei tempi brevi. **Mittelgebirge** *n* media montagna *f*. **Mittelgewicht** *n* peso *m* medio. **Mittelklassewagen** *m* autovettura *f* di media cilindrata. **mittellos** *adj* privo di mezzi; *adm* nullatenente. **Mittelmaß** *n (Durchschnitt)* media *f*. **mittelmäßig** *adj* medio; *(pej a.)* mediocre. **Mittelmäßigkeit** *f* mediocrità *f*. **Mittelmeer** *n* (Mare *m*) Mediterraneo *m*. **Mittelpunkt** *m* punto *m* centrale; *(mat, fig a.)* centro *m;* **im ~ stehen** essere al centro.

mittels *prp +gen geh* mediante, per mezzo di, con.

Mittelscheitel *m* riga *f* (*o* scriminatura *f*) in mezzo. **Mittelschicht** *f* ceto *m* medio.

Mittelsmann ⟨-(e)s, -männer *o* -leute⟩ *m* intermediario *m*, mediatore *m*.

Mittelstand *m* ceto *m* medio. **Mittelstreckenrakete** *f* missile *m* a medio raggio. **Mittelstreifen** *m* spartitraffico *m*. **Mittelwelle** *f* (*abk* **MW**) onde *f pl* medie. **Mittelwert** *m* media *f*.

mitten ['mɪtən] *adv:* **~ durchbrechen** rompere a metà; **~ durch** attraverso; **~ in** in mezzo a, al centro di; **~ in der Nacht** in piena notte.

Mitternacht ['mɪtɐ-] *f* mezzanotte *f*.

mittlere(r, s) ['mɪtlərə] *adj* **1.** *(im Mittelpunkt)* centrale; **2.** *(dazwischen befindlich)* intermediario, -a; **3.** *(durchschnittlich)* medio, -a; **~n Alters** di mezza età.

mittlerweile ['mɪtlɐ'vailə] *adv* intanto, nel frattempo, frattanto.

Mittwoch ['mɪtvɔx] ⟨-(e)s, -e⟩ *m* mercoledì *m; s. a. Freitag.*

mitunter [mɪt'ʔʊntɐ] *adv* talvolta, a volte, di quando in quando.

mitverantwortlich *adj* corresponsabile.

mit·wirken *itr* cooperare (*an +dat, bei* a), collaborare (*an +dat, bei* a); *film, theat* prendere parte (*bei, in +dat* a, in).

Mitwirkung *f* cooperazione *f* (*von* di), collaborazione *f* (*von* di); **unter ~ von** con la partecipazione di.

Mitwisser(in) ⟨-s, -⟩ *m(f)* persona *f* che è a conoscenza; *(in Geheimnis)* iniziato, -a *m, f; (Vertrauter)* confidente *mf; jur* connivente *mf*.

Mitwohnzentrale *f* agenzia *f* per la mediazione di coinquilini.

mit·zählen I. *tr* includere (nel conto); **II.** *itr* contare.

mixen ['mɪksən] *tr* mescolare; *(im Mixer)* frullare.

Mixer ⟨-s, -⟩ *m (Gerät)* frullatore *m*.

Mixtur [mɪks'tu:ɐ̯] ⟨-, -en⟩ *f* mistura *f*.

mm *abk von* **Millimeter** mm (*abbr di* millimetro).

Möbel ['mø:bəl] ⟨-s, -⟩ *n* ⟨*meist pl*⟩ mobile *m*. **Möbelpacker** *m* facchino *m*. **Möbelpolitur** *f* lucido *m* per mobili. **Möbelwagen** *m* furgone *m* per traslochi.

mobil [mo'bi:l] *adj* **1.** *allg., jur, mil, ökon* mobile; **2.** *fam (flink)* svelto, lesto; **~ machen** mobilitare.

Mobilfunk *m* radiomobile *f*, cellulare *m*.

Mobiliar [mobi'li̯a:ɐ̯] ⟨-s, -e⟩ *n* mobilia *f*, mobili *m pl*.

mobilisieren [mobili'zi:rən] ⟨*ohne ge-*⟩ *tr* mobilitare.

Mobilmachung ⟨-, ø⟩ *f* mobilitazione *f*.

möblieren [mø'bli:rən] ⟨*ohne ge-*⟩ *tr* ammobiliare, arredare; **möbliert wohnen** abitare in una stanza ammobiliata.

mochte ['mɔxtə] *imp von* **mögen.**

möchte ['mœçtə] *konjv von* **mögen.**

Mode ['mo:də] ⟨-, -n⟩ *f* moda *f;* **(in) ~ sein** essere di moda (*o* in voga). **Modeheft** *n*, **-journal** [-ʒʊrna:l] ⟨-s, -e⟩ *n* giornale *m* di moda.

Modell [mo'dɛl] ⟨-s, -e⟩ *n* **1.** *allg.* modello *m;* **2.** *(Foto~)* modello, -a *m,f;* **~ stehen** posare. **Modellflugzeug** *n* aeromodello *m*.

modellieren [modɛ'li:rən] ⟨*ohne ge-*⟩ *tr, itr* modellare.

Modelliermasse *f* pasta *f* per modellare.

Modellkleid *n* modello *m*. **Modellversuch** *m* sperimentazione *f* pilota.

Modem ['mo:dəm] ⟨-s, -s⟩ *n* modem *m*.

Modemacher(in) ⟨-s, -s⟩ *m(f)* stilista *mf*.

Mode(n)schau *f* sfilata *f* di moda.

Moderation [modera'tsi̯o:n] ⟨-, -en⟩ *f:* **die ~ einer Sendung übernehmen** condurre una trasmissione.

Moderator(in) [mode'ra:to:ɐ̯ (...'to:rɪn) ...ra'to:rən] ⟨-s, -en⟩ *m(f)* moderatore, -trice *m, f*.

modern[1] ['mo:dɐn] *itr* marcire, ammuffire.

modern[2] [mo'dɛrn] *adj* **1.** *(zeitgemäß)* moderno; **2.** *(modisch)* alla (*o* di) moda.

Moderne ⟨-, ø⟩ *f:* **die ~** i tempi moderni *m pl; (in Kunst)* l'arte moderna.

modernisieren [...ni'zi:rən] ⟨*ohne ge-*⟩ *tr* modernizzare; *(Wohnung, Kleid)* rimodernare.

Modernisierung ⟨-, ø⟩ *f* modernizzazione *f*, rimodernamento *m*.

Modeschmuck *m* bigiotteria *f*, bijoux *m pl*. **Modeschöpfer(in)** *m(f)* creatore, -trice *m, f* di moda. **Modewort** *n* parola *f* di moda.

modisch *adj, adv* alla moda.

modular *adj* modulare.

Modus ['mo:dus *o*['mɔ...] ⟨-, Modi⟩ *m* modo *m.*

Mofa ['mo:fa] ⟨-s, -s⟩ *n* ciclomotore *m.* **Mofafahrer(in)** *m (f)* ciclomotorista *m f.*

mogeln ['mo:gəln] *itr fam* imbrogliare.

Mogelpackung *f* confezione *f* ingannevole.

mögen ['mø:gən] ⟨mag (*konjv* möchte), mochte, gemocht *o modales Hilfsverb* mögen⟩ **I.** *tr* piacere; *(gern haben)* amare; **lieber** ~ preferire; **II.** *itr:* **ich mag nicht (mehr)** non voglio (più); **III.** *(modales Hilfsverb)* **1.** *(Wunsch)* volere, desiderare, avere voglia di; **2.** *(Vermutung)* potere; **ich möchte (gern) . . .** vorrei . . .; **es mag sein, daß . . .** è possibile che *+congv.*

möglich ['mø:klıç] *adj* possibile; **alles ~e** di tutto; **so gut/bald wie** ~ il meglio/il più presto possibile; **das ist durchaus (***o* **wohl)** ~ è possibilissimo.

möglicherweise *adv* forse, eventualmente.

Möglichkeit ⟨-, -en⟩ *f* possibilità *f; (möglicher Fall a.)* eventualità *f; (Gelegenheit, Chance)* occasione *f;* ⟨*pl*⟩ *(Mittel)* mezzi *m pl;* **nach** ~ per quanto possibile; **ich hatte keine andere** ~ non avevo altra scelta.

möglichst *adv:* ~ **gut/viel/oft** il meglio/il più/il più spesso possibile.

Mohammedaner(in) [mohame'da:nɐ (...ərın)] ⟨-s, -⟩ *m(f)* maomettano, -a *m, f.*

mohammedanisch *adj* musulmano, maomettano.

Mohn [mo:n] ⟨-(e)s, -e⟩ *m* **1.** *bot* papavero *m;* **2.** *(~samen)* semi *m pl* di papavero.

Möhre ['mø:rə] ⟨-, -n⟩, **Mohrrübe** ['mo:ɐ̯-] *f* carota *f.*

mokieren [mo'ki:rən] ⟨*ohne ge-*⟩ *rfl:* **sich** ~ canzonare (*über +akk jdn* qu).

Mokka ['mɔka] ⟨-s, -s⟩ *m* moca *m.*

Molch [mɔlç] ⟨-(e)s, -e⟩ *m* tritone *m.*

Mole ['mo:lə] ⟨-, -n⟩ *f* molo *m.*

Molekül [mole'ky:l] ⟨-s, -e⟩ *n* molecola *f.*

molk [mɔlk] *rar imp von* **melken.**

Molkerei [mɔlkə'rai̯] ⟨-, -en⟩ *f* latteria *f,* caseificio *m.*

Moll [mɔl] ⟨-, ø⟩ *n* modo *m* (*o* tono *m*) minore; **d-**~ re minore.

mollig ['mɔlıç] *adj fam* **1.** *(warm)* piacevole, piacevolmente caldo; *(Kleidung)* soffice, morbido; **2.** *(rundlich)* grassottello.

Molotowcocktail ['mo:lotɔf-] *m* bomba *f* molotov.

Moment¹ [mo'mɛnt] ⟨-(e)s, -e⟩ *m (Augenblick)* momento *m,* istante *m,* attimo *m;* **im** ~ *(jetzt)* al (*o* per il) momento, momentaneamente; *(gerade)* in quest'istante, in questo momento; **im letzten** ~ all'ultimo minuto; **er kann jeden** ~ **kommen** può arrivare da un momento all'altro; ~ **(mal)!** un momento!

Moment² [mo'mɛnt] ⟨-(e)s, -e⟩ *n (Umstand)* momento *m.*

momentan [...'ta:n] **I.** *adj* momentaneo; *(aktuell a.)* attuale; **II.** *adv* momentaneamente, per il momento.

Momentaufnahme *f* istantanea *f.*

Monarch(in) [mo'narç(ın)] ⟨-en, -en⟩ *m(f)* monarca *m (nur scherz:* -chessa *f).*

Monarchie [monar'çi:, ...i:ən] ⟨-, -n⟩ *f* monarchia *f.*

Monarchist(in) [...'çıst(ın)] ⟨-en, -en⟩ *m(f)* monarchico, -a *m, f.*

Monat ['mo:nat] ⟨-(e)s, -e⟩ *m* mese *m;* **im achten** ~ **(schwanger) sein** essere all'ottavo mese; **am 10. dieses ~s** (*abk* **d. M.**) *adm* il 10 corrente mese (*abbr* c.m.).

monatelang I. *adj* di mesi; **II.** *adv* (per) molti mesi, (per) mesi e mesi.

monatlich ['mo:natlıç] *adj* mensile.

Monatsbinde *f* assorbente *m* igienico. **Monatskarte** *f* tessera *f* mensile. **Monatsrate** *f* rata *f* mensile.

Mönch [mœnç] ⟨-(e)s, -e⟩ *m* monaco *m.*

Mond [mo:nt] ⟨-(e)s, -e⟩ *m* luna *f;* **auf dem** ~ **landen** allunare; **hinter dem** ~ **leben** *fam* vivere sulla luna *fam;* **meine Uhr geht nach dem** ~ *fam* il mio orologio è impazzito. **Mondbahn** *f* orbita *f* lunare. **Mondfähre** *f* modulo *m* lunare. **Mondfinsternis** *f* eclissi *f* lunare. **Mondlandefähre** *f* navetta *f* spaziale. **Mondlandschaft** *f* paesaggio *m* lunare. **Mondlandung** *f* allunaggio *m.* **Mondlicht** *n* luce *f* lunare. **Mondschein** *m* chiaro *m* di luna. **Mondscheintarif** *m* tariffa *f* notturna. **Mondsichel** *f* falce *f* di luna. **mondsüchtig** *adj* sonnambulo. **Mondumlaufbahn** *f* orbita *f* lunare. **Mondwechsel** *m* cambiamento *m* della luna.

Moneten [mo'ne:tən] ⟨*pl*⟩ *fam* quattrini *m pl fam.*

Mongole [mɔŋ'go:lə] ⟨-n, -n⟩ *m,* **Mongolin**[...lın] *f* mongolo, -a *m, f.*

Mongolei [...go'lai̯] *f:* **die** ~ (la) Mongolia *f.*

mongoloid [mɔŋgolo'i:t] *adj* mongoloide.

Monitor ['mo:nito:ɐ, ...'to:rən] ⟨-s, -en *o* -e⟩ *m* monitor *m.*

Monogramm [mono'gramm] ⟨-s, -e⟩ *n* monogramma *m.*

Monolog [mono'lo:k] ⟨-s, -e⟩ *m* monologo *m.*

Monopol [mono'po:l] ⟨-s, -e⟩ *n* monopolio *m.*

monoton [mono'to:n] *adj* monotono.

Monotonie [...to'ni:, ...i:ən] ⟨-, *rar* -en⟩ *f* monotonia *f.*

Monster ['mɔnstɐ] ⟨-s, -⟩ *n* mostro *m.*

Monstranz [mɔn'stran͜ts] ⟨-, -en⟩ *f* ostensorio *m.*

Monstrum ['mɔnstrum, ...rən] ⟨-s, Monstren⟩ *n* mostro *m.*

Montag ['mo:nta:k] *m* lunedì *m;* **blauen** ~ **machen** *fam* far festa di lunedì; *s. a.*

Freitag.

Montage [mɔn'ta:ʒə] ⟨-, -n⟩ *f* montaggio *m.*

Monteur(in) [mɔn'tø:ɐ̯ (...rɪn)] ⟨-s, -e⟩ *m(f)* montatore, -trice *m, f.*

montieren [...'ti:rən] ⟨*ohne ge-*⟩ *tr* montare.

Monument [monu'mɛnt] ⟨-(e)s, -e⟩ *n* monumento *m.*

monumental [...'ta:l] *adj* monumentale. **Monumentalfilm** *m* colossal *m.*

Moonboots ['mu:nbu:ts] *m pl* moon boots *m pl,* doposci *m pl.*

Moor [mo:ɐ̯] ⟨-(e)s, -e⟩ *n* palude *f.*

Moos [mo:s] ⟨-es, -e⟩ *n* **1.** *bot* muschio *m;* **2.** ⟨*sing*⟩ *sl (Geld)* grana *f fam.*

Mop [mɔp] ⟨-s, -s⟩ *m* scopa *f* a frange.

Moped ['mo:pɛt *o* ...pe:t] ⟨-s, -s⟩ *n* ciclomotore *m,* motorino *m.*

Mops [mɔps] ⟨-es, Möpse⟩ *m* carlino *m.*

Moral [mo'ra:l] ⟨-, ø⟩ *f* **1.** *(Lehre, Geist)* morale *f;* **2.** *(Sittlichkeit)* moralità *f.* **Moralapostel** *m pej* moralista *mf.*

moralisch *adj* morale.

Moralpredigt *f pej:* **jdm eine ~ halten** fare una ramanzina a qu.

Moräne [mo'rɛ:nə] ⟨-, -n⟩ *f* morena *f.*

Morast [mo'rast] ⟨-(e)s, -e *o* Moräste⟩ *m (Sumpf)* pantano *m,* palude *f; (Schlamm)* fango *m.*

Morchel ['mɔrçəl] ⟨-, -n⟩ *f* morchella *f,* spugnola *f.*

Mord [mɔrt] ⟨-(e)s, -e⟩ *m* assassinio *m* (*an +dat* di), omicidio *m* (*an +dat* di); **das gibt ~ und Totschlag** *fam* succede un putiferio. **Mordanschlag** *m* attentato *m* alla vita (*auf +akk* di). **Morddrohung** *f* minaccia *f* di morte.

morden ['mɔrdən] **I.** *tr* assassinare; **II.** *itr* commettere un assassinio.

Mörder(in) ['mœrdɐ (...ərɪn)] ⟨-s, -⟩ *m(f)* assassino, -a *m, f,* omicida *mf.*

mörderisch *adj* **1.** *(mordend)* assassino, omicida; **2.** *fig fam* feroce, atroce; *(Hitze, Kälte)* terribile; *(Geschwindigkeit)* pazzo.

Mordkommission *f* sezione *f* omicidi. **Mordprozeß** *m* processo *m* per omicidio.

Mordshunger ['mɔrts'hʊŋɐ] *m fam* fame *f* da lupi. **Mordskerl** ['mɔrts'kɛrl] *m fam (tüchtig)* tipo *m* in gamba *fam; (stark)* pezzo *m* d'uomo *fam.* **mordsmäßig** *adj fam* enorme, terribile. **Mordsschrekk(en)** ['mɔrts'ʃrɛk(ən)] *m fam* paura *f* infernale. **Mordsspaß** ['mɔrts'ʃpa:s] *m:* **es gab einen ~** *fam* ci siamo divertiti un mondo. **Mordswut** ['mɔrts'vu:t] *f fam* rabbia *f* feroce.

Mordverdacht *m* sospetto *m* di omicidio. **Mordversuch** *m* tentato omicidio *m.* **Mordwaffe** *f* arma *f* del delitto.

morgen ['mɔrgən] *adv* domani; **~ früh/mittag/abend** domani mattina/a mezzogiorno/sera; **heute ~** stamattina.

Morgen ⟨-s, -⟩ *m* **1.** *(Tageszeit)* mattino *m; (Vormittag)* mattina *f,* mattinata *f;* **2.** *(Feldmaß)* iugero *m;* **am ~** di (*o* la) mattina; **guten ~!** buon giorno!

Morgen- *(in Zusammensetzungen)* del mattino.

morgendlich ['mɔrgəntlɪç] *adj* mattutino, del mattino.

Morgenessen *n CH* prima colazione *f.* **Morgengrauen** *n:* **im (*o* beim) ~** all'alba. **Morgenland** *n:* **das ~** l'Oriente. **Morgenmantel** *m,* **-rock** *m* vestaglia *f.* **Morgenmuffel** [-mʊfəl] ⟨-s, -⟩ *m fam* grugnone *m,* persona *f* che appena alzata è di cattivo umore. **Morgenrot** *n,* **-röte** *f geh* aurora *f.*

morgens *adv* di (*o* la) mattina, il mattino; *(nach Zeitangabe)* di mattino.

morgig *adj* di domani.

Moritz ['mo:rɪts] *(männlicher Vorname)* Maurizio.

Morphium ['mɔrfiʊm] ⟨-s, ø⟩ *n* morfina *f.*

morsch [mɔrʃ] *adj (Holz)* marcio, fradicio; *(Gestein)* friabile; *(Brücke)* decrepito.

Morsealphabet *n* alfabeto *m* Morse.

morsen ['mɔrzən] *itr, tr* telegrafare.

Mörser ['mœrzɐ] ⟨-s, -⟩ *m* mortaio *m.*

Mörtel ['mœrtəl] ⟨-s, -⟩ *m* malta *f.*

Mosaik [moza'i:k] ⟨-s, -en *o* -e⟩ *n* mosaico *m.*

Moschee [mɔ'ʃe:, ...e:ən] ⟨-, -n⟩ *f* moschea *f.*

Moschus ['mɔʃʊs] ⟨-, ø⟩ *m* muschio *m.*

Mosel ['mo:zəl] *f* Mosella *f.*

Moskau ['mɔskau̯] *n* Mosca *f.*

Moskito [mɔs'ki:to] ⟨-s, -s⟩ *m* moschito *m,* zanzara *f.* **Moskitonetz** *n* zanzariera *f.*

Moslem ['mɔslɛm] ⟨-s, -s⟩ *m,* **Moslime** [...'li:mə] ⟨-, -n⟩ *f* musulmano, -a *m, f.*

Most [mɔst] ⟨-(e)s, -e⟩ *m (Trauben~)* mosto *m; (Apfel~)* sidro *m.*

Motel ['mo:təl *o* mo'tɛl] ⟨-s, -s⟩ *n* motel *m.*

Motiv [mo'ti:f] ⟨-s, -e⟩ *n* motivo *m; jur* movente *m.*

Motivation [motiva'tsi̯o:n] ⟨-, -en⟩ *f,* **Motivierung** ⟨-, -en⟩ *f* motivazione *f.*

motivieren [...'vi:rən] ⟨*ohne ge-*⟩ *tr* motivare.

Motor ['mo:tɔr *o* mo'to:ɐ̯, ...'to:rən] ⟨-s, -en⟩ *m* motore *m.* **Motorantrieb** *m* trazione *f* a motore; **mit ~** a motore. **Motorboot** *n* motoscafo *m,* barca *f* a motore.

Motorenbau ⟨-(e)s, ø⟩ *m* costruzione *f* di motori.

Motorfahrzeug *n* veicolo *m* a motore. **Motorhaube** *f* cofano *m* (del motore).

motorisch [mo'to:rɪʃ] *adj* motorio.

Motorjacht *f* motoscafo *m* da crociera. **Motorpumpe** *f* motopompa *f.*

Motorrad *n* motocicletta *f.* **Motorradfahrer(in)** *m(f)* motociclista *mf.*

Motorraum *m* vano *m* motore. **Motorroller** *m* (moto)scooter *m*. **Motorsäge** *f* sega *f* a motore. **Motorschaden** *m* guasto *m* al motore. **Motorsport** *m* motorismo *m*. **Motorwäsche** *f* lavaggio *m* del motore.

Motte ['mɔtə] ⟨-, -n⟩ *f* tarma *f*, tignola *f*; **ich krieg' die ~n!** *sl* mi vengono i nervi! *fam*. **Mottenkugel** *f* pallina *f* antitarmica (*o* di naftalina).

Motto ['mɔto] ⟨-s, -s⟩ *n* motto *m*.

motzen ['mɔt͡sən] *itr sl* brontolare.

Mountainbike ['maʊntɪnbaɪk] ⟨-s, -s⟩ *n* mountainbike *m*, rampichino *m fam*.

Möwe ['mø:və] ⟨-, -n⟩ *f* gabbiano *m*.

Ms., Mskr. *abk von* **Manuskript** ms. (*abbr di* manoscritto).

MTA [ɛmte:'ʔa:] ⟨-, -s⟩ *f abk von* **medizinisch-technische Assistentin** ≃ tecnico *m* di laboratorio analisi, analista *mf*.

Mücke ['mʏkə] ⟨-, -n⟩ *f* moscerino *m*, moschino *m*; *(Stech~)* zanzara *f*. **Mückenstich** *m* puntura *f* di zanzara.

müde ['my:də] *adj (ermüdet)* stanco, affaticato; *(schläfrig)* assonnato; **~ werden** stancarsi, affaticarsi.

Müdigkeit ⟨-, ø⟩ *f* stanchezza *f*; *(Schläfrigkeit)* sonnolenza *f*; **vor ~ umfallen** essere stanco morto *fam*.

Muff [mʊf] ⟨-(e)s, -e⟩ *m* manicotto *m*.

muffig *adj*: **~ riechen** sapere di muffa.

Mühe ['my:ə] ⟨-, -n⟩ *f* fatica *f*, pena *f*; *(Anstrengung)* sforzo *m*; *(Schwierigkeit)* difficoltà *f*; **der ~ wert sein** valere la pena; **sich** *(dat)* **~ geben, zu ...** darsi la pena (*o* briga) di ...; **mit Müh(e) und Not** a stento, a mala pena; **das ist verlorene (*o* vergebliche) ~** è fatica sprecata; **wenn es Ihnen keine ~ macht** se non La incomoda. **mühelos I.** *adj* facile, senza fatica; **II.** *adv* con facilità, facilmente. **mühevoll** *adj* **1.** *(anstrengend)* faticoso; **2.** *(schwierig)* difficile.

Mühle ['my:lə] ⟨-, -n⟩ *f* **1.** *(Korn~)* mulino *m*, macina *f*; *(Kaffee~, Pfeffer~, Salz)* macinino *m*; **2.** ⟨*pl*⟩ *fig (der Justiz, Bürokratie)* ingranaggi *m pl*; **3.** *fam pej (altes Auto)* macinino *m fam*.

Mühlrad *n* ruota *f* del mulino. **Mühlstein** *m* mola *f*, macina *f*.

Mühsal ['my:za:l] ⟨-, -e⟩ *f geh* pene *f pl*, affanni *m pl*. **mühsam I.** *adj* faticoso; **II.** *adv* a fatica. **mühselig** *adj* penoso.

Mulatte [mu'latə] ⟨-n, -n⟩ *m*, **Mulattin** [...tɪn] *f* mulatto, -a *m, f*.

Mulde ['mʊldə] ⟨-, -n⟩ *f* avvallamento *m*.

Mull [mʊl] ⟨-(e)s, -e⟩ *m* **1.** *(Gewebe)* mussola *f*; *med* garza *f*; **2.** *(Torf~)* terriccio *m*.

Müll [mʏl] ⟨-(e)s, ø⟩ *m* immondizia *f*, rifiuti *m pl*; **~ abladen verboten!** divieto di scarico!. **Müllabfuhr** *f* **1.** *(Abtransport)* trasporto *m* delle immondizie; **2.** *(Unternehmen)* nettezza *f* urbana. **Müllbeutel** *m* sacco *m* della spazzatura.

Mullbinde *f* fascia *f* di garza.

Müllcontainer *m* cassonetto *m*. **Mülldeponie** [-deponi:, ...iən] ⟨-, -n⟩ *f* deposito *m* delle immondizie, discarica *f*. **Mülleimer** *m* secchio *m* delle immondizie, pattumiera *f*. **Müllexport** *m* esportazione *f* dei rifiuti.

Müller(in) ['mʏlɐ (...ərɪn)] ⟨-s, -⟩ *m(f)* mugnaio, -a *m, f*.

Müllmann *m*, ⟨-(e)s, -männer⟩ *m* addetto *m* al trasporto delle immondizie. **Müllsack** *m* sacco *m* per la spazzatura. **Müllschlucker** ⟨-s, -⟩ *m* tromba *f* per le immondizie. **Müllsortierung** *f* differenziazione *f* dei rifiuti. **Mülltonne** *f* bidone *m* delle immondizie. **Müllverbrennung** *f* incenerimento *m* dei rifiuti. **Müllverbrennungsanlage** *f* inceneritore *m* di rifiuti. **Müllverwertung** *f* sfruttamento *m* dei rifiuti. **Müllwagen** *m* autocarro *m* della nettezza urbana.

mulmig ['mʊlmɪç] *adj fam (Situation)* compromettente; **mir ist ganz ~ (zumute)** *fam* mi sento a disagio.

Multi ⟨-s, -s⟩ *m* multinazionale *f*. **multifunktional** *adj (a. inform)* multifunzionale. **Multifunktionstastatur** *f* tastiera *f* multifunzionale. **multikulturell** *adj (Gesellschaft)* multiculturale. **multilateral** [mʊltilate'ra:l] *adj* multilaterale.

Multimedia- [mʊlti'me:di̯a] *(in Zusammensetzungen)* multimedia, multimediale.

multimedial *adj* multimediale.

multinational *adj* multinazionale; **~er Konzern** multinazionale *f*; **~e Friedenstruppe** contingente *m* multinazionale in missione di pace.

Multitasking [mʌlti'ta:skɪŋ] ⟨-, ø⟩ *n* multiprogrammazione *f*.

Multimillionär(in) [mʊlti-] *m(f)* multimilionario, -a *m, f*.

Multiplikation [mʊltiplika't͡si̯o:n] ⟨-, -en⟩ *f* moltiplicazione *f*.

multiplizieren [...'t͡si:rən] ⟨*ohne ge-*⟩ *tr* moltiplicare.

Mumie ['mu:mi̯ə] ⟨-, -n⟩ *f* mummia *f*.

mumifizieren [mumifi't͡si:rən] ⟨*ohne ge-*⟩ *tr* mummificare.

Mumm [mʊm] ⟨-s, ø⟩ *m fam* **1.** *(Mut)* fegato *m fam*; **2.** *(Kraft)* forza *f*.

Mumps [mʊmps] ⟨-, ø⟩ *m o dial f* parotite *f*.

München ['mʏnçən] *n* Monaco *f* (di Baviera).

Mund [mʊnt] ⟨-(e)s, Münder⟩ *m* bocca *f*; **einen großen ~ haben** *fig fam* fare lo spaccone; **sich** *(dat)* **den ~ verbrennen** *fig fam* tradirsi con una parola; **jdm den ~ verbieten** impedire a qu di parlare; **nicht auf den ~ gefallen sein** *fam* avere sempre la risposta pronta; **in aller ~e sein** *geh* correre sulla bocca di tutti.

Mundart *f* dialetto *m*. **Mundartdichter(in)** *m(f)* poeta, -tessa *m, f* dialettale.

mundartlich *adj* dialettale.
Munddusche *f* doccia *f* orale.
Mündel ['mʏndəl] ⟨-s, -⟩ *n* pupillo, -a *m, f.*
munden ['mʊndən] *itr geh* piacere.
münden ['mʏndən] *itr* ⟨*haben o sein*⟩ **1.** *(Fluß)* sfociare, gettarsi (*in +akk* in); *(Straße a.)* sboccare; **2.** *fig (enden)* finire.
mundfaul *adj fam* taciturno, poco loquace. **Mundgeruch** *m* alito *m* cattivo. **Mundharmonika** *f* armonica *f* a bocca.
mündig ['mʏndɪç] *adj* **1.** *jur* maggiorenne; **2.** *fig, allg.* emancipato. **Mündigkeit** ⟨-, ø⟩ *f* **1.** *jur* maggiore età *f;* **2.** *fig, allg.* emancipazione *f.*
mündlich ['mʏntlɪç] *adj* orale; **alles weitere ~!** il resto a voce!
Mundpflege *f* igiene *f* della bocca. **Mundpropaganda** *f* pubblicità *f* verbale. **Mundraub** *m* furto *m* lieve di generi alimentari per consumo immediato. **Mundstück** *n* bocchino *m.* **mundtot** *adj fam:* **jdn ~ machen** ridurre qu al silenzio.
Mündung ⟨-, -en⟩ *f* **1.** *(von Fluß)* foce *f; (von Straße a.)* sbocco *m;* **2.** *(von Gewehr)* bocca *f.*
Mundwasser *n* acqua *f* dentifricia; *med* collutorio *m.* **Mundwerk** *n fam:* **ein loses/freches ~ haben** avere la lingua lunga. **Mundwinkel** *m* angolo *m* della bocca. **Mund-zu-Mund-Beatmung** *f* respirazione *f* bocca a bocca.
Munition [muni'tsjo:n] ⟨-, -en⟩ *f* munizione *f.*
munkeln ['mʊŋkəln] *tr, itr fam* mormorare.
Münster ['mʏnstɐ] ⟨-s, -⟩ *n* cattedrale *f.*
munter ['mʊntɐ] *adj* **1.** *(wach, aufgeweckt)* sveglio; **2.** *(lebhaft)* vivace, vivo; **3.** *(fröhlich)* allegro, gaio; **4.** *(rüstig)* vegeto; **~ machen** (ri)svegliare. **Munterkeit** ⟨-, ø⟩ *f (Lebhaftigkeit)* vivacità *f; (Fröhlichkeit)* allegria *f.* **Muntermacher** ⟨-s, -⟩ *m fam* stimolante *m.*
Münzamt *n s.* **Münzstätte.**
Münzautomat *m* distributore *m* a monete.
Münze ['mʏntsə] ⟨-, -n⟩ *f* moneta *f;* **etw. für bare ~ nehmen** prendere qc per oro colato.
Münzeinwurf *m* fessura *f* per l'introduzione della moneta.
münzen I. *itr* battere (*o* coniare) moneta; **II.** *tr* coniare; **das ist auf mich gemünzt** è diretto a me.
Münzfernsprecher *m* telefono *m* pubblico a gettoni. **Münzgeld** *n* spiccioli *m pl.* **Münzstätte** *f* zecca *f.*
mürbe ['mʏrbə] *adj* **1.** *(Fleisch)* tenero, frollo; *(~ gebraten, gekocht)* ben cotto; *(Gebäck)* friabile; **2.** *(bröckelig)* friabile; *(brüchig)* fragile; *(morsch)* fradicio; **~ machen** *(Fleisch)* rendere tenero; *fig (Menschen)* rendere docile, fiaccare.
Mürbeteig *m* pasta *f* frolla.
Murmel ['mʊrməl] ⟨-, -n⟩ *f* bilia *f.*
murmeln ['mʊrməln] *tr, itr* mormorare, borbottare.
Murmeltier *n* marmotta *f.*
murren ['mʊrən] *itr* brontolare (*über +akk* per).
mürrisch ['mʏrɪʃ] *adj (griesgrämig)* scontroso; *(brummig)* brontolone.
Mus [mu:s] ⟨-es, -e⟩ *n* passato *m,* purè *m.*
Muschel ['mʊʃəl] ⟨-, -n⟩ *f* **1.** *zoo* conchiglia *f; (Mies~)* mitilo *m,* cozza *f;* **2.** *(~schale)* guscio *m;* **3.** *(Ohr~)* padiglione *m* auricolare; **4.** *tel (Hör~)* ricevitore *m; (Sprech~)* microfono *m.*
Muse ['mu:zə] ⟨-, -n⟩ *f* musa *f.*
Museum [mu'ze:ʊm, ...e:ən] ⟨-s, Museen⟩ *n* museo *m.* **Museumswärter(in)** *m(f)* guardiano, -a *m, f* di museo.
Musik [mu'zi:k] ⟨-, *rar* -en⟩ *f* musica *f.*
musikalisch [muzi'ka:lɪʃ] *adj* musicale.
Musikant(in) [muzi'kant(ɪn)] ⟨-en, -en⟩ *m(f)* musicante *mf.*
Musikbegleitung *f* accompagnamento *m* musicale. **Musikbox** *f* juke-box *m.*
Musiker(in) ['mu:zikɐ (...ərɪn)] ⟨-s, -⟩ *m(f)* musicista *mf.*
Musikhochschule *f* conservatorio *m* musicale. **Musikinstrument** *n* strumento *m* musicale. **Musikkapelle** *f* orchestra *f; mil* banda *f* musicale. **Musikkassette** *f* musicassetta *f.* **Musiklehrer(in)** *m(f)* insegnante *mf* (*o* maestro, -a *m, f*) di musica. **Musikstück** *n* brano *m* (*o* pezzo *m*) musicale.
musisch ['mu:zɪʃ] *adj* **1.** *(Fächer, Schule)* artistico; **2.** *(Mensch)* dotato artisticamente.
musizieren [muzi'tsi:rən] ⟨*ohne ge-*⟩ *itr* fare della musica.
Muskel ['mʊskəl] ⟨-s, -n⟩ *m* muscolo *m.* **Muskelkater** *m* dolori *m pl* muscolari. **Muskelprotz** [-prɔts] ⟨-en *o* -es, -e(n)⟩ *m fam* maciste *m.*
muskulös [mʊsku'lø:s] *adj* muscoloso.
Müsli ['my:sli] ⟨-s, -⟩ *n,* **Müesli** ['my:ɛsli] ⟨-s, -⟩ *n CH* müsli *m (miscela di cereali e frutta secca che si mangia nel latte).*
muß [mʊs] *pr von* **müssen. Muß** ⟨-, ø⟩ *n* necessità *f* (assoluta).
Muße ['mu:sə] ⟨-, ø⟩ *f* ozio *m.*
Mußehe ['mʊs-] *f* matrimonio *m* di necessità.
müssen ['mʏsən] ⟨muß, mußte, gemußt *o modales Hilfsverb* müssen⟩ **I.** *(modales Hilfsverb)* **1.** *(Notwendigkeit, Wunsch)* dovere; **2.** *(Zwang)* essere costretto a *+inf; (Verpflichtung)* essere obbligato a *+inf;* **3.** *(Vermutung)* dovere; **man müßte mehr Geld/Zeit haben!** si dovrebbe avere più soldi/più tempo libero!; **ich muß es tun** *(Zwang)* devo farlo; *(Notwendigkeit, Wunsch)* bisogna (*o* è necessario) che lo faccia; **drei Jahre**

mußten vergehen, bis ... ci sono voluti tre anni prima che *+congv;* **II.** *itr:* **ich muß in die Stadt** devo andare in città; **ich muß mal** *fam* devo andare al gabinetto.

Mußestunden *f pl* tempo *m* libero.

müßig ['my:sıç] *adj* **1.** *(untätig)* ozioso, inoperoso; **2.** *(unnütz, zwecklos)* inutile, vano. **Müßiggang** *m:* ~ **ist aller Laster Anfang** *prov* l'ozio è il padre dei vizi *prov.*

mußte ['mʊstə] *imp von* **müssen.**

Muster ['mʊstɐ] ⟨-s, -⟩ *n* **1.** *(Vorlage, a. Vorbild)* modello *m;* **2.** *(Vorbild)* esempio *m* (*an +dat* di); **3.** *(~ung)* disegno *m,* motivo *m;* **4.** *(Probestück)* campione *m;* **nach dem** ~ **von** sull'esempio di. **Musterbrief** *m* lettera *f* tipo. **Musterexemplar** *n* esemplare *m,* modello *m.* **mustergültig, musterhaft** *adj* esemplare. **Musterknabe** *m* ragazzo *m* modello. **Mustermesse** *f* fiera *f* campionaria.

mustern ['mʊstɐn] *tr* **1.** *(betrachten)* squadrare, scrutare; *mil* ispezionare; *(Truppen)* passare in rassegna; *(Wehrpflichtige)* sottoporre alla visita di leva; **2.** *(mit Mustern versehen)* decorare (con disegni).

Musterschüler(in) *m(f)* scolaro, -a *m, f* modello.

Musterung ⟨-, -en⟩ *f* **1.** *(Prüfung, Betrachtung)* esame *m;* **2.** *(von Wehrpflichtigen)* visita *f* di leva; **3.** *(Muster)* motivo *m,* disegno *m.*

Mut [mu:t] ⟨-(e)s, ø⟩ *m* coraggio *m;* **den** ~ **verlieren** perdersi d'animo; **jdm** ~ **machen** far coraggio a qu, incoraggiare qu; **frohen** ~**es** di buon animo.

Mutation [muta'tsi̯o:n] ⟨-, -en⟩ *f* mutazione *f.*

mutig *adj* coraggioso.

mutlos *adj* scoraggiato, abbattuto.

mutmaßen ['mu:tma:sən] *tr geh (vermuten)* presumere, congetturare.

mutmaßlich *adj adm* presunto.

Mutter[1] ['mʊtɐ] ⟨-, Mütter⟩ *f* madre *f;* **werdende/stillende Mütter** donne incinte/allattanti; **keine** ~ **mehr haben** essere orfano di madre.

Mutter[2] ['mʊtɐ] ⟨-, -n⟩ *f tec* madrevite *f,* dado *m.*

Mütterchen ['mʏtɐçən] ⟨-s, -⟩ *n:* **altes** ~ nonnina *f,* vecchietta *f.*

Mutterkuchen *m* placenta *f.*

mütterlich ['mʏtɐlıç] *adj* materno.

mütterlicherseits *adv* materno, da parte di madre.

Mutterliebe *f* amore *m* materno. **Muttermal** ⟨-s, -e⟩ *n* neo *m; (größeres)* voglia *f; med* angioma *m.* **Muttermilch** *f* latte *m* materno. **Muttermund** *m* orifizio *m* dell'utero. **Mutterschaft** ⟨-, ø⟩ *f* maternità *f.* **Mutterschaftsgeld** *n* sussidio *m* di maternità. **Mutterschaftsurlaub** *m* vacanza *f* per maternità. **Mutterschiff** *n* nave *f* appoggio. **Mutterschutz** *m* protezione *f* della maternità. **mutterseelenallein** ['mʊtɐ'-ze:lən?a'la̯in] *adj, adv fam* solo soletto *fam.* **Muttersöhnchen** [-zø:nçən] ⟨-s, -⟩ *n fam* cocco *m* di mamma *fam.* **Muttersprache** *f* lingua *f* madre (*o* materna). **Muttertag** *m* festa *f* della mamma. **Mutterwitz** *m* astuzia *f* genuina.

Mutti ['mʊti] ⟨-, -s⟩ *f fam* mammina *f.*

mutwillig *adj* **1.** *(absichtlich)* intenzionale, volontario; **2.** *(böswillig)* malizioso; **3.** *(übermutig)* spavaldo.

Mütze ['mʏts̯ə] ⟨-, -n⟩ *f* berretto *m.*

MW 1. *abk von* **Mittelwelle** OM (*abbr di* onde medie); **2.** *abk von* **Megawatt** MW (*abbr di* megawatt).

MwSt., MWSt. *abk von* **Mehrwertsteuer** I.V.A. *f* (*abbr di* Imposta sul Valore Aggiunto).

Myrte ['mʏrtə] ⟨-, -n⟩ *f* mirto *m.*

mysteriös [mʏste'ri̯ø:s] *adj* misterioso.

Mysterium [...'te:ri̯ʊm, ...i̯ən] ⟨-s, -rien⟩ *n* mistero *m.*

Mystik ['mʏstık] ⟨-, ø⟩ *f* mistica *f.*

Mythologie [mytolo'gi:, ...i:ən] ⟨-, -n⟩ *f* mitologia *f.*

Mythos, Mythus ['my:tɔs, 'my:tʊs, ...tən] ⟨-, Mythen⟩ *m* mito *m.*

N

N, n [ɛn] ⟨-, -(s)⟩ *n* N, n *f;* **N wie Nordpol** N come Napoli.

N *abk von* **Nord(en)** N. (*abbr di* nord).

na [na] *interj fam* **1.** *(fragend)* va bene; **2.** *(auffordernd)* allora, su; **3.** *(beschwichtigend)* suvvia; **4.** *(zweifelnd)* ma; **5.** *(ermahnend)* attenzione; **~, Kleiner?** ehi, tu?; **~ also!, ~ eben!, ~ bitte!** allora!, appunto!, dunque!; **~ gut!, ~ schön!** va bene; **~ warte!** aspetta!

Nabel ['na:bəl] ⟨-s, -⟩ *m* ombelico *m.* **Nabelschnur** *f* cordone *m* ombelicale.

nach [na:x] **I.** *prp +dat* **1.** *(räumlich)* verso; *(bei Ortsnamen)* a; *(bei Ländernamen)* in; **2.** *(zeitlich, a. Reihenfolge)* dopo; **3.** *(zufolge, gemäß)* secondo, in conformità di; **~ ... fahren** partire per ...; **~ Hause gehen** andare a casa; **~ der Straße liegen** dare sulla strada; **von links ~ rechts** da sinistra a destra; **Viertel ~ fünf** le cinque e un quarto; **der Reihe ~** per (*o* in) ordine, di seguito; **~ etw. riechen/schmecken** sapere di qc; **~ (französischer,** *etc.***) Art** alla (francese, *etc.*); **II.** *adv* **1.** *(zeitlich):* **~ wie vor** come prima; **~ und ~** un po' alla volta, a poco a poco; **1.** *(räumlich):* **mir ~!** dietro di me!, seguitemi!

nach·äffen ['na:xˀɛfən] *tr pej* contraffare, scimmiottare.

nach·ahmen ['na:xˀa:mən] *tr* imitare, copiare; *(in Gestik, Sprache, etc. a.)* contraffare. **nachahmenswert** *adj* esemplare. **Nachahmung** ⟨-, -en⟩ *f* imitazione *f; (Fälschung)* contraffazione *f.*

Nachbar(in) ['naxba:ɐ̯ (...rın)] ⟨-n, -n⟩ *m(f)* vicino, -a *m, f.* **Nachbarhaus** *n* casa *f* vicina. **Nachbarland** *n* paese *m* confinante. **nachbarlich I.** *adj* (del) vicino; **II.** *adv* di vicinato. **Nachbarschaft** ⟨-, ø⟩ *f* **1.** *(Verhältnis)* vicinato *m;* **2.** *(Nachbarn)* vicini *m pl;* **3.** *(Nähe)* vicinanza *f.*

Nachbehandlung *f* **1.** *med* terapia *f* di proseguimento; **2.** *tec* rifinitura.

nach·bereiten ⟨*ohne ge-*⟩ *tr* rielaborare, rimeditare.

nach·bestellen ⟨*ohne ge-*⟩ *tr* ordinare ancora. **Nachbestellung** *f* ordinazione *f* supplementare.

nach·beten *tr fam* ripetere pappagallescamente.

Nachbildung *f* **1.** *(Vorgang)* imitazione *f;* **2.** *(Werk)* copia *f.*

nachdem [na:x'de:m] **I.** *konj* **1.** *(zeitlich)* dopo *+inf,* dopo che; **2.** *(kausal)* poiché, siccome; **II.** *adv:* **je ~, ob .../ wie ...** secondo se .../come ...

nach·denken ⟨*irr*⟩ *itr* riflettere (*über +akk* su), meditare (*über +akk* su).

nachdenklich *adj* **1.** *(momentan)* pensieroso, meditabondo; **2.** *(generell)* riflessivo.

Nachdichtung *f* versione *f* libera.

Nachdruck[1] ⟨-(e)s, ø⟩ *m* **1.** *(Betonung)* accento *m,* enfasi *f;* **2.** *(Festigkeit)* energia *f,* forza *f.*

Nachdruck[2] ⟨-(e)s, -e⟩ *m typ* riproduzione *f; (Neuauflage)* ristampa *f;* **~ verboten** tutti i diritti riservati.

nach·drucken *tr* ristampare.

nachdrücklich ['na:xdrʏklıç] *adj* energico, fermo.

nach·eifern *itr:* **jdm ~** emulare qu.

nacheinander [na:xˀa̯i'nandɐ] *adv* l'uno dopo (*o* dietro) l'altro; *(zeitlich a.)* di seguito.

nach·empfinden ⟨*irr, ohne ge-*⟩ *tr:* **jdm etw. ~** sentire qc come qu, condividere qc di qu.

nach·erzählen ⟨*ohne ge-*⟩ *tr* ripetere con proprie parole. **Nacherzählung** *f* ripetizione *f* (con proprie parole).

Nachfolge *f* successione *f.* **Nachfolgemodell** *n (von Produkt, Auto)* modello *m* successivo.

nach·folgen *itr* ⟨*sein*⟩ **1.** *(hinterhergehen)* seguire (*jdm* qu); **2.** *(im Amt)* succedere (*jdm* a qu).

Nachfolger(in) ⟨-s, s⟩ *m(f)* successore *m.*

nach·forschen *itr* ricercare (*einer S. (dat)* qc). **Nachforschung** *f* ricerca *f* (*nach* su), indagine *f* (*nach* su).

Nachfrage *f* domanda *f;* **die ~ befriedigen** soddisfare la domanda.

nach·fragen *itr* **1.** *(sich erkundigen)* informarsi (*nach* su, di); **2.** *(erbitten)* chiedere il permesso (*um* di); **3.** *(noch einmal fragen)* ridomandare.

nach·fühlen *s.* **nachempfinden.**

nach·füllen *tr* riempire (di nuovo).

Nachfüllpackung *f* ecoricarica *f.*

nach·geben ⟨*irr*⟩ *itr* cedere.

Nachgebühr *f* soprattassa *f.*

Nachgeburt *f* **1.** *(Mutterkuchen)* placenta *f;* **2.** *(Vorgang)* secondamento *m.*

nach·gehen ⟨*irr*⟩ *itr* ⟨*sein*⟩ **1.** *(folgen)* andare dietro (*jdm* a qu); (*a. fig: Spur, Gedanken)* seguire (*einer S. (dat)* qc); **2.** *fig (sich widmen)* dedicarsi (*jdm/einer S. (dat)* a); **3.** *(nachforschen)* studiare a fondo (*einer S. (dat)* qc), approfondire (*einer S. (dat)* qc); **4.** *(Uhr)* ritardare, essere indietro.

Nachgeschmack *m* retrogusto *m.*

nachgiebig ['na:xgi:bɪç] *adj* **1.** *(Boden, etc.)* cedevole; *(Material)* elastico, flessibile; **2.** *(Mensch)* arrendevole, accondiscendente. **Nachgiebigkeit** ⟨-, ø⟩ *f* **1.** cedevolezza *f; tec* elasticità *f,* flessibilità *f;* **2.** *fig* arrendevolezza *f,* compiacenza *f.*

nachhaltig ['na:xhaltɪç] *adj* persistente, durevole. **Nachhaltigkeit** ⟨-, ø⟩ *f* persistenza *f,* durata *f.*

Nachhauseweg [na:x'hauzə-] *m* via *f* di casa.

nach·helfen ⟨*irr*⟩ *itr* aiutare (*jdm* qu).

nachher [na:x'he:ɐ *o* 'na:x...] *adv (danach)* dopo, poi; *(später)* più tardi.

Nachhilfe *f,* **Nachhilfestunden** *f pl,* **-unterricht** *m* ripetizioni *f pl.*

Nachholbedarf *m* necessità *f* di ricupero (*an +dat* di).

nach·holen *tr* ricuperare.

nach·jagen *itr* ⟨*sein*⟩ correre dietro.

nach·kaufen *tr* completare, ricostituire; comprare successivamente. **Nachkaufgarantie** *f* garanzia *f* di produzione.

Nachkomme ['na:xkɔmə] ⟨-n, -n⟩ *m* discendente *mf.*

nach·kommen ⟨*irr*⟩ *itr* ⟨*sein*⟩ **1.** *(später kommen)* venire dopo; **2.** *(einer Vorschrift)* conformarsi; *(einem Befehl)* obbedire; *(einer Forderung)* dar seguito; *(einer Verpflichtung)* adempiere; **ich komme (euch) nach** vi raggiungerò.

Nachkommenschaft ⟨-, ø⟩ *f* discendenza *f,* posteri *m pl.*

Nachkömmling ['na:xkœmlɪŋ] ⟨-s, -e⟩ *m* ultimo figlio *m* (con grande differenza di età rispetto ai fratelli).

Nachkriegs- *(in Zusammensetzungen)* del dopoguerra, postbellico. **Nachkriegszeit** *f* dopoguerra *m.*

Nachlaß ['na:xlas] ⟨-lasses, -lasse *o* -lässe⟩ *m* **1.** *ökon* riduzione *f,* sconto *m; (Rabatt)* ribasso *m;* **2.** *(Hinterlassenschaft)* eredità *f.*

nach·lassen ⟨*irr*⟩ **I.** *tr* **1.** *(lockern)* allentare; **2.** *(vom Preis)* ribassare; **II.** *itr* diminuire; *(Sturm, Lärm)* placarsi; *(Schmerz)* calmarsi; *(Gefühl)* raffreddarsi, intiepidirsi.

nachlässig *adj* **1.** *(ohne Sorgfalt)* negligente; *(a. Kleidung)* trascurato *f;* **2.** *(gleichgültig)* incurante. **Nachlässigkeit** ⟨-, *rar* -en⟩ *f* **1.** *(Unordentlichkeit)* negligenza *f; (a. in Kleidung)* trascuratezza *f;* **2.** *(Gleichgültigkeit)* noncuranza *f.*

Nachlaßverwalter(in) *m(f)* amministratore, -trice *m, f* d'eredità.

nach·laufen ⟨*irr*⟩ *itr* ⟨*sein*⟩ correre dietro.

Nachlese *f* spigolatura *f.*

nach·lösen *itr* fare il biglietto in treno.

nach·machen *tr* **1.** *(nachahmen)* imitare, copiare; *(parodieren)* contraffare; **2.** *(fälschen)* contraffare; **3.** *(nachträglich machen)* fare dopo.

nach·messen ⟨*irr*⟩ *tr, itr* rimisurare.

Nachmieter(in) *m(f)* inquilino, -a *m, f* subentrante.

Nachmittag *m* pomeriggio *m.* **nachmittags** *adv* di pomeriggio. **Nachmittagsvorstellung** *f* rappresentazione *f* pomeridiana.

Nachnahme ['na:xna:mə] ⟨-, -n⟩ *f:* **gegen** ~ contrassegno.

Nachname *m* cognome *m.*

Nachporto *n* soprattassa *f.*

nach·prüfen *tr* controllare, verificare; *(noch einmal prüfen)* riesaminare. **Nachprüfung** *f* controllo *m,* verifica *f; (erneute Prüfung)* riesame *m; (in Schule)* esame *m* di riparazione.

nach·rechnen **I.** *tr* verificare il calcolo di; **II.** *itr* verificare il calcolo.

Nachrede *f:* **üble** ~ maldicenza *f,* diffamazione *f.*

Nachricht ['na:xrɪçt] ⟨-, -en⟩ *f* **1.** *(Meldung, Information)* notizia *f; (Mitteilung)* informazione *f,* comunicazione *f;* **2.** ⟨*pl*⟩ *radio* giornale *m* radio, notiziario *m; TV* telegiornale *m;* **ich habe keine ~ von ihm** non ho sue notizie; **wir geben Ihnen ~, sobald die Möbel da sind** non appena arrivano i mobili, glielo facciamo sapere. **Nachrichtenagentur** *f* agenzia *f* d'informazioni (*o* di stampa). **Nachrichtendienst** *m* servizio *m* d'informazioni; *mil* servizio *m* di ricognizione. **Nachrichtenkanal** *m* canale *m* di informazioni e attualità. **Nachrichtensatellit** *m* satellite *m* per le telecomunicazioni. **Nachrichtensendung** *f radio* giornale *m* radio, notiziario *m; TV* telegiornale *m.* **Nachrichtensperre** *f* censura *f* sulle informazioni. **Nachrichtensprecher(in)** *m(f)* annunciatore, -trice *m, f.* **Nachrichtentechnik** *f* telecomunicazioni *f pl.*

nach·rücken *itr* **1.** *(aufrücken)* serrare le file; **2.** *mil* avanzare; **3.** *(in höhere Stelle)* avanzare di grado.

Nachruf *m* necrologio *m* (*auf etw. (akk)* di).

Nachruhm *m* fama *f* postuma.

nach·rüsten **I.** *tr (Gerät, Auto)* potenziare per mezzo di dispositivi aggiuntivi; **II.** *itr mil* riarmare.

Nachrüstung *f* **1.** *(von Gerät, Auto)* potenziamento *m* per mezzo di dispositivi aggiuntivi; **2.** *mil* corsa *f* al riarmo.

nach·sagen *tr* ripetere; **jdm etwas Gutes/ Schlechtes** ~ dire bene/male di qu.

Nachsaison *f* bassa stagione *f.*

nach·schauen *itr* **1.** *(blicken)* seguire con lo sguardo (*jdm* qu); **2.** *(kontrollieren)* andare a vedere.

nach·schicken *tr (Post)* mandare dopo, rispedire; *(Leute)* mandare dietro.

nach·schlagen ⟨*irr*⟩ **I.** *tr* ⟨*haben*⟩ cercare; **II.** *itr* **1.** ⟨*haben*⟩ consultare (*in etw. (dat)* qc); **2.** ⟨*sein*⟩: **jdm** ~ *geh* assomigliare a qu.

Nachschlagewerk *n* opera *f* di consulta-

zione.
Nachschlüssel *m* chiave *f* falsa.
Nachschrift *f* **1.** *(Aufzeichnungen)* appunti *m pl;* **2.** *(Nachtrag)* poscritto *m.*
Nachschub *m* **1.** *(Versorgung)* rifornimento *m;* **2.** *(Material)* rifornimenti *m pl.*
nach·sehen ⟨*irr*⟩ **I.** *itr* **1.** *(hinterhersehen)* seguire con lo sguardo *(jdm/einer S. (dat)* qu/qc); **2.** *(gucken)* andare a vedere; *(in Buch)* consultare *(in etw. (dat)* qc); **II.** *tr* **1.** *(prüfen)* verificare, controllare; **2.** *(entschuldigen)* perdonare, lasciar passare. **Nachsehen** ⟨-s, ø⟩ *n:* **das ~ haben** restare a bocca asciutta.
nach·senden ⟨*irr*⟩ *s.* **nachschicken.**
Nachsicht *f* indulgenza *f,* condiscendenza *f;* **~ mit jdm haben** essere indulgente con qu. **nachsichtig** *adj* indulgente.
Nachsilbe *f* suffisso *m.*
nach·sitzen ⟨*irr*⟩ *itr* rimanere a scuola per castigo.
Nachsorge *f med* visita *f* di controllo postoperatoria.
Nachspann ['na:xʃpan] ⟨-(e)s, -e⟩ *m* titoli *m pl* di coda.
Nachspeise *f* dessert *m,* dolce *m.*
Nachspiel *n* **1.** *theat* epilogo *m;* **2.** *mus* postludio *m;* **3.** *fig (Folgen)* seguito *m.*
nach·spionieren ⟨*ohne ge-*⟩ *itr:* **jdm ~** spiare qu.
nach·sprechen ⟨*irr*⟩ *tr* ripetere.
nächstbeste(r, s) ['nɛ:çst'bɛstə] *adj* primo, -a che capita; *(Mensch)* primo, -a venuto, -a.
nächste *s.* **nächste(r, s).**
Nächste[1] ⟨ein -r, -n, -n⟩ *m (Mitmensch)* prossimo *m.*
Nächste[2] ⟨ein -s, -n, ø⟩ *n* prima cosa *f.*
nach·stellen I. *tr* posporre; *(Uhr)* mettere indietro; **II.** *itr:* **jdm ~** inseguire qu, perseguitare qu. **Nachstellung** *f* **1.** *(Verfolgung)* persecuzione *f; (a. von Tier)* caccia *f; (Aufdringlichkeit)* invadenza *f;* **2.** *gram* posposizione *f.*
Nächstenliebe *f* amore *m* del prossimo, carità *f.*
nächste(r, s) ['nɛ:çstə] ⟨*superl von* nah(e)⟩ *adj* **1.** *(räumlich)* (il, la) più vicino, -a; *(a. zeitlich)* prossimo, -a; *(Weg)* (il, la) più breve; **2.** *(Reihenfolge)* seguente, prossimo, -a; **am ~n** più vicino; **im ~n Augenblick** un momento dopo; **der ~, bitte!** avanti il prossimo!
Nächstliegende ⟨ein -s, -n, ø⟩ *n:* **das ~** *fig* la cosa più semplice. **nächstmögliche(r, s)** ['nɛ:çst'mø:klıçə] *adj* prossimo, -a.
Nacht [naxt] ⟨-, Nächte⟩ *f* notte *f; (Dauer)* nottata *f;* **heute n~** stanotte; **bei ~, in der ~** *geh* di notte; **bei ~ und Nebel** furtivamente; **in der ~ vom 21. auf den 22. April** nella notte fra il 21 ed il 22 aprile; **über ~** *fig* durante la notte; *(von heute auf morgen)* da un giorno all'altro; **schwarz wie die ~** nero come il carbone; **gute ~!** buona notte!. **Nachtblindheit** *f* emeralopia *f.* **Nachtdienst** *m* servizio *m* notturno.
Nachteil *m* svantaggio *m,* sfavore *m; (Schaden a.)* danno *m,* pregiudizio *m;* **sich zu seinem ~ verändern** cambiare in peggio; **zum ~ von** a svantaggio di. **nachteilig** *adj (ungünstig)* svantaggioso; *(abträglich)* sfavorevole.
Nachtessen *(CH, süddeutsch) s.* **Abendessen. Nachtfalter** *m* farfalla *f* notturna, falena *f.* **Nachtfrost** *m* gelo *m* notturno. **Nachthemd** *n* camicia *f* da notte.
Nachtigall ['naxtıgal] ⟨-, -en⟩ *f* usignolo *m.*
nächtigen ['nɛçtıgən] *itr geh* passare la notte.
Nachtisch *m* dessert *m,* dolce *m.*
Nachtleben *n* vita *f* notturna.
nächtlich ['nɛçtlıç] *adj* notturno.
Nachtlokal *n* locale *m* notturno, night *m.* **Nachtportier** *m* portiere *m* di notte. **Nachtquartier** *n* alloggio *m* per la notte.
Nachtrag ['na:xtra:k] ⟨-(e)s, -träge⟩ *m* supplemento *m,* aggiunta *f; (Anhang)* appendice *f; (in Brief)* poscritto *m.*
nach·tragen ⟨*irr*⟩ *tr* **1.** *(hinterhertragen)* portare dietro; **2.** *(hinzufügen)* aggiungere; **3.** *(nachtragend sein)* serbare (*o* portare) rancore *(jdm etw.* a qu per qc). **nachtragend** *adj* permaloso.
nachträglich ['na:xtrɛ:klıç] **I.** *adj* **1.** *(ergänzend)* supplementare, suppletivo; **2.** *(später eingehend)* ulteriore, posteriore; **3.** *(später nachfolgend)* ritardato, tardivo; **II.** *adv* più tardi, in seguito; *(verspätet)* in ritardo.
Nachtragshaushalt *m* bilancio *m* aggiuntivo.
nach·trauern *itr:* **jdm/einer S.** *(dat)* **~** rimpiangere qu/qc.
Nachtruhe *f* riposo *m* notturno.
nachts *adv* di notte.
Nachtschalter *m* sportello *m* con orario di apertura prolungato. **Nachtschattengewächs** *n* solanacee *f pl.* **Nachtschicht** *f* turno *m* di notte. **Nachtschwärmer** *m* **1.** *zoo* falena *f;* **2.** *scherz* nottambulo *m.* **Nachtschwester** *f* infermiera *f* notturna. **Nachtspeicherofen** *m* stufa *f* d'accumulazione di calore. **Nachttarif** *m* tariffa *f* notturna (*o* ridotta). **Nachttisch** *m* comodino *m.* **Nachttopf** *m* vaso *m* da notte. **Nachttresor** *m* cassa *f* continua. **Nacht-und-Nebel-Aktion** *f* azione *f* lampo. **Nachtwache** *f* veglia *f.* **Nachtwächter** *m* guardiano *m* notturno.
Nachuntersuchung *f* controllo *m.*
nach·vollziehen ⟨*irr, ohne ge-*⟩ *tr (Gedankengang)* seguire, ripercorrere con la mente.
nach·wachsen ⟨*irr*⟩ *itr* ⟨*sein*⟩ ricrescere.
Nachwahl *f* elezione *f* suppletiva.
Nachwehen *f pl* **1.** *med* morsi *m pl* uteri-

ni; **2.** *fig geh* effetti *m pl* dolorosi.
Nachweis ['na:xvai̯s] ⟨-es, -e⟩ *m* **1.** *(Beweis)* prova *f*, dimostrazione *f;* **2.** *(Bescheinigung)* attestato *m*, pezza *f* d'appoggio; **zum ~ von** a sostegno di.
nachweisbar *adj* **1.** *(beweisbar)* dimostrabile; **2.** *(belegbar)* documentabile; **3.** *(auffindbar: Fehler, etc.)* reperibile.
nach·weisen ⟨*irr*⟩ *tr* **1.** *(beweisen)* provare, dimostrare; **2.** *(belegen, bescheinigen)* attestare, certificare.
nachweislich *adv* come si può dimostrare.
Nachwelt *f* posterità *f*, posteri *m pl.*
nach·winken ⟨*irr*⟩ *itr:* **jdm ~** salutare qu con un segno della mano *o* con il fazzoletto.
nach·wirken *itr* **1.** *allg.* perdurare; **2.** tec, med produrre un effetto secondario; *(Einfluß haben)* ripercuotersi (*auf +akk* su). **Nachwirkung** *f* **1.** *tec, med* effetto *m* secondario; **2.** *fig (Einfluß)* ripercussione *f* (*auf +akk* su).
Nachwort ⟨-(e)s, -e⟩ *n* postfazione *f*, epilogo *m.*
Nachwuchs *m (Kinder)* figli *m pl*, bambini *m pl; (beruflich)* giovani leve *f pl.*
nach·zahlen *tr, itr* **1.** *(später zahlen)* pagare dopo (*o* successivamente); **2.** *(zusätzlich zahlen)* pagare in più.
nach·zählen *tr, itr* (ri)contare.
Nachzahlung *f* **1.** *(später)* pagamento *m* successivo; *(zusätzlich)* pagamento *m* supplementare; **2.** *(Summe)* arretrato *m.*
nach·ziehen ⟨*irr*⟩ *tr* **1.** *(hinterherziehen)* tirare dietro; *(Bein)* trascinare; **2.** *(Schraube)* stringere; **3.** *(Strich)* ricalcare; *(Augenbrauen, Lippen)* ritoccare.
Nachzug *m (von Familienangehörigen)* arrivo *m* successivo (dei familiari). **Nachzügler(in)** ['na:xt̮sy:glɐ (...ərɪn)] ⟨-s, -⟩ *m(f)* ritardatario, -a *m, f.*
Nackedei ['nakədai̯] ⟨-s, -s⟩ *m fam scherz* nudità *f; (Kind)* bambino *m* nudo.
Nacken ['nakən] ⟨-s, -⟩ *m* nuca *f; gastr* lombata *f.* **Nackenstütze** *f* poggiacapo *m.*
nackt [nakt] *adj* **1.** *(unbekleidet, a. fig)* nudo; **2.** *(kahl a.)* spoglio; **3.** *fig (unverhüllt a.)* nudo e crudo; *(nichts anderes als)* puro; **sich ~ ausziehen** spogliarsi completamente. **Nacktbadestrand** *m* spiaggia *f* per nudisti. **Nacktheit** ⟨-, ø⟩ *f* nudità *f.* **Nackttänzer(in)** *m(f)* ballerino, -a *m, f* nudo, -a.
Nadel ['na:dəl] ⟨-, -n⟩ *f* **1.** *(Näh~, bot)* ago *m; (Steck~)* spillo *m; (Häkel~)* uncinetto *m; (Strick~ a.)* ferro *m* (da calza); **2.** *(ohne Öhr)* spilla *f; (Haar~, Hut~)* spillone *m;* **3.** *(Grammophon~)* puntina *f.* **Nadelbaum** *m* conifera *f.* **Nadeldrucker** *m* stampante *f* ad aghi. **Nadelkissen** *n* puntaspilli *m.* **Nadelöhr** *n* cruna *f* dell'ago. **Nadelstich** *m* **1.** *(Einstich)* puntura *f;* **2.** *(Nähstich)* punto *m* di cucito; **3.** *fig* punzecchiatura *f*, frecciata *f.* **Nadelstreifen** *m pl* righe *f pl* sottilissime di una stoffa gessata; **in ~** in gessato. **Nadelstreifenanzug** *m* gessato *m.* **Nadelwald** *m* bosco *m* di conifere.
Nagel ['na:gəl] ⟨-s, Nägel⟩ *m* **1.** *tec* chiodo *m;* **2.** *anat* unghia *f;* **den ~ auf den Kopf treffen** *fam* cogliere nel segno; **Nägel mit Köpfen machen** *fam* fare le cose come si deve; **sich** *(dat)* **etw. unter den ~ reißen** *fam* grattare (*o* sgraffignare) qc *fam;* **er hat das Klavierspielen an den ~ gehängt** *fam* ha smesso di suonare il pianoforte. **Nagelbürste** *f* spazzolino *m* per le unghie. **Nagelfeile** *f* limetta *f* per le unghie. **Nagelhaut** *f* pipita *f.* **Nagellack** *m* smalto *m* per le unghie. **Nagellackentferner** ⟨-s, -⟩ *m* acetone *m.*
nageln *tr* inchiodare; *(Schuhe)* chiodare.
nagelneu ['na:gəl'nɔy̆] *adj fam* nuovo fiammante (*o* di zecca).
Nagelreiniger ⟨-s, -⟩ *m* nettaunghie *m.* **Nagelschere** *f* forbici *f pl* per le unghie.
nagen ['na:gən] **I.** *itr* **1.** *(knabbern, zer~)* (cor)rodere (*an etw. (dat)* qc), rosicchiare (*an etw. (dat)* qc); **2.** *fig (Kummer)* struggere (*an jdm* qu); *(Gewissen)* rimordere; **II.** *tr* rodere.
Nager ⟨-s, -⟩ *m*, **Nagetier** *n* roditore *m.*
Nahaufnahme *f fot, film* primo piano *m.*
nah(e) ['na:(ə)] **I.** ⟨näher, nächste⟩ *adj* **1.** *(räumlich)* vicino; **2.** *(zeitlich)* prossimo, imminente; **3.** *fig (eng)* stretto; **von ~ und fern** da tutte le parti, da ogni dove; **ich war ~e daran zu ...** ero sul punto di ...; **II.** *prp +dat* vicino a.
Nähe ['nɛ:ə] ⟨-, ø⟩ *f* vicinanza *f*, prossimità *f; (Umgebung)* vicinanze *f pl*, dintorni *m pl;* **aus nächster ~, ganz aus der ~** da molto vicino; **in der ~ (von)** vicino (a), nelle vicinanze (di).
nahe·gehen ⟨*irr*⟩ *itr* ⟨*sein*⟩ toccare da vicino (*jdm* qu). **nahe·kommen** ⟨*irr*⟩ *itr* ⟨*sein*⟩ avvicinarsi. **nahe·legen** *tr* far capire, raccomandare. **nahe·liegen** ⟨*irr*⟩ *itr* essere ovvio; **die Vermutung liegt nahe, daß ...** è facile supporre che *+congv.*
naheliegend *adj* evidente, ovvio.
nahen ['na:ən] *itr* ⟨*sein*⟩, *geh* avvicinarsi.
nähen ['nɛ:ən] *tr, itr* cucire; *med* suturare.
näher ['nɛ:ɐ] ⟨*komp von* nah(e)⟩ *adj* **1.** *(örtlich)* più vicino; **2.** *(zeitlich)* prossimo, più vicino; **3.** *(genauer)* preciso, dettagliato; **~ bestimmen** determinare; **jdn ~ kennen** conoscere bene qu; **können Sie das ~ beschreiben?** può farne una descrizione più particolareggiata?; **treten Sie ~!** venga avanti!; **ich möchte N~es darüber erfahren** voglio saperne di più. **näher·bringen** ⟨*irr*⟩ *tr:* **jdm etw. ~** far capire qc a qu.
Naherholungsgebiet *n* zona *f* di villeggiatura limitrofa al centro urbano.
Näherin ['nɛ:ərɪn] *f* sarta *f.*

näher·kommen ⟨*irr*⟩ *itr* ⟨*sein*⟩ avvicinarsi.
nähern *rfl:* **sich** ~ avvicinarsi.
Näherungswert *m* valore *m* approssimativo.
nahe·stehen ⟨*irr*⟩ *itr* essere vicino (+*dat* a), essere in stretto rapporto (+*dat* con).
nahezu ['na:ə'tsu:] *adv* quasi.
Nahkampf *m* corpo a corpo *m.*
nahm [na:m] *imp von* **nehmen.**
Nähmaschine *f* macchina *f* da cucire. **Nähnadel** *f* ago *m* per cucire.
Nährboden *m* **1.** *biol* terreno *m* di coltura; **2.** *fig* terreno *m* propizio.
nähren ['nɛ:rən] **I.** *tr* nutrire; **II.** *itr* essere nutriente; **III.** *rfl:* **sich** ~ nutrirsi.
nahrhaft ['na:ɐhaft] *adj* nutriente, nutritivo.
Nahrung ['na:rʊŋ] ⟨-, ø⟩ *f* alimentazione *f,* nutrizione *f;* **einem Gerücht neue** ~ **geben** alimentare una voce. **Nahrungskette** *f* catena *f* alimentare. **Nahrungsmittel** *n* alimento *m,* prodotto *m* alimentare; ⟨*pl*⟩ derrate *f pl* (alimentari). **Nahrungsmittelindustrie** *f* industria *f* alimentare. **Nahrungsmittelvergiftung** *f* intossicazione *f* da alimenti. **Nahrungssuche** *f* ricerca *f* di cibo.
Nährwert *m* valore *m* nutritivo.
Naht [na:t] ⟨-, Nähte⟩ *f* cucitura *f; tec* saldatura *f; anat, bot, med* sutura *f;* **aus allen Nähten platzen** *fam* scoppiare. **nahtlos** *adj (Textil)* senza cucitura; *tec* senza saldatura; **Vorlesung und Diskussion gingen** ~ **ineinander über** si passò dalla lezione alla discussione senza difficoltà.
Nahverkehr *m* traffico *m* locale (*o* a breve distanza). **Nahverkehrszug** *m* treno *m* locale.
Nähzeug ⟨-(e)s, -e⟩ *n* occorrente *m* per cucire.
naiv [na'i:f] *adj* ingenuo, semplice; *(Kunst)* naïf. **Naivität** [naivi'tɛ:t] ⟨-, ø⟩ *f* ingenuità *f,* semplicità *f.*
Name ['na:mə] ⟨-ns, -n⟩ *m,* **Namen** ['na:mən] ⟨-s, -⟩ *m* nome *m; (Bezeichnung a.)* denominazione *f; (Ruf)* reputazione *f;* **beim** ~**n nennen** chiamare per nome; **auf den** ~**n ... lautend** nominativo ...; **im** ~**n von** a nome (*o* da parte) di; **im** ~**n des Gesetzes** in nome della legge; **wie ist Ihr** ~? come si chiama?; **in Gottes** ~**n!** *fam* va bene!. **namenlos** *adj* **1.** *(Mensch)* senza nome, anonimo; **2.** *fig geh (unsagbar)* indicibile, inesprimibile.
namens **I.** *adv (mit Namen)* di nome, chiamato; **II.** *prp* +*gen adm* in nome (*o* da parte) di.
Namensänderung *f* cambiamento *m* di nome. **Namensschild** *n* targhetta *f* (con il nome). **Namenstag** *m* onomastico *m.* **Namensvetter** *m* omonimo *m.*
namentlich ['na:məntlɪç] **I.** *adj* nominale, nominativo; **II.** *adv* **1.** *(mit Namen)* nominalmente, per nome; **2.** *(insbesondere)* segnatamente, specialmente.
namhaft *adj* **1.** *(bekannt)* noto, conosciuto; **2.** *(beträchtlich)* considerevole, notevole.
nämlich ['nɛ:mlɪç] **I.** *adj geh:* **der** ~**e** lo stesso; **das** ~**e** la stessa cosa; **II.** *adv* **1.** *(und zwar)* cioè, vale a dire; **2.** *(denn)* poiché, infatti.
nannte ['nantə] *imp von* **nennen.**
nanu [na'nu:] *interj* beh, tò, ma guarda un po'!
Napf [napf] ⟨-(e)s, Näpfe⟩ *m* scodella *f,* gamella *f; (für Tiere)* ciotola *f.* **Napfkuchen** *m* ciambella *f.*
Narbe ['narbə] ⟨-, -n⟩ *f* **1.** *med* cicatrice *f;* **2.** *bot* stigma *m.* **narbig** *adj* pieno di cicatrici, butterato; *(Leder)* ruvido.
Narkose [nar'ko:zə] ⟨-, -n⟩ *f* narcosi *f,* anestesia *f.*
narkotisieren [...koti'zi:rən] ⟨*ohne ge-*⟩ *tr* narcotizzare, anestetizzare.
Narr [nar] ⟨-en, -en⟩ *m,* **Närrin** ['nɛrɪn] *f* pazzo, -a *m, f,* folle *mf,* matto, -a *m, f; theat, hist* buffone *m;* **an jdm einen** ~**en gefressen haben** *fam* andare pazzo per qu; **jdn zum** ~**en halten** farsi (*o* prendersi) gioco di qu. **Narrenfreiheit** *f* libertà *f* di dire o fare cose altrimenti proibite. **Narrenkappe** *f* berretto *m* da buffone.
närrisch ['nɛrɪʃ] *adj* **1.** *(töricht)* folle, matto; **2.** *(verrückt, skurril)* pazzo, buffo; **3.** *(karnevalistisch)* carnevalesco, buffonesco.
Narzisse [nar'tsɪsə] ⟨-, -n⟩ *f* narciso *m.*
Narzißmus [nar'tsɪsmʊs] ⟨-, ø⟩ *m* narcisismo *m.*
narzißtisch *adj* narcisistico.
nasal [na'za:l] *adj* nasale. **Nasallaut** *m* suono *m* nasale.
naschen ['naʃən] *tr, itr (heimlich)* spizzicare (di nascosto) (*an* +*dat, von etw.* qc); *(Süßigkeiten)* mangiare.
Nascherei [naʃə'rai] ⟨-, -en⟩ *f (Naschwerk)* dolciume *m.*
naschhaft *adj* ghiotto, goloso. **Naschkatze** *f* ghiottone, -a *m, f,* goloso, -a *m, f.*
Nase ['na:zə] ⟨-, -n⟩ *f* **1.** *allg.* naso *m;* **2.** *(Geruchssinn a.)* odorato *m,* olfatto *m;* **3.** *(Spürsinn a.)* fiuto *m;* **4.** *fam (von Farbe, Lack)* lacrima *f;* **die** ~ **davon voll haben** *fam* averne le tasche piene *fam;* **jdn an der** ~ **herumführen** menare qu per il naso; **jdm auf der** ~ **herumtanzen** mettersi qu sotto i piedi; **jdm etw. auf die** ~ **binden** *fam* dare d'intendere qc a qu; **durch die** ~ **sprechen** parlare col naso; **jdn mit der** ~ **auf etw.** *(akk)* **stoßen** *fam* far toccare con mano qc a qu; **jdm etw. vor der** ~ **wegschnappen** *fam* portar via qc a qu sotto il naso; **jdm die Tür vor der** ~ **zuschlagen** *fam* sbattere la porta in faccia a qu; **pro** ~ *fam scherz*

a testa, per persona; **immer der ~ nach** *fam* sempre diritto.

Nasenbein *n* osso *m* nasale. **Nasenbluten** ⟨-s, ø⟩ *n* epistassi *f;* ~ **haben** perdere sangue dal naso. **Nasenflügel** *m* ala *f* (*o* pinna *f*) nasale. **Nasenlänge** *f:* **jdm um eine ~ voraus sein** precedere qu di un palmo. **Nasenloch** *n* narice *f.* **Nasenrücken** *m* dorso *m* del naso. **Nasenschleimhaut** *f* mucosa *f* nasale. **Nasenspitze** *f* punta *f* del naso. **Nasenspray** *m o n* nebulizzatore *m* (*o* spray *m*) per il naso. **Nasentropfen** *m pl* gocce *f pl* per il naso.

naseweis ['na:zəvais] *adj* **1.** *(vorlaut)* saputello, saccente; **2.** *(vorwitzig)* saccente.

Nashorn *n* rinoceronte *m.*

naß [nas] ⟨nasser *o* nässer, nasseste *o* nässeste⟩ *adj* bagnato; *(durchnäßt a.)* zuppo, fradicio; *(Wetter, a. med)* umido; *(regenreich)* piovoso; **sich ~ machen, ~ werden** bagnarsi; ~ **bis auf die Haut** (*o* **Knochen**) bagnato fino alle ossa.

Nässe ['nɛsə] ⟨-, ø⟩ *f* umidità *f.*

nässen *itr* colare.

naßkalt *adj* freddo umido; **es ist** ~ fa un freddo umido. **Naßrasur** *f* rasatura *f* con pennello. **Naßzelle** *f arch* servizi *m pl.*

Nastuch *n CH* fazzoletto *m.*

Nation [na'tsio:n] ⟨-, -en⟩ *f* nazione *f.*

national [natsio'na:l] *adj* nazionale. **Nationalelf** *f* squadra *f* nazionale di calcio. **Nationalfeiertag** *m* festa *f* nazionale. **Nationalgericht** *n* piatto *m* nazionale. **Nationalgetränk** *n* bevanda *f* nazionale. **Nationalheld(in)** *m(f)* eroe, eroina *m,f* nazionale. **Nationalhymne** *f* inno *m* nazionale.

Nationalismus [natsiona'lɪsmʊs] ⟨-, ø⟩ *m* nazionalismo *m.*

nationalistisch *adj* nazionalista, nazionalistico.

Nationalität [...li'tɛ:t] ⟨-, -en⟩ *f* nazionalità *f.* **Nationalitätskennzeichen** *n* targa *f* di nazionalità.

Nationalmannschaft *f* (squadra *f*) nazionale *f.* **Nationalsozialismus** *m* (*abk* **NS**) nazionalsocialismo *m,* nazismo *m.* **Nationalsozialist(in)** *m(f)* nazionalsocialista *mf,* nazista *mf.* **nationalsozialistisch** *adj* nazionalsocialista, nazionalsocialistico. **Nationalspieler(in)** *m(f)* giocatore, -trice *m, f* della nazionale. **Nationalversammlung** *f* assemblea *f* nazionale.

Nato, NATO ['na:to] ⟨-, ø⟩ *f* N.A.T.O. *f.*

Natrium ['na:triʊm] ⟨-s, ø⟩ *n* sodio *m.* **Natriumchlorid** *n* cloruro *m* di sodio.

Natron ['na:trɔn] ⟨-s, ø⟩ *n* soda *f.*

Natter ['natɐ] ⟨-, -n⟩ *f* colubro *m.*

Natur [na'tu:ɐ] ⟨-, -en⟩ *f* natura *f; (Körperverfassung a.)* fisico *m,* complessione *f; (Veranlagung a.)* indole *f,* carattere *m;* **in der ~ der Sache liegen** essere nella natura delle cose; **von ~ aus** di carattere.

Naturalien [natu'ra:liən] ⟨*pl*⟩ prodotti *m pl* naturali; **in ~ bezahlen** pagare in natura.

Naturalismus [natura'lɪsmʊs] ⟨-, ø⟩ *m* naturalismo *m.*

naturalistisch [...'lɪstɪʃ] *adj* naturalistico.

naturbelassen *adj (Lebensmittel)* naturale, senza conservanti e coloranti; *(Textilien)* senza appretto.

Naturell [natu'rɛl] ⟨-s, -e⟩ *n* temperamento *m,* carattere *m.*

Naturereignis *n,* **-erscheinung** *f* fenomeno *m* naturale. **Naturfaser** *f* fibra *f* naturale. **Naturforscher(in)** *m(f)* naturalista *mf.* **naturgemäß I.** *adj* conforme alla natura, naturale; **II.** *adv* per (sua) natura. **Naturgesetz** *n* legge *f* naturale (*o* di natura). **naturgetreu** *adj* conforme all'originale. **Naturheilkunde** *f* medicina *f* fisica, fisiatria *f* **Naturkatastrophe** *f* cataclisma *m.* **Naturkostladen** *m* negozio *m* di prodotti naturali. **Naturkunde** *f* scienze *f pl* naturali. **Naturlehrpfad** *m* sentiero *m* botanico.

natürlich [na'ty:ɐlɪç] **I.** *adj* **1.** *(der Natur entsprechend)* naturale; **2.** *(nicht künstlich)* genuino; **3.** *(selbstverständlich)* ovvio, logico; **II.** *adv* **1.** *(der Natur entsprechend)* naturalmente, in modo naturale; **2.** *(selbstverständlich)* naturalmente. **Natürlichkeit** ⟨-, ø⟩ *f* naturalezza *f.*

Naturprodukt *n* prodotto *m* genuino. **Naturrecht** *n* diritto *m* naturale. **naturrein** *adj* genuino, naturale. **Naturschutz** *m* tutela *f* delle bellezze naturali; **unter ~ stehen** essere protetto dalle leggi per la tutela della natura. **Naturschützer(in)** ⟨-s, -⟩ *m (f)* ecologista *mf,* ambientalista *mf.* **Naturschutzgebiet** *n* zona *f* protetta, parco *m* nazionale. **naturverbunden** [-fɛɐbʊndən] *adj* amante della natura. **Naturvolk** *n* popolo *m* primitivo. **Naturwissenschaften** *f pl* scienze *f pl* naturali. **Naturwissenschaftler(in)** *m(f)* naturalista *mf.* **Naturwunder** *n* meraviglie *f pl* della natura.

Navigation [naviga'tsio:n] ⟨-, ø⟩ *f* navigazione *f.*

Nazi ['na:tsi] ⟨-s, -s⟩ *m pej* nazista *mf.*

NC [ɛn'tse:] ⟨-(s), -s⟩ *m abk von* **Numerus clausus** numero chiuso, numerus clausus.

n. Chr. *abk von* **nach Christus** d.C. (*abbr di* dopo Cristo).

'ne [nə] *unbest art fam dial s.* **eine.**

Neapel [ne'a:pəl] *n* Napoli *f.*

Nebel ['ne:bəl] ⟨-s, -⟩ *m* nebbia *f.* **Nebelbank** ⟨-, -bänke⟩ *f* banco *m* di nebbia.

neb(e)lig *adj* nebbioso; **es ist ~** c'è nebbia.

Nebelscheinwerfer *m* (faro *m*) fendinebbia *m.* **Nebelschlußleuchte** *f* faro *m* fendinebbia posteriore. **Nebelwand** *f* cortina *f* di nebbia.

neben ['ne:bən] *prp* **1.** *+dat/akk (örtlich)* accanto a, vicino a; **2.** *+dat (außer)* oltre a; **3.** *+dat (verglichen mit)* al confronto di. **nebenamtlich I.** *adj* collaterale; **II.** *adv* come attività collaterale. **nebenan** [-'ʔan] *adv* accanto. **Nebenanschluß** *m* apparecchio *m* telefonico supplementare.

nebenbei [-'bai̯] *adv* **1.** *(gleichzeitig)* contemporaneamente; **2.** *(außerdem)* inoltre; **3.** *(beiläufig)* tra parentesi, incidentalmente.

Nebenberuf *m* secondo impiego *m.* **nebenberuflich I.** *adj* secondario; **II.** *adv* come secondo impiego. **Nebenbeschäftigung** *f* occupazione *f* (*o* attività *f*) secondaria. **Nebenbuhler(in)** ⟨-s, -⟩ *m(f)* rivale *mf.*

nebeneinander [-ʔai̯'nandɐ] *adv* **1.** *(räumlich)* l'uno accanto all'altro, fianco a fianco; **2.** *(zeitlich)* insieme, contemporaneamente. **Nebeneinander** ⟨-s, ø⟩ *n* **1.** *(räumlich)* vicinanza *f;* **2.** *(zeitlich)* coesistenza *f,* simultaneità *f.* **nebeneinander·legen, nebeneinander·setzen, nebeneinander·stellen** *tr* mettere l'uno accanto all'altro, giustapporre.

Nebeneingang *m* ingresso *m* laterale. **Nebeneinnahmen** *f pl* entrate *f pl* secondarie. **Nebenfach** *n* materia *f* secondaria. **Nebenfluß** *m* affluente *m.* **Nebengebäude** *n* edificio *m* annesso, dépendance *f.* **Nebengeräusch** *n* rumore *m* estraneo; *radio* disturbo *m,* rumore *m* parassita. **Nebenhandlung** *f* trama *f* collaterale.

nebenher [-'he:ɐ̯] *adv* **1.** *(gleichzeitig)* contemporaneamente; **2.** *(außerdem)* inoltre; **3.** *(beiläufig)* incidentalmente.

Nebenklage *f* costituzione *f* di parte civile. **Nebenkläger(in)** *m(f)* parte *f* civile. **Nebenkosten** ⟨*pl*⟩ spese *f pl* accessorie. **Nebenmann** ⟨-(e)s, -männer *o* -leute⟩ *m* vicino *m.* **Nebenprodukt** *n* sottoprodotto *m.* **Nebenraum** *m* stanza *f* attigua. **Nebenrolle** *f theat, fig* ruolo *m* secondario. **Nebensache** *f* questione *f* marginale, bagatella *f;* **das ist** ~ ciò ha poca importanza. **nebensächlich** *adj* accessorio, secondario, marginale. **Nebensaison** *f* *(Nachsaison)* bassa stagione. **Nebensatz** *m* proposizione *f* subordinata (*o* secondaria). **Nebenstraße** *f* strada *f* secondaria; *(Seitenstraße)* (strada *f*) laterale *f.* **Nebenstrecke** *f* linea *f* secondaria. **Nebentisch** *m* tavolo *m* vicino. **Nebenverdienst** *m* secondo guadagno *m,* guadagno *m* accessorio. **Nebenwirkung** *f* ⟨*meist pl*⟩ effetto *m* secondario *o* collaterale.

neblig *s.* **nebelig.**

nebst [ne:pst] *prp +dat obs (mit)* (insieme) con; *(einschließlich)* compreso.

necken ['nɛkən] *tr* punzecchiare, stuzzicare.

neckisch *adj* **1.** *(schelmisch)* malizioso; **2.** *(kokett, keß)* civettuolo; *(Kleidung)* chic, carino.

nee [ne:] *fam dial s.* **nein.**

Neffe ['nɛfə] ⟨-n, -n⟩ *m* nipote *m* (di zio e zia).

negativ ['ne:gati:f *o* nega'ti:f] *adj* negativo; *(ungünstig a.)* sfavorevole. **Negativ** ⟨-s, -e⟩ *n* negativa *f,* negativo *m.*

Neger(in) ['ne:gɐ (...ərɪn)] ⟨-s, -⟩ *m(f)* negro, -a *m, f.* **Negerkuß** *m gastr* moretto *m.*

nehmen ['ne:mən] ⟨nimmt, nahm, genommen⟩ *tr, itr* **1.** *(auf~, ein~, fassen, etc.)* prendere; **2.** *(an~)* accettare; **3.** *(weg~)* togliere, levare; **es sich** *(dat)* **nicht ~ lassen, etw. zu tun** non rinunciare a fare qc; **etw. an sich ~** prendere (possesso di) qc; **etw. auf sich ~** *fig* assumersi qc; *(Entbehrungen)* sottoporsi a qc; **etw. zu sich** *(dat)* ~ mangiare qc; **man nehme: 500 g Mehl, 200 g Butter . . .** prendere (*o* si prendano): mezzo chilo di farina, 2 etti di burro . . .; **wie man es nimmt!** *fam* dipende.

Neid [nai̯t] ⟨-(e)s, ø⟩ *m* invidia *f;* **aus ~** per invidia; **vor ~ erblassen** diventare verde d'invidia; **der blanke ~** pura invidia; **das muß ihm der ~ lassen** *fam* questo bisogna riconoscerglielo.

neiden ['nai̯dən] *tr:* **jdm etw. ~** *geh* invidiare qc a qu.

Neider(in) ⟨-s, -⟩ *m(f)* invidioso, -a *m, f.*

neidisch *adj* invidioso (*auf +akk* di); *(Blick, etc.)* d'invidia.

neidlos *adv* senza invidia.

Neige ['nai̯gə] ⟨-, -n⟩ *f geh* **1.** *(Ende)* fine *f,* declino *m;* **2.** *(Rest)* fondo *m;* **zur ~ gehen** volgere alla fine (*o* al termine); **bis zur bitteren ~** fino all'ultima goccia.

neigen I. *tr* inclinare; *(beugen)* chinare, abbassare; **II.** *itr (aus Veranlagung)* tendere (*zu* a), aver disposizione (*o* attitudine) (*zu* per, a); *(tendenziell)* essere incline (*zu* a), propendere (*zu* per); **III.** *rfl:* **sich ~ 1.** *(Körper, Kopf)* piegarsi (*zu* verso); *(Gegenstand)* inclinarsi (*zu* verso); **2.** *geh (zu Ende gehen)* volgere al termine.

Neigung ⟨-, -en⟩ *f* **1.** *(Richtung)* inclinazione *f;* **2.** *fig (Veranlagung)* attitudine *f* (*zu* per), disposizione *f* (*zu* per, a); *(Tendenz)* tendenza *f* (*zu* a); **3.** *(Zu~)* simpatia *f,* affetto *m.* **Neigungswinkel** *m* angolo *m* d'inclinazione.

nein [nai̯n] *adv* no; ~ **sagen** dire di no; **ich glaube/fürchte ~** credo/temo di no; **~, so was!** ma guarda un po'!. **Nein** ⟨-s, ø⟩ *n* no *m;* **mit ~ antworten** rispondere di no. **Neinstimme** *f* voto *m* contrario, no *m.*

Nektar ['nɛkta:ɐ] ⟨-s, ø⟩ *m* nettare *m.*

Nektarine [nɛkta'ri:nə] ⟨-, -n⟩ *f* nocepesca *f.*

Nelke ['nɛlkə] ⟨-, -n⟩ *f* **1.** *(Blume)* garofano *m;* **2.** *(Gewürz)* chiodo *m* di garofano.

nennen ['nɛnən] ⟨nennt, nannte, genannt⟩ **I.** *tr* **1.** *(be~)* chiamare, dare un nome a; **2.** *(erwähnen)* menzionare; **3.** *(bezeichnen)* qualificare (*als* come); **nenne mir drei europäische Hauptstädte!** dimmi tre capitali europee!; **II.** *rfl:* **sich** ~ chiamarsi. **nennenswert** *adj* degno di nota (*o* di menzione), notevole; *(beträchtlich)* considerevole.

Nenner ⟨-s, -⟩ *m* denominatore *m.*

Nennwert *m* valore *m* nominale; **zum** ~ alla pari.

Neon ['ne:ɔn] ⟨-s, ø⟩ *n* neon *m.*

Neonazi *m* neonazista *m f.*

Neonlicht *n* luce *f* al neon. **Neonreklame** *f* réclame *f* luminosa. **Neonröhre** *f* tubo *m* al neon.

Nepp [nɛp] ⟨-s, ø⟩ *m fam pej* buggeratura *f fam.*

neppen *tr fam pej* buggerare *fam.*

Nerv [nɛrf] ⟨-s, -en⟩ *m* nervo *m;* **die ~en verlieren** perdere la calma; **~en wie Drahtseile haben** avere i nervi d'acciaio; **jdm auf die ~en fallen (*o* gehen)** dare ai nervi a qu, rompere l'anima a qu *fam;* **mit den ~en fertig (*o* runter) sein** essere giù di nervi, avere i nervi a pezzi; **Sie haben (vielleicht) ~en!** *fam* Lei ha un bel coraggio!

nerven *tr sl* scocciare *fam.*

Nervenarzt *m,* **-ärztin** *f* neurologo, -a *m, f.* **nervenaufreibend** *adj* snervante. **Nervenbündel** fascio *m* nervoso; **ein ~ sein** *fam* avere i nervi a fior di pelle. **Nervengas** *n mil* gas *m* nervino. **Nervenheilanstalt** *f* clinica *f* neurologica. **Nervenkitzel** *m fam* brivido *m.* **Nervenkrankheit** *f* nevrosi *f.* **Nervensäge** *f fam pej* rompiscatole *mf fam.* **Nervensystem** *n* sistema *m* nervoso. **Nervenzentrum** *n* centro *m* nervoso. **Nervenzusammenbruch** *m* esaurimento *m* nervoso.

nervös [nɛr'vø:s] *adj* nervoso; **jdn ~ machen** far venire i nervi a qu; **~ werden** irritarsi. **Nervosität** [...vozi'tɛ:t] ⟨-, ø⟩ *f* nervosismo *m.*

nervtötend *adj (Arbeit) fig* snervante.

Nerz [nɛrts] ⟨-es, -e⟩ *m* visone *m.*

Nessel ['nɛsəl] ⟨-, -n⟩ *f* ortica *f;* **sich in die ~n setzen** *fig fam* mettersi nei pasticci. **Nesselfieber** *n* orticaria *f.*

Nest [nɛst] ⟨-(e)s, -er⟩ *n* **1.** *zoo* nido *m;* **2.** *fam pej (kleiner Ort)* buco *m fam;* **3.** *fig (Diebes~)* covo *m;* **sich ins gemachte ~ setzen** *fig* trovare la pappa scodellata; *(durch Heirat)* sposare un buon partito, sposare bene.

nesteln ['nɛstəln] *itr:* **an etw.** *(dat)* ~ armeggiare con qc.

Nesthäkchen [-hɛ:kçən] ⟨-s, -⟩ *n* ultimogenito *m.* **Nestwärme** *f* calore *m* familiare.

nett [nɛt] *adj* **1.** *(freundlich)* gentile; **2.** *(hübsch)* carino, grazioso; **3.** *(angenehm)* piacevole; **4.** *fam (groß), iron (unangenehm)* bello; **sei so ~ und mach die Tür zu** fammi il piacere di chiudere la porta.

netto ['nɛto] *adv* netto. **Nettogehalt** *n* stipendio *m* netto. **Nettogewicht** *n* peso *m* netto. **Nettopreis** *m* prezzo *m* netto.

Netz [nɛts] ⟨-es, -e⟩ *n* rete *f (a. inform); (Spinnen~)* ragnatela *f; (Haar~)* retina *f;* **ans ~ gehen** *(Kraftwerk, Reaktor)* essere attivato. **netzartig** *adj* reticolare, reticolato. **Netzball** *m* palla *f* in rete. **Netz(fahr)karte** *f* biglietto *m* di libera circolazione. **Netzhaut** *f* retina *f.* **Netzhemd** *n* canottiera *f* a rete. **Netzkarte** *s.* **Netz(fahr)karte. Netzstrumpf** *m* calza *f* a rete. **Netzwerk** *n* **1.** *allg.* reticolo *m;* **2.** *inform, tec* rete *f;* **3.** *fig* intreccio *m.*

neu [nɔy] *adj allg.* nuovo; *(jung a.)* novello; *(frisch a.)* fresco; *(kürzlich geschehen a.)* recente; *(Sprache, Geschichte)* moderno; **die ~(e)ste Mode** l'ultima moda; **die N~e Welt** il Nuovo Mondo; **das N~(e)ste vom Tage** le ultime notizie; ~ **anfangen** ricominciare; **aufs ~e** di nuovo; **von ~em** un'altra volta, da capo; **das ist mir ~** questa mi giunge nuova; **glückliches ~es Jahr!** - buon anno!. **Neuankömmling** [-ʔankœmlɪŋ] ⟨-s, -e⟩ *m* nuovo, -a arrivato, -a *m, f.* **Neuanschaffung** *f* nuovo acquisto *m.* **neuartig** *adj* inedito. **Neuauflage** *f* ristampa *f,* riedizione *f.* **Neubau** ⟨-(e)s, -ten⟩ *m* nuova costruzione *f.* **Neubaugebiet** *n* area *f* di nuova urbanizzazione. **Neubauwohnung** *f* appartamento *m* di recente costruzione. **Neubildung** *f* **1.** *(Regierung)* rimpasto *m;* **2.** *ling* neologismo *m.*

Neue ⟨ein -r, -n, -n⟩ *mf* nuovo, -a *m, f* (arrivato, -a).

Neuenburg ['nɔyənbʊrk] *n* Neuchâtel *f.*

neuerdings ['nɔyɐ'dɪŋs] *adv* recentemente, da poco.

Neueröffnung *f* apertura *f.* **Neuerscheinung** *f* novità *f* editoriale (*o* libraria).

Neuerung ⟨-, -en⟩ *f* innovazione *f.*

Neuerwerbung *f* nuovo acquisto *m.*

neugeboren *adj* neonato; **ich fühle mich wie** ~ mi sento (come) rinato. **Neugeborene** ⟨ein -s, -n, -n⟩ *n* neonato, -a *m, f.*

Neugestaltung *f* ristrutturazione *f.*

Neugier(de) ['nɔygi:ɐ̯(də)] ⟨-, ø⟩ *f* curiosità *f; (auf +akk* di). **neugierig** *adj* curioso (*auf +akk* di); **ich bin ~, ob . . .** sono curioso di sapere se . . .

Neuheit ⟨-, -en⟩ *f* novità *f.*

Neuigkeit ⟨-, -en⟩ *f* novità *f.*

Neujahr *n* capodanno *m;* **prosit ~!** buon anno!. **Neuland** *n* **1.** terreno *m* incolto; **2.** *fig* terreno *m* vergine; ~ **betreten** *fig* muoversi in un campo nuovo.

neulich *adv* recentemente; ~ **abend(s)** l'altra sera.

Neuling ['nɔɣlɪŋ] ⟨-s, -e⟩ *m* principiante *mf*, novellino, -a *m, f.*

neumodisch *adj* moderno; *(adv a.)* all'ultima moda. **Neumond** *m* luna *f* nuova.

neun [nɔyn] *num* nove; *s. a. vier.*

Neun ⟨-, -en⟩ *f* nove *m.*

Neun-, neun- *s. a. Vier-, vier-.*

neunhundert ['nɔyn'hʊndɐt] *num* novecento.

neunmal *adv* nove volte. **neunmalklug** *adj iron* saccente.

neuntausend ['nɔyn'tauzənt] *num* novemila.

neunte *s.* **neunte(r, s).**

Neunte ⟨ein -r, -n, -n⟩ *mf* nono, -a *m, f; s. a. Vierte.*

Neuntel ⟨-s, -⟩ *n* nono *m*, nona parte *f.*

neuntens *adv* (in) nono (luogo).

neunte(r, s) *adj* nono, -a; *(bei Datumsangabe)* nove; *s. a. vierte(r, s).*

neunzehn *num* diciannove.

neunzehnte(r, s) *adj* diciannovesimo, -a; *(bei Datumsangabe)* diciannove; *s. a. vierte(r, s).*

neunzig ['nɔyntsɪç] *num* novanta.

neunzigste(r, s) *adj* novantesimo, -a.

Neuralgie [nɔyral'gi:, ...i:ən] ⟨-, -n⟩ *f* nevralgia *f.*

neureich *adj* nuovo ricco. **Neureiche** ⟨ein -r, -n, -n⟩ *mf* nuovo, -a ricco, -a *m, f.*

Neurochirurg(in) ['nɔyro-] *m (f)* neurochirurgo *m.* **Neurodermitis** [-dɛr'mi:tɪs, ...mi'ti:dn] ⟨-, -dermitiden⟩ *f* neurodermite *f*, neurodermatite *f.* **Neurologe** [nɔyro'lo:gə] ⟨-n, -n⟩ *m*, **Neurologin** [...gɪn] *f* neurologo, -a *m, f.* **neuronal** *adj:* ~**es Netz** rete *f* neuronale.

Neurose [nɔy'ro:zə] ⟨-, -n⟩ *f* nevrosi *f.*

Neurotiker(in) [...'ro:tɪkɐ (...ərɪn)] ⟨-s, -⟩ *m(f)* nevrotico, -a *m, f.*

neurotisch *adj* nevrotico.

Neuschnee *m* neve *f* fresca.

Neuseeland [nɔy'ze:lant] *n* Nuova Zelanda *f.*

neusprachlich *adj* di (*o* delle) lingue moderne.

Neutra *pl von* **Neutrum.**

neutral [nɔy'tra:l] *adj* **1.** *(unbeteiligt, unparteiisch, a. pol)* neutrale; **2.** *chem, gram, el* neutro.

neutralisieren [nɔytrali'zi:rən] ⟨*ohne ge-*⟩ *tr* neutralizzare.

Neutralisierung ⟨-, ø⟩ *f* neutralizzazione *f.*

Neutralität [...'tɛ:t] ⟨-, ø⟩ *f pol, chem, el* neutralità *f; (von Schiedsrichter)* imparzialità *f.*

Neutren *pl von* **Neutrum.**

Neutron ['nɔytrɔn, ...'tro:nən] ⟨-s, -en⟩ *n* neutrone *m.* **Neutronenbombe** *f* bomba *f* al neutrone.

Neutrum ['nɔytrʊm, ...ra *o* ...rən] ⟨-s, Neutra *o* Neutren⟩ *n* neutro *m.*

Neuverschuldung *f* nuovo indebitamento. **Neuwagen** *m* vettura *f* (*o* macchina *f*) nuova. **Neuwahl** *f* nuova elezione *f.* **Neuwert** *m (von Gegenstand)* valore *m* da nuovo (*o* da non usato). **neuwertig** *adj* come nuovo. **Neuzeit** *f* tempi *m pl* moderni. **neuzeitlich** *adj* moderno.

New York ['nju:'jɔ:k] *n* New (*o* Nuova) York *f.*

nicht [nɪçt] *adv* **1.** *(Verneinung)* non; **2.** *(nach Fragesätzen)* no; ~ **einmal** nemmeno; ~ **mehr** non più; ~ **mehr und** ~ **weniger** né più né meno; **ich auch** ~ neanch'io; **bestimmt** ~ non di certo; **durchaus (***o* **ganz und gar)** ~ non … affatto; ~ **wahr?** nevvero?, no?; ~ **doch!** ma no! *fam;* **was du** ~ **sagst!** che mi dici!

Nichtachtung *f* **1.** *(Mangel an Respekt)* mancanza *f* di rispetto; **2.** *(Nichtbeachtung)* inosservanza *f.* **Nichtanerkennung** *f fin, pol* non riconoscimento *m; jur* disconoscimento *m.* **Nichtangriffspakt** *m* patto *m* di non aggressione. **Nichtbeachtung** *f* inosservanza *f.*

Nichte ['nɪçtə] ⟨-, -n⟩ *f* nipote *f* (di zio e zia).

nichtehelich *adj:* ~**e Lebensgemeinschaft** convivenza *f;* ~**es Kind** figlio nato fuori dal matrimonio.

Nichteinhaltung *f (von Vorschrift, Anordnung)* inosservanza *f; (von Vertrag)* inadempimento *m.* **Nichteinmischung** *f* non intervento *m.*

nichtig ['nɪçtɪç] *adj* **1.** *(ungültig)* nullo; **2.** *geh (unbedeutend)* futile, vano, insignificante; **für** ~ **erklären** annullare; *jur* abrogare. **Nichtigkeit** ⟨-, ø⟩ *f* **1.** *(Ungültigkeit)* nullità *f;* **2.** *(Bedeutungslosigkeit)* futilità *f*, vanità *f.*

Nicht-Mitgliedstaat *m* paese *m* non allineato.

Nichtraucher(in) *m(f)* non fumatore, -trice *m, f.* **Nichtraucherabteil** *n* scompartimento *m* per non fumatori. **Nichtraucherzone** *f* zona *f* non fumatori. **nichtrostend** *adj* inossidabile.

nichts [nɪçts] *pron* niente, nulla; ~ **Neues** niente di nuovo; **für** ~ **und wieder** ~ *fam* per niente; **mir** ~, **dir** ~ come se niente fosse; **ganz und gar** ~ nient'affatto; **ich kann** ~ **dafür** non è colpa mia; **das ist** ~ **für mich** non fa per me; **sie haben mit ihr** ~ **als Sorgen** con lei non hanno altro che preoccupazioni; ~ **zu danken!** non c'è di che!; ~ **da!** *fam* nemmeno per sogno! (*o* per idea!); **jetzt aber** ~ **wie weg!** *fam* via, veloci!. **Nichts** ⟨-, ø⟩ *n* **1.** *allg., philos* nulla *m;* **2.** *(Leere)* vuoto *m;* **3.** *(Geringfügigkeit)* nonnulla *m;* **vor dem** ~ **stehen** essere sull'orlo della rovina (*o* del crollo); **4.** *(Mensch)* nullità *f.* **nichtsahnend** *adj* non sospettando di niente.

Nichtschwimmer(in) *m(f)* non nuotatore, -trice *m, f.*
nichtsdestoweniger [-'ve:nɪgɐ] *adv* ciò nonostante, nondimeno.
Nichtsnutz [-nʊts] ⟨-es, -e⟩ *m* buono, -a *m, f* a nulla, inetto, -a *m, f.* **nichtsnutzig** *adj* buono a nulla, inetto.
nichtssagend *adj* insignificante, insulso, futile; *(Gesicht)* inespressivo. **Nichtstun** ⟨-s, ø⟩ *n* **1.** *(Muße)* oziosità *f;* **2.** *(Faulheit)* pigrizia *f,* poltroneria *f;* **das süße ~** il dolce far niente. **Nichtwähler(in)** *m(f)* non votante *mf.* **nichtswürdig** *adj geh* vile, spregevole, abietto.
Nichtzutreffende ⟨ein -s, -n, ø⟩ *n:* **~s bitte streichen!** cancellare ciò che non interessa.
Nickel ['nɪkəl] ⟨-s, ø⟩ *n* nichel *m,* nichelio *m.* **Nickelbrille** *f* occhiali *m pl* con montatura nichelata.
nicken ['nɪkən] *itr* fare cenno col capo; *(zustimmend)* annuire.
Nickerchen ['nɪkɛçən] ⟨-s, -⟩ *n fam* pisolino *m.*
nie [ni:] *adv* (non) ... mai; **~ und nimmer** mai e poi mai; **~ mehr** mai più.
nieder ['ni:dɐ] **I.** *adj attr* **1.** *dial (niedrig, gering)* basso; **2.** *(Rang)* inferiore; **3.** *(Gesinnung)* vile; **von ~er Herkunft** di umili natali; **II.** *adv* giù, abbasso; **~ mit ...** abbasso ...
nieder·brennen *s.* **abbrennen. nieder·fallen** ⟨*irr*⟩ *itr* ⟨*sein*⟩*:* **vor jdm ~** *geh* gettarsi ai piedi di qu, prostrarsi dinanzi a qu.
Niedergang *m* **1.** *(Untergang)* decadenza *f; (Sonnen~, etc.)* tramonto *m;* **2.** *naut* scaletta *f* di boccaporto.
niedergeschlagen *adj (bedrückt)* depresso, scoraggiato, avvilito. **Niedergeschlagenheit** ⟨-, ø⟩ *f* abbattimento *m,* scoraggiamento *m,* avvilimento *m.*
nieder·knien *itr* ⟨*sein*⟩, *rfl:* **sich ~** inginocchiarsi.
nieder·kommen ⟨*irr*⟩ *itr* ⟨*sein*⟩ *geh* partorire (*mit einem Mädchen* una bambina).
Niederkunft [-kʊnft] ⟨-, -künfte⟩ *f geh* parto *m.*
Niederlage *f mil* disfatta *f; (fig a.)* sconfitta *f.*
Niederlande ['ni:dɐlandə] ⟨*pl*⟩ *:* **die ~** i Paesi Bassi.
Niederländer(in) [...lɛndɐ (...ərɪn)] ⟨-s, -⟩ *m(f)* olandese *mf.*
niederländisch *adj* olandese.
nieder·lassen ⟨*irr*⟩ *rfl:* **sich ~ 1.** *geh (sich setzen)* sedersi; **2.** *(seinen Wohnsitz nehmen)* stabilirsi; *(als Arzt, Anwalt)* aprire uno studio.
Niederlassung ⟨-, -en⟩ *f* **1.** *(das Sichniederlassen)* stabilimento *m;* **2.** *(als Arzt, etc.)* apertura *f* di uno studio; **3.** *ökon* sede *f; (Zweigstelle)* filiale *f,* succursale *f.* **Niederlassungsrecht** *n:* **uneingeschränktes ~** pieno diritto *m* a stabilire il proprio domicilio.
nieder·legen I. *tr* **1.** *geh (hinlegen)* mettere giù, posare; **2.** *(Waffen)* deporre; **3.** *(Arbeit)* interrompere; **4.** *(Amt)* dimettersi (dal suo ufficio); **schriftlich ~** fissare, registrare; **II.** *rfl:* **sich ~** coricarsi.
Niederlegung ⟨-, -en⟩ *f* **1.** *(Kranz~)* deposizione *f;* **2.** *(Arbeits~)* interruzione *f; (Amts~)* dimissioni *f pl;* **3.** *(schriftlich)* registrazione *f.*
nieder·reißen ⟨*irr*⟩ *tr* abbattere, demolire.
Niederrhein *m* Basso Reno *m,* Reno *m* inferiore.
Niedersachsen *n* Bassa Sassonia *f.*
nieder·schießen ⟨*irr*⟩ **I.** *tr* ⟨*haben*⟩ abbattere, stendere; **II.** *itr* ⟨*sein*⟩ piombare.
Niederschlag *m* **1.** *meteo* precipitazioni *f pl; chem* precipitato *m;* **seinen ~ in etw.** *(dat)* **finden** riflettersi in (*o* su) qc.
nieder·schlagen ⟨*irr*⟩ **I.** *tr* **1.** *allg* abbattere, atterrare; **2.** *fig (Aufstand)* reprimere; **3.** *(Kragen, Augen)* abbassare; **II.** *rfl:* **sich ~ 1.** *(Dampf)* depositarsi; *chem* precipitare; **2.** *fig* riflettersi (*in +dat* su, in), ripercuotersi (*in +dat* su).
nieder·schmettern *tr* scaraventare a terra; *(a. fig)* abbattere. **niederschmetternd** *adj* costernante.
nieder·schreiben ⟨*irr*⟩ *tr* mettere per iscritto, scrivere, stendere.
Niederschrift *f* scritto *m.*
nieder·setzen I. *tr* posare; **II.** *rfl:* **sich ~** sedersi.
Niedertracht ⟨-, ø⟩ *f* bassezza *f,* infamia *f,* viltà *f.* **niederträchtig** [-trɛçtɪç] *adj* basso, infame, vile. **Niederträchtigkeit** ⟨-, -en⟩ *s.* **Niedertracht.**
Niederung ⟨-, -en⟩ *f* bassopiano *m.*
nieder·werfen ⟨*irr*⟩ **I.** *tr* **1.** *allg.* gettare a terra; **2.** *(Aufstand)* reprimere; **3.** *(Feind)* vincere; **II.** *rfl:* **sich vor jdm ~** gettarsi ai piedi di qu.
niedlich ['ni:tlɪç] *adj* carino, grazioso.
niedrig ['ni:drɪç] *adj* **1.** *(klein, gering)* basso; *(Preis)* modico; **2.** *(Stand)* umile; **3.** *fig (Gesinnung)* vile. **Niedrigkeit** ⟨-, -en⟩ *f* bassezza *f.* **Niedrigstrahlung** *f* basso livello *m* di radiazione.
niemals ['ni:ma:ls] *adv* (non ...) mai.
niemand ['ni:mant] *pron* (non ...) nessuno; **sonst ~, ~ anders** nessun altro (*als* che). **Niemandsland** *n* terra *f* di nessuno.
Niere ['ni:rə] ⟨-, -n⟩ *f* **1.** *anat* rene *m;* **2.** ⟨*pl*⟩ *gastr* rognoni *m pl;* **jdm an die ~n gehen** *fam* toccare nel vivo qu. **Nierenbecken** *n* bacinetto *m* renale. **nierenförmig** [-fœrmɪç] *adj* reniforme. **Nierengurt** *m* fascia *f* renale. **nierenkrank** *adj* nefritico. **Nierenschützer** ⟨-s, -⟩ *m* fascia *f* elastica. **Nierenstein** *m* **1.** *(Stein)* calcolo *m* renale, nefrolito *m;* **2.** ⟨*pl*⟩ *(Krankheit)* calcolosi *f,* litiasi *f.* **Nierentisch** *m* tavola *f* reniforme. **Nierentransplantation** *f* trapianto *m* renale.

nieseln ['ni:zəln] *itr:* **es nieselt** piovigginа. **Nieselregen** *m* pioggerella *f* minuta.
niesen ['ni:zən] *itr* starnutire. **Niesen** ⟨-s, ø⟩ *n* starnuto *m.*
Nießbrauch ['ni:s-] *m jur* usufrutto *m.*
Niet [ni:t] ⟨-(e)s, -e)⟩ *m o n,* **Niete**[1] ['ni:tə] ⟨-, -n⟩ *f tec* chiodo *m* da ribadire, rivetto *m.*
Niete[2] ['ni:tə] ⟨-, -n⟩ *f* **1.** *(Los)* biglietto *m* non vincente; **2.** *fam (Mißerfolg)* fiasco *m;* **3.** *fam (Versager)* schiappa *f fam.*
nieten *tr* rivettare.
niet- und nagelfest *adj:* **alles, was nicht ~ ist** *fam* tutto quello che si può portar via.
Nihilismus [nihi'lɪsmʊs] ⟨-, ø⟩ *m* nichilismo *m.*
Nihilist(in) [...'lɪst(ɪn)] ⟨-en, -en⟩ *m(f)* nichilista *mf.*
nihilistisch *adj* nichilista.
Nikolaus ['ni:kolaus *o* 'nɪk...] *m* **1.** *(männlicher Vorname)* Nicola; **2.** ⟨-, -e *o scherz* -läuse⟩ *(Gestalt)* San Niccolò.
Nikotin [niko'ti:n] ⟨-s, ø⟩ *n* nicotina *f.* **nikotinfrei** *adj* denicotinizzato, senza nicotina.
Nil [ni:l] *m* Nilo *m.* **Nilpferd** *n* ippopotamo *m.*
nimmer ['nɪmɐ] *dial, poet s.* **nie. nimmermüde** ['nɪmɐ'my:də] *adj* instancabile, indefesso. **Nimmersatt** ⟨-(e)s, -e⟩ *m fam* ingordo, -a *m, f.* **Nimmerwiedersehen** *n fam:* **auf ~!** addio per sempre; **auf ~ verschwinden** sparire per sempre.
nimmt [nɪmt] *pr von* **nehmen.**
nippen ['nɪpən] *itr* sorseggiare (*an etw. (dat)* qc), centellinare (*an etw. (dat)* qc).
Nippes ['nɪpəs *o* nɪps] ⟨*pl*⟩ , **Nippsachen** ['nɪp-] *f pl* ninnoli *m pl,* chincaglie *f pl.*
nirgends, nirgend(s)wo ['nɪrgənts] *adv* da nessuna parte.
Nische ['ni:ʃə] ⟨-, -n⟩ *f* nicchia *f.*
nisten ['nɪstən] *itr* nidificare, fare il nido. **Nistkasten** *m* nido *m* artificiale.
Nitrat [ni'tra:t] ⟨-(e)s, -e⟩ *n* nitrato *m.*
Nitrit [ni'tri:t] ⟨-s, -e⟩ *n* nitrito *m.*
Niveau [ni'vo:] ⟨-s, -s⟩ *n* livello *m;* **mit ~** di livello. **niveauvoll** *adj* ad alto livello.
nivellieren [nivɛ'li:rən] ⟨*ohne ge-*⟩ *tr* livellare.
Nivellierung ⟨-, -en⟩ *f* livellamento *m.*
nix [nɪks] *fam s.* **nichts.**
Nixe ['nɪksə] ⟨-, -n⟩ *f* ondina *f.*
NO *abk von* **Nordost(en)** N.E. (*abbr di* nord-est).
nobel ['no:bəl] *adj* **1.** *geh (vornehm, edel)* nobile; **2.** *iron (luxuriös)* signorile; **3.** *fam (freigebig)* generoso.
Nobelpreis [no'bɛl-] *m* premio *m* Nobel.
noch [nɔx] **I.** *adv* ancora; **~ dazu** *(außerdem)* per giunta, oltre tutto; **~ einmal so groß wie** il doppio di; **~ einmal so viel** due volte tanto; **~ heute, heute ~** oggi stesso, ancora oggi; **~ immer, immer ~** ancora, sempre; **~ mehr** ancora di più; **~ nicht** non ancora; **~ nie** non mai; **~ und ~** a palate *fam;* **~ nicht einmal** non ... neanche; **wäre er auch ~ so reich ...** per ricco che sia ...; **wie hieß sie (doch) ~?** com'è che si chiama?; **(darf es) sonst ~ etwas (sein)?** che altro?; **auch das ~!** ci mancava anche questo!; **II.** *konj:* **weder ... ~ ...** né ... né ...
nochmalig *adj* nuovo; *(wiederholt)* ripetuto.
nochmals *adv* ancora una volta, di nuovo.
Nockenwelle ['nɔkən-] *f* albero *m* a camme.
Nomade [no'ma:də] ⟨-n, -n⟩ *m,* **Nomadin** [...dɪn] *f* nomade *mf.* **Nomadentum** ⟨-s, ø⟩ *n* nomadismo *m.*
Nomenklatur [nomɛnkla'tu:ɐ̯] ⟨-, -en⟩ *f* nomenclatura *f.*
Nominalwert *m* valore *m* nominale
Nominativ ['no:minati:f *o* nomina'ti:f] ⟨-s, -e⟩ *m* nominativo *m.*
nominieren [nomi'ni:rən] ⟨*ohne ge-*⟩ *tr* nominare.
Nominierung ⟨-, -en⟩ *f* nomina *f.*
nonkonformistisch [nɔnkɔnfɔr'mɪstɪʃ] *adj* nonconformista.
Nonne ['nɔnə] ⟨-, -n⟩ *f* monaca *f.*
Nonstopflug [nɔn'stɔp-] *m* volo *m* senza scalo.
Nord- [nɔrt-] *(in Zusammensetzungen)* del nord, settentrionale. **Nordamerika** ['nɔrtʔa'me:rika] *n* America *f* settentrionale, America *f* del Nord, Nordamerica *m.* **norddeutsch** *adj* della Germania settentrionale. **Norddeutsche** *mf* tedesco, -a *m, f* settentrionale. **Norddeutschland** *n* Germania *f* del Nord (*o* settentrionale).
Norden ['nɔrdən] ⟨-s, ø⟩ *m* (*abk* **N**) nord *m,* settentrione *m;* **im ~ von** a nord di.
Nordeuropa ['nɔrtʔɔy'ro:pa] *n* Europa *f* del Nord. **Nordhalbkugel** *f* emisfero *m* boreale.
nordisch *adj* nordico.
Norditalien *n* Italia *f* del Nord (*o* settentrionale). **Norditaliener(in)** *m(f)* (italiano, -a *m, f*) settentrionale *mf.* **norditalienisch** *adj* dell'Italia settentrionale.
nördlich ['nœrtlɪç] **I.** *adj* del nord, settentrionale; **~ von** a nord di; **II.** *prp +gen* a nord (*gen* di).
Nordlicht *n* **1.** *(meteo)* aurora *f* boreale; **2.** *fam scherz* persona *f* della Germania settentrionale. **Nordost(en)** [-'ʔɔst(ən)] *m* (*abk* **NO**) nord-est *m.* **nordöstlich** [-'ʔœstlɪç] *adj* a nord-est (*von* di).
Nordpol *m* polo *m* nord.
Nordrhein-Westfalen ['nɔrtrainvɛst'fa:lən] *n* Renania *f* Settentrionale-Vestfalia.
Nordsee *f* mare *m* del Nord.
Nord-Süd-Gefälle *n pol* divario *m* nord-sud.

Nordwest(en) [-'vɛstən] *m* (*abk* **NW**) nord-ovest *m*. **nordwestlich** [-'vɛstlıç] *adj* a nord-ovest (*von* di). **Nordwind** *m* vento *m* del nord.

Nörgelei [nœrgə'lai̯] ⟨-, -en⟩ *f* continuo criticare *m*, brontolio *m*.

nörgeln ['nœrgəln] *itr* criticare (*an etw. dat* qc), trovar sempre da ridire (*an +dat* su).

Nörgler(in) ⟨-s, -⟩ *m(f)* criticone, -a *m, f*.

Norm [nɔrm] ⟨-, -en⟩ *f* norma *f*, regola *f*.

normal [nɔr'ma:l] *adj* normale. **Normalbenzin** *n* benzina *f* normale. **normalerweise** *adv* normalmente. **Normalfall** *m* caso *m* normale; **im** ~ normalmente.

normalisieren [nɔrmali'zi:rən] ⟨*ohne ge-*⟩ **I.** *tr* normalizzare; **II.** *rfl:* **sich** ~ normalizzarsi.

Normalisierung ⟨-, -en⟩ *f* normalizzazione *f*.

Normalnull ⟨-s, ø⟩ *n* (*abk* **NN**) quota *f* zero, livello *m* mare. **Normalverbraucher** *m* consumatore *m* medio; **Otto** ~ *fam pej* l'uomo *m* qualunque.

Normanne [nɔr'manə] ⟨-n, -n⟩ *m*, **Normannin** [...nın] *f* normanno, -a *m, f*.

normannisch *adj* normanno.

normen ['nɔrmən] *tr*, **normieren** [nɔr'mi:rən] ⟨*ohne ge-*⟩ *tr* normalizzare, standardizzare, unificare.

Normierung ⟨-, -en⟩ *f*, **Normung** ⟨-, -en⟩ *f* normalizzazione *f*, standardizzazione *f*.

Norwegen ['nɔrve:gən] *n* Norvegia *f*.

Norweger(in) ⟨-s, -⟩ *m(f)* norvegese *mf*.

norwegisch *adj* norvegese.

Nostalgie [nɔstal'gi:, ...i:ən] ⟨-, -n⟩ *f* nostalgia *f*.

nostalgisch [...'talgıʃ] *adj* nostalgico.

Not [no:t] ⟨-, Nöte⟩ *f* **1.** *(~lage)* bisogno *m*, necessità *f;* **2.** *(Mangel)* penuria *f*, mancanza *f;* **3.** *(Bedürftigkeit)* indigenza *f; (Armut)* povertà *f;* **4.** *(Elend)* miseria *f;* **mit knapper** ~ a malapena; ~ **macht erfinderisch** *prov* la necessità aguzza l'ingegno; **aus der** ~ **eine Tugend machen** fare di necessità virtù; **zur** ~ se è necessario.

Notar(in) [no'ta:ɐ̯ (...rın)] ⟨-s, -e⟩ *m(f)* notaio *m*.

Notariat [nota'ri̯a:t] ⟨-(e)s, -e⟩ *n* studio *m* notarile.

notariell [...'ri̯ɛl] **I.** *adj* notarile; **II.** *adv* dal notaio.

Notarzt *m*, **-ärztin** *f* medico *mf* di servizio (*o* di turno). **Notarztwagen** *m* vettura *f* del medico di turno. **Notaufnahme** *f (in Krankenhaus)* ricovero *m* d'urgenza. **Notausgang** *m* uscita *f* di sicurezza. **Notbehelf** *m* espediente *m*, ripiego *m*. **Notbeleuchtung** *f* illuminazione *f* d'emergenza. **Notbremse** *f* freno *m* d'emergenza. **Notbremsung** ⟨-, -en⟩ *f* frenata *f* d'emergenza. **Notdienst** *m:* ~ **haben** *(Apotheke)* essere di turno. **Notdurft** [-dʊrft] ⟨-, ø⟩ *f geh* bisogno *m*, necessità *f pl*. **notdürftig I.** *adj* **1.** *(kaum ausreichend)* appena sufficiente, scarso; **2.** *(behelfsmäßig)* provvisorio, di fortuna; **II.** *adv* alla meno peggio.

Note ['no:tə] ⟨-, -n⟩ *f* **1.** *mus* nota *f;* **2.** *(Bank~)* banconota *f;* **3.** *(Schul~)* voto *m;* **4.** *fig (Wesenszug)* impronta *f;* **ganze** ~ semibreve *f;* **halbe** ~ minima *f;* ~**n lesen** leggere la musica.

Notebook [nout'bok] ⟨-s, -s⟩ *n* notebook *m*.

Notenbank ⟨-, -en⟩ *f* banca *f* centrale (*o* d'emissione). **Notenblatt** *n* foglio *m* di musica. **Notendurchschnitt** *m* media *f* scolastica. **Notenständer** *m* leggio *m*.

Notfall *m* caso *m* di bisogno (*o* d'emergenza); **im** ~ in caso di bisogno; *(zur Not)* se è necessario. **notfalls** *adv* all'occorrenza, in caso di bisogno. **notgedrungen** *adv* per necessità, costretto dalla necessità.

notieren [no'ti:rən] ⟨*ohne ge-*⟩ *tr* **1.** *(aufschreiben)* annotare, prendere nota di; **2.** *fin* quotare.

Notierung ⟨-, -en⟩ *f fin* quotazione *f*.

nötig ['nø:tıç] *adj* necessario; **etw.** *(akk)* ~ **haben** avere bisogno di qc; **es ist** ~, **daß ...** è necessario che *+congv*, occorre che *+congv*.

nötigen *tr* costringere. **nötigenfalls** *adv* in caso di necessità.

Nötigung ⟨-, -en⟩ *f* costrizione *f*.

Notiz [no'ti:t̮s] ⟨-, -en⟩ *f* nota *f*, appunto *m; (Zeitungs~)* notizia *f;* **sich** *(dat)* ~**en machen** prendere appunti; **von etw./jdm** ~ **nehmen** prendere nota di qc/qu. **Notizblock** ⟨-(e)s, -blöcke⟩ *m* blocco *m* per appunti. **Notizbuch** *n* taccuino *m*, agenda *f*. **Notizzettel** *m* promemoria *m*.

Notlage *f* situazione *f* di emergenza, necessità *f*. **not·landen** *itr* ⟨*sein*⟩ effettuare un atterraggio di fortuna. **Notlandung** *f* atterraggio *m* di fortuna. **notleidend** *adj* bisognoso, indigente. **Notlösung** *f* soluzione *f* di fortuna. **Notlüge** *f* bugia *f* ufficiosa.

notorisch [no'to:rıʃ] *adj* notorio, pubblicamente noto.

Notruf *m* **1.** *(Anruf)* chiamata *f* d'emergenza; **2.** *(~nummer)* numero *m* per chiamate d'emergenza. **Notrufnummer** *f* numero *m* d'emergenza. **Notrufsäule** *f* colonnina *f* per chiamate di soccorso. **Notrutsche** *f aero* scivolo *m* d'emergenza. **Notstand** *m* stato *m* di emergenza. **Notstandsgebiet** *n* zona *f* sinistrata. **Notstandsgesetz** *n* legge *f* per lo stato di emergenza. **Nottaufe** *f* battesimo *m* d'urgenza. **Notunterkunft** *f* alloggio *m* d'emergenza. **Notwehr** ⟨-, ø⟩ *f* legittima difesa *f;* **aus (***o* **in)** ~ per legittima difesa.

notwendig ['no:tvɛndıç] *adj* necessario; *(unerläßlich)* indispensabile. **Notwendigkeit** ⟨-, -en⟩ *f* necessità *f*.

Notzucht *f* stupro *m,* violenza *f* carnale.

Nougat ['nu:gat] ⟨-s, -s⟩ *m o n* gianduia *f.*

Novelle [no'vɛlə] ⟨-, -n⟩ *f* novella *f.*

November [no'vɛmbɐ] ⟨-(s), -⟩ *m* novembre *m; s. a. September.*

Nr. *abk von* **Nummer** n. (*abbr di* numero).

NS *abk von* **Nationalsozialismus** nazionalsocialismo *m.*

NT *abk von* **Neues Testament** N.T. (*abbr di* Nuovo Testamento).

Nu [nu:] *m:* **im** ~ in un attimo (*o* battibaleno).

Nuance ['nỹã:sə] ⟨-, -n⟩ *f* sfumatura *f.*

nüchtern ['nʏçtɐn] *adj* **1.** *(ohne Essen)* digiuno; **2.** *(ohne Alkohol)* sobrio; **3.** *(einfach)* sobrio; **4.** *(schmucklos)* disadorno, semplice; **5.** *(sachlich)* obiettivo, spassionato. **Nüchternheit** ⟨-, ø⟩ *f* **1.** *(ohne Essen)* essere *m* a digiuno; **2.** *(ohne Alkohol)* sobrietà *f;* **3.** *(Einfachheit)* sobrietà *f;* **4.** *(Schmucklosigkeit)* semplicità *f;* **5.** *(Sachlichkeit)* obiettività *f.*

Nudel ['nu:dəl] ⟨-, -n⟩ *f* pasta *f;* **die ~n abgießen** scolare la pasta; **eine komische/dicke** ~ *fig fam* una macchietta/un grassone, una grassona. **Nudelholz** *n* matterello *m.* **Nudelsuppe** *f* pastina *f* in brodo.

[nukle'a:ɐ] *adj* nucleare. **Nuklearmacht** *f* potenza *f* nucleare.

null [nʊl] *num* zero; ~ **Ahnung/Bock haben** *sl* non avere idea/nessuna voglia; ~ **und nichtig** nullo; ~ **Uhr** *adm* mezzanotte. **Null** ⟨-, -en⟩ *f* **1.** *(mat, phys, etc.)* zero *m;* **2.** *fam pej* nullità *f;* **in ~ Komma nichts** *fam* in un batter d'occhio.

Nullachtfuffzehn-, Nullachtfünfzehn- [-'fʊf-, -'fʏnf-] *(in Zusammensetzungen) fam pej* dozzinale.

Nulldiät *f* dieta *f* zero (*o* assoluta). **Nullösung** *f* opzione *f* zero. **Nullpunkt** *m* punto *m* nullo (*o* zero). **Nullserie** *f* serie *f* sperimentale. **Nulltarif** *m* tariffa *f* zero; **zum ~ fahren** viaggiare gratis.

numerieren [nume'ri:rən] ⟨*ohne ge-*⟩ *tr* numerare.

Numerierung ⟨-, -en⟩ *f* numerazione *f.*

Numerus clausus ['nʊmerʊs 'klau̯zʊs] ⟨-, ø⟩ *m* (*abk* **NC**) numero *m* chiuso.

Nummer ['nʊmɐ] ⟨-, -n⟩ *f* (*abk* **Nr.**) **1.** *allg.* numero *m;* **2.** *fam (Typ)* tipo *m;* **auf ~ Sicher gehen** andare sul sicuro. **Nummernkonto** *n* conto *m* cifrato. **Nummernschild** *n* targa *f.*

nun [nu:n] **I.** *adv* ora, adesso; **das ist ~ einmal so!** è (ormai) così; **II.** *interj* **1.** *(beschwichtigend)* e; **2.** *(entrüstet)* però; **3.** *(auffordernd, fragend)* be', e, (e) allora; ~ **ja** ebbene; ~ **gut!** e va bene!

nunmehr ['nu:n'me:ɐ] *adv geh* ora, adesso, ormai.

nur [nu:ɐ] *adv* solo, solamente, soltanto; *(bei Verben a.)* non ... che; **nicht ~ ..., sondern auch ...** non solo ..., ma anche ...; **wenn ich ~ wüßte, ob ...** se solo sapessi se ...; **ich weiß es ~ zu gut** lo so fin troppo bene; **er ist nicht dumm, ~ faul** non è stupido, solo pigro; ~ **zu!** avanti!, coraggio!; **sollen sie sich ~ über mich lustig machen!** e che si prendano pure gioco di me!; **wie konntest du ~ so dumm sein!** come hai potuto essere così stupido!

Nürnberg ['nʏrnbɛrk] *n* Norimberga *f.*

nuscheln ['nʊʃəln] *tr, itr fam* farfugliare.

Nuß [nʊs] ⟨-, Nüsse⟩ *f* **1.** *bot, gastr* noce *f; (Hasel~ a.)* nocciola *f;* **2.** *fam (Kopf~)* nocchino *m;* **du dumme** (*o* **doofe**) **~!** *fam* imbecille!, cretino!; **harte ~** *fig fam* osso duro *fam.* **Nußbaum** *m* noce *m.* **nußbraun** *adj* color noce.

Nüsse *pl von* **Nuß.**

Nußknacker ⟨-s, -⟩ *m* schiaccianoci *m.*

Nüster ['nʏstɐ *o* 'ny:stɐ] ⟨-, -n⟩ *f* ⟨*meist pl*⟩ frogia *f.*

Nut [nu:t] ⟨-, -en⟩ *f,* **Nute** ['nu:tə] ⟨-, -n⟩ *f* scanalatura *f.*

Nutte ['nʊtə] ⟨-, -n⟩ *f vulg* puttana *f volg.*

nutzbar *adj* utilizzabile; ~ **machen** utilizzare, mettere a profitto; *(Boden)* coltivare. **Nutzbarmachung** ⟨-, ø⟩ *f* utilizzazione *f,* sfruttamento *m; (von Boden)* coltivazione *f.*

nütze ['nʏt͟sə] *adj:* **(zu) nichts ~ sein** non essere buono a nulla; **(zu) etw. ~ sein** servire a qc.

nutzen, nützen ['nʊt͟sən, 'nʏt͟sən] **I.** *itr* essere utile, servire; **II.** *tr* sfruttare; *(Situation, etc.)* approfittare di; **das nützt nichts** ciò non serve a nulla.

Nutzen ⟨-s, ø⟩ *m* **1.** *(Nützlichkeit)* utilità *f;* **2.** *(Gewinn)* profitto *m,* guadagno *m;* **3.** *(Vorteil)* vantaggio *m;* **4.** *(Ertrag)* utile *m,* frutto *m;* **von ~ sein** essere utile.

Nutzfahrzeug *n* veicolo *m* utilitario. **Nutzfläche** *f* superficie *f* utile. **Nutzlast** *f* carico *m* utile.

nützlich *adj* utile, giovevole. **Nützlichkeit** ⟨-, ø⟩ *f* utilità *f.*

nutzlos *adj* inutile; *(vergeblich)* vano, infruttuoso. **Nutzlosigkeit** ⟨-, ø⟩ *f* inutilità *f; (Vergeblichkeit)* vanità *f.* **Nutznießer(in)** [-ni:sɐ (...ərɪn)] ⟨-s, -⟩ *m(f)* usufruttuario, -a *m, f.* **Nutzpflanze** *f* pianta *f* utile.

Nutzung ⟨-, *rar* -en⟩ *f* **1.** *(Be~)* utilizzazione *f,* uso *m;* **2.** *(Aus~)* sfruttamento *m; (von Boden)* coltivazione *f.* **Nutzungsrecht** *n* diritto *m* d'usufrutto (*o* di godimento).

NW *abk von* **Nordwest(en)** N.O. (*abbr di* nord-ovest).

Nylon ['nai̯lɔn] ⟨-s, ø⟩ *n* nylon *m.*

Nymphe ['nʏmfə] ⟨-, -n⟩ *f* ninfa *f.*

Nymphomanin [nymfo'ma:nɪn] *f* ninfomane *f.*

O

O, o [o:] ⟨-, -(s)⟩ *n* O, o *f;* **O wie Otto** O come Otranto.
o [o:] *s.* **oh.**
O *abk von* **Ost(en)** E. (*abbr di* est).
o. ä. *abk von* **oder ähnliche(s)** o sim. (*abbr di* o simili, -e).
Oase [o'a:zə] ⟨-, -n⟩ *f* oasi *f.*
ob [ɔp] *konj* **1.** *(indirekte Frage einleitend)* se; **2.** *(vergleichend):* **als ~** come se; **3.** *(verstärkend):* **und ~!** eccome!, altro che!; **es ist, als ~ ...** si direbbe che ...; **so tun, als ~ ...** far finta di *+inf;* **~ das wohl stimmt?** sarà poi vero?; **~ ... oder** che ... o *+congv.*
OB [o:'be:] ⟨-(s), -s⟩ *m abk von* **Oberbürgermeister** sindaco *m.*
o. B. *abk von* **ohne Befund** risultato negativo.
Obdach ['ɔpdax] *n* ricovero *m,* rifugio *m.* **obdachlos** *adj* senza casa, senza tetto. **Obdachlose** ⟨ein -r, -n, -n⟩ *mf* senzatetto *mf.*
Obduktion [ɔpdʊk'tsio:n] ⟨-, -en⟩ *f* autopsia *f.*
obduzieren [ɔpdu'tsi:rən] ⟨*ohne ge-*⟩ *tr* fare l'autopsia di.
O-Beine *n pl fam* gambe *f pl* storte *fam.*
oben ['o:bən] *adv* **1.** *(in der Höhe)* in alto, su; **2.** *(an der Oberfläche)* alla superficie; **3.** *(in Schriftstück, Buch)* sopra; **jdn von ~ herab behandeln** trattare qu dall'alto in basso; **~ ohne** *fam* topless; **da (*o* dort) ~** lassù; **von ~** dall'alto; **von ~ bis unten** da cima a fondo; *(bei Personen)* da capo a piedi; **mir steht's bis hier ~!** *fam* ne ho fin sopra i capelli *fam.*
obendrein ['o:bən'drain] *adv* per giunta, per di più, inoltre.
obenhin ['o:bən'hɪn] *adv* superficialmente, di sfuggita.
oben-ohne ['o:bən'ʔo:nə] ⟨*inv*⟩ *fam* **I.** *adj* topless; **II.** *adv* in topless.
Ober ['o:bɐ] ⟨-s, -⟩ *m* cameriere *m.*
Oberarzt ['o:bɐ-] *m,* **-ärztin** *f* medico *m* capo, dottoressa *f* capo. **Oberbefehlshaber** *m* comandante *m* supremo (*o* in capo). **Oberbekleidung** *f* abiti *m pl,* vestiti *m pl.* **Oberbett** *n* piumino *m.* **Oberbürgermeister(in)** *m(f)* (*abk* **OB**) sindaco *m.*
obere(r, s) ['o:bərə] *adj* superiore, (più) alto, -a.
Oberfeldwebel *m* maresciallo *m* capo. **Oberfläche** *f* superficie *f.* **oberflächlich** *adj* superficiale. **Oberflächlichkeit** ⟨-, -en⟩ *f* superficialità *f.* **Obergeschoß** *n* piano *m* superiore. **oberhalb I.** *prp +gen* al di sopra di; **II.** *adv* (di) sopra. **Oberhand** *f* sopravvento *m* (*über +akk* su, *bei* in). **Oberhaupt** *n* capo *m.* **Oberhaus** *n* camera *f* alta. **Oberhemd** *n* camicia *f.*
Oberin ['o:bərɪn] *f* (madre *f*) superiora *f.*
Oberkellner(in) *m(f)* capocameriere, -a *m, f.* **Oberkiefer** *m* mascella *f* superiore. **Oberkommando** *n* comando *m* supremo. **Oberkörper** *m* parte *f* superiore del corpo, busto *m.* **Oberleder** *n* tomaia *f.* **Oberleitung** *f* **1.** *(Führung)* direzione *f* generale; **2.** *el* linea *f* aerea. **Oberleutnant** *m* tenente *m.* **Oberlicht** *n* lucernario *m.* **Obermaterial** *n (von Schuh)* tomaia *f.* **Oberrhein** *m* Reno *m* superiore.
Obers ['o:bɐs] ⟨-, ø⟩ *n A (Sahne)* panna *f* (montata).
Oberschenkel *m* coscia *f.* **Oberschicht** *f* **1.** *allg.* strato *m* superiore; **2.** *soz* strato *m* superiore, ceto *m* elevato. **Oberschwester** *f* capoinfermiera *f.* **Oberseite** *f* lato *m* superiore.
Oberst ['o:bɐst] ⟨-en *o* -s, -en *o rar* -e⟩ *m* colonnello *m.*
Oberstaatsanwalt *m,* **-anwältin** *f* procuratore *m* della Repubblica.
oberste(r, s) ⟨*superl von* obere(r, s)⟩ *adj* **1.** *(räumlich)* (il/la) più alto, -a; *(Stockwerk)* ultimo, -a; **2.** *fig, adm* supremo, -a, superiore, sommo, -a.
Oberstufe *f* classi *f pl* superiori. **Oberteil** *n* parte *f* superiore. **Oberweite** *f* (giro *m* del) petto *m.*
obgleich [ɔp'glaiç] *s.* **obwohl.**
Obhut ['ɔphu:t] *f* custodia *f;* **jdn in seine ~ nehmen** prendere qu sotto la sua protezione.
obige(r, s) ['o:bɪgə] *adj* suddetto, -a, summenzionato, -a.
Objekt [ɔp'jɛkt] ⟨-(e)s, -e⟩ *n* **1.** *allg.* oggetto *m;* **2.** *gram* complemento *m.*
objektiv [ɔpjɛk'ti:f] *adj* obiettivo.
Objektiv ⟨-s, -e⟩ *n* obiettivo *m.*
Objektivität [...tivi'tɛ:t] ⟨-, ø⟩ *f* obiettività *f.*
Oblate [o'bla:tə] ⟨-, -n⟩ *f* ostia *f.*
ob·liegen ['ɔpli:gən] ⟨*irr, mit ge-*⟩, **obliegen** [ɔp'li:gən] ⟨*irr, ohne ge-*⟩ *itr geh:* **jdm ~** spettare a qu.
obligatorisch [obliga'to:rɪʃ] *adj* obbligatorio.
Obmann ['ɔpman] ⟨-(e)s, -männer *o* -leute⟩ *m,* **Obmännin** ['ɔpmɛnɪn] *f* direttore, -trice *m, f; sport* arbitro, -a *m, f.*
Oboe [o'bo:ə] ⟨-, -n⟩ *f* oboe *m.*

Obrigkeit ['o:brıçkait] ⟨-, -en⟩ *f* autorità *f*, potere *m* pubblico.
obschon [ɔp'ʃo:n] *geh s.* **obwohl.**
Observatorium [ɔpzɛrva'to:rium, ...iən] ⟨-s, -rien⟩ *n* osservatorio *m*.
obskur [ɔps'ku:ɐ] *adj* oscuro.
Obst [o:pst] ⟨-(e)s, ø⟩ *n* frutta *f*. **Obstbau** ⟨-(e)s, ø⟩ *m* frutticoltura *f*. **Obstbaum** *m* albero *m* da frutto. **Obstgeschäft** *n*, **-handlung** *f* negozio *m* di frutta. **Obsthändler(in)** *m(f)* fruttivendolo, -a *m, f*. **Obstkuchen** *m* dolce *m* alla frutta. **Obstmesser** *n* coltello *m* da frutta (*o* da dessert). **Obstplantage** *f* piantagione *f* di alberi da frutto. **Obstsalat** *m* macedonia *f* di frutta. **Obsttorte** *f* torta *f* alla frutta.
obszön [ɔps'tsø:n] *adj* osceno.
obwohl [ɔp'vo:l] *konj* sebbene *+congv*, benché *+congv*, anche se.
Ochse ['ɔksə] ⟨-n, -n⟩ *m* **1.** *zoo* bue *m;* **2.** *fig fam (Dummkopf)* stupido *m*, sciocco *m;* **dastehen wie der ~ vorm Berg** non sapere che pesci pigliare *fam.*
ochsen *itr fam (pauken)* sgobbare *fam.*
Ochsenschwanzsuppe *f* brodo *m* di coda di bue.
Ocker ['ɔkɐ] ⟨-s, -⟩ *m o n* ocra *f*.
öd(e) [ø:t ('ø:də)] *adj* **1.** *(verlassen)* deserto; *(kahl)* brullo; *(unbebaut)* incolto; *(unbewohnt)* disabitato; **2.** *fig (langweilig)* monotono, noioso, triste.
Ode ['o:də] ⟨-, -n⟩ *f* ode *f*.
Öde ['ø:də] ⟨-, -n⟩ *f* **1.** *(Wüste)* deserto *m;* **2.** *fig* monotonia *f*.
oder ['o:dɐ] *konj* **1.** *allg.* o, oppure; **2.** *(nachgestellt: ~ nicht)* o no; *(~ doch?)* o sbaglio; ~ **auch** oppure, ovvero; **entweder ... ~ ... o ... o ...**
Oder-Neisse-Linie *f* linea *f* Oder-Neisse.
Ödipuskomplex ['ø:dipʊs-] *m* complesso *m* di Edipo.
OECD ['o:ʔe:tse:de:] ⟨-, ø⟩ *f abk von* **Organisation for Economic Cooperation Development** O.E.C.E. *f*.
Ofen ['o:fən] ⟨-s, Öfen⟩ *m (Heiz~)* stufa *f; (Back~)* forno *m*. **Ofenrohr** *n* tubo *m* della stufa.
Off [ɔf] ⟨-, ø⟩ *n theat, film, TV* fuori campo.
offen ['ɔfən] *adj* **1.** *allg., fig* aperto; *(Gelände, Wagen)* scoperto; **2.** *(Stelle)* vacante, libero; **3.** *(Frage)* aperto, in sospeso; **4.** *(freimütig)* franco, sincero; *(unmißverständlich)* palese, manifesto; **Tag der ~en Tür** giorno di apertura per il pubblico; **~er Wein** vino sfuso; ~ **gesagt (*o* gestanden)** a dire il vero; ~ **und ehrlich** *adv* schiettamente, chiaro e tondo; **weit** ~ spalancato; **auf ~er Straße** in mezzo alla strada.
offenbar ['ɔfənba:ɐ *o* ...'ba:ɐ] **I.** *adj* evidente; **II.** *adv* manifestamente.
offenbaren [...'ba:rən] ⟨*mit o ohne ge-*⟩ **I.** *tr* manifestare; *(bes. rel)* rivelare; **II.** *rfl:* **sich ~ 1.** *(sich erweisen)* mostrarsi; **2.** *(kundtun)* rivelarsi.
Offenbarung ⟨-, -en⟩ *f* rivelazione *f*, manifestazione *f*. **Offenbarungseid** *m* giuramento *m* dichiarativo.
offen·bleiben ⟨*irr*⟩ *itr* ⟨*sein*⟩ **1.** *(Tür, etc.)* rimanere aperto; **2.** *fig (unentschieden bleiben)* rimanere indeciso (*o* in sospeso). **offen·halten** ⟨*irr*⟩ *tr* **1.** *(Tür, etc.)* lasciare aperto; **2.** *fig* riservare.
Offenheit ⟨-, *rar* -en⟩ *f* franchezza *f*, sincerità *f*.
offenherzig *adj* franco, sincero; *fig scherz (Kleid)* molto scollato. **offenkundig** *adj* manifesto, evidente.
offen·lassen ⟨*irr*⟩ *tr* **1.** *(Tür, etc.)* lasciare aperto; **2.** *fig* lasciare in sospeso.
offensichtlich **I.** *adj* evidente, manifesto, palese; **II.** *adv* evidentemente.
offensiv [ɔfən'zi:f] *adj* offensivo. **Offensive** [...'zi:və] ⟨-, -n⟩ *f* offensiva *f*.
offen·stehen ⟨*irr*⟩ *itr* **1.** *(geöffnet sein)* essere aperto; **2.** *(Rechnung)* non essere pagato, essere scoperto; **3.** *(zugänglich sein)* essere accessibile; **es steht dir offen zu ...** sei libero di *+inf*, sta a te decidere se *+inf*.
öffentlich ['œfəntlıç] **I.** *adj* pubblico; **~-rechtlich** di diritto pubblico; **~e Verkehrsmittel** mezzi di trasporto pubblici; **II.** *adv* pubblicamente, in pubblico.
Öffentlichkeit ⟨-, ø⟩ *f* pubblico *m;* **in der ~** in pubblico; **unter Ausschluß der ~** *jur* a porte chiuse. **Öffentlichkeitsarbeit** *f* pubbliche relazioni *f pl*.
offerieren [ɔfe'ri:rən] ⟨*ohne ge-*⟩ *tr geh* offrire.
Offerte [ɔ'fɛrtə] ⟨-, -n⟩ *f* offerta *f*.
offiziell [ɔfi'tsiɛl] *adj* ufficiale.
Offizier [ɔfi'tsi:ɐ] ⟨-s, -e⟩ *m* ufficiale *m*.
off-line ['ɔflaın] ⟨*inv*⟩ *adj* fuori linea, off line.
öffnen ['œfnən] **I.** *tr* aprire *(a. inform);* **mit Gewalt** ~ forzare; **hier ~!** lato da aprire!; **II.** *rfl:* **sich ~** aprirsi.
Öffner ⟨-s, -⟩ *m (Dosen~)* apriscatole *m; (Flaschen~)* apribottiglie *m; (Brief~)* tagliacarte *m; (Tür~)* dispositivo *m* apriporta.
Öffnung ⟨-, -en⟩ *f* apertura *f; (Loch)* buco *m*, foro *m*. **Öffnungszeit** *f* ore *f pl* di apertura.
Offsetdruck ['ɔfsɛt-] ⟨-(e)s, -e⟩ *m* stampa *f* offset.
oft [ɔft] ⟨öfter, -⟩ *adv* spesso; **des öfteren** di frequente; **wie ~?** quante volte?
öfter ['œftɐ] *adv* di frequente, più volte.
oh [o:] *interj* o, oh, ah ~ **doch!** ma sì!; **~, wie schön!** oh, che bello!; **~, wie furchtbar!** terribile!
OHG [o:ha:'ge:] ⟨-, -s⟩ *f abk von* **offene Handelsgesellschaft** s.n.c. (*abbr di* società in (*o* a) nome collettivo).
ohne ['o:nə] **I.** *prp +akk* senza; *(frei von)* privo di; **nicht (so) ~ sein** *fam* non essere niente male; ~ **weiteres** senz'al-

tro; **ich werde auch** ~ **ihn fertig** farò anche a meno di lui; **II.** *konj:* ~ **daß ...** senza che +*congv;* ~ **etw. zu sagen** senza dir nulla.

ohnedies [-'di:s] *adv* in ogni caso, comunque.

ohnegleichen [-'glaiçən] ⟨*inv*⟩ *adj (nachgestellt)* senza pari, unico (nel suo genere).

ohnehin [-'hɪn] *s.* **ohnedies.**

Ohnmacht ['o:nmaxt] ⟨-, -en⟩ *f* **1.** *med* svenimento *m;* **2.** ⟨*sing*⟩ *fig (Machtlosigkeit)* impotenza *f,* debolezza *f;* **in** ~ **fallen** svenire, perdere la conoscenza. **ohnmächtig** ['o:nmɛçtɪç] *adj* **1.** *med* svenuto, senza conoscenza; **2.** *fig geh* impotente; ~ **werden** svenire.

Ohr [o:ɐ̯] ⟨-(e)s, -en⟩ *n* orecchio *m;* **ganz** ~ **sein** essere tutt'orecchi; **die** ~**en steifhalten** *fam* farsi forza e coraggio; **auf einem** ~ **taub sein** essere sordo da un orecchio; **ins** ~ **gehen** essere facilmente orecchiabile (di melodia); **jdn übers** ~ **hauen** *fam* imbrogliare qu; **auf den** ~**en sitzen** *fam* fare orecchi da mercante; **sich** *(dat)* **etw. hinter die** ~**en schreiben** *fig fam* ficcarsi bene in mente qc *fam;* **jdm mit etw. in den** ~**en liegen** *fam* importunare qu con qc; **jdm zu** ~**en kommen** giungere all'orecchio di qu; **bis über die** ~**en** fin sopra i capelli; **ich habe im Moment furchtbar viel um die** ~**en** *fam* al momento ho un sacco di lavoro (*o* di problemi) *fam.*

Öhr [ø:ɐ̯] ⟨-(e)s, -e⟩ *n (Nadel~)* cruna *f; tec* occhiello *m.*

Ohrenarzt *m,* **-ärztin** *f* otoiatra *mf.* **ohrenbetäubend** *adj* assordante. **Ohrenentzündung** *f* otite *f.* **Ohrensausen** ⟨-s, ø⟩ *n* ronzio *m* auricolare. **Ohrenschmalz** *n* cerume *m.* **Ohrenschmaus** *m* godimento *m* (*o* delizia *f*) per gli orecchi. **Ohrenschmerzen** *m pl* dolore *m* agli orecchi, otalgia *f.* **Ohrenschützer** ⟨-s, -⟩ *m* paraorecchie *m.* **Ohrensessel** *m* poltrona *f* a orecchioni.

Ohrfeige *f* schiaffo *m,* ceffone *m.* **ohrfeigen** *tr* schiaffeggiare.

Ohrläppchen [-lɛpçən] ⟨-s, -⟩ *n* lobo *m* auricolare. **Ohrmuschel** *f* padiglione *m* auricolare. **Ohrring** *m* orecchino *m.* **Ohrwurm** *m* **1.** *zoo* forbicina *f;* **2.** *fig fam* motivo *m* orecchiabile.

okay [o'ke: *o* 'oʊ'keɪ] ⟨*inv*⟩ *fam* **I.** *interj* va bene, d'accordo; **II.** *adj* a posto, in ordine.

okkult [ɔ'kʊlt] *adj* occulto.

Okkultismus [...'tɪsmʊs] ⟨-, ø⟩ *m* occultismo *m.*

Öko- ['øko] *(in Zusammensetzungen)* eco-, ecologico. **Ökoladen** *m* negozio *m* ecologico. **Ökologe** [-'lo:gə] ⟨-n, -n⟩ *m,* **Ökologin** [...gɪn] *f* ecologo, -a *m, f.* **Ökologie** [...lo'gi:] ⟨-, ø⟩ *f* ecologia *f.* **Ökologiebewegung** *f* movimento *m* ambientalista.

ökologisch [...'lo:gɪʃ] *adj* ecologico.

Ökonomie [...no'mi:, ...i:ən] ⟨-, -en⟩ *f* economia *f.*

ökonomisch [...'no:mɪʃ] *adj* economico.

Ökosystem *n* ecosistema *m.*

Oktanzahl [ɔk'ta:n-] *f* numero *m* di ottani.

Oktave [ɔk'ta:və] ⟨-, -n⟩ *f* ottava *f.*

Oktober [ɔk'to:bɐ] ⟨-(s), -⟩ *m* ottobre *m; s. a. September.*

ökumenisch [øku'me:nɪʃ] *adj* ecumenico.

Okzident ['ɔktsidɛnt *o* ...'dɛnt] ⟨-s, ø⟩ *m* occidente *m.*

Öl [ø:l] ⟨-(e)s, -e⟩ *n* **1.** *(allg., Speise~)* olio *m;* **2.** *(Heiz~)* nafta *f;* **3.** *(Erd~)* petrolio *m;* **in** ~ **malen** dipingere a olio.

Ölbaum *m* olivo *m.* **Ölbild** *n* dipinto *m* a olio, olio *m.*

Oldtimer ['oʊldtaɪmə] ⟨-s, -⟩ *m (Auto)* auto *f* d'epoca.

Oleander [ole'andɐ] ⟨-s, -⟩ *m* oleandro *m.*

ölen *tr* oliare, lubrificare.

Ölfarbe *f* colore *m* ad olio. **Ölfeld** *n* campo *m* petrolifero. **Ölförderland** *n* paese *m* produttore di petrolio. **Ölgemälde** *s.* **Ölbild. Ölgesellschaft** *f* compagnia *f* petrolifera. **Ölheizung** *f* riscaldamento *m* a nafta (*o* gasolio). **Ölkonzern** *m* gruppo *m* petrolifero. **Ölkrise** *f* crisi *f* petrolifera.

ölig *adj* oleoso.

Olive [o'li:və] ⟨-, -n⟩ *f* oliva *f.* **Olivenbaum** *m* olivo *m.* **Olivenöl** *n* olio *m* d'oliva.

olivgrün *adj* verde oliva, olivastro.

Ölkännchen *n* oliatore *m.* **Ölleitung** *f* oleodotto *m; mot* tubo *m* dell'olio. **Ölpest** *f* inquinamento *m* da petrolio. **Ölpresse** *f* frantoio *m.* **Ölpumpe** *f* pompa *f* dell'olio. **Ölquelle** *f* pozzo *m* di petrolio. **Ölraffinerie** *f* raffineria *f* di petrolio. **Ölsardine** *f* sardina *f* sott'olio. **Ölscheich** *m* sceicco *m* del petrolio. **Ölschicht** *f* strato *m* d'olio. **Ölstand** *m* livello *m* dell'olio. **Öltanker** *m* petroliera *f.* **Ölteppich** *m* chiazza *f* di petrolio.

Ölung ⟨-, -en⟩ *f:* **die Letzte** ~ l'estrema unzione.

Ölverbrauch *m* consumo *m* d'olio. **Ölvorkommen** *n* giacimento *m* petrolifero (*o* di petrolio). **Ölwechsel** *m* cambio *m* dell'olio.

Olympiade [olʏm'pi̯a:də] ⟨-, -n⟩ *f hist* olimpiade *f; sport* olimpiadi *f pl.*

Olympiasieger(in) [o'lʏmpi̯a-] *m(f)* campione, -essa *m, f,* vincitore, -trice *m, f* olimpico, -a.

olympisch [...pɪʃ] *adj* olimpico.

Ölzeug *n* indumenti *m pl* di tela cerata.

Oma ['o:ma] ⟨-, -s⟩ *f fam* nonna *f; (Kindersprache)* nonnina *f.*

Ombudsfrau ['ɔmbʊts-] *f,* **Ombudsmann** ⟨-(e)s, -männer *o* -leute⟩ *m* ombudsman *mf,* rappresentante *mf* civile.

Omelett [ɔmə'lɛt *o* ɔm'lɛt] ⟨-(e)s, -s *o* -e⟩

n, **Omelette** ⟨-, -n⟩ *f* omelette *f,* frittata *f.*
Omen ['o:mən, 'o:mən *o* 'o:mina] ⟨-s, - *o* Omina⟩ *n* segno *m,* augurio *m,* presagio *m.*
ominös [omi'nø:s] *adj* dubbio.
Omnibus ['ɔmnibʊs] *m* omnibus *m,* autobus *m.* **Omnibushaltestelle** *f* fermata *f* dell'autobus. **Omnibuslinie** *f* linea *f* d'autobus.
onanieren [ona'ni:rən] ⟨*ohne ge-*⟩ *itr* masturbarsi.
Onkel ['ɔŋkəl] ⟨-s, - *o fam* -s⟩ *m* zio *m.*
on-line ['ɔn'laɪn] ⟨*inv*⟩ *adj* on line, in linea. **On-line-(Benutzer)handbuch** *n* manuale utente on line.
Onyx ['o:nʏks] ⟨-(es), -e⟩ *m* onice *f.*
OP [o:'pe:] ⟨-(s), -s⟩ *m abk von* **Operationssaal** sala *f* operatoria.
Opa ['o:pa] ⟨-s, -s⟩ *m fam* nonno *m.*
Opal [o'pa:l] ⟨-s, -e⟩ *m* opale *m o f.*
OPEC ['o:pɛk] *f akr von* **Organisation of the Petroleum Exporting Countries** OPEC *f.*
Open-air-Veranstaltung ['oʊpn'ɛə-] *f* spettacolo *m* all'aperto.
Oper ['o:pɐ] ⟨-, -n⟩ *f* **1.** *(Stück)* opera *f* lirica; **2.** *(Opernhaus)* teatro *m* lirico.
Operation [opəra'tsio:n] ⟨-, -en⟩ *f* operazione *f.* **Operationssaal** *m* (*abk* **OP**) sala *f* operatoria. **Operationstisch** *m* tavolo *m* operatorio.
operativ [...'ti:f] **I.** *adj* operatorio; **~er Eingriff** intervento chirurgico; **II.** *adv* per via operatoria; ~ **entfernen** resecare.
Operator ['ɔpəreɪtɐ] ⟨-s, - *o* -s⟩ *m* inform operatore, -trice *m, f.*
Operette [opə'rɛtə] ⟨-, -n⟩ *f* operetta *f.*
operieren [opə'ri:rən] ⟨*ohne ge-*⟩ *tr, itr* operare; **sich ~ lassen** sottoporsi a un'operazione.
Opernball *m* ballo *m* dell'opera. **Opernführer** *m (Buch)* guida *f* dell'opera. **Opernglas** *n* binocolo *m.* **Opernhaus** *n* teatro *m* dell'opera, opera *f.* **Opernsänger(in)** *m(f)* cantante *mf* lirico, -a.
Opfer ['ɔpfɐ] ⟨-s, -⟩ *n* **1.** *(~gabe, a. fig)* offerta *f, (Verzicht)* sacrificio *m; rel* immolazione *f;* **2.** *(Mensch)* vittima *f;* **ein ~ bringen** fare un sacrificio; **jdm/einer S. zum ~ fallen** essere vittima di qu/qc.
opfern I. *tr (geben)* offrire; *(aufgeben)* sacrificare; **II.** *rfl:* **sich ~** sacrificarsi.
Opferung ⟨-, -en⟩ *f* sacrificio *m.*
Opium ['o:pium] ⟨-s, ø⟩ *n* oppio *m.*
Opponent(in) [ɔpo'nɛnt(ɪn)] ⟨-en, -en⟩ *m(f)* oppositore, -trice *m, f.*
opponieren [...'ni:rən] ⟨*ohne ge-*⟩ *itr* opporsi (*gegen* a), fare opposizione (*gegen* a).
Opportunismus [ɔpɔrtu'nɪsmʊs] ⟨-, ø⟩ *m* opportunismo *m.*
Opportunist(in) [...'nɪst(ɪn)] ⟨-en, -en⟩ *m(f)* opportunista *mf.*
opportunistisch *adj* opportunista, opportunistico.
Opposition [ɔpozi'tsio:n] ⟨-, -en⟩ *f* opposizione *f.* **Oppositionspartei** *f* partito *m* d'opposizione.
OP-Schwester *f* infermiera *f* di sala operatoria.
Optik ['ɔptɪk] ⟨-, ø⟩ *f* ottica *f; fig (Eindruck)* aspetto *m* ottico.
Optiker(in) ⟨-s, -⟩ *m(f)* ottico, -a *m, f.*
optimal [ɔpti'ma:l] *adj* ottimale.
optimieren [ɔpti'mi:rən] ⟨*ohne ge-*⟩ *tr* ottimare, ottimizzare.
Optimum ['ɔptimʊm] ⟨-s, -ma⟩ optimum *m.*
Optimismus [ɔpti'mɪsmʊs] ⟨-, ø⟩ *m* ottimismo *m.*
Optimist(in) [...'mɪst(ɪn)] ⟨-en, -en⟩ *m(f)* ottimista *mf.*
optimistisch *adj* ottimista, ottimistico.
optisch ['ɔptɪʃ] *adj* ottico.
Orakel [o'ra:kəl] ⟨-s, -⟩ *n* oracolo *m.*
orakeln ⟨*ohne ge-*⟩ *itr fig* parlare come un oracolo.
orange [o'rã:ʒ *o* ...ʒə] ⟨*inv*⟩ *adj* arancione; *s. a. blau.*
Orange[1] [o'rã:ʒə] ⟨-, -n⟩ *f (Apfelsine)* arancia *f.*
Orange[2] [o'rã:ʒ *o* ...ʒə] ⟨-, - *o fam* -s⟩ *n (Farbe)* (colore *m*) arancione *m; s. a. Blau.*
Orangeat [orã'ʒa:t] ⟨-s, -e⟩ *n* buccia *f* d'arancia candita.
Orangensaft *m* succo *m* (*o* spremuta *f*) d'arancia. **Orangenschale** *f* buccia *f* (*o* scorza *f*) d'arancia.
Orang-Utan ['o:raŋ'ʔu:tan] ⟨-s, -s⟩ *m* orangutan *m,* orango *m.*
Orchester [ɔr'kɛstɐ *o* ɔr'çɛ...] ⟨-s, -⟩ *n* orchestra *f.* **Orchestergraben** *m* fossa *f* dell'orchestra.
Orchidee [ɔrçi'de:ə] ⟨-, -n⟩ *f* orchidea *f.*
Orden ['ɔrdən] ⟨-s, -⟩ *m* **1.** *rel* ordine *m* (religioso); **2.** *(Auszeichnung)* onorificenza *f; (mil a.)* decorazione *f,* medaglia *f;* **jdm einen ~ verleihen** decorare qu (con medaglia). **Ordensgeistliche** *m* ecclesiastico *m* regolare. **Ordensträger(in)** *m(f)* insignito, -a *m, f* di un ordine.
ordentlich ['ɔrdəntlɪç] *adj* **1.** *(aufgeräumt)* ordinato, in ordine; **2.** *(ordnungsliebend)* ordinato, ammodo; **3.** *(ordnungsgemäß)* ordinario; **4.** *(Mitglied)* effettivo; **5.** *fam (reichlich)* abbondante; **6.** *fam (einigermaßen gut)* buono, come si deve, conveniente.
Order ['ɔrdɐ] ⟨-, -s *o* -n⟩ *f* **1.** *(Befehl)* ordine *m;* **2.** *ökon (Auftrag)* ordinazione *f,* commissione *f.*
Ordinalzahl [ɔrdi'na:l-] *f* numero *m* ordinale.
ordinär [ɔrdi'nɛ:ɐ] *adj* **1.** *pej (gemein)* comune, volgare; **2.** *geh (alltäglich)* ordinario, comune.
ordnen ['ɔrdnən] *tr* ordinare, mettere in ordine.
Ordner ⟨-s, -⟩ *m (Akten~)* raccoglitore

m; inform cartella *f.*

Ordner(in) ⟨-s, -⟩ *m, f* organizzatore, -trice *m, f,* ordinatore, -trice *m, f.*

Ordnung ⟨-, -en⟩ *f* **1.** *(Zustand, allg.)* ordine *m,* (buono) stato *m;* **2.** ⟨*sing*⟩ *(Handlung)* disposizione *f,* sistemazione *f,* regolamento *m;* **3.** *(Regelung)* regolamento *m,* statuto *m;* **4.** *biol, mat* ordine *m;* **der ~ halber** per la regolarità, per la buona regola; **in ~** in (buon) ordine; *tec, fig* a posto; **(geht) in ~!** *fam* d'accordo!. **ordnungsgemäß** *adj* regolare. **Ordnungsliebe** *m* amore *f* dell'ordine. **Ordnungsstrafe** *f* pena *f* disciplinare. **Ordungswidrigkeit** *f* infrazione *f,* contravvenzione *f.* **Ordnungszahl** *f mat* numero *m* ordinale; *chem* numero *m* atomico.

Organ [ɔr'ga:n] ⟨-s, -e⟩ *n* **1.** *allg., anat, fig* organo *m;* **2.** *fig adm* istituzione *f;* **3.** *fig (Zeitung)* organo *m;* **4.** *fam (Stimme)* voce *f.* **Organbank** ⟨-, -en⟩ *f* banca *f* degli organi.

Organisation [ɔrganiza'tsio:n] ⟨-, -en⟩ *f* organizzazione *f.* **Organisationstalent** *n* spirito *m* organizzativo.

Organisator(in) [...'za:to:ɐ̯ (...za'to:rɪn), ...za'to:rən] ⟨-s, -en⟩ *m(f)* organizzatore, -trice *m, f.*

organisatorisch [...'to:rɪʃ] *adj* organizzativo.

organisch [ɔr'ga:nɪʃ] *adj* organico.

organisieren [ɔrgani'zi:rən] ⟨*ohne ge-*⟩ *tr* organizzare; **das organisierte Verbrechen** la criminalità organizzata.

Organismus [ɔrga'nɪsmʊs, ...mən] ⟨-, -men⟩ *m* organismo *m.*

Organist(in) [ɔrga'nɪst(ɪn)] ⟨-en, -en⟩ *m(f)* organista *mf.*

Organspende *f* donazione *f* di un organo. **Organspender(in)** *m(f)* donatore, -trice *m, f* d'organi. **Organtransplantation** *f* trapianto *m* di organo.

Orgasmus [ɔr'gasmʊs, ...mən] ⟨-, -men⟩ *m* orgasmo *m.*

Orgel ['ɔrgəl] ⟨-, -n⟩ *f* organo *m.*

Orgelpfeife *f* canna *f* dell'organo.

Orgie ['ɔrgi̯ə] ⟨-, -n⟩ *f* orgia *f.*

Orient ['o:ri̯ɛnt *o* o'ri̯ɛnt] ⟨-s, ø⟩ *m* oriente *m,* levante *m.*

Orientale [ori̯ɛn'ta:lə] ⟨-n, -n⟩ *m,* **Orientalin** [...lɪn] *f* orientale *mf.*

orientalisch *adj* orientale, levantino.

orientieren [ori̯ɛn'ti:rən] ⟨*ohne ge-*⟩ *rfl:* **sich ~** orientarsi; *fig* raccapezzarsi.

Orientierung ⟨-, ø⟩ *f* orientamento *m.* **Orientierungshilfe** *f* guida *f.* **orientierungslos** *adj* disorientato, smarrito. **Orientierungsstufe** *f (in der Schule)* classi *f pl* di orientamento.

original [origi'na:l]; *adj* originale; *(echt)* autentico.

Original ⟨-s, -e⟩ *n* originale *m; (Urschrift)* testo *m* originale. **Originalfassung** *f* (versione *f*) originale *m;* **in der italienischen ~** nell'originale italiano.

Originalität [...nali'tɛ:t] ⟨-, *rar* -en⟩ *f* originalità *f.*

Originalton *m* parole *f pl* testuali, citazione *f* testuale. **Originalübertragung** *f* trasmissione *f* in diretta.

originell [origi'nɛl] *adj* originale.

Orkan [ɔr'ka:n] ⟨-(e)s, -e⟩ *m* uragano *m.*

Ornament [ɔrna'mɛnt] ⟨-(e)s, -e⟩ *n* ornamento *m.*

Ornat [ɔr'na:t] ⟨-(e)s, -e⟩ *m* veste *f* ufficiale; *rel* paramenti *m pl* sacerdotali.

Oropax® ['oropaks] ⟨-, -⟩ *n* tappo *m* per le orecchie.

Ort [ɔrt] ⟨-(e)s, -e⟩ *m* **1.** *(Stelle)* luogo *m,* posto *m;* **2.** *(~schaft)* località *f;* **an ~ und Stelle** sul posto; **vor ~** sul posto.

orten *tr* localizzare.

orthodox [ɔrto'dɔks] *adj* ortodosso.

Orthographie [ɔrtogra'fi:, ...i:ən] ⟨-, -n⟩ *f* ortografia *f.*

orthographisch [...'gra:fɪʃ] *adj* ortografico.

Orthopäde [ɔrto'pɛ:də] ⟨-n, -n⟩ *m,* **Orthopädin** [...dɪn] *f* (donna *f*) ortopedico *m.*

orthopädisch *adj* ortopedico.

örtlich ['œrtlɪç] *adj* locale.

Ortsangabe *f* indicazione *f* del luogo. **ortsansässig** *adj* residente nel luogo.

Ortschaft ⟨-, -en⟩ *f* località *f,* villaggio *m.*

ortsfremd *adj* forestiero. **Ortsgespräch** *n tel* telefonata *f* urbana. **ortskundig** *adj* esperto del posto. **Ortsname** *m* nome *m* di luogo. **Ortsnetz** *n tel* rete *f* locale. **Ortsschild** *n* segnale *m* di località. **Ortstarif** *m tel* tariffa *f* urbana. **Ortsteil** *m* quartiere *m,* sobborgo *m.* **ortsüblich** *adj* di uso locale. **Ortsverband** *m* associazione *f* locale. **Ortszeit** *f* ora *f* locale. **Ortszuschlag** *m* indennità *f* di residenza.

Ortung ⟨-, -en⟩ *f* orientamento *m; (mit Radar)* localizzazione *f.*

Öse ['ø:zə] ⟨-, -n⟩ *f* occhiello *m.*

Ossi ['ɔsi:] ⟨-s, -s⟩ *m fam cittadino dell'ex Germania dell'Est.*

Ostblock *m* blocco *m* orientale. **Ostblockstaaten** *m pl* paesi *m pl* dell'Est (*o* del blocco orientale). **ostdeutsch** *adj* della Germania orientale, tedesco orientale. **Ostdeutschland** *n* Germania *f* orientale (*o* dell'Est).

Osten ['ɔstən] ⟨-s, ø⟩ *m* (*abk* **O**) est *m;* **der Nahe/Mittlere/Ferne ~** il vicino/il medio/l'estremo oriente.

Osterei *n* uovo *m* di Pasqua. **Osterglocke** *f bot* narciso *m.* **Osterhase** *m* coniglio *m* di Pasqua. **Osterlamm** *n* agnello *m* pasquale.

österlich ['ø:stelɪç] *adj* pasquale.

Ostermarsch *m* marcia *f* della pace. **Ostermontag** ['o:ste'mo:nta:k] *m* Pasquetta *f.*

Ostern ['o:stɐn] ⟨-, ø⟩ *n* Pasqua *f;* **frohe**

~! buona Pasqua!
Österreich ['ø:stəraiç] *n* Austria *f*.
Österreicher(in) ⟨-s, -⟩ *m(f)* austriaco, -a *m, f*.
österreichisch *adj* austriaco.
Ostersonntag ['o:stɐ'zɔnta:k] *m* domenica *f* di Pasqua. **Osterwoche** *f* settimana *f* di Pasqua.
Ostfriese [ɔst'fri:zə] ⟨-n, -n⟩ *m*, **Ostfriesin** [...zɪn] *f* abitante *m, f* della Frisia orientale, frisone *mf* orientale. **ostfriesisch** *adj* della Frisia orientale, frisone orientale. **Ostfriesland** *n* Frisia *f* orientale.
östlich ['œstlɪç] **I.** *adj* dell'est, orientale; ~ **von** a est di; **II.** *prp +gen* a est (*gen* di).
Ostpolitik *f* politica *f* con i paesi dell'Est, Ostpolitik *f*.
Östrogen [œstro'ge:n] ⟨-s, -e⟩ *n* estrogeno *m*.
Ostsee *f* (Mar *m*) Baltico *m*. **Ostverträge** *m pl* trattati *m pl* con i paesi dell'Est. **Ostwind** *m* vento *m* dell'est.
Otter[1] ['ɔtɐ] ⟨-, -n⟩ *f (Schlange)* vipera *f*.
Otter[2] ['ɔtɐ] ⟨-s, -⟩ *m (Fisch~)* lontra *f*.
Otto ['ɔto] *(männlicher Vorname)* Ottone.
out [aut] *adj fam* out, superato. **Output** ['autput] ⟨-s, -s⟩ *n* output *m*.
Ouvertüre [uver'ty:rə] ⟨-, -n⟩ *f* ouverture *f*.
oval [o'va:l] *adj* ovale. **Oval** ⟨-s, -e⟩ *n* ovale *m*.
Ovation [ova'tsio:n] ⟨-, -en⟩ *f* ovazione *f*.
Overheadprojektor ['ouvəhɛd-] *m* lavagna *f* luminosa.
Overall ['ouvərɔ:l] ⟨-s, -s⟩ *m* tuta *f*, overall *m*.
Ovulation [ovula'tsio:n] ⟨-, -en⟩ *f wissensch.* ovulazione *f*. **Ovulationshemmer** ⟨-s, -⟩ *m geh* pillola *f* anticoncezionale.
Oxyd [ɔ'ksy:t], *(fachsprachlich)* **Oxid** [ɔ'ksi:t] ⟨-(e)s, -e⟩ *n* ossido *m*.
Oxydation [ɔksyda'tsio:n] ⟨-, -en⟩ *f* ossidazione *f*.
Oxydierung ⟨-, -en⟩ *f* ossidazione *f*.
Ozean ['o:tsea:n] ⟨-s, -e⟩ *m* oceano *m*. **Ozeandampfer** *m* transatlantico *m*.
Ozeanien [otse'a:niən] *n* Oceania *f*.
Ozon [o'tso:n] ⟨-s, ø⟩ *m o n* ozono *m*. **Ozonloch** *n* buco *m* nell'ozono. **Ozonschicht** *f* ozonosfera *f*.

P

P, p [pe:] ⟨-, -(s)⟩ *n* P, p *f;* **P wie Paula** P come Padova.

paar [pa:ɐ] ⟨*inv*⟩ *pron:* **ein ~ . . .** un paio di . . ., alcuni . . ., qualche . . .; **in den ~ Stunden konnte ich nichts lernen** in quelle poche ore non sono riuscito, -a a studiare niente.

Paar ⟨-(e)s, -e⟩ *n* paio *m; (Personen, Tiere)* coppia *f.*

paaren ['pa:rən] **I.** *tr (Zuchttiere)* appaiare; *(a. fig)* accoppiare; **II.** *rfl:* **sich ~** accoppiarsi.

paarig *adj* geminato.

Paarlauf *m,* **-laufen** ⟨-s, ø⟩ *n* pattinaggio *m* artistico a coppie.

paarmal *adv:* **ein ~** un paio di volte.

Paarung ⟨-, -en⟩ *f* **1.** *biol* accoppiamento *m;* **2.** *allg., fig, sport* mettere *m* insieme.

paarweise *adv* a coppie, a paia.

Pacht [paxt] ⟨-, -en⟩ *f* affitto *m; (von Geschäften)* gestione *f.*

pachten *tr* **1.** *ökon* prendere in affitto, affittare; *(Geschäft)* prendere la gestione di; **2.** *fam (für sich beanspruchen)* monopolizzare.

Pächter(in) ['pɛçtɐ (...ərın)] ⟨-s, -⟩ *m(f)* affittuario, -a *m, f; (Geschäftsleiter)* gerente *mf.*

Pachtung ⟨-, -en⟩ *f* locazione *f; (von Geschäft)* gestione *f.*

Pack[1] [pak] ⟨-(e)s, -e *o* Päcke⟩ *m (Bündel)* pacco *m.*

Pack[2] [pak] ⟨-(e)s, ø⟩ *n pej (Gesindel)* gentaglia *f.*

Päckchen ['pɛkçən] ⟨-s, -⟩ *n* pacchetto *m.*

Packeis *n* banchisa *f,* pack *m.*

packen ['pakən] **I.** *tr* **1.** *(ergreifen)* afferrare (*an +dat* per), pigliare (*an +dat* per); **2.** *fig (Schrecken, etc.)* cogliere; **3.** *fig (fesseln)* avvincere; **4.** *(ein~)* mettere; *(Koffer, Paket)* fare; **5.** *sl (verstehen)* capire; **es ~** *fam (schaffen)* farcela; **ihn hat es ganz schön gepackt** *fam (er ist krank)* s'è beccato una malattia *fam; (er ist verliebt)* s'è preso una cotta *fam;* **II.** *itr (die Koffer ~)* fare le valigie. **Packen** ⟨-s, -⟩ *m* pacco *m.*

packend *adj* avvincente.

Packer(in) ⟨-s, -⟩ *m(f)* impaccatore, -trice *m, f.*

Packesel *m fam* mulo *m;* **ich bin nicht dein ~** non sono il tuo facchino. **Packpapier** *n* carta *f* da pacchi.

Packung ⟨-, -en⟩ *f* **1.** *(Paket)* pacchetto *m;* **2.** *med* impacco *m.*

Pädagoge [pɛda'go:gə] ⟨-n, -n⟩ *m,* **Pädagogin** [...gın] *f (Erzieher)* pedagogo, -a *m, f; (Wissenschaftler)* pedagogista *mf.*

Pädagogik [...'go:gık] ⟨-, ø⟩ *f* pedagogia *f.*

pädagogisch *adj* pedagogico; *(~ richtig)* pedagogicamente giusto; **P~e Hochschule** (*abk* **PH**) scuole *f pl* magistrali, facoltà *f* di pedagogia.

Paddel ['padəl] ⟨-s, -⟩ *n* pagaia *f.* **Paddelboot** *n* canoa *f.*

paddeln *itr ⟨haben o bei Fortbewegung sein⟩* andare in canoa.

Padua ['pa:dua] *n* Padova *f.*

Page ['pa:ʒə] ⟨-n, -n⟩ *m* **1.** *(Hotel~)* fattorino *m* d'albergo; **2.** *hist* paggio *m.* **Pagenkopf** *m* capelli *m pl* alla paggio.

Paillette [pai'jɛtə] ⟨-, -n⟩ *f* lustrino *m,* paglietta *f.*

Paket [pa'ke:t] ⟨-(e)s, -e⟩ *n* pacco *m.* **Paketannahme** *f* (sportello *m* di) accettazione *f* pacchi. **Paketausgabe** *f* (sportello *m* di) consegna *f* pacchi. **Paketkarte** *f* bollettino *m* di spedizione. **Paketpost** *f* servizio *m* pacchi postali. **Paketschalter** *m* sportello *m* per i pacchi postali. **Paketzustellung** *f* consegna *f* dei pacchi.

Pakt [pakt] ⟨-(e)s, -e⟩ *m* patto *m.*

paktieren [...'ti:rən] ⟨*ohne ge-*⟩ *itr* fare un patto (*mit* con).

Palast [pa'last] ⟨-(e)s, Paläste⟩ *m* palazzo *m.*

Palästina [palɛ'sti:na] ⟨-s, ø⟩ *n* Palestina *f.* **Palästinenser(in)** [...ti'nɛnzɐ (...rın)] ⟨-s, -⟩ *m(f)* palestinese *mf.* **palestinensisch** [...ti'nɛnzıʃ] *adj* palestinese.

Palaver [pa'la:vɐ] ⟨-s, -⟩ *n fam pej* chiacchiere *f pl.*

Palette [pa'lɛtə] ⟨-, -n⟩ *f* **1.** *(Maler~)* tavolozza *f;* **2.** *(bei Warenlagerung)* pallet *m;* **3.** *fig* gamma *f.*

Palisade [pali'za:də] ⟨-, -n⟩ *f* palizzata *f.*

Palme ['palmə] ⟨-, -n⟩ *f* palma *f;* **auf die ~ gehen** *fam* andare in bestia *fam.*

Palmsonntag [-'zɔnta:k] *m* domenica *f* delle Palme.

Pampelmuse ['pampəlmu:zə *o* ...'mu:zə] ⟨-, -n⟩ *f* pompelmo *m.*

Pamphlet [pam'fle:t] ⟨-(e)s, -e⟩ *n* libello *m,* pamphlet *m.*

pampig ['pampıç] *adj* **1.** *dial (breiig)* poltiglioso; **2.** *fam pej (frech)* sfacciato.

panieren [pa'ni:rən] ⟨*ohne ge-*⟩ *tr* impanare. **Paniermehl** *n* pangrattato *m.*

Panik ['pa:nık] ⟨-, -en⟩ *f* panico *m.* **panikartig I.** *adj* dettato dal panico; **II.** *adv* come in preda al panico. **Panikmache** ⟨-, ø⟩ *f fam pej* creare *m* del panico. **Panikstimmung** *f* atmosfera *f* di panico.

panisch *adj* panico.

Panne ['panə] ⟨-, -n⟩ *f* **1.** *(Schaden)* guasto *m; (Auto~)* panna *f;* **2.** *fig (Fehler)* errore *m.* **Pannendienst** *m* soccorso *m* stradale. **Pannenhilfe** *f* assistenza *f* meccanica.

Panorama [pano'ra:ma, ...mən] ⟨-s, -men⟩ *n* panorama *m.*

panschen ['panʃən] **I.** *tr (Wein)* adulterare; *(mit Wasser)* annacquare; **II.** *itr fam (planschen)* sguazzare *fam.*

Panther ['pantɐ] ⟨-s, -⟩ *m* pantera *f.*

Pantoffel [pan'tɔfəl] ⟨-s, -n⟩ *m* ⟨*meist pl*⟩ pantofola *f,* ciabatta *f;* **er steht unter dem** ~ *fam* è succube della moglie. **Pantoffelheld** *m fam pej* marito *m* in gonnella. **Pantoffelkino** *n fam scherz* tele(-visione) *f.*

Pantomime[1] [panto'mi:mə] ⟨-, -n⟩ *f (Darbietung)* pantomima *f.*

Pantomime[2] [panto'mi:mə] ⟨-n, -n⟩ *m (Künstler)* (panto)mimo *m.*

Panzer ['pantsɐ] ⟨-s, -⟩ *m* **1.** *zoo, hist, fig* corazza *f;* **2.** *mil* carro *m* armato. **Panzerfaust** *f* lanciarazzi *m* anticarro. **Panzerglas** *n* vetro *m* blindato.

panzern I. *tr* corazzare; **II.** *rfl:* **sich** ~ corazzarsi.

Panzerschrank *m* cassaforte *f* blindata.

Panzerung ⟨-, -en⟩ *f* corazzatura *f.*

Panzerwagen *m* carro *m* armato.

Papa ['papa *o* pa'pa:] ⟨-s, -s⟩ *m fam* papà *m,* babbo *m.*

Papagei [papa'gai̯] ⟨-en *o* -s, -en⟩ *m* pappagallo *m.*

Paperback ['peɪpəbæk] ⟨-s, -s⟩ *n* libro *m* tascabile, tascabile *m.*

Papeterie [papɛtə'ri:, ...i:ən] ⟨-, -n⟩ *f CH* cartoleria *f.*

Papi ['papi] ⟨-s, -s⟩ *s.* **Papa.**

Papier [pa'pi:ɐ̯] ⟨-s, -e⟩ *n* **1.** *(Material, Schriftstück)* carta *f;* **2.** *(Wert~)* titolo *m;* **3.** ⟨*pl*⟩ *(Ausweis)* carte *f pl,* documenti *m pl.* **Papiereinzug** *m* caricamento *m* della carta. **Papiergeld** *n* cartamoneta *f.* **Papierkorb** *m* cestino *m.* **Papierkrieg** *m fam* lungaggine *f* burocratica. **Papiertaschentuch** *n* fazzoletto *m* di carta.

Pappbecher *m* bicchiere *m* di carta. **Pappdeckel** *s.* **Pappendeckel.**

Pappe ['papə] ⟨-, -n⟩ *f* cartone *m.*

Pappel ['papəl] ⟨-, -n⟩ *f* pioppo *m.*

Papp(en)deckel *m* cartone *m.*

Pappenheimer ['papənhai̯mɐ] *m pl:* **ich kenne meine** ~ *fam* conosco i miei polli *fam.* **Pappenstiel** *m:* **das ist kein** ~ non è un'inezia.

papperlapapp [papɐla'pap] *interj* sciocchezze!

pappig ['papɪç] *adj fam* **1.** *(klebrig)* appiccicoso; **2.** *(breiig, a. Schnee)* poltiglioso.

Pappmaché [-ma'ʃe:] ⟨-s, -s⟩ *n* cartapesta *f.* **Pappnase** *f* naso *m* finto. **Pappteller** *m* piatto *m* di carta.

Paprika ['paprika] ⟨-s, -(s)⟩ *m* **1.** *bot (Pflanze, ~schote)* peperone *m;* **2.** ⟨*sing*⟩ *gastr (~gemüse)* peperoni *m pl;* **3.** ⟨*sing*⟩ *(Gewürz)* paprica *f.* **Paprikaschote** *f* peperone *m.*

Papst [pa:pst] ⟨-(e)s, Päpste⟩ *m* papa *m.*

päpstlich ['pɛ:pstlɪç] *adj* papale.

Parabel [pa'ra:bəl] ⟨-, -n⟩ *f* parabola *f.*

Parabolantenne *f* antenna *f* parabolica.

Parade [pa'ra:də] ⟨-, -n⟩ *f* **1.** *sport* parata *f;* **2.** *mil* rivista *f* militare, rassegna *f; (Vorbeimarsch)* sfilata *f.* **Paradebeispiel** *n* esempio *m* paradigmatico. **Paradeuniform** *f* grande uniforme *f.*

Paradies [para'di:s] ⟨-es, -e⟩ *n* paradiso *m.* **paradiesisch** *adj* paradisiaco. **Paradiesvogel** *m* uccello *m* del paradiso.

paradox [para'dɔks] *adj* paradossale.

Paraglider ['pa:raglai̯dɐ] ⟨-s, -⟩ *m* pilota *m* di parapendìo. **Paragliding** ['pa:raglai̯dɪŋ] ⟨-s, ø⟩ *n* parapendio *m.*

Paragraph [para'gra:f] ⟨-en, -en⟩ *m* paragrafo *m.* **Paragraphendschungel** *m* labirinto *m* della legge.

parallel [para'le:l] *adj* parallelo (*zu* a). **Parallelcomputer** *m* computer *m* parallelo.

Parallele ⟨-, -n⟩ *f* **1.** *mat* parallela *f;* **2.** *fig (Vergleich)* parallelo *m.*

Parallelogramm [paralelo'gram] ⟨-s, -e⟩ *n* parallelogramma *m.*

Parallelstraße *f* strada *f* parallela.

paramilitärisch *adj* paramilitare.

Parapsychologie [para-] *f* parapsicologia *f.*

Parasit [para'zi:t] ⟨-en, -en⟩ *m* parassita *m.*

parat [pa'ra:t] *adj* pronto.

Pärchen ['pɛ:ɐ̯çən] ⟨-s, -⟩ *n* coppia *f.*

Parfüm [par'fy:m] ⟨-s, -e *o* -s⟩ *n* profumo *m.*

Parfümerie [...fymə'ri:, ...i:ən] ⟨-, -n⟩ *f* profumeria *f.*

parfümieren [parfy'mi:rən] ⟨*ohne ge-*⟩ **I.** *tr* profumare; **II.** *rfl:* **sich** ~ profumarsi.

Paria ['pa:ri̯a] ⟨-s, -s⟩ *m* paria *m.*

parieren [pa'ri:rən] ⟨*ohne ge-*⟩ **I.** *tr* parare; **II.** *itr fam* ubbidire.

Paris [pa'ri:s] *n* Parigi *f.*

Pariser [pa'ri:zɐ] ⟨-s, -⟩ *m sl (Präservativ)* preservativo *m.*

Pariser(in) ⟨-s, -⟩ *m(f)* parigino, -a *m, f.*

Parität [pari'tɛ:t] ⟨-, -en⟩ *f* parità *f.*

paritätisch *adj* paritetico.

Park [park] ⟨-s, -s *o rar* -e⟩ *m* parco *m.*

Parka ['parka] ⟨-, -s⟩ *f o* ⟨-(s), -s⟩ *m* eskimo *m,* parka *m.*

Park-and-Ride-System ['pa:k ənd 'raɪd-] *n* sistema *m* di parcheggio adiacente a mezzo pubblico.

Parkbank ⟨-, bänke⟩ *f* panchina *f* del parco. **Parkdeck** *n* piano *m* di autosilo. **Parkebene** *f* area *f* di parcheggio.

parken ['parkən] *tr, itr* parcheggiare; **P~**

verboten! parcheggio vietato!

Parkett [parˈkɛt] ⟨-(e)s, -e⟩ *n* **1.** *(Fußboden)* parquet *m;* **2.** *theat* platea *f;* **3.** *(Tanzfläche)* pista *f* (da ballo).

Parkgebühr *f* tassa *f* di parcheggio (*o* posteggio). **Parkhaus** *n* autosilo *m.*

parkieren [parˈkiːrən] ⟨*ohne ge-*⟩ *tr, itr CH* parcheggiare.

Parkkralle *f* blocca-ruota *m.* **Parklicht** *n* luce *f* di posizione. **Parklücke** *f* buco *m* (per posteggiare) *fam.* **Parkplatz** *m* parcheggio *m,* posteggio *m; (Parklücke)* buco *m fam.* **Parkplatznot** *f* carenza *f (o* scarsità *f)* di parcheggi. **Parkscheibe** *f* disco *m* orario. **Parkstreifen** *m* corsia *f* di sosta. **Parkstudium** *n fam* studi *m pl* di parcheggio. **Parksünder** *m fam* parcheggiatore, -trice *m, f* abusivo, -a. **Parkuhr** *f* parchimetro *m.* **Parkverbot** *n* divieto *m* di parcheggio (*o* di posteggio).

Parlament [parlaˈmɛnt] ⟨-(e)s, -e⟩ *n* parlamento *m.*

Parlamentarier(in) [...ˈtaːri̯ɐ (...ərɪn)] ⟨-s, -⟩ *m(f)* parlamentare *mf,* membro *m* del parlamento.

parlamentarisch *adj* parlamentare.

Parlamentsbeschluß *m* voto *m* (*o* decisione *f*) del parlamento. **Parlamentssitzung** *f* seduta *f* parlamentare.

Parmesan(käse) [parmeˈzaːn] ⟨-s, ø⟩ *m* parmigiano *m.*

Parodie [paroˈdiː, ...iːən] ⟨-, -n⟩ *f* parodia *f* (*auf +akk* di).

parodieren [...ˈdiːrən] ⟨*ohne ge-*⟩ *tr* parodiare, fare la parodia di.

Parodontose [parodɔnˈtoːzə] ⟨-, -n⟩ *f* paradentosi *f.*

Parole [paˈroːlə] ⟨-, -n⟩ *f* **1.** *mil* parola *f* d'ordine; **2.** *fig* motto *m.*

Parsing [ˈparsɪŋ] ⟨-s, -s⟩ *n inform* analisi *f* sintattica.

Partei [parˈta̯i] ⟨-, -en⟩ *f* **1.** *pol* partito *m;* **2.** *jur, fig* parte *f;* **3.** *(Miet~)* inquilino *m* pigionale; **für jdn ~ ergreifen (***o* **nehmen)** prendere partito per qu. **Parteibuch** *n* tessera *f* del partito; **das richtige/falsche ~ haben** *fig fam* stare dalla parte giusta/sbagliata. **Parteifreund** *m* compagno *m* di partito. **Parteiführung** *f* presidenza *f* del partito. **parteiisch** *adj* parziale. **parteilos** *adj* apartitico, senza partito. **Parteimitglied** *n* membro *m* del partito. **Parteinahme** [-naːmə] ⟨-, -n⟩ *f* presa *f* di posizione. **Parteipolitik** *f* politica *f* di partito. **Parteiprogramm** *n* programma *m* di partito. **Parteispende** *f* finanziamento *m* al partito. **Parteispitze** *f* vertice m *f* del partito. **Parteitag** *m* congresso *m* del partito. **Parteivorsitzende** *mf* presidente, -essa *m, f* del partito.

parterre [parˈtɛr] *adv* a (*o* al) pianterreno. **Parterre** ⟨-s, -s⟩ *n* pianterreno *m.*

Partie [parˈtiː, ...iːən] ⟨-, -n⟩ *f* **1.** *(Teil, Abschnitt, a. mus, theat)* parte *f;* **2.** *sport, ökon* partita *f;* **eine gute ~ machen** fare un buon matrimonio; **(mit) von der ~ sein** *fam* starci.

partiell [parˈtsi̯ɛl] *adj* parziale.

Parties *pl von* **Party.**

Partisan(in) [partiˈzaːn(ɪn)] ⟨-s *o* -en, -en⟩ *m(f)* partigiano, -a *m, f.*

Partition [partiˈtsi̯oːn] *f inform* partizione *f* (di memoria).

Partitur [partiˈtuːɐ̯] ⟨-, -en⟩ *f* partitura *f.*

Partizip [partiˈtsiːp, ...pi̯ən] ⟨-s, -pien⟩ *n,* **Partizipium** [...pi̯ʊm, ...pi̯a] ⟨-s, -pia⟩ *n* participio *m.*

Partner(in) [ˈpartnɐ (...ərɪn)] ⟨-s, -⟩ *m(f)* *(film, Tanz~, Lebens~)* partner *mf; (Spiel~)* compagno, -a *m, f* di gioco; *(Vertrags~)* contraente *mf; (Gesprächs~)* interlocutore, -trice *m, f; ökon* socio, -a *m, f.* **Partnerland** *n* paese *m* associato. **Partnerschaft** ⟨-, -en⟩ *f* **1.** *(Mitarbeit)* collaborazione *f; ökon* compartecipazione *f;* **2.** *(Zusammenleben)* convivenza *f;* **3.** *(Städte~)* gemellaggio *m.* **partnerschaftlich** *adj* di partecipazione. **Partnerstadt** *f* città *f* gemellata. **Partnertausch** *m* scambio *m* di partner.

partout [parˈtuː] *adv fam* a tutti costi, assolutamente.

Party [ˈpaːɐ̯ti] ⟨-, -s *o* Parties⟩ *f* festa *f,* party *m.* **Partyservice** *m* servizio *m* ristoro.

Parzelle [parˈtsɛlə] ⟨-, -n⟩ *f* parcella *f.*

parzellieren [...ˈliːrən] ⟨*ohne ge-*⟩ *tr* lottizzare, dividere in parcelle.

Pascha [ˈpaʃa] ⟨-s, -s⟩ *m* pascià *m.*

Paß [pas] ⟨Passes, Pässe⟩ *m* **1.** *(Reise~)* passaporto *m;* **2.** *(Gebirgs~)* passo *m,* valico *m;* **3.** *sport* passaggio *m.*

passabel [paˈsaːbəl] *adj* discreto.

Passage [paˈsaːʒə] ⟨-, -n⟩ *f* **1.** *(Einkaufs~)* galleria *f;* **2.** *(Text~)* passaggio *m.*

passé [paˈseː] ⟨*inv*⟩ *adj fam* tramontato, passato.

Passagier [pasaˈʒiːɐ̯] ⟨-s, -e⟩ *m* passeggero, -a *m, f,* viaggiatore, -trice *m, f.* **Passagierdampfer** *m* nave *f* passeggeri. **Passagierflugzeug** *n* aereo *m* passeggeri.

Paßamt *n* ufficio *m* passaporti.

Passant(in) [paˈsant(ɪn)] ⟨-en, -en⟩ *m(f)* passante *mf.*

Paßbild *n* fotografia *f* formato tessera (*o* per passaporto).

Pässe *pl von* **Paß.**

passen [ˈpasən] **I. itr 1.** *(harmonieren)* andare (bene) (*zu* a); *(sich eignen)* adattarsi (*zu* a); **2.** *(in Größe, Form)* andare (bene), stare (bene); *(Schuhe)* calzare bene; *(in etw. (akk) hinein~)* entrare; **3.** *(genehm sein)* andare *fam;* **4.** *(beim Kartenspiel)* passare; *(bei Fragen)* non saper rispondere; **genau ~** essere giusto; **der Zeitpunkt paßt mir nicht** il momento non mi va bene; **sie paßt nicht zu ihm** non è fatta per lui; **paßt es dir am**

Samstag um elf Uhr? ti va bene sabato alle undici?; **das könnte dir so ~!** *fam* ti piacerebbe, eh!; **II.** *tr* **1.** *tec* adattare; **2.** *sport (Ball)* passare. **passend** *adj* **1.** *(in Größe, Form)* che va bene; *(zusammen~, geeignet)* adatto *(für* a); **2.** *(angemessen)* adeguato, buono; **3.** *(treffend)* appropriato, giusto; **4.** *(günstig)* opportuno.

passierbar *adj (Weg)* praticabile, transitabile; *(Paß)* valicabile.

passieren [pa'si:rən] ⟨*ohne ge-*⟩ **I.** *tr* ⟨*haben*⟩ *(Grenze, Zensur, gastr)* passare; *(Fluß)* attraversare; *(Paß)* valicare; **II.** *itr* ⟨*sein*⟩ **1.** *(geschehen)* succedere, accadere; **2.** *(widerfahren)* capitare.

Passierschein *m* lasciapassare *m.*

Passion [pa'sio:n] ⟨-, -en⟩ *f* passione *f.*

passioniert [pasio'ni:ɐt] *adj* appassionato.

Passionszeit *f* quaresima *f.*

passiv ['pasi:f *o* pa'si:f] *adj* passivo. **Passiv** ⟨-s, *rar* -e⟩ *n* passivo *m*, forma *f* passiva.

Passiva [pa'si:va] ⟨*pl*⟩ passivo *m.*

Passivität [pasivi'tɛ:t] ⟨-, ø⟩ *f* passività *f.*

passiv·rauchen *itr* fumare passivamente.

Paßkontrolle *f* controllo *m* dei passaporti. **Paßstraße** *f* strada *f* di un passo.

Passus ['pasʊs] ⟨-, -⟩ *m* passo *m.*

Paßwort ⟨-(e)s, -wörter⟩ *n* codice *m.*

Pasta ['pasta, ...tən] ⟨-, Pasten⟩ *f*, **Paste** ['pastə] ⟨-, -n⟩ *f* pasta *f.*

Pastell [pas'tɛl] ⟨-(e)s, -e⟩ *n* pastello *m.* **Pastellfarbe** *f* (colore *m*) pastello *m.* **pastellfarben** *adj* color pastello.

Pasten *pl von* **Pasta, Paste.**

Pastete [pas'te:tə] ⟨-, -n⟩ *f (Leber~, etc.)* pasticcio *m; (Blätterteig~)* vol-au-vent *m.*

pasteurisieren [pastøri'zi:rən] ⟨*ohne ge-*⟩ *tr* pastorizzare.

Pastille [pas'tɪlə] ⟨-, -n⟩ *f* pasticca *f*, pastiglia *f.*

Pastor(in) ['pasto:ɐ *o* ...'to:ɐ (...'to:rɪn), ...'to:rən] ⟨-s, -en⟩ *m(f)* pastore *m.*

Pate ['pa:tə] ⟨-n, -n⟩ *m* padrino *m.* **Patenkind** *n* figlioccio, -a *m, f.* **Patenonkel** *m* padrino *m.* **Patenschaft** ⟨-, -en⟩ *f* paternità *f* spirituale; **die ~ für jdn übernehmen** fare da padrino/madrina a qu.

patent [pa'tɛnt] *adj fam (Mensch)* in gamba; *(Lösung, Idee)* formidabile.

Patent ⟨-(e)s, -e⟩ *n* brevetto *m.* **Patentamt** *n* ufficio *m* brevetti; **Europäisches ~** ufficio *m* brevetti europeo.

Patentante *f* madrina *f.*

patentieren [patɛn'ti:rən] ⟨*ohne ge-*⟩ *tr* brevettare; **etw. ~ lassen** chiedere il brevetto per qc.

Patentinhaber(in) *m(f)* detentore, -trice *m, f* (*o* titolare *mf*) di brevetto. **Patentlösung** *f* ricetta *f* infallibile. **Patentrecht** *n* diritto *m* di brevetto (per invenzioni industriali). **Patentrezept** *s.* **Patentlösung.**

Pater ['pa:tɐ, 'patre:s] ⟨-s, Patres *o* -⟩ *m* padre *m.*

Paternoster [pate'nɔstɐ] ⟨-s, -⟩ *m (Aufzug)* ascensore *m* a paternoster.

pathetisch [pa'te:tɪʃ] *adj* patetico.

Pathologie [patolɔ'gi:] ⟨-, ø⟩ *f* patologia *f.*

pathologisch [pato'lo:gɪʃ] *adj* patologico.

Pathos ['pa:tɔs] ⟨-, ø⟩ *n* pathos *m.*

Patient(in) [pa'tsiɛnt(ɪn)] ⟨-en, -en⟩ *m(f)* paziente *mf.*

Patin ['pa:tɪn] *f* madrina *f.*

Patina ['pa:tina] ⟨-, ø⟩ *f* patina *f.*

Patisserie [patɪsə'ri:, ...i:ən] ⟨-, -n⟩ *f CH* pasticceria *f.*

Patres *pl von* **Pater.**

Patriarch [patri'arç] ⟨-en, -en⟩ *m* patriarca *m.*

patriarchalisch [...'ça:lɪʃ] *adj* patriarcale.

Patriot(in) [patri'o:t(ɪn)] ⟨-en, -en⟩ *m(f)* patriota *mf.*

patriotisch *adj* patriottico.

Patriotismus [...o'tɪsmʊs] ⟨-, ø⟩ *m* patriottismo *m.*

Patron(in) [pa'tro:n(ɪn)] ⟨-s, -e⟩ *m(f)* **1.** *rel, hist* patrono, -a *m, f;* **2.** *fam pej* tipo, -a *m, f.*

Patrone [pa'tro:nə] ⟨-, -n⟩ *f* cartuccia *f.* **Patronentasche** *f* giberna *f.*

Patrouille [pa'trʊljə] ⟨-, -n⟩ *f* **1.** *(Kontrollgang)* ronda *f;* **2.** *(Spähtrupp)* pattuglia *f;* **auf ~ gehen** pattugliare.

patrouillieren [...'ji:rən] ⟨*ohne ge-*⟩ *itr* ⟨*haben o bei Fortbewegung sein*⟩ pattugliare.

patsch [patʃ] *interj* paf(fete).

Patsche ['patʃə] ⟨-, -n⟩ *f* **1.** *fam (Händchen)* manina *f;* **2.** *fam (Matsch)* fanghiglia *f;* **3.** *(Fliegen~)* acchiappamosche *m;* **in der ~ sitzen (*o* stecken)** essere (*o* trovarsi) nei guai (*o* nei pasticci).

patsch(e)naß ['patʃ(ə)'nas] *adj fam* bagnato fradicio *fam.* **Patschhändchen** [-hɛntçən] ⟨-s, -⟩ *n (Kindersprache)* manina *f.*

Patt [pat] ⟨-s, -s⟩ *n* **1.** *(beim Schach)* patta *f;* **2.** *fig pol* stallo *m.*

patzen ['patsən] *itr fam* commettere delle imperfezioni (*bei* in).

Patzer ⟨-s, -⟩ *m fam* errore *m* di esecuzione; *mus* stecca *f.*

patzig *adj fam* sfacciato.

Pauke ['paukə] ⟨-, -n⟩ *f* timpano *m;* **auf die ~ hauen** *fam (feiern)* fare baldoria; *(angeben)* sballarle grosse *fam;* **mit ~n und Trompeten** *fam* con tutti gli onori.

pauken I. *itr* **1.** *(Pauke spielen)* s(u)onare il timpano; **2.** *fam (büffeln)* sgobbare *fam;* **II.** *tr fam* studiare.

Paukenschlag *m* colpo *m* di timpano.

Pauker ⟨-s, -⟩ *m* **1.** *(Paukist)* timpanista *m;* **2.** *sl (Lehrer)* insegnante *m.*

Paul [paul] *(männlicher Vorname)* Paolo.

Paula ['paula] *(weiblicher Vorname)*

Paola.
pausbäckig ['pausbɛkıç] *adj* paffuto.
pauschal [pau'ʃa:l] **I.** *adj* **1.** *fin* globale, forfettario; **2.** *fig (generell)* generale; **II.** *adv* globalmente, in blocco.
Pausch(al)betrag *m,* **Pauschale** [pau'ʃa:lə, ...lən] ⟨-, -n⟩ *f* importo *m* (*o* somma *f*) globale.
Pauschalpreis *m* prezzo *m* globale (*o* forfettario). **Pauschalreise** *f* viaggio *m* tutto compreso. **Pauschalurteil** *n pej* giudizio *m* troppo generico.
Pauschbetrag *s.* **Pauschalbetrag.**
Pause[1] ['pauzə] ⟨-, -n⟩ *f* **1.** *allg., mus* pausa *f; theat, film* intervallo *m; (Schul~)* ricreazione *f;* **2.** *(Rast)* sosta *f,* fermata *f.*
Pause[2] ['pauzə] ⟨-, -n⟩ *f (Durchzeichnung)* calco *m,* lucido *m.*
pausen *tr* fare un calco di, lucidare.
Pausenbrot *n* panino *m.* **pausenfüllend** *adj* che fa da intermezzo. **pausenlos** *adj* ininterrotto. **Pausenzeichen** *n* segnale *m* d'intervallo.
pausieren [pau'zi:rən] ⟨*ohne ge-*⟩ *itr* fare una pausa.
Pauspapier *n* carta *f* lucida.
Pavian ['pa:via:n] ⟨-s, -e⟩ *m* babbuino *m.*
Pavillon ['pavıljõ *o* ...'jõ:] ⟨-s, -s⟩ *m* padiglione *m.*
Pazifik [pa'tsi:fık] *m* Pacifico *m.*
Pazifismus [patsi'fısmʊs] ⟨-, ø⟩ *m* pacifismo *m.*
Pazifist(in) [patsi'fıst(ın)] ⟨-en, -en⟩ *m(f)* pacifista *mf.*
pazifistisch *adj* pacifista.
PC [pe:'tse:] ⟨-(s), -s⟩ *m abk von* **Personalcomputer** PC *m* (*abbr di* personal computer).
PCMCIA [pi:si:emsi:aıeı] *abk von* **Personal Computer Memory Card International Association** P.C.M.C.I.A.; **ein ~-Steckplatz** uno slot P.C.M.C.I.A.
PDA [pi:di:eı] *m abk von* **Personal Digital Assistant** P.D.A. *(assistente informatico personale).*
PDS [pe:de:ɛs] ⟨-⟩ *f abk von* **Partei des Demokratischen Sozialismus** *partito dei comunisti riformisti in Germania.*
Peanuts ['pi:nʌts] *pl fam pej (unbedeutende Summe, Kleinigkeit)* bruscolini *m pl fam,* noccioline *f pl fam.*
Pech [pɛç] ⟨-s *o rar* -es, -e⟩ *n* **1.** *(Material)* pece *f;* **2.** ⟨*sing*⟩ *fig (Unglück)* sfortuna *f,* scalogna *f fam.* **pech(raben)schwarz** ['pɛç('ra:bən)'ʃvarts] *adj fam* nero come la pece. **Pechsträhne** *f fam* serie *f* (*o* sequela *f*) di disgrazie; **eine ~ haben** essere perseguitato dalla scalogna *fam.* **Pechvogel** *m* scalognato, -a *m, f fam.*
Pedal [pe'da:l] ⟨-s, -e⟩ *n* pedale *m.*
Pedant(in) [pe'dant(ın)] ⟨-en, -en⟩ *m(f)* pedante *mf,* pignolo, -a *m, f.*
Pedanterie [pedantə'ri:, ...i:ən] ⟨-, -n⟩ *f* pedanteria *f,* pignoleria *f.*
pedantisch *adj* pedante, pignolo.
Pedell [pe'dɛl] ⟨-s, -e⟩ *m obs* bidello *m.*
Peep-Show ['pi:p-] *f* peep-show *m.*
Pegel ['pe:gəl] ⟨-s, -⟩ *m (Meer~)* mareografo *m; (Fluß~)* idrometro *m.* **Pegelstand** *m* livello *m* dell'acqua.
peilen ['pailən] *tr* rilevare, determinare; *(a. fig)* sondare; **über den Daumen ~** *fam* calcolare approssimativamente; **über den Daumen gepeilt** *fam* a occhio e croce.
Peilgerät *n* apparecchio *m* di rilevamento.
Pein [pain] ⟨-, ø⟩ *f geh* pena *f.*
peinigen ['painıgən] *tr geh* tormentare.
Peiniger(in) ⟨-s, -⟩ *m(f) geh* tormentatore, -trice *m, f; (Folterer)* torturatore, -trice *m, f.*
peinlich *adj* **1.** *(unangenehm)* penoso, imbarazzante; **2.** *(übergenau, gewissenhaft)* meticoloso, preciso; **3.** *(sorgfältig)* scrupoloso; **~e Sauberkeit/Ordnung** massima pulizia/ordine scrupoloso; **von etw. ~ berührt sein** essere imbarazzato per qc; **es ist mir sehr ~, daß ...** mi dispiace molto che +*congv.*
Peitsche ['paitʃə] ⟨-, -n⟩ *f* frusta *f; (a. fig)* sferza *f.*
peitschen I. *tr* frustare; *(a. fig u. aus~)* sferzare; **II.** *itr (Regen)* battere.
Peitschenhieb *m* frustata *f,* sferzata *f.*
Pelikan ['pe:lika:n] ⟨-s, -e⟩ *m* pellicano *m.*
Pelle ['pɛlə] ⟨-, -n⟩ *f (Kartoffel~, Obst~)* buccia *f; (Wurst~)* pelle *f;* **jdm auf der ~ sitzen** (*o* **liegen**) *fam* essere sempre alle costole di qu.
pellen I. *tr (Obst)* pelare, sbucciare; *(Kartoffeln, Wurst)* pelare; **II.** *rfl:* **sich ~** pelarsi.
Pellkartoffeln *f pl* patate *f pl* lesse.
Pelz [pɛlts] ⟨-es, -e⟩ *m* pelliccia *f.* **pelzbesetzt** *adj* guarnito di pelliccia. **Pelzgeschäft** *n* pellicceria *f.* **Pelzmantel** *m* pelliccia *f.*
Pendant [pã'dã] ⟨-s, -s⟩ *n* pendant *m* (*zu* di).
Pendel ['pɛndəl] ⟨-s, -⟩ *n* pendolo *m.*
pendeln *itr* **1.** ⟨*haben*⟩ *(schwingen)* pendolare; *(a. fig)* oscillare; **2.** ⟨*sein*⟩ *(hin- u. herfahren)* fare la spola (*von ... nach* tra ... e, *zwischen* tra).
Pendelverkehr *m* traffico *m* pendolare.
Pendler(in) ⟨-s, -⟩ *m(f)* pendolare *mf.*
penetrant [pene'trant] *adj (Geruch)* penetrante; *pej (Person)* invadente.
peng [pɛŋ] *interj* pam.
penibel [pe'ni:bəl] *adj (peinlich genau)* meticoloso, preciso; *(kleinlich)* pignolo.
Penis ['pe:nıs, ...nısə *o* ...ne:s] ⟨-, -se *o* Penes⟩ *m* pene *m.*
Penizillin, *A* **Penicillin** [penitsi'li:n] ⟨-s, -e⟩ *n* penicillina *f.*
Pennäler(in) [pɛ'nɛ:lɐ (...ərın)] ⟨-s, -⟩ *m(f)*

fam obs studente, -essa *m, f* di scuola superiore.
Penne ['pɛnə] ⟨-, -n⟩ *f sl* scuola *f* (superiore).
pennen ['pɛnən] *itr sl* dormire.
Penner(in) ⟨-s, -⟩ *m(f) sl pej* **1.** *(Pennbruder)* vagabondo, -a *m, f;* **2.** *(Schlafmütze)* persona *f* disattenta.
Pensa, Pensen *pl von* **Pensum.**
Pension [pã'zi̯o:n *o* pɛn'zi̯o:n] ⟨-, -en⟩ *f* pensione *f.*
Pensionär(in) [pãzi̯o'nɛ:ɐ̯ (...rɪn) *o* pɛnz...] ⟨-s, -e⟩ *m(f)* **1.** *(im Ruhestand)* pensionato, -a *m, f;* **2.** *obs, CH (Pensionsgast)* pensionante *mf.*
Pensionat [...'na:t] ⟨-(e)s, -e⟩ *n* collegio *m,* pensionato *m.*
pensionieren [...'ni:rən] ⟨*ohne ge-*⟩ *tr* mandare in pensione; **sich ~ lassen** andare in pensione. **pensioniert** *adj* pensionato, a riposo.
Pensionierung ⟨-, -en⟩ *f* pensionamento *m.*
Pensionsalter *n* età *f* di pensionamento. **Pensionsgast** *m* pensionante *mf.*
Pensum [pɛnzʊm, ...zən *o* ...za] ⟨-s, Pensen *o* Pensa⟩ *n (Arbeits~)* lavoro *m,* compito *m; (Unterrichts~)* programma *m.*
Penthouse ['pɛnthaus] ⟨-, -s⟩ *n* attico *m.*
Pep [pɛp] *m fam* pepe *m fam.*
Peperoni [pepe'ro:ni] ⟨-, -⟩ *f* ⟨*meist pl*⟩ peperoncino *m.*
per [pɛr] *prp* **1.** *(mittels, durch)* per, con; **2.** *ökon (pro)* per, a; **mit jdm ~ du sein** darsi del tu con qu; **~ Bahn** per ferrovia; **~ Flugzeug** via aerea; **~ Stück** il pezzo.
Percussion [pə'kʌʃən] ⟨-, -s⟩ *f* batteria *f,* percussioni *f pl.*
perfekt [pɛr'fɛkt] *adj* **1.** *(vollkommen)* perfetto; **2.** *(abgeschlossen)* concluso; **einen Kauf ~ machen** perfezionare un acquisto; **damit war die Blamage ~** in tal modo la figuraccia era completa.
Perfekt ['pɛrfɛkt] ⟨-(e)s, -e⟩ *n* perfetto *m.*
Perfektion [pɛfɛk'tsi̯o:n] ⟨-, -en⟩; *f* perfezione *f,* compiutezza *f.*
perfektionieren [pɛrfɛktsio'ni:rən] ⟨*ohne ge-*⟩ *tr* perfezionare.
Perfektionist(in) [...tsi̯o'nɪst(ɪn)] ⟨-en, -en⟩ *m(f)* perfezionista *mf.*
perfid(e) [pɛr'fi:t (...i:də)] *adj geh* perfido.
Perforation [pɛrfora'tsi̯o:n] ⟨-, -en⟩ *f* perforazione *f.*
perforieren [...'ri:rən] ⟨*ohne ge-*⟩ *tr* perforare.
Pergament [pɛrga'mɛnt] ⟨-(e)s, -e⟩ *n* pergamena *f.* **Pergamentpapier** *n* carta *f* pergamena.
Periode [pe'ri̯o:də] ⟨-, -n⟩ *f* periodo *m; (Menstruation)* mestruazione *f.* **Periodensystem** *n* sistema *m* periodico.
periodisch *adj* periodico.
Peripherie [perife'ri:, ...i:ən] ⟨-, -n⟩ *f* **1.** *(Rand)* margine *m;* **2.** *mat* circonferenza *f;* **3.** *(Stadtrand)* periferia *f;* **4.** *inform* periferia *f.* **Peripheriegerät** *n inform* unità *f* periferica.
Perle ['pɛrlə] ⟨-, -n⟩ *f* perla *f.*
perlen *itr (Schweiß, Tau)* imperlare; *(Sekt)* spumeggiare.
Perlhuhn *n* (gallina *f*) faraona *f.* **Perlmutt** [pɛrl'mʊt] ⟨-s, ø⟩ *n,* **Perlmutter** ⟨-, ø⟩ *f o* ⟨-s, ø⟩ *n* madreperla *f.*
permanent [pɛrma'nɛnt] *adj* permanente.
perplex [pɛr'plɛks] *adj* perplesso.
Perron [pɛ'rõ:] ⟨-s, -s⟩ *m CH* marciapiede *m.*
Perser(in) ['pɛrzɐ (...ərɪn)] ⟨-s, -⟩ *m(f)* persiano, -a *m, f.* **Perser(teppich)** *m* tappeto *m* persiano.
Persianer [pɛr'zi̯a:nɐ] ⟨-s, -⟩ *m* persiano *m.*
Persien ['pɛrzi̯ən] *n* Persia *f.*
Persiflage [pɛrzi'fla:ʒə] ⟨-, -n⟩ *f* persiflage *f,* canzonatura *f fam.*
persisch *adj* persiano; *(geog a.)* persico.
Person [pɛr'zo:n] ⟨-, -en⟩ *f allg., gram* persona *f; theat, film, lit* personaggio *m; (Einzel~)* individuo *m;* **pro ~** a testa, a persona; **in ~** in persona, personalmente; **in (eigener) ~ erscheinen** presentarsi di persona; **ich für meine ~** in quanto a me.
Personal [pɛrzo'na:l] ⟨-s, ø⟩ *n* personale *m.* **Personalabteilung** *f* ufficio *m* del personale. **Personalakte** *f* cartella *f* personale. **Personalausweis** *m* carta *f* d'identità. **Personalberater(in)** *m(f)* consulente *mf* del personale. **Personalberatung** *f (~sgesellschaft)* società *f* di consulenza professionale. **Personalbüro** *n s.* **Personalabteilung. Personalchef** *m* capo *m* del personale.
Personalcomputer *m (abk* **PC***)* personal computer *m.*
Personalien [pɛrzo'na:li̯ən] ⟨*pl*⟩ generalità *f pl.*
Personalkosten ⟨*pl*⟩ spese *f pl* per il personale. **Personalpolitik** *f* politica *f* del personale.
Personalpronomen *n* pronome *m* personale.
personell [pɛrzo'nɛl] *adj* **1.** *(die Person betreffend)* personale; **2.** *(das Personal betreffend)* del personale.
Personenaufzug *m* ascensore *m* (per persone). **Personenbeschreibung** *f* connotati *m pl* di una persona. **Personenkontrolle** *f* controllo *m* delle persone. **Personen(kraft)wagen** *m* (*abk* **PKW, Pkw**) autovettura *f.* **Personenkreis** *m* cerchia *f* di persone. **Personenschaden** *m* danno *m* alle persone. **Personenschutz** *m* guardia *f* del corpo. **Personenverkehr** *m* traffico *m* viaggiatori. **Personenwaage** *f* bilancia *f* per persone. **Personenwagen** *s.* **Personenkraftwagen.**
personifizieren [pɛrzonifi'tsi:rən] ⟨*ohne*

ge-⟩ *tr* personificare.
persönlich [pɛr'zø:nlɪç] **I.** *adj* personale; *(individuell)* individuale; *(privat)* privato; **II.** *adv* personalmente, di persona; **etw. ~ nehmen** prendere qc personalmente. **Persönlichkeit** ⟨-, -en⟩ *f* personalità *f*. **Persönlichkeitsmerkmale** *n pl* caratteristiche *f pl* (*o* tratti *m pl* peculiari) della personalità.
Perspektive [pɛrspɛk'ti:və] ⟨-, -n⟩ *f* prospettiva *f; (Blickwinckel a.)* punto *m* di vista.
perspektivisch *adj* prospettico.
perspektivlos *adj* senza prospettive. **Perspektivlosigkeit** ⟨-, ø⟩ *f* mancanza *f* di prospettive.
Perücke [pe'rʏkə] ⟨-, -n⟩ *f* parrucca *f*.
pervers [pɛr'vɛrs] *adj* perverso.
Perversion [...r'zio:n] ⟨-, -en⟩ *f* perversione *f*.
Pessar [pɛ'sa:ɐ] ⟨-s, -e⟩ *n* pessario *m*.
Pessimismus [pɛsi'mɪsmʊs] ⟨-, ø⟩ *m* pessimismo *m*.
Pessimist(in) [...'mɪst(ɪn)] ⟨-en, -en⟩ *m(f)* pessimista *mf*.
pessimistisch *adj* pessimista, pessimistico.
Pest [pɛst] ⟨-, ø⟩ *f* peste *f*; **etw. hassen wie die ~** *fam* odiare qc come il peccato.
Pestizid [pɛsti'tsi:t] ⟨-s, -e⟩ *n* pesticida *m*.
Peter ['pe:tɐ] *(männlicher Vorname)* Pietro, Piero.
Petersilie [petɐ'zi:liə] ⟨-, -n⟩ *f* prezzemolo *m*.
Petra ['pe:tra] *(weiblicher Vorname)* Piera.
Petroleum [pe'tro:leʊm] ⟨-s, ø⟩ *n* petrolio *m*, greggio *m*. **Petroleumlampe** *f* lampada *f* a petrolio.
petzen ['pɛtsən] *fam* **I.** *itr* fare la spia; **II.** *tr* riportare (*jdm etw.* qc a qu).
Pf *abk von* **Pfennig(e)** pfennig.
Pfad [pfa:t] ⟨-(e)s, -e⟩ *m* sentiero *m; inform* path *m*.
Pfader ['pfa:dɐ] ⟨-s, -⟩ *m CH*, **Pfadfinder(in)** *m(f)* giovane esploratore, -trice *m, f*, (boy) scout *(m)f*.
Pfaffe ['pfafə] ⟨-n, -n⟩ *m pej* pretaccio *m*.
Pfahl [pfa:l] ⟨-(e)s, Pfähle⟩ *m* palo *m*. **Pfahlbauten** *m pl hist* palafitte *f pl*.
Pfalz [pfalts] *f* Palatinato *m*.
pfälzisch ['pfɛltsɪʃ] *adj* del Palatinato.
Pfand [pfant] ⟨-(e)s, Pfänder⟩ *n* pegno *m; (Flaschen~)* deposito *m* per il vuoto; **gegen ~** su pegno. **Pfandbrief** *m* obbligazione *f* ipotecaria.
pfänden ['pfɛndən] *tr* **1.** *(Dinge)* pignorare, sequestrare; **2.** *(Personen)* pignorare (*o* sequestrare) i beni di.
Pfandflasche *f* bottiglia *f* con resa. **Pfandhaus** *n*, **-leihe** ⟨-, -n⟩ *f* monte *m* di pietà. **Pfandschein** *m* polizza *f* di pegno.
Pfändung ⟨-, -en⟩ *f* pignoramento *m*.
Pfanne ['pfanə] ⟨-, -n⟩ *f* **1.** *(Stiel~)* padella *f; (Henkel~)* tegame *m;* **2.** *(Dach~)* tegola *f* fiamminga.
Pfannkuchen *m* frittata *f*.
Pfarramt ['pfar-] *n* parrocchia *f*. **Pfarrbezirk** *m*, **Pfarre** [pfarə] ⟨-, -n⟩ *f A*, **Pfarrei** [pfa'rai] ⟨-, -en⟩ *f* parrocchia *f*.
Pfarrer(in) ['pfarɐ (...ərɪn)] ⟨-s, -⟩ *m(f) (katholisch)* parrocco *m; (evangelisch)* pastore *m*.
Pfarrhaus *n* canonica *f*. **Pfarrkirche** *f* chiesa *f* parrocchiale.
Pfau [pfau] ⟨-(e)s *o A* -en, -en *o A* -e⟩ *m* pavone *m*. **Pfauenauge** *n* pavonia *f*.
Pfd. *abk von* **Pfund** lb (*abbr di* libbra).
Pfeffer ['pfɛfɐ] ⟨-s, -⟩ *m* pepe *m;* **geh hin, wo der ~ wächst!** *fam* va' all'inferno! *fam*. **Pfefferkorn** *n* grano *m* di pepe. **Pfefferkuchen** *m* panpepato *m*. **Pfefferminz(bonbon** *m o n)* ⟨-es, -e⟩ *n* (caramella *f* di) menta *f*. **Pfefferminze** *f* menta *f* piperita. **Pfeffermühle** *f* macinapepe *m*.
pfeffern *tr* **1.** *gastr* pepare; **2.** *sl (schleudern)* scaraventare; **jdm eine ~** *sl* dare una sberla a qu.
Pfeffersteak *n* bistecca *f* al pepe. **Pfefferstreuer** ⟨-s, -⟩ *m* spargipepe *m*.
Pfeife ['pfaifə] ⟨-, -n⟩ *f* **1.** *mus* piffero *m*, zufolo *m; (Signal~)* fischio *m*, fischietto *m; (Orgel~)* canna *f* (d'organo); **2.** *(Tabaks~)* pipa *f*.
pfeifen ⟨pfeift, pfiff, gepfiffen⟩ *tr, itr* fischiare; **auf etw./jdn ~** *fam* infischiarsene di qc/qu *fam*.
Pfeifenreiniger ⟨-s, -⟩ *m* scovolino *m*. **Pfeifenstopfer** ⟨-s, -⟩ *m* curapipe *m*.
Pfeifkonzert *n* salva *f* di fischi.
Pfeil [pfail] ⟨-(e)s, -e⟩ *m* freccia *f;* **~e des Spotts** *geh* frecciate *f pl* ironiche.
Pfeiler ['pfailɐ] ⟨-s, -⟩ *m (Stütz~)* pila *f; (a. Brücken~)* pilone *m; arch, min, fig* pilastro *m; (Fenster~, Tür~)* montante *m*.
pfeilgerade ['pfailgə'ra:də] *adj* dritto come una freccia. **pfeilschnell** ['pfail'ʃnɛl] *adj* veloce come una freccia.
Pfennig ['pfɛnɪç] ⟨-s, -e *o bei Mengenangaben* -⟩ *m* (*abk* **Pf**) pfennig *m;* **keinen ~ (Geld) haben** non avere un soldo; **jeden ~ (dreimal) umdrehen** *fig fam* badare al centesimo. **Pfennigabsatz** *m* tacco *m* a spillo. **Pfennigfuchser** [-fʊksɐ] ⟨-s, -⟩ *m fam pej* spilorcio *m*.
pferchen ['pfɛrçən] *tr* stipare.
Pferd [pfe:ɐt] ⟨-(e)s, -e⟩ *n* cavallo *m;* **das beste ~ im Stall** *fam* l'elemento migliore; **das ~ am (*o* beim) Schwanz aufzäumen** *fig* mettere il carro innanzi ai buoi; **wie ein ~ arbeiten** *fam* lavorare come una bestia *fam;* **zu ~** a cavallo; **keine zehn ~e brächten mich dazu, das zu tun** *fam* non c'è barba d'uomo che possa convincermi a farlo; **ich glaub', mich tritt ein ~!** *sl* (è) incredibile! **Pferdeapfel** *m* sterco *m* equino. **Pferdefuß** *m*

1. *zoo* piede *m* di cavallo; 2. *fig (Nachteil)* inconveniente *m*. **Pferderennen** *n* corsa *f* di cavalli. **Pferdeschwanz** *m* coda *f* di cavallo. **Pferdestall** *m* scuderia *f*. **Pferdestärke** *f* (*abk* **PS**) cavallo *m* vapore; **ein Motor mit 60 ~n** un motore da 60 cavalli. **Pferdezucht** *f* allevamento *m* di cavalli.

pfiff [pfɪf] *imp von* **pfeifen**.

Pfiff ⟨-(e)s, -e⟩ *m* fischio *m*; **ein Hut mit ~** un cappello chic; **die Sache hat ~** è una cosa speciale.

Pfifferling ['pfɪfelɪŋ] ⟨-s, -e⟩ *m* gallinaccio *m*, cantarello *m*; **keinen ~ wert sein** *fam* non valere un fico secco *fam*.

pfiffig *adj* furbo, astuto.

Pfingsten ['pfɪŋstən] ⟨-, -⟩ *n* Pentecoste *f*. **Pfingstrose** *f* peonia *f*.

Pfirsich ['pfɪrzɪç] ⟨-s, -e⟩ *m* pesca *f*. **Pfirsichbaum** *m* pesco *m*.

Pflanze ['pflantsə] ⟨-, -n⟩ *f* pianta *f*.

pflanzen *tr* piantare.

Pflanzenfett *n* grasso *m* vegetale. **Pflanzenfresser** ⟨-s, -⟩ *m* fitofago *m*, erbivoro *m*. **Pflanzenkunde** *f* botanica *f*. **Pflanzenöl** *n* olio *m* vegetale. **Pflanzenschutzmittel** *n* fitofarmaco *m*.

Pflanzer(in) ⟨-s, -⟩ *m(f)* piantatore, -trice *m, f*.

pflanzlich *adj* vegetale; **~e Erzeugnisse** prodotti di origine vegetale.

Pflanzung ⟨-, -en⟩ *f* 1. *(Plantage)* piantagione *f*; 2. ⟨*sing*⟩ *(Anbau)* coltivazione *f*.

Pflaster ['pflaste] ⟨-s, -⟩ *n* 1. *(Wund~, Heft~)* cerotto *m*; 2. *(Straßen~)* pavimentazione *f*, lastrico *m*; **ein gefährliches (*o* heißes) ~** *fam* una zona pericolosa (*o* calda); **ein teures ~** *fam* un posto caro. **Pflastermaler(in)** *m(f)* madonnaro, -a *m, f*.

pflastern *tr* lastricare, selciare.

Pflasterstein *m* cubetto *m* per lastrico.

Pflaume ['pflaumə] ⟨-, -n⟩ *f* prugna *f*, susina *f*. **Pflaumenbaum** *m* prugno *m*, susino *m*. **Pflaumenkuchen** *m* torta *f* di prugne.

Pflege ['pfle:gə] ⟨-, -n⟩ *f* 1. *(Körper~)* cura *f*; *(Kranken~)* assistenza *f*; *tec* manutenzione *f*; 2. *(von Interessen, Beziehungen)* cura *f*, coltivare *m*; 3. *(Fürsorge)* cure *f pl*; **in ~ geben/nehmen** affidare alle cure/prendersi cura di. **pflegebedürftig** *adj* bisognoso di cure. **Pflegeeltern** *pl* genitori *m pl* che hanno in custodia un bambino. **Pflegefall** *m* assistito, -a *m, f*. **Pflegeheim** *n* ricovero *m*. **Pflegehelfer(in)** *m(f)* assistente *mf* sanitario, -a. **Pflegekind** *n* pupillo, -a *m, f*. **pflegeleicht** *adj*: **ein ~es Kleidungsstück** un (indumento) lava e indossa. **Pflegemutter** *f* donna *f* che fa le veci di madre.

pflegen I. *tr* curare, avere cura di; *(Kranke)* assistere; *(Freundschaft, Interessen)* coltivare; *(Sport, etc.)* praticare; **II.** *itr* essere abituato (*zu* a); **wie man zu sagen pflegt** come si suol dire; **III.** *rfl*: **sich ~ 1.** *(äußerlich)* curarsi, aver cura di sé; **2.** *(sich schonen)* riguardarsi.

Pflegenotstand *m* mancanza *f* di personale sanitario. **Pflegepersonal** *n* personale *m* sanitario.

Pfleger(in) ⟨-s, -⟩ *m(f)* *(Kranken~)* infermiere, -a *m, f*; *(Tier~)* allevatore, -trice *m, f*.

Pflegesatz *m* retta *f*. **Pflegeserie** *f* *(Kosmetik)* gamma *f* completa di prodotti cosmetici. **Pflegevater** *m* uomo *m* che fa le veci di padre. **Pflegeversicherung** *f* assicurazione *f* per l'assistenza ai non autosufficienti.

Pflegschaft ⟨-, -en⟩ *f* curatela *f*; *(Vormundschaft)* tutela *f*.

Pflicht [pflɪçt] ⟨-, -en⟩ *f* **1.** dovere *m*; *(Verpflichtung a.)* obbligo *m*; **2.** *sport* esercizi *m pl* obbligatori. **pflichtbewußt** *adj* consapevole del proprio dovere. **Pflichtbewußtsein** *n* coscienza *f* del dovere. **Pflichtfach** *n* materia *f* obbligatoria. **Pflichtgefühl** *n* senso *m* del dovere. **Pflichtteil** *m jur* legittima *f*. **Pflichtübung** *f* esercizio *m* obbligatorio. **pflichtversichert** *adj*: **~ sein** avere l'assicurazione d'obbligo. **Pflichtversicherung** *f* assicurazione *f* d'obbligo. **Pflichtverteidiger(in)** *m(f)* difensore *m* d'ufficio.

Pflock [pflɔk] ⟨-(e)s, Pflöcke⟩ *m* palo *m*.

pflücken ['pflʏkən] *tr (Obst)* raccogliere; *(Blumen)* cogliere.

Pflug [pflu:k] ⟨-(e)s, Pflüge⟩ *m* aratro *m*.

pflügen ['pfly:gən] *tr, itr* arare.

Pforte ['pfɔrtɛ] ⟨-, -n⟩ *f* porta *f*.

Pförtner(in) ['pfœrtne (...ərɪn)] ⟨-s, -⟩ *m(f)* portinaio, -a *m, f*, custode *mf*; *adm* portiere, -a *m, f*. **Pförtnerloge** *f* portineria *f*.

Pfosten ['pfɔstən] ⟨-s, -⟩ *m* palo *m*; *(Fenster~, Tür~, Tor~)* montante *m*.

Pfote ['pfo:tə] ⟨-, -n⟩ *f* zampa *f*.

Pfropf [pfrɔpf] ⟨-(e)s, -e⟩ *m* tampone *m*; *(Blut~)* grumo *m*.

pfropfen ['pfrɔpfən] *tr* **1.** *(Pflanzen)* innestare; **2.** *(Flaschen)* tappare, turare; **3.** *fam (hineinzwängen)* stipare; **gepfropft voll** *fam* pieno zeppo.

Pfropfen ⟨-s, -⟩ *m* turacciolo *m*.

Pfründe ['pfrʏndə] ⟨-, -n⟩ *f* prebenda *f*.

pfui [pfuɪ] *interj* puh, puah; *(zu Hunden)* via; **~ Teufel!** *fam* che schifo!

Pfund [pfʊnt] ⟨-(e)s, -e *o bei Maßangaben* -⟩ *n* **1.** (*abk* **Pfd.**) *(Gewicht)* mezzo chilo *m*; **2.** *(Währung)* sterlina *f*.

Pfundskerl *m fam* tipo, -a *m, f* in gamba.

Pfusch [pfʊʃ] ⟨-(e)s, ø⟩ *m*, **Pfuscharbeit** *f fam pej* lavoro *m* fatto male.

pfuschen *itr fam pej* **1.** *(bei Arbeit)* abborracciare, acciarpare; **2.** *(bei Spiel, in Schule)* imbrogliare; **jdm ins Handwerk ~** guastare il mestiere a qu.

Pfütze ['pfʏtsə] ⟨-, -n⟩ *f* pozzanghera *f*.

PH [pe:'ha:] ⟨-, -s⟩ *f abk von* **Pädagogische Hochschule** *istituto universitario per la formazione di insegnanti per la scuola.*
pH-Wert *m* (valore di) pH *m.*
Phallus ['falʊs, ...li *o* ...lən] ⟨-, Phalli *o* Phallen *o* -se⟩ *m* fallo *m.*
Phänomen [fɛno'me:n] ⟨-s, -e⟩ *n* fenomeno *m.*
phänomenal [...me'na:l] *adj* **1.** *philos* fenomenico; **2.** *(einzigartig)* fenomenale.
Phantasie [fanta'zi:, ...i:ən] ⟨-, -n⟩ *f* fantasia *f,* immaginazione *f.* **phantasielos I.** *adj* pedestre; **II.** *adv* senza fantasia. **Phantasielosigkeit** ⟨-, ø⟩ *f* mancanza *f* di fantasia.
phantasieren [...'zi:rən] ⟨*ohne ge-*⟩ *itr* fantasticare (*von* su); *med* delirare.
phantasievoll I. *adj* pieno di immaginazione; **II.** *adv* in modo colorito.
phantastisch [fan'tastɪʃ] *adj* fantastico.
Phantom [fan'to:m] ⟨-s, -e⟩ *n* fantasma *m.* **Phantombild** *n* identikit *m.*
Pharmaindustrie ['farma...] *f* industria *f* farmaceutica. **Pharmareferent(in)** *m(f)* rappresentante *mf* di una casa farmaceutica. **Pharmaunternehmen** *n* casa *f* farmaceutica.
pharmazeutisch [farma'tsɔʏtɪʃ] *adj* farmaceutico.
Pharmazie [...'tsi:] ⟨-, ø⟩ *f* farmaceutica *f.*
Phase ['fa:zə] ⟨-, -n⟩ *f* fase *f.*
Philatelie [filate'li:] ⟨-, ø⟩ *f* filatelia *f.*
Philharmonie [fɪlharmo'ni:] *f* filarmonica *f.*
Philipp ['fi:lɪp] *(männlicher Vorname)* Filippo.
Philologe [filo'lo:gə] ⟨-n, -n⟩ *m,* **Philologin** [...gɪn] *f* filologo, -a *m, f.*
Philologie [...lo'gi:, ...i:ən] ⟨-, -n⟩ *f* filologia *f.*
Philosoph(in) [...'zo:f(ɪn)] ⟨-en, -en⟩ *m(f)* filosofo, -a *m, f.*
Philosophie [filozo'fi:, ...i:ən] ⟨-, -n⟩ *f* filosofia *f.*
philosophieren [...'fi:rən] ⟨*ohne ge-*⟩ *itr* filosofare (*über +akk* su, di).
philosophisch *adj* filosofico.
phlegmatisch [flɛ'gma:tɪʃ] *adj* flemmatico.
Phobie [fo'bi:, ...i:ən] ⟨-, -n⟩ *f* fobia *f* (*vor +dat* di).
Phon [fo:n] ⟨-s, -s *o bei Maßangaben* -⟩ *n* fon *m.*
Phonetik [fo'ne:tɪk] ⟨-, ø⟩ *f* fonetica *f.*
Phönix ['fø:nɪks] ⟨-(es), -e⟩ *m* fenice *f.*
Phonotypist(in) [fonoty'pɪst(ɪn)] ⟨-s, -en⟩ *m(f)* dattilografo, -a *m, f.*
Phosphat [fɔs'fa:t] ⟨-(e)s, -e⟩ *n* fosfato *m.* **phosphatfrei** *adj* senza fosfati. **phosphathaltig** *adj* fosfatico.
Phosphor ['fɔsfɔr] ⟨-s, ø⟩ *m* fosforo *m.*
phosphoreszierend [fɔsforɛs'tsi:rənt] *adj* fosforescente.
Photo- *s. a. Foto-.* **Photoreportage** *f* fotoreportage *m.* **Photosynthese** [fotozʏn'te:zə] *f* fotosintesi *f.* **Photozelle** ['fo:to-] *f* cellula *f* fotoelettrica.
Phrase ['fra:zə] ⟨-, -n⟩ *f* frase *f;* **(leere) ~n** discorsi vuoti.
Physik [fʏ'zi:k] ⟨-, ø⟩ *f* fisica *f.*
physikalisch [fyzi'ka:lɪʃ] *adj* fisico.
Physiker(in) ['fy:zikɐ (...ərɪn)] ⟨-s, -⟩ *m(f)* fisico, -a *m, f.*
Physiognomie [fyziogno'mi:, ...i:ən] ⟨-, -n⟩ *f* fisionomia *f.*
Physiologe [fyzio'lo:gə] ⟨-n, -n⟩ *m,* **Physiologin** [...gɪn] *f* fisiologo, -a *m, f.*
Physiologie [fyziolo'gi:] ⟨-, ø⟩ *f* fisiologia *f.*
physisch ['fy:zɪʃ] *adj* fisico.
Pianist(in) [pia'nɪst(ɪn)] ⟨-en, -en⟩ *m(f)* pianista *mf.*
Picke ['pɪkə] ⟨-, -n⟩ *f,* **Pickel**[1] ['pɪkəl] ⟨-s, -⟩ *m (Spitzhacke)* piccone *m; (Eis~)* piccozza *f* per ghiaccio.
Pickel[2] ['pɪkəl] ⟨-s, -⟩ *m med* brufolo *m,* pustoletta *f.* **pick(e)lig** *adj* pieno di brufoli.
picken ['pɪkən] *tr, itr* beccare.
Picknick ['pɪknɪk] ⟨-s, -e *o* -s⟩ *n* picnic *m;* **~ machen** fare un picnic. **picknicken** *itr* fare un picnic.
picobello ['pi:ko'bɛlo] *adj fam* impeccabile.
piekfein ['pi:k'fain] *adj fam* extra, finissimo.
Piemont [pie'mɔnt] *n* Piemonte *m.*
piep [pi:p] *interj* pio, pio.
piepe, piepegal ['pi:pə, 'pi:pˀe'ga:l] *adj fam:* **das ist mir ~!** me ne impipo *fam.*
piep(s)en ['pi:p(s)ən] *itr (Vogel)* pigolare; *(Maus)* squittire; *(Gerät)* emettere segnali; **bei dir piept's wohl?** *fam* ti manca un venerdì? *fam;* **das war zum P~!** *fam* c'era da scoppiare dalle risa.
Piercing ['pɪəsɪŋ] ⟨-, ø⟩ *n* piercing *m.*
piesacken ['pi:zakən] *tr fam* tormentare.
Pietät [pie'tɛ:t] ⟨-, ø⟩ *f geh* pietà *f.* **pietätlos** *adj geh* senza pietà, irriverente. **Pietätlosigkeit** ⟨-, -en⟩ *f geh* mancanza *f* di rispetto, irriverenza *f.*
Pigment [pɪ'gmɛnt] ⟨-(e)s, -e⟩ *n* pigmento *m.*
Pik [pi:k] ⟨-s, -s⟩ *n* picche *f pl.*
pikant [pi'kant] *adj* piccante.
Pike ['pi:kə] ⟨-, -n⟩ *f* picca *f;* **etw. von der ~ auf lernen** *fam* cominciare qc dai primi rudimenti.
piken ['pi:kən] *s.* **piksen.**
pikiert [pi'ki:ɐt] *adj geh* offeso.
Pikkolo ['pɪkolo] ⟨-s, -s⟩ *m* **1.** *(Kellner)* aiuto *m* cameriere; **2.** *fam (~flasche)* bottiglietta *f* di spumante (per una persona). **Pikkoloflöte** *f* ottavino *m.*
pik(s)en ['pi:k(s)ən] *tr, itr* pungere.
Piktogramm [pɪkto'gram] ⟨-s, -e⟩ *n* pittogramma *m.*
Pilger(in) ['pɪlgɐ (...ərɪn)] ⟨-s, -⟩ *m(f)* pellegrino, -a *m, f.* **Pilgerfahrt** *f* pellegrinag-

gio *m*.

pilgern *itr* ⟨*sein*⟩ andare in pellegrinaggio.

Pille ['pɪlə] ⟨-, -n⟩ *f* pillola *f*; **die ~ danach** la pillola del giorno dopo. **Pillenknick** *m* calo *m* demografico dovuto alla pillola.

Pilot(in) [pi'lo:t(ɪn)] ⟨-en, -en⟩ *m(f)* pilota *mf*. **Pilotanlage** *f* impianto *m* pilota. **Pilotfilm** *m* film *m* pilota. **Pilotprojekt** *n* progetto *m* pilota. **Pilotstudie** *f* studio *m* pilota.

Pilz [pɪlts] ⟨-es, -e⟩ *m* fungo *m*. **Pilzvergiftung** *f* avvelenamento *m* (*o* intossicazione *f*) da funghi.

Pimmel ['pɪməl] ⟨-s, -⟩ *m fam* uccello *m sl*.

pingelig ['pɪŋəlɪç] *adj fam pej* pedante; *(empfindlich)* schizzinoso, schifiltoso.

Pinguin ['pɪŋgui:n] ⟨-s, -e⟩ *m* pinguino *m*.

Pinie ['pi:niə] ⟨-, -n⟩ *f* pino *m*.

pink [pɪŋk] ⟨*inv*⟩ *adj* rosa shocking.

pinkeln ['pɪŋkəln] *itr fam* pisciare *volg*.

Pinnwand ['pɪn-] *f* pannello *m* d'affissione.

Pinsel ['pɪnzəl] ⟨-s, -⟩ *m* pennello *m*.

pinseln *tr, itr* spennellare.

Pinzette [pɪn'tsɛtə] ⟨-, -n⟩ *f* pinzetta *f*.

Pionier [pio'ni:ɐ] ⟨-s, -e⟩ *m* pioniere *m*; *(mil. a.)* geniere *m*. **Pioniergeist** *m* spirito *m* pionieristico (*o* da pioniere).

Pipeline ['paiplain] ⟨-, -s⟩ *f* pipeline *f*.

Pipette [pi'pɛtə] ⟨-, -n⟩ *f* pipetta *f*.

Pipi [pi'pi:] ⟨-s, ø⟩ *m o n (Kindersprache)* pipì *f*.

Pirat [pi'ra:t] ⟨-en, -en⟩ *m* pirata *m*, corsaro *m*.

Pirouette [pi'ruɛtə] ⟨-, -n⟩ *f* piroetta *f*.

Pirsch [pɪrʃ] ⟨-, ø⟩ *f* caccia *f*.

Pisse ['pɪsə] ⟨-, ø⟩ *f vulg* piscia *f volg*.

pissen *itr vulg* pisciare *volg*.

Pistazie [pɪs'ta:tsiə] ⟨-, -n⟩ *f* pistacchio *m*.

Piste ['pɪstə] ⟨-, -n⟩ *f* pista *f*. **Pistenschreck** *m fam* terrore *m* delle piste.

Pistole [pɪs'to:lə] ⟨-, -n⟩ *f* pistola *f*; **wie aus der ~ geschossen** *fam* di botto.

Pixel ['pɪksl] ⟨-s, -⟩ *m inform* pixel *m*.

PKW, Pkw ['pe:ka:ve: *o* ...'ve:] ⟨-(s), -(s)⟩ *m abk von* **Personenkraftwagen** autovettura *f*.

Placebo [pla'tse:bo] ⟨-s, -s⟩ *n med* placebo *m*.

Plackerei [plakə'rai] ⟨-, -en⟩ *f fam* faticaccia *f*.

plädieren [plɛ'di:rən] ⟨*ohne ge-*⟩ *itr* **1.** *jur (beantragen)* chiedere (*auf etw. (akk)* qc); **2.** *(sich einsetzen)* battersi (*für* per).

Plädoyer [plɛdoa'je:] ⟨-s, -s⟩ *n (von Verteidiger)* arringa *f*; *(von Staatsanwalt)* requisitoria *f*.

Plage ['pla:gə] ⟨-, -n⟩ *f* **1.** *(Qual)* tormento *m*; *(Übel, Unheil)* piaga *f*; **2.** *(Mühe)* fatica *f*.

plagen I. *tr* tormentare; **II.** *rfl*: **sich ~** affaticarsi.

Plagiat [pla'gia:t] ⟨-(e)s, -e⟩ *n* plagio *m*.

Plagiator [pla'gia:to:ɐ, ...ia'to:rən] ⟨-s, -en⟩ *m* plagiario *m*.

Plakat [pla'ka:t] ⟨-(e)s, -e⟩ *n* affisso *m*, manifesto *m*; *(bes. Werbe~)* cartellone *m* (pubblicitario).

plakativ [...ka'ti:f] *adj* ostentato; *(wie Plakat)* suggestivo.

Plakette [pla'kɛtə] ⟨-, -n⟩ *f* targhetta *f*, placca *f*; *(Abzeichen)* distintivo *m*.

plan [pla:n] *adj* piano, piatto.

Plan [pla:n] ⟨-(e)s, Pläne⟩ *m* **1.** *(Vorhaben)* progetto *m*, piano *m*; *(Absicht)* intenzione *f*; **2.** *(Entwurf)* progetto *m*; **3.** *(Karte)* pianta *f*; *(Übersichts~)* piano *m* d'insieme; **4.** *(Zeit~, Fahr~)* orario *m*; **auf dem ~ stehen** *fig* essere in programma; **auf den ~ rufen** chiamare in causa; **auf den ~ treten** entrare in scena; **ich habe den ~ (gefaßt), zu ...** ho in progetto di ...

Plane ['pla:nə] ⟨-, -n⟩ *f* telone *m*.

planen *tr* **1.** *(entwerfen)* progettare; **2.** *(vorhaben)* aver intenzione (*etw. zu tun* di fare qc); *(vorbereiten)* programmare; *(Ausflug, Essen)* progettare; *(Wirtschaft, Entwicklung)* pianificare; **habt ihr für heute abend schon etw. geplant?** avete già in progetto qc per stasera?

Planer(in) ⟨-s, -⟩ *m(f)* progettista *mf*; *(von Wirtschaft, Entwicklung)* pianificatore, -trice *m, f*.

Planet [pla'ne:t] ⟨-en, -en⟩ *m* pianeta *m*.

Planetarium [plane'ta:rium, ...iən] ⟨-s, -rien⟩ *n* planetario *m*.

Planke ['plaŋkə] ⟨-, -n⟩ *f* tavolone *m*, asse *m*.

Plankton ['plaŋktɔn] ⟨-s, ø⟩ *n* plancton *m*.

planlos *adj, adv* senza metodo (*o* sistema). **planmäßig I.** *adj* **1.** *(nach Plan)* sistematico; **2.** *(pünktlich)* puntuale; **3.** *(wie vorgesehen)* come (pre)stabilito; **II.** *adv* **1.** *(nach Plan)* secondo il piano; **2.** *(pünktlich)* in orario; **3.** *(wie vorgesehen)* come (pre)stabilito.

Planschbecken *n* piscina *f* per bambini.

planschen ['planʃən] *itr* sguazzare (nell'acqua).

Planstelle *f* posto *m* in organico.

Plantage [plan'ta:ʒə] ⟨-, -n⟩ *f* piantagione *f*.

Planung ⟨-, -en⟩ *f* progettazione *f*; *(von Wirtschaft, Entwicklung)* pianificazione *f*, programmazione *f*.

Planwagen *m* carro *m* coperto.

Planwirtschaft *f* economia *f* pianificata.

Plappermaul *n fam* ciarlone, -a *m, f fam*.

plappern ['plapɐn] **I.** *itr fam* ciarlare *fam*; **II.** *tr* dire.

Plaque [plak] ⟨-, -s⟩ *f med* placca *f*.

plärren ['plɛrən] *itr* **1.** *fam (weinen)* piangere; **2.** *(Radio)* gracchiare *fam*.

Plastik[1] ['plastɪk] ⟨-s, ø⟩ *n (Kunststoff)*

plastica *f*.

Plastik² ['plastɪk] ⟨-, -en⟩ *f* **1.** *(Skulptur)* scultura *f*.

Plastikbombe *f* bomba *f* al plastico. **Plasikflasche** *f* bottiglia *f* di plastica. **Plastikfolie** *f* foglio *m* plastificato. **Plastikgeld** *n fam* carte *f pl* di credito. **Plastiksprengstoff** *m* esplosivo *m* plastico. **Plastiktüte** *f* sacchetto *m* di plastica, sacchetto *m* di nailon *fam*.

plastisch *adj* plastico; *(die Bildhauerei betreffend)* scultoreo; **das kann ich mir ~ vorstellen** *fam* me lo posso immaginare chiaramente.

Platane [pla'ta:nə] ⟨-, -n⟩ *f* platano *m*.

Platin ['pla:ti:n] ⟨-s, ø⟩ *n* platino *m*. **platinblond** *adj* biondo platino.

Platitüde [plati'ty:də] ⟨-, -n⟩ *f* banalità *f*.

platonisch [pla'to:nɪʃ] *adj a. fig.* platonico.

platsch [platʃ] *interj* ciac, ciaf(fete).

plätschern ['plɛtʃərn] *itr* gorgogliare.

platt [plat] *adj* **1.** *(flach)* piatto; *(eben)* piano; *(abgeplattet)* appiattito; **2.** *fig pej (geistlos)* piatto; **~ sein** *fam* rimanere di stucco; **einen ~en Reifen (***o* **einen P~en** *fam***) haben** avere un pneumatico sgonfio (*o* una gomma a terra *fam*).

platt(deutsch) *adj* basso tedesco.

Platte ['platə] ⟨-, -n⟩ *f* **1.** *allg., fot* lastra *f*; *(tec, arch, Herd~)* piastra *f*; *(Tisch~)* piano *m*; *(Kachel)* piastrella *f*; **2.** *(Schall~)* disco *m*; **3.** *gastr* piatto *m*.

Plätteisen *dial s.* **Bügeleisen.**

plätten ['plɛtən] *tr* **1.** *dial (bügeln)* stirare; **2.** *(platt machen)* appiattire.

Plattenfirma *f* casa *f* discografica. **Plattenlabel** [...'le:bəl] ⟨-s, -s⟩ *n* **1.** *(Etikett einer Schallplatte)* etichetta *f* del disco; **2.** *(Schallplattenfirma)* casa *f* discografica. **Plattenspieler** *m* giradischi *m*. **Plattenteller** *m* piatto *m* girevole per i dischi. **Plattenwechsler** ⟨-s, -⟩ *m* cambiadischi *m*.

Plattform *f* piattaforma *f*. **Plattfuß** *m* **1.** *med* piede *m* piatto; **2.** *fam (Reifenpanne)* gomma *f* a terra *fam*.

Platz [plats] ⟨-es, Plätze⟩ *m* posto *m*; *(öffentlicher ~)* piazza *f*; *(Sport~)* campo *m*; **das beste Hotel am ~(e)** il miglior albergo del luogo; **~ nehmen** accomodarsi, sedersi; **den dritten ~ belegen** piazzarsi terzo; **fehl am ~(e) sein** essere fuori luogo; **~!** *(zum Hund)* (a) cuccia!; **~ (da)!** *fam* largo!, (fate) posto!; **auf die Plätze, fertig, los!** ai vostri posti, pronti, via! **Platzangst** *f* **1.** *med* agorafobia *f*; **2.** *fam* claustrofobia *f*. **Platzanweiser(in)** ⟨-s, -⟩ *m(f)* maschera *f*. **Platzdeckchen** [-dɛkçən] ⟨-s, -⟩ *n* set *m* da tavola.

platzen ['platsən] *itr* ⟨*sein*⟩ **1.** *(bersten)* scoppiare; *(zerreißen)* spaccarsi; *(Naht)* aprirsi, rompersi; **2.** *fig fam* esplodere (*vor* da); *(a. vor Ärger)* scoppiare (*vor +dat* da); *(vor Lachen)* spanciarsi; **3.** *fig fam (nicht zustande kommen)* andare a monte, essere scoperto; **(jdm) ins Haus ~** *fam* piombare in casa di qu.

Platzkarte *f* (biglietto *m* di) prenotazione *f*. **Platzkonzert** *n* concerto *m* pubblico all'aperto. **Platzmangel** *m* mancanza *f* di posto (*o* spazio). **Platzpatrone** *f* cartuccia *f* a salva. **Platzregen** *m* acquazzone *m*. **Platzreservierung** *f* prenotazione *f* posti. **platzsparend** *adj* che fa guadagnare spazio. **Platzwart** [-vart] ⟨-(e)s, -e⟩ *m* custode *m* di un campo sportivo. **Platzwette** *f* scommessa *f* sui favoriti. **Platzwunde** *f* sbucciatura *f*.

Plauderei [plaudə'rai] ⟨-, -en⟩ *f* chiacchierata *f*, conversazione *f* piacevole.

plaudern ['plaudən] *itr* fare quattro chiacchiere (*über +akk* su), chiacchierare (*über +akk* di).

Plausch [plauʃ] ⟨-(e)s, -e⟩ *m* **1.** *fam* chiacchierata *f*; **2.** *CH (Spaß)* divertimento *m*.

plausibel [plau'zi:bəl] *adj* plausibile.

Playback ['pleɪbæk] ⟨-s, -s⟩ *n* playback *m*; **mit ~ singen** cantare in playback.

Playboy ['pleɪbɔɪ] ⟨-s, -s⟩ *m* playboy *m*.

plazieren [pla'tsi:rən] ⟨*ohne ge-*⟩ **I.** *tr* **1.** *(Personen)* mettere; *(Dinge)* collocare; **2.** *(Ball, Treffer)* piazzare; *(Schlag)* assestare; **II.** *rfl:* **sich ~** *sport* piazzarsi.

Plazierung ⟨-, -en⟩ *f* piazzamento *m*.

pleite ['plaitə] *adj fam* **1.** *(bankrott)* fallito; **2.** *scherz (mittellos)* al verde *fam*, senza quattrini *fam*; **~ gehen** fare fallimento. **Pleite** ⟨-, -n⟩ *f fam* bancarotta *f*; *(a. fig)* fallimento *m*; **~ machen** fare fallimento.

plemplem [plɛm'plɛm] ⟨*inv*⟩ *adj sl* rimbambito.

Plenarsaal [ple'na:ɐ̯-] *m* sala *f* per assemblee plenarie. **Plenarsitzung** *f* seduta *f* plenaria.

Plenum ['ple:nʊm] ⟨-s, ø⟩ *n* plenum *m*.

Plexiglas® ['plɛksigla:s] ⟨-, ø⟩ *n* plexiglas® *m*.

Plissee [plɪ'se:] ⟨-s, -s⟩ *n* plissé *m*.

plissieren [...'si:rən] ⟨*ohne ge-*⟩ *tr* pieghettare.

PLO [pe:ɛl'ʔo:] *f abk von* **Palästinensische Befreiungsorganisation** OLP *f* (*abbr di* Organizzazione per la Liberazione della Palestina).

Plombe ['plɔmbə] ⟨-, -n⟩ *f* piombo *m*; *(Zahn~)* otturazione *f*.

plombieren [...'bi:rən] ⟨*ohne ge-*⟩ *tr* piombare; *(Zahn)* otturare.

Plotter ['plɔte] ⟨-s, -⟩ *m* plotter *m*.

plötzlich ['plœtslɪç] **I.** *adj* improvviso, repentino; *(unvermittelt)* brusco; **II.** *adv* all'improvviso, di colpo; **aber etwas ~!** su, presto!

plump [plʊmp] *adj* **1.** *(unförmig)* tozzo; **2.** *(ungeschickt)* goffo; *(schwerfällig)* pesante; **3.** *(grob)* rozzo; *(Scherz, Lügen)* grossolano; *(taktlos)* sgarbato.

plumps [plʊmps] *interj* patapumfete. **plumpsen** ['plʊmpsən] *itr* ⟨*sein*⟩ *fam* cadere con un tonfo. **Plumpsklo** *n fam* wc *m* a caduta.

Plunder ['plʊndɐ] ⟨-s, ø⟩ *m fam pej* ciarpame *m.*

plündern ['plʏndɐn] *tr* saccheggiare.

Plünderung ⟨-, -en⟩ *f* sacco *m; (a. fig)* saccheggio *m.*

Plural ['plu:ra:l] ⟨-s, -e⟩ *m* plurale *m.*

Pluralismus [plura'lɪsmʊs] ⟨-, ø⟩ *m* pluralismo *m.*

pluralistisch *adj* pluralistico.

plus [plʊs] **I.** *konj, adv, prp +gen* più; ~ **zehn Grad, zehn Grad** ~ dieci gradi sopra zero. **Plus** ⟨-, -⟩ *n* **1.** *(Überschuß)* eccedenza *f; (bes. ökon)* sopravanzo *m;* **2.** *(~punkt)* (punto *m* di) vantaggio *m;* **3.** *mat (~zeichen)* più *m;* **im ~ sein** avere un bilancio positivo.

Plüsch [ply:ʃ *o* plʏʃ] ⟨-(e)s, -e⟩ *m* felpa *f,* peluche *f.*

Pluspunkt *m* punto *m* di vantaggio. **Plusquamperfekt** ['plʊskvampɛrfɛkt] *n* piuccheperfetto *m,* trapassato *m* prossimo (*o* remoto). **Pluszeichen** *n* (segno *m* di) più *m.*

Plutonium [plu'to:ni̯ʊm] ⟨-s, ø⟩ *n* plutonio *m.*

PLZ *abk von* **Postleitzahl** C. A. P. (*abbr di* codice di avviamento postale).

Po *s.* **Popo.**

Pöbel ['pø:bəl] ⟨-s, ø⟩ *m pej* plebe *f,* volgo *m.* **pöbelhaft** *adj* plebeo, volgare; *(gemein)* villano.

pochen ['pɔxən] *itr* battere; *(an Tür)* bussare (*an +akk* a); **auf etw.** *(akk)* ~ *fig* insistere su qc.

Pocke ['pɔkə] ⟨-, -n⟩ *f* pustula *f* (del vaiolo); **die ~en** il vaiolo.

Podest [po'dɛst] ⟨-(e)s, -e⟩ *n o m (Podium)* podio *m; (Sockel)* piedestallo *m.*

Podium ['po:di̯ʊm, ...i̯ən] ⟨-s, Podien⟩ *n* podio *m.* **Podiumsdiskussion** *f* tavola *f* rotonda.

Poesie [poe'zi:, ...i:ən] ⟨-, -n⟩ *f* poesia.

Poet(in) [po'e:t(ɪn)] ⟨-en, -en⟩ *m(f)* poeta, -tessa *m, f.*

poetisch *adj* poetico.

Pointe ['po̯ɛ̃:tə] ⟨-, -n⟩ *f* effetto *m* finale.

pointiert [po̯ɛ̃'ti:ɐ̯t] **I.** *adj* arguto; **II.** *adv* con arguzia.

Pokal [po'ka:l] ⟨-s, -e⟩ *m* coppa *f.* **Pokalsieger(in)** *m(f)* vincitore, -trice *m, f* di coppa. **Pokalspiel** *n* gara *f* di coppa.

pökeln ['pø:kəln] *tr* mettere in salamoia.

Poker ['po:kɐ] ⟨-s, ø⟩ *n* poker *m.*

pokern *itr* **1.** giocare a poker; **2.** *fig* puntare alto.

Pol [po:l] ⟨-s, -e⟩ *m* polo *m.*

polar [po'la:ɐ̯] *adj* polare. **Polarexpedition** *f* spedizione *f* polare. **Polarforscher(in)** *m(f)* esploratore, -trice *m, f* polare. **Polarfront** *f* fronte *m* polare.

polarisieren [polari'zi:rən] ⟨*ohne ge-*⟩ **I.** *tr* polarizzare; **II.** *rfl:* **sich ~** polarizzarsi.

Polarkreis *m* circolo *m* polare. **Polarlicht** *n* aurora *f* boreale. **Polarstern** *m* stella *f* polare.

Pole ['po:lə] ⟨-n, -n⟩ *m,* **Polin** [...lɪn] *f* polacco, -a *m, f.*

Polemik [po'le:mɪk] ⟨-, -en⟩ *f* polemica *f.*

polemisch *adj* polemico.

Polen ['po:lən] *n* Polonia *f.*

Polente [po'lɛntə] ⟨-, ø⟩ *f sl* madama *f sl.*

Police [po'li:sə] ⟨-, -n⟩ *f* polizza *f* (d'assicurazione).

Polier [po'li:ɐ̯] ⟨-s, -e⟩ *m* capomastro *m.*

polieren [po'li:rən] ⟨*ohne ge-*⟩ *tr (Möbel, Fußboden)* lucidare, lustrare; *(Marmor, Holz)* levigare; *(Metall)* brunire; **dem polier' ich (noch mal) die Fresse** *vulg* lo picchierò di santa ragione *fam.*

Poliklinik *f* policlinico *m.*

Polin *f s.* **Pole.**

Politesse [poli'tɛsə] ⟨-, -n⟩ *f* donna *f* poliziotto ausiliaria.

Politik [poli'ti:k] ⟨-, *rar* -en⟩ *f* politica *f.*

Politiker(in) [po'li:tikɐ (...ərɪn)] ⟨-s, -⟩ *m(f)* uomo *m* politico, politico, -a *m, f.*

Politikum [po'li:tikʊm, ...ka] ⟨-s, -tika⟩ *n* questione *f* politica.

Politikverdrossenheit *f* disaffezione *f* alla politica.

politisch *adj* politico.

politisieren [politi'zi:rən] ⟨*ohne ge-*⟩ **I.** *itr* parlare di politica; **II.** *tr* politicizzare.

Politologe [polito'lo:gə] ⟨-n, -n⟩ *m,* **Politologin** [...gɪn] *f* politologo, -a *m, f.*

Politologie [politolo'gi:] ⟨-, ø⟩ *f* scienze *f pl* politiche.

Politur [poli'tu:ɐ̯] ⟨-, -en⟩ *f* **1.** *(das Polieren)* lucidatura *f;* **2.** *(Glanz, Mittel)* lucido *m.*

Polizei [poli'tsai] ⟨-, *rar* -en⟩ *f* polizia *f;* **er ist dümmer, als die ~ erlaubt** *fam scherz* è stupidissimo. **Polizeiaufgebot** *n* spiegamento *m* di forze di polizia (*o* dell'ordine). **Polizeiaufsicht** *f* sorveglianza *f* (*o* vigilanza *f*) speciale. **Polizeibeamte** *m,* **-beamtin** *f* funzionario, -a *m, f* (*o* agente *mf*) di polizia. **Polizeidienststelle** *f adm* posto *m* di polizia. **Polizeifunk** *m* radio *m* della polizia. **polizeilich** *adj* di (*o* della) polizia; ~ **gesucht** ricercato dalla polizia; ~ **verboten** vietato dalla polizia. **Polizeipräsident** *m* capo *m* della polizia, questore *m.* **Polizeipräsidium** *n* questura *f.* **Polizeirevier** *n* commissariato *m* di polizia; *(Bezirk)* distretto *m* di polizia. **Polizeischutz** *m* scorta *f* armata (di polizia). **Polizeistaat** *m* stato *m* poliziesco. **Polizeistreife** *f* pattuglia *f* di polizia. **Polizeistunde** *f* ora *f* di chiusura (degli esercizi pubblici).

Polizist(in) [poli'tsɪst(ɪn)] ⟨-en, -en⟩ *m(f)* agente *mf* di polizia, poliziotto, -a *m, f.*

Pollen ['pɔlən] ⟨-s, -⟩ *m* polline *m.* **Pollenflug** *m* movimento *m* (*o* concentrazione *f*) del polline nell'aria. **Pollenflugvorhersage** *f* previsioni *f pl* del movimento del polline (*o* delle concentrazioni di polline).

polnisch ['pɔlnɪʃ] *adj* polacco.

Polohemd ['po:lo-] *n* polo *f*.

Polster ['pɔlstɐ] ⟨-s, -⟩ *n o A m* **1.** *(Polsterung, in Kleidungsstück)* imbottitura *f*; **2.** *A (Kissen)* cuscino *m*. **Polstergarnitur** *f* salotto *m*. **Polstermöbel** *n pl* mobili *m pl* imbottiti.

polstern *tr* imbottire.

Polstersessel *m* poltrona *f* imbottita.

Polsterung ⟨-, -en⟩ *f* imbottitura *f*.

Polterabend *m festa alla vigilia delle nozze.*

poltern ['pɔltɐn] *itr* **1.** ⟨*haben*⟩ *(laute Geräusche machen)* far chiasso, strepitare; **2.** ⟨*sein*⟩ *(sich bewegen)* muoversi con rumore; *(fallen)* cadere rumorosamente; **3.** ⟨*haben*⟩ *fam (Polterabend feiern)* festeggiare la vigilia delle nozze.

Polyamid [poly'a'mi:t] ⟨-(e)s, -e⟩ *n* poliammide *f*.

Polyäthylen [poly'ɛty'le:n] ⟨-s, -e⟩ *n* polietilene *m*.

Polyester [poly''ɛstɐ] ⟨-s, -⟩ *m* poliestere *m*.

polygam [poly'ga:m] *adj* poligamo.

Polygamie [polyga'mi:] ⟨-, ø⟩ *f* poligamia *f*.

Polyp [po'ly:p] ⟨-en, -en⟩ *m* **1.** *zoo, med* polipo *m*; **2.** *sl pej (Polizist)* piedi *m* piatti *sl*.

Pomade [po'ma:də] ⟨-, -n⟩ *f* brillantina *f*.

Pommes frites [pɔm'frɪt] ⟨*pl*⟩ patate *f pl* fritte.

Pomp [pɔmp] ⟨-(e)s, ø⟩ *m* pompa *f*.

pompös [pɔm'pø:s] *adj* pomposo.

Pond [pɔnt] ⟨-s, -⟩ *n* grammo *m* peso.

Pontifikat [pɔntifi'ka:t] ⟨-(e)s, -e⟩ *n (von Papst)* pontificato *m*, papato *m*; *(von Bischof)* episcopato *m*.

Ponton [põ'tõ:] ⟨-s, -s⟩ *m* pontone *m*, barcone *m*.

Pony[1] ['pɔni] ⟨-s, -s⟩ *n zoo* pony *m*.

Pony[2] ['pɔni] ⟨-s, -s⟩ *m (an Frisur)* frangia *f*.

Pop [pɔp] ⟨-s, ø⟩ *m* musica *f* pop.

Popanz ['po:pants] ⟨-es, -e⟩ *m* spauracchio *m*.

Popcorn ['pɔpkɔrn] ⟨-s, ø⟩ *n* pop-corn *m*.

Popelin [popə'li:n] ⟨-s, -e⟩ *m*, **Popeline** [popə'li:n *o* ...nə] ⟨-s, -⟩ *m o* ⟨-, -⟩ *f* popelin *m*, popeline *f*.

Popgruppe ['pɔp-] *f* complesso *m* pop. **Popmusik** *f* musica *f* pop.

Po(po) [po: (po'po:)] ⟨-s, -s⟩ *m fam* sedere *m fam*, culetto *m fam*.

Popper ['pɔpɐ] ⟨-s, -⟩ *m* ≃ paninaro, -a *m, f*.

poppig ['pɔpɪç] *adj* pop.

Popsänger(in) *m(f)* cantante *mf* pop. **Popstar** [-sta:ɐ] *m* pop star *f*. **Popszene** *f* scena *f* pop.

populär [popu'lɛ:ɐ] *adj* popolare.

Popularität [...lari'tɛ:t] ⟨-, ø⟩ *f* popolarità *f*.

populärwissenschaftlich *adj* (di *o* a carattere) divulgativo; **~es Werk** opera di divulgazione scientifica.

Pore ['po:rə] ⟨-, -n⟩ *f* poro *m*.

Pornofilm ['pɔrno-] *m* film *m* porno.

Pornographie [-gra'fi:, ...i:ən] ⟨-, -n⟩ *f* pornografia *f*.

pornographisch [-'gra:fɪʃ] *adj* pornografico.

porös [po'rø:s] *adj* poroso.

Porree ['pɔre] ⟨-s, -s⟩ *m* porro *m*.

Portal [pɔr'ta:l] ⟨-s, -e⟩ *n* portale *m*.

Portemonnaie [pɔrtmɔ'ne:] ⟨-s, -s⟩ *n* portamonete *m*.

Porti *pl von* **Porto.**

Portier [pɔr'tie:] ⟨-s, -s⟩ *m* portinaio *m*; *(bes. Hotel~)* portiere *m*.

Portion [pɔr'tsio:n] ⟨-, -en⟩ *f* **1.** *(beim Essen)* porzione *f*; **2.** *fig fam (von Mut, etc.)* dose *f*, bel po' *m fam*.

Porto ['pɔrto, ...tos *o* ...ti] ⟨-s, -s *o* Porti⟩ *n* affrancatura *f*. **portofrei** *adj* franco di porto, in franchigia (postale). **portopflichtig** *adj* soggetto ad affrancatura.

Portrait, Porträt [pɔr'trɛ:] ⟨-s, -s⟩ *n* ritratto *m*.

portraitieren, porträtieren [pɔrtrɛ'ti:rən] ⟨*ohne ge-*⟩ *tr* fare il ritratto di.

Portugal ['pɔrtugal] *n* Portogallo *m*; **in ~** nel Portogallo.

Portugiese [pɔrtu'gi:zə] ⟨-n, -n⟩ *m*, **Portugiesin** [...zɪn] *f* portoghese *mf*.

portugiesisch *adj* portoghese.

Portwein ['pɔrt-] *m* porto *m*.

Porzellan [pɔrtsɛ'la:n] ⟨-s, -e⟩ *n* porcellana *f*.

Posaune [po'zaunə] ⟨-, -n⟩ *f* trombone *m*.

posaunen ⟨*ohne ge-*⟩ **I.** *itr* s(u)onare il trombone; **II.** *tr fam pej (aus~)* spargere ai quattro venti.

Pose ['po:zə] ⟨-, -n⟩ *f* posa *f*.

posieren [po'zi:rən] ⟨*ohne ge-*⟩ *itr* posare.

Position [pozi'tsio:n] ⟨-, -en⟩ *f* **1.** *allg.* posizione *f*; **2.** *ökon* voce *f*.

positiv ['po:ziti:f] *adj* positivo.

Positiv ⟨-s, -e⟩ *n* positivo *m*.

Posse ['pɔsə] ⟨-, -n⟩ *f* farsa *f*.

Possessivpronomen ['pɔsesi:f- *o* ...'si:f-] *n* aggettivo *m* (*o* pronome *m*) possessivo.

possierlich [pɔ'si:ɐlɪç] *adj* scherzoso, grazioso.

Post [pɔst] ⟨-, ø⟩ *f* posta *f*; **etw. mit der ~ schicken** spedire qc per posta; **mit gleicher/mit getrennter/mit der nächsten ~** con lo stesso giro di posta/con plico separato/ col prossimo giro di posta; **ab die ~!** *fam* muoviti!

postalisch [pɔs'ta:lɪʃ] *adj* postale.

Postamt *n* ufficio *m* postale. **Postanweisung** *f* vaglia *m* (postale). **Postbeamte**

m, **-beamtin** *f* impiegato, -a *m, f* delle poste. **Postbote** *m*, **-botin** *f* portalettere *mf*, postino, -a *m, f*.
Posten ['pɔstən] ⟨-s, -⟩ *m* **1.** *(Stellung)* posto *m*, impiego *m*; **2.** *mil (Wach~)* sentinella *f*, guardia *f*; **3.** *ökon* partita *f*; **4.** *(Streik~)* picchetto *m*; **auf dem ~ sein** *fam (gesund sein)* stare bene di salute; *(wachsam sein)* stare all'erta.
Poster ['po:stɐ *o* 'poustə] ⟨-s, - *o* -s⟩ *n o m* poster *m*.
Postfach *n* casella *f* postale. **Postgeheimnis** *n* segreto *m* postale. **Postgiroamt** *n* ufficio *m* dei conti correnti postali. **Postgirokonto** *n* conto *m* corrente postale.
post(h)um [pɔs'tu:m (pɔst'hu:m)] *adj, adv* postumo.
Postkarte *f* cartolina *f* (postale). **Postkutsche** *f* diligenza *f* (postale). **postlagernd** *adv* fermo posta. **Postleitzahl** *f* codice *m* di avviamento postale.
postmodern [pɔstmo'dɛrn] *adj* postmoderno. **Postmoderne** *f* movimento *m* postmoderno.
Postskript [pɔst'skrɪpt] ⟨-(e)s, -e⟩ *n*, **Postskriptum** [...tʊm, ...ta] ⟨-s, -skripta⟩ *n* (*abk* **PS**) poscritto *m*.
Postsparbuch *n* libretto *m* postale di risparmio. **Postsparkasse** *f* cassa *f* di risparmio postale. **Poststempel** *m* timbro *m* postale. **Postüberweisung** *f* bonifico *m* postale.
postulieren [pɔstu'li:rən] ⟨*ohne ge-*⟩ *tr* postulare.
postum *s.* **posthum.**
postwendend *adv* a giro di posta; *fig* subito, immediatamente. **Postwertzeichen** *n adm* francobollo *m*. **Postwurfsendung** *f* spedizione *f* postale cumulativa di stampati.
potent [po'tɛnt] *adj* potente.
Potential [potɛn'tsi̯a:l] ⟨-s, -e⟩ *n* potenziale *m*.
potentiell [...'tsi̯ɛl] *adj* potenziale.
Potenz [po'tɛnts] ⟨-, -en⟩ *f* potenza *f*.
PR [pe:'ˀɛr] *abk von* **Public Relations** PR *f pl* (*abbr di* pubbliche relazioni).
Präambel [prɛ'ˀambəl] ⟨-, -n⟩ *f* preambolo *m* (*zu* a).
Pracht [praxt] ⟨-, ø⟩ *f* magnificenza *f*, pompa *f*, fasto *m*.
prächtig ['prɛçtɪç] *adj* **1.** *(prunkvoll)* sontuoso, pomposo; **2.** *(großartig)* magnifico, formidabile.
Prachtkerl *m fam* tipo *m* formidabile. **Prachtstück** *n fam* esemplare *m* magnifico. **prachtvoll** *s.* **prächtig.**
prädestinieren [prɛdɛsti'ni:rən] ⟨*ohne ge-*⟩ *tr* predestinare (*zu* a).
Prädikat [prɛdi'ka:t] ⟨-(e)s, -e⟩ *n* **1.** *(Bewertung)* voto *m*, qualifica *f*; **2.** *gram, philos* predicato *m*. **Prädikatsnomen** [-no:mən, ...ina] ⟨-s, -nomina⟩ *n* predicato *m* nominale.
Präfekt [prɛ'fɛkt] ⟨-en, -en⟩ *m* prefetto *m*.
Präfektur [...'tu:ɐ̯] ⟨-, -en⟩ *f* prefettura *f*.
Präferenz [prɛfe'rɛnts] ⟨-, -en⟩ *f* preferenza *f*.
Präfix [prɛ'fɪks] ⟨-es, -e⟩ *n* prefisso *m*.
Prag [pra:k] *n* Praga *f*.
prägen ['prɛ:gən] *tr (Münzen, Begriffe)* coniare; *(Charakter)* formare; *(Metall)* imprimere; *(Papier)* stampare; **die moderne Architektur ist durch ... geprägt worden** l'architettura moderna ha subito l'influenza di ...
pragmatisch [prag'ma:tɪʃ] *adj* pragmatico.
prägnant [prɛ'gnant] *adj* conciso. **Prägnanz** [...'gnants] ⟨-, ø⟩ *f* concisione *f*.
Prägung ⟨-, -en⟩ *f* **1.** *(von Münzen)* coniazione *f*; *(von Wort a.)* conio *m*; **2.** *fig (Art)* tipo *m*, stampo *m*.
prähistorisch [prɛhɪs'to:rɪʃ *o* 'prɛ:...] *adj* preistorico.
prahlen ['pra:lən] *itr* vantarsi (*mit* di).
Prahlerei [...ə'rai̯] ⟨-, -en⟩ *f* vanteria *f*; *(Äußerung)* spacconata *f*.
prahlerisch *adj (Mensch)* millantatore; *(Haltung)* ostentato.
Praktik ['praktɪk, ...kən] ⟨-, -en⟩ *f* **1.** *(Methode)* pratica *f*; **2.** ⟨*meist pl*⟩ *pej* artifizi *m pl*, manovre *f pl*.
Praktika *pl von* **Praktikum.**
praktikabel [prakti'ka:bəl] *adj* praticabile.
Praktikant(in) [prakti'kant(ɪn)] ⟨-en, -en⟩ *m(f)* tirocinante *mf*.
Praktiken *pl von* **Praktik, Praktikum.**
Praktiker(in) ⟨-s, -⟩ *m(f)* persona *f* pratica.
Praktikum ['praktɪkʊm, ...ka *o* ...kən] ⟨-s, -ka *o* -ken⟩ *n* tirocinio *m*, pratica *f*.
praktisch *adj* pratico; **~er Arzt** medico generico; **~es Jahr** anno di pratica.
praktizieren [prakti'tsi:rən] ⟨*ohne ge-*⟩ *itr* praticare (*als* la professione di).
Praline [pra'li:nə] ⟨-, -n⟩ *f, A, CH* **Praliné, Pralinee** [prali'ne:] ⟨-s, -s⟩ *n* cioccolatino *m*.
prall [pral] *adj (Segel)* teso, tirato; *(Wangen)* gonfio; *(Arme)* sodo; **~ gefüllt** pieno zeppo; **in der ~en Sonne** in pieno sole.
prallen ['pralən] *itr* ⟨*sein*⟩ cozzare (*an +akk, gegen* contro), urtare (*an +akk, gegen* contro); *(Ball)* rimbalzare (*gegen* su); *fig (Sonne)* picchiare (*auf +akk* su).
Prämie ['prɛ:mi̯ə] ⟨-, -n⟩ *f* **1.** *ökon (Preis, Versicherungs~)* premio *m*; **2.** *(Belohnung)* ricompensa *f*; **3.** *(Zulage)* indennità *f*. **Prämiensparen** ⟨-s, ø⟩ *n* risparmio *m* a premio.
präm(i)ieren [prɛ'mi:rən (prɛmi'i:rən)] ⟨*ohne ge-*⟩ *tr* premiare.
Präm(i)ierung ⟨-, -en⟩ *f* premiazione *f*.
Prämisse [prɛ'mɪsə] ⟨-, -n⟩ *f* premessa *f*, presupposto *m*; **unter (*o* mit) der ~, daß ...** a condizione che *+congv.*

prangen ['praŋən] *itr* spiccare (*an +dat* su).
Pranger ['praŋɐ] ⟨-s, -⟩ *m* berlina *f*, gogna *f*.
Pranke ['praŋkə] ⟨-, -n⟩ *f* **1.** *zoo* zampa *f*; **2.** *fam pej* manaccia *f*.
Präparat [prɛpa'ra:t] ⟨-(e)s, -e⟩ *n* preparato *m*.
präparieren [...'ri:rən] ⟨*ohne ge-*⟩ *tr* preparare.
Präposition [prɛpozi'tsjo:n] ⟨-, -en⟩ *f* preposizione *f*.
Prärie [prɛ'ri:, ...i:ən] ⟨-, -n⟩ *f* prateria *f*.
Präsens ['prɛ:zɛns] ⟨-, ø⟩ *n* presente *m*.
Präsentation [prɛzɛnta'tsjo:n] ⟨-, -en⟩ *f* presentazione *f*.
präsentieren [...'ti:rən] ⟨*ohne ge-*⟩ *tr* presentare.
Präservativ [prɛzɛrva'ti:f] ⟨-s, -e⟩ *n* preservativo *m*.
Präsident(in) [prɛzi'dɛnt(ɪn)] ⟨-en, -en⟩ *m(f)* presidente, -essa *m, f*. **Präsidentschaft** ⟨-, *rar* -en⟩ *f* presidenza *f*. **Präsidentschaftskandidat(in)** *m(f)* candidato, -a *m, f* alla presidenza.
präsidieren [prɛzi'di:rən] ⟨*ohne ge-*⟩ *itr* presiedere.
Präsidium [prɛ'zi:djʊm, ...jən] ⟨-s, -dien⟩ *n* **1.** *(Gremium)* comitato *m* direttivo; **2.** *(Vorsitz, Leitung)* presidenza *f*; **3.** *(Polizei~)* questura *f*.
prasseln ['prasəln] *itr* **1.** ⟨*haben*⟩ *(Feuer)* scoppiettare, crepitare; **2.** ⟨*sein*⟩ *(herunter~)* scrosciare, grandinare; *(Regen)* battere (*an +akk* su); **3.** ⟨*sein*⟩ *fig (Fragen, etc.)* piovere.
prassen ['prasən] *itr* **1.** *(üppig leben)* scialare; **2.** *(schlemmen)* gozzovigliare.
Präteritum [prɛ'te:ritʊm, ...ta] ⟨-s, -rita⟩ *n* preterito *m*.
Praxis ['praksɪs, ...ksən] ⟨-, Praxen⟩ *f* **1.** ⟨*sing*⟩ *(keine Theorie)* pratica *f*; **2.** ⟨*sing*⟩ *(Handlungsweise)* prassi *f*; *(Erfahrung)* esperienza *f*; **3.** *(Arzt~)* studio *m* medico, ambulatorio *m*; *(Anwalts~)* studio *m*. **praxisfern, praxisfremd** *adj* poco pratico. **praxisnah** *adj* fondato sulla pratica.
Präzedenzfall [prɛtse'dɛnts-] *m* precedente *m*.
präzis(e) [prɛ'tsi:s (...i:zə)] *adj* preciso, esatto.
präzisieren [prɛtsi'zi:rən] ⟨*ohne ge-*⟩ *tr* precisare.
Präzision [...'zjo:n] ⟨-, ø⟩ *f* precisione *f*, esattezza *f*.
predigen ['pre:dɪgən] *tr, itr* predicare.
Prediger(in) ⟨-s, -⟩ *m(f)* predicatore, -trice *m, f*.
Predigt ⟨-, -en⟩ *f* predica *f*.
Preis [prais] ⟨-es, -e⟩ *m* **1.** *ökon, fig* prezzo *m*; **2.** *(bei Wettbewerb)* premio *m*; **3.** *(Belohnung)* ricompensa *f*, premio *m*; **4.** ⟨*sing*⟩ *poet (Lob)* lode *f* (*auf +akk* a); **um jeden/keinen** ~ a ogni/nessun costo; **zum** ~ **von** ... al prezzo di ...
Preisabsprache *f* accordo *m* sul prezzo. **Preisagentur** *f* agenzia *f* prezzi. **Preisanstieg** *m* aumento *m* (*o* rialzo *m*) dei prezzi. **Preisausschreiben** *n* concorso *m* a premi. **preisbewußt** *adj* attento al prezzo. **Preisbildung** *f* formazione *f* dei prezzi. **Preisbindung** *f* accordo *m* sui prezzi.
Preiselbeere ['praizəl-] *f* mirtillo *m* rosso.
Preisempfehlung *f* prezzo *m* indicativo; **unverbindliche** ~ prezzo indicativo senza impegno.
preisen ['praizən] ⟨preist, pries, gepriesen⟩ *tr geh* lodare, elogiare; **sich glücklich** ~ considerarsi fortunato.
Preiserhöhung *f* aumento *m* di prezzo.
Preisfrage *f* questione *f* di prezzo; *(bei Preisausschreiben)* quesito *m* a premi.
Preisgabe ['prais-] *f geh* abbandono *m*, rinuncia *f*; *(von Geheimnis)* rivelazione *f*.
preis·geben ⟨*irr*⟩ *tr geh* abbandonare; *(aufgeben a.)* rinunciare (*etw.* a qc); *(verraten)* rivelare; **jdm preisgegeben sein** essere in balia di qu.
preisgekrönt *adj* premiato. **Preisgericht** *n* giuria *f*. **preisgünstig** *adj* conveniente, a buon prezzo (*o* mercato). **Preislage** *f* prezzo *m*; **in welcher** ~? a che prezzo?. **Preis-Leistungsverhältnis** *n* rapporto *m* prezzo-prestazione. **Preisliste** *f* listino *m* dei prezzi. **Preisrichter(in)** *m(f)* (donna *f*) giudice *m*. **Preisschild** *n* cartellino *m* del prezzo. **Preisschlager** *m fam* offerta *f* speciale. **Preissenkung** *f* ribasso *m* (*o* diminuzione *f*) dei prezzi. **Preissteigerung** *f* aumento *m* (*o* rialzo *m*) dei prezzi, rincaro *m*. **Preissturz** *m* crollo *m* dei prezzi. **Preisträger(in)** *m(f)* premiato, -a *m, f*. **preiswert** *adj* a buon mercato, conveniente.
prekär [pre'kɛ:ɐ] *adj* precario.
Prellbock *m* paraurti *m*, fermacarri *m*.
prellen ['prɛlən] *tr* **1.** *(Ball)* rimbalzare; **2.** *med* farsi un livido a; **3.** *fig (betrügen)* defraudare; **die Zeche** ~ non pagare il conto.
Prellung ⟨-, -en⟩ *f* contusione *f*.
Premier [prə'mje: *o* pre...] ⟨-s, -s⟩ *m* premier *m*.
Premiere [prə'mje:rə *o* ...'mjɛ:rə] ⟨-, -n⟩ *f* prima *f*.
Premierminister(in) *m(f)* primo ministro *m*.
Presse ['prɛsə] ⟨-, -n⟩ *f* **1.** *tec* pressa *f*, torchio *m*; **2.** ⟨*sing*⟩ *(~wesen)* stampa *f*. **Presseagentur** *f* agenzia *f* di stampa. **Pressechef(in)** *m(f)* capo *m* dell'ufficio stampa. **Presseerklärung** *f* comunicato *m* stampa. **Pressefreiheit** *f* libertà *f* di stampa. **Pressekonferenz** *f* conferenza *f* stampa. **Pressemeldung** *f* comunicato *m* stampa.
pressen ['prɛsən] *tr* **1.** *(drücken)* pressa-

re; *(Schallplatten)* stampare; *(zusammen~)* comprimere; *(aus~)* spremere; **2.** *(drücken a.)* schiacciare; *fig (zwingen)* costringere *(zu* a).
Pressesprecher(in) *m(f)* addetto, -a *m, f* stampa.
pressieren [prɛ'si:rən] ⟨*ohne ge-*⟩ *itr (A, CH, süddeutsch)* essere urgente.
Preßluft *f* aria *f* compressa. **Preßluftbohrer** *m* perforatore *m* pneumatico.
Prestige [prɛs'ti:ʒə] ⟨-s, ø⟩ *n* prestigio *m.* **Prestigedenken** *n* mentalità *f* legata al proprio status sociale.
Preußen ['prɔysən] *n* Prussia *f.*
preußisch *adj* prussiano.
prickeln ['prɪkəln] *itr* **1.** *(Haut, etc.)* prudere, pizzicare; **2.** *(Getränk)* frizzare.
prickelnd *adj* **1.** *(kribbelnd, a. fig)* pruriginoso; **2.** *(Luft, Sekt)* frizzante; **3.** *fig (erregend)* eccitante, piccante.
pries [pri:s] *imp von* **preisen.**
Priester(in) ['pri:stɐ (...ərɪn)] ⟨-s, -⟩ *m(f)* sacerdote, -essa *m, f,* prete *m.* **Priesteramt** *n* sacerdozio *m.* **Priesterweihe** *f* ordinazione *f* sacerdotale.
prima ['pri:ma] ⟨*inv*⟩ *adj* **1.** *fam (klasse)* eccellente, ottimo, formidabile; **2.** *ökon* di prima qualità.
Primaballerina [prima-] *f* prima ballerina *f.*
Primadonna [prima'dɔna, ...nən] ⟨-, -donnen⟩ *f* prima donna *f.*
primär [pri'mɛ:ɐ̯] *adj* primario.
Primarschule [pri:'ma:ɐ̯-] *f CH* scuola *f* elementare.
Primat [pri'ma:t] ⟨-(e)s, -e⟩ *m o n* primato *m.*
Primaten [pri'ma:tən] *m pl zoo* primati *m pl.*
Primel ['pri:məl] ⟨-, -n⟩ *f* primula *f.*
primitiv [primi'ti:f] *adj* primitivo.
Primzahl ['pri:m-] *f* numero *m* primo.
Prinz(essin) [prɪnts (...'tsɛsɪn)] ⟨-en, -en⟩ *m(f)* principe, -essa *m, f.*
Prinzip [prɪn'tsi:p, ...piən] ⟨-s, -ien⟩ *n* principio *m;* **ein Mann mit ~ien** un uomo di principio; **aus ~** per principio; **im ~** in linea di massima.
prinzipiell [...tsi'piɛl] **I.** *adj* di principio; **II.** *adv* per principio.
Priorität [priori'tɛ:t] ⟨-, -en⟩ *f* priorità *f;* **höchste ~ haben** avere priorità assoluta.
Prise ['pri:zə] ⟨-, -n⟩ *f* **1.** *(Salz, Pfeffer)* pizzico *m; (Tabak)* presa *f;* **2.** *naut* preda *f.*
Prisma ['prɪsma, ...mən] ⟨-s, Prismen⟩ *n* prisma *m.*
Pritsche ['prɪtʃə] ⟨-, -n⟩ *f* **1.** *(Liege)* branda *f;* **2.** *(Narren~)* spatola *f* (di Arlecchino).
privat [pri'va:t] *adj* privato; **~ versichert sein** avere un'assicurazione privata, essere assicurato privatamente.
Privat- *(in Zusammensetzungen)* privato. **Privatangelegenheit** *f* faccenda *f* privata. **Privataudienz** *f* udienza *f* particolare. **Privatdozent(in)** *m(f)* libero, -a docente *mf.* **Privatfernsehen** *n* televisione *f* privata. **Privatgrundstück** *n:* **~, kein Zutritt!** proprietà privata, vietato l'accesso. **privatisieren** ⟨*ohne ge-*⟩ *tr* privatizzare. **Privatisierung** *f* privatizzazione *f.* **Privatklinik** *f* clinica *f* privata. **Privatleben** *n* vita *f* privata, privacy *f.* **Privatpatient(in)** *m(f)* paziente *mf* privato, -a. **Privatsekretär(in)** *m(f)* segretario, -a *m, f* personale. **Privatsender** *m* stazione televisiva/radiofonica privata. **Privatsphäre** *f* sfera *f* privata, privacy *f.*
Privileg [privi'le:k, ...e:giən *o* ...e:gə] ⟨-(e)s, -ien *o* -e⟩ *n* privilegio *m.*
privilegieren [...le'gi:rən] ⟨*ohne ge-*⟩ *tr* privilegiare.
pro [pro:] *prp akk* a, per.
Probe ['pro:bə] ⟨-, -n⟩ *f* **1.** *allg.* prova *f;* **2.** *ökon* campione *m;* **jdn/etw. auf die ~ stellen** mettere alla prova qu/qc; **auf** (*o* **zur)** ~ in prova. **Probealarm** *m* allarme *m* di prova. **Probeaufnahme** *f* prova *f* di registrazione. **Probefahrt** *f* prova *f* su strada. **Probelauf** *m* **1.** *tec* prova *f* di funzionamento; **2.** *sport* corsa *f* di prova.
proben *tr, itr* provare.
probeweise *adv* in prova. **Probezeit** *f* periodo *m* di prova.
probieren [pro'bi:rən] ⟨*ohne ge-*⟩ *tr* provare; *(Speise)* assaggiare; *(Getränk)* degustare; **P~ geht über Studieren** *prov* val più la pratica che la grammatica *prov.*
Problem [pro'ble:m] ⟨-s, -e⟩ *n* problema *m;* **das ist nicht mein ~** *fam* ciò non è affar mio.
Problematik [proble'ma:tɪk] ⟨-, ø⟩ *f* problematica *f,* problematicità *f.*
problematisch *adj* problematico.
problemlos *adj, adv* senza problemi.
Produkt [pro'dʊkt] ⟨-(e)s, -e⟩ *n* prodotto *m.* **Produkthaftung** *f* responsabilità *f* del prodotto.
Produktion [prodʊk'tsio:n] ⟨-, -en⟩ *f* produzione *f.* **Produktionskosten** ⟨*pl*⟩ costi *m pl* di produzione. **Produktionsmittel** *n pl* mezzi *m pl* di produzione.
produktiv [prodʊk'ti:f] *adj* **1.** *(ergiebig)* produttivo; **2.** *(schöpferisch)* creativo.
Produktivität [...tivi'tɛ:t] ⟨-, ø⟩ *f* **1.** *(Ergiebigkeit)* produttività *f;* **2.** *(Schaffenskraft)* creatività *f.*
Produktmanager(in) *m(f)* manager *mf* del prodotto, product manager *mf.* **Produktpalette** *f* gamma *f* di prodotti.
Produzent(in) [produ'tsɛnt(ɪn)] ⟨-en, -en⟩ *m(f)* produttore, -trice *m, f.*
produzieren [...'tsi:rən] ⟨*ohne ge-*⟩ **I.** *tr* produrre; **II.** *rfl:* **sich ~** *fam pej* prodursi, esibirsi.
Prof. *abk von* **Professor** prof. (*abbr di*

professore).
profan [pro'fa:n] *adj* profano.
Professionalität [profɛsjonali'tɛ:t] ⟨-, ø⟩ *f* professionalità *f*.
professionell [...'nɛl] *adj* di professione, professionale.
Professor(in) [pro'fɛso:ɐ (...'so:rɪn), ...'so:rən] ⟨-s, -en⟩ *m(f)* (*abk* **Prof.**) professore, -essa *m, f* (universitario, -a).
Professur [...'su:ɐ] ⟨-, -en⟩ *f* professorato *m* (*für* di).
Profi ['pro:fi] ⟨-s, -s⟩ *m fam* professionista *mf*.
Profil [pro'fi:l] ⟨-s, -e⟩ *n* **1.** *allg., tec* profilo *m;* **2.** *fig (Persönlichkeit)* personalità *f*, carattere *m;* **im** ~ di profilo.
profilieren [...fi'li:rən] ⟨*ohne ge-*⟩ **I.** *tr* profilare; **II.** *rfl:* **sich** ~ profilarsi.
Profilneurose *f* stress *m* d'immagine.
Profilsohle *f* suola *f* di gomma intagliata.
Profit [pro'fi:t] ⟨-(e)s, -e⟩ *m* profitto *m*. **Profitgier** *f* avidità *f* (*o* smania *f*) di guadagno.
profitieren [profi'ti:rən] ⟨*ohne ge-*⟩ *itr* profittare (*von, bei* di), trarre profitto (*o* vantaggio) (*von, bei* da).
Prognose [pro'gno:zə] ⟨-, -n⟩ *f* previsione *f* (*über +akk* di), prognosi *f* (*über +akk* di).
prognostizieren [...gnɔsti'tsi:rən] ⟨*ohne ge-*⟩ *tr* pronosticare.
Programm [pro'gram] ⟨-s, -e⟩ *n* **1.** *(Plan)* programma *m;* **2.** *TV* canale *m; (Sendung)* programma *m;* **auf dem ~ stehen** essere in programma **Programmänderung** *f* modifica *f* del programma. **Programmbibliothek** *f inform* biblioteca (*o* libreria) *f* di programmi. **programmgemäß** *adj, adv* secondo il programma. **Programmgestaltung** *f* programmazione *f*. **Programmhinweis** *m* informazione *f* sui programmi.
programmieren [progra'mi:rən] ⟨*ohne ge-*⟩ *tr* programmare.
Programmierer(in) ⟨-s, -⟩ *m(f)* programmatore, -trice *m, f*.
Programmiersprache *f* linguaggio *m* di programmazione.
Programmierung ⟨-, -en⟩ *f* programmazione *f*.
Programmkino *n* cinema *m* con programma culturale stabilito. **Programmpunkt** *m* punto *m* del programma. **Programmvorschau** *f* rassegna *f* dei programmi. **Programmzeitschrift** *f* rivista *f* dei programmi radiotelevisivi.
Progression [progrɛ'sjo:n] ⟨-, -en⟩ *f* progressione *f*.
progressiv [...'si:f] *adj* **1.** *(fortschreitend)* progressivo; **2.** *(fortschrittlich)* progressista.
Projekt [pro'jɛkt] ⟨-(e)s, -e⟩ *n* progetto *m*.
Projektil [projɛk'ti:l] ⟨-s, -e⟩ *n* proiettile *m*.
Projektion [projɛk'tsjo:n] ⟨-, -en⟩ *f* proiezione *f*.
Projektor [pro'jɛkto:ɐ, ...'to:rən] ⟨-s, -en⟩ *m* proiettore *m*.
Projektleiter(in) *m(f)* capocommissione *mf*.
projizieren [proji'tsi:rən] ⟨*ohne ge-*⟩ *tr* proiettare.
Proklamation [proklama'tsjo:n] ⟨-, -en⟩ *f*, **Proklamierung** ⟨-, -en⟩ *f* proclamazione *f*.
proklamieren [...'mi:rən] ⟨*ohne ge-*⟩ *tr* proclamare.
Prokurist(in) [proku'rɪst(ɪn)] ⟨-en, -en⟩ *m(f)* procuratore, -trice *m, f*.
Prolet [pro'le:t] ⟨-en, -en⟩ *m* zotico *m*.
Proletariat [proleta'rja:t] ⟨-s, -e⟩ *n* proletariato *m*.
Proletarier(in) [...'ta:rjɐ (...ərɪn)] ⟨-s, -⟩ *m(f)* proletario, -a *m, f*.
Prolog [pro'lo:k] ⟨-(e)s, -e⟩ *m* prologo *m*.
Promenade [promə'na:də] ⟨-, -n⟩ *f* passeggiata *f*. **Promenadenmischung** *f scherz* bastardo *m*.
Promille [pro'mɪlə] ⟨-(s), -⟩ *n* per mille *m;* **sie ist mit 0,8 ~ gefahren** *fam* ha guidato con un tasso alcolico (nel sangue) del 0,8 per mille. **Promillegrenze** *f* limite *m* (massimo consentito) di alcol nel sangue.
prominent [promi'nɛnt] *adj* famoso, celebre. **Prominente** ⟨ein -r, -n, -n⟩ *mf* persona *f* famosa (*o* celebre).
Prominenz [...'nɛnts] ⟨-, -en⟩ *f* **1.** ⟨*sing*⟩ *(Prominentsein)* celebrità *f;* **2.** ⟨*sing*⟩ *(Gesamtheit von Prominenten)* personalità *f pl;* **3.** *(prominente Person)* personalità *f*.
Promiskuität [promɪskui'tɛ:t] ⟨-, ø⟩ *f* promiscuità *f*.
Promotion[1] [promo'tsjo:n] ⟨-, -en⟩ *f* laurea di ricerca *f*.
Promotion[2] [pro'mo:ʃən] ⟨-, -s⟩ *f ökon* promozione *f*.
promovieren [promo'vi:rən] ⟨*ohne ge-*⟩ **I.** *tr* conferire la laurea di ricerca a; **II.** *itr* scrivere una tesi di ricerca.
prompt [prɔmpt] *adj* pronto.
Pronomen [pro'no:mən, ...mən *o* ...mina] ⟨-s, - *o* -mina⟩ *n* pronome *m*.
Propaganda [propa'ganda] ⟨-, ø⟩ *f* propaganda *f*. **propagieren** [propa'gi:rən] ⟨*ohne ge-*⟩ *tr* propagare.
Propan(gas) [pro'pa:n] ⟨-s, ø⟩ *n* propano *m*.
Propeller [pro'pɛlɐ] ⟨-s, -⟩ *m* elica *f* (di propulsione).
Prophet(in) [pro'fe:t(ɪn)] ⟨-en, -en⟩ *m(f)* profeta, -tessa *m, f*. **prophetisch** *adj* profetico.
prophezeien [profe'tsajən] ⟨*ohne ge-*⟩ *tr* profetare.
Prophezeiung ⟨-, -en⟩ *f* profezia *f; (Voraussage a.)* predizione *f*.
prophylaktisch [profy'laktɪʃ] **I.** *adj* profilattico, preventivo; **II.** *adv* preventiva-

mente. **Prophylaxe** [...'laksə] ⟨-, -n⟩ *f* profilassi *f*.
Proportion [propɔr'tsio:n] *f* proporzione *f*.
proportional [propɔrtsio'na:l] *adj* proporzionale (*zu* a).
proportioniert [...'ni:ɐt] *adj* proporzionato.
Prosa ['pro:za] ⟨-, ø⟩ *f* prosa *f*.
prosaisch [pro'za:ɪʃ] *adj* **1.** *rar lit* prosastico; **2.** *fig (nüchtern)* prosaico.
Proseminar ['pro:-] *n* proseminario *m*.
pros(i)t [pro:st ('pro:zɪt)] *interj* (alla) salute; **ein Prosit auf . . .** un (ev)viva a . . .; **prost Mahlzeit!** *fam*, **na denn prost!** *fam* bell'affare!, c'è da stare allegri!
Prospekt [pro'spɛkt] ⟨-(e)s, -e⟩ *m* prospetto *m*.
prost *s.* **prosit.**
Prostata ['prɔstata, ...tɛ] ⟨-, -tatae⟩ *f* prostata *f*.
prostituieren [prostitu'i:rən] ⟨*ohne ge-*⟩ *rfl:* **sich** ~ prostituirsi.
Prostituierte ⟨-n, -n⟩ *f* prostituta *f*.
Prostitution [...'tsio:n] ⟨-, ø⟩ *f* prostituzione *f*.
Protagonist(in) [protago'nɪst(ɪn)] ⟨-en, -en⟩ *m(f)* protagonista *mf*.
protegieren [prote'ʒi:rən] ⟨*ohne ge-*⟩ *tr* proteggere, patrocinare.
Protein [prote'i:n] ⟨-s, -e⟩ *n* proteina *f*.
Protektion [protɛk'tsio:n] ⟨-, -en⟩ *f* protezione *f*, appoggio *m*.
Protest [pro'tɛst] ⟨-(e)s, -e⟩ *m* **1.** *allg.* protesta *f*; **2.** *fin* protesto *m*; **aus** ~ per protesta; **unter** ~ protestando. **Protestaktion** *f* azione *f* di protesta.
Protestant(in) [protɛs'tant(ɪn)] ⟨-en, -en⟩ *m(f)* protestante *mf*.
protestantisch *adj* protestante.
protestieren [protɛs'ti:rən] ⟨*ohne ge-*⟩ *itr*, *tr* protestare.
Protestkundgebung *f* manifestazione *f* di protesta. **Protestwähler(in)** *m(f)* elettore, -trice *m*, *f* di protesta. **Protestwelle** *f* ondata *f* di protesta.
Prothese [pro'te:zə] ⟨-, -n⟩ *f* protesi *f*.
Protokoll [proto'kɔl] ⟨-s, -e⟩ *n* **1.** *(Niederschrift)* verbale *m*; **2.** *pol (Etikette)* protocollo *m*; **3.** *(Strafmandat)* multa *f*.
protokollarisch [...'la:rɪʃ] *adj* protocollare.
Protokollführer(in) *m(f)* protocollista *mf*.
protokollieren [...'li:rən] ⟨*ohne ge-*⟩ *tr* protocollare, verbalizzare.
Prototyp ['pro:to-] *m* prototipo *m*.
protzen ['prɔtsən] *itr fam pej* fare sfoggio (*mit* di); *(mit Worten)* vantarsi (*mit* di).
protzig *adj fam* vistoso.
Proviant [pro'viant] ⟨-s, *rar* -e⟩ *m* viveri *m pl*, provviste *f pl* (di cibo).
Provinz [pro'vɪnts] ⟨-, -en⟩ *f* provincia *f*.
provinziell [provɪn'tsiɛl] *adj pej* provinciale.
Provinzler(in) ⟨-s, -⟩ *m(f) fam pej* provinciale *mf*.
Provinzzeitung *f* giornale *m* provinciale.
Provision [provi'zio:n] ⟨-, -en⟩ *f* provvigione *f*; **auf** ~ a provvigione.
provisorisch [provi'zo:rɪʃ] *adj* provvisorio.
Provokation [provoka'tsio:n] ⟨-, -en⟩ *f* provocazione *f*.
Provokateur(in) [provoka'tø:ɐ] ⟨-s, -e⟩ *m(f)* provocatore, -trice *m*, *f*.
provokativ, provokatorisch [...a'ti:f, ...a'to:rɪʃ] *adj* provocatorio.
provozieren [...vo'tsi:rən] ⟨*ohne ge-*⟩ *tr* provocare.
Prozedur [protse'du:ɐ] ⟨-, -en⟩ *f (a. inform)* procedura *f*.
Prozent [pro'tsɛnt] ⟨-(e)s, -e *o bei Mengenangaben* -⟩ *n* percento *m*; **in ~en** in percentuale; **in diesem Geschäft bekomme ich ~e** *fam* in questo negozio mi fanno lo sconto.
prozentual [...'tua:l] *adj* percentuale.
Prozeß [pro'tsɛs] ⟨-zesses, -zesse⟩ *m* processo *m*; **mit jdm/etw. kurzen ~ machen** *fam* tagliar corto con qu/qc. **Prozeßakten** *f pl* atti *m pl* processuali. **Prozeßgegner(in)** *m(f)* parte *f* avversaria.
prozessieren [...'si:rən] ⟨*ohne ge-*⟩ *itr* fare un processo (*mit*, *gegen* a), processare (*gegen jdn* qu).
Prozession [protsɛ'sio:n] ⟨-, -en⟩ *f* processione *f*.
Prozeßkosten ⟨*pl*⟩ spese *f pl* processuali.
Prozessor [pro'tsɛso:ɐ, ...'so:rən] ⟨-s, -en⟩ *m inform* processore *m*.
Prozeßordnung *f* codice *m* di procedura.
prüde ['pry:də] *adj* prude.
Prüderie [...ə'ri:] ⟨-, ø⟩ *f* pruderie *f*.
prüfen ['pry:fən] *tr* **1.** *(untersuchen, Kenntnisse abfragen)* esaminare; **2.** *(nach~, über~)* controllare, verificare; **3.** *fig geh (durch Schicksal)* provare; **staatlich geprüfte Dolmetscherin** interprete qualificata.
Prüfer(in) ⟨-s, -⟩ *m(f)* esaminatore, -trice *m*, *f*.
Prüfgerät *n* apparecchio *m* di collaudo (*o* prova).
Prüfling ['pry:flɪŋ] ⟨-s, -e⟩ *m* esaminando, -a *m*, *f*.
Prüfstand *m* banco *m* di prova.
Prüfung ⟨-, -en⟩ *f* **1.** *(Untersuchung, a. Schul~)* esame *m*; *(Über~)* controllo *m*, verifica *f*; **2.** *(Erprobung, Heimsuchung)* prova *f*. **Prüfungsangst** *f* paura *f* degli esami. **Prüfungsausschuß** *m* commissione *f* d'esame. **Prüfungsgegenstand** *m* oggetto *m* (*o* tema *m*) d'esame. **Prüfungskandidat(in)** *m(f)* esaminando, -a *m*, *f*. **Prüfungskommission** *f s.* **Prüfungsausschuß. Prüfungsordnung** *f* regolamento *m* degli esami.
Prügel ['pry:gəl] ⟨-s, -⟩ *m* **1.** *(Stock)* bastone *m*; **2.** ⟨*pl*⟩ *fam (Schläge)* bastonate

f pl, legnate *f pl fam.*
Prügelei [...'la̲i] ⟨-, -en⟩ *f* rissa *f.*
Prügelknabe *m fam* capro *m* espiatorio.
prügeln I. *tr* bastonare, picchiare; **II.** *rfl:* **sich** ~ darsele *fam.*
Prügelstrafe *f* pena *f* corporale.
Prunk [prʊŋk] ⟨-(e)s, ø⟩ *m* fasto *m*, sfarzo *m.* **prunkvoll** *adj* sfarzoso.
prusten ['pru:stən] *itr* stronfiare.
PS [pe:'ʔɛs] ⟨-, -⟩ *n* **1.** *abk von* **Pferdestärke** C.V. (*abbr di* Cavallo Vapore); **2.** *abk von* **Postskriptum** P.S. (*abbr di* poscritto).
Psalm [psalm] ⟨-s, -en⟩ *m* salmo *m.*
Pseudo-, pseudo- [psɔ̲ydo-] *(in Zusammensetzungen)* pseudo-. **Pseudokrupp** [psɔydo'krʊp] ⟨-s, ø⟩ *m med* laringismo *m* stridulo.
Pseudonym [psɔ̲ydo'ny:m] ⟨-s, -e⟩ *n* pseudonimo *m.*
pst [pst] *interj* pss, pst.
Psyche ['psy:çə] ⟨-, -n⟩ *f* psiche *f.*
Psychiater(in) [psy'çi̲a:tɐ (...ərɪn)] ⟨-s, -⟩ *m(f)* psichiatra *mf.*
Psychiatrie [...çia'tri:] ⟨-, ø⟩ *f* psichiatria *f.* **psychiatrisch** [psy'çi̲a:trɪʃ] *adj:* **sich in ~er Behandlung befinden** essere in cura psichiatrica.
psychisch ['psy:çɪʃ] *adj* psichico.
Psychoanalyse [psyçoʔana'ly:zə] *f* psicanalisi *f.*
Psychologe [-'lo:gə] ⟨-n, -n⟩ *m*, **Psychologin** [...gɪn] *f* psicologo, -a *m, f.*
Psychologie [-lo'gi:] ⟨-, ø⟩ *f* psicologia *f.*
psychologisch [-'lo:gɪʃ] *adj* psicologico.
Psychopath(in) [-'pa:t(ɪn)] ⟨-en, -en⟩ *m(f)* psicopatico, -a *m, f.* **Psychopharmaka** [-'farmaka] *n pl* psicofarmaci *m pl.* **Psychose** [psy'ço:zə] ⟨-, -n⟩ *f* psicosi *f.* **psychosomatisch** [-zo'ma:tɪʃ] *adj* psicosomatico. **Psychoterror** ['psy:ço-] *m* terrore *m* psicologico. **Psychotherapeut(in)** *m(f)* psicoterapeuta *mf.* **psychotherapeutisch** *adj* psicoterapeutico. **Psychotherapie** *f* psicoterapia *f.*
PTA [pe:te:'ʔa:] ⟨-, -s⟩ *f abk von* **pharmazeutisch-technische(r) Assistent(in)** assistente *mf* farmaceutico, -a.
pubertär [pubɛr'tɛ:ɐ] *adj (Probleme)* puberale; *(Mensch)* nell'età puberale.
Pubertät [...'tɛ:t] ⟨-, ø⟩ *f* pubertà *f.*
Publicity [pʌ'blɪsɪtɪ] ⟨-, ø⟩ *f* **1.** *(Bekanntheit)* notorietà *f;* **2.** *(Reklame)* pubblicità *f.*
Public Relations ['pʌblɪk rɪ'leɪʃənz] ⟨*pl*⟩ (*abk* **PR**) public relations *f pl*, pubbliche relazioni *f pl.*
publik [pu'bli:k] *adj* pubblico.
Publikation [publika'ts̲i̲o:n] ⟨-, -en⟩ *f* pubblicazione *f.*
Publikum ['pu:blikʊm] ⟨-s, ø⟩ *n* pubblico *m.* **Publikumserfolg** *m* successo *m* presso il pubblico; *(Film)* film *m* di cassetta. **Publikumsliebling** *m* beniamino *m* del pubblico. **publikumswirksam** *adj* che fa presa sul pubblico.
publizieren [publi'ts̲i̲:rən] ⟨*ohne ge-*⟩ *tr* pubblicare.
Publizistik [...'ts̲ɪstɪk] ⟨-, ø⟩ *f* pubblicistica *f.*
Puck [pʊk] ⟨-s, -s⟩ *m sport* disco *m.*
Pudding ['pʊdɪŋ] ⟨-s, -e *o* -s⟩ *m* budino *m.* **Puddingpulver** *n* polvere *f* da budino.
Pudel ['pu:dəl] ⟨-s, -⟩ *m* (cane *m*) barbone *m;* **wie ein begossener ~ dastehen** *fam* starsene lì come un cane bastonato. **Pudelmütze** *f* berretto *m* di lana. **pudelnackt** ['pu:dəl'nakt] *adj fam* nudo come un verme. **pudelnaß** ['pu:dəl'nas] *adj fam* bagnato come un pulcino. **pudelwohl** ['pu:dəl'vo:l] *adj fam:* **sich ~ fühlen** sentirsi magnificamente bene.
Puder ['pu:dɐ] ⟨-s, -⟩ *m o fam, dial n* cipria *f; (Körper~)* talco *m.* **Puderdose** *f* portacipria *m.*
pudern I. *tr* incipriare; **II.** *rfl:* **sich** ~ incipriarsi.
Puderquaste *f* piumino *m* per la cipria. **Puderzucker** *m* zucchero *m* a velo.
Puff[1] [pʊf] ⟨-s, -s⟩ *m (Sitzkissen)* puf *m*, cuscino *m.*
Puff[2] [pʊf] ⟨-s, -s⟩ *m o. n fam pej (Bordell)* bordello *m.*
Puffärmel *m* manica *f* a palloncino.
Puffer ['pʊfɐ] ⟨-s, -⟩ *m* **1.** *eisenb.* respingente *m;* **2.** *(Kartoffel~)* frittella *f* di patate. **Pufferstaat** *m* stato *m* cuscinetto. **Pufferzone** *f* zona *f* cuscinetto.
Puffmutter *f fam* tenutaria *f* di un bordello.
pulen ['pu:lən] *(norddeutsch)* **I.** *itr* grattare; *(in Nase)* mettere le dita nel naso; **II.** *tr (heraus~)* sgranare.
Pulle ['pʊlə] ⟨-, -n⟩ *f sl* bottiglia *f;* **volle ~ fahren** andare a tutta birra *fam.*
Pulli ['pʊli] ⟨-s, -s⟩ *m fam*, **Pullover** [pʊ'lo:vɐ] ⟨-s, -⟩ *m* pullover *m*, maglione *m.*
Pullunder [pʊ'lʊndɐ] ⟨-s, -⟩ *m* pullover *m* senza maniche.
Puls [pʊls] ⟨-es, -e⟩ *m* polso *m.* **Pulsader** *f* arteria *f* radiale, vena *f* del polso; **sich** *(dat)* **die ~n aufschneiden** svenarsi.
pulsieren [pʊl'zi:rən] ⟨*ohne ge-*⟩ *itr* pulsare.
Pulsschlag *m* **1.** *anat* battito *m* del polso; **2.** *fig* pulsare *m*, palpito *m.* **Pulswärmer** ⟨-s, -⟩ *m* scaldapolsi *m.*
Pult [pʊlt] ⟨-(e)s, -e⟩ *n (Schreib~)* scrivania *f; (in Schule)* cattedra *f; (Redner~)* tribuna *f; (Noten~, Lese~)* leggio *m; (Schalt~)* quadro *m* di comando.
Pulver ['pʊlfɐ *o* ...lvɐ] ⟨-s, -⟩ *n* polvere *f;* **sein ~ verschossen haben** *fig fam* aver sparato tutte le cartucce. **Pulverfaß** *n* barile *m* di polvere; **einem ~ gleichen** essere una polveriera; **auf einem ~ sitzen** *fig* star seduti su un vulcano.
pulverisieren [pʊlveri'zi:rən] ⟨*ohne ge-*⟩

tr polverizzare.
Pulverschnee *m* neve *f* polverosa.
Puma ['pu:ma] ⟨-s, -s⟩ *m* puma *m.*
pumm(e)lig ['pʊm(ə)lɪç] *adj fam* grassoccio.
Pumpe ['pʊmpə] ⟨-, -n⟩ *f* pompa *f.*
pumpen *tr* **1.** *(Wasser)* pompare; **2.** *sl (entleihen)* farsi prestare; *(Geld)* scroccare *sl; (verleihen)* prestare.
Pumps [pœmps] *m pl* scarpe *f pl* décolleté.
puncto ['pʊŋkto] *adv:* **in ~** riguardo a.
Punk- ['paŋk-] *(in Zusammensetzungen)* punk.
Punker(in) ['paŋkɐ, ...kərɪn] ⟨-s, -⟩ *m(f)* punk *mf.*
Punkt [pʊŋkt] ⟨-(e)s, -e⟩ *m* punto *m;* **ohne ~ und Komma reden** *fam* parlare come una mitragliatrice; **~ 12 Uhr** mezzogiorno in punto; **~ für ~** punto per punto; **in diesem ~** a questo riguardo; **dunkler ~** *fig* punto nero; **nun mach aber mal 'nen ~!** *fam* ora però basta!; **etw. auf den ~ bringen** puntualizzare qc.
punktieren [pʊŋk'ti:rən] ⟨*ohne ge-*⟩ *tr* **1.** *(Linie, Fläche)* punteggiare; **2.** *mus* puntare; **3.** *med* fare una puntura a.
Punktion [...'tsi̯o:n] ⟨-, -en⟩ *f* puntura *f.*
pünktlich ['pʏŋktlɪç] *adj* puntuale. **Pünktlichkeit** ⟨-, ø⟩ *f* puntualità *f.*
Punktrichter(in) *m(f)* giudice *mf* di gara.
Punktsieg *m* vittoria *f* ai punti.
punktuell [pʊŋk'tu̯ɛl] **I.** *adj* puntuale; **II.** *adv* per sommi capi.
Punsch [pʊnʃ] ⟨-(e)s, -e *o* Pünsche⟩ *m* ponce *m.*
Pupille [pu'pɪlə] ⟨-, -n⟩ *f* pupilla *f.*
Puppe ['pʊpə] ⟨-, -n⟩ *f* **1.** *(Spielzeug)* bambola *f;* **2.** *zoo* crisalide *f.* **Puppenhaus** *n* casa *f* delle bambole. **Puppenspieler(in)** *m(f)* burattinaio, -a *m, f.* **Puppentheater** *n* teatro *m* di burattini. **Puppenwagen** *m* carrozzina *f* delle bambole.
pur [pu:ɐ̯] *adj* puro; **Whisky ~** whisky liscio; **das ist ~er Unsinn** sono tutte sciocchezze.
Püree [py're:] ⟨-s, -s⟩ *n* purea *f.*
pürieren [py'ri:rən] ⟨*ohne ge-*⟩ *tr* passare.
Purpur ['pʊrpʊr] ⟨-s, ø⟩ *m* porpora *f.* **purpurfarben, -rot** *adj* (color) porpora, porporino.
Purzelbaum *m* capriola *f.*
purzeln ['pʊrtsəln] *itr* ⟨*sein*⟩ fare un capitombolo; *(herunter~)* ruzzolare.
Puste ['pu:stə] ⟨-, ø⟩ *f fam* fiato *m.* **Pusteblume** *f fam* soffione *m.* **Pustekuchen** *m:* **(ja) ~!** *fam* te lo sogni!
Pustel ['pʊstəl] ⟨-, -n⟩ *f* pustola *f.*
pusten ['pu:stən] *itr* soffiare.
Pute ['pu:tə] ⟨-, -n⟩ *f* **1.** *(Truthenne)* tacchina *f;* **2.** *fam pej* oca *f fam.*
Puter ['pu:tɐ] ⟨-s, -⟩ *m* tacchino *m.* **puterrot** ['pu:tɐ'ro:t] *adj* rosso come un tacchino (*o* un peperone).
Putsch [pʊtʃ] ⟨-(e)s, -e⟩ *m* golpe *m.* **putschen** *itr* fare un colpo di stato.
Putschist(in) [pʊ'tʃɪst(ɪn)] ⟨-en, -en⟩ *m(f)* golpista *mf.*
Putte ['pʊtə] ⟨-, -n⟩ *f* putto *m,* amorino *m.*
Putz [pʊts] ⟨-es, ø⟩ *m* **1.** *obs (Accessoires)* guarnizioni *f pl;* **2.** *arch (Ver~)* intonaco *m;* **auf den ~ hauen** *fam (angeben)* darsi delle arie; *(ausgelassen sein)* essere sfrenato.
putzen ['pʊtsən] **I.** *tr (reinigen)* nettare; *(a. Gemüse)* pulire; *(polieren)* lucidare; *(Schuhe a.)* lustrare; *(Nase)* pulire, soffiare; *(Zähne)* pulire, lavare; **II.** *rfl:* **sich ~ 1.** *(sich säubern)* pulirsi; **2.** *obs (sich schmücken)* ornarsi.
Putzfrau *f* donna *f* delle pulizie.
putzig ['pʊtsɪç] *adj fam (niedlich)* carino, grazioso; *(seltsam, komisch)* buffo, bizzarro.
Putzkolonne *f* squadra *f* di addetti alle pulizie. **Putzlappen** *m* strofinaccio *m.*
Putzmacherin *f* modista *f.* **putzmunter** ['pʊts'mʊntɐ] *adj fam* vispo.
Putzwut *f* mania *f* della pulizia.
Puzzle(spiel) ['pazəl *o* 'pasəl] ⟨-s, -s⟩ *n* puzzle *m.*
PVC [pe:fau'tse:] ⟨-(s), ø⟩ *n abk von* **Polyvinylchlorid** P.V.C.
Pyjama [py'dʒa:ma *o* py'ʒa:ma] ⟨-s, -s⟩ *m* pigiama *m.*
Pyramide [pyra'mi:də] ⟨-, -n⟩ *f* piramide *f.*
Pyrenäen [pyre'nɛ:ən] ⟨*pl*⟩ Pirenei *m pl.*
Pyromane [pyro'ma:nə] ⟨-n, -n⟩ *m,* **Pyromanin** [...nɪn] *f* piromane *mf.*
Pyrotechniker(in) [pyro-] *m(f)* pirotecnico *m.*
Python(schlange *f)* ['py:tɔn, ...tɔns *o* py'to:nən] ⟨-s, -s *o* Pythonen⟩ *m* pitone *m.*

Q

Q, q [ku:] ⟨-, -(s)⟩ *n* Q, q *f;* **Q wie Quelle** Q come quarto.
q *CH, A abk von* **Zentner** quintale.
quabb(e)lig ['kvab(ə)lıç] *adj* molliccio; *(weich und glitschig)* viscido; *(weich und dick)* grasso e flaccido.
Quacksalber ['kvakzalbɐ] ⟨-s, -⟩ *m pej* ciarlatano, -a *m, f.*
Quader ['kva:dɐ] ⟨-s, -⟩ *m o* ⟨-, -n⟩ *f* **1.** *arch* quadrone *m;* **2.** *mat* parallelepipedo *m.*
Quadrant [kva'drant] ⟨-en, -en⟩ *m* quadrante *m.*
Quadrat [kva'dra:t] ⟨-(e)s, -e⟩ *n* quadrato *m;* **sechzehn zum** ~ sedici al quadrato. **quadratisch** *adj* **1.** *mat* quadratico; **2.** *(quadratförmig)* quadr(at)o; **~e Gleichung** equazione di secondo grado. **Quadratlatschen** *m pl fam* **1.** *(Schuhe)* barche *f pl fam;* **2.** *(Füße)* piedoni *m pl fam.* **Quadratmeter** *m o n* metro *m* quadrato (*o* quadro).
Quadratur [kvadra'tu:ɐ̯] ⟨-, -en⟩ *f* quadratura *f.*
Quadratwurzel *f* radice *f* quadrata. **Quadratzentimeter** *m o n* centimetro *m* quadrato.
Quadrophonie [kvadrofo'ni:, ...i:ən] ⟨-, -n⟩ *f* quadrifonia *f.*
quak [kva:k] *interj* qua, quac.
quaken ['kva:kən] *itr* **1.** *(Ente)* schiamazzare; *(Frosch)* gracidare; **2.** *fam pej* blaterare.
Quäker(in) ['kvɛ:kɐ (...ərın)] ⟨-s, -⟩ *m(f)* quacchero, -a *m, f.*
Qual [kva:l] ⟨-, -en⟩ *f* tormento *m,* pena *f.*
quälen ['kvɛ:lən] **I.** *tr* tormentare; *(fig a.)* seccare, annoiare; *(Tiere)* maltrattare; **II.** *rfl:* **sich** ~ **1.** *(seelisch)* tormentarsi; **2.** *(sich abmühen)* affaticarsi.
Quälerei [...ə'rai̯] ⟨-, -en⟩ *f* tormento *m; (a. fig)* supplizio *m; (von Tieren)* maltrattamenti *m pl.*
Quälgeist *m fam* scocciatore, -trice *m, f fam.*
Qualifikation [kvalifika'ts̯io:n] ⟨-, -en⟩ *f* **1.** *allg., sport* qualificazione *f;* **2.** *(Eignung)* qualifica *f,* attitudine *f.*
qualifizieren [...'ts̯i:rən] ⟨*ohne ge-*⟩ **I.** *tr* qualificare (*als, zu* come); **II.** *rfl:* **sich** ~ qualificarsi.
Qualität [kvali'tɛ:t] ⟨-, -en⟩ *f* qualità *f.*
qualitativ [...ta'ti:f] *adj* qualitativo.
Qualitätsarbeit *f* lavoro *m* di qualità. **Qualitätserzeugnis** *n* prodotto *m* di qualità. **Qualitätskontrolle** *f* controllo *m* della qualità.
Qualle ['kvalə] ⟨-, -n⟩ *f* medusa *f.*
Qualm [kvalm] ⟨-(e)s, ø⟩ *m* fumo *m* denso.
qualmen *tr, itr* fumare.
qualvoll *adj* straziante, penoso.
Quant [kvant] ⟨-s, -en⟩ *n* quanto *m.*
Quanten ⟨*pl*⟩ **1.** *pl von* **Quant, Quantum; 2.** *sl (Füße)* piedacci *m pl fam.*
Quantentheorie *f* teoria *f* dei quanti.
Quantität [kvanti'tɛ:t] ⟨-, -en⟩ *f* quantità *f.*
quantitativ [...ta'ti:f] *adj* quantitativo.
Quantum ['kvantʊm, ...tən] ⟨-s, Quanten⟩ *n* **1.** *(Menge)* dose *f;* **2.** *(Anteil)* parte *f,* porzione *f.*
Quarantäne [karan'tɛ:nə] ⟨-, -n⟩ *f* quarantena *f;* **unter** ~ in quarantena.
Quark [kvark] ⟨-s, ø⟩ *m* **1.** *gastr* (formaggio *m* tipo) ricotta *f;* **2.** *fam pej (Unsinn)* sciocchezze *f pl.* **Quarkspeise** *f* crema *f* di ricotta.
Quart [kvart] ⟨-, -en⟩ *f mus, sport* quarta *f.*
Quarta ['kvarta, ...tən] ⟨-, Quarten⟩ *f* terza classe *f* ginnasiale.
Quartal [kvar'ta:l] ⟨-s, -e⟩ *n* trimestre *m.*
Quartals- *(in Zusammensetzungen)* trimestrale. **Quartal(s)säufer** *m fam* dipsomane *m.*
Quarte ['kvartə] ⟨-, -n⟩ *f* quarta *f.*
Quartett [kvar'tɛt] ⟨-(e)s, -e⟩ *n* quartetto *m.*
Quartier [kvar'ti:ɐ̯] ⟨-s, -e⟩ *n* **1.** *(Unterkunft)* alloggio *m; mil* alloggiamento *m,* acquartieramento *m;* **2.** *obs, CH, A (Stadtteil)* quartiere *m.*
Quarz [kva:ɐ̯ts̯] ⟨-es, -e⟩ *m* quarzo *m.*
Quarzuhr *f* orologio *m* al quarzo.
quasi ['kva:zi] *adv* **1.** *(gewissermaßen)* in un certo senso; **2.** *(fast)* quasi.
quasseln ['kvasəln] *itr fam pej* cianciare *fam,* blaterare; **dummes Zeug** ~ dire ciance *fam.*
Quaste ['kvastə] ⟨-, -n⟩ *f* nappa *f; (Puder~)* piumino *m.*
Quatsch [kvat͡ʃ] ⟨-(e)s, ø⟩ *m fam* sciocchezze *f pl,* stupidaggini *f pl.*
quatschen *fam itr* **1.** *pej (dumm daherschwätzen)* dire sciocchezze *fam;* **2.** *(plaudern)* cianciare *fam,* blaterare.
Quatschkopf *m fam pej* ciancione, -a *m, f fam.*
QbA *abk von* **Qualitätswein aus bestimmten Anbaugebieten** D.O.C. (*abbr di* Denominazione di Origine Controllata).
Quecksilber ['kvɛk-] *n* **1.** *chem* mercurio

m; **2.** *fig fam* argento *m* vivo. **Quecksilbersäule** *f* colonna *f* di mercurio.
Quell [kvɛl] ⟨-(e)s, -e⟩ *m poet* fonte *f.*
Quelle ['kvɛlə] ⟨-, -n⟩ *f* **1.** *(von Fluß)* sorgente *f; (fig a.)* fonte *f;* **2.** *(Öl~)* pozzo *m* (petrolifero); **an der ~ sitzen** *fig fam* avere una buona fonte di rifornimento.
quellen ⟨quillt, quoll, gequollen⟩ *itr* ⟨*sein*⟩ **1.** *(heraus~)* sgorgare, scaturire; **2.** *(auf~, anschwellen)* gonfiarsi.
Quellenangabe *f* indicazione *f* delle fonti. **Quellenforschung** *f* studio *m* delle fonti. **Quellensteuer** *f* ritenuta *f* alla fonte sugli interessi bancari, imposta *f* sui depositi bancari trattenuta alla fonte. **Quellentext** *m* fonte *f.*
Quellgebiet *n* bacino *m* sorgentifero. **Quellwasser** *n* acqua *f* di sorgente.
Quengelei [kvɛŋə'lai̯] ⟨-, -en⟩ *f fam* piagnisteo *m fam.*
queng(e)lig *adj fam* brontolone; *(Kind)* piagnucoloso.
quengeln ['kvɛŋəln] *itr fam* brontolare, criticare; *(Kind)* piagnucolare.
quer [kve:ɐ̯] *adv* di traverso; **~ durch** (*o* **über)** attraverso. **Querbalken** *m* traversa *f.* **querbeet** [-'be:t] *adv fam* a casaccio *fam.* **Querdenker(in)** ⟨-s, -⟩ *m(f)* anticonformista *mf.*
Quere ['kve:rə] ⟨-, ø⟩ *f:* **der ~ nach** di traverso; **jdm in die ~ kommen** *fam* contrariare i progetti di qu.
querfeldein [-fɛlt'ˀai̯n] *adv* attraverso i campi. **Querfeldeinrennen** *n* corsa *f* campestre.
Querflöte *f* flauto *m* traverso. **Querkopf** *m fam pej* bastian *m* contrario. **Querschläger** *m* colpo *m* di rimbalzo.
Querschnitt *m* **1.** *(Schnitt)* sezione *f* trasversale; **2.** *fig (Überblick)* panorama *m,* rassegna *f.* **querschnitt(s)gelähmt** *adj* paraplegico. **Querschnitt(s)gelähmte** *mf* paraplegico, -a *m, f.* **Querschnittslähmung** *f* paraplegia *f.*
Querstraße *f* traversa *f.* **Quersumme** *f* somma *f* delle cifre di un numero. **Quertreiber** ⟨-s, -⟩ *m fam pej* oppositore, -trice *m, f.*
Querulant(in) [kveru'lant(ɪn)] ⟨-en, -en⟩ *m(f) pej* brontolone, -a *m, f.*
Querverweis *m* rimando *m,* richiamo *m.*
quetschen ['kvɛtʃən] **I.** *tr* schiacciare; **etw. in etw.** *(akk)* **~** stipare qc in qc; **II.** *rfl:* **sich ~** schiacciarsi; *(sich zwängen)* accalcarsi. **Quetschfalte** *f* piega *f* piatta.
Quetschung ⟨-, -en⟩ *f,* **Quetschwunde** *f* contusione *f.*
Quiche [kiʃ] ⟨-, -s⟩ *f* quiche *f,* torta *f* salata.
quicklebendig ['kvɪkle'bɛndɪç] *adj* vivacissimo.
quieken ['kvi:kən] *itr* **1.** *(Tiere)* squittire; **2.** *fig (vor Vergnügen)* emettere piccoli gridi striduli, stridere.
quietschen ['kvi:tʃən] *itr* **1.** *(Tür, Schloß)* cigolare, stridere; **2.** *fam (Menschen)* strillare.
quietschfidel ['kvi:tʃfi'de:l] *adj fam,* **quietschvergnügt** ['kvi:tʃfɛɐ̯'gny:kt] contento come una Pasqua *fam.*
quillt [kvɪlt] *pr von* **quellen.**
Quinta ['kvinta, ...tən] ⟨-, Quinten⟩ *f* seconda classe *f* ginnasiale.
Quinte ['kvintə] ⟨-, -n⟩ *f* quinta *f.*
Quintessenz ['kvɪntɛsɛnts] *f* quintessenza *f.*
Quintett [kvɪn'tɛt] ⟨-(e)s, -e⟩ *n* quintetto *m.*
Quirl [kvɪrl] ⟨-(e)s, -e⟩ *m* **1.** *(Küchengerät)* frullino *m;* **2.** *bot* verticillo *m.*
quirlen *tr* frullare.
quitt [kvɪt] *adj:* **(mit jdm) ~ sein** essere pari (con qu).
Quitte ['kvɪtə] ⟨-, -n⟩ *f* **1.** *(Baum)* (melo *m)* cotogno *m;* **2.** *(Frucht)* (mela *f)* cotogna *f.*
quittieren [kvɪ'ti:rən] ⟨*ohne ge-*⟩ *tr* **1.** *(bescheinigen)* quietanzare; *(Rechnung)* saldare; **2.** *(Dienst)* lasciare, abbandonare.
Quittung ['kvɪtʊŋ] ⟨-, -en⟩ *f* **1.** *ökon* ricevuta *f,* quietanza *f;* **2.** *fig (Lohn)* ricompensa *f;* **das ist die ~ für deine Voreiligkeit** ecco il risultato della tua fretta.
Quiz [kvɪs] ⟨-, -⟩ *n* (gioco *m* a) quiz *m.* **Quizmaster** [-ma:stɐ] ⟨-s, -⟩ *m* presentatore, -trice *m, f* di un gioco a quiz.
quoll [kvɔl] *imp von* **quellen.**
Quote ['kvo:tə] ⟨-, -n⟩ *f* quota *f; (bei Statistik)* percentuale *f.* **Quotenregelung** *f pol sistema proporzionale per incentivare le donne.*
Quotient [kvo'tsi̯ɛnt] ⟨-en, -en⟩ *m* quoziente *m* .

R

R, r [ɛr] ⟨-, -(s)⟩ *n* R, r *f;* **R wie Richard** R come Roma.

R *abk von* **Réaumur** R.

Rabatt [ra'bat] ⟨-(e)s, -e⟩ *m* sconto *m,* riduzione *f,* ribasso *m;* **mit 10 %** ~ con uno sconto del 10 %; **ich bekam 5 Mark** ~ mi fecero uno sconto di 5 marchi.

rabattieren [...'ti:rən] ⟨*ohne ge-*⟩ *tr* fare uno sconto su.

Rabattmarke *f* buono *m* (di) sconto.

Rabbi ['rabi, ra'bi:nən *o* 'rabis] ⟨-(s), Rabbinen *o* -s⟩ *m* rabbi *m.*

Rabbiner [ra'bi:nɐ] ⟨-s, -⟩ *m* rabbino *m.*

Rabe ['ra:bə] ⟨-n, -n⟩ *m* corvo *m.* **Rabeneltern** ⟨*pl*⟩ *pej* genitori *m pl* degeneri. **Rabenmutter** *f pej* madre *f* snaturata. **rabenschwarz** ['ra:bən'ʃvarts] *adj* corvino, nero come un corvo. **Rabenvater** *m pej* padre *m* snaturato.

rabiat [ra'bi̯a:t] *adj* brutale; *(Methoden)* rozzo, grossolano.

Rache ['raxə] ⟨-, ø⟩ *f* vendetta *f;* **(an jdm für etw.)** ~ **nehmen** vendicarsi (di qc su qu); **aus** ~ per vendetta. **Racheakt** *m* atto *m* di vendetta. **Racheengel** *m* angelo *m* vendicatore.

Rachen ['raxən] ⟨-s, -⟩ *m* faringe *f; (fig, von Raubtier)* fauci *f pl.*

rächen ['rɛçən] **I.** *tr* vendicare; **II.** *rfl:* **sich** ~ vendicarsi; **sich an jdm für etw.** ~ vendicarsi su qu per (*o* di) qc.

Rächer(in) ⟨-s, -⟩ *m(f)* vendicatore, -trice *m, f.*

Rachitis [ra'xi:tɪs] ⟨-, ø⟩ *f* rachitide *f,* rachitismo *m.*

Rachsucht *f* sete *f* di vendetta. **rachsüchtig** *adj* avido di vendetta, vendicativo.

Rad [ra:t] ⟨-(e)s, Räder⟩ *n* **1.** *tec, sport* ruota *f;* **2.** *(Fahr~)* bicicletta *f,* bici *f fam;* **ein** ~ **schlagen** *sport* fare una ruota; **unter die Räder kommen** *fam* rovinarsi. **Radachse** *f* asse *m* (della ruota).

Radar [ra'da:ɐ̯ *o* 'ra:da:ɐ̯] ⟨-s, ø⟩ *m o n* radar *m.* **Radarfalle** *f fam* radar *m.* **Radargerät** *n* (apparecchio *m*) radar *m.* **Radarkontrolle** *f* controllo *m* radar. **Radarschirm** *m* schermo *m* radar.

Radau [ra'dau̯] ⟨-s, ø⟩ *m fam* chiasso *m,* baccano *m.*

Radaufhängung ⟨-, -en⟩ *f* sospensione *f* delle ruote.

Rädchen ['rɛ:tçən] ⟨-s, -⟩ *n* rotella *f,* rotellina *f.*

Raddampfer *m* piroscafo *m* a ruote.

radebrechen ['ra:dəbrɛçən] *tr, itr:* **(in) Italienisch** ~ masticare male l'italiano.

radeln ['ra:dəln] *fam s.* **radfahren.**

Rädelsführer(in) ['rɛ:dəls-] *m(f)* caporione, -a *m, f.*

rädern ['rɛ:dɐn] *tr hist* giustiziare sulla ruota; **sich wie gerädert fühlen** avere le ossa rotte.

rad·fahren ⟨fährt Rad, fuhr Rad, radgefahren⟩ *itr* ⟨*sein*⟩ **1.** *allg.* andare in bicicletta; **2.** *fam pej (kriechen)* fare il ruffiano *fam.* **Radfahrer(in)** *m(f)* **1.** *allg.* ciclista *mf;* **2.** *fam pej (Kriecher)* ruffiano, -a *m, f fam.* **Rad(fahr)weg** *m* pista *f* (*o* corsia *f*) ciclabile.

Radialreifen *m* (pneumatico *m*) radiale *m.*

Radiator *m tec* radiatore *m.*

Radien *pl von* **Radius.**

radieren [ra'di:rən] ⟨*ohne ge-*⟩ *tr* **1.** *(aus~)* cancellare; **2.** *(in Kunst)* incidere (all'acquaforte).

Radiergummi *m* gomma *f* (per cancellare).

Radierung ⟨-, -en⟩ *f* (disegno *m o* incisione *f* all')acquaforte *f.*

Radieschen [ra'di:sçən] ⟨-s, -⟩ *n* ravanello *m.*

radikal [radi'ka:l] *adj* radicale; *(a. pol)* estremista; *(Maßnahme)* drastico. **Radikale** ⟨ein -r, -n, -n⟩ *mf* radicale *mf,* estremista *mf.* **Radikalenerlaß** *m* decreto *m* contro gli estremisti.

Radio ['ra:di̯o] ⟨-s, -s⟩ *n* radio *f;* **im** ~ alla radio.

radioaktiv [radi̯oˀak'ti:f] *adj* radioattivo.

Radioaktivität [...tivi'tɛ:t] *f* radioattività *f.*

Radiologe [radi̯o'lo:gə] ⟨-n, -n⟩ *m,* **Radiologin** [...gɪn] *f* radiologo, -a *m, f.*

Radiorecorder [-re'kɔrdɐ] ⟨-s, -⟩ *m* radioregistratore *m.* **Radiosender** *m* emittente *f* radiofonica. **Radiowecker** *m* radiosveglia *f.*

Radium ['ra:di̯ʊm] ⟨-s, ø⟩ *n* radio *m.*

Radius ['ra:di̯ʊs, ...i̯ən] ⟨-, Radien⟩ *m* raggio *m.*

Radkappe *f* coppa *f* della ruota.

Radler(in) ⟨-s, -⟩ *m(f) fam* ciclista *mf.*

Radrennbahn *f* velodromo *m.* **Radrennen** *n* corsa *f* ciclistica. **Radrennfahrer(in)** *m(f)* corridore, -trice *m, f* (ciclista).

rad·schlagen ⟨schlägt Rad, schlug Rad, radgeschlagen⟩ *itr* fare la ruota.

Radsport *m* ciclismo *m.* **Radtour** *f,* **-wanderung** *f* gita *f* in bicicletta. **Radwechsel** *m* cambio *m* della ruota. **Radweg** *s.* **Radfahrweg.**

RAF [ɛrˀa:'ˀɛf] ⟨-, ø⟩ *f abk von* **Rote-Armee-Fraktion** Frazione Armata Rossa.

raffen ['rafən] *tr* **1.** *(Rock, etc.)* sollevare, tirare su; *(Stoff)* pieghettare; **2.** *(kürzen)* comprimere; **3.** *sl (kapieren)* afferrare.
Raffgier *f* rapacità *f*, avidità *f*. **raffgierig** *adj* rapace, avido.
Raffinade [rafi'na:də] ⟨-, -n⟩ *f* zucchero *m* raffinato.
Raffinerie [rafinə'ri:, ...i:ən] ⟨-, -n⟩ *f* raffineria *f*.
Raffinesse [rafi'nɛsə] ⟨-, -n⟩ *f* **1.** *(Durchtriebenheit)* astuzia *f*; **2.** *(Feinheit)* raffinatezza *f*.
raffinieren [rafi'ni:rən] ⟨*ohne ge-*⟩ *tr* raffinare. **raffiniert** *adj* **1.** *(durchtrieben)* furbo; *(ausgeklügelt)* sofisticato; **2.** *(verfeinert)* raffinato; **3.** *fam (Kleid, Frisur)* raffinato.
Rafting ['ra:ftɪŋ] ⟨-s, ø⟩ *n sport* rafting *m*.
Rage ['ra:ʒə] ⟨-, ø⟩ *f* rabbia *f*, furore *m*.
ragen ['ra:gən] *itr* protendersi.
Ragout [ra'gu:] ⟨-s, -s⟩ *n* ragù *m*.
Rahm [ra:m] ⟨-(e)s, ø⟩ *m dial* panna *f*, crema *f*.
rahmen ['ra:mən] *tr* incorniciare, mettere in cornice.
Rahmen ⟨-s, -⟩ *m* **1.** *(Bilder~, a. fig)* cornice *f*; **2.** *(Tür~, Fenster~)* telaio *m*; **3.** *fig (Bereich)* quadro *m*, ambito *m*; **aus dem ~ fallen** *fig* essere fuori dell'ordinario; **im ~ des Möglichen** nell'ambito delle possibilità. **Rahmenabkommen** *n* accordo *m* quadro (*o* di base). **Rahmenhandlung** *f* trama *f* che fa da cornice. **Rahmenrichtlinien** *f pl* linee *f pl* programmatiche.
Raimund ['raimʊnt] *(männlicher Vorname)* Raimondo.
Rainer ['rainɐ] *(männlicher Vorname)* Ranieri.
räkeln ['rɛ:kəln] *s.* **rekeln.**
Rakete [ra'ke:tə] ⟨-, -n⟩ *f* razzo *m*; *(a. mil)* missile *m*. **Raketenabschußrampe** *f* rampa *f* lanciamissili. **Raketenbasis** *f* base *f* missilistica.
Rallye ['rali *o* 'rɛli] ⟨-, -s⟩ *f* rally *m*. **Rallyefahrer(in)** *m(f)* campione, -essa *m*, *f* di rally.
RAM [ram] ⟨-s, -s⟩ *n akr von* **Random Access Memory** *inform* memoria *f* RAM.
rammen ['ramən] *tr* **1.** *(Pfähle, etc.)* conficcare (con il battipalo), battere; **2.** *(Fahrzeuge)* tamponare; *(Schiffe)* speronare.
Rampe ['rampə] ⟨-, -n⟩ *f* **1.** *tec* rampa *f*; *(Lade~)* piano *m* caricatore; **2.** *theat* ribalta *f*. **Rampenlicht** *n* luci *f pl* della ribalta.
ramponieren [rampo'ni:rən] ⟨*ohne ge-*⟩ *tr fam* rovinare, guastare.
Ramsch [ramʃ] ⟨-(e)s, *rar* -e⟩ *m fam pej* **1.** *ökon* merce *f* di scarto; **2.** *fig* cianfrusaglie *f pl*, robaccia *f*.
ran [ran] *fam s.* **heran.**
Rand [rant] ⟨-(e)s, Ränder⟩ *m* **1.** *(a. Saum)* orlo *m*; *(a. Kante)* bordo *m*; **2.** *(Umrandung)* sponda *f*; **3.** *(Hut~)* tesa *f*; **4.** *(von Abgrund, a. fig)* orlo *m*; **5.** *(Wald~, Straßen~)* margini *m pl*; *(Stadt~)* periferia *f*; **6.** *(Schmutz~)* alone *m*; **7.** *typ* margine *m*; **Ränder unter den Augen haben** avere le occhiaie; **am ~e bemerken** *fig* notare a margine; **außer ~ und Band sein** essere scatenato; **mit etw. nicht zu ~e kommen** *fam* non venire a capo di qc; **halt den ~!** *sl* chiudi il becco! *sl*.
Randale [ran'da:lə] ⟨-, ø⟩ *f fam*: **~ machen** fare chiasso, fare baccano.
randalieren [randa'li:rən] ⟨*ohne ge-*⟩ *itr* **1.** *(Lärm machen)* far baccano; **2.** *(zerstören)* compiere atti di vandalismo.
Randalierer(in) [randa'li:rɐ] ⟨-s, -⟩ *m(f)* vandalo, -a *m,f*.
Randbemerkung *f (schriftlich)* nota *f* a margine; *(mündlich)* osservazione *f*, commento *m*.
Rande ['randə] ⟨-, -n⟩ *f CH* barbabietola *f*.
Randerscheinung *f* fenomeno *m* di importanza secondaria. **Randfigur** *f* pedina *f fig*. **Randgebiet** *n* territorio *m* periferico; *(einer Stadt)* periferia *f*. **Randgruppe** *f* emarginati *m pl*. **Randstreifen** *m mot* corsia *f* di sosta (*o* d'emergenza).
rang [raŋ] *imp von* **ringen.**
Rang [raŋ] ⟨-(e)s, Ränge⟩ *m* **1.** *(Grad)* rango *m*; *(bes. mil)* grado *m*; *(Stand)* condizione *f*, stato *m*; *(Stellung)* posizione *f*; *(Stellenwert)* importanza *f*; *(Güte)* qualità *f*; **2.** *theat* galleria *f*; **jdm den ~ ablaufen** superare qu; **ersten ~es** di prima qualità; *(von Bedeutung a.)* di prim'ordine. **Rangfolge** *f* gerarchia *f*; *(Wertordnung)* ordine *m*.
Rangierbahnhof *m* stazione *f* di smistamento.
rangieren [raŋ'ʒi:rən *o* rã'ʒi:rən] ⟨*ohne ge-*⟩ **I.** *tr* manovrare; **II.** *itr* venire.
Rangliste *f* **1.** *sport* classifica *f*; **2.** *mil* annuario *m* militare. **Rangordnung** *s.* **Rangfolge.**
rank [raŋk] *adj*: **~ und schlank** slanciato.
Ranke ['raŋkə] ⟨-, -n⟩ *f* viticcio *m*, cirro *m*; *(von Rebe)* tralcio *m*.
Ränke ['rɛŋkə] ⟨*pl*⟩ *poet*: **~ schmieden** ordire intrighi.
ranken *itr* ⟨*haben o sein*⟩, *rfl*: **sich ~** avviticchiarsi, arrampicarsi.
rann [ran] *imp von* **rinnen.**
rannte ['rantə] *imp von* **rennen.**
Ranzen ['rantsən] ⟨-s, -⟩ *m* **1.** *(Schul~)* cartella *f*; **2.** *(Rucksack)* zaino *m*.
ranzig ['rantsɪç] *adj* rancido; **~ werden** irrancidire.
rapide [ra'pi:də] *adj* rapido.
Rappe ['rapə] ⟨-n, -n⟩ *m* morello *m*.
rappeln ['rapəln] *itr fam* sbattere, fare rumore.
Rappen ['rapən] ⟨-s, -⟩ *m* centesimo *m*.

Raps [raps] ⟨-es, *rar* -e⟩ *m* colza *f*.
rar [ra:ɐ̯] *adj* raro; **sich ~ machen** *fam* farsi vedere di rado.
Rarität [rari'tɛ:t] ⟨-, -en⟩ *f* rarità *f*.
rasant [ra'zant] *adj* velocissimo.
rasch [raʃ] *adj* rapido, veloce; *(flink)* svelto.
rascheln ['raʃəln] *itr* frusciare; **mit etw. ~** fare un fruscio con qc. **Rascheln** ⟨-s, ø⟩ *n* fruscio *m*.
rasen ['ra:zən] *itr* **1.** ⟨*haben*⟩ essere fuori di sé, fremere (*vor +dat* da); *(im Wahnsinn)* delirare; *(vor Wut)* impazzire; **2.** ⟨*sein*⟩ correre all'impazzata, sfrecciare.
Rasen ['ra:zən] ⟨-s, -⟩ *m* prato *m*.
rasend I. *adj* **1.** *(Geschwindigkeit)* pazzo, folle; **2.** *(Schmerzen)* violento; **3.** *(Wut, Eifersucht)* furioso, furibondo; **4.** *(Beifall)* frenetico; **ich könnte ~ werden** c'è da impazzire; **II.** *adv fam (sehr)* da matti *fam*.
Rasenmäher ⟨-s, -⟩ *m* tosatrice *f*, tosaerba *f*.
Raser ['ra:zɐ] ⟨-s, -⟩ *m* chi corre come un pazzo.
Raserei [ra:zə'rai̯] ⟨-, ø⟩ *f* **1.** *fam, mot* corsa *f* pazza; **2.** *(vor Wut)* furia *f*, rabbia *f*; *(Wahnsinn)* pazzia *f*.
Rasierapparat *m* rasoio *m* (di sicurezza). **Rasiercreme** *f* crema *f* da barba.
rasieren [ra'zi:rən] ⟨*ohne ge-*⟩ **I.** *tr* radere; *(jdn a.)* fare la barba a; **sich ~ lassen** farsi fare la barba; **II.** *rfl:* **sich ~** radersi, farsi la barba.
Rasierklinge *f* lametta *f* da barba. **Rasiermesser** *n* rasoio *m*. **Rasierpinsel** *m* pennello *m* da barba. **Rasierseife** *f* sapone *m* da barba. **Rasierwasser** *n* lozione *f* da barba. **Rasierzeug** *n* servizio *m* da barba.
Raspel[1] ['raspəl] ⟨-, -n⟩ *f (Feile)* raspa *f*; *(Küchen~)* grattugia *f* per verdure.
Raspel[2] ['raspəl] ⟨-s, -⟩ *m* ⟨*meist pl*⟩ *(Geraspeltes)* raspatura *f*.
raspeln *tr* raspare; *(Gemüse)* grattugiare.
Rasse ['rasə] ⟨-, -n⟩ *f* razza *f*.
Rassel ['rasəl] ⟨-,-n⟩ *f* sonaglio *m*. **Rasselbande** *f fam* brigata *f* di ragazzi.
rasseln *itr (Ketten)* fare strepito; *(Wekker)* (ri)sonare con fragore; **er ist durch die Prüfung gerasselt** *fam* è stato bocciato all'esame.
Rassendiskriminierung *f* discriminazione *f* razziale. **Rassenhaß** *m* odio *m* razziale. **Rassenunruhen** *f pl* disordini *m pl* razziali.
rassig *adj* tutto fuoco.
rassisch *adj* razziale.
Rassismus [ra'sɪsmʊs] ⟨-, ø⟩ *m* razzismo *m*.
Rassist(in) [ra'sɪst] ⟨-en, -en⟩ *m(f)* razzista *mf*.
rassistisch [ra'sɪstɪʃ] *adj* razzista, razzistico.
Rast [rast] ⟨-, -en⟩ *f* sosta *f*, fermata *f*.
rasten *itr* fermarsi, sostare; **wer rastet, der rostet** *prov* chi si ferma è perduto *prov*.
Raster ['rastɐ] ⟨-s, -⟩ *m* **1.** *typ* retino *m*; **2.** *(in Fragebogen)* griglia *f*; **3.** *fig* categoria *f* (del pensiero). **Raster(elektronen)mikroskop** *n* microscopio *m* elettronico a scansione lineare. **Rasterfahndung** *f* investigazione *f* computerizzata.
rastlos *adj* **1.** *(unermüdlich)* incessante, continuo; **2.** *(ruhelos)* instancabile, infaticabile; **3.** *(unstet)* irrequieto. **Rastplatz** *m* luogo *m* di sosta; *(Autobahn~)* piazzola *f* di sosta. **Raststätte** *f* autogrill *m*.
Rasur [ra'zu:ɐ̯] ⟨-, -en⟩ *f* rasatura *f*.
Rat [ra:t, -ʃlɛ:gə *o* 'rɛ:tə] *m* **1.** ⟨-(e)s, -schläge⟩ *(~schlag)* consiglio *m*; **2.** ⟨-(e)s, Räte⟩ *(Kollegium)* consiglio *m*; *(Person)* consigliere *m*; **sich** *(dat)* **keinen (anderen) ~ mehr wissen, als ...** non saper far altro che ...; **jdn/etw. zu ~e ziehen** consultare qu/qc; **jdm mit ~ und Tat zur Seite stehen** assistere qu a parole e a fatti.
rät [rɛ:t] *pr von* **raten.**
Rate ['ra:tə] ⟨-, -n⟩ *f* **1.** *ökon* rata *f*; **2.** *(Verhältniszahl)* quota *f*; **in ~n, auf ~n** a rate.
raten ['ra:tən] ⟨rät, riet, geraten⟩ *tr, itr* **1.** *(Ratschläge geben)* consigliare; *(vorschlagen)* suggerire; *(empfehlen)* raccomandare; **2.** *(er~)* indovinare; **jdm zu etw. ~** consigliare qu per qc; **dreimal darfst du ~!** *fam* puoi rispondere tre volte, puoi dare tre risposte.
Ratenkauf *m* acquisto *m* a rate. **Ratenzahlung** *f* pagamento *m* rateale (*o* a rate).
Ratgeber *m (Buch)* manualetto *m*.
Ratgeber(in) *m(f)* consigliere, -a *m, f*.
Rathaus *n* municipio *m*.
Ratifikation [ratifika'tsi̯o:n] ⟨-, -en⟩ *f*, **Ratifizierung** ⟨-, -en⟩ *f* ratifica *f*.
ratifizieren [...'tsi:rən] ⟨*ohne ge-*⟩ *tr* ratificare.
Ration [ra'tsi̯o:n] ⟨-, -en⟩ *f* razione *f*.
rational [ratsi̯o'na:l] *adj* razionale.
rationalisieren [...nali'zi:rən] ⟨*ohne ge-*⟩ *tr, itr* razionalizzare.
Rationalisierung ⟨-, -en⟩ *f* razionalizzazione *f*.
rationell [...'nɛl] *adj* razionale; *(haushälterisch)* economico.
rationieren [...'ni:rən] ⟨*ohne ge-*⟩ *tr* razionare.
Rationierung ⟨-, -en⟩ *f* razionamento *m*.
ratlos *adj* perplesso, confuso, disorientato. **Ratlosigkeit** ⟨-, ø⟩ *f* perplessità *f*, confusione *f*, disorientamento *m*.
rätoromanisch [rɛtoro'ma:nɪʃ] *adj* retoromanzo.
ratsam *adj* consigliabile; *(zu empfehlen)* raccomandabile; *(angezeigt)* opportuno.
ratsch [ratʃ] *interj* zaff.

Ratschlag ['ra:t-] *m* consiglio *m.*
Rätsel ['rɛ:tsəl] ⟨-s, -⟩ *n* enigma *m; (Denkaufgabe a.)* indovinello *m;* **jdm ein ~ aufgeben** porre un problema a qu; **es ist mir ein ~, wie das passieren konnte** non so come sia successo. **rätselhaft** *adj* enigmatico, misterioso, oscuro; *(unerklärlich)* inesplicabile.
rätseln *itr* cercare di indovinare.
Rätselraten ⟨-s, ø⟩ *n* **1.** *(von Kreuzworträtseln, etc.)* indovinare *m* indovinelli; **2.** *fig (das Rätseln)* supposizioni *f pl,* congetture *f pl.*
Ratssitzung *f* seduta *f* del consiglio.
Rattan ⟨-s⟩ *n* rattan *m.*
Ratte ['ratə] ⟨-, -n⟩ *f* ratto *m.* **Rattengift** *n* topicida *m.* **Rattenschwanz** *m* coda *f* di ratto; **der Skandal zog einen ~ von Enthüllungen nach sich** lo scandalo sollevò molti veli.
rattern ['ratərn] *itr* fare strepito.
Raub [raup] ⟨-(e)s, ø⟩ *m* **1.** *(Rauben)* rapina *f;* **2.** *(Entführung)* rapimento *m;* **3.** *(Beute)* bottino *m,* preda *f;* **der ~ der Sabinerinnen** il ratto delle Sabine.
Raubbau ⟨-(e)s, ø⟩ *m* sfruttamento *m* abusivo; **~ treiben** sfruttare senza criterio; **mit seiner Gesundheit ~ treiben** rovinarsi la salute. **Raubdruck** ⟨-(e)s, -e⟩ *m* stampa *f* pirata.
rauben ['raubən] *tr* rubare, rapinare; *(entführen)* rapire; **den Atem ~** togliere il fiato.
Räuber(in) ['rɔybɐ (...ərɪn)] ⟨-s, -⟩ *m(f)* rapinatore, -trice *m, f; (Straßen~)* brigante *m,* bandito *m;* **~ und Gendarm spielen** giocare a guardie e ladri. **Räuberhauptmann** *m* capobanda *m.* **Räuberhöhle** *f* covo *m* di briganti; **hier sieht es ja aus wie in einer ~!** *fam* sembra una stalla.
Raubkatze *f* felino *m.* **Raubkopie** *f* copia *f* illecita. **Raubmord** *m* assassinio *m* per rapina. **Raubmörder(in)** *m(f)* assassino, -a *m, f* rapinatore, -trice. **Raubpressung** ⟨-, -en⟩ *f (von Schallplatten)* registrazione *f* pirata. **Raubritter** *m* cavaliere *m* predone. **Raubtier** *n* animale *m* rapace. **Raubüberfall** *m* rapina *f.* **Raubvogel** *m* uccello *m* rapace.
Rauch [raux] ⟨-(e)s, ø⟩ *m* fumo *m;* **sich in ~ auflösen** andare in fumo.
rauchen *itr, tr* fumare.
Raucher(in) ⟨-s, -⟩ *m(f)* fumatore, -trice *m, f.* **Raucherabteil** *n* scompartimento *m* per fumatori. **Raucherbein** *n* malattia *f* (*o* morbo *m*) di Bürger. **Raucherhusten** *m* tosse *f* dei fumatori.
Räucherlachs *m* salmone *m* affumicato.
räuchern ['rɔyçərn] *tr* affumicare.
Räucherstäbchen [-ʃtɛ:pçən] ⟨-s, -⟩ *n* bastoncini *m pl* d'incenso.
Rauchfang *m* cappa *f* del camino. **Rauchfleisch** *n* carne *f* affumicata. **Rauchgas** *n mot* gas *m* combusto.
rauchig *adj* **1.** *(voll Rauch)* pieno di fumo, fumoso; **2.** *(Stimme)* profondo e rauco; *(Whisky)* che sa di fumo.
Rauchsäule *f* colonna *f* di fumo, fumata *f.*
Rauchverbot *n* divieto *m* di fumare.
Rauchwaren[1] *f pl (Tabakwaren)* tabacchi *m pl.*
Rauchwaren[2] *f pl (Pelze)* pellicceria *f.*
Rauchwolke *f* nuvola *f* di fumo. **Rauchzeichen** *n* fumata *f.*
rauf [rauf] *fam s.* **herauf, hinauf.**
Raufbold [-bɔlt] ⟨-(e)s, -e⟩ *m* rissaiolo *m.*
raufen ['raufən] *rfl:* **sich ~** azzuffarsi, accapigliarsi; **sich um etw. ~** far rissa per qc; **sich** *(dat)* **die Haare ~** strapparsi i capelli.
Rauferei [...ə'rai] ⟨-, -en⟩ *f* zuffa *f,* baruffa *f,* rissa *f.*
rauh [rau] *adj* **1.** *(nicht glatt)* ruvido, scabro; *(bot, borstig)* irto, ispido; **2.** *(Stimme, Hals)* rauco, roco; *(Haut)* screpolato; **3.** *(Klima)* rigido, inclemente; *(Wind)* tagliente; **4.** *(Gegend)* selvaggio; **5.** *(Manieren, Mensch)* ruvido; *(grob)* rozzo, rude, aspro; **in ~en Mengen** *fam* in grande quantità. **Rauhbein** *n fam* orso *m.* **Rauhfasertapete** *f* carta *f* da pareti ruvida.
Rauhreif *m* brina *f.*
Raum [raum] ⟨-(e)s, Räume⟩ *m* **1.** *astr, philos, phys, mat* spazio *m;* **2.** *(Platz a.)* posto *m;* **3.** *(Räumlichkeit)* locale *m,* vano *m; (Zimmer)* stanza *f,* camera *f;* **4.** *(Gebiet)* zona *f,* area *f;* **im ~ stehen** *fig* esserci, esistere. **Raumanzug** *m* tuta *f* spaziale.
räumen ['rɔymən] *tr* **1.** sgombrare; *(weg~)* togliere, levare; *(leeren)* vuotare; **2.** *(verlassen)* lasciare; *(aufgeben)* abbandonare; *(evakuieren)* evacuare; **beiseite ~** mettere da parte; **etw. in einen/ aus einem Schrank ~** riordinare qc in un armadio/prendere fuori qc da un armadio.
Raumfähre *f* navetta *f* spaziale. **Raumfahrer(in)** *m(f)* astronauta *mf.* **Raumfahrt** *f* navigazione *f* spaziale, astronautica *f;* **bemannte ~** volo spaziale con equipaggio. **Raumfahrtbehörde** *f* ente *m* per la ricerca spaziale. **Raumfahrtzentrum** *n* centro *m* per la ricerca spaziale. **Raumfahrzeug** *n* veicolo *m* spaziale.
Räumfahrzeug *n* mezzo *m* di sgombero.
Raumflug *m* volo *m* (*o* viaggio *m*) spaziale. **Raumgestaltung** *f* architettura *f* interna, arredamento *m.* **Raumgleiter** [-'glaitɐ] ⟨-s, -⟩ *m* space shuttle *m,* navetta *f* spaziale. **Rauminhalt** *m* volume *m,* cubatura *f.* **Raumkapsel** *f* capsula *f* spaziale.
Räumkommando *n* squadra *f* di sgombero.
Raumlehre *f* geometria *f.*
räumlich ['rɔymlɪç] *adj* **1.** *(den Raum betreffend)* spaziale; *(im Raum)* nello spazio; *(des Raumes)* di (*o* dello) spazio;

2. *(dreidimensional)* tridimensionale; ~**es Sehen** vista stereoscopica. **Räumlichkeiten** *f pl* vani *m pl,* locali *m pl.*
Raummeter *m o n* stero *m.* **Raumpfleger(in)** *m(f)* uomo *m,* donna *f* delle pulizie. **Raumschiff** *n* nave *f* spaziale. **Raumstation** *f* stazione *f* spaziale. **Raumteiler** ⟨-s, -⟩ *m* divisorio *m* di ambienti.
Räumung ⟨-, -en⟩ *f (Wohnungs~)* sgombero *m; (zwangsweise ~)* sfratto *m; (Verlassen)* abbandono *m; (Evakuierung)* evacuazione *f; (Leerung)* vuotamento *m; ökon* svendita *f,* liquidazione *f.* **Räumungsarbeiten** *f pl* lavori *m pl* di sgombero. **Räumungsbefehl** *m* **1.** *mil* ordine *m* di evacuazione; **2.** *jur* ordine *m* di sfratto. **Räumungsklage** *f* azione *f* per sfratto. **Räumungsverkauf** liquidazione *f* totale.
raunen [ˈraunən] *itr* mormorare, sussurrare.
Raupe [ˈraupə] ⟨-, -n⟩ *f* **1.** *zoo* bruco *m;* **2.** *tec* apripista *m,* bulldozer *m.* **Raupenschlepper** *m* trattore *m* a cingoli.
raus [raus] *fam s.* **heraus, hinaus.**
Rausch [rauʃ] ⟨-(e)s, Räusche⟩ *m* **1.** *(Alkohol~)* ubriacatura *f,* sbornia *f; (Drogen~)* ebbrezza *f* da droga; **2.** *(Ekstase)* estasi *f; (Begeisterung)* ebbrezza *f.*
rauschen [ˈrauʃən] *itr (Sturm, Wogen)* muggire; *(Wald, Blätter)* stormire; *(Bach)* mormorare; *(Regen, Beifall)* scrosciare; *(Wind)* sibilare; *(Seide, Kleider)* frusciare.
rauschfrei *adj tec* silenzioso.
Rauschgift *n* droga *f,* stupefacente *m.* **Rauschgifthandel** *m* traffico *m* di droga (*o* di stupefacenti). **Rauschgifthändler(in)** *m(f)* trafficante *mf* di droga (*o* di stupefacenti). **Rauschgiftring** *m* rete *f* di spacciatori. **rauschgiftsüchtig** *adj* tossicodipendente, tossicomane. **Rauschgiftsüchtige** *mf* tossicodipendente *mf.*
Rauschgoldengel *m* angioletto *m* natalizio di latta.
räuspern [ˈrɔyspɐn] *rfl:* **sich ~** raschiarsi la gola.
Rausschmeißer ⟨-s, -⟩ *m fam (eines Lokals)* buttafuori *m,* gorilla *m.*
Raute [ˈrautə] ⟨-, -n⟩ *f* **1.** *mat* rombo *m;* **2.** *bot* ruta *f.*
Razzia [ˈratsia, ...iən] ⟨-, -ien⟩ *f* retata *f,* rastellamento *m.*
rd. *abk von* **rund** c. (*abbr di* circa).
Reagenzglas [reaˈgɛnts-] *n* provetta *f.*
reagieren [reaˈgi:rən] ⟨*ohne ge-*⟩ *itr* reagire (*auf +akk* a).
Reaktion [reakˈtsio:n] ⟨-, -en⟩ *f* reazione *f* (*auf +akk* a).
reaktionär [...tsioˈnɛ:ɐ] *adj* reazionario.
Reaktionsfähigkeit *f* reattività *f.*
Reaktor [reˈakto:ɐ, ...ˈto:rən] ⟨-s, -en⟩ *m* reattore *m* (nucleare). **Reaktorkern** *m* nucleo *m* del reattore. **Reaktorsicherheit** *f* sicurezza *f* del reattore. **Reaktorunfall** *m* incidente *m* di reattore.
real [reˈa:l] *adj (wirklich)* reale; *(konkret)* concreto. **Realeinkommen** *n* reddito *m* reale.
realisieren [realiˈzi:rən] ⟨*ohne ge-*⟩ *tr* realizzare; *(verwirklichen a.)* attuare.
Realisierung ⟨-, ø⟩ *f* realizzazione *f; (Verwirklichung a.)* attuazione *f.*
Realismus [reaˈlɪsmʊs] ⟨-, ø⟩ *m* realismo *m.*
Realist(in) ⟨-en, -en⟩ *m(f)* realista *mf.*
realistisch *adj* realistico.
Reality-TV [rɪˈælətɪti:ˈvi:] *n* tiv(v)ù (*o* TV) *f* verità.
Realität [realiˈtɛ:t] ⟨-, -en⟩ *f* realtà *f.*
Realschule *f* scuola *f* secondaria inferiore.
Rebe [ˈre:bə] ⟨-, -n⟩ *f* **1.** *(Weinstock)* vite *f;* **2.** *(Ranke)* viticcio *m.*
Rebell(in) [reˈbɛl(ɪn)] ⟨-en, -en⟩ *m(f)* ribelle *mf.*
rebellieren [rebɛˈli:rən] ⟨*ohne ge-*⟩ *itr* ribellarsi (*gegen* contro, a).
Rebellion [...ˈlio:n] ⟨-, -en⟩ *f* ribellione *f.*
rebellisch *adj* ribelle.
Rebhuhn [ˈre:p- *o* ˈrɛp-] *n* pernice *f.* **Reblaus** [ˈre:p-] *f* fillossera *f.*
Rebstock *m* vite *f.*
Receiver [riˈsi:vɐ] ⟨-s, -⟩ *m* ricevitore *m.*
Rechaud [reˈʃo:] ⟨-s, -s⟩ *m o n* scaldavivande *m.*
Rechen [ˈrɛçən] ⟨-s, -⟩ *m* rastrello *m.*
Rechenart *f* operazione *f* matematica. **Rechenaufgabe** *f* problema *m* di aritmetica. **Rechenbuch** *n* libro *m* di aritmetica. **Rechenexempel** *n* esempio *m* di calcolo. **Rechenfehler** *m* errore *m* di calcolo. **Rechenfunktion** *f inform* funzione *f* di calcolo. **Rechenmaschine** *f* calcolatrice *f.*
Rechenschaft ⟨-, ø⟩ *f* conto *m,* ragione *f;* **jdn für etw. zur ~ ziehen** chiedere conto (*o* ragione) di qc a qu. **Rechenschaftsbericht** *m* rendiconto *m,* resoconto *m.*
Rechenschieber ⟨-s, -⟩ *m* regolo *m* calcolatore. **Rechenzentrum** *n* centro *m* elaborazione dati (*abbr* CED).
Recherchen [reˈʃɛrʃən] *f pl* ricerche *f pl,* indagini *f pl.*
recherchieren [...ˈʃi:rən] ⟨*ohne ge-*⟩ **I.** *tr* ricercare, fare una ricerca su; **II.** *itr* fare una ricerca (su qc).
rechnen [ˈrɛçnən] **I.** *tr* **1.** *mat* calcolare; **2.** *(einbeziehen)* annoverare (*zu, unter* fra); **II.** *itr* **1.** *mat* calcolare; **2.** *(sich verlassen)* contare (*auf +akk, mit* su); **3.** *(erwarten)* aspettarsi (*mit etw.* qc), prevedere (*mit etw.* qc); **mit dem Schlimmsten ~** temere il peggio; **damit habe ich nicht gerechnet** non me l'aspettavo. **Rechnen** ⟨-s, ø⟩ *n* calcolo *m.*
Rechner ⟨-s, -⟩ *m (Gerät)* calcolatore *m.*
Rechner(in) ⟨-s, -⟩ *m(f)* calcolatore, -trice

m, f.
rechnergesteuert *adj* comandato da calcolatore (*o* computer). **rechnergestützt** *adj inform* assistito (*o* guidato) da computer, computerizzato.
rechnerisch I. *adj* aritmetico; **II.** *adv* per via di calcolo.
Rechnerverbund *m inform* rete *f* di calcolatori.
Rechnung ⟨-, -en⟩ *f* **1.** *(das Rechnen)* calcolo *m;* **2.** *(Ab~, Be~)* conto *m;* **auf eigene ~** per conto proprio. **Rechnungsführer(in)** *m(f)* ragioniere, -a *m, f,* contabile *mf.* **Rechnungshof** *m:* **Europäischer ~** corte *f* dei conti europea. **Rechnungsjahr** *n* anno *m* (*o* esercizio *m*) finanziario. **Rechnungsprüfer** *m* revisore *m* dei conti. **Rechnungsunterlagen** *f pl* scritture *f pl* contabili. **Rechnungswesen** *n* ragioneria *f,* contabilità *f.*
recht [rɛçt] **I.** *adj* **1.** *(richtig)* giusto; **2.** *(wirklich)* vero; **3.** *(passend)* adatto; *(gelegen)* opportuno; **4.** *(~mäßig)* legittimo; **~ haben** avere ragione; **~ daran tun zu ...** far bene a *+inf;* **an den R~en kommen** capitare bene; **nach dem R~en sehen** guardare se tutto va bene; **zur ~en Zeit** a tempo (*o* al momento) buono; **alles, was ~ ist, aber ...** *fam* va bene tutto, ma ...; **das ist mir ~** per me va bene; **II.** *adv* **1.** *(sehr)* molto; **2.** *(ziemlich)* abbastanza; **3.** *(richtig, gehörig)* bene; **es jdm ~ machen** accontentare qu; **~ und schlecht** alla (meno) peggio; **das geschieht dir ~** ti sta bene; **wenn ich mich ~ entsinne, hieß er Dirk** se ben ricordo (*o* se non erro) si chiamava Dirk; **nun erst ~!** ora più che mai!; **nun erst ~ nicht!** ora meno che mai!
Recht ⟨-(e)s, -e⟩ *n* **1.** *allg., jur* diritto *m* (*auf +akk* a); *(Berechtigung)* ragione *f; (Befugnis)* facoltà *f* (*zu* di); **2.** ⟨*pl*⟩ *(Wissenschaft)* giurisprudenza *f,* legge *f;* **bürgerliches/öffentliches ~** diritto civile/pubblico; **~ sprechen** amministrare la giustizia; **im ~ sein** aver ragione; **mit** (*o* **zu**) **~** a diritto, a ragione; **von ~s wegen** di diritto; **das ist mein gutes ~** è mio pieno diritto; **gleiches ~ für alle!** la legge è uguale per tutti.
rechte *s.* **rechte(r, s).**
Rechte[1] ⟨ein -r, -n, -n⟩ *mf pol* uno, -a *m, f* di destra.
Rechte[2] ⟨-n, -n⟩ *f allg., pol* destra *f;* **zur ~n** a destra.
Rechteck *n* rettangolo *m.* **rechteckig** *adj* rettangolare.
rechte(r, s) ['rɛçtə] *adj* **1.** *(Seite, a. pol)* destro, -a; **2.** *mat (Winkel)* retto, -a; **mein ~r Nebenmann** il mio vicino di destra; **~ Seite** *(von Stoff)* dritto *m.*
rechtfertigen I. *tr* giustificare; **II.** *rfl:* **sich ~** giustificarsi.
Rechtfertigung *f* giustificazione *f.*
Rechthaberei [-ha:bə'rai] ⟨-, ø⟩ *f* pretesa *f* di aver sempre ragione. **rechthaberisch** *adj* che vuol sempre avere ragione.
rechtlich *adj* giuridico, legale.
rechtlos *adj* privo di diritti. **Rechtlosigkeit** ⟨-, ø⟩ *f* privazione *f* di diritti.
rechtmäßig *adj* legittimo. **Rechtmäßigkeit** *f* legittimità *f.*
rechts [rɛçts] *adv* a (*o* sulla) destra; **~ gehen** (*o* **fahren**) andare a (*o* tenere la) destra; **~ überholen** sorpassare a destra; **sich ~ einordnen** *mot* disporsi sulla corsia di destra; **~ vor links** la destra prima della sinistra; **~ vom** (*o* **neben dem**) **Haus** a destra della casa; **nach/von ~** a (*o* verso)/da destra. **Rechtsabbieger** ⟨-s, -⟩ *m* persona *f* che svolta a destra. **Rechtsabbiegerspur** *f* preselezione *f* a destra.
Rechtsabteilung *f* sezione *f* giuridica. **Rechtsangleichung** *f* coordinamento *m* del diritto, ravvicinamento *m* delle legislazioni. **Rechtsanwalt** *m,* **-anwältin** *f* avvocato, -essa *m, f,* legale *mf.* **Rechtsauskunft** *f* informazione *f* legale.
Rechtsaußen [-'ʔausən] ⟨-, -⟩ *m* ala *f* destra.
Rechtsbeistand *m* patrocinio *m* legale. **Rechtsberater(in)** *m(f)* consigliere, -a *m, f* giuridico, -a. **Rechtsbeugung** *f* prevaricazione *f.* **Rechtsbruch** *m* violazione *f* del diritto.
rechtschaffen I. *adj* retto, probo; **II.** *adv (sehr)* molto. **Rechtschaffenheit** ⟨-, ø⟩ *f* rettitudine *f,* probità *f.*
Rechtschreibfehler *m* errore *m* d'ortografia. **Rechtschreibung** *f* ortografia *f.*
Rechtsdrehung *f* rotazione *f* destrorsa. **Rechtsextremismus** ⟨-, ø⟩ *m* estremismo *m* di destra. **Rechtsextremist(in)** *m(f)* estremista *mf* di destra.
rechtsfähig *adj* giuridicamente capace. **Rechtsfall** *m* caso *m* giuridico, causa *f.* **Rechtsfrage** *f* questione *f* giuridica. **Rechtsgrundlage** *f* fondamento *m* giuridico, base *f* legale. **rechtsgültig** *adj* giuridicamente valido, conforme alla legge. **Rechtsgültigkeit** *f* validità *f* giuridica, legalità *f.*
Rechtshänder(in) [-hɛndɐ (...ərɪn)] ⟨-s, -⟩ *m(f)* persona *f* che adopera (normalmente) la mano destra. **rechtsherum** *adv* a destra.
Rechtshilfe *f* assistenza *f* legale. **Rechtskraft** *f:* **~ erlangen** entrare in vigore; **~ haben** avere forza di legge; *(Urteil)* passare in giudicato. **rechtskräftig** *adj* che ha valore di legge; *(Urteil)* esecutivo, passato in giudicato. **Rechtskunde** *f* giurisprudenza *f.*
Rechtskurve *f* curva *f* a destra.
Rechtslage *f* situazione *f* giuridica (*o* legale). **Rechtsmittelbelehrung** *f* indicazione *f* delle possibilità di ricorso. **Rechtspfleger(in)** *m(f)* giurista *mf.*

Rechtsprechung ⟨-, -en⟩ *f* giurisdizione *f*. **rechtsradikal** *adj* radicale di (estrema) destra. **Rechtsrutsch** *m pol* slittamento *m* a destra.
Rechtsschutz *m* protezione *f* giuridica. **Rechtsschutzversicherung** *f* assicurazione *f* della protezione giuridica (*o* della tutela legale). **Rechtsspruch** ⟨-(e)s, -sprüche⟩ *m* sentenza *f*. **Rechtsstaat** *m* stato *m* di diritto. **Rechtsstreit** *m* controversia *f* giudiziaria, causa *f*.
Rechtsverkehr *m* circolazione *f* a destra.
Rechtsverletzung *f* violazione *f* del diritto. **Rechtsweg** *m* via *f* legale; **auf dem ~** per via legale. **rechtswidrig** *adj* illegale. **Rechtswissenschaft** *f* giurisprudenza *f*.
rechtwink(e)lig *adj* rettangolo.
rechtzeitig I. *adj* tempestivo; **II.** *adv* in tempo.
Reck [rɛk] ⟨-(e)s, -e *o* -s⟩ *n* sbarra *f* fissa.
recken ['rɛkən] **I.** *tr* stirare, (di)stendere; *(Hals)* allungare; **II.** *rfl:* **sich ~** stirarsi.
recyclebar [ri'saikəlba:ɐ] *adj* riciclabile. **recyclen** [...kəln] ⟨*ohne ge-*⟩ *tr* riciclare.
Recycling [...klıŋ] ⟨-s, ø⟩ *n* riciclaggio *m*. **Recyclingpapier** *n* carta *f* riciclata.
Redakteur(in) [redak'tø:ɐ (...rın)] ⟨-s, -e⟩ *m(f)* redattore, -trice *m, f*.
Redaktion [...'tsjo:n] ⟨-, -en⟩ *f* redazione *f*. **Redaktionsschluß** *m* chiusura *f* del giornale.
Redaktor [re'dakto:ɐ, ...'to:rən] ⟨-s, -en⟩ *m CH* redattore *m*.
Rede ['re:də] ⟨-, -n⟩ *f* **1.** *(Vortrag, a. gram)* discorso *m; (Ansprache)* allocuzione *f;* **2.** *(Gespräch)* conversazione *f;* **jdm ~ und Antwort stehen** rendere conto (*o* ragione) a qu; **jdn wegen etw. zur ~ stellen** chiedere conto (*o* ragione) a qu di qc; **die ~ kam auf** *+akk* il discorso cadde su . . .; **es ist die ~ von . . .** si parla di . . .; **davon kann nicht die ~ sein** è fuori discussione; **das ist nicht der ~ wert** non vale la pena parlarne; **nicht der ~ wert!** *fam (keine Ursache)* non c'è di che!. **redegewandt** *adj* eloquente. **Redegewandtheit** *f* facilità *f* di parola, eloquenza *f*.
reden I. *itr* **1.** *(sprechen)* parlare *(über +akk , von* di); *(ausführlich)* discorrere; **2.** *(eine Rede halten)* tenere un discorso; **mit sich** *(dat)* **~ lassen** intendere ragione; **II.** *tr* parlare, dire.
Redensart *f* modo *m* di dire.
Redeschwall *m* profluvio *m* (*o* mare *m*) di parole. **Redewendung** *f* locuzione *f*.
redigieren [redi'gi:rən] ⟨*ohne ge-*⟩ *tr* redigere.
redlich ['re:tlıç] *adj* onesto, probo; *(aufrichtig)* sincero; **sich ~ bemühen** darsi ogni premura. **Redlichkeit** ⟨-, ø⟩ *f* onestà *f*, rettitudine *f; (Aufrichtigkeit)* sincerità *f*.
Redner(in) ['re:dnɐ (...ərın)] ⟨-s, -⟩ *m(f)* oratore, -trice *m, f*. **Rednerpult** *n* podio *m* dell'oratore.
redselig ['re:tze:lıç] *adj* loquace, verboso. **Redseligkeit** *f* loquacità *f*, verbosità *f*.
reduzieren [redu'tsi:rən] ⟨*ohne ge-*⟩ *tr* ridurre.
Reede ['re:də] ⟨-, -n⟩ *f* rada *f*.
Reeder ⟨-s, -⟩ *m* armatore *m*.
Reederei [re:də'rai] ⟨-, -en⟩ *f* compagnia *f* armatrice.
reell [re'ɛl] *adj* **1.** *(ehrlich)* onesto; *(Geschäft)* serio; *(Chance a.)* solido; **2.** *(real)* reale.
Referat [refe'ra:t] ⟨-(e)s, -e⟩ *n* **1.** *(Bericht)* relazione *f*, rapporto *m;* **2.** *(Dienststelle)* reparto *m*, sezione *f*.
Referendar(in) [referɛn'da:ɐ (...rın)] ⟨-s, -e⟩ *m(f)* praticante *mf*.
Referendariat [...da'ria:t] ⟨-(e)s, -e⟩ *n periodo in cui un insegnante non è ancora di ruolo.*
Referent(in) [refe'rɛnt(ın)] ⟨-en, -en⟩ *m(f)* **1.** *(Berichterstatter)* relatore, -trice *m, f;* **2.** *(Sachbearbeiter)* addetto, -a *m, f*.
Referenzen [...'rɛntsən] *f pl* referenze *f pl*.
referieren [...'ri:rən] ⟨*ohne ge-*⟩ *itr* fare una relazione, riferire.
reflektieren [reflɛk'ti:rən] ⟨*ohne ge-*⟩ *tr, itr* riflettere *(über +akk* su).
Reflex [re'flɛks] ⟨-es, -e⟩ *m* riflesso *m*. **Reflexbewegung** *f* movimento *m* riflesso.
Reflexion [reflɛ'ksio:n] ⟨-, -en⟩ *f* **1.** *phys* riflesso *m;* **2.** *(Nachdenken)* riflessione *f*.
reflexiv [...'ksi:f] *adj* riflessivo. **Reflexivpronomen** *n* pronome *m* riflessivo.
Reflexzonenmassage *f* massaggio *m* zonale.
Reform [re'fɔrm] ⟨-, -en⟩ *f* riforma *f*.
Reformation [...ma'tsjo:n] *f* Riforma *f*.
reformfeindlich *adj* antiriformista, contrario alle riforme.
Reformhaus *n* negozio *m* di prodotti dietetici.
reformieren [...'mi:rən] ⟨*ohne ge-*⟩ *tr* riformare.
Reformpolitik *f* politica *f* riformista.
Refrain [rə'frɛ̃:] ⟨-s, -s⟩ *m* ritornello *m*.
Regal [re'ga:l] ⟨-s, -e⟩ *n* scaffale *m*.
Regatta [re'gata, ...tən] ⟨-, -gatten⟩ *f* regata *f*.
rege ['re:gə] *adj (lebhaft)* vivace, vivo; *(Verkehr)* animato, intenso.
Regel ['re:gəl] ⟨-, -n⟩ *f* **1.** *allg., gram, mat* regola *f;* **2.** *(Norm)* norma *f;* **3.** *(Menstruation)* regole *f pl;* **in der** (*o* **aller**) **~** di regola, normalmente; **nach allen ~n der Kunst** a regola d'arte. **regelmäßig** *adj* regolare. **Regelarbeitszeit** *f* fascia *f* oraria obbligatoria. **Regelmäßigkeit** *f* regolarità *f*.
regeln *tr* regolare; *(Angelegenheit)* sistemare.

regelrecht *adj* **1.** *(vorschriftsmäßig)* regolare; **2.** *fam (richtiggehend)* vero (e proprio). **Regelstudienzeit** *f* tempo *m* regolamentare per un corso di studi.
Regelung ⟨-, -en⟩ *f* regolazione *f; (von Angelegenheiten)* sistemazione *f.*
regelwidrig *adj* irregolare.
regen ['re:gən] *rfl:* **sich** ~ muoversi.
Regen ['re:gən] ⟨-s, -⟩ *m* pioggia *f;* **bei** ~ con la pioggia; **im** ~ sotto la pioggia; **saurer** ~ pioggia *f* acida; **vom** ~ **in die Traufe kommen** *fig* cadere dalla padella nella brace. **Regenbogen** *m* arcobaleno *m.* **Regenbogenpresse** *f* stampa *f* gialla.
regenerativ *adj* rigenerativo. **regenerieren** *tr* rigenerare.
Regenmantel *m* impermeabile *m.* **Regenrinne** *f* grondaia *f.* **Regenschauer** *m* scroscio *m* di pioggia. **Regenschirm** *m* ombrello *m.*
Regent(in) [re'gɛnt(ɪn)] ⟨-en, -en⟩ *m(f) (Herrscher)* regnante *mf; (Stellvertreter)* reggente *mf.* **Regentschaft** ⟨-, -en⟩ *f* reggenza *f.*
Regenwald *m* foresta *f* pluviale; *(Tropenwald)* foresta *f* tropicale. **Regenwasser** *n* acqua *f* piovana. **Regenwetter** *n* tempo *m* piovoso (*o* di pioggia). **Regenwurm** *m* lombrico *m.* **Regenzeit** *f* stagione *f* delle piogge.
Regie [re'ʒi:, ...i:ən] ⟨-, -n⟩ *f* **1.** *film, theat, radio, TV* regia *f;* **2.** *fig* direzione *f;* **unter der** ~ **von** ... con la regia di ... **Regieanweisung** *f* didascalia *f.* **Regieassistent(in)** *m(f)* aiuto *mf* regista.
regieren [re'gi:rən] ⟨*ohne ge-*⟩ **I.** *tr* **1.** *(beherrschen)* governare; *(a. fig, Monarch)* regnare su; **2.** *gram* reggere; **II.** *itr* governare, regnare (*über +akk* su).
Regierung ⟨-, -en⟩ *f* governo *m; (~szeit)* regno *m.* **Regierungsbezirk** *m* (*abk* **Reg.-Bez.**) circoscrizione *f* amministrativa. **Regierungsbildung** *f* formazione *f* del governo. **Regierungschef(in)** *m(f)* capo *m* del governo. **Regierungserklärung** *f* dichiarazione *f* del governo. **regierungsfähig** *adj* atto a governare. **Regierungspartei** *f* partito *m* governativo. **Regierungsrat** *m,* **-rätin** *f* consigliere, -a *m, f.* **Regierungssitz** *m* sede *f* del governo. **Regierungssprecher(in)** *m(f)* portavoce *m* del governo. **Regierungsumbildung** *f* rimpasto *m* ministeriale. **Regierungswechsel** *m* cambiamento *m* di governo.
Regime [re'ʒi:m] ⟨-s, - *o rar* -s⟩ *n* regime *m.* **Regimekritiker(in)** *m(f)* dissidente *mf.*
Regiment[1] [regi'mɛnt] ⟨-(e)s, -e⟩ *n (Herrschaft)* governo *m; fig (Führung)* comando *m.*
Regiment[2] [regi'mɛnt] ⟨-(e)s, -er⟩ *n mil* reggimento *m.*
Region [re'gio:n] ⟨-, -en⟩ *f* regione *f.*
regional [regio'na:l] *adj* regionale. **Regionalprogramm** *n* programma *m* regionale.
Regisseur(in) [reʒɪ'sø:ɐ (...rɪn)] ⟨-s, -e⟩ *m(f)* regista *mf.*
Register [re'gɪstɐ] ⟨-s, -⟩ *n* registro *m; (Buch~)* indice *m;* **alle** ~ **ziehen** *fig* ricorrere ad ogni mezzo. **Registertonne** *f* (*abk* **RT**) tonnellata *f* di stazza.
Registratur [regɪstra'tu:ɐ] ⟨-, -en⟩ *f* **1.** *(Tätigkeit)* registrazione *f;* **2.** *(~büro)* ufficio *m* di registrazione; **3.** *mus* registratura *f.*
registrieren [...'tri:rən] ⟨*ohne ge-*⟩ *tr* registrare.
Registrierkasse *f* registratore *m* di cassa.
reglementieren [reglemɛn'ti:rən] ⟨*ohne ge-*⟩ *tr* regolamentare.
Regler ['re:glɐ] ⟨-s, -⟩ *m* regolatore *m.*
reglos ['re:klo:s] *adj* immobile, inerte.
regnen ['re:gnən] *itr, tr* piovere.
regnerisch *adj* piovoso.
Regreß [re'grɛs] ⟨-gresses, -gresse⟩ *m* regresso *m.* **regreßpflichtig** *adj* obbligato a rivalsa.
regsam ['re:kza:m] *adj* vivace.
regulär [regu'lɛ:ɐ] *adj* regolare.
regulieren [regu'li:rən] ⟨*ohne ge-*⟩ *tr* regolare.
Regulierung ⟨-, -en⟩ *f* regolazione *f.*
Regung ⟨-, -en⟩ *f* **1.** *(Bewegung)* moto *m;* **2.** *(Gefühls~)* sentimento *m* (nascente).
regungslos *s.* **reglos.**
Reh [re:] ⟨-(e)s, -e⟩ *n* capriolo *m.*
Rehabilitation [rehabilita'tsio:n] ⟨-, -en⟩ *f,* riabilitazione *f; med* rieducazione *f.* **Rehabilitationszentrum** *n* centro *m* di riabilitazione.
rehabilitieren [...'ti:rən] ⟨*ohne ge-*⟩ *tr (in Ehre)* riabilitare; *soc, jur, med* reinserire. **Rehabilitierung** *s.* **Rehabilitation.**
Rehbock *m* capriolo *m* (maschio). **Rehkitz** *n* caprioletto *m.* **Rehrücken** *m gastr* lombata *f* di capriolo.
Reibe ['raibə] ⟨-, -n⟩ *f* grattugia *f.*
reiben ⟨reibt, rieb, gerieben⟩ *tr* **1.** *(ab~)* (s)fregare; *(Augen)* stropicciare; **2.** *(ein~)* frizionare; **3.** *(zerkleinern)* grattugiare.
Reibereien [...ə'raiən] *f pl* attriti *m pl.*
Reibung ⟨-, -en⟩ *f* **1.** *(das Reiben)* sfregamento *m,* strofinamento *m;* **2.** *fig, phys* attrito *m,* frizione *f.* **reibungslos I.** *adj* liscio; **II.** *adv* senza difficoltà.
reich [raiç] *adj* **1.** ricco (*an* di); **2.** *fig (umfassend)* vasto; ~ **werden** arricchirsi; **in ~em Maße** abbondantemente.
Reich [raiç] ⟨-(e)s, -e⟩ *n* regno *m; (großes ~, Kaiser~)* impero *m.*
Reiche ⟨ein -r, -n, -n⟩ *mf* ricco, -a *m, f.*
reichen ['raiçən] **I.** *tr* porgere, dare; *(am Tisch a.)* passare; **II.** *itr* **1.** *(gehen, sich erstrecken)* arrivare (*bis* fino a), giungere (*bis* fino a); *(nach oben)* elevarsi; *(nach unten)* scendere; **2.** *(genügen)* ba-

stare; **mir reicht's** *fam* ne ho abbastanza *fam.*
reichhaltig *adj* ricco, abbondante.
reichlich I. *adj* ricco, abbondante; **II.** *adv* **1.** *(sehr)* molto; **2.** *(mehr als genügend)* abbondantemente; **3.** *fam (ziemlich)* abbastanza; ~ **vorhanden sein** abbondare.
Reichtum ⟨-s, -tümer⟩ *m* ricchezza *f* (*an +dat* di).
Reichweite *f* portata *f; radio* raggio *m* d'azione; **außer/in** ~ fuori/a portata (*gen* di).
reif [raif] *adj* maturo; **eine ~e Leistung** *fam* una prestazione brillante; ~ **werden** maturare.
Reif[1] [raif] ⟨-(e)s, ø⟩ *m (Rauh~)* brina(ta) *f.*
Reif[2] [raif] ⟨-(e)s, -e⟩ *m geh, poet (Finger~)* anello *m; (Arm~)* bracciale *m; (Stirn~)* diadema *m.*
Reife ⟨-, ø⟩ *f* **1.** *(Reifen)* maturazione *f;* **2.** *(Reifsein)* maturità *f;* **mittlere** ~ diploma *m* di scuola media.
reifen *itr* ⟨*sein*⟩ maturare.
Reifen ['raifən] ⟨-s, -⟩ *m* **1.** *(Ring)* cerchio *m;* **2.** *(Fahrzeug~)* pneumatico *m.* **Reifendecke** *f* copertone *m.* **Reifendruck** *m* pressione *f* del pneumatico. **Reifenpanne** *f* foratura *f.* **Reifenwechsel** *m* cambio *m* di pneumatico.
Reifeprüfung *f* esame *m* di maturità. **Reifezeugnis** *n* diploma *m* di maturità.
reiflich I. *adj* maturo; **II.** *adv* bene.
Reigen ['raigən] ⟨-s, -⟩ *m* ridda *f,* girotondo *m.*
Reihe ['raiə] ⟨-, -n⟩ *f* **1.** *allg.* fila *f;* **2.** *(Folge, Anzahl)* Serie *f; (Buch~)* collana *f; mat* progressione *f;* **3.** *(Aufeinanderfolge)* successione *f;* **außer der** ~ fuori turno; **in einer** ~ in fila; **der** ~ **nach** *(räumlich)* l'uno dopo l'altro; *(ordnungsgemäß)* per ordine; **ich bin an der** ~ tocca a me, è il mio turno. **Reihenfolge** *f* ordine *m;* **der** ~ **nach** in ordine. **Reihenhaus** *n* casa *f* a schiera. **Reihenhaussiedlung** *f* agglomerato *m* di case a schiera. **reihenweise** *adv* in fila.
Reiher ['raiɐ] ⟨-s, -⟩ *m* airone *m.*
reihum [rai'ʔʊm] *adv* in giro, in cerchio.
Reim [raim] ⟨-(e)s, -e⟩ *m* rima *f;* **ich kann mir keinen** ~ **darauf machen** *fam* non riesco a spiegarmelo.
reimen *itr, rfl:* **sich** ~ fare rima (*auf +akk* con); *(tr a.)* rimare (*auf +akk* con).
Reimund ['raimʊnt] *s.* **Raimund.**
rein[1] [rain] **I.** *adj* **1.** *allg., mus, fig* puro; *(Freude)* vero; **2.** *(sauber, a. fig: Gewissen)* pulito; **3.** *(Gewinn)* netto; **ins ~e schreiben** scrivere in bella (copia); **etw. ins ~e bringen** mettere in chiaro qc; **ist die Luft ~?** *fam* non c'è nessuno?; **II.** *adv* **1.** *(völlig)* assolutamente; **2.** *(ausschließlich)* esclusivamente; ~ **gar nichts** proprio niente; ~ **zufällig** per puro caso.
rein[2] [rain] *fam s.* **herein, hinein.**
Reiner ['rainɐ] *s.* **Rainer.**
Reinerlös *m,* **-ertrag** *m* ricavo *m* netto.
Reinfall *m fam* bidonata *f fam,* fregatura *f fam.* **rein·fallen** ⟨*irr*⟩ *itr* ⟨*sein*⟩ *fig fam* prendere una bidonata *fam,* rimanere fregato *fam.*
Reingewinn *m* guadagno *m* (*o* utile *m*) netto.
rein·hauen ⟨*irr*⟩ *itr sl* abbuffarsi *fam.*
Reinheit ⟨-, ø⟩ *f* **1.** *(a. fig)* purezza *f; (Unverfälschtheit)* genuinità *f;* **2.** *(Sauberkeit)* pulizia *f.*
reinigen ['rainɪgən] *tr* pulire; *(chemisch)* pulire a secco; *tec* depurare; *tec, rel, fig* purificare; *med* purgare.
Reinigung ⟨-, -en⟩ *f* **1.** *(das Reinigen)* pulitura *f; tec* depurazione *f; tec, rel, fig* purificazione *f; med* purgazione *f;* **2.** *(~sgeschäft)* lavanderia *f* a secco. **Reinigungskassette** *f* cassetta *f* puliscitestine. **Reinigungsmilch** *f* latte *m* detergente.
rein·legen *tr fam* bidonare *fam.*
reinlich *adj (auf Sauberkeit bedacht)* amante della pulizia; *(sauber)* pulito. **Reinlichkeit** ⟨-, ø⟩ *f* amore *m* per la pulizia; *(Sauberkeit)* pulizia *f.*
reinrassig *adj* di razza pura; *(bes. Pferd)* purosangue.
rein·schneien *itr fam* **1.** ⟨*haben*⟩ *(Schnee)* nevicare dentro; **2.** ⟨*sein*⟩ *fig (Menschen)* piombare in.
Reinschrift *f* **1.** *(Tätigkeit)* trascrizione *f* in bella (copia); **2.** *(Ergebnis)* bella *f* (copia *f*).
rein·würgen *tr fam (Essen)* trangugiare; **jdm eins** ~ *sl* farla a qu *fam.*
rein·ziehen *rfl fam:* **sich** *(dat)* **etw.** ~ *(Getränk)* scolare; *(Essen)* trangugiare, ingurgitare; *(Film, Video)* divorare; *(Musik)* ascoltare fino allo stordimento.
Reis [rais] ⟨-es, -e⟩ *m* riso *m.*
Reise ['raizə] ⟨-, -n⟩ *f* viaggio *m; (Rund~)* giro *m;* **auf ~n** in viaggio. **Reiseandenken** *n* ricordo *m* (di viaggio), souvenir *m.* **Reiseapotheke** *f* farmacia *f* portatile. **Reisebegleiter(in)** *m(f)* **1.** *(Mitreisende)* compagno, -a *m, f* di viaggio; **2.** *(Reiseführer)* accompagnatore, -trice *m, f.* **Reisebekanntschaft** *f* conoscenza *f* fatta in viaggio. **Reisebüro** *n* agenzia *f* (*o* ufficio *m*) viaggi. **Reisebus** *m* pullman *m.* **reisefertig** *adj* pronto per il viaggio. **Reisefieber** *n* febbre *f* della partenza. **Reiseführer(in)** *m(f)* guida *f.* **Reisegefährte** *m,* **-gefährtin** *f* compagno, -a *m, f* di viaggio. **Reisegepäck** *n* bagagli *m pl.* **Reisegesellschaft** *f* comitiva *f.* **Reisekosten** ⟨*pl*⟩ spese *f pl* di viaggio. **Reisekrankheit** *f* chinetosi *f.* **Reiseland** *n* paese *m* turistico. **Reiseleiter(in)** *m(f)* responsabile *mf* (di una comitiva). **reiselustig** *adj* che ha voglia di viaggiare.

reisen *itr* ⟨*sein*⟩ **1.** *(Reisen unternehmen)* viaggiare; **2.** *(eine Reise machen)* fare un viaggio; *(fahren, fliegen, gehen)* andare (*nach +dat* in); **3.** *(ab~)* partire; ~ **über** *+akk* passare per; **nach Rom/Italien** ~ andare a Roma/in Italia; **er reist in Oberhemden** *sl ökon* fa il rappresentante di camicie da uomo. **Reisende** ⟨ein -r, -n, -n⟩ *mf* viaggiatore, -trice *m, f; (Fahrgast)* passeggero, -a *m, f.*

Reisenecessaire [-nesɛ'sɛ:ɐ] ⟨-s, -s⟩ *n* nécessaire *m* (*o* astuccio *m*) da viaggio. **Reisepaß** *m* passaporto *m.* **Reiseprospekt** *m* dépliant *m* turistico. **Reiseproviant** *m* provviste *f pl* per il viaggio. **Reiseruf** *m* avviso *m* urgente per viaggiatori. **Reisescheck** *m* assegno *m* turistico. **Reiseschreibmaschine** *f* macchina *f* da scrivere portatile. **Reisetasche** *f* borsa *f* da viaggio. **Reiseveranstalter** *m* organizzatore *m* di viaggi. **Reiseversicherung** *f* assicurazione *f* viaggio. **Reisewecker** *m* sveglia *f* da viaggio. **Reisewelle** *f* ondata *f* turistica. **Reisewetterbericht** *m* bollettino *m* meteorologico per chi viaggia. **Reisezeit** *f* stagione *f* turistica. **Reiseziel** *n* meta *f* del viaggio.

Reisfeld *n* risaia *f.*

Reisig ['raizɪç] ⟨-s, ø⟩ *n* rami *m pl* secchi, sterpi *m pl.*

Reißaus [rais'ʔaus] *m:* ~ **nehmen** *fam* darsela a gambe *fam.*

Reißbrett *n* tavola *f* da disegno.

reißen ['raisən] ⟨reißt, riß, gerissen⟩ **I.** *tr* ⟨*haben*⟩ **1.** *(ab~, ent~)* strappare; **2.** *(zer~)* stracciare, lacerare; *(in zwei Teile a.)* strappare in due; **3.** *(zerren)* trascinare; *(ziehen)* tirare; **etw. an sich** ~ tirare qc a sé; *fig* impadronirsi di qc; **hin und her gerissen sein** non riuscire a decidersi; **II.** *itr* **1.** ⟨*sein*⟩ *(zer~)* strapparsi, andare in pezzi; *(Stoff)* stracciarsi; *(Faden, Seil)* rompersi; *(bersten)* spaccarsi; *(Risse bekommen)* screpolarsi; **2.** ⟨*haben*⟩ *(zerren)* tirare (*an etw. (dat)* qc); **III.** *rfl:* **sich um etw./jdn** ~ *fam* fare di tutto per qc/qu. **reißend** *adj (Tier)* feroce; *(Wasser)* impetuoso; ~**en Absatz finden** andare a ruba.

Reißer ⟨-s, -⟩ *m fam (Film)* film *m* di cassetta; *(Buch)* romanzo *m* nero. **reißerisch** *adj pej* sensazionale.

reißfest *adj* resistente allo strappo, a prova di strappo. **Reißnagel** *m s.* **Reißzwecke. Reißverschluß** *m* chiusura *f* lampo. **Reißverschlußsystem** *n mot* sistema *m* a senso alternato. **Reißwolf** *m* sfilacciatrice *f.* **Reißzwecke** *f* puntina *f* da disegno.

Reitbahn *f* maneggio *m.*

reiten ['raitən] ⟨reitet, ritt, geritten⟩ **I.** *itr* ⟨*sein*⟩ *(auf Pferd)* andare a cavallo; *(auf Tierrücken)* cavalcare (*auf etw. (dat)* qc); *(rittlings sitzen)* stare a cavallo (*auf +dat* su); **II.** *tr* ⟨*haben*⟩ cavalcare. **Reiten** ⟨-s, ø⟩ *n* **1.** *mil* cavalleria *f;* **2.** *sport* equitazione *f.*

Reiter(in) ⟨-s, -⟩ *m(f)* cavaliere *m,* amazzone *f; sport* cavallerizzo, -a *m, f.*

Reiterstandbild *n* statua *f* equestre.

Reithose *f* calzoni *m pl* alla cavallerizza. **Reitpeitsche** *f* scudiscio *m.* **Reitpferd** *n* cavallo *m* da sella. **Reitschule** *f* scuola *f* di equitazione. **Reitsport** *m* ippica *f,* equitazione *f.* **Reitstall** *m* scuderia *f.* **Reitstiefel** *m* stivale *m* da cavallerizzo. **Reitstunde** *f* lezione *f* di equitazione.

Reiz ['raits] ⟨-es, -e⟩ *m* **1.** *(physiologisch)* stimolo *m;* **2.** *(Anziehungskraft)* attrattiva *f; (Verlockung)* fascino *m;* **3.** *(Anmut)* grazia *f,* bellezza *f.*

reizbar *adj* irritabile, eccitabile; *(jähzornig)* irascibile. **Reizbarkeit** ⟨-, ø⟩ *f* irritabilità *f,* eccitabilità *f; (Jähzorn)* irascibilità *f.*

reizen I. *tr* **1.** *(erregen)* eccitare; **2.** *(herausfordern)* provocare, stuzzicare; *(ärgern)* irritare, far arrabbiare; **3.** *med* irritare; **4.** *(anregen)* stimolare, stuzzicare; *(Neugier)* suscitare; **5.** *(anziehen)* attrarre; **II.** *itr (beim Kartenspiel)* invitare.

reizend *adj (entzückend)* grazioso; *(hübsch)* carino; **das ist ja** ~! *iron* questa è bella.

Reizhusten *m* tosse *f* nervosa. **Reizklima** *n* clima *m* stimolante. **Reizschwelle** *f* soglia *f* dello stimolo. **Reizüberflutung** ⟨-, -en⟩ *f* bombardamento *m* di stimoli esterni.

Reizung ⟨-, -en⟩ *f* stimolazione *f,* eccitamento *m; med* irritazione *f.*

reizvoll *adj* **1.** *(attraktiv)* affascinante; **2.** *(verlockend)* allettante, interessante. **Reizwäsche** *f fam* biancheria *f* erotica.

rekapitulieren [rekapitu'li:rən] ⟨*ohne ge-*⟩ *tr* ricapitolare.

rekeln ['re:kəln] *rfl:* **sich** ~ stirarsi.

Reklamation [reklama'tsio:n] ⟨-, -en⟩ *f* reclamo *m.*

Reklame [re'kla:mə] ⟨-, -n⟩ *f* pubblicità *f* (*für* a). **Reklameschild** *n* cartellone *m* pubblicitario.

reklamieren [rekla'mi:rən] ⟨*ohne ge-*⟩ *tr, itr* reclamare.

rekonstruieren [rekɔnstru'i:rən] ⟨*ohne ge-*⟩ *tr* ricostruire.

Rekonstruktion [...trʊk'tsio:n] *f* ricostruzione *f.*

Rekonvaleszent(in) [rekɔnvalɛs'tsɛnt(ɪn)] ⟨-en, -en⟩ *m(f)* convalescente *mf.* **Rekonvaleszenz** [...'tsɛnts] ⟨-, ø⟩ *f* convalescenza *f.*

Rekord [re'kɔrt] ⟨-(e)s, -e⟩ *m* record *m,* primato *m;* **einen** ~ **brechen** battere un record; **einen** ~ **einstellen** migliorare un record.

Rekord- *(in Zusammensetzungen)* record. **Rekordinhaber(in)** *m(f)* primatista *mf,* detentore, -trice *m, f* del primato. **Rekordzeit** *f* tempo *m* record.

Rekrut(in) [re'kru:t(ɪn)] ⟨-en, -en⟩ *m(f)* recluta *mf.*
rekrutieren [rekru'ti:rən] ⟨*ohne ge-*⟩ **I.** *tr* reclutare; **II.** *rfl:* **sich** ~ *fig* comporsi (*aus* di).
Rektor(in) ['rɛkto:ɐ̯ (...'to:rɪn), ...'to:rən] ⟨-s, -en⟩ *m(f) (Schul~)* direttore, -trice *m, f; (Universitäts~)* rettore, -trice *m, f.*
Rektorat [rɛkto'ra:t] ⟨-(e)s, -e⟩ *n* rettorato *m.*
Relais [rə'lɛ:, ...ɛ:s] ⟨-, -⟩ *n* relè *m.*
relativ [rela'ti:f] *adj* relativo.
Relativität [...tivi'tɛ:t] ⟨-, ø⟩ *f* relatività *f.* **Relativitätstheorie** *f* teoria *f* della relatività.
Relativpronomen *n* pronome *m* relativo. **Relativsatz** *m* proposizione *f* relativa.
relevant [rele'vant] *adj* rilevante, importante.
Relevanz [rele'vants] *f* importanza *f.*
Relief [re'li̯ɛf] ⟨-s, -s *o* -e⟩ *n* rilievo *m.*
Religion [reli'gi̯o:n] ⟨-, -en⟩ *f* religione *f.* **Religionsbekenntnis** *n* professione *f* di fede. **Religionsfreiheit** *f* libertà *f* religiosa (*o* di culto). **Religionsgemeinschaft** *f* comunità *f* religiosa. **Religionskrieg** *m* guerra *f* di religione. **Religionszugehörigkeit** *f* confessione *f.*
religiös [reli'gi̯ø:s] *adj* **1.** *(die Religion betreffend)* religioso; **2.** *(fromm)* pio, devoto; ~**e Kunst** arte *f* sacra.
Religiosität [...gi̯ozi'tɛ:t] ⟨-, ø⟩ *f* **1.** religiosità *f;* **2.** *(Frömmigkeit)* devozione *f.*
Reling ['re:lɪŋ] ⟨-, -s *o* -e⟩ *f* impavesata *f.*
Reliquie [re'li:kvi̯ə] ⟨-, -n⟩ *f* reliquia *f.*
Remoulade(nsoße) [remu'la:də] ⟨-, -n⟩ *f* salsa *f* remoulade.
Ren [rɛn *o* re:n] ⟨-s, -s *o* -e⟩ *n* renna *f.*
Renaissance [rənɛ'sɑ̃:s] ⟨-, -n⟩ *f* **1.** *(Stil, Epoche)* rinascimento *m;* **2.** *fig* rinascita *f.*
Renate [re'na:tə] *(weiblicher Vorname)* Renata.
Rendezvous [rɑ̃de'vu:, ...u:s] ⟨-, -⟩ *n* appuntamento *m.*
Rendite [rɛn'di:tə] ⟨-, -n⟩ *f* rendita *f.*
Rennbahn *f* pista *f; (Pferde~)* ippodromo *m; (Rad~)* velodromo *m; (Auto~)* autodromo *m.*
rennen ['rɛnən] ⟨rennt, rannte, gerannt⟩ *itr* ⟨*sein*⟩ correre; **gegen etw.** ~ andare a urtare (*o* cozzare) contro qc. **Rennen** ⟨-s, -⟩ *n* corsa *f;* **das** ~ **aufgeben** *fig* abbandonare la partita; **das** ~ **machen** *fam* vincere, essere vincitore; **gut im** ~ **liegen** essere in buona posizione; **das** ~ **ist gelaufen** *fig* la faccenda è sistemata.
Renner ⟨-s, -⟩ *m fam (Verkaufsschlager)* articolo *m* che va a ruba.
Rennfahrer(in) *m(f)* corridore *m,* corritrice *f.* **Rennpferd** *n* cavallo *m* da corsa. **Rennplatz** *m s.* **Rennbahn. Rennrad** *n* bicicletta *f* da corsa. **Rennreiter(in)** *m(f)* fantino, -a *m, f.* **Rennsport** *m* corse *f pl; (Pferde~)* ippica *f.* **Rennstall** *m (a. mot)* scuderia *f.* **Rennstrecke** *f* percorso *m; (Rundstrecke)* circuito *m.* **Rennwagen** *m* vettura *f* da corsa.
Renommee [renɔ'me:] ⟨-s, -s⟩ *n* reputazione *f; (gutes ~)* buon nome *m.*
renommiert [...'mi:ɐ̯t] *adj* rinomato.
renovieren [reno'vi:rən] ⟨*ohne ge-*⟩ *tr, itr* rimettere a nuovo.
Renovierung ⟨-, -en⟩ *f* rimessa *f* a nuovo.
rentabel [rɛn'ta:bəl] *adj* redditizio, rimunerativo.
Rentabilität [...tabili'tɛ:t] ⟨-, ø⟩ *f* redditività *f.*
Rente ['rɛntə] ⟨-, -n⟩ *f* **1.** *(Alters~, Waisen~, Invaliden~)* pensione *f;* **2.** *fin* rendita *f,* reddito *m.* **Rentenalter** *n* età *f* pensionabile. **Rentenanspruch** *m* diritto *m* alla pensione. **Rentenempfänger(in)** *m(f)* pensionato, -a *m, f.* **Rentenerhöhung** *f* aumento *m* delle pensioni. **Rentenfinanzierung** *f* finanziamento *m* delle pensioni. **Rentenreform** *f* riforma *f* delle pensioni. **Rentenversicherung** *f* assicurazione *f* invalidità e vecchiaia.
Rentier *s.* **Ren.**
rentieren [rɛn'ti:rən] ⟨*ohne ge-*⟩ *rfl:* **sich** ~ rendere, fruttare.
Rentner(in) ['rɛntnɐ (...ərɪn)] ⟨-s, -⟩ *m(f)* pensionato, -a *m, f.*
reparabel [repa'ra:bəl] *adj* riparabile.
Reparatur [...'tu:ɐ̯] ⟨-, -en⟩ *f* riparazione *f;* **etw. in** ~ **geben** fare riparare qc. **reparaturanfällig** *adj* delicato. **Reparaturwerkstatt** *f* officina *f* (di) riparazioni.
reparieren [repa'ri:rən] ⟨*ohne ge-*⟩ *tr* riparare.
Repertoire [repɛr'to̯a:ɐ̯] ⟨-s, -s⟩ *n* repertorio *m.*
Report [re'pɔrt] ⟨-(e)s, -e⟩ *m* **1.** *(Bericht)* rapporto *m;* **2.** *fin* riporto *m.*
Reportage [...'ta:ʒə] ⟨-, -n⟩ *f* reportage *m,* servizio *m.*
Reporter(in) ⟨-s, -⟩ *m(f)* reporter *mf,* cronista *mf.*
Repräsentant(in) [reprɛzɛn'tant(ɪn)] ⟨-en, -en⟩ *m(f)* rappresentante *mf.*
repräsentativ [...ta'ti:f] *adj* **1.** *(stellvertretend)* rappresentativo; **2.** *(eindrucksvoll)* di (grande) effetto.
repräsentieren [...'ti:rən] ⟨*ohne ge-*⟩ *tr* rappresentare.
Repressalie [reprɛ'sa:li̯ə] ⟨-, -n⟩ *f* rappresaglia *f.*
Reproduktion [reprodʊk'tsi̯o:n] *f* riproduzione *f.*
reproduzieren [...du'tsi:rən] ⟨*ohne ge-*⟩ *tr* riprodurre.
Reptil [rɛp'ti:l, ...li̯ən *o* ...lə] ⟨-s, -ien *o rar* -e⟩ *n* rettile *m.*
Republik [repu'bli:k] ⟨-, -en⟩ *f* repubblica *f.*
Republikaner(in) [...bli'ka:nɐ (...ərɪn)] ⟨-s, -⟩ *m(f)* repubblicano, -a *m, f.*
republikanisch *adj* repubblicano.
Requiem ['re:kvi̯ɛm, ...i̯ɛms *o* ...i̯ən] ⟨-s,

-s *o A* Requien⟩ *n* requiem *m*.
Requisiten [rekvi'zi:tən] *n pl* accessori *m pl.*
Reservat [rezɛr'va:t] ⟨-(e)s, -e⟩ *n* riserva *f.*
Reserve [re'zɛrvə] ⟨-, -n⟩ *f* **1.** *ökon, fig* riserva *f;* **2.** *(Zurückhaltung)* riservatezza *f*, riserbo *m;* **etw. in ~ haben** avere qc in serbo; **jdn aus der ~ locken** fare uscire qu dalla riservatezza.
Reserve- *(in Zusammensetzungen)* di riserva (*o* ricambio). **Reservekanister** *m* tanica *f* di riserva. **Reserverad** *n* ruota *f* di scorta. **Reservespieler(in)** *m(f)* riserva *f.*
reservieren [rezɛr'vi:rən] ⟨*ohne ge-*⟩ *tr* riservare; *(Zimmer, Tisch a.)* prenotare. **reserviert** *adj* riservato. **Reserviertheit** ⟨-, ø⟩ *f* riservatezza *f.*
Reservierung [rezɛr'vi:rʊŋ] ⟨-, -en⟩ *f* prenotazione *f.*
Reservist [...'vɪst] ⟨-en, -en⟩ *m* riservista *m.*
Reservoir [...'vo̯a:ɐ̯] ⟨-s, -e⟩ *n* **1.** *(Becken)* serbatoio *m;* **2.** *fig* riserva *f.*
Residenz(**stadt**) [rezi'dɛnt͜s] ⟨-, -en⟩ *f* (città *f* di) residenza *f.*
residieren [...'di:rən] ⟨*ohne ge-*⟩ *itr* risiedere.
Resignation [rezɪgna't͜si̯o:n] ⟨-, -en⟩ *f* rassegnazione *f.*
resignieren [...'gni:rən] ⟨*ohne ge-*⟩ *itr* rassegnarsi.
resolut [rezo'lu:t] *adj* risoluto, deciso.
Resolution [...lu't͜si̯o:n] ⟨-, -en⟩ *f* risoluzione *f.*
Resonanz [rezo'nant͜s] ⟨-, -en⟩ *f* risonanza *f.* **Resonanzkörper** *m* cassa *f* armonica (*o* di risonanza).
Resopal® [rezo'pa:l] ⟨-s, ø⟩ *n* formica® *f.*
resozialisieren [rezot͜si̯ali'zi:rən] ⟨*ohne ge-*⟩ *tr* reinserire nella società. **Resozialisierung** ⟨-, -en⟩ *f* reinserimento *m* nella società.
Respekt [re'spɛkt *o* rɛs'pɛkt] ⟨-(e)s, ø⟩ *m* **1.** *(Achtung)* rispetto *m* (*vor +dat* per); **2.** *(Scheu)* soggezione *f* (*vor +dat* di), timore *m* (*vor +dat* di); **sich** *(dat)* **~ verschaffen** farsi rispettare; **bei allem ~ vor jdm/etw.** con tutto il rispetto per qu/qc.
respektabel [...'ta:bəl] *adj* ragguardevole, stimato.
respektieren [...'ti:rən] ⟨*ohne ge-*⟩ *tr* rispettare.
respektlos *adj* irrispettoso (*gegenüber* verso), irriverente (*gegenüber* verso). **Respektlosigkeit** ⟨-, -en⟩ *f* irriverenza *f.* **Respektsperson** *f* persona *f* di riguardo. **respektvoll** *adj* pieno di rispetto (*gegenüber* verso), rispettoso (*gegenüber* verso).
Ressort [rɛ'so:ɐ̯] ⟨-s, -s⟩ *n* **1.** *(Zuständigkeitsbereich)* competenza *f;* **2.** *(Abteilung)* sezione *f*, divisione *f.*
Rest [rɛst] ⟨-(e)s, -e⟩ *m* **1.** *allg., mat* resto *m; (Flüssigkeits~)* fondo *m;* **2.** ⟨*pl*⟩ *(von Stoff)* scampoli *m pl;* **3.** *(~betrag)* rimanenza *f;* **4.** ⟨*pl*⟩ *(Essens~e)* avanzi *m pl;* **jdm den ~ geben** *fam* dare a qu il colpo di grazia; **zehn geteilt durch drei ist drei, ~ eins** dieci diviso tre fa tre col resto di uno.
Restaurant [rɛsto'rã:] ⟨-s, -s⟩ *n* ristorante *m.*
Restaurator(in) [restau̯'ra:to:ɐ̯ (...ra'to:rɪn), ...ra'to:rən] ⟨-s, -en⟩ *m(f)* restauratore, -trice *m, f.*
restaurieren [...'ri:rən] ⟨*ohne ge-*⟩ *tr* restaurare.
Restbetrag *m* resto *m*, importo *m* restante. **restlich** *adj* restante, rimanente; *(übrig)* residuo. **restlos I.** *adj* intero, totale; **II.** *adv fam* perfettamente. **Restposten** *m* rimanenza *f*, saldo *m.*
Resultat [rezʊl'ta:t] ⟨-(e)s, -e⟩ *n* risultato *m.*
resultieren [...'ti:rən] ⟨*ohne ge-*⟩ *itr* risultare (*aus* da).
Resümee [rezy'me:] ⟨-s, -s⟩ *n* riassunto *m;* **das ~ ziehen** trarre il succo.
Retorte [re'tɔrtə] ⟨-, -n⟩ *f* storta *f*, alambicco *m;* **eine Stadt/Mahlzeit aus der ~** una città/un pasto che non ha più niente di naturale. **Retortenbaby** *n* bambino, -a *m, f* in provetta.
retten ['rɛtən] **I.** *tr* **1.** *(aus Gefahr)* salvare; **2.** *(bewahren)* preservare; **bist du noch zu ~?** *fam* sei impazzito?; **II.** *rfl:* **sich ~** salvarsi. **rettend** *adj* salvatore.
Retter(in) ⟨-s, -⟩ *m(f)* salvatore, -trice *m, f.*
Rettich ['rɛtɪç] ⟨-s, -e⟩ *m* rafano *m.*
Rettung ⟨-, -en⟩ *f* **1.** *(aus Gefahr)* salvataggio *m*, salvezza *f;* **2.** *(Befreiung)* liberazione *f.* **Rettungsboot** *n* **1.** *(Motorboot)* battello *m* di salvataggio; **2.** *(Beiboot)* scialuppa *f* di salvataggio. **Rettungsdienst** *m* pronto *m* soccorso. **Rettungsflugwacht** ⟨-, -en⟩ *f* aerosoccorso *m.* **Rettungshubschrauber** *m* elicottero *m* di salvataggio. **rettungslos** *adv* senza scampo, irrimediabilmente. **Rettungsmannschaft** *f* squadra *f* di salvataggio. **Rettungsring** *m* salvagente *m.* **Rettungssanitäter(in)** *m(f)* infermiere, -a *m, f* del pronto soccorso. **Rettungsschwimmer(in)** *m(f)* nuotatore, -trice *m, f* di salvataggio. **Rettungswagen** *m (Krankenwagen)* autoambulanza *f.*
Retusche [re'tʊʃə] ⟨-, -n⟩ *f* ritocco *m.*
retuschieren [...'ʃi:rən] ⟨*ohne ge-*⟩ *tr* ritoccare.
Reue ['rɔy̯ə] ⟨-, ø⟩ *f* pentimento *m* (*über +akk* per), rimorso *m* (*über +akk* di).
reuig *geh*, **reumütig** [-my:tɪç] *adj* pentito.
Reuse ['rɔy̯zə] ⟨-, -n⟩ *f* nassa *f.*
Revanche [re'vã:ʃə] ⟨-, -n⟩ *f* rivincita *f.*
revanchieren [revã'ʃi:rən] ⟨*ohne ge-*⟩ *rfl:*

sich ~ **1.** *(sich rächen)* vendicarsi (*bei* su, *für* di), rendere la pariglia (*bei* a, *für* per); **2.** *(sich erkenntlich zeigen)* contraccambiare (*für etw.* qc).

Revers [re'vɛ:ɐ̯ *o* re've:ɐ̯] ⟨-, -⟩ *n o m* risvolto *m.*

revidieren [revi'di:rən] ⟨*ohne ge-*⟩ *tr* rivedere.

Revier [re'vi:ɐ̯] ⟨-s, -e⟩ *n* **1.** *allg.* distretto *m;* **2.** *zoo* territorio *m;* **3.** *(Polizei~)* commissariato *m* (di polizia); **4.** *(Jagd~)* bandita *f.*

Revision [revi'zi̯o:n] ⟨-, -en⟩ *f* **1.** *(von Meinung)* rivedere *m; (von Vertrag, etc.)* revisione *f;* **2.** *(von Kasse, etc.)* verifica *f,* controllo *m;* **3.** *typ* revisione *f;* **4.** *jur* ricorso *m.*

Revolte [re'vɔltə] ⟨-, -n⟩ *f* rivolta *f,* insurrezione *f.*

revoltieren [...'ti:rən] ⟨*ohne ge-*⟩ *itr* rivoltarsi (*gegen* contro), insorgere (*gegen* contro).

Revolution [revolu'tsi̯o:n] ⟨-, -en⟩ *f* rivoluzione *f.*

revolutionär [...tsi̯o'nɛ:ɐ̯] *adj* rivoluzionario. **Revolutionär(in)** ⟨-s, -e⟩ *m(f)* rivoluzionario, -a *m, f.*

Revolver [re'vɔlvɐ] ⟨-s, -⟩ *m* revolver *m.* **Revolverheld** *m pej* uomo *m* dal grilletto facile.

Revue [rə'vy:, ...y:ən] ⟨-, -n⟩ *f* rivista *f.*

Rezensent(in) [retsɛn'zɛnt(ɪn)] ⟨-en, -en⟩ *m(f)* recensore, -a *m, f,* critico *m.*

rezensieren [...'zi:rən] ⟨*ohne ge-*⟩ *tr* recensire.

Rezension [...'zi̯o:n] ⟨-, -en⟩ *f* recensione *f,* critica *f.*

Rezept [re'tsɛpt] ⟨-(e)s, -e⟩ *n* **1.** *med, gastr* ricetta *f;* **2.** *fig* rimedio *m.* **rezeptfrei** *adj* non soggetto a prescrizione medica. **Rezeptgebühr** *f* ticket *m.*

Rezeption [retsɛp'tsi̯o:n] ⟨-, -en⟩ **1.** *(Hotel~)* reception *f* **2.** *lit* ricezione *f.*

rezeptpflichtig *adj* da vendersi dietro prescrizione medica.

Rezession [retsɛ'si̯o:n] *f* recessione *f.*

rezitieren [retsi'ti:rən] ⟨*ohne ge-*⟩ *tr* recitare.

RGW [ɛrge:'ve:] ⟨-s, ø⟩ *m abk für* **Rat für gegenseitige Wirtschaftshilfe** COMECON *m* (*abbr di* Consiglio di mutua assistenza economica).

rh, RH *abk von* **Rhesusfaktor** Rh (*abbr di* Rhesus, fattore antigene del sangue).

Rhabarber [ra'barbɐ] ⟨-s, ø⟩ *m* rabarbaro *m.*

Rhein [rai̯n] *m* Reno *m.* **Rheinland** *n* Renania *f.* **Rheinland-Pfalz** *n* Renania-Palatinato *f.*

Rhesusfaktor ['re:zʊs-] *m* (fattore *m*) Rh *m.*

Rhetorik [re'to:rɪk] ⟨-, ø⟩ *f* retorica *f.*

rhetorisch *adj* retorico.

Rheuma ['rɔy̯ma] ⟨-s, ø⟩ *n,* **Rheumatismus** [-'tɪsmʊs, ...mən] ⟨-, -men⟩ *m* reumatismo *m.*

Rheumatiker(in) [rɔy̯'ma:tikɐ (...ərɪn)] *m(f)* reumatico, -a *m, f.* **rheumatisch** [rɔy̯'ma:tɪʃ] *adj* reumatico.

Rhinozeros [ri'no:tserɔs] ⟨- *o* -ses, -se⟩ *n* rinoceronte *m.*

rhythmisch ['rʏtmɪʃ] *adj* ritmico.

Rhythmus ['rʏtmʊs, ...mən] ⟨-, -men⟩ *m* ritmo *m.*

Ribisel ['ri:bi:zəl] ⟨-, -(n)⟩ *f A (Johannisbeere)* ribes *m.*

Richard ['rɪçart] *(männlicher Vorname)* Riccardo.

richten ['rɪçtən] **I.** *tr* **1.** *(lenken)* dirigere (*auf +akk* verso); *(Waffe, Fernglas)* puntare (*auf +akk* contro, su); *(Worte, Bitte)* rivolgere (*an +akk* a); *(Aufmerksamkeit, Blicke)* volgere (*auf +akk* a); **2.** *(her~)* preparare; *(in Ordnung bringen)* mettere in ordine, assettare; *(Haare)* farsi; *(reparieren)* riparare; **3.** *jur* giudicare; **II.** *rfl:* **sich nach etw.** ~ orientarsi su qc, regolarsi secondo qc; *(folgen)* seguire qc; *gram* concordare con qc; **sich nach jdm** ~ conformarsi a qu, regolarsi su qu; **unsere Urlaubspläne ~ sich nach dem Wetter** i nostri progetti per le vacanze dipendono dal tempo.

Richter(in) ['rɪçtɐ (...ərɪn)] ⟨-s, -⟩ *m(f)* giudice *mf,* (donna *f*) magistrato *m.* **Richteramt** *n* magistratura *f.* **richterlich** *adj* giudiziario.

Richtgeschwindigkeit *f* velocità *f* consigliata.

richtig ['rɪçtɪç] **I.** *adj* **1.** *(zutreffend, nicht verkehrt)* giusto, corretto, esatto; **2.** *(echt)* vero; *(wirklich a.)* autentico; **3.** *(geeignet, passend)* giusto; **sechs R~e (im Lotto) haben** *fam* avere sei numeri esatti al lotto; **das ist genau das R~e für mich** è proprio quello che ci vuole per me; **sehr ~!** giustissimo!; **II.** *adv* **1.** *(korrekt)* correttamente; **2.** *(in der Tat)* effettivamente; **3.** *fam (nicht falsch)* bene; *(~gehend)* proprio, veramente.

richtiggehend *adv* proprio, veramente.

Richtigkeit ⟨-, ø⟩ *f* giustezza *f,* esattezza *f;* **seine ~ haben** essere in ordine.

richtig·stellen *tr* rettificare, correggere.

Richtlinien *f pl* direttive *f pl,* norme *f pl.* **Richtpreis** *m* prezzo *m* indicativo (*o* normativo); **unverbindlicher ~** prezzo raccomandato. **Richtschnur** *f fig* norma *f,* regola *f.*

Richtung ⟨-, -en⟩ *f* **1.** *allg.* direzione *f,* senso *m;* **2.** *fig (Strömung)* corrente *f; (Tendenz)* tendenza *f;* **in jeder ~** in ogni direzione; *fig (in jeder Hinsicht)* da ogni punto di vista, in ogni caso. **richtungsgebend** *adj* direttivo. **richtungweisend** *adj fig* direttivo, normativo.

Richtwert *m* valore *m* indicativo.

Ricke ['rɪkə] ⟨-, -n⟩ *f* capriola *f.*

rieb [ri:p] *imp von* **reiben.**

riechen ['ri:çən] ⟨riecht, roch, gerochen⟩ I. *tr* odorare, sentire l'odore di; *(Tiere)* annusare; **nichts** ~ non sentire nessun odore; **jdn nicht ~ können** *fig fam* non poter soffrire qu; **das konnte ich doch nicht** ~! *fig fam* non potevo mica prevederlo (*o* saperlo); **II.** *itr* **1.** *(Geruch wahrnehmen)* odorare (*an etw. (dat)* qc); *(Tiere)* annusare (*an etw. (dat)* qc); **2.** *(Geruch verbreiten)* sapere (*nach +dat* di), odorare (*nach +dat* di); **aus dem Mund** ~ avere l'alito cattivo.
Riecher ⟨-s, -⟩ *m:* **einen guten ~ haben** *fam* avere buon naso (*o* fiuto).
Riechkolben *m sl scherz* nappa *f sl.*
Riechsalz *n* sali *m pl.*
rief [ri:f] *imp von* **rufen.**
Riege ['ri:gə] ⟨-, -n⟩ *f* squadra *f.*
Riegel ['ri:gəl] ⟨-s, -⟩ *m* **1.** *(Tür~)* catenaccio *m,* chiavistello *m; (am Türschloß)* stanghetta *f;* **2.** *(Schokoladen~)* stecca *f;* **3.** *(an Kleidung)* linguetta *f;* **einer S.** *(dat)* **einen ~ vorschieben** *fig* mettere un freno a qc.
Riemen ['ri:mən] ⟨-s, -⟩ *m* cinghia *f,* correggia *f; (Gürtel)* cintura *f; (Schuh~)* stringa *f;* **sich am ~ reißen** *fam* dominarsi, contenersi.
Riese ['ri:zə] ⟨-n, -n⟩ *m* gigante, *m;* **nach Adam** ~ *scherz* per l'esattezza.
rieseln ['ri:zəln] *itr* ⟨*sein*⟩ *(Schnee, Sand)* cadere; *(Regen)* cadere, piovigginare.
Riesen- *(in Zusammensetzungen)* gigantesco, (da) gigante. **Riesengebirge** *n* Monti *m pl* Giganti. **riesengroß** ['ri:zən'gro:s], **riesenhaft** *adj* gigante, gigantesco. **Riesenrad** *n* ruota *f* panoramica. **Riesenschritt** *m fam:* **mit ~en** a passi da gigante. **Riesenslalom** *m* slalom *m* gigante.
riesig I. *adj s.* **riesengroß; II.** *adv fam (sehr)* molto; **sich ~ amüsieren** divertirsi un mondo *fam.*
Riesin ['ri:zın] *f* gigantessa *f.*
riet [ri:t] *imp von* **raten.**
Riff [rıf] ⟨-(e)s, -e⟩ *n* scogliera *f.*
rigoros [rigo'ro:s] *adj* rigoroso, severo.
Rille ['rılə] ⟨-, -n⟩ *f* rigatura *f; (arch a.)* scanalatura *f; (Platten~)* solco *m.*
Rind ['rınt] ⟨-(e)s, -er⟩ *n* **1.** *(Art)* bovino *m;* **2.** *(Tier)* bue *m;* **3.** *(~fleisch)* manzo *m.*
Rinde ['rındə] ⟨-, -n⟩ *f* **1.** *(von Baum, Gehirn)* corteccia *f;* **2.** *(von Brot, Käse)* crosta *f.*
Rinderbraten *m* arrosto *m* di manzo. **Rinderwahnsinn** *m* encefalopatia *f* bovina.
Rindfleisch *n* (carne *f* di) manzo *m.* **Rindvieh** *n* **1.** *zoo* bovini *m pl;* **2.** *fam pej* bue *m.*
Ring [rıŋ] ⟨-(e)s, -e⟩ *m* **1.** *allg.* anello *m;* **2.** *sport (Box~)* ring *m;* ⟨*pl*⟩ *(Turn~)* anelli *m pl;* **3.** *fig (Menschengruppe, Theater~)* circolo *m; (Verbrecher~)* organizzazione *f.* **Ringbuch** *n* quaderno *m* a fermagli.
Ringel ['rıŋəl] ⟨-s, -⟩ *m* cerchietto *m,* voluta *f.*
ringeln I. *tr* arricciare, inanellare; **II.** *rfl:* **sich** ~ *(Haare)* arricciarsi; *(Schlange)* arrotolarsi.
Ringelnatter *f* natrice *f* (dal collare). **Ringelspiel** *n A (Karussell)* giostra *f,* carosello *m.*
ringen ['rıŋən] ⟨ringt, rang, gerungen⟩ I. *itr* lottare; **um Anerkennung** ~ far di tutto per essere apprezzato; **II.** *tr:* **die Hände** ~ torcersi le mani.
Ringfinger *m* anulare *m.* **ringförmig** [-fœrmıç] *adj* anulare, circolare. **Ringkampf** *m* lotta *f.* **Ringkämpfer(in)** *m(f)* lottatore, -trice *m, f.* **Ringrichter(in)** *m(f)* giudice-arbitro, -a *m, f.*
rings [rıŋs] *adv* intorno (*um* a).
rings(her)um ['rıŋshɛ'rʊm ('riŋs'ʔʊm)] *adv* tutt'intorno, in giro.
Rinne ['rınə] ⟨-, -n⟩ *f* **1.** *(allg., Fahr~)* canale *m;* **2.** *(Rinnstein)* cunetta *f;* **3.** *(Rille)* scanalatura *f.*
rinnen ['rınən] ⟨rinnt, rann, geronnen⟩ *itr* **1.** ⟨*sein*⟩ *(Flüssigkeit)* stillare; *(Sand, Zeit)* scorrere; **2.** ⟨*haben*⟩ *(undicht sein)* perdere.
Rinnsal ['rınza:l] ⟨-(e)s, -e⟩ *n geh* rigagnolo *m.* **Rinnstein** *m* cunetta *f.*
Rippchen ['rıpçən] ⟨-s, -⟩ *n* costoletta *f.*
Rippe ['rıpə] ⟨-, -n⟩ *f* **1.** *anat, bot* costa *f; (a. arch)* costola *f;* **2.** *tec (von Heizkörper)* aletta *f.* **Rippenfellentzündung** *f* pleurite *f.*
Risiko ['ri:ziko, ...kos *o* ...kən] ⟨-s, -s *o* -siken⟩ *n* rischio *m;* **auf eigenes** ~ a proprio rischio e pericolo. **Risikofaktor** *m* fattore *m* di rischio. **Risikogruppe** *f* gruppo *m* a rischio.
riskant [rıs'kant] *adj* arrischiato, rischioso.
riskieren [...'ki:rən] ⟨*ohne ge-*⟩ *tr* (ar)rischiare.
riß [rıs] *imp von* **reißen.**
Riß ⟨Risses, Risse⟩ *m* **1.** *(in Stoff, Papier)* strappo *m; (in Fels)* fenditura *f; (in Porzellan, Freundschaft)* incrinatura *f; (in Wand)* crepa *f; (a. in Haut)* screpolatura *f;* **2.** *tec (Zeichnung)* tracciato *m,* pianta *f.*
rissig *adj (Haut, Mauer)* screpolato; *(Erde, Fels)* pieno di crepacci; *(Porzellan)* incrinato.
Rist [rıst] ⟨-es, -e⟩ *m (Fuß~)* collo *m* del piede; *(Hand~)* dorso *m* della mano.
Riten *pl von* **Ritus.**
ritt [rıt] *imp von* **reiten.**
Ritt ⟨-(e)s, -e⟩ *m* cavalcata *f.*
Ritter ['rıtɐ] ⟨-s, -⟩ *m* cavaliere *m.* **Ritterburg** *f* maniero *m.* **ritterlich** *adj* cavalleresco. **Ritterlichkeit** ⟨-, ø⟩ *f* cavalleria *f.* **Ritterorden** *m* ordine *m* cavalleresco. **Ritterrüstung** *f* armatura *f* da cavaliere. **Ritterschlag** *m* accollata *f.* **Rittersporn**

⟨-(e)s, -e⟩ *m* speronella *f.*
rittlings ['rɪtlɪŋs] *adv* a cavallo (*auf +dat* di), a cavalcioni (*auf +dat* di).
Ritual [ri'tu̯a:l, ...lə *o* ...li̯ən] ⟨-s, -e *o* -ien⟩ *n* rituale *m.*
Ritus ['ri:tʊs, ...tən] ⟨-, Riten⟩ *m* rito *m.*
Ritze ['rɪtsə] ⟨-, -n⟩ *f* fessura *f.*
Rivale [ri'va:lə] ⟨-n, -n⟩ *m,* **Rivalin** [...lɪn] *f* rivale *mf.*
rivalisieren [rivali'zi:rən] ⟨*ohne ge-*⟩ *itr* rivaleggiare (*mit* con, *um* per).
Rivalität [...i'tɛ:t] ⟨-, -en⟩ *f* rivalità *f.*
Rizinus ['ri:tsinʊs] ⟨-, - *o* -se⟩ *m* ricino *m.* **Rizinusöl** *n* olio *m* di ricino.
RNS [ɛrˀɛn'ˀɛs] ⟨-, ø⟩ *f abk von* **Ribonukleinsäure** R.N.A. *m* (*abbr di* acido ribonucleico).
Roastbeef ['ro:stbi:f] ⟨-s, -s⟩ *n* rosbif *m.*
Robbe ['rɔbə] ⟨-, -n⟩ *f* foca *f.*
robben ['rɔbən] *itr* ⟨*sein*⟩ strisciare carponi.
Robe ['ro:bə] ⟨-, -n⟩ *f* **1.** *(Abend~)* abito *m* da sera; **2.** *(Amts~)* toga *f; (von Geistlichen)* abito *m* talare.
Robert ['ro:bɛrt] *(männlicher Vorname)* Roberto.
Roboter ['rɔbɔtɐ *o* ro'bɔtɐ] ⟨-s, -⟩ *m* robot *m.* **Robotertechnik** *f* robotica *f.*
robust [ro'bʊst] *adj* **1.** *(kräftig)* robusto; **2.** *(widerstandsfähig)* resistente, solido.
roch [rɔx] *imp von* **riechen.**
röcheln ['rœçəln] *itr* rantolare.
Rock[1] [rɔk] ⟨-(e)s, Röcke⟩ *m* **1.** *(Damen~)* gonna *f;* **2.** *(Herrenjacke)* giacca *f* (da uomo).
Rock[2] [rɔk] ⟨-(s), -(s)⟩ *m (Musik)* musica *f* rock. **Rockband** [-bɛnt] ⟨-, -s⟩ *f* complesso *m* rock.
Rocker ['rɔkɐ] ⟨-s, -⟩ *m* rocker *m.*
Rockfestival [-fɛstival *o* ...vəl] ⟨-s, -s⟩ *n* festival *m* rock.
Rodelbahn *f* pista *f* per slitte.
rodeln ['ro:dəln] *itr* ⟨*haben o bei Fortbewegung sein*⟩ andare in slitta, slittare.
roden ['ro:dən] *tr* dissodare.
Rogen ['ro:gən] ⟨-s, -⟩ *m* uova *f pl* di pesce.
Roggen ['rɔgən] ⟨-s, -⟩ *m* segale *f.*
roh [ro:] *adj* **1.** *(ungekocht, ungebraten)* crudo; **2.** *(nicht be-, verarbeitet)* grezzo, greggio; **3.** *(gefühllos, grob)* rozzo; *(brutal)* brutale. **Rohbau** ⟨-(e)s, -ten⟩ *m* costruzione *f* rustica (*o* grezza). **Rohkost** *f* crudità *f pl; (~ernährung)* alimentazione *f* a base di crudità.
Rohling ['ro:lɪŋ] ⟨-s, -e⟩ *m* **1.** *pej (Mensch)* bruto *m;* **2.** *tec (Werkstück)* pezzo *m* grezzo.
Rohmaterial *n* materiale *m* grezzo. **Rohöl** *n* (petrolio *m*) greggio *m.*
Rohr [ro:ɐ̯] ⟨-(e)s, -e⟩ *n* **1.** *bot* canna *f;* **2.** *tec* tubo *m.* **Rohrbruch** *m* scoppio *m* di un tubo.
Rohrdommel [-dɔməl] ⟨-, -n⟩ *f* tarabuso *m.*
Röhre ['rø:rə] ⟨-, -n⟩ *f* **1.** *tec, el, TV, radio* tubo *m;* **2.** *(Brat~)* forno *m;* **3.** *fam pej (Fernsehgerät)* televisore *m;* **in die ~ gucken** *fam (leer ausgehen)* rimanere a mani vuote (*o* a bocca asciutta).
röhren ['rø:rən] *itr* bramire.
Rohrleitung *f* tubazione *f,* conduttura *f.* **Rohrpost** *f* posta *f* pneumatica. **Rohrspatz** *m:* **wie ein ~ schimpfen** *fam* imprecare. **Rohrstock** *m* canna *f.* **Rohrzukker** *m* zucchero *m* di canna.
Rohseide *f* seta *f* grezza (*o* cruda). **Rohstoff** *m* materia *f* prima. **Rohwolle** *f* lana *f* grezza.
Rokoko ['rɔkoko *o* ro'kɔko] ⟨-(s), ø⟩ *n* rococò *m.*
Roland ['ro:lant] *(männlicher Vorname)* Orlando, Rolando.
Rolf [rɔlf] *s.* **Rudolf.**
Rolladen ⟨-s, Rolläden⟩ *m* avvolgibile *m.*
Rollbahn *f* pista *f* di rullaggio. **Rollbraten** *m* rollè *m.* **Rollbrett** *n* skate-board *m.*
Rolle ['rɔlə] ⟨-, -n⟩ *f* **1.** *(Gerolltes)* rotolo *m; (Garn~)* rocchetto *m;* **2.** *tec (Lauf~)* carrucola *f; (Walze)* rullo *m; (unter Möbeln)* rotella *f;* **3.** *sport* capriola *f;* **4.** *fig* ruolo *m; (theat a.)* parte *f;* **eine ~ spielen** *theat* fare (*o* sostenere) una parte; *fig (wichtig sein)* avere importanza; **aus der ~ fallen** *fig* sfigurare.
rollen ['rɔlən] **I.** *tr* ⟨*haben*⟩ **1.** *(drehen)* (far) girare, rotolare; **2.** *(auf~, ein~)* arrotolare; **3.** *gastr (aus~)* spianare; **II.** *rfl:* **sich ~ 1.** *(sich drehen)* rotolarsi; **2.** *(sich auf~)* arrotolarsi; *(sich ein~)* arrotolare; **III.** *itr* **1.** ⟨*sein*⟩ rotolare; *(Räder)* girare; **2.** ⟨*sein*⟩ *(Auto, Zug)* passare; *(Flugzeug)* rullare; **3.** ⟨*haben*⟩ *(Donner)* rimbombare; **ins R~ kommen** *fig* cominciare, avviarsi; **mit den Augen ~** roteare gli occhi.
Rollenbesetzung *f* distribuzione *f* delle parti. **Rollenspiel** *n* gioco *m* delle parti. **Rollentausch** *m* scambio *m* di ruoli. **Rollenverteilung** distribuzione *f* delle parti; *soz* distribuzione *f* dei ruoli.
Roller ['rɔlɐ] ⟨-s, -⟩ *m* **1.** *(Spielzeug)* monopattino *m;* **2.** *(Motor~)* (moto)scooter *m.*
Rollfeld *n* campo *m* di atterraggio e di decollo. **Rollkragen** *m* collo *m* alto. **Rollkragenpulli** *m* dolcevita *f.* **Rollmops** *m* aringa *f* arrotolata.
Rollo ['rɔlo *o* rɔ'lo:] ⟨-s, -s⟩ *n* avvolgibile *m.*
Rollschrank *m* armadio *m* con avvolgibile. **Rollschuh** *m* pattino *m* a rotelle; **~ laufen** fare il pattinaggio a rotelle. **Rollsplitt** *m* pietrisco *m* catramato. **Rollstuhl** *m* sedia *f* a rotelle. **Rollstuhlfahrer(in)** *m(f)* persona *f* che va con la sedia a rotelle. **Rolltreppe** *f* scala *f* mobile.
ROM [rɔm] ⟨-(s), -(s)⟩ *n akr von* **Read Only Memory** memoria *f* ROM, memoria *f* fissa.

Rom [ro:m] *n* Roma *f*.
Roma *pl* zingari *m pl*.
Roman [ro'ma:n] ⟨-s, -e⟩ *m* romanzo *m*.
romanisch [ro'ma:nɪʃ] *adj* **1.** *ling* romanzo, neolatino; **2.** *(Kunst)* romanico; **3.** *geog* latino.
Romanist(in) [roma'nɪst(ɪn)] ⟨-en, -en⟩ *m(f)* romanista *mf*.
Romanistik [...'nɪstɪk] ⟨-s, ø⟩ *f* romanistica *f*.
Romanschriftsteller(in) *m(f)* romanziere, -a *m, f*.
Romantik [ro'mantɪk] ⟨-, ø⟩ *f* romanticismo *m*.
romantisch *adj* romantico.
Romanze [ro'mantsə] ⟨-, -n⟩ *f* romanza *f*.
Römer ⟨*inv*⟩ *adj* di Roma, romano.
Römer(in) ['rø:mɐ (...ərɪn)] ⟨-s, -⟩ *m(f)* romano, -a *m, f*, abitante *mf* di Roma.
Römertopf *m* teglia *f* in terracotta.
römisch *adj* romano. **römisch-katholisch** *adj* cattolico romano.
Rommé ['rɔme *o* rɔ'me:] ⟨-s, -s⟩ *n* ramino *m*.
röntgen ['rœntgən] *tr* radiografare; *(Körperteil)* fare una radiografia di; **sich ~ lassen** farsi fare una radiografia. **Röntgenaufnahme** *f*, **-bild** *n* radiografia *f*. **Röntgenstrahlen** *m pl* raggi *m pl* X. **Röntgenuntersuchung** *f* esame *m* radioscopico, radioscopia *f*.
rosa ['ro:za] ⟨*inv*⟩ *adj* rosa; *s. a. blau*.
Rose ['ro:zə] ⟨-, -n⟩ *f* rosa *f*.
rosé [ro'ze:] ⟨*inv*⟩ *adj* rosato; *s. a. blau*.
Rosé ⟨-s, -s⟩ *m* rosé *m*, rosato *m*.
Rosenkohl *m* cavolino *m* di Bruxelles. **Rosenkranz** *m* (corona *f* del) rosario *m*. **Rosenmontag** [-'mo:nta:k] *m* lunedì *m* grasso.
Rosette [ro'zɛtə] ⟨-, -n⟩ *f* rosetta *f*; *arch* rosone *m*.
rosig ['ro:zɪç] *adj* roseo.
Rosine [ro'zi:nə] ⟨-, -n⟩ *f* uva *f* passa.
Rosmarin ['ro:smari:n *o* ...'ri:n] ⟨-s, ø⟩ *m* rosmarino *m*.
Roß [rɔs] ⟨Rosses, Rosse *o dial* Rösser⟩ *n geh, CH* cavallo *m*, destriero *m poet;* **sich aufs hohe ~ setzen** *fig* montare in superbia. **Roßhaar** *n* crine *m* (di cavallo). **Roßkastanie** *f* **1.** *(Baum)* castagno *m* d'India, ippocastano *m;* **2.** *(Frucht)* frutto *m* dell'ippocastano. **Roßkur** *f fam* cura *f* da cavallo *fam*.
Rost[1] [rɔst] ⟨-(e)s, -e⟩ *m (Gitter, Brat~)* griglia *f;* **vom ~** ai ferri, alla griglia.
Rost[2] [rɔst] ⟨-(e)s, ø⟩ *m chem, bot* ruggine *f*.
Rostbraten *m* arrosto *m* fatto sulla graticola. **Rostbratwurst** *f* salsiccia *f* alla brace.
rostbraun *adj* color ruggine, rugginoso.
rosten ['rɔstən] *itr* ⟨*haben o sein*⟩ arrugginire; *wissensch.* inossidarsi.
rösten ['rø:stən *o* 'rœstən] *tr* arrostire, cuocere ai ferri; *(Brot)* tostare; *(Kaffee)* torrefare; *(Hanf, Flachs)* macerare.
rostfrei *adj* **1.** *(ohne Rost)* non arrugginito; **2.** *(nicht rostend)* inossidabile.
Rösti ['rø:sti] ⟨-, ø⟩ *pl CH* patate *f pl* arrostite.
rostig *adj* arrugginito.
Rostschutzmittel *n* antiruggine *m*. **Rostumwandler** ⟨-s, -⟩ *m* inibitore *m* di ruggine.
rot [ro:t] ⟨-er *o röter, -este o röteste*⟩ *adj* rosso; *(Haar a.)* rossiccio; *(Gesicht a.)* rubicondo; **~e Bete** rapa rossa; **der ~e Faden** *fig* il filo conduttore; **das R~e Kreuz** la Croce Rossa; **das R~e Meer** il Mar Rosso; **~ werden** arrossire; **einen ~en Kopf kriegen** arrossire, diventare rosso come un peperone; *s. a. blau*.
Rot ⟨-s, - *o fam* -s⟩ *n* (colore *m*) rosso *m;* **bei ~ über die Straße gehen** passare col rosso; **die Ampel steht auf ~** il semaforo è rosso; *s. a. Blau*.
Rotbarsch *m* pesce *m* persico. **rotblond** *adj* fulvo. **rotbraun** *adj* rosso bruno; *(Haar)* bruno rossiccio.
Röte ['rø:tə] ⟨-, ø⟩ *f* (colore *m*) rosso *m;* *(im Gesicht)* rossore *m*.
Röteln ['rø:təln] ⟨*pl*⟩ rosolia *f*.
röten I. *tr geh* tingere di rosso, arrossare; **II.** *rfl:* **sich ~** arrossare, arrossarsi; *(im Gesicht)* arrossirsi; *(Himmel)* tingersi di rosso.
rotglühend *adj* arroventato (rosso), rovente. **rothaarig** *adj* dai capelli rossi. **Rothaut** *f scherz* pellirossa *m*.
rotieren [ro'ti:rən] ⟨*ohne ge-*⟩ *itr* **1.** *(drehen)* rotare (*um* intorno a); **2.** *sl (hektisch werden)* agitarsi.
Rotkäppchen [-kɛpçən] ⟨-s, ø⟩ *n* Cappuccetto *m* rosso. **Rotkehlchen** [-kɛ:lçən] ⟨-s, -⟩ *n* pettirosso *m*. **Rotkohl** *m*, **-kraut** *n (süddeutsch, A)* cavolo *m* rosso.
rötlich *adj* rossastro; *(Haar a.)* rossiccio.
Rotlichtviertel *n* quartiere *m* a luci rosse.
rot·sehen ⟨*irr*⟩ *itr fam* vedere rosso. **Rotstift** *m* matita *f* rossa.
Rötung ⟨-, -en⟩ *f* arrossamento *m*.
Rotwein *m* vino *m* rosso. **Rotwild** *n* cervi *m pl*.
rotzfrech ['rɔts'frɛç] *adj sl* sfacciato. **rotzig** *adj* **1.** *vulg (Nase)* moccioso; **2.** *pej (frech)* sfacciato; *(provozierend)* provocatorio. **Rotznase** *f sl* **1.** *(Nase)* naso *m* pieno di moccio; **2.** *(Kind)* moccioso, -a *m, f fam*.
Roulade [ru'la:də] ⟨-, -n⟩ *f* involtino *m* (di carne).
Roulett ⟨-(e)s, -e *o* -s⟩ *n*, **Roulette** [ru'lɛt] ⟨-s, -s⟩ *n* roulette *f*.
Route ['ru:tə] ⟨-, -n⟩ *f* percorso *m;* *(Reise~)* itinerario *m*.
Routine [ru'ti:nə] ⟨-, ø⟩ *f* **1.** *(Gewandtheit)* pratica *f;* **2.** *pej* routine *f*. **routinemäßig** *a, adv* di routine. **Routineuntersuchung** *f* visita *f* di controllo.
routiniert [ruti'ni:ɐt] *adj* **1.** *(erfahren)*

pratico, esperto; **2.** *(geschickt)* abile.
rubbeln ['rʊbəln] *tr, itr* strofinare, fregare.
Rübe ['ry:bə] ⟨-, -n⟩ *f* **1.** *(Futter~, Gemüse~)* rapa *f; (Zucker~)* barbabietola *f;* **2.** *fam (Kopf)* zucca *f fam;* **gelbe ~** *(süddeutsch)* carota *f.*
Rubel ['ru:bəl] ⟨-s, -⟩ *m* rublo *m.*
Rubin [ru'bi:n] ⟨-s, -e⟩ *m* rubino *m.*
Rubrik [ru'bri:k] ⟨-, -en⟩ *f* rubrica *f;* **unter der ~** alla rubrica.
ruchlos ['ru:xlo:s] *adj* scellerato, empio, infame.
Ruck [rʊk] ⟨-(e)s, -e⟩ *m* scossone *m; pol* spostamento *m,* slittamento *m;* **sich** *(dat)* **einen ~ geben** *fam* (ri)scuotersi; **mit einem ~** di colpo.
Rückantwort *f:* **um ~ wird gebeten** si prega di rispondere.
ruckartig *adj* brusco.
rückbezüglich ['rʏk-] *adj* riflessivo. **Rückblende** *f* flashback *m.* **Rückblick** *m* sguardo *m* retrospettivo. **rückblickend** *adj* retrospettivo; **~ kann man sagen, daß ...** a posteriori si può dire che ...
rücken ['rʏkən] **I.** *tr* ⟨*haben*⟩ spingere; *(weg~)* scostare (*von* da); **II.** *itr* ⟨*sein*⟩ spostarsi; *(vorwärts)* avanzare; *(rückwärts)* indietreggiare; *(näher)* avvicinarsi; **der Zeiger rückte auf 6** la lancetta andò sul 6; **rück mal ein bißchen!** *fam* spostati un po'!
Rücken ['rʏkən] ⟨-s, -⟩ *m* **1.** schiena *f,* dorso *m;* **2.** *gastr (Schweine~)* arista *f; (Hammel~)* sella *f;* **3.** *(Berg~)* dorsale *f; (Hand~, Nasen~)* dorso *m; (Messer~)* costa *f; (Buch~)* costa *f,* dorso *m;* **jdm den ~ stärken** infondere coraggio a qu; **jdm/einer S.** *(dat)* **den ~ kehren** voltare le spalle a qu/qc; **jdm in den ~ fallen** piombare alle spalle di qu; **~ an ~** schiena a schiena; **hinter jds ~** *(a. fig)* alle spalle di qu. **Rückendeckung** *f* copertura *f* alle spalle. **Rückenlehne** *f* schienale *m,* spalliera *f.* **Rückenmark** *n* midollo *m* spinale. **Rückenschwimmen** *n* (nuoto *m* sul) dorso *m.* **Rückenwind** *m* vento *m* da dietro.
rück·erstatten ⟨*ohne ge-*⟩ *tr* rimborsare. **Rückerstattung** *f* rimborso *m.* **Rückfahrkarte** *f* biglietto *m* di andata e ritorno. **Rückfahrscheinwerfer** *m* fanale *m* di retromarcia. **Rückfahrt** *f* (viaggio *m* di) ritorno *m.* **Rückfall** *m med, fig* ricaduta *f; (a. jur)* recidiva *f.* **rückfällig** *adj:* **~ werden** *jur* essere recidivo. **Rückfenster** *n* lunotto *m.* **Rückfrage** *f* (ulteriore) richiesta *f* di spiegazioni. **Rückgabe** *f* restituzione *f.* **Rückgang** *m* diminuzione *f,* regresso *m; ökon, fin* recessione *f,* flessione *f.* **rückgängig** *adj:* **~ machen** *(Beschluß)* revocare; *(Vertrag)* rescindere; *(Geschäft)* annullare. **Rückgewinnung** *f* ricupero *m.*
Rückgrat ['rʏkgra:t] ⟨-(e)s, -e⟩ *n* spina *f* dorsale, colonna *f* vertebrale; **kein ~ haben** *fig* essere uno smidollato *fam.*
Rückgriff *m* ricorso *m* (*auf +akk* a).
Rückhalt *m* sostegno *m,* appoggio *m.* **rückhaltlos** *adj, adv* senza riserve.
Rückkehr [-ke:ɐ̯] ⟨-, ø⟩ *f* ritorno *m,* rientro *m.* **Rückkehrer(in)** ⟨-s, -⟩ *m(f) pol* chi rientra in patria dopo un lungo periodo all'estero. **Rückkehrhilfe** *f (für Gastarbeiter)* aiuti *m pl* per il rimpatrio. **Rückkopp(e)lung** *f* reazione *f.* **Rücklage** *f* **1.** *fin* (fondo *m* di) riserva *f;* **2.** *(von Körper)* posizione *f* all'indietro del corpo. **rückläufig** *adj* retrogrado, regressivo. **Rücklicht** *n* luce *f* posteriore.
rücklings ['rʏklɪŋs] *adv* **1.** *(rückwärts)* all'indietro; **2.** *(auf dem Rücken)* sulla schiena; **3.** *(von hinten)* da dietro, alle spalle.
Rückmarsch *m* ritirata *f.* **Rücknahme** *f* ritiro *m.* **Rückporto** *n* affrancatura *f* per la risposta. **Rückreise** *f* (viaggio *m* di) ritorno *m.* **Rückrufaktion** *f* contrordine *m.* **Rückrufautomatik** *f* sistema *m* automatico di richiamo.
Rucksack ['rʊk-] *m* sacco *m* da montagna. **Rucksacktourist(in)** *m(f)* saccopelista *mf.*
Rückschau *f* sguardo *m* retrospettivo. **Rückschlag** *m* **1.** *sport* rimbalzo *m;* **2.** *(Fehlschlag)* ricaduta *f.* **Rückschluß** *m* conclusione *f.* **Rückschritt** *m* passo *m* indietro, regresso *m.* **Rückschrittaste** *f inform* tasto *m* di correzione. **Rückseite** *f* retro *m; (von Stoff, Medaille)* rovescio *m; (von Blatt)* verso *m; (von Haus, etc.)* parte *f* posteriore. **Rücksendung** *f* spedizione *f* di ritorno.
Rücksicht *f* riguardo *m* (*auf +akk* per, di), rispetto *m* (*auf +akk* per, di); **~ nehmen auf** avere riguardo per. **rücksichtslos** *adj* irriguardoso, spietato. **Rücksichtslosigkeit** ⟨-, -en⟩ *f* **1.** mancanza *f* di riguardo; **2.** *(Schonungslosigkeit)* brutalità *f.* **rücksichtsvoll** *adj* pieno di riguardo (*gegen* verso).
Rücksitz *m (von Auto)* sedile *m* posteriore; *(von Motorrad)* sellino *m* posteriore. **Rückspiegel** *m* specchietto *m* retrovisore. **Rücksprache** *f* abboccamento *m,* colloquio *m;* **nach ~ mit** d'intesa con.
Rückspulautomatik *f (von Kamera, Video)* riavvolgimento *m* automatico.
Rückstand *m* **1.** *(Rest)* resto *m,* rimanente *m; chem* residuo *m;* **2.** ⟨*meist pl*⟩ *fin* arretrati *m pl;* **3.** *sport, fig* svantaggio *m;* **im ~ sein** essere indietro (*o* in arretrato). **rückständig** *adj* arretrato; *(rückschrittlich)* retrivo, retrogrado. **Rückständigkeit** ⟨-, ø⟩ *f* arretratezza *f.*
Rückstau *m* **1.** *tec* ristagno *m;* **2.** *mot* ingorgo *m.* **Rückstrahler** *m* catarifrangente *m.*
Rücktritt *m* **1.** *(vom Amt)* dimissioni *f pl,* ritiro *m; (von Vertrag)* recesso *m;* **2.** *fam s.* **Rücktrittbremse. Rücktritt-**

bremse *f* freno *m* a contropedale. **Rücktrittsrecht** *n* diritto *m* di recesso.
rück·vergüten ⟨*ohne ge-*⟩ *tr* rimborsare. **Rückvergütung** *f* rimborso *m*. **rück·versichern** ⟨*ohne ge-*⟩ *rfl:* **sich** ~ riassicurarsi. **Rückwand** *f* parete *f* posteriore.
rückwärtig [-vɛrtɪç] *adj* di dietro, posteriore. **rückwärts** [-vɛrts] *adv* **1.** *(nach hinten, von hinten nach vorne)* (all')indietro; **2.** *(hinten)* (di) dietro. **Rückwärtsgang** *m* retromarcia *f*.
Rückweg *m* (via *f* del) ritorno *m*.
ruckweise *adv* a scossoni.
rückwirkend *adj* **1.** *adm* retroattivo; **2.** *phys* reattivo. **Rückzahlung** *f* rimborso *m*. **Rückzieher** ⟨-s, -⟩ *m fam* marcia *f* indietro *fam*, dietro front *m fam*.
ruck, zuck [rʊk'tsʊk] **I.** *interj* su, in fretta; **II.** *adv* in un baleno.
Rückzug *m* ritirata *f*; **den ~ antreten, zum ~ blasen** *fig* battere in ritirata.
rüde ['ry:də] *adj* rozzo, rude.
Rüde ['ry:də] ⟨-n, -n⟩ *m* maschio *m*.
Rudel ['ru:dəl] ⟨-s, -⟩ *n* branco *m*.
Ruder ['ru:dɐ] ⟨-s, -⟩ *n naut* remo *m; (Steuer~, aero, fig)* timone *m*. **Ruderboot** *n* barca *f* a remi.
Rud(e)rer ⟨-s, -⟩ *m*, **Rud(r)erin** *f* rematore, -trice *m, f*.
rudern I. *itr* ⟨*haben o bei Fortbewegung sein*⟩ remare; *(Ruderboot fahren)* andare in barca a remi; *sport* fare del canottaggio; **mit den Armen** ~ *fig fam* agitare le braccia come un mulino a vento *fam;* **II.** *tr* ⟨*haben*⟩ trasportare.
Rudersport *m* canottaggio *m*.
Rudi ['ru:di] *s.* **Rudolf.**
rudimentär [rudimɛn'tɛ:ɐ] *adj* rudimentale.
Rudolf ['ru:dɔlf] *(männlicher Vorname)* Rodolfo.
Rudrer(in) *m(f) s.* **Ruderer.**
Ruf [ru:f] ⟨-(e)s, -e⟩ *m* **1.** *(Schrei, Aus~)* grido *m;* **2.** *(Auf~)* chiamata *f; (des Herzens)* voce *f*, richiamo *m;* **3.** ⟨*sing*⟩ *(Leumund, Ansehen)* reputazione *f; (Ruhm)* fama *f;* **einen ~ an die Universität Wien erhalten** essere chiamato quale professore all'università di Vienna; **er ist besser als sein ~** è migliore di quel che si dice.
rufen ⟨ruft, rief, gerufen⟩ **I.** *tr* chiamare; **sich** *(dat)* **etw. ins Gedächtnis** ~ farsi venire in mente qc; **wie gerufen kommen** *fam* venire (*o* giungere) a proposito; **II.** *itr (a. auf~)* chiamare (*zu* a); *(aus~)* gridare.
Rüffel ['rʏfəl] ⟨-s, -⟩ *m fam* rabbuffo *m*, sgridata *f*.
Rufmord *m* grave calunnia *f*. **Rufname** *m* nome *m*. **Rufnummer** *f* numero *m* telefonico. **Rufweite** *f:* **in/außer** ~ a portata/fuori della portata di voce. **Rufzeichen** *n* segnale *m* di libero.
Rüge ['rʏ:gə] ⟨-, -n⟩ *f* biasimo *m*, rimprovero *m*.
rügen *tr* biasimare, rimproverare.
Ruhe ['ru:ə] ⟨-, ø⟩ *f* **1.** *(Unbewegtheit)* calma *f; (a. Stille, Stillstand, Gelassenheit)* quiete *f;* **2.** *(Schweigen)* silenzio *m;* **3.** *(Entspannung, Bett~)* riposo *m;* **4.** *(Friede)* pace *f; (innere ~)* tranquillità *f;* **die ewige ~** *geh* la pace eterna; **die ~ vor dem Sturm** *fig* la calma prima della tempesta; **~ geben** dar pace; **jdn in ~ lassen** lasciare in pace qu; **sich zur ~ setzen** *(Geschäftsmann)* ritirarsi dagli affari; *(Angestellter)* andare in pensione; **in (aller) ~** con calma, in tutta tranquillità; **angenehme ~!** buon riposo!; **immer mit der ~!** *fam* calma e sangue freddo! **ruhelos** *adj* irrequieto, agitato; *(innerlich)* inquieto. **Ruhelosigkeit** ⟨-, ø⟩ *f* irrequietezza *f*, agitazione *f; (innerlich)* inquietudine *f*.
ruhen *itr* **1.** *(aus~)* riposare, riposarsi; **2.** *fig (Blick)* essere fissato (*auf +dat* su); *(Verdacht)* gravare (*auf +dat* su); **3.** *(sich stützen)* poggiare (*auf +dat* su); **4.** *(Arbeit)* essere fermo; *(Angelegenheit)* essere sospeso; **nicht eher ~, als bis ...** non aver pace fin quando non ...; **hier ruht ...** qui riposa ...
Ruhepause *f* pausa *f*. **Ruheraum** *m* sala *f* di riposo (*o* relax). **Ruhestand** *m* **1.** *(Lebensabschnitt)* riposo *m;* **2.** *(Stellung)* pensione *f;* **im ~** (*abk* **i. R.**) a riposo, in pensione; **in den ~ treten** andare in pensione; **jdn in den ~ versetzen** pensionare qu. **Ruhestellung** *f* posizione *f* di riposo. **Ruhestörung** *f* perturbazione *f* della quiete pubblica; **nächtliche ~** schiamazzi *m pl* notturni. **Ruhetag** *m* giorno *m* di riposo; *(von Geschäft)* riposo *m* settimanale.
ruhig I. *adj* **1.** *(unbewegt, a. fig)* calmo; **2.** *(geräuschlos)* silenzioso; **3.** *(still, gelassen)* tranquillo; **4.** *(geruhsam)* tranquillo; **II.** *adv* **1.** *(unbesorgt)* tranquillamente; **2.** *(nur)* pure.
Ruhm [ru:m] ⟨-(e)s, ø⟩ *m* gloria *f*, fama *f*.
rühmen ['ry:mən] **I.** *tr* **1.** *(preisen)* glorificare, esaltare; **2.** *(loben)* lodare, elogiare; *(übermäßig)* magnificare; **II.** *rfl:* **sich einer S.** *(gen)* ~ gloriarsi di qc, vantarsi di qc.
rühmlich *adj* degno di lode, lodevole.
ruhmlos *adj* inglorioso. **ruhmreich** *adj* glorioso.
Ruhr[1] ['ru:ɐ] *f geog* Ruhr *f*.
Ruhr[2] ['ru:ɐ] ⟨-, *rar* -en⟩ *f med* dissenteria *f*.
Rührei *n* uova *f pl* strapazzate.
rühren ['ry:rən] **I.** *tr* **1.** *(um~)* rimestare; *(mischen)* mescolare; **2.** *(bewegen)* muovere; **3.** *(emotional)* commuovere, toccare; **II.** *itr* mescolare; **an etw.** *(akk)* ~ *(im Gespräch)* accennare a qc; **von etw. ~** *geh* dipendere da qc; **III.** *rfl:* **sich ~ 1.** *(sich bewegen)* muoversi; **2.** *(sich*

melden: Gewissen, etc.) svegliarsi; **rührt euch!** *mil* riposo! **rührend** *adj* commovente, toccante.

Ruhrgebiet *n* regione *f* della Ruhr; *(Kohlenpott)* bacino *m* carbonifero della Ruhr.

rührig *adj* attivo, dinamico; *(emsig)* operoso.

rührselig *adj* **1.** *(Mensch)* emotivo, sentimentale; **2.** *(Buch, Film)* lacrimoso, commovente.

Rührung ⟨-, ø⟩ *f* commozione *f*.

Ruin [ru'iːn] ⟨-s, ø⟩ *m* rovina *f*.

Ruine [ru'iːnə] ⟨-, -n⟩ *f* rovina *f*.

ruinieren [rui'niːrən] ⟨*ohne ge-*⟩ *tr* rovinare; *fig (unbrauchbar machen)* guastare.

rülpsen ['rʏlpsən] *itr fam* ruttare.

rum [rʊm] *fam s.* **herum.**

Rum [rʊm] ⟨-s, -s⟩ *m* rum *m*.

Rumäne [ru'mɛːnə] ⟨-n, -n⟩ *m*, **Rumänin** [...nɪn] *f* romeno, -a *m, f*, rumeno, -a *m, f*.

Rumänien [...ni̯ən] *n* Romania *f*.

rumänisch *adj* romeno.

rum·kriegen *s.* **herumkriegen.**

Rummel ['rʊməl] ⟨-s, ø⟩ *m fam* **1.** *(Lärm)* frastuono *m*, baccano *m*; *(Betrieb)* viavai *m*, movimento *m*; **2.** *(~platz)* fiera *f*. **Rummelplatz** *m fam* parco *m* dei divertimenti.

rumoren [ru'moːrən] ⟨*ohne ge-*⟩ *itr (poltern)* fare fracasso; *(im Magen)* brontolare.

Rumpelkammer *f fam* ripostiglio *m*.

rumpeln ['rʊmpəln] *itr fam* fare fracasso, strepitare.

Rumpf [rʊmp͜f] ⟨-(e)s, Rümpfe⟩ *m* **1.** *anat* tronco *m*; **2.** *naut* scafo *m*; *aero* fusoliera *f*.

rümpfen ['rʏmp͜fən] *tr:* **die Nase (über etw.** *(akk)***)** ~ arricciare il naso (per qc).

Rumpsteak ['rʊmp-] *n* costata *f* di manzo.

rund [rʊnt] **I.** *adj* **1.** (ro)tondo; *(Gesicht)* pieno; *(Zahl)* tondo; **ein ~es Dutzend** *fam* una dozzina o più; **II.** *adv* **1.** (*abk* **rd.**) *(ungefähr)* (all'in)circa; **2.** *(herum)* intorno (*um* a); ~ **um die Uhr** senza interruzione; **auf dieser Party ging es ~** *fam* quella festa è stata molto divertente; **wenn ihr zu spät kommt, geht's ~!** *fam* se arrivate troppo tardi, succede un putiferio. **Rundblick** *m* panorama *m*. **Rundbrief** *m* (lettera *f*) circolare *f*.

Runde ['rʊndə] ⟨-, -n⟩ *f* **1.** *allg.* giro *m*; **2.** *(Gesellschaft)* circolo *m*, cerchia *f*; **3.** *(beim Boxen)* ripresa *f*, round *m*; **über die ~n kommen** *fam* farcela a stento *fam*.

rund·erneuern ⟨*ohne ge-*⟩ *tr (Reifen)* vulcanizzare. **runderneuert** *adj (Reifen)* vulcanizzato. **Rundfahrt** *f* giro *m*. **Rundflug** *m* giro *m* in aereo. **Rundfrage** *f* inchiesta *f*.

Rundfunk *m* radio *f*; **im ~** alla radio.

Rundfunk- *(in Zusammensetzungen)* radiofonico. **Rundfunkanstalt** *f* stazione *f* radiofonica. **Rundfunkgebühren** *f pl* canone *m* radiofonico. **Rundfunkgerät** *n* (apparecchio *m*) radio *f*. **Rundfunksender** *m* emittente *f* radiofonica. **Rundfunksprecher(in)** *m(f)* annunciatore, -trice *m, f* radiofonico, -a. **Rundfunkstation** *f* stazione *f* radiofonica.

Rundgang *m* giro *m*; *mil* ronda *f*.

rundheraus ['rʊnthɛ'ra͜us] *adv* francamente, apertamente, chiaro e tondo.

rundherum ['rʊnthɛ'rʊm] *adv* **1.** *(räumlich)* (tutt')intorno; **2.** *fig fam* completamente, pienamente.

rundlich *adj* (ro)tondeggiante; *(Mensch)* grassottello.

Rundschreiben *n* (lettera *f*) circolare *f*. **Rundstricknadel** *f* ferro *m* circolare. **Rundumschlag** *m (a. fig)* sbaragliamento *m*.

Rundung ⟨-, -en⟩ *f* rotondità *f*.

Rundwanderweg *m* passeggiata *f* circolare. **rundweg** ['rʊnt'vɛk] *adv* nettamente, chiaro e tondo.

Rune ['ruːnə] ⟨-, -n⟩ *f* runa *f*. **Runenschrift** *f* caratteri *m pl* runici.

runter ['rʊntɐ] *fam s.* **herunter, hinunter.**

runter·hauen ⟨*irr*⟩ *tr fam:* **jdm eine ~** mollare una sberla a qu *fam*.

Runzel ['rʊnt͜səl] ⟨-, -n⟩ *f* ruga *f*. **runz(e)lig** *adj (Mensch)* pieno di rughe, rugoso; *(Frucht)* raggrinzito.

runzeln **I.** *tr* corrugare; **II.** *rfl:* **sich ~** (r)aggrinzarsi.

Rüpel ['ryːpəl] ⟨-s, -⟩ *m* villano *m*, zotico(-ne) *m*.

rupfen ['rʊp͜fən] *tr (zupfen)* strappare; *(Geflügel, a. fig fam: übervorteilen)* spennare *fam*; *(Gras, Unkraut)* strappare.

ruppig ['rʊpɪç] *adj* sgarbato, villano.

Rüsche ['ryːʃə] ⟨-, -n⟩ *f* ruche *f*.

Ruß [ruːs] ⟨-es, *rar* -e⟩ *m* fuliggine *f*.

Russe ['rʊsə] ⟨-n, -n⟩ *m*, **Russin** ['rʊsɪn] *f* russo, -a *m, f*.

Rüssel ['rʏsəl] ⟨-s, -⟩ *m* proboscide *f*.

rußen ['ruːsən] *itr* produrre fuliggine; *(Lampe)* far fumo.

rußig *adj* fuligginoso.

Russin *f s.* **Russe.**

russisch *adj* russo.

Rußland ['rʊslant] *n* Russia *f*.

rüsten ['rʏstən] **I.** *itr mil* armare; **II.** *rfl:* **sich ~** *geh* prepararsi (*zu* a).

rüstig ['rʏstɪç] *adj* arzillo.

rustikal [rʊsti'kaːl] *adj* rustico.

Rüstung ['rʏstʊŋ] ⟨-, -en⟩ *f* **1.** ⟨*sing*⟩ *(Auf~)* armamento *m*; **2.** *hist (Ritter~)* armatura *f*. **Rüstungsbefürworter(in)** *m(f)* sostenitore, -trice *m, f* degli armamenti. **Rüstungsgegner(in)** *m(f)* avversario, -a *m, f* degli armamenti. **Rüstungsindustrie** *f* industria *f* degli arma-

menti. **Rüstungskontrolle** *f* controllo *m* degli armamenti.
Rüstzeug *n fig (Kenntnisse)* requisiti *m pl.*
Rute ['ru:tə] ⟨-, -n⟩ *f* **1.** *(Gerte)* verga *f; (zur Züchtigung)* bacchetta *f;* **2.** *(Tierschwanz)* coda *f.* **Rutengänger(in)** [-gɛŋɐ (...ərɪn)] ⟨-s, -⟩ *m(f)* rabdomante *mf.*
Rutsch [rʊtʃ] ⟨-(e)s, -e⟩ *m* **1.** *(Ab~)* scivolone *m,* scivolata *f; pol* scivolare *m;* **2.** *(Erd~)* smottamento *m;* **in einem ~** *fam* in una volta; **guten ~ (ins neue Jahr)!** *fam* buon anno! **Rutschbahn** *f,* **Rutsche** ⟨-, -n⟩ *f* scivolo *m.*
rutschen *itr* ⟨*sein*⟩ **1.** *(gleiten, aus~)* scivolare; *(a. Kupplung, Reifen)* slittare; **2.** *fam (Essen)* andare giù *fam;* **3.** *fam (auf~)* spostarsi.
rutschfest *adj* antiscivolo.
rutschig *adj* scivoloso, sdrucciolevole.
rütteln ['rʏtəln] *tr, itr* scuotere *(an etw. (dat)* qc); **daran gibt's nichts zu ~!** *fam* non ci si può fare più nulla!

S

S, s [ɛs] ⟨-, -⟩ *n* S, s *f* **S wie Samuel** S come Savona.
s. *abk von* **siehe** v. (*abbr di* vedi).
S 1. *abk von* **Süd(en)** S. (*abbr di* sud); **2.** *abk von* **Schilling** Sch.
Saal ['za:l] ⟨-(e)s, Säle⟩ *m* sala *f.*
Saat [za:t] ⟨-, -en⟩ *f* **1.** *(Aus~, ~zeit)* semina *f;* **2.** *(~gut)* semenza *f.* **Saatgut** *n* semenza *f,* semente *f.*
Sabbat ['zabat] ⟨-s, -e⟩ *m* sabato *m.*
sabbern ['zabɐn] *fam itr* sbavare.
Säbel ['zɛ:bəl] ⟨-s, -⟩ *m* sciabola *f.*
Sabine [za'bi:nə] *(weiblicher Vorname)* Sabina.
Sabotage [zabo'ta:ʒə] ⟨-, -n⟩ *f* sabotaggio *m.*
Saboteur(in) [...'tø:ɐ̯ (...rɪn)] ⟨-s, -e⟩ *m(f)* sabotatore, -trice *m, f.*
sabotieren [...'ti:rən] ⟨*ohne ge-*⟩ *tr* sabotare.
Sachbearbeiter(in) *m(f)* incaricato, -a *m, f,* addetto, -a *m, f.* **Sachbeschädigung** *f adm* danno *m* alle cose. **Sachbuch** *n* (libro *m*) saggio *m.* **sachdienlich** *adj adm* utile, giovevole, opportuno; **~e Hinweise nimmt jede Polizeidienststelle entgegen** informazioni al riguardo da inoltrare al più vicino posto di polizia.
Sache ['zaxə] ⟨-, -n⟩ *f* **1.** *(Ding)* cosa *f; (Gegenstand)* oggetto *m;* **2.** *fig (Angelegenheit)* faccenda *f; jur* causa *f;* **seiner ~ sicher sein** essere sicuro del fatto proprio; **nicht (ganz) bei der ~ sein** essere distratto; **zur ~ kommen** venire al fatto (*o* al dunque); **nicht zur ~ gehören** non entrarci; **mit 100 ~n** *fam (Tempo)* a 100 all'ora; **in ~en ...** *jur, adm* nella causa ...; **es ist Ihre ~ zu ...** spetta a Lei *+inf;* **das tut nichts zur ~** non c'entra; **zur ~!** veniamo ai fatti!
Sachgebiet *n* campo *m,* ramo *m.* **sachgemäß** *adj* appropriato, adeguato. **Sachkenntnis** *f (Fachwissen)* competenza *f; (Kenntnis der Sachlage)* conoscenza *f* di causa. **sachkundig** *adj* esperto, competente. **Sachlage** *f* stato *m* delle cose; *(bestehende Situation)* situazione *f* di fatto.
sachlich *adj (sachbezogen)* concreto, positivo; *(objektiv)* obiettivo; *(unparteiisch)* imparziale; *arch* funzionale; *(Stil)* sobrio, disadorno; **~ bleiben/sein** attenersi ai fatti.
sächlich ['zɛçlɪç] *adj* neutro.
Sachlichkeit ⟨-, ø⟩ *f* obiettività *f.*
Sachregister *n* indice *m* analitico. **Sachschaden** *m* danno *m* materiale.
Sachsen ['zaksən] *n* Sassonia *f.*
sächsisch ['zɛksɪʃ] *adj* sassone.
sacht [zaxt] *adj (vorsichtig)* cauto; *(sanft)* delicato; *(leicht)* leggero; *(unmerklich)* impercettibile.
sachte ['zaxtə] *adv* **1.** *(nicht so heftig)* piano; **2.** *(allmählich)* pian piano.
Sachverhalt ⟨-(e)s, -e⟩ *m* stato *m* di cose, fatti *m pl.* **Sachverstand** *m* cognizione *f* di causa. **Sachverständige** ⟨ein -r, -n, -n⟩ *mf* esperto, -a *m, f,* perito, -a *m, f.* **Sachzwang** *m* condizionamento *m.*
Sack [zak] ⟨-(e)s, Säcke⟩ *m* sacco *m;* **mit ~ und Pack** con armi e bagagli; **fauler ~!** *fam* poltrone!
Säckchen ['zɛkçən] ⟨-s, -⟩ *n* sacchetto *m.*
Sackgasse *f (a. fig)* vicolo *m* cieco. **Sackhüpfen** ⟨-s, ø⟩ *n* corsa *f* nei sacchi. **Sackleinen** *n* tela *f* da sacchi. **Sacktuch** *n (A, süddeutsch)* fazzoletto *m.*
Sadismus [za'dɪsmʊs] ⟨-, ø⟩ *m* sadismo *m.*
Sadist(in) [za'dɪst(ɪn)] ⟨-en, -en⟩ *m(f)* sadico, -a *m, f.*
sadistisch *adj* sadico.
säen ['zɛ:ən] *tr (a. fig)* seminare; **dünn gesät sein** *fig* essere scarso.
Safari [za'fa:ri] ⟨-, -s⟩ *f* safari *m.* **Safaripark** *m* zoo *m* safari.
Safe [seɪf] ⟨-s, -s⟩ *m o n* cassaforte *f.*
Safran ['zafran] ⟨-s, -e⟩ *m* zafferano *m.*
Saft [zaft] ⟨-(e)s, Säfte⟩ *m* **1.** *(Obst~)* succo *m; (Pflanzen~)* linfa *f; (Braten~)* sugo *m;* **2.** *fam (Strom)* corrente *f.* **saftig** *adj* **1.** *(Obst)* succoso; *(a. Fleisch)* sugoso; *(Wiese)* grasso; **2.** *fam (Rechnung)* salato *fam; (Ohrfeige)* solenne; *(Brief, Antwort)* potente. **Saftpresse** *f* spremifrutta *m.*
Sage ['za:gə] ⟨-, -n⟩ *f* leggenda *f; (Götter~, Helden~)* mito *m.*
Säge ['zɛ:gə] ⟨-, -n⟩ *f* sega *f.* **Sägefisch** *m* pesce *f* sega. **Sägemehl** *n* segatura *f.*
sagen ['za:gən] *tr* dire; *(ausdrücken: Gesicht, Geste)* dire, esprimere; **nichts zu ~ haben** non avere voce in capitolo; **sich** *(dat)* **etw. gesagt sein lassen** tenere a mente qc; **unter uns gesagt** detto fra noi; **wie (schon) gesagt** come già detto; **gesagt, getan** detto fatto; **sage und schreibe** veramente, realmente; **das ist leicht gesagt** è facile a dirsi; **das hat nichts zu ~** questo non ha alcuna importanza; **dagegen ist nichts zu (***o* **läßt sich nichts) ~** non c'è che dire; **Sie haben mir nichts zu ~** non ricevo ordini da Lei; **was wollen Sie damit ~?** cosa

intende dire con ciò?; **sag mal, ...** di' un po', ...; **sag bloß!** *fam* non dirmi!; **was Sie nicht (alles)** ~! che dice mai!; **das sagt (mir) alles!** questo spiega tutto!; **das kann man wohl** ~! è proprio il caso di dirlo.

sägen ['zɛ:gən] **I.** *itr* **1.** *(mit Säge)* segare; **2.** *fam (schnarchen)* russare; **II.** *tr* segare.

sagenhaft *adj* **1.** *(legendär)* leggendario; **2.** *fam (wunderbar)* favoloso.

Sägespäne *m pl* segatura *f.* **Sägewerk** *n* segheria *f.*

sah [za:] *imp von* **sehen.**

Sahne ['za:nə] ⟨-, ø⟩ *f* crema *f,* panna *f.*

sahnig *adj* cremoso.

Saison [zɛ'zõ: *o* zɛ'zɔŋ] ⟨-, -s⟩ *f* stagione *f.* **Saisonarbeiter(in)** *m(f)* stagionale *mf.* **Saisonartikel** *m* articolo *m* stagionale. **saisonbedingt** *adj* stagionale.

Saite ['zaitə] ⟨-, -n⟩ *f* corda *f;* **andere ~n aufziehen** *fam* cambiar musica *fam.* **Saiteninstrument** *n* strumento *m* a corda.

Sakko ['zako] ⟨-s, -s⟩ *m o n* giacca *f* da uomo.

sakral [za'kra:l] *adj* sacrale, sacro.

Sakrament [zakra'mɛnt] ⟨-(e)s, -e⟩ *n* sacramento *m.*

Sakrileg [zakri'le:k] ⟨-s, -e⟩ *n* sacrilegio *m.*

Sakristei [zakrıs'tai] ⟨-, -en⟩ *f* sagrestia *f.*

Salamander [zala'mandɐ] ⟨-s, -⟩ *m* salamandra *f.*

Salami [za'la:mi] ⟨-, -s⟩ *f* salame *m.*

Salär [za'lɛ:ɐ] ⟨-s, -e⟩ *n CH* paga *f.*

Salat [za'la:t] ⟨-(e)s, -e⟩ *m* **1.** *(Speise)* insalata *f;* **2.** *(Pflanze)* lattuga *f;* **da haben wir den ~!** *fam* che bel pasticcio!. **Salatbesteck** *n* posate *f pl* da insalata. **Salatgurke** *f* cetriolo *m* fresco. **Salatschleuder** *f* centrifuga *f* per l'insalata. **Salatschüssel** *f* insalatiera *f.* **Salatsoße** *f* condimento *m* (per l'insalata).

Salbe ['zalbə] ⟨-, -n⟩ *f* pomata *f,* unguento *m.*

Salbei ['zalbai] ⟨-s, ø⟩ *m o* ⟨-, ø⟩ *f* salvia *f.*

salben *tr* consacrare (*zu* a).

salbungsvoll *adj* untuoso, mellifluo.

Saldo ['zaldo, ...dos *o* ...dən *o* ...di] ⟨-s, -s *o* Salden *o* Saldi⟩ *m* saldo *m.*

Säle *pl von* **Saal.**

Saline [za'li:nə] ⟨-, -n⟩ *f* salina *f.*

Salm [zalm] ⟨-(e)s, -e⟩ *m* salmone *m.*

Salmiak [zal'miak *o* 'zal...] ⟨-s, ø⟩ *m* cloruro *m* d'ammonio. **Salmiakgeist** *m* ammoniaca *f.*

Salmonellen [zalmo'nɛlən] *f pl* salmonelle *f pl.* **Salmonellenvergiftung** *f* salmonellosi *f.*

Salon [za'lõ: *o* za'lɔŋ] ⟨-s, -s⟩ *m* **1.** *allg.* salone *m;* **2.** *(Wohnzimmer)* salotto *m;* **3.** *(Kunst~)* esposizione *f.* **salonfähig** *adj* presentabile (in società). **Salonlöwe** *m scherz* uomo *m* salottiero.

salopp [za'lɔp] *adj (Kleidung)* trasandato; *(Haltung)* disinvolto; *(Ausdrucksweise)* sciatto.

Salpeter [zal'pe:tɐ] ⟨-s, ø⟩ *m* nitrato *m,* salnitro *m.* **Salpetersäure** *f* acido *m* nitrico.

Salto ['zalto, ...tos *o* ...ti] ⟨-s, -s *o* Salti⟩ *m* salto *m.*

Salut [za'lu:t] ⟨-(e)s, -e⟩ *m* salva *f.*

salutieren [zalu'ti:rən] ⟨*ohne ge-*⟩ *tr, itr* salutare (militarmente).

Salve ['zalvə] ⟨-, -n⟩ *f* salva *f.*

Salz [zalts] ⟨-es, -e⟩ *n* sale *m.*

Salzburg ['zaltsburk] *n* Salisburgo *f.*

salzen ⟨salzt, salzte, gesalzen⟩ *tr* salare.

Salzgurke *f* cetriolino *m.* **Salzhering** *m* aringa *f* salata.

salzig *adj* salino, salso; *gastr* salato.

Salzkartoffeln *f pl* patate *f pl* lesse. **Salzlake** *f* salamoia *f.* **Salzsäule** *f:* **zur ~ erstarren** rimanere di sale. **Salzsäure** *f* acido *m* cloridrico. **Salzsee** *m* lago *m* salato. **Salzstange** *f* salatino *m.* **Salzstreuer** ⟨-s, -⟩ *m* saliera *f.* **Salzwasser** *m* acqua *f* salata.

Samariter [zama'ri:tɐ] ⟨-s, -⟩ *m* samaritano *m;* **der Barmherzige ~** il buon samaritano.

Samen ['za:mən] ⟨-s, -⟩ *m* **1.** *bot, fig* seme *m;* **2.** *(Saat)* semente *f;* **3.** *(Sperma)* sperma *m.* **Samenbank** *f* banca *f* del seme. **Samenerguß** *m* eiaculazione *f.* **Samenkorn** *n* grano *m.* **Samenspender** *m* donatore *m* di sperma.

Sammelbecken *n* bacino *m* collettore; *fig* ricettacolo *m.* **Sammelbegriff** *m* nome *m* collettivo. **Sammelbestellung** *f* ordinazione *f* collettiva. **Sammelbüchse** *f* bossolo *m* (per oboli). **Sammelmappe** *f* raccoglitore *m.*

sammeln ['zaməln] **I.** *tr* (rac)cogliere; *(aus Liebhaberei)* collezionare; *(Erfahrungen)* acquisire; *(versammeln)* radunare; *(Kräfte)* concentrare; **II.** *rfl:* **sich ~ 1.** *(Sachen)* accumularsi, ammassarsi; *(Personen)* radunarsi; **2.** *(sich konzentrieren)* raccogliersi, concentrarsi; **III.** *itr:* **für etw. ~** fare una colletta per qc.

Sammelsurium [zaməl'zu:rium, ...iən] ⟨-s, -rien⟩ *n* guazzabuglio *m.*

Sammler(in) ⟨-s, -⟩ *m(f)* raccoglitore, -trice *m, f; (Liebhaber)* collezionista *mf.*

Sammlung ⟨-, -en⟩ *f* **1.** *(Sammeln)* raccolta *f; (von Spenden)* colletta *f;* **2.** *(Kunst~, Briefmarken~)* collezione *f;* **3.** *fig (innere ~)* raccoglimento *m,* concentrazione *f.*

Samstag ['zamsta:k] *m* sabato *m; s. a. Freitag.* **samstags** *adv* di (*o* il) sabato.

samt [zamt] *prp +dat* (insieme) con, unitamente a.

Samt [zamt] ⟨-(e)s, -e⟩ *m* velluto *m.* **Samthandschuh** *m:* **jdn mit ~en anfassen** *fig* trattare qu coi guanti.

sämtlich ['zɛmtlɪç] *adj* tutto; *(vollständig)* completo.
Sanatorium [zana'to:ri̯ʊm, ...i̯ən] ⟨-s, -rien⟩ *n* sanatorio *m.*
Sand [zant] ⟨-(e)s, *rar* -e⟩ *m* sabbia *f;* **jdm ~ in die Augen streuen** *fig* gettare polvere negli occhi di qu; **auf ~ bauen** *fig* costruire sulla sabbia; **im ~e verlaufen** *fig* insabbiarsi, perdersi nel nulla; **den Kopf in den ~ stecken** *fig* fare lo struzzo; **wie ~ am Meer** *fam* in grande quantità.
Sandale [zan'da:lə] ⟨-, -n⟩ *f* sandalo *m.*
Sandalette [...da'lɛtə] ⟨-, -n⟩ *f* sandaletto *m.*
Sandbank ⟨-, -bänke⟩ *f* banco *m* di sabbia. **Sanddorn** ⟨-s, -e⟩ *m* olivello *m* spinoso.
Sandelholz ['zandəl-] *n* sandalo *m.*
sandig *adj* sabbioso.
Sandkasten *m* recinto *m* con sabbia. **Sandkuchen** *m* dolce *m* di pan di spagna. **Sandmann** *m,* **-männchen** *n* mago *m* Sabbiolino. **Sandpapier** *n* carta *f* vetrata. **Sandsack** *m* sacco *m* di sabbia; *sport* punching ball *m.* **Sandstein** *m* (pietra *f*) arenaria *f.* **Sandstrand** *m* spiaggia *f* sabbiosa. **Sandsturm** *m* tempesta *f* di sabbia.
sandte ['zantə] *imp von* **senden.**
Sanduhr *f* clessidra *f.*
sanft [zanft] *adj (Gemüt, Mensch)* dolce, mite; *(leicht, sacht)* leggero; *(nicht steil)* lieve.
Sänfte ['zɛnftə] ⟨-, -n⟩ *f* lettiga *f,* portantina *f.*
sang [zaŋ] *imp von* **singen.**
Sänger(in) ['zɛŋɐ (...ərɪn)] ⟨-s, -⟩ *m(f)* cantore *m,* cantatrice *f; (berufsmäßig)* cantante *mf.*
sang- und klanglos *adv:* **~ verschwinden** scomparire inosservato.
sanieren [za'ni:rən] ⟨*ohne ge-*⟩ *tr* risanare.
Sanierung ⟨-, ø⟩ *f* risanamento *m.*
sanitär [zani'tɛ:ɐ̯] *adj* sanitario. **Sanitäreinrichtungen** *f pl* impianti *m pl* sanitari, sanitari *m pl.*
Sanitäter [...'tɛ:tɐ] ⟨-s, -⟩ *m* infermiere *m; mil* soldato *m* di sanità.
sank [zaŋk] *imp von* **sinken.**
Sankt [zaŋkt] ⟨*inv*⟩ *adj (abk* **St.***)* San(to). **Sankt Gallen** [zaŋkt 'galən] *n* San Gallo *f.*
Sanktion [zaŋk't͟si̯o:n] ⟨-, -en⟩ *f* **1.** *jur (Bestätigung)* ratifica *f;* **2.** ⟨*meist pl*⟩ *ökon, pol* sanzioni *f pl.*
sanktionieren [...t͟si̯o'ni:rən] ⟨*ohne ge-*⟩ *tr* sanzionare.
Saphir ['za:fiɐ̯ *o* za'fi:ɐ̯] ⟨-s, -e⟩ *m* zaffiro *m.*
Sarde ['zardə] ⟨-n, -n⟩ *m,* **Sardin** [...dɪn] *f* sardo, -a *m, f.*
Sardelle [zar'dɛlə] ⟨-, -n⟩ *f* acciuga *f.*
Sardine [zar'di:nə] ⟨-, -n⟩ *f* sardina *f.*
Sardinien [zar'di:ni̯ən] *n* Sardegna *f.*
sard(in)isch ['zardɪʃ (...'di:nɪʃ)] *adj* sardo.
Sarg [zark] ⟨-(e)s, Särge⟩ *m* bara *f.*
Sarkasmus [zar'kasmʊs, ...mən] ⟨-, -men⟩ *m* sarcasmo *m.*
sarkastisch [...'kastɪʃ] *adj* sarcastico.
Sarkophag [zarko'fa:k] ⟨-s, -e⟩ *m* sarcofago *m.*
saß [za:s] *imp von* **sitzen.**
Satan ['za:tan] ⟨-s, -e⟩ *m* Satana *m; fig (Mensch)* demonio *m,* diavolo *m.*
satanisch [za'ta:nɪʃ] *adj* satanico, diabolico.
Satellit [zatɛ'li:t] ⟨-en, -en⟩ *m* satellite *m.* **Satellitenaufnahme** *f* immagine *f* via satellite. **Satellitenfernsehen** *n* televisione *f* via satellite. **Satellitenprogramm** *n* programma *m* via satellite. **Satellitenschüssel** *f* antenna *f* parabolica. **Satellitenübertragung** *f* collegamento *m* via satellite.
Satin [za'tɛ̃:] ⟨-s, -s⟩ *m* satin *m.*
Satire [za'ti:rə] ⟨-, -n⟩ *f* satira *f* (*auf +akk* di).
Satiriker(in) [za'ti:rikɐ (...ərɪn)] ⟨-s, -⟩ *m(f)* umorista *mf,* chi fa satira.
satirisch *adj* satirico.
satt [zat] *adj* **1.** *(gesättigt, a. fig)* sazio; **2.** *(Farbe)* intenso, scuro; **~ machen** saziare; **sich ~ essen** mangiare a sazietà; **etw. ~ haben (*o* sein)** essere stufo di qc *fam;* **sich an etw.** *(dat)* **nicht ~ sehen können** non stancarsi di guardare qc.
Sattel ['zatəl] ⟨-s, Sättel⟩ *m* sella *f.* **sattelfest** *adj:* **in etw.** *(dat)* **~ sein** essere ferrato in qc.
satteln *tr* sellare.
Sattelschlepper *m* motrice *f* per semirimorchio. **Satteltasche** *f* bisaccia *f; (an Zweirad)* borsetta *f* portaccessori.
Sattheit ⟨-, ø⟩ *f* sazietà *f.*
sättigen ['zɛtɪgən] **I.** *tr* saziare; *fig (stillen)* soddisfare, appagare; *chem, phys, ökon* saturare; **II.** *itr* saziare. **sättigend** *adj* che sazia.
Sättigung ⟨-, -en⟩ *f (Sättigen)* satollamento *m; (Sattsein)* sazietà *f; chem, phys* saturazione *f.*
Sattler(in) ['zatlɐ (...ərɪn)] ⟨-s, -⟩ *m(f)* sellaio, -a *m, f.*
Saturn [za'tʊrn] ⟨-s, ø⟩ *m* Saturno *m.*
Satz [za͟ts] ⟨-es, Sätze⟩ *m* **1.** *gram* frase *f,* proposizione *f;* **2.** *(Lehr~)* principio *m; mat* teorema *m; (Grund~)* assioma *m;* **3.** *mus* movimento *m;* **4.** *(Tennis~)* set *m;* **5.** *(Quote)* tasso *m; (Gebühren~)* tariffa *f;* **6.** *(zusammengehörige Dinge)* serie *f; ökon* assortimento *m;* **7.** *typ* composizione *f;* **8.** *(Sprung)* salto *m,* balzo *m;* **9.** *(Boden~)* fondo *m,* sedimento *m; (a. Kaffee~)* fondo *m.* **Satzbau** ⟨-(e)s, ø⟩ *m* costruzione *f* della frase. **Satzlehre** *f* sintassi *f.* **Satzteil** *m* parte *f* della proposizione.
Satzung ['za͟tsʊŋ] ⟨-, -en⟩ *f* ordinamento

m, regolamento *m*; *(von Körperschaft)* statuti *m pl*. **satzungsgemäß** *adj* statutario.

Satzzeichen *n* segno *m* d'interpunzione.

Sau [zau̯] ⟨-, Säue *o Jagd* -en⟩ *f* **1.** *zoo* scrofa *f*, troia *f*; *(Wild~)* cinghiala *f*; **2.** *fig vulg* porco *m fam*; **jdn zur ~ machen** *sl* strapazzare qu; **unter aller ~** *sl* pessimo.

sauber ['zau̯bɐ] *adj* **1.** *(nicht schmutzig)* pulito; **2.** *(gut u. sorgfältig)* accurato; **3.** *(anständig)* perbene; **4.** *fam iron* bello; **~ sein** *(Kind)* non farla più addosso *fam*. **sauber·halten** ⟨*irr*⟩ *tr* tenere pulito.

Sauberkeit ⟨-, ø⟩ *f* **1.** *(Reinlichkeit)* pulizia *f*; **2.** *(sorgfältiger Zustand)* accuratezza *f*, precisione *f*. **Sauberkeitsfimmel** *m fam*: **einen ~ haben** avere la mania della pulizia.

säuberlich ['zɔy̯bɐlɪç] *adv* accuratamente.

sauber·machen I. *tr* pulire; **II.** *itr* fare le pulizie.

säubern ['zɔy̯bɐn] *tr* pulire.

Säuberung ⟨-, -en⟩ *f* **1.** *(Reinigung)* pulizia *f*; **2.** *fig* ripulita *f*; *pol* epurazione *f*.

Sauce ['zo:sə] *s*. **Soße**.

Sauciere [zo'sjɛ:rə] ⟨-, -n⟩ *f* salsiera *f*.

saudumm ['zau̯'dʊm] *adj fam* stupidissimo.

sauer ['zau̯ɐ] *adj* **1.** *(nicht süß)* acido, aspro; **2.** *(verdorben: Milch)* acido; **3.** *gastr* agro; *(Gurke)* sott'aceto; *(Hering)* all'agro; **4.** *(chem, Boden, Regen)* acido; **5.** *(Pflicht)* amaro, spiacevole; *(Arbeit)* duro, faticoso; **6.** *fam (Mensch)* arrabbiato; *(Gesicht)* accigliato; **~ werden** *(Milch)* inacidirsi; *fam (Mensch)* andare in bestia *fam*; **auf jdn ~ sein** *fam* avercela con qu. **Sauerampfer** [-ˀampf̮ɐ] ⟨-s, -⟩ *m* romice *f*. **Sauerbraten** *m* arrosto *m* all'agro.

Sauerei [zau̯ə'rai̯] ⟨-, -en⟩ *f fam* porcheria *f*.

Sauerkirsche *f* amarena *f*. **Sauerkraut** *n* crauti *m pl*.

säuerlich ['zɔy̯ɐlɪç] *adj (a. chem)* acidulo; *(herb, a. Wein)* asprigno.

Sauermilch *f* latte *m* acido (*o* cagliato).

Sauerstoff *m* ossigeno *m*. **Sauerstoffgerät** *n* respiratore *m* a ossigeno. **Sauerstoffzelt** *n* tenda *f* a ossigeno.

Sauerteig *m* lievito *m*.

saufen ['zau̯fən] ⟨säuft, soff, gesoffen⟩ **I.** *tr* **1.** *(Tier)* bere; **2.** *sl (Mensch)* trincare *fam*; **II.** *itr* **1.** *(Tier)* bere; **2.** *sl (Mensch)* sbevazzare *fam*.

Säufer(in) ['zɔy̯fɐ (...ərɪn)] ⟨-s, -⟩ *m(f) fam* beone, -a *m, f*. **Säufernase** *f fam* naso *m* paonazzo.

säuft [zɔy̯ft] *pr von* **saufen.**

saugen ['zau̯gən] **I.** *itr* **1.** ⟨saugt, sog *o* saugte, gesogen *o* gesaugt⟩ *(Zigarette, Daumen)* succhiare (*an etw. (dat)* qc); **2.** ⟨saugt, saugte, gesaugt⟩ *(ein~, Staub ~)* aspirare; **II.** *tr* **1.** ⟨saugt, sog *o* saugte, gesogen *o* gesaugt⟩ *(Milch)* succhiare; **2.** ⟨saugt, saugte, gesaugt⟩ *(auf~)* assorbire; *(Luft)* aspirare; *(Teppich)* passare l'aspirapolvere su; **Staub ~** passare l'aspirapolvere.

säugen ['zɔy̯gən] *tr* allattare.

Sauger ⟨-s, -⟩ *m* **1.** *(auf Babyfläschchen)* ciuccio *m*; *(Schnuller)* succhiotto *m*; **2.** *fam (Staub~)* aspirapolvere *f*.

Säugetier *n* mammifero *m*.

Säugling ['zɔy̯klɪŋ] ⟨-s, -e⟩ *m* lattante *mf*, poppante *mf*. **Säuglingsschwester** *f* puericultrice *f*.

Säule ['zɔy̯lə] ⟨-, -n⟩ *f* colonna *f*.

Saum [zau̯m] ⟨-(e)s, Säume⟩ *m* **1.** *(Näh~)* orlo *m*; **2.** *fig (Rand)* bordo *m*, margine *m*.

saumäßig *sl* **I.** *adj* cane *sl*; **II.** *adv* da cani *sl*.

säumen ['zɔy̯mən] *tr* **1.** *(Rock)* fare l'orlo a; **2.** *fig geh (Straße, Weg)* fiancheggiare.

säumig ['zɔy̯mɪç] *adj geh (Schuldner)* moroso; *(Zahlung)* insoluto, arretrato.

Sauna ['zau̯na, ...nas *o* ...nən] ⟨-, -s *o* Saunen⟩ *f* sauna *f*.

saunieren [...'ni:rən] ⟨*ohne ge-*⟩ *itr* fare la sauna.

Säure ['zɔy̯rə] ⟨-, -n⟩ *f* **1.** ⟨*sing*⟩ *(Sauersein, Magen~)* acidità *f*; **2.** *chem* acido *m*. **säurebeständig** *adj* antiacido, resistente agli acidi.

Sauregurkenzeit [zau̯rə'gʊrkən-] *f fam scherz* stagione *f* morta.

säurehaltig *adj* contenente acido, acido.

Saurier ['zau̯ri̯ɐ] ⟨-s, -⟩ *m* sauro *m*.

Saus [zau̯s] *m*: **in ~ und Braus leben** fare la bella vita.

säuseln ['zɔy̯zəln] *itr (Blätter)* stormire, mormorare; *(Wind)* sussurrare.

sausen ['zau̯zən] *itr* **1.** ⟨*sein*⟩ *(Geschoß)* fendere l'aria; *fam (Mensch)* correre, volare; *fam (Fahrzeug)* filare; **2.** ⟨*haben*⟩ *(Ohren, Wind)* fischiare; **etw. ~ lassen** *fig fam* lasciar perdere (*o* andare) qc.

Saustall *m fam* porcile *m*. **Sauwetter** *n fam* tempaccio *m*, tempo *m* da cani *fam*. **sauwohl** ['zau̯'vo:l] *adj fam*: **sich ~ fühlen** sentirsi proprio bene.

Saxophon [zakso'fo:n] ⟨-(e)s, -e⟩ *n* sassofono *m*.

S-Bahn ['ɛs-] *f (kurz für* **Schnellbahn** *o* **Stadtbahn***)* metropolitana *f* di superficie.

SB-Tankstelle [ɛs'be:-] *f* distributore *m* di benzina automatico, distributore *m* self-service. **SB-Warenhaus** *n* grande magazzino *m* (a) self-service.

Scanner ['skɛnɐ] ⟨-s, -⟩ *m* scanner *m*. **Scannerkasse** *f* cassa *f* con lettore ottico.

Schabe ['ʃa:bə] ⟨-, -n⟩ *f* blatta *f*; *(Küchen~)* scarafaggio *m*.

schaben ['ʃa:bən] *tr (ab~)* raschiare; *(Gemüse)* grattugiare, grattare; *(Fleisch)*

tritare, macinare.
Schabernack ['ʃa:bɐnak] ⟨-(e)s, -e⟩ *m*: **jdm einen ~ spielen** fare uno scherzo a qu.
schäbig ['ʃɛ:bɪç] *adj* **1.** *(fadenscheinig)* liso, logoro, consunto; **2.** *fig (Charakter)* gretto, meschino; **3.** *(armselig)* misero.
Schablone [ʃa'blo:nə] ⟨-, -n⟩ *f* modello *m*, forma *f*; *fig* schema *m* fisso, cliché *m*.
Schach [ʃax] ⟨-s, -s⟩ *n (Spiel)* (gioco *m* degli) scacchi *m pl*; *(Stellung)* scacco *m*. **Schachbrett** *n* scacchiera *f*. **schachbrettartig** *adj* a scacchiera. **Schachfigur** *f* figura *f* degli scacchi; *fig* fantoccio *m*. **schachmatt** ['ʃax'mat] *adj* scacco matto; *fig (erschöpft)* sfinito. **Schachspiel** *n* (gioco *m* degli) scacchi *m pl*. **Schachspieler(in)** *m(f)* scacchista *mf*.
Schacht [ʃaxt] ⟨-(e)s, Schächte⟩ *m* pozzo *m*; *(Kanal)* tombino *m*; *(Einsteig~)* pozzo *m* (d'ispezione); *(Fahrstuhl~)* tromba *f*.
Schachtel ['ʃaxtəl] ⟨-, -n⟩ *f* scatola *f*; **alte ~** *pej fam (alte Frau)* vecchia *f*; **eine ~ Zigaretten** un pacchetto di sigarette. **Schachtelhalm** *m* equiseto *m*.
Schachzug *m (a. fig)* mossa *f*.
schade ['ʃa:də] *adj* peccato; **zu ~ für** sprecato per; **es ist ~, daß** ... è un peccato che *+congv*; **wie ~!** che peccato!; **sich für etw. zu ~ sein** non essere disposto a fare qc.
Schädel ['ʃɛ:dəl] ⟨-s, -⟩ *m* cranio *m*. **Schädelbruch** *m* frattura *f* cranica.
schaden ['ʃa:dən] *itr*: **jdm/einer S.** *(dat)* **~** nuocere a qu/qc, recare danno a qu/qc; **das schadet dir gar nichts** *fam* ben ti sta *fam*; **das kann nicht(s) ~** non fa male.
Schaden ⟨-s, Schäden⟩ *m* **1.** *(Beschädigung)* danno *m*; *tec* guasto *m*; **2.** *(Nachteil)* svantaggio *m*, pregiudizio *m*; **3.** *(Verlust)* perdita *f*; **4.** *(körperlich)* lesione *f*; *(Verletzung)* ferita *f*; **~ anrichten** causare danni; **zu ~ kommen, ~ leiden (***o* **nehmen)** subire un danno, essere danneggiato; **durch ~ wird man klug** *prov* sbagliando s'impara *prov*. **Schadenersatz** *m* risarcimento *m* (dei) danni; **(jdm) ~ leisten** risarcire (a qu) i danni. **schadenersatzpflichtig** *adj* tenuto a risarcire i danni. **Schadenfreiheitsrabatt** *m* bonus-malus *m*. **Schadenfreude** *f* gioia *f* (*o* soddisfazio ne *f*) maligna. **schadenfroh** *adj* malignamente soddisfatto. **Schadensbegrenzung** *f* contenimento *m* del danno.
schadhaft *adj (beschädigt)* danneggiato; *(Material)* difettoso.
schädigen ['ʃɛ:dɪgən] *tr* nuocere a, danneggiare.
schädlich ['ʃɛ:tlɪç] *adj* dannoso; *(a. gesundheitlich)* nocivo.
Schädling ['ʃɛ:tlɪŋ] ⟨-s, -e⟩ *m* parassita *m*. **Schädlingsbekämpfung** *f* lotta *f* antiparassitaria. **Schädlingsbekämpfungsmittel** *n* anticrittogamico *m*, pesticide *m*.
Schadstoff *m* sostanza *f* nociva, agente *m* inquinante. **schadstoffarm** *adj (Auto)* a basso tasso di inquinamento. **Schadstoffbelastung** *f* inquinamento *m* da sostanze tossiche. **schadstofffrei** *adj* senza sostanze tossiche.
Schaf [ʃa:f] ⟨-(e)s, -e⟩ *n* **1.** *(Tier)* pecora *f*; **2.** *pej fam (Dummkopf)* allocco *m fam*. **Schafbock** *m* montone *m*.
Schäfchen ['ʃɛ:fçən] ⟨-s, -⟩ *n* pecorella *f*. **Schäfchenwolken** *f pl* pecorelle *f pl*.
Schäfer(in) ['ʃɛ:fɐ (...ərɪn)] ⟨-s, -⟩ *m(f)* pecoraio, -a *m, f*. **Schäferhund** *m* (cane *m*) pastore *m*. **Schäferstündchen** [-ʃtʏntçən] ⟨-s, -⟩ *n* convegno *m* amoroso.
Schaffell *n* pelle *f* di pecora.
schaffen[1] ['ʃafən] ⟨schafft, schuf, geschaffen⟩ **1.** *(allg., er~)* creare; **2.** ⟨*a.* schafft, schaffte, geschafft⟩ *(bewirken, herstellen)* fare; *(Ruhe)* imporre; *(Unruhe, Ärger)* causare; **für etw. wie geschaffen sein** essere fatto apposta per qc.
schaffen[2] ['ʃafən] ⟨schafft, schaffte, geschafft⟩ *tr* **1.** *(bewältigen)* fare; *(Prüfung)* superare; **2.** *fam (mitnehmen)* sfinire; **3.** *(befördern)* portare; **4.** *dial (a. itr) (arbeiten)* lavorare; **es ~** farcela *fam*; **jdm (sehr) zu ~ machen** dar (molto) da fare a qu; **sich an etw.** *(dat)* **zu ~ machen** darsi da fare attorno a qc.
Schaffensdrang *m* impulso *m* creatore. **Schaffenskraft** *f* forza *f* creatrice.
Schaffhausen [ʃaf'hau̯zən] *n* Sciaffusa *f*.
Schaffner(in) ['ʃafnɐ (...ərɪn)] ⟨-s, -⟩ *m(f)* bigliettaio, -a *m, f*.
Schafgarbe *f* achillea *f*.
Schafott [ʃa'fɔt] ⟨-(e)s, -e⟩ *n* patibolo *m*.
Schafskäse *m* pecorino *m*.
Schaft [ʃaft] ⟨-(e)s, Schäfte⟩ *m (von Baum, Säule, Waffe)* fusto *m*; *bot* gambo *m*; *(Stiefel~)* gambale *m*.
Schafzucht *f* allevamento *m* di pecore.
Schah [ʃa:] ⟨-s, -s⟩ *m* scià *m*.
Schakal [ʃa'ka:l] ⟨-s, -e⟩ *m* sciacallo *m*.
schäkern ['ʃɛ:kɐn] *itr (scherzen)* scherzare; *(flirten)* flirtare.
schal [ʃa:l] *adj (a. fig)* insipido.
Schal [ʃa:l] ⟨-s, -s⟩ *m (länglich: Woll~)* sciarpa *f*; *(quadratisch: Seiden~, etc.)* foulard *m*; *(Umschlagetuch)* scialle *m*.
Schälchen ['ʃɛ:lçən] ⟨-s, -⟩ *n* scodellina *f*, ciotolina *f*.
Schale[1] ['ʃa:lə] ⟨-, -n⟩ *f* **1.** *(Gefäß)* coppa *f*; *(Schüssel)* scodella *f*, ciotola *f*; **2.** *(Waag~)* piatto *m*.
Schale[2] ['ʃa:lə] ⟨-, -n⟩ *f (Obst~, Kartoffel~)* buccia *f*; *(Eier~, Nuß~, von Hülsenfrucht, Schalentier)* guscio *m*; *(Zitronen~, Orangen~, fig: Äußeres)* scorza *f*; **sich in ~ werfen** *fam* mettersi in ghingheri *fam*.
schälen ['ʃɛ:lən] **I.** *tr (Apfel, Orange)*

sbucciare; *(Tomaten, Kartoffeln)* pelare; *(Eier, Kastanien)* sgusciare; *(Reis)* brillare; *(Baum)* scortecciare; **II.** *rfl:* **sich ~** *(a. Schlangen)* sbucciarsi; *(Haut, Gesicht)* spellarsi.

Schall [ʃal] ⟨-(e)s, -e⟩ *m* suono *m;* **Name ist ~ und Rauch** il nome è fumo. **Schalldämmung** ⟨-, -en⟩ *f* assorbimento *m* sonoro. **Schalldämpfer** *m* assorbente *m* acustico; *(von Auto, Waffe)* silenziatore *m; mus* sordina *f.* **schalldicht** *adj* a isolamento acustico, insonorizzato.

schallen *itr* (ri)sonare. **schallend** *adj* risonante; *(Gelächter)* sonoro.

Schallgeschwindigkeit *f* velocità *f* sonica (*o* del suono). **Schallmauer** *f* muro *m* del suono; **die ~ durchbrechen** superare il muro del suono. **Schallplatte** *f* disco *m.* **Schallschutz** *m* isolamento *m* acustico.

Schalotte [ʃa'lɔtə] ⟨-, -n⟩ *f* scalogno *m.*

schalt [ʃalt] *imp von* **schelten.**

Schaltanlage *f* impianto *m* di distribuzione. **Schaltbild** *n* schema *m* dell'impianto elettrico. **Schaltbrett** *n* quadro *m* di distribuzione (*o* di comando).

schalten ['ʃaltən] **I.** *tr* regolare; *el* inserire; *mot (Gang)* innestare; **II.** *itr* **1.** *(verfügen)* disporre (*mit* di); **2.** *fam (kapieren)* comprendere; *(reagieren)* reagire; **3.** *mot* cambiare marcia; **~ und walten** fare e disfare.

Schalter ⟨-s, -⟩ *m* **1.** *(~knopf)* commutatore *m,* interruttore *m;* **2.** *(~fenster)* sportello *m.* **Schalterbeamte** *m,* **-beamtin** *f* impiegato, -a *m, f* allo sportello. **Schalterhalle** *f* sala *f* degli sportelli. **Schalterstunden** *f pl* orario *m* per il pubblico.

Schalthebel *m* leva *f* di comando; *mot* leva *f* del cambio. **Schaltjahr** *n* anno *m* bisestile. **Schaltknüppel** *m* cloche *f.* **Schaltkreis** *m* circuito *m* di commutazione. **Schaltplan** *m* schema *m* (dell'impianto) elettrico. **Schalttafel** *f s.* **Schaltbrett. Schalttag** *m* giorno *m* intercalare.

Schaltung ⟨-, -en⟩ *f* **1.** *el* inserimento *m,* accoppiamento *m;* **2.** *mot* cambio *m* di marcia.

Scham [ʃa:m] ⟨-, ø⟩ *f* **1.** *(Sichschämen)* vergogna *f;* **2.** *(~haftigkeit)* pudore *m;* **3.** *s.* **Schamteile.**

schämen ['ʃɛ:mən] *rfl:* **sich ~** vergognarsi (*vor +dat* di).

Schamgefühl *n* pudore *m.* **Schamhaar** *n* peli *m pl* del pube. **schamhaft** *adj (züchtig)* modesto; *(verschämt)* vergognoso, pudico. **Schamhaftigkeit** ⟨-, ø⟩ *f (Züchtigkeit)* modestia *f; (Verschämtheit)* vergogna *f,* pudizia *f.* **schamlos** *adj* svergognato; *(Lüge, Frechheit a.)* spudorato. **Schamteile** *n pl* (parti *f pl*) pudende *f pl.*

Schande ['ʃandə] ⟨-, ø⟩ *f* vergogna *f; (a. Unehre)* disonore *m; (Schmach)* infamia *f,* ignominia *f.*

schänden ['ʃɛndən] *tr (entehren)* disonorare; *(entweihen)* profanare; *obs (vergewaltigen)* violentare.

Schandfleck *m* marchio *m* d'infamia, macchia *f.*

schändlich *adj* infame, ignobile.

Schandtat *f* infamia *f,* scelleratezza *f.*

Schändung ⟨-, -en⟩ *f* disonorare *m; (Entweihung)* profanazione *f; obs (Vergewaltigung)* violenza *f* carnale, stupro *m.*

Schanktisch ['ʃaŋk-] *m* banco *m* di mescita.

Schanze ['ʃantsə] ⟨-, -n⟩ *f* **1.** *mil* trincea *f;* **2.** *sport (Sprung~)* trampolino *m* (di salto).

Schar [ʃa:ɐ] ⟨-, -en⟩ *f (Menge)* schiera *f,* frotta *f; (Vogel~)* stormo *m.*

scharen ['ʃa:rən] **I.** *tr* radunare, raccogliere; **II.** *rfl:* **sich ~** schierarsi.

scharenweise *adv* a schiere, a frotte.

scharf [ʃarf] ⟨schärfer, schärfste⟩ *adj* **1.** *(Schneide)* affilato, tagliente; *(Kante)* vivo; **2.** *(Speise)* piccante; *(Getränk)* forte; *chem* corrosivo; *(Geruch)* acre, penetrante; **3.** *(Wind)* pungente, sferzante; **4.** *(Ton)* stridulo; **5.** *(Foto)* nitido; *(Umrisse)* netto, marcato; **6.** *(Augen)* buono; *(Gehör)* fine; *(Verstand)* acuto, sottile; **7.** *(Kurve)* brusco; **8.** *(Worte)* pungente, aspro; *(Kritik, Hund)* mordace; **9.** *(Disziplin)* rigido, rigoroso, severo; *(Be-, Überwachung)* stretto; **10.** *mil (Munition)* caricato a palla; *(Handgranate)* innescato; **11.** *sl (geil)* lascivo; **~ bremsen** frenare bruscamente; **~ nachdenken** pensare intensamente; **auf etw.** *(akk)* **~ sein** *fam* andare pazzo per qc *fam.* **Scharfblick** *m* perspicacia *f,* acume *m.*

Schärfe ['ʃɛrfə] ⟨-, -n⟩ *f* **1.** *(von Schneide)* taglio *m;* **2.** *(von Speise)* (sapore *m*) piccante *m;* **3.** *(von Wind)* rigidità *f; (von Ton, Stimme)* acutezza *f;* **4.** *(von Bild, Umrissen)* nitidezza *f,* precisione *f; (von Sinnesorgan)* acutezza *f,* acume *m;* **5.** *(Verstandes~)* acume *m,* sottigliezza *f;* **6.** *(von Worten)* asprezza *f; (von Kritik)* mordacità *f;* **7.** *(Härte, Strenge)* durezza *f,* severità *f.*

schärfen *tr* affilare; *(Sinne, Verstand)* acuire.

Scharfrichter *m* giustiziere *m.* **Scharfschütze** *m,* **-schützin** *f* tiratore, -trice *m, f* scelto, -a. **scharfsichtig** *adj* perspicace, acuto. **Scharfsinn** *m* acume *m,* perspicacia *f.* **scharfsinnig** *adj* acuto, perspicace.

Scharlach[1] ['ʃarlax] ⟨-s, *rar* -e⟩ *m (Farbe)* (colore *m*) scarlatto *m.*

Scharlach[2] ['ʃarlax] ⟨-s, ø⟩ *m med* scarlattina *f.*

Scharlatan ['ʃarlatan] ⟨-s, -e⟩ *m* ciarlatano *m.*

Scharnier [ʃar'ni:ɐ] ⟨-s, -e⟩ *n* cerniera *f.*

Schärpe ['ʃɛrpə] ⟨-, -n⟩ *f (an Uniform)*

sciarpa *f; (an Kleidung)* fusciacca *f.*

scharren ['ʃarən] **I.** *itr* raschiare, raspare; *(Hühner)* razzolare; **mit den Füßen** ~ stropicciare i piedi per terra; **II.** *tr (Boden)* raschiare; *(Loch)* scavare (raspando).

Scharte ['ʃartə] ⟨-, -n⟩ *f* tacca *f.*

Schaschlik ['ʃaʃlɪk] ⟨-s, -s⟩ *m o n* spiedino *m.*

Schatten ['ʃatən] ⟨-s, -⟩ *m* ombra *f;* **jdn in den** ~ **stellen** *fig* mettere in ombra qu. **Schattendasein** *n:* **ein** ~ **führen** rimanere nell'ombra. **Schattenriß** *m* silhouette *f.* **Schattenseite** *f* parte *f* ombrosa; *fig (Kehrseite)* rovescio *m* della medaglia; *(das Negative)* lato *m* oscuro.

schattieren [ʃa'ti:rən] ⟨*ohne ge-*⟩ *tr* ombr(eggi)are.

Schattierung ⟨-, -en⟩ *f (Vorgang)* ombreggiatura *f; (schattierte Stelle)* ombratura *f; fig* sfumatura *f.*

schattig *adj (Schatten spendend)* ombroso; *(im Schatten liegend)* ombreggiato.

Schatulle [ʃa'tʊlə] ⟨-, -n⟩ *f* cassetta *f,* scrignetto *m.*

Schatz [ʃats] ⟨-es, Schätze⟩ *m* **1.** *(a. Mensch)* tesoro *m;* **2.** ⟨*pl*⟩ *(Reichtum, Bodenschätze)* ricchezza *f.*

schätzen ['ʃɛtsən] **I.** *tr* **1.** *(Wert festlegen)* valutare, stimare *(auf +akk* qc); *(veranschlagen, annehmen)* calcolare *(auf +akk* qc); **2.** *(würdigen)* stimare, apprezzare; **sich glücklich** ~ dirsi (*o* ritenersi) fortunato; **was schätzt du, wieviel/wie lange ...?** quanto pensi che *+congv*?; **II.** *itr* indovinare. **schätzenlernen** *tr* imparare a stimare qu (*o* a gradire qc). **schätzenswert** *adj* stimabile, apprezzabile.

Schatzkammer *f* tesoro *m* pubblico. **Schatzkästchen** [-kɛstçən] ⟨-s, -⟩ *n* scrignetto *m.* **Schatzmeister(in)** *m(f)* tesoriere, -a *m, f.*

Schätzung ⟨-, -en⟩ *f* stima *f,* valutazione *f;* **nach meiner** ~ secondo il mio calcolo. **schätzungsweise** *adv* approssimativamente.

Schätzwert *m* valore *m* di stima.

Schau [ʃau] ⟨-, -en⟩ *f* **1.** *(Vorführung)* esibizione *f; (Ausstellung)* mostra *f,* esposizione *f;* **2.** *fam (Spektakel, Theater)* spettacolo *m;* **eine** ~ **abziehen** *fam* mettersi in scena; **jdm die** ~ **stehlen** *fam* rubare la scena a qu *fam;* **etw. zur** ~ **stellen** *(ausstellen)* mettere in mostra qc; *fig (Gefühle, etc.)* mostrare qc; *(protzen mit)* ostentare qc. **Schaubild** *n* diagramma *m.*

Schauder ['ʃaudɐ] ⟨-s, -⟩ *m (Kälte~)* brivido *m; (Grauen)* orrore *m.*

schauderhaft *adj* orribile; *fam (Hitze, Kälte)* terribile.

schaudern *itr* **1.** *(frösteln)* rabbrividire; **2.** *(Grauen empfinden)* inorridire.

schauen ['ʃauən] *itr dial* guardare.

Schauer ['ʃauɐ] ⟨-s, -⟩ *m* **1.** *(Regen~)* scroscio *m; (Hagel~)* grandinata *f;* **2.** *poet (Grauen)* brivido *m.*

schauerlich *adj* orribile.

Schaufel ['ʃaufəl] ⟨-, -n⟩ *f* pala *f.*

schaufeln **I.** *tr* spalare; *(Loch)* scavare; **II.** *itr* spalare.

Schaufenster *n* vetrina *f.* **Schaufensterbummel** *m:* **einen** ~ **machen** fare un giro per guardare le vetrine. **Schaukasten** *m* teca *f.*

Schaukel ['ʃaukəl] ⟨-, -n⟩ *f* altalena *f.*

schaukeln *itr* **1.** *(mit Schaukel)* fare l'altalena, andare in altalena; *(mit Stuhl)* dondolarsi; **2.** *(Boot)* ballare; *(Fahrzeug)* oscillare.

Schaukelpferd *n* cavallo *m* a dondolo. **Schaukelstuhl** *m* sedia *f* (*o* poltrona *f*) a dondolo.

schaulustig *adj* curioso. **Schaulustige** ⟨ein -r, -n, -n⟩ *mf* curioso, -a *m, f.*

Schaum [ʃaum] ⟨-(e)s, Schäume⟩ *m* schiuma *f.* **Schaumbad** *n* bagnoschiuma *m.*

schäumen ['ʃɔymən] *itr* schiumare, far schiuma; *(Flüssigkeit)* spumeggiare.

Schaumfestiger *m* fissatore *m.* **Schaumgummi** *m* gomma *f* piuma.

schaumig *adj* schiumoso, spumoso; ~ **schlagen** battere a schiuma.

Schaumkrone *f (von Welle)* cresta *f* spumosa dell'onda; *(von Bier)* schiuma *f* della birra. **Schaumschläger** *m fig (Prahler)* spaccone *m.* **Schaumstoff** *s.* **Schaumgummi.** **Schaumwein** *m* spumante *m.*

Schauplatz *m* luogo *m,* teatro *m.*

schaurig ['ʃaurɪç] *adj* **1.** *(unheimlich)* raccapricciante; **2.** *fig fam (schlimm)* terribile; ~ **schön** *fam* terribilmente bello.

Schauspiel *n (a. fig)* spettacolo *m; (als Literaturgattung)* dramma *m.*

Schauspieler(in) *m(f)* attore, -trice *m, f; fig* commediante *mf.*

schauspielern *itr* recitare in teatro; *fig* fare l'attore, recitare.

Schauspielhaus *n* teatro *m* (di prosa). **Schauspielschule** *f* scuola *f* di arte drammatica.

Schausteller ⟨-s, -⟩ *m* baracconista *m.* **Schautafel** *f* tabellone *m.*

Scheck [ʃɛk] ⟨-s, -s⟩ *m* assegno *m (über +akk* di); **einen** ~ **ausstellen/einlösen/unterschreiben** emettere/incassare/firmare un assegno. **Scheckbetrug** *m* truffa *f* con assegni a vuoto (*o* non coperti). **Scheckbuch** *n,* **-heft** *n* libretto *m* degli assegni.

scheckig ['ʃɛkɪç] *adj* pezzato, chiazzato.

Scheckkarte *f* carta *f* assegni.

scheel [ʃe:l] *adj fam* sbieco, storto.

Scheffel ['ʃɛfəl] ⟨-s, -⟩ *m* staio *m;* **sein Licht unter den** ~ **stellen** mettere la

fiaccola sotto il moggio.
scheffeln *tr* ammassare, accumulare.
Scheibe ['ʃaibə] ⟨-, -n⟩ *f* **1.** *(runde)* disco *m;* **2.** *(Fenster~)* vetro *m;* **3.** *(Brot~, Wurst~, Zitronen~)* fetta *f;* **in ~n schneiden** affettare. **Scheibenbremse** *f* freno *m* a disco. **Scheibenschießen** ⟨-s, ø⟩ *n* tiro *m* al piattello. **Scheibenwaschanlage** *f* lavavetro *m.* **Scheibenwischer** ⟨-s, -⟩ *m* tergicristallo *m.*
Scheich [ʃaiç] ⟨-s, -e *o* -s⟩ *m* sceicco *m.*
Scheide ['ʃaidə] ⟨-, -n⟩ *f* **1.** *anat* vagina *f;* **2.** *(von Waffe)* fodero *m,* guaina *f.*
scheiden ['ʃaidən] ⟨scheidet, schied, geschieden⟩ **I.** *tr* ⟨*haben*⟩ *(trennen)* dividere; *(a. chem)* separare; *(Ehe)* sciogliere; **sich ~ lassen** divorziare (*von* da); **II.** *itr* ⟨*sein*⟩ *geh (auseinandergehen)* separarsi; *(weggehen)* andare via.
Scheideweg *m* bivio *m.*
Scheidung ⟨-, -en⟩ *f* divorzio *m;* **die ~ einreichen** chiedere il divorzio; **in ~ leben** stare per divorziare. **Scheidungsgrund** *m* motivo *m* di divorzio.
Schein¹ [ʃain] ⟨-(e)s, -e⟩ *m* **1.** *(Bescheinigung)* attestato *m,* certificato *m; (Gepäck~)* scontrino *m* bagagli; *(Zins~)* cedola *f,* tagliando *m;* **2.** *(Fahr~, Geld~)* biglietto *m;* **3.** *(an Universität)* certificato *m* di fine semestre *(nelle università tedesche).*
Schein² [ʃain] ⟨-s, ø⟩ *m* **1.** *(Licht~)* luce *f,* chiarore *m; (Glanz)* splendore *m,* luccichio *m;* **2.** *(An~)* apparenza *f; (Aussehen)* aspetto *m;* **zum ~** per finta, per la forma. **Scheinasylant(in)** *m(f) persona che chiede asilo politico senza averne il diritto.*
scheinbar *adj (anscheinend)* apparente; *(vorgeblich)* finto, simulato.
scheinen ['ʃainən] ⟨scheint, schien, geschienen⟩ *itr* **1.** *(Licht)* splendere; *(glänzen)* brillare; **2.** *(den Anschein haben)* sembrare, parere; **es scheint nur so** è solo un'apparenza.
scheinheilig *adj* ipocrita. **scheintot** *adj* morto in apparenza.
Scheinwerfer ⟨-s, -⟩ *m* riflettore *m,* faro *m; theat, film* proiettore *m; (mot, Such~)* faro *m.*
Scheiß ['ʃais] ⟨-, ø⟩ *m vulg* cazzate *f pl volg.*
Scheiße ['ʃaisə] ⟨-, ø⟩ *f vulg* merda *f volg; (Unsinn)* cazzate *f pl volg.*
scheißen ⟨scheißt, schiß, geschissen⟩ *itr vulg* cacare *volg;* **auf etw.** *(akk)* **~** *fig vulg* fregarsene di qc *volg.* **scheißfreundlich** ['ʃais'frɔyntlıç] *adj sl* untuoso. **Scheißkerl** *m vulg* stronzo *m volg.*
Scheit [ʃait] ⟨-(e)s, -e⟩ *n* ceppo *m,* ciocco *m.*
Scheitel ['ʃaitəl] ⟨-s, -⟩ *m* **1.** *(im Haar)* riga *f,* scriminatura *f;* **2.** *(höchster Punkt)* cima *f,* sommità *f;* **vom ~ bis zur Sohle** da capo a piedi; *fig* da cima a fondo. **scheiteln** *tr* fare la riga a.
Scheitelpunkt *m* punto *m* culminante; *(a. fig)* culmine *m; astr* zenit *m.*
Scheiterhaufen ['ʃaite-] *m* rogo *m.*
scheitern ['ʃaiten] *itr* ⟨*sein*⟩ fallire (*an +dat* per), naufragare (*an +dat* per).
Schellack ['ʃɛlak] *m* gommalacca *f.*
Schelle ['ʃɛlə] ⟨-, -n⟩ *f* **1.** *(Klingel)* campanello *m;* **2.** *tec* fascetta *f;* **3.** *dial (Ohrfeige)* ceffone *m.*
schellen *itr* suonare.
Schellenbaum *m* cappello *m* cinese (*o* turco).
Schellfisch ['ʃɛl-] *m* eglefino *m.*
Schelm [ʃɛlm] ⟨-(e)s, -e⟩ *m* birbante *mf,* briccone *m.* **schelmisch** *adj* burlone, scherzoso.
Schelte ['ʃɛltə] ⟨-, -n⟩ *f* rimprovero *m,* sgridata *f.*
schelten ⟨schilt, schalt, gescholten⟩ *tr* rimproverare (*mit jdm* qu), sgridare (*mit jdm* qu).
Schema ['ʃe:ma, ...mas *o* ...mata *o* ...mən] ⟨-s, -s *o* Schemata *o* Schemen⟩ *n* schema *m.*
schematisch [ʃe'ma:tıʃ] *adj* schematico.
Schemel ['ʃe:məl] ⟨-s, -⟩ *m* sgabello *m.*
Schemen *pl von* **Schema.**
Schenke ['ʃɛnkə] ⟨-, -n⟩ *f* osteria *f,* mescita *f.*
Schenkel ['ʃɛŋkəl] ⟨-s, -⟩ *m* **1.** *anat* coscia *f;* **2.** *(von Zirkel)* asta *f; (von Winkel)* lato *m.*
schenken ['ʃɛnkən] **I.** *tr* **1.** *(Geschenk)* regalare; **2.** *(erlassen)* condonare; **3.** *fig (Vertrauen, etc.)* dare; *(Aufmerksamkeit, Glauben)* prestare; **etw. geschenkt bekommen** ricevere qc in regalo; **II.** *rfl* **sich** *(dat)* **etw. ~** regalarsi qc; *(fam: darauf verzichten)* risparmiarsi qc, rinunciare a qc.
Schenkung ⟨-, -en⟩ *f* donazione *f.*
Scherbe ['ʃɛrbə] ⟨-, -n⟩ *f* coccio *m,* frantume *m;* **~n bringen Glück** *prov* cocci di bottiglia, fortuna chi ti piglia *prov.*
Schere ['ʃe:rə] ⟨-, -n⟩ *f* **1.** *(Werkzeug)* (paio *m* di) forbici *f pl;* **2.** *zoo (Krebs~)* tenaglia *f.*
scheren¹ ['ʃe:rən] ⟨schert, schor, geschoren⟩ *tr (Tier)* tosare; *(Mensch)* tagliare i capelli a; *(Haar)* tagliare.
scheren² ['ʃe:rən] ⟨schert, scherte, geschert⟩ *fam* **I.** *tr (kümmern)* importare, preoccupare; **II.** *rfl:* **sich um jdn/etw. ~** curarsi (*o* occuparsi) di qu/qc; **scher dich weg!** *fam* vattene!
Scherenschleifer(in) ⟨-s, -⟩ *m(f)* arrotino, -a *m, f.* **Scherenschnitt** *m* silhouette *f.*
Scherereien [ʃe:rə'raiən] *f pl* seccature *f pl,* noie *f pl.*
Scherz [ʃɛrts] ⟨-es, -e⟩ *m* scherzo *m.* **Scherzartikel** *m* articolo *m* per scherzi.
scherzen *itr* scherzare.
scheu [ʃɔy] *adj (schüchtern)* timido; *(menschen~)* schivo; *(Tier)* pauroso; *(Pferd)* ombroso. **Scheu** ⟨-, ø⟩ *f* timidez-

za *f*.
scheuchen ['ʃɔyçən] *tr* scacciare.
scheuen ['ʃɔyən] **I.** *tr* scansare, evitare, sfuggire; **II.** *rfl:* **sich vor etw.** *(dat)* ~ avere paura (*o* timore) di qc, temere qc; **III.** *itr (Pferd)* adombrarsi.
Scheuerlappen *m* strofinaccio *m*.
scheuern ['ʃɔyɐn] **I.** *tr* **1.** *(reinigen)* pulire strofinando; **2.** *(ab~, auf~)* sfregare; **jdm eine** ~ *fam* mollare un ceffone a qu *fam;* **II.** *rfl:* **sich** ~ sfregarsi (*an +dat* contro).
Scheuklappe *f* ⟨*meist pl*⟩ *(a. fig)* paraocchi *m pl*.
Scheune ['ʃɔynə] ⟨-, -n⟩ *f* granaio *m*.
Scheusal ['ʃɔyza:l] ⟨-s, -e⟩ *n* mostro *m*.
scheußlich ['ʃɔyslıç] *adj* orribile, orrendo; *(Verbrechen)* atroce. **Scheußlichkeit** ⟨-, -en⟩ *f* atrocità *f*.
Schi *s.* **Ski.**
Schicht [ʃıçt] ⟨-, -en⟩ *f* **1.** *allg., geol, soc* strato *m; (Farb~)* mano *f;* **2.** *(Arbeits~)* turno *m* (di lavoro); *(die Arbeiter)* squadra *f;* ~ **arbeiten** fare i turni. **Schichtarbeit** *f* lavoro *m* a turni. **Schichtarbeiter(in)** *m(f)* operaio, -a *m, f* turnista.
schichten ['ʃıçtən] *tr* disporre a strati.
Schichtwechsel *m* cambio *m* di turno.
schichtweise *adv* a strati; *(Arbeit)* a turni.
schick [ʃık] *adj* chic, elegante. **Schick** ⟨-(e)s, ø⟩ *m* chic *m*, eleganza *f*.
schicken ['ʃıkən] **I.** *tr* mandare; *(versenden a.)* spedire; **II.** *rfl:* **sich** ~ *(sich geziemen)* addirsi (*für* a), confarsi (*für* a); **sich in etw.** *(akk)* ~ *(fügen)* rassegnarsi a qc; *(sich anpassen)* adattarsi a qc.
Schickeria [ʃıkə'ri:a] ⟨-, ø⟩ *f* gente *f* bene; **die Münchener** ~ la Monaco bene.
Schickimicki [ʃıki'mıki] ⟨-s, -s⟩ *m fam* sciccoso, -a *m, f*.
schicklich *adj (anständig)* decente; *(angemessen)* adeguato, appropriato.
Schicksal ['ʃıkza:l] ⟨-s, -e⟩ *n* destino *m*, fato *m; (persönliches Geschick)* sorte *f*. **schicksalhaft** *adj* fatale, fatidico. **Schicksalsschlag** *m* rovescio *m* di fortuna, colpo *m* del destino.
Schiebedach *n* tetto *m* scorrevole; *mot* tetto *m* apribile.
schieben ['ʃi:bən] ⟨schiebt, schob, geschoben⟩ **I.** *tr (fortbewegen)* spingere; *fig (Schuld, etc.)* addossare (*auf +akk* a); *ökon pej* trafficare; **II.** *itr (bewegen)* spingere; **mit etw.** ~ *fam* fare traffici con qc.
Schiebetür *f* porta *f* scorrevole.
Schieblehre *f* calibro *m* a corsoio.
Schiebung ⟨-, -en⟩ *f* camarilla *f; sport* scorrettezza *f* (nel gioco).
schied [ʃi:t] *imp von* **scheiden.**
Schiedsgericht ['ʃi:ts-] *n* tribunale *m* arbitrale. **Schiedsrichter(in)** *m(f)* giudice *mf* arbitrale; *sport* arbitro, -a *m, f*. **Schiedsspruch** *m* arbitrato *m*, sentenza *f* (*o* giudizio *m*) arbitrale.
schief [ʃi:f] *adj* storto; *(schräg)* obliquo; *(Ebene)* inclinato; *(Turm)* pendente; *fig (falsch)* falso, sbagliato; ~ **ansehen** guardare di traverso; **auf die ~e Bahn geraten** mettersi sulla strada sbagliata.
Schiefer ['ʃi:fɐ] ⟨-s, -⟩ *m* scisto *m; (Ton~)* ardesia *f*. **Schiefertafel** *f* lavagna *f*.
schief·gehen ⟨*irr*⟩ *itr* ⟨*sein*⟩ *fam* andare storto (*o* male *fam*), fallire. **schief·lachen** *rfl:* **sich** ~ *fam* crepare dalle risate *fam*.
schielen ['ʃi:lən] *itr* essere strabico; **nach etw.** ~ *fam* sbirciare qc. **Schielen** ⟨-s, ø⟩ *n* strabismo *m*.
schien [ʃi:n] *imp von* **scheinen.**
Schienbein *n* tibia *f*.
Schiene ['ʃi:nə] ⟨-, -n⟩ *f* **1.** *eisenb.* rotaia *f;* **2.** *(Lauf~)* guida *f;* **3.** *med* stecca *f*.
schienen *tr* steccare.
Schienenbus *m* elettromotrice *f*. **Schienenstrang** *m* (tronco *m* di) rotaie *f pl*. **Schienenverkehr** *m* traffico *m* ferroviario.
schier [ʃi:ɐ̯] **I.** *adj (Fleisch)* magro; *fig (Hohn, etc.)* puro, mero; **II.** *adv* quasi.
Schießbude *f* baraccone *m* del tiro a segno.
schießen ['ʃi:sən] ⟨schießt, schoß, geschossen⟩ **I.** *tr* ⟨*haben*⟩ *(Geschoß)* sparare; *(Ball)* tirare; *(Wild)* uccidere, abbattere; *(Foto)* fare, scattare; **ein Tor** ~ segnare una rete, fare un goal; **II.** *itr* **1.** ⟨*haben*⟩ *(Schütze)* sparare, tirare; *(Fußballer)* tirare; **2.** ⟨*sein*⟩ *(schnell wachsen)* crescere rapidamente; *(Gemüse)* mettere troppe foglie; **3.** ⟨*sein*⟩ *(sich schnell bewegen)* sfrecciare; *(Gedanke)* passare; **4.** ⟨*sein*⟩ *(Flüssigkeit)* scaturire, zampillare; **aus dem Boden** ~ spuntare; **zum S~ sein** *fam* essere uno spasso *fam;* **das Blut schoß ihr ins Gesicht** il sangue le salì al viso.
Schießerei [...ə'raı̯] ⟨-, -en⟩ *f* sparatoria *f*.
Schießpulver *n* polvere *m* da sparo. **Schießscharte** *f* feritoia *f*. **Schießstand** *m* poligono *m* (di tiro).
Schiff [ʃıf] ⟨-(e)s, -e⟩ *n* **1.** *naut* nave *f*, bastimento *m;* **2.** *arch (Kirchen~)* navata *f*. **Schiffahrt** *f* navigazione *f*. **schiffbar** *adj* navigabile. **Schiffbau** ⟨-(e)s, ø⟩ *m* costruzioni *m pl* navali, navalmeccanica *f*. **Schiffbruch** *m (a. fig)* naufragio *m;* ~ **erleiden** *(a. fig)* naufragare. **schiffbrüchig** *adj* naufrago. **Schiffbrüchige** ⟨ein -r, -n, -n⟩ *mf* naufrago, -a *m, f*.
Schiffchen ['ʃıfçən] ⟨-s, -⟩ *n* **1.** *(kleines Schiff)* piccola nave *f;* **2.** *tec* navetta *f;* **3.** *(Kopfbedeckung)* bustina *f*.
Schiffer(in) ⟨-s, -⟩ *m(f)* battelliere, -a *m, f*.
Schiffschaukel *f* altalena *f*.
Schiffsjunge *m* mozzo *m*. **Schiffskoch** *m* cuoco *m* di bordo. **Schiffsschraube** *f* elica *f* della nave.
Schikane [ʃi'ka:nə] ⟨-, -n⟩ *f* **1.** *(Erschwe-*

rung) angheria *f*, vessazione *f;* **2.** *sport* chicane *f;* **mit allen ~n** *fam* con tutti i confort.
schikanieren [ʃika'ni:rən] ⟨*ohne ge-*⟩ *tr* vessare, angariare, tormentare.
Schild¹ [ʃilt] ⟨-(e)s, -er⟩ *n (Aushänge~)* insegna *f; (Hinweis~)* segnale *m* d'indicazione; *(Nummern~, Tür~)* targa *f; (Etikett)* etichetta *f; (Preis~)* cartellino *m* del prezzo.
Schild² [ʃilt] ⟨-(e)s, -e⟩ *m hist, mil, fig* scudo *m; (Wappen~)* stemma *m; (von Mütze)* visiera *f;* **etw. im ~e führen** tramare qc.
Schilddrüse *f* (ghiandola *f*) tiroide *f.*
schildern ['ʃɪldɐn] *tr* descrivere.
Schilderung ⟨-, -en⟩ *f* descrizione *f; (literarische ~)* narrazione *f*, racconto *m.*
Schildkröte *f* tartaruga *f.* **Schildpatt** [-pat] ⟨-(e)s, ø⟩ *n* (placca *f* cornea della) tartaruga *f.*
Schilf [ʃɪlf] ⟨-(e)s, -e⟩ *n (~pflanze)* canna *f* palustre; *(~fläche)* canneto *m.*
schillern ['ʃɪlɐn] *itr* avere riflessi, cangiare di colore. **schillernd** *adj* iridescente, cangiante; *fig* ambiguo.
Schilling ['ʃɪlɪŋ] ⟨-s, - *o* -e⟩ *m* (*abk* **S**) scellino *m.*
schilt [ʃɪlt] *pr von* **schelten.**
Schimmel¹ ['ʃɪməl] ⟨-s, ø⟩ *m bot* muffa *f.*
Schimmel² ['ʃɪməl] ⟨-s, -⟩ *m zoo* cavallo *m* bianco.
schimm(e)lig *adj* ammuffito; ~ **riechen** sapere di muffa.
schimmeln *itr* ⟨*sein o haben*⟩ ammuffire.
Schimmelpilz *m* ficomiceto *m.*
Schimmer ['ʃɪmɐ] ⟨-s, ø⟩ *m (Licht)* lume *m*, chiarore *m; (Glanz)* splendore *m;* **keinen (blassen) ~ von etw. haben** *fam* non avere la più pallida idea di qc.
schimmern *itr (Licht)* rilucere, mandare un bagliore; *(Gegenstand)* splendere.
schimmlig *s.* **schimmelig.**
Schimpanse [ʃɪm'panzə] ⟨-n, -n⟩ *m* scimpanzé *m.*
schimpfen ['ʃɪmpfən] **I.** *itr (ärgerlich sein)* imprecare *(auf +akk, über +akk* contro), inveire *(auf +akk, über +akk* contro); *(sich beklagen)* lamentarsi *(über +akk* per); *(schelten)* sgridare *(mit jdm* qu), rimbrottare *(mit jdm* qu); **II.** *tr (aus~)* sgridare.
Schimpfname *m* nomignolo *m* (*o* epiteto *m*) ingiurioso. **Schimpfwort** ⟨-(e)s, -e *o* -wörter⟩ *n* insulto *m*, imprecazione *f.*
Schindel ['ʃɪndəl] ⟨-, -n⟩ *f* scandola *f.*
schinden ['ʃɪndən] ⟨schindet, schund, geschunden⟩ **I.** *tr* strapazzare; **Eindruck ~** *fam* cercare di far colpo; **II.** *rfl:* **sich ~** affaticarsi, arrabattarsi.
Schinderei [ʃɪndə'rai̯] ⟨-, -en⟩ *f* angheria *f*, vessazione *f; (Qual, Strapaze)* strapazzo *m.*
Schindluder *n:* **mit jdm/etw. ~ treiben** *fam* maltrattare qu/qc.
Schinken ['ʃɪnkən] ⟨-s, -⟩ *m* **1.** *gastr* prosciutto *m;* **2.** *fam pej (Gemälde)* crosta *f; (Buch, Film)* mattone *m fam*, pizza *f fam.*
Schippe ['ʃɪpə] ⟨-, -n⟩ *f* pala *f;* **eine ~ ziehen** *fam* fare il broncio; **jdn auf die ~ nehmen** *fam* prendere in giro qu.
Schirm [ʃɪrm] ⟨-(e)s, -e⟩ *m* **1.** *(Regen~)* ombrello *m; (Sonnen~)* parasole *m;* **2.** *(Wand~)* paravento *m; (Lampen~)* paralume *m; (Mützen~)* visiera *f;* **3.** *(Bild~, Röntgen~)* schermo *m.* **Schirmbildaufnahme** *f* radiografia *f.* **Schirmherr(in)** *m(f)* patrocinatore, -trice *m, f.* **Schirmherrschaft** *f* patronato *m.* **Schirmmütze** *f* berretto *m* con visiera. **Schirmständer** *m* portaombrelli *m.*
schiß [ʃɪs] *imp von* **scheißen.**
Schiß ⟨Schisses, ø⟩ *m sl (Angst)* fifa *f fam;* ~ **haben** farsela addosso *fam.*
schizophren [ʃitso'fre:n] *adj* schizofrenico.
Schizophrenie [...fre'ni:] ⟨-, ø⟩ *f* schizofrenia *f.*
Schlacht [ʃlaxt] ⟨-, -en⟩ *f (a. fig)* battaglia *f.*
schlachten ['ʃlaxtən] *tr* macellare.
Schlachtenbummler(in) ⟨-s, -⟩ *m(f)* tifoso, -a *m, f* che segue la propria squadra nelle trasferte.
Schlachter(in) ⟨-s, -⟩ *m(f) dial* macellaio, -a *m, f.*
Schlächter ['ʃlɛçtɐ] ⟨-s, -⟩ *m fig* macellatore *m.*
Schlachterei [ʃlaxtə'rai̯] ⟨-, -en⟩ *f dial* macelleria *f.*
Schlachtfeld *n* campo *m* di battaglia. **Schlachthof** *m* macello *m*, mattatoio *m.* **Schlachtplan** *m* piano *m* di battaglia. **Schlachtruf** *m* grido *m* di battaglia.
Schlachtung ⟨-, -en⟩ *f* macellazione *f.*
Schlachtvieh *n* animali *m pl* da macello.
Schlacke ['ʃlakə] ⟨-, -n⟩ *f* scoria *f.*
Schlaf [ʃla:f] ⟨-(e)s, ø⟩ *m* sonno *m.* **Schlafanzug** *m* pigiama *m.*
Schläfe ['ʃlɛ:fə] ⟨-, -n⟩ *f* tempia *f.*
schlafen ['ʃla:fən] ⟨schläft, schlief, geschlafen⟩ *itr* dormire. **Schlafengehen** ⟨-s, ø⟩ *n:* **vor dem ~** prima di coricarsi.
Schläfer(in) ['ʃlɛ:fɐ (...ərɪn)] ⟨-s, -⟩ *m(f)* dormiente *mf.*
schlaff [ʃlaf] *adj (Seil)* lento, allentato; *(Muskeln, Haut)* flaccido, floscio; *(Disziplin)* rilassato; *fig (kraftlos)* fiacco, molle. **Schlaffheit** ⟨-, ø⟩ *f (von Seil)* essere *m* lento; *(von Muskeln, Haut)* essere *m* flaccido (*o* floscio); *(Kraftlosigkeit)* mollezza *f.*
Schlafgelegenheit *f* posto *m* letto. **Schlaflied** *n* ninnananna *f.* **schlaflos** *adj* **1.** *(Mensch)* insonne; **2.** *(Nacht)* in bianco. **Schlaflosigkeit** ⟨-, ø⟩ *f* insonnia *f.* **Schlafmittel** *n* sonnifero *m.* **Schlafmütze** *f* **1.** *(Kopfbedeckung)* berretto *m* da notte; **2.** *fig fam (Langschläfer)*

dormiglione, -a *m, f; fig pej (träger Mensch)* poltrone, -a *m, f.*
schläfrig [ˈʃlɛːfrɪç] *adj (Mensch)* assonnato, sonnolento; **jdn ~ machen** far venire sonno a qu.
Schlafsaal *m* dormitorio *m.* **Schlafsack** *m* sacco *m* a pelo. **Schlafstadt** *f* città *f* dormitorio. **Schlafstörung** *f* disturbo *m* del sonno.
schläft [ʃlɛːft] *pr von* **schlafen.**
Schlaftablette *f* sonnifero *m.* **schlaftrunken** *adj* sonnolento. **Schlafwagen** *m* vagone-letto *m.* **schlafwandeln** *itr ⟨sein o haben⟩* essere sonnambulo. **Schlafwandler(in)** ⟨-s, -⟩ *m(f)* sonnambulo, -a *m, f.* **schlafwandlerisch** *adj:* **mit ~er Sicherheit** con la sicurezza del sonnambulo. **Schlafzimmer** *n* camera *f* da letto.
Schlag [ʃlaːk] ⟨-(e)s, Schläge⟩ *m* **1.** *allg., fig* colpo *m;* **2.** *⟨pl⟩ (Prügel)* botte *f pl;* **3.** *(Wagentür)* porta *f,* portiera *f;* **4.** *(Herz~)* battito *m; (Puls~)* pulsazione *f;* **5.** *med (~anfall)* colpo *m* apoplettico; **6.** *(elektrischer ~)* scossa *f;* **7.** *(Blitz~)* fulmine *m; (Donner~)* tuono *m;* **8.** *(Art, Wesen)* razza *f,* specie *f,* sorta *f;* **9.** *fam (Portion)* porzione *f;* **ein ~ ins Gesicht** *fig* uno schiaffo; **ein ~ ins Kontor** *fam* un brutto colpo; **ein ~ ins Wasser** *fam* un buco nell'acqua; **~ 8 Uhr** alle otto in punto; **auf einen ~** d'un sol colpo; **mit einem ~** *fam* di colpo. **Schlagader** *f* arteria *f.* **Schlaganfall** *m* colpo *m* apoplettico. **schlagartig I.** *adj* fulmineo; **II.** *adv* di colpo. **Schlagbaum** *m* sbarra *f,* barriera *f.* **Schlagbohrmaschine** *f* trapano *m* a percussione.
schlagen [ˈʃlaːgən] ⟨schlägt, schlug, geschlagen⟩ **I.** *tr* **1.** *allg.* battere; *(Sahne a.)* montare; **2.** *(besiegen)* vincere, sconfiggere; **3.** *(Instrument, Alarm)* suonare; **4.** *(Kreis, Bogen)* fare, tracciare; *(Purzelbaum)* fare; *fam (Profit)* trarre; **jdm etw. aus der Hand ~** far cadere qc di mano a qu; **etw. in Papier ~** *(einwickeln)* avvolgere qc nella carta, incartare qc; **einen Nagel in die Wand ~** piantare (*o* conficcare) un chiodo nel muro; **jdn in die Flucht ~** mettere in fuga qu; **die Hände vors Gesicht ~** coprirsi la faccia con le mani; **II.** *itr* battere; **nach jdm ~** cercare di colpire (*o* battere) qu; *fig (ähneln)* assomigliare a qu; **Flammen schlugen aus dem Haus** le fiamme si levarono dalla casa; **III.** *rfl:* **sich ~** battersi, picchiarsi; **sich gut (*o* tapfer) ~** battersi bene (*o* coraggiosamente); **sich um etw.** *(akk)* **~** *(a. fig)* battersi per qc.
schlagend *adj (Argumentation)* stringente; *(Beweis)* convincente.
Schlager ⟨-s, -⟩ *m* **1.** *mus* canzone *f* di successo; **2.** *fig fam (Erfolg)* successo *m; ökon* articolo *m* di successo.
Schläger [ˈʃlɛːgɐ] ⟨-s, -⟩ *m (Tennis~)* racchetta *f; (Golf~)* mazza *f* (da golf); *(Hockey~)* bastone *m* (da hockey).
Schläger(in) [ˈʃlɛːgɐ (...ərɪn)] ⟨-s, -⟩ *m(f)* **1.** *sport (Spieler)* picchiatore, -trice *m, f;* **2.** *fig (Raufbold)* litigone, -a *m, f fam,* tipo, -a *m, f* rissoso, -a.
Schlägerei [ʃlɛːgəˈrai̯] ⟨-, -en⟩ *f* rissa *f,* baruffa *f,* zuffa *f.*
Schlagersänger(in) *m(f)* cantante *mf* di musica leggera.
schlagfertig *adj* pronto. **Schlagfertigkeit** *f* prontezza *f* di parola. **Schlaginstrument** *n mus* strumento *m* a percussione. **Schlagkraft** *f* forza *f,* potenza *f; fig (Wirkungskraft)* efficacia *f,* efficienza *f.* **schlagkräftig** *adj (Argument)* convincente. **Schlaglicht** *n fot* effetto *m* di luce; *fig* sprazzo *m* di luce. **Schlagloch** *n* buca *f.* **Schlagsahne** *f* panna *f;* **(geschlagene) ~** panna *f* montata. **Schlagseite** *f* sbandamento *m;* **~ haben** *fam scherz* essere sbronzo *fam.* **Schlagstock** *m* manganello *m.*
schlägt [ʃlɛːkt] *pr von* **schlagen.**
Schlagwerk *n* soneria *f.* **Schlagwort** ⟨-(e)s, -e *o rar* -wörter⟩ *n* **1.** *(Parole)* motto *m,* slogan *m;* **2.** ⟨-(e)s, -wörter⟩ *(in Katalog)* voce *f.* **Schlagzeile** *f* titolo *m* di prima pagina. **Schlagzeug** ⟨-(e)s, -e⟩ *n* batteria *f.* **Schlagzeuger(in)** ⟨-s, -⟩ *m(f)* batterista *mf.*
Schlamassel [ʃlaˈmasəl] ⟨-s, -⟩ *m o n fam (Durcheinander)* confusione *f; (schwierige Lage)* pasticcio *m,* guaio *m.*
Schlamm [ʃlam] ⟨-(e)s, *rar* -e *o* Schlämme⟩ *m* fango *m,* melma *f.* **schlammig** *adj (Weg, Schuhe)* fangoso; *(Wasser)* limaccioso. **Schlammschlacht** *f* campagna *f* denigratoria.
Schlampe [ˈʃlampə] ⟨-, -n⟩ *f fam* sciattona *f fam.* **schlampen** [ˈʃlampən] *itr fam (unordentlich sein)* essere disordinato (*o* trasandato); *(unordentlich arbeiten)* lavorare in modo negligente.
Schlamperei [...əˈrai̯] ⟨-, -en⟩ *f* **1.** *⟨sing⟩ (Verhalten)* sciatteria *f,* trascuratezza *f;* **2.** *(Arbeit)* abborracciatura *f.*
schlampig *adj (Mensch)* disordinato, sciatto; *(Arbeit)* abborracciato.
schlang [ʃlaŋ] *imp von* **schlingen.**
Schlange [ˈʃlaŋə] ⟨-, -n⟩ *f* **1.** *zoo* serpente *m,* biscia *f;* **2.** *(Menschen~)* coda *f; (a. Auto~)* fila *f;* **~ stehen** fare la coda.
schlängeln [ˈʃlɛŋəln] *rfl:* **sich ~** serpeggiare.
Schlangenbiß *m* morso *m* di serpente. **Schlangengift** *n* veleno *m* di serpente. **Schlangenlinie** *f* serpentina *f.* **Schlangenmensch** *m* contorsionista *mf.*
schlank [ʃlaŋk] *adj* slanciato, snello; **~ werden** snellirsi; **~ machen** *(Diät)* far dimagrire; *(Kleidung)* snellire. **Schlankheit** ⟨-, ø⟩ *f* snellezza *f,* figura *f* slanciata. **Schlankheitskur** *f* cura *f* dimagrante.
schlapp [ʃlap] *adj* **1.** *(müde)* spossato, esausto; **2.** *(schlaff)* floscio.

Schlappe ['ʃlapə] ⟨-, -n⟩ *f fam* sconfitta *f*, scacco *m*.
Schlapphut *m* cappello *m* floscio.
schlapp·machen *itr fam* crollare, essere cotto *fam*. **Schlappschwanz** *m fam* smidollato *m*.
Schlaraffenland [ʃla'rafən-] *n* paese *m* della Cuccagna (*o* di Bengodi).
schlau [ʃlau̯] *adj* scaltro; *(pfiffig a.)* furbo; *(listig a.)* astuto. **Schlauberger** [-bɛrgɐ] ⟨-s, -⟩ *s.* **Schlaumeier.**
Schlauch [ʃlau̯x] ⟨-(e)s, Schläuche⟩ *m* **1.** *(Garten~)* pompa *f*, sistola *f*; *(Wein)* otre *m*; *(Reifen~)* camera *f* d'aria; **2.** *fam (Anstrengung)* faticata *f fam*. **Schlauchboot** *n* canotto *m* pneumatico.
schlauchen ['ʃlau̯xən] *tr fam (körperlich)* strapazzare; *(seelisch, nervlich)* snervare.
Schlaufe ['ʃlau̯fə] ⟨-, -n⟩ *f (Schleife)* fiocco *m*; *(Aufhänger)* cappio *m*; *(Halte~)* sostegno *m*.
Schlauheit ⟨-, ø⟩ *f* furbizia *f*, astuzia *f*, scaltrezza *f*.
Schlaumeier [-mai̯ɐ] ⟨-s, -⟩ *m fam* furbastro *m*.
Schlawiner [ʃla'vi:nɐ] ⟨-s, -⟩ *m fam* furbo *m* matricolato *fam*.
schlecht [ʃlɛçt] **I.** *adj* **1.** *(nicht gut)* cattivo; **2.** *(verdorben)* guasto; *(Luft)* viziato; **3.** *(gemein)* cattivo, brutto; **4.** *(Zeiten)* duro, difficile; *(Ende)* brutto; **mir ist ~** mi sento male; **II.** *adv* male; **immer ~er** di male in peggio; **es geht mir ~** sto male; **nicht ~!** mica male!. **schlechtgelaunt** *adj attr* di cattivo umore.
Schlechtheit ⟨-, -en⟩ *f*, **Schlechtigkeit** ['ʃlɛçtɪçkai̯t] ⟨-, -en⟩ *f* **1.** *(Wesen, Tat)* cattiveria *f*; **2.** *(von Ware)* cattiva qualità *f*.
schlecht·machen *tr:* **jdn ~** sparlare di qu, diffamare qu.
schlecken ['ʃlɛkən] **I.** *itr (Süßigkeiten essen)* mangiare dolciumi; **II.** *itr, tr dial (lecken)* leccare.
Schlegel ['ʃle:gəl] ⟨-s, -⟩ *m* **1.** *(Trommel~)* bacchetta *f*; *(Glocken~)* martelletto *m*; **2.** *min* mazzuolo *m*; **3.** *dial (Keule)* coscia *f*; *(Reh~)* cosciotto *m*.
Schlehe ['ʃle:ə] ⟨-, -n⟩ *f* **1.** *(Frucht)* prugnola *f*; **2.** *(Strauch)* prugnolo *m*.
schleichen ['ʃlai̯çən] ⟨schleicht, schlich, geschlichen⟩ *itr* ⟨*sein*⟩ andare striscioni (*o* di soppiatto). **schleichend** *adj (Zerfall, Inflation)* strisciante; *(Krankheit, Gift)* lento.
Schleichweg *m* via *f* nascosta, sentiero *m* segreto; **auf ~en** *fig* per vie traverse. **Schleichwerbung** *f* pubblicità *f* occulta.
Schleie ['ʃlai̯ə] ⟨-, -n⟩ *f* tinca *f*.
Schleier ['ʃlai̯ɐ] ⟨-s, -⟩ *m (a. fig)* velo *m*; *(am Hut)* veletta *f*. **Schleiereule** *f* barbagianni *m*. **schleierhaft** *adj:* **es ist mir völlig ~, wie ...** *fam* mi è assolutamente incomprensibile come *+congv.* **Schleierkraut** *n bot* velo *m* di sposa.
Schleife ['ʃlai̯fə] ⟨-, -n⟩ *f* **1.** *(Schlinge)* fiocco *m*; **2.** *(von Straße)* curva *f* a S; *(von Fluß)* ansa *f*; **3.** *aero* gran volta *f*; **4.** *inform* ciclo *m* di programma (*o* di istruzioni).
schleifen¹ ['ʃlai̯fən] ⟨schleift, schliff, geschliffen⟩ *tr (schärfen)* arrotare, affilare; *(Glas, Diamanten)* molare; *tec* rettificare.
schleifen² ['ʃlai̯fən] *tr* **1.** *(auf Boden, fam: mit~)* trascinare; **2.** *mil* radere al suolo, smantellare; **die Kupplung ~ lassen** far slittare la frizione.
Schleiflack *m* vernice *f* a pulimento. **Schleifstein** *m* cote *f*.
Schleim [ʃlai̯m] ⟨-(e)s, -e⟩ *m* **1.** *(Substanz)* muco *m*; *(krankhaft)* catarro *m*; *(von Schnecke)* bava *f*; *(von Pflanze)* mucillagine *f*; **2.** *gastr* pappa *f*. **schleimen** *itr fam (heucheln)* esprimersi con untuosità. **Schleimer(in)** ⟨-s, -⟩ *m(f) fam* persona *f* viscida (*o* melliflua). **schleimig** *adj* **1.** *(Flüssigkeit)* vischioso; *(Absonderung)* di muco; *(Pflanze, Tier)* viscido; **2.** *pej (Mensch, Art)* viscido, servile; *(Reden)* mellifluo.
schlemmen ['ʃlɛmən] *itr* banchettare.
Schlemmer(in) ⟨-s, -⟩ *m(f)* ghiottone, -a *m, f*.
Schlemmerei [...ə'rai̯] ⟨-, -en⟩ *f* banchetto *m*.
schlendern ['ʃlɛndɐn] *itr* ⟨*sein*⟩ bighellonare.
Schlendrian ['ʃlɛndria:n] ⟨-(e)s, ø⟩ *m fam* (solito) tran-tran *m fam*.
schlenkern ['ʃlɛŋkɐn] *tr, itr* ciondolare (*etw., mit etw.* qc).
Schleppe ['ʃlɛpə] ⟨-, -n⟩ *f* strascico *m*.
schleppen ['ʃlɛpən] **I.** *tr* **1.** *(hinter sich her~)* trainare; **2.** *(tragen)* trascinare; **II.** *rfl:* **sich ~** *(a. fig)* trascinarsi. **schleppend** *adj* lento; *(Gang)* strascicato; *(Sprache, Unterhaltung)* stentato; *(Nachfrage)* stentato, difficile.
Schlepper ⟨-s, -⟩ *m* **1.** *mot* trattore *m*; **2.** *naut* rimorchiatore *m*.
Schlepplift *m* sciovia *f*, skilift *m*. **Schleppnetzfahndung** *f* indagini *f pl* a tappeto. **Schlepptau** *n* cavo *m* da rimorchio; **in jds ~** *fig* a rimorchio di qu.
Schlesien ['ʃle:zi̯ən] *n* Slesia *f*.
Schleswig-Holstein ['ʃle:svɪç'hɔlʃtai̯n] *n* Slesvig-Holstein *m*.
Schleuder ['ʃlɔy̯dɐ] ⟨-, -n⟩ *f* **1.** *(Waffe)* fionda *f*; **2.** *(Zentrifuge)* centrifuga *f*; **3.** *aero* catapulta *f*.
schleudern **I.** *tr* ⟨*haben*⟩ **1.** *(werfen)* scagliare, scaraventare; **2.** *(tec, Wäsche)* centrifugare; **II.** *itr* ⟨*sein o haben*⟩ sbandare.
Schleuderpreis *m* prezzo *m* di svendita. **Schleudersitz** *m* seggiolino *m* eiettabile.
schleunigst ['ʃlɔy̯nɪkst] *adv* il più presto possibile.

Schleuse ['ʃlɔyzə] ⟨-, -n⟩ *f* chiusa *f*.
schleusen *tr* far passare.
Schleusenkammer *f* conca *f* di navigazione.
schlich [ʃlɪç] *imp von* **schleichen.**
Schliche ['ʃlɪçə] ⟨*pl*⟩*:* **jdm auf (***o* **hinter) die ~ kommen** scoprire le astuzie di qu.
schlicht [ʃlɪçt] *adj* semplice.
schlichten ['ʃlɪçtən] *tr* **1.** *(Streit)* appianare, conciliare; **2.** *(glätten)* levigare, lisciare.
Schlichter(in) ⟨-s, -⟩ *m(f)* conciliatore, -trice *m, f*.
Schlichtheit ⟨-, ø⟩ *f* semplicità *f*.
Schlichtung ⟨-, -en⟩ *f* composizione *f*, conciliazione *f*.
Schlick [ʃlɪk] ⟨-(e)s, -e⟩ *m* limo *m*, melma *f*.
schlief [ʃli:f] *imp von* **schlafen.**
Schließe ['ʃli:sə] ⟨-, -n⟩ *f* fibbia *f*, fermaglio *m*.
schließen ['ʃli:sən] ⟨schließt, schloß, geschlossen⟩ **I.** *tr* **1.** *(zumachen)* chiudere; *(Lücke)* colmare; **2.** *(beenden)* terminare, finire; *(Sitzung)* togliere; *inform* chiudere; **3.** *(Vertrag)* concludere; *(Ehe)* contrarre; *(Frieden, Freundschaft)* fare; **4.** *(folgern)* dedurre, desumere; **II.** *itr* **1.** *(zugehen)* chiudere, chiudersi; **2.** *(Geschäft)* chiudere; **3.** *(aufhören)* concludersi *(mit* con); **4.** *(folgern)* desumere, dedurre, concludere.
Schließfach *n* cassetta *f* di sicurezza; *(Gepäck~)* deposito *m* bagagli (a cassette).
schließlich *adv (am Ende)* alla fine; *(im Grunde)* in fondo, in fin dei conti; *(an letzter Stelle)* da ultimo.
Schließmuskel *m* muscolo *m* costrittore.
Schließung ⟨-, -en⟩ *f* **1.** *allg.* chiusura *f*; **2.** *(Beendigung)* conclusione *f*.
schliff [ʃlɪf] *imp von* **schleifen**[1].
Schliff ⟨-(e)s, -e⟩ *m* **1.** *tec* affilatura *f*; *(von Diamant)* taglio *m;* **2.** *fig fam (Lebensart)* buone maniere *f pl*, garbo *m;* **einer S.** *(dat)* **den letzten ~ geben** dare l'ultimo tocco a qc.
schlimm [ʃlɪm] **I.** *adj* **1.** *(schlecht)* brutto; *(a. böse)* cattivo; **2.** *(schwer, ernst)* grave; **das ist nicht ~** non è grave, non fa niente; **das ist doch halb so ~** non è poi così grave; **~er** peggiore; **II.** *adv* male; **~er** peggio; **am ~sten** peggio di tutto. **schlimmstenfalls** *adv* nel peggiore dei casi.
Schlinge ['ʃlɪŋə] ⟨-, -n⟩ *f* **1.** *(Schlaufe)* cappio *m*, nodo *m* scorsoio; *med* benda *f* ad armacollo; **2.** *(Jagd)* laccio *m;* **seinen Kopf aus der ~ ziehen** *fig* tirarsi fuori da un guaio.
Schlingel ['ʃlɪŋəl] ⟨-s, -⟩ *m* birbante *m*, monello *m*.
schlingen[1] ['ʃlɪŋən] ⟨schlingt, schlang, geschlungen⟩ **I.** *tr (winden)* stringere, cingere; **II.** *rfl:* **sich ~** stringersi.
schlingen[2] ['ʃlɪŋən] ⟨schlingt, schlang, geschlungen⟩ *itr (schlucken)* inghiottire.
schlingern ['ʃlɪŋɐn] *itr* rollare.
Schlingpflanze *f* pianta *f* rampicante.
Schlips [ʃlɪps] ⟨-es, -e⟩ *m* cravatta *f;* **jdm auf den ~ treten** *fam* offendere qu.
Schlitten ['ʃlɪtən] ⟨-s, -⟩ *m* slitta *f*, slittino *m*. **Schlittenfahrt** *f* corsa *f* (*o* gita *f*) in slitta.
schlittern ['ʃlɪtɐn] *itr* ⟨*haben o sein*⟩ scivolare.
Schlittschuh *m* pattino *m* (per ghiaccio); **~ laufen** pattinare. **Schlittschuhlaufen** ⟨-s, ø⟩ *n* pattinaggio *m*. **Schlittschuhläufer(in)** *m(f)* pattinatore, -trice *m, f*.
Schlitz [ʃlɪts] ⟨-es, -e⟩ *m* **1.** *(Ritze)* fessura *f*, fenditura *f; (Einwurf~)* buca *f;* **2.** *(Hosen~)* patta *f* dei calzoni; *(im Kleid)* spacco *m*. **Schlitzaugen** *n pl* occhi *m pl* a mandorla. **Schlitzohr** *n fam* dritto(ne) *m fam*.
schloß [ʃlɔs] *imp von* **schließen.**
Schloß[1] [ʃlɔs] ⟨Schlosses, Schlösser⟩ *n (Gebäude)* castello *m*.
Schloß[2] [ʃlɔs] ⟨Schlosses, Schlösser⟩ *n (Verschluß)* serratura *f; (Vorhänge~)* catenaccio *m;* **ins ~ fallen** chiudersi di scatto; **hinter ~ und Riegel bringen** mettere sotto chiave; **hinter ~ und Riegel sitzen** essere in prigione.
Schlosser(in) ['ʃlɔsɐ (...ərɪn)] ⟨-s, -⟩ *m(f)* (donna *f*) fabbro *m* ferraio.
Schlosserei [ʃlɔsə'rai] ⟨-, -en⟩ *f* officina *f* del fabbro.
Schloßherr(in) *m(f)* castellano, -a *m, f*.
Schlot [ʃlo:t] ⟨-(e)s, -e⟩ *m* ciminiera *f;* **rauchen wie ein ~** fumare come un turco.
schlottern ['ʃlɔtɐn] *itr* **1.** *(zittern)* tremare; **2.** *(Kleidung)* ballare addosso.
Schlucht [ʃlʊxt] ⟨-, -en⟩ *f* gola *f*.
schluchzen ['ʃlʊxtsən] *itr* singhiozzare.
Schluck [ʃlʊk] ⟨-(e)s, -e⟩ *m* sorso *m*.
Schluckauf ⟨-s, ø⟩ *m* singhiozzo *m*, singulto *m*.
schlucken I. *tr* **1.** *(hinunter~)* inghiottire; *(a. fig)* mandar giù; **2.** *fam (kosten, brauchen)* inghiottire, divorare; *(Benzin)* consumare; *(Schall)* assorbire; **II.** *itr* inghiottire, deglutire; *sl (Alkohol trinken)* trincare *fam*.
Schluckimpfung *f* vaccinazione *f* per via orale. **schluckweise** *adv* a sorsi.
schludern ['ʃlu:dɐn] *tr, itr* abborracciare.
schlug [ʃlu:k] *imp von* **schlagen.**
Schlummer ['ʃlʊmɐ] ⟨-s, ø⟩ *m* sonno *m* (leggero).
schlummern *itr* sonnecchiare; *fig (Kräfte, Pläne)* essere assopito.
Schlund [ʃlʊnt] ⟨-(e)s, Schlünde⟩ *m* **1.** *anat* faringe *f; (Rachen)* gola *f; (bei Tieren)* fauci *f pl;* **2.** *fig geh (Öffnung)* bocca *f; (Abgrund)* abisso *m*.
schlüpfen ['ʃlʏpfən] *itr* ⟨*sein*⟩ **1.** *(gleiten)*

scivolare, sgusciare; **2.** *(in Kleidung)* infilarsi *(in etw. (akk)* qc); **aus dem Ei ~** uscire dall'uovo.

Schlüpfer ⟨-s, -⟩ *m* slip *m*, mutandine *f pl.*

schlüpfrig [ˈʃlʏpfrɪç] *adj* **1.** *(rutschig)* sdrucciolevole, scivoloso; **2.** *fig (anzüglich)* salace, scurrile.

Schlupfwinkel *m* nascondiglio *m*, tana *f*.

schlurfen [ˈʃlʊrfən] *itr* ⟨*sein*⟩ ciabattare.

schlürfen [ˈʃlʏrfən] *tr, itr (beim Essen/Trinken)* mangiare/bere rumorosamente; *(mit Genuß)* centellinare.

Schluß [ʃlʊs] ⟨Schlusses, Schlüsse⟩ *m (Ende)* fine *f*, termine *m; (Ab~, ~folgerung)* conclusione *f; (von Debatte, Sitzung)* chiusura *f;* **mit jdm/etw. ~ machen** farla finita con qu/qc; **am ~, zum ~** alla fine; **~!** basta!; **~ damit!** finiamola! **Schlußbemerkung** *f* osservazione *f* finale.

Schlüssel [ˈʃlʏsəl] ⟨-s, -⟩ *m* chiave *f*. **Schlüsselanhänger** *m* portachiavi *m* (con piastrina o cartellino). **Schlüsselbein** *n* clavicola *f*. **Schlüsselblume** *f* primula *f*. **Schlüsselbund** ⟨-(e)s, -e⟩ *m o n* mazzo *m* di chiavi. **Schlüsseldienst** *m* duplicazione *f* chiavi, servizio *m* duplicazione chiavi. **Schlüsselerlebnis** *n* evento *m* chiave. **schlüsselfertig** *adj* pronto per la consegna, chiavi in mano. **Schlüsselloch** *n* buco *m* della serratura. **Schlüsselposition** *f*, **-stellung** *f* posizione *f* chiave.

Schlußfolgerung *f* conclusione *f*, deduzione *f*.

schlüssig [ˈʃlʏsɪç] *adj (Beweis)* conclusivo; *(Argumentation)* concludente; **sich** *(dat)* **~ werden** decidersi *(über +akk* su).

Schlußlicht *n* luce *f* posteriore; *fig fam* fanalino *m* di coda. **Schlußstrich** *m:* **einen ~ unter etw.** *(akk)* **ziehen** *fig* porre fine a qc. **Schlußverkauf** *m* svendita *f* (di fine stagione).

Schmach [ʃmaːx] ⟨-, ø⟩ *f (Schande)* vergogna *f; (Entehrung)* ignominia *f*, infamia *f; (Demütigung)* umiliazione *f*.

schmachten [ˈʃmaxtən] *itr (vor Durst, Hunger)* languire *(vor +dat* da); *fig (sich sehnen)* struggersi *(nach* per). **schmachtend** *adj (Mensch)* innamorato; *(Blick)* languido.

schmächtig [ˈʃmɛçtɪç] *adj* esile, gracile.

schmackhaft [ˈʃmakhaft] *adj* gustoso; **jdm etw. ~ machen** *fig* rendere qc gradevole a qu.

schmählich [ˈʃmɛːlɪç] *adj* vergognoso, ignominioso.

schmal [ʃmaːl] ⟨-er *o* schmäler, -ste *o rar* schmälste⟩ *adj* stretto; *(Hände, Gesicht)* sottile; *(mager, a. fig)* magro.

schmälern [ˈʃmɛːlɐn] *tr (verringern)* ridurre, diminuire; *fig (Verdienste)* sminuire; *(Bedeutung)* scemare.

Schmalfilm *m* pellicola *f* a passo ridotto. **Schmalspur** *f* scartamento *m* ridotto.

Schmalz[1] [ʃmalts] ⟨-es, -e⟩ *n* **1.** *(Schweine~)* strutto *m;* **2.** *(Ohren~)* cerume *m*.

Schmalz[2] [ʃmalts] ⟨-es, ø⟩ *m fam pej (Sentimentalität)* sentimentalismo *m; (Werk)* opera *f* sdolcinata. **schmalzig** *adj fam pej* sdolcinato.

schmarotzen [ʃmaˈrɔtsən] ⟨*ohne ge-*⟩ *itr* **1.** *bot, zoo* vivere da parassita; **2.** *pej (Mensch)* scroccare.

Schmarotzer ⟨-s, -⟩ *m* **1.** *bot, zoo* parassita *m;* **2.** *pej (Mensch)* scroccone *m*, parassita *m*.

Schmarren [ˈʃmarən] ⟨-s, -⟩ *m* **1.** *dial (Mehlspeise)* frittata *f* dolce sminuzzata; **2.** *fam pej (Unsinn)* sciocchezza *f*.

schmatzen [ˈʃmatsən] *itr* mangiare rumorosamente.

Schmaus [ʃmaus] ⟨-es, Schmäuse⟩ *m* banchetto *m*.

schmausen I. itr bisbocciare, banchettare; **II.** *tr* mangiare.

schmecken [ˈʃmɛkən] **I.** *tr (Geschmack wahrnehmen)* sentire il sapore di; *(kosten)* assaggiare; **II.** *itr* avere sapore *(nach* di), sapere *(nach* di); *(gut ~)* essere buono; **jdm ~** *fig fam* piacere a qu; **es sich** *(dat)* **~ lassen** mangiare qc di gusto; **wie schmeckt es Ihnen? - danke, sehr gut!** Le piace? - sì, è molto buono.

Schmeichelei [ʃmaiçəˈlai] ⟨-, -en⟩ *f* lusinga *f; pej* adulazione *f*.

schmeichelhaft *adj* lusinghevole, lusinghiero.

schmeicheln [ˈʃmaiçəln] *itr* **1.** *(mit Worten)* lusingare *(jdm* qu); *pej* adulare *(jdm* qu); **2.** *fig (vorteilhaft aussehen lassen)* donare.

Schmeichler(in) ⟨-s, -⟩ *m(f)* lusingatore, -trice *m, f; pej* adulatore, -trice *m, f*.

schmeißen [ˈʃmaisən] ⟨schmeißt, schmiß, geschmissen⟩ *tr fam* gettare, buttare, scagliare.

Schmeißfliege [ˈʃmais-] *f* moscone *m*.

Schmelz [ʃmɛlts] ⟨-es, -e⟩ *m* smalto *m; (Klang)* timbro *m* dolce.

Schmelze [ˈʃmɛltsə] ⟨-, -n⟩ *f* **1.** *(Vorgang)* scioglimento *m; tec* fusione *f;* **2.** *(Masse)* massa *f* fusa.

schmelzen ⟨schmilzt, schmolz, geschmolzen⟩ **I.** *tr* ⟨*haben*⟩ sciogliere; *tec* fondere; **II.** *itr* ⟨*sein*⟩ sciogliersi; *tec* fondersi.

Schmelzkäse *m* formaggio *m* fuso. **Schmelzpunkt** *m* punto *m* di fusione. **Schmelztiegel** *m (a. fig)* crogiolo *m*. **Schmelzwasser** *n* acqua *f* derivata dallo scioglimento di neve e ghiaccio.

Schmerz [ʃmɛrts] ⟨-es, -en⟩ *m* dolore *m; (Kummer)* afflizione *f*, pena *f*. **schmerzempfindlich** *adj* ricettivo al dolore.

schmerzen *geh* **I.** *itr med, fig* dolere; **II.** *tr med* far male a; *fig* addolorare, affliggere.

Schmerzensgeld *n* risarcimento *m* dei danni morali. **Schmerzensschrei** *m* grido *m* di dolore.
Schmerzgrenze *f* soglia *f* del dolore.
schmerzhaft *adj (a. fig)* doloroso. **schmerzlich** *adj (Verlust)* doloroso; *(Verlangen)* ardente. **Schmerzmittel** *n* analgesico *m*, antalgico *m*, antidolorifico *m*. **Schmerztablette** *f* analgesico *m*.
Schmetterling [ˈʃmɛtelıŋ] ⟨-s, -e⟩ *m* farfalla *f*.
schmettern [ˈʃmɛten] **I.** *tr* **1.** *(werfen)* scaraventare; *(Ball)* schiacciare; **2.** *(Lied)* cantare a squarciagola; **II.** *itr* **1.** *(Trompete)* squillare; **2.** *sport* fare una schiacciata.
Schmied [ʃmi:t] ⟨-(e)s, -e⟩ *m* fabbro *m* ferraio; *(Huf~)* maniscalco *m*. **Schmiede** [ˈʃmi:də] ⟨-, -n⟩ *f* fucina *f*, forgia *f*. **Schmiedeeisen** *n* ferro *m* fucinato (*o* battuto). **schmiedeeisern** *adj* di (*o* in) ferro battuto.
schmieden *tr* **1.** *tec* battere, forgiare, fucinare; *(herstellen)* fabbricare; **2.** *fig (Plan)* ideare.
schmiegen [ˈʃmi:gən] *rfl:* **sich ~** stringersi (*an +akk* a); *(Kleid)* aderire.
Schmiere [ˈʃmi:rə] ⟨-, -n⟩ *f fam* **1.** *(Fett)* grasso *m*, lubrificante *m; (Schmutz)* unto *m*, untume *m;* **2.** *pej (Theater)* teatro *m* di guitti; **~ stehen** fare il palo.
schmieren I. *tr* **1.** *tec (mit Fett)* ingrassare, lubrificare; *(mit Öl)* oliare; **2.** *(streichen)* spalmare (*auf +akk* su); *(Brot)* spalmare (*mit* di); **3.** *(schlecht schreiben)* scarabocchiare; **4.** *fam (bestechen)* corrompere; **jdm eine ~** *fam* mollare un ceffone a qu *fam;* **es geht (***o* **läuft) wie geschmiert** *fam* va liscio come l'olio; **II.** *itr* **1.** *(Stift)* macchiare; **2.** *(schlecht schreiben)* imbrattare; **3.** *(Fett)* ungere.
Schmierfett *n* grasso *m* lubrificante. **Schmierfink** *m fam pej* **1.** *(Autor)* imbrattacarte *m;* **2.** *(Kind)* sudicione *m fam*. **Schmiergeld** *n fam* bustarella *f*.
schmierig *adj* **1.** *(fettig)* unto, untuoso, grasso; **2.** *fig fam (kriecherisch)* viscido. **Schmierseife** *f* sapone *m* tenero. **Schmierzettel** *m* brutta copia *f*, minuta *f; (Zettel für Notizen)* foglietto *m* per appunti.
schmilzt [ʃmıltst] *pr von* **schmelzen.**
Schminke [ˈʃmıŋkə] ⟨-, -n⟩ *f* trucco *m*, belletto *m*.
schminken I. *tr* truccare; **II.** *rfl:* **sich ~** truccarsi.
schmirgeln [ˈʃmırgəln] *tr* smerigliare. **Schmirgelpapier** *n* carta *f* smerigliata.
schmiß [ʃmıs] *imp von* **schmeißen.**
schmissig [ˈʃmısıç] *adj fam* pieno di brio (*o* di slancio).
Schmöker [ˈʃmø:ke] ⟨-s, -⟩ *m fam* librone *m*.
schmökern *itr fam* immergersi nella lettura; **in einem Buch ~** leggere un libro.
schmollen [ˈʃmɔlən] *itr* tenere il broncio (*mit jdm* a qu). **Schmollmund** *m* muso *m*, broncio *m*.
schmolz [ʃmɔlts] *imp von* **schmelzen.**
Schmorbraten *m* stufato *m*.
schmoren [ˈʃmo:rən] **I.** *tr* stufare; **II.** *itr* cuocere a fuoco lento; **in der Sonne ~** *fam* crogiolarsi al sole.
schmuck [ʃmʊk] *adj* leggiadro, grazioso.
Schmuck ⟨-(e)s, ø⟩ *m* **1.** *(Juwelen)* gioielli *m pl; (~stück)* gioiello *m;* **2.** *(Verzierung)* ornamento *m; (Zierrat)* decorazione *f*.
schmücken [ˈʃmʏkən] *tr* (ad)ornare (*mit* di), decorare (*mit* di).
Schmuckkästchen *n* portagioie *m*, portagioielli *m*. **schmucklos** *adj* disadorno. **Schmucklosigkeit** ⟨-, ø⟩ *f* mancanza *f* di ornamenti, semplicità *f; fig* sobrietà *f*. **Schmuckstück** *n (a. fig)* gioiello *m*.
Schmuggel [ˈʃmʊgəl] ⟨-s, ø⟩ *m* contrabbando *m*.
schmuggeln I. *itr* fare contrabbando; **II.** *tr* contrabbandare.
Schmuggler(in) ⟨-s, -⟩ *m(f)* contrabbandiere, -a *m, f*.
schmunzeln [ˈʃmʊntsəln] *itr* sorridere compiaciuto.
schmusen [ˈʃmu:zən] *itr fam* amoreggiare.
Schmutz [ʃmʊts] ⟨-es, ø⟩ *m* sporco *m*, sporcizia *f*, sudiciume *m;* **in den ~ ziehen** *fig* trascinare nel fango. **Schmutzfink** *m fam* sudicione *m fam*.
schmutzig *adj* **1.** *(unsauber)* sporco; *(Arbeit)* sudicio; *(beschmiert)* imbrattato; **2.** *(Geschäft, Mittel)* losco; *(unanständig)* indecente; *(obszön)* osceno; **~ werden** sporcarsi, insudiciarsi.
Schmutztitel *m typ* occhiello *m*, soprattitolo *m*.
Schnabel [ˈʃna:bəl] ⟨-s, Schnäbel⟩ *m* becco *m*.
Schnake [ˈʃna:kə] ⟨-, -n⟩ *f* **1.** *(Weberknecht)* tipula *f;* **2.** *fam (Stechmücke)* zanzara *f*.
Schnalle [ˈʃnalə] ⟨-, -n⟩ *f* fibbia *f*.
schnallen *tr* allacciare; **es ~** *sl (kapieren)* capire.
Schnäppchen [ˈʃnɛpçən] ⟨-s, -⟩ *n fam* occasione *f*, affare *m*.
schnappen [ˈʃnapən] **I.** *tr* ⟨*haben*⟩ **1.** *(greifen)* prendere, afferrare; **2.** *fig fam (erwischen)* acchiappare *fam*, acciuffare; **II.** *itr* **1.** ⟨*haben*⟩ *(beißen)* cercare di addentare (*nach etw.* qc); **2.** ⟨*sein*⟩ *(Schloß, Feder)* scattare.
Schnappschuß *m* (fotografia *f*) istantanea *f*.
Schnaps [ʃnaps] ⟨-es, Schnäpse⟩ *m* acquavite *f*. **Schnapsbrennerei** *f* distilleria *f* di acquavite. **Schnapsidee** *f fam* idea *f* balorda (*o* stramba).
schnarchen [ˈʃnarçən] *itr* russare.
schnattern [ˈʃnaten] *itr* schiamazzare.

schnauben ['ʃnaubən] **I.** *itr* **1.** *(Pferd)* sbuffare; **2.** *(vor Wut, etc.)* fremere; **II.** *rfl:* **sich** *(dat)* **die Nase** ~ soffiarsi il naso.
schnaufen ['ʃnaufən] *itr* **1.** *(schwer atmen)* ansimare; **2.** *dial (atmen)* respirare.
Schnauze ['ʃnautsə] ⟨-, -n⟩ *f (Tier~, a. fig: Flugzeug~, Fahrzeug~)* muso *m; vulg (von Mensch)* grugno *m;* **die ~ voll haben** *vulg* averne piene le tasche *vulg;* **frei (nach)** ~ *fam* a naso *fam.*
schnauzen *itr fam* gridare, inveire.
Schnecke ['ʃnɛkə] ⟨-, -n⟩ *f* **1.** *(Nackt~, gastr, fig)* lumaca *f; (mit Haus, anat)* chiocciola *f;* **jdn zur ~ machen** *fam* sgridare qu. **Schneckenhaus** *n* guscio *m* della chiocciola. **Schneckentempo** *n:* **im** ~ a passo *m* di lumaca (*o* di tartaruga.
Schnee [ʃne:] ⟨-s, ø⟩ *m* neve *f;* ~ **von gestern** *fig* acqua passata; **zu ~ schlagen** *gastr* montare a neve. **Schneeball** *m* **1.** *(aus Schnee)* palla *f* di neve; **2.** *bot* viburno *m.* **Schneeballeffekt** *m* reazione *f* a catena. **Schneeballschlacht** *f* battaglia *f* a palle di neve. **Schneebesen** *m* frusta *f.* **schneeblind** *adj* sofferente di oftalmia da neve. **Schneefall** *m* nevicata *f.* **Schneeflocke** *f* fiocco *m* di neve. **Schneefräse** ⟨-, -n⟩ *f* sgombraneve *f* (a fresa). **schneefrei** *adj* sgomberato da neve, libero dalla neve. **Schneegestöber** [-gəʃtø:bɐ] ⟨-s, -⟩ *n* bufera *f* di neve. **Schneeglöckchen** [-glœkçən] ⟨-s, -⟩ *n* bucaneve *m.* **Schneegrenze** *f* limite *m* delle nevi perenni. **Schneekanone** *f* cannone *m* da neve (*o* per la neve artificiale). **Schneekette** *f* catena *f* da neve. **Schneemann** *m* pupazzo *m* di neve. **Schneematsch** *m* poltiglia *f* (*o* fanghiglia *f*) di neve. **Schneemobil** ⟨-s, -e⟩ *n* gatto *m* delle nevi. **Schneepflug** *m* spazzaneve *m.* **Schneeschmelze** *f* (periodo *m* del) disgelo *m.* **schneesicher** *adj* a innevamento sicuro. **Schneesturm** *m* bufera *f* (*o* tempesta *f*) di neve. **Schneetreiben** *s.* **Schneegestöber. Schneeverhältnisse** *n pl* stato *m* di innevamento. **Schneewehe** *f* duna *f* di neve. **schneeweiß** *adj* bianco come la neve. **Schneewittchen** [-'vɪtçən] ⟨-, ø⟩ *n* Biancaneve *f.*
Schneid [ʃnait] ⟨-(e)s, ø⟩ *m dial fam* coraggio *m,* fegato *m.*
Schneide ['ʃnaidə] ⟨-, -n⟩ *f* filo *m; (Klinge)* lama *f.*
schneiden ⟨schneidet, schnitt, geschnitten⟩ **I.** *tr* **1.** *allg.* tagliare; **2.** *(kreuzen)* incrociare; *mat (Linie, Kreis)* intersecare; **3.** *fig (meiden)* ignorare, snobbare; **Grimassen** ~ fare smorfie; **die Luft ist zum S~** *fam* l'aria è pesante; **II.** *itr* **1.** *(Messer)* essere affilato; **2.** *fig (Kälte, bei Operation)* tagliare; **III.** *rfl:* **sich** ~ **1.** *(verletzen)* tagliarsi, farsi un taglio; **2.** *(sich kreuzen)* incrociarsi; *mat (Linien)* intersecarsi; **3.** *fam (sich irren)* sbagliarsi. **schneidend** *adj (Wind, Kälte)* pungente; *(Schmerz)* lancinante; *(Hohn, Bemerkung)* mordace, caustico; *(Stimme, Ton)* acuto.
Schneider(in) ⟨-s, -⟩ *m(f)* sarto, -a *m, f.*
Schneiderei [ʃnaidə'rai] ⟨-, -en⟩ *f* sartoria *f.*
schneidern *tr* cucire, confezionare.
Schneidezahn *m* (dente *m*) incisivo *m.*
schneidig *adj* risoluto, deciso, energico.
schneien ['ʃnaiən] *itr unpers:* **es schneit** nevica.
Schneise ['ʃnaizə] ⟨-, -n⟩ *f* **1.** *(Wald~)* pista *f* tagliata nel bosco; **2.** *(Flug~)* corridoio *m* aereo.
schnell [ʃnɛl] *adj* veloce, rapido; *(flink, fix)* pronto, svelto; **möglichst ~, so ~ wie möglich, auf dem ~sten Weg** il più presto possibile; ~, ~! presto, presto! **Schnelldrucker** *m* stampante *f* rapida.
Schnelle ⟨-, -n⟩ *f:* **auf die** ~ *fam* di corsa, di volata.
schnellebig *adj* febbrile.
schnellen *itr* ⟨*sein*⟩ balzare; *(Feder)* scattare.
Schnellgericht *n jur* tribunale *m* per direttissima. **Schnellhefter** ⟨-s, -⟩ *m* classificatore *m,* cartella *f.*
Schnelligkeit ⟨-, ø⟩ *f* velocità *f,* rapidità *f.*
Schnellimbiß *m* snack-bar *m.* **Schnellkochtopf** *m* pentola *f* a pressione. **Schnellreinigung** *f* lavaggio *m* rapido.
schnellstens *adv* al più presto; *(möglichst schnell)* quanto prima.
Schnellstraße *f* superstrada *f.* **Schnellverfahren** *n* **1.** *tec* procedimento *m* rapido; **2.** *jur* procedimento *m* per direttissima. **Schnellzug** *m* (treno *m*) direttissimo *m.*
Schnepfe ['ʃnɛpfə] ⟨-, -n⟩ *f* beccaccia *f.*
schneuzen ['ʃnɔytsən] *rfl:* **sich** ~ soffiarsi il naso.
schnippeln ['ʃnɪpəln] *itr fam* tagliuzzare (*an etw. (dat)* qc).
schnippisch ['ʃnɪpɪʃ] *adj* sfacciatello, impertinente.
Schnipsel ['ʃnɪpsəl] ⟨-s, -⟩ *m o n fam* ritaglio *m,* pezzetto *m.*
schnitt [ʃnɪt] *imp von* **schneiden.**
Schnitt ⟨-(e)s, -e⟩ *m* taglio *m; (Öffnung)* intaglio *m;* **im** ~ *(im Durch~)* in media. **Schnittblumen** *f pl* fiori *m pl* da taglio.
Schnitte ⟨-, -n⟩ *f (Scheibe)* fetta *f; (von Fisch, Fleisch)* trancia *f; (belegtes Brot)* tartina *f.*
Schnittfläche *f* superficie *f* di taglio; *mat* sezione *f.*
schnittig *adj (Sportwagen)* slanciato; *(Tempo)* veloce.
Schnittlauch *m* erba *f* cipollina. **Schnittmenge** *f math* intersezione *f.* **Schnittmuster** *n* cartamodello *m.* **Schnittpunkt** *m mat* punto *m* d'intersezione; *(von*

Straßen, Strecken) (punto *m* d')incrocio *m.* **Schnittstelle** *f (a. inform)* interfaccia *f.* **Schnittwunde** ferita *f* da taglio.
Schnitzel[1] ['ʃnɪtsəl] ⟨-s, -⟩ *n gastr* fettina *f*, scaloppina *f.*
Schnitzel[2] ['ʃnɪtsəl] ⟨-s, -⟩ *n o m (Papier~)* ritaglio *m*, pezzetto *m.*
schnitzen ['ʃnɪtsən] *tr, itr* intagliare.
Schnitzer ⟨-s, -⟩ *m fam (Fehler)* strafalcione *m; (im Benehmen)* sbaglio *m.*
Schnitzer(in) ⟨-s, -⟩ *m(f) (Holz~)* intagliatore, -trice *m, f.*
Schnitzerei [ʃnɪtsə'rai] ⟨-, -en⟩ *f* intaglio *m.*
schnodd(e)rig ['ʃnɔd(ə)rɪç] *adj fam* irrispettoso, incivile.
Schnorchel ['ʃnɔrçəl] ⟨-s, -⟩ *m* snorkel *m*, respiratore *m* di superficie.
Schnörkel ['ʃnœrkəl] ⟨-s, -⟩ *m arch* arabesco *m; (in Schrift, a. fig)* svolazzo *m.*
schnorren ['ʃnɔrən] *fam* **I.** *itr* scroccare (*bei jdm* qu); **II.** *tr* scroccare (*bei jdm* a qu). **Schnorrer(in)** ['ʃnɔrɐ (...ərɪn)] ⟨-s, -⟩ *m(f) fam (Schmarotzer)* mantenuto, -a *m, f*, mangiaufo *mf.*
schnüffeln ['ʃnʏfəln] *itr* **1.** *(riechen)* fiutare (*an etw. (dat)* qc), annusare (*an etw. (dat)* qc); **2.** *fam pej (spionieren)* curiosare; *(als Spitzel)* fare la spia.
Schnuller ['ʃnʊlɐ] ⟨-s, -⟩ *m* succhiotto *m.*
Schnulze ['ʃnʊltsə] ⟨-, -n⟩ *f pej* **1.** *mus* canzonetta *f;* **2.** *theat* commedia *f* sdolcinata.
schnupfen ['ʃnʊpfən] **I.** *itr* fiutare tabacco, tabaccare; **II.** *tr* fiutare. **Schnupfen** ⟨-s, -⟩ *m* raffreddore *m;* **einen ~ bekommen** prendere il raffreddore.
Schnupftabak *m* tabacco *m* da fiuto.
schnuppe ['ʃnʊpə] *adj:* **das ist mir ~** *fam* non m'importa.
schnuppern ['ʃnʊpɐn] *itr* annusare (*an etw. (dat)* qc), fiutare (*an etw. (dat)* qc).
Schnur [ʃnu:ɐ̯] ⟨-, Schnüre⟩ *f* spago *m; (Kordel)* cordoncino *m; el* cordone *m*, filo *m.*
Schnürchen ['ʃny:ɐ̯çən] ⟨-s, -⟩ *n:* **das geht (***o* **klappt) wie am ~** *fam* corre liscio.
schnüren ['ʃny:rən] *tr (Schuhe)* allacciare; *(Paket)* legare; *(ein~)* stringere.
schnurgerade ['ʃnu:ɐ̯gə'ra:də] *adj* rettilineo, diritto. **schnurlos** *adj:* **~es Telefon** cordless *m.*
Schnurrbart *m* baffi *m pl.*
schnurren ['ʃnʊrən] *itr* fare le fusa.
Schnürsenkel [-zɛŋkəl] ⟨-s, -⟩ *m* laccio *m* da scarpe, stringa *f* per scarpe. **Schnürstiefel** *m* stivale *m* con lacci.
schnurstracks ['ʃnu:ɐ̯'ʃtraks] *adv fam* difilato.
Schnute ['ʃnu:tə] ⟨-, -n⟩ *f fam (Mund)* muso *m fam; (Schmollmund a.)* broncio *m.*
schob [ʃo:p] *imp von* **schieben.**
Schock [ʃɔk] ⟨-(e)s, -s⟩ *m* choc *m.*
schockieren [ʃɔ'ki:rən] ⟨*ohne ge-*⟩ *tr* scioccare, scandalizzare.
Schöffe ['ʃœfə] ⟨-n, -n⟩ *m*, **Schöffin** ['ʃœfɪn] *f* giurato, -a *m, f.* **Schöffengericht** *n* giuria *f.*
Schokolade [ʃoko'la:də] ⟨-, -n⟩ *f* cioccolato *m; (Getränk, Tafel, Riegel)* cioccolata *f.* **Schoko(laden)riegel** *m* stecca *f* di cioccolata.
Scholle[1] ['ʃɔlə] ⟨-, -n⟩ *f (Erd~)* zolla *f; (Eis~)* lastra *f* (*o* lastrone *m*) di ghiaccio; *fig poet (Erde)* terra *f.*
Scholle[2] ['ʃɔlə] ⟨-, -n⟩ *f (Fisch)* passera *f* di mare, pianuzza *f.*
schon [ʃo:n] *adv* **1.** *(zeitlich, örtlich)* già; **2.** *(mit nachfolgender Zeitbestimmung)* fin da; **3.** *(gewiß, doch, wohl)* certamente, senz'altro; **~ jetzt** fin d'ora; **~ oft** più volte; **~ wieder** di nuovo; **(das) ~, aber ...** certo, ma ...; **ich weiß ~** lo so, lo so; **wenn ich das ~ höre** solo a sentirlo; **(allein) ~ aus Rücksicht auf ...** se non altro per riguardo a ...; **~ gut!** va bene, basta così.
schön [ʃø:n] **I.** *adj* bello; **das wäre (ja) noch ~er!** sarebbe il colmo!; **da haben Sie was S~es angerichtet!** l'ha combinata bella! *fam;* **~e Grüße** tanti (*o* cordiali) saluti; **~es Wochenende!** buon fine settimana!; **II.** *adv* bene; *fam (ziemlich)* abbastanza; **das werde ich ~ sein lassen** *fam* me ne guarderò bene; **bitte ~!** prego!; **danke ~!, ~en Dank!** tante (*o* mille) grazie!; **III.** *interj* bene, bravo; *(einverstanden)* d'accordo.
schonen ['ʃo:nən] **I.** *tr (Mensch, Nerven)* risparmiare; *(Gesundheit, Herz)* aver riguardo di, badare a; *(Gegenstand, Kleidung)* avere cura di; *(Gefühle)* aver riguardo di; **II.** *rfl:* **sich ~** risparmiarsi, riguardarsi. **schonend I.** *adj* delicato; **II.** *adv* con riguardo.
Schongang *m (von Waschmaschine)* programma *m* per capi delicati.
schöngeistig *adj (Mensch)* amante delle belle lettere; **~e Literatur** belle lettere *f pl.*
Schönheit ⟨-, -en⟩ *f* bellezza *f.* **Schönheitschirurgie** *f* chirurgia *f* estetica. **Schönheitsfarm** *f* beauty farm *f.* **Schönheitsfehler** *f* difetto *m* estetico; *(fig a.)* imperfezione *f.* **Schönheitskönigin** *f* reginetta *f.* **Schönheitsoperation** *f* operazione *f* di chirurgia estetica.
Schonkost *f* dieta *f* (leggera).
Schönling ['ʃø:nlɪŋ] ⟨-s, -e⟩ *m pej* bellimbusto *m.*
schön·machen *rfl:* **sich ~** farsi bello. **Schönschrift** *f* bella scrittura *f*, calligrafia *f; fam (Reinschrift)* bella copia *f.*
Schonung ⟨-, -en⟩ *f* **1.** ⟨*sing*⟩ attenzione *f*, riguardo *m; (Nachsicht)* indulgenza *f;* **2.** *(Wald)* bosco *m* di riserva. **schonungslos** *adj (Behandlung)* senza riguardo; *(Kritik)* spietato.

Schonzeit *f* periodo *m* di divieto di caccia.
Schopf [ʃɔpf] ⟨-(e)s, Schöpfe⟩ *m* ciuffo *m;* **die Gelegenheit beim ~ ergreifen** cogliere la palla al balzo.
schöpfen ['ʃœpfən] *tr* **1.** *(Wasser)* attingere; *(Suppe)* versare con un mestolo; **2.** *(Mut)* farsi; *(Hoffnung)* riacquistare; *(Kraft)* riprendere; **3.** *(erschaffen)* creare; **Verdacht ~** insospettirsi.
Schöpfer(in) ⟨-s, -⟩ *m(f)* creatore, -trice *m, f.* **schöpferisch** *adj* creativo.
Schöpfkelle *f,* **-löffel** *m* ramaiolo *m,* mestolo *m.*
Schöpfung ⟨-, -en⟩ *f* creazione *f.* **Schöpfungsgeschichte** *f (in Bibel)* genesi *f.*
Schoppen ['ʃɔpən] ⟨-s, -⟩ *dial m* quartino *m,* mezzetta *f.*
schor [ʃo:ɐ] *imp von* **scheren.**
Schorf [ʃɔrf] ⟨-(e)s, -e⟩ *m* crosta *f.*
Schorle ['ʃɔrlə] ⟨-, -n⟩ *f o n* vino *m* (*o* succo *m* di mele) allungato con acqua minerale (*o* selz).
Schornstein ['ʃɔrn-] *m* comignolo *m; (von Fabrik, Schiff)* fumaiolo *m,* ciminiera *f.* **Schornsteinfeger(in)** ⟨-s, -⟩ *m(f),* **-kehrer(in)** ⟨-s, -⟩ *m(f)* (donna *f*) spazzacamino *m.*
schoß [ʃɔs] *imp von* **schießen.**
Schoß [ʃo:s] ⟨-es, Schöße⟩ *m* **1.** *anat* grembo *m;* **2.** *fig (von Familie, etc.)* seno *m;* **3.** *(Rock~)* falda *f;* **auf jds ~** sulle ginocchia di qu; **in den ~ fallen** *fig* piovere dal cielo. **Schoßhund** *m* cane *m* da salotto.
Schößling ['ʃœslɪŋ] ⟨-s, -e⟩ *m* germoglio *m,* rampollo *m.*
Schote ['ʃo:tə] ⟨-, -n⟩ *f* baccello *m.*
Schotte ['ʃɔtə] ⟨-n, -n⟩ *m,* **Schottin** ['ʃɔtɪn] *f* scozzese *mf.*
Schotter ['ʃɔtɐ] ⟨-s, -⟩ *m* ghiaia *f,* pietrisco *m.*
schottisch *adj* scozzese.
Schottland ['ʃɔtlant] *n* Scozia *f.*
schraffieren [ʃra'fi:rən] ⟨*ohne ge-*⟩ *tr* tratteggiare.
Schraffierung ⟨-, -en⟩ *f,* **Schraffur** [...'fu:ɐ] ⟨-, -en⟩ *f* tratteggio *m,* tratteggiatura *f.*
schräg [ʃrɛ:k] *adj (schief)* obliquo, sbieco; *(geneigt)* inclinato; *(quer laufend)* diagonale; **jdn ~ ansehen** guardare qu di sbieco; **~ gegenüber** dall'altra parte in linea diagonale. **Schrägheck** *n mot* automobile *f* monovolume, monovolume *f.* **Schrägstreifen** *m* striscia *f* trasversale. **Schrägstrich** *m* barra *f.*
Schramme ['ʃramə] ⟨-, -n⟩ *f* scalfittura *f,* graffio *m,* graffiatura *f.*
schrammen *tr* scalfire, graffiare.
Schrank [ʃraŋk] ⟨-(e)s, Schränke⟩ *m* armadio *m; (Kleider~)* guardaroba *m; (Geschirr~)* credenza *f.*
Schranke ['ʃraŋkə] ⟨-, -n⟩ *f* barriera *f; (Gerichts~)* (s)barra *f.* **Schrankenwärter(in)** *m(f)* guardabarriere *mf.*
Schrankwand *f* parete *f* di armadi a muro.
Schraubdeckel *m* coperchio *m* a vite.
Schraube ['ʃraubə] ⟨-, -n⟩ *f* vite *f; naut* elica *f;* **bei ihm ist eine ~ locker** *fam* gli manca qualche rotella *fam* (*o* venerdì *fam*).
schrauben *tr* avvitare.
Schraubenschlüssel *m* chiave *f* per dadi. **Schraubenzieher** ⟨-s, -⟩ *m* cacciavite *m.*
Schraubstock *m* morsa *f* (da banco). **Schraubverschluß** *m* chiusura *f* a vite.
Schrebergarten ['ʃre:bɐ-] *m orto familiare (fuori dall'agglomerato urbano).*
Schreck [ʃrɛk] ⟨-(e)s, -e⟩ *m* spavento *m,* sgomento *m;* **ach du (mein) ~!** *fam* Dio mio! *fam.*
schrecken I. *tr* ⟨*haben*⟩ *(ängstigen)* spaventare; *(aus Schlaf, etc.)* svegliare; **II.** *itr* ⟨*sein*⟩: **aus dem Schlaf ~** svegliarsi di soprassalto.
Schrecken ⟨-s, -⟩ *m* **1.** *(Erschrecken)* spavento *m;* **2.** ⟨*meist pl*⟩ *(des Krieges, etc.)* orrori *m pl;* **3.** *(Entsetzen)* terrore *m.*
schreckenerregend *adj* spaventoso, terrificante. **Schreckensnachricht** *f* annuncio *m* terrificante.
Schreckgespenst *n* **1.** *(Person)* spauracchio *m;* **2.** *(Gefahr)* spettro *m.*
schreckhaft *adj* pauroso.
schrecklich *adj* terribile, spaventoso; *(Anblick)* orribile; *(Verbrechen)* atroce.
Schreckschuß *m* colpo *m* sparato in aria.
Schrei [ʃrai] ⟨-(e)s, -e⟩ *m* grido *m,* urlo *m;* **der letzte ~** *fig fam* l'ultimo grido.
Schreibblock ⟨-(e)s, -s⟩ *m* taccuino *m,* bloc-notes *m.* **Schreibdichte** *f (von Diskette):* **doppelte/hohe ~** bassa/alta densità.
Schreibe ['ʃraibə] ⟨-, -n⟩ *f fam (Schreibstil)* scritto *m.*
schreiben ['ʃraibən] ⟨schreibt, schrieb, geschrieben⟩ *tr, itr* scrivere. **Schreiben** ⟨-s, -⟩ *n (oft adm) (Brief)* lettera *f; (Schriftstück)* scritto *m.*
Schreiber(in) ⟨-s, -⟩ *m(f) (Verfasser)* scrittore, -trice *m, f,* autore, -trice *m, f; (Brief~)* corrispondente *mf.*
schreibfaul *adj* pigro nello scrivere lettere, che scrive poco. **Schreibfehler** *m* errore *m* ortografico (*o* di scrittura). **Schreibkraft** *f* stenodattilografo, -a *m, f.* **Schreibmaschine** *f* macchina *f* da scrivere. **Schreibtisch** *m* scrivania *f; inform* scrivania *f* elettronica.
Schreibung ⟨-, -en⟩ *f* grafia *f.*
Schreibwarenhändler(in) *m(f)* cartolaio, -a *m, f.* **Schreibwarenhandlung** *f* cartoleria *f.* **Schreibzeug** ⟨-(e)s, -e⟩ *n* occorrente *m* per scrivere.
schreien ['ʃraiən] ⟨schreit, schrie, geschrie(e)n⟩ *tr, itr* gridare; *(brüllen, auf~)* urlare; *(rufen)* chiamare; *(laut reden)* parlare forte, gridare; *(weinen:*

Kind) piangere, strillare; *(Hahn)* cantare; **zum S~ (komisch) sein** *fam* essere da sbellicarsi dalle risate. **schreiend** *adj* urlante; *fig (Farbe)* stridente; **eine ~e Ungerechtigkeit** un'ingiustizia che grida vendetta.

Schreihals *m fam* sbraitone *m fam.*

Schreiner(in) ['ʃraine (...ərɪn)] ⟨-s, -⟩ *m(f)* (donna *f*) falegname *m.*

Schreinerei [ʃrainə'rai] ⟨-, -en⟩ *f* falegnameria *f.*

schreinern I. *itr* fare lavori di falegnameria; **II.** *tr* fare.

schreiten ['ʃraitən] ⟨schreitet, schritt, geschritten⟩ *itr* ⟨*sein*⟩ *geh* camminare, marciare; *(würdevoll)* incedere.

schrie [ʃri:] *imp von* **schreien.**

schrieb [ʃri:p] *imp von* **schreiben.**

Schrift [ʃrɪft] ⟨-, -en⟩ *f* scrittura *f; (Auf~)* scritta *f; (Gedrucktes)* scritto *m; (Abhandlung)* atto *m,* trattato *m.* **Schriftdeutsch** *n* tedesco *m* letterario (*o* scritto); *(nicht Dialekt)* buon tedesco *m.* **Schriftführer(in)** *m(f)* segretario, -a *m, f,* protocollista *mf.* **schriftlich I.** *adj* scritto; **II.** *adv* per iscritto. **Schriftsteller(in)** ⟨-s, -⟩ *m(f)* scrittore, -trice *m, f.* **Schriftstück** *n* scritto *m; adm* documento *m.* **Schriftverkehr** *m* corrispondenza *f,* carteggio *m,* epistolario *m.*

schrill [ʃrɪl] *adj* stridulo, stridente.

schritt *imp von* **schreiten.**

Schritt [ʃrɪt] ⟨-(e)s, -e⟩ *m* **1.** *allg., fig* passo *m;* **2.** *(von Hose)* cavallo *m;* **(im) ~ fahren/reiten** andare al passo; **mit jdm/etw. ~ halten** *fig* andare di pari passo con qu/andare al passo con qc; **auf ~ und Tritt** dappertutto; **~ für ~** passo (per) passo; *fig* gradatamente, gradualmente. **Schrittempo** *n:* **im ~ fahren** andare a passo d'uomo. **Schrittmacher** ⟨-s, -⟩ *m* **1.** *sport, fig* battistrada *m;* **2.** *med* pacemaker *m.* **schrittweise** *adv* passo passo; *fig (allmählich)* gradatamente, gradualmente.

schroff [ʃrɔf] *adj* **1.** *(steil)* erto, ripido; *(jäh abfallend)* dirupato, scosceso; **2.** *fig* brusco.

schröpfen ['ʃrœpfən] *tr fig* salassare.

Schrot [ʃro:t] ⟨-(e)s, -e⟩ *m o n* **1.** *(Getreide~)* cruschello *m;* **2.** *(Flinten~)* pallini *m pl;* **von altem ~ und Korn** di vecchio stampo.

schroten *tr* tritare, macinare.

Schrott [ʃrɔt] ⟨-(e)s, ø⟩ *m* rottami *m pl* metallici (*o* di ferro); **ein Auto zu ~ fahren** distruggere una macchina in un incidente. **Schrotthändler(in)** *m(f)* negoziante *mf* di ferraglia. **Schrottplatz** *m* parco *m* rottami. **schrottreif** *adj* pronto per essere demolito.

schrubben ['ʃrʊbən] *tr* strofinare, (s)fregare. **Schrubber** ⟨-s, -⟩ *m* spazzolone *m.*

Schrulle ['ʃrʊlə] ⟨-, -n⟩ *f (Marotte)* grillo *m fam.* **schrullig** *adj* stravagante, bizzarro.

schrumpfen ['ʃrʊmpfən] *itr* ⟨*sein*⟩ **1.** *(Gewebe)* (r)aggrinzare, restringersi; **2.** *fig (Vorrat, etc.)* assottigliarsi, ridursi.

Schrumpfung ⟨-, -en⟩ *f* **1.** *(von Gewebe, etc.)* restringimento *m,* ritiro *m;* **2.** *fig* riduzione *f,* diminuzione *f.*

Schub [ʃu:p] ⟨-(e)s, Schübe⟩ *m* **1.** *(Stoß, a. phys)* spinta *f;* **2.** *(Gruppe)* gruppo *m; (Anzahl)* quantità *f.* **Schubkarre(n** *m*) *f* carriola *f.* **Schublade** [-la:də] ⟨-, -n⟩ *f* cassetto *m.*

Schubs [ʃu:ps] ⟨-es, -e⟩ *m fam* spintarella *f fam.*

schüchtern ['ʃʏçtɐn] *adj* timido. **Schüchternheit** ⟨-, ø⟩ *f* timidezza *f.*

schuf [ʃu:f] *imp von* **schaffen**[1].

Schuft [ʃʊft] ⟨-(e)s, -e⟩ *m pej* furfante *m.*

schuften ['ʃʊftən] *itr fam* sfacchinare, sgobbare *fam.*

Schufterei [...ə'rai] ⟨-, -en⟩ *f fam* sfacchinata *f,* sgobbata *f fam.*

Schuh [ʃu:] ⟨-(e)s, -e⟩ *m* scarpa *f;* **jdm etw. in die ~e schieben** *fig fam* gettare la colpa di qc addosso a qu. **Schuhanzieher** ⟨-s, -⟩ *m* calzascarpe *m.* **Schuhband** ⟨-(e)s, -bänder⟩ *n* laccio *m,* stringa *f.* **Schuhcreme** *f* lucido *m* da scarpe. **Schuhgeschäft** *n* negozio *m* di calzature (*o* di scarpe). **Schuhgröße** *f* numero *m* di scarpe; **~ 40 haben** portare il 40 di scarpe; **welche ~ haben Sie?** che numero di scarpe porta?. **Schuhlöffel** *m* calzascarpe *m.* **Schuhmacher(in)** *m(f)* calzolaio, -a *m, f.* **Schuhnummer** *s.* **Schuhgröße. Schuhputzer(in)** ⟨-s, -⟩ *m(f)* lustrascarpe *mf.* **Schuhputzmittel** *n* crema *f* per calzature, lucido *m* da scarpe. **Schuhsohle** *f* suola *f* (della scarpa). **Schuhspanner** *m* forma *f* per scarpe, tendiscarpe *m.*

Schukostecker® ['ʃu:ko-] *m* spina *f* con messa a terra.

Schulalter *n* età *f* scolare. **Schularbeiten** *f pl (Hausaufgaben)* compiti *m pl* (per casa). **Schulbank** ⟨-, -bänke⟩ *f* banco *m* di scuola; **die ~ drücken** *fam* andare a scuola. **Schulbeginn** *m (morgens)* inizio *m* delle lezioni; *(Schuljahresbeginn)* inizio *m* dell'anno scolastico; *(nach Ferien)* rientro *m* a scuola. **Schulbesuch** *m* frequenza *f* scolastica. **Schulbildung** *f* istruzione *f* scolastica. **Schulbuch** *n* libro *m* scolastico (*o* di testo).

Schuld [ʃʊlt] ⟨-, -en⟩ *f* **1.** ⟨*sing*⟩ *(Fehler)* colpa *f;* **2.** *fin* debito *m;* **an etw.** *(dat)* **s~ sein** avere la colpa di qc; **das ist meine ~, ich bin (*o* habe) s~** è colpa mia. **schuldbewußt** *adj* conscio (*o* consapevole) della propria colpa.

schulden ['ʃʊldən] *tr:* **jdm etw. ~** dovere qc a qu, essere debitore di qc a qu.

Schuldgefühl *n* senso *m* di colpa; **bei jdm ~e wecken** colpevolizzare qu, caricare qu di sensi di colpa.

schuldhaft *adj* colpevole.
schuldig *adj* **1.** *(schuldhaft, jur)* colpevole (*an +dat* di); **2.** *(verpflichtet, verschuldet)* debitore; **3.** *(gebührend)* dovuto; **jdm etw. ~ sein** *(a. fig)* dovere qc a qu; **die Antwort ~ bleiben** dovere una risposta; **die Antwort nicht ~ bleiben** aver la risposta pronta. **Schuldige** ⟨ein -r, -n, -n⟩ *mf* colpevole *mf.* **Schuldigkeit** ⟨-, ø⟩ *f* dovere *m,* obbligo *m.*
schuldlos *adj* senza colpa (*an +dat* di, per). **Schuldlosigkeit** ⟨-, ø⟩ *f* innocenza *f.*
Schuldner(in) ['ʃʊldnɐ (...ərɪn)] ⟨-s, -⟩ *m(f)* debitore, -trice *m, f.* **Schuldnerstaat** *m* stato *m* debitore.
Schuldschein *m* titolo *m* di credito. **Schuldspruch** *m* verdetto *m* di colpevolezza. **Schuldzuweisung** *f* accusa *f,* imputazione *f.*
Schule ['ʃu:lə] ⟨-, -n⟩ *f* scuola *f;* **~ haben** aver lezione; **~ machen** fare scuola; **zur ~ gehen** andare a scuola.
schulen *tr (ausbilden)* formare; *(Sinne, etc.)* educare.
Schüler(in) ['ʃy:lɐ (...ərɪn)] ⟨-s, -⟩ *m(f)* allievo, -a *m, f; (bes. im schulpflichtigen Alter)* scolaro, -a *m, f,* alunno, -a *m, f; (an höheren Schulen)* studente, -essa *m, f; fig (Anhänger)* discepolo, -a *m, f.* **Schüleraustausch** *m* scambio *m* di studenti. **Schülerlotse** *m,* **-lotsin** *f* allievo, -a *m, f* che dirige il traffico davanti alla scuola. **Schülermitverwaltung** *f* (*abk* **SMV**) partecipazione *f* degli scolari ai consigli scolastici. **Schülerschaft** ⟨-, -en⟩ *f* scolaresca *f.* **Schülerzeitung** *f* giornale *m* studentesco.
Schulfach *n* materia *f* scolastica (*o* d'insegnamento). **Schulferien** ⟨*pl*⟩ vacanze *f pl* scolastiche. **schulfrei** *adj:* **~er Tag** giorno di vacanza; **~ haben** avere vacanza. **Schulfreund(in)** *m(f)* compagno, -a *m, f* di scuola. **Schulfunk** *m* radio *f* scuola. **Schulgeld** *n* tassa *f* scolastica. **Schulheft** *n* quaderno *m* di scuola. **Schulhof** *m* cortile *m* della scuola.
schulisch *adj* scolastico.
Schuljahr *n* anno *m* scolastico. **Schulkamerad(in)** *m(f)* compagno, -a *m, f* di scuola. **Schulklasse** *f* classe *f; (Klassenzimmer a.)* aula *f.* **Schulleiter(in)** *m(f)* direttore, -trice *m, f* di scuola; *(an höheren Schulen)* preside *mf.* **Schulmedizin** *f* medicina *f* classica (*o* scolastica). **schulmeisterlich** *adj pej* professorale, cattedratico. **Schulpflicht** *f* istruzione *f* obbligatoria, obbligo *m* scolastico. **schulpflichtig** *adj:* **im ~en Alter** in età scolare. **Schulrat** *m,* **-rätin** *f* ispettore, -trice *m, f* scolastico, -a. **Schulschiff** *n* nave-scuola *f.* **Schulstreß** *m* stress *m* da surmenage scolastico. **Schulstunde** *f* (ora *f* di) lezione *f.* **Schultasche** *f* cartella *f.*
Schulter ['ʃʊltɐ] ⟨-, -n⟩ *f* spalla *f;* **jdm die kalte ~ zeigen** trattare qu con indifferenza (*o* freddezza); **etw. auf die leichte ~ nehmen** prendere qc alla leggera; **~ an ~** spalla a spalla. **Schulterblatt** *n* scapola *f.*
schultern *tr* mettere in spalla.
Schulterschluß *m* alleanza *f,* accordo *m,* intesa *f.*
Schulung ⟨-, -en⟩ *f* **1.** *(Ausbildung)* formazione *f; (von Stimme, etc.)* educazione *f;* **2.** *(Lehrgang)* corso *m* d'istruzione (*o* d'addestramento).
Schulunterricht *m* insegnamento *m* scolastico. **Schulzeit** *f* anni *m pl* di scuola. **Schulzeugnis** *n* pagella *f* scolastica.
schummeln ['ʃʊməln] *itr fam (beim Spiel)* barare; *(in Schule)* copiare.
schumm(e)rig ['ʃʊm(ə)rɪç] *adj* crepuscolare.
schund [ʃʊnt] *imp von* **schinden.**
Schund [ʃʊnt] ⟨-(e)s, ø⟩ *m* robaccia *f,* ciarpame *m.*
schunkeln ['ʃʊŋkəln] *itr* dondolarsi tenendosi sottobraccio.
Schuppe ['ʃʊpə] ⟨-, -n⟩ *f* **1.** *zoo* scaglia *f; (a. Haut~)* squama *f;* **2.** *(Kopf~)* forfora *f;* **es fiel mir wie ~n von den Augen** mi cadde la benda dagli occhi.
schuppen **I.** *tr* squamare; **II.** *rfl:* **sich ~** squamarsi.
Schuppen ['ʃʊpən] ⟨-s, -⟩ *m* capannone *m,* rimessa *f.*
schuppig *adj (Haut)* squamoso, scaglioso; *(Haar)* pieno di forfora.
Schur [ʃu:ɐ̯] ⟨-, -en⟩ *f* tosatura *f.*
schüren ['ʃy:rən] *tr (a. fig)* attizzare.
schürfen ['ʃʏrfən] **I.** *tr* **1.** *(Haut)* scalfire; **2.** *(Bodenschätze)* scavare (per estrarre); **II.** *rfl:* **sich ~** scalfirsi; **III.** *itr* esplorare il terreno (*nach* alla ricerca di).
Schürfung ⟨-, -en⟩ *f* **1.** *(Verletzung)* scalfittura *f;* **2.** *min* ricerca *f* di minerali, prospezione *f.*
Schürhaken *m* attizzatoio *m.*
Schurke ['ʃʊrkə] ⟨-n, -n⟩ *m,* **Schurkin** [...kɪn] *f* farabutto, -a *m, f,* scellerato, -a *m, f.*
Schurwolle *f* lana *f* vergine.
Schürze ['ʃʏrtsə] ⟨-, -n⟩ *f* grembiule *m.* **Schürzenjäger** *m fam* donnaiolo *m.*
Schuß [ʃʊs] ⟨Schusses, Schüsse⟩ *m* **1.** *(Gewehr~, etc.)* colpo *m,* tiro *m;* **2.** *sport* tiro *m;* **3.** *(~ Wein, Essig, etc.)* goccio *m;* **4.** *(beim Skilaufen)* schuss *m;* **5.** *(beim Weben)* trama *f;* **6.** *sl (mit Rauschgift)* sballo *m sl;* **gut in ~** *fam* in buono stato; *(Mensch)* in buona salute; **weit vom ~** fuori pericolo (*o* tiro).
Schüssel ['ʃʏsəl] ⟨-, -n⟩ *f* scodella *f,* ciotola *f.*
Schußlinie *f* traiettoria *f.* **Schußwaffe** *f* arma *f* da fuoco. **Schußwunde** *f* ferita *f* d'arma da fuoco.
Schuster ['ʃu:stɐ] ⟨-s, -⟩ *m* calzolaio *m;*

(Flick~) ciabattino *m*.
Schutt [ʃʊt] ⟨-(e)s, ø⟩ *m* macerie *f pl; (Bau~)* calcinacci *m pl*. **Schuttabladeplatz** *m* scarico *m* delle macerie.
Schüttelfrost *m* brividi *m pl* di febbre.
schütteln [ˈʃʏtəln] *tr* scuotere, agitare; *(Hand)* stringere; **vor Gebrauch** ~ agitare prima dell'uso.
schütten [ˈʃʏtən] **I.** *tr* versare; *(aus~ a.)* spargere, spandere; **II.** *itr:* **es schüttet** *fam* piove a dirotto.
schütter [ˈʃʏtɐ] *adj (Haar)* rado.
Schutz [ʃʊts] ⟨-es, ø⟩ *m* protezione *f* (*gegen, vor* contro); *(Zuflucht)* rifugio *m*, riparo *m*, ricovero *m;* **jdn in** ~ **nehmen** prendere le difese di qu; **im** ~**(e) der Nacht (***o* **der Dunkelheit)** col favore delle tenebre. **Schutzanzug** *m* vestito *m* protettivo. **Schutzblech** *n* parafango *m*. **Schutzbrief** *m (für Autofahrer)* carnet *m* di assistenza. **Schutzbrille** *f* occhiali *m pl* protettivi. **Schutzdach** *n* tettoia *f*, pensilina *f*.
Schütze[1] [ˈʃʏtsə] ⟨-n, -n⟩ *m astr* Sagittario *m;* **er/sie ist (ein)** ~ è (del *o* un) Sagittario.
Schütze[2] [ˈʃʏtsə] ⟨-n, -n⟩ *m*, **Schützin** [ˈʃʏtsɪn] *f* tiratore, -trice *m, f*.
schützen [ˈʃʏtsən] **I.** *tr* proteggere (*vor +dat, gegen* da); *(bewahren)* preservare (*vor +dat* da); **II.** *rfl:* **sich** ~ difendersi (*vor +dat* da); *(gegen Schaden, Ansprüche)* salvaguardarsi (*gegen* contro, da).
Schützenfest *n* festa *f* del tiro a segno.
Schutzengel *m* angelo *m* custode.
Schützengraben *m* trincea *f*. **Schützenhilfe** *f fig:* **jdm** ~ **geben** appoggiare qu. **Schützenkönig** *m* vincitore *m* del (primo premio nel) tiro a segno.
Schutzfrist *f* periodo *m* di proprietà riservata. **Schutzgebiet** *n* **1.** *pol* protettorato *m;* **2.** *(Natur~)* parco *m* nazionale. **Schutzgeld** *n* pizzo *m*. **Schutzgitter** *n* griglia *f* di protezione (*o* di sicurezza). **Schutzhaft** *f* fermo *m* precauzionale. **Schutzheilige** *mf* patrono, -a *m, f*. **Schutzhelm** *m* casco *m*. **Schutzimpfung** *f* vaccinazione *f* cautelativa.
Schützin *f s.* **Schütze**[2].
Schützling [ˈʃʏtslɪŋ] ⟨-s, -e⟩ *m* protetto, -a *m, f*.
schutzlos *adj* senza protezione, indifeso. **Schutzmann** ⟨-(e)s, -männer *o* -leute⟩ *m fam* vigile *m*, poliziotto *m*. **Schutzpatron(in)** *m(f)* patrono, -a *m, f*. **Schutzpolizei** *f* polizia *f* di pubblica sicurezza. **Schutzumschlag** *m* copertina *f* salvalibro. **Schutzvorrichtung** *f* meccanismo *m* di sicurezza.
Schwabe [ˈʃva:bə] ⟨-n, -n⟩ *m*, **Schwäbin** [ˈʃvɛ:bɪn] *f* svevo, -a *m, f*. **Schwaben** [ˈʃva:bən] *n* Svevia *f*. **schwäbisch** *adj* svevo.
schwach [ʃvax] ⟨schwächer, schwächste⟩ *adj* debole; *(Hoffnung)* vago; *(Trost)* magro; *(Geste, Nachfrage)* fiacco; *(Licht)* fioco; *(Gesundheit)* gracile, delicato; *(Getränk)* leggero; *(Kaffee)* lungo; *(dürftig: Leistung, etc.)* scarso; ~ **werden** indebolirsi; *fig (der Versuchung erliegen)* cedere.
Schwäche [ˈʃvɛçə] ⟨-, -n⟩ *f* debolezza *f; (Gebrechlichkeit)* fragilità *f; (Vorliebe)* debole *m*. **Schwächeanfall** *m* attacco *m* di debolezza.
schwächen *tr* indebolire; *(entkräften)* spossare, fiaccare.
Schwachheit ⟨-, -en⟩ *f* debolezza *f*. **Schwachkopf** *m fam* imbecille *m*.
schwächlich *adj (schwach)* deboluccio, gracile; *(kränklich)* malaticcio. **Schwächlichkeit** ⟨-, ø⟩ *f* debolezza *f*, gracilità *f; (Kränklichkeit)* cagionevolezza *f*.
Schwächling [ˈʃvɛçlɪŋ] ⟨-s, -e⟩ *m* debole *m*.
Schwachpunkt *m* punto *m* debole. **Schwachsinn** *m* **1.** *med* deficienza *f* mentale, imbecillità *f;* **2.** *fam pej (Blödsinn)* idiozia *f*, scemenza *f*. **schwachsinnig** *adj* **1.** *med* debole di mente, deficiente; **2.** *fam pej* imbecille. **Schwachstelle** *f* punto *m* vulnerabile, lato *m* debole, debolezza *f*. **Schwachstrom** *m* corrente *f* a bassa tensione.
Schwächung ⟨-, -en⟩ *f* indebolimento *m; (Minderung)* diminuzione *f*, attenuazione *f*.
Schwaden [ˈʃva:dən] ⟨-s, -⟩ *m* ⟨*meist pl*⟩ nube *f; (Nebel~)* banco *m*.
schwafeln [ˈʃva:fəln] *tr, itr fam* blaterare.
Schwager [ˈʃva:gɐ] ⟨-s, Schwäger⟩ *m*, **Schwägerin** [ˈʃvɛ:gərɪn] *f* cognato, -a *m, f*.
Schwalbe [ˈʃvalbə] ⟨-, -n⟩ *f* rondine *f*.
Schwall [ʃval] ⟨-(e)s, -e⟩ *m* flusso *m*.
schwamm [ʃvam] *imp von* **schwimmen.**
Schwamm [ʃvam] ⟨-(e)s, Schwämme⟩ *m* **1.** *(Tier, Wasch~)* spugna *f;* **2.** *(süddeutsch: Pilz)* fungo *m;* ~ **drüber!** *fam* non parliamone più.
schwammig *adj* **1.** *(Substanz)* spugnoso; *pej (Leib)* gonfio, tumido, molle; **2.** *(Begriff)* vago.
Schwan [ʃva:n] ⟨-(e)s, Schwäne⟩ *m* cigno *m*.
schwand [ʃvant] *imp von* **schwinden.**
schwang [ʃvaŋ] *imp von* **schwingen.**
schwanger [ˈʃvaŋɐ] *adj* incinta. **Schwangere** ⟨-n, -n⟩ *f* donna *f* incinta, gestante *f*.
schwängern [ˈʃvɛŋɐn] *tr* mettere incinta.
Schwangerschaft ⟨-, -en⟩ *f* gravidanza *f*. **Schwangerschaftsabbruch** *m* aborto *m*, interruzione *f* della gravidanza. **Schwangerschaftsgymnastik** *f* ginnastica *f* prenatale (*o* per gestanti). **Schwangerschaftstest** *m* test *m* di gravidanza. **Schwangerschaftsunterbre-**

chung *f fam* aborto *m,* interruzione *f* della gravidanza.

Schwank [ʃvaŋk] ⟨-(e)s, Schwänke⟩ *m lit* farsa *f.*

schwanken ['ʃvaŋkən] *itr* **1.** ⟨*haben*⟩ *allg.* muoversi (di qua e di là), agitarsi; *(Boot)* dondolare; **2.** ⟨*sein*⟩ *(~d gehen)* barcollare, traballare; **3.** ⟨*haben*⟩ *fig (Preise, Temperatur)* oscillare; **4.** ⟨*haben*⟩ *fig (unentschlossen sein)* essere indeciso; *(zögern)* esitare.

Schwankung ⟨-, -en⟩ *f* oscillazione *f; (von Stimmung)* cambiamento *m.*

Schwanz [ʃvants] ⟨-es, Schwänze⟩ *m* **1.** *allg* coda *f* **2.** *vulg* cazzo *m volg.*

schwänzeln ['ʃvɛntsəln] *itr* **1.** ⟨*haben*⟩ *(Hund)* scodinzolare; **2.** ⟨*haben*⟩ *pej (sich einschmeicheln)* lisciare (*um jdn* qu).

schwänzen ['ʃvɛntsən] *fam* **I.** *tr (Schule)* marinare; **II.** *itr* marinare la scuola.

schwappen ['ʃvapən] *itr* **1.** ⟨*haben*⟩ *(hin und her)* sciabordare; **2.** ⟨*sein*⟩ *(über~)* traboccare.

Schwarm [ʃvarm] ⟨-(e)s, Schwärme⟩ *m* **1.** *(Insekten~)* sciame *m; (Vogel~)* stormo *m; (Fisch~)* banco *m; (Menschen~)* schiera *f,* frotta *f,* folla *f;* **2.** *(Mensch)* passione *f.*

schwärmen ['ʃvɛrmən] *itr* **1.** ⟨*sein*⟩ *(Insekten)* sciamare; *mil* procedere in ordine sparso; **2.** ⟨*haben*⟩ *fig (begeistert sein)* essere entusiasta (*o* appassionato) (*für* di); *(begeistert reden)* parlare con entusiasmo (*von* di).

Schwärmer *m pl zoo* sfingidi *m pl.*

Schwärmer(in) ⟨-s, -⟩ *m(f)* entusiasta *mf,* appassionato, -a *m, f; (Phantast)* sognatore, -trice *m, f; (sentimentaler Mensch)* sentimentale *mf.*

Schwärmerei [ʃvɛrmə'rai] ⟨-, -en⟩ *f (Begeisterung)* entusiasmo *m,* infatuazione *f; (Träumerei)* fantasticheria *f.*

schwärmerisch *adj (begeistert)* entusiasta, entusiastico; *(träumerisch)* sognatore.

Schwarte ['ʃvartə] ⟨-, -n⟩ *f* **1.** *(dicke Haut)* cotenna *f; (Speck~)* cotica *f;* **2.** *fam (altes Buch)* libraccio *m.*

schwarz [ʃvarts] ⟨schwärzer, schwärzeste⟩ *adj* **1.** *allg., fig* nero; *(Gedanken)* malvagio; **2.** *(illegal)* clandestino; **S~es Brett** albo *m;* **das S~e Meer** il Mar Nero; **ins S~e treffen** far centro; *fig* cogliere nel segno; **es wurde mir ~ vor (den) Augen** mi sentii svenire; *s. a. blau.* **Schwarz** ⟨-(es), -⟩ *n* nero *m;* **in ~** *(Trauer)* di nero; *s. a. Blau.* **Schwarzarbeit** *f* lavoro *m* abusivo (*o* nero). **Schwarzbrot** *n* pane *m* nero. **Schwarze** ⟨ein -r, -n, -n⟩ *mf* nero, -a *m, f,* negro, -a *m, f peg.*

Schwärze ['ʃvɛrtsə] ⟨-, -en⟩ *f* nero *m; (Drucker~)* inchiostro *m* (da stampa).

schwärzen *tr* tingere di nero, annerire; *typ* inchiostrare.

schwarz·fahren ⟨*irr*⟩ *itr* ⟨*sein*⟩ viaggiare clandestinamente. **Schwarzfahrer(in)** *m(f)* viaggiatore, -trice *m, f* clandestino, -a. **Schwarzhandel** *m* commercio *m* clandestino. **Schwarzhändler(in)** *m(f)* borsanerista *mf.* **Schwarzmarkt** *m* mercato *m* nero. **schwarz·sehen** ⟨*irr*⟩ *itr* **1.** *(pessimistisch sein)* essere pessimista, vedere tutto nero; **2.** *TV* vedere la televisione abusivamente. **Schwarzsender** *m* emittente *f* clandestina. **Schwarzwald** *m* Foresta *f* (*o* Selva *f*) Nera. **schwarzweiß** ['ʃvarts'vais] *adj* (in) bianco e nero. **Schwarzwurzel** *f* scorzonera *f.*

Schwatz [ʃvats] ⟨-es, -e⟩ *m fam* chiacchierata *f.*

schwatzen *fam* **I.** *itr* chiacchierare; **II.** *tr* dire, raccontare.

Schwätzer(in) ['ʃvɛtsɐ (...ərɪn)] ⟨-s, -⟩ *m(f) fam (Klatschmaul)* chiacchierone, -a *m, f,* pettegolo, -a *m, f; (Schwafler)* chiacchierone, -a *m, f.*

schwatzhaft *adj* chiacchierone, loquace, ciarliero.

Schwebe ['ʃve:bə] ⟨-, ø⟩ *f:* **in der ~** *fig* in sospeso. **Schwebebahn** *f treno che viaggia senza essere a contatto con il suolo; (Drahtseilbahn)* teleferica *f.* **Schwebebalken** *m* asse *f* d'equilibrio.

schweben *itr* **1.** ⟨*sein*⟩ *(fliegen)* librarsi; **2.** ⟨*haben*⟩ *(frei hängen)* essere sospeso; **in Gefahr ~** essere in pericolo. **schwebend** *adj* sospeso; *fig (Frage, Verfahren)* pendente, in sospeso.

Schwede ['ʃve:də] ⟨-n, -n⟩ *m,* **Schwedin** [...dɪn] *f* svedese *mf.*

Schweden ['ʃve:dən] *n* Svezia *f.*

schwedisch *adj* svedese.

Schwefel ['ʃve:fəl] ⟨-s, ø⟩ *m* zolfo *m.*

schwefelhaltig *adj* sulfureo.

schwefeln *tr* solforare.

Schwefelsäure *f* acido *m* solforico.

Schweif [ʃvaif] ⟨-(e)s, -e⟩ *m geh* coda *f.*

schweifen ['ʃvaifən] *itr* ⟨*sein*⟩ vagare.

Schweigegeld *n* prezzo *m* del silenzio. **Schweigemarsch** *m* corteo *m* silenzioso. **Schweigeminute** *f* minuto *m* di silenzio (per commemorare qu *o* qc).

schweigen ['ʃvaigən] ⟨schweigt, schwieg, geschwiegen⟩ *itr* tacere; **ganz zu ~ von ...** per non parlare di ... **Schweigen** ⟨-s, ø⟩ *n* silenzio *m.* **schweigend I.** *adj* silenzioso; **II.** *adv* in silenzio.

Schweigepflicht *f:* **ärztliche ~** segreto *m* professionale del medico.

schweigsam *adj* taciturno. **Schweigsamkeit** ⟨-, ø⟩ *f* taciturnità *f.*

Schwein [ʃvain] ⟨-(e)s, -e⟩ *n* **1.** *zoo* maiale *m,* porco *m; (~efleisch)* maiale *m;* **2.** *fam pej (Mensch)* porco *m;* **kein ~** *sl (niemand)* non ... anima viva; **~ haben** *fam* avere un gran sedere *vulg.* **Schweinebraten** *m* arrosto *m* di maiale. **Schweinefleisch** *n* (carne *f* di) maiale *m.* **Schweinehund** *m vulg* porco *m.* **Schweinepest** *f* peste *f* suina.

Schweinerei [ʃvainəˈrai] ⟨-, -en⟩ *f* porcheria *f.*

Schweineschmalz *n* strutto *m.* **Schweinestall** *m (a. fig)* porcile *m;* **das ist (ja) ein** ~! sembra una stalla!

Schweiß [ʃvais] ⟨-es, ø⟩ *m* sudore *m.* **Schweißausbruch** *m* traspirazione *f* cutanea.

Schweißbrenner *m* cannello *m* per saldare.

Schweißdrüse *f* ghiandola *f* sudoripara.

schweißen [ˈʃvaisən] *tr, itr* saldare.

Schweißfüße *m pl:* ~ **haben** sudare ai piedi.

Schweißstelle *f* saldatura *f.*

schweißtreibend *adj* sudorifero.

Schweiz [ʃvaits] *f:* **die** ~ la Svizzera; **in der/die** ~ in Svizzera.

Schweizer ⟨*inv*⟩ *adj* svizzero, elvetico.

Schweizer(in) ⟨-s, -⟩ *m(f) (Bewohner der Schweiz)* svizzero, -a *m, f.*

schweizerisch *adj* svizzero, elvetico.

Schwelbrand [ˈʃveːl-] *m* combustione *f* lenta. **schwelen** [ˈʃveːlən] *itr* **1.** *(Feuer, Material)* bruciare senza fiamma (*o* lentamente); **2.** *fig (Haß, etc.)* covare.

schwelgen [ˈʃvɛlgən] *itr* straviziare; *(in +dat Speisen, Getränken)* banchettare (*in +dat* a); *(in Gefühl, etc.)* godere, bearsi (*in +dat* di); *(in Farben, etc.)* pascersi (*in +dat* di). **schwelgerisch** *adj* voluttuoso.

Schwelle [ˈʃvɛlə] ⟨-, -n⟩ *f* soglia *f; (Eisenbahn~)* traversina *f.*

schwellen [ˈʃvɛlən] ⟨schwillt, schwoll, geschwollen⟩ *itr* ⟨*sein*⟩ gonfiarsi; *med* tumefarsi.

Schwellenangst *f* fobia *f* delle situazioni nuove. **Schwellenland** *n* paese *m* emergente (*o* in via di sviluppo). **Schwellenwert** *m* valore *m* minimo.

Schwellkörper *m* corpo *m* cavernoso.

Schwellung ⟨-, -en⟩ *f* gonfiore *m.*

Schwemme [ˈʃvɛmə] ⟨-, -n⟩ *f* **1.** *(fürs Vieh)* guazzatoio *m;* **2.** *(Überfluß)* offerta *f* eccessiva, invasione *f;* **3.** *fam (Kneipe)* osteria *f.*

Schwengel [ˈʃvɛŋəl] ⟨-s, -⟩ *m (Glokken~)* batacchio *m; (Pumpen~)* leva *f.*

schwenken [ˈʃvɛŋkən] **I.** *tr* ⟨*haben*⟩ **1.** *(hin und her)* agitare; *(Fahne, etc.)* sventolare; *(schwingen)* brandire; **2.** *gastr* far saltare; **3.** *tec (drehen)* girare; *(wenden)* orientare; **II.** *itr* ⟨*sein*⟩ girarsi, voltarsi; *mil* fare una conversione.

schwer [ʃveːɐ̯] **I.** *adj* **1.** *allg.* pesante; **2.** *(ernst, schlimm)* grave; *(Enttäuschung)* grande; *(Leben, Strafe)* duro; **3.** *(Gewitter)* grosso, grande; **4.** *(Tag, Arbeit)* pesante, faticoso; *(Amt, Aufgabe)* arduo, difficile; *(Geburt, Tod)* doloroso; **5.** *(schwierig)* difficile; **6.** *(Wein, Parfüm, etc.)* forte; *(Fahrzeug)* potente; *(Boden)* forte; **es** ~ **haben** avere difficoltà; ~**en Herzens** col cuore pesante (*o* oppresso); **II.** *adv* **1.** *(allg., gewichtsmäßig, fam: sehr)* molto; **2.** *(stark, ernst)* gravemente, seriamente; *(arbeiten, bestrafen)* duramente; **3.** *(mit Schwierigkeiten)* con difficoltà; **sich** ~ **täuschen** sbagliarsi di grosso; **sich** ~ **vor etw.** *(dat)* **hüten** *fam* guardarsi bene da qc.

Schwerarbeit *f* lavoro *m* pesante. **Schwerarbeiter(in)** *m(f)* operaio, -a *m, f* addetto, -a ai lavori pesanti. **Schwerbehinderte, -beschädigte** ⟨ein -r, -n, -n⟩ *mf* invalido, -a *m, f* grave.

Schwere ⟨-, ø⟩ *f* **1.** *(allg., Gewicht)* peso *m;* **2.** *(phys, Ernsthaftigkeit)* gravità *f;* **3.** *(Stärke: von Gewitter, etc.)* forza *f;* **4.** *(Härte: von Arbeit)* pesantezza *f; (von Amt)* difficoltà *f,* onere *m;* **5.** *(Schwierigkeit)* difficoltà *f.* **schwerelos** *adj* privo di gravità. **Schwerelosigkeit** ⟨-, ø⟩ *f* **1.** *phys* mancanza *f* (*o* assenza *f*) di gravità, imponderabilità *f;* **2.** *fig (Leichtigkeit)* leggerezza *f.*

Schwerenöter [-nøːtɐ] ⟨-s, -⟩ *m fam* donnaiolo *m,* dongiovanni *m.*

schwererziehbar *adj* caratteriale.

schwer·fallen ⟨*irr*⟩ *itr* ⟨*sein*⟩*:* **es fällt mir schwer zu ...** mi è (*o* riesce) difficile *+inf.*

schwerfällig *adj* lento; *(Stil)* pesante. **Schwerfälligkeit** ⟨-, ø⟩ *f (von Stil)* pesantezza *f.*

Schwergewicht *n* **1.** *sport, fam scherz* peso *m* massimo; **2.** *fig (Nachdruck)* massima importanza *f.* **schwerhörig** *adj* duro d'orecchio. **Schwerhörigkeit** ⟨-, ø⟩ *f* debolezza *f* d'udito. **Schwerindustrie** *f* industria *f* pesante. **Schwerkraft** *f* forza *f* di gravità.

schwerlich *adv* difficilmente.

schwer·machen *tr:* **jdm etw.** ~ rendere difficile (*o* duro) qc a qu.

Schwermetall *n* metallo *m* pesante.

Schwermut ⟨-, ø⟩ *f* malinconia *f.* **schwermütig** [-myːtɪç] *adj* malinconico.

schwer·nehmen ⟨*irr*⟩ *tr* prendere sul serio.

Schwerpunkt *m* **1.** *phys* centro *m* di gravità, baricentro *m;* **2.** *fig* centro *m; (Hauptgewicht)* massima importanza *f.* **schwerpunktmäßig** *adj* per punti chiave.

schwerreich *adj fam* ricco sfondato *fam.*

Schwert [ʃveːɐ̯t] ⟨-(e)s, -er⟩ *n* spada *f.* **Schwertfisch** *m* pesce *m* spada. **Schwertlilie** *f* iris *f,* iride *f.*

schwer·tun ⟨*irr*⟩ *rfl:* **sich** ~ avere difficoltà.

Schwerverbrecher(in) *m(f)* grande criminale *mf.* **schwerverdaulich** *adj (a. fig)* indigesto. **schwerverletzt** *adj attr* gravemente ferito. **Schwerverletzte** ⟨ein -r, -n, -n⟩ *mf* ferito, -a *m, f* grave. **Schwerwasserreaktor** *m* reattore *m* ad acqua pressurizzata. **schwerwiegend** *adj (Gründe)* grave, serio; *(Entschluß)* importante.

Schwester ['ʃvɛstɐ] ⟨-, -n⟩ *f* **1.** *(Verwandte, a. fig, rel)* sorella *f;* **2.** *(Kranken~)* infermiera *f;* **3.** *(Nonne)* suora *f.* **Schwesterfirma** *f* ditta *f* consorella. **schwesterlich** *adj* di (*o* da) sorella, fraterno. **Schwesternhelferin** *f* infermiera *f* generica, assistente *f* sanitaria ausiliare.

schwieg [ʃviːk] *imp von* **schweigen.**

Schwiegereltern ['ʃviːgɐ-] ⟨*pl*⟩ suoceri *m pl.* **Schwiegermutter** *f* suocera *f.* **Schwiegersohn** *m* genero *m.* **Schwiegertochter** *f* nuora *f.* **Schwiegervater** *m* suocero *m.*

Schwiele ['ʃviːlə] ⟨-, -n⟩ *f* callo *m,* durone *m fam.* **schwielig** *adj* calloso.

schwierig ['ʃviːrɪç] *adj* difficile; *(verzwickt)* delicato; *(heikel)* spinoso. **Schwierigkeit** ⟨-, -en⟩ *f* difficoltà *f.*

schwillt [ʃvɪlt] *pr von* **schwellen.**

Schwimmbad *n* piscina *f.* **Schwimmbassin** *n,* **-becken** *n* piscina *f.*

schwimmen ['ʃvɪmən] ⟨schwimmt, schwamm, geschwommen⟩ **I.** *itr* ⟨*sein*⟩ **1.** *sport* nuotare; **2.** *(Sachen)* galleggiare; ~ **gehen** andare a nuotare; **über einen Fluß** ~ attraversare un fiume a nuoto; **II.** *tr* ⟨*haben o sein*⟩ nuotare. **Schwimmen** ⟨-s, ø⟩ *n* nuoto *m.*

Schwimmer ⟨-s, -⟩ *m naut, tec* galleggiante *m.*

Schwimmer(in) ⟨-s, -⟩ *m(f) sport* nuotatore, -trice *m, f.*

Schwimmflosse *f* pinna *f.* **Schwimmhaut** *f* natatoia *f.* **Schwimmsport** *m* nuoto *m.* **Schwimmweste** *f* giubbetto *m* di salvataggio.

Schwindel ['ʃvɪndəl] ⟨-s, ø⟩ *m* **1.** *med* vertigini *f pl,* capogiro *m;* **2.** *(Betrug)* imbroglio *m,* truffa *f; (Trick)* trucco *m.* **schwindelerregend** *adj* vertiginoso. **schwindelfrei** *adj:* ~ **sein** non soffrire di vertigini. **schwind(e)lig** *adj* che ha le vertigini; *med* vertiginoso; **mir ist** ~ ho le vertigini.

schwindeln *itr fam (lügen)* mentire; **mir schwindelt** ho le vertigini.

schwinden ['ʃvɪndən] ⟨schwindet, schwand, geschwunden⟩ *itr* ⟨*sein*⟩ **1.** *(abnehmen)* diminuire, decrescere; *(schwächer werden)* attenuarsi; **2.** *(vergehen)* passare; *(Hoffnung)* svanire.

Schwindler(in) ⟨-s, -⟩ *m(f) (Lügner)* mentitore, -trice *m, f; (Betrüger)* imbroglione, -a *m, f.*

schwindlig *s.* **schwindelig.**

Schwindsucht *f* tubercolosi *f,* tisi *f.* **schwindsüchtig** *adj* tisico.

schwingen ['ʃvɪŋən] ⟨schwingt, schwang, geschwungen⟩ **I.** *tr* agitare; *(Fahnen)* sventolare; *(Waffen)* brandire; **II.** *rfl:* **sich auf etw.** *(akk)* ~ balzare su qc, lanciarsi su qc; **III.** *itr* **1.** *allg., phys* oscillare; *(vibrieren)* vibrare; **2.** *fig (nachklingen)* risonare.

Schwingung ⟨-, -en⟩ *f* **1.** *phys* oscillazione *f;* **2.** ⟨*pl*⟩ *fig* vibrazioni *f pl.*

Schwips [ʃvɪps] ⟨-es, -e⟩ *m fam* leggera sbornia *f fam;* **einen** ~ **haben** essere un po' brillo *fam.*

schwirren ['ʃvɪrən] *itr* ⟨*sein*⟩ ronzare; *(Vögel, Gedanken)* frullare; *(Kugel, Pfeil)* sibilare.

schwitzen ['ʃvɪt͡sən] *itr (Menschen)* sudare; *(Wände)* trasudare; *(Fenster)* appannarsi.

Schwitzwasser *n* condensa *f.*

schwoll [ʃvɔl] *imp von* **schwellen.**

schwören ['ʃvøːrən] ⟨schwört, schwor, geschworen⟩ *itr, tr* giurare (*bei +dat, auf +akk* su); **auf jdn/etw.** ~ *fig* aspettarsi molto da qu/qc.

schwul [ʃvuːl] *adj fam* invertito, frocio *sl.*

schwül [ʃvyːl] *adj* **1.** *meteo* afoso, soffocante; **2.** *fig (Atmosphäre)* opprimente; *(Phantasien)* eccitante; **es ist** ~ c'è afa.

Schwule ['ʃvuːlə] ⟨ein -r, -n, -n⟩ *m fam* finocchio *m sl,* invertito *m.*

Schwüle ['ʃvyːlə] ⟨-, ø⟩ *f* **1.** *(Witterung)* afa *f;* **2.** *fig (Stimmung)* pesantezza *f.*

Schwulst [ʃvʊlst] ⟨-(e)s, Schwülste⟩ *m* ampollosità *f,* enfasi *f.*

schwülstig ['ʃvʏlstɪç] *adj* ampolloso, enfatico.

Schwund [ʃvʊnt] ⟨-(e)s, ø⟩ *m (Abnahme)* diminuzione *f; (Verlust)* perdita *f; (Schrumpfung)* ritiro *m; med* atrofia *f.*

Schwung [ʃvʊŋ] ⟨-(e)s, Schwünge⟩ *m* **1.** *(Bewegung)* movimento *m* circolare; *(mit Arm)* giro *m;* **2.** *(Linienführung)* linea *f;* **3.** ⟨*sing*⟩ *(~kraft, Antrieb)* forza *f,* slancio *m; fig (Elan)* slancio *m,* entusiasmo *m; (von Musik, etc.)* energia *f,* forza *f* travolgente; **4.** ⟨*sing*⟩ *fam (Menge)* mucchio *m fam;* **in** ~ in forma (*o* vena); **in** ~ **kommen** prendere l'avvio. **schwunghaft** *adj* vivace, attivo. **Schwungrad** *n* volano *m.* **schwungvoll** *adj* **1.** *(Bewegung, Unterschrift)* ampio e circolare; **2.** *(Rede)* vivace, animato; *(Musik)* brioso.

Schwur [ʃvuːɐ̯] ⟨-(e)s, Schwüre⟩ *m* giuramento *m.* **Schwurgericht** *n* corte *f* d'assise.

Schwyz [ʃviːt͡s] *n (Stadt)* Svitto *f; (Kanton)* Svitto *m.*

Science-fiction ['saɪənsfɪkʃən] ⟨-, -s⟩ *f* fantascienza *f.*

scrollen ['skrɔlən] *itr inform* scrollare.

Sebastian [ze'bastian] *(männlicher Vorname)* Sebastiano.

sechs [zɛks] *num* sei; *s. a. vier.*

Sechs ⟨-, -en⟩ *f* sei ; *(Schulnote: ungenügend)* ≃ zero *m.*

Sechs-, sechs- *s. a. Vier-, vier-.*

sechshundert ['zɛks'hʊndɐt] *num* seicento.

sechsjährig *adj* **1.** *(sechs Jahre alt)* di sei

anni; **2.** *(sechs Jahre lang)* che dura sei anni.

sechsmal *adv* sei volte.

Sechstagerennen [-'ta:gə-] *n* seigiorni *f.*

sechste *s.* **sechste(r, s).**

Sechste ⟨ein -r, -n, -n⟩ *mf* sesto, -a *m, f; s. a. Vierte.*

Sechstel ⟨-s, -⟩ *n* sesto *m.*

sechstens *adv* (in) sesto (luogo).

sechste(r, s) *adj* sesto, -a; *(bei Datumsangaben)* sei; *s. a. vierte(r, s).*

sechzehn ['zɛçtse:n] *num* sedici.

Sechzehntel *n* sedicesimo *m.*

sechzehnte(r, s) *adj* sedicesimo, -a; *(bei Datumsangaben)* sedici; *s. a. vierte(r, s).*

sechzig ['zɛçtsɪç] *num* sessanta; **etwa ~ (...)** una sessantina (di ...); *s. a. vierzig.* **sechzigjährig** *adj* **1.** *(sechzig Jahre alt)* sessantenne; **2.** *(sechzig Jahre lang)* che dura sessant'anni. **Sechzigjährige** ⟨ein -r, -n, -n⟩ *mf* uomo *m* (donna *f*) sulla sessantina, sessantenne *mf.*

sechzigste(r, s) *adj* sessantesimo, -a; *s. a. vierte(r, s).*

Secondhandladen ['sɛkənd'hænd-] *m* negozio *m* dell'usato (*o* di roba usata).

See[1] [ze:] ⟨-s, -n⟩ *m (Binnen~)* lago *m.*

See[2] [ze:] ⟨-, ø⟩ *f (Meer)* mare *m,* oceano *m;* **an der ~** al mare; **in ~ gehen (*o* stechen)** salpare; **auf ~** in mare.

Seeadler *m* aquila *f* marina. **Seebad** *n* stabilimento *m* balneare. **Seebär** *m scherz* lupo *m* di mare. **Seefahrt** *f* **1.** *(Schiffahrt)* navigazione *f* marittima; **2.** *(einzelne)* viaggio *m* per mare. **Seegang** *m* ⟨*sing*⟩ moto *m* ondoso; **hoher ~** mare *m* grosso. **Seegras** *n (Tang)* zostera *f; (zum Polstern)* crine *m* vegetale. **Seehafen** *m* porto *m* marittimo. **Seehund** *m* foca *f.* **Seeigel** *m* riccio *m* di mare. **Seeklima** *n* clima *m* marittimo. **seekrank** *adj:* **~ sein** aver il mal di mare. **Seekrankheit** *f* mal *m* di mare.

Seele ['ze:lə] ⟨-, -n⟩ *f* anima *f;* **er/sie ist eine ~ von einem Menschen** è una pasta d'uomo *fam;* **das ist mir aus der ~ gesprochen** ha detto proprio quello che penso. **seelengut** ['ze:lən'gu:t] *adj* di buon cuore. **Seelenleben** *n* vita *f* interiore. **Seelenruhe** *f* tranquillità *f* d'animo; **in aller ~** con tutta calma. **Seelenwanderung** *f* trasmigrazione *f* dell'anima.

Seeleute ⟨*pl*⟩ gente *f* di mare.

seelisch *adj* psichico.

Seelöwe *m* leone *m* marino.

Seelsorge *f* cura *f* d'anime. **Seelsorger(in)** ⟨-s, -⟩ *m(f)* padre *m* spirituale.

Seeluft *f* aria *f* di mare. **Seemacht** *f* potenza *f* marittima (*o* navale). **Seemann** ⟨-(e)s, -leute⟩ *m* marinaio *m.* **Seemeile** *f* (*abk* **sm**) miglio *m* marino. **Seenot** *f* pericolo *m* di naufragio. **Seepferd(chen)** [-pfe:ɐt(çən)] ⟨-s, -⟩ *n* ippocampo *m.* **Seeräuber** *m* pirata *m,* corsaro *m.* **Seereise** *f* viaggio *m* per mare. **Seerose** *f* ninfea *f.* **Seeschlacht** *f* battaglia *f* navale. **Seestern** *m* stella *f* di mare, asteria *f.* **seetüchtig** *adj* navigabile, atto alla navigazione. **Seeweg** *m* via *f* marittima; **auf dem ~** per mare. **Seezunge** *f* sogliola *f.*

Segel ['ze:gəl] ⟨-s, -⟩ *n* vela *f.* **Segelboot** *n* barca *f* a vela. **Segelfliegen** ⟨-s, ø⟩ *n* volo *m* a vela. **Segelflieger(in)** *m(f)* veleggiatore, -trice *m, f,* volovelista *mf.* **Segelflug** *m* volo *m* a vela. **Segelflugzeug** *n* aliante *m.* **Segeljacht** *f* yacht *m* a vela. **Segelklub** *m* circolo *m* (*o* club *m*) velico.

segeln *itr* ⟨*haben o bei Fortbewegung sein*⟩ veleggiare, navigare a vela; *sport* fare della vela; *(Wolken, Vogel)* veleggiare. **Segeln** ⟨-s, ø⟩ *n* (navigazione *f* a) vela *f,* velismo *m.*

Segelohren *n pl fam* orecchie *f pl* a sventola. **Segelschiff** *n* veliero *m,* nave *f* a vela. **Segelsport** *m* velismo *m.* **Segeltörn** [...tœrn] ⟨-s, -s⟩ *m* giro *m* in barca a vela. **Segeltuch** *n* (tela *f*) olona *f.*

Segen ['ze:gən] ⟨-s, -⟩ *m* **1.** *(gesprochener, fam: Einwilligung)* benedizione *f;* **2.** *(~ des Himmels)* grazia *f* (di Dio); **3.** *(Glück)* fortuna *f; (Wohltat)* beneficio *m.* **segensreich** *adj* che porta fortuna.

Segler(in) ⟨-s, -⟩ *m(f)* velista *mf.*

Segment [zɛ'gmɛnt] ⟨-s, -e⟩ *n* segmento *m.*

segnen ['ze:gnən] *tr* benedire.

Segnung ⟨-, -en⟩ *f* benedizione *f; (segensreiche Wirkung)* beneficio *m.*

sehen ['ze:ən] ⟨sieht, sah, gesehen⟩ **I.** *tr* vedere; *(an~)* guardare; **gern gesehen sein** essere ben accetto (*bei* a); **sich ~ lassen** farsi vivo; **sich ~ lassen können** presentarsi bene; **ich kann es nicht ~, wenn ...** non mi piace che *+congv;* **ich kann ihn nicht ~** *fig (ausstehen)* non posso vederlo; **wenn man ihn (so) sieht** a vederlo; **da sieht man es mal wieder!** è tipico!; **sich gezwungen ~** vedersi costretto; **II.** *itr (mit den Augen)* vederci; *(in bestimmte Richtung)* guardare; **jdn vom S~ kennen** conoscere qu di vista; **auf etw.** *(akk)* **~** *(achten)* badare a qc; **nach jdm/etw. ~** *(sich kümmern)* occuparsi di qu/qc; **mal ~** vedremo; **wir werden ja ~** staremo a vedere; **sieh mal!** guarda!; **laß mal ~!** fa vedere!

sehenswert *adj* degno d'esser visto, notevole. **Sehenswürdigkeit** ⟨-, -en⟩ *f* cosa *f* notevole, bellezza *f.*

Seher(in) ⟨-s, -⟩ *m(f)* veggente *mf.*

Sehfehler *m* difetto *m* della vista. **Sehkraft** *f* vista *f,* facoltà *f* visiva.

Sehne ['ze:nə] ⟨-, -n⟩ *f* **1.** *anat* tendine *m;* **2.** *(Bogen~, mat)* corda *f.*

sehnen ['ze:nən] *rfl:* **sich nach etw. ~** *(Verlangen haben)* desiderare ardente-

mente qc, bramare qc; **sich nach jdm/etw.** ~ *(Heimweh haben)* aver nostalgia di qu/qc; **ich sehne mich danach zu .../, daß ...** ho una gran voglia (*o* mi struggo) di +*inf.*
sehnig *adj* **1.** *(Fleisch)* tiglioso, fibroso; **2.** *(Körper)* nerboruto.
sehnlich *adj* ardente, fervido.
sehnlichst *adv* appassionatamente, ardentemente.
Sehnsucht *f* **1.** *(Verlangen)* desiderio *m* ardente (*nach* di), brama *f* (*nach* di); **2.** *(Heimweh)* nostalgia *f* (*nach* di).
sehnsüchtig *adj (Gedanken)* pieno di nostalgia; *(Blick)* nostalgico; *(Wunsch)* ardente, struggente; *(Erwartung)* impaziente.
sehr [ze:ɐ̯] *adv* molto, assai, tanto; ~ **lang/schön** lunghissimo/bellissimo; ~ **bald** tra poco, presto; ~ **viel** moltissimo; *(vor Substantiv)* molto, una gran quantità di; **wie** ~ quanto; **wie** ~ **auch ...** per quanto ...; **zu** ~ troppo; **so** ~ **du auch suchst** per quanto tu cerchi; **bitte** ~! prego.
seicht [zai̯çt] *adj* **1.** *(Wasser)* poco profondo, basso; **2.** *fig pej* piatto, scialbo.
seid [zai̯t] *pr von* **sein**[1].
Seide ['zai̯də] ⟨-, -n⟩ *f* seta *f.*
seiden *adj* di seta. **Seidenpapier** *n* carta *f* velina. **Seidenraupe** *f* baco *m* da seta. **seidenweich** ['zai̯dən'vai̯ç] , **seidig** *adj* morbido come la seta.
Seife ['zai̯fə] ⟨-, -n⟩ *f* sapone *m.* **Seifenblase** *f* bolla *f* di sapone. **Seifenlauge** *f* saponata *f,* lisciva *f* di sapone. **Seifenoper** *f fam pej* soap opera *f,* serial *m* televisivo. **Seifenpulver** *n* sapone *m* in polvere. **Seifenschale** *f* portasapone *m.* **Seifenspender** *m* dispenser *m* per sapone liquido.
seihen ['zai̯ən] *tr* filtrare, passare.
Seil [zai̯l] ⟨-(e)s, -e⟩ *n* corda *f; (Tau)* fune *f; naut* cavo *m.* **Seilbahn** *f* funivia *f,* teleferica *f.*
Seiler ⟨-s, -⟩ *m* cordaio *m.*
Seilschaft ⟨-, -en⟩ *f* cordata *f.*
Seiltänzer(in) *m(f)* funambolo, -a *m, f.*
sein[1] [zai̯n] ⟨ist, war, gewesen⟩ *itr* ⟨*sein*⟩ essere; *(existieren)* esistere; *(sich befinden)* trovarsi; *(stattfinden)* aver luogo; **20 Jahre alt** ~ aver vent'anni; **hier** (*o* **da) bin ich** eccomi (qua); **mir ist kalt** ho (*o* sento) freddo; **mir ist, als ob ...** ho l'impressione (*o* la sensazione) che +*congv;* **es ist an dir zu ...** spetta (*o* sta) a te +*inf;* **es ist schön(es Wetter)** fa bello, fa bel tempo; **es ist kalt** è (*o* fa) freddo; **es waren viele Menschen da** c'erano molte persone; **so ist es** è così; **2 und 2 ist 4** 2 più 2 fa 4; **das ist nichts für Sie** non fa per Lei; **das mag (*o* kann)** ~ può darsi, sarà; **es sei denn (, daß) ...** a meno che +*congv;* **wie dem auch sei** come che sia; **laß es** ~! lascia perdere!; **das ist es ja gerade!** proprio di questo si tratta.
sein[2] [zai̯n] *poss pron (adjektivisch von* er, es*)* suo, -a *m, f,* suoi *m pl,* sue *f pl.*
Sein ⟨-s, ø⟩ *n* essere *m; (Da~)* esistenza *f.*
seiner *pers pron (gen von* er, es*)* di lui; *s. a.* *seine(r, s).*
seine(r, s) ['zai̯nə] *poss pron (substantivisch von* er, es*)* (il) suo, (la) sua, (i) suoi *m pl,* (le) sue *f pl;* **jedem das S~** a ciascuno il suo.
seinerseits ['zai̯nɐ'zai̯ts] *adv* da parte sua.
seinerzeit *adv* allora.
sein(e)s *s.* **seine(r, s).**
seinesgleichen ['zai̯nəs'glai̯çən] ⟨*inv*⟩ *pron* suo pari, uno *m* (*o* gente *f, etc.*) come lui; **nicht** ~ **haben** non avere un par suo; **jdn als (*o* wie)** ~ **behandeln** trattare qu da pari a pari.
seinetwegen ['zai̯nət've:gən] *adv* per causa sua, per lui; *(negativ)* per colpa sua.
seinetwillen ['zai̯nət'vɪlən] *adv:* **um** ~ per lui, per amor suo.
seins *s.* **seine(r, s).**
seit [zai̯t] **I.** *prp* da; **II.** *konj* da quando.
seitdem [-'de:m] **I.** *adv* da allora; **II.** *konj* da quando.
Seite ['zai̯tə] ⟨-, -n⟩ *f* **1.** *allg.* lato *m,* parte *f; (von Stoff)* verso *m; mat (von Gleichung)* termine *m,* membro *m;* **2.** *(Charakterzug)* lato *m; (Aspekt)* aspetto *m;* **3.** *(von Buch)* pagina *f;* **linke** ~ *(von Stoff)* rovescio *m; typ* verso *m;* **rechte** ~ *(von Stoff)* diritto *m; typ* retto *m;* **auf die** ~ **legen** *(a. fig: sparen)* mettere da parte; **auf die (*o* zur)** ~ **gehen/treten/fahren** farsi da parte; **auf jds** ~ **stehen** *fig* essere dalla parte di qu; **jdm zur** ~ **stehen** *fig* assistere qu, aiutare qu; ~ **an** ~ fianco a fianco; **auf der einen** ~ **..., auf der anderen** ~ **...** da un lato (*o* da una parte) ..., dall'altro (*o* dall'altra) ...; **nach allen** ~**n** in tutte le direzioni; **von der** ~ di lato; **von s~n** +*gen* da parte di; **von allen** ~**en** da ogni parte; *fig* sotto tutti gli aspetti; **jedes Ding hat zwei** ~**n** *prov* ogni medaglia ha il suo rovescio *prov.* **Seitenansicht** *f* vista *f* laterale (*o* di fianco); *(Profil)* profilo *m.* **Seitenblick** *m* occhiata *f* (di lato *o* di traverso). **Seiteneingang** *m* entrata *f* laterale. **Seitenhieb** *m fig* fiancata *f,* stoccata *f.* **seitenlang** *adj* di pagine e pagine. **Seitenlinie** *f* **1.** *sport* linea *f* laterale; **2.** *(Genealogie)* linea *f* collaterale.
seitens *prp* +*gen* da parte di.
Seitensprung *m fig* scappatella *f.* **Seitenstechen** ⟨-s, ø⟩ *n* fitta *f* al fianco. **Seitenstraße** *f* strada *f* laterale. **Seitenstreifen** *m (von Straße)* banchina *f.* **Seitenumbruch** *m* impaginazione *f.* **Seitenwind** *m* vento *m* laterale.

seither [-ˈheːɐ̯] *adv* da allora.
seitlich I. *adj* laterale; **II.** *adv* lateralmente, di lato; **III.** *prp gen* a lato (*o* fianco) di.
seitwärts [-vɛrts] *adv* lateralmente.
sekkieren [zɛˈkiːrən] ⟨*ohne ge-*⟩ *tr A (belästigen, quälen)* maltrattare.
Sekret [zeˈkreːt] ⟨-(e)s, -e⟩ *n* secreto *m.*
Sekretär [zekreˈtɛːɐ̯] ⟨-s, -e⟩ *m (Möbelstück)* secrétaire *m.*
Sekretär(in) [...ˈtɛːɐ̯ (...rɪn)] ⟨-s, -e⟩ *m(f) (Mensch)* segretario, -a *m, f.*
Sekretariat [zekretaˈri̯aːt] ⟨-(e)s, -e⟩ *n* segretariato *m.*
Sekt [zɛkt] ⟨-(e)s, -e⟩ *m* (vino *m*) spumante *m.*
Sekte [ˈzɛktə] ⟨-, -n⟩ *f* setta *f.*
Sektfrühstück *n* colazione *f* con lo champagne. **Sektlaune** *f scherz* euforia *f* da champagne.
sekundär [zekʊnˈdɛːɐ̯] *adj* secondario.
Sekundararzt *m,* **-ärztin** *f* [...ˈdaːɐ̯-] *A* assistente *mf* medico. **Sekundarschule** *f CH* scuola *f* secondaria inferiore.
Sekunde [zeˈkʊndə] ⟨-, -n⟩ *f* secondo *m.* **Sekundenzeiger** *m* lancetta *f* dei secondi.
selber [ˈzɛlbɐ] *fam s.* **selbst.**
selbe(r, s) [ˈzɛlbə] *adj* stesso.
selbst [zɛlpst] **I.** *pron* stesso; *(bei Personen a.)* in persona; **die Sache/das Haus** ~ la cosa/la casa in (*o* di per) se stessa; **etw.** ~ **machen** fare qc da solo; **von** ~ da sé; ~ **ist der Mann** *prov* chi fa da sé fa per tre *prov;* **II.** *adv* persino; ~ **wenn** anche se *+congv.*
selbständig [ˈzɛlp-] *adj* **1.** *(unabhängig)* indipendente; **2.** *ökon* in proprio; **sich** ~ **machen** *(im Beruf)* rendersi indipendente. **Selbständige** ⟨ein -r, -n, -n⟩ *mf* libero, -a professionista *mf.* **Selbständigkeit** ⟨-, ø⟩ *f* indipendenza *f.*
Selbstauslöser *m* autoscatto *m.* **Selbstbedienung** *f* self-service *m.* **Selbstbedienungsladen** *m* self-service *m,* supermercato *m.* **Selbstbefriedigung** *f* masturbazione *f,* onanismo *m.* **Selbstbeherrschung** *f* dominio *m* (*o* padronanza *f*) di sé. **Selbstbestimmungsrecht** *n* diritto *m* di autodeterminazione. **selbstbewußt** *adj* sicuro di sé. **Selbstbewußtsein** *n* coscienza *f* di sé. **Selbstbildnis** *n* autoritratto *m.* **selbstbräunend** *adj (Kosmetik)* autoabbronzante. **Selbsterfahrungsgruppe** *f* gruppo *m* di autocoscienza. **Selbsterhaltungstrieb** *m* istinto *m* di autoconservazione. **Selbsterkenntnis** *f* conoscenza *f* di se stesso. **Selbstfindung** ⟨-, -en⟩ *f* processo *m* di identificazione. **selbstgefällig** *adj* soddisfatto (*o* compiaciuto) di se stesso. **Selbstgefälligkeit** *f* autocompiacimento *m.* **selbstgemacht** *adj* fatto da sé; *gastr* fatto in casa. **Selbstgespräch** *n* monologo *m,* soliloquio *m;* ~**e führen** parlare fra sé. **selbstherrlich** *adj* dispotico, tirannico. **Selbsthilfe** *f* iniziativa *f* personale. **Selbsthilfegruppe** *f* gruppo *m* di autosoccorso. **Selbstjustiz** *f* far *m* giustizia da sé. **selbstklebend** *adj* autoadesivo. **Selbstkostenpreis** *m* prezzo *m* di costo. **Selbstkritik** *f* autocritica *f.* **Selbstlaut** *m* vocale *f.* **selbstlos** *adj (Hilfe, etc.)* disinteressato; *(Mensch)* altruista. **Selbstlosigkeit** ⟨-, ø⟩ *f (von Hilfe, etc.)* disinteresse *m; (von Mensch)* altruismo *m.*
Selbstmord *m* suicidio *m;* ~ **begehen** suicidarsi. **Selbstmörder(in)** *m(f)* suicida *mf.* **selbstmörderisch** *adj* suicida. **selbstmordgefährdet** *adj* suicida, con tendenze suicide. **Selbstmordkandidat(in)** *m(f)* candidato, -a *m, f* al suicidio. **Selbstmordversuch** *m* tentativo *m* di (*o* tentato) suicidio *m;* **einen** ~ **machen** tentare di suicidarsi.
Selbstprüfung *f inform* controllo *m* automatico, autocontrollo *m.* **selbstsicher** *adj* sicuro di sé. **selbstsüchtig** *adj* egoista, egoistico. **selbsttätig** *adj* automatico. **Selbstüberwindung** *f* dominio *m* di sé. **selbstverschuldet** *adj* per colpa propria. **Selbstversorger** ⟨-s, -⟩ *m* persona *f* che si nutre di alimenti di propria produzione; *(in Urlaub)* chi (in vacanza) si preoccupa del proprio vitto.
selbstverständlich *adj* naturale, ovvio. **Selbstverständlichkeit** *f (Fraglosigkeit)* indiscutibilità *f; (Tatsache)* cosa *f* ovvia; *(Ungeniertheit)* naturalezza *f,* semplicità *f.*
Selbstverteidigung *f* autodifesa *f.* **Selbstvertrauen** *n* fiducia *f* in sé. **Selbstverwaltung** *f* amministrazione *f* autonoma, autogestione *f.* **Selbstverwirklichung** *f* autorealizzazione *f.* **Selbstwertgefühl** *n* stima *f* di sé. **Selbstzerstörung** *f* autodistruzione *f.* **Selbstzweck** *m* fine *m* a se stesso.
Selen [zeˈleːn] ⟨-s, ø⟩ *n* selenio *m.*
selig [ˈzeːlɪç] *adj* **1.** *rel* beato; **2.** *(verstorben)* defunto, povero; **3.** *(überglücklich)* felice. **Seligkeit** ⟨-, ø⟩ *f* **1.** *rel* beatitudine *f;* **2.** *(Glücksgefühl)* felicità *f.* **selig·sprechen** ⟨*irr*⟩ *tr* beatificare.
Sellerie [ˈzɛləri] ⟨-s, -(s)⟩ *m o* ⟨-, -⟩ *f* sedano *m.*
selten [ˈzɛltən] *adj* **1.** *(nicht häufig)* raro; **2.** *(außergewöhnlich)* straordinario; **3.** *fam (merkwürdig)* strano, singolare. **Seltenheit** ⟨-, -en⟩ *f* **1.** ⟨*sing*⟩ *(Vorkommen)* rarità *f;* **2.** *(Stück)* pezzo *m* raro. **Seltenheitswert** *m* valore *m* di rarità.
seltsam *adj* strano, singolare, curioso. **seltsamerweise** *adv* stranamente. **Seltsamkeit** ⟨-, -en⟩ *f* stranezza *f,* singolarità *f.*
Semester [zeˈmɛstɐ] ⟨-s, -⟩ *n* semestre *m.*
Semikolon [zemiˈkoːlɔn, ...lɔns *o* ...la] ⟨-s, -s *o* -kola⟩ *n* punto e virgola.
Seminar [zemiˈnaːɐ̯] ⟨-s, -e⟩ *n* seminario

m; (Institut) facoltà *f.*
Semmel ['zɛməl] ⟨-, -n⟩ *f dial* panino *m,* rosetta *f;* **wie warme ~n weggehen** andare a ruba.
sen. *abk von* **senior** sen.
Senat [ze'na:t] ⟨-(e)s, -e⟩ *m* senato *m.*
Senator(in) [ze'na:to:ɐ̯ (zena'to:rɪn), zena'to:rən] ⟨-s, -en⟩ *m(f)* senatore, -trice *m, f.*
Sendebereich *m radio, TV* raggio *m* d'emissione.
senden ['zɛndən] **I.** *tr* ⟨sendet, sendete *o* sandte, gesendet *o* gesandt⟩ *(schicken)* mandare, inviare; **II.** *tr, itr* ⟨sendet, sendete, gesendet⟩ *radio, TV* trasmettere, mandare in onda.
Sendepause *f* intervallo *m.*
Sender ⟨-s, -⟩ *m* stazione *f* trasmittente, emittente *f.*
Senderaum *m* studio *m.* **Sendereihe** *f* serie *f* di trasmissioni.
Sendersuchlauf *m* ricerca *f* automatica delle stazioni (radio).
Sendezeit *f* tempo *m* di trasmissione.
Sendung ⟨-, -en⟩ *f* **1.** *(Beförderung)* invio *m,* spedizione *f;* **2.** *(Gegenstand)* invio *m;* **3.** *geh (Mission)* missione *f;* **4.** *radio, TV* trasmissione *f.*
Senf [zɛnf] ⟨-(e)s, -e⟩ *m* senape *f.*
sengend ['zɛŋənt] *adj* ardente, cocente, infocato.
senil [ze'ni:l] *adj* senile.
senior ['ze:ni̯ɔr] *adj (abk* **sen.**): **Herr X ~** (il) signor X padre.
Senior(in) ['ze:ni̯o:ɐ̯ (ze'ni̯o:rɪn), ze'ni̯o:rən] ⟨-s, -en⟩ *m(f)* **1.** ⟨*pl*⟩ *(alte Menschen)* anziani *m pl;* **2.** *sport* senior *mf.* **Senioren-** *(in Zusammensetzungen)* della terza età. **Seniorenkarte** *f* tessera *f* per pensionati.
Senkblei *n* piombino *m.*
Senke ['zɛŋkə] ⟨-, -n⟩ *f* depressione *f.*
senken ['zɛŋkən] **I.** *tr* **1.** *(Kopf, Blick, Stimme)* abbassare; **2.** *(Kosten)* ridurre; *(Preise)* calare; **II.** *rfl:* **sich ~** abbassarsi; *(Boden)* avvallarsi; *(Gelände)* scendere.
senkrecht *adj* verticale, perpendicolare. **Senkrechte** *f* verticale *f.* **Senkrechtstarter** ⟨-s, -⟩ *m* **1.** *aero* aereo *m* a decollo verticale; **2.** *fig (Mensch)* fenomeno *m.*
Senkung ⟨-, -en⟩ *f* **1.** *(Ab~)* abbassamento *m;* **2.** *(von Preisen, etc.)* ribasso *m,* riduzione *f;* **3.** *lit* tesi *f.*
Senn [zɛn] ⟨-(e)s, -e⟩ *m.* **Sennerin** ['zɛnərɪn] *f* cascinaio, -a *m, f* delle alpi.
Sensation [zɛnza't͜si̯o:n] ⟨-, -en⟩ *f* sensazione *f.*
sensationell [...t͜si̯o'nɛl] *adj* sensazionale.
Sensationslust *f* sensazionalismo *m.*
Sense ['zɛnzə] ⟨-, -n⟩ *f* falce *f.*
sensibel [zɛn'zi:bəl] *adj* sensibile; *(empfindsam)* sensitivo, emotivo; *(heikel)* delicato.
Sensibilität [zɛnzibili'tɛ:t] ⟨-, ø⟩ *f* sensibilità *f.*
Sensor ['zɛnzo:ɐ, ...'zo:rən] ⟨-en, -en⟩ *m* sensore *m.* **Sensortaste** *f* pulsante *m* sensore.
sentimental [zɛntimɛn'ta:l] *adj* sentimentale.
Sentimentalität [...tali'tɛ:t] ⟨-, -en⟩ *f* sentimentalismo *m.*
separat [zepa'ra:t] *adj* separato, a parte.
September [zɛp'tɛmbɐ] ⟨-(s), -⟩ *m* settembre *m;* **Anfang/Ende/Mitte ~** ai primi di/alla fine di/a metà settembre; **im (Monat) ~** in settembre, nel mese di settembre; **Krefeld, (den) 11. ~ 1956** Krefeld, (il *o adm* li) 11 settembre 1956; **heute ist der erste ~** oggi è il primo di settembre; **am dritten ~** il tre di settembre; **der ~ hat 30 Tage** settembre ha 30 giorni.
Sera *pl von* **Serum.**
Serbe ['zɛrbə] ⟨-n, -n⟩ *m,* **Serbin** ['zɛrbɪn] *f* serbo, -a *m, f.*
Serbien ['zɛrbi̯ən] *n* Serbia *f.*
serbisch *adj* serbo.
Seren *pl von* **Serum.**
Serenade [zere'na:də] ⟨-, -n⟩ *f* serenata *f.*
Serie ['ze:ri̯ə] ⟨-, -n⟩ *f* serie *f; (Bände)* collana *f.*
seriell [ze'ri̯ɛl] *adj (a. inform)* seriale.
Serienausstattung *f* equipaggiamento *m* di serie. **serienmäßig I.** *adj* di (*o* in) serie; **II.** *adv* in serie. **Serienproduktion** *f* produzione *f* di (*o* in) serie. **Serienschaltung** *f* collegamento *m* in serie. **serienweise** *adv* in serie.
seriös [ze'ri̯ø:s] *adj* serio.
Serpentine [zɛrpɛn'ti:nə] ⟨-, -n⟩ *f* serpentina *f.*
Serum ['ze:rʊm, ...ra *o* ...rən] ⟨-s, Sera *o* Seren⟩ *n* siero *m.*
Service[1] [zɛr'vi:s, ...'vi:s *o* ...'vi:sə] ⟨-(s), -⟩ *n (Tafel~)* servizio *m.*
Service[2] ['zø:ɐ̯vɪs *o* 'sə:vɪs] ⟨-, ø⟩ *m (Kundendienst)* assistenza *f* tecnica; *(Bedienung)* servizio *m.*
servieren [zɛr'vi:rən] ⟨*ohne ge-*⟩ *tr, itr* servire.
Serviererin *f,* **Serviertochter** *f CH* cameriera *f.*
Serviette [zɛr'vi̯ɛtə] ⟨-, -n⟩ *f* tovagliolo *m.* **Serviettenring** *m* (anello *m*) portatovagliolo *m.*
Servobremse ['zɛrvo-] *f* servofreno *m.* **Servolenkung** *f* servosterzo *m.*
Sessel ['zɛsəl] ⟨-s, -⟩ *m* poltrona *f.* **Sessellift** *m* seggiovia *f.*
seßhaft ['zɛshaft] *adj* sedentario; *(wohnhaft)* residente (*in* a).
setzen ['zɛt͜sən] **I.** *tr* **1.** *allg.* mettere; *(Kind)* mettere a sedere; *(Gast)* far sedere; **2.** *(Pflanze)* piantare; **3.** *(Denkmal)* erigere; *(Segel)* issare; **4.** *(Norm)* fissare, stabilire; *(Termin, Ziel)* fissare, porre; *(Hoffnung, Ehrgeiz)* riporre; **5.** *typ* comporre; **6.** *(Geld)* puntare (*auf +akk* su); **das Glas an den Mund ~** portare il bic-

chiere alla bocca; **etw. in die Zeitung ~** mettere (*o* pubblicare) qc sul giornale; **II.** *rfl:* **sich ~ 1.** *(Platz nehmen)* sedersi, mettersi a sedere; *(Vogel)* posarsi; *(Hund, etc.)* accucciarsi; **2.** *(Kaffee, etc.)* depositarsi; **III.** *itr (Geld ~)* puntare (*auf +akk* su); **über etw.** *(akk)* ~ *(springen, hüpfen)* saltare sopra qc.

Setzer(in) ⟨-s, -⟩ *m(f)* compositore, -trice *m, f.*

Setzerei [zɛtsəˈrai] ⟨-, -en⟩ *f* sala *f* di composizione.

Setzfehler *m* errore *m* di composizione. **Setzkasten** *m* cassetta *f* dei caratteri.

Setzling [ˈzɛtslɪŋ] ⟨-s, -e⟩ *m* piantone *m.*

Seuche [ˈzɔyçə] ⟨-, -n⟩ *f* epidemia *f;* *(Tier~)* epizoozia *f; fig* peste *f.* **Seuchengebiet** *n* zona *f* contaminata.

seufzen [ˈzɔyftsən] *itr, tr* sospirare. **Seufzer** ⟨-s, -⟩ *m* sospiro *m.*

Sex [zɛks *o* sɛks] ⟨-(es), ø⟩ *m* sesso *m.* **Sexbombe** *f fam* maggiorata *f* fisica.

Sexismus [zɛˈksɪsmʊs] ⟨-, ø⟩ *m* sessismo *m.*

Sexist(in) ⟨-en, -en⟩ *m(f)* sessista *mf.* **sexistisch** [zɛˈksɪstɪʃ] *adj* sessista.

Sexshop [...ʃɔp] ⟨-s, -s⟩ *m* sex-shop *m.* **Sexstar** *m* pornostar *m,* pornodivo, -a *m, f.*

Sexta [ˈzɛksta,...tən] ⟨-, Sexten⟩ *f* prima *f* ginnasio.

Sexualerziehung [zɛˈksua:l-] *f* educazione *f* sessuale.

Sexualität [zɛksualiˈtɛ:t] ⟨-, ø⟩ *f* sessualità *f.*

Sexualkunde *f* educazione *f* sessuale. **Sexualverbrechen** *n* delitto *m* sessuale. **Sexualwissenschaft** *f* sessuologia *f.*

sexuell [zɛˈksuɛl] *adj* sessuale; **~e Belästigung** molestia *f* sessuale; **~er Mißbrauch** abuso *m* sessuale.

sexy [ˈzɛksi] ⟨*inv*⟩ *adj* sexy.

sezieren [zeˈtsi:rən] ⟨*ohne ge-*⟩ *tr* sezionare; *(a. fig)* anatomizzare.

sfr, sFr *abk von* **Schweizer Franken** Fr.sv. (*abbr di* franco svizzero).

Shampoo [ˈʃampu] ⟨-s, -s⟩ *n* shampoo *m.*

shampoonieren [...puˈni:rən] ⟨*ohne ge-*⟩ *tr (Haare)* fare uno shampoo a; *(Teppich)* trattare con lo shampoo.

Shorts [ʃɔrts *o* ʃɔ:ts] ⟨*pl*⟩ pantaloncini *m pl* corti, shorts *m pl.*

Show [ʃoʊ] ⟨-, -s⟩ *f* show *m,* spettacolo *m.*

siamesisch [ziaˈme:zɪʃ] *adj* siamese; **~e Zwillinge** gemelli siamesi.

Sibirien [ziˈbi:riən] *n* Siberia *f.*

sibirisch *adj* siberiano.

sich [zɪç] *rfl pron (betont)* sé; *(unbetont)* si; **an ~** in sé; **an und für ~** di per sé; **bei ~** *(am Körper)* con sé; **von ~ aus** per conto proprio.

Sichel [ˈzɪçəl] ⟨-, -n⟩ *f* falce *f.* **sichelförmig** [-fœrmɪç] *adj* a forma di falce, falciforme.

sicher [ˈzɪçe] **I.** *adj* sicuro; *(gewiß a.)* certo; *(selbst~)* sicuro di sé; **vor jdm/etw. ~ sein** essere al sicuro da qu/qc; **~ ist ~** la prudenza non è mai troppa *prov;* **II.** *adv* **1.** *(gefahrlos)* in modo sicuro; **2.** *(~lich)* certamente, sicuramente; **~ auftreten** avere un modo di fare sicuro; **etw. ~ wissen** sapere qc per certo (*o* di sicuro); **weißt du das ~?** lo sai con sicurezza?. **sicher·gehen** ⟨*irr*⟩ *itr* ⟨*sein*⟩ essere sicuro, assicurarsi; **um ganz sicherzugehen** per maggior sicurezza.

Sicherheit ⟨-, -en⟩ *f* **1.** ⟨*sing*⟩ sicurezza *f;* *(Gewißheit a.)* certezza *f;* *(Selbst~)* sicurezza *f* di sé; **2.** *fin* garanzia *f;* **in ~ bringen** mettere al sicuro. **Sicherheitsabstand** *m* distanza *f* di sicurezza. **Sicherheitsberater(in)** *m(f) pol* consigliere *m* per la sicurezza. **Sicherheitsglas** *n* vetro *m* di sicurezza. **Sicherheitsgurt** *m* cintura *f* di sicurezza. **sicherheitshalber** *adv* per (motivi di) sicurezza. **Sicherheitskontrolle** *f* controllo *m* di sicurezza. **Sicherheitsnadel** *f* spilla *f* di sicurezza (*o* da balia). **Sicherheitsrat** *m* consiglio *m* di sicurezza. **Sicherheitsschuh** ⟨*meist pl*⟩ *m* calzatura *f* di sicurezza (*o* antinfortunistica). **Sicherheitsverschluß** *m* chiusura *f* di sicurezza.

sicherlich *adv s.* **sicher.**

sichern I. *tr* **1.** *(schützen)* salvaguardare (*gegen* da); **2.** *(garantieren, ver~)* garantire, assicurare; **3.** *(verschaffen)* procurare; **4.** *(befestigen)* consolidare, fortificare; **5.** *tec (Maschinen)* bloccare; *(Schußwaffe)* mettere la sicura a; **II.** *rfl:* **sich ~** *(sich schützen)* proteggersi (*vor +dat, gegen* da, contro); *(beim Bergsteigen)* assicurarsi.

sicher·stellen *tr* **1.** *(garantieren)* assicurare, garantire; **2.** *(in Sicherheit bringen)* mettere (*o* porre) al sicuro; **3.** *(beschlagnahmen)* sequestrare.

Sicherung ⟨-, -en⟩ *f* **1.** ⟨*sing*⟩ *(Schutz)* preservazione *f;* *(Garantie)* assicurazione *f,* garanzia *f;* *(Festigung)* consolidamento *m;* **2.** *(Vorrichtung)* congegno *m* di sicurezza; *(von Waffe)* sicura *f;* **3.** *el* fusibile *m.* **Sicherungskasten** *m* cassetta *f* degli interruttori. **Sicherungskopie** *f* *inform* copia *f* di sicurezza, back-up *m.*

Sicht [zɪçt] ⟨-, ø⟩ *f* vista *f;* *(~verhältnisse)* visibilità *f;* **auf kurze/lange ~** a breve/lunga scadenza. **sichtbar** *adj* visibile; *(wahrnehmbar)* percettibile; *fig (offensichtlich)* manifesto, evidente; **~ werden** apparire, manifestarsi.

sichten *tr* **1.** *(erblicken)* avvistare, scorgere; **2.** *(durchsehen)* ordinare, classificare.

Sichtgerät *n* unità *f* video (terminale), videomonitor *m.* **Sichtkontakt** *m* contatto *m* visivo.

sichtlich *adj* visibile, evidente, manifesto.

Sichtverhältnisse *n pl* (condizioni *f pl*

di) visibilità *f.* **Sichtvermerk** *m* visto *m.* **Sichtweite** *f* vista *f;* **in/außer** ~ in vista/ fuori del campo visivo.
sickern ['zɪkɐn] *itr* ⟨*sein*⟩ colare, stillare.
Sideboard ['saɪdbɔ:d] ⟨-s, -s⟩ *n* credenza *f.*
sie [zi:] *pers pron* **1.** *nom 3. pers sing (in bezug auf Menschen) (unbetont) meist nicht übersetzt:* ella; *(betont)* lei; *(in bezug auf Dinge) (unbetont) meist nicht übersetzt:* essa; *(betont)* lei; **2.** *nom 3. pers pl (unbetont) meist nicht übersetzt:* essi *m pl,* esse *f pl; (betont)* loro; **3.** *(akk von* sie *sing) (betont)* lei; *(unbetont)* la, l'; **4.** *(akk von* sie *pl) (betont)* loro; *(unbetont)* li *m pl,* le *f pl.*
Sie *pers pron* **1.** *nom sing (Höflichkeitsform)* Lei; **2.** *nom pl (Höflichkeitsform)* Loro; **3.** *(akk von* Sie *sing)* La; **4.** *(akk von* Sie *pl)* Li *m pl,* Le *f pl;* **jdn mit ~ anreden, ~ zu jdm sagen** dare del Lei a qu.
Sieb [zi:p] ⟨-(e)s, -e⟩ *n* setaccio *m; (grobes)* vaglio *m,* crivello *m; (Tee~, Kaffee~)* colino *m.* **Siebdruck** ⟨-(e)s, -e⟩ *m* serigrafia *f.*
sieben[1] ['zi:bən] **I.** *tr* setacciare; *(Getreide)* vagliare; **II.** *itr fig fam* selezionare, fare una cernita.
sieben[2] ['zi:bən] *num* sette; *s. a. vier.*
Sieben ⟨-, -⟩ *f* sette *m.*
siebenhundert ['zi:bən'hʊndɐt] *num* settecento.
siebenjährig *adj* **1.** *(sieben Jahre alt)* di sette anni; **2.** *(sieben Jahre lang)* settennale.
siebenmal *adv* sette volte.
Siebenmeilenstiefel [-'maɪlən-] *m pl* stivali *m pl* delle sette leghe.
Siebensachen ['zi:bən'zaxən] *f pl* carabattole *f pl fam,* stracci *f pl fam.*
Siebenschläfer *m* ghiro *m.*
siebentausend ['zi:bən'taʊzənt] *num* settemila.
Siebtel ⟨-s, -⟩ *n* settimo *m.*
siebtens *adv* (in) settimo (luogo).
siebte(r, s) *adj* settimo, -a; *(bei Datumsangaben)* sette; **im ~n Himmel sein** essere al settimo cielo; *s. a. vierte(r, s).*
siebzehn *num* diciassette.
Siebzehntel *n* diciassettesimo *m.*
siebzehnte(r, s) *adj* diciassettesimo, -a; *s. a. vierte(r, s).*
siebzig ['zi:ptsɪç] *num* settanta; *s. a. vierzig.* **siebzigjährig** *adj* **1.** *(siebzig Jahre alt)* settantenne; **2.** *(siebzig Jahre lang)* di settant'anni. **Siebzigjährige** ⟨ein -r, -n, -n⟩ *mf* uomo *m* (donna *f*) sulla settantina, settantenne *mf.*
siebzigste(r, s) *adj* settantesimo, -a; *s. a. vierte(r, s).*
sieden ['zi:dən] ⟨siedet, sott *o* siedete, gesotten *o* gesiedet⟩ **I.** *tr* (far) bollire; *gastr* lessare; **II.** *itr* sbollire. **Siedepunkt** *m* punto *m* di ebollizione. **Siedewasserreaktor** *m* reattore *m* ad acqua bollente.
Siedler(in) ['zi:dlɐ (...ərɪn)] ⟨-s, -⟩ *m(f)* colono, -a *m, f.*
Siedlung ⟨-, -en⟩ *f* **1.** *(An~)* insediamento *m;* **2.** *(Wohn~)* centro *m* residenziale.
Sieg [zi:k] ⟨-(e)s, -e⟩ *m* vittoria *f.*
Siegel ['zi:gəl] ⟨-s, -⟩ *n* sigillo *m;* **unter dem ~ der Verschwiegenheit** in gran segreto. **Siegellack** *m* ceralacca *f.* **Siegelring** *m* anello *m* con sigillo.
siegen ['zi:gən] *itr* vincere *(über jdn/ etw.* qu/qc).
Sieger(in) ⟨-s, -⟩ *m(f)* vincitore, -trice *m, f.*
siegesgewiß, siegessicher *adj* sicuro di vincere. **Siegeszug** *m* corteo *m* trionfale; *(a. fig)* trionfo *m.*
Siegfried ['zi:kfri:t] *(männlicher Vorname)* Sigfrido.
siegreich *adj* vittorioso.
sieht [zi:t] *pr von* **sehen.**
siezen ['zi:tsən] *tr* dare del Lei a.
Signal [zɪ'gna:l] ⟨-s, -e⟩ *n* segnale *m.*
signalisieren [zɪgnali'zi:rən] ⟨*ohne ge-*⟩ *tr* segnalare.
Signatur [zɪgna'tu:ɐ̯] ⟨-, -en⟩ *f* segnatura *f.*
signieren [zɪ'gni:rən] ⟨*ohne ge-*⟩ *tr* firmare.
Silbe ['zɪlbə] ⟨-, -n⟩ *f* sillaba *f.* **Silbentrennung** *f* divisione *f* in sillabe.
Silber ['zɪlbɐ] ⟨-s, ø⟩ *n* argento *m; (Tafel~)* argenteria *f.* **Silberblick** *m fam* strabismo *m* di Venere. **Silberhochzeit** *f* nozze *f pl* d'argento.
silb(e)rig ['zɪlb(ə)rɪç] *adj* argenteo.
Silbermedaille *f* medaglia *f* d'argento.
silbern *adj* **1.** *(aus Silber)* d'argento; **2.** *(silberig)* argenteo; *(Klang)* argentino.
silbrig *s.* **silberig.**
Silhouette [zi'lu̯ɛtə] ⟨-, -n⟩ *f* silhouette *f.*
Silicium, Silizium [zi'li:tsi̯ʊm] ⟨-s, ø⟩ *n* silicio *m.*
Silikon [zili'ko:n] ⟨-s, -e⟩ *n* silicone *m.*
Silo ['zi:lo] ⟨-s, -s⟩ *m o n* silo *m.*
Silvester [zɪl'vɛstɐ] ⟨-s, -⟩ *n* san Silvestro. **Silvesterparty** *f* festa *f* di Capodanno.
simpel ['zɪmpəl] *adj* **1.** *(schlicht)* semplice; **2.** *pej* sempliciotto, sciocco.
Sims [zɪms] ⟨-es, -e⟩ *m o n* cornice *f,* cimasa *f; (Fenster~)* davanzale *m.*
Simulant(in) [zimu'lant(ɪn)] ⟨-en, -en⟩ *m(f)* simulatore, -trice *m, f.*
Simulation [...tsi̯o:n] *f (a. inform)* simulazione *f.*
simulieren [...'li:rən] ⟨*ohne ge-*⟩ *tr* fingere, simulare.
simultan [zimʊl'ta:n] *adj* simultaneo. **Simultandolmetschen** ⟨-s, ø⟩ *n* traduzione *f* simultanea. **Simultandolmetscher(in)** *m(f)* interprete *mf* simultaneo, -a.
sind [zɪnt] *pr von* **sein**[1]**.**
Sinfonie [zɪnfo'ni:, ...i:ən] ⟨-, -n⟩ *f* sinfonia *f.* **Sinfonieorchester** *n* orchestra *f*

sinfonica.
singen ['zɪŋən] ⟨singt, sang, gesungen⟩ *tr, itr* cantare. **Singen** ⟨-s, ø⟩ *n* canto *m*.
Single[1] [sɪŋgl] ⟨-, -(s)⟩ *f (Schallplatte)* 45 giri *m*.
Single[2] [sɪŋgl] ⟨-s, -s⟩ *m (Alleinlebende)* persona *f* sola, single *mf*.
Singsang ['zɪŋzaŋ] ⟨-(e)s, ø⟩ *m* cantilena *f*.
Singular ['zɪŋgula:ɐ̯] ⟨-s, -e⟩ *m* singolare *m*.
Singvogel *m* uccello *m* canoro.
sinken ['zɪŋkən] ⟨sinkt, sank, gesunken⟩ *itr* ⟨*sein*⟩ **1.** *(nach unten ~)* calare; *(a. Schiff)* affondare; **2.** *(sich senken)* abbassarsi, calare; **3.** *(Ansehen, Vertrauen)* calare; *(Einfluß)* diminuire; **tief** ~ *(moralisch)* cadere in basso; **in einen Stuhl/zu Boden** ~ cadere su una sedia/ a terra; **die Hoffnung/den Mut** ~ **lassen** perdere la speranza/perdersi d'animo.
Sinn [zɪn] ⟨-(e)s, -e⟩ *m* **1.** *(Wahrnehmungs~)* senso *m; (Bewußtsein)* sensi *m pl*, conoscenza *f;* **2.** *(Verständnis, Empfänglichkeit)* comprensione *f* (*für* per), sensibilità *f* (*für* per); **3.** *(Zweck)* scopo *m*, senso *m;* **4.** *(Bedeutung)* significato *m*, senso *m;* ~ **haben für ...** avere il senso di ...; **etw. im ~(e) haben** avere in mente qc; **sich** *(dat)* **etw. aus dem** ~ **schlagen** togliersi qc dalla testa; **jdm in den** ~ **kommen** venire in mente a qu; **in jds ~e** secondo le intenzioni di qu; **im wahrsten ~e des Wortes** nel vero senso della parola; **von ~en** fuori di sé. **Sinnbild** *n* simbolo *m* (*für* di). **sinnentstellend** *adj* che altera il senso.
Sinnesänderung *f* cambiamento *m* d'idea (*o* d'opinione). **Sinneseindruck** *m* sensazione *f*. **Sinnesorgan** *n* organo *m* sensorio (*o* dei sensi). **Sinnestäuschung** *f* illusione *f* dei sensi.
sinnfällig *adj* evidente. **sinngemäß** *adj* conforme al senso (*o* significato); **etw.** ~ **wiedergeben** riprodurre il senso di qc.
sinnieren [zɪ'ni:rən] ⟨*ohne ge-*⟩ *itr* fantasticare, meditare.
sinnig *adj (Gedanke)* sensato; *(sinnreich)* ingegnoso.
sinnlich *adj* **1.** *(die Sinnesorgane betreffend)* sensoriale; **2.** *(Mensch, Mund, Genuß)* sensuale. **Sinnlichkeit** ⟨-, ø⟩ *f* sensualità *f*.
sinnlos *adj* **1.** *(ohne Sinn)* senza (*o* privo di) senso; **2.** *(widersinnig)* assurdo, insensato; **3.** *(vergeblich)* vano, inutile; ~ **betrunken** ubriaco fradicio *fam*. **Sinnlosigkeit** ⟨-, ø⟩ *f* assurdità *f*.
sinnverwandt *adj* sinonimico. **sinnvoll** *adj (vernünftig)* sensato; *(nützlich)* funzionale, utile. **sinnwidrig** *adj* assurdo, insensato.
Sintflut ['zɪnt-] *f* diluvio *m* universale.
Sinus ['zi:nʊs] ⟨-, - *o* -se⟩ *m* seno *m*.
Siphon [zi'fõ: *o* 'zi:fõ] ⟨-s, -s⟩ *m* sifone *m*.
Sippe ['zɪpə] ⟨-, -n⟩ *f* stirpe *f*, clan *m*. **Sippschaft** ⟨-, -en⟩ *f (meist pej)* parentado *m*.
Sirene [zi're:nə] ⟨-, -n⟩ *f* sirena *f*.
Sirup ['zi:rʊp] ⟨-s, -e⟩ *m* sciroppo *m*.
Sitte ['zɪtə] ⟨-, -n⟩ *f* **1.** *(Benehmen)* (buon) costume *m;* **2.** *(Brauch)* uso *m*, usanza *f;* **3.** *(Gewohnheit)* abitudine *f;* **gegen die guten ~n verstoßen** offendere la decenza; **das ist bei uns so** ~ da noi si usa così. **Sittenlosigkeit** ⟨-, ø⟩ *f* dissolutezza *f*, immoralità *f*. **Sittenpolizei** *f* squadra *f* del buon costume. **sittenstreng** *adj* austero, puritano.
Sittich ['zɪtɪç] ⟨-, -e⟩ *m* pappagallino *m*.
sittlich *adj* morale. **Sittlichkeit** ⟨-, ø⟩ *f* moralità *f*. **Sittlichkeitsverbrechen** *n* delitto *m* sessuale.
sittsam *adj (Benehmen)* pudico; *(Mensch)* virtuoso; *(Kleidung)* decente. **Sittsamkeit** ⟨-, ø⟩ *f* pudore *m*, decenza *f*.
Situation [zitua'tsio:n] ⟨-, -en⟩ *f* situazione *f*, condizioni *f pl*.
Sitz [zɪts] ⟨-es, -e⟩ *m* **1.** *(~gelegenheit)* posto *m; (Sessel, a. in Fahrzeugen)* sedile *m;* **2.** *parl (von Abgeordneten)* seggio *m;* **3.** *(von Firma, Verein, Regierung)* sede *f;* **4.** *(von Kleidung)* taglio *m*. **Sitzbad** *n* semicupio *m*. **Sitzblockade** *f* sit-in *m*.
sitzen ['zɪtsən] ⟨sitzt, saß, gesessen⟩ *itr* **1.** *(Mensch)* sedere, essere (*o* stare) seduto; *(Vogel)* stare, essere posato; *(Hund, etc.)* essere accucciato; **2.** *(sich befinden)* trovarsi, essere; *(Firma, Regierung)* risiedere; **3.** *(Deckel, Schraube)* essere fisso; **4.** *(Modell ~)* posare; **5.** *(Kleidung, Frisur)* stare bene; **6.** *fam (im Gefängnis)* essere (*o* stare) al fresco *fam;* **wie angegossen** ~ stare a pennello.
sitzen·bleiben ⟨*irr*⟩ *itr* ⟨*sein*⟩ *fam* **1.** *(in Schule)* essere bocciato *fam;* **2.** *obs (Frau)* rimanere zitella; *(beim Tanz)* fare da tappezzeria *fam*. **sitzen·lassen** ⟨*irr*⟩ *tr fam* piantare *fam; (bei Verabredung)* dare un bidone a *fam;* **etw. auf sich** *(dat)* ~ lasciar correre qc; **das lasse ich nicht auf mir sitzen!** questa non la mando giù.
Sitzgelegenheit *f*, **-platz** *m* posto *m* (a sedere). **Sitzstreik** *m* sit-in *m*.
Sitzung ⟨-, -en⟩ *f* seduta *f; jur* udienza *f*. **Sitzungssaal** *m* sala *f* delle sedute; *jur* aula *f* delle udienze. **Sitzverteilung** *f* *parl* assegnazione *f* dei seggi.
Sizilianer(in) [zitsi'lia:nɐ (...ərɪn)] ⟨-s, -⟩ *m(f)* siciliano, -a *m, f*.
sizilianisch *adj* siciliano.
Sizilien [zi'tsi:liən] *n* Sicilia *f*.
Skala ['ska:la, ...las *o* ...lən] ⟨-, -s *o* Skalen⟩ *f* scala *f*.
Skalp [skalp] ⟨-s, -e⟩ *m* scalpo *m*.
Skalpell [skal'pɛl] ⟨-s, -e⟩ *n* scalpello *m*.
Skandal [skan'da:l] ⟨-s, -e⟩ *m* scandalo *m*.

skandalös [...da'lø:s] *adj (anstößig)* scandaloso; *(unerhört)* inaudito.
Skandinavien [skandi'na:vi̯ən] *n* Scandinavia *f.*
skandinavisch *adj* scandinavo.
Skat [ska:t] ⟨-(e)s, -e *o* -s⟩ *m* skat *m.*
Skateboard ['skeɪtbɔ:d] ⟨-s, -s⟩ *n* skateboard *m.* **Skateboardfahrer(in)** *m(f)* chi va con lo skate-board.
Skelett [ske'lɛt] ⟨-(e)s, -e⟩ *n* scheletro *m.*
Skepsis ['skɛpsɪs] ⟨-, ø⟩ *f* scetticismo *m.*
skeptisch ['skɛptɪʃ] *adj* scettico.
Sketch ['skɛtʃ] ⟨-(es), -e(s)⟩ *m* scenetta *f,* sketch *m.*
Ski [ʃi:] ⟨-s, -er *o* -⟩ *m* sci *m;* ~ **fahren (***o* **laufen)** sciare. **Skianzug** *m* tuta *f* da sci. **Skibrille** *f* occhiali *m pl* da sci. **Skigymnastik** *f* ginnastica *f* presciistica. **Skihose** *f* pantaloni *m pl* da sci. **Skikurs** *m* corso *m* di sci. **Skilanglauf** *m* sci *m* di fondo. **Skilaufen** ⟨-s, ø⟩ *n* sci *m.* **Skiläufer(in)** *m(f)* sciatore, -trice *m, f.* **Skilehrer(in)** *m(f)* insegnante *mf* di sci. **Skilift** *m* sciovia *f.*
Skinhead ['skɪnhɛd] ⟨-s, -s⟩ *m* skinhead *m,* naziskin *m.*
Skipaß *m* ski-pass *m.* **Skipiste** *f* pista *f* da sci. **Skischuh** *m* scarpone *m* da sci. **Skischule** *f* scuola *f* di sci. **Skispringen** ⟨-s, -⟩ *n* salto *m* con gli sci. **Skispringer(in)** *m(f)* saltatore, -trice *m, f* con gli sci. **Skistock** *m* bastone *m* da sci, racchetta *f.* **Skiträger** *m* portasci *m.* **Skiurlaub** *m* vacanze *f pl* sci(istiche). **Skizirkus** *m* circo *m* bianco.
Skizze ['skɪtsə] ⟨-, -n⟩ *f* schizzo *m; (lit a.)* abbozzo *m.* **skizzenhaft** *adj* abbozzato, schizzato.
skizzieren [skɪ'tsi:rən] ⟨*ohne ge-*⟩ *tr* schizzare; *(lit a.)* abbozzare.
Sklave ['skla:və *o* ...a:fə] ⟨-n, -n⟩ *m,* **Sklavin** [...vɪn *o* ...fɪn] *f* schiavo, -a *m, f.*
Sklerose [skle'ro:zə] ⟨-, -n⟩ *f* sclerosi *f;* **multiple** ~ sclerosi multipla.
Skonto ['skɔnto, ...tos *o* ...ti] ⟨-s, -s *o rar* Skonti⟩ *m o n* sconto *m.*
Skorpion [skɔr'pi̯o:n] ⟨-s, -e⟩ *m* **1.** *zoo* scorpione *m;* **2.** *astr* Scorpione *m;* **er/sie ist (ein)** ~ è (dello *o* uno) Scorpione.
Skrupel ['skru:pəl] ⟨-s, -⟩ *m* scrupolo *m.* **skrupellos** *adj* senza scrupoli. **Skrupellosigkeit** ⟨-, ø⟩ *f* mancanza *f* di scrupoli.
Skulptur [skʊlp'tu:ɐ̯] ⟨-, -en⟩ *f* scultura *f.*
Slalom ['sla:lɔm] ⟨-s, -s⟩ *m* slalom *m.*
Slawe ['sla:və] ⟨-n, -n⟩ *m,* **Slawin** [...vɪn] *f* slavo, -a *m, f.*
slawisch *adj* slavo.
Slip [slɪp] ⟨-s, -s⟩ *m* slip *m,* mutandina *f.* **Slipeinlage** *f* proteggi *m* mutandina.
Slowene [slo've:nə] ⟨-n, -n⟩ *m,* **Slowenin** [slo've:nɪn] *f* sloveno, -a *m, f.* **Slowenien** [slo've:ni̯ən] *n* Slovenia *f.* **slowenisch** *adj* sloveno.
Smaragd [sma'rakt] ⟨-(e)s, -e⟩ *m* smeraldo *m.*
Smog [smɔk] ⟨-(s), -s⟩ *m* smog *m.* **Smogalarm** *m* allarme *m* smog.
Smoking ['smo:kɪŋ] ⟨-s, -s⟩ *m* smoking *m.*
Snob [snɔp] ⟨-s, -s⟩ *m* snob *mf.*
Snobismus [sno'bɪsmʊs, ...mən] ⟨-, -men⟩ *m* snobismo *m.*
snobistisch [...'bɪstɪʃ] *adj* snob.
Snowboard ['snoʊbɔ:d] ⟨-s, -s⟩ *n* snowboard *m.*
so [zo:] **I.** *adv* **1.** *(Art und Weise)* così, in questo modo; **2.** *(bei adj, adv)* così, tanto, talmente; ~ **etwas** una cosa simile (*o* del genere); ~ **etwas wie ...** qualcosa come ...; ~ **... wie** tanto ... quanto; ~ **gut wie** praticamente, quasi; ~ **... auch** per quanto ...; ~ **viel** tanto; ~ **oder** ~ in un modo o nell'altro; **bald** ~, **bald** ~ ora in un modo, ora in un altro; **und** ~ **fort (***o* **weiter)** e così via, eccetera; **um** ~ **besser** tanto meglio; **du tust nur** ~ fai solo finta; ~ **ein Esel!** che imbecille!; **II.** *konj (also)* così, dunque; **III.** *interj:* ~! ecco!, bene!; ~, ~! ma guarda un po'!; ~? davvero?, veramente?
s. o. *abk von* **siehe oben** v.s. (*abbr di* vedi sopra).
SO *abk von* **Südost(en)** SE (*abbr di* sudest).
sobald [zo'balt] *konj* non appena.
Socke ['zɔkə] ⟨-, -n⟩ *f* calzino *m.*
Sockel ['zɔkəl] ⟨-s, -⟩ *m* zoccolo *m,* piedistallo *m; (Unterbau)* basamento *m.*
Soda ['zo:da] ⟨-, ø⟩ *f o* ⟨-s, ø⟩ *n* soda *f.* **Sodawasser** *n* (acqua *f* di) soda *f.*
Sodbrennen ['zo:t-] ⟨-s, ø⟩ *n* bruciore *m* di stomaco.
soeben [zo'ˀe:bən] *adv (gerade jetzt)* in questo istante; *(vor kurzer Zeit)* appena, or ora, poco fa.
Sofa ['zo:fa] ⟨-s, -s⟩ *n* divano *m,* sofà *m.*
sofern [zo'fɛrn] *konj* purché +*congv,* a condizione che +*congv;* ~ **nicht** a meno che +*congv.*
soff [zɔf] *imp von* **saufen.**
sofort [zo'fɔrt] *adv* subito, immediatamente. **Sofortbildkamera** *f* macchina *f* fotografica per fotografie istantanee (*o* a sviluppo istantaneo). **Soforthilfe** *f* intervento *m* immediato, assistenza *f* immediata. **sofortig** *adj* immediato, istantaneo. **Sofortmaßnahme** *f* misura *f* immediata.
Softie ['zɔfti] ⟨-s, -s⟩ *m fam* uomo *m* mite e sensibile.
Software ['sɔftwɛə] ⟨-, -s⟩ *f* software *m.* **Softwarefirma** *f* società *f* di software, produttore *m (o* fornitore *m)* di software. **Softwarepaket** *n* pacco *m (o* corredo *m)* di software.
sog [zo:k] *imp von* **saugen.**
sog. *abk von* **sogenannte(r, s)** cosiddetto, -a.
Sog [zo:k] ⟨-(e)s, -e⟩ *m* risucchio *m; (a. fig)* vortice *m.*

sogar [zo'ga:ɐ̯] *adv* perfino, persino.
sogenannt *adj* (*abk* **sog.**) cosiddetto; *(angeblich)* sedicente, che si dice.
sogleich [zo'glaiç] *s.* **sofort.**
Sohle ['zo:lə] ⟨-, -n⟩ *f* **1.** *(Fuß~)* pianta *f;* **2.** *(Schuh~)* suola *f;* **3.** *(Tal~, geol)* fondo *m; min* livello *m.*
sohlen *tr* solare.
Sohn [zo:n] ⟨-(e)s, Söhne⟩ *m* figlio *m.*
Sojabohne ['zo:ja-] *f* soia *f.* **Sojaöl** *n* olio *m* di soia.
solange [zo'laŋə] *konj* finché, fintantoché.
Solar- [zo'la:ɐ̯-] *(in Zusammensetzungen)* solare. **Solarenergie** *f* energia *f* solare.
Solarium [zo'la:rium, ...iən] ⟨-s, -rien⟩ *n* solarium *m.*
Solartechnik *f* tecnica *f* solare, eliotecnica *f.* **Solarzelle** *f* pannello *m* solare.
solch [zɔlç] ⟨*inv*⟩ , **solche(r, s)** ['zɔlçɐ] *adj* tale; **ein ~er . . ./eine ~e . . .** un tale . . ./ una tale . . .; **ein ~er Mensch** un simile individuo; **ein ~ guter Mensch** un uomo così buono.
Sold [zɔlt] ⟨-(e)s, -e⟩ *m* soldo *m.*
Soldat [zɔl'da:t] ⟨-en, -en⟩ *m* soldato *m;* **der Unbekannte ~** il milite ignoto. **Soldatenfriedhof** *m* cimitero *m* di guerra.
Söldner ['zœldnɐ] ⟨-s, -⟩ *m* mercenario *m.*
Sole ['zo:lə] ⟨-, -n⟩ *f* acqua *f* salsa (*o* salina).
Soli *pl von* **Solo.**
solidarisch [soli'da:rɪʃ] *adj* solidale; **sich ~ erklären** solidarizzare (*mit* con). **solidarisieren** ⟨*ohne ge-*⟩ *itr, rfl:* **sich ~** solidarizzare (*mit* con).
Solidarität [...dari'tɛ:t] ⟨-, ø⟩ *f* solidarietà *f.* **Solidaritätszuschlag** *m contributo di solidarietà per i nuovi Länder.*
solid(e) [zo'li:t (...i:də)] *adj* solido; *(Arbeit, Arbeiter)* coscienzioso, serio; *(Mensch, Lebensweise)* onesto; *(Preise)* ragionevole.
Solist(in) [zo'lɪst(ɪn)] ⟨-en, -en⟩ *m(f)* solista *mf.*
Soll [zɔl] ⟨-(s), -(s)⟩ *n* **1.** *fin* dare *m,* debito *m;* **2.** *(Plan~)* norma *f* di produzione.
sollen ['zɔlən] **I.** *itr (modales Hilfsverb)* ⟨soll, sollte, sollen⟩ dovere; **du sollst nicht töten** non ammazzare; **du sollst (doch) nicht rauchen!** non devi fumare!; **du solltest lieber gehen** faresti meglio ad andare; **das hättest du nicht tun ~** non avresti dovuto farlo; **er soll reich sein** dicono che sia ricco; **er soll sofort kommen** che venga subito; **er soll gesagt haben** avrebbe detto; **er soll heute kommen** dovrebbe venire oggi; **man sollte meinen . . .** si direbbe; **man sollte weniger essen** bisognerebbe mangiar meno; **wenn es regnen sollte** se dovesse piovere, se piovesse; **soll ich kommen?** devo venire?; **was soll das heißen?** che cosa vuol dire?; **was soll das kosten?** quanto costa?, quant'è?; **II.** *itr* ⟨soll, sollte, gesollt⟩ dovere; **was soll das?** come sarebbe?, che significa?; **was soll ich dort?** cosa ci faccio?; **was soll's** *fam* è uguale; **III.** *tr* ⟨soll, sollte, gesollt⟩ dovere.
solo ['zo:lo] ⟨*inv*⟩ *adj* solo.
Solo ['zo:lo, ...los *o* ...li] ⟨-s, -s *o* Soli⟩ *n* assolo *m.*
Solothurn ['zo:loturn] *n* Soletta *f.*
solvent [zɔl'vɛnt] *adj* solvente.
somit [zo'mɪt] *adv* quindi, di conseguenza.
Sommer ['zɔmɐ] ⟨-s, -⟩ *m* estate *f.* **Sommerferien** ⟨*pl*⟩ vacanze *f pl* estive. **Sommerfrische** *f* villeggiatura *f.* **Sommerkleidung** *f* vestiti *m pl* (*o* abiti *m pl*) estivi. **sommerlich** *adj* estivo, d'estate. **Sommerloch** *n fase di ristagno economico, politico e culturale nei mesi estivi.* **Sommermantel** *m* spolverino *m.* **Sommerpause** *f (Theater, Parlament)* pausa *f* estiva. **Sommerreifen** *m* pneumatico *m* estivo. **Sommerschlußverkauf** *m* svendita *f* (*o* liquidazione *f*) di fine stagione (estate). **Sommersemester** *n* (*abk* **SS**) semestre *m* estivo. **Sommerspiele** *n pl:* **Olympische ~** olimpiadi *f pl* estive. **Sommersprossen** *f pl* lentiggini *f pl.* **Sommerzeit** *f* **1.** *(Uhrzeit)* ora *f* estiva; **2.** *(Jahreszeit)* estate *f.*
Sonate [zo'na:tə] ⟨-, -n⟩ *f* sonata *f.*
Sonde ['zɔndə] ⟨-, -n⟩ *f* sonda *f.*
Sonderanfertigung ['zɔndɐ-] *f* **1.** *(Tätigkeit)* fabbricazione *f* fuori serie; **2.** *(Stück)* esemplare *m* fuori serie. **Sonderangebot** *n* offerta *f* speciale. **Sonderausgabe** *f* **1.** *(Buch, Zeitschrift)* edizione *f* straordinaria; **2.** *fin* spesa *f* straordinaria.
sonderbar *adj* strano.
Sonderfahrt *f* corsa *f* straordinaria. **Sonderfall** *m* caso *m* particolare. **Sondergenehmigung** *f* autorizzazione *f* speciale.
sondergleichen ['sɔndɐ'glaiçən] ⟨*inv*⟩ *adj (nachgestellt)* senza pari.
Sonderkonferenz *f* assemblea *f* straordinaria.
sonderlich **I.** *adj* eccessivo; **II.** *adv* eccessivamente.
Sonderling ['zɔndɐlɪŋ] ⟨-s, -e⟩ *m* persona *f* strana.
Sondermarke *f* francobollo *m* da collezione. **Sondermüll** *m* rifiuti *m pl* speciali. **Sondermülldeponie** *f* discarica *f* per i rifiuti speciali.
sondern[1] ['zɔndɐn] *con* ma, bensì.
sondern[2] ['zɔndɐn] *tr geh* separare.
Sondernummer *f* numero *m* speciale. **Sonderpreis** *m* prezzo *m* speciale (*o* eccezionale). **Sonderregelung** *f* regolamento *m* (*o* regime *m*) speciale. **Sonderschule** *f* classi *f pl* differenziali. **Sonderstellung** *f* posizione *f* particolare (*o* spe-

ciale). **Sonderzeichen** *n inform* carattere *m* speciale. **Sonderzug** *m* treno *m* straordinario.

sondieren [zɔn'di:rən] ⟨*ohne ge-*⟩ *tr* sondare.

Sonett [zo'nɛt] ⟨-(e)s, -e⟩ *n* sonetto *m.*

Sonnabend ['zɔnʔa:bənt] *m* sabato *m; s. a. Freitag.*

Sonne ['zɔnə] ⟨-, -n⟩ *f* sole *m;* **in der ~** al sole.

sonnen *rfl:* **sich ~** prendere il (*o* stare al) sole; **sich im Erfolg ~** godersi il successo.

Sonnenaufgang *m* sorgere *m* (*o* levata *f*) del sole. **Sonnenbad** *n* bagno *m* di sole. **Sonnenbank** *f* lettino *m* solare. **Sonnenblume** *f* girasole *m.* **Sonnenbrand** *m* scottatura *f* (solare). **Sonnenbrille** *f* occhiali *m pl* da sole. **Sonnencreme** *f* crema *f* solare. **Sonnenenergie** *f* energia *f* solare. **Sonnenfinsternis** *f* eclisse *f* solare. **sonnenhungrig** *adj* patito della tintarella *fam.* **Sonnenkollektor** *n* collettore *m* solare. **Sonnenkraftwerk** *n* centrale *f* ad energia solare. **Sonnenöl** *n* olio *m* solare. **Sonnenschein** *m:* **im ~** al sole. **Sonnenschirm** *m* ombrellino *m,* parasole *m; (großer)* ombrellone *m.* **Sonnenschutzmittel** *n* ambra *f* solare. **Sonnenstich** *m* insolazione *f,* colpo *m* di sole; **einen ~ haben** *fig* avere un ramo di pazzia. **Sonnenstrahl** *m* raggio *m* di sole. **Sonnensystem** *n* sistema *m* solare. **Sonnenuhr** *f* orologio *m* solare, meridiana *f.* **Sonnenuntergang** *m* tramonto *m* del sole. **Sonnenwende** *f* solstizio *m.*

sonnig *adj* **1.** *meteo* soleggiato, assolato; **2.** *fig (heiter)* gaio.

Sonntag ['zɔnta:k] *m* domenica *f;* **am ~** la domenica; **jeden ~** tutte le domeniche; *s. a. Freitag.* **sonntags** *adv* di (*o* la) domenica; **sonn- und feiertags** la domenica e i giorni festivi. **Sonntagsarbeit** *f* lavoro *m* domenicale (*o* festivo). **Sonntagsdienst** *m:* **~ haben** essere di servizio la domenica; **~** *(Hinweis: Arzt)* medico *m* di servizio; *(Apotheke)* farmacia *f* di servizio. **Sonntagsfahrer** *m pej* autista *m* della domenica. **Sonntagsstaat** *m obs* vestiti *m pl* della domenica (*o* festa).

sonst [zɔnst] *adv* **1.** *(andernfalls)* altrimenti; **2.** *(außerdem)* oltre a ciò, inoltre; **3.** *(gewöhnlich)* di solito, normalmente; **4.** *(früher)* un tempo; **~ niemand** nessun altro; **~ nichts** niente altro. **sonstig** *adj* ulteriore, altro; **S~es** varie *f pl.*

sooft [zoʔ'ʔɔft] *konj* ogniqualvolta.

Sophie [zo'fi:] *(weiblicher Vorname)* Sofia.

Sopran [zo'pra:n] ⟨-s, -e⟩ *m (Partie, Stimme)* soprano *m; (Sängerin)* soprano *f; (Knaben~)* voce *f* bianca.

Sorge ['zɔrgə] ⟨-, -n⟩ *f* **1.** *(Angst, Problem)* preoccupazione *f* (*um* per); *(innere Unruhe)* pensiero *m* (*um* per); *(Kummer)* dispiacere *m;* **2.** *(Sorgfalt, Fürsorge)* cure *f pl* (*für* per), sollecitudine *f* (*für* per); **jdm ~n machen** dare dei pensieri a qu; **sich** *(dat)* **~n machen** preoccuparsi, stare in pensiero; **dafür ~ tragen, daß ...** badare che *+congv.*

sorgen I. *itr:* **für etw. ~** provvedere a qc; *(bewirken)* procurare qc, causare qc; **für jdn ~** *(sich kümmern um)* preoccuparsi di qu; *(betreuen)* aver cura di qu; *(versorgen)* provvedere a qu; **dafür ~, daß ...** fare in modo che *+congv;* **dafür ist gesorgt** s'è provveduto; **II.** *rfl:* **sich ~** essere in pensiero (*um* per).

Sorgenfalte *f* ruga *f* di apprensione (*o* corruccio). **sorgenfrei** *adj* senza pensieri. **Sorgenkind** *n* figlio, -a *m, f* che procura molti pensieri; *fig (Sache)* spina *f.* **Sorgentelefon** *n* telefono *m* amico. **sorgenvoll** *adj* pieno di pensieri (*o* preoccupazioni).

Sorgerecht *n* affidamento *m;* **ihr wurde das ~ für die Kinder zugesprochen** le sono stati affidati i figli.

Sorgfalt ['zɔrkfalt] ⟨-, ø⟩ *f* cura *f,* accuratezza *f.* **sorgfältig** [...fɛltɪç] *adj* accurato.

sorglos *adj* senza preoccupazioni; *(unbekümmert)* spensierato; *(leichtsinnig)* incosciente. **Sorglosigkeit** ⟨-, ø⟩ *f* spensieratezza *f; (Leichtsinn)* incoscienza *f,* leggerezza *f.*

sorgsam *adj (sorgfältig)* accurato; *(umsichtig)* circospetto.

Sorte ['zɔrtə] ⟨-, -n⟩ *f* **1.** *(Art)* tipo *m,* sorta *f,* specie *f;* **2.** *(Marke)* marca *f;* **3.** *(Qualität)* qualità *f;* **4.** *bot* varietà *f;* **5.** ⟨*pl*⟩ *(Devisen)* valute *f pl.*

sortieren [zɔr'ti:rən] ⟨*ohne ge-*⟩ *tr* assortire; *(ordnen)* classificare; *(Briefe)* smistare.

Sortiment [zɔrti'mɛnt] ⟨-(e)s, -e⟩ *n* **1.** *ökon* assortimento *m;* **2.** *(Buchhandel)* commercio *m* librario.

SOS [ɛsʔo:'ʔɛs] ⟨-, -⟩ *n* S.O.S. *m.*

sosehr [zo'ze:ɐ̯] *konj* per quanto *+congv.*

Soße ['zo:sə] ⟨-, -n⟩ *f* salsa *f; (Braten~)* sugo *m.*

sott [zɔt] *imp von* **sieden.**

Souffleur [zu'flø:ɐ̯] ⟨-s, -e⟩ *m,* **Souffleuse** [...ø:zə] ⟨-, -n⟩ *f* suggeritore, -trice *m, f.* **Souffleurkasten** *m* buca *f* del suggeritore.

soufflieren [zu'fli:rən] ⟨*ohne ge-*⟩ **I.** *itr* fare il suggeritore; **jdm ~** suggerire a qu; **II.** *tr:* **jdm etw. ~** suggerire qc a qu.

Sound [saʊnd] ⟨-s, -s⟩ *m* suono *m.* **Soundkarte** *f* scheda *f* musica.

Soutane [zu'ta:nə] ⟨-, -n⟩ *f* sottana *f.*

Souvenir [zuvə'ni:ɐ̯] ⟨-s, -s⟩ *n* souvenir *m,* ricordo *m.*

souverän [zuvə'rɛ:n] *adj* con superiorità. **Souveränität** [zuvərɛni'tɛ:t] ⟨-, ø⟩ *f* sovranità *f.*

soviel [zo'fi:l] **I.** *adv* tanto; **II.** *konj* (per) quanto; **~ ich weiß** per quanto ne sap-

pia io.
soweit [zo'vait] **I.** *adv* fin qui, fino a questo punto; ~ **wie** (*o* **als**) (tanto) quanto; ~ **erforderlich** se necessario; **bist du** ~? sei pronto?; **es ist** ~ ci siamo; **II.** *konj* fin dove; *(in dem Maße, wie)* per quanto +*congv.*
sowenig [zo've:nıç] **I.** *adv* (altret)tanto poco; ~ **wie möglich** il meno possibile; **II.** *konj* per poco che +*congv.*
sowie [zo'vi:] *konj* **1.** *(sobald)* (non) appena; **2.** *(und auch)* e anche, come anche.
sowieso [zovi'zo:] *adv* comunque, in ogni caso.
Sowjetbürger(in) [zɔ'vjɛt-] *m(f) hist* (cittadino, -a *m, f*) sovietico, -a *m, f.* **sowjetisch** *adj* sovietico. **Sowjetunion** *f hist:* **die** ~ l'Unione Sovietica.
sowohl [zo'vo:l] *konj:* ~ ... **als auch** ... tanto ... quanto ...
sozial [zo'tsia:l] *adj* sociale; **der** ~**e Wohnungsbau** l'edilizia popolare; **(freiwilliges)** ~**es Jahr** *anno prestato al servizio della società (da parte di giovani).* **Sozialabbau** *m* riduzione *f* delle prestazioni previdenziali. **Sozialabgaben** *f pl* contributi *m pl* sociali. **Sozialamt** *n* ufficio *m* di previdenza sociale. **Sozialarbeiter(in)** *m(f)* assistente *mf* sociale. **Sozialdemokrat(in)** *m(f)* socialdemocratico, -a *m, f.* **sozialdemokratisch** *adj* socialdemocratico. **Sozialhilfe** *f* assistenza *f* sociale. **Sozialhilfeempfänger(in)** *m(f)* beneficiario, -a *m, f* dell'assegno sociale, assistito, -a *m, f.*
Sozialismus [zotsia'lısmʊs] ⟨-, ø⟩ *m* socialismo *m.*
Sozialist(in) [...'lıst(ın)] ⟨-en, -en⟩ *m(f)* socialista *mf.*
sozialistisch *adj* socialista.
Sozialleistungen *f pl* prestazioni *f pl* (*o* erogazioni *f pl*) sociali. **Sozialpädagoge** ⟨-n, -n⟩ *m,* **-pädagogin** *f* educatore, -trice *m, f.* **Sozialpädagogik** *f* pedagogia *f* sociale. **Sozialplan** *m* piano *m* sociale. **Sozialprodukt** *n* prodotto *m* nazionale. **Sozialstaat** *m* stato *m* sociale. **Sozialversicherung** *f* previdenza *f* sociale. **Sozialversicherungsausweis** *m* libretto *m* della mutua. **sozialverträglich** *adj* adeguato agli accordi sindacali a favore dei lavoratori. **Sozialwissenschaft** *f* **1.** ⟨*sing*⟩ sociologia *f;* **2.** ⟨*pl*⟩ scienze *f pl* sociali. **Sozialwohnung** *f* casa *f* popolare.
soziokulturell ['zotsio-] *adj* socioculturale.
Soziologe [-'lo:gə] ⟨-, -n⟩ *m,* **-login** [...gın] *f* sociologo, -a *m, f.*
Soziologie [...lo'gi:] ⟨-, ø⟩ *f* sociologia *f.*
soziologisch [...'lo:gıʃ] *adj* sociologico.
Sozius ['zo:tsiʊs] ⟨-, -se⟩ *m* **1.** *ökon* socio *m;* **2.** *(Motorrad~)* persona *f* che viaggia sul sellino posteriore.
sozusagen [zo:tsu'za:gən] *adv* per così dire.
Spachtel ['ʃpaxtəl] ⟨-s, -⟩ *m* spatola *f.*
spachteln **I.** *tr* stuccare; **II.** *itr fam (essen)* pappare *fam.*
Spagat [ʃpa'ga:t] ⟨-(e)s, -e⟩ *m o n* spaccata *f.*
spähen ['ʃpɛ:ən] *itr* spiare; **nach jdm** ~ guardare se viene qu.
Spalier [ʃpa'li:ɐ] ⟨-s, -e⟩ *n* spalliera *f;* ~ **stehen** fare ala.
Spalt [ʃpalt] ⟨-(e)s, -e⟩ *m* fessura *f,* fenditura *f; (Mauer~, Fels~)* crepa *f;* **die Tür einen** ~ **öffnen** aprire appena la porta.
Spalte ['ʃpaltə] ⟨-, -n⟩ *f* **1.** *(Fels~, Mauer~)* crepa *f; (Gletscher~)* crepaccio *m;* **2.** *typ* colonna *f.*
spalten ⟨spaltet, spaltete, gespaltet *o bes. fig:* gespalten⟩ **I.** *tr* **1.** *allg.* fendere, spaccare; **2.** *fig* scindere, dissociare; **3.** *phys* fissionare; *chem* dissociare; **II.** *rfl:* **sich** ~ fendersi, spaccarsi; *fig* dissociarsi.
Spaltmaterial *n phys* materiale *m* fissile.
Spaltung ⟨-, -en⟩ *f* **1.** *(von Material)* fenditura *f,* spaccatura *f;* **2.** *fig* divisione *f,* scissione *f;* **3.** *phys* fissione *f; chem* scissione *f;* **4.** *psych* dissociazione *f.*
Span [ʃpa:n] ⟨-(e)s, Späne⟩ *m* truciolo *m.* **Spanferkel** *n* maialino *m* da latte.
Spange ['ʃpaŋə] ⟨-, -n⟩ *f* fermaglio *m; (Schuh~)* fibbia *f.*
Spanien ['ʃpa:niən] *n* Spagna *f.*
Spanier(in) ⟨-s, -⟩ *m(f)* spagnolo, -a *m, f.*
spanisch *adj* spagnolo; ~**e Wand** paravento *m;* **das kommt mir** ~ **vor** *fam* mi pare strano.
spann [ʃpan] *imp von* **spinnen.**
Spann [ʃpan] ⟨-(e)s, -e⟩ *m* collo *m* (*o* dorso *m*) del piede.
Spannbettuch *n* lenzuolo *m* con angoli.
Spanne ['ʃpanə] ⟨-, -n⟩ *f (Zeit~)* intervallo *m,* lasso *m* di tempo; *(Handels~, Verdienst~)* margine *m.*
spannen ['ʃpanən] **I.** *tr* **1.** *(an~)* tendere, tirare; **2.** *(ein~, einklemmen)* stringere; *(in Schreibmaschine)* mettere; **3.** *fot, tec (Waffe)* caricare; **II.** *rfl:* **sich** ~ **1.** *(sich an~)* tendersi; **2.** *geh (sich wölben)* inarcarsi; **III.** *itr (Kleidungsstück)* stringere; *(Haut)* tirare.
spannend *adj* avvincente; *(Film)* pieno di suspense.
Spanner ⟨-s, -⟩ *m* **1.** *(Gerät)* tenditore *m; (Hosen~)* stiracalzoni *m; (Schuh~)* tendiscarpe *m;* **2.** *zoo (Schmetterling)* falena *f;* **3.** *fam (Voyeur)* voyeur *m.*
Spannkraft *f* forza *f* di tensione; *(von Feder)* elasticità *f.*
Spannung ⟨-, -en⟩ *f* tensione *f; (el a.)* voltaggio *m; (von Film, etc.)* suspense *f;* **etw. mit** ~ **erwarten** attendere qc con impazienza. **Spannungsprüfer** *m* indicatore *m* tensione.
Spannweite *f (Flügel~, a. aero)* apertura

f alare; *(Brücken~)* luce *f* campata.
Spanplatte *f* truciolato *m.*
Sparbrief *m* certificato *m* di deposito bancario, buono *m* fruttifero. **Sparbuch** *n* libretto *m* di risparmio. **Sparbüchse** *f*, **-dose** *f* salvadanaio *m.* **Spareinlage** *f* deposito *m* di risparmio.
sparen ['ʃpa:rən] *tr, itr* fare economia di; *(a. fig)* risparmiare; **sich** *(dat)* **etw.** ~ *(nicht tun)* risparmiarsi qc.
Sparer(in) ⟨-s, -⟩ *m(f)* risparmiatore, -trice *m, f.*
Sparflamme *f* fiamma *f* al minimo; **auf** ~ *fig fam* al minimo.
Spargel ['ʃpargəl] ⟨-s, -⟩ *m* asparago *m.*
Sparkasse *f* cassa *f* di risparmio. **Sparkonto** *n* conto *m* di risparmio.
spärlich ['ʃpɛ:ɐ̯lɪç] *adj* scarso; *(Gewinn)* magro; *(Haar)* rado; ~ **bekleidet** poco vestito.
Sparmaßnahme *f* misura *f* di risparmio.
sparsam *adj (Mensch)* economo, parsimonioso; *(Gerät)* economico; **mit etw.** ~ **umgehen** fare economia di qc. **Sparsamkeit** ⟨-, ø⟩ *f* parsimonia *f*, economia *f.*
Sparschwein *n* salvadanaio *m* a porcellino.
Sparte ['ʃpartə] ⟨-, -n⟩ *f* **1.** *(Gebiet)* campo *m,* settore *m; (Wissenszweig)* ramo *m,* branca *f; (Geschäftszweig)* branca *f;* **2.** *(Zeitungsspalte)* rubrica *f.*
Spaß [ʃpa:s] ⟨-es, Späße⟩ *m* **1.** ⟨*sing*⟩ *(Vergnügen)* piacere *m,* divertimento *m;* **2.** *(Scherz)* scherzo *m;* ~ **machen** *(scherzen)* scherzare; *(angenehm sein)* essere divertente; ~ **verstehen (***o* **vertragen)** stare agli scherzi; **an etw.** *(dat)* ~ **haben** divertirsi con qc; **aus (***o* **zum)** ~ per scherzo; ~ **beiseite!** bando agli scherzi!; **viel** ~**!** buon divertimento!
spaßen *itr* scherzare; **er läßt nicht mit sich** *(dat)* ~ con lui c'è poco da scherzare; **damit ist nicht zu** ~ con questo non si scherza.
spaßeshalber *adv* per scherzo.
spaßhaft, spaßig *adj (Geschichte)* divertente, spassoso; *(Mensch)* arguto, faceto. **Spaßmacher** ⟨-s, -⟩ *m,* **Spaßvogel** *m* burlone *m,* mattacchione *m fam.* **Spaßverderber** ⟨-s, -⟩ *m* guastafeste *mf.*
spät [ʃpɛ:t] **I.** *adj* tardo; *(Entwicklung)* tardivo; **II.** *adv* tardi; **zu** ~ **kommen** arrivare in ritardo; **wie** ~ **ist es?** che ore sono? **Spätaussiedler(in)** *m(f) emigrante di origine tedesca che rientra in Germania da un Paese dell'Europa dell'Est.*
Spaten ['ʃpa:tən] ⟨-s, -⟩ *m* vanga *f.*
später ['ʃpɛ:tɐ] **I.** *adj* **1.** *(nachkommend)* posteriore; **2.** *(zukünftig)* futuro; **II.** *adv (danach)* più tardi; **einige Zeit** ~ qualche tempo dopo.
spätestens *adv* al più tardi. **Spätfolge** *f* ⟨*meist pl*⟩ postumi *m pl.* **Spätlese** *f* *(Wein)* vino *m* di prima scelta. **Spätnachrichten** *f pl* telegiornale *m* della notte. **Spätschaden** *m* ⟨*meist pl*⟩ danno *m* postumo. **Spätschicht** *f* turno *m* di notte. **Spätsommer** *m* tarda estate *f.* **Spätvorstellung** *f* programma *m* della notte.
Spatz [ʃpats] ⟨-en *o* -es, -en⟩ *m* passero *m;* **ein** ~ **in der Hand ist besser als eine Taube auf dem Dach** *prov* meglio un uovo oggi che una gallina domani *prov.* **Spätzündung** *f* accensione *f* ritardata.
spazieren [ʃpa'tsi:rən] ⟨*ohne ge-*⟩ *itr* ⟨*sein*⟩ passeggiare. **spazieren·fahren** ⟨*irr*⟩ **I.** *itr* ⟨*sein*⟩ fare una passeggiata (con un veicolo); **II.** *tr* ⟨*haben*⟩ portare a passeggio (con un veicolo). **spazieren·gehen** ⟨*irr*⟩ *itr* ⟨*sein*⟩ andare a passeggio (*o* a spasso).
Spazierfahrt *f* gita *f.* **Spaziergang** *m* passeggiata *f.* **Spaziergänger(in)** [-gɛŋɐ (...ərɪn)] ⟨-s, -⟩ *m(f)* persona *f* che va a passeggio. **Spazierstock** *m* bastone *m* da passeggio.
SPD [ɛspe:'de:] ⟨-, ø⟩ *f abk von* **Sozialdemokratische Partei Deutschlands** *partito socialdemocratico nella R.F.T.*
Specht [ʃpɛçt] ⟨-(e)s, -e⟩ *m* picchio *m.*
Speck [ʃpɛk] ⟨-(e)s, -e⟩ *m* **1.** *gastr* lardo *m;* **2.** *fam (Fettpolster)* grasso *m.* **speckig** *adj* **1.** *(schmutzig)* unto e bisunto; *(Buch)* sciupato e sporco; **2.** *fam (dick)* grasso. **Speckschwarte** *f* cotica *f.*
Spediteur [ʃpedi'tø:ɐ] ⟨-s, -e⟩ *m* spedizioniere *m.*
Spedition [...'tsio:n] ⟨-, -en⟩ *f* spedizione *f; (~sunternehmen)* impresa *f* di spedizioni.
Speer [ʃpe:ɐ̯] ⟨-(e)s, -e⟩ *m* lancia *f; sport* giavellotto *m.* **Speerwerfen** ⟨-s, ø⟩ *n* lancio *m* del giavellotto.
Speiche ['ʃpaiçə] ⟨-, -n⟩ *f* **1.** *(an Rad)* raggio *m;* **2.** *anat* radio *m.*
Speichel ['ʃpaiçəl] ⟨-s, ø⟩ *m* saliva *f.*
Speicher ['ʃpaiçɐ] ⟨-s, -⟩ *m (Getreide~)* granaio *m; (Dachboden)* solaio *m,* sottotetto *m; (von Computer)* memoria *f.* **Speicherkapazität** *f inform (von Arbeitsspeicher)* capacità *f* della memoria centrale; *(von Festplatte)* capacità *f* di memorizzazione.
speichern *tr* immagazzinare, accumulare; *inform* memorizzare.
Speicherschreibmaschine *f* macchina *f* da scrivere con memoria. **Speicherschutz** *m inform* protezione *f* della memoria.
speien ['ʃpaiən] ⟨speit, spie, gespie(e)n⟩ *tr, itr* sputare; *(sich erbrechen)* vomitare.
Speise ['ʃpaizə] ⟨-, -n⟩ *f* cibo *m; (Gericht)* piatto *m,* pietanza *f.* **Speiseeis** *n* gelato *m.* **Speisekammer** *f* dispensa *f.* **Speisekarte** *f* menu *m.*
speisen I. *tr* **1.** *geh* dar da mangiare a;

(essen) mangiare; **2.** *tec* alimentare; **II.** *itr geh* mangiare.
Speisenfolge *f* menu *m.*
Speiseröhre *f* esofago *m.* **Speisewagen** *m* carrozza *f* ristorante.
Speisung ⟨-, -en⟩ *f (a. tec)* alimentazione *f.*
Spektakel[1] [ʃpɛk'ta:kəl] ⟨-s, -⟩ *m fam (Lärm)* baccano *m,* chiasso *m.*
Spektakel[2] [ʃpɛk'ta:kəl *o* sp...] ⟨-s, -⟩ *n (Schauspiel)* spettacolo *m.*
Spektrum ['ʃpɛktrʊm *o* 'sp..., ...rən *o* ...ra] ⟨-s, Spektren *o* Spektra⟩ *n* spettro *m.*
Spekulant(in) [ʃpeku'lant(ɪn)] ⟨-en, -en⟩ *m(f)* speculatore, -trice *m, f.*
Spekulation [...la'tsio:n] ⟨-, -en⟩ *f* speculazione *f.*
spekulieren [...'li:rən] ⟨*ohne ge-*⟩ *itr* speculare; **auf etw.** *(akk)* ~ *fam* contare su qc.
Spelunke [ʃpe'lʊŋkə] ⟨-, -n⟩ *f pej* bettola *f.*
spendabel [ʃpɛn'da:bəl] *adj fam* spendereccio.
Spende ['ʃpɛndə] ⟨-, -n⟩ *f* offerta *f,* dono *m.*
spenden *tr* offrire; *(Blut, Organ)* donare, dare; *(Schatten)* dare; *(Sakrament)* amministrare; *(Lob)* tributare; *(Trost)* dare, recare; **Beifall** ~ applaudire.
Spendenkonto *n* conto *m* di solidarietà.
Spender ⟨-s, -⟩ *m (Gerät)* distributore *m.*
Spender(in) ⟨-s, -⟩ *m(f)* donatore, -trice *m, f.*
spendieren [ʃpɛn'di:rən] ⟨*ohne ge-*⟩ *tr fam* offrire; *(bezahlen)* pagare.
Spengler ['ʃpɛŋlɐ] ⟨-s, -⟩ *m (süddeutsch, CH)* lattoniere *m.*
Sperling ['ʃpɛrlɪŋ] ⟨-s, -e⟩ *m* passero *m.*
Sperma ['ʃpɛrma *o* 'sp..., ...mən *o* ...mata] ⟨-s, -men *o* -mata⟩ *n* sperma *m.*
spermizid [ʃpɛrmi'tsi:t] *adj* spermicida.
sperrangelweit [ʃpɛr'ʔaŋəl'vait] *adv fam:* ~ **offen** spalancato.
Sperre ['ʃpɛrə] ⟨-, -n⟩ *f* **1.** *(Schranke)* barriera *f; (Straßen~)* blocco *m; mil* sbarramento *m;* **2.** *tec* arresto *m,* bloccaggio *m;* **3.** *(Verbot)* divieto *m,* interdizione *f; (Nachrichten~)* censura *f.*
sperren I. *tr* **1.** *(ver~)* sbarrare; *(a. fin)* bloccare; **2.** *(Handel)* interdire, proibire; **3.** *(Gas, Wasser)* tagliare, chiudere; *(Telefon)* staccare; **4.** *typ* spazi(eggi)are; **5.** *(Scheck)* sbarrare; **6.** *(Spieler)* sospendere; **jdn in etw.** *(akk)* ~ (rin)chiudere qu in qc; **II.** *rfl:* **sich** ~ opporsi (*gegen* a).
Sperrgebiet *n* zona *f* vietata. **Sperrgut** *n* merce *f* ingombrante. **Sperrholz** *n* (legno *m*) compensato *m.*
sperrig *adj* ingombrante, voluminoso.
Sperrkonto *n* conto *m* vincolato. **Sperrmüll** *m* rifiuti *m pl* ingombranti. **Sperrmüllabfuhr** *f* rimozione *f* dei rifiuti ingombranti. **Sperrsitz** *m* posto *m* distinto. **Sperrstunde** *f* ora *f* di chiusura.
Sperrung ⟨-, -en⟩ *f* **1.** *(Versperren)* sbarramento *m; (a. fin)* blocco *m;* **2.** *(Verbot)* proibizione *f,* interdizione *f;* **3.** *(von Strom, etc.)* blocco *m;* **4.** *typ* spazi(eggi)atura *f;* **5.** *sport* sospensione *f.*
Spesen ['ʃpe:zən] ⟨*pl*⟩ spese *f pl;* **außer ~ nichts gewesen** tanto lavoro per nulla.
Spezialgebiet [ʃpe'tsia:l-] *n* specialità *f.*
spezialisieren [ʃpetsiali'zi:rən] ⟨*ohne ge-*⟩ **I.** *tr* specializzare; **II.** *rfl:* **sich** ~ specializzarsi (*auf +akk* in).
Spezialisierung ⟨-, -en⟩ *f* specializzazione *f.*
Spezialist(in) [...'lɪst(ɪn)] ⟨-en, -en⟩ *m(f)* specialista *mf* (*für* in).
Spezialität [...li'tɛ:t] ⟨-, -en⟩ *f* specialità *f.*
speziell [ʃpe'tsiɛl] *adj* speciale, particolare.
spezifisch [ʃpe'tsi:fɪʃ] *adj* specifico.
Sphäre ['sfɛ:rə] ⟨-, -n⟩ *f* sfera *f.*
Sphinx [sfɪŋks] ⟨-, -(e)⟩ *f* sfinge *f.*
spicken ['ʃpɪkən] *tr* lardellare. **Spickzettel** *m fam* bigino *m fam.*
spie [ʃpi:] *imp von* **speien.**
Spiegel ['ʃpi:gəl] ⟨-s, -⟩ *m* **1.** *allg., fig* specchio *m; (Arzt~)* specolo *m;* **2.** *(Wasser~)* livello *m; (Alkohol~, Zucker~)* tasso *m;* **3.** *mil (Kragen~)* mostrina *f.* **Spiegelbild** *n* immagine *f* riflessa; *fig* specchio *m,* riflesso *m.* **spiegelbildlich** *adj* speculare. **spiegelblank** ['ʃpi:gəl'blaŋk] *adj* lucido come uno specchio. **Spiegelei** *n* uovo *m* al tegamino. **spiegelglatt** ['ʃpi:gəl'glat] *adj* liscio come uno specchio.
spiegeln I. *tr* riflettere, rispecchiare; **II.** *rfl:* **sich** ~ **1.** *(sich betrachten)* specchiarsi; **2.** *(sich wider~)* rispecchiarsi (*in* in); **III.** *itr (glänzen)* splendere, brillare; *(reflektieren)* riflettere.
Spiegelreflexkamera *f* macchina *f* fotografica reflex. **Spiegelschrift** *f* scrittura *f* a specchio.
Spiegelung ⟨-, -en⟩ *f* riflesso *m.*
Spiel [ʃpi:l] ⟨-(e)s, -e⟩ *n* gioco *m; sport (Wettkampf)* gara *f; (Karten~, Billard~, Tennis~)* partita *f; (~karten)* mazzo *m;* **leichtes ~ haben** avere buon gioco (*mit jdm* su qu); **aufs ~ setzen** *fig* mettere in gioco; *(Ruf, Zukunft)* compromettere; **auf dem ~ stehen** *fig* essere in gioco; **aus dem ~ lassen** lasciare fuori questione; **die Hand im ~ haben** avere le mani in pasta. **Spielart** *f* variante *f; biol, zoo* varietà *f.* **Spielautomat** *m* flipper *m,* slot-machine *f.* **Spielbank** ⟨-, -en⟩ *f* casinò *m.*
spielen I. *tr* **1.** *(Spiel)* giocare; **2.** *mus* suonare; **3.** *theat* recitare; *(Rolle)* interpretare; **4.** *(vortäuschen)* atteggiarsi a, fare; **II.** *itr* **1.** *(ein Spiel ~, a. sport)* giocare; **2.** *mus* suonare; **3.** *(sich zutragen)* svolgersi; **um 100 Mark** ~ giocare 100 marchi; **~d** *fig* con facilità.

Spieler(in) ⟨-s, -⟩ *m(f)* giocatore, -trice *m, f.*

spielerisch I. *adj* **1.** *(verspielt)* giocoso, scherzoso; **2.** *sport (Können)* di (*o* del) gioco; *theat (Können)* recitativo; **mit ~er Leichtigkeit** con la più grande facilità; **II.** *adv* **1.** *(verspielt)* giocosamente, scherzosamente; **2.** *sport* di gioco; *theat* recitativamente; **3.** *(mit Leichtigkeit)* con gran facilità.

Spielfeld *n* campo *m* da gioco, terreno *m.* **Spielfilm** *m* lungometraggio *m.* **Spielhalle** *f* casa *f* da gioco. **Spielkamerad(in)** *m(f)* compagno, -a *m, f* di giochi. **Spielkarte** *f* carta *f* da gioco. **Spielmarke** *f* gettone *m,* fiche *f.* **Spielplan** *m* programma *m.* **Spielplatz** *m* campo *m* di giochi. **Spielraum** *m* spazio *m; tec* gioco *m; (Bewegungsfreiheit)* libertà *f* d'azione, margine *m.* **Spielregel** *f* regola *f* di gioco. **Spielsachen** *f pl* giocattoli *m pl.* **Spielsucht** *f* vizio *m (o* mania *f)* del gioco. **Spielsüchtige** *mf* maniaco, -a *m, f* del gioco. **Spieluhr** *f* carillon *m* (a orologeria). **Spielverderber(in)** ⟨-s, -⟩ *m(f)* guastafeste *mf.* **Spielwaren** *f pl* giocattoli *m pl.* **Spielzeit** *f* **1.** *theat* stagione *f* (teatrale); **2.** *sport (Spieldauer)* durata *f* della partita; *(Saison)* stagione *f* (sportiva). **Spielzeug** ⟨-(e)s, -e⟩ *n (einzelnes, a. fig)* giocattolo *m; (Sammelbegriff)* giocattoli *m pl.*

Spieß [ʃpi:s] ⟨-es, -e⟩ *m* lancia *f; (Wurf~)* giavellotto *m; (Brat~)* spiedo *m;* **den ~ umdrehen (***o* **umkehren)** *fig* ritorcere le accuse; **er schreit wie am ~** *fam* grida come un dannato *fam.*

Spießbürger *m* piccolo borghese *m,* borghesuccio *m,* filisteo *m.* **spießbürgerlich** *adj* piccolo borghese, filisteo.

spießen *tr:* **etw. auf etw.** *(akk)* ~ infilzare qc con qc.

Spießer ⟨-s, -⟩ *s.* **Spießbürger.**

spießig *s.* **spießbürgerlich.**

Spikes [ʃpaiks *o* sp...] ⟨*pl*⟩ **1.** *(an Schuh, Reifen)* chiodi *m pl;* **2.** *(~reifen)* copertoni *m pl* (*o* pneumatici *m pl*) chiodati.

Spinat [ʃpi'na:t] ⟨-(e)s, -e⟩ *m bot* spinacio *m; gastr* spinaci *m pl.*

Spind [ʃpɪnt] ⟨-(e)s, -e⟩ *m o n* armadietto *m.*

Spindel ['ʃpɪndəl] ⟨-, -n⟩ *f* fuso *m.* **spindeldürr** ['ʃpɪndəl'dʏr] *adj* magro come un chiodo.

Spinett [ʃpi'nɛt] ⟨-(e)s, -e⟩ *n* spinetta *f.*

Spinne ['ʃpɪnə] ⟨-, -n⟩ *f* ragno *m.*

spinnen ['ʃpɪnən] ⟨spinnt, spann, gesponnen⟩ **I.** *itr* **1.** *(Garn ~)* filare; **2.** *fam (verrückt sein)* essere svitato *fam; (Unsinn reden)* dire stupidaggini; **II.** *tr* filare.

Spinn(en)gewebe *n,* **-netz** *n* ragnatela *f.*

Spinner(in) ⟨-s, -⟩ *m(f)* **1.** *(Garn~)* filatore, -trice *m, f;* **2.** *fig fam* mattoide *mf.*

Spinnerei [ʃpɪnə'rai] ⟨-, -en⟩ *f* **1.** *(Betrieb)* filanda *f;* **2.** *fam (Blödsinn)* scemenze *f pl.*

Spinngewebe *s.* **Spinnengewebe.**

Spinnrad *n* ruota *f* dell'arcolaio.

Spinnwebe [-ve:bə] ⟨-, -n⟩ *f* ragnatela *f.*

Spion [ʃpio:n] ⟨-s, -e⟩ *m (Guckloch)* spioncino *m.* **Spion(in)** ['ʃpio:n(ɪn)] ⟨-s, -e⟩ *m(f)* spia *f; (Geheimagent)* agente *mf* segreto.

Spionage [ʃpio'na:ʒə] ⟨-, ø⟩ *f* spionaggio *m.*

spionieren [ʃpio'ni:rən] ⟨*ohne ge-*⟩ *itr* **1.** *(Spionage treiben)* fare la spia; **2.** *pej (herum~)* curiosare.

Spirale [ʃpi'ra:lə] ⟨-, -n⟩ *f* spirale *f.*

Spiritismus [ʃpiri'tɪsmus *o* sp...] ⟨-, ø⟩ *m* spiritismo *m.*

spiritistisch [...'tɪstɪʃ] *adj* spiriti(sti)co.

Spirituosen [ʃpiri'tuo:zən *o* sp...] ⟨*pl*⟩ alcolici *m pl.*

Spiritus ['ʃpi:ritus] ⟨-, -se⟩ *m* spirito *m,* alcool *m.* **Spirituskocher** *m* fornello *m* a spirito.

spitz [ʃpɪts] *adj* **1.** *(Gegenstand)* aguzzo, a punta; **2.** *(Winkel)* acuto; **3.** *fig (Worte, Zunge)* tagliente.

Spitz ⟨-es, -e⟩ *m* (cane *m*) volpino *m.*

Spitzbart *m* barba *f* a punta, pizzo *m.* **Spitzbogen** *m* arco *m* ogivale. **Spitzbube** [-bu:bə] ⟨-n, -n⟩ *m* birba *f,* birbante *m.* **spitzbübisch** [-by:bɪʃ] *adj* birichino.

Spitze ['ʃpɪtsə] ⟨-, -n⟩ *f* **1.** *(von Gegenständen)* punta *f;* **2.** *(Berg~)* vetta *f,* cima *f;* **3.** *(vordere Stelle, bes. sport)* testa *f;* **4.** *(Anspielung)* frecciata *f;* **5.** *(Textil)* merletto *m,* pizzo *m;* **etw. auf die ~ treiben** spingere qc agli estremi.

Spitzel ['ʃpɪtsəl] ⟨-s, -⟩ *m* spia *f; (Polizei~)* informatore *m.*

spitzen *tr* temperare, fare la punta a; *(Ohren)* drizzare; **die Lippen (***o* **den Mund) ~** fare boccuccia.

Spitzenerzeugnis *n* prodotto *m* di gran qualità. **Spitzengehalt** *n* lauto stipendio *m.* **Spitzengeschwindigkeit** *f* velocità *f* massima. **Spitzenkandidat(in)** *m(f)* candidato, -a *m, f* numero uno. **Spitzenleistung** *f* rendimento *m* massimo. **Spitzenreiter** *m sport* campione *m; fig* successo *m;* ~ **sein** essere il numero uno. **Spitzensportler(in)** *m(f)* atleta *mf* di punta, campione, -essa *m, f.* **Spitzentechnologie** *f* tecnologia *f* di punta (*o* all'avanguardia).

Spitzer ⟨-s, -⟩ *m (Bleistift~)* temperamatite *m,* temperalapis *m obs.*

spitzfindig *adj* sottile; *pej (haarspalterisch)* cavilloso, sofistico. **Spitzfindigkeit** ⟨-, -en⟩ *f* sottigliezza *f; (a. Äußerung)* argutezza *f; pej* cavillosità *f.* **spitz·kriegen** *tr fam* venire a sapere. **Spitzname** *m* nomignolo *m,* soprannome *m.*

Splitt [ʃplɪt] ⟨-(e)s, -e⟩ *m* pietrisco *m.*

Splitter ['ʃplɪtɐ] ⟨-s, -⟩ *m (Holz~, Knochen~)* scheggia *f; (Diamant~)* pagliuz-

za *f; (Metall~)* scaglia *f; (Glas~)* coccio *m.*
Splittergruppe *f* gruppuscolo *m.*
splittern *itr* ⟨*sein*⟩ scheggiarsi.
splitternackt ['ʃplɪtɐ'nakt] *adj* nudo come un verme *fam.*
Spoiler ['ʃpɔ̯ylɐ *o* 'sp...] ⟨-s, -⟩ *m* spoiler *m.*
sponsern ['ʃpɔnzɐn *o* 'sp...] *tr* sponsorizzare.
Sponsor ['ʃpɔnzɐ *o* ...zo:ɐ̯, ...zɐs *o* ...'zo:rən] ⟨-s, -s *o* -en⟩ *m* sponsor *m.* **Sponsoring** ['ʃpɔnzorɪŋ *o* 'sp...] ⟨-s, ø⟩ *n* sponsorizzazione *f.*
spontan [ʃpɔn'ta:n *o* sp...] *adj* spontaneo.
sporadisch [ʃpo'ra:dɪʃ *o* sp...] *adj* sporadico.
Spore ['ʃpo:rə] ⟨-, -n⟩ *f bot* spora *f.*
Sporn [ʃpɔrn] ⟨-(e)s, Sporen⟩ *m* sperone *m.*
Sport [ʃpɔrt] ⟨-(e)s, *rar* -e⟩ *m* sport *m.* **Sportart** *f* (tipo *m* di) sport *m.* **Sportarzt** *m,* **-ärztin** *f* medico *m* sportivo, dottoressa *f* sportiva. **Sportgeschäft** *n* negozio *m* di articoli sportivi. **Sportlehrer(in)** *m(f)* istruttore, -trice *m, f* sportivo, -a; *(an Schule)* insegnante *mf* di ginnastica (*o* di educazione fisica).
Sportler(in) ⟨-s, -⟩ *m(f)* sportivo, -a *m, f.*
sportlich *adj* sportivo.
Sportmedizin *f* medicina *f* sportiva. **Sportplatz** *m* campo *m* sportivo. **Sportverein** *m* circolo *m* sportivo, società *f* sportiva. **Sportwagen** *m* **1.** *(Auto)* macchina *f* sportiva; **2.** *(Kinderwagen)* passeggino *m.*
Spot [spɔt *o* ʃpɔt] ⟨-s, -s⟩ *m (Werbe~)* spot *m* (pubblicitario).
Spott [ʃpɔt] ⟨-(e)s, ø⟩ *m* scherno *m.* **spottbillig** ['ʃpɔt'bɪlɪç] *adj* dal prezzo irrisorio.
Spöttelei [ʃpœtə'la̯i] ⟨-, -en⟩ *f* canzonatura *f,* dileggio *m.*
spötteln ['ʃpœtəln] *itr* canzonare (*über jdn* qu).
spotten ['ʃpɔtən] *itr* schernire (*über jdn* qu), beffarsi (*über jdn* di qu).
Spötter(in) ['ʃpœtɐ (...ərɪn)] ⟨-s, -⟩ *m(f)* schernitore, -trice *m, f.*
spöttisch *adj* canzonatorio; *(a. Mensch)* beffardo.
Spottpreis *m* prezzo *m* irrisorio.
sprach [ʃpra:x] *imp von* **sprechen.**
Sprachausgabe *f* output *m* vocale. **sprachbegabt** *adj* portato (*o* che ha disposizione) per le lingue. **Sprachbegabung** *f* talento *m* linguistico (*o* per le lingue). **Sprachcomputer** *m* traduttore *m* elettronico.
Sprache ['ʃpra:xə] ⟨-, -n⟩ *f* **1.** *(Sprachsystem)* lingua *f; (Sonder~)* idioma *m;* **2.** ⟨*sing*⟩ *(Sprechfähigkeit)* parola *f,* favella *f; (Ausdrucksweise)* linguaggio *m; (Sprechweise)* parlata *f;* **mit der ~ herausrücken** *fam* sputar fuori *fam;* **zur ~ bringen** mettere in discussione, trattare; **zur ~ kommen** essere (*o* venire) discusso.
Sprachebene *f* livello *m* linguistico. **Spracheingabe** *f* input *m* vocale.
Sprachendienst *m* servizio *m* traduzioni e interpretariato, servizio *m* lingue straniere.
Sprachfehler *m* difetto *m* di pronuncia. **Sprachführer** *m* manuale *m* di conversazione. **Sprachgefühl** *n* sensibilità *f* linguistica. **Sprachkenntnisse** *f pl* conoscenze *f pl* linguistiche; **mit deutschen ~n** con cognizioni di tedesco. **Sprachkurs** *m* corso *m* di lingua. **Sprachlabor** *n* laboratorio *m* linguistico. **Sprachlehre** *f* grammatica *f.* **Sprachlehrer(in)** *m(f)* insegnante *mf* di lingue.
sprachlich *adj* linguistico.
sprachlos *adj:* **~ sein** rimanere senza parole.
Sprachregelung *f* convenzione *f* linguistica. **Sprachreise** *f* viaggio *m* studio (a scopo linguistico). **Sprachrohr** *n* megafono *m; fig* portavoce *m.* **Sprachstörung** *f* logopatia *f.* **Sprachwissenschaft** *f* linguistica *f.*
sprang [ʃpraŋ] *imp von* **springen.**
Spray [ʃpre: *o* spreɪ] ⟨-s, -s⟩ *m o n* spray *m.* **Spraydose** *s.* **Sprühdose.**
Sprechanlage *f* citofono *m.* **Sprechblase** *f* fumetto *m.*
sprechen ['ʃprɛçən] ⟨spricht, sprach, gesprochen⟩ **I.** *itr* parlare; **gut/schlecht auf jdn zu ~ sein** vedere qu di buon/cattivo occhio; **das spricht für sich** il fatto parla da sé; **das spricht für Sie** ciò depone a Suo favore; **alle Anzeichen ~ dafür, daß ...** tutto fa pensare che *+congv;* **II.** *tr* dire, recitare; *(aus~)* pronunciare; **Deutsch/Italienisch ~** parlare tedesco/italiano.
Sprecher(in) ⟨-s, -⟩ *m(f)* parlatore, -trice *m, f; (Redner)* oratore, -trice *m, f; (Wortführer)* portavoce *mf; radio, TV* annunciatore, -trice *m, f; ling* parlante *mf.*
Sprechstunde *f (von Ärzten)* orario *m* di visita; *(von Beamten, etc.)* ore *f pl* di ufficio; *(von Lehrern)* ore *f pl* di ricevimento; **~ nach Vereinbarung** si riceve su appuntamento; **~ täglich von 9 bis 12 Uhr** si riceve tutti i giorni dalle 9 alle 12. **Sprechstundenhilfe** *f* assistente *mf,* infermiere, -a *m, f.* **Sprechzimmer** *n* studio *m; med* ambulatorio *m.*
spreizen ['ʃpra̯itsən] **I.** *tr (Finger)* allargare; *(Beine)* divaricare; *(Flügel)* spiegare; **II.** *rfl:* **sich ~** *(sich sträuben)* recalcitrare.
sprengen ['ʃprɛŋən] **I.** *tr* **1.** *(mit Sprengstoff)* far saltare; **2.** *(Schloß, etc.)* forzare, scassinare; *(Fesseln, Ketten, a. fig)* spezzare; **3.** *(Versammlung)* disperdere; **4.** *(Straße, Rasen)* annaffiare; **II.** *itr* far

saltare.

Sprengkopf *m* testata *f.* **Sprengkörper** *m* ordigno *m* esplosivo. **Sprengladung** *f* carica *f* esplosiva. **Sprengstoff** *m* esplosivo *m.* **Sprengstoffanschlag** *m* attentato *m* dinamitardo.

Sprengung ⟨-, -en⟩ *f* **1.** *(mit Sprengstoff)* far *m* saltare in aria con esplosivo (*o* dinamite); **2.** *(Aufbrechen)* scasso *m.*

Spreu [ʃprɔy] ⟨-, ø⟩ *f* pula *f.*

spricht [ʃprɪçt] *pr von* **sprechen.**

Sprichwort [ˈʃprɪç-] ⟨-(e)s, -wörter⟩ *n* proverbio *m.* **sprichwörtlich** *adj* proverbiale.

sprießen [ˈʃpri:sən] ⟨sprießt, sproß *o* sprießte, gesprossen⟩ *itr* ⟨*sein*⟩ spuntare.

Springbrunnen *m* fontana *f* a zampillo.

springen [ˈʃprɪŋən] ⟨springt, sprang, gesprungen⟩ *itr* ⟨*sein*⟩ **1.** *(Mensch, Tier)* saltare (*über etw. (akk)* qc); *(Ball)* rimbalzare; *(mit einem Satz)* balzare; **2.** *(Schwimmsport)* tuffarsi; **3.** *(Glas)* incrinarsi; *(Haut)* screpolarsi; **etw. ~ lassen** *fam* offrire qc; **der ~de Punkt** il punto saliente.

Springer ⟨-s, -⟩ *m (Schach)* cavaliere *m.*

Springer(in) ⟨-s, -⟩ *m(f)* saltatore, -trice *m, f.*

Sprit [ʃprɪt] ⟨-(e)s, -e⟩ *m fam (Benzin)* benzina *f.*

Spritze [ˈʃprɪtsə] ⟨-, -n⟩ *f* **1.** *med* siringa *f; (Injektion)* iniezione *f,* puntura *f;* **2.** *(Feuer~)* pompa *f* antincendio.

spritzen I. *tr* ⟨*haben*⟩ **1.** *(Flüssigkeit)* spruzzare; **2.** *(Straße, Rasen)* annaffiare; **3.** *(lackieren)* verniciare a spruzzo; **4.** *med (Patienten)* fare un'iniezione a; *(Mittel)* iniettare; **5.** *chem (Obst, etc.)* trattare; **II.** *itr* ⟨*sein o haben*⟩ *(Flüssigkeit)* schizzare, sprizzare, zampillare.

Spritzer ⟨-s, -⟩ *m* spruzzo *m,* schizzo *m; (kleine Menge)* goccia *f.*

spritzig *adj (Wein)* frizzante; *fig (lebendig)* vivace; *(witzig)* divertente.

Spritzpistole *f* pistola *f* a spruzzo. **Spritztour** *f fam* piccola gita *f.*

spröde [ˈʃprø:də] *adj* **1.** *(brüchig)* fragile; *(hart)* duro; **2.** *(rissig: Haut)* screpolato; **3.** *fig (Thema, Stoff)* arduo, difficile; **4.** *fig (Mensch)* scostante, scontroso.

sproß [ʃprɔs] *imp von* **sprießen.**

Sproß ⟨Sprosses, Sprosse⟩ *m bot* germoglio *m; fig geh (Nachkomme)* rampollo *m.*

Sprosse [ˈʃprɔsə] ⟨-, -n⟩ *f (Leiter~)* piolo *m.* **Sprossenkohl** *m A (Rosenkohl)* cavolino *m* di Bruxelles. **Sprossenwand** *f* spalliera *f.*

Sprößling [ˈʃprœslɪŋ] ⟨-s, -e⟩ *m* rampollo *m.*

Spruch [ʃprʊx] ⟨-(e)s, Sprüche⟩ *m* **1.** *(Aus~)* detto *m,* motto *m,* massima *f; (Lehr~)* aforisma *m;* **2.** *jur (Urteil)* sentenza *f; (Schieds~)* arbitrato *m;* **Sprüche machen (*o* klopfen)** *fam* dire paroloni *fam.* **Spruchband** ⟨-(e)s, -bänder⟩ *n* striscione *m.* **spruchreif** *adj* maturo (per una decisione).

Sprudel [ˈʃpru:dəl] ⟨-s, -⟩ *m (Mineralwasser)* acqua *f* minerale gassata.

sprudeln *itr* **1.** ⟨*haben*⟩ *(schäumen)* spumeggiare; *(kochen: Wasser)* bollire; *fig (vor Freude, Ideen)* traboccare (*vor +dat* di); **2.** ⟨*sein*⟩ *(hervor~: Wasser, Worte)* sgorgare.

Sprühdose *f* (bombola *f*) spray *m.*

sprühen [ˈʃpry:ən] **I.** *tr* ⟨*haben*⟩ schizzare; **II.** *itr* **1.** ⟨*sein o haben*⟩ *(Wasser)* schizzare; *(Funken)* sprizzare; **2.** ⟨*haben*⟩: **vor Geist ~** essere brillante di spirito; **ihre Augen sprühten vor Zorn/Freude** i suoi occhi sprizzavano rabbia/gioia. **sprühend** *adj (Geist)* scintillante, spumeggiante; *(Laune, Temperament)* brioso, brillante. **Sprühregen** *m* pioggerella *f* (minutissima).

Sprung [ʃprʊŋ] ⟨-(e)s, Sprünge⟩ *m* **1.** *(Hüpfen)* salto *m; (Satz)* balzo *m; (Kopf~ beim Schwimmen)* tuffo *m;* **2.** *(in Porzellan)* crepa *f,* incrinatura *f; (in Holz)* fessura *f;* **keine großen Sprünge machen können** *fig fam* non poter fare grandi cose; **bei jdm auf einen ~ vorbeikommen** *fam* fare un salto da qu; **auf dem ~ sein, etw. zu tun** *fam* essere sul punto (*o* in procinto) di fare qc. **sprungbereit** *adj* pronto per il salto. **Sprungbrett** *n (Turnen)* pedana *f; (Schwimmen, a. fig)* trampolino *m.* **Sprungfeder** *f* molla *f.*

sprunghaft *adj* **1.** *(unzusammenhängend)* sconnesso, slegato; **2.** *(unbeständig)* volubile; **3.** *(plötzlich)* improvviso; **die Preise sind ~ gestiegen** i prezzi sono saliti di colpo.

Sprungschanze *f* trampolino *m.* **Sprungtuch** *n* telo *m* di salvataggio. **Sprungturm** *m* trampolino *m* per tuffi.

Spucke [ˈʃpʊkə] ⟨-, ø⟩ *f fam* saliva *f;* **da bleibt mir die ~ weg** rimango di sasso.

spucken *itr, tr* sputare.

Spucknapf *m* sputacchiera *f.*

Spuk [ʃpu:k] ⟨-(e)s, *rar* -e⟩ *m* visione *f,* apparizione *f.*

spuken *itr* apparire; **es spukt (hier)** (qui) ci sono i fantasmi.

Spülbecken *n s.* **Spüle.**

Spule [ˈʃpu:lə] ⟨-, -n⟩ *f el, film* bobina *f; (Nähmaschinen~)* rocchetto *m.*

Spüle [ˈʃpy:lə] ⟨-, -n⟩ *f* lavandino *m,* acquaio *m.*

spulen [ˈʃpu:lən] *tr* bobinare.

spülen [ˈʃpy:lən] **I.** *tr* **1.** *(Geschirr)* rigovernare, lavare; **2.** *(Wunde)* lavare; *(Mund, Wäsche etc.)* sciacquare; **3.** *(schwemmen)* trasportare; **II.** *itr* **1.** *(angeschwemmt werden)* sciabordare (*an +dat* contro); **2.** *(in Toilette)* tirare l'acqua; **3.** *(Geschirr ~)* lavare i piatti;

(Waschmaschine) (ri)sciacquare.
Spülmaschine *f* lavastoviglie *f.* **spülmaschinenfest** *adj* resistente al lavaggio nella lavastoviglie. **Spülmittel** *n* detersivo *m* per (le) stoviglie.
Spülung ⟨-, -en⟩ *f* **1.** *med* irrigazione *f;* **2.** *tec* lavaggio *m.*
Spülwasser *n* risciacquatura *f.*
Spur [ʃpu:ɐ̯] ⟨-, -en⟩ *f* **1.** *(Fuß~, a. fig: Fährte, Zeichen)* orma *f; (a. Brems~, Öl~, Blut~, etc.)* traccia *f; (Abdruck)* impronta *f;* **2.** *(Fahrbahn)* corsia *f; (von Tonband)* pista *f,* traccia *f;* **3.** *(kleine Menge)* pizzico *m;* **4.** ⟨*pl*⟩ *(Überreste)* vestigia *f pl;* **keine ~!** *fam* neanche per sogno!
spürbar *adj* sensibile.
spüren ['ʃpy:rən] **I.** *tr (Hunger, Kälte, Schmerz)* sentire; *(Enttäuschung, Zorn)* provare; *(wahrnehmen)* percepire; **II.** *itr (Hunde)* seguire una traccia (*nach* di).
Spurenelement *n* microelemento *m.*
spurlos *adv* senza lasciar traccia.
Spürsinn *m (a. fig)* fiuto *m.*
Spurt [ʃpʊrt] ⟨-s, -s *o* -e⟩ *m* sprint *m.*
Spurweite *f* **1.** *mot* carreggiata *f;* **2.** *Eisenb.* scartamento *m.*
Sri Lanka ['sri:'laŋka] *n* Sri Lanka *m.*
Squash [skvɔʃ] ⟨-, ø⟩ *n* squash *m.* **Squashspieler(in)** *m(f)* giocatore, -trice *m, f* di squash.
SS 1. *abk von* **Sommersemester** semestre *m* estivo; **2.** *hist abk von* **Schutzstaffel** SS *f pl.*
St. 1. *abk von* **Stück** pezzo; **2.** *abk von* **Sankt** S. (*abbr di* santo).
Staat [ʃta:t] ⟨-(e)s, -en⟩ *m* **1.** *(pol, Bienen~)* stato *m;* **2.** ⟨*sing*⟩ *(Prunk)* sfoggio *m,* pompa *f; (Festgewand)* gran gala *f;* **mit etw. ~ machen** far sfoggio di qc. **Staatenbund** *m* federazione *f* di stati, confederazione *f.* **staatenlos** *adj* apolide. **Staatenlose** ⟨ein -r, -n, -n⟩ *mf* apolide *mf.*
staatlich *adj* dello stato, statale; *(dem Staat gehörig)* demaniale; *(national)* nazionale; *(öffentlich)* pubblico; **~ geprüft** diplomato.
Staatsaktion *f (a. fig fam)* affare *m* di stato. **Staatsangehörige** *mf* cittadino, -a *m, f;* **(ein) deutscher ~r sein** essere di cittadinanza tedesca. **Staatsangehörigkeit** ⟨-, -en⟩ *f* nazionalità *f.* **Staatsanleihe** *f* buono *m* del tesoro. **Staatsanwalt** *m,* **-anwältin** *f* sostituto, -a procuratore, -trice *m, f* della repubblica; *(vor Gericht)* pubblico ministero *m.* **Staatsanwaltschaft** ⟨-, -en⟩ *f* procura *f* della repubblica; *(vor Gericht)* pubblico ministero *m.* **Staatsbeamte** *m,* **-beamtin** *f* funzionario, -a *m, f* statale. **Staatsbegräbnis** *n* funerale *m* di stato. **Staatsbesuch** *m* visita *f* ufficiale (*o* di stato). **Staatsbürger(in)** *m(f)* cittadino, -a *m, f.* **Staatsbürgerschaft** ⟨-, -en⟩ *f* cittadinanza *f,* nazionalità *f.* **Staatschef(in)** *m(f)* capo *m* di (*o* dello) stato. **Staatsexamen** *n* esame *m* di stato. **Staatsfeind** *m* nemico *m* pubblico. **Staatsgebiet** *n* territorio *m* nazionale (*o* dello stato). **Staatsgeheimnis** *n* segreto *m* dello stato. **Staatsmann** *m* statista *mf,* (uomo *m*) politico *m.* **staatsmännisch** [-mɛnɪʃ] *adj* di (*o* da) statista, di (*o* da) uomo di stato. **Staatsoberhaupt** *n* capo *m* di (*o* dello) stato. **Staatssekretär(in)** *m(f)* sottosegretario, -a *m, f* di stato. **Staatssicherheitsdienst** *m s.* **Stasi. Staatsstreich** *m* colpo *m* di stato. **Staatsverschuldung** *f* indebitamento *m* dello stato.
Stab [ʃta:p] ⟨-(e)s, Stäbe⟩ *m* **1.** *(Stock)* bastone *m; (dünner, Dirigenten~)* bacchetta *f; (Eisen~)* sbarra *f;* **2.** *sport (Staffel~)* testimone *m; (Stabhochsprung~)* asta *f;* **3.** *mil* stato *m* maggiore; **4.** *(Mitarbeiter~)* quadri *m pl,* staff *m;* **über jdn den ~ brechen** condannare qu. **Stabhochsprung** *m* salto *m* con l'asta.
stabil [ʃta'bi:l *o* st...] *adj* stabile; *(Konstitution)* robusto.
Stabilisator [ʃtabili'za:to:ɐ̯, ...za'to:rən] ⟨-s, -en⟩ *m* **1.** *mot* stabilizzatore *m,* barra *f* stabilizzatrice; **2.** *el, chem* stabilizzatore *m.*
stabilisieren [ʃtabili'zi:rən *o* st...] ⟨*ohne ge-*⟩ **I.** *tr* stabilizzare; **II.** *rfl:* **sich ~** stabilizzarsi.
Stabilität [...'tɛ:t] ⟨-, ø⟩ *f* stabilità *f.*
Stabreim *m* allitterazione *f.*
Stabsarzt *m* capitano *m* medico. **Stabschef** *m* capo *m* di stato maggiore.
stach [ʃta:x] *imp von* **stechen.**
Stachel ['ʃtaxəl] ⟨-s, -n⟩ *m bot* spina *f; zoo* aculeo *m; (von Insekt)* pungiglione *m.* **Stachelbeere** *f* uva *f* spina. **Stacheldraht** *m* filo *m* spinato.
stach(e)lig *adj bot* spinoso; *zoo* aculeato; *(Oberfläche, Bart)* pungente.
Stachelschwein *n* porcospino *m.*
Stadion ['ʃta:di̯ɔn, ...i̯ən] ⟨-s, -dien⟩ *n* stadio *m.*
Stadium ['ʃta:di̯ʊm, ...i̯ən] ⟨-s, -dien⟩ *n* stadio *m.*
Stadt [ʃtat] ⟨-, Städte⟩ *f* città *f;* **die ~ Zürich** la città di Zurigo. **Stadtautobahn** *f* superstrada *f,* strada *f* veloce. **Stadtbahn** *f* ferrovia *f* urbana. **stadtbekannt** *adj:* **das ist ~** è un fatto notorio. **Stadtbezirk** *m* rione *m,* quartiere *m.* **Stadtbibliothek** *f,* **-bücherei** *f* biblioteca *f* civica (*o* comunale).
Städtchen ['ʃtɛtçən] ⟨-s, -⟩ *n* cittadina *f.*
Städtebau ['ʃtɛtə-] ⟨-(e)s, ø⟩ *m* urbanistica *f.* **Städtepartnerschaft** *f* gemellaggio *m.*
Städter(in) ['ʃtɛtɐ (...ərɪn)] ⟨-s, -⟩ *m(f)* cittadino, -a *m, f.*
Stadtgebiet *n* territorio *m* urbano. **Stadtgespräch** *n tel* conversazione *f* ur-

bana; **das ist** ~ tutta la città ne parla.
städtisch ['ʃtɛtɪʃ] *adj* urbano, cittadino; *(verwaltungsmäßig)* comunale, municipale, civico.
Stadtkern *m* nucleo *m* cittadino. **Stadtmagazin** *n giornalino di informazione sulle attività culturali cittadine.* **Stadtmauer** *f* mura *f pl* cittadine. **Stadtmitte** *f* centro *m* (della città). **Stadtplan** *m* pianta *f* della città. **Stadtrand** *m* periferia *f* (cittadina). **Stadtrat** *m (Gremium)* giunta *f*. **Stadtrat** *m*, **-rätin** *f* assessore *m*. **Stadtrundfahrt** *f* giro *m* turistico della città. **Stadtstaat** *m* città-stato *f*. **Stadtstreicher(in)** ⟨-s, -⟩ *m(f)* vagabondo, -a *m, f* (di città). **Stadtteil** *m* quartiere *m*, rione *m*. **Stadttor** *n* porta *f* della città. **Stadtväter** *m pl scherz* consiglieri *m pl* comunali. **Stadtverwaltung** *f* amministrazione *f* comunale. **Stadtwerke** *n pl* aziende *f pl* comunali.
Staffel ['ʃtafəl] ⟨-, -n⟩ *f* **1.** *sport* staffetta *f*; **2.** *mil (Flug~)* squadriglia *f*.
Staffelei [ʃtafə'lai] ⟨-, -en⟩ *f* cavalletto *m*.
staffeln *tr* graduare; *(staffelweise aufstellen)* scaglionare.
Staffelung ⟨-, -en⟩ *f* graduazione *f*; *(Aufstellung)* scaglionamento *m*.
Stagflation [ʃtakfla'tsio:n *o* st...] ⟨-, -en⟩ *f ökon* stagflazione *f*.
Stagnation [ʃtagna'tsio:n *o* st...] ⟨-, -en⟩ *f* ristagno *m*.
stagnieren [...'gni:rən] ⟨*ohne ge-*⟩ *itr* ristagnare.
stahl [ʃta:l] *imp von* **stehlen.**
Stahl [ʃta:l] ⟨-(e)s, Stähle *o* -e⟩ *m* acciaio *m*. **Stahlblech** *n* lamiera *f* d'acciaio.
stählen ['ʃtɛ:lən] *tr* temprare.
Stahlgerüst *n* ponteggio *m* tubolare. **Stahlhelm** *m* elmetto *m* d'acciaio. **Stahlindustrie** *f* industria *f* dell'acciaio. **Stahlwerk** *n* acciaieria *f*.
Stall [ʃtal] ⟨-(e)s, Ställe⟩ *m* stalla *f*; *(Hühner~)* pollaio *m*; *(Pferde~, Renn~)* scuderia *f*; *(Schweine~)* porcile *m*.
Stallung ⟨-, -en⟩ *f* stallaggio *m*, scuderia *f*.
Stamm [ʃtam] ⟨-(e)s, Stämme⟩ *m* **1.** *(Baum~)* tronco *m*, fusto *m*; **2.** *ling* radice *f*; **3.** *(Kunden~)* clientela *f* fissa; **4.** *(Volks~, Eingeborenen~)* tribù *f*. **Stammaktie** *f* azione *f* ordinaria. **Stammbaum** *m* albero *m* genealogico; *(von Tieren)* pedigree *m*. **Stammbuch** *n (Familien~)* libro *m* di famiglia.
stammeln ['ʃtaməln] *itr, tr* balbettare.
stammen ['ʃtamən] *itr* **1.** *(ab~)* discendere, provenire; *ling* derivare; **2.** *(örtlich)* essere originario (*o* nativo); **3.** *(zeitlich)* essere.
Stammform *f* forma *f* fondamentale (*o* primitiva). **Stammgast** *m* avventore *m* abituale, habitué *mf*. **Stammhalter** *m* erede *m* maschio. **Stammhaus** *n* casa *f* madre.
stämmig ['ʃtɛmɪç] *adj (kräftig)* robusto; *(gedrungen)* tarchiato.
Stammkapital *n* capitale *m* sociale. **Stammkneipe** *f* osteria *f*. **Stammkunde** *m*, **-kundin** *f* cliente *mf* abituale. **Stammkundschaft** *f* clientela *f* abituale (*o* fissa). **Stammlokal** *n* locale *m*. **Stammplatz** *m* posto *m* fisso. **Stammtisch** *m* tavolo *m* riservato agli avventori abituali.
stampfen ['ʃtampfən] **I.** *itr* **1.** ⟨*haben*⟩ *(Mensch)* pestare (*o* battere) i piedi; *(Tier)* scalpitare; **2.** ⟨*haben*⟩ *(Maschine)* lavorare; **3.** ⟨*haben o sein*⟩ *(Schiff)* beccheggiare; **4.** ⟨*sein*⟩ *(stapfen)* camminare pesantemente; **II.** *tr* ⟨*haben*⟩ **1.** *(fest~)* (cal)pestare, calcare; **2.** *(Trauben)* pigiare; *(Kartoffeln)* schiacciare; *(im Mörser)* pestare; **aus dem Boden** ~ far nascere dal nulla.
stand [ʃtant] *imp von* **stehen.**
Stand ⟨-(e)s, Stände⟩ *m* **1.** ⟨*sing*⟩ *(Stehen)* posizione *f* eretta (*o* in piedi); **2.** *(Ort)* posizione *f*; *(Schieß~, Informations~, Messe~)* stand *m*; *(Taxi~)* posteggio *m*; *(Verkaufs~)* banco *m* di vendita; *(Bücher~)* bancherella *f*; **3.** ⟨*sing*⟩ *(Entwicklungs~, Zu~)* stato *m*; *(Stadium)* stadio *m*; **4.** *sport (Spiel~)* punteggio *m*; **5.** ⟨*sing*⟩ *(Wasser~, Thermometer~)* livello *m*; *(Kilometer~)* chilometraggio *m*; *(Kassen~, Konto~, Sonnen~)* posizione *f*; **6.** *(Berufs~)* categoria *f*; **einen schweren ~ haben** avere difficoltà (*mit* con); **auf den neuesten ~ bringen** aggiornare.
Standard ['ʃtandart *o* 'st...] ⟨-s, -s⟩ *m* standard *m*; *(Norm)* norma *f*; *(Lebens~)* tenore *m* di vita.
standardisieren [...dardi'zi:rən] ⟨*ohne ge-*⟩ *tr* standardizzare.
Standarte [ʃtan'dartə] ⟨-, -n⟩ *f* stendardo *m*.
Standbild *n* statua *f*.
Ständchen ['ʃtɛntçən] ⟨-s, -⟩ *n* serenata *f*.
Ständer ['ʃtɛndɐ] ⟨-s, -⟩ *m* supporto *m*, sostegno *m*; *(Kleider~)* attaccapanni *m*; *(Noten~)* leggio *m*.
Standesamt *n* ufficio *m* di stato civile, anagrafe *f*. **standesamtlich** *adj*: **~e Trauung** matrimonio civile. **Standesbeamte** *m*, **-beamtin** *f* ufficiale *m* di stato civile. **standesgemäß** *adj* conforme al proprio stato sociale (*o* rango).
standfest *adj* stabile. **Standgericht** *n* corte *f* marziale. **standhaft** *adj* fermo, perseverante. **Standhaftigkeit** ⟨-, ø⟩ *f* fermezza *f*, perseveranza *f*. **stand·halten** ⟨*irr*⟩ *itr (Mensch)* tener testa (*einer S. (dat)* a qc); *(Gegenstand)* reggere (*einer S. (dat)* qc), resistere (*einer S. (dat)* a qc); **der Versuchung** ~ resistere alla tentazione.
Standheizung *f mot* riscaldamento *m*.
ständig ['ʃtɛndɪç] *adj* permanente; *(Wohnsitz)* stabile; *(ununterbrochen)*

continuo; *(fest: Einkommen)* fisso.
Standlicht *n* luce *f* di posizione. **Standort** *m* posizione *f; bot* habitat *m.* **Standpauke** *f fam* predica *f fam,* paternale *f.* **Standpunkt** *m* punto *m* di vista; *(Meinung)* parere *m,* opinione *f.* **Standspur** *f mot* corsia *f* d'emergenza. **Standuhr** *f* orologio *m* a pendolo.
Stange [ˈʃtaŋə] ⟨-, -n⟩ *f* **1.** *allg.* asta *f; (Stab)* bastone *m; (Quer~)* sbarra *f; (Kleider~, Teppich~ a.)* stanga *f; (Geweih~)* fusto *m* (di corna); **2.** *(~ Zigaretten)* stecca *f; (~ Brot)* filone *m,* bastone *m;* **eine ~ Geld kosten** *fam* costare un sacco di soldi *fam;* **einen Anzug von der ~ kaufen** comp(e)rare un abito (da uomo) confezionato. **Stangenbrot** *n* filone *m,* baguette *f.*
stank [ʃtaŋk] *imp von* **stinken.**
Stanniol [ʃtaˈni̯oːl *o* st...] ⟨-s, -e⟩ *n* stagnola *f.*
Stanze[1] [ˈʃtantsə] ⟨-, -n⟩ *f lit* stanza *f.*
Stanze[2] [ˈʃtantsə] ⟨-, -n⟩ *f (Loch~)* punzonatrice *f; (Prägestempel)* punzone *m.*
stanzen *tr* stampare; *(lochen)* punzonare; *(aus~)* tranciare.
Stapel [ˈʃtaːpəl] ⟨-s, -⟩ *m* **1.** *(Haufen)* pila *f,* mucchio *m;* **2.** *naut (Dock)* scalo *m;* **vom ~ lassen** *naut* varare; *fig* lanciare. **Stapellauf** *m* varo *m.*
stapeln *tr* impilare, accatastare.
stapfen [ˈʃtapfən] *itr* ⟨*sein*⟩ camminare faticosamente.
Star[1] [ʃtaːɐ̯] ⟨-(e)s, -e⟩ *m (Vogel)* storno *m.*
Star[2] [ʃtaːɐ̯] ⟨-(e)s, -e⟩ *m med (grauer ~)* cateratta *f; (grüner ~)* glaucoma *m; (schwarzer ~)* amaurosi *f.*
Star[3] [ʃtaːɐ̯ *o* st...] ⟨-s, -s⟩ *m film* divo, -a *m, f,* star *f,* stella *f.*
starb [ʃtarp] *imp von* **sterben.**
stark [ʃtark] **I.** *adj* ⟨stärker, stärkste⟩ **1.** *allg.* forte; *(kräftig)* vigoroso, robusto; **2.** *(heftig)* violento; **3.** *(mächtig, leistungs~)* potente; **4.** *(intensiv: Verkehr, Kälte)* intenso; **5.** *(groß, beträchtlich)* grande, considerevole; **6.** *(umfangreich: Buch, Band)* voluminoso; **~er Esser/ Raucher** gran mangiatore/fumatore; **zehn Mann ~** forte di dieci uomini; **500 Seiten ~** di 500 pagine; **zehn Zentimeter ~** di dieci centimetri di spessore; **sich für etw. ~ machen** parteggiare per qc, sostenere qc; **II.** *adv* ⟨stärker, am stärksten⟩ **1.** *(bei Verben)* fortemente; *(beträchtlich)* abbondantemente; **2.** *(bei Adjektiven)* molto.
Stärke [ˈʃtɛrkə] ⟨-, -n⟩ *f* **1.** *allg.* forza *f;* **2.** *(Intensität)* intensità *f; (Heftigkeit)* violenza *f;* **3.** *(Tüchtigkeit, starke Seite)* forte *m;* **4.** *(Dicke: von Schicht)* spessore *m;* **5.** *(Festigkeit)* solidità *f; (innere ~)* saldezza *f;* **6.** *(~mehl)* fecola *f; (Wäsche~)* amido *m.*
stärken I. *tr* **1.** *(kräftigen)* rinforzare, corroborare; *fig* rafforzare; *(Gesundheit)* rinvigorire, irrobustire; **2.** *(mit Nahrung)* rifocillare, ristorare; **3.** *(Wäsche)* inamidare; **II.** *rfl:* **sich ~** rifocillarsi, ristorarsi.
Starkstrom *m* corrente *f* ad alta tensione.
Stärkung ⟨-, -en⟩ *f* **1.** *(Kräftigung)* corroboramento *m,* rinforzo *m; fig* rafforzamento *m; (von Gesundheit)* irrobustimento *m;* **2.** *(Essen)* ristoro *m.*
starr [ʃtar] *adj* **1.** *allg., tec, fig* rigido; *(steif)* irrigidito; *(vor Kälte)* intirizzito; **2.** *(Blick)* fisso; *(vor Schreck)* pietrificato; *(vor Staunen)* sbalordito; **3.** *(unbeugsam)* inflessibile; **4.** *(Gesetze)* rigoroso.
starren [ˈʃtarən] *itr* **1.** *(starr blicken)* fissare *(auf etw. (akk)* qc); **2.** *(strotzen)* essere pieno *(von* di), rigurgitare *(von* di).
Starrheit ⟨-, ø⟩ *f* **1.** *(Starre)* rigidezza *f; (a. tec, fig)* rigidità *f;* **2.** *(Unbeugsamkeit)* inflessibilità *f;* **3.** *(Strenge)* rigore *m.*
Starrsinn *m* ostinatezza *f,* testardaggine *f.*
starrsinnig *adj* ostinato, testardo.
Start [ʃtart *o* st...] ⟨-(e)s, -s *o rar* -e⟩ *m* **1.** *sport, allg.* partenza *f; (a. ~stelle)* start *m* **2.** *aero* decollo *m; (von Rakete, Raumschiff)* lancio *m;* **3.** *mot* avviamento *m;* **4.** *fig (Anfangszeit)* inizio *m,* principio *m.* **Startautomatik** *f* starter *m* automatico. **Startbahn** *f* pista *f* di decollo. **startbereit** *adj* pronto alla partenza; *aero* pronto al decollo.
starten I. *itr* ⟨*sein*⟩ **1.** *allg.* partire; *sport* prendere il via; **2.** *mot* avviarsi; **3.** *aero* decollare; **II.** *tr* ⟨*haben*⟩ **1.** *(Rakete, Raumschiff)* lanciare; **2.** *mot, fig (in Gang setzen)* avviare.
Starterlaubnis *f* permesso *m* di decollo. **Starthilfe** *f* **1.** *aero* decollo *m* assistito; **2.** *fig* impulso *m* iniziale. **Starthilfekabel** *n* cavi *m pl* d'accensione. **Startkapital** *n* capitale *m* iniziale. **Startschuß** *m* segnale *m* di partenza. **Startsignal** *n,* **-zeichen** *n* segnale *m* di partenza.
Stasi [ˈʃtaːzi] ⟨-, ø⟩ *f* (*kurz für* **Staatssicherheitsdienst**) *hist* servizi *m pl* segreti della ex R. D. T.
Station [ʃtaˈtsi̯oːn] ⟨-, -en⟩ *f* **1.** *(Bahnhof, Radio~, Kreuzweg~)* stazione *f; (Haltestelle)* fermata *f;* **2.** *(im Krankenhaus)* reparto *m;* **3.** *(Rast)* sosta *f;* **~ machen** fare sosta.
stationär [ʃtatsi̯oˈnɛːɐ̯] *adj* stazionario; **~e Behandlung** terapia *f* clinica.
stationieren [...ˈniːrən] ⟨*ohne ge-*⟩ *tr* dislocare.
Stationierung ⟨-, -en⟩ *f* dislocamento *m.*
Stationsarzt *m,* **-ärztin** *f* dottore, -essa *m, f* di reparto. **Stationsschwester** *f* (infermiera *f*) caporeparto *f.*
statisch [ˈʃtaːtɪʃ *o* ˈst...] *adj* statico.
Statist(in) [ʃtaˈtɪst(ɪn)] ⟨-en, -en⟩ *m(f)* comparsa *f.*

Statistik [ʃtaˈtɪstɪk *o* st...] ⟨-, -en⟩ *f* statistica *f*. **Statistiker(in)** [ʃtaˈtɪstikɐ(...ərɪn) ⟨-s, -⟩ *m(f)* chi si occupa di statistica.
statistisch [ʃtaˈtɪstɪʃ *o* st...] *adj* statistico.
Stativ [ʃtaˈtiːf] ⟨-s, -e⟩ *n* stativo *m*, treppiedi *m*.
statt [ʃtat] **I.** *prp gen* invece di, in luogo di; ~ **daß** anziché; **II.** *con:* ~ **zu** ... invece di ...
Statt ⟨-, ø⟩ *f:* **an meiner/seiner,** *etc.* ~ in mia/sua, *ecc.* vece.
Stätte [ˈʃtɛtə] ⟨-, -n⟩ *f geh* luogo *m*.
statt·finden ⟨*irr*⟩ *itr* aver luogo; *(Veranstaltung)* tenersi. **statt·geben** ⟨*irr*⟩ *itr:* **einem Gesuch** ~ dar corso a un'istanza; **einer Bitte** ~ accogliere una preghiera. **statthaft** *adj geh (erlaubt)* permesso; *(zulässig)* ammissibile; *jur* ricevibile. **Statthalter** *m* governatore *m*.
stattlich [ˈʃtatlɪç] *adj* imponente; *(Summe, etc.)* considerevole.
Statue [ˈʃtaːtu̯ə *o* ˈst...] ⟨-, -n⟩ *f* statua *f*.
Statur [ʃtaˈtuːɐ̯] ⟨-, -en⟩ *f* statura *f*.
Status [ˈʃtaːtʊs *o* ˈst...] ⟨-, -⟩ *m* status *m*. **Statussymbol** *n* status symbol *m*.
Statut [ʃtaˈtuːt *o* st...] ⟨-(e)s, -en⟩ *n* statuto *m*, regolamento *m*.
Stau [ʃtau̯] ⟨-(e)s, -s *o* -e⟩ *m (Verkehrs~)* ingorgo *m*, congestione *f*; *(Wasser~)* ristagno *m*.
Staub [ʃtau̯p] ⟨-(e)s, -e *o* Stäube⟩ *m* polvere *f*; *(Blüten~)* polline *m*; ~ **saugen** passare l'aspirapolvere; ~ **wischen** spolverare; **sich aus dem ~ machen** *fam* svignarsela *fam*. **Staubbeutel** *m* antera *f*.
stauben [ˈʃtau̯bən] *itr (Staub machen)* far polvere.
Staubfänger [-fɛŋɐ] ⟨-s, -⟩ *m* nido *m* di polvere. **Staubgefäß** *n* stame *m*.
staubig *adj* polveroso, impolverato.
Staubsauger *m* aspirapolvere *m*. **Staubtuch** *n* cencio *m* della polvere, strofinaccio *m* per spolverare. **Staubwolke** *f* nube *f* di polvere.
Staudamm *m* diga *f* di sbarramento.
Staude [ˈʃtau̯də] ⟨-, -n⟩ *f* pianta *f*; *(Busch)* arbusto *m*.
stauen [ˈʃtau̯ən] **I.** *tr* **1.** *(Wasser)* arginare; *(Fluß)* sbarrare; *(Blut)* fermare; **2.** *naut* stivare; **II.** *rfl:* **sich** ~ *(Wasser, Blut)* ristagnare; *(Verkehr)* ingorgarsi; *(Menschen)* ammassarsi; *fig (sich anhäufen)* ammassarsi, accalcarsi; *(Gefühle)* accumularsi.
Staugefahr *f* pericolo *m* d'ingorghi, possibilità d'intasamento.
staunen [ˈʃtau̯nən] *itr* stupirsi, meravigliarsi; *(überrascht, verblüfft sein)* rimanere sorpreso (*o* sbalordito). **Staunen** ⟨-s, ø⟩ *n* stupore *m*, meraviglia *f*.
Staupe [ˈʃtau̯pə] ⟨-, -n⟩ *f* cimurro *m*.
Stausee *m* lago *m* artificiale.
Stauung ⟨-, -en⟩ *f (von Wasser)* ristagno *m*; *(von Blut)* stasi *f*, congestione *f*; *(Stockung)* arresto *m*, stasi *f*; *(von Menschen)* folla *f*, calca *f*.
Std. *abk von* **Stunde** h (*abbr di* ora).
Steak [steːk] ⟨-s, -s⟩ *n* bistecca *f*.
stechen [ˈʃtɛçən] ⟨sticht, stach, gestochen⟩ **I.** *tr* **1.** *(allg., Insekt)* pungere; *(mit Messer)* piantare; *(mit Finger)* pizzicare; **2.** *(Spargel)* cogliere; *(Torf)* scavare; **3.** *(beim Kartenspiel)* ammazzare; **4.** *typ (in Kupfer, Stahl)* incidere; **II.** *itr* **1.** *(allg., Insekt)* pungere; *(mit Messer)* accoltellare (*nach jdm* qu); **2.** *(Sonne)* picchiare; **3.** *(beim Kartenspiel)* imbrogliare; **III.** *rfl:* **sich** ~ pungersi. **stechend** *adj* pungente; *(Schmerz)* lancinante; *(Blick, Geruch)* penetrante; *(Sonne)* ardente.
Stechkarte *f* cartellino *m* di presenza. **Stechmücke** *f* zanzara *f*. **Stechuhr** *f* orologio *m* marcatempo.
Steckbrief *m* dati *m pl* segnaletici. **Steckdose** *f* presa *f* (di corrente).
stecken [ˈʃtɛkən] **I.** *tr* **1.** *(hinein~, an~)* infilare, introdurre; **2.** *(fest~)* (con)ficcare, piantare; *(mit Nadeln)* appuntare; **3.** *(Geld, Mühe, Zeit)* investire (*in +akk* in); **II.** *itr* **1.** *(festsitzen)* essere conficcato (*o* piantato); **2.** *(sich befinden)* essere, trovarsi; **wo steckst du denn?** *fam* dove ti sei cacciato? *fam*.
Stecken ⟨-s, -⟩ *m dial* bastone *m*.
stecken·bleiben ⟨*irr*⟩ *itr* ⟨*sein*⟩ **1.** *(nicht weitergehen)* rimanere bloccato; *(nicht herauskommen: Messer, etc.)* rimaner conficcato; *mot* rimanere in panne; **2.** *(in Rede)* impappinarsi. **stecken·lassen** ⟨*irr*⟩ *tr* lasciare.
Steckenpferd *n* **1.** *(Spielzeug)* cavalluccio *m* di legno; **2.** *fig (Hobby)* hobby *m*.
Stecker ⟨-s, -⟩ *m* spina *f*.
Stecknadel *f* spillo *m*; **etw. wie eine ~ im Heuhaufen suchen** cercare qc per mari e per monti *fam*. **Steckplatz** *m inform* slot *m*. **Steckrübe** *f* navone *m*.
Stefan [ˈʃtɛfan] *(männlicher Vorname)* Stefano.
Steg [ʃteːk] ⟨-(e)s, -e⟩ *m* **1.** *(Weg)* viottolo *m*, sentiero *m*; **2.** *(Fußgängerbrücke)* passerella *f*; *(Boots~)* pontile *m*.
Stegreif [ˈʃteːkrai̯f] *m:* **aus dem** ~ improvvisando; *(Übersetzung)* all'improntа.
Stehaufmännchen *n* misirizzi *m*.
stehen [ˈʃteːən] ⟨steht, stand, gestanden⟩ **I.** *itr* **1.** *(aufrecht ~: Mensch)* stare in piedi; *(Gegenstand)* stare ritto; **2.** *(sein)* essere; *(sich befinden)* trovarsi; **3.** *(geschrieben sein)* esser scritto (*in +dat* su, *bei* in); **4.** *(still~)* essere fermo; *(Verkehr)* ristagnare; **5.** *(anzeigen)* segnare (*auf etw. (dat)* qc), indicare (*auf etw. (dat)* qc); **6.** *ling (mit Kasus, Modus)* reggere (*mit etw.* qc); **jdm** ~ stare bene a qu; **auf jdn/etw.** ~ *sl* preferire qu/qc; **hinter jdm** ~ *fig* appoggiare qu; **über etw.** *(dat)* ~ *fig* essere superiore a

(*o* sopra) qc; **zu jdm** ~ stare dalla parte di qu, sostenere qu; **zu seinem Wort** ~ mantenere la parola data; **im S~ essen** mangiare in piedi; **eins zu null** ~ stare uno a zero; **Tränen standen ihm in den Augen** aveva le lacrime agli occhi; **darauf steht die Todesstrafe** per questo è prevista la pena di morte; **wie steht's?** *(wie geht's)* come va?; *(was ist)* cosa c'è?; **II.** *rfl:* **sich gut/schlecht** ~ stare bene/male; **sich gut mit jdm** ~ essere in buoni rapporti con qu.

stehen·bleiben ⟨*irr*⟩ *itr* ⟨*sein*⟩ fermarsi; *(a. mot)* arrestarsi; **wo sind wir stehengeblieben?** *fig* dove siamo rimasti?

stehend *adj* **1.** *(aufrecht)* in piedi, ritto; **2.** *(nicht in Bewegung o Betrieb)* fermo; **3.** *(Gewässer)* stagnante; **~e Redensart** frase fatta.

stehen·lassen ⟨*irr*⟩ *tr* lasciare; *(dalassen)* dimenticare; *(Essen)* non toccare; **sich** *(dat)* **einen Bart** ~ lasciarsi crescere la barba.

Stehlampe *f* lampada *f* a stelo.

stehlen ['ʃte:lən] ⟨stiehlt, stahl, gestohlen⟩ *tr, itr* rubare; **jdm die Zeit** ~ far perdere tempo a qu; **sie kann mir gestohlen bleiben!** *fam* vada a farsi friggere! *fam.*

Steiermark ['ʃtaɪɐmark] *f* Stiria *f.*

steif [ʃtaɪf] *adj* rigido; *(vor Kälte, Schreck, Staunen)* irrigidito; *(Pudding, etc.)* denso; *(Wäsche)* inamidato; *(Benehmen)* compassato; *(förmlich)* formale; **~er Hals** torcicollo *m;* ~ **und fest** *fig fam* con fermezza, fermamente.

Steifheit ⟨-, ø⟩ *f* rigidità *f,* rigidezza *f; fig (von Benehmen)* formalismo *m.*

Steigbügel *m* staffa *f.* **Steigeisen** *n* rampone *m.*

steigen ['ʃtaɪgən] ⟨steigt, stieg, gestiegen⟩ *itr* ⟨*sein*⟩ **1.** *(hinauf~)* salire; *(hinunter~)* scendere; **2.** *fig (zunehmen)* aumentare; *(Spannung, Fieber a.)* crescere; *(Preise)* salire; **3.** *fam (stattfinden)* aver luogo; **aus dem/in den Wagen** ~ scendere dall'/salire in automobile; **einen Drachen** ~ **lassen** far volare un aquilone. **steigend** *adj* crescente; *ökon (Preise)* in aumento; *fin (Tendenz)* al rialzo.

Steiger ⟨-s, -⟩ *m min* capo *m* (sciolta).

steigern ['ʃtaɪgɐn] **I.** *tr* **1.** *(erhöhen, vergrößern)* aumentare; **2.** *gram* formare i gradi di comparazione di; **II.** *rfl:* **sich** ~ **1.** *(anwachsen)* crescere; **2.** *(sich verbessern)* migliorare; **sich in etw.** *(akk)* ~ *(in Wut, Gefühl)* montarsi la testa con qc; **III.** *itr (bei Auktionen)* fare un'offerta.

Steigerung ⟨-, -en⟩ *f* **1.** *(Erhöhung)* aumento *m,* accrescimento *m;* **2.** *gram* comparazione *f;* **3.** *(Verbesserung)* miglioramento *m.*

Steigung ⟨-, -en⟩ *f* salita *f.*

steil [ʃtaɪl] *adj (ansteigend)* ripido, erto; *(abfallend)* scosceso; *fig (Karriere, Aufstieg)* rapido. **Steilhang** *m* pendio *m* ripido. **Steilheck** *n mot* due volumi *m pl.* **Steilküste** *f* costa *f* ripida.

Stein [ʃtaɪn] ⟨-(e)s, -e⟩ *m* **1.** *allg.* pietra *f,* sasso *m; (Fels)* roccia *f; (Kiesel)* ciottolo *m;* **2.** *(Edel~)* pietra *f* preziosa; **3.** *bot (Kern)* nocciolo *m;* **4.** *med* calcolo *m;* **5.** *(von Brettspiel)* pedina *f,* pezzo *m;* **den** ~ **ins Rollen bringen** *fig* dare l'avvio a qc; **keinen** ~ **auf dem ander(e)n lassen** *fig* distruggere tutto; **jdm ~e in den Weg legen** *fig* mettere a qu i bastoni fra le ruote; ~ **und Bein schwören** *fam* giurare e spergiurare *fam;* **da fällt mir ein** ~ **vom Herzen** mi sento sollevato da un gran peso. **steinalt** ['ʃtaɪn'ʔalt] *adj* vecchissimo. **Steinbock** *m* **1.** *zoo* stambecco *m;* **2.** *astr* Capricorno *m;* **er/sie ist (ein)** ~ è (del *o* un) Capricorno. **Steinbruch** *m* cava *f* di pietra. **Steinbutt** *m* rombo *m* chiodato.

steinern *adj* di pietra; *(fig a.)* di sasso.

Steingut *n* terraglia *f.* **steinhart** ['ʃtaɪn'hart] *adj* durissimo.

steinig *adj* sassoso, pietroso.

steinigen *tr* lapidare.

Steinkohle *f* carbone *m* fossile. **Steinmarder** *m* faina *f.* **Steinmetz** [-mɛts] ⟨-en, -en⟩ *m* scalpellino *m.* **Steinobst** *n* frutta *f* col nocciolo. **Steinpilz** *m* porcino *m.* **steinreich** ['ʃtaɪn'raɪç] *adj fam* ricco sfondato *fam.* **Steinschlag** *m* caduta *f* di pietre (*o* massi). **Steinzeit** *f* età *f* della pietra.

Steißbein ['ʃtaɪs-] *n* coccige *m.*

Stelldichein ['ʃtɛldɪçʔaɪn] ⟨-(e)s, -(s)⟩ *n* appuntamento *m; (zwischen Verliebten)* convegno *m* amoroso.

Stelle ['ʃtɛlə] ⟨-, -n⟩ *f* **1.** *(Platz, Ort)* posto *m,* luogo *m; (in Buch)* punto *m;* **2.** *(Arbeits~)* impiego *m; (Anstellung)* posto *m;* **3.** *(Behörde)* autorità *f; (Dienst~)* ufficio *m;* **4.** *mat* cifra *f;* **zur** ~ **sein** essere presente; **an** ~ **von** in luogo di, in vece di; **an deiner** ~ al tuo posto; **auf der** ~ *(sofort)* subito.

stellen ['ʃtɛlən] **I.** *tr* **1.** *(hin~, auf~)* mettere, porre, collocare (ritto *o* in piedi); *(Falle)* mettere, collocare; **2.** *tec (ein~)* regolare (*auf +akk* su); **3.** *(bereit~)* fornire, procurare; **4.** *(Verbrecher)* fermare, arrestare; **5.** *(Frage, Bedingung)* porre; *(Aufgabe)* assegnare, dare; *(Diagnose)* fare; **kalt** ~ *(Getränk, Speise)* mettere in fresco; **das Radio lauter** ~ aumentare il volume della radio; **jdn vor ein Problem/eine Entscheidung** ~ confrontare qu con un problema/una decisione; **auf sich (allein** *o* **selbst) gestellt** abbandonato a se stesso; **gut/schlecht gestellt sein** stare bene/male; **II.** *rfl:* **sich** ~ **1.** *(sich hin~, auf~)* mettersi, porsi, collocarsi; **2.** *(der Polizei)* costituirsi;

3. *(Frage, Problem, Aufgabe)* sorgere, nascere; **sich krank/taub ~** fingersi malato/sordo; **sich einer Aufgabe/den Fragen ~** essere disposto ad assumersi un compito/a rispondere alle domande.

Stellenangebot *n* offerta *f* d'impiego. **Stellenanzeige** *f* annuncio *m* di lavoro. **Stellenausschreibung** *f* bando *m* di concorso. **Stellenbeschreibung** *f* profilo *m* professionale. **Stellengesuch** *n* domanda *f* d'impiego. **Stellenvermittlung** *f* collocamento *m; (Büro)* ufficio *m* di collocamento. **stellenweise** *adv* qua e là. **Stellenwert** *m* valore *m;* **einen hohen ~ haben** essere della massima importanza.

Stellplatz *m (für Auto)* posto *m* macchina.

Stellung ⟨-, -en⟩ *f* posizione *f; (Stelle, An~)* posto *m,* impiego *m;* **~ nehmen zu** prendere posizione riguardo a; **bei jdm in ~ sein** essere a servizio da qu. **Stellungnahme** [-na:mə] ⟨-, -n⟩ *f* presa *f* di posizione. **Stellung(s)suchende** ⟨ein -r, -n, -n⟩ *mf* persona *f* in cerca di occupazione.

stellvertretend *adj* sostituto, vice-. **Stellvertreter(in)** *m(f)* sostituto, -a *m, f,* vice *mf.* **Stellvertretung** *f* rappresentanza *f,* supplenza *f;* **in ~ von** in sostituzione di.

Stellwerk *n* cabina *f* di blocco.

Stelze [ˈʃtɛlt͜sə] ⟨-, -n⟩ *f* trampolo *m.*

stelzen *itr ⟨sein⟩* camminare impettito (*o* con sussiego).

Stemmeisen *n* palanchino *m,* piede *m* di porco.

stemmen [ˈʃtɛmən] **I.** *tr* **1.** *(stützen)* puntare, appoggiare; **2.** *(Gewicht)* sollevare; **II.** *rfl:* **sich ~ 1.** *(sich stützen)* puntare i piedi/le mani (*gegen* contro); **2.** *fig (sich auflehnen)* opporsi (*gegen* a).

Stempel [ˈʃtɛmpəl] ⟨-s, -⟩ *m* **1.** *(Gerät, Abdruck)* timbro *m; (Ergebnis a.)* bollo *m;* **2.** *(Münz~)* conio *m; (Punze)* punzone *m;* **3.** *bot* pistillo *m;* **4.** *fig* marchio *m,* impronta *f.* **Stempelfarbe** *f* inchiostro *m* per timbri. **Stempelkissen** *n* cuscinetto *m* per timbri.

stempeln I. *tr* timbrare, bollare; *(Post)* timbrare; *(entwerten)* obliterare; **jdn zu etw. ~** trattare qu da qc, bollare qu di qc; **II.** *itr (Stempeluhr betätigen)* timbrare il cartellino; **~ (gehen)** *fam (arbeitslos sein)* prendere il sussidio di disoccupazione.

Stempeluhr *f* orologio *m* da controllo.

Stengel [ˈʃtɛŋəl] ⟨-s, -⟩ *m* gambo *m,* stelo *m.*

Stenogramm [ʃtenoˈgram] ⟨-s, -e⟩ *n* stenogramma *m.*

Stenographie [ʃtenograˈfi:, ...i:ən] ⟨-, -n⟩ *f* stenografia *f.*

stenographieren [...ˈfi:rən] ⟨*ohne ge-*⟩ *tr, itr* stenografare.

Stenograph(in) [...ˈgra:f(ɪn)] ⟨-en, -en⟩ *m(f)* stenografo, -a *m, f.*

Stenotypist(in) [ʃtenotyˈpɪst(ɪn)] ⟨-en, -en⟩ *m(f)* stenodattilografo, -a *m, f.*

Stephan *s.* **Stefan.**

Steppdecke *f* trapunta *f.*

Steppe [ˈʃtɛpə] ⟨-, -n⟩ *f* steppa *f.*

steppen¹ [ˈʃtɛpən *o* st...] *itr (Step tanzen)* ballare il tip-tap.

steppen² [ˈʃtɛpən] *tr (nähen)* trapuntare.

Sterbebegleitung *f* assistenza *f* ai moribondi. **Sterbebett** *n* letto *m* di morte. **Sterbefall** *m* caso *m* di morte, decesso *m.* **Sterbegeld** *n* indennità *f* funeraria. **Sterbehilfe** *f* eutanasia *f;* **aktive/passive ~** eutanasia *f* attiva/passiva.

sterben [ˈʃtɛrbən] ⟨stirbt, starb, gestorben⟩ *itr ⟨sein⟩* morire (*an +dat* di).

Sterberate *f* mortalità *f.* **Sterbeurkunde** *f* certificato *m* di morte.

sterblich *adj* mortale. **Sterblichkeit** ⟨-, ø⟩ *f* mortalità *f.*

Stereoanlage [ˈʃte:reo- *o* ˈst...] *f* stereo *m,* impianto *m* stereofonico. **Stereoaufnahme** *f* registrazione *f* stereofonica (*o* stereo) **Stereokopfhörer** *m* cuffia *f* stereo(fonica). **Stereoturm** *m* mobile *m* per (impianto) stereo, rack *m.*

stereotyp [ʃtereoˈty:p *o* st...] *adj* stereotipo, stereotipato.

steril [ʃteˈri:l *o* st...] *adj* sterile.

Sterilisation [ʃterilizaˈt͜sio:n *o* st...] ⟨-, -en⟩ *f* sterilizzazione *f.*

sterilisieren [...ˈzi:rən] ⟨*ohne ge-*⟩ *tr* sterilizzare.

Sterilität [...ˈtɛ:t] ⟨-, ø⟩ *f (a. fig)* sterilità *f.*

Stern [ʃtɛrn] ⟨-(e)s, -e⟩ *m* stella *f; (Gestirn)* astro *m; (Zier~, mil)* stelletta *f; typ* asterisco *m;* **~e sehen** *fam* vedere le stelle *fam.* **Sternbild** *n* costellazione *f.* **sternhagelvoll** [ˈʃtɛrnˈha:gəlˈfɔl] *adj fam* ubriaco fradicio *fam.* **Sternschnuppe** [-ʃnʊpə] ⟨-, -n⟩ *f* stella *f* filante. **Sternstunde** *f fig* grande momento *m.* **Sternwarte** [-vartə] ⟨-, -n⟩ *f* osservatorio *m.*

stet [ʃte:t], **stetig** *adj* costante; *(andauernd, a. mat)* continuo. **Stetigkeit** ⟨-, ø⟩ *f (Beständigkeit)* costanza *f; (Kontinuität)* continuità *f.* **stets** [ʃte:t͜s] *adv (immer)* sempre; *(ständig)* costantemente, continuamente.

Steuer¹ [ˈʃtɔ͜yɐ] ⟨-s, -⟩ *n mot* volante *m; mar, aero, fig* timone *m.*

Steuer² [ˈʃtɔ͜yɐ] ⟨-, -n⟩ *f fin* imposta *f.*

Steuerausgleich *m* conguaglio *m* fiscale. **Steuerbefreiung** *f* esenzione *f* da tasse, esonero *m* fiscale. **steuerbegünstigt** *adj* che gode di agevolazioni fiscali. **Steuerberater(in)** *m(f)* consulente *mf* fiscale (*o* tributario). **Steuerbescheid** *m* cartella *f* delle tasse (*o* delle imposte).

Steuerbord *n* tribordo *m.*

Steuererhöhung *f* aumento *m* delle imposte. **Steuererklärung** *f* dichiarazione *f* fiscale (*o* dei redditi). **Steuererleichterung** *f* agevolazione *f* (*o* sgravio *m*) fiscale. **Steuerermäßigung** *f* riduzione *f* delle tasse (*o* tributaria), sgravio *m* fiscale. **Steuerflucht** *f* evasione *f* fiscale. **steuerfrei** *adj* esente da imposte. **Steuerfreibetrag** *m* importo *m* esente da tasse. **Steuerhinterziehung** *f* evasione *f* fiscale. **Steuerklasse** *f* fascia *f* fiscale.

Steuerknüppel *m* cloche *f*.

Steuerlast *f* onere *m* fiscale.

steuerlich *adj* fiscale.

Steuermann ⟨-(e)s, -männer *o* -leute⟩ *m* timoniere *m*, pilota *m*.

Steuermarke *f* marca *f* da bollo.

steuern I. *tr* **1.** *mot, fig* guidare; *naut* governare; *aero* pilotare; **2.** *tec* regolare; **3.** *fig (lenken)* dirigere; **II.** *itr mot* essere al volante; *naut* essere al timone; *aero* essere ai comandi.

steuerpflichtig *adj* soggetto a imposta.

Steuerpult *n* banco *m* di comando. **Steuerrad** *n mot* volante *m; naut* ruota *f* del timone.

Steuerrecht *n* diritto *m* tributario. **Steuerreform** *f* riforma *f* tributaria (*o* fiscale). **Steuersatz** *m* aliquota *f* d'imposta. **Steuerschuld** *f* debito *m* tributario. **Steuersenkung** *f* riduzione *f* d'imposte. **Steuersünder(in)** *m(f)* evasore *m*/evaditrice *f* fiscale.

Steuerung ⟨-, -en⟩ *f* **1.** ⟨*sing*⟩ *naut, aero (Tätigkeit)* guida *f*, pilotaggio *m; (Lenkung: von Wirtschaft)* direzione *f*, guida *f;* **2.** *(Steuervorrichtung)* controllo *m*, dispositivo *m;* **3.** ⟨*sing*⟩ *fig (Bekämpfung)* lotta *f*.

Steuerwerk *n* unità *f* di controllo.

Steuerzahler(in) *m(f)* contribuente *mf*.

Steuerzeichen *n inform* carattere *m* di comando (*o* governo), carattere *m* funzionale.

Steward ['stju:ɐt] ⟨-s, -s⟩ *m*, **Stewardeß** ['stju:ɐdɛs *o* ...'dɛs] ⟨-, -dessen⟩ *f* steward *m*, assistente *mf* di volo, hostess *f*.

StGB [ɛste:ge:'be:] ⟨-(s), -⟩ *n abk von* **Strafgesetzbuch** C.P. (*abbr di* Codice Penale).

stibitzen [ʃti'bɪt͜sən] ⟨*ohne ge-*⟩ *tr fam* grattare *fam*, sgraffignare *fam*.

Stich [ʃtɪç] ⟨-(e)s, -e⟩ *m* **1.** *(mit Dorn, Stachel, Nadel)* puntura *f; (mit Waffe)* colpo *m;* **2.** *(Näherei, Kartenspiel)* punto *m;* **3.** *(Graphik)* incisione *f;* **4.** *fig (ins Herz)* fitta *f* al cuore; **5.** *fig (Stichelei)* frecciata *f*, stoccata *f;* **6.** *(Schmerz)* dolore *m* lancinante; **einen ~ ins Grüne haben** dare nel verde; **im ~ lassen** piantare in asso.

Stichel ['ʃtɪçəl] ⟨-s, -⟩ *m* bulino *m*.

Stichelei [ʃtɪçə'la͜i] ⟨-, -en⟩ *f* punzecchiature *f pl; (einzelne Bemerkung)* frecciata *f*, stoccata *f*.

sticheln ['ʃtɪçəln] *itr* **1.** *(gehässig reden)* punzecchiare (*gegen jdn* qu); **2.** *(nähen)* agucchiare; *(sticken)* ricamare.

Stichflamme *f* fiammata *f*, vampata *f*.

stichhaltig *adj* plausibile, valido. **Stichhaltigkeit** ⟨-, ø⟩ *f* plausibilità *f*, validità *f*.

Stichling ['ʃtɪçlɪŋ] ⟨-s, -e⟩ *m* spinarello *m*.

Stichprobe *f* **1.** *(Handlung)* sondaggio *m;* **2.** *(Sache)* campione *m*.

Stichsäge *f* gattuccio *m*.

sticht [ʃtɪçt] *pr von* **stechen**.

Stichtag *m* giorno *m* di riferimento. **Stichwahl** *f* ballottaggio *m*.

Stichwort *n* **1.** ⟨-(e)s, -wörter⟩ *(in Wörterbuch)* lemma *m*, voce *f;* **2.** ⟨-(e)s, -e⟩ *fig, theat* spunto *m;* **3.** ⟨-(e)s, -e⟩ *(Schlagwort)* appunto *m*. **stichwortartig** *adj* per appunti sommari.

Stichwunde *f* ferita *f* da punta.

sticken ['ʃtɪkən] *tr* ricamare.

Stickerei [...ə'ra͜i] ⟨-, -en⟩ *f* ricamo *m*.

stickig ['ʃtɪkɪç] *adj* soffocante.

Stickoxyd ['ʃtɪk-] *n* ossido *m* di azoto. **Stickstoff** *m* azoto *m*.

stieben ['ʃti:bən] ⟨stiebt, stob *o* stiebte, gestoben *o* gestiebt⟩ **1.** *itr* ⟨*haben o sein*⟩ *(sprühen)* sprizzare; *(bes. Funken)* schizzare; **2.** ⟨*sein*⟩ *(sich bewegen)* disperdersi.

Stiefbruder ['ʃti:f-] *m* fratellastro *m*.

Stiefel ['ʃti:fəl] ⟨-s, -⟩ *m* stivale *m*. **Stiefelknecht** *m* cavastivali *m*.

Stiefkind *n* figliastro *m; fig* cenerentola *f*. **Stiefmutter** *f* madre *f* putativa; *pej* matrigna *f*. **Stiefmütterchen** *n bot* viola *f* del pensiero. **stiefmütterlich** *adj* da matrigna. **Stiefschwester** *f* sorellastra *f*. **Stiefsohn** *m* figliastro *m*. **Stieftochter** *f* figliastra *f*. **Stiefvater** *m* padre *m* putativo; *pej* patrigno *m*.

stieg [ʃti:k] *imp von* **steigen**.

Stiege ['ʃti:gə] ⟨-, -n⟩ *f dial* scala *f*.

Stieglitz ['ʃti:glɪt͜s] ⟨-es, -e⟩ *m* cardellino *m*.

stiehlt [ʃti:lt] *pr von* **stehlen**.

Stiel [ʃti:l] ⟨-(e)s, -e⟩ *m* **1.** *(von Blume, Glas)* gambo *m*, stelo *m; (von Blatt, Frucht)* picciolo *m*, gambo *m;* **2.** *(Griff)* manico *m;* **Eis am ~** gelato col legnetto (*o* da passeggio). **Stielaugen** *n pl:* **~ machen** *fam* far tanto d'occhi *fam*. **Stieltopf** *m* casseruola *f* a un manico.

stier ['ʃti:ɐ̯] *adj (Blick)* fisso.

Stier [ʃti:ɐ̯] ⟨-(e)s, -e⟩ *m* **1.** *zoo* toro *m;* **2.** *astr* Toro *m;* **er/sie ist (ein) ~** è (del *o* un) Toro.

stieren ['ʃti:rən] *itr* fissare (*auf etw. (akk)* qc), guardare fisso (*auf etw. (akk)* qc).

Stierkampf *m* corrida *f*. **Stierkämpfer** *m* torero *m*.

stieß [ʃti:s] *imp von* **stoßen**.

Stift[1] [ʃtɪft] ⟨-(e)s, -e⟩ *m* **1.** *(Metall~)* perno *m; (Holz~)* caviglia *f; (Nagel)* chiodo *m*, punta *f;* **2.** *(Blei~)* matita *f*, lapis *m; (Bunt~)* matita *f* colorata.

Stift[2] [ʃtɪft] ⟨-(e)s, -e⟩ *n* **1.** *(Stiftung)* fondazione *f;* **2.** *(Kloster)* convento *m*, monastero *m;* **3.** *(Altersheim)* casa *f* di ricovero.

Stift³ [ʃtɪft] ⟨-(e)s, -e⟩ *m fam (Lehrjunge)* apprendista *m.*
stiften [ˈʃtɪftən] *tr* **1.** *(gründen)* fondare; *(errichten, einsetzen)* istituire; **2.** *(schenken, bezahlen)* offrire; **3.** *(schaffen, bewirken)* creare, provocare, causare.
Stifter(in) ⟨-s, -⟩ *m(f)* **1.** *(Gründer)* fondatore, -trice *m, f;* **2.** *(Urheber)* autore, -trice *m, f.*
Stiftung ⟨-, -en⟩ *f* fondazione *f; jur (Schenkung)* donazione *f.*
Stiftzahn *m* dente *m* a perno.
Stil [ʃti:l *o* sti:l] ⟨-(e)s, -e⟩ *m* stile *m.* **Stilblüte** *f* perla *f* (stilistica). **Stilebene** *f* livello *m* stilistico.
stilisieren [ʃtiliˈzirən *o* st...] ⟨*ohne ge-*⟩ *tr* stilizzare.
stilistisch [ʃtiˈlɪstɪʃ *o* st...] *adj* stilistico.
still [ʃtɪl] *adj* **1.** *(lautlos)* tranquillo, calmo, quieto; **2.** *(schweigend, stumm)* silenzioso, muto; **3.** *(schweigsam)* taciturno; **4.** *(unbewegt)* immobile; **5.** *(heimlich)* segreto, nascosto; **der S~e Ozean** l'Oceano Pacifico; **~er Teilhaber** socio occulto; **den Kopf/ein Glas ~ halten** tener ferma la testa/tenere saldamente un bicchiere; **um sie ist es ~ geworden** non si parla più di lei; **(sei) ~!** (sta) zitto!
Stille [ˈʃtɪlə] ⟨-, ø⟩ *f* **1.** *(Unbewegtheit)* tranquillità *f,* calma *f;* **2.** *(Schweigen)* silenzio *m;* **3.** *(Ruhe)* quiete *f;* **in aller ~** in perfetto silenzio; *(Feier)* nell'intimità.
Stilleben *n* natura *f* morta.
stillegen ⟨*getrennt:* still·legen⟩ *tr* chiudere. **Stillegung** ⟨-, -en⟩ *f* chiusura *f; (von Verkehr)* chiusura *f* al traffico.
stillen I. *tr* **1.** *(Kind)* allattare; **2.** *(Blutung)* fermare; **3.** *(Schmerz)* sedare; **4.** *(Durst)* spegnere; *(Hunger)* saziare; **5.** *(Verlangen, etc.)* placare; **II.** *itr* allattare.
still·halten ⟨*irr*⟩ **I.** *tr* tener fermo; **II.** *itr* **1.** *(sich nicht bewegen)* stare fermo; **2.** *fig (sich nicht wehren)* non reagire.
stillos *adj* senza stile.
Stillschweigen *n* silenzio *m.* **stillschweigend** *adj* tacito.
Stillstand *m* arresto *m; (Unterbrechung)* interruzione *f;* **zum ~ kommen** arrestarsi, fermarsi. **still·stehen** ⟨*irr*⟩ *itr* **1.** *(stehenbleiben)* fermarsi, arrestarsi; **2.** *(nicht in Betrieb sein)* essere fermo; **stillgestanden!** *mil* attenti!
stillvergnügt *adj* intimamente soddisfatto.
Stilmöbel *n pl* mobili *m pl* in stile. **stilvoll** *adj* che ha stile; *(geschmackvoll)* di buon gusto.
Stimmabgabe *f* votazione *f.* **Stimmbänder** *n pl* corde *f pl* vocali. **stimmberechtigt** *adj* avente diritto di voto. **Stimmbruch** *m* mutazione *f* della voce.
Stimme [ˈʃtɪmə] ⟨-, -n⟩ *f* **1.** *(Organ, a. mus, fig)* voce *f;* **2.** *(bei Wahl)* voto *m,* suffragio *m;* **seine ~ abgeben** votare.
stimmen [ˈʃtɪmən] **I.** *itr (richtig sein)* essere giusto (*o* esatto); **für/gegen etw. ~** *(wählen)* votare per/contro qc; **da stimmt etwas nicht** *(nicht in Ordnung)* non va bene; *(verdächtig)* c'è qc che non va; **es stimmt traurig/ernst, daß ...** è triste/grave che *+congv;* **stimmt es, daß ...?** è vero che ...?; **(das) stimmt!** giusto!, (va) bene!; **stimmt so!** *(zu Bedienung)* va bene così!; **II.** *tr mus* accordare; **jdn ernst ~** rendere serio qu.
Stimmengewinn *m* ⟨*meist pl*⟩ *pol* accaparramento *m* di voti. **Stimmengewirr** ⟨-s, ø⟩ *n* brusio *m* di voci. **Stimmengleichheit** *f* parità *f* (di voti). **Stimmenmehrheit** *f* maggioranza *f* (di voti).
Stimmenthaltung *f* astensione *f* (dal voto).
Stimmenverlust *m* ⟨*meist pl*⟩ *pol* perdita *f* di voti.
Stimmgabel *f* diapason *m.* **stimmhaft** *adj* sonoro. **stimmlos** *adj* **1.** *(tonlos)* afono; **2.** *ling* sordo. **Stimmrecht** *n* diritto *m* di voto. **Stimmritze** *f* glottide *f.*
Stimmung ⟨-, -en⟩ *f* **1.** *(Gemütsverfassung)* stato *m* d'animo, disposizione *f* di spirito; **2.** *(Laune)* umore *m;* **3.** *(von Gesellschaft)* atmosfera *f,* clima *m;* **4.** *(Eindruck, Wirkung)* suggestione *f;* **5.** *(öffentliche Meinung)* opinione *f* pubblica; **6.** *(von Musikinstrument)* accordatura *f;* **~ machen** *(gute Laune)* creare l'ambiente; **~ gegen/für etw. machen** far propaganda contro/per qc; **nicht in ~ sein** non essere in vena. **Stimmungsumschwung** *m* cambiamento *m* d'opinione. **stimmungsvoll** *adj* suggestivo.
Stimmzettel *m* scheda *f* elettorale.
stimulieren [ʃtimuˈli:rən *o* st...] ⟨*ohne ge*⟩ *tr* stimolare.
Stinkbombe *f* bombetta *f* puzzolente.
stinken [ˈʃtɪŋkən] ⟨stinkt, stank, gestunken⟩ *itr* puzzare (*nach* di); **das stinkt mir** *fam* ne ho le tasche piene *sl.*
stinkfaul [ˈʃtɪŋkˈfaul] *adj fam* pigrissimo. **stinklangweilig I.** *adj fam* noiosissimo, noioso da morire, barboso *fam;* **II.** *adv* noiosamente. **Stinktier** *n* moffetta *f.*
Stipendium [ʃtiˈpɛndium, ...iən] ⟨-s, -dien⟩ *n* borsa *f* di studio.
Stippvisite [ˈʃtɪp-] *f fam* visitina *f,* capatina *f.*
stirbt [ʃtɪrpt] *pr von* **sterben.**
Stirn [ʃtɪrn] ⟨-, -en⟩ *f* fronte *f;* **jdm die ~ bieten** tener testa a qu; **die ~ haben zu ...** aver la sfacciataggine di *+inf.* **Stirnband** ⟨-(e)s, -bänder⟩ *n* benda *f,* fascia *f.* **Stirnhöhle** *f* seno *m* frontale. **Stirnrunzeln** ⟨-s, ø⟩ *n* corrugamento (*o* aggrottamento *m*) della fronte.
stob [ʃto:p] *imp von* **stieben.**
stöbern [ˈʃtø:bɐn] *itr* frugare (*in +dat* in), rovistare (*in +dat* in).

stochern ['ʃtɔxɐn] *itr* frugare (*in +dat* in); **im Essen** ~ mangiucchiare; **in den Zähnen** ~ stuzzicare i denti.

Stock[1] [ʃtɔk] ⟨-(e)s, Stöcke⟩ *m* **1.** *(Stab)* bastone *m; (kleiner, dünner, Takt~)* bacchetta *f; (Billard~)* stecca *f* (di biliardo); **2.** *bot* ceppo *m; (Blumentopf)* pianta *f.*

Stock[2] [ʃtɔk] ⟨-(e)s, -werke *o nur mit Numerialia* -⟩ *m* piano *m.*

stockdumm ['ʃtɔk'dʊm] *adj fam* stupidissimo. **stockdunkel** ['ʃtɔk'dʊŋkəl] *adj fam* buio pesto.

stocken ['ʃtɔkən] *itr* **1.** *(nicht vorangehen)* ristagnare; *(Gespräch)* languire, arenarsi; **2.** *(stillstehen: Puls, Herz)* arrestarsi, fermarsi; **3.** *(im Sprechen)* interrompersi, incespicare. **stockend I.** *adj* ristagnante; *(Rede)* esitante; **II.** *adv (reden)* a stento.

stockfinster ['ʃtɔk'fɪnstɐ] *s.* **stockdunkel. Stockfisch** *m (a. fig pej)* stoccafisso *m.*

Stockholm ['ʃtɔkhɔlm *o* ...'hɔlm] *n* Stoccolma *f.*

stockkonservativ *adj pej* conservatore rigido, ultraconservatore, reazionario. **stocksauer** ['ʃtɔk'zaʊɐ] *adj sl* incazzato nero *volg.*

Stockschirm *m* ombrello *m* bastone.

stocksteif ['ʃtɔk'ʃtaɪf] *adj fam* rigido come un bastone, impalato. **stocktaub** ['ʃtɔk'taʊp] *adj fam* sordo come una campana *fam.*

Stockung ⟨-, -en⟩ *f* **1.** *(Behinderung)* ristagno *m;* **2.** *(Stillstand)* arresto *m;* **3.** *(Verkehrs~)* ingorgo *m* (di traffico); **4.** *(im Gespräch)* interruzione *f,* stasi *f.*

Stockwerk *n* piano *m.*

Stoff [ʃtɔf] ⟨-(e)s, -e⟩ *m* **1.** *(Textil)* stoffa *f; (Gewebe)* tessuto *m;* **2.** *(Materie, Substanz)* sostanza *f; (a. philos)* materia *f;* **3.** *fig (Gegenstand)* argomento *m,* tema *m,* soggetto *m.* **Stofftier** *n* pupazzo *m* di peluche. **Stoffwechsel** *m* metabolismo *m.*

stöhnen ['ʃtøːnən] *itr* gemere (*vor +dat* per); *(sich beklagen)* lamentarsi (*über +akk* per, di). **Stöhnen** ⟨-s, ø⟩ *n* gemito *m.*

stoisch ['ʃtoːɪʃ *o* 'st...] *adj* stoico.

Stola ['ʃtoːla *o* 'st...] ⟨-, Stolen⟩ *f* stola *f.*

Stollen ['ʃtɔlən] ⟨-s, -⟩ *m* **1.** *gastr s.* **Christstollen; 2.** *min, mil* galleria *f;* **3.** *(an Schuh)* chiodo *m.*

stolpern ['ʃtɔlpɐn] *itr* ⟨*sein*⟩ incespicare (*über +akk* in); *(a. fig)* inciampare (*über +akk* in).

stolz [ʃtɔlts] *adj* **1.** *(voller Freude)* fiero (*auf +akk* di); **2.** *(hochmütig)* orgoglioso, altero; **3.** *fig (prächtig, imposant)* superbo, magnifico, imponente; **4.** *fam (Summe, Preis)* considerevole.

Stolz ⟨-es, ø⟩ *m* orgoglio *m; (Hochmut)* superbia *f,* alterigia *f.*

stolzieren [...'tsiːrən] ⟨*ohne ge-*⟩ *itr* ⟨*sein*⟩ pavoneggiarsi, camminare impettito (*o* tronfio).

stopfen ['ʃtɔpfən] **I.** *tr* **1.** *(voll~)* riempire; **2.** *(zu~)* turare; *(Loch, a. fig)* tappare; **3.** *(hineinpressen)* calcare (*in +akk* in), ficcare (*in +akk* in); **4.** *(flicken: Kleidung)* rammendare; **5.** *(mästen: Gänse)* ingozzare; **II.** *itr* **1.** *(satt machen)* saziare; **2.** *(den Stuhlgang hindern)* costipare.

Stopfgarn *n* filo *m* da rammendo. **Stopfnadel** *f* ago *m* da rammendo.

stopp [ʃtɔp] *interj* stop.

Stopp ⟨-s, -s⟩ *m* **1.** *(Anhalten)* arresto *m;* **2.** *(Einstellung)* sospensione *f.*

Stoppel ['ʃtɔpəl] ⟨-, -n⟩ *f* **1.** *(Getreide~)* stoppia *f;* **2.** *(Bart~)* pelo *m* ispido. **Stoppelbart** *m* barba *f* ispida. **Stoppelfeld** *n* campo *m* di stoppie. **stopp(e)lig** *adj* irsuto.

stoppen I. *tr* **1.** *(anhalten)* fermare, arrestare; **2.** *(mit Uhr)* cronometrare; **II.** *itr* fermarsi, arrestarsi.

stopplig *s.* **stoppelig.**

Stoppschild *n* stop *m.* **Stoppstraße** *f* strada *f* con obbligo di arresto. **Stoppuhr** *f* cronometro *m.*

Stöpsel ['ʃtœpsəl] ⟨-s, -⟩ *m* **1.** *(an Bekken)* tappo *m; (Korken)* turacciolo *m;* **2.** *fig (kleiner Junge)* marmocchio *m;* **3.** *el (Stecker)* spina *f.*

Stör [ʃtøːɐ̯] ⟨-(e)s, -e⟩ *m* storione *m.*

Storch [ʃtɔrç] ⟨-(e)s, Störche⟩ *m* cicogna *f.*

stören ['ʃtøːrən] **I.** *tr* disturbare; *(Frieden, Ruhe)* turbare; **II.** *itr* disturbare; **III.** *rfl:* **sich an etw.** *(dat)* ~ essere disturbato per qc. **störend** *adj* fastidioso. **Störenfried** [-friːt] ⟨-(e)s, -e⟩ *m* disturbatore *m,* perturbatore *m.*

Störfall *m (in Kernkraftwerk)* guasto *m.*

stornieren [ʃtɔr'niːrən *o* st...] ⟨*ohne ge-*⟩ *tr* stornare.

störrisch ['ʃtœrɪʃ] *adj (Mensch, Haltung)* ostinato; *(Haare)* ribelle, indocile; *(Material)* refrattario; *(Esel)* testardo, cocciuto.

Störung ⟨-, -en⟩ *f* disturbo *m,* perturbazione *f; (von Ruhe, Ordnung, a. psych)* turbamento *m; tec* guasto *m; radio* disturbo *m.* **Störungsstelle** *f tel* ufficio *m* guasti.

Stoß [ʃtoːs] ⟨-es, Stöße⟩ *m* **1.** *allg.* colpo *m; (Schubs, An~)* spinta *f; (Schlag)* percossa *f,* botta *f; (mit Ellenbogen)* gomitata *f; (mit Kopf)* testata *f; (Anstoßen)* urto *m; (Aufprall)* impatto *m; (Erschütterung)* choc *m; (a. fig)* scossa *f;* **2.** *(Trompeten~)* squillo *m* (di tromba); *(Wind~)* folata *f;* **3.** *(Stapel)* pila *f; (Bündel)* fascio *m; (~ Holz)* catasta *f.*

Stoßdämpfer *m* ammortizzatore *m.*

Stößel ['ʃtøːsəl] ⟨-s, -⟩ *m* pestello *m.*

stoßen ['ʃtoːsən] ⟨stößt, stieß, gestoßen⟩ **I.** *tr* **1.** *(schubsen)* colpire; *(schie-*

ben) spingere; *(an~, ~ gegen)* battere, urtare; *(hinein~)* cacciare (*in +akk* in); *(hinaus~)* espellere (*aus* da); **2.** *(Pfeffer, etc.)* pestare; **II.** *rfl:* **sich** ~ *(an~)* urtare; **sich an etw.** *(dat)* ~ *(an~)* urtare contro qc; *fig (Anstoß nehmen)* urtarsi per qc, scandalizzarsi per qc; **III.** *itr (schubsen)* spingere; *(mit Hörnern)* cozzare (con le corna); *(mit Messer)* cercare di colpire (*nach jdm* qu); **auf/an etw.** *(akk)* ~ toccare qc, urtare contro qc; **auf jdn/etw.** ~ *(finden)* trovare qu/qc; *(jdn treffen)* incontrare qu, imbattersi in qu; *(begegnen: Widerstand)* incontrare qc; **an etw.** *(akk)* ~ *(angrenzen)* confinare con qc; *(Zimmer, Grundstück)* essere attiguo (*o* contiguo) a qc; **ins Horn** ~ suonare il corno.

Stoßgebet *n* giaculatoria *f.* **Stoßseufzer** *m* gran sospiro *m.* **Stoßstange** *f* paraurti *m.*

stößt [ʃtø:st] *pr von* **stoßen.**

Stoßverkehr *m* traffico *m* di punta. **Stoßzahn** *m* zanna *f.* **Stoßzeit** *f* ora *f* di punta.

Stotterer ['ʃtɔtərɐ] ⟨-s, -⟩ *m,* **Stotterin** ['ʃtɔtərɪn] *f* balbuziente *mf.*

stottern ['ʃtɔtn] *tr, itr* balbettare.

Stövchen ['ʃtøfçən] ⟨-s, -⟩ *n* scaldavivande *m.*

Str. *abk von* **Straße** v. (*abbr di* via).

Strafanstalt *f* penitenziario *m,* prigione *f.* **Strafantrag** *m* querela *f; (von Staatsanwalt)* requisitoria *f.* **Strafanzeige** *f* denuncia *f.* **Strafarbeit** *f (von Schüler)* castigo *m.* **strafbar** *adj* punibile; *jur* passibile di pena; **~e Handlung** reato *m;* **sich ~ machen** essere passibile di pena.

Strafe ['ʃtra:fə] ⟨-, -n⟩ *f* punizione *f; (Züchtigung)* castigo *m; (Gefängnis~)* pena *f* detentiva; *(Geldbuße)* multa *f;* **bei** ~ sotto pena; **zur** ~ per punizione.

strafen *tr* punire; *(züchtigen)* castigare.

strafend *adj (Maßnahmen)* punitivo; *(Worte)* reprensivo; *(Blick)* riprovatore.

Strafentlassene ⟨ein -r, -n, -n⟩ *mf* scarcerato, -a *m, f.* **Straferlaß** *m* condono *m* di pena; *(Amnestie)* amnistia *f.*

straff [ʃtraf] *adj* **1.** *(Seil)* teso, tirato; *(Haut, Busen)* sodo; **2.** *(Haltung)* diritto; **3.** *(Zucht)* severo; **4.** *(Stil)* conciso; ~ **spannen** tendere; ~ **sitzen** *(Hose, etc.)* essere stretto.

straffällig *adj adm:* ~ **werden** incorrere in una pena.

straffen I. *tr* **1.** *(Seil)* tendere; *(Haut)* rassodare; **2.** *fig (Text)* rendere conciso; **II.** *rfl:* **sich** ~ **1.** *(sich spannen)* tendersi; **2.** *(sich aufrichten)* rizzarsi.

Straffheit ⟨-, ø⟩ *f* **1.** *(Gespanntheit)* tensione *f; (von Haut, Busen)* sodezza *f;* **2.** *(Strenge)* severità *f,* rigidezza *f;* **3.** *fig (von Stil)* concisione *f.*

straffrei *adj:* ~ **ausgehen** uscirne impunito. **Straffreiheit** *f* esenzione *f* da pena, impunità *f.* **Strafgefangene** *mf* detenuto, -a *m, f.* **Strafgesetzbuch** *n* (*abk* **StGB**) codice *m* penale.

sträflich ['ʃtrɛ:flɪç] *adj* imperdonabile.

Sträfling ['ʃtrɛ:flɪŋ] ⟨-s, -e⟩ *m* detenuto, -a *m, f,* carcerato, -a *m, f.*

Strafmandat *n* mandato *m* di cattura. **Strafmaß** *n* grado *m* della pena. **strafmildernd** *adj* attenuante. **Strafporto** *n* soprattassa *f.* **Strafpredigt** *f:* **jdm eine ~ halten** fare una ramanzina a qu. **Strafprozeß** *m* processo *m* penale. **Strafprozeßordnung** *f* (*abk* **StPO**) codice *m* di procedura penale. **Strafpunkt** *m* penalità *f.* **Strafraum** *m* area *f* di rigore. **Strafrecht** *n* diritto *m* penale. **strafrechtlich** *adj* (di diritto) penale. **Strafregister** *n* casellario *m* giudiziale. **Strafrichter(in)** *m(f)* giudice *mf* penale. **Strafstoß** *m* calcio *m* di punizione. **Straftat** *f* reato *m,* delitto *m.* **Straftäter(in)** *m(f)* delinquente *mf.* **Strafversetzung** *f* trasferimento *m* per ragioni disciplinari. **Strafverteidiger(in)** *m(f)* avvocato *m* (avvocatessa *f)* difensore (difenditrice) in campo penale. **Strafvollzug** *m* esecuzione *f* della pena; **offener** ~ *pena detentiva con possibilità di lavorare al di fuori della prigione e di uscire al fine settimana.* **Strafzettel** *m fam* contravvenzione *f,* multa *f.*

Strahl [ʃtra:l] ⟨-(e)s, -en⟩ *m* raggio *m; (Wasser~)* getto *m,* zampillo *m.*

strahlen *itr* **1.** *(Licht, Sonne)* (ri)splendere; *(radioaktiv ~)* emanare raggi; *(Wärme)* irradiare; **2.** *fig (Mensch)* essere raggiante; **vor Sauberkeit** ~ essere lucido come uno specchio; **übers ganze Gesicht** ~ avere il viso raggiante.

Strahlenbelastung *f* esposizione *f* alle radiazioni.

strahlend *adj (leuchtend)* splendente; *(a. fig: Schönheit)* splendido; *(Gesicht)* raggiante; *(Tag)* radioso.

Strahlendosis *f* dose *f* di radiazioni. **Strahlengefährdung** *f* pericolo *m* di contaminazione radioattiva. **Strahlenkrankheit** *f* sindrome *f* da raggi. **Strahlenschutz** *m* protezione *f* contro le radiazioni. **Strahlentherapie** *f* radioterapia *f,* attinoterapia *f.* **strahlenverseucht** *adj* contaminato da radiazioni. **Strahlenverseuchung** ⟨-, -en⟩ *f* inquinamento *m* da raggi.

Strahler ⟨-s, -⟩ *m (Heiz~)* radiatore *m* (di calore); *(Licht~)* riflettore *m.*

Strahlung ⟨-, -en⟩ *f* radiazione *f.*

Strähne ['ʃtrɛ:nə] ⟨-, -n⟩ *f* **1.** *(Haar~)* ciocca *f; (getönt)* meche *f;* **2.** *fig (Reihe)* serie *f.*

strähnig *adj* a ciocche.

stramm [ʃtram] *adj* **1.** *(straff: Seil)* teso, tirato; **2.** *(gerade aufgerichtet)* eretto; **3.** *fig (kräftig)* forte, robusto; *(Disziplin)* rigido; **~e Haltung** atteggiamento risoluto; ~ **sitzen** *(Kleidung)* essere

stretto, tirare. **stramm·stehen** ⟨*irr*⟩ *itr* essere (*o* mettersi) sull'attenti.
Strampelhose *f*, **-höschen** *n* tutina *f* da neonato, pagliaccetto.
strampeln ['ʃtrampəln] *itr* **1.** *(mit Beinen)* sgambettare; **2.** *fam (sich abmühen)* stancarsi.
Strand [ʃtrant] ⟨-(e)s, Strände⟩ *m (Bade~)* spiaggia *f; (Ufer)* riva *f.*
stranden ['ʃtrandən] *itr* ⟨*sein*⟩ **1.** *(Schiff)* arenarsi, incagliarsi; **2.** *fig geh (scheitern)* naufragare, fallire.
Strandgut *n* relitto *m.* **Strandkorb** *m* poltrona *f* da spiaggia. **Strandpromenade** *f* lungomare *m.*
Strang [ʃtraŋ] ⟨-(e)s, Stränge⟩ *m* **1.** *(Seil)* corda *f,* fune *f;* **2.** *(Nerven~)* funicolo *m* nervoso; **3.** *(Woll~, Garn~)* matassa *f;* **am gleichen ~ ziehen** *fig* mirare al medesimo scopo; **zum Tode durch den ~ verurteilen** condannare all'impiccagione; **über die Stränge schlagen** *fam* passare i limiti.
strangulieren [ʃtraŋgu'li:rən *o* st...] ⟨*ohne ge-*⟩ *tr* strangolare, strozzare.
Strapaze [ʃtra'pa:tsə] ⟨-, -n⟩ *f* strapazzo *m,* fatica *f.*
strapazieren [...pa'tsi:rən] ⟨*ohne ge-*⟩ **I.** *tr (Menschen)* affaticare; *(Nerven)* logorare; *(Gegenstände)* sciupare, strapazzare; *(Geduld)* mettere a dura prova; **II.** *rfl:* **sich ~** strapazzarsi.
strapazierfähig *adj* resistente.
strapaziös [...pa'tsjø:s] *adj* faticoso, affaticante.
Straße ['ʃtra:sə] ⟨-, -n⟩ *f* **1.** (*abk* **Str.**) *(Fahr~, a. fig)* strada *f; (bei Namen)* via *f;* **2.** *(Meerenge)* stretto *m;* **auf die ~ setzen** *fig fam (entlassen)* gettare sul lastrico; *(Mieter)* mettere alla porta; **auf die ~ gehen** andare in strada; *fig (demonstrieren)* scendere in piazza; **auf der ~** per (*o* in *o* sulla) strada. **Straßenbahn** *f* tram *m.* **Straßenbahnlinie** *f* linea *f* tranviaria. **Straßenbau** ⟨-(e)s, ø⟩ *m* costruzioni *f pl* stradali. **Straßenbeleuchtung** *f* illuminazione *f* stradale. **Straßencafé** *n* caffè *m* all'aperto. **Straßendecke** *f* pavimentazione *f* stradale. **Straßenfeger** ⟨-s, -⟩ *m* spazzino *m,* netturbino *m.* **Straßenfest** *n* festa *f* sulla strada (*o* in piazza). **Straßenführung** *f* tracciato *m* stradale. **Straßenhändler(in)** *m(f)* venditore, -trice *m, f* ambulante. **Straßenjunge** *m pej* ragazzo *m* di strada. **Straßenkampf** *m* combattimento *m* nelle strade. **Straßenkarte** *f* carta *f* stradale. **Straßenkehrer** ⟨-s, -⟩ *s.* **Straßenfeger. Straßenkreuzer** *m fam* macchinone *m fam.* **Straßenkreuzung** *f* incrocio *m* stradale. **Straßenlage** *f mot* tenuta *f* di strada. **Straßenlaterne** *f* lampione *m.* **Straßenmusikant(in)** *m(f)* musicista *mf* ambulante. **Straßennetz** *n* rete *f* stradale. **Straßenreinigung** *f* pulizia *f* stradale; *(Dienststelle)* nettezza *f* urbana. **Straßenrennen** *n* corsa *f* ciclistica. **Straßensänger(in)** *m(f)* cantante *mf* ambulante. **Straßenschild** *n* targa *f* stradale; *(Wegweiser)* indicatore *m* stradale. **Straßenschlacht** *f* scontro *m* violento fra fazioni avverse. **Straßensperre** *f* blocco *m* stradale, barricata *f.* **Straßenstrich** *m fam* prostituzione *f* da strada. **Straßenverkehr** *m* traffico *m* stradale; **im ~** sulla strada. **Straßenverkehrsordnung** *f* (*abk* **StVO**) codice *m* stradale (*o* della strada). **Straßenzustandsbericht** *m* bollettino *m* delle strade.
Stratege [ʃtra'te:gə *o* st...] ⟨-n, -n⟩ *m,* **Strategin** [...gın] *f* stratega *mf.*
Strategie [...te'gi:, ...i:ən] ⟨-, -n⟩ *f* strategia *f.*
strategisch [...'te:gıʃ] *adj* strategico; **~e Waffen** armi *f pl* strategiche.
Stratosphäre [ʃtrato'sfɛ:rə *o* st...] ⟨-, ø⟩ *f* stratosfera *f.*
sträuben ['ʃtrɔybən] **I.** *tr (Haare)* rizzare; *(Fell)* arruffare; **II.** *rfl:* **sich ~ 1.** *(Haare)* rizzarsi; *(Fell)* arruffarsi; **2.** *fig (sich wehren)* opporsi (*gegen* a).
Strauch [ʃtraux] ⟨-(e)s, Sträucher⟩ *m* arbusto *m; (Busch)* cespuglio *m.*
straucheln ['ʃtrauxəln] *itr* ⟨*sein*⟩ **1.** *geh (stolpern)* incespicare, inciampare; **2.** *(auf die schiefe Bahn geraten)* traviarsi.
Strauß[1] [ʃtraus] ⟨-es, Sträuße⟩ *m (Blumen~)* mazzo *m.*
Strauß[2] [ʃtraus] ⟨-es, -e⟩ *m (Vogel)* struzzo *m.* **Straußenfeder** *f* piuma *f* di struzzo.
Streamer ['stri:mɐ] ⟨-s, -⟩ *m inform* streamer *m.*
streben ['ʃtre:bən] *itr* cercare (di raggiungere) (*nach etw.* qc), aspirare (*nach etw.* a qc). **Streben** ⟨-s, ø⟩ *n* aspirazione *f* (*nach* a).
Streber(in) ⟨-s, -⟩ *m(f)* arrivista *mf,* carrierista *mf; (in Schule)* secchione, -a *m, f fam.*
strebsam *adj* diligente, operoso; *(eifrig)* zelante.
Strecke ['ʃtrɛkə] ⟨-, -n⟩ *f* **1.** *(Abschnitt)* tronco *m; (a. Eisenb.)* tratto *m;* **2.** *(Entfernung)* distanza *f;* **3.** *(Weg, Route)* itinerario *m; sport* percorso *m;* **4.** *min* galleria *f;* **5.** *mat* segmento *m;* **auf der ~ bleiben** *fig (scheitern)* rimanere per strada; **zur ~ bringen** *(Tier)* uccidere; *(Verbrecher)* arrestare.
strecken ['ʃtrɛkən] **I.** *tr* **1.** *(Körperteil)* allungare, stendere; **2.** *(Metall)* tirare, laminare; **3.** *(Vorräte, Geld)* far durare; *gastr* allungare; *(verdünnen)* diluire; **die Zunge aus dem Mund ~** cacciare fuori la lingua; **II.** *rfl:* **sich ~ 1.** *(sich dehnen)* stendersi; *(sich aus~)* (di)stendersi, allungarsi; **2.** *(sich recken)* stirarsi.
Streckenabschnitt *m* tronco *m,* sezione

f. **streckenweise** *adv* a tratti.
Streckverband *m* fasciatura *f* per estensione.
Streetworker(in) ['stri:twə:kə (...ərın)] ⟨-s, -⟩ *m(f) assistente sociale che si occupa di giovani delinquenti e drogati.*
Streich [ʃtrai̯ç] ⟨-(e)s, -e⟩ *m* **1.** *obs (Schlag)* colpo *m,* botta *f;* **2.** *fig (Schabernack)* tiro *m,* scherzo *m;* **auf einen ~** d'un colpo.
Streicheleinheiten *f pl fam* carezze *f pl,* coccole *f pl fam.* **streicheln** ['ʃtrai̯çəln] *tr* accarezzare.
streichen ['ʃtrai̯çən] ⟨streicht, strich, gestrichen⟩ **I.** *tr* ⟨*haben*⟩ **1.** *(mit Hand)* passare la mano su; *(zärtlich)* accarezzare; **2.** *(auftragen)* spalmare *(etw. auf etw. (akk)* qc di qc); **3.** *(an~)* verniciare; **4.** *(aus~, durch~)* cancellare, tagliare; **5.** *(Zuschuß, Zug)* sopprimere; *(Plan, Auftrag)* annullare; **frisch gestrichen!** pittura fresca!; **II.** *itr* **1.** ⟨*haben*⟩ passare la mano *(über +akk* su); *(zärtlich)* accarezzare *(über etw. (akk)* qc); **2.** ⟨*sein*⟩ *(umherstreifen)* girare, vagare, vagabondare; **3.** ⟨*sein*⟩ *(wehen)* soffiare.
Streicher *m pl mus* archi *m pl.*
Streichholz *n* fiammifero *m.* **Streichinstrument** *n* strumento *m* ad arco.
Streichung ⟨-, -en⟩ *f (von Wort, Satz)* cancellatura *f; (Kürzung)* riduzione *f; (von Auftrag)* cancellazione *f; (von Zuschuß, Zug)* soppressione *f.*
Streife ['ʃtrai̯fə] ⟨-, -n⟩ *f* **1.** *(Personen)* pattuglia *f;* **2.** *(Gang)* giro *m* d'ispezione.
streifen ['ʃtrai̯fən] **I.** *tr* ⟨*haben*⟩ **1.** *(berühren, a. fig: Thema)* sfiorare; **2.** *(Ring über Finger)* infilare *(über +akk* a); *(vom Finger)* sfilare *(von* da), togliere *(von* da); *(Kapuze über Kopf)* calare *(über +akk* su); **II.** *itr (umher~)* girare, vagare.
Streifen ⟨-s, -⟩ *m* **1.** *allg.* striscia *f;* **2.** *(Film)* film *m; (Ausschnitt)* pellicola *f.*
Streifendienst *m* pattuglia *f.* **Streifenwagen** *m* automobile *f* della polizia.
Streifschuß *m* colpo *m* di striscio; *(Verletzung)* scalfittura *f.* **Streifzug** *m* esplorazione *f,* ricognizione *f; mil* incursione *f.*
Streik [ʃtrai̯k] ⟨-(e)s, -s⟩ *m* sciopero *m.* **Streikbrecher** ⟨-s, -⟩ *m* crumiro *m.*
streiken *itr* **1.** *(Arbeiter)* scioperare, fare sciopero; **2.** *fam (Motor, Fernseher)* non funzionare; *(nicht mitmachen)* rifiutarsi. **Streikende** ⟨ein -r, -n, -n⟩ *mf* scioperante *mf.*
Streikgeld *n* indennità *f* di sciopero. **Streikkasse** *f* cassa *f* scioperi. **Streikposten** *m* picchetto *m.* **Streikwelle** *f* ondata *f* di scioperi.
Streit [ʃtrai̯t] ⟨-(e)s, -e⟩ *m (Zank, Zwist)* lite *f,* litigio *m; (mit Tätlichkeiten)* rissa *f; (Rechts~)* controversia *f.* **streitbar** *adj (streitlustig)* combattivo; *(a. angriffslustig)* aggressivo; *(kriegerisch)* bellicoso.
streiten ⟨streitet, stritt, gestritten⟩ **I.** *itr* **1.** *(zanken)* litigare; *(handgreiflich)* azzuffarsi; **2.** *(mit Worten)* discutere *(über +akk* di), disputare *(über +akk* di, su); **II.** *rfl:* **sich ~** litigare.
Streiterei [...ə'rai̯] ⟨-, -en⟩ *f* continui litigi *m pl.*
Streitfrage *f* controversia *f,* vertenza *f.*
streitig *adj:* **jdm etw. ~ machen** contestare (*o* disputare) qc a qu.
Streitkräfte *f pl* forze *f pl* armate. **Streitmacht** *f* forza *f* (militare). **streitsüchtig** *adj* litigioso.
streng [ʃtrɛŋ] *adj* severo; *(Anforderungen)* preciso; *(Stillschweigen, Diskretion)* assoluto; *(schmucklos)* austero; *(Geruch, Geschmack)* aspro, forte; *(Winter)* rigido; **~ befolgen** seguire scrupolosamente; **~ geheim** segretissimo; **~ vertraulich** strettamente confidenziale; **~ verboten!** severamente proibito!. **Strenge** ⟨-, ø⟩ *f* **1.** *(Striktheit)* severità *f;* **2.** *(Schmucklosigkeit)* austerità *f;* **3.** *(von Geruch, Geschmack)* asprezza *f; (von Winter)* rigore *m,* rigidezza *f.* **strenggenommen** *adv* a rigore (di termine).
Streß [ʃtrɛs *o* st...] ⟨Stresses, *rar* Stresse⟩ *m* stress *m;* **im ~** sotto stress.
stressen *tr* stressare.
streßfrei *adj* privo di stress, non stressante.
stressig *adj fam* stressante.
Streu [ʃtrɔy̯] ⟨-, -en⟩ *f* strame *m,* lettiera *f.* **Streubüchse** *f,* **-dose** *f* polverizzatore *m; (für Salz)* spargisale *m; (für Zucker)* spargizucchero *m.*
streuen ['ʃtrɔy̯ən] **I.** *tr* (co)spargere; **II.** *itr* **1.** *(Straße ~)* spargere qc sulla strada; **2.** *(Salzstreuer, etc.)* spargere; **3.** *phys* disperdere.
streunen ['ʃtrɔy̯nən] *itr* ⟨*sein o haben*⟩ *fam* vagabondare.
Streusalz *n* sale *m* per manto stradale.
Streuung ⟨-, -en⟩ *f* dispersione *f.*
strich [ʃtrıç] *imp von* **streichen.**
Strich ⟨-(e)s, -e⟩ *m* **1.** *(Bleistift~, etc.)* tratto *m; (Pinsel~)* pennellata *f; (Linie, a. mat)* linea *f; (kurzer ~, Gedanken~)* lineetta *f,* trattino *m; (Quer~)* barra *f;* **2.** *(Richtung: von Haar, Fell)* verso *m;* **3.** *sl (Prostitution)* prostituzione *f; (Gegend)* marciapiede *m fam;* **einen ~ unter etw.** *(akk)* **machen** *fig* farla finita con qc; **jdm einen ~ durch die Rechnung machen** *fig* mandare a monte i piani di qu; **keinen ~ tun** *fig fam* non fare un accidente *fam;* **auf den ~ gehen** *sl* battere il marciapiede; **nach ~ und Faden** *fam* per bene, a modo; **gegen den ~** contropelo; **es geht mir gegen den ~** *fam* non mi va a genio. **Strichcode** *m*

codice *m* a barre.
stricheln *tr* tratteggiare.
Strichjunge *m sl* ragazzo *m* di vita. **Strichmädchen** *n sl* ragazza *f* di vita (*o* da marciapiede). **Strichmännchen** *n* omino *m*. **Strichpunkt** *m* punto *m* e virgola *f*. **strichweise** *adv* a tratti.
Strick [ʃtrɪk] ⟨-(e)s, -e⟩ *m* **1.** *(Seil)* corda *f*, fune *f*; **2.** *fam (Schlingel)* briccone *m*; **wenn alle ~e reißen** *fam* nel peggiore dei casi.
stricken ['ʃtrɪkən] *itr, tr* lavorare a maglia.
Strickgarn *n* filo *m* per maglieria. **Strickjacke** *f* giacca *f* a maglia, cardigan *m*.
Strickleiter *f* scala *f* di corda.
Stricknadel *f* ferro *m* da calza. **Strickwaren** *f pl* maglierie *f pl*. **Strickzeug** ⟨-(e)s, -e⟩ *n* lavoro *m* a maglia.
striegeln ['ʃtri:gəln] *tr* strigliare.
Strieme ['ʃtri:mə] ⟨-, -n⟩ *f*, **Striemen** ['ʃtri:mən] ⟨-s, -⟩ *m* livido *m*.
strikt [ʃtrɪkt *o* st...] *adj (genau)* preciso, esatto; *(streng)* stretto, rigoroso; *(Bestimmung)* tassativo.
String ['strɪŋ] ⟨-s, -s⟩ *m (Zeichenkette)* stringa *f*.
Strippe ['ʃtrɪpə] ⟨-, -n⟩ *f fam* spago *m*, corda *f*; **an der ~ hängen** *fig* stare attaccato al telefono.
strippen ['ʃtrɪpən *o* 'st...] *itr fam* fare lo spogliarello.
Striptease ['ʃtrɪpti:s *o* 'st...] ⟨-, ø⟩ *m o n* spogliarello *m*. **Stripteasetänzer(in)** *m(f)* spogliarellista *mf*.
stritt [ʃtrɪt] *imp von* **streiten.**
strittig ['ʃtrɪtɪç] *adj* controverso; *(fraglich)* discutibile; **~er Punkt** punto in questione.
Stroh [ʃtro:] ⟨-(e)s, ø⟩ *n* paglia *f*. **strohblond** *adj* biondo paglierino. **Strohblume** *f* elicriso *m*. **Strohfeuer** *n* fuoco *m* di paglia. **Strohhalm** *m* filo *m* di paglia; *(Trinkhalm)* cannuccia *f*. **Strohmann** *m* uomo *m* di paglia, prestanome *m*. **Strohwitwe** *f* donna *f* il cui marito è assente. **Strohwitwer** *m* uomo *m* la cui moglie è assente.
Strolch [ʃtrɔlç] ⟨-(e)s, -e⟩ *m (übler Kerl)* farabutto *m*, furfante *m*; *fam (Schlingel)* birbante *m*.
Strom [ʃtro:m] ⟨-(e)s, Ströme⟩ *m* **1.** *(Fluß)* corrente *f*, (grande) fiume *m*; *fig (von Blut)* fiotto *m*; *(von Tränen)* fiume *m*; *(Lava~)* fiume *m*, colata *f*; **2.** *el* corrente *f*; **unter ~ stehen** essere sotto tensione; **gegen den ~/mit dem ~ schwimmen** seguire la/andare contro corrente; **in Strömen fließen** scorrere a fiumi. **stromab(wärts)** [-'ʔap(vɛrts)] *adv (Lage)* a valle; *(Richtung)* con la corrente. **Stromabnehmer(in)** *m(f) (Stromverbraucher)* consumatore, -trice *m, f* di energia elettrica. **stromauf(wärts)** [-'ʔauf(vɛrts)] *adv (Lage)* a monte; *(Richtung)* contro corrente. **Stromausfall** *m* mancanza *f* di corrente.
strömen ['ʃtrø:mən] *itr ⟨sein⟩* **1.** *(fließen)* scorrere, fluire; **2.** *(aus~)* fuoriuscire (*aus* da); **3.** *(Menschen)* affluire (*aus* da), accorrere (*aus* da); **bei (*o* in) ~dem Regen** sotto una pioggia torrenziale.
Stromerzeuger *m* generatore *m* di corrente. **Stromerzeugung** *f* produzione *f* (*o* generazione *f*) di corrente.
Stromkreis *m* circuito *m* (elettrico). **stromlinienförmig** [-fœrmɪç] *adj* aerodinamico. **Stromnetz** *n* rete *f* elettrica. **Stromrechnung** *f* bolletta *f* dell'elettricità. **Stromschnelle** *f* rapida *f*, cateratta *f*. **Stromstärke** *f* intensità *f* di corrente. **Stromstoß** *m* impulso *m* di corrente.
Strömung ⟨-, -en⟩ *f* corrente *f*.
Stromversorgung *f* erogazione *f* di energia elettrica. **Stromzähler** *m* contatore *m* dell'elettricità.
Strontium ['ʃtrɔntsiʊm *o* 'st...] ⟨-s, ø⟩ *n* stronzio *m*.
Strophe ['ʃtro:fə] ⟨-, -n⟩ *f* strofa *f*.
strotzen ['ʃtrɔtsən] *itr*: **von (*o* vor) etw. ~** *(voll sein)* essere pieno di qc, rigurgitare di qc; *(wimmeln)* pullulare di qc; **vor Gesundheit ~** sprizzare salute, scoppiare di salute; **von (*o* vor) Schmutz ~** essere sporco lurido.
Strudel ['ʃtru:dəl] ⟨-s, -⟩ *m* **1.** *(Wasser, a. fig)* vortice *m*; **2.** *gastr* strudel *m*.
Struktur [ʃtrʊk'tu:ɐ *o* st...] ⟨-, -en⟩ *f* struttura *f*.
strukturell [...tu'rɛl] *adj* strutturale.
strukturieren [...tu'ri:rən] ⟨*ohne ge-*⟩ *tr* strutturare.
Strukturkrise *f* crisi *f* strutturale. **strukturschwach** *adj* sottosviluppato. **Strukturwandel** *m* adeguamento *m* di struttura.
Strumpf [ʃtrʊmpf] ⟨-(e)s, Strümpfe⟩ *m* calza *f*. **Strumpfband** ⟨-(e)s, -bänder⟩ *n*, **-halter** *m* giarrettiera *f*. **Strumpfhose** *f* collant *m*, calzamaglia *f*.
struppig ['ʃtrʊpɪç] *adj (Haar)* irto; *(Bart)* ispido; *(Tier)* arruffato.
Stube ['ʃtu:bə] ⟨-, -n⟩ *f* **1.** *obs, dial (Zimmer)* camera *f*, stanza *f*; *(Wohnzimmer)* soggiorno *m*; **2.** *(in Kaserne, Internat)* camerata *f*; **die gute ~** il salotto (buono). **Stubenarrest** *m* consegna *f*. **Stubenhocker** *m pej* pantofolaio *m*. **stubenrein** *adj (Haustier)* pulito.
Stuck [ʃtʊk] ⟨-(e)s, ø⟩ *m* stucco *m*.
Stück [ʃtʏk] ⟨-(e)s, -e⟩ *n* (*abk* **St.**) **1.** *(allg., com, a. Musik~)* pezzo *m*; **2.** *(Teil~)* parte *f*, porzione *f*; **3.** *theat* lavoro *m* (teatrale), dramma *m*; **4.** *(Bruch~)* frammento *m*; **5.** *(Vieh)* capo *m*; **auf jdn große ~e halten** avere molta stima di qu, avere un'alta opinione di qu; **Wurst/Käse am ~** salume/formaggio non affettato (*o* in un solo pezzo); **aus freien ~en** di propria iniziativa, volontariamente; **ich komme ein ~ mit**

ti accompagno per un tratto di strada; **wir sind ein gutes ~ weitergekommen** *(bei Arbeit)* abbiamo fatto un bel pezzo di lavoro; **das ist ein starkes ~!** *fam* questo è troppo!. **Stückgut** *n* collo *m* singolo. **Stückkosten** *pl* costo *m* unitario. **Stücklohn** *m* salario *m* a cottimo. **Stückpreis** *m* prezzo *m* unitario. **Stückwerk** *n* lavoro *m* imperfetto. **Stückzahl** *f* numero *m* dei pezzi.

Student(in) [ʃtu'dɛnt(ın)] ⟨-en, -en⟩ *m(f)* studente, -essa *m, f.* **Studentenausweis** *m* tessera *f* dello studente. **Studentenfutter** *n* frutta *f* secca. **Studenten(wohn)heim** *n* casa *f* dello studente. **studentisch** *adj* studentesco.

Studie ['ʃtu:di̯ə] ⟨-, -n⟩ *f* studio *m; (literarisch)* saggio *m.*

Studienabbrecher(in) ⟨-s, -⟩ *m(f)* persona *f* che interrompe gli studi. **Studienanfänger(in)** *m(f)* matricola *f.* **Studienaufenthalt** *m* soggiorno *m* di studio. **Studienfach** *n* materia *f* di studio. **Studiengang** *m* corso *m* degli studi. **Studiengebühren** *f pl* tassa *f* d'iscrizione. **Studienplatz** *m* posto *m* di studio. **Studienrat** *m,* **-rätin** *f* insegnante *mf* medio superiore (di ruolo). **Studienreise** *f* viaggio *m* di studio. **Studienzeit** *f* studi *m pl.*

studieren [ʃtu'di:rən] ⟨*ohne ge-*⟩ *tr, itr* studiare. **studiert** *adj fam* che ha studiato.

Studio ['ʃtu:di̯o] ⟨-s, -s⟩ *n* **1.** *TV, radio* studio *m;* **2.** *(Einzimmerwohnung)* monolocale *m.*

Studium ['ʃtu:di̯ʊm, ...i̯ən] ⟨-s, -dien⟩ *n* studio *m; (an Universität)* studi *m pl.*

Stufe ['ʃtu:fə] ⟨-, -n⟩ *f* **1.** *(Treppen~, Entwicklungs~)* gradino *m;* **2.** *fig (Ebene)* livello *m; (Rang)* grado *m;* **3.** *tec (a. von Raketen)* stadio *m.* **Stufenbarren** *m* parallele *f pl* asimmetriche. **stufenförmig** [-fœrmıç] *adj* a gradini (*o* scalini). **Stufenheck** *n mot* tre volumi *m pl.* **stufenweise** *adv* gradualmente, gradatamente.

Stuhl [ʃtu:l] ⟨-(e)s, Stühle⟩ *m* **1.** *(Möbel)* sedia *f;* **2.** *(~gang)* defecazione *f;* **3.** *(Lehr~)* cattedra *f* (*für* di). **Stuhlbein** *n* gamba *f* di sedia. **Stuhlgang** *m* defecazione *f.* **Stuhllehne** *f* schienale *m* della sedia.

Stulpe ['ʃtʊlpə] ⟨-, -n⟩ *f* risvolto *m.*

stülpen ['ʃtʏlpən] *tr (drehen)* rovesciare; *(bedecken)* mettere; **den Kragen nach oben ~** tirare su il colletto.

stumm [ʃtʊm] *adj* **1.** *med, ling* muto; **2.** *(schweigsam)* silenzioso, taciturno. **Stumme** ⟨ein -r, -n, -n⟩ *mf* muto, -a *m, f.*

Stummel ['ʃtʊməl] ⟨-s, -⟩ *m (Bleistift~, Zigaretten~, ~schwanz)* mozzicone *m; (Kerzen~)* moccolo *m.*

Stummfilm *m* film *m* muto.

Stümper(in) ['ʃtʏmpɐ (...ərın)] ⟨-s, -⟩ *m(f)* pasticcione, -a *m, f fam,* schiappa *f fam.*

Stümperei [ʃtʏmpə'rai̯] ⟨-, -en⟩ *f* **1.** *(Arbeiten)* abborracciamento *m;* **2.** *(Leistung)* abborracciatura *f.*

stümperhaft *adj* abborracciato.

stumpf [ʃtʊmpf] *adj* **1.** *(nicht scharf)* smussato, senza filo; *(nicht spitz)* spuntato; **2.** *(Winkel, Mensch)* ottuso; *(Kegel, Reim)* tronco; **3.** *(glanzlos)* opaco; **4.** *(teilnahmslos)* apatico; *(gleichgültig)* indifferente.

Stumpf ⟨-(e)s, Stümpfe⟩ *m (Baum~)* troncone *m; (von Körperglied)* moncone *m,* moncherino *m; (Kerzen~)* moccolo *m.*

Stumpfheit ⟨-, ø⟩ *f* **1.** *(von Schneide)* smussatura *f; (von Spitze)* spuntatura *f;* **2.** *(Glanzlosigkeit)* opacità *f;* **3.** *(Teilnahmslosigkeit)* apatia *f; (Gleichgültigkeit)* indifferenza *f; (Abgestumpftheit)* ottusità *f.*

Stumpfsinn *m* ottusità *f* (di mente), ebetismo *m; (Langweiligkeit)* noiosità *f; (Monotonie)* monotonia *f.* **stumpfsinnig** *adj (geistig ~)* ottuso, ebete; *(monoton)* monotono; *(stupide)* stupido.

Stunde ['ʃtʊndə] ⟨-, -n⟩ *f* (*abk* **Std.**) ora *f; (Unterrichts~)* lezione *f;* **zur ~** in questo momento.

stunden *tr:* **jdm eine Zahlung ~** concedere a qu una dilazione nel pagamento.

Stundengeschwindigkeit *f* velocità *f* oraria. **Stundenhotel** *n* albergo *m* a ore. **Stundenkilometer** *m* chilometro *m* orario (*o* all'ora). **stundenlang I.** *adj* che dura delle ore; **II.** *adv* per ore (e ore). **Stundenlohn** *m* paga *f* all'ora (*o* oraria). **Stundenplan** *m* orario *m.* **stundenweise** *adv* a ore.

stündlich ['ʃtʏntlıç] *adj* **1.** *(jede Stunde)* ogni ora; **2.** *(von Stunde zu Stunde)* da un'ora all'altra.

stupid(e) [ʃtu'pi:t (...i:də)] *adj (beschränkt)* stupido; *(langweilig, monoton)* noioso, monotono.

Stups [ʃtʊps] ⟨-es, -e⟩ *m fam* spinta *f.*

stupsen *tr fam* spingere.

Stupsnase *f* naso *m* all'insù.

stur [ʃtu:ɐ̯] *adj* testardo, ostinato. **Sturheit** ⟨-, ø⟩ *f* testardaggine *f,* ostinazione *f.*

Sturm [ʃtʊrm] ⟨-(e)s, Stürme⟩ *m* **1.** *meteo, fig* tempesta *f,* burrasca *f;* **2.** *mil, sport (Angriff)* attacco *m;* **3.** *fig (An~)* assalto *m;* **~ der Entrüstung** uragano *m* di sdegno; **~ läuten** sonare a stormo; **im ~ nehmen** prendere d'assalto; **gegen etw. ~ laufen** *fig* attaccare qc.

stürmen ['ʃtʏrmən] **I.** *itr* **1.** *unpers* ⟨*haben*⟩ *meteo* infuriare; **2.** ⟨*sein*⟩ *(rennen)* scagliarsi, lanciarsi; **es stürmt** infuria la tempesta; **II.** *tr* ⟨*haben*⟩ **1.** *mil* attaccare, dare l'assalto a; **2.** *fig* prendere d'assalto.

Stürmer(in) ⟨-s, -⟩ *m(f) sport* attaccante *mf.*

Sturmflut *f* mareggiata *f.*

stürmisch ['ʃtʏrmıʃ] *adj* **1.** *meteo* tempestoso, burrascoso; *(See)* in burrasca; **2.** *fig (ungestüm)* impetuoso, veemente; *(heftig)* violento, tempestoso; *(Beifall)* frenetico; *(Zeit)* turbolento.

Sturmschäden *m pl* danni *m pl* provocati dalla tempesta.

Sturz [ʃtʊrts] ⟨-es, Stürze⟩ *m* **1.** *(Fall, Hinstürzen)* caduta *f;* **2.** *(Zusammenbruch, Preis~)* crollo *m; (von Regierung)* caduta *f,* rovesciamento *m;* **3.** *(Fenster~, Tür~)* architrave *m.*

stürzen [ˈʃtʏrtsən] **I.** *tr* ⟨*haben*⟩ **1.** *(fallen lassen)* far cadere; **2.** *(umstoßen, umkippen, Pudding, a. fig: Regierung)* rovesciare; **3.** *(herab~)* precipitare; **II.** *itr* ⟨*sein*⟩ **1.** *(fallen)* cadere, fare una caduta; **2.** *(rennen)* precipitarsi; **3.** *(ein~, a. Preise)* crollare; **III.** *rfl:* **sich** ~ lanciarsi, buttarsi; **sich in Unkosten** ~ darsi a spese pazze *fam;* **sich ins Verderben** ~ rovinarsi.

Sturzflug *m* (volo *m* in) picchiata *f.*

Sturzhelm *m* casco *m* di protezione.

Stute [ˈʃtuːtə] ⟨-, -n⟩ *f* cavalla *f,* giumenta *f; (Esel~)* asina *f.*

Stuttgart [ˈʃtʊtgart] *n* Stoccarda *f.*

Stütze [ˈʃtʏtsə] ⟨-, -n⟩ *f* sostegno *m,* supporto *m; fig (Hilfe)* aiuto *m; (Haushaltshilfe)* domestica *f.*

stutzen[1] [ˈʃtʊtsən] *tr (beschneiden)* (r)accorciare, tagliare; *(Hecke)* potare; *(Haare, Bart)* spuntare; *(Flügel)* tarpare.

stutzen[2] [ˈʃtʊtsən] *itr (erstaunt innehalten)* rimanere sorpreso, fermarsi.

Stutzen [ˈʃtʊtsən] ⟨-s, -⟩ *m* **1.** *(Gewehr)* carabina *f,* moschetto *m;* **2.** *(Strumpf)* calzettone *m;* **3.** *tec (Ansatzrohr)* raccordo *m.*

stützen [ˈʃtʏtsən] **I.** *tr* puntellare; *fig* sostenere; **II.** *rfl:* **sich** ~ appoggiarsi *(auf +akk* a); *fig* basarsi *(auf +akk* su).

stutzig *adj:* ~ **machen** sorprendere; ~ **werden** essere (*o* rimanere) sorpreso.

Stützpunkt *m* base *f.*

stylen [ˈstailən] **I.** *tr fam (Auto)* truccare; *(Wohnung)* arredare in maniera sofisticata. **II.** *rfl:* **sich** ~ farsi un look alla grande (*o* molto curato).

Styropor® [ʃtyroˈpoːɐ̯ *o* st...] ⟨-s, ø⟩ *n* polistirolo *m* (espanso).

s. u. *abk von* **siehe unten** v.s. *(abbr di* vedi sotto).

Subjekt [zʊpˈjɛkt] ⟨-(e)s, -e⟩ *n* **1.** *gram, philos* soggetto *m;* **2.** *pej* individuo *m.*

subjektiv [...ˈtiːf] *adj* soggettivo.

Subjektivität [...tiviˈtɛːt] ⟨-, ø⟩ *f* soggettività *f.*

Subkultur *f* subcultura *f,* sottocultura *f.*

Substantiv [ˈzʊpstantiːf *o* ...ˈtiːf] ⟨-s, -e⟩ *n* sostantivo *m.*

Substanz [zʊpˈstants] ⟨-, -en⟩ *f* sostanza *f.*

subtil [zʊpˈtiːl] *adj* **1.** *(zart, fein)* sottile; **2.** *(kompliziert, schwierig)* complesso, complicato.

subtrahieren [zʊptraˈhiːrən] ⟨*ohne ge-*⟩ *tr* sottrarre.

Subtraktion [...trakˈtsjoːn] ⟨-, -en⟩ *f* sottrazione *f.*

Subtropen *pl* regioni *f pl (o* paesi *m pl)* subtropicali. **subtropisch** [ˈzʊptroːpɪʃ *o* ...ˈtroː...] *adj* subtropicale.

Subvention [zʊpvɛnˈtsjoːn] ⟨-, -en⟩ *f* sovvenzione *f.*

subventionieren [...tsjoˈniːrən] ⟨*ohne ge-*⟩ *tr* sovvenzionare.

subversiv [zʊpvɛrˈziːf] *adj* sovversivo.

Suchdienst *m* servizio *m* di ricerche.

Suche [ˈzuːxə] ⟨-, *rar* -n⟩ *f* ricerca *f (nach* di).

suchen *tr, itr* cercare; *(forschen nach)* ricercare; **nach jdm/etw.** ~ cercare qu/qc; **bei jdm Rat** ~ chiedere consiglio a qu; **was hast du hier zu** ~? che fai qui?, che vuoi?

Sucher ⟨-s, -⟩ *m* **1.** *(Mensch)* cercatore *m;* **2.** *fot* mirino *m.*

Suchfunktion *f inform* funzione *f* di ricerca. **Suchgerät** *n* rivelatore *m.*

Sucht [zʊxt] ⟨-, Süchte⟩ *f* **1.** *med* assuefazione *f (nach* a); **2.** *fig* mania *f (nach* di); *(nach Vergnügungen, Erfolg)* smania *f (nach* di). **Suchtgefahr** *f* pericolo *m* di dipendenza dalla droga.

süchtig [ˈzʏçtɪç] *adj* **1.** *(rauschgift~)* tossicomane; *(alkohol~, nikotin~)* schiavo (di), dedito (a); **2.** *(versessen, begierig)* avido; ~ **machen** creare (*o* causare) dipendenza (dalla droga). **Süchtige** ⟨ein -r, -n, -n⟩ *mf (Rauschgift~)* tossicomane *mf; (Alkohol~)* alcolizzato, -a *m, f.*

Suchtkranke ⟨ein -r, -n, -n⟩ *mf* tossicomane *mf,* tossicodipendente *mf.*

Süd- [ˈzyːt-] *(in Zusammensetzungen)* del sud, meridionale. **Südafrika** *n* Sudafrica *m.* **Südamerika** *n* America *f* del Sud (*o* meridionale), Sudamerica *m.* **süddeutsch** *adj* della Germania meridionale. **Süddeutsche** *mf* tedesco, -a *m, f* meridionale. **Süddeutschland** *n* Germania *f* del Sud (*o* meridionale).

Süden [ˈzyːdən] ⟨-s, ø⟩ *m (abk* **S**) sud *m,* meridione *m; (Gebiet)* sud *m;* **in den** ~ **reisen** andare al sud; **im** ~ **von** a sud di.

Südeuropa *n* Europa *f* del Sud. **Südfrüchte** *f pl* frutti *m pl* tropicali, agrumi *m pl.* **Süditalien** *n* Italia *f* del Sud (*o* meridionale), Meridione *m.* **Süditaliener(in)** *m(f)* (italiano, -a *m, f)* meridionale *mf.* **süditalienisch** *adj* meridionale. **Südländer(in)** [-lɛndɐ (...ərɪn)] ⟨-s, -⟩ *m(f)* abitante *mf* dei paesi mediterranei.

südlich I. *adj* del sud, meridionale; ~ **von** a sud di; **II.** *prp +gen* a sud (*gen* di).

Südost(en) [-ˈʔɔst(ən)] *m (abk* **SO**) sud-est *m (abbr* **SE**). **südöstlich** [-ˈʔœstlɪç] *adj* meridionale; ~ **von ...** a sud-est di ...

Südpol *m* polo *m* sud (*o* antartico). **Südsee** *f* Mari *m pl* del Sud. **Südtirol** *n* Sudtirolo *m,* Alto Adige *m.*

Südwest(en) [-'vɛst(ən)] *m* (*abk* **SW**) sud-ovest *m* (*abbr* **SO**). **südwestlich** [-'vɛstlɪç] *adj* sudoccidentale; ~ **von ...** a sud-ovest di ...
Südwind *m* vento *m* del sud.
Suff [zʊf] ⟨-(e)s, ø⟩ *m fam (Betrunkenheit)* ubriachezza *f; (Trunksucht)* alcolismo *m.*
süffig ['zʏfɪç] *adj* gradevole, abboccato.
suggerieren [zʊge'ri:rən] ⟨*ohne ge-*⟩ *tr* suggerire.
Suggestion [zʊgɛs'ti̯o:n] ⟨-, -en⟩ *f* suggestione *f.*
suggestiv [...'ti:f] *adj* suggestivo.
suhlen ['zu:lən] *rfl:* **sich** ~ voltolarsi *fam.*
Sühne ['sy:nə] ⟨-, -n⟩ *f geh* punizione *f; rel* espiazione *f.*
sukzessiv [zʊkt͡sɛ'si:f] *adj* graduale.
Sultan ['zʊlta:n] ⟨-s, -e⟩ *m* sultano *m.*
Sultanine [zʊlta'ni:nə] ⟨-, -n⟩ *f* sultanina *f.*
Sülze ['zʏlt͡sə] ⟨-, -n⟩ *f* aspic *f; (Gericht)* carne, pesce, *ecc.* in gelatina.
summarisch [zʊ'ma:rɪʃ] *adj* sommario.
Summe ['zʊmə] ⟨-, -n⟩ *f* somma *f.*
summen ['zʊmən] **I.** *itr (Insekt)* ronzare; *(Mensch)* canticchiare; **II.** *tr (Lied)* canticchiare.
summieren [zʊ'mi:rən] ⟨*ohne ge-*⟩ **I.** *tr* sommare; **II.** *rfl:* **sich** ~ sommarsi.
Sumpf [zʊmp͡f] ⟨-(e)s, Sümpfe⟩ *m* palude *f; (a. fig)* pantano *m.* **sumpfig** *adj* paludoso, pantanoso.
Sünde ['zʏndə] ⟨-, -n⟩ *f* peccato *m;* **sie haßte ihn wie die** ~ lo odiava a morte. **Sündenbock** *m* capro *m* espiatorio. **Sündenfall** *m* peccato *m* originale.
Sünder(in) ⟨-s, -⟩ *m(f)* peccatore, -trice *m, f.*
sündig *adj* peccaminoso.
sündigen *itr* peccare.
super ['zu:pɐ] ⟨*inv*⟩ *adj sl* fantastico. **Super(benzin)** ⟨-(s), ø⟩ *n* (benzina *f*) super *f.* **Superhirn** *n inform fam* cervellone *m* (elettronico).
Superlativ ['zu:pɐlati:f] ⟨-s, -e⟩ *m* superlativo *m.*
Supermacht *f* superpotenza *f.* **Supermarkt** *m* supermercato *m.*
Supertanker *m* superpetroliera *f.*
Suppe ['zʊpə] ⟨-, -n⟩ *f* minestra *f,* zuppa *f;* **die** ~ **auslöffeln** *fig fam* pagare il fio. **Suppenfleisch** *n* carne *f* da brodo; *(zubereitet)* lesso *m.* **Suppengrün** ⟨-s, ø⟩ *n ortaggi che si cuociono insieme alla carne da brodo.* **Suppenhuhn** *n* pollo *m* da lessare. **Suppenkelle** *f* mestolo *m.* **Suppenschüssel** *f* zuppiera *f.* **Suppenteller** *m* piatto *m* fondo. **Suppenterrine** [-tɛri:nə] ⟨-, -n⟩ *f* zuppiera *f.* **Suppenwürfel** *m* dado *m* per brodo.
supraleitend *adj* superconduttivo. **Supraleiter** *m* superconduttore *m.*
Surfbrett *n* tavola *f* da surfing, surf *m.*
surfen ['sə:fən] *itr* praticare il surf. **Surfen** ⟨-s, ø⟩ *n* surfing *m.*
Surfer(in) ⟨-s, -⟩ *m(f)* surfista *mf.*
Surrealismus [zʊrea'lɪsmʊs] ⟨-, ø⟩ *m* surrealismo *m.*
suspekt [zʊs'pɛkt] *adj* sospetto; **das kommt mir** ~ **vor** ho i miei dubbi.
suspendieren [zʊspɛn'di:rən] ⟨*ohne ge-*⟩ *tr* sospendere.
süß [zy:s] *adj* **1.** *(Geschmack)* dolce; **2.** *(lieblich, angenehm)* soave; **3.** *fig (niedlich, reizend)* carino, grazioso.
süßen *tr (zuckern)* addolcire, zuccherare; *(Nahrungsmittel)* dolcificare.
Süßigkeiten *f pl* dolciumi *m pl.*
süßlich *adj* **1.** *(Geschmack)* dolciastro; **2.** *pej* sdolcinato; *(Film, Roman)* sciropposo.
süß-sauer ['zy:s'za̯uɐ] *adj* agrodolce. **Süßspeise** *f* dolce *m.* **Süßstoff** *m* sostanza *f* dolcificante. **Süßwasser** *n* acqua *f* dolce.
SW *abk von* **Südwest(en)** SO (*abbr di* sud-ovest).
Sweatshirt ['svɛtʃə:t] ⟨-s, -s⟩ *n* felpa *f.*
Symbiose [zʏm'bi̯o:zə] ⟨-, -n⟩ *f* simbiosi *f.*
Symbol [zʏm'bɔ:l] ⟨-s, -e⟩ *n* simbolo *m* (*für* di).
symbolisch *adj* simbolico.
symbolisieren [...boli'zi:rən] ⟨*ohne ge-*⟩ *tr* simboleggiare.
Symmetrie [zʏme'tri:, ...i:ən] ⟨-, -n⟩ *f* simmetria *f.*
symmetrisch [zʏ'me:trɪʃ] *adj* simmetrico.
Sympathie [zʏmpa'ti:, ...i:ən] ⟨-, -n⟩ *f* simpatia *f.* **Sympathiekundgebung** *f* manifestazione *f* di solidarietà.
Sympathisant(in) [...ti'zant(in)] ⟨-en, -en⟩ *m(f)* simpatizzante *mf.*
sympathisch [...'pa:tɪʃ] *adj* simpatico.
sympathisieren [...ti'zi:rən] ⟨*ohne ge-*⟩ *itr* simpatizzare (*mit* con).
Symphonie [zʏmfo'ni:] *s.* **Sinfonie.**
Symptom [zʏmp'to:m] ⟨-s, -e⟩ *n* sintomo *m.*
symptomatisch [...to'ma:tɪʃ] *adj* sintomatico (*für* di).
Synagoge [zyna'go:gə] ⟨-, -n⟩ *f* sinagoga *f.*
synchron [zʏn'kro:n] *adj phys, el, mot* sincrono; *ling* sincronico.
synchronisieren [...oni'zi:rən] ⟨*ohne ge-*⟩ *tr* sincronizzare; *film* doppinare.
Synchronisation [...a'tsi̯o:n] ⟨-, -en⟩ *f,* **Synchronisierung** ⟨-, -en⟩ *f* sincronizzazione *f; film* doppiaggio *m.*
Syndikat [zʏndi'ka:t] ⟨-(e)s, -e⟩ *n ökon (Kartell)* cartello *m,* sindacato *m; (Verbrecher~)* racket *m.*
Syndrom [zʏn'dro:m] ⟨-s, -e⟩ *n* sindrome *f.*
Synergie [zynɛr'gi:] *f* sinergia *f.*
Synode [zy'no:də] ⟨-, -n⟩ *f* sinodo *m.*
synonym [zyno'ny:m] *adj* sinonimo, sinonimico. **Synonym** ⟨-s, -e⟩ *n* sinonimo *m.*

syntaktisch [zʏn'taktɪʃ] *adj* sintattico.
Syntax ['zʏntaks] ⟨-, -en⟩ *f* sintassi *f.*
Synthese [zʏn'te:zə] *f* sintesi *f.*
Synthetik [...te:tɪk] ⟨-s, ø⟩ *n* fibre *f pl* sintetiche *m.*
synthetisch [...'te:tɪʃ] *adj* sintetico.
synthetisieren [...tetɪ'zi:rən] ⟨*ohne ge-*⟩ *tr chem* sintetizzare.
Syphilis ['zy:fɪlɪs] ⟨-, ø⟩ *f* sifilide *f.*
System [zʏs'te:m] ⟨-s, -e⟩ *n (a. inform)* sistema *m.* **Systemanalytiker(in)** ⟨-s, -⟩ *m(f)* analista *mf* dei sistemi.
systematisch [zʏste'ma:tɪʃ] *adj* sistematico.
systematisieren [...mati'zi:rən] ⟨*ohne ge-*⟩ *tr* sistematizzare.
Systemfehler *m inform* errore *m* di sistema. **Systemkritiker(in)** *m(f) pol* critico *m* del sistema.
Szenario [stse'na:rio] ⟨-s, -s⟩ *n* **1.** *theat* scenario *m;* **2.** *film* soggetto *m* e sceneggiatura *f.*
Szene ['stse:nə] ⟨-, -n⟩ *f* **1.** *(allg.)* scena *f;* **2.** *(Gruppierung)* giro *m;* **jdm eine ~ machen** fare una scenata a qu *fam;* **in ~ setzen** *theat, fig* inscenare; *fig* orchestrare; **sich in ~ setzen** mettersi in mostra. **Szenenwechsel** *m* cambiamento *m* di scena.
Szenerie [stsenə'ri:, ...i:ən] ⟨-, -n⟩ *f* scenario *m.*
szenisch *adj* scenico.

T

T, t [te:] ⟨-, -(s)⟩ *n* T, t *f;* **T wie Theodor** T come Torino.
Tabak ['ta:bak *o* 'tabak] ⟨-s, -e⟩ *m* tabacco *m.* **Tabaksdose** *f* tabacchiera *f.* **Tabaksteuer** *f* imposta *f* sul tabacco. **Tabakwaren** *f pl* tabacchi *m pl.*
tabellarisch [tabɛ'la:rɪʃ] *adj* in forma di tabella; *(Lebenslauf)* tabellare.
Tabelle [ta'bɛlə] ⟨-, -n⟩ *f* tabella *f,* tavola *f.* **Tabellenführer(in)** *m(f) sport* capolista *mf.* **Tabellenkalkulation** *f (~sprogramm)* foglio *m* elettronico. **Tabellenplatz** *m sport* posto *m* (in classifica).
Tablett [ta'blɛt] ⟨-(e)s, -s⟩ *n* vassoio *m.*
Tablette [ta'blɛtə] ⟨-, -n⟩ *f* pastiglia *f.*
Tablettenmißbrauch *m* abuso *m* di farmaci. **Tablettensucht** *f* farmacodipendenza *f.* **Tablettensüchtige** *mf* farmacodipendente *mf.*
tabu [ta'bu:] ⟨*inv*⟩ *adj* tabù. **Tabu** ⟨-s, -s⟩ *n* tabù *m.*
Tabulator [tabu'la:to:ɐ̯, ...'to:rən] ⟨-s, -en⟩ *m* tabulatore *m,* incolonnatore *m.*
Tacho ['taxo] ⟨-s, -s⟩ *m fam,* **Tachometer** [-'me:tɐ] ⟨-s, - ⟩ *m o n* tachimetro *m.*
Tadel ['ta:dəl] ⟨-s, -⟩ *m* biasimo *m,* rimprovero *m.* **tadellos** *adj* impeccabile; *(vollkommen)* perfetto.
tadeln *tr* biasimare, rimproverare.
Tadschikistan [ta'dʒi:kɪsta:n] *n* Tagikistan *m.*
Tafel ['ta:fəl] ⟨-, -n⟩ *f* **1.** *(Platte)* tavola *f,* lastra *f,* piastra *f; (kleine, a. Schokoladen~)* tavoletta *f; (dünne ~)* lamina *f;* **2.** *geh (Eßtisch)* tavola *f;* **3.** *(Anschlag~)* albo *m;* **4.** *(Schild)* insegna *f;* **5.** *(Tabelle)* tavola *f* (sinottica), prospetto *m.*
täfeln ['tɛ:fəln] *tr* pannellare; *(mit Holz)* rivestire di legno.
Tafelobst *n* frutta *f* da tavola.
Täfelung ⟨-, -en⟩ *f* rivestimento *m* di tavole, pannellatura *f.*
Tafelwein *m* vino *m* da pasto (*o* tavola).
Tag [ta:k] ⟨-(e)s, -e⟩ *m (Zeiteinheit, ~eslicht)* giorno *m; (im Verlauf)* giornata *f;* **seine ~e haben** *fam* avere i propri giorni *fam,* avere le proprie cose *fam;* **jdm guten ~ sagen** dare il buon giorno a qu; **guten ~!** buon giorno!; **an den ~ kommen** venire alla luce, rivelarsi; **etw. an den ~ legen** mostrare qc, dimostrare qc; **in den ~ hinein leben** vivere alla giornata; **eines ~es** un giorno; **eines schönen ~es** un bel giorno; **jeden ~** ogni giorno, tutti i giorni; **jeden zweiten ~** ogni due giorni; **den ganzen ~ (lang** *o* **über)** tutto il giorno; **~ für ~** giorno per giorno; **bei ~e** di giorno; **über ~e** a giorno, a cielo aperto; **unter ~e** in sotterraneo; **von ~ zu ~** di giorno in giorno; **von einem ~ auf den anderen** da un giorno all'altro; **vom ersten ~ an** fin dal primo giorno; **am folgenden ~** il giorno seguente; **seit dem ~, als . . .** dal giorno in cui . . .; **dieser ~e** in questi giorni; **vor acht ~en** otto giorni fa; **in acht ~en** fra otto giorni; **in den nächsten ~en** nei prossimi giorni; **auf seine alten ~e** alla sua età; **es wird ~** si fa giorno; **es ist heller ~** è giorno fatto; **das ist ein Unterschied wie ~ und Nacht** c'è una differenza come fra il giorno e la notte; **man soll den ~ nicht vor dem Abend loben** *prov* non lodare il bel giorno innanzi sera *prov;* **es ist noch nicht aller ~e Abend** *prov* chi vivrà, vedrà *prov.*
tagaus [-'ʔaus] *adv:* **~, tagein** giorno per giorno, tutti i giorni.
Tagebau ⟨-(e)s, -e⟩ *m* scavo *m* a cielo aperto (*o* a giorno). **Tagebuch** *n* diario *m.* **Tagegeld** *n* diaria *f.*
tagein [-'ʔain] *s.* **tagaus.**
tagelang *adv* per giorni interi.
tagen *itr* riunirsi.
Tagesablauf *m* corso *m* (*o* decorso *m*) della giornata. **Tagesanbruch** *m:* **bei ~** sul far del giorno; **vor ~** prima dell'alba. **Tagesausflug** *m* gita *f* di un giorno. **Tagescreme** *f* crema *f* per il giorno. **Tagesdecke** *f* copriletto *m.* **Tagesgericht** *n* piatto *m* del giorno. **Tagesgeschehen** *n* avvenimento *m* del giorno. **Tagesgespräch** *n* argomento *m* (*o* tema *m*) del giorno. **Tageskarte** *f gastr* menù *m* del giorno. **Tageskurs** *m* quotazione *f* (*o* cambio *m*) del giorno. **Tageslicht** *n* luce *f* del giorno; **ans ~ kommen** *fig* venire alla luce. **Tagesmutter** *f* madre *f* che bada ai bambini altrui. **Tagesordnung** *f* ordine *m* del giorno; **an der ~ sein** *fig* essere all'ordine del giorno; **zur ~ übergehen** passare all'ordine del giorno. **Tagesschau** *f* telegiornale *m.* **Tageszeit** *f* ora *f* (della giornata); **zu jeder ~** a tutte le ore; **zu jeder Tages- und Nachtzeit** in qualsiasi momento, sempre. **Tageszeitung** *f* quotidiano *m.*
täglich ['tɛ:klɪç] **I.** *adj* giornaliero, quotidiano, di ogni giorno; *(all~)* di tutti i giorni; **das ~e Brot** il pane quotidiano; **II.** *adv* giornalmente, al giorno; *(jeden Tag)* ogni giorno; **einmal ~** una volta al giorno.

tagsüber *adv* durante la giornata.
tagtäglich I. *adj* quotidiano; **II.** *adv* tutti i giorni.
Tagung ⟨-, -en⟩ *f (Kongreß)* congresso *m; (Sitzung)* sessione *f*, seduta *f.*
Taille ['taljə] ⟨-, -n⟩ *f* vita *f;* **auf ~ (gearbeitet)** sagomato a vita. **Taillenweite** *f* circonferenza *f* vita, vita *f.*
tailliert [tal'ji:ɐt] *adj* stretto in vita, sciancrato *dial.*
Takt[1] [takt] ⟨-(e)s, -e⟩ *m mus* tempo *m*, ritmo *m*, misura *f; (Rhythmus, Tonfall)* cadenza *f.*
Takt[2] [takt] ⟨-(e)s, ø⟩ *m (Feingefühl)* tatto *m*, discrezione *f.*
Taktgefühl *n* **1.** *mus* senso *m* del ritmo (*o* tempo); **2.** *fig* tatto *m*, sensibilità *f.*
Taktik ['taktɪk] ⟨-, -en⟩ *f* tattica *f.*
taktisch *adj* tattico; *(mil a.)* operativo.
taktlos *adj* privo di tatto, indelicato. **Taktlosigkeit** ⟨-, -en⟩ *f* indiscrezione *f.*
Taktstock *m* bacchetta *f* (del direttore d'orchestra). **Taktstrich** *m* sbarra *f* (di misura).
taktvoll *adj* pieno di tatto, delicato.
Tal [ta:l] ⟨-(e)s, Täler⟩ *n* valle *f.*
Talent [ta'lɛnt] ⟨-(e)s, -e⟩ *n* talento *m.*
talentiert [...'ti:ɐt] *adj* (pieno) di talento, dotato.
Talg [talk] ⟨-(e)s, -e⟩ *m* sego *m; (von Haar)* sebo *m.* **Talgdrüse** *f* ghiandola *f* sebacea.
Talk-Show ['tɔ:kʃoʊ] *f* talk-show *m.*
Talstation *f* stazione *f* a valle.
Tamburin [tambu'ri:n *o* 'tam...] ⟨-s, -e⟩ *n* tamburello *m.*
Tampon ['tampɔn *o* ...'po:n] ⟨-s, -s⟩ *m* tampax® *m*, assorbente *m* interno.
Tang [taŋ] ⟨-(e)s, -e⟩ *m* fuco *m.*
Tangente [taŋ'gɛntə] ⟨-, -n⟩ *f* tangente *f.*
tangieren [...'gi:rən] ⟨*ohne ge-*⟩ *tr* toccare.
Tank [taŋk] ⟨-s, -s *o rar* -e⟩ *m* serbatoio *m*, cisterna *f.*
tanken I. *itr* fare benzina, fare rifornimento di benzina; **II.** *tr:* **(20 Liter) Benzin ~** fare rifornimento di (20 litri di) benzina.
Tanker ⟨-s, -⟩ *m* nave *f* cisterna.
Tanklastzug *m* autocisterna *f.*
Tankstelle *f* stazione *f* di rifornimento (*o* di servizio), distributore *m.* **Tankwagen** *m mot* autocisterna *f; eisenb.* carro *m* cisterna. **Tankwart** [-vart] ⟨-(e)s, -e⟩ *m* benzinaio *m.*
Tanne ['tanə] ⟨-, -n⟩ *f* abete *m.* **Tannenbaum** *m* **1.** *fam (Tanne)* abete *m;* **2.** *(Weihnachtsbaum)* albero *m* di Natale. **Tannenzapfen** *m* pigna *f.*
Tante ['tantə] ⟨-, -n⟩ *f* zia *f.*
Tanz [tants] ⟨-es, Tänze⟩ *m* ballo *m*, danza *f.*
tanzen *itr* ballare, danzare; *(Mücken)* volteggiare.
Tänzer(in) ['tɛntsɐ (...ərɪn)] ⟨-s, -⟩ *m(f)* ballerino, -a *m, f.*
Tanzfläche *f* pista *f* da ballo. **Tanzlokal** *n* dancing *m.* **Tanzstunde** *f* lezione *f* di ballo.
Tapet [ta'pe:t] *n:* **etw. aufs ~ bringen** *fam* mettere qc sul tappeto.
Tapete [ta'pe:tə] ⟨-, -n⟩ *f* tappezzeria *f.* **Tapetenwechsel** *m fam* cambiamento *m* d'aria.
tapezieren [tape'tsi:rən] ⟨*ohne ge-*⟩ *tr* tappezzare.
tapfer ['tapfɐ] *adj* bravo, valente, valoroso; *(mutig)* coraggioso; **sich ~ schlagen** battersi con coraggio. **Tapferkeit** ⟨-, ø⟩ *f* bravura *f*, valore *m; (Mut)* coraggio *m.*
Tara ['ta:ra, ...rən] ⟨-, Taren⟩ *f* tara *f.*
Tarantel [ta'rantəl] ⟨-, -n⟩ *f* tarantola *f;* **wie von der ~ gestochen** come morso dalla tarantola.
Taren *pl von* **Tara.**
Tarent [ta'rɛnt] *n* Taranto *f.*
Tarif [ta'ri:f] ⟨-s, -e⟩ *m* tariffa *f.* **Tarifabschluß** *m* accordo *m* tariffario. **Tarifgehalt** *n* stipendio *m* sindacale, minimo *m* salariale. **Tarifgruppe** *f* categoria *f* (*o* classe *f*) di tariffa. **tariflich** *adj* tariffario, tariffale. **Tariflohn** *m* salario *m* contrattuale. **Tarifpartner** *m pl* firmatari *m pl* di un accordo tariffario. **Tarifrunde** *f* negoziazioni *f pl* tariffarie. **Tarifverhandlungen** *f pl* trattative *f pl* tariffarie. **Tarifvertrag** *m* contratto *m* collettivo di lavoro. **Tarifzone** *f (Verkehr)* percorrenza *f.*
tarnen ['tarnən] *tr* mimetizzare, camuffare. **Tarnfarbe** *f* colore *m* mimetico. **Tarnung** ⟨-, -en⟩ *f* mimetizzazione *f*, camuffamento *m.*
Tasche ['taʃə] ⟨-, -n⟩ *f* **1.** *(in Kleidungsstück)* tasca *f; (Westen~, Uhren~ a.)* taschino *m;* **2.** *(Hand~)* borsa *f*, borsetta *f; (Akten~, Schul~)* cartella *f; (Umhänge~, Pack~, Werkzeug~, Sattel~)* borsa *f; (Werkzeug~, Etui)* astuccio *m*, custodia *f;* **jdm auf der ~ liegen** vivere alle spalle di qu. **Taschenausgabe** *f* edizione *f* economica. **Taschenbuch** *n* libro *m* tascabile. **Taschendieb(in)** *m(f)* borsaiolo, -a *m, f*, borseggiatore, -trice *m, f.* **Taschengeld** *n* denaro *m* per piccole spese. **Taschenlampe** *f* lampadina *f* tascabile. **Taschenmesser** *n* temperino *m*, coltellino *m.* **Taschenrechner** *m* calcolatrice *f* (tascabile). **Taschentuch** *n* fazzoletto *m* (da naso). **Taschenuhr** *f* orologio *m* da tasca.
Tasse ['tasə] ⟨-, -n⟩ *f* tazza *f;* **nicht alle ~n im Schrank haben** *fam* non avere tutti i venerdì *fam.*
Tastatur [tasta'tu:ɐ] ⟨-, -en⟩ *f (a. inform)* tastiera *f.*
Taste ['tastə] ⟨-, -n⟩ *f* tasto *m.*
tasten ['tastən] *itr* cercare a tastoni (*nach etw.* qc).
Tastentelefon *n* telefono *m* a tasti.
Tastsinn *m* (senso *m* del) tatto *m.*

tat [ta:t] *imp von* **tun.**

Tat ⟨-, -en⟩ *f (Handlung)* azione *f,* atto *m; (Helden~)* impresa *f* (eroica); *(gute ~)* opera *f* di bene; *(Un~)* misfatto *m;* **in der ~** infatti. **Tatbestand** *m* stato *m* di fatto, fatti *m pl.* **tatenlos** *adj* inattivo, passivo; **~ zusehen** stare a guardare.

Täter(in) ['tɛ:tɐ (...ərın)] ⟨-s, -⟩ *m(f)* colpevole *mf.*

tätig ['tɛ:tıç] *adj* attivo; **in einer Sache ~ sein** *geh, adm* lavorare in qc; **er ist als Bankkaufmann ~** *geh* fa l'impiegato di banca, è impiegato in banca.

tätigen *tr* effettuare; *(Geschäft)* concludere.

Tätigkeit ⟨-, -en⟩ *f* attività *f; (von Maschine)* funzionamento *m.* **Tätigkeitsbereich** *m* sfera *f* d'attività.

Tatkraft *f* energia *f,* dinamismo *m.* **tatkräftig** *adj* energico, dinamico; **jdn ~ unterstützen** dar manforte a qu.

tätlich ['tɛ:tlıç] *adj:* **~ werden** passare a vie di fatto. **Tätlichkeit** ⟨-, -en⟩ *f jur* vie *f pl* di fatto.

Tatort *m* luogo *m* del reato (*o* del delitto).

tätowieren [tɛto'vi:rən] ⟨*ohne ge-*⟩ *tr* tatuare. **Tätowierung** *f* tatuaggio *m.*

Tatsache *f* fatto *m,* realtà *f;* **jdn vor vollendete ~n stellen** mettere qu di fronte ai fatti compiuti; **auf Grund dieser ~** perciò, per questo; **~ ist, daß ...** sta di fatto che ...

tatsächlich I. *adj* effettivo, reale; **II.** *adv* in realtà, in effetti, di fatto.

tätscheln ['tɛtʃəln] *tr* dare colpetti a (*o* su).

Tatze ['tatsə] ⟨-, -n⟩ *f* zampa *f.*

Tau[1] [tau] ⟨-(e)s, ø⟩ *m meteo* rugiada *f.*

Tau[2] [tau] ⟨-(e)s, -e⟩ *n mar* cavo *m,* gomena *f.*

taub [taup] *adj (Mensch)* sordo; *(Blüte, Gestein)* sterile; *(Ähre, Nuß)* vuoto; *(Körperteile)* insensibile, intorpidito; **auf beiden Ohren ~ sein** essere sordo da tutte due le orecchie.

Taube ['taubə] ⟨-, -n⟩ *f* piccione *m; poet* colomba *f.* **Taubenhaus** *n,* **-schlag** *m* piccionaia *f.*

Täuberich ['tɔybərıç] ⟨-s, -e⟩ *m* piccione *m* maschio.

Taubheit ⟨-, ø⟩ *f* **1.** *(Gehörlosigkeit)* sordità *f;* **2.** *(von Körperteilen)* mancanza *f* di sensibilità, intorpidimento *m.* **Taubnessel** *f* ortica *f* bianca (*o* rossa). **taubstumm** *adj* sordomuto.

tauchen ['tauxən] **I.** *tr* ⟨*haben*⟩ tuffare, immergere, intingere; **II.** *itr* ⟨*haben o sein*⟩ tuffarsi, immergersi.

Taucher(in) ⟨-s, -⟩ *m(f) sport* sommozzatore, -trice *m, f; (mit Ausrüstung)* palombaro *m,* donna palombaro *f.* **Taucheranzug** *m* muta *f.* **Taucherbrille** *f* maschera *f* subacquea.

Tauchsieder ⟨-s, -⟩ *m* bollitore *m* a immersione.

tauen ['tauən] *itr* ⟨*haben o sein*⟩ sgelarsi, sciogliersi; **es taut** disgela.

Taufbecken *n* fonte *m* battesimale.

Taufe ['taufə] ⟨-, -n⟩ *f* battesimo *m;* **etw. aus der ~ heben** *fig* fondare qc.

taufen *tr* battezzare.

Taufkapelle *f* battistero *m.* **Taufpate** *m,* **-patin** *f* padrino *m,* madrina *f* di battesimo.

taufrisch *adj* fresco come una rosa.

taugen ['taugən] *itr* **1.** *(wert sein)* valere; **2.** *(geeignet sein)* essere buono (*o* utile) (*zu* a), servire (*zu* a); **viel/wenig/etw. ~** valere molto/poco/qc; **nichts ~** non valere nulla. **Taugenichts** ⟨- *o* -es, -e⟩ *m* buono *m* a nulla, perdigiorno *m.*

tauglich *adj* atto, idoneo, conveniente, buono (*zu* a); *(fähig)* capace (*zu* di); *mil* idoneo (al servizio di leva).

taumeln ['tauməln] *itr* ⟨*sein*⟩ barcollare; *(sich fortbewegen)* andare barcollando.

Tausch [tauʃ] ⟨-(e)s, -e⟩ *m* scambio *m;* **im ~ gegen** in cambio di.

tauschen I. *tr* scambiare (*gegen* con); **II.** *itr* fare uno scambio; **ich möchte nicht mit ihm ~** non vorrei essere al suo posto.

täuschen ['tɔyʃən] **I.** *tr* ingannare, imbrogliare; **wenn mich nicht alles täuscht** se non mi sbaglio di grosso *fam;* **II.** *rfl:* **sich ~** *(sich irren)* ingannarsi, sbagliarsi; **wir haben uns alle sehr in ihr getäuscht** sul suo conto ci siamo tutti sbagliati di grosso *fam;* **III.** *itr:* **das täuscht** ciò inganna.

Täuschung ⟨-, -en⟩ *f* **1.** *(Betrug)* inganno *m,* imbroglio *m,* frode *f;* **2.** *(Irrtum)* errore *m,* sbaglio *m;* **optische ~** illusione ottica. **Täuschungsmanöver** *n* finta *f* (manovra).

tausend ['tauzənt] *num* mille; **ungefähr ~** un migliaio; **einige/mehrere ~** alcune/parecchie migliaia; **~ und aber ~** migliaia e migliaia; *s. a. vier, vierzig.*

Tausend[1] ['tauzənt] ⟨-s, -e⟩ *n (Maßeinheit)* migliaio *m;* **vom ~** (*abk* **v. T.**) per mille; **zu ~en** a migliaia.

Tausend[2] ['tauzənt] ⟨-, -en⟩ *f* mille *m.*

Tausender ⟨-s, -⟩ *m* **1.** *mat* migliaio *m;* **2.** *fam (Geldschein)* biglietto *m* da mille.

Tausendfüßler [-fy:slɐ] ⟨-s, -⟩ *m* millepiedi *m.* **Tausendjahrfeier** [-'ja:ɐ̯-] *f* millenario *m.* **tausendjährig** *adj* millenario. **tausendmal** *adv* mille volte.

Tausendstel ⟨-s, -⟩ *n* millesimo *m.*

tausendste(r, s) *adj* millesimo, -a.

Tauwetter *n* tempo *m* di disgelo; **es ist ~** disgela.

Tauziehen ⟨-s, ø⟩ *n sport* tiro *m* della fune; *fig* braccio *m* di ferro.

Taxe ['taksə] ⟨-, -n⟩ *f* **1.** *(Gebühr)* tassa *f;* **2.** *(Mietauto) s.* **Taxi.**

Taxi ['taksi] ⟨-s, -s⟩ *n* tassì *m.*

taxieren [ta'ksi:rən] ⟨*ohne ge-*⟩ *tr* stimare, valutare.
Taxifahrer(in) *m(f)* tassista *mf*. **Taxistand** *m* posteggio *m* di tassì.
Tb(c) [te:'be: (te:be:'tse:)] *abk von* **Tuberkulose** TBC, tbc (*abbr di* tubercolosi).
Team [ti:m] ⟨-s, -s⟩ *n* team *m*. **Teamwork** [-wə:k] ⟨-s, ø⟩ *n* lavoro *m* di équipe; **etw. im ~ machen** fare qc in équipe.
Technik ['tɛçnɪk] ⟨-, -en⟩ *f* tecnica *f*.
Techniker(in) ⟨-s, -⟩ *m(f)* tecnico, -a *m, f; (Fachmann)* specialista *mf*.
technisch *adj* tecnico, meccanico; **T~e Hochschule (***o* **Universität)** (*abk* **TH, TU**) politecnico *m;* **T~er Überwachungsverein** (*akr* **TÜV**) ente *m* di collaudo tecnico; **aus ~en Gründen** per motivi tecnici.
Technokrat(in) [tɛçno'kra:t(ɪn)] ⟨-en, -en⟩ *m(f)* tecnocrate *mf*.
Technologie [tɛçnolo'gie, ...i:ən] ⟨-, -n⟩ *f* tecnologia *f*. **Technologiepark** *m* parco *m* tecnologico. **Technologietransfer** ⟨-s, -s⟩ *m* trasferimento *m* di tecnologia.
technologisch [...'lo:gɪʃ] *adj* tecnologico.
Techtelmechtel [tɛçtəl'mɛçtəl] ⟨-s, -⟩ *n fam* flirt *m*, amoretto *m*.
Teddybär ['tɛdi-] *m* orsacchiotto *m*.
Tee [te:] ⟨-s, -s⟩ *m* tè *m; (Aufguß von anderen Pflanzen)* infuso *m; (Kranken~)* tisana *f*. **Teebeutel** *m* bustina *f* di (*o* del) tè. **Teekanne** *f* teiera *f*. **Teelöffel** *m* cucchiaino *m* da tè.
Teer [te:ɐ] ⟨-(e)s, -e⟩ *m* catrame *m*.
teeren ['te:rən] *tr* (in)catramare.
Teestube *f* tea-room *m*. **Teewagen** *m* carrello *m*.
Teich [taiç] ⟨-(e)s, -e⟩ *m* stagno *m; (Fisch~)* peschiera *f*.
Teig [taik] ⟨-(e)s, -e⟩ *m* pasta *f;* **ausgerollter ~** sfoglia *f*. **teigig** ['taigɪç] *adj* pastoso. **Teigwaren** *f pl* pasta *f*.
Teil [tail] ⟨-(e)s, -e⟩ *m o n* parte *f;* **sich** *(dat)* **sein ~ denken** avere delle idee ben precise in proposito; **ich für mein(en) ~** per conto mio; **zum ~** (*abk* **z. T.**) in parte; **zum größten ~** per lo più; **zu gleichen ~en** in parti uguali. **Teilansicht** *f* veduta *f* parziale. **teilbar** *adj* divisibile. **Teilbetrag** *m* importo *m* parziale.
Teilchen ['tailçən] ⟨-s, -⟩ *n* **1.** *phys* particella *f;* **2.** *dial (Gebäck)* biscotto *m*.
teilen I. *tr* **1.** *(zer~, auf~, ver~)* dividere; **2.** *(Anteil nehmen an)* prendere parte a; *(Meinung)* condividere; **II.** *rfl:* **sich ~** *(auseinandergehen, -fallen)* separarsi, staccarsi; *(Weg)* biforcarsi; **sich** *(dat)* **etw. ~** dividersi qc, spartirsi qc.
Teilgebiet *n* settore *m*.
teil·haben ⟨*irr*⟩ *itr* partecipare (*an +dat* a), aver parte (*an +dat* in). **Teilhaber(in)** ⟨-s, -⟩ *m(f) ökon* socio, -a *m, f*. **Teilkaskoversicherung** *f* polizza *f* casco parziale.
Teilnahme [-na:mə] ⟨-, ø⟩ *f* **1.** *allg.* partecipazione *f* (*an +dat* a); *(Mitarbeit)* cooperazione *f* (*an +dat* a), collaborazione *f* (*an +dat* a); **2.** *(Mitgefühl)* interesse *m*, interessamento *m*, simpatia *f; (Beileid)* condoglianze *f pl*. **teilnahmslos** *adj* indifferente, insensibile, apatico.
teil·nehmen ⟨*irr*⟩ *itr* partecipare (*an +dat* a), prendere parte (*an +dat* a); *(an Arbeit)* cooperare (*an +dat* a), collaborare (*an +dat* a); **an einem Lehrgang ~** frequentare un corso. **Teilnehmer(in)** ⟨-s, -⟩ *m(f) allg., sport* partecipante *mf; tel* utente *mf*, abbonato, -a *m, f; (Verkehrs~)* utente *mf*.
teils *adv* in parte; **~ . . ., ~ . . .** parte . . ., parte . . .; **~ blieben sie, ~ gingen sie** gli uni restarono, gli altri se ne andarono.
Teilung ⟨-, -en⟩ *f* spartizione *f*, divisione *f; (Spaltung, bes. wissensch)* scissione *f*.
teilweise I. *adj* parziale; **II.** *adv* in parte, parzialmente. **Teilzahlung** *f* pagamento *m* parziale (*o* rateale); **auf ~ kaufen** comprare a rate. **Teilzeitarbeit** *f*, **-beschäftigung** *f* part-time *m*. **teilzeitbeschäftigt** *adj* che lavora part-time (*o* a tempo parziale). **Teilzeitkraft** *f* lavoratore, -trice *m, f* part-time.
Teint [tɛ̃:] ⟨-s, -s⟩ *m* carnagione *f*, colorito *m*.
Telefax ['te:lefaks] ⟨-, ø⟩ *n* facsimile m, telefax *m*.
Telefon ['te:lefo:n *o* tele'fo:n] ⟨-s, -e⟩ *n* telefono *m;* **~ haben** avere il telefono; **am ~** al telefono.
Telefonat [telefo'na:t] ⟨-(e)s, -e⟩ *n* telefonata *f*.
Telefonauskunft *f* informazioni *f pl* telefoniche, servizio *m* informazioni (della SIP). **Telefonbanking** [-bæŋkɪŋ] ⟨-, ø⟩ *n* telebanking *m*. **Telefonbuch** *n* elenco *m* telefonico. **Telefongebühren** *f pl* tassa *f* telefonica. **Telefongespräch** *n* telefonata *f*.
telefonieren [telefo'ni:rən] ⟨*ohne ge-*⟩ *itr* telefonare (*mit* a).
telefonisch [...'fo:nɪʃ] **I.** *adj* telefonico; **II.** *adv* per telefono; **jdn ~ erreichen** raggiungere qu per telefono.
Telefonkarte *f* scheda *f* telefonica. **Telefonnummer** *f* numero *m* telefonico. **Telefonrechnung** *f* bolletta *f* del telefono. **Telefonseelsorge** *f* telefono *m* amico. **Telefonverbindung** *f* collegamento *m* telefonico. **Telefonzelle** *f* cabina *f* telefonica.
telegen [tele'ge:n] *adj* telegenico.
telegrafieren [telegra'fi:rən] ⟨*ohne ge-*⟩ **I.** *tr, itr* telegrafare; **II.** *itr* inviare un telegramma (*o* un dispaccio).
telegrafisch [tele'gra:fɪʃ] **I.** *adj* telegrafico; **II.** *adv* telegraficamente, per telegrafo.
Telegramm [tele'gram] ⟨-s, -e⟩ *n* telegramma *m*.

Telekolleg ⟨-s, -s⟩ *m* corso *m* televisivo per il conseguimento della maturità.
Telekom ⟨-, ø⟩ *f*: **Deutsche ~** *società tedesca per le telecomunicazioni.*
Telekommunikation *f* telecomunicazione *f.*
Teleobjektiv ['te:le-] *n* teleobiettivo *m.*
Telepathie [telepa'ti:] ⟨-, ø⟩ *f* telepatia *f.*
Teleshopping [-ʃɔpɪŋ] ⟨-s, ø⟩ *n* televendita *f.*
Teleskop [tele'sko:p] ⟨-s, -e⟩ *n* telescopio *m.*
Telespiel ['te:le-] *n* gioco *m* televisivo.
Telex ['te:lɛks] ⟨-, -e⟩ *n* **1.** *(Fernschreiben)* telex *m;* **2.** *(Fernschreiber)* telescrivente *f.* **telexen** *tr* inviare per telex.
Teller ['tɛlɐ] ⟨-s, -⟩ *m* piatto *m.* **Tellergericht** *n* piatto *m* con contorno.
Tempel ['tɛmpəl] ⟨-s, -⟩ *m* tempio *m.*
Temperafarbe ['tɛmpəra-] *f* colore *m* a tempera.
Temperament [tɛmpəra'mɛnt] ⟨-(e)s, -e⟩ *n* **1.** *(Wesensart)* temperamento *m,* carattere *m;* **2.** ⟨*sing*⟩ *(Lebhaftigkeit)* vivacità *f; (Schwung)* brio *m; (Feuer)* temperamento *m* focoso. **temperamentvoll** *adj* **1.** *(lebhaft)* vivace; **2.** *(schwungvoll)* pieno di brio, esuberante.
Temperatur [tɛmpəra'tuɐ] ⟨-, -en⟩ *f* temperatura *f;* **~ haben** avere un po' di febbre. **Temperatursturz** *m* caduta *f* della temperatura.
Tempo¹ ['tɛmpo, ...pos *o* ...pi] ⟨-s, -s *o mus* Tempi⟩ *n mus, sport* tempo *m; sport* passo *m,* velocità *f;* **~!** *fam* forza, sbrigati (*o* sbrigatevi)! *fam.*
Tempo²® ⟨-s, -s⟩ *s.* **Tempotaschentuch.**
Tempolimit *n* limite *m* di velocità. **Tempotaschentuch** *n* fazzoletto *m* di carta.
Tendenz [tɛn'dɛnts] ⟨-, -en⟩ *f* tendenza *f.*
tendenziös [...'tsiø:s] *adj* tendenzioso, parziale.
tendieren [tɛn'di:rən] ⟨*ohne ge-*⟩ *itr* tendere (*zu* verso).
Tenne ['tɛnə] ⟨-, -n⟩ *f* aia *f.*
Tennis ['tɛnɪs] ⟨-, ø⟩ *n* tennis *m.*
Tennis- *(in Zusammensetzungen)* da (*o* di) tennis. **Tennisarm** *m med* braccio *m* da tennista. **Tennishalle** *f* palestra *f* da tennis. **Tennisklub** *m* circolo *m* di tennis. **Tennisplatz** *m* campo *m* da tennis. **Tennisschläger** *m* racchetta *f* da tennis. **Tennisspieler(in)** *m(f)* tennista *mf,* giocatore, -trice *m, f* di tennis.
Tenor¹ ['te:nɔr] ⟨-s, ø⟩ *m (Wortlaut, Sinn)* tenore *m.*
Tenor² [te'no:ɐ] ⟨-s, Tenöre⟩ *m mus* tenore *m.*
Teppich ['tɛpɪç] ⟨-s, -e⟩ *m* tappeto *m;* **auf dem ~ bleiben** *fam* guardare in faccia la realtà, mantenersi nei limiti. **Teppichboden** *m* moquette *f.* **Teppichklopfer** ⟨-s, -⟩ *m* battipanni *m.*
Termin [tɛr'mi:n] ⟨-s, -e⟩ *m (festgesetzter Tag)* termine *m,* data *f; (Frist)* scadenza *f;* **einen ~ versäumen** lasciar passare una data.
Terminal ['tø:ɐmɪnəl *o* 'tœr...] ⟨-s, -s⟩ *m o n* **1.** *aero* aerostazione *f;* **2.** *inform* terminale *m.*
termingemäß, -gerecht *adj* puntuale, tempestivo. **Terminkalender** *m* agenda *f.* **Terminplaner** *m* scadenzario *m.*
Terpentin [tɛrpɛn'ti:n] ⟨-s, -e⟩ *n* trementina *f.*
Terrain [tɛ'rɛ̃:] ⟨-s, -s⟩ *n* terreno *m.*
Terrasse [tɛ'rasə] ⟨-, -n⟩ *f* **1.** *arch* terrazza *f;* **2.** *geol* terrazzo *m.* **terrassenförmig** [-fœrmɪç] *adj, adv* a terrazze, a gradinate.
Territorium [tɛri'to:rium, ...iən] ⟨-s, -rien⟩ *n* territorio *m.*
Terror ['tɛrɔr *o* 'tɛro:ɐ] ⟨-s, ø⟩ *m* terrore *m.* **Terroranschlag** *m* attentato *m* terroristico.
terrorisieren [tɛrori'zi:rən] ⟨*ohne ge-*⟩ *tr* terrorizzare.
Terrorismus [...'rɪsmus] ⟨-, ø⟩ *m* terrorismo *m.*
Terrorist(in) [...'rɪst(ɪn)] ⟨-en, -en⟩ *m(f)* terrorista *mf.*
terroristisch *adj* terrorista.
Terz [tɛrts] ⟨-, -en⟩ *f* terza *f.*
Tesafilm® ['te:za-] *m* scotch® *m.*
Tessin [tɛ'si:n] *n* Ticino *m.*
Test [tɛst] ⟨-(e)s, -s *o* -e⟩ *m* test *m; chem, tec* controllo *m.*
Testament [tɛsta'mɛnt] ⟨-(e)s, -e⟩ *n* testamento *m;* **das Alte/Neue ~** il Vecchio/Nuovo Testamento; **sein ~ machen** fare testamento.
testamentarisch [...'ta:rɪʃ] **I.** *adj* testamentario; **II.** *adv* per testamento.
Testamentseröffnung *f* apertura *f* del testamento. **Testamentsvollstrecker(in)** ⟨-s, -⟩ *m(f)* esecutore, -trice *m, f* testamentario, -a.
Testbild *n TV* monoscopio *m.* **Testfahrer(in)** *m(f)* collaudatore, -trice *m, f.* **Testperson** *f* soggetto *m.*
Tetanusschutzimpfung *f* (vaccinazione *f*) antitetanica *f.*
teuer ['tɔyɐ] *adj* **1.** *(kostspielig)* caro, costoso; **2.** *geh (lieb)* caro; **etw. ~ bezahlen** pagare caro qc; **teurer werden** rincarare; **das wird dich ~ zu stehen kommen** ti costerà caro *fam;* **wie ~ ist das?** quanto costa?
Teufel ['tɔyfəl] ⟨-s, -⟩ *m* diavolo *m;* **den ~ an die Wand malen** *fam* fare l'uccello del malaugurio; **jdn zum ~ jagen, jdn zum ~ wünschen** mandare qu al diavolo (*o* all'inferno); **er ist ein armer ~** è un povero diavolo *fam;* **damit kommt man in ~s Küche** *fam* così ci si mette nei pasticci; **wo/wie/wann zum ~?** *fam* accidenti! dove/come/quando? *fam;* **zum ~!** accidenti! *fam;* **zum ~ mit . . .!** che vada al diavolo . . .!; **scher dich zum ~!, hol dich der ~** vattene al diavolo!. **Teu-**

felskreis *m* circolo *m* vizioso.
teuflisch ['tɔyflɪʃ] *adj* diabolico.
Text [tɛkst] ⟨-(e)s, -e⟩ *m allg.* testo *m; (Wortlaut)* contenuto *m; (von Lied)* parole *f pl; (von Oper)* libretto *m.* **Textaufgabe** *f* quesito *m.*
texten *tr* redigere.
Texter(in) ⟨-s, -⟩ *m(f) (von Werbetexten)* pubblicitario, -a *m, f; (von Schlagertexten)* paroliere, -a *m, f.*
Textilien [tɛks'ti:liən] ⟨*pl*⟩ tessili *m pl.*
Textmarker ⟨-s, -⟩ *m* evidenziatore *m.* **Textverarbeitung** *f* elaborazione *f* testi, word processing *m.* **Textverarbeitungsprogramm** *n* word processor *m.*
TH [te:'ha:] ⟨-, -s⟩ *f abk von* **Technische Hochschule** Università *f* Tecnica, Politecnico *m.*
Theater [te'a:tɐ] ⟨-s, -⟩ *n* teatro *m;* ~ **machen** *fam* fare (tante) storie *fam;* ~ **spielen** *fig* fare la commedia; **ins** ~ **gehen** andare a teatro; **das ist alles nur** ~ *fam* è tutta scena *fam.* **Theateraufführung** *f* rappresentazione *f.* **Theaterbesuch** *m* andare *m* a teatro. **Theaterkarte** *f* biglietto *m* d'ingresso al teatro. **Theaterkasse** *f* cassa *f* del teatro, botteghino *m.* **Theaterstück** *n* lavoro *m* teatrale.
theatralisch [tea'tra:lɪʃ] *adj* teatrale.
Theke ['te:kə] ⟨-, -n⟩ *f (Schanktisch)* banco *m* (di osteria); *(Ladentisch)* banco *m* (di vendita).
Thema ['te:ma, ...mən *o* ...mata] ⟨-s, Themen *o* -ta⟩ *n* tema *m; (Gesprächs~)* soggetto *m,* argomento *m;* **das** ~ **wechseln** cambiare argomento; **kein** ~ **sein** non essere un problema; **vom** ~ **abkommen** scostarsi dall'argomento.
Themse ['tɛmzə] *f* Tamigi *m.*
Theologe [teo'lo:gə] ⟨-n, -n⟩ *m,* **Theologin** [...gɪn] *f* teologo, -a *m, f.*
Theologie [...lo'gi:, ...i:ən] ⟨-, -n⟩ *f* teologia *f.*
theologisch [...'lo:gɪʃ] *adj* teologico.
Theoretiker(in) [teo're:tɪkɐ (...ərɪn)] ⟨-s, -⟩ *m(f)* teorico, -a *m, f,* teoreta *mf.*
theoretisch **I.** *adj* teorico; **II.** *adv* in teoria.
Theorie [teo'ri:, ...i:ən] ⟨-, -n⟩ *f* teoria *f.*
Therapeut(in) [tera'pɔyt(ɪn)] ⟨-en, -en⟩ *m(f)* terapeuta *mf.* **therapeutisch** *adj* terapeutico.
Therapie [...'pi:, ...i:ən] ⟨-, -n⟩ *f* terapia *f.* **therapieren** ⟨*ohne ge-*⟩ *tr* sottoporre a una terapia.
Thermalbad [tɛr'ma:l-] *n* bagno *m* termale. **Thermalquelle** *f* sorgente *f* termale.
Thermodrucker *m* termostampante *f.* **Thermometer** [tɛrmo'me:tɐ] ⟨-s, -⟩ *n* termometro *m.* **Thermometerstand** *m* altezza *f* della colonna termometrica.
Thermosflasche® ['tɛrmɔs-] *f* thermos *m.*
Thermostat [tɛrmo'sta:t] ⟨-(e)s, *o* -en, -e(n)⟩ *n* termostato *m.*
These ['te:zə] ⟨-, -n⟩ *f* tesi *f.*
Thomas ['to:mas] *(männlicher Vorname)* Tommaso.
Thriller ['θrɪlə] ⟨-s, -⟩ *m* giallo *m.*
Thrombose [trɔm'bo:zə] ⟨-, -n⟩ *f* trombosi *f.*
Thron [tro:n] ⟨-(e)s, -e⟩ *m* trono *m.*
thronen *itr* troneggiare.
Thunfisch ['tu:n-] *m* tonno *m.*
Thurgau ['tu:ɐgau] *m* Turgovia *f.*
Thymian ['ty:mia:n] ⟨-s, -e⟩ *m* timo *m.*
Tiber ['ti:bɐ] *m* Tevere *m.*
Tick [tɪk] ⟨-(e)s, -s⟩ *m* ticchio *m,* mania *f.*
ticken ['tɪkən] *itr* fare tic tac; **nicht richtig** ~ *fam* non avere tutti i venerdì *fam.*
Tiebreak ['taɪbreɪk] ⟨-s, -s⟩ *m (Tennis)* tie-break *m.*
tief [ti:f] **I.** *adj* **1.** *(nicht flach, a. fig)* profondo; **2.** *(nicht hoch)* basso; **3.** *mus* grave; **4.** *(Farbe)* carico, profondo, intenso; **im** ~**sten Australien** nel cuore dell'Australia; **im** ~**sten Winter** in pieno inverno; **in** ~**er Trauer** in gran(de) lutto; **eine sehr** ~**e Stimme** una voce molto profonda; **II.** *adv* **1.** *(~ unten)* in basso; **2.** *(stark)* molto, profondamente; **ein** ~ **ausgeschnittenes Kleid** un vestito molto scollato; ~ **atmen** respirare profondamente; **bis** ~ **in die Nacht hinein** fino a notte inoltrata.
Tief ⟨-s, -s⟩ *n meteo* bassa pressione *f.*
tiefbewegt *adj* profondamente commosso.
Tiefdruck ⟨-(e)s, ø⟩ *m meteo* bassa pressione *f.* **Tiefdruckgebiet** *n meteo* zona *f* di bassa pressione.
Tiefe ['ti:fə] ⟨-, -n⟩ *f* profondità *f.*
Tiefebene *f* bassopiano *m.*
Tiefenpsychologie *f* psicologia *f* del profondo. **Tiefenschärfe** *f* profondità *f* di campo.
Tiefflug *m* volo *m* radente (*o* a bassa quota); **im** ~ a volo radente. **Tiefgang** *m* **1.** *naut* pescaggio *m;* **2.** *fig* profondità *f.* **Tiefgarage** *f* autorimessa *f* sotterranea, garage *m* sotterraneo. **tiefgefroren, -gekühlt** *adj* surgelato. **Tiefkühlfach** *n (im Eisschrank)* congelatore *m.* **Tiefkühlkost** *f* prodotti *m pl* surgelati. **Tiefkühltruhe** *f* congelatore *m.* **Tiefland** ⟨-(e)s, -e *o* -länder⟩ *n* bassopiano *m.* **Tiefpunkt** *m* punto *m* più basso, livello *m* minimo. **Tiefschlag** *m* colpo *m* basso. **tiefschürfend** *adj* profondo. **Tiefsee** *f* profondità *f pl* marine. **Tiefsinn** *m* **1.** *(Gedankentiefe)* profondità *f* (di pensiero); **2.** *(Schwermut)* malinconia *f.* **tiefsinnig** *adj* **1.** *(tiefgründig)* profondo, pensoso; **2.** *(schwermütig)* malinconico. **tief·stapeln** *itr* essere troppo modesto. **Tieftöner** *m* woofer *m.*
Tiegel ['ti:gəl] ⟨-s, -⟩ *m* padella *f,* tegame *m; (Schmelz~)* crogiolo *m.*
Tier [ti:ɐ] ⟨-(e)s, -e⟩ *n* animale *m,* bestia *f;* **hohes** ~ *fam* pezzo *m* grosso. **Tierart** *f* specie *f* animale. **Tierarzt** *m,* **-ärztin** *f* ve-

terinario, -a *m, f.* **Tierfreund(in)** *m(f)* amante *mf* degli animali, zoofilo, -a *m, f.* **Tiergarten** *m* zoo *m,* giardino *m* zoologico.

tierisch *adj* **1.** *(Tiere betreffend)* animale; **2.** *fig pej* brutale, bestiale; **3.** *sl (sehr)* molto; **~er Ernst** *fam* grande serietà.

Tierkreiszeichen *n* segno *m* zodiacale. **Tierliebe** *f* amore *m* per gli animali. **Tierquälerei** *f* maltrattamento *m* di animali. **Tierreich** *n* regno *m* animale. **Tierschützer(in)** *m(f)* protettore, trice *m, f* degli animali. **Tierschutzverein** *m* associazione *f* per la protezione degli animali. **Tierversuch** *m* esperimento *m* sugli animali. **Tierzucht** *f* allevamento *m,* zootecnica *f.*

Tiger(in) ['ti:gɐ (...ərɪn)] ⟨-s, -⟩ *m(f)* tigre *f.*

tilgen ['tɪlgən] *tr* **1.** *geh (beseitigen)* cancellare (*aus* da); **2.** *fin* ammortizzare.

Tilgung ⟨-, -en⟩ *f fin* ammortamento *m.*

Timing ['taɪmɪŋ] ⟨-s, -s⟩ *n* timing *m.*

Tinktur [tɪŋk'tu:ɐ̯] ⟨-, -en⟩ *f* tintura *f.*

Tinte ['tɪntə] ⟨-, -n⟩ *f* inchiostro *m;* **in der ~ sitzen** *fam* trovarsi in un brutto impiccio, essere nei guai. **Tintenfaß** *n* calamaio *m.* **Tintenfisch** *m* seppia *f.* **Tintenstrahldrucker** *m* stampante *f* a getto d'inchiostro.

Tip [tɪp] ⟨-s, -s⟩ *m fam* consiglio *m.*

tippen ['tɪpən] **I.** *tr, itr* **1.** *(klopfen)* dare un colpetto (*an +akk* a, su); **2.** *fam (maschineschreiben)* scrivere a macchina; **II.** *itr fam (wetten)* puntare (*auf +akk* su); **im Lotto ~** giocare al lotto.

Tipp-Ex® ['tɪpɛks] ⟨-, ø⟩ *n* correttore *m* (liquido).

Tippfehler *m fam* errore *m* di battuta. **Tippschein** *m,* **-zettel** *m* schedina *f* (del totocalcio).

tipptopp ['tɪp'tɔp] *adj fam* perfetto, impeccabile.

Tirol [ti'ro:l] *n* Tirolo *m.* **Tiroler(in)** ⟨-s, -⟩ *m(f)* tirolese *mf.*

Tisch [tɪʃ] ⟨-(e)s, -e⟩ *m* tavolo *m; (Eß~)* tavola *f;* **jdn über den ~ ziehen** *fig fam* ingannare qu, far passare qu da stupido; **mit etw. reinen ~ machen** *fam* fare piazza pulita di qc *fam;* **etw. unter den ~ fallen lassen** *fig fam* fare passare qc sotto silenzio; **getrennt von ~ und Bett leben** vivere separati di letto e di mensa; **bei ~** a tavola; **am grünen ~** *fig* a tavolino; **so, das wäre vom ~!** *fam* (bene,) questo sarebbe sistemato!. **Tischdame** *f* vicina *f* di tavola. **Tischdecke** *f* tovaglia *f.* **Tischfußball** *m* calcetto *m.* **Tischherr** *m* vicino *m* di tavola. **Tischkarte** *f* segnaposto *m* (a tavola).

Tischler(in) ['tɪʃlɐ (...ərɪn)] ⟨-s, -⟩ *m(f)* (donna *f*) falegname *m.*

tischlern I. *itr* fare il falegname, fare lavori da falegname; **II.** *tr fam* fare.

Tischordnung *f* disposizione *f* dei posti (a tavola). **Tischrechner** *m* calcolatore *m* da tavolo, desktop computer *m.* **Tischrede** *f* discorso *m* conviviale, brindisi *m.* **Tischtennis** *n* tennis *m* da tavolo, ping-pong *m.* **Tischtennisplatte** *f* tavolo *m* da ping-pong. **Tischtuch** *n* tovaglia *f.* **Tischwein** *m* vino *m* da pasto.

Titel ['ti:təl] ⟨-s, -⟩ *m* titolo *m.* **Titelbild** *n,* **-blatt** *n* frontespizio *m.* **Titelrolle** *f* parte *f* del(la) protagonista, ruolo *m* principale. **Titelseite** *f* prima pagina *f;* **auf der ~** in prima pagina. **Titelverteidiger(in)** *m(f)* difensore *m,* difenditrice *f* del titolo.

titulieren [titu'li:rən] ⟨*ohne ge-*⟩ *tr* chiamare, trattare, dare (*als* di + *Artikel).*

Toast[1] [to:st] ⟨-(e)s, -e *o* -s⟩ *m (Brot)* toast *m.*

Toast[2] [to:st] ⟨-(e)s, -e *o* -s⟩ *m (Trinkspruch)* brindisi *m.*

Toastbrot *n (getoastetes Brot)* toast *m; (Brot zum Toasten)* pane *m* carré.

toasten *tr (Brot)* tostare.

Toaster ⟨-s, -⟩ *m* tostapane *m.*

toben ['to:bən] *itr* **1.** *(wüten)* essere furioso; *(vor Begeisterung)* essere fuori di sé; *(Schlacht)* infuriare, imperversare; *(Gewitter)* brontolare; **2.** *(ausgelassen spielen)* scatenarsi, strepitare.

Tobias [to'bi:as] *(männlicher Vorname)* Tobia.

Tobsucht *f* furore *m,* pazzia *f* furiosa. **tobsüchtig** *adj* furibondo, pazzo furioso. **Tobsuchtsanfall** *m* attacco *m* furioso.

Tochter ['tɔxtɐ] ⟨-, Töchter⟩ *f* figlia *f.* **Tochtergesellschaft** *f* società *f* affiliata, filiale *f.*

Tod [to:t] ⟨-(e)s, *rar* -e⟩ *m* morte *f,* decesso *m; adm,* trapasso *m lett;* **eines gewaltsamen/natürlichen ~es sterben** morire di morte violenta/naturale; **sich zu ~e schämen** vergognarsi a morte; **zu ~e erschrocken sein** essere spaventato a morte; **jdn zum ~e verurteilen** condannare qu a morte; **bei seinem ~e** alla sua morte. **todernst** ['to:t'ʔɛrnst] *adj* molto serio, serissimo.

Todesangst *f* angoscia *f* mortale; **Todesängste ausstehen** essere in preda a un'angoscia mortale. **Todesanzeige** *f (in Zeitung)* annuncio *m* mortuario; *(als Brief)* partecipazione *f* di morte. **Todesfall** *m* decesso *m.* **Todeskampf** *m* agonia *f.* **Todeskandidat(in)** *m(f)* candidato, -a *m, f* alla morte. **Todeskommando** *n* commando *m* incaricato di uccidere. **todesmutig** *adj* intrepido, eroico. **Todesopfer, -a** *n* vittima *f,* morto, -a *m, f.* **Todesschuß** *m* colpo *m* letale. **Todesstrafe** *f* pena *f* capitale (*o* di morte). **Todesstreifen** *m* zona *f* minata. **Todestag** *m* **1.** *(Sterbetag)* giorno *m* della morte; **2.** *(Gedenktag)* anniversario *m* della morte. **Todesursache** *f* causa *f* della morte. **Todesurteil** *n* sentenza *f* capitale, condanna *f* a morte. **Todesverachtung** *f* disprezzo *m* della morte; **mit** ~ *fam scherz* con grande eroismo.

Todfeind ['to:tfaint] *m* nemico, -a *m, f* mortale (*o* giurato, -a). **todkrank** ['to:t'kraŋk] *adj* mortalmente malato, in fin di vita.

tödlich ['tø:tlɪç] **I.** *adj* mortale; **II.** *adv* mortalmente, a morte; ~ **verunglücken** morire in un incidente; ~ **verletzt** ferito mortalmente.

todmüde ['to:t'my:də] *adj* stanco morto. **todschick** ['to:t'ʃɪk] *adj fam* molto chic. **todsicher** ['to:t'zɪçɐ] *adj fam* sicurissimo. **Todsünde** *f* peccato *m* mortale. **todunglücklich** ['to:t'ʔʊnglʏklɪç] *adj fam* terribilmente infelice.

Töff [tœf] ⟨-s, -s⟩ *m o n CH* moto *f*.

Tohuwabohu [to:huva'bo:hu] ⟨-(s), -s⟩ *n* caos *m*, quarantotto *m*.

Toilette [toa'lɛtə] ⟨-, -n⟩ *f* toilette *f*, to(e)letta *f; (WC a.)* gabinetto *m;* **in großer** ~ *geh* in pompa magna. **Toilettenartikel** *m* articolo *m* da toletta. **Toilettenpapier** *n* carta *f* igienica.

toi, toi, toi ['tɔy'tɔy'tɔy] *interj* in bocca al lupo.

tolerant [tole'rant] *adj* tollerante. **Toleranz** [...'rants] ⟨-, *rar* -en⟩ *f* tolleranza *f*. **Toleranzgrenze** *f* limite *m* di tolleranza.

tolerieren [...'ri:rən] ⟨*ohne ge-*⟩ *tr* tollerare.

toll [tɔl] *adj* **1.** *(irr)* matto, pazzo; **2.** *fam (herrlich)* formidabile, fantastico, sensazionale; **ein ~er Bursche (*o* Kerl)** *fam* un tipo in gamba *fam;* **es zu** ~ **treiben** farla (troppo) grossa.

Tollkirsche *f* belladonna *f*. **tollkühn** *adj* temerario, audace. **Tollwut** *f* rabbia *f*. **tollwütig** [-vy:tɪç] *adj* rabbioso.

Tolpatsch ['tɔlpatʃ] ⟨-(e)s, -e⟩ *m* rompitutto *m fam,* tanghero *m*. **tolpatschig** *adj* goffo, impacciato.

Tölpel ['tœlpəl] ⟨-s, -⟩ *m* balordo *m*, tanghero *m*, zoticone *m fam*.

Tomate [to'ma:tə] ⟨-, -n⟩ *f* pomodoro *m;* **~n auf den Augen haben** *sl scherz* avere gli occhi bendati. **Tomatenketchup** *m o n* ketchup *m*. **Tomatenmark** *n* concentrato *m* di pomodoro. **Tomatensuppe** *f* minestra *f* di pomodori.

Tomographie [tomogra'fi:, ...i:ən] ⟨-, -n⟩ *f med* tomografia *f*.

Ton¹ [to:n] ⟨-(e)s, -e⟩ *m geol* argilla *f; (Werkstoff)* creta *f;* **gebrannter** ~ terracotta *f*.

Ton² [to:n] ⟨-(e)s, Töne⟩ *m* tono *m; (Klang a.)* suono *m; gram* accento *m;* **der gute** ~ le buone maniere; **den** ~ **angeben** dare il tono; *fig* dominare; **keinen** ~ **von sich** *(dat)* **geben** non dire una parola, non aprir bocca; **einen anderen** ~ **anschlagen** *fig* cambiare tono; **jdn/etw. in den höchsten Tönen loben** *fam* lodare qu/qc a tutto spiano *fam;* ~ **in** ~ tono su tono; **ohne einen** ~ **zu sagen** senza proferir parola, senza dir verbo; **ich brachte keinen** ~ **heraus** mi venne meno la parola, non riuscii a proferir parola; **ich verbitte mir diesen** ~! non permetto che si usi questo tono con me!; **hast du Töne!** *fam* è incredibile!; **der** ~ **macht die Musik** *prov* quello che conta è il modo in cui si dicono le cose. **tonangebend** *adj* che dà il tono. **Tonarchiv** *n* nastroteca *f*. **Tonarm** *m* braccio *m* del pick-up. **Tonart** *f* tonalità *f*. **Tonband** ⟨-(e)s, -bänder⟩ *n* **1.** *(Magnetband)* nastro *m* magnetico; **2.** *(~gerät)* registratore *m*. **Tonbandaufnahme** *f* registrazione *f* su nastro. **Tonbandgerät** *n* magnetofono *m* (*o* registratore *m*) a nastro.

tönen¹ ['tø:nən] *itr (klingen)* s(u)onare, ris(u)onare.

tönen² ['tø:nən] *tr (färben)* colorare, sfumare.

Toner ['tɔnɐ] ⟨-s, -⟩ *m (von Kopiergerät, Laserdrucker)* toner *m*.

Tonerde *f* allumina *f;* **essigsaure** ~ acetato *m* d'alluminio.

tönern ['tø:nɐn] *adj* d'(*o* in) argilla.

Tonfall *m* inflessione *f; (Rhythmus)* cadenza *f*. **Tonfilm** *m* film *m* sonoro.

Tongefäß *n* vaso *m* di terracotta.

Tonhöhe *f* altezza *f* del suono.

Tonic(wasser) ['tɔnɪk] ⟨-(s), -s⟩ *n* acqua *f* brillante.

Tonkamera *f* cinepresa *f* sonora. **Tonkopf** *m* testina *f* (di registrazione).

Tonkrug *m* brocca *f* di terracotta.

Tonlage *s.* **Tonhöhe. Tonleiter** *f* scala *f* musicale, gamma *f*. **tonlos** *adj* atono; *(Stimme)* afono, spento.

Tonnage [tɔ'na:ʒə] ⟨-, -n⟩ *f* tonnellaggio *m*.

Tonne ['tɔnə] ⟨-, -n⟩ *f* **1.** *(Faß)* botte *m*, barile *m*, fusto *m;* **2.** (*abk* **t**) *(1000 kg)* tonnellata *f*. **Tonnengewölbe** *n* volta *f* a botte. **tonnenweise** *adv* a tonnellate, a bizzeffe.

Tonregler *m* regolatore *m* di tono. **Tonspur** *f* solco *m*. **Tonstreifen** *m* colonna *f* (*o* banda *f*) sonora. **Tonstudio** *n* studio *m* di registrazione.

Tonsur [tɔn'zu:ɐ] ⟨-, -en⟩ *f* tonsura *f*.

Tontaubenschießen ⟨-s, ø⟩ *n* tiro *m* al piattello.

Tontechniker(in) *m(f)* tecnico, -a *m, f* del suono. **Tonträger** *m* portante *m* audio.

Tönung ⟨-, -en⟩ *f* **1.** *(Vorgang)* colorazione *f;* **2.** *(Ergebnis)* tonalità *f*, tinta *f*.

Tonwiedergabe *f* riproduzione *f* del suono.

Top [tɔp] ⟨-s, -s⟩ *n* top *m*.

top-, Top- [tɔp-] *(in Zusammensetzungen)* top.

Topas [to'pa:s] ⟨-es, -e⟩ *m* topazio *m*.

Topf [tɔpf] ⟨-(e)s, Töpfe⟩ *m* vaso *m; (Koch~)* pentola *f; (Nacht~)* vaso *m* da notte; **alles in einen ~ werfen** *fig fam* mettere tutto nello stesso calderone *fam.*

Topfen ['tɔpfən] ⟨-s, ø⟩ *m A (Quark)* ricotta *f.*

Töpfer(in) ['tœpfɐ (...ərɪn)] ⟨-s, -⟩ *m(f)* vasaio, -a *m, f,* ceramista *mf.*

Töpferei [tœpfə'rai] ⟨-, -en⟩ *f* bottega *f* (*o* fabbrica *f*) di ceramiche.

Töpferscheibe *f* tornio *m* del vasaio.

topfit ['tɔp'fɪt] *adj fam* in perfetta forma.

Topflappen *m* presina *f,* presa *f.*

Topform *f fam:* **in ~ sein** essere in ottima forma.

Topfpflanze *f* pianta *f* in vaso.

Topmanagement *n* top-management *m,* alta dirigenza *f.* **Topmodell** *n* fotomodella *f* top.

Tor [to:ɐ] ⟨-(e)s, -e⟩ *n* **1.** *(große Tür)* porta *f,* portone *m;* **2.** *sport* rete *f,* gol *m;* **ein ~ schießen** segnare (una rete), fare un gol; **im ~ stehen** stare in porta. **Torbogen** *m* arco *m* della porta.

Torf [tɔrf] ⟨-(e)s, ø⟩ *m* torba *f.* **Torfmull** *m* terriccio *m* torboso.

Torheit ⟨-, -en⟩ *f* stoltezza *f,* follia *f.*

töricht ['tø:rɪçt] *adj* insensato, stolto.

torkeln ['tɔrkəln] *itr* ⟨*haben o bei Fortbewegung sein*⟩ *fam* barcollare; *(sich fortbewegen)* andare barcollando.

Tornister [tɔr'nɪstɐ] ⟨-s, -⟩ *m (bes. mil)* zaino *m; (von Schüler)* cartella *f* (a zaino).

torpedieren [tɔrpe'di:rən] ⟨*ohne ge-*⟩ *tr* silurare.

Torpedo [...'pe:do] ⟨-s, -s⟩ *m* siluro *m.*

Torschlußpanik *f fam* panico *m* dell'ultima ora. **Torschütze** *m* cannoniere *m.*

Torte ['tɔrtə] ⟨-, -n⟩ *f* torta *f.* **Tortenboden** *m* fondo *m* di torta. **Tortenheber** ⟨-s, -⟩ *m* paletta *f* per dolci.

Tortur [tɔr'tu:ɐ] ⟨-, -en⟩ *f* tortura *f.*

Torwart [-vart] ⟨-(e)s, -e⟩ *m* portiere *m.*

tosen ['to:zən] *itr* mugghiare, rumoreggiare, strepitare. **tosend** *adj (Beifall)* fragoroso.

tot [to:t] *adj* **1.** *(gestorben)* morto; *(verstorben)* defunto; *adm* deceduto; **2.** *fig (leblos)* inanimato, senza vita; *(regungslos, ausgestorben, öde)* deserto; *(unwirksam)* inerte; **das T~e Meer** il Mare Morto; **~er Punkt** punto morto; **~er Winkel** angolo morto; **~ umfallen** cadere morto; **er war auf der Stelle ~** morì sul colpo.

total [to'ta:l] *adj* totale.

totalitär [totali'tɛ:ɐ] *adj* totalitario.

Totalität [...'tɛ:t] ⟨-, ø⟩ *f* totalità *f.*

Totalschaden *m* danno *m* totale.

tot·arbeiten *rfl:* **sich ~** ammazzarsi di lavoro. **tot·ärgern** *rfl:* **sich ~** arrabbiarsi da morire.

Tote ⟨ein -r, -n, -n⟩ *mf* morto, -a *m, f; (Verstorbener)* defunto, -a *m, f; adm* deceduto, -a *m, f; (in Unfallstatistik)* ucciso, -a *m, f.*

töten ['tø:tən] *tr* uccidere, ammazzare.

Totenbett *n* letto *m* di morte. **totenblaß, -bleich** ['to:tən'blas, -'blaiç] *adj* pallido come un morto, cadaverico. **Totengräber** [-grɛbɐ] ⟨-s, -⟩ *m* becchino *m.* **Totenhemd** *n* lenzuolo *m* funebre, sudario *m.* **Totenkopf** *m* **1.** *(Schädel)* teschio *m;* **2.** *zoo* testa *f* di morto. **Totenschein** *m* certificato *m* di morte. **Totensonntag** *m* giorno *m* dei morti. **Totenstarre** *f* rigidità *f* cadaverica. **Totenstille** ['to:tən'ʃtɪlə] *f* silenzio *m* di tomba. **Totentanz** *m* danza *f* macabra.

tot·fahren ⟨*irr*⟩ *tr* investire mortalmente, schiacciare. **tot·kriegen** *tr:* **er ist nicht totzukriegen** *fam scherz* non si può sradicarlo. **tot·lachen** *rfl:* **sich ~** *fam* morire dalle risate.

Toto ['to:to] ⟨-s, -s⟩ *n o m* totocalcio *m.* **Totoschein** *m* schedina *f* del totocalcio.

tot·schießen ⟨*irr*⟩ *tr* uccidere (*o* abbattere) con un colpo di arma da fuoco. **Totschlag** *m* omicidio *m* volontario. **tot·schlagen** ⟨*irr*⟩ *tr* ammazzare; **die Zeit ~** ammazzare il tempo. **tot·stellen** *rfl:* **sich ~** fingersi morto, fare il morto.

Tötung ⟨-, -en⟩ *f* uccisione *f; (von Menschen)* omicidio *m.*

Toupet [tu'pe:] ⟨-s, -s⟩ *n* toupet *m.*

Tour [tu:ɐ] ⟨-, -en⟩ *f* giro *m;* **auf ~en kommen** *fam* andare su di giri *fam;* **auf vollen ~en** *fam* a pieno regime; **in einer ~** *fam* senza interruzione, in continuazione. **Tourenzahl** *f* numero *m* di giri.

Tourismus [tu'rɪsmʊs] ⟨-, ø⟩ *m* turismo *m.*

Tourist(in) [tu'rɪst(ɪn)] ⟨-en, -en⟩ *m(f)* turista *mf,* escursionista *mf.* **Touristenklasse** *f* classe *f* turistica. **Touristik** [tu'rɪstɪk] ⟨-, ø⟩ *f* turismo *m.* **Touristikunternehmen** *n* azienda *f* turistica.

Tournee [tʊr'ne:, ...e:s *o* ...e:ən] ⟨-, -s *o* -n⟩ *f* tournée *f;* **auf ~ gehen** fare una tournée.

Toxikologe [tɔksiko'lo:gə] ⟨-n, -n⟩ *m,* **Toxikologin** *f* tossicologo, -a *m, f.* **toxikologisch** *adj* tossicologico.

toxisch ['tɔksɪʃ] *adj* tossico.

Trab [tra:p] ⟨-(e)s, ø⟩ *m* trotto *m;* **jdn auf ~ bringen** *fam* far trottare qu; **im ~** al trotto.

Trabbi ['trabi] ⟨-s, -s⟩ *m fam* (*kurz für* **Trabant**) vettura *f* „Trabant".

Tracht [traxt] ⟨-, -en⟩ *f (Kleidung)* costume *m,* foggia *f,* moda *f; (Volks~)* costume *m* regionale (*o* del paese *o* folcloristico); *(Schwestern~)* camice *m,* divisa *f;* **jdm eine ~ Prügel geben** dare a qu un sacco di legnate *fam.*

trachten ['traxtən] *itr* tendere (*nach* a), mirare (*nach* a); **jdm nach dem Leben ~** attentare alla vita di qu.

trächtig ['trɛçtɪç] *adj* pregna, gravida.

Trackball ['trækbɔ:l] *m inform* trackball

f.
Tradition [tradi'tsio:n] ⟨-, -en⟩ *f* tradizione *f.*
traditionell [...tsio'nɛl] *adj* tradizionale.
traf [tra:f] *imp von* **treffen.**
Tragbahre *f* barella *f,* lettiga *f.*
tragbar *adj* **1.** *(Geräte, a. Computer)* portatile; **2.** *(Kleider a.)* portabile; **3.** *fig (erträglich)* sopportabile, tollerabile.
träg(e) ['trɛ:k('trɛ:gə)] *adj* **1.** *(Mensch)* pigro, indolente; *(Bewegung)* lento; **2.** *phys* inerte.
tragen ['tra:gən] ⟨trägt, trug, getragen⟩ **I.** *tr* **1.** *(weg~, am Körper ~, halten)* portare; **2.** *(Frucht, Erfolg)* dare, (ri)portare; **3.** *(Namen, Aufschrift)* portare, avere; **4.** *(er~)* sopportare, subire; **die Konsequenzen/Verantwortung** ~ subire le conseguenze/avere la responsabilità; **sein Haar lang/kurz** ~ portare i capelli lunghi/corti; **etw. mit Fassung** ~ sopportare qc con calma; **II.** *itr* **1.** *(Eis)* reggere; **2.** *(Baum, Acker)* dare frutti, fruttificare; **an etw.** *(dat)* **schwer zu ~ haben** *fig* considerare qc un peso, soffrire molto per qc; **zum T~ kommen** trovare impiego (*o* uso); **III.** *rfl:* **sich mit dem Gedanken ~, etw. zu tun** covare l'idea di fare qc; **dieser Pullover trägt sich gut** questo maglione si porta bene.
Träger ['trɛ:gɐ] ⟨-s, -⟩ *m* **1.** *(an Kleidung)* spallina *f; (Hosen~)* bretella *f;* **2.** *tec* montante *m,* sostegno *m; (~balken)* trave *f.*
Träger(in) ⟨-s, -⟩ *m(f)* **1.** *(von Lasten)* portatore, -trice *m, f;* **2.** *(von Namen)* persona *f* che porta ...; **3.** *(von Kultur, Staatsgewalt)* rappresentante *mf;* **4.** *(von Krankheit)* portatore, -trice *m, f.*
trägerlos *adj* senza spalline. **Trägerrakete** *f* (razzo *m*) vettore *m.*
Tragetasche *f* sporta *f,* borsa *f.*
tragfähig *adj* portante. **Tragfläche** *f* piano *m* (*o* superficie *f*) portante, superficie *f* alare. **Tragflächenboot** *n,* **-flügelboot** *n* aliscafo *m.*
Trägheit ⟨-, ø⟩ *f* **1.** *(von Mensch)* pigrizia *f; (von Bewegung)* lentezza *f; (geistig)* indolenza *f;* **2.** *phys* inerzia *f.*
Tragik ['tra:gɪk] ⟨-, ø⟩ *f* tragico *m.*
tragikomisch [tragi'ko:mɪʃ *o* 'tra:gi...] *adj* tragicomico.
Tragikomödie [tragiko'mø:diə *o* 'tra:gi...] *f* tragicommedia *f.*
tragisch *adj* tragico; **etw. ~ nehmen** *fam* prendere qc sul tragico.
Tragödie [tra'gø:diə] ⟨-, -n⟩ *f* tragedia *f.*
trägt [trɛ:kt] *pr von* **tragen.**
Tragweite *f fig* portata *f; (Bedeutung)* significato *m,* importanza *f;* **sich** *(dat)* **der ~ seiner Handlungen nicht bewußt sein** agire senza discernimento.
Trainee [treɪ'ni:] ⟨-s, -s⟩ *m* tirociniante *mf.*
Trainer(in) ['trɛ:nɐ (...ərɪn) *o* 'tre:n...] ⟨-s, -⟩ *m(f)* allenatore, -trice *m, f.*
trainieren [trɛ'ni:rən *o* tre'n...] ⟨*ohne ge-*⟩ **I.** *tr* allenare; **II.** *itr* allenarsi (*auf +akk* per).
Training ['trɛ:nɪŋ *o* 'tre:n...] ⟨-s, -s⟩ *n* allenamento *m.* **Trainingsanzug** *m* tuta *f* (sportiva).
traktieren [trak'ti:rən] ⟨*ohne ge-*⟩ *tr fam* maltrattare.
Traktor ['trakto:ɐ, ...'to:rən] ⟨-s, -en⟩ *m* trattore *m.*
trällern ['trɛlɐn] *itr, tr* canticchiare.
Tram [tram] ⟨-, -s⟩ *f (süddeutsch, A, CH)* ⟨-s, -s⟩ *n* tram *m.*
Trampel ['trampəl] ⟨-s, -⟩ *m o n fam pej* persona *f* sgraziata.
trampeln ['trampəln] **I.** *itr (mit den Füßen treten)* battere i piedi; **II.** *tr (Weg)* battere; **etw. platt** ~ schiacchiare qc pestandola coi piedi; **jdn zu Tode** ~ calpestare a morte qu.
Trampelpfad *m* pista *f* battuta. **Trampeltier** *n* **1.** *zoo* cammello *m;* **2.** *fig fam pej* imbranato, -a *m, f sl.*
trampen ['trɛmpən] *itr* ⟨*sein*⟩ fare l'autostop.
Tramper(in) ⟨-s, -⟩ *m(f)* autostoppista *mf.*
Trampolin ['trampoli:n *o* ...'li:n] ⟨-s, -e⟩ *n* trampolino *m.*
Tran [tra:n] ⟨-(e)s, *rar* -e⟩ *m* olio *m* di balena (*o* di pesce); *(Leber~)* olio *m* di fegato (di merluzzo); **das hab' ich im ~ ganz vergessen** *fam* l'ho completamente dimenticato.
tranchieren [trã'ʃi:rən] ⟨*ohne ge-*⟩ *tr* trinciare.
Tranchiermesser *n* trinciante *m.*
Träne ['trɛ:nə] ⟨-, -n⟩ *f* lacrima *f;* **~n lachen** ridere fino alle lacrime; **den ~n nahe sein** stare per piangere; **zu ~n gerührt sein** essere commosso fino alle lacrime; **mir kommen (gleich) die ~n!** *iron fam* mi viene (già) da piangere!
tränen *itr* lacrimare.
Tränendrüse *f* ghiandola *f* lacrimale. **Tränengas** *n* gas *m* lacrimogeno.
tranig *adj* **1.** *(nach Tran schmeckend)* che sa di olio di pesce; *(voll Tran)* pieno di olio di pesce; **2.** *fam pej (langsam)* lento.
trank [traŋk] *imp von* **trinken.**
tränken ['trɛŋkən] *tr* **1.** *(Tiere)* abbeverare; **2.** *(durchnässen)* imbevere (*mit* di), impregnare (*mit* di).
Tranquilizer ['træŋkwɪlaizɐ] ⟨-s, -⟩ *m* tranquillizzante *m.*
Transaktion [trans'ʔak'tsio:n] *f* transazione *f.*
Transfer [trans'fɛ:ɐ] ⟨-s, -s⟩ *m* **1.** *(fin, sport, bei Reise)* trasferimento *m* (di valuta); **2.** *psych* transfer *m.*
Transformator [transfɔr'ma:to:ɐ, ...ma'to:rən] ⟨-s, -en⟩ *m* trasformatore *m.*
Transfusion [transfu'zio:n] ⟨-, -en⟩ *f* tras-

fusione *f*, emotrasfusione *f*.
Transistor [tran'zɪsto:ɐ, ...'to:rən] ⟨-s, -en⟩ *m* transistor(e) *m*.
Transit [tran'zi:t *o* ...'zɪt *o* 'tranzɪt] ⟨-s, -e⟩ *m* transito *m*.
transitiv ['tranziti:f *o* ...'ti:f] *adj* transitivo.
Transitverkehr *m* transito *m*. **Transitvisum** *n* visto *m* di transito.
transparent [transpa'rɛnt] *adj* trasparente. **Transparent** ⟨-(e)s, -e⟩ *n (Spruchband)* striscione *m*.
Transplantation [transplanta'tsio:n] ⟨-, -en⟩ *f* **1.** *bot* innesto *m;* **2.** *med* trapianto *m*.
transplantieren [...'ti:rən] ⟨*ohne ge-*⟩ *tr* innestare, trapiantare.
Transport [trans'pɔrt] ⟨-(e)s, -e⟩ *m* trasporto *m; mil* convoglio *m*. **Transporter** [trans'pɔrtɐ] ⟨-s, -⟩ *m (Schiff)* nave *f* da trasporto; *(Flugzeug)* aereo *m* da trasporto; *(Auto)* furgone *m*.
transportieren [transpɔr'ti:rən] ⟨*ohne ge-*⟩ *tr* trasportare.
Transsexuelle [transzɛksu'ɛlə] ⟨ein -r, -n, -n⟩ *mf* transessuale *mf*.
Trapez [tra'pe:ts] ⟨-es, -e⟩ *n* trapezio *m*.
trat [tra:t] *imp von* **treten**.
Tratsch [tra:tʃ] ⟨-(e)s, ø⟩ *m fam* chiacchiere *f pl*, pettegolezzi *m pl*.
tratschen *itr fam* chiacchierare, spettegolare.
Traualtar *m* altare *m* delle nozze.
Traube ['traubə] ⟨-, -n⟩ *f* grappolo *m; (Wein~)* grappolo *m* d'uva; ⟨*pl*⟩ uva *f*. **Traubenzucker** *m* glucosio *m*.
trauen[1] ['trauən] **I.** *itr (ver~):* **jdm/einer S.** *(dat)* ~ avere fiducia in qu/qc; **jdm nicht über den Weg** ~ *fam* fidarsi poco di qu; **seinen Augen nicht** ~ non credere ai propri occhi; **II.** *rfl:* **sich ~, etw. zu tun** osare far qc.
trauen[2] ['trauən] *tr (verheiraten)* sposare, unire in matrimonio; **sich ~ lassen** sposarsi.
Trauer ['trauɐ] ⟨-, ø⟩ *f* **1.** *(Traurigkeit)* afflizione *f*, dolore *m*, tristezza *f;* **2.** *(um einen Toten)* lutto *m;* ~ **tragen** essere in (*o* portare il) lutto. **Trauerfall** *m* lutto *m*, decesso *m*. **Trauergottesdienst** *m* servizio *m* funebre. **Trauerkleidung** *f* vestiti *m pl* da lutto.
trauern *itr* **1.** *(traurig sein)* essere afflitto (*o* triste); **2.** *(um einen Toten)* essere in lutto (*um* per); **um etw.** ~ deplorare la perdita di qc.
Traufe ['traufə] ⟨-, -n⟩ *f* scarico *m*, scolo *m; (Dach~)* grondaia *f*.
träufeln ['trɔyfəln] *tr* versare a gocce.
Traum [traum] ⟨-(e)s, Träume⟩ *m* sogno *m;* **im** ~ in sogno; **mein ~ ist in Erfüllung gegangen** il mio sogno si è avverato; **ich denke nicht im ~ daran!, das fällt mir nicht im ~ ein!** *fam* neanche per sogno!; **aus der ~!** *fam* la pacchia è finita! *fam*.
Trauma ['trauma, ...mən *o* ...mata] ⟨-s, Traumen *o* Traumata⟩ *n* trauma *m*.
traumatisch [...'ma:tɪʃ] *adj* traumatico.
Traumberuf *m* lavoro *m* ideale (*o* dei sogni).
träumen ['trɔymən] *itr* sognare *(von etw./jdm* qc/qu); **schlecht** ~ fare brutti sogni; **das hätte ich mir nicht ~ lassen** non me lo sarei mai sognato; **träume süß!** sogni d'oro!; **du träumst wohl!** *fam* stai sognando.
Träumerei [trɔymə'rai] ⟨-, -en⟩ *f* fantasticheria *f*, sogno *m*.
träumerisch *adj* sognatore, trasognato.
traumhaft *adj fam* da sogno, fantastico.
traurig ['traurɪç] *adj* **1.** *(betrübt)* triste, rattristato; **2.** *(schmerzlich)* triste, doloroso; **3.** *(kläglich)* deplorevole, pietoso, misero; ~ **machen (*o* stimmen)** rattristare, affliggere; ~ **werden** rattristarsi, affliggersi. **Traurigkeit** ⟨-, ø⟩ *f* tristezza *f*.
Trauring *m* fede *f*, vera *f*. **Trauschein** *m* certificato *m* di matrimonio.
traut [traut] *adj:* **~es Heim, Glück allein** casa, dolce casa.
Trauung ⟨-, -en⟩ *f* matrimonio *m*, sposalizio *m;* **kirchliche/standesamtliche ~** matrimonio religioso/civile.
Trauzeuge *m*, **-zeugin** *f* testimone *mf* di nozze.
Travellerscheck *m* travellers' cheque *m*.
treffen ['trɛfən] ⟨trifft, traf, getroffen⟩ **I.** *tr* **1.** *(begegnen)* incontrare; **2.** *(durch Schlag, Schuß)* colpire (*an +dat, in +akk* a); **3.** *fig (kränken)* colpire, offendere; **4.** *(be~)* toccare, concernere; **5.** *(Wahl)* fare; *(Maßnahmen)* adottare; **es gut/schlecht ~** avere fortuna/sfortuna; **mich trifft keine Schuld** a me non si può dare nessuna colpa; **auf dem Foto bist du nicht gut getroffen** sulla foto sei venuto male; **II.** *itr (Schlag, Schuß)* colpire; **III.** *rfl:* **sich ~** incontrarsi; **es trifft sich gut/schlecht, daß ...** capita bene/male che ...; **es traf sich, daß ...** capitò che ..., avvenne che ... **Treffen** ⟨-s, -⟩ *n (Begegnung)* incontro *m; (Tagung)* congresso *m*, seduta *f; mil* scontro *m*. **treffend I.** *adj* giusto, preciso; **II.** *adv* con precisione, appropriatamente.
Treffer ⟨-s, -⟩ *m* **1.** *(beim Boxen)* colpo *m* andato a segno; *(beim Fechten)* toccata *f; (beim Fußball)* rete *f; (beim Schießen)* centro *m; (in Lotterie)* biglietto (*o* numero) *m* vincente; **2.** *fig* impresa *f* fortunata.
Treffpunkt *m* luogo *m* d'incontro; **einen ~ vereinbaren** stabilire (*o* decidere) un punto d'incontro.
treiben ['traibən] ⟨treibt, trieb, getrieben⟩ **I.** *tr* ⟨*haben*⟩ **1.** *(jagen)* cacciare, spingere; *(Vieh)* condurre; *(durch Wind)* spazzare; **2.** *(in Bewegung setzen)* muovere; *(Rad)* far girare; **3.** *(an~)* spingere (*zu* a), indurre (*zu* a); **4.** *(hin-*

einschlagen) conficcare; *(Tunnel, Stollen)* scavare; *(Metall)* sbalzare; **5.** *(betreiben, tun)* fare, esercitare, praticare; **Ackerbau und Viehzucht** ~ dedicarsi all'agricoltura ed all'allevamento; **es mit jdm** ~ *fam* farsela con qu *fam;* **es zu weit** (*o* **zu bunt** *fam*) ~ esagerare, andare troppo in là *fam;* **jdn zur Verzweiflung** ~ spingere qu alla disperazione; **was treibst du da?** *fam* che fai di bello qui?; **was treibst du so?** *fam* come va la vita?, come te la passi?; **II.** *itr* **1.** ⟨*sein*⟩ *(fortbewegt werden)* essere spinto; *(auf dem Wasser)* galleggiare, andare alla deriva; **2.** ⟨*haben*⟩ *bot (wachsen)* germogliare; *(Teig)* lievitare; *(gären)* fermentare; **sich** ~ **lassen** *fig* lasciarsi trascinare. **Treiben** ⟨-s, ø⟩ *n fig (der Welt)* corso *m,* movimento *m; (auf der Straße)* andirivieni *m.* **treibend** *adj:* **die ~e Kraft** la forza motrice.

Treibgas *n* gas *m* propellente. **Treibhaus** *n* serra *f.* **Treibhauseffekt** *m* effetto *m* serra. **Treibjagd** *f* caccia *f* a battuta. **Treibnetzfischerei** *f* pesca *f* con rete da deriva. **Treibstoff** *m* carburante *m; (Benzin)* benzina *f; (von Rakete)* propellente *m.*

Trend [trɛnt] ⟨-s, -s⟩ *m* tendenza *f,* fenomeno *m* di costume; *ökon, wissensch.* trend *m.* **Trendsetter(in)** ⟨-s, -⟩ *m(f)* chi lancia una moda. **Trendwende** *f* riflusso *m.*

trennbar *adj* separabile.

trennen ['trɛnən] **I.** *tr* **1.** *(entfernen)* separare; *(Zusammengehöriges)* scompagnare; **2.** *(ab~)* staccare (*von* da); *(Menschen)* disunire; *tel* interrompere; **II.** *rfl:* **sich** ~ separarsi.

Trennung ⟨-, -en⟩ *f* separazione *f,* divisione *f; (von Ehe)* scioglimento *m; el, tel* interruzione *f.*

Treppe ['trɛpə] ⟨-, -n⟩ *f* scala *f.* **Treppenabsatz** *m* pianerottolo *m.* **Treppenhaus** *n* locale *m* delle scale.

Tresen ['tre:zən] ⟨-s, -⟩ *m (Ladentisch)* bancone *m,* banco *m; (Schanktisch)* banco *m* di mescita.

Tresor [tre'zo:ɐ̯] ⟨-s, -e⟩ *m* **1.** *(Panzerschrank)* cassaforte *f;* **2.** *(~raum)* camera *f* blindata.

Tretboot *n* moscone *m,* pedalò *m fam.*

treten ['tre:tən] ⟨tritt, trat, getreten⟩ **I.** *itr* **1.** ⟨*sein*⟩ *(einen Schritt tun)* andare (*unter/vor/hinter +akk* sotto/davanti a/dietro a), camminare (*auf +akk* su), entrare (con un piede) (*in +akk* in); **2.** ⟨*haben*⟩ *(einen Tritt versetzen)* dare (*o* tirare) un calcio (*o* una pedata) (*gegen, nach* a); **in den Hintergrund/Vordergrund** ~ *fig* passare in secondo/primo piano; **in eine Pfütze** ~ mettere i piedi in una pozzanghera; ~ **Sie näher!** si avvicini!; **II.** *tr* ⟨*haben*⟩ **1.** *(Mensch, Tier)* dare una pedata a; **2.** *(Pedal)* azionare, schiacciare, premere; *(Bremse, Kupplung)* pigiare.

Tretmühle *f fam* lavoro *m* monotono (*o* di routine).

treu [trɔy̯] *adj* fedele; *(ergeben)* devoto; **jdm** ~ **sein** essere fedele a qu.

Treue ⟨-, ø⟩ *f* fedeltà *f;* **jdm die** ~ **halten** restar fedele a qu; **auf Treu und Glauben** in buona fede.

Treuhandanstalt *f istituto fiduciario tedesco per la privatizzazione del patrimonio della ex R. D. T.* **Treuhandgesellschaft** *f* società *f* fiduciaria. **treuherzig** *adj* ingenuo, candido. **treulos** *adj* infedele, sleale; *(verräterisch)* perfido.

Triangel ['tri:aŋəl] ⟨-s, -⟩ *m* triangolo *m.*

Tribüne [tri'by:nə] ⟨-, -n⟩ *f* tribuna *f,* palco *m.*

Trichine [trɪ'çi:nə] ⟨-, -n⟩ *f* trichina *f.*

Trichter ['trɪçtɐ] ⟨-s, -⟩ *m* imbuto *m; (Schall~)* tromba *f; (Granat~, Bomben~)* cratere *m.*

Trick [trɪk] ⟨-s, -s *o* -e⟩ *m allg., film* trucco *m;* **ein gemeiner/fauler** ~ uno scherzo mancino/un tiro poco onesto. **Trickaufnahme** *f* trucchi *m pl* cinematografici. **Trickbetrüger(in)** *m(f)* specialista *mf* dell'imbroglio. **Trickfilm** *m* cartoni *m pl* animati.

trieb [tri:p] *imp von* **treiben.**

Trieb ⟨-(e)s, -e⟩ *m* **1.** *biol, psych* istinto *m; (psych a.)* pulsione *f;* **2.** *(An~)* impulso *m; (Neigung)* inclinazione *f,* tendenza *f;* **3.** *bot* germoglio *m,* pollone *m.* **Triebfeder** *f* **1.** *tec* molla *f* motrice; **2.** *fig* molla *f,* movente *m,* impulso *m.* **Triebkraft** *f* **1.** *phys* forza *f* motrice; **2.** *psych* forza *f* impulsiva. **Triebtäter(in)** *m(f)* maniaco, -a *m, f* sessuale. **Triebwagen** *m* (auto)motrice *f.* **Triebwerk** *n mot, aero* motore *m* propulsore.

triefen ['tri:fən] ⟨trieft, triefte *o geh* troff, getrieft *o rar* getroffen⟩ *itr* **1.** ⟨*sein*⟩ *(Flüssigkeit)* gocciolare; **2.** ⟨*haben*⟩ *(nasser Gegenstand)* grondare; **vor Fett/Wasser** ~ essere pieno (zeppo) di grasso/di acqua.

Trient [tri'ɛnt] *n* Trento *f.*

Trier [tri:ɐ̯] *n* Treviri *f.*

Triest [tri'ɛst] *n* Trieste *f.*

trifft [trɪft] *pr von* **treffen.**

triftig ['trɪftɪç] *adj* valido.

Trikot[1] [tri'ko: *o* 'trɪko] ⟨-s, -s⟩ *m (Gewebe)* maglia *f,* tessuto *m* a maglia.

Trikot[2] [tri'ko: *o* 'trɪko] ⟨-s, -s⟩ *n (Kleidungsstück)* maglia *f,* maglietta *f.* **Trikotwerbung** *f* pubblicità *f* sulla maglia (*o* maglietta).

Trimm-dich-Pfad ['trɪm-] *m* percorso *m* vita.

trinken ['trɪŋkən] ⟨trinkt, trank, getrunken⟩ **I.** *tr, itr* bere (*aus* da); **einen** ~ **gehen** *fam* andare a bere qc di alcolico; **auf jds Wohl** ~ bere alla salute di qu; **was möchten Sie** ~? che cosa prende da bere?; **II.** *itr fam* alzare il gomito *fam; (gern u. viel ~)* avere il vizio del bere.

Trinker(in) ⟨-s, -⟩ *m(f)* bevitore, -trice *m, f,* ubriacone, -a *m, f.*

Trinkgeld *n* mancia *f.* **Trinkhalm** *m* cannuccia *f* (per bibite). **Trinkwasser** *n* acqua *f* potabile; **kein ~** acqua non potabile!. **Trinkwasserverbrauch** *m* consumo *m* di acqua (potabile). **Trinkwasserversorgung** *f* rifornimento *m* di acqua potabile. **Trinkwasserverunreinigung** *f* inquinamento *m* dell'acqua potabile.

Trip [trɪp] ⟨-s, -s⟩ *m* **1.** *fam (Ausflug)* gita *f;* **2.** *sl (Rauschgift~)* trip *m sl.*

trippeln ['trɪpəln] *itr* ⟨*sein*⟩ camminare a passettini.

Tripper ['trɪpɐ] ⟨-s, -⟩ *m* blenorragia *f,* gonorrea *f.*

tritt [trɪt] *pr von* **treten.**

Tritt ⟨-(e)s, -e⟩ *m* **1.** *(Schritt)* passo *m;* **2.** *(Fuß~)* calcio *m,* pedata *f;* **jdm einen ~ geben (***o* **versetzen)** dare un calcio a qu. **Trittbrett** *n* predellino *m,* pedana *f.* **Trittbrettfahrer** *m pej* sciacallo *m.*

Triumph [tri'ʊmf] ⟨-(e)s, -e⟩ *m* trionfo *m.*

triumphieren [...'fi:rən] ⟨*ohne ge-*⟩ *itr* trionfare. **triumphierend I.** *adj* trionfante; **II.** *adv* trionfalmente.

trivial [tri'vi̯a:l] *adj* triviale; *(gewöhnlich)* banale.

Trivialliteratur *f* bellett(e)ristica *f.*

trocken ['trɔkən] *adj* **1.** *(nicht naß)* secco, asciutto; *(bes. geog, meteo)* arido; **2.** *fig (nüchtern)* prosaico, sobrio; *(langweilig)* noioso; **auf dem ~en sitzen** *fig* essere in bolletta *fam;* **im T~en** *(vor Regen geschützt)* al riparo; **~ aufbewahren!** tenere all'asciutto!, preservare dall'umidità!. **Trockenhaube** *f* casco *m.* **Trockenheit** ⟨-, -en⟩ *f* asciuttezza *f; (a. fig)* aridità *f.* **trocken·legen** *tr* prosciugare. **Trockenmilch** *f* latte *m* in polvere. **Trockenobst** *n* frutta *f* secca.

trocknen ['trɔknən] **I.** *tr* ⟨*haben*⟩ asciugare, essiccare; **II.** *itr* ⟨*sein*⟩ asciugare, essiccarsi.

Trockner ['trɔknɐ] ⟨-s, -⟩ *m* asciugabiancheria *m.*

Troddel ['trɔdəl] ⟨-, -n⟩ *f* ghianda *f; (Quaste)* nappa *f.*

Trödel ['trø:dəl] ⟨-s, ø⟩ *m fam* cianfrusaglie *f pl,* roba *f* vecchia.

Trödelei [trø:də'la͜i] ⟨-, -en⟩ *f fam* baloccarsi *m.*

trödeln ['trø:dəln] *itr fam* baloccarsi, gingillarsi.

Trödler(in) ⟨-s, -⟩ *m(f)* **1.** *(Altwarenhändler)* rigattiere, -a *m, f;* **2.** *fam (Bummler)* gingillone -a *m, f fam.*

troff [trɔf] *imp von* **triefen.**

trog [tro:k] *imp von* **trügen.**

Trog [tro:k] ⟨-(e)s, Tröge⟩ *m* trogolo *m.*

Trommel ['trɔməl] ⟨-, -n⟩ *f* tamburo *m;* **die ~ für etw. rühren** *fig fam* battere la grancassa per qc *fam.* **Trommelfell** *n* timpano *m.*

trommeln *itr (auf Trommel)* sonare il tamburo; *(mit Fingern)* tamburellare (*auf +dat* su).

Trommler(in) ⟨-s, -⟩ *m(f)* sonatore, -trice *m, f* di tamburo.

Trompete [trɔm'pe:tə] ⟨-, n⟩ *f* tromba *f.*

trompeten ⟨*ohne ge-*⟩ *itr* sonare la tromba.

Trompeter(in) ⟨-s, -⟩ *m(f)* sonatore, -trice *m, f* di tromba.

Tropen ['tro:pən] ⟨*pl*⟩ tropici *m pl,* zona *f* tropicale, paesi *m pl* tropicali. **Tropenhelm** *m* casco *m* coloniale. **Tropenwald** *m* foresta *f* tropicale.

Tropf [trɔp͜f] ⟨-(e)s, -e⟩ *m med* fleboclisi *f;* **am ~ hängen** avere la fleboclisi.

tropfen ['trɔp͜fən] **I.** *itr* **1.** ⟨*haben*⟩ *(Wasserhahn)* gocciolare; **2.** ⟨*sein*⟩ *(Schweiß, Regen, Tränen)* gocciolare; **II.** *tr* ⟨*haben*⟩ far gocciolare.

Tropfen ⟨-s, -⟩ *m* goccia *f;* **ein guter (***o* **edler) ~** un buon vino; **sein Glas bis auf den letzten ~ leeren** bere fino all'ultima goccia; **das ist ein ~ auf den heißen Stein** *fam* è una goccia nel mare; **steter ~ höhlt den Stein** *prov* la goccia scava la pietra *prov.* **tropfenweise** *adv* goccia a goccia.

tropfnaß ['trɔp͜f'nas] *adj* grondante d'acqua. **Tropfstein** *m (Ab~)* stalattite *f; (Auf~)* stalagmite *f.* **Tropfsteinhöhle** *f* grotta *f.*

Trophäe [tro'fɛ:ə] ⟨-, -n⟩ *f* trofeo *m.*

tropisch *adj* tropicale.

Trost [tro:st] ⟨-es, ø⟩ *m* consolazione *f,* conforto *m;* **als (***o* **zum) ~ bekommst du ...** per consolarti ricevi ...; **du bist wohl nicht ganz (***o* **recht) bei ~?** *fam* sei matto? *fam.*

trösten ['trø:stən] **I.** *tr* consolare, confortare; **II.** *rfl:* **sich ~** consolarsi.

tröstlich *adj* consolante; *(beruhigend)* rassicurante.

trostlos *adj* **1.** *(Mensch)* desolato; **2.** *(Sache, Zustand)* desolante; *(hoffnungslos)* disperato, sconfortante; **3.** *(öde, langweilig)* desolato, triste. **Trostpflaster** *n fam* consolazione *f.* **Trostpreis** *m* premio *m* di consolazione.

Trott [trɔt] ⟨-(e)s, -e⟩ *m* **1.** *(von Pferd)* trotto *m;* **2.** *fig fam* tran tran *m fam.*

Trottel ['trɔtəl] ⟨-s, -⟩ *m fam* cretino *m.*

trotten *itr* ⟨*sein*⟩ trottare.

trotz [trɔt͜s] *prp +gen o +dat* malgrado, nonostante; **~ all(ed)em** malgrado tutto, ciononostante.

Trotz [trɔt͜s] ⟨-es, ø⟩ *m (vorübergehend)* dispetto *m,* resistenza *f,* opposizione *f; (dauernde Eigenschaft)* ostinazione *f;* **aus ~** per dispetto; **jdm/einer S.** *(dat)* **zum ~** a dispetto di qu/qc. **Trotzalter** *n* età *f* dell'opposizione.

trotzdem I. *adv* tuttavia, nonostante ciò;

II. *konj fam* benché +*congv.*
trotzen *itr geh* sfidare (*einer S. (dat)* qc), tener testa (*jdm* a qu).
trotzig *adj* ostinato, caparbio.
Trotzkopf *m* testa *f* dura *fam.* **Trotzreaktion** *f* reazione *f* cocciuta (*o* testarda).
trüb(e) [try:p ('try:bə)] *adj* **1.** *(Flüssigkeit)* torbido; *(Glasscheibe, Spiegel)* opaco; *(beschlagen)* appannato; *(Himmel)* nuvoloso, coperto, grigio; *(Wetter)* cupo, nuvoloso, coperto; *(Augen)* spento; *(Blick)* cupo; **2.** *(~sinnig)* tetro, afflitto; **im ~en fischen** *fam* pescare nel torbido.
Trubel ['tru:bəl] ⟨-s, ø⟩ *m* trambusto *m*, confusione *f.*
trüben I. *tr* **1.** *(Flüssigkeit)* intorbidire; *(Himmel)* offuscare; **2.** *fig (Stimmung, Freude, Freundschaft)* guastare; *(Blick, Urteil)* offuscare; **II.** *rfl:* **sich ~** *(Himmel)* rannuvolarsi.
Trübsal ['try:pza:l] ⟨-, -e⟩ *f* afflizione *f; (Kummer)* dispiacere *m;* **~ blasen** essere abbattuto (*o* depresso). **trübselig** *adj* malinconico. **Trübsinn** *m* malinconia *f.* **trübsinnig** *adj* tetro, cupo, malinconico.
Trübung ⟨-, -en⟩ *f* intorbidamento *m.*
trudeln ['tru:dəln] *itr* ⟨*sein*⟩ *aero* cadere a vite.
Trüffel ['trʏfəl] ⟨-, -n⟩ *f* tartufo *m.*
trug [tru:k] *imp von* **tragen.**
Trug [tru:k] ⟨-(e)s, ø⟩ *m geh (Täuschung)* inganno *m; (Schein)* illusione *f.*
trügen ['try:gən] ⟨trügt, trog, getrogen⟩ **I.** *itr* ingannare; **der Schein trügt** l'apparenza inganna; **II.** *tr* indurre in errore; **wenn mich nicht alles trügt, ...** se non mi sbaglio, ...
trügerisch *adj* ingannevole, illusorio.
Trugschluß *m* falsa conclusione *f.*
Truhe ['tru:ə] ⟨-, -n⟩ *f* cassone *m*, cofano *m.*
Trümmer ['trʏmɐ] ⟨*pl*⟩ *(Bruchstücke)* frammenti *m pl; (Ruinen)* rovine *f pl*, ruderi *m pl; (Schutt)* macerie *f pl;* **in ~ gehen** andare in rovina.
Trumpf [trʊmpf] ⟨-(e)s, Trümpfe⟩ *m* atout *m;* **~ ausspielen** giocare la carta vincente; **alle Trümpfe in der Hand haben** *fig* avere tutti i vantaggi dalla sua.
Trunk [trʊŋk] ⟨-(e)s, *rar* Trünke⟩ *m geh* **1.** *(Getränk)* bevanda *f;* **2.** *pej (~sucht)* bere *m*, vizio *m* del bere.
Trunkenheit ⟨-, ø⟩ *f* ubriachezza *f;* **~ am Steuer** guida in stato di ubriachezza (*o* d'ebbrezza).
Trunksucht *f* alcolismo *m; med* dipsomania *f.*
Truppe ['trʊpə] ⟨-, -n⟩ *f mil* truppa *f; (Künstler)* troupe *f.* **Truppenabbau** *m* riduzione *f* del contigente militare.
Truthahn ['tru:t-] *m* tacchino *m* (maschio). **Truthenne** *f* tacchina *f.*
Tscheche ['tʃɛçə] ⟨-n, -n⟩ *m*, **Tschechin** [...çın] *f* ceco, -a *m, f.*
tschechisch *adj* ceco. **Tschechische Republik** *f* Repubblica *f* Ceca.
Tschechoslowakei [tʃɛçoslova'kai] *f hist:* **die ~** la Cecoslovacchia.
tschechoslowakisch [...'va:kıʃ] *adj* cecoslovacco.
Tschetschenien [tʃe'tʃe:niən] *n* Cecenia *f.*
tschüs, tschüß [tʃʏs *o* tʃy:s] *interj fam* ciao.
T-Shirt ['ti:ʃə:t] ⟨-s, -s⟩ *n* maglietta *f*, t-shirt *f.*
TU [te:'ʔu:] ⟨-, -s⟩ *f abk von* **Technische Universität** Università *f* Tecnica, Politecnico *m.*
Tube ['tu:bə] ⟨-, -n⟩ *f* tubo *m*, tubetto *m.*
tuberkulös [tubɛrku'lø:s] *adj* tubercolotico.
Tuberkulose [...'lo:zə] ⟨-, -n⟩ *f* (*abk* **Tb, Tbc**) tubercolosi *f.*
Tübingen ['ty:bıŋən] *n* Tubinga *f.*
Tuch [tu:x] *n* **1.** ⟨-(e)s, -e⟩ *(Stoff)* panno *m;* **2.** ⟨-(e)s, Tücher⟩ *(Stück Stoff)* pezza *f; (Kopf~, Hals~)* fazzoletto *m; (Hals~)* foulard *m.* **Tuchfühlung** *f:* **auf ~ gehen** entrare a contatto; **in ~ bleiben** rimanere in contatto.
tüchtig ['tʏçtıç] **I.** *adj* **1.** *(gut)* buono, bravo; *(fähig)* capace, abile; *(erfahren)* versato, forte; *(fleißig)* diligente; **2.** *fam (groß, stark)* grande, grosso, forte; *(beachtlich)* notevole, considerevole; **II.** *adv fam (sehr)* molto; *(mit Kraft)* forte, fortemente. **Tüchtigkeit** ⟨-, ø⟩ *f (Fähigkeit)* capacità *f*, abilità *f; (Tüchtigsein)* bravura *f*, valore *m.*
Tücke ['tʏkə] ⟨-, -n⟩ *f* **1.** ⟨*sing*⟩ *(Bosheit)* malvagità *f*, perfidia *f;* **2.** *(heimtückische Tat)* insidia *f*, brutto tiro *m;* **3.** *(Gefahr)* pericolo *m;* **die ~ des Objekts** la malignità delle cose. **tückisch** *adj* **1.** *(heim~)* insidioso; **2.** *(unberechenbar)* imprevedibile.
tüfteln ['tʏftəln] *itr fam* sottilizzare, pignoleggiare *fam.*
Tugend ['tu:gənt] ⟨-, -en⟩ *f* virtù *f.* **tugendhaft** *adj* virtuoso.
Tüll [tʏl] ⟨-s, -e⟩ *m* tulle *m.*
Tülle ['tʏlə] ⟨-, -n⟩ *f (von Kanne)* becco *m; tec* bussola *f*, boccola *f.*
Tulpe ['tʊlpə] ⟨-, -n⟩ *f* tulipano *m.*
tummeln ['tʊməln] *rfl:* **sich ~ 1.** *(umhertollen)* scorazzare; **2.** *dial (sich beeilen)* muoversi.
Tumor ['tu:mo:ɐ, tu'mo:rə(n)] ⟨-s, Tumoren *o fam* Tumore⟩ *m* tumore *m.*
Tümpel ['tʏmpəl] ⟨-s, -⟩ *m* pozzanghera *f; (größerer ~)* stagno *m.*
Tumult [tu'mʊlt] ⟨-(e)s, -e⟩ *m* tumulto *m.*
tun [tu:n] ⟨tut, tat, getan⟩ **I.** *tr* **1.** *allg.* fare; **2.** *(setzen, stellen, legen)* mettere; **viel/wenig zu ~ haben** avere molto/poco da fare; **mit etw. nichts zu ~ haben** non avere niente a che fare con qc; **es mit jdm zu ~ bekommen** *fam* avere a

che fare con qu; **damit ist es nicht getan** non basta, non è finita; **so etwas tut man nicht** questo non si fa; **meine Uhr tut es nicht** *fam* il mio orologio non funziona (*o* va); **du kannst ~ und lassen, was du willst** *fam* sei libero di fare quello che vuoi; **tu, was du nicht lassen kannst!** *fam* fallo se proprio vuoi; **tu mir (bitte) nichts!** non farmi niente, per favore!; **was kann ich für Sie ~?** cosa posso fare per Lei?, in che cosa posso servirLa?; **II.** *itr* fare; **so ~, als ob ...** far finta di *+inf;* **er tut nur so** fa solo per finta; **tu doch nicht so!** *fam* non fare finta!; **tu doch nicht so dumm!** *fam* non fare lo stupido!; **Sie täten besser daran zu ...** Lei farebbe meglio a *+inf;* **III.** *rfl:* **sich ~** succedere; **hier hat sich inzwischen einiges getan** qui nel frattempo è successo qualcosa.

Tünche ['tʏnçə] ⟨-, -n⟩ *f* intonaco *m (o* mano *f)* di calce, vernice *f,* apparenza *f fig.*

tünchen *tr* intonacare, imbiancare.

Tunen ['tju:nən] ⟨-s, ø⟩ *n mot* elaborazione *f.* **tunen** ['tju:nən] *tr mot* elaborare, truccare. **Tuner** ['tju:nɐ] ⟨-s, -⟩ *m* tuner *m,* sintonizzatore *m.*

Tunesien [tu'ne:ziən] *n* Tunisia *f.*

Tuning ['tju:nɪŋ] ⟨-s, ø⟩ *n s.* **Tunen.**

Tunke ['tʊŋkə] ⟨-, -n⟩ *f dial* salsa *f,* sugo *m.*

tunken *tr* intingere, inzuppare.

tunlichst ['tu:nlɪçst] *adv:* **etw. ~ vermeiden** evitare possibilmente qc.

Tunnel ['tʊnəl] ⟨-s, - *o* -s⟩ *m* tunnel *m.*

Tüpfelchen ['tʏpfəlçən] ⟨-s, -⟩ *n* punto *m,* puntino *m;* **das ~ auf dem i** *fig* la ciliegina sulla torta.

tüpfeln *tr* punteggiare, macchiettare.

tupfen ['tʊpfən] *tr* **1.** *(tippen)* toccare con la punta delle dita; **2.** *(ab~)* detergere; **3.** *(tüpfeln)* picchiettare.

Tupfen ⟨-s, -⟩ *m (Fleck)* macchia *f; (Punkt)* punto *m;* **mit weißen ~** a punti bianchi.

Tupfer ⟨-s, -⟩ *m* **1.** *(Fleck)* macchiolina *f;* **2.** *med* tampone *m.*

Tür [ty:ɐ] ⟨-, -en⟩ *f* porta *f; (Wagen~)* portiera *f;* **jdm die ~en einrennen** *fam* continuare a cercare qu per i soliti motivi; **offene ~en einrennen** *fam* sfondare porte aperte; **einer S.** *(dat)* **~ und Tor öffnen** favorire qc; **~ an ~ mit jdm wohnen** abitare porta a porta con qu; **mit der ~ ins Haus fallen** *fam* non fare tanti preamboli; **vor der ~ stehen** *fig* essere imminente; **durch die ~, zur ~ hinaus/herein** attraverso la porta; **zwischen ~ und Angel** *fam* su due piedi; **ihm stehen alle ~en offen** *fig* ha tutte le porte aperte; **du kriegst die ~ nicht zu!** *fam* oh, benedetto il cielo!

Turbine [tʊr'bi:nə] ⟨-, -n⟩ *f* turbina *f.*

Turbolader ⟨-s, -⟩ *m* turbocompressore *m.* **Turbomotor** *m* motore *m* turbo.

turbulent [tʊrbu'lɛnt] *adj* turbolento.

Turbulenz ⟨-, en⟩ *f* turbolenza *f.*

Turin [tu'ri:n] *n* Torino *f.*

Türke ['tʏrkə] ⟨-n, -n⟩ *m,* **Türkin** [...kɪn] *f* turco, -a *m, f.*

Türkei [tʏr'kai] *f:* **die ~** la Turchia.

türkis [tʏr'ki:s] ⟨*geh: inv*⟩ *adj* turchese.

türkisch ['tʏrkɪʃ] *adj* turco; **~er Honig** torrone *m.*

Turkmenistan [tʊrk'me:nɪsta:n] *n* Turkmenistan *m.*

Turm [tʊrm] ⟨-(e)s, Türme⟩ *m* torre *f; (Burg~)* torrione *m; (Kirch~)* campanile *m,* torre *f* campanaria; *(Sprung~)* trampolino *m; mil, mar, aero* torretta *f.*

türmen[1] ['tʏrmən] **I.** *tr* impilare; **II.** *rfl:* **sich ~** ergersi.

türmen[2] ['tʏrmən] *itr* ⟨*sein*⟩ *fam (weglaufen)* tagliare la corda *fam.*

turmhoch *adj* alto come una torre; *(Überlegenheit)* schiacciante. **Turmspringen** ⟨-s, ø⟩ *n* tuffi *m pl.*

Turnanzug *m* tuta *f* da ginnastica.

turnen ['tʊrnən] *itr* far ginnastica. **Turnen** ⟨-s, ø⟩ *n* ginnastica *f.*

Turner(in) ⟨-s, -⟩ *m(f)* ginnasta *mf.*

Turnhalle *f* palestra *f.* **Turnhose** *f* pantaloncini *m pl* da ginnastica.

Turnier [tʊr'ni:ɐ] ⟨-s, -e⟩ *n* concorso *m,* gara *f; (Ritter~, Tennis~)* torneo *m.*

Turnschuhe *m pl* scarpe *f pl* da ginnastica.

Turnus ['tʊrnʊs] ⟨-, -se⟩ *m* turno *m;* **im ~ von ...** a intervalli di ...

Türöffner *m* pulsante *m* apriporta. **Türsteher** *m* portiere *m,* portinaio *m.*

Tusch [tʊʃ] ⟨-(e)s, -e⟩ *m* fanfara *f.*

Tusche ['tʊʃə] ⟨-, -n⟩ *f* inchiostro *m* di china.

tuscheln ['tʊʃəln] *itr* bisbigliare.

Tuschkasten *m* scatola *f* degli inchiostri di china. **Tuschzeichnung** *f* disegno *m* a china.

Tussi ['tʊsi] ⟨-, -s⟩ *f sl pej:* **so eine blöde ~!** proprio un'oca!.

Tüte ['ty:tə] ⟨-, -n⟩ *f (kleine, spitze)* cartoccio *m; (größere)* sacchetto *m,* busta *f.*

TÜV [tʏf] ⟨-(s), -s⟩ *m akr von* **Technischer Überwachungs-Verein** *(Prüfstelle, Einrichtung)* ufficio *m* di sorveglianza tecnica; **durch den ~ kommen** passare la revisione; **mein Wagen hat noch ein Jahr ~** devo far revisionare la macchina fra un anno. **TÜV-Plakette** *f* contrassegno *m* del TÜV.

Typ [ty:p] ⟨-s, -en⟩ *m* tipo *m;* **er ist nicht mein ~** *fam* non è il mio tipo.

Type ['ty:pə] ⟨-, -n⟩ *f* **1.** *typ* carattere *m;* **2.** *fam pej* tipo *m,* sagoma *f.* **Typenradschreibmaschine** *f* macchina *f* da scrivere a margherita (*o* con ruota portacaratteri).

Typhus ['ty:fʊs] ⟨-, ø⟩ *m* tifo *m.*

typisch ['ty:pɪʃ] *adj* tipico, caratteristico.

Typographie [typogra'fi:, ...i:ən] ⟨-, -n⟩ *f* tipografia *f.*

typographisch [typo'gra:fɪʃ] *adj* tipografico.

Tyrann(in) [ty'ran(ɪn)] ⟨-en, -en⟩ *m(f)* tiranno, -a *m, f.*

Tyrannei [tyra'nai̯] ⟨-, -en⟩ *f* tirannia *f.*

tyrannisch *adj* tirannico.

tyrannisieren [...ni'zi:rən] ⟨*ohne ge-*⟩ *tr* tiranneggiare.

U

U, u [u:] ⟨-, -(s)⟩ *n* U, u *f;* **U wie Ulrich** U come Udine.

u. A. w. g. *abk von* **um Antwort wird gebeten** RSVP (*abbr di* Répondez s'il vous plaît; si prega di rispondere).

UB [u:'be:] ⟨-, -s⟩ *f abk von* **Universitätsbibliothek** biblioteca *f* universitaria.

U-Bahn ['u:-] *f kurz für* **Untergrundbahn** metro(politana) *f*, sotterranea *f*.

übel ['y:bəl] **I.** *adj* **1.** *(schlecht)* cattivo; **2.** *(schlimm)* brutto; **(das ist gar) nicht (so)** ~ *fam* mica male; **mir ist (*o* wird)** ~ mi sento male; **II.** *adv* male; ~ **riechen** avere un cattivo odore, puzzare; ~ **dran sein** essere a mal partito; **ich hätte nicht** ~ **Lust zu ...** non mi dispiacerebbe affatto *+inf.* **Übel** ⟨-s, -⟩ *n* male *m;* **das kleinere** ~ il male minore; **zu allem** ~ per il colmo delle sventure. **übelgelaunt** *adj geh* di cattivo umore, di malumore. **Übelkeit** ⟨-, ø⟩ *f* nausea *f.* **übel·nehmen** ⟨*irr*⟩ *tr* prendersela (*o* aversela) a male (*jdm etw.* con qu per qc); **nehmen Sie es mir (bitte) nicht übel!** non se la prenda con me. **übelriechend** *adj* maleodorante, puzzolente; *(Atem)* cattivo. **Übeltäter(in)** *m(f)* malfattore, -trice *m, f; (Verbrecher)* delinquente *mf.*

üben ['y:bən] **I.** *tr* **1.** *(trainieren)* fare esercizi di; *(Gedächtnis)* esercitare; **2.** *fig (zeigen, bekunden)* usare, avere; **3.** *(tun)* fare, commettere; **Geduld/Nachsicht** ~ essere paziente/indulgente; **Kritik an etw.** *(dat)* ~ criticare qc; **II.** *itr* esercitarsi, fare esercizio.

über ['y:bɐ] *prp +akk/+dat* **1.** *(Lage, Richtung)* sopra, su; *(oberhalb)* sopra, al di sopra di; *(auf die andere Seite)* dall'altra parte di; *(jenseits)* oltre; *(a. fig)* al di là di; *(~ hinweg)* su, per; *(quer ~)* attraverso; *(auf dem Weg ~)* (passando) per; **2.** *(während)* durante; *(innerhalb)* tra, fra; *(hindurch)* per; **3.** *(kausal)* di, per; **4.** *(mehr, länger als)* più di; **5.** *(von, betreffend)* di, su, intorno a; **6.** *(vermittels)* per, tramite; **7.** *(bei Zahlenangaben: im Betrag von)* di, da; **Fehler** ~ **Fehler** errori su errori; **ein Film** ~ **Gandhi** un film su Gandhi; **12 Grad** ~ **Null** 12 gradi sopra zero; ~ **etw./jdm stehen** *fig* essere superiore a qc/qu; ~ **jds Kräfte gehen** superare le forze di qu; ~ **fünfzig (Jahre alt) sein** avere più di cinquant'anni; ~ **die Straße gehen** attraversare la strada; ~ **einen Graben springen** saltare un fosso; ~ **und** ~ da capo a piedi, completamente; **die Nacht** ~ di (*o* durante la) notte; ~ **Weihnachten fahre ich nach Hause** vado a casa per Natale; ~ **dem Lesen bin ich eingeschlafen** mi sono addormentato leggendo; **ich liebe Erdbeeren** ~ **alles** le fragole mi piacciono più di ogni altra cosa; *s. a. überhaben.*

überall [y:bɐ'ʔal] *adv* **1.** *(örtlich)* dappertutto, ovunque; **2.** *fig (auf allen Gebieten)* in (*o* di) tutto.

Überangebot *n* offerta *f* eccessiva (*an +dat* di).

überanstrengen [y:bɐ'ʔanʃtrɛŋən] ⟨*ohne ge-*⟩ **I.** *tr* strapazzare, affaticare troppo; **II.** *rfl:* **sich** ~ strapazzarsi, affaticarsi troppo. **Überanstrengung** *f* fatica *f* eccessiva, strapazzo *m.*

überarbeiten [y:bɐ'ʔarbaitən] ⟨*ohne ge-*⟩ **I.** *tr* ritoccare, rivedere; **II.** *rfl:* **sich** ~ lavorare troppo; **er ist total überarbeitet** è completamente sfinito dal troppo lavoro.

überaus ['y:bɐʔaus *o* ...'ʔaus] *adv* estremamente, *oft mit Superlativ übersetzt;* **er ist** ~ **geschickt** è abilissimo.

überbacken [y:bɐ'bakən] ⟨*irr, ohne ge-*⟩ **I.** *tr* gratinare; **II.** *adj* al gratin.

Überbau ⟨-(e)s, -ten⟩ *m* **1.** ⟨*sing*⟩ *philos* sovrastruttura *f;* **2.** *arch* aggetto *m.*

überbeanspruchen ⟨*ohne ge-*⟩ *tr* strapazzare; *tec* sollecitare eccessivamente.

Überbein *n* esostosi *f.*

überbelegt *adj* sovraffollato.

überbelichten ⟨*ohne ge-*⟩ *tr* sovraesporre.

überbetonen ⟨*ohne ge-*⟩ *tr* accentuare eccessivamente.

Überbevölkerung *f* sovrappopolazione *f.*

überbewerten ⟨*ohne ge-*⟩ *tr* sopravvalutare.

überbieten [y:bɐ'bi:tən] ⟨*irr, ohne ge-*⟩ **I.** *tr* **1.** *(bei Auktion)* offrire più di; **2.** *(übertreffen)* superare (*an +dat* in); *(Rekord)* battere; **jdn um 1000 Mark** ~ offrire 1000 marchi più di qu; **das ist an Unverschämtheit nicht mehr zu** ~ è il colmo della sfacciataggine; **II.** *rfl:* **sich** ~ superarsi; **sich gegenseitig in etw.** *(dat)* ~ fare a gara in qc.

Überbleibsel ['y:bɐblaipsəl] ⟨-s, -⟩ *n* **1.** *(Rest)* avanzo *m*, resto *m;* **2.** *(Relikt)* residuo *m*, relitto *m.*

Überblick *m* **1.** *(Übersicht)* visione *f* generale (*o* d'insieme) (*über +akk* di); **2.** *(Aussicht)* panorama *m* (*über +akk* di), vista *f* (*über +akk* su); **3.** *(Zusammenfassung)* sintesi *f* (*über +akk* di, su), sommario *m* (*über +akk* di);

4. *(Orientierung)* orientamento *m;* **den ~ verlieren** perdere la visione d'insieme.
überbringen [y:bɐ'brɪŋən] ⟨*irr, ohne ge-*⟩ *tr* portare; *(aushändigen)* consegnare; *(Glückwünsche, Nachricht)* trasmettere. **Überbringer(in)** ⟨-s, -⟩ *m(f)* portatore, -trice *m, f.*
überbrücken [y:bɐ'brʏkən] ⟨*ohne ge-*⟩ *tr* *(Gegensätze)* superare; *(Zeit)* riempire.
überdenken [y:bɐ'dɛŋkən] ⟨*irr, ohne ge-*⟩ *tr* riflettere su, esaminare.
überdies [y:bɐ'di:s] *adv* inoltre, oltre a ciò; *(obendrein)* per giunta.
Überdosis *f* dose *f* eccessiva; *(bei Rauschgift)* overdose *f.*
überdreht *adj fig fam* elettrizzato.
Überdruck ⟨-(e)s, -drücke⟩ *m* sovrappressione *f.*
Überdruß ['y:bɐdrʊs] ⟨-drusses, ø⟩ *m* noia *f,* tedio *m;* **bis zum ~** fino alla nausea. **überdrüssig** ['y:bɐdrʏsɪç] *adj* stufo, stanco; **einer S.** *(gen)* **~ werden** stancarsi (*o* stufarsi *fam*) di qc.
überdüngen ⟨*ohne ge-*⟩ *tr* fare un uso eccessivo di fertilizzanti.
übereifrig *adj* troppo zelante.
übereilen [y:bɐ'ʔaiIən] ⟨*ohne ge-*⟩ *tr* precipitare, affrettare (troppo). **übereilt** *adj* 1. *(überhastet)* precipitato; 2. *(unüberlegt)* avventato.
übereinander [y:bɐʔai'nandɐ] *adv* 1. *(räumlich)* uno sopra l'altro; 2. *(einander betreffend)* l'uno dell'altro.
übereinander·legen *tr* mettere uno sopra l'altro, sovrapporre.
überein·stimmen [y:bɐ'ain-] *itr* 1. *(die gleiche Meinung haben)* essere d'accordo (*mit jdm in etw. (dat)* con qu su qc); 2. *(gleich sein)* concordare (*mit* con), corrispondere (*mit* a). **übereinstimmend** *adj* 1. *(Meinung)* concorde, conforme; 2. *(identisch)* identico; **~ mit** conformemente a. **Übereinstimmung** *f* concordanza *f* (*mit* con), conformità *f* (*mit* a); *(Harmonie)* armonia *f,* accordo *m;* **in ~ bringen** mettere d'accordo, accordare.
überempfindlich *adj* ipersensibile.
überessen [y:bɐ'ɛsən] ⟨*irr, ohne ge-*⟩ *rfl:* **sich an etw.** *(dat)* **~** mangiare qc fino alla nausea.
überfahren [y:bɐ'fa:rən] ⟨*irr, ohne ge-*⟩ *tr* 1. *(Mensch, Tier)* investire, prendere sotto *fam;* 2. *(Ampel)* oltrepassare; 3. *fam (überrumpeln)* cogliere di sorpresa.
Überfahrt *f* traversata *f.*
Überfall *m* attacco *m* (di sorpresa) (*auf +akk* a), assalto *m* (*auf +akk* a), aggressione *f* (*auf +akk* a); *(Raub~)* rapina *f.*
überfallen [y:bɐ'falən] ⟨*irr, ohne ge-*⟩ *tr* 1. *(angreifen)* attaccare (di sorpresa); *(a. fig)* assalire, aggredire; *(Land)* invadere; *(Bank)* rapinare; 2. *fig (Gedanken, Stimmung, Schlaf)* cogliere; *(Nacht)* cogliere di sorpresa.
überfällig *adj* che ritarda oltre il previsto; *(Verkehrsmittel)* in ritardo.
überfliegen [y:bɐ'fli:gən] ⟨*irr, ohne ge-*⟩ *tr* 1. *(Ort)* sorvolare; 2. *fig (Text)* dare una scorsa a.
Überflieger(in) *m(f) fam* superdotato, -a *m, f,* fenomeno *m.*
über·fließen ⟨*irr*⟩ *itr* ⟨*sein*⟩ 1. *(Flüssigkeit, Gefäß)* traboccare; 2. *fig* profondersi (*vor +dat* in).
überflügeln [y:bɐ'fly:gəln] ⟨*ohne ge-*⟩ *tr* superare, sorpassare.
Überfluß *m* (sovr)abbondanza *f* (*an +dat* di); **~ haben an** abbondare di; **im ~ leben** vivere nell'abbondanza; **zu allem ~** per giunta, come se non bastasse. **Überflußgesellschaft** *f* società *f* opulenta. **überflüssig** *adj* superfluo; *(unnütz)* inutile.
überfordern [y:bɐ'fɔrdɐn] ⟨*ohne ge-*⟩ *tr* chiedere troppo a, esigere troppo da.
überfrachten [y:bɐ'fraxtən] ⟨*ohne ge-*⟩ *tr* *fig* sovraccaricare.
überfragen [y:bɐ'fra:gən] ⟨*ohne ge-*⟩ *tr* chiedere troppo a; **da bin ich überfragt** mi si chiede troppo.
Überfremdung ⟨-, ø⟩ *f* straniamento *m.*
überfrieren [y:bɐ'fri:rən] ⟨*irr, ohne ge-*⟩ *itr* ⟨*sein*⟩: **~de Nässe** strato (*o* velo) *m* di ghiaccio.
überführen [y:bɐ'fy:rən] ⟨*ohne ge-*⟩ *tr* 1. *(transportieren)* trasportare, portare, trasferire; *(Gefangene)* tradurre; *(Auto)* (tras)portare; *(Leiche)* trasportare; 2. *(Verbrecher)* provare la colpevolezza di.
überfüllt [y:bɐ'fʏlt] *adj* sovraffollato.
Übergabe *f* 1. *allg.* consegna *f,* rimessa *f;* 2. *mil* resa *f,* capitolazione *f.*
Übergang *m* 1. *allg.* passaggio *m; (über Gebirge)* valico *m; (über Fluß)* traversata *f;* 2. *fig (Zwischenlösung)* transizione *f;* 3. *(von Farben)* gradazione *f,* sfumatura *f.* **Übergangserscheinung** *f* fatto *m* transitorio. **Übergangslösung** *f* soluzione *f* interlocutoria. **Übergangsstadium** *n* stadio *m* di transizione. **Übergangszeit** *f* 1. *allg.* periodo *m* di transizione; 2. *(Jahreszeit)* mezza stagione *f.*
übergeben [y:bɐ'ge:bən] ⟨*irr, ohne ge-*⟩ **I.** *tr* 1. *(geben)* offrire; *(a. mil)* consegnare; *(Amt)* trasmettere; 2. *(übereignen)* cedere; 3. *(anvertrauen)* affidare; **II.** *rfl:* **sich ~** vomitare.
über·gehen[1] ['y:bɐge:ən] ⟨*irr*⟩ *itr* ⟨*sein*⟩ 1. *(den Besitzer wechseln)* passare (*auf +akk* a, *in andere Hände* in altre mani); 2. *fig (die Tätigkeit ändern)* passare (*zu* a); 3. *(sich wandeln)* trasformarsi (*in +akk* in), mutarsi (*in +akk* in); **ineinander ~** *(Farben)* confondersi.
übergehen[2] [y:bɐ'ge:ən] ⟨*irr, ohne ge-*⟩ *tr* 1. *(auslassen)* tralasciare, omettere;

2. *(nicht berücksichtigen)* dimenticare, ignorare; 3. *(nicht beachten)* non badare a.

Übergewicht *n* 1. *(zuviel Gewicht)* sovrappeso *m*, eccedenza *f* di peso; 2. *fig* preponderanza *f*, predominio *m*; ~ **haben** passare il peso; *fig* prevalere, predominare.

überglücklich *adj* felicissimo, esultante di gioia.

über·haben ⟨*irr*⟩ *tr fam*: **jdn/etw.** ~ *(satt haben)* averne abbastanza di qu/qc, essere stufo di qu/qc *fam*; **ich hatte nur zwei Mark über** mi avanzavano solo due marchi.

überhand·nehmen [y:bɐ'hant-] ⟨*irr*⟩ *itr* prendere il sopravvento, aumentare.

überhäufen [y:bɐ'hɔyfən] ⟨*ohne ge-*⟩ *tr* colmare (*mit* di); *(mit Vorwürfen, Geschenken, Arbeit)* caricare (*mit* di); *(überlasten)* sovraccaricare (*mit* di); **mit Arbeit überhäuft** sommerso dal lavoro.

überhaupt [y:bɐ'haupt] *adv* 1. *(im allgemeinen)* in genere; 2. *(besonders)* soprattutto; 3. *(bei Verneinungen: ganz und gar)* assolutamente, affatto; 4. *(in Fragen: eigentlich)* ma, poi; ~ **nicht** non ... assolutamente, non ... affatto; ~ **nichts** proprio niente; **wenn** ~ se mai; **ich denke ~ nicht daran zu** ... non ci penso neppure a +*inf*; **ich habe ~ keine Ahnung** non (ne) ho la minima idea; **er spielt nicht nur gut Tennis, er ist ~ sehr sportlich** non solo gioca bene a tennis, ma in genere è molto sportivo; **gibt es diesen Ausdruck** ~? ma esiste questa espressione?

überhitzen [y:bɐ'hɪtsən] ⟨*ohne ge-*⟩ *tr* surriscaldare.

überheblich [y:bɐ'he:plɪç] *adj* presuntuoso, arrogante.

überhöht [y:bɐ'hø:t] *adj (Preise, Geschwindigkeit)* eccessivo.

überholen [y:bɐ'ho:lən] ⟨*ohne ge-*⟩ *tr* 1. *(vorbeifahren, -gehen)* sorpassare; *(a. sport, fig)* superare; 2. *tec (überprüfen)* revisionare, mettere a punto; **etw. gründlich** ~ fare la revisione completa di qc; **Ü~ verboten!** divieto di sorpasso!. **Überholspur** *f* corsia *f* di sorpasso.

überholt [y:bɐ'ho:lt] *adj (veraltet)* antiquato.

überhören [y:bɐ'hø:rən] ⟨*ohne ge-*⟩ *tr* non sentire (*o* udire); *(absichtlich)* far finta di non sentire; *(nicht achten auf)* non badare a; **das möchte ich überhört haben!** *fam* preferisco far finta di non aver sentito.

Über-Ich *n* super-io *m*.

überirdisch *adj* 1. *(oberirdisch)* sopra terra; 2. *(übernatürlich)* soprannaturale; *(geistig)* spirituale.

Überkapazität *f* eccesso *m* di capacità (produttiva).

überkleben [y:bɐ'kle:bən] ⟨*ohne ge-*⟩ *tr* *(Aufschrift, Plakat)* incollare (sopra); **einen Gegenstand mit etw.** ~ incollare qc sopra un oggetto.

über·kochen *itr* ⟨*sein*⟩ traboccare (bollendo).

überkommen [y:bɐ'kɔmən] ⟨*irr, ohne ge-*⟩ *tr* ⟨*sein*⟩: **ihn überkam (die) Furcht** fu colto dalla paura.

überladen [y:bɐ'la:dən] ⟨*irr, ohne ge-*⟩ *tr* sovraccaricare (*mit* di), ingombrare (*mit* di).

überlagern [y:bɐ'la:gɐn] ⟨*ohne ge-*⟩ **I.** *tr* *(über etw. liegen, überlappen)* sovrapporre; *fig (überschneiden)* interferire, sovrapporre; **II.** *rfl*: **sich** ~ sovrapporsi.

Überlänge *f* lunghezza *f* eccessiva; **ein Film mit** ~ un film di lunghezza eccessiva.

überlappen [y:bɐ'lapən] ⟨*ohne ge-*⟩ *rfl*: **sich** ~ sovrapporsi.

überlassen[1] [y:bɐ'lasən] ⟨*irr, ohne ge-*⟩ *tr* 1. *allg.* lasciare; 2. *(anvertrauen)* affidare; 3. *(abtreten)* cedere; 4. *(anheimstellen)* lasciare, rimettere; **jdn sich** *(dat)* **selbst** ~ abbandonare qu a sé stesso; **jdn seinem Schicksal** ~ abbandonare qu al suo destino; **das überlasse ich Ihnen** mi rimetto a Lei; ~ **Sie das bitte mir!** lasci fare a me.

über·lassen[2] ['y:bɐlasən] ⟨*irr*⟩ *fam* *s.* **übriglassen.**

überlasten [y:bɐ'lastən] ⟨*ohne ge-*⟩ *tr* sovraccaricare. **Überlastung** ⟨-, -en⟩ *f* sovraccarico *m*.

über·laufen[1] ['y:bɐlaufən] ⟨*irr*⟩ *itr* ⟨*sein*⟩ 1. *(Flüssigkeit, Gefäß)* traboccare; 2. *mil* disertare; **zum Feind** ~ passare al nemico.

überlaufen[2] [y:bɐ'laufən] ⟨*irr, ohne ge-*⟩ *tr fig*: **es überlief mich kalt (dabei)** fui colto dai brividi.

überlaufen[3] [y:bɐ'laufən] *adj* sovraffollato.

Überläufer *m* disertore *m*.

überleben [y:bɐ'le:bən] ⟨*ohne ge-*⟩ **I.** *tr* sopravvivere (*etw./jdn* a qc/qu); **II.** *rfl*: **das hat sich längst überlebt** ciò è superato, ha già fatto il suo tempo. **Überlebende** ⟨ein -r, -n, -n⟩ *mf* superstite *mf*, sopravvissuto, -a *m, f*. **überlebensgroß** *adj* più grande del naturale.

überlegen[1] [y:bɐ'le:gən] ⟨*ohne ge-*⟩ **I.** *tr* riflettere su, pensare a, considerare; **sich** *(dat)* **etw. gut (*o* reiflich)** ~ riflettere bene su qc; **es sich** *(dat)* **anders** ~ cambiare idea; **es wäre zu ~, ob** ... sarebbe da considerare se ...; **ich will es mir** ~ ci penserò; **II.** *itr* riflettere, meditare; **hin und her** ~ pensarci su; **ohne lange zu** ~ senza pensarci tanto.

überlegen[2] [y:bɐ'le:gən] *adj* superiore (*jdm an etw. (dat)* a qu per qc). **Überlegenheit** ⟨-, ø⟩ *f* superiorità *f* (*gegenüber* su).

überlegt [y:bɐ'le:kt] **I.** *adj* ponderato,

meditato; **II.** *adv* con ponderazione.

Überlegung [yːbɐˈleːgʊŋ] ⟨-, -en⟩ *f* **1.** *(Überlegen)* riflessione *f;* **2.** *(Besonnenheit)* ponderatezza *f;* **~en anstellen** fare delle riflessioni; **nach reiflicher ~** dopo matura riflessione; **ohne ~** senza riflettere.

überlesen [yːbɐˈleːzən] ⟨*irr, ohne ge-*⟩ *tr* *(übersehen)* sorvolare.

überliefern [yːbɐˈliːfɐn] ⟨*ohne ge-*⟩ *tr* **1.** *(Bräuche)* tramandare, trasmettere; **2.** *geh (der Justiz)* consegnare alla giustizia. **Überlieferung** *f* tradizione *f.*

überlisten [yːbɐˈlɪstən] ⟨*ohne ge-*⟩ *tr* ingannare, sopraffare con astuzia.

Übermacht *f* superiorità *f,* forza *f* superiore; *(Vorherrschaft)* predominio *m;* **in der ~ sein** essere superiore.

übermalen [yːbɐˈmaːlən] ⟨*ohne ge-*⟩ *tr* riverniciare, ricoprire con una mano di colore.

Übermaß *n* eccesso *m* (*an +dat, von* di); **etw. im ~ haben** avere qc in grande abbondanza; **im ~** in eccesso, a dismisura.

übermäßig I. *adj* eccessivo; *(maßlos)* smisurato; *(übertrieben)* esagerato; **II.** *adv* oltre misura; *(allzuviel)* troppo.

Übermensch *m* superuomo *m.* **übermenschlich** *adj* soprannaturale.

übermitteln [yːbɐˈmɪtəln] ⟨*ohne ge-*⟩ *tr* trasmettere; *(Grüße)* portare.

übermorgen *adv* dopodomani, domani l'altro.

übermüdet [yːbɐˈmyːdət] *adj* spossato, sfinito. **Übermüdung** ⟨-, ø⟩ *f* spossatezza *f,* estenuazione *f.*

Übermut *m* sfrenatezza *f.* **übermütig** [ˈyːbɐmyːtɪç] *adj (Mensch)* sfrenato; *(tollkühn)* temerario.

übernächste(r, s) *adj:* **die ~ Haltestelle** la seconda fermata; **~n Montag** lunedì l'altro; **~ Woche** fra due settimane.

übernachten [yːbɐˈnaxtən] ⟨*ohne ge-*⟩ *itr* pernottare, passare la notte. **übernächtigt** *adj* spossato (per aver dormito meno del necessario). **Übernachtung** ⟨-, -en⟩ *f* pernottamento *m;* **~ mit Frühstück** pernottamento e colazione.

Übernahme [ˈyːbɐnaːmə] ⟨-, -n⟩ *f* **1.** *(von Schulden, Amt, Methode)* assunzione *f;* **2.** *(Annahme)* accettazione *f,* presa *f* in consegna.

übernatürlich *adj* soprannaturale.

übernehmen [yːbɐˈneːmən] ⟨*irr, ohne ge-*⟩ **I.** *tr* **1.** *allg.* assumere; *(Methode)* adottare; *(Kosten, Verantwortung)* assumersi; **2.** *(sich verpflichten)* impegnarsi (*zu* a), incaricarsi (*zu* di); **3.** *(entgegennehmen)* accettare, prendere in consegna; *sport* prendere; **4.** *(Textstelle)* riprendere; **5.** *(stellvertretend)* assumersi; **II.** *rfl:* **sich bei der Arbeit ~** affaticarsi troppo lavorando; **er hat sich (finanziell) übernommen** ha fatto il passo più lungo della gamba *fam.*

Überproduktion *f* sovrapproduzione *f.*

überprüfen [yːbɐˈpryːfən] ⟨*ohne ge-*⟩ *tr* esaminare, rivedere; *(kontrollieren)* controllare, verificare; *(als Sachverständiger)* ispezionare. **Überprüfung** *f* esame *m,* controllo *m,* verifica *f,* ispezione *f.*

überqueren [yːbɐˈkveːrən] ⟨*ohne ge-*⟩ *tr* attraversare.

überragen[1] [yːbɐˈraːgən] ⟨*ohne ge-*⟩ *tr* **1.** *(an Größe)* superare; **2.** *fig (übertreffen)* essere superiore *(jdn an etw. (dat)* a qu per qc).

über·ragen[2] [ˈyːbɐraːgən] *itr (überstehen)* sporgere.

überragend [yːbɐˈraːgənt] *adj fig* eccellente; *(Persönlichkeit)* eminente.

überraschen [yːbɐˈraʃən] ⟨*ohne ge-*⟩ *tr* sorprendere; *(freudig ~ a.)* fare una sorpresa a; **lassen wir uns ~** stiamo a vedere; **ich war angenehm überrascht** è stata una piacevole sorpresa per me. **überraschend I.** *adj* sorprendente; *(unerwartet)* inaspettato, inatteso; **II.** *adv:* **~ kommen** giungere di sorpresa; **~ schnell** in modo straordinariamente rapido. **überrascht** *adj* sorpreso (*über +akk, von* di, da, per), stupito (*über +akk, von* di, per). **Überraschung** ⟨-, -en⟩ *f* sorpresa *f.* **Überraschungseffekt** *m* effetto *m* a sorpresa.

überreden [yːbɐˈreːdən] ⟨*ohne ge-*⟩ *tr* persuadere; **sich ~ lassen** lasciarsi convincere. **Überredungskunst** *f* arte *f* della persuasione; *pl* modi *m pl* persuasivi.

überregional *adj* sovraregionale.

überreichen [yːbɐˈraiçən] ⟨*ohne ge-*⟩ *tr* consegnare; *(feierlich)* offrire.

überreif *adj* troppo maturo.

Überrest *m* resto *m,* avanzo *m.*

Überrollbügel *m mot* barra *f* di sicurezza, roll-bar *m.*

überrumpeln [yːbɐˈrʊmpəln] ⟨*ohne ge-*⟩ *tr* sorprendere; **jdn mit einer Frage ~** cogliere di sorpresa qu con una domanda.

überrunden [yːbɐˈrʊndən] ⟨*ohne ge-*⟩ *tr* superare di un giro, doppiare.

übersät [yːbɐˈzɛːt] *adj* cosparso (*mit, von* di).

übersättigen [yːbɐˈzɛtɪgən] ⟨*ohne ge-*⟩ *tr* satollare, ingozzare. **übersättigt** [yːbɐˈzɛtɪçt] *adj* sazio.

Überschallflugzeug *n* aereo *m* supersonico. **Überschallgeschwindigkeit** *f* velocità *f* supersonica.

überschatten [yːbɐˈʃatən] ⟨*ohne ge-*⟩ *tr* *fig* turbare.

überschätzen [yːbɐˈʃɛtsən] ⟨*ohne ge-*⟩ *tr* sopravvalutare.

überschaubar [yːbɐˈʃaubaːɐ̯] *adj* **1.** *(Gelände)* di facile orientamento; **2.** *fig* chiaro; *(beschränkt)* limitato.

über·schäumen *itr* ⟨*sein*⟩ traboccare (spumeggiando); *fig* traboccare (*vor +dat* di); **~de Begeisterung/Freude** entusiasmo/gioia traboccante.

überschlafen [y:bɐ'ʃla:fən] ⟨*irr, ohne ge-*⟩ *tr:* **etw.** ~ dormirci sopra.

Überschlag *m* **1.** *sport* salto *m* mortale; *aero* looping *m;* **2.** *(ungefähre Berechnung)* calcolo *m* approssimativo.

überschlagen[1] [y:bɐ'ʃla:gən] ⟨*irr, ohne ge-*⟩ **I.** *tr* **1.** *(auslassen)* saltare, tralasciare; **2.** *(ungefähr berechnen)* fare un calcolo approssimativo di; **II.** *rfl:* **sich** ~ **1.** *(Mensch, Fahrzeug)* capovolgersi, ribaltarsi; *mot* cappottare; **2.** *(Stimme)* dare nel falsetto; **3.** *fig (Ereignisse)* susseguirsi con rapidità travolgente; **sich vor Liebenswürdigkeit** ~ profondersi in gentilezze.

über·schlagen[2] ['y:bɐʃla:gən] ⟨*irr*⟩ *tr (Beine)* accavallare; *(Arme)* incrociare.

über·schnappen *itr* ⟨*sein*⟩ *fam* impazzire, dar di volta il cervello *fam.*

überschneiden [y:bɐ'ʃnaidən] ⟨*irr, ohne ge-*⟩ *rfl:* **sich** ~ **1.** *(räumlich)* incrociarsi; **2.** *(zeitlich)* coincidere, accavallarsi.

überschreiben [y:bɐ'ʃraibən] ⟨*irr, ohne ge-*⟩ *tr* **1.** *(mit Überschrift)* intitolare; **2.** *(übertragen)* intestare; **3.** *ökon* trasmettere, passare.

überschreiten [y:bɐ'ʃraitən] ⟨*irr, ohne ge-*⟩ *tr* **1.** *allg.* passare; *(überqueren)* attraversare; *(Schwelle, a. fig)* varcare; **2.** *fig* oltrepassare, superare; *(übertreten)* trasgredire; *(Geschwindigkeit)* superare; **seine Befugnisse** ~ andare al di là delle proprie competenze; **das überschreitet seine Fähigkeiten** ciò va oltre le sue capacità.

Überschrift *f* titolo *m,* intestazione *f.*

überschuldet *adj* oberato di debiti.

Überschuß *m* eccedenza *f* (*an +dat* di). **überschüssig** ['y:bɐʃʏsɪç] *adj* eccedente, in eccedenza.

überschütten [y:bɐ'ʃʏtən] ⟨*ohne ge-*⟩ *tr* **1.** *(bedecken)* ricoprire (*mit* di); **2.** *fig (überhäufen)* colmare (*mit* di); **jdn mit Fragen** ~ bombardare qu di domande; **jdn mit Vorwürfen** ~ sommergere (*o* ricoprire) qu di rimproveri.

überschwemmen [y:bɐ'ʃvɛmən] ⟨*ohne ge-*⟩ *tr (a. fig)* inondare (*mit* di). **Überschwemmung** ⟨-, -en⟩ *f* inondazione *f,* alluvione *f.* **Überschwemmungsgebiet** *n* regione *f* alluvionata.

überschwenglich ['y:bɐʃvɛŋlɪç] *adj* esuberante; *(Lob)* entusiastico.

Übersee *f:* **in/nach** ~ oltremare; **von** ~ d'oltremare. **Überseedampfer** *m* transatlantico *m.* **überseeisch** *adj* d'oltremare, transoceanico.

übersehbar [y:bɐ'ze:ba:ɐ̯] *adj* **1.** *(Gelände)* che si può abbracciare con lo sguardo; **2.** *fig* calcolabile.

übersehen [y:bɐ'ze:ən] ⟨*irr, ohne ge-*⟩ *tr* **1.** *(Gelände)* abbracciare con lo sguardo; **2.** *fig* calcolare, valutare; *(Lage)* realizzare; **3.** *(nicht bemerken)* non vedere, lasciarsi scappare; **4.** *(ignorieren)* ignorare.

übersenden [y:bɐ'zɛndən] ⟨*irr, ohne ge-*⟩ *tr* spedire, inviare, mandare.

über·setzen[1] ['y:bɐzɛtsən] **I.** *tr* ⟨*haben*⟩ *(mit Fähre)* traghettare; **II.** *itr* ⟨*sein*⟩ passare all'altra sponda.

übersetzen[2] [y:bɐ'zɛtsən] ⟨*ohne ge-*⟩ *tr* **1.** *ling* tradurre (*aus dem ... ins* dal ... in); **2.** *fig (wiedergeben)* rendere; **3.** *tec* moltiplicare. **Übersetzer(in)** ⟨-s, -⟩ *m(f)* traduttore, -trice *m, f.* **Übersetzung** ⟨-, -en⟩ *f* **1.** *ling* traduzione *f;* **2.** *tec* trasmissione *f.* **Übersetzungsbüro** *n* agenzia *f* traduzioni. **Übersetzungscomputer** *m* traduttore *m* elettronico.

Übersicht ⟨-, -en⟩ *f* **1.** ⟨*sing*⟩ *(Überblick)* visione *f* d'insieme (*über +akk* di); *(Orientierung)* orientamento *m* (*über +akk* su); **2.** *(Darstellung)* quadro *m; (Tabelle)* tavola *f* (sinottica); *(Abriß)* compendio *m.* **übersichtlich** *adj* **1.** *(Gelände)* aperto; *(Kreuzung)* ben visibile; **2.** *(erfaßbar)* chiaro; ~ **angeordnet** ben disposto.

über·siedeln ['y:bɐzi:dəln *o* ybɐ'zi:dəln] ⟨*ohne o mit ge-*⟩ *itr* ⟨*sein*⟩ trasferirsi. **Übersiedler(in)** *m(f) hist cittadino, -a della ex RDT trasferitosi nella RFT.*

übersinnlich *adj* extrasensoriale, soprannaturale, trascendentale.

überspielen [y:bɐ'ʃpi:lən] ⟨*ohne ge-*⟩ *tr* **1.** *radio, TV* registrare; **2.** *fig (verdekken)* passare sopra a.

überspitzt [y:bɐ'ʃpɪtst] *adj* esagerato.

überstehen[1] [y:bɐ'ʃte:ən] ⟨*irr, ohne ge-*⟩ *tr* **1.** *(überwinden)* vincere; *(Krise, Krankheit)* superare; *(ertragen)* sopportare; **2.** *(überleben)* sopravvivere a; **das wäre überstanden!** ce l'abbiamo fatta!; **das Schlimmste ist überstanden** il peggio è passato.

über·stehen[2] ['y:bɐʃte:ən] ⟨*irr*⟩ *itr* ⟨*haben o sein*⟩ *(hervorragen)* sporgere, aggettare.

übersteigen [y:bɐ'ʃtaigən] ⟨*irr, ohne ge-*⟩ *tr* **1.** *(Hindernis)* scavalcare; **2.** *fig* superare.

überstimmen [y:bɐ'ʃtɪmən] ⟨*ohne ge-*⟩ *tr* battere nella votazione; *(Antrag)* mettere in minoranza.

überstrapazieren ⟨*ohne ge-*⟩ *tr:* **jds Geduld** ~ abusare della pazienza di qu.

Überstunde *f* (ora *f* di lavoro) straordinario *m;* ~**n machen** fare lo straordinario.

überstürzen [y:bɐ'ʃtʏrtsən] ⟨*ohne ge-*⟩ *tr* affrettare, precipitare; **nur nichts** ~**!** non precipitare le cose! **überstürzt I.** *adj* precipitato, precipitoso; **II.** *adv* in modo precipitoso.

übertariflich *adj* eccedente la tariffa.

übertölpeln [y:bɐ'tœlpəln] ⟨*ohne ge-*⟩ *tr* abbindolare, gabbare.

übertönen ⟨*ohne ge-*⟩ *tr* superare in intensità un suono.

Übertopf *m* portavasi *m*.
Übertrag ['y:bətra:k] ⟨-(e)s, -träge⟩ *m* riporto *m*.
übertragbar [y:bə'tra:kba:ɐ̯] *adj jur, fin* trasferibile (*auf +akk* a).
übertragen [y:bə'tra:gən] ⟨*irr, ohne ge-*⟩ **I.** *tr* **1.** *med* trasmettere (*auf +akk* a); *(Blut)* trasfondere; *(Organe)* trapiantare; **2.** *jur (Besitz)* trasferire (*auf +akk* a); **3.** *fin (Wechsel)* girare (*auf +akk* su); **4.** *(Amt, Aufgabe)* affidare (*jdm* a qu); *(Vollmacht)* conferire (*jdm* a qu); **5.** *ökon* riportare (*auf +akk* su); **6.** *(an anderer Stelle schreiben)* trascrivere (*auf +akk* su); **7.** *(anwenden)* applicare (*auf +akk* a); **8.** *(übersetzen)* tradurre (*ins Italienische* in italiano); **9.** *radio, TV* mandare in onda; *(a. tec)* trasmettere; **direkt** ~ trasmettere in diretta; **auf jds Namen** ~ registrare sul nome di qu; **in ~er Bedeutung** in senso figurato; **II.** *rfl:* **sich** ~ trasmettersi (*auf +akk* a); *(a. fig)* comunicarsi (*auf jdn* a qu).
Übertragung ⟨-, -en⟩ *f* **1.** *med* trasmissione *f*; *(Ansteckung)* contagio *m*; *(Blut~)* trasfusione *f* (di sangue); *(Organ~)* trapianto *m*; **2.** *jur (von Besitz)* trasferimento *m*; **3.** *(von Wechsel)* girata *f*; **4.** *(von Amt, Aufgabe)* assegnazione *f*; **5.** *ökon* riporto *m*; **6.** *(Übersetzung)* traduzione *f*; **7.** *radio, TV, tec* trasmissione *f*.
übertreffen [y:bə'trɛfən] ⟨*irr, ohne ge-*⟩ *tr* superare (*an +dat* in); *(bes. sport)* battere (*an +dat* in); **sich selbst** ~ superarsi.
übertreiben [y:bə'tra̲ibən] ⟨*irr, ohne ge-*⟩ *tr* **1.** *(exzessiv betreiben)* esagerare con, eccedere in; **2.** *(aufbauschen, a. itr)* esagerare. **Übertreibung** ⟨-, -en⟩ *f* esagerazione *f*.
über·treten[1] ['y:bətre:tən] ⟨*irr*⟩ *itr* ⟨*sein*⟩ **1.** *sport* oltrepassare (*über* etw. *(akk)*qc); **2.** *fig (zu anderer Partei)* passare (*zu* a); *(zu anderer Konfession)* convertirsi (*zu* a).
übertreten[2] [y:bə'tre:tən] ⟨*irr, ohne ge-*⟩ *tr* **1.** *(Grenze)* (oltre)passare; **2.** *(Regel, Vorschrift)* violare, contravvenire a. **Übertretung** ⟨-, -en⟩ *f* trasgressione *f*, violazione *f*.
übertrieben [y:bə'tri:bən] *adj* esagerato; *(übermäßig)* eccessivo; *(Preis)* esorbitante.
übervorteilen [y:bə'fɔrta̲ilən] ⟨*ohne ge-*⟩ *tr* imbrogliare, truffare.
überwachen [y:bə'vaxən] ⟨*ohne ge-*⟩ *tr* sorvegliare; *(kontrollieren)* controllare; *(beschatten)* pedinare. **Überwachung** ⟨-, -en⟩ *f* sorveglianza *f*; *(Kontrolle)* controllo *m*.
überwältigen [y:bə'vɛltɪgən] ⟨*ohne ge-*⟩ *tr (a. fig)* sopraffare; *(erschüttern)* sconvolgere; **~d** travolgente; *(Mehrheit)* schiacciante; **nicht ~d** *iron* niente di speciale; **von Müdigkeit überwältigt werden** essere sopraffatto dalla stanchezza; **ich war von seiner Schönheit überwältigt** ero sconvolto dalla sua bellezza.
überweisen [y:bə'va̲izən] ⟨*irr, ohne ge-*⟩ *tr* **1.** *(Geld)* rimettere; **2.** *(Patienten, Kunden)* mandare (*zu* da, *an +akk* a); **auf jds Konto** ~ versare sul conto di qu. **Überweisung** *f* **1.** *(Geld~)* trasferimento *m*; **2.** *(~sschein vom Arzt)* richiesta *f* da parte del medico curante di visita specialistica.
überwiegen [y:bə'vi:gən] ⟨*irr, ohne ge-*⟩ *itr* prevalere, predominare. **überwiegend** **I.** *adj* prevalente, predominante; **die ~e Mehrheit** la stragrande maggioranza; **der ~e Teil** la parte preponderante; **II.** *adv* in prevalenza.
überwinden [y:bə'vɪndən] ⟨*irr, ohne ge-*⟩ **I.** *tr allg., fig* superare; *(besiegen)* vincere; **II.** *rfl:* **sich ~, etw. zu tun** sforzarsi di fare qc. **Überwindung** *f* **1.** *(von Schwierigkeit, Problem)* superamento *m*; **2.** *(Selbst~)* sforzo *m*; **es hat mich ~ gekostet** ho dovuto superarmi.
überwintern [y:bə'vɪntən] ⟨*ohne ge-*⟩ *itr* svernare, passare l'inverno.
Überzahl *f*: **in der ~ sein** essere in maggioranza. **überzählig** ['y:bɐt͡sɛ:lɪç] *adj*: **~ sein** essere in soprannumero.
überzeugen [y:bə't͡sɔygən] ⟨*ohne ge-*⟩ **I.** *tr (durch Gründe, Beweise)* convincere (*von* di); **überzeugter Marxist/Christ** marxista/cristiano convinto; **ich bin davon überzeugt, daß ...** sono convinto che ...; **sie ist sehr überzeugt von sich** è piena di sé; **II.** *rfl:* **sich** ~ convincersi (*von* di); *(sich vergewissern)* sincerarsi (*von* di); **~ Sie sich selbst!** guardi Lei stesso!. **überzeugend** *adj* convincente, persuasivo; *(Gründe)* plausibile. **Überzeugung** *f* convinzione *f*; **der ~ sein, daß ...** essere convinto che *+congv;* **im Brustton der ~** con la massima convinzione; **aus ~** per convinzione. **Überzeugungskraft** *f* forza *f* di persuasione.
überziehen [y:bə't͡si:ən] ⟨*irr, ohne ge-*⟩ **I.** *tr* **1.** *(mit Stoff, Leder)* rivestire (*mit* di), ricoprire (*mit* di); **2.** *(Konto)* scoprire (*um* di); **3.** *(bes. radio, TV, a. itr)* protrarre; **ein Bett (frisch) ~** cambiare le lenzuola; **II.** *rfl:* **sich ~** *(Himmel)* coprirsi (*mit* di). **Überziehungskredit** *m* fido *m* bancario.
üblich ['y:plɪç] *adj* usuale, consueto, solito; *(geläufig)* corrente; *(normal)* normale; **wie ~** come al solito; **es ist ~ zu ...** si usa *+inf;* **das ist nicht mehr ~** non si usa più.
U-Boot ['u:-] *n* sommergibile *m*, sottomarino *m*.
übrig ['y:brɪç] *adj* rimanente, restante; **der/die/das ~e ...** il resto di ...; **das**

~**e** il resto; **die** ~**en** gli altri; **im** ~**en** del resto; *(außerdem)* inoltre; ~ **sein** rimanere, restare; **für jdn nichts** ~ **haben** avere antipatia per qu; **für Kunst hat er nichts** ~ l'arte non gli interessa; **ich habe noch ein Bonbon** ~ mi avanza ancora una caramella. **übrig·bleiben** ⟨*irr*⟩ *itr* ⟨*sein*⟩ avanzare, restare, rimanere; **es bleibt nichts anderes übrig, als ...** non resta altro da fare che +*inf*.

übrigens ['y:brɪgəns] *adv* del resto, d'altronde; *(nebenbei bemerkt)* a proposito.

übrig·lassen ⟨*irr*⟩ *tr* lasciare (d'avanzo); **zu wünschen** ~ lasciare a desiderare.

Übung ['y:bʊŋ] ⟨-, -en⟩ *f* **1.** *allg., sport, rel, mus, gram* esercizio *m; (mil, Universität)* esercitazione *f;* **2.** ⟨*sing*⟩ *(Praxis)* pratica *f,* esercizio *m;* **aus der** ~ **kommen** perdere l'esercizio; **in** ~ **bleiben** restare (*o* tenersi) in esercizio; ~ **macht den Meister** *prov* l'esercizio è un buon maestro.

UdSSR [u:de:ɛsˀɛsˈˀɛr] ⟨-, ø⟩ *f abk von* **Union der Sozialistischen Sowjetrepubliken** *hist* U.R.S.S. *f* (*abbr di* Unione delle Repubbliche Socialiste Sovietiche).

Ufer ['u:fɐ] ⟨-s, -⟩ *n* riva *f,* sponda *f;* **am** ~ sulla riva; **über die** ~ **treten** straripare. **uferlos** *adj fig* interminabile, senza fine; **ins** ~**e führen** perdersi nell'infinito.

Ufo, UFO ['u:fo] ⟨-(s), -s⟩ *n abk von* **unbekanntes Flugobjekt** U.F.O. *m.*

U-Haft *f fam abk von* **Untersuchungshaft** detenzione *f* preventiva.

Uhr [u:ɐ̯] ⟨-, -en⟩ *f* **1.** *allg.* orologio *m;* **2.** *tec (Zähler)* contatore *m;* **3.** *(bei Zeitangaben)* ora *f,* ore *f pl, oft unübersetzt;* **um acht (~)** alle otto; **um 12** ~ **mittags/nachts** a mezzogiorno/mezzanotte; **es ist halb drei (~)** sono le due e mezza; **wieviel** ~ **ist es?** che ore sono?; **um wieviel** ~? a che ora?; **er ist rund um die** ~ **beschäftigt** è occupato 24 ore su 24. **Uhrmacher(in)** ⟨-s, -⟩ *m(f)* orologiaio, -a *m, f.* **Uhrwerk** *n* meccanismo *m* (*o* movimento *m*) dell'orologio, orologeria *f.* **Uhrzeigersinn** *m:* **entgegen dem/im** ~ in senso anti-orario/orario. **Uhrzeit** *f* ora *f.*

Uhu ['u:hu] ⟨-s, -s⟩ *m* gufo *m.*

Ukraine [ukra'i:nə *o* u'kr̲a̲i̲nə] ⟨-, ø⟩ *f* Ucraina *f.*

UKW [u:ka:'ve:] *abk von* **Ultrakurzwelle** onda *f* ultracorta.

Ulme ['ʊlmə] ⟨-, -n⟩ *f* olmo *m.*

Ulrich ['ʊlrɪç] *(männlicher Vorname)* Ulrico.

Ulrike [ʊl'ri:kə] *(weiblicher Vorname)* Ulrica.

Ultimaten *pl von* **Ultimatum.**

ultimativ [ʊltima'ti:f] *adj* ultimativo.

Ultimatum [ʊlti'ma:tʊm, ...tən *o* ...tʊms] ⟨-s, -ten *o* -s⟩ *n* ultimatum *m;* **jdm ein** ~ **stellen** porre un ultimatum a qu.

ultrahocherhitzt *adj* sottoposto ad altissima temperatura; ~**e Milch** latte a lunga conservazione UHT.

Ultraschall ['ʊltra-] *m* ultrasuono *m.* **Ultraschallgerät** *n* ecografo *m.* **Ultraschalluntersuchung** *f* ultrasonografia *f,* ecografia *f.*

ultraviolett *adj* (*abk* **UV**) ultravioletto.

um [ʊm] **I.** *prp +akk* **1.** *(~ herum)* intorno (*o* attorno) a; **2.** *(neben)* vicino (*o* accanto) a, con; **3.** *(bei Uhrzeiten)* a; *(bei ungefähren Zeitangaben)* verso; **4.** *(Differenz angebend)* di; **5.** *(für)* per, a; **6.** *(wegen)* per; ~ **Geld spielen** giocare a soldi; **jdn** ~ **etw. bringen** far perdere qc a qu; ~ **fünf Uhr** alle cinque; ~ **Ostern (herum)** verso Pasqua; ~ **zwei Mark (herum)** di due marchi circa; ~ **zwei cm kleiner** più piccolo di due cm; **es tut mir leid** ~ **sie** mi dispiace per lei; **Stunde** ~ **Stunde verging, ohne daß er anrief** passarono ore senza che telefonasse; **wie steht es** ~ **ihn?** come sta?; **II.** *prp +gen:* ~ **... willen** per, per amor di; ~ **Gottes willen!** per l'amor del cielo!; **III.** *konj:* ~ **zu ...** per +*inf,* allo scopo di +*inf;* **je ...,** ~ **so ...** più ..., più ...; ~ **so besser/schlimmer/mehr/weniger** tanto meglio/peggio/più/meno; **IV.** *adv fam (vorbei)* finito, passato.

um·adressieren ⟨*ohne ge-*⟩ *tr (Brief)* rettificare l'indirizzo su.

umarmen [ʊmˈˀarmən] ⟨*ohne ge-*⟩ *tr* abbracciare; *(heftig)* stringere.

um·bauen *tr* **1.** *arch* ricostruire (*zu* in), trasformare (*zu* in); **2.** *fig adm* riorganizzare.

um·benennen ⟨*irr, ohne ge-*⟩ *tr* cambiare il nome di (*o* a) qc.

um·besetzen ⟨*ohne ge-*⟩ *tr* cambiare la distribuzione di; *theat* cambiare gli attori di; *pol* rimpastare.

um·bilden *tr* trasformare; *adm* riorganizzare; *(Regierung)* rimpastare.

um·blättern *itr* girare (*o* voltare) pagina.

um·blicken *rfl:* **sich** ~ **1.** *(in die Runde, um sich herum)* guardarsi attorno; **2.** *(zurück)* guardarsi indietro.

Umbrien ['ʊmbriən] *n* Umbria *f.*

um·bringen ⟨*irr*⟩ **I.** *tr* assassinare, uccidere; *(a. fig)* ammazzare; **diese Schuhe bringen mich fast um** *fam* queste scarpe mi fanno un male da morire; **II.** *rfl:* **sich** ~ uccidersi; *(a. fig)* ammazzarsi; **sich für jdn fast** ~ *fig* farsi in quattro per qu.

Umbruch *m typ (das Umbrechen)* impaginazione *f; (umbrochener Satz)* impaginato *m.*

um·buchen *tr* **1.** *fin* trasferire (su un altro conto); **2.** *(Reise)* cambiare il biglietto di (*o* per).

um·denken ⟨*irr*⟩ *itr* cambiare il proprio modo di pensare.

um·disponieren ⟨*ohne ge-*⟩ *itr* ridisporre.

um·drehen I. *tr* ⟨*haben*⟩ **1.** *(drehen)* girare; *(Arm, Hals)* torcere; **2.** *(auf die an-*

dere Seite) voltare; **3.** *(auf den Kopf stellen)* rivoltare, capovolgere; **II.** *itr* ⟨*haben o sein*⟩ girare; **III.** *rfl:* **sich** ~ voltarsi (*nach* verso), girarsi (*nach* verso); **dabei dreht sich mir der Magen um** *fam* (a quella vista) mi si rivolta lo stomaco *fam.*

Umdrehung [ʊm'dre:ʊŋ] *f* giro *m; (um eigene Achse)* rotazione *f; (um anderen Körper)* rivoluzione *f.* **Umdrehungszahl** *f* numero *m* dei giri.

umeinander [ʊm'ai̯'nandɐ] *adv* **1.** *(räumlich)* l'uno intorno all'altro; **2.** *(einander betreffend)* l'uno dell'altro.

um·erziehen ⟨*irr, ohne ge-*⟩ *tr* rieducare.

um·fahren¹ ['ʊmfa:rən] ⟨*irr*⟩ *tr (niederfahren)* rovesciare, travolgere (con un veicolo).

umfahren² [ʊm'fa:rən] ⟨*irr, ohne ge-*⟩ *tr (herumfahren um)* girare attorno a; *(Kap)* doppiare.

um·fallen ⟨*irr*⟩ *itr* ⟨*sein*⟩ **1.** *(zur Seite fallen)* cadere (a terra); *(umkippen)* rovesciarsi; **2.** *fam (ohnmächtig werden)* svenire; **3.** *fig fam pej (seine Meinung ändern)* fare un voltafaccia; *(nachgeben)* darsi per vinto; **zum U~ müde sein** essere stanco morto.

Umfang *m* **1.** *(Ausdehnung)* estensione *f; (Dicke)* volume *m; (Größe)* grandezza *f,* dimensione *f;* **2.** *fig (Ausmaß)* mole *f,* dimensioni *f pl;* **3.** *mat* circonferenza *f,* perimetro *m;* **in großem** ~ su vasta scala. **umfangreich** *adj* voluminoso; *(umfassend)* vasto, esteso.

Umfeld *n* milieu *m;* **im** ~ **von ...** nel contesto di ...

Umfrage *f* inchiesta *f,* sondaggio *m* d'opinioni.

um·füllen *tr* travasare.

um·funktionieren ⟨*ohne ge-*⟩ *tr* trasformare.

Umgang *m (Beziehungen)* rapporti *m pl; (Gesellschaft)* compagnia *f;* **schlechten** ~ **pflegen** frequentare cattive compagnie; **mit jdm** ~ **haben** frequentare qu, praticare qu; **im** ~ **mit ... muß man ...** con ... si deve ...; **das ist kein** ~ **für dich!** non è gente per te!

umgänglich ['ʊmgɛŋlɪç] *adj* **1.** *(gesellig)* socievole; **2.** *(freundlich)* affabile.

Umgangsformen *f pl* modi *m pl,* maniere *f pl;* **gute** ~ **haben** avere buone maniere. **Umgangssprache** *f* linguaggio *m* corrente, lingua *f* parlata. **Umgangston** *m* linguaggio *m* corrente (*o* colloquiale), tono *m* colloquiale.

umgeben [ʊm'ge:bən] ⟨*irr, ohne ge-*⟩ *tr* circondare (*mit* di); *(Stadt, Garten)* cingere (*mit* di).

Umgebung [ʊm'ge:bʊŋ] ⟨-, ø⟩ *f* **1.** *geog* dintorni *m pl;* **2.** *soc (Milieu)* ambiente *m; (Gesellschaft)* compagnia *f;* **gibt es hier in der** ~ **ein Hotel?** c'è un albergo qua vicino?

umgehen¹ [ʊm'ge:ən] ⟨*irr, ohne ge-*⟩ *tr* **1.** *(herumgehen um)* girare intorno a; *mil* aggirare; **2.** *fig (Gesetz, Verbot)* eludere; *(vermeiden)* evitare, scansare.

um·gehen² ['ʊmge:ən] ⟨*irr*⟩ *itr* ⟨*sein*⟩ *(Gespenst)* aggirarsi; *(Gerücht)* circolare; **mit etw. sparsam** ~ usare qc con parsimonia; **mit etw./jdm** ~ *(behandeln)* trattare qc/qu.

umgehend ['ʊmge:ənt] **I.** *adj* immediato; **II.** *adv* senza indugio.

umgekehrt I. *adj* **1.** *(umgedreht)* rovescio; **2.** *fig (entgegengesetzt)* opposto, inverso; **in ~er Reihenfolge** in ordine inverso; **in ~er Richtung** in direzione opposta; **es war genau** ~ era esattamente l'opposto (*o* inverso); **II.** *adv* **1.** *(umgedreht)* a rovescio; **2.** *fig (entgegengesetzt)* all'opposto.

um·graben ⟨*irr*⟩ *tr* vangare.

um·gruppieren ⟨*ohne ge-*⟩ *tr* riordinare; *pol* rimpastare.

Umhang *m* mantellina *f.*

um·hängen *tr* **1.** *(an andere Stelle hängen)* appendere altrove; *(in anderer Weise aufhängen)* appendere diversamente; **2.** *(um die Schulter)* mettere addosso (*o* sulle spalle); *(Gewehr, Rucksack)* mettere in spalla. **Umhängetasche** *f* borsa *f* a tracolla.

um·hauen ⟨*irr*⟩ *tr* **1.** *(Baum)* abbattere; **2.** *fig fam* lasciare senza fiato.

umher [ʊm'he:ɐ] *adv* **1.** *(ringsum)* in giro, intorno; **2.** *(verstreut, hier und dort)* qua e là. **umher·blicken** *itr* guardarsi intorno (*o* in giro). **umher·irren** *itr* ⟨*sein*⟩ vagare, errare. **umher·ziehen** ⟨*irr*⟩ *itr* ⟨*sein*⟩ girare.

umhin·können [ʊm'hɪn-] ⟨*irr*⟩ *itr:* **nicht** ~ **zu** *+inf* non poter fare a meno di *+inf.*

um·hören ⟨*ohne ge-*⟩ *rfl:* **sich** ~ procurarsi notizie.

Umkehr ['ʊmke:ɐ] ⟨-, ø⟩ *f* **1.** *(Zurück-, Wiederkehr)* ritorno *m* (*zu* a); **2.** *fig (Änderung)* cambiamento *m.*

um·kehren I. *tr* ⟨*haben*⟩ **1.** *(umdrehen)* rovesciare, (ri)voltare; **2.** *(im entgegengesetzten Sinne wenden)* invertire; **II.** *itr* ⟨*sein*⟩ tornare indietro, ritornare; **III.** *rfl:* **sich** ~ **1.** *(sich umdrehen)* voltarsi, girarsi; **2.** *(ins Gegenteil)* invertirsi.

Umkleideraum *m* spogliatoio *m.*

um·kommen ⟨*irr*⟩ *itr* ⟨*sein*⟩ *(sterben)* perire; *(a. fig fam)* morire (*vor* da).

Umkreis ⟨*sing*⟩ *m (Umgebung)* raggio *m,* giro *m; (von Personen)* cerchia *f; (Nähe)* vicinanze *f pl;* **im** ~ **von zehn Kilometern** nel giro (*o* raggio) di dieci chilometri.

umkreisen [ʊm'krai̯zən] ⟨*ohne ge-*⟩ *tr* girare intorno a; *astr* orbitare intorno a.

um·laden ⟨*irr*⟩ *tr* trasbordare, ricaricare.

Umlage *f* quota *f,* contributo *m.*

Umlauf *m* **1.** ⟨*sing*⟩ *(von Geld)* circolazione *f;* **2.** *(Rundschreiben)* circolare *f;*

in ~ **bringen** *(Geld)* mettere in circolazione; *(Gerücht)* spargere in giro; **im ~ sein** *(Geld)* circolare. **Umlaufbahn** *f* orbita *f*.

Umlaut *m* **1.** *(~ung)* metafonia *f;* **2.** *(umgelauteter Vokal)* vocale *f* raddolcita.

um·legen *tr* **1.** *(Kleidungsstück)* mettere (sopra *o* addosso); *(Verband)* applicare; **2.** *(niederwerfen)* abbattere; **3.** *fam (zu Boden strecken)* stendere a terra; **4.** *sl (töten)* fare fuori *sl;* **5.** *(umklappen)* ribaltare; *(umschlagen)* rovesciare; **6.** *(verlegen)* spostare (*auf +akk* a); **7.** *(Ausgaben)* ripartire (*auf +akk* fra), dividere (*auf +akk* fra).

um·leiten *tr* deviare. **Umleitung** *f* deviazione *f*.

um·melden I. *tr* notificare il cambiamento di nome di; **II.** *rfl:* **sich ~** notificare la propria partenza (*o* il proprio arrivo). **Ummeldung** *f* notifica *f* di cambiamento.

um·quartieren ⟨*ohne ge-*⟩ *tr* far cambiare alloggio a.

umranden [ʊm'randən] ⟨*ohne ge-*⟩ *tr* orlare (*mit* di), contornare (*mit* di).

um·räumen *tr (Zimmer)* cambiare la disposizione di; *(Bücher)* riordinare.

um·rechnen *tr* convertire. **Umrechnungskurs** *m* tasso *m* di cambio.

um·reißen[1] ['ʊmraisən] ⟨*irr*⟩ *tr (niederreißen)* abbattere, gettare a terra.

umreißen[2] [ʊm'raisən] ⟨*irr, ohne ge-*⟩ *tr fig* abbozzare, schizzare.

umringen [ʊm'rɪŋən] ⟨*ohne ge-*⟩ *tr* circondare, attorniare.

Umriß *m* contorno *m (meist pl),* profilo *m;* **in groben Umrissen zeichnen** disegnare a grandi tratti.

um·rühren *tr* rimestare, mescolare.

um·rüsten *tr (Gerät, Fahrzeug)* cambiare l'equipaggiamento di.

um·satteln *itr fig fam (den Beruf wechseln)* cambiare mestiere; **von etw. auf etw.** *(akk)* ~ cambiare da qc a qc.

Umsatz *m* giro *m* (*o* cifra *f*) d'affari. **Umsatzplus** *n* aumento *m* del fatturato. **Umsatzstatistik** *f* statistica *f* delle vendite. **Umsatzsteuer** *f* imposta *f* sul giro d'affari.

um·schalten I. *tr* commutare; **II.** *itr radio, TV* cambiare canale; **ins Stadion ~** collegarsi con lo stadio; **wir schalten um zum Westdeutschen Rundfunk nach Köln** passiamo la linea al Westdeutscher Rundfunk di Colonia.

Umschau *f:* **(nach jdm/etw.) ~ halten** guardarsi intorno (alla ricerca di qu/qc).

um·schauen *s.* **umsehen.**

Umschlag *m* **1.** *(Wechsel)* mutamento *m* (*o* cambiamento *m*) improvviso; **2.** *(an Kleidung)* risvolto *m;* **3.** *(Buch~)* copertina *f;* **4.** *(Brief~)* busta *f;* **5.** *med* impacco *m,* compressa *f;* **6.** *ökon* movimento *m* d'affari.

um·schlagen ⟨*irr*⟩ **I.** *tr* ⟨*haben*⟩ **1.** *(Kragen)* rovesciare; *(Ärmel)* rimboccare; *(Buchseite)* voltare; **2.** *ökon (Güter)* trasbordare; **II.** *itr* ⟨*sein*⟩ **1.** *(umkippen)* capovolgersi; **2.** *(Wind)* voltarsi, girare; *(Wetter, Stimme)* cambiare improvvisamente; **ins Gegenteil ~** prendere la piega contraria.

Umschlagplatz *m* posto *m* (*o* piazza *f*) di trasbordo.

um·schnallen *tr* mettere, mettersi.

um·schreiben[1] ['ʊmʃraibən] ⟨*irr*⟩ *tr* **1.** *(übertragen)* trascrivere, ricopiare; **2.** *(neu schreiben)* rifare, rielaborare; *(ändern)* cambiare.

umschreiben[2] [ʊm'ʃraibən] ⟨*irr, ohne ge-*⟩ *tr* **1.** *(mit anderen Worten)* perifrasare; **2.** *(festlegen)* delimitare, definire; **3.** *mat* circoscrivere.

um·schulen I. *tr* **1.** *(auf andere Schule)* far cambiare scuola; **2.** *(beruflich)* riqualificare professionalmente; *pol* rieducare; **sich ~ lassen** *(beruflich)* farsi riqualificare professionalmente; **II.** *itr (beruflich)* riqualificarsi professionalmente; **von etw. auf etw.** *(akk)* ~ cambiare professione (*o* lavoro) da qc a qc.

Umschulung *f* riqualificazione *f* (professionale).

Umschweife ['ʊmʃvaifə] ⟨*pl*⟩ *:* **ohne ~** *(geradeheraus)* senza preamboli; *(ohne zu zögern)* senza indugio.

Umschwung *m* svolta *f*, mutamento *m* (*o* cambiamento *m*) improvviso.

um·sehen ⟨*irr*⟩ *rfl:* **sich ~ 1.** *(zurücksehen)* voltarsi a guardare; **2.** *(um sich herum sehen)* guardarsi intorno (*nach* alla ricerca di); **3.** *(sich informieren)* informarsi (*nach* su); **sich nach etw./jdm ~** cercare qc/qu; **sich in der Stadt ~** visitare la città.

umseitig *adj, adv* sul retro.

um·setzen I. *tr* **1.** *(anders setzen)* cambiare posto a, spostare; **2.** *chem* trasformare, convertire; **3.** *ökon* vendere, smerciare; **etw. in die Tat ~** mettere qc in atto; **etw. in die Praxis ~** mettere in pratica qc; **II.** *rfl:* **sich ~** *(Platz wechseln)* cambiare posto.

umsichtig *adj* circospetto, prudente.

umsonst [ʊm'zɔnst] *adv* **1.** *(gratis)* per niente, gratis, gratuitamente; **2.** *(vergeblich)* invano, inutilmente; **nicht ~** *(nicht grundlos)* non per niente, non a caso.

umsorgen [ʊm'zɔrgən] ⟨*ohne ge-*⟩ *tr* curare.

Umspannstation *f*, **-werk** *n* stazione *f* di trasformazione.

um·springen ⟨*irr*⟩ *itr* ⟨*sein*⟩ **1.** *(Wind)* girare (*von ... auf* da ... a); *(Ampel)* scattare (*von ... auf* da ... a); **2.** *(rücksichtslos):* **mit jdm ~** trattare male qu.

Umstand *m* **1.** *allg., jur* circostanza *f;* **2.** *(Tatsache)* fatto *m;* **3.** ⟨*pl*⟩ *(Lage)* stato *m,* situazione *f,* condizioni *f pl;* **4.** *(Einzelheit)* particolare *m,* dettaglio *m;* **5.** ⟨*pl*⟩ *(Aufwand, Mühe)* cerimonie *f pl; (Förmlichkeiten)* complimenti *m pl,* cerimonie *f pl;* **erschwerende/mildernde Umstände** *jur* circostanze aggravanti/attenuanti; **die näheren Umstände** i particolari, i dettagli; **Umstände machen** *(Sachen)* causare difficoltà; *(Personen)* fare cerimonie; **in (anderen) Umständen sein** essere in stato interessante; **unter Umständen** (*abk* **u. U.**) eventualmente, forse; **unter diesen Umständen** date le circostanze; **unter allen/keinen Umständen** in ogni/nessun caso; **es geht ihm den Umständen entsprechend (gut)** sta (bene) come si può stare nella sua situazione; **machen Sie sich** *(dat)* **meinetwegen keine Umstände!** non si disturbi per me.

umständehalber ['ʊmʃtɛndəhalbɐ] *adv* date le circostanze; ~ **zu verkaufen** in vendita per questione di circostanze.

umständlich ['ʊmʃtɛndlɪç] *adj* **1.** *(ausführlich)* circostanziato, dettagliato; *(weitschweifig)* prolisso, lungo; **2.** *(verwickelt)* complicato; **3.** *(beschwerlich)* scomodo, faticoso; **4.** *(förmlich)* cerimonioso; **5.** *(übergenau)* pignolo; **etw. ~ machen** complicare qc; **das ist mir viel zu ~** è troppo complicato per me.

Umstandskleid *n* (abito *m*) prémaman *m.*

um·steigen ⟨*irr*⟩ *itr* ⟨*sein*⟩ **1.** *(in Bahn, Bus)* cambiare (*nach* per); **2.** *fig fam* passare (*auf +akk* a).

um·stellen[1] ['ʊmʃtɛlən] **I.** *tr* **1.** *(anders stellen)* collocare diversamente, spostare, cambiare di posto; *gram, typ* trasporre; **2.** *fig (anpassen)* adattare (*auf +akk* a); *(Betrieb)* trasformare (*auf +akk* in); **auf andere Erzeugnisse ~** indirizzarsi verso altri prodotti; **II.** *rfl:* **sich ~** *fig* adattarsi (*auf +akk* a).

umstellen[2] [ʊm'ʃtɛlən] ⟨*ohne ge-*⟩ *tr* circondare, attorniare; *(bes. mil)* accerchiare.

Umstellung *f* **1.** *(Positionsänderung)* disposizione *f* diversa, spostamento *m,* cambiamento *m* di posto; *gram, typ* trasposizione *f;* **2.** *fig (Anpassung)* adattamento *m* (*auf +akk* a); *(von Betrieb)* trasformazione *f* (*auf +akk* in), riorganizzazione *f* (*auf +akk* in); **3.** *(Veränderung)* cambiamento *m;* **~ auf Computer** computerizzazione *f.*

um·stimmen *tr:* **jdn ~** far cambiare idea a qu.

umstritten [ʊm'ʃtrɪtən] *adj* controverso; *(fragwürdig)* discutibile.

um·strukturieren ⟨*ohne ge-*⟩ *tr* ristrutturare.

Umsturz *m* sovvertimento *m.* **Umsturzversuch** *m* attentato *m* sovversivo (*o* rivoluzionario).

Umtausch *m* **1.** *ökon* cambio *m;* **2.** *fin* conversione *f.*

um·tauschen *tr* **1.** *allg.* cambiare (*gegen* con); **2.** *fin* convertire (*in +akk* in).

um·tun ⟨*irr*⟩ *rfl:* **sich nach etw. ~** cercare qc, darsi d'attorno.

um·wandeln *tr* cambiare (*in +akk* in); *(a. el)* trasformare (*in +akk* in); *phys, fin* convertire (*in +akk* in); *jur (Strafe)* commutare (*zu* in).

Umweg *m* giro *m,* strada *f* più lunga; **einen ~ machen** prendere la strada più lunga, fare un giro; **das habe ich nur auf ~en (***o* **über ~e) erfahren** l'ho saputo solo per vie traverse.

Umwelt *f* ambiente *m.* **Umweltbeauftragte** *mf* incaricato, -a *m, f* delle questioni ambientali. **umweltbedingt** *adj* causato (*o* determinato) dall'ambiente. **Umweltbedingungen** *f pl* condizioni *f pl* ambientali. **Umweltbelastung** *f* incidenza *f* inquinante sull'ambiente, fattori *m pl* inquinanti. **Umweltbewußtsein** *n* coscienza *f* ecologica. **Umwelteinflüsse** *m pl* influssi *m pl* ambientali. **Umweltengel** *m marchio raffigurante un angelo stilizzato a contrassegno dei prodotti ecologici.* **umweltfeindlich** *adj* inquinante (*o* nocivo) all'ambiente. **Umweltforscher(in)** *m(f)* ecologo, -a *m, f.* **Umweltforschung** *f* studi *m pl* sull'ambiente. **umweltfreundlich** *adj* non inquinante, rispettoso dell'ambiente; **~e Plastiksäcke** sacchetti di plastica biodegradabili. **umweltgefährdend** *adj* nocivo all'ambiente, inquinante. **Umweltgefährdung** *f* pericolo *m* ecologico. **Umweltgift** *n* sostanza *f* nociva all'ambiente. **Umweltkatastrophe** *f* disastro *m* ecologico, sciagura *f* ecologica. **Umweltkriminalität** *f* delitti *m pl* contro l'ambiente. **Umweltminister(in)** *m(f)* ministro *m* dell'ambiente. **Umweltpapier** *n* carta *f* riciclata. **Umweltpolitik** *f* politica *f* ecologica (*o* dell'ambiente). **Umweltschutz** *m* protezione *f* dell'ambiente. **Umweltschützer(in)** ⟨-s, -⟩ *m(f)* ecologista *mf.* **Umweltschutzorganisation** *f* organizzazione *f* per la tutela (*o* protezione) dell'ambiente, organizzazione *f* ecologista. **Umweltschutzpapier** *n* carta *f* riciclata. **Umweltsünder** *m* trasgressore *m* ecologico. **Umweltverschmutzung** *f* inquinamento *m* ecologico. **umweltverträglich** *adj (Produkte)* ecologico, non nocivo all'ambiente. **Umweltverträglichkeit** *f* compatibilità *f* ambientale. **Umweltzerstörung** *f* distruzione *f* dell'ambiente, ecocidio *m.*

umwerben [ʊm'vɛrbən] ⟨*irr, ohne ge-*⟩ *tr* corteggiare.

um·werfen ⟨*irr*⟩ *tr* **1.** *(Gegenstand, Menschen)* rovesciare, buttare giù, travolgere; **2.** *fig (Plan)* capovolgere; **3.** *(aus der Fassung bringen)* sconvolgere.

um·ziehen ⟨*irr*⟩ **I.** *itr* ⟨*sein*⟩ *(in andere Wohnung)* traslocare, cambiare casa; *(in andere Stadt)* trasferirsi (*nach* a); **II.** *rfl:* **sich** ~ cambiarsi (d'abito).

umzingeln [ʊmˈtsɪŋəln] ⟨*ohne ge-*⟩ *tr* accerchiare, circondare.

Umzug *m* **1.** *(Festzug)* corteo *m; rel* processione *f;* **2.** *(Wohnungswechsel)* trasloco *m.* **Umzugskarton** *m* scatolone *m* per trasloco. **Umzugskosten** *pl* spese *f pl* di trasloco.

unabänderlich [ʊnˀapˈˀɛndɐlɪç *o* ˈʊn...] *adj* immutabile; *(unwiderruflich)* irrevocabile.

unabhängig *adj* indipendente (*von* da); *(Staat)* autonomo; *gram* assoluto; ~ **davon, ob/wann/wie/wo/wer** . . . indipendentemente da se/quando/come/dove/chi . . . **Unabhängigkeit** *f* indipendenza *f; (staatliche)* autonomia *f; (wirtschaftliche)* autarchia *f.*

unabkömmlich [ʊnˀapˈkœmlɪç *o* ˈʊn...] *adj* impegnato, occupato.

unachtsam *adj* **1.** *(unaufmerksam)* disattento, sbadato; **2.** *(nachlässig)* trascurato.

unanfechtbar [ʊnˀanˈfɛçtbaːɐ̯ *o* ˈʊn...] *adj* incontestabile, inoppugnabile.

unangebracht *adj* inopportuno, fuori luogo.

unangefochten *adj* indiscusso; *(bes. Recht)* incontestabile.

unangemeldet **I.** *adj (unangekündigt)* non annunciato; *(Besucher)* inatteso; **II.** *adv* senza avviso.

unangemessen *adj* inadeguato.

unangenehm *adj* sgradevole; *(mißlich)* spiacevole; *(a. Überraschung)* brutto, increscioso; *(unsympathisch)* sgarbato; *(ärgerlich)* seccante, fastidioso; ~ **auffallen** colpire in modo spiacevole; ~ **werden** arrabbiarsi; **(von etw.)** ~ **berührt sein** essere dispiaciuto (di qc); **es ist mir sehr** ~ mi dispiace (*o* rincresce) molto.

unangepaßt *adj* non adattato, nonconformista.

unannehmbar [ʊnˀanˈneːmbaːɐ̯ *o* ˈʊn...] *adj* inaccettabile.

Unannehmlichkeit *f* fastidio *m,* noia *f,* difficoltà *f;* **jdm ~en bereiten** procurare noie a qu.

unansehnlich *adj* non bello, non curato; *(Nahrung)* non appetitoso.

unanständig *adj* indecente; *(obszön)* osceno; *(anstößig)* volgare.

unappetitlich *adj* disgustoso.

Unart *f* **1.** *(schlechte Angewohnheit)* vizio *m;* **2.** *(unartiges Benehmen)* maleducazione *f; (von Kindern)* cattiveria *f.* **unartig** *adj* maleducato, cattivo.

unauffällig **I.** *adj* non appariscente, che non dà nell'occhio; **II.** *adv* senza farsi notare, con discrezione.

unaufgefordert **I.** *adj* non richiesto; **II.** *adv* spontaneamente.

unaufhaltsam [ʊnˀaufˈhaltzaːm *o* ˈʊn...] *adj* inarrestabile.

unaufhörlich [ʊnˀaufˈhøːɐ̯lɪç *o* ˈʊn...] **I.** *adj* incessante, continuo; **II.** *adv* in continuazione.

unaufmerksam *adj* **1.** *(unkonzentriert)* disattento; *(zerstreut)* distratto; **2.** *(nicht zuvorkommend)* non premuroso. **Unaufmerksamkeit** *f* disattenzione *f; (Zerstreutheit)* distrazione *f.*

unaufrichtig *adj* insincero, falso.

unausgeglichen *adj* non equilibrato. **Unausgeglichenheit** *f* mancanza *f* d'equilibrio.

unaussprechlich [ʊnˀausˈʃprɛçlɪç *o* ˈʊn...] *adj* ineffabile; *(Elend, Freude, Leid)* indicibile.

unausstehlich [ʊnˀausˈʃteːlɪç *o* ˈʊn...] *adj* insopportabile; *(widerlich)* odioso.

unausweichlich [ʊnˀausˈvaiçlɪç *o* ˈʊn...] *adj* inevitabile.

unbändig [ˈʊnbɛndɪç] *adj* indomabile, irrefrenabile; **sich** ~ **freuen** rallegrarsi enormemente.

unbedeutend *adj* **1.** *(unwichtig)* insignificante, irrilevante, poco importante; **2.** *(geringfügig)* futile.

unbedingt **I.** *adj* assoluto; *(bedingungslos)* incondizionato; **II.** *adv* in ogni caso, assolutamente; **das hat nicht** ~ **etw. mit . . . zu tun** (ciò) non ha necessariamente qc a che fare con . . .; **du hättest nicht** ~ **so unverschämt sein müssen** non avresti assolutamente dovuto essere così sfacciato.

unbefangen **I.** *adj* **1.** *(natürlich)* disinvolto, naturale; **2.** *(unvoreingenommen)* spregiudicato; **3.** *(unparteiisch)* imparziale; **II.** *adv* con disinvoltura, spregiudicatamente.

unbefriedigend *adj* insoddisfacente. **unbefriedigt** *adj* insoddisfatto.

unbefristet *adj* illimitato.

unbefugt *adj* non autorizzato, abusivo. **Unbefugte** ⟨ein -r, -n, -n⟩ *mf:* **~n ist der Zutritt verboten** vietato l'accesso ai non addetti (*o* agli estranei).

unbegreiflich [ʊnbəˈgraiflɪç *o* ˈʊn...] *adj* incomprensibile, inconcepibile.

unbegrenzt *adj* illimitato, sconfinato.

Unbehagen *n* malessere *m,* disagio *m.*

unbehaglich *adj* **1.** *(ungemütlich)* disagevole; **2.** *(unangenehm)* sgradevole; **sich** ~ **fühlen** essere (*o* stare) a disagio.

unbekannt *adj* sconosciuto; *adm, jur* ignoto; *mat* incognito; **Anzeige gegen U~** denuncia contro ignoti; ~ **verzogen** trasferito senza lasciare indirizzo; **das ist mir** ~ questo mi giunge nuovo; **es ist Ihnen nicht ~, daß** . . . sa bene che . . . **Unbekannte** *mf* sconosciuto, -a *m, f; adm, jur* ignoto, -a *m, f.*

unbekümmert [ʊnbəˈkʏmɐt *o* ˈʊn...] **I.** *adj* **1.** *(unbesorgt)* incurante; **2.** *(sorg-*

los) spensierato; **II.** *adv* con noncuranza.
unbelastet *adj* **1.** *(frei)* libero (*von* da), esente (*von* da); **2.** *fin* non gravato da ipoteche (*o* debiti).
unbeleuchtet *adj (Straße)* non illuminato, buio.
unbeliebt *adj* malvisto (*bei* da); *(unpopulär)* impopolare; **sich ~ bei jdm machen** rendersi antipatico a qu. **Unbeliebtheit** *f* impopolarità *f.*
unbemannt *adj* senza uomini a bordo, senza equipaggio.
unbemerkt I. *adj* inosservato, inavvertito; **II.** *adv* senza essere visto.
unbequem *adj* scomodo; *fig (lästig)* molesto, importuno.
unberechenbar [ʊnbəˈrɛçənba:ɐ̯ *o* ˈʊn...] *adj* incalcolabile; *(Mensch a.)* imprevidibile.
unbeschränkt [ʊnbəˈʃrɛŋkt *o* ˈʊn...] *adj* illimitato; *(Gewalt)* assoluto; **jdm ~e Vollmacht geben** dare a qu pieni poteri.
unbeschreiblich [ʊnbəˈʃraiplɪç *o* ˈʊn...] *adj* indescrivibile.
unbesonnen I. *adj* **1.** *(Entschluß)* avventato; **2.** *(Mensch)* sventato; **II.** *adv* alla leggera.
unbesorgt *adj* tranquillo; **seien Sie ~!** non si preoccupi!
unbeständig *adj* instabile; *(Wetter)* variabile; *(Mensch)* volubile, incostante.
unbestechlich [ʊnbəˈʃtɛçlɪç *o* ˈʊn...] *adj* incorruttibile.
Unbestechlichkeit *f* incorruttibilità *f.*
unbestimmt *adj* indeterminato; *(a. gram)* indefinito; **auf ~e Zeit** a tempo indeterminato (*o* indefinito).
unbestreitbar [ʊnbəˈʃtraitba:ɐ̯ *o* ˈʊn...] *adj* incontestabile, indiscutibile.
unbestritten [ˈʊnbəʃtrɪtən *o* ...ˈʃtrɪtən] **I.** *adj* **1.** *(nicht bestritten)* indiscusso, incontestato; **2.** *(nicht streitig gemacht)* sicuro, certo; **es ist ~, daß ...** è sicuro (*o* certo) che ...; **II.** *adv* senza dubbio.
unbeteiligt [ʊnbəˈtailɪçt *o* ˈʊn...] *adj* disinteressato, non coinvolto.
unbeweglich [ˈʊnbəve:klɪç *o* ...ˈve:klɪç] *adj* immobile; *(fest)* fisso; *(starr)* rigido; *(geistig)* inflessibile; **~es Fest** festa fissa.
unbewußt *adj* inconsapevole; *psych* inconscio; *(instinktiv)* istintivo. **Unbewußte** ⟨ein -s, -n, ø⟩ *n* inconscio *m.*
unbezahlbar [ʊnbəˈtsa:lba:ɐ̯ *o* ˈʊn...] *adj* impagabile.
unbrauchbar *adj* inutilizzabile; *(ungeeignet)* inadatto.
unbürokratisch *adj* non burocratico; **jdm schnelle und ~e Hilfe zusichern** assicurare a qu aiuto sollecito e spontaneo.
und [ʊnt] *konj* e; *(vor Vokal, bes. e)* ed; *(bei wiederholten Komparativen)* sempre; *mat* più, e; **größer ~ größer** sempre più grande; **~ so weiter** (*o* **fort**) (*abk* **usw., usf.**) eccetera, e così via; **drei ~ zwei ist fünf** tre più due fa cinque; **geh ~ hole mir ...** va a prendermi ...; **sei so gut ~ mach das Fenster zu** fammi il favore di chiudere la finestra; **er ~ Angst haben!** *fam iron* lui e avere paura!; **~?** e allora?; **~ dann?** e poi?; **na ~?** *fam* e con ciò?
Undank *m* ingratitudine *f;* **~ ist der Welt Lohn** *prov* il mondo è ingrato. **undankbar** *adj* ingrato (*gegen* verso).
undefinierbar [ʊndefiˈni:ɐ̯ba:ɐ̯ *o* ˈʊn...] *adj* indefinibile.
undenkbar [ʊnˈdɛŋkba:ɐ̯] *adj* impensabile, inconcepibile.
Understatement [ʌndəˈsteɪtmənt] ⟨-s, -s⟩ *n* understatement *m.*
undeutlich *adj* indistinto; *(Foto)* offuscato; *(Schrift)* illeggibile; *(Laut)* inarticolato; **sich ~ ausdrücken** esprimersi in modo confuso.
undicht *adj* non stagno, non ermetico; **der Wasserhahn ist ~** il rubinetto perde.
Unding *n:* **es ist ein ~ zu ...** è assurdo *+inf.*
undurchlässig *adj* impermeabile (*für* a).
undurchsichtig *adj* **1.** *(Material)* non trasparente; *(Glas)* opaco; **2.** *fig* impenetrabile, misterioso, oscuro.
uneben *adj (Weg)* scosceso, scabro; *(Gelände)* accidentato.
unecht *adj* falso; *(nachgemacht)* imitato; *(künstlich)* artificiale.
unehelich *adj (Kind)* illegittimo, naturale.
uneigennützig *adj* disinteressato, altruista.
uneingeschränkt *adj* illimitato; *(Gewalt)* assoluto.
uneinig *adj* discorde; *(bes. Partei)* diviso; **in diesem Punkt sind wir uns ~** su questo punto non siamo d'accordo.
unempfindlich *adj* **1.** *(unsensibel)* insensibile (*gegen* a); **2.** *(widerstandsfähig)* resistente (*gegen* a); **3.** *(gefühllos)* freddo, impassibile.
unendlich [ʊnˈʔɛntlɪç] **I.** *adj* infinito; *(unermeßlich)* immenso; **auf ~ einstellen** *fot* regolare sull'infinito; **II.** *adv* infinitamente; **~ traurig** infinitamente triste; **~ lange diskutieren** discutere molto a lungo. **Unendlichkeit** ⟨-, ø⟩ *f* infinità *f; (Unermeßlichkeit)* immensità *f.*
unentgeltlich [ʊnʔɛntˈgɛltlɪç *o* ˈʊn...] **I.** *adj* gratuito; **II.** *adv* gratis, per niente.
unentschieden *adj* **1.** *(Mensch)* indeciso, incerto; **2.** *(Frage, Angelegenheit)* incerto; **~ enden** *sport* finire con un pareggio; **~ stehen** *sport* essere in pareggio. **Unentschieden** ⟨-, -⟩ *n sport* pareggio *m.*
unentschlossen *adj* irresoluto, indeciso; *(zögernd)* titubante; **~ sein** esitare.
unentschuldigt *adj* ingiustificato.
unentwegt [ʊnʔɛntˈve:kt *o* ˈʊn...] **I.** *adj*

imperterrito, fermo; **II.** *adv* in continuazione, incessantemente.
unerbittlich [ʊnˀɛɐ̯ˈbɪtlɪç *o* ˈʊn...] *adj* spietato; *(a. Schicksal)* inesorabile.
unerfahren *adj* inesperto (*in +dat* in), poco pratico (*in +dat* in).
unerfindlich [ʊnˀɛɐ̯ˈfɪntlɪç *o* ˈʊn...] *adj:* **aus ~en Gründen** per ragioni oscure.
unerfreulich *adj* spiacevole.
unergiebig *adj* infruttuoso.
unerhört [ʊnˀɛɐ̯ˈhøːɐ̯t] **I.** *adj* **1.** *(unglaublich)* inaudito; *(außerordentlich)* incredibile; **2.** *(empörend)* inaudito; **das ist ja wirklich ~!** è veramente incredibile (*o* inaudito); **II.** *adv (überaus)* incredibilmente.
unerklärlich [ʊnˀɛɐ̯ˈklɛːɐ̯lɪç *o* ˈʊn...] *adj* inesplicabile, inspiegabile.
unerläßlich [ʊnˀɛɐ̯ˈlɛslɪç *o* ˈʊn...] *adj* indispensabile, essenziale.
unerlaubt *adj* illecito, non autorizzato.
unermeßlich [ʊnˀɛɐ̯ˈmɛslɪç *o* ˈʊn...] *adj* smisurato; *(unendlich)* infinito, immenso; *(riesig)* enorme.
unermüdlich [ʊnˀɛɐ̯ˈmyːtlɪç *o* ˈʊn...] *adj* instancabile, indefesso.
unerreichbar [ʊnˀɛɐ̯ˈraɪ̯çbaːɐ̯ *o* ˈʊn...] *adj* *(Ort, Ferne)* irraggiungibile, inaccessibile; *fig (Leistung)* ineguagliabile; *fig (Ziel)* irraggiungibile, inottenibile.
unersättlich [ʊnˀɛɐ̯ˈzɛtlɪç *o* ˈʊn...] *adj* insaziabile.
unerschöpflich [ʊnˀɛɐ̯ˈʃœpf̮lɪç *o* ˈʊn...] *adj* inesauribile.
unerschütterlich [ʊnˀɛɐ̯ˈʃʏtɐlɪç *o* ˈʊn...] *adj* fermo, saldo, incrollabile; *(Ruhe)* imperturbabile.
unerschwinglich [ʊnˀɛɐ̯ˈʃvɪŋlɪç *o* ˈʊn...] *adj (Ware)* inaccessibile; *(zu teuer)* troppo caro; *(Preis)* esorbitante.
unersetzlich [ʊnˀɛɐ̯ˈzɛts̮lɪç *o* ˈʊn...] *adj* **1.** *(unersetzbar)* insostituibile; **2.** *(nicht wiedergutzumachen)* irreparabile, irrimediabile.
unerträglich [ʊnˀɛɐ̯ˈtrɛːklɪç *o* ˈʊn...] *adj* insopportabile.
unerwartet [ˈʊnˀɛɐ̯vartət *o* ...ˈvartət] **I.** *adj* inaspettato, inatteso; *(Glück)* insperato; *(plötzlich)* improvviso; **II.** *adv* all'improvviso.
unerwünscht *adj* indesiderato; *(ungelegen)* inopportuno.
unfähig *adj* **1.** *(generell inkompetent)* incapace (*zu* di); **2.** *(vorübergehend außerstande)* non in grado (*zu* di); **3.** *(behindert)* inabile (*zur Arbeit* al lavoro). **Unfähigkeit** *f* **1.** *(Inkompetenz)* incapacità *f;* **2.** *(Untauglichkeit)* inabilità *f.*
unfair *adj* sleale; *(a. sport)* scorretto.
Unfall *m* incidente *m;* **~ auf dem Wege zur Arbeit** infortunio *m* andando al lavoro; **bei einem ~ ums Leben kommen** morire in un incidente. **Unfallarzt** *m,* **-ärztin** *f* medico *m* di pronto soccorso. **Unfallchirurgie** *f* reparto *m* traumatologico. **Unfallfahrer(in)** *m(f)* automobilista *mf* che ha provocato un incidente. **Unfallflucht** *f* omissione *f* di soccorso (dopo un incidente). **Unfallfolgen** *f pl:* **an den ~ sterben** morire per i postumi dell'incidente. **unfallfrei** *adj* senza incidenti; *(Auto)* non incidentato. **Unfallklinik** *f* clinica *f* ortopedica e traumatologica. **Unfallopfer** *n* vittima *f* dell'incidente. **Unfallquote** *f* numero *m* degli incidenti. **Unfallschaden** *m adm* danno *m* da incidente. **Unfallstation** *f* stazione *f* di pronto soccorso. **Unfallstelle** *f* luogo *m* (*o* teatro *m*) dell'incidente. **Unfallverhütung** *f* prevenzione *f* degli infortuni. **Unfallversicherung** *f* assicurazione *f* contro gli infortuni. **Unfallwagen** *m* **1.** *(Rettungswagen)* autoambulanza *f;* **2.** *(beschädigter Wagen)* automobile *f* che ha avuto un incidente.
unfaßbar, unfaßlich [ʊnˈfasbaːɐ̯ *o* ˈʊn..., ...lɪç] *adj* inconcepibile.
unfehlbar [ʊnˈfeːlbaːɐ̯ *o* ˈʊn...] *adj* infallibile; *(sicher)* sicuro. **Unfehlbarkeit** ⟨-, ø⟩ *f* infallibilità *f;* *(Sicherheit)* sicurezza *f.*
unfein *adj* poco fine; *(unhöflich)* sgarbato; *(grob)* rozzo.
unflätig [ˈʊnflɛːtɪç] *adj* sconcio.
unförmig [ˈʊnfœrmɪç] *adj* deforme, informe.
unfreiwillig **I.** *adj* involontario; **II.** *adv* senza volere.
unfreundlich *adj* **1.** *(unliebenswürdig)* scortese, sgarbato; *(barsch)* brusco, aspro; **2.** *(nicht ansprechend)* poco accogliente; *(Wetter)* inclemente.
Unfriede(n) *m* discordia *f.*
unfruchtbar *adj* sterile; *(zeugungsunfähig)* infecondo.
Unfruchtbarkeit *f* sterilità *f;* *(fig a.)* infecondità *f.*
Unfug [ˈʊnfuːk] ⟨-(e)s, ø⟩ *m* **1.** *(Possen)* scemenze *f pl;* **2.** *(Unsinn)* sciocchezze *f pl;* **grober ~** *jur* gravi eccessi *m pl;* **~ treiben** fare scemenze.
Ungar(in) [ˈʊŋgar(ɪn)] ⟨-n, -n⟩ *m(f)* ungherese *mf.*
ungarisch *adj* ungherese.
Ungarn [ˈʊŋgarn] *n* Ungheria *f.*
ungastlich *adj* inospitale.
ungeachtet [ˈʊngəˀaxtət *o* ...ˈˀaxtət] *prp +gen* nonostante, malgrado; **~ dessen** ciò nonostante.
ungeahnt [ˈʊngəˀaːnt *o* ...ˈˀaːnt] *adj* insospettato, inaspettato.
ungebeten *adj:* **~er Gast** intruso, -a *m, f.*
ungebildet *adj* incolto.
Ungeborene ⟨ein -s, -n, -n⟩ *n* nascituro *m.*
ungebräuchlich *adj* inusitato.
ungedeckt *adj allg., fin* scoperto.
ungeduldig *adj* impaziente.
ungeeignet *adj* inadatto (*für, zu* a); *(Moment)* inopportuno.
ungefähr [ˈʊngəfɛːɐ̯ *o* ...ˈfɛːɐ̯] **I.** *adj (an-*

nähernd) approssimativo; *(vage)* vago; **II.** *adv* circa, pressappoco; ~ **100 Mark** un centinaio di marchi; **nicht von** ~ non a caso; **wo** ~? dove pressappoco?; **können Sie mir** ~ **sagen, wie/wo ...?** potrebbe dirmi pressappoco come/dove ...?
ungefährlich *adj* non pericoloso; *(harmlos)* innocuo.
ungeheuer ['ʊngəhɔ̯yɐ *o* ...'hɔyɐ] **I.** *adj* immenso, enorme; *(riesig)* colossale, gigantesco; **II.** *adv* enormemente, infinitamente.
Ungeheuer ['ʊngəhɔ̯yɐ] ⟨-s, -⟩ *n* mostro *m.*
ungehobelt *adj (Mensch)* incolto, grezzo.
ungehörig *adj* sconveniente, disdicevole; *(frech)* insolente.
ungehorsam *adj* disubbidiente; *(bes. mil)* insubordinato. **Ungehorsam** *m* disubbidienza *f; (bes. mil)* insubordinazione *f;* **ziviler** ~ disubbidienza *f* civile.
ungeklärt *adj (Frage, Ursache)* non chiarito; *(Verbrechen)* oscuro.
ungekündigt *adj:* **in** ~**er Stellung** senza aver subito licenziamento.
ungelegen *adj* inopportuno; *(zeitlich a.)* intempestivo; **komme ich** ~? disturbo?. **Ungelegenheit** *f:* **jdm** ~**en machen** procurare fastidi a qu.
ungelernt *adj* non qualificato.
ungeliebt *adj* non amato, impopolare.
ungelogen *adv fam* sinceramente.
ungemein ['ʊngəmai̯n *o* ...'mai̯n] *adv* immensamente.
ungemütlich *adj* **1.** *(nicht bequem)* non confortevole, poco accogliente; **2.** *fig (Wetter)* brutto, cattivo; *(Person)* poco simpatico; ~ **werden** *fam* arrabbiarsi.
ungenau *adj* inesatto, impreciso.
ungenießbar ['ʊngəni:sba:ɐ̯ *o* ...'ni:s...] *adj* **1.** *(Speise)* immangiabile; *(Getränk)* imbevibile; **2.** *fam scherz (Person)* intrattabile.
ungenügend *adj* insufficiente; *(Schulnote)* ≃ cinque.
ungenutzt *adj* inutilizzato; **die Gelegenheit** ~ **verstreichen lassen** non cogliere l'occasione.
ungepflegt *adj* non curato, trascurato.
ungerade *adj (Zahl)* dispari.
ungerecht *adj* ingiusto. **Ungerechtigkeit** *f* ingiustizia *f (gegenüber* verso).
ungeregelt *adj* sregolato, disordinato.
Ungereimtheit ⟨-, -en⟩ *f fig* contraddizione *f.*
ungern *adv* mal volentieri, controvoglia.
ungeschehen *adj:* **etw.** ~ **machen** fare come se qc non fosse successo; **das ist nicht mehr** ~ **zu machen** ormai è cosa fatta.
ungeschickt *adj* maldestro, goffo.
ungeschlechtlich *adj* asessuale.
ungeschminkt *adj* non truccato *fig:* **die** ~**e Wahrheit** la verità nuda e cruda.
ungeschoren *adj:* ~ **davonkommen** uscirne indenne (*o* illeso).
ungesetzlich *adj* illegale.
ungespritzt *adj* non trattato (con anticrittogamici).
ungestört **I.** *adj* indisturbato, tranquillo; **II.** *adv* in pace.
ungestraft *adj* impunito.
ungestüm ['ʊngəʃty:m] **I.** *adj* impetuoso; *(heftig)* violento; **II.** *adv* con veemenza. **Ungestüm** ⟨-(e)s, ø⟩ *n geh* impetuosità *f;* **mit jugendlichem** ~ con impeto giovanile.
ungesund *adj* **1.** *(Klima)* malsano; *(schädlich: Ernährung, Rauchen, Alkohol)* dannoso (*für* a), nocivo (*für* a); **2.** *(kränklich)* malaticcio.
ungetrübt *adj fig (Freude, Glück)* non offuscato, sereno.
Ungetüm ['ʊngəty:m] ⟨-(e)s, -e⟩ *n* colosso *m; (Monstrum)* mostro *m.*
ungewiß *adj* incerto, dubbio; **jdn über etw. im ungewissen lassen** lasciare qu nell'incertezza di qc. **Ungewißheit** *f* incertezza *f,* dubbio *m.*
ungewöhnlich *adj* **1.** *(ungewohnt)* insolito, inconsueto; **2.** *(außerordentlich)* eccezionale.
ungewohnt *adj* inconsueto, insolito.
ungewollt **I.** *adj* involontario, non voluto; **II.** *adv* involontariamente.
Ungeziefer ['ʊngəts̮i:fɐ] ⟨-s, ø⟩ *n* insetti *m pl* nocivi, parassiti *m pl.*
ungezogen *adj* maleducato; *(bes. Kinder)* cattivo; *(frech)* sfacciato.
ungezwungen **I.** *adj* spontaneo; *(natürlich)* naturale, disinvolto, non affettato; **II.** *adv* con disinvoltura.
unglaubhaft *adj* incredibile.
ungläubig *adj* incredulo; *(rel a.)* miscredente. **Ungläubige** *mf* incredulo, -a *m, f,* miscredente *mf,* infedele *mf.*
unglaublich [ʊn'glauplɪç *o* 'ʊn...] *adj* **1.** *(unglaubhaft)* incredibile; **2.** *fig (unerhört)* inaudito.
unglaubwürdig *adj* **1.** *(Mensch)* non degno di fede; **2.** *(Nachricht)* inattendibile.
ungleich **I.** *adj* disuguale; *(verschieden)* differente, diverso; *(unähnlich)* dissimile; *(nicht zusammenpassend)* spaiato; **II.** *adv (vor Komparativen: weitaus)* di gran lunga. **Ungleichgewicht** *n* disequilibrio *m.* **ungleichmäßig** *adj* **1.** *(unregelmäßig)* irregolare; **2.** *(nicht zu gleichen Teilen)* sproporzionato.
Unglück ⟨-(e)s, -e⟩ *n* **1.** *(Unheil)* disgrazia *f;* **2.** *(Pech, Mißgeschick)* sfortuna *f;* **3.** *(~fall)* disgrazia *f,* sciagura *f;* **4.** *(Katastrophe)* calamità *f;* **5.** *(Not, Elend)* miseria *f;* **6.** *(Schicksalsschlag)* sventura *f;* **7.** *(Unglücklichsein)* infelicità *f;* **jdn ins** ~ **stürzen** causare la rovina di qu; **zu allem** ~ per (il) colmo della (*o* di) sfortuna; **das bringt** ~ ciò porta sfortuna;

ein ~ kommt selten allein *prov* le disgrazie non vengono mai sole.

unglücklich *adj* infelice; ~ **ausgehen** finire male; ~ **stürzen** cadere male.

unglücklicherweise *adv* sfortunatamente, per disgrazia.

Ungnade *f* disgrazia *f*, sfavore *m*; **bei jdm in ~ fallen** cadere in disgrazia presso qu.

ungültig *adj allg.* non valido; *(bes. jur)* invalido; *(Stimmzettel)* nullo; *(verfallen: Ausweispapiere)* scaduto; **für ~ erklären** dichiarare nullo; *(bes. jur: Testament, Vertrag)* invalidare; *(Ehe)* annullare; ~ **werden** *(nach Ablauf einer Frist)* scadere; *(durch Verjährung)* cadere in prescrizione. **Ungültigkeit** *f* invalidità *f*, nullità *f*.

ungünstig I. *adj* sfavorevole; *(nachteilig)* svantaggioso; *(Wetter)* inclemente; **~er Augenblick** momento poco propizio; **II.** *adv* male.

ungut *adj:* **ein ~es Gefühl haben** avere una sensazione sgradevole; **nichts für ~!** non se la prenda.

unhaltbar ['ʊnhaltba:ɐ̯ *o* ...'halt...] *adj* **1.** *mil, fig* insostenibile; **2.** *sport* imparabile.

unhandlich *adj* poco maneggevole.

Unheil *n* malanno *m*; *(Unglück)* disgrazia *f*, sciagura *f*; ~ **anrichten** (*o* **stiften**) recare disgrazie; *(Schaden)* causare danni.

unheilbar ['ʊnhaɪ̯lba:ɐ̯ *o* ...'haɪ̯l...] *adj* incurabile, inguaribile.

unheilvoll *adj* funesto, nefasto.

unheimlich I. *adj* **1.** *(beängstigend)* inquietante; **2.** *(düster)* lugubre, sinistro; **3.** *fam (sehr viel, sehr groß)* tremendo, terribile; **II.** *adv fam (sehr)* molto, paurosamente.

unhöflich *adj* scortese, sgarbato.

unhygienisch *adj* antigienico.

uni ['yni *o* y'ni:] ⟨*inv*⟩ *adj* (in) tinta unita.

Uni ['ʊni] ⟨-, -s⟩ *f fam abk von* **Universität** università *f*.

Uniform [uni'fɔrm *o* 'ʊn...] ⟨-, -en⟩ *f* divisa *f*, uniforme *f*; **in ~** in divisa.

Union [u'nio:n] ⟨-, -en⟩ *f* unione *f*.

Universal- [univɛr'za:l-] *(in Zusammensetzungen)* universale. **Universalgenie** *n* genio *m* universale.

Universität [univɛrzi'tɛ:t] ⟨-, -en⟩ *f* università *f*; **die ~ besuchen** andare all'università, fare (*o* frequentare) l'università. **Universitätsklinik** *f* clinica *f* universitaria. **Universitätsstadt** *f* città *f* universitaria.

Universum [uni'vɛrzʊm] ⟨-s, ø⟩ *n* universo *m*.

Unke ['ʊŋkə] ⟨-, -n⟩ *f* ululone *m*.

unkenntlich *adj* irriconoscibile. **Unkenntlichkeit** ⟨-, ø⟩ *f:* **bis zur ~ entstellen** sfigurare fino a rendere irriconoscibile.

Unkenntnis *f* ignoranza *f*; **in ~ über etw.** *(akk)* **sein** ignorare qc; **jdn in ~ lassen** lasciare qu all'oscuro; **in ~** *+gen* nell'ignoranza di.

unklar *adj* **1.** *allg.* poco (*o* non) chiaro; *(trüb)* torbido; *(undeutlich)* indistinto; **2.** *fig* vago, oscuro; *(verworren)* confuso; *(unverständlich)* incomprensibile; **im ~en über etw.** *(akk)* **sein** essere all'oscuro di qc; **jdn im ~en lassen** lasciare qu all'oscuro. **Unklarheit** *f* **1.** *(Unklarsein)* poca chiarezza *f*, mancanza *f* di chiarezza, oscurità *f*, confusione *f*; **2.** *(unklare Vorstellung)* mancanza *f* di chiarezza.

unklug *adj* imprudente, irragionevole.

unkompliziert *adj* non complicato, semplice.

unkontrollierbar ['ʊnkɔntrɔli:ɐ̯ba:ɐ̯ *o* ...'li:ɐ̯...] *adj* incontrollabile.

unkonventionell *adj* non convenzionale.

unkonzentriert *adj* deconcentrato; ~ **arbeiten** lavorare in modo deconcentrato (*o* con poca concentrazione).

Unkosten ⟨*pl*⟩ spese *f pl*; **sich in ~ stürzen** fare spese pazze *fam.*

Unkraut *n* erbaccia *f*; ~ **vergeht nicht** *prov* la malerba non muore mai *prov.*

unkündbar ['ʊnkʏntba:ɐ̯ *o* ...'kʏnt...] *adj* irrevocabile; *(Stellung)* permanente.

unlängst *adv* poco fa, recentemente.

unlauter *adj:* **~er Wettbewerb** concorrenza sleale.

unleserlich ['ʊnle:zɐlɪç *o* ...'le:z...] *adj* illeggibile.

unliebsam *adj* spiacevole, increscioso.

unlogisch *adj* illogico.

unlösbar [ʊn'lø:sba:ɐ̯ *o* 'ʊn...] *adj* insolubile.

unlöslich [ʊn'lø:slɪç *o* 'ʊn...] *adj* insolubile.

Unlust *f* svogliatezza *f*, malavoglia *f*; **mit ~** di malavoglia.

unmäßig I. *adj* eccessivo, smisurato, smoderato; *(im Genuß)* intemperante; **II.** *adv* oltre misura.

Unmenge *f* (gran) quantità *f* (*an +dat, von* di), massa *f* (*an +dat, von* di).

Unmensch *m* bruto *m*, mostro *m*. **unmenschlich** ['ʊnmɛnʃlɪç *o* ...'mɛnʃ...] *adj* inumano; *(grausam)* crudele, brutale; *(menschenunwürdig a.)* indegno d'un uomo; *fig (ungeheuer)* sovrumano. **Unmenschlichkeit** *f* inumanità *f*, crudeltà *f*.

unmerklich [ʊn'mɛrklɪç *o* 'ʊn...] *adj* impercettibile, inavvertibile.

unmißverständlich ['ʊnmɪsfɛɐ̯ʃtɛntlɪç *o* ...'ʃtɛnt...] **I.** *adj* inequivocabile, chiaro; **II.** *adv* senza equivoci.

unmittelbar *adj* immediato, diretto; *(bevorstehend)* imminente; ~ **darauf** subito dopo.

unmodern *adj* fuori moda; *(Ansichten)* antiquato.

unmöglich ['ʊnmø:klɪç *o* ...'mø:k...] *adj*

impossibile; **es ist ~ zu ...** è impossibile *+inf;* **das kann ich ~ schaffen** è impossibile che ci riesca. **Unmöglichkeit** *f* impossibilità *f;* **das ist ein Ding der ~** è assolutamente impossibile.
unmoralisch *adj* immorale.
unmotiviert I. *adj* ingiustificato, non motivato; **II.** *adv* senza giustificazione.
unmündig *adj* minorenne.
unmusikalisch *adj* non musicale.
unnachgiebig *adj* intransigente.
unnahbar [ʊnˈnaːbaɐ̯ *o* ˈʊn...] *adj* inavvicinabile, inaccessibile.
unnatürlich *adj* **1.** *(nicht natürlich)* innaturale; *(abnorm)* anormale; **2.** *(geziert)* affettato.
unnötig *adj* non necessario, inutile.
unnötigerweise *adv* inutilmente, invano.
unnütz [ˈʊnnʏts] *adj* inutile; *(überflüssig)* superfluo.
UNO [ˈuːno] ⟨-, ø⟩ *f akr von* **United Nations Organization** O.N.U. *f* (*acr di* Organizzazione delle Nazioni Unite); **~ Friedenstruppe** *f* contigente *m* di pace dell'O.N.U.
unordentlich *adj* disordinato; *(Zimmer)* in disordine; *(nachlässig)* trascurato; *(a. Kleidung)* sciatto.
Unordnung *f* disordine *m; (Durcheinander)* confusione *f;* **in ~** in disordine; **etw. in ~ bringen** mettere qc in disordine.
unorthodox *adj* non ortodosso, poco ortodosso.
unparteiisch *adj* imparziale, obiettivo. **Unparteiische** ⟨ein -r, -n, -n⟩ *mf (Schiedsrichter)* imparziale *mf.*
unpassend *adj (Bemerkung)* sconveniente; *(Zeitpunkt)* inopportuno.
unpassierbar [ˈʊnpasiːɐ̯baːɐ̯ *o* ...ˈsiːɐ̯...] *adj* impraticabile.
unpäßlich [ˈʊnpɛslɪç] *adj geh* indisposto.
unpersönlich *adj* impersonale.
unpolitisch *adj* apolitico.
unpraktisch *adj (Mensch)* non pratico; *(Gerät)* poco pratico.
unproduktiv *adj* improduttivo.
unpünktlich *adj* non puntuale. **Unpünktlichkeit** *f* mancanza *f* di puntualità.
Unrat [ˈʊnraːt] ⟨-(e)s, ø⟩ *m geh* immondizie *f pl,* spazzatura *f.*
unrealistisch *adj* improbabile.
unrecht *adj* non giusto, sbagliato; *(Augenblick)* inopportuno. **Unrecht** *n* torto *m; (Ungerechtigkeit)* ingiustizia *f;* **u~ haben** avere torto; **jdm u~ tun** fare torto a qu; **im ~ sein** avere torto; **jdn ins ~ setzen** mettere qu dalla parte del torto; **zu ~** a torto; **nicht zu ~** non a torto. **unrechtmäßig** *adj* illegale, indebito.
unregelmäßig *adj* irregolare; *(Leben)* sregolato.
unreif *adj* immaturo; *(Frucht a.)* acerbo; *(fig a.)* prematuro.
unrein *adj allg., fig* impuro; *(schmutzig)* non pulito, sporco; **(etw.) ins ~e schreiben** scrivere (qc) in brutta copia.
unrentabel *adj* non redditizio.
unrichtig *adj* sbagliato; *(bes. jur)* falso; *(ungenau)* inesatto, impreciso.
Unruh [ˈʊnruː] ⟨-, -en⟩ *f (der Uhr)* bilanciere *m.*
Unruhe *f* **1.** *(mangelnde Ruhe)* inquietudine *f; (Aufregung)* agitazione *f; (Ruhestörung)* disordine *m;* **2.** *(Besorgnis)* apprensione *f; (innere ~)* ansia *f; (nervöse Hast)* irrequietezza *f;* **3.** ⟨*pl*⟩ *pol* disordini *m pl,* tumulti *m pl,* sommosse *f pl.* **Unruhestifter(in)** *m(f)* sobillatore, -trice *m, f.*
unruhig *adj* **1.** *(nicht ruhig)* inquieto; *(aufgeregt)* agitato; *(bes. See)* mosso; **2.** *(Leben, Mensch)* irrequieto; *(Zeiten)* turbolento; **3.** *(besorgt)* preoccupato (*wegen* per, di), inquieto (*wegen* per).
uns [ʊns] **I.** *pers pron* **1.** *(dat von* wir*) (betont)* a noi; *(unbetont)* ci; **2.** *(akk von* wir*) (betont)* noi; *(unbetont)* ci; **von ~** *(unsererseits)* da parte nostra; **ein Freund von ~** un nostro amico; **unter ~ gesagt ...** detto fra noi ...; **hier sind wir unter ~** qui siamo fra noi; **du gehörst zu ~** sei uno dei nostri; **II.** *rfl pron* ci.
unsanft *adj* brusco, poco dolce.
unsauber *adj* **1.** *(schmutzig)* sporco, sudicio; *(Ton a.)* non pulito; **2.** *fig* disonesto, losco.
unschädlich *adj* innocuo; **jdn ~ machen** rendere innocuo qu.
unscharf *adj (allg., fig, Ton)* indistinto; *(Foto)* sfocato; *(nicht präzise)* impreciso.
unscheinbar *adj* poco (*o* non) appariscente.
unschicklich *adj* sconveniente, disdicevole; *(unanständig)* indecente.
unschlagbar *adj* imbattibile.
unschlüssig *adj* irresoluto, indeciso; **ich bin mir noch ~ darüber, was ich tun soll** sono ancora indeciso sul da farsi.
unschön *adj* **1.** *(häßlich)* brutto; **2.** *(unangenehm)* spiacevole.
Unschuld *f* **1.** *allg., jur* innocenza *f;* **2.** *(Jungfräulichkeit)* verginità *f;* **eine ~ vom Lande** *fam, scherz* una contadinella ingenua; **seine Hände in ~ waschen** lavarsene le mani. **unschuldig** *adj allg., jur* innocente (*an +dat* di).
unser [ˈʊnzɐ] **I.** *poss pron (adjektivisch von* wir*)* nostro, -a *m, f,* nostri, -e *m pl, f pl;* **II.** *pers pron (gen von* wir*)* di noi.
unsereiner, unsereins *pron* uno come noi, noialtri.
uns(e)re(r, s) [ˈʊnz(ə)rə] *poss pron (substantivisch von* uns*)* (il) nostro, (la) nostra, (i) nostri *pl,* (le) nostre *pl.*
uns(e)rerseits [ˈʊnz(ə)rɐˈzaits] *adv* da parte nostra.
uns(e)resgleichen [ˈʊnz(ə)rəsˈglaiçən]

⟨*inv*⟩ *pron* nostro pari, gente *f, etc.* come noi.

unser(e)twegen ['ʊnzɐt've:gən (...zərət...)] *adv* per causa nostra, per noi; *(negativ)* per colpa nostra.

unseretwillen ['ʊnzərət'vɪlən] *adv:* **um** ~ per noi, per amor nostro.

unsicher *adj* **1.** *(nicht gesichert)* poco sicuro, malsicuro, instabile; *psych* insicuro; **2.** *(ungewiß)* incerto; *(zweifelhaft)* dubbio; *(unzuverlässig)* non attendibile; **3.** *(gefährlich)* pericoloso, poco sicuro; **die Gegend** ~ **machen** *fam* infestare il luogo. **Unsicherheit** *f* insicurezza *f; (Ungewißheit)* incertezza *f.* **Unsicherheitsfaktor** *m* fattore *m* d'incertezza.

unsichtbar *adj* invisibile.

Unsinn *m* **1.** *(Unsinnigkeit)* nonsenso *m,* assurdità *f;* **2.** *(Unfug)* sciocchezze *f pl,* scemenze *f pl;* ~ **reden** dire sciocchezze; **das ist (doch)** ~ sono tutte scemenze; **ich habe dich doch gestern abend nicht gestört? – ~!** non ti ho disturbato ieri sera? – va! *fam.* **unsinnig** *adj* **1.** *(ohne Sinn)* assurdo, insensato; **2.** *(verrückt)* pazzo, folle; **3.** *(dumm)* sciocco, stupido.

Unsitte *f* cattiva abitudine *f.*

unsittlich *adj* immorale, scostumato.

unsozial *adj* asociale.

unsportlich *adj* **1.** *(keinen Sport treibend)* non sportivo; **2.** *(nicht fair)* antisportivo.

unsre(r, s) *etc. s.* **unsere(r, s)** *etc.*

unsterblich [ʊn'ʃtɛrplɪç *o* 'ʊn...] *adj* immortale; **sich** ~ **verlieben** *fam* innamorarsi perdutamente; **sich** ~ **blamieren** *fam* compromettersi irrimediabilmente. **Unsterblichkeit** *f* immortalità *f.*

Unstimmigkeit ['ʊnʃtɪmɪçkai̯t] ⟨-, -en⟩ *f* **1.** *(in Rechnung)* differenza *f; (Widerspruch)* contrasto *m;* **2.** *(Meinungsverschiedenheit)* divergenze *f pl.*

unsympathisch *adj* antipatico; **er ist mir** ~ mi è antipatico.

untad(e)lig ['ʊnta:d(ə)lɪç *o* ...'ta:...] *adj* irreprensibile, ineccepibile.

Untat *f* misfatto *m; (Verbrechen)* delitto *m.*

untätig *adj* inattivo, inerte, passivo.

untauglich *adj* inadatto *(für* a); *mil* inabile *(für* a); *(nicht verwendungsfähig)* inservibile.

unteilbar [ʊn'tai̯lba:ɐ̯ *o* 'ʊn...] *adj* indivisibile.

unten ['ʊntən] *adv* (di) sotto, giù, da basso; *(am unteren Ende)* in fondo *(an +dat, in +dat* a); *(an der Unterseite)* in fondo; **da** ~ laggiù; **hier** ~ quaggiù; **rechts** ~ in fondo a destra; **weiter** ~ più giù; *(im Text)* più avanti, sotto; **nach** ~ giù; **von** ~ **(her)** dal basso; **siehe** ~**!** *(abk* **s. u.**) vedi sotto.

unter ['ʊntɐ] *prp +dat/+akk* **1.** *(örtlich)* sotto; *(~halb von, weniger als a.)* al di sotto di; **2.** *(zwischen)* fra, tra; *(inmitten)* in mezzo a; **10 Grad** ~ **Null** dieci gradi sotto zero; **nicht einer** ~ **hundert** non uno su cento; **nicht** ~ **100 Mark** non meno di 100 marchi; ~ **der Regierung ...** sotto il governo di ...; ~ **Schmerzen** con dolori; ~ **anderem** *(abk* **u. a.**) fra le altre cose, tra l'altro; ~ **der Bedingung, daß ...** a condizione che *+congv;* **sie wohnen** ~ **uns** abitano sotto di noi; **was verstehen Sie** ~ **...?** che cosa intende per ...?

unterbelichtet *adj (Foto)* sottoesposto.

unterbewußt *adj* subconscio; **das U~e** il subconscio. **Unterbewußtsein** *n* subconscio *m,* subcosciente *m;* **in seinem** ~ nel suo subcosciente.

unterbezahlt *adj* sottopagato.

unterbieten [ʊntɐ'bi:tən] ⟨*irr, ohne ge-*⟩ *tr* **1.** *com* offrire a minor prezzo; **2.** *sport (Rekord)* battere.

unterbinden [ʊntɐ'bɪndən] ⟨*irr, ohne ge-*⟩ *tr* impedire, troncare.

unterbleiben [ʊntɐ'blai̯bən] ⟨*irr, ohne ge-*⟩ *itr* ⟨*sein*⟩ **1.** *(nicht stattfinden)* non aver luogo, non succedere; **2.** *(nicht wieder vorkommen)* non ripetersi.

Unterbodenschutz *m* trattamento *m* del sottofondo.

unterbrechen [ʊntɐ'brɛçən] ⟨*irr, ohne ge-*⟩ *tr* interrompere. **Unterbrechung** ⟨-, -en⟩ *f* interruzione *f;* **mit** ~**en** a intervalli; **ohne** ~ senza interruzione.

unterbreiten [ʊntɐ'brai̯tən] ⟨*ohne ge-*⟩ *tr* sottoporre *(jdm etw.* qc a qu).

unter·bringen ⟨*irr*⟩ *tr* **1.** *(Möbel, Gepäck)* mettere; *(a. fig)* sistemare; **2.** *(beherbergen)* alloggiare, sistemare; *mil* acquartierare; **3.** *(in einer Stellung)* collocare, trovare un impiego a; **ich kann ihn nirgends** ~ *fig fam* non lo conosco.

Unterbruch *m CH* interruzione *f.*

unterderhand [ʊntɐde:ɐ̯'hant] *adv* sottomano.

unterdes(sen) [ʊntɐ'dɛs(ən)] *adv* frattanto, nel frattempo.

Unterdruck ⟨-(e)s, -drücke⟩ *m* bassa pressione *f.*

unterdrücken [ʊntɐ'drʏkən] ⟨*ohne ge-*⟩ *tr* **1.** *(Menschen)* opprimere; *(Aufstand)* soffocare, reprimere; **2.** *(Gefühl)* reprimere; *(Seufzer, Tränen)* trattenere. **Unterdrückung** ⟨-, -en⟩ *f (von Menschen)* oppressione *f; (von Aufstand, Gefühl)* repressione *f,* soffocare *m.*

untere *s.* **untere(r, s).**

untereinander [ʊntɐˀai̯'nandɐ] *adv* **1.** *(räumlich)* l'uno sotto l'altro; **2.** *(miteinander)* l'uno con l'altro; *(gegenseitig)* l'un l'altro, reciprocamente.

unterentwickelt *adj* sottosviluppato; *(Kind)* tardivo.

unterernährt *adj* denutrito.

untere(r, s) ['ʊntərə] *adj* basso, -a; *(a.*

untergeordnet) inferiore; *(unten gelegen)* disotto.

Unterführung [unte'fy:ruŋ] *f* sottopassaggio *m.*

Untergang *m* **1.** *(von Gestirn)* tramonto *m;* **2.** *naut* naufragio *m;* **3.** *fig (Verfall)* declino *m; (Scheitern, Verderb)* rovina *f; (Welt~)* fine *f;* **dem (***o* **seinem) ~ entgegengehen** andare incontro alla (propria) rovina.

Untergebene [unte'ge:bənə] ⟨ein -r, -n, -n⟩ *mf* inferiore *mf,* subalterno, -a *m, f.*

unter·gehen ⟨*irr*⟩ *itr* ⟨*sein*⟩ **1.** *(Gestirn)* tramontare; **2.** *naut* affondare; **3.** *fig (verfallen)* declinare; *(zugrunde gehen)* andare in rovina; *(umkommen)* perire, morire; **4.** *fig (sich verlieren)* perdersi; **die ~de Sonne** il sole che tramonta; **seine Worte gingen im Lärm völlig unter** le sue parole si persero completamente nel chiasso.

Untergeschoß *n* scantinato *m.*

untergraben [unte'gra:bən] ⟨*irr, ohne ge-*⟩ *tr* minare, scalzare.

Untergrund *m* **1.** *geol* sottosuolo *m;* **2.** *arch* fondamento *m;* **3.** *(Malerei)* fondo *m;* **4.** *fig, pol* clandestinità *f.* **Untergrundbahn** *f* metropolitana *f.* **Untergrundbewegung** *f* movimento *m* clandestino.

unterhalb *prp gen* al di sotto di, sotto.

Unterhalt *m* **1.** *(Lebens~)* mantenimento *m,* sostentamento *m;* **2.** *jur* alimenti *m pl;* **3.** *(Instandhaltung)* manutenzione *f.*

unterhalten [unte'haltən] ⟨*irr, ohne ge-*⟩ **I.** *tr* **1.** *(ernähren)* sostentare; *(a. in Betrieb haben)* mantenere; **2.** *(Konto)* avere, tenere; **3.** *(Bauwerk)* mantenere; **4.** *(Geschäft)* condurre; **5.** *(Beziehungen)* mantenere; **6.** *(vergnügen)* divertire; **II.** *rfl:* **sich ~ 1.** *(miteinander sprechen)* conversare *(über +akk* di), intrattenersi *(über +akk* su); **2.** *(sich vergnügen)* divertirsi.

Unterhalter(in) [unte'halte, ...ərın] *m(f)* conversatore, -trice *m, f,* ospite *mf.*

unterhaltsam [unte'haltza:m] *adj* divertente, piacevole.

Unterhaltsanspruch *m* diritto *m* agli alimenti. **unterhaltsberechtigt** *adj* che ha diritto al mantenimento; *(Ehefrau)* che ha diritto agli alimenti. **Unterhaltsgeld** *n* alimenti *m pl.* **Unterhaltskosten** ⟨*pl*⟩ spese *f pl* di sostentamento. **Unterhaltspflicht** *f* obbligo *m* di passare gli alimenti.

Unterhaltung [unte'haltuŋ] *f* **1.** *(Gespräch)* conversazione *f;* **2.** *(Vergnügen)* divertimento *m,* passatempo *m;* **3.** *(Instandhaltung)* manutenzione *f;* **4.** *(Aufrechterhaltung)* mantenimento *m;* **gute ~!** buon divertimento! **Unterhaltungselektronik** *f* impianti *m pl* audio e video. **Unterhaltungsindustrie** *f* industria *f* dello spettacolo. **Unterhaltungsliteratur** *f* letteratura *f* d'evasione. **Unterhaltungswert** *m* indice *m* di intrattenimento.

Unterhändler(in) *m(f)* negoziatore, -trice *m, f,* mediatore, -trice *m, f.*

Unterhemd *n* canottiera *f.*

Unterhose *f* mutande *f pl; (kurze)* mutandine *f pl;* **eine ~** un paio di mutande.

unterirdisch *adj* sotterraneo.

Unterkiefer *m* mascella *f* inferiore, mandibola *f.*

unter·kommen ⟨*irr*⟩ *itr* ⟨*sein*⟩ **1.** *(Unterkunft finden)* trovare alloggio; **2.** *(Arbeit finden)* trovare un impiego, venir assunto; **so etwas ist mir noch nie untergekommen!** *fam* una cosa simile non mi è mai capitata.

unter·kriegen *tr fam:* **sich nicht ~ lassen** non lasciarsi sopraffare.

Unterkunft ['untekunft] ⟨-, -künfte⟩ *f* alloggio *m;* **~ und Verpflegung** vitto e alloggio; **jdm ~ geben** alloggiare qu.

Unterlage *f* **1.** *allg.* supporto *m,* sostegno *m; (Grundlage)* base *f; (Schreib~)* sottomano *m;* **2.** ⟨*pl*⟩ *(Akten)* documenti *m pl,* atti *m pl; (Beleg)* pezza *f* d'appoggio, giustificativo *m.*

unterlassen [unte'lasən] ⟨*irr, ohne ge-*⟩ *tr* **1.** *(nicht tun)* tralasciare, omettere; *(bes. schuldhaft)* trascurare; **2.** *(darauf verzichten)* astenersi da; *(damit aufhören)* smettere, finire; **es ~ zu ...** astenersi da *+inf;* **~ Sie alles, was ...** trascuri tutto ciò che ... **Unterlassung** ⟨-, -en⟩ *f* omissione *f.*

unterlegen[1] [unte'le:gən] ⟨*ohne ge-*⟩ *tr (mit Stoff)* guarnire; *(mit Text, Musik)* munire *(mit* di).

unterlegen[2] [unte'le:gən] *adj* inferiore, più debole; *(besiegt)* sconfitto.

Unterleib *m* basso ventre *m.*

unterliegen [unte'li:gən] ⟨*irr, ohne ge-*⟩ *itr* ⟨*sein*⟩ **1.** *(besiegt werden)* essere vinto (*o* battuto); *(erliegen)* soccombere; **2.** *fig (unterworfen sein)* essere soggetto *(dat* a), sottostare *(dat* a).

Untermiete *f* subaffitto *m,* sublocazione *f;* **in (***o* **zur) ~ bei jdm wohnen** stare in subaffitto da qu. **Untermieter(in)** *m(f)* subaffittuario, -a *m, f.*

unternehmen [unte'ne:mən] ⟨*irr, ohne ge-*⟩ *tr allg.* fare; *(Reise)* intraprendere; *(Versuch)* fare, tentare; **dagegen muß man dringend etwas ~** si deve intervenire al più presto.

Unternehmen ⟨-s, -⟩ *n* **1.** *(Vorhaben)* impresa *f;* **2.** *(Betrieb)* azienda *f.* **Unternehmensberater(in)** *m(f)* consulente *mf* aziendale. **Unternehmensspitze** *f* vertice *m* aziendale.

Unternehmer(in) ⟨-s, -⟩ *m(f)* imprenditore, -trice *m, f.*

Unternehmungsgeist *m* spirito *m* d'iniziativa, iniziativa *f.* **unternehmungslustig** *adj* intraprendente.

Unteroffizier *m* sottufficiale *m; (Dienstgrad)* sergente *m.*

Unterricht ['ʊntɐrɪçt] ⟨-(e)s, *rar* -e⟩ *m (das Unterrichten)* insegnamento *m; (~sstunden)* lezioni *f pl.*

unterrichten [ʊntɐ'rɪçtən] ⟨*ohne ge-*⟩ *tr* **1.** *(Unterricht geben)* insegnare *(jdn in etw. (dat)* qc a qu), dare lezioni *(jdn in etw. (dat)* di qc a qu); **2.** *(informieren)* informare *(jdn von etw. (o über etw. (akk))* qu di qc); **sich über etw.** *(akk)* ~ informarsi su (*o* di) qc; **unterrichtet sein** essere al corrente.

Unterrichtsfach *n* materia *f.* **Unterrichtsgegenstand** *m* materia *f* d'insegnamento. **Unterrichtsstunde** *f* lezione *f.*

Unterrock *m* sottoveste *f; (ohne Oberteil)* sottogonna *f.*

Untersatz *m allg.* piattino *m; (für Gläser)* sottobicchiere *m; (für Töpfe)* sottovaso *m;* **ein fahrbarer** ~ *fam scherz* una macchina.

unterschätzen [ʊntɐ'ʃɛtsən] ⟨*ohne ge-*⟩ *tr* sottovalutare.

unterscheiden [ʊntɐ'ʃaidən] ⟨*irr, ohne ge-*⟩ **I.** *tr* **1.** *allg.* distinguere; **2.** *(abgrenzen)* differenziare (*von* da); **II.** *itr (einen Unterschied machen)* fare una distinzione (*zwischen* fra); **III.** *rfl:* **sich** ~ distinguersi (*von* da), differire (*von* da); **worin** ~ **sich Ulla und Veronika?** in che cosa sono diverse Ulla e Veronica?. **Unterscheidung** *f* distinzione *f,* differenziazione *f.*

Unterschied ['ʊntɐʃi:t] ⟨-(e)s, -e⟩ *m* differenza *f* (*in +dat* di); *(Unterscheidung)* distinzione *f* (*zwischen* fra); **einen** ~ **machen zwischen** fare una distinzione tra; **ohne** ~ indifferentemente; **im** ~ **zu** a differenza di; **das ist ein gewaltiger** ~**!** questo fa una grande differenza. **unterschiedlich** *adj* diverso, differente.

unterschlagen [ʊntɐ'ʃla:gən] ⟨*irr, ohne ge-*⟩ *tr* **1.** *(Geld)* sottrarre; *(Briefe)* intercettare; **2.** *(verheimlichen)* nascondere, celare, tacere. **Unterschlagung** ⟨-, -en⟩ *f* appropriazione *f* indebita, sottrazione *f.*

Unterschlupf ['ʊntɐʃlʊpf] ⟨-(e)s, -e *o* -schlüpfe⟩ *m* **1.** *(Obdach)* rifugio *m,* riparo *m;* **2.** *(Versteck)* nascondiglio *m.*

unterschreiben [ʊntɐ'ʃraibən] ⟨*irr, ohne ge-*⟩ *tr* **1.** *allg.* firmare, sottoscrivere; **2.** *fam (gutheißen)* approvare.

Unterschrift *f* **1.** *(Name)* firma *f;* **2.** *(Bild~)* leggenda *f.*

unterschwellig *adj* inconscio.

untersetzt [ʊntɐ'zɛtst] *adj* tarchiato.

unterste *s.* **unterste(r, s).**

unterstehen [ʊntɐ'ʃte:ən] ⟨*irr, ohne ge-*⟩ **I.** *itr:* **jdm** ~ dipendere da qu; **II.** *rfl:* **sich** ~**, etw. zu tun** non osare di fare qc; **untersteh dich, das zu tun!** guai (a te) se lo fai! *fam.*

unter·stellen[1] ['ʊntɐʃtɛlən] **I.** *tr* **1.** *(zur Aufbewahrung)* depositare, mettere; **2.** *(Auto)* parcheggiare; *(in Garage)* mettere in garage; **II.** *rfl:* **sich** ~ mettersi al riparo (*vor +dat* da).

unterstellen[2] [ʊntɐ'ʃtɛlən] ⟨*ohne ge-*⟩ *tr* **1.** *(unterordnen)* subordinare; *mil* assegnare al comando (*jdm* di qu); **2.** *(die Leitung übertragen)* assegnare; **3.** *pej (unterschieben)* attribuire; **4.** *(annehmen)* presumere; **wir unterstellen jetzt einmal, daß das wahr ist** ammesso e concesso che sia vero. **Unterstellung** *f* **1.** *(Unterordnung)* subordinazione *f;* **2.** *(falsche Behauptung)* insinuazione *f.*

unterste(r, s) ['ʊntɐstə] ⟨*superl von* untere⟩ *adj* **1.** *(örtlich)* (il/la) più basso, -a; **2.** *(im Rang)* ultimo, -a; **3.** *(letzte)* ultimo, -a.

unterstreichen [ʊntɐ'ʃtraiçən] ⟨*irr, ohne ge-*⟩ *tr (a. fig)* sottolineare.

Unterstufe *f (an Schule)* classi *f pl* inferiori.

unterstützen [ʊntɐ'ʃtʏtsən] ⟨*ohne ge-*⟩ *tr* **1.** *allg.* sostenere; *(a. fig)* appoggiare; **2.** *(finanziell)* sussidiare; *(helfen)* aiutare, assistere; **3.** *(moralisch)* sostenere. **Unterstützung** ⟨-, -en⟩ *f* **1.** *allg.* sostegno *m; (a. fig)* appoggio *m;* **2.** *(Beihilfe)* sussidio *m; (Subvention)* sovvenzione *f;* **3.** *(Beistand)* aiuto *m,* assistenza *f.*

untersuchen [ʊntɐ'zu:xən] ⟨*ohne ge-*⟩ *tr* **1.** *(prüfen)* esaminare; *(analysieren, abhandeln)* analizzare (*auf +akk* circa); *(erkunden)* esplorare; **2.** *(nachprüfen)* verificare, controllare; *(Maschinen)* ispezionare; *(polizeilich)* indagare, investigare; **3.** *(beim Zoll, Patienten)* visitare; **sich ärztlich** ~ **lassen** farsi visitare da un medico.

Untersuchung [ʊntɐ'zu:xʊŋ] ⟨-, -en⟩ *f* **1.** *(Prüfung)* esame *m; (Analyse)* analisi *f; (Nachforschung, Abhandlung)* studio *m; (Erkundung)* esplorazione *f;* **2.** *(Nachprüfung)* verifica *f,* controllo *m; (beim Zoll, Arzt)* visita *f;* **3.** *(polizeilich)* indagine *f,* inchiesta *f;* **gerichtliche** ~ istruttoria *f;* **bei näherer** ~ dopo approfondito esame. **Untersuchungsausschuß** *m* commissione *f* d'inchiesta. **Untersuchungshaft** *f* (*abk fam* **U-Haft**) detenzione *f* preventiva. **Untersuchungsrichter(in)** *m(f)* giudice *m* istruttore.

Untertasse *f* piattino *m;* **fliegende** ~ disco *m* volante.

unter·tauchen **I.** *tr* ⟨*haben*⟩ immergere, tuffare; **II.** *itr* ⟨*sein*⟩ immergersi, tuffarsi; *fig* scomparire.

Unterteil *n* parte *f* inferiore.

unterteilen [ʊntɐ'tailən] ⟨*ohne ge-*⟩ *tr* suddividere.

Untertitel *m* sottotitolo *m.*

untertreiben [ʊntɐ'traibən] ⟨*irr, ohne ge-*⟩ **I.** *tr* sminuire; **II.** *itr* minimizzare.

Unterverzeichnis *n inform* subdirectory *m.*

Unterwäsche *f* biancheria *f* intima.
unterwegs [ʊntɐˈveːks] *adv* strada facendo; *(auf der Reise)* durante il viaggio; **(immer) ~ sein** essere (sempre) in giro; **der Arzt ist schon ~** il medico sta per arrivare; **bei uns ist ein Baby ~** aspettiamo un bambino.
unterwerfen [ʊntɐˈvɛrfən] ⟨*irr, ohne ge-*⟩ **I.** *tr (ein Volk)* sottomettere, assoggettare; *(unterjochen)* soggiogare; **einer S.** *(dat)* **unterworfen sein** essere soggetto a qc; **II.** *rfl:* **sich ~** sottomettersi *(dat* a).
unterwürfig [ʊntɐˈvʏrfɪç *o* ˈʊn...] *adj* servile, ossequioso.
unterzeichnen [ʊntɐˈtsaɪçnən] ⟨*ohne ge-*⟩ *tr adm* firmare, sottoscrivere. **Unterzeichner(in)** *m(f) adm* firmatario, -a *m, f.* **Unterzeichnete** ⟨ein -r, -n, -n⟩ *mf adm* sottoscritto, -a *m, f.* **Unterzeichnung** *f adm* firma *f.*
Untiefe *f* bassofondo *m,* secca *f.*
Untier *n* mostro *m; (a. fig)* belva *f.*
untragbar [ʊnˈtraːkbaːɐ̯ *o* ˈʊn...] *adj* intollerabile; *(a. finanziell)* insopportabile.
untreu *adj* infedele; **jdm ~ werden** diventare infedele a qu, tradire qu; **sich** *(dat)* **selbst ~ werden** rinnegare i propri principi. **Untreue** *f* **1.** *(gegenüber Menschen)* infedeltà *f;* **2.** *jur* frode *f; (im Amt)* prevaricazione *f.*
untröstlich [ʊnˈtrøːstlɪç *o* ˈʊn...] *adj (nicht zu trösten)* inconsolabile *(über +akk* per); *(sehr traurig)* desolato *(über +akk* per).
Untugend *f* cattiva abitudine *f.*
untypisch *adj* atipico.
unüberhörbar *adj* impossibile a non sentirsi, che non si può non sentire.
unüberlegt *adj* sconsiderato, avventato.
unübersehbar [ʊnˀyːbɐˈzeːbaːɐ̯ *o* ˈʊn...] *adj* **1.** *(Menge)* immenso; **2.** *fig (Folgen)* incalcolabile.
unübersichtlich *adj* poco chiaro, confuso; *(Anordnung)* mal disposto; *(Kurve)* cieco.
unüberwindlich [ʊnˀyːbɐˈvɪntlɪç *o* ˈʊn...] *adj (Gegner)* invincibile; *(Schwierigkeiten)* insormontabile.
unüblich *adj* inusitato.
unumgänglich [ʊnˀʊmˈgɛŋlɪç] *adj* indispensabile.
unumschränkt [ʊnˀʊmˈʃrɛŋkt *o* ˈʊn...] *adj* illimitato; *pol* assoluto.
unumstößlich [ʊnˀʊmˈʃtøːslɪç *o* ˈʊn...] *adj* irrevocabile.
unumwunden [ˈʊnˀʊmvʊndən *o* ...ˈvʊn...] *adv:* **~ zugeben** riconoscere francamente.
ununterbrochen [ˈʊnˀʊntɐbrɔxən *o* ...ˈbrɔ...] **I.** *adj* ininterrotto, incessante; **II.** *adv* senza interruzione.
unveränderlich [ʊnfɛɐ̯ˈˀɛndɐlɪç *o* ˈʊn...] *adj* immutabile; *(a. mat)* invariabile.
unverändert [ˈʊnfɛɐ̯ˀɛndɐt *o* ...ˈˀɛn...] *adj* immutato, invariato.
unverantwortlich [ʊnfɛɐ̯ˈˀantvɔrtlɪç *o* ˈʊn...] *adj* irresponsabile, incosciente.
unveräußerlich *adj (Rechte)* inalienabile.
unverbesserlich [ʊnfɛɐ̯ˈbɛsɐlɪç *o* ˈʊn...] *adj* incorreggibile.
unverbindlich [ˈʊnfɛɐ̯bɪntlɪç *o* ...ˈbɪnt...] **I.** *adj* **1.** *(nicht bindend)* non impegnativo; **2.** *(nicht entgegenkommend)* inflessibile; **II.** *adv* senza impegno.
unverbleit *adj (Benzin)* senza piombo, verde *fam.*
unverblümt [ʊnfɛɐ̯ˈblyːmt *o* ˈʊn...] *adv* senza mezzi termini.
unverdaulich [ˈʊnfɛɐ̯daʊlɪç *o* ...ˈdaʊ...] *adj (a. fig)* indigesto.
unvereinbar [ʊnfɛɐ̯ˈˀaɪnbaːɐ̯ *o* ˈʊn...] *adj* incompatibile *(mit* con), inconciliabile *(mit* con).
unverfänglich [ˈʊnfɛɐ̯fɛŋlɪç *o* ...ˈfɛŋ...] *adj* innocuo.
unverfroren [ˈʊnfɛɐ̯froːrən *o* ...ˈfroː...] *adj* sfacciato, sfrontato.
unvergessen *adj* indimenticato, incancellabile.
unvergeßlich [ʊnfɛɐ̯ˈgɛslɪç *o* ˈʊn...] *adj* indimenticabile.
unverhältnismäßig [ˈʊnfɛɐ̯hɛltnɪs- *o* ...ˈhɛlt...] **I.** *adj* sproporzionato; *(übermäßig)* eccessivo; **II.** *adv* sproporzionatamente; *(übermäßig)* eccessivamente.
unverheiratet *adj* non sposato; *(Männer)* celibe; *(Frauen)* nubile.
unverkäuflich [ˈʊnfɛɐ̯kɔʏflɪç *o* ...ˈkɔʏf...] *adj* **1.** *(nicht zum Verkauf bestimmt)* non in vendita; *(Muster)* non commerciabile; **2.** *(nicht zum Verkauf geeignet)* invendibile.
unverletzt *adj* incolume, integro.
unvermeidlich [ʊnfɛɐ̯ˈmaɪtlɪç *o* ˈʊn...] *adj* inevitabile, ineluttabile.
unvermögend *adj* squattrinato, spiantato *fam.*
unvernünftig *adj* insensato, irragionevole; *(töricht)* assurdo.
unverschämt *adj* sfacciato, insolente.
unverschuldet *adj (unschuldig)* innocente.
unversehrt [ˈʊnfɛɐ̯zeːɐ̯t *o* ...ˈzeːɐ̯t] *adj (Menschen)* illeso, incolume; *(Dinge)* intatto.
unversöhnlich [ˈʊnfɛɐ̯zøːnlɪç *o* ...ˈzøːn...] *adj (Meinungen)* inconciliabile; *(Gegner)* intransigente.
unverständlich *adj* incomprensibile.
unverwüstlich [ʊnfɛɐ̯ˈvyːstlɪç *o* ˈʊn...] *adj* indistruttibile, resistente, solido; **~e Gesundheit** salute di ferro.
unverzeihlich [ʊnfɛɐ̯ˈtsaɪlɪç *o* ˈʊn...] *adj* imperdonabile.
unverzüglich [ʊnfɛɐ̯ˈtsyːklɪç *o* ˈʊn...] **I.** *adj* immediato; *(prompt)* pronto; **II.** *adv* subito, immediatamente.
unvollkommen [ˈʊnfɔlkɔmən *o* ...ˈkɔ...] *adj* **1.** *(mangelhaft)* imperfetto; **2.** *(unvollständig)* incompleto.

unvorbereitet **I.** *adj* impreparato; *(Rede)* improvvisato; **II.** *adv* senza essere preparato.
unvoreingenommen *adj* non prevenuto, obiettivo.
unvorhergesehen *adj* imprevisto.
unvorsichtig *adj* imprudente, incauto.
unvorstellbar [ʊnfo:ɐ̯'ʃtɛlba:ɐ̯ *o* 'ʊn...] *adj* inimmaginabile.
unvorteilhaft *adj* svantaggioso, sfavorevole; **das Kleid ist sehr ~ für dich** il vestito non ti dona.
unwahr *adj* non vero, falso. **Unwahrheit** *f* falsità *f; (Lüge)* menzogna *f,* bugia *f;* **die ~ sagen** mentire.
unwahrscheinlich **I.** *adj* **1.** *(kaum zu erwarten)* improbabile; **2.** *(unglaublich)* inverosimile, incredibile; **3.** *fam (sehr viel, groß)* molto; **II.** *adv fam (sehr)* molto; **sie hat sich ~ angestrengt** si è sforzata moltissimo. **Unwahrscheinlichkeit** *f* improbabilità *f;* inverosimiglianza *f.*
unweigerlich [ʊn'vaigɐlıç *o* 'ʊn...] *adv* immancabilmente.
unweit **I.** *prp +gen* poco lontano da; **II.** *adv:* **~ von** poco lontano da.
Unwesen *n:* **sein ~ treiben** infestare (*an einem Ort* un luogo).
unwesentlich *adj (irrelevant)* irrilevante; *(unwichtig)* poco importante, di importanza secondaria; *(unbedeutend)* insignificante; **sie ist nur ~ älter als meine Mutter** è solo un po' più vecchia di mia madre.
Unwetter *n* temporale *m.*
unwichtig *adj* non (*o* poco) importante.
unwiderruflich [ʊnvi:dɐ'ru:flıç *o* 'ʊn...] *adj* irrevocabile; *(endgültig)* definitivo.
unwiderstehlich [ʊnvi:dɐ'ʃte:lıç *o* 'ʊn...] *adj* irresistibile.
unwillkürlich ['ʊnvılky:ɐ̯lıç *o* ...'ky:ɐ̯...] *adj* istintivo, spontaneo; **ich mußte ~ lachen** non potei fare a meno di ridere.
unwirklich *adj* irreale.
unwirksam *adj* inefficace; *jur* nullo.
unwirsch ['ʊnvırʃ] *adj* scontroso, brusco.
unwissend *adj* ignorante; *(unerfahren)* inesperto. **Unwissenheit** ⟨-, ø⟩ *f* ignoranza *f.* **unwissentlich** **I.** *adj* inconsapevole; **II.** *adv* senza saperlo.
unwohl *adj (unpäßlich)* indisposto; **sich ~ fühlen** *(unbehaglich)* non sentirsi a proprio agio. **Unwohlsein** *n* indisposizione *f.*
unwürdig *adj* indegno.
unzerbrechlich [ʊntsɛɐ̯'brɛçlıç *o* 'ʊn...] *adj* infrangibile.
unzertrennlich [ʊntsɛɐ̯'trɛnlıç *o* 'ʊn...] *adj* inseparabile.
Unzucht *f* atto *m* di libidine. **unzüchtig** ['ʊntsʏçtıç] *adj* lascivo; *(Schriften)* osceno, pornografico.
unzufrieden *adj* scontento (*mit* di), insoddisfatto (*mit* di).
unzurechnungsfähig *adj* incapace di intendere e di volere; **jdn für ~ erklären lassen** far dichiarare qu incapace di intendere e di volere. **Unzurechnungsfähigkeit** *f* incapacità *f* di intendere e di volere.
unzusammenhängend *adj* sconnesso.
unzustellbar *adj* che non può essere recapitato; *(als Vermerk)* destinatario sconosciuto; **falls ~, zurück an den Absender** in caso di mancato recapito ritornare al mittente.
unzutreffend *adj* inesatto; **U~es bitte streichen** cancellare ciò che non interessa.
unzuverlässig *adj* **1.** *(Mensch)* non fidato; *(Freund)* infido; **2.** *(ungenau)* impreciso; **er ist ein ~er Mensch** non ci si può fidare di lui.
unzweideutig *adj* inequivocabile.
üppig ['ʏpıç] *adj (Vegetation)* lussureggiante, rigoglioso; *(Mahl)* ricco, abbondante; *(Formen)* formoso, opulento; **~ leben** vivere nel lusso.
up to date ['ʌp tə 'deıt] *adj* up-to-date.
Urabstimmung ['u:ɐ̯-] *f* votazione *f* assembleare.
uralt *adj* vecchissimo, antichissimo.
Uran [u'ra:n] ⟨-s, ø⟩ *n* uranio *m.*
urauf·führen *tr* rappresentare per la prima volta. **Uraufführung** *f* prima *f.*
Urenkel(in) *m(f)* pronipote *mf.* **Urgeschichte** *f* preistoria *f.* **Urgroßeltern** ⟨*pl*⟩ bisnonni *m pl.* **Urgroßmutter** *f* bisnonna *f.* **Urgroßvater** *m* bisnonno *m.*
Urheber(in) ⟨-s, -⟩ *m(f) (a. fig)* autore, -trice *m, f.* **Urheberrecht** *n* diritto *m* d'autore. **Urheberschaft** ⟨-, ø⟩ *f* paternità *f* (di un'opera).
urig ['u:rıç] *adj fam (Mensch)* originale; *(urwüchsig)* naturale.
Urin [u'ri:n] ⟨-s, -e⟩ *m* orina *f.*
urinieren [uri'ni:rən] ⟨*ohne ge-*⟩ *itr* orinare.
urkomisch *adj fam* curiosissimo, stranissimo.
Urkunde ['u:ɐ̯kʊndə] ⟨-, -n⟩ *f* documento *m; (bes. jur)* atto *m;* **amtliche/gerichtliche/notarielle ~** atto ufficiale/giudiziario/notarile; **eine ~ (über etw.** *(akk)***) ausstellen** rilasciare un documento (di qc). **Urkundenfälschung** *f* falso *m* in atto pubblico.
Urlaub ['u:ɐ̯laup] ⟨-(e)s, -e⟩ *m* vacanza *f,* ferie *f pl; mil* permesso *m,* licenza *f;* **~ haben** avere vacanza; *mil* avere un permesso; **~ nehmen** prendersi delle vacanze; *mil* prendersi un permesso; **in (*o* im) ~** in vacanza; *mil* in licenza; **in ~ fahren (*o* gehen)** andare in vacanza; **im ~ sein** essere in vacanza; *mil* essere in licenza; **letztes Jahr haben wir ~ in Italien gemacht (*o* waren wir in Italien im ~)** l'anno scorso abbiamo trascorso le

ferie (*o* vacanze) in Italia.
Urlauber(in) ['u:ɐ̯laube (....ərın)] ⟨-s, -⟩ *m(f)* villeggiante *mf.*
Urlaubsanspruch *m* diritto *m* alle ferie. **Urlaubsgeld** *n* sussidio *m* per le ferie. **urlaubsreif** *adj fam:* ~ **sein** aver assoluto bisogno di vacanza. **Urlaubsstimmung** *f* spirito *m* vacanziero, atmosfera *f* da vacanze.
Urne ['urnə] ⟨-, -n⟩ *f* urna *f.*
Urologe [uro'lo:gə] ⟨-n, -n⟩ *m,* **Urologin** [...gın] *f* urologo, -a *m, f.*
Ursache *f* causa *f; (Grund)* ragione *f; (Beweggrund)* motivo *m; (Anlaß)* occasione *f;* **keine ~!** non c'è di che, di nulla.
Ursprung *m* origine *f; (Anfang)* principio *m;* **seinen ~ haben in** *+dat* prendere origine da, avere origine in.
ursprünglich ['u:ɐ̯ʃprʏŋlıç *o* ...'ʃprʏŋ...] **I.** *adj* **1.** *allg.* originario, primitivo; *(anfänglich)* iniziale; **2.** *(echt)* originale; *(natürlich)* naturale; **II.** *adv* in origine, in principio.
Ursula ['urzula] *(weiblicher Vorname)* Orsola.
Urteil ['urtail] ⟨-s, -e⟩ *n* **1.** *jur (richterliches)* sentenza *f; (der Geschworenen)* verdetto *m; (Entscheid)* decreto *m;* **2.** *(Beurteilung, ~skraft)* giudizio *m; (Meinung)* opinione *f; (Gutachten a.)* parere *m;* **ein ~ abgeben** dare un giudizio; **ein ~ fällen** pronunciare una sentenza; **sich** *(dat)* **ein ~ über etw.** *(akk)* **bilden** farsi un giudizio (*o* un'idea) di qc; **über jdn das ~ sprechen** giudicare qu; **nach dem ~ von** a giudizio di.
urteilen *itr (a. beurteilen)* giudicare (*über jdn/etw.* qu/qc, *nach* secondo); **nach seinem Benehmen zu ~** a giudicare dal suo comportamento; **~ Sie selbst!** giudichi Lei (stesso)!
Urteilsbegründung *f jur* motivazione *f* della sentenza. **Urteilskraft** *f* giudizio *m.* **Urteilsverkündung** *f* pubblicazione *f* della sentenza.
Ururgroßeltern ['u:ɐ̯ʔu:ɐ̯-] ⟨*pl*⟩ trisavoli *m pl.*
Urwald *m* foresta *f* vergine, giungla *f.*
urwüchsig ['u:ɐ̯vy:ksıç] *adj* **1.** *(natürlich)* naturale; *(wild)* selvatico; **2.** *(kraftvoll)* vigoroso.
Urzeit *f:* **in** (*o* **vor** *o* **zu**) **~en** in tempi remoti; **seit ~en** da millenni.
Urzustand *m* stato *m* primordiale.
US(A) [u:'ʔɛs (u:ɛs'ʔa:)] ⟨*pl*⟩ U.S.A. *m pl.*
usurpieren [uzur'pi:rən] ⟨*ohne ge-*⟩ *tr* usurpare.
Usus ['u:zus] ⟨-, ø⟩ *m fam* usanza *f;* **das ist hier so ~** qui si usa così.
usw. *abk von* **und so weiter** ecc. (*abbr di* eccetera).
Utensilien [utɛn'zi:li̯ən] *n pl* arnesi *m pl,* utensili *m pl.*
Uterus ['u:terus, ...ri] ⟨-, Uteri⟩ *m* utero *m.*
Utilitarismus [utilita'rısmus] ⟨-, ø⟩ *m* utilitarismo *m.* **utilitaristisch** *adj* utilitaristico.
Utopie [uto'pi:, ...i:ən] ⟨-, -n⟩ *f* utopia *f.*
utopisch [u'to:pıʃ] *adj* utopistico.
u. U. *abk von* **unter Umständen** eventualmente.
UV [u:'fau] *abk von* **ultraviolett** UV, Uv (*abbr di* ultravioletto); **~-Strahlen** raggi *m pl* ultravioletti.

V

V, v [fau] ⟨-, -(s)⟩ *n* V, v *f;* **V wie Viktor** V come Venezia.
Vagabund(in) [vaga'bυnt (...dın)] ⟨-en, -en⟩ *m(f)* vagabondo, -a *m, f.*
vag(e) [va:k ('va:gə)] *adj* vago.
Vagina [va'gi:na] ⟨-, -nen⟩ *f* vagina *f.*
Vakuum ['va:kuυm, ...kua *o* ...kuən] ⟨-s, -kua *o* -kuen⟩ *n* vacuo *m.* **vakuumverpackt** *adj* conservato sotto vuoto.
Valuta [va'lu:ta, ...tən] ⟨-, -luten⟩ *f* valuta *f* (estera).
Vampir ['vampi:ɐ *o* ...'pi:ɐ] ⟨-s, -e⟩ *m* vampiro *m.*
Vanille [va'nıljə *o* va'nılə] ⟨-, ø⟩ *f* vaniglia *f.* **Vanilleeis** *n* gelato *m* di (*o* alla) vaniglia. **Vanillepudding** *m* budino *m* di (*o* alla) vaniglia.
variabel [va'ria:bəl] *adj* variabile.
Variante [va'riantə] ⟨-, -n⟩ *f* variante *f.*
Variation [varia'tsio:n] ⟨-, -en⟩ *f* variazione *f.*
variieren [vari'i:rən] ⟨*ohne ge-*⟩ *tr, itr* variare.
Vase ['va:zə] ⟨-, -n⟩ *f* vaso *m.*
Vater ['fa:tɐ] ⟨-s, Väter⟩ *m* padre *m;* ~ **Staat** *scherz* lo stato. **Vaterland** *n* patria *f.*
väterlich ['fɛ:tɐlıç] *adj* paterno. **väterlicherseits** ['fɛ:tɐlıçɐ'zaits] *adv* paterno, da parte di padre.
Vaterschaft ⟨-, ø⟩ *f* paternità *f.* **Vaterstelle** *f:* **bei jdm ~ vertreten** fare da padre a qu. **Vatertag** *m* festa *f* del papà.
Vaterunser ['fa:tɐ'ʔυnzɐ] ⟨-s, -⟩ *n* padrenostro *m.*
Vati ['fa:ti] ⟨-s, -s⟩ *m fam* babbo *m fam.*
Vatikan [vati'ka:n] *m:* **der** ~ il Vaticano. **Vatikanstadt** *f:* **die** ~ la Città del Vaticano.
V-Ausschnitt ['fau-] *m* scollatura *f* a V.
v. Chr. *abk von* **vor Christus** a.C. (*abbr di* avanti Cristo).
VEB [fauʔe:'be:] ⟨-(s), -s⟩ *m abk von* **Volkseigener Betrieb** *hist impresa di proprietà popolare collettiva nella ex R.D.T.*
Vegetarier(in) [vege'ta:riɐ (...ərın)] ⟨-s, -⟩ *m(f)* vegetariano, -a *m, f.*
vegetarisch *adj* vegetariano.
Vegetation [vegeta'tsio:n] ⟨-, -en⟩ *f* vegetazione *f.*
vegetativ [...'ti:f] *adj* vegetativo; **~es Nervensystem** sistema *m* neurovegetativo.
vegetieren [...'ti:rən] ⟨*ohne ge-*⟩ *itr* vegetare.
Veilchen ['failçən] ⟨-s, -⟩ *n* **1.** *bot* violetta *f;* **2.** *fam (blaues Auge)* occhio *m* blu.
Vektor ['vɛkto:ɐ, ...'to:rən] ⟨-s, -en⟩ *m* vettore *m.*
Velo ['ve:lo] ⟨-s, -s⟩ *n CH* bicicletta *f.*
Vene ['ve:nə] ⟨-, -n⟩ *f* vena *f.*
Venedig [ve'ne:dıç] *n* Venezia *f.*
Venenentzündung *f* flebite *f.*
Venetien [ve'ne:tsiən] *n* Veneto *m.*
Ventil [vɛn'ti:l] ⟨-s, -e⟩ *n tec* valvola *f; mus* pistone *m; fig* valvola *f* di sicurezza.
Ventilator [...'la:to:ɐ, ...la'to:rən] ⟨-s, -en⟩ *m* ventilatore *m.*
verabreden [fɛɐ'ʔapre:dən] ⟨*ohne ge-*⟩ **I.** *tr* concordare; *(Zeit, Ort)* fissare, stabilire; **wir hatten doch verabredet, daß ...** avevamo stabilito che ...; **II.** *rfl:* **sich** ~ darsi appuntamento (*mit* con); **(mit jdm) verabredet sein** avere un appuntamento (con qu).
Verabredung ⟨-, -en⟩ *f* **1.** *(Vereinbarung)* accordo *m;* **2.** *(Treffen)* appuntamento *m.*
verabreichen ⟨*ohne ge-*⟩ *tr (Medikament)* somministrare.
verabscheuen ⟨*ohne ge-*⟩ *tr* detestare, aborrire.
verabschieden ⟨*ohne ge-*⟩ **I.** *tr* **1.** *(Person)* congedare; **2.** *parl (Gesetz)* varare; *(Haushalt)* approvare; **II.** *rfl:* **sich** ~ congedarsi (*von* da).
verachten ⟨*ohne ge-*⟩ *tr* disprezzare; **das ist nicht zu** ~ *fam* non è da disprezzare.
verächtlich [fɛɐ'ʔɛçtlıç] **I.** *adj* **1.** *(voller Verachtung)* sprezzante, sdegnoso; **2.** *(verachtenswert)* spregevole; **II.** *adv* con disprezzo.
Verachtung *f* disprezzo *m,* spregio *m.*
verallgemeinern ⟨*ohne ge-*⟩ *tr* generalizzare. **Verallgemeinerung** ⟨-, -en⟩ *f* generalizzazione *f.*
veralten ⟨*ohne ge-*⟩ *itr* ⟨*sein*⟩ divenire antiquato; *(ungebräuchlich werden)* cadere in disuso; *(Mode)* passare di moda.
veraltet *adj (Ansichten, Ausdruck)* antiquato; *(ungebräuchlich)* inusitato; *(Mode)* fuori moda.
veränderlich *adj mat, gram, meteo* variabile; *(Wesen)* volubile.
verändern ⟨*ohne ge-*⟩ **I.** *tr* cambiare, mutare; *(verwandeln)* trasformare; **II.** *rfl:* **sich** ~ cambiare; *(beruflich)* cambiare posto.
Veränderung *f* cambiamento *m,* mutamento *m; (Verwandlung)* trasformazione *f; (Abänderungen)* modificazione *f,* modifica *f.*

verängstigen ⟨*ohne ge-*⟩ *tr* impaurire.
veranlagt *adj:* ~ **sein** avere predisposizione (*zu* a); *med* essere predisposto (*zu* a); **homosexuell** ~ **sein** avere tendenze omosessuali; **praktisch** ~ **sein** avere senso pratico.
Veranlagung ⟨-, -en⟩ *f* **1.** *allg., med* (pre)-disposizione *f* (*zu* a); **2.** *fin* tassazione *f.*
veranlassen ⟨*ohne ge-*⟩ *tr* **1.** *(bewegen)* spingere, indurre; **2.** *(anordnen)* predisporre, ordinare; **sich veranlaßt sehen zu ...** vedersi obbligato (*o* costretto) a *+inf;* **ich werde** ~**, daß ...** faccio in modo che ...
Veranlassung ⟨-, ø⟩ *f* **1.** *(Veranlassen)* disposizione *f,* ordine *m;* **2.** *(Grund)* motivo *m,* ragione *f;* **keinerlei** ~ **haben zu ...** non avere alcun motivo per *+inf;* **zu etw.** ~ **geben** dare adito a qc; **auf** ~ **von** su iniziativa di.
veranschaulichen ⟨*ohne ge-*⟩ *tr* illustrare.
veranschlagen ⟨*ohne ge-*⟩ *tr* valutare (*mit* a); *(Kosten)* preventivare (*mit* a); **zu hoch/niedrig** ~ sopravvalutare/sottovalutare.
veranstalten ⟨*ohne ge-*⟩ *tr* **1.** *(organisieren)* allestire, organizzare; **2.** *(abhalten, geben)* dare.
Veranstalter(in) ⟨-s, -⟩ *m(f)* organizzatore, -trice *m, f.*
Veranstaltung ⟨-, -en⟩ *f* **1.** ⟨*sing*⟩ *(Tätigkeit)* allestimento *m,* organizzazione *f,* preparazione *f;* **2.** *(feierlich, öffentlich)* manifestazione *f.* **Veranstaltungskalender** *m* calendario *m* delle manifestazioni.
verantworten ⟨*ohne ge-*⟩ **I.** *tr* rispondere di, assumere la responsabilità di; **das kann ich nicht** ~ non me ne assumo la responsabilità; **II.** *rfl:* **sich** ~ giustificarsi (*vor +dat* davanti a).
verantwortlich *adj* **1.** *(Mensch)* responsabile (*für* di); **2.** *(Stellung)* di responsabilità; **für etw.** ~ **zeichnen** assumersi la responsabilità di qc; **jdn für etw.** ~ **machen** rendere qu responsabile di qc; **jdm gegenüber** ~ **sein** rispondere a qu (*für etw.* di qc).
Verantwortung ⟨-, -en⟩ *f* responsabilità *f* (*für* di); **die** ~ **für etw. tragen (***o* **übernehmen)** assumersi la responsabilità di qc; **jdn zur** ~ **ziehen** chiedere conto a qu; **auf jds** ~ sotto la responsabilità (*o* a rischio) di qu. **verantwortungsbewußt** *adj* consapevole della propria responsabilità. **verantwortungslos** *adj* irresponsabile, incosciente.
verarbeiten ⟨*ohne ge-*⟩ *tr* **1.** *(verwenden)* adoperare; *(a. bearbeiten)* lavorare; *(umwandeln)* trasformare (*zu* in); **2.** *(verbrauchen)* consumare; **3.** *inform* elaborare; **4.** *fig (verdauen)* digerire; *(geistig, psychisch)* assimilare.
verärgern ⟨*ohne ge-*⟩ *tr* irritare. **verärgert** *adj* irritato.
verarschen ⟨*ohne ge-*⟩ *tr vulg* prendere per il culo *volg.*
verarzten ⟨*ohne ge-*⟩ *tr* medicare.
verausgaben ⟨*ohne ge-*⟩ *rfl:* **sich** ~ *(finanziell)* spendere tutto; *(kräftemäßig)* esaurirsi.
Verb [vɛrp, 'vɛrbən] ⟨-s, -en⟩ *n* verbo *m.*
Verband ⟨-(e)s, Verbände⟩ *m* **1.** *med* fasciatura *f,* bendaggio *m;* **2.** *(Vereinigung)* associazione *f,* unione *f.* **Verband(s)kasten** *m* (cassetta *f* di) pronto soccorso *m.* **Verband(s)watte** *f* cotone *m* idrofilo. **Verband(s)zeug** ⟨-(e)s, -e⟩ *n* materiale *m* di pronto soccorso.
verbannen ⟨*ohne ge-*⟩ *tr* esiliare (*aus* da); *(a. fig)* bandire (*aus* da).
verbarrikadieren [fɛɐ̯barika'di:rən] ⟨*ohne ge-*⟩ **I.** *tr* barricare; **II.** *rfl:* **sich** ~ barricarsi.
verbauen ⟨*ohne ge-*⟩ *tr* **1.** *(versperren)* chiudere (con una costruzione); *fig (Zukunft, Chance)* precludere; **2.** *pej (schlecht bauen)* costruire male; **die Aussicht** ~ togliere la vista con una costruzione.
verbergen ⟨*irr, ohne ge-*⟩ **I.** *tr* nascondere (*vor +dat* a); *(verheimlichen)* celare (*vor +dat* a); **II.** *rfl:* **sich** ~ nascondersi.
verbessern ⟨*ohne ge-*⟩ **I.** *tr* **1.** *(besser machen)* migliorare; **2.** *(berichtigen)* correggere; **II.** *rfl:* **sich** ~ **1.** *(beim Sprechen)* correggersi; **2.** *(finanziell)* migliorare la propria situazione finanziaria; **3.** *(beruflich)* migliorare la propria posizione.
Verbesserung *f* **1.** *(Änderung zum Besseren)* miglioramento *m;* **2.** *(Korrektur)* correzione *f.* **Verbesserungsvorschlag** *m* proposta *f* di miglioramento.
Verbeugung *f* inchino *m.*
verbiegen ⟨*irr, ohne ge-*⟩ **I.** *tr* piegare, storcere; **II.** *rfl:* **sich** ~ storcersi.
verbieten ⟨*irr, ohne ge-*⟩ *tr* proibire, vietare; *(amtlich)* interdire; *(Buch)* mettere all'indice; **jdm das Rauchen** ~ proibire a qu di fumare.
verbilligt *adj* a prezzo ribassato (*o* ridotto).
verbinden ⟨*irr, ohne ge-*⟩ **I.** *tr* **1.** *(vereinigen)* unire (*mit* con); *(in Verbindung setzen)* congiungere (*mit* con); **2.** *(zusammenbinden)* legare; *(bes. tec)* collegare; **3.** *med* fasciare, bendare; **4.** *tec* allacciare; *(koppeln)* attaccare, agganciare; **5.** *tel* mettere in comunicazione; **6.** *fig* legare (*mit* a); *(Gedanken)* collegare (*mit* con); **die damit verbundenen Kosten** le spese che ne derivano; **(Sie sind) falsch verbunden!** ha sbagliato numero; **ich wäre Ihnen sehr verbunden, wenn ...** Le sarei molto grato se ...; **was verbindest du mit dem Begriff „Freiheit"?** cosa associ al concetto di libertà?; **II.** *rfl:* **sich** ~ unirsi, congiungersi; *chem* combinarsi.

verbindlich *adj* **1.** *(freundlich)* gentile, compiacente; **2.** *(verpflichtend)* vincolante, obbligatorio.

Verbindung *f* **1.** *(allg., el, Verkehrs~)* collegamento *m* (*mit* con); **2.** *tec* allacciamento *m; (Kopplung)* aggancio *m; (Metall~)* lega *f;* **3.** *tel* comunicazione *f;* **4.** *(Vereinigung)* associazione *f;* **5.** *(Zusammenhang)* nesso *m* (*mit* con), relazione *f* (*mit* con); **6.** *(Beziehung)* rapporti *m pl* (*mit, zu* con); *(Kontakt)* contatto *m* (*mit, zu* con); **7.** *chem* combinazione *f;* **eine ~ mit etw. eingehen** *chem* combinarsi con qc; **in ~ mit** *(im Zusammenhang mit)* in relazione con; *(zusammen mit)* insieme a; **sich in ~ setzen mit** mettersi in contatto con; **mit jdm in ~ stehen** essere in relazione con qu; **etw./jdn mit etw./jdm in ~ bringen** mettere qc/qu in relazione con qc/qu. **Verbindungsstück** *n* (pezzo *m* di) raccordo *m.*

verbissen *adj* accanito.

verbittern ⟨*ohne ge-*⟩ *tr* amareggiare; **verbittert sein** essere amareggiato.

verblassen ⟨*ohne ge-*⟩ *itr* ⟨*sein*⟩ **1.** *(Farbe, Stoff)* sbiadire; **2.** *fig* svanire.

verbleiben ⟨*irr, ohne ge-*⟩ *itr* ⟨*sein*⟩ **1.** *(übrigbleiben)* avanzare; **2.** *(bleiben, sich einigen)* rimanere; **wir ~ so** rimaniamo (d'accordo) così; **ich verbleibe mit freundlichen Grüßen** *(Brief)* distinti saluti.

verblöden ⟨*ohne ge-*⟩ *itr* ⟨*sein*⟩ *fam* rincretinire, istupidirsi.

verblüffen [fɛɐ̯'blʏfən] ⟨*ohne ge-*⟩ *tr* stupire, sbalordire.

verblühen ⟨*ohne ge-*⟩ *itr* ⟨*sein*⟩ sfiorire, appassire.

verbluten ⟨*ohne ge-*⟩ *itr* ⟨*sein*⟩ dissanguarsi, morire dissanguato.

verborgen [fɛɐ̯'bɔrgən] *adj (versteckt)* nascosto; **~ halten** tenere nascosto; **im ~en bleiben** rimanere nascosto. **Verborgenheit** ⟨-, ø⟩ *f* segretezza *f.*

Verbot [fɛɐ̯'bo:t] ⟨-(e)s, -e⟩ *n* divieto *m,* proibizione *f.* **Verbotsschild** *n* segnale *m* di divieto.

Verbrauch *m* consumo *m* (*an +dat* di).

verbrauchen ⟨*ohne ge-*⟩ *tr* **1.** *allg.* consumare; *(abnutzen, a. fig: Menschen)* logorare; *(Luft)* viziare; **2.** *(ausgeben)* spendere; **3.** *(aufbrauchen)* consumare, dissipare.

Verbraucher(in) ⟨-s, -⟩ *m(f)* consumatore, -trice *m, f.* **Verbraucherberatung** *f* consulenza *f* dei consumatori. **verbraucherfeindlich** *adj* volto a truffare i consumatori. **Verbraucherschutz** *m* protezione *f* del consumatore. **Verbraucherverband** *m* associazione *f* di consumatori. **Verbraucherzentrale** *f* associazione *f* per la tutela del consumatore.

verbraucht *adj (Luft)* viziato.

verbrechen ⟨*irr, ohne ge-*⟩ *tr:* **was habe ich (denn) verbrochen?** che male ho fatto?; **was hat er (denn) schon wieder verbrochen?** che altro ha combinato?; **hast du diesen Brief verbrochen?** *fam* sei stato tu a scrivere questa lettera?. **Verbrechen** ⟨-s, -⟩ *n* delitto *m,* crimine *m.* **Verbrechensbekämpfung** *f* lotta *f* alla criminalità. **Verbrecher(in)** ⟨-s, -⟩ *m(f)* delinquente *mf.* **verbrecherisch** *adj* delittuoso, criminoso; *(Regime)* criminale.

verbreiten ⟨*ohne ge-*⟩ **I.** *tr* **1.** *allg.* estendere, propagare; **2.** *(Wärme, Licht, Gerücht)* diffondere; *(Nachricht)* divulgare; *(Schrecken)* disseminare; **II.** *rfl:* **sich ~ 1.** *allg.* estendersi, propagarsi; *(Wärme, Licht, Gerücht)* diffondersi; *(Nachricht)* divulgarsi; **2.** *pej (über Thema)* dilungarsi (*über +akk* su).

verbreitern ⟨*ohne ge-*⟩ **I.** *tr* allargare; **II.** *rfl:* **sich ~** allargarsi.

Verbreitung ⟨-, ø⟩ *f* diffusione *f.*

verbrennen ⟨*irr, ohne ge-*⟩ **I.** *tr* ⟨*haben*⟩ bruciare; **II.** *itr* ⟨*sein*⟩ bruciare, ardere; *(bei Unfall)* morire carbonizzato; **III.** *rfl:* **sich ~** bruciarsi, scottarsi.

Verbrennung ⟨-, -en⟩ *f* **1.** ⟨*sing*⟩ *(das Verbrennen)* bruciatura *f; (von Müll)* incenerimento *m; chem* combustione *f; (Leichen~)* cremazione *f;* **2.** *med (Wunde)* ustione *f,* scottatura *f.* **Verbrennungsmotor** *m* motore *m* a combustione interna.

verbringen ⟨*irr, ohne ge-*⟩ *tr* passare, trascorrere.

verbrühen [fɛɐ̯'bry:ən] ⟨*ohne ge-*⟩ **I.** *tr* scottare; **II.** *rfl:* **sich ~** scottarsi.

verbuchen ⟨*ohne ge-*⟩ *tr fin* contabilizzare; *(fig a.)* registrare.

Verbund ⟨-(e)s, -e⟩ *m* **1.** *ökon* unione *f;* **2.** *tec* aderenza *f.*

verbünden [fɛɐ̯'bʏndən] ⟨*ohne ge-*⟩ *rfl:* **sich ~** allearsi (*mit* con).

Verbundenheit ⟨-, ø⟩ *f* **1.** *(mit Personen)* legame *m* (*mit* con); **2.** *(mit Brauch)* attaccamento *m* (*mit* a).

Verbündete ⟨ein -r, -n, -n⟩ *mf* alleato, -a *m, f.*

Verbundfahrausweis *m* biglietto *m* valido su tutte le linee. **Verbundglas** *n* vetro *m* laminato.

verbürgen ⟨*ohne ge-*⟩ *rfl:* **sich für etw./jdn ~** garantire per qc/qu.

Verdacht [fɛɐ̯'daxt] ⟨-(e)s, ø⟩ *m* sospetto *m;* **~ erregen** destare sospetto; **etw. auf ~ tun** *fam* fare qc a casaccio *fam;* **in ~ geraten** cadere in sospetto, essere sospettato; **jdn in ~ haben** sospettare di qu.

verdächtig [fɛɐ̯'dɛçtɪç] *adj* sospettoso.

verdächtigen ⟨*ohne ge-*⟩ *tr* sospettare.

Verdächtige [fɛɐ̯'dɛçtɪgə] ⟨ein -r, -n, -n⟩ *mf* sospetto, -a *m, f.*

Verdachtsmoment *n* indizio *m.*

verdammen [fɛɐ̯'damən] ⟨*ohne ge-*⟩ *tr* condannare; *rel* anatemizzare.

verdammt **I.** *adj (a. fam)* maledetto; **~er Mist!** *fam* porca miseria! *volg;* **II.** *adv fam* terribilmente; **III.** *interj fam:* **~ (noch mal)!** maledizione! accidenti! *fam.*
verdampfen ⟨*ohne ge-*⟩ **I.** *tr* ⟨*haben*⟩ vaporizzare, far evaporare; **II.** *itr* ⟨*sein*⟩ evaporare.
verdanken ⟨*ohne ge-*⟩ *tr:* **jdm etw. ~** dovere qc a qu.
verdarb [fɛɐ̯'darp] *imp von* **verderben.**
verdauen [fɛɐ̯'dau̯ən] ⟨*ohne ge-*⟩ *tr, itr* digerire.
verdaulich *adj:* **leicht/schwer ~** leggero/pesante.
Verdauung ⟨-, ø⟩ *f* digestione *f.* **Verdauungsbeschwerden** *f pl,* **-störung** *f* disturbi *m pl* di digestione.
Verdeck *n* **1.** *naut* coperta *f,* ponte *m* superiore; **2.** *mot* capote *f;* **mit aufklappbarem ~** decappottabile.
verdecken ⟨*ohne ge-*⟩ *tr* **1.** *(bedecken)* coprire; **2.** *(verbergen)* nascondere.
verdenken ⟨*irr, ohne ge-*⟩ *tr:* **das kann ihm niemand ~** non gli si può dare torto, lo si può comprendere.
verderben [fɛɐ̯'dɛrbən] ⟨verdirbt, verdarb, verdorben⟩ **I.** *tr* ⟨*haben*⟩ rovinare; *(a. fig)* guastare; *(sittlich)* corrompere, depravare; **sich** *(dat)* **die Augen ~** rovinarsi la vista; **sich** *(dat)* **den Magen ~** rovinarsi lo stomaco; **es mit jdm ~** perdere il favore di qu; **es mit niemandem ~ wollen** non voler guastarsi con nessuno; **II.** *itr* ⟨*sein*⟩ guastarsi; *(schlecht werden)* andare a male. **Verderben** ⟨-s, ø⟩ *n* **1.** *(von Lebensmitteln, Material)* deterioramento *m;* **2.** *(Unglück)* rovina *f;* **jdn ins ~ stürzen** mandare qu in rovina. **verderblich** *adj* **1.** *(Lebensmittel)* deperibile; **2.** *(schädlich)* dannoso, nocivo.
verdienen ⟨*ohne ge-*⟩ *tr* **1.** *(Lohn)* guadagnare; **2.** *fig* meritare; **sich** *(dat)* **sein Studium selbst ~** mantenersi da solo agli studi; **womit habe ich das verdient?** *iron* perché capitano tutte a me?
Verdienst[1] ⟨-(e)s, -e⟩ *m (Einkommen)* guadagno *m; (Gewinn)* profitto *m.*
Verdienst[2] ⟨-(e)s, -e⟩ *n* **1.** *(Anspruch auf Anerkennung)* merito *m;* **2.** ⟨*pl*⟩ *(Leistungen)* meriti *m pl* (*um* per).
Verdienstausfall *m* perdita *f* di guadagno, mancato guadagno *m.* **Verdienstbescheinigung** *f* estratto *m* della busta paga. **Verdienstmöglichkeiten** *f pl* possibilità *f pl* di guadagno. **Verdienstspanne** *f* margine *m* di utile.
verdient *adj* **1.** *(Sache)* meritato; **2.** *(Person)* benemerito; **sich um etw. ~ machen** rendersi benemerito di qc.
verdirbt [fɛɐ̯'dɪrpt] *pr von* **verderben.**
verdoppeln ⟨*ohne ge-*⟩ *tr* raddoppiare, duplicare.
verdorben [fɛɐ̯'dɔrbən] **I.** *pp von* **verderben; II.** *adj* **1.** *(Lebensmittel)* guasto, andato a male; *(Magen)* in disordine; **2.** *fig (Freude, Fest)* guastato; **3.** *fig (verderbt)* depravato.
verdorren [fɛɐ̯'dɔrən] ⟨*ohne ge-*⟩ *itr* ⟨*sein*⟩ disseccarsi.
verdrängen ⟨*ohne ge-*⟩ *tr* **1.** *allg.* spostare (*aus* da); *(aus Amt)* allontanare (*aus* da); **2.** *psych* rimuovere; *fig (Sorgen)* scacciare; **3.** *phys (Wasser)* spostare, rimuovere; **4.** *(ersetzen)* soppiantare, sostituire. **Verdrängung** *f* **1.** *allg.* spostamento *m; (aus Amt)* allontanamento *m;* **2.** *psych* rimozione *f.*
verdrehen ⟨*ohne ge-*⟩ *tr* (s)torcere, (di)storcere; *(Glieder a.)* slogare; *(Augen a.)* stravolgere, storcere.
verdreifachen ⟨*ohne ge-*⟩ *tr* triplicare.
verdrießen [fɛɐ̯'dri:sən] ⟨verdrießt, verdroß, verdrossen⟩ *tr* seccare, infastidire; **sich** *(dat)* **etw. nicht ~ lassen** non scoraggiarsi per qc.
verdrießlich *adj (Mensch, Gesicht)* seccato, infastidito.
verdroß [fɛɐ̯'drɔs] *imp von* **verdrießen.**
verdrossen [fɛɐ̯'drɔsən] **I.** *pp von* **verdrießen; II.** *adj* seccato; *(unzufrieden)* scontento; *(unlustig)* svogliato. **Verdrossenheit** ⟨-, ø⟩ *f* malumore *m; (Unzufriedenheit)* scontentezza *f; (Unlust)* svogliatezza *f.*
verdrücken ⟨*ohne ge-*⟩ **I.** *tr* **1.** *(zerdrükken)* schiacciare; **2.** *fam (essen)* trangugiare; **II.** *rfl fam:* **sich ~** svignarsela *fam,* squagliarsela *fam.*
Verdruß [fɛɐ̯'drʊs] ⟨-drusses, ø⟩ *m (Unzufriedenheit)* scontentezza *f; (Ärger)* fastidio *m,* noia *f;* **jdm ~ bereiten** dare noie a qu.
verduften ⟨*ohne ge-*⟩ *itr* ⟨*sein*⟩ **1.** *(Parfüm, Kaffee)* svaporare; **2.** *fig fam (verschwinden)* squagliarsela *fam.*
Verdunk(e)lung ⟨-, ø⟩ *f* oscuramento *m; fig* mascheramento *m.* **Verdunk(e)lungsgefahr** *f jur* pericolo *m* di collusione (e di distruzione delle prove).
verdünnen ⟨*ohne ge-*⟩ *tr (dünner machen)* assottigliare; *(Flüssigkeiten)* diluire; *(Wein)* annacquare; *(Gas)* rarefare.
verdunsten ⟨*ohne ge-*⟩ *itr* ⟨*sein*⟩ evaporare.
verdursten ⟨*ohne ge-*⟩ *itr* ⟨*sein*⟩ morire di sete.
verdutzt [fɛɐ̯'dʊtst] *adj* stupefatto.
veredeln [fɛɐ̯'ʔe:dəln] ⟨*ohne ge-*⟩ *tr (Metall)* affinare; *(Pflanze)* innestare.
verehren ⟨*ohne ge-*⟩ *tr* **1.** *rel* venerare, adorare; **2.** *geh (achten)* onorare; **3.** *(anbeten)* adorare, ammirare; **4.** *scherz (schenken)* fare dono (*jdm etw.* a qu di qc); **sehr verehrter Herr/sehr verehrte Frau Müller** egregio signor/gentile signora Müller; **verehrtes Publikum** gentile pubblico.
Verehrer(in) ⟨-s, -⟩ *m(f)* **1.** *(von Frau,*

Mann) ammiratore, -trice *m, f,* corteggiatore, -trice *m, f;* **2.** *(Bewunderer)* appassionato, -a *m, f.*

Verehrung *f* venerazione *f,* adorazione *f.*

vereidigen ⟨*ohne ge-*⟩ *tr* far prestare giuramento a (*auf +akk* su). **Vereidigung** ⟨-, -en⟩ *f* giuramento *m.*

Verein [fɛɐ̯'ʔa̲in] ⟨-(e)s, -e⟩ *m* associazione *f,* società *f; (Klub)* circolo *m,* club *m; sport* società *f* sportiva; *fam iron* combriccola *f;* **im ~ mit** insieme a.

vereinbar [fɛɐ̯'ʔa̲inba:ɐ̯] *adj* compatibile (*mit* con), conciliabile (*mit* con).

vereinbaren ⟨*ohne ge-*⟩ *tr* **1.** *(verabreden)* pattuire, concordare; *(Tag)* fissare, stabilire; **2.** *(in Einklang bringen)* conciliare (*mit* con).

Vereinbarung ⟨-, -en⟩ *f (Abmachung)* accordo *m; pol* convenzione *f; (durch Anmeldung)* appuntamento *m;* **eine ~ treffen** concludere (*o* stipulare) un accordo; **nach vorheriger ~** previo appuntamento.

vereinen ⟨*ohne ge-*⟩ **I.** *tr* (ri)unire; *(Gegensätze)* conciliare; **die Vereinten Nationen** le Nazioni Unite; **mit vereinten Kräften** a forze congiunte; **II.** *rfl:* **sich ~** (ri)unirsi.

vereinfachen ⟨*ohne ge-*⟩ *tr* semplificare.

vereinheitlichen ⟨*ohne ge-*⟩ *tr* standardizzare.

vereinigen ⟨*ohne ge-*⟩ **I.** *tr* **1.** *(a. fig)* unire, congiungere; *(zusammenführen)* riunire; **2.** *ökon, fig* fondere (*mit* a); **die Vereinigten Staaten** gli Stati Uniti; **alle Stimmen auf sich ~** ottenere tutti i voti; **II.** *rfl:* **sich ~** unirsi; *ökon* fondersi; *(in Klub)* associarsi.

Vereinigung *f* **1.** *allg.* unione *f; (Verbindung)* congiunzione *f,* collegamento *m; ökon, fig, pol* fusione *f;* **2.** *(Verein)* associazione *f; (Bündnis)* lega *f,* alleanza *f.*

vereinsamen [fɛɐ̯'ʔa̲inza:mən] ⟨*ohne ge-*⟩ *itr* ⟨*sein*⟩ isolarsi.

vereint [fɛɐ̯'ʔa̲int] **I.** *pp von* **vereinen; II.** *adj* unito; **das ~e Deutschland** la Germania riunificata.

vereinzelt *adj* **1.** *(einsam)* isolato; **2.** *(sporadisch)* sporadico.

vereisen ⟨*ohne ge-*⟩ **I.** *tr* ⟨*haben*⟩ *med* anestetizzare mediante congelamento; **II.** *itr* ⟨*sein*⟩ gelare, gelarsi, ghiacciare; *(Straße)* coprirsi di ghiaccio.

vereiteln ⟨*ohne ge-*⟩ *tr* frustrare.

vereitern ⟨*ohne ge-*⟩ *itr* ⟨*sein*⟩ suppurare.

verenden ⟨*ohne ge-*⟩ *itr* ⟨*sein*⟩ *(Tier)* morire.

verenge(r)n ⟨*ohne ge-*⟩ **I.** *tr* restringere; **II.** *rfl:* **sich ~** restringersi.

vererben ⟨*ohne ge-*⟩ **I.** *tr* **1.** *(Besitz)* trasmettere (*o* lasciare) in eredità; **2.** *biol* trasmettere (per eredità) (*auf +akk* a); **3.** *fam scherz (schenken)* regalare; *(überlassen)* lasciare; **II.** *rfl:* **sich ~ 1.** *(Besitz)* passare (in eredità); **2.** *biol* trasmettersi (*auf +akk* a).

vererblich *adj* ereditario.

Vererbung ⟨-, ø⟩ *f* **1.** *(das Vererben)* trasmissione *f* (ereditaria); **2.** *med (Vererbbarkeit)* ereditarietà *f.*

verewigen ⟨*ohne ge-*⟩ **I.** *tr* immortalare, eternare; **II.** *rfl fam:* **sich in einem Buch ~** immortalarsi in un libro.

verfahren[1] ⟨*irr, ohne ge-*⟩ *itr* ⟨*sein*⟩ *(vorgehen)* procedere (*nach* secondo); **gut/schlecht mit jdm ~** trattare qu bene/male.

verfahren[2] ⟨*irr, ohne ge-*⟩ **I.** *rfl:* **sich ~** *(falsch fahren)* perdersi, sbagliare strada; **II.** *tr (Geld)* spendere in (*o* per) viaggi; *(Benzin)* consumare.

verfahren[3] *adj (ausweglos)* senza via d'uscita.

Verfahren ⟨-s, -⟩ *n* **1.** *(Vorgehen, a. jur)* procedimento *m;* **2.** *(Methode)* metodo *m,* tecnica *f;* **3.** *tec* processo *m.*

Verfall *m* **1.** *(von Bauwerk)* rovina *f; (vollständig)* crollo *m;* **2.** *(von Kultur, Familie, Sitten)* decadenza *f;* **3.** *ökon, fin* scadenza *f.*

verfallen ⟨*irr, ohne ge-*⟩ *itr* ⟨*sein*⟩ **1.** *(Gebäude)* andare in rovina; **2.** *(körperlich, geistig, sittlich, kulturell)* decadere; **3.** *(ungültig werden, ablaufen)* scadere; **4.** *(abhängig werden)* diventare schiavo *(jdm/einer S. (dat)* di qu/qc); **dem Alkohol ~ sein** essere schiavo dell'alcool; **sie ist diesem Mann völlig ~** è completamente succuba di quest'uomo; **wie bist du darauf ~?** come mai ti è venuta quest'idea?

Verfall(s)datum *n* data *f* di scadenza. **Verfall(s)tag** *m* giorno *m* della scadenza. **Verfallszeit** *f phys* periodo *m* radioattivo.

verfälschen ⟨*ohne ge-*⟩ *tr* falsificare; *(Lebensmittel)* sofisticare.

verfänglich [fɛɐ̯'fɛŋlıç] *adj* imbarazzante.

verfärben ⟨*ohne ge-*⟩ *rfl:* **sich ~** cambiare colore.

verfassen ⟨*ohne ge-*⟩ *tr* redigere, stendere.

Verfasser(in) ⟨-s, -⟩ *m(f)* autore, -trice *m, f.*

Verfassung *f* **1.** ⟨*sing*⟩ *(Zustand)* stato *m,* condizioni *f pl; (Stimmung)* stato *m* d'animo; **2.** *pol* costituzione *f;* **körperliche ~** condizioni fisiche; **ich bin nicht in der ~ zu ...** non sono in condizione di *+inf.* **Verfassungsbeschwerde** *f* ricorso *m* costituzionale. **Verfassungsgericht** *n* corte *f* costituzionale. **Verfassungsklage** *f* petizione *f* costituzionale. **verfassungsmäßig** *adj* costituzionale. **Verfassungsrichter(in)** *m(f)* giudice *mf* della corte costituzionale. **Verfassungsschutz** *m* **1.** *(Vorgang)* tutela *f* costituzionale; **2.** *(Amt)* ufficio *m* federale per la salvaguardia della costituzione. **verfassungswidrig** *adj* anticostituzionale.

verfaulen ⟨*ohne ge-*⟩ *itr* ⟨*sein*⟩ marcire, imputridire.
verfehlen ⟨*ohne ge-*⟩ *tr* sbagliare; *(Person)* non incontrare, non trovare; *fig* mancare, fallire; *(Zweck)* fallire; *(Beruf)* sbagliare; **das Thema** ~ andare fuori tema; **(es) nicht ~ zu ...** *geh* non mancare di *+inf;* **diese Rede hat ihre Wirkung verfehlt** il discorso non ha ottenuto l'effetto desiderato; **das halte ich für völlig verfehlt** lo ritengo completamente sbagliato.
verfeinern ⟨*ohne ge-*⟩ *tr* raffinare; *(verbessern)* migliorare.
verfilmen ⟨*ohne ge-*⟩ *tr* ridurre a film. **Verfilmung** ⟨-, -en⟩ *f* riduzione *f* cinematografica.
verfilzt *adj* **1.** *(Wolle)* infeltrito; *(Haar)* arruffato; **2.** *fig, pol, ökon* corrotto dal nepotismo.
Verflechtung ⟨-, -en⟩ *f* intreccio *m; fig* implicazione *f.*
verfliegen ⟨*irr, ohne ge-*⟩ *itr* ⟨*sein*⟩ **1.** *(Zorn, Duft)* svanire; **2.** *(Zeit)* volare (via), passare rapidamente.
verflixt [fɛɐ̯'flɪkst] *fam* **I.** *adj* maledetto *fam;* **das ~e siebte Jahr** *scherz* il famoso settimo anno (di matrimonio); **~er Kerl** maledetto *m fam;* **II.** *interj:* **~ noch einmal!, ~ und zugenäht!** maledizione! *fam.*
verfluchen ⟨*ohne ge-*⟩ *tr* maledire; **diese verfluchten Mücken!** *fam* queste maledette zanzare! *fam.*
verflüchtigen ⟨*ohne ge-*⟩ *rfl:* **sich ~** *chem, fam scherz* volatizzarsi; *(Geruch)* svaporare; *fig* svanire.
verflüssigen ⟨*ohne ge-*⟩ *tr* liquefare.
verfolgen ⟨*ohne ge-*⟩ *tr* **1.** *allg.* inseguire; *(Verbrecher)* dare la caccia a; **2.** *fig (Ziel)* perseguire; *(Gedanke, rel, pol)* perseguitare; **3.** *(Entwicklung, Unterricht, Gespräch)* seguire; *(beobachten)* osservare; **jdn gerichtlich ~** procedere per via guidiziaria contro qu; **vom Pech verfolgt sein** essere perseguitato dalla sfortuna.
Verfolgung ⟨-, -en⟩ *f* inseguimento *m* (*von* di); *rel, pol* persecuzione *f* (*von* di); *(Jagd)* caccia *f* (*von* a). **Verfolgungsjagd** *f* caccia *f* a inseguimento. **Verfolgungskampagne** *f* persecuzione *f* giornalistica a scopo denigratorio. **Verfolgungswahn** *m* mania *f* di persecuzione.
verformen ⟨*ohne ge-*⟩ *tr* deformare.
verfrachten ⟨*ohne ge-*⟩ *tr* **1.** *(versenden)* spedire; *(verladen)* caricare; **2.** *fam scherz (Person)* mettere.
verfressen *adj fam (gefräßig)* ingordo.
verfrüht *adj* prematuro.
verfügbar *adj* disponibile.
verfügen ⟨*ohne ge-*⟩ **I.** *tr* disporre di, ordinare; *(gesetzlich)* decretare; **II.** *itr* **1.** *(bestimmen)* disporre (*über +akk* di), avere a disposizione (*über etw. (akk)* qc); **2.** *(besitzen)* possedere (*über etw. (akk)* qc); **3.** *(ausgestattet sein)* essere provvisto (*über +akk* di).
Verfügung ⟨-, -en⟩ *f* **1.** *(Disposition)* disposizione *f;* **2.** *(Verordnung)* ordinanza *f; (Dekret)* decreto *m; (Maßnahme)* provvedimento *m;* **einstweilige ~** provvedimento interinale; **sich zur ~ halten** tenersi a disposizione; **jdm zur ~ stehen** essere a disposizione di qu; **jdm etw. zur ~ stellen** mettere qc a disposizione di qu.
verführen ⟨*ohne ge-*⟩ *tr* indurre (*zu* a), istigare (*zu* a); *(bes. sexuell)* sedurre. **Verführer(in)** *m(f)* seduttore, -trice *m, f.* **verführerisch** *adj* seducente, allettante. **Verführung** *f* seduzione *f;* **~ Minderjähriger** corruzione *f* di minorenni.
vergammeln ⟨*ohne ge-*⟩ *fam* **I.** *itr* ⟨*sein*⟩ *(Brot)* ammuffire; *(Obst)* guastarsi; **II.** *tr* ⟨*haben*⟩ *(Zeit)* sprecare.
vergangen [fɛɐ̯'gaŋən] *adj* passato; **im ~en Jahr** l'anno scorso. **Vergangenheit** ⟨-, ø⟩ *f* passato *m; (Geschichte)* storia *f;* **die Vorgänge der jüngsten ~ lehren uns, daß ...** i recenti avvenimenti ci insegnano che ... **Vergangenheitsbewältigung** *f* superamento *m* del passato.
vergänglich [fɛɐ̯'gɛŋlɪç] *adj* fugace, effimero.
vergasen ⟨*ohne ge-*⟩ *tr* **1.** *tec* gassificare; **2.** *(durch Giftgase)* gassare.
Vergaser ⟨-s, -⟩ *m* carburatore *m.*
vergaß [fɛɐ̯'ga:s] *imp von* **vergessen.**
vergeben ⟨*irr, ohne ge-*⟩ *tr* **1.** *(weggeben)* dare via; **2.** *(zuweisen)* assegnare (*an +akk* a), conferire (*an +akk* a); *(Auftrag)* dare (*an +akk* a); **3.** *(verzeihen)* perdonare; *(Sünden)* rimettere; **du vergibst dir nichts, wenn ...** non ti comprometti se ..., non ci rimetti nulla se ...; **die Stelle ist noch zu ~** il posto è ancora vacante; **es tut mir leid, ich bin schon ~** *(verlobt, verheiratet)* mi dispiace, sono già impegnato.
vergebens *adv* invano, inutilmente.
vergeblich **I.** *adj* vano, inutile; **II.** *adv s.* **vergebens.**
Vergebung ⟨-, ø⟩ *f* remissione *f.*
vergehen ⟨*irr, ohne ge-*⟩ **I.** *itr* ⟨*sein*⟩ **1.** *(Zeit)* passare, trascorrere; **2.** *(aufhören)* passare; *(sich verflüchtigen)* svanire; **3.** *(schmachten)* struggersi (*vor* per, di), consumarsi (*vor* di); **ich vergehe vor Hunger/Angst** muoio di fame/paura *fam;* **mir ist der Appetit vergangen** mi è passato l'appetito; **II.** *rfl:* **sich ~ 1.** *(verstoßen)* trasgredire (*gegen, an etw. (dat)* qc), violare (*gegen, an etw. (dat)* qc); **2.** *(sexuell)* violentare (*an jdm* qu). **Vergehen** ⟨-s, -⟩ *n jur* infrazione *f,* trasgressione *f.*
vergeistigt *adj* spiritualizzato.
vergelten ⟨*irr, ohne ge-*⟩ *tr* ripagare, con-

traccambiare, rendere.
Vergeltung *f* rappresaglia *f;* ~ **für etw. üben** vendicarsi di qc. **Vergeltungsmaßnahme** *f* rappresaglia *f.* **Vergeltungsschlag** *m* ritorsione *f.*
vergessen [fɛɐ̯ˈgɛsən] ⟨vergißt, vergaß, vergessen⟩ **I.** *tr* dimenticare, dimenticarsi di; *(auslassen)* tralasciare; **das kannst du** ~! *fam* puoi dimenticartelo! *fam;* **das werde ich dir nie** ~ *(dankbar)* non dimenticherò mai quello che hai fatto; *(rachsüchtig)* non lo dimenticherò; **II.** *rfl:* **sich** ~ lasciarsi andare. **Vergessenheit** ⟨-, ø⟩ *f* dimenticanza *f,* oblio *m;* **in** ~ **geraten** cadere in oblio.
vergeßlich *adj* smemorato. **Vergeßlichkeit** ⟨-, ø⟩ *f* smemoratezza *f;* **aus** ~ per smemoratezza.
vergeuden [fɛɐ̯ˈgɔ͜ydən] ⟨*ohne ge-*⟩ *tr* sprecare; *(bes. Geld)* scialacquare, sperperare. **Vergeudung** ⟨-, ø⟩ *f* sperpero *m,* spreco *m.*
vergewaltigen ⟨*ohne ge-*⟩ *tr* **1.** *(sexuell)* violentare; **2.** *fig* adulterare. **Vergewaltiger** ⟨-s, -⟩ *m* stupratore *m.* **Vergewaltigung** ⟨-, -en⟩ *f* **1.** *(sexuell)* violenza *f* carnale, stupro *m;* **2.** *fig* violenza *f* (*gen* di), adulterazione *f.*
vergewissern ⟨*ohne ge-*⟩ *rfl:* **sich einer Sache** *(gen)* ~ accertarsi di qc, sincerarsi di qc.
vergießen ⟨*irr, ohne ge-*⟩ *tr* rovesciare; *(Tränen)* versare; *(Blut)* spargere.
vergiften ⟨*ohne ge-*⟩ *tr* avvelenare. **Vergiftung** ⟨-, -en⟩ *f* **1.** ⟨*sing*⟩ *(das Vergiften)* avvelenamento *m;* **2.** *med* intossicazione *f.*
Vergißmeinnicht [fɛɐ̯ˈgɪsma͜innɪçt] ⟨-(e)s, -(e)⟩ *n* miosotide *f,* nontiscordardime *m.*
vergißt [fɛɐ̯ˈgɪst] *pr von* **vergessen.**
Vergleich [fɛɐ̯ˈgla͜iç] ⟨-(e)s, -e⟩ *m* **1.** *allg.* paragone *m* (*zwischen, mit* tra, con), confronto *m* (*zwischen, mit* tra, con); **2.** *jur* transazione *f,* accomodamento *m;* **im** ~ **zu** in confronto a, rispetto a. **vergleichbar** *adj* paragonabile (*mit* a).
vergleichen ⟨*irr, ohne ge-*⟩ **I.** *tr* confrontare (*mit* con), paragonare (*mit* a); **es ist nicht zu** ~ **mit** non c'è paragone con; **vergleiche Seite 21** confronta pagina 21; **II.** *rfl:* **sich** ~ **1.** *(Fähigkeiten, Kräfte)* paragonarsi (*mit* con); **2.** *jur* venire ad un accomodamento.
vergnügen [fɛɐ̯ˈgny:gən] ⟨*ohne ge-*⟩ *rfl:* **sich** ~ divertirsi. **Vergnügen** ⟨-s, -⟩ *n* divertimento *m; (Genuß)* diletto *m; (Freude, Spaß)* piacere *m;* **ein teures** ~ *iron* uno scherzo che costa caro; ~ **bereiten** fare piacere; **zum** ~ per divertimento; **mit ihm zu arbeiten, ist kein** ~ non è piacevole lavorare con lui; **mit** ~! con piacere!, volentieri!; **viel** ~! buon divertimento! **vergnügt** *adj* allegro.
Vergnügung ⟨-, -en⟩ *f* **1.** ⟨*sing*⟩ divertimento *m,* svago *m,* passatempo *m;* **2.** *(Veranstaltung)* festa *f,* trattenimento *m.* **Vergnügungsindustrie** *f* industria *f* dei divertimenti. **Vergnügungspark** *m* parco *m* dei divertimenti.
vergolden ⟨*ohne ge-*⟩ *tr* dorare; *fig* indorare.
vergraben ⟨*irr, ohne ge-*⟩ **I.** *tr* sotterrare, seppellire; **II.** *rfl:* **sich** ~ seppellirsi; *fig* immergersi.
vergrätzen [fɛɐ̯ˈgrɛt͜sən] ⟨*ohne ge-*⟩ *tr fam* irritare, far arrabbiare.
vergreifen ⟨*irr, ohne ge-*⟩ *rfl:* **sich** ~ **1.** *(danebengreifen)* sbagliarsi; *mus* sbagliare nota (*o* tasto); *(an Schreibmaschine)* sbagliare tasto; **2.** *fig (sich aneignen)* mettere le mani (*an +dat* su); *(an Geld)* rubare (*an etw. (dat)* qc); **3.** *(an Personen)* mettere le mani (*an +dat* addosso a); *(geschlechtlich)* usare violenza (*an +dat* a); **sich im Ausdruck** ~ confondere i termini; **sich im Ton** ~ *fig* sbagliare tono.
vergriffen [fɛɐ̯ˈgrɪfən] *adj ökon* esaurito.
vergrößern [fɛɐ̯ˈgrø:sən] ⟨*ohne ge-*⟩ **I.** *tr* **1.** *allg., opt, fot* ingrandire; **2.** *(verbreitern)* allargare; **3.** *(erweitern)* ampliare; **4.** *(vermehren)* incrementare, aumentare; **5.** *fig (verschlimmern)* aggravare; **II.** *rfl:* **sich** ~ **1.** *allg., opt, fot* ingrandirsi; *(Organe)* ingrossarsi; **2.** *(sich verbreitern)* allargarsi; **3.** *(sich erweitern)* ampliarsi; **4.** *(sich vermehren)* aumentare.
Vergrößerung ⟨-, -en⟩ *f* **1.** *allg., fot, opt* ingrandimento *m;* **2.** *(Verbreiterung)* allargamento *m;* **3.** *(Erweiterung)* ampliamento *m;* **4.** *(Vermehrung)* incremento *m;* **5.** *fig (Verschlimmerung)* aggravamento *m.* **Vergrößerungsglas** *n* lente *f* d'ingrandimento.
Vergünstigung ⟨-, -en⟩ *f* agevolazione *f,* facilitazione *f.*
vergüten [fɛɐ̯ˈgy:tən] ⟨*ohne ge-*⟩ *tr* **1.** *(bes. adm) (bezahlen)* pagare, retribuire; **2.** *(zurückerstatten)* rimborsare; *(Schaden)* risarcire; *(gutschreiben)* bonificare.
Vergütung ⟨-, -en⟩ *f* **1.** *(Arbeits~)* compenso *m,* retribuzione *f;* **2.** *(Zurückerstattung)* rimborso *m; (für Schaden)* risarcimento *m;* **3.** *(Gutschrift)* accredito *m.*
verh. *abk von* **verheiratet** sposato, -a.
verhaften ⟨*ohne ge-*⟩ *tr* arrestare. **Verhaftung** *f* arresto *m.*
verhalten[1] ⟨*irr, ohne ge-*⟩ *rfl:* **sich** ~ **1.** *(Person)* comportarsi; **2.** *(Sache, mat)* stare (*zu* a); **sich ruhig** ~ rimanere tranquillo; **die Sache verhält sich so** le cose stanno così.
verhalten[2] *adj (unterdrückt)* represso; *(Töne, Farben)* smorzato; **mit ~er Stimme** sottovoce.
Verhalten ⟨-s, ø⟩ *n* comportamento *m,* condotta *f,* contegno *m; (Haltung)* atteggiamento *m; (~sweise)* modo *m* d'a-

gire. **Verhaltensforschung** *f* etologia *f.* **verhaltensgestört** *adj (Kind)* caratteriale; *(Erwachsener)* disadatto. **Verhaltensmuster** *n* modello *m* comportamentale. **Verhaltensregel** *f* regola *f* comportamentale. **Vehaltensstörung** *f* disturbo *m* del comportamento. **Verhaltensweise** *f* modo *m* di comportamento.

Verhältnis [fɛɐ̯'hɛltnɪs] ⟨-ses, -se⟩ *n* **1.** *(Beziehung)* relazione *f,* rapporto *m; (zwischen Menschen)* rapporti *f pl,* relazioni *m pl;* **2.** *(Liebes~)* relazione *f;* **3.** *mat* proporzione *f;* **4.** ⟨*pl*⟩ *(Bedingungen)* condizioni *f pl,* situazione *f,* stato *m;* **in guten (***o* **gesicherten) ~sen leben** vivere nell'agiatezza; **über seine ~se leben** vivere al di sopra dei propri mezzi; **im ~ zu** *(verglichen mit)* in confronto a; **im ~ von 1 zu 2** in rapporto di 1 a 2; **das steht in keinem ~ zu ...** è sproporzionato rispetto a ... **verhältnismäßig** *adv* **1.** *(relativ)* relativamente; **2.** *(angemessen, entsprechend)* proporzionatamente.

verhandeln ⟨*ohne ge-*⟩ **I.** *tr* **1.** *allg.* trattare; **2.** *jur* dibattere; **II.** *itr* **1.** *allg.* trattare (*über etw. (akk)* qc), negoziare (*über etw. (akk)* qc); **2.** *jur* deliberare.

Verhandlung *f* **1.** *allg.* trattative *f pl; (bes. diplomatisch)* negoziazioni *f pl,* negoziati *m pl;* **2.** *jur* dibattimento *m,* udienza *f;* **~en aufnehmen, in ~en eintreten** entrare in trattative. **Verhandlungsbasis** *f* base *f* di trattativa. **verhandlungsbereit** *adj* disposto a trattare. **Verhandlungsbereitschaft** *f* disposizione *f* a trattare. **Verhandlungsrunde** *f* ciclo *m* di trattative.

verhängen ⟨*ohne ge-*⟩ *tr* **1.** *(be~, zu~)* coprire (*mit* con); **2.** *(Strafe)* infliggere (*über +akk* a); *(Notstand)* dichiarare (*über +akk* in).

Verhängnis ⟨-ses, -se⟩ *n* destino *m,* fatalità *f;* **jdm zum ~ werden** riuscire fatale a qu. **verhängnisvoll** *adj* fatale, funesto.

verharmlosen ⟨*ohne ge-*⟩ *tr* minimizzare.

verhaßt *adj* **1.** *(gehaßt)* odiato (*bei* da), detestato (*bei* da); **2.** *(haßerregend)* odioso; **sich ~ machen** farsi odiare (*bei* da).

verhätscheln [fɛɐ̯'hɛːt͡səln] ⟨*ohne ge-*⟩ *tr* viziare.

Verhau [fɛɐ̯'hau̯] ⟨-(e)s, -e⟩ *m o n (Draht~)* reticolato *m.*

verhauen ⟨*irr, ohne ge-*⟩ *fam tr* **1.** *(verprügeln)* bastonare, picchiare; **2.** *(Prüfung)* fare male.

verheerend *adj* **1.** *(katastrophal)* disastroso, catastrofico; **2.** *fam (furchtbar)* orribile.

verhehlen ⟨*ohne ge-*⟩ *tr* nascondere, celare, dissimulare.

verheilen ⟨*ohne ge-*⟩ *itr* ⟨*sein*⟩ guarire; *(vernarben)* cicatrizzarsi.

verheimlichen ⟨*ohne ge-*⟩ *tr* tenere segreto (*o* nascosto) (*jdm etw.* qc a qu), nascondere (*jdm etw.* qc a qu).

verheiraten ⟨*ohne ge-*⟩ **I.** *rfl:* **sich ~** sposarsi (*mit* con); **sich wieder ~** risposarsi; **II.** *tr* sposare (*mit* a).

verhelfen ⟨*irr, ohne ge-*⟩ *itr:* **jdm zu etw. ~** procurare qc a qu; **jdm zum Sieg/Erfolg ~** aiutare qu a vincere/ad avere successo.

verherrlichen ⟨*ohne ge-*⟩ *tr* esaltare, glorificare.

verhexen ⟨*ohne ge-*⟩ *tr* stregare; **das ist doch wie verhext!** *fam* sembra che il diavolo ci abbia messo la coda.

verhindern ⟨*ohne ge-*⟩ *tr* impedire; *(vermeiden)* evitare; **ein verhinderter Schauspieler** *fam* un attore mancato; **verhindert sein** essere impedito; *(nicht kommen können)* non poter venire; **das läßt sich nicht ~** è inevitabile.

Verhör [fɛɐ̯'høːɐ̯] ⟨-(e)s, -e⟩ *n* interrogatorio *m; (von Zeugen)* escussione *f;* **jdn ins ~ nehmen** sottoporre qu a (*o* ad un) interrogatorio.

verhören ⟨*ohne ge-*⟩ **I.** *tr* interrogare; *(Zeugen)* escutere; **II.** *rfl:* **sich ~** capire male.

verhungern ⟨*ohne ge-*⟩ *itr* ⟨*sein*⟩ morire di fame.

verhunzen [fɛɐ̯'hʊnt͡sən] ⟨*ohne ge-*⟩ *tr fam* rovinare, guastare.

verhüten ⟨*ohne ge-*⟩ *tr (Schaden, Schwangerschaft)* prevenire; *(verhindern)* impedire. **Verhütung** ⟨-, ø⟩ *f* prevenzione *f; (Empfängnis~)* contraccezione *f.* **Verhütungsmittel** *n* anticoncezionale *m,* contraccettivo *m.*

verifizieren [verifi't͡siːrən] ⟨*ohne ge-*⟩ *tr* verificare. **Verifizierung** *f* verifica *f.*

verinnerlichen [fɛɐ̯'ˀɪnəlɪçən] ⟨*ohne ge-*⟩ *tr* interiorizzare (*etw.* qc).

verirren ⟨*ohne ge-*⟩ *rfl:* **sich ~** smarrirsi, perdersi.

verjähren [fɛɐ̯'jɛːrən] ⟨*ohne ge-*⟩ *itr* ⟨*sein*⟩ cadere in prescrizione. **verjährt** *adj* prescritto. **Verjährung** *f* prescrizione *f.*

verjüngen [fɛɐ̯'jʏŋən] ⟨*ohne ge-*⟩ **I.** *tr* ringiovanire, far tornare giovane; **II.** *rfl:* **sich ~ 1.** *(jünger werden)* ringiovanire, tornare giovane; **2.** *(dünner werden)* rastremarsi.

verkabeln ⟨*ohne ge-*⟩ *tr* cablare.

verkalken ⟨*ohne ge-*⟩ *itr* ⟨*sein*⟩ **1.** *allg. (Kessel, Maschine)* calcificarsi; **2.** *med (Arterien)* calcificarsi; **3.** *fam (Mensch)* rimbambire, rimbambirsi *fam.*

verkalkulieren ⟨*ohne ge-*⟩ *rfl:* **sich ~** sbagliarsi (nei calcoli).

Verkalkung ⟨-, -en⟩ *f* **1.** *tec, med* calcificazione *f;* **2.** *fam (von Mensch)* arteriosclerosi *f.*

verkannt [fɛɐ̯'kant] *adj* incompreso.

Verkauf *m* **1.** *allg.* vendita *f; (Absatz a.)* smercio *m;* **2.** *(~sabteilung)* reparto *m* vendite; **etw. zum ~ anbieten** mettere qc in vendita.

verkaufen ⟨*ohne ge-*⟩ **I.** *tr* vendere (*für* per, *an +akk* a); *(absetzen a.)* smerciare (*für* per, *an +akk* a); **jdn für dumm ~** *fam* prendere qu per scemo *fam;* **zu ~** in vendita; **II.** *rfl:* **sich ~** vendersi.

Verkäufer(in) *mf* venditore, -trice *m, f.*

verkäuflich *adj* **1.** *(angeboten)* da vendere, in vendita; **2.** *(geeignet)* vendibile; **schwer ~** difficile da vendere; **leicht ~** di facile smercio.

Verkaufsabteilung *f* reparto *m* vendite. **Verkaufsaktion** *f* azione *f* di vendita. **Verkaufsausstellung** *f* mostra *f.* **Verkaufsautomat** *m* distributore *m* automatico. **Verkaufsförderung** *f* promozione *f* delle vendite. **Verkaufsleiter(in)** *m(f)* direttore, -trice *m, f* delle vendite.

verkaufsoffen *adj:* **~er Samstag** *sabato con apertura straordinaria dei negozi.* **Verkaufspreis** *m* prezzo *m* di vendita.

Verkehr [fɛɐ̯'keːɐ̯] ⟨-s, ø⟩ *m* **1.** *(Land~, Luft~, Wasser~)* traffico *m;* **2.** *(fin, Straßen~)* circolazione *f;* **3.** *(Umgang)* rapporto *m,* relazione *f; (Geschlechts~)* rapporti *m pl* intimi (*o* sessuali); **etw. dem ~ übergeben, etw. für den ~ freigeben** aprire qc al traffico; **etw. aus dem ~ ziehen** togliere qc dalla circolazione; **außer ~** fuori commercio; **das ist kein ~ für dich** non è una persona da frequentare.

verkehren ⟨*ohne ge-*⟩ *itr* **1.** ⟨*haben o sein*⟩ *(Verkehrsmittel)* circolare, fare servizio; **2.** ⟨*haben*⟩ *(Mensch)* frequentare (*in einem Café* un bar); **bei jdm ~** frequentare (*o* praticare) la casa di qu; **mit jdm ~** essere in rapporti con qu; *(geschlechtlich)* avere rapporti intimi (*o* sessuali) con qu; **mit jdm brieflich ~** essere in corrispondenza con qu.

Verkehrsampel *f* semaforo *m.* **Verkehrsaufkommen** ⟨-s, -⟩ *n:* **hohes ~** densità *f* del traffico. **Verkehrsbehinderung** *f* intralcio *m* del traffico. **verkehrsberuhigt** *adj (Straße, Zone)* a circolazione limitata. **Verkehrschaos** *n* paralisi *f* del traffico. **Verkehrsdelikt** *n* contravvenzione *f* al codice stradale. **Verkehrsdichte** *f* densità *f* del traffico. **Verkehrsentlastung** *f* decongestione *f* del traffico. **Verkehrserziehung** *f* educazione *f* stradale. **Verkehrshinweis** *m* informazioni *f pl* sul traffico. **Verkehrsinsel** *f* salvagente *m.* **Verkehrsknotenpunkt** *m* nodo *m* stradale. **Verkehrsmittel** *n* mezzo *m* di trasporto. **Verkehrsnetz** *n* rete *f* viaria. **Verkehrsopfer** *n* vittima *f* della strada. **Verkehrspolizei** *f* (polizia *f*) stradale *f.* **Verkehrspolizist** *m* vigile *m* urbano; *(motorisiert)* agente *m* della polizia stradale. **Verkehrsregeln** *f pl* norme *f pl* di circolazione. **Verkehrsregelung** *f* regolazione *f* del traffico. **verkehrsreich** *adj* molto frequentato. **Verkehrsschild** *n* segnale *m* stradale. **Verkehrssicherheit** *f* sicurezza *f* stradale. **Verkehrssünder(in)** *m(f) fam* pirata *m* della strada *fam.* **Verkehrsteilnehmer(in)** *m(f)* utente *mf* della strada. **Verkehrstote** *mf* vittima *f* della strada. **Verkehrsunfall** *m* incidente *m* stradale. **Verkehrsverbund** *m* associazione *f* di imprese di trasporto. **Verkehrsverein** *m* ente *m* per il turismo, ufficio *m* turistico. **Verkehrswesen** *n* trasporti *m pl.* **verkehrswidrig I.** *adj* contro le norme della circolazione; **II.** *adv* in violazione delle norme della circolazione. **Verkehrszeichen** *n* segnale *m* stradale.

verkehrt I. *adj (falsch)* sbagliato; **das ist gar nicht so ~!** *fam* non è poi tanto assurdo; **II.** *adv* male; **~ gehen (*o* fahren)** sbagliare strada; **etw. ~ anfangen** partire con il piede sbagliato in qc *fam;* **etw. ~ machen** sbagliare qc.

verkennen ⟨*irr, ohne ge-*⟩ *tr (falsch beurteilen)* giudicare male; *(Genie)* non comprendere; *(unterschätzen)* sottovalutare; **das ist nicht zu ~** è inconfondibile; **es läßt sich nicht ~, daß ...** non si può negare che *+congv.*

verklagen ⟨*ohne ge-*⟩ *tr* citare in giudizio (*auf +akk, wegen* per), querelare (*auf +akk, wegen* per).

verklappen ⟨*ohne ge-*⟩ *tr* scaricare nel mare. **Verklappung** ⟨-, -en⟩ *f* scarico *m* (dei rifiuti) nel mare.

verkleiden ⟨*ohne ge-*⟩ **I.** *tr* **1.** *(Menschen)* travestire; *(kostümieren)* mascherare; **2.** *(Wand)* rivestire (*mit* di), coprire (*mit* di); **II.** *rfl:* **sich ~** travestirsi; *(sich kostümieren)* mascherarsi (*als* da). **Verkleidung** *f* **1.** *(von Menschen)* travestimento *m; (Kostümierung)* mascheramento *m;* **2.** *(Bedeckung)* rivestimento *m,* guarnizione *f.*

verkleinern ⟨*ohne ge-*⟩ **I.** *tr* **1.** *allg.* rimpicciolire; *(Maßstab, Foto, Abstand, Wort)* ridurre; *(vermindern)* diminuire (*um* di); **2.** *fig (schmälern)* sminuire; **II.** *rfl:* **sich ~** *(Betrieb)* rimpicciolirsi; *(Abstand)* ridursi. **Verkleinerung** ⟨-, -en⟩ *f* **1.** *allg.* rimpiccolimento *m;* **2.** *tec, fot* riduzione *f;* **3.** *ling (~sform)* diminutivo *m.*

verklemmt *adj fig (Person)* inibito.

verklingen ⟨*irr, ohne ge-*⟩ *itr* ⟨*sein*⟩ smorzarsi, perdersi, svanire.

Verknappung ⟨-, -en⟩ *f* penuria *f,* scarsità *f.*

verkneifen ⟨*irr, ohne ge-*⟩ *rfl fam:* **sich** *(dat)* **etw. ~** *(verzichten)* rinunciare a qc; *(unterdrücken)* soffocare qc; **er konnte sich** *(dat)* **nicht ~ zu ...** non potè fare a meno di *+inf.*

verknittern [fɛɐ̯'knɪtɐn] ⟨*ohne ge-*⟩ *tr* ⟨*sein*⟩ sgualcire, spiegazzare.

verkommen¹ ⟨*irr, ohne ge-*⟩ *itr* ⟨*sein*⟩ **1.** *(verwahrlosen)* rovinarsi; **2.** *(Person:*

im Aussehen) essere trascurato; *(sittlich)* cadere in basso; **3.** *(Haus)* andare in rovina; **4.** *(Lebensmittel)* guastarsi, deteriorarsi.

verkommen² *adj* **1.** *(verwahrlost)* in rovina; **2.** *(Person: ungepflegt)* malandato; *(verderbt)* corrotto, depravato.

verkomplizieren ⟨*ohne ge-*⟩ *tr fam* complicare.

verkorksen [fɛɐ̯'kɔrksən] ⟨*ohne ge-*⟩ *tr fam* sciupare, rovinare; **eine völlig verkorkste Ehe/Sache** un matrimonio disastroso/una cosa completamente rovinata; **sich** *(dat)* **den Magen ~** rovinarsi lo stomaco.

verkörpern ⟨*ohne ge-*⟩ *tr allg.* incarnare, personificare; *film, theat* impersonare.

verkrachen ⟨*ohne ge-*⟩ *rfl:* **sich ~** *fam* rompere (*mit* con). **verkracht** *adj fam (gescheitert)* fallito; **er ist eine ~e Existenz** è un fallito.

verkraften ⟨*ohne ge-*⟩ *tr* sopportare, venire a capo di.

verkriechen ⟨*irr, ohne ge-*⟩ *rfl:* **sich ~** nascondersi; *(bes. Tiere)* rintanarsi.

verkrüppelt *adj (Mensch)* storpio; *(Baum)* storto.

verkrusten ⟨*ohne ge-*⟩ *itr* ⟨*sein*⟩ incrostarsi.

verkühlen [fɛɐ̯'ky:lən] ⟨*ohne ge-*⟩ *rfl:* **sich ~** *fam* raffreddarsi, beccarsi un raffreddore.

verkümmern ⟨*ohne ge-*⟩ *itr* ⟨*sein*⟩ **1.** *(Pflanzen)* intristire; *(a. Mensch)* deperire; *(Fähigkeiten)* venir meno; **2.** *med* atrofizzarsi.

verkünden [fɛɐ̯'kʏndən] ⟨*ohne ge-*⟩ *tr* **1.** *geh (ankündigen)* annunciare, rendere noto; *(prophezeien)* preannunziare; **2.** *(bekanntmachen)* proclamare; *(Gesetz)* promulgare; *(Urteil)* pronunciare; **3.** *(erklären)* dichiarare.

verkuppeln ⟨*ohne ge-*⟩ *tr* combinare il matrimonio fra; *(Zuhälter)* arruffianare.

verkürzen ⟨*ohne ge-*⟩ **I.** *tr* **1.** *(kürzer machen)* (r)accorciare; **2.** *(Weg, Wartezeit)* abbreviare; **3.** *(verringern)* ridurre (*um* di), diminuire (*um* di); **verkürzte Arbeitszeit** orario di lavoro ridotto; **II.** *rfl:* **sich ~** accorciarsi.

verladen ⟨*irr, ohne ge-*⟩ *tr* caricare; *naut* imbarcare.

Verlag [fɛɐ̯'la:k] ⟨-(e)s, -e⟩ *m* casa *f* editrice, editore *m;* **in einem ~ erscheinen** essere pubblicato da un editore.

verlagern [fɛɐ̯'la:gɐn] **I.** *tr* spostare, trasferire; **II.** *rfl:* **sich ~** spostarsi, trasferirsi.

verlangen ⟨*ohne ge-*⟩ **I.** *tr* **1.** *(fragen nach)* chiedere, richiedere; **2.** *(wünschen)* desiderare; **3.** *(fordern)* esigere, pretendere; **4.** *(beanspruchen)* rivendicare; **5.** *(erfordern)* richiedere, esigere; **6.** *(berechnen)* volere; **mehr kann man nicht ~** di più non si può pretendere; **das ist zuviel verlangt** questo è (chiedere) troppo; **Sie werden am Telefon verlangt** La desiderano al telefono. **Verlangen** ⟨-s, ø⟩ *n* **1.** *(Forderung)* richiesta *f,* domanda *f;* **2.** *(Wunsch, Sehnsucht)* desiderio *m* (*nach* di); *(Lust)* voglia *f* (*nach* di); *(Begierde)* brama *f* (*nach* di); **auf ~ von** a richiesta di.

verlängern [fɛɐ̯'lɛŋɐn] ⟨*ohne ge-*⟩ *tr* **1.** *(räumlich, zeitlich)* allungare, prolungare; **2.** *(Gültigkeit)* prorogare; *(Vertrag, Wechsel)* rinnovare; **3.** *(Soße)* diluire; **ein verlängertes Wochenende** un ponte.

Verlängerung ⟨-, -en⟩ *f* **1.** *(räumlich, zeitlich)* allungamento *m,* prolungamento *m;* **2.** *(Frist)* proroga *f,* dilazione *f;* **3.** *(Erneuerung)* rinnovo *m;* **4.** *sport (von Spielzeit)* tempo *m* supplementare.

Verlängerungsschnur *f* prolunga *f.*

verlangsamen ⟨*ohne ge-*⟩ **I.** *tr* rallentare; **II.** *rfl:* **sich ~** rallentarsi.

Verlaß [fɛɐ̯'las] ⟨-lasses, ø⟩ *m:* **auf sie ist kein ~** non si può fare affidamento su di lei; **darauf ist kein ~** non vi si può fare affidamento.

verlassen¹ ⟨*irr, ohne ge-*⟩ **I.** *tr* **1.** *(Ort, Thema)* abbandonare; **2.** *(Familie, Menschen)* abbandonare, lasciare; **beim V~ des Hauses** uscendo dalla casa; **seine Kräfte verließen ihn** gli vennero a mancare le forze; **II.** *rfl:* **sich ~** fare affidamento (*auf +akk* su), contare (*auf +akk* su); **~ Sie sich darauf!** (ne) stia sicuro!

verlassen² *adj* **1.** *(alleingelassen)* abbandonato; **2.** *(einsam)* solo, abbandonato; **3.** *(öde)* deserto.

Verlauf *m* **1.** *(von Zeit, Fluß)* corso *m;* **2.** *(von Straße)* tracciato *m;* **3.** *(von Krankheit)* decorso *m;* **4.** *(Hergang)* svolgimento *m,* andamento *m;* *(Entwicklung)* sviluppo *m;* **im weiteren ~** nel seguito.

verlaufen ⟨*irr, ohne ge-*⟩ **I.** *itr* ⟨*sein*⟩ **1.** *(vonstatten gehen, ablaufen)* svolgersi, procedere; *(sich entwickeln)* svilupparsi, procedere; *(Krankheit)* avere decorso; **2.** *(ausgehen)* finire; **3.** *(Grenze, Weg)* correre; *(Fluß)* scorrere; **4.** *(Farbe)* spandersi; *(Butter)* squagliarsi; **II.** *rfl:* **sich ~ 1.** *(sich verirren)* smarrirsi, perdersi; **2.** *(sich verlieren: Menschenmenge)* disperdersi; *(Wasser)* defluire, ritirarsi.

Verlautbarung [fɛɐ̯'laʊ̯tba:rʊŋ] ⟨-, -en⟩ *f adm, geh* annuncio *m;* *(Mitteilung)* comunicazione *f;* **amtliche ~** comunicazione ufficiale.

verlauten ⟨*ohne ge-*⟩ *itr* ⟨*sein*⟩ *adm, geh (bekanntwerden):* **es verlautet, daß ...** corre voce che ...

verleben ⟨*ohne ge-*⟩ *tr (Zeit)* trascorrere, passare. **verlebt** *adj (Person)* sciupato.

verlegen¹ ⟨*ohne ge-*⟩ **I.** *tr* **1.** *(an andere Stelle)* spostare; *(Wohnung, Betrieb,*

Behörde) trasferire; **2.** *(Veranstaltung, Termin)* rinviare *(von ... auf +akk* da ... a), rimandare *(von ... auf +akk* da ... a); **3.** *(an die falsche Stelle)* mettere al posto sbagliato, smarrire; **4.** *(sich abspielen lassen)* ambientare, collocare; **5.** *(Buch)* pubblicare; **6.** *(Kabel)* posare; *(Fliesen)* mettere; **II.** *rfl:* **sich auf etw.** *(akk)* ~ passare a qc.

verlegen² *adj (unsicher, schüchtern)* imbarazzato, impacciato; **nie um eine Antwort ~ sein** avere sempre una risposta pronta; **er ist nicht um Geld ~** il denaro non gli manca. **Verlegenheit** ⟨-, ø⟩ *f* **1.** *(Befangenheit)* imbarazzo *m;* **2.** *(unangenehme Lage)* impiccio *m; (finanziell a.)* difficoltà *f* economica; **jdm aus der ~ helfen** aiutare qu ad uscire da una situazione (economica) difficile; **jdn in ~ bringen** mettere qu in imbarazzo. **Verlegenheitslösung** *f* soluzione *f* di ripiego.

Verleger(in) ⟨-s, -⟩ *m(f)* editore, -trice *m, f.*

Verleih [fɛɐ̯'lai] ⟨-(e)s, -e⟩ *m allg.* noleggio *m; film (das Verleihen)* distribuzione *f; (~stelle)* casa *f* di distribuzione.

verleihen ⟨*irr, ohne ge-*⟩ *tr* **1.** *(ausleihen)* prestare, dare in prestito; *(gegen Gebühr)* noleggiare, dare a nolo; **2.** *fig (Orden, Schönheit)* conferire.

Verleihung ⟨-, ø⟩ *f* **1.** *(Leihen)* prestito *m; (gegen Gebühr)* noleggio *m;* **2.** *(von Titel, Orden)* conferimento *m.*

verleiten ⟨*ohne ge-*⟩ *tr* **1.** *(veranlassen)* indurre *(jdn zu etw.* qu a fare qc); **2.** *(verlocken)* invitare *(jdn zu etw.* qu a far qc).

verlernen ⟨*ohne ge-*⟩ *tr* disimparare, dimenticare.

verlesen¹ ⟨*irr, ohne ge-*⟩ **I.** *tr (Text)* dare lettura di; *(Namen)* fare l'appello di; **II.** *rfl:* **sich ~** leggere male.

verlesen² ⟨*irr, ohne ge-*⟩ *tr (Obst, Gemüse, Salat)* scegliere, selezionare.

verletzbar [fɛɐ̯'lɛtsba:ɐ̯] *adj* vulnerabile, sensibile.

verletzen [fɛɐ̯'lɛtsən] ⟨*ohne ge-*⟩ **I.** *tr* **1.** *(verwunden)* ferire; **2.** *fig (kränken)* offendere; **3.** *fig (Interessen)* ledere; *(Abkommen, Gesetz, Frieden)* violare; *(Sitte)* offendere; **seine Pflicht ~** venir meno al proprio dovere; **II.** *rfl:* **sich ~** farsi male, ferirsi. **verletzend** *adj (Worte)* graffiante. **verletzlich** [fɛɐ̯'lɛtslıç] *adj* vulnerabile, sensibile.

Verletzte ⟨ein -r, -n, -n⟩ *mf* ferito, -a *m, f.*

Verletzung ⟨-, -en⟩ *f* **1.** ⟨*sing*⟩ *(das Verletzen)* ferimento *m;* **2.** *jur, med* lesione *f;* **3.** *(Wunde)* ferita *f;* **4.** *fig (Kränkung)* offesa *f (gen* a); **5.** *fig (Übertretung)* violazione *f (gen* di).

verleugnen ⟨*ohne ge-*⟩ *tr* rinnegare, ripudiare; **sich ~ lassen** far dire che non si è in casa; **es läßt sich nicht ~, daß ...** non si può negare che ...

verleumden [fɛɐ̯'lɔymdən] ⟨*ohne ge-*⟩ *tr* diffamare, denigrare, calunniare. **Verleumdung** ⟨-, -en⟩ *f* diffamazione *f,* calunnia *f,* denigrazione *f.*

verlieben ⟨*ohne ge-*⟩ *rfl:* **sich ~** innamorarsi *(in +akk* di). **verliebt** *adj* innamorato *(in +akk* di); **jdm ~e Blicke zuwerfen** lanciare a qu sguardi pieni d'amore.

verlieren [fɛɐ̯'li:rən] ⟨verliert, verlor, verloren⟩ **I.** *tr* **1.** *allg.* perdere; **2.** *(einbüßen)* rimetterci; **3.** *(verlegen)* smarrire; **hier hast du nichts verloren** *fam* qui non hai niente da cercare; **II.** *rfl:* **sich ~** *allg.* perdersi; *(Menschenmenge)* disperdersi; **III.** *itr* perdere *(an etw.* qc, in qc).

Verlierer(in) ⟨-s, -⟩ *m(f)* **1.** *(von Dingen)* perdente *mf;* **2.** *(von Spiel, Kampf, Wettstreit)* vinto, -a *m, f,* sconfitto, -a *m, f;* **er ist ein/kein guter ~** sa/non sa perdere.

Verlies [fɛɐ̯'li:s] ⟨-es, -e⟩ *n* carcere *m* sotterraneo.

verloben ⟨*ohne ge-*⟩ *rfl:* **sich ~** fidanzarsi *(mit* con). **Verlobte** ⟨ein -r, -n, -n⟩ *mf* fidanzato, -a *m, f.* **Verlobung** ⟨-, -en⟩ *f* fidanzamento *m.*

verlogen [fɛɐ̯'lo:gən] *adj* **1.** *(Mensch)* bugiardo; **2.** *(unaufrichtig: Moral)* falso.

verlor [fɛɐ̯'lo:ɐ̯] *imp von* **verlieren.**

verloren [fɛɐ̯'lo:rən] **I.** *pp von* **verlieren; II.** *adj* **1.** *allg.* perduto, perso; **2.** *(vergeblich)* inutile, vano; **3.** *(einsam)* sperduto; **4.** *(ratlos)* disorientato.

verlosen ⟨*ohne ge-*⟩ *tr* sorteggiare, estrarre a sorte. **Verlosung** ⟨-, -en⟩ *f* sorteggio *m,* estrazione *f* a sorte.

Verlust [fɛɐ̯'lʊst] ⟨-(e)s, -e⟩ *m* **1.** *allg.* perdita *(an +dat* di); **2.** *(Schaden)* danno *m;* **3.** *fin (Fehlbetrag)* deficit *m.* **Verlustgeschäft** *n* affare *m* di perdita.

vermachen ⟨*ohne ge-*⟩ *tr:* **jdm etw. ~ 1.** *(vererben)* lasciare in eredità qc a qu; **2.** *fam (schenken)* regalare qc a qu.

vermählen [fɛɐ̯'mɛ:lən] ⟨*ohne ge-*⟩ *geh rfl:* **sich ~** sposarsi *(mit* con). **Vermählung** ⟨-, -en⟩ *f geh* matrimonio *m.*

vermarkten [fɛɐ̯'marktən] ⟨*ohne ge-*⟩ *tr* commercializzare.

vermehren ⟨*ohne ge-*⟩ **I.** *tr* aumentare, accrescere; *(erweitern)* ampliare; *(zahlenmäßig)* moltiplicare; **II.** *rfl:* **sich ~** aumentare, accrescere; *biol* riprodursi; *(Zellen)* proliferare.

vermeiden ⟨*irr, ohne ge-*⟩ *tr* evitare, scansare; **es läßt sich nicht ~, daß ...** non si può evitare di *+inf,* è inevitabile che *+congv;* **um Mißverständnisse zu ~** a scanso d'equivoci.

vermeintlich [fɛɐ̯'maintlıç] *adj* presunto; *(Vater)* putativo.

Vermerk [fɛɐ̯'mɛrk] ⟨-(e)s, -e⟩ *m* **1.** *(Notiz)* annotazione *f,* nota *f;* **2.** *(Eintragung)* registrazione *f.*

vermessen[1] ⟨*irr, ohne ge-*⟩ **I.** *tr* misurare, prendere le misure di; *(topographisch)* rilevare; **II.** *rfl:* **sich** ~ *(falsch messen)* sbagliarsi nel prendere le misure.

vermessen[2] *adj geh* **1.** *(tollkühn)* audace; **2.** *(überheblich)* presuntuoso.

Vermessung *f* misurazione *f; (topographisch)* rilevamento *m.* **Vermessungsingenieur(in)** *m(f)* geometra *mf.*

vermieten ⟨*ohne ge-*⟩ *tr* affittare, dare in affitto; *(bes. jur)* locare; *(Auto)* noleggiare, dare a nolo; **„Zimmer zu ~"** "affittasi camere". **Vermieter(in)** *m(f)* **1.** *(von Wohnung)* locatore, -trice *m, f;* **2.** *(von anderen Dingen)* noleggiatore, -trice *m, f.*

vermindern ⟨*ohne ge-*⟩ **I.** *tr* **1.** *(geringer machen)* diminuire, ridurre; **2.** *(abschwächen)* attenuare; **II.** *rfl:* **sich** ~ **1.** *(geringer werden)* diminuire; **2.** *(sich abschwächen)* diminuire, scemare; *(Schmerzen)* attutirsi.

vermischen ⟨*ohne ge-*⟩ **I.** *tr* mischiare; *(fig a.)* mescolare; **Vermischtes** miscellanea *f; (in Zeitungen)* varie *f pl;* **II.** *rfl:* **sich** ~ **1.** *allg.* incrociarsi (*mit* con); **2.** *fig* confondersi, mescolarsi.

vermissen ⟨*ohne ge-*⟩ *tr:* **ich vermisse jdn/etw.** mi manca qu/qc; **vermißt werden** risultare disperso; **als vermißt gemeldet sein** essere dato per disperso; **ich vermisse meine Brille** non trovo gli occhiali; **was ich an dieser Beschreibung vermisse, ist ...** quello che non trovo in questa descrizione è ... **Vermißte** ⟨ein -r, -n, -n⟩ *mf* disperso, -a *m, f.*

vermitteln ⟨*ohne ge-*⟩ **I.** *tr* **1.** *(beschaffen)* procurare; **2.** *(Treffen)* combinare; *(Geschäft)* fare da mediatore in; *(in Diplomatie)* negoziare; **3.** *fig (Eindruck)* offrire, dare; **4.** *fig (Wissen)* trasmettere; **ein Gespräch** ~ *tel* passare una comunicazione telefonica; **II.** *itr* fare da mediatore; *(im Streitfall)* conciliare (*zwischen den Parteien* le parti).

Vermittler(in) ⟨-s, -⟩ *m(f)* **1.** *allg.* mediatore, -trice *m, f; (a. ökon)* intermediario, -a *m, f; (Makler)* sensale *mf;* **2.** *(bei Streitfällen)* conciliatore, -trice *m, f.*

Vermittlung ⟨-, -en⟩ *f* **1.** *allg.* mediazione *f; (Einschaltung)* intervento *m;* **2.** *(Schlichtung)* accomodamento *m;* **3.** *tel (Telefonzentrale)* centralino *m; (Person)* centralinista *mf;* **4.** *(Stellen~)* ufficio *m* di collocamento; **durch jds ~** per la mediazione di qu. **Vermittlungsgebühr** *f* mediazione *f.*

Vermögen ⟨-s, -⟩ *n (Geldbesitz)* patrimonio *m,* fortuna *f,* sostanze *f pl;* **das kostet ein ~** costa un patrimonio. **vermögend** *adj* benestante, ricco. **Vermögensanlage** *f* investimento *m* patrimoniale (*o* in beni patrimoniali). **Vermögensberater(in)** *m(f)* consulente *mf* patrimoniale. **Vermögenssteuer** *f* imposta *f* patrimoniale (*o* sulla sostanza). **Vermögensverhältnisse** *n pl* situazione *f* finanziaria (*o* patrimoniale). **vermögenswirksam** *adj* fruttifero; **~e Leistungen** contributi sociali che fanno maturare interessi.

vermummen [fɛɐ̯'mʊmən] ⟨*ohne ge-*⟩ *rfl:* **sich** ~ partecipare mascherato ad una dimostrazione.

Vermummungsverbot [fɛɐ̯'mʊmʊŋs-] *n divieto di intervenire mascherati ad una dimostrazione.*

vermuten [fɛɐ̯'mu:tən] ⟨*ohne ge-*⟩ *tr* **1.** *(annehmen)* supporre, presumere; *(glauben)* credere, pensare; **2.** *(erwarten)* aspettare; **nichts Arges ~** non sospettare nulla di male; **~ lassen** lasciare supporre; **es ist zu ~, daß ...** è probabile che *+congv;* **das hätte ich nicht vermutet** non me lo sarei aspettato.

vermutlich I. *adj* presunto; *(wahrscheinlich)* probabile; **II.** *adv* presumibilmente, probabilmente.

Vermutung ⟨-, -en⟩ *f* (pre)supposizione *f;* **~en über etw.** *(akk)* **anstellen** fare delle congetture su qc.

vernachlässigen ⟨*ohne ge-*⟩ *tr* trascurare.

vernarben ⟨*ohne ge-*⟩ *itr* ⟨*sein*⟩ cicatrizzarsi, rimarginarsi.

vernehmen ⟨*irr, ohne ge-*⟩ *tr* **1.** *(hören, wahrnehmen)* percepire; **2.** *(erfahren)* apprendere, venir a sapere; **3.** *jur (Angeklagte)* interrogare; *(Zeugen)* escutere. **Vernehmen** ⟨-s, ø⟩ *n:* **dem ~ nach** a quanto si dice.

Vernehmlassung ⟨-, -en⟩ *f CH* consultazione *f.*

vernehmlich *adj* intelligibile, chiaro; *(hörbar)* percettibile.

Vernehmung ⟨-, -en⟩ *f jur (von Angeklagten)* interrogatorio *m; (von Zeugen)* audizione *f,* escussione *f.*

verneigen ⟨*ohne ge-*⟩ *rfl:* **sich** ~ inchinarsi.

verneinen ⟨*ohne ge-*⟩ *tr* negare. **verneinend** *adj* negativo. **Verneinung** ⟨-, -en⟩ *f* **1.** *(Antwort)* risposta *f* negativa; **2.** *gram* negazione *f;* **3.** *(Leugnung, Ablehnung)* rifiuto *m.*

vernetzen [fɛɐ̯'nɛtsən] ⟨*ohne ge-*⟩ *tr* **1.** *(verknüpfen)* collegare; **2.** *inform* integrare in una rete (di calcolatori).

vernichten [fɛɐ̯'nɪçtən] ⟨*ohne ge-*⟩ *tr* annientare; *(zerstören)* distruggere; *(ausrotten)* sterminare; *(Unkraut)* estirpare. **vernichtend** *adj* **1.** *(Kritik)* distruttivo; **2.** *(Blick)* fulminante; **3.** *(Niederlage)* schiacciante; **jdn ~ schlagen** *sport* battere qu in modo schiacciante. **Vernichtung** ⟨-, ø⟩ *f* annientamento *m; (Zerstörung)* distruzione *f; (Ausrottung)* sterminio *m; (Unkraut~)* estirpazione *f.* **Vernichtungslager** *n* campo *m* di sterminio.

Vernissage [vɛrnɪ'sa:ʒə] ⟨-, -n⟩ *f* vernis-

sage *m.*
Vernunft [fɛɐ̯'nʊnft] ⟨-, ø⟩ *f* ragione *f; (gesunder Menschenverstand)* buon senso *m;* ~ **annehmen** mettere giudizio; **jdn zur** ~ **bringen** ricondurre qu alla ragione.
vernünftig [fɛɐ̯'nʏnftɪç] *adj* **1.** *(besonnen)* ragionevole, giudizioso, razionale; **2.** *(sinnvoll)* sensato; **3.** *fam (ordentlich)* decente.
veröffentlichen ⟨*ohne ge-*⟩ *tr* pubblicare. **Veröffentlichung** ⟨-, -en⟩ *f* pubblicazione *f.*
verordnen ⟨*ohne ge-*⟩ *tr* **1.** *med* prescrivere; **2.** *(anordnen, verfügen)* ordinare, decretare; *(festsetzen)* stabilire. **Verordnung** *f* **1.** *med* prescrizione *f;* **2.** *(gesetzlich)* decreto *m;* **nach ärztlicher** ~ dietro prescrizione medica.
verpacken ⟨*ohne ge-*⟩ *tr* imballare, impacchettare. **Verpackung** *f* imballaggio *m.* **Verpackungsmaterial** *n* materiale *m* da imballaggio. **Verpackungsmüll** *m* rifiuti *m pl* da imballaggio.
verpassen ⟨*ohne ge-*⟩ *tr* **1.** *(Zug)* perdere; *(Gelegenheit)* lasciarsi sfuggire; **2.** *fam (zuteilen)* dare; **jdm eine** ~ *fam* dare una sberla a qu *fam.*
verpesten ⟨*ohne ge-*⟩ *tr* appestare.
verpfeifen ⟨*irr, ohne ge-*⟩ *tr fam (verraten)* tradire; *(anzeigen)* denunciare.
verpflegen ⟨*ohne ge-*⟩ *tr* nutrire. **Verpflegung** ⟨-, ø⟩ *f (Beköstigung)* vitto *m.*
verpflichten ⟨*ohne ge-*⟩ **I.** *tr* obbligare *(jdn zu etw.* qu a fare qc); *(a. moralisch)* impegnare *(jdn zu etw.* qu a fare qc); *(Künstler)* ingaggiare; **ich fühle mich verpflichtet, etw. zu tun** mi sento obbligato a fare qc; **ich bin Ihnen zu tiefem Dank verpflichtet** Le sono obbligatissimo; **II.** *rfl:* **sich** ~ *(zusagen)* impegnarsi.
Verpflichtung ⟨-, -en⟩ *f* obbligo *m; (a. moralisch)* impegno *m; (Pflicht)* dovere *m;* **berufliche/finanzielle ~en** impegni professionali/finanziari; **seinen ~en nachkommen** adempiere ai propri impegni.
verpfuschen ⟨*ohne ge-*⟩ *tr fam* **1.** *(Arbeit)* abborracciare; **2.** *fig (Leben)* rovinare.
verpissen ⟨*ohne ge-*⟩ *rfl:* **sich** ~ *vulg* squagliarsela *fam.*
verpönt [fɛɐ̯'pø:nt] *adj:* ~ **sein** essere malvisto.
verprassen ⟨*ohne ge-*⟩ *tr* dissipare.
verprügeln ⟨*ohne ge-*⟩ *tr* bastonare, picchiare.
Verputz *m* intonaco *m.*
verputzen ⟨*ohne ge-*⟩ *tr* **1.** *(Gebäude)* intonacare; **2.** *fig fam (aufessen)* spolverare.
verramschen ⟨*ohne ge-*⟩ *tr* svendere.
Verrat [fɛɐ̯'ra:t] ⟨-(e)s, ø⟩ *m* tradimento *m;* ~ **begehen (o üben)** commettere un tradimento; ~ **an jdm begehen** tradire qu.
verraten ⟨*irr, ohne ge-*⟩ **I.** *tr* **1.** *(Geheimnis, Freunde)* tradire; **2.** *fig (deutlich werden lassen)* rivelare; ~ **und verkauft sein** *fam* essere abbandonato a sé stesso; **II.** *rfl:* **sich** ~ tradirsi.
Verräter(in) [fɛɐ̯'rɛ:tɐ (...ərɪn)] ⟨-s, -⟩ *m(f)* traditore, -trice *m, f.* **verräterisch** *adj* **1.** *(Mensch)* traditore; *(heimtückisch)* perfido; **2.** *fig* rivelatore.
verrechnen ⟨*ohne ge-*⟩ **I.** *tr* **1.** *ökon* mettere in conto; *(gegeneinander aufrechnen)* compensare; **2.** *(gutschreiben)* accreditare; **II.** *rfl:* **sich** ~ **1.** *(falsch rechnen)* sbagliare i calcoli; **2.** *fig fam (sich täuschen)* ingannarsi; **sich um 50 Pfennig** ~ sbagliare di 50 pfennig; **da hast du dich aber schwer verrechnet!** *fig fam* (qui) ti sei sbagliato di grosso! *fam.* **Verrechnung** *f ökon* (messa *f* in) conto *m; (Ausgleich)* compensazione *f;* **nur zur** ~ da accreditare. **Verrechnungsscheck** *m* assegno *m* da accreditare.
verrecken [fɛɐ̯'rɛkən] ⟨*ohne ge-*⟩ *itr* ⟨*sein*⟩ *vulg* crepare *volg.*
verregnet *adj (regnerisch)* piovoso; *(Urlaub)* rovinato dalla pioggia.
verreisen ⟨*ohne ge-*⟩ *itr* ⟨*sein*⟩ partire in viaggio; **geschäftlich (o dienstlich)** ~ partire per un viaggio d'affari (*o* di lavoro); **verreist (sein)** (essere) in viaggio.
verreißen ⟨*irr, ohne ge-*⟩ *tr fig fam (kritisieren)* stroncare.
verrenken [fɛɐ̯'rɛŋkən] ⟨*ohne ge-*⟩ *tr* (di)storcere; *(Arm, Fuß)* slogare, lussare. **Verrenkung** ⟨-, -en⟩ *f* **1.** *(von Körper)* contorsione *f;* **2.** *med (von Gelenken)* slogatura *f,* lussazione *f.*
verrichten ⟨*ohne ge-*⟩ *tr* fare, eseguire, compiere; **seinen Dienst** ~ adempiere alle proprie funzioni. **Verrichtung** *f* faccenda *f.*
verriegeln ⟨*ohne ge-*⟩ *tr* chiudere col catenaccio, sprangare.
verringern [fɛɐ̯'rɪŋɐn] ⟨*ohne ge-*⟩ *tr* ridurre, diminuire.
verrosten ⟨*ohne ge-*⟩ *itr* ⟨*sein*⟩ arrugginire, arrugginirsi.
verrotten [fɛɐ̯'rɔtən] ⟨*ohne ge-*⟩ *itr* ⟨*sein*⟩ **1.** *(Laub, Holz)* imputridire; **2.** *(Gebäude)* sgretolarsi.
verrückt [fɛɐ̯'rʏkt] *adj* pazzo, matto, folle; ~ **spielen** *fam* fare il pazzo; **jdn** ~ **machen** *fam* fare impazzire qu; **auf etw.** *(akk)* ~ **sein** *fam* andare matto per qc *fam;* **auf jdn (o nach jdm)** ~ **sein** *fam* essere pazzo di qu; **wie** ~ *fam (Mensch)* come un matto (*o* una matta) *fam;* **es hat geregnet wie** ~ *fam* ha piovuto a catinelle; **ich werd'** ~! *fam* non posso crederci!. **Verrückte** ⟨ein -r, -n, -n⟩ *mf* pazzo, -a *m, f,* matto, -a *m, f;* **er ist gefahren wie ein ~r** *fam* è andato come un forsennato.

verrufen *adj (berüchtigt)* famigerato; *(Viertel, Lokal)* malfamato.

Vers [fɛrs] ⟨-es, -e⟩ *m* verso *m; (Bibel~)* versetto *m.*

versachlichen [fɛɐ̯'zaxlıçən] ⟨*ohne ge-*⟩ *tr (Debatte)* rendere oggettivo.

versagen ⟨*ohne ge-*⟩ *itr* **1.** *(Maschinen, Bremsen)* non funzionare; *(Waffen)* incepparsi; **2.** *(Person)* fallire; **die Stimme versagte mir** mi mancò la voce. **Versagen** ⟨-s, ø⟩ *n* **1.** *tec* mancato funzionamento *m,* guasto *m; (bes. mot)* panna *f;* **2.** *fig (von Mensch)* fallimento *m;* **menschliches ~** errore *m* umano. **Versager(in)** ⟨-s, -⟩ *m(f) (Mensch)* fallito, -a *m, f.*

versalzen ⟨*irr, ohne ge-*⟩ *tr* **1.** *(Speisen)* salare troppo; **2.** *fig fam (verderben)* guastare.

versammeln ⟨*ohne ge-*⟩ **I.** *tr* radunare, riunire; *(zusammenrufen)* convocare; **II.** *rfl:* **sich ~** radunarsi; *(a. pol)* riunirsi.

Versammlung *f* **1.** *(Vorgang)* riunione *f,* raduno *m;* **2.** *(versammelte Menschen)* assemblea *f.* **Versammlungsfreiheit** *f* libertà *f* di riunione.

Versand [fɛɐ̯'zant] ⟨-(e)s, ø⟩ *m* **1.** *(das Versenden)* spedizione *f,* invio *m;* **2.** *(~abteilung)* reparto *m* spedizioni. **Versandhandel** *m* vendita *f* per corrispondenza. **Versandhaus** *n* ditta *f* di vendita per corrispondenza. **Versandkosten** ⟨*pl*⟩ spese *f pl* di spedizione. **Versandtasche** *f* busta *f* postale.

versauen ⟨*ohne ge-*⟩ *tr sl* **1.** *(schmutzig machen)* sporcare, insudiciare; **2.** *(verderben)* rovinare.

versäumen ⟨*ohne ge-*⟩ *tr* **1.** *(Zug, Gelegenheit)* perdere; **2.** *(Unterricht)* mancare a; **3.** *(Pflicht)* trascurare; **nicht ~, etw. zu tun** non mancare di fare qc. **Versäumnis** ⟨-ses, -se⟩ *n* omissione *f,* dimenticanza *f.*

verschaffen ⟨*ohne ge-*⟩ **I.** *tr* procurare; **was verschafft mir die Ehre?** a cosa devo l'onore?; **II.** *rfl:* **sich** *(dat)* **etw. ~** procurarsi qc; **sich** *(dat)* **Respekt ~** farsi rispettare.

verschärfen ⟨*ohne ge-*⟩ **I.** *tr* **1.** *(intensivieren)* intensificare; **2.** *(Bestimmung, Lage)* inasprire; *(Spannungen)* aumentare, acuire; **3.** *(Prüfungen, Kontrollen)* intensificare; **4.** *(Tempo)* accelerare; **5.** *(verschlimmern)* aggravare; **II.** *rfl:* **sich ~ 1.** *(Lage)* inasprirsi; *(Spannungen)* aumentare, acuirsi; **2.** *(Prüfungen, Kontrollen)* intensificarsi; **3.** *(Krise)* acutizzarsi; **4.** *(sich verschlimmern)* aggravarsi, inasprirsi.

verschenken ⟨*ohne ge-*⟩ *tr* regalare.

verscherzen ⟨*ohne ge-*⟩ *rfl:* **sich** *(dat)* **etw. ~** giocarsi qc.

verscheuchen ⟨*ohne ge-*⟩ *tr* scacciare.

verschicken ⟨*ohne ge-*⟩ *tr* **1.** *(Post)* spedire; **2.** *(zur Erholung)* mandare.

verschieben ⟨*irr, ohne ge-*⟩ *tr* **1.** *(verrükken)* spostare; **2.** *(Termine)* rinviare (*auf +akk* a, *um* di), differire (*auf +akk* a, *um* di); **3.** *fam (Devisen, Waren)* vendere di contrabbando.

verschieden [fɛɐ̯'ʃi:dən] *adj* **1.** *allg.* diverso; *(unterschiedlich)* differente; *(~artig)* svariato; **2.** *(mehrere, einige, mannigfach)* vario; **V~es** diverse (*o* varie) cose; *(Tagesordnungspunkt)* varie ed eventuali; *(in Zeitungen)* varie *f pl;* **das ist ~** dipende dai casi. **verschiedenartig** *adj* **1.** *(unterschiedlich)* disparato, eterogeneo; **2.** *(mannigfaltig)* vario, svariato, diverso. **Verschiedenheit** ⟨-, -en⟩ *f* **1.** *allg.* diversità *f;* **2.** *(Unterschiedlichkeit)* differenza *f* (*in* di); *(Unähnlichkeit)* disuguaglianza *f;* **3.** *(Mannigfaltigkeit)* varietà *f,* molteplicità *f.* **verschiedentlich** [fɛɐ̯'ʃi:dɛntlıç] *adv* diverse (*o* più) volte.

verschimmeln ⟨*ohne ge-*⟩ *itr* ⟨*sein*⟩ ammuffire.

verschlafen[1] ⟨*irr, ohne ge-*⟩ **I.** *tr* **1.** *(schlafend verbringen)* passare dormendo; **2.** *(versäumen)* perdere (per non essersi svegliato in tempo); **3.** *fam (vergessen)* dimenticare; **II.** *itr, rfl:* **sich ~** non svegliarsi in tempo.

verschlafen[2] *adj* assonnato; *(a. fig)* sonnolento.

Verschlag *m* capanna *f,* rimessa *f.*

verschlagen ⟨*irr, ohne ge-*⟩ *tr* **1.** *(Atem)* mozzare; **2.** *(an einen Ort)* gettare, sbattere; **das verschlug mir die Sprache/den Appetit** mi mancò la parola/l'appetito.

verschlechtern ⟨*ohne ge-*⟩ **I.** *tr* **1.** *allg.* peggiorare, deteriorare; **2.** *(verschlimmern)* aggravare; **II.** *rfl:* **sich ~** peggiorare; *(Lage a.)* aggravarsi. **Verschlechterung** ⟨-, -en⟩ *f* peggioramento *m,* deterioramento *m.*

verschleiern [fɛɐ̯'ʃlai̯ɐn] ⟨*ohne ge-*⟩ *tr* **1.** *(verhüllen)* mascherare; **2.** *fig (Skandal)* velare.

Verschleiß [fɛɐ̯'ʃlai̯s] ⟨-es, -e⟩ *m* usura *f.*

verschleißen ⟨verschleißt, verschliß, verschlissen⟩ **I.** *tr* ⟨*haben*⟩ logorare; **II.** *itr* ⟨*sein*⟩ logorarsi.

Verschleißerscheinung *f* traccia *f* di usura (*o* logoramento).

verschleppen ⟨*ohne ge-*⟩ *tr* **1.** *(deportieren)* deportare; *(entführen)* rapire; **2.** *(Krankheit)* trascinarsi; **3.** *(in die Länge ziehen)* tirare per le lunghe. **Verschleppungstaktik** *f* ostruzionismo *m.*

verschleudern [fɛɐ̯'ʃlɔy̯dɐn] ⟨*ohne ge-*⟩ *tr* svendere.

verschließen ⟨*irr, ohne ge-*⟩ **I.** *tr* **1.** *(abschließen)* chiudere; **2.** *(wegschließen)* mettere sotto chiave; **3.** *med* occludere; **II.** *rfl:* **sich jdm ~** non aprirsi a qu; **sich einer S.** *(dat)* **(*o* gegen etw.) ~** rifiutarsi di riconoscere qc.

verschlimmern ⟨*ohne ge-*⟩ **I.** *tr* aggravare, peggiorare; **II.** *rfl:* **sich** ~ aggravarsi, peggiorare. **Verschlimmerung** ⟨-, -en⟩ *f* aggravamento *m,* peggioramento *m.*

verschliß [fɛɐ̯'ʃlɪs] *imp von* **verschleißen.**

verschlissen [fɛɐ̯'ʃlɪsən] **I.** *pp von* **verschleißen; II.** *adj* logoro, consunto, liso.

verschlucken ⟨*ohne ge-*⟩ **I.** *tr* **1.** *(a. fig: unterdrücken)* inghiottire; **2.** *fig (Wörter, Sätze)* mangiare; **II.** *rfl:* **ich habe mich verschluckt** mi è andato di traverso.

Verschluß *m* **1.** *allg.* chiusura *f;* **2.** *(Schloß)* serratura *f;* **3.** *(Deckel)* coperchio *m;* **4.** *(Stöpsel)* tappo *m;* **5.** *(fot, an Waffe)* otturatore *m;* **etw. unter ~ halten** tenere qc sotto chiave.

verschlüsseln [fɛɐ̯'ʃlʏsəln] ⟨*ohne ge-*⟩ *tr* cifrare.

verschmachten ⟨*ohne ge-*⟩ *itr* ⟨*sein*⟩ *fig* languire; **vor Durst/Hunger** ~ morire di sete/fame.

verschmähen [fɛɐ̯'ʃmɛ:ən] ⟨*ohne ge-*⟩ *tr* (di)sdegnare; *(ablehnen)* rifiutare.

verschmieren ⟨*ohne ge-*⟩ *tr* **1.** *(zuschmieren)* colmare spalmando; **2.** *(verstreichen)* spalmare; **3.** *(schmierig machen)* imbrattare.

verschmutzen ⟨*ohne ge-*⟩ **I.** *tr* ⟨*haben*⟩ sporcare, insudiciare; *(Umwelt)* inquinare; **II.** *itr* ⟨*sein*⟩ sporcarsi. **Verschmutzung** ⟨-, -en⟩ *f* imbrattamento *m; (Umwelt~)* inquinamento *m.*

verschneit *adj* innevato.

verschnörkelt *adj* pieno di arabeschi.

verschnupft *adj* **1.** *(erkältet)* raffreddato; **2.** *fig fam (verärgert)* seccato.

verschollen [fɛɐ̯'ʃɔlən] *adj* disperso, scomparso, perso di vista.

verschonen ⟨*ohne ge-*⟩ *tr* risparmiare (*mit* da); **(von etw.) verschont bleiben** venire (*o* rimanere) risparmiato (da qc).

verschönern [fɛɐ̯'ʃø:nen] ⟨*ohne ge-*⟩ *tr* abbellire, (ad)ornare.

verschränken [fɛɐ̯'ʃrɛŋkən] ⟨*ohne ge-*⟩ *tr (Arme)* incrociare; *(Beine)* accavallare.

verschreiben ⟨*irr, ohne ge-*⟩ **I.** *tr* **1.** *med* prescrivere; **2.** *(Papier)* consumare; **II.** *rfl:* **sich** ~ **1.** *(falsch schreiben)* sbagliare scrivendo; **2.** *(sich widmen)* dedicarsi (*einer S. dat* a qc); **sich dem Teufel** ~ vendere l'anima al diavolo. **verschreibungspflichtig** *adj* soggetto a prescrizione medica.

verschrie(e)n [fɛɐ̯'ʃri:(ə)n] *adj* malfamato.

verschroben [fɛɐ̯'ʃro:bən] *adj* stravagante, eccentrico.

verschrotten ⟨*ohne ge-*⟩ *tr* demolire, ridurre in rottami; *mot* rottamare.

verschüchtert [fɛɐ̯'ʃʏçtɐt] *adj* intimidito.

verschulden ⟨*ohne ge-*⟩ **I.** *tr* ⟨*haben*⟩ causare, provocare; **II.** *itr* ⟨*sein*⟩, *rfl:* **sich** ~ indebitarsi. **Verschulden** ⟨-s, ø⟩ *n* colpa *f;* **ohne mein** ~ senza colpa da parte mia. **Verschuldung** ⟨-, ø⟩ *f* indebitamento *m.*

verschütten ⟨*ohne ge-*⟩ *tr* **1.** *(Flüssigkeit)* versare; *(Zucker, etc.)* spargere; **2.** *(unter sich begraben)* seppellire.

verschwägert [fɛɐ̯'ʃvɛ:gɐt] *adj* imparentato.

verschweigen ⟨*irr, ohne ge-*⟩ *tr* tacere, passare sotto silenzio.

verschwenden [fɛɐ̯'ʃvɛndən] ⟨*ohne ge-*⟩ *tr* prodigare, sperperare, dilapidare. **Verschwender(in)** ⟨-s, -⟩ *m(f)* scialacquatore, -trice *m, f fam,* dissipatore, -trice *m, f.* **Verschwendung** ⟨-, ø⟩ *f* sperpero *m,* dissipazione *f.*

verschwiegen [fɛɐ̯'ʃvi:gən] *adj* **1.** *(Person)* discreto; *(zurückhaltend)* riservato; **2.** *(Ort)* silenzioso, tranquillo.

verschwimmen ⟨*irr, ohne ge-*⟩ *itr* ⟨*sein*⟩ sfumare, confondersi.

verschwinden ⟨*irr, ohne ge-*⟩ *itr* ⟨*sein*⟩ scomparire; *(gestohlen werden a.)* sparire; **~d klein** infinitamente piccolo; **ich muß mal** ~ *fam* devo andare in quel posto *fam;* **verschwinde!** *fam* sparisci!. **Verschwinden** ⟨-s, ø⟩ *n* scomparsa *f,* sparizione *f;* **im ~ (begriffen)** in via d'estinzione.

verschwommen [fɛɐ̯'ʃvɔmən] *adj* sfumato; *fot* sfocato; *(vage)* vago.

Verschwörung ⟨-, -en⟩ *f* congiura *f,* cospirazione *f,* complotto *m.*

versehen ⟨*irr, ohne ge-*⟩ **I.** *tr* **1.** *(ausrüsten, ausstatten)* provvedere (*mit* di), munire (*mit* di), (ri)fornire (*mit* di); **2.** *(ausüben)* esercitare; **etw. mit seiner Unterschrift** ~ apporre la propria firma a qc; **II.** *rfl:* **sich** ~ *(sich irren)* sbagliarsi, fare una svista; **sich mit etw.** ~ rifornirsi di qc; **ehe man sich's versieht** quando meno lo si aspetta. **Versehen** ⟨-s, -⟩ *n* **1.** *(Irrtum)* errore *m;* **2.** *(kleiner Fehler)* svista *f,* inavvertenza *f;* **aus** ~ inavvertitamente. **versehentlich** [fɛɐ̯'ze:əntlıç] *adj* erroneamente, inavvertitamente.

Versehrte [fɛɐ̯'ze:ɐ̯tə] ⟨ein -r, -n, -n⟩ *mf* invalido, -a *m, f,* mutilato, -a *m, f; (Kriegs~)* invalido *m* di guerra.

versenden ⟨*irr o reg, ohne ge-*⟩ *tr* spedire, inviare.

versenken ⟨*ohne ge-*⟩ **I.** *tr* **1.** *(Schiffe)* affondare; **2.** *tec (Schraube)* accecare; **II.** *rfl:* **sich** ~ *fig (sich vertiefen)* immergersi (*in +akk* in).

Versenkung *f* **1.** *(von Schiffen)* affondamento *m;* **2.** *fig (Meditation)* immergersi *m,* sprofondarsi *m;* **in der ~ verschwinden** *fig fam* scomparire dalla scena.

versessen [fɛɐ̯'zɛsən] *adj:* **auf etw.** *(akk)* ~ **sein** essere fanatico di qc; *(auf Süßigkeiten)* essere avido di qc.

versetzen ⟨*ohne ge-*⟩ **I.** *tr* **1.** *(an andere Stelle)* spostare; *(Pflanze)* trapiantare;

2. *(Beamten)* trasferire; **3.** *(Schüler: in höhere Schulklasse)* promuovere; *(an anderen Platz)* trasferire; **4.** *(Menschen in Lage)* mettere; **5.** *(mischen)* mischiare (*mit* con); *(alkoholisches Getränk)* tagliare (*mit* con); **6.** *(Schlag, Tritt)* assestare; **7.** *(verpfänden)* impegnare; **8.** *fam (vergeblich warten lassen)* mancare a un appuntamento con; **9.** *(antworten)* rispondere; **jdm eins** ~ *fam* mollare un ceffone a qu *fam;* **in den Ruhestand** ~ mandare in pensione; **jdn in Angst** ~ impaurire qu; **jdn in Wut** ~ far arrabbiare qu; **nicht versetzt werden** *(Schule)* essere bocciato; **II.** *rfl:* **sich in jds Lage** ~ mettersi nei panni di qu.

Versetzung ⟨-, -en⟩ *f* **1.** *allg.* spostamento *m;* **2.** *(von Beamten)* trasferimento *m;* **3.** *(von Schüler)* promozione *f.*

verseuchen ⟨*ohne ge-*⟩ *tr (mit Bakterien)* infettare; *(mit Gift)* contaminare; *(a. fig)* inquinare.

Versfuß *m* piede *m.*

versichern ⟨*ohne ge-*⟩ **I.** *tr* assicurare; **II.** *rfl:* **sich** ~ assicurarsi.

Versicherung *f* assicurazione *f* (*gegen* contro); **eine** ~ **abschließen** stipulare un'assicurazione. **Versicherungsbeitrag** *m* premio *m* di assicurazione. **Versicherungsbetrug** *m* frode *f* a danno di una società di assicurazioni. **Versicherungsfall** *m* sinistro *m.* **Versicherungsgesellschaft** *f* società *f* (*o* compagnia *f*) di assicurazioni. **Versicherungskaufmann** *m,* **-kauffrau** *f* agente *mf* di assicurazione. **Versicherungspolice** *f* polizza *f* assicurativa. **Versicherungsprämie** *f* premio *m* d'assicurazione. **Versicherungssumme** *f* somma *f* assicurata, importo *m* dell'assicurazione. **Versicherungsvertreter(in)** *m(f)* rappresentante *mf* di assicurazione.

versickern ⟨*ohne ge-*⟩ *itr* ⟨*sein*⟩ disperdersi.

versiert [vɛr'zi:ɐ̯t] *adj:* **er ist sehr** ~ **in diesen Dingen** è molto esperto di queste cose.

versilbern ⟨*ohne ge-*⟩ *tr* **1.** *tec* argentare; **2.** *fam (zu Geld machen)* realizzare.

versinken ⟨*irr, ohne ge-*⟩ *itr* ⟨*sein*⟩ **1.** *(im Wasser)* affondare; **2.** *(im Schlamm)* sprofondare; **in Gedanken versunken sein** essere assorto in pensieri.

Version [vɛr'zio:n] ⟨-, -en⟩ *f* versione *f.*

Versmaß *n* metro *m.*

versnobt *adj* snob.

versöhnen [fɛɐ̯'zø:nən] ⟨*ohne ge-*⟩ **I.** *tr* (ri)conciliare, rappacificare; **II.** *rfl:* **sich** ~ riconciliarsi, rappacificarsi. **versöhnlich** *adj* conciliante; *(Worte)* conciliativo. **Versöhnung** ⟨-, -en⟩ *f* (ri)conciliazione *f.*

versorgen ⟨*ohne ge-*⟩ *tr* **1.** *(sich kümmern um)* provvedere a; *(Kranke)* accudire, assistere; **2.** *(unterhalten)* mantenere; **3.** *(beliefern)* (ri)fornire (*mit* di), approvvigionare (*mit* di); **4.** *(unterbringen)* sistemare. **Versorgung** ⟨-, -en⟩ *f* **1.** ⟨*sing*⟩ *(Sichkümmern)* cura *f;* **2.** ⟨*sing*⟩ *(Unterhalt)* mantenimento *m;* **3.** *ökon (Belieferung)* rifornimento *m.*

verspannen ⟨*ohne ge-*⟩ *rfl:* **sich** ~ *(Muskel)* tendersi, contrarsi.

verspäten ⟨*ohne ge-*⟩ *rfl:* **sich** ~ arrivare in ritardo (*um* di). **verspätet I.** *adj* tardivo; **II.** *adv* in ritardo. **Verspätung** ⟨-, -en⟩ *f* ritardo *m;* **(drei Minuten)** ~ **haben** avere (tre minuti di) ritardo.

versperren ⟨*ohne ge-*⟩ *tr* **1.** *(blockieren)* sbarrare, bloccare; **2.** *(verschließen)* chiudere; **jdm die Aussicht** ~ togliere la visuale a qu; **jdm den Weg** ~ sbarrare la strada a qu.

verspielen ⟨*ohne ge-*⟩ **I.** *tr* **1.** *(Geld)* perdere (al gioco); **II.** *itr:* **(bei jdm) verspielt haben** *fam* essere caduto in disgrazia (presso qu). **verspielt** *adj* **1.** *(Kind, Katze)* giocherellone; **2.** *(Frisur, Kleid)* carino, piacevole, simpatico; **3.** *(Muster)* grazioso, carino.

verspotten ⟨*ohne ge-*⟩ *tr* deridere, schernire.

versprechen ⟨*irr, ohne ge-*⟩ **I.** *tr* promettere; **II.** *rfl:* **sich** ~ **1.** *(beim Sprechen)* impaperarsi; **2.** *(erwarten)* aspettarsi; **ich habe mich versprochen** è stato un lapsus; **sich** *(dat)* **etw.** ~ *(erwarten)* aspettarsi qc. **Versprechen** ⟨-s, -⟩ *n* promessa *f.* **Versprecher** ⟨-s, -⟩ *m* lapsus (linguae) *m,* papera *f.* **Versprechung** ⟨-, -en⟩ *f* promessa *f.*

verstaatlichen ⟨*ohne ge-*⟩ *tr* nazionalizzare, statalizzare; *(kirchliche Einrichtung)* laicizzare. **Verstaatlichung** ⟨-, ø⟩ *f* statalizzazione *f.*

Verstand [fɛɐ̯'ʃtant] ⟨-(e)s, ø⟩ *m* **1.** *(Denkfähigkeit)* intelletto *m,* intelligenza *f;* **2.** *(Urteilskraft)* giudizio *m,* discernimento *m;* **3.** *(Vernunft)* ragione *f;* **4.** *(gesunder Menschenverstand)* buon senso *m;* **ein scharfer** ~ una mente acuta; **den** ~ **verlieren** diventare pazzo, essere impazzito; **mit** ~ **essen** mangiare moderatamente; **bei vollem** ~ **sein** essere completamente lucido.

verständig [fɛɐ̯'ʃtɛndɪç] *adj* **1.** *(einsichtig)* giudizioso; **2.** *(vernünftig)* ragionevole; **3.** *(klug)* intelligente.

verständigen ⟨*ohne ge-*⟩ **I.** *tr* informare (*jdn von, über etw. (akk)* qu di qc), avvertire (*jdn von, über etw. (akk)* qu di qc); **II.** *rfl:* **sich** ~ **1.** *(sich verständlich machen)* farsi capire, comunicare; **2.** *(sich einigen)* mettersi d'accordo. **Verständigung** ⟨-, ø⟩ *f* **1.** *(Benachrichtigung)* informazione *f,* avviso *m;* **2.** *(Einigung)* intesa *f,* accordo *m;* **3.** *(Kommunikation)* comunicazione *f;* **4.** *tel* ricezione *f.*

verständlich [fɛɐ̯'ʃtɛntlɪç] *adj* **1.** *(begreif-*

lich, hörbar) comprensibile; **2.** *(einsehbar, faßbar)* intelligibile; **jdm etw. ~ machen** far capire qc a qu; **sich ~ machen** farsi capire; **leicht/schwer ~ sein** essere facilmente/difficilmente comprensibile. **Verständlichkeit** ⟨-, ø⟩ *f* comprensibilità *f*, intelligibilità *f; (Hörbarkeit)* udibilità *f*.

Verständnis [fɛɐ̯'ʃtɛntnɪs] ⟨-ses, ø⟩ *n* **1.** *(Begreifen, Mitgefühl)* comprensione *f* (*für* per); **2.** *(Sinn für etw.)* sensibilità *f* (*für* per); **dafür habe ich kein ~** questo non lo ammetto. **verständnislos** *adj* **1.** *(ohne Verständnis)* incapace di comprendere; **2.** *(ungläubig)* incredulo. **verständnisvoll** *adj* comprensivo.

verstärken ⟨*ohne ge-*⟩ **I.** *tr* **1.** *(stärker machen)* rinforzare, rafforzare; **2.** *(vermehren, vergrößern)* aumentare; **3.** *radio* amplificare; **II.** *rfl:* **sich ~** *(sich vermehren)* aumentare, crescere. **Verstärker** ⟨-s, -⟩ *m tec, el, radio* amplificatore *m*. **Verstärkung** *f* **1.** *allg.* rafforzamento *m; (a. mil)* rinforzo *m;* **2.** *(Vermehrung)* aumento *m;* **3.** *radio* amplificazione *f*.

verstauben ⟨*ohne ge-*⟩ *itr* ⟨*sein*⟩ impolverarsi.

verstauchen [fɛɐ̯'ʃtaʊ̯xən] ⟨*ohne ge-*⟩ *tr* slogare; **sich** *(dat)* **die Hand ~** slogarsi la mano.

verstauen ⟨*ohne ge-*⟩ *tr* **1.** *(unterbringen)* stipare, sistemare; **2.** *naut* stivare.

Versteck [fɛɐ̯'ʃtɛk] ⟨-(e)s, -e⟩ *n* nascondiglio *m;* **~ spielen** giocare a nascondino.

verstecken ⟨*ohne ge-*⟩ **I.** *tr* nascondere; *(a. fig)* dissimulare; **II.** *rfl:* **sich ~** nascondersi. **Versteckspiel** *n* nascondino *m*. **versteckt** *adj* **1.** *(verborgen)* nascosto; **2.** *fig (Andeutung, Bemerkung)* velato; *(heimlich)* segreto.

verstehen ⟨*irr, ohne ge-*⟩ **I.** *tr* **1.** *(begreifen, hören)* comprendere, capire; **2.** *(gut können, beherrschen)* sapere, conoscere; **zu ~ geben** far capire, dare a intendere; **davon verstehst du nichts** non ne capisci niente; **ich verstehe!** capisco!; **~ Sie mich recht!** non mi fraintenda!; **verstanden?** *fam* capito? *fam;* **was versteht man unter Gehirnwäsche?** che cosa si intende per lavaggio del cervello?; **II.** *rfl:* **sich ~** *(sich vertragen)* andare d'accordo (*mit* con); **sich auf etw.** *(akk)* **~** intendersi di qc; **sich mit jdm ~** andare d'accordo con qu; **das versteht sich (von selbst)** si capisce, è ovvio.

versteigern ⟨*ohne ge-*⟩ *tr* vendere all'asta (*o* all'incanto).

Versteigerung *f* (vendita *f* all')asta *f*, incanto *m*.

verstellbar *adj* regolabile.

verstellen ⟨*ohne ge-*⟩ **I.** *tr* **1.** *(an anderen Ort)* spostare, cambiare di posto; **2.** *(versperren)* sbarrare; **3.** *(Stimme, Handschrift)* contraffare; **4.** *tec* regolare; **II.** *rfl:* **sich ~ 1.** *tec* sregolarsi, spostarsi; **2.** *fig* fingere, simulare.

Verstellung *f* **1.** *tec* regolazione *f;* **2.** *fig* simulazione *f*, finzione *f*.

versteuern ⟨*ohne ge-*⟩ *tr* pagare le imposte su (*o* per).

verstimmt *adj* **1.** *mus* scordato; **2.** *(Mensch)* di malumore; *(verärgert)* stizzito; **3.** *(Magen)* imbarazzato.

verstohlen [fɛɐ̯'ʃto:lən] *adj (Blick, Lächeln)* furtivo; *(heimlich)* segreto.

verstopfen ⟨*ohne ge-*⟩ **I.** *tr* ⟨*haben*⟩ **1.** *(Loch, Ritzen)* (ot)turare; *(Ausguß, Straße)* intasare; **2.** *med* costipare; **II.** *itr* ⟨*sein*⟩ intasarsi. **verstopft** *adj* **1.** *(Nase, Straße, Ausguß)* intasato; **2.** *(verschlossen)* turato; **3.** *med* stitico, costipato. **Verstopfung** ⟨-, ø⟩ *f* **1.** *(Verschließung)* otturazione *f;* **2.** *(von Straße, Ausguß)* intasamento *m;* **3.** *med* stitichezza *f*, costipazione *f*.

verstorben [fɛɐ̯'ʃtɔrbən] *adj* deceduto, defunto; **der V~e** il defunto.

verstört *adj* sconvolto, stravolto; *(verwirrt)* turbato.

Verstoß *m* offesa *f* (*gegen* a), trasgressione *f* (*gegen* di).

verstoßen ⟨*irr, ohne ge-*⟩ **I.** *tr (vertreiben)* scacciare (*aus* da); *(Familienangehörigen)* ripudiare; **II.** *itr* contravvenire (*gegen* a), infrangere (*gegen etw.* qc), violare (*gegen etw.* qc).

verstrahlt [fɛɐ̯'ʃtra:lt] *adj* irradiato.

verstreichen ⟨*irr, ohne ge-*⟩ **I.** *itr* ⟨*sein*⟩ *geh (Zeit)* passare; *(Frist)* scadere; **II.** *tr* ⟨*haben*⟩ **1.** *(Farbe, Salbe)* spalmare (*auf +dat* su); **2.** *(Fugen, Ritzen)* otturare; *(verspachteln)* stuccare; **3.** *(beim Streichen verbrauchen)* consumare (spalmando).

verstreuen ⟨*ohne ge-*⟩ *tr* **1.** *(ausstreuen)* spargere; *(unsystematisch)* sparpagliare; **2.** *(versehentlich)* versare, rovesciare.

verstümmeln [fɛɐ̯'ʃtʏməln] ⟨*ohne ge-*⟩ *tr* mutilare. **Verstümmelung** ⟨-, -en⟩ *f* mutilazione *f*.

Versuch [fɛɐ̯'zu:x] ⟨-(e)s, -e⟩ *m* tentativo *m; (Experiment a.)* esperimento *m*, prova *f;* **beim ersten ~** al primo tentativo; **das kommt auf einen ~ an** si tratta di provare.

versuchen ⟨*ohne ge-*⟩ **I.** *tr* **1.** *(probieren)* tentare (*etw. zu tun* di fare qc), provare (*etw. zu tun* a fare qc); *(Speise, Getränke)* assaggiare; **2.** *geh (in Versuchung führen)* tentare; **es mit etw./jdm ~** fare la prova con qc/qu; **versucht sein, etw. zu tun** essere tentato di fare qc; **II.** *rfl:* **sich ~** cimentarsi (*an +dat* con).

Versuchsanlage *f* impianto *m* sperimentale. **Versuchskaninchen** *n fig* cavia *f*. **Versuchsperson** *f* soggetto *m* (dell'esperimento). **Versuchstier** *n* cavia *f*. **versuchsweise** *adv* in via sperimentale.

Versuchung ⟨-, -en⟩ *f* tentazione *f;* **in ~ kommen (*o* geraten)** essere tentato; **jdn**

in ~ führen indurre qu in tentazione.
versüßen ⟨*ohne ge-*⟩ *tr fig* addolcire.
vertagen ⟨*ohne ge-*⟩ *tr* aggiornare, rinviare, rimandare.
vertauschen ⟨*ohne ge-*⟩ *tr* scambiare.
verteidigen [fɛɐ̯'taidɪgən] ⟨*ohne ge-*⟩ **I.** *tr* difendere; **II.** *rfl:* **sich** ~ difendersi (*gegen* da, contro).
Verteidiger(in) ⟨-s, -⟩ *m(f)* difensore *m*, difenditrice *f*.
Verteidigung ⟨-, ø⟩ *f* difesa *f; **in der** ~* sulla difensiva. **Verteidigungsministerium** *n* ministero *m* della difesa.
verteilen ⟨*ohne ge-*⟩ **I.** *tr* **1.** *(vergeben)* distribuire; *(zuteilen)* assegnare; **2.** *(aufteilen)* ripartire, dividere; **II.** *rfl:* **sich** ~ **1.** *(zeitlich)* dividersi; **2.** *(örtlich)* distribuirsi (*auf +akk, über +akk* su).
Verteiler ⟨-s, -⟩ *m* **1.** *(Person)* distributore *m;* **2.** *mot* spinterogeno *m;* **3.** *(Betrieb)* azienda *f* erogatrice; **4.** *(auf Schriftstück)* chiave *f* di distribuzione.
Verteilung *f* distribuzione *f; (Aufteilung)* ripartizione *f*, divisione *f*.
verteuern ⟨*ohne ge-*⟩ *tr, rfl:* **sich** ~ rincarare.
vertiefen ⟨*ohne ge-*⟩ **I.** *tr* rendere più profondo; *(a. fig)* approfondire; **II.** *rfl:* **sich** ~ **1.** *(tiefer werden)* diventare più profondo; **2.** *(intensiver werden)* rafforzarsi, aumentare; **3.** *fig (sich versenken)* immergersi (*in +akk* in), concentrarsi (*in +akk* in). **Vertiefung** ⟨-, -en⟩ *f* **1.** *allg., fig* approfondimento *m; (Senke, Mulde)* avvallamento *m;* **2.** ⟨*sing*⟩ *fig (Sichvertiefen)* approfondimento *m*.
vertikal [vɛrti'ka:l] *adj* verticale.
vertilgen ⟨*ohne ge-*⟩ *tr* **1.** *(Unkraut)* estirpare; *(Ungeziefer)* sterminare; **2.** *fam (verzehren)* divorare.
vertonen ⟨*ohne ge-*⟩ *tr* musicare, mettere in musica.
Vertrag [fɛɐ̯'tra:k] ⟨-(e)s, Verträge⟩ *m* contratto *m; pol* trattato *m; (Abkommen)* accordo *m*, convenzione *f;* **jdn unter ~ nehmen** assumere qu con contratto; **unter ~ stehen** essere soggetto a contratto.
vertragen ⟨*irr, ohne ge-*⟩ **I.** *tr (ertragen, aushalten)* sopportare; *(dulden)* tollerare; **er kann viel** ~ *fam (beim Trinken)* regge bene l'alcool; **II.** *rfl:* **sich** ~ **1.** *(sich verstehen)* andare d'accordo (*mit* con); **2.** *(vereinbar sein)* essere compatibile (*mit* con).
vertraglich I. *adj* contrattuale; **II.** *adv* per contratto.
verträglich [fɛɐ̯'trɛ:klɪç] *adj* **1.** *(Mensch)* conciliante, accomodante; **2.** *(Speisen)* digeribile.
Vertragsabschluß *m* stipulazione *f* di contratto. **Vertragsbruch** *m* violazione *f* di contratto. **vertragsbrüchig** *adj:* ~ **werden** violare un contratto. **Vertragshändler(in)** *m(f)* concessionario, -a *m, f*.
vertragschließend *adj:* ~**e Partei** parte contraente. **Vertragspartner** *m* parte *f* contraente. **Vertragswerkstatt** *f* officina *f* convenzionata. **vertragswidrig** *adj* non conforme al contratto.
vertrauen ⟨*ohne ge-*⟩ *itr* fidarsi (*dat* di), avere fiducia (*dat* in); **auf jdn/etw.** ~ confidare in qu/qc.
Vertrauen ⟨-s, ø⟩ *n* fiducia *f* (*auf +akk, in +akk, zu* in); ~ **erwecken** ispirare fiducia; **jds ~ genießen** godere della fiducia di qu; **jdm das ~ aussprechen** *parl* votare la fiducia a qu; **jdn ins ~ ziehen** confidarsi con qu; **im** ~ in confidenza; **im ~ darauf, daß ...** confidando che *+congv.* **vertrauenerweckend** *adj* che ispira fiducia. **Vertrauensarzt** *m*, **-ärztin** *f* medico *m* fiscale, dottoressa *f* fiscale. **vertrauensbildend** *adj* che dà (*o* ispira) fiducia. **Vertrauensbruch** *m* trasgressione *f* del rapporto di fiducia. **Vertrauensfrage** *f parl* questione *f* di fiducia. **Vertrauensmann** ⟨-(e)s, -männer *o* -leute⟩ *m* uomo *m* di fiducia, fiduciario, -a *m, f*. **Vertrauenssache** *f:* **das ist** ~ è questione di fiducia. **vertrauensselig** *adj* troppo fiducioso; *(leichtgläubig)* credulone. **vertrauensvoll** *adj* fiducioso; **sich ~ an jdn wenden** rivolgersi con fiducia a qu. **vertrauenswürdig** *adj* degno di fiducia, fidato.
vertraulich *adj* **1.** *(geheim)* confidenziale; **2.** *(vertraut)* familiare, intimo; ~**e Mitteilung** confidenza *f*. **Vertraulichkeit** ⟨-, -en⟩ *f* **1.** ⟨*sing*⟩ *(Eigenschaft, Haltung)* riservatezza *f;* **2.** *(Aufdringlichkeit)* invadenza *f;* **plumpe ~en** familiarità *f*.
verträumt *adj* trasognato.
vertraut [fɛɐ̯'traut] *adj* familiare; *(Freund)* intimo; **sich mit dem Gedanken ~ machen, daß ...** abituarsi all'idea che *+congv;* **sich mit etw. ~ machen** familiarizzarsi con qc, impratichirsi in qc. **Vertraute** ⟨ein -r, -n, -n⟩ *mf* confidente *mf*.
vertreiben ⟨*irr, ohne ge-*⟩ *tr* **1.** *(verjagen)* scacciare; *(Schnupfen, Schlaf)* fare passare; **2.** *(aus Land)* cacciare, espellere; *(von Besitz)* spossessare; **3.** *ökon (verkaufen)* vendere, smerciare; **sich** *(dat)* **die Zeit** ~ far passare il tempo.
vertretbar *adj* **1.** *(Maßnahme, Standpunkt)* giustificabile, sostenibile; **2.** *jur* fungibile.
vertreten ⟨*irr, ohne ge-*⟩ *tr* **1.** *(an die Stelle treten von, ersetzen)* sostituire, rimpiazzare; **2.** *(als Repräsentant)* rappresentare; *(als Bevollmächtigter)* essere il rappresentante di; **3.** *(Interessen)* difendere, curare; *jur (Klienten als Anwalt)* patrocinare; **4.** *(sich einsetzen für)* difendere; *(Meinung, These)* sostenere; ~ **sein** essere rappresentato, essere presente; **sich** *(dat)* **die Füße (***o* **Beine)** ~ sgranchirsi le gambe.

Vertreter(in) ⟨-s, -⟩ *m(f)* **1.** *(Stell~)* sostituto, -a *m, f,* supplente *mf;* **2.** *(Repräsentant, Handels~)* rappresentante *mf;* **3.** *(Anhänger, Verfechter)* sostenitore, -trice *m, f.*

Vertretung ⟨-, -en⟩ *f* **1.** *(Stell~)* sostituzione *f,* supplenza *f;* **2.** *(Repräsentanz, diplomatisch, a. ökon)* rappresentanza *f;* **3.** *ökon (Niederlassung)* agenzia *f;* **in ~ (von)** (*abk* **i. V.**) *(in Briefen)* per.

Vertrieb *m* ⟨*sing*⟩ *(Verteilung)* distribuzione *f.*

Vertriebene [fɛɐ̯'tri:bənə] ⟨ein -r, -n, -n⟩ *mf* profugo, -a *m, f.*

Vertriebsabteilung *f* reparto *m* vendite. **Vertriebskosten** *pl* spese *f pl* di vendita. **Vertriebsleiter(in)** *m(f)* direttore, -trice *m, f* delle vendite. **Vertriebsnetz** *n* rete *f* di vendita.

vertrödeln ⟨*ohne ge-*⟩ *tr fam pej (Zeit)* sprecare, sciupare, buttar via *fam.*

vertrösten ⟨*ohne ge-*⟩ *tr:* **jdn auf später ~** far sperare qu nel dopo.

vertun ⟨*irr, ohne ge-*⟩ **I.** *tr (vergeuden)* sciupare; **II.** *rfl:* **sich ~** *fam* sbagliarsi.

vertuschen ⟨*ohne ge-*⟩ *tr* nascondere, occultare; *(Skandal)* soffocare.

verübeln ⟨*ohne ge-*⟩ *tr:* **jdm etw. ~** volerne a qu per qc.

verüben ⟨*ohne ge-*⟩ *tr* commettere, perpetrare.

verunfallen ⟨*ohne ge-*⟩ *itr* ⟨*sein*⟩ *CH* avere un incidente.

verunglücken ⟨*ohne ge-*⟩ *itr* ⟨*sein*⟩ **1.** *(Person)* infortunarsi; *(a. Fahrzeuge)* avere un incidente; **2.** *scherz fam (mißraten)* non riuscire; **tödlich ~** morire in un incidente.

verunsichern ⟨*ohne ge-*⟩ *tr* rendere insicuro.

verunstalten [fɛɐ̯'ʔʊnʃtaltən] ⟨*ohne ge-*⟩ *tr* sfigurare, deturpare.

veruntreuen ⟨*ohne ge-*⟩ *tr* appropriarsi indebitamente, sottrarre.

verursachen ⟨*ohne ge-*⟩ *tr* causare, provocare; *(Skandal)* suscitare; **Beschwerden ~** provocare (*o* causare) disturbi.

Verursacher(in) ⟨-s, -⟩ *m(f)* causa *f.* **Verursacherprinzip** *n (Umweltschutz)* principio *m* „chi inquina paga".

verurteilen ⟨*ohne ge-*⟩ *tr* condannare; **jdn zum Tode ~** condannare qu a morte. **Verurteilung** ⟨-, -en⟩ *f* condanna *f.*

vervielfachen ⟨*ohne ge-*⟩ *tr* moltiplicare.

vervielfältigen [fɛɐ̯'fi:lfɛltɪgən] ⟨*ohne ge-*⟩ *tr* riprodurre; *(hektographieren)* poligrafare, ciclostilare; *(fotokopieren)* fotocopiare. **Vervielfältigung** ⟨-, -en⟩ *f* **1.** ⟨*sing*⟩ *(Kopieren)* riproduzione *f; (Hektographieren)* poligrafia *f; (Fotokopieren)* fotocopiare *m;* **2.** *(Kopie)* copia *f; (Hektographie)* poligrafia *f; (Fotokopie)* fotocopia *f.*

vervierfachen ⟨*ohne ge-*⟩ *tr* quadruplicare.

vervollkommnen [fɛɐ̯'fɔlkɔmnən] ⟨*ohne ge-*⟩ *tr* perfezionare.

vervollständigen ⟨*ohne ge-*⟩ *tr* completare.

verw. *abk von* **verwitwet** vedovo, -a.

verwackeln ⟨*ohne ge-*⟩ *tr (Foto)* muovere (scattando una fotografia).

verwählen ⟨*ohne ge-*⟩ *rfl:* **sich ~** sbagliare numero.

verwahren ⟨*ohne ge-*⟩ **I.** *tr* custodire, conservare; **II.** *rfl:* **sich gegen etw. ~** protestare contro qc.

verwahrlost [fɛɐ̯'va:ɐ̯lo:st] *adj* **1.** *(vernachlässigt)* abbandonato; *(Mensch, Äußeres)* trascurato; **2.** *(moralisch)* depravato. **Verwahrlosung** [...o:zʊŋ] ⟨-, ø⟩ *f* trascuratezza *f,* abbandono *m; (moralisch)* depravazione *f.*

verwaist *adj* **1.** *(elternlos)* orfano; **2.** *fig (verlassen)* abbandonato.

verwalten [fɛɐ̯'valtən] ⟨*ohne ge-*⟩ *tr* **1.** *(Besitz, Erbe)* amministrare; **2.** *(Amt)* ricoprire, esercitare; **3.** *pol (Gemeinde)* governare; **4.** *(Betrieb, Firma)* gestire.

Verwalter(in) ⟨-s, -⟩ *m(f)* amministratore, -trice *m, f; (Treuhänder)* fiduciario, -a *m, f.*

Verwaltung ⟨-, -en⟩ *f* amministrazione *f.* **Verwaltungsapparat** *m* apparato *m* amministrativo. **Verwaltungsbeamte** *m,* **-beamtin** *f* funzionario, -a *m, f* amministrativo, -a. **Verwaltungsbezirk** *m* circoscrizione *f* amministrativa. **Verwaltungsgericht** *n* tribunale *m* amministrativo.

verwandeln ⟨*ohne ge-*⟩ **I.** *tr* **1.** *allg.* trasformare; **2.** *tec, chem, phys* convertire; **3.** *jur (Strafe)* commutare; **sie ist wie verwandelt** è come trasformata; **II.** *rfl:* **sich ~** trasformarsi (*in +akk* in). **Verwandlung** *f* **1.** *allg.* trasformazione *f;* **2.** *tec, chem, phys* conversione *f.*

verwandt [fɛɐ̯'vant] *adj* imparentato (*mit* con); *fig* affine (*mit* a). **Verwandte** ⟨ein -r, -n, -n⟩ *mf* parente *mf;* **die ~n** la parentela, i congiunti. **Verwandtschaft** ⟨-, -en⟩ *f* **1.** *(Familie, Beziehung)* parentela *f;* **2.** *fig* affinità *f* (*mit, zu* con). **verwandtschaftlich** *adj* di parentela.

verwarnen ⟨*ohne ge-*⟩ *tr* avvertire; *(a. sport)* ammonire; **jdn gebührenpflichtig ~** fare una multa (*o* contravvenzione) a qu. **Verwarnung** *f* avvertimento *m; (a. sport)* ammonizione *f;* **gebührenpflichtige ~** contravvenzione *f,* multa *f.*

verwechseln ⟨*ohne ge-*⟩ *tr* confondere; *(a. vertauschen)* scambiare; **jdn (mit jdm) ~** prendere qu per qu (altro); **die beiden sind sich zum V~ ähnlich** i due si assomigliano come due gocce d'acqua. **Verwechs(e)lung** ⟨-, -en⟩ *f* confusione *f; (a. Vertauschung)* scambio *m; (Irrtum)* errore *m.*

verwegen [fɛɐ̯'ve:gən] *adj* temerario; *(a. Kleidung)* audace, ardito.

Verwehung ⟨-, -en⟩ *f (Schnee~)* cumulo *m* di neve.
verweigern ⟨*ohne ge-*⟩ *tr* rifiutare; *(a. Gesuch)* respingere, negare. **Verweigerung** *f* rifiuto *m*.
verweint *adj (Augen)* lacrimoso; *(Gesicht)* gonfio di pianto.
Verweis [fɛɐ̯'vai̯s] ⟨-es, -e⟩ *m* **1.** *(Tadel)* biasimo *m; (Rüge)* rimprovero *m;* **2.** *(in Buch)* rimando *m* (*auf +akk* a), rinvio *m* (*auf +akk* a); **jdm einen ~ erteilen** biasimare qu.
verweisen ⟨*irr, ohne ge-*⟩ *tr* **1.** *(hinweisen)* rimandare (*auf +akk* a); **2.** *(Auskunftsuchende)* indirizzare (*an +akk* a); *jur* rinviare (*an +akk* a); **3.** *(des Landes, vom Platz)* espellere (*von* da).
verwelken ⟨*ohne ge-*⟩ *itr* ⟨*sein*⟩ appassire; *(a. fig)* avvizzire.
verwendbar *adj* utilizzabile (*zu* per); **vielseitig ~** pluriuso.
verwenden ⟨*irr o reg, ohne ge-*⟩ **I.** *tr* usare; *(a. Zeit, Geld)* impiegare, adoperare; **II.** *rfl:* **sich ~** adoperarsi (*für jdn* in favore di qu).
Verwendung *f (Gebrauch)* uso *m,* impiego *m,* utilizzazione *f;* **~ finden** trovare utilizzazione; **für etw. keine ~ haben** non avere utilizzazione per qc. **Verwendungszweck** *m* scopo *m,* uso *m.*
verwerfen ⟨*irr, ohne ge-*⟩ **I.** *tr* **1.** *(ablehnen)* respingere; *(Idee, Plan)* rigettare; **2.** *(tadeln)* riprovare; **II.** *rfl:* **sich ~ 1.** *(Holz)* incurvarsi; **2.** *geol* fagliare. **verwerflich** *adj* riprovevole, biasimevole.
verwertbar *adj* utilizzabile.
verwerten ⟨*ohne ge-*⟩ *tr* (ri)utilizzare; *(ausnutzen)* sfruttare. **Verwertung** *f* (ri)utilizzazione *f; (Ausnutzung)* sfruttamento *m.*
verwesen [fɛɐ̯'ve:zən] ⟨*ohne ge-*⟩ *itr* ⟨*sein*⟩ putrefarsi, imputridire, decomporsi. **Verwesung** ⟨-, ø⟩ *f* putrefazione *f,* decomposizione *f.*
verwickeln ⟨*ohne ge-*⟩ **I.** *tr* **1.** *(Wolle, Faden)* aggrovigliare; *(a. fig)* ingarbugliare; **2.** *fig (hineinziehen)* coinvolgere (*jdn in etw. (akk)* qu in qc); **II.** *rfl:* **sich ~ 1.** *(Wolle, Faden)* ingarbugliarsi; **2.** *fig (in Widersprüche)* impigliarsi (*in +akk* in). **verwickelt** *adj fig (kompliziert, schwierig)* intricato, complicato. **Verwick(e)lung** ⟨-, -en⟩ *f* **1.** *(Verwickeltwerden, -sein)* intrico *m,* groviglio *m;* **2.** *(Schwierigkeit, Komplikation)* intrico *m,* complicazione *f.*
verwildern ⟨*ohne ge-*⟩ *itr* ⟨*sein*⟩ **1.** *(Garten)* inselvatichire; *(Tier)* inselvatichirsi; **2.** *fig (verrohen)* imbarbarirsi.
verwirklichen ⟨*ohne ge-*⟩ **I.** *tr* realizzare; *(Plan)* attuare; **II.** *rfl:* **sich ~ 1.** *(Wirklichkeit werden)* realizzarsi, attuarsi; **2.** *(Mensch)* realizzarsi. **Verwirklichung** ⟨-, ø⟩ *f* realizzazione *f,* attuazione *f.*
verwirren ⟨*ohne ge-*⟩ **I.** *tr* **1.** *(Fäden)* ingarbugliare; *(Haar)* scompigliare; **2.** *(durcheinanderbringen)* confondere; *(verstören)* turbare; **II.** *rfl:* **sich ~** ingarbugliarsi; *fig* confondersi, turbarsi. **Verwirrung** ⟨-, -en⟩ *f* **1.** *(Durcheinander)* confusione *f;* **2.** *(Verstörtheit)* turbamento *m;* **~ stiften** creare scompiglio.
verwittern ⟨*ohne ge-*⟩ *itr* ⟨*sein*⟩ disgregarsi.
verwitwet *adj* (*abk* **verw.**) vedovo; **Frau X, ~e Y** la signora X, vedova Y.
verwöhnen [fɛɐ̯'vø:nən] ⟨*ohne ge-*⟩ *tr* viziare.
verworfen [fɛɐ̯'vɔrfən] *adj* abietto.
verworren [fɛɐ̯'vɔrən] *adj* confuso.
verwundbar *adj* vulnerabile.
verwunden ⟨*ohne ge-*⟩ *tr* ferire.
verwunderlich *adj* **1.** *(erstaunlich)* sorprendente; **2.** *(sonderbar)* strano.
verwundern ⟨*ohne ge-*⟩ **I.** *tr* meravigliare, stupire; **II.** *rfl:* **sich ~** meravigliarsi (*über +akk* di), stupirsi (*über +akk* di).
Verwunderung ⟨-, ø⟩ *f* meraviglia *f,* stupore *m;* **zu meiner ~** con mia meraviglia.
verwundet *adj* ferito; **leicht/schwer ~ sein** essere leggermente/gravemente ferito. **Verwundete** ⟨ein -r, -n, -n⟩ *mf* ferito, -a *m, f.* **Verwundung** ⟨-, -en⟩ *f* ferita *f.*
verwünschen ⟨*ohne ge-*⟩ *tr (verfluchen)* maledire.
verwüsten ⟨*ohne ge-*⟩ *tr* devastare. **Verwüstung** ⟨-, -en⟩ *f* devastazione *f.*
verzählen ⟨*ohne ge-*⟩ *rfl:* **sich ~** sbagliarsi contando (*o* nel contare).
Verzahnung ⟨-, -en⟩ *f* **1.** *tec* dentatura *f;* **2.** *fig* concatenazione *f.*
verzaubern ⟨*ohne ge-*⟩ *tr* incantare; *(fig a.)* ammaliare; **jdn in etw.** *(akk)* **~** trasformare qu in qc. **Verzauberung** ⟨-, -en⟩ *f* incantesimo *m,* malia *f.*
verzehnfachen ⟨*ohne ge-*⟩ *tr* decuplicare.
Verzehr [fɛɐ̯'tse:ɐ̯] ⟨-(e)s, ø⟩ *m* consumazione *f.* **Verzehrbon** *m,* **Verzehrgutschein** *m* buono *m* (per) consumazione.
verzehren ⟨*ohne ge-*⟩ **I.** *tr* consumare; **II.** *rfl:* **sich ~** *geh* struggersi (*vor Liebe* d'amore, *vor Kummer* dal dispiacere).
verzeichnen ⟨*ohne ge-*⟩ **I.** *tr* **1.** *(aufzeichnen)* registrare; **2.** *fig (verzerren)* deformare; **3.** *(falsch zeichnen)* disegnare male; **II.** *rfl:* **sich ~** disegnare male.
Verzeichnis ⟨-ses, -se⟩ *n* **1.** *(Liste)* lista *f,* elenco *m;* **2.** *(in Buch)* indice *m;* **3.** *(Register)* registro *m;* **4.** *inform* directory *m.*
verzeigen ⟨*ohne ge-*⟩ *tr CH* denunciare.
verzeihen [fɛɐ̯'tsai̯ən] ⟨verzeiht, verzieh, verziehen⟩ *tr, itr* **1.** *(vergeben)* perdonare (*jdm etw.* qc a qu); **2.** *(entschuldigen)* scusare; **~ Sie!** scusi!
verzeihlich *adj* perdonabile, scusabile.
Verzeihung ⟨-, ø⟩ *f* **1.** *(Vergebung)* perdono *m;* **2.** *(Entschuldigung)* scusa *f;* **jdn um ~ bitten** chiedere perdono a qu; **(ich bitte um) ~!** (mi) scusi!.

Verzicht [fɛɐ̯'tsɪçt] ⟨-(e)s, -e⟩ *m* rinuncia *f* (*auf +akk* a).
verzichten ⟨*ohne ge-*⟩ *itr* rinunciare (*auf +akk* a), desistere (*auf +akk* da).
verzieh [fɛɐ̯'tsi:] *imp von* **verzeihen.**
verziehen[1] ⟨*irr, ohne ge-*⟩ **I.** *tr* ⟨*haben*⟩ **1.** *(Kind)* viziare, educare male; **2.** *(Mund, Gesicht)* storcere; **II.** *rfl:* **sich ~ 1.** *(in der Form)* storcersi; *(Holz)* imbarcarsi, incurvarsi; **2.** *(Gewitter, Wolken)* disperdersi; *(Nebel)* dissiparsi; **3.** *fam* ritirarsi, dileguarsi; **verzieh dich!** *sl* sparisci! *fam;* **III.** *itr* ⟨*sein*⟩ *(umziehen)* trasferirsi, traslocare.
verziehen[2] *pp von* **verzeihen.**
verzieren ⟨*ohne ge-*⟩ *tr* decorare, ornare. **Verzierung** ⟨-, -en⟩ *f* decorazione *f*, ornamento *m.*
verzinsen ⟨*ohne ge-*⟩ *tr* pagare l'interesse (*etw.* su qc, *mit* del).
verzögern ⟨*ohne ge-*⟩ **I.** *tr* **1.** *(verspäten)* ritardare; *(hinausschieben)* differire; **2.** *(verlangsamen)* rallentare; **II.** *rfl:* **sich ~ 1.** *(später eintreten)* essere ritardato; **2.** *(sich hinausziehen)* protrarsi. **Verzögerung** ⟨-, -en⟩ *f* **1.** *(Verspätung)* ritardo *m;* **2.** *(Verlangsamung)* rallentamento *m;* **3.** ⟨*sing*⟩ *(das Verzögern)* protrazione *f.*
verzollen ⟨*ohne ge-*⟩ *tr* sdoganare; **haben Sie etw. zu ~?** ha qc da dichiarare?
Verzug *m* ritardo *m;* **in ~ geraten/sein** *allg.* ritardare, essere in ritardo; *(mit Zahlung)* cadere/essere in mora; **Gefahr ist im ~** c'è un pericolo imminente.
verzweifeln ⟨*ohne ge-*⟩ *itr* ⟨*sein*⟩ disperare (*an +dat* di, in); **es ist zum V~!** c'è da disperarsi!.
Verzweiflung ⟨-, ø⟩ *f* disperazione *f;* **jdn zur ~ bringen** portare qu alla disperazione; **aus ~** per disperazione.
Verzweigung ⟨-, -en⟩ *f* ramificazione *f*, diramazione *f.*
Vesuv [ve'zu:f] *m* (Monte *m*) Vesuvio *m.*
Veto ['ve:to] ⟨-s, -s⟩ *n* veto *m;* **sein ~ gegen etw. einlegen** opporre il proprio veto a qc. **Vetorecht** *n* diritto *m* di veto.
Vetter ['fɛtɐ] ⟨-s, -n⟩ *m* cugino *m.* **Vetternwirtschaft** *f* nepotismo *m.*
VGA [faugе:a:] *abk von* **Video Grafics Array** V.G.A. **VGA-Monitor** *m* video *m* V.G.A.
vgl. *abk von* **vergleiche** cf., cfr. (*abbr di* confronta).
VHS [fauha:'ʔɛs] ⟨-, -⟩ *f abk von* **Volkshochschule** università *f* popolare.
vibrieren [vi'bri:rən] ⟨*ohne ge-*⟩ *itr* vibrare.
Video ⟨-s -s⟩ *n* video *m.*
Video- ['vi:deo-] *(in Zusammensetzungen)* video-. **Videoaufzeichnung** *f* videoregistrazione *f.* **Videoband** ⟨-(e)s, -bänder⟩ *n* nastro *m* videomagnetico. **Videoclip** [-klɪp] ⟨-(s), -s⟩ *m* videoclip *m.* **Videofilm** *m* film *m* (su videocassetta). **Videokamera** *f* videocamera *f.* **Videokassette** *f* videocassetta. **Videokonferenz** *f* videoconferenza *f.* **Videorecorder** [-rekɔrdɐ] ⟨-s, -⟩ *m* videoregistratore *m.* **Videospiel** *n* videogioco *m.* **Videotext** *m* Videotel® *m.* **Videothek** [-'te:k] ⟨-, -en⟩ *f* videoteca *f.*
Vieh [fi:] ⟨-(e)s, ø⟩ *n* **1.** *agr* bestiame *m;* **2.** *fam (Tier)* bestia *f*, animale *m;* **3.** *fam pej (Mensch)* bestia *f fam.*
viel [fi:l] **I.** ⟨mehr, meiste⟩ *adj* molto; **~e hundert Bücher** centinaia e centinaia di libri; **durch ~es Lesen** a forza di leggere; **~en Dank!** tante grazie!; **~ Glück!** buona fortuna!; **~ Vergnügen!** buon divertimento!; **II.** ⟨mehr, am meisten⟩ *adv* molto; **~ besser/schneller/weiter** molto meglio/più veloce/più lontano; **sehr ~** moltissimo; **so ~ wie** tanto quanto; **ziemlich ~** parecchio, abbastanza; **zu ~** troppo; **~ zuviel** troppo; **III.** *pron* molto; **~e** molti, -e; **~es** molto, molte cose; **das ist ein bißchen ~ auf einmal** *fam* è un po' troppo tutto in una volta; **es fehlte nicht ~ (daran), und ...** poco ci mancava che ...; **wie ~e?** quanti, -e?. **vielbeschäftigt** *adj* molto occupato. **vielfach** ['fi:lfax] **I.** *adj* molteplice, pluri-; **II.** *adv* spesso, molte volte.
Vielfalt ['fi:lfalt] ⟨-, ø⟩ *f* molteplicità *f* (*an +dat* di), varietà *f* (*an +dat* di). **vielfältig** ['fi:lfɛltɪç] *adj* molteplice.
Vielfraß ⟨-es, -e⟩ *m fam* ghiottone, -a *m, f.*
vielleicht [fi'laiçt] *adv* **1.** *(eventuell)* forse; **2.** *(etwa, ungefähr)* circa; **3.** *fam (wirklich)* veramente; **könnten Sie mir ~ helfen?** mi potrebbe aiutare?; **du bist ~ gemein!** *fam* sei proprio cattivo.
vielmals *adv:* **ich bitte ~ um Entschuldigung** chiedo mille volte scusa; **ich danke Ihnen ~** La ringrazio molto.
vielmehr [fi:l'me:ɐ̯ *o* 'fi:l...] *adv* **1.** *(richtiger, besser)* meglio; **2.** *(eher)* piuttosto; **3.** *(im Gegenteil)* anzi.
vielsagend *adj* significativo, espressivo; *(Blick)* eloquente. **vielseitig** *adj* **1.** *(mit vielen Seiten)* multilaterale; **2.** *fig (Mensch)* versatile; *(Interessen)* molteplice; *(Bildung)* vasto; **~ anwendbar** pluriuso; **auf ~en Wunsch** a richiesta generale. **vielversprechend** *adj* promettente. **Vielzahl** *f* moltitudine *f* (*an +dat, von* di).
vier [fi:ɐ̯] *num* quattro; **die ersten/letzten/nächsten ~** i primi/gli ultimi/i prossimi quattro; **alle ~e von sich** *(dat)* **strecken** *fam* rimanere stecchito *fam;* **~ Uhr ~** le quattro e quattro; **es ist ~ (Uhr)** sono le quattro; **um/gegen ~** alle/verso le quattro; **fünf (Minuten) vor/nach ~ (Uhr)** cinque (minuti) alle/dopo le quattro, le quattro meno cinque/e cinque; **halb ~** le tre e mezza; **heute/Montag in ~ Tagen** oggi/lunedì a quattro;

vor/nach/in ~ Tagen quattro giorni fa/ dopo quattro giorni/fra quattro giorni; **auf allen ~en** *fam* carponi, a quattro zampe *fam;* **zu ~en** (*o* **~t**) in quattro; **mit ~ (Jahren)** a quattro anni; **sie ist ~ (Jahre)** ha quattro anni; **(es steht) ~ zu fünf** (la partita *o* il gioco sta) quattro a cinque.

Vier ⟨-, -en⟩ *f* quattro *m; (Schulnote: ausreichend)* ≃ sei *m; (Buslinie)* quattro *m.*

vierbändig [-bɛndɪç] *adj* di (*o* a) quattro volumi. **Vierbeiner** ⟨-s, -⟩ *m fam* quadrupede *m.* **vierblätt(e)rig** [-blɛt(ə)rɪç] *adj* a (*o* di) quattro fogli. **Viereck** *n* quadrilatero *m,* quadrangolo *m.* **viereckig** *adj* quadrangolare.

viereinhalb ['fi:ɐ̯ˀa͜in'halp] *num* quattro e mezzo.

Vierer ⟨-s, -⟩ *m* **1.** *sport* (imbarcazione *f* a) quattro *m;* **2.** *fam (Ziffer)* quattro *m; (Schulnote)* ≃ sei *m; (Buslinie)* quattro *m.* **Viererbob** *m* bob *m* a quattro.

viererlei ['fi:rɐ'la͜i] ⟨*inv*⟩ *adj* **1.** *(attributiv)* di quattro specie (*o* tipi); **2.** *(substantivisch)* quattro cose *f pl.*

vierfach I. *adj* quadruplo; **in ~er Ausfertigung** in quadruplice copia; **II.** *adv* quattro volte (tanto). **Vierfache** ⟨ein -s, -n, ø⟩ *n* quadruplo *m;* **das ~** quattro volte tanto; **um das ~ steigern** quadruplicare.

Vierfarbendruck [-'farbən-] ⟨-(e)s, -e⟩ *m* **1.** *(Verfahren)* quadricromia *f;* **2.** *(Ergebnis)* stampa *f* in quadricromia. **vierhändig** [-hɛndɪç] *adj, adv mus* a quattro mani.

vierhundert ['fi:ɐ̯'hʊndɐt] *num* quattrocento. **vierhundertste(r, s)** *adj* quattrocentesimo, -a.

vierjährig *adj* **1.** *(vier Jahre alt)* di quattro anni; **2.** *(vier Jahre lang)* quadriennale. **Vierjährige** ⟨ein -r, -n, -n⟩ *mf* bambino, -a *m, f* di quattro anni. **Vierkampf** *m* lotta *f* a quattro. **Vierkantschlüssel** *m* chiave *f* a maschio quadro. **vierköpfig** [-kœpfɪç] *adj (Ungeheuer)* a quattro teste; *(Familie)* di (*o* a) quattro persone.

Vierling ['fi:ɐ̯lɪŋ] ⟨-s, -e⟩ *m* figlio, -a *m, f* da parto di quattro gemelli; **~e** quattro gemelli *m pl.*

Viermächteabkommen [-'mɛçtə-] *n* convenzione *f* quadripartita.

viermal *adv* quattro volte. **viermalig** *adj* ripetuto (*o* che avviene) quattro volte; **nach ~er Wiederholung konnte er ...** alla quarta volta potè ... **viermonatig** *adj* di quattro mesi. **viermotorig** *adj* quadrimotore; **~es Flugzeug** quadrimotore *m.* **vierphasig** *adj (Kabel)* a quattro fasi, tetrapolare. **Vierradantrieb** *m* trazione *f* a quattro ruote. **vierräd(e)rig** [-rɛ:d(ə)rɪç] *adj* a quattro ruote. **Viersilb(l)er** ⟨-s, -⟩ *m* quadrisillabo *m.* **Viersitzer** ⟨-s, -⟩ *m mot* (vettura *f* a) quattro posti *f.* **vierspaltig I.** *adj* di (*o* a) quattro colonne; **II.** *adv* su (*o* a) quattro colonne. **viersprachig** *adj (Mensch)* quadrilingue; *(Unterhaltung)* in quattro lingue. **vierspurig** *adj* **1.** *(Straße)* a quattro corsie; **2.** *(Tonband)* a quattro piste. **vierstellig** *adj* di quattro cifre. **vierstimmig** *adj, adv (Gesang)* a quattro voci; *(Stück)* per quattro voci. **vierstöckig** [-ʃtœkɪç] *adj* di (*o* a) quattro piani. **Vierstufenrakete** [-'ʃtu:fən-] *f* missile *m* a quattro stadi. **vierstufig** *adj* di quattro gradini; *fig* di quattro gradi. **vierstündig** [-ʃtʏndɪç] *adj* di quattro ore. **viertägig** [-tɛ:gɪç] *adj* di quattro giorni. **Viertaktmotor** *m* motore *m* a quattro tempi.

viertausend ['fi:ɐ̯'ta͜uzənt] *num* quattromila.

Viertausender ⟨-s, -⟩ *m* quattromila *m.*

vierte *s.* **vierte(r, s).**

Vierte ⟨ein -r, -n, -n⟩ *mf* quarto, -a *m, f;* **Karl der ~** (*geschrieben* **Karl IV.**) Carlo quarto; **~r werden** diventare quarto; **am ~n (des Monats)** il quattro del mese; **heute ist der ~** oggi è il quattro.

vierteilig *adj (Ausgabe, Serie, Sendung)* in quattro parti; *(Kostüm)* in quattro pezzi; *(Service)* di quattro pezzi.

viertel ['fɪrtəl] ⟨*inv*⟩ *adj* quarto *m* di; **ein ~ Pfund** 125 grammi.

Viertel ⟨-s, -⟩ *n* **1.** *mat, astr* quarto *m;* **2.** *(Stadt~)* quartiere *m;* **(ein) ~ vor/nach zwei** le due meno/e un quarto. **Vierteldrehung** *f* quarto *m* di giro. **Viertelfinale** *n* quarti *m pl* di finale. **Vierteljahr** [-'ja:ɐ̯] *n* trimestre *m.* **Vierteljahresschrift** [-'ja:rəs-] *f* rivista *f* trimestrale. **vierteljährlich** *adj* trimestrale. **Viertelliter** [-'li:tɐ *o* 'fɪrtəl-] *m o n* quarto *m* di litro, quartino *m fam.*

vierteln *tr* **1.** *(in vier Teile teilen)* dividere in quattro; **2.** *(durch vier teilen)* dividere per quattro.

Viertelpfund [-'pfʊnt *o* 'fɪrtəl-] *n* 125 grammi. **Viertelstunde** [-'ʃtʊndə] *f* quarto *m* d'ora.

viertens *adv* (in) quarto (luogo).

vierte(r, s) *adj* quarto, -a; *(bei Datumsangaben)* quattro; **jeder ~** ogni quarto; **jeden ~n Tag** ogni quattro giorni; **am ~n Januar** il quattro gennaio; **im ~n Stock** al quarto piano.

viertürig *adj* a quattro porte. **Vieruhrzug** [-'ˀu:ɐ̯-] *m* treno *m* delle quattro.

Vierwaldstätter See [fɪ:ɐ̯'valtʃtɛtɐ 'ze:] *m* lago *m* dei Quattro Cantoni.

vierzehn *num* quattordici; **~ Tage** quindici giorni; **heute/morgen/Montag in ~ Tagen** oggi/domani/lunedì a quindici; **~ Uhr** le quattordici *f pl.* **vierzehntägig** [-tɛ:gɪç] *adj (vierzehn Tage dauernd)* di quindici giorni, di due settimane. **vierzehnte(r, s)** *adj* quattordicesimo, -a; *(bei Datumsangaben)* quattordici; *s. a. vierte(r, s).*

vierzig ['fɪrtsɪç] *num* quaranta; **etwa ~** una quarantina (di); **mit ~ (Jahren)** a quarant' anni; **mit ~ (km/h) fahren** andare ai quaranta (all'ora); **er ist über ~** ha più di quarant'anni; **im Jahre ~ (vor/nach Christi Geburt)** nel quaranta (prima di/dopo Cristo); **in den ~er Jahren** negli anni quaranta. **Vierziger(in)** ⟨-s, -⟩ *m(f)* quarantenne *mf*. **vierzigjährig** *adj* **1.** *(vierzig Jahre alt)* di quarant'anni, quarantenne; **2.** *(vierzig Jahre lang)* quarantennale. **Vierzigjährige** ⟨ein -r, -n, -n⟩ *mf* uomo *m (*donna *f)* sulla quarantina, quarantenne *mf*.

Vierzigstel ⟨-s, -⟩ *n* quarantesimo *m*.

vierzigste(r, s) *adj* quarantesimo, -a.

Vierzigstundenwoche [-'ʃtundən-] *f* settimana *f* di quaranta ore.

Vierzimmerwohnung [-'tsɪmɐ-] *f* appartamento *m* di quattro stanze.

Vietnam [viɛt'nam] *n* Vietnam *m;* **in ~** nel Vietnam.

Vietnamese [viɛtna'me:zə] ⟨-n, -n⟩ *m*, **Vietnamesin** [...zɪn] *f* vietnamita *mf*.

vietnamesisch *adj* vietnamita.

Vignette [vɪn'jɛtə] ⟨-, -n⟩ *f (Autobahn~)* pedaggio *m* autostradale.

Vikar [vi'ka:ɐ] ⟨-s, -e⟩ *m* vicario *m*.

Viktor ['vɪktɔr] *(männlicher Vorname)* Vittorio.

Villa ['vɪla, ...lən] ⟨-, Villen⟩ *f* villa *f*.

Villach ['fɪlax] *n* Villaco *f*.

Villenviertel *n* quartiere *m* residenziale.

violett [vio'lɛt] *adj* viola, violetto; *s. a. blau.*

Violine [vio'li:nə] ⟨-, -n⟩ *f* violino *m*.

VIP, V. I. P. ['vi:aɪ'pi:] ⟨-(s), -s⟩ *f o m abk von* **Very Important Person** VIP *mf*.

Viren *pl von* **Virus.**

virtuell [vɪr'tuɛl] *adj (a. inform)* virtuale.

Virus ['vi:rus, ...rən] ⟨-, Viren⟩ *n o m (a. inform)* virus *m*. **Viruserkrankung** *f* malattia *f* da virus. **Virusinfektion** *f* infezione *f* virale.

Visa, Visen *pl von* **Visum.**

Visagist(in) [viza'ʒɪst(ɪn)] ⟨-en, -en⟩ *m(f)* visagista *mf*.

Visite [vi'zi:tə] ⟨-, -n⟩ *f* visita *f*. **Visitenkarte** *f (a. fig)* biglietto *m* da visita.

Viskose [vɪs'ko:zə] ⟨-, ø⟩ *f* viscosa *f*.

visuell [vi'zuɛl] *adj* visivo.

Visum ['vi:zum, ...za *o* ...zən] ⟨-s, Visa *o* Visen⟩ *n* visto *m*.

vital [vi'ta:l] *adj* vitale.

Vitalität [vitali'tɛ:t] ⟨-, ø⟩ *f* vitalità *f*.

Vitamin [vita'mi:n] ⟨-s, -e⟩ *n* vitamina *f*. **Vitaminmangel** *m* avitaminosi *f*, carenza *f* vitaminica. **vitaminreich** *adj* vitaminico. **Vitamintablette** *f* compressa *f* vitaminica.

Vitrine [vi'tri:nə] ⟨-, -n⟩ *f* vetrina *f*.

Vize- ['fi:tsə- *o* 'vi:tsə] *(in Zusammensetzungen)* vice-. **Vizepräsident(in)** *m(f)* vicepresidente, -essa *m, f*.

Vogel ['fo:gəl] ⟨-s, Vögel⟩ *m* **1.** *zoo* uccello *m;* **2.** *fig fam (Kerl)* tipo *m;* **einen ~ haben** *fam* non avere tutte le rotelle *fam;* **den ~ abschießen** *fig fam* passare il limite; **jdm den ~ zeigen** dare del matto a qu. **Vogelbeerbaum** *m* sorbo *m*. **Vogelbeere** *f* sorba *f*.

vögeln ['fø:gəln] *itr, tr vulg* chiavare *volg.*

Vogelnest *n* nido *m* d'uccello. **Vogelperspektive** *f* prospettiva *f* a volo d'uccello; **etw. aus der ~ betrachten** considerare qc a volo d'uccello. **Vogelscheuche** [-ʃɔyçə] ⟨-, -n⟩ *f (a. fig)* spaventapasseri *m*. **Vogel-Strauß-Politik** [-'ʃtraus-] *f* politica *f* dello struzzo.

Vokabel [vo'ka:bəl] ⟨-, -n⟩ *f* vocabolo *m*.

Vokabular [vokabu'la:ɐ] ⟨-s, -e⟩ *n* vocabolario *m*.

Vokal [vo'ka:l] ⟨-s, -e⟩ *m* vocale *f*.

Volk [fɔlk] ⟨-(e)s, Völker⟩ *n* **1.** *allg.* popolo *m;* **2.** ⟨*sing*⟩ *(Einwohner)* popolazione *f; (Nation)* nazione *f;* **3.** ⟨*sing*⟩ *fam (~smenge)* folla *f*, massa *f;* **4.** *zoo* branco *m*, colonia *f;* **das einfache ~** il popolino; **etw. unters ~ bringen** divulgare qc; **das gemeine ~** la gente comune; **die Stimme des ~es** la voce del popolo; **der Mann aus dem ~e** l'uomo della strada.

Völkerbund ['fœlkɐ-] ⟨-(e)s, ø⟩ *m* Società *f* della Nazioni. **Völkerkunde** *f* etnologia *f*. **Völkermord** *m* genocidio *m*. **Völkerrecht** *n* diritto *m* internazionale (*o* delle genti). **Völkerwanderung** *f* **1.** *hist* migrazione *f* dei popoli; **2.** *fam scherz (Menschenstrom)* gran movimento *m* di persone.

Volksabstimmung *f* plebiscito *m*, referendum *m*. **Volksbefragung** *f* consultazione *f* popolare. **Volksbegehren** *n* proposta *f* di legge d'iniziativa popolare. **Volksbelustigung** *f* divertimento *m* popolare. **Volksentscheid** *m* referendum *m*. **Volksfest** *n* festa *f* popolare. **Volksgesundheit** *f* salute *f* pubblica. **Volkshochschule** *f* (*abk* **VHS**) **1.** *(Einrichtung)* università *f* popolare; **2.** *(Kurse)* corsi *m pl* per adulti. **Volkskrankheit** *f* malattia *f* molto diffusa. **Volkslied** *n* canto *m* (*o* canzone *f*) popolare. **Volkspolizei** *f (hist: DDR)* polizia *f* popolare. **Volksrepublik** *f* repubblica *f* popolare. **Volksschule** *f* scuola *f* elementare. **Volkstanz** *m* danza *f* popolare (*o* folcloristica). **volkstümlich** ['fɔlksty:mlɪç] *adj* popolare. **Volksverhetzung** *f* istigazione *f* di massa. **Volksversammlung** *f* **1.** *pol* assemblea *f* popolare; **2.** *(Massenversammlung)* riunione *f* di massa. **Volksvertreter(in)** *m(f)* rappresentante *mf* del popolo; *(Abgeordneter)* deputato, -a *m, f*. **Volkswirt(in)** *m(f)* economista *mf*. **Volkswirtschaft** *f* economia *f* nazionale. **volkswirtschaftlich** *adj* di economia nazionale. **Volkszählung** *f* censimento *m* della popolazione.

voll [fɔl] **I.** *adj* **1.** *(gefüllt)* pieno *(a. fig)* (*von* di), colmo (*von* di); **2.** *(üppig)* tondo; *(Haar)* folto; **3.** *(Geschmack)* pieno; *(Ton)* pieno, carico; **4.** *(~ständig, ganz)* intero, tutto; **5.** *fig fam (betrunken)* ubriaco, sbronzo *fam;* **die ~e Wahrheit** tutta la verità; **~e zwei Jahre** due anni interi; **~e drei Stunden** tre ore di orologio; **~ von etw. sein** essere pieno di qc; **den Mund (zu) ~ nehmen** *fam* sballarle grosse *fam;* **den ~en Preis bezahlen** pagare la tariffa intera; **aus dem ~en schöpfen** *fig* attingere a piene mani; **jdn nicht für ~ nehmen** *fam* non prendere qu sul serio; **gerammelt ~** *fam* pieno zeppo; **II.** *adv* pienamente, interamente; **etw. ~ ausnützen** utilizzare qc del tutto; **~ hinter etw.** *(dat)* **stehen** *fig* sostenere pienamente qc; **~ und ganz** completamente.

vollautomatisch *adj* completamente automatico. **Vollbad** *n* bagno *m* completo. **Vollbart** *m* barba *f* piena. **Vollbeschäftigung** *f* piena occupazione *f.* **Vollbesitz** *m:* **im ~ seiner Kräfte** nel pieno possesso delle proprie forze.

Vollblut- *(in Zusammensetzungen)* purosangue; *fig* vero e proprio. **Vollblut(-pferd)** ⟨-(e)s, ø⟩ *n* (cavallo *m*) purosangue *m.*

Vollbremsung ⟨-, -en⟩ *f* frenata *f* a fondo.

vollbringen [-ˈbrɪŋən] ⟨*irr, ohne ge-*⟩ *tr* compiere.

vollenden [fɔlˈʔɛndən *o* fɔˈlɛ...] ⟨*ohne ge-*⟩ *tr* **1.** *(abschließen)* terminare, compiere; **2.** *(vervollkommnen)* perfezionare.

vollends [ˈfɔlɛnts] *adv* interamente, completamente.

Vollendung *f* **1.** *(Beendung)* compimento *m;* **2.** *(Vervollkommnung)* perfezionamento *m; (Zustand)* perfezione *f;* **mit (***o* **nach) ~ des 17. Lebensjahres** a diciassette anni compiuti.

voller = voll von; ~ Fehler sein essere pieno di errori.

Völlerei [fœləˈrai] ⟨-, -en⟩ *f* crapula *f.*

Volleyball [ˈvɔli-] *m* **1.** *(Ball)* pallone *m* da pallavolo; **2.** *(Spiel)* pallavolo *f.*

Vollgas *n:* **mit ~** a tutto gas, a tutta birra *fam;* **~ geben** dare tutto gas. **vollgepfropft, vollgestopft** *adj* stipato, pieno zeppo.

völlig [ˈfœlɪç] *adj* **I.** pieno, intero, completo; **II.** *adv* completamente, del tutto.

volljährig *adj* maggiorenne. **Volljährigkeit** ⟨-, ø⟩ *f* maggiore età *f.*

Volljurist(in) *m(f) avvocato, -a che ha superato il secondo esame di stato tedesco ed è abilitato ad esercitare la professione.*

Vollkaskoversicherung *f* assicurazione *f* contro tutti i rischi, polizza *f* casco.

vollkommen [ˈfɔlkɔmən] **I.** *adj* **1.** *(perfekt)* perfetto; **2.** *(vollständig)* completo; **3.** *(völlig)* assoluto; **II.** *adv* perfettamente, del tutto.

Vollkornbrot *n* pane *m* integrale.

voll·machen *tr* **1.** *(Gefäß)* riempire; *(Maß)* colmare; **2.** *(vervollständigen, ergänzen)* completare.

Vollmacht ⟨-, -en⟩ *f* procura *f;* **~ haben** essere autorizzato; **~ erteilen** conferire la procura.

Vollmilch *f* latte *m* intero. **Vollmitglied** *n* membro *m* effettivo (*o* a tutti gli effetti). **Vollmond** *m* luna *f* piena. **Vollnarkose** *f* narcosi *f* totale. **Vollpension** *f* pensione *f* completa.

vollständig *adj* **1.** *(komplett)* completo; *(Ausgabe)* integrale; **2.** *(völlig)* intero, totale. **Vollständigkeit** ⟨-, ø⟩ *f* completezza *f;* **der ~ halber** per ragioni di completezza.

vollstrecken [-ˈʃtrɛkən] ⟨*ohne ge-*⟩ *tr* eseguire; **das Todesurteil an jdm ~** giustiziare qu. **Vollstreckung** *f* esecuzione *f.* **Vollstreckungsbefehl** *m* decreto *m* esecutivo.

voll·tanken *itr* fare il pieno (di benzina); **bitte ~!** il pieno, per favore! **Volltreffer** *m* (colpo *m* in pieno) centro *m.* **vollumfänglich** [-ˈʔʊmfɛŋlɪç] *adv CH* completamente. **Vollversammlung** *f* assemblea *f* plenaria. **Vollwaschmittel** *n* detersivo *m* per tutti i tipi di bucato. **vollwertig** *adj:* **~er Ersatz** risarcimento completo. **Vollwertkost** *f* alimenti *m pl* integrali. **vollzählig** *adj* (al) completo.

Vollzug [-tsuːk] ⟨-(e)s, ø⟩ *m* compimento *m; (a. jur)* esecuzione *f.* **Vollzugsanstalt** *f adm* istituto *m* di pena.

Volt [vɔlt] ⟨- *o* -(e)s, -⟩ *n* (*abk* **V**) volt *m.*

Volumen [voˈluːmən, ...mən *o* ...mina] ⟨-s, - *o* -mina⟩ *n* volume *m.*

vom [fɔm] **= von dem; jdn ~ Sehen kennen** conoscere qu di vista; **~ Morgen bis zum Abend** dalla mattina alla sera; **heiser ~ Schreien** rauco a furia di gridare.

von [fɔn] *prp +dat* di, da; *(~ weg)* da; **der Bahnhof ~ Köln** la stazione di Colonia; **eine Komödie ~ Goldoni** una commedia di Goldoni; **ein Mann ~ 50 Jahren** un uomo di 50 anni; **der Tod ~ 20 Menschen** la morte di 20 persone; **eine Zeitung ~ gestern** un giornale di ieri; **einer ~ meinen Freunden** un mio amico; **neun ~ zehn Lesern** nove lettori su dieci; **vom Bahnhof (her)** dalla stazione; **vom Fenster aus** dalla finestra; **~ Berlin** da Berlino; **~ seiten** *+gen* da parte di; **~ Land zu Land** di paese in paese; **~ weitem** da lontano; **~ nahem** da vicino; **~ vorn/unten/hier/links** da davanti/dal basso/da (*o* di) qui/da sinistra; **~ heute ab (***o* **an)** da oggi in poi; **~ mir aus** per me; **~ ihm** da lui; **~ selbst** da solo; **was sind Sie ~ Beruf?** che lavoro fa?, che professione esercita?; **grüßen Sie ihn ~ mir** lo saluti da parte mia.

voneinander [fɔnˀai̯'nandɐ] *adv* l'uno dall'(*o* dell')altro.

vor [fo:ɐ̯] **I.** *prp* **1.** *+dat/+akk (räumlich)* davanti a; **2.** *+dat (zeitlich)* prima; *(bei Uhrzeit)* meno; *(vom Zeitpunkt des Sprechens zurückgerechnet)* fa, or sono; **3.** *+dat (Ursache)* per, di; ~ **sich hin reden** parlare fra sé e sé; ~ **allem** soprattutto; ~ **dem Haus** davanti alla casa; ~ **Zeugen** in presenza di testimoni; ~ **dem Winter/der Sitzung/1981** prima dell'inverno/della seduta/del 1981; ~ **zwei Stunden/zehn Jahren** due ore/dieci anni fa; **heute** ~ **zwei Wochen** come oggi due settimane fa; **Schutz** ~ **dem Regen suchen** cercare riparo dalla pioggia; ~ **Aufregung** per l'agitazione; ~ **Kälte/Hunger/Angst** di freddo/fame/paura; **II.** *adv:* ~ **und zurück** avanti e indietro; **Freiwillige** ~! avanti i volontari!.

vorab [fo:ɐ'ˀap] *adv* anticipatamente.

Vorahnung *f* presentimento *m.*

voran [fo'ran] *adv* **1.** *(vorn)* davanti, in testa; **2.** *(weiter, vorwärts)* avanti. **voran·kommen** ⟨*irr*⟩ *itr* ⟨*sein*⟩ procedere, avanzare; *fig (Fortschritte erzielen)* progredire.

Voranmeldung *f* prenotazione *f.* **Voranschlag** *m* preventivo *m.*

voraus [fo'rau̯s, *aber:* ɪm 'fo:rau̯s] *adv (vor anderen)* davanti; *(an der Spitze)* in testa; **im** ~ in anticipo, anticipatamente; **er war seiner Zeit weit** ~ ha precorso i tempi. **voraus·gehen** ⟨*irr*⟩ *itr* ⟨*sein*⟩ **1.** *(vorn gehen)* andare avanti; *(a. fig)* precedere; **2.** *(früher gehen)* andare via prima. **vorausgesetzt** *adj:* ~, **daß ...** (sup)posto (*o* a condizione) che *+congv.* **Voraussage** *f* pronostico *m.* **voraus·sagen** *tr* predire, pronosticare. **vorausschauend** *adj* previdente. **voraus·schicken** *tr* **1.** *(mit der Post)* mandare avanti; **2.** *fig (einleitend sagen)* premettere. **voraus·sehen** ⟨*irr*⟩ *tr* prevedere. **voraus·setzen** *tr* presumere, presupporre; **vorausgesetzt, daß ...** presupposto che *+congv.* **Voraussetzung** ⟨-, -en⟩ *f* **1.** *(Annahme)* supposizione *f,* ipotesi *f;* **2.** *(Vorbedingung)* condizione *f;* **unter der** ~, **daß ...** a condizione che *+congv.* **Voraussicht** *f* previsione *f;* **aller** ~ **nach** secondo ogni probabilità. **voraussichtlich I.** *adj* prevedibile, probabile; **II.** *adv* probabilmente. **voraus·zahlen** *tr* pagare in anticipo. **Vorauszahlung** *f* pagamento *m* anticipato.

Vorbehalt ['fo:ɐ̯bəhalt] ⟨-(e)s, -e⟩ *m* riserva *f;* **unter dem** ~, **daß ...** con la riserva che *+congv.* **vor·behalten** ⟨*irr, ohne ge-*⟩ *tr:* **sich** *(dat)* **etw.** ~ riservarsi qc; **sich** *(dat)* ~, **etw. zu tun** riservarsi di fare qc. **vorbehaltlich** *prp +gen adm* con riserva di, salvo. **vorbehaltlos** *adj* senza riserve.

vorbei [fo:ɐ̯'bai̯ *o* fɔr'bai̯] *adv* **1.** *(räumlich):* **an ...** ~ davanti a ...; **2.** *(zeitlich: vergangen, vorüber)* passato; ~ **ist** ~ quel che è stato è stato. **vorbei·fahren** ⟨*irr*⟩ *itr* ⟨*sein*⟩ *(entlangfahren)* passare (*an +dat* davanti a). **vorbei·gehen** ⟨*irr*⟩ *itr* ⟨*sein*⟩ **1.** *(entlang-, vorübergehen)* passare (*an +dat* davanti a); **2.** *(Wurf, Schuß)* mancare (il bersaglio); **3.** *(zu Ende gehen)* finire; **eine Gelegenheit** ~ **lassen** lasciarsi sfuggire un'occasione. **vorbei·kommen** ⟨*irr*⟩ *itr* ⟨*sein*⟩ **1.** *(vorbeigehen, -fahren)* passare (*an +dat* davanti a); **2.** *(an Hindernis)* poter passare (*an etw. (dat)* qc); **3.** *fam (besuchen)* passare (*bei jdm* da qu). **vorbei·lassen** ⟨*irr*⟩ *tr* lasciar passare. **vorbei·reden** *itr (am Thema, Problem* ~*)* non centrare; **aneinander** ~ fraintendersi.

vorbelastet *adj:* **erblich** ~ **sein** avere una tara ereditaria.

Vorbemerkung *f* avvertenza *f* (preliminare), premessa *f.*

vor·bereiten ⟨*ohne ge-*⟩ **I.** *tr* preparare; **II.** *rfl:* **sich** ~ prepararsi (*auf +akk* a, per). **Vorbereitung** ⟨-, -en⟩ *f* preparazione *f,* preparativo *m;* ~**en treffen** fare preparativi; **in** ~ in preparazione.

vor·bestellen ⟨*ohne ge-*⟩ *tr (Kinokarten, Buch, Hotelzimmer)* prenotare; *(Tisch)* (far) riservare. **Vorbestellung** *f* prenotazione *f.*

vorbestraft *adj* pregiudicato; **nicht** ~ senza precedenti penali, incensurato.

vor·beugen I. *itr (einer Krankheit)* prevenire (*einer S. (dat)* qc); **II.** *rfl:* **sich** ~ *(nach vorn beugen)* sporgersi in avanti; **III.** *tr (Kopf, Oberkörper)* sporgere. **vorbeugend** *adj* preventivo; *med* profilattico. **Vorbeugung** *f* **1.** *(Schutzmaßnahme)* prevenzione *f* (*gegen* contro); **2.** *med* profilassi *f* (*gegen* contro).

Vorbild *n* **1.** *(Muster)* modello *m;* **2.** *(Beispiel)* esempio *m;* **sich** *(dat)* **jdn zum** ~ **nehmen** prendere esempio da qu. **vorbildlich** *adj* esemplare.

vor·bringen ⟨*irr*⟩ *tr* **1.** *(Wunsch, Meinung)* esprimere, manifestare; *(Gründe)* addurre; *(Beweise)* produrre; **2.** *fam (nach vorn bringen)* portare avanti.

Vordenker(in) ⟨-s, -⟩ *m(f)* ideologo, -a *m, f.*

Vorderachse ['fɔrdɐ-] *f* asse *m* anteriore. **Vorderbein** *n* zampa *f* anteriore.

vordere(r, s) ['fɔrdərə] *adj* anteriore, davanti.

Vordergrund *m* primo piano *m;* **in den** ~ **rücken** (*o* **stellen**) *fig* mettere in risalto; **im** ~ **stehen** *fig* essere in primo piano. **vordergründig** [-grʏndɪç] *adj* superficiale. **Vorderrad** *n* ruota *f* anteriore; *(von Fahrrad)* ruota *f* direttrice. **Vorderradantrieb** *m* trazione *f* anteriore. **Vorderseite** *f* **1.** *allg.* parte *f* anteriore; **2.** *arch* facciata *f;* **3.** *(von Münze)* faccia *f;* **4.** *typ* recto *m.*

vorderste(r, s) ⟨*superl von* vordere⟩ *adj* primo, -a.

Vorderteil *n o m* parte *f* anteriore, davanti *m.*

Vordiplom *n* diploma *m* di metà corso (universitario).

vor·drängen *rfl:* **sich** ~ farsi avanti (*o* largo). **voreilig** *adj* precipitoso, affrettato; *(unüberlegt)* sconsiderato.

voreinander [fo:ɐ̯ʔai̯'nandɐ] *adv* l'uno davanti all'altro.

voreingenommen *adj* prevenuto.

vor·enthalten ⟨*irr, ohne ge-*⟩ *tr* **1.** *(nicht geben)* rifiutare (*jdm etw.* qc a qu); **2.** *(nicht sagen)* nascondere (*jdm etw.* qc a qu).

vorerst ['fo:ɐ̯ʔe:ɐ̯st *o* ...'ʔe:ɐ̯st] *adv* per il momento, per ora.

Vorfahr [fo:ɐ'fa:ɐ̯] ⟨-en, -en⟩ *m* antenato *m.*

vor·fahren ⟨*irr*⟩ **I.** *itr* ⟨*sein*⟩ **1.** *(vor fahren, vorausfahren)* andare avanti (con un veicolo); **2.** *(vor Haus)* fermarsi davanti (a una casa, *etc.*); **3.** *(vorrücken, nach vorn fahren)* avanzare; **II.** *tr* ⟨*haben*⟩ *(weiter nach vorn fahren)* avanzare.

Vorfahrt *f* precedenza *f;* ~ **haben** avere la precedenza; **die** ~ **nicht beachten** non rispettare la precedenza; **rechts hat** ~ precedenza a destra. **Vorfahrt(s)regel** *f* norma *f* di precedenza. **Vorfahrt(s)straße** *f* strada *f* con (diritto di) precedenza.

Vorfall *m* **1.** *(Ereignis)* avvenimento *m; (Zwischenfall)* incidente *m;* **2.** *med* prolasso *m.*

vor·fallen ⟨*irr*⟩ *itr* ⟨*sein*⟩ **1.** *(geschehen)* accadere, succedere; **2.** *(nach vorn fallen)* cadere in avanti.

Vorfeld *n:* **im** ~ +*gen* alla vigilia di.

Vorfreude *f* pregustamento *m.*

vor·fühlen *itr* sondare il terreno (*bei jdm* presso qu).

vor·führen *tr* **1.** *jur* condurre avanti, accompagnare; **2.** *(Mode)* presentare; *(Kunststücke)* mostrare, presentare; *(Versuch, Gerät)* dimostrare; **3.** *film* proiettare.

Vorführmodell *n* modello *m* per dimostrazione.

Vorführung *f* **1.** *jur* accompagnamento *m;* **2.** *(von Mode, Kunststück)* presentazione *f; (von Versuch, Gerät)* dimostrazione *f;* **3.** *film* proiezione *f.*

Vorgang *m* **1.** *(Ereignis)* avvenimento *m;* **2.** *(Hergang)* svolgimento *m;* **3.** *biol, chem, tec* processo *m;* **4.** *jur, adm (Akten)* pratica *f.*

Vorgänger(in) ['fo:ɐ̯gɛŋɐ (...ərın)] ⟨-s, -⟩ *m(f)* predecessore, -a *m, f.*

vor·geben ⟨*irr*⟩ *tr* **1.** *(behaupten)* asserire, pretendere; *(vortäuschen)* fingere; **2.** *(nach vorn geben)* dare (*o* passare) in avanti.

vor·gehen ⟨*irr*⟩ *itr* ⟨*sein*⟩ **1.** *(vorrücken, a. mil)* avanzare; **2.** *(handeln)* procedere, agire; **3.** *fam s.* **vorausgehen; 4.** *fig (den Vortritt haben)* avere la precedenza; **5.** *(Uhr)* andare avanti; **6.** *(wichtiger sein)* essere più importante; **7.** *(geschehen)* accadere, succedere; **gerichtlich gegen jdn** ~ procedere per (*o* adire le) vie legali contro qu; **meine Uhr geht (eine halbe Stunde) vor** il mio orologio va avanti (di mezz'ora); **was geht wohl jetzt in ihm vor?** che gli succede?. **Vorgehensweise** *f* modo *m* di procedere.

Vorgeschichte *f* **1.** *(Zeitraum)* preistoria *f;* **2.** *(Geschehen)* antefatto *m.*

Vorgesetzte ⟨ein -r, -n, -n⟩ *mf* superiore, -a *m, f.*

vorgestern *adv* ieri l'altro, l'altrieri; ~ **abend** ieri l'altro sera.

vor·haben ⟨*irr*⟩ *tr* **1.** *(beabsichtigen)* avere in mente (*o* l'intenzione) (*etw. zu tun* di fare qc); **2.** *(geplant haben)* avere in programma; **was haben Sie heute abend vor?** che programma ha per questa sera?; **Sie hatten viel mit ihr vor** avevano intenzione di fare molte cose con lei. **Vorhaben** ⟨-s, -⟩ *n* **1.** *(Absicht)* intenzione *f,* proposito *m;* **2.** *(Plan)* progetto *m,* piano *m.*

vor·halten ⟨*irr*⟩ **I.** *tr* **1.** *(vor etw. halten)* tenere davanti; **2.** *fig (vorwerfen)* rinfacciare, rimproverare; **II.** *itr fam (ausreichen)* durare. **Vorhaltungen** *f pl* rimostranze *f pl,* rimproveri *m pl.*

Vorhand ⟨-, ø⟩ *f (Tennis)* diritto *m.*

vorhanden [fo:ɐ̯'handən] *adj (existent)* esistente; *(verfügbar)* disponibile; ~ **sein** esserci, esistere. **Vorhandensein** *n* esistenza *f; (Verfügbarkeit)* disponibilità *f.*

Vorhang *m* tenda *f; theat* sipario *m.*

Vorhängeschloß *n* lucchetto *m.*

Vorhaut *f* prepuzio *m.*

vorher ['fo:ɐ̯he:ɐ̯] *adv* prima, precedentemente; **am Abend** ~ alla vigilia; **am Tage** ~ il giorno prima; **kurz/unmittelbar** ~ poco/immediatamente prima; **wie** ~ come prima.

vorherig [fo:ɐ̯'he:rıç *o* 'fo:ɐ̯...] *adj:* **nach ~er Vereinbarung** previo accordo.

Vorherrschaft *f* predominio *m,* preponderanza *f; (Vorrangstellung)* supremazia *f; (Hegemonie)* egemonia *f.*

vor·herrschen *itr* predominare (*über +akk* su), prevalere (*über +akk* su). **vorherrschend** *adj* predominante, prevalente.

Vorhersage [fo:ɐ̯'he:ɐ̯-] *f* predizione *f,* pronostico *m; (Wetter~)* previsioni *f pl.*

vorher·sagen *tr* pronosticare; *(Wetter, Folgen, Zukunft)* predire.

vorhin [fo:ɐ̯'hın *o* 'fo:ɐ̯...] *adv* poco fa, poc'anzi.

vorige(r, s) ['fo:rıgə] *adj* anteriore, precedente; ~**s Jahr** l'anno scorso; **das ~ Mal** l'ultima volta.

Vorjahr *n* anno *m* precedente (*o* scorso). **Vorkämpfer(in)** *m(f)* antesignano, -a *m, f*, pioniere, -a *m, f*. **Vorkaufsrecht** *n* diritto *m* di prelazione.

Vorkehrung ⟨-, -en⟩ *f* misura *f* preventiva, disposizione *f* precauzionale; **die nötigen ~en treffen** prendere le dovute precauzioni.

Vorkenntnisse *f pl* cognizioni *f pl* (*o* nozioni *f pl*) preliminari.

vor·kommen ⟨*irr*⟩ *itr* ⟨*sein*⟩ **1.** *(nach vorn kommen)* venire avanti; **2.** *(geschehen)* succedere, capitare; **3.** *(vorhanden sein, sich finden)* trovarsi; **4.** *(erscheinen)* ricorrere; **5.** *(scheinen)* sembrare, parere; **ich komme mir überflüssig vor** mi sento inutile; **Sie kommen mir bekannt vor** mi sembra di conoscerLa; **das kommt dir nur so vor** ti sembra solo; **das soll ~!** è la vita!; **das soll nicht wieder ~** non si ripeterà più. **Vorkommen** *n* **1.** *allg.* presenza *f*, esistenza *f*; **2.** *min* giacimento *m*. **Vorkommnis** ⟨-ses, -se⟩ *n* avvenimento *m*, evento *m*.

Vorkriegs- *(in Zusammensetzungen)* prebellico, antebellico, d'anteguerra. **Vorkriegszeit** *f* anteguerra *m*.

Vorlage *f* **1.** ⟨*sing*⟩ *(das Vorlegen)* presentazione *f;* **2.** *(Gesetzes~)* progetto *m* di legge; **3.** *(Muster)* modello *m*.

vor·lassen ⟨*irr*⟩ *tr* **1.** *fam (vorgehen lassen)* lasciar passare; **2.** *(zulassen, empfangen)* ammettere.

Vorläufer(in) *m(f)* precursore, precorritrice *m, f*.

vorläufig I. *adj* temporaneo; *(provisorisch)* provvisorio; **II.** *adv (einstweilig)* temporaneamente; *(fürs erste)* per il momento.

vorlaut *adj* impertinente, saccente.

vor·legen I. *tr* **1.** *(da~, anbringen)* mettere (davanti); **2.** *(Paß, Ausweis, Gesetzentwurf)* presentare; *(Frage, Plan)* (sotto)porre; **II.** *rfl:* **sich ~** sporgersi; **III.** *itr* servire.

vor·lesen ⟨*irr*⟩ *tr* leggere (ad alta voce).

Vorlesung *f (einzelne)* lezione *f* (universitaria); *(~sreihe)* corso *m;* **in die ~ gehen** andare a lezione. **Vorlesungsverzeichnis** *n* programma *f* dei corsi.

vorletzte(r, s) *adj* penultimo, -a.

Vorliebe *f* predilezione *f;* **etw. mit ~ tun** prediligere qc.

vorlieb·nehmen [fo:e̯'li:p-] ⟨*irr*⟩ *itr* accontentarsi (*mit* di).

vor·liegen ⟨*irr*⟩ *itr* **1.** *(vorhanden sein)* esserci, esistere; **2.** *(eingereicht sein)* essere presentato; **im ~den Fall** nel caso presente; **da muß ein Irrtum ~** ci deve essere un equivoco; **es liegt nichts gegen ihn vor** non c'è nulla contro di lui.

vor·machen *tr:* **jdm etw. ~ 1.** *(zeigen)* mostrare qc a qu, far vedere qc a qu; **2.** *fig (jdn täuschen)* dare ad intendere qc a qu; **sich** *(dat)* **(selbst) etw. ~** illudersi.

vor·merken *tr* **1.** *(eintragen, notieren)* annotare, prendere nota di; **2.** *(reservieren)* prenotare; **sich für etw. ~ lassen** prenotarsi per qc.

Vormittag *m* mattina *f;* **im Laufe des ~s** nel corso della mattinata, in mattinata. **vormittags** *adv* di mattina, in mattinata; **Montag ~ keine Sprechstunde** lunedì mattina non si riceve.

Vormund ⟨-(e)s, -e *o* Vormünder⟩ *m* **1.** *(von Minderjährigen)* tutore, -trice *m, f;* **2.** *(von Entmündigten)* curatore, -trice *m, f*. **Vormundschaft** ⟨-, -en⟩ *f* **1.** *(von Minderjährigen)* tutela *f;* **2.** *(von Entmündigten)* curatela *f*. **Vormundschaftsgericht** *n* tribunale *m* dei minorenni.

vorn [fɔrn] *adv* **1.** *(im vorderen Teil)* davanti, anteriormente; *(am vorderen Ende)* all'estremità anteriore; *(auf der Vorderseite)* anteriormente, dalla parte anteriore; *(im Vordergrund)* davanti; **2.** *(an der Spitze)* in testa (*an +dat, in +dat* a); **3.** *(am Anfang)* all'inizio; **nach ~** (in) avanti; **von ~** *(räumlich)* da davanti; *(zeitlich)* dall'inizio; **(wieder) von ~ anfangen** (ri)cominciare da capo; **von ~ bis hinten** *fam* da cima a fondo; **~ im Bild** nella parte anteriore del quadro/della foto.

Vorname *m* nome *m* (di battesimo).

vorne *s.* **vorn.**

vornehm ['fo:e̯ne:m] *adj* **1.** *(kultiviert)* distinto; **2.** *(edel)* nobile; **3.** *(elegant)* elegante; **~e Gesellschaft** gran mondo; **~ tun** *fam* darsi arie da gran signore.

vor·nehmen ⟨*irr*⟩ **I.** *tr* **1.** *(durchführen)* fare; **2.** *(in Angriff nehmen)* intraprendere, dare mano a; **II.** *rfl:* **sich** *(dat)* **~** *(beschließen)* prefiggersi (*etw. zu tun* di fare qc), proporsi (*etw. zu tun* di fare qc).

vornherein ['fɔrnhɛra̯in *o* ...'ra̯in] *adv:* **von ~** fin da principio, a priori.

Vorort *m* sobborgo *m;* **die ~e** la periferia.

vorprogrammiert *adj* **1.** *(automatisch)* automatico; **2.** *fig (vorbestimmt)* programmato.

Vorrang *m* **1.** *(Bedeutung, Stellenwert)* priorità *f;* **2.** *(Reihenfolge)* precedenza *f*. **vorrangig** *adj* prioritario. **Vorrangstellung** *f:* **eine ~ einnehmen (*o* haben)** occupare una posizione di preminenza.

Vorrat *m* scorta *f* (*an +dat* di), provviste *f pl* (*an +dat* di); **etw. auf ~ haben** avere qc in stock; **solange der ~ reicht** fino ad esaurimento delle scorte.

vorrätig ['fo:e̯rɛ:tɪç] *adj (verfügbar)* disponibile; *(auf Lager)* in magazzino.

Vorratsraum *m* magazzino *m*.

Vorrecht *n* **1.** *(Sonderrecht)* prerogativa

f; **2.** *(Privileg)* privilegio *m.*
Vorreiter(in) *m(f)* precursore *m,* antesignano, -a *m, f.*
Vorrichtung *f* dispositivo *m,* congegno *m,* meccanismo *m.*
Vorruhestand *m* prepensionamento *m.*
Vorsaison *f* bassa stagione *f.*
Vorsatz *m (Absicht)* proposito *m,* intenzione *f; (Entschluß)* risoluzione *f;* **einen ~ fassen** prendere una risoluzione; **mit ~** *jur* deliberatamente; **mit guten Vorsätzen** con buone intenzioni.
vorsätzlich ['fo:ɐzɛtslıç] **I.** *adj* intenzionale; *(bes. jur)* premeditato; **II.** *adv* intenzionalmente; *jur* con premeditazione.
Vorschau *f* anteprima *f.*
Vorschein *m:* **zum ~ kommen** comparire, apparire; *fig (ans Licht kommen)* venire alla luce.
Vorschlag *m* proposta *f;* **auf meinen ~ (hin)** su mia proposta.
vor·schlagen ⟨*irr*⟩ *tr* proporre.
vorschnell *adj* precipitoso.
vor·schreiben ⟨*irr*⟩ *tr (befehlen)* prescrivere.
Vorschrift *f* prescrizione *f; (Anweisung)* istruzione *f; adm, mil* regolamento *m;* **Dienst nach ~** sciopero *m* bianco; **gegen die ~en verstoßen** andare contro il regolamento. **vorschriftsmäßig I.** *adj* regolamentare; **II.** *adv* conforme alle prescrizioni (*o* al regolamento).
Vorschuß *m* anticipo *m.*
vor·schützen *tr* prendere a pretesto.
vor·sehen ⟨*irr*⟩ **I.** *tr* **1.** *(planen)* prevedere; **2.** *(bestimmen)* designare; **jdn für etw. ~** avere in mente qu per qc, designare qu per qc; **wie vorgesehen** come previsto; **II.** *rfl:* **sich ~ 1.** *(sich hüten)* guardarsi (*vor +dat* da); **2.** *(aufpassen)* stare attento (*daß (o damit) nicht* che non *+congv,* di non *+inf*); **sieh dich vor ihm vor** guardati da lui.
Vorsehung ⟨-, ø⟩ *f* Provvidenza *f.*
Vorsicht *f* precauzione *f,* prudenza *f;* **zur ~ habe ich ...** per precauzione ho ...; **~!** attenzione!; **~, Stufe!** attenzione gradino!; **~ ist besser als Nachsicht!** *prov* meglio prevenire che curare!. **vorsichtig** *adj* prudente, cauto. **vorsichtshalber** *adv* per precauzione (*o* prudenza). **Vorsichtsmaßnahme** *f* misura *f* precauzionale; **~n treffen** prendere delle precauzioni.
Vorsilbe *f* prefisso *m.*
vorsintflutlich *adj (a. fig fam scherz)* antidiluviano.
Vorsitz *m* presidenza *f;* **den ~ bei etw. führen (*o* haben)** detenere (*o* avere) la presidenza di qc; **unter dem ~ von** sotto la presidenza di. **Vorsitzende** ⟨ein -r, -n, -n⟩ *mf* presidente *mf.*
Vorsorge *f* **1.** *(Fürsorge)* previdenza *f;* **2.** *(Vorsichtsmaßnahme)* precauzione *f.* **vor·sorgen** *itr* provvedere (*für* a). **Vorsorgeuntersuchung** *f* check-up *m.* **vorsorglich I.** *adj* **1.** *(Maßnahme)* previdente, precauzionale; **2.** *(Person)* accorto; **II.** *adv* per precauzione.
Vorspann ['fo:ɐʃpan] ⟨-(e)s, -e⟩ *m* **1.** *(von Artikel)* cappello *m;* **2.** *film, TV* titoli *m pl* di testa.
Vorspeise *f* antipasto *m.*
Vorspieg(e)lung *f:* **unter ~ falscher Tatsachen** per simulazione di fatti.
Vorspiel *n* **1.** *mus* preludio *m;* **2.** *theat* prologo *m;* **3.** *(bei Geschlechtsverkehr)* preliminari *m pl.*
vor·spielen *tr* **1.** *mus* sonare (*jdm* davanti a qu); **2.** *theat* recitare (*jdm* davanti a qu); *(zum Nachspielen)* dare un esempio di recitazione; **3.** *fig (vortäuschen)* simulare.
vor·sprechen ⟨*irr*⟩ **I.** *tr* **1.** *(zum Nachsprechen)* pronunciare (per far ripetere) (*jdm etw.* qc davanti a qu); **2.** *theat (zur Probe)* recitare; **II.** *itr (wegen Anliegen aufsuchen)* fare visita (*bei* a).
Vorsprung *m* **1.** *arch* aggetto *m;* **2.** *(Abstand)* vantaggio *m* (*vor +dat* di).
Vorstand *m* **1.** *(Gremium)* consiglio *m* direttivo; *(Vereins~)* presidenza *f; (Firmen~)* consiglio *m* direttivo (*o* d'amministrazione); **2.** *(~smitglied)* membro *m.*
vor·stehen ⟨*irr*⟩ *itr* **1.** *(her~)* sporgere; *arch* aggettare; **2.** *(leiten)* dirigere (*einer S. (dat)* qc), presiedere (*einer S. (dat)* a qc). **vorstehend** *adj* **1.** *(vorspringend)* sporgente; **2.** *(vorausgehend)* precedente; **wie ~ bereits gesagt** come già detto in precedenza. **Vorsteher(in)** ⟨-s, -⟩ *m(f) (Leiter, Direktor, Büro~)* capo *m; (Schul~)* direttore, -trice *m, f; (Bahnhofs~)* capostazione *mf.* **Vorsteherdrüse** *f* prostata *f.*
vor·stellen I. *tr* **1.** *(davorstellen)* mettere davanti; **2.** *(nach vorn stellen)* spostare in avanti; **3.** *(Uhr)* mettere avanti (*um* di); **4.** *(bekannt machen, vorführen)* presentare; **5.** *(darstellen, bedeuten)* rappresentare, significare; **darf ich Ihnen Frau K. ~?** posso presentarLe la signora K.?; **II.** *rfl:* **sich ~** *(sich bekannt machen)* presentarsi; **sich** *(dat)* **~** *(sich ausmalen)* immaginare, immaginarsi, figurarsi; **sich in einer Firma ~** presentarsi in una ditta; **das kann ich mir nicht ~** non riesco ad immaginarmelo; **stell dir vor!** pensa un po'! *fam,* figurati un po'! *fam.*
Vorstellung *f* **1.** *(Einführung)* presentazione *f;* **2.** *theat* rappresentazione *f;* **3.** *(Einbildung, ~skraft)* immaginazione *f; (Bild, Begriff)* idea *f,* concetto *m;* **eine ~ von etw. haben** avere un'idea di qc; **sich** *(dat)* **von etw. eine ~ machen** farsi un'idea di qc; **du machst dir (ja) keine ~, wie interessant das ist** non hai idea di quanto sia interessante; **heute keine ~!** oggi (giorno *m* di) riposo!. **Vorstel-**

lungsgespräch *n* colloquio *m* di presentazione. **Vorstellungskraft** *f*, **-vermögen** *n* immaginazione *f*.

Vorstrafe *f* condanna *f* precedente, precedenti *m pl* penali. **Vorstrafenregister** *n* casellario *m* giudiziario.

vor·strecken *tr* **1.** *(Arme, Hände)* tendere in avanti, allungare; **2.** *fig (Geld)* anticipare.

Vorstufe *f* primo stadio *m*.

Vortag *m (der Tag vorher)* giorno *m* precedente; *(von Ereignis)* vigilia *f*.

vor·täuschen *tr* fingere, simulare.

Vorteil *m* vantaggio *m;* **die Vor- und Nachteile** il pro e il contro; **~e bringen** essere vantaggioso; **jdm gegenüber im ~ sein** essere in vantaggio su qu; **für jdn von ~ sein** essere vantaggioso per qu; **sich zu seinem ~ ändern** cambiare in meglio. **vorteilhaft** *adj* vantaggioso; **das Kleid ist ~ für Sie** il vestito Le dona.

Vortrag ['fo:ɐ̯tra:k] ⟨-(e)s, Vorträge⟩ *m* **1.** *(Rede, Vorlesung)* conferenza *f; (Bericht)* rapporto *m;* **2.** *(von Gedicht)* recitazione *f; (von Lied)* esecuzione *f;* **3.** *ökon* riporto *m;* **einen ~ halten** tenere una conferenza.

vor·tragen ⟨*irr*⟩ *tr* **1.** *(Gedicht)* recitare, declamare; *(Lied)* eseguire; **2.** *(darlegen)* esporre; **3.** *ökon (übertragen)* riportare.

vortrefflich [fo:ɐ̯'trɛflɪç] *adj* eccellente.

Vortritt *m* precedenza *f;* **jdm den ~ lassen** cedere il passo (*o* dare la precedenza) a qu.

vorüber [fo'ry:bɐ] *adv* **1.** *(örtlich)* davanti (*an +dat* a); **2.** *(zeitlich)* passato. **vorüber·gehen** ⟨*irr*⟩ *itr* ⟨*sein*⟩ **1.** *(örtlich)* passare (*an +dat* davanti a); **2.** *(zeitlich)* passare; *(zu Ende gehen)* cessare, finire. **vorübergehend** *adj* passeggero, transitorio, temporaneo.

Vor- und Zuname *m* nome *m* e cognome *m*.

Vorurteil *n* pregiudizio *m (gegen, gegenüber* contro, verso). **vorurteilsfrei, vorurteilslos** *adj* senza pregiudizi.

Vorverkauf *m* prevendita *f*. **Vorverkaufsstelle** *f* botteghino *m*.

vor·verlegen ⟨*ohne ge-*⟩ *tr* anticipare.

Vorwahl *f* **1.** *pol* elezione *f* preliminare; **2.** *tel* preselezione *f; (Nummer)* prefisso *m* (teleselettivo).

Vorwand ['fo:ɐ̯vant] ⟨-(e)s, Vorwände⟩ *m* pretesto *m,* scusa *f;* **etw. zum ~ nehmen** prendere qc a pretesto; **unter dem ~, etw. zu tun** col pretesto di fare qc.

Vorwarnung *f* preallarme *m*.

vorwärts ['fo:ɐ̯vɛrt͡s *o* 'fɔr...] *adv* avanti. **Vorwärtsgang** *m* marcia *f* avanti. **vorwärts·kommen** ⟨*irr*⟩ *itr* ⟨*sein*⟩ avanzare, progredire.

Vorwäsche *f* prelavaggio *m*.

vorweg [fo:ɐ̯'vɛk] *adv* **1.** *(vorher)* prima; **2.** *(im voraus)* in anticipo; **3.** *(an der Spitze)* in testa; **4.** *(von vornherein)* a priori; **5.** *(vor allem)* prima di tutto. **vorweg·nehmen** ⟨*irr*⟩ *tr* anticipare.

Vorweis ['fo:ɐ̯vai̯s] ⟨-es, -e⟩ *m CH* esibizione *f*. **vor·weisen** ⟨*irr*⟩ *tr* presentare.

vor·werfen ⟨*irr*⟩ *tr* **1.** *(hinwerfen)* gettare (*zum Fressen* da mangiare); **2.** *fig (tadeln)* rimproverare (*jdm etw.* qc a qu); **sich nichts vorzuwerfen haben** non avere nulla da rimproverarsi.

vorwiegend I. *adj* prevalente; **II.** *adv* in prevalenza.

vorwitzig *adj* impertinente.

Vorwort ⟨-(e)s, -e⟩ *n* prefazione *f*.

Vorwurf *m* rimprovero *m; (Tadel)* biasimo *m;* **jdm etw. zum ~ machen** rimproverare qu per qc; **sich** *(dat)* **wegen etw. Vorwürfe machen** rimproverarsi di (*o* per) qc. **vorwurfsvoll** *adj* (pieno) di rimprovero.

Vorzeichen *n* **1.** *allg., mat* segno *m; (Anzeichen)* indizio *m;* **2.** *(Omen)* auspicio *m;* **3.** *mus* accidente *m;* **mit umgekehrtem ~** all'inverso.

vorzeigbar *adj* presentabile.

Vorzeit *f:* **in grauer ~** nella notte dei tempi. **vorzeitig** *adj* anticipato; *(zu früh)* prematuro, precoce.

vor·ziehen ⟨*irr*⟩ *tr* **1.** *(nach vorn ziehen, vor etw. (akk) ziehen)* tirare avanti; *(Vorhänge)* chiudere (tirando); **2.** *(her~)* tirare fuori; **3.** *(lieber mögen)* preferire (*dat* a); *(bevorzugen)* favorire; **4.** *(früher als geplant erledigen)* anticipare.

Vorzimmer *n* anticamera *f*.

Vorzug[1] *m* **1.** *(Vorliebe)* preferenza *f;* **2.** *(Vorrang)* precedenza *f;* **3.** *(gute Eigenschaft)* pregio *m,* merito *m; (Vorteil)* vantaggio *m;* **einer S.** *(dat)* **den ~ geben** dare la preferenza a qc; **den ~ haben, daß ...** avere il pregio di *+inf*.

Vorzug[2] *m (Eisenbahn)* treno *m* straordinario.

vorzüglich [fo:ɐ̯'t͡sy:klɪç *o* 'fo:ɐ̯...] *adj* eccellente; *(Wein etc.)* squisito.

Vorzugspreis *m* prezzo *m* di preferenza.

Voyeur [vo̯a'jø:ɐ] ⟨-s, -e⟩ *m* voyeur *m,* guardone *m fam*.

vulgär [vʊl'gɛ:ɐ̯] *adj* volgare.

Vulkan [vʊl'ka:n] ⟨-s, -e⟩ *m* vulcano *m*. **vulkanisch** *adj* vulcanico.

vulkanisieren [vʊlkani'zi:rən] ⟨*ohne ge-*⟩ *tr* vulcanizzare.

W

W, w [ve:] ⟨-, -(s)⟩ *n* W, w *f;* **W wie Wilhelm** vu doppia.
W *abk von* **West(en)** O (*abbr di* ovest).
WAA ⟨-, -s⟩ *f abk von* **Wiederaufbereitungsanlage** impianto *m* di rigenerazione.
Waadt [va:t] *n* Vaud *m.*
Waage ['va:gə] ⟨-, -n⟩ *f* **1.** *tec* bilancia *f;* **2.** *astr* Bilancia *f;* **sich** *(dat)* **die ~ halten** (contro)bilanciarsi; **er/sie ist (eine) ~** è (della *o* una) Bilancia. **waag(e)recht** *adj* orizzontale. **Waagschale** *f* piatto *m* della bilancia; **etw. in die ~ werfen** *fig* gettare qc sul piatto della bilancia; **er legt jedes Wort auf die ~** *fig* (sop)pesa ogni parola.
wabb(e)lig ['vab(ə)lıç] *adj* molle, flaccido.
Wabe ['va:bə] ⟨-, -n⟩ *f* favo *m.*
wach [vax] *adj* **1.** *(a. fig)* sveglio, desto; **2.** *fig (lebhaft)* vivo; *(Sinn, Verstand)* acuto.
Wache ['vaxə] ⟨-, -n⟩ *f* **1.** *(Wachdienst, -mannschaft, -posten)* guardia *f;* **2.** *(Wachlokal)* corpo *m* di guardia; **3.** *(Polizei~)* posto *m* di polizia; **4.** *(Kranken~)* veglia *f;* **~ haben** essere di guardia; **bei jdm ~ halten** vegliare qu.
wachen *itr* **1.** *geh (wach sein)* essere sveglio; *(wach bleiben)* rimanere sveglio; **2.** *(Wache halten)* vegliare (*bei jdm* qu); **3.** *(aufpassen)* sorvegliare (*über jdn/etw.* qu/qc), vigilare (*über jdn/etw.* su qu/qc).
Wachhund *m* cane *m* da guardia.
Wacholder [va'xɔldɐ] ⟨-s, -⟩ *m* **1.** *bot* ginepro *m;* **2.** *(~schnaps)* gin *m.*
wach·rufen ⟨*irr*⟩ *tr (Erinnerungen)* risvegliare; *(Vergangenheit)* evocare.
Wachs [vaks] ⟨-es, -e⟩ *n* cera *f;* **er ist ~ in ihren Händen** lo ha (*o* tiene) in pugno.
wachsam *adj* **1.** *(Blick, Auge, Mensch)* vigile; **2.** *(vorsichtig)* circospetto.
wachsen[1] ['vaksən] ⟨wächst, wuchs, gewachsen⟩ *itr* ⟨*sein*⟩ **1.** *allg.* crescere; **2.** *fig (zunehmen)* aumentare, accrescersi; *(sich ausdehnen)* estendersi; **3.** *(sich entwickeln)* svilupparsi; *(gedeihen)* prosperare; **sich** *(dat)* **einen Bart/die Haare ~ lassen** lasciarsi crescere la barba/i capelli; **gut gewachsen** ben fatto; **mit ~der Sorge** con crescente preoccupazione.
wachsen[2] ['vaksən] *tr* ⟨*haben*⟩ *(mit Wachs versehen)* dare la cera a.
wächsern ['vɛksɐn] *adj (a. fig)* cereo.
Wachsfigur *f* figura *f* (*o* statua *f*) di cera. **Wachsfigurenkabinett** *n* museo *m* delle cere. **Wachsmalstift** *m* matita *f* di cera.
wächst [vɛkst] *pr von* **wachsen**[1].
Wachstuch *n* tela *f* cerata.
Wachstum ⟨-s, ø⟩ *n* crescita *f.* **Wachstumsbranche** *f* settore *m* in incremento. **Wachstumsrate** *f* tasso *m* di crescita.
Wachtel ['vaxtəl] ⟨-, -n⟩ *f* quaglia *f.*
Wächter(in) ['vɛçtɐ (...ərın)] ⟨-s, -⟩ *m(f)* *(Museums~, Park~)* guardiano, -a *m, f;* *(Nacht~)* guardia *f.*
Wachtmeister ['vaxt-] *m* brigadiere *m* di polizia. **Wach(t)posten** *m* **1.** *mil* guardia *f,* sentinella *f;* **2.** *(bei Diebstahl)* palo *m.* **Wacht(t)urm** *m* torre *f* di osservazione *f.* **Wach- und Schließgesellschaft** *f* società *f* di vigilanza notturna.
wack(e)lig *adj* **1.** *(Stuhl, Tisch)* traballante; *(Zahn a.)* tentennante; **2.** *fig fam (Firma, Unternehmen)* vacillante; **~ auf den Beinen sein** *fam* reggersi male sulle gambe.
Wackelkontakt *m* contatto *m* difettoso.
wackeln ['vakəln] *itr* **1.** ⟨*haben*⟩ traballare; *(Zahn a.)* tentennare; *(zittern)* tremare; **2.** ⟨*haben*⟩ *fig fam (Firma)* vacillare, essere traballante; **3.** ⟨*sein*⟩ *(unsicher gehen)* barcollare; **mit dem Kopf ~** tentennare il capo, dondolare la testa; **mit den Ohren ~** muovere le orecchie.
wacker ['vakɐ] *adj* **1.** *(rechtschaffen, brav)* onesto, probo; **2.** *(tapfer)* valoroso; **3.** *(tüchtig)* valente.
wacklig *s.* **wackelig.**
Wade ['va:də] ⟨-, -n⟩ *f* polpaccio *m.*
Waffe ['vafə] ⟨-, -n⟩ *f* arma *f;* **die ~n strecken** *fig* darsi per vinto; **jdn mit seinen eigenen ~n schlagen** *fig* battere qu con i suoi stessi argomenti.
Waffel ['vafəl] ⟨-, -n⟩ *f* wafer *m,* cialda *f.* **Waffeleisen** *n* stampo *m* per cialde.
Waffenembargo *n* embargo *m* sulle armi. **Waffenhandel** *m* commercio *m* di armi. **Waffenruhe** *f* tregua *f.* **Waffenschein** *m* porto *m* d'armi. **Waffenschieber(in)** ⟨-s, -⟩ *m(f)* trafficante *mf* di armi. **Waffenstillstand** *m* armistizio *m,* cessate il fuoco *m.*
wagen ['va:gən] *tr* **1.** *(a. rfl:* **sich ~)** osare (*etw. zu tun* fare qc); **2.** *(riskieren)* rischiare; **sich nicht aus dem Haus ~** non osare uscire di casa; **wer wagt, gewinnt** *prov* la fortuna aiuta gli audaci *prov.*
Wagen ['va:gən] ⟨-s, -⟩ *m* **1.** *(Personen~)* macchina *f,* automobile *f;* *(Liefer~)* furgone *m;* **2.** *(Zirkus~, Zigeuner~, Plan~)* carro *m;* *(Pferde~, Straßen-*

bahn~) vettura *f; (Eisenbahn~)* vagone *m; (Kutsche)* carrozza *f;* **3.** *(Hand~)* carretto *m; (Karren)* carro *m; (Einkaufs~)* carrello *m; (Puppen~, Kinder~)* carrozzina *f;* **4.** *(Schreibmaschinen~)* carrello *m;* **der Große/Kleine ~** l'Orsa maggiore/minore; **mit dem ~ fahren** andare in automobile. **Wagenführer(in)** *m(f)* conducente *mf.* **Wagenheber** ⟨-s, -⟩ *m* cricco *m,* martinetto *m.* **Wagenpark** *m* parco *m* di veicoli (*o* di automobili *o Eisenb.* di vagoni).

Waggon [va'gõ: *o* va'gɔŋ] ⟨-s, -s⟩ *m* vagone *m.*

waghalsig ['va:khalzıç] *adj* **1.** *(Mensch)* spericolato, temerario; **2.** *(Unternehmen)* rischioso.

Wagnis ['va:knıs] ⟨-ses, -se⟩ *n* **1.** *(Risiko)* rischio *m;* **2.** *(Unternehmen)* impresa *f* rischiosa (*o* arrischiata).

Wahl [va:l] ⟨-, -en⟩ *f* **1.** *(allg., a. Aus~, Qualität)* scelta *f;* **2.** *(zwischen zwei Möglichkeiten)* alternativa *f;* **3.** *pol* elezione *f;* **erste ~** *com* prima scelta; **~ durch Handaufheben/Zuruf** votazione *f* per alzata di mano/per acclamazione; **keine (andere) ~ haben (, als . . .)** non avere (altra) possibilità di scelta (che . . .); **seine ~ treffen** fare una scelta; **jdn vor die ~ stellen** obbligare qu a scegliere; **sich zur ~ aufstellen lassen** farsi presentare (come candidato) alle elezioni; **zur ~ gehen** andare alle urne; **nach ~** a scelta; **wer die ~ hat, hat die Qual** *prov* non avere che l'imbarazzo della scelta. **Wahlalter** *n* età *f* elettorale.

Wählautomatik *f tel* ripetizione *f* automatica.

wählbar *adj* eleggibile; **nicht ~** ineleggibile.

Wahlbenachrichtigung *f* certificato *m* elettorale. **wahlberechtigt** *adj* avente diritto di voto. **Wahlberechtigte** ⟨ein -r, -n, -n⟩ *mf* elettore, -trice *m, f.* **Wahlbeteiligung** *f* partecipazione *f* elettorale, affluenza *f* alle urne; **eine hohe ~** un'alta affluenza alle urne. **Wahlbezirk** *m* circoscrizione *f* elettorale.

wählen ['vɛ:lən] **I.** *tr* **1.** *(aus~)* scegliere; **2.** *pol* eleggere; **3.** *tel (Nummer)* comporre; **jdn zum Abgeordneten ~** eleggere qu deputato; **II.** *itr* **1.** *(aus~)* scegliere; **2.** *pol (abstimmen)* votare; **3.** *tel* comporre il (*o* un) numero.

Wähler(in) ⟨-s, -⟩ *m(f)* elettore, -trice *m, f,* votante *mf.*

Wahlergebnis *n* risultato *m* elettorale.

wählerisch *adj (Käufer, Kunden)* difficile; *(im Essen)* schizzinoso.

Wählerschaft ⟨-, ø⟩ *f* elettorato *m.* **Wählerschicht** *f* fascia *f* dell'elettorato.

Wahlfach *n (Schule)* materia *f* facoltativa. **Wahlgang** *m* votazione *f;* **im ersten ~** al primo scrutinio. **Wahlkabine** *f* cabine *f* elettorale. **Wahlkampf** *m* campagna *f* elettorale. **Wahlkreis** *m* circoscrizione *f* elettorale. **Wahllokal** *n* seggio *m* elettorale. **wahllos** *adv* a caso. **Wahlniederlage** *f* sconfitta *f* elettorale. **Wahlplakat** *n* manifesto *m* elettorale. **Wahlprogramm** *n* programma *m* elettorale. **Wahlrecht** *n* **1.** *(Recht)* diritto *m* di voto; **2.** *(Gesetz)* diritto *m* elettorale; **aktives/passives ~** elettorato *m* attivo/passivo; **allgemeines ~** suffragio *m* universale.

Wählscheibe *f* disco *m* combinatore.

Wahlschein *m* certificato *m* elettorale. **Wahlspot** [-spɔt] *m* spot *m* elettorale. **Wahlspruch** *m* motto *m,* slogan *m.* **Wahlsystem** *n* sistema *m* elettorale. **Wahltag** *m* giorno *m* delle elezioni. **Wahlversprechen** *n* promessa *f* elettorale. **wahlweise** *adv* a scelta.

Wahn [va:n] ⟨-(e)s, ø⟩ *m* **1.** *(~vorstellung)* illusione *f;* **2.** *(~sinn)* follia *f; (bes. med)* mania *f.*

Wahnsinn *m* follia *f,* pazzia *f; med* demenza *f,* alienazione *f* mentale; **das ist doch (heller) ~!** *fam* è pura follia!. **wahnsinnig I.** *adj* **1.** *(verrückt)* pazzo, folle; *med* demente, alienato; **2.** *fam (außerordentlich)* straordinario, enorme; *(Hunger)* tremendo; *(Schmerzen)* atroce; **~ werden** impazzire; **jdn ~ machen** *fam* far impazzire qu; **II.** *adv fig fam (sehr)* enormemente, moltissimo; **ich habe mich ~ darüber gefreut** *fam* mi ha fatto un gran piacere. **Wahnsinnige** ⟨ein -r, -n, -n⟩ *mf* pazzo, -a *m, f.* **Wahnvorstellung** *f* fissazione *f; (Wahnsinnsidee)* follia *f.*

wahr [va:ɐ̯] *adj* **1.** *(der Wahrheit entsprechend)* vero; *(~heitsgetreu)* veridico, veritiero; **2.** *(wirklich)* reale; *(echt)* autentico; **3.** *(eigentlich)* vero e proprio; **eine ~e Pracht** una vera meraviglia; **~ werden** realizzarsi; **etw. ~ machen** realizzare qc; **daran ist kein ~es Wort** non c'è nulla di vero in questo; **so ~ ich hier stehe** com'è vero che sto qui; **nicht ~?** (nev)vero?; **das ist nicht das W~e!** *fam* non ci siamo! *fam;* **das darf doch nicht ~ sein!** *fam* non è possibile.

wahren ['va:rən] *tr (Interessen, Rechte)* tutelare, salvaguardare; **den Schein ~** salvare le apparenze.

während ['vɛ:rənt] **I.** *prp +gen o +dat* durante; **II.** *konj* mentre.

währenddessen [-'dɛsən] *adv* intanto, frattanto.

wahr·haben ⟨*irr*⟩ *tr:* **nicht ~ wollen, daß . . .** non voler ammettere che *+congv.*

wahrhaft *adj* **I.** *adj (echt, ehrlich)* vero; *(wirklich)* reale; **II.** *adv* veramente.

Wahrheit ⟨-, -en⟩ *f* verità *f;* **in ~** in verità; **um die ~ zu sagen** a dire il vero; **das ist die reine ~** è la pura verità. **wahrheitsgemäß** *adv* conformemente alla verità.

wahrnehmbar *adj* percettibile; **nicht ~** impercettibile.

wahr·nehmen ⟨*irr*⟩ *tr* **1.** *(Geräusch, Geruch)* percepire; *(bemerken: Vorgänge, Veränderungen)* accorgersi di; **2.** *(Chance, Gelegenheit)* approfittare di; *(Termin, Frist)* rispettare; *(Interessen)* tutelare, salvaguardare.
Wahrnehmung ⟨-, -en⟩ *f* **1.** *(sinnlich)* percezione *f;* **2.** *(von Termin)* osservanza *f; (von Interessen)* tutela *f,* salvaguardia *f;* **außersinnliche ~** percezione extrasensoriale.
wahrsagen, wahr·sagen I. *itr* predire il futuro, profetizzare, vaticinare; **sich** *(dat)* **~ lassen** farsi predire il futuro; **II.** *tr* predire. **Wahrsager(in)** ⟨-s, -⟩ *m(f)* indovino, -a *m, f,* vaticinatore, -trice *m, f.* **Wahrsagung** ⟨-, -en⟩ *f* **1.** ⟨*sing*⟩ *(das Wahrsagen)* predizione *f,* divinazione *f;* **2.** *(Prophezeiung)* profezia *f,* vaticinio *m.*
währschaft ['vɛ:ɐ̯ʃaft] *adj CH* solido.
wahrscheinlich [va:ɐ̯'ʃainlıç *o* 'va:ɐ̯...] *adj* probabile; **es ist nicht ~, daß ...** non è probabile che *+congv.* **Wahrscheinlichkeit** ⟨-, -en⟩ *f* probabilità *f;* **aller ~ nach** con ogni probabilità; **wie groß ist die ~, daß ...?** quali probabilità ci sono che *+congv?.* **Wahrscheinlichkeitsrechnung** *f* calcolo *m* delle probabilità.
Währung ['vɛ:rʊŋ] ⟨-, -en⟩ *f* valuta *f,* moneta *f.* **Währungsausgleich** *m* conguaglio *m* monetario. **Währungseinheit** *f* unità *f* monetaria. **Währungsfonds** *m* fondo *m* monetario. **Währungskorb** *m* paniere *m* delle valute. **Währungsreform** *f* riforma *f* monetaria. **Währungssystem** *n* sistema *m* monetario. **Währungsunion** *f* unione *f* monetaria.
Wahrzeichen *n* simbolo *m.*
Waise ['vaizə] ⟨-, -n⟩ *f* orfano, -a *m, f.* **Waisenhaus** *n* orfanotrofio *m.* **Waisenkind** *n* orfano, -a *m, f;* **gegen ihn bin ich ein (***o* **das reinste) ~** *fam* in confronto a lui sono proprio un pivellino *fam.* **Waisenrente** *f* prestazione *f* agli orfani.
Wal [va:l] ⟨-(e)s, -e⟩ *m* balena *f.*
Wald [valt] ⟨-(e)s, Wälder⟩ *m* bosco *m,* selva *f; (fig a.)* foresta *f;* **den ~ vor Bäumen nicht sehen** *fig fam* vedere gli alberi e non vedere la foresta; **ich glaub', ich steh' im ~!** *fam* non credo ai miei occhi! **Waldarbeiter** *m* boscaiolo *m.* **Waldbrand** *m* incendio *m* di bosco.
Waldemar ['valdəmar] *(männlicher Vorname)* Valdemaro.
waldig *adj* boscoso, boschivo.
Waldlauf *m* corsa *f* nel bosco. **Waldlehrpfad** *m* sentiero *m* per l'educazione botanica. **Waldmeister** *m* asperula *f* (odorosa), mughetto *m* dei boschi *fam.* **Waldschaden** *m* danno *m* forestale. **Waldsterben** *n* moria *f* dei boschi.
Walfang *m* caccia *f* alle balene. **Walfänger** [-fɛŋɐ] ⟨-s, -⟩ *m* **1.** *(Mensch)* baleniere *m;* **2.** *(Boot)* baleniera *f.* **Walfisch** *s.* **Wal.**
Walkman® ['wɔ:kmən] ⟨-s, -s⟩ *m* walkman® *m.*
Wall [val] ⟨-(e)s, Wälle⟩ *m (Erd~)* vallo *m,* terrapieno *m; (Schutz~)* bastione *m.*
wallen ['valən] *itr (sprudeln)* (ri)bollire; *(wogen)* ondeggiare; **~des Haar** capelli fluenti; **~des Gewand** veste fluttuante.
Wallfahrt ['val-] *f* pellegrinaggio *m.* **Wallfahrtskirche** *f* santuario *m.* **Wallfahrtsort** *m* luogo *m* di pellegrinaggio.
Wallis ['valıs] *n* Vallese *m.*
Wallung ⟨-, -en⟩ *f* ebollizione *f; fig* bollore *m,* agitazione *f;* **in ~ bringen** mettere in agitazione.
Walnuß ['val-] *f* noce *f.* **Walnußbaum** *m* noce *m.*
Walroß ['val-] *n* tricheco *m.*
Walt(h)er ['valtɐ] *(männlicher Vorname)* Gualtiero, Walter.
Walze ['valtsə] ⟨-, -n⟩ *f* rullo *m; (typ a.)* cilindro *m.*
walzen *tr* ⟨*haben*⟩ *(glätten)* cilindrare, spianare col rullo; *(Metall, Stahl)* laminare.
wälzen ['vɛltsən] **I.** *tr* **1.** *(rollen)* rotolare; **2.** *fam (Akten, Bücher)* scartabellare; *(Probleme)* rimuginare; **II.** *rfl:* **sich ~** rotolarsi; **sich schlaflos im Bett ~** rigirarsi nel letto senza riuscire a dormire.
walzenförmig [-fœrmıç] *adj* cilindrico.
Walzer ['valtsɐ] ⟨-s, -⟩ *m* valzer *m.*
wand [vant] *imp von* **winden[1].**
Wand [vant] ⟨-, Wände⟩ *f* parete *f;* **mit dem Kopf gegen die ~ rennen** *fig* sbattere la testa contro il muro; **in meinen vier Wänden** a casa mia; **da kann man ja die Wände hochgehen!** *fam* c'è da impazzire. **Wandbehang** *m* arazzo *m.*
Wandel ['vandəl] ⟨-s, ø⟩ *m* mutamento *m,* cambiamento *m,* trasformazione *f.*
wandeln[1] ['vandəln] *tr, rfl:* **sich ~** cambiare, mutare.
wandeln[2] ['vandəln] *itr* ⟨*sein*⟩ *geh (gehen)* camminare, passeggiare; **sie ist ein ~des Wörterbuch** *fam scherz* è un dizionario ambulante.
Wanderausstellung *f* esposizione *f* itinerante.
Wand(e)rer ['vand(ə)rɐ] ⟨-s, -⟩ *m,* **Wand(r)erin** [...d(r)ərın] *f* viandante *mf,* escursionista *mf.*
wandern ['vandɐn] *itr* ⟨*sein*⟩ **1.** *(gehen)* camminare; **2.** *(einen Ausflug machen)* fare un'escursione; **3.** *(umherschweifen)* vagabondare; *(Blicke a.)* errare; *(Gedanken)* correre.
Wandertag *m (in Schule)* escursione *f,* gita *f* scolastica.
Wanderung ⟨-, -en⟩ *f* **1.** *(Ausflug)* gita *f,* escursione *f;* **2.** *(von Vögeln, Völkern, Tieren)* migrazione *f.*
Wandlung ['vandlʊŋ] ⟨-, -en⟩ *f* **1.** *allg.* cambiamento *m,* trasformazione *f;* **2.** *rel* transustanziazione *f.*

Wandrer(in) *m(f) s.* **Wanderer.**
wandte ['vantə] *imp von* **wenden.**
Wandteppich *m* arazzo *m.*
Wange ['vaŋə] ⟨-, -n⟩ *f* **1.** *anat* guancia *f,* gota *f;* **2.** *tec (Seitenwand)* ganascia *f;* ~ **an** ~ guancia a guancia.
wanken ['vaŋkən] *itr* **1.** ⟨*haben*⟩ *(schwanken)* vacillare; **2.** ⟨*sein*⟩ *(schwankend gehen)* camminare (*o* avanzare) barcollando; **ins W~ geraten** cominciare a vacillare.
wann [van] *adv* quando; ~ **auch immer** in qualsiasi momento; **bis** ~? fino a quando?; **von** ~ **bis** ~? da quando a quando?; **seit** ~? da quando?
Wanne ['vanə] ⟨-, -n⟩ *f (allg., Bade~)* vasca *f; (Wasch~)* bacinella *f; mot (Öl~)* coppa *f* (dell'olio).
Wanst [vanst] ⟨-es, Wänste⟩ *m fam* pancione *m fam;* **sich** *(dat)* **den** ~ **vollschlagen** rimpinzarsi.
Wanze ['vantsə] ⟨-, -n⟩ *f* **1.** *zoo* cimice *f;* **2.** *tec (Abhör~)* spia *f* d'ascolto.
Wappen ['vapən] ⟨-s, -⟩ *n* stemma *m,* blasone *m.* **Wappentier** *n* animale *m* araldico.
wappnen ['vapnən] *rfl:* **sich gegen etw.** ~ *geh* armarsi contro qc.
war [vaːɐ̯] *imp von* **sein**[1].
warb [varp] *imp von* **werben.**
Ware ['vaːrə] ⟨-, -n⟩ *f* merce *f; (Artikel)* articolo *m.* **Warenbegleitschein** *m adm* documento *m* d'accompagnamento merci. **Warenbestand** *m* stock *m.* **Warenhaus** *n* grande magazzino *m.* **Warenkorb** *m ökon* paniere *m.* **Warenlager** *n* **1.** *(Vorrat)* stock *m;* **2.** *(Raum)* magazzino *m* (*o* deposito *m*) (di) merci. **Warenprobe** *f* campione *m* (di merce). **Warensendung** *f* spedizione *f* di merci. **Warenstrom** *m* flusso *m* di merci. **Warenverkehr** *m* scambio *m* (*o* movimento *m*) merci, circolazione *f* dei beni. **Warenzeichen** *n* marchio *m* di fabbrica; **eingetragenes** ~ marchio registrato (*o* depositato).
warf [varf] *imp von* **werfen.**
warm [varm] ⟨wärmer, wärmste⟩ *adj* **1.** *(allg., a. Farben, Töne)* caldo; **2.** *fig (~herzig)* caloroso, cordiale; **3.** *sl (schwul)* omosessuale; ~ **machen** (ri)scaldare; ~ **stellen** mettere in caldo; **sich** ~ **laufen** riscaldarsi correndo; **mit jdm nicht** ~ **werden** *fam* non entrare in confidenza con qu; **es ist** ~ fa caldo; **mir ist** ~ ho caldo; **dieses Restaurant kann ich wärmstens empfehlen** posso raccomandare vivamente questo ristorante; **zieh dich** ~ **an!** copriti bene!
Wärme ['vɛrmə] ⟨-, ø⟩ *f* caldo *m; (a. fig, phys)* calore *m;* **ist das eine** ~ **(hier)!** che caldo fa (qui)! **Wärmeaustausch** *m* scambio *m* termico. **Wärmedämmung** *f* isolante *m* termico. **Wärmeenergie** *f* energia *f* termica. **Wärmekraftwerk** *n* centrale *f* termica. **Wärmelehre** *f* termologia *f.*
wärmen **I.** *tr, itr* (ri)scaldare; **II.** *rfl:* **sich** ~ (ri)scaldarsi.
Wärmepumpe *f* pompa *f* di calore. **Wärmequelle** *f* sorgente *f* termica. **Wärmerückgewinnung** *f* ricupero *m* termico. **Wärmetauscher** ⟨-s, -⟩ *m* scambiatore *m* di calore.
Wärmflasche *f* borsa *f* dell'acqua calda.
Warmfront *f* fronte *m* caldo (*o* d'aria calda).
warm·halten ⟨*irr*⟩ *tr:* **sich** *(dat)* **jdn** ~ *fam* tenersi buono qu *fam.*
Warmhalteplatte *f* scaldavivande *m.*
warmherzig *adj* caloroso, cordiale.
warm·laufen *itr* ⟨*sein*⟩ *mot* scaldarsi.
Warmmiete *f* affitto *m* (comprese le spese correnti). **Warmstart** *m inform* ripartenza *f* a caldo.
Warmwasserbereiter [-'vasɐ-] ⟨-s, -⟩ *m* boiler *m,* scalda(a)cqua *m.* **Warmwasserspeicher** *m* boiler *m.* **Warmwasserversorgung** *f* approvvigionamento *m* di acqua calda.
Warnanlage *f* dispositivo *m* d'allarme. **Warnblinkanlage** *f* lampeggiatori *m pl.* **Warndreieck** *n* triangolo *m.*
warnen ['varnən] *tr* **1.** *(vor Gefahr)* mettere in guardia (*vor +dat* contro, da), avvertire (*vor +dat* di); **2.** *(abraten)* diffidare (*etw. zu tun* dal fare qc); **ich habe dich oft genug vor ihm gewarnt** ti ho messo spesso in guardia da lui.
Warnschild *n* segnale *m* di pericolo. **Warnschuß** *m* colpo *m* in aria. **Warnsignal** *n* segnale *m* d'allarme. **Warnstreik** *m* sciopero *m* d'avvertimento.
Warnung ⟨-, -en⟩ *f* avviso *m* (*vor +dat* di), avvertimento *m* (*vor +dat* di); **jdm eine** ~ **erteilen** avvertire qu; **ohne vorherige** ~ senza preavviso; **das soll mir eine** ~ **sein** mi servirà di lezione; **das ist meine letzte** ~ è il mio ultimo avviso.
Warnzeichen *n* **1.** *(Warnschild)* segnale *m* di pericolo; **2.** *fig* segnale *m* premonitore.
Warschau ['varʃau̯] *n* Varsavia *f.*
Wartefrist *f* periodo *m* di attesa. **Warteliste** *f* lista *f* d'attesa.
warten[1] ['vartən] *itr* aspettare (*auf etw./jdn* qc/qu), attendere (*auf etw./jdn* qc/qu); **mit etw.** ~ differire qc, ritardare qc; **nicht auf sich** ~ **lassen** non farsi attendere; **darauf** ~**, daß ...** attendere che *+congv;* **worauf wartest du (denn) noch?** cosa aspetti ancora?; **na warte!** *fam* aspetta! *fam;* **warte mal!** aspetta un attimo!; **da kannst du lange** ~**!** *fam,* **da kannst du** ~**, bis du schwarz wirst!** *fam* campa cavallo che l'erba cresce! *prov fam.*
warten[2] ['vartən] *tr (Maschine)* revisionare; *(Auto)* controllare, revisionare.
Warten ⟨-s, ø⟩ *n* attesa *f;* **nach langem** ~

dopo aver atteso a lungo. **Warteraum** *m* sala *f* d'aspetto.

Wärter(in) ['vɛrtɐ (...ərɪn)] ⟨-s, -⟩ *m(f) allg.* guardiano, -a *m, f,* custode *mf,* sorvegliante *mf; (Kranken~)* infermiere, -a *m, f; (Gefängnis~)* secondino, -a *m, f; (Schranken~)* casellante *mf; (Tier~, Zoo~)* guardiano, -a *m, f.*

Wartesaal *s.* **Warteraum. Warteschleife** *f:* **~en ziehen** fare voli d'attesa (prima di atterrare). **Wartezeit** *f* tempo *m* d'attesa. **Wartezimmer** *n* sala *f* d'aspetto.

Wartung ⟨-, -en⟩ *f* **1.** *tec* manutenzione *f;* **2.** *mot* (servizio *m* di) assistenza *f* (e manutenzione).

warum [va'rʊm] *adv* perché, per quale ragione (*o* motivo); **~ nicht?** perché no?; **~ nicht gleich so?** *fam* perché non subito così?

Warze ['vart͡sə] ⟨-, -n⟩ *f (Haut~)* verruca *f; (Brust~)* capezzolo *m.*

was [vas] **I.** *interr pron* che (cosa)?; **~?** *fam (wie bitte?)* come? *fam,* cosa? *fam;* **~ denn?** *fam (was ist denn?)* cosa? *fam; (was denn sonst?)* che altro?; **~ für ein(e)?** quale ...?, che ...?; **~ für ein Unsinn!** che assurdità!; **~ kostet das?** quanto costa?; **~ ist geschehen?** che cosa è successo?; **~ willst du?** che vuoi?; **~ habe ich gelacht!** quanto ho riso!; **~ Sie nicht sagen!** che dice mai!, possibile!; **~ ist Ihr (***o* **sind Sie von) Beruf?** qual'è la Sua professione?; **das hättest du nicht gedacht, ~?** *fam* non l'avresti pensato, vero?; **II.** *rel pron* ciò che; **nicht wissen, ~ man tun soll** non sapere cosa fare; **alles, ~ ...** tutto ciò che ...; **das einzige/Dümmste/Beste, ~ ...** la sola cosa/la cosa più stupida/il meglio che ...; **(das,) ~ er sagt** ciò che dice; **~ du auch (immer) sagen magst** qualunque cosa (*o* checché) tu dica; **nichts, ~ du sagst, stimmt** nulla di quanto dici è vero; **III.** *indef pron (fam: etwas)* qualche cosa, qualcosa; **das ist ~ anderes** è un'altra cosa; **das ist immerhin ~** è già qualcosa; **ist ~?** c'è qualcosa (che non va)?; **hat man so ~ schon gesehen?** s'è mai vista una cosa simile?; **nein, so ~!** che roba! *fam; (erstaunt)* una cosa simile!; **so ~ von Glück/Unverschämtheit!** una tale fortuna/impertinenza!

Waschanlage *f* **1.** *(Auto~)* autolavaggio *m;* **2.** *(Scheiben~)* impianto *m* di lavaggio. **waschbar** *adj* lavabile. **Waschbär** *m* procione *m.* **Waschbecken** *n* lavandino *m,* lavabo *m.*

Wäsche ['vɛʃə] ⟨-, -n⟩ *f* **1.** ⟨*sing*⟩ *(Bett~, Tisch~, Unter~)* biancheria *f;* **2.** *(das Waschen)* lavaggio *m;* **3.** *(~ zum Waschen)* bucato *m;* **~ waschen** fare il bucato; **saubere (***o* **frische) ~ anziehen** indossare biancheria pulita; **seine schmutzige ~ (vor anderen Leuten) waschen** *fig* sciorinare i propri panni sporchi (davanti a tutti); **dumm aus der ~ gucken** *fam* fare una faccia da stupido; **bei (***o* **in) der ~** nel bucato.

waschecht *adj* **1.** *(Farbe)* solido; *(Kleidungsstück)* lavabile; **2.** *fig (Mensch)* purosangue; **ein ~er Schwabe** uno svevo purosangue.

Wäscheklammer *f* molletta *f* da bucato. **Wäscheleine** *f* corda *f* per il bucato.

waschen ['vaʃən] ⟨wäscht, wusch, gewaschen⟩ **I.** *tr* lavare; **(seine Wäsche) ~ lassen** dar da lavare il bucato; **II.** *itr* fare il bucato; **W~ und Legen** lavaggio e messa in piega; **III.** *rfl:* **sich ~** lavarsi; **eine Ohrfeige, die sich gewaschen hat** *fam* un sonoro ceffone.

Wäscherei [vɛʃə'rai̯] ⟨-, -en⟩ *f* lavaggio *m; (Anstalt)* lavanderia *f.*

Wäscheschleuder *f* centrifuga *f* (della lavatrice). **Wäscheständer** *m* stenditoio *m.* **Wäschetrockner** ⟨-s, -⟩ *m* **1.** *el* asciugatrice *f;* **2.** *(~gestell)* stendibiancheria *m.*

Waschgelegenheit *f* luogo *m* attrezzato per lavarsi.

Waschküche *f* **1.** *(Raum)* lavanderia *f;* **2.** *sl (dichter Nebel)* nebbia *f* fitta (*o* da tagliare col coltello *fam*). **Waschlappen** *m* **1.** *(zum Waschen)* strofinaccio *m;* **2.** *fam pej (Feigling)* uomo *m* di pasta frolla, pappa *f* molle *fam.* **Waschmaschine** *f* lavatrice *f.* **Waschmittel** *n* detersivo *m.* **Waschpulver** *n* detersivo *m* (in polvere). **Waschraum** *m* lavatoio *m,* lavanderia *f.* **Waschsalon** *m* lavanderia *f* a gettoni. **Waschschüssel** *f* catino *m,* bacinella *f.* **Waschstraße** *f* impianto *m* (*o* tunnel *m*) di lavaggio (per autoveicoli).

wäscht [vɛʃt] *pr von* **waschen.**

Waschtisch *m* lavabo *m.*

Waschung ⟨-, -en⟩ *f* abluzione *f.*

Waschweib *n fig* chiacchierone, -a *m, f,* pettegolo, -a *m, f.* **Waschzettel** *m typ* scheda *f* bibliografica. **Waschzeug** ⟨-(e)s, -e⟩ *n* occorrente *m* per lavarsi.

Wasser ['vasɐ] ⟨-s, -⟩ *n* acqua *f;* **Kölnisch ~** acqua di Colonia; **~ lassen** *(urinieren)* orinare; **jdm nicht das ~ reichen können** *fig* non essere all'altezza di qu; **mit allen ~n gewaschen sein** *fig fam* essere furbo di tre cotte *fam;* **sich über ~ halten** galleggiare; *fig* tenersi a galla; **auf dem ~** sull'acqua; **bei ~ und Brot** a pane e acqua; **unter ~** sott'acqua; *(überflutet)* allagato, inondato, sommerso; **das ~ läuft mir im Munde zusammen** mi viene l'acquolina in bocca; **das ~ steht ihm bis zum Hals** *fig* ha l'acqua alla gola; **das ist ~ auf seine Mühle** *fig* questo porta acqua al suo mulino; **bis dahin fließt noch viel ~ den Bach (***o* **den Rhein) hinunter** ha da passare molta acqua sotto i ponti; **unser Urlaub ist**

dieses Jahr ins ~ gefallen le nostre vacanze quest'anno sono andate in fumo; **stille ~ sind tief** *prov* l'acqua cheta rovina i ponti *prov.* **wasserabstoßend, -abweisend** *adj* idrorepellente. **Wasseranschluß** *m* allacciamento *m* dell'acqua. **wasserarm** *adj* povero d'acqua. **Wasserbad** *n:* **im ~ kochen** cuocere a bagnomaria. **Wasserball** *m* **1.** *(Ball)* pallone *m* da pallanuoto; **2.** *(Spiel)* pallanuoto *f.* **Wasserbett** *n* letto *m* idrostatico. **wasserdicht** *adj naut* stagno; *(Regenmantel, Uhr)* impermeabile. **Wasserfall** *m* cascata *f;* **wie ein ~ reden** *fam* parlare come un mulino (a vento). **Wasserfarbe** *f* acquerello *m.* **Wasserfloh** *m* pulce *f* d'acqua. **Wasserflugzeug** *n* idrovolante *m.* **Wasserglas** *n* **1.** *(Trinkglas)* bicchiere *m* da acqua; **2.** ⟨*sing*⟩ *chem* silicato *m* di potassio. **Wasserhahn** *m* rubinetto *m* dell'acqua.

wässerig ['vɛsərɪç] *adj (mit Wasser verdünnt)* annacquato; *(Suppe)* insipido, scipito; *(Obst)* acquoso.

Wasserkessel *m* **1.** *(in Küche)* bollitore *m;* **2.** *tec* caldaia *f.* **Wasserkopf** *m* idrocefalo *m.* **Wasserkraft** *f* energia *f* idraulica. **Wasserkraftwerk** *n* centrale *f* idroelettrica. **Wasserkühlung** *f* raffreddamento *m* ad acqua. **Wasserlauf** *m* corso *m* d'acqua. **Wasserleitung** *f* conduttura *f* dell'acqua. **Wasserlilie** *f* ninfea *f.* **wasserlöslich** *adj* idrosolubile. **Wassermann** *m astr* Acquario *m;* **er/sie ist (ein) ~** è (dell' *o* un) Acquario. **Wassermelone** *f* cocomero *m,* anguria *f sett.*

wassern *itr* ⟨*haben o sein*⟩ ammarare.

wässern ['vɛsɐn] *tr* **1.** *(stark begießen)* annaffiare; **2.** *fot* lavare; **3.** *(Heringe)* dissalare.

Wasserpfeife *f* narghilè *m.* **Wasserpflanze** *f* pianta *f* acquatica. **Wasserpistole** *f* pistola *f* ad acqua. **Wasserpocken** ⟨*pl*⟩ varicella *f.* **Wasserrad** *n* ruota *f* idraulica. **Wasserratte** *f* **1.** *zoo* arvicola *f;* **2.** *fam scherz (eifriger Schwimmer)* pesce *m.* **Wasserreservoir** *n* serbatoio *m* dell'acqua. **Wasserschaden** *m* danno *m* causato dall'acqua. **Wasserscheide** *f* spartiacque *m.* **wasserscheu** *adj* idrofobo. **Wasserschutzgebiet** *n* zona *f* di tutela delle acque. **Wasserschutzpolizei** *f* *(im Binnenland)* polizia *f* fluviale; *(an der Küste)* polizia *f* marittima. **Wasserski** *m* sci *m* nautico. **Wasserspeicher** *m* serbatoio *m* dell'acqua. **Wasserspeier** ⟨-s, -⟩ *m* doccione *m.* **Wasserspiegel** *m* *(Wasserstand)* livello *m* dell'acqua. **Wasserspiele** *n pl (bei Springbrunnen)* giochi *m pl* d'acqua. **Wassersport** *m* sport *m* acquatico. **Wasserspülung** *f* sciacquone *m.* **Wasserstand** *m* livello *m* dell'acqua. **Wasserstoff** *m* idrogeno *m.* **Wasserstoffbombe** *f* bomba *f* all'idrogeno, bomba *f* H. **Wasserstoffperoxid** [-'pɛr-] *n* acqua *f* ossigenata. **Wasserstraße** *f* via *f* d'acqua, idrovia *f.* **Wassersucht** *f* idropisia *f.* **Wasserturm** *m* serbatoio *m* d'acqua. **Wasseruhr** *f* **1.** *hist* clessidra *f;* **2.** *(Wasserzähler)* contatore *m* dell'acqua.

Wasserung ⟨-, -en⟩ *f* ammaraggio *m.*

Wasserverschmutzung *f* inquinamento *m* (*o* polluzione *f*) dell'acqua. **Wasserversorgung** *f* approvvigionamento *m* idrico. **Wasservogel** *m* uccello *m* acquatico. **Wasserwaage** *f* livella *f* a bolla d'aria, bilancia *f* idrostatica *scient.* **Wasserweg** *m* idrovia *f;* **auf dem ~(e)** per via d'acqua. **Wasserwelle** *f* messa *f* in piega. **Wasserwerfer** ⟨-s, -⟩ *m* veicolo *m* con idranti. **Wasserwerk** *n* centrale *f* idrica. **Wasserzeichen** *n* filigrana *f.*

wäßrig *s.* **wässerig.**

waten ['va:tən] *itr* ⟨*sein*⟩ guadare (*durch etw.* qc).

watscheln ['vatʃəln] *itr* ⟨*sein*⟩ camminare come un'oca.

Watt[1] [vat] ⟨-(e)s, -en⟩ *n geog* bassofondo *m.*

Watt[2] [vat] ⟨-s, -⟩ *n* (*abk* **W**) *el* watt *m.*

Watte ['vatə] ⟨-, -n⟩ *f* ovatta *f,* cotone *m.* **Wattebausch** *m* batuffolo *m* di ovatta. **Wattenmeer** *n* bassi fondali *m pl.* **Wattestäbchen** [-ʃtɛ:pçən] ⟨-s, -⟩ *n* bastoncino *m* d'ovatta.

wattieren [va'ti:rən] ⟨*ohne ge-*⟩ *tr* ovattare.

Wattierung ⟨-, -en⟩ *f* imbottitura *f* d'ovatta.

wau, wau [vau'vau] *interj* bau, bau.

WC [ve:'tse:] ⟨-(s), -(s)⟩ *n* wc *m.*

weben ['ve:bən] ⟨webt, webte *o obs, fig* wob, gewebt *o obs, fig* gewoben⟩ *tr, itr* tessere.

Weberei [ve:bə'rai] ⟨-, -en⟩ *f* **1.** ⟨*sing*⟩ *(das Weben)* tessitura *f;* **2.** *(Betrieb)* stabilimento *m* tessile.

Webfehler *m* difetto *m* di tessitura. **Webstuhl** *m* telaio *m.*

Wechsel ['vɛksəl] ⟨-s, -⟩ *m* **1.** *(Änderung)* cambiamento *m;* **2.** *(abwechselnd)* alternanza *f;* **3.** *(Aus~, Geld~)* cambio *m;* **4.** *fin (~schein)* cambiale *f;* **ein ~ der Regierung** un cambio di governo; **im ~** alternandosi. **Wechselbad** *n (a. fig)* doccia *f* scozzese. **Wechselbeziehung** *f* correlazione *f;* **in ~ zueinander stehen** essere in correlazione. **Wechselgeld** *n* **1.** *(Kleingeld)* spiccioli *m pl,* moneta *f;* **2.** *(zurückbekommenes Geld)* resto *m.* **wechselhaft** *adj (Wetter)* variabile; *(Mensch)* mutevole; *(in Leistungen)* incostante. **Wechseljahre** *n pl allg.* climaterio *m scient; (bei Frauen)* menopausa *f scient,* età *f* critica *fam; (bei Männern)* andropausa *f scient.* **Wechselkurs** *m* corso *m* dei cambi, cambio *m.*

wechseln I. *tr* **1.** *(ab~, aus~, um~)* cambiare, mutare; **2.** *(Worte)* scambiare;

(Blicke) scambiarsi; **kannst du mir 50 Mark ~?** puoi cambiarmi 50 marchi?; **II.** *itr* mutare, cambiare; *(sich ab~ a.)* darsi il cambio; **Wäsche zum W~** biancheria di ricambio; **ich kann nicht ~** non ho moneta. **wechselnd** *adj* mutevole; *(Wetter)* variabile; *(Glück)* alterno.

Wechselrahmen *m* cornice *f* intercambiabile. **Wechselstrom** *m* corrente *f* alternata. **Wechselstube** *f* agenzia *f* di cambio. **Wechselwirkung** *f* interazione *f;* **in ~ stehen** interagire.

wecken ['vɛkən] *tr (Schlafende, Appetit, Wunsch)* svegliare; *(Erinnerungen)* destare; *(Bedarf, Neid, Neugier)* suscitare; **bis zum W~** *mil* fino alla diana (*o* sveglia). **Wecker** ⟨-s, -⟩ *m* sveglia *f;* **jdm auf den ~ gehen (*o* fallen)** *fam* dare sui nervi a qu *fam.*

wedeln ['ve:dəln] *itr* **1.** *allg.* sventolare (*mit etw.* qc); **2.** *(beim Skifahren)* fare lo scodinzolo; **mit dem Schwanz ~** scodinzolare.

weder ['ve:de] *konj:* **~ ... noch ...** né ... né ...; **~ mein Bruder noch ich haben es gesagt** non l'abbiamo detto né io né mio fratello.

weg [vɛk] *adv (nicht da)* via; *(~gegangen)* andato (via), uscito; *(~gefahren)* partito; *(verschwunden)* scomparso, sparito; *(verloren)* smarrito; **ganz ~ sein** *fig fam (hingerissen)* essere partito *fam;* **weit ~** lontano (*von* da); **~ da!** via di qui!; **~ mit euch!** andate via!; **Hände ~!** via (*o* giù) le mani!

Weg [ve:k] ⟨-(e)s, -e⟩ *m* **1.** *allg.* strada *f,* via *f,* cammino *m; (Pfad)* sentiero *m; (Durchgang)* passaggio *m; (zwischen Bäumen)* viale *m;* **2.** *(Strecke)* percorso *m,* tragitto *m; (Reise~)* itinerario *m;* **3.** *(Mittel)* mezzo *m,* modo *m;* **4.** *(Methode)* metodo *m; (Art und Weise)* maniera *f;* **5.** *fam (Besorgung)* commissione *f;* **der ~ zum Erfolg/Ruhm** la via del successo/della gloria; **sich auf den ~ machen** mettersi in cammino, incamminarsi; **jdm auf halbem ~(e) entgegenkommen** *fig* venire incontro a qu; **auf dem richtigen ~ sein** *fig* essere sulla strada giusta; **einer S.** *(dat)* **aus dem ~ gehen** eludere qc; **jdm aus dem ~ gehen** scansare qu, evitare qu; **etw./jdn aus dem ~ räumen** eliminare qc/qu, sbarazzarsi di qc/qu; **jdm im ~ stehen** *fig* essere d'ostacolo a qu; **etw. in die ~e leiten** avviare qc; **jdm über den ~ laufen** incontrare qu per caso; **auf dem ~ nach Rom** in viaggio per Roma, andando a Roma; **auf diesem ~** *fig* in questo modo; **auf halbem ~(e)** a metà strada; **auf schriftlichem ~e** per (i)scritto; **auf dem kürzesten (*o* schnellsten) ~(e)** nel modo più rapido; **auf dem rechten ~** sulla retta via; **jetzt steht ihrer Liebe nichts mehr im ~(e)** adesso non ci sono più ostacoli al loro amore; **sie war auf dem besten ~e, Karriere zu machen** era sulla buona strada per far carriera; **gehen Sie mir aus dem ~!** si scansi!; **alle ~e führen nach Rom** *prov* tutte le strade portano a Roma *prov.*

weg·bekommen ⟨*irr, ohne ge-*⟩ *tr fam* **1.** *(entfernen können)* riuscire a togliere (*o* levare); **2.** *(kriegen)* buscarsi *fam.*

weg·bleiben ⟨*irr*⟩ *itr* ⟨*sein*⟩ **1.** *(nicht kommen)* non venire (più); **2.** *(ausgelassen werden)* essere tralasciato; **mir blieb die Spucke (*o* Luft) weg** *fam* rimasi senza fiato.

weg·bringen ⟨*irr*⟩ *tr* portare via; *(zur Reparatur)* portare a riparare.

wegen ['ve:gən] *prp +gen o +dat* **1.** *(aufgrund von, infolge)* per, a causa di; **2.** *(bezüglich)* riguardo a; **~ Umbaus geschlossen** chiuso per restauro; **von ~!** *fam* neanche per idea (*o* sogno).

weg·fahren ⟨*irr*⟩ **I.** *itr* ⟨*sein*⟩ partire; **II.** *tr* ⟨*haben*⟩ portare via.

weg·fallen ⟨*irr*⟩ *itr* ⟨*sein*⟩ **1.** *(aufgehoben werden)* essere soppresso (*o* abolito); **2.** *(unterbleiben)* cadere; **etw. ~ lassen** sopprimere qc.

weg·fliegen ⟨*irr*⟩ *itr* ⟨*sein*⟩ *(Blatt, Vogel)* volare via; *(Flugzeug)* partire (in volo).

weg·geben ⟨*irr*⟩ *tr* dare via.

weg·gehen ⟨*irr*⟩ *itr* ⟨*sein*⟩ **1.** *allg.* andarsene; *(a. fam: Ware)* andare via; **2.** *fam (entfernt werden können)* (poter) andar via; **dieser Obstfleck geht einfach nicht weg** questa macchia di frutta non va via.

weg·jagen *tr* scacciare.

weg·kommen ⟨*irr*⟩ *itr* ⟨*sein*⟩ *fam* **1.** *(weggehen)* andarsene *fam;* **2.** *(abhanden kommen)* andare perduto; **gut/schlecht bei etw. ~** cavarsela bene/male in qc *fam;* **über etw.** *(akk)* **~** superare qc; **mach, daß du wegkommst!** togliti dai piedi! *fam.*

weg·lassen ⟨*irr*⟩ *tr* **1.** *fam (gehen lassen)* lasciare andare; **2.** *(auslassen)* tralasciare, omettere.

weg·laufen ⟨*irr*⟩ *itr* ⟨*sein*⟩ correre (*o* scappare) via; **von zu Hause ~** scappare di casa.

weg·legen *tr* **1.** *(zur Seite legen)* mettere via; **2.** *(wegräumen)* riporre.

weg·müssen ⟨*irr*⟩ *itr fam* **1.** *(fortgehen müssen)* dover andare via; **2.** *(fortgebracht werden müssen)* dover essere portato via; **das muß weg** questo deve essere tolto.

weg·nehmen ⟨*irr*⟩ *tr* **1.** *(fortnehmen)* togliere; **2.** *(entwenden)* sottrarre; **3.** *(Platz, Zeit)* prendere.

weg·rationalisieren ⟨*ohne ge-*⟩ *tr (Arbeitsplätze)* ridurre il numero del personale (nell'ambito di un processo di razionalizzazione).

weg·räumen *tr* **1.** *(forträumen)* rimuovere; **2.** *(einräumen)* riporre; *(Geschirr)*

sparecchiare.
weg·schaffen *tr* **1.** *(fortschaffen)* portare via; **2.** *(wegräumen)* rimuovere, sgomberare.
weg·schicken *tr* **1.** *(Menschen)* mandare via; **2.** *(Brief, Paket, Waren)* spedire.
weg·schmeißen ⟨*irr*⟩ *tr fam* buttare (*o* gettare) via.
weg·sehen ⟨*irr*⟩ *itr* **1.** *(wegblicken)* guardare via; **2.** *fam (hinwegsehen)* ignorare (*über etw. (akk)* qc).
weg·tun ⟨*irr*⟩ *tr* mettere via.
Wegweiser ⟨-s, -⟩ *m* indicatore *m* stradale.
weg·werfen ⟨*irr*⟩ **I.** *tr* buttare (*o* gettare) via; **das ist weggeworfenes Geld** *fam* è denaro buttato dalla finestra *fam;* **II.** *rfl:* **sich (an jdn)** ~ *pej* prostituirsi (a qu).
wegwerfend *adj* sdegnoso, sprezzante.
Wegwerffeuerzeug *n* accendino *m* usa e getta. **Wegwerfflasche** *f* vuoto *m* a perdere. **Wegwerfgesellschaft** *f* società *f* degli sprechi. **Wegwerfpackung** *f* imballaggio *m* a perdere. **Wegwerfwindel** *f* pannolino *m* da buttare.
weg·wischen *tr* togliere.
weg·ziehen ⟨*irr*⟩ **I.** *tr* ⟨*haben*⟩ tirare (via); **II.** *itr* ⟨*sein*⟩ **1.** *(aus Wohnung)* trasferirsi; **2.** *(Zugvögel)* migrare.
weh [ve:] **I.** *interj:* **o** ~! ahimè!; **II.** *adj* doloroso, che duole (*o* fa male); **jdm ~ tun** far male a qu; **sich** *(dat)* ~ **tun** farsi male; **es tut mir ~ zu ...** mi duole *+inf;* **mir tut der Kopf** ~ ho mal di testa; **wo tut es dir** ~? dove ti fa (*o* dove hai) male?
wehe ['ve:ə] *interj:* ~ **(dir), wenn ...!** guai a te, se ...!; ~ **dem, der ...!** guai a colui che ...!.
Wehe[1] ['ve:ə] ⟨-, -n⟩ *f* ⟨*meist pl*⟩ *(Geburts~)* doglie *f pl.*
Wehe[2] ['ve:ə] ⟨-, -n⟩ *f (Schnee~)* cumulo *m* di neve; *(Sand~)* cumulo *m* di sabbia.
wehen ['ve:ən] **I.** *itr (Wind)* soffiare; *(Geruch)* spirare; *(Fahne)* sventolare; *(Haar)* svolazzare; **II.** *tr (fort~)* spazzare via.
wehleidig *adj* piagnucoloso. **wehmütig** [-my:tɪç] *adj* malinconico.
Wehr[1] [ve:ɐ̯] ⟨-, *rar -en*⟩ *f:* **sich zur ~ setzen** opporre resistenza.
Wehr[2] [ve:ɐ̯] ⟨-(e)s, -e⟩ *n (Stauwerk)* sbarramento *m.*
Wehrdienst *m* servizio *m* militare. **Wehrdienstverweigerer** ⟨-s, -⟩ *m* obiettore *m* di coscienza. **Wehrdienstverweigerung** *f* obiezione *f* di coscienza.
wehren ['ve:rən] **I.** *rfl:* **sich ~ 1.** *(sich verteidigen)* difendersi (*gegen* contro); **2.** *(sich widersetzen)* resistere (*gegen* a); **II.** *itr geh:* **einer S.** *(dat)* ~ opporsi a qc.
Wehrexperte *m,* **-expertin** *f* esperto, -a *m, f* militare. **wehrlos** *adj* inerme. **Wehrmacht** *f hist* forze *f pl* armate. **Wehrpflicht** *f* servizio *m* militare obbligatorio.
wehrpflichtig *adj* soggetto agli obblighi militari; **im ~en Alter** in età militare.
Wehrsportgruppe *f* gruppo *m* sportivo paramilitare.
Weib [vaịp] ⟨-(e)s, -er⟩ *n* **1.** *obs (Frau)* donna *f; (Ehe~)* moglie *f;* **2.** *pej* femmina *f;* **ein tolles** ~ *fam* una donna straordinaria.
Weibchen ['vaịpçən] ⟨-s, -⟩ *n* **1.** *(weibliches Tier)* femmina *f;* **2.** *scherz (Ehefrau)* mogliettina *f; pej* donnetta *f.*
Weiberfeind *m* misogino *m.* **Weiberheld** *m* donnaiolo *m.*
weibisch *adj* effeminato.
weiblich *adj* femminile; *(feminin, fraulich a.)* femmineo.
weich [vaịç] *adj* **1.** *(nicht hart)* molle; *(Bleistift)* morbido; *(Ei)* à la coque; *(Landung)* dolce; *(Droge)* leggero; **2.** *(nicht zäh)* tenero; **3.** *(bieg-, schmiegsam)* flessibile; *(Haar)* soffice; *(Bett, Kissen)* morbido; **4.** *(sanft, milde)* dolce; *(Licht)* tenue; *(Farbton)* tenero; **5.** *(empfindsam)* sensibile; ~ **werden** rammollire; *fam (Mensch)* intenerirsi; *(nachgeben)* cedere.
Weiche ['vaịçə] ⟨-, -n⟩ *f* scambio *m;* **die ~n für etw. stellen** *fig* stabilire il corso di qc.
weichen[1] ['vaịçən] ⟨weicht, wich, gewichen⟩ *itr* ⟨*sein*⟩ **1.** *(zurück~)* indietreggiare, retrocedere (*vor +dat* di fronte a); **2.** *(sich entfernen)* allontanarsi; *(sich zurückziehen)* ritirarsi; **3.** *(Platz machen)* far posto; **4.** *fig (nachgeben)* cedere; **5.** *fig (nachlassen)* diminuire; **nicht von jds Seite** ~ stare sempre alle calcagna di qu *fam.*
weichen[2] ['vaịçən] *tr (ein~)* ammollare.
Weichensteller ⟨-s, -⟩ *m* scambista *m.*
Weichheit ⟨-, ø⟩ *f* mollezza *f; (fig a.)* tenerezza *f,* dolcezza *f.*
weichherzig *adj* dal cuore tenero; *(mitfühlend)* compassionevole.
weichlich *adj (schwächlich)* rammollito; *(verweichlicht)* effeminato.
Weichspüler ⟨-s, -⟩ *m* ammorbidente *m.*
Weichteile *n pl* parti *f pl* molli. **Weichtiere** *n pl* molluschi *m pl.*
Weide[1] ['vaịdə] ⟨-, -n⟩ *f bot* salice *m.*
Weide[2] ['vaịdə] ⟨-, -n⟩ *f agr* pascolo *m.*
Weideland *n* terreno *m* da pascolo.
weiden I. *tr, itr* pascere; **II.** *rfl:* **sich an etw.** *(dat)* ~ pascersi di qc.
Weidenkätzchen [-kɛt̮sçən] ⟨-s, -⟩ *n* gattino *m* del salice.
weidlich ['vaịtlɪç] *adv* molto, proprio.
weigern ['vaịgɐn] *rfl:* **sich** ~ rifiutarsi (*etw. zu tun* di fare qc).
Weigerung ⟨-, -en⟩ *f* rifiuto *m* (*etw. zu tun* di fare qc).
Weihbischof *m* vescovo *m* ausiliario.
Weihe ['vaịə] ⟨-, -n⟩ *f rel* consacrazione *f; (Priester~)* ordinazione *f;* **die niederen/höheren ~n** gli ordini minori/maggiori;

die ~n empfangen essere ordinato sacerdote.
weihen *tr* consacrare; **jdn zum Bischof ~** consacrare qu vescovo; **dem Untergang geweiht sein** essere votato alla morte.
Weiher ['vaiɐ] ⟨-s, -⟩ *m* stagno *m.*
Weihnacht ⟨-, ø⟩ *f,* **Weihnachten** ⟨-, -⟩ *n* (festa *f* di) Natale *m;* **(zu) ~** a Natale; **fröhliche ~!** buon Natale! **weihnachtlich** *adj* natalizio. **Weihnachtsabend** *m* vigilia *f* di Natale. **Weihnachtsbaum** *m* albero *m* di Natale. **Weihnachtsfeier** *f* festa *f* di Natale, celebrazione *f* del Natale. **Weihnachtsfeiertag** *m:* **zweiter ~** Santo Stefano. **Weihnachtsfest** *n* (festa *f* di) Natale *m.* **Weihnachtsgeld** *n* tredicesima *f.* **Weihnachtslied** *n* canto *m* natalizio. **Weihnachtsmann** *m* babbo *m* Natale.
Weihrauch *m* incenso *m.* **Weihwasser** *n* acquasanta *f.*
weil [vail] *con* perché, poiché.
Weilchen ['vailçən] ⟨-s, -⟩ *n* momentino *m,* attimo *m.*
Weile ['vailə] ⟨-, ø⟩ *f* (lasso *m* di) tempo *m; (Augenblick)* momento *m;* **eine ganze ~** un bel po' (di tempo); **nach einer ~** dopo un po' (*o* qualche tempo); **vor einer ~** poco (*o* un momento) fa; **vor einer ganzen ~** molto tempo fa; **du kannst eine ~ hierbleiben** puoi restare qui un po'.
Wein [vain] ⟨-(e)s, -e⟩ *m* **1.** *(Getränk)* vino *m;* **2.** ⟨*sing*⟩ *(Pflanze)* vite *f;* **wilder ~** vite americana; **jdm reinen ~ einschenken** parlare chiaro a qu, dire a qu la verità. **Weinbau** ⟨-(e)s, ø⟩ *m* viticoltura *f.* **Weinbaugebiet** *n* regione *f* vinicola. **Weinbeere** *f* acino *m* d'uva. **Weinberg** *m* vigneto *m,* vigna *f.* **Weinbergschnecke** *f* **1.** *zoo* chiocciola *f;* **2.** *gastr* lumaca *f.* **Weinbrand** *m* brandy *m.*
weinen ['vainən] *itr* piangere (*um jdn* qu); **dem W~ nahe sein** stare per piangere; **es ist zum W~ mit diesem Kind!** c'è da piangere con questo bambino!
weinerlich ['vainɐlıç] *adj* piagnucoloso.
Weinessig *m* aceto *m* di vino. **Weinfaß** *n* botte *f* da vino. **Weinflasche** *f* bottiglia *f* da (*o* di) vino. **Weingärtner(in)** *m(f)* vignaiolo, -a *m, f.* **Weinglas** *n* bicchiere *m* da vino. **Weingut** *n* vigneto *m.* **Weinjahr** *n:* **ein gutes/schlechtes ~** una buona/cattiva annata per il vino. **Weinkeller** *m* cantina *f.*
Weinkrampf *m* pianto *m* convulso.
Weinlese *f* vendemmia *f.* **Weinprobe** *f* degustazione *f* (*o* assaggio *m*) del vino. **Weinranke** *f* viticcio *m.* **weinrot** *adj* rosso vinaccia. **Weinstein** *m* tartaro *m.* **Weinstock** *m* vitigno *m,* vite *f.* **Weinstube** *f* osteria *f,* taverna *f.* **Weintraube** *f* **1.** *(einzelne, Form)* grappolo *m* d'uva; **2.** ⟨*meist pl*⟩ *(Obst)* uva *f.*
weise ['vaizə] *adj* saggio.
Weise[1] ['vaizə] ⟨-, -n⟩ *f (Art)* modo *m,* maniera *f;* **auf diese ~** in questo modo; **in der ~, daß ...** in modo che *+congv;* **in gewisser ~ hat sie recht** in un certo qual modo ha ragione.
Weise[2] ['vaizə] ⟨ein -r, -n, -n⟩ *mf* saggio, -a *m, f;* **die (drei) ~n aus dem Morgenland** i re magi.
weisen ['vaizən] ⟨weist, wies, gewiesen⟩ **I.** *tr* **1.** *geh (zeigen)* mostrare (*jdm etw.* qc a qu), indicare (*jdm etw.* qc a qu); **2.** *(ver~)* mandare (*von, aus* da); **jdn vom Platz ~** *sport* espellere qu dal campo; **etw. von der Hand ~** respingere qc; **II.** *itr:* **auf etw.** *(akk)* **~** indicare qc.
Weisheit ⟨-, -en⟩ *f* **1.** ⟨*sing*⟩ *(Klugheit)* saggezza *f;* **2.** ⟨*sing*⟩ *(Wissen, Kenntnisse)* sapere *m,* conoscenze *f pl;* **3.** *(weiser Spruch)* massima *f,* sentenza *f;* **die ~ (auch) nicht mit Löffeln gegessen (***o* **gefressen) haben** *fam* non essere una cima (*o* un'aquila) *fam;* **mit seiner ~ am Ende sein** *fam* non sapere più che pesci pigliare *fam;* **das ist nicht der ~ letzter Schluß** non è l'ultima risorsa (*o* possibilità); **behalte deine ~ für dich!** *fam* dei tuoi consigli non so che farmene. **Weisheitszahn** *m* dente *m* del giudizio.
weis·machen *tr fam:* **jdm etw. ~** far credere qc a qu; **machen Sie das anderen weis!** lo vada a raccontare a qualcun altro!
weiß[1] [vais] *adj* bianco; **das W~e Haus** la Casa Bianca; **W~er Sonntag** domenica *f* in albis; *s. a. blau.*
weiß[2] [vais] *pr von* **wissen.**
Weiß ⟨-(es), -⟩ *n* (color *m*) bianco *m; s. a. Blau.*
weissagen *tr (voraussagen)* predire; *(prophezeien)* profet(izz)are. **Weissagung** ⟨-, -en⟩ *f* profezia *f.*
Weißbier *n* birra *f* bianca (*o* di frumento). **Weißblech** *n* lamiera *f* stagnata. **Weißbrot** *n* pane *m* bianco.
Weiße ⟨ein -r, -n, -n⟩ *mf* bianco, -a *m, f.*
weißen *tr* imbiancare.
Weißglut *f* calore *m* bianco, incandescenza *f;* **jdn (bis) zur ~ reizen (***o* **bringen)** *fam* fare imbestialire qu *fam.* **weißhaarig** *adj* dai capelli bianchi. **Weißkohl** *m,* **Weißkraut** *n (süddeutsch, A)* cavolo *m* bianco (*o* cappuccio). **Weißrußland** *n* Russia *f* Bianca. **Weißwein** *m* vino *m* bianco. **Weißwurst** *f* salsiccia *f* bianca.
Weisung ⟨-, -en⟩ *f* **1.** *(Befehl)* ordine *m;* **2.** *geh (An~)* direttiva *f,* istruzione *f.* **weisungsgemäß** *adv* in conformità alle istruzioni.
weit [vait] **I.** *adj* **1.** *(räumlich ausgedehnt, breit)* esteso, vasto; *(lang)* lungo; *(groß)* grande; **2.** *(geräumig)* spazioso; *(Kleidungsstück)* ampio; *(Öffnung)* largo; **3.** *(entfernt)* distante, lontano; **die ~e Welt** il mondo; **~e Kreise der Bevölkerung** ampi strati della popolazione;

das W~e suchen prendere il largo; **II.** *adv* **1.** *(räumlich entfernt)* lontano, distante; **2.** *(zeitlich entfernt)* lontano; **3.** *(ausgedehnt)* ampiamente, per esteso; **4.** *(sehr, erheblich)* molto, di gran lunga; **~ (in der Welt) herumkommen** girare il mondo; **~ über die 50 sein** aver passato di gran lunga la cinquantina; **~ davon entfernt sein zu ...** essere lungi da *+inf;* **es ~ bringen** andare lontano, fare molta strada; **etw. zu ~ treiben** esagerare in qc; **so ~ gehen zu ...** arrivare al punto di *+inf;* **~ gefehlt!** sbagliato di molto!; **~ offen (***o* **geöffnet)** spalancato; **~ verbreitet** molto diffuso; **~ weg** molto lontano; **~ und breit** a perdita d'occhio, da ogni parte; **bei ~em** di gran lunga, molto, assai; **bei ~em nicht so gut wie ...** molto meno buono di ...; **bei ~em nicht vollständig** tutt'altro che completo; **von ~em** da lontano; **so ~, so gut** finora tutto okay *fam* (*o* a posto); **das ist (aber) ~ hergeholt** è tirato per i capelli *fam;* **das würde (jetzt) zu ~ führen** porterebbe troppo lontano; **das geht zu ~!** questo è troppo!; **ist es ~ von hier?** è lontano da qui?; **wie ~ bist du?** a che punto sei?; **wie ~ ist es bis Neapel?** quanto c'è da qui a Napoli?

weitaus ['vai̯t'ʔau̯s] *adv* di gran lunga.

Weitblick *m* lungimiranza *f.*

Weite ⟨-, -n⟩ *f* **1.** *(Ausdehnung)* estensione *f;* **2.** *(Geräumigkeit, a. von Kleidung)* ampiezza *f;* **3.** *(innerer Durchmesser)* calibro *m; (eines Rohres)* diametro *m* interno; **4.** ⟨*sing*⟩ *(Ferne)* lontananza *f; (Entfernung)* distanza *f.*

weiter ['vai̯tɐ] ⟨*komp von* weit⟩ **I.** *adj fig* ulteriore, altro; **das (***o* **alles) W~e** il resto; **bis auf ~es** fino a nuovo ordine; *(inzwischen)* (per) intanto; **ohne ~es** senz'altro; **II.** *adv fig (außerdem)* inoltre; *(sonst)* altro; **~ oben** più su; *(in Text)* sopra; **~ unten** più sotto; *(in Text)* sotto; **~ weg** più avanti; **und so ~** (*abk* **usw.**) eccetera; **ich kann nicht mehr ~** non ne posso più; **ich habe ~ nichts zu sagen** non ho nulla da aggiungere; **nichts ~, ~ nichts** null'altro; **~ nichts?** niente più?; **nur ~!** avanti!

weiter·arbeiten *itr* continuare a lavorare.

Weiterbehandlung *f med* continuazione *f* della terapia.

weiter·bilden I. *tr* tenere corsi di aggiornamento a, aggiornare; **II.** *rfl:* **sich ~** aggiornarsi. **Weiterbildung** *f (in einem spezifischen Fach)* aggiornamento *m;* **zu meiner ~ lese ich ...** per essere aggiornato mi dedico alla lettura di ...

weiter·empfehlen ⟨*irr, ohne ge-*⟩ *tr* raccomandare ad altri.

weiter·entwickeln ⟨*irr, ohne ge-*⟩ **I.** *tr* sviluppare (ulteriormente); **II.** *rfl:* **sich ~** svilupparsi, evolversi.

weiter·fahren ⟨*irr*⟩ *itr* ⟨*sein*⟩ proseguire (il viaggio). **Weiterfahrt** *f* proseguimento *m* del viaggio.

Weitergabe *f* trasmissione *f.*

weiter·geben ⟨*irr*⟩ *tr* far passare; *(Nachricht, Befehl)* trasmettere; *(Gesuch)* inoltrare.

weiter·gehen ⟨*irr*⟩ *itr* ⟨*sein*⟩ continuare, proseguire; *(im Verkehr a.)* circolare; **so kann es nicht ~** così non (si) può continuare; **wie soll es jetzt ~?** e come va avanti adesso?

weiterhin *adv* **1.** *(immer noch)* ancora; **2.** *(künftig)* in futuro; **3.** *(außerdem)* inoltre.

weiter·kommen ⟨*irr*⟩ *itr* ⟨*sein*⟩ andare avanti; *(fig a.)* avanzare, progredire; **so kommen wir nicht weiter** *fig* così non facciamo progressi.

weiter·leiten *tr* inoltrare (*an +akk* a); *(Nachricht)* trasmettere (*an +akk* a).

weiter·machen *tr, itr* continuare.

weiter·sagen *tr* dire (*o* raccontare) ad altri.

weitgehend I. *adj* ampio, vasto, esteso; **~e Übereinstimmung erzielen** raggiungere una larga intesa; **II.** *adv* ampiamente. **weitgereist** *adj attr* che ha viaggiato molto. **weitherzig** *adj* generoso, liberale. **weitläufig** *adj* **1.** *(Gebäude, Garten)* spazioso; *(ausgedehnt)* esteso, vasto; **2.** *(Verwandte)* lontano; **~ verwandt sein** essere lontani parenti. **weitreichend** *adj* ampio, esteso. **weitschweifig** *adj* prolisso, verboso. **weitsichtig** *adj* **1.** *med* presbite; **2.** *fig (vorausschauend)* lungimirante. **Weitsichtigkeit** ⟨-, ø⟩ *f* **1.** *med* presbitismo *m;* **2.** *fig* lungimiranza *f.* **Weitsprung** *m* salto *m* in lungo. **weitverbreitet** *adj attr* molto diffuso. **Weitwinkelobjektiv** *n* (obiettivo *m*) grandangolare *m.*

Weizen ['vai̯tsən] ⟨-s, -⟩ *m* frumento *m.* **Weizenkeimöl** *n* olio *m* di germi di frumento.

welche(r, s) ['vɛlçɐ] **I.** *interr pron* quale; *(in Ausrufen)* che; **~s Haus?** quale casa?; **~r von den beiden?** quale dei due?; **~ Freude!** che piacere!; **II.** *rel pron rar* che, il quale; **III.** *indef pron:* **ich habe noch ~s** ne ho ancora; **es gibt ~, die ...** c'è qualcuno che ...; **ich brauche Streichhölzer, haben Sie ~?** ho bisogno di fiammiferi, ne ha qualcuno?

welk [vɛlk] *adj* appassito; *(a. Haut)* vizzo; *(a. fig)* avvizzito.

welken *itr* ⟨*sein*⟩ appassire; *(a. fig)* avvizzire.

Wellblech *n* lamiera *f* ondulata.

Welle ['vɛlə] ⟨-, -n⟩ *f* **1.** *allg., phys, radio, fig* onda *f;* **2.** *tec* albero *m;* **eine ~ der Begeisterung** un'onda(ta) di entusiasmo; **(hohe) ~n schlagen** *fig* destare scalpore.

wellen I. *tr* ondulare; **II.** *rfl:* **sich ~** ondu-

larsi.
Wellenbad *n* piscina *f* con onde artificiali. **Wellenbrecher** ⟨-s, -⟩ *m* frangionde *m*. **Wellenlänge** *f* lunghezza *f* d'onda; **auf einer ~ liegen, die gleiche ~ haben** *fig fam* essere in sintonia con qu. **Wellenlinie** *f* linea *f* ondulata. **Wellenreiten** ⟨-s, ø⟩ *n* surfing *m*. **Wellensittich** *m* pappagallino *m*.
wellig *adj* ondulato.
Wellpappe *f* cartone *m* ondulato.
Welpe ['vɛlpə] ⟨-n, -n⟩ *m* cucciolo *m*.
Wels [vɛls] ⟨-es, -e⟩ *m* siluro *m* d'Europa.
Welt [vɛlt] ⟨-, -en⟩ *f allg., fig* mondo *m; (Erde)* terra *f; (~kugel)* globo *m* (terrestre); *(~all)* universo *m*, cosmo *m*; **alle ~** *fam* tutti; **die Alte ~** il mondo antico; **die Neue/dritte ~** il nuovo/terzo mondo; **auf die ~** (*o* **zur ~**) **kommen** venire al mondo; **etw. aus der ~ schaffen** eliminare qc; **ein Gerücht in die ~ setzen** mettere in giro una voce; **Kinder in die ~ setzen** *fam* mettere al mondo (i) figli; **auf der ~** al mondo; **nicht um alles in der ~** per nulla al mondo; **Mann/Frau von ~** uomo *m*/donna *f* di mondo; **vor aller ~** davanti a tutti; **für seine Frau brach eine ~ zusammen** per sua moglie crollò (*o* cadde) il mondo; **uns trennen ~en** apparteniamo a due mondi diversi; **wo/wer in aller** (*o* **um alles in der**) **~?** *fam* dove/chi mai (*o* per l'amor del cielo)?; **ich versteh' die ~ nicht mehr!** non capisco come possano succedere certe cose; **das kostet doch nicht die ~!** *fam* non costa mica un patrimonio!; **das hat die ~ noch nicht erlebt!** *fam* è inaudito!; **Flensburg ist doch nicht aus der ~!** *fam* Flensburg non è mica in capo al mondo. **Weltall** *n* universo *m*, cosmo *m*. **Weltanschauung** *f* concezione *f* del mondo e della vita, weltanschauung *f*. **Weltbevölkerung** *f* popolazione *f* mondiale. **Weltbild** *n* immagine *f* (*o* concezione *f*) del mondo. **Weltenbummler(in)** ⟨-s, -⟩ *m(f)* globe-trotter *mf*. **weltfremd** *adj (wirklichkeitsfremd)* lontano dalla realtà; *(unerfahren)* inesperto (delle cose del mondo); *(naiv)* ingenuo. **Weltgeschichte** *f* storia *f* universale; **in der ~ herumfahren** *fam scherz* girare (in) tutto il mondo. **Weltkrieg** *m* guerra *f* mondiale; **der Erste/Zweite ~** la prima/seconda guerra mondiale.
weltlich *adj* laico, mondano, secolare; *(Bauwerk, Kunst)* profano.
Weltmacht *f* potenza *f* mondiale. **weltmännisch** [-mɛnɪʃ] *adj* da uomo di mondo, mondano. **Weltmeer** *n* oceano *m*. **Weltmeister(in)** *m(f)* campione, -essa *m, f* mondiale. **Weltmeisterschaft** *f* campionato *m* mondiale. **Weltrang** *m* livello *m* internazionale. **Weltrangliste** *f* graduatoria *f* mondiale.
Weltraum *m* spazio *m* interplanetario, cosmo *m*. **Weltraumbehörde** *f* ente *m* aeronautico e spaziale. **Weltraumforschung** *f* ricerche *f pl* spaziali. **Weltraumlabor** *n* laboratorio *m* spaziale. **Weltraumrakete** *f* missile *m* spaziale. **Weltraumrüstung** *f* armamento *m* spaziale. **Weltraumstation** *f* stazione *f* spaziale. **Weltraumwaffe** *f* arma *f* spaziale; *s. a. Raum-*.
Weltreise *f*: **eine ~ machen** fare il giro del mondo. **Weltrekord** *m* primato *m* (*o* record *m*) mondiale. **Weltschmerz** *m* malinconia *f* profonda. **Weltsicherheitsrat** *m* Consiglio *m* di sicurezza delle Nazioni Unite. **Weltstadt** *f* metropoli *f*. **Weltuntergang** *m* fine *f* del mondo. **Weltuntergangsstimmung** *f* atmosfera *f* apocalittica, stato *m* d'animo apocalittico. **weltweit** *adj* mondiale, universale. **Weltwirtschaft** *f* economia *f* mondiale. **Weltwirtschaftskrise** *f* crisi *f* economica mondiale. **Weltwunder** *n*: **die Sieben ~** le sette meraviglie del mondo.
wem [ve:m] *pron* (*dat von* wer) a chi; **mit ~?** con chi?; **von ~?** di (*o* da) chi?
wen [ve:n] *pron* (*akk von* wer) chi; **an ~?** a chi?; **für ~?** per chi?
Wende ['vɛndə] ⟨-, -n⟩ *f* voltata *f; pol, fig* svolta *f; sport (Schwimmen)* virata *f; (Turnen)* volteggio *m* frontale. **Wendefläche** *f* superficie *f* di inversione di marcia. **Wendejacke** *f* giacca *f* double-face. **Wendekreis** *m* **1.** *geog* tropico *m*; **2.** *mot* diametro *m* di sterzata (*o* volta); **der ~ des Krebses/Steinbocks** il tropico del Cancro/Capricorno.
Wendeltreppe ['vɛndəl-] *f* scala *f* a chiocciola.
wenden ['vɛndən] **I.** *tr* **1.** ⟨wendet, wendete, gewendet⟩ *(auf andere Seite)* (ri)voltare; *(in andere Richtung: Auto)* girare; *naut* virare; **2.** ⟨wendet, wandte *o* wendete, gewandt *o* gewendet⟩ *(Schritte, Blicke)* rivolgere; **bitte ~!** (*abk* **b. w.**) vedi retro; **II.** *rfl*: **sich ~** ⟨wendet, wandte *o* wendete, gewandt *o* gewendet⟩ **1.** *(auf andere Seite)* voltarsi; **2.** *(in andere Richtung: zu jdm/etw. hin)* dirigersi (*nach* verso), (ri)volgersi (*zu* a); *(von jdm/etw. weg)* allontanarsi (*von* da), distogliersi (*von* da); **sich (mit etw.) an jdn ~** rivolgersi a qu (con qc); **sich gegen etw./jdn ~** (ri)volgersi contro qc/qu; **sich zum Guten ~** volgersi al meglio; **III.** *itr* ⟨wendet, wendete, gewendet⟩ girare.
Wendeplatz *m* piazzale *m* di manovra. **Wendepunkt** *m* **1.** *mat* punto *m* d'inflessione; **2.** *fig* svolta *f*; **3.** *astr* punto *m* solstiziale.
wendig *adj* **1.** *(Fahrzeug)* maneggevole; **2.** *(Person)* sveglio; *(geistig)* sveglio, vivace.
Wendung ⟨-, -en⟩ *f* **1.** *(Umkehr)* voltata *f; fig (Umschwung)* svolta *f; mil* conver-

sione *f; naut* virata *f;* **2.** *(Rede~)* locuzione *f;* **eine schlimme ~ nehmen** prendere una brutta piega.

wenig ['ve:nɪç] *adj, adv* poco; **ein ~** un poco, un po'; **ein (ganz) klein ~** un pochino; **zu ~** troppo poco; **so ~ ... auch** *+konjv* per quanto poco *+congv;* **~e** pochi; **nur ~e Schritte von hier** a due (*o* pochi) passi da qui; **es fehlte ~, und er hätte geschossen** ci mancò poco che non sparasse.

weniger ['ve:nɪgɐ] ⟨*komp von* wenig⟩ *adv* meno (*als* di); **~ werden** diminuire; **~ denn je** meno che mai; **immer ~** sempre meno; **je ~ ..., desto ~ ...** quanto meno ..., tanto meno ...; **mehr oder ~** più o meno; **nicht ~ als** non meno di; **nichts ~ als** tutt'altro che; **um so ~** tanto meno; **viel ~** molto meno; **10 ~ 3 ist 7** dieci meno tre fa sette.

wenigstens *adv* almeno, per lo meno; *(mindestens)* come minimo.

wenigste(r, s) ⟨*superl von* wenig⟩ *adj:* **das ~** il meno; **die ~n** pochissimi; **sie hat die ~n Fehler** ha il numero minore di errori; **am ~n** meno di tutti; **er hat am ~n Geld** ha meno soldi di tutti.

wenn [vɛn] *konj* se; **1.** *(zeitlich)* quando; **~ ... einmal** una volta che ...; **~ ... je(-mals)/überhaupt/wenigstens** se mai/mai/almeno *+congv;* **~ ... nicht** a meno di *+inf* (*o* che *+congv*); **~ ... nur** purché *+congv;* **auch (*o* selbst) ~** anche se, quand'anche *+congv;* **außer ~** tranne (*o* eccetto) quando *+congv,* a meno che *+congv;* **jedesmal ~** ogni (qual) volta; **wie ~** come se *+congv;* **da gibt es kein W~ und (kein) Aber** non ci sono né se né ma; **es ist nicht gut, ~ ...** non fa bene *+inf;* **~ man ihn sieht, könnte man glauben ...** a vederlo, si crederebbe ...; **~ er auch noch so arm ist** per quanto povero sia; **~ er doch käme!** se solo venisse!; **~ er nur nicht zu spät kommt!** purché non arrivi troppo tardi!

wennschon *adv:* **(na) ~!** *fam* che fa! *fam,* che importa! *fam;* **~, dennschon** giacché si fa, che si faccia almeno bene.

wer [ve:ɐ̯] **I.** *interr pron* chi; **~ ist da?** chi è?; **~ sonst?** chi altri?; **II.** *rel pron* chi(unque); **~ auch immer** chiunque; **mag kommen, ~ will** venga chi vuole; **III.** *indef pron fam* qualcuno; **~ sein** essere qualcuno.

Werbeabteilung *f* reparto *m* (*o* servizio *m*) pubblicità. **Werbeagentur** *f* agenzia *f* di pubblicità. **Werbefachmann** *m* pubblicitario *m,* reclamista *m.* **Werbefernsehen** *n* pubblicità *f* televisiva. **Werbefläche** *f* spazio *m* pubblicitario. **Werbefunk** *m* pubblicità *f* radiofonica. **Werbegeschenk** *n* omaggio *m* pubblicitario. **Werbekampagne** *f* campagna *f* pubblicitaria.

werben ['vɛrbən] ⟨wirbt, warb, geworben⟩ **I.** *tr* **1.** *(Kunden)* attirare; **2.** *(Arbeitskräfte)* ingaggiare, assumere; **II.** *itr* fare pubblicità (*für* per); *pol* fare propaganda (*für* per); **um jds Gunst ~** cercare di ottenere il favore di qu; **um ein Mädchen ~** fare la corte a una ragazza.

Werbeprospekt *m* depliant *m* pubblicitario. **Werbesendung** *f* spot *m* pubblicitario. **Werbeslogan** [-slo:gən] ⟨-s, -s⟩ *m* slogan *m* pubblicitario. **Werbespot** [-spɔt] ⟨-s, -s⟩ *m* spot *m* pubblicitario. **Werbetext** *m* testo *m* pubblicitario. **Werbetexter(in)** *m(f)* redattore, -trice *m, f* pubblicitario, -a. **Werbeträger** *m* veicolo *m* pubblicitario. **Werbetrommel** *f:* **die ~ (für etw.) rühren** fare grande pubblicità (di qc). **werbewirksam** *adj* di grande effetto pubblicitario.

Werbung ⟨-, -en⟩ *f* **1.** ⟨*nur sing*⟩ *ökon* pubblicità *f; (bes. pol)* propaganda *f;* **2.** *(An~)* reclutamento *m,* assunzione *f;* **für etw. ~ machen** fare propaganda di qc. **Werbungskosten** ⟨*pl*⟩ spese *f pl* professionali.

Werdegang *m* sviluppo *m,* evoluzione *f; (beruflich)* carriera *f.*

werden ['ve:ɐ̯dən] ⟨wird, wurde, geworden⟩ ⟨*sein*⟩ **I.** *itr* **1.** *allg.* diventare (*zu etw.* qc), divenire (*zu etw.* qc); *(entstehen)* nascere; **2.** *(sich verwandeln)* trasformarsi (*zu* in); **3.** *(sich entwickeln)* trasformarsi (*zu* in), diventare (*zu etw.* qc); **~de Mutter** mamma in attesa; **Arzt ~** diventare medico; **alt ~** invecchiare; **anders ~** cambiare; **verrückt ~** diventare matto; **es wird Frühling/Winter** viene la primavera/l'inverno; **es wird morgen ein Jahr, daß ...** domani è un anno che ...; **es ist nichts daraus geworden** non se n'è fatto nulla; **was soll (nur) daraus ~?** che ne sarà?; **wird's bald?** *fam* spicciati!; **was nicht ist, kann noch ~** *fam* chi vivrà, vedrà *prov;* **II.** *(Hilfsverb) (beim Passiv)* essere, venire; **sie wird wohl schon unterwegs sein** sarà già per strada; **er wird morgen um 9 Uhr kommen** arriverà domani alle nove; **aus dir wird nie etwas (~)** non sarai mai nulla di buono *fam;* **es wird schon wieder (~)** *fam* tornerà a posto; **es wird gesagt, daß ...** si dice che ...; **jetzt wird (aber) gegessen!** *fam* adesso (però) si mangia!

werfen ['vɛrfən] ⟨wirft, warf, geworfen⟩ **I.** *tr* **1.** *(Ball, Stein, Speer)* lanciare; *(a. fig: Blicke)* gettare; **2.** *(Falten, Schatten)* fare; *(Wellen)* sollevare; **3.** *(Tierjunge)* partorire; **jdn ins Gefängnis ~** gettare qu in prigione; **jdn aus dem Haus ~** buttare qu fuori di casa; **II.** *rfl:* **sich ~** **1.** *(sich stürzen)* gettarsi (*auf +akk* su), buttarsi (*auf +akk* su); *(fig a.)* lanciarsi (*auf +akk* in); **2.** *(sich verziehen)* imbarcarsi; **III.** *itr* **1.** *(als Wurfgeschoß benutzen)* tirare, gettare, lanciare; **2.** *(Jun-*

ge bekommen) partorire; **mit etw. (auf jdn)** ~ tirare qc (a qu); **mit Geld um sich** ~ spendere molti (*o* un sacco di *fam*) soldi.

Werft [vɛrft] ⟨-, -en⟩ *f naut* cantiere *m* (navale). **Werftarbeiter** *m* operaio *m* di un cantiere navale.

Werk [vɛrk] ⟨-(e)s, -e⟩ *n* **1.** *(Arbeit, Schaffen, Geschaffenes, Kunst~)* opera *f;* **2.** *(Betrieb)* impianto *m; (Fabrik)* fabbrica *f; (Unternehmen)* stabilimento *m;* **3.** *tec (Mechanismus)* meccanismo *m;* **ausgewählte** ~**e** opere scelte; **sämtliche** ~**e** opere complete; **gute** ~**e tun** fare opere buone; **ein gutes** ~ **tun** compiere una buona azione; **am** ~ **sein** essere all'opera (*o* al lavoro); **ans** ~ **gehen, sich ans** ~ **machen** mettersi all'opera; **ab** ~ franco stabilimento.

Werk- *(in Zusammensetzungen) s. a. Werks-.* **Werkbank** ⟨-, -bänke⟩ *f* banco *m* da lavoro. **Werk(s)angehörige** *mf* dipendente *mf* di uno stabilimento. **Werk(s)arzt** *m,* **-ärztin** *f* medico *m* di fabbrica. **Werkschutz** *m* servizio *m* di sicurezza aziendale. **werk(s)eigen** *adj* aziendale. **Werk(s)halle** *f* capannone *m.*

Werkstatt ⟨-, -stätten⟩ *f* **1.** *(Handwerker~)* officina *f,* bottega *f,* atelier *m;* **2.** *(Auto~)* officina *f;* **3.** *(Künstler~)* studio *m.*

Werkstoff *m* materiale *m.* **Werkstück** *n (vor der Bearbeitung)* pezzo *m* da lavorare; *(während der Bearbeitung)* pezzo *m* in lavorazione; *(nach der Bearbeitung)* pezzo *m* lavorato. **Werkstudent(in)** *m(f)* studente, -essa *m, f* lavoratore, -trice. **Werk(s)wohnung** *f* alloggio *m* aziendale. **Werktag** *m* giorno *m* feriale (*o* lavorativo). **werktags** *adv* nei giorni feriali. **werktätig** *adj:* ~**e Bevölkerung** popolazione attiva. **Werktätige** ⟨ein -r, -n, -n⟩ *mf* lavoratore, -trice *m, f.*

Werkzeug ⟨-(e)s, -e⟩ *n* attrezzo *m; (Instrument, a. fig)* strumento *m; (Kollektivbezeichnung a.)* arnesi *m pl.* **Werkzeugkasten** *m* cassetta *f* degli arnesi. **Werkzeugmaschine** *f* macchina *f* utensile.

Wermut ['ve:ɐ̯mu:t] ⟨-(e)s, ø⟩ *m* **1.** *bot* assenzio *m;* **2.** *(Wein)* vermut *m.* **Wermutstropfen** *m geh* ombra *f.*

Werner ['vɛrnɐ] *(männlicher Vorname)* Guarniero.

wert [ve:ɐ̯t] *adj* **1.** *obs, geh (in Anrede)* caro; *(verehrt)* egregio; *(an Frau)* gentile; *(Schreiben)* pregiato; **2.** *(würdig)* degno; **3.** *(nützlich)* utile; **der Mühe** ~ **sein** valere la pena; **zehn Mark** ~ **sein** valere dieci marchi; **nicht viel** ~ **sein** non valere gran che; **Lübeck ist eine Reise** ~ vale la pena fare un viaggio a Lubecca; **das ist schon viel** ~ è già molto; **sie ist es nicht** ~**, daß man sich solche Sorgen um sie macht** non merita che ci si preoccupi tanto per lei; **was ist dieser Ring** ~? quanto vale quest'anello?

Wert ⟨-(e)s, -e⟩ *m* **1.** *allg., fig* valore *m;* **2.** *(Preis)* prezzo *m;* **3.** ⟨*pl*⟩ *(Test~)* risultati *m pl; tec* dati *m pl;* ~**/keinen** ~ **auf etw.** *(akk)* **legen** attribuire/non attribuire valore a qc, tenere/non tenere a qc; **im** ~ **von** del (*o* per il) valore di; **das hat doch keinen** ~ *fam* non ha senso. **Wertangabe** *f* dichiarazione *f* di valore. **Wertarbeit** *f* lavoro *m* qualificato. **wertbeständig** *adj* di valore stabile. **Wertbrief** *m* lettera *f* assicurata, assicurata *f.*

werten *tr (be~)* valutare; *(beurteilen)* giudicare; *sport (zählen)* contare; *(benoten)* valutare, dare punti a.

Wertesystem *n* sistema *m* di classificazione. **Wertewandel** *m* cambiamento *m* di (*o* dei) valori.

wertfrei *adj* obiettivo, **etw. völlig** ~ **beurteilen** formulare un giudizio completamente obiettivo. **Wertgegenstand** *m* oggetto *m* di valore, prezioso *m.*

Wertigkeit ⟨-, ø⟩ *f* valenza *f.*

wertlos *adj* senza valore; *(fig a.)* che non vale nulla.

Wertpapier *n* valore *m,* titolo *m,* effetto *m;* **festverzinsliche** ~**e** titoli a tasso fisso. **Wertsachen** *pl* preziosi *m pl,* valori *m pl.* **Wertstofftonne** *f* contenitore *m* per la raccolta differenziata.

Wertung ⟨-, -en⟩ *f* valutazione *f; sport* punteggio *m.*

wertvoll *adj* di valore, prezioso; *(Mensch a.)* pregevole.

Werwolf ['ve:ɐ̯-] *m* lupo *m* mannaro.

Wesen ['ve:zən] ⟨-s, -⟩ *n* **1.** ⟨*sing*⟩ *(Grundeigenschaft)* essenza *f,* sostanza *f; philos* entità *f; (Art, Charakter)* natura *f,* carattere *m,* indole *f;* **2.** *(Lebe~)* essere *m,* creatura *f; (Mensch)* persona *f;* **sein wahres** ~ **zeigen** mostrarsi come si è; **seinem** ~ **nach** di (*o* per) natura. **Wesensart** *f* modo *m* di essere, natura *f,* carattere *m.* **Wesenszug** *m* tratto *m* caratteristico.

wesentlich ['ve:zəntlɪç] **I.** *adj* essenziale; *(grundlegend)* fondamentale; *(bedeutend)* considerevole, importante; **das W**~**e** l'essenziale *m;* **im** ~**en** in sostanza; **II.** *adv* essenzialmente, fondamentalmente; *(beim Komparativ)* molto; **es wäre** ~ **günstiger, wenn ...** sarebbe molto più conveniente che +*congv.*

weshalb [vɛs'halp *o* 'vɛs...] *adv* **1.** *(fragend)* perché, per quale ragione (*o* motivo); **2.** *(relativisch)* per cui, per il qual motivo; **der Grund,** ~ **...** la ragione per cui ...

Wespe ['vɛspə] ⟨-, -n⟩ *f* vespa *f.* **Wespennest** *n* nido *m* di vespe, vespaio *m;* **in ein** ~ **stechen** *fig fam* suscitare un vespaio.

wessen ['vɛsənʌ] **I.** *interr pron* **1.** *(gen*

von wer) di chi; **2.** (*gen von* was) di che; ~ **Schuld ist es?** di chi è la colpa?; **II.** *rel pron* **1.** (*gen von* wer) di (*o* da) chi; **2.** (*gen von* was) di (*o* da) che cosa; ~ **Schuld es auch sein mag** di chiunque sia la colpa.

westdeutsch *adj* tedesco occidentale. **Westdeutschland** *n* Germania *f* occidentale.

Weste ['vɛstə] ⟨-, -n⟩ *f* gilè *m*, panciotto *m*; **eine weiße (*o* reine) ~ haben** *fig* avere la coscienza pulita.

Westen ['vɛstən] ⟨-s, ø⟩ *m* (*abk* **W**) *(Himmelsrichtung)* ovest *m*, occidente *m*; **der ~** *(bes. pol)* l'Occidente; **der wilde ~** il Far West.

Westentasche *f* taschino *m* del gilè; **etw. wie seine ~ kennen** *fam* conoscere qc come le proprie tasche *fam*.

Western ['vɛstɐn] ⟨-(s), -⟩ *m* western *m*.

Westeuropa *n* Europa *f* occidentale.

Westfale [vɛst'fa:lə] ⟨-n, -n⟩ *m*, **Westfälin** [...'fɛ:lɪn] *f* abitante *mf* della Vestfalia.

Westfalen [...'fa:lən] *n* Vestfalia *f*.

westfälisch [...'fɛ:lɪʃ] *adj* vestfalico.

westlich I. *adj* dell'ovest, occidentale; ~ **von** a ovest di; **II.** *prp +gen* a ovest (*gen* di). **Westmächte** *f pl* potenze *f pl* occidentali. **Westwind** *m* vento *m* dell'ovest.

weswegen [vɛs've:gən] *s.* **weshalb.**

wett [vɛt] *adj*: ~ **sein** essere pari.

Wettbewerb [-bəvɛrp] ⟨-(e)s, -e⟩ *m* **1.** *(Veranstaltung)* concorso *m*; **2.** *sport* gara *f*, competizione *f*; **3.** *ökon* concorrenza *f*. **Wettbewerbsbeschränkung** *f* limitazione *f* alla libera concorrenza. **wettbewerbsfähig** *adj* competitivo, concorrenziale. **Wettbewerbskontrolle** *f* controllo *m* concorrenziale (*o* della concorrenza). **Wettbewerbspolitik** *f* politica *f* concorrenziale. **Wettbewerbsrecht** *n* diritto *m* alla (*o* della) concorrenza. **Wettbewerbsverzerrung** *f* distorsione *f* concorrenziale (*o* della concorrenza).

Wettbüro *n* ricevitoria *f*.

Wette ['vɛtə] ⟨-, -n⟩ *f* scommessa *f*; **ich gehe jede ~ ein, daß ...** scommetto qualsiasi cosa che ...; **um die ~ laufen** fare a chi corre di più; **was gilt die ~?** quanto scommettiamo?

Wetteifer *m* competizione *f*.

wetteifern *itr*: **mit jdm um etw. ~** gareggiare con qu per qc.

wetten *tr, itr* scommettere (*mit jdm um etw.* qc con qu); *(bei Wettspielen)* puntare (*auf +akk* su); **zehn gegen eins ~** scommettere dieci contro uno; **ich möchte ~, daß ...** scommetto che ..., **(wollen wir) ~?** scommettiamo?

Wetter ['vɛtɐ] ⟨-s, -⟩ *n* **1.** *meteo* tempo *m*; **2.** *(Un~)* maltempo *m*; *(Gewitter)* temporale *m*; **3.** *min* grisou *m*; **schlagende ~** grisou *m*; **bei diesem ~** con questo tempo; **bei schönem/schlechtem ~** col bel/brutto tempo; **was für ein ~!** che tempo!; **wie ist das ~?** che tempo fa?. **Wetteramt** *n* ufficio *m* meteorologico. **Wetteraussichten** *f pl* previsioni *f pl* del tempo. **Wetterbericht** *m* bollettino *m* meteorologico. **Wetterfrosch** *m* **1.** *fam* raganella *f*; **2.** *scherz (Meteorologe)* meteorologo *m*. **wetterfühlig** *adj* sensibile ai cambiamenti del tempo, metereopatico. **Wetterhahn** *m* galletto *m*. **Wetterkarte** *f* carta *f* meteorologica. **Wetterkunde** *f* meteorologia *f*. **Wetterlage** *f* condizioni *f pl* meteorologiche (*o* del tempo). **Wetterleuchten** ⟨-s, ø⟩ *n* lampi *m pl* di calore. **Wettersatellit** *m* satellite *m* meteorologico. **Wetterstation** *f* stazione *f* meteorologica. **Wetterumschlag** *m*, **-umschwung** *m* improvviso cambiamento *m* di tempo. **Wettervorhersage** *f* previsioni *f pl* del tempo. **Wetterwarte** [-vartə] ⟨-, -n⟩ *f* stazione *f* meteorologica.

Wettkampf *m* competizione *f*, gara *f*. **Wettkämpfer(in)** *m(f)* partecipante *mf* a una gara sportiva, concorrente *mf*. **Wettlauf** *m* gara *f*, corsa *f*; **ein ~ mit der Zeit** una gara col tempo. **Wettläufer(in)** *m(f)* corridore, -trice *m, f*, concorrente *mf* (di una gara di corsa). **wett·machen** *tr fam* **1.** *(ausgleichen)* compensare; *(Rückstand)* recuperare; **2.** *(wiedergutmachen)* riparare. **Wettrennen** *n s.* **Wettlauf. Wettrüsten** ⟨-s, ø⟩ *n* corsa *f* agli armamenti.

wetzen ['vɛtsən] *tr* affilare. **Wetzstein** *m* pietra *f* per affilare, cote *f*.

WEU [ve:ʔe:'ʔu:] ⟨-, ø⟩ *f abk von* **Westeuropäische Union** UEO *f (abbr di* Unione dell'Europa Occidentale).

WG [ve:'ge:] ⟨-, -s⟩ *f fam abk von* **Wohngemeinschaft** comune *f*.

Whg. *abk von* **Wohnung** app. (*abbr di* appartamento).

Whirlpool ['wə:lpu:l] ⟨-s, -s⟩ *m* vasca *f* per idromassaggio.

wich [vɪç] *imp von* **weichen[1]**.

Wichse ['vɪksə] ⟨-, -n⟩ *f fam (Schuh~)* crema *f* per lucidare, lucido *m*.

wichsen I. *tr fam (Schuhe, Parkettboden)* lucidare; **II.** *itr sl, vulg (onanieren)* farsi una sega *sl, volg*.

Wicht [vɪçt] ⟨-(e)s, -e⟩ *m* nano *m*; **armer ~** povero diavolo *m*, poveraccio *m*; **elender ~** miserabile *m*.

Wichtel(männchen *n*) ['vɪçtəl] ⟨-s, -⟩ *m* folletto *m*.

wichtig ['vɪçtɪç] *adj* importante; *(wesentlich)* essenziale; **sich ~ machen (*o* tun)** darsi delle arie; **sich** *(dat)* **~ vorkommen** credersi importante; **hast du nichts W~eres zu tun, als ...?** non hai niente di meglio da fare che ...?. **Wichtigkeit** ⟨-, ø⟩ *f* importanza *f*; **von größter (*o* höchster) ~** della massima importanza.

Wichtigtuer(in) [-tu:ɐ (...ərɪn)] ⟨-s, -⟩ *m(f)* spaccone, -a *m, f.* **wichtigtuerisch** *adj* borioso.

Wickel ['vɪkəl] ⟨-s, -⟩ *m* **1.** *med (Umschlag)* impacco *m;* **2.** *(Locken~)* bigodino *m.*

wickeln *tr* **1.** *(ein~, auf~)* avvolgere; *(zu einem Knäuel)* aggomitolare; *(Draht)* bobinare; **2.** *(Säugling)* fasciare.

Wickelraum *m* ambiente *m* dotato di fasciatoio.

Widder ['vɪdɐ] ⟨-s, -⟩ *m* **1.** *zoo* montone *m;* **2.** *astr* Ariete *m;* **er/sie ist (ein)** ~ è dell' (*o* un) Ariete.

wider ['vi:dɐ] *prp +akk geh* contro; ~ **Erwarten** contro ogni aspettativa.

Widerhaken *m* uncino *m.*

widerlegen [vi:dɐ'le:gən] ⟨*ohne ge-*⟩ *tr* confutare.

widerlich *adj* ripugnante, disgustoso.

widernatürlich *adj* contro natura; *(unnatürlich)* innaturale.

widerrechtlich *adj* illegale, illecito; **sich** *(dat)* **etw.** ~ **aneignen** appropriarsi indebitamente di qc.

Widerrede *f:* **ohne** ~ senza obiezioni; **keine** ~ **dulden** non tollerare obiezioni.

Widerruf *m* **1.** *(von Anordnung)* revoca *f;* **2.** *(von Aussage, Behauptung)* ritrattazione *f;* **3.** *ökon (von Bestellung)* cancellazione *f;* **bis auf** ~ fino a nuovo ordine.

widerrufen [vi:dɐ'ru:fən] ⟨*irr, ohne ge-*⟩ **1.** *(Befehl, Erlaubnis)* revocare; **2.** *(Behauptung, Geständnis)* ritrattare; **3.** *(Nachricht)* smentire.

Widersacher(in) ['vi:dɐzaxɐ (...ərɪn)] ⟨-s, -⟩ *m(f)* avversario, -a *m, f,* antagonista *mf,* oppositore, -trice *m, f.*

widersetzen [vi:dɐ'zɛtsən] ⟨*ohne ge-*⟩ *rfl:* **sich einer S./jdm** ~ opporsi a qc/qu, resistere a qc/qu.

widerspenstig ['vi:dɐʃpɛnstɪç] *adj* ricalcitrante, riluttante; *(eigensinnig)* ostinato, testardo; ~**e Haare** capelli ribelli.

wider·spiegeln *tr* riflettere, rispecchiare.

widersprechen [vi:dɐ'ʃprɛçən] ⟨*irr, ohne ge-*⟩ **I.** *itr* contraddire *(jdm/einer S.* qu/qc); **II.** *rfl:* **sich** *(dat)* ~ **1.** *(Personen)* contraddirsi (*in +dat* in); **2.** *(Dinge, Aussagen)* essere contradditorio (*in +dat* in).

Widerspruch *m* **1.** *(Gegensätzlichkeit)* contraddizione *f* (*zu* con), contrasto *m* (*zu* con); **2.** *(Einwand)* obiezione *f; (Protest)* protesta *f;* ~ **einlegen** fare opposizione (*gegen* a); **im** ~ **zu etw. stehen** essere in contraddizione con (*o* in opposizione a) qc, essere in contrasto con qc; **in krassem** ~ **zu** in stridente contrasto con. **widersprüchlich** ['vi:dɐʃprʏçlɪç] *adj* contraddittorio; *(inkonsequent)* incongruente, incoerente. **Widerspruchsgeist** *m* spirito *m* di contraddizione.

Widerstand *m* resistenza *f* (*gegen* a); ~ **leisten** opporre resistenza; ~ **gegen die Staatsgewalt leisten** opporre resistenza a pubblico ufficiale; **ohne** ~ **(zu leisten)** senza opporre resistenza; **den Weg des geringsten** ~**(e)s gehen** scegliere la via più facile. **Widerstandsbewegung** *f* (movimento *m* di) resistenza *f.* **widerstandsfähig** *adj* resistente (*gegen* a); *(Material a.)* robusto. **Widerstandskämpfer(in)** *m(f)* combattente *mf* nella resistenza; *(Partisan)* partigiano, -a *m, f.* **Widerstandskraft** *f* resistenza *f.* **widerstandslos** *adv* **1.** *(ohne Widerstand zu leisten)* senza opporre resistenza; **2.** *(ohne auf Widerstand zu stoßen)* senza incontrare resistenza.

widerstehen [vi:dɐ'ʃte:ən] ⟨*irr, ohne ge-*⟩ *itr* resistere (*dat* a).

widerstreben [vi:dɐ'ʃtre:bən] ⟨*ohne ge-*⟩ *itr* **1.** *(zuwider sein)* ripugnare (*jdm* a qu); **2.** *geh (sich widersetzen)* opporsi (*jdm* a qu). **Widerstreben** *n* **1.** *(Widerstand)* resistenza *f,* opposizione *f;* **2.** *(Unwilligkeit)* riluttanza *f;* **3.** *(Widerwillen)* ripugnanza *f.* **widerstrebend** *adv* **1.** *(ungern)* controvoglia, di malavoglia; **2.** *(unwillig)* con riluttanza.

widerwärtig ['vi:dɐvɛrtɪç] *adj* **1.** *(abstoßend)* ripugnante; *(ekelhaft)* disgustoso; **2.** *(Umstände, ungünstig)* avverso.

Widerwille *m* **1.** *(Ekel)* ripugnanza *f* (*gegen* per); **2.** *(Antipathie)* avversione *f* (*gegen* verso), antipatia *f* (*gegen* per); ~**n gegen etw. empfinden** provare ripulsione per qc. **widerwillig I.** *adj* seccato, infastidito; **II.** *adv (ungern)* di malavoglia, controvoglia; *(widerstrebend)* con riluttanza.

widmen ['vɪtmən] **I.** *tr* dedicare (*jdm etw.* qc a qu); *(weihen)* consacrare (*jdm etw.* qc a qu); **II.** *rfl:* **sich jdm/einer S.** ~ dedicarsi a qu/qc.

Widmung ⟨-, -en⟩ *f* dedica *f.*

widrig ['vi:drɪç] *adj (Umstände)* avverso, sfavorevole; *(Geschick)* contrario.

wie [vi:] **I.** *adv* **1.** *(interrogativ)* come; *(auf welche Weise)* in quale maniera; **2.** *(relativisch)* (il modo) in cui; **3.** *(in welchem Maße)* quanto; **4.** *fam (nicht wahr)* nevvero; **5.** *(ausrufend)* come, quanto, che; ~ **bitte?** come (ha detto)?; ~ **das?** *fam* come si spiega questo?; ~ **groß?** di che grandezza?; ~ **lang/hoch/breit ist es?** quant'è lungo/alto/largo?; ~ **lange?** (per) quanto tempo?; ~ **oft?** quante volte?; ~ **teuer ist es?** quanto costa?; ~ **viele?** quanti?; ~ **weit ist es bis ...?** quanto c'è fino a ...?; ~ **alt sind Sie?** quanti anni ha?; ~ **gefällt es dir?** ti piace?; ~ **kommt es, daß ...?** com'è che ...?, come mai ...?; ~ **wär's mit einem Sherry?** *fam* gradirebbe uno sherry?; ~ **wäre es, wenn wir nach Hause gingen?** e se andassimo a casa?;

in dem Maße, ~ . . . nella misura in cui . . .; ~ **gut, daß . . .** meno male che +*congv;* **das gefällt dir,** ~**?** ti piace, non è vero?; ~ **glücklich ich bin!** quanto sono felice!; ~ **schön!** che bello!; **und** ~**!** *fam* eccome!; **hast du Hunger? – Und** ~**!** *fam* hai fame? – Eccome!; **II.** *konj* **1.** *allg.* come; **2.** *(vergleichend)* come, quanto; **3.** *(einen Nebensatz der Art und Weise einleitend)* come; **große** ~ **kleine** grandi e piccoli; **A** ~ **Anton** A come Ancona; **ein Mann** ~ **er** un uomo come lui; **so groß** ~ **ich** alto quanto me; **das Auto ist** ~ **neu** la macchina è come nuova; **er sieht aus** ~ **ein Künstler** ha l'aria dell'artista; **er hat gearbeitet** ~ **verrückt** *fam* ha lavorato come un pazzo; ~ **dem auch sei** comunque sia; ~ **ich eintrete** come entro; *(bei gleichem Subjekt)* entrando; ~ **du mir, so ich dir** *prov* chi la fa, l'aspetti *prov.* **Wie** ⟨-, ø⟩ *n:* **das** ~ il come; **auf das** ~ **kommt es an** dipende dal modo.

wieder ['vi:dɐ] *adv* di nuovo, nuovamente, ancora (una volta); ~ **anfangen** ricominciare; ~ **gesund werden** ristabilirsi; **sich** ~ **anziehen** rivestirsi; ~ **einmal** ancora una volta; **immer** ~ continuamente, di nuovo; **nie** ~ mai più; **schon** ~ di nuovo, ancora; **ich bin gleich** ~ **da** torno subito; **da bin ich** ~**!** eccomi qua!; **da ist er** ~**!** rieccolo!; **wann kommt er** ~**?** *(zurück)* quando tornera?; *(wieder einmal)* quando viene la prossima volta?

wieder- *(bei zusammengesetzten Verben)* ri-.

Wiederaufbau [-'ˀaufbau] *m* ricostruzione *f.*

wieder·auf·bereiten [-'ˀaufbəraitən] ⟨*ohne ge-*⟩ *tr (von Kernbrennstoffen)* rigenerare. **Wiederaufbereitung** *f* rigenerazione *f.* **Wiederaufbereitungsanlage** *f* impianto *m* di rigenerazione (*o* di riciclo).

wieder·auf·forsten [-'aufɔrstən] *tr* rimboscare. **Wiederaufforstung** *f* rimboschimento *m,* reforestazione *f.*

Wiederaufnahme [-'ˀaufna:mə] *f* **1.** *allg.* ripresa *f; jur* riapertura *f;* **2.** *(in Gruppe)* riammissione *f.*

Wiederaufrüstung [-'ˀaufrʏstʊŋ] *f* riarmo *m.*

wieder·bekommen ⟨*irr, ohne ge-*⟩ *tr* riavere, riottenere; **ich bekomme noch zwei Mark Wechselgeld wieder** ricevo ancora due marchi di resto.

Wiederbelebung *f* **1.** *med, fig* rianimazione *f;* **2.** *(von Kunst, Sitten)* rinascita *f;* **3.** *ökon* ripresa *f;* ~ **der Wirtschaft** rilancio *m* economico. **Wiederbelebungsversuch** *m* tentativo *m* di rianimazione.

Wiederbeschaffung *f* recupero *m.*

wieder·ein·gliedern *tr* ricollocare, reintegrare. **Wiedereingliederung** *f* reinserimento *m.*

wieder·erkennen ⟨*irr, ohne ge-*⟩ *tr* riconoscere (*an* +*dat* da); **nicht wiederzuerkennen sein** essere irriconoscibile.

wieder·eröffnen ⟨*ohne ge-*⟩ *tr* riaprire; *(wiederaufnehmen)* riprendere.

wieder·finden ⟨*irr*⟩ *tr* ritrovare.

Wiedergabe *f* **1.** *(Rückgabe)* restituzione *f;* **2.** *(Schilderung)* descrizione *f;* **3.** *(Reproduktion)* riproduzione *f.*

wieder·geben ⟨*irr*⟩ *tr* **1.** *(zurückgeben)* restituire; rendere; *(Wechselgeld)* dare di resto; **2.** *(schildern)* descrivere; *(ausdrücken)* rendere; **3.** *(reproduzieren)* riprodurre; **4.** *(übersetzen)* tradurre.

wieder·gewinnen ⟨*irr, ohne ge-*⟩ *tr (Geld)* riguadagnare; *(Gleichgewicht, Freiheit, Selbstvertrauen)* riacquistare, ricuperare.

wieder·gut·machen [-'ˀgu:tmaxən] *tr (Verlust)* risarcire; *(Unrecht)* riparare, compensare; **den Schaden** ~ rimediare al danno; **nicht wiedergutzumachen(d)** irreparabile, irrimediabile. **Wiedergutmachung** ⟨-, -en⟩ *f* **1.** *(Handlung)* riparazione *f;* *(Kriegsentschädigung)* riparazione *f* di guerra; **2.** *(Entschädigung)* risarcimento *m.*

wieder·haben ⟨*irr*⟩ *tr fam* riavere; **etw.** ~ **wollen** voler recuperare qc.

wieder·her·stellen [-'ˀhe:ɐʃtɛlən] *tr (Ordnung, Beziehungen, Gesundheit)* ristabilire; *(Gebäude)* restaurare.

wieder·holen[1] ['vi:dɐho:lən] *tr (zurückholen)* riprendere.

wiederholen[2] [vi:dɐ'ho:lən] ⟨*ohne ge-*⟩ **I.** *tr* **1.** *allg.* *(noch einmal machen)* ripetere; **2.** *(Aufgabe, Gelerntes)* ripassare; *(zusammenfassend)* riassumere, ricapitolare; **II.** *rfl:* **sich** ~ ripetersi.

Wiederholung [-'ho:lʊŋ] ⟨-, -en⟩ *f* ripetizione *f.* **Wiederholungsfall** *m adm:* **im** ~ in caso di recidiva. **Wiederholungstäter(in)** *m(f) jur* recidivo, -a *m, f.*

Wiederhören *n:* **auf** ~**!** a risentirci!

wieder·käuen ['vi:dɐkɔyən] *tr* **1.** *(a. itr)* ruminare; **2.** *fig* rimasticare. **Wiederkäuer** ⟨-s, -⟩ *m* ruminante *m.*

wieder·kommen ⟨*irr*⟩ *itr* ⟨*sein*⟩ (ri)tornare; **ich komme gleich wieder** torno subito.

wieder·sehen ⟨*irr*⟩ *tr* rivedere. **Wiedersehen** ⟨-s, -⟩ *n* rivedersi *m;* **auf** ~**!** arrivederci!; *(Höflichkeitsform a.)* arrivederLa!. **Wiedersehensfreude** *f* gioia *f* di rivedersi.

Wiedervereinigung *f* ricongiungimento *m; (bes. pol)* riunificazione *f; (Versöhnung)* riconciliazione *f.*

wieder·verwerten ⟨*ohne ge-*⟩ *tr (Abfallstoffe)* riciclare. **Wiederverwertung** *f* riutilizzazione *f.*

Wiederwahl *f* rielezione *f.*

Wiege ['vi:gə] ⟨-, -n⟩ *f* culla *f.*

Wiegemesser *n* mezzaluna *f.*

wiegen[1] ['vi:gən] ⟨wiegt, wog, gewogen⟩ *tr, itr (Gewicht feststellen)* pesare; **schwer** ~ *fig* aver gran peso.

wiegen[2] ['vi:gən] **I.** *tr* **1.** *(Kind)* cullare; *(a. Kopf)* dondolare; **2.** *(Kräuter)* tritare; **II.** *rfl:* **sich** ~ cullarsi; **sich in Hoffnungen** ~ cullarsi in speranze; **sich in Sicherheit** ~ illudersi di essere al sicuro.

Wiegenlied *n* ninnananna *f.*

wiehern ['vi:ɐn] *itr* **1.** *(Pferd)* nitrire; **2.** *fig fam* fare una risata stridula.

Wien [vi:n] *n* Vienna *f.*

Wiener ⟨*inv*⟩ *adj* viennese; ~ **Schnitzel** cotoletta alla milanese; ~ **Würstchen** würstel *m.*

wies [vi:s] *imp von* **weisen.**

Wiese ['vi:zə] ⟨-, -n⟩ *f* prato *m.*

Wiesel ['vi:zəl] ⟨-s, -⟩ *n* donnola *f;* **flink wie ein** ~ svelto come uno scoiattolo.

wieso [vi'zo:] *adv* perché.

wieviel [vi'fi:l *o* 'vi:fi:l] *adv* quanto; *pl* quanti; ~ **schöner wäre die Welt, wenn ...** come sarebbe più bello il mondo se +*congv;* ~ **Uhr ist es?** che ore sono?

wievielmal *adv* quante volte.

wievielte(r, s) *adj:* **der/die** ~ **bin ich?** a che posto sono?; **den W~n haben wir heute?** quanti ne abbiamo oggi?; **das** ~ **Mal war das?** che volta era?

wild [vɪlt] *adj* **1.** *(Tier, Pflanze, Mensch)* selvatico; **2.** *(Landschaft, Volksstämme)* selvaggio; **3.** *(Kind: lebhaft)* vivace; *(lärmend)* turbolento; **4.** *(heftig, stürmisch)* impetuoso, violento; *(wütend)* furioso; **5.** *(nicht genehmigt)* abusivo, illegale; **6.** *(unkontrolliert)* incontrollabile; **~er Streik** sciopero selvaggio; ~ **drauflosschießen** sparare furiosamente a casaccio; ~ **wachsen** crescere spontaneo; ~ **werden** infuriarsi, andare in collera; ~ **zelten** campeggiare abusivamente; **auf etw./jdn** ~ **sein** *fam* andare matto per qc/qu *fam;* ~ **entschlossen sein** *fam* essere decisissimo; **das ist halb so** ~ *fam* non è mica la fine del mondo; **seid nicht so** ~! non fate tanto chiasso!

Wild ⟨-(e)s, ø⟩ *n* selvaggina *f,* cacciagione *f.*

wildern ['vɪldɐn] *itr* cacciare di frodo.

wildfremd ['vɪlt'frɛmt] *adj* del tutto sconosciuto.

Wildheit ⟨-, ø⟩ *f* natura *f* selvaggia; *(Ungezügeltheit)* sfrenatezza *f.*

Wildleder *n* (pelle *f* di) camoscio *m.*

Wildnis ⟨-, -se⟩ *f* luogo *m* selvaggio.

Wildschwein *n* cinghiale *m.*

Wildwestfilm [-'vɛst-] *m* western *m.*

Wilhelm ['vɪlhɛlm] *(männlicher Vorname)* Guglielmo.

will [vɪl] *pr von* **wollen**[1].

Wille ['vɪlə] ⟨-ns, *rar* -n⟩ *m* volontà *f;* *(Wollen)* volere *m; (Absicht)* intenzione *f; (Entschlossenheit)* decisione *f;* **jdm seinen ~n lassen** lasciare fare qu (a modo suo); **aus freiem ~n** di spontanea volontà; **beim besten ~n** con tutta la buona volontà; **gegen (*o* wider) meinen ~n** *(ohne Erlaubnis)* contro la mia volontà; *(ungewollt)* involontariamente; **wider ~n** malvolentieri, controvoglia; **wo ein ~ ist, ist auch ein Weg** *prov* volere è potere *prov.*

willen: um ~ *prp* +*gen* per (amor di); **um deinet~/seinet~/ihret~,** *etc.* per amor tuo/suo, *etc.;* **um Gottes** ~ per l'amor di Dio.

willig I. *adj (Helfer, Arbeiter)* volonteroso; *(Kind)* docile; *(bereit)* pronto *(etw. zu tun* a fare qc), disposto *(etw. zu tun* a fare qc); **II.** *adv* volentieri.

willkommen [vɪl'kɔmən] *adj (Person)* benvenuto; *(Sache)* gradito, opportuno; **jdn** ~ **heißen** dare il benvenuto a qu; **das ist mir sehr** ~ mi è proprio gradito; **(herzlich)** ~! benvenuto!

Willkür ['vɪlky:ɐ̯] ⟨-, ø⟩ *f* arbitrio *m;* **jds** ~ **ausgeliefert sein** essere alla mercé di qu.

willkürlich I. *adj* **1.** *(Maßnahme)* arbitrario; **2.** *(Auswahl)* casuale; **3.** *(Bewegung)* volontario; **II.** *adv* ad arbitrio.

wimmeln ['vɪməln] *itr* brulicare *(von* di), formicolare *(von* di); **der Text wimmelt von Fehlern** il testo è pieno di errori.

wimmern ['vɪmɐn] *itr* piagnucolare.

Wimpel ['vɪmpəl] ⟨-s, -⟩ *m* gagliardetto *m; (bes. sport)* guidone *m; mar* pennello *m.*

Wimper ['vɪmpɐ] ⟨-, -n⟩ *f* ciglio *m;* **ohne mit der** ~ **zu zucken** senza batter ciglio.

Wimperntusche *f* mascara *m.*

Wind [vɪnt] ⟨-(e)s, -e⟩ *m* vento *m;* **viel** ~ **um etw. machen** *fam* esagerare molto qc, pompare qc *fam;* **jdm den** ~ **aus den Segeln nehmen** *fam* sventare *(o* mandare all'aria *fam)* i piani di qu; **in den** ~ **reden** *fig* parlare al vento; **in alle ~e zerstreuen** spargere ai quattro venti; **von etw.** ~ **bekommen** *fam* avere sentore di qc; **bei** ~ **und Wetter** con ogni tempo; **jetzt weht hier ein anderer** ~ *fig* ora spira un'altra aria; **jetzt merke ich, woher der** ~ **weht** *fig fam* adesso sento che vento tira *fam;* **daher weht der** ~! *fig fam* ecco perché! *fam;* **wer** ~ **sät, wird Sturm ernten** *prov* chi semina vento, raccoglie tempesta *prov.* **Windbeutel** *m* **1.** *gastr* bignè *m;* **2.** *fig fam (Angeber)* sbruffone *m.* **Windbö(e)** *f* raffica *f* di vento.

Winde ['vɪndə] ⟨-, -n⟩ *f* **1.** *tec* argano *m;* *(kleinere)* verricello *m;* **2.** *bot* convolvolo *m.*

Windel ['vɪndəl] ⟨-, -n⟩ *f* pannolino *m;* **noch in den ~n liegen** *fig* essere ancora in fasce. **Windelhöschen** *n* pannolino *m* mutandina.

windelweich ['vɪndəl'vai̯ç] *adj fam:* **jdn** ~ **prügeln** picchiare qu di santa ragione *fam.*

winden[1] ['vɪndən] ⟨windet, wand, gewunden⟩ **I.** *tr* **1.** *(drehen)* torcere; *(schlingen)* attorcigliare; *(wickeln)* cingere; **2.** *(umhüllen)* avvolgere (*um* attorno a); **3.** *geh (flechten)* intrecciare; **jdm etw. aus der Hand** ~ strappare qc dalle mani di qu; **II.** *rfl:* **sich** ~ **1.** *(Pflanze)* avviticchiarsi (*um* a); **2.** *(Schlange)* attorcigliarsi (*um* a); **3.** *(Fluß, Weg)* serpeggiare (*durch das Tal* nella valle); **4.** *(Mensch)* contorcersi (*vor Schmerz* dal dolore); **5.** *fig fam (Ausflüchte machen)* tergiversare.

winden² ['vɪndən] *itr:* **es windet** tira vento.

Windenergie *f* energia *f* eolica.

Windeseile ['vɪndəs'ʔai̯lə] *f:* **in** (*o* **mit**) ~ come un fulmine.

windgeschützt *adj* riparato dal vento. **Windhose** *f* tromba *f* d'aria. **Windhund** *m* **1.** *zoo* levriere *m;* **2.** *fig fam* scervellato *m.*

windig *adj* **1.** *(Tag)* ventoso; *(Ort)* battuto dai venti; **2.** *fig fam (Mensch)* sventato *fam; (Ausrede)* futile; *(Sache)* dubbio, incerto; **bei ~em Wetter** col vento; **es ist** ~ tira vento.

Windjacke *f* giacca *f* a vento. **Windkanal** *m* galleria *f* aerodinamica (*o* del vento). **Windlicht** *n* candela *f* schermata. **Windmühle** *f* mulino *m* a vento. **Windpocken** ⟨*pl*⟩ varicella *f.* **Windrad** *n tec* ruota *f* a vento. **Windrose** *f* rosa *f* dei venti. **Windschatten** *m (von Berg)* versante *m* sottovento; *(von Fahrzeug)* scia *f;* **im** ~ **sein** stare sottovento. **windschief** *adj (oft pej)* storto. **Windschutzscheibe** *f* parabrezza *m.* **Windstärke** *f* forza *f* del vento. **windstill** *adj* calmo, senza vento. **Windstille** *f* calma *f,* bonaccia *f;* **bei** ~ in tempo di bonaccia. **Windstoß** *m* colpo *m* (*o* folata *f*) di vento, ventata *f.* **windsurfen** ['vintsə:fən] *itr* praticare il windsurf, fare windsurf. **Windsurfen, -surfing** *n* windsurf *m.* **Windsurfer(in)** *m(f)* surfista *mf.*

Windung ⟨-, -en⟩ *f allg.* tortuosità *f,* sinuosità *f; (Kurve)* curva *f; (Fluß~)* ansa *f,* meandro *m; (von Weg)* serpentina *f,* tornante *m; (von Schraube)* giro *m,* passo *m.*

Wink [vɪŋk] ⟨-(e)s, -e⟩ *m* **1.** *(Zeichen)* cenno *m,* segno *m;* **2.** *fig (Ratschlag)* consiglio *m; (Tip)* suggerimento *m; (Warnung)* avvertimento *m;* **ein** ~ **des Schicksals** un segno del destino; **jdm einen** ~ **geben** fare cenno a qu.

Winkel ['vɪŋkəl] ⟨-s, -⟩ *m* **1.** *mat, fig* angolo *m;* **2.** *(Ecke, abgelegenes Plätzchen)* cantuccio *m;* **3.** *tec (~maß)* squadra *f.* **Winkeladvokat** *m* azzeccagarbugli *m,* avvocato *m* da strapazzo. **Winkeleisen** *n* angolare *m,* cantonale *m.* **Winkelfunktion** *f* funzione *f* goniometrica.

wink(e)lig *adj* angolare; *(voller Winkel)* angoloso.

Winkelmaß *n* squadra *f.* **Winkelmesser** ⟨-s, -⟩ *m* goniometro *m.* **Winkelzug** *m* stratagemma *m,* sotterfugio *m;* **Winkelzüge machen** usare stratagemmi.

winken ['vɪŋkən] ⟨winkt, winkte, gewinkt *o dial gewunken*⟩ **I.** *itr* **1.** *(ein Zeichen geben)* fare un cenno; **2.** *(grüßen)* salutare (*mit der Hand* con un cenno della mano); **3.** *fig (in Aussicht stehen)* prospettarsi (*jdm* a qu), attendere (*jdm* qu); **ihm winkt eine hohe Belohnung** lo attende una lauta ricompensa; **dem Kellner** ~ chiamare il cameriere; **II.** *tr:* **jdn zu sich** ~ far cenno a qu di venire.

winklig *s.* **winkelig.**

winseln ['vɪnzəln] *itr (Hund)* guaire, mugolare; **um Gnade** ~ *pej* implorare lamentosamente pietà.

Winter ['vɪnte] ⟨-s, -⟩ *m* inverno *m.* **Winterdienst** *m* servizio *m* d'assistenza invernale. **Winterferien** ⟨*pl*⟩ vacanze *f pl* invernali. **Wintergarten** *m* veranda *f.* **winterhart** *adj bot* resistente al freddo. **Winterkleidung** *f* vestiti *m pl* (*o* abiti *m pl*) invernali. **Winterlandschaft** *f* paesaggio *m* invernale. **winterlich** *adj* invernale, d'inverno. **Wintermantel** *m* cappotto *m* (invernale). **Winterreifen** *m* pneumatico *m* invernale. **Winterschlaf** *m* letargo *m;* ~ **halten** essere in letargo, ibernare. **Winterschlußverkauf** *m* liquidazione *f* di fine stagione (inverno). **Wintersemester** *n* (*abk* **WS**) semestre *m* invernale. **Winterspeck** *m fam scherz* cuscinetti *m pl* di grasso. **Winterspiele** *n pl:* **Olympische** ~ olimpiadi *f pl* invernali. **Wintersport** *m* sport *m* invernale. **Winterzeit** *f* **1.** *(Uhrzeit)* ora *f* solare; **2.** *(Jahreszeit)* inverno *m.*

Winzer(in) ['vɪntse (...ərɪn)] ⟨-s, -⟩ *m(f)* viticoltore, -trice *m, f,* vendemmiatore, -trice *m, f.*

winzig ['vɪntsɪç] *adj* piccolissimo, microscopico; *(bes. Haus, Zimmer)* minuscolo.

Wipfel ['vɪpfəl] ⟨-s, -⟩ *m* vetta *f,* cima *f.*

Wippe ['vɪpə] ⟨-, -n⟩ *f* altalena *f.*

wippen *itr* **1.** *(auf Wippe)* fare l'altalena; **2.** *(auf und ab)* andare su e giù; **mit dem Fuß** ~ dondolare il piede.

wir [vi:ɐ̯] *pers pron 1ª pers pl* noi; ~ **Deutschen** noi (*o* noi altri) tedeschi; ~ **beide** noi due; ~ **selbst** noi stessi.

Wirbel ['vɪrbəl] ⟨-s, -⟩ *m* **1.** *(Wasser~, Staub~, Luft~, fig)* vortice *m; (Luft~, fig a.)* turbine *m;* **2.** *fig (Trubel)* confusione *f; (Aufsehen)* scalpore *m;* **3.** *anat (~knochen)* vertebra *f;* **4.** *(Haar~)* chicchirillo *m;* **5.** *(an Saiteninstrument)* bischero *m;* **6.** *(Trommel~)* rullo *m.* **wirbellos** *adj* invertebrato; **~es Tier** invertebrato *m.* **Wirbelsäule** *f* colonna *f* vertebrale, spina *f* dorsale. **Wirbelsturm** *m* ciclone *m,* uragano *m.* **Wirbeltiere** *n pl* vertebrati *m pl.*

wirbt [vɪrpt] *pr von* **werben.**
wird [vɪrt] *pr von* **werden.**
wirft [vɪrft] *pr von* **werfen.**
wirken ['vɪrkən] *itr* **1.** *(Wirkung haben)* fare (*o* avere) effetto, agire (*als, wie* come), operare (*als, wie* come); **2.** *(ein~)* agire (*auf +akk* su), operare (*auf +akk* su), influire (*auf etw./jdn* (su) qc/qu); **3.** *(einen Eindruck machen)* dare l'impressione di, sembrare; **4.** *(zur Geltung kommen)* valorizzare, avere effetto; **beruhigend ~** avere un effetto calmante; **jugendlich ~** avere un aspetto giovanile; **wie etw. ~** fare l'effetto di qc; **die Arznei beginnt zu ~** la medicina comincia a far effetto; **das Bild wirkt auf der bunten Tapete nicht** il quadro non è valorizzato sulla tappezzeria colorata.
wirklich ['vɪrklɪç] **I.** *adj* reale; *(tatsächlich)* effettivo; *(echt)* vero; **II.** *adv* **1.** *(wahrhaft)* veramente, davvero; **2.** *(in Wirklichkeit)* realmente, in realtà; **3.** *(tatsächlich)* effettivamente, in effetti; **das ist ~ nett von Ihnen** è veramente gentile da parte Sua; **das habe ich ~ nicht gewußt** non lo sapevo proprio; **~?** davvero?. **Wirklichkeit** ⟨-, ø⟩ *f* realtà *f;* **~ werden** diventare realtà, realizzarsi; **in ~** in realtà.
wirksam *adj (Mittel)* efficace (*gegen* contro); *(Maßnahme)* energico; **~ werden** *jur* entrare in vigore.
Wirkstoff *m* sostanza *f* attiva, agente *m.*
Wirkung ⟨-, -en⟩ *f* effetto *m* (*auf +akk* su); *(Ein~)* azione *f; (Wirksamkeit)* efficacia *f;* **auf etw.** *(akk)* **eine ~ haben** influire su qc; **keine ~ haben, ohne ~ bleiben** non fare (*o* avere) effetto, restare senza effetto; **mit ~ vom 21. April** *adm* con effetto dal 21 aprile. **wirkungslos** *adj* inefficace, senza effetto; **bei jdm ~ bleiben** non fare effetto su qu. **wirkungsvoll** *adj* **1.** *(wirksam)* efficace; **2.** *(effektvoll)* di (grande) effetto; **~ sein** fare effetto.
wirr [vɪr] *adj* **1.** *(ungeordnet)* disordinato; *(Haar)* arruffato; **2.** *fig (verworren: Verhältnisse, Gedanken)* confuso; *(Rede)* sconclusionato; **~es Zeug reden** sragionare; **er ist ein ~er Kopf** ha le idee confuse. **Wirren** ['vɪrən] ⟨*pl*⟩ disordini *m pl,* tumulti *m pl.* **Wirrwarr** ['vɪrvar] ⟨-s, ø⟩ *m* confusione *f,* disordine *m; (Chaos)* pandemonio *m.*
Wirsing(kohl) ['vɪrzɪŋ] ⟨-s, ø⟩ *m* verza *f.*
Wirt(in) ['vɪrt(ɪn)] ⟨-(e)s, -e⟩ *m(f)* **1.** *(Gast~, Schank~)* oste *m,* ostessa *f;* **2.** *(Gastgeber, Haus~)* padrone, -a *m, f* di casa; **3.** *(Zimmer~)* affittacamere *mf;* **4.** *(Hotelbesitzer)* albergatore, -trice *m, f;* **5.** *biol* ospite *m.*
Wirtschaft ['vɪrtʃaft] ⟨-, -en⟩ *f* **1.** *(Volks~)* economia *f; (~ssystem)* sistema *m* economico; **2.** *(Gast~)* osteria *f,* trattoria *f;* **3.** *fam (Zustände)* confusione *f,* baraonda *f;* **~s- und Währungsunion** *f* Unione *f* economica e monetaria.
wirtschaften *itr* **1.** *(haushalten)* fare economia, economizzare; **2.** *(geschäftig arbeiten)* trafficare.
Wirtschafterin *f* governante *f.*
wirtschaftlich *adj* **1.** *(die Wirtschaft betreffend)* economico; **2.** *(finanziell)* finanziario; **3.** *(rationell)* razionale; *(lohnend)* conveniente; **4.** *(sparsam)* economo, parsimonioso. **Wirtschaftlichkeit** ⟨-, ø⟩ *f* **1.** *(Rentabilität)* redditività *f;* **2.** *(Sparsamkeit)* economia *f,* parsimonia *f.*
Wirtschaftsflüchtling *m* profugo, -a *m, f* per motivi economici. **Wirtschaftsgemeinschaft** *f* comunità *f* economica; **Europäische ~** (*abk* **EWG**) *hist* Comunità economica europea. **Wirtschaftsjahr** *n* anno *m* finanziario. **Wirtschaftskriminalität** *f* delitti *m pl* contro l'economia. **Wirtschaftkrise** *f* crisi *f* economica. **Wirtschaftsministerium** *n* ministero *m* dell'economia. **Wirtschaftspolitik** *f* politica *f* economica. **Wirtschaftsprüfer(in)** *m(f)* revisore, -a *m, f* dei conti, perito, -a *m, f* contabile. **Wirtschaftswachstum** *n* espansione *f* economica, sviluppo *m* economico. **Wirtschaftswissenschaften** *f pl* scienze *f pl* economiche. **Wirtschaftswunder** *n* boom *m* (*o* miracolo *m*) economico.
Wirtshaus *n* osteria *f,* taverna *f; (Gaststätte)* trattoria *f.* **Wirtsleute** ⟨*pl*⟩ **1.** *(von Wirtshaus)* padroni *m pl* dell'osteria; **2.** *(als Zimmervermieter)* padroni *m pl* di casa.
Wisch [vɪʃ] ⟨-(e)s, -e⟩ *m fam* pezzo *m* di carta *fam,* fogliaccio *m.*
wischen ['vɪʃən] *tr* **1.** *(mit der Hand)* passare con la mano (*über +akk* sopra); **2.** *(entfernen)* togliere (*von* da); **3.** *(reinigen)* pulire, strofinare; **Staub ~** spolverare (i mobili); **sich** *(dat)* **den Schweiß von der Stirn ~** asciugarsi il sudore dalla fronte.
Wischiwaschi [vɪʃi'vaʃi] ⟨-s, ø⟩ *n fam* blablà *m fam.*
wispern ['vɪspen] *tr, itr* sussurrare, bisbigliare.
Wißbegier(de) *f* brama *f* di apprendere (*o* di sapere). **wißbegierig** *adj* desideroso di apprendere (*o* di sapere).
wissen ['vɪsən] ⟨weiß, wußte, gewußt⟩ *tr, itr* **1.** *allg.* sapere (*um etw.* qc); *(Kenntnis haben a.)* essere a conoscenza (*o* informato) (*von, um etw.* di qc); **2.** *(kennen a.)* conoscere; **3.** *(erfahren a.)* venire a sapere (*durch* da); **4.** *(sich erinnern)* ricordarsi; **~ zu ...** *+inf* sapere *+inf;* **nicht ~** ignorare; **nicht aus noch ein ~** non sapere che pesci pigliare *fam;* **alles besser ~ wollen** saperla sempre più lunga; **etw. genau ~** essere certo (*o* sicuro) di qc, sapere qc con si-

curezza; **jdn etw. ~ lassen** fare sapere qc a qu, informare qu di qc; **sich zu benehmen ~** sapere come comportarsi; **soviel ich weiß** per quanto ne sappia; **ich will von ihm/davon nichts ~** non voglio saperne di lui/di ciò; **nicht, daß ich wüßte** non che io sappia; **als ob ich das wüßte!** *fam* come se lo sapessi!; **was weiß ich!** che ne so io!; **woher soll ich das ~?** come faccio a saperlo?; **das mußt du (selber) ~** *fam* questo devi saperlo tu; **weißt du noch?** ti ricordi?; **weißt du seine Adresse noch?** ti ricordi il suo indirizzo?; **weißt du was? wir gehen mit** sai cosa facciamo? ci andiamo anche noi; **man kann nie ~** non si sa mai; **das hätte man ~ sollen!** a saperlo!, ad averlo saputo!; **wer weiß** chissà; **ich habe ihn wer weiß wie oft gesehen** l'ho visto Dio sa quante volte; **gewußt wie/wo!** *fam* a sapere come/dove!; **was ich nicht weiß, macht mich nicht heiß** *prov* occhio non vede, cuore non duole *prov.*

Wissen ⟨-s, ø⟩ *n* **1.** *allg.* sapere *m;* **2.** *(Kenntnisse)* cognizioni *f pl;* **3.** *(Kenntnis)* conoscenza *f* (*von* di); **meines ~s** per quanto ne so; **nach bestem ~ und Gewissen** con scienza e coscienza; **ohne mein ~** a mia insaputa, senza che lo sapessi; **wider besseres ~** in malafede; **~ ist Macht** *prov* sapere è potere *prov.*

Wissenschaft ⟨-, -en⟩ *f* scienza *f.* **Wissenschaftler(in)** ⟨-s, -⟩ *m(f)* scienziato, -a *m, f; (bes. Forscher, Gelehrter)* studioso, -a *m, f.* **wissenschaftlich** *adj* scientifico; **~ geschult** dalla formazione scientifica.

Wissensdrang *m,* **-durst** *m* desiderio *m* (*o* sete *f*) di sapere. **Wissensgebiet** *n* campo *m* dello scibile. **Wissenslücke** *f* lacuna *f.* **wissenswert** *adj* meritevole di essere saputo (*o* conosciuto), interessante.

wissentlich ['vɪsəntlɪç] **I.** *adj* intenzionale; **II.** *adv (bewußt)* consapevolmente; *(vorsätzlich)* deliberatamente.

wittern ['vɪtɐn] **I.** *tr* fiutare; **Gefahr ~** fiutare il pericolo; **II.** *itr* annusare.

Witterung ⟨-, ø⟩ *f* **1.** *(Wetter)* tempo *m;* **2.** *(Geruchssinn)* fiuto *m; (Geruch)* odore *m;* **bei jeder ~** con ogni tempo; **bei günstiger ~** tempo permettendo. **Witterungsverhältnisse** *n pl* condizioni *f pl* atmosferiche.

Witwe ['vɪtvə] ⟨-, -n⟩ *f* vedova *f.* **Witwenrente** *f* pensione *f* vedovile. **Witwer** ['vɪtvɐ] ⟨-s, -⟩ *m* vedovo *m.*

Witz [vɪts] ⟨-es, -e⟩ *m* **1.** *(Esprit)* spirito *m; (Geist, geistreiche Bemerkung)* arguzia *f;* **2.** *(witzige Geschichte)* barzelletta *f; (Scherz)* scherzo *m; (Wortspiel)* gioco *m* di parole; **~e erzählen (*o* reißen *fam*)** raccontare barzellette; **~e machen** fare dello spirito; **mach keine ~e!** *fig fam* scherzi?, stai scherzando?; **der ~ an der ganzen Sache ist, daß ...** il bello è che ...; **das ist der ganze ~** *(fam: darauf kommt es an)* questo è il punto; **das soll doch wohl ein ~ sein** non è possibile!. **Witzblatt** *n* giornale *m* umoristico. **Witzbold** [-bɔlt] ⟨-(e)s, -e⟩ *m* burlone, -a *m, f* buffone, -a *m, f.*

witzeln *itr* fare dello spirito (*über jdn* su qu); **über etw.** *(akk)* **~** burlarsi di qc.

witzig *adj* spiritoso; *(geistreich a.)* arguto; *(lustig)* buffo; *(komisch)* comico.

witzlos *adj* **1.** *(ohne Witz)* senza spirito; **2.** *fam (zwecklos)* inutile.

WM [ve:'ʔɛm] ⟨-, -s⟩ *f abk von* **Weltmeisterschaft** campionato *m* mondiale.

wo [vo:] **I.** *adv* **1.** *(interrogativ)* dove; **2.** *(unbestimmt, fam: irgend~)* da qualche parte; **3.** *(relativisch)* dove; *(zeitlich)* quando; **~ denn?** ma dove?; **~ auch immer** dovunque *+congv;* **dort, ~** là dove; **überall, ~** ovunque *+congv;* **an dem Ort, ~** nel luogo in cui (*o* nel quale); **am Tage/im Augenblick, ~** il giorno/nel momento in cui; **ich weiß nicht, ~ er ist** non so dov'è; **ach (*o* i) ~!** *fam* ma no!, macché!; **II.** *konj* **1.** *(kausal)* dal momento che; **2.** *(adversativ)* mentre; **3.** *(konditional)* se, nel caso che *+congv;* **ausgerechnet heute, ~ ich keine Zeit habe!** *fam* proprio oggi che non ho tempo!

woanders [vo'ʔandɐs] *adv* altrove, in un altro luogo; **mit den Gedanken ~ sein** avere la testa altrove.

wob [vo:p] *obs, fig imp von* **weben.**

wobei [vo'bai] *adv* **1.** *(interrogativ)* con che cosa?; **2.** *(relativisch)* in cui, nella qual cosa; *(bei welcher Gelegenheit)* nella qual occasione, *meist Gerundium;* **~ bist du gerade?** cosa stai facendo?; **~ ist das passiert?** com'è successo?

Woche ['vɔxə] ⟨-, -n⟩ *f* settimana *f;* **letzte (*o* vergangene)/nächste ~** la settimana scorsa/prossima (*o* ventura); **heute in einer ~** oggi a otto; **heute in drei ~n** (come oggi) fra tre settimane; **die ~ über** in settimana. **Wochenarbeitszeit** *f* orario *m* settimanale di lavoro. **Wochenblatt** *n* settimanale *m.* **Wochenendbeilage** *f* inserto *m* del sabato, supplemento *m* del sabato. **Wochenende** *n* fine *m* settimana, week-end *m;* **langes (*o* verlängertes) ~** ponte *m;* **am/übers ~** il fine settimana; **schönes ~!** buon fine settimana!. **Wochenendhaus** *n* casetta *f* per il fine settimana. **Wochenkarte** *f* abbonamento *m* settimanale. **wochenlang I.** *adj* di (più *o* parecchie) settimane; **II.** *adv* per intere settimane; **~ brauchen** impiegare delle settimane. **Wochenlohn** *m* paga *f* settimanale. **Wochentag** *m* giorno *m* della settimana; *(Werktag)* giorno *m* feriale (*o* lavorativo). **wochentags** *adv* durante la settimana; *(werktags)* nei giorni feriali (*o* la-

vorativi).
wöchentlich ['vœçəntlıç] **I.** *adj* settimanale; **II.** *adv* ogni settimana; **dreimal ~** tre volte (al)la settimana.
Wöchnerin ['vœçnərın] *f* puerpera *f*, partoriente *f*.
wodurch [vo'dʊrç] *adv* **1.** *(interrogativ)* come, in che modo, attraverso che cosa; **2.** *(relativisch)* per cui, attraverso la qual cosa; **~ ist er so scheu geworden?** che cosa l'ha portato a diventare così timido?; **das Mittel, ~** il mezzo con cui.
wofür [vo'fy:ɐ̯] *adv* **1.** *(interrogativ)* per che cosa; **2.** *(relativisch)* per cui, per la qual cosa; **~ halten Sie mich?** per chi mi prende?; **er ist nicht das, ~ er sich ausgibt** non è quello per cui si spaccia.
wog [vo:k] *imp von* **wiegen**[1].
Woge ['vo:gə] ⟨-, -n⟩ *f* **1.** *geh* onda *f;* **2.** *fig* ondata *f;* **wenn sich die ~n geglättet haben** *fig* quando si saranno calmate le acque.
wogegen [vo'ge:gən] **I.** *adv* **1.** *(interrogativ)* contro che cosa; **2.** *(relativisch)* contro cui, contro la qual cosa; *(durch Tausch)* in cambio di ciò; **II.** *konj* mentre.
wogen ['vo:gən] *itr* ondeggiare.
woher [vo'he:ɐ̯] *adv* **1.** *(interrogativ)* di (*o* da) dove; *(auf welche Weise)* come; **2.** *(relativisch)* da cui, dal quale; **~ kommt der Brief?** da dove viene la lettera?; **~ sind Sie?** di dov'è?; **~ weißt du das?** come fai a saperlo?; **~ kommt es, daß ...?** com'è che ...?, come accade che ...?; **aber ~ denn!** *fam* macché!, neanche per idea!
wohin [vo'hın] *adv* **1.** *(interrogativ)* dove; **2.** *(relativisch)* in cui, nel quale.
wohl [vo:l] **I.** *adv* **1.** *(gut, gesund, angenehm)* bene; **2.** *(durchaus)* perfettamente; **3.** *(vielleicht)* forse; **4.** *(wahrscheinlich)* probabilmente; **5.** *(etwa, ungefähr)* (all'in)circa; **sich ~ fühlen** sentirsi bene; **~ kaum** sarà difficile, non credo; **~ oder übel** volente o nolente; **~ dem, der ...** beato colui che ...; **ich habe ~ bemerkt, daß ...** ho ben notato che ...; **ich muß mich ~ erkältet haben** si vede che ho preso freddo; **mir ist nicht ~ bei der Sache** non mi sento tranquillo in questa faccenda; **mir ist jetzt ~er** sto meglio ora; **er könnte ~ noch kommen** potrebbe ancora venire; **er wird ~ krank sein** sarà ammalato; **das mag ~ sein** può darsi benissimo; **~ bekomm's!** salute!, evviva!; **leben Sie ~!** addio!; **du bist ~ nicht gescheit!** ma sei matto!; **II.** *konj (zwar)* è vero che; **er wußte ~, daß es gefährlich ist** lo sapeva bene che è pericoloso.
Wohl ⟨-(e)s, ø⟩ *n* bene *m; (~befinden)* benessere *m; (Gesundheit)* salute *f;* **auf jds ~ trinken** bere alla salute di qu; **auf Ihr/euer ~!, zum ~!** (alla Sua/vostra) salute!; **zum ~ des Landes** nell'interesse del paese.
Wohlbefinden *n* salute *f*, benessere *m;* **sich nach jds ~ erkundigen** informarsi della salute di qu. **wohlbehalten** *adj (Person)* sano e salvo; *(Sache)* in buono stato. **wohldurchdacht** [-dʊrçdaxt] *adj* ben meditato. **Wohlergehen** ⟨-s, ø⟩ *n* benessere *m*, salute *f*.
Wohlfahrt *f* assistenza *f* pubblica (*o* sociale). **Wohlfahrtsmarke** *f* francobollo *m* emesso a scopo di beneficenza. **Wohlfahrtsstaat** *m* stato *m* assistenziale.
wohlgemerkt *adj, adv* nota bene, beninteso. **wohlgenährt** *adj* ben nutrito. **wohlhabend** *adj* agiato, benestante.
wohlig *adj* piacevole, gradevole.
Wohlstand *m* benessere *m*, agiatezza *f;* **im ~ leben** vivere nel benessere. **Wohlstandsgesellschaft** *f* società *f* opulenta (*o* del benessere). **Wohlstandskrankheit** *f* malattia *f* tipica della società del benessere.
Wohltat *f* **1.** *(Wohltätigkeit)* bene *m*, opera *f* buona; **2.** *(Linderung)* benedizione *f;* **das ist eine ~** è una vera benedizione. **Wohltäter(in)** *m(f)* benefattore, -trice *m, f*. **wohltätig** *adj (Handlung)* caritatevole; *(Person, Werk)* benefico (*gegen* verso). **Wohltätigkeit** *f* beneficenza *f*, carità *f*. **Wohltätigkeitsveranstaltung** *f* manifestazione *f* di beneficenza. **wohltuend** *adj* piacevole, gradevole. **wohl·tun** ⟨*irr*⟩ *itr (angenehm sein)* fare bene; *(lindernd sein)* dare sollievo. **wohlüberlegt** *adj* ben ponderato; **~ vorgehen** agire con ponderatezza. **wohlweislich** [-vaislıç] *adv* saggiamente. **Wohlwollen** ⟨-, ø⟩ *n* benevolenza *f; (Gunst)* favore *m; (Geneigtheit)* simpatia *f*. **wohlwollend I.** *adj* benevolo; **II.** *adv* con benevolenza.
Wohnblock ⟨-(e)s, -s *o CH* -blöcke⟩ *m* caseggiato *m*. **Wohncontainer** *m* baracca *f*.
wohnen ['vo:nən] *itr (fest)* abitare (*bei* da); *(Unterkunft haben)* alloggiare; *(vorübergehend ~)* stare; *(a. fig)* vivere.
Wohnfläche *f* superficie *f* abitabile. **Wohngebiet** *n* zona *f* residenziale. **Wohngeld** *n* sussidio *m* per la casa. **Wohngemeinschaft** *f* (*abk* **WG**) comune *f*, *persone che dividono un appartamento o una casa*. **Wohngift** *n* residui *m pl* tossici presenti in materiali da costruzione. **Wohnhaus** *n* casa *f* d'abitazione. **Wohnheim** *n* pensionato *m*. **Wohnlage** *f* posizione *f;* **in günstiger ~** in buona posizione. **wohnlich** *adj* accogliente, confortevole. **Wohnmobil** [-mobi:l] ⟨-s, -e⟩ *n* camper *m*. **Wohnort** *m* domicilio *m*, residenza *f*. **Wohnschlafzimmer** *n* soggiorno-letto *m*. **Wohnsilo** *m o n pej* casermone *m*. **Wohnsitz** *m* domicilio *m*, dimora *f*, resi-

denza *f;* **ständiger** ~ domicilio permanente, residenza (*o* dimora) stabile; **der zweite** ~ il secondo domicilio, la seconda casa; **ohne festen** ~ senza fissa dimora.

Wohnung ⟨-, -en⟩ *f* (*abk* **Whg.**) casa *f; (a. Unterkunft)* alloggio *m; (Etagen~)* appartamento *m.* **Wohnungsbau** ⟨-(e)s, ø⟩ *m* edilizia *f* residenziale. **Wohnungsmarkt** *m* mercato *m* degli alloggi. **Wohnungsnot** *f* crisi *f* degli alloggi. **Wohnungssuche** *f:* **auf** ~ **sein** cercare casa.

Wohnviertel *n* quartiere *m* (*o* zona *f*) residenziale. **Wohnwagen** *m* roulotte *f.* **Wohnzimmer** *n* soggiorno *m.*

wölben ['vœlbən] *rfl:* **sich** ~ inarcarsi (*über +akk* sopra).

Wölbung ⟨-, -en⟩ *f allg.* convessità *f; arch* volta *f; (Bogen)* arcata *f.*

Wolf [vɔlf] ⟨-(e)s, Wölfe⟩ *m* **1.** *zoo* lupo *m;* **2.** *med* intertrigine *f;* **3.** *tec (Fleisch~)* tritacarne *m;* **ein** ~ **im Schafspelz sein** *fig* essere un lupo vestito da agnello; **mit den Wölfen heulen** *fig* adeguarsi agli altri, seguire il branco.

Wolfgang ['vɔlfgaŋ] *(männlicher Vorname)* Volfgango.

Wölfin ['vœlfın] *f* lupa *f.*

Wolfram ['vɔlfram] ⟨-s, ø⟩ *n chem* wolframio *m,* tungsteno *m.*

Wolke ['vɔlkə] ⟨-, -n⟩ *f* nube *f,* nuvola *f;* **aus allen ~n fallen** cascare dalle nuvole; **in den ~n schweben** *fig* vivere nelle nuvole. **Wolkenbruch** *m* nubifragio *m.* **Wolkendecke** *f* cappa *f* di nubi. **Wolkenkratzer** *m* grattacielo *m.* **wolkenlos** *adj* senza nubi, sereno.

wolkig *adj* nuvoloso, annuvolato.

Wolldecke *f* coperta *f* di lana, plaid *m.*

Wolle ['vɔlə] ⟨-, -n⟩ *f* lana *f;* **reine** ~ pura lana; **sich in die** ~ **geraten** *fam* litigare.

wollen[1] ['vɔlən] ⟨will, wollte, gewollt *o modales Hilfsverb* wollen⟩ *tr, itr* **1.** *allg.* volere; *(wünschen a.)* desiderare; **2.** *(beabsichtigen)* aver l'intenzione (*etw. tun* di fare qc), pensare (*etw. tun* di fare qc), avere in mente (*etw. tun* di fare qc); **3.** *(verlangen)* pretendere; *(fordern)* esigere; **4.** *(behaupten)* pretendere (*etw. getan haben* di avere fatto qc), affermare (*etw. getan haben* di avere fatto qc); **5.** *(an einen Ort gehen)* volere andare; **ich will nichts davon hören** non ne voglio sapere nulla; **das will ich nicht gehört haben!** come se non l'avessi sentito!; **das will ich hoffen/meinen!** lo spero/credo bene!; **Verzeihung, das habe ich nicht gewollt!** mi scusi, non l'ho fatto apposta; **ich wollte, es wäre Sonntag** vorrei che fosse domenica; **willst du (jetzt) wohl aufstehen!** *fam* ti decidi ad alzarti?; **wir** ~ **gehen** andiamo; **das** ~ **wir mal sehen!** staremo a vedere!; **(machen Sie es,) wie Sie** ~ (faccia) come vuole; **was** ~ **Sie damit sagen?** cosa intende dire con ciò?; **wo** ~ **Sie hin?** dove vuole andare?; **er will dich gestern gesehen haben** dice di averti visto ieri; **sei es, wie es wolle** sia come sia; **und so jemand will Arzt sein!** *fam* e quello sarebbe un dottore?; **da ist nichts zu** ~ *fam* non c'è niente da fare; **das will überlegt sein** occorre rifletterci su; **man muß daran teilnehmen, ob man will oder nicht** bisogna prendervi parte, volenti o nolenti (*o* che si voglia o no); **das Wetter will (und will) nicht besser werden** il tempo non accenna a migliorare.

wollen[2] ['vɔlən] *adj* di lana.

Wolljacke *f* giacca *f* di lana (*o* a maglia), cardigan *m.* **Wollsiegel** *n* marchio *m* della lana. **Wollstoff** *m* tessuto *m* (*o* stoffa *f*) di lana.

wollte ['vɔltə] *imp von* **wollen**[1].

Wollust ['vɔlʊst] *f* voluttà *f; fig* sommo piacere *m* (*o* diletto *m*). **wollüstig** ['vɔlʏstıç] *adj* voluttuoso.

Wollwäsche *f* biancheria *f* di lana.

womit [vo'mıt] *adv* **1.** *(interrogativ)* con che cosa; **2.** *(relativisch)* con cui, con la qual cosa; ~ **soll ich anfangen?** da dove devo cominciare?; ~ **ich nicht sagen will, daß** . . . . . . con questo non voglio dire che . . .

womöglich [vo'mœːklıç] *adv* magari, forse; ~ **kommt er schon heute** può darsi che arrivi già oggi.

wonach [vo'naːx] *adv* **1.** *(interrogativ)* che cosa, a che cosa, di che cosa; **2.** *(relativisch)* dopo di che; *(gemäß)* secondo cui; ~ **hast du sie gefragt?** che cosa le hai chiesto?; ~ **schmeckt das?** che sapore ha?

Wonne ['vɔnə] ⟨-, -n⟩ *f geh* somma gioia *f,* delizia *f,* vero piacere *m;* **es ist eine (wahre) ~, ihm zuzuschauen** è un vero piacere guardarlo.

woran [vo'ran] *adv* **1.** *(interrogativ)* a (*o* di *o* in *o* su) che cosa; cosa; **2.** *(relativisch)* a (*o* di *o* in *o* su) cui; ~ **liegt es, daß . . .?** qual'è la ragione per cui . . .?; ~ **denkst du?** a che cosa pensi?; **nun weiß ich (wenigstens),** ~ **ich bin** ora (almeno) so come regolarmi; **ich weiß nicht,** ~ **ich bei ihm bin** non so cosa pensare di lui.

worauf [vo'rauf] *adv* **1.** *(interrogativ)* a (*o* di *o* su *o* sopra a) che cosa, dove; **2.** *(relativisch)* di (*o* su *o* sopra) cui, dove; *(zeitlich)* dopo di che; ~ **warten Sie?** cosa sta aspettando?

woraus [vo'raus] *adv* **1.** *(interrogativ)* da (*o* di) che cosa; **2.** *(relativisch)* da (*o* di) cui.

worin [vo'rın] *adv* **1.** *(interrogativ)* in che cosa; **2.** *(relativisch)* in cui.

Workshop ['wəːkʃɔp] ⟨-s, -s⟩ *m* workshop *m,* convegno *m,* seminario *m.*

Workstation ['wəːksteıʃn] ⟨-, -s⟩ *f inform* workstation *f,* stazione *f* di lavoro.

Wort [vɔrt] *n* **1.** ⟨-(e)s, Wörter⟩ *allg.* parola *f; (Vokabel)* vocabolo *m; (Ausdruck)* espressione *f; (Begriff)* termine *m;* **2.** ⟨-(e)s, -e⟩ *(Ausspruch)* detto *m,* motto *m; (Ehren~)* parola *f* (d'onore); **3.** ⟨-(e)s, -e⟩ *(Text)* parole *f pl,* testo *m;* **das ~ Gottes** il verbo (*o* la parola) di Dio; **das ~ ergreifen** prendere la parola; **jdm das ~ erteilen** dare la parola a qu; **einer S.** *(dat)* **das ~ reden** sostenere qc, adoperarsi per qc; **sein ~ brechen** venire meno alla parola data; **jdm sein ~ geben** dare la propria parola a qu; **sein ~ halten** mantenere la propria parola; **sein eigenes ~ nicht verstehen** non poter udire la propria voce; **kein ~ verstehen** non capire una parola; **ein gutes ~ für jdn einlegen** mettere (*o* spendere) una buona parola per qu; **mit jdm ein ernstes ~ reden** parlare seriamente a qu, fare un discorso serio a qu; **große ~e machen** dire paroloni *fam;* **aufs ~ gehorchen (***o* **hören)** ubbidire alla parola; **jdm aufs ~ glauben** credere a qu sulla parola; **jdn beim ~ nehmen** prendere qu in parola; **in ~e fassen** esprimere a parole, formulare; **eine Sprache in ~ und Schrift beherrschen** conoscere una lingua parlata e scritta; **sich zu ~ melden** chiedere (*o* domandare) la parola; **nicht zu ~ kommen** non poter dire una parola; **jdn nicht zu ~ kommen lassen** non lasciar parlare qu; **auf mein ~** parola (d'onore); **bei diesen ~en ...** *(bei gleichem Subjekt)* ciò dicendo ...; *(bei unterschiedlichem Subjekt)* mentre dice(-va) questo ...; **~ für ~** parola per parola, letteralmente; **in einem ~** con una parola; **in ~en** *(ausgeschrieben)* in lettere; **mit anderen ~en** con altre parole; **ein ~ gab das andere** una parola ha tirato l'altra; **es ist kein wahres ~ daran** non c'è una parola di vero in (tutto) ciò; **darüber brauchen wir kein ~ mehr zu verlieren** non dobbiamo più sprecare fiato per questo; **das letzte ~ in dieser Angelegenheit ist noch nicht gesprochen** non è detta l'ultima parola (in questa faccenda); **hat man da ~e?** *fam* è mai possibile?; **kein ~ mehr!** basta!, non una parola di più!

Wortart *f* parte *f* del discorso. **wortbrüchig** *adj:* **~ werden** mancare alla parola data.

Wörtchen ['vœrtçən] ⟨-s, -⟩ *n:* **ein ~ mitzureden haben** *fam* avere voce in capitolo.

Wörterbuch ['vœrtɐ-] *n* dizionario *m,* vocabolario *m.* **Wörterverzeichnis** *n* glossario *m.*

Wortführer(in) *m(f)* portavoce *mf; (Vertreter)* esponente *mf.* **Wortgefecht** *n* schermaglia *f,* scaramuccia *f.* **wortkarg** *adj* **1.** *(Mensch)* di poche parole, taciturno; **2.** *(Äußerung)* laconico. **Wortklauberei** [-klaubə'rai] ⟨-, -en⟩ *f* pignoleria *f,* pedanteria *f.* **Wortlaut** *m* testo *m; (a. jur)* tenore *m;* **im ~** integralmente, testualmente; **... hat folgenden ~ ...** è così redatto.

wörtlich ['vœrtlıç] **I.** *adj* letterale, testuale; **~e Rede** discorso testuale; **II.** *adv* alla lettera; **~ zitieren** citare testualmente; **etw. ~ nehmen** prendere qc alla lettera; **etw. ~ übersetzen** tradurre qc letteralmente.

wortlos I. *adj* muto; **II.** *adv* in silenzio, senza parlare. **Wortmeldung** *f* richiesta *f* di parola; **~en liegen nicht vor** nessuno ha chiesto la parola. **Wortschatz** *m* vocabolario *m,* lessico *m.* **Wortspiel** *n* gioco *m* di parole. **Wortstellung** *f* ordine *m* delle parole. **Wortwechsel** *m* alterco *m,* diverbio *m.* **wortwörtlich** ['vɔrt'vœrtlıç] **I.** *adj* fedele al testo, testuale; **II.** *adv* parola per parola.

worüber [vo'ry:bɐ] *adv* **1.** *(interrogativ)* su (*o* sopra) che cosa; **2.** *(relativisch)* su (*o* di) cui.

worum [vo'rʊm] *adv* **1.** *(interrogativ)* intorno a che cosa; **2.** *(relativisch)* intorno a cui; **~ handelt es sich?** di che cosa si tratta?

worunter [vo'rʊntɐ] *adv* **1.** *(interrogativ)* sotto che cosa; *(zwischen welchen Dingen)* fra che cosa; **2.** *(relativisch)* sotto cui; *(zwischen denen)* fra cui.

wovon [vo'fɔn] *adv* **1.** *(interrogativ)* da (*o* di) che cosa; **2.** *(relativisch)* da (*o* di) cui; **~ sprechen Sie?** di che cosa sta parlando?

wozu [vo'tsu:] *adv* **1.** *(interrogativ)* a (*o* per) che cosa; *(indirekt a.)* perché, a che scopo; **2.** *(relativisch)* a (*o* di *o* per) cui, che; **~ ist das gut?** a che cosa serve?

Wrack [vrak] ⟨-(e)s, -s⟩ *n* relitto *m.*

WS *abk von* **Wintersemester** semestre *m* invernale.

Wucher ['vu:xɐ] ⟨-s, ø⟩ *m* usura *f,* strozzinaggio *m;* **~ (mit etw.) treiben** praticare lo strozzinaggio (con qc).

Wucherer ⟨-s, -⟩ *m,* **Wucherin** *f* usuraio, -a *m, f* strozzino, -a *m, f.*

wucherisch *adj* usurario.

wuchern ['vu:xɐn] *itr* **1.** ⟨*haben o sein*⟩ *bot* lussureggiare, crescere rigogliosamente; *biol, fig* proliferare; **2.** ⟨*haben*⟩ *ökon (Wucher treiben)* esercitare l'usura, fare l'usuraio.

Wucherpreis *m* prezzo *m* esorbitante (*o* da usuraio).

Wucherung ⟨-, -en⟩ *f (Gebilde)* escrescenza *f.*

Wucherzins *m* interessi *m pl* da usuraio.

wuchs [vu:ks] *imp von* **wachsen**[1].

Wuchs ⟨-es, ø⟩ *m* **1.** *(Wachstum)* crescita *f;* **2.** *(Körper~, Gestalt)* corporatura *f,* statura *f.*

Wucht [vʊxt] ⟨-, ø⟩ *f* violenza *f,* forza *f; (a. fig)* impeto *m;* **mit voller ~** con tutta la forza; **das ist eine ~!** *fam* è una cannonata! *fam.*

wühlen ['vy:lən] **I.** *itr* **1.** *allg.* scavare; *(mit Schnauze)* grufolare; **2.** *fam (suchen)* frugare; **II.** *rfl:* **sich durch etw. ~** farsi strada attraverso qc.

Wühlmaus *f* arvicola *f.* **Wühltisch** *m fam* banco *m* della merce in svendita.

Wulst [vʊlst] ⟨-es, Wülste⟩ *m o* ⟨-, Wülste⟩ *f* cuscinetto *m; med* protuberanza *f; (Verdickung)* rigonfiamento *m; arch* toro *m; mot* bordo *m.* **wulstig** *adj* tumido.

wund [vʊnt] *adj* escoriato; **~er Punkt** punto debole (*o* doloroso), piaga; **den ~en Punkt berühren** mettere il dito sulla piaga.

Wunde ['vʊndə] ⟨-, -n⟩ *f allg., fig* piaga *f; (Verletzung)* ferita *f;* **alte ~n (wieder) aufreißen** *fig* riaprire una vecchia ferita.

Wunder ['vʊndɐ] ⟨-s, -⟩ *n rel* miracolo *m,* prodigio *m; (bewundernswerte Sache a.)* meraviglia *f;* **~ wirken** *(a. fig)* fare miracoli; **an ein ~ grenzen** essere quasi un miracolo; **wie durch ein ~** come per miracolo; **er glaubt, w~ was getan zu haben** *fam* crede di aver fatto chissà che (cosa); **kein ~, daß er krank ist** non c'è da meravigliarsi se è ammalato; **(das ist doch) kein ~!** non c'è da stupirsi!

wunderbar *adj* **1.** *(schön)* meraviglioso, magnifico, stupendo; **2.** *(wie ein Wunder)* miracoloso, portentoso, prodigioso; **sie singt ~** canta che è una meraviglia.

Wunderheiler(in) ⟨-s, -⟩ *m(f)* guaritore, -trice *m, f.* **Wunderkind** *n* bambino, -a *m, f* prodigio, -a.

wunderlich *adj* strano, bizzarro.

wundern I. *rfl:* **sich ~** stupirsi (*über +akk* di), meravigliarsi (*über +akk* di); **ich muß mich doch sehr ~** *fam* non me lo sarei mai aspettato; **du wirst dich noch ~!** *fam* vedrai!; **II.** *tr* sorprendere, stupire, meravigliare; **das wundert mich** questo mi sorprende.

wunderschön ['vʊndɐ'ʃø:n] *adj* meraviglioso, bellissimo, stupendo.

wundervoll *adj* meraviglioso, stupendo.

Wundstarrkrampf *m* tetano *m.*

Wunsch [vʊnʃ] ⟨-(e)s, Wünsche⟩ *m* **1.** *allg.* desiderio *m* (*nach* di); **2.** *(Verlangen)* richiesta *f; (Bitte)* preghiera *f;* **3.** *(Glück~)* augurio *m;* **den ~ haben, etw. zu tun** avere il desiderio di fare qc; **jdm einen ~ erfüllen** esaudire un desiderio di qu; **jdm jeden ~ von den Augen ablesen** leggere a qu i desideri negli occhi; **auf (jds) ~** a richiesta (di qu); **mit den besten Wünschen** con i migliori auguri; **nach ~** a piacimento; **es geht alles nach ~** tutto procede nel migliore dei modi; **dein ~ sei (*o* ist) mir Befehl** *scherz* un tuo desiderio è un ordine per me; **haben Sie (sonst) noch einen ~?** desidera altro?, ha bisogno di altro?

Wünschelrute ['vʏnʃəl-] *f* bacchetta *f* da rabdomante.

wünschen ['vʏnʃən] *tr* desiderare (*etw. zu tun* fare qc); *(wollen)* volere; *(bitten)* chiedere; **sich** *(dat)* **etw. ~** desiderare qc; **jdm etw. ~** *allg.* auspicare qc a qu; *(wohlmeinend)* augurare qc a qu; **jdm guten Morgen ~** augurare il buon giorno a qu; **zu ~ übriglassen** lasciare a desiderare; **es wäre zu ~, daß ...** sarebbe auspicabile che *+congv;* **ich wünsche Ihnen alles Gute** Le faccio i miei auguri; **Sie ~?, was ~ Sie?** desidera?, cosa desidera?. **wünschenswert** *adj* desiderabile, auspicabile.

Wunschkind *n* bambino, -a *m, f* desiderato, -a. **Wunschkonzert** *n* musica *f* a richiesta. **wunschlos** *adj:* **~ glücklich sein** essere perfettamente felice. **Wunschtraum** *m* sogno *m,* desiderio *m.* **Wunschvorstellung** *f* illusione *f.*

wurde ['vʊrdə] *imp von* **werden.**

Würde ['vʏrdə] ⟨-, -n⟩ *f* **1.** ⟨*sing*⟩ *(Wert, Haltung)* dignità *f;* **2.** *(Rang)* grado *m; (Titel)* titolo *m;* **ich halte es für unter meiner ~, so etw. zu tun** ritengo indegno di me fare qc del genere; **das ist unter aller ~** è al di sotto di ogni dignità.

Würdenträger(in) *m(f)* dignitario, -a *m, f.* **würdevoll** *adj* dignitoso.

würdig *adj* **1.** *(wert)* degno (*gen* di); **2.** *(würdevoll)* dignitoso; **du bist ihrer nicht ~** non sei degno di lei.

würdigen *tr* **1.** *(anerkennen)* apprezzare; *(Verdienste)* riconoscere; **2.** *(für würdig befinden)* stimare degno (*jdn einer S. (gen)* qu di qc); **jdn keines Blickes ~** non degnare qu di uno sguardo.

Würdigung ⟨-, -en⟩ *f* **1.** ⟨*sing*⟩ *(Anerkennung)* riconoscimento *m;* **2.** *(Ehrung)* omaggio *m.*

Wurf [vʊrf] ⟨-(e)s, Würfe⟩ *m* **1.** *allg.* getto *m; (a. sport)* lancio *m;* **2.** *zoo* figliata *f;* **einen guten ~ tun** *fig* fare un bel colpo.

Würfel ['vʏrfəl] ⟨-s, -⟩ *m* **1.** *(Spiel~, Brüh~)* dado *m; (Speck~, Zwiebel~, Eis~)* dado *m,* cubetto *m; (Zucker~)* zolletta *f;* **2.** *mat* cubo *m;* **~ spielen** giocare a dadi; **die ~ sind gefallen** *fig* il dado è tratto. **Würfelbecher** *m* bussolotto *m.*

würfeln I. *itr (Würfel spielen)* giocare a dadi; *(zur Entscheidung)* giocare ai dadi (*um etw.* qc); *(Würfel werfen)* tirare i dadi; **II.** *tr* **1.** *(in Würfel schneiden)* tagliare a dadi; **2.** *(eine Zahl)* giocare.

Würfelspiel *n* gioco *m* dei dadi.

Würfelzucker *m* zucchero *m* in zollette.

würgen ['vʏrgən] **I.** *tr* strozzare, strangolare; **II.** *itr (nicht schlucken können)* strozzarsi (*an +dat* con).

Wurm [vʊrm] ⟨-(e)s, Würmer⟩ *m* **1.** *zoo* verme *m;* **2.** *fam (kleines o armes Kind)* creaturina *f;* **jdm die Würmer aus der Nase ziehen** *fam* cavare le parole di bocca a qu *fam;* **da ist der ~ drin** *fig*

fam qui c'è qualcosa che non va.
wurmen *tr fam:* **es wurmt mich** mi rode.
Wurmfortsatz *m* appendice *f* vermiforme. **wurmstichig** *adj (Holz)* tarlato.
Wurst [vʊrst] ⟨-, Würste⟩ *f (Brat~, Brüh~)* salsiccia *f; (~aufschnitt)* salume *m;* **das ist mir ~ (*o* Wurscht)** *fam* non me ne importa, me ne frego (*o* infischio *fam*).
Würstchen ['vʏrstçən] ⟨-s, -⟩ *n* **1.** *gastr* würstel *m;* **2.** *fig fam (armes ~)* poveraccio *m fam.* **Würstchenbude** *f,* **-stand** *m* banco *m* dove si vendono würstel.
wursteln *itr fam* lavoricchiare *fam.*
Würze ['vʏrtsə] ⟨-, -n⟩ *f* condimento *m.*
Wurzel ['vʊrtsəl] ⟨-, -n⟩ *f* radice *f;* **~n schlagen** *(Pflanzen)* mettere radici, attecchire; *(Menschen)* mettere radici. **Wurzelzeichen** *n* segno *m* di radice.
würzen *tr* aromatizzare; *(a. fig)* condire; **stark gewürzt** piccante.
würzig *adj* saporito, aromatico; *(a. fig)* piccante.
wusch [vu:ʃ] *imp von* **waschen.**
wußte ['vʊstə] *imp von* **wissen.**
Wust [vu:st] ⟨-(e)s, ø⟩ *m* guazzabuglio *m,* farragine *f.*
wüst [vy:st] *adj* **1.** *(öde)* deserto, desolato; *(unbebaut)* incolto; **2.** *(unordentlich)* disordinato; *(wirr)* confuso; **3.** *(ungezügelt, ausschweifend)* dissoluto, dissipato; **4.** *(gemein)* vile; *(rüde)* volgare; **5.** *(schlimm, furchtbar)* terribile; **6.** *(abstoßend, häßlich)* ripugnante, brutto; **hier sieht es ja ~ aus!** qui c'è un gran disordine.
Wüste ['vy:stə] ⟨-, -n⟩ *f* deserto *m.* **Wüstenausdehnung** *f* desertificazione *f.*
Wüstling ['vy:stlɪŋ] ⟨-s, -e⟩ *m* libertino *m,* dissoluto *m.*
Wut [vu:t] ⟨-, ø⟩ *f* furia *f; (fig a.)* furore *m; (Zorn)* ira *f,* rabbia *f;* **eine ~ auf jdn haben** essere arrabbiato con qu; **jdn in ~ bringen** fare arrabbiare qu; **in ~ geraten** andare sulle furie. **Wutanfall** *m* accesso *m* d'ira.
wüten ['vy:tən] *itr* **1.** *(Mensch)* essere furente (*o* furibondo); *fig* scatenarsi; **2.** *(Elemente)* infuriare; *(a. Epidemie)* imperversare.
wütend *adj* furente (*auf +akk* con), infuriato (*auf +akk* con); ~ **werden** infuriarsi, andare in collera.
wutentbrannt [-ˀɛntbrant] *adj* furioso.
wutschnaubend *adj* schiumante di rabbia.

X

X, x [ɪks] ⟨-, -(s)⟩ *n* X, x *f;* **X wie Xanthippe** x come xilofono; **jdm ein X für ein U vormachen** mostrare a qu lucciole per lanterne.

x-Achse ['ɪks-] *f* asse *m* x.

Xanthippe [ksan'tɪpə] ⟨-, -n⟩ *f fam* bisbetica *f fam,* brontolona *f fam.*

Xaver ['ksa:ve] *(männlicher Vorname)* Saverio.

X-Beine *n pl* gambe *f pl* a x. **x-beinig** *adj* con le gambe a x.

x-beliebig ['ɪksbə'li:bɪç] *adj fam* qualsiasi, qualunque; **jeder ~e** uno qualsiasi.

X-Chromosom *n* cromosoma *m* x.

x-mal *adv fam* cento volte; **zum x-tenmal** per l'ennesima volta.

Xylophon [ksylo'fo:n] ⟨-s, -e⟩ *n* xilofono *m,* silofono *m.*

Y

Y, y ['ʏpsilɔn] ⟨-, -(s)⟩ *n* Y, y *f;* **Y wie Ypsilon** Y come yacht.

y-Achse ['ʏpsilɔn-] *f* asse *m* y.

Yacht [jaxt] *s.* **Jacht.**

Y-Chromosom *n* cromosoma *m* y.

Yen [jɛn] ⟨-(s), -(s)⟩ *m* yen *m.*

Yeti ['je:ti] ⟨-s, -s⟩ *m* yeti *m.*

Yoga ['jo:ga] *s.* **Joga.**

Yoghurt ['jo:gʊrt] *s.* **Joghurt.**

Ytong® ['y:tɔŋ] ⟨-s, -s⟩ *m* mattone *m* bianco termoisolante.

Yucca ['jʊka] ⟨-, -s⟩ *f* yucca *f.*

Yuppie ['jʊpi] ⟨-s, -s⟩ *m,* ⟨-, -s⟩ *f* yuppie *mf.*

Z

Z, z [tsɛt] ⟨-, -(s)⟩ *n* Z, z *f;* **Z wie Zacharias** Z come Zara.

zack [tsak] *interj:* ~ ~! presto!

Zack *m fam:* **auf ~ sein** *(Person)* essere in gamba; *(Sache)* funzionare.

Zacke ['tsakə] ⟨-, -n⟩ *f,* **Zacken** ['tsakən] ⟨-s, -⟩ *m* **1.** *(Gabel~, Kamm~, Fels~)* dente *m;* **2.** *(Spitze)* punta *f;* **3.** *(Zinke)* rebbio *m.* **zackig** *adj* **1.** *(gezackt)* dentato, dentellato; *(Felsen)* frastagliato; **2.** *fam (Mensch)* dinamico; *(Rhythmus)* brioso.

zaghaft ['tsa:khaft] *adj* timido; *(ängstlich)* pauroso, pavido; *(zögernd)* esitante, titubante.

zäh [tsɛ:] *adj* **1.** *(fest, hart)* tenace, duro; *(Fleisch)* tiglioso; **2.** *fig (beharrlich)* perseverante; **3.** *fig (schleppend)* stentato; ~ **wie Leder** duro come il cuoio. **zähflüssig** *adj* viscoso, denso; *(Verkehr)* non scorrevole, lento.

Zahl [tsa:l] ⟨-, -en⟩ *f* **1.** *allg., mat* numero *m;* *(Ziffer)* cifra *f;* **2.** *(An~, Menge)* quantità *f* (*von* di); **in den roten ~en sein** essere in deficit; **zehn an der ~** in numero di dieci; **in großer ~** in gran numero.

zahlbar *adj* pagabile (*an +akk* a, *bei* da); ~ **bei Lieferung/in drei Monaten** pagabile alla consegna/a tre mesi.

zahlen ['tsa:lən] **I.** *tr* pagare; *(ein~)* versare; *(begleichen)* saldare; **II.** *itr* pagare; **Herr Ober, bitte ~!** cameriere, il conto per favore!

zählen ['tsɛ:lən] **I.** *tr* **1.** *(ab~)* contare; **2.** *(einrechnen)* includere (*o* mettere) in conto; **3.** *(sich belaufen auf)* ammontare a; **jdn zu seinen Kunden ~** annoverare qu fra i propri clienti; **seine Tage sind gezählt** ha i giorni contati; **II.** *itr* **1.** *(Anzahl)* contare; **2.** *fig (gelten)* valere, avere importanza; **3.** *(gehören zu)* appartenere (*zu* a); **auf jdn ~** contare (*o* fare affidamento) su qu.

zahlenmäßig I. *adj* numerico; **II.** *adv* di (*o* per) numero; ~ **überlegen sein** superare di numero. **Zahlenschloß** *n* serratura *f* a combinazione (di numeri).

Zahler(in) ⟨-s, -⟩ *m(f)* pagatore, -trice *m, f.*

Zähler ⟨-s, -⟩ *m* **1.** *tec* contatore *m;* **2.** *mat* numeratore *m.* **Zählerstand** *m* livello *m* del contatore.

Zahlkarte *f* modulo *m* di versamento. **zahllos** *adj* innumerevole. **zahlreich I.** *adj* numeroso; **II.** *adv* in gran numero. **Zahltag** *m* giorno *m* di paga.

Zahlung ⟨-, -en⟩ *f* pagamento *m;* *(Ein~)* versamento *m;* **etw. in ~ geben/nehmen** dare/accettare qc in pagamento.

Zählung ⟨-, -en⟩ *f* **1.** *mat* numerazione *f,* computo *m;* *tec* conteggio *m,* registrazione *f;* **2.** *(Volks~, Verkehrs~)* censimento *m;* *(Stimmen~)* spoglio *m* delle schede.

Zahlungsanweisung *f* ordine *m* di pagamento. **Zahlungsaufforderung** *f* sollecitazione *f* (al pagamento). **Zahlungsaufschub** *m* dilazione *f* (di pagamento). **Zahlungsbedingungen** *f pl* condizioni *f pl* di pagamento. **Zahlungsbilanz** *f* bilancia *f* dei pagamenti. **Zahlungsfrist** *f* termine *m* di pagamento. **Zahlungsschwierigkeit** *f:* **in ~en geraten** incontrare difficoltà finanziarie. **zahlungsunfähig** *adj* insolvente, insolvibile. **Zahlungsverkehr** *m* (operazioni *f pl* di) pagamento *m,* pagamenti *m pl.*

Zählwerk *n* contatore *m.*

Zahlwort ⟨-(e)s, -wörter⟩ *n* numerale *m.*

zahm [tsa:m] *adj (Tier, Mensch)* docile, mansueto; *(gezähmt)* addomesticato; *fig (Kritik)* mite.

zähmen ['tsɛ:mən] *tr* **1.** *(zahm machen)* ammansire; *(a. fig)* domare; *(zum Haustier machen)* addomesticare; **2.** *fig (zügeln)* frenare, dominare.

Zahn [tsa:n] ⟨-(e)s, Zähne⟩ *m anat, tec* dente *m;* *zoo (Hauer, Stoß~)* zanna *f;* **der ~ der Zeit** *fam* le ingiurie del tempo; **die dritten Zähne** *scherz* la dentiera; **einen ~ draufhaben** *fam* andare a grande velocità; **jdm auf den ~ fühlen** *fig* tastare il polso a qu; **Zähne bekommen** mettere i denti; **sich** *(dat)* **an etw.** *(dat)* **die Zähne ausbeißen** *fig fam* dannarsi l'anima per qc; **Haare auf den Zähnen haben** *fam* sapersi difendere; **bis an die Zähne bewaffnet sein** essere armato fino ai denti. **Zahnarzt** *m,* **-ärztin** *f* dentista *mf.* **Zahnarzthelfer(in)** *m(f)* assistente *mf* di studio dentistico. **Zahnbelag** *m* patina *f* dentaria. **Zahnbürste** *f* spazzolino *m* da denti. **Zahncreme** *s.* **Zahnpasta.**

zahnen *itr* mettere i denti. **Zahnen** ⟨-s, ø⟩ *n* dentizione *f.*

Zahnersatz *m* protesi *f* dentaria. **Zahnfäule** [-fɔylə] ⟨-, ø⟩ *f* carie *f* dentaria. **Zahnfleisch** *n* gengiva *f;* **auf dem ~ gehen** *fam scherz* essere allo stremo delle proprie forze, non farcela più *fam.* **Zahnfleischbluten** ⟨-s, ø⟩ *n* sanguinazione *f* delle gengive; ~ **haben** avere le gengive sanguinanti. **Zahnfüllung** *f* otturazione *f*. **zahnlos** *adj* sdentato, senza denti. **Zahnlücke** *f* spazio *m* interdentale, buco *m fam*. **Zahnpasta** *f* dentifricio *m*. **Zahnpflege** *f* cura *f* (*o* igiene *f*) dei denti. **Zahnrad** *n* ruota *f* dentata. **Zahnradbahn** *f* ferrovia *f* a cremagliera. **Zahnschmelz** *m* smalto *m* (dentario). **Zahnschmerzen** *m pl* mal *m* di denti. **Zahnseide** *f* filo *m* interdentale. **Zahnspange** *f* apparecchio *m* ortodontico. **Zahnstein** *m* tartaro *m* (dentario). **Zahnstocher** [-ʃtɔxɐ] ⟨-s, -⟩ *m* stuzzicadenti *m*.

Zander ['tsandɐ] ⟨-s, -⟩ *m* lucioperca *f o m*.

Zange ['tsaŋə] ⟨-, -n⟩ *f* tenaglie *f pl; (Kneif~)* pinza *f; (kleinere ~)* pinzetta *f; med* forcipe *m;* **jdn in die ~ nehmen** mettere qu alle strette.

Zank [tsaŋk] ⟨-(e)s, ø⟩ *m* litigio *m,* alterco *m,* bisticcio *m*. **Zankapfel** *m* pomo *m* della discordia.

zanken *rfl:* **sich ~** litigare, bisticciare; **sich um etw. ~** contendersi qc, litigare per qc.

zänkisch ['tsɛŋkɪʃ] *adj* litigioso, attaccabrighe *fam*.

Zäpfchen ['tsɛpfçən] ⟨-s, -⟩ *n* **1.** *anat* ugola *f;* **2.** *med* supposta *f*.

zapfen ['tsapfən] *tr* spillare.

Zapfen ⟨-s, -⟩ *m* **1.** *bot* pigna *f;* **2.** *tec* perno *m,* maschio *m; (Dübel)* tassello *m; (Spund)* zaffo *m; (Holz~)* tenone *m; (Faß~)* tappo *m,* turacciolo *m;* **3.** *(Eis~)* ghiacciolo *m*.

Zapfenstreich *m* **1.** *mil* ritirata *f;* **2.** *fam* silenzio *m*.

Zapfhahn *m* spina *f*. **Zapfpistole** *f* pistola *f* della pompa di benzina. **Zapfsäule** *f* distributore *m* di benzina.

zapp(e)lig *adj fam* irrequieto; *(innerlich unruhig)* inquieto; **jdn ~ machen** innervosire qu.

Zapping ['zæpɪŋ] ⟨-, ø⟩ *n* zapping *m*.

zappeln ['tsapəln] *itr* dimenarsi, dibattersi; *(strampeln)* sgambettare; *(Tier)* zampettare; **jdn ~ lassen** *fig fam* tenere qu sulla corda *fam*.

zapplig *s.* **zappelig.**

Zar(in) [tsa:ɐ ('tsa:rɪn)] ⟨-en, -en⟩ *m(f)* zar *m,* zarina *f*.

zart [tsa:ɐt] *adj* **1.** *(Fleisch, Gemüse, Alter)* tenero; **2.** *(fein)* fine; *(Haut, Farbe, Duft)* delicato; *(Gestalt)* gracile; *(zerbrechlich)* fragile, delicato; *(leicht)* leggero; *(sanft)* dolce; **3.** *(feinfühlig)* sensibile, delicato. **zartbesaitet** [-bəzaitət] *adj* sensibile, dai sentimenti delicati. **zartbitter** *adj* semiamaro. **Zartgefühl** *n* delicatezza *f; (Taktgefühl)* tatto *m*. **Zartheit** ⟨-, ø⟩ *f* **1.** *(von Obst, Fleisch, Gemüse)* tenerezza *f;* **2.** *(Feinheit)* finezza *f; (Sanftheit, Zerbrechlichkeit, Schwächlichkeit)* delicatezza *f*.

zärtlich ['tsɛ:ɐtlɪç] **I.** *adj* tenero; *(liebevoll a.)* affettuoso; **II.** *adv* con tenerezza. **Zärtlichkeit** ⟨-, -en⟩ *f* **1.** ⟨*sing*⟩ *(Eigenschaft)* tenerezza *f;* **2.** *(Liebkosung)* carezza *f,* affettuosità *f*.

Zauber ['tsaubɐ] ⟨-s, -⟩ *m* **1.** *(Magie)* incantesimo *m,* incanto *m;* **2.** *fig (Reiz)* fascino *m;* **3.** *fam pej (Zeug)* roba *f fam;* **der ~ der Musik** l'incanto della musica; **das ist alles fauler ~** *fam* è tutto un imbroglio.

Zauberei [tsaubə'rai] ⟨-, -en⟩ *f* **1.** ⟨*sing*⟩ *(Magie)* magia *f,* incantesimo *m;* **2.** *(Zauberkunststück)* gioco *m* di prestigio, trucco *m*.

Zaub(e)rer ⟨-s, -⟩ *m,* **Zaub(r)erin** *f* mago, -a *m, f; (Zauberkünstler a.)* prestigiatore, -trice *m, f,* illusionista *mf*.

zauberhaft *adj* incantevole, affascinante. **Zauberkünstler(in)** *m(f)* mago, -a *m, f,* illusionista *mf; (Taschenspieler)* presti(-di)gi(t)atore, -trice *m, f*.

zaubern I. *itr* esercitare la magia; *(Zaubertricks vorführen)* fare giochi di prestigio; **ich kann doch nicht ~** *fam* non posso fare miracoli; **II.** *tr* far accadere per magia; *(herbei~)* produrre per incantesimo.

Zauberspruch *m* formula *f* magica. **Zauberstab** *m* bacchetta *f* magica. **Zauberwort** ⟨-(e)s, -e⟩ *n* formula *f* magica.

Zaubrer(in) *m(f) s.* **Zauberer.**

zaudern ['tsaudɐn] *itr* esitare, indugiare, tentennare.

Zaum [tsaum] ⟨-(e)s, Zäume⟩ *m* briglie *f pl;* **im ~ halten** frenare, tenere a freno. **Zaumzeug** ⟨-(e)s, -e⟩ *n* briglie *f pl*.

Zaun [tsaun] ⟨-(e)s, Zäune⟩ *m* recinto *m; (Latten~)* steccato *m; (Draht~)* rete *f* (di recinzione); **einen Streit vom ~ brechen** provocare una lite. **Zaunkönig** *m* scricciolo *m*. **Zaunpfahl** *m* palo *m* di uno steccato; **ein Wink mit dem ~** un avvertimento indiretto, ma esplicito.

z. B. *abk von* **zum Beispiel** p.es. (*abbr di* per esempio).

ZDL [tsɛtde:'ʔɛl] ⟨-(s), -(s)⟩ *m abk von* **Zivildienstleistender** addetto *m* al servizio civile.

Zebra ['tse:bra] ⟨-s, -s⟩ *n* zebra *f*. **Zebrastreifen** *m* strisce *f pl* pedonali.

Zeche ['tsɛçə] ⟨-, -n⟩ *f* **1.** *(Rechnung)* conto *m,* scotto *m; (Verzehr)* consumazione *f;* **2.** *(Bergwerk)* miniera *f* di carbone; **die ~ bezahlen** *(a. fig)* pagare lo scotto.

zechen *itr* sbevazzare *fam*.

Zecke ['tsɛkə] ⟨-, -n⟩ *f* zecca *f*.

Zeder ['tse:dɐ] ⟨-, -n⟩ *f* cedro *m*.

Zeh [tse:] ⟨-s, -en⟩ *m s.* **Zehe 1.**

Zehe ['tse:ə] ⟨-, -n⟩ *f* **1.** *anat* dito *m* del piede; **2.** *bot (Knoblauch~)* spicchio *m* (d'aglio); **große/kleine ~** pollice *m*/mignolo *m* del piede. **Zehenspitze** *f* punta *f* dei piedi; **auf (den) ~n** in punta di piedi.

zehn [tse:n] *num* dieci; **etwa ~** una decina; *s. a. vier.*

Zehn ⟨-, -en⟩ *f* dieci *m.*

Zehn-, zehn- *s. a. Vier-, vier-.*

Zehner ⟨-s, -⟩ *m* **1.** *mat* decina *f;* **2.** *fam s.* **Zehnpfennigstück. Zehnerstelle** *f* decina *f;* **eine ~ hinter dem Komma** una decade dopo la virgola.

Zehnkampf *m* decat(h)lon *m.* **zehnmal** *adv* dieci volte.

Zehnmarkschein [-'mark-] *m* biglietto *m* da dieci marchi.

Zehnpfennigstück [-'pfɛnɪç-] *n* moneta *f* da dieci pfennig.

zehntausend ['tse:n'tauzənt] *num* diecimila; **die oberen Z~** *fam* l'alta società, i ceti privilegiati.

zehnte *s.* **zehnte(r, s).**

Zehnte ⟨ein -r, -n, -n⟩ *mf* decimo, -a *m, f; s. a. Vierte.*

Zehntel ⟨-s, -⟩ *n* decimo *m,* decima parte *f.*

zehntens *adv* (in) decimo (luogo).

zehnte(r, s) *adj* decimo, -a; *(bei Datumsangaben)* dieci; *s. a. vierte(r, s).*

zehren ['tse:rən] *itr* **1.** *(leben, sich ernähren)* vivere *(von* di), nutrirsi *(von* di); *fig* pascersi *(von* di); **2.** *(mager machen)* far dimagrire *(an jdm* qu); *(nagen)* consumare *(an jdm* qu).

Zeichen ['tsaiçən] ⟨-s, -⟩ *n* **1.** *(allg., Tierkreis~, Mal, mus)* segno *m; (Symbol)* simbolo *m; (Merk~)* contrassegno *m; (Ab~)* distintivo *m; (Akten~)* numero *m* di protocollo; *(Namens~)* sigla *f; (Waren~)* marchio *m;* **2.** *(Signal)* segnale *m;* **3.** *(Vor~)* avvertimento *m; (An~)* indizio *m; med* sintomo *m;* **4.** *(Beweis)* prova *f;* **ein ~ geben** dare un segno; *(Wink)* fare un cenno; **im ~ des Stiers geboren sein** essere nato sotto il segno del toro; **seines ~s Lehrer** di professione insegnante; **als** (*o* **zum**) **~ von** in segno di; **das ist ein gutes ~** è buon segno; **es geschehen noch ~ und Wunder!** *scherz* meraviglia!, miracolo!

Zeichenblock ⟨-(e)s, -s⟩ *m* blocco *m* da disegno. **Zeichenbrett** *n* tavola *f* da disegno.

Zeichenerklärung *f* leggenda *f.* **Zeichensprache** *f* linguaggio *m* mimico (*o* a segni).

Zeichentrickfilm *m* cartoni *m pl* animati.

zeichnen ['tsaiçnən] **I.** *tr* **1.** *(malen)* disegnare; *(skizzieren)* schizzare, abbozzare; *(vor~, mat)* tracciare; *(Umrisse)* delineare; **2.** *(kenn~)* contrassegnare, marcare; **3.** *(unter~, fin)* firmare, sottoscrivere; *adm (verantwortlich sein)* assumersi la responsabilità *(für* di); **II.** *itr* disegnare. **Zeichnen** ⟨-s, ø⟩ *n* disegno *m;* **technisches ~** disegno industriale. **Zeichner(in)** ⟨-s, -⟩ *m(f)* **1.** *(Maler)* disegnatore, -trice *m, f;* **2.** *fin* sottoscrittore, -trice *m, f;* **technischer ~** disegnatore tecnico.

Zeichnung ⟨-, -en⟩ *f* **1.** *(Darstellung, Entwurf, Muster)* disegno *m;* **2.** *fin* sottoscrizione *f.* **zeichnungsberechtigt** *adj* autorizzato a firmare.

Zeigefinger *m* (dito *m*) indice *m.*

zeigen ['tsaigən] **I.** *tr* **1.** *allg.* mostrare, far vedere; *(vor~ a.)* esibire; *film, theat* presentare; *(Weg)* indicare, mostrare; *(Wirkung)* far registrare; **2.** *tec (an~)* segnare; **3.** *(an den Tag legen)* mostrare, manifestare; *(aufweisen)* mostrare, rivelare; **dir werd' ich's ~!** *fam* ti farò vedere io!; **II.** *itr* indicare *(auf etw. (akk)* qc), mostrare *(auf etw. (akk)* qc); *(mit dem Finger)* additare *(auf etw. (akk)* qc); **nach Süden ~** indicare il sud; **zeig (doch) mal!** fammi vedere!; **III.** *rfl:* **sich ~** mostrarsi; *(sich sehen lassen)* farsi vedere; **es zeigt sich, daß ...** risulta che ...; **das wird sich ~** si vedrà.

Zeiger ⟨-s, -⟩ *m* indice *m,* indicatore *m; (Nadel)* ago *m; (Uhr~)* lancetta *f; (auf Meßgeräten)* indice *m.*

Zeile ['tsailə] ⟨-, -n⟩ *f* **1.** *typ, fig* riga *f;* **2.** *TV* linea *f;* **3.** *(Häuser~, Baum~)* fila *f;* **eine neue ~ anfangen** andare a capo; **jdm ein paar ~n schreiben** scrivere due righe a qu; **zwischen den ~n lesen** leggere tra le righe; **neue ~!** *(beim Diktat)* a capo! **Zeilenabstand** *m* spazio *m* interlineare (*o* fra le righe).

Zeisig ['tsaizɪç] ⟨-s, -e⟩ *m* lucherino *m.*

zeit ['tsait] *prp +gen:* **~ meines Lebens** per tutta la mia vita.

Zeit [tsait] ⟨-, -en⟩ *f* **1.** *allg., gram, sport, phys, philos* tempo *m;* **2.** *(~raum, ~spanne)* periodo *m; (~alter)* epoca *f,* era *f;* **3.** *(~punkt)* momento *m;* **4.** *(Jahres~)* stagione *f;* **5.** *(Uhr~)* ora *f;* **schlechte ~en** tempi duri; **~ brauchen** metterci tempo; **~/keine ~ haben (, etw. zu tun)** avere/non avere tempo (per fare qc); **sechs Stunden ~ haben** avere sei ore di tempo; **jdm ~ lassen** dar tempo a qu; **sich** *(dat)* **~ lassen** fare con comodo, prendersela comoda *fam;* **sich** *(dat)* **~ nehmen** prendere tempo; **auf ~ spielen** *sport* guadagnare tempo, tirare le cose in lungo; **mit der ~ gehen** andare coi tempi, tenere il passo con i tempi; **auf ~** a termine; **für alle ~en** per sempre; **in der ~ vom ... bis zum ...** nel periodo dal ... al ...; **in letzter ~** negli ultimi tempi, ultimamente; **in nächster ~** prossimamente, in un prossimo futuro; **mit der ~** col passare (*o* coll'andare) del tempo; **seit der** (*o* **dieser**) **~** da quel momento; **die ganze ~** (**über**) (per) tutto il tempo; **um diese ~** a quest'ora; **um dieselbe** (*o* **die gleiche**) **~** alla stessa ora; **um welche ~?** a che ora?; **von ~ zu ~** di tanto in tanto, ogni tanto; **vor langer ~** molto tempo fa; **zur ~** (*abk* **z. Z., z. Zt.**) attualmente; **zur ~ von** ai tempi di; **zur rechten ~** al tempo (*o* al momento) giusto; *(rechtzeitig)* tempestivamente; **zu meiner** ~ ai miei tempi; **das hat** ~ non c'è fretta, c'è tempo; **es wird (allmählich)** ~**, daß ...** è ora che +*congv;* **es ist an der** ~ **zu** è tempo (*o* ora) di +*inf;* **ach, du liebe** ~**!** Dio mio!, santo cielo!; **alles zu seiner** ~**!** ogni cosa a suo tempo!; **wie die** ~ **vergeht!** come passa il tempo!; ~ **ist Geld** *prov* il tempo è denaro *prov;* **kommt** ~**, kommt Rat** *prov* la notte porta consiglio *prov.*

Zeitabschnitt *m* periodo *m* (di tempo), epoca *f.* **Zeitabstand** *m* intervallo *m.* **Zeitalter** *n* era *f,* età *f,* tempo *m.* **Zeitangabe** *f* **1.** *(Uhrzeit)* ora *f; (Datum)* data *f;* **2.** *gram* complemento *m* di tempo. **Zeitansage** *f* segnale *m* orario. **Zeitarbeit** *f* lavoro *m* interinale. **Zeitaufwand** *m* dispendio *m* di tempo. **Zeitbombe** *f* bomba *f* a orologeria. **Zeitdruck** ⟨-(e)s, ø⟩ *m* fretta *f,* premura *f;* **unter** ~ **stehen** avere fretta. **Zeitenfolge** *f gram* consecutio *m* temporum. **Zeitgeist** *m* spirito *m* del tempo. **zeitgemäß** *adj* conforme allo spirito (*o* ai gusti) del tempo, moderno; *(aktuell)* attuale. **Zeitgenosse** *m,* **-genossin** *f* contemporaneo, -a *m, f.* **zeitgenössisch** [-gənœsɪʃ] *adj* contemporaneo. **Zeitgeschehen** ⟨-s, ø⟩ *n* attualità *f.*

zeitig I. *adj* primo; **II.** *adv* presto; ~ **aufstehen** alzarsi di buon'ora.

Zeitkarte *f* abbonamento *m.* **Zeitlang** *f:* **eine** ~ per qualche tempo.

zeitlebens [-'le:bəns] *adv* per tutta la vita, vita natural durante.

zeitlich *adj* cronologico; *(a. gram)* temporale; ~ **zusammenfallen** coincidere; **das Z~e segnen** *geh* passare a miglior vita *lett;* ~ **begrenzt** limitato nel tempo; ~ **paßt es mir gut** l'orario mi va bene.

Zeitlimit *n* tempo *m* massimo. **zeitlos** *adj* non soggetto al tempo; *(Kleidung)* non soggetto alla moda. **Zeitlupe** *f* rallentatore *m;* **eine Wiederholung in** ~ una ripresa al rallentatore; **mit der** ~ al rallentatore. **Zeitlupentempo** *n:* **im** ~ a passo di lumaca. **Zeitmangel** *m* mancanza *f* di tempo. **Zeitpunkt** *m* **1.** *(Augenblick)* momento *m,* istante *m,* punto *m;* **2.** *(Datum)* data *f;* **3.** *(Frist)* termine *m;* **der** ~**, wo ...** il momento in cui ...; **zu diesem** ~ in quel momento, a questo punto. **Zeitraffer** ⟨-s, ø⟩ *m* acceleratore *m.* **Zeitrafferaufnahme** *f* ripresa *f* all'acceleratore. **zeitraubend** *adj* che richiede molto tempo, lungo. **Zeitraum** *m* spazio *m* di tempo, periodo *m.* **Zeitrechnung** *f* cronologia *f;* **christliche** ~ era *f* cristiana; **nach/vor unserer** ~ dopo/avanti Cristo. **Zeitschrift** *f* periodico *m; (bes. Illustrierte)* rivista *f.* **Zeitsoldat** *m* soldato *m* a tempo determinato. **zeitsparend** *adj* che fa risparmiare tempo. **Zeittakt** *m tel* scatto *m.*

Zeitung ['tsaitʊŋ] ⟨-, -en⟩ *f* giornale *m,* quotidiano *m; (Zeitschrift)* rivista *f.* **Zeitungsausschnitt** *m* ritaglio *m* di giornale. **Zeitungsbeilage** *f* supplemento *m* al giornale. **Zeitungsente** *f fam* serpente *m* di mare, canard *m.* **Zeitungsnotiz** *f* trafiletto *m,* stelloncino *m.* **Zeitungspapier** *n* carta *f* da giornale.

Zeitunterschied *m* differenza *f* di orario. **Zeitverlust** *m* perdita *f* di tempo; *(verlorene Zeit)* tempo *m* perso. **Zeitverschiebung** *f (bei Flugreisen)* spostamento *m* del fuso orario. **Zeitverschwendung** *f* spreco *m* di tempo. **Zeitvertreib** [-fɛɐ̯traip] ⟨-(e)s, -e⟩ *m* passatempo *m;* **zum** ~ per passatempo. **zeitweilig** [-vailɪç] *adj* temporaneo, momentaneo; *(vorläufig)* provvisorio. **zeitweise** *adv* temporaneamente; *(von Zeit zu Zeit)* di tanto in tanto, a periodi; *(eine Zeitlang)* per un certo tempo. **Zeitwort** ⟨-(e)s, -wörter⟩ *n* verbo *m.* **Zeitzeichen** *n* segnale *m* orario. **Zeitzünder** *m* spoletta *f* ad accensione ritardata. **Zeitzündung** *f* accensione *f* a tempo.

zelebrieren [tsele'bri:rən] ⟨*ohne ge-*⟩ *tr* celebrare, officiare.

Zelle ['tsɛlə] ⟨-, -n⟩ *f* **1.** *biol, pol, fig* cellula *f;* **2.** *(kleiner Raum)* cella *f; (Telefon~, Wahl~)* cabina *f;* **die (kleinen) grauen ~n** *fam scherz* la materia grigia. **Zellgewebe** *n* tessuto *m* cellulare.

Zellophan® [tsɛlo'fa:n] ⟨-s, ø⟩ *n* cellofan® *m.*

Zellstoff *m* cellulosa *f.* **Zellteilung** *f* divisione *f* (*o* scissione *f*) della cellula.

Zellulose [tsɛlu'lo:zə] ⟨-, -n⟩ *f* cellulosa *f.*

Zelt [tsɛlt] ⟨-(e)s, -e⟩ *n* tenda *f;* **seine ~e abbrechen** *fig scherz* levare le tende. **Zeltbahn** *f* telo *m* da tenda.

zelten *itr* campeggiare; *(bes. mil)* accamparsi; ~ **gehen** andare in campeggio. **Zelten** ⟨-s, ø⟩ *n* campeggio *m,* camping *m.*

Zeltlager *n* accampamento *m,* attendamento *m; (Ferienlager)* campeggio *m,* camping *m.* **Zeltpflock** *m* picchetto *m* da tenda. **Zeltplatz** *m* campeggio *m,* camping *m.* **Zeltstange** *f* paletto *m* da tenda.

Zement [tse'mɛnt] ⟨-(e)s, -e⟩ *m* cemento *m.*

zementieren [...'ti:rən] ⟨*ohne ge-*⟩ *tr* cementare; *fig* sancire.

Zenit [tse'ni:t] ⟨-(e)s, ø⟩ *m* **1.** *astr* zenit *m;* **2.** *fig* apice *m,* culmine *m.*

zensieren [tsɛn'zi:rən] ⟨*ohne ge-*⟩ *tr* **1.** *(Bücher, Filme)* censurare; **2.** *(Klassenarbeiten)* classificare, dare voti a.

Zensur [...'zu:ɐ̯] ⟨-, -en⟩ *f* **1.** *(staatliche Kontrolle)* censura *f;* **2.** *(Note)* voto *m;* **~en** *(Zeugnis)* pagella *f.*

Zentiliter [tsɛnti'li:tɐ] *m o n* (*abk* **cl**) centilitro *m.*

Zentimeter [tsɛnti'me:tɐ] *m o n* (*abk*

cm) centimetro *m*. **Zentimetermaß** *n* centimetro *m*.
Zentner ['tsɛntnɐ] ⟨-s, -⟩ *m* (*abk* **Ztr.**) mezzo quintale *m; CH, A* (*abk* **q**) quintale *m*.
zentral [tsɛn'traːl] *adj* centrale.
Zentral- *(in Zusammensetzungen)* centrale. **Zentralbank** *f* banca *f* centrale.
Zentrale ⟨-, -n⟩ *f allg., el* centrale *f; tel* centralino *m; (Hauptgeschäftsstelle)* sede *f* centrale; *(Taxi~)* centrale *f*.
Zentraleinheit *f inform* unità *f* centrale.
Zentralheizung *f* riscaldamento *m* centrale.
zentralisieren [tsɛntrali'ziːrən] ⟨*ohne ge-*⟩ *tr* centralizzare. **Zentralisierung** *f* centralizzazione *f*. **zentralistisch** *adj* centralizzato.
Zentralkomitee *n* comitato *m* centrale.
Zentralstelle *f*: ~ **für die Vergabe von Studienplätzen** (*abk* **ZVS**) (ufficio *m*) centrale *f* per l'assegnazione di posti di studio. **Zentralverriegelung** *f mot* chiusura *f* centralizzata.
Zentren *pl von* **Zentrum**.
zentrieren [tsɛn'triːrən] *tr typ* centrare.
Zentrifugalkraft [tsɛntrifu'gaːl-] *f* forza *f* centrifuga.
Zentrifuge [tsɛntri'fuːgə] ⟨-, -n⟩ *f* centrifuga *f*.
Zentripetalkraft [tsɛntripe'taːl-] *f* forza *f* centripeta.
Zentrum ['tsɛntrʊm, ...rən] ⟨-s, Zentren⟩ *n* centro *m*; **im ~ des Interesses** al centro dell'attenzione.
Zeppelin ['tsɛpəliːn] ⟨-s, -e⟩ *m* dirigibile *m*, zeppelin *m*.
Zepter ['tsɛptɐ] ⟨-s, -⟩ *n* scettro *m*.
zerbomben ⟨*ohne ge-*⟩ *tr* distruggere con bombardamenti.
zerbrechen ⟨*irr, ohne ge-*⟩ **I.** *tr* ⟨*haben*⟩ rompere, spezzare; **sich** *(dat)* **den Kopf** ~ rompersi la testa (*über +akk* per); **II.** *itr* ⟨*sein*⟩ rompersi; *(a. fig)* spezzarsi (*an +dat* da). **zerbrechlich** *adj* fragile.
zerdrücken ⟨*ohne ge-*⟩ *tr* schiacciare; *(Kleidung)* sgualcire.
Zeremonie [tseremo'niː, ...iːən] ⟨-, -n⟩ *f* cerimonia *f*.
Zerfall *m* **1.** *allg., fig* crollo *m*, rovina *f; geol* disfacimento *m; chem* decomposizione *f; phys* disintegrazione *f;* **2.** *fig (Verfall)* decadimento *m*.
zerfallen ⟨*irr, ohne ge-*⟩ *itr* ⟨*sein*⟩ **1.** *(auseinanderfallen)* cadere in (*o* a) pezzi; *(bes. Bauwerk)* crollare, andare in rovina; **2.** *(sich auflösen)* disfarsi, dissolversi; *phys* disintegrarsi; **3.** *(geol, Werte, Familie)* disgregarsi; **4.** *fig (sich gliedern)* dividersi (*in +akk* in); **zu Staub** ~ ridursi in polvere.
zerfetzen ⟨*ohne ge-*⟩ *tr* stracciare, fare a pezzi, lacerare; *(verwunden)* dilaniare.
zerfleischen ⟨*ohne ge-*⟩ *tr* sbranare.
zerfließen ⟨*irr, ohne ge-*⟩ *itr* ⟨*sein*⟩*:* **vor Mitleid** ~ essere commosso alle lacrime.
zerfressen ⟨*irr, ohne ge-*⟩ *tr (Motten, Neid)* rodere; *(Säure, Rost)* corrodere.
zergehen ⟨*irr, ohne ge-*⟩ *itr* ⟨*sein*⟩ sciogliersi; **auf der Zunge** ~ sciogliersi in bocca.
zerhacken ⟨*ohne ge-*⟩ *tr (Holz)* spaccare, tagliare; *(Fleisch)* tagliare a pezzetti.
zerhauen ⟨*irr, ohne ge-*⟩ *tr* tagliare a pezzi, spaccare.
zerkleinern ⟨*ohne ge-*⟩ *tr (Fleisch, Gemüse)* tritare; *(Brot, Holz)* spezzettare.
zerklüftet [tsɛɐ̯'klʏftət] *adj* frastagliato.
zerknirscht *adj* contrito, compunto.
zerknittern ⟨*ohne ge-*⟩ *tr* sgualcire, spiegazzare.
zerknüllen [tsɛɐ'knʏlən] ⟨*ohne ge-*⟩ *tr* appallottolare.
zerkratzen ⟨*ohne ge-*⟩ *tr* graffiare.
zerlassen ⟨*irr, ohne ge-*⟩ *tr* fare sciogliere; ~**e Butter** burro fuso.
zerlegen ⟨*ohne ge-*⟩ *tr* **1.** *(auseinandernehmen)* scomporre; *tec (abmontieren)* smontare; **2.** *(Fleisch)* trinciare; **3.** *chem* decomporre; **4.** *mat* dividere, ridurre; **5.** *gram* analizzare, fare l'analisi di; **etw. in seine Einzelteile** ~ smontare qc nelle sue parti componenti.
zerlumpt [tsɛɐ̯'lʊmpt] *adj* cencioso.
zermürben ⟨*ohne ge-*⟩ *tr* snervare, fiaccare, logorare.
zerquetschen ⟨*ohne ge-*⟩ *tr* schiacciare.
zerreiben ⟨*irr, ohne ge-*⟩ *tr* triturare; *(a. Farben)* macinare; *(reiben)* grattugiare; *(zu Pulver)* polverizzare; *fig* schiacciare, annientare.
zerreißen ⟨*irr, ohne ge-*⟩ **I.** *tr* ⟨*haben*⟩ **1.** *(Stoff, Papier)* stracciare; *(bes. durchreißen)* strappare; *(in Stücke)* fare a pezzi; **2.** *(zerfleischen)* sbranare, dilaniare; **jdm das Herz** ~ *fig* spezzare il cuore a qu; **II.** *itr* ⟨*sein*⟩ strapparsi; **III.** *rfl:* **sich für jdn** ~ *fig* spezzarsi in due per qu. **Zerreißprobe** *f* **1.** *tec* prova *f* di trazione (*o* di strappamento); **2.** *fig* dura prova *f*.
zerren ['tsɛrən] **I.** *tr* **1.** *(ziehen)* tirare con forza; *(schleppen)* trascinare; **2.** *(dehnen)* stirare, strappare; **II.** *itr* **1.** *(reißen)* dare degli strappi (*an +dat* a); **2.** *fig* logorare (*an etw. (dat)* qc).
zerrinnen ⟨*irr, ohne ge-*⟩ *itr* ⟨*sein*⟩ **1.** *(Flüssigkeit)* sciogliersi; **2.** *fig (Jahre, Zeit)* scorrere; *(Hoffnungen)* svanire; **das Geld zerrinnt ihm unter den Fingern** ha le mani bucate *fam*.
Zerrung ⟨-, -en⟩ *f* stiramento *m*, strappo *m*.
zerrütten [tsɛɐ̯'rʏtən] ⟨*ohne ge-*⟩ *tr* scuotere; *(schädigen)* rovinare; *(Gesundheit)* logorare; *(Geist)* turbare; *(Ehe)* guastare; *(Finanzen, Ordnung)* dissestare. **Zerrüttungsprinzip** *n* principio *m* del disfacimento.
zersägen ⟨*ohne ge-*⟩ *tr* segare a (*o* in)

pezzi.

zerschellen ⟨*ohne ge-*⟩ *itr* ⟨*sein*⟩ sfracellarsi (*an +dat* contro); *(bes. Flugzeug)* schiantarsi (*an +dat* contro).

zerschlagen[1] ⟨*irr, ohne ge-*⟩ **I.** *tr* **1.** *(entzweischlagen)* fare a pezzi; **2.** *(durch Fallenlassen)* rompere, spaccare; **3.** *(durch Darauffallen)* fracassare, frantumare; **4.** *fig (Widerstand)* vincere; *(Pläne)* mandare a monte; **II.** *rfl:* **sich** ~ *fig* andare a monte (*o* in fumo).

zerschlagen[2] *adj* sfinito, spossato.

zerschneiden ⟨*irr, ohne ge-*⟩ *tr* **1.** *(in Stücke)* tagliare a (*o* in) pezzi, tagliuzzare; *(in Scheiben)* affettare; *(Braten)* trinciare; **2.** *(durch Schnitte verletzen)* tagliare.

zersetzen ⟨*ohne ge-*⟩ **I.** *tr* **1.** *chem* decomporre; **2.** *fig* disgregare; *(untergraben)* minare; **II.** *rfl:* **sich** ~ **1.** *chem* decomporsi; **2.** *fig* disgregarsi, disfarsi. **zersetzend** *adj fig* sovversivo.

zersplittern ⟨*ohne ge-*⟩ **I.** *tr* ⟨*haben*⟩ **1.** *(Gegenstand)* mandare in frantumi, scheggiare; **2.** *fig, pol* smembrare; **II.** *itr* ⟨*sein*⟩ **1.** *(Material)* andare in frantumi, scheggiarsi; **2.** *fig, pol* essere frantumato.

zerspringen ⟨*irr, ohne ge-*⟩ *itr* ⟨*sein*⟩ **1.** *(Material)* spaccarsi, fendersi, rompersi; *(explodieren)* scoppiare; **2.** *fig (Herz)* spezzarsi (*vor +akk* da).

zerstampfen ⟨*ohne ge-*⟩ *tr (zertreten)* calpestare; *(im Mörser)* pestare; *(zerquetschen)* schiacciare.

zerstäuben [tsɛɐ̯'ʃtɔybən] ⟨*ohne ge-*⟩ *tr (Flüssigkeit)* spruzzare; *(Pulver)* polverizzare. **Zerstäuber** ⟨-s, -⟩ *m* atomizzatore *m; (a. tec)* spruzzatore *m,* polverizzatore *m.*

zerstechen ⟨*irr, ohne ge-*⟩ *tr* foracchiare, bucare; *(Insekten)* pungere.

zerstören ⟨*ohne ge-*⟩ *tr* **1.** *allg.* distruggere; *(Gebäude)* demolire; *(verwüsten)* devastare; **2.** *fig (Gesundheit, Ehe)* rovinare; *(Hoffnung)* distruggere. **Zerstörer** ⟨-s, -⟩ *m (Schiff)* cacciatorpediniere *m.* **zerstörerisch** *adj* distruttivo.

Zerstörung *f* **1.** *allg.* distruzione *f; (von Gebäude)* demolizione *f;* **2.** *fig* rovina *f.* **Zerstörungswut** *f* vandalismo *m,* mania *f* di distruzione.

zerstoßen ⟨*irr, ohne ge-*⟩ *tr* pestare.

zerstreuen ⟨*ohne ge-*⟩ **I.** *tr* **1.** *(verstreuen)* disperdere, sparpagliare; **2.** *phys* diffondere; **3.** *fig (Zweifel, Verdacht)* dissipare; **4.** *(ablenken)* distrarre; *(unterhalten)* svagare, divertire; **II.** *rfl:* **sich** ~ **1.** *(sich verteilen)* disperdersi; **2.** *(sich ablenken)* distrarsi; *(sich unterhalten)* svagarsi, divertirsi. **zerstreut** *adj fig* distratto, sbadato. **Zerstreutheit** ⟨-, ø⟩ *f* distrazione *f,* sbadataggine *f fam.*

Zerstreuung *f* **1.** *(das Zerstreuen)* dispersione *f; phys* diffusione *f;* **2.** *(Unterhaltung)* distrazione *f,* svago *m.*

zerteilen ⟨*ohne ge-*⟩ *tr* dividere; *(trennen)* separare (*in +akk* in); *(zerschneiden)* tagliuzzare; *(Braten)* trinciare.

Zertifikat [tsɛrtifi'ka:t] ⟨-(e)s, -e⟩ *n* **1.** *(Bescheinigung)* certificato *m;* **2.** *(Diplom)* diploma *m.*

zertreten ⟨*irr, ohne ge-*⟩ *tr (zertrampeln)* calpestare; *(Käfer, etc.)* schiacciare coi piedi.

zertrümmern ⟨*ohne ge-*⟩ *tr* fracassare, frantumare; *(a. fig)* distruggere.

zerzausen [tsɛɐ̯'tsauzən] ⟨*ohne ge-*⟩ *tr:* **jdm das Haar** ~ arruffare i capelli a qu, spettinare qu. **zerzaust** *adj* arruffato, scompigliato.

Zettel ['tsɛtəl] ⟨-s, -⟩ *m* foglietto *m,* pezzo *m* di carta; *(beschriebener ~)* biglietto *m,* nota *f; (Kassen~)* scontrino *m; (Kartei~)* scheda *f; (Preis~)* cartellino *m; (Formular)* modulo *m; (Anschlag~)* cartellone *m; (Flugblatt)* volantino *m;* ~ **ankleben verboten!** vietata l'affissione. **Zettelkasten** *m* schedario *m.*

Zeug [tsɔyk] ⟨-(e)s, ø⟩ *n* **1.** *fam (Sachen)* roba *f,* cose *f pl; pej* robaccia *f fam;* **2.** *fam pej (Unsinn)* stupidaggini *f pl,* sciocchezze *f pl;* **das ~ zu etw. haben** avere la stoffa di qc, essere tagliato per qc; **jdm etw. am ~ flicken** *fam* trovare da ridire qc su qu; **sich ins ~ legen** *fam* mettersi con impegno; **was das ~ hält** *fam* a più non posso; **dummes ~!** ma che sciocchezze!

Zeuge ['tsɔygə] ⟨-n, -n⟩ *m,* **Zeugin** [...gɪn] *f* testimone *mf; jur* teste *mf;* **als ~ aussagen** testimoniare, deporre; **vor ~n** in presenza di testimoni.

zeugen[1] ['tsɔygən] *itr (als Zeuge aussagen)* testimoniare; **von etw. ~** *fig* dimostrare qc, testimoniare qc.

zeugen[2] ['tsɔygən] *tr* **1.** *(Kinder)* procreare, generare; **2.** *fig geh* produrre.

Zeugenaussage *f* deposizione *f,* testimonianza *f.* **Zeugenstand** *m* banco *m* dei testimoni; **in den ~ treten** andare al banco dei testimoni. **Zeugenverhör** *n,* **-vernehmung** *f* escussione *f* (*o* interrogatorio *m*) dei testi.

Zeugin *f s.* **Zeuge.**

Zeugnis ['tsɔyknɪs] ⟨-ses, -se⟩ *n* **1.** *(allg., med, Arbeits~)* certificato *m; (Schul~)* pagella *f;* **2.** *(Beweis)* testimonianza *f,* deposizione *f;* **für/gegen jdn ~ ablegen** testimoniare per/contro qu.

Zeugung ⟨-, -en⟩ *f* procreazione *f,* generazione *f.* **zeugungsfähig** *adj* atto a procreare. **zeugungsunfähig** *adj* sterile, impotente.

z. H., z. Hd. *abk von* **zu Händen** S.P.M. (*abbr di* sue proprie mani).

Zickzack ['tsɪktsak] ⟨-(e)s, -e⟩ *m* zigzag *m;* **im ~** a zigzag.

Ziege ['tsi:gə] ⟨-, -n⟩ *f* capra *f;* **blöde ~** *fam* oca *f fam.*

Ziegel ['tsi:gəl] ⟨-s, -⟩ *m* **1.** *(Baustein)* laterizio *m; (quaderförmig)* mattone *m;* **2.** *(Dach~)* tegola *f.* **Ziegeldach** *n* tetto *m* di tegole.

Ziegelei [tsiːgəˈlai] ⟨-, -en⟩ *f* fornace *f,* fabbrica *f* di laterizi.

Ziegelstein *m* laterizio *m; (quaderförmig)* mattone *m.*

Ziegenbock *m* caprone *m,* becco *m.* **Ziegenfell** *n* pelle *f* di capra. **Ziegenkäse** *m* formaggio *m* di capra. **Ziegenleder** *n* capretto *m.*

ziehen [ˈtsiːən] ⟨zieht, zog, gezogen⟩ **I.** *tr* ⟨*haben*⟩ **1.** *allg.* tirare *(jdn an etw. (dat)* qu per qc); *(zerren)* trascinare; *(schleppen)* trainare, rimorchiare; *(dehnen)* tendere; **2.** *(heraus~)* cavare, togliere; *(Zahn, Los, Wurzel)* estrarre; *(Wechsel, Schlußfolgerungen)* trarre; *(hervorholen)* tirare fuori; *(Schwert)* sguainare; *(Pistole)* estrarre; **3.** *(in etw. hinein~)* infilare *(in +akk* in); **4.** *(Mauer)* costruire, erigere; *(Graben)* scavare; **5.** *(Linie)* tracciare; **6.** *(Pflanze)* coltivare; *(Tiere)* allevare; **jdn an sich** ~ stringere qu a sé; **alle Blicke auf sich** ~ attirare tutti gli sguardi su di sé; **Nutzen aus etw.** ~ trarre profitto da qc; **aus dem Verkehr** ~ togliere dalla circolazione; **Zigaretten (aus dem Automaten)** ~ estrarre le sigarette dal distributore; **jdn in etw.** *(akk)* ~ coinvolgere qu in qc; **jdn ins Vertrauen** ~ confidarsi con qu; **etw. nach sich** *(dat)* ~ *fig* comportare qc, avere come conseguenza qc; **eine Jacke über das Kleid** ~ mettersi una giacca sopra il vestito; **den Ring vom Finger** ~ sfilarsi l'anello dal dito; **es zieht mich in** *+akk*/**nach ...** mi sento attratto verso ...; **II.** *itr* **1.** ⟨*haben*⟩ tirare *(an etw. (dat)* qc); **2.** ⟨*haben*⟩ *(weh tun)* fare male; **3.** ⟨*sein*⟩ *(wandern)* camminare *(durch* in, per), girare *(durch* per); *(Zugvögel)* migrare; *(Wolken)* muoversi, passare; **4.** ⟨*sein*⟩ *(weg~)* andarsene, partire; **5.** ⟨*sein*⟩ *(umziehen)* cambiare casa, trasferirsi; **6.** ⟨*haben*⟩ *(Kaffee)* filtrare; *(Tee)* stare in infusione; **7.** ⟨*haben*⟩ *(Auto)* tirare, trainare; **8.** ⟨*haben*⟩ *fig fam (zugkräftig sein)* avere successo *(bei* con), fare presa *(bei* su); **an einer Zigarette** ~ dare una tirata a una sigaretta; **zu jdm** ~ andare ad abitare da qu; **es zieht** c'è corrente; **das zieht bei mir nicht** *fam* con me non attacca *fam;* **III.** *rfl:* **sich** ~ **1.** *(sich dehnen)* allungarsi; *(Holz)* (in)curvarsi; *(Gummi)* tendersi; *(Käse)* filare; **2.** *(sich erstrecken)* estendersi *(über +akk* su).

Ziehharmonika [-harmoːnika, ...ikas *o* ...ikən] ⟨-, -s *o* -niken⟩ *f* fisarmonica *f.*

Ziehung ⟨-, -en⟩ *f* estrazione *f.*

Ziel [tsiːl] ⟨-(e)s, -e⟩ *n* **1.** *(von Reise)* destinazione *f; (von Wunsch a.)* meta *f;* **2.** *(~scheibe)* bersaglio *m;* **3.** *fig (Zweck)* obiettivo *m; (Absicht)* scopo *m;* **4.** *sport* traguardo *m,* arrivo *m;* **sein ~ erreichen** raggiungere il proprio traguardo (*o* la propria meta), ottenere il proprio scopo; **sich** *(dat)* **ein ~ setzen (***o* **stecken)** prefiggersi uno scopo, proporsi una meta; **das ~ verfehlen** *(a. fig)* mancare il bersaglio; **über das ~ hinausschießen** *fam* passare il segno (*o* i limiti); **zum ~ führen** portare alla meta.

zielen *itr* **1.** *(mit Waffe)* mirare *(auf +akk* a), prendere di mira *(auf etw. (akk)* qc), puntare *(auf +akk* su); **2.** *fig (anspielen)* alludere *(auf +akk* a); *s. a. gezielt.*

Zielfoto *n* fotofinish *m.* **Zielgruppe** *f* utenza *f,* destinatari *m pl.* **ziellos** *adj, adv* senza meta. **Zielscheibe** *f* bersaglio *m,* mira *f.* **Zielsetzung** ⟨-, -en⟩ *f* obiettivo *m,* finalità *f.* **zielsicher I.** *adj* dalla mira sicura; **II.** *adv* con determinazione. **Zielsprache** *f* lingua *f* d'arrivo. **zielstrebig I.** *adj* determinato; **II.** *adv* con determinazione.

ziemlich [ˈtsiːmlɪç] **I.** *adj (beträchtlich)* notevole, considerevole; **eine ~e Menge** un buon numero; **das ist eine ~e Frechheit** è una bella sfacciataggine *fam;* **II.** *adv* abbastanza, piuttosto, alquanto; ~ **sicher** quasi certo; ~ **viel** parecchio, abbastanza; **so** ~ *fam* pressappoco, suppergiù *fam;* **das ist so ~ dasselbe** *fam* è quasi lo stesso.

Zierde [ˈtsiːɐ̯də] ⟨-, -n⟩ *f* **1.** *(Verzierung)* ornamento *m,* decorazione *f;* **2.** *fig* vanto *m,* onore *m;* **zur** ~ per ornamento (*o* decorazione).

zieren [ˈtsiːrən] **I.** *tr geh* (ad)ornare, decorare, abbellire; **II.** *rfl:* **sich** ~ *pej* fare il prezioso (*o* la preziosa); *(beim Essen)* fare complimenti (a tavola).

zierlich *adj (klein, fein)* fine, delicato; *(grazil)* gracile. **Zierlichkeit** ⟨-, ø⟩ *f (Feinheit, Zartheit)* delicatezza *f; (Grazilität)* gracilità *f.*

Zierpflanze *f* pianta *f* ornamentale.

Ziffer [ˈtsɪfɐ] ⟨-, -n⟩ *f* **1.** *mat* cifra *f,* numero *m;* **2.** *jur* capoverso *m,* comma *m;* **arabische/römische ~n** numeri arabi/romani; **in ~n** in cifre. **Zifferblatt** *n* quadrante *m.*

Ziffernblock *m inform* tastierino *m* numerico.

Zigarette [tsigaˈrɛtə] ⟨-, -n⟩ *f* sigaretta *f.* **Zigarettenautomat** *m* distributore *m* di sigarette. **Zigarettenetui** *n* portasigarette *m.* **Zigarettenlänge** *f:* **auf eine** ~ per un attimo. **Zigarettenpapier** *n* carta *f* (*o* cartina *f*) da sigarette. **Zigarettenspitze** *f* bocchino *m* (per sigarette). **Zigarettenstummel** *m* mozzicone *m.*

Zigarillo [tsigaˈrɪlo] ⟨-s, -s⟩ *m o n* sigarillo *m.*

Zigarre [tsiˈgarə] ⟨-, -n⟩ *f* sigaro *m.*

Zigeuner(in) [tsiˈgɔynɐ (...ərɪn)] ⟨-s, -⟩ *m(f)* zingaro, -a *m, f.* **Zigeunerleben** *n*

vita *f* da zingaro. **Zigeunerwagen** *m* carro *m* di zingari.
Zikade [tsi'ka:də] ⟨-, -n⟩ *f* cicala *f*.
Zimmer ['tsɪmɐ] ⟨-s, -⟩ *n* stanza *f*; *(a. Hotel~)* camera *f*; **eine Wohnung mit drei ~n** un appartamento di tre vani; **auf** (*o* **in**) **seinem ~ sein** essere in camera; **„~ frei"** "camere libere". **Zimmerantenne** *f* antenna *f* interna (*o* da camera). **Zimmerdecke** *f* soffitto *m*. **Zimmerlautstärke** *f*: **das Radio/Fernsehen auf ~ stellen** mettere la radio/televisione a basso volume. **Zimmermädchen** *n* cameriera *f*. **Zimmermann** ⟨-(e)s, -leute⟩ *m* carpentiere *m*.
zimmern ['tsɪmɐn] **I.** *tr* fare, costruire (in legno); **II.** *itr* lavorare il legno; **an etw.** *(dat)* **~** *(a. fig)* lavorare a qc.
Zimmernachweis *m* (ufficio *m*) informazioni *f pl* posti letto, agenzia *f* di soggiorno. **Zimmerpflanze** *f* pianta *f* da appartamento. **Zimmertheater** *n* teatro *m* da camera. **Zimmervermittlung** *f* pro loco *f*.
zimperlich ['tsɪmpɐlɪç] *adj* **1.** *(überempfindlich)* ipersensibile, delicato; *(verzärtelt)* viziato; *(wehleidig)* insofferente; **2.** *(übertrieben schamhaft)* prude, castigato, ritroso.
Zimt [tsɪmt] ⟨-(e)s, -e⟩ *m* cannella *f*.
Zink [tsɪŋk] ⟨-(e)s, ø⟩ *n* zinco *m*.
Zinke ['tsɪŋkə] ⟨-, -n⟩ *f* **1.** *(Kamm~, Gabel~)* dente *m*; **2.** *(Holzzapfen)* incastro *m* a coda di rondine.
zinken *tr (Spielkarte)* truccare.
Zinn [tsɪn] ⟨-(e)s, ø⟩ *n* **1.** *(Metall)* stagno *m*; **2.** *(~geschirr)* vasellame *m* di stagno. **Zinnerz** *n* minerale *m* di stagno. **Zinngeschirr** *n* vasellame *m* di stagno.
Zinnober [tsɪ'no:bɐ] ⟨-s, -⟩ *m* **1.** *(Mineral, Farbe)* cinabro *m*; **2.** *fam pej (wertloses Zeug)* roba *f fam*; *(dummes Zeug)* chiacchiere *f pl*. **zinnoberrot** *adj* rosso cinabro.
Zinnsoldat *m* soldatino *m* di piombo.
Zins[1] [tsɪns] ⟨-es, -en⟩ *m* interessi *m pl*, interesse *m*; **~en bringen** fruttare (*o* dare) interessi.
Zins[2] [tsɪns] ⟨-es, -e⟩ *m dial, CH (Miete)* pigione *f*, affitto *m*.
Zinseszins *m* interesse *m* composto. **zinsgünstig** *adj (Darlehen)* a tasso agevolato, a basso tasso d'interesse. **zinslos** *adj* infruttifero, senza interessi. **Zinsrechnung** *f* calcolo *m* degli interessi. **Zinssatz** *m* tasso *m* (*o* saggio *m*) d'interesse.
Zipfel ['tsɪpfəl] ⟨-s, -⟩ *m* punta *f*; *(Tuch~)* lembo *m*; *(Taschentuch~, Schürzen~)* cocca *f*; *(Mützen~)* punta *f*; *(Wurst~)* pezzettino *m*; *(Land~, See~)* capo *m*. **Zipfelmütze** *f* berretta *f* a punta.
Zipperlein ['tsɪpɐlain] ⟨-s, ø⟩ *n fam scherz* gotta *f*, podagra *f*.
Zirbeldrüse ['tsɪrbəl-] *f* ghiandola *f* pineale.
zirka ['tsɪrka] *adv* (*abk* **ca.**) circa, all'incirca, approssimativamente.
Zirkel ['tsɪrkəl] ⟨-s, -⟩ *m* **1.** *tec* compasso *m*; **2.** *(Kreis, Klub)* circolo *m*.
Zirkus ['tsɪrkʊs] ⟨-, -se⟩ *m* **1.** *allg.* circo *m*; **2.** *fam pej (Getue, Theater)* storie *f pl fam*; *(Durcheinander)* baraonda *f*, confusione *f*; **in den ~ gehen** andare al circo. **Zirkuszelt** *n* tendone *m* da circo.
zirpen ['tsɪrpən] *itr (Grillen)* cantare, frinire, stridere; *(Vogel)* pigolare.
zischeln ['tsɪʃəln] *tr, itr* bisbigliare.
zischen ['tsɪʃən] **I.** *itr* sibilare; *(heißes Fett)* sfrigolare; *(Limonade)* essere effervescente; **II.** *tr* fischiare; **einen ~** *fam* bersi un bicchierino *fam*; **du kriegst gleich eine gezischt!** *fam* ti prendi subito una sberla *fam*.
ziselieren [tsize'li:rən] ⟨*ohne ge-*⟩ *tr* cesellare.
Zitat [tsi'ta:t] ⟨-(e)s, -e⟩ *n* **1.** *(Textstelle)* citazione *f*; **2.** *(geflügeltes Wort)* detto *m*, sentenza *f*.
Zither ['tsɪtɐ] ⟨-, -n⟩ *f* cetra *f*.
zitieren [tsi'ti:rən] ⟨*ohne ge-*⟩ *tr* citare; **jdn vor Gericht/zu sich** *(dat)* **~** citare qu in giudizio/chiamare qu.
Zitronat [tsitro'na:t] ⟨-(e)s, -e⟩ *n* cedro *m* candito.
Zitrone [tsi'tro:nə] ⟨-, -n⟩ *f* limone *m*; **jdn ausquetschen** (*o* **auspressen**) **wie eine ~** *fam* spremere qu come un limone; **mit ~** *(Getränk)* al limone. **Zitronenbaum** *m* limone *m*. **Zitroneneis** *n* gelato *m* al limone. **zitronengelb** *adj* giallo limone. **Zitronenlimonade** *f* limonata *f*. **Zitronenpresse** *f* spremilimoni *m*. **Zitronensaft** *m* succo *m* di limone; *(Getränk)* spremuta *f* di limone. **Zitronensäure** *f* acido *m* citrico. **Zitronenschale** *f* scorza *f* di limone.
Zitrusfrüchte ['tsi:trʊsfrʏçtə] *f pl* agrumi *m pl*.
zitt(e)rig ['tsɪt(ə)rɪç] *adj* tremante, tremolante.
zittern ['tsɪtɐn] *itr* **1.** *allg.* tremare (*vor Kälte* di freddo, *vor Wut* dalla rabbia, *vor jdm* davanti a qu); **2.** *(vibrieren)* vibrare, tremolare; **3.** *fig (Angst haben)* essere in ansia (*um* per), trepidare (*um* per).
Zitterpappel *f* pioppo *m* tremolo. **Zitterrochen** [-rɔxən] ⟨-s, -⟩ *m* torpedine *m*.
zittrig *s.* **zitterig**.
Zitze ['tsɪtsə] ⟨-, -n⟩ *f* capezzolo *m*.
zivil [tsi'vi:l] *adj* **1.** *(bürgerlich, nichtmilitärisch)* civile, borghese; **2.** *fig fam (Preise)* moderato, ragionevole; *(Chef)* educato. **Zivil** ⟨-s, ø⟩ *n* abiti *m pl* borghesi; **in ~** in borghese. **Zivilbevölkerung** *f* popolazione *f* civile. **Zivilcourage** [-ku'ra:ʒə] ⟨-, ø⟩ *f* coraggio *m* civile. **Zivildienst** *m* servizio *m* civile; **~ leisten** prestare servizio civile. **Zivildienstlei-**

stende ⟨ein -r, -n, -n⟩ *m* addetto *m* al servizio civile. **Zivilgericht** *n* tribunale *m* civile.
Zivilisation [tsiviliza'tsio:n] ⟨-, -en⟩ *f* civiltà *f*. **Zivilisationskrankheit** *f* malattia *f* del progresso.
zivilisieren [...'zi:rən] ⟨*ohne ge-*⟩ *tr* civilizzare.
Zivilist [tsivi'lıst(ın)] ⟨-en, -en⟩ *m* civile *m*, borghese *m*.
Zivilkammer *f* sezione *f* civile. **Zivilkleidung** *f* abiti *m pl* borghesi. **Zivilleben** *n*: **im** ~ nella vita civile. **Zivilperson** *f* borghese *m*. **Zivilprozeß** *m* processo *m* civile. **Zivilrecht** *n* diritto *m* civile.
Znüni ['tsny:ni] ⟨-s, -s⟩ *m o n CH* spuntino *m* mattutino.
Zobel ['tso:bəl] ⟨-s, -⟩ *m* zibellino *m*.
zocken ['tsɔkən] *itr fam* giocare (d'azzardo). **Zocker(in)** [tsɔkɐ (...ərın)] ⟨-s, -⟩ *m(f) fam* giocatore, -trice *m, f* d'azzardo.
Zofe ['tso:fə] ⟨-, -n⟩ *f* cameriera *f*.
Zoff [tsɔf] ⟨-s, ø⟩ *m fam* alterco *m*, problemi *m pl*.
zog [tso:k] *imp von* **ziehen**.
zögern ['tsø:gen] *itr* esitare (*etw. zu tun* a fare qc), indugiare (*etw. zu tun* a fare qc); *(hinaus~)* ritardare (*mit etw.* qc), rimandare (*mit etw.* qc); *(schwanken)* titubare, tentennare; **ohne zu** ~ senza indugio (*o* esitazione). **Zögern** ⟨-s, ø⟩ *n* esitazione *f*, indugio *m*; *(Schwanken)* titubanza *f*; *(Unentschlossenheit)* indecisione *f*; **ohne** ~ senza esitazione; **nach langem** ~ dopo lunga esitazione.
Zögling ['tsø:klıŋ] ⟨-s, -e⟩ *m* allievo, -a *m, f* (interno, -a); *(Internats~)* convittore, -trice *m, f*.
Zölibat [tsøli'ba:t] ⟨-(e)s, ø⟩ *n o m* celibato *m*; **im** ~ **leben** vivere in celibato.
Zoll [tsɔl] ⟨-(e)s, Zölle⟩ *m* **1.** *(Abgabe)* tassa *f* (*o* dazio *m*) doganale; *(Straßen~, Brücken~)* pedaggio *m*; **2.** *(Dienststelle)* dogana *f*; **3.** *fig (Tribut)* tributo *m*; ~ **zahlen** pagare il dazio; **für (*o* auf) etw.** *(akk)* ~ **bezahlen** pagare la dogana per qc. **Zollabfertigung** *f* operazioni *f pl* doganali. **Zollamt** *n* ufficio *m* doganale, dogana *f*. **Zollbeamte** *m*, **-beamtin** *f* funzionario, -a *m, f* doganale, doganiere *m*. **Zollbegleitpapiere** *n pl* documenti *m pl* doganali. **Zollbestimmungen** *f pl* disposizioni *f pl* doganali.
zollen *tr geh* tributare; **jdm Beifall/Achtung** ~ applaudire/rispettare qu.
Zollerklärung *f* dichiarazione *f* doganale. **Zollfahnder(in)** *m(f)* guardia *f* di finanza, finanziere, -a *m, f*. **Zollfahndung** *f* repressione *f* delle frodi doganali. **Zollformalitäten** *f pl* pratiche *f pl* doganali. **zollfrei** *adj* esente da dazio. **Zollkontrolle** *f* controllo *m* doganale.
Zöllner(in) ['tsœlnɐ (...ərın)] ⟨-s, -⟩ *m(f)* **1.** *fam (Zollbeamter)* funzionario, -a *m, f* doganale; **2.** *obs (bes. in Bibel)* pubblicano *m*.
zollpflichtig *adj* soggetto a dazio.
Zollstock *m* metro *m* pieghevole.
Zombie ['tsɔmbi] ⟨-s, -s⟩ *m (a. fig)* zombie *m*.
Zone ['tso:nə] ⟨-, -n⟩ *f* zona *f*; **die** ~ *fam obs* la Germania orientale; **blaue** ~ zona disco. **Zonengrenze** *f fam obs* confine *m* tra le due Germanie.
Zoo [tso:] ⟨-s, -s⟩ *m* zoo *m*.
Zoologe [tsoo'logə] ⟨-n, -n⟩ *m*, **Zoologin** [...'lo:gın] *f* zoologo, -a *m, f*.
Zoologie [tsoolo'gi:] ⟨-, ø⟩ *f* zoologia *f*.
zoologisch [...'lo:gıʃ] *adj* zoologico.
Zoom [zu:m] ⟨-s, -s⟩ *n* zoom *m*. **zoomen** ['zu:mən] *itr* zoomare, zumare.
Zopf [tsɔpf] ⟨-(e)s, Zöpfe⟩ *m (Haar~, Gebäck~)* treccia *f*; *(Männer~)* codino *m*; **das ist ein alter** ~ *fig* è antiquato (*o* sorpassato).
Zorn [tsɔrn] ⟨-(e)s, ø⟩ *m* ira *f*, collera *f*; *(Wut)* rabbia *f*; **in** ~ **geraten** andare in collera; **im** ~ **sagt sie oft Dinge, die sie später bereut** nella rabbia dice spesso cose di cui poi si pente. **zornig I.** *adj* adirato, irato, incollerito; **auf jdn** ~ **sein** essere in collera con qu; ~ **werden** adirarsi, arrabbiarsi; **II.** *adv* con rabbia (*o* ira).
Zote ['tso:tə] ⟨-, -n⟩ *f* oscenità *f*, sconcezza *f*.
Zottel ['tsɔtəl] ⟨-, -n⟩ *f* ⟨*meist pl*⟩ *fam* **1.** *(Haarbüschel)* ciuffo *m* (di capelli); **2.** *(Troddel)* nappa *f*. **zott(e)lig** *adj pej* arruffatto.
zottig ['tsɔtıç] *adj* **1.** *(Fell)* irsuto; **2.** *pej (Haar, Frisur)* arruffato.
zu [tsu:] **I.** *prp +dat* a; **ein Eis** ~ **zwei Mark** un gelato da due marchi; **der Weg ~m Erfolg/~r Freiheit** la via del successo/della libertà; **der Weg ~m Hotel** la strada per l'albergo; **etw.** ~ **etw. essen/trinken** mangiare/bere qc con qc; **sich** ~ **jdm setzen** sedersi vicino a qu; **sich** *(dat)* **jdn ~m Freund/Feind machen** farsi amico/inimicarsi qu; **~m Bahnhof/~m Markt/~r Schule** alla stazione/al mercato/a scuola; ~ **Spottpreisen** a prezzi irrisori; **~r Belohnung** per ricompensa; ~ **dreien (*o* dritt)** a (*o* in) tre; ~ **einem Drittel** per un terzo; ~ **Dutzenden/Hunderten** a dozzine/centinaia; ~ **ebener Erde** al pianterreno; **~r Hälfte** a metà; ~ **Hause** a casa; ~ **Lande/Wasser** per via di terra/d'acqua; **~r Linken/Rechten** sulla sinistra/destra; ~ **Paul/~ Schmidts/~m Bäcker** da Paolo/dagli Schmidt/dal panettiere; **~r Probe** in prova; **~r Tür hinein** dentro per la porta; **~m Fenster hinaus** fuori dalla finestra; ~ **Weihnachten/Ostern/Pfingsten** a Natale/Pasqua/Pentecoste; **2** ~ **1** *sport* 2 a 1; **„Zum Goldenen Löwen"** "Al Leone d'Oro"; **II.** *adv* **1.** *(örtlich)* verso; **2.** *(all~)* troppo; **3.** *(geschlossen)*

chiuso; ~ **groß/wenig** troppo grande/poco; ~ **viel/sehr** troppo; ~ **bescheiden, als daß ...** troppo modesto per *+inf;* ~ **dumm, daß ich daran nicht gedacht habe!** che stupido che non ci abbia pensato!; **auf/~** *(bei Wasserhähnen, etc.)* aperto/chiuso; **III.** *konj* **1.** *(mit Infinitiv)* da, a, di; **2.** *(mit Partizip)* da; **ohne** ~ *+inf* senza *+inf;* **um** ~ *+inf* per *+inf;* **ich habe** ~ **tun** ho da fare; **sie ist heute nicht** ~ **sprechen** oggi non si può parlarle; **er befahl ihm, aufzuhören** gli ordinò di smetterla; **es ist ~m Wahnsinnigwerden!** *fam* c'è da impazzire!

zuallererst [tsu'ˀalɐ'ˀe:ɐst] *adv* innanzi (*o* prima di) tutto.

zuallerletzt [tsu'ˀalɐ'lɛtst] *adv* alla fine, infine.

Zubehör ['tsu:bəhø:ɐ] ⟨-(e)s, -e⟩ *n* accessori *m pl.* **Zubehörteil** *n* accessorio *m.*

Zuber ['tsu:bɐ] ⟨-s, -⟩ *m* mastello *m.*

zu·bereiten ⟨*ohne ge-*⟩ *tr* preparare, fare. **Zubereitung** ⟨-, -en⟩ *f* preparazione *f.*

zu·binden ⟨*irr*⟩ *tr* legare; *(Schuhe)* allacciare.

zu·blinzeln *itr* fare l'occhiolino.

Zubringer ⟨-s, -⟩ *m (Straße)* svincolo *m,* raccordo *m; (Bus)* autobus *m* che collega la città e l'aeroporto. **Zubringerdienst** *m* servizio *m* di collegamento aeroporto-città.

Zucht [tsʊxt] ⟨-, -en⟩ *f* **1.** *(Pflanzen~, Perlen~)* coltivazione *f; (a. Bakterien~)* coltura *f; (Tier~)* allevamento *m;* **2.** ⟨*sing*⟩ *obs (Disziplin)* disciplina *f;* ~ **und Ordnung** disciplina *f.* **Zuchtbulle** *m* toro *m* d'allevamento.

züchten ['tsʏçtən] *tr* **1.** *(Pflanzen, Perlen, a. fig)* coltivare; *(Tiere)* allevare; **2.** *fig (Haß)* alimentare.

Züchter(in) ⟨-s, -⟩ *m(f) (Pflanzen~, Perlen~)* coltivatore, -trice *m, f; (Vieh~)* allevatore, -trice *m, f.*

Zuchthaus *n* **1.** *(Gebäude)* penitenziario *m;* **2.** ⟨*sing*⟩ *(~strafe)* reclusione *f;* **zu 20 Jahren** ~ **verurteilt werden** essere condannato a 20 anni di reclusione.

Zuchthengst *m* stallone *m* da monta. **Zuchtperle** *f* perla *f* coltivata. **Zuchttier** *n* riproduttore *m.*

Züchtung ⟨-, -en⟩ *f* coltivazione *f.*

zucken ['tsʊkən] **I.** *itr* **1.** *(zusammenfahren)* trasalire, sobbalzare; **2.** *(geschlachtetes Tier)* palpitare; **3.** *(Blitze, Flammen)* guizzare; **II.** *tr:* **die Achseln** ~ alzare (*o* scrollare) le spalle.

zücken ['tsʏkən] *tr* **1.** *geh (Degen)* estrarre; **2.** *scherz (Notiz, Bleistift, Brieftasche)* tirare fuori.

Zucker ['tsʊkɐ] ⟨-s, *rar* -⟩ *m* zucchero *m;* ~ **haben** *med fam* essere diabetico. **Zuckerbäcker** *m A (Konditor)* pasticciere *m.* **Zuckerbrot** *n:* **mit** ~ **und Peitsche** col metodo del bastone e della carota. **Zuckerdose** *f* zuccheriera *f.* **Zuckererbse** *f* pisello *m* dolce. **Zuckerguß** *m* glassa *f;* **mit** ~ glassato. **zuckerhaltig** *adj* saccarifero. **Zuckerhut** *m* pan *m* di zucchero.

zuck(e)rig ['tsʊk(ə)rɪç] *adj* zuccheroso, zuccherino.

zuckerkrank *adj* diabetico. **Zuckerkranke** *mf* diabetico, -a *m, f.* **Zuckerkrankheit** *f* diabete *m.* **Zuckerrohr** *n* canna *f* da zucchero. **Zuckerrübe** *f* barbabietola *f* da zucchero. **zuckersüß** ['tsʊkɐ'zy:s] *adj* zuccheroso. **Zuckerwatte** *f* zucchero *m* filato. **Zuckerzange** *f* mollette *f pl* da zucchero.

zuckrig *s.* **zuckerig.**

Zuckung ⟨-, -en⟩ *f* convulsione *f,* spasmo *m;* **nervöse ~en** tic *m* nervoso.

zu·decken I. *tr* (ri)coprire (*mit* di); **II.** *rfl:* **sich** ~ coprirsi.

zu·drehen *tr* **1.** *(Wasserhahn, Heizung)* chiudere; **2.** *(zuwenden: Gesicht, Rükken)* voltare.

zudringlich *adj* invadente, importuno; **jdm gegenüber** ~ **werden** molestare qu.

zu·drücken *tr* chiudere; **ein Auge** ~ *fig* chiudere un occhio.

zueinander [tsuˀaiˈnandɐ] *adv* uno verso l'altro; ~ **passen** armonizzare.

zu·erkennen ⟨*irr, ohne ge-*⟩ *tr (Preis, Auszeichnung)* conferire; *(Recht)* concedere; *(bei Versteigerung)* aggiudicare.

zuerst [tsu'ˀe:ɐst] *adv* **1.** *(als erster)* per primo, -a; **2.** *(zunächst)* dapprima, in primo luogo; **3.** *(anfangs)* in principio; **4.** *(zum ersten Mal)* per la prima volta; **wer** ~ **kommt, mahlt** ~ *prov* chi primo arriva, primo (*o* bene) alloggia *prov.*

zu·fahren ⟨*irr*⟩ *itr* ⟨*sein*⟩ dirigersi (*auf +akk* verso); **fahr zu!** vai!

Zufahrt *f* accesso *m* (*zu* a). **Zufahrtsstraße** *f* strada *f* d'accesso; *(zur Autobahn)* raccordo *m* (autostradale).

Zufall *m* caso *m;* **etw. dem** ~ **überlassen** affidare qc al caso; **durch** ~ per caso; **es war reiner** ~**, daß ...** è stato un puro caso che ...; **welch ein** ~! che coincidenza!

zu·fallen ⟨*irr*⟩ *itr* ⟨*sein*⟩ **1.** *(Tür)* chiudersi; **2.** *(Aufgabe, Erbe)* toccare (*jdm* a qu); **mir fielen vor Müdigkeit die Augen zu** cascavo dal sonno.

zufällig I. *adj* casuale, accidentale; *(Begegnung a.)* fortuito; **II.** *adv* per caso; **rein** ~ per puro caso; **ich war** ~ **da** ero lì per combinazione.

Zuflucht *f* rifugio *m* (*vor +dat* da); **zu etw.** ~ **nehmen** ricorrere a qc.

zu·flüstern *tr:* **jdm etw.** ~ sussurrare qc a qu.

zufolge [tsu'fɔlgə] *prp +dat o rar +gen* secondo, conformemente a.

zufrieden [tsu'fri:dən] *adj* contento (*mit* di), soddisfatto (*mit* di). **zufrieden·geben** ⟨*irr*⟩ *rfl:* **sich mit etw.** ~ accontentarsi di qc. **Zufriedenheit** ⟨-, ø⟩ *f* contentezza *f* (*mit* di); *(Befriedigtsein)* soddisfazione *f;* **zur allgemeinen** ~ con soddisfazione di tutti. **zufrieden·lassen** ⟨*irr*⟩ *tr* lasciare in pace. **zufrieden·stellen** *tr* accontentare. **zufriedenstellend** *adj* soddisfacente.

zu·frieren ⟨*irr*⟩ *itr* ⟨*sein*⟩ gelare, ghiacciare.

zu·fügen *tr* **1.** *(Böses, Leid)* fare; *(Schaden)* recare; *(Verlust, Niederlage)* infliggere; **2.** *(hin~)* aggiungere.

Zufuhr ['tsu:fu:ɐ] ⟨-, -en⟩ *f* **1.** *(Versorgung)* rifornimento *m,* approvvigionamento *m;* **2.** *tec, meteo* afflusso *m.*

Zug [tsu:k] ⟨-(e)s, Züge⟩ *m* **1.** *Eisenb.* treno *m;* **2.** ⟨*sing*⟩ *(Ziehen)* trazione *f;* **3.** *(bei Brettspiel)* tiro *m;* **4.** ⟨*sing*⟩ *fig (Tendenz)* tendenza *f; (Neigung)* inclinazione *f;* **5.** *(Atem~)* respiro *m; (beim Rauchen)* tirata *f,* boccata *f; (beim Trinken)* sorso *m,* sorsata *f; (beim Schwimmen)* bracciata *f;* **6.** ⟨*sing*⟩ *(Luft~)* corrente *f* (d'aria); **7.** ⟨*sing*⟩ *(von Kamin, Ofen)* tiraggio *m;* **8.** *(Schrift~, Gesichts~, Wesens~)* tratto *m;* **9.** *(Menschen)* fila *f,* colonna *f; (Fest~)* corteo *m; rel* processione *f;* **10.** *(Gewehr~)* rigatura *f;* **sein Glas in einem ~ leeren** vuotare il bicchiere d'un fiato; **zum ~(e) kommen** entrare in azione; **etw. in vollen Zügen genießen** godere pienamente qc; **in den letzten Zügen liegen** *fam* essere in agonia; **in großen (*o* groben) Zügen** a larghi tratti; **mit dem** ~ col treno, in treno; **der ~ ist (für ihn) abgefahren** *fig fam* ha perduto il treno *fam;* **er hat einen guten ~ (am Leib)** *sl* è un buon bevitore; **Sie sind am** ~ tocca a Lei.

Zugabe *f* **1.** *(Zusätzliches)* aggiunta *f,* supplemento *m;* **2.** *mus, theat* bis *m;* **„~!"** "bis!"; **eine ~ geben** fare il bis, concedere un bis.

Zugang *m* **1.** *(Zutritt)* accesso *m* (*zu* a); **2.** *(Eingang, Einfahrt)* entrata *f,* ingresso *m;* **3.** *(Zuwachs)* aumento *m,* incremento *m;* **4.** *(Hinzugekommener im Krankenhaus, Gefängnis)* nuovo arrivato *m;* **5.** *ökon* arrivo *m* (di merci); *(Neuerwerbung)* nuovo arrivo *m;* ~ **zu etw. haben** avere accesso a qc.

zugange [tsu'gaŋə] *adj fam:* **(mit etw./jdm) ~ sein** essere occupato con qc/qu.

zugänglich ['tsu:gɛŋlıç] *adj* **1.** *(erreichbar, aufgeschlossen)* accessibile; **2.** *(benutzbar)* disponibile.

Zugbegleiter *m (Fahrplan)* orario *m.*

Zugbrücke *f* ponte *m* levatoio.

zu·geben ⟨*irr*⟩ *tr* **1.** *(einräumen, gestehen)* ammettere; **2.** *(hinzufügen)* aggiungere; *(zusätzlich geben)* dare in aggiunta; **jdm gegenüber etw.** ~ confessare qc a qu; **zugegeben, das war nicht leicht, aber ...** d'accordo, non era facile, ma ...; **gib's zu!** ammettilo!, confessalo!

zu·gehen ⟨*irr*⟩ *itr* ⟨*sein*⟩ **1.** *adm (zugestellt werden: Nachricht, Brief)* giungere (*jdm* a qu), essere recapitato (*jdm* a qu); **2.** *fam (sich schließen lassen)* chiudersi; **dem Ende** ~ volgere alla fine; **auf jdn/etw.** ~ avvicinarsi a qu/qc; **auf die Fünfzig** ~ avvicinarsi alla cinquantina; **es ging bei ihnen zu wie im Irrenhaus** a casa loro era come al manicomio.

Zugehörigkeit ⟨-, ø⟩ *f* appartenenza *f.*

zugeknöpft *adj fig fam* abbottonato.

Zügel ['tsy:gəl] ⟨-s, -⟩ *m* briglia *f,* redine *f;* **die ~ locker lassen (*o* lockern)** *(a. fig)* allentare le redini. **zügellos** *adj* sbrigliato; *(bes. Lebenswandel)* dissoluto.

zügeln¹ ['tsy:gəln] *tr* **1.** *(Pferd)* tenere le briglie di; **2.** *fig (Gefühle)* frenare.

zügeln² ['tsy:gəln] *CH* **I.** *itr* ⟨*sein*⟩ traslocare; **II.** *tr* ⟨*haben*⟩ trasportare.

Zugeständnis *n* concessione *f* (*an +akk* a).

zu·gestehen ⟨*irr, ohne ge-*⟩ *tr* **1.** *(zubilligen)* accordare (*jdm etw.* qc a qu); **2.** *(zugeben)* ammettere.

zugetan *adj* affezionato, attaccato; **dem Alkohol ~ sein** essere dedito al bere.

Zugewinngemeinschaft *f jur* comunione *f* degli utili e acquisti.

Zugfahrt *f* viaggio *m* in treno; **auf der ~ von ... nach ...** in treno da ... a ... **Zugfeder** *f* molla *f* di trazione. **Zugfolge** *f eisenb.* successione *f* dei vagoni. **Zugführer** *m* **1.** *eisenb.* capotreno *m;* **2.** *mil* caposezione *m.*

zugig ['tsu:gıç] *adj* esposto alla corrente d'aria; **hier ist es** ~ qui c'è corrente.

zügig ['tsy:gıç] *adj* rapido, scorrevole.

Zugkraft *f* **1.** *tec* forza *f* di trazione; **2.** *fig* forza *f* d'attrazione. **zugkräftig** *adj* che attrae (*o* attira) il pubblico; *(Titel)* di effetto.

zugleich [tsu'glaiç] *adv (gleichzeitig)* nello stesso tempo; *(a. ebenso)* nel contempo.

Zugmaschine *f* trattore *m,* trattrice *f.* **Zugpferd** *n* cavallo *m* da tiro; *fig* trascinatore, -trice *m, f.* **Zugpflaster** *n* vescicante *m.*

zu·greifen ⟨*irr*⟩ *itr* afferrare; *(bei Tisch)* servirsi.

Zugrestaurant *n* vagone *m* ristorante.

Zugriff *m* **1.** *(Zugreifen)* presa *f;* **2.** *inform* accesso *m;* **3.** *(Einschreiten)* intervento *m.* **Zugriffsgeschwindigkeit** *f* velocità *f* d'accesso. **Zugriffszeit** *f* tempo *m* d'accesso.

zugrunde [tsu'grʊndə] *adv:* ~ **gehen** *(untergehen)* andare in rovina; *(sterben, umkommen)* perire; ~ **legen** porre a base; **einer S.** *(dat)* ~ **liegen** essere alla base di qc; ~ **richten** rovinare.

zugunsten [tsu'gʊnstən] *prp +gen* (*o* ~ **von** *dat*) a favore di.

zugute [tsu'gu:tə] *adv:* **jdm etw. ~ hal-**

ten considerare qc a giustificazione di qu; **jdm ~ kommen** tornare a profitto di qu; **sich** *(dat)* **etw. ~ tun** godersi qc.
Zugverbindung *f* **1.** *(zwischen zwei Orten)* collegamento *m* ferroviario; **2.** *(zwischen zwei Zügen)* coincidenza *f.* **Zugverkehr** *m* traffico *m* ferroviario. **Zugvogel** *m* uccello *m* migratore. **Zugzwang** *m:* **in ~ sein/geraten** trovarsi nella necessità di scegliere (*o* di decidere).
zu·haben ⟨*irr*⟩ *fam* **I.** *itr (Laden, Museum, Behörde)* essere chiuso; **II.** *tr (Augen, Mantel, Koffer)* avere chiuso.
zu·halten ⟨*irr*⟩ **I.** *tr* tenere chiuso; *(Augen, Mund)* tappare.
Zuhälter ['tsu:hɛltɐ] ⟨-s, -⟩ *m* ruffiano *m.*
Zuhause [tsu'hauzə] ⟨-, ø⟩ *n* casa *f.*
zu·heilen *itr* ⟨*sein*⟩ cicatrizzarsi.
Zuhilfenahme [tsu'hɪlfəna:mə] ⟨-, ø⟩ *f:* **unter/ohne ~ von ...** con/senza l'aiuto di ...
zu·hören *itr* ascoltare (*jdm/einer S. (dat)* qu/qc). **Zuhörer(in)** *m(f)* ascoltatore, -trice *m, f.* **Zuhörerschaft** *f* ascoltatori *m pl,* uditorio *m.*
zu·jubeln *itr* acclamare (*jdm* qu).
zu·klappen I. *tr* ⟨*haben*⟩ chiudere; **II.** *itr* ⟨*sein*⟩ chiudersi.
zu·kleben *tr* chiudere (con la colla).
zu·kneifen ⟨*irr*⟩ *tr* stringere; *(Auge)* strizzare.
zu·kommen ⟨*irr*⟩ *itr* ⟨*sein*⟩ **1.** *(sich nähern)* dirigersi (*auf jdn/etw.* verso qu, qc), avvicinarsi (*auf jdn/etw.* a qu/qc); **2.** *(zustehen)* spettare (*jdm* a qu); *(geziemen)* addirsi (*jdm* a qu); **jdm etw. ~ lassen** *(Nachricht)* far pervenire qc a qu; *(Geld)* concedere qc a qu; **du mußt das alles in Ruhe auf dich ~ lassen** in tutta calma devi lasciare che le cose maturino.
Zukunft ['tsu:kʊnft] ⟨-, ø⟩ *f* avvenire *m; (a. gram)* futuro *m;* **(eine große) ~ haben** avere un grande avvenire; **in ~** in futuro; *(von jetzt an)* d'ora in poi; **in naher/ferner ~** in un prossimo/lontano futuro.
zukünftig I. *adj* futuro, venturo; **mein Z~er** *fam* il mio futuro marito; **II.** *adv* in futuro; *(von jetzt an)* d'ora in poi.
Zukunftsaussichten *f pl* prospettive *f pl* per l'avvenire. **Zukunftsberuf** *m* professione *f* (*o* mestiere *m*) del futuro. **Zukunftsbranche** *f* settore *m* del futuro (*o* dell'avvenire). **Zukunftsforschung** *f* futurologia *f.* **Zukunftsmusik** *f fam* utopia *f;* **das ist (noch) ~** sono castelli in aria *fam.* **Zukunftsperspektive** *f* prospettiva *f* (futura).
zu·lächeln *itr* sorridere (*jdm* a qu).
Zulage *f (Geld~)* supplemento *m; (Gehalts~, Lohn~)* aumento *m; (Gefahren~)* indennità *f* di lavorazione pericolosa, soprapremio *m* di rischio; *(Leistungs~)* premio *m* di rendimento.
zu·langen *itr* **1.** *(bei Arbeit)* lavorare sodo *fam;* **2.** *fam (bei Tisch)* servirsi.
zu·lassen ⟨*irr*⟩ *tr* **1.** *fam (geschlossen lassen)* lasciare chiuso; **2.** *(Zugang gewähren)* ammettere; **3.** *(dulden)* tollerare; *(gestatten)* permettere; **4.** *(amtlich)* autorizzare; *(Arzt)* abilitare; *(Auto)* immatricolare.
zulässig *adj* ammesso, permesso; *(Höchstgeschwindigkeit)* ammissibile.
Zulassung ⟨-, -en⟩ *f* **1.** *(Gewährung von Zugang)* ammissione *f;* **2.** *(Erlaubnis)* permesso *m;* **3.** *(amtlich)* autorizzazione *f; (als Arzt, Anwalt)* abilitazione *f; (von Auto)* immatricolazione *f.* **Zulassungsnummer** *f* numero *m* d'immatricolazione. **Zulassungspapiere** *n pl* carta *f* (*o* libretto *m*) di circolazione. **Zulassungsstelle** *f* ufficio *m* d'immatricolazione.
zu·laufen ⟨*irr*⟩ *itr* ⟨*sein*⟩ **1.** *(rennen)* correre (*auf jdn/etw.* verso qu/qc); **2.** *(Katzen, Hunde)* venire dietro (*jdm* a qu); **3.** *(Wasser)* aggiungere; **spitz ~** terminare a punta.
zu·legen I. *tr (hinzufügen)* aggiungere; **II.** *itr* **1.** *(an Tempo, Gewicht)* aumentare (*an etw.* qc); **III.** *rfl:* **sich** *(dat)* **etw. ~** comprarsi qc.
zuleide [tsu'laidə] *adv obs:* **jdm etw. ~ tun** fare del male a qu.
zuletzt [tsu'lɛtst] *adv* **1.** *(als letzter)* per ultimo; **2.** *fam (zum letzten Mal)* l'ultima volta; **3.** *(am Ende, schließlich)* alla fine, infine; **der ~ Gekommene** l'ultimo arrivato (*o* venuto); **(und) nicht ~ wegen ihrer Beziehungen bekam sie die Stelle** e soprattutto grazie alle sue relazioni ottenne il posto.
zuliebe [tsu'li:bə] *adv:* **jdm ~** per amore di qu.
Zulieferer ⟨-s, -⟩ *m ökon* fornitore *m.*
zum [tsʊm] = **zu dem; ~ Spaß** per scherzo; **es ist ~ Heulen** *fam* c'è da piangere.
zu·machen *fam* **I.** *tr (allg., Geschäft)* chiudere; *(Loch)* turare; *(mit Knöpfen)* abbottonare; *(Gürtel, Schuhe)* affibbiare; **II.** *itr* **1.** *(schließen)* chiudere; **2.** *fam (sich beeilen)* sbrigarsi.
zumal [tsu'ma:l] **I.** *adv* in specie; **II.** *konj* tanto più che.
zu·mauern *tr* murare.
zumindest [tsu'mɪndəst] *adv* per lo meno, almeno.
zumutbar *adj* ragionevole, accettabile.
zumute [tsu'mu:tə] *adv:* **mir war dabei nicht ganz wohl ~** mi sentivo a disagio; **mir ist nicht zum Lachen ~** non ho voglia di ridere; **wie ist Ihnen ~?** come si sente?
zu·muten ['tsu:mu:tən] *tr:* **jdm etw. ~** aspettarsi qc da qu; **jdm zuviel ~** pretendere troppo da qu.
Zumutung ⟨-, -en⟩ *f* pretesa *f; (Unverschämtheit)* sfacciataggine *f.*
zunächst [tsu'nɛ:çst] *adv* **1.** *(anfangs)*

all'inizio; **2.** *(vorläufig)* per il momento; ~ **einmal** innanzitutto.
Zunahme ['tsu:na:mə] ⟨-, -n⟩ *f* aumento *m* (*an +dat* di), incremento *m* (*an +dat* di), accrescimento *m* (*an +dat* di); *(von Kriminalität)* recrudescenza *f* (*an +dat* di).
Zuname *m* cognome *m*.
zünden ['tsʏndən] **I.** *itr* **1.** *(Feuer fangen)* accendersi; **2.** *fig* entusiasmare, infiammare; **II.** *tr* accendere. **zündend** *adj* entusiasmante.
Zunder ['tsʊndɐ] ⟨-s, -⟩ *m* esca *f;* **brennen wie** ~ bruciare facilmente.
Zünder ⟨-s, -⟩ *m* detonatore *m*.
Zündflamme *f* fiamma *f* pilota. **Zündholz** *n,* **-hölzchen** [-hœltsçən] ⟨-s, -⟩ *n* fiammifero *m*. **Zündkerze** *f* candela *f* d'accensione. **Zündschloß** *n* interruttore *m* dell'accensione. **Zündschlüssel** *m* chiavetta *f* d'accensione. **Zündschnur** *f* miccia *f*. **Zündstoff** *m* materiale *m* infiammabile; *(Explosivstoff)* innescante *m; fig* materia *f* esplosiva.
Zündung ⟨-, -en⟩ *f* accensione *f*.
zu·nehmen ⟨*irr*⟩ **I.** *itr* **1.** *(größer werden, wachsen)* aumentare (*an +dat* di); *(Mond)* crescere; *(gewinnen)* acquistare (*an +dat* in); *(Tage, Nächte)* allungarsi; **2.** *(schwerer, dicker werden)* ingrassare; **3.** *fig (sich verstärken)* intensificarsi; **4.** *(bei Handarbeiten)* aumentare; **II.** *tr:* **elf Kilo** ~ ingrassare (di) undici chili. **zunehmend I.** *adj* in aumento; *(Mond)* crescente; ~**e Geschwindigkeit** velocità accelerata; **mit** ~**em Alter** invecchiando; **II.** *adv* sempre più.
Zuneigung *f* affetto *m* (*für* per), simpatia *f* (*für* per); ~ **zu jdm empfinden** provare affetto per qu.
Zunft [tsʊnft] ⟨-, Zünfte⟩ *f* corporazione *f*.
zünftig ['tsʏnftɪç] *adj (gehörig)* come si deve, a regola d'arte.
Zunge ['tsʊŋə] ⟨-, -n⟩ *f* **1.** *anat, fig* lingua *f;* **2.** *tec (Riegel, Schuh~)* linguetta *f; (an Waage)* lancetta *f; (an Blasinstrumenten)* ancia *f;* **3.** *zoo (See~)* sogliola *f;* **jdm die** ~ **herausstrecken** mostrare la lingua a qu; **sich** *(dat)* **eher die** ~ **abbeißen, als etw. zu sagen** mordersi la lingua prima di dire qc; **eine scharfe** (*o* **spitze**) ~ **haben** avere una lingua tagliente; **sein Name liegt mir auf der** ~ ho il suo nome sulla punta della lingua; **böse** ~**n behaupten, daß ...** le male lingue sostengono che ...
züngeln ['tsʏŋəln] *itr (Schlangen)* fare guizzare la lingua; *(Flammen)* guizzare.
Zungenbrecher ⟨-s, -⟩ *m* scioglilingua *m*. **Zungenkuß** *m* bacio *m* alla francese.
Zünglein ['tsʏŋlain] ⟨-s, -⟩ *n:* **das** ~ **an der Waage sein** *fig* essere determinante.
zunichte [tsu'nɪçtə] *adv:* ~ **machen** *(vernichten)* annientare, distruggere; *(Hoffnungen)* frustrare, deludere.
zunutze [tsu'nʊtsə] *adv:* **sich** *(dat)* **etw.** ~ **machen** *(verwenden)* utilizzare qc; *(ausnutzen)* trarre vantaggio da qc.
zu·ordnen *tr* assegnare; *(a. gram)* coordinare.
zu·packen *itr* **1.** *(zugreifen)* afferrare; **2.** *(Hand anlegen)* dare una mano (*bei etw.* a). **zupackend** *adj* avvincente.
zupfen ['tsʊpfən] *tr* tirare (*jdn an etw. (dat)* qu per qc); *(Saiten)* pizzicare.
zur [tsu:ɐ̯ *o* tsʊr] = **zu der**.
zurechnungsfähig *adj* capace d'intendere e di volere, imputabile. **Zurechnungsfähigkeit** *f* capacità *f* d'intendere e di volere, imputabilità *f;* **verminderte** ~ parziale incapacità *f* di intendere e di volere.
zurecht·finden [tsu'rɛçt-] ⟨*irr*⟩ *rfl:* **sich** ~ **1.** *(in Stadt)* trovare la strada, orientarsi; **2.** *fig (vertraut werden)* familiarizzarsi (*in +dat, mit* in, con). **zurecht·kommen** ⟨*irr*⟩ *itr* ⟨*sein*⟩ **1.** *(rechtzeitig kommen)* arrivare in tempo; **2.** *(bewältigen)* venire a capo (*mit* di), risolvere (*mit etw.* qc); *fin (auskommen)* farcela (*mit* con); **mit jdm** ~ intendersi (*o* andare d'accordo) con qu. **zurecht·legen** *tr* preparare. **zurecht·machen** *fam* **I.** *tr* preparare; **II.** *rfl:* **sich** ~ prepararsi. **zurecht·weisen** ⟨*irr*⟩ *tr* redarguire, riprendere, rimproverare.
zu·reden *itr* **1.** *(überreden)* cercare di persuadere (*jdm* qu); **2.** *(zuraten)* consigliare (*jdm* qu); **3.** *(ermutigen)* incoraggiare (*jdm* qu).
Zürich ['tsy:rɪç] *n* Zurigo *f*.
Zurschaustellung [-'ʃau̯-] *f* esibizione *f*, mostra *f*.
zurück [tsu'rʏkʌ] *adv* **1.** *(weiter hinten, rückwärts, ~geblieben, a. fig)* indietro; **2.** *(~gekehrt)* di ritorno; **hinter seiner Zeit** ~ **sein** non andare coi tempi; ~ **an Absender!** al mittente!; ~ **zur Natur** ritorniamo alla natura; **hin und** ~ andata e ritorno; **mit vielem Dank** ~ restituito con molti ringraziamenti; **es gibt kein Z~ mehr** non c'è più ritorno; **seit wann ist Heinz** ~? da quando è tornato Heinz?
zurück·bekommen ⟨*irr, ohne ge-*⟩ *tr* riottenere; **ich bekomme noch zwei Mark zurück** ricevo ancora due marchi di resto.
zurück·bilden *rfl:* **sich** ~ *(Geschwulst)* sgonfiarsi; *(schrumpfen)* ritirarsi.
zurück·bleiben ⟨*irr*⟩ *itr* ⟨*sein*⟩ **1.** *(hinten bleiben, a. fig)* rimanere (*o* restare) indietro (*hinter +dat* rispetto a); **2.** *(nicht mitkommen)* essere in ritardo (*hinter +dat* su); **3.** *(übrigbleiben)* rimanere, restare; **hinter den Erwartungen** ~ essere inferiore alle aspettative.
zurück·blenden *itr* inserire un flashback.
zurück·blicken *itr* guardare indietro (*auf +akk, nach* a); **auf seine Vergangenheit** ~ richiamare alla mente il proprio

passato.

zurück·bringen ⟨*irr*⟩ *tr* **1.** *(wieder herbringen)* portare indietro; **2.** *(wieder wegbringen)* riportare via; **jdn ins Leben ~** riportare qu in vita.

zurück·datieren ⟨*ohne ge-*⟩ **I.** *tr (Brief)* retrodatare (*auf +akk* a); **II.** *itr (Ereignis)* risalire (*auf +akk, um* a).

zurück·denken ⟨*irr*⟩ *itr* ripensare (*an +akk* a), ricordare (*an etw. (akk)* qc); **soweit ich ~ kann** per quanto posso ricordare.

zurück·drehen *tr* **1.** *(Knopf, Zeiger)* girare in senso antiorario; **2.** *(Heizung, Lautstärke)* abbassare.

zurück·erobern ⟨*ohne ge-*⟩ *tr* riconquistare.

zurück·erstatten ⟨*ohne ge-*⟩ *tr* rimborsare.

zurück·fahren ⟨*irr*⟩ **I.** *tr* ⟨*haben*⟩ ricondurre; **II.** *itr* ⟨*sein*⟩ ritornare; *fig (zurückweichen)* ritrarsi.

zurück·fallen *itr* **1.** *(rückwärtsfallen)* ricadere; **2.** *sport* retrocedere (*auf +akk* in); **3.** *(in alte Gewohnheiten)* ricadere.

zurück·finden ⟨*irr*⟩ *itr* (ri)tornare (*zu* a, da); **wieder zu sich** *(dat)* **selbst ~** ritrovare sé stesso; **findest du allein zurück?** ritrovi la strada da solo?

zurück·fordern *tr* richiedere.

zurück·führen *tr* **1.** *(zurückbringen)* ricondurre (*nach, zu* a); **2.** *(ableiten, erklären)* attribuire (*auf +akk* a); **3.** *mat* ridurre.

zurück·geben ⟨*irr*⟩ *tr* restituire, rendere, ridare; *(Wechselgeld)* restituire, dare di resto; *(Ball)* rimandare; *(Kompliment)* ricambiare.

zurückgeblieben *adj* rimasto indietro; **geistig ~** ritardato mentale.

zurück·gehen ⟨*irr*⟩ *itr* ⟨*sein*⟩ **1.** *(zum Ausgangsort)* ritornare; **2.** *(nach hinten, rückwärts)* indietreggiare; *(zurückweichen)* retrocedere; **3.** *fig (abnehmen)* diminuire; *(Hochwasser, Fieber, Preise)* calare; *(Schmerz, Sturm)* placarsi; **4.** *fig (herstammen)* risalire (*auf +akk* a); **drei Meter ~** andare indietro di tre metri; **~ lassen** *(Warensendung)* rispedire; *(Essen)* mandare indietro.

zurückgezogen *adj* ritirato. **Zurückgezogenheit** ⟨-, ø⟩ *f* vita *f* ritirata.

zurück·greifen ⟨*irr*⟩ *itr* ricorrere (*auf +akk* a).

zurück·halten ⟨*irr*⟩ **I.** *tr* **1.** *(nicht fortlassen)* trattenere; **2.** *(abhalten)* distogliere (*von* da); **3.** *(unterdrücken)* reprimere; *(Tränen)* trattenere; **4.** *(Informationen)* rifiutare di dare; **II.** *itr:* **mit etw. ~** nascondere qc, dissimulare qc; **mit seiner Meinung/seinem Urteil ~** astenersi dall'esprimere la propria opinione/il proprio giudizio; **III.** *rfl:* **sich ~ 1.** *(sich beherrschen)* trattenersi, contenersi; *(beim Essen)* moderarsi; **2.** *(sich im Hintergrund halten)* tenersi nell'ombra.

zurückhaltend *adj (reserviert)* riservato; *(unaufdringlich)* discreto.

Zurückhaltung *f* riservatezza *f*.

zurück·kehren *itr* ⟨*sein*⟩ *(a. fig)* ritornare.

zurück·kommen ⟨*irr*⟩ *itr* ⟨*sein*⟩ **1.** *allg.* ritornare (*aus, von* da, *nach, zu* a); **2.** *fig (wieder aufgreifen)* tornare (*auf +akk* su).

zurück·lassen ⟨*irr*⟩ *tr* lasciare (indietro).

zurück·legen I. *tr* **1.** *(an seinen Platz)* riporre; **2.** *(Geld, Waren)* mettere da parte; **3.** *(Strecke)* percorrere; **II.** *rfl:* **sich ~** appoggiarsi (all')indietro.

zurück·lehnen *rfl:* **sich ~** appoggiarsi indietro.

zurück·liegen ⟨*irr*⟩ *itr* **1.** *(örtlich)* trovarsi dietro; **2.** *(zeitlich)* essere passato, essere successo; **das liegt fünf Jahre zurück** sono passati cinque anni.

zurück·melden *rfl:* **sich ~** annunciare il proprio ritorno.

Zurücknahme [-na:mə] ⟨-, -n⟩ *f* **1.** *(von Ware, Geschenk)* riprendere *m;* **2.** *(von Bestellung)* annullamento *m; (von Behauptung, Beschuldigung, Versprechen)* ritrattazione *f; jur (von Klage)* remissione *f; (von Anordnung, Zustimmung)* revoca *f*.

zurück·nehmen ⟨*irr*⟩ *tr* **1.** *(Ware, Geschenk)* riprendere; **2.** *fig (Bestellung)* annullare; *(Behauptung, Beleidigung)* ritrattare; *(Versprechen, Antrag, Klage, Gesetzentwurf)* ritirare; *(Gesetz, Anordnung)* revocare; **das Gas ~** abbassare il gas; **nimm das sofort zurück!** ritira subito quello che hai detto!

zurück·prallen *itr* ⟨*sein*⟩ **1.** *(Ball, Lichtstrahlen)* rimbalzare; **2.** *fig (Mensch)* indietreggiare di scatto.

zurück·reisen *itr* ⟨*sein*⟩ ritornare.

zurück·rufen ⟨*irr*⟩ *tr* richiamare; **sich** *(dat)* **etw. ins Gedächtnis ~** rammentarsi di qc.

zurück·schauen *itr* guardare indietro (*auf +akk* a).

zurück·schicken *tr* **1.** *(Post)* rispedire (*an +akk* a); **2.** *(Personen)* (ri)mandare indietro.

zurück·schlagen ⟨*irr*⟩ **I.** *tr* **1.** *(Angriff, Feind)* respingere; **2.** *(Ball)* ribattere; **3.** *(Decke, Schleier)* sollevare; **II.** *itr* **1.** *(den Schlag erwidern)* restituire il colpo; **2.** *(sich nachteilig auswirken)* ripercuotersi (*auf +akk* su).

zurück·schnellen *itr* ⟨*sein*⟩ scattare indietro.

zurück·schrauben *tr fig (Ansprüche, Erwartungen)* ridurre, limitare.

zurück·schrecken *itr* ⟨*haben o sein*⟩ **1.** *(vor Schreck zurückfahren)* indietreggiare spaventato (*vor +dat* davanti a); **2.** *fig* aver paura (*vor +dat* di); **vor nichts ~** non avere paura di niente.

zurück·sehnen *rfl:* **sich nach etw. ~** avere nostalgia di qc.

zurück·setzen I. *tr* 1. *(an frühere Stelle)* rimettere (al proprio posto); 2. *(nach hinten)* mettere indietro, arretrare; 3. *(benachteiligen)* trascurare; 4. *(Auto)* indietreggiare, rinculare; 5. *dial (Waren)* ribassare; **sich zurückgesetzt fühlen** sentirsi trascurato; II. *rfl:* **sich** ~ sedersi indietro; III. *itr (mit Fahrzeug)* indietreggiare, andare indietro.

zurück·springen ⟨*irr*⟩ *itr* ⟨*sein*⟩ saltare indietro.

zurück·stecken *itr* 1. *(weniger Ansprüche stellen)* moderare le pretese; 2. *(nachgeben, einlenken)* rinunciare.

zurück·stehen ⟨*irr*⟩ *itr* 1. *(weiter hinten stehen)* stare indietro; 2. *(nicht gleichwertig sein)* essere inferiore (*hinter +dat* a); 3. *(verzichten)* rinunciare (*hinter +dat* a).

zurück·stellen *tr* 1. *(an seinen Platz)* rimettere (a posto); 2. *(nach hinten, a. Uhr)* mettere (*o* spostare) indietro; 3. *(Waren)* mettere da parte; 4. *fig (aufschieben)* rinviare; 5. *fig (Wünsche, Interessen)* far passare in second'ordine.

zurück·stoßen ⟨*irr*⟩ *tr* 1. *(an seinen Platz stoßen)* rimettere; 2. *fig (ablehnen)* respingere.

zurück·stufen *tr* trasferire in una categoria inferiore.

zurück·treten ⟨*irr*⟩ *itr* ⟨*sein*⟩ 1. *(nach hinten gehen)* indietreggiare, retrocedere; 2. *fig (weniger wichtig werden)* diminuire; *(in den Hintergrund treten)* passare in seconda linea (*hinter +dat* dietro a); 3. *(vom Amt)* dare le dimissioni, dimettersi (*von* da); 4. *(von Vertrag)* rescindere (*von etw.* qc); *(von Kauf)* annullare (*von etw.* qc); *(von Recht)* rinunciare (*von* a); **einen Schritt** ~ fare un passo indietro; **die Regierung ist zurückgetreten** il governo si è dimesso; **bitte** ~! indietro!, fate largo!

zurück·verfolgen ⟨*ohne ge-*⟩ *tr fig* seguire (nel passato), ricostruire.

zurück·verlangen ⟨*ohne ge-*⟩ *tr* ridomandare.

zurück·weichen ⟨*irr*⟩ *itr* retrocedere; **vor etw.** *(dat)* ~ fuggire da qc.

zurück·weisen ⟨*irr*⟩ *tr* 1. *(zurückschikken)* rimandare, rinviare; 2. *(Angebot, Vorschlag)* rifiutare; 3. *(Behauptung, Vorwurf)* respingere.

zurück·werfen ⟨*irr*⟩ *tr* 1. *(in Ausgangsrichtung)* rigettare; *(Ball a.)* rimandare; 2. *(nach hinten)* gettare indietro; 3. *phys (Strahlen)* riflettere; *(Schall)* ripercuotere; 4. *(wirtschaftlich)* rimandare indietro (*um* di); *(gesundheitlich)* far ricadere (*um* di); **das hat uns um Jahre zurückgeworfen** ci ha rimandato indietro di anni.

zurück·zahlen *tr* restituire, rimborsare; **das werde ich ihm** ~! *fig fam* gliela farò pagare!

zurück·ziehen ⟨*irr*⟩ I. *tr* ritirare; *jur (Forderung)* rinunciare a; *(Auftrag)* revocare; II. *rfl:* **sich** ~ ritirarsi (*aus, von* da); **sich von seinen Freunden** ~ isolarsi dai propri amici.

Zuruf *m* chiamata *f,* grido *m; (Akklamation)* acclamazione *f.*

zu·rufen ⟨*irr*⟩ *tr* gridare.

Zusage *f* 1. *(Versprechen)* promessa *f;* 2. *(Zustimmung)* adesione *f.*

zu·sagen I. *tr* promettere; II. *itr* 1. *(sein Einverständnis erklären)* acconsentire; *(Einladung annehmen)* accettare l'invito; *(sich verpflichten)* impegnarsi (*etw. zu tun* a fare qc); 2. *(gefallen)* piacere (*jdm* a qu); *(passen, recht sein)* convenire (*jdm* a qu); **diese Wohnung sagt mir nicht zu** questo appartamento non mi piace.

zusammen [tsu'zamən] *adv* 1. *(gemeinsam)* insieme (*mit* a, con), assieme (*mit* a); 2. *(insgesamt)* complessivamente; *(im ganzen)* in tutto (*o* totale); **alle** ~ tutti insieme; **das macht** ~ **vier Mark** in totale fanno quattro marchi.

Zusammenarbeit *f* collaborazione *f,* cooperazione *f;* **in** ~ **mit** ... in collaborazione con ...

zusammen·arbeiten *itr* collaborare, cooperare.

zusammen·ballen I. *tr* appallottolare; II. *rfl:* **sich** ~ *(Wolken)* ammassarsi.

zusammen·bauen *tr* montare.

zusammen·beißen ⟨*irr*⟩ *tr:* **die Zähne** ~ stringere i denti.

zusammen·binden ⟨*irr*⟩ *tr* legare.

zusammen·brechen ⟨*irr*⟩ *itr* ⟨*sein*⟩ crollare; **der Verkehr ist völlig zusammengebrochen** il traffico si è arrestato.

zusammen·bringen ⟨*irr*⟩ *tr* 1. *(Vermögen)* accumulare; *(Geld)* racimolare; 2. *(Menschen)* far incontrare; *(versöhnen)* riconciliare; 3. *(Gedanken, Worte)* mettere insieme.

Zusammenbruch *m* 1. *allg., fig* crollo *m;* 2. *ökon* fallimento *m,* bancarotta *f;* 3. *(Nerven~)* collasso *m* (*o* esaurimento *m*) nervoso.

zusammen·drücken *tr* pressare.

zusammen·fahren ⟨*irr*⟩ I. *itr* ⟨*sein*⟩ 1. *(zusammenstoßen)* scontrarsi (*mit* con); 2. *fig (vor Schreck)* trasalire; II. *tr* ⟨*haben*⟩ *fam* 1. *(Fahrzeug)* ridurre a un rottame; 2. *(Menschen)* ferire in un incidente; *(töten)* ammazzare in un incidente.

zusammen·fallen ⟨*irr*⟩ *itr* ⟨*sein*⟩ 1. *(Gebäude)* crollare; 2. *fig (Mensch)* dimagrire; 3. *(zeitlich)* coincidere.

zusammen·falten *tr* ripiegare.

zusammen·fassen *tr* 1. *(vereinigen)* riunire (*zu* in); 2. *(in Bericht)* riassumere; **~d läßt sich sagen, daß ...** concludendo si può dire che ... **Zusammenfas-**

sung *f* **1.** *(Vereinigung)* riunione *f;* **2.** *(Überblick)* riassunto *m.*

zusammen·fügen *geh* **I.** *tr* congiungere; **II.** *rfl:* **sich** ~ combinarsi.

zusammen·führen *tr* riunire.

zusammen·gehören ⟨*ohne ge-*⟩ *itr (Dinge)* andare insieme; *(als Paar)* appaiarsi, fare un paio; *(Kunstgegenstände)* fare da pendant; *(Menschen)* essere fatti l'uno per l'altro.

zusammengehörig *adj* che va insieme; **sich** ~ **fühlen** sentirsi uniti. **Zusammengehörigkeit** ⟨-, ø⟩ *f* affinità *f,* unione *f.* **Zusammengehörigkeitsgefühl** *n* solidarietà *f; (einer Gruppe)* spirito *m* di corpo.

zusammengesetzt *adj* composto.

zusammengewürfelt *adj* eterogeneo, vario.

Zusammenhalt *m* **1.** *tec* consistenza *f;* **2.** *fig (innere Bindung)* coesione *f.*

zusammen·halten ⟨*irr*⟩ **I.** *tr* **1.** *(verbinden)* tenere unito (*o* insieme); **2.** *fam (Geld)* risparmiare; **II.** *itr* essere (*o* restare) unito.

Zusammenhang *m* **1.** *(Beziehung)* rapporto *m* (*von, zwischen +dat* fra), relazione *f* (*von, zwischen +dat* fra); **2.** *(innerer ~)* connessione *f* (*von, zwischen +dat* fra), legame *m* (*von, zwischen +dat* fra); *(von Äußerung)* nesso *m;* **3.** *(Wechselbeziehung)* correlazione *f* (*von, zwischen +dat* con, fra); **4.** *(im Text)* contesto *m;* **etw. mit etw. in ~ bringen** mettere qc in relazione con qc; **im ~ mit etw. stehen** essere in rapporto con qc; **im ~ mit dieser Angelegenheit** in relazione a questa faccenda; **in diesem ~** in questo contesto.

zusammen·hängen ⟨*irr*⟩ *itr* **1.** *allg.* essere unito (*mit* a); **2.** *fig (in Beziehung stehen)* essere in relazione (*mit* con); **das hängt damit zusammen, daß ...** ciò dipende dal fatto che ... **zusammenhängend** *adj (innerlich)* coerente; *(ununterbrochen)* continuo; *(verbunden, verknüpft)* connesso.

zusammenhang(s)los *adj* sconnesso, incoerente.

zusammen·hauen ⟨*irr*⟩ *tr fam* **1.** *(zertrümmern)* fare a pezzi; **2.** *(verprügeln)* picchiare; **3.** *fig (zusammenpfuschen)* abborracciare.

zusammen·klappen **I.** *tr* ⟨*haben*⟩ (ri)piegare; *(Buch, Messer)* chiudere; **II.** *itr* ⟨*sein*⟩ *fam* crollare.

zusammen·kommen ⟨*irr*⟩ *itr* ⟨*sein*⟩ **1.** *(sich treffen)* incontrarsi; *(sich versammeln)* riunirsi, radunarsi; **2.** *(Umstände)* coincidere; **3.** *(sich ansammeln)* raccogliersi; **heute kommt wieder alles zusammen!** *fam* oggi capita (di nuovo) tutto insieme! *fam.*

zusammen·krachen *itr* ⟨*sein*⟩ *fam* crollare.

zusammen·kratzen *tr fig fam* racimolare.

Zusammenkunft [-kʊnft] ⟨-, -künfte⟩ *f* incontro *m; (Versammlung)* riunione *f; (Sitzung)* seduta *f.*

zusammen·läppern [-lɛpɐn] *rfl:* **sich** ~ *fam* (as)sommarsi.

zusammen·leben *itr* convivere. **Zusammenleben** *n* convivenza *f.*

zusammen·legen **I.** *tr* **1.** *(zueinander legen)* mettere insieme; **2.** *(zusammenfalten)* ripiegare; **3.** *(vereinigen, gleichzeitig stattfinden lassen)* riunire; *ökon* fondere; **II.** *itr* fare una raccolta di denaro.

zusammen·nehmen ⟨*irr*⟩ **I.** *tr* raccogliere; **alles zusammengenommen** in tutto, tutto sommato; **II.** *rfl:* **sich** ~ **1.** *(sich anstrengen)* concentrarsi; **2.** *(sich beherrschen)* dominarsi.

zusammen·passen *itr (Dinge)* intonarsi, armonizzare; *(Personen)* andare bene insieme.

zusammen·prallen *itr* ⟨*sein*⟩ cozzare (*mit* contro); *(a. fig)* scontrarsi (*mit* con), urtarsi (*mit* con).

zusammen·pressen *tr* stringere.

zusammen·raufen *rfl:* **sich** ~ *fam* trovare un modus vivendi, accomodarsi.

zusammen·rechnen *tr* addizionare, sommare; **alles zusammengerechnet** in tutto, tutto sommato.

zusammen·reimen *tr:* **sich** *(dat)* **etw.** ~ spiegarsi qc.

zusammen·reißen ⟨*irr*⟩ *rfl:* **sich** ~ *fam* contenersi, dominarsi.

zusammen·rollen **I.** *tr* arrotolare, avvolgere; **II.** *rfl:* **sich** ~ arrotolarsi, avvolgersi.

zusammen·rücken **I.** *tr* avvicinare, accostare; **II.** *itr (Personen)* accostarsi.

zusammen·scheißen ⟨*irr*⟩ *tr vulg* smerdare *volg.*

zusammen·schlagen ⟨*irr*⟩ *tr* **1.** *(zerschlagen)* fracassare; **2.** *(Hacken, Hände)* battere (l'uno contro l'altro); **3.** *fam (verprügeln)* picchiare (a sangue).

zusammen·schließen ⟨*irr*⟩ **I.** *tr* serrare; **II.** *rfl:* **sich** ~ unirsi, associarsi; *ökon* fondersi. **Zusammenschluß** *m* unione *f,* associazione *f; ökon* fusione *f.*

zusammen·schreiben ⟨*irr*⟩ *tr* **1.** *(Wörter)* scrivere in una sola parola; **2.** *fam pej (gedankenlos hinschreiben)* scribacchiare.

zusammen·schrumpfen *itr* ⟨*sein*⟩ **1.** *allg.* restringersi, contrarsi; *(runzlig werden)* raggrinzarsi; **2.** *fig (abnehmen)* ridursi (*auf +akk* a).

zusammen·sein ⟨*irr*⟩ *itr* ⟨*sein*⟩ essere insieme (*mit* con). **Zusammensein** *n* **1.** *(Beisammensein)* stare *m* insieme; **2.** *(Zusammenkunft)* riunione *f.*

zusammen·setzen **I.** *tr* **1.** *(nebeneinandersetzen)* mettere insieme; **2.** *(zu einem Ganzen)* comporre (*zu* per); **3.** *(montie-*

ren) montare; **II.** *rfl:* **sich** ~ **1.** *(sich nebeneinandersetzen)* sedersi insieme; *(sich treffen)* riunirsi (*zu* per); **2.** *(bestehen)* comporsi (*aus* di), essere composto (*aus* di). **Zusammensetzung** ⟨-, -en⟩ *f* composizione *f.*

Zusammenspiel *n* **1.** *(Sport, Musik)* affiatamento *m,* accordo *m;* **2.** *fig (Vorgänge, Kräfte)* azione *f,* gioco *m.*

zusammen·stellen *tr* **1.** *(nebeneinanderstellen)* mettere insieme, disporre; **2.** *(anordnen)* comporre; *(a. Menü)* combinare; *(gruppieren)* raggruppare; *(sortieren)* assortire; *(klassifizieren)* classificare; *(kompilieren)* compilare. **Zusammenstellung** *f* **1.** *(Anordnung)* disposizione *f;* **2.** *(Zusammensetzung)* composizione *f,* combinazione *f; (Gruppierung)* raggruppamento *m; (Klassifizierung)* classificazione *f;* **3.** *(Übersicht)* tavola *f,* prospetto *m.*

Zusammenstoß *m* cozzo *m,* collisione *f; (a. fig)* scontrarsi *m.*

zusammen·stoßen ⟨*irr*⟩ *itr* ⟨*sein*⟩ **1.** *(Verkehrsmittel, Meinungen)* scontrarsi; **2.** *(Grundstück)* confinare.

zusammen·streichen ⟨*irr*⟩ *tr fam* tagliare.

zusammen·stürzen *itr* ⟨*sein*⟩ crollare.

zusammen·tragen ⟨*irr*⟩ *tr* raccogliere.

zusammen·treffen ⟨*irr*⟩ *itr* ⟨*sein*⟩ **1.** *(Personen)* incontrarsi (*mit* con); **2.** *(Ereignisse)* coincidere.

zusammen·trommeln *tr fam* radunare.

zusammen·tun ⟨*irr*⟩ **I.** *tr fam* mettere insieme; **II.** *rfl:* **sich** ~ riunirsi.

zusammen·wachsen ⟨*irr*⟩ *itr* ⟨*sein*⟩ concrescere, crescere assieme unirsi crescendo; *fig* affiatarsi.

zusammen·zählen *tr* sommare, addizionare.

zusammen·zucken *itr* ⟨*sein*⟩ trasalire.

Zusatz *m* **1.** *allg.* aggiunta *f; (Nachtrag)* appendice *f;* **2.** *chem (~mittel)* additivo *m;* **unter ~ von ...** con l'aggiunta di ... **Zusatzbestimmung** *f* disposizione *f* supplementare. **Zusatzgerät** *n* adattatore *m.*

zusätzlich [ˈtsu:zɛtslɪç] **I.** *adj* addizionale; *(ergänzend)* supplementare; **II.** *adv* inoltre, in più.

Zusatzversicherung *f* assicurazione *f* complementare.

zu·schauen *s.* **zusehen.**

Zuschauer(in) ⟨-s, -⟩ *m(f)* spettatore, -trice *m, f; (Fernseh~)* telespettatore, -trice *m, f.* **Zuschauerraum** *m* auditorio *m.* **Zuschauertribüne** *f* tribuna *f.*

zu·schicken *tr* spedire, inviare.

zu·schießen ⟨*irr*⟩ **I.** *tr* ⟨*haben*⟩ **1.** *(Ball)* lanciare; **2.** *fam (Geld)* contribuire (*etw.* con qc); **II.** *itr* ⟨*sein*⟩ lanciarsi (*auf jdn* contro qu, *auf etw. (akk)* su qc).

Zuschlag *m* **1.** *(bei Ausschreibung, Auktion)* aggiudicazione *f; (von Aufträgen)* appalto *m;* **2.** *(Preis~)* maggiorazione *f* (di prezzo); *(zu Gebühr)* soprattassa *f; Eisenb.* supplemento *m.*

zu·schlagen ⟨*irr*⟩ **I.** *tr* ⟨*haben*⟩ **1.** *(Buch)* chiudere; *(Fenster, Tür)* sbattere; **2.** *(bei Ausschreibung, Auktion)* aggiudicare; *(Auftrag)* appaltare; **3.** *(zuspielen)* lanciare; **II.** *itr* **1.** ⟨*sein*⟩ *(Fenster, Tür)* sbattere; **2.** ⟨*haben*⟩ *(einen Schlag tun)* sbattere; *fig* colpire; **bei diesen Preisen muß man gleich** ~ *fam* con questi prezzi bisogna approfittarne subito. **zuschlagpflichtig** *adj eisenb.* con supplemento obbligatorio.

zu·schließen ⟨*irr*⟩ *tr* chiudere a chiave.

zu·schnappen *itr* **1.** ⟨*sein*⟩ *(Schloß)* scattare; **2.** ⟨*haben*⟩ *(mit Händen)* afferrare; *(zubeißen)* azzannare.

zu·schneiden ⟨*irr*⟩ *tr* tagliare; **das ist auf ihn zugeschnitten** è fatto per lui.

zu·schnüren *tr (Paket)* legare; *(Schuhe)* allacciare; **die Angst schnürte ihr die Kehle zu** la paura le strinse la gola.

zu·schrauben *tr* **1.** *(Schraubverschluß, Deckel)* avvitare; **2.** *(Glas, Flasche)* chiudere.

Zuschrift *f* comunicazione *f,* lettera *f.*

zuschulden [tsuˈʃʊldən] *adv:* **sich** *(dat)* **etw. ~ kommen lassen** rendersi colpevole di qc.

Zuschuß *m* contributo *m; (Unterstützungszahlung)* sussidio *m; (staatlich)* sovvenzione *f.* **Zuschußbetrieb** *m,* **-unternehmen** *n* impresa *f* sovvenzionata.

zu·schütten *tr* **1.** *(auffüllen)* riempire, colmare; **2.** *fam (hin~)* aggiungere (versando).

zu·sehen ⟨*irr*⟩ *itr* **1.** *(als Zuschauer)* stare a guardare (*jdm bei etw.* mentre qu sta facendo qc); **2.** *(Sorge tragen)* fare in modo (*daß ...* che *+congv*); **bei genauerem Z~** a un esame più attento. **zusehends** [ˈtsu:ze:ənts] *adv (merklich)* sensibilmente; *(rasch)* rapidamente.

zu·sein ⟨*irr*⟩ *itr* ⟨*sein*⟩ essere chiuso.

zu·senden ⟨*irr o rar reg*⟩ *s.* **zuschicken. Zusendung** *f* spedizione *f,* invio *m.*

zu·setzen **I.** *tr (hinzufügen)* aggiungere; *(Geld)* perdere, rimettere; **II.** *itr fam* **1.** *(bedrängen)* importunare (*jdm mit etw.* qu con qc); **2.** *(mitnehmen, treffen)* provare (*jdm* qu), mettere alla prova (*jdm* qu).

zu·sichern *tr* assicurare, garantire.

zu·spielen *tr* passare.

zu·spitzen *rfl:* **sich** ~ **1.** *(sich verjüngen)* terminare a punta; **2.** *fig (Lage, Konflikt)* inasprirsi.

zu·sprechen ⟨*irr*⟩ **I.** *tr* **1.** *(Mut, Trost)* dare; **2.** *(Preis)* conferire; **3.** *jur (Kind)* assegnare; **II.** *itr* **1.** *(gut zureden)* esortare (*jdm* qu), incoraggiare (*jdm* qu); **2.** *fig geh (einer Speise, einem Getränk)* far onore (*+dat* a).

Zuspruch *m* **1.** *(Aufmunterung)* esortazione *f; (Trost)* consolazione *f; (geistlicher)* conforto *m;* **2.** *(Anklang)* favore *m; (Zulauf, Andrang)* affluenza *f;* **sich großen ~s erfreuen** *geh,* **großen** (*o* **regen**) **~ finden** avere un gran successo.

Zustand *m* stato *m; (Beschaffenheit)* condizione *f; (Lage)* situazione *f; (rechtliche, politische Lage, Stand)* status *m;* **Zustände kriegen** *fam* avere un attacco; **das sind ja schöne Zustände!** *fam* belle circostanze!

zustande [tsu'ʃtandə] *adv:* **etw. ~ bringen** riuscire a fare qc; **~ kommen** farsi, realizzarsi, attuarsi; *(gelingen)* riuscire.

zuständig *adj (Gericht, Behörde, Stelle)* competente; *(befugt)* autorizzato; *(verantwortlich)* responsabile; **nicht ~** incompetente; **dafür bin ich nicht ~** questo esula dalle mie competenze. **Zuständigkeit** ⟨-, -en⟩ *f* **1.** *(Kompetenz)* competenza *f;* **2.** *(~sbereich)* sfera *f* di competenza.

zu·stehen ⟨*irr*⟩ *itr* spettare (*jdm* a qu), competere (*jdm* a qu).

zu·steigen ⟨*irr*⟩ *itr* ⟨*sein*⟩ salire durante il viaggio; **noch jemand zugestiegen?** c'è qualcun altro che è salito?

Zustellbezirk *m* distretto *m* postale.

zu·stellen *tr* **1.** *(versperren)* ostruire; **2.** *(übermitteln)* consegnare; *(Brief, Paket)* recapitare; *(Post)* distribuire; *adm* notificare.

Zustellgebühr *f* tassa *f* di recapito.

Zustellung *f* consegna *f; (von Post)* recapito *m,* distribuzione *f; adm* notificazione *f.*

zu·stimmen *itr* essere d'accordo (*jdm* con qu); *(einer Sache)* acconsentire (*einer S. (dat)* a qc); *(einem Plan, Programm)* approvare (*einer S. (dat)* qc). **zustimmend** *adv* in segno di approvazione. **Zustimmung** *f* **1.** *(Einverständnis)* assenso *m* (*zu* a), consenso *m* (*zu* a); **2.** *(Billigung)* approvazione *f;* **allgemeine ~ finden** incontrare l'approvazione generale; **seine ~ geben** dare il proprio consenso.

zu·stoßen ⟨*irr*⟩ *itr* **1.** ⟨*haben*⟩ *(mit Messer)* colpire; **2.** ⟨*sein*⟩ *(Unglück)* accadere; **hoffentlich ist ihm nichts zugestoßen** speriamo che non gli sia successo niente.

Zustrom *m* afflusso *m,* affluenza *f.*

zu·stürzen *itr* ⟨*sein*⟩ precipitarsi (*auf +akk* verso).

zutage [tsu'ta:gə] *adv:* **~ bringen/treten** portare/venire alla luce.

Zutat *f* ⟨*meist pl*⟩ **1.** *gastr* ingredienti *m pl;* **2.** *fig (Beiwerk)* accessori *m pl.*

zu·teilen *tr* **1.** *(Aufgabe, Rolle)* assegnare; **2.** *(Dinge, Lebensmittel)* distribuire, ripartire. **Zuteilung** ⟨-, -en⟩ *f* assegnazione *f.*

zutiefst [tsu'ti:fst] *adv (sehr)* profondamente; *(im Innersten)* nell'intimo; *(bereuen)* con tutto il cuore.

zu·trauen *tr:* **jdm etw. ~** credere qu capace di qc; **jdm nicht viel ~** non avere una grande opinione di qu; **sich** *(dat)* **zuviel ~** presumere troppo di sé; **das traue ich mir nicht zu** non mi sento di farlo; **ihr ist alles zuzutrauen** è capace di tutto. **Zutrauen** ⟨-s, ø⟩ *n* fiducia *f* (*zu* in).

zutraulich *adj (Kind)* fiducioso; *(Tier)* mansueto.

zu·treffen ⟨*irr*⟩ *itr* **1.** *(richtig sein)* essere giusto; *(wahr sein)* essere vero; **2.** *(gelten)* valere (*auf +akk, für* per). **zutreffend** *adj* giusto; *(Bemerkung)* pertinente; **Z~es bitte unterstreichen** sottolineare ciò che interessa.

zu·treten ⟨*irr*⟩ *itr* **1.** ⟨*sein*⟩: **auf jdn/etw. ~** avvicinarsi a qu/qc; **2.** ⟨*haben*⟩ *(einen Tritt geben)* dare un calcio (a qu).

zu·trinken ⟨*irr*⟩ *itr* brindare (*jdm* a qu), bere alla salute (*jdm* di qu).

Zutritt *m* **1.** *(Zugang)* accesso *m* (*zu etw.* a qc, *zu jdm* presso qu); **2.** *(Eintritt)* ingresso *m;* **sich** *(dat)* **zu etw. ~ verschaffen** riuscire a introdursi in; **kein ~!, ~ verboten!** ingresso vietato!

zu·tun ⟨*irr*⟩ *tr fam* **1.** *(hin~)* aggiungere; **2.** *(schließen)* chiudere; **ich konnte die ganze Nacht kein Auge ~** non potei chiudere occhio tutta la notte. **Zutun** ⟨-s, ø⟩ *n:* **ohne mein ~** senza il mio intervento.

zuverlässig ['tsu:fɛɐ̯lɛsɪç] *adj* fidato; *(gewissenhaft)* coscienzioso; *(glaubwürdig)* attendibile; **aus ~er Quelle** da fonte sicura. **Zuverlässigkeit** *f (Glaubwürdigkeit)* attendibilità *f; (Verläßlichkeit)* affidabilità *f.*

Zuversicht ['tsu:fɛɐ̯zɪçt] *f* fiducia *f,* confidenza *f;* **in der festen ~, daß ...** nella ferma speranza che *+congv.* **zuversichtlich** *adj* fiducioso.

zuviel [tsu'fi:l] *adv* troppo; **einer ~** uno di troppo; **viel ~** veramente troppo; **da kriege ich ~** *fam* mi sale il sangue alla testa, mi infurio; **mir ist heute alles ~** *fam* oggi mi secca tutto.

zuvor [tsu'fo:ɐ̯] *adv* **1.** *(vorher)* prima; **2.** *geh (zuerst)* innanzitutto.

zuvor·kommen ⟨*irr*⟩ *itr* ⟨*sein*⟩ prevenire (*einer S. (dat)* qc), anticipare (*jdm* qu); **jemand ist uns zuvorgekommen** qualcuno ci ha preceduto. **zuvorkommend** *adj* premuroso. **Zuvorkommenheit** ⟨-, ø⟩ *f* premura *f.*

Zuwachs ['tsu:vaks] ⟨-es, ø⟩ *m* **1.** *(Anwachsen)* accrescimento *m* (*an +dat* di), crescita *f* (*an +dat* di); **2.** *(Mehrwert)* incremento *m* (*um* di); **auf ~** *fam* a crescenza.

zu·wachsen ⟨*irr*⟩ *itr* ⟨*sein*⟩ **1.** *(Wunde)* rimarginarsi; **2.** *(mit Pflanzen)* coprirsi di vegetazione.

Zuwachsrate *f* tasso *m* di incremento.

zu·wandern *itr* ⟨*sein*⟩ *(einwandern)* immigrare. **Zuwanderung** *f* immigrazione *f.*

zuwege *adv:* **etw. ~ bringen** riuscire a far qc.

zuweilen [tsu'vailən] *adv geh* qualche volta, talvolta, di tanto in tanto.

zu·weisen ⟨*irr*⟩ *tr* assegnare.

zu·wenden ⟨*irr o reg*⟩ **I.** *tr* **1.** *(Gesicht, Rücken)* volgere; **2.** *fig (Aufmerksamkeit)* rivolgere; **II.** *rfl:* **sich ~ 1.** *(zudrehen)* rivolgersi (*dat* a); **2.** *fig (sich widmen)* dedicarsi (*dat* a).

Zuwendung *f* **1.** *(Geldbetrag)* sussidio *m; (Schenkung)* donazione *f;* **2.** ⟨*sing*⟩ *(Liebe, Beachtung)* attenzione *f.*

zuwenig [tsu've:nıç] *adv* troppo poco.

zuwider [tsu'vi:dɐ] **I.** *prp +dat obs* contro, contrario a, in contraddizione con; **II.** *adv geh (unangenehm)* sgradevole; *(widerwärtig)* ripugnante; **er ist mir ~** mi ripugna. **zuwider·handeln** *itr geh:* **einem Gesetz/Befehl ~** contravvenire a una legge/trasgredire un ordine.

zu·winken *itr* fare un cenno a qu.

zu·zahlen *itr* pagare in più.

zu·ziehen ⟨*irr*⟩ **I.** *tr* ⟨*haben*⟩ **1.** *(Vorhang)* chiudere; *(Schlinge, Knoten)* stringere; **2.** *fig (konsultieren)* consultare; **sich** *(dat)* **jds Zorn ~** tirarsi addosso l'ira di qu; **sich** *(dat)* **eine Krankheit/Verletzung ~** prendersi una malattia/farsi una ferita; **II.** *itr* ⟨*sein*⟩ *(in Ortschaft)* immigrare; **III.** *rfl:* **sich ~ 1.** *(Schlinge)* stringere; **2.** *(Himmel)* rannuvolarsi.

zuzüglich ['tsu:tsy:klıç] *prp +gen* più.

zu·zwinkern *itr* ammiccare a qu.

zwang [tsvaŋ] *imp von* **zwingen.**

Zwang ⟨-(e)s, Zwänge⟩ *m* **1.** *(Nötigung)* costrizione *f; (a. jur)* coercizione *f;* **2.** *(Notwendigkeit)* necessità *f;* **3.** *(Druck)* pressione *f;* **4.** *psych* coazione *f;* **5.** *(Verpflichtung)* obbligo *m;* **sich** *(dat)* **~ antun** dominarsi, frenarsi; **sich** *(dat)* **keinen ~ antun** non avere soggezione; **einem inneren ~ folgen** seguire un impulso interiore; **auf jdn ~ ausüben** fare (*o* esercitare una) pressione su qu; **etw. unter ~ tun** fare qc per costrizione.

zwängen ['tsvɛŋən] **I.** *tr* **1.** *(hindurch~)* far passare per forza; **2.** *(hinein~)* far entrare per forza; **3.** *(hinaus~)* far uscire per forza; **II.** *rfl:* **sich ~ 1.** *(sich hindurch~)* passare per forza; **2.** *(sich hinein~)* entrare per forza; **3.** *(sich hinaus~)* uscire per forza.

zwanghaft *adj* forzato. **zwanglos I.** *adj (natürlich, frei)* naturale, spontaneo; *(Benehmen)* disinvolto; **II.** *adv (ohne Umstände)* alla buona. **Zwanglosigkeit** ⟨-, ø⟩ *f* disinvoltura *f.*

Zwangsarbeit *f* lavori *m pl* forzati. **zwangsernähren** ⟨*ohne ge*⟩ *tr* nutrire forzatamente. **Zwangsernährung** *f* nutrizione *f* forzata. **Zwangsjacke** *f* camicia *f* di forza. **Zwangslage** *f* situazione *f* difficile; **sich in einer ~ befinden** essere alle strette. **zwangsläufig** [-lɔyfıç] *adj* necessario; *(unvermeidbar)* inevitabile; *(Entwicklung)* irreversibile. **Zwangsmaßnahme** *f* misura *f* coercitiva; *pol (Sanktion)* sanzione *f.* **Zwangsräumung** *f* sfratto *m* (forzoso). **Zwangsvollstreckung** *f jur* esecuzione *f* forzata. **Zwangsvorstellung** *f* ossessione *f; (fixe Idee)* idea *f* fissa. **zwangsweise** *adv* **1.** *(erzwungen)* per forza; *jur* coercitivamente; **2.** *(zwangsläufig)* inevitabilmente.

zwanzig ['tsvantsıç] *num* venti; *s. a. vierzig.*

Zwanzigmarkschein [-'mark-] *m* biglietto *m* da venti marchi.

Zwanzigstel ⟨-s, -⟩ *n* ventesimo *m,* ventesima parte *f.*

zwanzigste(r, s) *adj* ventesimo, -a; *(bei Datumsangaben)* venti.

zwar [tsva:ɐ] *adv* **1.** *(erklärend):* **und ~** e precisamente; **2.** *(einräumend)* certamente, certo; **es ist ~ anstrengend, aber es lohnt sich** è vero che è faticoso, ma ne vale la pena; **bleib stehen, und ~ sofort!** fermati ed anche subito!

Zweck [tsvɛk] ⟨-(e)s, -e⟩ *m (Ziel)* scopo *m; (End~)* fine *m;* **Mittel zum ~** mezzo per raggiungere uno scopo; **einem guten ~ dienen** servire una giusta causa; **zu diesem ~** a questo (*o* tale) scopo; **das hat keinen ~** questo non serve a nulla (*o* non ha senso); **es hat keinen ~, davon zu reden** non ha senso parlarne; **der ~ heiligt die Mittel** *prov* il fine giustifica i mezzi *prov.* **zweckdienlich** *adj adm* **1.** *(nützlich)* utile; **2.** *(angebracht, passend)* opportuno, adeguato, conveniente; **~e Hinweise bitte an das nächste Polizeirevier** si prega di inoltrare le informazioni utili al più vicino commissariato di pubblica sicurezza.

Zwecke ['tsvɛkə] ⟨-, -n⟩ *f* **1.** *(Heft~)* puntina *f* da disegno; **2.** *(Schuh~)* chiodino *m.*

zweckentfremden ⟨*ohne ge-*⟩ *tr* usare per uno scopo diverso da quello previsto.

zweckgebunden *adj* legato a uno scopo, funzionale.

zwecklos *adj* inutile, vano.

zweckmäßig *adj* adeguato, appropriato; *(sinnvoll)* opportuno; *(nützlich)* utile.

zwecks *prp +gen* allo scopo di, per.

zwei [tsvai] *num* due; **(nur) wir ~** (solo) noi due; *s. a. vier.*

Zwei ⟨-, -en⟩ *f* due *m; (Schulnote: gut)* ≃ otto *m; (Buslinie)* due *m.*

Zwei-, zwei- *s. a. Vier-, vier-.* **zweiarmig** *adj* a due bracci. **Zweibeiner** ⟨-s, -⟩ *m* bipede *m.* **Zweibettzimmer** *n* camera *f* doppia (*o* a due letti).

zweideutig *adj* **1.** *(doppeldeutig)* ambiguo, equivoco; **2.** *(schlüpfrig)* licenzio-

so. **Zweideutigkeit** ⟨-, -en⟩ *f* **1.** ⟨*sing*⟩ *(Doppeldeutigkeit)* ambiguità *f,* doppio senso *m;* **2.** *(schlüpfrige Bemerkung)* (osservazione *f* a) doppio senso *m.*
zweidimensional [-dimɛnzi̯ona:l] *adj* bidimensionale.
Zweidrittelmehrheit [-'drɪtəl-] *f:* **mit** ~ con la maggioranza dei due terzi.
zweieiig *adj* biovulare.
Zweierbeziehung *f* rapporto *m* a due. **Zweierbob** *m* bob *m* a due.
zweifach ['tsvai̯'fax] *adj* doppio, duplice.
zweifarbig *adj* bicolore, di due colori.
Zweifel ['tsvai̯fəl] ⟨-s, -⟩ *m* dubbio *m; (Ungewißheit)* incertezza *f;* ~ **haben** (*o* **hegen)** nutrire dubbi (*wegen* su); **es steht außer** ~, **daß** ... è fuori dubbio che ...; **ohne (jeden)** ~ senza (alcun) dubbio, indubbiamente; **es besteht nicht der mindeste** (*o* **leiseste)** ~ **(, daß ...)** non c'è ombra di dubbio (che ...). **zweifelhaft** *adj* **1.** *(fraglich)* dubbio, dubbioso; **2.** *(verdächtig)* sospetto; **es ist** ~, **ob** ... è incerto se ... **zweifellos** *adv* senza dubbio, indubbiamente.
zweifeln *itr* dubitare (*an +dat* di); **(daran)** ~, **daß** ... dubitare che *+congv;* **daran ist nicht zu** ~ è fuor di dubbio.
Zweifelsfall *m* caso *m* di dubbio; **im** ~ in caso di dubbio. **zweifelsfrei I.** *adj* inequivocabile; **II.** *adv* fuor di dubbio. **zweifelsohne** [-'ˀo:nə] *adv* senza dubbio.
Zweig [tsvai̯k] ⟨-(e)s, -e⟩ *m* ramo *m.*
zweigeteilt *adj* bipartito. **zweigleisig** *adj* a doppio binario.
Zweigstelle *f* filiale *f,* succursale *f.*
zweihändig [-hɛndɪç] *adj anat, mus* a due mani; *wissensch.* bimano.
zweihundert ['tsvai̯'hʊndɐt] *num* duecento.
zweijährig *adj* **1.** *(zwei Jahre alt)* di due anni; **2.** *(bot, zwei Jahre lang)* biennale.
Zweikammersystem [-'kame-] *n* bicameralismo *m.*
Zweikampf *m* **1.** *(Duell)* duello *m;* **2.** *sport* lotta *f* singola.
zweimal *adv* due volte; **den Schlüssel** ~ **herumdrehen** dare due giri di chiave; **sich** *(dat)* **etw. nicht** ~ **sagen lassen** non farsi dire qc due volte; ~ **täglich** (*o* **am Tag)** due volte al giorno. **zweimalig** *adj* due volte, per la seconda volta.
Zweimarkstück [-'mark-] *n* moneta *f* da due marchi.
zweimotorig *adj* bimotore; ~**es Düsenflugzeug** bireattore *m.* **Zweiparteiensystem** [-par'tai̯ən-] *n* bipartitismo *m.* **Zweipfennigstück** [-'pfɛnɪç-] *n* moneta *f* da due pfennig.
Zweisamkeit ⟨-, ø⟩ *f* essere *m* in due; **in trauter** ~ (solo) in due.
zweischneidig *adj* a doppio taglio; **das ist ein** ~**es Schwert** *fig* è un'arma a doppio taglio. **zweisprachig** *adj (Mensch, Dokument, Wörterbuch, Gebiet)* bilingue; *(Unterhaltung)* in due lingue; ~ **aufwachsen** crescere bilingue. **Zweisprachigkeit** ⟨-, ø⟩ *f* bilinguismo *m.*
zweistellig *adj* di due cifre. **Zweitakter** ⟨-s, -⟩ *m,* **Zweitaktmotor** *m* motore *m* a due tempi.
zweitälteste(r, s) ['tsvai̯t'ˀɛltəstə] *adj* secondo, -a (per età).
zweitausend ['tsvai̯'tau̯zənt] *num* duemila.
Zweitausfertigung *f* duplicato *m.* **zweitbeste(r, s)** ['tsvai̯t'bɛstə] *adj* secondo, -a (per qualità).
Zweiteiler ⟨-s, -⟩ *m (Badeanzug)* duepezzi *m.* **zweiteilig** *adj* di (*o* in) due parti; *(Kleidungsstück)* a due pezzi.
zweitens *adv* (in) secondo (luogo).
zweite(r, s) *adj* secondo, -a; *(bei Datumsangaben)* due; *(anderer, weiterer)* altro, -a; **eine** ~ **Jeanne d'Arc** una seconda Giovanna d'Arco; *s. a. vierte(r, s).*
zweitjüngste(r, s) ['tsvai̯t'jʏŋstə] *adj* penultimo, -a (per età). **zweitklassig** *adj* di second'ordine. **zweitletzte(r, s)** ['tsvai̯t'lɛtstə] *adj* penultimo, -a. **zweitrangig** *adj* secondario. **Zweitschrift** *f* duplicato *m.* **Zweitstimme** *f* secondo voto *m.*
zweitürig *adj* a due porte.
Zweitwagen *m* seconda macchina *f.* **Zweitwohnung** *f* seconda casa *f.*
zweizeilig *adj* di due righe.
Zwerchfell ['tsvɛrç-] *n* diaframma *m.*
Zwerg(in) [tsvɛrk ('tsvɛrgɪn)] ⟨-(e)s, -e⟩ *m(f)* nano, -a *m, f.* **zwergenhaft** *adj* nano. **Zwerghuhn** *n* pollo *m* nano. **Zwergpudel** *m* barboncino *m.* **Zwergstaat** *m* stato *m* minuscolo. **Zwergvolk** *n* pigmei *m pl.* **Zwergwuchs** *m* nanismo *m.*
Zwetsch(g)e ['tsvɛtʃ(g)ə] ⟨-, -n⟩ *f* prugna *f,* susina *f.* **Zwetsch(g)enbaum** *m* prugno *m,* susino *m.* **Zwetsch(g)enmus** *n* marmellata *f* di prugne. **Zwetsch(g)enwasser** *n* prunella *f.*
Zwickel ⟨-s, -⟩ *m* gherone *m.*
zwicken ['tsvɪkən] **I.** *tr* pizzicare; **II.** *itr* dare un pizzico.
Zwicker ⟨-s, -⟩ *m* pincenez *m.*
Zwickmühle *f* **1.** *(beim Mühlespiel)* mulino *m* doppio; **2.** *fig fam (schwierige Lage)* impiccio *m,* dilemma *m.*
Zwieback ['tsvi:bak] ⟨-(e)s, -bäcke *o* -e⟩ *m* fetta *f* biscottata.
Zwiebel ['tsvi:bəl] ⟨-, -n⟩ *f* **1.** *(Gemüse~)* cipolla *f;* **2.** *(Blumen~)* bulbo *m.* **zwiebelförmig** [-fœrmɪç] *adj* bulbiforme. **Zwiebelkuchen** *m* sformato *m* di cipolle. **Zwiebelturm** *m* campanile *m* a bulbo.
Zwiegespräch ['tsvi:-] *n geh* dialogo *m,* colloquio *m* (a quattr'occhi).
Zwielicht *n (Dämmerlicht)* crepuscolo *m; (morgens)* alba *f;* **ins** ~ **geraten** *fig* trovarsi in una situazione poco chiara.

zwielichtig *adj* ambiguo.
Zwiespalt ⟨-(e)s, ø⟩ *m* conflitto *m* interiore, dissidio *m;* **in einen ~ geraten** trovarsi in conflitto. **zwiespältig** [-ʃpɛltɪç] *adj* **1.** *(Mensch)* lacerato; **2.** *(Gefühle)* contradditorio, contrastante. **Zwiesprache** *f* colloquio *m,* dialogo *m.*
Zwietracht [-traxt] ⟨-, ø⟩ *f geh* discordia *f;* **~ säen** fomentare la discordia.
Zwilling ['tsvɪlɪŋ] ⟨-s, -e⟩ *m* **1.** *(Geschwister)* gemello, -a *m, f;* **2.** *astr* Gemelli *m pl;* **eineiige/zweieiige ~e** gemelli monovulari/biovulari; **siamesische ~e** gemelli siamesi; **er (*o* sie) ist (ein) ~** è un gemello (*o* una gemella); *astr* è dei Gemelli. **Zwillingsbruder** *m* (fratello *m*) gemello *m.* **Zwillingspaar** *n* gemelli *m pl.* **Zwillingsschwester** *f* (sorella *f*) gemella *f.*
Zwinge ['tsvɪŋə] ⟨-, -n⟩ *f* **1.** *(Metallring)* ghiera *f;* **2.** *(Schraub~)* sergente *m; (Schraubstock)* morsa *f.*
zwingen ['tsvɪŋən] ⟨zwingt, zwang, gezwungen⟩ **I.** *tr* costringere (*zu* a), forzare (*zu* a), obbligare (*zu* a); **ich sehe mich gezwungen abzureisen** mi vedo costretto a partire; **II.** *rfl:* **sich ~** costringersi (*zu* a), sforzarsi (*zu* di). **zwingend** *adj (Norm)* cogente, imperativo; *(überzeugend)* convincente; *(schlüssig)* conclusivo; *(Notwendigkeit, Gründe)* impellente.
Zwinger ⟨-s, -⟩ *m* canile *m.*
zwingt *pr von* **zwingen.**
zwinkern ['tsvɪŋkɐn] *itr:* **(mit den Augen) ~** strizzare gli occhi.
Zwirn [tsvɪrn] ⟨-(e)s, -e⟩ *m* refe *m.*
zwischen ['tsvɪʃən] *prp +dat/+akk* **1.** *(unter zweien, mehreren)* fra, tra; **2.** *(in der Mitte)* in mezzo a; **~ fünf und sechs Uhr** fra le cinque e le sei; **es ist aus ~ uns** è finita fra noi. **Zwischenbemerkung** *f* osservazione *f,* obiezione *f.* **Zwischenbericht** *m* rapporto *m* intermedio. **Zwischenbescheid** *m* risposta *f* interlocutoria. **Zwischenbilanz** *f* bilancio *m* provvisorio. **Zwischending** *n fam* compromesso *m;* **ein ~ zwischen ... und ... sein** essere una via di mezzo tra ... e ...
zwischendrin *adv* frammezzo, in mezzo a. **zwischendurch** [-'dʊrç] *adv* **1.** *(in der Zwischenzeit)* frattanto, nel frattempo; **2.** *(ab und zu)* di tanto in tanto; *(nebenbei)* inoltre, tra l'altro.
Zwischenergebnis *n* risultato *m* provvisorio. **Zwischenfall** *m* **1.** *(Ereignis)* incidente *m;* **2.** ⟨*pl*⟩ *(Unruhen)* incidenti *m pl.* **Zwischenfrage** *f:* **jdm eine ~ stellen** interrompere qu con una domanda; **erlauben Sie mir eine ~** mi permetta una domanda. **Zwischenhandel** *m* commercio *m* di commissione (*o* transito). **Zwischenhändler(in)** *m* intermediario, -a *m, f.* **Zwischenlager** *n* deposito *m* interinale. **zwischen·lagern** *tr* depositare temporaneamente. **Zwischenlagerung** *f* stoccaggio *m* temporaneo. **zwischen·landen** *itr* ⟨*sein*⟩ fare scalo. **Zwischenlandung** *f* scalo *m.* **Zwischenmahlzeit** *f* spuntino *m.* **zwischenmenschlich** *adj:* **~e Beziehungen** rapporti umani. **Zwischenprüfung** *f* esame *m* preliminare. **Zwischenraum** *m (räumlich, zeitlich)* intervallo *m; (a. typ)* spazio *m; (zwischen Zeilen)* interlinea *f; (Abstand)* distanza *f.* **Zwischenruf** *m* interruzione *f.* **Zwischensaison** *f* media stagione *f.* **Zwischenspiel** *n* intermezzo *m.* **Zwischenstation** *f* stazione *f* intermedia; **~ machen** fermarsi ad una stazione intermedia. **Zwischenstecker** *m* spina *f* di adattamento. **Zwischenstück** *n* pezzo *m* intermedio, parte *f* intermedia. **Zwischensumme** *f* somma *f* parziale. **Zwischenwand** *f* parete *f* divisoria. **Zwischenzeit** *f* intervallo *m;* **in der ~** nel frattempo, frattanto. **zwischenzeitlich** *adv* nel frattempo.
Zwist [tsvɪst] ⟨-(e)s, -e⟩ *m* diverbio *m.*
zwitschern ['tsvɪtʃɐn] **I.** *itr* cinguettare; *(Schwalbe)* garrire; **II.** *tr:* **einen ~** *fam* bersi un bicchierino *fam.*
Zwitter ['tsvɪtɐ] ⟨-s, -⟩ *m* ermafrodito *m,* androgino *m.*
zwölf [tsvœlf] *num* dodici; *(ein Dutzend)* una dozzina (di); **(um) ~ Uhr mittags/nachts** a mezzogiorno/mezzanotte; **fünf Minuten vor ~** *fig fam* all'ultimo minuto; *s. a. vier.*
Zwölf-, zwölf- *s. a. Vier-, vier-.* **Zwölffingerdarm** [-'fɪŋɐ-] *m* duodeno *m.* **Zwölfkampf** *m* gara *f* di dodici prove.
Zwölftel ⟨-s, -⟩ *n* dodicesimo *m.*
zwölftens *adv* (in) dodicesimo (luogo).
zwölfte(r, s) *adj* dodicesimo, -a; *(bei Datumsangaben)* dodici; *s. a. vierte(r, s).*
Zwölftonmusik *f* musica *f* dodecafonica.
Zyanid [tsya'ni:t] ⟨-s, -e⟩ *n* cianuro *m.*
Zyankali [tsya:n'ka:li] ⟨-s, ø⟩ *n* cianuro *m* di potassio.
Zyklen *pl von* **Zyklus.**
zyklisch ['tsy:klɪʃ] *adj* ciclico.
Zyklus ['tsy:klʊs *o* 'tsʏklʊs, ...lən] ⟨-, Zyklen⟩ *m* ciclo *m.*
Zylinder [tsi'lɪndɐ *o* tsʏ'l...] ⟨-s, -⟩ *m* cilindro *m.* **Zylinderblock** ⟨-(e)s, -blöcke⟩ *m* blocco *m* cilindri. **zylinderförmig** [-fœrmɪç] *adj* cilindrico, a forma di cilindro. **Zylinderkopf** *m* testata *f,* testa *f* dei cilindri. **Zylinderkopfdichtung** *f* guarnizione *f* della testata (*o* della testa dei cilindri). **zylindrisch** [tsi'lɪndrɪʃ] *adj* cilindrico.
Zyniker(in) ['tsy:nɪkɐ (...ərɪn)] ⟨-s, -⟩ *m(f)* cinico, -a *m, f.*
zynisch *adj* cinico.
Zynismus [tsy'nɪsmʊs, ...mən] ⟨-, *rar* -men⟩ *m* cinismo *m.*

Zypern ['tsy:pɐn] *n* Cipro *f.*
Zyprer(in) *m(f) s.* **Zyprier.**
Zypresse [tsy'prɛsə] ⟨-, -n⟩ *f* cipresso *m.*
Zypr(i)er(in) ['tsy:pr(i)ɐ (...ərɪn)] ⟨-s, -ø⟩ *m(f),* **Zypriot(in)** [tsypri'o:t(ɪn)] ⟨-en, -en⟩ *m(f)* cipriota *mf.*
zypriotisch, zyprisch *adj* cipriota.
Zyste ['tsʏstə] ⟨-, -n⟩ *f* cisti *f.*
Zytoplasma [tsyto'plasma] *n* citoplasma *m.*
z. Z., z. Zt. *abk von* **zur Zeit** attualmente.

Verbi irregolari tedeschi (verbi con alternanza vocalica, verbi «forti»)

Unregelmäßige deutsche Verben (Verben mit Vokalalternanz, «starke Verben)»

infinito	forme irregolari della 2ª e 3ª persona singolare del presente	1ª o 3ª persona singolare dell'imperfetto	participio passato e passivo
backen	bäckst *o* backst, bäckt *o* backt	backte *o obs* buk	gebacken
befehlen	befiehlst, befiehlt	befahl	befohlen
beginnen		begann	begonnen
beißen		biß	gebissen
bergen	birgst, birgt	barg	geborgen
bersten	birst, birst	barst	geborsten
bewegen *(veranlassen)*		bewog	bewogen
biegen		bog	gebogen
bieten		bot	geboten
binden		band	gebunden
bitten		bat	gebeten
blasen	bläst, bläst	blies	geblasen
bleiben		blieb	geblieben
braten	brätst, brät	briet	gebraten
brechen	brichst, bricht	brach	gebrochen
brennen		brannte	gebrannt
bringen		brachte	gebracht
denken		dachte	gedacht
dreschen	drischst, drischt	drosch	gedroschen
dringen		drang	gedrungen
empfangen	empfängst, empfängt	empfing	empfangen
empfehlen	empfiehlst, empfiehlt	empfahl	empfohlen
empfinden		empfand	empfunden
erschrecken *(itr)*	erschrickst, erschrickt	erschrak	erschrocken
essen	ißt, ißt	aß	gegessen
fahren	fährst, fährt	fuhr	gefahren
fallen	fällst, fällt	fiel	gefallen
fangen	fängst, fängt	fing	gefangen
fechten	fichtst *o* fichst, ficht	focht	gefochten
finden		fand	gefunden
flechten	flichtst *o* flichst, flicht	flocht	geflochten
fliegen		flog	geflogen
fliehen		floh	geflohen
fließen		floß	geflossen
fressen	frißt, frißt	fraß	gefressen
frieren		fror	gefroren
gären		gor *o* gärte	gegoren *o* gegärt
gebären	gebierst, gebiert	gebar	geboren
geben	gibst, gibt	gab	gegeben
gedeihen		gedieh	gediehen
gehen		ging	gegangen

infinito	forme irregolari della 2ª e 3ª persona singolare del presente	1ª o 3ª persona singolare dell'imperfetto	participio passato e passivo
gelingen		gelang	gelungen
gelten	giltst, gilt	galt	gegolten
genesen		genas	genesen
genießen		genoß	genossen
geschehen	geschieht *(3ª persona)*	geschah	geschehen
gewinnen		gewann	gewonnen
gießen		goß	gegossen
gleichen		glich	geglichen
gleiten		glitt	geglitten
glimmen		glomm *o* glimmte	geglommen *o* geglimmt
graben	gräbst, gräbt	grub	gegraben
greifen		griff	gegriffen
halten	hältst, hält	hielt	gehalten
hängen *(itr)*		hing	gehangen
hauen		haute *o* hieb	gehauen *o dial* gehaut
heben		hob	gehoben
heißen		hieß	geheißen
helfen	hilfst, hilft	half	geholfen
kennen		kannte	gekannt
klimmen		klomm	geklommen
klingen		klang	geklungen
kneifen		kniff	gekniffen
kommen		kam	gekommen
kriechen		kroch	gekrochen
laden	lädst, lädt	lud	geladen
lassen	läßt, läßt	ließ	gelassen
laufen	läufst, läuft	lief	gelaufen
leiden		litt	gelitten
leihen		lieh	geliehen
lesen	liest, liest	las	gelesen
liegen		lag	gelegen
lügen		log	gelogen
mahlen		mahlte	gemahlen
meiden		mied	gemieden
melken		melkte *o rar* molk	gemolken *o rar* gemelkt
messen	mißt, mißt	maß	gemessen
mißlingen		mißlang	mißlungen
nehmen	nimmst, nimmt	nahm	genommen
nennen		nannte	genannt
pfeifen		pfiff	gepfiffen
preisen		pries	gepriesen
quellen *(itr)*	quillst, quillt	quoll	gequollen
raten	rätst, rät	riet	geraten
reiben		rieb	gerieben
reißen		riß	gerissen
reiten		ritt	geritten
rennen		rannte	gerannt
riechen		roch	gerochen
ringen		rang	gerungen

infinito	forme irregolari della 2ª e 3ª persona singolare del presente	1ª o 3ª persona singolare dell'imperfetto	participio passato e passivo
rinnen		rann	geronnen
rufen		rief	gerufen
saufen	säufst, säuft	soff	gesoffen
saugen		sog *o* saugte	gesogen *o* gesaugt
schaffen		schuf	geschaffen
scheiden		schied	geschieden
scheinen		schien	geschienen
scheißen		schiß	geschissen
schelten	schiltst, schilt	schalt	gescholten
scheren		schor	geschoren
schieben		schob	geschoben
schießen		schoß	geschossen
schinden		schindete	geschunden
schlafen	schläftst, schläft	schlief	geschlafen
schlagen	schlägst, schlägt	schlug	geschlagen
schleichen		schlich	geschlichen
schleifen		schliff	geschliffen
schließen		schloß	geschlossen
schlingen		schlang	geschlungen
schmeißen		schmiß	geschmissen
schmelzen	schmilzt, schmilzt	schmolz	geschmolzen
schneiden		schnitt	geschnitten
schreiben		schrieb	geschrieben
schreien		schrie	geschrien *o* geschrieen
schreiten		schritt	geschritten
schweigen		schwieg	geschwiegen
schwellen	schwillst, schwillt	schwoll	geschwollen
schwimmen		schwamm	geschwommen
schwinden		schwand	geschwunden
schwingen		schwang	geschwungen
schwören		schwor	geschworen
sehen	siehst, sieht	sah	gesehen
senden		sandte *o* sendete	gesandt *o* gesendet
sieden		siedete *o* sott	gesiedet *o* gesotten
singen		sang	gesungen
sinken		sank	gesunken
sinnen		sann	gesonnen
sitzen		saß	gesessen
speien		spie	gespien *o* gespieen
spinnen		spann	gesponnen
sprechen	sprichst, spricht	sprach	gesprochen
sprießen		sproß *o* sprießte	gesprossen *o* gesprießt
springen		sprang	gesprungen
stechen	stichst, sticht	stach	gestochen
stehen		stand	gestanden
stehlen	stiehlst, stiehlt	stahl	gestohlen

infinito	forme irregolari della 2ª e 3ª persona singolare del presente	1ª o 3ª persona singolare dell'imperfetto	participio passato e passivo
steigen		stieg	gestiegen
sterben	stirbst, stirbt	starb	gestorben
stieben		stob *o* stiebte	gestoben *o* gestiebt
stinken		stank	gestunken
stoßen	stößt, stößt	stieß	gestoßen
streichen		strich	gestrichen
streiten		stritt	gestritten
tragen	trägst, trägt	trug	getragen
treffen	triffst, trifft	traf	getroffen
treiben		trieb	getrieben
treten	trittst, tritt	trat	getreten
triefen		triefte *o geh* troff	getrieft *o rar* getroffen
trinken		trank	getrunken
trügen		trog	getrogen
tun	ich tue; tust, tut; wir, ihr, sie tun	tat	getan
verderben	verdirbst, verdirbt	verdarb	verdorben
verdrießen		verdroß	verdrossen
vergessen	vergißt, vergißt	vergaß	vergessen
verlieren		verlor	verloren
verzeihen		verzieh	verziehen
wachsen	wächst, wächst	wuchs	gewachsen
waschen	wäschst, wäscht	wusch	gewaschen
weichen		wich	gewichen
weisen		wies	gewiesen
wenden		wendete *o* wandte	gewendet *o* gewandt
werben	wirbst, wirbt	warb	geworben
werfen	wirfst, wirft	warf	geworfen
wiegen		wog	gewogen
winden		wand	gewunden
winken		winkte	gewinkt *o* gewunken
wissen	ich weiß, weißt, weiß	wußte	gewußt
wringen		wrang	gewrungen
zeihen		zieh	geziehen
ziehen		zog	gezogen
zwingen		zwang	gezwungen

Morfologia della lingua tedesca
Formenlehre der deutschen Sprache

Il gruppo nominale

Il genere, il numero ed il caso

I generi del gruppo nominale sono tre:

il maschile *m*	der Tag	il giorno
il femminile *f*	die Frage	la domanda
il neutro *n*	das Meer	il mare

Il genere è una proprietà del sostantivo. L'articolo e l'aggettivo attributivo si accordano per genere con il sostantivo.

I **numeri** del gruppo nominale sono due:

il singolare *sing*	der Tag	il giorno
il plurale *pl*	die Tage	i giorni

I **casi** del gruppo nominale sono quattro:

Il nominativo *nom*	*sing*	der Tag	*pl*	die Tage
l'accusativo *acc*		den Tag		die Tage
il dativo *dat*		dem Tag(e)		den Tagen
il genitivo *gen*		des Tag(e)s		der Tage

Il sostantivo

La **declinazione** del sostantivo comprende:

1) la formazione del singolare, che può essere caratterizzata mediante la forma del genitivo.
2) la formazione del plurale, uguale per tutti i casi ad eccezione del dativo di alcuni tipi di sostantivi.

La notazione ⟨-(e)s, -e⟩ per un sostantivo come *Tag* indica:
le forme *Tages o Tags* per il genitivo singolare,
la forma *Tage* per tutti i casi del plurale (ad eccezione del dativo).

1. I sostantivi con plurale in *-en* e *-n*

f	⟨-, en⟩		⟨-, -n⟩	
	sing	*pl*	*sing*	*pl*
nom	die Tat	die Taten	die Frage	die Fragen
acc	die Tat	die Taten	die Frage	die Fragen
dat	der Tat	den Taten	der Frage	den Fragen
gen	der Tat	der Taten	der Frage	der Fragen
m	⟨-en, -en⟩		⟨-n, -n⟩	
	sing	*pl*	*sing*	*pl*
nom	der Bär	die Bären	der Affe	die Affen
acc	den Bär(en)	die Bären	den Affen	die Affen
dat	dem Bär(en)	den Bären	dem Affen	den Affen
gen	des Bären	der Bären	des Affen	der Affen
m, n	⟨-(e)s, -en⟩		⟨-s, -n⟩	
	sing	*pl*	*sing*	*pl*
nom	das Bett	die Betten	der Stachel	die Stacheln
acc	das Bett	die Betten	den Stachel	die Stacheln
dat	dem Bett(e)	den Betten	dem Stachel	den Stacheln
gen	des Bett(e)s	der Betten	des Stachels	der Stacheln

- Il plurale in *-en* e *-n* è il più comune per i sostantivi femminili.
- Le varianti ⟨-, -n⟩, ⟨-n, -n⟩, ⟨-s, -n⟩ si usano von le basi terminanti in *-e, -el, -en, -er.*
- Declinazione di **Herz:** *nom e acc sing* **das Herz,** *gen sing* **des Herzens,** le altre forme come *Bär.*

2. I sostantivi con plurale in *-e, ¨e, -* e ¨

f	⟨-, ¨e⟩		⟨-, ¨⟩	
	sing	*pl*	*sing*	*pl*
nom	die Nacht	die Nächte	die Mutter	die Mütter
acc	die Nacht	die Nächte	die Mutter	die Mütter
dat	der Nacht	den Nächten	der Mutter	den Müttern
gen	der Nacht	der Nächte	der Mutter	der Mütter
m; n	⟨-(e)s, -e⟩		⟨-s, -⟩	
	sing	*pl*	*sing*	*pl*
nom	der Tag	die Tage	das Segel	die Segel
acc	den Tag	die Tage	das Segel	die Segel
dat	dem Tag(e)	den Tagen	dem Segel	den Segeln
gen	des Tag(e)s	der Tage	des Segels	der Segel
m, n	⟨-(e)s, ¨e⟩		⟨-s, ¨⟩	
	sing	*pl*	*sing*	*pl*
nom	der Baum	die Bäume	der Vogel	die Vögel
acc	den Baum	die Bäume	den Vogel	die Vögel
dat	dem Baum(e)	den Bäumen	dem Vogel	den Vögeln
gen	des Baum(e)s	der Bäume	des Vogels	der Vögel

- I plurali in *-e, ¨e,* - e, ¨ sono i più comuni per i sostantivi maschili e neutri.
- Le varianti ⟨-, ¨⟩, ⟨-s, -⟩, ⟨-s, ¨⟩ si usano con le basi terminanti in *-e, -el, -en, -er.*

3. I sostantivi con plurale in *-er*, *¨er*

m, n	⟨-(e)s, -er⟩		⟨-(e)s, ¨er⟩	
	sing	*pl*	*sing*	*pl*
nom	das Bild	die Bilder	der Mann	die Männer
acc	das Bild	die Bilder	den Mann	die Männer
dat	dem Bild(e)	den Bildern	dem Mann(e)	den Männern
gen	des Bild(e)s	der Bilder	des Mann(e)s	der Männer

4. I sostantivi con plurale in *-s*

f	⟨-, -s⟩		*m, n*	⟨-s, -s⟩	
	sing	*pl*		*sing*	*pl*
nom	die Bar	die Bars	*nom*	das Auto	die Autos
acc	die Bar	die Bars	*acc*	das Auto	die Autos
dat	der Bar	den Bars	*dat*	dem Auto	den Autos
gen	der Bar	der Bars	*gen*	des Autos	der Autos

- Il plurale in *-s* è il più comune per i sostantive terminanti in una vocale diversa da *-e* non accentata; è inoltre usato per un certo numero di altri sostantivi, di origine straniera o regionale.

5. I sostantivi con declinazione aggettivale

Forme senza articolo

sing	*m*	*f*	n
nom	Angestellter	Angestellte	Neugeborenes
acc	Angestellten	Angestellte	Neugeborenes
dat	Angestelltem	Angestellter	Neugeborenem
gen	Angestellten	Angestellter	Neugeborenen
pl			
nom	Angestellte		Neugeborene
acc	Angestellte		Neugeborene
dat	Angestellten		Neugeborenen
gen	Angestellter		Neugeborener

- Alcune di queste forme sono poco usate.

Forme dopo l'articolo determinativo

sing	*m*	*f*	*n*
nom	der Angestellte	die Angestellte	das Neugeborene
acc	den Angestellten	die Angestellte	das Neugeborene
dat	dem Angestellten	der Angestellten	dem Neugeborenen
gen	des Angestellten	der Angestellten	des Neugeborenen
pl			
nom	die Angestellten		die Neugeborenen
acc	die Angestellten		die Neugeborenen
dat	den Angestellten		den Neugeborenen
gen	der Angestellten		der Neugeborenen

Forme dopo gli articoli indeterminativo e possessivo

sing	*m*	*f*	*n*
nom	ihr Angestellter	ihre Angestellte	ihr Neugeborenes
acc	ihren Angestellten	ihre Angestellte	ihr Neugeborenes
dat	ihrem Angestellten	ihrer Angestellten	ihrem Neugeborenen
gen	ihres Angestellten	ihrer Angestellten	ihres Neugeborenen
pl			
nom	ihre Angestellten		ihre Neugeborenen
acc	ihre Angestellten		ihre Neugeborenen
dat	ihren Angestellten		ihren Neugeborenen
gen	ihrer Angestellten		ihrer Neugeborenen

- La distribuzione delle forme dei sostantivi con declinazione aggettivale dopo gli altri articoli è la stessa dell'aggettivo. Si veda il capitolo «L'aggettivo».

6. I sostantivi con plurale di origine straniera

Per alcuni sostantivi di origine straniera è stato conservato anche il plurale della lingua di origine:

nom sing **das Thema**
nom pl **die Themata**

Questa forma è considerata scientifica o ricercata.

La forma più comune per questo esempio è quella ottenuta mediante l'addizione di *-en* a una base ridotta:

nom sing **das Thema**
nom pl **die Themen**

La sola addizione di *-s*, sempre per questo esempio, è spesso considerata popolare:

nom sing **das Thema**
nom pl **die Themas**

7. I nomi propri

I **nomi di persona** sono declinati in *-s* al genitivo:

Michaels Frau	la moglie di Michael
Marias Haus	la casa di Maria

Per i nomi terminanti in *-s, -ß, -x, -z* si usa l'apostrofo, la costruzione con *von* o la desinenza *-ens*:

Heinz' Tochter, die Tochter von Heinz, Heinzens Tochter	la figlia di Heinz
Lukas' Mutter, die Mutter von Lukas	la madre di Lukas

I **cognomi** sono declinati in *-s* al genitivo singolare e al plurale:

Meiers neues Auto	la nuova macchina di Meier
Frau Hirschs Eltern	i genitori della signora Hirsch
Meiers kommen auch	Vengono anche i Meier.

Per i cognomi terminanti in *-s, -ß, -x, -z* si usa la desinenza *-ens* o la costruzione con *von* per il genitivo singolare; il plurale si forma in *-ens:*

das neue Auto von Schmitz, Schmitzens neues Auto	la nuova macchina di Schmitz
Schmitzens kommen auch	vengono anche i Schmitz.

Osservazioni generali

- I sostantivi in *-ß* dopo una vocale breve si scrivono con *-ss-* nelle forme da desinenza: *der Kuß, des Kusses, die Küsse, …*
- I sostanivi a base terminante in *-en* come *Wagen* ⟨-s, - ⟩ non aggiungono *-n* al dativo plurale: *nom, sing* **Wagen,** *dat pl* **Wagen.**
- È obbligatorio l'uso della vocale *-e-* per il genitivo singolare delle basi terminanti in **-s** *(das Haus, des Hauses),* **-ß** *(der Fuß, des Fußes; der Kuß, des Kusses),* **-z** *(der Satz, des Satzes).* È facoltativo l'uso di *-(e)-* per le altre basi *(der Baum, des Baumes* o *des Baums).*
- L'uso di *-(e)* per il dativo singolare è facoltativo per tutte le basi e va ormai perdendo piede *(das Haus, dem Haus,* raro *dem Hause).*

L'aggettivo

L'aggettivo si declina in posizione attributiva *(ein guter Wein),* mentre in posizione predicativa è invariabile *(Der Wein ist gut).* Esistono **tre declinazioni** dell'aggettivo attributivo condizionate dalla scelta dell'articolo.

1. L'aggettivo senza articolo

sing	*m*	*f*	*n*
nom	guter Wein	gute Lösung	gutes Brot
acc	guten Wein	gute Lösung	gutes Brot
dat	gutem Wein(e)	guter Lösung	gutem Brot(e)
gen	guten Wein(e)s	guter Lösung	guten Brot(e)s
pl	*m/f/n*		
nom	gute Weine / Lösungen / Brote		
acc	gute Weine / Lösungen / Brote		
dat	guten Weinen / Lösungen / Broten		
gen	guter Weine / Lösungen / Brote		

- Queste forme si usano anche con i **numeri cardinali,** con **manch, solch, viel, welch, wenig** non declinati e con **ein bißchen, etwas, mehr, ein paar** *(pl).*

2. L'aggettivo dopo l'articolo determinativo

sing	*m*	*f*	*n*
nom	der gute Wein	die gute Lösung	das gute Brot
acc	den guten Wein	die gute Lösung	das gute Brot
dat	dem guten Wein(e)	der guten Lösung	dem guten Brot(e)
gen	des guten Wein(e)s	der guten Lösung	des guten Brot(e)s
pl	*m / f / n*		
nom	die guten Weine / Lösungen / Brote		
acc	die guten Weine / Lösungen / Brote		
dat	den guten Weinen / Lösungen / Broten		
gen	der guten Weine / Lösungen / Brote		

- Queste forme dell'aggetivo si usano dopo **der, derselbe, dieser, jener, folgender, jeder, jeglicher, mancher, solcher, welcher, viele.**

3. L'aggettivo dopo gli articoli indeterminativo e possessivo

sing	*m*	*f*	*n*
nom	ihr guter Wein	ihre gute Lösung	ihr gutes Brot
acc	ihren guten Wein	ihre gute Lösung	ihr gutes Brot
dat	ihrem guten Wein(e)	ihrer guten Lösung	ihrem guten Brot(e)
gen	ihres guten Wein(e)s	ihrer guten Lösung	ihres guten Brot(e)s
pl	*m/f/n*		
nom	ihre guten Weine/Lösungen/Brote		
acc	ihre guten Weine/Lösungen/Brote		
dat	ihren guten Weinen/Lösungen/Broten		
gen	ihrer guten Weine/Lösungen/Brote		

- Queste forme dell'aggettivo si usano dopo **ein, kein, mein, dein, sein, ihr** *(f sing)*, **unser, euer, ihr** *(pl)*, **Ihr.**

Osservazioni generali:

- Per gli aggettivi in *-el* si omette *-e-* della base nelle forme declinate:

  dunkel eine **dunkle** Farbe

- Per gli aggettivi in *-er* si omette *-e-* della base nelle parole dotte ed anche in altre parole, specialmente dopo dittongo:

  integer ein **integrer** Mann
  sauer ein **saurer** Wein

- Gli aggettivi in *-ß* dopo una vocale breve si scrivono con *-ss-* nelle forme a desinenza:

  naß ein **nasses** Tuch

- Per l'aggettivo *hoch* la base declinata è *hoh-:*

  hoch ein **hohes** Gebirge

I gradi dell'aggettivo

L'aggettivo oltre alla forma del «positivo» presenta due altri gradi, il comparativo ed il superlativo:

uso predicativo	*passivo* *comparativo* *superlativo*	schnell schneller am schnellsten der schnellste	klug klüger am klügsten der klügste	naß nasser am nassesten der nasseste
uso attributivo	*pasitivo* *comparativo* *superlativo*	ein schnelles Auto una macchina veloce ein schnelleres Auto una macchina più veloce das schnellste Auto der Welt la macchina più veloce del mondo		

- Il comparativo si forma con *-er* ed il superlativo con *-(e)ste …*, il superlativo dell'uso predicativo anche con *am …-(e)sten.*
- Le varianti del superlativo con *-e-* si usano per le basi terminanti in **-s** *(mies, mieseste)*, **-ß** *(heiß, heißeste;* dopo vocale breve si scrive **-ss-:** *naß, nasseste)*, **-st** *(fest, festeste)*, **-x** *(fix, fixeste)*, **-z** *(kurz, kürzeste)* ed è la più frequente per le basi in **-d** *(blind, blindeste)*, **-t** *(weit, weiteste)*, **-sch** *(rasch, rascheste).*

- Alcuni aggettivi hanno un'alternanza della vocale tonica:
  klug klüger der klügste ...
  schwach [-ax] **schwächer** [-ɛç] **der schwächste...**
- Vengono declinate al comparativo e al superlativo, secondo la flessione del positivo, le forme dell'uso attributivo e le forme come *der schnellste, der klügste*... dell'uso predicativo.
- Forme irregolari: **hoch höher am höchsten, der höchste**
  groß größer am größten, der größte
  gut besser am besten, der beste
  viel mehr *(invariabile)* **am meisten, der meiste**
- Il tedesco non presenta nessuna forma flessiva corrispondente al superlativo assoluto dell'italiano. In questa funzione si usa il positivo con un avverbio:
  ein sehr schnelles Auto una macchina velocissima

L'articolo

L'articolo, le cui forme sono in parte simili a quelle del pronome, accompagna il sostantivo e l'aggettivo nel gruppo nominale.
In altre terminologie alcuni tipi di articolo sono classificati come «pronomi» o «aggettivi», p.es. l'articolo possessivo come «pronome possessivo» o «aggettivo possessivo».

1. L'articolo determinativo e l'articolo indeterminativo

	articolo determinativo				**articolo indeterminativo**		
	sing			*pl*	*sing*		
	m	*f*	*n*	*m f n*	*m*	*f*	*n*
nom	der	die	das	die	ein	eine	ein
acc	den	die	das	die	einen	eine	ein
dat	dem	der	dem	den	einem	einer	einem
gen	des	der	des	der	eines	einer	eines

- L'articolo **ein** si usa solo al singolare; al plurale di senso indeterminato il gruppo nominale rimane senza articolo.
- L'articolo **kein** forma il singolare come **ein** ed il plurale dei tre generi *nom, acc* **keine,** *dat* **keinen,** *gen* **keiner.**
- L'articolo **der** accentato ha funzione dimostrativa.

2. L'articolo dimostrativo

	sing			*pl*
	m	*f*	*n*	*m f n*
nom	dieser	diese	dieses	diese
acc	diesen	diese	dieses	diese
dat	diesem	dieser	diesem	diesen
gen	dieses	dieser	dieses	dieser

- Si declinano nello stesso modo **aller, jeder** *(solo sing)*, **jener, mancher, solcher.**

	sing			*pl*
	m	*f*	*n*	*m f n*
nom	derselbe	dieselbe	dasselbe	dieselben
acc	denselben	dieselbe	dasselbe	dieselben
dat	demselben	derselben	demselben	denselben
gen	desselben	derselben	desselben	derselben

- Si declina nello stesso modo **derjenige.**

3. L'articolo interrogativo

	sing			*pl*
	m	*f*	*n*	*m f n*
nom	welcher …?	welche …?	welches …?	welche …?
acc	welchen …?	welche …?	welches …?	welche …?
dat	welchem …?	welcher…?	welchem …?	welchen …?
gen	welches …?	welcher…?	welches …?	welcher …?

4. L'articolo relativo

	sing			*pl*
	m	*f*	*n*	*m f n*
gen	dessen	deren	dessen	deren

- Ha funzione di articolo il genitivo del pronome relativo **der.**

Esempio: … ein Mann, dessen Stimme ich wiedererkenne, …
… un uomo di cui riconosco la voce (*o* la cui voce riconosco) …

5. L'articolo possessivo

persona del possessore			**numero e genere del sostantivo che esprime il possesso**			
			sing			*pl*
			m	*f*	*n*	*m f n*
sing	**1ª pers**	*nom*	mein	meine	mein	meine
		acc	meinen	meine	mein	meine
		dat	meinem	meiner	meinem	meinen
		gen	meines	meiner	meines	meiner
	2ª pers		dein		*come*	mein
	3ª pers	*m*	sein			
		f	ihr		*come*	mein
		n	sein			
pl	**1ª pers**	*nom*	unser	unsere	unser	unsere
		acc	unseren	unsere	unser	unsere
		dar	unserem	unserer	unserem	unseren
		gen	unseres	unserer	unseres	unserer
	2ª pers	*nom*	euer	eure	euer	eure
		acc	euren	eure	euer	eure
		dat	eurem	eurer	eurem	euren
		gen	eures	eurer	eures	eurer
	3ª pers		ihr		*come*	mein
forma di cortesia			Ihr		*come*	mein

Le forme della 1ª persona plurale presentano delle varianti:

al posto di	*si usa anche*		
unsere	unsre		
unserer	unsrer		
unserem	unsrem	*o*	unserm
unseren	unsren	*o*	unsern

Il pronome

Il pronome, le cui forme sono in parte simili a quelle dell'articolo, può essere l'unica costituente del gruppo nominale.

1. Il pronome personale

	sing				
	1ª pers	**2ª pers**	**3ª pers**		
			m	*f*	*n*
nom	ich	du	er	sie	es
acc	mich	dich	ihn	sie	es
dat	mir	dir	ihm	ihr	ihm
gen	meiner	deiner	seiner	ihrer	seiner

	pl			**forma di cortesia**
	1ª pers	**2ª pers**	**3ª pers**	
nom	wir	ihr	sie	Sie
acc	uns	euch	sie	Sie
dat	uns	euch	ihnen	Ihnen
gen	unser	euer	ihrer	Ihrer

2. Il pronome riflessivo

	sing				
	1ª pers	**2ª pers**	**3ª pers**		
			m	*f*	*n*
acc	mich	dich	sich	sich	sich
dat	mir	dir	sich	sich	sich
gen	meiner	deiner	seiner	ihrer	seiner

	pl			**forma di cortesia**
	1ª pers	**2ª pers**	**3ª pers**	
acc	uns	euch	sich	sich
dat	uns	euch	sich	sich
gen	unser	euer	ihrer	Ihrer

3. Il pronome indeterminativo

sing	*m*	*f*	*n*
nom	einer	eine	ein(e)s
acc	einen	eine	ein(e)s
dat	einem	einer	einem
gen	eines	einer	eines

- Il pronome **kein** forma il singolare come **ein** ed il plurale dei tre generi *nom, acc* **keine,** *dat* **keinen,** *gen* **keiner.**

4. Il pronome dimostrativo

Il pronome *der*

	sing			*pl*
	m	*f*	*n*	*m f n*
nom	der	die	das	die
acc	den	die	das	die
dat	dem	der	dem	denen
gen	dessen	deren	dessen	deren

Gli altri pronomi dimostrativi

Sono altri pronomi dimostrativi **dieser** e **derselbe.**

- I pronomi *dieser* e *derselbe* seguono la declinazione degli articoli *dieser* e *derselbe.*
- Seguono il modello di *dieser* anche **alles** *(n sing),* **alle** *(m f n pl),* **derjenige, jeder, jener, mancher, solcher.**

5. Il pronome relativo

Sono pronomi relativi **der** e **welcher.**

- Il pronome *der* segue la declinazione del pronome dimostrativo *der.*
- Il pronome *welcher* segue la declinazione dell'articolo interrogativo *welcher ...?*
- Il pronome *welcher* è meno comune. Si usa per esempio per evitare la collisione con le forme dell'articolo:
  ein Kind, welches das Geld bekommt   un bambino che riceve il denaro
  da evitare: ein Kind, das das Geld bekommt.

6. Il pronome interrogativo

	relativo a persone	relativo a oggetti, circostanze ecc.
nom	wer? chi?	was? che cosa?
acc	wen?	was?
dat	wem?	wem?
gen	wessen?	wessen?

- Il pronome interrogativo **welcher?** il quale? si usa per le persone e per gli oggetti, le circostanze ecc. Segue la declinazione dell'articolo interrogativo *welcher ...?*

7. Il pronome possessivo

persona del possessore			**numero e genere del sostantivo che esprime il possesso**			
			sing			*pl*
			m	*f*	*n*	*m f n*
sing	**1ª pers**	*nom*	meiner	meine	mein(e)s	meine
		acc	meinen	meine	mein(e)s	meine
		dat	meinem	meiner	meinem	meinen
		gen	meines	meiner	meines	meiner
	2ª pers		deiner		*come*	meiner
	3ª pers	*m*	seiner			
		f	ihrer		*come*	meiner
		n	seiner			
pl	**1ª pers**	*nom*	unserer	unsere	unseres	unsere
		acc	unseren	unsere	unseres	unsere
		dat	unserem	unserer	unserem	unseren
		gen	unseres	unserer	unseres	unserer
	2ª pers	*nom*	euer	eure	eures	eure
		acc	euren	eure	eures	eure
		dat	eurem	eurer	eurem	euren
		gen	eures	eurer	eures	eurer
	3ª pers		ihrer		*come*	meiner
forma di cortesia			Ihrer		*come*	meiner

Le forme della 1ª persona plurale presentano delle varianti:

al posto di	*si usa anche*		
unsere	unsre		
unserer	unsrer		
unserem	unsrem	*o*	unserm
unseren	unsren	*o*	unsern
unseres *(nom o acc)*	unsres	*o*	unsers

- Un altra forma del pronome possessivo è **der meine, die meine, das meine, der deine, … der seine, … der ihre, … der seine, … der unsere, … der eure, … der ihre, … der Ihre, …**
  La declinazione è quella dell'aggettivo dopo l'articolo determinativo.

Il gruppo verbale

La diatesi, il modo ed il tempo

Le **diatesi** del gruppo verbale sono due:

l'attivo	er lobt	(egli) loda
il passivo	er wird gelobt	è lodato

I **modi** del gruppo verbale sono cinque – tre modi finiti, che presentano desinenze distinte per le diverse persone, e due mode infiniti:

i modi finiti	l'indicativo	er lobt	(egli) loda
	il congiuntivo	er lobe	(egli) lodi
	l'imperativo	lobe!	loda!
i modi infiniti	l'infinito	loben	lodare
	il participio	lobend	lodante

I **tempi** del gruppo verbale sono sei:

il presente	er lobt	(egli) loda
l'imperfetto	er lobte	lodava, lodò, ha lodato
il futuro	er wird loben	loderà
il passato prossimo	er hat gelobt	ha lodato, lodava, lodò
il trapassato	er hatte gelobt	aveva lodato
il futuro anteriore	er wird gelobt haben	avrà lodato

Il verbo

1. Il verbo senza alternanza vocalica (il verbo «regolare» o «debole»)

Le forme finite

La forma attiva

Il presente e l'imperfetto

	indicativo		**congiuntivo**		
	presente	**imperfetto**	**presente**	**imperfetto**	
ich	lobe	lobte	lobe	lobte	würde loben
du	lobst	lobtest	lobest	lobtest	würdest loben
er / sie / es	lobt	lobte	lobe	lobte	würde loben
wir	loben	lobten	loben	lobten	würden loben
ihr	lobt	lobtet	lobet	lobtet	würdet loben
sie / Sie	loben	lobten	loben	lobten	würden loben

- Le forme semplici del congiuntivo dell'imperfetto *(ich lobte, ...)* sono tutte identiche a quelle dell'indicativo; per questo motivo si usano spesso le forme composte *(ich würde loben, ...)*.
- I verbi con una base in *-d, -t* ed i verbi con una base in *-m, -n* preceduta da consonante (con eccezione di *-lm, -rm, -hm, -mm, -ln, -rn, -hn, -nn)* hanno *-e* in tutte le forme del presente e dell'imperfetto così come nella forma del participio passato e passivo:

ich	rede	löte	atme	trockne	*ma:*	filme	warne
du	redest	lötest	atmest	trocknest		filmst	warnst
...	...	...	...	...		...	...
	geredet	gelötet	geatmet	getrocknet		gefilmt	gewarnt

- I verbi con una base in *-el* e *-er* non accentati omettono *-e-* della desinenza al'infinito, alla 1ª e alla 3ª persona plurale e alla forma di cortesia dell'indicativo presente:
  zittern – wir zittern, sie / Sie zittern

  Omettono facoltativamente *-e-* della base alla 1ª persona singolare:
  ich zittere *o* **ich zittre**
- per i verbi in *-s, -ß, -x, -z* si omette *-s-* alla 2ª persona singolare del presente indicativo:
  reisen – du reist beißen – du beißt feixen – du feixt ächzen – du ächzt

Il futuro, il passato prossimo, il trapassato ed il futuro anteriore

Ausiliari **werden** e **haben**

	indicativo			
	futuro	**passato prossimo**	**trapassato**	**futuro anteriore**
ich	werde loben	habe gelobt	hatte gelobt	werde gelobt haben
du	wirst loben	hast gelobt	hattest gelobt	wirst gelobt haben
er / sie / es	wird loben	hat gelobt	hatte gelobt	wird gelobt haben
wir	werden loben	haben gelobt	hatten gelobt	werden gelobt haben
ihr	werdet loben	habt gelobt	hattet gelobt	werdet gelobt haben
sie / Sie	werden loben	haben gelobt	hatten gelobt	werden gelobt haben

Ausiliari **werden** e **sein**

	indicativo			
	futuro	**passato prossimo**	**trapassato**	**futuro anteriore**
ich	werde reisen	bin gereist	war gereist	werde gereist sein
du	wirst reisen	bist gereist	warst gereist	wirst gereist sein
er / sie / es	wird reisen	ist gereist	war gereist	wird gereist sein
wir	werden reisen	sind gereist	waren gereist	werden gereist sein
ihr	werdet reisen	seid gereist	wart gereist	werdet gereist sein
sie / Sie	werden reisen	sind gereist	waren gereist	werden gereist sein

	congiuntivo			
	futuro	**passato prossimo**	**trapassato**	**futuro anteriore**
… er / sie /es …	werde loben	habe gelobt	hätte gelobt *o* würde gelobt haben	werde gelobt haben
… er / sie/ es …	werde reisen	sei gereist	wäre gereist *o* würde gereist sein	werde gereist sein

- Il futuro si forma con l'ausiliare *werden* e l'infinito.
- Il passato prossimo, il trapassato ed il futuro anteriore si formano con l'ausiliare *haben* ed il participio passato. Per i verbi che esprimono un movimento o un cambiamento di stato e per il verbo *sein*, questi tempi si formano con l'ausiliare *sein*.
- Il congiuntivo dei tempi composti si forma con il congiuntivo degli ausiliari. L'esempio dà la 3ª persona maschile singolare. Per le altre forme si veda il capitolo «I verbi ausiliari».
- Per i verbi riflessivi si usa l'ausiliare *haben*.

L'imperativo

infinito	**imperativo**		
	singolare	*plurale*	*forma di cortesia*
loben reden	lobe rede	lobt redet	loben Sie reden Sie

La forma passiva

	indicativo	**congiuntivo**
presente	er wird gelobt	er werde gelobt
imperfetto	er wurde gelobt	er würde gelobt
futuro	er wird gelobt werden	er werde gelobt werden
passato prossimo	er ist gelobt worden	er sei gelobt worden
trapassato	er war gelobt worden	er wäre gelobt worden
futuro anteriore	er wird gelobt worden sein	er werde gelobt worden sein

- Il passivo si forma con l'ausiliare *werden* ed il participio passivo. L'esempio dà la 3ª persona maschile singolare. Per le altre forme si veda il capitolo «I verbi ausiliari».

Le forme infinite

infinito	**participio presente**	**participio passato e passivo**
loben reden	lobend redend	gelobt geredet

- I participi si declinano come l'aggettivo.

2. Il verbo con alternanza vocalica (il verbo «irregolare» o «forte»)

Le forme finite

La forma attiva

Il presente e l'imperfetto

	indicativo		**congiuntivo**		
	presente	**imperfetto**	**presente**	**imperfetto**	
ich	trage	trug	trage	trüge	würde tragen
du	trägst	trugst	tragest	trüg(e)st	würdest tragen
er / sie / es	trägt	trug	trage	trüge	würde tragen
wir	tragen	trugen	tragen	trügen	würden tragen
ihr	tragt	trugt	traget	trüg(e)t	würdet tragen
sie / Sie	tragen	trugen	tragen	trügen	würden tragen

Gli altri tempi

Gli altri tempi si formano come per i verbi senza alternanza vocalica.

L'imperativo

infinito	**imperativo**		
	singolare	*plurale*	*forma die cortesia*
tragen	trage	tragt	tragen Sie
lesen	lies	lest	lesen Sie

- L'imperativo si forma come per i verbi senza alternanza vocalica. Solo i verbi con alternanza in *-i-* o *-ie-* (come *lesen*) formano il singolare senza *-e*.

La forma passiva

Il passivo si forma come per i verbi senza alternanza vocalica.

Le forme infinite

infinito	**participio**	**participio passato e passivo**
tragen	tragend	getragen

3. I verbi ausiliari

Le forme finite

Il presente e l'imperfetto

	haben	sein	werden	haben	sein	werden
presente	**indicativo**			**congiuntivo**		
ich	habe	bin	werde	habe	sei	werde
du	hast	bist	wirst	habest	sei(e)st	werdest
er / sie / es	hat	ist	wird	habe	sei	werde
wir	haben	sind	werden	haben	seien	werden
ihr	habt	seid	werdet	habet	sei(e)t	werdet
sie / Sie	haben	sind	werden	haben	seien	werden
imperfetto						
ich	hatte	war	wurde	hätte	wäre	würde
du	hattest	warst	wurdest	hättest	wär(e)st	würdest
er / sie / es	hatte	war	wurde	hätte	wäre	würde
wir	hatten	waren	wurden	hätten	wären	würden
ihr	hattet	wart	wurdet	hättet	wär(e)t	würdet
sie / Sie	hatten	waren	wurden	hätten	wären	würden

Il futuro

	indicativo	**congiuntivo**
… er / sie / es …	wird haben / sein /werden	werde haben / sein / werden

- L'esempio dà la 3ª persona singolare

L'imperativo

infinito	**imperativo**		
	singolare	*plurale*	*forma di cortesia*
haben sein werden	habe sei werde	habt seid werdet	haben Sie seien Sie werden Sie

Le forme infinite

infinito	**participio presente**	**participio passato**
haben sein werden	habend seiend werdend	gehabt gewesen worden, geworden

- La forma *gehabt* si usa con l'ausiliare *haben;* la forma *gewesen* si usa con l'ausiliare *sein:*
  ich habe gehabt ho avuto
  ich bin gewesen sono stato
- Le forme *worden, geworden* si usano con l'ausiliare *sein.* La forma *worden* si usa per i tempi composti del passivo; la forma *geworden* è il participio di *werden* nel senso di «diventare»:
  ich bin gegrüßt worden sono stato salutato
  ich bin rot geworden sono diventato rosso, sono arrossito

4. I verbi modali

Il presente e l'imperfetto

	dürfen	können	mögen	müssen	sollen	wollen
presente	**indicativo**					
ich	darf	kann	mag	muß	soll	will
du	darfst	kannst	magst	mußt	sollst	willst
er / sie / es	darf	kann	mag	muß	soll	will
wir	dürfen	können	mögen	müssen	sollen	wollen
ihr	dürft	könnt	mögt	müßt	sollt	wollt
sie / Sie	dürfen	können	mögen	müssen	sollen	wollen
	congiuntivo					
ich	dürfe	könne	möge	müsse	solle	wolle
du	dürfest	könnest	mögest	müssest	sollest	wollest
er / sie / es	dürfe	könne	möge	müsse	solle	wolle
wir	dürfen	können	mögen	müssen	sollen	wollen
ihr	dürfet	könnet	möget	müsset	sollet	wollet
sie / Sie	dürfen	können	mögen	müssen	sollen	wollen
imperfetto	**indicativo**					
ich	durfte	konnte	mochte	mußte	sollte	wollte
du	durftest	konntest	mochtest	mußtest	solltest	wolltest
er / sie / es	durfte	konnte	mochte	mußte	sollte	wollte
wir	durften	konnten	mochten	mußten	sollten	wollten
ihr	durftet	konntet	mochtet	mußtet	solltet	wolltet
sie / Sie	durften	konnten	mochten	mußten	sollten	wollten
	congiuntivo					
ich	dürfte	könnte	möchte	müßte	sollte	wollte
du	dürftest	könntest	möchtest	müßtest	solltest	wolltest
er / sie / es	dürfte	könnte	möchte	müßte	sollte	wollte
wir	dürften	könnten	möchten	müßten	sollten	wollten
ihr	dürftet	könntet	möchtet	müßtet	solltet	wolltet
sie / Sie	dürften	könnten	möchten	müßten	sollten	wollten

Il participio passato

ich habe du hast ...	gedurft	gekonnt	gemocht	gemußt	gesollt	gewollt

L'avverbio

1. L'avverbio di forma autonoma

oft spesso	überall dappertutto	gern volentieri	...

2. L'avverbio di forma aggettivale

gut bene	schnell velocemente	frei liberamente	...

- Si usa come avverbio la base non declinata dell'aggettivo.

Soprattutto gli avverbi di forma aggettivale assumono dei **gradi:**

positivo	schnell	klug	naß
comparativo	schneller	klüger	nasser
superlativo	am schnellsten	am klügsten	am nassesten

- Il comparativo si forma con *-er* ed il superlativo con *am ...(e)sten.* Per la distribuzione delle varianti si veda il capitolo «I gradi dell'aggettivo».
- Forme irregolari:

hoch	**höher**	**am höchsten**
groß	**größer**	**am größten**
gut	**besser**	**am besten**
viel	**mehr**	**am meisten**
gern	**lieber**	**am liebsten**

Numerali Zahlwörter

Numeri cardinali / Grundzahlen

0 null *zero*
1 ein *uno*
2 zwei *due*
3 drei *tre*
4 vier *quattro*
5 fünf *cinque*
6 sechs *sei*
7 sieben *sette*
8 acht *otto*
9 neun *nove*
10 zehn *dieci*
11 elf *undici*
12 zwölf *dodici*
13 dreizehn *tredici*
14 vierzehn *quattordici*
15 fünfzehn *quindici*
16 sechzehn *sedici*
17 siebzehn *diciassette*
18 achtzehn *diciotto*
19 neunzehn *diciannove*
20 zwanzig *venti*
21 einundzwanzig *ventuno*
22 zweiundzwanzig *ventidue*
26 sechsundzwanzig *ventisei*
30 dreißig *trenta*
31 einunddreißig *trentuno*
32 zweiunddreißig *trentadue*
40 vierzig *quaranta*
50 fünfzig *cinquanta*
60 sechzig *sessanta*
70 siebzig *settanta*
80 achtzig *ottanta*
90 neunzig *novanta*
100 (ein)hundert *cento*
101 (ein)hunderteins, hundert(und)eins *cent(o)uno*
102 (ein)hundertzwei, hundert(und)zwei *centodue*
200 zweihundert *duecento*
201 zweihundert(und)eins *duecent(o)uno*
543 fünfhundertdreiundvierzig *cinquecentoquarantatré*
600 sechshundert *seicento*
1000 (ein)tausend *mille*
1100 (ein)tausendeinhundert, elfhundert *mille cento*
1300 (ein)tausenddreihundert, dreizehnhundert *mille trecento*
2001 zweitausend(und)eins *duemila(e)uno*
31616 einunddreißigtausendsechshundertsechzehn *trentunmila seicentosedici*
100 000 (ein)hunderttausend *centomila*
1 000 000 eine Million *un milione*
2 000 000 zwei Millionen *due milioni*
1 000 000 000 eine Milliarde *un miliardo*

Numeri ordinale / Ordnungszahlen

1. erste *primo*
2. zweite *secondo*
3. dritte *terzo*
4. vierte *quarto*
5. fünfte *quinto*
6. sechste *sesto*
7. siebte, siebente *settimo*
8. achte *ottavo*
9. neunte *nono*
10. zehnte *decimo*
11. elfte *undicesimo*
12. zwölfte *dodicesimo*
13. dreizehnte *tredicesimo*
20. zwanzigste *ventesimo*
21. einundzwanzigste *ventunesimo*
30. dreißigste *trentesimo*
40. vierzigste *quarantesimo*
100. (ein)hundertste *centesimo*
101. (ein)hunderterste *centunesimo*
102. (ein)hundertzweite *centoduesimo*
200. zweihundertste *duecentesimo*
1000. (ein)tausendste *millesimo*
1001. (ein)tausenderste *millesimo primo*
2000. zweitausendste *duemillesimo*
100 000. (ein)hunderttausendste *centomillesimo*
1 000 000. millionste *milionesimo*

Secoli / Jahrhunderte

das 20. Jahrhundert, — *il secolo XX, il '900*
das zwanzigste Jahrhundert — *il ventesimo secolo, il Novecento,*

Numeri frazionari / Bruchzahlen

$^1/_2$ ein halb *mezzo*
$^1/_3$ ein Drittel *un terzo*
$^1/_4$ ein Viertel *un quarto*
$^1/_{20}$ ein Zwanzigstel *un ventesimo*
$^1/_{100}$ ein Hundertstel *un centesimo*
$^1/_{1000}$ ein Tausendstel *un millesimo*
$^2/_5$ zwei Fünftel *due quinti*
$^4/_7$ vier Sieb(en)tel *quattro settimi*
$1^1/_2$ eineinhalb, anderthalb *uno e mezzo*
$2^3/_8$ zweidreiachtel *due e tre ottavi*

Misure e pesi — Maße und Gewichte

Misure di lunghezza / Längenmaße

mm	Millimeter *millimetro*
cm	Zentimeter *centimetro*
dm	Dezimeter *decimetro*
m	Meter *metro*
km	Kilometer *kilometro*

Misure di superficie / Flächenmaße

mm^2, qmm	Quadaratmillimeter *millimetro quadr(at)o*
cm^2, qcm	Quadratzentimeter *centimetro quadr(at)o*
dm^2, qdm	Quadratdezimeter *decimetro quadr(at)o*
m^2, qm	Quadratmeter *metro quadr(at)o*
km^2, qkm	Quadratkilometer *kilometro quadr(at)o*
a	Ar *ara*
ha	Hektar *ettaro*

Misure di volume / Raummaße

mm^3, cmm	Kubikmillimeter millimetro cubo
cm^3, ccm	Kubikzentimeter *centimetro cubo*
dm^3, cdm	Kubikdezimeter *decimetro cubo*
m^3, cbm	Kubikmeter *metro cubo*
rm	Raummeter } *metro cubo*
fm	Festmeter }
BRT	Bruttoregistertonne *tonnellata di stazza lorda*

Misure di capacità / Hohlmaße

cl	Zentiliter *centilitro*
dl	Deziliter *decilitro*
l	Liter *litro*
hl	Hektoliter *ettolitro*

Pesi / Gewichte

mg	Milligramm *milligrammo*
cg	Zentigramm *centogrammo*
dg	Dezigramm *decigrammo*
g	Gramm *grammo*
Pfd.	Pfund *mezzo chilo*
kg	Kilogramm *kilogrammo*
Ztr.	Zentner *mezzo quintale,* CH, A *quintale*
dz	Doppelzentner *quintale*
t	Tonne *tonnellata*

Nomi propri tedeschi più frequenti Geläufige deutsche Vornamen

Nomi propri femminili / Frauen- und Mädchennamen

Adelheid ['a:dəlhajt]	Adelaide
Agathe [a'ga:tə]	Agata
Agnes ['agnɛs]	Agnese
Alice [a'li:sə]	Alice
Andrea [an'dre:a]	Andreina
Angela ['aŋgela *o* aŋ'ge:la]	Angela
Angelika [aŋ'ge:lika]	Angelica
Anita [a'ni:ta]	Anita
Anna ['ana], Anne ['anə]	Anna
Annette [a'nɛtə]	Annetta
Astrid ['astri:t]	
Barbara ['barbara]	Barbara
Beate [be'a:tə]	Beata
Bert(h)a ['bɛrta]	Berta
Bettina [bɛ'ti:na]	Bettina
Bianca ['bi̯aŋka]	Bianca
Birgit, ['bɪrgɪt], Birgitta [bɪr'gɪta]	
Brigitte [bri'gɪtə]	Brigida, Brigitta
Carola [ka'ro:la]	Carola
Caroline [karo'li:nə]	Carolina
Charlotte [ʃar'lɔtə]	Carlotta
Christa ['krɪsta]	
Christiane [krɪs'ti̯a:nə]	Cristiana
Christine [krɪs'ti:nə]	Cristina
Claudia ['klaudi̯a]	Claudia
Dagmar ['dagmar]	
Daniela [da'ni̯e:la]	Daniela
Diana ['di̯a:na]	Diana
Doris ['do:rɪs]	
Dorothea [doro'te:a]	Dorotea
Dorothee ['do:rote *o* doro'te:]	Dorotea
Edith ['e:dɪt]	
Elisabeth [e'li:zabɛt]	Elisabetta
Elke ['ɛlkə]	
Ellen ['ɛlən]	Elena
Elsa ['ɛlza], Else ['ɛlzə]	Elsa
Emma ['ɛma]	Emma
Erika ['e:rika]	Erica
Erna ['ɛrna]	
Eva ['e:fa *o* 'e:va]	Eva
Franziska [fran'tsɪska]	Francesca
Frieda ['fri:da]	Frida
Friederike [fri:də'ri:kə]	Federica
Gabi, ['ga:bi] Gabriela, [gabri'e:la]	Gabriella
Gabriele [...lə]	Gabriella
Gerda ['gɛrda]	
Gertrud ['gɛrtru:t]	Geltrude, Gertrude
Gisela ['gi:zəla]	Gisella
Greta, ['gre:ta] Grete(l) ['gre:t(l)]	
Gudrun ['gu:dru:n]	

Hanna(h) [ˈhana], Hanne [ˈhanə]	Gianna
Heidi [ˈhai̯di] → Adelheid	
Heike [ˈhai̯kə]	
Helene [heˈleːne]	Elena
Helga [ˈhɛlga]	Elga
Henriette [hɛnriˈɛtə]	Enrica, Enrichetta
Hilde [ˈhɪldə], Hildegard [ˈhɪldegart]	Ildegarda
Ilse [ˈɪlzə]	
Inge [ˈɪŋə], Ingeborg [ˈɪŋəbɔrk]	
Ingrid [ˈɪŋgrɪt]	
Irene [iˈreːnə]	Irene
Jennifer [ˈdʒɛnɪfə]	
Jessica [ˈʒɛsɪka]	Gessica
Johanna [joˈhana]	Giovanna
Judith [ˈjuːdɪt]	Giuditta
Julia [ˈjuːli̯a], Juliane [juːˈli̯aːne]	Giulia, Giuliana
Jutta [ˈjʊta]	
Karin [ˈkaːriːn]	
Katharina [kataˈriːna]	Caterina
Katja [ˈkati̯a]	
Klara [ˈklaːra]	Chiara, Clara
Lisa [ˈliːza]	Lisa
Luise [ˈlui̯ːzə]	Luisa
Manuela [maˈnu̯eːla]	Manuela
Margarethe [margaˈreːtə]	Margherita
Margit [ˈmargɪt], Margot [ˈmargɔt], Margret [ˈmargreːt] →Margarethe	
Maria [maˈriːa], Marie [maˈriː]	Maria
Marianne [maˈri̯anə]	Marianna
Marion [ˈmaːri̯ɔn]	Marietta
Marlene [marˈleːnə]	Marilena
Martina [marˈtiːna]	Martina
Mathilde [maˈtɪldə]	Matilde
Monika [ˈmoːnika]	Monica
Natalie [naˈtaːli̯ə]	Natalia
Nicole [niˈkɔl]	Nicoletta
Olga [ˈɔlga]	Olga
Paula [ˈpau̯la]	Paola
Petra [ˈpeːtra]	Piera
Regina [reˈgiːna], Regine [...nə]	Regina
Renate [reˈnaːtə]	Renata
Roswitha [rɔsˈviːta]	
Ruth [ruːt]	Rut
Sabine [zaˈbiːnə]	Sabina
Sarah [ˈzaːra]	Sara
Sibylle [ziˈbɪlə]	Sibilla
Sigrid [ˈziːgrɪt *o* ...riːt]	
Silvia [ˈzɪlvi̯a]	Silvia
Simone [ziˈmoːnə]	Simona, Simonetta
Sophie [zoˈfiː]	Sofia
Stefanie, Stephanie [ˈʃtɛfani *o* ʃteˈfaːni̯ə]	Stefania
Susanne [zuˈzanə]	Susanna
Sylvia [ˈzɪlvi̯a] → Silvia	
Tanja [ˈtanja]	Tania
Therese [teˈreːzə]	Teresa
Ulrike [ʊlˈriːkə]	Ulrica

Ursula ['ʊrzula]	Orsola
Uta ['u:ta], Ute ['u:tə]	
Vanessa [va'nɛsa]	
Vera ['ve:ra]	Vera
Veronika [ve'ro:nika]	Veronica
Waltraud ['valtrau̯t]	

Nomi propri maschili / Männer- und Jungennamen

Achim ['axɪm] → Joachim	
Adam ['a:dam]	Adamo
Adolf, Adolph ['a:dɔlf],	Adolfo
Albert ['albɛrt]	Alberto
Alexander [alɛ'ksandɐ]	Alessandro
Alfons ['alfɔns]	Alfonso
Alfred ['alfre:t]	Alfredo
Alois, Aloys ['a:loɪs *o* ...oi:s]	Aloisio
Andreas [an'dre:as]	Andrea
Anselm ['anzɛlm]	Anselmo
Anton ['anto:n]	Antonio
Art(h)ur ['artʊr]	Arturo
August ['a͜ugʊst]	Augusto
Axel ['aksəl]	Sandro
Benedikt ['be:nedɪkt]	Benedetto
Benjamin ['bɛnjami:n]	Beniamino
Benno ['bɛno]	
Bernd [bɛrnt], Bernhard ['bɛrnhart]	Bernardo
Bodo ['bo:do]	
Boris ['bo:rɪs]	Boris
Bruno ['bru:no]	Bruno
Christian ['krɪsti̯a:n]	Cristian(o)
Christoph ['krɪstɔf]	Cristoforo
Clemens ['kle:məns]	Clemente
Daniel ['da:ni̯el *o* ...i̯ɛl]	Daniele
Dennis ['dɛnɪs]	
Dieter ['di:tɐ], Dietrich ['di:trɪç]	
Dirk [dɪrk]	
Eberhard ['e:bɐhart]	Everardo
Eckhard ['ek[h]art]	
Edgar ['ɛtgar]	Edgardo
Eduard ['e:du̯art]	Edoardo
Egon ['e:gɔn]	
Emil ['e:mi:l]	Emilio
Erich ['e:rɪç]	Enrico
Ernst ['ɛrnst]	Ernesto
Erwin ['ɛrvi:n]	
Eugen ['ɔ͜yge:n *o* ɔ͜y'ge:n]	Eugenio
Fabian ['fa:bi̯an]	Fabiano
Felix ['fe:lɪks]	Felice
Ferdinand ['fɛrdinant]	Fernando, Ferdinando
Florian ['flo:ri̯a:n]	Floriano
Frank [fraŋk]	Franco
Friedrich ['fri:drɪç], Fritz [frɪt͜s]	Federico
Georg ['gɛ:ɔrk *o* ge'ɔrk]	Giorgio
Gerd [gɛrt], Gerhard ['ge:ɐ̯hart]	Gerardo
Gottfried ['gɔtfri:t]	Goffredo
Gregor ['gre:gɔr]	Gregorio
Günther ['gʏntɐ]	
Hans [hans]	Gianni
Harald ['ha:ralt]	
Heinrich ['ha͜inrɪç] Heinz [ha͜int͜s]	Enrico
Hel(l)mut(h) ['hɛlmu:t]	
Herbert ['hɛrbɛrt]	Erberto

Inhalt und Aufbau Deutsch–Italienisch

W, w [ve:] ⟨-, -(s)⟩ *n* W, w *f;* **W wie Wilhelm** vu doppia.
W *abk von* **West(en)** O (*abbr di* ovest).
WAA ⟨-, -s⟩ *f abk von* **Wiederaufbereitungsanlage** impianto *m* di rigenerazione.
Waadt [va:t] *n* Vaud *m.*

Alle **Stichwörter** sind alphabetisch geordnet und durch Fettdruck hervorgehoben.

Symphonie [zʏmfo'ni:] *s.* **Sinfonie.**

Unterschiedliche Schreibweisen sind angegeben.

Laune ['laun̯ə] ⟨-, -n⟩ *f* **1.** *(Stimmung)* umore *m;* **2.** *(spontaner Einfall)* capriccio *m;* **gute/schlechte ~ haben, guter/schlechter ~ sein** essere di buon/cattivo umore; **jdm die ~ verderben** far passare il buon umore a qu.

Die **Tilde** ~ ersetzt in Anwendungsbeispielen und Redewendungen das vorhergehende Stichwort.

geborgen [gə'bɔrgən] **I.** *pp von* **bergen; II.** *adj* al sicuro (*vor +dat* da), al coperto (*vor +dat* di); **sich (bei jdm) ~ fühlen** sentirsi sicuro da (*o* presso) qu.

Römische Ziffern kennzeichnen verschiedene Wortarten.

Maus [mau̯s] ⟨-, Mäuse⟩ *f* **1.** *(Tier)* topo *m;* **2.** *inform* mouse *m;* **3.** ⟨*pl*⟩ *sl (Geld)* grana *f sl.*

Arabische Ziffern kennzeichnen verschiedene Bedeutungen.

Kiefer[1] ['ki:fɐ] ⟨-s, -⟩ *m anat* mascella *f.*
Kiefer[2] ['ki:fɐ] ⟨-, -n⟩ *f bot* pino *m.*

Hochgestellte arabische Ziffern unterscheiden Homographen (verschiedene Wörter gleicher Schreibung).

überraschen [y:bɐ'raʃən] ⟨*ohne ge-*⟩ *tr* sorprendere; *(freudig ~ a.)* fare una sorpresa a; **lassen wir uns ~** stiamo a vedere; **ich war angenehm überrascht** è stata una piacevole sorpresa per me.

Aussprache und Betonung sind in **internationaler Lautschrift** in eckigen Klammern nach dem Stichwort angegeben.

Notizen

Appunti

Notizen

Appunti

Notizen Appunti

Notizen

Appunti

Notizen Appunti

Notizen

Appunti

Notizen Appunti

Notizen

Appunti

Notizen

Appunti

Notizen Appunti

Notizen

Appunti

Notizen Appunti

Notizen Appunti

Notizen Appunti

Notizen Appunti

Alfabeto tedesco — Deutsches Alphabet

	denominazione Benennung	tedesco deutsch	internazionale international	aviazione Luftfahrt
A, a	[aː]	Anton, *CH* Anna	Amsterdam	Alfa
B, b	[beː]	Berta	Baltimore	Bravo
C, c	[t͜seː]	Cäsar	Casablanca	Charlie
D, d	[deː]	Dora, *CH* Daniel	Dänemark	Delta
E, e	[eː]	Emil	Edison	Echo
F, f	[ɛf]	Friedrich	Florida	Foxtrott
G, g	[geː]	Gustav	Gallipoli	Golf
H, h	[haː]	Heinrich	Havanna	Hotel
I, i	[iː]	Ida	Italia	India
J, j	[jɔt]	Julius, *CH* Jakob	Jerusalem	Juliett
K, k	[kaː]	Kaufmann, *CH* Kaiser	Kilogramme	Kilo
L, l	[ɛl]	Ludwig, *CH* Leopold	Liverpool	Lima
M, m	[ɛm]	Martha, *CH* Marie	Madagaskar	Mike
N, n	[ɛn]	Nordpol, *CH* Niklaus, *A* Norbert	New York	November
O, o	[oː]	Otto	Oslo	Oscar
P, p	[peː]	Paula, *CH* Peter	Paris	Papa
Q, q	[kuː]	Quelle	Quebec	Quebec
R, r	[ɛr]	Richard, *CH* Rosa	Roma	Romeo
S, s	[ɛs]	Samuel, *CH* Sophie, *A* Siegfried	Santiago	Sierra
T, t	[teː]	Theodor	Tripoli	Tango
U, u	[uː]	Ulrich	Uppsala	Uniform
V, v	[fau̯]	Viktor	Valencia	Victor
W, w	[veː]	Wilhelm	Washington	Whisky
X, x	[ɪks]	Xanthippe, *CH, A* Xaver	Xanthippe	X-ray
Y, y	[ˈʏpsilɔn]	Ypsilon, *CH* Yverdon	Yokohama	Yankee
Z, z	[t͜sɛt]	Zacharias, *CH* Zürich	Zürich	Zulu
Ä, ä	[ɛː]	Ärger	–	–
Ö, ö	[øː]	Ökonom, *A* Österreich	–	–
Ü, ü	[yː]	Übermut, *A* Übel	–	–
ß	[ɛsˈt͜sɛt]	–	–	–

Svizzera — Schweiz

Cantoni e città principali/Kantone und Hauptorte

Aargau	Aarau
Appenzell Außerrhoden	Herisau
Appenzell Innerrhoden	Appenzell
Basel-Land	Liestal
Basel-Stadt	Basel
Bern	Bern
Fribourg (Freiburg)	Fribourg
Genève (Genf)	Genève
Glarus	Glarus
Graubünden	Chur
Jura	Delémont
Luzern	Luzern
Neuchâtel (Neuenburg)	Neuchâtel
Sankt Gallen	Sankt Gallen
Schaffhausen	Schaffhausen
Schwyz	Schwyz
Solothurn	Solothurn
Ticino (Tessin)	Bellinzona
Thurgau	Frauenfeld
Nidwalden } Unterwalden	Stans
Obwalden } Unterwalden	Sarnen
Uri	Altdorf
Vaud (Waadt)	Lausanne
Valais (Wallis)	Sion
Zug	Zug
Zürich	Zürich

Repubblica Federale Tedesca
Bundesrepublik Deutschland

Stati Federali e loro capitali / Länder und Hauptstädte

Baden-Württemberg	Stuttgart
Bayern	München
Berlin	Berlin
Brandenburg	Potsdam
Bremen	Bremen
Hamburg	Hamburg
Hessen	Wiesbaden
Mecklenburg-Vorpommern	Schwerin
Niedersachsen	Hannover
Nordrhein-Westfalen	Düsseldorf
Rheinland-Pfalz	Mainz
Saarland	Saarbrücken
Sachsen	Dresden
Sachsen-Anhalt	Magdeburg
Schleswig-Holstein	Kiel
Thüringen	Erfurt

Austria Österreich

Stati Federali e loro capitali /Bundesländer und Hauptstädte

Burgenland	Eisenstadt
Kärnten	Klagenfurt
Niederösterreich	Wien
Oberösterreich	Linz
Salzburg	Salzburg
Steiermark	Graz
Tirol	Innsbruck
Vorarlberg	Bregenz
Wien	Wien

Torsten ['tɔrstn]	
Udo ['uːdo]	
Ulrich ['ʊlrɪç]	Ulrico
Uwe [uvə]	
Viktor ['vɪktɔr]	Vittorio
Volker ['fɔlkɐ]	
Walt(h)er ['valtɐ]	Gualtiero
Werner ['vɛrnɐ]	Guarniero
Wilhelm ['vɪlhɛlm], Willi ['vɪli]	Guglielmo
Wolfgang ['vɔlfgaŋ]	
Xaver ['ksaːvɐ]	Saverio

Hermann ['hɛrman]	Ermanno
Horst [hɔrst]	
Hubert ['hu:bɛrt]	Uberto
Hugo ['hu:go]	Ugo
Jakob ['ja:kɔp]	Giacomo
Jan [jan]	
Jens [jɛns]	
Joachim ['jo:axɪm *o* jo'axɪm]	Gioacchino
Johann(es) [jo'han[əs] *o* 'jo:han]	Giovanni
Josef, Joseph ['jo:zɛf]	Giuseppe
Jürgen ['jʏrgən]	
Kai [kai̯]	
Karl [karl]	Carlo
Kaspar ['kaspar]	Gaspare
Kevin ['kɛvɪn]	
Klaus [klau̯s]	Nicola, Nicolò
Konrad ['kɔnra:t]	Corrado
Kurt [kʊrt]	
Lars [lars]	
Leo ['le:o]	Leo
Leon(h)ard ['le:ɔn(h)art]	Leonardo
Lothar ['lo:tar]	Lotario
Ludwig ['lu:tvɪç]	Ludovico, Luigi
Lukas ['lu:kas]	Luca
Manfred ['manfre:t]	Manfredo
Markus ['markʊs]	Marco
Martin ['marti:n]	Martino
Matthäus [ma'tɛʊs]	Matteo
Matthias [ma'ti:as]	Mattia
Max [maks]	Massimo
Maximilian [maksi'mi:li̯a:n]	Massimiliano
Michael ['mɪçae:l *o* ...aɛl]	Michele
Moritz ['mo:rɪt͡s]	Maurizio
Norbert ['nɔrbɛrt]	Norberto
Olaf ['o:laf]	
Oskar ['ɔskar]	Oscar
Otto ['ɔto]	Ottone
Patrick ['patrɪk]	
Paul [pau̯l]	Paolo
Peter ['pe:tɐ]	Pietro, Piero
Philipp ['fi:lɪp]	Filippo
Raimund, Reimund ['rai̯mʊnt]	Raimondo
Rainer, Reiner ['rai̯nɐ]	
Ralf [ralf]	
Richard ['rɪçart]	Riccardo
Robert ['ro:bɛrt]	Roberto
Roland [ro:lant]	Orlando, Rolando
Rolf [rɔlf], Rudi ['ru:di], Rudolf ['ru:dɔlf]	Rodolfo
Sebastian [ze'basti̯an]	Sebastiano
Siegfried ['zi:kfri:t]	Sigfrido
Stefan, Stephan ['ʃtɛfan]	Stefano
Sven [svɛn]	
Theo(dor) ['te:o(do:ɐ̯)]	Teo(doro)
Thomas ['to:mas]	Tommaso
Tobias [to'bi:as]	Tobia
Tom [tom]	